BURT FRANKLIN: RESEARCH & SOURCE WORKS SERIES 837
Geography and Discovery 14

NOMINA GEOGRAPHICA

NOMINA GEOGRAPHICA

Sprach- und Sacherklärung

von 42000 geographischen Namen aller Erdräume

Von

Dr. J. J. EGLI,

Nomen est omen.

Zweite, vermehrte und verbesserte Auflage

BURT FRANKLIN
NEW YORK

Published by LENOX HILL Pub. & Dist. Co. (Burt Franklin)
235 East 44th St., New York, N.Y. 10017
Originally Published: 1893
Reprinted: 1971
Printed in the U.S.A.

S.B.N.: 8337-10265
Library of Congress Card Catalog No.: 71-173707
Burt Franklin: Research and Source Works Series 837
Geography and Discovery 14

Reprinted from the original edition in the Wesleyan University
Library.

Vorwort.

Zwanzig Jahre nach dem Erscheinen der ersten Auflage der 'Nomina geographica' ist dem Verfasser vergönnt, sein Werk in neuer Gestalt vorzulegen. Die neue Auflage wird sich dem ersten Einblicke als eine umgearbeitete darstellen, schon durch den Wegfall der 'Abhandlung'. Geleitet von gewissen Eindrücken, welche sich bei der Sammlung des Namenmaterials aufdrängten, habe ich s. Z. versucht, den in 17 000 Ortsnamen aller Völker und Zeiten vorliegenden Stoff systematisch auf die Gesetze zu untersuchen, welche in der geogr. Nomenclatur walten. Diese Untersuchung führte auf den Satz: 'Die geographische Namengebung, als der Ausfluss der geistigen Eigenart je eines Volkes oder einer Zeit, spiegelt sowohl die Culturstufe als auch die Culturrichtung der verschiedenen Volksherde ab'. Zur Formulirung dieses Ausspruches glaubte ich mich berechtigt, weil die Uebereinstimmung, welche die Ergebnisse der ganzen Untersuchung, durch eine Reihe von mehr als 200 Tabellen hindurch, zeigten, kaum als zufällig anzusehen war; ich habe das Ergebniss als eine Hypothese geboten, die der weitern Prüfung bedürfe, als ein Fragezeichen, dem die Zukunft eine Antwort geben werde. Diese Antwort ist heute noch nicht endgültig gegeben. Sie zu suchen, ist — wie schon damals das Vorwort sich ausdrückte — eine Aufgabe, die 'eine Summe von Menschenleben erfordert'. Hingegen hat sich eine Reihe von Stimmen vernehmen lassen, die von einzelnen Standpunkten aus unsere These bestätigt fanden. Die bis Ende 1885 erschienenen Stimmen dieser Art finden sich in meiner 'Geschichte der geogr. Namenkunde' p. 409 f., die neuern in den toponymischen Referaten des 'Geogr. Jahrbuchs' XII p. 68; XIV p. 29 zusammengestellt. Dieser Weg der Specialuntersuchungen wird, wenn auch nur allmählich, ebenfalls zum Ziele führen; er empfiehlt sich zugleich als der leichtere und bequemere. Er wird noch oft begangen werden, und ich lebe der frohen Ueberzeugung, dass sich jene Hypothese zur gesicherten Erkenntniss erheben wird. Dieser Tag wird einst kommen, auch wenn ich der ungeheuern Arbeit, welche in jüngern Jahren so verlockend war, mich nicht ein zweites Mal unterziehe. Die Sache ist so weit gediehen, dass ich mich mit der s. Z. gemachten Anregung begnügen und ihre Förderung Andern überlassen kann.

* * *

Das Lexikon, auf welches sich also die neue Auflage beschränkt, bietet sowohl ein vermehrtes als auch ein verbessertes Material. Die Zahl erklärter Namen ist, während Hunderte von ungenügenden Artikeln ausgeschieden worden, von 17 000 auf 42 000 angestiegen.*) Und doch war keineswegs die Vermehrung der Zahl das Hauptziel, welchem die neue Bearbeitung zusteuerte; dasselbe lag vielmehr in sorgfältigem Ausbau, in einer allseitigen Vertiefung der alten wie neuen Materialien. Diese zeigt sich, da die Darstellung nach möglichster Kürze strebte, häufig nicht in dem Umfang des neuen Artikels, sondern nur in seinem schwerern Gehalt; allein in vielen Fällen ist, wie eine Vergleichung beider Auflagen zeigen wird, auch der äussere Rahmen erheblich angewachsen.

---

*) Die Zählung, nach der handschriftlich vorliegenden Statistik der selbständigen Artikel, ergab 42 117 erklärte Namen.

Die Vermehrungen und Verbesserungen sollten nun aber den Umfang des Werkes so wenig als möglich erweitern. Es ist dies erreicht worden einerseits durch eine Auswahl typographischer Abkürzungen, welche, ohne dem Leser undeutlich zu sein, eine Menge häufig vorkommender Redetheile betreffen, noch weit wirksamer jedoch durch eine concise Darstellung, insbesondere durch eine familienweise Gruppirung, auf die wir unten zurückkommen werden.

Unser Lexikon hat sich sein Gebiet in bestimmter Weise abgegrenzt. Es bietet nicht eine vom Zufall bedingte Auswahl von Namenerklärungen. Ein die ganze Erde umfassendes Namenbuch kann, wenigstens heute noch, nicht nach Vollständigkeit zielen, schon aus dem einfachen Grunde, weil es unmöglich ist, das nach Millionen zählende Heer geogr. Namen, auch angenommen, sie wären alle gesammelt und sicher gedeutet, in einem jedermann zugänglichen Lexikon zu vereinigen. Ein Namenbuch, wie es heute zu erstellen möglich ist, muss eine Auswahl treffen, und dabei kann es sicherlich nicht aller Willkür ausweichen; allein gewisse Normen, nach denen die Auswahl zu geschehen hat, sind unerlässlich, wenn anders planmässig gearbeitet werden soll.

Solcher Normen, die im grossen und ganzen unsern Gang leiteten und in tausend Einzelfällen durch besondere Regeln ergänzt wurden, gab es für uns folgende drei:

a) Unser Lexikon soll in erster Linie den Ergebnissen der seit einem halben Jahrhundert zur methodischen Arbeit veredelten Namenforschung gerecht werden.

In diesem Postulat liegt vielleicht der Hauptvorzug, der die neue Auflage, dem ersten Wurfe gegenüber, auszeichnet.

Die erste Auflage hat diese Hauptforderung nicht erfüllt, nicht erfüllen wollen. Zu der Zeit, als meine Sammelthätigkeit begann, war die Namenforschung weder so reich und mannigfaltig, noch so consolidirt und accreditirt, wie heute. Das Misstrauen, welches die unmethodischen Versuche einst in den weitesten Kreisen erregt hatten, war noch überall lebendig, und es blieb ohnehin zu fürchten, dass ein systematisches Eintreten in diese Bahn angethan wäre, einem einzelnen Sprachgebiete, speciell in den Namen der Wohnorte, ein ungebührliches Uebergewicht zu geben. Auch der Verf. war damals sprachlich noch weniger vorbereitet, als er es heute, nach 33 jähriger Arbeit, zu sein hoffen möchte. So kam es denn, dass die erste Auflage gegenüber den Ergebnissen berufsmässiger Namenforschung eine ausgesprochene Zurückhaltung beobachtete.

Wenn diese Haltung schon zu jener Zeit mehrfach gerügt wurde, so ist sie heute, nachdem die Namenforschung ein halbes Jahrhundert methodischer Arbeiten durchlebt und die Meisterwerke eines **Förstemann, Flechia, Miklosich, d'Arbois de Jubainville** etc. hervorgebracht hat, geradezu unmöglich geworden. Ein allgemeines Namenlexikon muss diese Arbeiten verwerthen — in welcher Art und in welchem Umfange? dies ist die Frage. Denn wollen wir jene Klippe eines Riesenunternehmens vermeiden, welches nicht allein über die Kräfte eines einzelnen Bearbeiters, sondern auch über die Geldmittel eines Freundes der Namenkunde hinausginge, so ist klar, dass das Universal-Namenlexikon nicht das gesammte Material bieten kann. Es kann sich nicht darum handeln, aus den Namenbüchern einzelner Länder und Sprachen eine einheitlich gesammelte Bearbeitung, eine Art summa summarum, zu erstellen.

Wir denken vielmehr so: Es giebt eine Menge Ortsnamen, deren Erklärung sich aus den ältesten Formen unmittelbar ergibt, wie *Dällikon*, 870 *Tellinghovon* = bei den Höfen des Telling, meist Namen von Dörfern, Weilern und Höfen. Kein weiteres Interesse, weder ein sachliches noch ein sprachliches, knüpft sich, gewöhnlich wenigstens, an sie.*)

---

*) So sagt auch 1890 **G. Weisker** von seiner vortrefflichen Abhandlung: 'Es liegt ihr fern, die Namen gleichgültiger Persönlichkeiten, die kein Lied, kein Heldenbuch meldet, zusammenzustellen' (p. 9). Vgl. dagegen **S. Riezler**, Die Ortsnamen der Münchner Gegend, Münch. 1887.

Ihre Registrirung und Erklärung ist Sache der einzelnen Landes-Namenbücher, die nach Vollständigkeit zielen sollen und können, nicht aber des universellen Lexikons, welches wichtigere Aufgaben zu lösen hat.

Fragen wir einfach: Was sucht man in einem allgemein-geographischen Namenbuch? Diesem wird kein Vernünftiger Vollständigkeit zutrauen; aber man wird erwarten, über die Namen hervorragender Städte, Flüsse, Berge, Inseln etc. aller Erdräume eingehenden und zuverlässigen Aufschluss zu finden. Im Universallexikon wird er das Dörfchen Dällikon nicht, wohl aber *Berlin*, nicht jedes Flüsschen, wohl aber den *Rhein*, nicht jede Erhebung der Erdoberfläche, wohl aber die *Alpen*, den *Rigi*, den *Himalaja* u. s. f. — und dies wenn nicht immer in überzeugender, so doch in instructiver, dem heutigen Stande der Kenntniss entsprechender Weise — zu treffen erwarten. Eine nackte Uebersetzung des Namens würde der Leser ungenügend finden. *Eperies* = Erdbeerstadt, was soll er damit machen? Er verlangt nicht nach einem Dogma, sondern nach Einsicht. Er wird sich befriedigt fühlen zu ersehen, wie die besten Keltisten darin übereinstimmen, den *Rhein* als 'Fluss' zu erklären, oder wenn ihm der Einblick wird, wie für den Ortsnamen *Berlin*, hinausgehend über die schwachen Vermuthungen älterer Zeit, der Slawist nach und nach den Boden säubert, auf welchem der Bau sprachlichen Verständnisses aufgeführt werden mag. Die Erklärung der Namen solcher hervorragender Objecte wird nicht allein vom praktischen Standpunkt aus vorzugsweise gesucht; sie war zugleich auch das Uebungsfeld, auf welchem die frühe Namenforschung mit unzureichenden Mitteln sich schon versucht und die neuere manche ihrer glänzendsten Erfolge errungen hat. Wenn also das Universallexikon sich hauptsächlich diesen Gegenständen der Namenforschung zuwendet, so wird es ebensowohl der theoretischen wie der praktischen Forderung seiner Leser gerecht werden. Getrost darf es Hunderttausende jener leichtgeschürzten Artikel, welche es sich, um die Oberflächlichkeit zu blenden, wohlfeilen Kaufes einverleiben könnte, über Bord werfen, wenn es dafür an die Regel 'non multa sed multum' sich hält.

Diesem Ideal haben wir nachgestrebt.

b) Unser Lexikon soll von den zahlreichen Ortsnamen, die durch blosse Uebersetzung und sorgfältige Realprobe klar werden, eine gute und reichhaltige Auswahl bieten.

Es sind dies die Namen, welche im eignen Sprachherde verständlich geblieben sind, wie mal. *Gunung Api* = Feuerberg oder russ. *Nowaja Ssemlja* = Neuland.

Demjenigen, welcher ausserhalb dieser Sprachsphäre steht, leistet die Erklärung lediglich den Dienst der Uebersetzung, mit der sich eine sorgfältige und überzeugende Motivirung, die 'Realprobe', zu verbinden hat, für den 'Feuerberg' der Bandagruppe die häufigen und schrecklichen Ausbrüche, für das 'Neuland' die den Nordostfahrten vorgängige Entdeckung reicher Fischergründe. Während die Namenforschung ihr Hauptfeld auf dem europ. Boden hat, so werden uns hier eine Menge Ortsnamen der fremden Erdräume, darunter insbesondere viele Schöpfungen der Naturvölker, erklärt. Hier bewegen wir uns so recht eigentlich im Reich der Naturnamen, deren manche uns, wie Medaillen der Sprache, durch die Naturtreue des Gepräges überraschen, wie *Niagara* = Wasserdonner, oder *Missuri* = Schlammfluss. Allein auch hier hat die Auswahl ihre Regel: Es sollen nur diejenigen dieser Namen, für welche wir zuverlässige Zeugnisse, verbunden mit überzeugender Begründung, besitzen, Aufnahme finden. Durch dieses Postulat wird die Zahl aufzunehmender Formen wesentlich eingeschränkt. Wenn der Gewährsmann nicht die wünschbare Gewähr bietet oder wenn das Motiv nicht vermag, den Zusammenhang mit der Benennung ausser Zweifel zu stellen, so bleibt der Artikel ausgeschlossen.

Eine Ausnahme kann hier (und fügen wir bei: auch bei den Entdeckernamen, die uns sofort noch beschäftigen werden) nur unter der Bedingung stattfinden, wenn der ungenügend erklärte Name mit andern der Aufnahme würdigen in untrennbarer Verbindung steht.

Es kann z. B. das türk. Dorf *Kassablar* = die Schlächter nicht Aufnahme finden, so lange unermittelt ist, wie es zu diesem Namen gekommen. Wenn dagegen Capt. G. M. Wheeler in den cañones des Rio Colorado, deren Felsmauern und Thürme, Zacken und Tische unserer Vorstellung so geläufig geworden sind, neben dem 'Kathedralfelsen' noch einen *Notre Dame Rock* aufführt, so liegt auf der Hand, dass dieser dem bekannten Pariser Bau, überhaupt einer Kirche, ähnelt, und der Name darf, obgleich die Motivirung nicht ausdrücklich angegeben ist, unbedenklich aufgenommen werden.

c) Unser Lexikon soll von historischen, hauptsächlich Entdeckernamen eine gute und reiche Auswahl bieten.

Mir erschien es immer wie selbstverständlich, dass die Materialien dieser Richtung, die einem rein sprachlichen Namenbuche fremd sind, als wesentliche Bestandtheile eines allgemein-geographischen Lexikons anzusehen seien. Einem Geographen musste es auffallen, dass auf dem internationalen Geographencongress zu Paris 1875 die Anregung zu einem geographischen Universallexikon allein vom philologischen Standpunkt aus geschah. Es erhob sich denn auch*) der Tadel auf einseitiges Vorgehen. 'Aucun des savants membres ne paraît en avoir considéré le côté historique qui ... eût peut-être également mérité d'être abordé'. Die für diesen Standpunkt beigebrachten Belege reden eine so überzeugende Sprache, dass er kaum mehr anzufechten sein wird. In der That, eine philologische Arbeit ist des-. wegen, dass sie mit Ortsnamen zu thun hat, noch keine geographische Leistung. Ich wüsste nicht, was neben einer sorgfältig durchgeführten 'Realprobe', deren sich die etymologisirenden Berufsphilologen zu entschlagen pflegen, den Unterschied zwischen einem sprachlichen und einem geographischen Namenbuch schärfer darstellt, als die historische Seite der Nomenclatur. Ja eine jede toponymische Arbeit wird sich eines werthvollen Hülfsmittels begeben, wenn sie, rein philologisch, die Motivirung, die historische wie die physische, ausser Betracht lässt.**) In dieser Rücksicht ist, wie das Pfand einer glücklichen Neuerung, **L. Grasbergers** Werk über die griechischen Ortsnamen lebhaft zu begrüssen.

Es versteht sich von selbst, dass wir hier auf dieselben Quellen verwiesen sind, aus welchen die Geschichte der geogr. Entdeckungen überhaupt zu schöpfen hat. Es ist nichts versäumt worden, die Originalberichte der Entdeckungs-, Forschungs- und Vermessungsexpeditionen zu erschliessen. Wenn dies schon für die erste Auflage nach Kräften angestrebt wurde, so eröffnete sich seither eine Menge neuer Originalquellen, welche damals entweder noch gar nicht oder nur aus zweiter Hand zugänglich waren. Die Ausbeute, welche in dieser Richtung jetzt vorliegt, wird nicht allein als eine stark erweiterte, sondern auch als eine wohlthätig vertiefte, ausgebaute und consolidirte erkannt werden.

Wir haben hier eine Bemerkung anzuknüpfen über das Verhältniss, welches die ältern und die neuern Expeditionen zu unserm Namenbuch einnehmen.

An die Folge erstaunlicher Entdeckungen, als deren Träger wir die portugies. und die span. Seeleute bewundern, schloss sich, vielfach mit jener verflochten, eine andere, wesentlich germanische, die mit 1650 ihren vorläufigen Abschluss erreichte. Diese ganze Glanzzeit hat die meisten Grundzüge im Bilde der Erdcarte enthüllt. Die Hauptumrisse in der Vertheilung des Festen und Flüssigen waren nun entworfen, allerdings nicht ohne jener wesentlichen Ergänzungen zu entbehren, die dann zu Cooks Zeit, in rühmlichem Wetteifer verschiedener Flaggen, zu Tage traten. Im 19. Jahrhundert war, nach grossen Zügen gemessen, der Entdeckungseifer entweder an das Détail des noch verschlossen gebliebenen Innern gewisser Continente oder an die Polargebiete gewiesen. Der Zettel des Gewebes war gezogen; es handelte sich noch um den Eintrag für einzelne Partien.

---

*) Bull. Soc. Géogr. Paris 1884, 227 ff.

**) Meine 'Geschichte der geogr. Namenkunde' hat pag. 3 f. eine Reihe zustimmender Aussprüche zusammengestellt.

Aus diesem Gange allein schon ergibt sich, dass ein Namenbuch, wie das unserige, mehr mit den ältern als neuern Expeditionen zu thun hat. Dieser Vorzug der ältern Berichte wird verstärkt durch ihre Haltung, da sie einerseits durch Sorgfalt der Motivirung, anderseits durch die Natur ihrer Namengebung ein werthvolleres Material liefern. Das Motiv findet sich allermeist deutlich ausgedrückt, ausdrücklich angegeben selbst in solchen Fällen, wo es sich aus dem Zusammenhang erkennen liesse. Man kennt die Vorliebe, mit welcher die span. und portugies. Entdecker die Heiligennamen zur Anwendung gebracht haben, und zwar gewöhnlich nach dem Kalendertag, so dass diese Benennungen als historische Denkmäler Geltung haben. So hat Columbus die *Virginischen Antillen* am Tage der h. Ursula und der 11 000 Jungfrauen entdeckt, und an der Küste Brasiliens lässt sich Vespucci's Curs mit dem Kalender verfolgen, vom *Cabo de San Roque* (16. Aug. 1501) zum *Rio San Francisco* (4. Oct.), zur *Allerheiligen Bay* (1. Nov.) bis zu dem vermeintlichen Jännerfluss, *Rio de Janeiro* (1. Jan. 1502).

Gar nicht selten erzählen uns diese ältern Entdeckernamen von Gang und Schicksal der Expedition. Als Columbus, von den grundlosen Tiefen der Honduras-See erschreckt und auf seiner östlich gerichteten Küstenfahrt von widrigen Winden gequält, endlich die erlösende Landecke erreichte, trug er diese unter dem Namen *Gracias a Dios* in die Carte ein. Tasman hat die Bucht, wo einige seiner Matrosen unter den Streichen der Maori fielen, die *Moordenaars Bogt*, Cook die Hafenbay seiner dreiwöchentlichen Rast, während welcher seine Naturforscher 400 neue Pflanzenarten entdeckten, die *Botany Bay* genannt. Auch manchen hübsch geprägten Naturnamen danken wir diesen frühern Expeditionen; denn die Fülle und Grösse neuer Erscheinungen betrachtete der Neuling mit Staunen und Bewunderung, und unter so frischem Eindrucke entstanden Namen wie *Isla de Pinos*, wo Columbus die nordische Form der Nadelbäume mit Palmen und Mahagony vergesellschaftet fand, *Tafelberg*, *Barn Hill* etc.

Anders der Culturmensch des 19. Jahrhunderts. Bekannt mit den Haupterscheinungen der physischen Welt, bleibt der für seinen Beruf sorgfältig vorgebildete Entdecker, bewusst oder unbewusst, von den unsichtbaren Banden gelenkt, die ihn nach allen Seiten mit dem geistigen Getriebe verknüpfen. Er wählt zur Bezeichnung neuer Objecte mit Vorliebe Cultur-, hauptsächlich Personennamen. Seine Gönner, Freunde und Angehörigen, seine Vorgänger und Begleiter, die nationalen und fremdländischen Koryphäen der Cultur, die gelehrten Gesellschaften und Academien, die Staatshäupter, Staatsmänner und Feldherren der Heimat oder des Auslandes — sie liefern reichen Vorrath für den so mächtig erweiterten Namenbedarf. Auch die ältern Entdecker haben persönliche Benennungen oft verwendet; allein diese Namen sind gewöhnlich von einem allgemeinern Interesse, als bei den neuern Expeditionen einem grossen Theil der Namen zukommt. Wenn Tasman den Namen seines grossen Gönners und der übrigen Räthe von Indien auf die Carte setzt, so lernen wir die Verdienste weitblickender Machthaber ehren. Nicht minder, wenn Cook, und noch Parry, den Ministern der heimischen Marine und den Lords der Admiralität ein toponymisches Denkmal setzt. Wie anders dagegen schon John Ross, 'der Polarbär', welcher seine Carte mit Schwärmen von Personennamen füllt, ohne ihrer im Text zu gedenken — Namen, die für jeden Fernstehenden obscure sind. Unsere 'Abhandlung' (p. 262 ff.) hat einst das gesammte Namenmaterial, welches von einer Reihe älterer und neuerer Entdecker vorlag, in statistischem Vergleiche erörtert.

Diese Darlegung wird den Leser überzeugen, dass die starke Vertretung älterer Entdeckernamen nicht auf Zufall, sondern auf Nothwendigkeit beruht.

* * *

Diesen auf das Namenmaterial bezüglichen Aufschlüssen ist noch ein Wort rücksichtlich der Form der Darstellung anzufügen. Von der ersten Auflage, die jedem Object einen selbständigen Artikel widmete, weicht die neue Bearbeitung darin ab, dass nach Art sprachlicher Namenbücher, die unter Wortstämmen die sämmtlichen zugehörigen Bildungen gruppiren, auch hier in denjenigen Fällen, wo ein Stichwort sich wiederholt, die ganze Reihe gleichsam als eine Namenfamilie vereinigt wird. Diese Anordnung ermöglicht, wie schon oben angedeutet wurde, viel Kürzung und hat den gewichtigen Vorzug, dass die so vereinigten Benennungen sich gegenseitig stützen, beleben und beleuchten. Und wenn es für die Zwecke eines Nachschlagewerkes auch nicht anging, z. B. die arab. Formen *sudan, soda, aswad, eswed* in Einem Artikel zu vereinigen, so wurde doch durch Verweisung der sprachliche Zusammenhang gewahrt. In einzelnen wenigen Fällen schien es sogar thunlich, eine sachliche Parallele aus völlig fremdem Sprachgebiet zur Vergleichung anzuschliessen.

Ein Litteraturverzeichniss, gegen 3000 Nummern stark, glaubten wir, schon um der Raumersparniss willen, weglassen zu dürfen. Die Grosszahl unserer Quellen findet sich in der 'Geschichte der geogr. Namenkunde' (Leipz., Fr. Brandstetter 1886) und in den seitherigen toponymischen Referaten des 'Geogr. Jahrbuchs' mit vollständigem Titel und allem bibliographischen Zubehör aufgeführt.

Noch bleibt mir übrig, den Herren **H. Adamy** in Breslau, **A. Arstal** in Christiania, **J. L. Brandstetter** in Luzern, **Fr. Bürkli** in Zürich, **Fréd. Burnij** in Brüssel, **G. Chisholm** in London, **E. W. Dahlgren** in Stockholm, **J. Dornseiffen** in Amsterdam, Pater **Chrysost. Foffa** in Einsiedeln, **H. Gaidoz** in Paris, **A. S. Gatschet** in Washington, den Archivaren **H. Herzog** in Aarau, **A. R. v. Jaksch** in Klagenfurt und **K. Styger** in Schwyz, Gymnasialdirector **K. Jarz** in Znaim, **A. Jentsch** in Dresden, **O. Koffmahn** in Gotha, Dr. **Legowski** in Arnsberg, **Hub. Marjan** in Aachen, Prof. **Nehring** in Breslau, General **Parmentier** in Paris, **A. E. Seibert** in Bozen, **G. Dalla Vedova** in Rom, insbesondere auch meinen Collegen von der Universität, **E. Egli, K. Furrer, Ad. Kägi, V. Ryssel,** und von der Cantonsschule, **R. Schoch, E. Spillmann, A. Surber** und **K. Thomann** die nie versagende Hülfsbereitwilligkeit herzlich zu verdanken.

Meine muthmasslich letzte grössere Arbeit übergebe ich den Fachgenossen mit dem innigen Dankgefühl dessen, dem Gott ein langes Leben und damit die Kraft verliehen hat, sein Scherflein zur Förderung unserer Erkenntniss beizutragen.

Oberstrass-Zürich, im März 1892.

E.

Vormerk.

I) Quellen.

a) Die gesammte toponymische Litteratur, soweit sie in meiner 'Geschichte der geogr. Namen-kunde' (Leipz., Fr. Brandstetter 1886) und in den Fortsetzungen (s. meine toponymischen Berichte im 'Geogr. Jahrbuch' vol. XII, XIV, XVI) enthalten ist, gegen 3000 Schriften um-fassend.

b) Die Originalberichte der wichtigern Entdeckungs- und Erforschungsreisen (s. das Litteratur-verzeichniss der ersten Auflage der 'Nomina Geographica', Leipz., Fr. Brandstetter 1872). Von den neuesten, 1870—1890, sind die für Namenkunde ergiebigen Berichte ebenfalls benutzt.

c) Für historische Motivirung, f. Ermittelung der Realprobe und ähnliche Hülfszwecke wurden auch andere, historische, geogr. u. naturgeschichtliche Werke verglichen und be-nutzt, so Daniel's Handbuch der Geogr. 4 Bde., Leipz. 1878/82, Cannabich's Hülfsbuch 3 Bde., Eisl. 1838/40, Meyer's Conversations-Lex. 16 Bde, Leipz. 1874/78, Leunis, Synopsis der 3 Naturreiche I, II, Hann. 1860/77 u. s. f.

II) Lexikographie.

a) Die Namen sind möglichst in ihrem nationalen Gewande eingereiht. Wenn diese Form, im deutschen Sprachgebiete ungebräuchlich, ihre eingelebte Vulgärform hat, so erhält die letztere ein Stichwort mit Verweisung, z. B. *Spanien* s. España.

b) Zusammengesetzte Namen sind, wenn trennbar, unter ihrem specifischen Bestandtheil, dem Bestimmungsworte, eingereiht, z. B. *Rio de Janeiro* unter *Janeiro*, Namen mit trenn-barem Adjectiv, *klein, alt* ..., sofern dieses zu einem Eigennamen gehört, unter dem letztern, wie *New York* unter *York*.

c) Von den Namen, die unter einem Stichwort noch weiter aufgeführt sind, erhalten nur die mit Erklärung begleiteten ihr Stichwort mit Verweisung.

d) Das span. ñ folgt unmittelbar nach *n;* das schwed. đ ist als *a* behandelt, die Vocale ä, ö, ü = *ae, oe, ue.*

III) Abkürzungen.

Endsilben *-l.* = lich, *-th.* = thum, *-b.* = bar, *-fg.* = -förmig u. s. f.

abgk.	abgekürzt	*Befehlsh.*	Befehlshaber	*dial.*	mundartlich
Abth.	Abtheilung	*bisw.*	bisweilen	*ebf.*	ebenfalls
allg.	allgemein	*bes.*	besonders	*ehm.*	ehmals, ehmalig
allj.	alljährlich	*Capt.*	Capitän	*einf.*	einfach
ant.	antik	*Confl.*	Confluenz	*eig.*	eigentlich
augensch.	augenscheinlich	*dép.*	Département	*Eingb.*	Eingeborne
b.	bis	*Dchm.*	Durchmesser	*einh.*	einheimisch
betr.	betreffend	*derj....*	derjenige ...	*entspr.*	entsprechend
bez.	bezüglich	*desw.*	deswegen	*Exp.*	Expedition

entw.	entweder	*lkseitg.*	linkseitig	*unth.*	unterhalb
fortw.	fortwährend	*mehrf.*	mehrfach	*urk.*	urkundlich
f.	für	*merkw.*	merkwürdig	*urspr.*	ursprünglich
folg.	folgend	*mod.*	modern	*v.*	von, vom
geb.	geboren, gebürtig	*obh.*	oberhalb	*verd.*	verderbt
gebr.	gebräuchlich	*obgl.*	obgleich	*vgl.*	vergleiche
gg.	gegen	*od.*	oder	*verst.*	verstümmelt
ggb.	gegenüber	*offb.*	offenbar	*vschied.*	verschieden
Gem.	Gemeinde	*ord.*	ordentlich	*verk.*	verkürzt
gew.	gewöhnlich	*ON.*	Ortsname	*viell.*	vielleicht
ggr.	gegründet	*ozw.*	ohne Zweifel	*vollst.*	vollständig
Gouv.	Gouverneur, Gouvernement	*PN.*	Personenname	*vorz.*	vorzüglich
	nement	*prsl.*	persönlich	*wg.*	wegen
Grfsch.	Grafschaft	*Prov.*	Provinz	*wahrsch.*	wahrscheinlich
hins.	hinsichtlich	*Rgbz.*	Regierungsbezirk	*Walfgr.*	Walfänger
j.	jetzt, jetzig	*rseitg.*	rechtseitig	*wöch.*	wöchentlich
jedf.	jedenfalls	*senkr.*	senkrecht	*zahlr.*	zahlreich
jew.	jeweilen, jeweilig	*Seef.*	Seefahrer	*zeitw.*	zeitweise, zeitweilig
insb.	insbesondere	*s. v. a.*	so viel als	*z.*	zum, zur
jens.	jenseits	*spr.*	sprich, ausgesprochen	*zugl.*	zugleich
kais.	kaiserlich	*St.*	Stamm, Staat	*zs*	zusammen
kön.	königlich	†	starb, gestorben	*zw.*	zwischen
kl.	klein	*üb.*	über	*zuf.*	zufolge
Kr.	Kreis	*übh.*	überhaupt	*zk*	zurück
Ldsch.	Landschaft	*übr.*	übrig, übrigens	*zZ.*	zur Zeit

A.

Aa, auch *aach, ach,* im bayr. Hochlande *och,* tirol. *ache;* schwed. *å* (s. Åbo), dän. *aa,* altn. u. isl. *á,* fries. *e* (s. d.) ..., gemein-indogerm. Wort f. Wasser, fliessendes Wasser, Bach, Flüsschen, skr. *ap,* lat. *aqua,* goth. *ahva,* ahd. *aha,* das sich in den germ. Sprachen zu *aha, ap* u. *ava* zerspalten hat, als alter Flussname v. den Alpen bis z. Nord- u. Ostsee, ja bis z. Eismeer verbreitet, f. sich allein den Anwohnern meist genügend, wie die z. Netz der Isar gehende *Achen,* der durch das *Achenthal,* wo *Achenkirchen,* gehende Abfluss des *Achensees,* oft näher bestimmt nach Eigenschaften, *Lützel-Aa, Salzach, Weiss-* u. *Roth-A.* (s. dd.), noch häufiger nach Uferorten, wie *Dokkumer Ee, Engelberger Aa, Gasteiner Ache(n).* Auch die Limmat hat früher *A.* geheissen, mindestens streckenweise im Glarnerland (s. Enneda), u. innerhalb der Stadt Zürich (ZUrk.B. 2), u. noch heisst der Oberlauf der zürch. Glatt (s. d.) *A.,* ihr Thal *Aathal.* Nach der Flusslage auch Wohnorte: *Aaberg, Aadorf, Aahalden, Aahuus, Aarain*(wo *rain* = Abhang). Vgl. Hydrogr. Lex., Frkf. 1743 u. Brandes, Progr. 1846). Von alten ON., die auf *-aha* ausgehen, zählt Förstem. (Altd. NB. 23 ff.) 287 auf, ferner ein einfaches *Aha,* Fluss- u. ON., wiederholt, darunter auch *Aachen* (s. d.), endl. solche, die *aha* als Bestimmungswort enthalten: *Ahabah, Ahaberg* u. *Ahatal, Aachiveld, Ahagewe, Ahaheim,* mehrf. *Ahhusa,* j. *Ahaus* u. *Ahausen,* ebf. mehrf., *Ahakiricha,* j. *Achkirchen, Ahaloh,* j. *Allach, Amutha,* 3 mal an der Mündung niederdeutscher Flüsse, das eine mal f. j. *Muiden,* an der Mündg. der Vecht in die Zuider Zee, *Ahadorf,* j. *Aa-* u. *Achdorf, Ahawang, Ahewilere, Ahiwinchla,* j. *Auwinkel* u. a. m. Auch ein dän. *Aaderup,* 1109 *Athorp* = 'Aadorf' (Madsen, Sjael. StN. 133).

Aachen, einer der zu *aha* (s. Aa) gehörigen ON., niederdeutsch *Aaken,* Ort der Rheinprov. mit Schwefelthermen v. bis 57° C., röm. *Aquisgranum,* nach Granus, dem kelt. Apoll, 753 *Aquisgrani palatio regio,* im Nominativ wohl zuerst in einer Urk. des Kaisers Friedrich I. v. 9. Jan. 1166, bei Einhard auch einf. *Aquae, Aquis, Aquas,* schon 795 *ad Achas,* 972 locum quendam *Aquisgrani,* sed vulgari vocabulo *Ahha* nuncupatum, also mit den ersten Anklängen an die j. deutsche Form (Haagen, *A.* od. Achen?) Es liegt auf der Hand, dass der Beisatz 'Capelle' der frz. Namensform *Aix-la-Chapelle* sich auf die v. Karl d. Gr. 796 ff. erbaute byzantin. Kaisercapelle des Münsters bezieht, ein Achteck, welches unter Alkuin's Lei-

tung v. dem Meister Odo v. Metz nach dem Vorbilde der Kathedrale v. York ausgeführt und durch Papst Leo III. am Dreikönigsfeste 804 eingeweiht wurde. Im Münster ist Karl d. Gr. begraben. Er hatte eine entschiedene Vorliebe f. den Ort gezeigt, 'vorzügl. der warmen Quellen wegen, denn er ergötzte sich an den Dämpfen der v. Natur warmen Gewässer.' Durch ihn war der Ort die Hpt.- u. Residenzstadt des Frankenreiches geworden, 'urbs aquensis, urbs regalis, regni sedes principalis, prima regum curia,' wie die alte Sequenz der Messe lautet (Daniel, Hdb. Geogr. 4, 351 ff., Meyer's CLex. 1, 5). Der Dom wird *capella* schon 829 bei Einhard (Vita Car. M.) genannt: 'basilica quam *Capellam* vocant.' Die Bezeichng. *Capella* bleibt nun die häufigste, 898 *Capella Sanctae Mariae,* 1235 *Capella Imperii,* und sie wurde, wie frz. *chapelle,* dem häufig vorkommenden *Aquae, Aix* angefügt offb. nur z. Unterscheidg. f. die Romanen, die ja noch manch' andere *Aix* haben: *Aix-la-Chapelle* ist das Aix mit der berühmten Capelle (Hub. Marjan 19. Oct. 1891 nach Haagens erwähnter Schrift).

Aafnu s. Sudan.

Aagard Bach, ein Zufluss der Belushja Bucht, Matotschkin Schar, zuerst cartographirt durch d. Exp. A. Rosenthal (1871) u. benannt nach einem Theilnehmer ders., einem jungen norw. Gelehrten, welcher v. Heuglin als wissenschaftl. Gehülfe beigegeben war (Peterm., GM. 18, 77).

Aare, Nebenfluss des Rheins, latin. *Arola,* wie die Flussnamen *Ahr, Ohre* (auch — als dim. — thüring. *Orla?*) v. *ara* = Fluss (Förstem., Deutsche ON. 31). Die Bedeutg. 'Fluss, Wasser', muss dem weit verbreiteten Wortstamm ará beigewoḥt haben; aber ungelöst und kaum angerührt ist noch die Frage, aus welcher Sprache er zu deuten sei ... Da *Araris,* schon seit Caesar, die Saône bezeichnet, dieser Name aber nun allgemein, auch v. Glück (ON. Caes. 58), f. kelt. erklärt wird, so erhebt sich auch f. die schweiz. *A.* die Vermuthung kelt. Ursprungs, zumal da eine dort gefundene röm. Inschrift die regio *Arurensis* erwähnt (Förstem., Altd. NB. 101 f.). Dass die Keltomanen des 18. Jahrh., Baxter, L. de Bochat etc., den Namen schon in diesem Sinne, f. 'Wasser, Fluss' nahmen, kann also nicht befremden. Auch ein Zufluss der Mosel heisst *l'Ar* od. *le Rupt d'Ar* (Dict. top. Fr. 2, 6). Nach der *A.* die Orte *Aarau* u. *Aarwangen, Aarberg* u. *Aarburg,* letzterer mit ehm. Veste, ferner der *Aargau* u. die 4 *Aargletscher.* Jener war vor

1798 doppelt, als *Ober-* u. *Unter-Aargau*, beide
Theile seit 1415 Bern gehörig; nach der Revolution
wurde der 'untere' mit andern Landschaften z.
selbständigen Canton vereinigt: *Aargau*, in dessen
Mitte Reuss u. Limmat in die *A.* münden. Zunächst zeigen sich 2 Quellgletscher, so dass sich
in den Abfluss des *Obern* derj. des *Untern*, aus
einem Seitenthale kommend, ergiesst. Ueber
diesem lagern 2 andere, in Stufen üb. einander;
der Abfluss der höhern Stufe sickert, ohne sich
in eine Ader zu sammeln, unbemerkt unter den
Eismassen weg, *Finsteraar*, u. verliert sich so
in den Bach der Unterstufe, die *Lauteraar*, die
'ihres sichtbaren Hervorquellens wg. der erstern
entgegengesetzt wird' (Storr, AR. 2, 26). Nach
den Abflüssen der *Finster-* u. *Lauter-Aargletscher*
u. nach den Eisströmen hinwiederum die überragenden Felshörner: *Finsteraarhorn, Lauter-*
aarhorn, Oberaarhorn. In *Ahrgau*, dem Thale
eines lkscitg. Nebenflusses des Rheins, die Orte
Ahrdorf, Ahrweiler, Alten- u. *Neuenahr* (Meyer's
CLex. 1, 274 f.). Auch *Arolsen*, in Waldeck,
liegt an einer *Aar*; eine andere entquillt dem
Aarbrunnen, Taunus, u. erreicht bei Diez die
Lahn (Brandes, Progr. 1846, 23).

Aarhuus, bei den hanseat. Sceff. *Arehusen*
(E. Deecke, Seeört. 1), in Jütl., nicht v. 'Aare';
der Ort, einst 'en halv miil nordligere, end nu'
an der Aa, heisst bei Saxo *Arusium*, später
Arus, eig. *Aros*, wo *os*, isl. *ós* = (Fluss-) Mündung, also an der Mündg. der Aa (Petersen,
DStN. 64, Styffe, Sk. Un. T. 23).

Aasen s. Aschaffenburg.

Aâsi s. Orontes.

Aâti s. Daud.

Ababas s. Tupi.

Abaï s. Nil.

Abakansk s. Alapejewsk.

Abáeté, ind. *Mbá-été* = rechtmässiger Krieger,
Bezeichnung, welche sich die bras. Indianer (s.
Tupinamba) bisw. selbst beilegen und welche
nicht, wie mehrf. geschehen, als Name eines be-
sondern Stamms gebraucht werden sollte (Varnh.,
HBraz. 1, 100).

Abano, Badeort der Prov. Padua, dessen bis
85⁰ C. heisse Schwefelthermen röm. *Aquae A'poni*,
v. gr. *ἄπονος* = schmerzvertreibend, auch *Aquae*
Patavinae hiessen (Meyer's CLex. 1, 13) nach dem
Landeshaupt Patavium, dem j. Padova, Padua.

Abarim s. Juden.

Abas s. Tupi.

Aba Tura s. Kusnezk.

Abbassi, Bender, auch *B. Abassi*, der an Stelle
des alten *Gomron, Gombron, Gambrûn*, v. Schah
Abbas I. (d. Gr.), welcher v. 1586—1628 regierte
u., nachdem er mit engl. Hülfe die Portugiesen
aus Hormus vertrieben, dem Handel eine neue
Stätte bereiten wollte, 1622 angelegte Hafenplatz,
wo pers. *bender* = Hafen (Polak, Pers. 2, 364,
WHakl. S. 44, Intr. p. XXX. LVI. XCIII; 32,
94). In der letztgenannten Quelle ist 1662, in
Meyer's CLex. (2, 947) das Jahr 1632 als Gründgs-
jahr gegeben — beides irrth., da in jenem Abbas II.,

in diesem gar kein Schah *A.* auf dem Throne
sass: *A.* II. regierte 1641/66, *A.* III. 1732/36.
'Erst in neuerer Zeit hat *A.* d. Gr. dem Küstenlande eine künstl. Bedeutg. zu geben gesucht,
indem er Hafenstädte anlegte u. die Perser zu
einer seefahrenden Nation umzugestalten trachtete
... *BA.* brachte es durch Abbas 'Fürsorge vorübergehend auf 20 000 Ew.' (Spiegel, Eran. A. 1, 87).
— Von dem gl. Herrscher erbaut *Abbasabad*,
wo *abâd* = Stadt, zw. Asterabad u. Meschhed
(ib. 57).

Abbatia = Abtei, v. lat. *abbas, abbatis* = Abt,
f. Klöster u. Klosterorte häufig in neuern Sprachen,
so das frz. *Abbaye* 68 mal in den 18 dépp. des
Dict. top. Fr. (das dép. du Haut.-Rhin abgerechnet).
Sollten der 87 dépp. diesen ON. nach
gl. Verhältniss aufweisen, so ergäbe sich f. Frankr.
eine Gesammtzahl v. üb. 300. Auch die frz.
Schweiz hat ihn 4 mal (Postlex. 1), so f. ein
Dorf am Lac de Joux, Jura, nach einer alten
Abtei, v. deren Gebäuden nur noch die Kirche u.
ein Thurm übrig ist (Gem. Schweiz 20², 1) ...
'une abbaye de chanoines réguliers de saint Augustin ... fondée dans cette solitude reculée vers
l'an 1126, par Ebal II., sire de La Sarraz et de
Granson ... ce fut le moine Gosbert qui jeta
les premiers fondements du couvent qui fut appelé
d'abord *Leona*, du nom du torrent de la Lionnaz'
(Mart.-Crous., Dict. 1). Dazu kommen in Frkr.,
ebf. nach dem grossen Ortslex., dim. *l'Abbayette*,
12. Jahrh. apud *abbatiolam*, im dép. Mayenne,
im plur. *les Abbayes* u. *les Abbatis*, 4 *Abbe-*
ville, spr. *ab' ville* (Labroue, 3. Rapp. 5), 1124
Abbatis villa, der bekannteste dieser Orte an
der Somme, im 8. Jahrh. eine z. Kloster St.-
Riquier gehörige villa (Bergier, Ét. hist. 143), ein
Abbéville, im dép. Moselle, 1157 *Abbatis curia*,
ferner ein *Abbécourt*, 4 *l'Abadie*, 4 *l'Abbadie*,
4 *l'Abbé*, ein *les Abbés*, 4 *l'Abbesse*, ein *les Ab-*
besses, ein *Pont l'Abbé* = Appenbruck, Ort des
dép. Finistère, nach dem Carmeliterkloster u. der
Brücke, die dort üb. den Fluss führt (Meyer's
CLex. 13, 109), *Abbadie* (s. Bon), auch die Form
mit *pp* 2 mal: *Appatie*, f. Klostergüter der Basses-
Pyr. (Dict. top. 4, 7). — Auf german. Sprachgebiete
finden sich *Abingdon*, früher *Sheoversham*, engl.
Ort unw. Oxford, ist *Abbandun* = Stadt der
Abtei, im 12. Jahrh. nach j. aufgehobenen
Stift umgetauft (Camden-Gibson, Brit. 1, 224;
Meyer's CLex. 1, 48); ferner *Opolting*, im 10.
Jahrh. *Abbatinga*, in Bayern, ein altes *Abbatis-*
bach, im Odenwalde, *Absberg*, im 11. Jahrh.
Abbatesberc, unw. Eichstädt, *Abterode*, alt *Abbe-*
tesrode, unw. Cassel, *Abtstetten*, im 10. Jahrh.
Abbates steti, unw. Wien, *Absdorf*, in NOest., u.
Apersdorf, in Bayern, beide aus altem *Abbatis-*
dorf, u. h. m. (Förstem., Altd. NB. 4). — Ein
Abtsberg, 1126 *Abbatisperge*, auch im österr. Bez.
Kirchberg am Wagram, ein tirol. *Abteithal*, welches der Gerichtsbk. d. Benedictinerinnen v. Sonnenberg unterstellt war, 2 mal ein siebenb. *Abtsdorf*,
das eine, 1322 *villa Abbatis*, einst zu der 1477
aufgehobenen Cistercienser-Abtei Kerz, das andere

z. Egrescher Abtei gehörig (Umlauft, Öst.-ung.
NB. 1f.). — Wie im mag. *abt* zu *apát*, im kroat.
zu *opat* wurde u. daher mehrere ungar.
Orte *Apáti*, ein *Apátfalva* = Abtsdorf, Dorf neben
der 1232 gestifteten Cistercienser-Abtei im Ku-
manenwalde, ein kroat. Ort *Apa-*, besser *Opa-
tovac* = Abtenau heissen (ib. 10), so hat sich
b zu *p* verhärtet im ON. *Appenzell* (s. d.).
Abbeokuta = unter dem Stein, die Hptst. Joruba's,
wo die Leute, welche zZ. der völligen Auflösung
der Ordnung vor den Räubern flüchteten (1825),
unter einer gewaltigen, schluchtenreichen Porphyrmasse sich verbargen und dann zu einer dauernden Niederlassung sammelten. Der Felsberg selbst
Olumo = Versteck, Asyl (Glob. 2, 279, Bastian,
Bild. 177).

Abd, plur. *abîd* = Diener, Sclave, häufig in
arab. PN. vor Allah u. seinen Attributen, wie
Abd-Allah = Diener Gottes, *Abd el-Qadr* =
Diener des Allmächtigen, auch in ON. *a)'Aïn-Abîd*,
f. einen Brunnenort Algiers, wo man die Stämme
v. Neger- od. Sclavenherkunft als 'Diener' bezeichnet (Parmentier, Vocab. arabe 9); *b) Sidi
A. el-Aâti*, im östl. Tripoli, wo der v. den Umwohnern verehrte Schech d. N. seine heil. Wunderkraft ausübte u. durch sein Kuppelgrab der Gegend
eine bestimmte Benenng. gab; *c) Sidi A. el-
Uahed*, ein Castell der Cyrenaica, nach dem Heiligen, dessen Grabmal, v. einer ehrwürdigen Che-
rube beschattet, dicht daneben steht (Barth, Wand.
131. 273. 302. 413). Vgl. Hamâmeh u. Pulchrum
Pr. — *Keffi A. es-Senga* s. Kef.

Abdal s. Zigeuner.

Abenaki v. algonk. *wabanung* = Osten u. *ahke*
= Land, eig. *wabanaki* = Ostland, Ostländer,
im Cree *wâban* = Morgenröthe u. *akki* = Erde
(Alb. Lacombe, Dict. Cris), ein Indianerstamm, der
einst in NScotia, also am weitesten östl. v. allen
seinen continentalen Nachbarn, wohnte, bei den
Irokesen, welche die Sprache der *A.* mit dem
akotsakanenha, Schnarren der goglu (Ente) verglichen, *Aktsakann* (Richardson, Arct. SExp. 2, 38,
Cuoq, Lex. Iroq. 155).

Abens, alt *Abusina*, *Abunsna*, kelt. FlussN. in
Bayern, verwandt ir. *abann*, kymr. *afon* = Fluss,
wie *Avon* u. *Abos*, letzteres f. den j. Humber
(Bacm., Kelt. Br. 24). An dem Flusse *Castra
Abusina*, dann *Abensberg*, Burg eines mächtigen
Dynastengeschlechts (Meyer's CLex. 1, 31).

Aberdeen, schott. Hafenort an der Mündung,
gael. u. kymr. *aber*, des Flusses Dee, wie das
nahe *Aberdon*, j. *Old-A.*, nach dem dort mündenden Don (Robertson, Gael. Topogr. Scotl. 81 f.).
Das Wort *aber*, welches der Historiker G. Chalmers als ausschliesslich kymr. ansprach, um auf
diesen Anspruch die Behauptung zu stützen, als
sei einst ein erheblicher Theil Schottlands v.
kymr. Elementen bewohnt gewesen, ist eine Zssetzg.,
abh-ir = Wasser zu Wasser, 'one of the most
natural and most truly descriptive designations
that could possibly be geven to a confluence, or
any sort of junction of two streams' (ib. 56). So
gibt es denn in Grossbrit. eine Menge ähnl. ON.

wie *Abernethy*, an der Mündung des Nethy, Perth
(vgl. Charnock, LEtym. 1 f.). Der letztere Name,
als Familienname, steckt in *Cape Abernethy*, King
William's Ld. (s. Blenky). Diesen Punkt taufte
Commander J. Cl. Ross (See. V. 410) am 24. Mai
1830, als er v. Matty I. hier auf das Haupt-
land hinübergegangen war, zu Ehren seines Ge-
fährten, des 2. Schiffsmate Thomas *A.* — Weitere
ON. dieser Art sind *Aberavon*, *Aberbrothwick*,
Aberconway, *Abercorn*, *Aberdour*, *Aberfraw*,
Abergavenny, *Abergwilly*, *Aberteivy*, *Aberyst-
with*, an der Mündung resp. Confl. der Flüsse
Avon, Brothwick, Conway, Corn, Dour, Fraw,
Gavenny, Gwilly, Teivy, Ystwith (Gibson, Etym.
G. 1 f., Adams, Word-Exp. 1 f.). — *Abercross*
s. Applecross. — *Aber-Maw* s. Barmouth. —
Abertawy s. Swansey.

Abessinia, arab. *el-Habesch*, äthiop. *Abaschâ*,
Habaschâ, v. arab. *habasch* = ein aus mehrern
Stämmen zsgelaufener Volkshaufen, 'un ramassis
de familles d'origine diverse ou de généalogie in-
connue ou altérée' (A. d'Abbadie, HEthiop. 1, 79)
f. das Volk, *habascha* f. das Land, so bezeichnete man die im alten Aethiopien v. Arabien
aus angesiedelten Auswanderer (Burckh., Reis.
2, 1081). '*Habessini*, aliis *Abissini* vel *Abasseni*
nunc passim nominantur; vocabulo ab Arabibus
indito, quibus *Habesch* colluviem vel mixturam
gentium denotat' (Ludolf, Hist. Aeth. 1 c. 1). Und wie
unter Semiten übh. die unreine od. unbekannte
Abstammung als der beissendste Schimpf betrachtet
wird, so verwerfen auch die Eingebornen unsere
Benennungsweise u. bedienen sich des gr. *Aithiopes*
(s. d.). '*Habessini* . . . quam appellationem tanquam sibi probrosam diu spreverunt, nec adhuc
in libris suis agnoscunt; malunt enim regnum
suum *Manghesta-Itiopia*, h. e. regnum Aethio-
piae vocari; vocabulo a Graecis accepto, sed nimis
generali, et omnibus adusti coloris hominibus olim
in Asia etiam communi' (Ludolf 1. c.). MPolo
(ed. Pauthier c. 86) lennt '*Abbasie* une grant
province'. Die Port. stiegen v. Küstenstrich *Abas-
sia* in die Berge v. *Abexim* (wo *x* = *sch* zu
sprechen) hinauf (Barros, Asia 2, 8; 3, 4) u. vermittelten uns die mod. Namensform, die schon
bei Johnston (Voy. Abyss. 1735) in *Abyssinia*
verderbt ist (Isenberg, Ab. u. d. ev. Miss. 1, 1).
Noch ersehen wir aus Paulitschke (Progr. 1884, 25),
dass der Aethiopier stolz selbst nur *Ag'âzi* =
der Freie, sein Land *Behêr Ag'âzî* = Land der
Freien, seit Einführung des Christenthums auch
'*Itjopjâ* nennen, und dass *A.* bei den Arabern
auch *Makâdeh* = Land der Abtrünnigen od.
Ungläubigen, od. *Kostân*, aus äthiopisirtem ker-
stijân = Christen heisst. Auch er warnt vor
den Missformen *Abyssinia*, *Abessynia*.

Abete, auch in der Form *Abeto*, *Abetone*, *Abetito*,
eine Reihe ital. ON., v. ital. *abete*, lat. *abies*
= Tanne. '*Avezzo*, *avezz*, tosc. *abezzo*, è il tipo
a cui si riddusse il nome di questa pianta in dia-
letti lombardi, nel Trentino e in qualche altro
vernacolo dell' Italia superiore' (Flechia, NL.
Piante 6).

Abgarris, eine Insel der austral. Hibernian Range, durch Capt. Renneck, v. Schiffe *A.* (1822), entdeckt u. *Fead Island* genannt, offb. in prsl. Beziehg. wie die nahe *Goodman I.* Dort auch *Sable Reef* = Sandriff, an einer Sandbank kenntlich (Meinicke, IStill.O. 1, 141).

Abgrundhöhle s. Kirche.

Abhainn s. Black.

Abhîra s. Gudschrat.

Abhuinn s. Forth.

Abiad, besser *abjad* = weiss, fem. *baida, beida,* meist gespr. *bêda,* auch *beidah,* mit *h* als Dehnungszeichen, oft in arab. ON. wie *Ras el-A.* = weisses Vorgebirge *a)* ein weisser, steiler Kalkvorsprung Syriens, südl. v. Sur, schon röm. *Promontorium Album,* mit der *tyrischen Leiter,* einem in den mürben Felsen gehauenen Treppenwege, der Angesichts des unten schäumenden Meeres den Uferberg um- u. übersteigt; *b)* ein weisses Cap Tunesiens, 'seiner Natur gemäss' v. allen Nationen des Alterthums, röm. *Prom. Candidum,* wie der Gegenwart, ital. *Capo Blanco,* so genannt (Barth, Wand. 71). — Ferner *c) Quinnan el-A.* = die weissen Gärten, die 'Gärten' wohl scherzhaft, fünf Sandinseln des RothM., nördl. v. den Sisters (Bergh., Ann. 5, 38); *d) Ued el-A.* = weisser Fluss, in der alger. Sahara (ZfAErdk. nf. 4, 206); *e) Bahr el-A.* s. Mediterraneum u. Nil; *f) Nahr el-A.* s. Segura; *g) Harudsch el-A.* s. Sudan; *h) Wad el-A.* s. Guadalaviar.

Abib s. Tell.

Abibe, Sierra de, ein mächtiger Ast der Anden, zw. Atrato u. Cauca, benannt nach dem Dorfe des Kaziken *A.* (WHakl. S. 33, 43).

'Abîd, Schusch el- = Sclavenkappe (s. Abd), arab. Name eines 'durch die eigenthüml. Gestalt seines Kegels vor allen Nachbarn ausgezeichneten Bergs' Tripolitaniens (Barth, Reis. 1, 130).

Abigerm = Warmwasser, Therme, v. pers. *abi* = Wasser u. *germ* = warm, ON. *a)* f. einen Badort des Elburs, wo unter Gasentwickelung eine reiche Schwefeltherme v. üb. 62⁰ C. dem Boden entströmt u. der scharfe Geruch, einen bedeutender Niederschlag einen starken Schwefelgehalt anzeigen (Bär u. H., Beitr. 13, 223. 231); *b)* f. einen Ort in Karategin, dessen Name wie *Abi-Jasmin* = Hyacinthenwasser, *Abi-Kebud* = blaues Wasser u. *Abi-Kul* = Seewasser, 3 Flussnamen Central-Asiens, mit *obi* ausprochen wird (Peterm., GMitth. 37, 270).

A-Bila od. *Bila* = feuchtes u. grünes Thal, arab. Bergname in Air od. Asben, 'wie üb. die ganze Wüste hin, selbst in den begünstigtesten Gegenden, der Mensch gemeinigl. den Bergen ihre Namen v. den Thälern gegeben hat . . . Am östl. Fusse schlängelte sich ein enges, aber reich v. Bäumen geschmücktes Thal zw. dem niedrigern Felsterrain dahin, mit seiner frischgrünen Laubfülle einen wunderbaren Ggsatz zu den dunkeln Felsmassen umher bildend' (Barth, Reis. 1, 416).

Abîme, Baume de l' = Abgrundhöhle, eine bei Chenit, waadtl. Jura, befindl. Höhle, welche in einem 220 m t. Schachte besteht (Mart.-Crous., Dict. 68). — Auch *l'A.* u. *les Abîmes* mehrf. ON. in Frankr., f. ein enges Schluchtenthal, f. einen tiefen Teich u. dgl. (Dict. top. Fr. 12, 1; 15, 1).

Abingdon s. Abbatia.

Ablain-Kit, auch die *Ablakitschen Palaten* (= Paläste) in der Nähe des Dsaisan Noor, die Ruinen eines steinernen Klosters, *kit,* welches der Kalmykenfürst Ablai, ein Enkel des unglückl. Tatarenchans Kutschum, 1654 aufbauen liess, einst mit reicher mong.-tibet. Bibliothek u. einer xylograph. Druckerei (Humb., As. Centr. 1, 336 f., Bär u. H., Beitr. 20, 116, Fischer, Sib. G. 2, 578). In der Nähe das Flüsschen *Ablakitka* (Müller, Ugr. V. 1, 250).

Abo = Flusswohnung (s. Aa), 'Finlands äldsta stad', kurz obh. der Mündg. des Aurajoki, finn. *Turku,* v. schwed. *torg* = Markt, seit der Einkehr der Schweden u. des Christenthums 1157 aufgeblüht. An der Mündg. selbst *Åbohus,* ein Schloss, *hus,* auf einer Landspitze, die auf drei Seiten v. Wasser umgeben ist, ggr. als König Erich d. Heil. 1156 seinen Kreuzzug z. Bekehrg. u. Unterwerfg. der heidn. Finnen, bes. der Tavaster, unternahm (Müller, Ugr. 1, 470, Modeen, Geogr. 43 u. briefl. Mitth., Styffe, Sk. Un. T. 330). — *Åland* = Wasserland, der Inselschwarm vor dem bottn. Golf, 'ett land omflutet af vatten, såsom det i sjelfva verket är', finn. *Ahvenan-maa* = Land der Barsche (Freudenth., Ålds ON. 26). — Auch ein fries. *Aland,* afr. *Alond,* ebf. mit der Bedeutg. 'Wasserland', bei Wirdum, früher v. Osterarm der Ems umflossen, wie es denn auch 1255 als *insula,* das Kloster in lat. Urkk. als *Alandia* od. *ripa Beatae Mariae virginis,* erscheint (Doornk.-K., Ostfr. WB. 1, 1. 23). — Ein andres *Aland* s. Sverige.

Abos s. Abens.

Aboukir, Ile d', in den Berthier Is, v. der frz. Exp. Baudin im Jan. 1803 getauft, wohl weniger nach der Seeschlacht v. 1.—3. Aug. 1798, als vielmehr nach Nap. Bonaparte's Sieg üb. die 3 f. überlegene Türkenmacht v. 25. Juli 1799 (Péron, TA. 2, 83, Freycinet, Atl. 10 fl.).

Abraham, der Erzvater, ist mir auf toponym. Felde nur begegnet in der *A.'s Eiche* (s. Hebron), *A.* der Heilige, ein Einsiedler, dessen Fest der griech. Kalender schon im 10. Jahrh., auf den 29. Oct. ansetzt, in den *A.'s Inseln,* wie der todtkranke Commodore Bering die 3 kl. Inseln östl. v. Attu, Aleuten, die ihm als zshängend erscheinen, am 29. Oct. 1741 nannte; es sind die *Semitsch-Inseln* der russ. Carten (Lauridsen, V. J. Bering 153).

Abreojo = thu' das Aug auf! span. Mahnwort z. Vorsicht, wie das port. *Abrolho* (vgl. Diez, Rom. WB. 2, 83) als Name gefährl. Klippen, so auf A. de Herrera's Carte v. Westind. 1601 (WHakl. S. 43) 2mal *a)* zw. Cuba u. Jamaica, *b)* an der Nordseite Hayti's, f. eine Bank v. quadrat. Umriss, *Mouchoir Carré* der frz. Flibustiers; *c)* in Californ. (dMofras, Orég. 1, 232);

d) bei den Bashee In. (GForster, GReis. 3, 377);
e) s. Parece Vela.

Abrigo, Ilha do = Zufluchtsinsel, port. Name
einer Küsteninsel bei São Paolo, weil sie vielen
Schiffern als Zufluchtsort dient (Avé-L., SBras.
2, 391, ZfAErdk. nf. 9, 328, WHakl. S. 51, 40):
'Der abgelöste Felsklumpen', welcher den Eingang z. Hafen (v. Cananea) verdeckt, mehrt bei
bösem Wetter die Gefahr.

Abrolho, port. Name gefährl. Klippen (s. Abreojo),
so auf ältern Carten f. ein böses Riff südl. v.
Praslin, Seychelles, j. mit gl. Bedeutung *Ile aux
Récifs* = Riffinsel (Bull. SGPar. 3me S. 8, 138,
McLeod, EAfr. 2, 213). — Im plur. *Abrolhos*
2mal *a)* Klippenschwarm der brasil. Küste, nördl.
v. PSeguro (Debrosses, HNav. 279, Avé-L., SBras.
1, 71); *b)* s. Houtman.

Abrotonon s. Tripolis.

Abrupt, Mount = abschüssiger Berg in den
Grampian Ms., Victoria, v. Major T. L. Mitchell
(Three Exp. 2, 251 ff.) am 9. Sept. 1836 wg. der
'gähstotzigen' Wände so getauft.

Abruzzo, ein Theil des Apennin, ist ein insb.
v. ital. Gelehrten viel besprochener Name, allein
heute noch unklar, da das Résumé, welches T.
Bonanni (Corogr. Abr. 1887) v. den Ansichten
gibt, gänzlich nebelhaft u. unverständlich ist.
Man kann ihm entnehmen, dass die Etym. v.
lat. *aper* = Wildschwein od. *abruptus* = schroff,
auch die v. alten Provincialnamen *Urbicium*
seine Billigung nicht hat, dagegen die Ableitung
v. *Precutino, Precuzio*, dem alten Namen der
Gegend zw. dem Tronto u. dem Vomano, dem
Verf. besser einleuchtet. Es hiessen in der That
die ant. Bewohner *Praetutii, Praetutiani*, daher
die Ldsch. im 7. Jahrh. *Aprutium* u. seither in
weiterer Fassung *A.* (Kiepert, Lehrb. AG. 413).

Absberg s. Abbatia.

Abu, v. skr. *árbuda* = Schlange, bes. einer
dämonischen, Indra unterworfenen Schlange, hind.
Name eines Bergs in Radschwára. Davon auch
Abugarh = Schlangenveste, ebf. in Radschwara,
Abunágar, 'Stadt' in Malwa, *Abupúr*, ebf. 'Stadt'
in Hindostan (Schlagw., Gloss. 167).

Abundance, Mount = Berg des Ueberflusses,
eine doppelgipflige Berghöhe mitten in weiten,
weidereichen Gründen th. obern Darling, v. Major
T. L. Mitchell (Trop. Austr. 151) am 7. Mai 1845
so genannt 'from the abundance of good pasturage'.

Abuschehr od. *Abuschär*, auch *Buscheir*, engl.
Bushire, v. arab. *Abu Schahr* = Vater der
Städte, eine Küstenstadt v. Fars (Sommer, Taschb.
9, 167), 'hat die j. Bedeutung erst seit etwa einem
Jahrh. erlangt, durch Nâdir Schâh, welcher als
der **einzige**(?) unter den erän. Königen eine erän.
Kriegsmarine zu bilden suchte u. *A.* zu seinem
Kriegshafen ausersah' (Spiegel, Eran. A. 1, 90).

Abwab, Abweb s. Bab.

Abydos s. Dardanellen.

Acabo-Sacco, Serra = der Bergzug 'Sack ist
alle', in der bras. Prov. Goyaz, benannt v. Entdecker Barth. Bueno (Anhanguera = alter Teufel).

weil hier die in Säcken mitgeführten Lebensmittel
alle geworden waren (Peterm., GMitth. 21, 377).

Acacias s. Râbia.

Acapulco, ind. *Acapolco*, Hafenort in Mexico,
mit dem hieroglyph. Bilde eines Rohrs, *acatl*,
als Sinnbild der Stimme, und zwei Händen,
maitl, als Sinnbild der Zerstörung, wird v. Orozco
y Berra als 'eroberter od. zerstörter Ort' erklärt,
mit *poloa* = untergehen, zerstören (Peñafiel,
Nombr. geogr. 39).

Achalziche = Neuenburg, georg. Name einer
wichtigen Ortslage Transkaukasiens, am Ende eines
langen, malerischen Schluchtenlaufes, nach Spiegel
(Eran. A. 1, 142) id. mit armen. *Ischchanats-giugh*
= Ort der Herrscher. Am Oberlaufe des Kur die kl.
Veste *Achalkhalakhi* = Neustadt (Klaproth, Kauk.
2, 45, Güldenst., BKLdr. 27).

Achdar, auch *achdôr* = grün, auch *chdar, chdör*,
fem. *chadra*, oft in arab. ON., insb. *Dschebel A.*
= grünes Gebirge, 2mal *a)* die alte *Cyrenaica*,
gr. ἡ Κυρηναϊκή, welche durch Theräer, um — 631,
besiedelt wurde, zunächst bei einer prächtigen
Quelle: Κύρη, die ihnen die Libyer zeigten: 'Hier,
ihr Hellenen, hier ist ein guter Ort für euch;
denn hier ist der Himmel durchlöchert'. Tief
aus dem Innern des Kalkgebirgs kam das kühle
krystallklare Wasser in die Grotte Nymphaion,
wo die den Sprudel belebende u. vergeistigende
Nymphe weilte. An der Bachquelle, die dem
Apollo, ihrem Hptgott, heiligten, angesichts des
Meeres, in wahrhaft königl. Berglage, entstand
Κυρήνη, dor. *Kyrana*, lat. *Cyrene*, inmitten weiter
Kornfluren, gross u. reich, mit Tempeln u. Akro-
polis, die Mutter v. 4 Colonialstädten desselben
Plateau, ihs. des im westl. Flügel gelegenen
Barka, welches cyren. Unzufriedene, dem heim.
Königshause feindl., mit allerlei hellen. u. libyschem
Zuzug verbastert, ggr. hatten. Als die Cyrenaica
mit Hülfe der Ptolemäer (— 321) v. Persien frei
wurde u. nun einen in geringer Abhängigk. v.
Aegypten stehenden Bund v. 5 Staaten bildete,
hiess sie die libysche *Pentápolis* = Fünfstadt
(Kiepert, Lehrb. AG. 212), im Mittelalter die
Mutterstadt *Krennah, Grennah, Gurena*; heute
ist dieser Name verschollen, die Quelle des Apollo
jedoch immer noch in Ehren, als *'Ain esch-
Schehád* = immerfliessende Quelle. Nach der
ebf. zerfallenen, aber gänzl. überwucherten Tochterstadt haben unsere Bücher u. Carten ihre un-
schickliche Bezeichnung *Plateau v. Barka* gemacht, während das 'grüne Gebirge', das üb.
die fahle Wüste hoch erhoben so vortheilhaft gg.
die Umgebung absticht, den Eingebornen einen
anschaulichen Naturnamen eingegeben hat. 'Kein
Zweifel, die Landschaft verdankt ihren heutigen
Namen jenem durch Quellenreichthum genährten
Wald-, Buch- u. Grasschmuck der Abhänge, ganz
wie das gleichn. Gebirge im äussersten Westen'
(Barth, Wand. 496). Ggb. den Gräbern ehm.
Völker u. der dürftigen Fauna 'sehen wir die
Pflanzenwelt so reich, so jungfräulich, dass, wenn
auch Verwüstungen u. Abholzungen durch Men-
schenhand stattgefunden haben, dies keineswegs

zu merken ist. Die entzückende Schilderung des Landes v. den Alten, das Preisen der Naturschönheiten der Cyrenaica sind nicht im mindesten übertrieben' (ZfAErdk. 1870, 371, Barth, Wand. 417); *b)* im Lande Oman (s. Aswad). — *Bahr el-Achdör* s. Rothes M. — *'Aïn el-Chadra* = grüne Quelle, in Algier (Parm., Voc. ar. 30). — *el-Chodrah*s. Algesiras. — *al-Khuthra* od. *Chadhra* s. Pemba.

Achen s. Aa.

Achères, frz. ON. aus altem *Apiaria* = Bienenort, das aus *apis, apes*, mit suffix *-aria* gebildet ist, im 9. Jahrh. *Apiarias* (d'Arbois de Jub., Rech. NL. 610), im dép. Eure-et-Loir, aber auch in den dépp. Cher, Seine-et-Marne, Seine-et-Oise.

Achillea s. Sehlangen I.

Achmar = roth, fem. *hamra*, mehrf. in arab. ON. *a) Kum el-A.* = rother Hügel, bei Saujeh el-Meïtin, Aegypt., ein grosser Haufen röthl. schimmernder Backsteintrümmer, welche gg. die Sandfläche stark abstechen (Brugsch, Aeg. 89); *b) Deir el-A.* = rothes Kloster, Ort nordwestl. v. Baalbek (Burckh., Reis. 1, 60); *c) Bîr-el-A.* = 'Rothenbrunner', eine Quelle des Tîh (Seetzen, Reis. 3, 53). — *Dschebel A.* = rother Berg: *a)* im Sinai (Russegger, Reis. 1, 264); *b)* bei Kairo (Brugsch, Aeg. 47), vgl. Brugsch (Pers. 332), wo den Autor 'ein röthl. gefärbter Felsstock lebhaft an den *DA.* bei Kairo erinnert. — *'Schott el-A.* s. Schott.

Achradina s. Syracusa.

Acht, deutsches Zahlwort, in echt deutschen ON. selten; dagegen *a) A. Brüder* (s. Seba), *b) Achtgrad-Canal* (s. Aequator).

Achtiar s. Sebastopol.

Acla, im Cueva = Gebeine, eine Stadt, welche die span. conquistadores an der Caledoniabucht gründeten (Peschel, ZdEntdk. 360, 372), so benannt nach der Menge v. Erschlagenen, welche im blutigem Bruderkriege einst hier gefallen (WHakl. S. 34, 9, Navarrete, Coll. 3, 404 ff.).

Acland, Mount, Bergname: *a)* im Quellgebiete des Maransa, Darling, v. Major T. L. Mitchell, (Trop. A. 202 ff.) 1845 . benannt, wie der nahe *Mount Dyke;* *b)* bei Queens Ch., Parry Jn., v. Capt. Edw. Belcher (Arct. V. 1, 351) benannt 1853 nach Sir Thomas *Dyke A.; c) Dyke A. Bay* s. Gallow.

Açores, Ilhas dos = Inseln der Habichte, die nordatlant. Inselgruppe, die, schon den Normannen u. Arabern bekannt, bei Edrisi 1150 *Vogelinsel* heisst, v. dem Portug. Gonzalo Velho Cabral 1432 erreicht u. nach den vielen Hühnergeiern, Falco Milvus L., getauft, da diese Schwärme auf dem menschenleeren Eiland um so mehr auffallen mussten, später, anlässl. einer burgund. Besiedelung, auch *Ilhas Framengas* = vlämische In. genannt (Sommer, Taschb. 12, 274).

Acqua = Wasser, wie *aigues, aix* u. *ax* v. lat. *aqua*, mehrf. in ital. ON. *a) A. Rossa*, s. Rossa; *b) Acquapendente* = hangendes Wasser, ital. Bergort, mit Wasser reichl. versehen; *c) Acquaviva* — lebendiges Wasser (Gibson, Etym. Geogr. 2).

— *Acqui,* ON. der Prov. Alessandria, im ehm. Gebiete der ligur. Statielli, schon dam. berühmt durch seine Schwefelthermen v. 46 — 75^0 C., *Aquae Statiellorum* (Plih., HNat. 3, 47. 49, Meyer's CLex. 1, 102).

Acronius s. Bodensee.

Across, Rivers = Flüsse gegenüber, 2 Zuflüsse des Yellowstone R., der sie, kurz nachdem er selbst das Gebirge durchbrochen, so aufnimmt, dass die Mündung sich gerade ggb. stehen, der lkseitg. aus Nordw., des rseitg. aus Südosten so benannt am 17. Juli 1806 v. Capt. Clarke (Lewis & Cl., Trav. 621).

Acteon s. Amphitrite.

Actium s. Aktion.

d'Acunha s. Cunha.

Acusamil, verd. *Cozumel* = Schwalbeninsel, bei Yucatan, eine Insel, welche Juan de Grijalva am 3. Mai 1518 entdeckte und nach dem Kalendertage *Santa Cruz* = Heiligkreuz nannte . . . 'por la solemnidad del dia' (Navarrete, Coll. 3, 55, Oviedo lib. 16 c. 8, Galvão, Desc. 132).

Adair, s. Jameson.

Adalbert Land, Prinz, eine Küste wilder Formen im grönl. König Wilhelm Ld., v. der Schlittenpartie Payer am 1. Apr. 1870 erblickt in Umrissen, die durch Refraction verzerrt erschienen, getauft nach dem 1811 geb. preuss. Prinzen, welcher u. a. Brasilien u. Nord-Africa bereiste, sich ein grosses Verdienst um die Hebg. des deutschen Seewesens erwarb u. 1873 † (Peterm., GMitth. 17, 189). — Ebenso *PA.* Insel, in Kerguelen, v. Kriegsschiff Gazelle 1874 (ib. 22, 234).

Adalia, türk. *Sataljeh* (Meyer's CLex. 1, 106), Hafenplatz Pamphylia's, *Attaleia*, gr. Ἀττάλεια als die v. König Attalos II. an Stelle des ältern Korykos erb. Landeshptstadt (Kiepert, Lehrb. AG. 126).

Adam, ein Gegenstand des muhammed. Sagenkreises, welcher das wundersam fruchtb. Ceylon als das Paradies der ersten Menschen betrachtet. Die Orientalen glauben, dass *A.*, aus dem Paradies verstossen, dieses (im 7. Himmel) v. dem Berge aus erschaut u. eine riesige Fusstapfe im Felsen hinterlassen habe. 'Encores sachiez qu'il y a en ceste isle de Seilan une moult haulte montaigne; et est droite, et si roiste que nulz ne puet monter dessus, fors que en ceste maniere que ilz ont fait prendre pluseurs chaines de fer grans et grosses, et si ordonnées que par ces chaines montent les hommes là sus. Et vous di que ilz dient que sur ceste montaigne est le monument d' *A.* notre premier père; et ce dient, les Sarrasins. Et les ydolastres dient que c'est le monument du premier ydolastre du monde, qui ot nom *Sagamoni borcam*, et tiennent que il feust le meilleur homme du monde, et que il fu saint selon leur usage' (MPolo ed. Pauthier c. 180). Die angerufenen Ketten existiren noch (Forbes, Elev. Y. Ceyl. 1, 178). Der Portugiese Ant. Galvão, der 1527 nach Indien ging u. Gouv. der Molukken wurde, sagt (WHakl. S. XXX. p. 105): No meo desta ylha estaa hum pico de pedra muy alto, e hũa pegada de homem, e na sumida delle que dizē ser do nosso padre *A.* quando sobio aos ceos, tem no os Indios em grande veneraçam. Auch Barros (Asia III. 2, 1): 'E desta opinião gentia vierão os nossos chamar a este monte *Pico de A.*' Den Buddhisten freil. gilt die Fusstapfe als die ihres Propheten, des Königssohns v. Magédha, welchen sie — ganz entgegen den histor. Thatsachen — aus Hindustan nach Ceylon gelangen lassen. Daher heisst bei den Singhalesen der Berg *Samandla* = Rama's Pic (s. Rama), mit *ala* = Berg, Pic, in der abdl. Litteratur oft *Samanella*, skr. *Sripáda* = Gipfel mit dem h. Fuss (Schlagintw., Reis. 1, 209, 241). Nach Lassen (Ind. A. 1, 234) ist *Sripáda*, im pali *Siripada* = Fusstapfe des Glücks u. heisst der Berg auch *Sumanakûta, Sumanokûta* = Götterberg, *Dewakûta* = Götterberg u. *Subhakûta* = glänzender Berg (Wüllerst., Nov. 1, 322, Peterm., G. Mitth. 1, 339, Ibn Batuta, Trav. 185, Edrisi ed. Jaub. 1, 71). — Die *A.'s Brücke* nun, eine Reihe v. Untiefen u. Felsklippen, kettet Ceylon so an das Festland, dass zw. den beiden Inseln Rameswara u. Manavar grössern Schiffen eine Durchfahrt unmögl. ist, an beiden Enden aber, d. i. an diesen Inseln vorbei, gefährl. Gassen hindurchführen. Diese Kette nimmt die Sage als Reste einer ehm. Brücke, auf der *A.* das Paradies verlassen, u. Gott in seinem Zorn habe sie nachher zerschlagen; die Inder lassen sie v. Riesen, f. Rama's Durchzug, erbaut sein (Lassen 1, 192). — Eine Erinnerung an die ersten Eltern enthält auch der Name *A.* u. *Eva, Jack* u. *Jane* = (Hanns u. Hanne) der Händler, f. einh. *Mataua*, ein Cap in Nukahiwa, kenntl. an 2 v. ferne Bildsäulen ähnl. Felsen des Obertheils (Meinicke, IStill.O. 2, 244).

Adam, Mount, in der antarkt. Admiralty R., v. Capt. J. Cl. Ross (SouthR. 1, 185) am 11. Jan. 1841 benannt, wie die benachb. Berge, nach einem der Lord-commissioners der Admiralität, 'after the vice-admiral sir Charles *A.*, K. C. B., now commander-in-chief in the West-Indies, one of the two senior naval lords; *b) A. Bay,* in Arnhems Ld., v. Capt. Stokes (Disc. 1, 409).

A. Krylgan = des Menschen Verderben, wörtl. 'wo der Mensch zu Grunde geht' (Peterm., GMitth. 37, 264), türk. ON. der turan. Wüste, wo nach der Sage ganze Karawanen durch Hitze, Durst u. Sandstürme umgekommen. Auf dem russ. Feldzuge nach Chiwa 1873 liess General Kaufmann die verschütteten Brunnen öffnen u. reinigen; aber der folgende Marsch kostete grosse Opfer. Die Nachhut allein liess 200 todte od. ganz erschöpfte Kamele am Wege liegen. Ein Tagmarsch reichte hin, um den Oberst Kolokoltzov (Peterm., GMitth. 19, 428) sagen zu lassen: Meine Lage u. die der meisten der Unserigen am 2. Mai, um 6 U. Abends, entsprach dem Namen *A.K.*; ich, meine 2 Diener u. meine 2 Pferde blieben ohne einen Tropfen Wasser u., was noch schlimmer, ohne Transportmittel... Die Frage, was j. zu thun sei, konnte jedem den Verstand verwirren. Weiter gehen hiess den Rest der

Pferde u. Kamele verlieren u. uns selbst in dieser v. Gott verwünschten Wüste einem furchtb. Tod aus Durst u. Ermattung aussetzen.'

Adamas s. Subunrica.

Adamaua, eine den Fulbe 'unlängst' unterworfene Prov. am Benuë, zu Ehren des Mallem-Adama, des Vaters des Statthalters, welcher zu H. Barth's Zeit, 1851, im Lande herrschte (Barth. Reis. 2, 598).

Adams, Mount John, am arkt. Kennedy Ch., v. american. Polarf. E. K. Kane (Arct. Expl. 1, Carte) 1854 benannt nach John *A.*, der 1797 bis 1801 Nachfolger Washingtons in der Präsidentenwürde war (Quackenbos, USt. 326), wie denn eine ganze Reihe v. Namen, die der Entdecker an jener Küste ertheilte, auf Personen u. Ereignisse sich beziehct, welche den Unabhängigkeitskrieg u. die Entwickelung des grossen Bundesstaats betreffen. — Nach dems. Staatsmann: *b) Mount A.* s. White; *c) Point A.* s. Rond; *d) A. Island,* eine der Washington Is., Marquezas, einh. *Uapoa, Uapöu* (Meinicke, IStill.O. 2, 241), v. american. Capt. Ingraham im Mai 1791 nach seinem Landsmann, v. den Officieren des frz. Capt. Marchand, v. Schiffe le Solide, wenige Wochen später *Ile Marchand,* v. engl. Lieut. Hergest im März 1792 *Trevenen* (eig. *Trevanion?) Island,* v. american. Capt. Roberts, Schiff Jefferson, im Febr. 1793 *Jefferson Island* getauft (Krus., Reise 1, 155, Meinicke, IStill.O. 2, 241); *e) A. Island,* s. Nukahiwa. — Eine dritte *A. Island,* u. zugl. *A. Strait* s. Auckland. — *A. Bay,* in den Galápagos, v. american. Capt. Porter, Freg. Essex, 1813/14 getauft, nach dem Schiffsprediger *A.*, welcher, wie es scheint, mit dem hydrograph. Amte am Bord des Essex betraut, die Bay untersuchte (Krus., Mém. 2, 392). — *A. 'Rock,* eine kl. Felsinsel der Bounty Bay, Pitcairn, sowie der Ort *Adamstown.* Von den 9 Matrosen, welche den Capt. Bligh, Befehlshaber der Bounty, absetzten, 1790 Pitcairn erreichten, das Schiff verbrannten u. sich auf der Insel niederliessen, kam der letzte, der Matrose John *A.*, in Folge der begangenen Gräuelthaten z. Besinnung; der gemeinschaftl. Gatte der Tahitierinnen wurde Vater u. Regent u. Priester seiner Herde u. † 1829; seinem Völklein aber wurde die Heimat zu enge, u. sie wuchs, nach Norfolk versetzt, bis 1871 auf 340 Köpfe an (Cannabich, Hülfsb. 3, 603 ff., ZfAErdk. 1870, 347, Meinicke, IStill.O. 2, 227).

Adana s. Aden.

Adâr s. Bon.

Adare, Cape, im antarkt. Victoria Ld., entdeckt am 11. Jan. 1841 v. Capt. J. Cl. Ross (South. R. 1, 184) u. benannt zu Ehrens eines Freundes, viscount *A.*, 'M. P. for Glamorganshire, who always evinced a warm interest in our undertaking.'

Adatepe = Inselhügel, türk. Name eines Spitzkegels, der die Syenitkette v. Siwrihissar, östl. v. Kiutahia, im Nordosten abschliesst (Tschih., Reis. 29).

Adder od. **Adur.** Flüsse in Wilts, in Berwick, in

Sussex u. in Ireland, also auf altem Keltenboden, nach Chalmers v. brit. *aweddur* = fliessendes Wasser (Charnock, LEtym. 307). Man wäre versucht, auch den *Adour* der Gascogne herzusetzen, wenn er nicht der iber. Sprache angehört. **Adderley** s. Lyttleton. **Adel** s. Wolga. **Adelaide,** die 13 km v. *Port A.*, ihrem Hafenorte, entfernte Hptstadt Süd-Austr., durch Parlamentsacte v. 15. Aug. 1834 ggr. (Meidinger, BrCAustr. 44) u. angelegt durch Capt. Hindmarsh mit etwa 200 Colonisten am 28. Dec. 1836 (ZfAErdk. 1876, 180, Meyer's CLex. 1, 118f.), getauft nach der Gemahlin Wilhelms IV., welcher, vorher Herzog v. Clarence, 1830 König geworden war u. 1837 †; *b) A. Bay,* in Prince Regents Inlet, v. John Ross (Sec. V. 103) am 13. Aug., d. i. am Geburtstag der Herzogin v. Clarence, 1829 entdeckt u. getauft wie der v. jüngern Ross auserlesene Ankerplatz *A. Harbour; c)* ein *A. Cape* hat Ross' Carte am magnet. Pol; *d) A. River,* in Arnhems Ld., v. engl. Capt. Wickham, Exp. Stokes (Disc. 1, 409) entdeckt u. durch den Namen mit Clarence Strait, in die der Fluss mündet, vergesellschaftet; *e) A. Range,* eine Bergkette am Mündgsgolfe des Gr. Fish R., entdeckt im Aug. 1834 v. GBack (Narr., Carte); *f) Queen A. Province* s. Kaffraria; *g) A. Island* s. Enderby; *h) Queen A.'s Arch.,* am pacif. Ausgang der Magalhães Str., dieselbe, zu welcher Cabo Victoria gehört, offb. v. einem der neuern engl. Seeff., wohl v. der Exp. Adv. u. Beagle 1826/36, nach der damal. Königin getauft, auf den span. Carten, schon bei Ribero 1529, *Arcipelago del Cabo Deseado,* nach dem nahen Vorgebirge (ZfAErdk. 1876, 367). **Adèle, Cap,** in St. Vincents G., v. der Exp. Baudin im Jan. 1803 benannt, wie die meisten Landspitzen u. Bayen dieser Gegend, nach Frauen, namentl. der Familie Bonaparte(Péron, TA. 2, 75, Freycinet, Atl. 10 ff.). — Am 15. Apr. folgte *Ile A.,* Tasmans Ld.(Péron 208, Freycinet, Atl. 27). **Adélie, Terre,** eine antarkt. Küste, v. frz. Seef. d'Urville am Abend des 19. Jan. 1840 gesehen, am 21. betreten u. nach seiner Gemahlin getauft. 'A l'aspect de ces roches, personne à bord ne conserva le moindre doute sur la nature de la haute et puissante barrière qui fermait la route à nos navires. Alors j'annonçai aux officiers rassemblés en présence de l'équipage que cette terre porterait désormais le nom de *TA.* Cette désignation est destinée à perpétuer le souvenir de ma profonde reconnaissance pour la compagne dévouée qui a su par trois fois consentir à une séparation longue et douloureuse, pour me permettre d'accomplir mes projets d'explorations lointaines. Ces pensées m'avaient poussé dans la carrière maritime dès ma plus tendre enfance. De ma part ce n'est donc qu'un acte de justice, une sorte de devoir que j'accomplis, auquel chacun ne pourra s'empêcher de donner son approbation' (Bull. SG. Par. 2. sér. 13, 353). **Aden,** Seestation vor Bab el-Mandeb, in ältester Zeit den Handel des Mittelmeers mit Indien ver-

mittelnd, dam. *Athana, Adana,* in mod. Form schon bei den mittelalterl. Arabern, wie Edrisi (ed. Jaub. 1, 51), Ibn al-Wardi, Ibn Batuta, Bekui, welcher, in echt semit. Weise, *A.* nach Ismaels Sohn benannt sein lässt (Not. et Extr. 2, 404), u. wieder bei den Port. des Entdeckgszeitalters, wie Barros (Asia a. v. O.). Durch Übtragg. (s. Jemen) auch Ἀραβία εὐδαίμων (Pauthier, MPolo 2, 703, Kiepert, Lehrb. AG. 187). *A.* ist wohl ein semit. Name, aber kaum id. mit dem cilic. *Adäna,* phön. עדן = Anmuth, Üppigkeit, was auf die fruchtb. Lage dieses Orts, mitten in der Thalebene des Seihun, allerdings passt (Kiepert, Lehrb. AG. 130). **Aderer** s. Atlas. **Adetswyl** s. Wyl. **Adieux, Cap des,** in Süd-Austr. (s. Farewell), v. d. Exp. Baudin im Mai 1802 so benannt, weil sie, v. Osten kommend, hier ihre Küstenaufnahme beendigte (Péron, TA. 1, 275). **Adige** s. Tscherkessen. **'Adije** s. Homs. **Admiralty Bay,** mehrf. bei engl. Seeff. zu Ehren der brit. Admiralität: *a)* an der Cooks Str., wo Cook im März 1770 nach der Umschiffg. NSeelands ankerte (Hawk., Acc. 3, 29); *b)* auf Falkland (s. d.), nebst *Secretary Point* benannt v. Cowley im Jan. 1683 (Fitzroy, Adv.-B. 2, 230). — *A. Gulf,* in de Witt's Ld., zw. den Caps Bougainville u. Voltaire, v. Capt. Ph. P. King (Austr. 1, 327) am 16. Oct. 1819 getauft. — *A. Inlet,* ebf. 2 mal: *a)* bei arkt. Cockburn I., v. Parry (NWPass. 267) am 31. Aug. 1820; *b)* in SShetland, v. J. Cl. Ross (South. R. 2, 243) am 6. Jan. 1843 benannt. — *A. Islands,* in NBritain, ... 'between twenty and thirty in number and of considerable extent; one in particular would alone make a large kingdom', v. Carteret am 15. Sept. 1767 getauft (Hawk., Acc. 1, 385), waren jedoch schon v. der holl. Exp. Le Maire und Schouten (1616) gefunden u. nach der Zahl *Vijf en twintig Eilanden* = 25 Inseln genannt worden (Krus, Mém. 1, 135). Die Hptinsel, *the Great A. Island,* ein waldiges Bergland v. üppiger Vegetation, hiess bei den holl. Entdeckern *het Hooge Land* = das hohe Land u. heisst bei Maurelle *Bosco* = Wald, bei einem engl. Seemann *Sovereign* (Meinicke, IStill.O. 1, 142). — *A. Range,* eine Bergkette des antarkt. Victoria Ld. am 11. Jan. 1841 entdeckt u. getauft v. J. Cl. Ross (South R. 1, 185), wie die einzelnen höchsten u. auffälligsten Gipfel nach den Lord Commissioners der Admiralität (s. Mount *Minto, Adam* u. *Parker*). 'I cannot forbear here expressing the deep gratitude I must ever feel to them for the efficient manner in which our ships were fitted out under their auspices.' — *A. Sound,* in Feuerl., benannt im Febr. 1827 v. Fitzroy (Narr. 1, 59), in Ribero's Weltcarte 1529 *Lago de los Estrechos* = See der Meerengen, passend f. einen 'Irrgarten v. Durchgängen u. Sackgassen.' Ozw. rührt der ältere Name v. San Antonio her, demj. Schiffe, welches v. Magalhães z. Erforschg. des Seearms ausgesandt, nach s. Recognoscirung die Flotte heiml. verliess u. nach Hause zkkehrte (ZfAErdk. 1876, 364). — Zu Ehren der holl. Admiralität ist benannt *Admiraaliteits Eiland*, bei NSemlja, auf mod. Carten engl. *A. Island* (GVeer ed. Beke 13), angebl. eine kl. Insel, erst später als Halbinsel erkannt, entdeckt v. W. Barents 1594 (Schipv. 2, Spörer, NSeml. 17, Carte).

Adolphe s. Fanualoa.

Adolphus s. Dalrymple.

Adonis s. Ibrahim.

Adour, frz. Flussname (s. Dur u. Adder). Nach dem Flusse die *Bagnères d'A.* (s. Bagne).

Adramytteion s. Hadhramaut.

Adrar s. Atlas.

Adria, kurz f. *adriat. Meer*, im röm. Sinne nach der alten urspr. etrusk. Hafenstadt des Po-delta *A.*, *Hadria*, auf Münzen *Hatria* (Kiepert, Lehrb. AG. 393), die v. den Korinthern besetzt wurde, — 213 an Rom kam, einen grossen Hafen erhielt u. bis in das 12. Jahrh., d. h. bis sie v. Venedig verdunkelt wurde, ein blühender Platz war (Meyer's CLex. 1, 137). Bei den Griechen u. zwar zuerst bei Lysias, ὁ Ἀδρίας, mit od. ohne κόλπος (= Golf), auch Ἀδριατικὴ θάλασσα = adriat. Meer, daher röm. *Mare Adriaticum* (Pape-Bens.), oder *Delmaticum Mare* (Tacit. Ann. 3, 9), nach einem der Uferländer, od. — u. diess als älteste röm. Bezeichnung — *Mare Superum* = das obere, im Ggsatz z. untern (s. Tyrrhen. M.), bei den mittelalterl. Arabern, z. B. Edrisi (ed. Jaub. 1, 6), *Golf v. Venedig*, wie noch j. der obere Theil etwa heisst (Nissen, Ital. LK. 89). — *A. Bucht*, im spitzbg. Horn Sd., v. d. Hülfsexp. der Polarfahrt Weyprecht-Payer im Jul. 1872 getauft nach dem nächsten Schauplatze österr. Seewesens (Peterm., GMitth. 20 T. 4).

Adrianopel, gr. Ἀδριανούπολις (Ptol., Geogr. 3, 11 f.), mehrf.: *a)* in Thrakien, erbaut an Stelle v. *Uskadama*, des Haupts der thrak. Bessen, nachdem ein Erdbeben den Ort zerstört hatte, v. röm. Kaiser Hadrian, der ihm seinen Namen gab (Meyer's CLex. 1, 137, Hakl. Sel. 123), j. türk. *Edrene, Edirne*, bulg. *Odrin* (Kiepert, Lehrb. AG. 329); *b)* s. Karthago; *c)* in Aegypten; *d)* in Karien (Pape-Bens.); *e)* in der Cyrenaica, auch *Adriane*, nach den fürchterl. Judenkriegen (115 —117) ggr. durch Hadrian, der dem erschöpften Lande neues Volk zuführte (Barth, Wand. 390).

Adschi Bulak = Bitterquelle, türk., wohl ungenau od. nur im kirgis. Dialekt *Achtschi B.*, ein Bach des Semiretschinsky Kraï, da das Wasser v. so unangenehmem Geschmacke, dass es die Kosaken des Piquets *AB.* verschmähen u. mühsam Quellwasser holen (Bär u. H., Beitr. 20, 145. 151); *b) A. Darja* s. Karaboghas; *c) A. Kul* = Bittersee, an der Ostseite des Aral (ZfAErdk. 1873 T. 1); *d) A. Noûr*, ebf. ein 'See', bittersalzig, im Kaukasus (Peterm., GMitth. 9, 178). — *A. Su a)* s. Kisil; *b)* s. Schirin. — *A. Tschaï* = bitterer Fluss, bei Täbris, Zufluss des Urmiasees (Peterm. 4, 227), bei Jaqut *Scravrûd* = Fluss v. Serâv,

Sirab, Sarab, einer Stadt am Oberlauf (Spiegel, Eran. A. 1, 129).

Adschmir, eig. *Adschamidha*, ind. Name in Radschputana, zunächst f. eine altberühmte Stadt, die einst als Hpt. der Radschputen-Staaten dieses innern Indiens galt, dann auch f. das ganze, seit 1818 brit. Gebiet, bezieht sich wahrsch. auf eine Legende, bei welcher der alte König *A.* die Hptrolle spielt. Es gab deren zwei: *a)* aus dem Geschlechte der Kanva, Verf. einiger ved. Hymnen, *b)* aus dem Geschlechte der Kaurava (Lassen, Ind. A. 1, 143).

Advance Bluff, im Wellington Ch., v. der 1. Grinnellexp. im Sept. 1850 benannt nach dem einen der beiden Fahrzeuge, welche der reiche N Yorker Kaufmann Grinnell z. Verfügung gestellt hatte (Kane, Gr. Exp. 198); *b)* ebenso *A. Bay*, südl. v. der Peabody Bay, 1853 v. Dr. Kane (Arct. Expl. 1, Carte).

Adventure, Mount = Berg des (wichtigen) Ereignisses, in Prince Albert Is., v. der Exp. M[c]Clure im Oct. 1850 so benannt, weil dort den aus der Berings Str. Gekommenen sich eine weite Aussicht nach Parry Sd., gg. Baffin Bay, eröffnete, d. i. also die Aussicht, dass die Passage gefunden sei: 'and no doubt could remain as to the existence of a passage' (Armstrong, NW. Pass. 254. 264). — Nach dem Schiffe sind benannt: *a) A. Bay*, in Tasmania, v. Cook's Begleiter, Capt. Tob. Furneaux, welcher im März 1773 hier stationirte (Cook, VSouthP. 1, 114, Flinders, TA. LXXXVII f., Atl. 7); *b) A. Island*, eine der Paumotu, v. Cook (VSouthP. 1, 142) am 13. Aug. 1773 entdeckt; *c) A. Passage*, im Feuerl., v. Capt. Fitzroy (Adv. B. 1, 407) an 28. Febr. 1830.

Aeänine s. Ladoga.

Aedna MK. s. Stuor.

Aegades s. Gader.

Aegerstenried s. Krähbühl.

Aegina, j. *Egina*, gr. Αἴγινα = 'Wellenkamp', Seeland (Pape-Bens), die bekannte griech. Insel, die, der Sage zuf., urspr. *Oenone* = Weininsel, nach der Tochter des Flussgottes Asopos umgetauft wäre (Meyer's CLex. 1, 145). Der *Golf v. A.*, gr. Σαλαμίνιος κόλπος, nach Salamis, der andern seiner grösseren Inseln, od. häufiger *Saronischer Golf* (Plin., HNat. 4, 18). — *Aegäisches Meer*, gr. Αἰγαῖον πέλαγος), bei Tacit. (Ann. 5, 10; 15, 71) *Aegaeum* od. *Aegeum Mare*, angebl. benannt nach *Aegeus*, dem Vater des Theseus, König v. Athen od. (Strabo 386) v. der eub. Stadt *Aigaí, Aegae* u. a. m., nach Pape-Bens. 'richtiger' v. αἶγες = die Wasserwogen, Springwellen (verw. *aqua* = Wasser). Nun erinnert aber Grasberger (StGriech. ON. 88 ff.) an die Stelle, wo Plinius (HNat. 4, 51) den Namen auf eine Felsklippe *Aega* zkführt, die zw. Tino u. Chio, also mitten im Seebecken, aufragt u. die Gestalt einer liegenden Ziege, αἴξ, *aega*, zeigt. Oder Solin. (ed. Mommsen 79): Inter Tenum et Chium, qua *Aegaeus* sinus panditur, ab dextera Antandrum navigantibus saxum est (hoc enim verius quam insula meruit cognominari): id quoniam visentibus procul caprae simile creditur, quam Graeci aega nuncupant, *Aegaeus* sinus dictus. Er fügt bei, Antandrus sei ein anderer Name der nahen Insel Andros, u. 'es ist hier sicherlich eine auffallende Klippe gemeint, die nach ihrer centralen Lage Ausgangspunkt wurde f. den weltberühmten Namen'. Wir wissen nicht, ob sie noch vorhanden od. in Folge eines der häufigen Erdbeben hinabgesunken ist. Im Mittelalter ging *Aegaeopelago* durch *Agiopelago* in *Arcipelago*, *Archipelagus* über (Bursian 2, 351) — eine Bezeichnung, die v. dem inselreichen Meer auf die Inselwelt selbst angewandt wurde. — Unzweifelhaft mit 'Wasser' zshängend der älteste Sitz der makedon. Fürsten: *Aegaea*, gr. Αἰγαῖαι = Wasserstadt, später in *Aigai* verkürzt, das wie Αἴγιον vielf. wiederkehrender Name v. Küstenstädten mit Cultus des Meergottes, Ἀιγεύς Poseidon, ist; der alte Königssitz lag bei den Wasserfällen, die der üb. eine 80 m h. Felswand herabstürzende Abfluss des Sees v. Begorra bildet u. heisst nun, nachdem er den Namen *Edessa* angenommen, bei den Bulgaren *Vodena*, v. slaw. *woda* = Wasser, also im Sinne der urspr. Bezeichng. (Kiepert, Lehrb. AG. 310 f.).

Aegyd, St. u. *St. Aegyden*, auch mit *E*, 2 Orte in NOesterr., deren Kirche dem heil. Aegidius geweiht ist, ersteres im Mittelalter, letzeres noch j. im Volksmunde *St. Gilgen*, also wie ein salzb. Ort *St. Gilgen* nach der Koseform des Namens Aegidius (Becker, OLex. NÖ. 1, 8, Schmeller, Bayr. WB. 1, 879).

Aegypten, uns v. den Griechen überlieferter Landesname, Αἴγυπτος, war ihnen durch die phön. Seefahrt vermittelt, schon zu Homer's Zeit bekannt, v. den Kaphthorim hergenommen, welche das v. Phöniz. besuchte Delta אי־כַּפְתּוֹר = Insel (od. Küstenland) Kaphthor bewohnten (Wien. Sitzgsber. 30, 379 ff.). So nach einer gründl. Studie S. Reinischs, während Brugsch *Ae.* aus dem alten Beinamen der Hptstadt Memphis erklärt: *ha-ka-ptah* = angehörig dem Ptah, dem dort vorzügl. verehrten Gotte, dem ägypt. Hephaestos (Kiepert, Lehrb. AG. 192) u. wieder A. Gatschet (briefl. Mitth.) als 'j. allgemein angenommen' gr. αἶα κόπτος = koptische Erde annimmt. *Á.* lautet verkürzt türk. *Gipt*, kopt. *Gipti* (Meyer's CLex. 1, 147) u. lebt fort im ON. *Koptos*, sowie im Volksnamen der *Kopten*, die arab. *Ghubt*, *Ghibt* heissen (Bergh., Phys. Atl. 8, 42, Cannabich, Hülfsb. 2, 793). Der älteste Landesname, in der Genesis u. a. Stellen des AT. aufbewahrt, aber auch als einh. volksthüml. Bezeichnung in Hieroglyphen wie im Kopt. bezeugt (Plutarch, Is. et Osir. 7, 437 ed. Reiske), ist *Cham* = dunkles, schwarzes Land, v. der Farbe des Bodens im Nilthal, die *gg.* den fahlen Wüstenboden scharf absticht, gr. χημία, noch kopt. *Chêmi*, in der rosettan. Inschrift *Chmè* = schwarz. Die Hebr. passten sich diesen Namen in der Form *Cham*, חָם = warm, heiss, an, was zugl. nom. popr. f. *Ham*, einen der 3 Söhne Noah's, so dass sich

mit dem Namen zugl. der Begriff eines Südlandes und der Abstammung hamit. Völker verband. Sonst heisst *A.* bei den Orientalen, namentl. den Arabern, *Misr*, türk. *Misir*, hebr. *Misraim*. assyr. *Musur*, babyl. *Misir*, bei den Tibu *Massar*, nach einer alten Hptstadt *Misra*, *Mesra*. (s. Kairo), od., wie Reinisch will, nach der Prov. Gosen, deren Nomaden Ramses Miamun th. bändigte, th. vertrieb, bei den Semiten im plur. *Mizrim*, analog *Kasdim*, *Pelis'tîm* etc., erst später, wohl durch alexandrin. Juden, in den Dual *Mizrajim* gekleidet. Diesen Dual wollte man bald auf die beiden Thalstufen, Ober- u. Unter-*A.*, bald auf die beidseitige Einschliessung des Nilthals beziehen (Champollion, Egypte 1, 104 ff., Gesen., Hebr. Lex., Knobel, Gen. 116). Für *Ober-A.* hat man *Pathros*, hebr. פַּתְרוֹס, aus äg. Π-ET-PHC = was dem Mittag, rês, angehört, kopt. gew. MA-PHC = Ort des Mittags, gr. Παθούρης, entspr. dem theb. *patoures* = Südwind, Südgegend (Quatremère, Mém. Egypte 2, 30, Ezech. 29, 14, Gesen., Hebr. L.). — *Gitano*. *Gipsy* u. *Kyptián*, s. Zigeuner.

Aelana s. Akabah.

Aelius, f. Publius *A.* Hadrianus, den treffl. röm. Kaiser (117—138), in mehrere ON. übgegangen a) *Aelia Capitolina* (s. Jerusalem), b) *Colonia Aelia Augusta Lares* (s. Lurbus), c) *Pons Aelii* (s. Newcastle).

Aemilia s. Emilia.

Aeoliae Insulae s. Lipari.

Aeolier, gr. Αἰολεῖς, Aioleis = Bunte, Mischlinge, Volk vschied. Stämme (Menel. b. Et. M. 37), einer der grossen griech. Stämme, der, hptsächl. in Böotien, Phokis, Thessalien etc. unter spec. Namen sitzend, den Nordwesten Kl. Asiens besiedelte und dort einen Zwölfstädtebund errichtete (Pape-Bens.).

Aeoluskreuz, eine Seemarke auf einem 16 m h. Uferhügel, Spitzb., bestehend (nicht in einem der russ. Doppelkreuze, sondern) in dem einf. Kreuz 'der civilisirten Nationen', am 26. Juni 1855 während der 6 wöch. Eisgefangenschaft des norw. Schoners Aeolus errichtet, wie die Inschrift sagt:

Opsat D. 26te Juni af
Kapt. J. Holmgren,
Skoneren Aeolus af Bergen
Ankom den 5te Juni och er
Omringet af Is.

Der Name *AK*. eingeführt v. der schwed. Exp., die am 7. Juni 1861 in der nahen Treurenberg Bay mit dems. Schoner Aeolus u. der Slupe Magdalena Anker warf, wird auch auf die Hügel selbst angewandt (Torell-Nord., Schwed. Expp. 61).

Aequator = Gleicher, v. lat. *aequus* = gleich, der den Erdball mitten zw. den Polen umgürtende Kreis, welcher jenen in eine nördl. u. eine südl. Halbkugel theilt, wird wohl etwa zu toponym. Ausdrücken, wie *Aequatorialzone*, *Aequatorialgegenden*, *äquatoriales Africa* etc. gebraucht, selten jedoch zu eig. ON. a) *Aequatorial-Canal*, in den Malediven, neben einem *Anderthalb-*. *Acht-* u. *Neun-Grad-Canal*; b) s. Ecuador.

Aëria, gr. Ἀερία = die dunstige, luftige (vgl. Rhodus), eine Stadt der Cavarer in Gall. Narb., 'mit Recht so genannt, weil sie auf einem hohen Berge erbaut ist' (Strabo 185), j. ähnl. *Mont Venteux* = Windberg, od. wohl *Aire-Ventouse*, 1164 *Area-Ventosa* (Dict. top. Fr. 7, 5); *b*) als Beiname auch f. Kreta (Dosisth. bei Plin., HNat. 4, 58) u. a. O. (Pape-Bens.). — *Aerosa* s. Cypern.

Aesch s. Aschaffenburg.

Aethiopia s. Aithiopes.

Aetna, urspr. nur der bekannte Vulcan Siciliens, mit 3304 m der erhabenste der europ. Feuerspeier, ein gewaltiger Bergkegel, welcher unmittelbar v. Gestade frei aufsteigt, eine imponirende Gestalt, die 'unaufhörlich Rauch- u. Feuersäulen emporsendet', also dass die Griechen das Ungeheuer Typhon od. den Riesen Enceladus unter ihm ruhen u. die Cyclopen in seiner Esse den Jupiter Blitze schmieden liessen. Kein Wunder, dass der Name *A.* = Brandberg, sei es, dass man mit Humboldt (Kosm. 1, 449) an gr. *Aἴτνη*, v. *αἰτνός* = Dampf, Rauch, Lohe, od. v. *αἴθω* = brennen, mit Benfey hingegen (Höfer's Z. 2, 117 f.) an osk. od. andern altital. Ursprung denkt (vgl. Strabo 248). Nach dem Berge die zu seinen Füssen liegende Stadt *Aἴτνη*, v. Hieron an Stelle v. *Catane* ggr., später in Inessos wieder aufgebaut, j. *Santa Maria di Licodia* (Pape-Bens.). Auch bei den Arabern des Mittelalters *Dschebel en-Nar* = Feuerberg (Edrisi ed. Jaub. 2, 82. 257) u. aus ital. *monte* u. arab. *dschebel* das j. in Sicilien gebr. *Mongibello* (Ausl. 46, 885). — Durch Übtragg. *a*) *A. Islet*, ein hohes, dem sicil. Vulcan ähnl. Inselchen SShetlands, v. J. Cl. Ross (SouthR. 2, 325) am 28. Dec. 1842 benannt; *b*) *A.* s. Melbourne.

Afer s. Berber.

Affoltern, im 8. Jahrh. *Affaltra*, ON. mehrf. in der Schweiz u. in Deutschl. (s. Eplaholt), hier auch in der Form *Affoldern* (Waldeck), *Apeldorn*, *Affeltrach*, *Aplern*, *Effeltern*, *Effelder*, v. ahd. *aphal*, *aphul*, *apfal*, skr. *p-hala* = Apfel, mit *tra*, engl. *tree* = Baum (vgl. *wechaltra* = Wacholder, *holuntra* = Hollunder, *recoltra* = Reckholder), also *apholtra* = Apfelbaum, dat. sing. *affaltre*, dat. plur. *affaltrun* = bei den Apfelbäumen. 'Keine Culturpflanze begegnet in (deutschen) ON. so häufig.' Hieher gehören auch die alten ON. *Apalderbach*, j. *Effolder-*, *Affalterbach* und *Aplerbeck*, *Affalterloch*, *Affolterspach*, *Affoltresperch* u. a., sowie in Österreich *Apfaltersbach*, um 1200 *Appholterspach*, *Apfelspach*, um 1190 *Apphilspach*, *Apfenthal*, 1104 *Aphe-* u. *Apheltal*, u. *Apfoltern* (Umlauft, ÖUng. NB. 10), *Affeltrangen*, im C. Thurgau, urk. 779 *Affaltrawangas* (Förstem., Altd. NB. 99 f.). Derselbe Bacmeister, der mich tadelte, dass die 'Nomina geogr.', auf seines 'trefflichen' H. Meyers Zeugniss hin (M. zürch. AG. 6, 99), *A.* als kelt. ansahen, zieht selbst ir. *aball*, kymr. *aual*, corn. *auel(l)*, bei (Kelt. Br. 48). Meyer sagt wörtlich: 'Dies ist ein kelt. ON...; das Wort *affal* ging sodann auch in die deutsche Sprache über'. In

der That hat schon 1749 der Keltomane L. de Bochat (Mém. Crit. 3, 31) *Affeltrangen*, dessen urk. Form v. 779 ihm bekannt war, v. kelt. *afal* = Apfel u., indem er das unbequeme *tra* u. *wanga* bei Seite schob, *drang* = Ueberfluss abgeleitet, freilich ohne in dem unmittelbar folg. *A.* eine verwandte Form zu erkennen. Heute schliesse ich mich der Ansicht Gatschets an: 'Das in ON. so häufig auftretende Wort *aphaltra* ist in unsern Gegenden nicht kelt., sondern deutschen Ursprungs' (OForsch. 95 f.). Noch sei bemerkt, dass in der Nähe eines zürch. Orts *Affoltern* ein *Bonstetten*, urspr. *Boumstetin*, u. ein *Birmensdorf* (s. d.), in der Nähe v. *Affolterscheuer* ein Hof *Birchscheuer* liegt.

Afghanen, iran. Volk, in *Afghanistan* = Land der *A.*, benannt angebl. nach ihrem Stammvater Afghana; diesen macht der einh. Geschichtschreiber Nimet-Allah, der sein Buch 1609 ff. unter Dschehângîr in Indien schrieb, zu einem Enkel König Sauls u. Obergeneral Salomo's, Suleimans, u. die zahlr. Nachkommen seiner 40 Söhne seien mit den übrigen Juden durch Nebukadnezar weggeführt u. in die Gebiete v. Kandahar, Kabul, Ghazna etc. vertheilt worden. (Sommer, Taschb. 19, 239). Als Anlehng. an diese Sagen ist es aufzufassen, dass die *A.* bei den Arabern *Solimani* heissen (Elphinst., Caboul DA. 1, 238), wie ja Salomon (s. Solimansgebirge) weit herum im Morgenlande fortlebt. Die *A.* selbst nennen sich *Pachtu*, v. derselben alten Form wie Herodot's Πάκτυες, Πακτυϊκή (Kiepert, Lehrb. AG. 60), *Pachtun*, im westl. Landestheil *Paschtûn*, in Indien durch Assimilation *Patan* (Lassen, Ind. A. 1, 513), ihr Land *Paschtuncha*, ihre Sprache *pachto*, *paschto* (Spiegel, Eran. A. 1, 328).

Afgodenhoek = Götzencap, auch *Beeldhoek* = Bildcap, beides holl. Namen, engl. *Idol Cape*, v. gleicher Bedeutg., ein Landvorsprung im Südosten der Insel Wajgatsch, die daher auch *A. Eiland* genannt wurde. Am 3. Aug. 1556 brachte der russ. Schiffer Loschak den engl. NWF. Steph. Burrough z. Stelle ... 'he brought me to a heap of the Samoeds idols, which were in number about 300; the worst and the most vnartificiall worke that euer I saw: the eyes and mouthes of sundrie of them were bloodie, they had the shape of men, women and children, very grossy wrought, the that which they had made for other parts, was also sprinkled with blood. Some of their idols were on olde sticke with two or three notches, made with a knife in it' (Hakl., Pr. Nav. 1, 281). Auch die holl. Exp. 1594 fand die zahlr. hölzernen Götzenbilder wieder. 'Op den uytersten hoeck, aen de zuydt-zijde van dit eylandt staen wel drie ofte vier hondert meßh afgoden, soo cleyn als groot, ende zyn ghesneden van hout, qualick en plomp ghefatsoneert ....' (Linschoten, Voy. f. 11, Schipv. 8, Adelung, GSchiff. 132 T. 5, GVerz 53. 60). Die nordöstl. Ecke war eine ähnl. Cultstätte, daher russ. *Bolwanskoj* od. *Bolwanowsky Nos*, v. *bolwany* =

Klötze (s. Tarobaha), sam. *Haensalè*, v. gleicher Bedeutg. (Schrenk, Tundr. 1, 244. 354. 546), engl: *Image Cape* = *Beeldhoek*. Die russ. Mission 1825/30 hat die Götzenbilder verbrannt u. durch das Kreuz ersetzt; neben diesem sind sie seither friedlich wieder auferstanden.

Afiun s. Karahissar.

Africa, in älterer Zeit *Libya*, dessen Benennung, v. einem Weibe des Landes, schon Herodot (4, 45) nicht einleuchtend, bei den Griechen zunächst dem an Aegypten grenzenden Lande galt, nach dem einh. Stamm, den *Tehennu* = Hellen, ägypt. *Lbu*, *Rbu*, den *Lehabim*, לְהָבִים der mos. Völkertafel (1.Mos. 10, 13, Viv. de St. Martin, Nord Afr. 32, Kiepert, Lehrb. AG. 216). Bei Herod. (2, 17; 4, 41), der die Landenge als Grenze dem Nil vorzieht, hat *L.* schon die mächtig erweiterte Fassung f. die grosse Halbinsel, welche nur im Isthmus mit Asien zshängt u. umschiffbar, ja schon umschifft ist. Ganz so hat das jüngere *A.* nur allmälig den Sinn eines Erdtheilsnamens erhalten; die Römer, nach der Zerstörung Karthago's — 146, folgten dem Gebrauch der Punier, das Gebiet nach den berb. Afri, j. *Avrigas*, zu benennen; sie begründeten den Prov. *A.* = Land der Afri (s. Berber), welcher nach Besiegung des Königs Jugurtha — 105 auch ein Theil Numidiens, nach der Niederlage Juba's — 45 sowohl der Rest Numidiens, als auch das Syrtengebiet, das seit dem 2. pun. Kriege den numid. Königen überlassen war, endl. — die Cyrenaica war schon seit — 97 erworben — nach Octavians Seesieg — 31 Aegypten u. unter Claudius 43 das j. Marocco zugeschlagen wurde. Diesen Thatsachen entspricht es, dass der — 35 † Sallust (Bell. Jug. 17) *A.* erst bis Kathabathmon (s. d.) reichen lässt, ja noch im Jahre + 17 Strabo (35), in Herodot's Sinne, gegen die Nilgrenze u. f. den Isthmus sich ausspricht, sowie dass noch Plinius (HNat. 5, 23) das urspr. *A.* als die Gegend, 'quae proprie vocetur *A.*', bezeichnet u. als *A. Vetus* (= alt) dem neuen, *A. Nova*. ggbstellt (ib. 25). Uebr. war noch zu Sallust's, also Cäsars Zeit *A.* nicht allg. als dritter Erdtheil anerkannt: 'In divisione orbis terrae plerique in parte tertia *Africam* posuere, pauci tantummodo Asiam et Europam esse, sed *Africam* in Europa' (Sall. 17). Erst die port. Indienfahrten haben die Anschauungen betr. den Umfang des Erdtheils abgeklärt u. in ihrer j. Fassung festgestellt. Mit unserer Etym. vergleiche man die ältern Erklärungsversuche: v. sem. *peruc* = Kornähre, als Anspielung auf die grosse Fruchtbk. des nördl. *A.* (Bochart), v. hebr. *ephor* = Staub, Sand, da *A.* ein Sandland sei, od. hebr. *pharaka* = trennen, entzwei schneiden, da *A.* durch den Nil v. Asien, bei Gades v. Europa, getrennt sei, v. phön. *Havarka*, *Avreka*, d. i. Barka, da die Cyrenaica einer der merkwürdigsten Theile des Continents sei, v. gr. ἀ-ευφ-ορικης = ohne Kälte, ἀφρικηρ = der Kälte baar od. ὁιγόω = vor Kälte zittern, mit praep. ά als Gegentheil, v. lat. *aprica* = sonnig, v. der Sonne erhitzt, auch nach gewissen Per-

sonen, entw. einem arab. König Ifricus od. einem Afrus, der als Sohn des Hercules od. des Saturn gedacht wurde, od. endl. nach Abraha's zwei Söhnen Afra u. Afer (Charnock, LEtym. 3 f.) — *Punta de A.*, ein Cap v. Ceuta, der *Punta de Europa* ggb., engl. *the Great Europe Point* = die grosse Europaspitze (Wüllerst., Nov. 1, 39). — Von mir fragl. Sinne die *African Islands*, 2 niedrige Eilande der Almiranten (Hertha 7 GZ. 125). — *Africaner* s. Boers. — *Afriqya* s. Gharb.

Afzia s. Ophiussa.

Agades od. vielm. *Egedesch* = Familie, reines Berberwort, als ON. häufig, so namentl. auch f. den Hptort v. Aïr od. Asben (Barth, Reis. 1, 503).

Agadir s. Gader.

Aganakattinsk s. Alapajewsk.

Agardh Bay, früher *Foul Sound* (Pellhams Carte 1631, vgl. Faul), u. *A. Berg*, am spitzb. Wybe Jans Water, v. der schwed. Exp. 1864 so getauft, ich vermuthe zu Ehren eines der beiden berühmten schwed. Algenforscher, des Vaters Karl Ad. *A.* (1785—1859) od. seines 1813 geb. Sohnes Jak. Georg *A.* (Peterm., GMitth. 17, 182 T. 9).

Agassiz, Cape, am Südende des arkt. Humboldt Gletschers, Kane Sea, v. Kane (Arct. Expl. 1, Carte; 2, 151 f.) 1853 benannt zu Ehren des berühmten Naturforschers Louis *A.*, der, geb. im C. Freiburg 1807, als Ichthyolog sich auszeichnete u. durch die Paläontologie auf geolog., speciell Gletscherstudien geführt wurde († 1873), wie das Nordende, *Cape Forbes*, nach dem schott. Gletscherforscher J. D. F. (geb. 1809, † 1869). — *A. Bach* s. Wilczek.

Agathe s. Agde.

Agatsch = Baum, im türk. ON. wie a) *Agatschlyk* = Ort mit Bäumen, Dorf auf der Strasse Samarkand-Taschkent (Peterm., GMitth. 37, 265); b) *A. Denisi* = Baummeer, f. das moldauische Thal *Rosboeni*, nach seinen dichten Wäldern (Hammer-P., Osm.R. 2, 144); c) *A. Hissar* = Baumschloss, Ort am Fusse des mys. Olympos, inmitten einer prachtvollen Waldgegend (Tschih., Reis. 28).

Agaunum s. Maurice.

Ag'âzî s. Abessinia.

Agbatana s. Hamadan.

Agde, Ort des frz. dép. Hérault, zw. den Strandseen des Golfs du Lion, nebst der dam. Insel gl. Nam. bei Ptol. (Geogr. 2, 10) Ἀγάθη = die gute, bei PMela u. Plin. *Agatha*, beim An. Rav. *Agathe*, 506 *Agatha*. 1191 *Agda*. davon 541 der Gau pagus *Agathensis*, die Mündung des Hérault *Grau d' A.*, da die Oeffnungen der dortigen Strandseen als *grau*, *gradus*, bezeichnet werden (Dict. top. Fr. 5, 1). — *Morro de Santa A'gueda* s. Forward.

Aghri D. s. Ararat.

Aglasan s. Budrum.

Agned s. Edinburg.

Agnes, Frauenname, ist wohl in *A. Monument*.

f. einen fast kreisrunden, 12 m h., oben flachen Inselfels v. North Ayr, der John Ross (Baff. B. 198) am 10. Sept. 1818 auffiel, z. toponym. Verwendg. gekommen, wäre jedoch ohne die heil. *Inés* (s. d.) der Spanier spärl. in der Carte erschienen. Diese gehört näml. unter die berühmtesten der heil. Jungfrauen der Kirche u. gilt als Sprosse einer vornehmen Römerfamilie, durch Schönheit ausgezeichnet, keusch u. standhaft im Märtyrertod, durch ein Lamm versinnbildlicht u. v. der Kirche je am 21. Jan. gefeiert.

Agop s. Jakob.

Agora s. Lysimachia.

Agostinho, Cabo de Santo (s. Augustin), 2 mal: *a)* in Brasil., südl. v. Cabo de San Roque, v. Vespucci erreicht am Festtage des heil. *A.*, 28. Aug. 1501, getauft 'em virtudo dos dias em que, com o kalendario romano na mão, forão a ellas chegando os nautas' (Varnh., HBraz. 1, 19), schon am 26. (od. 20.?) Jan. 1500 bei V. Y. Pinzon *Cabo de Santa Maria de la Consolacion* (= ...des Trostes), da das Schiffsvolk, nachdem bei dem Kreuzen des Aequators der Polarstern untergegangen war u. damit das übl. Orientirungsmittel fehlte, ängstl. u. vergebl. nach einem südl. Polarstern suchte: 'vanamente esperaban divisar otra estrella semejante á la de nuestro norte' (Varnh., HBraz. 1, 25, Navarrete, Coll. 3, 19), bei dem zeitgenöss. Spanier Diego de Lepe *Rostro Hermoso* = schöner Vorsprung (Navarr. 3, 23), sonst auch *Cabo de Santa Cruz* (s. Brazil); *b)* s. Padrão. — *Santo Agostino* s. Triste. — *San Agustin* s. Sulphur.

Agrachan s. Utsch.

Agram, früher auch *Agramb, Agrampt,* ist nur die seit dem 16. Jahrh. eingeführte verdeutschte Gestalt f. kroat. *Zagreb* = Damm, v. *zagreb'sti* = eingraben (Miklosich, Lex. palaeoslov..-lat.) od. *za* = hinter u. *greb* = Grab, urspr. Graben (Miklosich, ON. App. 2, 167). An das verb *zagrebsti* hat auch Franges (ZfSchulgeogr. 3, 130 ff.) gedacht; doch stellt er die Bedeutg. 'hinter den Felsklippen', v. *greben,* dem Ausdruck f. die hervorragenden Theile steiler Felsen, voran. Die slaw. Namensform wurde volksetym. durch Erzählungen so gedeutet, als sei hier auf wunderbare Weise ein Brunnenstrahl ausgebrochen u. den Anwesenden die Mahnung *zagrabite* = schöpfet! zugerufen worden. Nach der Stadt wird heute das *Agramer Gebirge* benannt, inbegriffen die südwestl. Abtheilg., welche wg. des in gleicher Höhe verlaufenden Rückens kroat. *Sljeme* = flacher Bergrücken heisst; in einer lat. Urk. 1208 wird es aber *Mons Ursi,* 1242 ff. *Medvjednica,* beides 'Bärengebirge' genannt, ozw. v. dem einstigen, auch historisch beglaubigten Vorkommen der Bären (Zeitschr. f. Schulgeogr. 12, 109 ff.).

Agrapidochori s. Pylos.

Agria, Agua = saures Wasser, port. Name einer Heilquelle auf einer Küsteninsel v. Santos, Bras. (WHakl. S. 51, 39).

Agrigentum s. Girgenti.

Agrippina s. Cöln.

Agua = Wasser, span. Form des lat. *aqua,* als Bestimmgswort mehrf. *a) Volcan de A.* (s. Fuego und Volcan), *b) Ojo de A.* (s. Ojo).

Aguagliouls s. Agudo.

Agudo, -a = spitzig, scharf, stechend, span. u. port. adj. wie frz. *aigu, -ue,* ital. *acuto, -a,* rätr. *agüzzò, güzzò, -a,* v. lat. *acutus, -a, -um,* in ON. wie *Ponta Aguda,* ein Cap der brasil. Prov. São Paolo, v. der Form einer langen Rindszunge (WHakl. S. 51, XLVIII) od. *Cresta Güzza* = spitzer Grat, eine Felspartie des Bernina (Lechner, PLang. 50). Von den Derivaten sind toponymisch zu beachten port. *agulha,* span. *aguja,* frz. *aiguille* (s. d.) f. Nadel, bald im Sinne v. Magnetnadel, bald f. spitze Berghäupter, voraus in *Cabo das Agulhas,* dem 'Nadelcap' am Südende Africa's, nach der Rechtweisung der Magnetnadel (Adelung, GSchifff. 2, 654), 'v. den Portugalliern darum also genennet, weil sie befanden, dass die Nahtel des Schiffszeigers bei hiesigem Ecke gerade nach Süden u. Norden wiese' (Dapper, Afr. 611). — Ozw. aus ähnl. Grunde 2 mal *Punta de la Aguja: a)* in Peru, v. d. Exp. Pizarro-Almagro 1527/28 (Prescott, CPeru 1, 282, Barrow, Reis. u. Entd. 2, 156); *b)* an der HI. Paria, v. Columbus im Aug. 1498 benannt, j. *Punta dos Alcatrazes* (WHakl. S. 43, 125). — *Aguagliouls* = mittlere Zacken, v. rätr. *aguagl* = Stachel u. der dem ital. *uólo* entsprechenden Endg. *oul,* welche nicht ganz dim. ist, sondern etwas Mittelmässiges anzeigt, eine capartige Erhabenheit, welche v. 2 zsfliessenden Engadiner Gletschern, dem Tschierva- u. Roseg Gl., umschlossen wird u. mehrere Felsspitzen, 'deren schönste eine Burg der Gemsen ist, nach dem Piz Roseg hinstreckt' (Lechner, PLang. 61). — *Agujero* = Nadelöhr, Loch, ein grandioses Felsenthor Mallorca's, durch welches man v. der See her u. bei der Einfahrt in die Bay v. Alcudia hindurchblicken kann (Willk., Span. u. B. 67).

A'gueda s. Forward.

Aguesseau, Ile d', im Arch. d'Arcole (s. Arch), v. der Exp. Baudin am 10. Aug. 1801 benannt wie die übr. nach einem hervorragenden Staatsmann (Péron, TA. 1, 113). — Ebenso (ib. 75) im Jan. 1803 *Pointe d'A.,* im Détroit de Lacépède (s. Investigators Str.).

Aguilar, Entrada de Martin de, so hiess lange eine der Einfahrten der american. Nordwestküste, weil sie, als vermeintl. Fluss, auf der Winterfahrt des Spaniers Seb. Vizcaino (1602/03) entdeckt wurde, z. Gedächtniss des Lieut. Martin de *A.,* der das 2. Expeditionsschiff befehligte u. auf der Rückreise am Scharbock starb (GForster, GReis. 1, 22).

Agung, Gunung = grosser od. Hauptberg, mal. u. jav. Name *a)* des 3452 m hohen vulcan. *Pics v. Bali,* dem der nur halb so hohe, aber ebf. thätige Vulcan *Batur* = Diener z. Seite steht (Peterm., GMitth. 10, 264); *b)* eines Bergs in Sunda, Java. Der letztere, nur etwa 2000 m h. u. v. höhern Nachbarn umgeben, verdient seinen Namen kaum (Crawf., Dict. 7. 28. 46. 195).

Aguss s. Sudan.

Agylla, gr. Ἄγυλλα, der alte angebl. pelasg. Name der ital. Stadt Caere, zu erklären aus dem (hebr.-) phön. *Agullah* נׇּלֻה = die kreisrunde, eine Benennung, die ausnehmend gut auf die um einen kreisrunden Hügel gebaute Stadt passt — eine seltene Spur phön. od. eher karthag., jedf. semit. Ansiedelg. in Italien (Rhein. Mus. 1853, 334. 601).

Aha s. Aa.

Ahîr s. Gudschrat.

Ahkaf, el, plur. v. arab. *hikf* = Sand, in der Bedeutg. Sandhügel, Ort in Hadhramaut, fruchtbar in einer Gegend v. Sandhügeln (Ibn Batuta, Trav. 59).

Ahl, wie arab. *ali* = hoch, bei den Somal ein 2000 m h. ununterbrochener Gebirgskamm, der Küste parallel v. Hess bis Bossasso im Ld. Mejertin. 'So wird das gesammte Gebirge genannt, speciell, u. auch wohl treffender, jedoch nur die die Wolken überragende Region, welche bei einem generellen Anblick des Gebirgssystems v. Meere aus deutl. abgegrenzt erscheint' (ZfAErdk. 1875, 268. 284).

Ahlstadt s. Alt.

Ahmadabad, auch *Ahmed...*, arab.-pers. Name ind. Städte, v. d. häufigen PN. *A'hmad* = der gepriesene u. pers. *abád* = Stadt: *a)* in Gudschrat, *b)* in Central-Indien, auf Carten *Bider*, einst Residenz Ahmed Schahs od. Achmets. — Ebenso *Ahmadnágar*, wo *nagar* ebf.' 'Stadt', dreimal: *a)* im Dekhan, einst Haupt eines muhammed. Staats, *b)* in Gudschrat, *c)* in Hindostan, u. *Ahmadpúr*, wo *pur* ebf. 'Stadt', 3 mal im Pandschab (Schlagw., Gloss. 168, Lassen, Ind. A. 1, 213, MPolo ed. Pauthier 2, 641).

Ahnahaways = 'Volk, dessen Dorf auf einem Hügel liegt', ein Indianerstamm auf einem Plateau zw. Missuri u. Knife R., bei den frz. Händlern *Souliers Noirs* = Schwarzschuhe, engl. *Shoe Indians*, ozw. nach einer eigenthüml. Fussbekleidg. (Lewis u. Cl., Trav. 96).

Ahnâscha, Kasr Bû el = Schloss des Vaters der Schlangen (s. Abu), arab. Ruinenname der Syrtenküste, südl. v. Bengasi, daher, dass sich hier, wie überall in den Ruinen, viele Schlangen aufhalten (Barth, Wand. 356).

Ahorangi s. Cook.

Ahorcados, Isla de = Galgeninsel, wörtl. Insel der Erhängten, eines der Felseilande, welche den Canal zw. Ibiza u. Formentera erfüllen (Willkomm, Span.-B. 180). — Eine *Cuesta* (= Abhang, Anhöhe) *de los A.* bei Chancay, nördl. v. Lima (Tschudi, Peru 1, 312).

Ahr s. Aare.

Ahvenan-Maa s. Åbo.

Ai s. Banda.

Ai Schan s. Kjachta.

Ajagusk s. Alapajewsk.

Aiasoluk s. Hagion.

Aich s. Eiche.

Aid B. s. Henry.

Aidlingen s. Lothringen.

Aigialos, gr. Αἰγιαλός = Flachküste, Gestade (αἴσσω, ἅλς, d. h. wo das Meer anschlägt s. Akte): *a)* Aelterer Name der flachen pelop. Küste, des spätern Achaja, dann übh. des Peloponnes (Strabo 383); *b)* Küste u. Ort in Paphlagonien, am Pontus (2, 855); *c)* in der Form *Αἰγιάλη* eine Küstenstadt v. Amorgos (St. B.). — *Aigialia*, gr. Αἰγιαλία od. *Αἴγιλα*, j. *Cerigotto*, zw. Kreta u. Cerigo (Pape-B., Plut., Cleom. 31). — *Aigileia*, gr. Αἰγίλεια, kl. Insel zw. Euböa u. Attika (Herod. 6, 107). — *Aigilos* s. Capraria.

Aigle, dial. *Alyo*, deutsch *Aelen*, ON. im Waadtlande, wollte man seit Frz. Guillimann (de reb. Helv. 1, 11) v. lat. *aquila* = Adler ableiten u. mit dem nahen *Yvorne*, röm. *Hiberna* = Winterlager zshalten; man dachte dabei an eine röm. Reiterstation u. den Adler, als Feldzeichen der Legionen, u. *A.* hat wirkl. den Adler in sein Wappen aufgenommen (Gem. Schwz. 19ᵃ, 53; 19ᵇ, 2). Diese Vermuthung widerlegen die geschichtl. Zeugnisse: *Y.*, urk. 1020 *Eburnum*, zu einer Zeit, wo sehr wahrsch. *A.* noch gar nicht existirt (Mart.-Crous., DVaud. 8. 969). Wie schon der Keltomane L. de Bochat (Mém. Crit. 1, 133; 3, 32 ff.), unter Verwerfg. röm. Herkunft, wie des v. Aeg. Tschudi (Helv. ant. MS.) vermutheten *Hals, Halyides vicus, Salinae*, auf ein norm. *A.* verweist u. den Namen mit *Evian* vergleicht, so denkt Gatschet (OForsch. 35. 252 ff.) f. *A.* an mlat. *aquale, aquarium*, die Übersetzg. des Thalbachnamens Grand'Eau, f. *Y.* an lat. *hibernare* = wintern, als Ort, wohin, nachdem im Gebirge alles Heu aufgebraucht, das Vieh z. Winterung geführt wird. — *A. Baie*, engl. *Eagle Bay*, bei Cape Forward, v. Bougainville (nach seinem Schiffe?) getauft (Adv.-B. 1, 35).

Aignant, Ile St., zwei austr. Inseln: *a)* bei Tasmania, v. d. Exp. Baudin im Jan. 1802 aus *Frederik-Hendrick's Eiland* umgetauft wohl nach dem franz. Dichter d. N., spätern Mitgliede der Academie 1773—1824 (Péron, TA. 1, 216), bei Flinders (Atl. 7) *Sloping Island* = abschüssige, abgedachte Insel; *b)* wird ebenso in der Louisiade, v. d'Entrecasteaux 1792/93 (Krus., Mém. 1, 155).

Aigues, wie *aix* (s. d.) plur. v. *aigue*, lat. *aqua* = Wasser, mehrf. in frz. ON., bes. der mit Strandsee'n besetzten narbonnens. Küste, wie *A.-Mortes*, 1248 *Aquae Mortuae*, = todte Wasser (s. Mort), Ort bei Nimes, v. Salzsümpfen umgeben, an 4 Canälen, einem. wichtiger Hafenplatz, j. weitab v. Meere (Meyer's CLex. 1, 277), ggr. zu Anfang des 12. Jahrh., erneuert u. vergrössert v. Ludwig d. Heil., den die Consuln u. Bewohner des Orts um Abänderung des Namens baten ... quum nomen habeat orribile et odiosum, aliud nomen bonum et famosum et placabile, quod sit tale *Bona-per-Forsa* = ... (?). 'Mais ce nom n'a pas prévalu' (Dict. top. Fr. 7, 3 f.). In der Nähe das Ggstück: *A.-Vives*, 1099 *Aquaviva*, 1322 *Aquae-Vivae* = lebendige Wasser, ferner *Aiguebelle*, 3 mal, 1263 *Aqua-Bella* = schönes Wasser, *Aiguebonne*, 2 mal, 1309 *Aqua-Bona* =

gutes Wasser, im plur. *Aiguesbonnes* (ib. 7, 3 f.).
Im benachbarten dép. Hérault wiederholt sich
A.-Vives, 782 *Aqua viva* 5 mal, auch *Aiguebelle*,
1295 stagnum *d'Aiguebella*, f. den j. Teich v.
Balaruc (ib. 5, 3); ein *Aigue-Perse*, latin. ad
Aquas sparsas = bei den Sprudelwassern, im dép.
Puy de Dome, nach einer kalten Quelle, welche
mit starkem Aufwallen herausbricht (Gibson, Etym.
G. 3), *Aigues-Parses*, 2 mal, 1556 de *Aquis
Sparsis*, ein *Aigue-Morte* u. ein *A.-Vives*, im
dép. Dordogne (Dict. top. Fr. 12, 3), ein *Aigue-
belle*, 1342 *Aqua bella*, im dép. Hautes-Alpes
(ib. 19, 2), 2 Flüsschen *Aiguelongue*, 1451
Aygue-Lonca = Langwasser, im dép. Basses-Pyr.
(ib. 4, 4), eine *Aigue-Blanche* = Weisswasser
u. eine *Aigue-Belle*, 2 Zuflüsse der Durance
(Brandes, Progr. 1846, 26). — *Naiguières*, aus
en Aiguières, ON. des dép. Saône-et-Loire, im
9. Jahrh. *Aquarias*, plur. fem. v. *aquarius*, benannt v. einer Quelle, welche sofort einen Bach
bildet (d'Arbois de Jub., Rech. NL. 603). — Vgl.
Pierre.

Aiguille = Nadel (s. Agudo), der bekannte frz.
Ausdruck f. spitze Alpenhörner, gern durch Angabe
der Farbe etc. differenzirt, wie *A. Noire*, *A.
Rouge*, aber auch f. sich Eigenname v. Bergen
u. anliegenden Orten, *l'A.* 3 mal, *les Aiguilles*
4 mal, *l'Aiguillette* 4 mal, *les Aiguillons* 2 mal,
sämmtl. im dép. Hautes-Alpes (Dict. top. Fr. 19,
2 f.). Aehnliches Vorkommen in den Hochalpen
Savoyens, des Wallis etc. — *Mont A.* s. Inaccessible.

Aigussai s. Gader.

Ail, Cap à l' = Knoblauchcap, canad. Uebsetzg.
eines ind. Capnamens am Missuri, v. einer dort häufig
wachsenden Zwiebelpflanze, die Stelle desh. v. den
Indianern oft aufgesucht (PWvWürttb., NAm.231).

Aila s. Akabah.

Ailia s. Ilias.

Aimorés, bei ältern *Gaimurés*, bisw. ohne
Accent *Gaimures*, ein Stamm brasil. um Ilhéos
wohnh. gewesener Indianer, welcher, wie die
ihm wahrsch. verwandten Purís, Purûs, v. ganz
andrer Sprache und andern Sitten, namentl. lüsterne
Anthropophagen, 'gulosos de carne humana', sich
deutlich v. den Tupis unterschied, v. diesen
so genannt nach einem an der Küste vorkommenden rochenartigen Fische, dessen Rogen als sehr
giftig gemieden war 'de ovas muito peçonhentes'
(Varnh., HBraz. 1, 242. 447 f.). — Ein andrer
Stamm *Aimarás* = Säcke, nach einem camisol-
artigen Kleidungsstücke, welches seine Angehörigen trugen: 'das camizolas que vestiam esses
Indios' (ib. 1, 102).

Aimsk s. Lena.

ʿAïn = Quelle, Brunnen, auch artesischer Brunnen, dim. *auina*, plur. *ʿajun, ijûn*, oft in ON.
als Grundwort: *A. el-Dscherab* = Quelle der
Krätze, welche die Krätze heilt, in der Nähe v.
Biskra, Algier, *A. Beida* (s. Abiad), *A. Kebira*
(s. Kebîr), *A. el-Chadhra* (s. Achdar), *A. el-Dhum*
= Quelle der Zwergpalme etc. (Parmentier, Vocab.
arab. 9 f.). Mehrf. erscheint *Ras el-A.* = Quellen-

haupt *a)* der Ort, v. welchem aus Tyrus einst
durch Aquaeducte versorgt wurde, 3 Bassins unweit des j. Sûr (Robins., Reis. 3, 659, Seetzen,
Reis. 2, 117, Jos., Ant. 9, 14); *b)* der Quell-
sumpf des wasserreichen Flusses Audscheh, daher
das hochgelegene, viereckige, mit Eckthürmen
versehene Castell dabei *Kaloh* (= Schloss) *R.
el-ʿA.* (Peterm., GMitth. 13, 131); *c)* die Quellen
des Flusses v. Baalbek, 'ein herrl. Fleck, unter
den Umwohnern wg. der Gesundheit der Luft
und seines Wassers berühmt' (Burckh., Reis. 1, 57);
d) einer der Quellflüsse des Belich, der v. der
Linken dem Euphrat zugeht, bei Urfa, wo in
reicher Ebene der Reis vortreffl. gedeiht u. weil
als 20 Ortschaften seinem Anbau obliegen (Spiegel,
Eran. A. 1, 292 f.); *e)* ebf. in Ober-Mesopotamien,
aber im Gebiete des Kabur, syr. *Risch-ʿaina*,
mit gl. Bedeutg., j. *Resaina* (Kiepert, Lehrb.
AG. 154), einst *Theodosiopolis*, als es v. byz.
Kaiser Theodosius vergrössert u. befestigt war
(380), in einer von 300 Quellen wohlbewässerten
Gegend (Spiegel, Eran. A. 1, 294, Hammer-P.,
Osm. R. 2, 456). Vgl. Erzerum. — *ʿAin Zarba*,
j. im Gebiete des kleinarmen. Dschihun, arab.
umgeformt aus dem alten *Anazarba* (syr.), *Anar-
zaba* (arm.), das zu Plinius' Zeit (HNat. 5, 93)
auch *Caesarea* heisst (Spiegel, Eran. A. 1, 287). —
ʿAiuan = Brunnen, ein Karawanserai der Route
Teheran-Meschhed, v. einer leicht-brackischen und
wenig reichen Quelle, welche dort entspringt
(Journ. SGéogr. Par. 9, 127). — *ʿAjun* = die
Quellen, einer der menschenleeren Orte der
hauran. 'Städtewüste', etwa 400 Häuser fassend,
nach zwei ummauerten Quellen, welche sich auf
der Westseite der Stadt befinden (Burckh., Reis.
1, 176). — *Iǰûn*, Stadt im Hauran, 'um welche
die Brünnlein zahllos quellen und wir trotz der
Tausende weidender Kamele bis an die Knie
im Grase der den Ort weithin umgebenden Wiesen
waten' (Wetzstein, Haur. 78). — **ʿEnajim**, hebr.
עֵינַיִם = zwei Quellen, auch *'Enam*, עֵינָם, Ort im
Stamme Juda (Jos. 15, 34, Gesen., Hebr. L.).

Ainabachti s. Naus.

Ainegöl = Spiegelsee, türk. Name *a)* ein See
am Fusse des mys. Olympos, mit Uferort *A.* u.
Zufluss *A.-Su*, wo *su* = Fluss, Wasser (Tschih.,
Reis. 28); *b)* in der Form *Ainekül* ein 'Spiegelsee' im Nordwesten v. Merw (Peterm., GMitth.
37, 265).

Aino = Menschen, wie *Insu* u. *Jeso* (s. d.)
dial. f. *Einso*, nennen sich die fast kupferfarbigen, merkw. haarigen Eingeb. v. Jeso (Krus.,
Mém. 2, 202). Nach Pfizmayer bedeute *A.* =
Bogenmänner; nach Satow wäre *A.* aus *inu* =
Hund verderbt, also eine verächtliche Bezeichng.,
welche die Japaner diesem gutmüthigen, uncivilisirten Volke gaben u. noch geben (Rein,
Japan 1, 444).

Ainsworth Harbour, in feuerl. Admiralty Sd.,
v. d. Exp. Adv.-B. im Febr. 1827 (Fitzroy,
Narr. 1, 56. 63. Carte) getauft ozw. nach dem
master der Adventure, B. A., welcher mit Fitzroy's 'excellent coxswain' John Corkhill bei einer

Exploration nach Port SAntonio, östl. v. Cap Forward, ertrank. Vor dem Hafen *Corkhill Island*.

Ajole, deutsch *Elsgau*, in älterer Form *Alsgaudia*, die Ldsch. um Pruntrut, nach dem kl. Flusse Alsa, Alle, Allaine, der sie durchfliesst u. in den Doubs mündet (Gelpke, KirchG. 2, 166).

Aipeia s. Korone.

Aipion, gr. *Aἰπιὸν* = Hohenheim (Pape-Bens.), eine Stadt in Elis Triphylia (Pol. 4, 77. 80), wahrsch. die Ruinen auf einem hohen, langgestreckten, schmalen Bergzuge im südl. Elis, j. *Hellanico*, 'summis ingestum montibus *Aepy*' (Stat. Theb. 4. 180, Curtius, Pel. 2, 88). — *Aipeia* s. Sela.

Airy-Tschai = der entgegengesetzte Fluss, bei den Tataren ein Nebenfluss des kauk. Alasan, da jener aus OSO. gegenläufig diesen aus WNW. kommenden Hauptfluss erreicht (Peterm., GMitth. 9, 167).

Althiopes, gr. *Aἰθίοπες*, v. *αἴθω* = brennen u. *ὤψ* = Gesicht, also verbrannte Gesichter (Homer, Od. 1, 23), so hiessen im Alterth. die dunkelfarbigen Bewohner des obern Nilgebiets, entspr. der Vorstellg., die dunkle Hautfarbe sei durch die Sonnenglut bewirkt . . . 'dort färbt Helios in seinem Laufe mit des Russes finstern Glanze die Haut des Menschen u. kräuselt ihm dörrend das Haar' (Strabo 695). L'Abéssinie était nommée par les Grecs *Aἰθιοπία*, nom générique qui désignait pour eux des contrées situées en Afrique et en Asie, dont les habitants, ainsi que l'indique le nom, avaient le visage comme brûlé par le soleil' (MPolo ed. Pauthier 2, 693). Lange Zeit erstreckte sich der Name *Aethiopia* über den grössten Theil v. Africa u. hiess wohl auch der anliegende Ocean das *äthiopische Meer*; ja noch 1775 bezeichnete Blumenbach die Negerwelt als *äthiopische Race*. Heute lebt der Name wohl nur noch in *Itiopia* (s. Abessinia) fort. — *Aithalea* s. Lemnos. — *Aithalia* s. Elba.

Aithraia s. Rhodos.

Aitodor s. Krios.

Aiton's Bay, an der Nordseite N.-Hollands, v. Capt. Ph. P. King (Austr. 1, 96) am 27. April 1818 benannt nach dem Botaniker Will. A. Esq., 'of the Royal Gardens at Kew', geb. 1731, † 1793. — Wohl ebenso *A.'s River*, ein Küstenfluss Brit. Columbia's, am 2. Juni 1788 v. engl. Capt. Charles Duncan getauft (GForster, GReis 1, 57).

Aiu-Inseln, östl. v. Halmahera, v. engl. Capt. Meares, der am 24. Febr. 1788 hier erschien, *Tatee* getauft, weil die Insulaner dieses Wort beständig im Munde führten (Krusenst., Mém. 2, 6 ff.). 'Wir sahen vschied. ihrer Canots, die zw. den Riffen herumruderten, u. 2 ders. kamen ganz nahe an das Schiff heran u. wiederholten mit grosser Heftigk. das Wort *tatie, tatie*' (Spr. u. F., NBeitr. 8, 260, GForster, GReis. 1, 80).

Ajub, Nebi = Hiobs Grabmal, ein hoher Hügel bei El-Bara, Gouv. Aleppo, nach der dem Andenken des Propheten Hiob geweihten türk. Capelle, welche den Gipfel krönt (Burckh., Reis.

1, 225); *b) Dschebel A.*, ein Berg in Hedschas (Burckh., VArab. 2, 20); *c) Bir A.* s. Rogel.

Ajukesmetsch = Bärenhöhle, teleut. Flussname: *a)* an der Ostseite des Telezker Sees, weil an der Mündung, wo das Flüsschen durch einen pittoresken Spalt viele schäumende Cascaden wirft, sich gern Bären aufhalten u. oft erlegt werden (Bär u. H., Beitr. 14, 65); *b)* an der Westseite desselben Sees (ib. 82). — *Aï-Tepessi* = Bärenberg, türk. Name eines kahlen Felsgipfels nordöstl. v. Niksar, Kl. Asien, in einer Gegend, in welcher es noch viele Bären geben soll (Tschihatscheff, Reis. 60).

Ajun s. 'Ain.

Aive s. Ève.

Aix u. *Ax*, wie *aigues* (s. d.) ein plur. v. *aigue*, lat. *aqua* = Wasser, im Sinne v. Therme, mehrf. f. frz. Badorte *a) A.-en-Provence*, lat. *Aquae Sextiae*, nach dem Proconsul Cn. Sextius, welcher die barbar. Salyer überwand u. —121 bei den Thermen v. 35⁰ C. eine Stadt gründete (Plin., HNat. 3, 36), bei Greg. v. Tours *Aquae*, *urbs Aquensis; b) A.-en-Savoie*, lat. *Aquae Gratianae* (s. Grenoble) od. *Domitianae* j. *A.-les-Bains*, 'Baden-Baden', mit Schwefelthermen v. 45⁰ C. (Meyer's CLex. 1, 282 f.; 14, 70); *c) A.-en-Othe* unw. Troyes, 861 *Aquensis fundus*, praedium *Aquense*, 1177 *Aquis*, im 18. Jahrh. auch, wie Aachen, *Aquisgranum* (Dict. top. Fr. 14, 2); *d) A.-la-Chapelle* s. Aachen. — *Ax*, 2mal *a)* Badort der Pyrenäen, mit vielen Schwefelthermen v. 34—96⁰ C. (Meyer's CLex. 2, 337); *b)* mit praep. *Dax, d'Acqs*, Ort des dép. Landes, röm. *Aquae Tarbell(ic)ae*, nach den Tarbellern, die bei Caesar *Tarbelli*, bei Strabo οἱ *Τάρβελλοι* heissen (Dict. top. Fr. 4, 166) u. nach welchen der j. Golf v. Gascogne etwa *Tarbellum aequor* genannt wurde, bei Greg. v. Tours *urbs Aquensis*, auch *Aquensis civitas* = Thermalstadt, mit Schwefelquelle v. 70⁰ C. (Meyer's CLex. 5, 30 f., Brandes, Progr. 1846, 25). Die Form *Ax*, 'qui représente fort exactement le latin *Aquis*', war noch im 18. Jahrh. f. *Dax* zieml. in Gebrauch, so dass die Ortslexica v. *Ax* auf *Dax* verwiesen (Longnon, GGaule 590).

Ak = weiss, in vielen türk. ON., namentl. *Ak Su* (s. d.) u. in vielen türk. ON., namentl. *Ak Su* (s. d.) u. *Ak Bulak* = Weissbrunn, 3mal: *a)* u. *b)* zwei 'Brunnen' am westl. Ufer des Aralsees (Bär u. H., Beitr. 15, 82 f. 262); *c)* am Flusse Tschagan, mit russ. Befestigg., die während der Exp. Perowsky's 1839 errichtet wurde (ib. 164. 258). — *Ak Bunar* = weisse Quelle, ON. östl. v. Tüs Tschöllü (Tschih., Reis. 32) — *Ak Busch* s. Aral. — *Ak Dagh* = weisser Berg, mehrf. — *Akdagh-Maden* = Bergwerk am weissen Berge, ON. nordöstl. v. Kaisarieh, mit 6 Hochöfen; 7 km entfernt liegen 40 Gruben f. Silber und Blei, in welchen etwa 400 Arbeiter beschäftigt sind. Der jährl. Ertrag beläuft sich im Durchschnitt auf 450—500 Oka Silber und 80000 Oka Blei (Tschih., Reis. 37). — *Ak Denghis* = weisser See, 5mal: *a)* bei Antakijah, auch einf. *el Göleh* = der See (Meyer's CLex. 1, 710); *b)* s. Balkasch; *c)* s. Weisses Meer; *d)* s. Kaspi; *e)* der Salzsee am Pontus, russ. *Liman v. Temruk,* nach der Veste d. N. (Potocki, Voy. 1, 240). — *A. Dyb* = weisser Grund, der 'bezeichnende Name' einer Ebene des östl. Kaukasus, da sie aus mehrern sehr öden Reihen v. Lehm- und Grashügeln besteht, welche Salz, stellenweise auch Gyps enthalten und ausgedehnte Flächen begrenzen. Der westl. Theil *Ssarydschà* = die gelbliche, ein andrer *Düsjänhidscha* = Neuland-Ebene, v. türk. *düs* = Ebene und *Jänhidscha* = Neuland (Peterm., GMitth. 9, 168, in der Schreibung *Agh Dyb).* — Ferner *Ak Göl* = weisser See, eine Kette kl. Sumpfseen am Fusse des Emir Dagh, Kl. Asien (Tschih., Reis. 29) u. *Ak Gös* = weisses Auge, d. i. Quelle, ein Bach, der v. Kalkbergen in den Oberlauf des Mäander herabrauscht (ib. 4). — *Ak Idel,* 2mal: *a)* s. Kama; *b)* s. Bjelaja. — *Akjerman,* slaw. *Bjelgorod,* beides 'Weissenburg', eine bessarab. Hafenstadt, altgr. *Ophiusa* = Schlangenstadt (Kiepert, Lehrb. AG. 347), die Stätte des miles. *Tyras* (s. Dnjestr), wie des genues. *Mauro Castro* = Schwarzburg (Meyer's CLex. 1, 292, Hammer-P., Osm. R. 2, 142; 6, 424, wo der türk. Name auf Tataren zurückgeführt ist, die zZ. Timur's sich v. *Aktau* = weissen Berge in Bessarabien etc. angesiedelt hätten. — Ferner *a) Ak Kale* = weisses Schloss, 2 alte Quaderbauten der cilic. Küste (Tschih., Reis. 55); *b) Ak Köi* = Weissdorf, Ort nö. v. Brussa (ib. 24); *c) Ak Köprü* = Weissbruck, eine Brücke mit Zollstätte im cilic. Bulghar Dagh (ib. 56); *d) Ak Kul* = weisser See, im Lande der untern Wolga, in Uebsetzg. kalm. *Tsagan-* od. *Zagan Noor* od. russ. *Bjeloï-Osero* (Potocki, Voy. 1, 95); *e) AkMedschhed,* s. Perowsky u. Simferopol; *f) Akmolinsk,* Ort u. Theil der Kirgisensteppe, v. kirg. *ak-mal* = Weissvieh, d. s. Schafe, z. Unterschied v. *kara-mal* = Schwarzvieh, d. s. Kamele u. Pferde (Peterm., GMitth. 37, 265); *g) Ak Murun* s. Mielowoi; *h) Akschehr* = weisse Stadt, in Kl. Asien, u. dabei der 'See' *Akschehr-Göl* (Hammer-P., Osm. R. 1, 185); *i) Aksas* = weisses Röhricht, zerstreuter Hüttenort der cilic. Küste (Tschih., Reis. 19). — *Ak Serai* = Weissenburg, 2mal: *a)* Ort in Kl. Asien, zw. Konia u. Kaisarieh (ib. 8); *b)* Palast des Sultans zu Konstantinopel (Hammer-P., Konst. 1, 325). *A. Tagh* = weisser Berg, 2mal: *a)* in Hoch-Turkestan, *b)* auf d. Route Himálaja-Jarkand (Schlagw., Gloss. 168. 225). Den letztern nennt Hayward (JRGSLond. 1870, 62) 'a peculiar hill of white sandstone, standing out prominently in the open valley at the foot of the *Ak Range.*' Dieser Kette ggb. hat die beigegebene Carte einen *Kara Tagh* = Schwarzberg. — *Ak Tamar* s. Wan. — *Ak Tasch* = weisser Stein, mehrf.: *a)* eine der zahlr. Stellen, wo am obern Jrtysch Quarzentblössungen aus der Ebene aufragen (s. Kisil), 'der sich in Form eines weissen Gezeltes erhebt . . . Das ist eine ganz aus Quarz bestehende, mässig hohe Kuppe, welche v. fern weiss schimmert wie ein Zelt' (Bär u. H., Beitr. 20, 88 ff.); *b)* Berg in Hoch-Turkestan

(Schlagintw., Gloss. 168). — Ferner *a) Ak Taschlyk* s. Gök; *b) Ak Tjube* = weisser Berg, im Quellgebiete des Karatal (Bär u. H., Beitr. 20, 215); *c) Ak Tschaï* = weisser Fluss, in Lycien (Tschih., Reis. 21). — Ferner *a) Aktscha Kalà* = weissliche Festung, eine hohe, 4eckige, thurmähnl. Ruine bei Alliar, im östl. Kaukasus, wohl ungenau *Aghdscha Kala* (Peterm., GMitth. 9, 73); *b) Aktscha-Schehr* = weissliche Stadt, Ort am Pontus, südwestl. v. Eregli (Tschih., Reis. 43); *c) Aktschetasch* = weisslicher Stein, Ort in Karien, mit bedeutenden mittelalterl. Mauertrümmern (ib. 22). — Endlich *a) Ak Tscheku* = weisse Kuppe, Berg zw. Karadschal u. Baladschal, 'weil er lange mit Schnee bedeckt bleibt (Bär u. Helm., Beitr. 20, 98); *b) Ak Tschören* = weissliche Ruine, Ort in Kl. Asien, südwestl. v. Jsbarta (Tschih., Reis. 7); *c) Akbaba,* türk. Dorf auf der asiat. Seite des Bosporus, wo der 'weisse Papa', ein frommer Mann, der im Rufe der Heiligkeit stand, begraben ist (Hammer-P., Konst. 2, 293); *d) Akbalek Manzi* = weisse Stadt der Manzigrenze, hybr. Name einer v. MPolo erwähnten Stadt (bei ihm Provinz), v. türk. *ak* u. mong. *balik* = Stadt (Pauthier, MPolo 2, 365).

Ak Su = weisses Wasser, unter den vielen türk. ON. mit *ak* = weiss der häufigste, f. Flüsse u. Bäche *a)* ein Zufluss des Hoiran Göl, Kl.As. (Tschih., Reis. 3); *b)* ein Fluss, der in anmuthigem Thal aus der Gegend Isbarta's an die pamphyl. Küste sich hinabzieht und in seinem Oberlauf *Jilanly-Tschaï* = Schlangenfluss heisst (p. 7); *c)* ein Fluss an pamphyl. Küste, ganz in der Nähe eines *Kara-su* (s. d.) mündend (p. 20); *d)* ein schlammiges, gelbl. Wasser, das östl. v. Aïdin im Mäander fliesst (p. 49); *e)* ein lkseitig. Zufluss des Tarym und durch Uebtragg. eine daran erbaute bedeutende Stadt (Humboldt, As. Centr. 3, 244, Schlagintw., Gloss. 168): 'Name of several rivers in Turkistán. The epithet *white* generally refers to a greyish colour produced by suspended matter washed down from the glaciers and the moraines'; *f)* ein Zufluss des Balkasch (nicht seines Zuflusses Lepsa, Peterm., GMitth. 4 T. 7), mit ders. Bedeutg. mong. *Tsagan Ussu* (Hums., As. Centr. 3, 224). Da *Ak Su* in der Kirgissteppe u. a. O. wiederholt auftritt, so fragt Eichwald (A. Geogr. 53), ob nicht der *Oxus* der Alten, Amu Darja, auf jene Form zkzuführen sei; *g)* ein lkseitig. Nebenfluss des 'kleinarm.' Dschihun, der in den Golf v. Iskenderun mündet (Spiegel, Eran. A. 1, 286); *h)* ein *A.* des Olympos (Hammer-P., Osm. R. 2, 636), wo zugl. bemerkt wird, *A.* u. *Kara Su* seien sehr gew. Namen der Gebirgsströme so in Asien wie in Europa, je nachdem die Fluten derselben dunkel rollen od. weiss schäumen'; *i)* ein lkseitig. Zufluss der Lepsa, im Ggsatz z. Nebenbache *Kara Su* = Schwarzwasser. Die Kosakenpikets an diesen beiden Wassern heissen russ. *Aksuisk(oi)* u. *Karasuisk* (Bär u. Helm., Beitr. 20, 145); *k)* türk. Name des pont. Bug (Hammer-P., Osm. R. 6, 87); *l)* ein Flüsschen des Asferah Tagh, seiner Farbe nach ein Glet-

scherbach, der den *Kara-su* (s. d.) aufnimmt (Peterm., GMitth. 18, 164). — 'Akabah = Abhang, steiler Abfall. Sprenger (PostRR. 70ff.) gebraucht den schweiz. Ausdruck 'Stutz' u. übersetzt eine Reihe arab. ON. mit Lehmstutz, Elefantenstutz u. dgl., den 'syr. Stutz' *Νέχλα, Νέγλα*, j. Negle (AGArab. 147). Zwei wichtige *A.* sind: *a)* in N.-Africa (s. Katabathmos); *b)* an dem einen Arm des Rothen M., wo einst *Elath*, hebr. אֵיל = Baum od. *Eloth*, אֵילוֹת = Bäume (s. Elim), ozw. benannt nach dem nahen Palmhain (Strabo 776), davon gr. *Αἶλα*, *Αἴλανα* (Strabo 759), lat. *Aela, Aelana* (Plin., HNat. 5, 65), bei den Arabern des Mittelalters *Aileh* (Edrisi ed. Jaub. 1, 328, Robins., Pal. 1, 269 ff., Rüpell, Reis. 248, Gesen., Hebr. Lex.). Und nach dem Orte hiess der heut. *Golf v.A.* gr. *Αἰλανίτης κόλπος*, röm. *Aelaniticus Sinus*, während er hebr. *Jam Suph*, יָם־סוּף = Schilfmeer geheissen hatte (2. Mos. 15, 4; 1. Kön. 9, 26), in der kopt. Übersetzg. der Septuaginta *Phijom-en-Schari* heisst. Noch heute heisst *schari* bei den Anwohnern das am Ufer, bes. den Buchtenenden, massenhaft wachsende Schilfrohr (vgl. *Bus*); bei den Aegyptern, nach Hesych, hiess ein Schilf *sari*, wohl id. mit Theophrasts *sari* (Journ. Asiat. 4. sér. 11, 274 ff.). Im 16. Jahrh. erbaute, behufs Zähmg. der Beduinen u. Sicherung der Hadschroute, der ägypt. Sultan el-Ghûry eine viereckige Veste, die er mit einer Garnison versah; sie erhielt ihren Namen *A.* eben nach dem langen u. beschwerl.'Stutz', mit dem die Route den westl. Bergabhang zu ersteigen hat. Aber dieser Stutz trug seinen Namen schon vorher; auch Edrisi (ed. Jaub. 1, 332) nennt ihn *'Akabat-Ailah*, also nach dem alten ON.; *c)* auf der Route, welche aus dem obern Ghor in 1¹/₄ Std. Ansteig hinaufführt nach Fik, Dschaulan; dort ein Chan (= Herberge) *Chan el-A.* u. eine starke Quelle *ʿAin A.*, sowie näher bei dem Gasthaus eine schwächere *ʿAin el-Chan* (Burckh., Reis. 1, 437). — *Balan-A.* = langer Stutz, steile Wegstrecke in Fars (Sprenger, PostRR. 74). — *Ras el-Akba* = der Treppenkopf, ein wilder Pass der Prov. Constantine (Wagner, Alg. 1, 319).

Akamas, gr. *Ἀκάμας*, v. *κάμνω* = müde werden, eine Bezeichnung des Unermüdlichen, der unaufhörlich tanzenden Wellen und des trotzigen Feststehens der vorragenden Felsen, denen die Wellen nichts anhaben können (Pape-Bens., Curt., G. On. 154), ein Cap v. Kypros 'mit 2 halbkugeligen Höhen u. vielem Walde' (Strabo 682). Vergl. 'ς τὸν Ἀκάμαντα, den Hafenort v. Melos, an felsumstarrter, weiter Hafenbucht (Ross, IReis. 4, 196), Somit ist hier, wie oft, unter 'Vorgebirge' nicht nur das äusserste Ende, sondern der ganze Zug des auslaufenden Gebirges bezeichnet, namentl. der Gipfel (Curt., GOn. 151).

A'kârib, Ümm el- = Mutter der Skorpione, arab. Name eines Brunnens in einem der Thäler Taâmireh, Palaestina. Die Bezeichng. traf vollkommen zu: man brauchte nur einen der grössern Steine umzukehren u. war fast sicher, Skorpione,

aber auch Schlangen u. Tausendfüsse zu finden (Peterm., GMitth. 17, 207). **Akathartos Kolpos**, gr. *Ἀκάθαρτος Κόλπος* = der unreine Golf, lat. übsetzt *Immundus Sinus*, ein Golf des Rothen M. bei Berenice, j. *Om el-Ketéf* = Faulbay (Pape-Bens., Peterm., GMitth. 6 T. 15).

Akaligarh s. Sikh.

Akbar = der grösste, Name eines Grossmoguls, in arab.-pers. ON. *Akbarabád*, wie die Muhammedaner Agra nennen, u. *Akbarpur*, 4 mal in Hindostan u. Malwa, beides *'A.'s* Stadt (Schlagw., Gloss. 168). — *El Semul el-A.* = die höchsten Dünen, v. arab. *semela*, plur. *semul*, f. langgezogene Sandmassen, ein Hügelgebiet auf der Route Wargla-Ghadames, in Ausdehng. u. Höhe alles Andere übertreffend, was auf dem Wege ähnl. vorkommt; es gibt 500, ja 1000 m h. Gipfel. Der höchste heisst *Gurd el Semul el-A.*, v. *gurd*, plur. *ugrud*, f. die 3- od. 4-kantigen Sandpics. 'C'est un enchevêtrement confus de ravins, d'entonnoirs, de gouffres, de veines, de siouf, de gourds énormes' (Globe Genève 1875, Bull. 59. 62).

Aken's Island vor Shoal-water Bay, Queensland, v. Matth. Flinders (TA. 2, 41, Atl. 10) am 26. Aug. 1802 benannt nach dem master seines Schiffes.

Akba s. Akabah.

Akjáb, engl. *Akyab*, Ort Arrakáns, nach einer nahen Pagode *A.-dau-kun* = Hügel des kön. Kiefers, die so hiess, weil hier ein Kiefer Gautama's begraben wurde (Schlagw., Gloss. 168).

Akesines s. Tschinab.

Akik s. Chaudière.

Akindi Burun = Cap der Strömung, türk. ON. 2 mal: *a)* an der engsten Stelle des Bosporus, nach der heftigen Strömung, die bei den Türken *Scheitan Akindissi* = Teufelsströmung, gr. *Μέγα ῥεῦμα* = grosse Strömung heisst, welche die Byzantiner *Βαθύς ῥύαξ* = tiefen Strom nannten. Sonst hiess das Cap, welches wie der nahe Ort Estias (s. Kuru Tscheschme) der Vesta geheiligt war, *Estias*. 'Die Heftigk. u. Gefährlichk. der Strömung kennen Alle, welche je, auch bei dem heitersten Wetter u. ruhigsten Meere, den Bosporus befahren haben. Hier ist die einzige Stelle, wo die Ruderer ihre Arbeit aufgeben u. den Strick ergreifen, der ihnen v. Ufer zugeworfen wird, um das Boot üb. die Strömung hinaufzuziehen. Wenn mehrere Boote zskommen, droht immer die Gefahr, dass sie unter einander v. der tobenden Flut zsgeschlagen u. ans Ufer geschmettert werden. Bei stürm. Wetter ist die Fahrt vollends gefährl. ... Selbst die Meerkrebse ... unterbrechen hier ihre Wanderung in der See, indem sie, die Unmöglichk., wider die Fluten vorzudringen, gewahrend, hier an's Land gehen, den Weg, so weit die Strömung dauert, über das Gestein am Ufer fortsetzen u. sich jenseits des Vorgebirgs wieder in das Wasser begeben' (Hammer-P., Konst. 2, 216); *b)* in der Meerenge v. Kertsch, das Cap, auf dem die türk. Veste Jenikale erbaut wurde (Hammer-P., Osm. R. 7, 59).

Akir = der sterile, bei den Beduinen wg. des gänzl. Mangels an Vegetation ders. osthauran. Vulcankegel, welcher wg. seiner Grösse auch *Schêch et-Tulûl* = Fürst der Hügel genannt wird (Wetzstein, Haur. 17).

Akiskoowi s. Pheasant.

Akkad, hebr. אַכַּד = Festung, Burg (1. Mos. 10, 10), eine v. Nimrod erbaute Stadt, *Nisibis* in Mesopotamien (Gesen., Hebr. L.).

Akko, hebr. עַכּוֹ, gr. Ἄκη, j. *Akke*, *Akka* (Seetzen, Reise 2, 76), die auf flachem Sandstrande der *Bucht v. A.* gelegene syr. Hafenstadt, wird bald als ᾿das heisse᾿ (wie auch ein ähnl. arab. Wort ᾿heisser Sand᾿), bald als ᾿das krumme᾿, wg. der halbmondfgen Bucht (Gesen., HLex. 618) erklärt. Nach Ptolemäus I., der das südl. Phönizien erobert, hiess sie *Ptolemais*, gr. Πτολεμαῖς, bei den Kreuzfahrern, die sie 1104 einnahmen, *St. Jean d'Acre*, v. einer j. verfallenen Hptkirche des heil. Johannes (Meyer's CLex. 1, 292). Hitzig's griech. Etym., Ἀγκών, ist zwar sachlich begründet; sprachlich dagegen scheint sie uns kühner als die v. Hitzig getadelte semit. Erklärg. des kret. Flussnamens Jardanes (s. Jordan) u. ebenso kühn wie seine indogerman. Auslegung dieses letztern Namens.

Akontion, gr. Ἀκόντιον = Lanzenberg, ein Berg in Böotien, v. der Lanzenform, die er v. Thale Kephissos gesehen bietet (Forchh., Hell. 1, 173, Bursian, Gr. Geogr. 1, 210). — *Akontisma*, Ἀκόντισμα = Speerwurf (Pape-Bens.) 2 mal: *a)* ein Engpass am Eingang Illyriens (Amm. Marc. 26, 7); *b)* eine Stadt Thrakiens zw. dem Meer und nahe herantretenden Vorbergen; hier zieht sich, westl. v. der Stadt, die Strasse als *Stena*, gr. Στενά = Engpass durch (Kiepert, Atl. Hell.). Soll durch den Namen die Enge des Passes als eine mit einem Speer durchwerfbare bezeichnet werden? — *Akonai*, gr. Ἀκόναι = ᾿Wetzenstein᾿ (Pape-Bens.), ein Ort bei Heraklea Pontica, benannt v. seinen vorzügl. Wetzsteinen (Theop. b. Ath. 3, 85).

Akra, gr. Ἄκρα = Kuppe, hie u. da mit Eigennamen (s. Keraunia u. Korinth) verbunden, ferner f. sich *a)* ein Flecken auf felsiger Uferbiegung am cimmer. Bosporus (Strabo 494, Kiepert, Atl. Hell.), *b)* ein Cap u. Ort bei der Nordostspitze Cyperns, auch Μέλαια ἄκρα (s. d.) (Anon. st. m. m. 307, Müller, GGr. min. T. 26). — Im plur. *Akrai*, gr. Ἄκραι = Höhen, Burgen, ebf. 2 mal: *a)* eine Stadt Aetol. (Pol. 5, 3); *b)* ein Ort Sicil., wo die Passstrasse Spracus-Hybla das Gebirge zu ersteigen beginnt (Thuk. 6, 5, Kiepert, Atl. Hell.). — Als *Ore ta Akraia*, gr. ὄρη τὰ Ἄκραῖα = Kuppengebirge, Hohenfels (Pape-Bens.) ein Berg nordöstl. v. Argos (Paus. 2, 17). — *To Akron Akrathos*, gr. τὸ ἄκρον Ἀκράθως = Kuppe, das östl. Cap Athos, j. *Monte Santo* (Strabo 330, Pape-Bens). Die Stadt auf dem Gipfel Ἀκρόθοον (s. Athos). — Ἀκραί = Hohenfels (Pape-Bens), Stadt in Lakonika, östl. v. der Mündung des Eurotas, am Bergabhang (Kiepert, Atl. Hell.). — Ἀκρίτας = Hohenfels (Pape-Bens), die bergige Südspitze Messeniens (Strabo 359). Hier wie

noch oft bezeichnet der Name nicht nur das äusserste Ende, ᾿sondern den ganzen Zug des auslaufenden Gebirges u. namentl. den Gipfel dess., welcher ja auch den Seef. das erste Zeichen ist᾿ (Curt., GOn. 151). — Als Ἀκρίτη = Hohenfels (Pape-B.) ein felsiges Eiland 100 stad. v. Pathmos, j. *Arki* (Agathem. 1, 14). — Ἀκρόπολις = Oberstadt, Burg, häufige Bezeichng., namentl. f. die Burg Athens, auch nom. propr. mehrf. (Pape-Bens.). — *Akrotiri*, ngr. τὸ ἀκρωτήρι = Vorsprung, Landzunge, mehrf. f. Vorgebirge: *a)* die spitze Landzunge, den den westl. Theil Samothrake's bildet (Conze, Thrak. Ins. 48); *b)* ein Cap am steilen Nordufer u. die Westspitze Thera's (Ross, IReis. 1, 181); *c)* die flache Südspitze des sonst überall steil ansteigenden Karpathos (ib. 3, 50); *d)* eine Halbinsel im Norden Kreta's (Peterm., GMitth. 11 T. 13); *e)* *Egerdir*, Ort auf einer Spitze des Südufers des *Egerdir Göl*, wo *göl* = See, in Phrygia, ebf. ein ngr. ἀκρωτήριον, noch voller antiker Reste, die nahe Insel Nis noch v. Griechen bewohnt (Tschihatscheff, Reis. 4, Kiepert, Lehrb. AG. 105).

Akte, gr. Ἀκτή = Gestade, u. zwar der eig. Ausdruck f. eine vorspringende Steilküste (s. Melaina), die als κρημνώδης τόπος, steiler, abschüssiger Ort, genau v. αἰγιαλὸν (s. d.) unterschieden wird, insb. f. die chalcid. Halbinsel, die mit Gebirgen erfüllt zu dem 1935 m h. Felsgipfel des Athos aufsteigt (Kiepert, Lehrb. AG. 318). Doch kommt ἀκτή in der heut. Überlieferung auch f. flache Küsten vor; so heisst eine flache gg. Karpathos vorspringende Landzunge der Insel Kasos j. ebf. ἡ Ἀκτή (Ross, IReis. 3, 44); ja auch das alte *Aktion* (s. u.) war flach (Curt., GOn. 151). Als Eigenname mehrf.: *a)* in früherer Zeit die Felsküste *Attika's* (Strabo 391), auch Ἀκταία, selbst nur eine veränderte Form f. *A.*; denn Ἀττική = Ἀκτική (Bursian, GGeogr. 1, 251, Kiepert, Lehrb. AG. 277); *b)* vorzugsw. *A.*, ἡ λεγομένη *A.*, das Felsküstenland, welches, zw. Trözen u. Epidaurus, der attischen Küste ggb. liegt u. in vielen Beziehungen ähnelt, überdiess mit ihr durch regelmässige Land- u. Seewinde verbunden war (Curt., Pel. 2, 416. 426); *c)* die zackige Felsküste im Südosten des thessal. Magnesia, ggb. dem eub. Artemisium (St. B., Kiepert, Atl. Hell.). — *Aktion*, gr. Ἄκτιον = Gestade, ebf. mehrf.: *a)* eine niedrige, 3 eckige, durch Anschwemmung entstandene Landspitze am ambrak. MB., mit Ort gl. N., lat. *Actium*, j. gew. mit ital. Schiffernamen *la Punta* = die Spitze, Landzunge (Bursian, GGeogr. 1, 114, Curt., GOn. 151, Thuk. 1, 29); *b)* ein Heiligthum des Pan in Unter-Ital. (Philost. in Schol. Theocr. 5, 4).

Aktsakan s. Abenaki.

Akurey = Ackerinsel, an der Westseite Islands, benannt nach den verunglückten Anbauversuchen, welche die Dänen hier, wie auf andern Punkten, vornehmen liessen (Preyer u. Z., Isl. 52). — *Akureyri* = Getreidehafen, ein wichtiger Ex- u. Importhafen der isl. Nordküste, auch *Eyjafjardar Kaupstadir* = Kaufungen an d. Inselbucht (ib. 165).

Akzabim s. Wady.

Ala = bunt, scheckig, in mehrern türk. ON., voraus *Alatau*, verd. aus *A. Tagh*, das centralasiat. Gebirge, welches dsung. übsetzt *Iren Chabirgan* (Hellw., RCentr. 36), aber auch etwa *Kuk(a)tau*, *Koktau* = blaues Gebirge, heisst — nach den mit schwarzen Streifen u. Flecken abwechselnden Schneefeldern. 'Man kann nicht sagen, der Schnee bedecke die Gipfel, weil er meist von den Spitzen weicht u. nur in kl. Einschnitten . . . sich erhält; desh. heissen diese Berge, wie alle, die gleich ihnen den Schnee unterh. ihrer Gipfel bewahren, *Alatau* = bunte Kuppen (Bär u. H., Beitr. 20, 239; 7, 320. 322, Humboldt, Fragm. As. 61, Richthofen, China 1, 96, Klaproth, Mag. As. 196). Vom dsung. Gebirge hat Semenow den Namen auch auf das südl. v. Ili folg. übtragen: *Alatau Transilensis* (Peterm., GMitth. 4, 353; 15, 194). Die westlichern Berge türk. *Tasskile*, russ. *Bjelo Gorje*, beides 'weisse Berge (Humb., As. Centr. 1, 262; 2, 409). — *A. Kul*, der grosse See am nördl. Fusse des Gebirgs, also 'See an den bunten Bergen (Humb., Fragm. As. 61, Bär u. H., Beitr. 7, 320 f.), 'wodurch seine Lage treffl. bezeichnet wird.' Spörer's Etym. (Peterm., GMitth. 14, 79) ist gesucht. Früher hiess der See *Gurge Noor* = Brückensee. 'Diese Bezeichng. ist charakteristisch: eine Menge v. Landzungen erstrecken sich tief in den See hinein; bei sinkendem Wasserspiegel mögen einzelne das ggbliegende Ufer erreichen u. Naturdämme, Brücken, bilden.' Ein Hals trennt den Spiegel in den *Uljkun* (= grossen) u. *Kitschkene* (= kl.) See (Bär u. H., Beitr. 7, 310; 2, 109); Canäle verbinden ihn mit dem *Alaktu Gul Noor* = See der buntscheckigen Wildochsen, Moräste mit dem *Dschalanatschi Kul* = Schlangensee (Hertha 6 GZ. 99). — *A. Aygyr* = scheckiger Hengst, ein hoher v. Telezker See aus sichtb., Sommers v. grossen Schneeflecken bunter Gipfel des Altai (Bär u. H., Beitr. 14, 73, Helm., Tel. See 54). — *A. Dagh* = bunter Berg, in Kl. Asien 2 mal: *a)* südwestl. v. Kaisarieh (Tschih., Reis. 14); *b)* nordwestl. v. Konia (ib. 16). — *A. Basch* = Buntkopf, einer der beiden Quellbäche des Kebit Su, Krym (Köppen, Taur. 11). — *A. Schehr* = bunte Stadt, im Netz des Hermos (Tschihatscheff, Reis. 5), alt *Philadelpheia*, gr. *Φιλαδέλφεια*, da der Ort v. König Attalos I. Philadelphos angelegt wurde (Kiepert, Lehrb. AG. 114.). — *Aladscha* = das bunte Dorf bei Balikesri, Kl. Asien (Tschih., Reis. 27).

Alabama, ind. Name *Alibamo*, in port. Orth. *Alimamu*, angebl. = 'wir bleiben hier', f. eine starkbefestigte Indianerstadt, die der Spanier Ferd. de Soto im Apr. 1541 erreichte. Mit jenem Worte hätte s. Z. der Stamm den Entschluss ausgesprochen, sich an dem Orte niederzulassen u. seine Stadt zu gründen (BCGLand A. 34). 'This is the town from which the *A. River* takes its name' (Rye, Flor. 50. 87). *A.*, auch *Alibamous*, nannten die ersten Spanier, dann die Franzosen, welche sich 1701 an der Mobile Bay ansiedelten, auch die dort. Indianer (ZfAErdk. nf. 3, 68). Als Territ. entstand *A.* 1817, als Staat 1820.

Alabastro, Puerto del = Alabasterpass, span. Name eines mittelameric. Gebirgsübergangs, v. Fern. Cortez so benannt 'from being formed of very fine alabaster' (WHakl. S. 40, 50).

Alacranes, Islas de los = Scorpioninseln, eine Inselgruppe, die im Golf v. Mexico einen Vorposten Yucatan's darstellt (Hakluyt, Pr. Nov. 3, 671), mit span. *alacran*, port. *alacrão*, die beide v. arab. *al-'aqrab* = Scorpion kommen (Diez, Rom. WB. 2, 87). Vgl. A'kârib.

Alagno s. Hasel.

Alagoas s. Laguna.

Alaidskaja s. Serdze.

Alajou, Ort des dép. Hérault, mit röm. Bauresten, ein altes *Ara Jovis*, nach einem 'Altar des Jupiter' (Dict. top. Fr. 5, 4).

Alalie s. Aleria.

Åland s. Åbo.

Alapajewsk, anfängl. *Alapaicha*, russ. Ort im Ural, 1639 ggr. an der Alipaika, einem Zuflusse der Neiwa (Müller, SRuss. G. 5, 51). — Ebenso *b) Anadyrsk*, am Anadyr, ggr. 1649 v. Kosaken Sim. Deschnew (ib. 4, 405; 5, 153); *c) Apalaski*, am Flusse Apala (Krasch., Kamtsch. 85. 88); *d) Aramaschewskaja Sloboda*, 1631 ggr. 15 km unth. d. Mündg. des Baches Aramasch in den Fluss Resch (Müller, SRuss. G. 5, 47); *e) Argunsk*, ggr. um 1681 am rechten Ufer des Argun, wo die Maritka mündet, jedoch nach dem Frieden v. Nertschinsk, 27. Aug. 1689, etwa 2 km abw. verlegt an die Mündg. der Kamara, die indess mit einer andern Kamara (s. Kamarsk), einem zweiten rseitg. Nebenfluss des Amur, nicht zu verwechseln ist (Müller, SRuss. G. 5, 409, 467); *f) Ajaguskoi*, abgk. *Ajagusk*, ein Kosakenposten, 1831 als Stütze f. d. Besitzname der metallreichen Umgegend angelegt, am Ajagus, welcher z. Balkaschsee fliesst, j. prsl. *Sergiopolj*, urspr. weiter flussab postirt, am Mittellaufe, wo j. *Sredni* (= mittl.) od. *Stary* (= alt) *A.*, wo nur noch das Piketgebäude stehen geblieben, u. wg. d. Karawanenroute nach Kuldscha an seine j. Stelle verlegt. An der Mündg. des im Sommer gew. versiegenden Kl. Ajagus der Posten *Maloi* (= klein) *A.* (Bär u. H., Beitr. 20, 145 ff.; 24, 150); *g) Abakansk*, Ort in Süd-Sib., am Abakan, einem Nebenflusse des Jenissei, unw. des *Bergzugs v. Abakansk* (Meyer's CLex. 1, 12) u. des Orts *Ust-Jerbinsk* = Mündg. der Jerba (Stieler, HAtl. 1879 No. 59); *h) Aganakattinsk*, Ort am Flüsschen Aganakatty-Irtysch (Bär u. H., Beitr. 20, 104).

A'las Strasse, ord' sicherste Durchgang aus der Sundasee nach Süden, nach dem auf Sumbawa gelegenen Uferorte *A.* = Wald, Wildniss, was ozw. der Lage des Dorfs entspricht (Crawf., Dict. 7).

Alassona s. Oloosson.

Alata s. Tis Esat.

Alata Castra s. Edinburg.

A'lava, bei den Eingebornen *áraba* gespr., bask. Prov., wird v. Astarloa (Apol. 228) v. bask. *ara*, *aria* = Fläche u. der Sylbe *ba* = niedrige weite

Ebene abgeleitet. Dieser Etym. widerspricht W. v. Humb. (Vask. Spr. 37) nicht, obgl. der Sinn etwas eigenth. sich ausnimmt.

Alb s. Elbe.

Alba, die alte Bundesstadt Latiums (s. Albus), im *ager Albanus* u. am Fuss des *Mons Albanus,* unweit des *Lacus Albanus,* j. *Lago di Albano,* war zubenannt *longa* = die lange, da sie auf einer schmalen, künstl. geebneten Terrasse lag, die sich unth. des Bergabhanges langhin zog. Auf den Höhen um den See erbauten später reiche Römer zahlr. Villen, unter denen sich durch Pracht die Domitians mit befestigten Praetorianercasernen, arx Albana, auszeichnete; im 4. Jahrh. wird diese ganze Anlage als Städtchen *Albanum* bezeichnet u. besteht j. noch, als *Albano* (Kiepert, Lehrb. AG. 434).

Albania, Ländername ?mal: *a)* am Kaspisee, in der Gegend des j. Derbent, nach den Einwohnern, den *Albani,* armen. *Alouankh* mit einer Hptstadt *Albana* u. den berühmten Engpässen, gr. Ἀλβά-ναι Πύλαι, röm. Albaniae Pylae (s. Derbent). Der Name ist seit dem Einfall türk.-tatar. Stämme im 10. Jahrh. verschwunden (Kiepert, Lehrb. AG. 85); *b)* in der Balkan-HI., mit Hptst. *Albanopolis,* bewohnt v. den *Albanitae, Albanesen,* gr. zuerst bei Ptol. u. auch noch bei den byz. Historikern Ἀρβανίται, *Arvanitae* (übl. Wechsel v. *r* für *l*), v. letzterer Form türk. *Arnaut* u. daher ngr. *Arbanitochoria* = Albanesendorf, Ort bei Philippopel, nicht v. Arnauten, sondern v. Griechen u. Türken bewohnt (ZfAErdk. nf. 10, 391) u. *Arbanitoblacher* (s. Walachen), sowie türk. *Arnautköi* = Albanesendorf, 2mal in der Nähe des Bosporus, j. gr. Dörfer ohne Arnauten, dasj. der europ. Seite urspr. eine alban. Colonie, die jedoch auch v. Griechen, Lasen u. Juden bewohnt war (Tschih., Reis. 67, Hammer-P., Konst. 2, 217. 294). Eigner Landesname, sehr passend f. ein Gebiet voller nackter, wilder, steiler, schluchtenvoller Felsberge, ist *Skiperi* = Land der Felsen, *skep* [spr. schkep, schkemp], daher die Bewohner *Skipetaren* (Peterm., GMitth. 22, 241, Meyer's CLex. 1, 318); ganz anders Kiepert, der den Volksnamen *Schkjipetári,* den LandesN. *Schkjiperia,* die Landessprache *Schkjip* v. verb. *schkjipoig* = 'ich verstehe' ableitet u. die Skipetaren somit als 'die unter sich Verständlichen' betrachtet (Lehrb. AG. 355).

Albans, St., Ort bei London, als Benedictinerabtei 793 ggr. v. Offa, dem König v. Mercia, u. benannt zu Ehren des heil. Alban, der unter Diocletian den Märtyrertod erlitten u. dessen Grab der König, angebl. durch ein Gesicht erinnert, mit Hülfe eines Engels wieder fand (Piper, Kal. Angels. 44f.).

Albany, ein aus Schottl. mehrf. nach Nord-America übtragener Name, ist mir nur aus Is. Taylor (WordsPl. 325) als 'der alte Name Schottlands' (s. Albion) erklärt, der als hoher Adelstitel in die gegw. Nomenclatur übergegangen ist. Der bekanntesten A. im Staate NYork, irok. *Skahnetati* = jenseits der Tannen, v. *ohneta* = Tanne u. *skati* = jenseits (Cuoq, Lex. Iroq. 41), holl.

1612/15 ggr. als Fort *Oranien,* später *Willemstad,* beides zu Ehren der erbstatthalterl. Familie, wohl auch *Beverwijk* = Biberort (Meyer's CLex. 1, 321), nach Eroberung der 'Nieuwe Nederlande' 1664 umgetauft nach dem schott. Titel des Herzogs v. York, nachm. Königs Jakob II., 'to commemorate the duke's Scottish title' (Quackb., US. 79. 99, Buckingh., Am. 2, 268). — New A., im Staate Indiana, 1813 ggr. (Meyer's CLex. 11, 1035). — *A. Bay,* Galápagos, so genannt v. den engl. Buccaneers, weil sie gg. die Nordwinde durch die vorliegende *A. Island* geschützt wird; bei Capt. Porter, americ. Fregatte Essex (1813/14), *Cowan Bay,* nach einem seiner Offiziere (Krus., Mém. 2, 391).

Albasin, die viel umstrittene Veste am Amur, zuerst mit Chabarow's Zuge 1648 auftauchend, benannt nach dem damal. Fürsten Albasa, bei den Mandschu *Jaksa* = eingefallenes Ufer. Nach dem Ort der nahe Fluss *Albasicha,* chin. *Emuli, Emur* (Müller, SRussG. 5, 347, Fischer, Sib.G. 2, 798f.).

Albatross Island, eine der Hunter's Is., Tasmania, v. M. Flinders (TA. 1, CLXXII, Atl. 7) am 9. Dec. 1798 entdeckt und benannt. Von weitem schon schien die Insel fast weiss v. Vögeln, u. da man Mangel an frischem Fleische litt, so landete G. Bass in einem Boote u. kehrte nach kurzer Zeit zk. mit einer Ladung v. Seehunden u. (weissen) Albatrossen. Bass hatte sich, gg. die Seehunde, den Zugang üb. die Klippen erkämpfen und, als er oben ankam, mit der Keule einen Weg durch die Albatrosse bahnen müssen; diese Vögel sassen dicht gedrängt auf ihren Nestern u. liessen sich durch die Ankömmlinge nicht weiter stören, als dass sie die Passanten in die Beine pickten. — *A. Point,* ein hohes, rauhes Cap in NSeel., v. Cook am 10. Jan. 1770 getauft (Hawk., Acc. 2, 382).

Albemarle Sound, in Nord-Carol., nach Lord A., einem der Edelleute, denen 1663 der engl. König Karl II., das Land z. Besiedelg. übergab (Quackb., US. 119). — *A. Island* s. Staatenland.

Albera, auch *Albero, Albora, Arbora* (s. Arbre) u. s. f., etwa 100 ital., insb. oberital. ON., v. *albera,* der Weisspappel, in einz. Fällen wohl auch v. Appellativ *albero* = Baum (Flechia, NLPiante 7).

Albert, Prinz v. Sachsen-Coburg-Gotha, geb. als zweiter Sohn des Herzogs Ernst 1819, studirte Geschichte u. Staatswissenschaften zu Bonn, wohnte 1838 der Krönung der Königin Victoria bei u. wurde deren Gemahl 1840, 'Consort of her most gracious Majesty', wurde in England naturalisirt, erhielt durch Parlamentsbeschluss ein Jahreseinkommen v. 30 000 £, vermied, obgl. mit Würden u. Ehren überhäuft u. der Königin vertrautester Rath, eine directe Einmischung in die Staatsgeschäfte, wirkte aber vielseitig fördernd f. wissenschaftliche u. künstlerische, wohlthätige u. humanitäre, pädagog. u. wirthschaftl. Unternehmungen u. † in Folge eines typhösen Fiebers am 14. Dec. 1861, allgemein u. insb. v. der untröstl. Königin tief betrauert. Zahlreiche Denkmäler, auch **auf** dem Gebiete der geogr. Namen, bringen sein Andenken, oft mit dem der Königin vergesellschaftet, auf die Nachwelt. So taufte schon Capt. J. Cl. Ross (South. R. 1, 248) im Jan. 1841 die Berge v. South Victoria, den muthmassl. Sitz des magnet. Südpols, *Prince A. Mountains*, nach dem Prinzen Gemahl, 'who had been graciously pleased to express a warm interest in the success of our expedition,' u. gleich am 1. Aug. 1841 folgte Capt. Stokes (Disc. 2, 308), nach der Taufe des *Victoria*-u. *Adelaide River* (s. d.), mit einem *A. River*, Carpentaria. 'We were glad of such an opportunity of again showing our loyalty to *Her Majesty*, by confering the name of her noble consort upon this important stream'; c) *A.* u. *Victoria Reef*, zwei Korallriffe der Admiralty Is. (Meinicke, IStill.O. 1, 143); d) *A. Pic* s. Camerun; e) *Lake A.*, ein Seitengewässer der Haffseen des austr. Murray R.; f) *Mount A.* s. Victoria; g) *A. Njanza* s. Njanza; h) *Prince A. Land*, bei arkt. Victoria Ld., v. d. Exp. McClure im Sept. 1850 getauft(Osborn, Disc. 81, Armstrong, NWPass. 252): 'On attaining the summit of this cliff, about 150' high, we assembled our little party and took formal possession of the land in the name of our most gracious Sovereign; bestowed on it that of her amiable Consort — planted the ensign of St. George, and, with three hearty cheers, completed the ceremony by drinking health and long life to our beloved Queen and His Royal Highness· Prince *A.* — Auf eine andere Person bezieht sich *A. Kuppe* (s. Rosenthal).

Albion, ältester Name Schottlands, bei Pytheas, der das Land als erster Grieche um — 300 auf dem Seewege erreichte, "Αλβιον, wie er in Irland vernahm, dem die gebirgige Seite zugekehrt ist (Kiepert, Lehrb. AG. 528), f. gäl. *Alba*, gen. *Albann* = Hochland, 'Berginsel' (H. Gaidoz 20. Apr. 1889, ZfAErdk. 1860, 135), entspr. engl. *Highland*, nom. gent. *Albannach*, wie engl. *Highlander* (Bergh., PhAtl. 8, 17). — Uebertragen a) *Austral-A.* s. Nieuw Zeeland; b) *Port A.*, ein Hafen der Keelings In., getauft nicht erst seit die Engländer 1857 die Flur in Besitz genommen (Meyer's CLex. 10, 143), sondern schon 1823 v. Capt. J. C. Ross, v. Schiffe Borneo (Hertha 12 GZ. 150); c) *A. Islands*, im austr. KorallenM., v. engl. Walfgr. A., Capt. Bunker, 1803 entdeckt (Krus., Mém. 1, 97); d) *New A.*, eig. *Nova A.*, der Küstenstrich nördl. v. Calif., nach der Aehnlichk. der weissen Uferfelsen v. Fr. Drake im Juni u. Juli 1579 benannt (Cook-King, Pacif. 2, 258, Quack., US. 66), offb., wie die Art der Besitznahme zeigt, in der Hoffng., dass die beiden Länder einst in Verband treten sollten. Auf einer Platte wurde der Name Elisabeth nebst Datum eingravirt u. dazu Portrait, Wappen etc. der Königin gelegt. 'Our generall called this countrey *NA.*, and that for two causes: the one in respect of the white bankes and cliffes, which ly towardes the sea, and the other, because it might haue some affinitie with our countrey in name, which sometime was so called' (Hakluyt, Pr. Nav. 3, 442, Fletcher, World Enc. 132, u.

danach Spr. u. F., NB. 13, 26, sowie Forster, Nordf. 517).

Albis s. Alpen.

Albors od. *Elburuz*, im Mittelalter *Albordj*, pers. Name f. vschied. hohe Schneegipfel, insb. a) einen Gebirgszug am Südufer des Kaspisees u. b) den ganzen Kaukasus sowohl als seinen Culm, den die Tscherkessen *Uasch'hamako* = den heiligen Berg nennen (Klaproth, Kauk. 1,· 297 ff., 678 ff.; 2, 241). Während diesem Gelehrten *A.* = glänzender Berg war, so leiten es Spiegel (Eran. A. 1, 61) u. nach ihm Kiepert (Lehrb. AG. 68) v. altbaktr. *Hara Berezaiti* = 'Gebirge hohes' ab.

Albrecht, Cap, an der grönl. Ostküste, v. d. 2. deutschen Nordpolexp. 1869/70 benannt nach Hrn. Georg *A.* in Bremen, dem Rechngsführer der Unternehmg. (Peterm., GMitth. 17, 465. 402). Auch ein *Cap Schuhmacher*.

Albus, -a, -um = weiss, umbr. *alfu*, sabin. *alpus*, zu lat. ON. mehrf. verwendet, während das Wort in den neurom. Sprachen fast völlig verdrängt ist (s. Blank). Voraus sei auf das altlat. *Alba* verwiesen, welches mit Unrecht, f. einen vorkelt. Ort der Niederung, zu kelt. *alp* = hoch gestellt worden ist. Auch den Graubündner Pass *Albula*, deutsch *Weissenstein*, sowie den davon abfliessenden Zufluss des Hinterrheins, *Albula*, bringt man mit der weissen Farbe in Beziehung. Klar ist dieselbe a) f. die *Aquae Albulae* = weisslichen Wasser, die schon im Alterth. viel benutzten Schwefelquellen bei Tibur, nach der milchweissen Farbe (Kiepert, Lehrb. GA. 419); b) f. *Auberoche*, Ort des dép. Dordogne, im 10. Jahrh. *Alba-Rocha* = Weissenfels, 1117 de *Auberupe*, eine der Burgen, die der Bischof Frotaire v. Périgueux z. Schutz gg. die Normannen erbauen liess (Dict. top. Fr. 12, 7); c) *Promontorium Album* s. Abiad; d) *Albus Portus* s. Kosseir; e) *Lacus Albus* s. Bjeloe; f) *Mare Album* s. Pontus u. Weiss; g) *Alba Regia* s. Stuhlweissenburg. Vgl. Alb.

Alcamo s. Alhama.

Alcantara s. Kantara.

Alcatrazes, Ilhas dos = Pelicaninseln, port. Name: a) an der seneg. Küste, nach ihren einzigen Bewohnern, den Pelicanen. Der Reisebericht John Hawkins' (1564) erwähnt 'a small island called *Alcatrarsa*, wherein at our going a shore, we found nothing but sea-birds, as we call them ganets, but. by the Portugals called alcatrarses, who for that cause gaue the said island the same name. Herein halfe of our boates were laden with young and olde fowle, who not being vsed to the sight oᵀ men, flew so about vs, that we stroke them downe with poles' (Hakluyt, Pr. Nav. 3, 503); b) ein Schwarm unbewohnter u. öder Felseilande der bras. Küste v. São Paolo, nach der Menge dieser Seevögel. 'On the said island were many seabirds, which are called alcatrazes, these are easy to catch, and it was at the time they rear their young' (WHakl. S. 51, XXV. 39). — *Isla de los A.*, span. NO. 2 mal in **America** *a)* im Eingang der Bay v. SFrancisco, j. engl. *Alcatraz-* od., weniger bestimmt, *Bird* (= Vogel-) *I.* (ZfAErdk. 4, 312, Fortschr. 1880 No. 141); *b)* vor dem chilen. Guanoberg v. Mejillones (Peterm., GMitth. 22, 322. — *Punta dos A.* s. Agudo.

Alcazar s. Kasr.

Alceste, Récif d', ein Riff bei Formosa, v. russ. Admiral v. Krusenstern (Mém. 2, 228, Atl. OP. 27) getauft nach der brit. Fregatte *A.*, welche, befehligt v. Capt. Maxwell, 1817 diese Gewässer passirte.

Alden s. Alt.

Aldermen s. Tuhua.

Alderney, New s. Ourry.

Aldoga s. Ladoga.

Alegre, Porto = fröhlicher, lustiger Hafen, 2 ON. in Brasil.: *a)* in Rio Grande do Sul, auf den Gehängen, Mulden u. Vorsprüngen einer Uferhöhe, die den Endkopf einer dem Wasser entlang verlaufenden Kette bildet, benannt nach der überaus liebl. Lage, 'uma risonha paragem', an dem seeartig breiten, inselreichen Fluss. 'Hätte sie nicht längst den Namen, man würde sie unwillkürl. *PA.* nennen' (Avé-L., SBras. 1, 117). Urspr. *Viamão* = Handweg, angebl. v. der Aehnlichk. des Orts, in seinen 5 z. Lagoa dos Patos gehenden Flüssen, mit den 5 gespreizten Fingern der Hand: 'da parença que com os cinco dedos da mão, abertos e partindo da palma, tem a planta do local, com os cinco rios que se vão reunir na dita logoa' (Varnh., HBraz. 2, 311); *b)* nördl. v. Rio de Janeiro. — Derselbe ON., in untrennb. Form *Portalegre*, schon in der port. Prov. Alemtejo (Meyer's CLex. 13, 119). — *Cabo A.*, bei Cadamosto *Capo Liedo*, in ital. Uebsetzg., in Sierra Leone, v. d. Exp. Pedro's de Cintra, um 1460, so getauft, weil das Cap, zs. mit der schönen grünen Küste, lustig anzusehen war (Spr. u. F., Beitr. 11, 187). — *Monte A.* od. *Montalegre*, Ort an einem Uferberg des Amazonenstroms unth. Santarem, mit seinen rothen Ziegeldächern u. seiner Kirche recht anlockend aus der Ferne; 'but that distance lends enchantment to the view is especially true of Brazilian towns' (Bull. Am. Geogr. Soc. 21, 481). — *Morro da Alegria* = Berg der Lust, am bras. Tubarão, Prov. Santa Catharina, mit prächtiger Aussicht. 'Und der Namen soll er auch behalten, obwohl man beim Hinaufklimmen eben keine Alegria spürt' (Avé-L., SBras. 2, 50). — Auch in frz. dép. Gard gibt es mehrere Orte d. N., *Allègre* u. *les Allègres*, 1308 castrum de *Alegrio* (Dict. top. Fr. 7, 6).

Alemannen, auch *Alle-* od. *Alamannen*, der Name des deutschen Volksstamms, nach welchem die rom. Nationen, mit mehr od. weniger Einmuth, das Gesammtvolk u. seine Sprache nennen (s. Deutsch), ist nicht sicher erklärt, weder v. den grossen Meistern C. Zeuss u. J. Grimm, noch in der diesem Zweige des Deutschthums speciell gewidmeten Zeitschrift 'Alemannia'. — *Nueva Alemannia* s. Helvetia.

Alembert, Ile d', bei der Pointe La Caille (s. d.),

v. Lieut. L. Freycinet, Exp. Baudin, am 28. Jan. 1803 getauft, ozw. nach dem Mathematiker d. N. 1717/83 (Péron, TA. 2, 80. — *Cap d'A.* s. Jervis.

Alemtejo s. Tajo.

Aleppo, ital. Namensform einer nordsyr. Stadt, arab. *Haleb, Chaleb*, in Erneuerung (636) des urspr. Namens in Χαλυβών, *Chalybon* gräcisirt, v. Seleucus Nicator erneuert u. mit maked. Colonisten besiedelt, *Βέροια, Βέῤῥοια*, lat. *Beroca* (Oppert, Exp. Més. 1, 40, Kiepert, Lehrb. AG. 164, Meyer's CLex. 1, 349), wohl mit einem Frauennamen (Pape-B.) od., noch wahrscheinlicher, in Uebtragg. des makedon. Stadtnamens (s. Irenopolis).

Aleria, gr. *Ἀλερία (κολωνία)*, v. *ἀλέρον = κόπρον*, also = Kothstadt (Hesych), der spätere Name des cors. Orts *Ἀλαλίη* (Ptol. 3, 2), was = 'böser Morast' (Pape-Bens.), j. *Fort A.*, den alten Namen entspr. an der sumpfigen Ostküste.

Alert Reef, 2 austr. Riffe, entdeckt 1817 v. engl. Schiffe *A.*, Capt. Brodie, *a)* im KorallenM., am 4. Oct. (King, Austr. 2, 387, Krus., Mém. 1, 94); *b)* im Westen der Torres Str., wo das Schiff auffuhr (Krus., Mém. 2, 442).

Aletsch, eine Alp der Finsteraarhorngruppe, Walliser Seite, v. patois *avalenz, alenz*, f. *avalanche* = Lauine (Gatschet, OForsch. 63 u. briefl. Mitth.), nach ihm die 3 *A.* Gletscher, der grosse, der obere u. mittlere, u. das *A. Horn*, ein 4198 m h. Alpenhaupt. Das frz. *avalange, -che*, ital. *valanga*, rätor. *labina*, umgestellt *lavange, -che*, im Walliser patois *alenz, avalenz*, v. mlat. *avallare, advallare* = zu Thal stürzen (Diez, Rom. WB. 2, 211). Hierher gehört *Lavanchi*, ON. im Val d'Ormonts; der Bergweiler 'tire son nom des lavanges auxquelles il est fort exposé et qui l'ont détruit plusieurs fois, notamment en 1749, où 32 maisons furent emportées. Placé sur la partie inférieure d'une côte très-raide qui ne porte ni arbres, ni rochers saillants propres à arrêter le glissement des neiges, le hameau est toujours exposé à être balayé par l'avalanche, dans de certains moments de l'hiver. Aussi les habitants sont-ils constamment sur le qui-vive et appliqués à prévoir le moment du danger. Aussitôt qu'ils aperçoivent les signes précurseurs de l'avalanche, ils se hâtent d'émigrer, avec leurs bêtes, même dans la nuit, et vont se réfugier dans les maisons qu'ils possèdent sur le revers opposé, de l'autre côté de la rivière, où ils se trouvent à l'abri du fléau. Malgré l'insécurité de leur hameau, ces montagnards s'y sont affectionnés et ils y reviennent toujours' (Mart.-Crous., Dict. 531).

Aleuten, Name der Inselkette zw. Alaska u. Sibir., wird zwar hie u. da gedeutet, mit 'kahler Fels' (Charnock, LEtym. 7) — verlockend, da die 150 Inseln durchaus vulcan.Ursprungs mit zackigen, schroffen, schwer zugängl. Felsufern dem Meere entsteigen, zu kahlen, schwarzen, steilen Gebirgen sich aufthürmen, selbst in den Thälern noch Felsboden haben u. keinen Baum, übh. eine dürftige Vegetation beherbergen. Nur schade, dass **das** angebl. russ. Wort *aleut* nicht existirt u. **auch** in der Sprache der Ureinwohner nicht **vorhanden**

zu sein scheint. *A.* war offb. zunächst Volksname u. ist dann auf den Inselbogen selbst übergegangen, im Sinne v. 'Inseln der *Aleut'*; der Name ist nach Erman (ZfEthn. 2, 299) 'eine bedeutgslose u. werthlose Benenng'. JReinh. Forster, Mitgl. der Academie der Wissenschaften in St. Petersburg, drang mit dem Vorschlag (Nordf. 549), die ganze Kette, 'der grossen (zweiten) Kaiserin zu Ehren', *Katharinen Archipelagus* zu nennen, nicht durch. Abgesehen v. den Schumagin Inseln (s. d.) zerfällt sie, v. W. nach O. aufgezählt, in folgende 6 Sectionen: *a) Komandorskie Ostrowa* = In. des Commodore (s. Bering), der hier Schiffbruch litt u. am 8. Dec. 1741 †. Die Kamtschadalen nennen den unglückl. Seef. schlechthin Komandor (Bergh., Ann. 9, 141). Diese Section wird häufig als selbständige Gruppe betrachtet; *b) Blishnie O.* = nahe In., v. den russ. Jägern so genannt, als die westlichste, Sibirien am nächsten liegende Section (Krus., Mém. 2, 77 ff.); *c) Krysji In.*, deren eine auch schon v. Bering 1741 entdeckt, v. Pelzjägern 1745 zuerst besucht u. nach den zahlr. Ratten benannt wurde (Krus., Mém. 2, 77 ff., Peschel, GErdk. 415 f.); *d) Andrejanowskie O.*, zuerst 1761 beschrieben v. der Mannschaft der Schiffe St. Andreas u. Natalia u. nach dem erstern benannt (Spr. u. F., Beitr. 1, 207) od. nach einem Ochotsker Schiffer Andrejan Tolstych (Krus., Mém. 2, 77 ff.); *e) Tschetyresópotshnie O.* = 4 gipflige Inseln; *f) Lisji O.* = *Fuchs In.*, weil nur sie Füchse enthielten: parce qu'on n'a trouvé de ces animaux que sur les iles appartenant à ce groupe (Krus., Mém. 2, 81). Sie 'haben ihren Namen v. der grossen Menge schwarzer Füchse, welche die Russen hier angetroffen' u. wg. der schönen, so sehr geschätzten Pelze eifrig gejagt haben (Spr. u. F., Beitr. 1, 208)... 'Die einzigen vierfüssigen Thiere, unter denen· es einige mit schwarzem Pelze gibt, der sehr hoch im Preise steht. Wir bemühten uns während unseres hies. Aufenthalts, die Russen z. Handel mit uns zu bewegen; allein sie hielten ihre Pelzwaaren viel zu hoch, um sie uns, wenigstens gg. das, was wir ihnen z. Tausch anbieten konnten, zu überlassen' (Capt. J. Meares 1786/87 in GForster, GReis. 1, 9).

Alexander, Mannsname, vielf. in ON., insb. f. eine Anzahl *Alexandria* (s. d.), aber auch in der Neuzeit toponomastisch verwerthet, direct nach Personen od. nach Entdeckerschiffen, als: *Alexandersbad*, Badort bei Wunsiedel, urspr. Sichersreuth, mit einer Heilquelle, welche, 1734 entdeckt, erst 1782 durch d. Markgrafen *A.* v. Ansbach u. Bayreuth († 1806) eine ord. Anlage erhielt (Arch. OFrank. 10, 90 ff.). — *A. Land*, eine antarkt. Küste bei Graham's Ld., v. russ. Seef. Bellingshausen auf seiner Circumpolarfahrt 1819/21 entdeckt u. nach seinem Kaiser getauft (Krus., Mém. 1, 31), wie 1820 *Grossfürst A. Insel*, in der austr. Gruppe Manahiki (Peterm., GMitth. 5, 184), einh. *Rakaänga*, bei Capt. Patrickson, nach Berghaus Capt. Reirson, Schiff Goodhope, am 13. Oct. 1822 *Reirson Island*, bei dem holl. Capt.

Willingk, Corvette Lynx, am 9. Mai 1824 *Princess Marianne Eiland* (s. Durga), bei Capt. Coffin, Schiff Ganges, 1828 *Little* (= klein) *Ganges I.* (Meinicke, IStill.O. 2, 260, Bergh., Ann. 12, 139, A. 3. R. 3, 176). — *A. Newsky*, Kloster, durch Peter d. Gr. 1712 ggr., dam. 5 km v. der Veste St. Petersburg, j. vorstädtisch, zu Ehren des russ. Nationalhelden *A.* Jaroslawitsch, welcher, geb. 1219, die Schweden 1240 an der Newa besiegte, daher den Zunamen Newskoi erhielt u. als einer der grössten Heiligen der russ. Kirche 1263 † (P. Hunfalvy, VUral 20, Meyer's CLex. 1, 355. 360). — *Alexandropol* = *A.'s* Stadt, in Armenien, früher *Gumri*, v. Persien 1828 an Russland gefallen u. wohl nach *A.* II. (geb. 1818) umgetauft (ib. 267). — *Alexandrowsk*, vollst. *Alexandrowski Post*, befestigte Posten, 4 mal: *a)* in der Dnjepr-Linie, welche bei Petrowsk, AsowM., endet, 1770 errichtet; *b)* in Alaska, v. der russ.-american. Pelzhandels Co. 1798 angelegt; *c)* am Amur, 1853 ggr. (Bär u. Helm., Beitr. 1, 137 ff., Peterm., GMitth. 6, 96); *d) Kuswa Alexandrowsk* s. Solikamsk; *e)* an der Halbinsel Mangischlak, 1834 als *Nowo* (= neu) *A.*, an der Kaidak Bay, Mertwoi Kultuk, ggr., wg. der ungesunden Lage auf seinen j. Standpunkt versetzt, bis 1858 noch als *Nowo Petrowsk* (Bär u. H., Beitr. 24, 162, Peterm., GMitth. 16, 74, ZfAErdk. 1873 T. 1, wo die neue Lage mit einem Hafenort *Nikolajewskaja*. — *Nowo Alexandrowka* s. Melitopol. — *A. Bay*, zw. Mangischlak u. Karaboghas, nach dem russ. Fürsten *A.* Bekewitsch, welcher auf Peter's d. Gr. Befehl 1716 hier die Veste *Alexandrowa*, *Alexandrobeyewa* anlegte (Müller, SRuss. G. 3, 15). — *Cape A.* s. Carl IV. Johan. — noch nicht näher bezeichnete Personen: *a) Mount A.* (u. dabei *Point A.*), am Carpentaria G., v. Flinders (TA. 2, 205, Atl. pl. XIV f.) am 2. Febr. 1803; *b) Mount A.*, in West-Austr., v. dem engl. Reisenden John Forrest 1869, in gleich unbestimmter Weise wie *Mt Bevon* u. *Mt Holmes* benannt (Peterm., GMitth. 16, 146, Journ. RGS.Lond. 1870, 234 ff.), während die ungeheuern Felsen, welche der Granitrücken des letzterwähnten Berges trägt, ihm ein höchst merkw. Ansehen verleihen u. wohl zu einem Naturnamen Anlass geboten hätten. — Nach dem Fahrzeug der Exp.: *a) Cape A.* u. *Cape Friendship*, an der Str. Bougainville, v. engl. Capt. Shortland 1788 (Fleurieu, Déc. 185 f.); *b) Cape A.* u. *Cape Isabella*, am Smith Sd., v. engl. Polarf. John Ross 1818 (Rundall, Voy. NW. 140); *c) A.'s* u. *Isabella Bank*, zwei Untiefen der Baffin Bay, ebf. v. JRoss (Baff.B. 205 ff.) im Sept. 1818 getauft.

Alexandra Nile, Speke's *Kagera* od. *Kitangule*, also der dominirende Quellfluss des Nil, als solcher auch v. H. Stanley 1876 erkannt u., wie der *A. Lake*, getauft nach der dän. Gemahlin des Prinzen v. Wales; dagegen *Lake Alexandrina*, einh. *Kayinga*, das Hauptstück der Haffseen des austr. Murray, v. Sturt 1828 'named after the heirapparent to the British Crown', der Princessin Alexandrina Victoria, j. Königin (G'.G. Chisholm 22. März 1892). — *Cape A.* s. Karl.

Alexandria, gr. Ἀλεξάνδρεια, meist Gründungen Alexanders d. Gr., meist in Asien, bes. berühmt: *a)* das ägypt., Ἀ ἡ Αἰγυπτία, j. arab. *Jskanderieh* (Meyer's CLex. 1, 363); *b)* das nordsyr., am Issus, Ἀ. ἡ κατ᾽ Ἰσσόν, lat. *A. ad Issum*, erst nach Alexander ggr., schon bei Malal (297) ἡ μικρὰ Ἀ. = das kleine, z. Unterschied v. ägypt. (Kiepert, Lehrb. AG. 164 f.), lat. *A. minor*, frk. *Alexandreta, Alexandrette*, j. *Skenderun, Iskenderun* (Edrisi ed. Jaub. 2, 132, Schläfli, Reise 6, Oppert, Exp. Més. 1, 30); *c)* das mittelsyr., bei Tyrus, zu dessen Belagerung die Veste, am Fuss des Ras el-Abiad, als Basis diente u., da der Abstand v. Ras en-Nakhurah ein Schoinos (= 60 Stadien) mass, Ἀλεξανδροσχοίνη genannt (Mannert, Geogr. 6, 360), noch bei Edrisi (ed. Jaub. 1, 349) *A.,* j. *Iskanderun(a), Skanderun, Skenderun,* sowie ein naher Bach *ʿAin-Iskander* = Alexanderquelle (V. Velde, Reise 1, 186); *d)* Ἀ. ἐσχάτη od. Ἀλεξανδρέσχατα = das äusserste *A.,* an der Ostgrenze des Reichs, wohl j. *Kojend; e)* Βουκέφαλος Ἀ., z. Andenken des dort † Bucephalus, des Schlachtpferds Alexander's (PapeBens.); *f) A.* ἡ πρὸς Τίγριδι, Hafenstadt östl. v. Tigris od. Schatt el-Arab, nach einer verheerenden Ueberschwemmg. v. Antiochus II. hergestellt als *Antiocheia* (Kiepert, Lehrb. AG. 145); *g) A. Areion* s. Herat; *h) A. Arachoton* s. Kandahar: *i) A. Troas* s. Stambul. — Als eine Erinnerung an den makedon. Eroberer sind anzusehen mehrere der in Indien u. Turan verbreiteten pers. ON. wie *Sikandarabád, Sikándarpur, Sikándra* u. dgl. (Schlagw., Gloss. 245). — Antik ist auch ʾ*A.,* ein Berg in Mysia, wo Paris, der trojan. Alexandros, das Urtheil üb. die Göttinnen gesprochen haben soll (Strabo 606). — *Alessandria,* die v. den Welfen gg. Barbarossa 1168 erbaute ital. Veste, anfängl. *A. della Paglia* = v. Stroh, wahrsch. weil die ersten Häuser in der Eile mit Stroh gedeckt wurden, zu Ehren Papst *A.*'s III. getauft (Meyer's CLex. 1, 350). — *San Alessandro* s. Sulphur.

Alexejewsk, russ. Veste der ʾsamarischen Linieʿ, an der Samara, wo diese den Kinel aufnimmt, angelegt u. angebl. benannt nach dem Zarewitsch Alexei Petrowitsch (Müller, Ugr.V. 2, 488). — *Alexeifka,* ein v. dem reichen Sidorow an der untern Petschora ggr. Holzstapel, benannt zu Ehren des Cäsarewitsch Alexander. ʾWiewohl der Ort erst seit 2 Jahren besteht (schreibt in Peterm., GMitth. 20, 119 der österr.-ungar. Contreadmiral Baron v. Sterneck üb. seinen Besuch 1872), trägt es durch seine Anlagen u. sein reges Leben den Charakter einer fertigen Ansiedelung...ʿ

Alexis, Cap, die grosse Landspitze bei Barents' Ijshaven, NSemlja, durch d. norw. Capt. Carlsen (1871) prsl. benannt (Peterm., GMitth. 18, 396). V. den Norw. rühren auch her: *Cap Konstantin, Insel Leo, Cap Solid, Cap Edvard, Feodorowna Gletscher, Cap Eile, Björne Cap, Lave Cap,* z. Th. augensch. nach russ. Pp. — *A. Bad,* Badeort im Harz, mit *A. Brunnen* u. *Selke Br.* (nach dem Fluss), v. Herzog *A.* 1810 f. Badezwecke ausgestattet (Meyer's CLex. 1, 369).

Alf s. Elbe.
Alfeo s. Alpheios.
Alfred's Cape, Prince, in Baring I., v. Capt. Mᶜ Clure im Aug. 1851 entdeckt u. getauft nach dem Prinzen *A.* (Armstrong, NWPass. 388), welcher den Titel Herzog v. Edinburg führt u. als 4. Kind der Königin Victoria 1844 geb., mit der Grossfürstin Maria v. Russland verheiratet ist; *b) A. Range,* eine Bergkette West-Austr., v. John Forrest 1874 entdeckt (Peterm., GMitth. 21, 33). Vgl. Maria Alexandrowna; *c) Prinz A. Gletscher* in NSeel., benannt v. Dr. Jul. Haast (Peterm., GMitth., 14, 349); *d) Prince A. Bay* s. Arthur.

Alfuren, auch *Alforas, Alforias, Alfores, Alfours, Arafuras, Harafuras,* die port. Bezeichnung f. gewisse wilde Stämme der grössern Inseln der Molukkensee, betrachtet Crawf. (Dict. p. 10) als ʾapparently derivedʿ v. arab. Artikel *al* u. der Präposition *fora* = ohne, ausserhalb, also was ausserhalb port. Herrschaft stand, etwa wie in America ʾIndios Bravosʿ. Aehnlich dachte van Musschenbroek, ʾeiner der besten Kenner einschlägiger Verhältnisseʿ, an port. *forro* = frei, mit arab. *al;* Veth nimmt ein auf Spanier u. Port. übergegangenes arab. *al-horro* = die Freien an, u. A.B.Meyer (Wien. Sitzgsber. 100, 537 ff.) hält die Ableitung v. dem Volksstamme der *Arfu,* im Nordwesten NGuinea's, ʾf. die plausibelste u. ungezwungensteʿ.

Algarve s. Gharb.
Alger, verdeutscht *Algier,* aus arab. *al-Dschesáir* (s. Dschesire), Stadt in *Algerien,* frz. *Algérie,* arab. *Berr* (= Land) *el-Dschesäir* (Parmentier, Voc. arab. 14), um 935 v. arab. Fürsten Zeiri auf röm. Stätte Icosium ggr. u. benannt nach der dem Hafen vorliegenden Inselreihe, die den Leuchtthurm trägt u. j. durch einen Molo mit dem Festland verbunden ist (Bergh., Ann. 1, 772 ff., 6, 314, Parmentier, Vocab. arabe 21, Meyer's CLex. 1, 389), mit Vorliebe volksetym. umgedeutet *el-Dschesäir* = die kriegerische, siegreiche scil. die die Christen gedemüthigt hat (Ibn Batuta, Trav. 3, Wagner, Alg. 1, 36, Meyer's CLex. 1, 383). — *Algesiras,* span. ON. bei Gibraltar, verd. aus arab. *Dschesire el-Chodrah* = die grüne Insel; denn so begrüssten die den afric. Steppen entronnenen Araber den liebl. Ort (Barth, Wand. 1, Caballero, Nom. Esp. 94). **Alghorab, Dschesiret** = Rabeninsel, arab. Name im Rothen M., entspr. des Ptol. Ἱεράκων (νῆσος) = Habichtsinsel (Sprenger, AGArab. 45).

Algonquins, *Algouméquins,* v. den ersten frz. Ansiedlern in Canada verd. aus ind. *adirondack* = Blattesser, wie die Irokesen spottweise einen Stamm jener Völkerfamilie nannten (Hind, Narr. 2, 181). Kaum glücklicher denct Cuoq (Jug. Err. 104) an das huron. *jako-ken* = ist man angekommen? Diese Frage sollte sich auf die verbündeten *A.* beziehen.

Alhama, 2 span. Thermalorte *a)* in Murcia, *b)* in Granada, v. arab. *hamâ* = heiss sein (Willk., Span.-P. 189. 194, Ibn Batuta, Trav. 227). — Ebenso *Alcamo,* eine Bergveste Sicil. zw. Palermo u. Trapani, der einem Felsen entquellenden, vielbesuchten Therme (Edrisi ed. Jaub. 2, 89). — *Le Hamma a)* Therme bei Algier, *b)* Therme bei Constantine (Parmentier, Vocab. arabe 27).

Alhambra s. Hamra.

Ali = der erhabene, einer der gebräuchlichsten muhammed. Mannsnamen, mehrf. in ON.: *A. Bandar = A.*'s Hafen, in Sindh, *Alibagh*, wo *bagh* = Garten, in Bengal, *Aligandsch*, 'Markt' in Hindostan, *Aligarh*, wo *garh* = Veste, ebf. in Hindostan, *Alipur*, in Bengal, u. *Alipura*, in Bandelhkand, beides mit *pur(a)* = Stadt (Schlagw., Gloss. 169). — *Alibegköi* = Dorf des Fürsten *A.*, ON. bei Konstantinopel, am *Alibey-Su*, wo *su* = Flüsschen, Wasser, das auch nach einem weiter oben gelegenen Orte *Petinochori-Su*, mit altem Namen *Barbyses* heisst, angebl. nach dem Erzieher des Byzes, des sagenhaften Gründers v. Byzanz (Hammer-P., Konst. 1, 15; 2, 37). — *Hammam A.*, ein Badeort, *hammam*, am Tigris, unth. Mosul, besucht v. Personen, 'welche v. den wohlthätigen Naphthaquellen Heilung ihrer Gebrechen erwarten'. Die Temperatur der Hauptquelle fand Schläfli (Or. 74) zu 48_7^0 C.; eine Petrol-Asphalt-Therme hatte 47_2^0, die kl. Quelle 25_3^0. — *A. Tscheschme* = die Quellen *A.*'s, sehr reichliche, z. Bewässerung gebrauchte Quellen der Route Teheran-Meschhed (Journ. RGSLond. 9, 111). — *Meschhed A.* s. Meschhed.

Alice Island, eine 120 m h. Waldinsel des Victoria Njanza, v. H. M. Stanley zu Ende April 1875 erreicht in der 'Lady *A.*', die als ein 12 m lg., in 5 Abschnitte zerlegb., v. span. Cedernholz gebautes Fahrzeug die ganze Reise v. Zanzibar zu den Seen u. auf dem Congo bis in die Jellalafälle mitgemacht hat. Noch am Ende der Reise bestand sie eine schwere Probe, da sie, am 12. Apr. 1877 v. den *Lady A. Rapids* fortgerissen, in 15 Minuten einen Weg v. fast 5 km zklegte, während es 4 d erforderte, um die übr. Fahrzeuge an Seilen üb. die Rapids hinunter zu lassen (Stanley, Thr. Dark Cont. 3. 144. 547).

Alicuda, auch *Alicuri*, eine der Liparen, im arab. Mittelalter (Edrisi ed. Jaub. 2, 72). *Arkudha*, lat. *Ericodes*, *Ericussa*, nach dem Gesträuch v. ἐρίκη, ἐρείκη, erica = Heide, das auf dem nur z. Viehzucht benutzten Eilande grosse Strecken bedeckt (Strabo 276). — Aehul. das nahe *Felicuda*, *Filicuri*, bei Edrisi *Faïkudha*, als *Phenicudes*, *Phoenicussa*, v. der φοῖνιξ = Palme (Kiepert, Lehrb. AG. 474), mit seiner mod. Form jedoch in gefährl. Nähe eines andern Wortstamms (s. Félice) gerückt.

Alijos, los = die Lichterschiffe, westl. v. Calif., 4 Felsklippen, welche 1791 der span. Capt. Marquina, v. den Philippinen kommend, entdeckte (DMofras, Or. 1, 246).

Aliki s. Halai.

Alimun, Gunung = Nebelberg, v. mal. *alimun* = Nebel, Dampf, ein Berg Java's, der in jener Gegend einzige hohe u. desh. fast immer in Wolken gehüllte Pic (Junghuhn, Java 2, 9).

Alkenberg, im spitzb. NVriesland, zw. Cape Fanshaw u. Duim Point, 'der grösste Vogelberg,

den wir bis dahin gesehen hatten ... Schwarze, bis 300 m h. Felswände stürzen hier in einer Breite v. 2 km vollk. senkr. in's Meer, bewohnt v. Millionen Alken, welche, dicht an einander gedrängt, alle Ritzen, Vorsprünge u. Klüfte besetzt halten. Wenn man nach einem solchen *A.* hin ein Gewehr abschiesst, so verdunkeln die auffliegenden Schaaren in der eigentlichsten Bedeutg. die Luft, ohne dass man doch bei den Zkbleibenden die geringste Verminderg. merken kann ... Zuerst hört man v. den steilen hohen Absätzen des Berges ein anhaltendes Brausen, welches dem Donner eines entfernten Wasserfalls gleicht. Die sämmtl. Stimmen der verschiedd. Arten vereinigen sich hier zu einem einzigen Tonmeere, das jeden einzelnen Laut verschlingt. Noch kann das Auge kaum mehr als ein paar Möven unterscheiden, die neben der Felskante schweben, j. aber im Schatten der Berge verschwinden. Man kommt näher, u. der Lärm wird immer betäubender; die Disharmonien lösen sich in einzelne Stimmen auf. Man vernimmt das Knurren der Alken, das widerl. Girren der Rotjes; aber unzählige andere nicht zu unterscheidende wunderl. Laute mischen sich in dieses Chaos, gebildet durch diese Millionen leidenschaftl. erregter Thiere, deren stärkster Naturtrieb hier b. aufs äusserste gesteigert ist. Tiefe fast menschl. Stimmen, heisere Rufe, wehklagende Laute hallen v. diesen Felswänden wieder. Plötzlich erklingt ein neuer u. so seltsamer Ton, dass der Hörer unwillkürl. zsfährt, so gellend trifft er das Ohr. Das ist der Gebirgsfuchs, wenn er mit seinem Schrei die Vogelcolonie begrüsst — ein Ton, der bald ein Hohnlachen, bald ein Angstruf scheint. Wie man ihn auch auffassen mag, die alten holl. Waljäger hielten diesen Ruf f. den des Teufels, der ihres Vorhabens spotte, u. betrachteten die Stimme als ein schlimmes Omen ...' (Torell u. Nord., Schwed. Expp. 156 f. 261). — *Alkencap*, ein Vorgebirge in Franz Joseph's Ld., v. d. österr. Exp. Weyprecht-Payer am 11. April 1874 getauft als 'ein einziger Vogelbauer ... Wir fanden alle Felswände mit Tausenden v. Alken, Deisten etc. besetzt; ungeheure Schwärme erhoben sich, u. alles Land, worauf die Sonne schien, belebte das leidenschaftl. Schwirren u. Singen bei der beginnenden Brutzeit (Peterm., GMitth. 20, 449; 22, 204). — *Alkenhorn*, ein 500 m h. überhängender Berg am spitzb. Eisfjord, ebf. Sammel- u. Brutplatz f. Hunderttausende v. Alken, v. d. schwed. Exp. 1864 getauft (Torell u. Nord., Schwed. Expp. 406). — *Alkfelsen*, ein Vorgebirge in NSemlja. 'Grosse Schaaren v. Alken, Uria Brunnichii, u. Möven, Larus tridactylus, begegneten uns schon unterwegs, u. am *A.* angekommen, sahen wir sie in Millionen die Küste umschwärmen. Das Geschrei dieser Vögel hörte sich bald wie das Rollen eines Wagens, bald wie Hundegekläff an ... Das Gestade war auf der Strecke einer (schwed.) Meile so dicht v. ihnen besetzt, dass kaum' ein Fleck im Felsabsatz frei war. Es ist bekannt, dass diese 'Vogelberge' die Stätte einer Art Thierstaates sind, dessen Hptzweck der Schutz gg. gemeinsame Feinde u. das Schlichten innern Haders ist. Diese Vögel bauen nicht eig. Nester, sondern brüten aufrecht gg. den Felsen gelehnt ihre Eier aus, wobei Männchen u. Weibchen sich in dem Brutgeschäfte gewissenhaft ablösen´ (Peterm., GMitth. 21, 474). — *Alkendorp* s. Ellwangen.

Alkmaar s. Geelvink.

Allach = der schnelle, bei den Jakut ein Zufluss der Maja-Aldan, v. seiner reissenden Strömung (Dawydow, Sib. 85). — *Allach* s. Aa.

Allah, der Name Gottes bei den Arabern, oft in ON. wie *Beit A.* (s. Beit), *Chalil A.* (s. Hebron), *Kinânet A.* (s. Damascus), *Blad A.* = Gottesland, eine Prov. Nubiens, *A. Akbar* = des grossen Gottes, ein Bergpass in Turkestan (Parmentier, Voc. arabe 10), wohl am bekanntesten in *Allahabád*, eig. *Ilahabád* = Gottesstadt, arab.-pers. ON. f. alt *Pratischthana* = Gründung, Sitz, die älteste Residenz der Könige aus dem Geschlechte des Mondes (Lassen, Ind. A. 1, 158), hind. *(Radsch) Preáy* = (königl.) Vereinigung, eig. Opfer, weil die Stadt an der Confl. Ganges-Dschamna liegt, v. *preáy.* mod. f. skr. *prayága*, auch an andern geheiligten Confluenzen, wie Wischnupreag, gebraucht (Schlagw., Gloss. 169, 235, Reis. 1, 302, ZfAErdk. 4, 495. Nach der Legende habe hier Brahma ein grosses Pferdeopfer verrichtet. In der Naturverehrung der Inder nimmt das reinigende u. entsühnende Wasser eine hohe Stelle ein, vor allem das der Ganga. Wo sich die Arme eines heil. Stromes vereinigen, erscheint die heiligende Kraft gedoppelt; es sind daher die Gemünde der heil. Flüsse besonders heilig, vorz. wieder die Zuflüsse der Ganga (Lassen, Ind.A. 1, 64). Als nun Akbar, der grösste aller Grossmogule, geb. 1542, † 1605), auch die in herrl. Flusslandschaft gelegene Stadt 1572 mit Leichtigk. eroberte u. eine Veste baute, verjüngte sich der Ort u. erhielt v. Schah Dschahan (1628/58) den j. Namen (Meyer's CLex. 1, 408). — In Hindostan der ON. *Rahimpur* = Gottesstadt, da *rahim* = der barmherzige ein Epitheton Allahs ist (Schlagw., Gloss. 237).

Alleghany, im plur. *Alleghanies*, bei europp. Geographen, sofern wir nicht irren, die üblichste Bezeichng. des gesammten Bergsystems an der Ostküste der Union, v. St. Lorenzgolf bis nach Alabama (H. Wagner, Lehrb. Guthe 5. Aufl. 1, 224), während in Nord-America, wohl hptsächl. nach Guyots Vorgang (1861), gew. *Apa-* od. *Appalachian Mountains* gebraucht wird, ist ozw. ind. Ursprungs u. soll 'endloses Gebirge´ heissen. Zuerst erscheint *Apalache* bei de Soto 1538/43, *Montagnes de Palassi* im Bericht v. Laudonnière's Exp. 1564, *Apalchen* in Mercators Carte 1569, *Apalatcy Montes* auf der Carte de Laet's 1633, die westl. v. den Bergen, angensch. f. den Indianerstamm jener Gegend, auch den Namen *Apalache* hat — alles f. die südl. Theile, die noch j. *Appalachian* heissen. Lewis Evans Carte v. 1755 unterscheidet *Allegeni* u. *Endless Mountains*, letztere als Uebersetzg. des ind. Namens, u. Poirson's 1811 publicirte Carte hat *Montagnes Apalaches ou Alleghany.* Wiederholt finden wir die

Versicherung, dass die *Apalachen* nach dem Indianerstamm dortiger Gegend benannt seien, nach den Bergen der Fluss *Apalachicola* (Morse, Gazetteer 1810, Buckingh., SlaveSt. 2, 342), wie nach dem Flusse die Stadt gl. N. u. die *Apalachicola Bay* heissen. Den Namen *A.* selbst hat 1818 Maclure's geolog. Carte in der Form *Allegany*, 1836 H. D. Rogers *Allegheny;* nach dem Gebirge ist der *A. River*, an dem auch *A. City*, getauft. Uebrigens schwankt auch in America der Sprachgebrauch in so weit, dass die beiden Generalnamen oft auf bestimmte Abtheilungen des Systems beschränkt werden (Whitney, N. u. Pl. 1 ff).

Allendorf s. Alt.

Allen's Isle, im Carpentaria G., v. Flinders (TA. 2, 136, Atl. 14 Carton) am 19. Nov. 1802 nach dem Bergmann seiner Exp. benannt. — *Cape A.,* in Ost-Grönl., v. Walfgr.W. Scoresby jun.(North.WF. 295) am 20. Aug. 1822 entdeckt u. nach einem seiner Edinburger Freunde getauft. — *A.'s Reef* s. Gardner.

Allenburg u. *Allenstein*, Städte in Preussen, beide an der Alle, einem lkseitg. Nebenfluss des Pregel, beide wohl aus Burgen entstanden, wie auch die zweite noch ihr Schloss hat (Meyer's CLex. 1, 413).

Allenwinden, leicht verständl. Bezeichng. f. exponirte Ortslagen, häufig gebraucht neben *im Luft, Biswind* u. *Windegg* (Mitth. Zürch. AG. 6, 81) u. sicherl. nicht, wie Schott (ON. Stuttg. 37) wollte, mit den Wenden zszustellen.

Allerheiligen B. s. Bahia.

Allerstädt s. Erlangen.

Allgäu s. Alpen.

Alligator River, 2 benachb. Küstenflüsse an der Nordseite des Australcontinents, v. Capt. Ph. P. King (Austr. 1, 104) am 8. Mai 1818 benannt nach den dort häufigen Thieren: *b) A. Point,* am nordaustr. Victoria R., v. Stokes (Disc. 2, 56), weil seine Leute hier einen Alligator erlegten.

Allison Inlet, östl. v. Cape Cockburn, v. Parry (NWPass. 58) am 26. Aug. 1819 benannt nach seinem Gefährten, John A., dem greenlandmaster der Hekla, wie im Sept. 1821 (Sec. V. 82 ff.) *A.'s Bluff,* Fox Ch.

Allmann, besser *Wallmen,* ein voralpiner Bergstock des C. Zürich, nach dial. *wallmen* dem Ausdrucke f. die an den Abhängen zahlr. zerstreuten Heuschober; aus engerer Fassung wird, seit Ebel u. K. Escher v. d. Linth, der Name auf die ganze dortige Molassegruppe ausgedehnt (Fröbel u. H., Mitth. 176).

Allobröges, gall. Volksname, v. kelt. *brog* = Land, entspr. dem ahd. *ali-lanti, eli-lendi*, mhd. *ellende* = anderlandig, ausländisch, auch verbannt, elend (Bacmeister, Kelt. Br. 71), deutlicher 'die aus fremdem Boden Wohnenden´, da sie vor der röm. Eroberung die frühere ligur. Bevölkerung verdrängt hatten (Kiepert, Lehrb. AG. 508).

Alma s. Bernhard.

Almada, arab. *el-ma´aden, al-ma´dan* = Bergwerk, Fort ggb. Lissabon, 'ainsi nommé parce qu'en effet la mer jette des paillettes d'or pur sur le rivage. Durant l'hiver les habitants de la contrée vont auprès du fort à la recherche de ce métal, et s'y livrent avec plus ou moins de succès, tant que dure la saison rigoureuse. C'est un fait curieux dont nous avons été témoins nous mêmes' (Edrisi, ed. Jaub. 2, 26, Diez, Rom. WB. 2, 93). — *Almadén*, zubenannt *de Azogue*, v. span. *azogue*, port. *azougue*, arab. *azzaïbaq* = Quecksilber (Diez, Rom.WB. 2, 104), ant. *Sisapo*, bekannter Minenort Neu Castiliens, der mit den Gruben des nahen *Almadenejos* (dim.) fast alles Quecksilber lieferte, bis dasselbe im californ. *New Almaden* entdeckt wurde (Willk., Span.-P. 145, ZfAErdk. 1856, 9, Kiepert, Lehrb. AG. 487). Die span. Minen, schon z. Römerzeit in Betrieb, sind mit dem fünften Stockwerk zu 357 m Tiefe vorgedrungen u. bauen auf einen fast senkr., abwärts sich verbreiternden Zinnobergang, welcher viele Nester gediegenen Quecksilbers einschliesst. Die Erze liefern ca. 7% Metall. Die Minen bildeten seit Jahrhh. eine der Haupteinnahmequellen der span. Krone, waren jedoch schon mehrmals verpachtet resp. verpfändet, den Fuggern 1525—1645, dem Hause Rothschild 1836/63, seit 1870 wieder an England, dem der Zins in 24 000 Ctr. Quecksilber zu entrichten ist, auf 30 Jahre hinaus (Willk., Pyr. HI. 3, 128, Meyer's CLex. 1, 426). Die californ. Minen 'have been the greatest producers of mercury on our continent, and their output largely governed, for a time, the condition of this industry, now considerably depressed on account of the somewhat irregular demand' (Wheeler, Geogr. Rep. 186). — Mit türk. *dagh* = Berg, ein Theil des Anti-Taurus *Maden-Dagh*, wo die Afscharen, ohne christl. Arbeiter zuzulassen, auf Silber bauen (Tschihatscheff, Reis. 34).

Almaly = Apfelort, v. türk. *alma* = Apfel, im Semiretschinski Kräi f. einen 'Apfelfluss', wg. der in den Thälern wachsenden Apfelbäume. 'Hart an der Strasse war einer dieser Bäume mit kl., noch ganz grünen Früchten bedeckt' (Bär u. Helm., Beitr. 20, 168). — Bei den Kirgisen hat das Wort 'Apfel' die Form *almat*; daher ein Fluss *Almatà*, wo ältere chin. Carten *Gurban Almatu* = 3 Apfelflüsse haben. Ein russ. Fort an diesem Flusse, das 12. v. Kopal nach Wjèrnoje, das übr. selbst auch *Almaty*, mit Suffix -*ty*, genannt wird, heisst *Almatschinskij*(Humb.,As. Centr.3,226, Peterm., GMitth. 4, 497 T. 16; 37, 265).

Almannagja = Allerweltskluft, v. isl. *manna*, gen. plur. v. *madur* = Mann, *gjá* = Kluft nebst *al*, der Partikel f. die Viel- od. Allheit, eine grossartige Kluft Islands, in welcher zZ. der Republik u. später (927/1800) das *althing* = das Allgericht, die 'Landsgemeinde', abgehalten wurde (Preyer-Z., Isl. 80). — *Almenningur*, Bruni.

Almejas, Golfo de las = Bucht der Miesmuscheln, span. Name an der Westküste Calif. (DMofras, Or. 1, 231).

Almendral s. Valparaiso.

Almond s. Turret.

Almóra, v. *almóri*, einem in der Umgebg. reichl. vorkommenden Sauerampfer, *Rumex hastatus*, hind. ON. in Kamáon (Schlagw., Gloss. 169).

Alnambe s. Iroquois.

Alneda s. Aunay.

Alnwyk = Ort an der Alne, einem kl. engl. Flusse, der durch Northumberland fliesst u. bei *Alnmouth* = 'Alnmünde' in die Nordsee fällt (Meyer's CLex. 1, 432).

Alonia s. Elaphoeis.

Alouarn, Isles de St., vor Cap Leeuwin, v. Admiral d'Entrecasteaux (s. d.) am 5. Dec. 1792 benannt nach einem Landsmann, dem Seef. *de St. A.*, welcher als Befehlsh. des Schiffs Le Gros Ventre 1772 einige Punkte West-Austr. untersucht u. wohl das Cap selbst f. eine Insel genommen hatte (Flinders, TA. 1, LXV).

Aloyse, Cap St., im St. Lorenzgolf, am 29. Juli 1534 durch den franz. Seef. Cartier entdeckt u. nach dem Kalendertage benannt: 'because that was his day' (Hakluyt, Pr.Nav. 3, 210).

Alpen, das weitverbreitete Hochgebirge Central-Europa's, einst vorzugsw. v. kelt. Völkerschaften bewohnt u. den Römern erst spät, seit Ende des 3. Jahrh., bekannt geworden, sollten dennoch einen lat. Namen, v.*albus* = weiss, nach den fernhin schimmernden Firnen, erhalten haben, nicht erst nach Grimms Annahme, sondern schon nach der Ansicht der Alten ... album quod nos dicimus a Graeco, quod est ἀλφόν, est appellatum. Sabini tamen alpum dixerunt, unde credi potest nomen *Alpium* a candore nivium vocitatum(Festus ep. p. 4 M.). Heute gilt allgemein, was schon Servius V. (Georg. 3, 474) bezeugt hat: Gallorum lingua alti montes *Alpes* vocantur (Nissen, Ital. LK. 139f.), d. h. das Wort *A.* kommt v. kelt. *alp* = hoch, Berg, zunächst f. 'die Bergweiden, die im Sommer mit Milchvieh besetzt u. nicht z. Heugewinnung abgemäht werden' (Studer, PhGSchweiz 8, Schott, Col. Piem. 260). Die 'Bergweide' betrachtete Saussure (Voy. Alp. 324 f.) ebf. als 'signification celtique et originaire'. Auch Gatschet (OForsch. 136), sonst rom. u. deutsche Ableitg. bevorzugend, hält, unter Verweisung auf *Albanach* u. *Albainn*, an der kelt. Etym. fest. 'Nur v. den *A.*, nicht v. unserer Alb, sei behauptet, dass sie vorgerman. Klanges seien' (Bacmeister, AWand. 140). Der Fluss *Alpis* (Herod. 4, 49) ist wohl v. Gebirgsnamen auf einen Nebenfluss des Ister übtragen(vgl. Karpis u. Pyrene). — *Southern Alps*, in NSeeland, *Australian Alps*, in Victoria u. NSouth Wales, *Sea Alps*, in Alaska, engl. Uebtragg. des alten Gebirgsnamens. — Auch f. *Alpnach*, den bekannten Ort am *Alpnacher-See*, alt *Alpenaha* (Gatschet, OForsch. 138, Mitth. Zürch. AG. 6, 164), sowie f. *Alpthal*, ein Seitenthal der Sihl, längs des *Alpbaches* hinter Einsiedeln (Gem. Schweiz 5, 232), ist der Zshang mit *alpe*, u. zwar den localen Hochweiden, unzweifelhaft, weniger sicher f. den *Albis*, eine Bergkette, an deren Fusse *a) Albisrieden*, 820 villula juxta montem *Albis*, nomine *Rieden*, also 'am Ried', 1376 *ze rieden unter*

dem Albis, u. *b) Albisbrunn*, Kaltwasser-Heil-
anstalt mit Heilquelle (Mitth. Zürch. AG. 6, 80.
146, Gatschet, OForsch. 137), sowie f. *Allgäu*, den
altschwäb. Gau um Sonthofen-Immenst.-Kempten,
den Fr. L. Baumann (GAllg. 1, 7. 10) als Umbildung v. *Alpgau* = 'dem den *A*. angelehnten
Gau' betrachtet. — Wohl anderer Herkunft ist
Rauhe Alb, der jurass. Höhenzug, dessen in
Boden u. Klima rauhes Wesen zu dem des milden
Neckarthals den Ggsatz bildet. 'Rauhes Klima,
vielfach zerklüftetes Gestein u. bedeckendes Kalk-
grus, nur an einzelnen Stellen eine dünne Acker-
krume, seltene u. meist arme Ortschaften' (Daniel,
Handb. Geogr. 3, 220), nach Baemeister mit *albus*
= weiss, deren 'weissschimmernde Kalkmauer
der dunkelwaldigen Abnöba (s. Schwarzwald) ggb.
steht'.

Alpha y Omega = Anfang (*α*) u. Ende (*ω*) nannte
Columbus auf seiner zweiten Fahrt 1493 die Ostspitze Cuba's, ind. *Bayatiquiri*, j. *Punta Maysi*,
weil er sie f. das Ende des ostasiat. Festlandes
hielt, also glaubte, hier höre das Abendland auf
u. fange das Morgenland an (PMartyr 1 c. 3).

Alpheios, gr. *Ἀλφειός* = Weissbach, der bedeutendste Fluss der Peloponnes, ngr. *Alféo* od.
Sarantapótamo = 40-Fluss (s. Sarandopóro), wg.
der zahlr. Krümmungen (Meyer's CLex. 1, 452).

Alptaä = Schwanenfluss, wie *Alptafjördur*, eine
'Bucht', *Alptavatn*, ein 'See', *Alptanes*, ein 'Cap',
Alptatunga, eine 'Landzunge' der an Schwänen
reichen Westseite Islands (Preyer-Z., Isl. 126).

Alpujarras, arab. *al Buscherat* = Grasplatz,
werden heute die der span. Sierra Nevada südl.
vorlieg. Thäler (nicht ein Theil des Gebirges) genannt, die nach dem Oberende sich zu quellenreichen Alpenmulden, den *borreguiles* = Schaf-
alpen, erweitern (Meyer's CLex. 1, 453).

Alsace s. Elsass.

Alservorstadt, eine der Vorstädte Wien's, mit
Alserbad, an der Alser, einem kl. Zuflusse der
Donau (Meyer's CLex. 1, 454).

Alsey = Seilinsel, eine der isl. Westmänner
In., 'weil man sich mit Seilen v. oben herablässt,
um an den senkr. Felswänden die Seevögel u.
ihre Eier aus den Nestern zu sammeln' (Preyer
u. Z., Isl. 23).

Alsfeld s. Ellwangen.

Alster, der Elbezufluss bei Hamburg, im 11.
Jahrh. *Alstra* = die fruchtbringende, zeugende,
auch in Schweden, wo *alstra* = hervorbringen,
alster = Frucht, Zucht, Erzeugniss — so der
Germanist Rich. Müller (Bl. öst. LK. 1888, 81),
gewiss Manchem keineswegs überzeugend.

Alt = vetus, in vielen deutschen ON., häufig
als Zeichen einer ältern Ansiedelung auf demselben Punkte od. nur des höhern Alters, jüngern
Nachbarorten ggb., in *Altwasser* u. ähnl. nach
einem alten Flussbett, so spec. *Altaich*, im 8.
Jahrh. *Aldaha*, nach dem frühern Bette der
Donau, zw. Regensburg u. Passau. Wir fügen
bei: *Altbrunn*, im Elsass, *Altburg*, im 11. Jahrh.
Altpuren, im württb. Oberamt Calw, *Altgaui*,

im 8. Jahrh. ein thüring. Gau, *Altheim*, vielf.,
Altkirchen, im 10. Jahrh. *Altkiriha*, Bayern,
Altstätten u. *Altstetten*, im 8. Jahrh. *Aldestede*,
mehrf., *Altdorf* od. *Altorf*, im 8. Jahrh. *Althorf*,
ebf. vielf., *Altenacker*, im 10. Jahrh. *Aldun*
akkaron, Wüstung unw. Helmstedt, *Altnau*, im
8. Jahrh. *Altinowa*. im Thurgau, *Altenberg*, im
11. Jahrh. *Altinbere*. bei Reinhardtsbrunn, *Alten-*
u. *Oldenburg*, im 9. Jahrh. *Aldinburg*, ebf.
mehrf. (s. Fürst), das 'oldenburgische' schon 1155
befestigt (s. Bamberg), *Altenbeuren*. 783 *Aldun-*
purias, *Alden-* od. *Altunhofen*. 1050 *Altunhonun*.
in Kärnten u. im Jülichgau, *Aldenhövel*, im 9.
Jahrh. *Allenhuuile*, in Westfalen, *Altenhausen*.
770 *Altunhusir*, bei Freising, *Altenkirchen*. im
10. Jahrh. *Altinchiricha*, mehrf., *Altenmünster*.
Altenrode, *Oldenzaal*, im 8. Jahrh. *Aldensele*.
Altenstadt u. Ahlstadt, im 8. Jahrh. *Altunsteti*.
Alten- u. *Allendorf*. Olden- u. *Ouddorp*, alle 4
Formen mehrf., im 8. Jahrh. *Aldanthorp* u. a. m.
(Förstem., Altd. NB. 44 ff.'). Die hohe, durch den
Prinzenraub v. 7/8. Juli 1455 bekannt gewordene,
1864 abgebrannte *Altenburg*, Thür., angebl. v.
Heinrich I. ggr., wohl nicht, wie Einige glauben, im
Ggsatz zu Freiburg a/Unstrut als jüngere Anlage
benannt, urk. im 11. Jahrh. (Meyer's CLex. 1,
460), ist v. E. C. Löbe (Osterl. Mitth. 8, 449 ff.)
weitläufig, v. O. Weise (Gymn. Progr. 1883, 10)
überzeugend besprochen. 'Es lagen hier urspr.
2 slaw. Ortschaften: *a) Pawritz*, urk. *Powuir-*
dicz, eig. *Podegrodici* = unter der Burg, v. asl.
podü = unter u. *gradu* = Burg, in der Lage
der j. Pauritzer Gasse u. noch 1290 v. der übr. Stadt
vollst. isolirt, *b) Lyssau*. eig. *Lésowo*, v. asl.
lěsü = Wald, später in *Leistenholz* erhalten,
wo j. der Schlossgarten ist. Neben diesen beiden
Dörfern nun siedelten sich unter dem Schutze
der hochthronenden Burganlage, die urspr. v. den
Slawen ggr. nun als 'alte Burg' bezeichnet wurde,
seit dem 9. Jahrh. die german. Colonisten derart
an, dass sie zunächst die Gegend südl. v. Schlosse,
den Teichen zu, besetzten u. wg. der Feuchtigk.
des Bodens *Nasshausen*, später *Naschhausen*,
nannten. Diese Gemeinde wuchs schnell durch
die rührige Thätigkeit der Burgherren u. Klöster,
erschien 977 als Stadt u. hat sich allmählich z.
heutigen Umfang erweitert. — *Alte Burg* s. Regensberg u. Fürstenstein. — Im übrigen: *Altdamm*
(s. Damm), *Altenahr* (s. Aare), *Altenklingen* s.
Klingen), *Altenmünden* (s. Gmünd), *Altenstein*,
ein 'auf uraltem Unterbau' im 18. Jahrh. neu aufgeführtes Lustschloss in Sachsen-Meiningen, auf
einem Felsberge, der nach zwei Seiten hin fast
senkr. abstürzt (Meyer's CLex. 1, 461), *Althaus*,
die alte Lage der 1232 ggr., 1239 an die Weichsel
verlegten Burg u. Stadt Culm (Toeppen, Hist.-
comp. GPr. 167), *Altmark* (s. March), *Altstad* (s.
Stad), *Alttief*, Dorf auf der frischen Nehrung,
nach einem Tief, welches 1426 entstand u. lange
Zeit befahren wurde (Töppen, Hist.-comp. GPr. 2),
Alte Landschaft, auch *Fürstenland*, das nördl.
Vorgelände v. Appenzell, das Stammgut der st.
gall. Fürstäbte, im Ggsatz z. Toggenburg, welches sie

erst 1468 durch Kauf, unter Anerkennung seiner ständischen Rechte, erwarben. Im C. Zürich gibt es *a)* ein *Mönchaltorf*, 872 *Altorf monachorum*, 902 *curtis Sancti Galli*, wo die Mönche v. St. Gallen den Kirchensatz u. Güter besassen, *b)* ein *Fehraltorf* = das entferntere, v. dial. *ferr, fer* = entfernt, 1368 *ze Rüdger's-* 1469 *Rüggis-Altdorf* (Mitth. Zürch. AG. 6, 121). — Ein türk. Seitenstück zu unsern verlassenen Flussbetten *Altwasser* u. *Altaich* (s. oben), sowie *Alte Linth*, *Oude Rijn* (s. dd.) ist *Urun Darja* = alter Fluss, f. das trockene Bett des Amu Darja ab Kunia Urgentsch (Peterm., GMitth. 20, 24). — Andere anklingende ON., wie *Altripp* (s. Altus) u. *Altbrunn* (s. Ellwangen).

Altaï, ein centralasiat. Gebirge (s. Altyn), vollst. *Altaïn Oola*, wo *-in* die Endung des Gen., im Mandschu *Altaï Alin* = Goldgebirge, wie schon im 7. Jahrh. Menander v. Byzanz übsetzt, v. mong. *altà*, uig. *altun* = Gold. 'Les montagnes méridionales de l' *A.* sont riches en mines d'or et d'argent' (Klaproth, Kauk. 2, 430. 444. 488. 500), bei den ältern chines. Autoren in *Kin Schan* übsetzt (Berghaus, Briefw. 1, 337, Timkowski, Mong. 2, 230. 286, Klapr., Mém. 2, 382, Pauthier, MPolo 1, 186). — Aehnl. *Altan Ulugui* = Goldwiege, eine Bergkette in Ost-As. (Timkowski, Mong. 1, 158) u. *Altan Noor* = goldener See, 2 mal *a)* ein bedeutender Salzsee der kasp. Steppe, russ. verd. *Elton*, benannt v. dem goldigen Widerschein, den er oft bei Sonnenuntergang zeigt (Rose, Ural 2, 259), viell. v. den bis 10 m h. Lehmufern (Glob. 14, 298); *b)* s. Telezk.

Altena s. Altona.

Altepe Dagh = Rothspitzgebirge, türk. Name eines zieml. hohen Bergs zw. Smyrna u. Kiutahia (Tschih., Reis. 2).

Althorpe Isles, vor Cape Spencer, v. M. Flinders (TA. 1, 167) am 20. März 1802 benannt ebf. zu Ehren des Grafen George John Spencer, welcher vor seiner Standeserhöhung (1765) seit 1761 Viscount *A.* u. bis 1794 erster Lord der Admiralität war, od. eines seiner Söhne (der zweite, Frederick, Sieger v. Navarino, † 1857 als Vice-Admiral). Bei der Exp. Baudin, Apr. 1802, *Iles de Vauban*, offb. nach dem grossen frz. Militäringenieur des 17. Jahrh. (Péron, TA. 1, 272).

Altmann, Cap, im arkt. König Karl Ld., 79⁰ NBr., benannt nach dem norw. Capt. J. *A.*, der die dem Consul Joh. Berger in Hammerfest gehörige Jackt Elvine Dorothea in das Eismeer führte u. das Cap am 30. Juli 1872 entdeckte (Peterm., GMitth. 19, 122 Taf. 7). — *A.*, Berg im Säntis s. Altus.

Altmül od. *Altmühl*, scheinbar deutscher Flussname Bayerns, weil schon frühe sowohl der erste als der zweite Bestandtheil volksetym. umgedeutet wurde, im 8. Jahrh. *Alcmona*, dann *Alcmana*, *Alchmona*, *Alchmuna*, bei Ekkehard *Altmona*, um 1000 *Altmuna*, auch schon im 9. Jahrh. *Altmule* (Förstem., Altd. ON. 44), aber gewiss weit älter, wie der v. Ptol. angeführte ON. Ἀλχιμοεννίς var. Ἀλχιμοέννης, bezeugt. Er ist ozw.

(Zeuss, Deutsche u. NSt. 13) kelt. Ggüber solchen Zeugen ist es wohl bedenkl., jedoch immerhin erwähnenswerth, wenn Kugler (ON. Altm. 58 f.) im ersten Theil ein ahd. *alach*, *alch*, *alk* = erhaben, heilig u. im zweiten ein *mon*, *moin* = Wasser, Fluss, findet. Dieser Begriff finde, sagt er, seine Bestätigung in einem Briefe des heil. Wilibald an den Papst, worin er die *A.* 'den heiligen Fluss' nennt (Fr. X. Mayer, Monogr. Ritenburg 151).

Altona, viel umstrittener, obgl. erst 1538 erwähnter Name einer Nachbarstadt Hamburgs, nach dem Elb-Antiquarius v. ihrem Gründer, einem dän. Könige, ihr gegeben, weil eine Hamburger Deputation sich üb. die neue Anlage beschwert hatte unter öfterer Wiederholung der Worte: 'Sie is all to na' = sie ist allzunah (an Hamb.). Hierzu sagt Daniel (Handb. Geogr. 4, 389): 'Die Erzählung ist eine Fabel; der Name kommt v. dem Bache *Altenau*, welcher den Ort v. Hamburg trennte'. Gegen E. H. Wichmann (Hamb. Mitth. 1, 33. 108) verficht, nicht ohne Glück, K. Koppmann (Zeitschr. HGesch. nf. 4, 89 ff.) die ältere Annahme: *Altena*, wie *Altevcer* = allzufern u. *Pasveer* = eben weit genug, sind in Nieder-Deutschld. mehrf. f. Wirthshäuser üblich; nach der Tradition ist aber *A.* wirkl. aus einem Wirthshaus erwachsen, u. eine Beschwerde der Hamburger Handwerker üb. die neue Concurrenz, 1548, ist urk. bezeugt. Wir finden (Corr. Bl. f. nd. Sprachf. 1887, 22), dass auch die westfäl. Burg u. Stadt *Altena* a/Lenne, u. zwar schon v. Chronisten Northof, als 'allzunah', näml. f. die Grafen v. Arnsberg, gedeutet worden ist.

Altus = hoch, lat. adj. als Stamm der mod. Formen *alto*, *-a*, frz. *haut*, *-te*, rätr. *ot*, *ota*, *aul*, *ault*, also v. wechselnder Stellg. im Lexikon, um so mehr, als das Bestimmungswort bald als erster, bald als zweiter Theil des ON. steht, u. überdies der Gefahr ausgesetzt, volksetym. verdeutscht zu werden, wie aus *Altus Mons* = hoher Berg, einem der Häupter des Säntis, ein *Altmann*, aus *Alta Ripa* = hohes Ufer ein *Altenryf* geworden ist. Gerade diese 'Hanover', deren die frz. Schweiz 2 hat, ein *Hauterive*, deutsch *Altenryf*, im C. Freiburg, u. ein *Hauterive* im C. Neuenbg. (Gatschet, OForsch. 81), finden sich in Frankr. zu untrennbarem Formenknäuel verstrickt: 3 mal *Hauterive*, 853 *Alta Ripa*, 1294 *Auterive* (Dict. top. Fr. 1, 92; 3, 66, 13, 114), 1 mal *Hauterives*, im 11. Jahrh. de *Altis Ripis*, 1180 de *Alta Ripa*, im dép. Mayenne (ib. 16, 166), 2 mal *Rivehaute*, im 11. Jahrh. *Aribalda*, 1548 *Ribahaute*, im dép. Basses-Pyr. (ib. 4, 142), 2 mal *Ribaute* u. 1 mal *Ribautes*, 1314 ecclesia de *Riperiis*, im dép. Gard (ib. 7, 184), ein *Altrippe*, 1248 *Altruppe*, in Lothr. (ib. 13, 5), ein *Altripp*, bei dem Geogr. Rav. *Altripe*, 'der besterhaltene röm. ON. unserer Gegenden, obh. Mannheim am Rhein (Baem., AWand. 25), sogar ein *Alla Ripa*, verdeutsch *uf d'r Rifa*, Ort im Thal v. Macugnaga (Schott, Col. Piem. 244). — Eine ähnl. Vielförmigk. zeigen die Comp. mit *-villa* wie *a)* *Eltville*, früher *Eltrilla*, noch 832 *Alta Villa*, in herrl.

Lage am Rhein, Rgbz. Wiesbaden, einst häufig Sitz der Erzbischöfe v. Mainz u. als Hptort des Rheingaus betrachtet (Meyer's CLex. 6, 72); *b) Hauteville*. ehm. *Alta Villa*, Schloss bei Vevey, 'dans une position à mi-côte, qui domine l'un des plus ravissants paysages des bords du Léman' (Mart.-Crous., Dict. 444); *c) Hauteville*. im Greyerzer Ld., verdeutscht *Altenfüllen; d) Hauteville* od. *Altavilla*, im Seebez. des C. Freiburg (Eidg. Postlex. 8. 176). — Im übr. möge unter *haut* u. *ot* eine Anzahl andrer ON. nachgeschlagen werden u. hier noch folgen: *a) Alta Vista* = hohe Aussicht, span. Localname am Centralkegel des Pic v. Tenerife, f. ein kl., ebenes, geschütztes Fleckchen in der endlosen Lavawüste (ZfAErdk. 1870, 21); *b) Tierra Alta* = Oberland u. *Tierra Baja* = Unterland, die beiden durch Höhenlage u. Vegetation vschied. Stufen der span. Prov. Vizcaya (Willkomm, Span.-P. 165); *c) Alto-Douro* s. Baixo; *d) Alto-Peru* s. Bolivia; *e) Piz Ault* s. oben; *f) Pico Alto* s. Pic; *g) Punt Alta* = hohe Brücke, am Cavagliasco, Puschlav. 'Hier hat das Wasser im Laufe der Jahrhh. od. Jahrtausende einen 20 m t., 5 m br. und 16 m lg. Kessel im Granitfelsen ausgehöhlt und gräbt immer tiefer hinein. Schwindelnd sieht man auf der Brücke, welche unter den Füssen zu zittern scheint, den Bergstrom in der Schlucht schäumen, sein Toben wird weithin gehört. Es ist eine der wildesten Naturscenen Rätiens' (Lechner, Posch. Th. 14). — Reiner ital. *Ponte Alto* 2 mal *a)* die alte, hochgespannte Steinbrücke v. Agordo, Venetien, im Ggsatz z. neuen, niedrigern u. längern Holzbrücke (Pollatschek, Mil. Geogr. 8. 100); *b)* Brücke der Route des Stilfser Jochs (Leonhardi, Veltl. 40). — Auch im frz. dép. Eure-et-Loir ein *Pontault*. 1468 *Pontaulx* (Dict. top. Fr. 1, 147). — *Auteuil*, v. kelt. *alt* = Hügel, urspr. *Altoil*, *Altogil*, *Altuil*, spätlat. *Alto(g)ilus* = kleiner Hügel, ON. bei Paris, bei Houzé (Et. NL. 7) der Typus v. üb. 50 frz. ON. *Aut(h)on*, *Authou*, *Autheuil*, *Authuil* u. *Autouillet*, letzteres als Unterdim. v. *Auteuil* (vgl. d'Arbois de Jub., Rech. NL. 545).

Alty Kuduk = die 6 Brunnen, auch mit *alti*. türk. Name einer völlig vegetationslosen Oase der turan. Wüste, wo die russ. Armee 1873 in einer Tiefe v. 30—40 m Brunnen fand, 6 an Zahl, wovon einer zugeworfen war (Bär u. H., Beitr. 17, 48, Peterm., GMitth. 37, 265); *b) A. Schehr* s. Tataren; *c) A. Agatsch Dagh* = Berg der 6 Bäume, bei Amasia (Tschih., Reis. 66).

Altyn = Gold (s. Altaï), in türk. u. mong. ON. wie *A.-Tasch* = Goldstein, 2 statten ON. in Kl.As.: *a)* südöstl. v. Kiutahia (Tschih., Reis. 3); *b)* bei dem bleireichen Kurschunlu a/Propontis (ib. 6). — *A.-Ymel* = goldener Sattel, im dsung. Alatau, ein hoher, aber bequemer Pass, *A. Y. Dabahn*. auf das Fort am nördl. Fusse u. auf die ganze Bergkette übtragen (Humb., ACentr. 3, 225, Peterm., GMitth. 4, 355 Taf. 16). — *A. Kul* s. Telezk.

Alum Creek = Alaunbach, 2 Zuflüsse des obern Yellowstone R., der eine 8 km obh. der Upper Falls, ein seichter, fauler Bach lauen, untrink-

baren Wassers, 60 cm br., 6 cm t., krystallklar, v. Alaungeschmack, 'and on this account was appropriately named *AC.*' (Hayden, Pr. Rep. 87) ... 'all the mud-springs are impregnated with alum, and the stream flowing away from the hills is called *AC.*. the water of which is strongly astringent... the alum is an iron alum...' (Ludlow, Carroll 23); *b)* ein Zufluss des Yellowstone L. (Hayden, Pr. Rep. 100, Carte. 135. 189).

Alv = weiss, rätor. Wort, in welchem sich lat. *albus*. treuer als in den übr. neurom. Sprachen, die dafür ein deutsches Wort (s. Blank) eintauschten, erhalten hat (s. Alba), mehrf. in Berg- u. Gewässernamen, so *Piz A.*, 2mal in Graub. *a)* ein isolirt zw. Granit- u. Schieferbildungen aufragender Kalkkegel des Bernina (Lechner, PLang. 91, Gatschet, OForsch. 164); *b)* der Dreiländerstein v. Uri, Tessin u. Graubünden; ferner *c) Ley A.* s. Bianco; *d) Alrenen* = Weisswasser, wo *alr* mit *aua* = Wasser, Badeort an der Albula u. sonach mit dem Flussnamen gleichbedeutend (Bergm., Wals. 12), als *Alvum novum*, in Bez. auf die im Thale unten ... befindl. Schwefelquelle gedacht bei Campell (-Mohr) 145.

Alvarado, Rio de, einh. *Papalohuna*, einer der mexic. Zuflüsse des Atlantic (u. nach ihm der Ort *A.*), v. Spanier Juan de Grijalva so genannt, weil einer der Theilnehmer, der trotzige Capt. Pedro de *A.*, den übr. vorausfahrend, die Mündg. entdeckt u. untersucht hatte (BDiaz, NExp. c. 12). — *Ilha de Alvares* s. Cunha.

Alyssos, gr. *Ἄλυσσος* = die wuthstillende, eine die Hundswuth stillende Quelle in der Kynaithaia, der nördlichsten Landschaft Arkadiens (Paus. 8, 19). Nach der frischen Quelle des Thales der ON. *Kalavryta* = Schönbrunn (Curt., Pel. 1, 383).

'Alyy, Dschebel = hoher Berg, ein 70 m h. Hügel an der sehr niedrigen arab. Küste des Persergolfes, in der Gegend der alten Vorgebirgs der Sonne, wo es an andern Höhen völlig fehlt (Sprenger, AGArab. 127).

Ama-Khoin s. Hottentotten.

'Amad, Um el- = Säulenmutter, wo arab. *um* = Mutter, s. v. a. Fundort, mehrf.: *a)* eine Ruinenstätte bei Hebron, auf niedriger Anhöhe, nach einer kl. Kirche, welche urspr. 4 Säulen an jeder Seite des Schiffes hatte (Robins., Pal. 3, 193, Burckhardt, Reis. 2, 618); *b)* eine dito in Belka (Burckh. 2, 622); *c)* eine beträchtl. Ruinenstätte bei Bethlehem, mit mehrern schönen Säulen (Seetzen, Reise 2, 51; 3, 28); *d)* ein Ruinenort mit Tempelsäulen, bei Ras el-Abiad (Seetzen 2, 121).

Amadas, Bay, an der Küste N. Carolina's, benannt durch ihren Entdecker, den engl. Capt. *A.,* der 1584, v. Sir W. Raleigh abgesandt, hier ankam (Strachey, HTrav. 8).

Amadeus Berg, an der Westseite des spitzb. Wybe Jans Water, in Gesellschaft mit *Pr(inz?) Wilhelm Berge. Negri Gletscher* u. *Cap Antinori* (s. dd.) v. d. Exp. Heuglin-Zeil 1870 getauft (Peterm., GMitth. 17, 182 T. 9), offb. zu Ehren des Prinzen *A.*, der, geb. 1845 als zweiter Sohn Victor Ema-

nuels, den Titel Herzog v. Aosta führt u. 1871/73
König v. Span. war. — Wohl ebenso *A. Lake*,
ein langgestreckter Salzsumpf des Australconti-
nents, v. E. Giles im Oct. 1872 entdeckt u. v. Baron
F. v. Müller getauft (Peterm., GMitth. 19, 187).
Amalienborg s. Christian.
Aman s. Ormuz.
Amana s. Chrysos.
Amanikai s. Pylai.
Amara s. Haifa.
Amara-Mayu s. Plata.
Amarapura = Stadt der Unsterblichen, der
Götter, hind. ON. 3 mal: *a)* in Maissur, in der
Form *Amarapuram*, *b)* in Bengalen, *c)* in Birma,
ggr. 1783, Residenz bis 1857, seither verödet, der
Name einh. *Malaï*, *Maraï* gespr. — *Amarkantak*
= Göttergipfel, 2 mal *a)* das 1500 m h. Plateau,
welchem die Nerbudda u. der Gangeszufluss Sona
entquellen, ein Sitz grosser Heiligk., eifriger Pilger-
schaft u. vieler Sagen, eben durch ihre Quellen
(Lassen, Ind. A. 1, 105); *b)* ein Ort in Malwa. —
Amarkot = Götterveste, in Sindh, ʼein Oasenort,
v. Wüsten eingeschlossen (Lassen 1, 141). — *Amar-
páttan* = Götterstadt, in Bandelkhand. — *Amar-
tál* = Göttersee, im untern Bhután (Schlagw.,
Gloss. 169, Reis. 1, 476, Meyer's CLex. 1, 486, MPolo
ed. Pauthier 2, 417).

Amarga, Agua = Bitterwasser, span. Name eines
Baches der Prov. Mendoza, Argent., vermuthl.
weil das Glaubersalz seines Bettes dem Wasser
einen bittern Geschmack verleiht (Peterm., GMitth.
16, 407). — *Amargura* = Bitterkeit, ein isolirtes
Eiland in Tonga, durch den span. Seef. Maurelle 1781
so genannt, weil er in der Erwartung, dort Erfrischg. zu finden, sich bitterlich getäuscht sah;
denn die kl. runde Insel, damals noch mit Wäldern u. Gärten bedeckt, ist v. steilen Felswänden
eingefasst fast unzugänglich. Bei dem engl. Capt.
Edwards 1791 heisst sie prsl. *Gardiner Island*
(Krus., Mém. 1, 229). Seit dem Ausbruch, Juni
1846, ist auch alle Vegetation vernichtet, der
Boden, voller Dampfspalten u. kl. Krater, ein
Haufen verbrannter Felsen, mit Asche, Schlacken
u. Lava bedeckt (Meinicke, IStill. O. 2, 72). Als
die ersehnten Erfrischungen sich am 21. Apr. 1781
auf einer nördlichern Gruppe, einh. *Niua*, fanden,
erhielt diese, die schon v. Le Maire u. Schouten
1616 u. v. Wallis gesehen war, den span. Namen
Islas de Consolacion = Trostinseln (Meinicke,
IStill. O. 2, 90). Krusenst. (Mém. 1, 25 ff.) wollte
diese in das benachbarte Onafu verlegen. — *Lacus Amari* s. Bitter.

Amarilla, Tierra = Gelberde, span. Name einer
Gegend New Mexico's, v. dem gelben Thon, der
sich dort vorfindet (Peterm., GMitth. 21, 448), angeschwemmt aus der Erosion der umgebenden Sandsteinberge (Wheeler, Geogr. Rep. 81). — *Toro Ama-
rillo* = gelber Fluss, in Costa Rica, nach dem
gelben Wasser (Peterm. 8, 206).
Amaro s. Gaimbé.
Amastor s. Astyra.
Amat s. Tahiti.

Amathus s. Citium.
Amáza, Gang = Schneeberg v. *A.*, dem benachb.
Schloss der Schigar Rájas, v. tib. *gang* = Eis,
Baltiname eines Schneepics in Balti (Schlagw.,
Gloss. 169).
Amazonas, Rio das, die port. Namensform, *Rio
de las A.* die span. f. Strom der *Amazonen*, entstanden 1541 durch die Exp. des Spaniers Francisco Orellana (den Agassiz, V. 235 etwas kühn den
Entdecker des Flusses nennt). Unter Führg. des
Gonçalo Pizarro brach näml. eine Schaar, 200 an
Zahl, th. Berittene, th. Fussgänger, nebst 300
indian. Lastträgern, v. Quito auf, nach Osten, um
das viel berufene Zimmtland zu entdecken ... ao
descobrimento da canella. Von seinem Chef getrennt, fuhr Orellana stromab bis z. Mündg.: tão
arriscada como feliz viagem desde o Peru até á
foz de *A.* Auf dieser Fahrt wollten die Spanier
Amazonen gesehen haben: vendo diuersas terras
e gentes da hua parte e de outra, e diz q'ha *A.*
(Galvão, Desc. 224, Gomara, Hist. gen. c. 86, Varnh.,
HBraz. 1, 162). Nach dem Berichte des Ant. de
Herrera (WHakl. S. 24, 34) wurden die Reisenden
im Juni 1541 v. den Indianern kräftig angegriffen,
die den Amazonen tributpflichtig waren. Die
Spanier glaubten 10—12 Weiber zu sehen, welche
wie Anführer mit solchem Eifer vorkämpften, dass
die Männer nicht zu fliehen wagten, und wer vor
den Weissen floh, wurde mit Stöcken erschlagen.
ʼThese women appeared to be very tall, robust,
fair, with long hair twisted over their heads,
skins round their loins, and bows and arrows in
their hands, with which they killed seven or
eight Spaniards.ʼ Vorsichtig überlässt Herrera
dem Leser, die Glaubwürdigk. dieser Erzählg. zu
beurtheilen; übr. weist er auf die Erscheing. hin,
dass auch in andern Gegenden der Neuen Welt,
in den Antillen u. bei Cartagena, Weiber, mit
Pfeil u. Bogen bewaffnet, mannhaft gefochten
haben. Im Titel cap. I. heisst der Strom *San
Juan de las A.*, wie er, wohl nach dem Kalendertage, auch das Land am Unterlaufe *Provincia de
San Juan* (s. d.) nannte. Der Herausgeber versetzt das Treffen in die Gegend v. Obidos, näml.
nahe der Mündg. des Rio Trombetas. Auch der
port. Capt. André Pereira, Gefährte des Caldeira,
des Gründers v. Para 1616, berichtet, dass, wenigstens zu jener Zeit, in dem Mündungsgebiete
des *A.* die langhaarigen Wilden (s. Encabellados)
leicht f. Frauen gehalten werden konnten, ʼtrazem
os homens cabello comprido como mulheres e de
mui perto o parecem, de que pode ser nasceria
o engano que dizem das *A.*ʼ (Varnh., HBraz. 1, 332).
Der span. Jesuit Crist. de Acuña, welcher 1639
die port. Exp. des Capt. Pedro Texeira stromab
begleitete, versetzt das Amazonenland in den Oberlauf des Canuris, eines obh. Obidos mündenden
Ikseitg. Nebenflusses, an dem aufw. sich die Canuris, Apantos, Taguaus, endl. die Guacaras, folgen,
letztere als Nachbarn der Amazonen, mit denen
sie zeitweise verkehren. Der Pater versetzt die
Wohnsitze dieser Weiber in grosse Wälder u. auf
hohe Berge; in ihr Land kommen nun allj. zu

bestimmter Zeit die Guacaras, werden aber bei ihrer Ankunft kriegerisch empfangen, da die Amazonen Bogen u. Pfeil schwingen. Haben sich die Frauen erst v. der friedl. Absicht des Besuchs überzeugt, so lassen sie die Waffen fallen, gehen hinunter zu den Canoes ihrer Gäste, wählen sich je die erste beste Hängematte, nehmen diese nach Hause u. empfangen hier auf einige Tage ihre Freunde. Die Mädchen, welche in Folge dieses Umganges z. Welt kommen, werden zu Amazonen erzogen, die Knaben getödtet od. dem Vater, wenn derselbe wiederkommt, übergeben (WHakl. S. 24, 122 f.). Eine lange Reihe solcher Zeugnisse hat v. Klöden gesammelt (Zeitschr. f. Schulgeogr. 4, 246—256). Gerade diese Fabuleien zeigen, in Verbindg. mit der sprachlichen Form des 'Stroms der Amazonen', deutl. genug, dass es sich bei den frühesten Reisenden um nichts anderes als 'Amazonen' gehandelt hat u. dass alle neuern Versuche, den Namen anderweitig zu erklären, nur als müssige Phantasiebilder zu betrachten sind. So die Deutung 'Bootzerstörer' (Zeitschr. f. Schulgeogr. 4, 94 f.) u. insb. der Einfall, der in einer Schrift v. 1885 (St. G. Boyd, Ind. LN. 62) niedergelegt ist: v. *a-madzon* = ohne Brüste, als hätten die kriegerischen Indianerinnen, denen Orellana begegnete, ihre Brüste, um in den Bewegungen weniger gehindert zu sein, th. 'removed', th. 'reduced by compression, so much as to render those organs invisible'. In Süd-America trägt übr. nur der Unterlauf, v. Manaos abw., den Namen *A.* Der Mittellauf, bis z. Gebirge, heisst *Rio dos Solimões*, eig. *Sorimões*, nach dem dort, insb. an den Flüssen Teffé u. Coari, einst zahlr. u. mächtigen Indianerstamm, dessen hptsächliche Reste 1788 noch an der Mündg. des Coari sassen, u. zwar hätten, nach dem span. Historiker Velasco, die Port., ledigl. aus Widerspruchsgeist u. entgg. der ganzen Welt, diesen Namen in Umlauf gebracht (WHakl. S. 24, 48. 182). Der Oberlauf allein, ind. *Tunguragua*, hat den ältesten europ. Namen bewahrt, span. *Marañon*, port. *Maranhon* (s. Maranhão). Ggb. der bekannten Erzählg., als habe der span. Entdecker Vicente Yañez Pinzon 1499, erstaunt üb. das mächtig daherflutende Süsswassermeer, die Eingeb. gefragt: sei das ein Meer od. nicht? (ZfAErdk. 1855, 273 ff.), od., wie Velasco in s. Hist. de Quito will, als habe ein Soldat, v. Fr. Pizarro ausgesandt, um die Quellen des pacif. Piura (im nördl. Peru) zu entdecken, in der Gegend v. Jaen den mächtigen Strom erblickt u. in seinem Erstaunen jene Frage aufgeworfen (WHakl. S. 24, 47), gibt Varnh. (HBraz. 2, 66) etym. Andeutungen, die aber kaum weiter führen. Und da, wie Southey (HBraz.) gezeigt hat, der Name schon im ältesten Berichte üb. Pinzons Reise (1499) vorkommt, so fällt die Ansicht, als stamme er v. der Exp. Ursua (1560/61) her, v. selbst dahin. Der Pater Pedro Simon denkt näml. an die zahlr. Dickichte, *marañas*, die die Spanier trafen. Aehnl. Manuel Rodriguez (I. v.): A vista de los enredos y marañas que passaron, andando por aquel rio, y sus vueltas,

le llamaron *Rio de Marañas*, y por significarlas grandes, passò à llamarse *Marañon.* Y aun solo por si, pudieron darle el nombre, por sus muchas vueltas entre islas, y montes, que le descaminan; y por sus braços, saltos, y despeños, llamandole *Marañon* de aguas, enredo y laberinto confuso de corrientes (WHakl. S. 28, XLVIII. 95). Auch auf eine essbare Frucht, Anacardium occidentale, die an den obern Zuflüssen häufig wächst, glaubt man den Namen *M.* beziehen zu können (Andree, Geogr. Welth. 2, 532). In früherer Zeit hiess der Strom auch *Rio Orellana* (Bull. SGPar. 12, 262) od., wie Pinzon wollte, *Mar Dulce*, port. *Mar Doce* = Süsswassermeer (Varnh., HBraz. 1, 25; 2, 467). Der ind. Name ist *Parana-açu* = gr. Fluss (s. Para u. Plata), bei Schomburgk (Raleigh, Disc. G. 16) *Parana-vacu*, u. Acuña (WHakl. S. 24, 110) fügt bei, dass die Tupinambas dem 'grossen Strom' einen *Parana-miri* = kl. Fluss ggbstellen, näml. den kleinern, freil. auch gewaltigen Strom, der 1 legua obh. des Rio Negro v. der rechten Seite mündet.

Amba-ta-ut-tinnè = Schafvolk, bei Franklin (Narr. 287 ff.) *Ambatahut-dinneh*, engl. *Sheep Indians*, ein Indianerstamm, der dem Bergschafe (s. Big Horn) nachstellt (Richardson, Arct. S. Exp. 2, 7).

Amber Cascade, ein Wasserfall des Glen Thomas (s. d.), 'a beautiful fall of water much admired by all visitators', der Sonne lange entzogen, darum im Mai, wenn in der Nähe Alles im Blumenkleide prangt, noch z. Th. gefroren, v. amberartigem Aussehen (Pennsylv. Ill. 59).

Ambitrebii s. Arras.

Ambohitrandrian = Königsstadt, Ort in den centralen Bergen Madagascars, wo ein Häuptling der einwandernden Betsimisáraka sich zuerst ansiedelte (Journ. RGSLond. 1875, 146).

Amboina, eig. *Ambun (Ambon?)*, der Name der Insel der Molukkensee, einh. *Hitoe, Hitu,* ist in Crawf. (Dict. 11) nicht erklärt, wohl aber derj. der dem Osten angehängten Halbinsel *Ley-Timur,* mal. *Lai-Timur* = östliches Blatt.

Ambonas, ngr. Ἄμβωνας = Aufstieg, Bergstufe, Terrasse, *a)* ein Dorf auf einem Bergabsatz des rhod. Atabyrion. Der Name ist echt rhod. u. ozw. uralt, wie schon in der dor. Umlaut in der Form Ἔμβωνας bezeugt (Ross, IReis. 3, 104); *b)* eine Gegend Ἀμβώνιον, in Troas, finden wir schon im Alterth. (Hesych.).

Ambroise Paré, Cap, am Gr. Austral G., bei Flinders *Cap Bauer* (Krus., Mém. 1, 39), v. der Exp. Baudin am 7. Febr. 1803 getauft, wohl nach einem franz. Chirurgen des 16. Jahrh. (Péron, TA. 2, 86).

Ambrym, eine der schönsten u. reichsten Inseln der NHebriden, einh. *Chinambrym,* v. Cook 1774 benannt, ausgezeichnet durch einen 1000 m h. fast immer thätigen Vulcan, den *Kraterberg* der Händler, der dichte Rauchwolken ausstösst u. zeitw. Alles weithin mit Asche bedeckt (Meinicke, IStill.O. 1, 187). Auch f. das nahe *Paäma,* mit

seinem noch thätigen 579 m h. Vulcan, hat sich
Cook die Namenform *Paum* gebildet.

Ameilichos = der unversöhnliche, ein Bach bei
Patrai, Achaja. An seinen Ufern, auf der Grenze
der 3 Urgaue, die später die Stadt Patrai bildeten,
stand das Heiligthum der 'dreiaugigen' Artemis;
hier wurden einst jedes Jahr Jünglinge u. Jungfrauen der Göttin geopfert. Als aber diese Opfer
abgeschafft u. durch Eurypylos der neue Diony-
soscultus eingeführt wurde, ward der Bach in
Meilichos = der milde, versöhnliche, umgetauft
(Curt., Pcl. 1, 445).

America, das Land alter Ahnungen einer Atlantis (s. d.), um 1000 v. den Normannen erreicht,
v. dem Genueser Chr. Columbus im span. Dienste
am 12. Oct. 1492 entdeckt, in der australen
Hälfte zu gutem Theile v. dem Florentiner Amerigo Vespucci, lat. Americus Vesputius, 1501/1502
erforscht u. nach diesem getauft, als *Americi
Terra*, v. Martin Waltzemüller (Cosmogr. Intr.
1507), einem Gymnasiallehrer in St. Dié, Lothr.
Von dem Globus, zu dem die Introductio als
Begleitschreiben gehörte, befindet sich ein Ex.
der Segmente, viell. Unicum, in der Sammlung
des Generals Steinhauser in Wien. In der Pyrenäen-HI. fand der Vorschlag erst spät Nachfolge;
denn wenn auch Einzelne, wie Dr. Margallo (Phis.
Comp., Salam. 1520), ihn kennen ... 'prima est
Asia, secunda Africa et tertia Europa ... addenda
tamen veteribus incognita *A.* a Vesputio inuenta'
..., so hiess die neue Welt noch lange *las Indias Occidentales*, port. *as Indias Occidentaes*
= die westl. Indien, wie ja auch Cartagena in
der Zeit seines Glanzes 'la reina de las Indias'
hiess. Hingg. in Deutschland etc. fand der Vorschlag *A.* sofort Anklang, wozu sowohl die grosse
Verbreitg. der Schriften Vespucci's als auch die
Lautähnlchk. mit dem Namen der übr. Erdtheile
beitrugen. So auf einer Weltcarte Apian's 1522
(u. nicht erst, wie G. G. Napione, D. pr. Scopr.
p. 88 will, 1535 in dem Lyoner Ptol., wo übr.
die betr. Carte auch die Jahrzahl 1522 trägt).
Herrschend wurde er erst durch Ortelius' gr. Atl.
1570 (Humboldt, KUnters. 1834, Ausld. 1867
836 ff.). Das span. Werk des H. Girava (La Cosmogr.
y Geogr. Ven. 1570) kennt den Namen *A.* noch
nicht einmal: 'India o *Nuevo Mondo* llamanla
algunos *India Mayor*, para la distinguìr de la
India Provincia del Asia, que se llama otramente
India Oriental' (lib. 11,187), ohne hier eines weitern
Namens zu erwähnen. Im Jahre 1608 bevor-
zugt der Jesuit Acosta (HInd.) zwar noch die span.
Bezeichng., braucht aber (p. 28 u. a) auch schon
den mod. Namen. Auch im Ital. erscheint dieser
um jene Zeit auf einem Globus mit der Inschrift:
Franciscus Bassus. Mediolanensis. fecit 1570
(Napione, del pr. Scopr. 94). Eine eigenthüml.
Annahme üb. die Entstehg. des Namens *A.* pro-
ducirt 1864 der bekannte Reisende Ch. E. Brasseur
de Bourbourg (Rel. Yucatan 507): v. ind. *am, ama*
= Wasser, *ri* = Volk u. *cari* = Mann; das
zweite *a* sei in *e* über- u. die Endsilbe *ri* verloren gegangen, u. der Name bedeute 'Wasser des

Männervolks.' Noch 1880 behauptet Jul. Marcou
(Bull. SGéogr. Par. 9, 587), die Neue Welt sei nach
einer Hügelkette *Americ*, in Chontales, CAmerica,
benannt; er wird jedoch v. Fr. Wieser (Ausl. 45,
776) gebührend abgewiesen. Es sei 'geradezu unbegreifl., wie nach den Arbeiten v. Bandini,
Humboldt, Avezac, Varnhagen u. a. m. eine der-
artige Hypothese noch in wissenschaftlichen Kreisen
auftauchen konnte.' Dem deutschen Publicum
wird jedoch, zs. mit etwas Freibeuterkost, die
Schüssel noch einmal servirt: v. K. Würzburger
(Rundsch. f. G.Stat. 7, 508 ff.), u. gläubig wird v.
P. Buchholz (PflzGeogr. 75) das neue Evangelium
auch den Unmündigen gepredigt. Endlich findet
J. H. Lambert (Bull.GS.NYork 1883) den Ursprung
des Namens *A.* in der Volksgeschichte der Peruaner! Vgl. Egli, G. geogr. NKunde 170. 307.
421. Eine neueste Schrift üb. den unnützen Streit
ist v. L. Hughes (sul nome *A.*, Tor. 1886) erschienen (Peterm., GMitth. 1887, Litt. B. 310). —
A. Island, im plur. *American Isles* s. Fanning.

Amestratus s. Astyra.

Amginsk s. Lena.

Amherst, 2 Städte: *a)* in Massachusetts (Meyer's
CLex. 1, 537), vmuthl. nach Lord Jeffery *A.*, dem
engl. Feldmarschall, welcher, geb. 1717, mit den
Generälen Wolfe u. Prideaux 1760 die Eroberung
Canada's vollendete, 1763 Gouverneur v. Virginia
war u. 1797 †; *b)* in Tenasserim, im Apr. 1826
ggr. u. nach des Vorigen Neffen, Will. Pitt earl
of *A.*, getauft, der, 1773 geb., in der Sloop Lyra
als ausserord. Gesandter nach China ging, auf der
Fregatte Alceste nach Batavia, dann nach England zkkehrte, 1823/28 Gouverneur v. Indien
war u. den Krieg mit Birma erfolgreich führte,
† 1857. — Nach ihm sind ferner benannt: *a)*
A. Island, bei Korea, v. seinem Begleiter, Capt.
B. Hall (Cor. XVIII); *b)* *A. Isles*, in Fury u.
Hekla Str., v. Parry (Sec. V. 322) im Aug. 1822
entdeckt.

Ami Boué-Cascade, einer der seltnen Wasserfälle des Balkans, auf der Route Trojan-Kalofer
durch den Reisenden Kanitz entdeckt u. nach
einem seiner Vorgänger benannt (Peterm., GMitth.
23, 334), der, in Hamburg 1794 geb., insb. als
Geolog die Länder der Balkan-HI. erforschte u.
sich später in Wien niedergelassen hat.

Amichel s. Texas.

Amid s. Diarbekr.

Amiens, frz. ON. der Picardie, nach dem gall.
Volksstamm der *Ambiani* (Plin., HNat. 4, 106),
dessen Hptstadt das ehm. *Samarobriva* = Brücke
über die Samara, j. Somme (Rev. Celt. 8, 122)
war, bei Greg. v. Tours *civitas Ambianensium*. Im
Mittelalter die Grfsch. *Amiénois* (Meyer's CLex. 1,
539, RDenus, AProv. 20, Kiepert, Lchrb. AG. 526).

Amiranten, besser *Ilhas do Almirante*, in Ost-
Africa, v. Vasco da Gama, dem nun z. Admiral
beförderten, als er, am 10. Febr. 1502 v. Lissabon abgegangen, 19 od. 20 Caravelen nach Indien
führte u. den ind. Ocean schon v. Mozambique aus
kreuzte, benannt ... 'a que pos nome a do almirante' (WHakl. S. 30, 101). Die span. u. port.

Form des mlat. *amiratus, admiratus, admiral-dus*, v. arab. *amîr* = Fürst, das in dem Sinne 'Befehlsh. einer Flotte' durch die Siciliâner u. Genuesen aufgekommen sein soll, verdankt die Anfangssilbe *al* der Einmischg. des arab. Artikels (Diez, Rom. WB. 1,16). — *Amirgárh* = des Herrn Veste, arab.-hind. ON. in Radschwara, *Amir-gándsch* = des Herrn Markt, in Bengal, u. *Amir-pur* = des Herrn Stadt, in Bandelkhand (Schlagw., Gloss. 169).

Amk, el = die Tiefebene, arab. Name einer weiten Niederung obh. Antiochia, Syrien (ZfAErdk. nf. 4, 152).

Ammân s. Rabboth.

Ammen Tiefe s. Tuscarora.

Ammer, deutscher Flussname, schon im 2. Jahrh. *Ambra*, mehrf.: *a)* Zufluss der Isar, auch *Amper*, Abfluss des *Ammersees*, im *Ammergau*, wo der Thalort *Ober-Ammergau; b)* Zufluss des Neckar; *c) Emmer*, Nebenfl. der Weser (Meyer's CLex. 1, 542). Im 8. Jahrh. ein *Ambrachgowe*, an der württb. *A.*, im 9. Jahrh. *Ambriki*, j. *Emmerke, Embrick, Emmerich,* sowie *Ambarlao* bei Lüttich, wo aber *lao* nicht etwa *loh* od. das ahd. *lahha,* sondern vielmehr die kelt. Endung *-lacus* ist. Förstem. (Altd. NB. 73) nimmt f. *A.* ein gemein-indogerm. Wort v. der Bedeutg. 'Fluss' an u. ver-weist auf skr. *ambu* = Wasser. 'Das Suffix *r* ist an dieses Wort schon vor der Trennung der meisten europ. Völker getreten, wie namentl. lat. *imber*, gr. *ὄμβρος* = Regen (s. Umbri) u. der deutsche Stamm zeigen'.

Ammonium, j. *Siwa* (s. Oase), früh eine ägypt. Colo-nie, die den Cult der thebaischen Hptgottes, *Amun, Amn*, vollst. *Amn-re* = Sonne Amn, gr. Zeus-Am-mon, lat. Jupiter-Ammon, einführte (Herod. 2, 42) u. ein auch v. Griechen vielbesuchtes Orakel gründete. Der Gott, als Princip der Zeugungskraft, wurde gew. als Widder mit gewaltigen Hörnern od. als Mensch mit Widderkopf dargestellt. — Nach derselben Gottheit: *a) Ammonos Akra,* gr. *Ἄμμωνος ἄκρα,* Cap in Libyen (Strabo 834); *b) Ammonos Polis,* gr. *Ἄμμωνος πόλις,* Stadt am Cinyps (Ptol. 4, 3); *c) Ἄ. νῆσος,* Insel bei Antipyrgos (Anon. st. m. m. 38, Pape-B.). — *Ammonitenhügel,* auf der Route Dachel-Siwa, v. G. Rohlfs 1874 benannt nach den vielen Ammoniten, welche der Geol. K. Zittel dort erbeutete (Peterm., GMitth. 20, 184).

Ampelos, gr. *Ἄμπελος* = Rebstock, Orte v. Wein-bau benannt (Pape-Bens., Curt., GOn. 157): *a)* Cap am toron. Golf, Macedon. (Herod. 7, 122); *b)* Ge-birge v. Samos, welches zwar hins. des Weins seiner Nachbarschaft nächsteht, u. Cap, j. *Capo Dominico* od. *Samos,* auf der Westküste (Strabo 637); *c)* Landspitze Kreta's, j. *Cap Salomon* (Ptol. 3, 17); *d)* Cap u. Stadt in Cyrenaica (Skyl. 108); *e)* Cap, Hafen u. Stadt in Liguria (Hekat. b. St. B.). — *Ampelusia,* lat., *Kotes,* berb. Name der Gegend am Cap Spartel, beide nach den v. Phöniziern aus Asien importirten, reichlich lohnenden Reben. Auf den phön. Münzen der etwas südlichern alten Stadt Lyx findet sich als Sinnbild des weinreichen Landes ein Weinstock abgebildet (Movers, Phön.

2[b], 528). Jedoch j. sieht man sich hier vergebl. nicht allein nach Weinbergen, sondern nach einem einzigen Weinstock um. Wie Larrasch ist auch dieser Name ein lebendiges Denkmal der Fruchtbk. des Landes. Schon Strabo (826) lobt Maurusien seiner ungeheuern herrl. Weinstöcke halber. Bei Tandschah begegnet uns, in lieblich-frischem, wohl bewässertem Thale die schöne *Ain Dalia* = Quelle des Weinstocks (Barth, Wand. 14. 20. 40). — *Ampeli, 's to kalo to,* ngr. *'ς τὸ καλό το ἀμπέλι* = am schönen Weinberge, Ort auf Samo-thrake, dessen Name ein Denkmal des j. gänzl. verlorenen Weinbaus bewahrt (Conze, IReis. 50).

Amoscharh s. Berber.

Amphiale he akra, gr. *Ἀμφιάλη ἡ ἄκρα* = 'Amsee' (Pape-Bens.), d. h. auf beiden Seiten v. Meer umgeben, eine stark vorragende, felsige Landspitze Attika's am eleusin. Golf (Strabo 395, Curt., GOn. 152). — *Amphipagos,* gr. *Ἀμφίπαγος* = Doppelriff, die Südspitze Korkyra's (Ptol. 3, 14, Kiepert, Atl.Hell.). — Aehnl. *Ἀμφίπυγος* = Doppel-steiss (Ptol. 3, 13, Curt, GOn. 156). — *Amphipo-lis,* gr. *Ἀμφίπολις* = Werder (Pape-Bens.), d. h. auf beiden Seiten v. Wasser umgeben (Thuk. 4, 102), 2mal: *a)* Stadt in Thessal., zw. Landsee u. Meer, eine Krümmung des Strymon ggr. durch den Sohn des Atheners Nikias (—437), früher mit thrak. Namen, den die Griechen in *Ἐννέα ὁδοί* = Neunwegen übersetzten (Kiepert, Lehrb. AG. 316), nach der Lage an wichtigem Strassenknoten (Thuk. 7, 100), im Mittelalter *Chrysópolis* = Goldstadt, wg. der benachb. Goldminen (Meyer's CLex. 1, 555); *b)* s. Thapsacus.

Amphinomes, Banc des, eine weite Untiefe vor De Witts Ld., v. der Exp. Baudin in den ersten Apriltagen 1803 benannt nach den neuen Thier-arten, meerbewohnenden Ringelwürmern, welche auf diesen Gebieten entdeckt wurden (Péron, TA. 2, 203 ff.). Oestlicher, schon an der Grenze v. Tas-mans Ld., die *Banc des Planaires* = der Blatt-würmer, meerbewohnende Strudelwürmer (Frey-cinet, Atl. 26).

Amphitheatre Cove, im Carnleyhafen, Auckland I., so benannt durch die engl. Exp. Greig-Baker (1865) nach den überaus grossartigen Umgebungen. Am Grunde erhebt sich v. der halben Höhe an regel-mässige Reihen Basaltsäulen, durch kl. Zwischen-räume getrennt, üb. einander erheben bis z. Gipfel, der eine kolossale Basaltmasse bildet. Die Säulen ziehen sich mit geringen Unterbrechungen rund um die Bay. Die untersten Reihen scheinen gg. 30 m h. zu sein, die obern allmählich niedrer zu werden (Peterm., GMitth. 18, 226).

Amphitrite Islands, eine Atollgruppe v. Pau-motu, v. Findlay benannt nach dem Schiffe des Entdeckers, des tahit. Perlfischers Ebrill (1833); bei dem engl. Capt. Russell, Freg. Acteon, der sie am 3. Jan. 1837 fand, *Acteon Islands* (ZfAErdk. 1870, 351).

Amsaga s. Thapsacus.

Ampurias s. Emporion.

Amrhi s. Berber.

Amrit s. Marath.

Amritsar, Centrum der Sikhreligion u. berühmter Wallfahrtsort des Pandschab, wo Ram Das, der 4. Guru der Sikh, 1581 einen viereckigen See v. $2^1/_2$ km Umfang erstellen liess (Schlagw., Gloss. 169, Reis. 1, 390), hind. *Amrita Saras* = Born der Unsterblichkeit, v. schönen, marmorbelegten Promenaden umgeben, darin ein prachtvoller, reich dotirter Marmortempel mit mehrern vergoldeten Kuppeln. Im Hptgemach befindet sich der Granth, die Bibel der Sikh, in schöne Tücher gehüllt u. sorgf. in einem reich verzierten Kästchen verschlossen ... Kein Sikh geht nach *A.*, ohne in dem Teich zu baden. Auch Neugeborne werden darin untergetaucht (Meyer's CLex. 1, 559).

Amsteg, Ort des C. Uri, v. dem alten Flussübergange, mit welchem der z. St. Gotthard führende Weg auf einmal aus der breiten Thalniederung in das engere Reussthal tritt. Zugl. rauscht hier der Kärstelenbach aus seiner Schlucht hervor, die j. durch einen kühnen Viaduct der Gotthardbahn, die mod. Form eines einstigen Hirtenstegs, überschritten wird (Wiss. Ggw. 53, 205). — Eine Parallele des Namens *A.* bietet die Gemeinde Pommat, Formazza: *zum Steg*, ital. *al Ponte* (Schott, Col. Piem. 2).

Amsterdam, v. der hier mündenden Amstel u. einem Damm, deren schmalen Zwischenraum der Ort urspr. einnahm. Im 12. Jahrh. fingen die Deiche an, in Holland eine bedeutende Rolle zu spielen. Noch zu Anf. des 13. standen in der sumpfigen Gegend, *Amstelland*, auf dem schmalen Gebiet einer Eindämmung an der Amstel (einer dieser Dämme hiess *Aemsteldijk*), leichte Fischerhütten mit Strohdächern. Das Fischerdorf gehörte den Herren van Amstel; dann wuchs es z. Flecken heran u. wurde im 14. Jahrh. z. Stadt erhoben. Aehnl. *Rotterdam* (s. d.), sowie *Zaandam*, fälschl. *Saardam*, an dem Punkte, wo die Zaan in das Ij mündet (Wild, Niederl. 1, 58; 2, 122. 172. 216) u. *Edam* (s. E.). Man schrieb f. *Amstel* od. *Aemstel* häufig *Emster*, u. noch (sagt 1858 Aurelius, Amst. 16) liest man an einem Haus die Aufschrift *d'Emster-Kai* = Amstel-Quai. 'Is het wonder dat men ook voor *Amsteldam Amsterdam* schreef?' Wo sie in einer echten Urk. 1275 z. ersten mal vorkommt, heisst die Stadt *Amsteldam, Amestelledamme*; im 14. Jahrh. folgt *r* auf *l*, sie heisst *Aemstelredamme*, u. schon 1389 hat eine authent. Schrift *Aemsterdam*. In den alten Urk. kommen folgg. 18 Schreibungen, in chronolog. Folge aufgeführt, vor: *Amestelledamme*, *Aemstelredamme*, *Amestelredamme*, *Amstelredam, Aemstredam, Aemstelredam, Amstelredamme, Aemsterdamme, Amstredamme, Amsterdam, Ampsterdam, Amstredam, Amsterdamme, Aemstredam, Haemsterdam, Amsterledam, Ambsterdam, Ambstelredam*. Der Kampf zw. *l* u. *r* ist sogar in einem komischen Heldengedicht besungen worden. In der Zeit des Aufschwungs niederld. Seefahrt, Entdeckg., Colonisation u. Handelsunternehmungen wurde der Name *A.* mehrf. übtragen als: *Nieuw A. a)* eine Insel des

ind. Oceans, *St. Paul* benachb. u. mit dieser ältern Entdeckg. häufig verwechselt (Humb., Kosm. 4, 586 f.), v. holl. Seef. van Vlaming 1696 zuerst betreten (Peterm., GMitth. 4, 26 f.), jedoch, wie van Dyk gezeigt, schon am 17. Juli 1633 gesehen u. nach seinem Schiffe getauft v. Ant. van Diemen. Freil. ist auch diesem die Victoria, das heimkehrende Schiff des Weltumseglers Magalhães, am 18. März 1522 vorausgègangen. Als der Pilot Alvo unter 38^0 SBr. die Sonnenhöhe nahm, erschien eine hohe Berginsel (WHakl. S. 52, 233), 'and we went towards it to anchor ... and it appears that it is unhabited, and it has no trees at all, and it has a circumference of a matter of six leagues'; *b)* s. NYork; *c)* Hafenplatz an der Goldküste, holl. Colonie 1663—1807, einh. *Cormantin* (Meyer's CLex. 4, 741); *d)* s. Berbice. — *Fort A.*, in Menado, seit 1677 holl., erbaut 1703 (Spr. u. F., NBeitr. 1, 158, Crawf., Dict. 273). — *A. Eiland*, wiederholt: *a)* die grösste der Friendly Is., einh. *Tongatabu* = geheiligte Insel, v. Tasman am 21. Jan. 1643 entdeckt u. getauft (Krus., Mém. 1, 222, Cook, VSouthP. 1, 211 Carte 14, Sommer, Taschb. 26, 253) 'ter oorzaecke d'overvloet van verversinge, die aldaer bequamen' (Tasman's Journ. 100). Ich sehe den Connex zw. dem 'Ueberfluss v. Erfrischungen' u. der Nomenclatur nicht recht ein; aber die Thatsache, auf die sich die letztere stützen soll, ist ausreichend belegt: An diesem einen Tage wurden 100 Schweine, 150 Hühner, ein Vorrath v. Cocosnüssen etc. gg. Kleinigkeiten eingetauscht, ein junges Schwein z. B. f. ein Klafter dongry, ein Huhn f. einen Nagel od. eine Korallenschnur u. s. w.; *b)* bei NGuinea, v. d. Exp. Le Maire u. Schouten, wie das nahe *Middelburg Eiland*, 1616 benannt (Krus., Mém. 1, 72); *c)* vor Batavia, mal. *Ontong Java* (Meyer's CLex. 2, 664), ob nach dem Schiffe *A.*, welches am 18. Nov. 1597 auf einer Klippe vor Batavia auffuhr, ohne Schaden zu nehmen? (Hakl. Sel. 234); *d)* s. Smeerenberg.

Amtichadasti s. Famagusta.

Amun s. Theben.

Amu Darja = Fluss v. Amol, Amu, einer Stadt des Mittellaufs, auch *Balch Darja*, nach der 60 km entfernten Stadt d. N. (Humb., As. Centr. 2, 243, Pauthier, M Polo 1, 108), in beiden Formen mit der urspr. pers. *darjâ* = Fluss, türk. Name des alt. *Oxus*, arab. *Gihon* (s. d.). Während man f. *Oxus* schon an *Ak Su* (s. d.) dachte, soll nach H. Vambéry (Peterm., GMitth. 37, 270) *Oguz, Oghuz, Okus, Ughuz*, die türk. Namensform, 'Wasser' od. 'Strom' bedeuten u. in ältern Handschriften so vorkommen, aus ihr auch *Ouz, Uz*, die turkom. Benenng. des leeren Oxusbettes, erhalten sein, daher *Uzboji* = entlang des Uz od. Oxus. Eine frühere Angabe setzt türk. *Usboj* = Tiefebene (Peterm., GMitth. 19, 288).

Amud Esszubh — Morgensäule, ein isolirter 10 m h. Pfeiler jon. Ordnung, 5 km östl. v. dem verfallenen Haurândorf Om el-Kezur. Er scheint nebst den ihn umgebenden Trümmern einem kl. Tempel angehört zu haben (Burckh., Reis. 1, 208. 347).

Amur, lamut. *Tamur* = grosser Fluss, der Strom der 'Mandschurei', im Oberlauf burät. *Schilka, Tschilga,* tung. *Schilkir, Schilkar,* alles = Fluss, bei den Mandschu *Sachalian-* od. *Sagalin-Ula* = schwarzer Strom, bei den Chin. *Che-shui* = Schwarzwasser od. *Che-long-Kiang* = Fluss des schwarzen Drachen (Laxm., Sib. Br. 11, Fischer, Sib. G. 1, 529, Müller, SRuss. G. 3, 197; 5, 329, Büsching, Mag. 2, 483—518, ARémusat, NMél. As. 1, 4, wo ungenau *A.* = fleuve Noir, 15), diese letztern Namen nach dem dunkelklaren Gewässer, welches gg. das milchig-trübe des *Sungari, Songari* = Milchstrassenflusses, so benannt v. den Mandschu, auffallend absticht. Unth. der Confl. wird auch der Hauptstrom milchig u. heisst ebf. *Songari,* chin. *Ssu-chua-kiang* = Fluss der Fichtenblüthen, wohl wg. der weisslich-gelben Farbe des Lehmschlamms (Peterm., GMitth. 6, 94). Am Flusse der Ort *Sachalian-Ula-Choton,* wo *choton* = Stadt, od. mit chin. *tschin* = Stadt, auch *Che-long-kiang-tschin* (ZfAErdk. 4, 355 ; 13, 355). Vor der Mündg. die Insel *Sachalin* (s. d.). — Bez. des Nebenfl. *Songari* ist noch beizufügen, dass er bei der Confl. Sikiang u. Girinula den chin. Namen *Takiang* = grosser Fluss (s. Ta) führt (Journ. Lond. RGS. 1872, 168).

Amutha s. Aa.

Amyot, Cap, am Spencer's G., v. der Exp. Baudin am 26. Jan. 1803 getauft (Péron, TA. 2, 79), ozw. nach dem in Toulon 1718 geb. Jesuiten Joseph *A.,* der als Missionar bis zu seinem Tode 1794 in China wirkte u. als einer der ersten die Kunde ostasiat. Völker förderte, insb. Alterthümer, Geschichte, Sprache u. Künste der Chinesen beleuchtete.

Ana, die span. Form des Frauennamens Anna (s. Marianen), erscheint in einer Entdeckg. des Seef. Alvaro de Mendaña, dessen Anführer einer, Francisco Muñoz Rico, im Juli 1568 eine der Salomonen, *Isla de Santa A.,* einh. *Itapa* (s. Délivrance), fand u., wohl nach dem Kalendertag, 26. Juli, taufte (Zaragoza, VQuirós 1, 16; 3, 42).

Anachorètes, Ile des = Insel der Einsiedler, eine, richtiger 3 kl. niedrige, unter sich durch Felsbänke verbundene Eilande bei dem Bismarck Arch., v. frz. Seef. Bougainville (Voy. 291, Krus., Mém. 1, 7) am 8. Aug. 1768 entdeckt als ein flaches, baumbewachsenes, wohlbevölkertes Eiland, dessen Fischer, in ihre Piroguen stationirt, durch das europ. Schiff sich nicht an ihrer Arbeit stören liessen, 'et nous jugeâmes que ces habitans, qui n'étaient pas curieux, étaient contents de leur sort'.

Anadoli s. Asia.

Anadyrsk s. Alapajewsk.

Anahuac = am Wasser, v. *atl* = Wasser u. der praep. *nahuac* = bei, nahe, azt. Name des seenreichen Plateau v. Mexico (Boll. S. Geogr. Mex. 1872, 263 ff., Peñafiel, Nombr. geogr. 20). Im Ggsatz zu Veytia (HAnt. 1, 1), der *A.* als das zw. beiden Oceanen gelegene Land nimmt, macht, viel natürlicher, Buschmann (Azt. ON. 9) geltend, es seien die Seen des mexic. Thals gemeint, 'nicht die das Reich bespülenden Oceane, zu denen die Mexicaner wohl erst gelangten, als der Name *A.*

sich schon längst gebildet hatte'. Die Bewohner, v. welchem Stamme sie auch sein mochten, hiessen *Anahuatlacs* (Bergh., Phys. Atl. 8, 58). — Auch in Nicaragua ein *Anahuaca* (Buschm., ib. 160). — *Analco* = 'Enneda', d. i. jenseits des Flusses, *analli,* ON. 2mal: in Mexico u. in Salvador (Buschmann 193).

'Anakim, hebr. עֲנָקִים wohl = Langhälsige, d. i. Riesen, die emorit. Bewohner cis- u. transjordan. Landschaften, wie ein Riesengeschlecht in Moab *Emim,* hebr. אֵימִים = Schrecknisse (5. Mos. 2, 11; 9, 2; 1. Mos. 14, 5).

Anamalai, bei Lassen (Ind. A. 1, 189 f.) *Animalaja,* bei Schlagintw. (Reis. 1, 199 ff.) *Anna-Malle,* sicher = Elefantenberge, in Süd-Indien, sehr unwegsam u. waldreich, v. Elefantenherden u. wenig civilisirten Stämmen erfüllt (Edinb. NPhil. Journ., Juli 1861, 147 ff., Peterm., GMitth. 8, 116, Spr. u. F., NBeitr. 13, 43). Auch nach Hunters Imp. Gazetteer ist *A.* litterally = Elephant Mountains,' and he mentions elephants as being numerous in the mountains' (G. G. Chisholm 20. Oct. 1891).

Anastasiopolis, alte Stadt Mesopotamiens, zw. den j. Orten Mardin u. Nisibin, j. *Dara* od. *Dweira,* dessen heute in Trümmern liegende hohe Citadelle der Kaiser Anastasius, z. Schutz gg. die Perser, erbaute (Spiegel, Eran. A. 1, 296). Es ist hier offb. die Rede v. dem byzant. Kaiser Anastasius I., der 505 den Persern Amida u. a. Orte wieder abnahm (+ 518). Nach dem Verluste Nisibin's erhob er den Ort z. Grenzfestung, u. Kaiser Justinian verstärkte diese durch neue Bollwerke (Hammer-P., Osm. R. 2, 450).

Anavata s. Pattana.

Ancasmayu = blauer Fluss, id. Rio Patia, dem Gewässer v. Pasto, Columbia ... there are, sagt der span. Reisende P. de Cieza de Leon, welcher 1532/50 bei den Quillacingas war (WHakl. S. 33, 122; 14, 40), great rivers of very remarkable water in their country — leider ohne das Motiv besser zu stützen. — *Ancasyacu* = blaues Wasser, oft in *Angoyacu* verd., der Abfluss des Sees v. Chinchaycocha, des zweitgrössten Peru's (Tschudi, Peru 2, 55).

Ancho, Brazo = weiter Arm, auf engl. Carten in *Wide Channel* übsetzt, ein Theil der hinter Wellington Ins., Chile, hindurchführenden Seegasse, v. span. Seef. Sarmiento so genannt im Ggsatz zu den engern Strecken (Fitzroy, Adv. B. 1, 336). Vgl. English Narrow.

Anchoe, gr. Ἀγχόη, Ort u. See am Cephissus, Böotien; ἡ ἀναχοή (ἀγχόη), im Ggsatz z. χάσμα = Erdschlund, ngr. καταβόθρα = Abzug, solche Stellen, wo in die Erde verschwundene Wasser wieder hervorbrechen, etwa = Aufschwall, Springquell. Die Neugriechen nennen solche Ausmündgn. allgemeiner *Kephalaria, Kephalowrysis* = Köpfe, Anfänge (scil. eines Flusslaufs), s. v. a. Quellen. Dass gerade bei unserm *A.* eine solche Ausmündg. (des böot. Cephissus) sich fand, bezeugt Strabo (406 f.) ausdrücklich. Vgl. üb. die geschlossenen Thalkessel Morea's u. ihre unterird. Abzugscanäle Curt., Pel. 1, 35 ff., Bursian, GGeogr. 1, 193.

Anchor Island, 2mal in Austr.: *a)* vor Dusky Bay, NSeel., (u. eine Bucht der Nordwestseite *A.*

Island Harbour), v. Cook (VSouth P. 1, 69. 78 Carte 13) benannt, der 1773 an der Ostseite der Insel ankerte; *b)* bei NGuinea, vor East Cape, v. Capt. Moresby, dessen Schiff Basilisk 1873 hier ankerte (Journ. RGSLond. 1875 map). — Ferner *c) A. Point*, am Cook's R., Alaska, wo Cook (Pacif. 2, 388. 400) am 28. Mai 1778 einen Anker verlor; *d) A. Key*, ein Riff der Torres Str., wo die Exp. Bligh-Portlock am Abend des 3. Sept. 1792 ankerte (Flinders, TA. 1, XX); *e) A. Bight*, im Port Dalrymple, wo MFlinders (TA. 1, CLVI) am Abend des 9. Nov. 1798 vor Anker ging. — Ein gr. *ἄγκυρα* findet sich schon in dem antiken ON. *Ancyraeum*, f. ein Cap bei Riva, Pontus, in der Sage bezogen auf den Anker, den Jason hier genommen u. am Phasis zkliess. Sonderbar genug machten die Neugriechen aus dem Anker der Argo einen Heiligen, so dass die anliegende Bucht die des *heil. Sideros* = des heil. Anker heisst (Hammer-P., Konst. 2, 278).

Ancona s. Ankon.

Ancyraeum s. Anchor.

Andalusia, das Land am Guadalquivir, im Alterth. *Ταρτησσός, Tartessus* od. *Βαιτική, Baetica*, nach dem Strom (Plin., HNat. 3, 7, Liv. 28, 22), der ältere dieser beiden Namen umgeformt aus *Tarschisch, Tartisch*, wie die Phön. schon im 12. Jahrh. v. Chr. das Land nannten nach den Bewohnern, den *Turdi*, die im Oberland *Turduli*, im Unterland *Turdetani* hiessen (Kiepert, Lehrb. AG. 481. 484). Den mod. Namen *A.* pflegt man seit Râzî (ap. Ibn-Chebât p. 96) v. den Vandalen herzuleiten, die zu Anf. des 5. Jahrh., mit den Alanen aus Galicia u. Asturia einfallend, das Land, *Vandalitia, Vandalusia*, beinahe ohne Widerstand eroberten (Meyer's CLex. 1, 601 ff.). Dozy zeigt, dass das ant. Traducta, j. Tarifa, wo die Vandalen sich nach Africa eingeschifft, *Vandalos* genannt u. dieser Name erst v. den Mauren auf das ganze Land, ja ganz Maurisch-Spanien, ausgedehnt worden (NAnn. Voy. 1860, 152 f., Egli, G. geogr. NK. 158). — *Nueva A.*, z. span. Zeit der Name des j. Columbia, zunächst des v. Hojeda entdeckten Küstengebiets v. Cap Vela bis Golf v. Uraba (Navarrete, Coll. 3, 170, Las Casas, Coll. Obr. 1, 214).

Andamanen, bei MPolo (ed. Pauthier 2, 580) gut beschrieben, aber als *Angamanain*'une isle moult grant', vielm. ein Schwarm grösserer u. kleinerer Eilande, die vier grössern als *Gross-* u. *Klein-A.* unterschieden, jenes mit *Nord-, Mittel-* u. *Süd-A.* Der Name *A.* dürfte v. einer einzelnen Hauptinsel auf den ganzen Archipel übtragen sein; doch stimmt diese Vermuthg. nicht zu den beiden annehmbarsten Erklärungsversuchen. Oberst Yule näml. hält die bei MPolo vorkommende Form f. den arab. Dual v. *Angaman;* dieses aber, in der Form *Agdaman*, führe auf griech. *ἀγαϑοῦ δαίμονος*, lat. *Insulae Bonae Fortunae* = Inseln des guten Glücks zk. Andere denken an *Hanuman*, den Affengott der Hindus, wie denn die *A.* heute noch bei den Malayen *Pulo Handuman*, wo *pulo* = Inseln, *handuman* mal. Aussprache des Namens der ind. Gottheit, heissen. Da die

A. keine Affen besitzen, so denkt man sich, dass die Malajen, die v. Alters her Sclaven, Salanganennester u. Trepang hier holten, die kl. Wilden (die Männer sind durchschnittl. 149 cm hoch) mit dem ind. Affengott verglichen hätten (Scott. Geogr. Mag. 5, 57).

Andelfingen s. Lothringen.

Anden, vollst. *Cordilléras* (= Bergketten) *de los Andes*, ist mit dem ersten v. *cordél*, lat. *chorda* = Schnur abgeleiteten span. Theil, der auch f. sich allein als Name des american. Meridionalgebirges gebraucht wird, ebenso klar, wie mit dem zweiten, ind., immer noch streitig. Dachte der kundige Garcilaso an den Volksstamm der Anti, welcher im Osten v. Cuzco sass, so versichert A. v. Humboldt (ANat. 2, 368): 'Die Deutg. des Eigennamens durch irgend einen Begriff verhüllt das Dunkel der Zeiten'. Gestützt auf Garcilaso, der (Com. Real. 1 lib. 5, 15) das peruan. *anta* = Kupfer setzt, erklärt der ausgezeichnete Forscher Prescott (Conq. Peru 1, 5) den Bergnamen mit 'Kupfergebirge'… 'this is the famous *CA.*, as termed by the natives, though they might with more reason have been called mountains of gold'. Sicher war das Kupfer den Eingeb. ein Schatz v. höchstem Werthe; des Eisens entbehrend, wussten sie das Kupfer durch Legirung zu härten u. eine Menge unentbehrl. Werkzeuge daraus zu verfertigen. Möglich, dass die Kupfergegend *Anti* scil. *suyu* = Gegend des Metalls, spec. des Kupfers, hiess u. danach auch die Leute *Anti* genannt wurden (Prescott 1, 134, Tschudi, Peru 2, 57, WHakl. S. 24, 150, Mahn, Etym. U. 4, 58 ff.). Nach dem oben angerufenen Garcilaso (1, lib. 8) hiess die Gebirgskette, v. Santa Marta bis Feuerland, in quech. *Ritisuyu* = Schneegebirge, Schneegürtel, v. *riti* = Schnee u. *suyu* = Gegend, Land (Peterm., GMitth. 11, 258). — *Andahuaylas* = die kupferfarbene Steppe, mit quech. *huaylla* = Weide, Gegend, j. dép. in Peru (WHakl. S. 33, 315).

Ander, deutsches Zahlpronom, entspr. dem span. *otro* (s. Colorado), begegnet mir in ON. selten: *a) Anderbach*, bei Uhwiesen, C. Zürich, der entferntere der beiden das Thal parallel durchziehenden Bäche; *b) Anderhalb Gradcanal* s. Aequator.

Andermatt s. Matt.

Andernach, im Itin. Ant. u. bei Ammian. *Antunnacum*, schon bei den Geogr. Rav. *Anternacha*, einer der zahlr., mit kelt. Suffix -*ācum* gebildeten ON. der Rheinprov., z. PN. Autunnus gehörig u. somit eine mit dem Namen des Besitzers bezeichnete Ansiedelg. ausdrückend (Q. Esser, Andern. Progr. 1874, Hub. Marjan, Progr. 1880, 19).

Anderson's Island, 2 mal *a)* vermeintl. eine Insel des Berings M., v. Cook (Pacif. 2, 440), weil hier der Arzt der Exp., William *A.*, welcher seit länger als 12 Monaten an der Auszehrung gelitten, am 3. Aug. 1778 den Geist aufgab, so getauft, um zu 'perpetuate the memory of the deceased, for whom I had very great regard'. Seit Capt. Beechey (Narr. 2, 563) im Oct. 1827 die 'Insel' als Untiefe erwiesen, hat Krusenst. (Mém. 2, 37) den Namen auf die Ostspitze der St. Laurentius I. übtragen: *Cap A.; b)* s. Juan Bautista. — *A.'s Point*, ein Cap

v. Eendragts Ld., v. Capt. Ph. P. King (Austr. 2, 189) am 27. Jan. 1822 nach einem jüngern Naturf. gl. N., William A., 'of the Apothecaries' garden at Chelsea, benannt. — A. Fall, in dem bei Fort Reliance mündenden Zufluss des Gr. Sclavensees, v. G. Back (Narr. 233) am 24. Sept. 1834 entdeckt u. nach Capt. A., R. A., benannt. — A.'s Inlet s. Venus. — Andersson-Inseln, bei Barents I., v. der schwed. Exp. 1864 getauft, wohl nach dem Africareisenden K. J. Andersson, welcher, geb. 1827, v. Reise- u. Jagdlust getrieben, den Engländer Fr. Galton nach Süd-Africa begleitete, bei den Damara, Ovambo etc. sich herumtrieb, unter jenen dauernd sich niederliess u. 1867 einer Dysenterie erlag (Peterm., GMitth. 17, 182 T. 9); b) Andersson's Hill s. Rohlfs.

Andoas, Ort in Ecuador, am Pastaza, einem lkseitg. Nebenflusse des Solimões, benannt nach einem Indianerst., bei welchem 1683—1727 eine Mission unterhalten wurde (WHakl. S. 24, 150).

André, die port. u. frz., Andrés, die span. Form f. Andreas, im kath. Kalender auf 30. Nov. z. Gedächtniss des Apostels u. dadurch in Entdeckernamen übergegangen: a) Ancon de San A., der 'Ellbogen', bei welchem die v. Cortez 1539 abgesandte Exp. Fr. Ulloa's im Golf v. Calif. umkehrte … 'poseram lhe nome … por ser em seu dia' (Galvão, Desc. 210); b) Bahia de San A. s. Natividad; c) Isla de SA., eine der westl. Carolinen, v. Span. Padilla 1710 entdeckt u. getauft (Meinicke, 1Still. O. 2, 364); d) Canal de San A., im südl. Chile, v. Sarmiento (Fitzroy, Adv.-B. 1, 339); e) Islas de San A. s. Andrew; f) San A. s. Santiago; g) La Chapelle-Saint-A. s. Capella; h) San A. Zacabah s. Zacatecas. — In der port. Exp. Cadamosto 1456 veranlasste sogar der Tod eines Gefährten, mit Namen A., die Benenng. Ilha de Santo A., im Gambia (Spr. u. F., Beitr. 11, 169). — H. Andreas s. Slawochori.

Andree-Insel, 2 arkt. Objecte, durch die neuern Nordpolfahrten zu Ehren des Geogr. Karl A. geb. 1808 († 1875), des Herausgebers des Globus u. Autors der 'Geogr. des Welthandels', getauft: a) eine der spitzb. Tausend In., im Aug. 1870 durch die Exp. Heuglin-Zeil (Peterm., GMitth. 16, 180 T. 9); b) in Franz Josephs Ld., v. April 1874 v. Jul. Payer, der die 2. Schlittenreise der österr.-ung. Nordpolexp. anführte (ib. 20 T. 23; 22, 205 T. 11). — Nach dem Sohne, dem 1835 geb. Herausgeber der 'DNordpolf. Germ. u. Hansa 1868/70', taufte Peterm. (GMitth. 18, 77. 148) den Richard A. Berg, NSemlja.

Andrejanowsky s. Aleuten.

Andréossy s. Flinders.

Andrews, St., zwei engl. ON.: a) schott. Stadt, angebl. v. heil. Regulus gegr., welcher hier im 9. Jahrh. mit Reliquien des h. Andreas landete u. ein Kloster stiftete. Die Kirche des h. Regulus, 1127/44 erbaut, liegt in Ruinen, ebenso die 1160 —1318 erbaute Kathedrale, welche lange als eine der herrlichsten Kirchen der Christenheit galt, sowie die Residenz der schott. Erzbischöfe, auf einem schroffen, die Wogen überhängenden Uferfels, eine

Landmarke der heut. Schiffer — alles jedoch noch Zeugen der einstigen Bedeutg., die sich im Namen ausspricht (Meyer's CLex. 14, 25); b) Ort in NBrunswic, offb. durch schott. Einwanderer übtragen (ib. 14, 26). — St. A.'s Islands, 2 kl., flache, bewaldete u. bewohnte Inseln der Palaos, einh. Sonsorol, Sanserol (Spr. u. F., Beitr. 10, 200 f.) die kleinere, Kathogube die grössere (Meinicke, 1Still. O. 2, 364), v. span. Seef. Francisco de Padilla, Schiff Santa Trinidad, am 30. Nov. 1710 entdeckt u. v. den an Bord befindl. Patres Dubaron u. Cortil nach dem Kalendertage, Islas de San Andrés, getauft, v. Carteret aber am 13. Oct. 1767 engl. umgeformt (Garnier, Abr. 1, 114). — St. A.'s Sound s. Somme.

Androgynoi, gr. Ἀνδρόγυνοι = Zwitter, ein libysches Volk, v. dem Calliphanes (Plin., HNat. 7, 15) sagt: 'utriusque naturae inter se vicibus coeuntis' u. Aristoteles (ib.): 'dextram mammam iis virilem, laevam muliebrem esse'.

Anegada Isla = die überschwemmte Insel, eine kl. niedrige Sandinsel 25⁰ SBr., die erste Entdeckg. der Exp. Quirós 26. Jan. 1606, v. des Entdeckers Piloten Gaspar Gonzalez de Leza so genannt, v. Quirós selbst Luna puesta = untergehender Mond, wohl Encarnacion des Espinosa (Viajes Quirós 3, 2, WHakl. S. 39, 403). — Punta A., eine Landspitze, welche, wäre sie nicht so niedrig, den östl. Pfeiler im Delta des Orinoco bilden würde, durch die Spanier so benannt, weil sie oft unter Wasser ist, auch Punta Barima (f. Parime?), bei den Holl., die hier 1660 ein Fort z. Beherrschg. des Orinoco anlegten, Punt Breme, in dem Streite, welcher zw. England u. Venezuela betr. das Besitzrecht waltete, auch als die Dardanellen des Orinoco (Raleigh, Disc. G. LXIX. 115. 203). — Las Cuatro Anegadas s. Cuatro.

Anemurion, gr. Ἀνεμούριον = Windhorn, die Südspitze Ciliciens, v. der Gefahr des Umfahrens, noch j. Anemur, mit Ort gl. N. (Strabo 669), u. noch einmal in Cilicien (ib. 670.) — Anemoreia, gr. Ἀνεμώρεια = Windstadt, auf hohem Hügel in Phokis, so genannt ἀπό τοῦ συμβαίνοντος πά-θους; 'denn es stürmt auf sie v. Katopterios, einem v. Parnass aus hinziehenden Felsenhange, herab', unth. dessen die Stadt liegt (Strabo 423, Homer, Il. 2, 521, Bursian, GGeogr. 1, 170). — Anemosa, gr. Ἀνεμῶσα = Windheim, Ort auf der schmalen Höhe zw. den Thälern des Helisson u. Mainalos, Arkadien, wie die vorige 'v. seiner rauhen, windigen Lage' (Curt., Pel. 1, 308).

Angara, burät. Flussname, mir unerklärt, f. Zu- u. Abfluss des Bajkal, bei den Russen unterschieden, jener als Werchnaja- (= obere), dieser als Nischnaja- (= untere) A., auch A. schlechtweg (Atl. Russ. 17), id. mit der obern Tunguska (s. d.). An der obern A. brachte der Kosakenhetman Wasilei Kolesnikow, welcher 1644 v. Jenisseisk mit 100 Mann abgesandt, dem nordwestl. Ufer des Sees entlang geschifft war, den Winter 1646/47 zu u. gestaltete seine Simowie gleich z. Veste: Werchangarskoi Ostrog (Fischer, Sib. G. 2, 752), dann Werchne-Angarsk (Bär u. H., Beitr.

23, 311). Wenn man *A.* v. tung. *ang, oumg* =
Wasser u. *gara* = fortgegangen, d. h. Abfluss
des Bajkal, erklären will (Peterm., GMitth. 26, 294),
so habe ich drei Bedenken: *a)* Der tung. Name
der *A.* war *Joandessi* (s. Jenissei); *b)* Ihre Anwohner obh. Bratsk, d. h. auf der Strecke, die
als 'Abfluss' bezeichnet werden konnte, waren
nicht Tungusen, sondern Buräten (J. E. Fischer,
Sib. G. Carte 2); *c)* u. wie konnte die 'Obere *A.*'
ein Abfluss genannt werden?

Angel = Engel (s. Archangelsk), auf span. Ent-
deckgs- u. Colonisationsgebiete mehrf. in ON. verwandt: *a) San A.*, eine kl. wüste Insel der südl.
Marianen, einh. *Aguigan* (Meinicke, IStill. O. 2,
392); *b) Puebla de los Angeles* s. Puebla; *c) Isla
del A. de la Guardia* = I. des Schutzengels, im
Golf v. Calif. (DMofras, Orég. 2, 219); *d) Los Angeles*, vollst. *Pueblo de Nuestra Señora la Reyna
de los Angeles* = Ort ULF. der Engelkönigin,
neuer Ort in Calif., auf Befehl des Gouverneurs
Felipe de Neve im Dec. 1781 ggr. (ib. 1, 353);
e) Monte San Angelo s. Gargano. — *Mount
A.* s. Engelberg.

Angelmodde s. Gmünd.

Anger, engl. *Anjier*, Ankerplatz an der schmalsten
Stelle der Sunda Str., nach Crawf. (Dict. 12)
vollst. *Desa Añar* = Neudorf, v. jav. *añar* = neu.

Angerap = Aalfluss, einer der Quellflüsse des
Pregel, u. preuss. *angurys* = Aal u. *ape* = Fluss,
entspr. lit. *Ungure;* nach dem Flusse die Stadt
Angerburg, lit. *Ungura*, u. nach ihr wieder der
Angerburger- (od. *Mauer-)See* (APreuss. Mon. 7,
310; 8, 77).

Angern s. Engern.

Angerort s. Ruhrort.

Angers, das Hpt. der frz. Ldsch. *Anjou*, einst
der kelt. *Andegavar, Andecavi, Anticavi* (Tacit.,
Ann. 3, 41, Plin., HNat. 4, 107), kelt. *Juliomagus*,
röm. *civitas Anticavorum*, bei Greg. v. Tours
Andegavis, während er das Umland *Andecavi*
nennt (Longnon, GGaule 299). Nom. gent. *Ange-
vins*, fem. *Angevines* (RDenus, AProv. 70). Ob
'Juliusfeld', 'Juliusstadt', ebenso wie die zahlr.
Caesaro- u. *Augusto-*, auf den berühmten röm.
Julius zkzuführen (Rev. Celt. 8, 125) u. somit als
jüngere kelt. Form od. aber als Umdeutg. eines
kelt. Namens zu betrachten sei? Es kommt auch
ein echt gall. PN. *Jolus* vor (Baem., AWand. 26).

Anglais, die frz. Form f. 'Engländer' u. 'englisch', mehrf. in Entdeckernamen *a) Anse des A.*,
in NBrit., vo Bougainville (Voy. 276) im Juli 1768
an einem Baume eine engl. Inschrift fand, wohl
v. Carteret's Schiff Swallow, welches im Aug. 1766
Europa verlassen hatte; *b) Ile des A.* s. Phillip.

Angle s. E'querre.

Anglesey = Insel der Angeln od. Engländer,
nicht 'Anglesea', so wurde das röm. *Mona*, brit.
Môn od. *Tir* (= Land) *Môn*, ags. *Moneg*, das
j. noch kelt. *Mon* heisst, die Insel, welche, an
Wales anschliessend, mit diesem 1276/78 v.
Eduard I. erobert wurde, genannt (Camden-Gibson,
Brit. 2, 59, Charnock, LEtym. 12, Adams, WExp.
10, Gibson, Etym. G. 119, Blackie, Etym. G. 60).

Auch die Normannen, deren Streifzüge die Insel
erreichten, nannten sie *Oengulsey*, u. es sieht aus,
als sei dieser nord. Name erst zu den Engländern
übergegangen (Worsaae, Mind. Danske 29).

Angola, port. Besitzg. in NGuinea, dem Neger-
reiche Congo benachbart, benannt nach einem *A.*,
ehm. Vasallen des Königs v. Congo, weil jener
das Land Dongo zu einem unabhängigen Staate
machte u. es *Dongo-Angola* nannte (Hertha 3, 556).

Angostura = Enge, Flussenge, ON. in Vene-
zuela, an einem Engpass des Orinoco, seit der
Emancipation *Ciudad Bolivar*, nach dem aus
Carácas geb. 'Libertador' (Peterm., GMitth. 2, 196).
An der Mündg. des Caroni, also unth. der j. Anlage, hatte 1531 Diego de Ordaz einen Ort *Carao*,
Caroa, getroffen; dieser wurde in *Santo Tomás
de la Guayana* christianisirt. 1576 begannen die
Jesuiten Ign. Llauri u. Jul. Vergara ihre Mission;
aber 3 Jahre später zerstörte der holl. Capt. Adr.
Jansen den Ort. Die neue Anlage, v. span. Gouv.
Antonio de Berreo 1591 noch weiter flussabw. erbaut, zerstörte 1618 Keymis, der Gefährte des
engl. Seef. Raleigh. Als dann 1764 das j. *A.*
ggr. wurde, unterschied man es als *Santo Tomás
de la Nueva Guayana* v. dem ältern Ort: *Santo
Tomás de la Guayana Vieja* (Raleigh, Disc. G.
30. 69. 79, Meyer's CLex. 1, 637).

Angoulême, frz. ON., alt *Iculisma*, bei Greg.
v. Tours *Eco-* od. *Egolisma*, im Mittelalter das
Haupt des pagus *Engolismensis*, j. *Angoumois*,
dessen Bewohner *Angoumois* od. *Angoumoisins*,
Angoumoisines heissen (RDenus, AProv. 189 f.,
Meyer's CLex. 1, 637), mir etym. unklar u. hier
nur aufgeführt w. der Uebtragung: *Lac d'A.*,
f. eine der seeartigen Erweiterungen des St. Lorenz,
unth. Montreal, 'a great wide lake in the middle
of the riuer fiue or sixe leagues broad, and
twelue long', am 28. Sept. 1535 v. frz. Seef. Jacques Cartier entdeckt u. benannt (Hakluyt, Pr.
Nav. 3, 219), j. *Lac St. Pierre* (Avezac, Nav.
Cart. XII).

Angst u. Noth s. Gibisnüt.

Anguilla = Aal, der span., *Snake Island* =
Schlangeninsel, der engl. Name einer der Kl. An-
tillen, beide v. der 'auffallend langgewundenen'
Gestalt des völlig flachen Eilandes (Oldendorp,
GMiss. 1, 9, Meyer's CLex. 1, 640).

Angus, Batu = versengter Stein, mal., seit dem
Ausbruche v. 1801 eine bergartige Aufschüttung,
ein aus verbrannten Steinen bestehender *monte
nuovo* des G. Tonkoko, Celebes (Junghuhn, Java
2, 847).

Anhalt, die Burg des Gr. Hausbergs im Selke-
thal, dieselbe, nach welcher das Herzogth. *A.* benannt ist, 1170 *Anehalt*, dann *Anahalt, Anhald,*
1376 *A.*, deutete 1810 Beckmann (Hist. Fürstenth.
Anh. 1 b cap. 11) als *Anholt* = 'Haus am Holz'
od. 'Haus ohne Holz', als die nur v. Stein erbaute; da jedoch *-holt* urk. erst 1498 auftritt, so
ist diese Erklärg. unhaltbar, u. man suchte in
anahald, anhalt entw. den Begriff 'schräg aufsteigend', so dass *A.* = Burg an der Halde wäre
(Zerbster Chron. ed. Kindscher 127) od. 'Schutz,

Zuflucht (Mitth. V. anh. Gesch. u. Altthk. 6, 4 des Sep.-Abdr.). Mit dieser letztern Erklärg. stimmt, meint K. Schulze, dass das Schloss in kais. Lehnbriefen 'der alte *A.* heisse u. in der Gegend noch immer der männl. Artikel übl. sei. — Ein Nebentitel der Herzoge kommt v. einer andern Stammburg *Ascania*, bei Aschersleben, angebl. v. Japhets Enkel Ascenas erbaut (Daniel, Hdb. Geogr. 4, 547), nach der schon eine alte Grfsch. den Namen führte; v. Karl d. Gr. im Sachsenkriege zerstört, wurde sie v. anhalt. Grafen Otto d. Reichen gg. Ende des 11. Jahrh. wieder aufgebaut, u. er zuerst nannte sich 'Graf v. Ascania' (Meyer's CLex. 1, 642; 2, 40). Daher *Ascania Nova*, Colonie im russ. Gouv. Taurien, v. *A.*-Köthen 1828 ggr. (Bergh., A. 3. R. 9, 90).

Anhanhecanhuba s. Sumidouro.

Anian s. Bering u. Hudson.

Anican, Isles d', einige Eilande, welche 1704 dem in einer schlechten Bay v. Falkland ankernden frz. Schiffe St. Louis, Capt. Fouquet, aus St. Malo, etwelchen Schutz gewährten, getauft nach dem Rheder des Fahrzeugs (Bougainv., Voy. 48, Spr. u. F., Beitr. 1, 113).

Anicinabek s. Iroquois.

Animas s. Doubtful.

Anjou s. Angers.

'Ankebîyeh er-Reiyaneh, Wady el- == das nasse Thal, im Ggsatz zu *Wady el-'A. el-Ateschâneh* == dem trocknen Thal, auf der Route Kairo-Suez, jene vor dem Bahnbau hptsächl. v. den Tawârah benutzt u. *Derb* (== Strasse) *el-A.* genannt, im Ggsatz zu dem üb. *Birket el-Hadschi* führenden *Derb el-Hadschi* (s. Hadsch).

Ankhing s. Schunthian.

Ankon, gr. Ἀγκών == Ecke, Bug, Ellbogen, vschied. Vorgebirge u. Ortschaften, v. ihrer Lage an Küstenhaken, voraus das j. *Ancona*, die Seestadt der Marchen, mit ellbogenartig gekrümmtem Horn (Peterm., GMitth. 5 T. 13), v. syracus. Griechen — 380 besetzt u. benannt (Kiepert, Lehrb. AG. 412) ... naturam loci nominisque inde originem diligenter illustrat Mela (2, 4): illa in angusto duorum promontoriorum ex diverso coeuntium, inflexi cubiti imagine sedens, ac ideo a Graecis dicta *A.*, inter Gallicas Italiasque gentes quasi terminus interest (Brandes, Periz. 1848, 19, Strabo 241); *b)* ein Cap östl. v. Amisos, am Pontus (Kiepert, Atl. Hell.); *c)* ein altes Ἀγκώνιον, ein dem ital. ähnl. Cap an der Westküste v. Rhodos, im ngr. 'ο τὸ Ἀγκώνι erhalten (Ross, IReis. 3, 103). Ueb. die Etym. Pape-Bens. u. Curtius, GOn. 156. — *Ankistri*, ngr. Ἀγκίστρι == Angelhaken: *a)* ein nach seiner Form benanntes, spitz in den Pagas. MB. vortretendes Cap, alt Πύρρα ἄκρα (Bursian, GGeogr. 1, 70); *b) Ankistron*, ngr. Ἀγκίστρον, einst das Cap Poseidon, Cilic. (An. st. m. m. 287, Müller, GGr. min. T. 24).

Anna, frz. u. engl. *Anne*, Frauenname, in *Annaburg*, früher Lochau, bei Merseburg, als Schloss der Gemahlin *A.* des Kurf. August 1. 1572/75 erbaut (Meyer's CLex. 1, 664). — *Annapolis*, mit πόλις == Stadt, 2 engl. Colonialorte in America:

a) in Maryland, 1649 ggr. (Meyer's CLex. 1, 665) u. wohl nach der Gemahlin Karls II. benannt, welcher am 5. Febr. d. J. in Schottland z. König ausgerufen worden war; *b)* in NScotia, frz. Gründg. 1605 als *Port Royal* == Königshafen, nach der Erwerbg. im Utrechter Frieden 1713 umgetauft zu Ehren der 1714 † engl. Königin (Spr. u. F., Beitr. 7, 64). In engl. Form *a) Queen A.'s Foreland*, ein Cap der Hudsons Str., v. H. Hudson im Juli 1610 entdeckt u. benannt nach der dän. Gemahlin James' I., auch einf. *Queen's Cape* (Rundall, Voy. NW. 78, WHakl. S. 27, 105); *b) Queen A. Cape*, in NBrit., v. W. Dampier 1680 getauft nach der Gemahlin Charles' II. (s. Gloucester); *c) Lady A.'s Bay*, im Jones Sd., v. Capt. John Ross (Baff. B. 158) am 24. Aug. 1818 benannt; *d) Cape A.* s. Coulman; *e) A. Dundas Island* s. Melville. — Nach dem Fahrzeug: *f) A.'s Channel*, in den Papua In. westl. v. NGuinea, die Durchfahrt zw. Aju u. Asia, befahren v. Horsburgh 1793 (Meinicke, IStill.O. 1, 81), u. wohl auch *g) Port A. Maria*, Nukahiwa, der beste Ankerplatz des Arch., v. engl. Lieut. Hergest im März 1792 (Krus., Reis. 1, 152), v. american. Capt. Porter 1813 *Massachusetts Bay* getauft (Meinicke, IStill.O. 2, 243). — *Pulo A.* s. Current. — *Mont A.* s. Jagerschmidt.

Anna, Santa, in der Tradition die Ehefrau des heil. Joachim, dem sie nach 20jähr. Unfruchtbk. die Mutter Jesu gebar, schon im 8. Jahrh. als Heilige allgemein verehrt, in der kath. Kirche am 26. Juli, in der griech. am 9. Dec. gefeiert, erscheint mehrf., wohl gew. nach dem Kalendertage, bei port. Entdeckern, während mir, ausser Marianen (s. d.), nur die eine span. Benenng. *Santa Ana* (s. d.) bekannt ist: *a) Cabo de Santa A.*, 'ein grosses Vorgebirge' in SLeone, v. Pedro de Cintra um 1460 so benannt, 'weil es an diesem Tage, 26. Juli, entdeckt wurde' (Spr. u. F., Beitr. 11, 189); *b) Ilhas de SA.*, 2 bras. Küsteninseln bei Cabo Frio, früher auch *Santiago* (WHakl. S. 1, 85); *c) Rio de SA.*, eine Flussmündg. zw. Gambia u. Rio Grande, v. der Exp. Cadamosto am 26. Juli 1455 benannt (Spr. u. F., Beitr. 11, 181); *d) St. A. Bay*, in NSemlja, nahe dem Bärencap, v. holl. Polarf. W. Barents (nicht schon 1594, das 26. Juli die Exp. erst Troosthoek erreicht hatte, sondern erst) 1596 getauft (Peterm., GMitth. 18, 396). — Frz. *Sainte-Anne*, eine der Seychellen (McLeod, East. Afr. 2, 213). — *Annaberg*, sächs. ggr. v. Herzog Albert dem Beherzten, als der Bergbau am Schreckenberge aufgekommen war, anfängl. *Neue Stadt* od. *Schreckenberg* genannt, 1498 *St. Annaberg* nach der Patronin des Bergbaus, im 16. Jahrh. *Sanctae Annae*, 1674 *St. Annaeberg* (Förstem., Deutsche ON. 313, Meyer's CLex. 1, 664). — *Svata A.* s. Heilbronn.

Annab s. Hippo.

Annagassan s. Linn.

Annam, weniger gut *Anam* == Friede des Südens, v. *an* == Friede u. *nam* == Süd (Schlagw., Gloss. 170), deutlicher urspr. *Ngan-nam* == beruhigter

Süden (Meyer's CLex. 1, 585), Landesname in Hinter-Indien, offb. Denkmal einer chincs. od. mong. Eroberung od. der Pacification nach einem Unabhängigkeits- od. Bürgerkriege. Nach Spr. u. F. (NBeitr. 11,29) sollte *A.* = westliches Land heissen, 'indem es China gegen Westen liegt' (?), u. dieselbe Bedeutg. habe der japan. Name *Cochi* (s. Cochinchina). Z. Zeit der Thsin, 3. Jahrh. v. Chr., hatte *A.* bei den Chinesen *Siang-kiün* = Fürstenthum der Elefanten od. *Lin-ï* = wilde Wälder geheissen, j. *Tschen-tsching* (Pauthier, MPolo 2, 414.428.552), *Tchan-tching* (ARémusat, NMél.As. 1, 89). Der chin. Eroberer Thsin-schi Hoang-ti —214 nannte es *Nán-juĕ-ti* = Land des Südens, was bei MPolo, ohne Anlaut *n*, als *'Anjue, Anju, Aniu* erscheint, noch j. einh. *Nam-viet*, mit gl. Bedeutung.

Anniviers, Val d', eines der Walliser Seitenthäler, deutsch *Eivisch*- od.*Einfischthal*, um 1100 *vallis Anivesii*, dann *Ani*- u. *Annivesium ...*, wurde v. Fröbel (Penn. A. 169) aus kelt. *uisae* = Bach, Fluss, einem Worte, das er auch in *Visp, Viège, Vièze, Vesonze* od. *Isenz, Isonzo, Usanz.* mod. *Navisanche*, suchte, abgeleitet, u. dazu sei *an, na, en, ein*, als kelt. Artikel, od. die Abkürzg. v. *anna* = reichlich, getreten, so dass beide Formen, die frz. *A.* wie die deutsche *Eivisch* = Reichenbach sein könnten. Dagegen erinnert Gatschet (OForsch. 191) an ital. *annevare* = mit Schnee bedecken; ihm ist also *A.* eine in der Nähe v. Schneefeldern liegende od. bis tief ins Frühjahr schneebedeckte Gegend. 'Nicht nur ist der höhere s. Theil, welcher eine mittlere Höhe v. mehr als 1300 m besitzt, bis tief in den Frühling hinein mit einer winterl. Schneedecke belastet, sondern es ragen auch gewaltige Gletschermassen zu jeder Jahreszeit rings um den obern Theil der Thalschaft, bes. im Hintergrunde des zweigetheilten Thales, bis weit in die Alpen u. Vorsassen hinab. Auch hier ist wieder eine Spur v. jenseitigen ital. Sprachgebiete wahrzunehmen ....' Der frühere kelt. Thalname war *Val Dub*, was, seltsam genug, die Walliser j. noch durch vallée sauvage (s. Dubensee) zu übsetzen wissen. Der Thalfluss, *Usanz*, heisst bei den Deutsch-Wallisern auch *Illgraben*, wie auch in Macugnaga gewisse Bergströme als *graben* bezeichnet werden (Schott, Col. Piem. 236. 304, Fröbel, Penn.A. 4. 145. 152. 168).

Anno Bom s. Thomé.

Annublada s. Rosa.

Ano s. Oasis.

Anónima, Isla = namenlose Insel, in den Carol., einh. *Namonuito*, am 10. Apr. 1801 v. span. Lieut. Don Juan Ibargoïta, Schiff Filipino, entdeckt u. so getauft, 'weil sie auf keiner Carte einen Namen führe' (Bergh., Ann. 9, 151, Krus.. Mém. 2, 343, Atl. Pacif. 31), nach Capt. Bunkey 1824 auch *Bunkey Island*. wohl id. mit den *Jardines* = Gärten des span. Seef. Villalobos 1542 u. seines Landsmanns Legaspi *las Hermanas* = die Schwestern (Meinicke, 1Still.O. 2, 356). — *Ile Anonyme*, frz. Name einer der Seychellen (McLeod, EAfr. 2, 213). — *Anonynous Island* s. Narcisso.

Ansbach, fränk. Stadt an der Confl. des *Olz*od. *Holzbachs* u. der Rezat, 786 *Onoldisbach*. was, unter Ablehng. des beliebten *an-Holzbach,* 1781 S. W. Oetter, der Dechant in Markt Erlbach (Erklär. N. Onoldsb.) auf einen Ansiedler od. Gründer Onold bezog; *Onoldsbach* sei also richtiger als *Onolzbach* u. aus dem PN. 'allzu sehr zsgezogen.' Diese Ansicht stützt 1839 K. Zeuss (Herk. Bayern XXVI: 'Bach des Onold' (häufiger altdeutscher Mannesname, wie *Onulf*, aus älterm *Aunold, Aunulf),* urspr. der Name des dortigen Baches, j. in *Holzbach* umgedollmetscht, dann wie häufig auf diese Weise, des anliegenden Orts. Anders meinte 1850 H. Künssberg (Jahresbericht hist. V. MFranken 19, 26 ff.), neben der amtlichen Form *Onoldisbach* sei früh. viell. v. Anfang an, im Volke die andere, *A.*, die freilich erst 1441 auftritt, in Gebrauch gewesen, ohne dass diese aus jener zsgezogen sei. In christl. Zeit hiess *Unolda, Onolda,* was vorher *Asen,* dial. *Ansen* geheissen, u. der Bach, an welchem einst die heidnischen Götter verehrt wurden, musste bei den Geistlichen, den dam. Trägern der Civilisation u. ausschliesslichen Canzleimännern des frühern Mittelalters, den erstern, im Volke dagegen den andern Namen führen. Noch fremdartiger klingt heute, wenn der Ritter v. Lang (Isis 1823) den deutschen Namen aus slaw. *olsc* = Erle ableitet, also *Onoldsbach* s. v. a. *Olsowa* = Erlbach. Vgl. Förstem., Altd. NB. 69. 91.

Anseba s. Seba.

Anson Bay, in Arnhem's Ld., v. Capt. Ph. P. King (Austr. 1, 273) am 2. Sept. 1819 nach der 'noble family' *A.* getauft. Ein Glied dieser Familie, der Admiral Lord George *A.,* geb. 1697, früh im Seedienst, bes. in America, wo er 1735 die Stadt *A.* in Süd Carolina gründete, umschiffte 1740/44 mit 8 meist kl. Kriegsschiffen die Erde, wobei er mit beispielloser Kühnheit die span. Besitzungen brandschatzte, u. †, nach weiterm Seedienste hoch gefeiert, 1762; ein jüngerer General George *A.,* geb. 1797, wurde Oberbefehlsh. in Indien u. † 1857; *b) A. Island* s. Winchelsea; *c) A. Rocks* s. Bashee.

Ant Cliffs = Ameisenklippen, in austr. Melville I., v. Capt. Stokes (Disc. 1, 429) im Aug. 1839 so genannt, weil er u. seine Gefährten, während er Winkelmessungen anstellte, v. grossen grünen Baumameisen überfallen wurden u. nur durch lächerl. ernste Abwehr sich v. diesen schmerzhaft beissenden Feinden befreien konnten.

Antakiah s. Antiochia.

Antananarivo, die mod. Hptstadt der Howa Madagascars, wird gew. als 'tausend Dörfer' erklärt, 'alludendo alla miriade di villaggi che circondano la capitale ed che popolano la valle dell' Ikopa', auch bei E. Cortese (Sei Mesi 82. 92), der aber auch 'Stadt der Tausend' setzt u. die Sage erwähnt, dass sie als Colonie v. 1000 Soldaten entstanden sei. Er verwirft selbst den Sinn 'Stadt des Abends' nicht, da hier der Sonnenuntergang, wenn die Gipfel der anliegenden Berge vergoldet scheinen, der schönste Augenblick des Tages sei.

Antäo s. Verde.

Antaradus s. Aradus.

Antarvedi s. Brahma.

Antas, Rio das = Tapirfluss, port. Name vieler bras. Flüsse, nach dem dort häufigen Tapirus americanus, ind. *anta* (Avé-L., SBras. 2, 135. 138); *b) Praya das A.* = Tapirstrand, ON. am Araguaya, Prov. Goyaz, wo der Expräs. Couta de Magalhães im Jan. 1865 zwei dieser Thiere erlegte, die Köpfe auf einen Pfahl am Strande steckte u. z. Abendmahl einen leckern Braten herrichtete (Peterm., GMitth. 22, 229).

Ante-Chamber = Vorzimmer, eine kl. Bay v. Back-stairs Passage (s. d.), wo am 6.—7. April 1802 Matth. Flinders (TA. 1, 187) ankerte, so benannt in Verfolgg. des Gleichnisses, welches ihn bei der Nomenclatur der Durchfahrt geleitet hatte.

Anthemis, gr. Ἀνθεμίς = Blumenau, älterer Name der in allem, ausser im Weinbau, gesegneten Insel Samos (Strabo 457. 637), einer der zahlr. Orte, die offb. nach Blumen benannt sind, Ἀνθανίς, f. Trözen, Ἄνθεια, Stadt in Messene u. a. m., Ἀνθήνη, im Peloponnes u. in Arkadien, Ἄνθιον = Blumenborn, ein Brunnen in Attika, f. die jedoch motivirende Angaben fehlen. — *Anthusa* s. Stambul.

Anthony Falls, St., der grosse Wasserfall des Missisipi (s. Snelling), bei den Sioux *Rara* = Kräuselwasser, v. d. redupl. *ra* = kräuseln, nicht, wie oft angegeben wird, 'lachendes Wasser' (Coll. Minn. HS. 1, 24. 28. 30. 104, vgl. Hertha 12, 205), entdeckt im Mai 1680 v. frz. Jesuiten Hennepin u. zu Ehren seines Schutzpatrons, des heil. *A.* v. Padua, getauft (Quackb., USt. 129, Buckingh., East. & WSt. 3, 296). Schon auf dem Huronensee, Aug. 1679, hatte sich die Exp. La Salle-Hennepin betend an den Heiligen gewandt u. 'not a hair of their heads was injured; the waves at least fell to sleep, and upon the 27 th of the month, they safely moored in one of the harbours of Mackinaw Island.' Der Pater hielt den 5 m h. Fall f. 4 mal höher; er schnitt das Kreuz u. das frz. Wappen in einen Baum u. taufte den Fall nach dem Schutzheiligen der Exp., the eloquent divine *A.* of Padua.

Anthyras s. Poros.

Anticosti, Insel des St. Lorenz, aus ind. *Natiscotec* verd., v. frz. Seef. Cartier am 15. Aug. 1535 entdeckt u. nach dem Kalendertage *Ile de l' Assomption* = Insel v. Mariae Himmelfahrt getauft (Cartier, Nav. ed. Avezac 1, XI. 9, Hakl., Pr. Nav. 3, 213, Forster, Nordf. 503, Anspach, NFdl. 128, Buckingh., Canada 172).

Antigoneia, gr. Ἀντιγόνεια *a)* f. das wieder hergestellte Mantineia, eine Gründg. des maked. Königs Antigonus Gonatus († —242), eingeführt u. beibehalten, bis Kaiser Hadrian den Namen officiell wieder abschaffte (Kiepert, Lehrb. AG. 263); *b)* s. Antiochia. — Aehnl. *Antigona, Antigonia* (s. Isnik u. Stambul), u. *Antigone,* f. eine der Prinzen In., ant. *Panormos* (s. d.) od. *Terebinthos,* v. den Terebinthen od. Pinien, bei Plin. (HNat. 5, 151) *Ere-*

binthus, türk. *Burghas Adassy* = Schlossinsel, nach einer Veste, πύργος (Hammer-P., Konst. 2, 362, 370).

Antigua = alt, span. adj. v. lat. *antiquus, -a, -um,* wie port. *antigo,* ital. *antico,* frz. *antique,* entspr. dem span. *vecchio* (s. d.) u. seinen Verwandten, f. Orte auf ältern Wohnstätten od. neben jüngern Anlagen, wie *Villa A.* (s. Cruz). Vgl. Maria.

Antillen, span. *Antilias,* nach einer hypothetisch seit 1424 auf Carten aufgetauchten, erst grösser, dann kleiner gezeichneten 'Vorinsel', welche, der asiat. Ostküste vorliegend, die Ueberfahrt dahin erleichtern sollte u. im Entdeckungszeitalter die fabelh. Atlantis der Alten vertrat, in der nachcolumb. Zeit zuerst wieder in Vespucci's 2. Reise (angebl. 1499) u. zwar im sing. *Antilla* auf Hayti bezogen (Navarrete, Coll. 3, 261, Oldend., GMiss. 1, 1). Die *Kleinen A.* nennt Dr. Chanca, der Arzt in der Flotte v. Columbus' 2. Reise, nach den cannibal. Cariben, welche die Inseln heimzusuchen pflegten, *Islas de Caribe,* 'que son habitadas de gente que comen carne humana' (WHakl. S. 43, 26). Sie werden vschiedentl. in *Islas de Barlovento* (Acosta, Hist. Ind. 2 c. 3), engl. *Windward Islands* = Inseln über dem Winde u. in *Leeward Islands* = Inseln unter dem Winde getheilt, da die östlichern den Passat früher erhalten als die westlichern, diese also unter dem Winde der erstern zu liegen scheinen, wie übh. die Seeleute zwei Windseiten unterscheiden: *windward,* woher er weht, *leeward,* wohin er weht (s. Society Is.). Genau so unterschieden, lange vor Ankunft der Portug., die in alten Singapur verkehrenden mal. Seeff. *Dyban-Atáz* = Inseln über dem Winde, östl. v. Malakka, u. *Dyban-Anguim* = Inseln unter dem Winde, westl. v. Malakka (Barros, As. 2, 6).

Antilope Park Hill = Hügel des Antilopenparks, übsetzt aus sioux *Takchecua Paha,* f. einen Berg am Platte R., nach einem am Bergfuss gelegenen Gehäge, in welchem die Indianer Antilopen zu fangen pflegen (Raynolds, Expl. 160). — *A.'s Bank* s. Mandeb.

Antinoë, vollst. *Antinoupolis,* Stadt am rechten Nilufer, v. Kaiser Hadrian angelegt u. zu Ehren seines Lieblings, des hier im Nil ertrunkenen Antinoos, benannt (Kiepert, Lehrb. AG. 201).

Antinori s. Nigra.

Antiochia, gr. Ἀντιόχεια, ON. f. Gründungen der Seleuciden, so zahlr., dass allein Seleucus Nicator, als vormaliger Feldherr Alexanders d. Gr. der Gründer der Dynastie, ihrer 16 nach seinem Vater Antiochus benannt haben soll (App. Syr. 47), wie er 9 *Seleukia* u. 5 *Laodikeia,* diese nach seiner Mutter, taufte. In der Familie wiederholten sich die Mannsnamen Antiochus u. Seleucus vielfach, jener in 3 hervorragenden Trägern, dem ersten, zubenannt Soter, dem dritten 'Grossen', u. dem vierten 'Epiphanes', Seleucus in 5 spätern unbedeutenden Regenten. Das nordsyr. *A.,* die prächtigste aller Städte d. N., die bis zu ¹/₂ Mill. Ew. anstieg, in dem herrlichen, quellenreichen Thal des untern, hier 40 m br. Orontes, einige Kil. weiter aufw., schon 307 v. Chr. angelegt v. König Antigonus u. *Antigoneia*, gr. *Ἀντιγόνεια* (s. d.), genannt, entstand — 301 an seiner j. Stelle durch Seleucus Nicator u. hiess nun z. Unterschied v. seinen zahlr. Namensschwestern *Ἀ. ἡ ἐπὶ Δάφνης*, *Epidaphnes*, *ad Daphnem*, nach dem nahen Apollohaine Daphne, wo die schwelgerischen Antiochener ihren beliebtesten Vergnügungsort hatten, einem Lorbeerhain, der den Reiz der landschaftl. Scenerie auch bis in den heutigen Verfall erhalten hat (Kiepert, Lehrb. AG. 163 f.). Dieses *A.*, j. als *Antâkiah* in äusserstem Verfall, war in röm. Zeit zeitw. Hoflager der röm. Kaiser u. wurde in Grösse u. Pracht mit Rom verglichen. Der Zudrang der Colonisten machte wiederholt neue Anlagen nöthig, so dass das gesammte *A.* zuletzt aus 4 Städten bestand, deren jede mit bes. Mauer umgeben, zugl. aber in die allg., starke Befestigg. eingeschlossen war: *Tetrapolis* = Vierstadt. Seit dem 5. Jahrh. durch Erdbeben u. Eroberung dem Verfall geweiht, wurde sie v. Justinian erneuert u. in *Theupolis*, gr. *Θεούπολις* = Gottesstadt umgetauft — nach Antiochus II., dem die Milesier, z. Dank f. die Befreiung v. Tyrannen Timarchos, den Beinamen Theos = Gott gegeben hatten? (Meyer's CLex. 1, 710); *b) A. Pisidiae*, im südl. Phrygien, an der Grenze Pisidiens, v. Antiochus I. ggr., v. den Römern z. Hptstadt der Prov. erhoben u. zu Augustus' Zeit *Caesarea* benannt (Kiepert, Lehrb. AG. 104); *c) A.* am Mäander, ebf. v. Antiochus I. angelegt, wie in der Nähe *Stratonikeia*, nach seiner Gemahlin getauft (ib. 120); *d) Ἀ. ἐπὶ Καλλιρρόῃ* s. Edessa; *e) A. Margiane* s. Murghab; *f) A. Mygdonia* s. Nisibin; *g)* s. Alexandria.

Antipatris, gr. *Ἀντιπατρίς*, Ort nordöstl. v. Jaffa, v. Herodes d. Gr. erbaut u. nach seinem Vater Antipater getauft, früher *Kapharsaba*, nach Josephus (Ant. 16, 5[2]) wasserreich u. fruchtb., in der Nähe v. Wäldchen (Raumer, Pal. 2. Aufl. 144. 462, Pape-B.).

Antipode Island, eine Insel, eig. eine Inselgruppe, südöstl. v. NSeeland, fast genau der Antipode Londons, daher v. Entdecker, dem engl. Capt. Waterhouse, 1800 richtiger *Penantipode Island* (= fast *AI.*) genannt (Krus., Mém. 1, 24, Meinicke, IStill. O. 1, 348, Peterm., GMitth. 18, 222 f.). — *Antipyrgos* s. Tobruk. — *Antirari* s. Bari. — *Antidrepanon* s. Drepanon.

Antisuyu s. Anden.

Antonius, mehrere Heilige der Kirche, bes. *A.* der Grosse, der Vater des Mönchswesens, aus Aegypten, geb. um 250, der mit 20 Jahren sein Gut unter die Armen vertheilte u. 30 Jahre lg. als Einsiedler lebte, † 356, u. *A.* v. Padua, zu Lissabon 1195 geb., erst Augustiner, dann Franciscaner (s. San Francisco), Asket, gewaltiger Bussprediger in Süd-Frankreich u. Ober-Italien, † 1231, beide oft in ON., die nach dem Kalendertage des 17. u. 26. Jan. u. des 13. Juni od. aus anderm Beweggrunde ertheilt worden sind, engl. *St. An-*

thony (s. d.), frz. *St. Antoine*, wie in dem v. Cartier am 13. Juni 1534 entdeckten *Hávre St. A.*, in NFundl. (M. u. R., Voy. Cart. 10, Hakl., Pr. Nav. 3, 203), ngr. *Hagion Antonios* (s. Ilias), arab. *Mar Antoniûs* (s. Polos), span. u. port. *Anton(io)*, mehrf. in Entdeckg. u. Mission, oft einf. *San Antonio a)* Civitas, *b)* s. Ouro, *c)* s. Pernambuco, *d)* s. Visscher; mit Grundwort *a) Puerto de San A.*, Hafenbucht in Mexico, ind. *Tonalà*, woraus, selbst in Humboldts Carte v. NSpan., ein *Rio Toneladas* = Tonnenfluss fabricirt wurde, v. Juan de Grijalva am 12. Juli 1518 entdeckt u. benannt (Navarrete, Coll. 3, 62); *b) Ilha de SA.*, eine der capverd. Inseln (s. d.), v. einer port.-ital. Exp. am 26. Jan. 1462 entdeckt (Peschel, ZdEntd. 83, wo in Note 3 die Jahrzahl verschrieben ist); *c) Bahia de SA.*, in Madagascar, v. Port. Luis Figueira 1514 nach seinem Schiffe, 'por assi haver nome o navio-que levava' (Barros, As. 3, 1 p. 6); *d) Cabo de SA.*, am Rio de la Plata, zuf. dem genues. Piloten v. F. Magalhães am 7. Febr. 1520 getauft nach dem Schiffe *SA.*, mit dem der Admiral am 2. Febr. den Strom verlassen hatte (Navarrete, Coll. 4, 32, WHakl. S. 52, 2, ZfAErd. 1876, 337); *e) Mission de SA.* de Padua, ON. in Calif., v. Pater Junipero Serra am 14. Juli 1771 als Mission ggr., auch *Mission de los Robles* = der Eichen (dMofras, Orég. 1, 387); *f) Pontal do SA.* s. Padrão. — Nach profanen Goldwäschern des 17. Jahrh. sind benannt *Ribeirão de A. Dias* u. *R. de P. João de Faria*, in Minas (Varnh., HBraz. 2, 100). — *Antonie Bach* s. Bernhard.

Antschedivas = Fünfinseln, vor Malabar, v. ind. *antsche* = 5 u. *diva* = Insel, bei den Port. *Angedivida* (Barros, As. 1, 4).

Antupei = am Flusse, v. lit. *ant* = auf u. *upe* = Fluss, deutsch *Antuppen*. ON. in Preuss. Litauen (Schleicher, Lit. Gr. 145).

Antwerpen, belg. Hafenstadt, im 8. Jahrh. *Andoverp*, dann *Andorerpum*. *Andwerpa*, *Andwerpium* (Förstem., Altd. NB. 79 f.), *Antwerpis*. *Antwerp*. *Antwerpha*, bei den hanseat. Seeff. *Andorp* (E. Deecke, Seeört. 1), noch j. mit fast ausschliesslich vläm. Bevölkerg., vläm. *aen't werf* = an der Werft, am Schiffs-Zimmerplatz, latin. *Antverpia*, frz. *Anvers*, zuerst 646 als *Andowerpis* erwähnt (Wild, Niederl. 1, 178, Meyer's CLex. 1, 725 ff.). Kreglinger (Mém. hist. et etym. Anv. 3, 4[12]) ich nicht besitze, gibt ein Verzeichniss der ältern Schreibungen u. mehrere etym. Deutungsversuche. Auch die Schrift 'Onderzoek naer den Oorsprong en den waren naem der openbare plaetsen van de stad *A.*, Antw. 1828, war mir leider nicht zugänglich. Noch vergleiche ich fries. *warf*, *werf* = Aufwurf, Erhöhung, dann eine erhöhte u. dadurch vor Ueberschwemmung gesicherte Wohnstätte, endlich eine Gerichtsstätte; dieses Wort erscheint in den altfr. ON. *Weruon* u. *Werflante*, beide in Friesland, ferner im 8. Jahrh. *Werfhem*, j. *Warfum*, in Groningen (Förstem., Altd. NB. 1560, Deutsche ON. 45. 271). Eine komische Geistesverirrung offenbart sich in den Worten: 'Der Name *A.* ist aus *ant* od. *hant*, *wer* u. *epen* gebildet. Die Silbe **ant** bezeichnet einen höhern Punkt, an welchem die Stadt liegt; **wer** deutet die zieml. tiefe Lage des Ortes an u. die Endg. *epen* einen grossen, zieml. tief gelegenen Ort . . . Läge *A.* hoch, so müsste der Name *Antwarpen*, *Ontworpen* od. *Untwurpen* lauten' (Liebusch, Skyth. 90). Den gütigen Mittheilungen des Hrn. Fréd. Buruy dat. Brux. 23. I. 1890 entnehme ich: *a)* Torfs (Hist. d'Anv.) leitete den Namen v. den alten Ganerbiern ab, hat diese Ansicht jedoch in der 2. Aufl. seines Buches verlassen; dafür wollte der Brüsseler Archivar Wauters, membre de l'académie royale, beweisen, dass hier einst ein Volk Andoverpiens, dessen 'existence indéniable', gewohnt habe u. v. ihm der ON. *A.* abgeleitet sei; *b)* noch 1887 glaubte der Archivar Génard (Anv. à trav. les âges 1, 3) an die Fabel, als habe einst an dieser Stelle ein Riese Druon, angebl. 18 Fuss lang, den herauffahrenden Schiffen die Hälfte der Ladung abverlangt u. den Widerspenstigen die rechte Hand abgehauen u. in den Fluss geworfen, als habe dann der Tungernkönig Salvius Brabon, später Officier Caesars, den Riesen getödtet, ihm den Kopf u. die rechte Hand abgehauen, die er v. weitem in den Fluss warf, u. als sei daher der ON. *hand werpen* gekommen; *c)* als die natürlichste u. verbreitetste Erklärg. gibt 1829 Dewes, membre de l'Institut royal (Dict. géogr. Belg. et Holl.), unter Anführg. der alten Formen, die unserige: *aen 't werf* (f. *aen het werf*), übersetzt jedoch ungenau 'au quai'; denn 'ce mot *werf* n'est pas un quai, mais bien un chantier de construction comme vous le traduisez trèsexactement 'Schiffszimmerplatz'; *d)* im Bull. Soc. Géogr. d'Anv. 1, 306 wird der fabelhafte Ursprung des Namens verworfen u. nach der Analyse v. Drercxsens (Antv. Christo nascens et crescens) *A.* als *an de Werf*, *an d'Werf*, *Andwerf*, *Andwerp*, *Antwerp* erklärt; *e)* der ehm. Minister Leutz u. G. Adriaens haben die Reihe der Namenformen vervollständigt u. festgestellt, dass die vläm. Form, in der heutigen Gestalt *A.*, in den Zählungen v. 1496 u. 1592 erscheint, die frz. Form *Anvers* hingegen erst in der frz. Periode auftaucht, in einem Beschluss v. 14 fructidor an III u. in den Gesetzen v. 8 pluviôse an IX u. 25 pluviôse an X, die vläm. Form wiederkehrt in der niederländ. Periode, so im Gesetz v. 18. Apr. 1827 u. v. 22. Dec. 1828, endl. mit der belg. Aera man wieder auf *Anvers* zurückging. Noch aber besitzt u. gebraucht, wie sich noch 1880 Hr. Adriaens überzeugte, die Stadt *A.* ein Siegel mit der Aufschrift *Antwerpen*. Die kön. Commission, welche am 10. Mai 1886 z. Bereinigung der topogr. Orthographie eingesetzt wurde (Geogr. Jahrb. 12, 60) u. diesen Augenblick, 23. Jan. 1890, noch in ihren Arbeiten begriffen ist (ib. 14, 12), schlägt vor, dass der amtliche Gebrauch die vläm. Benenng. wieder herstelle unter facultativer Beifügg. der frz. Form.

Anuradscha, auch *Anuradschapura*, verd. aus skr. *Anuradapura*, v. *anuradha*, einem Naxatra od. Mondhaus, bei Ptol. (7, 4) *Ἀνουρόγραμμον*

βασίλειον, wo *grâma* = Dorf f. *pura* = Stadt, der neuere Name der alten ruinirten Hptstadt Ceylons (s. d.). Die Ueberlieferg. leitet den Namen v. dem des Ministers des Königs Widschaja ab (Lassen, Ind. A. 1, 242, Schlagw., Gloss. 170).

Anvers s. Antwerpen.

Anville, *J. Bapt. Bourg. d'*, geb. zu Paris 1697, schon im 22. Lebensjahre z. kgl. Geographen ernannt, 1775 mit der Ehrenstelle eines Adjuncts der kgl. Academie der Wissenschaften bekleidet, † 1782, in langem u. äusserst arbeitsamem Leben bahnbrechend f. die alte Geographie u. ihre Namenwelt, seinen Landsleuten u. seiner Zeit übh. in Schreibg. geogr. Namen, namentl. der oriental., Vorbild — ein Kiepert des 18. Jahrh., nach Gibbon 'der Fürst der Geographen'. Nach ihm hat die frz. Exp. Baudin getauft: *a) Cap d'A.*, in der Bass Str., am 10. Dec. 1802 (Péron, TA. 1, 6, bei Flinder's Atl. pl. 6 ohne Namen); *b) Bay d'A.*, westl. v. Spencer's G., im Apr. 1803 (Péron 2, 84). — Ein *Cap d'A.*, in Kiusiu, v. Krusenst. (Reise 1, 258 f.) am 4. Oct. 1804.

Anxiety, Point = Spitze der (sehnlichen) Begehr nannte John Franklin (Sec. Exp. 158) am 16. Aug. 1826 ein Cap westl. v. Mac Kenzie R., weil er, mehrere Tage in dem seichten Küstengewässer durch Nebel, Eis u. Wind zkgehalten, mehrmals umsonst versucht hatte, nach Westen vorzudringen. — *Anxious Bay* = Angstbucht, in Süd-Austr., wo, geschützt zwar vor dem dam. Wind, aber den West- bei Süd- bis NNW.-Winden ausgesetzt u. mit wenig Aussicht des Entwischens f. den Fall, dass der Wind in eine dieser Richtungen umsetze, Capt. Matth. Flinders (TA. 1, 122) am 11. Febr. 1802 eine angstvolle Nacht zubrachte.

Anydros, ngr. *Ἄνυδρος* = die wasserlose, eine wüste Insel bei Amorgos '(Ross, IReis. 1, 180).

Anzerma = Salzstadt, v. ind. *anzer* = Salz, ON. in Columbia, weil der Conquistadór Seb. de Belalcazar, ohne Dolmetscher, die Eingeb. nichts als *anzer* verstand u. man die hier ggr. Stadt danach benannte. In der Nähe ist die Salzquelle v. Consota, die in einem kl. See sich sammelte u. v. den Indianerinnen z. Salzgewinng. benutzt wurde. Hier fanden denn auch die Spanier die so lange bitterlich entbehrte Würze. Das Salz, welches sie v. Cartagena mitgenommen, war aufgebraucht; Gras u. Bohnen war ihre Nahrung; Fleisch gab es nur v. gefallenen Pferden u. gefangenen Hunden; die Leute wurden krank, u. 'manche verloren aus Mangel an Salz ihre Farbe u. wurden gelb u. dünn'. In der Gegend v. *A.* bildet das Salz einen eintrágl. Industrie- u. Handelsartikel, u. unser Gewährsmann gibt darüber ausführl. Auskunft; z. B.: 'In the city of Cartago every citizen has his apparatus for making salt, which is prepared in an Indian village called Consota, a league from the city, where a small river flows. Near the river there is a mountain, out of which comes a large spring of very black and thick water. The water is taken from this spring and boiled in cauldrons until it is nearly all evaporated, when a white-grained salt remains, as good as that of Spain' (WHakl. S. 33, 62. 88. 124 ff.).

Aolthaob s. Palaos.

Aosta s. Augusta.

Aotearoa s. NZealand.

Apaches, spr. *apatsche*, ein räuberischer u. unbändiger Indianerstamm der neumexican. Gebiete der Union, bekannt durch den blutigen Widerstand, den sie im 16. Jahrh. den span. Conquistadoren u. Missionaren entggesetzten u. mit grausamen Qualen an den gefangenen Feinden begleiteten (Meyer's CLex. 1, 733), v. den Yuma so genannt: *A'-pa-ăg-wa'-tcĕ* = Kriegsvolk, v. *a'-pa*, *pa*, *pa'-a*, *o'-pa* = Volk u. *ăg-wa'*, *'gwa* = Krieg, mit Suffix *tcĕ*; sie selbst nennen sich *Nde'* = Menschen (H. F. C.-ten Kate, Syn. Ind. 5).

Apalachen s. Alleghany.

Apalaski s. Alapajewsk.

Apano Kawos, ngr. *Ἀπάνω Κάβος* = oberes Cap, im Norden des ägäischen Syros (Ross, IReis. 2, 27).

Aparecidas, las, v. span. *aparecer* = erscheinen, also die neu erschienenen, der 'bedeutsame Name' der wg. Verdunstungsüberschuss zu Inseln gewordenen Sandbänke des Sees v. Valencia, Venezuela (Humb., ANat. 1, 43).

Apati s. Abbatia.

Apeirotai s. Epirus.

Apel u. **Apfal** s. Affoltern.

Apennin, auch mit *App...*, 'der Rückgrat der *A.-Halbinsel'*, viell. schon erwähnt bei Pisander, welcher im 7. Jahrh. v. Chr. die Thaten des Hercules besang, sicher bei Polybios, bei griech. Autoren auch im plur., da mit dem *A.* auch die Alpen zsgefasst wurden, bald *ὁ Ἀπεννῖνος*, bald *τὰ Ἀπεννῖνα καλούμενα ὄρη*, bald *τὰ Ἀπέννινα ὄρη* od. *τὸ Ἀπέννινον ὄρος*, in lat. Sprache zuerst —117 in dem Schiedsspruch zw. der Stadt Genua u. der Dorfgemeinde der Viturier, *mons Apeninus*, dann —115 in der Bauinschrift der via Salaria, betr. die Passstrasse *per Appeninum*, jedf. urspr. in Ober-Italien, beschränkt auf den ligur. u. umbr. Theil, der weithin den Grenzwall der röm. Republik bildete u. zugl. die Adria dem latin. Gesichtskreis entrückte, erst in der Folgezeit, u. zwar zunächst durch die griech. Autoren, auf die ganze Länge der Halbinsel ausgedehnt (Nissen, Ital. LK. 217) ... 'a ergo autem supra dictorum omnium *Apenninus* mons Italiae amplissimus perpetuis jugis ab Alpibus tendens ad Siculum fretum' (Plin., HNat. 3, 48), v. kelt. *pen* = Haupt, Berg, das in andern Bergnamen, z. B. im schott. *Ben* (s. d.) u. in den *penninischen Alpen* (s. Bernard) wiederkehrt (Zeuss, DD. u. ihre N. 5).

Aphrodites, gr. ON. nach der Aphrodite, Venus, bes. *a) Ἀφροδίτης λιμήν*, lat. *Veneris Portus*, ein 'Hafenplatz' in Ligurien (Ptol. 3, 1); *b) A. νῆσος*, 'Insel' im Roth. M. (ib. 4, 5); *c) A. ὅρμος* s. Myos Hormos; *d) A. πόλις*, vschied. 'Städte' in Aegypten u. s. f. Vgl. Pape-Bens. 'Das griech. *Aphrodisias*, in Karien, verräth sich durch seinen einh. Namen *Νινόη*, d. h. Ninive, als eine assyr. Gründg., wohl als kühle Sommerresidenz der in Lydien herrschenden assyr. Dynastie, statt des in

heisser Thalebene gelegenen Sardes' (Kiepert, Lehrb. AG. 120).

Api, Gunung = Feuerberg, der gew. mal. Ausdruck eines Vulcans, aber auch Eigenname dreier Inseln mit thätigem Vulcan, bes. *a)* desj. v. Banda (s. d.), ferner *b)* an der Nordostseite Sumbawa's, auch *Pulo* (= Insel) *A.*, fast immer mit Asche bedeckt, ausgezeichnet durch das beständige Rauchen od. Brennen (Hertha 5. GZ. 51, Crawf., Dict. 53. 147); *c)* zw. Timor u. Buru, unbewohnte Insel, die steil u. waldig bis z. obersten kahlen, wüsten Kraterspitze aufsteigt u. einen fortdauernd thätigen Vulcan bildet (Jungh., Java 2, 845, Meyer's CLex. 2, 496, ZfAErdk. nf. 7, 409). — Ein *Tanjung A.* = Feuercap, bei Borneo (Crawf., Dict. 426).

Apollonia, gr. *Ἀπολλωνία* od. *Ἀπολλωνιάς* = Heim Apollo's, hiessen 22 Städte u. 2 Inseln des Alterth. (Pape-B.), darunter: *a) A.* in Illyria, nach Eusebios ggr. schon 634, also vor dem vortheilhaftern Epidamnos, bekannt als die zu Ital. nächstgelegene reingriech. Stadt, j. Kloster *Pollina*, der Hafenvorort *Aulon* (s. d.), j. *Avlona*, ital. *Valona*, alb. *Vljôra* (Kiepert, Lehrb. AG. 356); *b)* das thrak. *A.*, am Pontus, unter den Römern zerfallen, erstand neu als *Sozopolis*, gr. *Σωζόπολις* = Warburg, d. i. die schützende Stadt, j. *Sizebolu* (Kiepert, Lehrb. AG. 328); *c)* das syr. *A.*, zw. Caesarea u. Joppe, eine Anlage des Seleukos, hiess zZ. der Kreuzzüge *Assor*, *Assur*, *Arzuffum*, j. unbedeutendes Dorf *Arsuf;* *d)* das cyren. *A.*, Hafenort Kyrene's u. nach der Hptgottheit der Kyrenäer benannt, zZ. Justinians wg. der Güte u. Sicherheit des vortreffl. Hafens *Sozusa*, gr. *Σώζουσα* = Heil, Schutz, j. mit Beifügg. des arab. *mirsa* = Hafen in *Mirsa Sûsa* verst., vollst. *MS. Hamâm*, wg. der vielen Wildtauben, *hamâm*, die diese, wie alle dortigen Ruinen, in Menge besuchen (Barth, Wand. 454, Meyer's CLex. 1, 749). — Ebf. ein altes *A.* liegt in dem j. Dorfnamen *'ς τὰ Πολλώνια*, Melos, ähnl. in *τὰ Ἀπόλλωνα*, Dorf in Rhodos (Ross, IReis. 3, 13. 110). — Von andern Formen: *a) Ἀπολλώνιον*, Cap in Utica (Strabo 832); *b) Ἀπολλωνίς*, Stadt der mys.-lyd. Grenze, nach Apollonis, der Mutter des Königs Eumenes (Strabo 624 ff.); *c) Ἀπόλλωνος ἄκρον*, ein Cap nördl. v. Utica, j. C. *Zibib* (Ptol. 4, 3) u. in Mauritania Caes., j. C. *Mostagan* (Ptol. 4, 2); *d) A. ἱερόν*, (Tempel-) Ort in Africa propria (Ptol. 4, 3); *e) A. κρήνη*, die reiche, schöne Quelle bei Cyrene (Herod. 4, 158); *f) A. πόλις*, 'Städte' in Aegypten u. zwar *μεγάλη* = die grosse, hier. *Teb*, kopt. *Atbo*, j. *Edfu*, u. *μικρὰ* = die kleine, j. *Abutig* (Brugsch, Aeg. 225. 227).

Apollonia, Santa, eine Christin, die unter Decius 249 in Alexandria den Märtyrertod erlitt u. als Heilige je am 9. Febr. gefeiert wird, in span. ON. *a) Cabo de Santa A.*, nördl. v. Silberstrom, v. Fr. Magalhães am 9. Febr. 1520 erreicht u. nach dem Kalendertage benannt (WHakl. S. 52, 2); *b) Santa A.* s. Mortos.

Aponi s. Abano.

Apostoles s. Evangelistas.

Appatie s. Abbatia.

Appenzell = des Abtes Zelle (s. Abbatia), in einem *Neu Grüt* = novale, im neu gerodeten od. gereuteten Waldthal der Sittern, am Fusse des Säntis, wo sich der Grundherr, der Abt Nortbert v. St. Gallen, 1061 eine Kirche u. Zelle baute ... in *novali loco*, qui *Abbacella* nuncupatur, basilicam loci illius incolis ad Oratorium stabilivi (v. Arx, GC. St.Gall. 1, 243 f.,Wartm.,Urk. B. No. 822). Im Sinne jener Zeit taufte man auch die gleichzeitig in dem tiefen, engen Neckarthal entstandene geistl. Wohnung *St. Peterzell*, nach der dem h. Petrus geweihten Capelle (Arx 244). Nach dem Hauptort benannte sich das Land *A.*, welches im Befreiungskriege 1403/08 die äbt. Herrschaft abwarf u. sich 1597 in 2 Staatswesen trennte: *A. Ausser-Roden* (reform.) u. *A. Inner-Roden* (kath.), jenes die äussern, dem Flachlande genäherten, dieses die innern, dem Säntis anliegenden *Roden* = Rodungen, Ansiedelungen, Gemeinden umfasste.

Applecross, Ort an der Westküste v. Rossshire, Schottl., v. *apur*, der alten Form des brit. *aber* = Flussmündung u. dem (j. vergessenen) Flussnamen *Crossan*, volksetym. umgedeutet in 'Apfelkreuz', indem jeder Apfel, der in des Mönches Garten gewachsen, mit einem Kreuz bezeichnet worden sei. Um die Deutung noch ansehaulicher zu machen, habe vor 1792 ein Gutsbesitzer ein Kreuz v. 5 Apfelbäumen gepflanzt; allein an Ort u. Stelle erfuhr Will. Reeves (Proceed. Soc. Ant. Scotl. 3, 258 ff.), dass die Bäume des Kreuzes nicht Apfel-, sondern Kastanienbäume wären, mit einem Holzapfelbaum in der Mitte. Auch J. A. Robertson (Gael. Topogr. Scotl. 98) gibt als urspr. Form *Abercroisean* u. erwähnt überdiess ein *Abercross* in Sutherland u. eines in Fifeshire, 'three *abers*, with the same designation, very widely apart from each other, and yet all in the same language, and the same in meaning, derived from *Abhircrois*, *Abhir-croisean* = the confluence of misfortune, of troubles.' Für den erstern dieser Namen scheint eine Mündung des Flusses Crossan doch natürlicher als ein 'Zusammenfluss v. Missgeschick.'

Apremont s. Aspromonte.

Apulia s. Puglia.

Apurimac = Hauptsprecher, v. quech. *apu* = Haupt u. *rimac* = Orakel, Sprecher (s. Lima), ein peruan. Zufluss des Ucayali, ozw. nach dem Getöse, welches der in fürchterl. Schlünden brausende Strom verursacht. Der span. Reisende Pedro de Cieza de Leon (1532/50) erzählt, dass er auf dem Rückwege Cuzco-Lima die Brücke zerstört gefunden u. mit seinen üb. 50 Gefährten den Abgrund auf eigenthüml. Weise passirt habe: Jeder Mann, in einem Sack, wurde an einem Seil v. Pfeiler zu Pfeiler gezogen (WHakl. S. 33, 319). Der *A.* heisst auch *Ccapac Mayu*, wo *ccapac* ein Königstitel u. *mayu* = Fluss; denn er ist der grösste seiner Gegend, 'der Fürst der Flüsse' (GVega, Com. Real 8, 22).

Aqua = Wasser, dem deutschen *aa* urverwandt, lat. Stammwort der neurom. Wörter *acqua, agua, agoa, eau* resp. *aigues, aix, ax* (s. dd.) u. damit einer zahlr. Familie v. ON., hat selbst auch eine Reihe antiker u. mittelalterl. ON. gebildet, bald einf. mit dem plur. *Aquae*, abl. *Aquis* (s. Aix u. Baden), bald adj. einem *vicus* od. *castellum*, einer *civitas* od. *urbs* beigefügt: *Aquensis Fundus* u. *Urbs Aquensis* (s. Aix), *Castellum Aquarum* (s. Baden), *Vicus Aquensis* (s. Bagnères), bald durch die Namen v. Volksstämmen, Göttern, Herrschern od. Feldherren differenzirt: *Aquisgranum* (s. Aachen u. Aix), *Aquae Bormonis* (s. Bourbon), *Aquae Statiellorum* (s. Acqui), *Aquae Sextiae*, *Aquae Gratianae*, *Aquae Domitianae*, *Aquae Tarbell(ic)ae* (s. Aix), *Aurelia Aquensis* (s. Baden), *Aquae Bigerrorum* (s. Bagne), *Aquae Rusellarum* (s. Bagno), *Aquae Solis* (s. Bath), od. nach der Wärme u. a. Eigenschaften: *Aquae Calidae* (s. Bagne), *Calidae Aquae* (s. Caliente u. Enf), *Calentes Aquae* (s. Chaud), *Aquae Mortuae* u. *Vivae*, *A. Bella* u. *Bona*, *Aquae Sparsae* (s. Aigue) od. nach der Lage: *Aquae Cetiae* od. *Pannonicae* (s. Baden), wobei zu beachten, dass einige dieser Namen, die 2 im sing. u. die 2 ihnen vorangehenden, auf Flussarme od. Lagunen sich beziehen. — *Aquarias* s. Aigues. — *Villa ad Aquas* s. Villach. — Auch ein mod. ON. ist v. *A.* abgeleitet: *Mount Aquarius*, bei Mt. Owen, Austr., v. Major T. L. Mitchell (Trop. Austr. 208) am 21. Juni 1845 so getauft, weil er hier mehrere wohlgefüllte Wasserteiche u. einen f. die Pferde ausreichenden Regenbach fand: 'the hill which gave us water.'

Aquitania, der Vorgänger des mod. Guyenne (s. d.), wie *Sinus Aquitanicus* f. den Golf v. Vizcaya (s. d.).

Ar (ar) s. Aare.

Arabia wird allg. als 'das Land der Steppen u. Wüsten' (Gesen., Hebr. L. 648, Freytag, Lex. 3, 130, Kiepert, Lehrb. AG. 183) gedeutet, entspr. 'Arabah', hebr. עֲרָבָה = trockene Steppe, Wüste, 'Gefilde', im 5. Mos. 2, 8 f. das Thal zw. Roth. u. Todt. M., j. *Wady A.* (Robins., Pal. 1, 279), nach dem der Salzsee (s. Todtes M.) den hebr. Namen *Jam-Ha'arabah* erhalten hat. Gerade auf dieses südl. Grenzgebiet Palästina's beschränkte sich bei den Hebräern der Gebrauch 'Arab, ethn. 'Arbî, plur. 'Arbim, wie er seit Jesajas aufkam. Nach dem LandesN. *A. Eudaimon* (v. *Arabistan*, nach dem VolksN. *Ued el-Arab* = Fluss der Araber, in der alger. Sahara (ZfAErdk. nf. 4, 206), *Bahr el-Arab* (s. Roth. M.), *Schatt el-Arab* (s. Tigris). — Schon im Alterth. unterschied man die Arme des indischen Oceans, welche die Halbinsel von beiden Seiten bespülen, als 'Αράβιος u. Περσικὸς κόλπος, *Arabicus* u. *Persicus Sinus* (Strabo 765 ff., Plin., HNat. 2, 168; 6, 108 ff. u. a. O.), j. *arab.* u. *pers. Golf* (s. Roth. M. u. Persien); jangst ist *arab.-pers. Meer*, f. die Gewässer bis z. Linie Guardafui-Comorin, im Ausdruck der neuern Geographie. — *Nachal Ha'arabim* s. Sared.

Arachosia s. Kandahar.

Araçoiaba = Sonnenversteck, v. *araçoyá* = Sonne u. *mba* f. Schatten u. a. m., eine durch Eisenerzlager berühmte bras. Bergmasse, São Paolo, durch die anwohnenden Indianer u. oft selbst durch die Europäer, welche ihn zuerst v. dieser Seite her erblickten, so genannt. Die 3 Gipfel *A.* im engern Sinne, *Morro do Ferro* = Eisenberg, *Morro Vermelho* = Rothhorn(Varnh., HBraz. 2, 362. 482).

Aradus, phön. u. hebr. *Arvad* אַרְוַד = Zuflucht, syr. Hafenort, so genannt, weil er v. flüchtigen Sidoniern ggr. wurde (Strabo 753 Cas.), zunächst nur die kl. vor der Küste liegende Felseninsel, die j. noch *Ruad* heisst, nur 1300 m Umfang hat u. f. die in thurmartig hohe Häuser, πύργοι, zsgedrängte Bevölkerung zu kl. wurde, so dass am Festland die Vorstadt *Antaradus*, j. *Tartûs*, entstand (Kiepert, Lehrb. AG. 169).

Aragon, span. Ldsch. am Ebro, so benannt nach dem Flusse gl. N. v. Ramiro d. Bastard, der als letzter König v. Sobrarbe 1035 eine neue Monarchie gründete (Willk., Span. P. 170). — *Castel Aragonese* s. Sardegna.

Araisch s. Arisch.

Arakan, auch *Arracan*, der europ. Name eines engl. Küstenstrichs in Hinter-Indien, eig. *Rakhaing*, vollst. *Rakhaing-taing-gyi* = Königreich *R.*, entstanden aus dem Paliworte *Jakkha* f. das skr. *Jaxa*, bei den buddhist. Missionaren *Jakkhapura*. Auch die ceylon. Vedda wurden v. d. Geschichtschreibern mit dem Namen der Halbgötter *Jakkha* bezeichnet. (Lassen, Ind. A. 1, 393. 554).

Araktschejef, eine Insel der Centralgr. der Paumotu, einh. *Angatau, Fangatau,* im tahit. Dia¹. *Aatao,* bei Wilkes *Ahungatu* (ZfAErdk. 187C, 360), v. russ. Flottencapt. Bellingshausen 181⁹ prsl. getauft (Kotzebue, NReis. 1, 63, Meinicke, IStill.O. 2, 210).

Arál' Dingisy = inselreiches, eig. mit Land begabtes Meer, usbek. Form f. mong.-kalm. *A. Noor,* Name des gr. Steppensees in Turan (Humb., As. Centr. 1, 269, Eichwald, AGeogr. Kasp. M. 26, Sommer, Taschb. 26, 114 u. a. O.), bei den Arabern des Mittelalters *See v. Chowarezm* (s. Chorasmiâ), nach dem Umlande (Edrisi ed. Jaub. 2, 187), chin. *Salzmeer* (MPolo ed. Pauthier 1, CXXIIff.), bei russ. Geschichtschreibern *Sineje More* = dunkelblaues Meer (Büschings Mag. 6,514), da sein Wasser v. ausnehmender Klarheit u. Durchsichtigkeit, v. ferne in einem tiefen Blau, was dem Namen gut entspricht ... v. dem Ostrande des 200 m h. Ustjurt nimmt sich die unabsehbare Wasserfläche grossartig aus. 'Diese Ldsch. hatte f. mich, da ich seit langer Zeit nichts als unveränderliches Flachland erblickt hatte, einen unbeschreibl. Reiz, u. mit wahrem Entzücken schweifte mein Auge bald üb. den formenreichen Abhang, bald üb. die glänzende Wasserfläche, deren schönes Blau vollk. den Namen *SM.* rechtfertigt' (Bär u. H., Beitr. 15, 80; 16, 154 ff.; 18, 169; 24, 174). Da die Bewohner des Amu-Delta sich *Aralen* = Inselleute nennen, so meint der Reisende Basiner (Bär u. H., Beitr. 15, 171), der gew. Name möchte dieser Deltainsel od. ihren Leuten entnommen sein, den *Aral-Usbek,* einf. *Aralen* (ib. 204). — *Aralskoje Ukreplenje* = aralische Veste, kürzer *Aralsk,* urspr. *Ra(h)imsk,*

nach dem nahen Denkmal des kirg. Helden Rahim, am rechten Ufer des Syr D., 60 km obh. der Mündung, v. Gouv. v. Orenburg, General Obrutschew, um 1845 ggr. (ib. 18, 121; 24, 167 ff.). — *A. Tube* = Inselgipfel, v. türk. *tube* = Gipfel, mehrf. *a)* ein kegelfgr., aber nicht vulcan. Inselberg des centralasiat. Ala Kul (Humb., As.Centr. 2, 413), kirg. *Jalana Tau* = Schlangenberg (Bär u. Helm., Beitr. 2, 108); *b)* eine Halbinsel dess. Sees, niedriger, mit dem Ufer durch eine Sandzunge verbunden (ib. 7, 308 ff.); *c)* ein Berg des semiretschinsk. Karatal, am Nordfusse des Uigen Tasch, 'weil er in Form einer abgesonderten Kuppe sicher hebt' (ib. 20, 183). — *Ike A. Noor* = grosser Inselsee, an der Südseite des Altai, nach der grossen Felsinsel *Ak Bush* = Weisskopf(Bergh., Briefw. 1, 339). Den Namen des Sees übsetzt Helmersen (Tel. See 61) 'Zweiinsel-See.'

Arâm, ein Zweig der semit. Völkerfamilie Syriens, noch in den assyr. Inschriften des 11. Jahrh. als ein am Euphrat wohnendes Hirtenvolk, *Aramu, Arimu,* aufgeführt, bei Strabo (42. 627. 784 f.) Ἀραμαῖοι, später *Ara-, Arimäer,* 'hat offb. durch fortgesetzte Einwanderung die Chetäer verdrängt u. unterworfen u. die stärkere Nordhälfte des sog. Syrien besetzt, daher dasselbe in der litterar. Ueberlieferung auch als Land den Namen *A.* trägt.' Wenn also *A.* urspr. Volksname, u. zwar f. ein Volk des flachen Mesopotamien (s. d.), war, so wird die beliebte Ableitg., hebr. אֲרָם = Hochland (Gesen., Hebr. Lex.) hinfällig (Kiepert, Lehrb. AG. 161).

Aramaschewsk s. Alapajewsk.

Arapiles, Mount, in austr. Victoria, v. Major T. L. Mitchell (Three Expp. 2, 189) am 23. Juli 1836 entdeckt u. so benannt, weil er ihn am Jahrestag der Schlacht bei Salamanca bestieg. (Die span. *A.* sind 2 felsige Anhöhen u. Dorf, an welche Wellington seinen erchten Flügel lehnte).

Ararat, bei den Armeniern, denen *A.* unbekannt, *Masis* = der grosse (Spiegel, Eran. A. 1, 144), türk. (u. pers.) *Aghri Dagh* = steiler Berg, bei den Persern auch *Kuh i-Nuh* = Berg Noahs (Rosenmüller, Bibl. A. 1, 257), kommt in jener erstern Form אֲרָרָט schon mehrf. im AT.(1. Mos. 8, 4 u. a. O.) vor. Moses v. Chorene, der glaubwürdigste der arm. Schriftsteller, berichtet, eine ganze Landesgegend habe *A.* geheissen (vgl. Brugsch, Pers. 1, 146), nach einem alten Könige des Landes, Arai dem Schönen, welcher (um —1750) in einer blutigen Schlacht gg. die Babylonier gefallen wäre in einer Ebene, welche desw. *Arai-Arat* = Arai's Verderben geheissen. Eine ähnl. Deutung gehen die Armenier f. Masis: *Amasia,* der ältere Name der Gegend, komme v. Amassis, dem 6. Abkömmling Japhet's (Parrot, Ar. 1, 117, Strabo 506. 522 ff.). Sind nun auch diese beiden patronym. Ableitungen nicht vertrauenswürdig, so stimmt des armen. Geschichtschreibers Zeugniss wesentl. mit allen neuern Ermittelungen (Kiepert, Lehrb. AG. 75 f.): Nicht der Berg hiess *A.*, sondern das altarmen. Reich, das v. Mittellaufe des Araxes, östl. v. Berge, ausging. Insb. bezeichnen dieses alle Erwähnungen des AT. als Land od. Reich *A.*, so —681 bei der Flucht der Söhne Sancheribs (2. Kön. 19, 37, Jes. 37 f.).

Aras Isse Su s. Jekaterina.

Araskeltar s. Downpatrick.

Arassan, auch *Araschan* = warme Quellen, kalm. ON. 4 mal: *a)* zwei Thermen v. 44⁰ C. bei Tschagan-togai; *b)* eine Therme v. 25⁰ C. bei Kopal, v. den Kirgisen längst benutzt, dabei der Ort *A.*, russ. übersetzt *Teplyje Kljutschi* (ZfAErdk. nf. 4, 243) od. *Teplo K.* (Bär u. H., Beitr. 20, 145. 156 ff.) u. danach, v. Ssemenow getauft, die *A.-Kette* (Peterm., GMitth. 4, 353; 14, 84. 200); *c)* eine Therme v. 20⁰ (R.?) in Semiretschinski Kraï, an einem der Zuflüsse des Tschimildi-Karagai, welcher in den Koksu mündet. Ein leichter Schwefelgeruch macht sich bei der Annäherg. bemerkl. Der Quell steht bei den Kirgisen in grosser Achtung, u. sie nehmen ihre Zuflucht zu ihm bes. f. die Heilung rheumat. Krankheiten. Das Wasser sprudelt an manchen Stellen zieml. stark heraus, so dass es den Sand mehr als zollhoch aufwirft. Das Gas steigt dabei in Blasen auf. Das Wasser schmeckt sehr nach Schwefel, scheint aber weniger laugenh. als in Kopal (Bär u. H., Beitr. 20, 258 f.); *d)* ein Bach im Netze der Selenga, wohl v. einer Heilquelle, die ihm zufliesst (Timkowski, Mong. 1, 73).

Aravali = Randkette, auch *Aravalli-Gebirge*, aus *ara* = äusserster Rand u. *âvali* = Reihe, skr. Name einer dem Vindhya vorgelagerten u. den äussersten Vorsprung z. Thurr bildenden Gebirgskette Indiens (Lassen, Ind. A. 1, 108).

Arawaken, richtiger *Aruacen* = Tapioca- od. Mehlbereiter, v. *aru, haru* = Satzmehl (der Mandiocca), ein gutartiges Indianervolk des Amazonas, die Stammverwandten der *Antillenos*, der Eigenbevölkerg. der Antillen zZ. der Ankunft der Europäer (Ausl. 1867, 872). Nach Schomburgk (Raleigh, Disc. G. 52) sollten sich diese gutmüthigen Leute selbst *arua, aruwa* = Jaguare nennen(?); er schreibt *Arawaaks* u. vsetzt sie auf das Südufer des Orinoco.

Araxos, gr. Ἄραξος = Rauscheberg; 'bezeichnet das Schlagen der Brandg.' (Curt., Pel. 2, 450), ein üb. das sumpfige Tiefland des nw. Elis inselartig, 'wie ein gewaltiger Wogenbrecher' (z. Schutz f. den Golf) ins Meer vorgelagertes Gebirge, im Westen mit unnahbarer Steilküste dem Meere zu (Curt., G.On. 154, Pel. 1, 426).

Arba od. *arbaa* = Mittwoch als 4. Tag der Woche, v. arab. *arba, arbaa* = 4, mehrf. in alger. ON. *a)* el-*A.*, *b)* Suk el-*A.* = Mittwochsmarkt, *c) Fedsch el-A.* = Mittwochspass, wo der Markt am Mittwoch abgehalten wird (Parmentier, Vocab. arabe 11. 22). — Daher *el-Arba'in* od. *Erbayin* = die 40, ebf. in ON. *a)* ein j. nur zeitw. bewohntes Kloster im Sinaï, der Sage zuf. so genannt, weil die Araber es im 4. Jahrh. durch einen Ueberfall erobert u. die 40 Mönche getödtet haben, darum bei den ältern Reisenden, z. B. Tucher v. Nürnb. 1480, das *Kloster der 40 Heiligen* od. *Märtyrer* (Robins., Pal. 1, 177); *b)* ein

Ort bei Tunis, angebl. durch 40 Blutzeugen geheiligt (Barth, Reis. 1, 2); *c) Dschebel E.*, der Berg v. Rieha, Gouv. Aleppo, warum 'Berg der 40'? (Burckh., Reis. 1, 218).

Arban = 10 Brunnen, kalm. ON. der Kasp. Steppe, 'v. etlichen hier gegrabenen Pfützen mit schlechtem süssem Wasser' (Falk, Beitr. 1, 17).

Arbanitai s. Albania.

Arbela, gr. Form f. assyr. *Arb'aîl* = die 4 Götter, einen uralten Ort in der assyr. Ebene zw. den beiden Tigriszuflüssen Zab, um eine künstl. Burgterrasse angelegt, j. *Erbil* (Kiepert, Lehrb. AG. 151).

Arblay s. Herblay.

Arbon, der Name eines thurg. Uferorts am Bodensee, mit zäher Vorliebe f. lat. *Arbor Felix* = Fruchtbaum od. Baumgarten gehalten, in dem Sinne, dass auf diesem in den See vortretenden, sonnigen Hügel zuerst der Urwald ausgereutet, zuerst der Obstbaum gepflanzt u. dadurch der Anfang z. Cultur der Gegend gelegt worden sei. Noch ggw. ist in der That die Umgebg. durch die Menge u. Schönh. der Obstbäume berühmt. 'Andere stellen, gestützt auf Ammian's Schilderg. des Bodensee's (15, 4), welcher 'unzugängl. durch den Schauer finsterer Wälder ....' den frühen Anbau der Seeufer in Abrede u. leiten den Namen, sei er urspr. röm. od. aus dem kelt. übersetzt, v. dem Vorherrschen eines der v. den Römern f. glückl. gehaltenen Bäume ab. 'Ait enim (V. Macrob. Saturn. 2, 16) Veranius de verbis pontificalibus: felices arbores putantur esse quercus, aesculus, ilex, suber, fagus, corylus, sorbus, ficus alba, pinus, malus, vitis, prunus, cornus, lotus. Infelices autem (Plin., HNat. 6, 26. 45) existimantur damnataeque religione, quae neque seruntur unquam, neque fructum ferunt' (Böcking, Not. Dign. 803, Mitth.Zürch. AG. 12, 314). Diese 2. Etym. hat, Angesichts des abergläub. röm. Wesens, viel Verführerisches. — *L'Arbre Joli* = der hübsche Baum (s. Albera), ein Weiler des frz. dép. Aisne, 'a pris son nom d'un certain tillut (tilleuil) illec beau et droit, fort élevé en hauteur, venuz en ce lieu; dans le gros duquel arbre a esté mis autrefois une image qui subsiste fort longtemps et par depuis naguerre' (Dict. top. Fr. 10, 8).

Arc s. Little.

Arc, Cap Jeanne d', am 'Golfe Joséphine' (s. St. Vincent's Gulphe), v. d. frz. Exp. Baudin im Jan. 1803, wie die meisten andern Punkte jener Küsten, einer hier Frauensperson benannt: nach der 'Jungfrau v. Orléans' (Péron, TA. 2, 75).

Arch = Bogen, Brücke, in engl. ON., u. ital. *Arcole*, v. lat. *arx*, welches, als ant. *Arx*, f. die volsk. Altstadt v. Fregellae vorkommt, j. *Arce* auf steiler Höhe, bei dem heutigen Ceprano (Kiepert, Lehrb. AG. 438). — *Arcole* = kl. Brücke, v. lat. *arcula*, dem dim. v. *arx*, wie *Arch* im Berner Seeland (Gatschet, briefl. Mitth.). Nach frz. Sieg 15/17. Nov. 1796 taufte die Exp. Baudin *a)* den *Archipel Arcole*, in Tasmans Ld., 11. Aug. 1801, in Péron bald (TA. 1, 113 f.) mit den Is. Champagny verschmolzen, bald (ib. 2, 209)

wie bei Freycinet (Atl. 27) getrennt; *b)* den *Pic d'Arcole*, in Tasmania, Febr. 1802 (Péron, TA. 1, 254). — *A. Spring* s. Sinking. — *Arched Rock* = Bogenfels, eine 50 m h. Basaltmasse, welche das Cap v. Christmas Hr., Kerguelen, bildet, ähnl. einem unten 30 m weiten Gewölbebogen. Eine nahe Landspitze, Cape François ggb., *A. Point* = Gewölbecap (Ross, SouthR. 1, 60. 75, Plan 90). **Archangelsk,** gew. nur *Archangel*, russ. Hafenort am Eismeer, als Kloster des 'Erzengels' Michael (s. Angel) v. Erzbischof Johann im 12. Jahrh. ggr., erst 1584 z. 'Stadt' erweitert, weil die Seeschiffe nicht mehr bis z. Flusshafen Cholmogory (s. Holmgard) hinauf gelangten (Rahn, Arch. 3 b, 285) u. zu Förderg. des v. der russ.-engl. Co. seit 1555 eröffneten Handels die moskowit. Wojewoden dort einen hölzernen Ort erbauten, anfängl. noch *Nowo Cholmogorskoi*, erst nach einem gründl. Brande 1637 aus Stein erbaut u. officiell in *A.* umgetauft (Spörer, NSeml. 6, Adelung, GSchiff. 56, Schrenk, Tundr. 2, 214). Im tägl. Leben war der neue Name *A.* schon längst eingebürgert (Müller, Ugr. V. 1, 366): bei Purchas (Pilgr. 3, 522) die 'Veste' *St. Michael der Erzengel*, bei St. Burrough (Hakl., Pr.Nav. 1, 431) *Michael Archangel*, auf Gerrit de V.'s Carte (ed. Beke p. XI) *'t Casteel Archangeli.* — *Nowo A.*, in Sitka 1799 als Fort ggr., 1802 v. den Koljuschen zerstört, v. Commercienrath Baranow 1804 erneuert, weil der Ort eine ergiebige Jagd auf Seeottern (Lutra marina) versprach u. durch den treffl. Hafen, die reichen Waldungen, die starke Fluthöhe u. den Fischreichthum lockte (Bär u. H., Beitr. 1, 7 f.).
Archias s. Orta.
Archipelagus s. Aegina.
Architectural Fountain, eine der schönsten Fontänen des Fire Hole (s. d.), v. Geol. F. V. Hayden (Prel. Rep. 111) so getauft, weil das 7¹/₂ m weite, fast kreisrunde Becken einen v. Kieselsinter hübsch aufgebauten u. gezackten Rand v. architekton. Charakter besitzt ... 'The entire mass of the water is at times most violently agitated, and, overflowing the sides of the basin, passes off in a kind of terrace pools or reservoir to the main stream, producing a system of architecture out of silica similar to that of the calcareous springs on Gardiner's River.'
Arcole s. Arch.
Arctic s. Arktisch.
Ardaschir s. Artaxata.
Ardcrone s. Croan.
Ardeb, Chor = Tamarindenfluss, im nördl. Abessinien, ein Fluss, dessen Ufer zahlr. mit Tamarinden bewachsen sind, zZ. der ägypt. Eroberg. auch *Chor el-Pascha*, weil hier ein Pascha starb u. an seinen Ufern begraben wurde (Peterm., GMitth. 8, 254).
Arden s. Jordan.
Ardencaple Inlet, eine Einfahrt, Ost-Grönl., v. der Exp. Clavering am 12. Aug. 1823 entdeckt u. 'nach der Residenz meines Freundes u. Verwandten, Lord John Campbell', getauft. Den Namen hat die 2. deutsche Nordpolexp. v. 1869/70

beibehalten, aber das Object selbst nördlicher gesetzt (Peterm., GMitth. 16, 325. T. 10).
Ardennen, kelt. Name der waldigen Hügelgegend, d. *Ardenner Wald*, bei Tacitus (Ann. 3, 42) *Arduenna*, 'kurzweg' = Hochwald, Hochland, verwandt dem ir. *ard* = hoch u. a. Formen, mit *Ardea* = Hochstadt, der auf steiler Berghöhe thronenden latin. Stadt, zu vergleichen (Baemeister, Kelt. Br. 105), also wie Brandes schon annahm (Daniel, Handb. Geogr. 3, 354) nichts anderes als 'hohe Venn' (s. d.). 'Der deutsche Name hätte sich f. den östl. Theil erhalten; der rom. wäre der Hauptmasse zu eigen geworden'. — Ein Ort *Ardennes*, 1140 *Ardena*, 1261 *Ardene*, im frz. dép. Calvados (Dict. top. Fr. 18, 7).
Ardez = Steinsberg, rätor. ON. 2 mal *a)* ein rebenreicher Berg bei Feldkirch; *b)* eine auf hohem Ufer gelegene Gemeinde des Engadin, mit Schloss deutschen Namens (Bergmann, Wals. 75).
Ardowa = hintere Ebene, türk. Name eines einförmigen, baumlosen Plateau, das dem v. der pont. Küste her Kommenden die hinter dem Tschamly-Dagh gelegene ist, während die steppenartige *Kas-owa* = Gänsefeld vor ihm u. um die Stadt Tokat liegt (Tschih., Reis. 12).
Ardrossan, gael. ON. mehrf. in Schottland, insb. f. eine Burg der Grfsch. Ayr, schon v. Landvermesser Timoth. Pont 1604/08 anschaulich, als 'Höhe des Caps', erklärt ... 'so named in respecte it is situatted on a suelling knope of a rocke running from a toung of land advancing from ye mainland in ye sea and almost environed vith the same, for *ross* in ye ancient Brittich tounge signifies a biland or peninsula' (Egli, Gesch. geogr. NK. 50). Der Name *A.* sei hier Stellvertreter einer längern Reihe schott. ON., in denen gael. *ard* = Höhe, hoch, augm. *airde*, ein Element bildet, wie *Ardmore* = grosse Höhe, *Ardoch*, gael. *Ardach* = hohes Feld etc. — *A. Bay*, in North Baffins Bay, v. Capt. John Ross (Baff. Bay 197) im Sept. 1818 übtragen 'from its resemblance to that harbour on the coast of Ayrshire'.
Ardschin Korta = Schwarzkopf, ein Flüsschen im Netz des Terek, so genannt, 'weil es in schwarzem Schiefergebürge entspringt' (Güldenst., Georg. 37).
Ardschisch s. Arges.
Area = Sand, das port. Aequivalent des span. *arena* (s. d.), mehrf. in ON. *a) Rio das Areas*, Prov. Goyaz, v. der Goldsucher-Exp. Bueno 1821 so getauft, weil er vielen Sand im Bette führt (Eschwege, Pl. Bras. 56); *b) Ilhas da A.* s. Sable.
Areiopagos, gr. Ἀρειόπαγος = Hügel des Ares, des Gottes der Hitze, der trockne, wasserlose Hügel Athens, der, gg. die Sonne sich abdachend, oben ein kahler Fels, auch nicht durch die spärlichste Quelle benetzt wird. Klar ist also der Mythos, nach welchem hier der Gott der Hitze den Gott der Nässe (Poseidon) besiegt hat (Forchh., Hell. 1, 118). — *Areia Krene*, gr. Ἀρεία κρήνη, ein dem Ares geheiligter 'Quell' bei Theben u. ein Ort dabei (Apd. 3, 4).
Areios s. Herat.
Arelas s. Arles.

Aremorica s. Bretagne.

Arena, Islas de = Sandinseln (s. Area), .eine Gruppe niedrig‘· Eilande der Lucayen, v. Columbus am 27. Oct. 1492 getauft ᾿por el poco fondo que tenian de la parte del Sur hasta seis leguas᷍ (Navarrete, Coll. 1, 40). — *Cabo de las Arenas*, das Ende einer lang gedehnten. sandigen Flachküste Argentinia's, ᾿arenosa y muy baja᷍, vor welcher das Meer in zwei Leguas Entferng. nur wenige Brassen Tiefe zeigte, v. Magalhães am 9. Febr. 1520 benannt (Nav., Coll.4,33). — *Punta Arenas*, 4 mal: *a)* Cap an der Magalhães Str. u. die dort 1853 ggr. Colonie, engl. *Sandy ·Point* (Skogm., Eug. R. 1, 96. Glob. 2, 213, Wüllerst., Nov. 3, 276); *b)* niedrige Landzunge an der Nicoya Bay u. die 1840 dort ggr. Stadt (Peterm., GMitth. 11, 241, Meyer's CLex. 13, 340); *c)* an der Bucht v. San Carlos, Chiloë, eine Sandfläche mit Quelle, die den Schiffern ihren Wasservorrath liefert (Tschudi, Peru 1, 6); *d)* s. Sebastian. — *Isla Arenas*, im Golf v. Mexico, aus Sandgrund aufsteigend, wo weit herum das Senkblei weissen Sand, ähnl. dem einer Sanduhr, heraufbringt (Hakl., Pr. Nav. 3, 620). — *Arenal*, vollst. *Punta del A.* = Spitze der Sandfläche, in Trinidad, benannt v. Columbus, der am 3. Aug. 1498 hier ankerte, auch *Punta de Gallo*, davor die Sandbank *los Gallos* (Navarrete, Coll. 1, 247 ff., Colon, Vida 314, Raleigh, Disc. G. 1 f., WHakl. S. 43, 118 ff.). — Auch im frz. dép. Gard 2 ON. *l'Arénas* u. ein *les Arénas*, 1093 subtus *Arena*, 1261 *Arenaria*, eine bis z. 16. Jahrh. ausgebeutete Lehmsandgrube bei Nimes, während *les Arènes*, 898 in castro *Arene*, das röm. Amphitheater daselbst bezeichnet (Dict. top. Fr. 7, 10).

Arendts, Cap, in Grönl., ᾿die schöne fjordenreiche᷍ Bessel Bay nördl. begrenzend, v. der II. deutschen Nordpolexp. 1869/70 getauft (Peterm., GMitth. 17, 190, auf T. 10 fehlend), offb. nach dem Prager Geographen, wie *A. Insel*, in Tausend In., Spitzb., v. der Exp. Heuglin-Zeil im Aug. 1870 (ib. 180).

Areuse s. Reuss.

Argalia River = Fluss des Bighorn (s. d.), des Argali der neuen Welt: *a)* ein lkseitg. Zufluss des Missuri, v. den Captt. Lewis u. Cl. (Trav. 170 f.) so getauft; denn unth. des Yellowstone R. ᾿here we found the first argali᷍ (ib. Carte) u. am 29. Mai 1805, am Judith R. ᾿there was a great abundance of argalea or bighorned animals in the high country᷍; *b)* s. Ibex.

Arganaty = (...?), kirg. Name eines Quellflusses des semiretschinsk. Karatal, ᾿v. der starken Strömg., welche gewaltige Steine mit sich fortreisst᷍ ... Die massenh. aufgehäuften Bäume, ungeheure quer über den Weg liegende Klötze u. die v. den Frühlingsgewässern hergeführten Steine zeigen, dass hier längst keine Kirgisen (die den Weg zu räumen pflegten) mehr nomadisiren᷍ (Bär u. H., Beitr. 20, 199). Nach dem Flusse der Kosakenposten *Arganatynsk, Arganatinsk* u. die Berge *Arganaty* (ib. 145. 150).

Arges, gr. ἀργής, mit Nebenform ἀργεννός (s.

Argyra) = schimmernd, weiss, voraus f. den höchsten Berg Kl. Asiens, gr. Ὄρος Ἀργαῖον = Weissenberg, lat. *Argaeus*, türk. *Argi* od. *Erdschjas Dagh*, arab. *Dschebel Ar-* od. *Erdschisch*, ozw. benannt v. seiner Schneedecke, die schon Strabo (538) als eine permanente erwähnt, u. neuere Autoren bestätigen ihre lange Dauer. Am 18. Sept. 1848 war der Berg. schon seit einigen Wochen mit frischem Schnee bedeckt, u. zu Ende Juni wie im Juli 1849 war die Jahreszeit f. die Besteigg. noch nicht geeignet; diese wurde erst Mitte August möglich. Die frischgrünen Gärten v. Kaisaria, am Fusse des Berges, contrastiren schön mit dessen schwarzen Trachytmassen u. weissen Gipfeln (Tschihatscheff, Reis. 9. 13. 33. 38). — *Argennen*, gr. Ἄργεννον = Weissenfels (Pape-B., Curt., G. On. 156), 2 mal f. Vorgebirge: *a)* in Jonien, erythr. HI. (Strabo 644), ital. *Capo Bianco; b)* an der Ostküste Sicil., j. Capo *San Alessio* (Ptol. 3, 4⁹). — *Argennusa*, gr. Ἀργέννουσα = Blankenau, ein Cap auf Chios (Plin., HNat. 5, 135). — *Arginusai*, gr. Ἀργινοῦσαι = Weissenauen, 3 kl. Inseln zw. Lesbos u. Aeolis (Xen. Hell. 1, 6), auf der grössten der Ort Ἀργινοῦσα (Pape-B.).

Argentum = Silber, lat. Wort, dessen Derivate wir getrennt v. gr. ἄργυρος = Silber aufführen, zuerst die beiden bekanntesten: *Argentoratum* (s. Strassburg) u. *Argentinia*, f. das Land am ᾿Silberstrom᷍ (s. Plata), ferner *a) Monte Argentario*, ein Berg des toscan. Subapennin, nach dem Glanze des Talkschiefers (Meyer's CLex. 11, 699); *b) Mons Argentarius* s. Cazlona; *c) Argentera* = ᾿Silberen᷍, eine Halde an der Bernina Str., wo nach Urk. aus dem 12. u. 13. Jahrh. ein Silberbergwerk war. Hier ᾿finden sich mehrere alte Stollen, welche auf Bleierz geführt wurden ... so niedrig, dass man auf Händen u. Füssen hineinkriechen muss ... in einem derselben wurde ein altes Meissel gefunden. Aus dem gewonnenen Silber seien einst sehr schöne Münzen geprägt worden᷍ (Leonhardi, Posch. Th. 21); *d) Glacier d'Argentière* s. Bossons; *e) Argentine* = Silberberg, der Bergzug zw. den beiden Quellthälern des Avençon, Waadt, nach der weissen Farbe der v. der Sonne versilberten Felsen (Gem. Schwz. 19ᵃ, 118).

Arghuri, nach tatar. Ausspr. *Achuri*, Bergort am Ararat, v. arm. *argh* = setzen, pflegen (im part. praet.) u. *urri* = Rebe, also = Weinpflanzung, übereinstimmend mit der Sage, dass hier Noah nach Verlassen der Arche geopfert u. Reben angepflanzt habe (Parrot, Reis. Ar. 1, 109). At Nakhcheván the grapes were almost unequalled in excellence, and seemed to deserve the honour of growing on the spot (WHakl. S. 31, 4).

Argonaute, Isle, in Korea, v. engl. Capt. Colnet 1789 entdeckt u. nach seinem Schiffe *A.* benannt (Krus., Mém. 2, 119).

Argon Pedion, gr. Ἀργὸν πεδίον = das faule Feld, Riet, eine kl. Seitenebene des arkad. Thales v. Mantineia, weil die Regenbäche üb. den ganzen Winter sie in einen sumpfigen Teich verwandeln, so dass es auch den Alten nicht gelang, sie der

Cultur zu gewinnen (Curt., Pel. 1, 245). *Argos*
ist überall da, wo Winter u. Nässe den Boden
unbrauchbar, *ἄεργος*, machen (Forchh., Hell. 1,
238). Anderseits muss *ἄργος* auch das Ggtheil,
eine trockene Ebene, ja sogar ein gutes Feld, bezeichnet haben, zu welch letzterer Vermuthg.
Ross (IReis.). Angesichts der auf den griech.
Inseln so benannten fruchtbarsten Striche, kommt
u. wofür auch *Dotion Argos* (s. d.) spricht. So
wird es zu erklären sein, dass Hesych *'πᾶν πα-
ραθαλάσσιον πεδίον* Argos nennt. Mehr in Pape-
Bens.

Arguim, Ilheos de, in West-Afr., v. den Port.
des Entdeckungszeitalters so benannt nach einem
Fort, welches König D. Afonso auf *A.* erbauen
liess ... 'por causa de huma fortaleza que El Rey
D. Afonso .... mandou fundar em hum delles
chamado *A.* (Barros, As. 1, 1).

Argunsk s. Alapajewsk.

Argyra (s. Arges), gr. *Ἀργυρᾶ* = Silberborn
(Pape-Bens.), eine Quelle in Achaja (Paus. 7, 23);
b) A. Chora s. Malakka; *c) Argyrinoi,* gr. *Ἀρ-
γυρῖνοι* = Silbergräber, ein epirot. Volksstamm
(Lycophr. 1017), nach ihm der Ort, einst in venet.
Stil erbaute Veste, ngr. *Argyro Kastro,* türk.
Ergëri (Meyer's CLex. 1, 872; 6, 276); *d) Argy-
run Oros,* gr. *Ἀργυροῦν ὄρος* = Silberberg, mit
den Quellen des Bätis, Span., 'der in ihm befindl. Silbergruben wg. so genannt (Strabo 148);
e) Argyro Limne = Silbersumpf, bei den Byzantinern das 'Thal der süssen Wasser, des Cy-
daris u. Barbyses, v. jeher der schönste Grund
f. Lusthäuser ..., so benannt 'vermuthl. v. dem
vielen Schilfrohr (Hammer-P., Konst. 1, 63. 214).

Arid Island = dürre Insel, ein nackter, scheinb.
unzugängl. Inselfels, in Great Barrier I., v. Cook
(Hochst., NSeel. 3), nicht mit vollem Rechte, so
benannt; das Innere, der Rest eines Doppelkraters,
besteht aus fruchtb., gut bewässerten Thälern mit
üppiger Vegetation, wird übrigens nicht bewohnt
u. nur der Seevögel halber besucht (Meinicke,
IStill. O. 1, 262). — Ein *Cap Aride,* in Nuyts
Ld., v. dürrem, niedrigem Sandland umgeben, v.
dem frz. Seef. d'Entrecasteaux 1792/93 benannt
(Flinders, TA. 1, 86). — *Ile A. a)* in den Seychellen
(McLeod, EAfr. 2, 213), *b)* s. Crozet.

Arier, ein anderer Name f. Indogermanen, Völker
u. Sprachen, hptsächl. f. die asiat. Gruppe, weil
der einh. Name der alten Bewohner Irans, als
Verehrer des v. Zoroaster verkündeten Hormuzd,
Aihrja = Ehrwürdige, Adelige, im zend, war
— ein Name, welcher sich in der Umgestaltung
Iran u. in *Iron* (s. Osseten) erhalten hat. Das
npers. *Irak* ist aus dem alten *Arjaka* = arisches
Land umgeformt (Bergh., Phys. Atl. 8, 2, Kiepert,
Lehrb. AG. 68). Urspr. war *A.* Volksname; noch
im Gesetzbuch des Mânavas ist Indien *Arya-
âvarta* = Heim der *A.* 'In the old Sanskrit,
in the hymns of Veda, *ârya* occurs frequently
as a national name and as a name of honour,
comprising the worshippers of the god of the
Brahmans, as opposed to their ennemies, who
are called in the Veda Dasyus. In der spätern

dogmat. Litteratur ved. Zeit wird der Name *A.*
den drei obersten Kasten, den Brahmanen, Ksha-
triyas u. Vaisyas, z. Unterschied v. der 4., den
Sûdras, beigelegt. Das Stammwort v. *ârya* (mit
lang *â*) ist *arya* (mit kurz *a*); dieses letztere wird
im spätern Skr. auf die Vaisya, die urspr. weitaus
zahlreichste Kaste, angewandt u. scheint = 'Einer,
der pflügt, also mit der Wurzel v. *arare* =
pflügen zszuhängen. Demnach hätten die *A.*
diesen Namen f. sich gewählt, im Ggsatz zu den
nomadisirenden Turaniern, deren urspr. Name
Tura die Schnellgk. des Reiters enthält. Während
in Indien *A.* als Volksname später in Vergessenh.
gerieth, erhielt er sich im Zend-Avesta, also durch
die Zoroastrier, die v. Indien nach NW. auswanderten, u. hier tritt das *arische* Gebiet in
Ggsatz zu dem nichtarischen, dessen Spuren sich
in *Ἀναριάκαι* (Volk u. Stadt an den Grenzen
Hyrkania's) finden. Weiter als der Zend-Avesta
fassten den Namen *Ariana* die griech. Geographen;
zZ. Strabo's sprachen Perser, Meder, Baktrier u.
Sogdianer nahezu dies. Sprache u. belegten sich
mit dem gemeinsamen Worte — im Ggsatz zu den
feindl. Stämmen Turans. 'The modern name of
Iran (for Persia) still keeps up the memory of
this ancient title. Auch *Iron,* als einh. Name
der arischen Osseten, stellt MMüller (Lects. 240 ff.)
in Verbindg. mit *A.,* während der Zshang mit
Armenia u. *Albania* (am Kaspisee) zweifelh. ist.
Aehnl. Spiegel (Eran. A. 1, 211), doch mit dem
Unterschiede, dass sich die iran. Bewohner selbst
als *A.* bezeichneten u. dass *Irân* nur die neuere
Aussprache des alten Wortes sei. Letzteres müsse
nach den Regeln der Sprachvergleichg. *Erân*
lauten, wie auch in mittelalt. Urk. u. bei den
Armeniern der Fall sei.

Aries s. Cabaret.

'Arîfa Sidi, ein Stein (bei Tripoli), welchen 'der
Heilige *A.* durch sein Wort an die Oberfläche
gehoben habe, als er Arbeitern, welche einen
Brunnen gruben, auf den Kopf gefallen war (Barth,
Reis. 1, 20).

Arimäer s. Aram.

Aris, ein Küsteneiland in der Nähe der Vulcan I., NGuinea, v. der holl. Exp. Le Maire 1616
benannt nach dem Commis, *A.* Claessoon, der der
Eendracht beigegebene Yacht Hoorn (Spiegh.
ANav. 59).

Arisch, el-, wohl aus ägypt. *auridsch* = Landesgrenze, ein Küstenort an der Grenze gg. Palästina,
nach ihm das im obern Gebiete vielverzweigte
Thal, welches hier z. MittelM. mündet, aber nur
zeitweilig Wasser führt, *Wady el-A.,* im AT.
(4. Mos. 34, 5 u. a. O.) *Nachal Mizrajim,* hebr.
חַל מִצְרַיִם = Bach Aegyptens (s. Aegypten). An
derselben Stelle einst *Ῥινοκορόρα, Rhinokorura,*
weniger gut *Rhinokolura* (vgl. Burckh., Reis. 1,
488, Strabo 741), benannt nach den vor Alters
hier angesiedelten Leuten mit verstümmelten Nasen,
v. *ῥῖνες* = Nasen u. *κολούειν* = verstümmeln.
— Die mod. Form berührt sich mit arab. *arisch,*
plur. *araisch* = Weinlaube, Rebenspalier, welches
Wort mehrf. in ON. vorkommt *a) Abu A.* =

Vater der Weinlaube, *b)* *el-Arischa*, Ort der Prov. Oran, *c)* *el-Araïsch* od. *Larasch*, Ort in Marocco, mit dem Beinamen *beni Arôs*, nach einem zu den Gemara gehörigen Stamm, zuerst 668 der Hedschra erwähnt, alt *Lix(os)* (s. d.), pun. *Leks* (Barth, Wand. 20. 24, Parmentier, Vocab. arabe 11).

Arizona, bei den ind. Pima v. *a'-ri* = klein u. *sŏn* = Quelle (H. F. C. ten Kate, Syn. Ind. 4), also einer ihrer Ansiedelungen, span. geformt, als die Spanier im 18. Jahrh. das silberreiche Land aufsuchten (ZfAErdk. nf. 17, 205), ein Bruchstück des mexican. Gebiets, welches am 30. Dec. 1854 an die Union kam.

Arká-Ja = Grossland, einh. Name des Samojedenlandes östl. v. der untern Petschóra, russ. übersetzt *Bol'schája Semljà*, im Ggsatze zu sam. *Nuwèj-Ja* = Kleinland, russ. *Málaja Semlja* (s. Maloi), auf der Linken (Schrenk, Tundr. 1, 285; 2, 140). — *A.-Paj* s. Ural.

Arkansas, lange *Akansas* gespr., ein Zufluss des Missisipi (u. danach ein Unionsstaat *A.*, seit 1846), benannt nach einem Stamme der weitverbreiteten Familie Dakotah od. Sioux (Quack., USt. 18), der nahe seiner Mündung wohnte (Staples, St. Union 17), z. Familie der Kansas gehörte u. wohl, v. dieser getrennt, seinen unterscheidenden Namenszusatz erhielt. Wenigstens verräth der Gleichklang mit Kansas u. noch bestimmter die urspr. Namensform, dass an frz. *arc* = Bogen, wie man etwa will, nicht zu denken ist. Beide, Fluss u. Volk, erreichte zuerst die Exp. der frz. Jesuiten Marquette u. Joliet im Juli 1673, wo, der Confl. des *A.* ggb., auf dem linken Ufer des Missisipi 4 Dörfer der *Akansea Sauvages* wohnten; bei Marquette blieb der Fluss ohne Namen, Joliet nannte ihn *la Riuière Bazire*, nach dem in Quebeck wohnhaften Charles Bazire, einem der reichsten Colonisten Canada's, der die Kosten der Reise bestritten hatte (Drapeyron, Rev. Géogr. 3, 98).

Arki s. Akrite.

Arkona, hohes Nordcap der Insel Rügen, z. Slawenzeit mit der unüberwindl. Veste *Urkan* u. einem slaw. Tempel gekrönt (Meyer's CLex. 1, 899). — *Cap A.*, in Heard I., getauft nach der deutschen Kriegsschiffe *A.*, welches unter Capt. Freih. v. Reibnitz im Febr. 1874 die Breite des Punkts zu 53⁰ 15' S. bestimmte (Peterm., GMitth. 20, 470). — *A. Inseln* s. Swain.

Arktisch, s. v. a. nördlich, v. gr. ἄρκτος = Bär, da das Sternbild des Bären, mit 7 stärkern Sternen, nahe am Nordpol des Himmels steht, so nahe, dass einer derselben, der 'Polarstern', nahezu mit dem Nordpol zsfällt, ist z. Bezeichng. nordpolarer, wie antarktisch z. Bezeichng. südpolarer Gebiete verwendet wie *Arktischer* u. *Antarktischer Ocean* (s. Eismeer). Daher wird engl. *a)* *Arctic Highland* = arktisches Hochland nannte, sehr unbestimmt, Capt. John Ross (Baff. B. 114) im Aug. 1818 die hochgelegenen Uferländer, welche zw. Melville Bay u. Wostenholme S. zu denen höhern Binnengebirge hinansteigen; *b)* *Arctic*

Sound, Banks' Pen., im Aug. 1821 v. J. Franklin (Narr. 384 u. Carte) entdeckt u. benannt.

Arkudorrheuma s. Likorrheuma.

Arland s. Sverige.

Arlberg, das subalpine Gebirge, welches *Vorarlberg* v. Tirol trennt, benannt v. der Arle, Pinus montana = Legföhre, dem 'Krummholz', zwergartigem, am Boden fortkriechendem Nadelholze (Bergm., Vorarlb. 1, Walser 9 f.) od. v. ahd. *arila* = Erle (Gatschet, briefl. Mitth.). Die erstere Ableitg. verdient den Vorzug u. findet sich 1889 auch in J. Zösmair's Gesch. Vorarlb. adoptirt (Mus. V. 28, 40).

Arles, Stadt des frz. Rhonethals, früher ligur. *Theline*, nach dem Vordringen der Kelten *Arelas*, *Arelate* = Sumpfort (Glück), am Sumpf (Zehetm., WB. 255), v. Jul. Caesar —43 erobert, bes. blühend unter Konstantin, der *A.* vergrösserte u. verschönerte u. unter dem Beinamen *Constantina* z. Hptstadt Galliens erhob. Hiess bei Greg. v. Tours *Arelas*, *urbs Arelatensis*. Später 876 Hptstadt des burg. Königreichs *Arelat* (Meyer's CLex. 1, 900 f., Kiepert, Lehrb. AG. 508). — *Bains d'A.* s. Bagne.

Armados, Loma de los = Hügel der Bewaffneten (u. j. Ort *Arma*), am Cauca, wo die Exp. des Conquistadors Jorge Robledo zuerst auf gerüstete Indianer traf. Diese trugen prächtige Federkronen, Goldplatten auf der Brust, goldene Armschienen u. a. Zieraten; der span. Reisende P. de Cieza de Leon war selbst dabei u. schildert sie goldbedeckt v. Kopf bis zu den Füssen (WHakl. S. 33, 70).

Armagh, alte Stadt in Ulster, Irl., nicht, wie Is. Taylor (W. u. Pl. 318) ohne Kenntniss alter Zeugen annahm, v. der präp. *ar* = auf u. *magh* = eine Ebene, sondern in alten Schriften *Ard-Macha* = Macha's Höhe, wie auch schon 807 richtig übsetzt wird, nach einer Frau Macha, ozw. derj. mit dem goldenen Haar, die in *A.* begraben sein soll (Joyce, Orig. Ir. NPl. 71. 78 f.).

Armaki s. Ochota.

Armannsfell, ein Berg Islands, nach einem Halbriesen Armann, welchen die Sage in diesen Berg versetzt (Preyer-Z., Isl. 81).

Armenia, wie *Armenier* u. der andere Volksname *Haïkh*, wird bei den Einh. als patronym. Bezeichng. betrachtet, die letzten nach dem angebl. Stammvater Haik, die erstere nach seinem Sohne Armenak, der nach der Sündflut sich im Thale v. Eriwan niederliess (Bergh., Phys. Atl. 8, 3. 41). Nun erscheint aber *A.* in den Inschriften des Darius als Provinz *Arminiya*, gr. 'Αρμενία, arab. *Armin*, *Arminiyya*, od. a. nimmt Spiegel (Eran. A. 1, 217) an, *ar* stehe f. hebr. הר [har], altp. *ara* = Berg, also *A.* war urspr. *Har-Minni* = Berg der Minni, מִנִּי, einer v. Jeremias (51, 27) erwähnten armen. Völkerschaft, u. v. dieser Provinz aus sei dann der Name auf das ganze Land übergegangen. Der eigne Volksname *Haïkh* wird v. Fr. Müller mit 'Herren' übsetzt (Angerm., Progr. 1883, 2), v. sing. *haj* = Herr, f. den arischen Kriegeradel, der eine ihm stammfremde

Bevölkerung unterworfen haben muss. Bei Ezech. u. Jerm. kommt das nach Westen erweiterte Reich unter dem Namen *Thogarma* 'reich an Maulthieren u. an Erzen' vor, die seinen Handel mit den Phöniz. v. Tyrus bildeten (Kiepert, Lehrb. AG. 75). **Armstrong's Channel,** eine Meerenge in den Furneaux Is., benannt nach dem master des engl. Schiffs Supply, welches sie zuerst passirte, aber auf seiner Weiterfahrt nach Port Jackson wahrsch. verunglückt ist (Flinders, TA. 1, CXXVIII, Atl. pl. 6). — Hingegen *Point A.*, in der arkt. Prince of Wales Str., v. d. Exp. M°Clure 1850/51 getauft nach Dr. Alex. *A.* (NWPass. 378), dem Arzte u. Naturf. des Exp.-Schiffs Investigator.

Armyro s. Halai.

Arnaut s. Albania.

Arnhem, verdeutscht *Arnheim*, Ort in Geldern, schon im 8. Jahrh. bekannt, 893 *Arneheym, Arneym*, 996 *A.*, wird aus Förstem. Altd. NB. 105 u. den Nomina geogr. Neerl. 3, 24 nicht etym. klar. — *A.'s Land*, ein Küstenstrich an der Nordseite des Australcontinents, 1623 entdeckt, v. den holl. Yachten Pera u. *A.*, welche befehligt v. Jan Carstens, im Jan. v. Amboina ausliefen 'by order of His Excellency Jan Pieterz Coen' (Flinders, TA. 1, XI). Der Schiffer, mit 8 Personen in der Yacht *A.* überfallen, wurde v. den Wilden verrätherischer Weise 'dootgeslagen'; die Yacht kehrte nach Entdeckg. der grossen 'Insel' *A.* vorzeitig nach Amboina zk. Die Yacht Pera folgte (s. Staaten R.) erst später (Tasmans Journ. 24). Infolge mehrf. Missverständnisses, 'by some complication of mistakes', kam Debrosses (HNav. 261) zu der Angabe, die Entdeckg. sei schon 1618 durch einen Holl. Zeachen, der wohl aus *A.* gebürtig, erfolgt; allein die Liste der Exp., welche den Instructionen Tasman's vorausgesandt ist, kennt keine solche Fahrt, u. es ist (WHakl. S. 25, LXXXV) Zeehaen = Seehenne, nicht Zeachen, der Name nicht eines Capt., sondern eines der Schiffe Tasmans (1642). Der grosse engl. Entdecker Matth. Flinders (TA. 2, 220. 244, Krus., Mém. 1, 57), welcher auf dem Felde der altholl. Fahrt erschien, ehrte deren Andenken in *Cape A.*, am 11. Febr., u. *A. Bay*, am 5. März 1803.

Arnold s. Bennett.

Aroanios s. Olbios.

Aroë s. Patras.

Arolla, dial. f. Arve, Pinus Cembra (Tschudi, Thierl. AlpW. 260), Name einer Alp des Val d'Erin, Wallis, übtragen auf den *Pigno de l'A.*, 2 Gletscher: *Biegno de l'A.* u. das Thal *Val de l'A.* (Fröbel, Penn. A. 19. 71. 67, Gatschet, OForsch. 9, RRitz, OB. Ering. 370). Die 'Ceder der Alpen' kommt zwar am. schönsten u. am zahlreichsten im rätischen Gebirge, bis 2300—2500 m üb. M., einzeln aber u. in kl. Beständen auch in den Walliser- u. Berner-Alpen vor. 'Hoch in den Alpen stehen ehrwürdige Riesenexemplare, die üb. der Wurzel wohl fast 4 m im Umfang u. ein Alter v. üb. 600 Jahren haben'.

    ... 'der Wasser Blitz in der Klammen Spalt u. greiser Arven Riesengestalt.'

                                (Max Waldau.)

Arolsen, Stadt in Waldeck, an der Aar (s. d.), einem Zufluss der Diemel (Meyer's CLex. 1, 944); doch scheint der Name *A.* mit dem Flussnamen nicht zszuhängen. Buttmann (Deutsche ON. 31) kennt eine alturk. Form *Adalolteshusum* = Haus Adalolts, freil. ohne Quelle u. Zeit zu nennen, wie auch Förstemanns Altd.NB. den Namen nicht kennt.

Arosa s. Reuss.

Arpoar, Ponta de = Harpuniercap, port. Name einer brasil. Landspitze, São Paolo, nach dem einst bedeutenden Walfang, der hier blühte u. v. hier aus im Aug. u. Sept. nach Norden, im Juni u. Juli nach Süden ging (WHakl. S. 51, XXIV. XLIV).

Arras, vläm. *Atrecht*, frz. Stadt in *Artois*, röm. *Atrebatae*, bei Greg. v. Tours *civitas Atrabatum*, die Stadt wie die Ldsch. nach dem gall. Stamm der Atrebătes (Plin., HNat. 4, 106, Napol., JCés. Atl. Taf. 2, Meyer's CLex. 1, 946). Nom. gent. *Artésien, -nne*, ebenso adj. (RDenus 14). Der Volksname, viell. als *Ad-trebătes* = Anwohner zu fassen, auch *Ambitrebii* = Umwohner, verwandt dem ir. *treb* = wohnen, kymr. *tref* = Dorf u. s. f., Formen, denen lautlich alts. *thorp*, *tharp*, unser *Dorf* entspricht (Bacmeister, Kelt. Br. 56). Die Stadt selbst hatte kelt. *Nemetocenna* (Caesar) od. *Nemetăcum* (Inschriften u. Itinerarien) geheissen, also mit dem in kelt. ON. häufigen Wort *nemĕtum* = Heiligthum, Tempel, so dass sie Cultussitz gewesen sein muss (Kiepert, Lehrb. AG. 527).

Arre s. Benuë u. Lághame.

Arre-Don = toller Fluss, osset. Name eines Flusses, Ciskauk., nach seinem sehr gekrümmten, wilden Laufe (vgl. Klaproth, Kauk. 1, 67. 636. 656. 663; 2, I. 345. 375. 380. 389).

Arrecifos, los = die Riffe (s. *Récif*), span. ON. in Austr. wiederholt: *a)* sehr ausgedehnte Riffe bei Santa Izabel, Salomonen, v. Capt. Pedro de Ortega Valencia u. Oberpiloten Hernan Gallego, Exp. Mendaña im Apr. 1567 entdeckt u. benannt (Viajes Quirós 3, 3, Fleurieu, Déc. 10); *b)* in Ralick, einh. *Ujilong*, schon auf ältern span. Carten *A.* u. v. Hydrogr. Horsburgh so getauft, nachdem das Schiff Providence 1811 sie wieder aufgefunden hatte (Krus., Mém. 2, 348), j. wohl auch *Providence Island*, od. *James I.*, v. Capt. James 1864, od. *Kewley I.*, v. Capt. Kewley 1867 (Meinicke, IStill. O. 2, 331); *c)* s. Palaos.

Arrissoules s. Larix.

Arrowsmith, Vater u. Sohn, berühmte engl. Cartographen, jener, *Aaron*, geb. 1750, kön. Hydrograph, in techn. Leistg. ausgezeichnet, † 1824, dieser, *John* († 1873), bes. bekannt durch seine cartograph. Verarbeitg. v. Reiseergebnissen wie Leichhardt's u. Livingstone's. Ihnen zu Ehren getauft: *a) A. Islands*, in Ratak, einh. *Meduiro* u. *Arno*, v. d. Capt. Marshall u. Gilbert am 25. u. 26. Juni 1788 (Krus., Mém. 2, 363); *b) Point A.*, am Golf v. Carpentaria, v. Flinders (TA. 2, 200) am 26. Jan. 1803; *c) A. River*, in West-Austr., v. Capt. G. Grey (Two Exp. 2, 56) am 11. Apr. 1838; *d) Mount A.*, in NSeelands South. Alps, v. Jul. Haast 1861 (Peterm., GMitth. 8, 368).

Arsacides s. Salomon.

Arsch Bilgis = Thron der Bilgis od. Bilkis, d. i. der sagenh. Gemahlin Salomo's, der Königin v. Saba, arab. Name einer Tempelruine in Girwah, Süd-Arabien (Glob. 21, 297).

Arses s. Larix.

Arsinoë, mehrere ant. Städte, nach einem weibl. Gliede der Ptolemäer, bes.: *a)* das alte *Krokodilópolis*, wo man die den Aegyptern geheiligten Thiere hielt, am See Möris, viell. schon bei dessen Bau —2300 ggr., j. arab. *Medinet* (= Stadt) *el-Fayum*, nach dem See (Meyer's CLex. 1, 956); *b)* s. Tôkrah.

Arsk s. Wotjaken.

Arslan = Löwe, in einigen türk. ON. wie *A. Irmak* = Löwenfluss, bei Eregli in den Pontus mündend (Tschihatscheff, Reis. 43), *Haw-A.* = Löwenwald, Ort unth. Mosul (Schläfli, Or. 74) u. *A. Oola* (s. Bogdo).

Arthan T. s. Kur.

Artaxata, arm. *Artaschad*, v. Artaxias I. um —180, auf Rath u. nach Anleitg. Hannibals, als Hptstadt Gr.Armeniens erbaut, durch Nero's Feldherrn Corbulo am 30. Apr. 59 zerstört, v. Tiridates I. erneuert u. *Neronia* getauft (E. Egli, Feldz. Arm. 288), j. Ruinenort *Ardaschir* (Kiepert, Lehrb. AG. 81).

Artemisium, gr. *Ἀρτεμίσιον* = Tempel der Artemis, häufig ON. der antiken Welt: *a)* Landspitze, Küstenstrich u. Stadt im Norden Euböa's (Herod. 7, 175 ff.); *b)* Stadt u. Tempel bei Mylä, Sicil. (Diod. Cass. 49, 8); *c)* bei Balsa, Lusit. (Strabo 159); *d)* Veste in Maked. (Proc. aed. 4, 3); *e)* Berg u. Tempel in Arkad. (Paus. 2, 25, 3), der 1770 m h. Culm des ostarkad. Grenzwalls (Curt., Pel. 1, 18); *f)* bei Oenoë, Argol. (Apd. 2, 5); *g)* Vorgebirge mit Tempel am Golf Glaukos (Strabo 651). — Auch im *Ἀρτέμιδος λιμήν*, Hafen in Corsica (Ptol. 3, 2, 5). Auf ein Artemisheiligth. weisen hin die ngr. Namen *Ἀρτεμος* (s. u.), *ὁ Ἀρτεμῶνας* d. i. *Ἀρτεμιῶν* (gebild. wie Parthenon) auf Siphnos (Ross, IReis. 1, 144) u. *Artamitis*, ngr. *Ἀρταμίτης* d. i. *Ἀρταμίτιος* (mit altdor. Form), ein ansehnl. hoher Vorsprung am Heiligth. Fusse des Atabyrion, Rhodos, dessen schweigende Wälder mit ihren Hirschen, Rehen, Schweinen u. Wölfen ganz zu einem Heiligth. der keuschen Jagdgöttin geschaffen scheinen (ib. 3, 109). Bei dem einen od. andern *A.* dürfte wohl die phön. Astor vorausgesetzt werden (Rhein. Mus. 1853, 335). — *Ἀρτεμος*, der Uferstrich des argol. Festlandes, ggb. Kalauria, v. einem Heiligth., das in alten Zeiten am Strande gestanden. Der König Saron hatte es erbaut, u. bis zu seiner Zeit hiess auch das dortige Meer das der *Phoibe* (der glänzenden, d. h. der Artemis); seit er aber, ein Wild bis in das Wasser verfolgend, hier in der tiefern Flut ertrunken sei, nenne man das Meer *Σαρωνικὸς πορϑμός* (= saronisches Meer), sagen die Erinnerungen der Trözenier (s. Saron). Plinius dagegen meint, das eichwaldbekränzte Gestade habe nach einem alten Namen der Eiche das *Saron.* geheissen. So war das *Saron.* Meer urspr., wie Strabo (335, 369)

andeutet, nur eine Wasserstrasse zw. Kalauria u. dem Festlande (s. Poros), dann das ganze Gewässer östl. v. ders., bis endl. der Name auf den ganzen Golf zw. Attika u. Argos ausgedehnt wurde (Curt., Pel. 2, 444 f.). — *Artemus* s. Hemeroskopion.

Artez-Kutschi s. Tykoothie.

Arthur's Seat = Sitz Arthurs, 2 mal *a)* eine 250 m h. Doleritkuppe, bei Edinburg, 'an deren Fusse das uralte Residenzschloss der schott. Könige, Holyrood, seine dunkeln epheu-umwachsenen Gemäuer erhebt' (Preyer u. Z., Isl. 9); *b)* wegen einer gewissen Aehnlichk. übtragen auf einen Berg Victoria's, Austr., v. engl. Lieut. John Murray (Flinders, TA. 1, 212). — *A. Strait*, zw. Belcheru. Queen's Ch., im Mai 1853 v. Capt. Edw. Belcher (Arct. Voy. 1, 288), zu Ehren des Prinzen *A.* sowohl als des Herzogs, seines Namensvetters, benannt. In der Nähe *Prince Alfred Bay.* — *A. River* s. Hellyer.

Artillery Lake nannte, z. dankb. Andenken des v. mehrern Artillerieoffizieren, welche in seinen Diensten standen, bewiesenen Eifers, der arkt. Entdecker G. Back (Narr. 90), als er zu Anf. Sept. 1833 v. seiner Exploration z. Winterquartier, Fort Reliance, zkkehrte, einen See im Netz des Gr. Sclavensee's, viell. den *Peeshew* = Luchssee der Indianer, der v. cree *peeshew* = Katze, Luchs, benannt ist (ib. 81).

Artois s. Arras.

Aru s. Ude.

Aru, in holl. Orth. *Aroe*, mal. *Pulo Aräu* = Inseln der Casuarinen, eine niedrige Inselgruppe Austral-Asiens, östl. v. Timor-Laut, nach den eigenartigen Gestalten, die unter dem mächtigen Baumwuchs die auffälligste Erscheing. bilden (Crawf., Dict. 23).

Aruba s. Curação.

Arundel, lat. *Aruntina*, engl. Hafenort am Arun, unfern seiner Mündg. in den Canal, östl. v. Portsmouth (Meyer's CLex. 1, 978). — *Cape A.*, an der Ostküste Grönlands, v. Walfgr. Will. Scoresby jun. (NorthWF. 104) im Juni 1822 entdeckt u. nach seinem Schwager, Rev. John *A.*, getauft.

Arvad s. Aradus.

Arverni s. Auvergne.

Arwe-Kum = Thal der Himmelsfelsen, osset. Name eines kauk. Thals am Terck, weil die steilen Felswände beiderseits himmelan streben u. die Sonne nur in der Mittagsstunde auf ihren Boden bescheint (Klaproth, Kauk. 1, 670.

Arwisgöj = grosser Schlittenberg, v. sam. *pis* = Schlittendecke (des bepackten Fuhrwerks), *gárka*, *árka* = gross u. *gòj* = Berg, ein im Grossland befindl. Höhenzug, dessen zugerundeter Scheitel mit der Gestalt eines bepackten Schlittens verglichen wird (Schrenk, Tundr. 1, 545).

Arx s. Arch.

Aryâwarta s. India.

Arz s. Erzgebirge.

Arzier s. Larix.

Arzobispo s. Bonin u. Sulphur.

Asagarta s. Kuh.

Asam, Banju = Bitterwasser, jav. Name des Kratersees des Sempo, Menado. Eingeschlossen v. steilen Felswänden, dampft ein kochender Schwefelsee v. 150 m Durchmesser (Crawf., Dict. 276). — *Kali A.* s. Putih.

Asaph, St., Ort in Wales, ggr. um die Mitte des 6. Jahrh. v. dem aus Schottland flüchtigen Bischof Kentigern, dem nach seiner Rückkehr der heil. Asaph als Bischof folgte (Charnock, LEtym. 234). — *St. A.'s Bay*, in Apsley Str., v. Capt. Ph. P. King (Austr. 1, 109) am 17. Mai 1818 benannt zu Ehren des Lord Bischofs v. *St. A.*

Asarije s. Bethania.

Asbach s. Aschaffenburg.

Ascania s. Anhalt.

Ascension, richtiger *Ilha da Ascenção* = Insel der Himmelfahrt, im südatlant. Ocean, schon v. Port. João da Nova 1501 entdeckt u. *Ilha da Concepção* = Insel der Empfängniss getauft, dann am Auffahrtstage 1508 wieder gefunden u. nach dem Festtage benannt. Da das Fest der unbefleckten Empfängniss auf den 8. Dec. fällt, Nova aber am 5. März v. Bethlem abging u., nach der Entdeckg. unserer Insel, schon am 7. Juli jenseits des CdGHoffnung anlangte (Barros, As. 1, 5), so galt die erste Taufe nicht dem Kalendertage; durch den zweimaligen Fund jedoch ist nun die 'confusion betwixt the names' (Galvão) in WHakl. S. 98) gelöst. — *Bahia de la A.*, in Yucatan, v. Spanier Juan de Grijalva am 13. Mai 1518 entdeckt u. benannt nach dem Kirchenfeste, welches eben gefeiert wurde ... 'el dia de la *A.*' (Navarrete, Coll. 3, 57, Galvão, Desc. 132, Gomara, HGen. 56). Da Mariae Himmelfahrt seit Ludwig d. Fr. (817) auf 15. Aug. fällt, kann der Name *Asuncion*, der in ältern Quellen, auch in Cortez' 5. Briefe an Karl V. (WHakl. S. 40, 3. 21), etwa vorkommt, nicht richtig sein. Die heutigen Carten haben recht.

Aschaffenburg, unterfränk. Stadt an der Confl. Main-*Aschaff*, im 9. Jahrh. *Ascafaburg*, dann auch *Aschafenburc*, *Aschafaburg*, auch bloss *Ascafa*, wie der Fluss. Der Flussname gehört unter die zahlr. Formen mit ahd. *asc* = Esche, die sich freil. oft mit solchen v. Stamme *atisc* berühren; in einigen Fällen mag auch der Fisch *Asche*, *Aesche*, gemeint sein. Wir notiren als alte ON. *Ascon*, j. *Aschen*, bei Osnabrück, *Ascaha*, mehrf., j. meist *Esch*, *Eschach*, *Aesch*, *Aschach* etc., *Ascahi*, j. Kochel, *Ascowa*, j. *Aschau* u. *Eschau*, *Ascabach*, j. meist *Eschbach*, *Asbach*, *Aspach*, *Aschbach*, u. s. f., *Ascabrunno*, j. *Eschborn*, *Asciburg*, j. *Asburg*, *Ascfeldon*, j. *Eisfeld*, *Ascheim*, j. *Aasen*, *Asche* u. *Ascheim*, *Ascaloha*, j. *Esloo* etc., *Ascmeri*, j. *Eschmar*, *Ascwilra*, j. *Eschweiler*, *Eschinabach*, j. *Eschen*-u. *Aeschenbach*, *Aschinbrunnen*, j. *Eschelbronn* u. *Esselborn*, *Eskinhart*, j. *Eschenhart*, *Eskinhova*, j. *Eschikon*, *Ascanthorp*, j. *Aschendorf*, *Eskinewag*, j. *Eschwege* u. a. m. — *Aeschenmatt* s. Matt.

Aschapsk s. Solikamsk.

Aschèra s. Chur.

Ascherson-Gletscher, ein Eisstrom, welcher v. Norden her in die Mitte des spitzb. Freeman- od. Thymen Str. mündet, v. der Exp. Heuglin-Zeil am 14. Aug. 1870 getauft zu Ehren des Botanikers Dr. P. *A.* (Peterm., GMitth. 17, 178. 241).

Aschirich s. Bruck.

Aschurada = gegenüber, türk. Name einer kl. Insel im südl. Theil der Kaspisees, zieml. ggb. der Mündg. des Görgen od. Gurgan, v. den Turkomenen so benannt (Peterm., GMitth. 37, 265).

Asdod, heb. אַשְׁדּוֹד, v. שָׁדַד = stark, gewaltig sein, eine der 5 Hptstädte Philistäa's (Jos. 11, 22 u. a. O.), Grenzveste Palästina-Aegypten (Jes. 20, 1, Herod. 2, 157), gr. Ἄζωτος, j. *Esdud*, *Atzud* (Gesen., Hebr. L.).

Asea, gr. Ἀσέα = Moorland, ein Thalgelände Arkadiens, entspr. der sumpfigen Natur der Gegend (s. Asopos). Reiche Quellen v. den östl. Bergen sammeln sich in der Niederung. Diese, in der Mitte des Bergkessels, ist eine nie austrocknender Sumpfsee, welcher im Winter mit klarem Spiegel an den Fuss der Gebirge reicht (Curt., Pel. I, 264 f.).

'Asekah, heb. עֲזֵקָה, v. עָזַק = umgraben, urbar machen, also = urbar gemachter Ort, 'Neubruch', Stadt im Stamme Juda (Jos. 10, 10, Gesen., Hebr. L.).

Asem Bagus = schöne Tamarinde, v. mal. *asem* (= sauer, aber auch zugleich) Tamarindus indica, u. *bagus* = schön, eine Poststation Java's (Junghuhn, Java 2, 643).

Aserbeidschân, auch *Azer-* u. *Aderbeidschân*, npers. u. arab. Form, syr. *Adarbigan*, byzant. Ἀδοοβιγάν, f. die Ldsch. am Urmiasee, gr. ἡ Ἀτροπατία Μηδία, dann *Atropatene*, Τροπατηνή (Ptol. 6, 2), armen. *Atrpâtakân* (Mos. v. Chorni 2, 5), in der Huzvâreschform *Atunpatakân*, d. i. dem Atropates angehörig (Kiepert, Lehrb. AG. 71), so wurde sie genannt, als sie unter Oberhoheit der Seleuciden als eigne Satrapie erblich an die Familie des achaemenidischen Fürsten Atropates fiel (Strabo 523). Wie nun Spiegel (Eran. A., 1, 125) beifügen kann: 'So erklärt den Namen noch Jaqut ganz richtig; *âdar*=Feuer u. *baigân* = schützend', ist mir unverständl., obwohl auch Meyer's CLex. (1, 996) *A.* = Feuerland, Land der Feueranbeter setzt. Nach der Angabe (Sp. 126), der Sawalan Dagh gelte f. den Berg, auf dem das berühmte Feuer *âdar Guschasp* sich niedergelassen habe, vermuthe ich, das 'Feuerland' sei aus der Sage in den Landesnamen erst hineingedeutet worden.

Ash Rapids = Stromschnellen der Esche, eine schlimme Flusspartie des Missuri, obh. Yellowstone R., v. d. Captt. Lewis u. Cl. (Trav. 172) am 29. Mai 1805 benannt nach einigen Eschen (vgl. Aschaffenburg), den ersten, die seit Langem zu sehen waren, 'and from which we named the place *AR*'.

Ashmore s. Hibernia.

Asia, der Name des grössten Erdtheils, zuerst wie es scheint bei Aeschyl. (Prom. 412. 734) u. Pindar (Ol. 7, 33), bei Homer (Il. 2, 461) nur in lyd. Form *Asias*, hatte sich, wie *Europa* u. *Libya*, schon zZ. Herodot's so fest eingelebt, dass bereits die Mythe ihr Gewand üb. die Herkunft dieser Namen geworfen hatte: Die 3 Erdtheile sollten nach 3 Weibern, *A.* nach dem Weibe des Prometheus, benannt sein (Herod. 4, 45). Für *A.* gibt Herod. auch die lyd. Etym. nach dem *Asias*, dem Sohne des Kotys, ihres Königs (vgl. Strabo 627). Heute gilt *A.* allgemein als 'Land des Sonnenaufgangs', als Parallele zu Natolien, Orient, Levante, Japan u. a. 'Die älteste in der class. Litteratur vorkommende Bezeichng. v. Ost-u. Westländern ist die bekannte homerische $\pi \varrho \grave{o}\varsigma$ $\mathring{\eta} \tilde{\omega}$ $\mathring{\eta} \acute{\epsilon} \lambda \iota \acute{o} \nu$ $\tau \epsilon$ u. $\pi \varrho \grave{o}\varsigma$ $\zeta \acute{o} \varphi o \nu$; ihr entspricht der Bedeutg. nach genau das in assyr. Inschriften der-selben alten Zeit häufig gebrauchte $a \varsigma \hat{u}$ = Auf-gang scil. der Sonne u. *'irib, 'ereb* = Dunkel d. i. Sonnenuntergang, Westen.' Wie anfängl. *Europa* auf Griechenland, so beschränkte sich *A.* auf Lydien, wo seit dem 13. Jahrh. v. Chr. eine assyr. Dynastie herrschte. Diese ist aber ohne eine Colonie nordsemit. Volkstheile nicht zu denken, u. wenn sich diese sogar üb. das Inselmeer erstreckte, so lag es nahe, zw. Osten u. Westen, zw. Auf- u. Untergang zu unterscheiden. So lag denn auch in diesem Theil der Westküste die röm. Prov. *A. propria* = eigentliches *A.* (Cicero, pro Flacco, Plin., Hist. Nat. 5, 28), so genannt, als der Name *A.* schon auf den ganzen Erdtheil übgegangen war. Erst spät bildete sich die Bezeichng. *Klein-A.* Diese Halbinsel hat zu keiner Zeit ein eth-nisches od. politisches Ganzes gebildet; daher ist auch lange kein Gesammtname f. sie bei den Nachbarvölkern in Gebrauch gekommen. Um sie also v. Continent *A.* zu unterscheiden, brauchten ältere Griechen, wie Herodot, die Bezeichng. $\mathring{\eta}$ $A \sigma \acute{\iota} a \varsigma$ $\mathring{a} \varkappa \tau \acute{\eta}$ = die Küste *A.*'s, erst die spätesten den nach Analogien viell. längst volksthüml. Namen $A \sigma \acute{\iota} a$ $\mathring{\eta}$ $\mathring{\epsilon} \lambda \acute{a} \tau \tau \omega \nu$ = das kl. od. mindere *A.*, $\mathring{A}$. $\mathring{\eta}$ $\mu \iota \varkappa \varrho \acute{a}$ (Konst. Porph.), *A. minor* = Klein-A. (Oros. im 4. Jahrh.), der in der neuern geogr. Nomenclatur neben dem byzant.-ital. $A \nu a$-$\tau o \lambda \acute{\eta}$ = Aufgang, Morgen, *Anadoli* (s. Rum), *Natolia*, allgemein übl. geworden ist (Kiepert, Lehrb. AG. 26, 51). — Vorder- u. *Hinter-A.*, entspr. der Gewohnheit des Europäers, den grössern Nachbarcontinent gleichsam wie eine vor ihm stehende Person, d. h. die ihm zugewandte Seite als die vordere, die abgewandte als die hintere zu betrachten — eine Anschauung, die sich in 'Vorder-' u. 'Hinter-Indien' wiederholt. — *A. Islands*, östl. v. Halmahera, v. Schiffe *A.* 1805 entdeckt (Krus., Mém. 2, 6).

Asin, Banju = Salzwasser, jav. ON. 2 mal: *a)* bei Purwo redja; der Name leitete den holl. Con-troleur A. Kinder z. Entdeckg. einer Salzquelle, die v. zahmen u. wilden Thieren begierig ge-schlürft wird (Jungh., Java 2, 894); *b)* der west-lichste der 4 Arme des Flusses v. Palembang (Crawf., Dict. 275).

Askabad, richtig *Aschkabad* = Ort der Liebe, v. arab. *aschk* = Liebe u. pers. *abad* = Ort, Aufenthalt, doppelsprachiger ON. in Transkaspia (Peterm., GMitth. 37, 265).

Asklepiu Petra, gr. $A \sigma \varkappa \lambda \eta \pi \iota o \tilde{v}$ $\pi \acute{\epsilon} \tau \varrho a$ = As-

klepiosfelsen, auf dem Isthmos (Eur. Hipp. 1209). — Auf ein Heiligth. des Aesculap weist auch der ngr. Name eines rhod. Dorfes $\Sigma \varkappa \lambda \iota \pi \iota \grave{o}$ = $A \sigma \varkappa \lambda \eta \pi \epsilon \iota \acute{o} \nu$ statt $A \sigma \varkappa \lambda \eta \pi \acute{\iota} \epsilon \iota o \nu$ (Ross, IReis. 3, 109).

Asli A. s. Wolga.

Asnières, frz. ON., im 9. Jahrh. *Asinarias* = Eselort, v. lat. *asinus*, mit Suffix *-arias*, später auch *Asinerias, Asnerias* (d'Arbois de Jub., Rech. NL. 610). In den 19 dépp. des Dict. top. Fr. finde ich den Namen noch 15 mal, Vienne, Cal-vados, Eure u. Yonne.

Asomaton s. Rum.

Asopos, gr. $A \sigma \omega \pi \grave{o}\varsigma$ = Moorbach: *a)* ein Fluss im Peloponnes, j. *Basilikos*, westl. v. Korinth, bei Phlius, 'wie alle Flüsse d. N. mit sumpfigem Bett u. Lehmufer' (Curt., Pel. 2, 581); *b)* ein Fluss Bötiens, j. noch *Asopo* (Hom., Il. 10, 287); *c)* eine Stadt am lakon. Golf, j. noch *Esapo* (Strabo 364). — Aehnl. bezeichnet der Neugrieche gewisse Quellen nach ihrem dunkeln Aussehen: $M a v \varrho o \mu \mu \acute{a} \tau \iota$ (Forchh., Hell. 1, 23).

Asore, Tana (od. *Tauna*) = grosses Land, in der Gruppe Erromango, NHebrid., auf den Carten oft einf. *Tana, Tanna* = Land, v. mehrern kl. Ei-landen umgeben, einh. *Aipere, Aipari*, berühmt wg. ihrer Schönheit u. ausserord. Fruchtbk., geschmückt mit der üppigsten Vegetation, gut bewässert, mit einem fortwährend thätigen Vul-can *Yasowa*, bei Cook einf. *Asur* = Feuerberg, der alle 5 Min. Lavabrocken ausschleudert, an der Westküste mit 2 Rheden, *Whitebeach* (= weisser Strand) u. *Blackbeach* (= schwarzer Strand) der Händler (Meinicke, IStill.O. 1, 191).

Asow, Hafenort an der Mündg. des Don, gr. *Tanais*, nach dem Flusse, zZ. der genues. Er-neuerg. *Tana*, erhielt den mod. Namen, wenn nicht schon vorher, v. den Polowzern, so unter den Nachfolgern der Genuesen, den Mongolen 1392, den Türken 1475 u. Russen 1696 (Meyer's CLex. 2, 44). Die Lage der ant. Stadt, ozw. obh. der heutigen, ist noch nicht sicher ermittelt (Kiepert, Lehrb. AG. 351). — Nach dem Orte das *Meer v. A.*, russ. *Asowskoe More*, gr. $M a \iota \tilde{\eta} \tau \iota \varsigma$ (od. $M a \iota \tilde{\omega}$-$\tau \iota \varsigma$) $\lambda \acute{\iota} \mu \nu \eta$, lat. *Palus Maeotis* = Sumpfsee der (umwohnenden) Mäoten, noch bei Camões (Lus. 3, 7) *Alagôa Meotis* — treffend, da ja seicht, nirgends üb. 13 m t. ist (ZfAErdk. nf. 12, 312).

Aspadana s. Isfahan.

Aspaneus, gr. $A \sigma \pi a \nu \epsilon \acute{v}\varsigma$ = Buschfeld, d. i. wo das Holz einzeln steht (Pape-Bens.), Ort im Walde des Ida, Kreta (Strabo 606).

Aspendos, gr. $A \sigma \pi \epsilon \nu \delta \acute{o}\varsigma$ = die unverbündete, Stadt in Pamphylien, nach der Sage (Strabo 667) eine Colonie der Argiver, aber unabhängig u. in den Händen der Barbaren (Pape-Bens.).

Asphaltites L. s. Todtes M.

Aspinwall s. Columbia.

Aspis, gr. $A \sigma \pi \acute{\iota}\varsigma$ = Schild, Schildberg, mehrf., insb. ein Cap (u. nach ihm eine Stadt) in Byza-cium, 'wirkl. schildförmig geformt', lat. übsetzt *Clypea*, j. *Kalibia* (Pol. 1, 29, Pape-Bens.), in der ital. Portulanen des Mittelalters zu *Gallipoli* (*Africae*) umgedeutet (Barth, Wand. 134). 'Die

Bay v. *Clupea* bot einen fast bei allen Winden Schutz gewährenden geräumigen Hafen u. die Stadt, hart am Meere auf einem schildfg. aus der Ebene aufsteigenden Hügel gelegen, eine vortreffl. Hafenfestung (Th. Mommsen, Röm. Gesch. 7. Aufl. 1, 520).

Aspri s. Pontus u. Weiss.

Aspromonte = steiler Berg, das rauhe, wildgeformte Waldgebirge der calabr. HI. (Meyer's CLex. 2, 51). — Dagegen ngr. *Aspropótamo* = weisser Fluss, f. den alten Acheloos, der seine v. weissem Thonschlamm trüben Gewässer in das jon. Meer ergiesst u. darum schon im Alterth. den Beinamen ἀργυροδίνης führte (Kiepert, Lehrb. AG. 295), u. *Aspropyrgos* = weisser Thurm, die Ruine eines hellen. marmornen Wartthurms auf Seriphos (Ross, IReis. 1, 136). — Ein ON. *Apremont*, 1340 *Aspremont*, im frz. dép. Aisne, u. *Apremont*, 1060 de *Aspremonte*, im dép. Meuse (Dict. top. Fr. 10, 7; 11, 6).

Asrek, auch *ásrak, asraq, asreg* = blau, dunkel, schwarz, plur. *sruq, sruk,* fem. *serka, serga,* alle Formen auch mit z, als weichem *s*, geschrieben, in arab. Fluss- u. Bergnamen, voraus f. den 'Blauen Nil' (s. Nil).

Assal, Birket el- = Honigsee, besser ohne *ss*, da arab. *'ásal* = Honig, ein vulcan. Salzwassersee der abess. Küste, unweit der Tadschurra Bay, die Salzkammer eines bedeutenden Gebiets, beinahe trocken, wo Mill. Tonnen Salz zu Tage liegen (Ausl. 60, 258). Wenn das in der Regenzeit angesammelte Wasser während der Trockenzeit verdunstet, so wird die starke Lauge so klebrig u. schwer, dass die Araber sie euphemist. mit Honig vergleichen (Peterm., GMitth. 4, 410; 6, 420). Wie mit diesen Angaben das 'schlammige Süsswasser' (Paulitschke, Progr. 1884, 26) zu reimen sei? — Ein Nahr (= Fluss) *A.* in Syrien, einer der Quellflüsse des Nahr el-Kelb, während ein anderer *Nahr-Lebban* = Fluss der sauern Milch, v. der weissbläul. Farbe seiner schäumenden Gewässer? heisst (Seetzen, Reis 1, 140 ff.).

Assam, richtiger *Asam,* das Land am mittl. Brahmaputra, zuf. den Brahmanen 'the unrivalled' = das unvergleichliche, v. skr. *sama* = gleichwerthig, mit neg. Präfix *a* (Schlagw., Gloss. 170. 544), nach Lassen (Ind. A. 1, 85) jedoch beng. umgeformt f. *Ahom, Ahomi,* wo *h* noch nicht in *s* übergegangen, einer siames. Dynastie, die das Land unterworfen hatte.

Assarath s. Hazor.

Assas, Ile d', in den Iles Catinat, Spencer's G., v. der Exp. Baudin benannt wie die ganze Gruppe nach einem gefeierten frz. Militär (Péron, TA. 2, 83). In Wirklichkeit der Name beziehe sich auf den Capt. N..d'*A.,* welcher 1760 bei Geldern einen ehrenvollen Soldatentod gefunden.

Asselborn s. Ost.

Asses Eears = Eselohren, engl. Entdeckername mehrf. nach hohen zweispitzigen Felsgestalten: *a)* einige auffallende Bergmassen der Magalhães Str., v. Bulkeley benannt (Hawk., Acc. 1, 33), j. gew. *Mount Aymond and his four Sons* (= u.

seine 4 Söhne) . . . 'a hill having near it, to the westward, four rocky summits, which from a particular point of view, bear a strong resemblance to the cropped ears of a horse or ass' (Fitzroy, Adv.-B. 1, 12, Skogm., Eng. R. 1, 92); *b)* ein Inselfels in Kiusiu, zuerst auf Arrowsmith's Carte (Krus., Reise 1, 275); *c)* s. Camel's Hump; *d)* s. Tschulanaga.

Assiniboin, engl. übersetzt *Stone Indians* = Stein-Sioux, urspr. *Assinipoytuck* od. *Assin-abwauns,* v. *assin(i)* = Stein u. *bwan* = Sioux, auch *Asse-nipolis, Assinebouels* (Ch. Bell, Canad. NWest 2), bei Pater Marest 1694 *Assinipoils,* bei Iberville 1702 *Assinibuel,* sowie der *Lac des Assiniboines* (s. Winnepeg), Name eines Stammes der Dakotah, Sioux, der sich selbst *Hohhays, Hoheh, Eascab* nennt, ihm beigelegt v. den Cree od. Chippewa, seinen Feinden, weil er (früher) an den Felsufern des Lake of the Woods wohnte, od., wie Ch. N. Bell (Canad. NWest 5) angibt, weil sie ihre Speise zw. heissen Steinen kochten. Nach dem Volke der *A. River* u. *Assiniboina* (s. Manitoba) (Coll. Minn. HS. 1, 48. 237. 296. 342, Franklin, Narr. 107, Hind, Narr. 1, 127, Lewis u. Cl., Trav. 176, A. Lacombe, Dict. Cris). — *Assini Pichigakan* = Steinriegel, engl. *Stony Barrier,* eine Stelle des Qu'appelle R., die 100 m weit so voll gr. u. kl. Granitboulder ist, um bei niedrigem Wasserstande auch dem geringsten Canoe den Durchgang zu sperren (Hind, Narr. 1, 376).

Assireta = Stämme, Krieger, einer der beiden Volkstheile der Kurden, 'eine Kriegerkaste, welche als eingedrungene Sieger den Guran od. ansässigen Bauern die Bodencultur überlässt und mit Verachtg. auf sie herabsieht'. Die *A.* bezeichnen sich gern als *Sipah* = Soldaten, die unterworfenen Guran als *Rajas* = Unterthanen od. *Köjlüs* = Heiden od. *Kelow spi, Kolaf spi* = Weissmützen (Bergh, Phys. Atl. 8, 3).

Assomption s. Anticosti.

Assorus s. Hazor.

Assu, B. s. Schari.

Assuan s. Syene.

Assucar, Pão d', das port. Aequivalent f. span. *Pan de Azucar* (s. d.), in ON. *a)* Kegelberg am Eingang der Bay v. Rio de Janeiro . . . 'em virtude das suas formas', auch einf. *o Pico* der Spitzberg (Varnh., HBraz. 1, 248); *b)* im Rio San Francisco, u. Ort dabei (Avé-L., NBras. 1, 392); *c)* auf San Antão, Cabo Verde In. (Meyer's CLex. 8, 281).

Assyria s. Syria.

Astakos, gr. Ἀστακὸς = Krabbe, Seekrebs, bithyn. Colonie v. Athenern u. Megaräern (Paus. 5, 12, 7), j. *Juvadschik* (Pape-Bens.), hiess auch *Olbia* (s. d.), u. als Nikomedes I. — 264 sie in günstigere Lage verlegt, mit Prachtbauten geschmückt u. z. Residenz erhoben hatte, *Nicomedia,* j. *Isnikmíd,* vulg. *Ismid* (Kiepert, Lehrb. AG. 100 f., Meyer's CLex. 3, 271; 9, 386; 12, 63).

Astara s. Lenkoran.

Astell s. English.

Astenbeck s. Ost.

Astorga s. Asturia.

Astoria, Stadt am linken Ufer des Oregon, an Stelle eines blossen Forts der Hudsons Bay Co., *Fort George* (offb. nach einem engl. Könige), v. dem nachmal. NYorker Millionär *A.* 1811 ggr. in der Absicht, sie z. Hpthandelsplatze des Stromgebiets zu machen (Glob. 11, 151, DMofras, Orég. 2, 125. 226).

Astrachan, eine spät entstandene Verstümmelg. v. *Hadschi Terchan,* wo *hadschi* (im tatar. = heilig) einen Mekkapilger, *terchan, torchan* eine einst v. Chan der Goldnen Horde, später auch v. den russ. Fürsten ertheilte Würde bezeichnet, der zuf. der Beehrte hohe Vorrechte genoss, v. allen Erpressungen frei war, das Recht hatte, ungerufen vor dem Herrscher zu erscheinen u. erst, wenn er 9mal eines Verbrechens überwiesen war, doch nie am Leben gestraft werden durfte (WHakl. S. 37, 287). Bei den Kalmyken *Aiderkan* (Potocki, Voy. 1, 33), bei den Tataren oft *Dschiterchan,* arab. früh *Torgichan,* im Mittelalter *Citra-, Gintar-, Gittar-, Agitar-, Azetrechan* (Eichwald, AGeogr. 105, Hammer-P., Osm. R. 3, 244, Meyer's CLex. 2, 71, Herberst. ed. Mayor 2, 76).

Astras s. Lampeia.

Astrolabe, Récifs de l', 2 gefährl. Felsriffe bei den Loyalty Is., benannt v. dem frz. Capt. d'Urville 1827 nach seinem Schiffe (Bergh., Ann. 5, 216, Meinicke, IStill.O. 1, 237); *b) Golfe A.,* an der Nordseite NGuinea's, ebenso (Meinicke, IStillO. 1, 98); *c) Cap A.,* die Nordspitze Malayta's, Salomonen, ebenso (ib. 154); *d) Ile A.* s. Tromelin.

Astronomical Society Islands, an der Ostseite des Boothia Isthmus, v. Capt. John Ross (Sec. V., Carte) 1829/33 zu Ehren der astron. Gesellschaft benannt.

Astropalaia s. Astypalaia.

Asturia, span. Prov., zunächst der v. Florus (4, 12, 54) erwähnte Fluss *Astura* = Felswasser, v. iber. *asta,* einer andern nach sprachgesetzl. Veränderg. gebildeten Form f. *acha, aitza* = Fels u. *ura* = Wasser (WvHumb., Unt. Vask. 24), v. Fluss auf das Umland u. die Bewohner, *Astures* (Plin., HNat. 3 u. 4 an v. O.), übtragen, danach die v. Augustus eingerichtete Conventshptstadt *Asturica Augusta,* j. *Astorga,* in Leon (Kiepert, Lehrb. AG. 489, Meyer's CLex. 2, 69), sowie *Asturum Lucus.*

Astypalaia, gr. Ἀστυπάλαια = Altstadt; *a)* eine äg. Insel mit Stadt auf hohem in's Meer vortretenden Cap. 'Beim Volke, welches einen Instinkt hat, den Worten, deren Bedeutg. ihm verloren gegangen, immer einen Sinn unterzuschieben, ngr. Ἀστροπαλαιά (Ross, IReis. 2, 57)), sonst *Stampalia,* türk. *Ustopalia* (Meyer's CLex. 14, 886); *b)* Städte auf Samos, in Attika, auf Kos u. bei Halikarnass, wie oft dieselben Namen auf der asiat. Küste u. den vorliegenden Inseln sich finden, Beweise f. zahllose Wanderungen u. Niederlassungen hinüber u. herüber (ib. 100ff.).

Astyra, antike ON., die auf den phön. Cult der Astor hindeuten: *a)* eine Küstenstadt Kariens,

phön. Colonie, ἔστι καὶ πόλις Φοινίκης κατὰ Ῥόδον, ἐν ᾗ ἐτίματο ἡ Ἀθηνᾶ Ἀστυρίς (Steph. B. h. v., Movers, Phön. 2ᵇ, 247); *b)* eine alte Stadt am Hellespont, bei Abydos, im Bereiche anderer phön. Colonien u. ausser durch ihren Namen auch durch die bei Strabo (591) hier erwähnten alten Goldbergwerke als phön. Colonie angedeutet (Movers, Phön. 2ᵇ, 295); *c) Amestratus* od. *Amastra,* Ort in Sicil., noch später mit phön. Bewohnern (Cicero, Verr. 3, 39. 38), wie *Amastor* an der Gr. Syrte, *Amaschtar, Amaschtart,* phön. = ‎עמשתר‎ od. ‎עמעשתר‎ = Volk od. Gemeinwesen der Astor. Eine andere Form, welche statt ‎עם‎ das Wort ‎עיר‎ setzt u. dann das ‎ש‎ vorn elidirt, lautet *Mytistratum* = Gemeinde der Astarte, ein anderer ON. in Sicil. (Movers, Phön. 2ᵇ, 342).

Asuak s. Gibraltar.

Asuncion = Himmelfahrt, das auf den 15. Aug. fallende Fest v. Mariae Himmelfahrt, nicht zu verwechseln mit Ascension (s. d.),'der Auffahrt: Dominus ascendit in coelum, Maria adsumpta est in coelum, in span. ON. wiederholt, namentl. die Hptstadt Paraguay's, vollst. *Nuestra Señora* (= ULFrauen) *de la A.,* wo ein Ort der Carijos an diesem Festtage dem Spanier Juan de Ayolas in die Hände fiel u. 1536 durch die neue Anlage ersetzt wurde (WHakl. S. 51, 35); *b)* eine der Marianen, ein einh. *Assonsong* wohl nur lautl. umgedeutet, ein einziger 639 m h. kahler Vulcankegel, wo La Pérouse 1786 Schwefelgeruch verspürte, daher auch *Volcano Grande* = der grosse Feuerberg (Meinicke, IStill.O. 2, 395). — *Cabo della A.,* bei der Mündg. des Oregon, v. Bruno de Heceta, Corvette Santiago, am 15. Aug. 1775 getauft, bei Capt. Meares, der hier umsonst die Mündg. gesucht, am 7. Juli 1788 *Disappointment Cape* (s. d.) — auch Cook war 1778 der Fluss entschlüpft, u. noch 1792 leugnete der engl. Seef. Vancouver das Dasein einer Mündg. (DMofras, Orég. 2, 107 ff.). — *Puerto de la A.,* Hafen an der Südwestseite Malayta's, v. span. Entdecker Mendaña zu Ende Mai 1568 benannt (Viajes Quirós 1, 11; 3, 3).

Asur s. Asore.

Asurkót = Asurenveste, nach den *ásuren,* einer Art Dämonen der Hindumythologie, hind. in Nepál (Schlagw., Gloss. 171).

Aswad = schwarz (s. Sudan), dial. *asued, eswed,* ismd. in arab. ON. wie *Harudsch el-A.,* eine durch Eisengehalt schwarz gefärbte Bergkette in Tripol., welcher, mehr landein, der *Harudsch el-Abiad, el-Abiod* = der weisse Bergzug (Peterm. MMCarte No. 6, Stieler, Atl. 13. 68). — Ein *Dschebel Aswad* noch 2mal: *a)* eine 'werthvolle Landmarke' östl. v. Aden, bei Ptol. (mit ders. Bedeutg.) Μέλαν ὄρος (Sprenger, AGArab. 81); *b)* eine Küstenkette Oman's, welche in der That aus schwarzem Gestein besteht u. v. einer höhern, vegetationbedeckten Binnenkette, dem Grünen Gebirge (s. Achdar) überragt wird (ib. 106 f.). — *Ras el-A.* = schwarzes Cap, in Tunis (Parmentier, Vocab. arabe 12).

Asy s. Sared.

Atabyria s. Rhodos.

Atabyrion s. Thabor.

Atagbondo s. Denqa.

Ataha, Henua = wüstes Land, einh. Name des westl. Theils v. Nukahiwa, einer hügeligen, mit Blöcken bedeckten, dürren, unfruchtb., unbewohnten Gegend, wo bloss einzelne Regenschluchten Gebüsche tragen (Meinicke, 1Still. O. 2, 244). **Atahaing** s. Saddle.

Atak, hebr. עָטָק = Einkehr, Ort, wo man einkehrt, Stadt im Stamme Juda (Gesen., Hebr. L., Movers, Phön. 2ᵇ, 340). Damit gleichbedeut. *Utica* עֲתִיקָה = deversorium, eine alte tyr. Colonie: 'ab iisdem (Tyriis) post paucos annos in Africa *U.* condita est' (Vellejus, HRom. 1, 2). Ἰτύκη ... κτισθῆναι λέγεται ὑπὸ Φοινίκων' (Arist. de Mir. Ausc. c. 146). Justin., Steph. B., Mela u. Isid. bezeugen ebf. die tyr. Stiftung in N.-Africa, wahrsch. mit dem Hptzweck, 'eine sichere Station f. den dam. frisch emporblühenden Seehandel mit Tartessus zu schaffen', worauf auch der Name hindeutet (Movers, Phön. 2ᵇ, 512). Aehnl. vermuthet Olshausen (Rh. Mus. 1853, 329) eine Form עֲתִיקִין im Sinne v. Colonia, v. פָרַק = translatus est. Ders. Begriff scheint sich auch in andern ON. phön. Colonialgebiete zu finden, so *Motuca* im südl. Sicilien (dabei ein Fluss *Motucanus*), *Mutuga* od. *Mutugena* in Numidien, *Mutecia* od. *Muticia* in Mauretanien (p. 340). Für *Utica* gibt Barth (Wand. 124) *Atikah* = Altstadt, welcher ggb. das jüngere Karthago eben als 'Neustadt' bezeichnet sei, u. 'in dieser Etym. ist man j. fast allg. einig'. — S. Attok.

'Atala, Dschebel = kahler Berg, der Culm des Gebirgs Toweik, C.Arab. (ZfAErdk. nf. 18, 221).

Ataperistan s. Ateschgâh.

Ataranten s. Atlas.

Atbasch s. Wagaisk.

Atchafalaya = verlornes Wasser, todter Arm, ind. Name eines der Mündungsarme des Missisipi, danach die *Bay* v. *A.* (Meyer's CLex. 2, 92).

Ater s. Sudan.

Aterno s. Pescara.

Ateschgâh = Feuerort, auch *Atisch-jah* (WHakl. S. 31, 50 f.), *Atesch-kadeh* (Brugsch, Pers. 1, 331, freil. f. eine andere Localität d. N.), die pars. Einsiedelei auf dem 'Feuerfelde', Baku, wo um 4 mächtige Flammen sich, einem Gelübde zuf., einzelne Büsser niederlassen im Dienste des höchsten Wesens, welches sie unter dem Sinnbilde des Feuers verehren (Cannab., Hülfsb. 2, 224). — *Kalah Ataperistan* = Veste der Feueranbeter, v. türk. *kalah* = Schloss u. *ateschpeperest* = Feueranbeter, arab.-türk.-pers. ON. bei Sawas, Persien, ... 'et ce est bien leur nom, car les gens de ce chastel aourent le feu' (MPolo ed. Pauth. 1, 63).

Athabasca = Schlammniederg., auch *Athapasca*, *Athapeskow*, bei den Knisteneaux der grösste See im Delta des Peace R., der hier z. Slave R. mündet, erst später auf den weit grössern *Lac des Montagnes* = Bergsee, welcher im Norden v. hohen Felsufern eingefasst ist, sowie auf den

A. River übtragen. Dieser hatte urspr. seinen ind. Namen, in der Bedeutg. 'Hirschfluss', bei den Canadiern in frz. *Rivière la Biche*, engl. *Elk River* übsetzt (s. Itasca), letzteres eine Missübsetzg., da nicht der wirkl. elk, moosdeer, das american. Elen, Cervus orignal, sondern der wapiti, Cervus canadensis Briss., die Ufer des Flusses besucht; der Name *ER.* 'is also inappropriate as a distinctive epithet' (Richardson, Arct. Exp. 1, 128, Mac Kenzie, Voy. 96. 278, Meyer's CLex. 2, 94). Von *A.* gibt es noch eine andere Erklärung (A. Lacombe, Dict. Cris), aus der Sprache der Crees, aber weniger einleuchtend.

Athea, in der Aussprache des Volks *awthay*, ein Dorf in Limerick, mit einer nahen Kirche Thoumpul *Awthlay* = Tempel v. *Athlea* od. *A.*, wo das Bestimmungswort, mit erhaltenem *l* nach *th*, entspr. der südl. Aussprache der phonet. Stellvertreter f. *Ath-a'-tsleibhe* = Furt am Berge ist, nach einer Furt, die dort einst über den Fluss Galey ging. Der Berg heisst *Knockathea* = Berg v. *A.* (Joyce, Orig. Ir. NPl. 2, 477 f.).

Athen, gr. Ἀθῆναι, lat. *Athenae*, j. *Athinae*, ngr. Ἀθῆναι, ist nicht sicher erklärt, seit Lobeck v. ἄθος, ἄνθος, also 'Florenz' = Blumenstadt, unter Verweisung auf die Form Ἀνθήνη im Peloponnes, sowie auf eine Menge ähnlich v. Blumen benannter Orte, deren noch 9 andere *A.* des hellen. Gebietes aufgezählt werden (Pape-Bens.), bald als mit der Göttin d. N. in Verbindung stehend, wie mehrere *Athenaion*, gr. Ἀθήναιον = Athenetempel, z. B. ein Cap in Campanien (Strabo 247), lat. *Prom. Minervae*. Diese beiden Annahmen erweckten jedoch längst Bedenken, da am Ort wohl weit älter als der Cult der Göttin u. die vielen ON. mit 'Blumenau' u. dgl., ganz so wie die zahlr. 'Fenchelfelder' (s. Marathon), auffällig erschienen. Für das berühmte *A.* insb. wollte die 'Realprobe' gar nicht passen. 'A., mit seiner Akropolis, nach seiner Lage im bergreichen Attika, kann unmöglich v. dem Blumenteppich einer spätern städtischen Cultur benannt sein.' Auch Tozer (Lect. 161), der sonst Lobeck beistimmt, wendet ein, dass es an Blumen fehle, u. er fügt bei: 'from whatever side you look, the eye rests on the group of craggy hills, in the midst of which stands up conspicuous the altar rock of the Akropolis'. Gerade im Einklang mit diesem landschaftl. Zug steht also der neue Ansicht, als bezeichne *A.* eine Hügelstadt od. vielmehr 'den Ort auf u. an den Felshügeln' (Angermann, Progr. 1883, 25), wie denn auch G. Meyer (DKarier 11) die Namensformen Ἀθῆναι, Εὐθῆναι u. Εὐτάνη in Karien nachweist, die abermals an skr. *dhanu* = Hügel erinnern. Originell ist die Erklärung, welche Johansson (Bezzenberger, Beitr. K. indog. Spr. 13, 111 ff.) versucht: Ἀθη-ν fasse ich als einen Locativ auf -ν (ohne ι), Ἀθη-ν bedeutete urspr. 'in der Mitte', danach adj. ἄθηνος = in der Mitte seiend, z. B. Ἀθῆναι (πόλει) z. B. bedeutete 'in der Mittelstadt', viell. benannt nach der geogr. Lage u. der bedeutenden Machtstellg. in dem Bunde v. Städten, zu dessen Haupt

Theseus nach der Sage *A.* machte (Grasberger, Stud. griech. ON. 146 ff.). Es wird ozw. die 'Hügelstadt' besser einleuchten als die 'Mittelstadt', die ihren Namen gewiss schon hatte, ehe sie dem Städtebund angehörte.

Athnan Gall s. Donegal.

Athol, Cape, bei Wostenholme Sd., v. Capt. John Ross (Baff. B. 142) am 18. Aug. 1818 benannt nach dem Herzog v. *A.*, der als Glied der Familie Murray nach der schott. Besitzung diesen Titel führt. — Ebenso 1829/33 *A. Island*, bei Boothia Felix (Sec. V., map).

Athos, gr. *Ἄθως*, auch *Ἀθών*, ngr. *Athonas*, Cap, Berg u. Halbinsel der Chalkidike, 'bedeutet gewiss nicht 'Blumenberg', wie Pape-B. u. andere meinen, sondern ist, wie *θοῶσαι* = schärfen, spitzen, *θοός* = spitzig, aus der Wurzel *αθ, οθ, θο* gebildet (Grasb., StGriech. ON. 140 ff., R. Nadrowski, NSchlagl. 2. Aufl. 85), also ganz entspr. den Worten 'like a gigantic watchtower above the Aegaean sea' (Tozer, Lect. 169) der hochragende, scharfe Grat. Die Stadt auf dem Gipfel hiess *Ἀκρόθωον* = Kuppenstadt, wie schon Plin. (HNat. 4, 37) sagt: oppidum in cacumine fuit *Acrothoon* u. PMela (2, 2, 32): in summo fuit oppidum *Acrothoon*. Als weither besuchter griech. Wallfahrtsort heisst die im 9. Jahrh. ggr. Klostercolonie *A.* ngr. *Hagion Oros*, ital. *Monte Santo* (s. Akra), beides 'heiliger Berg'. Der *A.* trägt 20 Klöster, 10 Klosterdörfer, 400 Clausen u. Einsiedeleien, v. 6000 Mönchen u. Clausnern bewohnt, auf dem Culm eine weithin sichtb. Kirche. Die Mönche, aus allen Völkern des griech. Bekenntnisses zsgewürfelt, treiben Wein-, Oel- u. Gartenbau, Fischerei u. Handarbeiten, sind Vegetarianer u. strenger Lebensregel unterworfen (Fallmerayer, Fragm. 2, 1 ff.).

Atiqa s. Kairo.

Atkinson Island, im Eismeer, v. Dr. Richardson, Exp. John Franklin (Sec. V. 214) am 13. Juli 1826 entdeckt u. seinem Begleiter, dem Lieut. Kendall folgend, zu Ehren des Herrn *A.* of Berry-House, benannt. — *Fort A.*, verschiedd. befestigte Posten im Innern der Union: *a)* in Jowa, *b)* am Arkansas u. *c)* am Missuri, wohl alle nach General *A.* (vgl. Leavenworth). Der letztgenannte Posten, ein Rival des v. der American Fur Co. 1845 ggr. u. nach Hrn. Berthold v. St.Louis benannten *Fort Berthold*, ist seit 1862, da letzteres verlassen (u. bald nachher verbrannt) wurde, in *Fort B.* umgetauft (Matthew, Ethn. u. Phil. 40).

Atkul = Hungersee nennen die Baschkiren einen kl. See, 30 km v. Kisilsk, 3 km im Durchm., wg. seiner ungemein magern Fische (Falk, Beitr. 1, 190).

Atlas, gr. *Ἄτλας*, *Ἄτλαντος*, die weichere Form des berb. *Adrár*, *Aderer* = Berg, das sich f. hochgelegene u. gebirgige Landschaften mehrf. wiederholt, f. 2 Oasen: *a)* der westl. Sahara, *b)* zw. Air u. Asauad, sowie f. einen salzreichen Bergzug südwestl. der Oase Tafilet (Peterm., GMitth. 5, 106: 11, 176, Rohlfs, Mar. 55), bei den Griechen vergeistigt zu einer Gottheit, welche das Himmelsgewölbe trage, arab. wenigstens f. den höchsten Theil, mit dem 3800 m h. Miltsin, *Dschebel ut-Teltsch* = Schneegebirge, j. berb. *Dyrin, Nderen*, vollst. *Aderer nDörn* = Schneeberge (MVErdk. Halle 1879, 17). Nach dem Gebirge sind ozw. auch benannt die Bewohner, gr. *Ἄτλαντες*, sowie das vor den 'Säulen' liegende Meer *Ἀτλαντίς*, viell. auch ein 2. Volk Libyens, die *Ἀτάραντες* (Her. 4, 184); doch versucht, in letzterer Hinsicht, H. Barth, anlehnend an eine Angabe Herodots, die Ableitg. v. haussa *tara* = versammeln, im part. p. *a-tära* = versammelt, woraus gr. sing. *ἀτάρας*, plur. *ἀτάραντες* geformt wäre (Peterm., GMitth. 9, 372). Der genannte *Ὠκεανός* = Weltmeer, lat. *Oceanus Atlanticus*, als der länderumschliessende, oft zs. mit dem Ind. Ocean, bei den mediterranen Culturvölkern *ἡ ἔξω θάλασσα*, lat. *Mare Externum* = äusseres Meer, im Ggs. zu dem länderumschlossenen *Mare Internum* (s. Mittelmeer), chin. *Tá sï jáng hàï* = Meer des grossen Oceans (Pauthier, MPolo 2, 551). Draussen, in unbetretener Ferne, dachten sich die Alten (Plato, Tim. 24) eine gr. Insel *Ἀτλαντίς*, als Ort der Hingegangenen, 'bes. Aufenthaltsort f. Verwandte des Zeus, welche dort mit dem Körper, ohne den Tod zu sehen, fortleben', gr. *Ἠλύσιον πεδίον* = elysisches Gefilde, lat. *Elysium*, auch geradezu *Μακάρων* od. *Μακαρίων νῆσοι*, lat. *Insulae Beatorum* = Inseln der Glückseligen (vgl. Canarien). — *A. Cove* s. Roger.

Atrebatae s. Arras.

Atropatene s. Aserbeidschan.

Atschanskoi Gorod, Ort am Amur, ggr. 1651/52 v. dem Entdecker Chabarow, der unter dem Volk der Atschani, den Natki seines Vorgängers Pojarkow (1644), überwinterte (Müller, SRuss. G. 5, 355, Fischer, Sib. G. 2, 810).

Atschile = der lautere, reine, tatar. Name des bei Stawropol, Kauk., entspringenden lkseitg. Nebenflusses des Kaláus (Klaproth, Kauk. 1, 281).

A'tschin, ON. auf Sumatra, nicht sicher erklärt, bei den Telinga, die diesen dem ind. Continent nächsten, nur 1200 km entfernten Hafen des Archipels frühe als Tauschort besuchten, *A'tscheh* = wood-leech, od. *Atjih* = Friedensort (Ausl. 46, 861), port. verd. in *Achem*, holl. *Atsjin*, engl. *Achen, Acheen, Achin* (Crawf., Dict. 2). Das nahe Cap *A. Hoofd.*

Atschinsk, russ. Anlage v. 1641, am Westufer des Ijus, der z. Netz des Tschulim-Ob gehört, benannt nach dem Tatarenstamm der Umgegend, wurde jedoch v. den Kirgisen 1682 zerstört u. dann weiter abw., an das östl. Flussufer, verlegt (Müller, SRuss. G. 5, 64, Fischer, Sib. G. 2, 551 f. 658).

Attaleia s. Adalia.

Attan, Nebeneiland v. Rotuma, nahe dem Arch. Viti, nach einer dort wachsenden Frucht *atta* (Meinicke, IStill. O. 2, 53).

Attaque, Baie de l' = Bucht des Angriffs, bei der HI. Péron, West-Austr., v. den Officieren Faure u. Moreau, Exp. Baudin, am 22. Aug. 1801 nach einem durch die Wilden ausgeführten Angriffe benannt (Péron. TA. 1, 168).

Attawaye s. Heard.

Attika s. Akte.

Attok, auch *Atok*, *Atak* = Hinderniss, Verbot, ein strateg. wichtiger Punkt der Nordwestgrenze Indiens, in einer Gegend, wo der Indus zw. engen, glatten Felswänden fliesst u. wo seit Alexander d. Gr., der wenig nördl. v. der Stadt den Fluss überschritt —326, alle Kriegszüge gg. Indien passirten, so Timur's 1397, Schah Nadir's 1738 u. a. (Meyer's CLex. 2, 153).

Attundaland s. Sverige.

Atua s. Moa.

Atwater, eine junge Ortschaft des Staats Minnesota, anno 1870 gegr., benannt nach E. D. A., dem Secretair des Landcommissärs, einem um die Besiedelg. der nordwestl. Districte verdienten Manne (Beschr. SPaul u. Pacif. B. 23).

Au, auch *Awa*, *Owa*, verwandt mit *aa*, latin. *augia*, eine grasreiche Fläche am od. im Wasser, hptsächl. Halbinsel od. Insel. 'Die gross *Auwe*, die die 2 Wasser, die Wag u. die Donauw machen' (Schütt). In vielen Eigennamen, th. f. sich allein, wie f. d. Halbinsel *Au*, im Zürichsee, u. urspr. *a)* die *Reichenau* (s. d.) im Bodensee, der daher auch etwa *Lacus Augiensis* hiess, *b)* die *Goldene Au* (s. Gold), th. als Grundwort (Förstem., Altd. NB. 169 f., zählt 176 solcher Zssetzungen auf), näher bestimmt nach Eigenschaften, wie *Lützelau* (s. d.), nach dem sie einschliessenden od. begrenzenden Gewässer, wie *Rheinau*, *Aarau* (s. d.), nach andern Objecten der Nachbarschaft, wie *Ufenau* (s. d.), nach einem Ansiedler od. Besitzer, wie *Eglisau*, oft erhlt. *Ouwa* (892), oppidum *Owe* super ripam Reni 1254, in voller Form *Egilwinesawa* = Au des Egelwin (Meyer's OCZür. 24. 36 u. a. O.). Eine merkw. Form ist der ON. *Elgg*, am Flüsschen *Eulach*, urk. *Ailihc*, *Ailagh*, *Eilac*, *Oellach*, gelegen, daher *Ailihccaugia* 761, *Eilacgawe* 827, *Ailgovv* 1225, *Elggouwe* 1290 u. s. f., also 'Au an der Eulach', einmal 914 in *Eilikovaramarcho* = Mark der Eilikovarar, der 'Bewahrer' od. Bewohner an der Eulach, wie Ampsuarii, Hassuarii u. dgl.

Aualld Oeret = die Töchter der Unterwelt, abess. Name der Enge eines Waldbachs in der Gebirgsterrasse nordwestl. v. Massaua, 'mit Recht' so genannt, weil der Torrent einen oft kaum meterbr. Weg durch furchtbar steil abfallende Schieferfelsen üb.kl., schwer passirbare Katarakten bildet (Munzinger, O.-Afr. Stud. 181).

Auberoche s. Albus.

Auch, Ort des alten Aquitania, dam. *Ausci*, nach dem Volksstamm, dessen Centrum er war, bask. *Elimberris* = Neustadt (Kiepert, Lehrb. AG. 511).

Auckland, Stadt auf dem Hals der Nordinsel NSeelands, auf Vorschlag des Gouv., Capt. Hobson, wie ein 'Korinth des Südens' 1841 angelegt u. ozw. nach dem dam. Generalgouv. Indiens, Lord George Eden *A.*, welcher 1842 nach Engld. zkkehrte u. erster Lord der Admiralität wurde, getauft (v. Hochst., NSeel. 82 f., Trollope, Austr.

3, 155). — *Lord A. Island*, ebf. bei NSeeland, durch Capt. Abr. Bristow, v. Walfgr. Ocean, welcher der Firma Enderby gehörte, am 18. Aug. 1806 entdeckt u. nach Lord A., welcher ein Freund v. des Entdeckers Vater war, also wohl dem ältern Lord Will. Eden *A.* (1745—1814), benannt. In der Gruppe der *A. Islands* finden sich ferner: *Enderby Island*, *Adams Island* (ebf. prsl.) u. *Disappointment Island* (= Insel der Widerwärtigkeit), sowie *Adams Strait*, die Klippenkette der *Sugarloaf Rocks* (= Zuckerhut-Felsen), *Bristow Rock*, eine gefährl. Klippe, welche 13 km nördl. v. Enderby I. das Wasser kaum überragt, endl. *Ocean Island*, nach dem Schiffe (Ross, South. R. 1, 132. 137, Krus., Mém. 1, 10 ff.). — Unbestimmt *Cape A.*, bei Boothia Felix, v. Capt. John Ross 1829/33 (Sec. V.), im Texte nicht erwähnt, in der Carte mit G. *A.* eingetragen.

Audh, auch *Avadh*, engl. *Oude*, v. skr. *Ajôdhjâ* = die unbesiegliche, zunächst eine alte Hptst. Indiens, hind. Name der Umgegend (Schlagw., Gloss. 171). Diese, fruchtb. wie das benachb. Rohilkhand, hiess früher *Koçala* = die glückliche, bestimmter *Uttara* (= Nord) *K.*, im Ggsatz zu einem südl., das in der Nähe v. Benares lag, u. dieser Name war einer der gefeiertsten des alten Heldenliedes (Lassen, Ind. A. 1, 160).

Audscheh = der krumme, arab. Flussname in Palästina: *a)* ein wasserreicher, angebl. permanenter, vielgewundener Fluss, welcher träge gg. die Küste hinschleichend nördl. v. Jaffa mündet (Peterm., GMitth. 13, 129); *b)* ein Fluss, *Nahr A.*, u. sein Thal, *Wady A.*, des Jordannetzes, nördl. v. Jericho. — In der Form *Nahr el-Avadsch* ein Fluss bei Damask (Burckh., Reis. 1, 114).

Auerbach s. Uri.

Auf, die praep., ahd. *uf* = super, ober, ein Element alter ON. wie in *Ufgawi*, *Upheim* u. *Ufheim*, j. *Aufheim*, *Ufhova*, *Ufholz*, *Uphuson*, j. *Auf-*, *Uff-*, *Ob-*, *Huf-*, *Uphausen* u. *Upsen*, *Ufchiricha*, j. *Aufkirchen*, *Uffahun*, j. *Westuffeln*, *Salzuflen* u. *Olphen*, *Upstede*, j. *Upstedt* u. a. (Förstem., Altd. NB. 1511 ff.).

Augereau, Ile, im Arch. Arcole, v. der Exp. Baudin am 10. Aug. 1801 getauft nach dem Marschall d. N. 1757—1816 (Péron, TA. 1, 113, Freycinet, Atl. 27).

Augia a. Au.

Augusta, Frauenname, insb. der deutschen Kaiserin, welche als Prinzessin v. Sachsen-Weimar 1811 geb., sich 1829 mit dem Prinzen Wilhelm, spätern König v. Preussen u. deutschen Kaiser vermählte u. die begeisterte Verehrg., die dieser bei der gesammten Nation genoss, auch auf toponym. Gebiete theilte: *a)* *A. Bucht*, im Nordost Ld., Spitzb., v. der ersten deutschen Nordpolexp., die hier am 25/26. Aug. u. 7/10. Sept. 1868 ankerte, u. in der Nähe der *Marie Gletscher*, nach ...? (Peterm., GMitth. 17, ErgH. 28, 45 T. 2); *b)* *Königin A. Thal*, im östl. Grönl., v. der 2. deutschen Nordpolexp. 1869/70 getauft (Peterm., GMitth. 17, 193 T. 10); *c)* *Kaiserin*

A. Bay, an der Westküste der Insel Bougainville, Salomonen, v. d. Exp. der Gazelle am
14. Aug. 1875 'unserer hohen Kaiserin zu Ehren'
getauft (ZfAErdk. 1877, 259); *d) Kaiserin A.
Fall*, in Sá da Bandeira's Carte v. Angola
schon *Cataracta do Mupa do Condo*, im Quanza,
Africa, v. O. Schütt 1878: 'Sprachlos standen
wir vor dem blendenden Schauspiele, überwältigt
unserer selbst nicht bewusst; erst nach langer
Pause fanden wir Worte, das Empfundene aus-
zutauschen, u. noch unter dem Eindrucke des
Orts schritten wir zu seiner Taufe u. gaben ihm
den Namen unserer erlauchten Kaiserin' (Glob.
1880 No. 19); *e) Kaiserin A. Fluss*, ein neu
entdeckter Fluss, der drittgrösste NGuinea's, v.
der Exp. des Dampfers Samoa 1884/85 benannt
(Peterm., GMitth. 32, 283). — *Augustenborg* s.
Christian.

Augusta = die kaiserliche, 'Stadt des Erlauchten',
23 röm. ON., z. Th. noch v. Augustus selbst herrührend, 9 mit dem Beisatz des Volksnamens,
insb. *a) A. Vindelicorum*, nach den Vindelicier**a**,
um + 13 zur Colonie, 'splendidissima Rhaetiae
colonia' (Tacitus), erhoben (Daniel, Hdb. Geogr. 4,
693), im 9. u. 10. Jahrh. *Augustburc, Augist-
burch, Augusburk*. j. *Augsburg* (Baemeister,
AWand. 19. 125), im *Augustgowe* (Förstem., Altd.
NB. 153); *b) A. Rauracorum*, nach den Rau-
rachern od. besser Raurĭci, v. des Augustus Feldherrn Munatius Plancus ggr., j. *Augst*, durch die
Ergolz in zwei Orte geschieden: *Basel-A.*, im
C. Basel, *Kaiser-A.*, im aarg. Frickthal, welches
bis 1803 kais. österr. Besitz war (Gem.Schwz. 16ᵃ,
187. 196, Müller, Aarg. 16, Bruckner, Dkw. Bas.
23, 2670); *c) A. Trinobantum*, auch *Legio se-
cundo Augusti* s. London; *d) Civitas* od. *A.
Praetoria*, als Haupt der röm. Besatzg. —25,
nachdem M. Terentius Varro die Salasser bezwungen u. ihrer 36 000 als Sclaven hatte weg-
führen lassen, j. *Aosta*, vulg. *Aouste*, danach
Val d'Aosta, bei den deutschen Nachbarn *Augs-
thal, Augstel, Aust'l* (Saussure, VAlp. 214, Studer,
GPhGeogr. Schwz. 13 f., Schott, DCol.P. 6); *e) 'A.
Taurinorum*, nach dem bedeutendsten der ligur.
Stämme, den Taurini, schon bei Hannibals Niederstieg als *Taurasia* genannt, seit der Kaiserzeit
röm. Colonie, j. *Torino, Turin* (Kiepert, Lehrb.
AG. 399). — Im übr. seien erwähnt *a) A. Emerita* s. Mérida, *b) A. Nemetum* s. Speier, *c) A.
Suessonum* s. Soissons, *d) A. Treverorum* s. Trier,
e) A. Uromandyon s. St. Quentin, *f) Colonia A.*
s. Verona, *g) Pax A.* s. Badajoz, *h) Colonia
Aelia A. Lares* s. Lurbus, *i) Colonia Julia A.
Felix Berytus* s. Beirut, *k) Caesarea A. Salduba*
s. Zaragoza, *l) Lucus Augusti* s. Lugo, *m) Porta
Augusti* s. Demir, *n) Portus Augusti* s. Ostia,
o) Augustobona s. Troyes, *p) Augustodunum*
s. Autun, *q) Augustodurum* s. Bayeux, *r) Augustonemetum* s. Clermont, *s) Augustoritum* s.
Limoges. — Auch ein mod. *A.*, ON. im Staate
Georgia, v. engl. Colonisten 1735 nach einem
röm. Namen Londons benannt (Buckingh., Slave
St. 1. 163); *b) Augustusberg* s. König; *c) Au-

gustowo, poln. Stadt, 1547 v. König August I.
ggr. (Meyer's CLex. 2, 227).

Augustin, span. *Agustin*, port. *Agostinho* (s. d.),
der berühmteste Kirchenvater des Abendlandes,
lebte 354—430 u. erwarb sich, nachdem er auf
Irrwegen gewandelt, grossen Ruf in der christl.
Welt, so dass ihn die Kirche als Heiligen verehrt u. sein Gedächtniss je an seinem Todestage,
28. Aug., feiert. *a) San A.*, eine Stadt in Florida,
die älteste permanente Ansiedelg. der Union, durch
den Span. Melendez, welcher 1565 im Auftrage
Philipps II. die Huguenotten aus Florida ver-
jagte, ggr. u. nach dem Tag seiner Ankunft be-
nannt (Quack., USt. 59); *b)* wohl ebenf. nach dem
Kalendertage *SA.*, eine der Carolinen, v. span.
Seef. Don Felipe Tomson 1773 entdeckt (Krus.,
Mém. 2, 346), u. *SA.*, einh. *Nanomea*, der Ellice
Gr., v. span. Seef. Maurelle 1781 entdeckt, id.
Taswell Island des engl. Schiffes Elisabeth 1809
(Meinicke, IStill.O. 2, 134); *c) Mount St. A.* u.
Cape Beda, am Cooks R., v. Cook (King, Pacif. 2,
386 f.) am 26. Mai 1778 benannt, also an dem
Tage, wo der engl. Kalender das Fest des 'Apostels
v. England' feiert.

Aulerci, s. Evreux.

Auliadschal od. *Dschalaulia* = heiliger Bergrücken, kirg. Name eines semiretschinsk. Berges,
'weil die Trümmer der Felsarten auf dems. nach
Art der Kirgisengräber gehäuft liegen' (Bär u. H.,
Beitr. 20, 167). — *Aulia-ata* = heiliger Vater,
Stadt im Distr. Syr Darja, wo ein Heiliger begraben liegt (Peterm., GMitth. 37, 265).

Aulon, gr. *Αὐλών* = Thal: *a)* ein Thal mit
Stadt an der Grenze Elis-Messenien (Xen. Hell. 3,2,
25), die langgezogene Thalschlucht seines Flusses
(Curt., Pel. 2, 186); *b)* die Thalschlucht, in welche
der Eurotas unth. der spartan. Ebene eintritt (ib.
2, 289), also auch wohl im Ggs. zu dieser so
genannt; *c)* Stadt im Thale Alpheios, Elis (Plin.,
HNat. 4, 14); *d)* Stadt in Illyris graeca, v. *Avlona*
(Ptol. 3, 13, 3) — zu vgl. Apollonia; *e)* die Meerengen zw. Cypern u. Cilicien u. zw. Andros u.
Tenos (Pape-B.).

Ault s. Ot.

Aumale, ON. des frz. dép. Seine-Inf., einst Sitz
einer lothring. Grfsch., nach der sich mehrere
Glieder des lothr. Fürstenhauses nannten u. v.
welcher der 4. Sohn Louis Philipps den Herzogstitel führte. Durch diesen 1822 geb. Prinzen,
der in Algerien sich auszeichnete u. u. a. 1847
Abd el-Kadr gefangen nahm, ging der Name *A.*
auf einen Ort der Prov. Algier über, arab. *Sur
Ghozlán* = Wall der Gazellen (Parmentier, Vocab.
arabe 25).

Aumône, l' = das Almosen, im Mittelalter ein
beliebter frz. Ausdruck f. milde Stiftungen, insb.
Spitäler, die v. Klöstern unterh. u. unterhalten
wurden, wie im dép. Eure-et-Loir, wo 1119
Roger Abt v. Coulombs ein Hospiz erbauen liess,
u. im dép. Eure, wo noch im 18. Jahrh. die
Hospitaliers v. Jerusalem im Besitze einer solchen
Anstalt waren. Wir finden ferner einen Ort *les
Aumônes* als Lehen der Abtei du Bec. 3 mal

l'Aumônerie = das Almosenamt, u. *les Aumô-*
neries (Dict. top. Fr. 1, 5f.; 15, 8).

Aunay ist einer der aus lat. *alnetum* = Erlengebüsch, Erlenort hervorgegangenen frz. ON. Das
suffix *-etum* diente im class. Lat. dazu, aus Pflanzen-
namen *alnus* = Erle, *quercus* = Eiche, *castanea*
= Kastanie, *juncus* = Binse, Wörter zu bilden,
welche den Standort solcher geselliger Gewächse
bezeichneten, anfängl., etwa bis z. Kaiserzeit, noch
rein appellativisch: *alnetum, quercetum, casta-*
netum, juncetum f. jede Oertlichk., wo Erlen,
Eichen, Kastanien, Binsen gesellig stehen, dann
aber in Beschränkg. auf bestimmte Localitäten,
so dass die Ausdrücke nun zu Eigennamen wurden wie *Lauretum*, v. *laurus*, bei Varro u. Plin.
d. Aelt. f. einen Stadttheil Roms, *Pinetum*, v.
pinus, u. *Roboretum*, v. *robur, roboris*, f. röm.
Stationen in Spanien. Unser *Alnetum*, im 9.—11.
Jahrh. wohl auch *Alnido, Alnidum, Alnedum*
geschrieben, hat eine Menge frz. ON. geliefert,
bald auf *-ay, -ai*, bald auf *-ois, -oy* endigend,
jene um Paris u. im Nordwesten, diese im Nordosten Frankreichs, während man im Süden, statt
aune, das aus dem gall. stammende *verne* (s.
Vernay) vorgezogen hat. Neben dem bevorzugten
suffix *-etum* konnte auch *-arias* verwendet werden, wie es denn in der Gegend v. Blois, laut
einer Urk. v. 841, einen Ort *Alnarias* gab —
eine Form, der mod. *Aunières* entsprechen würde;
allein diese scheint zu fehlen (d'Arbois de Jub.,
Rech. NL. 605 f., 615 ff.). Neben *A.* finden wir
also auch *Aunais, Aunaies, Aulnay, Aulney*,
ferner *Aunoy, Aulnois, Aulnoy, Aunois*, auch
zu *Annois* verd., 856 *Alnetum*, 1049 *Alnetum*,
1153 *Aunetum* = Erlengesträuch, Ort mit vielen
Erlen (vgl. Herblay), neben *l'Aulne, les Aulnes*,
les Aulnettes hundertweise in Frankr. vertreten,
wohl am stärksten im dép. Mayenne, wo sich,
abgesehen v. vielen durch Beinamen differenzirten Namen, die einfache Form 120 mal findet
(Dict. top. Fr. 1, 6; 3, 5; 10, 7; 14, 7; 15, 7;
16, 8 ff.; 17, 13; 18, 10). Auch *Launay*, also
mit dem Artikel verschmolzen, 3 mal im dép.
Aisne, 1139 *Alnetum*, 13 mal im dép. Eure, im
11. Jahrh. *Alnetum*, nebst 3 *Launoy*, 27 mal im
dép. Calvados (ib. 10, 151; 15, 122; 18, 158). —
Auch Ital. hat viele dieser ON. wie *Aune, Onna*,
Alneda, Oneta, Lonato, Lonate etc. (Flechia,
NL.Piante 8).

Aunin s. Topnaar.

Aur s. Nil.

Aurach s. Uri.

Aurangabád, auch *Auru...*, *Aure...*, nach dem
Grossmogul Aurangzib, Aurengzib (= Thronzierde),
welcher, geb. 1619, den Thron zu Dehli an sich
riss, als Alum Ghir = Ueberwinder der Welt
das Reich z. höchsten Blüthe u. Ausdehng. brachte,
märchenhafte Schätze häufte, fanatisch für Ausbreitg. des Islam wirkte, aber auch wirthschaftl.,
administrativen u. wissenschaftl. Dingen seine Förderg. zuwandte u. 1707 †. Von den 4 nach ihm
benannten Städten des Dekhan (Schlagw., Gloss.
171) ist die der Ldsch. Hyderabad v. Grossmogul

selbst erbaut, welcher 1650/57 hier residirte
(Meyer's CLex. 2, 234); dann ward es Hptstadt
der grossmogul. Statthalter, später des Nizam
(Lassen, Ind. A. 1, 213).

Auranitis s. Hauran.

Aurea Ch. s. Malakka.

Aurelia (s. Baden) u. *Civitas Aureliani* (s. Orléans), zwei ON. nach dem 275 † röm. Kaiser
Aurelian.

Aurich, fries. *Auerk*, in ältester Form *Awrik*,
Awerk, Ort in Ost-Friesl., als der höchste Theil
der dortigen Moorgegend oft z. Winterzeit, u.
früher noch viel mehr als j., fast ringsum v.
wasserüberströmten Wiesen umgeben, somit eine
Halbinsel, *ouwa, owa*, bildend, denkt sich DKoolman (Ostfr. WB. 1, 71) als 'Auenbezirk, Auen-
Reich' u. nicht, wie Richthofen will, als *a-werk*
= Wasserwerk.

Auron s. Bourges.

Aurore, Ile = Insel der Morgenröthe, in den
NHebriden, einh. *Maiwo* (ZfAErdk. 1874, 286,
Meinicke, IStill. O. 1, 186), mit Tagesanbruch des
22. Mai 1768 durch den frz. Seef. Bougainville
(Voy. 242) entdeckt, 'l'instant où elle s'est montrée
à nous, l'a fait appeler *IA.*', also wie schon 1722
der Holl. J. Roggeween eine *Aurora I.* u. eine
gg. Abend desselben Tages entdeckte *Vesper I.*
taufte (Debrosses, HNav. 454). — *A. Bank*, bei
Halmahera, v. Capt. Vint, Schiff *A.*, am 25. Dec.
1816 entdeckt (Krus., Mém. 2, 57).

Ausserroden s. Appenzell.

Aussersihl s. Sihl.

Aussig u. **Austi** s. Ust.

Austin, spr. *justin*, ON. in Texas, 1839 ggr. u.
benannt nach Moses *A.*, welcher, aus Connecticut
geb., f. d. span. Krone Ansiedler aus der Union
herbeizog, also dass bald ihrer 30000 im Lande
ansässig waren (Quack., USt. 421, Meyer's CLex. 2,
266, Peterm., GMitth. 19, 466). — *Cape A.*, im
arkt. Banks' Ld., v. der Exp. McClure im Sept.
1851 entdeckt u. nach Capt. Horatio *A. C. B.* benannt 'in compliment to an officer who had already gained distinction in these seas', der sich
dam. auf einer östl. gerichteten Exp. befand († 1865).
Bei der Rückkehr wollte man den Namen in *Cape*
Mc Clure, nach dem Befehlsh. der Exp., umändern
(Armstrong, NW.-Pass 446). — *A. Lake*, ein See
in West-Austr., v. Rob. *A.* 1854 entdeckt (Peterm.,
GMitth. 22, 34).

Aust'lberg s. Matt.

Australia, früher in der Form *Terra Australis*
incognita = unbekanntes Südland, v. lat. *auster*
= Südwind, Süd, auf alle jene in südl. Breiten
auftauchenden Länderstrecken bezogen, welche
man voreilig zu einem antarkt. Continent vereinigte
(Schoner, LT. tot. Descr., Bamb. 1515), seit Tasman's kühner Fahrt aber, welche ein weites Gebiet
davon abgeschnitten, im j. Umfang eingeschränkt. Uebr. hat schon ein Zeitgenosse v. Magalhães u. Camões, der port. Geschichtschreiber
De Barros (Asia I. 8, 1), vorgeschlagen, die Insel-
länder des Gr. Oceans, auch America inbegr., als
bes. Erdtheil zu betrachten: 'tantas mil Ilhas u

esta terra de Asia adjacentes, tão grandes em terra, e tantas em numero, que sendo juntos em um corpo, podrão constituir outra parte do Mundo, maior do que he esta nossa Europa. Por cuja causa em a nossa 'Geografia', destas, e de outras Ilhas descubertas, fazemos huma quarta parte en que se o Orbe da terra pode dividir porque muitas estão distantes da costa que lhe não pertencem por adjacencia, ou vizinhança'. Einzelne der engl. Colonien auf dem Continent: *West-A.*, als Militärstation 1826, als förml. Colonie 1829 ggr., *Süd-A.*, durch Parlamentsbeschluss v. 15. Aug. 1834 (Sommer, Taschb. XVIII. p. 237) geschaffen u. 1836 besiedelt, *Nord-A.*, dessen Besiedelung seit 1824 mehrf. versucht wurde (Flinders, TA. 1, 191, Meidinger, Br. Col. 37. 57) — *A. Felix* s. Victoria. — In adj. Form *a) Austral-Inseln*, eine aus 6 meist bergigen Vulcaninseln bestehende polynes. Gruppe, nach dem Hptlande auch *Tubuai* (Meinicke, IStill. O. 2, 193); *b) Australian Alps*, die mächtigste Abtheilg. des Gebirgsnetzes, welches der Ostküste des Continents folgt, trotz mässiger Höhe, die nur etwa 2200 m erreicht, doch v. alpinen Formen; *c) Austral-Britania* s. Tasmania u. Nieuw Zeeland; *d) Austral-Neger* s. Papua; *e) Great Australian Bight*, die weitgespannte Ausbuchtung der continentalen Südküste, v. M. Flinders (TA. 1, 98) benannt. — *Austria*, latin. f. Oesterreich (s. d.); danach *Austria Sund*, im arkt. Franz Joseph's Ld., v. der zweiten öst.ungar. Nordpolexp. Weyprecht-Payer zu Ende März 1874 getauft (Peterm., GMitth. 22, 203; 20 T. 20 u. 23). — *Civitas Austriae* s. Civitas. — *Austrasia* s. Neuss. u. Ost. — *Austurveg* u. *Austrasalt* s. Ostsee. — *Austeravia* s. Norderney.

Auteuil s. Altus.

Autridge Bay, in Fury and Hecla Str., am 11. Sept. 1822 v. Lieut. Reid, Exp. Parry (Sec. V. 349), entdeckt u. benannt nach Capt. Will. *A.*

Autrikon s. Chartres.

Autun, ON. in Frankreich, kelt. *Bibracte* = Biberort, v. gall. *bebros*, lat. *fiber*, frz. *bièvre* (Rev. Celt. 8, 122), röm. *Augustodunum* = Kaiserstadt (meist ist, sagt eine briefl. Mitth. Gatschets, *dunum* = Stadt, nicht = Berg), eig. Augustusveste (Rev. Celt. 8, 124), erwähnt in Tacit., Ann. 3, 43. Später, der mod. Form genähert, *Austunum* (Bacmeister, A. Wand. 11).

Auvergne, röm. *Arvernia*, regio *Arvernorum*, bei Greg. v. Tours *Arvernum*, frz. Bergland, wie urspr. auch seine Hptstadt selbst (s. Clarus) nach seinen alten Bewohnern, den kelt. Arverni (Plin., HNat. 4, 109, Tac., Hist. 4, 17, Napol., JCés. T. 2), 'ces valeureux soldats qui ont toujours passé pour les plus belliqueux de la Gaule', die man desw. mit Vorliebe v. kelt. *ar* = gut u. *bern* = Krieger ableitet, wenn nicht *Arverni* als 'Bergbewohner' gelten soll (Nom. gent. *Auvergnat*, *te* (RDenus, AProv. 162). — *Arvernis* od. *Civitas Arvena*, u. *Auvers* s. Clermont.

Auwinkel s. Aa.

Auxtote s. Szamaiten.

Avadsch s. Audschch.

Avalon nannte Sir G. Calvert (s. Baltimore) die südöstl. Halbinsel NFundls., die er 1623 zu Lehen erhielt, nach dem ehvor. Namen v. Glastonbury, Somersetshire, wo die erste christl. Kirche in Grossbritanien gestiftet worden war; denn seine Colonisation sollte dem neuen Lande ähnl. Dienste leisten (Anspach, NFundl. 40).

Avantgarde s. Termination.

Avaren s. Oesterreich u. Steiermark.

Avaricum s. Bourges.

Avenches, Ort des schweiz. C. Waadt, röm. *Aventicum*, 1473 *Avanchiacum*, die grösste aller helvet. Städte, caput gentis (Tacit., Hist. 1, 68), auch *Colonia pia, constans* od. *flavia*, nach der Anhänglichkeit an ihre kais. Wohlthäter, *Colonia emerita*, als die v. ausgedienten Soldaten ggr. Siedelung, *Colonia foederata*, als Bundesgenossin Roms (Gem. Schweiz 19ᵃ, 59), zZ. Ammians, im 5. Jahrh., öde, erst wieder erstanden zu Anfang des 7., als der burgund. Graf Wilhelm (?) hier ein Schloss baute, dauernd erst im 11., als Bischof Burkhard v. Lausanne den Ort wieder aufbaute, deutsch *Wiflisburg*, wohl nicht, wie man früher wollte, nach dem Schlosse *Wilhelms*- od. *Willisburg*, sondern 1302 *Wibelsburg* = Burg des Vivilo, Vibilus, Wippilo (Gatschet, OForsch. 309). — *Lacus Aventicensis* s. Murten.

Averno, Lago d', bei Pozzuoli, röm. *Lacus Averni* od. adj. *Lacus Avernus*, gr. ἡ Ἄορνος λίμνη = der vogelleere See, weil üb. das v. steilen dichtbewaldeten Hügeln eingeschlossene, schwefliges Wasser enthaltende u. mephit. Dünste ausstossende Seebecken angebl. keine Vögel fliegen konnten, galt als Eingang der Unterwelt. Schon Strabo (244) erklärt die Sage betr. der Vögel als Fabel u. gibt auch an, dass der Wald v. Agrippa ausgerodet worden sei. — *Isla de las Aves* = Vogelinsel, eine der kl. Antillen, unbewohnt, so niedrig, dass sie erst gesehen wird, wenn man ihr nahe kommt, besser im plur. *Islas de las A.*, weil es 4 v. Klippen umgebene, nur v. unzähligen Vogelschaaren bewohnte Eilande sind (Oldend., GMiss. 1, 6, Meyer's CLex. 2, 331).

Avignon, frz. ON. an der Rhone, auf Inschriften u. bei röm. Autoren *Avennio*, ist nicht kelt. Urspr., sondern abgeleitet v. Avennius, 'gentilice atteste par une inscription de Rome' (d' Arbois de Jub., Rech. NL. 518).

'Aviter, hebr. עֲוִים, wohl = Trümmerbewohner, ein kanaanit. Volk, welches weit nach Süden die mediterrane Küstenniederung besetzt hatte u. in der Folge durch die üb. Aegypten anrückenden Philister nordwärts und landein geschoben wurde (vgl. 5. Mos. 2, 23 u. a. O.). — *Avith*, hebr. עֲוִית = Trümmer, Stadt in Edom (1. Mos. 36, 35, Gesen., Hebr. Lex.).

Avlona s. Apollonia.

Avoid Bay = Bucht des Vermeidens, in Süd-Austr., v. Flinders (TA. 1, 128) am 17. Febr. 1802 so genannt, weil vorn in der Bay eine niedrige Felsinsel u. zu beiden Seiten des Eingangs Felsen u. Brecher liegen u. überdiess die Bucht den gefährl. Südwinden ausgesetzt ist. Dabei *Point A.*

Avon, brit. FlussN. (s. Abens), gael. *abhuinn*, v. *abh* = Wasser, dem auch in *aber* auftretenden obsoleten Worte, u. *inne* = Rinne, also 'Wasserlauf', f. sich allein mehrf., aber auch in Zssetzungen 'schwarzer Fluss' (s. Forth), 'kurzer Fluss' u. dgl. (Robertson, Gael. Topogr. Scotl. 119 ff.). — Ein Schiff *A.*, Capt. Sommer, auf der Fahrt v. Port Jackson z. Torres Str., untersuchte am 17. Sept. 1823 die *A. Islands*, eine Riffgruppe des austr. KorallenM. (Hertha 6 GZ. 229).

Avondstond s. Palliser.

Awa, oft *Ava*, die frühere Hauptst. Birma's, ggr. 1364 (Meyer's CLex. 2, 324) in der Nähe v. 7 Fischteichen, verd. aus birm. *Eng-wa* = Eingang zu den Fischteichen, v. *eng* = Fischteich, *wa* = Eingang, amtl. aber skr. *Jatanapúra, Ratanapúra* = Stadt der Edelsteine (Schlagw., Gloss. 171, Crawf., Emb. 2, 2).

Awachs, wie lat. *novale* = neu angelegtes u. neu anwachsendes Land, urk. 1295 'novale in awachse ennent bergs quod jam est in exstirpatione', Name eines Hofes der zürch. Gemeinde Hombrechtikon (Mitth. Zürch. AG. 6, 74). Vgl. Schwendi, Grütli, Stocki, Schneit, Gauen, Ebnat, Neubruch, Brand.

Awa-iti, te = der kl. Fluss, bei den Maori eine Ansiedelg. bei Queen Charlotte's Sd. (Dieffb., Trav. 1, 36). — *Awaroa* = langer Wasserlauf, Nebenfluss des Waikato (v. Hochst., NSeel. 124).

Awakane s. Slave.

Awamyd, Keneíset el = Kirche der Säulen, eine Tempelruine 1 km v. Besisa, Libanon, nach der Colonnade v. 4 jon. Säulen, welche vor dem Eingang steht, resp. stand. Die Säulen sind üb. 5 m h., je aus einem Stück bestehend (Burckh., Reis. 1, 292).

Awanti s. Udschain.

Awar, Pulo, vulg. *Pulo Aôr* = Bambusinsel, eine zweispitzige Granitmasse bei Singapur, benannt nach einer grossen Bambusart (Crawf., Dict. 25).

Awatscha Bay, die Hafenbucht des kamtschatk. Petropawlowsk, v. den Russen benannt nach dem hier mündenden Flusse *A.*, eig. *Suaatschu* der Kamtschadalen (Müller, SRuss. G. 4, 320). — Nach ihr der Vulcan *Awatschinski*, am Nordufer der der Bay (Adelung, GSchifff. 598, Krasch., Kamtsch. 83) od. *Awatschinskaja Sopka* (Kittlitz, Denkw. 1, 330).

Awos, eine Felsklippe der Kurilen, v. Lieut. Chwostow, Befehlsh. des Schiffs Juno der russ.-americ. Co., im Juni 1806 so getauft, weil er beim ersten Anblick sein Geleitsschiff *A.* vor sich zu haben glaubte (Krusenst., Mém. 2, 192).

Awsano s. Ufa.

Awu, G. = Aschenberg, mal., ein Vulcan auf Gr. Sangir, mit starken Aschenauswürfen, welche am 10./16. Dec. 1711 viele Dörfer verschütteten (ZfAErdk. nf. 7, 409, Jungh., Java 2, 845).

Ax s. Aix.

Axal s. Paulsbad.

Axelnos P. s. Pontus.

Axel Inseln nannte die schwed. Exp. 1864 eine spitzb. Inselgruppe, welche dem nördl. Arme des

Bell Sd. vorliegt, nach dem Expschiffe *A.* Thordsen (Torell u. Nord., Schwed. Expp., Carte). Vgl. Thordsen.

Axen, bekannter Berg, dessen Kopf in den Vierwaldstätter See vorspringt, nach der scharfschneidigen Form, die der Rücken v. gewissen Standpunkten aus zeigt, bes. hübsch v. der Passhöhe Ematten-Seelisberg. Nach dem Vorsprung die *Axenstrasse*, eine vielbewunderte Kunstbaute.

Axley s. Ouse.

Axylos s. Lykaonia.

Ayacucho, ind. ON. in Peru, urspr. *Huamanca*, span. verd. *Guamanga*, wohl v. *huaman* = Falke u. *ccaca* = Fels, da die Stadt im Südwesten v. schroffen Felswänden überhangeh ist, also 'Falkenfels', zuf. der Legende, dass nach der Niederlage der rebellischen Pocras der Inca den Soldaten Llamafleisch austheilen liess u. einem über seinem Haupte kreisenden Falken, unter dem Rufe: *huaman-ca* = nimm, Falke! ein Stück in die Höhe warf, die Soldaten aber riefen: 'Seht, selbst die Vögel der Luft gehorchen ihm', dann aber in *A.* = Winkel der Todten umgetauft, nachdem die Aufständischen in einer blutigen Schlacht durch den Inca Huira-ccocha 1374 vertilgt worden. Hier gründete Fr. Pizarro eine Sicherheitsstation der Strasse Lima-Cuzco: *San Juan de la Frontera* = St. Johann der Grenze, u. der Licentiat Crist. Vaca de Castro, sein Nachfolger in der Regierung, nachdem er die 'Chilemänner', d. i. Almagro jun. u. Anhang, auf den Höhen v. Chupas 16. Sept. 1542 besiegt hatte, nannte den Ort *de la Victoria*. Als am 9. Dec. 1824, auf demselben Platze, die Spanier den Patrioten unterlagen u. dadurch die Unabhängigkeit Peru's errungen war, wurde zu Ehren des Sieges der Name *A.* neu eingeführt (WHakl. S. 33, 308).

Ayak s. Sledge.

Ayangcatsibang = Berge des Lauskamms, ind. Name der Quellberge des Yuruani, des Hptarms des dem Orinoco tributären Caroni, Sierra Parime, nach dem zackigen Aussehen ihrer Felswände (Raleigh, Disc. G. 79).

Ayar s. Itam.

Ayllon s. Carolina.

Aylmer Lake nannte G. Back (Narr. 72) einen am 26. Aug. 1833 entdeckten, z. Gebiet des Gr. Sclaven Sees geh. inselgeschmückten See, 'a splendid sheet of water' in honour of the governorgeneral of Canada, dem der Reisende vieles zu danken hatte.

Aymond s. Asses Ears.

Ayr, ein Fluss, u. an dessen Mündung ein Ort *A.*, in der schott. Ldsch. *Ayrshire*, noch im 18. Jahrh. *Air*, 1316 *Aare*, 1197 *Are*, zsgesetzt aus gael. *a* = Wasser u. *reidh*, gael. *ray*, = glatt, sanft, klar, also *A-reidh* = der klare Fluss (Robertsion, Gael. TScotl. 132 f.), 'sufficiently characteristic of this stream', which, flowing above a gravelly bed, continues clear and limpid through the whole of its course' (Charnock, LEtym. 21). — *North A.*, an der Westseite der Baffins Bay, v. dem aus Schottl. geb. Capt. John Ross (Baff.

B. 197) im Sept. 1818 nach gewissen Aehnlichkeiten mit der heimischen Landschaft getauft. Vgl. Horse I. u. Ardrossan B.

Ayres Rock, ein ungeheurer Felsblock im Innern Austr., ein Koloss 3 km lg. u. $1^1/_2$ km br., 330 m h., v. dessen Höhe herab eine Quelle fliesst, v. Reisenden Gosse 1873 'getauft zu Ehren des Honorable sir Henry *A.* in Adelaide' (ZfAErdk. 1875, 342).

Ayud s. Kalah.

Ayuthia, corr. aus skr. *Ajudja* (Oude), v. der Gegend des Rama, Halbgottes der Hindu, auf die einstige Hptstadt Siams übtragen. *A.* 1766 zerstört u. 1769 durch Bangkok ersetzt (Crawf., Dict. 385).

Ayvaille s. Ève.

Azanai, gr. Ἀζάναι = Dürrfelder, ein durch schlechten Boden bekannter Ort Arkadiens (Zenob. 2, 54), daher sprüchw. Ἀζάνια κακά (Pape-Bens.). — *Azania,* gr. Ἀζανία = Dürrland, Geest: *a)* ein Theil Arkadiens an der Grenze v. Elis (Paus. 8, 43) u. davon bisw. ganz Arkadien (St. B.); *b)* die Ostküste Africa's, j. *Hazine* (Diod. Sam. b. Ptol. 1, 7, 6) u. davon das anlieg. *Azanium Mare* (Plin. 6, 108, Pape-Bens.); *c)* in etwas veränderter Form Ἀζηνιά, ein att. Ort an der Westküste bei Sunion (St. B., Pape-Bens.).

Azimabad s. Patna.

Azotos s. Asdod.

Azteken, der Indianerstamm, welcher Mexico erbaute u. v. hier aus ein mächtiges Reich gründete, v. *Aztlan,* dem (nicht sicher gedeuteten) Namen des Landes, v. dem aus sie, viell. die sämmtl. Stämme der Nahuatlaken, ausgewandert sind. — Ein Ort *Aztla,* v. gl. Bedeutg., in der Prov. San Luis de Potosi (Buschmann, Azt. ON. 5 f.).

Azucar, Pan de = Zuckerhut (s. Zucker), mehrf. span. ON. *a)* f. den kl. Gipfelkegel des Pic de Teyde, Tenerife (ZfAErdk. nf. 11, 95); *b)* f. einen isolirten Hügel am Paraguay, ggb. Villa Occidental, $21^1/_2^0$ SBr. (ib. nf. 13, 57); *c)* eine Küsteninsel bei Luçon

(Govantes, HFilip. 9); *d)* d⁰ im Arch. der Visayas, Philippinen (ib. 10); *e)* s. Boquerones.

Azufre = Schwefel (s. Sulphur), in span. ON. *a) Hacienda del A.* = Schwefelgut, eine Ansiedelg. in Mexico, Chiapa, nach den nahen 25⁰ C. warmen Schwefelthermen (Heller, Mexico 346); *b) Isla de A.* s. Volcanos. — In adj. Form *Rio Azufrado* = Schwefelfluss, ein bedeutender Giessbach der peruboliv. Küstencordillere, nach der grossen Menge Schwefelkies u. Alaunerde, die sein Wasser aufgelöst enthält. In diesem Fluss verdichten sich eine Menge wässeriger u. saurer Dämpfe, welche die thätige Solfatare eines zsgstürzten Kraters ausstösst (Bergh., Ann. 12, 272).

Azul, Agua = Blauwasser, der bemerkenswertheste Zufluss des Sees v. Yojoa, Honduras, eine ungehure Quelle klaren blauen Wassers, 20 m im Durchm. Aus diesem Quellbassin ergiesst sich ein Strom, welcher jedem der Seeabflüsse an Stärke gleichkommt, in den vorhin genannten See (Peterm., GMitth. 5, 172); — *Serra A.,* ein Gebirgszug in Goyaz, v. Dr. Couto de Magalhães im Jan. 1865 so benannt, weil er v. einem Baume aus die in 9 Leguas nach Westen verlaufende Serra in bläul. Umrissen fast mit den Wolken zsfliessen sah (ib. 22, 218). — *Grotta Azurra* = blaue Grotte, auf Capri, eine Höhle. 40 m lg., v. A. Kopisch 1826 entdeckte Uferhöhle, deren Boden das Meer bedeckt. Man kann sie bei ruhigem Wetter schwimmend od. in einem Kahne erreichen. 'Magisches Azurdunkel, anfangs v. mattblauem Dämmerdunst durchwoben, erfüllt die Höhle u. übergiesst Gestein u. Wellen mit weichem Flimmerglanz'. Bei klarem Himmel erscheint das Wasser wundersam blau u. durchsichtig, hängt wie ölig schwer dem Badenden an u. umfliesst ihn v. lichter, blauer Farbe; bes. schön aber ist der Abglanz der Wasserfarbe an der Felswölbung. Ein Seitenstück die *Grotta Verde* = grüne Höhle (Meyer's CLex. 4, 149).

B.

Ba = Fluss, in mehrern Negersprachen des Sudan, f. *Benue, Schari* u. *Senegal* als Eigenname verwendet (Barth, Reis. 2, 614; 3, 189). — Ganz anders *ba* = sie, Leute, bei den südafr. Bantuvölkern: *Baroa* (s. Bosjesman), ferner *Bakalahari,* der westl. Zweig der Betschuanen, nach ihrem Lande, der *Kalahari,* mit vorgesetztem Personalpron. *ba* = sie, also 'die v. der *K*.'. Andere Stämme werden nach Thieren (welche sie einst verehrten [?] u. noch fürchten) benannt: *Bakatla* = die der Affen, *Bakwain* = diej. des Alligators, *Batlápi* = die des Fisches (Livingst., Miss. Trav. 13. 202). — *Bakoba* = Sclaven nennen die Betschuanen die ihnen unterworfenen Busch-männer am See Ngami, während sich diese Leute selbst als *Bajeije* = Menschen bezeichnen (Peterm., GMitth. 3, 94 f.). — *Bakwiri* = die im *kwiri,* d. i. Dschangel, Buschwerk, Volk am Camerun (ib. 9, 180).

Baake Rivier, capholl., ein in die Algoa Bay mündendes Flüsschen, nach der *baake* = Merkzeichen, Seetonne etc., welche wie der Fluss den Schiffern z. Kennzeichen des Landungsplatzes diente (Lichtenst., S.-Afr. 1, 377). Die baaken sind gew. thurmartige Balkengerüste, oben etwa mit einer kl. Hütte, die Proviant enthält u. den geretteten Seeleuten Obdach gewährt, bis die See erlaubt, die Mannschaft abzuholen.

9*

Baal, hebr. בַּעַל, z. Bezeichnung des Inhabers einer Sache gebraucht, in geogr. Namen wie Beth (s. d.) = 'Ort, wo sich etwas befindet' : *a) B.-Gad*, hebr. בַּעַל גָּד, v. Dienste des Gad als Glücksgott, am Fusse des Hermon (vgl. *Banias*); *b) B.-Hamon*, בַּעַל הָמוֹן = Ort des Reichthums, eine Stadt, wo Salomo einen Weinberg hatte (HL. 8, 11); *c) B.-Perazim*, בַּעַל פְּרָצִים = Ort der Niederlagen, scil. der Philister ggb. David (2. Sam. 5, 20); *d) B.-Zephon*, בַּעַל צְפוֹן = Ort des Typhon, des bösen Princips, welchem die Steppen im Osten u. Westen des Nilthals geheiligt gedacht wurden, gew. *Heroopolis* (s. Ramesu), Stadt in Aegypt., nahe dem Rothen M. (2. Mos. 14, 2, Gesen., Hebr. Lex.). — *Baalbek* = Stadt des Baal, an den Quellen des Litani, Coelesyr., od. wie Kiepert (Lehrb. AG. 165) vermuthet, altsemit. *Baʿal-biqʿa* = Höhe des Thales, als *Balbiki* in den ägypt. u. assyr. Inschriften, gr. *Heliopolis* = Sonnenstadt, nach dem glanzvollen Sonnentempel (Oppert, Exp. Més. 1, 12 ff.), dessen Feste u. Orakel weither besucht waren u. danach *Dschurd* (= Steinberg) *B.*, ein Theil des Libanon (Burckh., Reis. 1, 73). — *Kirjath-B.* s. Kiriah. — *Mons B.* s. Berg.

Baar, deutscher ON., bald v. *baro* = Wald, Waldgegend (Meyer, ONZür. 54), bald umgek. als ein v. Holzstand befreiter od. schon kahl vorgefundener Landstrich (Gatschet, OForsch. 104), bald v. ahd. *baar* = leer, also geradezu als Einöde (Förstem., Deutsche ON. 103) erklärt, th. f. sich, wie *B.* im C. Zug (u. dabei *Barburg, Bareck* u. *Baarer Boden*, f. d. obstbaumwaldige Ebene), th. mit dem Namen des ersten german. Ansiedlers, wie die *B.* an der jungen Donau, urk. 782 in pago *Bertoltipara*, 786 pagus *Perithtilinpara, Berchtholds-B.*, bei Villingen die *Baraburg*, der Sitz der alten Gaugrafen (Meyer's CLex. 2, 351). Es hat übr. Förstemann (Altd. NB. 205 ff.) eine Scheidg. in drei Stämme der Form *bar* versucht u. einem zweiten die ON. *Barr*, Elsass, *Barweiler*, Rheinpreussen, u. a., zugewiesen. Auch eine schwed. *Barö* = kahle od. nackte Insel, mit Hafen *Barö Sund*, im finn. Golf (Meyer's CLex. 2, 594), gehört hierher.

Bab = Thor, plur. *bibán* od. *abwáb*, dial. *abweb*, natürl. häufig z. Bezeichng. der Stadtthore (Parmentier, Vocab. arabe 12), aber auch im ON. (s. Mandeb u. Gibraltar), so *Medschas el-B.* = Thorweg, Ort bei Tunis, v. einem einfachen Bogen der, zu Ehren des Gratianus, Valentinianus u. Theodosius errichtet, j. halb zerstört steht (Barth, Wand. 213). — *El-Abweb*, als 'kleine Thür' übersetzt, während das dim. *buwaib*, meist *buwéb* gespr. u. davon kaum *abwéb* eine dial. Nebenform mit lautl. Umstellg. ist, eine Schlucht des Sinai, auf 3 m verengt, ein romantischer zw. ungeheure Felsmassen eingeklemmter Engpass, welcher sich mit ausgedehnten Geröllmassen z. Golf v. Akaba hinaus öffnet (Robinson, Pal. 1, 254). — *B. el-Abwab* s. Derbend. — *Biban* = Thore, 2mal *a)* Ort an der Kl.Syrte, besteht aus einer Insel, die durch 2 kleinere Eilande mit der östl.

folgenden Nehrung verbunden wird. Die ganze Landzunge scheint, bevor 'die Thore' so durchbrochen wurden, Eine zshängende Höhenkette gewesen zu sein — bei Strabo *Zuchis*, bei Skylax *Taricheiai* (s. Malaca), in dem anonymen Periplus *Zeucharis*. Wirkl. beschreibt Strabo 835 den See als mit enger Einfahrt, eben unsere 'Thore', u. die Stadt habe Purpurfärbereien u. allerlei Anstalten z. Einsalzen der Fische (Barth, Wand. 270). Der Golf j. *Baḥēret B.*, im Mittelalter *Ssebâch el-Kelab* = Salzsee der Hunde, wie noch j., ozw. nach der Form, die vorgeschobene Zunge des Beckens *Chaschm el-Kelb* = Hundeschnauze (Barth, Reis. 1, 11 f.); *b)* ein Flussdéfilé zw. Algier u. Constantine, 25 km lg., vollst. *Bibán el-Hadid* = eiserne Pforte (Parmentier, Vocab. arabe 14, Meyer's CLex. 3, 138). — Das Glanzobject dieser Namenfamilie ist *Babylon* (s. d.).

Baba = altes Weib, auch Grossmutter, ein slaw. Wort, in ON. wiederholt u. dann gern sagenhaft ausgeschmückt, da *B.*, eine uralte dunkle Göttergestalt, als die allnährende Weltamme betrachtet wurde : *Babia Góra* = Weiberberg, poln. Bergname in der Arvaergruppe der Karpathen, *Babjhora* = Weiberberg, cech. Bergname in den mähr. Karpathen, *Babina Gomila* = Weiberhügel, kroat. Name der sog. Heidengräber (Umlauft, ÖUng. NB. 13 f.).

Babbage River, Zufluss des Eismeers westl. v. McKenzie R., esk. *Cöök-Kiktok* = felsiger Fluss, v. John Franklin (Sec. Exp. 125) am 19. Juli 1826 nach einem Freunde benannt, wie *B. Bay* u. *B. Island*, vor der Mündg. des Gascoyne R., v. Capt. G. Grey (Two Expp. 1, 361) am 6. März 1839 nach *C. B.* (dem 1790 geb. engl. Mathematiker Charles *B.*?).

Babel, vulg. Form f. Babylon, ist auch in einen Entdeckernamen eingetreten : *B. Islands*, in der Bass Str., deren grösste Flinders (TA. I, CXXVII, CXCIII, Atl. 6) am 9. Febr. 1798 mit buschigem Gras u. Reisholz bedeckt sah, nachher v. ihm selbst so benannt, weil er hier ein ganzes Völkergemisch brütender Vögel, Gänse, Seeraben, Pinguine, Möven u. Sturmvögel, fand, welche, in Districte abgesondert u. je seiner eignen Sprache sich bedienend, ein wahrhaft babylon. Lärmgewirr verursachten. Auch King (Austr. 1, 7) fand den Namen noch zutreffend; er sah 'incredible numbers of sea-birds' ... u. in einem andern Quartier viele Seehunde, 'by the growl of which, and the discordant screams of the birds, a strange confused noise was made, not ill adapted to the name the island bears'. — Uebr. hat das Wort *B.* lautl. einen Doppelgänger anderer Herkunft u. Bedeutg. in dem ON. *B.*, bei Sarkau, Kur. Nehrung, v. lett. *baba* = Winde, womit die Fischer die Netze aufwinden (Altpr. Mon. 8, 25).

Babenhausen s. Bamberg.

Babi, Pulo = Schweineinsel, mal. Name *a)* einer der Westseite Sumatra's vorgelagerten Inselgruppe, bei den engl. Seeff. in *Hog Island* übsetzt (Crawf., Dict. 26); *b)* eines flachen Koralleneilandes bei Salawati, Neu Guinea (Meinicke, IStill.O. 1, 84).

Das Wort *babi* (auch in *babirussa* = Hirsch-eber) lautet in den Philippinen *babuy;* daher eine Insel an der Nordspitze Luçons *Babuyan* = Ort der Schweine, in der Gruppe der *Ba-buyanes* (Crawf., Dict. 26). Bei Java-Madura die vulcan. Berginsel *Bavian* = Ort der Schweine, mit Ueberfluss an Wildschweinen (ib. 46). — *B. Osero* = See der Kropfgänse, *babi*, wie der nahe *Lebeschie Osero* = Schwanensee russ. Namen im Netze des Tobol, nach den hier zahlr. Thieren (Falk, Beitr. 1, 227). — *B.-sub* s. Nowoschidse.

Babylon, gr. *Βαβυλών*, auch *Babel*, z. semit. Stamme *bab* (s. d.) gehörig, assyr. *Bâb-ilu* = Thor Gottes, d. i. Hof des Sonnengottes Bel, Baal (Gesen., Hebr.Lex., Schrader, Ausgrab. *B.* 1885), der semit. Name 'der ältesten Stadt Vorder-Asiens, der stolzen Zierde der Chaldäer, des weltgepriesenen Orts', weil in dem Sterndienste des Volks Belus, der Sonnengott, 'der Herr des Himmels u. des Lichts, der das Weltall u. den Menschen geschaffen u. den Sternen ihre Bahnen gewiesen', oberster Gott (ihm z. Seite Mylitta, Astarte, die Mondgöttin, das Sinnbild der ge-bärenden Natur) war. Dieser Cult verkörperte sich in dem Belustempel, dem *babylon. Thurm*, noch arab. *Babil*, auch *Maklubeh* = Ruine, einer gg. 200 m h., viereckigen Stufenpyramide, die inmitten eines bes. ummauerten heil. Bezirks aus einem Unterbau u. 7 den Planeten geweihten Absätzen verschiedener Farbe, nach oben ver-jüngt, bestand, auswendig auf einer Wendeltreppe ersteiglich u. mit Statuen, Bildwerk u. Zierat v. Gold reich geschmückt war; das oberste Stock-werk, das Allerheiligste, zugl. Sternwarte, ent-hielt die (später v. Xerxes geraubte) goldene Statue Bels, sammt goldenem Tisch u. Lager. So war der Tempel, eines der 7 Weltwunder, auch das ständige Sinnbild des Stadtnamens selbst, wohl das grossartigste Menschenwerk, welches einen geogr. Namen verkörpert wiedergibt. Ueber seinen Bau enthält die Genesis (11, 1—9) eine Erzählung, wie ob der Verwogenheit des Unter-nehmens eine allgemeine Verwirrg. einriss, dass Keiner von den Andern Sprache verstand — viell. mit geschichtl. Unterlage, wohl jedoch ein Mythus, welcher den Ursprung für die Ver-schiedenheit der auf Erden wohnenden Völker u. Sprachen erklären soll. Wie diese Verwirrg. sprüchw. geworden u. sogar in ON. z. Ausdruck gekommen ist, so auch der durch Reichthum er-zeugte, in Ueppigkeit u. Schwelgerei ausartende Luxus dieser prächtigsten aller Riesenstädte Alter Welt, die zu Nebukadnezars Zeit 2 Mill. Ew. ge-habt habe, f. ein 'modernes *B.*' ZZ. der Selu-ciden verödet, seit Muhammed aus der Geschichte verschwunden, blieb *B.* der Welt ledigl. aus Herod. (1, 178 ff.) u. den bibl. Berichten bekannt, bis die mod. Ausgrabungen Rich's, Rawlinson's, Layard's, Fresnel's, Oppert's etc. die Schuttberge öffneten, insb. auch *a)* den *Birs Nimrud*, den man lange f. den babylon. Thurm gehalten hat, sowie *b)* el-*Kasr* = die Burg, die Ruine des Schlosses Nebukadnezar's, auch *Mudschelibeh* =

die kl. Ruine, was nach Fresnel die babyl. Aus-sprache f. *mukailibeh*, v. *maklubah* = Ruine. Als aus dem alt. *Hal(a)lat* = die profane, d. i. dem Arbeiterquartier *B.'s*, hervorgegangen sieht Oppert (Exp. Més. 1, 135) den j. ON. *Hilleh*, schon bei dem arab. Reisenden Jaqut (1200) erwähnt, an (Layard, Disc.491, 494 f.). Das Reich der Wunder-stadt hiess seit den letzten assyr. Eroberern *Ba-bilu*, in pers. Ausspr. *Babiru*, graecis. *Βαβυλω-νία*, in den spätern bibl. Büchern אֶרֶץ־בָּבֶל = Land v. *B.* Vorher hatte es *Mat-Kaldu* = Land der Chaldäer geheissen, daher bei den hebr. Pro-pheten des 7. Jahrh. mit einem auffallenden, aber auch sonst im Assyr. vorkommenden Lautwechsel אֶרֶץ־כַּשְׂדִּים, *Ereç Kasdim* — beides nach einem Völkerstamm im südlichsten Landestheil, den auch noch die griech. Zeugnisse speciell als *Chaldaea* bezeichnen (Kiepert, Lehrb. AG. 142 ff.). — *Torre* (= Thurm) *de B.*, ein Felsberg mitten in den Campos der bras. Prov. Goyaz, benannt wg. seiner in grotesken Gestalten auf u. üb. einander ge-thürmten Felsmassen durch eine Goldsucherexp., welche 1770 der Gouv. Ant. Carlos Furtado de Mendonça aussandte (Eschwege, Pluto Bras. 69). — Ein *babylonischer Thurm*, ebf. ein grotesker hoher Berg, in der Col. Drakenstein (Kolb, VGHoffm. 227).

Bacalhaos s. Neu Fundland.

Bacchus, der Gott des Weins, des Tanzes u. anderer geselliger Freude, findet sich ein paar mal in ON. *a) Bacchische Felsen*, das felsige u. unanlandbare Cap bei dem j. Jeniköi, am Bosporus, weil die Fluten, wie Bacchantinnen tanzend, an dasselbe wild anschlagen; sonst auch *Komarodes*, v. Erdbeerbäumen, arbusiers, mit welchen es bepflanzt war u. z. Th. noch ist (Hammer-P., Konst. 2, 240); *b) Ile de B.* s. Orléans.

Bach, ahd. *bah, pah*, ags. *bec*, altn. *beckr*, niedd. *beke*, f. kleinere fliessende Gewässer u. v. diesen oft auf Wohnorte übtr., mehrf. ohne Be-stimmungswort, so im 8. Jahrh. *Bac*, j. *Beke* od. *Beck*, wiederholt in Westfalen, *Beek* bei Duis-burg, *Bach* an vschiedd. Orten, *Bäch* am Zürich-see, häufiger differenzirt, nach Eigenschaften des Wassers, wie in *Schwarzen*- u. *Weissen-, Dunkel-* u. *Finster-, Lauter-* u. *Trübbach*, nach Eigen-schaften des Laufes, wie in *Rickenbach*, der viele *riken* = Windungen, *Laufenbach*, der Wasser-fälle bildet, in *Tiefen-, Klos-* od. *Clus-, See-, Weierbach*, der in tiefem Tobel fliesst, aus einer Clus hervortritt, aus einem See- od. Weier ab-läuft, nach den u. an ihm vorfindl. Mineralien u. Pflanzen, wie in *Stein-* u. *Goldbach, Erlen-, Haslen-, Tannenbach* etc., nach den ihn be-völkernden Thieren, wie in *Fisch-* u. *Röthen-bach* = Bach des roto, des beliebten rothpunctirten 'Röteli', od. nach Ansiedlern, wie in *Ottenbach*. urk. 1255 *Hottonbach* = Bach der Hotta, Otta u. s. f. Alte ON., mit -*bach* als Grundwort, gibt Förstem. (Altd. NB. 179 ff.) nicht weniger als 785 an. Im Uebrigen folgen noch alte Formen *Pacharum*, j. *Pachern*, in Bayern, *Bachovia*, j. *Pechau*, in Sachsen, *Bachital*, j. *Bachthal*, in

Baden, *Bahfeldon*, j. *Bachfeld*, in Thüringen, *Bacheim*, j. *Bachem, Bachham, Pahham, Bach-heim* u. *Bakkum, Pahhusun*, j. *Bach-* u. *Beck-hausen* u. a. m.

Bache, Cape u. *Cape Henry*, in Kane Sea, 1853 v. Kane nach hervorragenden Landsleuten getauft, ersteres ozw. nach dem Physiker Alex. Dallas *B.*, welcher seit 1843 die Küstenver-messungen der Union leitete, das andere nach dem dam. Secretär der Smithsonian Institution, George *H.*, der um das Zustandekommen der Exp. grosse Verdienste hatte. Als Hayes 1860/61 die Vorgebirge als Inseln erkannte, setzte er *B.* u. *H. Island*, sowie f. *Buchanan Bay*, die nach dem Unionspräsidenten d. Namens benannt war, *Buchanan Strait* (Peterm., GMitth. 13 T. 6).

Bachelor s. Massacre.

Bachtinsk s. Jenisseisk.

Back, George, brit. Polarf., geb. 1796, begleitete John Franklin 1825/26, führte 1833 eine Exp., um Capt. Ross aufzusuchen, erreichte hierbei, v. Fort Resolution aus, am 26. Aug. den *Fish R.*, *B.'s Great Fish River* (s. Fish), ging nach einer Ueberwinterg. in Fort Reliance wieder zu diesem Strom, befuhr ihn bis z. Eismeer u. kehrte am 8. Sept. 1835 nach Liverpool zk. Z. Capt. be-fördert, wollte er 1836 v. d. Hudson's Bay aus z. Eismeer vordringen; aber der 'Terror' blieb im Eise stecken, u. der Reisende kehrte im folg. Jahr unverrichteter Dinge zk. nach Hause. Er † z. Admiral befördert 1878. Ihm zu Ehren sind benannt: *Point B.*, zwei Vorgebirge in America: *a)* v. John Franklin (Sec. Exp. p. 166), 'after my excellent companion lieut. *B.*' das Cap, welches er v. Return Reef, jenseits Gwydyr Bay, am 17. Aug. 1826 erblickte; *b)* v. der Exp. McClure im Sept. 1851 die Ostspitze des Eingangs der Mercy Bay (Armstrong, NWPass. 462). — Ein *Cape George B.*, in Grinnell Land, taufte der american. Polarf. E. K. Kane (Arct. Expl. 1, map) 1853/55. — *B.'s Bay*, in King Williams Ld., v. commander J. Cl. Ross, Exp. John Ross (Sec. V. 419), am 29. Mai 1830 nach seinem Freunde benannt. — *B.'s Inlet*, 'a magnificent inlet', v. Richardson am 8. Aug. 1826 entdeckt und, im Einverständniss mit seinem Begleiter Kendall, nach ihrem beiderseitigen Freunde u. Gefährten, Capt. *B.*, benannt (Franklin, Sec. Exp. 260, Ans.). — *B.'s River*, ein Zufluss des Ba-thurst It., v. Capt. John Franklin (Narr. 377, Carte) am 5. Aug. 1821 entdeckt u. nach seinem Gefährten u. Freunde getauft 'as a mark of my friendship for my associate'.

Backhouse, Point, in der Mündg. des Gr. Fish R., v. G. Back (Narr. 203) am 30. Juli 1834 zu Ehren seines Freundes John *B.*, 'the able and excellent Under-Secretary of State for foreign affairs', getauft, sowie *B. River*, ein Küstenfluss westl. v. Mackenzie R., v. John Franklin (Sec. Exp. 139) am 26. Juli 1826, auf den Wunsch seines Gefährten, Lieut. Back.

Backstair's Passage = Hintertreppen - Durch-gang, Hinterthür, der schmale Durchgang, wel-cher die Ostspitze der Känguru-I. v. Austral-continente trennt, wg. seiner mehr versteckten Lage u. seiner Schmalheit gleichsam die Hinter-thüre, 'a private entrance', zu St. Vincent's u. Spencer's G., während Investigator's Str. den grossen westl. Zugang bildet, so getauft v. M.Flin-ders (TA. 1, 187), bei der Exp. Baudin, welche im April gl. J. herkam, *Détroit de Colbert*, zu Ehren des frz. Ministers *C.* 1619/83 (Péron, TA. 1, 272, Freycinet, Atl. 15).

Bad = schlecht, schlimm, in engl. ON. wie *B. Creek* u. *B. Lands* (s. Mauvais), *B. River* (s. Cheyenne), *B.Water Creek* = Bach mit schlechtem Wasser, ein rseitg. Zufluss des Bighorn R., dessen klares Wasser so bittersalzig ist, dass selbst die durstigen Thiere der Exp. Raynolds (Expl. 80f.), 17. Mai 1860, mit Ekel sich abwandten u. es selbst weiter abwärts noch unschmackhaft fanden. *B.-humoured Island* = Insel der übeln Laune, in Missuri, obh. Big Bend, am 25. Sept. 1804 Lagerplatz der Exp. Lewis u. Cl. (Trav. Miss. 62), so benannt, weil die Sioux, die man beschenkt u. mit Whisky bewirthet hatte, sich feindselig be-nahmen, so dass Clarke in Lebensgefahr schwebte.

Badajos, maur. *Bax Augos*, bei Abulfeda *Ba-thaljus* (Meyer's CLex. 2, 382), v. röm. *Pax Au-gusta* = Augustusfriede, altes Seitenstück zu Karlsruhe, Wilhelmslust etc., südwestl. davon *Pax Julia* = Juliusfriede, j. *Beja*, (Willk., Span.-P. 271).

Baden, ahd. *badun* = in den Bädern, abl. plur. v. *bad*, vschiedd. Badeorte, hptsächl. *a) B.* bei Wien, auch *Baaden*, röm. *Aquae Cetiae*, nach dem mons Cetius, dem Wiener Wald, od. einf. *ad Aquas* = bei den Thermen, bei MAurel *Aquae Pannonicae*, als Heilwasser Pannoniens, unter deutschem Namen zuerst 1137 (Becker, NÖ.Lex. 1, 120, Umlauft, ÖUng. NB. 14, Meyer's CLex. 2, 419); *b) B.* im schweiz. C. Aargau, auf einer Inschrift *Aquae*, bei Haller u. A. die er-dichtete Form *Aquae Verbigenae*, nach dem Volksstamm, u. die Annahme, als hätten die Bäder die Anlage des 'Steins', *Castellum Ther-marum* od. *C. Aquarum* u. damit der j. Stadt *B.* veranlasst (Mitth. Zürch. AG. 12, 295). Jen-seits der Limmat, v. der Stadt u. den 'Grossen Bädern' aus, liegt *Ennetbaden* mit den 'Kl. Bä-dern'; *c) B.* im Breisgau, röm. *Aurelia Aquen-sis*, nach Kaiser Aurelian († 275) im 10. Jahrh. *B.*, mod. auch *B.-B.*, seitdem der Ort dem Lande *B.* (wo auch der Badort *Badenweiler*) den Namen gegeben.

Badhra s. Tungabudhra.

Bádrinath = Bádri der Herr, hind. ON. in Garhwal, v. *bádri*, einem bei Brahmanen viel gebrauchten PN., u. *nath* = Herr, einem in Namen allgemein übl. Epitheton der Achtung (Schlagw., Gloss. 171). — Achnl. *Badrhát* = Badr's Markt, in Bengal.

Badschapur s. Pascha.

Badun s. Bath.

Baebro s. Thapsacus.

Bäch s. Bach.

Bächau s. Ufenau.

Baená = Versteinerungsfluss, in der Nähe der isl. Geysir, ausgezeichnet durch Schönheit u. Menge der Petrefacten, welche er am Ufer durch Kieselsinter bildet. Die Ablagerungen 'bestehen meist aus feinen, papierdünnen, wellenförmig über einander liegenden Schichten. Die zartesten Nerven v. Birken- u. Weidenblättern, die feinsten gesägten Rippen auf der Oberfläche der Schachtelhalme sind höchst getreu abgedruckt; unzählige Abdrücke v. Gräsern u. Zweigen, v. kleinen kriechenden Gesträuchen, ja v. Blumen, finden sich in seltner Schönheit in den Tuffen eingeschlossen; ganze Torfstücke sind in Kieselsinter, fingerdicke Reiser in einen dunkelbraunen Holzstein umgewandelt' (Preyer u. Z., Isl. 248).

Bär = ursus, holl. *beer*, engl. *bear* (s. dd.), ein Geschlecht v. circa 10 Arten grosser Raubthiere, insb. des braunen, U. arctos L., des Eisbären, U. maritimus L. u. des gefürchteten Grizzly (s. d.), erscheint in vielen ON. der Waldgebirge u. der Polarländer *a) Bärenalp, Bärenthal* u. *Bärenbach*, in einer einst v. diesen Thieren unsichern Gegend des Appenzeller Landes (v. Arx, Gesch. St. Gall. 1, 152); *b) Bärenthal* s. Val; *c) Bärenwald* s. Bernhard.

Baer, Cap, in Franz Joseph Ld., v. der zweiten öst.-ung. Nordpolexp. Weyprecht - Payer 1872/74 zu Ehren des russ. Academikers Karl E. v. B., welcher in Estland 1792 geb., als vielseitiger Naturforscher wirkte, insb. auch 1837 Lappland u. NSemlja besuchte u. unsern Zielen viel vortreffliches Material geboten hat: in dem mit Helmersen herausgegebenen 'Beiträge z. Kunde des russ. Reichs' 1839 ff.; *b)* ebenso *B. Insel*, in der Rogatschew Bay, NSemlja, v. der gleichzeitigen Exp. Wilczek im Aug. 1872 (Peterm., GMitth. 20, T. 16. 23); *c) B. Berg* s. Middendorf.

Baetica s. Andalusia.

Baffin, *William*, engl. Nordpolf., geb. 1584, ging als Steuermann mit den Captt. Hall, Hudson, Thomas u. Button ins Eismeer u. gelangte 1616, mit Bylot, bis z. Smith Sound, wo die Durchfahrten, durch Eismassen verstopft, unprakticabel gefunden wurden u. auf 200 Jahre hinaus als solche galten. Er war einer der gründlichst gebildeten Seeff. s. Z. u. † 1622 bei der Eroberg. v. Ormus. Benannt ist nach ihm vor allem aus die *B.'s Sea*, fälschl. *B.'s Bay*, da — im Sinne des Entdeckers u. im Ggs. zu John Ross, welcher sie 1818 (nach einem ungew. strengen Winter) zu einem blossen Golfe schliessen wollte — seit Inglefield 1852 feststeht, dass sie ein breiter Canal ist, welcher sich sowohl nach N., als nach W. in andere, weiterführende Passagen öffnet. Auch die im Westen anliegenden Inselmassen heissen *B.'s Land*. — *B. Island*, vor Frozen Str., v. Parry (Sec. V. 33) am 6. Aug. 1821 getauft 'out of respect to the memory of that able and enterprising navigator'. — *B. Islands*, an der Westseite Grönl., bei den Walfgrn. † *Duck Islands* = Enteninseln nach der Zahl dieser Vögel 'on account of the number of these birds that breed there' (Kane, Grinn. Exp. 433).

Bagarjazk s. Tobolsk.

Bagdad, besser *Baghdád* = Geschenk Gottes, v. pers. *bagh* = Gott u. *dád* = Geschenk, so erklärt Dschawaligi, der Verf. eines berühmten arab. Fremdwörterbuchs, den Namen der Chalifenstadt am Tigris (Ausl. 46, 701); Brugsch (Pers. 1, 384) u. Kremer (CGOr. 2, 48), Spiegel, der altpers. *baga* = Gott setzt, u. insb. Oppert (Exp. Més. 1, 92 ff.) mit der Übsetzg. *Bagadáta* = v. Gott geschenkt, sowie mit dem Beisatze: 'Da *baga*, spec. der Sprache des Darius u. Xerxes angehörig, weder zend noch pehlevi noch pers., so muss der Name älter sein, aus der Zeit der Achaemeniden', stimmen dem Orientalen bei; dagegen vgleicht Hammer-P. (Osm. R. 3, 150) *Baghistan* (s. Hamadan) u. denkt an das fruchtb. Gartenland, welches *B.* umgibt. 'Noch heutzutage grünt mit den Reisfeldern u. Palmen *B.'s* der Ruhm ihrer Datteln, Limonen, Orangen ...' Auch zuf. den pers. Historikern wäre die Stadt v. den ersten Perserkönigen nicht allein ggr., sondern auch *B.* genannt worden (Layard, Disc. 476, wo übr. 'Garten Dad's', einer dort verehrten Gottheit, übsetzt wird). Als Mansur, der 2. der Abassiden, 762 den Sitz nach *B.* verlegte, hiess dieses nach seinem Erneuerer *Mansurijeh*, auch *es-Zaurá* = die schiefe, nach den schiefen Thoren der Stadtmauer. In officiellen Documenten der Pforte wird *B.* noch immer *Dar al-Salam* (Layard), *Dar es-Selam* (Hammer-P.) = Wohnung des Friedens, Haus des Heils genannt, oft auch *Dar ul-Chilafet* = Haus des Chalifat's, od. *Burdsch ul-Ewlia* = Bollwerk der Heiligen, nach den vielen heil. u. frommen Männern, die hier begraben sind (Hammer-P., a. a. O.). — *Bagrawat*, eig. *Bagrabat* = Gartenhaus, Ort an der Strasse Chokand-Namengau (Peterm., GMitth. 37, 265).

Baggāra = Kuhhirten, arab. Name eines Beduinenstamms, in der weiten Länderstrecke, welche im Süden v. Kordofan u. Dar Fur b. an die Nilufer der Dinka u. Schilluk ausgedehnt ist. 'In der That besteht ihr Reichthum in Vieh; aber es sind nicht Hirten, wie sie die Idylle der Heimat kennt; denn beritten u. kriegerisch v. Jugend auf, sind sie verwegenere Räuber als sie irgend ein anderer der äthiop. Nomadenstämme aufzuweisen hat ...' (Schweinfurt, HAfr. 1, 171). = *Bir el-Baggar* = Rindviehbrunnen, östl. v. Chartum, eine Quelle, bei welcher die Reisenden 'ein bedeutendes Zeltlager der Araber fanden' (Peterm., GMitth. 8, 213). — *Batn el-B.* s. Bahr.

Bagi-Tschinaran = Pappelbaumgarten, ein berühmter, v. Gärten einst umgebener, j. in seinen Ruinen kaum erkennbarer Palast in Samarkand (Peterm., GMitth. 11, 229).

Bagmáti, auch *Bagmatti*, engl. *Bogmutty*, Fluss v. Nepal, unth. Patna den Ganges erreichend, übsetzt Schlagw. (Gloss. 172) 'der rauschende, lärmende', hingegen Lassen (Ind. A. 1, 166), in der skr. Form *Bhagavati* = die glückliche.

Bagne = Bad, im pat. *bagn, ban* f. *bain*, *la bágne* = die Badewanne, oft in frz. ON., so *Val de Bagnes*, 1259 *Baignes*, im Wallis. 'In der Nähe des

Thalhauptorts les Chables od. *B.* findet sich hoch am Abhange eine heisse Quelle, in der früher v. den Landleuten gebadet wurde' (Gatschet, OForsch. 78). Cette vallée ainsi nommée des bains célèbres auxquels on courroit anciennement de tout le Valais (Bourrit, NDescr. 1, 32); *b) Bagnères de Bigorre*, röm. *Aquae Bigerrorum* = Thermen der Bigerri, des dortigen Keltenstamms (s. Tarbes) od. einf. *Vicus Aquensis* = Bäderort, j. auch *Bagnères d'Adour*, nach dem Flusse; *c) Bagnères de Luchon*, am Fusse der Maladetta, mit Quellen, dem kelt. Gotte Lixon geweiht, wovon Ort u. Kirche *Luchon* zuerst 987 erwähnt, gr. τὰ ϑέρμα τῶν'Ονησιῶν = Glücksquellen,'Heilbronn'(Strabo 190, Pape-B.) od. nach dem Flusse One (Meyer's CLex. 2, 438;· 3, 200); *d) Bagnols*, am Lot, dép. Lozère, röm. *Aquae Calidae* = Thermen; *e) Bagnoles*, Schwefelthermen v. 28⁰ C. in der Normandie (ib. 2, 439); *f) Bagnols*, Ort des dép. Gard, 1119 *Baniolas*, 1281 *Balneolae*,1307 *Balneolum*, 'doit son nom à une source d'eaux minérales qui sort de la montagne de Lancise et qui paraît avoir été connue des Romains. Ces eaux jouirent d'une grande célébrité, pour le guérison de la lèpre, jusqu' au 17ᵐᵉ siècle. En 1606, l'éboulement d'une partie de la montagne sablonneuse fit disparaître presqu' entièrement ces eaux ou du moins fit perdre à ce qui en reste toute efficacité' (Dict. top. Fr. 7, 18). In eben diesem dép. 2 Flüsse: *la Bagne* u. *la Bagnère*, ein Ort *Bagnoux*, 1060 *Bagnolum*, im benachbarten dép. Hérault ein Ort *Bagnères*, 2 Orte *Bagnols*, 1114 *ad Bagnolas*, u. ein Ort *les Bains*, 1311 *de Balneis*, in andern dépp. noch 5 *Bagnoux*, 1 *Bagneaux* u. 5 *Baigneaux*, f. die urk. Formen, 695 *Bannolus*, 711 *Bagnolum*, 1117 *de Balneolis*, 1280 *Baignues* etc. zeugen (Dict. top. Fr. 1, 8; 2, 10; 6, 8; 10, 16; 13, 14; 14, 8; 17, 16). — In der Form *les Bains* ebf. wiederholt: *a) Bains-les-Bains* = Baden-Baden, auch *B.-en-Vosges* = Vogesenbäder; *b) Bains du Mont Dore*, bei diesem Berge der Auvergne; *c) Bains d'Arles*, bei der Stadt d. N. (Meyer's CLex. 2, 448 f.).

Bagno, il = das Bad, eine der mod. Formen f. lat. *balneum* (s. d.), so heisst der Kratersee v. Pantellaria, in dessen lauwarmem, fischlosem Wasser die Einwohner ihre Linge waschen (Dolomieu, Lip. 146); *b) Val dei Bagni* = Bäderthal, im Veltlin, dessen Therme v. 35⁰ C., vor ca. 300 Jahren durch Hirten entdeckt, zu Anfang des 17. Jahrh. schon stark besucht war u. j. eine Badanstalt in freundl. Wiesengelände speist (Leonhardi, Veltl. 160); *c) Bagni di Lucca*, bei der Stadt d. N.; *d) Bagni di Roselle*, lat. *Aquae Rusellarum*, nach der alten etrusk. Stadt *Rusellae; e) Bagni di Nerone*, Nero's Höhlenbäder in der Nähe des alten Bajae (Meyer's CLex. 2, 439. 879); *f) Bagnaréa*, lat. *Balneum Regium* = Königsbad, Ort in romant. Gegend bei Rom (Meyer's CLex. 2, 438); *g) Bagnoli*, Ort bei Neapel, mit alkalisch-muriat. Mineralquellen, schon z. Römerzeit besucht (ib. 2, 439).

Bagnowen, Ort im masur. Kr. Sensburg, nach seiner Sumpflage, v. poln. *bagno* = Sumpf (Krosta, Mas. Stud. 10).

Bags, Isle of = Insel der Säcke, eine kl. buschige Flussinsel im Unterlaufe des Glenelg R., Victoria, v. Major T. L. Mitchell (Three Expp. 2, 224) am 20. Aug. 1836 entdeckt u. getauft nach ihren einer Reihe Mehlsäcke ähnelnden Felsen: 'some rocks resembling what we should have thought a great treasure then, a pile of flour-bags'.

Bahadurgándsch = des Herrn Markt, pers.-hind. ON. in Bandelkhánd, v. *bahádur* = Herr, einem in Personalnamen oft gebrauchten Worte, wie *Bahadurgárh*, ein 'Markt' in Hindostan, *Bahadurpúr*, eine 'Stadt' in Bandelkhand, *Bahadurkhel*, ein 'Stamm' im Pandschab (Schlagw., Gloss. 172).

Bahama, mir unerklärter Name eines westind. Archipels, zunächst f. *Gr. B.*, davon auch *B. Canal* (schon bei BDiaz, NEsp. c. 53), sowie *Gr.* u. *Kl. B. Bank.* Columbus nannte die Inselflur *las Princesas* = die Fürstinnen, hier 'die erstgefundenen' ... por serem as primeiras que se vírão (Barros, As. 1, 3, 11); bei den span. Seeff. heissen sie *Lucayos*, v. *los Cayos* = die Klippeninseln, auf unsern Carten *Lucayische In.* (Bergh., Phys. Atl. 8, 55). Früh muss diese Bedeutg. sich verwischt haben; denn es wurde diese Form auf die Insulaner bezogen u. die Inseln nach ihrem Aussehen *Islas Blancas de los Lucayos* = weisse Inseln der Lucayer genannt (Gomara, Hist. Gen. 32).

Bahár, auch *Behar, Bihar*, v. skr. *wihara* = Kloster, bengal. Prov. um Patna, wo Buddha im 6. Jahrh. v. Chr. zuerst seine Lehre vortrug, eine Menge buddhist. Klöster, die schönsten Gebäude u. relig. Denkmäler das Land schmückten ... 'ein vorzüglich blühender Sitz des Buddhismus', der Hauptsitz der neuen, weit ausser Indien verbreiteten Lehre, noch j. sehr reich an Ueberresten alter Bauwerke, an Erinnerungen u. Sagen der relig. Geschichte' (Lassen, Ind. A. 1, 167, Schlagw., Gloss. 172, Meyer's CLex. 2, 882, Peterm., GMitth. 20, 266). — Arab. *B.* s. Bahr.

Baharîje s. Oasis.

Bahat Sassim s. Missisipi.

Bahia, vollst. *B. de Todos os Santos* = Bay Allerheiligen, eine geräumige Bucht Brasil., v. der Exp. Vespucci am 1. Nov. 1501 entdeckt u. nach dem Kirchenfest getauft (Spr. u. F., NBeitr. 10, 269). Am 1. Febr. 1549 verliess der kön. Gouverneur Thomé de Souza Lissabon, um an der Bay einen Centralpunkt der port. Colonisation zù gründen; er langte am 29. März 1549 an u. taufte die junge Colonie *Cidade do Salvador* = Erlöserstadt, u. so heisst sie auch in allen Documenten jener Zeit. Erst später *Cidade de San Salvador* = Stadt des heil. Erlösers od. gar in der Form *Cidade do San Salvador da B. de Todos os Santos* (Varnh., HBraz. 1, 199). Dem port. u. span. Appellativ *bahia* entspr. ital. *baja*, frz. *baie*, engl. *bay*, Ausdrücke, die somit auf gemeinsamen Urspr. weisen; allein dieser Urspr. ist nicht sicher ermittelt. Man sucht ihn im frz. *bayer* = den Mund aufsperren, also f. eine Oeffng., od. in dem bask. *baia* (s. Bayonne), od. im Kelt., gael. *bâdh*, *bagh* (Diez, Rom. WB. 1, 47). Littré verwirft diese Annahmen u. meint, der alte Name *Bajae*, f. den angenehm gelegenen Hafenort Campaniens, v. dem Isidor sagt: hunc portum veteres a bajulandis mercibus vocabant *Bajas*, sei Gemeinname f. jede Bay, als Zuflucht der Seeleute, geworden. Man sieht, wir haben f. die etymolog. Erklärung unseres Wortes nur unbelegte Vermuthungen. — Noch sei, aber ohne die Behauptg. sprachl. Zugehörigk., angereiht *Bajada* = Landungsplatz, span. Name einer argentin. Stadt am Paraná, vollst. nach dem Flusse *B. de Paraná* od. nach Santa Fé, der ggb. liegenden älteren Stadt: *B. de Santa Fé* (Meyer's CLex. 2, 451).

Bahnganga s. Ganga.

Bahr, auch *Bahar, Bachr* = See, Fluss, Meer, plur. *behur, behar*, in vielen arab. ON., auch f. sich Eigenname *a)* ein seichter See des Euphrat, obh. Samaua, türk. *Rumathia Denisi* = See v. *R.*, einem nahen Orte (Schläfli, Or. 116); *b)* s. Rothes Meer. — *Batn el-B.* = Bauch des Flusses, die Gabelstelle des Nil (Russegger, Reis. 3, 36), nach Brugsch (Aeg. 23) hingegen *Batn el-Baqara* = Kuhbauch. — Im dual *el-Bahrein* = die zwei Meere, mehrf. *a)* eine arab. Halbinsel des Persergolfs, die eine lange, beiderseits v. Meer bespülte Landrippe bildet, v. ihr auf die nahe Inselgruppe übtr. (WHakl. S. 44 Introd. IV); abweichend sucht Sprenger (AGArab. 129) das zweite 'Wasser' in dem grossen Salzsee der einen Oase, u. nach den zeitw. Hptstädten hiess das Land auch *Hagar* (= Stadt) u. *Lahsâ; b)* die Confl. der beiden Quellflüsse die Dizful, entspr. Zweisimmen, Zweilütschinen, Zweisensen, Zweitöss (Spiegel, Eran. A. 1, 110); *c)* eine Oase südöstl. v. Siwah, mit 2 Salzseen (Peterm., GMitth. 21, 206). — *B. bila Ma* s. Bela. — *Baharini* = am Meer, bei den Kisawahili ein Ort der Südostküste des Victoria Nyanza (Journ. RGSLond. 1870, 309). — *Bahernagasch* = König des Meeres, auf ältern Carten die nordabess. Landschaften Hamasén u. Seraui, welche den Zugang z. Meere beherrschen (Peterm., GMitth. 4, 370). — *B. en-Nsa* = Frauenmeer, eine Bucht bei Collo, Algerien, 'où *les femmes vont se baigner*', u. *Bahira*, dim. v. *bahr*, heisst der innere Hafen v. Tunis (Parmentier, Voc. arabe 13).

Bahwangaung s. Brahma.

Baja s. Altus.

Bajada u. **Bajae** s. Bahia.

Bajau s. Laut.

Bajeije s. Ba.

Baierbach s. Biber.

Bajkal, bei den Jakut urspr. *Bai-Kul* = reicher See, nach dem Fischreichthum dieses grossen sibir. Gewässers u. seiner Zuflüsse (s. Baïn). Die Jakuten haben 'in alten Zeiten dort herum sich aufgehalten u. diesen Namen auf die Buräten u. diese wiederum auf die Russen fortgepflanzt' (Fischer, Sib. G. 2, 747, Laxmann, Sib. Br. 36 f.). Das reine, klare u. kalte Wasser des *B.*, sein

meistens steiniger, seltner sandiger Grund, die zahlr. reissenden Gebirgsbäche bedingen das vorz. Gedeihen einiger Salmonen, welche in dem See ebensowohl an Zahl der Arten wie der Individuen die andern Fische übtreffen: Corregonus oxyrrhynchus L., also ein Verwandter des Blaufelchens, Salmo fluviatilis, Thymallus vexillifer Ag. u. voraus S. Omul, dessen Fang jährl. 4000 Tonnen à 30—35 Rubel Silber erträgt (Glob. 4, 352). Die Hauptstelle des Fangs ist die Mündg. der Angara; es werden gemiethete Buräten dazu verwendet u. der Ertrag gesalzen üb. ganz Sibirien versandt. Auch in Ust-Prorwa (s. d.) muss der Reichth. gross sein; der Synbojarski Peter Beketow, welcher 1652/53 hier winterte, hätte wohl 1000 Mann durchgebracht. Zu Ausgang des Sommers steigen die Omuli aus dem *B.* in die Flüsse, so auch in die Prorwa, an welcher seine Winterhütte lag, u. können dann, da sie in dem Sumpfsee gefangen sind, 'in unglaubl. Menge gefangen werden' (Fischer, Sib. G. 2, 767). Heutzutage vermindern sich, infolge des unverständigen Fanges, die Salmonen zusehends, u. ebenso die Störe. 'Die Zeit ist bereits herangekommen, wo sich den Bewohnern der Gouvv. Irkutsk u. Transbajkalien die ausserord. Schwächg. des Fischreichthums fühlbar macht' (Bär u. Helm., Beitr. 23, 204). Bei den Umwohnern geniesst der *B.* einer traditionellen Verehrung. Er heisst ihnen *Lam*, burät. *Dalai*, beides = Meer, in russ. Uebsetzg. *More*, vollst. *Swjatoie More* = heil. Meer, bei den Chinesen *Pe Hai* = Nordmeer (Timkowski, Mong. 1, 228, Meyer's CLex. 2, 444). Anschaulich schildert der Reisende J. Fries (in Rahn, Arch. 3ᵃ, 45 f.): Oft wird er bei einem auch nur mässigen Winde tobend u. gefährlich. Daher geben ihm seine Anwohner, Christen u. Heiden, mit Respect den Titel eines Meeres, u. wenn sie Fremde sehen, welchen die Fahrt über den See bestimmt ist, so heisst's: 'O du, du musst über den *B.*' ! Ebenso reden sie diejenigen, welche v. jens. des *B.* wieder zkgekommen, an: 'Ach, ihr seid jens. des Meeres gewesen?' Unser Reisender wurde in der That, da auf der Ueberfahrt 'bei sehr mittelmässigem Winde' die Wellen heftig tobten, ernstlich seekrank. — Durch die Insel Olchon fast abgetrennt *Maloje More* = kleines Meer u. die dahin führende Enge *Worota* = Thor (Peterm., GMitth. 3, 147, Bär u. H., Beitr. 23, 260). — Die Prov. *Transbajkalia* = Land jenseits des *B.*, 'durch allerhöchsten Befehl v. 11. Juni 1851 v. Gouv. Irkutsk getrennt' (Peterm., GMitth. 18, 122). — Eine Parallele zu *B.* ist *Korowicha* = die wohlthätige, ein Fluss des Altaï, nach seinem Fischreichthum (Sommer, Taschb. 11, 232).

Baillie's Cove, in Georg's IV. Krönungs Bay, v. John Franklin (Narr. 371 ff. 449 ff.) zu Ende Juli 1821 benannt zu Ehren eines Verwandten des auf der Exp. umgekommenen Gefährten Rob. Hood. — *B.'s Islands,* vor Cape Bathurst, ebf. v. John Franklin (Sec. Exp. 227) am 18. Juli 1826 entdeckt u. nach George *B.* esq., v. Colonialamte, getauft. — Ebenso *B.'s River,* ein Nebenfluss

10

des Gr. Fish R., v. George Back (Narr. 174) am 16. Juli 1834.

Baily Islands, eine Gruppe v. Bonin Sima, v. Capt. Beechey (Narr. 2, 521) im Juni 1827 nach Francis B., ehm. Präsidenten der Astron. Society, getauft. Schon am 12. Sept. 1824 hatte der american. Capt. Coffin, v. Schiffe Transit, eine *Transit-, South-* (s. d.), *Fisher Island,* diese nach dem Schiffspatron, eine *Pigeon I.* = Taubeninsel, nach der Menge vorkommender Tauben, eine *Coffin's Bay,* die sich z. Ankern vortreffl. eignet, u. die ganze Gruppe (s. Bonin) *Coffin's Group* getauft (Hertha 12 GZ. 26. 258, Bergh., Ann. 12, 143, Meinicke, IStill.O. 2, 415).

Baïn = reich, in mong. ON.: *a)* B. Gol, ein 'Fluss' z. Netz der Selenga geh. (Timkowski, Mong. 1, 45); *b)* B. Tologoï, ein 'Hügel' ders. Gegend (ib. 2, 427); *c)* B. Sume = reicher Tempel, chin. *Siüan Hua Fu,* Ort in der Nähe Chalgans (ib. 1, 297).

Baine's Kloof, ein 1200 m h. Passweg zw. Wagemakers Dal u. Worcester, Capland, v. Ing. B. 1853 gebahnt (Wüllerst., Nov. 1, 196).

Baines' Berg, in NSemlja, v. A. Peterm. (GMitth. 18, 396) getauft nach dem engl. Maler Thom. B., welcher, 'ein Veteran unter den Africareisenden', nachdem er Gregory 1855/56 durch Nord-Austr. begleitet, mit Livingstone z. Zambezi 1858/61, mit Chapman 1861/62 z. Ngami See u. dem Victoriafall ging, seit 1869 im Auftrag einer Goldbergbaugesellschaft Transvaal das Matebele- u. Maschona-Ld. durchreiste (ib. 401. 422) u. 1875 † ist.

Bajo s. Altus u. Low.

Baird Berg, hinter Mohn Bay, Spitzb., v. der Exp. Heuglin-Zeil 1870 getauft nach dem 'american. Naturforscher S. F. B., wie der nahe *Hilgard Berg* nach dessen Landsmann J. E. Hilgard (Peterm., GMitth. 17, 182. 356).

Baitschen = Wachthaus, Warte, ON. häufig in der Prov. Preussen, v. baite, boite, einer bes. Art v. Wohnsitzen, deren in den Wegeberichten des Ordensarchivs öfters Erwähng. geschieht u. die der preuss.-lit. Grenze angehören (Altpr. Mon. 8, 60).

Baiva s. Stalla.

Baixo-Douro = Unterland am Duero, v. adj. *baixo* = unter, im Ggsatz zu *Alto-Douro* = Oberland, die 2 Stufenlandschaften des port. Douro (Willkomm, Span. u. P. 219).

Bakalahari s. Ba.

Baker Island, bei Melville I., v. Parry (NWPass. 263) am 28. Aug. 1820 auf dem Heimwege v. Winter Hr. entdeckt u. nach dem Seecapt. Thomas B., seinem Freund u. frühern Befehlshaber, benannt.

Baki-n-rua s. Kuara.

Baklanow, Kamen = Cormoranfels, v. russ. subst. *baklan* m. = Cormoran, ein steiles Cap des Bajkal, 30 km v. Dorfe Goloustnaja. In der Nähe liegt einsam im See ein spitzer, mit Cormoran-Nestern bedeckter Inselfels. 'Schon aus der Ferne sahen wir zu den Höhen dieses spitzen Felsen die Ketten-

züge der Seeraben ziehen, während andere Gesellschaften ihn verliessen. Bei unserer Annäherg. fanden wir jeden, selbst den kleinsten isolirten Absatz mit flachen Nestern bedeckt; aus diesen guckte die langhalsige Brut, welche den Schnabel oft Minuten lg. offen hielt, die Nickhaut üb. die Augen zog u. sich v. der Mittagssonne bescheinen liess. Die Alten sassen mit gespreizten Flügeln in der Nähe des Nestes u. bewachten sorgsam ihre Lieblinge. Nicht selten war der heranwachsenden Jugend das elterl. Haus zu enge geworden, u. einige Kinder hatten sich daneben gekauert. Andere wiederum, zu naseweise, wie die jungen Möven, verloren beim Schauen üb. die freie Felsenwand das Gleichgewicht u. mussten mit dem Tode dafür büssen ... Wir fuhren dem klippenumgebenen Hauptmassiv zu. Ein Schuss in die Menge tödtete mehrere, u. im Nu umkreisten uns einige Hunderte der schwarzen Teufelsvögel, welche nach u. nach das Weite suchten u. sich 2—4 km v. dem Brutplatze in den See niederliessen ....' (Bär u. H., Beitr. 23, 211).

Bakr-Tau = Kupferberg, türk. Name eines Theils des Chiwa ggbliegenden Höhenzugs Scheichdscheili, weil hier der Chan Muhammed Rahim einige Jahre lg. Kupfer ausbeuten liess. Der Betrieb wurde wg. zu geringen Ertrags aufgegeben (Bär u. H., Beitr. 15, 154).

Baktra s. Balkh.

Baktschiseraj = Gartenpalast, türk. ON. in der Krym, zunächst f. den v. dichten, schönen Gärten umgebenen alten Palast, welcher, in seinem ganzen Umfang durch hohe Mauern klosterartig abgeschlossen, 1519 v. dem Chan Abdul Sahab Ghiréi erbaut wurde u. sorgfältig unterhalten wird (Hammer-P., Osm. R. 7, 476, Meyer's CLex. 2, 457, Sommer, Taschb. 10, 97). In herrl. Thale, v. Obst- u. Weingärten umgeben, liegt die Stadt u. in ihr die einstige Tatarenresidenz 'mit ihren Gärten u. Weinpflanzungen, luftigen Gallerien, Marmorfontainen u. Prunkgemächern, alles in phantast. Pracht u. buntestem Glanze' (Brockhaus, CLex. 2, 644).

Baku, Stadt der ehm. pers., j. russ. Prov. Shirwan, v. pers. *baadku* = Bergwind (Leipz. Ill. Zeitg. 1862, 88). — *See v. B. s. Kaspisee.*

Bala s. Batu.

Balabagh s. Surch.

Balabandschik, Schloss bei Brussa, benannt nach einem der Emire Osman's, Balaban, der hier (1317) eine Veste baute, um Brussa umzingeln zu helfen (Hammer-P., Osm. R. 1, 75).

Balabatakan, Pulo = die Inseln dahinten, mal. Name eines v. gefährl. Riffen umgebenen Inselschwarms zw. Borneo u. Celebes, fränk. *Paternoster-Inseln* (Spr. u. F., NBeitr. 12, 171) — vermuthl. in dem Sinne, man solle, bevor man sich nähert, ein Vaterunser beten (Dr. Dornseiffen 21. Oct. 1891).

Baladea s. Neu Caledonia.

Baladewa s. Rama.

Balagansk, russ. ON. in Sibirien, nach dem burät. Stamm Bologat verl. (da das Wort *balagan* — Hütte, in Sibirien, den Russen mundgerechter war). Den Ort, als Ostrog z. Zwing - Uri unter den rebell. Buräten, gründete 1654 der Sinbojarski Dmitri Firsow am westl. Ufer der Angara, 6 km obh. der Mündg. der Unga, angesichts einer Strominsel *Ossinskoi Ostrow*, bei welcher der v. Osten kommende Fluss Ossa mündet (Fischer, Sib. G. 2, 740). In Stieler, HAtl. 1879 No. 59 liegt der Ort auf der Strominsel selbst, u. die beiden Nebenflüsse Unga u. Ossa stehen sich dort gerade ggb.

Balaghat s. Ghat.

Bâlâ-Hissar = oberes Schloss, türk. Name der Veste v. Kabul, welche auf einem 45 m üb. dem Plateau sich erhebenden Hügel thront (Spiegel, Eran. A. 1, 9).

Balamut-Tschaï = Fluss der Galleichen, türk. FlussN. nordwestl. v. Manissa, wofür her das Tschih. (Reis. 11) kein Motiv, doch nicht undeutl. aus dem class. Bezugslande der Galläpfel.

Balan s. Akabah.

Balaton s. Blat.

Balavu s. Viti.

Balch s. Balkh.

Bald Head = kahler Kopf, ein Vorgebirge des Norton Sd., v. Cook (-King, Pac. 2, 476) am 9. Sept. 1778 getauft. — B. *Island*, mehrf. *a)* eine mässig hohe, unfruchtb. Küsteninsel in Nuyts Ld., v. engl. Seef. Vancouver 1791 (Flinders, TA. 1, 74), v. seinem Nachgänger, dem frz. Capt. d'Entrecasteaux 1792, in *Ile Pelée* übsetzt (Krus., Mém. 1, 36); *b)* ein Werder des untern Missuri, urspr. *Ile Chauve* = kahle Insel, ins engl. übsetzt durch die americ. Exp. Lewis u. Cl. (Trav. Miss. 20), die am 16. Juli 1804 auch die die Prairie einfassende nackte Hügelkette B. *Hills* = nackte Berge u. die Prairie selbst *Baldpated Prairie* = kahlköpfige Steppe nannte; *c)* s. Ile Pelée.

Baleares, Islas = Inseln der Schleuderer, phön. (Strabo 167. 654.) od. karth. (Polyb. 3, 33[11]) Name der aus Mallorca u. Menorca bestehenden iber. Inselgruppe, deren Eingeborne, als Steinschleuderer berühmt, als solche in den röm. Heeren dienten (Caes. BGall. 2, 7)...'*Baliares* funda bellicosas Graeci *Gymnasias* dixere (Plin., HN. 3, 77). In den Kampf zogen sie mit 3 Schleudern um den Kopf. Die Knaben erhielten ihr Brot anders, als wenn sie es mit der Schleuder getroffen (Strabo 168). Seit alter Zeit hiessen die B. *Gymnesiai Nesoi*, gr. Γυμνησίαι νῆσοι = Inseln der Nackten, da die Bewohner den griech. Seeff. halbnackt, ohne Panzer, zu Fuss u. zu Ross, entggtraten (Grasb., StGriech. ON. 102).

Baleine, Port de la = Walbay, bei NFundl., v. J. Cartier im Juni 1534 getauft (M. u. R., Voy. Cart. 8, Hakl., Pr. Nav. 3, 203, mit Druckf.*balances*). — *Banc des Bs.*, lange Kette v. Riffen u. 'unermessliche Sandbänke, vor den Inseln Lacépède (s. d.), v. Capt. Baudin am 5. Aug. 1801 so benannt nach der gr. Menge dieser Thiere, welche er dort traf (Péron, TA. 1, 112; 2, 207). — *Punta de Balẹnas*, span. Capname in Calif., wo Fr. Ulloa, v. Cortez 1539 auf Entdeckungen ausgesandt, im Apr. 1540 eine prächtige 'Flotte v.

500 ungeheuern Walen, in 2 od. 3 Schwärmen vorbei, ja unter den Schiffen querüber schwimmen sah (Hakl., Pr. Nav. 3, 424).

Balf s. Balm.

Balfrusch, auch *Balfrosch*, pers. *Bârfurûsch* = Marktort, eine bedeutende Handelsstadt am Südufer des Kaspisees, der gr. Markt zw. Russld. u. Persien u. als solcher schon kenntl. durch zahlr. Karawanserais u. gr. Bazare, die in Reichthum der Ausstattg. denen v. Isfahan nahe kommen (Meyer's CLex. 2, 467).

Bali, P. v. s. Agung.

Baliputra s. Patna.

Balize, in span. Orth. *Valize*, die Hptst. v. Brit. Honduras, nach dem Schotten Wallace, Wallis, einem der Abenteurer, welche um 1610 auf eigne Faust in dem dam. span. Lande sich festzusetzen versuchten (ZfAErdk. 1858, 130).

Balkan = Gebirge, v. alttürk. *balak* = hoch, gross (Peterm., GMitth. 37, 265), ON. 2mal *a)* f. ant. *Haemus*, in der B.- od. *griech. Halbinsel*, in *Kodscha*- od. *Chodscha* (= alter), *Kütschük* (= kleiner) u. *Wodo*-, eig. *Wodeno*- (= wasserreicher) B. getheilt (Meyer's CLex. 2, 469 f.), die erstere dieser Sectionen übsetzt aus bulg. *Stara Planina* = altes Gebirge (Kiepert, Lehrb. AG. 323, Nat. Ztg. 14. Juli 1878); nur das Ostende, an welchem längs der Küste noch j. Griechen wohnen, hat den antiken Namen, in der Form *Emine*, bewahrt (Hammer-P., Osm. R. 1, 177); *b)* f. die Berge am alten Oxuslaufe (ZfAErdk. 1874, 270), in 2 Zügen: *Böjük-* = grosser u. *Kütschük-B.*, dazw. das alte Flussbett, z. B. *Golf* mündend (ib. 1873 T. 1, Müller, SRuss. G. 3, 16).

Balkaschi Noor = ausgedehnter See, kalmyk. Name des grossen centralasiat. Steppensees der Ili, kirg. *Ak Dengis* = weisses Meer, wg. des Salzgehaltes (?) od. einf. *Dengis* = Meer, bei chin. Autoren *Si Hai* = Westmeer (Humb., As. Centr. 2, 400. 412; 3, 224, Peterm., GMitth. 10, 163; 14, 393). Die Deutg. *Morast, Schlamm* f. *Balkasch* (Peterm., GMitth. 37, 265) steht vereinzelt.

Balkh od. *Balch*, npers. Form f. den centralasiat. ON. *Baktra*, die einstige Hptstadt *Baktria's* (Kiepert, Atl. AW. 3). In den Keilinschriften der Darius heisst die Prov. *Bacht(a)ris*, die Stadt im Zendavesta *Bachdhi* (mit Abwerfg. des *r* u. Erweichg. des *t* in *dh*). Umgekehrt haben die Formen *Bahr* (im huzvâresch) u. *Bahl* (im armen.) das *t* ausgeworfen. Aus den letzteren ist durch Transposition B., *Balch* entstanden (Spiegel, Eran. A. 1, 42, Elphinstone, Caboul [DA.] 1, 212, Hellwald, RCAs. 47). Ggb. diesen Zeugnissen wird die Berufg. auf mong. *baluk* = Stadt (Peterm., GMitth. 37, 265) nicht annehmbar sein. Die Stadt B. war zZ. des griech.-baktr. Reiches das Landeshaupt, unter dem altbaktr. Namen *Zariaspa*, v. *zairi* = goldgelb u. *açpa* = Pferd, bezogen auf die berühmte Rosszucht des Landes, aus der selbst Indien seine turanischen Kriegspferde bezog (Strabo 514, Pape-Pens., Kiepert, Lehrb. AG. 57). — *Fluss v. B.* s. Amu.

Balkischen s. Krischna.

Ball's Reef, im austr. Korallenmeer, v. engl. Capt. *B.* 1788 entdeckt (Krus., Mém. 1, 95). — *B.'s Pyramid* s. Howe.

Ballaigue s. Belle.

Balleny Islands, eine antarkt. Inselgruppe, im Febr. 1839 v. dem in Diensten der Londoner Walfgrfirma Enderby stehenden Capt. *B.*, Schiff Eliza Scott, gefunden u. nach dem Entdecker benannt v. Capt. Beaufort, dem Hydrogr. der brit. Admiralität (Ross, South R. 1, 267 ff.).

Ballindoolin s. Dub.

Ballynagarrick s. Carrara.

Ballynaglereagh s. Monaghan.

Balm = Felswand, Felshöhle, altfrz. *balme.* prov. u. catal. *balma*, in neuern Mundarten *baumo* = Grotte durch einen überhangenden Felsen gebildet, auch *barme*, Nebenform *balf*, als geogr. Name in den frühesten Urkk., so schon 721, offb. ein kelt. Wort, obgl. es in der vorliegenden Ausprägg. den Sprachen dieses Stammes fehlt (Diez, Rom. WB. 2, 216). Zunächst seien erwähnt: *Balp*, der Nebenform *balfa* entspr., eine Burgruine obh. Küsnach am Zürichsee, hoch üb. dem Tobel des Bergbachs (Mitth.ZAG. 6, 81), um Inn u. Salzach *Balfen* — überhangender Fels, Höhle, die *Balme*, eines der '7 Wunder der Dauphiné,' j. noch das Ziel einer jährl. Procession (Meyer's CLex. 2, 481), die *Caverne de B.*, eine Grotte des Mt Salève, eine *Gollie de la Balma* = Höhlensee u. zwei *Lacs de la Balma*, in Val Tournanche (Saussure, VAlpes §. 465), *Val* (u. *Montagne) de la Barma,* ein Seitenthal des Val d'Hérémence, nach einer Höhle, die durch räthselhafte Spuren menschl. Aufenthalts merkw. ist (Schott, Col. Piem. 242. 271). — *Balmenhorn,* im Monte Rosa, durch den Baron v. Welden (MRosa 35) noch namenlos gelassen, durch die Gebr. Schlagintweit (NUnt. 61) 1851 nach seiner etwas abgerundeten Form, den dort sog. *Balmen*, eig. 'Höhlen', benannt. — *Balmwrand*, ein hoher Bergabhang des Klausen-, Schächenthal. — Im frz. ist *B.* oft zu *baume* u. selbst zu *beaume* geworden (Mart.-Crous., Dict. V. 67): im dép. Gard zähle ich den ON. *la Baume*, 1314 *Balma*, 11 mal, ferner 5 *la Baumelle*, 2 *les Baumelles*, 2 *les Beaumes*, im dép. Gard *la Baume*, 1223 *Balma*, 5 mal, sowie *les Baumes*, 990 *Balmae*, 2 mal (Dict. top. Fr. 7, 22: 5, 15): das dép. Hautes-Alpes hat *la Beaume*, *les Beaumes*, *la Beaumette*, *les Beaumettes*, sämmtl. mit *eau*, üb. 20 mal, mehrere differenzirt wie *la Beaume des Arnauds*, 1136 *la Balma*, 1253 *Balma Arnaudorum*, nach der Familie de Flotte, der ein Theil der Herrschaft gehörte u. deren Glieder fast alle den Vornamen Arnaud trugen (Dict. top. 19, 13). Vgl. Noire. — Auch ein Kloster 10 km v. St. Claude (s. d.), wo der heil. Romanus begraben liegt, j. *Saint-Romain de Roche* (s. Romain), hatte urspr. *Balma* geheissen, weil der hohe Felsberg geräumige Höhlen enthält (Longnon, GGaule 222).

Balneum — Bad, aus dem lat., u. zwar, da *balgno* nicht zu sprechen war, unter Ausstossg. des *l* (Diez, Rom.WB. 1, 45), in die neurom.

Sprachen übgegangen, port. *banho,* span. *baño,* ital. *bagno* (plur. *bagni*), prov. *banh,* frz. *bagne, bagnère, bain,* auch slaw. *banja,* ist ON. geworden, f. sich od. mit unterscheidendem Zusatz. Die Zahl u. Mannigfaltigk. der hieher gehörigen Formen erfordert die Sonderg. nach den einzelnen Sprachherden.

Balsrevier = Balthasarfluss, Fjord an der Westseite Grönlands. 'So viel ich weiss, hat diese Fjorde den Namen v. einem (holl.?) Seemann, der Balthasar geheissen, erhalten' (Cranz, HGrönl. 1, 14). — *Balsberg* u. *Balsfjord* s. Belt.

Balta Liman, eine europ. Bucht, *liman*, am Bosporus, benannt nach Balta Ogli, dem Kapudan Pascha Sultan Mohammed's II., welcher hier durch das vorliegende Schloss v. Bogas Kessen (s. Rumili Hissari) wider allen Ueberfall der Byzantiner gesichert, die platten Schiffe u. flachen Boote baute (1453), die hernach nach Diplokion hinuntergeschifft u. v. dort aus zu Land nach dem Hafenende gerollt wurden. Die Bucht hiess ehm. *Sinus Phidaliae,* nach der Tochter des Barbyses; die Sage lässt sie, v. Byzas entehrt, v. dem Felsen sich hier in das Meer stürzen. Auf diese Erzählg. dürfte sich auch der zweite alte Name *Portus Mulierum* = Weiberhafen beziehen. In Pera heisst der j. Uferort *Ewlialar* = die Heiligen, weil die Grabmäler mehrerer frommer Männer v. Vorgebirge weit hinaus auf Land u. Meer herabschauen (Hammer-P., Konst. 2, 227).

Baltia s. Belt.

Baltimore, Hafenort in Irl., Grfsch. Cork, in altir. Urk. *Balintimore,* genau nach heutiger ir. Aussprache, eig. *Baile-an-tigh-mhoir* = Stadt des grossen Hauses, d. i. des Castells der O'Driscolls, welches auf hohem Fels gelegen die Stelle einer kreisrunden Veste, der *Dun-na-séd* = Juwelenfestung, einnahm, j. in Ruinen liegt, jedoch noch immer bei ir. Redenden so heisst (Joyce, Orig.Ir.NPl. 2, 377). Nach dem Orte führte eine engl. Adelsfamilie den Lordtitel, seit 1625, als George Calvert, ein Günstling der Stuarts u. z. Katholicismus übgetreten, neben andern Gnadenbezeugungen z. Lord of *B.* erhöht u. mit Maryland beschenkt wurde. Dort entstand dann ein neues *B.*, als der zweite Lord *B.*, in Fortsetzg. der väterl. Colonisationsversuche, NFundland aufgebend u. auch, durch die Protestanten verdrängt, Virginia verlassend, f. seine Glaubensgenossen eine Zufluchtsstätte an der Chesapeak Bay zu gründen unternahm. Diesen Plan verwirklichte der Sohn Cecilius, welcher den jüngern Bruder Leonard Calvert z. Gouv. ernannte u. mit einer ersten Besiedelungsgesellschaft v. 200 Personen in die Colonie entsandte. *B.*, 1711 gegr., einer der jüngern Orte Marylands, blieb lange unbedeutend u. erhielt Stadtwürde erst 1796 (Buckingh., Am. 1, 386). Der Name wurde ihr v. der Legislatur der Prov. Maryland 1729 ertheilt (Meyer's CLex. 2, 484).

Balyk-Kul = Fischsee, auch *Balykte Kul* (Humb., As. Centr. 3, 239), kirg. Name eines 6—7 km v. Weissen Irtysch entfernten kl. schilfbewachsenen.

fischreichen Sees. 'Sein Wasser ist rein u. süss, u. er enthält, wie schon sein Name andeutet, eine Menge Fische, wie Karauschen, Hechte, Forellen u. dgl. — grössere Fische hat er nicht' (Bär u. H., Beitr. 20, 43). — *'Balykty* = der fischreiche, ein Fluss in Semiretschinsk, reich an Fischen, meist Forellen u. Morinken. Die Morinke kommt in allen Zuflüssen des Balkaschsees vor; sie ist ungemein zart u. schmackhaft, muss aber vor dem Gebrauch gehörig v. Rogen gereinigt werden, der schlechterdings als Laxir- u. Brechmittel wirkt (Bär u. H., Beitr. 20, 169). — *Balykly Su* = fischreiches Wasser, ein Zufluss des Awras-Irmak (Tschih., Reis. 62). — Ein Ort *Balyktschi* = Fischer in Ferghana (Peterm., GMitth. 37, 265).

Bamberg, Stadt in OFranken, aus der Burg der Grafen dieses N., der j. *Altenburg* (Meyer's CLex. 2, 489), erwachsen, im 9. Jahrh. *Babinberg*, dann *Babinberc, Babinberch, Babenberg*..., also mit einem PN. v. Stamme *Bab*, wie *Pappenheim*, alt *Babinheim, Babenhausen,* alt *Pauenhusen, Pfaffenkirchen,* als alt *Papinchirihun* volksetym. umgedeutet, *Benken*, alt *Babinchova* u. a. m. (Förstem., Altd. ON. 178).

Bamboo Creek nannte am 13. Juli 1783 der engl. Capt. Thomas Forrest eine kl. Bucht v. Sullivan's I., Mergui, weil dort 'Bauholz in Menge u. ein reichl. Vorrath v. Bambusrohr' wächst (Spr. u. F., NBeitr. 11, 180).

Bambotus s. Senegal.

Bambyke s. Hiera.

Bam-i-Duniah = Dach der Welt, treffl. Name des hohen Plateau v. Pamir, da es die grosse Wasserscheide zw. Ost u. West, Süd u. Nord in Central-Asien bildet (Humb., As. Centr. 1, 587, Peterm., GMitth. 12, 269, Wood, Journ. 354, Pauthier, MPolo 1, 131, wo 'Gipfel der Welt' gesetzt ist). Der Perser Mirza (Journ. RGSLond. 1871, 149) deutet *Pamir* = Wildniss durch *pa* = gehört u. *Mir*, der Häuptling v. Badachschan, eine Spielerei (ib. 1876, 394); die wahrscheinlichste Etym. ist die Rawlinsons, näml. *Fan-mir*, bei den Tadschik u. Türken *Pan-mir* (Peterm., GMitth. 37, 270); allein wir erfahren dabei nichts über die Bedeutg. des Namens.

Banat, ung. *Bansag*, bei den Magyaren im Allg. eine Grenzprovinz, beherrscht v. einem *Ban, Pan* = Herrn, wie die mächtigen Vasallen in den ung.-slaw. Ländern, mit slaw. Titel hiessen, also entspr. der mittelalterlichen 'Mark' im Deutschen Reich, früher also in Mehrzahl vorhanden, seit dem Passarowitzer Frieden 1718 auf das *B.* v. Temesvar, das nie einen Ban gehabt, beschränkt, 1849 v. Ungarn abgelöst, 1860 diesem wieder einverleibt (Meyer's CLex. 2, 494).

Banbulaiew s. Dasaulow.

Bancroft Bay, in Kane's Sea, v. dem american. Polarf. E. K. Kane (Arct. Expl. 1, Carte) 1853 benannt, offb. nach seinem Landsmann George *B.*, welcher, geb. 1800, ein vielgereister, gründlich gebildeter Historiker u. ein einsichtiger Staats-

mann, Gesandter in London (1846/49) u. Berlin (seit 1867) war. Als erster Geschichtschreiber seines grossen Vaterlandes hat er die Geschichte der Colonisation, sowie des Unabhängigkeitskriegs u. eine 9 bändige 'History of the United States' geschrieben.

Banda, richtiger *Pulo Bandan* = vereinigte Inseln, ein kleiner Schwarm Austral-Asiens, dessen Hauptinsel, bei den Europäern *Gross Banda*, mit halb skr., halb jav. Worte *Pulo Lontar*, etwa auch *Lonthor*, heisst nach einer Palme, deren Blätter als Schreibpapier dienen. Um sie gelagert: a) *Gunung Api* = Feuerberg, nur aus einem einzigen, sehr thätigen, nur 760 m h. Vulcan bestehend, welcher 1629, 1690, 1765, 1775, 1816, 1820, 1852 u. s. f. zerstörende, v. Erdbeben begleitete Ausbrüche gethan hat. Bei dem Ausbruch 1690 stieg die See $7^1/_2$ m üb. Springfluthöhe u. riss alle Ufergebäude weg; eine 35 Ctr. schwere Kanone wurde 9 m weit fortgeschleudert. Die Erdbeben u. Ausbrüche, sowie die diesen letztern oft folgenden bösen Epidemien haben die Bewohner wiederholt zu Flucht u. Auswanderung getrieben; b) *Pulo Nera* = Insel des Palmweins, c) *Pulo Ai*, eig. *P. Wai* = Wasserinsel, d) *Pulo Pisang* = Bananeninsel, e) *Pulo Suwanggi* = Zaubereiinsel u. s. f. (Crawf., Dict. 33. 297). Eine andere Angabe (ib. 304) setzt *Pulo B.* = Inseln des Reichthums, die den Javanen so genannt, weil sie die hier heimische Muskate, die v. den Eingebornen verschmäht wird, auf *B.* holten u. nach Malakka brachten. — *B. Oriental* s. Uruguay.

Bandelkhand, auch *Bundelkund,* ein ind. Bergland im Vindhya, s. v. a. Land (skr. *khanda* = Abtheilg.) der Bandela d. i. des hier herrschenden Radschputengeschlechts (Lassen, Ind. A. 1, 149). Bei den frühern kriegerischen Wesen des Stammes war das Land z. Schauplatz der blutigsten Kämpfe geworden (Meyer's CLex. 2, 498).

Banderas, Rio de = Flaggenfluss, ein atlant. Küstenfluss Mexico's, an dessen Mündg. die Eingebornen mit weissen, auf Lanzen aufgepflanzten Flaggen winkten, als die Exp. des span. Entdeckers Juan de Grijalva 1518 ankam ... 'Indios con lanças grandes, y en cada lança una vandera hecha de manta blanca, rebolandolas, y llamandonos' (BDiaz, NEsp. c. 12).

Banditen I. s. Panditi.

Bandonbridge, ir. *Drohid,* Ort am Flusse Bandon, der hier überbrückt ist u. unth. der Stadt schiffb. wird (Meyer's CLex. 2, 500). Der Flussname selbst kommt in den Werken v. Joyce nicht vor, ist also wohl nicht kelt.; hingegen ist *Drohid* mit *Droghed,* verd. aus ir. *droichead* = Brücke, also übereinstimmend mit dem Grundwort v. *B.,* gegeben. 'It is to be observed that the place chosen for the erection of a bridge, was usually where the river had already been crossed by a ford; for besides the convenience of retaining the previously existing roads, the point most easily fordable was in general most suitable for a bridge. There are many places whose names preserve the memory of this, of which *Drogheda* is a good example[c] (Joyce, Ir.NPl. 1, 367).

Banew, ein ir. Fluss zw. Roscommon u. Lough Ree, war der Sage zuf. einst der Ort, wo die Mönche der beiden Klöster zszutreffen pflegten, u. v. den Grüssen, die sie bei der Begegng. u. bei dem Abschiede wechselten, erhielt er seinen Namen *beannughadh* [spr. bannooa] = Gruss, da lat. *benedictio* in früher christl. Zeit ir. Lehnwort wurde: *bendacht,* dann *beannacht,* woher das verb *beannaigh* = segnen, grüssen u. das vorhin erwähnte Verbalsubstantiv. — In der Wildniss südöstl. v. Cahirsiveen birgt sich, v. Bergen u. Abgründen umgeben, ein einsames Thal *Coomavanniha,* ir. *Cúm-a'-bheannuighthe* = Segensthal; ein Teich *Toberavanaha* = Segensbrunnen, offb. durch den Legendenschatz erklärt, *Clogher-banny* = gesegneter od. geweihter Stein u., v. gleicher Bedeutg., *Clobanna.* — Noch viel mehr ON. als v. Segen sind v. Fluch entlehnt, mit *maldacht,* dem Lehnwort f. *maledictio,* j. gew. in der Form *mallacht*; solche Stellen mögen v. Mord, Streit u. Kampf od. v. andern Unthaten herrühren. So erzählt die Volkslegende v.dem kleinen Bergstrom *Owennamallaght* = dem verfluchten Flusse, dass St. Patrick, hungrig passirend, einen Fischer, der eben guten Fang gethan, um Speise gebeten, aber, grob u. beleidigend abgewiesen, einen Fluch üb. den Fluss ausgesprochen u. vorausgesagt habe, es würden hier nie wieder Fische zu finden sein — u. demgemäss habe es denn auch keine Fische mehr in diesem Gewässer (Joyce, Orig. Ir. NPl. 2, 478 ff.).

Banga-Gúngu = Insel des Hippopotamus, bei den Tuareg eine Insel des mittlern Kuára (Barth, Reis. 5, 131).

Bangáung = Walddorf, hind.-beng. ON. in Bengal, dial. *Bangóng,* in Orissa, *Banhát* = Waldmarkt, in Bengal (Schlagw., Gloss. 173).

Bangawan s. Surakarta.

Bangenhoek = Angstloch, holl. Name eines beschwerl. Bergübergangs der capl. Colonie Drakenstein. 'Man trifft auf ihm öfters Löwen, Tieger u. dergl. unfreundl. Thiere an; über dieses ist er steil, höckericht, schmahl, u. gehet durch Orte, die mit grässl. Tiefer eingefasset sind. Es ist kein Weg auf dem Vorgebürge, da man mehr Gefahr ausstehet, zumahlen wann man reitet: denn es mag das Thier noch so sanfmüthig sein, so schlägt es, bäumet sich, thut Sätze, od. stürzt sich wohl gar in eine Tiefe, bey dem Anblick dergl. reissender Bestien[c] (Kolb, VdGH. 226).

Bangkok, die Hptstadt Siams, steht als Desideratum hier, da man nur hier u. da (z. B. Meyer's CLex. 2, 507) die magere Deutung 'Stadt der wilden Oelbäume[c] trifft.

Banja = Bad, slaw. Form des lat. *balneum* (s. d.), in ON. der Balkan-HI. *a) Banjaluka* = Lucasbad, Thermalort in Bosnien (Meyer's CLex. 2, 509); *b) Banja,* Ort westl. v. Kesanlyk, mit Therme v. 50[0] C.; *c) Samakovo Banjasi,* an d. obern Maritza, in der Nähe v. Samakov, mit Therme,

v. ca. 60[0] C.; *d) Tschépina-B.,* nach dem Orte *Tsch.; e) B.,* auch *Hammam-Tschiftlik* = Landgut-Warmbad, im Demir Kapu, früher mit (j. abgekühlten) Thermen, nunmehr ohne Bad. Die beiden Namen *B.* u. *Lüdscha* (s. d.), 'durch so viele Jahrhh. des Völkergewirrs u. der Völkervernichtg. bewahrt, erzählen f. sich allein schon eine ganze Geschichte[c] (Barth, RITürk. 30. 39. 65. 126). — *Banya* s. Schemnitz.

Banjak, Pulo = viele Inseln, mal. Name eines der Westküste Sumatra's, vor Singkel, vorgelagerten Schwarms, dessen Hptland v. mindestens 20 Inselchen umgeben ist (Crawf., Dict. 37. 403).

Banias, mod. ON. an der einen Quelle des Jordan, aus dem alten *Paneas,* gr. Καισάρεια ἡ Φιλίππου, lat. *Caesarea Philippi,* in Jos. (11, 17; 12, 7; 13, 5) als נַד בַּעַל = *Baal Gad* (s. d.). Zur Seleucidenzeit war der Hirtengott Pan in die Grotte des Baal, *Panium,* eingezogen. Der class. Name kam, nachdem Herodes d. Gr. daselbst zu Ehren des Kaisers Augustus einen Tempel errichtet, durch seinen Sohn auf, den Tetrarchen Philipp v. Ituraea, Batanea u. Trachonitis, welcher die Stadt erweiterte (Matth. 16, 13, Marc. 8, 27). Als Agrippa II. sie vergrösserte, taufte er sie nach Kaiser Nero in *Neronias* um (Jos. Ant. 20, 9, 4). — *Meer v. Paneas* s. Merom.

Banjermassing = Salzgarten, auch mit *banjar, bandjar* u. *-in* geschrieben, jav. ON. auf Borneo, auch f. Fluss u. Gegend (Crawf., Dict. 36, WHakl. S. 36, 90), viell. unrichtig (s. Asin), u. wirkl. auch als 'Fluss der Ueberflusses[c] erklärt (Journ. GS. 9, 283). — *Banjumas* = goldenes Wasser, ein Reisland an der Südseite Java's, mit beträchtlichen Flüssen, die z. Bewässerung werthvoll sind (Crawf., Dict. 39).

Banim s. Kosura.

Banks, eine Reihe geogr. Objecte, durch engl. Entdecker benannt nach dem reichen Naturforscher Jos. *B.,* der, geb. 1743, in jungen Jahren NFundland u. Labrador bereiste u. mit Dr. Solander, einem schwed. Schüler Linné's, den Weltumsegler Cook auf der 1. Reise (1769/71) begleitete, Präs. der Royal Society war u. als Hauptförderer vieler Entdeckungsexpp. sich hochverdient machte, insb. durch Gründg. der african. Gesellschaft auch die Eröffng. des 'dunkeln Erdtheils[c] anregte u. 1820 †, 'whose long life was actively engaged in the encouragement and promotion of discovery and general science[c]. *Cape B.,* 2mal *a)* mit *Point Solander* am Eingang der Botany Bay, v. Cook am 27. Mai 1770 (Hawk., Acc. 3, map); *b)* an der Südküste NHollands, v. Grant am 3. Dec. 1800 getauft, v. Flinders (TA. 1, 200 f.) genauer *West Cape B.,* id. *Cap Boufflers* (s. d.). — *Point B.* ebf. 2mal: *a)* im Eingang des americ. Cook's R., v. Cook (-King, Pac. 2, 385) am 25. Mai 1778; *b)* bei Queen Charlotte's Bay, Sandwich Is., v. Nath. Portlock am 5. Juni 1786 (GForster, GdReis. 3, 29. 6.). — Ferner *a) B.'* *Bay,* nördl. v. Lancaster Sd., v. John Ross (Baffins B. 163) am 27. Aug. 1818; *b) B.' Group,* vollst. *Sir Joseph B.' Group,* im austr. Spencer's Gulph,

v. Flinders (TA. 1, 142) am 26. Febr. 1802, id.
Archipel de Léoben der franz. Exp. Baudin, die
1802, am Jahrestag des f. Oesterreich so de-
müthigenden Friedens v. 18. April 1797, in jenen
Gewässern kreuzte (Péron, TA. 1, 272, Freycinet,
Atl. No. 16); *c) Port B.*, in NW.-America, Juni
1787 v. GDixon (GForster, GdReisen 2, 178, Spr.
u. F., Beitr. 13, 13); *d) B.' Islands*, in den
NHebriden, schon v. Quiros 1606 gesehen (Meinicke, IStill.O. 1, 182), doch erst am 14. Mai
1789 v. Bligh genauer erforscht (Krus., Mém. 1,
198); *e) B.'s Land*, im americ. Eismeer, 1819/20
v. W. Edw. Parry (NW.Pass. 238); *f) B.' Peninsula*, in Georg's IV. Krönungs-Golf, am 1. Aug.
1821 v. John Franklin (Narr. 374); *g) B.'s Peninsula*, an der Ostseite Neu-Seelands, Südinsel,
v. Cook am 16. Febr. 1770 als Insel angesehen
u. zunächst *B.'s Island* genannt (Hawk., Acc.
3, 11, Hochstetter, NSeel. 40); *h) B.' Straight*,
nördl. v. *B.' Land*, nach letzterm im Sept. 1851
v. McClure benannt (Armstrong, NWPass. 465);
i) B.' Town, Colonie in NSouth Wales, ggr. 1795
am George's R., der in der Botany Bay mündet, v.
Governor Hunter (Flinders, TA. 1, XCVII, Atl.
pl. 8, Carton).

Banku od. *Bengu* = Sumpfwasser, im sonrh.
der Name einer Prov., welche 'offb. einen Theil
der Flussufer u. des Kuára selbst, da, wo er mit
ʿInseln angefüllt ist, umfasste' (Barth, Reis. 4, 427).

Bannerman s. Young.

Baños, los = die Bäder, span. Form des lat.
balneum (s. d.), in ON. *a) B. de Bejar*, bei
Bejar, Leon, mit Schwefelthermen v. 42⁰C.(Meyer's
CLex. 2, 554); *b)* in Luçon, nahe der Laguna de
Bay, einh. *Mayit* = heiss, Therme. Die Heilquelle (84⁰ C.), Muriate v. Kalk (60 ⁰/₀), Magnesia u. Soda, auch etwas Eisen führend, wurde
durch die Franciscaner früh bekannt, mit Kloster
u. Krankenhaus versehen u. durch die Heilkraft
bald berühmt (Crawf., Dict. 222).

Banquereau s. New Foundland.

Baobelthaob s. Palaos.

Baptistery s. Monasterium.

Baqara s. Bahr.

Bar, ein Wort, welches uns als german. Sprachgut, gew. in der Form *Baar* (s. d.), begegnet,
hat einen rom. Doppelgänger, der offb. v. anderer
Bedeutg., aber ebenso wenig wie jene klar gelegt
ist: in 3 frz. ON. *a) B.-le-Duc*, dép. Meuse, 932
Barrivilla-ad-Ornam, im 11. Jahrh. *apud B.-
Castrum*, 1242 *B.-lou-Duc*, auf der Stelle der
alten Station Caturices, Caturiges, der Consular-
strasse Reims-Metz. Die Grfsch. erhielt 951 Friedrich v. Ardennes, nachdem er Beatrix, die Schwester
Hugo Capets u. Nichte des Kaisers Otto geheiratet,
v. letzterm u. wurde später z. duc bénéficiaire de
Mosellane ernannt; dieser Friedrich, erster Graf
v. *B.*, liess 964 das Schloss *B.* bauen, ʿals barrière' (Diez, Rom. WB. 57) gg. die häufigen Einfälle der Champenois, u. 1355 wurde das *Barrois*,
mit *Bar-le-Duc* als Hptstadt, z. Herzogth. erhoben (Dict. top. Fr. 11, 14); *b) B.-sur-Aube*, im
dép. Aube, mit altem, festem Bergschloss Châtelet,

auf caroling. Münzen *Baro castelli, castelli Baris*,
1061 *Barrum* super Albam; *c) B.-sur-Seine*,
ebf. im dép. Aube, ebf. mit festem Bergschloss,
840 *Barris castro*, 889 *castellum Barrum* (Dict.
top. 14, 10 f.). — *B.*, eine Stadt in Podolien, die
v. den Tataren 1452 zerstört, v. poln. König
Sigismund I. im 16. Jahrh. wieder aufgebaut u.
getauft zu Ehren seiner Gemahlin Bona Sforza
(† 1558), die zu Bari, UItalien, geb. war (Meyer's
CLex. 2, 559).

Baraba, eig. *Barama*, urspr. der Name eines
Tatarengeschlechts, dann auf das Land, eine
ʿSteppeʿ Sibir., übtragen, deren Nomaden, die
Barabinzen, 1595 den v. Tara vordringenden
Russen zinsb. wurden (Müller, SRuss. G. 3, 226;
4, 65).

Barada s. Chrysos.

Baradaes, 's täs, ngr. ʿς ταῖς βαράδαις = zu
den Bienenstöcken, ein Platz auf der Nordküste
v. Samothrake, nach den ausgehöhlten Baum-
strünken, welche man dort z. Bienenzucht verwendet (Conze, IReis. 52).

Baradla = dampfender Ort, nicht, wie Schmidl
(Baradla H.) meinte, v. *barat-lak* = Mönchs-
wohnung, slaw. Name einer berühmten Höhle
bei Agtelek, Kaschau, wo, wenn ihre Temperatur
viel höher als die äussere, Dünste emporsteigen,
welche die überhängenden Felsstücke wie mit
Reif überziehen (Umlauft, NamB. 15, Meyer's
CLex. 1, 269).

Baradschal = kleiner Kamm, kirg. Name eines
dem Karadschal parallel streichenden Höhenzugs
am obern Irtysch (Bär u. H., Beitr. 20, 98).

Baragáung = grosses Dorf, hind. Name eines
Orts in Audh, sowie mehrerer Dörfer in Hindostán. Ebenso *Baragóng*, in Bahar, u. *Bara-
púra* = grosse Stadt, in Hindostan (Schlagw.,
Gloss. 173).

Baragun s. Petrow.

Bára Látscha, eig. *Bára Látse* = der Kamm,
látse, der Kreuzstrassen, *bára*, lahol-tib. Name
(im eig. Tibet scheint sich *bára* nicht zu finden)
des v. Lahól nach Ladák führenden Passes, auf
welchen die Strassen v. Schígri, Spíti, Kardong
u. Ladák zslaufen (Schlagw., Gloss. 173).

Baranow Kamén = Widderfelsen, russ. Name
eines Vorgebirgs a dem sibir. Eismeer, nach den
am Ostabhang zahlr. Herden weidender Argali,
wilder Widder, die man mit unglaubl. Behendig-
keit auf den vorspringenden Felsen des Caps
herumklettern sieht. Etwas westl. v. dem *Bolschoi* (= grossen) *BK.* mit *Mali BK.* (= der
kleine). Oestlicher folgen 2 Küstenflüsse *Baranicha
Retschka*, ebf. durch ʿgrossʿ u. 'klein' unterschieden, gleichf. nach den Argali benannt, 'qui
habitent en grand nombre près de leurs sources:
les argalis sont l'objet d'une chasse d'hiver assez
abondante' (Wrangell, NdSib. 2, 158. 168). — Auch
in Galiz. gibt es mehrere ruthen. ON. *Baranów*
u. *Baranówka*, v. asl. *baran* = Hammel, Schöps
(Miklosich, ON. App. 2, 142).

Barantschinsk s. Bargusinsk.

Barapuza s. Swazi.

Baraquan s. Orinoco.

Barathra, gr. *Βάραθρα* = Moorstrich (Et. M.), eine sumpfige Gegend zw. Pelusium (s. d. & Sin) u. dem östlichern Mons Casius (Pol. 5, 80, Pape-B.).

Barbados s. Romanzow.

Barbagia = Wildniss, Sitz der Wilden, eine Landschaft Sardin., einst Sitz der alten wilden *Barbaricini*, welche wg. ihres spät verlassenen Götzendienstes, wg. ihrer Unabhängigkeit u. durch die Briefe Gregorius' d. Gr. in der sardin. Geschichte berühmt sind. Man unterscheidet eine *B. Belvy*, *B*, *Ololai* u. *B. Seulo* (Cetti, NGesch. Sard. 7 f.).

Barbara, Arrayal de Santa, wo port. *arrayal* = Lager, Ort der Prov. Minas Geraes, mit Goldwäscherei hptsächl. im *Rio de Santa B.*, einem lkseitg. Zufluss des Rio Doce (Eschwege, Pl. Bras. 18). — *Canal de Santa B.*, einer der südl. Arme der Magalhães Str., v. frz. Capt. Marcant 1713 nach seinem Schiffe, der Tartane Santa *B.*, getauft (ZfAErdk. 1876, 478).

Barbaresken s. Berber.

Barbaricum V. s. Picti.

Barbespúr = gewerbsamer Ort, im gōd-hind. mehrere Dörfer in Malwa, nach dem Vorkommen gewerblicher Beschäftigungen unter dem im allgemeinen nomadischen u. zu festen Ansiedlungen nicht geneigten Stamme (Schlagw., Gloss. 174).

Barbié du Bocage, Ile, eine der Iles du Géographe v. der frz. Exp. Baudin im Febr. 1803 getauft (Péron, TA. 2, 105) nach dem Geogr. Jean Denis BdB., welcher, geb. zu Paris 1760, ein Schüler d'Anville's wurde, die Pariser geogr. Gesellschaft 1821 mitbegründen half u. bei seinem Tode 1825 zwei ebf. in Geogr. verdienstl. Söhne hinterliess.

Barbudos, los = die Bärtigen, span. Name: *a)* der Mayorunas, eines Indianerstamms zw. Ucayali, Solimões u. Yavari, nach den dichten Bärten, die, zs. mit der weissen Haut, vermuthen lässt, dass sie Abkömmlinge span. Soldaten der Exp. Ursua seien (1560). Mit der Austilgung ihrer Bärte seien sie sehr geplagt: Mit 2 Muscheln, welche sie als Zange benutzen, ziehen sie sich die Haare einzeln aus u. machen dabei solche Grimassen, dass man sich des Lachens u. zugl. des Mitleidens nicht erwehren kann (WHakl. S. 24, 171; 28, XLV); *b)* Inseln der Central-Carolinen, v. Saavedra 1528 (s. Carolina); *c)* ein Atoll der Hall Is., ebf. in den Carolinen, einh. *Morileu*, v. Legaspi getauft, v. Villalobos 1552 (nach dem Kalendertage?) *los Reyes* = die Könige (Meinicke, IStill. O.2, 356). — *Barbiers Kraal*, Ort im Capl., aus sonderb. Veranlassung so genannt. Der Colonist, welcher den Weg bahnte, liess sich, einem Gelübde zuf., hier erst rasiren, nachdem er 4 Wochen hinter einander mit mehrern Sclaven daran gearbeitet hatte (Lichtenstein, SAfr. 1, 313).

Barburg s. Baar.

Barbyses s. Ali.

Barcelona, alt *Barcino*, die catalan. Hptstadt, soll v. dem pun. Feldherrn Hamilkar Barkas ggr. u. nach ihm benannt sein (?), hiess jedoch als röm.

Colonie *Faventia*. — Ein *Nueva B.* 1634 ggr. v. Don Juan Urpin in Venezuela, die Vorstadt *Barceloneta* 1752 auf Erlaubniss des Generalcapitän, Marquis de la Minas, um dem Anwachsen der Mutterstadt, die als Festung nicht vergrössert werden konnte, entgg. zu kommen. Schon im Mittelalter war das dim. v. *B.* in die frz. Westalpen übergesiedelt: *a)* *Barcelonette*, dép. Basses-Alpes, v. Raimund, Berengar, Grafen v. Provence, 1230 ggr. u. so benannt, weil seine Ahnen v. *B.* stammten (Meyer's CLex. 2, 572 f.); *b)* *Barcillonnette*, dép. Hautes-Alpes, 1339 *Barcelonia*, 1473 *Barceloneta* (Dict. top. Fr. 19, 9).

Barclay Sound, in Vancouver I., einh. *Nitinat*, nach dem umwohnenden Indianerstamm (Peterm., GMitth. 4, T. 20), v. engl. Capt. *B.* entdeckt, der 1787 im ʿImperial Eagleʿ, unter kais. Flagge, v. Ostende ausfuhr u. den Streit betr. die Str. Juan de Fuca entschied (GForster, GReis. 1, 56. 153). — *Cape B.*, in Ost-Grönl., v. Walfgr. Will. Secresby jun. (NorthWF. 231) am 29. Juli 1822 entdeckt u. nach Dr. John *B.*, Edinburg, getauft. — *B. de Tolly* s. Wittgenstein.

Barco s. Barques.

Bardakowka, russ. Name des bei Surgut in den Ob mündenden Bachs, nach dem ostjak. Fürsten Bardak, welcher hier, im Flusswinkel, seine Veste hatte u. um 1593 v. den Russen übrwunden wurde (Müller, SRuss. G. 4, 39).

Bardwan s. Wischnu.

Bâred od. *barid* = kalt, fem. *bâreda*, *baride*, mit Dehnungszeichen *bârideh*, subst. *berd*, oft in arab. ON. *a)* *Ras B.* = kaltes Cap, also eine arab. Parallele z. port. Cabo Frio (s. d.), an der arab. Seite des Rothen M. (Parmentier, Voc. arabe 13), ein Name, dem die Angabe der Realprobe sehr zu wünschen wäre; *b)* *Nahr el-Barid* = kalter Fluss, nördl. v. syr. Tripoli (Burckh., Reis. 1, 273). — *Aïn Bârideh* = kalte Quelle *a)* eine sehr reichliche, klare, aber schwachsalzige Uferquelle (u. Thal: *Wady Bârideh*) nördl. v. Tiberias, mit bloss 25⁰ C., kalt im Ggsatz zu den nahen Schwefelthermen (Robins., Reise 3, 528); *b)* Quelle in Algerien (Parmentier, V. ar. 13). — *Aïn Berd*, ebenso (ib. 14).

Barek-Allah, el- = Segen Gottes, ein friedlicher Beduinenstamm der westl. Sahara, reich an Herden, namentl. auch an ebenholzschwarzen Rindern (Peterm., GMitth. 5, 103).

Barents, Willem, holl. Polarf., geb. um 1550, ging 1594/96 dreimal ins Eismeer, um die nordöstl. Durchfahrt zu suchen, gelangte das erste mal zu den Oranien In., das dritte mal z. Entdeckg. der Bären I. u. Spitzbergens, dann z. Nordostecke NSemlja's, wo in ihm s Eishafen alle Schrecken eines arkt. Winters überstand (Adelung, GdSchifff. 226 ff.). Im Frühjahr verliess er das Wrack in 2 offnen Booten, erlag jedoch am 20. Juni, noch ehe man die Gewässer NSemlja's verlassen, den Strapazen und Qualen; die Überlebenden wurden v. russ. Fischern u. in Lappland v. Landsleuten aufgenommen. Der Norweger Karlsen fand 1871 *B.'s* Winterhaus, das fast 300 Jahre lg. mit Geräthen, Büchern etc. vereinsamt gelegen, noch wohl erhalten. Nach dem heldenmüthigen Entdecker wird j., auf Vorschlag Dr. Ch. T. Beke's, des Herausgebers des GdVeer (p. XCVIII), der nach Osten gekrümmte Flügel NSemlja's *B. Land* genannt . . . 'and we likewise consider it due to the memory of the first and only explorer of this region, that it should bear the specific designation of *BL.*, which name is accordingly given to it in the accompanying map'. Auf ders. Carte ist, zuf. Vorschlag der RGeogr. S. in London, v. 8. Nov. 1852 (Peterm., GMitth. 20, 382), das sonst namenlose Meer zw. Spitzb. u. NSemlja *Spitzbergen Sea*, wenig passend, od. *B.'s Sea* getauft; *b)* schon 1823 hatte der russ. Capt. Lütke die 1594 entdeckten *B. Inseln*, an der Nordwestecke des Landes, benannt (Spörer, NSeml. 32); *c) B. Insel*, im östl. Spitzb., seit der schwed. Exp. 1864 (Peterm., GMitth. 17, 182 T. 9); *d) B. Bay* s. Ijshaven.

Barfurusch s. Balfrusch.

Bargusinsk, als Veste *Bargusinskoi Ostrog*, v. Jenisseisker Sinbojarski Jwan Galkin 1648 ggr. am Unterlaufe des *Bargusin*, welcher, ein Ikseitg. Zufluss des Bajkal (Fischer, Sib. G. 2, 757 f., Bär u. H., Beitr. 24, 133), seinen Namen nach der schon v. MPolo (ed. Pauthier 1, 199) erwähnten Ebene *Bargu* hat. Fischers Carte (Tab. 2) lässt den Fluss aus einem See *Bargu*, also wohl in der Steppe gl. N., entspringen; *b) Barnewska*, Ort am Barnew, einem Zuflusse des Iset-Tobol, sollte als Veste schon 1652 beginnen, damit die dort häufige Rapontikwurzel ausgebeutet werden könnte; der Bau gerieth jedoch ins Stocken, u. später entstand der Ort als Slobode (Fischer, Sibir. Gesch. 2, 548); *c) Barantschinsk*, ein Bergort des Ural, an der Barantscha, einem Zuflusse des Tagil (Rose, Ural 1, 348); *d) Baskanskoi*, Ort des Semiretschinsky Kraï, am Flusse Baskan, der v. der Linken in die Lepsa mündet (Bär u. H., Beitr. 20, 145. 153); *e) Bauntowskoi Ostrog*, Ort unter den tungus. Anwohnern des Sees Baunt, der z. Witim abfliesst, v. Synbojarski Jwan Pochabow 1652 ggr. (Fischer, Sib. G. 2, 761); *f) Berdjansk*, Hafenort am AsowM., 1735 ggr. u. getauft nach dem Flusse Berda, dessen Mündg. den durch Kunst vertieften Hafen bildet. Nach dem Ort die Landzunge u. das Cap: *Berdjanskaja* (Meyer's CLex. 2, 986); *g) Bilutschinski*, Vulkan in Kamtschatka, nach dem Flusse Bilutschik (Kraschennin., Kamtsch. 83 ff.); *h) Bisertsk*, Ort am Flusse Bisert, der z. Netze des Ufa-Kama gehört (Müller, Ugr. V. 1, 99); *i) Borschomka*, Bergfluss in Transkaukas., nach der Stadt Borschom (Peterm., GMitth. 22, 139); *k) Botowskoy*, Ort in Sibir., am Flusse Botowka, der z. Lena fliesst (Dawydow, Sib. 16 ff.); *l) Butalskoi*, urspr. nur *simowie* = Winterhütte: *Butalskoje Simowie*, eingegangener Ort am Flusse Aldan, 100 km obh. der Mündung der Maja, 1636 ggr. unter den tungus. Stamm Buta v. Kosaken-Hetman Dimitri Kopylow (Fischer, Sib. G. 1, 521).

Barhampur s. Brahma.

Bari, Küstenort Apuliens, als *Barium*, in einer

Gegend, deren ehm. Bewohner illyr. Stammes, also denen der Gegenküste verwandt waren, darum mit illyr. Namen, der j. noch alban. 'Grasfleck' bedeutet u. sich auf die illyr. Seite der Adria wiederholt, v. den ital. Schiffern als *Antivari* unterschieden (Kiepert, Lehrb. AG. 452).

Bari Duab, pers. Name des v. Biäs u. Ravi eingeschlossenen 'Mesopotamien', wie die der übr. 'Zweistromländer' des Pandschab gebildet aus den Anfangstheilen der Namen der das Duab einschliessenden Flüsse (Schlagw., Gloss. 174).

Barid(eh) s. Bâred.

Barime s. Anegada.

Baring Island, der südl. Theil des arkt. Banks Ld., v. der Exp. McClure am 7. Sept. 1850 benannt, weil sie die Gegend für eine besondere Insel hielt, nach Sir Francis *B.*, dem ersten Lord der brit. Admiralität, 'under the supposition, afterwards found erroneous, that it was not connected with Banks Land' (Osborn, Disc. 80). Nach Armstrong (NWPass. 209) hat der Name den ältern in die Nordostecke gedrängt, da 'there could exist no possibility of a doubt of our right to take possession of, and name it as we did'. — *B. Bay*, in Penny Str. (u. die nahe *B. Strait*), v. Capt. Belcher (Arct. V. 1, 88) ebenso getauft. — *B. Bank*, eine aus Sandinseln und Korallfelsen bestehende Untiefe des Korallenmeers, in welcher das Schiff *B.*, Capt. Lamb, auf der Überfahrt Port Jackson-Calcutta (1819) 3^d gefangen lag, ohne sich v. diesen Bänken lösen zu können. — Eine Klippe, ebf. v. diesem Schiffe gesehen, hat der russ. Admiral v. Krusenst. (Mém. 1, 95 f.) *Ecueil B.* getauft.

Bariola s. Wyman.

Barka, im amhar. Dial. *berha* = tiefgelegene Wildniss (wo der Mensch sich nicht fest ansiedelt), so bei den Anseba, während die Abessinier u. die Beni Amer *Baraka* sprechen, Name einer Gegend nördl. v. Abessinien u. zugl. des sie umströmenden Wady, östl. v. Atbara (Munzinger, O.-Afr. Stud. 277. 399). — *Plateau v. B.* s. Achdar.

Barker Mount, in Süd-Austr., v. engl. Capt. Sturt benannt nach seinem unglückl. Freunde *B.*, welcher an der Encounter Bay v. den Wilden getödtet wurde (Stokes, Disc. 2, 399 ff.).

Barlee, Lake, in West-Austr., v. engl. Reisenden John Forrest am 25. Mai 1869 entdeckt u. 'nach unserm Colonialsecretär' benannt (Peterm., GMitth. 16, 146, Journ.RGSLond. 1870, 234).

Barlovento s. Antillen.

Barlow Point, am Fusse des z. Gründg. v. Fort Dundas ausersehenen Uferstrichs v. Melville I., v. Capt. J. G. Bremer, welcher 1824 die Ansiedlung gründete, nach dem Commandanten ders., Capt. *B.*, benannt (King, Austr. 2, 237). — *B. Inlet*, in Wellington Ch., v. Parry (NWPass. 51 f.) benannt 1819 'as a testimony of my respect for sir Robert *B.*, one of the commissioners of His Majesty's navy'.

Barma s. Balm.

Barmouth, welsh *Aber - Maw*, Küstenstadt an

der Mündg., *mouth*, der Maw, die selbst *Avon
Vawr* = der grosse Fluss; auch das kelt. *aber*
= Mündg. u. daraus *Aber Maw, Bermaw, B.*
(Charnock, LEtym. 27). — Wohl nach diesem
Ort *B. Creek*, eine Bucht v. NSouth Wales, 'the
prettiest model of a harbour', aber durch eine
Barre fast unbrauchbar, entdeckt am 17. Dec.
1797 durch George Bass, welcher im Auftrag
des Governors v. Sydney die Küste explorirte
(Flinders, TA. 1, CIX).

Barn Hill = Scheunenberg, in engl. EntdeckerN.
wiederholt: *a)* am Spencer's G., v. Flinders (TA.
1, 155) am 8. März 1802 entdeckt u. nach der
Gestalt des Gipfels getauft; *b)* in Germasir, üb.
Bender Konkûn 300 m h. aufsteigend u. v. den
Schiffern wg. seines Aussehens so genannt (Spiegel,
Eran. A. 1, 89) — ein Denkmal der Macht, welche
sich Englands Schiffe am Persergolf erworben
haben. — *B. Mountain*, einzeln stehender Vorberg der FelsenGeb., auf der linken Seite des
Missuri, v. Lewis u. Cl. (Trav. Miss. 180) am
4. Juni 1805 getauft, weil die Form einem
Scheunendache ähnlich sah.

Barnabas, Cape, in Alaska, wo Capt. Cook
(-King, Pac. 2, 406) am 11./12. Juni 1778 anlangte, nach dem Kalendertag. — *St. Barnabae*
s. Carolina.

Barnard's Group, 2 Inseln an der Ostküste
NHoll., v. Capt. Ph. P. King (Austr. 1, 204) am
21. Juni 1819 getauft nach seinem Freunde Edward *B.* Esq. — *B.'s Mountains*, im Süden v.
Jones' Sd., v. John Ross (Baff. B. 158) am 24. Aug.
1818.

Barnaul, Bergstadt Sibir., v. Staatsrath Demi-
doff, dem Gründer des russ. Bergbaus im Koly-
wanschen Erzgebirge, angelegt an der Stelle, wo
das Flüsschen *B.* v. der Linken in den Ob
mündet, zunächst, um 1730, als Dorf, 1743 das
Hüttenwerk, weil in der Nähe Holz genug war.
Als die Krone die Werke u. die ganze Gegend
übernahm, bestimmte sie *B.* z. Hauptort; das
Dorf wurde Slobode u. dann lebhafte Stadt (Falk,
Beitr. 1, 328).

Barnevelt's Eilanden, eine Inselgruppe zw. der
Str. Le Maire u. Cap Hoorn, 'graue, dürre Felsklippen', v. holl. Seef. Le Maire am 29. Jan.
1616 getauft 'ter eeren van de Herre Johan van
Olden *B.*, Advocaet van den lande van Hollandt,
ende West-Vrieslant', dems. Staatsmann, welcher
am 27. März 1614 die v. Spiegh. ANav. (fol. 27)
im Auszuge mitgetheilte Concession der Fahrt
unterzeichnet hat, 'unbeschadet den übr. vorher
(der holl.-ostind. Co.) ertheilten Privilegiis' (Beschr. 79).

Barnewska s. Bargusinsk.

Baroa s. Bosjesman.

Baroach s. Wischnu.

Baroche s. Bazoche.

Barques, Fleuve des = Fluss der Boote, ind.
Miramichi, in NFundl., benannt am 30. Juni
1534 v. J. Cartier, der hier Boote mit Wilden
sah, ohne mit ihnen verkehren zu können, 'because that there wee saw boates full of wild men

that were crossing the river. We had no other
notice of the said wild men; for ...' (Hakl., Pr.
Nav. 3, 206, Avezac, Nav. Cart. XI, M. u. R., Voy.
Cart. 23). — Port. *Pedra do Barco* = Kahnfels,
ein Uferfels des brasil. Paranary, wo das Wasser
eine Strecke v. 30 m unterhöhlt hat, so dass er
v. einiger Entferng. gesehen wie ein Schiffsrumpf
aussieht (Journ. RGSLond. 1870, 421).

Barr s. Bar.

Barracas = Barraken, eine der Vorstädte v.
Buenos Ayres, nach den hier befindlichen Magazinen v. Häuten, Wolle, Talg u. a. Landes-
producten. Eine andere, resp. Nachbarstadt ist
Palermo, eine Reminiscenz an die dort zahlr.
ital. Einwanderg. (Skogman, Eug. Resa 1, 50 f.).

Bárrackpur od. *Bárakpur* = Segensstadt, arab.-
hind. ON. in Bengal (Schlagw., Gloss. 174).

Barracouta Harbour, eine der grössern Hafenbuchten der 'Mandschurei', durch die engl. Aufnahmen v. H. Hill u. S. W. K. Freeman, Kreuzer
B., am 11. Mai 1856 benannt, wie *Michael Seymour Bay* u. *Hornet Bay*, diese beiden mir
nicht weiter erklärt (Peterm., GMitth. 3, 32. 335;
5, 441). Seither ist *B. Harbour* russ. umgetauft:
in *Imperatorski Gavan* = Kaiserhafen od. *Nikolaus' I. Bucht* (Stieler, HdAtl. 1879, 59), diej.,
an welcher der Ort *Konstantinowsk* angelegt ist.
— *B. Island* s. Murderer.

Barrada Suk, wo *suk* die Bezeichn. f. Dörfer,
welche hier u. da Markt halten, heissen 2 sich
ggb. liegende Flecken am Flusse *B.*, welcher v.
Anti-Libanon nach Damask hinunter fliesst (Burckhardt, Reis. 1, 38).

Barranca, la = die Schlucht, span. Name eines
Flusses, der ein enges, schluchtartiges Thal bei
Lima durchzieht u. in den Pacific mündet, ind.
Huaman-Mayu = Falkenfluss (s. Ayacucho).
'This river is approached by a precipitous descent down a high bank of large pebbles and
earth. The breadth of the channel is about a
quarter of a mile, and, during the rains in the
Andes, it is completely full, running furiously,
and carrying along with it trees and even rocks,
which render it impassable' (WHakl. S. 33, 248;
47, 80).

Barren Island = öde, unfruchtbare Insel, in
engl. Gebiet wiederholt: *a)* eine der austr. Hunter's
Is., v. Flinders (TA. 1, CLXXI ff., Atl. pl. 7) am
9. Dec. 1798 entdeckt, als er mit G. Bass den
Weg nach der Westseite Tasmania's suchte, benannt nach ihrer 'poor, starved vegetation', j.
Hunter's Island (Stokes, Disc. 1, 269 f.) ...'well
deserves its former name, for it is perfectly tree-
less'; *b)* ein ringfges Eiland des Bengalgolfs,
2810 m im Durchm., v. allen Seiten her kegelfg.
aufsteigend, an den Abhängen mit feiner grauer
Asche, am Fusse mit schwarzen Basaltblöcken
bedeckt (Meyer's CLex. 2, 602); *c)* s. Starbuck.
— *Cape B.*, in der austr. Gruppe Furneaux, zunächst das Cap, dann auf die Insel, *CBIsland*,
übtr. am 9. Febr. 1798 erwähnt bei dem engl.
Entdecker Flinders (TA. 1, CXXVII, Atl. 6).
B. Islands s. Dorre. — *B. Isles*, im Eingang

v. Cooks R., Alaska, hohe, nackte Inselfelsen, v. Cook (-King, Pac. 2, 385) am 25. Mai 1778. — *Mount B.*, 3 z̓ ̓ al. hohe, anscheinend granitische Bergmassen in Nuyts Ld., *East-, Middle-* u. *West-Mount B.*, v. Matth. Flinders (TA. 1, 76) am 6. Jan. 1802. — *B. Grounds* = öde, unfruchtbare Gründe, die baumlosen Steppen am americ. Eismeer (Franklin, Narr. 103, Back, Narr. 248), eine seenreiche Niederg., die nur etwa durch mässige Felshügel unterbrochen ist. In America hat das Subst. *B.*, gew. im plur., mehrf. in abweichendem Sinne, jedoch immer nur f. baumlose od. baumarme Striche, Anwendg. gefunden: *a)* die *Pine-Barrens* der atlant. Südstaaten, wo hier u. da eine langnadelige Fichte, Pinus palustris, vorkommt; *b)* die *Oak* (= Eichen-) *Barrens* in Kentucky, die mit Eichenbüschen, v. Quercus ferruginea, Q. rubra u. Q. alba, spärl. bewachsen sind; *c)* die *Barrens* v. NFundl., d. s. die höhern, windigen, mit dünnem Buschwerk bewachsenen Gebiete (Whitney, NPlaces 200).

Barren and Field Islands, an der Nordseite NHoll., v. Capt. Ph. P. King (Austr. 1, 102. 105) am 7. Mai 1818 benannt zu Ehren eines Freundes, welcher damals dem obersten Gerichtshof v. NSouth Wales präsidirte: die eine *B. Island,* die andere *F. Island.*

Barrier Island = Riegelinsel, Insel im untern Rio Colorado, den Fluss fast sperrend, v. der Exp. Ives (Rep. 49, Carte) am 17. Jan. 1858 erreicht ... 'looking back, the rocks seemed to completely block the river, and the place appeared much more formidable than from below.' — *B. Islands,* eine Reihe Berginseln, welche der Mündg. des Golfs Hauraki kettenartig vorliegen u. so, diesen vor der See schützend, zu einem ruhigen Ankerplatz machen (Hawk., Acc. 2, 357): *Gross Bl.,* einh. *Otea,* u. *Klein Bl.,* einh. *Houturu* (v. Hochst., NSeel. 2). Die Südostspitze der 'Grossen', 'eine runde Felskuppe', heisst *Cape B.* (ib. 3, Peterm., GMitth. 8 T. 14). — *B. Reef,* der grosse Riffgürtel vor Queensland, f. Cook, welcher sich 1770 in diese abgeschlossene See hineingewagt, das Fahrwasser unheimlich verengend, so dass er froh war, dieser Barrière (= Sperrwerk, Mauer, Riegel) zu entrinnen, als sich ihm eine Lücke bot. S. Endeavour R. (Hawk., Acc. 2, 150 ff.). — *Havre Barré* = verriegelter Hafen, einh. *Wanganui,* an der Südinsel NSeel., v. frz. Entdecker d'Urville 1825 ff. benannt, weil die Barre nur kl. Schiffe zulässt (Meinicke, IStill. O. 1, 282).

Barrois s. Bar.

Barrow, eine Reihe geogr. Objecte, welche durch engl. u. a. Entdecker nach dem Geogr. John Barrow, Bart., benannt sind. Geb. 1764, wurde er Secretär der Admiralität u. einer der bedeutendsten Förderer geogr., namentl. arkt. Entdeckungsreisen, 'the father of modern arctic discovery, by whose energy, zeal and talent our geographical knowledge of those regions has been so greatly increased ... to whose exertions are mainly owing the discoveries recently made in arctic geography ... author of the interesting travels at the

Cape of Good Hope .... whose name is inseparably connected with modern discovery in the polar regions ... whose literary talents and zeal for the promotion of geographical science have been long known to the world ... the distinguished secretary of the admiralty, who has just retired from office (1818) after a period of service of nearly half a century, during which time he was the promoter of all geographical research, and mainly instrumental in founding a society which is of growing importance to Great Britain, and who has established a lasting reputation both by his travels and his literary productions'. Als nach dem Friedensschlusse v. 1815 die russ. Exp. unter Kotzebue ausgerüstet wurde, drang *B.* mit dem ganzen Ansehen seiner Person auf Wiederaufnahme der NWFahrten. 'It would be somewhat mortifying', schrieb er in Quart. Review (Jan. 1818, 219), 'if a naval power but of yesterday should complete a discovery in the nineteenth century, which was so happily commenced by Englishmen in the sixteenth, and another Vespuccio run away with the honours due to a Columbus'. Er † 1848 in London. Schon John Ross (1818) nannte einen Theil der Einbuchtg., welche sich ihm, freil. verriegelt, an der Westseite des Smith Sd. zeigte, *B. Bay* (Ross, Baff. B. 175). Als dann, unter günstigern Umständen (1819), Parry, den Lancaster Sd. passirend, weit nach W. vordrang, taufte er 'the magnificent opening' *B. Strait,* nach seinem Freunde, 'both as a private testimony of my esteem for that gentleman, and as a public aknowledgement due to him for his zeal and exertions in the promotion of Northern discovery' (Parry, NWPass. 52). In der Ausdehng., welche die Cartographie dem Namen dieser Meerenge gibt, herrscht Verschiedenheit. Parry bezieht ihn deutl. auf den neueröffneten Canal 'from Baffin's Bay to Wellington Ch.', so dass streng genommen Baffin's 200 J. älterer Name 'Lancaster Sd.' entw. (wie Ross, Sec. V., Carte) ganz wegfiele od. nur, wie auf Parry's Carte, eine precäre Stellg. am Eingang der *B. Str.* erhält. Da nun anderseits Parry den breiten Canal zw. Cornwallis I. (im N.) u. North Somerset u. dann ihm fast unerkannt entgegen liegenden Prince of Wales I. (beide im S.), d. i. also die w. Fortsetzg. seiner *B. Str.,* ohne Namen gelassen, so haben die Carten beide, Lancaster Sd. u. *B. Str.,* etwas verschoben (den erstern ungefähr an die Stelle v. Parry's *B. Strait* d. i. w. Baffin's Sea bis Prince Regent's It., den zweiten, *B. Str.* der neuern Carten, v. hier bis z. weiten Melville Sd. (Peterm., GMitth. 1 T. 8). Einige Benennungen hatten schon vor dem grossen Ereigniss *B.'s* Verdienste geehrt; aber v. nun an wetteiferten die Entdecker förml., dies. onomatolog. zu feiern: *Cape B.,* 4 mal: *a)* das der Westseite des Carpentaria G., v. Matth. Flinders (TA. 2, 182, Atl. pl. 15) am 4. Jan. 1803; *b)* im arkt. America, Georg's IV. KröngsG., v. Capt. John Franklin (Narr. 367) am 25. Juli 1821; *c)* im antarkt. Victoria Ld., v. Capt. J. Cl. Ross (South-

11*

Reg. 1, 187) am 11. Jan. 1841; *d)* im arkt. Grinnell Ld., am Eingange des Kennedy Ch., v. americ. Polarf. Kane (Arct. Expl. 1, 101) im Aug. 1853. — Auch *Point B.* s. Elson. — *Mount B.*: *a)* ein Berg nahe der Ostspitze v. Richardson Ld., v. Dr. Richardson, dem Befehlshaber der v. McKenzie R. z. Kupferminenflusse gehenden Section der 2. Exp. Franklin (Sec. Exp. 257) am 6. Aug. 1826; *b)* ein aus flacher Sandwüste 20—25 m h. aufsteigender, grüner Hügel am Mündgsgolfe des Great FishR., durch eine Section der Exp. Back (Narr. p. 217 f.) am 12. Aug. 1834 entdeckt. — *B. Bay: a)* eine seichte, mit Korallriffen erfüllte u. umgürtete, gefährl. Bucht an der Ostseite v. Gross Lutschu (s. Lieu Khieu), v. Capt. Basil Hall (Corea p. XX) 1816 benannt; *b)* 'a deep indentation' der Penny Str., Parry Is., v. Capt. Edw. Belcher (Arct. V. 1, 86) 1852, wie auch der nahe isolirte Tafelberg *John B. Head; c)* s. oben *B. Strait.* — *B. Island: a)* vor De Witts Ld., Austral., v. Capt. Ph. P. King (Austr. 1, 140) am 19. Juni 1818 (Stokes, Disc. 2, 211); *b)* in der Südgruppe der Paumotu, einh. *Wanawana*, bei Wilkes *Teku* (ZfAErdk. 1870, 352, Meinicke, IStill.O. 2, 213), durch Capt. Beechey (Narr. 1, 158) im Jan. 1826. — *B. River*, ein Zufluss des arkt. Fox Ch., merkw. durch den prachtvollen Wasserfall, welchen der b. 450 m br. Fluss 2$^1/_2$ km obh. der Mündg. bildet, v. Capt. W. Edw. Parry (Sec. V. 265 u. landschaftl. Ansicht) am 13. Juli 1822 entdeckt u. benannt.

Barry's Bay, in Melville I., v. Parry (NWPass. 200) am 12. Juni 1820, wie *B.'s Isle*, ebf. im arkt. America, v. John Franklin (Narr. 378 ff., Carte 394) am 7. Aug. 1821 nach Oberst *B.* getauft. — Ebf. nach einem (demselben?) Oberst *B. Cape B.*, im RothM., in arab. Form *Ras B.*, arab. *Dschebel Dschübbe*, nach einem Heiligen, der hier begraben (Purdy, Or. Nav. 1, 43, vgl. dagegen Bergh., Ann, 5, 58), v. Lord Valentia (VInd. 3, 334) anno 1806 benannt 'zu Ehren meines Freundes, des colonel Maxwell *B.'*

Bart, Baie Jean, hinter Nuyts' Arch., v. der Exp. Baudin im Febr. 1803 getauft nach dem Seehelden Jean *B., Baert*, 1651—1702; ebenso *Iles Jean B.*, bei Purdie's Is., im Apr. 1802 (TA. 2, 89; 1, 274).

Barter Island = Tauschinsel, im Eismeer, westl. v. McKenzie R., v. John Franklin (Sec. Exp. 147) am 4. Aug. 1826 entdeckt u. so benannt, weil er hier Eskimos traf, welche wenige Tage vorher ihren Tauschhandel abgemacht hatten.

Barth, Cap, auf der spitzb. Barents I., v. der Exp. Heuglin-Zeil am 15. Aug. 1870 getauft nach dem berühmten Africareisenden Heinr. *B.*, welcher, zu Hamburg 1821 geb., nach tüchtigen philologisch-antiquar. Studien ganz Nord-Africa, v. Marocco b. Aegypten durchzog, dann im Dienste der brit. Regierg. mit Richardson u. Overweg in das Innere Africa's vordrang, dort nach Richardsons u. Overwegs Tode 1851 f. die weiten Länder des Sudan, auch Timbuktu, vielorts als erster Europäer besuchte, am 8. Sept. 1855 wieder in Marseille anlangte,

später noch Kl. Asien bereiste, dann Ritters Lehrstuhl in Berlin erhielt, aber schon 1865 † (Peterm., GMitth. 17, 176 ff.). — Aehnl. *Schweinfurth Berg*, nach dem Africareisenden Georg *Sch.* (geb. 1836, besonders im Nilgebiete verdient) u. *Reymond Gletscher.*

Barthelemy Hills, 2 einzelstehende, vierseitige Berge an der Nordküste NHollands, leicht f. Inseln zu halten und als solche auch am 19. Juni 1803 v. frz. Capt. Baudin *Iles B.* benannt, ozw. nach dem frz. Numismatiker J. J. *B.* 1716/95 (Péron, TA. 2, 244), v. Capt. Ph. P. King (Austr. 1, 275 ff.) am 5. Sept. 1819 schonlich, 'by altering the nomenclature as little as possible', in die neue Form umgetauft.

Bartholomäus, engl. *Bartholomew*, span. *Bartolomé*, einer der 12 Apostel Jesu, thätig in Ausbreitg. des Christenthums u. standhaft als Märtyrer, v. der Kirche am 24. od. 25. Aug. gefeiert, lebt auch in einigen ON. fort *a) B. See* (s. Königssee); *b) Bartholomew Island*, in der Magalhães Str., v. engl. Admiral Fr. Drake, der sie am 24. Aug. 1578 entdeckte, nach dem Kalendertage benannt (Fletcher, World Enc. 76, Spr. u. F., NBeitr. 12, 244); *c) St. Bartholomew*, das grösste der niedrigbeholzten Eilande in Bougainville's Passage (s. d.), v. engl. Capt. Cook (South P. 2, 88) 1774, ebf. am Tage des heil. *B.*, benannt 'on account of the day'.

Bartle s. Rawlinson.

Bartolomé, San (s. Bartholomäus), in mehrern span. ON. *a) Puerto de San B.*, in Calif., v. General Seb. Vizcaino entdeckt u. benannt (DMofras, Orég. 1, 232); *b) San B.*, Insel (s. Gaspar Rico) nordöstl. v. Radack, v. Loaysa am Vortage des Heiligen 1526 entdeckt (Navarrete, Coll. 5, 47); *c) San B.* s. Ibargoïtia; *d) Lago y Puerto de San B.* s. Maracaybo.

Barwell Isle, nördl. v. den NHebrid., einh. *Tukopia*, schon v. der span. Exp. Quiros 1606 u. wieder v. Schiff *B.* 1798 entdeckt (Krus., Mém. 1, 21, Meinicke, IStill. O. 2, 57).

Barygaza s. Wischnu.

Bas s. Vignoble.

Basalt Butte, engl. Name eines isolirten Rundhügels (s. butte) v. Basalt, im Centrum des v. Trail Cr., einer der Quellarme des Yellowstone R., durchflossenen Thals, v. Geol. Hayden (Prel. Rep. 53) im Sommer 1871 benannt. — *Ile des Basaltes* u. *Basaltic Hump* s. Shoe.

Basan, lat. *Batanaea*, gr. Βαταναία, syr. *Bathân*, hebr. נָשָׁב, *Bâschân* = das weiche Land, f. ein ostjordan. Gebiet v. ausserord. Fruchtbk., bes. berühmt wg. seines schweren Weizens (Kiepert, Lehrb. AG. 179, Gesen., Hebr. Lex.). Noch j. District *el-Botthin.*

Basansk s. Mursinska.

Basar = Markt, im türk. (u. pers.), namentl. bei den Nogaï, je die v. ihnen besuchte Stadt, EigenN. einer durch ihre Lage bedeutenden ind. Stadt. Zieml. gleichweit v. Svat u. Indus gelegen, hat *B.* seit langer Zeit den Handel zw. beiden Flussgebieten vermittelt (Ausl. 46, 82). — *B.-Jol* = Stadtweg, Pass des taur. Gebirgs, nach Baktschiserai führend (Köppen, Taur. 1, 5 ff.). — *B. Köi* = Marktdorf, mehrf. in Kl. Asien: *a)* südöstl. v. Hellespont, *b)* östl. v. Gemlik, *c)* südöstl. v. Amasia, *d)* nördl. v. Angora (Tschih., Reis. 1. 6. 12. 41). — Im dim. *Basardschyk Köi*, an der cilic. Küste (ib. 19) u. *Basardschyk* s. Tatar. — *Basaryn-Chyry-Boghas*, ein Pass, *boghas*, des taur. Gebirgs, weil er üb. die Höhen, *chyry*, z. 'Markt' führt (Köppen 2 ff.).

Baschek s. Neapolis.

Baschkiren, ein früher finn., j. sprachlich verturktes Volk, noch v. dem Reisenden Ruysbroek, 13. Jahrh., als Verwandte der Hunnen u. Magyaren, somit als ein Glied der tschud. Familie erkannt, hat schon Fischer (Sib. G. 1, 127), u. nach ihm A. v. Humboldt (Kosm. 2, 290), als 'Einwohner v. Paschcatir', ihrer Steppenheimat am Jaik, erklärt u. ersterer fügt bei, dass im alten Vaterland Pascatir' heutiges Tages noch ein Rest der B. wohnet'. Neuere setzen *Baschkurten* = Bienenführer, v. der eigenth. Bienenzucht, welche eine Hptsorge dieser vorzügl. Bienenwirthe ausmacht. Ausser den Bienengärten hat der *B.* mehrere 100, ja bis 1000 wilde Bienenstöcke im Walde; diesen Bienen baut er in einzelnen Bäumen einen Stock, indem er einen starken Baum, einige Klafter ab Boden, aushöhlt u. die Höhlung mit einem Deckel verschliesst, der einige Fluglöcher hat (Müller, Ugr. V. 1, 140). Die *B.* heissen bei ihren kirg. Nachbarn *Istaki* (Georgi, Nat. Russl. 1, 167), vollst. *Sari Üschtck* = rothhaarige Ostjaken (Strahlenb., N. u. OEur. 61).

Baschköi = Oberdorf, wo *basch* = Kopf, türk. ON. obh. des Passes Jawasch, Kl. Asien, wie *Baschchan* = obere Herberge, an der Nordspitze des Tüs Göl (Tschih., Reis. 9. 32).

Base R. s. Mauvais.

Basel, die Schweizerstadt am Rhein, in der not. imp. *civitas Basiliensium*, dann *Bazela* (Anon. Rav. 4, 26), *Basilia* (Amm. Marc. 30, 3), *Basilia civitas* (Ann. Bert. ad 859), *Basula* 870 u. s. f., ist nicht überzeugend erklärt, begreifl. f. d. schwachen Deutungsversuche, die im 18. Jahrh. etwa an einen Abgott *Basil*, einen Obersten *Basilus*, an die Sarmaten *Basilii*, an einen *Basilisken*, der einst im Gerberbrunnen sich eingenistet, an *pass*, an *sine basi* = grundlos, weil *B.* den Erdbeben ausgesetzt sei, an *basis laos* = Grundsäule des Volks, an ein angebl. kelt. *bas-le* = kleine Tiefe, auch an βασίλεια = königlich, an *basil* = niedrige Ill, 'einen Namen, den der Birsig soll geführt haben' (Oberrhein. Mgf. 1781, 427 ff.) od. an Kaiser Julians Mutter Basilina dachten, der zu Ehren der angebl. Gründer den Ort benannt hätte, begreifl. auch für den Versuch, den der Keltomane L. de Bochat (Mém. 3, 88 ff.), nicht ohne Aufwand v. Gelehrsk., seinem grossen Werke einverleibte. Anknüpfend an Leu (Lex. 2, 142), welcher ein kelt. *bas* = niedrig zu Grunde legt, will er diesem ein kelt. *ila* = Insel anfügen, da das älteste *B.* wohl eine v. Rhein,

Birs u. Birsig eingeschlossene Insel sein mochte, u. eben im lat. *Basilea* hätte sich die Zssetzung treulich erhalten. Mit Recht konnte der Basler Historiker P. Ochs (Gesch. Bas. 1786, 1, 106), der diese 12 'Meynungen' zsstellt, bez. der Etymologie des Namens bemerken: 'In diesem Stücke sind wir um desto reicher, dass wir nichts wissen'. Auch die Neuern sind nicht einig: Gatschet (OForsch. 21) leitet *B.* v. *basilica* ab, einer der grössern Kirchen der ersten Christenzeit, während Bacmeister (AWand. 19), u. mit ihm Gaidoz (s. unten), meint: 'Von einer angebl. *basilica* kommt der Name gewiss nicht', freil. ohne mehr als eine wohlfeile 'Vergleichg. mit frz. *Bazas*' beizubringen. Mit Staunen liest man noch 1886: 'So ist *B.* vielleicht genannt v. der dabei mündenden *Wiese*, *Wisaha*, unter Verhärtg. v. *V* zu *B*, wie in Bingen, Verona-Bern, Vesontio-Besançon' (W. Christ, GA. rhein. G. 17). Nicht übel kommt A. Heusler (Verf. G. Bas. 1 f.) auf τὰ βασίλεια, im Sinne v. Kaiserburg, Residenz, zk., u. Mommsen (Mitth. Zürch. AG. 6b, 1 ff.), Boos (Gesch. Bas. 1, 4), Jul. Jung (Röm KaisZ. 69) stimmen ihm bei. Ja wir finden schon bei Camden-Gibson (Brit. 1, 491) die Ansicht: 'B. in Germany has the name of Augusta' scil. Rauracorum. Der Basler Historiker zeigt, dass hier das kais. Hauptquartier gg. die Alemannen war, als Valentinian I. 374 die rhein. Gegenden besuchte, v. Juli b. Oct. in *Robur* verweilte, der kelt.-röm. Hügelveste im Confluenzwinkel v. Rhein u. Birsig u. auf der rechten Rheinseite, obh. des j. Kl. *B.*, Verschanzungen aufwerfen liess. Von diesem Aufenthalt tauschte Robur seinen Namen an den der 'Kaiserstadt'. — 'Die hier entwickelte Ansicht scheint mir von allen die plausibelste zu sein; wer sich damit nicht befreunden kann, der stellt sich wohl am besten auf die Seite Förstemanns (der (Altd. NB. 2. Aufl. p. 214) der Meinung ist, dass eine genügende Erklärung noch nicht gelungen sei' (Gef. Mitth. d. H. Oberbibl. Dr. L. Sieber in *B*. dat. 3. Mai 1887). Nun findet Hotz-Osterwald (DogmaWiss.1880,23 f.) die 'Königsburg' aus dreif. Grunde unannehmbar, u. es müsse 'diese seit Jahrhh. gelehrte u. gelernte Gleichg. aufgegeben werden. Vielmehr beruhe der Name auf einem raur.-helv., in den lebenden Keltenidiomen noch nachweisbaren *basal, bathela, baçela'* = Bergspitze, Anhöhe, dann Befestigg. u. lat. *Robur* = Veste sei nur die offic. Übsetzg. des einh. Worts. Der Keltist Gaidoz, dem es um sein Gutachten gebeten, kennt die eben angeführten, angebl. kelt. Formen aus keinem kelt. Idiome u. hält, in Übereinstimmung mit Longnon, den er consultirte, dafür, dass sich der Name *B.* aus dem Kelt. nicht erklären lasse (Briefl. Mitth. v. 19. Mai 1887). Dieser Entscheid ist ein Moment mehr zu Gunsten der griech.-röm. 'Kaiserburg'. Im 8. Jahrh. wird *Klein-B.* als *Baselahe*, im 9. die Umgegend der Stadt als *Basalchowa* erwähnt. Seit 1833 zerfällt der Canton *B.* in zwei Halbcantone: *B.Stadt* u. *B. Land*. — Ein Ort *B.* s. Jekaterina. — Eine Reihe anklingender ON. **führen** auf eine *basilica*, den Ausdruck zunächst f. **einen** kaiserl. Palast, später f. einen Tempel u. zwar gew. f. die Kirche einer Abtei.... optimè probatum fuit *basilicam* VI et VII saeculo apud Gallos semper significasse monachorum ecclesiam; cathedrales et parrochiales-ecclesias appellatas fuisse ecclesias (Mabillon bei Ducange V°B.). So *Baselga*, Ort des Trentino, *B. di Pinè*, dial. Form f. *basilica*, wie in *Baseleghe* u. *Baseie*, Venetien, *Baselica*, Emilia, *Baselice*, Benevento, da im spätlat. nicht nur eine Hptkirche, sondern eine Kirche mit Priester, doch nicht immer mit Seelsorge, so hiess (Malfatti, S. top. Trent. 39). — Im Frz. ist der Name wiederholt zu *Bazoche*, *Bazoches* (s. d.) geworden, so 3mal im dép. Eure-et-Loir (Dict. top. Fr. 1, 10), einmal im dép. Aisne, 1135 ecclesia *Basilicarum* in honore beatorum martirum Rufini et Valerii, im 12. Jahrh. *Bazolchiis*, 1186 *Basilicense* monasterium, also nach einer basilica, gebaut auf der Stelle des Martyriums, das Kloster ggr. 1136 (Dict. top. Fr. 10, 20, Bull. Soc. Arch. Seine-et-Marne 1875).

Bashee Islands, eine seit 1783 span. Inselgruppe zw. Luçon u. Formosa, zunächst *B. Island*, die eine der 5 Hauptinseln, benannt v. dem engl. Buccaneer W. Dampier 1687 nach einem Getränk *baschi*, welches die Eingebornen aus Zuckerrohr bereiten (Beechey, Narr. 2, 440, Milet-M., LPér. 2, 312) u. mit Vorliebe geniessen, bis z. Rausch, der, wie v. Champagner, ihnen eine sanfte Munterkeit gibt (Spr. u. F., NBeitr. 3, 213). Dampier's Leute genossen den Trank auf einem der beiden rundlichen Inselchen, welche zw. Oraniens u. Monmouths I. liegen, jeden Tag reichlich, wenn wir dort zu Anker kamen. 'And, indeed, from the plenty of this liquor, and the plentiful use of it, our men called these islands the *B.Is.*' Die Holländer, welche Dampier bei sich hatte, nannten die westlichste, grösste *Prince of Orange's Island*, 'zu Ehren seiner gegw. Majestät'. Von Dampier selbst, der eine Dienerin der Herzogin geheiratet, 'having married my wife out of the duchess's family and leaving her at Arlington House at my going abroad', wurde *Duke of Graftons Isle*, einh. *Batan*, getauft, nach der die Spanier den ganzen Schwarm *Batanes* nennen. Eine dritte wurde v. Dampiers Seeleuten (s. Monmouth), eine 4. *Goat* (= Ziegen) *I.*, eine 5. v. Krusenstern getauft (s. Dampier). Als auf seinem kühnen Zuge 1740/44 der Admiral G. Anson den Centurion zw. den vier kleinern Felsinseln hindurchführte, erhielten diese den Namen *Anson Rocks* (GForster, GReis. 3, 369 ff.).

Basil s. Hall.

Basilicata, unterital. Provinz, ist Gegenstand einer toponym. Fehde zw. M. Lacava u. G. Racioppi, pseud. Homunculus, geworden. Im Aug. 1873 hatte näml. der Provinzialrath einmüthig beschlossen, dass *B.* durch den antiken Namen *Lucania* ersetzt werde. Um den in dieser Angelegenheit entwickelten Eifer zu würdigen, diene zu wissen, dass im Volksmunde die Bewohner sing. *Basilisco*, plur. *Basilischi*, genannt werden. **Lacava**, der Sprecher in dieser Sache, vertrat sie

auch öffentlich, zuerst in der Zeitung 'La Nuova Lucania', dann in einer separaten Schrift (Somm. Descr. Lucania 1874). Als die Regierg. zögerte, dem Verlangen zu entsprechen, entstand die wissenschaftl. Streitfrage über das ggseitige Verhältniss der beiden Namen, insb. über die Geschichte u. Deutg. des modernen *B*. Den in der Prov. verbreiteten Ansichten widersprach die 'Storia della denominazione della *B*.' 1874. Die ältern Deutungsversuche, seit dem Wiederaufleben der Wissenschaften aufgetaucht, gingen wesentl. auf patronym. Urspr., v. *Basilio*, viell. dem zweiten byzantin. Kaiser d. N. Der Verf. zeigt jedoch, dass die Etym. sprachlich eine Unmöglichk. sei. Er weist auf das Amt des *basilico*, welcher als Statthalter der byzant. Kaiser das Land verwaltete, als die alte Ldsch. *Lucania* in einen westl., longobard. Theil, um Salerno, u. in einen östl., byzant. Theil, um Potenza, zerfiel. Der Name entspreche der *Capitanata*, die v. *catapano* verwaltet wurde u. lasse sich auch mit *Esarchato*, *Ducato*, *Comitato* (s. dd.), als den v. *esarca*, *duca*, *còmite* regierten Ländern, vergleichen. Auf diese Schrift antwortete die Studie 'La *L*. rivendicata nel suo nome', 1874. Diese beruft sich auf einen Sieg, den 982 der byzant. Kaiser Basilius II. über Otto II. davon getragen; dieser Sieg habe die griech. Herrschaft in Unter-Italien erweitert u. befestigt, dem deutschen Kaiser 40 000 Mann gekostet, u. da im Fall der Ottonen die städtische Freiheit in Italien wurzle, so sei es kein Wunder, dass z. Feier des folgenreichen Sieges u. zu Ehren des oström. Siegers die bisherige *L*. in *B*. umgetauft worden sei. Nun erschien der Gegner mit offenem Visir: 'Paralipomeni della Storia' etc. 1875, u. darauf als Antwort 'Citazioni storiche...' 1876 (Näheres vgl. Egli, Gesch. geogr. NK. 293). — *Therma Basilika* s. Brussa.

Basilisk s. Moresby.

Basîn s. Tin.

Basin Butte = Rundhügel des Teichs, engl. Uebersetzg. des ind. Namens eines der Vorposten der Black Hills (s. d.), nach dem etwa $^1/_4$ acre gr., anliegenden Teiche, *basin*, der die Quelle eines der Bergflüsse bildet (Raynolds, Expl. 30). Die map hat *Crow Peak* = Spitze der Krähen(-indianer), wie nach dem umwohnenden Stamme Lieut. Warren den Berg getauft hatte. — *B. Bay*, in Auckland I., v. der Exp. Greig-Baker 1865 so benannt, weil der Fjord, überall v. sehr steilen, cascadengeschmückten Felsabhängen umgeben, einem stillen Wasserbecken, als einem Hafen gleicht (Peterm., GMitth. 18, 225).

Baskansk s. Bargusinsk.

Basken, auch *Vasken*, die Reste der alten Iberer, noch j. vorhanden zu beiden Seiten der Pyrenäen (s. Gascogne), bei Wilh. v. Lüdemann (Züge d. d. Pyr. 315 ff., Berl. 1825) u. nach ihm auch bei Cannabich (Hülfsb. 1, 165) v. *vasok* = Mann abgeleitet, 'étymologie fantaisiste qui ne repose sur aucune donnée sérieuse' (Fr. Michel, Hist. Basq. wie RDenus, AProv. 204 unvollständig citirt, um etwas später, p. 227, diese Etym. v. *vasok* allen Ernstes selber vorzutragen), wird v. W. v. Humboldt (Vask. Spr. 54) mit ähnl. Namen der Gegend auf das bask. Stammwort *basoa* = Wald zkgeführt. Wie der alte ON. *Basti* aus *Bas-eta* = Waldgegend zsgezogen scheint, *Bascontum* s. v. a. *baso-coa* = z. Wald gehörig ist, so leitet er auf ähnliche Weise *Vasconia* u. *Vasconen* ab. Sie nennen sich selbst *Euscaldunac*, v. *euscara-duna*, plur. *euscara-dunae* = die der Euscara sich Bedienenden, 'die verständlichen, die nicht wälschen' (Bergh., Phys. Atl. 8, 16. 23, Cannab., Hülfsb. 1, 165). Der frz. Antheil des bask. Gebiets, le pays *Basque*, umfasst die arrond. Mauléon u. Bayonne u. heisst bei Silius Ital. *Vasci*, 640 *Vaccaeia*, im 11. Jahrh. *Bascle*, 1160 *Basclonia*, im 13. Jahrh. *los Bascas*, 1519 *la terre de Bascos* (Dict. top. Fr. 4, 22). — *La Côte des Basques*, Oertlichkeit am Meer, wo die *B*. sich Sonntags nach Weihnacht zahlr. einfinden (ib. 4, 22). — *Port aux Basques* s. Esprit.

Baskerville, Cape, in Tasman's Ld., v. Capt. Ph. P. King (Austr. 2, 93) am 23. Aug. 1821 benannt nach Perceval *B*., einem seiner Schiffsofficiere. Wahrsch. id. mit der angebl. *Ile Carnot* der frz. Exp. Baudin, 11. Apr. 1803 (Péron, TA. 2, 207, Freycinet, Atl. 26, Krus., Mém. 1,52). Vgl. Liguanea u. Carnot Bay.

Basoche s. Bazoche.

Bass Strait, die Seegasse zw. NHoll. u. Tasmania, benannt nach dem engl. Arzt George *B*., der, v. Sydney aus, schon 1797 die Küste bis Cape Wilson u. Western Port untersucht hatte, dann v: 1. Nov. 1798—8. Jan. 1799 mit Flinders das schon v. Tasman 1642 gesehene Tasmania umschiffte u. so, eben durch die B*Str*., z. Insel machte, wie Torres 1606 (u. Cook 1770) NGuinea v. NHolland abgetrennt hatte. Uebr. war er schon durch seine erste Reise (1797/98) z. Ueberzeugg. gekommen, dass 'a wide strait' NSouth Wales v. dem Lande Tasman's trenne (Flinders, TA. 1, CXIX, Atl. pl. 6). Die Benenng. geschah auf Empfehlg. des edelsinnigen Chefs der Exp., des Lieut. Matth. Flinders (TA. 1, CXCIII) u. zwar durch den Governor v. NSouth Wales, welcher die Exp. ausgerüstet hatte. 'This was no more than a just tribute to my worthy friend and companion for the extreme dangers and fatigues he had undergone in first entering it (die Strasse) in the whale boat....' Eine genauere Angabe über die erste Beschiffg. der *B. Str.* s. Stokes (Disc.' 2, 477); *b) Point B*., in NSouth Wales, 'a low sloping projection', in deren Nähe *B*., als er 1797 die Küste explorirte, den südlichern Shoals Haven fand u. 3^d verweilte, benannt durch seinen Freund, Capt. Matth. Flinders (TA. 1, CVI, Atl. 8); *c) B. River*, in Victoria, Austr., v. Capt. Stokes (Disc. 1, 295) benannt nach seinem Vorgänger... 'after the enterprising man whose memory must for ever remain intimately connected with this part of the world'; *d) B. Rock* s. Pendulum; *e) B. Rocks*, in den Austral. In.,

einh. Morotiri, eine v. tiefem Wasser umgebene, sehr steile, nackte Felsengruppe, davon drei grössere, bis üb. 100 m h., u. ein kleinerer, nach dem engl. Entdecker, auf Carten auch *Four Crowns* = die 4 Kronen genannt, weil sie oft f. eine Entdeckg. in Paumotu (s. Cuatro Coronados) gehalten worden sind (Meinicke, IStill. O. 2, 196).

Bassai, gr. *Βάσσαι* = Waldschluchten, Ort in Arkad. Von Phigalia geht man die wilde Limaxschlucht aufwärts u. gelangt mühsam durch einen eichenbewaldeten Bergrücken z. Rande einer Thalsenkg. Plötzl. sieht man einen hellen Tempel vor sich, dessen heitere Schönheit inmitten der wilden Bergnatur Staunen u. Ueberraschg. erregt. Die Tempelhöhe ist eine 1000 m h., gegen Osten scharf abfallende Fläche, an deren Fusse in einer Vertiefg. *B*. (Paus. 8, 30, 4) liegt, ein Name, der für Waldörter im alt. Griechenland nicht selten war. Wegen des wohlerhaltenen Säulentempels, ausgezeichnet durch Grossartigkeit und Weitsicht der Lage, heisst die ganze Berggegend *Zu den Säulen* (Curt., Pel. 1, 324). — *Bessa*, gr. *Βῆσσα*, Ort in Lokris, 'wegen seiner waldigen Lage' (Strabo 426).

Bassano s. Castiglione.

Basses, Cap des = Vorgebirge der Untiefen, in Nuyts' Ld., v. frz. Seef. d'Entrecasteau 1792/93 so getauft, weil in dieser Gegend die Tiefe rasch abnimmt (Flinders, TA. 1, 78). — *Iles B.* s. Echiquier. — In Relation zu höhern Lagen kommen *bas, basse, basses*, bei frz. ON. begreifl. häufig vor, so f. die dépp. der *B.-Alpes* u. *B.-Pyrénées*, f. eine Menge bewohnter Orte, wie *Basse-Fontaine*, im dép. Aube, 1143 *Bassa Funtana*, 1145 *Imus Fons*, *Bassus Fons*, 1751 *Fons inferior*, 'Unterbrunnen' (Dict. top. Fr. 14, 14).

Bassin, le, ehm. Klostergut des frz. dép. Aisne, 'a pris ce nom d'une herbe ainsi appelée qui croist en quantité de pastures froides et humides de ce lieu' (Dict. top. Fr. 10, 19) — ein Seitenstück zu Kjachta. — *B.*, im gew. Sinn, s. Christian.

Bastertskloof s. Laauwwater.

Bastian Inseln, in Spitzb., schon 1867 besucht v. norw. Capt. Nils Fred. Rönnbäck v. Hammerfest, im Schooner Spitzbergen; er landete auf 15 dieser meist nackten u. hohen Felsinseln, auf denen zahllose Vögel nisteten; aber selbst v. dem höchsten Gipfel, den er erstiegen, vermochte he nicht, die ganze Gruppe zu überschauen, die eben so ausgedehnt zu sein schien, wie die Gruppe der Tausend In. Als dann im Sept. 1868 die erste deutsche Nordpolexp. an Ort u. Stelle kam, erhielt der Schwarm, der eig. *Rönnbäck Inseln* hätte getauft werden sollen, den Namen des Berliner Ethnographen, wie auch die einzz. Eilande als *Peschel-, Henry Lange-, Dove-, Ehrenberg-, Koner-, Klöden-, Kiepert-, Deegen-Insel* eingetragen wurden (Peterm., GMitth. 17 Erg. H. **28**, 48 T. 2; 18, 105), also nach lauter **deutschen** Geographen u. Naturforschern, wie ja auch **Kam-**

mergerichtsrath Deegen in Leipzig Förderer der westafr. Exp. war (ZfAErdk. 1873, 258). — *B. Bay*, in Ost-Grönl., v. der 2. deutschen Nordpolexp. 1869/70 getauft (Peterm., GMitth. 17, 404 T. 10).
Bastimentos, Puerto de los = Provianthafen nannte Columbus auf seiner 4. Reise im Nov. 1502 den Hafen des spätern *Nombre de Dios* (s. d.), weil alle jene kleinen Inseln voll Getreide standen und somit Lebensmittel in Fülle verhiessen (Colon, Vida 419, Gomara, Hist. gen. c. 50, Peschel, ZdEntd. 374). Nach Galvão müsste die Stelle zw. Rio de Chagres u. Puerto Bello liegen, u. da er nicht v. einem *puerto*, sondern v. einer Insel... 'u. foy aa ylha que pos nome dos *B.*,' spricht, so lässt sich vermuthen, es sei diess die j. Manzanillo gewesen (WHakl. S. 30, 101).
Bastion Hills, Berge am Cambridge G., De Witt's Ld., v. Capt. Ph. P. King (Austr. 1, 299) am 24. Sept. 1819 getauft 'from their appearance', also wie die *Bastei* der sächs. Schweiz, die mit ihrer bald thurm-, bald mauerartig in Sandstein geformten Felsenkrone eine hochthronende Bergveste darstellt. Das mlat. *bastia* = Befestigg., 'Bollwerk', v. verb. *bastire*, frz. *bâtir*, daher die Sprossformen *bastita*, *bastilla* u. *bastimentum* u. die ON. *a) Bastia*, in Corsica, mit 'Bollwerk', welches die Genuesen während der Zeit ihres Besitzes 1300—1768 anlegten (Meyers CLex. 2, 656); *b) la Bâtia*, f. die hochthronende Burg bei Martigny, Wallis; *c) la Bâtie*, f. 2 Weiler in den CC. Genf u. Waadt (Gatschet, OForsch. 91). — Eine der eben erwähnten Formen, als *Bastille*, Eigenname der Pariser Zwingburg, deren Bau Karl V. 1369/71 begann u. Karl VI. 1383 vollendete (Meyers CLex. 2, 658).
Bat Island = Insel der Fledermäuse, engl. Name 3 mal: *a)* in De Witt's Ld., v. Capt. Ph. P. King (Austr. 1, 422) am 5. Oct. 1820 so benannt, weil er im Hintergrunde einer Höhle eine unglaubl. Menge kl. Fledermäuse aufscheuchte; *b)* vor McCluer's G., NGuinea, 1700 bei Dampier (Meinicke, IStill. O. 1, 88); *c)* in den Admiralty Is. (ib. 143).
Batalha, a = die Schlacht (s. Battle), Kloster bei Leiria, Port., z. Andenken eines Sieges, welchen am 14. Aug. 1385 König João I. üb. ein castil. Heer davon trug u. f. welchen er zu Ehren der h. Jungfrau ein prachtvolles Kloster zu bauen gelobte. Zunächst hatte man die Stiftg. nach dem nächsten Dorfe *Canveira* benannt (Sommer, Taschb. 17, 42).
Batanaea s. Basan.
Batanes s. Bashee.
Batavi, die alten Bewohner des Rheindelta, nach J. Grimm (Haupts Zeitschr. 7, 461 ff.) nach den hess. *Batti* = den auf der *bant* = pratum Wohnenden, also den auf der Aue od. Rheininsel Niedergelassenen, den 'Wiesenbewohnern'. In diesen Vermuthungen, sagt jedoch Förstemann (Altd. NB. 215), harrt noch manches der Bestätigg. Eine andere Ansicht wird bei Zeuss (DDeutsch. u. NSt. 100) u. bei Grimm (Gesch. DSpr. 585) **vor**getragen, wonach *B.* viell. zu goth. *batiza*,

ahd. *pezziro*, gehört. Von *B.* der Name des v. ihnen bewohnten Landes, *Batavia*, *Batavorum insula*, zunächst der Insel zw. Waal, Ijssel, Zuider- u. Noord Zee, im Mittelalter als Gau u. noch j. *Betuwe* als landschaftl. Bezeichng., wie *Batavia* selbst als lat. Name f. Holland u. das gesammte Königreich der Niederlande gebraucht wird. Es ist hiebei anzufügen, dass die Lesart *Battoi* nur als aus *Χάττοι* verd. betrachtet wird (Haupts Zeitschr. 9, 235) u. dass eine beliebte Etym. *Betuwe*, *Batau*, *Bat-ouwe* f. die 'bessere Au' ansieht, im Ggsatz zu *Veluwe*, *Velau*, *Vaal-ouwe* = fahle, unfruchtbare Au (Wild, Niedl. 1, 105, Meyer's CLex. 7, 554, Kiepert, Lehrb. AG. 524). Den letztern Namen nennt jedoch v. d. Berg (Meddel-ndrl. G. 187) 'een naam welks oorsprong duister is, want de verklaring door *vale ouwe* is te regt bespottelijk genoemd'. Eine röm. Legion stand in *Batavodurum* (Meyer's CLex. 2, 665); dieser Name, mit kelt. Grundwort, geht nicht, wie vermuthet wurde, auf Wijk te Duurstede, den Ort an der Abzweigg. des Krummen Rheins v. Leck, sondern, wie J. Smith in seinem Werke üb. diese Stadt bewiesen hat u. auch Spaen (Hist. Geld. 3, 48 ff.) annimmt, auf *Nijmegen* (s. Noviomagus). Von der 9. batav. Cohorte, welche nach der not. imp. an der Confl. Inn-Donau lag, stammt der Name *Patavium* (s. Passau). Von kurzer Dauer war die Namensform *Batavische Republik*, die nach Pichegru's Einfall, Dec. 1794, u. der Vertreibg. des Erbstatthalters aufkam, 1795—1806. — Ein neuer Name ist ferner *Batavia*, f. den Hptsitz der kaufm., administrativen u. militär. Unternehmungen auf Java. Der Ort steht an der Stelle des mal. *Jacatra, Dschacatra* (Friedemann, Ostasiat. I. 5), port. *Xacatara* (Barros, As. 4, 1⁴²), das früher *Sunda Calapa* geheissen hatte u. schon das Hptemporium Java's gewesen war. Als nun Corn. Houtman, der erste holl. Indienfahrer, am 10. März 1595 mit den Schiffen Mauritius, Hollandia, Amsterdam u. Duif v. Amsterdam abfuhr, traf er 13. Nov. 1597 den Ort so herabgekommen, 'that at this present there is little or nothing to doe' u. 'now there is not any trade of marchandise' (Hakl., Sel. 234). Vom holl. Statthalter Coen erobert, erhielt der Ort 1611 ein *Fort Nassau*, benannt nach der Regentenhause (Wüllerst., Nov. 2, 131); die Gründg. der Stadt folgte 1619 (Meyer's CLex. 2, 663 f.) od. 1621 (Wild, Niederl. 2, 305), u. auf Beschluss der Generalstaaten erhielt der Ort seinen Namen *B.* Das v. den Holl. ggr. Fort *B.* wurde v. den benachbarten Fürsten 1619 belagert. Nach Admiral Coens Siege erweiterte sich das Fort z. Stadt, auf dem Boden der alten Hptstadt *Sund-kalapa* = Sunda der Cocospalmen, in der Hofsprache skr. *Jayakarta* = Siegeswerk, vulg. *Jacatra* (Crawf., Dict. 44. 161). — *B. Eiland*, bei Tasmania, v. A. Tasman, der v. Batavia abgegangen, 1642 getauft (WHakl. S. 25, Carte p. XCVII). — *B.'s Kerckhof* (= Kirchhof), eine der Inseln v. Houtman's Abrolhos, benannt durch die Mannschaft des holl. Schiffes *B.*, welches am

4. Juni 1629 hier Schiffbruch litt (Ong. V. 11 ff.). — *B. Road* s. Pelsaert.

Bates, Cap, bei der arkt. HalbI. Roncière le Noury, v. der II. österr.-ung. Nordpolexp. Weyprecht-Payer 1872/74 getauft nach dem 1825 geb. engl. Naturforscher u. Reisenden Henry Wallace *B.,* der seit 1864 Secretär der Geogr. Gesellschaft v. London u. Herausgeber ihrer 'Transactions' ist u. u. a. die engl. Ausgabe der II. norddeutschen Polarexp. Koldewey besorgt hat (Peterm., GMitth. 20 T. 23). — *B. Berg,* einer der aus Eis- u. Firnflächen aufsteigenden Berge der spitzb. Ostküste, v. der Exp. Heuglin-Zeil 1870 (ib. 17, 182).

Bath = Baden, brit. *Caer Badun* = Stadt des Bades, röm. *Aquae Solis* = Sonnenwasser, engl. Badort, dessen Thermen, die einzigen des Landes, v. $43—47^0$ C. zeigen; *b)* auf american. Orte übertragen, insb. *B.* od. *Warm Springs,* in Virginia, mit vielgebrauchten Quellen v. $35—47^0$ C. (Meyer's CLex. 2, 666 f.); *c) B. Tub* = Badwanne, Therme im Fire Hole (s. d.), v. Geolog Hayden (Prel. Rep. 119) im Aug. 1871 so getauft, weil die Quelle einem gew. Badezuber gleicht. 'It has much the shape and size of our ordinary bathing-tubs, 5 by 10 feet, beautifully scalloped around the inner margins with the spongiform or cauliflower masses of silica inside, and the outer surface adorned with the greatest profusion of the pearly beads...'; *d) B. Spring* = Badequelle, ebf. im Fire Hole u. ebf. v. Hayden (ib. 114) nach einem ungeheuern, 9 m weiten, viereckigen Becken benannt.

Bathurst, zwei ON. des engl. Colonialbesitzes, nach dem Grafen Henry v. *B.,* geb. 1762, Colonialminister 1812/27, demselben, der auch Clapperton z. Kuara entsandte, † 1834: *a)* Stadt in Seneg., auf der Insel St. Mary, daher auch *St. Mary's B.,* ggr. 1816; *b)* Stadt in NSüdWales, ggr. 1815 in der Gegend der erstentdeckten austr. Goldminen (Meyer's CLex. 2, 668). — *Cape B.* u. *B. Bay,* bei Barrow Str., v. John Ross (Baff. B. 189) am 3. Sept. 1818; *Cape B.* am americ. Eismeer, zw. M\`Kenzie- u. Coppermine R., v. John Franklin (Sec. Exp. 227) am 18. Juli 1826; 3 mal *B. Island,* näml. v. Ph. P. King (Austr. 1, 117) ein austral. Küsteneiland bei Melville I. am 21. Mai 1818; v. Stokes (Disc. 1, 167) eine Insel des Kings Sd., Tasmans Ld., im März 1838, nach dem Schiffe des Vorgängers King, u. v. W. Edw. Parry (NWPass. 57) zu Ende Aug. 1819 ein Polarland, das seither, als zu Cornwallis I. geh., in *B. Peninsula* umgetauft wurde. — Endlich *B. Inlet,* der Mündungsgolf des americ. Backs R., v. John Franklin (Narr. 379) zu Anfang Aug. 1821.

Bathys, gr. Βαθύς λιμήν = tiefer Hafen, 2 mal *a)* am Pontus, j. Batum in Kaukasien, j. noch mit 'a deep and sheltered harbour' (Scott. GMag. 3, 349); *b)* bei Aulis, am Euripos (Strabo 403). — *B. Potamos,* gr. Βαθύς ποταμός = tiefer Fluss, in Sicil., j. Trimesteri od. Jati (Ptol. 3, 4, 4). — *Bathykolpos* s. Bojük. — *B. Ruax* s. Akindi. — *Bathos* = 'Teufen', ein Platz, der v. Trapezos aus durch eine enge Felsschlucht erreicht wird; er liegt tief unten am Alpheios u.

führt seinen gr. Namen v. der eng umschlossenen tiefen Lage (Fiedler, Griech. 1, 363).

Bâtia u. **Batie** s. Bastion.

Baticala, *Batticaloa, Batecalou* = Reisland, v. *bate* = Reis, vschied. Namenformen f. eine Ortschaft, früher Gegend an der Ostseite Ceylon's, als reisreichster Theil der Insel so benannt (Barros, Asia 3, 2, 1): '*Calou,* que he Reyno, por razão do qual arroz, que elles chamão bate, se chama o Reyno *Batecalou,* que interpretão o reyno do arroz'.

Batlapi s. Ba.

Batochina s. Halmahera.

Bâton Rouge = der rothe Stab, Stadt am untern Missisipi, 'a very old, but still small settlement' (Buckingh., Slave St. 1, 407), nach einem rothen Grenzpfahl, welcher eine Zeit lang das Land der Rothhäute v. den 'Erwerbungen' des weissen Mannes schied — der Name ein Stück Geschichte!

Batschjamka s. Jalutorowsk.

Battersea s. Patrick.

Battery Island, in Furneaux, v. Flinders (TA. 1, CXXVIII, Atl. pl. 6) am 16. Febr. 1798 'so named from four rocks upon it, resembling mounted guns'; *b) B. Point,* in Tasmans Ld., v. Capt. Stokes (Disc. 1, 191) am 9. Apr. 1838, weil die Felsen nach Gestalt eines Fort angeordnet sind; *c) B. Cove,* auf Hiau, v. engl. Lieut. Hergest im März 1792 (Meinicke, IStill. O. 2, 245).

Battle = Schlacht (s. Batalha), engl. ON. bei Hastings, wo Wilhelm d. Eroberer 1066 seinen glänzenden Sieg erfocht u. zu dessen Andenken eine prächtige Abtei baute, um die der j. Ort entstand (Meyer's CLex. 2, 674). — Aehnl. *Battlefield* = Schlachtfeld, unw. Shrewsbury, Shropshire, wo der jüngere Henry Pierce, in seiner Rebellion gg. König Heinrich IV., Schlacht u. Leben verlor u. dann der König eine Capelle baute, mit 2 Priestern besetzt, die f. die Seelen der Erschlagenen zu beten hatten (Camden-Gibson, Brit. 1, 476). — *B. Ground* = Schlachtengrund, eine Thalweite a. d. Confl. des americ. Schuylkill u. des Wissahickon, nach 2 Treffen, welche im Unabhängigkeitskriege (1777 f.) hier zw. Engländern u. Colonisten stattfanden (Keyser, Fairm. P. 88 ff.). — *B. River,* 2 mal im Gebiet der ind. Stammfehden od. der Reibungen, welche das Vordringen des Weissen veranlasste: *a)* ein rseitger Tributär des z. Netz des Missuri geh. Maria's R., v. Capt. Lewis am 27. Juli 1806, auf dem Rückwege v. Pacific, so benannt, weil hier am Vormittag ein Streit zw. Leuten seiner Exp. u. einigen Indianern, welche die Flinten u. Pferde hatten stehlen wollen, stattfand. Einer der Indianer fiel v. einem Messerstiche todt nieder; ein zweiter wurde durch einen Schuss getroffen, u. die Reisenden bekamen ihr Eigenthum wieder b. auf ein Pferd u. hatten dazu 12 Pferde der Indianer erbeutet (Lewis u. Cl., Trav. Miss. 605); *b)* ein Tributär des Saskatchewan, wo manche Kämpfe zw. Crees u. Blackfeet ausgefochten worden sind (Ch. Bell, Canad. NWest 8).

Batty Bay, in Prince Regent's Inlet, v. Capt.

Parry (Third V. 101) am 25. Juli 1825 getauft nach seinem Freunde, Capt. Robert *B.*, v. den Garde-Grenadieren.

Batu, Pulo = Stein- od. Felsinseln, ein Inselschwarm an der Westseite Sumatra's, enthaltend *P. Pingi* = schöne I., *P. Taluk* = Höhleninsel, *P. Masa* = Jahrzeitinsel, *P. Bala* = Feindod. Waffeninsel (Crawf., Dict. 46). — *Gunung B. Gapit* = Berg des durchlöcherten Felsens, mal. Bergname in Atschin (ib. 46).

Batuk s. Kaspisee.

Batum s. Bathys.

Batur s. Agung.

Baturin, Ort im russ. Gouv. Tschernigow, erbaut v. Steph. Bathori, einem der Fürsten in Siebenbürgen (Meyer's CLex. 2, 674).

Baudin's Rocks, ein Schwarm niedriger Felsklippen Süd-Austr., schon im März 1802 v. dem frz. Capt. *B.* gesehen u. ihm zu Ehren am 13. April v. seinem engl. Rivalen Flinders (TA. 1, 198) benannt, wie dieser auch, echt gentlemanlike, die Priorität f. *B.'s Caps Bernonilli, Jaffa, Lannes, Buffon, Boufflers, les Charpentiers* u. *Baie de Rivoli* (s. dd.) respectirte.

Bauer, Point, 'a cliffy head' in Süd-Austr., v. Matthew Flinders (TA. 1, 110) am 5. Febr. 1802 benannt nach Ferd. *B.*, dem Naturalienmaler seiner Exp. Vgl. Ambroise.

Bauerbach s. Büren.

Bauernland s. Ober.

Baum, altfr. *bâm*, oft als Grundwort in alten ON. u. zwar gew. im nom. sing., wie *Dierboum, Melboum, Piriboum*, doch auch im nom. plur. wie *Eperespouma, Nuzpouma*, u. im dat. plur., wie bei *Budenbomen*, als Bestimmungswort in *Boumbach*, j. *Baumbach, Baumburg, Poumgartin*, j. *Baumgarten*, mehrf.; mit adj. Form in *Bouminunchirilun*, j. *Baumkirch* u. *Baumkirchen* u. s. f. (Förstem., Altd. NB. 218 f.).

Baume s. Balm.

Bauntowsk s. Bargusinsk.

Bautzen, Stadt der sächs. Ober-Lausitz, Verdeutschg., u. zwar erst 'neulich' officiell (Daniel, Hdb. Geogr. 4, 512), f. wend. *Budissin, Budyšin, Budešin* [spr. schin], was die Slawisten J. M. Hulakowski (NLaus. Mag. 37, 497 f.) u. J. E. Schmaler (Festschr. Bautz. 1867) übereinstimmend v. einem PN. *Budiše, Budyša*, also wohl dem Erbauer, mit der Formsilbe *in*, also 'Budischburg', ableiten, ersterer indem er Theod. Neumanns Versuch einer kelt. Ableitung abweist. Zugleich setzt er *Seydau*, den Namen einer j. v. Wenden bewohnten Vorstadt jenseits der Spree, als wend. *Zidow* = Judenstadt, v. *žid* = Jude. Den Erbauer od. Besitzer der Stadt *B.* sucht man in einem slaw. Fürsten, u. die Volksetym. legt ihm, ggb. den Boten, welche die Entbindg. der Fürstin zu melden kamen, die Frage in den Mund: *Bude syn* = ist's ein Sohn? Auch an slaw. *bučina* = Buchenwald wurde gedacht. Allein auch Immisch (ON. Laus. 6) erklärt sich mit den ältern Slawisten einverstanden, während er *B.*, čech. *Budišor*, in

Böhmen, u. *Bautsch*, čech. ebf. *Budišor*, in Mähren, v. *bud, byč, buč* = wohnen ableitet.

Bavaria s. Bayern.

Baviaans Kloof, eine Schlucht, holl. *kloof*, im Capl., v. den dort einst zahlr. Pavianen (Lichtenst., SAfr. 1, 243), die nebst Antilopen u. Zebra's dort j. noch zahlr. vorkommen (Wüllerst., Nov. 1, 205), übr. v. der Brüdergemeinde seit 1806 in *Genadendaal* = Gnadenthal, mit einem ihren Bestrebungen entsprechendern Namen, umgetauft. — *Bavian* s. Babi.

Bavona, Val, ein Seitenthal des tessin. Valle Maggia, nach dem Flusse, der *B.*, benannt, auch *Val di Cavergno*, nach dem Orte, bei welchem es sich in das Hptthal öffnet (Hardm., ThM. 4).

Baxter River, in NGuinea, entdeckt v. engl. Missionär Rev. S. McFarlane 1875, benannt 'zu Ehren der Dame in Dundee, Schottld., welche unsere Mission so eifrig unterstützt u. ihr den Dampfer Ellangowan mit voller Ausrüstg. z. Geschenk gemacht hat' (ZfAErdk. 1876, 17).

Bay, der bekannte engl. Ausdruck f. Golf, aus dem frz. übernommen u. mit seinen corresp. Formen anderer mod. Sprachen lat. Ursprungs (s. Bahia), ist nicht zu verwechseln mit dem f. Bäche gebr. Wort *bay*, welches, nach den Einen kelt. Urspr., nach Gatschet (OForsch. 84) aus deutschem *bach* umgeformt, in der frz. Schweiz 'désigne ordinairement un cours d'eau, dérivé de son cours pour faire mouvoir une usine' (Mart.-Crous., Dict. 70). — Wieder anders *Laguna de B.*, der grösste Süsswassersee der Philippinen, das Quellbecken des bei Manila mündenden Pasig, benannt nach dem Ort am Südufer. Nach ihm die Provincia de *Laguna*. Eine seiner Inseln enthält einen v. vielen Alligatoren bewohnten Kratersee, *los Caimanes* (Crawf., Dict. 204).

Bayard, Cap, am Spencer's G., v. d. Exp. Baudin am 22. Jan. 1803 getauft nach dem 'Ritter sonc' : Furcht u. Tadel' 1476—1524 (Péron TA. 2, 77).

Bayern, offic. f. *Baiern*, latin. *Bavaria*, zunächst Volks-, dann Landesname, s. v. a. *Bojovarier* = Bewahrer od. Bewohner des Bojerlandes. Die ältesten kelt. Einwohner v. *B.* u. Böhmen waren die *Boji*, deren ungerman. *oi* sich in *ai* verwandelte; daher der alte Ländername *Bajas* (im Geogr. Rav.) u. daher dann die beiden Benennungen des Volks, die feierliche lat., *Bajuvarii*, wie die populäre deutsche, *Baigirá, Peigirá* (Zeuss, Herk. Bayern 1839). In gleichem Sinne folgt, da die Frage 'noch nicht z. Abschlusse gebracht' sei, auch Karl L. Roth (Bayr. Landb. 1840 No. 105ff.), welcher, wie der frühere Besitzer meines Abzugs bemerkt, 'keinen übeln Einfall gehabt hat'. Hingegen wollte noch 1862 K. A. Hofmann in 'einem sehr lesenswerthen Aufsatz' (Germ. 7, 470ff.) den Namen *B.* aus kelt. *bagh* = Schlacht, mit Suffix *ire*, also in der Bedeutg. 'Streiter', ableiten, ist jedoch v. dem ebenso kundigen wie scharfen Chr. W. Glück (Verhh. hist. V. NBayern 10, Sep. A. 17 pp.) widerlegt worden (vgl. Förstem., Altd. NB. 302). Der Name *Bayer* findet sich als Bestimmungswort in *Beierbach*, j. *Baierbach* (s. Biber), N Oesterr., *Paierbrunen*, j. *Baierbrunn*, bei München, *Peirheim*, j. *Bayerham*, am Wallersee, diese Formen im gen. plur., während andere den gen. sing. enthalten, also einen PN., wie diess wohl f. die fränk. Stadt *Bayreuth* (s. d.) j. allgemein gilt. Nach der Lage *Ober-* u. *Nieder-B.*, in geschichtl. Rücksicht *Alt-B.*, im Ggsatz zu den jüngern Erwerbungen der Wittelsbacher. — *Bayrische Mark* s. Österreich.

Bayreuth, Stadt in Ober-Franken, urk. 1194 *Baierrute*, ist in einer 1855 geschriebenen Studie des Pfarrers Joh. Hirsch (Arch. hist. V. UFrank. 15, 46 ff.) eingehend behandelt, indem der Herausgeber auch die ältern Ansichten üb. die Ableitg. des Namens bietet, in welchem Aventin ein Bojorum navale, der Ritter v. Lang eine slaw. Reminiscenz, die Barad der Parantaner, Oetter die v. einem schlichten Bayer ggr. Anlage, Archivar Oesterreicher 'einen beigereuteten Ort' gesehen hatte. Hirsch selbst betrachtet die nahe *Altenstadt* als ein älteres *Reut*, neben dem sich eine jüngere Villa, *bei Reut*, erhoben habe.

Bayeux, Ort des frz. dép. Calvados, in der Peut. Taf. *Augustodurum* = Augustusveste (Rev. Celt. 8, 124), in der Not. dign. *Baiocas*, Not. prov. civitas *Baiocassium*, 924 *Baiocae*, 1155 *Baex*, *Baiex*, *Baieus*, 1371 *Baieux*, 1450 *Bayeulx*, also nach dem kelt. Stamm der Gegend, den Baiocassiern, bei Plin. (HNat. 4, 18) Bodiocasses. Daher das Umland *le Bessin*, bei Greg. v. Tours Saxones *Bajocassini*, 1077 *Bessinum* (Dict. top. Fr. 18, 24. 26).

Bayfield Island u. *Douglas I.* im arkt. Richardson Ld., v. Franklins Gefährten Richardson (Sec. Exp. 257) am 6. Aug. 1826 entdeckt u. benannt nach den Commanders B. u. D. 'of the Royal Navy, to both of whom the officers of the exp. were indebted for much assistance and personal kindness in their progress through Canada' (die map schreibt *Douglass*).

Bayley, Point, hinter Wellesley I., Carpentaria G., v. Capt. Stokes (Disc. 2, 275) im Juli 1841 so benannt, wie die 4 nahen *Forsyth Islands* u. *Point Parker*, nach seinen Gefährten, welche jene Region erforscht hatten.

Bayonne, Hafenort des frz. dép. Basses-Pyrénées, 4 km obh. der Mündg. des Adour, urspr. *Lapurdo*, *Lapurdum*, 1105 *Sancta Maria Baionensis*, 1140 civitas de *Baiona* (Dict. top. Fr. 4, 24), aus bask. *baia* = Hafen u. *ona* = gut (Diez, Etym. WB. 37). Der alte Name hat sich erhalten: *Labourdan*, f. die Umgegend (Kiepert, Lehrb. AG. 511).

Bazauges s. Lourdoueix.

Bazire s. Arkansas.

Bazoche, auch *Bazoches*, *Bazauges*, *Bazeuge*, *Basoche*, *Basoches*, sogar *Baroche* infolge des im Frz. häufigen Übergangs des *z* in *r*, sämmtl. auffallende Umbildungen v. *basilca*, *baselca*, *basaulca*, s. v. a. *basilica* = Klosterkirche, Grabcapelle (s. Basel)... 'optime probatum fuit *basili-*

cam VI et VII saeculo apud Gallos semper significasse monachorum ecclesiam' (Ducange). Am nächsten der alten Form kommt der ON. *Bazeille*, bei Sédan. Übhpt. scheinen diese Namen auf die Gegenden nördl. v. der Loire beschränkt zu sein (Houzé, Ét. NL. 50 ff., Bull. Soc. Arch. Seine-et-Marne 1875 Sep. Abd. 5 ff.).

'Bdelolimn', 's to, ngr. 'ς τὸ 'βδελολίμν' = am Blutegelteich, eine Gegend im Norden Samothrake's, wo an der Küste ein kl. Blutegelteich sich befindet (Conze, Thr. I. 52).

Beacon Rock = Fels des Lärmfeuers, der Hochwacht, ein 250 m h., isolirter, senkr. Fels an der rechten Seite des Unterlaufs des Oregon, v. den Captt. Lewis u. Cl. (Trav. 385. 512) am 2. Nov. 1805 so benannt... 'The northern side has a partial growth of fir or pine. To the south it rises in an unbroken precipice to the height of 'seven hundred' feet, where it terminates in a sharp point, and may be seen at the distance of twenty miles below'.

Beagle Bank, eine Bank sehr weissen Sandes u. todter Korallen, sich anschliessend einem gefährl. Riffe v. Tasmans Ld., v. Capt. Stokes (Disc. 1, 185) am 5. April 1838 nach seinem Fahrzeuge benannt 'as another memorial of the useful services in which our little vessel had been so frequently engaged'; *b*) ebenso (Disc. 1, 90), u. auch in Tasmans Land, schon am 24. Jan. 1838 *B. Bay*; *c*) im Nov. 1839 *B. Valley*, ein Thal in Arnhems Ld., Victoria R. (Disc. 2, 81); *d*) *B. Reef*, in Bass Str., 1842 (Disc. 2, 419); *e*) *B. Channel*, in Feuerland, nach dem Fahrz. der Exp. Fitzroy (Adv.-B. 2, 323 ff.), welche ihn im März 1834 befuhr; *f*) ebenso, schon im Apr. 1828, *B. Island*, an der patagon. Küste (Fitzroy, Narr. 1, 157); *g*) *Mount B.* s. Fitzroy.

Beale, Cape, in Vancouver I., v. engl. Capt. John Meares im Juli 1788 prsl. getauft (GForster, GReis. 1, 152). — Dies. Beziehg. hat ozw. der am 23. Juni 1789 v. Meares' Gefährten Will. Douglas getaufte *B.'s Harbour*, Queen Charlotte I. (ib. 299).

Bear Bay = Bärenbucht 2mal: *a*) im europ. Eismeer, Gegend der Petschora, so benannt v. den engl. Seeff. Arthur Pet u. Charles Jackman, welche hier am 12. Juli 1580 einen grossen Eisbären z. Wasser herabkommen sahen u. umsonst verfolgten, so dass 'he gote to land and escaped from vs, where we named the bay *BB*' (Hakl., Pr. Nav. 1, 447); *b*) in Spitzbergen, Edge's Ld., schon in Pellham's Carte 1631, ozw. wg. Begegnung mit Eisbären, eingetragen (Peterm., GMitth. 17, 182). — *B. Butte*, ein steiler 1300 m h. Trappberg, isolirter Vorposten der americ. Black Hills, weithin sichtbare Landmarke, oben fast völlig nackt, doch mit ein paar Zwergkiefern auf dem Gipfel. Aus dieser Gegend geht der *B. B. Creek* v. Cheyenne R. (Raynolds, Expl. 29). Dem Bären, v. welchem in diesen Gegenden die Rede ist, begegnen wir auch am *Great B. Lake* (s. unt.). General Custer (1874) tödtete einen Veteran eigenhändig, wovon die photogr. Ansicht in der

Geogr. Sammlung der zürch. Cantonsschule. —
B. *Creek*, ein Zufluss des untern Missuri (Lewis
& Cl., Trav. Miss. 6). — B. *Island*, in Bathurst
It., am 9. Aug. 1821 v. Capt. John Franklin
(Narr. 378) benannt nach einem Bären, den seine
Mannschaft dort zu erlegen das Glück hatte —
ein Umstand, welcher für die an Lebensmitteln
entblösste Exp. nicht ohne Bedeutung war u. den
hungrigen u. verzagten Leuten Kraft u. Muth
wieder gab. 'Our breakfast diminished our pro-
vision to two bags of pemmican and a single meal
of dried meat. The men began to apprehend absolute want of food, and we had to listen to their
gloomy forebodings of the deer entirely quitting
the coast in a few days.... The sight of this fat
meat relieved their fears for the present'. — B.
Islands, im Fox Ch., v. der Exp. Parry (See.
V. 61) am 24. Aug. 1821 entdeckt u. so benannt,
weil v. einem derselben eine Bärin mit ihren
Jungen, augensch. die Männer gewahrend, stracks
ins Wasser rannte. — *Great B. Lake* = grosser
Bärensee, im Netz des McKenzie R., nach dem
gewaltigen, oft fast 3 m lg. Grisly, Griselbär, Ursus
ferox, dem furchtbarsten Thiere seiner Gattg.
Die Indianer fürchten sich vor ihm, welchen sie
den grässlichen Bären nennen, so sehr, dass nur
3—4 zs. den Angriff auf einen solchen Bären
wagen'. Der See führt diesen Namen schon bei
MacKenzie (Reise a. m. O.), u. der Ausdruck *Great
B. Lake River*, *Bärensee-Fluss* (p. 189 der d.
Ausg. & *Rivière du Lac du Grand Ours* der
franz. 1, 393) zeigt, dass der Name erst v. See
auf dessen Abfluss, wie auf den nahen *Great B.
Lake Mountain* übtr. worden ist (Franklin, See.
Exp. 47. 79). — B. *Lodge* = Bärenhütte, ein
Berg in der Quellgegend des Little Missuri u. des
nördl. Arms des Cheyenne R. Einem ungeheuern
Thurm gleich aufsteigend, hat der Berg Aehnlichkeit mit einer Indianerhütte, 'suggesting the
origin of its title' (Raynolds, Expl. 32 f.). Später
zeigte es sich, dass der Berg nur ein isolirter
Uferfels ist, der unmittelbar aus dem Thale aufsteigt u. dadurch, v. Norden gesehen, immerhin
eine auffallende Landmarke bildet. Auch in dieser
Gegend haust der gefürchtete Grislybär (ib. 35).
Jenney (Min. Wealth 45) gibt das ind. Original
des Namens: *Mato Tipi* u. sagt: 'Surmounting
a hill near the north bank of the Belle Fourche,
this butte forms the most conspicuous landmark
in the region, resembling the base of a ruined
and crumbling column, with its shaft nearly 500'
in height and the top 1127' above the water in
the Belle Fourche'. — B. *Medicine Island* =
Bärenarzneiinsel, engl. Uebsetzung des ind. *Wau-
cardawarcardda*, f. einen Werder des untern
Missuri (Lewis & Cl., Trav. Miss. 15). — B. *Rapid*,
eine Stromschnelle im Unterlaufe des Yellowstone
R., am 30. Juli 1806 v. Capt. Clarke so benannt,
weil just auf einer der Stromklippen ein Bär
stand (ib. 632).

Beare's Sound, in Frobisher Bay, v. Mart.
Frobisher im Aug. 1577 nach einem Gefährten,
James B., dem master des Schiffes Michael, be-

nannt (Rundall, Voy. NW. 17, Hakl., Pr. Nav. 3,
66, WHakl. S. 38, 136).

Béarn, eine der alten frz. Provv., bei Plin.
(HNat. 4, 108) *Venami*, wohl irrth. f. *Venarni*,
in der Not. Prov. *Benarnenses*, bei Orderic Vital
Biara, bei W. v. Tyrus *Beart*, *Beardum*, 1171
Biarnum, dann *Biarnium*, *Biern*, *Bearnum*,
also nach dem Volksstamm der Benarni, die neben
den Tarbelli, Osquidates u. Bigerrones das j. dép.
der Basses-Pyrénées bewohnten (Dict. top. Fr. 4,
25). Man zählte auf diesem Fleck Gebirgsland
einst 9 Völkerschaften u. nannte daher die *Aquitania III*[a] auch im 3. Jahrh. *Novem-Populi*,
418 *Novempopulana*, 1162 *Novempopulania*
(ib. 123).

Beata, fem. wie *beatorum* gen. plur. des lat.
adj. *beatus* = glückselig, wiederholt sich in ON.
als: B. (s. Makaria) u. *Isla B.*, f. ein auf Columbus' zweiter Reise, im Aug. 1494, entdecktes Eiland der Südküste Hayti's (Barrow, Coll. 1, 79)
— so getauft ozw. im Anklang an die *Beatorum
Insulae* (s. Atlas), mit Vorliebe f. Marienklöster
(s. Maria) wie *a) Ripa Beatae Mariae Virginis*
(s. Aland) u. *Prioratus Beatae Virginis Mariae
Immaculatae* (s. Neu Engelberg).

Beatenberg, Uferberg (u. Ort) am Thuner-See,
1231 *de Sancto Beato*, nach dem Apostel des
Berner Oberlandes, dessen erste Spuren, f. das 8.
od. 9. Jahrh., bei Luzern nachgewiesen seien (Gelpke,
KirchGesch. Schweiz 1, 221 ff.) u. dem auch am Südende des Lungernsees eine Capelle geweiht ist.
Sein Wohnort war die *Beatushöhle* am Fuss des
Berges, u. der Legende zuf. musste der hl. Mann
erst einen grausamen u. gefürchteten Drachen heraus-
treiben u. erreichte das, indem er das flammen-
u. giftspeiende Ungethüm durch das Zeichen des
Kreuzes so erschreckte, dass es mit grossem Geschrei aus der Höhle fuhr u. sich in den See
stürzte, der davon in Kochen u. Wallen gerieth
(Osenbr., WStud. 5, 14). Die Höhle wurde früh,
lange vor dem 13. Jahrh., Wallfahrtsort, ein Gegenstand der Verehrung beim Landvolke, so dass sie
1566 v. der Berner Regierg. zugemauert wurde
(Arch. HV. Bern 9, 373 ff.).

Beatrice Golf, im Mwuta Nzige, am 11. Jan.
1876 v. H. Stanley (Thr. Dark Cont. 274 ff.) so
nannt nach der jüngsten, 1857 geb. Tochter der
engl. Königin Victoria (Peterm., GMitth. 22, 380).

Beau = schön, auch in der Form *bel* (vor Vocalen), fem. *belle*, *belles*, sehr gew. in frz. ON.,
geen f. klösterl. Stiftungen u. dann reichlich durch
urk. Formen bezeugt, z. Th. auch ganz modern,
wie namentl. der ON. *Bel-Air*, f. den alte Zeugnisse gew. fehlen. Die häufigsten Zssetzungen mit
beau sind *Beaufort* (s. Montmorency), *Beaulieu*,
Beaumont, *Beauregard*, *Beauval*, *Beauvoir*, auch
nach grossen Bäumen wie *Beauchêne*, *Beaufay*
(= le beau hêtre) u. *Beaurouvre*, ihre alten
Formen *Belfort*, *Bellus Locus*, *Bellus Mons*,
Belregardi, *Bella Vallis*, *Bellum Visum* etc. —
Ein *Beaupré*, Cistercienserkloster des dép. Meurthe,
1273 *Beapré*, 1299 *Belprei*... 'anno 1135 in
valle sylvestri satis et horrida subtus Amerma-

menil super fluvium Murthem constructa est abbatia Cisterciensis ordinis, que ex amenitate loci congruum sortita nomen *Bellum pratum* vocatur, 1157 (Dict. top. Fr. 2, 13). — *Beauvais*, ebf. in der Vielzahl u. durch die alten Formen *Beaveer*, de *Bello Visu*, *Belver*, *Belveier* ebf. gew. als hierher gehörig bezeugt (Dict. top. Fr. 3, 10: 12, 17; 14, 16; 15, 13; 16, 18; 17, 25; 18, 20), ist in dem bekanntesten Fall, der Stadt zw. Paris u. Amiens, andern Ursprungs: nach dem belg. Stamm der Bellovaci, deren Hptort sie war, bei Caesar, der sie erobert, *Caesaromagus* = Caesarsfeld (Meyer's CLex. 2, 837, Bacm., AWand. 24, Rev. Celt. 8, 124), bei Greg. v. Tours *civitas Bellovacensium*. — *Eau Beau* s. Eau. — *Beauvoir* s. Kalos. — *Baie de Beaubassin*, in Feuerl., v. frz. Seef. Bougainville (Voy. 148) im Dec. 1767 so getauft, weil das 'schöne Becken' einen bequemen Ankerplatz gewährte. 'Si on veut faire du bois et de l'eau, caréner même, on ne peut désirer un endroit plus propre à ces opérations que le port de *B*.'

Beaucaire, frz. ON., 2 mal im dép. Vienne (Dict. top. Fr. 17, 25), bekannter *B.* im dép. Gard, das bei Strabo (4, 1) Οὐγέρνον, inschriftl. *Ugernenses*, in der theod. Taf. *Ugerno*, im Itin. Ant. *Ugernum*, bei einem goth. Annalisten des 6. Jahrh. *Hodjernum*, noch 1020 de *Ugerno*, 1070 *Belaudrum* u. *Bellum Cadrum*, 1096 castrum *Bellicadri*, 1226 *Belliquadrum*, 1294 *Bauquaire*, zuerst *B.* 1435 heisst. Man pflegt den Namen v. mlat. *Bellum Quadrum* = Schönburg abzuleiten, da *quadrum* auch den Sinn eines (viereckigen) Thurms od. einer Veste hat u. nachweisl. 1444 dort ein Haus, le Fort, bestand. Der alte Name des Orts kommt noch im 12. u. 13. Jahrh. vor: *Gernica*, wohl aphäret. ein weibl. adj. *Ugernica*. f. eine nahe Insel der Rhone (Longnon, GGaule 436). Houzé (Ét. NLieux 28 ff.) spricht v. einem 4 eckigen Schlosse, zu dessen Füssen die Stadt liegt, weist jedoch auf eine Reihe anderer Orte, die diesen Namen tragen. 3 weitere *Beaucaire*, 2 *Belcaire*, *Bellicaire* u. *Bellicayre* u. doch wohl nicht alle eine 'Schönburg' hatten; er neigt sich offb. zu der einfachern Deutg. des kelt. *kaer, kaer, caire* = Stein, Fels, also s. v. a. Schönfels (s. Carrara).

Beauchesne, Ile, in Falkl. I., v. frz. Capt. *B.* am 19. Jan. 1701 entdeckt. Galt wie andere vereinzelte Landstrecken der südl. Halbkugel anfänglich als ein Vorsprung des antarkt. Continents.

Beaufort Island, 'a small high round island' des antarkt. Victoria Ld., v. Capt. J. Cl. Ross (South. R. 1, 217) am 28. Jan. 1841 entdeckt u. benannt nach Capt., später Rear-Admiral Francis *B.*, of the Royal Navy, dem Hydrogr. der Admiralität, 'who was not only mainly instrumental in promoting the sending forth our expedition, but afforded me much assistance, during its equipment, by his opinion and advice: and it is very gratifying to me to pay this tribute of respect and gratitude to him for the many acts of kindness and personal friendship I have received at his hands'. — Im plur. *B. Islands* s. Young. — Schon vorher waren getauft: *a*) *B. Bay*, am amerie.

Eismeer, westl. v. MacKenzie R., v. John Franklin (Sec. Exp. 144) am 3. Aug. 1826; *b*) *Point B.*, ein 240 m h. nackter Bergvorsprung am Mündgsgolf. des Gr. Fish R., v. G. Back (Narr. 204) am 30. Juli 1834. Es folgte ebenso *Mount B.*, 3 mal: *a*) in NHolland, v. Major T. L. Mitchell (Trop. Austr. 243) am 21. Juli 1845; *b*) in Parry Is., v. Capt. Edw. Belcher (Arct. V. 1, 16. 90) im Aug. 1852 nach dem Würdenträger, der sich um die Ausrüstg. der Exp. verdient gemacht hatte...'His watchful care over every public as well as private convenience that might lessen our difficulties and tend to our comfort'; *c*) in Grinnell Ld., v. E. K. Kane (Arct. Expl. 1, map) 1853/55. — *B. Bank* s. Milne. — Ebf. prsl., aber national, ist *Cap B.*, hinter Nuyts Arch., der frz. Seefg. Baudin, im Febr. 1803 (Péron, TA. 2, 92, Freycinet, Atl. 10 ff.).

Beaufoy, Cape, an der Ostküste Grönl., links am Eingang der Kater's Bay, v. engl. Walfgr. Will. Scoresby jun. (North. WF. 104) im Juni 1822 entdeckt u. zu Ehren des Obersten *B.* benannt.

Beaume s. Balm.

Beaumont s. Chaix.

Beaumont, Élie de s. Cook.

Beaupré, Iles, 'trois petites iles boisées' in Loyalty Arch., v. Adm. d'Entrecasteaux (s. d.) am 17. Apr. 1793 nach dem gelehrten Ingenieur-Geogr. seiner Exp., Beautemps-*B.*, getauft (Krus., Mém. 1, 205), wie in NBrit. ein *Mont Beautemps-B.*, wohl die 'Mother' Carterets (Meinicke, IStill. O. 1, 367).

Beaux s. Nukahiwa.

Beaver = Biber, in ON. der Union etc. häufig nach den dort zahlr. Thieren, wie *B. Islands*, ein Schwarm Flussinseln des Missisipi, unw. Sauk Rapids, am 10. Oct. 1805 benannt v. dem nachmal. General Zeb. M. Pike, der auf jeder Insel die erstaunl. Bauten der Thiere, Dämme u. Wege, gewahrte (Coll. Minn. HS. 1, 387), sowie *B.'s Lodge* u. *Rat's Lodge*, 2 Inselchen des Artillery L., weil hier einst, der Sage zuf., auf der einen ein büffelgrosser Biber, auf der andern eine Ratte wohnten, welche beide viel Schaden anrichteten u. getödtet wurden, aber heute noch die vorüberschiffenden Indianer mit Sturm verfolgen (Back, Narr. 87 ff.). — *B. River*, 2 mal: *a*) im Netz des Churchill R. (Franklin, Narr. 178 ff., Carte) s. Otter. — Ferner *a*) *B. Lake*, in Brit. America (ib.): *b*) *B. Creek*, ein lkseitg. Zufluss des Missuri, offb. nach den Thieren, deren Fang das eig. Trappergewerbe bildet (Raynolds, Expl. 112); *c*) *B. Island*, im Rio Colorado, am 31. Jan. 1858 Lagerplatz 32 der Exp. Ives (Rep. 55); *d*) *B.'s Head*, am Jefferson R., urspr. ind., weniger nach den 'immense quantities of beaver', als nach der Felsform, die einem Biberkopfe ähnelt (Lewis & Cl., Trav. Miss. 254); *e*) *Beaverhead Valley*. übersetzt aus ind. *Hahnahhappapchah*, f. ein Thal am Jefferson R., nach der Menge der darin hausenden Thiere (ib. 617); *f*) *B. Place*, übersetzt aus ind. *Keetooshsahawna*, f. einen lkseitg. Zufluss des Missuri, obh. Cheyenne R., in einer

Gegend, wo Biberbauten häufig sind (ib. 81); *g) B. Park Valley*, ein parkartiges Thal am Conejos, Colorado, 'worthy of the pencil of the most gifted landscape artist', mit Wiesen u. Gesträuch im Thalgrunde, den die Biberbauten aufgedämmt haben (Wheeler, Geogr. Rep. 87).

Bebedero, Lagoa = Trinkersee, v. span. *beber* = trinken, ein an weite Sümpfe stossender See der Pampas, weil nach dem Volksglauben der (abflusslose) See einen unterird. Abzugscanal hat, durch welchen das Wasser in das Erdinnere geführt werde (Burm., LPlata 1, 178). — *Bebermucho* s. Izta.

Bebra s. Biber.

Béchamps s. Bel.

Beche s. Cook.

Bêcho, le, s. v. a. der zweigipflige, v. lat. *bis* (in der Dufourcarte 22 *Besso*), einer der Bergriesen im Hintergrunde des Walliser Zinalthales, v. den frz. Thalleuten so genannt, weil er in 2 schwarze Spitzen ausgeht (Fröbel, Penn. Alp. 143).

Beck s. Bach.

Becker Kamm, ein Bergzug an Matotschkin Sch., v. der Polarfahrt Tegetthoff, Hülfsexp. Sterneck, im Aug. 1872 nach einem vielverdienten Wiener Geographen, Hofrath *B.*, dem langjähr. Generalsecretär der Geogr. Gesellschaft u. Autor des vortreffl. niederösterreich. Ortslexikons, getauft (Peterm., GMitth. 20 T. 16, gef. Mitth. v. Prof. Höfer 17. Febr. 1876); *b)* Schon 1870 hat die Exp. Heuglin-Zeil einen *B. Berg*, in Spitzb. (ib. 17, 182), u. *c)* es folgte, am 5. Apr. 1874, die Exp. Weyprecht-Payer mit einer *B. Insel*, Franz Joseph's Ld. (Peterm. 18, 146; 20 T. 23; 22, 203).

Beda s. Augustin.

Bêda s. Beida.

Bederfelijk E. s. Palliser.

Bedford, engl. Stadt der Grfsch. gl. N. am Flusse Ouse, früher *Bedanford*, was nicht 'Stadt an der Furt' (Meyer's CLex. 2, 858), sondern verkürzt aus ags. *Bedicanford* = Furt am Erdwall, v. *bedican* = eindeichen, mit einem Erdwerk befestigen, wie denn auch hier 751 die Briten v. den Sachsen geschlagen wurden (Monkhouse, Etym. Bedf. 5, Charnock, LEtym. 31). — Der Name ist mehrf. übtragen: *B.*, 12 mal in der Union, *New B.*, in Massachusetts (Peterm., GMitth. 2, 156). — Nach Personen *a) Cape B.*, in Queensland, nördl. v. Endeavour R., v. Cook am 4. Aug. 1770 benannt (Hawk., Acc. 3, 184) nach dem Staatsmann John Russel, Herzog v. *B.*, geb. 1710, † 1771; *b) B. Bay*, in Bathurst Penins., v. Parry (NWPass. 57) am 24. Aug. 1819; *c) B. Island*, eine der austr. Amphitrite Is., einh. *Tenararo*, v. engl. Capt. Russel 1837 getauft (ZfAErdk. 1870, 351).

Bedout, Ile, missverst. auch *Redout*, in De Witts Ld., benannt v. Capt. Baudin am 30. Juli 1801 zu Ehren des tapfern Officiers, welcher an Bord des 'Tigers' eines der ruhmvollsten Gefechte lieferte, deren die frz. Marine sich rühmen kann (Péron, TA. 1, 110). — Von ders. Exp. am 3. Jan. 1803 *Cap B.*, die Westspitze der Känguruh 1. (ib. 2, 59).

Bedretto, Val = Birkenthal, richtiger *Bedreto* = *Betuleto*, dial. *Bedré*, wie der tessin. ON. *Bedrina* = *Betulina* (Salvione, NL. Piante 5) v. dial. *bedra* = Birke, f. ital. *betulla, betula, bedello*, das eine Quellthal des Tessin, während das andere, v. St. Gotthard herabsteigend, *Val Tremola* (s. Tremblay) heisst (Gem. Schweiz 18,350). — Aehnlich *Bedollo*, im Trentino, 772 vicus *Bedullius*, 1108 in loco *Bedullo*, ferner *Bedôle*, mehrf. ebf. im Trentino u. a. m. 'I nomi locali qui referiti derivano patentemente da quello della betulla, che per essere frequente sui monti, anchi a grandi altezze, servì alla denominazione di parecchi abitati, et di molte plaghe' (Malfatti, S. top. Trent. 39). Beide Angaben bestätigt Meister G. Flechia (NL. Piante 8), der die ON. *Bedreto*, *Bedulla, Bedolla, Biola* u. a. hier einreiht.

Bedrici s. Obotriten.

Bedrieglijke E. s. Romanzow.

Beduinen, sing. *bedawi*, plur. *bedawin* = Söhne der Wüste, v. coll. *bedu* = Wüste, Name der nomadisirenden Araberstämme (WHakl. S. 32, 56, Cannab., Hülfsb. 2, 336), im Ggstz zu den sesshaften Volksgenossen (Kiepert, Lehrb. AGeogr.183). Etwas abweichend, v. alger. Standpunkt aus, setzt General Parmentier (Vocab. arabe 12 f. 22) *badia* = Land, im Ggsatz z. Stadt, daher *Bedui*, plur. *Beduia* = Landmann, *Bedu* = les Bedouins, *Ehel el-Badia* = Leute, tribu, des Landes, 'nom générique des Arabes vivant sous la tente ou le chaume, par opposition à ceux des villes'.

Bedwell, Mount u. *Mount Roe*, an der Nordseite NHollands, v. Capt. Ph. P. King (Austr. 1, 93) am 25. Apr. 1818 benannt nach seinen Begleitern, den Schiffsofficieren Frederick *B*. u. John Septimus *R*.

Beechey, *Frederick William*, engl. Polarf., geb. zu London 1796, schon mit 14 Jahren im Seedienst, begleitete Franklin 1818 nach Spitzb., Parry 1819 in die Baffins Bay, untersuchte 1821 die Küste der Syrten, fuhr 1825 im Proviantschiffe Blossom z. Berings Str., um den Expp. Parry u. Franklin entgg. zu gehen, gelangte dabei bis z. Eiscap u. sandte eine Schalupe bis Cape Barrow, kehrte jedoch nach einer Ueberwinterg. im Kotzebue Sd. im Sept. 1828 nach England zk. Zum Contre-Admiral befördert, † er 1856 in London. Seine Verdienste sind in mehreren ON. geehrt: *B. Island*, in Barrow Str., v. Parry (NWPass. 51) im Aug. 1819, u. *Cape B.*, in Liddon G., v. dems. Polarf. (ib. 200) am 12. Juni 1820 getauft. — *Point B.*, 2 mal im arkt. America, v. Franklin (Narr. 381 ff.) im Aug. 1821, sowie *b)* der äusserste v. Franklin (Sec. Exp. 166) gesehene Punkt der Eismeerküste, am 17. Aug. 1826 benannt. — *Lake B.*, im Netz des Gr. Fish R., v. G. Back (Narr. 171) am 13/15. Juli 1834. — *Cape B.*, in Grinnell Ld., v. E. K. Kane (Arct. Expl. 1, map) 1853/55.

Bee-hive = Bienenkorb, 3 Geyser des Nationalparks: *a)* ein der Liberty Cap benachbarter u. ähnl. Kegel, der aber kleiner u. kürzer, v. der Form eines Bienenkorbs ist, 1871 v. USt. Geologen F. V. Hayden (Prel. Rep. 67) so getauft;

b) im untern Becken des Fire Hole, ebf. v. Hayden (ib. 110)... 'one cone with the top broken off, 18 inches high, 4 feet in diameter, with an aperture at the top 18 inches in diameter, in a constant state of ebullition. From the form of the crater we called this the *B.*; *c)* im obern Becken, v. derselben Exp. so getauft, da der Krater, ein Kegel v. Kieselsinter, an seiner Aussenseite sehr symmetrisch, aber schwach gerunzelt, 90 cm h., am Grunde $1^1/_2$ m weit ist u. eine ovale Mündg. v. 60 auf 90 cm mit ausgezackten Rändern hat. Not one of our company supposed that it was a geyser; and among so many wonders it had almost escaped notice. While we were at breakfast upon the morning of our departure, a column of water, entirely filling the crater, shot from it, which, by accurate triangular measurement, we found to be 219 feet in height. The stream did not deflect more than four or five degrees from a vertical line, and the eruption lasted eighteen minutes. We named it 'the *B.*' (ib. 124). — *BH. Point,* Vorsprung am Green R., nach einer domartigen Felsmasse, in deren zahllosen Vertiefungen Hunderte v. Schwalben ihre Nester gebaut hatten und welche gleich Bienen v. diesen Vögeln umschwärmt wurde. Der Name ist durch Major Powell's Exp. am 30. Mai 1869 ertheilt worden (Peterm., GMitth. 15, 384).

Beek s. Bach.

Beeldhoek s. Afgoden.

Beer, hebr. ‏באר‏ = Brunnen, in der Tiefe der Erde, im Ggsatz zu ‏עין‏ ['ajin] = Quelle an der Erdoberfläche: *a)* eine Lagerstätte der Israeliten in der Wüste, an der Grenze v. Moab (4. Mos. 21, 16 ff.); *b)* eine Ortschaft auf dem Wege Jerusalem-Sichem (Richt. 9, 21, Gesen., Hebr. L.) — Aehnl. der plur. ‏בארות‏ *Beeroth,* f. eine Stadt im Stamme Benjamin, j. *el-Bireh* (Robins., NBF. 190). Vgl. **Bersaba.** — Wahrsch. gleichbedeutend auch ‏ברותה‏, *Berothah*(Ez.40,16)und‏ברותי‏, *Berothai*(2.Sam.8, 8), Stadt im Reiche Aram-Zoba, an der Grenze Palästina's (Gesen., Hebr. L.). Da Strabo 245 berichtet, dass das ital. *Puteoli* v. den Brunnen benannt sei, in fernerem auch v. berytens. Jupitercult zu *Puteoli* die Rede ist, so vermuthet Olshausen (Rh. Mus. 1853, 337) sehr schön, es möchte hier eine Colonie v. *Berytus* zu finden und *Puteoli* als die lat. Uebsetzg. des Namens seiner Mutterstadt zu deuten sein. Vgl. Hitzig (ib. 601).

Beeschtherah s. Beth.

Beg s. Bey.

Begeerte, Hoek van = das ersehnte Vorgebirge, 2 Capnamen aus der drangvollen Zeit der holl. Nordostfahrten: *a)* nahe der Ostspitze NSemlja's, auf engl. Carten in *Cape Desire* übsetzt (GdVeer ed. Beke 194, Carte), v. Will. Barents auf seiner dritten Reise am 19. Aug. 1596 erreicht ... 'daer door sy weder goets moets waren' (Schipv. 17, Adelung, GSchifff. 227), in russ. *Myss Dochody* übsetzt v. Sawwa Loschkin aus Olonetz, der das Vorgebirge 1763 wieder umfuhr (Spörer, NSeml.

27, Nordensk., Ums. Vega 1, 244): *b)* 'die ewig beeiste' Nordspitze v. Wajgatsch (Schrenk, Tundr. 1, 353; 2, 21).

Begholo s. Yellow.

Begischewskoe Osero, ein See am östl. Hochufer des Irtysch, benannt nach dem tatar. Fürsten Begisch, Baisch, welcher zZ. der russ. Eroberg. hier wohnte, tatar. *Tobose Kul,* nach dem Sohn des Begisch. Daher der russ. ON. *Begischewsk* (Müller, SRuss. G. 3, 411 f.)

Behemoth s. Senegal.

Behm, Cap, in Franz Joseph's Ld., an der Nordostecke v. Karl Alexander Ld., entdeckt im April 1874 v. Jul. Payer, welcher die 2. Schlittenreise der österr.-ungar. Nordpolexp. 1872/74 leitete (Peterm. GMitth. 22 T. 11), benannt ozw. nach dem Geogr. Dr. E. *B.* in Gotha, dem Mitredactor (spätern Redactor) der Petermann'schen Mittheilungen u. Begründer des 'Geogr. Jahrbuch' etc. — *B. Insel* s. Perthes.

Behut s. Dschilum.

Bei s. Bey.

Beja s. Badajos.

Bejah, Flussname Indiens, 2 mal: *a)* f. Dschilum (s. d.); *b)* ein lkseitg. Zufluss des Sutledsch, hind. *Bias,* skr. *Vipáça. Vipása. Vyasa* = fessellos, wohl der Schnelligk. wg., weil er, entfesselt aus den Gebirgsdurchbrüchen, in die freie Ldsch. des Pandschab hinaustritt. Eine Legende, nach welcher dem Weisen Vasishtha, der sich mit Stricken umwunden in den Fluss geworfen, der Strom diese abstreifte, ist z. Erklärg. ersonnen. Die Griechen setzen Ὑπασις, Ὑφασις, fälschl. auch Ὑπανις (was ein ganz anderer Fluss ist), bei Ptol. *Βιβάσις* (Lassen, Ind. A. 1, 56 f., Schlagw., Gloss. 176).

Beias-Su = Weisswasser, türk. Name eines Zuflusses des Tus-Göllü (Tschihatscheff, Reis. 15).

Beida od. *baida,* gew. gespr. *béda,* fem. v. *abiad* (s. d.), in arab. ON. *a)* *Chirbet el-Béda* = die weisse Ruine, wo *chirbe* z. Verbindg. mit dem folg. Worte mit -*t,* od. *Chirbet es-Safâ,* ein castellartiges Gebäude, welches auf dem östl. Lohf des Safâ (s. d.) steht u. die ganze Ruhbe überschaut. Es ist aus feinkörnigem, vulcan. Stein erbaut, den eine tausendjähr. Einwirkung v. Sonne u. Witterung um ein Merkliches gebleicht hat: so erscheint es im Contrast z. schwarzen Lava, auf welcher es steht u. aus welcher alle übr. Ortschaften des Ländchens aufgebaut sind, v. grauer, resp. weissl. Farbe (Wetzstein, Haur. 62). — *Dahr el-Beidah* = weisses Haus, v. *dâr* = Haus, mit *h* als Dehnungszeichen, Ort in Marocco, an Stelle des ant. Anfa, ital. in *Casa Bianca* übsetzt (Barth, Wand. 36). Noch erwähnt General Parmentier (Vocab. arabe 14) *a)* '*Aïn B.* = weisse Quelle u. *Ued B.* = weisser Fluss, beide in Algerien, *b)* *Ras el-B.* = weisses Cap, in Malta.

Beinahellir = Knochenhöhle, eine Seitenkammer der isl. Surtshellir, benannt nach der 'Unzahl v. Thierknochen', welche als Anzeichen der frühern Bewohner in ihr liegen. 'Rindvieh- u. Schafknochen liegen da in grosser Menge üb. den ganzen Boden zerstreuť (Preyer, Isl. 99). — *Beinbrechi* s. Knie-brechi.

Beirut, Name einer der phön. Anlagen der syr. Küste, im AT. (Ezech. 40, 16 u. 2. Sam. 8, 8) חֲמָת‎; od. רְחֹב‎ wohl = רְחֹבֹת‎, *B'eroth* = Brunnen (s. Beer), u. zwar wg. des vortreffl. Brunnenwassers (Oppert, Exp. Més. 1, 20), wie gr. *Βηρυτός* = Bornstädt, d. i. ebf. 'Brunnorť, unter Augustus in *Colonia Julia Augusta Felix Berytus* umgetauft (ib. 21, Kiepert, Lehrb. AG. 168). Das mod. *B.* schon im arab. Mittelalter (Edrisi ed. Jaub. 1, 355). In der Nähe ein Vorgebirge: *Ras B.*

Beisan s. Beth.

Beit = Haus, Ort, die arab. Form f. *beth,* mehrf. in ON., welche aus dem Hebr. übernommen sind (s. Beth), ferner *a) Scherm el-B.* = Bucht des Hauses, f. eine Einbuchtg. des Golfs v. Akaba, nach dem Häuschen, welches neben dem Grabmal eines Heiligen erbaut ist u. in welchem die Beduinen allerlei Opfergaben an die Wände hängen (Burckh., Reis. 2, 854); *b) Beit Allah* = Haus Gottes, die Moschee in Mekka, welche die Kaaba einschliesst (Parment., Vocab. ar. 14).

Beka, Wady = Thal des Weinens, Stufe des Wady Feiran, Sinai, der Sage zuf. daher, dass ein Beduine, v. Feinden verfolgt, hier üb. den Fall seines Dromedars weinte, da er nun, eine Beute der Verfolger, seinen Gefährten nicht mehr nachkam (Burckh., Reis. 2, 977).

Bekâa s. Coelesyria.

Beke s. Bach.

Beke B. s. Wilczek.

Bektasch = Dorf, welches einem Derwisch v. Orden des *B.* gehört, türk. ON. nordwestl. v. Kaisarieh (Tschih., Reis. 38), u. *Bektaschly,* südwestl. v. Bartan (ib. 42).

Bel, Nebenform des frz. *beau* (s. d.), in einer Menge th. mittelalterl., th. moderner ON., wie *Bel-Air* = schöne Luft, 25 mal im dép. Eure-et-Loir (Dict. top. Fr. 1, 13), 7 mal im dép. Yonne (ib. 3, 11), 6 mal im dép. Hérault (ib. 5, 16), 12 mal im dép. Nièvre (ib. 6, 12), 6 mal im dép. Gard (ib. 7, 23), 5 mal im dép. Aisne (ib. 10, 24), 6 mal im dép. Meuse (ib. 11, 19), 10 mal in den dépp. Dordogne, Moselle u. Aube (ib. 12, 17; 13, 19; 14, 16), 5 mal im dép. Eure (15, 15), 100 mal im dép. Mayenne (ib. 16, 18 ff.), 27 mal im dép. Vienne (ib. 17, 29), 7 mal im dép. Calvados (ib. 18, 22), 4 mal im dép. Hautes-Alpes (19, 14). — *Belchamp,* 1157 *Bellus Campus* = Schönfeld, im dép. Meurthe, Chorherrenstift ggr. im 12. Jahrh., anfängl. *Mons Sanctae-Trinitatis* = Berg der h. Dreifaltigkeit (ib. 2, 13 f.). — *Béchamps,* 959 *Bellum campum,* 1202 de *Bello campo* (ib. 13, 18). — *Belfaux,* 1142 *Bellofago* = Schönbuch, Ort des C. Freiburg, deutsch *Gumschen* (Gatschet, OForsch. 282). — *Belfort,* mehrf. *a)* im dép. Gard (ib. 7, 23); *b)* das bekanntere am Südfusse der Vogesen, unter Ludwig XIV. durch Vauban an u. auf einem schwer zugänglichen Felsberg angelegt, j. eine Festg. ersten Rangs (Meyer's CLex. 2, 901). — Eine fränk. Anlage *Belfort* in Palästina. — *Belmont,* 1228 *Belmunt* = schöner Berg, 2 waadtländ. Dörfer: *a)* ob

Bex 'dans une position des plus pittoresques'; *b)* im Kr. Pully 'sur un coteau riant, entouré de vignes et de riches vergers' (Martignier-Crous., Dict. Vaud 77); c) auch ein engl. 'Schönberg', im Fairmount Park, Phil., nach der hübschen, aussichtreichen Lage, die durch die gewaltigen epheuumrankten Schierlingbäume noch verschönert wurde. Anno 1780 beschreibt Chastellux das Haus als 'a tasty little box, in the most charming spot nature could embellish' (Keyser, FPark 57 f.). — Von alterthüml. Gestalt *Belloc* u. *Bellocq,* 1286 *Pulcher Locus,* 1327 *Begloc,* 1536 *Belloc,* drei Orte des dép. Basses-Pyr. (Dict. top. Fr. 4, 27), *Belleu,* 1143 de *Bello-Loco,* im dép. Aisne (ib. 10, 24). — *Belval* u. *Belvéder,* ebf. im dép. Aisne, *Belvez,* 853 monasterium *Belvacense,* 1279 *Bellumvidere,* auf hohem, schroffem Bergrücken des dép. Dordogne (ib. 12, 19). — *Bell-Puig* s. Puy. — Ein ital. *Belvedere* s. Kalos.

Bel = weiss, asl. Wort, russ. *bjaly,* poln. *bialy,* čech. *bily* u. s. f., in der Form *Bela, Belá, Beli, Belic, Belica* scil. voda = Weisswasser häufig f. Bäche u. Flüsse (s. Tschernaja), ferner in *Belgrad* (s. d.) u. seinen Aequivalenten, auch mit einem Eigennamen verbunden in *Beloserbien* s. Serbien); ferner *a) Belaja Retschka* = weisses Flüsschen, im Samojeden Ld., 'ein rascher Bach, welcher über ein steiniges Bette eine klare Welle führť u. den Trümmerablagerungen eines weissen, seine Ufer bedeckenden Kalksteins den Namen verdankt (Schrenk, Tundr. 1, 166); *b) Beloï-Jar* = weisser Berg, an der Malka, Ciskauk., nach der Farbe der Felsen (Kupffer, Elbrouz 22); *c) Beli Potok* s. Tscherni; *d) Belogorsk* = am weissen Berge, Ort am Ob, unth. der Mündg. des Irtysch, welcher' v. dem daselbst weisslicht scheinenden bergichten Ufer, das den Obj auf der östl. Seite... begleitet, den Namen hať (Müller, SRuss. G. 3, 380); *e) Beloludska* = die weissschimmernde, Ort am Irbit, 1644 ggr. auf hohem, weissem, v. Marienglase schimmerndem Lehmufer (Müller, SRuss. G. 5, 56); *f) Belije-Kamni* = die weissen Steine, eine Bergreihe an der untern Kolyma, wo die in tiefen Abgründen aufgehäuften Schneemassen nie ganz wegschmelzen... 'c'est ce qui a fait donner ce nom à ces montagnes' (Wrangell, NSib. 1, 173; 2, 149); *g) Beozprem,* mag. *Wessprim, Veszprim,* 997 *Besprem* = Weissbrunn, Ort unweit des Plattensees, v. den Quellen, welche in der Stadt u. den Vorstädten weissschäumend aus den Felsen hervorsprudeln (Hammer-P., Osm. R. 3, 300). — *Belskoi Perewoss,* eine Ueberfahrt, *perewoss,* auf der Linie Jakutsk-Ochotsk, bei der Confl. Bela-Aldan (Müller, SRuss. G. 4, 256) u. *Belakowsk,* Ort an der Pyschma, 1646 ggr. 8 km obh. der Mündg. des Baches Belakowka (ib. 5, 58). — *NB.* Es ist hier die schwankende Orth. der citirten Quellen befolgt.

Bela Maa Bahr = Fluss ohne Wasser od. *Bahr el Farich* = ťrockner Strom, ein v. Nil nach Westen verlaufendes Thal, das alle Anzeichen eines einstigen Flussarms trägt (Russeger, Reiss. 1, 188). — *Derb BM.* = Strasse ohne Wasser heisst

— nicht ganz mit Recht, da man selbst Sommers in niedrigen Gründen Wasser antrifft — eine der Karawanenrouten Kairo-Suez (Burckh., Reis. 2, 763). — Den erstern dieser Namen, auch transcrib. *el Bahar bila Ma* = Meer ohne Wasser, bezieht der Araber auch auf das 'Sandmeer' der Wüste (vgl. Schamo).

Belad od. *beldan*, plur. v. *blad, bled* = Land od. Gegend, aber auch Stadt, Wohnort, oft in arab. ON. (s. Dscherid u. Sudan), im sing. auch andern Ländernamen vorgesetzt, wie *Blad esch-Schâm* (s. Syrien), *Blad el-Masr* (s. Aegypten), *Blad el-Maghreb* (s. Marocco), in der Bedeutg. 'Stadt' hptsächl. f. Mekka (s. d.), im dim. *blida*, dessen Verbindgsform *blidet* ist, *Blida* od. *Blidet el-Dschedida* = neuer Ort, in Algerien (Parmentier, Voc. arabe 15).

Belcaire s. Beaucaire.

Belcher, *Edward*, engl. Polarf., geb. 1799, als Lieut. bei Beechey's Exp. z. Berings Str. 1825/28, Chef einer grossen 'Franklinsuche', die 1852/54 mit den fünf Schiffen Assistance, Pioneer, Resolute, Intrepide u. North Star, unter *B.*, Kellett, Osborn, Mac Clintock u. Pullen, in die Baffins Bay ausging, sich nach Westen u. Norden theilte, ihren Hauptzweck jedoch nicht erreichte, † 1877. Ihm zu Ehren nannte Capt. Beechey (Narr. 1, 117) *Tarawai*, eine der 4 Hauptinseln der austr. Gambier Group, im Jan. 1826 *B. Island*, und im Aug. 1826 *Point B.*, im american. Eismeer (ib. 303, Carte, Meinicke, IStill.O. 2, 221). — Von der spätern Fahrt *B. Channel*, in den Parry Is. (Belcher, Arct. V.). — *B. Berg* s. Inglefield.

Belem s. Bethlehem.

Belennoi s. Usatkul.

Belfast, Stadt in Ulster, Irl., ir. *Bel-feirsdĕ* = Furt der Sandbank, da quer vor der Mündg. des Lagan eine Sandbank, vadum vel trajectus, ir. *farset, fearsad*, liegt, v. jener Art, die in Irland häufig vorkommt u. z. Ebbezeit als Brücke dient. Jetzt geht eine wirkl. Brücke über die alte Sandbank, u. der Name *Farsid*, in *Farside* englisirt u. unverständlich geworden, ist einem Dorfe verblieben. In der nicht verkürzten Form *Belfarsad* wiederholt sich der Name *B.* in der Ldsch. Mayo (Joyce, Orig. Ir. NPl. 1, 360).

Belgique, deutsch *Belgien*, ein Staat der Neuzeit, doch schon röm. *Belgica* (Tacit., Ann. 13, 53), nach seinen alten Bewohnern, den kelt. *Belgae* = Kämpfer, Kriegerische (ib. 3, 40, Tac., Hist. 4, 76, Zeuss, Gr. Celt. 140, Kiepert, Lehrb. AG. 527). Es scheint, dass diese Ansicht gewissermassen auf Tontus-Heuterus zkgeht, der sich dafür auf noch gebräuchl. Ausdrücke stützt als: En willet u niet belgen, en belget u niet = werdet nicht böse, greift nicht z. Wehre! Hy belget hem = er brütet Rache. Ik belget my = ich werde böse u. s. f. — Redensarten, wo vläm. belgen den Zorn, die Rache, den Kampf ausdrückt, u. die commission der société scientifique et littéraire du Limbourg fand diese 'explication rationelle' (Corswarem, Mém. Limb. 16). Dieser vläm. Ableitg. ggb. führte Raoux (NMém.

Acad. Brux. 3. 7) aus, *B.* sei eine unzweifelhaft kelt. Benenng., u. Polain (Hist. Liége 1, 2) leitete *belg, bolg* v. kymr. *bel, belgiaidd* = kriegerisch ab (Kiepert, Lehrb. AG. 527). Wir finden hier ferner, Adelung habe kelt. *bol* = Sumpf u. *gai* = Wald od. sächs. *balge* = niedrige Sumpfgegend gesetzt, Amédée Thierry (Brux. 1, 29) behaupte, die Gallier u. Iberer hätten die *B. Volk, Volg, Bolg*, genannt, u. f. Maltebrun (Dict. G. Univ. 1, 299) hingg. sei *belg* = Nordleute, da sie v. jenseits des Rheins gekommen u. in den gall. Nordbund eingetreten seien. — *B. Australe* = Süd-Belgien nannte der holl. Seef. Roggeween 1722 den östl. Theil Falklands (s. d.), weil das Land 'in gleicher Breite mit den Niederlanden liege' (Debrosses, HNav. 447).

Belgrad = Weissenburg (s. Bel), *a)* die Hptstadt Serbiens, serb. *Beograd*, mag. übsetzt *Fejervar*, auch *Nandor*, einst röm. *Sigindunum* (Meyer's CLex. 2, 923; 8, 18). Wo Donau u. Save zsfliessen, da thronte auf hoher Felszinne das gewaltige Türkenwerk mit minen- u. bombenfesten Kasematten; es schaute mit seinen weissen Mauern u. Thürmen, die den blitzenden Halbmond trugen, über die Ebene hin. Von hier ergossen sich die Türkenheere üb. Ungarn; um dieses Felsennest wurde am bittersten gekämpft. Es hiess türk. *Dar ul-Dschihad* = Haus des heiligen Kampfes (Hammer-P., Osm. R. 3, 150). Die Deutschen gebrauchten mit Vorliebe, noch im 17. Jahrh., die Uebesetzg. *Weissenburg*, u. zwar, wg. der Nähe des siebenbürg. W. (s. Karlsburg) mit dem Beisatze *Griechisch-W.*, indem das Abendland noch lange an der Gewohnheit festhielt, die Länder der Balkan-HI. als griech. zu bezeichnen (Kiepert, Nat. Ztg. 14. Juli 1878); *b)* ein Dorf bei Konstantinopel, byz. *Petra* (= Fels, Stein), dass., v. welchem der alte *Hydralis*, j. *B.-Su* = Wasser v. *B.*, herkommt u. nach der Hptst. geleitet wird. Möglich, dass die 4 durch Andronikus den Komnenen erbauten grossen Wasserbehälter den byz. Namen veranlasst haben. Die Armenier, 'welche sich hier nicht nur an Sonn- u. Festtagen, sondern im Frühling wochenlang dem ungestörten Genusse des seligsten Nichtsthuns überlassen, haben dem Orte den Namen *Defi gham* = Sorgenvertreiber beigelegt, u. wirkl. könnte kein herrlicheres Sanssouci gedacht werden, als die waldbegrenzte Flur u. der wassereingesäumte Wiesenplan v. *B.'* (Hammer-P., Konst. 1, 16; 2, 253 ff.). — Von gl. Bedeutg. sind *a) Belgard*, Stadt in Pommern (Buttm., Deutsche ON. 80); *b) Belgorod*, an der Quelle des Donez, der v. der Stadt bis z. Mündung 'in . . . Kreidegebirgen gehet' (Müller, SRuss. G. 5, 261).

Belidor s. Northumberland.

Belka s. Hesbon.

Belknap s. Tuscarora.

Bell = Glocke, in mehrern engl. ON., bes. *B. Rock*, die Inselklippe vor der Tay, Schottland, mit 1807/11 erbautem Leuchtthurm, so benannt, weil der Abt v. Aberbrothik hier eine Glocke aufhängen liess u. damit ihr beständiges Läuten die Seeff. vor einer Klippe warnte, welche bei gew. Flut 4 m unter

13

bei der niedrigsten Ebbe 1 m üb. Wasser stand (Meyer's CLex. 2, 936). — *B. Bay* s. Sarmiento. — *B. Isle*, bei NFoundl., nach einem glockenfg. Felsen der Westseite (Anspach, NFdl. 110). — *B.* ist auch als engl. FamilienN. bei geogr. Objecten angewandt: *a) Point B.*, ein niedriges Cap östl. v. Fowler's Bay, v. Flinders (TA. 1, 106) am 31. Jan. 1802 getauft in Gesellschaft anderer Benennungen, welche nach der Schiffsmannschaft gewählt sind, also ozw. nach einem der 3 an Bord befindl. Officiere d. N., am ehesten nach dem Arzte Hugh *B.* (s. Purdie); *b) B. Isle* s. Jameson; *c) B.'s. Rock*, eine Klippe der Bass Str., v. Capt. *B.*, Schiff Minerva, am 14. Nov. 1824 entdeckt (King, Austr. 2, 382).

Bella, Isola = die schöne Insel, eine der Borrom. In., in einen paradiesischen Garten umgewandelt (Lavizzari, Esc. 3, 368). 'Era un arido scoglio; nel 1670 s'intraprese a trasformarlo, con gravi dispendi e 60 anni di lavoro in luogo di delizie che forse non ha pari. I suoi giardini si levano a terrazzi, sostenute da arcate e adorni di magnifici aranci e limoni e seminati di . . . . e di statue . . . . Dal piu alto dei terrazzi si domina l'intiera isola e l'ameno lago. — *Villa B.* = Schönstadt, wiederholt: *a)* in der brasil. Prov. Espirito Santo, 1535 ggr., j. freil. z. armseligen Fischerdorf herabgesunken (Meyer's CLex. 15, 441); *b)* s. Matogrosso ; *c)* s. Sebastião; *d) VB. da Imperatriz* (= der Kaiserin), am Amazonas, vor der Unabhängigk. noch *VB. da Rainha* = (= der Königin (Avé-L., NBras. 2, 109).

Bellári od. *Ballári*, skr., nach der altind. Dynastie Balahára, ein Ort in Maissúr (Schlagw., Gloss. 175).

Belle, fem. des frz. adj. *bel, beau* = schön, in vielen ON., die einem dem Auge wohlgefälligen od. im Gebrauche angenehmen Object ertheilt sind, wie *Bellegarde* = Schönwacht, mehrf. angewandt: *a)* eine Felsenveste im dép. Pyrénées Orientales, 1679 v. Louis XIV. erbaut, um die gr. Pyrenäenstrasse des Col de Pertuis zu beherrschen (Meyer's CLex. 2, 929); *b)* ein Ort im dép. Basses-Pyr. (Dict. top. Fr. 4, 27); *c)* ein Engpass der Perte du Rhône; *d)* im dép. Dordogne 7mal (ib. 12, 18), od. *B. Ile*, ebf. wiederholt: *a)* eine fruchtb., v. Felsen umgebene Küsteninsel der Bretagne (Meyer's CLex. 2, 930), ene. *Belle Ile-en-Mer*, im Itin. Ant. *Vindilis*, 1026 *Guedel* insula, 1050 *Bella Insula* nomine britanico *Guedel* (Dict. top. 9, 9); *b)* Insel im StLorenz, auch im plur. *Belles Iles* (Hakl., Pr. Nav. 3, 237), v. frz. Seef. Cartier 1535 entdeckt u. — in Übtragung des heim. Namens? — benannt, wie die Seegasse *Détroit de BI.* u. deren engste Stelle *Baie des Châteaux* (Avezac, Nav. Cart. XI); *c)* eine Insel des Flusses Ille, dép. Dordogne (Dict. top. 12, 18); *d)* s. Senad. — *Cime de la B.-Alliance* s. Zumstein. — *B. Fourche*, der nördl. Quellarm, *North Fork*, des Cheyenne R., nach dem landschaftlich schönen, grasreichen, v. Büffeln u. Antilopen belebten Thale (Reynolds, Expl. 157). General Custer fand im Juli 1874 den rasch fliessenden Strom in a shaly bed 9—15 m br.

u. $\frac{1}{2}$—1 m t., das Wasser wenig alkalisch, am 4. Aug. den *South Fork* weniger günstig, seicht, mit flachem Sand- u. Steinbett, 9 m br. u. nur wenige Zoll t., das Wasser alkalisch, mit metall. Gypsgeschmack, die Ufer mit wenigen Zwergfichten bestanden (Ludlow, Black H. 11. 15). — *B. Rive*, mehrf. wie *a)* ein Dorf am Murtensee, urk. 1228 *Balariva*, 'tire son nom de sa belle position sur le bord occidental du lac' (Gem. Schwz 19²ᵇ, 12, Mart.-Crous., Dict. V. 74, Gatschet, OForsch. 81); *b)* ein Ort im dép. Gard (Dict. top. 7, 23). — *B. Rivière* s. Ohio. — *Rivière B. à Voir* s. Somme. — *B. Roche* = Schönfels, TraderN. am Unterlauf des Osage R., Louisiana, wo am 7. Aug. 1806 Lieut. Z. Pike (Expp. 120) lagerte . . . 'this day we passed many beautiful cliffs on both sides of the river'. — Im plur. *Belles Roches*, einer der schönsten Aussichtspunkte bei Lausanne (Gem. Schwz 19²ᵇ, 13). — *Belles Pierres Hills* = Berge der hübschen Steine, eine Hügelgruppe in Dakota, nach den hier häufigen rothen Kieseln (Ludlow, Black H. 10). — *Bellevaux a)* ehm. Frauenkloster bei Lausanne, 1134 *Bella Vallis* = Schönthal, unth. des einst schönen Eichwaldes Sauvabelin, j. Meyeri (Gem. Schweiz 19²ᵇ, 12. 103); *b)* im dép. Nièvre, 1194 abbatia *Belle Vallis* (Dict. top. 6, 12); *c)* im dép. Vienne (ib. 17, 30). Ein Ort *Bellevault* im dép. Nièvre, *Belleval* im dép. Gard, *Belleval* u. *Bellevallée* im dép. Aisne. — *Bellevue* = schöne Aussicht, Berg bei Quebeck, 'from whence the prospect is extensive and beautiful on all sides' (Buckingh., Can. 283), in Frankr. selbst wohl zu Hunderten, da die 18 dépp. des Dict. top. allein schon 162 solcher Namen zählen, das dép. Mayenne allein 38, das dép. Vienne 22 (Dict. 16, 23; 17, 30), keineswegs alle modern, da manche urk., 1263 *Bellum Videre*, 1239 de *Bello Visu*, 1229 de *Bello Videre*, beglaubigt sind. Ein Ort *Belleviste* im dép. Gard (ib. 7, 23). — *Belleau*, 1047 u. 1198 *Bella Aqua*, in den dépp. Meurthe u. Calvados (Dict. top. 2, 14; 18, 22), *Bellève* (s. Eve), *Bellefontaine*, in den 18 dépp. 25mal, *Belles-Fontaines*, im dép. Aisne (Dict. top. 10, 24), *Bellefont*, 950 *Bella Fons*, im dép. Vienne (ib. 17, 30), *Bellague* (s. Aigues), 1493 *Bellaigue*, im dép. Nièvre (ib. 6, 12), *Belaygue*, 1249 *Bella Aqua*, im dép. Dordogne (ib. 12, 17), dazu ein schweiz. *Ballaigue*, 1228 *Ballevui*, über der Schlucht der Orbe (Gem. Schwz. 19, 2ᵇ, 10), wohl nach dem hübschen Fall des Day, den die Flüsse Orbe u. Jougnenaz vereinigt bilden (Mart.-Crous., Dict. 57). — Endlich mehrf. *Belleville*, ein *Belle-Selve*, ein *Bellefoye*, 1073 *Bellafaya* = Schönbuche etc.

Bellefin, Cap, an Sharks Bay, v. Schiffsfähnrich L. Freycinet, Exp. Baudin, am 9. Aug. 1801 nach dem Arzte *B.* der Corvette le Naturaliste benannt (Péron, TA. 1, 165).

Bellenden Ker, Mount, in Queensl., v. Capt. Ph. P. King (Austr. 1, 205) am 22. Juni 1819 auf Wunsch des Naturhistorikers seiner Exp., Allan Cunningham, getauft zu Ehren des engl. Botanikers John *BK.*, dem Rob. Brown das austr. Genus Bellendenia widmete.

Bellicaire s. Beaucaire.

Bellingshausen Insel, 2 mal nach dem verdienstvollen russ. Seef., welcher 1819/21 mit den Corvetten Wostok u. Mirny, begleitet v. Lieut. Lazarew, kühn in das antarkt. Gebiet vordrang, den Polarkreis 6 mal überschritt, zu Anfang der Reise aber auch die Paumotu aufnahm: *a)* in Society Is., Abth. Leeward, schon v. engl. Capt. Kent 1822 entdeckt (Meinicke, IStill. O. 2, 155), benannt v. russ. Capt. Kotzebue (NReise 1, 142) am 25. März 1824; *b)* im Kaspisee, wie *I. Lazarew* (ZfAErdk. 1873 Taf. 1).

Bello, Porto = schöner Hafen, eine ʼmalerisch schöneʼ Hafenbucht (u. Ortschaft) der brasil. Prov. Santa Catharina (Avé-L., SBras. 2, 185). — Mit dem span. *puerto* = Hafen: *Puerto B.* in CAmerica, v. Columbus am 2. Nov. 1502 benannt nach dem gartenähnlichen, dicht mit Indianerhütten besetzten Küstenlande . . . ʼal quale pose questo nome, perche e molto grande, e assai bello, e popolato, e attorniato da gran paese coltiuatoʼ (Colon, Vida 418, Gomara, Hist. gen. c. 50). Stadt ggr. 1584 (Meyerʼs CLex. 13, 123), höchst ungesund, zubenannt *el Sepulcro de los Españoles* = das Grab der Spanier; denn die Schiffe, welche eine Zeit lang hier verweilen, verlieren meist die Hälfte od. doch $^1/_3$ ihrer Leute (Barrow, R. u. Entd. 2, 37). — Mit *ver* m., statt *vista* f., der span. ON. *Bellver* = Schönsicht, ein die Hafenstadt Palma beherrschendes Castell v. Mallorca, unter der Regierung des Königs Jaime II. erbaut. Von den Fenstern des runden Thurmes aus ʼgeniesst man eine wahrhaft entzückende Aussicht üb. den Hafen u. die ganze Bay, üb. die Stadt u. deren reizende Huerta, auf das Meer u. auf das Gebirgeʼ (Willk., Span. u. Bal. 88).

Bellona's Shoal, eines der zw. NHolland u. NCaledonia zerstreuten Riffe, entdeckt 1793 durch das Schiff *B.* (Flinders, TA. 2, 314, Atl. 1, Krus., Mém. 1, 95).

Bellot Strait, zw. Boothia F. u. North Somerset, v. Capt. Inglefield getauft zu Ehren des frz. Schiffslieut. J. R. *B.*, der 1853 bei dem Ueberschreiten der Eisfelder den Tod fand (Meyerʼs CLex. 2, 935).

Belloy s. Boulay.

Belly s. Grosventres.

Belon, eine Handelsstadt im phön. Süd-Spanien mit gleichnam. Flusse, ebenso Stadt u. Fluss in Baetica, ist wie der syr. *Belus*, der Fluss v. Akko, j. arab. *el-Náamán* = der liebliche, v. Gotte Baal, Belus (Movers, Phön. 2b, 639).

Belt, den Namen zweier Sunde, welche in die Ostsee führen, u. *baltisches Meer*, f. eben diese Ostsee, drängen sich um so mehr, da bisw., wie bei Ramler u. Fleming, *B.* auch f. die Ostsee selbst gebraucht wird, als zsgehörige Namen auf u. sind, obgl. viel besprochen, doch kaum klar gemacht. In die erste Aufl. derʼ Nom. geogr.ʼ hatte sich die unbelegte Annahme eines kelt. *belt* = Meer eingeschlichen — sicherlich eine unhaltbare Erklärg. Noch 1885 lesen wir (Ass. franç.^{se} p. lʼavancement des Sc. 655ff.) die Erörterg. eines Dänen: man könne an lat. *balteus* = Gürtel, an tatar. *Balta* u. an

phön. Göttin *Baltis, Beltis,* denken; unter den Gothen hiessen die ersten Familien *Balt* = kühn, tollkühn, keck; es sei zu vermuthen, die Gothen haben bei ihrer Einwanderg. das Meer *Belt* od. *Balt* genannt; bei Plinius heisse das Land *Baltia* u. dieses griech. Wort bedeute Meerzugang; im lit. u. altpreuss., wie in der Sprache v. Kurland, heisse *Balts,* wie *biel* in allen Dialekten slaw. Zunge, ʼweissʼ, wie auch Preussen *Wittland* hiess; wendisch od. kurisch könne aber *B.* nicht sein; die alten Skandinavier haben den Hellespont *Elli-palta* genannt, u. die Palus Maeotis habe bei den ehm. Anwohnern *Balt-Chimkin* geheissen; von dort seien die Gothen nach Skandinavien gekommen, u. im goth. heisse *belti* = Gürtel; die Gothen od. ihre Vorgänger haben den Namen *B.* in den Norden gebracht, u. *B.* heisse im altgoth. Sund, Meerenge, Eingang des Meeres; bes. beachtenswerth sei, dass *B.* nicht ʼMeerʼ, sondern ʼim Ggtheilʼ eine Verbindg. zweier Meere od. ein mittelländisches Meer bezeichne; die Ursprache heisse *Landa-Belti,* f. Mälar, ʼGürtel des Landesʼ, u. diese letztere Thatsache lasse vermuthen, dass lat. *balteus* u. goth. *B.*, *Balt*, gemeinsamen Ursprungs seien. — Aus diesem Gemisch v. Krawt u. Rüben mag klug werden, wer will! — Zuerst taucht der Name *Baltia* auf, f. eine grosse Insel des Nordmeers, etwa *Skandia* . . . Xenophon Lampsacenus a litore Scytharum tridui navigatione insulam esse immensae magnitudinis *Baltiam* traditʼ (Plin., HNat. 4, 95). Nach zahlr. Analogien liesse sich, dabei ein ʼLand der Baltenʼ, eines in Schweden angesiedelten Gothenstammes, annehmen. Die neuern Ansichten hat W. v. Gutzeit (Sitzgsberichte G. f. Gesch. u. Altthk. Ostseeprov., Riga 1884 p. 48 ff.) besprochen. Im Mittelalter, um 1075, berichtet Ad. v. Bremen, die Ostsee heisse bei den Anwohnern *Baltischer Busen,* weil sie sich in der Gestalt eines Gürtels, lat. *balteus,* weithin durch die skyth. Länder erstrecke. Die Ableitg. v. lit. *baltas* = weiss hat Matth. Praetorius in seinem ʼOrbis gothicusʼ gegeben, um 1700; auch den Petersburger Academiker Theoph. Sigefr. Bayer, in seiner ʼConjectura de nomine Balthici marisʼ (Comm. Acad. Petrop. v. 359) ʼerachtete sie der Anführung werthʼ, u. sie wurde noch 1837 v. J. Grimm in Erinnerg. gebracht. Nilsson, dessen antiquar. Untersuchg. (Sk. Urinv. 1, 33) allen Spuren einstiger phöniz. Colonisation im Norden nachging, dachte an die Göttin *Baltis, Beltis,* d. i. einen weiblichen *Baal, Bel.* Da die Cistercienser die Ostsee als *stagnum,* ihre dortige Prov. als *provincia stagnalis* bezeichneten, so wagte K. E. H. Krause (Hanseat. GBl. 1884, 42) den Erklärungsversuch v. slaw. *blato, balaton* = Sumpf. Mehr Zutrauen erwarb sich die Annahme J. Grimms (D. WB. 1, 1455): Er trennt *B.* u. *baltisch* u. erinnert f. *B.* an ags. (u. engl.) *belt,* dän. (u. schwed.) *baelte,* altn. *belti,* ahd. *balz, palz* = Gürtel, also wohl, wie Berkholz (Sitzgsber. 1884 p. 121) erweiternd hinzusetzt, an ein gemein-german., mit *balteus* verwandtes Wort, das nun die Meerengen als ein Gürtelmeer bezeichne. 'Man vergleicht das Meer, wo es schmal wird und sich verengt, einem durch das feste Land gezogenen Gürtel‛, meint der grosse Sprachmeister. Die Erfahrg. macht jedoch vorsichtig ggb. den Namenerklärungen symbolisirender Natur; schon aus diesem Grunde ist anzunehmen, dass mit der Grimmschen Etym. v. *B.* das letzte Wort noch nicht gesprochen ist. Noch sei (O. Nielsen, Bland. 5, 328) angefügt, dass *Kleiner B.* eine neuere Benennung ist; früher hiess die Gasse immer *Medelfarsund*, v. *Medelfar*, j. *Middelfart*, der mittlern Ueberfahrt, im Ggsatz zu der nördlichern üb. Strib u. der südlichern üb. Assens(Styffe, Unionst. 26). — *Baltisch Port*, ein Hafen Estlands, gleichs. der Vorhafen St. Petersburgs, nur 2, statt 5, Monate zugefroren (Meyer's CLex. 2, 485, Egli, NHandelsG. 5. Aufl. 158).

Beludschistan, auch *Balutschistan* etc. = Land der Beludschen, eines Volkes, welches, schon bei Firdusi, um das Jahr 1000, erwähnt, erst in sehr neuer Zeit so weit östl. vorgedrungen ist u., wie das kurdische, eine v. Neupers. nur dial. verschiedene Sprache redet, während die Afghanen viel mehr Indisches aufgenommen haben. Volksname, mit pers. Endsilbe, v. unsicherer Etym. (Spiegel, Eran. A. 1, 330 ff., Pottinger, Trav. 58).

Belur s. Bolor.

Belut s. Kalah.

Ben, verd. aus gael. *beinn* = Berg, in ON. Schottlands u. der umliegenden Inseln oft, z. B. *Ben Nevis*, das man oft mit Schneeberg übsetzt, weil das Bestimmungswort dem lat. *nivis* ähnelt; der Name lautet vollst. *Beinn-nimh-bhathais* = Berg mit kalter Stirn od., viell. einleuchtender, Berg mit Stirn in den Wolken (Robertson, Gael. TScotl. 226, Charnock, LEtym. 33). Ob, wie Whitney (NPl. 102) meint, v. kelt. *ben, pen* das span. *peña* (s. d.) nebst Derivaten komme, ist mir zweifelhaft.

Benahoare s. Palma.

Benáres, auch *Ba...*, *Wanáras*, hind. Name der heil. Gangesstadt, v. skr. *waranasi* = im Besitz des besten Wassers (Schlagw., Gloss. 175), *Baranaçi*, angebl. nach den 2 kl. Flüssen *Vara* u. *Naçi* (Lassen, Ind. A. 1, 161), alt *Kasi*, *Kaçi* = die leuchtende (Schlagw., Gloss. 209), was zugl. Landes- u. VolksN. war, wohl nach dem hier angesiedelten Stamm, bei Ptol. (7,2) Κασσίδα, sonst auch *Siwapuri* = Stadt Siwa's, *Tirtharadschi* = Reihe v. Wallfahrtspunkten, *Tapahsthali* = Ort der Andacht, *Dschitvari* = siegend, diese 4 wie *B.* nach der Bedeutg. des Wallfahrtsorts. Auf Hunderttausende steigt an hohen Festtagen die Zahl der Pilger, welche, aus allen Theilen Indiens zsgeströmt, hier den Göttern opfern u. die Reinigungen in der heil. Ganga vornehmen. Das Stromwasser ist gesund u. angenehm u. wird, als das kostbarste Opfer, in runden Krügen bis z. Südspitze Indiens getragen. Die Versendg. des Wassers ist ein förml. Industriezweig (Meyer's CLex. 2, 942 f.).

Benat, plur. v. *bint* = Tochter, Jungfrau, wie *ben*, eig. *ibn* = Sohn, kommt mehrf. in arab.

ON. vor *a) Kasr el-Benet* = Mädchenschloss, eine Ruine am Tigris, obh. Bagdad. Von ihr erzählt näml. die Sage, dass 'eine Jungfrau v. einem Bären dort zu einer Höhle geschleppt u. ernährt worden sei; mit ihr habe er einige Kinder erzeugt: Ungeheuer, halb Mensch, halb Thier, mit menschl. Hintertheile u. bärenartigem Haupte‛. Für die Umgegend seien diese Ungeheuer zu gr. Plage geworden, bis ein muthiger Jäger sie erlegt habe (Schläfli, Or. 77); *b) Deir Benát* = Töchterkloster, Ruine eines ehm. Nonnenklosters zw. Bethlehem u. Hebron (Seetzen, Reis. 2, 46); *c) Bahr el-Benatein* s. Tadschura.

Benedicto, San, eine der Revillagigedo In., entdeckt 1542 v. span. Seef. Ruy Lopez de Villalobos, der v. Vicekönig Ant. de Mendoza ausgesandt war (Galvão, Desc. 231) u. v. ihm *Isla Nublada* = bewölkte Insel, später engl. *the Clouds* = die Wolken getauft (DMofras, Or. 1, 245).

Benevento, ital. Stadt, alt-samnit. *Maluentum* = die äpfelreiche, μαλόϝεντ (Vaniček, WB. 1244), v. den Römern entw. schon damals od. nach dem Sieg, den Curius Dentatus üb. Pyrrhus — 275 hier erfocht (Meyer's CLex. 2, 955), aus einem missverstandenen *Maleventum* in *Beneventum* umgetauft, als sei der 'böse Ausgang' z. guten geworden ... auspicatius mutato nomine quae quondam appellata *Maleventum* (Plin., HNat. 3, 105), ganz entspr. dem röm. Aberglauben, der auch in Epidamnus (s. Dyrrhachion) ein böses Omen fürchtete (Kiepert, Lehrb. AG. 442).

Bengalen, ind. *Bengál, Bangála*, v. *Bang-álaya* = Wohnung der Banga, eines barbar. Urvolkes (Bergh., Phys. Atl. 8, 27, Kiepert, Lehrb. AG. 38, Lassen, Ind. A. 1, 176), in der alten skr. Litteratur *Banga-Dés´á* = Land der Banga(Pauthier, MPolo 2, 421), während Schlagw. (Gloss. 257) *Wanga-Desa* = Land der Baumwolle lesen wollte. Wie heute nach dem Lande der *Bengalgolf*, so einst dessen Vorgänger nach dem Landesstrom, gr. Γαγγητικὸς Κόλπος (Ptol. 7, 1, 16 ff.), lat. *Sinus Gangeticus*, port. nach dem Uferlande selbst 'ao qual chamamos a *Enseada de B.* por causa do grande reyno do B. (Barros, As. 1, 9, 1; 2, 10, 6; 4, 9, 1). — *B. Archipel*, im Victoria Njanza, v. Capt. Speke (Peterm., GMitth. 5, 502) Ende Juli 1858 getauft zu Ehren der bengal. Armee, welcher der Reisende angehört hatte. — *B. Point*, am Eingang des Hastings Hr., v. Capt. Thom. Forrest am 25. Aug. 1783(Spr. u. F., NBeitr. 11, 195).

Benghâsi, tripol. Hafenort, nach dem in dieser Gegend mit grösster Ehrfurcht verehrten Heiligen Ben-Ghasi, Ben-Rhasi, dessen Grabmal sich in der Nähe befindet (Barth, Wand. 273), im Alterth. *Euhesperidae*, gr. Ἑσπερίς = 'Westernhausen', als sei der westlichste der griech. Colonien Libyens, dann zu Ehren der Gemahlin des Ptolemäus Euergetes Βερενίκη (Strabo 836, Pape-Bens., Ausl. 1869, 950. 969).

Bengore Head, das bekannte Felscap im Riesendamm, Irl., ir. *Beann-gabhar* = Ziegenberg, mit engl. *head* = Kopf, Felskopf, ist einer der zahlr. Namen mit ir. *beann* [spr. ban] = Horn, Pik,

Spitzberg, gen. u. plur. *beanna* [spr. banna], nicht f. grosse Berge sowohl in Irl. als in Schottl. gebraucht, sondern, u. das sehr· häufig, f. mittlere u. kleinere Höhen (Joyce, Orig. Ir. NPl. 1, 382 f.).

Beniaga, Ilha da = Insel der Waaren, chin., auf die Port. übergegangener Name einer vor Canton liegenden Insel, wo alle flussauf gehenden fremden Schiffe anlegen u. umladen mussten. ´E a causa por esta ilha ser assi chamada,¨ he, porque todolos estrangeiros que vão a provincia de Cantam . . . . . a ella per ordenança da terra hão de ir surgir . . . . e alli provém os navegantes do que vão buscar´. Barros, Asia 3, 2, 6 (p. 185).

Benignus s. Branchier.

Benito s. Jesuit.

Benken s. Bamberg.

Bennet Island, 3 mal *a)* bei Cap Hold with Hope, Grönl.; v. engl. Walfgr. Will. Scoresby jun. (North WF. 117) am 18. Juni 1822 entdeckt u. nach Capt. *B.,* ´the venerable whaler, who furnished me with some chronometrical observations on the longitudes of two or three adjoining headlands, which very nearly corresponded with my own´, benannt; *b)* in den NHebrid., einh. *Gaua,* schon v. Quiros 1606 u. Bligh 1789 gesehen, dann aber so verschollen, dass Capt. Hunter sie im Dec. 1835 förml. neu entdeckte u. nach seinem Schiffe taufte, auch *Santa Maria* der Carten (Meinicke in ZfA Erdk. 1874, 283 u. IStill. O. 1, 184); *c)* s. Penrhyn.

Bennett, *James Gordon,* der reiche Eigenthümer des ´New York Herald´, der 1870, als die Nachrichten v. Livingstone lange ausblieben, den nachmals so berühmten Henry M. Stanley z. Aufsuchg. des verschollenen Reisenden, u. 1879 das v. Capt. G. W. De Long befehligte Schiff Jeannette in das Polarmeer sandte, ist v. den beiden Sendlingen toponymisch gefeiert worden, u. Stanley *a)* in *Mount Gordon B.,* einem v. 3 Bergen Ungoro's, die er am 8. Jan. 1876 erblickte u. mit *Mount Edwin Arnold* u. *Mount Lawson* zu Ehren der 3 Männer taufte, welchen sein Reisewerk (Stanley, Through the DCont. 1880, 274) gewidmet ist — Hr. Edward L. Lawson ist Eigenthümer des ´Daily Telegraph´, der sich mit Hrn. Bennet in die Kosten dieser 2. Exp. theilte; *b)* *Gordon B. River* u. *Edwin Arnold River,* mit einem obh. des Stanley Pool einmündenden *Lawson River* 3 grössere rseitg. Nebenflüsse des Congo, im März 1877 v. Stanley (Thr. Dark Cont. 539. 586 f. u. Carte) erreicht, der unterste am 18. Juni 1877, wie er mit einem 90 m h. Fall in den Pocock Pool hinunterstürzt; *c) B. Island* u. *d) B. Headlands* s. Jeannette.

Bensart s. Hippo.

Bent's Fort, ein befestigter Posten am obern Arkansas, nach einem der Pioniere, dem Kaufmann *B.,* welcher als Regierungsagent den Indianern, wenn sie die Handelsstrasse unbelästigt gelassen, Geschenke austheilte u. so einen einträgl. Pelzhandel mit den auf ihn angewiesenen Stämmen trieb (Möllhausen, FelsG. 2, 343). — *Cap B.* s. Wyman.

Bentham s. Owen.

Bentinck's Island, in Wellesley Is., v. Flinders (TA. 2, 136, Atl. 14 Carton) am 19. Nov. 1802 zu Ehren Lords William B. benannt, ´of whose obliging attention, when governor of Madras, I shall hereafter have to speak in praise´.

Benton, Bay of Thomas H., nördl. v. arkt. HumboldtGl., v. Polarfahrer E. K. Kane (Arct. Expl. I., chart) 1853 benannt nach einem americ. Staatsmann, dem 1783 geb. Thomas Hurt B. — *Fort B.,* am obern Missuri, dürfte nach dem Obersten d. N., dem Verf. der ´Thirty Years' View´ (Wheeler, Geogr. Rep. 542) benannt sein.

Benuë = Mutter der Gewässer, weniger richtig *Binuë,* v. *beë, be* = Wasser (in verwandten Dial. *bī)* u. *nuë* = Mutter, so heisst in der Battaspr., Adamaua, der gr. Fluss, welchen· H. Barth (Reis. 2, 556) am 18. Juni 1851 entdeckte. ´Ich bezweifle, dass dieser Fluss übh. irgendwo wirkl. *Tschadda* od. *Tsadda* genannt wird, u. ich wundere mich, dass die Beschiffer der ´Plejade´ nicht ein Wort darüber gesagt haben. Ich nehme an, dass *Tschadda* od. vielmehr *Tsadda* ein blosses Versehen der Gebrüder Lander ist, hervorgerufen durch ihre vorgefasste Meinung, ders. sei ein Ausfluss des Tsad. Denn *Tsad,* wahrsch. eine andere Form f. *ssarrhe,* gehört dem Kótoko- od. Mákari-Idiom an, aber, so viel ich weiss, keiner der Sprachen am untern *B.*´ (ib. 559). Die geogr. Anschauung der Batta sieht in diesem mächtigen Strome den Ursprung alles Gewässers, wie fast jede dieser Völkerschaften ihren besondern ´Rhein´ hat: *Ba,* in der Sprache v. Baghirmi u. Mandingo (s. Senegal), *Gúlbi* (der Haussa), *Mayo* (der Fulbe), *Schári* (s. d.), *Arre, Ere* (s. Lághame), *Gere, I-ssa* (der Sonrhay), *Egherëu* (der Imóscharh), *Kuara* (der Joruba), *Komáduga* (der Kanóri), *Fittri* (der Kuka), sind alles nur allg. Namen, um den einen Strom, welcher den Mittelpunkt des Lebens einer jeden Völkerschaft bildet, zu bezeichnen (ib. 2, 614; 3, 189. 266. 382. 550).

Beograd s. Belgrad.

Beozpren s. Bel.

Bérard s. Jagerschmidt.

Berber, die mod. Bezeichng. der Libyer, ihnen selbst aber fremd u. verhasst, wird vschiedentl. erklärt: als Reduplication v. *ber* = Mensch, was zugl. Personification des Stammvaters u. ´wohl entschieden´ dasselbe mit röm. *A-fer,* plur. *Afri.* ist (Barth, Reis. 1, 243) od. v. den Römern importirt, die diese Völker als *Barbari* bezeichneten (Kiepert, Lehrb. AG. 211). Jedf. trug der letztere Anklang wesentl. dazu bei, die Bezeichng. *Barbaresken* (-Staaten) so geläufig zu machen, seitdem mit der türk. Besitznahme der Seeraub u. die grausame Behandlg. der Sclaven die *Berberei* zu einem Gebiet der Furcht u. des Abscheus gestaltete. Die arab. Eroberer haben den Gebrauch, die Libyer als *B.* zu bezeichnen, ebf. angenommen, od. sie nennen dieselben *Kabáil, Qebail* (sing. *Qebaili, Qebila, Kabile,* woher frz. *Kabyles*), v. arab. *k'bila* = Bund, Vereinigg., also einf. ´Stämme´, vorzugsw. Nomadenstämme, nach ihren

Stammbündnissen. Die *B.* selbst nennen sich *Amâzigh* = Freie, Edle, dial. *Imoscharh, Imoschagh* (plur.), *Amoscharh* (sing.), *Temaschirht* (neutr.), vkürzt *Mazigh*, in den ant. u. arab. Autoren *Masix, Mazys, Mazax*, sing. *Maxitanus.* Die Imoscharh der Oasen der mittl. Sahara wurden v. den Arabern *Tuareg*, sing. *Targi, Tarki*, genannt, wohl weil sie ihre (meist christl.) Religion verlassen: *tereku dinihum*, das ganz vorzügl. v. Aufgeben od. Verleugnen des Glaubens gebraucht wird (Barth, Reis. 1, 247); als kriegerisches u. räuberisches Volk heissen sie bei ihren östl. Nachbarn, den Tibu, *Jeburde*, plur. *Jeburdā* = die kriegführenden, v. *jebur* = Krieg u. *de*, der adj. Silbe, die Stand, Gewerbe, Beschäftigg. bezeichnet (ZfAErdk. 1870, 219). Gewisse dunkler gefärbte (unterjochte) Volkstheile des Tuareglandes werden v. den 'Freien' als *Amrhi* = leibeigen, plur. *imrhad*, bezeichnet (Barth, Reis. 1, 255, Movers, Phön. 2, 395). — Eine Stammfamilie der Tuareg heisst *Urāghen* od. *Aurāghen*, auch mit dem eigenth. breiten Vorschlage *Yu-au-rāghen* = die goldfarbenen, gelben (Barth, Reis. 1, 251). Dabei ist zu beachten, dass *Targi* auch v. *traq* = 'bei Nacht überfallen' abgeleitet wird (Parmentier, Vocab. arabe 47), eine Etym., die dem räuberischen Stamme wohl ansteht.

Berbice, Hauptst. d. Brit. Guayana, benannt 1796 nach dem Flusse *B.*, als der Ort, f. das ältere holl. *Nieuw Amsterdam*, welches 90 km weiter flussan gelegen, ggr. wurde (Meyer's CLex. 2, 984; 11, 998).

Berchtholds-Baar s. Baar.

Berd s. Bâred.

Berda s. Brda.

Berda u. **Berdsk** s. Kolywan.

Berdjansk s. Bargusinsk.

Berdinsk s. Omsk.

Berdschusch, Wady od. *Aberdschusch*, arab. Name eines Wady des südl. Fezzan, daher weil es etwas Krautwuchs für Kamele u. Schafe hervorbringt (Barth, Reis. 1, 197). Die Bedeutg. des Namens lässt sich aus der kurzen Angabe nicht befriedigend feststellen.

Bereketlü-Maden = segensreiches Bergwerk, türk. ON. bei Kaisarie. Hier sind die Schmelzhütten f. das in den Schachten des Aladagh gewonnene u. im Sommer vorläufig in Boghasköi gelagerte Bleierz (Tschih., Reis. 14).

Beren Eiland = Bäreninsel (s. Bär), einer der ON., welche die holl. Polarfahrt, mit ihren Kämpfen z. Abwehr des Eisbärs, einführte, zw. Skandin. u. Spitzb., entdeckt am 8. Juni 1596 durch W. Barents, welcher auf seiner 3. Exp., dem Rathe eines holl. Geogr. folgend, üb. den Nordpol weg direct nach Ost-Asien fahren wollte u. benannt nach einem Eisbär, welchen am 12. Juni die Holl. nach zweistündigem Kampfe hier erlegten. 'Den 12. sagen sy's morgens een witte beer, en roeyden met de schuyt naer hem toe, meenende hem een strick om den hals te werpen, maer by hem komende, vonden hem soo gheweldigh, dat sy't niet en dorsten bestaen . . . . ende hieuwen

hem ten laetsten met een byl't hooft in stucken, so dat de doot daer nae volghde' . . . (Schipv. 11, GVeer 74 ff.). Am 16. Aug. 1603 erhielt die holl. Entdeckg. einen engl. Namen, *Cherie Island*, durch Capt. Stephen Bennet, der als Walfgr. das Eismeer besuchte, nach seinem Patron, dem master, später sir Francis Cherie v. London, 'a distinguished member of the Russian Co.', in verderbter Form *Cherry Island* (Barrow, Chron. Hist. 218, GVeer ed. Hakl. LXXXIV, Peterm., Erg. H. 16, 61, Torell u. N., Schwed. Expp. 22), bei den russ. Walrossjägern in *Medwjed* = Bär übsetzt (GVeer 76, Adelung, GSchifff. 270); *b) Berenvoert, -vaart* = Bärenfjord, oft ungenau *Berenfort*, eine Rhede bei NSemlja, benannt nach dem ernsten Kampfe, den die holl. Matrosen w. W. Barent's Exp. am 9. Juli 1594 hier mit einem Eisbären bestanden: een witte beer, die sy, flucx in't boot vallende, door sijn lijf schoten' (Schipv. 2, Adelung, GSchifff. 168, GVeer ed. Hakl. 15), j. russ. *Gorbowoje Stanowischtsche* = blutiger Ankerplatz (Spörer, NSemlja 17); *c) B. Bogt*, im nördl. Spitzb., eine Bucht, 'um welche sich die meisten Bären aufhalten' (Adelung, GSchifff. 414); *d) B. Kaap*, ein Vorgebirge in der Nähe der beiden Eiscaps, NSeml., wo Barents 1594 wohl mit Eisbären zsgetroffen ist (Peterm., GMitth. 18, 396). — Ueber die Orth. ist zu bemerken: '*Beren*, plur. v. *beer* = Bär, schrieb man in alten Zeiten, mitunter auch wohl *beeren*; man war da nicht so genau. Von etwa 1820—1864 galt nur *beeren*, j. wiederum allein *beren*' (Dr. J. Dornseiffen 21. Oct. 1891).

Berenice, gr. Βερενίκη, in ON. eine Erinnerg. an die Ptolemäer, in deren Familie dieser Frauenname mehrf. vorkam: *a) B. Troglodytike*, Hafenort am Rothen M., mit sichererm Hafen als Kosseir, v. Ptolemäus II. Philadelphus erneuert u. ozw. nach seiner Mutter, einer makedon. Princessin, getauft (Meyer's CLex. 2, 989); der Beiname nach den τρωγλοδύται = Höhlenkriechern, welche in äusserster Roheit, ohne Kleidg., ohne Kenntniss des Feuers, nur v. rohen Seethieren u. Wurzeln lebend, die felsige, sandige, ausgebrannte Küste jener Gegend bewohnten (Kiepert, Lehrb. AG. 202); *b) B. ἐπὶ δειρῆς* = auf der Landzunge, Hafenort bei Adulis, in der Nähe des Bab el-Mandeb, wo aus dem Binnenlande Elfenbein, Häute u. Sclaven, aus dem Meer das treffl. Schildpad z. Ausfuhr kamen (ib. 208); *c)* s. Benghasi.

Berens' Isles, in Georg's IV. Krönungs Bay, v. Capt. John Franklin (Narr. 364) am 21. Juli 1821 benannt zu Ehren des Gouverneurs der Hudsons Bay Co., welcher den Zwecken der Reise förderl. gewesen war.

Beresford s. Lancie.

Beresina = Birkenfluss, v. russ. *berésū*, asl. *brêza* = Birke (Brückner, Slaw. A. Altm. 64), was wohl schon in alten *Borysthenes*, gr. Βορυσθένης, enthalten ist. Schon Herberstein (ed. Major 1, CXXIII; 2, 21. 85) hielt *B.* f. die mod. Form des ant. Namens, u. diese Annahme bestätigt sich durch die Existenz einer kl. Insel *Beresin*, an der Mündg. des Don. 'In diesem *B.* hat sich noch der alte Name der Insel *Borysthenis* (s. Olbia) erhalten` (Hammer-P., Osm. R. 7, 475). Dabei ist freil. nicht zu übersehen, dass diese antike Benennung auch als ein altpers. *Voûru-sthana* = breiter Ort betrachtet wird, also zunächst dem 'Liman`, der erweiterten Mündg., gegolten hätte (Kiepert, Lehrb. AG. 340). — *Beresow* = Birkenort, russ. Uebsetzg. des ostj. *Sugmutwasch, Sumit-* od. *Sungt-vos*, wo *sugmut, sumit, sungit* = Birke, od. des wog. *Chal-usch, Kalj-uos*, wo *chal, kalj* = Birke, als russ. Colonie ggr. 1593 (Müller, SRuss. G. 3, 443; 4, 30 f., Bär u. H., Beitr. 24, 133, P. Hunfalvy, VUral 34). — *Beresowa* = Birkenfluss, ein Tributär des europ.-asiat. Grenzstroms Jaik, Ural; an ihm der Ort *Beresowsk*. Letzterer Name wiederholt sich: *b)* am Ui, östl. v. Troizk (Bär u. H., Beitr. 24, Carte 5); *c)* im Ural, bei Jekaterinburg, seit 1744 durch Goldwäschen berühmt, an der *Beresowka* (= Birkenfluss), längs deren die Wäschen liegen (Meyer's CLex. 2, 991). — *Beresowjar* = Birkenufer, Ort am Tobol, nach dem hohen linken Ufer, das mit Birken besetzt ist, zw. Tura u. Tawda (Müller, SRuss. G. 3, 316, Fischer, Sib. G. 1, 197). — *Berésowoi Ostrow* = Birkeninsel, Station an der Lena (Erman, Reis. 2, 233). — In Mecklenb. 6 Orte *Breesen*, 2 *Bresegard*, 1230 *Brezegore* = Birkenberge, ein Bach *Bresenitz* = Birkenbach, ein *Bresewitz* = Birkenort (Kühnel, Slaw. ON. M. 28 f.), in slaw. Gebieten Oesterreichs zahlr. Orte *Breza, Břežan, Břežany, Breže, Brežec, Březek, Brezenka, Brezenic, Březenka, Breževje, Březi, Březina, Březinek, Březinka, Březiny, Březje, Březka, Brežka, Březná ves, Breznic, Breznica, Březnice, Breznik, Březnitz, Březno, Brezow, Březová, Brezovca, Brezovec, Brezovica, Brezovo, Brezow, Březowa, Březowitz, Březuwek* (Miklosich, ON. App. 2, 146 f.), wo zu Anfang des *Březova Hora* = Birkenberg bei Příbram, Böhmen, *Brezovo Polje* = Birkenfeld, in Slawon., *Brezow-Reber* = Birkenleiten, mit *reber* = Leite, Berg, in Krain, u. die čech. ON. *Bries, Briesau, Briesen, Briesnitz* (Umlaut, OeUng. NB. 29). In Galiz. die poln. ON. *Brzeżany, Brzezawa, Brzezie, Brzeziec, Brzezina, Brzezinka, Brzeżinka, Brzeziny, Brzezna, Brzeżnica, Brzozowa, Brzeżowiec, Brzezówka, Brzezuwka, Brzóza, Brzozdowce, Brzozów, Brzozowa, Brzozowiec* (Mikl., ON.App. 2, 147). Aus slow. *bréza* sind mehrere ON. *Brêze, Bresnica Brezovo* in *Friesach, Friesnitz, Fresen, Fressen* verdeutscht, aus čech. *březno, březina* die böhm. ON. *Priesen, Priesern*, aus *Březnice* der Name *Priessnitz*, ebf. in Böhmen (Umlaut 63 f. 186).

Berg, ahd., holl. u. schwed. Wort, altn. *bjarg*, dän. *bjerg*, in deutschen ON. ausserord. häufig f. Wohnorte in höherer Lage, sowohl in der einf. Form *B.*, als auch mit der Rolle des Grundworts (Förstem., Altd. NB. 259 ff. zählt deren 430 auf) u. wieder als Bestimmungswort wie in *Bergheim*, mehrf., *Berghoh*, j. *Berkach*, *Berghoven*, mehrf., *Berchholz*, j. *Bergholz*, *Berghuson*, j. *Berghausen*,

mehrf., *Percchiricha*, j. *Perkirchen* u. a. m. Wir erwähnen ferner: *a)* *Bergen*, der Hafenort Norwegens, bis z. Unionszeit *Biörgin, Björgvin*, dän. *Bern*, engl. *Northbern* (Styffe, Skand. UT. 370), v. König Olaff Kyrre 1070 auf einem Cap ggr., amphitheatralisch um den bequemen, sichern u. tiefen Hafen gelagert, der v. 7 hohen nackten Bergen überragt ist, dabei Schloss *Bergenhuus; b)* auf Rügen, mit hochgelegener Kirche, die auf der ganzen Insel sichtb. ist, 1190 v. Fürsten Jaromar I. ggr.; *c)* s. Mont; *d)* *B. op Zoom*, an der Confl. der Zoom u. der Ooster-Schelde (Meyer's CLex. 2, 1006 ff.); *e)* *Bergues*, vläm. *Bergen*, in frz. Flandern, 857 in *Gruonoberg* sylva, 867 sylva in *Gruonoberg*, wie noch heute der Ort von grünen Wiesen umgeben ist, auf einem Berge, wo zu Anfang des 9. Jahrh. Balduin d. Kahle eine Kirche *Winociberga*, mit den Reliquien des heil. Winoc, ersten Abts v. Wormouth, erbauen liess u. damit die Erinnerg. an den Götzendienst des *Mons Baal* tilgte (Mannier, Et. Nord 2 ff.). — Mit *B.* zsgesetzt: *a)* *Bergland* (s. Sibiru); *b)* *Berg-rivier*, holl. Name eines v. den westl. Bergen z. St. Helena-Bay fallenden Flusses im Caplande (Lichtenst., SAfr. 1, 64, Kolb, VGHoffn. 225); *c)* *Bergstrasse*, die am Fuss des Odenwaldes hinlaufende, schon den Römern bekannte Rheinthalstrasse, platea montana, wie auch der ganzen Gegend, welche v. ihr durchzogen wird (Meyer's CLex. 2, 1020); *d)* *Bergzabern*, röm. *Tabernae Montanae* = Bergherberge, eine Pfälzer Anlage, die Attila zerstört habe (ib. 2, 1021). — *Bergfelde* s. Birke.

Bergell s. Bregaglia.

Berghaus, Cap, in Franz Josephs Ld., am 13. März 1873 entdeckt durch die österr.-ungar. Exp. u. benannt nach dem Geogr. *B.* (Peterm., GMitth. 22, 202). — *B. Insel* s. Perthes.

Berī = Viehhürde, 2 Orte, *B.-kurā* (= gross) u. *B.-futē*, *B.-futēbe* (= das westl.), in Kanem, wo 'die Leute grosse Viehherden besitzen` (Barth, Reis. 2, 47).

Bering, *Vitus*, fälschl. *Bee.., Beh..*, dän. Seemann, geb. 1681, trat in russ. Dienste u. sollte auf Wunsch Peters d. Gr. (✝ 1725) erforschen, 'wie weit Asien nach Osten reiche`. Von Nischnij Kamtschatsk fuhr er 1728 nach Norden, z. Insel St. Laurentius, dann zu der 'Grossen Landecke`, die seit Cook das Ostcap heisst, u. der sibir. Eismeerküste entlang, angebl. b. Serdze Kamen (s. d.); er hatte meist die Küste in Sicht behalten; denn der Hptzweck ging auf eine Carte, 'was aus so ziemlich gelung`. Von einem 2. Unternehmen kehrte der Entdecker nicht wieder: v. der 'zweiten kamtschatkischen Exp.` (1733/46) u. er fuhr 1740 v. Ochotsk z. Awatscha Bay, wo er Petropawlowsk gründete, v. hier 1740 in 2 Schiffen nach der american. Gegenküste, erreichte auf der Heimfahrt die Berings-I., auf der er überwinterte u. am 8. Dec. 1741 ✝. Nach ihm sind vor allem aus, nach J. Reinh. Forster's Vorschlag, *B.'s Strasse, B.'s Meer* u. *B.'s Insel* getauft. Freilich erscheint die Strasse unter diesem Namen schon 1774 in der Carte v.

Rob. de Vaugondie (Mém. sur les pays de l'Asie); aber erst Cook, u. nach ihm Forster, haben der Bezeichng. z. Durchbruch verholfen (Lauridsen, V. Bering 36). Die Meerenge war schon 1648 befahren, v. Kosakenführer Simeon Deschnew, der v. der Kolyma um das Ostcap herum z. Anadyr, also in umgekehrter Richtung wie *B.*, fuhr (Müller, SRuss. G. 4, 149 ff.); daher der Vorschlag, die Gasse als *Deschnew Str.* (s. Ostcap) einzutragen. In England versuchte man den Namen *Cook's Strait*, um derj. in NSeel. eine nordische an die Seite zu setzen (Forster, Nordf. 462 f.). Auch hierher wurde der räthselhafte Name *Anian* (s. Hudson) bezogen, u. nach Gemma Frisius (Un. Mappe) sollte die Strasse nach drei Brüdern, die sie angebl. durchschifft, *Fretum trium Fratrum* = Strasse der drei Brüder heissen. Die oben erwähnte *B.'s Insel* hat der unglückl. Entdecker im erbärmlichsten Zustande erreicht: die ganze Mannschaft war an Scorbut erkrankt; fortwährend fielen Regen, Hagel od. Schnee; die Nächte wurden lang; es fehlte an Trinkwasser; seit ein paar Tagen trieb das Schiff ohne alle Regierung, ein Spielball v. Wind u. Wellen. Endlich am 4. Nov. 1741 kamen die Schneeberge der Insel in Sicht. Man landete in äusserster Noth. Erdgruben, mit Segeln überdeckt, dienten als Lazareth. Man holt die Kranken an's Land; aber sie sterben unterwegs, einer nach dem andern. Die Leichen werden sofort v. den kecken Steinfüchsen angefressen. Der grosse Commodore wurde so lebensüberdrüssig u. menschenscheu, dass er sogar seinen lieben, allzeit muntern Steller als Feind ansah. Es war eine Wohlthat für ihn, dass der Tod erlösend nahte (Müller, SRuss. G. 4, 363, Spr. u. F., Beitr. 1, 210, Adelung, GSchifff. 649). Die Insel heisst auch *Komandorsky Ostrow* (s. Aleuten), das Meer, welches bei den Itelmen *Gythesch-Nyngäl* = das grosse Meer hiess (s. Penschinsk), bei den Russen jedoch 1745 noch keinen Specialnamen, sondern den allgemeinen, *Tichoe More* (s. Pacific) trug (Atl. Russ.), bisw. *Meer v. Kamtschatka* od. *Bobrowskoje More* = Bibermeer, nach der ergiebigen Jagd auf Seebiber u. a. Pelzwild (Meyer's CLex. 2, 1022). — *B.'s Bay*, bei Mt. St. Elias, v. Cook (-King, Pac. 2, 347) am 6. Mai 1778 so getauft, weil er annahm, dass *B.* 1741 hier geankert habe. Als im Juni 1786 der frz. Seef. La Pérouse (Milet-M., LPér. 2, 139. 143) hier Nachforschungen anstellte, wollte er die Bay f. einen Fluss, als *Rivière de B.*, nehmen u. in der Nähe eine *Baie de Monti*, nach einem seiner Officiere, unterscheiden. — Ein *Cap B.* östl. v. Anadyr Golf (Stieler, HAtl. No. 59) u. noch etwas östlicher *Cap Spangberg* (ungenau *Spanberg*), nach dem Dänen Martin Petrowitsch Spangberg, der als nächstbefehlender Officier Bering's beide Reisen, als Lieut. 1728, als Capt. 1741/42 mitmachte (Lauridsen, V. Bering 20. 77). Es ist ermittelt (P. Lauridsen, V. I Bering og de Russiske opdagelserejser fra 1725—1743, Kjöbnh. 1885 p. 4—6), dass der Reisende, wie schon mindestens 5 Generationen seiner Vorfahren, ausschliessl. *Bering* ge-

schrieben hat u. dass russ. u. dän. Berichte diese Orth. festhalten; die Missform mit *h* scheint in Deutschland entstanden u. durch Harris (Coll. of Voyages 2, 1016—1041), dessen Mitarbeiter Dr. Campbell aus deutschen Quellen schöpfte, auch in das Engl. übergegangen zu sein. Bei Anlass der Streitfrage, die sich betr. die Fischerei im Berings Meer erhoben hat, findet sie sich oft auch in unsern Tagesblättern; ich habe sie widerlegt (NZürch.Ztg. 1891 No. 13ᵃ). Nun ist mir in M. Baker, der im Bull. No. 1 des US. Board of geogr. Names, Wash. 31. Dec. 1890 die 'Orthography of Bering' p. 11—13 eingehend bespricht u. sich ebf. auf das dän. Quellenwerk beruft, ein Genosse im Kampf f. richtige Namenschreibung erstanden.

Beris = Südstadt, altägypt. Name einer Oase am Südende der Gr. Oase (Peterm., GMitth. 21, 392).

Berkutly = Goldadler-Berge, kirg. Name einer Berggruppe am obern Irtysch, 'weil man auf ihnen die Goldadler, *berkutly*, fängt' (Bär u. H., Beitr. 20, 104).

Berlin, die crux märk. Namenforschung. 'Ueber keinen Namen ist mehr geschrieben u. gestritten worden, als über den der deutschen Hauptstadt' (DSprachw. 1874, 47), alt urk. *Berlyn, Berolinum, to dem B., Berlinsum* (Jettmar, Ueberreste 23 f.). Unter den ältern Deutungsversuchen finden sich deutsche, kelt. u. slaw., sogar die 'schreckliche Ableitung' v. gr. βαρύς λίνος = schweres Netz. Volksthümlich ist *Bärlein*, als dim. v. Bär, sei es nach dem Wappenthier, das schon seit 1253 im Stadtsiegel erscheint, so dass Melanchthon (Corp. Ref. 7, 328) v. der *urbs arctoa* redet (Cassel, Iran u. Is. 63), od. weil Albrecht der Bär 1140 den Ort ggr. habe od. der Bär als Fischhammen, ein Fischergeräth od. als niederd. Form f. 'Wehr', Damm, Mühlendamm, wie Frisch (DLat.WB. 1, 62. 86) wollte u. J. Grimm (DGramm. 3, 422) einst billigte, od. endl. als 'Kl. Bär', Sternbild, unter dem *B.* liege (Leutinger). Andere, übersehend, dass der Accent auf der zweiten Silbe liegt, dachten an ein dim. v. *Beere* (Süssmilch) od. *Perle* (Bissel) od. an niederd. *Werl, Werder* = Flussinsel, Halbinsel (Mag. Litt. Ausl. 1862 No. 44). An kelt. Ableitg. dachte Bullet (Mém. 1, 285), u. ihm nach Nicolai (Muthm. 1, VIII), v. *ber* = Krümmung u. *lin* = Fluss, Riecke (Nordh. Ztg. 1862 No. 18 ff.), v. *biorlinn, birlinn* = Fähre od. *bairlinn* = Damm, C. A. F. Mahn, entw. v. *berle* = Brachfeld (Herrigs Arch. 27, 241—260) od. v. *paůr, peůr, por* = Weide u. *llůyn* = Hain, Busch, also 'ein Gebüsch, welches zur Viehweide dient' (Etym. U. 75, wo zugleich 10 *Berline* u. 2 *Berlinchen* aufgezählt sind). Mit diesen Versuchen waren schon einige slaw. Ableitungen nebenher gegangen: Frz. Hermes (MBrandenb. 1828) dachte an wend. *berlinn* = nimm Lehm od. an *brela, bryla* = Landstück im Sumpf. Andere leiteten den Namen ab: v. poln. *bor* = Föhrenwald u. *rola* = Acker, od. v. *ber,* od. f. 'nehmen', u. *lin* = Schleihe, also 'Schleihenfischerei', od. mit Klöden v. poln. *berlo*

= Scepter, Stange, etwa 'eingezäunter Ort', od. mit V. Jacobi, v. *pri*, böhm. *przi* = bei, ziemlich, u. *lin*, f. älteres *lapa* = Berg, also 'kleiner Berg', od. mit K. Braun v. einem slaw. Wort f. 'Fährte', od. v. *berne* = Einnahme, Zoll, also *bernjin* = Zollstätte, welche Form dann, der leichtern Aussprache wg., in *B.* sich verwandelt hätte. So weit bis 1863. Von j. an herrscht, den Keltomanen Riecke ausgenommen, bei allen Versuchen die Annahme slaw. Ursprungs. *B.* ist entstanden aus einem wend. Fischerort auf der Flussinsel, *Kölln*, u. einer (deutschen?) Schifferstation am linken Ufer der Spree, im j. *Alt-B.;* in dieser Gegend waren Spandau u. Köpenick die ältesten Ortschaften; zwischen beiden war der bequemste Uebergang hier, wo der sonst in versumpftem Wiesengrunde breit hinziehende Strom sich vor einem niedrigen Sandhügel, *kollen*, gabelte. Für slaw. Ursprung spricht auch die Analogie v. Ketzin, Stettin, Wollin, Ruppin etc. Eben hatte Pastor J. B. Bronisch (NLaus. Mag. 39, 222 ff.) die Sammlung aller *Berline* angeregt, 7 derselben näher beschrieben, alle aus Gegenden, wo Deutsch u. Slaw. gemischt sind. Auch ihm schien dieser Umstand den slaw. Ursprung zu bevorzugen; freil. könnte der Name 'auch recht gut deutschen Ursprungs sein'. Da erschien der Aufsatz v. J. Killisch (Voss. Ztg. v. 20. od. 21. Juli 1863), der seither, separat gedruckt (*B.*, der N. d. deutschen Kaiserst., 12. Aufl. 1883), als ständige Prospectfolie einer Schule einen merkw. Absatz gefunden hat. An der Hand der bisherigen Versuche wird gezeigt, dass *B.* weder deutsch noch griech. noch kelt. sein kann. 'Wir müssen also zu den slaw. Sprachen unsere Zuflucht nehmen' u. kommen so auf ein urspr. *Perlin* = Ort, wo die Federn ausfallen, Mauserplatz, also dass der *perlin* den Köllnern als Weide für ihr Federvieh gedient hätte. Aus H. Ebel's Referat (Kuhn u. Schl., Beitr. 4, 341 ff.) erfahren wir, dass diese Ableitg. 'geistiges Eigenthum des Herrn Rischel ist, der sie dem Verf. mitgetheilt, übr. auch mehrf. ausgeführt hatte, ehe sie unberechtigter Weise veröffentlicht wurde'. Ref. findet, trotz mehrf. Mängel, 'die ihr zu Grunde liegende Idee vollk. richtig'; es scheine in der sachlichen Erklärg. ein Ausgangspunkt gefunden, v. dem aus sich viell. die interessante Frage endl. einmal lösen liesse. Er erinnert zugl., wie nahe Mahn, der anf. auch eine slaw. Ableitg. suchte, der 'Wahrheit' gekommen sei mit seiner Annahme, der *B.* sei den Köllnern ihr Wald od. ihre Weide f. das Vieh gewesen; noch vor 200 Jahren war der j. Friedrichswerder 'ein Weideplatz u. zwar f. Gänse, ein Flederwerder'. Gerade durch diese Abhandlg. sei Rischel zu seiner Etym. angeregt worden. Zum Schluss zeigt Ref. den Weg, der noch zu ebnen sei. Nun leitete J. S. Vilovski ('Wanderer' v. 19. Nov. 1872, dann Ausl. 46, 155) den Namen v. slaw. *bar, bara, brlja, brljina* = Pfuhl ab, ein stehendes od. trägfliessendes Gewässer mit weichem Grunde. Das Wort *brljina* ward, weil es den Romanen schwer wird, eine Silbe ohne

jeden Selbstlaut auszusprechen, zu *berljina*, *B.* Cassel (*B.* sein N. u. Ruf, undat. 26 ff., auch Iron u. Isolde 61 ff.) sieht in *B.* 'ein umgesetztes *Brelyn, Brelin* u. nichts weiter als ein slawisirtes *brühl, brol, breil, brel*, mit der slaw. Endg. *-in* . . . 'der Name *B.*'s ist also gewissermassen der seines Thiergartens, was es einmal ganz selbst war'. Auch O. Beyersdorf (Der ON. *B.* 1873 u. danach Glob. 23, 383 f.) eliminirt alle Deutungsversuche aus dem Griech., Kelt. od. Deutschen als den geschichtl. u. sprachl. Zeugen widerstreitend; nur die im Slaw. gesuchten Erklärungen sind berechtigt. Wenn er aber, nach gründl. Abwickelg. der historisch-linguist. Vorfragen, auf 'Ort des (Gründers?) Berla, also wie Stettin = Ort des Stita, Czernin = Ort des Czerna, gelangt, so verlässt er, nachdem die poln. ON. *Berlino, Borlino, Brulino, Brelki* nachgewiesen sind, jene Ableitg. ausdrückl. (Balt. Stud. 1881, 60 f.) u. denkt an das vorher abgelehnte *bryla, brela, berla* = Scholle, also dass *B.* = 'ein scholliges Sandterrain neben einem Fluss od. See' wäre. Fatal freil., dass gerade nicht der Sand-, sondern der Lehmboden z. Schollenbildg. sich eignet. Ein Referat (Ausl. 46, 575 ff.) bemerkt anerkennend, dass auch die beiden letzten Vorschläge 'den durchaus slaw. Namen' aus dem Slaw. ableiten, gibt jedoch Vilovski's Etym. als 'weitaus einfacher, natürlicher u. ungezwungener' den Vorzug. Nun will G. Hey (Herrigs Arch. 69, 201 ff.) dem Namen, der 'wie kein anderer, unter allen eine so mannigfaltige u. verschiedenartige Erklärg. gefunden hat, zu einer endgiltigen, allen Anforderungen gerecht werdenden Deutg. verhelfen'. Auch er geht v. der Ansicht aus, dass der Name nur slaw. sein könne, gibt 'einige' der ältern Etymologien, Killisch's 'Federmausern' mit!, ferner eine Uebersicht der *Berline*, erklärt diese aus dem *brülcni*, č. *brlen*, wend. *barlen*, *berlen* = Wasserrechen, Flossrechen, Flössholzfang u. zeigt, dass *a)* der Stamm *brül-* im Deutschen zu *berl-*, wend. zu *barl-*, *b)* die masculine Endg. *-eni* zu betonten, gedehntem *-in* geworden ist. — In der Priegnitz zwei See'n: der *B.*, an dem einen der Ort *Berlinchen*, früher, schon im 12. Jahrh., einf. *B.*, wie ein anderer am Quellsee der Plöne, in der Neumark. — *Cap B.* s. Bremen. **Bermejo** od. *vermejo*, *a* = roth, zinnoberroth, span. Aequivalent des port. *vermelho*, wie *bermellón*, port. *vermelhão* = Zinnober, oft in ON., voraus *Mar B.* (s. California), ferner *Rio B.* 2 mal *a)* der Magalhães Str., wg. des rothen Sandes so getauft 1579 v. Seef. Pedro Sarmiento, die Bucht *Puerto B.* (ZfAErdk. 1, 155 f., Debrosses, HNav. 128 ff.); *b)* ein rseitgr. Zufluss des Paraguay (Meyer's CLex. 13, 672). — *Cabo B.*, dial. *Cabo Vermey*, die Südostspitze Mallorca's, 'die wie abgeschnitten aussehende röthl. Felsmasse' (Willkomm, Span.-B. 121). — *Isla Bermeja*, Insel im Golf v. Mexico (Hakl., Pr. Nav. 3, 618). — *Torres Vermejas* s. Hamra. — Port. *Morro Vermelho* — rother Berg, 2 mal *a)* ein aus weichem Rothsandstein bestehender Land-

14

vorsprung am Rio SFrancisco, Bras. (Avé L.,
NBras. 1, 382); *b)* s. Araçoiaba. — *Rio Vermelho* = rother Fluss, bei Goyaz (Meyer's CLex.
8, 9).

Bermudas, atlant. Inselgruppe, entdeckt 1522
v. dem Span. Juan Bermudez, welcher sie, od.
die Hauptinsel, *Bermuda,* wg. der häufigen Gewitter *Isla de los Diablos* = Teufelsinsel nennen
wollte (Meyer's CLex. 3, 23), 'a discovery of the
Barmudas, otherwise called *the Isle of Divels*'
(Hakl., Sel. 763). Als im Sommer 1609 Lord
Delaware 11 Schiffe nach Jamestown (s. d.) sandte,
erlitt die Exp. an den *B.* Schiffbruch. Sie
zimmerte 2 neue Fahrzeuge u. erreichte mit
diesen die Colonie am 23. Mai 1610. Schon war
aber der Lord selbst dort angelangt, u. er sandte
nun (1611) Sir George Somers z. Verproianti-
rung nach den Inseln, wo der üb. 60jähr. Mann
ganz erschöpft ankam u. bald darauf †. Dann
(1612) ging eine neue Besiedlgsgesellschaft hin,
u. diese nannte den Archipel *Somers' Islands*
'in honour of their lately deceased deputy governor'(Strachey, HTrav. XVI, vgl.Quackenb.,USt.
73, ZfAErdk. 1857, 174). Der engl. Name wird
fälschl. auch *Sommers, Somer* u. *Summer* (=
Sommer) geschrieben: 'The name of this islands
has been strangely misconceived by map makers,
through a long series of years. Not only have
the English almost universally designated them
the *Summer Is.*; but this nomenclature has been
ludicrously translated by the French into the
Isles d'Été' u. — hätte beigefügt werden können
— by the German into the *Sommer In.* Stieler's
Hand-Atl. (1859, 46ª) hat, auch nicht genau,
Sommers In. Eine Reminiscenz an Somers' Taufnamen wird kaum in *St. Georges,* f. die Insel, u.
Georgetown (f. den Hafenort) zu suchen sein.

Bern, die Schweizerstadt, hat f. Erklärg. ihres
Namens das Schicksal Berlins getheilt: volksthüml.
z.B.schon 1500/04 in Balci Descr.Helv.(GSchweizG.
6, 87), ist der Bär, welcher bei der Gründg. im
Eichwald 'Sack' erlegt wurde u. als 'Mutz' in Ge-
schichte, im Volksliede u. im Wappen *B.*'s seine
Rolle spielt. Den Zimmerleuten, welche an der neuen
Stadt arbeiteten, legt das Volkslied den Spruch:

Holz. lass dich hauen gern:
Denn die Stadt soll heissen *B.!*

in den Mund. Der (neue) Bärengraben, ein kreisrunder, tiefer, ummauerter Zwinger, ausserh. der
Nydeckbrücke, ist eine lebendige Reminiscenz an
die herald. Sage. Das Wappen zeigt einen in gold-
ner Strasse schräg aufwärts schreitenden Bären.
Die vulgäre Annahme stützt sich auch auf 2 Denk-
steine, v. welchen der eine die Inschrift: 'Erst Bär
hie fam', der andere: 'Hier der Bär fang' tragen.
Uebr. ist wahrsch., dass schon vor Berchthold V.,
welcher als Gründer (1191) gilt, ein Ort *B.* hier
stand u. dass dieser in Burgdorf residirende Herzog
nur zuw. hier wohnte u. Gericht hielt (Wattenwyl,
Hist. B. ms. 3, Durheim, Stadt B. 1, 3 f.). Schon
L. de Bochat (Mém. 3, 118 ff.) nahm an, dass vor
dem Zäringer ein Ort *B.* hier bestand u. dachte,
nicht übel f. die auf drei Seiten v. der Aare um-

rauschte, hoch auf ihrem Halbinselplateau thronende Stadt, an kelt. *bryn, brun, bron, burn,
byrn, bern* = Hügel, später hoch, dominirend,
welches Wort f. hohe Ortslagen, *Pernes, Bernay,
Berneville,* alle in Artois, *Bernay,* in der Normandie, in Maine, in der Brie, in der Picardie,
in der Bretagne etc. etc., häufig gebraucht worden sei. Gatschet (OForsch. 47) verglich *brena*
= Gebüsch, Gestrüpp, Wald; der Eichwald konnte
bei den Colonisten *bren, brän* heissen u. dieses
Wort sich in *bärn, bern* verwandeln. Man wird
Bedenken tragen, an dieser Stelle eine roman.
Ableitung anzunehmen; in diesem Sinne denkt
A. Willmann (Alpenros., Jan. 1879) an ein deutsches Appellativum, etwa v. *bern* = schlagen od.
ber = Bär (!); dagegen hält, mit Bacmeister
(AWand. 101), F. Vetter (Bern. Taschenb. 1880,
189 ff.) daran fest, dass die deutsche Stadt ihren
Namen durch die Heldensage v. ital. *B.* (Verona)
erhalten habe. Die Züringer haben in vielf. Beziehungen zur Heldensage gestanden; ja Angehörige der Familie sind als Berchtunge in sie gekommen. Auch sonst, f. Bonn z. B., kommen
solche Namenübtragungen etwa vor. Mehr Licht!
— *New Berne,* schweiz. Colonialort in NCarolina,
1710 auf einem dem Baron v. Grafenried gehörigen Grundstück ggr., seither längst americanisirt.
Eine jüngere Gründg., ebf. als geschlossene Schwei-
zercolonie, *Bernstadt* in Kentucky, v. dem Berner
Otto Brunner am 11. Mai 1881 mit 35 Personen
besetzt, zählte 1886 an schweiz. Colonisten 452.
— *B.* u. *North B.* s. Bergen.

Berna, ein Krater v. Jan Mayen, einem Ratan-
kuchen ähnl., v. den Gelehrten des Joachim Hinrich
im Aug. 1861 so benannt nach Dr. Georg *B.,* den
sie in die nord. Meere begleiteten (Vogt, Nordf.278).

Bernadotte, Cap, am Spencer's G., v. der Exp.
Baudin am 22. Jan. 1803 nach dem 1764 geb.,
1844 † Marschall Jean-Bapt.-Jules *B.,* spätern
König Karl XIV. Johann v. Schweden u. Nor-
wegen benannt (Péron, TA. 2, 78, Freycinet,
Atl. 16).

Bernard, St., deutsch *St. Bernhard,* 2 Alpenpässe, *le Grand St. B.* u. *le Petit St. B.,* nach
dem Gründer ihres Hospitiums, dem heil. *B.* de
Menthon, savoy. Edelmann, geb. 923, Archidiacon
in Aosta 966 u. † am 28. Mai 1008 (Gelpke,
KirchG. 2, 132 ff.). Der 'Grosse *St. B.*' hiess
einst (mons) *Penninus* = Berghaupt, Bergkuppe,
'höchst wahrsch.' v. kelt. *pen* = Berg, auch als
dem Höhengott Jupiter geweiht u. mit altem Cult
auf der Passhöhe, *Mons Jovis.* frz. *Montjoux* =
Jupitersberg, später bei den eindringenden Deutschen *der Grosse Bärenwald* u. erst v. den nachfolgenden christl. Priestern z. *St. B.* umgetauft.
Der *deus Penninus,* v. welchem Livius den alten
Bergnamen ableiten will, hat im Ggtheil v. dem
letztern seinen Beinamen erhalten; die Nebenform
Poeninus verbindet Plinius (HNat. 3, 123) mit
den *Poeni, Puniern,* die unter ihrer Hannibal
den Pass überschritten hätten (Bacmeister, Kelt.
Br. 11). Nun berichtigt aber Kiepert (Lehrb. AG.
398), dass *Poeninus.* allerdings wohl unter dem

Einflusse des berührten Anklanges, die durch zahlr. Inschriften durchaus beglaubigte Form sei, 'nicht *Penninus*, wie neuere Gelehrte, der kelt. Etym. folgend, 'corrigirt' haben'. — *Mont St. B.*, (u. dabei *Cap du Mont St. B.*) in Süd-Austr., durch die frz. Exp. Baudin am 2. Apr. 1802 benannt, offb. nach dem Alpenpasse, den Napoleon kurz vorher passirt hatte (Péron, TA. 1, 268), bei Grant *Mount Schanck* (s. d.). — *Cape St. B.* u. *St. Edmonts Point*, am Katharinenhafen, Kola, bei den ersten engl. Nordostff. (Hakl., Pr. Nav. 1, 276) ohne nähern Aufschluss erwähnt, wie *Point Look-out* = Umschau-Spitze, *Cape Good Fortune* = Vorgeb. des guten Glücks u. *Cross Island* = Kreuzinsel. — *San Bernardo* s. Danger.

Bernardino, San, deutsch *St. Bernhardin*, Pass der Graubündner Alpen, wo zu Anfang des 15.Jahrh. der heil. Bernhard v. Siena den Guelfen u. Ghibellinen Versöhng. predigte u. am Sauerbrunnen eine ihm geweihte Capelle (u. Ort) entstand. — *Rio de San B.*, ein Fluss nahe dem Ostende v. Guadalcanal, Salom., v. der Exp. Mendaña im Mai 1568 benannt (Zargoza, VQuirós 1, 9).

Bernhard Berg, in der Gegend der Meta Bay, NSemlja, eines der neu entdeckten Objecte, welche seit A. Rosenthal's Exp. 1871 in die Carte eingetragen u. mit Namen mir unbekannter Personen v. Dr. A. Petermann (GMitth. 18, 77) belegt worden sind. Ebenso *Nicolaus Berg, Hermann Berg, Reichel Berg, Betty Bach, Hankes Berg, Wencke Berg, Antonie Bach, Wagner Bach, Freddy Strasse, Alma Berg, Friderike Kette, Lilly Berg, Lehmann Bach, Harnecker Bach, Bohnstedt Bach* u. *Ella Bach. — Bernhardzell* s. Zell.

Bernier, Cap, Tasmania, v. der franz. Exp. Baudin im Febr. 1802 benannt nach dem Astronomen der Exp., P. F. *B.*, v. Schiffe le Naturaliste (Péron, TA. 1, 240; 2, 242). — *Ile B.* s. Dorre.

Bernizet, Pic, in Sachalin, v. frz. Seef. La Pérouse im Aug. 1787 nach einem seiner Gefährten, dem Ingenieur-Geogr. *B.*, getauft (Milet-Mureau 1, 5, Atl. No. 46).

Bernouilli, Cap, am St. Vincent's G., v. der Exp. Baudin (s. d.) im April 1802 getauft nach einem der Basler Physiker u. Mathematiker d. N.: Jakob *B.* 1654—1705, Johann *B.* 1667—1748 u. a. m. — Ebenso *Ile B.*, im Arch. Arcole, am 10. Aug. 1801 (Péron, TA. 1, 113. 270, Freycinet, Atl. 10. 27, Flinders, TA. 1, 197).

Beroea s. Aleppo.

Beromünster s. Münster.

Berothah s. Beirut.

Berry s. Bourges.

Berry Creek = Beerenbach, einer der obersten Zuflüsse des Lewis's R., nach der Menge Beeren, die in jenen Gegenden häufig sind (Lewis & Cl., Trav. Miss. 319). Vgl. Serviceberry. — *Mount B.* s. Wrangel.

Ber-Seba, hebr. שֶׁבַע בְּאֵר [b'ēr schäbaʿ], ein Ort an der Südgrenze Palästina's: 'ganz Israel v. Dan bis *B.*' (2. Sam. 17, 11), noch j. *Bir es-Sebaʿ* (Robins., Pal. 1, 338), wird in 1. Mos. 21, 31 als 'Ort

des Eidschwurs' erklärt, weil an den zwei Brunnen Abraham u. Abimelech ihren Bund beschworen, wie ja im Morgenlande feierl. Handlungen gern an Brunnen vorgenommen werden. — Ins Capl. übtragen *Bersaba*, rhein. Missionsposten in Gr. Namaqua (Grundem., Miss. Atl. 9).

Bersk s. Omsk.

Bertero s. Minerva.

Berthier, Ile, eine der austr. Iles Maret, v. der frz. Exp. Baudin am 13. Aug. 1801 nach dem General d. N. benannt (Freycinet, Atl. 27); *b) Archipel B.* s. Gambier; *c) Cap B.* s. Spencer.

Berthold s. Atkinson.

Berthollet, Ile, bei austr. Rottenest, v. Baudin's Officieren, Schiff Naturaliste, den 18. Juni 1801 nach ihrem berühmten Landsmann, dem Chemiker *B.*, 1758—1822, benannt (Péron, TA. 1, 153), wie am 10. April 1803 *Cap B.* in Tasman's Ld. (ib. 2, 207, Freycinet, Atl. 26).

Bertholo, Bergruine bei Lutry, Waadt, nach dem Erbauer, ...'doit son nom à Berthold de Neuchâtel, évêque de Lausanne, qui fit fortifier la ville de Lutry vers 1220 et fit élever ce château fort qui la domine' (Mart.-Crous., Dict. Vaud 83).

Berthoud, Baie, in Tasman's Ld. v. frz. Capt. Baudin am 7. Aug. 1801 nach dem Mechaniker Fr. *B.* (1727—1807) benannt, 'welchem die Marine ihre besten Chronometer verdankt' (Péron, TA. 1, 113, im Atlas fehlend); *b)* ebenso am 14. April gl. Jahres *Ile B.*, eine der Iles de l'Institut (Péron, TA. 1, 116; 2, 211, Freycinet, Atl. 27) u. *c) Cape B.* s. Grim.

Bertioga, Seegasse bei Porto de San Vicente, Brasil., verd.aus ind. *Buriqui-oca* = Höhle der Affen — deren es dort viele gab (Varnh., HBraz. 1, 53).

Bertrand de Comminges, Saint, frz. ON. im Poitou, bei den alten Autoren *Convenae, Lugdunum Convenarum*, bei Greg. v. Tours ebf. *Convenae*, ihm zuf. gelegen auf dem Gipfel eines völlig isolirten Berges, an dessen Fusse eine reiche Quelle sprudelte, v. einem sehr starken Thurm umgeben, v. dem Bergort durch einen unterird. Gang verbunden. Von der Zerstörg. 585 erstand die Stadt erst wieder zu Ende des 11. Jahrh., als der Archidiacon *B.* de l'Isle, v. Toulouse, Bischof wurde, u. schon ein halbes Jahrh. nach seinem Tode hiess sie *urbs Sancti Bertrandi* (Longnon, GGaule 591).

Berytus s. Beirut.

Besançon, als Haupt der Sequaner *Vesontio,* auch *Bisontium, Besontio, Vesuntium, Bisuntiacum, Visuncium,* bei Amm. Marc. *Besantio,* in einem Capitular Karls d. Gr. *Bissancion,* in einer Münze Karl's d. Kahlen *Besencione civitas* (Bibl. École des Chartes 49, 1888), mir ungedeutet, deutsch geformt *Bisanz,* dürfe, meint der abbé Bergier (Et. hist. 197) nicht, wie mehrf. geschehen, v. Bison, dem wilden Stier, abgeleitet werden, sondern v. *bi, pi* = pic, Berg, u. *cône, gone* = Fels, also 'Felsberg', Stadt auf dem Felsen, da die Formen v. *pic, peu* = Berg, der Ursprache angehörig, sich 'in allen Sprachen' wiederfinden — in einem Buche v. 1887! Dass *B.* im Mittelalter auch *Chrysopolis* = Goldstadt geheissen, komme (ib. 146) daher, dass man im Sande des Doubs Goldkörner gefunden. Der Ursprung dieses Beinamens ist aber längst, durch einen Gelehrten Jean Savaron (1618/19) u. Adr. de Valois (1675), erkannt u. in eleganter Erörterg. Aug. Castans (Bibl. École des Chartes 49, 1888 u. Mém. S. d'Emul. Doubs 1888) vorgelegt worden. Da suchte einer das Motiv der 'Goldstadt' in der schönen Lage u. Bauart, ein anderer in den Reichthümern, die während der 500 jähr. röm. Herrschaft, insb. auch aus Gold- u. Silberminen, dem Statthalter Sequaniens zuflossen. J. J. Chiflet, 1618, denkt ebf. an die v. griech. Autoren bezeugten Goldlager Galliens, nimmt aber als mögl. an, dass Vesontio in seiner Glanzzeit vergoldete Thore hatte od. den Beinamen v. den griech. Heiligen Ferréol u. Ferjeux od. v. den sequan. Gefährten des Brennus erhielt, die das Namenpaar *Byzanz* u. *Chrysopolis* v. Bosporus nach Gallien verpflanzten. Sein Bruder, der Jesuit P. Frz. Chiflet, glaubte, die Bekehrg. Konstantins sei zu *B.* erfolgt u. habe diesem Ort die besondere Gunst der kaiserl. Familie, so auch den Beinamen *Ch.*, verschafft. Ja auf Grund einer gefälschten Urk. wollte Jos. Scaliger *Crispolis*, eig. *Crispopolis*, also Stadt des Crispus (des Sohnes Konstantins) lesen, eine Form, die nur die Unwissenheit späterer Zeit in 'Goldstadt' verwandelt habe. Also, meinte man dann, ist *Byzanz* nach dem Vater *Konstantinopolis*, *Bisanz* nach dem Sohne *Crispopolis* genannt worden. Ganz anders der Keltomane Bullet 1754: *Crispolini* v. kelt. *cris* = wer zähmt, dressirt, *épol.* *épolin* = junges Pferd, also *Crisépolin* = wer junge Pferde erzieht, in Bestätigg. der v. Lucanus bezeugten Geschicklichkeit, welche die Sequaner in der Dressur der Pferde zeigten. In seiner gekrönten Preisschrift, 1764, behält der Benedictiner D. Berthod schlau das Geheimniss v. Motiv der 'Goldstadt': er sei in etymolog. Dingen Feind der Vermuthg. u. wolle nun nicht selbst thun, was er an Andern tadle. Der Capuciner Dunand, 1774, hielt seine Antrittsrede in der Academie v. Besançon üb. den Ursprung des Beinamens *Ch.* u. fand diesen gegeben wg. der Berühmtheit der Schulen, besonders wg. der Beredtsk., deren Sinnbild immer das Gold war. Aug. Castan selbst, in einer Jugendarbeit 1855, stellte fest, dass der Beiname *Ch.* nicht üb. das 9. Jahrh. hinaufreiche u. der Kirche v. *B.* durch Ludwig den Frommen, in einem Briefe an den Erzbischof Bernouin 821, gegeben worden sei ... 'venerabili in Christo Bernowino, *Crisopolitanae ecclesiae archiepiscopo'.* Zu jener Zeit sei das griech. bei Hofe sehr in Gunst gewesen u. der Stadt des aus caroling. Blute hervorgegangenen Praelaten u. seiner v. Karl d. Gr. reich beschenkten Kirche in besonderer Huld verliehen worden. Bernouin u. seine Nachfolger machten häufig Gebrauch v. dem Titel, am meisten im 11. Jahrh., wo der berühmteste der Erzbischöfe. Hugo v. Salins, neben dem eig. ON. oft auf Münzen u. Documenten die Formen *Crisopolis, Crisopoli-*

tanus, anwandte, seltener mehr v. 12. Jahrh. an. Es scheint nun aber, dass *Ch.* nicht einfach ein Compliment war, sondern, wie Savaron u. Valois vermuthet hatten, auf einem Wortspiel beruhte. Durch eine kaiserl. Gesandtschaft waren griech. Goldmünzen aus Byzanz an den caroling. Hof gekommen: *besants*, Gold-besants waren als Opfer u. Weihgeschenke in Gebrauch. Aus gr. βυζάντιος war mlat. *byzantius. byzantus*, ital. *bisante.* span. u. port. *besante*, prov. *bezan*, frz. *besant*. f. die byzant. Münze, geworden (Diez, Rom. WB. 70). Es lag also nahe, in dem Namen *Besantio* ein *besan sum* = ich bin eine Goldmünze zu finden u. jener das Epithet einer 'Goldstadt' zu ertheilen.

Besch od. *bisch* = fünf, in vielen türk. ON., insb. *Beschtau* = 5 Berge, eine in 5 Pyramiden gegliederte ciskaukas. Bergmasse (Güldenst., Georg. 263), tscherk. *Osch' hitch' u,* mit gl. Bedeutung (Potocki, Voy. 1, 224), eine der den Vorbergen des Kaukasus in der Steppe vorliegenden, bald kegelfgen, bald länglichen Höhen, welche durch ihren weissen Trachyt v. der aus Kalk u. Sandstein bestehenden Ebene um so schärfer abstechen (s. (Pjatigoria). 'L'une de ces montagnes, le *Bechtau* = les cinq montagnes, présente un assemblage de cinq sommets dont le plus élevé atteint la hauteur de 4000 pieds au-dessus du niveau de la mer ... ses cinq sommets coniques lui ont valu le nom de *Bechtau*, ce qui signifie cinq montagnes en langue nogaie'. In der Nähe der *Werbliud* = das Kamel, die *Lissagora* = der Berg der Füchse u. die *Zméiéraïa* = der Schlangenberg, 'encore d'autres montagnes qui lui ressemblent dans leur forme extérieure et leur composition' (Kupffer. Elbr. 7. 55, Spr. u. F., NBeitr. 10, 165, Hammer-P., Osm.R. 7, 128, wo *Pischtau* geschrieben ist). Klaproth (Hertha 10, 34) schreibt *Bischtau* u. erwähnt die *Bischbarmak* = 5 Finger. f. einen fünfgipfl. Berg bei Baku. — *Beschtepe* = 5 Spitzen, mehrf.: *a)* eine Hügelgruppe am Karawanenwege des Kisil Kum. das Umland um 60 m überragend (Hertha 4, 169); *b)* Ort am Fusse der Trachytkette v. Angora (Tschih., Reis. 41). — *Beschkardasch Dagh* = Fünfbrüderberg, ein Bergzug östl. v. mys. Olymp, in 5 abgeplattete, nackte Massen gespalten (ib. 28). — *Beschtamak* = Fünfmäuler, 2 mal: *a)* Gegend bei Ekaterinograd, Ciskauk., weil sich hier die Flüsse Malka, Baksan, Tschegem u. Tscherek zunächst mit einander u. hierauf mit dem Terek vereinigen (Klaproth. Kauk. 1, 546); *b)* ein kl., niedriges, mehr od. weniger sumpfiges Plateau der Kirgisensteppe, 'weil hier die 5 Quellbäche des Ilek entspringen' (Bär u. H., Beitr. 17, 36). — *Beschuj.* *Beschör* = Fünfwohnung, Ort an der Alma, Krym (Köppen, Taur. 11).

Bescha, Munt della = Schafberg, rätor. Name eines über Pontresina, Engadin, aufsteigenden Berges, auf welchem die Herde des Orts den Sommer zubringt (Lechner, PLang. 36).

Bêscher, Bir el- = der glückselige Brunnen, arab. Name eines in dürrer Oede um so willkommnern Brunnens der Syrtenküste, wo auch

Barth (Wand. 347) treffl. Wasser fand u. Hirten gerade ihre zahlr. Ziegenherden tränkten.

Besiménaja, Guba = ungenannte Bucht, russ. Name eines am Bajkal v. Dünen umschlossenen Busens (Bär u. H., Beitr. 23, 336).

Besisa, Nahr, auch *Nahr Asfur*, ein wilder, bei Tripoli mündender Libanonbach, welcher — als Wady — im Sommer austrocknet, im Winter aber bisw. schnell zu einer beträchtl. Grösse anschwillt, benannt nach dem Dorfe *B.*, welches Burckhardt (Reis. 1, 291) auf die Höhe des rechten Flussufers setzt, Stieler's HAtl. (1868, 42b) auf das linke.

Besmoschiza s. Nadaj.

Bessa s. Bassai.

Bessarabien, russ. Prov., einst v. skyth. Nomaden bewohnt, durch Trajan (106) in lockere Abhängigk. v. Rom gebracht, im 3. Jahrh. v. den Gothen besetzt, daher *ἡ Γέτων ἐρημία* = getische Wüste (Kiepert, Lehrb. AG. 337), dann der Schauplatz verheerender Völkerzüge, wurde v. dem slaw. Stamm der Bessen, später v. andern Völkern besetzt (Meyer's CLex. 3, 71). Mit diesen Bessen combinirt Al. Odobesco (Brief 19. Jan. 1877) die Hypothese, dass schon verschied. alte Autoren im Namen Arabien auf ein dem Pontus u. den Donaumündungen benachbartes Land beziehen, also dass *B.* z. 'Arabien der Bessen' wurde. In den Nomina geogr. 1872 (Lex. 68) war dagegen der Name v. dem walach. Fürstenhause Bessaraba abgeleitet, u. diese Ansicht wird nun 1874 durch den rumän. Historiker B. P. Hasdeu (Ist. crit. Rom. 1, . . .?) gestützt, indem er alle mod. Quellen üb. den Namen sammelte u. fand, dass die Dynastie im 14. Jahrh. auftritt. Nun finde ich, dass die türk. Geschichte seit 1521 in diese Gegenden hineinspielte (Hammer-P., Gesch. Osm. R. 3, 48), der Name *B.* jedoch erst 1671 auftaucht (ib. 6, 278). Es ist somit möglich, dass die Dynastie nach die Bessen, u. wahrsch., dass das Land nach der Dynastie benannt ist (AAWeltth. 10, 350).

Bessels, Cap, am südl. Eingang der Einhorn Bay, Spitzb., v. der Exp. Heuglin-Zeil im Aug. 1870 getauft zu Ehren eines der Theilnehmer v. Rosenthals Nordpolexp. 1869, Emil *B.*, welcher Naturforscher u. Photograph des Dampfers Albert, sowie wissenschaftl. Chef der Polaris-Exp. des american. Capt. C. F. Hall 1871/73 war. — *B. Kamm*, ein Bergzug am Matotschkin Schar, NSemlja, im Aug. 1872 durch die v. Baron v. Sterneck befehligte Hülfsexp. der Polarfahrt Weyprecht-Payer getauft (Peterm., GMitth. 20 T. 16). — *Bessel Bay*, eine 'schöne fjordenreiche Bucht' der grönl. Ostküste, v. der 2. deutschen Nordpolexp. 1869/70 benannt (Peterm., GMitth. 17, 190 T. 10), offb. nach dem Astronomen Fr. Wilh. *B.*, geb. 1784, † 1846.

Bessières, Ile, eine der austr. Is. de Rivoli, v. der frz. Exp. Baudin am 27. März 1803 benannt nach dem napol. Marschall d. N., 1808 z. Herzog v. Istrien erhoben (Péron, TA. 2, 198, Freycinet, Atl. No. 25).

Bessin s. Bayeux.

Best's Blessing, eine Insel des Frobisher Bay, v. Capt. *B.*, Exp. Frobisher, dem Befehlshaber des Schiffes Anne Francis, am 9. Aug. 1578 entdeckt u. ihm zu Ehren v. Chef getauft, mit *blessing* = Segen, in Andeutg. der goldenen Hoffnungen, welche sich an den Fund eines angebl. goldhaltigen Gesteins knüpfen . . . 'a great blacke island, where was found such plenty of black ore of the same sort which was brought into England this last yeere, that, if the goodnesse might answere the great plenty thereof, it was thought it might reasonably suffice all the goldgluttons of the worlde' (Rundall, Voy. NW. 25, Hakluyt, Pr. Nav. 3, 88). — *B. Bulwark,* eine Verschanzg. auf Countess of Warwick's I. (s. d.), v. der II. Exp. M. Frobishers am 9. Aug. 1577 auf *B.'s* Vorschlag begonnen, um auf alle Fälle gg. die Eskimos gerüstet zu sein (Hakluyt, Pr. Nav. 3, 70, WHakl. S. 38, 148).

Beth, hebr., בֵּית = Wohnung, Haus, Ort, häufig in ON. wie *a) B.-Aven,* hebr. בֵּית אָוֶן = Götzenhaus, Ort im Stamme Benjamin (Jos. 7, 2 & a. a. O., zuw. od. immer id. mit: *b) B.-El,* בֵּית־אֵל = Gotteshaus, auf der Grenze zw. den Stämmen Benjamin u. Ephraim, noch mit Ruinen *Beitîn,* st. *Beitil* (Robins., Pal. 2, 340). Ueber den Urspr. des Namens s. 1. Mos. 35, 1—15. 28. 29; *c) B.-Haezel,* בֵּית הָאֵצֶל = Haus der festen Wohnsitze, in Judäa od. Samaria (Micha 1, 11); *d) B.-Arbel,* בֵּית אַרְבֵּאל (Hos. 10, 14), wahrsch. *Arbela* in Galiläa (1. Makk. 9, 2), j. *Irbid* (Robins., Paläst. 3, 534 f.); *e) B.-Gader,* בֵּית גָּדֵר, sonst *Gedera* (s. Gader) = Ort der Mauer, im Stamme Juda (1. Chr. 2, 51); *f) B.-Choglah,* בֵּית חָגְלָה = Ort der Rebhühner, im Stamme Juda (Jos. 15, 6), j. *Hagla; g) B.-Chanan,* בֵּית חָנָן = Gnadenhaus, Ort im Stamme Juda oder Dan (1. Kön. 4, 9); *h) Bethhoron,* בֵּית חֹרֹן = Ort der Höhle viell. des Hohlweges, 2 Städte im Stamme Ephraim, *Oberes* u. *Niederes B.,* j. *Beit-'Ur* (Robins. 3, 273), bei deren 'unterm' ein enger Hohlweg war; *i) B.-Hajeschimoth,* בֵּית הַיְשִׁימֹה = Ort der Wüsten, im Stamme Ruben (4. Mos. 33, 49 & a. a. O.; *k) B.-Hakkerem,* בֵּית הַכֶּרֶם = Weinberghaus, im Stamme Juda (Jer. 6, 11, Neh. 3, 14); *l) B.-Hammerchak,* בֵּית הַמֶּרְחָק = Haus der Ferne, Gehöft an Bache Kidron (2. Sam. 15, 17); *m) B.-Nimrah,* בֵּית נִמְרָה = Ort des hellen, gesunden Wassers, im Stamme Gad (4. Mos. 32, 36 & u. a. O., j. noch *Nimrin; n) B.-'Eden,* בֵּית עֶרֶן = Haus der Anmut (Amos 1, 5), syr. Königssitz auf dem Libanon, j. ein Dorf mit dem alten Namen; *o) B.-Haëmek,* בֵּית הָעֵמֶק = Thalhaus, im Stamme Ascher (Jos. 15, 59); *p) B.-Eked-Haroim,* בֵּית עֵקֶד הָרֹעִים = Ort, wo die Hirten die Schafe z. Scheeren binden, unweit Samaria (2. Kön. 10, 12); *q) B.-Ha'arabah,* בֵּית הָעֲרָבָה = Haus der Wüste, auf der Grenze v. Juda u. Benjamin (Jos. 15, 6; 18, 22); *r) B.-Pelet,* בֵּית פֶּלֶט = Haus der Flucht, im südl. Theile des Stammes Juda (Jos. 15, 27); *s) B.-Zur,* בֵּית צוּר = Felsenhaus, feste Stadt auf dem Gebirge Juda, j. Ruinen *Beit-Sûr,* 10 km nördl. v. Hebron (Jos. 15, 58); *t) Bethsean,* בֵּית שְׁאָן

[bethschean] = Ort der Ruhe, im Stamme Manasse diesseits des Jordans, bei den Talmudisten u. Arabern *Beisan*, nach einer skyth. Besatzg. genannt *Σκυθόπολις* (Jos. 17, 11 & a. a. O.), nach dem transjordan. *Suchoth* ... 'in Hebraeo legitur Sochoth (סֻכּוֹת); est autem usque hodie civitas trans Jordanem hoc vocabulo in parte *Scythopoleos* (Robinson, Reise 3, 410, Hieron., Quaest. Hebr. Gen. 33, 17); *u)* B.-*Haschschittah*, בֵּית הַשִּׁטָּה = Acacienort, am Jordan (Richt. 7, 22); *v)* B.-*Schemesch*, בֵּית שֶׁמֶשׁ = Sonnenhaus, Levitenstadt im Westen des Stammes Juda, j. noch Ruinen bei ʿ*Ain Schems* (Robins., Pal. 3, 224, NBF. 200, Jos. 21, 16 & a. a. O.). — Ebenso heisst ein Ort im Stamme Naphtali (Jos. 19, 38) u. die Stadt *On* od. *Heliopolis* (Sonnenstadt!) in Aegypten (Jer. 43, 13); *w)* B.-*Thappuach*, בֵּית תַּפּוּחַ = Ort der Apfelbäume (Jos. 15, 33), j. noch *Teffûh* (Robins., Pal. 2, 700, Gesen., Reise L.); *x)* *Beëschtherah*, בֵּית עַשְׁתָּרָה, abgk. aus עַשְׁתְּרֹת בֵּית = Haus (od. Tempel) der Astarte, Levitenstadt jens. des Jordans. Vgl. Astyra.

Bethlehem, eine der Formen mit *Beth* (s. d.), eig. B.-*Lechem*, hebr. בֵּית לֶחֶם = Brothaus, Ort in fruchtb. Ebene des St. Juda, j. arab. *Beit-Lahm*, als Geburtsort des Heilands vielf. nach dem Abendlande übtragen *a)* *Bethléem*, früher *Panthenor*, dép. Nièvre, weil der bisherige Bischof v. Bethlehem aus seiner oriental. Diöcese vertrieben hierher kam u. die Pfründe 1168 vergabt erhielt, ein Bisthum ohne Diöcese, jeweilen v. den Grafen, spätern Herzogen v. Nevers besetzt, in der Revolution aufgehoben (Dict. top. Fr. 6, 14); *b)* *Bethléem*, früher *les Berthes*, ebf. im dép. Nièvre, v. den Herren v. Saint-Verain, welche, aus den Kreuzzügen heimgekehrt, auf ihren Gütern das Andenken der heil. Stätten einführen wollten, *Bethléem* genannt, wie sie auch ein *Jerusalem*, ein *Bethphage* u. einen *Jordan* tauften (ib. 6, 13); *c)* *Bethléem*, ehm. Gut der Carthause v. Gaillon, im dép. Eure (ib. 15, 18); *d)* La Nouvelle *Bethléem*, dép. Meurthe, ein altes Dominicanerkloster (ib. 2, 104); *e)* *Belem*, in der argent. Prov. Catamarca, u. der nahe Fluss *Rio Belem* (Peterm., GMitth. 14, 53); *f)* *Belem*, Vorstadt, zunächst Hieronymiterkloster, in Lissabon u. v. da wieder übtragen auf die brasil. Stadt an der Mündg. des Parà, als *Belem do Parà*, vollst. *Nossa Senhora* (= Unserer Lieben Frauen) od. *Sancta Maria de Belem de Grão Para* (WHakl. S. 24, XXII), kurz *Parà*, zu Anfang 1616 v. port. capitão mór Francisco Caldeira ggr. (Varnh., HBraz. 1, 332); *f)* *Bethlehem*, eine Herrnhutercolonie in Pennsylv., unter Graf v. Zinzendorf ggr. (Meyer's CLex. 3, 81) u. z. Erinnerg. an die erste Weihnacht 1741 so getauft (Penns. Ill. 43). — Auch *Bethania* = Dattelort, der am Ölberg gelegene Wohnsitz des Lazarus, arab. *Beit el-Asarije* = Haus des Lazarus, wo noch die Ruinen seines Hauses gezeigt werden, ist mehrf. ins Abendland übtragen, mit Vorliebe als Name der Diaconissenhäuser f. Krankenpflege, z. B. in Berlin, auch ein *Bethania*, im Gross Nama Ld.,

1810 v. der Londoner Missionsgesellschaft angelegt (Grundem., Miss. Atl. No. 9). — Eine Uebtragg. *Bethanien* im Capl. (s. Rehoboth). — *Bethsaida* = Fischerort, graecis. *Βηϑσαϊδά*, 2 Orte am galil. M., *a)* am nordwestl. Ufer, der Geburtsort Petri; *b)* am östl. Ufer, v. Philippus d. Tetr. zZ. Christi erweitert u. zu Ehren v. des Augustus Tochter in *Julia*, gr. *Ἰουλία*, *Ἰουλιάς* umgetauft (Joseph., Ant. 18, 2¹, Plin., HNat. 5, 15, Seetzen, Reise 4, 169).

Betrug, Cap, am Kotzebue Sd., v. Lieut. v. Kotzebue (Entd. R. 1, 148) so genannt, weil er am 11. Aug. 1816 es f. den Eckpfeiler einer Bay gehalten hatte u. bei der Annäherung sich v. seinem Irrthum überzeugte. Als sich einige der Baydaren dem Schiffe näherten, um Kleinigkeiten zu erhandeln, 'sah ich aus der Fertigkeit der Americaner im Betrügen, dass ich doppelte Ursache hatte, u. bei der Insel v. *CB.* zu nennen'.

Betschuanen, VolksN. in Süd-Afr., leitet Livingstone (Miss. Trav. 200) v. *tschuana* = gleich, mit dem Personalpron. *ba* = sie, ab, also = Gefährten, Gleiche, wohl zunächst wg. der gleichen Sprache, im Sinne v. ʿVerständlichenʿ, v. Andern jedoch auf eine 'gewisse charakteristische Uebereinstimmgʿ, welche alle Stämme unter sich zeigen, im Sinne v. 'ähnlich, gleich seinʿ, bezogen (Glob. 29, 52 ff.).

Betsy s. Petrie.
Betty s. Bernhard.
Betuwe s. Batavi.
Bétwa, v. skr. *Wetrávati*, *Vetravati* = voll Weiden, Salix (Schlagw., Gloss. 175) oder die rohrreiche (Lassen, Ind. A. 1, 108), ein in Bhopal, am Vindhya, entspringender rseitg. Zufluss der Jumna.
Beuerbach s. Burg.
Beuren s. Büren.
Beurmann, Cap, in Erzherzog Rainer I., ʿam Mittag des 7. April 1874 v. der 2. Schlittenreise der österr.-ungar. Nordpolexp. erreicht (Peterm., GMitth. 22, 203) u. offb. nach dem Africareisenden Mor. *B.* getauft.
Beuthen, slaw. ON. in Schlesien *a)* an der Oder, 1109 *Bytom, Butum* = Wohnplatz, Niederlassg., *b)* in Ober-Schlesien, 1200 *Bytom, Biton* (Adamy, Schles. ON.² 8 f.).
Beverley, engl. Stadt in Yorkshire, East Riding, gehört mit *Bever, Bevern, Beveren, Beverungen* u. ähnlichen deutschen ON. (s. Biber) unter die 'Biberorteʿ; sie hiess früher *Beverlac* = See der Biber, die in dem seeartig erweiterten Flusse Hull damals noch zahlr. waren (Camden-Gibson, Brit. 2, 104). — B. *Inlet,* bei Melville I., v. Parry (NWPass. 71) am 3. Sept. 1819 entdeckt u. nach seinem Gefährten Charles James *B.,* Assistenzarzt v. Schiffe Griper, getauft. Nach dems. *B. Falls,* der 20 m h. Fall, mit welchem der Hoar Frost R. sich in den Gr. Sclaven-see stürzt, v. G. Back (Narr. 58 f.). — B. *Islands,* Matty. — *Beverwijk* s. Albany.
Bevon s. Alexander.
Bexley, Cape, in Dolphin and Union Str., v.

Richardson, Exp. Franklin (Sec. Exp. 253) am 4. Aug. 1826 entdeckt u. 'after the Right Honourable Lord *B.*', also wohl dem 1823 Lord gewordenen Staatsmann Nich. Vansittart (s. d.), benannt.

Bey, arab. Form des türk. *bei, beg* = Herr, Fürst, türk. Titel gewisser Würdenträger, in der Form *beglerbeg* = Fürst der Fürsten f. die Statthalter Rumeliens, Natoliens u. Damasks, die den Rang nach dem Grossvezier einnehmen u. meist Paschas v. 3 Rossschweifen sind, oft in ON. wie *Begler - Beg-* od. *Bejlerbej - Köi*, ein Dorf, *köi*, an der asiat. Seite des Bosporus, früher *Chrysokeramos*, nach einer Kirche, die mit goldenen Ziegeln gedeckt war, dann 1734 v. Sultan Mahmud durch einen Garten verschönert u. *Ferruchfesa* = Freudevermehrer (s. Ferrachabad) getauft (Hammer-P., Konst. 2, 307); *b) Beischehr* = Fürstenstadt, bei Hammer-P.(Osm. R. 1, 185) *Begschehri*, südöstl. v. Egerdir, an dem nach ihr benannten *Beischehr Göl* (Tschih. 8), v. Sultan Alaeddin, dem gr. Fürsten der Seldschuken, erbaut. — *Beg Joli* s. Pera. — *Beiköi* = Fürstendorf, 2 mal *a)* ein gr., malerisch zw. Felsen gelegenes Dorf an der äol. Küste (Tschih., Reis. 26); *b)* ein Ort in Armenien, armen. (od. kurd.?) *Gundi Miran*, anscheinend mit gl. Bedeutg. (Layard, Disc. 14). — Ferner *a) Beibasar* = Fürstenmarkt, Ort westl. v. Angora (Tschih., Reis. 46); *b) Beidagh* = Fürstenberg, eine imposante Bergmasse südl. v. Kaisarieh (ib. 34); *c) Dar el-B.* = Haus des Fürsten, der alte Palast der Beys in Constantine (Parmentier, Vocab. arabe 18).

Beyern s. Büren.

Beznuni s. Wan.

Bézout, Ile, in De Witts Ld., v. der frz. Exp. Baudin 30. März 1803 benannt (Péron, TA. 2, 201, Freycinet, Atl. 25). Etienne *B.*, 1730/83, war ein franz. Mathematiker.

Bhagwangóla = Gottes Kornboden, hind. ON. in Bengál, v. *bhagwân*, eig. *bhagawant* = der Anbetungswürdige, f. Wischnu od. Gottheit übh., u. *góla* = Kornboden. — *Bhagwánpur* = Gottesstadt, in Hindostan u. in Bandelkhand, *Bhagwangárh* = Gottesveste, in Radschwara, *Bhagwantaláu* = Gottesteich, Dorf in Hindostan (Schlagw., Gloss. 175).

Bharatpur = Bhárata's Stadt, auch *Bhartpur,* westl. v. Agra, v. *Bhárata*, einem der ältesten Könige Indiens, Sohn des Duschjanta u. der Sakuntala (Lassen, Ind. A. 1, 144). — *Bharatgándsch* = Bharata's Markt, ebf. u. zwar 2 mal in Radschwara *Bharatawárscha* = Bharata's Land, im Skr. einer der ältesten Namen Indiens übh.(Schlagw., Gloss. 175).

Bhaulpúr = Bahâwal's Stadt, v. *Bahâwal*, einem Chan der Daudpútras, hind. Name der Hptst. der Daudpútras, Pandscháb. — *Bhawanigándsch* = Bhawani's Markt, v. *Bhawáni*, der Gemahlin Siwa's, hind. ON. in Bengal, u. *Bhawanipur*, 2 'Städte', in Bengal u. in Radschwara (Schlagw., Gloss. 175).

Bhima = der schreckliche, auch *Bima* od. wohl *Bhimarathi* = mit furchtb. Wagen, skr. Name eines Zuflusses des Krischna, Dekhan (Lassen, Ind. A. 1, 204).

Bhoirab s. Siwa.

Bhopál od. *Bhupálpur* = Königsstadt, v. bhupál = Landregent, hind. ON. in Malwa (Schlagw., Gloss. 176).

Bhután = Ende Tíbets, eig. *Bhot-ant*, v. *Bhot* = Tíbet u. *anta* = Ende, skr.-tib. Name einer Ldsch. des Himálaya (Schlagw., Gloss. 176).

Bîâb = wasserlos, pers. Name einer Bergkette Luristans, auf der Route Dizful-Choremabad. 'Man findet auf ihr in der That kein anderes Wasser, als solches, das v. geschmolzenem Schnee herrührt' (Spiegel, Eran. A. 1, 116).

Bialy = weiss. (s. Bel), in poln. ON. *a) Biala, Bialy,* f. den Fluss West-Russlands, an welchem die Stadt *Bialystock* liegt, dieses wie Rostock (s. d.) mit *stok* = zsfliessen; *b) Bialla Staw* (s. Tscharny); *c) Biala,* Fluss u. Ort in Galiz. (s. Bielitz) u. a. m.

Biara s. Bir.

Bias s. Bejah.

Bianco = weiss (s. Blank), ital. ON. *a) Lago B.*, rätor. *Ley Alv* (Salis & Steinm., Alp. 3, 76), beides = der weisse See, der auf dem Berninapass befindl. Quellsee des Poschiavino, weil sich in ihm weissl. Gletscherwasser sammelt, im Ggsatz zu dem nahen, dem Inn zufliessenden *Ley Nair*, ital. *Lago Nero* = schwarzer See, durch dessen helles Wasser man den auf den dunkeln Grund sieht. Das 'weissl. Gletscherwasser' ist das Milchwasser des Cambrena-Gl., u. der 'dunkle Grund' ist schwarzbrauner Torfgrund (Lechner, PLang. 96 f., Leonhardi, Posch. 1 f.); *b) Pizzo B.* = Weisshorn, eines der Felshörner des Monte Rosa, dem Thal v. Macugnaga im Mittag, daher hier *Mittaghorn* od. übsetzt *Weissspitz*, im Ggsatz z. *Pizzo Nero* = *Schwarzhorn* (Schott, Col. Piem. 51. 228) . . . 'il se présente là — v. der Brücke des Dorfes Grande Ponte aus einem — aussi majestueusement que le Mont Blanc vu du pont de Sallenche. Le Mont Rose a même l'avantage de paraître encadré par la belle verdure de l'étroite et profonde vallée Anzasca qui fait merveilleusement ressortir la blancheur des neiges et des glaces' (Saussure, V. Alp. 321). — *Capo B. a)* s. Argennon, *b)* s. Leukimme. — *Mar B.* s. Weisses M. — Im fem. *Casa Bianca* s. Beidah.

Biban s. Bab.

Bibasis s. Bejah.

Biber, engl. *beaver* (s. d.), holl. *bever*, ahd. *bibar,* augensch. in vielen deutschen ON. (Graff, Ahd. Sprachsch. 3, 22, Waldm., ON. Heil. 12), doch wohl nicht sicher f. alle, welche Frücht: sein. (Altd. NB. 241 ff.) unter diesem Stamm vereinigt: *a) Bever,* im 8. Jahrh. *Biveran*, ein braunschw. Zufl. der Weser, nebst Ort *Bevern*, bei Holzminden; *b) Bever,* im Ikseitgr. Zufluss der Weser südl. v. Höxter, an der Confl. der Ort *Beverungen* (s. Thüringen), im 9. Jahrh. *Beuerungun; c) Bever,* ein rseitgr. Zufluss der Ems, unw. Münster, nebst

Ort *Bevern;* d) *Bever*, ein lkseitgr. Zufluss der Oste, unw. Stade; e) der *Biberbach* unw. Eisenach; f) ein Fluss südl. v. der Wester-Schelde; g) *Beveren* bei Courtray; h) ein altes *Bibaraha*, Fluss u. Ort, 12 mal, f. mod. *Bever, Biwer, Bibra, Bebra, Biberbach, Bibern, Beverbach, Biberach, Bibern, Pebrach* etc., ein altes *Biberowa*, j. *Biberau*, ein altes *Bibirbach*, Fluss u. Ort, 12 mal, f. mod. *Peuerbach, Biberbach, Feuerbach, Beberbeck, Baierbach, Beverbeck* etc. Vorsichtig ist beigefügt: Es ist doch mehr als unwahrsch., dass alle diese Namen das Andenken dieses Thieres bewahren sollen; eher möchte ich die Vermuthg. aufstellen, dass in den meisten Fällen hier ein ganz verschollenes Wort f. 'Fluss, Wasser' vorliegt. — *Bibracte* s. Autun.

Bicêtre, ON. bei Paris, verd. aus engl. *Winchester*, da das v. Ludwig IX. ggr. Karthäuserkloster 1290 dem Bischof Johann v. Winchester zufiel — erst 1632 Invalidenhaus (Meyer's CLex. 3, 163).

Biche, la = die Hindin, altfrz. im nördl. Landestheil u. in England *bisse*, rum. *bih*, neuprov. *bicho,* piem. *becia*, wohl v. lat. *ibex* = Steinbock od. Gemse, altfrz. *ibiche*, woraus sich die Doppelförmigk. des Wortes, *ss* neben *ch*, erklärt (Diez, Rom. WB. 2, 234), hier u. da in americ. ON. wie *Rivière la B.* (s. Athabasca) u. *Lac la B.* (s. Itasca), je f. Elk, Moosedeer, zool. *Cervus orignal*, auch f. andere Hirscharten.

Bichishausen s. Buch.

Bicho, Buraca do = Drachenloch, port. Name einer Höhle der bras. Küste v. São Paolo. Die Sage lässt hier einen Lindwurm hervorkommen u. in das Meer stürzen (WHakl. S. 51, XXVII).

Bickerton's Island, in Austr. 2 mal: a) im Carpentaria G., v. Flinders (TA. 2, 182, Atl. 14 f.) am 4. Jan. 1803 entdeckt u. zu Ehren des Admirals Sir Rich. *B.* benannt; b) in Tonga, ein vulcan. 546 m h., zuckerhutfg. Pic, v. Capt. Edwards 1791, wohl ebenso (Meinicke, 1Still. O. 2, 72).

Bidabad = Weidenort, Wald v. 'Weide' im Sinne v. salix, pers. Name eines Oasenorts auf den wüsten Route Yezd-Ispahan, 'wo man Bwollenbau u. Fruchtbäume findet' (Spiegel, Eran. A. 1, 99).

Bidrici s. Obotriten.

Bidschainágaram = Siegesstadt, v. *bidschai*, verd. aus skr. *widschaja* = Sieg, auch *Bidschnagar*, *Vizianagar*, nicht aber *Vidjapura* = Stadt der Wissenschaft, staunenswerthe Ruinen einer in der spätern Geschichte des Dekhan berühmten u. blühenden Königstadt (Lassen, Ind. A. 1, 204). — *Bidschaipur*, in Hindostan, *Bidsch(a)pûr*, in Dekhan u. in Gudschrat, *Bidschipur*, in Audh, *Bidschigárh* = Siegesveste, in Bahár (ib. 207, Schlagw., Gloss. 177).

Biegen s. Bucht.

Biegnette = Gletscherlein, dim. v. *biegno* = Gletscher, frz. Eigenname des kl. Eisstroms, der zw. den beiden Dents de Veisivi entspringt u. gg. Ferpècle abfällt (RRitz, OB. Eringerth. 371).

Bjelaja = die weisse, als Flussname eine der mehrf. wiederkehrenden Formen (s. Bel) a) Zufluss

der Kama, türk. *Ak Idel* = weisser Fluss; im Gebirge bestehen ihre Ufer z. Th. aus hohen Kalksteinwänden od. aus Gyps- u. Alabasterfelsen, wodurch ihr Wasser eine weisse Farbe erhält u. wie Molken aussieht... Diese Molkenfarbe sticht um so mehr gg. das trübe, schwarze Wasser der Kama ab. Bei der Confluenz sieht man von weitem die Streifen u. den Zug des weissen Gewässers oben auf dem der Kama (Müller, Ugr. V. 1, 30; 2, 352); b) ein Tributär des Kuban, wg. des mit kl. weissen Rollsteinen besetzten Grundes (Peterm., GMitth. 11, 378). — *Bielagora* = weisse Berge, slaw. Name einer Abtheilg. der westl. Karpathen, nach ihren weissen Dolomitfelsen (Meyer's CLex. 9, 843). — *Bjelo Gorie* s. Alatau. — *Bjely Gorod* s. Moskau. — *Bjelucha* = weisser Berg, meist *Be..*, Gipfel des Altai (Humb., As. Centr. 1, 177). 'Vor allem aber ward das Auge durch den prachtvollen Anblick der *B.* u. ihrer Nachbargipfel gefesselt, die... in einer Entferng. v. 60—70 km in majestätischer Grösse ihr glänzendes Schneehaupt weit über alle andern Berge erhob' (Bär u. H., Beitr. 14, 184). — *Bielawoda* = Weisswasser, bulg. ON. bei Prilip, nach dem Quellsprudel des Thalflusses, der in reichem u. malerischem Felsenkessel quillt (Barth, RTürk. 14). — *Bjelajaweza* = Weissstadt, russ. übsetzt aus finn. *Sarkal*, im südl. Russl., von den Fürsten der Chazaren erbaut, um 1300 schon in Trümmern (Meyer's CLex. 4, 350). — *Bjelgorod* = Weissenburg (vgl. Belgrad), 2 mal: a) Ort am Donez, auf einem weissen Kreideberge um 980 ggr. u. erst 1597, nachdem er v. den Tataren zerstört worden, in das Thal u. auf die rechte Flussseite verlegt (ib. 3, 277); b) s. Akjermen. — *Bilin*, böhm. Badort, im Kesselthal des *B.* = des weissen Flusses (ib. 3, 222). — *Bielitz*, ON. in österr. Schlesien, nach der *Biala* (= dem weissen Fluss), welche den Ort v. der galiz. Stadt *Biala* scheidet (ib. 3, 170). — *Bjelsk*, russ. ON. des Gouv. Grodno, nach dem Flusse *Bjelianka* (ib. 3, 277). — *Bjeloi Ostrow* = weisse Insel, vor den Samojeden HI., v. den russ. Officieren Maluigin u. Skuratow 1737 getauft (Wrangell, R. übs. Engelh. 1, 38). — Dagegen *Bjelkow*, eine der neu-sibir. Inseln, prsl. getauft, nach dem russ. Kaufmann Bjelkowski, der sie 1808 entdeckte (Wrangell, NSib. 1, XXXIV). — Eine bulg. Stadt *Biéla* = die weisse, am Wege Rustschuk-Trnova, hat 'diesen Namen wohl erhalten, weil hier, im Gegsatz z. braunen Lehmboden des Gehänges, etwas Kalk u. Mergel zu Tage tritt' (Barth, RTürk. 6). — *Bille* = Weisswasser, Weissbach, Fluss in Lauenb., 786 *Bilena*, 1167 *Bilna, Bylne* etc., 'gleichbedeutend die in Sachsen häufigen *Bielbäche*' (Hey, ON. Lauenb. 5, Kühnel, Slaw. ON. Meckl. 25, Brückner, Slaw. AAltm. 63).

Bjeloe More, einer der zu asl. *bel* (s. d.) gehörigen ON., so im Atl. Russ. das *Weisse Meer*, welches fast 7 Monate des Jahres zugefroren u. mit Schnee bedeckt ist, schon auf Olaus M. 'Carte 1539 als geschlossener *Lacus Albus* = weisser

See (sofern diess nicht aus *Bjeloï Osero* übsetzt ist), zZ. Rich. Chancellors 1553 auch *Bay v. St. Nikolaus*, nach dem am westl. Dwinaarm gelegenen Kloster d. N. (Adelung, GSchifff. 53, GVeer ed. Beke p. XIII Note 1), auch j. noch bei den Russen gern *Murmanskoje More* = Normannen Meer, in Erinnerg. an den alten norm.-bjarm. Seeverkehr, der seinen Stapel in Holmgard, dem Vorgänger des j. Archangelsk, hatte (Müller, Ugr. V. 1, 377). Die Normannen selbst nannten das weisse Meer *Gand Vig*, wo zu skand. *vig* = Bucht viell. das finn. *kanta* (s. Kandalask) getreten ist (P. Hunfalvy, V. d. Ural 18). — *Bjeloï Osero* = weisser See, mehrf.: *a)* im Netz der Scheksna-Wolga, wo der Sturm den Mergelschlamm des Grundes aufrührt u. das Wasser weisslich trübt, tschud. *Walgetjärwi*, ebf. ʾweisser Seeʾ (Müller, Ugr. V. 2, 149 f.), mit Uferort *Bjelosersk*, v. Warägerfürsten Sineus 862 ggr.; *b)* der wasserbedeckte Rest des transbajkal. Tarei Noor, nach dem weissen Salzboden des Ufers (Bär u. H., Beitr. 23, 359. 380. 385); *c)* See in Ciskaukas. (Güld., Georg. 2, Peterm., GMitth. 5, 416); *d)* s. Ak Kul.

Bielshöhle, die berühmte Harzer Stalaktitenhöhle, 1672 entdeckt, wurde 1788 zugänglich gemacht u. nach dem Götzen Biel benannt, der vor Zeiten auf dem Höhlenberg einen Altar gehabt haben soll (Meyer's CLex. 3, 170).

Bierdorf s. Birmensdorf.

Bjerg = Berg (s. d.), in dän. ON. *Bjerghuse, Bjergby, Bjergsted,* auch *Bjerre,* urk. *Bearge, Bierghe* etc. (Madsen, Sjael. StN. 195).

Biesbosch = Binsenwald, holl. Name eines der v. Meere überschwemmten Gebiete der Nordseeküste. Wo einst 72 Dörfer blühten, ʾgähnt j. ein unabsehb., versumpftes, aus mehr als 100 Werdern bestehendes Inselland, *B.* genannt wg. der vielen dort wachsenden Binsenʾ (Gras, Rohr u. Weiden). Das Gebiet ist j. wieder zkerobert, u. schon Wild (Niedl. 30) setzt bei: Indessen haben die Menschen die Grenzen des *B.* schon bedeutend enger gezogen, u. v. Jahr zu Jahr entreissen sie dem Reiche des Wassers einen Fetzen Land. — *Biesfontein* = Binsenquelle, im Capland, auch *Buffelbout,* weil hier ein Korana-Hottentott v. einem Büffel übel zugerichtet u. hinkend gemacht wurde (Lichtenst., SAfr. 2, 350).

Bietsch, Gletscherbach in Wallis, mit dial. *i* für *ü,* Analogon des *Bütschibach,* Adelboden, leitet Gatschet (OForsch. 100) v. ahd. *bunzo, puzzo* = Quelle, Bächlein ab. Nach dem Bach das *Bietschhorn,* einer der mächtigen Bergstöcke der ʾBerner Alpenʾ.

Biferten s. Furca.

Big, neben *great* u. *grand* ein engl. Wort f. ʾgrossʾ, bes. beliebt in american. ON., oft bloss z. Differenzirung zweier benachbarter Objecte dem eig. Namen vorgesetzt(s. Dry,Manitu, Muddy u. Timber); oft aber Bestimmungsort *a) B. Bellies* (s. Grosventres); *b) B.* od. *Great Bend* = grosser Bogen, übsetzt aus frz. *Grand Détour,* f. die mächtige Schlinge, welche der Missuri zw. 43 u. 44⁰ NBr. be-

schreibt, also dass sie um einen Hals v. kaum 2 km einen Bogen v. 48 km legt (Lewis & Cl., Trav. Miss. 57); *c) Bigbone Valley* = Thal der gr. Knochen, in Kentucky, berühmt wg. seiner Mammuthfunde (Bergh., Ann. 2, 690); *d) B. Cañon* = grosse Schlucht, v. span. *cañon* = Röhre (s. Canna), die an landschaftl. Erhabenheit unübertroffene Schluchtenfolge des Rio Colorado, zuerst entdeckt v. Cardinas, einem Officier der Exp. Coronados (Ives, Rep. 21. 110). ʾThe barometric observations upon the surface of the plateau, and at the mouths of Diamond and Cataract rivers, showed that the walls of this portion of the cañon were over a mile high. The formation of the ground was such that the eye could not follow them the whole distance to the bottom, but as far down as they could be traced, they appeared almost vertical. A sketch taken upon the spot by Mr. Egloffstein does better justice than any description can do to the marvellous scene; *e) B. Devils* = grosse Teufel, urspr. frz. Name eines tribus der Assiniboine. Z. Z. v. Lewis u. Clarke (Trav. Miss. 108) waren diese Leute noch 450 Mann stark u. wanderten um die Quellen v. Milk, Porcupine u. Martha's R., d. i. dreierlseitg. Zuflüsse des Missuri, obh. Yellowstone R. mündend; *f) B. Eddy* s. Whirlpool. — *B. Island a)* im Winipeg L., auf einer Carte v. 1740 *Isle de Fer* = Eiseninsel, wo wohl schon Verendrye's Leute 1735 die Erzlager entdeckten, ʾwhich now promise to supply our wants in this countryʾ (Ch. Bell, Canad. NW. 3); *b)* s. Stewart. — *B. Meadows* = grosse Wiesen, Ort in gras- u. heureicher Lage am Humboldt L., Nevada (Hayden, Prel. Rep. 272). — *B. Spring Creek* = Bach der grossen Quelle, ein rseitg. Zufluss des Judith R., Missuri, nach der ungeheuern Quelle, aus welcher der volle, rasche, rauschende, eiskalte u. forellenreiche Bach in den Snowy Ms. entspringt (Ludlow, Carr. 14). — *B. Teton* s. Hayden. — Mehrf. erscheint in ON. das ʾBighornʾ, d. i. das grosshörnige Bergschaf, Ovis montana Desm., ind. *ets pot agie,* dessen alte Männchen ungeheure, bis unter das Kinn herabgedrehte Hörner trägt u. welches rudelweise in den Plateaux der Felsengebirge lebt, *Bighorn River,* im Westen der Union 2 mal: *a)* ein grosser rseitg. Zufluss des Yellowstone R., mit Tributär *Ets pot agie caté, Little* (= kl.) *BHR.,* beide in den *BHMountains* entspringend . . . inhabited by beaver, and by numerous species of animals, among which are those from which it derives the name of *B.* (Lewis & Cl., Trav. Miss. 629 ff., Raynolds, Expl. 54, Carte); *b)* ein viel kleinerer, unmittelb. Zufluss des Missuri, unth. der ʾGr. Fälleʾ, im Mai 1805 v. der Exp. Lewis u. Cl. (Trav. Miss. Carte) getauft. — *B. Dry Fork* = grosse trockne Flussgabel, ein ausgetrockneter Zufluss des Kl. Colorado, Arizona, ʾeine in den Sand- u. Kalkstein der Kohlenformation gewaschene, 110 km lg. Schlucht v. 60—120 m Tiefe u. 30—60 m Weite. Die Wände fallen meist terrassenfg. nach unten ab, an manchen Strecken aber ganz vertical. Nur an sehr wenigen Stellen ist der Uebergang mögl. Wir mussten 40 km machen, ehe wir eine solche Stelle fanden, u. diese war nur mit höchster Gefahr passirbar, da der Abhang ausserord. steil war. Welchen Eindruck macht dieses Naturwunder in seiner kolossalen Entwickelung! Nicht eher auf der Ebene sichtbar, als bis man am Rande steht, wirkt es überraschend u. bezaubernd. Oben die magere Vegetation der Wachholderzone u. tief unten in der Kluft prächtige Laubwälder, aus denen das Rufen der mannigfalt. Vögel heraufdringt; auf den Terrassen der Böschung laufen Antilopen, u. das Geröll, v. ihren Füssen abgestossen, fällt polternd in die Tiefe. Wo das Bett eine Krümmg. macht, glaubt man ein Amphitheater v. Riesendimensionen vor sich zu haben' (Peterm., GMitth. 20, 411 f.).

Bigerri u. Bigorre s. Bagnères.

Bigge's Island, in De Witt's Ld., v. Capt. Ph. P. King (Austr. 1, 400) am 8. Sept. 1820 benannt nach John Thomas B. Esq., ehm. kön. Untersuchungscommissär der Colonie NSouth Wales.

Bihar s. Bahar.

Bihischt = Paradies, pers. Name heisser Quellen in Kúlu, Indien, weil die umgebende Vegetation sehr üppig ist u. v. dem Wechsel der Jahreszeiten nicht leidet (Schlagw., Gloss. 176).

Bija, mit der Katunja (s. d.) ein Quellfluss des Ob. An der Confl. der Ort Biisk, nach dem ersten dieser Flüsse (Bär u. H., Beitr. 14, 42), im Atl. Russ. 15 noch Bikatunskaja, also nach beiden Quellflüssen. Eine Anlage war hier schon 1633 beabsichtigt, jedoch vereitelt, weil Feodor Pusstschin, mit 60 Kosaken v. Tomsk abgesandt, durch Telenguten u. Kalmyken am Flusse Tschumysch überfallen wurde (Fischer, Sib. G. 2, 550 f.). Die Gründung kam erst im 18. Jahrh. zu Stande (Müller, SRuss. G. 564).

Bijenkorf = Bienenkorb, ein Berg an der spitzb. Südbay, v. den holl. Walfgrn. nach seiner Form benannt (Martens, Spitzb. R. 22).

Bikah s. Coelesyria.

Bila s. Abila.

Bilados s. Nisibin.

Bilak s. Philae.

Bilbao, Ort in Vizcaya, an Stelle des alten Flaviobriga v. Diego Lopez de Haro 1300 ggr. am schiffb. Flusse Nervion, der sich hier buchtartig erweitert u. früher auf einer Fähre zu passiren war, wo j. mehrere Brücken dienen. Den Namen wollte man, sachlich nicht übel, als bisc. Belvao = schöne Furt, lat. Bilbaum, Bellum Vadum (Meyer's CLex. 3, 203) erklären; allein W. v. Humb. (Vask. Spr. 42) stellt B. wie den alten ON. Bilbilis, zu der Stammsilbe pil, bil, v. welcher pilla = Berg, eig. Haufe, mit ba, f. die praep. 'unter'. Demnach wäre B. entspr. 'Piemont', wie denn 'B. wirkl. am Fuss v. Bergen liegt'.

Bildstein, den Namen eines vorarlb. Wallfahrtsortes, leitet J. J. Dennigs handschriftl. Chronik, verfasst 1668—1701, in glaubwürdiger Weise 'v. einem uralten Bilde her, so aus Holz geschnitten üb. 100 Jahre ob Ankerreute in einem Steine

gestanden u. nachher das Wallfahrtsbild selbst geworden' (Umlauft, ÖUng. NB. 20). — Beeldhoek s. Afgoden.

Bilimbajewsk s. Solikamsk.

Bilin u. Bille s. Bjelaja.

Billingshausen, Cap, in Sachalin, v. russ. Capt. J. A. v. Krusenstern (Reise 2, 138) am 20. Juli 1805 getauft nach dem 5. Lieut. seines Schiffes, Baron B.

Bilutschinski s. Bargusinsk.

Bimini, Bemini, eine Inselgruppe bei den Bahamà, behielt diesen Namen als Andenken an die Zeit, wo die Spanier 1513 in Florida etc. den Jugendbrunnen suchten, welcher, angebl. in einem Lande B., den Greisen die Jugendkraft zurückgebe (PMartyr, dec. 2. 7).

Bimowsk s. Solikamsk.

Bin = 1000 u. B. bir = 1001, türk. Zahlwörter, die in ON. eine grosse Menge ausdrücken wie B. bir Tepe = 1001 Hügel, f. die aus zahllosen, grössern u. kleinern conischen Grabhügeln bestehende Nekropolis des lydischen Sardes, wo der schon v. Herodot beschriebene des Königs Alyattes 30 m Höhe u. 1200 m Umfang hat (Kiepert, Lehrb. AG. 114). — B. bir Kilisse = 1001 Kirchen, eine weitläufige Ruinenstätte mit vielen viereckigen Thürmen..., th. ant., th. mittelalterl., am Kara-Dagh (Tschih., Reis. 53). — Binbogha Dagh = Berg der 1000 Stiere, ein mächtiges Gebirge des Anti-Taurus, noch Mitte Juli 1849 mit Schnee bedeckt (ib. 34), wohl wg. der viehreichen Weiden. — Bingöl Dagh = Berg der 1000 Seen, ein schneebelastetes Gebirge des nordwestl. Armenien (ib. 63), mit Fluss Bingöl Su, die Wiege einer Menge v. Quellbächen des Araxes u. Euphrat (Layard, Disc. 14). — Bintepe Dagh = Berg der 1000 Hügel, östl. v. Manissa (Tschih., Reis. 11).

Binh-thuan-trân s. Cambodja.

Binnenhof s. Buiten.

Bintang, Insel vor Singapore, nach der Form der zu $^1/_3$ angewachsenen Mondsichel v. den Malayen benannt '.... cuja forma he como quando a Lua tem a terça parte cheia do Sul. E porque os Mouros naquella lingua Malaya chamão á figura da Lua, quando assi está, Bintam, houve a Ilha este nome' (Barros, As. 3, 5, 4 p. 555).

Binue s. Benue.

Bio-Gore = fliessendes Wasser, ein 50 Schritt br., klarer, seichter Fluss bei den Somali v. Berbera (Peterm., GMitth. 4, 164; 6, 428).

Björk = Birke (s. d.), in schwed. ON. wie Björkholm, Ort in Lappl., 'ett af de bästa nybyggen i hela Lule Lappmark' (Petersson, Lappl. 19) u. Björkö, ebf. 'Birkeninsel': a) vor Stockholm, b) vor Wasa, c) vor Wiborg (Sjögren, Ingerm. 117); bei den hanseat. Seeff. Berko (EDeecke, Seeört. 2).

Björne s. Alexis.

Biola s. Bedretto.

Biot Island glaube ich, statt Biol I., in der 'chart' zu Ross (Sec. V.) lesen zu sollen; bei Boothia Felix, nachbarl. zu Cuvier I., so dass ich vermuthe, der Entdecker wollte beide nach den berühmten frz. Naturforschern benennen, ähnl.

Hansteen I. (s. d.). So hat er, wohl dem Tunnelbauer Brunel zu Ehren, einen *Brunel Inlet*, eine *Richardson B* · (s. d.), eine *Back's Bay* (s. d.), ein *Scoresby Cape*, zu Ehren der beiden Walfgr., einen *Port* (resp. *Bay*) *Parry* (s. Young), eine *Lady Parry I.*, *Hecla and Fury Islands*, z. Erinnerg. an Parry's Fahrzeuge, einen *Krusenstern Lake* (s. d.). — Ein *Cape B.*, an der Ostküste Grönl., taufte, ebf. nach dem frz. Gelehrten u. Mitgliede des Instituts, der engl. Walfgr. Will. Scoresby jun. (North. WF. 272) am 14. Aug. 1822.

Bîr = Brunnen, dim. *buir*, plur. *biar*, *abiar* (s. Beer), in arab. ON. th. als Grundwort (Parmentier, Vocab. arabe 14 f.), th. f. sich od. als Bestimmgswort *a*) *Scherm el-B.* = Bucht des Brunnens, f. eine Einbuchtg. des Golfs v. Akaba, nach mehrern Salzwasserbrunnen, die in der Nähe des Ufers sich befinden (Burckh., Reis. 2, 854); *b*) *el-Biâr* = die Brunnen, Ort bei Algier (Parmentier, Vocab. arab. 9); *c*) *Wady el-Biara* = Thal der Brunnen, ein tiefes, wildes Thal am südl. Rande des Tih, mit zieml. gutem Wasser. — Im dim. *a*) *Biredschik* = kleiner Brunnen, arab. ON. an wichtiger Furt des Euphrat (Schläfli, Or. 18), alt *Thapsakos* (s. d.) od. *Zeugma* = Verbindg., 'weil hier der Punkt des Verkehrs der Länder dies- u. jenseits des Euphrat' (Hammer-P., Osm.R. 2, 455), j. noch durch eine Veste, *Dar Rum* = Haus der Griechen, od. *Kalaat R.*, *Kalat er-Rum* = Schloss der Griechen od. Römer, beschützt, auch *Birtha*, aram. בירתה = Veste (Oppert, Exp. Més. 1, 45); *b*) *Buïra*, Ort in Algerien (Parment., V. ar. 15).

Birbhum, v. skr. *Wirabhúmi* = Heldenland, hind. Districtsname in Bengál. Aehnl. *Birsinghpur* = Stadt des Heldlöwen, in Bandelkhánd u. in Hindostán. In letzterm auch *Birkót* = Heldenveste u. *Birnágar* = Heldenstadt (Schlagw., Gloss., 177, Lassen, Ind. A. 1, 164).

Birch = Birke (s. d.), wie oberdeutsch *birch*, welches in *Birchscheuer* (s. Affoltern) enthalten ist, in dem engl. ON. *B. Portage*, 2 Trageplätze *a*) im Great R., dessen Ufer reichl. mit mächtigen Birken u. a. Bäumen besetzt sind . . . 'The banks were luxuriantly clothed with pines, poplars and birch trees, of the largest size'; *b*) im Missisipi (Franklin, Narr. 178 ff. Carte).

Bird Island = Vogelinsel, mehrf. bei engl. Seeff., insb. *a*) ein Atoll der Centralgruppe Paumotu's, einh. *Reitoru*, grün, 'abounding with birds', v. Cook am 7. Apr. 1769 entdeckt u. benannt (Hawk., Acc. 2, 77); *b*) ein isolirtes Felseiland im Westen der Sandwich In., einh. *Nihoa*, mit senkrechten Felsen abstürzend, anscheinend nur den in grossen Schaaren hier hausenden Vögeln zugängl., v. engl. Capt. Douglas, Schiff Iphigenia, am 13. Apr. 1789 entdeckt u. so getauft, j. ins haw. übersetzt *Modu-Manu* (Krus., Mém. 2, 295), *Mokumanu* (Meinicke, IStill.O. 2, 311). Schon dem Capt. Nath. Portlock, der im Juni 1786, ohne Land zu sehen, vorbeifuhr, fiel die Menge Tropik- u. Fregattenvögel, nebst Meerschwalben u. Tölpeln auf, u. er vermuthete, in der Nähe müsse 'irgend ein un-

bewohntes Eiland sein' (GForster, GReis. 1, 283. 3, 37); *c*) eine der Bermudas (Meyer's CLex. 3, 23); *d*) s. Alcatraz; *e*) eine der Ladronen, v. Schiffe Goodhope 1822 benannt (Meinicke, IStill.O. 2, 393). — *I. of Birds* s. Connétable. —· *B. Isle*, in SGeorgia, v. Cook (VSouthP. 2, 211) am 16. Jan. 1775 nach der grossen Menge ihrer Vögel benannt. — Im dim. *B. Islet*, eine Sandbank bei Wreck Reef, v. Kraut u. Gebüsch bedeckt, v. Vögeln besucht, so getauft im Oct. 1803 v. Flinders' (TA. 2, 332) zkgelassener Mannschaft. — Im plur. *B. Isles a*) bei Cape Grenville, v. Cook (Hawk., Acc. 3, 207) nach der Menge dort gesehener Vögel benannt; *b*) s. Chaos. — *Birdwoman's R.* s. Sahcajahweah.

Bird, engl. PN., in den ON. *a*) *Cape B.*, am antarkt. Mt. Erebus, v. Capt. J. Cl. Ross (South.R. 1, 220) am 28. Jan. 1841 entdeckt u. nach dem ersten Lieut. des Schiffes Erebus, Edward Joseph *B.*, benannt, 'who had ever shown so much firmness and prudence during the arduous voyages to the arctic regions . . . '; *b*) *B.'s Isles*, in Hoppner's Str., v. Parry (Sec. V. 229 ff.) während der Ueberwinterg. 1821/22.

Bîreh s. Beer.

Birja s. Irkinejewa.

Birjusinsk s. Tunguska.

Birke = betula, ahd. *bircha*, schwed. *björk*, dän. *birk*, holl. *berk*, engl. *birch*, oft in altd. ON. wie *Pirichun*, j. *Pirken*, *Pirchahi*, j. *Birka* u. *Pira*, *Bircfeld*, j. *Bergfelde*, *Birkenowa*, j. *Birkenau*, *Pirchinapach*, j. *Pirkenbach*, *Birchinafeld*, j. *Birkenfeld* u. *Birkenfelden*, *Byrchenheyde*, j. wohl *Birkenheide*, *Birchinlare*, j. *Birklar*, *Pirchinawanch*, j. *Pürckwang* etc. (Förstem., Altd. NB. 257 ff.), in dän. ON. *Birkeröd* = Birkenreut, *Birkenes* etc. (Madsen, Sjael. St.N. 278).

Birke(h), el- = das Wasserbecken, arab. Name einer Hafenbucht am Rothen M. (Rüppell, Reise 1, 139). = *Kasr el-B.* = Castell des Teichs, Ruinen eines v. Herodes d. Gr. erbauten Veste bei Hebron, an einem gr. Teiche (VVelde, Reise 2, 107).

Birma, engl. *Burmah*, *Barma*, europ. Namensformen f. ein Land Hinter-Indiens, verd. aus *Mranmâ*, *Mjanmâ* = die Starken, dem Namen, den sich die Einwohner, fränk. *Birmesen*, beilegen (Lassen, Ind. A. 1, 540).

Birmensdorf, 876 *Piripoumesdorf*, zwei schweiz. ON. mit ahd. *pira* = Birne, wie *Piriboum*, *Piriheim*, *Piridorf*, letzteres in *Büren*- u. *Bierdorf* umgedeutet (Förstem., Altd. NB. 1196).

Birni = Stadt, ummauerter Platz, in vschiedd. afr. Sprachen dieselbe generelle Bezeichng., wie *ssare*, aber auch nom. propr. einer an wichtiger Stelle des mittlern Kuara gelegenen Ortschaft, welche am Abhang *Ssare gŏru* = Fluss (*gŏru*) der Stadt (*ssare*) gebaut ist (Barth, Reis. 5, 289).

Birnie s. Croker.

Birsk s. Ufa.

Birth Creek = Bach am Ursprung, einer der obersten Zuflüsse des Jefferson's R., am 2. Aug.

1805 v. den Captt. Lewis u. Cl. (Trav. 247) benannt.

Birtha s. Bir.

Bisaya = die gemalten, mal. Volksname der
Philippinen, f. die Eingebornen v. Panay, Negros,
Çebu, Leyte u. Samar, dann f. die Inseln selbst
(Crawf., Dict. 55).

Biscaya s. Vizcaya.

Bisch s. Besch.

Bischanpur s. Wischnu.

Bischebalikh s. Paschepali.

Bischof-, v. ahd. *biscof* = episcopus, nicht
selten in deutschen ON. f. Gründungen, Besitzungen
od. Lieblingssitze der Kirchenfürsten wie *Bischofs-
burg* u. *Bischofsstein*, f. 2 Anlagen des Bischofs
Heinr. Sorenbohm in Pomesanien, *Bischofswerder*,
an der Ossa, v. pomesan. Bischof Rudolf ggr.
(Toeppen, Geogr. Preuss. 179. 198), *Bischofsheim*,
im 8. Jahrh. *Biscofesheim*, in Deutschl. 6 mal, dasj.
am Tauber 725 bischöfl. Hof mit Kammerkloster
(Meyer's CLex. 3, 257), *Bischofzell*, im schweiz.
Thurgau, wohl nach Bischof Salomo v. Constanz, der
sich hier, in einem Benedictinerkloster (903), viel
aufhielt (v. Arx, GStGall. 1, 911) u. den Schlossthurm als Zuflucht gg. die Streifzüge der Hunnen
erbaute (Gem. Schwz. 17, 12), *Bischweiler*, im
Elsass, einst Meyerhof der Bischöfe v. Strassburg
(Meyer's CLex. 3, 257), *Fischhausen* (s. d.). —
Ferner altd. Formen: *Biscopfingen*, j. *Bischof-
fingen*, Baden, *Biscofesberc*, j. *Frauenberg* bei
Fulda u. *Bischofsberg* in Franken, *Bischofes-
felt*, j. *Bischfeld*, bei Saarlouis, ein Wald *Bi-
schoffshart*, Pfalz, u. ein Wald *Bischouisholze*,
Rheinpreussen, *Biscopeshusen*, j. *Bischhausen*,
Hannover, *Piscofesriet*, j. *Pischelsriet*, Bayern,
Biscofestat, j. *Bischofsgottern*, Thüringen, *Bis-
copesdorp*, j. *Bisdorf*, Sachsen, u. *Bischofsdorf*,
OOesterr. u. a. m. (Förstem., Altd. NB. 274 ff.).
Ein *Bischoflack*, auch einf. *Lack, Laak* = Moos,
slow. *lôka* = Sumpf, in Krain, seit 974 bis z.
franz. Invasion den Freisinger Bischöfen gehörig,
Bischofshofen, in Salzb., sZ. ein Besitz der
Bischöfe v. Chiemsee, *Bischof-Teinitz*, böhm. Stadt
Teinitz, einst Eigenth. der Erzdiöcese Prag (Um-
lauft, ÖUng. NB. 21). — In Dänemark häufig
Bistrup, urk. *Bistorp* = Bischofsdorf, ferner
Biscopsholm, Insel bei Alsted u. a. m. (Madsen,
Sjael, StN. 271).

Biscoe s. Enderby.

Bisdorf s. Bischof.

Bise s. Pierre.

Bisertsk s. Bargusinsk.

Bishop Rock, eine v. Capt. *B.* 1796 entdeckte
Felsklippe östl. v. d. Riu Kiu (Meinicke, IStill.
O. 2, 417); *b) B. Group* s. Kingsmill; *c) B.
Auckland*, ON. in Durham, dessen Bischof hier
eine alte Residenz besitzt (Meyer's CLex. 3, 258).
— In bildl. Weise sind die Inselklippen an der
Südwestspitze v. Wales benannt the *B. and his
Clerks* = der Bischof mit seinen Domherren
(Carte zu Camden-Gibson, Brit.), bei den hanseat.
Seeff. *de Bisschop mit sinen Klercken* (E. Deecke,

Seeört. 2); eine austral. Uebertragg. dieses Namens s. Judge.

Bismarck od. *Bismark*, Städtchen der Altmark,
Kr. Stendal, 1209 *Biscopesmark*, doch wohl nur
z. 'Bischofsmark' umgedeutet f. einen Ort, der
kein Bischofssitz war u. mit 2 Dörfern der Rgbzz.
Stettin u. Köslin den Namen gemein hat, eher
als Biesemark anzusehen, da das z. Uchte-Elbe
gehende Flüsschen Biese die Gegend im Kreise
umzieht (O. Kausch, NK. d. deutschen R. 112).
B. ist der Name eines gräfl., j. fürstl. Geschlechtes
geworden u. durch den grossen Reichskanzler zu
mehrf. toponym. Verwendg. gelangt. — *Cap B.*,
eine der neuen Benennungen, welche zu Ehren
des Erneuerers des deutschen Reiches, insb. seitens
der Entdecker seiner eignen Nation, hier u. da
in Wiederholg. eingeführt worden sind *a)* in
NSemlja, durch die norweg. Fischerfahrten 1871
(Peterm., GMitth. 18, 396); *b)* s. Roon. — *B.
Halbinsel*, in Kerguelen, v. Capt. Freih. v. Schleinitz, Schiff Gazelle, 1840 (ib. 22, 234). — *B.
Strasse*, ebf. 2 mal *a)* im antarkt. Graham Ld.,
v. Capt. Dallmann, der v. der Polarschifffahrts-
gesellschaft in Hamburg auf Entdeckungen 1873/74
ausgesandt war (ib. 21, 312); *b)* s. Wilhelm. —
B. Berg, am Kaiser Wilhelms (Gold-)Feld in
Süd-Africa, v. K. Mauch 1872 benannt u. *B.
Kette*, in Kaiser Wilhelms Ld., v. der Exp. des
Dampfers Samoa 1884/85. — *Fürst B. Katarakt*, ein Theil der Kaiser Wilhelms Fälle des
Yguazu, v. G. Niederlein 1883. — *B. Archipel*,
vor Kaiser Wilhelms Ld., in dem der Neu Gui-
nea-Co. verliehenen kais. Schutzbriefe 'die vor
der Küste dieses Theils v. NGuinea liegenden
Inseln, sowie die Inseln des Arch., welcher bisher als der v. NBritanien bezeichnet worden ist
u. auf Antrag der Co. mit unserer Ermächtigg.
den Namen *BA.* tragen soll' (DColonialP. 4, 60 ff.).

Bissagos, eine afr. Inselgruppe, zunächst ein
dort mündender Fluss, *Rio Bessegu*, nach einem
Fürsten Bissague (bei Cadamosto), port. Besaghichi,
der an der Mündg. residirte, v. der port. Exp.
Pedro de Cintra, um 1460, so genannt (Spr. u. F.,
Beitr. 11, 185, Gomez ed. Schmeller 31).

Bistra s. Bystroi.

Bistrup s. Bischof.

Bisur s. Boosura.

Bithynia, die Konstantinopel ggb. liegende Ldsch.
Kl. Asiens, wo neben den Thynern die Bithyner
das bedeutendste Volk waren, mit der Stadt
Bithynion, die später v. Kaiser Claudius in
Claudiopolis, j. *Boli*, umgetauft wurde, als Mittelpunkt. — Dem Fürsten der Bithyner, Nico-
medes, gelang um 280, die thrak. Stämme zu
einem Königreich *B.* zu vereinigen u. dieses zu
erweitern (Kiepert, Lehrb. AG. 99 f.).

Bitschan s. Sampun.

Bitter Seen, so schon bei den Alten *Lacus
Amari* (Kiepert, Lehrb. AG. 199), die ehm. Step-
penseen des Isthmus v. Suez, trugen ihren Namen nicht mit Unrecht; das specif. Gewicht ist
zu 1_{047} bestimmt, u. 100 Gramm des Wassers
enthielten 0_{265} schwefelsauern Kalk, 0_{294} schwefels.

Magnesia, 0_{564} chlors. Magnesia, 4_{508} chlors. Natron, zs. 5_{631} feste Bestandtheile (Peterm. GMitth. 18, 191). — *B. Springs* = Bitterquellen, Oase der Mohave-Wüste. 'An zahlr. Punkten quoll hier Wasser aus dem Boden, Inseln von hohem Gras erzeugend, eine f. unsere Maulthiere wohlthätige Erscheinung . . .; ein Baum mit gr., wohlriechender Blüthe u. langen Schoten wuchs hier in zieml. Menge. Leider wurde die Freude über die hübsche Oase durch den bittern Geschmack des Wassers getrübt (ib. 22, 418).

Biturica s. Bourges.

Bivados s. Demir.

Bivio s. Stalla

Biwer s. Biber.

Blaauwberg s. Blau.

Black = schwarz, nach der dunkeln Farbe v. Felsen u. Nadelwald etc. häufig in ON., insb. *a)* f. ein landschaftl. Glanzobject am Rio Colorado, *B. Cañon* (s. d.), ferner *b) Blackbeach* (s. Asore); *c) B. Bluff,* ein schwarzes Cap bei Resolution I., 'a very remarkable piece of land' (Parry, Sec. V. 6); *d) B. Butte,* ein isolirter Pic des *B.* Cañon, v. Lieut. Wheeler (Geogr. Rep. 159) am 25. Sept. 1871 erreicht; *e) B. Cliff,* eine hohe, viereckige, steile, schwarze Klippe v. Heard I., deren Grundfarbe ggb. den rothen Vorinselchen (s. Red), sowie ggb. den Schneelagen scharf absticht (Peterm., GMitth. 20, 462); *f) Blackfeet,* ind. *Cuskoetehwaw-Thessetuck* = Schwarzfüsse, ein Stamm der Slave Indians (Franklin, Narr. 108) u. in ihrem Gebiet 2 mal ein *Blackfeet Pass* (Raynolds, Expl. 141); *g) B. Forest,* ein mit 'Schwarzwald' bedecktes Gebirge in Arizona (BComm. GLandamts 51). — *B. Head,* 2 mal: *a)* 'a dark-looking promontory' bei Lord Auckland In. (Ross, SouthR. 1, 131); *b)* in NSouth Wales, v. Cook f. ein Cap gehalten, v. Lieut. Oxley 1819 als Insel erkannt: *B. Island* (Krus. Mém. 1, 102). — *B. Hill* = schwarzer Berg (s. Dub). — *B. Hills,* Berggegend zw. den Quellarmen des Cheyenne R., bis 900 m üb. d. Prairie erhoben, mit dunkeln Kieferwäldern bedeckt, schon ind. 'schwarze Berge', bei den Canadiern in *Côte Noire* übsetzt (Lewis & Cl., Trav. 69). . . The mountains will furnish a sufficient supply of pine lumber for ordinary uses, and, although timber is very scarce in the region as a whole, yet the *BH.* will fully supply this great deficiency in the district immediately adjoining' (Raynolds, Expl. 7, vgl. Chanchoka). Bestimmter Jenney (Min. Wealth 69): 'The *BH.* are a wellwooded country. The plenteous rains and showers in summer keep the vegetation growing unchecked by drought. The density of the forests clothing the hill-sides have, from their somber hue, when viewed from a distance, given the name to this region, the *BH.,* by which it is known also in the Indian dialects'. . . All reports agreed in describing this as a mountainous, heavily timbered tract (Ludlow, BlackH. 8). Aus p. 67 des botan. Berichts der Exp. Custer 1874 ergibt sich, dass die einzige Fichtenart die 'Norway pine', Pinus resinosa *Ait.* ist, im Allg. kl.

Bäume, doch bisw. bis 60 cm im Durchm., gew. in zerstreuten Beständen, nur hier u. da dicht gestellt. — *B. Island* s. Zwart. — *B. Mountain* s. Dub. — *B. Montains,* in der Union 2 mal: *a)* eine Abtheilg. der Alleghanies, v. ihren 'Schwarzwäldern' (Peterm., GMitth. 6 T. 12); *b)* am Rio Colorado, so benannt v. d. Exp. 1858 (Möllh., FelsGb. 1, 324), weil, als sich die Aussicht z. ersten mal voll eröffnete, der Schatten einer Wolke auf den Bergen ruhte, während die Strahlen der scheidenden Sonne die dürre Wüste erhellten u. auf diese Weise ein momentaner Farbencontrast entstand. 'That portion of the range which forms the eastern boundary of the Mojave Valley is composed principally of trap, trachyte, and porphyry, of which the prevailing dark colors have suggested the name given to the entire chain. Further north its composition is more varied, embracing granite, porphyries, trachytes, and tufas in great variety, whose colors are scarcely less striking than those of the Purple Hills (Ives, Rep. 74; 3, 32); *c)* im südl. Wales, aus kelt. *Mynnyd Du* übsetzt (Meyer's CLex. 4, 170). — *B. Point,* mehrf.: *a)* bei Prince Charles I., Spitzb., nach der Felsfarbe (Phipps, NorthP. 31); *b)* bei den Sieben In., Spitzb. (ib. 74); *c)* s. Negro; *d)* s. Plat. — *B. Pyramid,* eine 75 m h. Felspyramide der Bass Str., 'a dark mass of rock, appropriately named' (Stokes, Disc. 1, 271). — *B. Reef,* ein niedriges, schwarzes Felsriff bei der Nordostspitze Tasmania's (ib. 2, 444). — *B. River,* in der Union wiederholt, z. B. *a)* ein Zufluss des Ontario, diesen in *B. River Bay* erreichend (Meyer's CLex. 3, 281); *b)* ein Zufluss des Red R., gew. *Washita* (s. d.). — *B. Rock(s),* mehrf.: *a)* zwei dunkle Klippen v. Hunter I., in der Bass Str., als *North-* u. *South BR.* unterschieden (Stokes, Disc. 1, chart); *b)* zwei Inselklippen in Christmas Hr., Feuerl., v. Cook (VSouth. P. 2, 185) im Dec. 1774 benannt u. als *Great* (= gross) u. *Little* (= klein) *BR.* unterschieden; *c)* Felsklippen im Eingang zu Duke of York's Bay, zur Flutzeit bedeckt u. den Schiffern gefährl., v. Parry (Sec. V. 48) im Aug. 1821 getauft; *d)* s. Casuarina; *e)* s. Plata. — *B. Valley* s. Dark. — *Blackwater* = Schwarzwasser, f. mehrere Flüsse im engl. Sprachgebiete, so auch f. einen Zufluss der Themse (Meyer's CLex. 3, 281), mehrf. in Irl., dessen zahlr. Sümpfe es hinreichend erklären, wenn manche Seen u. Flüsse die Bezeichng. 'schwarz' od. 'dunkel' (s. *Dub*) erhalten haben *a)* f. den grossen Fluss der Ldsch. Cork, der ir. *Abhainn-mór* = grosser Fluss, j. gew. *Avon-* od. *Owenmore,* bei ältern anglicir. Autoren auch *Broadwater* = breites Wasser heisst; *b)* f. einen Fluss in Leinster, nördl. v. Dublin; *c)* f. den unth. Charlemont mündenden Zufluss des Lough Neagh, Ulster; mit einem Uferort *Blackwater Twon.* — *B.* als PN. in *B.'s Fishing Grounds* s. Gemini.

Black Cañon, die 'schwarze Schlucht' am Rio Colorado (s. Black), wo der tiefe, schmale Strom zw. mächtigen Felswänden dahinfliesst, welche sich unmittelb. aus den Fluten üb. 300 m erheben u. sich in der schwindelnden Höhe zu begegnen scheinen, benannt durch die Exp. v. 1858, weil in die geheimnissvollen Tiefen selten ein Sonnenstrahl dringt (Möllhausen, Felsgb. 1, 380). The naked rocks presented, in lieu of the brillant tints, that had illuminated the sides of the lower passes, a uniform sombre hue, that added much to the solemn and impressive sublimity of the place. The river was narrow and devious, and each turn disclosed new combinations of colossal and fantastic forms, dimly seen in the dizzy heights overhead or through the sunless depths of the vista beyond (Ives, Rep. 74. 80, Stahlst.)... Darkness supervened with surprising suddenness. Pall after pall of shade fell, as it were in clouds, upon the deep recesses about us. The line of light, through the opening above, at last became blurred and indistinct, and, save the dull red glare of the camp-fire, all was enveloped in a murky gloom. Soon the narrow belt again brightened, as the rays of the moon reached the summits of the mountains. Gazing far upward upon the edges of the overhanging walls we witnessed the gradual illumination. A few isolated turrets and pinnacles first appeared in strong relief upon the blue band of the heavens. As the silvery light descended, and fell upon the opposite crest of the abyss, strange and uncouth shapes seemed to start out, all sparkling and blinking in the light, and to be peering over at us as we lay watching them from the bottom of the profound chasm. The contrast between the vivid glow above, and the black obscurity beneath, formed one of the most striking points in the singular picture' (ib. 85. 86). . . Probably nowhere in the world is there a finer display of rocks of volcanic origin than may be seen about the southern entrance to the cañon. The beetling crags which form its massive portals are composed of dark-brown porphyry of hardest and most resistant character. Just within the cañon, on the west side of the river, this porphyry is mingled with huge convoluted masses of light-brown trachyte; tufa, pure white or white veined with crimson, and pale blue obsidian, (pearl-stone); amygdaloids of various kinds, their cavities filled with different zeolites; black and gray basalts, sometimes columnar; scoria, red, orange, green, or black, and of every grade of texture; porphyries in great variety, including some of unequalled beauty; trachytes and tufas of all colors; obsidian in its various forms; all these are abundantly exposed in the immediate vicinity (ib. 3, 40). Die durch diese Beschreibg. erregten Erwartungen fand Lieut. Wheeler, der am 24. Sept. 1871 den Cañon erreichte (Geogr. Rep. 159), nicht vollst. erfüllt: die Wände seien weder so hoch noch so lothr., wie sie beschrieben sind; doch fügt auch er an: 'However, the velocity of the current and number of rapids that are met, the sombre character of the walls, many peculiar weird forms, points at which a stillness like death

creates impressions of awe, all tend to the belief that one of nature's grand labyrinths has been passed.'
Blackall, Stadt in Queensland, nach dem Obersten, welcher v. 14. Aug. 1868 — 2. Jan. 1871 Gouv. der Colonie war u. sich ausserord. Verehrg. der Colonisten erfreute (ZfAErdk. 1876, 174). — *Lady Blackwood Passage* s. Hall.
Blackbeach Road = Rhede des schwarzen Ufers, gleich den oben (s. Black) erwähnten *Blackwater Bay* u. *Blackfeet Pass* einer der ON., die eine Zssetzg. v. *black* dem Grundwort voranstellen, 'Rhede' in Charlotte I., Galapagos, wo der Strand mit feinem, dunkelm Lavasand bedeckt ist (Skogm., Eug. R. 1, 227). — *Black Bear Islands* = Inseln des schwarzen Bären, im *BBILake*, Netz des Churchill R., weil dort der 'schwarze Bär', Ursus americanus Pall., häufig ist (Franklin, Narr. 178 ff.). — *Blacktailed Deer Creek*, einer der obersten Zuflüsse des Missuri, Montana (u. in der Nähe *BDValley*), nach dem schwarzschwänzigen Hirsch, Cervus macrotis Say, wie *Whitetailed Deer Creek*, im Gebiete des Yellowstone R. nach dem weissschwänzigen Hirsch, Cervus virginianus Bodd. (Hayden, Prel. R. 33. 131. 142), der in gewissen Gegenden des obern Missuri ebf. oft vorkommt, doch nicht so häufig wie der schwarzschwänzige, der überdiess leicht zu jagen ist (Ludlow, Carroll 70). Der zool. Bericht General Custer's (1874) gibt f. *white-tailed deer* = *cotton-tail* den syst. Namen Cervus leucurus Dougl.; der schwarzschwänzige erscheint wohl als Cervus macrotis Say, aber nicht mit dem gewohnten Trivialnamen, sondern als *mule deer*. — *Blackwater Creek* ein Zufluss des Sea R., im Ggsatz zu dessen weissschlammigen Wasser . . . 'its waters are of a muddy white colour' (Franklin, Narr. 42), wie *Blackwater-Lake* u. *-River*, im Netz des MacKenzie R. (Richardson, Arct. SExp. 1, 185).
Blagodat = Wohlthat, Segen, vollst. *Gora Bl.* = gesegneter Berg, bei den Russen der berühmte ural. Magnetberg, dessen Eisenschätze ihnen erst zugängl. wurden, seitdem der Wogule Tschumpin, durch die russ. Versprechungen angereizt, sie ihnen verrieth. Eine 'gute Gabe' wurde dies nun freil. f. die Russen, aber weder f. die Wogulen noch f. Tschumpin selbst; denn durch die russ. Besiedelung waren jene, da das Wild, die Grundlage ihrer Existenz, verscheucht wurde, z. Auswanderung in die nördlichern Gebiete gezwungen, und aus Rache verbrannten sie vorher den Verräther auf dem Gipfel, welcher bisher eine heidn. Opferstätte gewesen war (Bär u. H. 5, 25 ff., Rose, Ural 1, 341, Erman, Reise 1, 359). — *Blago-weschtschenskaja (Sloboda)* = gebenedeiter Ort, eine sibir. 1639 ggr. Anlage, v. einer dem Feste der Verkündigung Mariä geweihten Kirche, gelegen an der Susatka, einem Zuflusse der ural. Tura. Vor dieser Kirchenbaute, in den 3 ersten Jahren seiner Existenz, hiess der Ort *Nowoje Usadischtsche na Wysokom pole na retschke Susatke* = neue Ansiedelg. auf dem hohen Felde am Bache Susatka (Müller, SRuss. G. 5, 50).

Blair, Port, ein Hafenort der Andamanen, Strafcolonie f. ind. Verbrecher, nach Lieut. *B.*, welcher 1789 die Gruppe vortrefflich aufnahm (Glob. 3, 31), ggr. 1792, wg. Ungesundheit schon 1796 aufgegeben; die Inseln blieben unberührt. Erst 1853, nach der Annexion Pegu's, suchte Lord Dalhousie eine passende Station zu errichten. Als dann, nach dem ind.Aufstande, die Errichtg. einer Penalstation aufständischer Sepoys beschlossen worden u. eine Exp. die v. Capt. *B.* untersuchte u. besetzte Bay 1856 dazu vorschlug, beschloss der Generalgouv. Lord Canning, dass der neue Hafen nach jenem tüchtigen u. sorgfältigen Officier benannt werde (Ind. Mail 26. Dec. 1873). Der erste Transport ind. Verbrecher, 200 Mann stark, landete am 4. März 1858 (Peterm., GMitth. 20, 147).

Blake s. Mottuaity.

Blamont s. Blanc.

Blanc = weiss, fem. *blanche* (s. d.) oft in frz. ON., insb. f. Berge, übh. hohe Lagen, die durch die Farbe auffallen, rühre diese nun v. Gestein od. v. der Schneedecke her. So kommt *Mont B.*, auch *Montblanc*, mehrf. auch f. Wohnorte vor, einmal z. B. im frz. dép. Hérault, schon 1197 als *mons Albus* s. *Blancus* (Dict. top. Fr. 5, 119). Zunächst jedoch weist dieser Name auf das 4810 m h. Haupt der Alpenwelt, die frühere *Montagne Maudite* = den verwünschten Berg (Schnider, Entleb. 3, 19). 'Le petit peuple de notre ville et des environs donne au *MB.* et aux montagnes couvertes de neiges qui l'entourent, le nom de *Montagnes Maudites;* et j'ai moi-même ouï dire dans mon enfance à des paysans que ces neiges éternelles étaient l'effet d'une malédiction que les habitants de ces montagnes s'étaient attirée par leurs crimes' (Saussure, VAlpes 155). Der alte Name ist auf eine dem höchsten Gipfel nahe Spitze beschränkt. Ein *Mont B.*, zs. mit *Mont Rouge* = rother Berg u. *Tête Noire* = Schwarzkopf auf der Bergreihe zw. Val d'Hérémence u. Val d'Erin, Wallis (Fröbel, Penn. A. 104). — *B. Sablon* = weisser Sand, eine Sandinsel mit Rhede der Str. Belle Isle, v. frz. Seef. Cartier im Juni 1834 entdeckt ... 'and in the island of White Sand, there is nothing else but mosse and small thornes scattered here and there, withered and dry. To be short, I beleeue that this was the land that God allotted to Caine' (Hakl., Pr. Nav. 3, 203. 212. 237). — *Blamont*, wiederholt *a)* im dép. Meurthe, 1244 *Albus Mons*, 1248 *Blanmont, Blancmont* = Blankenberg, wie der Gau *Blamontois*, 816 *Pagus Albinsis* (Dict. top. Fr. 2, 17); *b)* 'das feste *Blamont*', unw. Mömpelgard, hart vor der Schweizergrenze (Daniel, Hdb. Geogr. 2, 688).

Blanca, fem. des span. *blanco* (s. d.), mehrf. *a) Bahia B.*, im südl. Argentinia, offb. weil die salzhaltige, höchst sterile, im Regenwetter beinahe unpassirbare Küste v. Schiffe aus gesehen ganz weiss erscheint (Gef. Mitth. eines seither † Landsmanns w. 28. Nov. 1881); *b) Isla B.*, vor Vera Cruz, v. Juan de Grijalva 1518 nach dem weissen Sandstrande, 'tenia la arena blancá' (B Diaz, NEsp. c. 13); *c) Punta de Peña B.* =

Cap des weissen Felsen, die Nordwestspitze v. Trinidad, West-Ind. (WHakl. S. 43, 123); *d)Sierra B.*, hohe Bergzüge in Colorado, NMexico u. Arizona (Peterm., GMitth. 21, 446); *e) Pedra B.* s. Rurick; *f) Piedra B.*, 2 weisse Seeklippen vor San Blas, Mexico, *PB. del Mar* = des Meeres d. i. die äussere, u. *PB. de Adentro* = die innere, landnähere (DMofras, Or. 1, 165). — Im plur. *a) Aguas Blancas*, ein Zufluss des Jenil, Süd-Span., grösstentheils üb. thoniges Erdreich fliessend u. daher ein milchiges Wasser führend, mit welchem er 'das wundervoll klare, smaragdgrün schillernde Wasser' des Jenil trübt (ZfAErdk. 2, 306); *b) Rio de Aguas Blancas* s. Negro; *c) Islas Blancas de los Lucayos* s. Bahama; *d) Peñas Blancas* = weisse Felsen, im nordspan. Küstengebirge, Kalkfelsen, die das Waldgebirge überragen, schon mit kelt. Namen *Vindius, Vinnius*, v. *vind* = weiss (Kiepert, Lehrb. AG. 479).

Blanche, fem. v. *blanc* (s. d.), oft im frz. ON. *a) Dent B.* = weisser Zahn, ein schlankes Schneehorn der Walliser-Alpen, deutsch *Steinbockhorn*, nicht zu verwechseln mit dem benachb. *Weisshorn*. Die majestät. Felspyramide wird (Fröbel, Penn. Alp. 17) bei den Bewohnern des Vorderthals *la Dent d'Erin*, dial. *Dent d'Erron*, nach dem eignen Thal, genannt, im Hintergrunde nur *Deng Blangzi*, wobei *eng* u. *z* nach deutscher Weise zu sprechen sind. Schon zu seiner Zeit, 1839, wurde indess *Dent d'Erin*, wie j. allg. (Dufour Atl. 22) auf einen andern Gipfel bezogen, welcher, v. äussersten Hintergrunde her, aus grossen Eis- u. Schneeflächen aufragt u. welcher damals noch vorzugsw. *Dent de Rong* hiess. Die Form *erron* lässt fast vermuthen, es möchte dem Berg- wie dem Thalnamen derselbe Stamm *err, ér, eir* (eine nahe Alp *Eiro*) zu Grunde liegen, wie im ON. — *Errem enge,* gew. *Hérémence* (s. d.). Nordwestl. v. der *Dt. d'Hérens* od. *d'Erin* noch *b)* eine *Tête B.* = weisser Kopf. — *Roche B.* = weisser Fels, 2mal: *a)* ein waldiger Berg bei Granson, Waadt; *b)* der Sucheron, im jurass. Val de Travers (Gem. Schwz 19, 2ᵇ, 171). — *Aigue-B.* s. Aigues. — *Eau B.* = Weisswasser, der Thalfluss des Val Challant, Piemont (Schott, Col. Piem. 28, Saussure, VAlp. 347). — *Rivière B.* = weisser, eig. weissschäumender Fluss, zw. Winnipeg- u. Bonnet L., ein Lauf, welcher theilw. fast aus Einer Folge schäumender Katarakten besteht. 'On y trouve sept portages si peu éloignés l'un de l'autre, qu'on peut les voir du même coup d'œil' (MacKenzie, Voy. 67, frz. Uebersetzg. 1, 153). Einer dieser Fälle heisst bei den Angestellten der Hudson Bay Co. *Silver Falls* = Silberfall (Peterm., GMitth. 6 T. 2). — *L'Allée B.* = die weisse Allée, so verstand der Genfer Saussure, der im Juli 1767 den Ort besuchte, den Namen der v. Col de Seigne herabsteigenden, gletscherbedeckten Oberstufe des Thals der Dora Baltea, u. die Bezeichnung schien ihm zutreffend ... 'elle méritait bien le nom qu'elle porte; car son fond, du moins les parties les plus élevées, et les montagnes qui la bordent, étaient entièrement couvertes de neige' (Voy. Alp.

194). Der Name enthält jedoch *la Laye*, pat. f. *le lac*; d. h. das Thal u. sein Eisstrom bilden einen 'weissen See' (Drapeyron, Rev. Géogr. 2, 283). — *Dauva Blantz* = weisser Grat, wo dial. *dauva* frz. *douve* = Fassdaube, in der Jägersprache aber auch Thier- od. Gemsengrat, Bergname in der die Walliser Thäler Arolla u. Ferpècle trennenden Kette (RRitz, OB. Eringerth. 371). — Im plur. *Cimes Blanches*, drei hohe, kahle Felshörner des Mte. Rosa, bei den deutschen Gressoneyern *Wisso Grêdjene* = weisse Grätchen (Schott, Col. Piem. 30). — *Eaux-Blanches*, ein Zufluss der Arcis, dép. Eure-et-Loir (Dict. top. Fr. 1, 62).

Blanche, auch PN. u. daher in ON. verwendet *a) Mount B.*, in Penny Str., v. Capt. Edw. Belcher (Arct. V. 1, 125) im Sept. 1852 nach einer der banner ladies getauft; *b) B.'s Bay*, in der Magalhães St., v. engl. Seef. Rich. Hawkins 1594 benannt nach Will. *B.*, 'one of our masters mates', der sie gefunden hatte (WHakl. S. 1, 118).

Blanco = weiss, fem. *blanca* (s. Blank), in vielen span. ON., insb. *Cabo B.* mehrf.: *a)* in Calif. 34⁰ NBr., wohl schon 1543 od. dann jedenf. v. Spanier Martin d'Aguilar am 19. Jan. 1603 erreicht (Cook-King, Pac. 2, 261), bis 1778 das Nordende America's auf pacif. Seite, da die Continentalität des v. den Russen gefundenen Alaska noch unbekannt war; *b)* in Marocco; *c)* bei dem Rio do Ouro, v. Port. Nuno Tristão 1441 erreicht, also eig. *Cabo Branco* (Barros, As. 1, 1, 6, Azurara, Chron. 86), 'ganz weiss u. sandig, ohne die geringsten Merkmale v. Kräutern od. Bäumen' (Spr. u. F., Beitr. 11, 99); *d)* in Peru, 4⁰ SBr., 'high and bold' (WHakl. S. 33, 25), v. der Exp. Pizarro-Almagro 1527/28 entdeckt (Prescott, CPeru 1, 281); *e)* in Patagonien, 47⁰ SBr., v. Magalhães 1520 entdeckt; ... v. weissen Uferklippen eingefasst ... 'all full of white cliffes ... and the last cliffe is the biggest both in length and height, and showeth to be the saile of a ship when it is vnder saile ... these white cliffes are six in number' (Hakl., Pr. Nav. 3, 725, ZfAErdk. 1876, 362); *f)* s. Abiad. — *Llano B.* s. Llano. — *Mar B.* s. Eldorado. — *Rio B.*, 2mal *a)* der Quelllauf des Rio Vermejo, Arg., ein klares Flüsschen, v. breiten, rein weissen Salzkrusten auf beiden ganz kahlen Ufern begleitet (Burmeister, LPlata 2, 268); *b)* s. Guadalaviar.

Blane, Point, am Carpentaria G., v. M. Flinders (TA. 2, 24, Atl. 14 f.) am 27. Jan. 1803 benannt zu Ehren des Dr. (nachh. Sir Gilbert) *B.* 'of the naval medical board'.

Blank, ahd. *blanch* = weiss, glänzend weiss, candidus, verwandt mit *blinken*, in deutschen ON. nicht selten *a) Blankenbach*, im 10. Jahrh. *Blancanbag*, Ort südl. v. Siegburg; *b) Blankenese* = weisse Nase, ein Ort am rechten Ufer der Nieder-Elbe, wo vor den 'Sänden' viele Ostindienfahrer lichtern (Peterm., GMitth. 7, 147); *c) Blankstadt*, bei Heidelberg, im 8. Jahrh. *Blankenstat; d) Blancstruth*, im 11. Jahrh., nahe der Fuldaquelle; *e)* die alten ON. *Blenchi-*

brunnon u. *Blanchinheim* (Förstem., Altd. NB. 280); *f) Blankenberghe*, Stadt bei Brügge, in der Nähe weisser Dünen, bei den hanseat. Seeff. *Blanckenborgh* (E. Deecke, Seeört. 2), 1334 v. Meere verschlungen (Wild, Niederl. 1, 28). Das deutsche Wort ist in die neuroman. Sprachen übgegangen u. wurde, indem es lat. *albus* gänzl. verdrängte, der eig. volksübl. Ausdruck, ital. *bianco*, span. *blanco*, port. *branco*, frz. *blanc* (s. dd.). Span. *albo*, port. *alvo* ist mit der Bedeutg. 'schneeweiss', ital. *albo* im Sinne v. 'trüblich' geblieben; nur im rätor. u. rumän., wo *blank* keine Aufnahme fand, blieb ihm sein volles Recht (Diez, Rom.WB. 65).

Blaramberg s. Middendorf.

Blasien, St., Ort im Schwarzwald, urspr. gefürstete Benedictinerabtei, ggr. im 10. Jahrh. an Stelle einer ältern Zelle Alba, die im 9. Jahrh. Reliquien des heil. Blasius erworben hatte (Zürch. Urk. B.) *St.B. Bay* (u. *Cap*) s. Mosselbay.

Blat, *Blata, Blate, Blatec, Blatenko, Blatetz, Blatina, Blatná, Blatnia, Blatnica, Blatnice, Blatnik, Blatnitz, Blatno, Blato, Blatta, Blatze, Blatzen,* auch *Platten,* v. asl. *blato* = Sumpf, Moor, ON. häufig in den slaw. Gebieten Oesterreich-Ungarns (Miklosich, ON. App. 2, 143 f.). Daher auch *Balaton,* verdeutscht *Plattensee,* der grosse Niederungssee Ungarns (ZfAErdk. 11, 248), bei Plin. (HNat. 3, 146), *Lacus Peiso,* verd. aus *Pelso,* noch bei Jordanes *Lacus Pelsois,* im 9. Jahrh. *Lacus Pelissa,* ein dunkler Name, üb. den auch W. Tomaschek nur Vermuthungen hat (Umlauft, ÖUng. NB. 177). — *Blotnik* s. Spree.

Blau, ahd. *pláo,* altn. *blár,* schwed. *blå,* dän. *blaa,* holl. *blaauw,* engl. *blue* (s. d.), oft in ON. insb. f. Quellen, Quellteiche u. Bäche, die oft durch ihre Farbe das Auge erfreuen. *B.* ist *a)* ein Zufluss der Donau, der v. der Rauhen Alp herabkommt u. bei *Blaubeuren* (= Büren an der *B.*), am Fusse einer steilen Bergwand, die einst die Burg *Blauenstein* trug, dem *Blautopf* entspringt, einem früher heiligen Felsenkessel, der 40 m im Durchm. hält, üb. 20 m t. ist, mit tiefblauem, ruhigem Spiegel dem in mannigfaltigem Spiel einzelne Wassersäulen entsteigen (Meyer's CLex. 3, 310 ff.). 'Bekannt sind die durch alle Lichter v. Grün u. Blau spielenden Farbenwunder des Topfs'; *b)* ein Zufluss der Brettach, obh. Gerabrunn, an ihr Quelle *Blaubach* u. *Blaufelden* (Bacm. AWand. 114). — *Blaubrunnen,* eine Quelle bei lothr. Foulquemont, merkw. durch die blaue Farbe des Wassers, das sofort kann eine Mühle zu treiben vermag (Dict. top. Fr. 13, 29). — *Blaues Seeli,* ein kl. Vergissmeinnichtauge des Berner Oberlands. Der Bergsee hat einen so hellen, reinen Farbenton, den ich nur dem Blau in den Gletscherspalten vergleichen kann. Er ist so durchsichtig, dass man jeden Ggstand auf seinem Grunde erkennt, u. der Tannenbaum, der in ihn herabgefallen ist, hat auch die blaue Farbe angenommen. Ein leiser Wind kräuselte seine Oberfläche, als ich davor stand, u. die sehr kl. Wellen od. zarten Streifen waren fast noch blauer als das Unterwasser (Osenbr., Wanderst. 5, 31). — *Blaues Meer* s. Ssineje. — *Blauberg*, Berg bei Lemberg, Lothr., mit Kupferminen, die einst als 'Azurminen' ausgebeutet wurden (Dict. top. Fr. 13, 29). — *Blaauwberg*, in der Nähe der Capstadt, so genannt, 'weil er diese Farbe zeiget, wenn man ihn v. dem Meere aus, in einer gewissen Entferng., ansiehet' (Kolb, VGHoffn. 205).

Blava s. Bleu.

Blaze, Point = Cap des Feuerscheins, in Arnhems Ld., v. Capt. Ph. P. King (Austral. 1, 271) am 1. Sept. 1819 so benannt, weil er ein sehr grosses Feuer auf ihm brennen sah.

Blegno s. Brenner.

Bleiberg, ON. 2mal: *a)* in Kärnthen, nach dem Bleibergwerk, das seit länger als 300 Jahren in Betrieb steht u. jährl. an 40 000 Ctr. Blei erträgt (Meyer's CLex. 3, 320); *b)* Berg in Lothr., mit Blei- u. Kupferminen, die bis z. 18. Jahrh. ausgebeutet wurden (Dict. top. Fr. 2, 29). — *Bleistadt*, böhm. Ort mit wichtigen Bleibergwerken (Umlauft, ÖUng. NB. 22).

Blenheim House, f. deutsch *Blindheim*, ein Schloss bei Oxford, unter der Königin Anna nach den Plänen v. J. Vanbrugh auf Staatskosten erbaut u. dem Herzog v. Marlborough geschenkt, f. seinen Sieg bei Blindheim-Höchstädt, am 13. Aug. 1704, der, durch die engl. Reiterei entschieden, der erste grosse Erfolg gg. Frankreich war u. dem span. Erbfolgekriege eine entscheidende Wendung gab (Meyer's CLex. 3, 335; 8, 976), nach Beschluss des Parlaments 'a monument of his glorious actions', adorned with spacious and beautiful gardens, and all the other accomodations and ornaments suitable to so stately a fabric (Camden-Gibson, Brit. 1, 295). — *B.*, in der Prov. Marlborough, NSeel. (Trollope, Austr. 3, 221).

Blenky Island, wohl richtiger *Blanky I.*, bei Matty I. (s. d.), v. Capt. John Ross 1829/33 so benannt, wie ich vermuthe, nach Thomas *B.*, dem ersten Mate seines Schiffs, wie in derselben Gegend auch *Cape Abernethy* (s. d.) u. wohl auch *Cape Hardy* u. *Hardy Bay* (dieses an der Ostseite v. Boothia Isthmus), nach dem auf der Exp. verstümmelten William Hardy, benannt sind. Etwas entfernter, bei Cape Felix, kommt *Wall's Bay*, wohl nach Richard Wall, dem Harpuniner der Exp., u. an das magnet. Pol *Commander Ross's Farthest* (= fernster Punkt), sowie *Victory Point* (nach der Victory, dem Schiffe der Exp.) In andern Regionen, an der Ostseite v. Boothia Felix, finden sich *Andrew Ross I.* (s. Ross), *McDiarmid's I.* (s. d.), *Thom's Bay*, wahrsch. nach Will. Thom, dem Zahlmeister der Victory.

Bleu = blau, altsp. *blavo*, prov. *blau* fem. *blava* u. s. f., ein Wort german. Urspr., v. ahd. *blâo*, *blaw* (Diez, Rom. WB. 65), finde ich in frz. ON. nicht häufig, einmal in dial. Form *Lê Blava*, f. *Ardoises Bleues* = blaue Schiefertafeln, f. eines der Felshörner zw. den Quellthälern des Val d'Erin (Fröbel, Penn. Alp. 102). — *Rivière de*

la Terre Bleue s. Blue. — Span. *Gorg Bloau* = blauer Schlund, ein hochromant. Felsschlund bei Soller, Mallorca. Das malerische, felsige u. waldige Thal, barranco, wird in eine schmale, kurze Felsenklamm zsgeschnürt; ein starker Bach blaugrünen Wassers, wie eine regungslose, schlangenartig gewundene Ader, füllt den Grund der Spalte ganz aus; auf einer hoch u. kühn gespannten Brücke überschreitet der Weg die grausige Tiefe u. führt dann, auf der linken Seite in den Felsen gesprengt, durch die Schlucht hindurch (Willk., Span.-B. 153).

Blida(h) s. Belad.

Bliescastel, ON. bei Zweibrücken, Pfalz, alt *Castellum ad Blesam* = das Castell an der Blies, einem Zuflusse der Saar (Meyer's CLex. 3, 338), der im 7. u. 8. Jahrh. als *Blesa, Bleza* vorkommt, daran der Gau bei Zweibrücken *Blesitchowa*, im 9. Jahrh. *Bliesiggowe* (Förstem., Altd. NB. 281).

Bligh, *William*, engl. Seef., geb. um 1753, machte als master des Schiffes Resolution, Cooks dritte Erdfahrt mit u. sollte auf dem Schiffe Bounty den Brotbaum nach West-Indien verpflanzen, wurde jedoch v. der Mannschaft, die er durch Strenge erbittert hatte, mit 18 Mann in einem Boote ausgesetzt. Er gelangte nach Batavia; die Meuterer gingen th. nach Otaheiti zk., th. siedelten sie sich auf Pitcairn an. Auch später, insb. als Gouverneur v. New South Wales (1806/08), machte er sich durch Strenge verhasst, wurde jedoch z. Admiral befördert u. † 1817. Nach ihm hat am 24. Dec. 1776 Cook(-King, Pac. 1, 58 f.) *B.'s Cap* getauft, eine hohe, runde Felsklippe, 'Mütze', in Kerguelen, des frz. Entdeckers Isle de Réunion, die seiner Exp. als Sammelplatz diente; doch scherzt üb. diese Bezeichg. der Engländer: 'I know nothing that can rendezvous at it, but fowls of the air; for it is certainly inaccessible to every other animal'. — *B.'s Entrance*, eine Einfahrt der Torres Str. (s. d.), v. *B.* selbst am 3. Sept. 1792 so genannt, weil seine beiden Schiffe Providence u. Assistance sie betreten hatten (Flinders, TA. 1, XX). — Auf derselben Fahrt *B.'s Lagoon*, ein Atoll in der Südgruppe der Paumotu, einh. *Tematangi*, id. *Sant Elmo* des span. Seef. Quiros, der sie am 3. od. 4. Febr. 1606 entdeckte (ZfAErdk. 1870, Meinicke, IStill. O. 2, 213) u. *San Telmo* schrieb. In schreckl. Sturmnacht, wo alles verloren schien, u. der Pater, mit dem Kreuz in der Hand, immerfort betete u. Meer u. Winde beschwor, da erschien am 3mal mit grosser Andacht begrüssten (Viajes Quirós 1, 246). — *B. Inseln*, eine Kette v. 5 Korallbauten der NHebriden, auf Krusenstern's Carte so getauft, weil sie Capt. *B.* 1789 aufgenommen hatte, einh. *Baba* od. *Ababa*, sonst auch *Torres In.*, nach dem span. Entdecker 1606 (ZfAErdk. 1874, 280). Tilley unterschied eine *Nord-, Mittel-, Süd-* u. eine *Sattel-I.*, letztere an zwei Pics v. 91 u. 152 m Höhe kenntlich (Meinicke, IStill. O. 1, 182), die in den Schein einer Doppelinsel geben (ZfAErdk. 1874, 281 f.). Etwas abseits der Kette *B. Insel* (Stieler, HAtl.

No. 51), einh. *Ureparapara*, id. *Ile du Nord* = Nordinsel d'Urville's, der 594 m h. runde Gipfel eines erloschenen Vulcans, dessen Kraterrand an der Ostseite bis unter den Meeresspiegel zerspalten ist, so dass Seewasser den alten Kraterboden bedeckt (Meinicke, IStill. O. 1, 183).

Blin s. Branchier.

Blind Bay = blinde Bucht, in NSeeland, *Tasmans Bogt* (s. Massacre) der holl. Entdecker des Landes 1642 (Krus., Mém. 1, 207, Meinicke, IStill. O. 1, 281), auch v. Cook nicht untersucht, aber benannt, weil er, im Vorbeifahren kaum den Hintergrund erkennend u. aus Sondirungen auf geringe Tiefe schliessend, sie als v. niedrigem Lande eingesäumt sich dachte (Hawk., Acc. 3, 30). — *Blindenburg* s. Wissegrad.

Blinkklip = Glanzfels, ein mässig hoher Berg am Oranje, nach dem Glanze, welcher die häufigen bleifarbenen, in die Felsmasse eingestreuten Glimmerkrystalle verursachen (Lichtenst., SAfr. 2, 448).

Blischnie s. Aleuten.

Bloau s. Bleu.

Blocksberg s. Brocken.

Blodiw s. Philippopel.

Blomstrand Hafen, eine Bucht an der Nordseite der spitzb. King Bay, v. der schwed. Exp. v. 1861 getauft nach dem Geol. B., welcher sich als Leiter der wissenschaftl. Arbeiten auf der Slupe Magdalena befand (Torell u. Nordensk., Schwed. Exp. 11. 13, Carte).

Blonay u. **Blons** s. Plana.

Bloody Bay = blutige Bucht, in Egmonts I., v. Capt. Carteret am 17. Aug. 1767 so benannt, weil hier sein Kutter v. den Eingebornen angegriffen wurde (Hawk., Acc. 1, 358). — *B. Falls*, die untersten Katarakten im Kupferminenflusse, v. engl. Reisenden Hearne (1770) so genannt, weil die ihn begleitenden Chipewyans einen schrecklichen Mord an den Eskimos begingen. Noch Franklin (Narr. 349, Bild) fand hier am 15. Juni 1821 mehrere Menschenköpfe, welche die Spuren der Gewalt an sich trugen, u. viele über die Fläche ausgestreute Gebeine. — *B. Point*, an Frobisher Bay, zu Ende Juli (od. anf. Aug.) 1577 v. engl. Nordwestf. Mart. Frobisher benannt, weil drei seiner Leute, darunter master York, ein blutiges Zstreffen mit Eskimos hier hatten. Diese griffen die Engländer an u. verwundeten sie mit Pfeilen; als auch ihrerseits einige getroffen waren, sprangen sie ins Wasser u. ertränkten sich. Die übr. flohen in die Berge. Nur 2 Weiber wurden ergriffen, eine alte hässl. Frau u. eine junge, die ein Kind trug. Jene hielten die Seeleute f. den Teufel od. eine Hexe, u. sie rissen ihr die Fussbekleidg. auf, um sich zu übzeugen, ob sie Krallenfüsse habe, 'and for her ougly hew and deformity we let her goe'. Die junge Frau u. ihr Kind nahm man mit (Hakluyt, Pr. Nav. 3, 35, WHakl. S. 38, 142). — *Island of Blood* s. True Justice.

Blossom Bank, im Hafen v. Napa-Kiang, Riu Kiu, v. Capt. Beechey (Narr. 2, 501) im Mai 1827 entdeckt u. nach seinem Schiffe B. benannt, sowie *a*) *B. Lagoon*, ein Atoll der austr. Peard I.,

im Jan. 1826 (ib. 1, 117); *b*) *B. Rock*, eine gefährl. Felsklippe im Hafen v. Sa. Clara, Calif., im Nov. 1826 (ib. 1, 375); *c*) *B. Shoals*, vor Icy C., im Aug. 1826 (ib. Carte). Die *B. Rocks* sind seit dem 23. Apr. 1870 gesprengt, u. die Stelle hat j. 11 m Tiefe (Welth. 1870, 446).

Blotnik s. Spree.

Blowing Cave = Windhöhle, engl. Name einer virgin. Grotte, weil aus ihr unaufhörl. ein so starker Zugwind bläst, dass 20 Ellen weit alle Gewächse auf den Boden sich beugen (Spr. u. F., Beitr. 8, 205). — *Blow-Me-Down* = blase mich hinab! ein Cap vor Fundy Bay, bei den Schiffern ebenso gefürchtet wie Cape Hatteras, Carolina, weil starke Windstösse plötzl. v. der 150 m h. Felswarte herabbrechen u. die Schiffe gefährden (Buckingh., Can. 390). — *Blowingfly Creek* = Bach der Schmeissfliegen, ein Zufluss des Missuri, v. Captn. Lewis u. Clarke (Trav. Miss. 161) am 20. Mai 1805 so benannt nach der Menge dieser Insecten, welche dort schwärmten. 'They are extremely troublesome, infesting our meat whilst cooking and at our meals'.

Bludin s. Trajan.

Blue = blau, in engl. ON., insb. *B. Mountains*, f. Gebirgszüge, die sich aus der Ferne gesehen als heller od. dunkler, blauer Streifen hinziehen, wiederholt: *a*) in Oregon (Glob. 15, 45); *b*) in NSüd Wales, offic. *Ms. of Carmarthen u. Lansdowne*, nach dem engl. Staatsmann d. N. getauft (Péron, TA. 1, 325)... 'which are blue indeed, and very lovely' (Trollope, Austr. 1, 197); *c*) in Jamaica, 2373 m h. (Meyer's CLex. 3, 310); *d*) als *B. Ridge* = blauer Rücken in Virginia (ib. 15, 458). — *B. Mound* s. Mound. — *B. Peaks*, eine Gruppe spitziger Berghäupter, v. der Exp. Ives (Rep. 117 f.), die auf ihrem Weg zu den 7 Städten der Moquisindianer die schrecklich öden Plateaux im Westen dieser Berge passiren wollte, zuerst im Mai 1858 erblickt... 'the scene was one of utter desolation. Not a tree nor a shrub broke its monotony. The edges of the mesas were flaming red, and the sand threw back the sun's rays in a yellow glare. Every object looked hot and dry and dreary.... The country, if possible, grew worse. There was not a spear of grass, and from the porousness of the soil and rocks it was impossible that there should be a drop of water. A point was reached which commanded a view twenty or thirty miles ahead, but the fiery bluffs and yellow sand, paled somewhat by distance, extended to the end of the vista. Even beyond the ordinary limit of vision were other bluffs and sand fields, lifted into view by the mirage, and elongating the hideous picture. The only relief to the eye was a cluster of blue pinnacles far to the east that promised a different character of country.... About us and extending westward as far as the eye could reach, were the red bluffs, yellow sand, and all the direful features previously encountered upon the desert, but in front, only a few miles distant, a line of beautiful blue peaks stood like watchtowers upon the verge of a pleasant looking region... While advancing, the *BP.* rose up in front, like ships approached at sea — some in cones and symmetrical castellated shapes and others in irregular masses'. — *B. River* s. Colorado. — *B. Sea* s. Sinyi.

Blue Berry Portage = Trageplatz der Blaubeeren, ein ON. mit Grundwort u. zsgesetztem Bestimmgswort *blue berry,* im Netz des Yellow Knife R., f. die mühsamen Touren der Angestellten der Hudson's Bay Co. durch die in Menge hier wachsenden Früchte nicht ohne Bedeutg. In erhöhtem Maasse erfreute sich (1820) an den *blue-berries* die ausgehungerte Mannschaft Capt. John Franklins (Narr. 212 ff.); denn sie hatte schon bei ihrem Auszuge Mangel an Lebensmitteln gelitten. — *B. Crane Hills* s. Slim. — *B. Earth River,* bei Charlevoix *Rivière de la Terre Bleue,* beides übsetzt v. ind. *Mahkatoh, Mankato,* vollst. bei den Dakota *Makato ossa Watapan* = Fluss, wo man blaue Erde findet, ein Zufluss des Minnesota R., derselbe, an dessen Mündg. das Fort l'Huillier erbaut wurde; der frz. Reisende Le Sueur, längs des Flusses nach Kupfererz, einer bläulich-grünen Erde, suchend, überwinterte dort 1700/01 u. kehrte mit einer Ladung v. 2000 Ctr. z. Mündg. des Missisipi zk. Von hier gingen 40 Ctr. nach Frankreich u. scheinen hier werthlos erfunden worden zu sein. Bei Penicaut, einem Gefährten Le Sueur's, *Green River* = grüner Fluss, weil die Erde das Wasser grün färbt (Coll.Minn.HS. 1, 34. 45. 321. 328; 3, 7 ff.). Auch ein Neuerer, Featerstonaugh (1, 2. 301 ff.), fand am 22. Sept. 1835 den Fluss 'loaded with mud of a bluish color, evidently the cause of the St. Peter's being so turbid'. In der Mine holten die Indianer ihre blaue Farbe; jene war $1\frac{1}{2}$ km obh. des Fort, an der Mündg. des Zuflusses, der bei Nicollet 1835 *Le Sueur River,* auf einer Carte v. 1773 *River St. Remi* heisst (Hertha, 12, 541). — *B. Mud Bay* = Bucht des Blauletten, hinter Groote E. (s. d.), v. Flinders (TA. 2, 199, Atl. pl. 14 f.) am 22. Jan. 1803 so benannt, weil er den Grund dieses Ankerplatzes als einen blauen u. so feinen Letten fand, dass er dafür hielt, ders. möchte z. Fabrication irdener Waare sehr geeignet sein. — *Bluewater Creek* = Blauwasser-Bach, urspr. frz. Name eines kl. rseitg. Zuflusses des Missouri, gleich unth. des Kanzas R., auffallend ggb. dem schlammigen Strom (Lewis & Cl., Trav. Miss. 13).

Blüemlisalp s. Frau.

Bluff, ein engl. Wort im Sinne v. grob, ungestüm, trotzigen Aussehens, hat mir in seiner topograph. Verwendg. durch diesen Sinn, etwa durch 'Trotzkopf' wiederzugeben, mehrf. gezeigt: *a)* ein Berg an der arkt. Mercy B. (s. d.), 'a high and remarkable table-hill, forming a prominent feature in our dreary landscape, from its appearance called so' durch die Expr. McClure im Sept. 1851 (Armstrong, NWPass. 474); *b)* im plur. *the Bluffs,* zwei hohe, imposante Felsen zu den

Seiten eines Flussdurchbruchs der Rocky Ms., v. Capt. Blakiston 1858 benannt (Peterm., GMitth. 6, 22); *c) B. Point,* ein hoher, kühner Vorsprung am Yellowstone L. (Hayden, Pr. Rep. 131, Carte 100). So werden auch in Wisconsin mehrere auffällige, vereinzelte, geradezu burgartig aussehende Felsmassen als *B.* bezeichnet. Sonst ist das Wort im Missisipithal in ganz andern Sinne allgemein, näml. f. die steilen Abhänge der Flussthäler, die in der Region der Prairien plötzl., wenige Fuss hoch bis zu mehrern Hunderten, aufsteigen u. so den Uebergang aus der Stromebene in die wellige Prairie scharf bezeichnen (Whitney, NPlaces 104).

Blumenau, ON. *a)* Colonie in Brasil., ggr. 1850 v. dem deutschen Arzte Dr. *B.* aus Rudolstadt (Avé-L., SBras. 2, 187); *b)* Ort in Siebenb., Vorstadt Kronstadts, mag. *Bolomya,* 'verdankt ihren vielen Gärten den Namen' (Meyer's CLex. 10, 389).

Blythe Bay, im antarkt. South Shetland, benannt nach dem Robbenschläger William, einer Brigg v. *B.,* die mit Londoner u. americ. Schiffen anno 1821 dort dem Fang oblag (Hertha 9, 451).

Boa, fem. des port. *bom* (s. d.), mit der Bedeutg. 'hübsch, schön' in *Boavista* = schöner Anblick 3 mal *a)* Insel vor Cabo Verde, v. der Exp. Cadamosto nach 3 tägigen Sturm entdeckt am 5. Mai 1456, Zuflucht, Wasser u. Lebensmittel gewährend (Peschel, ZEntd. 65, Spr. u. F., Beitr. 11, 168); *b)* s. Pernambuco; *c)* die Ostspitze NFundl. — u. nach ihr die *Bay v. Boavista* — v. den Cabots am 24. Juni 1497 entdeckt, auch *Bona-, Buena-* u. *Prima-* (= erste) *vista* genannt (Anspach, NFundl. 17, Buckingh., Can. 371). — *Aguada da B. Paz* s. Reis. — *Fonte B.* s. Fontaine. — *Villa B.* s. Goyaz.

Boat Island = Bootinsel nannten die Captt. Lewis u. Cl. (Trav. 51) einen Werder des Missuri, den sie am 8. Sept. 1804 auf ihrer Bootfahrt erreichten u. z. Lagerplatz erwählten. — *B. Rock,* ein bootförmig aus dem Rio Colorado hervorragender Inselfels, v. der Exp. 1858 getauft (Möllhausen, FelsGb. 1, 247).

Bober = Biber, wie *Bobrau, Bobrek, Bóbrka, Bobrova, Bobrówka, Bobrowniki, Bobrurka, Bobrze* u. slaw. Sprachgebiet häufiger Flussname u. auf Wohnorte übtragen, v. čech. *bober,* poln. u. russ. *bobr,* also 'der biberreiche Bach' (Miklosich, ON.App. 2, 151, Jettmar, Progr. 22), so *Bobrik* u. *Bobritschek,* 2 Flüsse nebst Dorf *Bobrowoje,* im Gouv. Cherson, *Bobrujka* = Biberflüsschen, ein Zufluss der Beresina u. an der Confl. die Stadt *Bobrujsk, Bobriza,* 2 Zuflüsse des Dnjepr u. ein See im Gouv. Witebsk, *Bobrzek* u. *Bobrek,* poln. Flussnamen (Le Gowski 13. Apr. 1891), u. so auch ein 'Biberfluss' in Sitka, an dessen Ufern Biber wohnen sollen (Kittlitz, Denkw. 1, 230). — Russ. *Bobrowskoe More* = Bibersee, 2 mal *a)* ein See in Kamtschatka's, nach den einst häufigen hochgeschätzten Seebibern, Seeottern, Enhydris lutris L., russ. *morskoy bobr* = Meerbiber (Müller, Kamtsch. 9,

124　　Boca.　　　　　　　　　　Boden.

Steller, Kamtsch. 97); *b)* s. Bering. — Zwei z.
Gruppe Pribulow gehörige kahle Felseilande, *Bo-
brory Ostrow* = Insel der Seeottern u. *Morskovy Ostrow* = Insel der Walrosse sind f. die
Insulaner v. StPaul u. StGeorg heute noch ein
ergiebiges Jagdgebiet; früher war die erstere das
beliebteste Stelldichein der kostbaren Seeotter.
— *Bobry* s. Laurentius.

Boca Chica = kleine Mündg., span. Name der
Meerenge, welche die vor dem R. Bravo del
Norte gelegene Küsteninsel Brazos v. Continente
trennt (Uhde, RBravo 11). — *La Boca del Rio*
= die Mündg. des Flusses, das Felsthor, durch
welches sich der Rio de Mendoza, Argentinia,
zw. hohen steilen Porphyrkuppen Bahn bricht
(Burmeister, LPlata 1, 289). — *La Bocca* s.
Cáttaro.

Bocholt s. Buch.

Bock, ahd. *pocch*, altn. *bokki*, dän. *buk*, schwed.
bock, ags. *bucca*, engl. *buck*, holl. *bok* (s. Bokkeveld), mag in deutschen ON. mehrf. vorkommen,
berührt sich aber in den alten Formen verführerisch mit ahd. *buocha* = Buche, sowie mit *bug*
(Förstem., Altd. NB. 295).

Bockwa s. Bukowina.

Bodas, Telaga = weisser See, v. *bodas* = weiss
u. *telaga* = See (u. danach der nahe Berg *Gunung Telaga B.*), mal. Name eines kreisf. javan.
Schwefel- od. besser Alaunsees, einer Lauge v.
schwefelsaurer Thonerde. 'Milchweisse Farbe des
Wassers blendet die Augen u. steht in einem
malerischen Contraste mit seinen grünen Ufern'.
Diese Farbe 'rührt v. Wiederscheine eines Sedi-
ments her, welches den Grund überzieht, weiss v.
Farbe ist u. aus reiner Alaunerde besteht' (Junghuhn, Java 2, 107, Crawf., Dict. 425).

Boddan s. Salomon.

Bodega Bay, bei San Francisco, Calif., benannt
nach dem span. Seef. Don Juan Francisco de la
B. y Quadra, der 1779 an der Nordwestküste
America's Entdeckungen machte. Nach GForster
(GdReisen 1, 46) rührt zwar der Name schon v.
der Fahrt Don Bruno's de Heceta (1775) her.
Möglich dass *B.* sein Begleiter od. einer der Vorgänger gewesen ist. Wahrsch. ist die *BB.* der
200 Jahre vorher v. dem engl. Seef. Francis Drake
entdeckte *Port Sir Francis Drake* (s. SFrancisco).
— *B.* s. Bogotá.

Boden, oberdeutscher Ausdruck f. breite Thalgründe od. Ebenen, wie *im B.*, an der Confl. v.
Vorder- u. Hinter-Rhein, *Baarer B.* (s. Baar),
Urner B. (s. Uri), *Bödmen*, in Vorarlb. (Bergm.,
Wals. 55), *Bodmen*, in Wallis, u. dim. *Bödemje*,
in Gressoney (Schott, Col. Piem. 23), dim. *Bödeli*,
die Alluvialfläche v. Interlaken u. a. m. — An
diese Fassung dachte auch J. Grimm (DWörtb. 2,
217) f. *Bodensee*; allein 'wie die Seen meist nach
dem bedeutendsten Uferorte genannt werden', so
auch dieser nach der kaiserl. Pfalz Bodman, die
am nordwestl. Ende derselben lag (Gatschet,
OForsch. 112, wo zugl. auf den nahen Ort *Boden-
wald* verwiesen ist). Diese Ableitg. gibt schon
1512 der St. Galler Humanist Vadian; ihm folgten

Hartmann (BodenS. 15), v. Arx (GCStGall. 1, 29),
Pupikofer (Gem. Schwz 17, 18), Uhland (Germ.
4, 83), Buck (Schr. VGBod. 2, 82 ff.), Förstem.
(Altd. NB. 295). Bodman war zZ. der Carolinger
gew. Sitz kön. Beamter, *Villa Podama*, 839 *Bo-
doma*, wie denn bei Aeg. Tschudi der *Ueberlinger
See*, an dem Bodmen liegt, noch *L. Bodamicus*,
wie 890 *L. Podamicus*, heisst. Die 'grossen Seen',
welche der Rhein im Lande der Kelten bildet,
haben bei Apoll. Rhod. — 200 noch keinen Namen;
Strabo + 20 erwähnt nur 'einen grossen See'; Plinius (HNat. 11, 29) nennt diesen *Lacus Brigantinus*, nach dem Uferort Brigantium; bei PMela
3, 2 spaltet sich, viell. unserm *Ober-* u. *Untersee* entspr., der *B.* in den *Lacus Venetus* u. *L.
Acron(i)us*. Eine förml. Dissertation üb. diese
Namen (vgl. übr. F. Fabers Descr. Sveviae in
QSchweizG. 6, 115 f.) gab Vadian (Ep. RAgri-
colae Raeto, Viennae 1512; sie ist in die Schrift
'Vom Oberbodensee' (um 1545, ed. Götzinger 2,
431 ff.) übergegangen. Zwei Namen habe der
See v. Uferorten, einem am Ober- u. einem am
Unterende gelegenen, bekommen: *a)* Bregenzer
See, schon bei Solin. (c. 32) u. bei Amm. Marcell.
(1, 15) als *Brigantinus L.*; *b)* *Bodmer See*, nach
der kais. Pfalz Bodman, Bodmen, wie der Hall-
wyler See 'von der Veste Hallwyl', so die v. *H.*
gebauwen u. inhabend, wie auch die Veste Bodmen v. denen v. *B.* noch besessen wird'. Daraus
haben die Mönche geformt *Bodmicum, Potmicum,
Potamicum*, u. es sei dieser Name somit nicht,
wie Waldfried (praef. in vit. Galli) meinte, griech.
Ursprungs. Nach dieser Ansicht wäre er 'quasi
ποτάμιος hoc est fluviatilis, ... sam der *Poden-
see* v. dem Rhein u. andern Wassern, so darein
kommend, den Namen habe'. Vadian wendet sich
auch gg. Beatus Rhenanus. Dieser hatte die
Acromus als Latinisirung des muthmassl. frühern(?)
einh. deutschen Namens *Kromasee* od. 'der groben
Sprach nach' *A-kroma-see* = krummer See betrachtet u. diese Bezeichnung mit der frühern
Gestalt begründet, da das Seebecken 'vorgehender
Jaren bass hinauf in das Rhinthal langen u. darum
krümmer seyn mögen'. Den geolog. Wechsel bezweifelt nun Vadian, der ein Langes u. Breites
über Alluvionen beibringt, keineswegs; allein dass
der nahe 'Hof' Romanshorn als sprachl. Zeuge
f. die Etym. angerufen wird u. früher auch *Cro-
manshorn* = Horn am krummen See geheissen
habe, widerlegt unser Autor mit nichts geringerm,
als den urk. alten Namensformen des Orts. Die
andere Lesart, *Acronius*, werde v. Einigen dem
Κρόνιον, also *cronium* = kalt u. winterfrostig,
'das mit Iss sich beschliesst' — wie nach Plinius,
Ptolemäus u. Dionysius 'das Schwedisch u. Nor-
wegisch gross Meer genannt wird v. dem kalten
u. winterigen Saturno, welchen die Griechen *Κρό-
νον* heissend' — entgegengesetzt, 'der Ursach, dass
er gar sömerig u. in seiner Grösse weder Iss noch
Frost habe u. nit überfriere u. niemant sein gedenkt noch jemantz melt, dass er ie mit Iss (vollständig!) beschlossen seige, welichs doch dem
nächsten See daran gelegen, den man *Under-* od.

Zellersee nent, zu gemeinen kalten Wintern gewonlich begegnet´. Buck gibt als alte Deutungen: *L. Acronus* = Obersee, v. τò ἄκρον = die Höhe, *L. Venetus* = meergrüner See, auf den untern bezogen, während bei Mela der letztere vorangeht; er selbst denkt an die rät. Wurzeln *ach, oc* resp. *ven* u. die Namen *Acron* u. *Venetia.* Die Form *L. Constantiensis*, schon 1188, ein früher Vorläufer des frz. *Lac de Constance*, kommt urk. 1353, also lange vor dem Concil, als *Kostnitzer See* vor; auch erfahren wir die Zeit, wo man den *B.* als ´Meer´ zu bezeichnen anfing. Der *Untersee*, nach dem Städtchen Radolfzell auch *Zeller See*, erscheint 1155 als *Lacus Augiensis*, nach der Au, Reichenau (Bacm., AWand. 54). — *Bodenwerder*, latin. *Bodonis Insula*, ON. auf einem Werder der Weser, nach dem Gründer Bodo v. Homburg (Meyer's CLex. 3, 417).

Bodfeld, im 10. Jahrh. *Batfelthun*, dann *Badfeldun, Bodfeldon . . .*, einst Pfalz im Harze, wo König Heinrich I. der Jagd wg. oft verweilte, schon 1258 Ruine, j. gänzl. in Trümmern (Meyer's CLex. 3, 417), an der Confl. der Kalten u. Warmen *Bode.* Auch der Flussname hatte früher *a*, im 9. Jahrh. *Bada*, dann *Bade, Boda, Bode*, wie *Bodungen*, alt *Badungen*, an einer andern *Bode*, das *a* noch im 12. Jahrh. bewahrt hat. Förstemann (Altd. NB. 190) stellt diese Namen unter Stamm *bad* u. nimmt an, dass *o* hier nur niederd. Trübung des urspr. *a* ist. ´Eine Etym. des Stammes kann noch nicht versucht werden, ebenso wenig, als sich f. j. über seine Deutschheit od. Undeutschheit ein Urtheil fällen lässt´.

Bodincus s. Po.

Bodmen s. Bodensee.

Bodrica s. Obotriten.

Bodrick s. Jameson.

Bodulia s. Podolia.

Bodungen s. Thüringen.

Boeck s. Schweigaard.

Bödeli s. Boden.

Bög = Buche (s. d.), auffallender Weise in dän. Seeland, dem durch herrl. Buchwälder (vgl. Egebjerg) berühmten, nur selten in ON., so in *Bögesö* = Buchensee (Madsen, Sjael. StN. 277).

Bögdus = Grosssalza,türk.ON.bei Nachitschewan, nach den Steinsalzlagern, die noch heut. Tages ausgebeutet werden (Brugsch, Pers. 1, 145 ff.).

Böhmen, zunächst Landesname, contr. aus dem noch zu Ende des 18. Jahrh. ´in Geographien u. Staatsschriften´ gebr. *Böheim, Bojohemien, Bojerheimat* = Land der kelt. Bojer, welche urspr. zw. Boden- u. Plattensee, Alpen u. Donau wohnten, nach *B.* verdrängt u. zZ. Christi v. den Geten vernichtet wurden, bei Straho *Bováμιor*, bei Tacitus *Boiemum*, um 800 *Bohemia*, 1200 *Behaim* u. s. f., slaw. *Čechy*, mag. *Csehország*, davon auch die slaw. Bewohner 791 *Behaimi*, *Behemi*, . . . *Čechy* etc. — *Böhmer Wald*, čech. *Šumava*, v. *šuma* = Wald, u. nur f. den nördl. Theil *Čechy les* = Böhm. Wald (Umlauft, ÖUng. NB. 24. 233), früher wohl in viel weiterm Sinne gefasst (s. Erz-

gebirge), v. seinen weiten dichten Wäldern. ´An den Abhängen . . . findet sich eine grauenvolle Verwirrung in den sumpfigen Wäldern, welche den grössten Theil der Oberfläche überkleiden, an den Urwald America's erinnern u.gew. geradezu *Böhm.* Urwald genannt werden. 30 000 Joch sind noch mit solchem Urwald bedeckt . . . . Vornämlich seit Karl Moor mit seinen Genossen sich in die *Böhm.* Wälder warf, verlegten die Dichter ihre schauerl. Gebilde ´tief in des *BW.* Innerstes´, u. der *BW.* gilt Vielen heute noch als der Inbegriff schauerl. Romantik . . . .´ (Daniel, Handb. Geogr. 3, 286 ff.). Der älteste Name des Waldgebirges, *Gabreta Silva*, gr. Γαβρέτα ὕλη = Ziegenwald, bei Strabo (292) u. Ptol.˙(2, 10) erhalten, kann nicht, wie Grueber, Müller u. noch 1868 A. V. Šembera (Zapadné Slov. 131) wollte, v. slaw. *javor, jabor* = Ahorn abgeleitet werden, weil zu jener Zeit noch keine Slawen, sondern die kelt. Bojer im Lande sassen. Auch C. Zeuss (DDeutschen 6) war wohl auf einem Irrwege, wenn er an ´Hochwald´ dachte u. Einhards Uebsetzg. *Saltus Hircanus*, v. lat. *hircus* = Ziegenbock, als aus dem alten *Hercynius* umgeformt annahm. Anders haben 1854 M. Koch (Schriften d. Ackerb.-G. 7, 101) u. 1857 Chr. W. Glück (Kelt. N. b. Caes. 43) den Namen aus kelt. *gabr* = Bock, corn. *gavar*, arm. *gavr*, gaour, ir. *gabor*, verwandt altn. *hafr*, lat. *caper, capra*, erklärt u. auf den nor. ON. *Gabromagus* = Ziegenfeld (It. Ant., Tab. Peut.) u. den altbrit. *Gabrosentum* = Ziegenweg (Not. dign.) hingewiesen, u. seither haben Andere diese Etym. wiederholt, 1867 Bacmeister (AWand. 130), 1885 V. Brandl (Ozbor ed. Wisnar 14 f.) u. 1887 die Rev. Celt. (8, 123 f.). — *Böheim-Zwiesel* s. Zwei. — *Bohémiens* s. Zigeuner.

Böjük = gross, in türk. ON. (s. Balkan), wie *Böjükdere* = Grossthal, auch *Bujukdere*, ein v. Wald v. Belgrad z. Bosporus mündendes Thal u. — durch Uebtragg. — des an der Mündg. gelegenen Orts, der sonst auch *Libadia* = die Wiesen hiess, ´welchen einf. Namen der schöne Spaziergang noch heute beibehalten hat´. Im Alterth. hiess der schöne tiefe Busen, dessen Fortsetzg. das Thal bildet, *Bathykolpos* = tiefer Golf od. der *Saronische*, angebl. v. dem hier errichteten Altar des Seehelden Saron (Hammer-P., Konst. 1, 16; 2, 244). Bei Ismid mündet ein *Böjükdere Su*, wo *su* = Wasser, Fluss, in den Pontus (Tschih., Reis. 44, Hamilton, KlAs. 1, 498 ff.). — *B. Liman* = grosse Bucht, die erste grössere Einbuchtg., welche ein den Pontus verlassendes Schiff am europ. Ufer des Bosporus trifft, den *Hafen der Ephesier* (Hammer-P., Konst. 2, 268). — *B. Tagh* = grosser Berg, unweit des Bosporus asiat. Seite (ib. 1, 26). — *B. Tschekmedsche* s. Poros.

Boëo s. Lilybaeum.

Börgen, Cap, an der Ostküste Grönl., v. der 2. deutschen Nordpolexp. 1869/70 getauft nach Dr. B., einem der Theilnehmer, welcher am Abend des 6. März 1870 v. einem Eisbären fortgeschleppt, mit genauer Noth gerettet wurde (Peterm., GMitth. 17, 416 T. 10).

Börne s. Brunn.

Boers = Bauern, wesentl. die Abkömmlinge holl. Ansiedler im Caplande, seit Anlage der Capstadt 1648 eingewandert, mit europ., insb. deutschen u. frz., aber auch african. Elementen vermischt — bekanntlich hat 'etwas farbiges Blut in vielen Bauernfamilien Eingang gefunden' — noch immer v. holl. Zunge, aber den Holländern nicht zugethan, die Bezeichng. *Holländer* abweisend, mit Vorliebe sich *Africaner* nennend, welchen Ehrentitel sie keinem der eingebornen Völker gönnen. Als das Capland 1815 an England fiel, verliessen ihrer Tausende die Colonie; sie zogen mit Weib u. Kind, Herd u. Habe aus u. gründeten sich im Innern eine neue Heimat, die 'Boerenrepubliken' *Oranien*, am Oranje Rivier, u. *Transvaal*, jenseits des Vaal Rivier (Peterm., GMitth. 1, 273, Merensky, Beitr. 142).

Bösen Meeres, A. d. s. Paumotu.

Bogatirsk s. Piatigoria.

Bogatzewen, *Bogatzko* u. *Bogatzkowolla*, masur. ON., v. poln. *bogaty* = reich, *bogacić* = reich machen, eine Andeutg. des reichen Bodenertrags (Krosta, Mas. Stud. 11). Vergl. Schmalzgrube. — *Bogatyj-Kultuk* s. Mertwoi.

Bogdo Oola = heil. Berg, kalm. Bergname, insb. f. die isolirte Höhe, welche, obgleich nur 176 m h., 'das Wunder der Nomadenvölker' der kasp. Steppe ausmacht, bei den Kalmyken f. heilig gilt u. ihnen als Opferstätte dient (Rose, Ural 2, 225, Humb., As. Centr. 1, 274); denn hier hat der Dalai Lama übernachtet, u. die Vorbeireisenden versäumen nicht, ihre Ehrfurcht zu bezeigen, indem sie einige Sachen als Geschenke f. die Gottheit hinlegen. Die Steinhaufen auf dem Gipfel bilden noch besonders heil. Stätten (Müller, Ugr. V. 2, 521). Der Berg heisst nach seiner langgestreckten Form auch *Arslan-Oola* = Löwenberg, der Steppensee an seinem Fusse, unser Baskunschatski, Baskutsch, der König dortiger Salzseen, auch *Bogdoin Dabassu* = heil. See (Falk, Beitr. 1, 124); *b)* ein zweiter *BO.* im Thian Schan, ein über 4000 m h. dreispitziges Berghaupt (Humb., ACentr. 2, 385), 'das bei seiner vereinzelten Lage einen grossartigen Eindruck macht' (Regel, RBer. 16). — *B. Kuren* s. Urga.

Boghás, vulg. auch *Bugás', Buhás'* = Mündg., bei den Türken gew. f. Engpass, zu Wasser, z. B. f. den thrak. Bosporus (s. d.), ähnl. wie dieser u. der kimmerische in der altruss. Hydrogr. *Morskoi Girlo* = Meeresschlund heissen, od. zu Lande (s. Likostomion), in der Krym z. B. f. die vorzüglichsten Zugänge u. Pässe des Gebirgs (Köppen, Taur. 2, Hamilton, KlAs. 1, 498). — *Dschebel el-B.* = Gebirge der Schlucht, arab. Name einer Berggruppe auf der Route Damaskus-Palmyra, weil hier in einer Schlucht Brunnen, zu Halt- u. Erfrischngsplätzen der Karawanen, gegraben sind (Kremer, MSyr. 191). — *B. Köi*, ON. wiederholt: *a)* im Gebirge v. Cappadocien, nach dem nahen,

durch Texier's Sculpturenfunde merkw. gewordenen Felsspalt (Tschih., Reis. 32, Peterm., GMitth. 5, 354); *b)* s. Czernawoda. — *B. Kessen* s. Rum. — *Boghasi*, eine Gebirgsschlucht Messeniens (Curt., Pel. 2, 150).

Bogmutty s. Bagmaty.

Bogor s. Buitenzorg.

Bogoródsk, adj. Form f. *Bogoródiza* = die gottgebärende (s. Sokol), häufiger russ. ON. nach Kirchen, welche der h. Maria geweiht sind. Aehnl. *Pokrówsk*, v. *pokrów* = Schleier scil. der Maria in den Legenden, *Krestówsk*, v. *krest* = Kreuz (Erman, Reise 1, 276).

Bogotá, ON. in der südam. Republik Columbia, nach dem reichen Indianerfürsten Bagotta, den der Span. Gonzalo Ximenes de Quesada antraf, als er auf 2 kl. Brigantinen, mit 45 Mann, den Magdalenenstrom hinauffuhr. Die Exp. hatte bei den Indianern einige Smaragde eingetauscht, wollte die Minen suchen u. traf nun den Fürsten, der die habsüchtigen Weissen nach dem Thal Tunia wies, dann jedoch, als immer neue Schaaren nachrückten, sich z. Widerstande entschloss. Die Indianer waren in allen Treffen unglücklich; die Spanier wurden Herren des Landes, gründeten am 6. Aug. 1538, als am Verklärungstage, die Stadt, zunächst 12 Häuser, nach der Zahl der Apostel, u. setzten den ind. Namen *Santa Fé* = der heil. Glaube, Religion, vor (WHakl. S. 21, 110, Hertha 2 GZtg 82, Raleigh, Disc. G. 33). Am Strome selbst der neuere Ort *Bodega* (= Schenke) *v. B.* (Meyer's CLex. 3, 461). Vgl. Humb., Vue Cord. 248.

Bogueddin, ON. bei Buchara, nach dem heil. *B.*, der hier in einer Moschee begraben liegt u. als einer der gefeiertsten Heiligen Asiens gilt. Nach Einigen lebte er zu Timurs Zeit; nach Andern leuchtete damals schon auf seinem Grabe eine Flamme, die diesem Märtyrer erst den Ruf der Heiligk. gab. Wahrscheinlicher ist die in Buchara öfter wiederholte Sage, dass *B.* der erste war, der in diesem Lande die 'Heiden' bekehrte. Allwöchentl. sieht man die Gläubigen zu Fusse, zu Pferde od. auf weissen Eseln hierher strömen, um auf dem geweihten Boden ihre Gebete zu verrichten. Der Emir selbst soll sich infolge eines Gelübdes, das er einst ablegte, um sich bei der Thronbesteigg. des Beistandes des Propheten zu versichern, wöch. einmal hierher begeben u. einmal im Jahre sogar zu Fuss. Zwei Wallfahrten aus fernen Ländern nach *B.* werden einer Mekkapilgerschaft gleich geschätzt. Bei mehrern Capellen u. Gräbern waren lange, weisse Stangen aufgerichtet, v. deren Spitze schwarze Rossschweife u. Tuchlappen herabhingen; auch sind diese Stangen nicht selten mit Widderschädeln u. Hörnern verziert, u. sie bezeichnen alle geheiligte Stätten (Bär u. H., Beitr. 17, 80).

Bohnstedt s. Bernhard.

Bohur s. No.

Bojador, Cabo, v. port. *bojar* = anschwellen, vorragen, also das weit vorragende Cap 'donde deste muito bojar lhe chamárão *B.*', so nannten die Port. des 15. Jahrh. das v. ihnen gefürchtete african. Vorgebirge Non, welches endl. 1433 Gil Eannes umschiffte (Barros, As. 1, 1, 2 ff.). — Ein span. *Cabo B.* = umschifftes Vorgebirge, nicht *Boxeador*, ein imposanter Landvorsprung der Nordspitze Luçons, wo hohe Felsen in die See vortreten u. das ganze Hinterland zu Bergen ansteigt (Hakl., Pr. Nav. 3, 445).

Boileau, Cap, in Tasman's Land, v. der frz. Exp. Baudin am 9. Apr. 1803 benannt nach dem Satyriker *B.* 1636—1705 (Péron, TA. 2, 207, Freycinet, Atl. No. 26).

Bojodurum s. Passau.

Bois = Wald, Holz, ist enthalten in folgg. frz. ON. *a) Ile des B.* = Holzinsel, bei NFundl., v. frz. Seef. Cartier am 21. Mai 1534 benannt (M&R., VCart. 8); *b) B. Brûlés* = Brandhölzer, ein Mestizenstamm des arkt. America, wg. der bräunl. Hautfarbe dieser aus Vermischg. der frz. Canadier u. der Crees u. Odschibwä entstandenen, jagdliebenden u. unstät den Anbau meidenden Leute (Franklin, Narr. 85); *c) B. Caché* s. Hidden; *d) Glacier des B.* s. Bossons; *e) Lac du B.* s. Wood; *f) Lac du B. Blanc* s. Passeau; *g) Montagnes des B.* s. Franche; *h) ein Fort des B.* am Goose River, Gegend v. Pembina 1736/37 v. den frz. Canadiern errichtet (Ch. Bell. Canad. NW. 4). — *Ilha dos B.* s. Bouveret.

Boisset s. Bussière.

Boisucanga, eig. *Boy-assú-cánga* = grosser Schlangenkopf, v. *boya* = Schlange, *assú* = gross u. *(a)canga* = Kopf, ind. Name einer Felsspitze der bras. Küsteninsel São Sebastian, ggb. den Ilhas dos Alcatrazes, offb. nach der Gestalt (WHakl. S. 51, 99).

Boizenburg, 1195 *Boyzenburg,* 1208 *Buzeborg* etc., Ort in Mecklenburg-Schwerin, an der Mündg. der *Boize,* 1255 *Boytze,* in die Elbe, ist in Kühnel (ON. Mecklb. 27) nicht sicher erklärt.

Bokkeveld = Bocksebene, f. ein Plateau des Caplandes (Lichtenst., SAfr. 1, 135), ein höheres *Konde* (= kaltes) u. ein niedrigeres *Warm B.* (ib. 206. 214), nach den zahlr. Springböcken, Antilope euchore Forst., u. andern Antilopen, welche v. den Colonisten übh. als Böcke bezeichnet werden.

Boldogasszony s. Frau.

Boleslav s. Bunzlau.

Bolgary s. Bulgaren.

Boli s. Bithynia.

Boljoi s. Nguluvo.

Bolivia, j. Republ. in Süd.-Am., ind. *Charcas,* z. span. Zeit als Theil des Vicekönigreichs Peru *Alto* (= Ober-)*Peru* (Acosta, HNat. 3 c. 22, Peterm., GMitth. 11, 257), im Unabhängigkeitskampfe aufathmend, als der grosse Libertador, Simon Bolivar, nach dem Siege bei Boyacá 7. Aug. 1819, den peruan. Patrioten zu Hülfe eilte u. bei Junin am 5. Aug. 1824 die Unabhängigkeit Peru's erkämpfte, völlig befreit durch den Sieg, den General Sucre bei Ayacucho am 9. Dec. 1824 erfocht u. nun als besonderer Freistaat, unter dem Namen

B., von Peru abgetrennt. — *Ciudad Bolivar* s. Angostura.

Bolomya s. Blumenau.

Bolor-Tagh = Wolkengebirge, bei den Uiguren, auch *Belur,* türk. *Bulyt-tagh, Belút-tagh* (Elphinstone, Caboul DA. 1, 143, Humb., ACentr. 2, 573, Schlagw., Gloss. 175).

Boloram s. Rama.

Bolos s. Polos.

Bolseno s. Orvieto.

Bolschaja = gross, fem. v. *bolschyj* (s. Bolschój), in russ. ON. *a) B. Reka* = grosser Fluss, in Kamtschatka, der einzige unter allen Flüssen der Westküste, der v. der Mündg. bis z. Quelle schiffb. ist (Steller, Kamtsch. 204, Kraschenn., Kamtsch. 3. 7, Müller, Kamtsch. 3, Cook-King, Pacif. 3, 325); am Flusse der Ort *Bolscheretsk,* ggr. 1703 (Müller, SRuss. G. 4, 213); *b) B. Luka* = grosse Wiese, eine ciskaukas. Station bei Modosk (Güld., Georg. 6); *c) B. Jelan* s. Irbit; *d) B. Krutája* s. Sandekojagá; *e) B. Semliá* s. Arká-ja; *f) B. Swetlaja* s. Janáj jagá.

Bol'schój = gross, in russ. ON., wie *B. Ostrow* = grosse Insel, im Netz der Petschora, die oberste der unth. der Confluenz Zylma-Usiza durch Gabelg. entstandenen drei Werder, deren zweiter, vorz. als Kuhweide benutzter, *Korówij Ostrow* = Kuhinsel, der unterste, nach einem frühern Eigenthümer,*Tschitschígin Ostrow* heisst (Schrenk, Tundr. 1, 183). — *B. Osero* = grosser See, der Hptkörper des Peipussees, v. Nordufer bis z. Halse der Insel Porka, also im Ggsatz z. *Kl. Peipus-See* (s. d.). Beide Theile sind durch einen langen Hals, den *Töploje Osero* = warmer See, verbunden (Bär u. H., Beitr. 24, 8). — *B. Kamene* s. Ural. — *B. Perehód* = grosser Pass, im nördl. Ural, sam. u. mit ders. Bedeutg. *Garká Matúlowa* (Schrenk, Tundr. 1, 458). — *B. Senokósnoj Ostrow* (= grosse) u. *Maloj SO.* = kleine Heuinsel, 2 Werder im Delta der Petschora, getrennt durch den mittl. Hptarm des Flusses *Seredowój Schar* (s. d.) — *Bol'schesemél'skoj Chrebèt* s. Garká.

Bolsones = Taschen, in Honduras die geschlossenen Gebirgskessel, welche sich etwa durch Engpässe entleeren (Peterm., GMitth. 5, 170).

Bolt Head = Bolzenkopf, ein hohes Vorgebirge Queensland, v. Cook am 18. Aug. 1770 benannt (Hawk., Acc. 3, 205).

Bolus R. s. Susquehannah.

Bolwansk s. Afgoden.

Bom, port. adj. f. *bonus* (s. Bon), fem. *boa,* plur. *bons,* auch in der Form *bonito* = hübsch, in ON. *a) Bom Successo* = guter Erfolg, wie *Ouro Fino* = feines Gold ein Goldbach der bras. Minas Geraes, v. den Colonisten, welche seit 1680 nach Schätzen gesucht hatten, um 1700 als goldführend erkannt (Eschwege, Pluto Bras. 14); *b) Bom Viagem* = glückliche Reise, 'der gemüthl. Name' einer der Buchten v. Rio de Janeiro (Wüllerst., Nov. 1, 147); *c) Rio dos Bons Sinaes* s. Zambezi; *d) Monte Bonito,* bei Pelotas, Rio Grande do Sul, wg. der anmuthigen Aussicht (Avé-L., SBras. 1, 501); c) *Rio Bonito*, ein klarer Fluss im Oberlande v. Santa Catharina (ib. 2, 113).

Bombay, eine durch den besten Hafen der ind. Westküste bekannte Inselstadt, scheint dem oberflächl. Blicke gar zu lockend leicht erklärbar: port. *boa bahia* = gute Bay (Ziegler, Atl. 4, Meyer's CLex. 3, 493, Ruge, Geogr. 7. Aufl. 267) — oberflächlich, da die Zssetzg. aus *bom* m. u. *bahia* f. unstatthaft ist u. der Name zZ. der port. conquista, z. B. oft bei Barros (As. 4, 2, 14 u. a. O.), in der ind. Form *Bombaim* erscheint. Neben diese unhaltbare Etym. stellt, ohne sich weder f. die eine noch f. die andere zu entscheiden, Schlagintw. (Gloss 177) die einh. aus der Mahrattispr.: v. *Múmbai, Búmbai*, nach der Göttin Múmbai, welcher hier ein gr. Tempel gewidmet ist — eine Annahme, mit der auch die ind. Aussprache *mombei* (Pauthier, MPolo 2, 664) stimmt. Ich glaube, diese Ableitg., wenn auch nicht als völlig sicher, adoptiren zu dürfen.

Bombon s. Taal.

Bon, fem. *bonne*, frz. adj. v. lat. *bonus* = gut, wie ital. *buono*, span. *bueno* (u. *bon*), port. *bom*, mit Vorliebe f. ehm. Klöster u. Klostergüter *a) Bonmont*, urk. *Biaumont, Bonus Mons*, ehm. Cistercienserabtei, j. Landhaus, auf einem Vorsprung ob Nyon (Gem. Schweiz 19, 2b, 22, Mart.-Crous., Dict. 106); *b) la Bonne Fontaine*, dép. Moselle, eine reiche Quelle eisenhaltigen Wassers, welches Jahrhh. lang eines grossen Rufes genoss u. bes. im Mai einen starken Zulauf v. Frühtrinkern erhielt (Dict. top. Fr. 13, 31); *c) Bonneval*, 861 *Bonavallis*, eine berühmte Benedictinerabtei des dép. Eure-et-Loir (Dict. top. Fr. 1, 23); *d) Bonnevaux*, dép. Vienne, 1120 *Bonavallis* (ib. 17, 49) u. *Bonnevaux*, dép. Gard, 1384 *Bonae Valles*, Abtei aus dem 9. Jahrh., j. Ruinen, *l'Abbadie* (ib. 7, 30); *e) les Bons-Hommes*, 1190 *Boni homines*, Kloster im dép. Aube, zerstört 1317 (ib. 14, 21) u. *les Bonshommes*, Kloster im dép. Mayenne (ib. 16, 40) u. ein drittes im dép. Vienne (ib. 17, 50). — *Col du Bonhomme*, Alpenpass in Savoyen, oben mit 4 eckigem Felsthurm, dem ein kleinerer, *la Femme du Bonhomme*, z. Seite steht (Saussure, VAlp. 183 f.). — *Bon-Nant* = guter Bach, ein Zufluss der Arve, Savoie (Saussure, VAlp. 182). — *Bona per Forsa* s. Aigues. — *Chenal du B. Dieu* s. Devil. — *Rivière du B. Secours* s. Chippewa. — *Anse du B. Accueil* = Bucht des guten Empfangs, in Uapoa, Washington Is., urk. *Waieo*, der beste Ankerplatz der Insel (Meinicke, IStill. O. 2, 241). — Im plur. fem. *Eaux Bonnes*, 1764 *Aigabonne* (Dict. top. Fr. 4, 57), Thermalort im dép. Basses-Pyr., mit 6 Heilquellen, Schwefelwassern v. 12—31⁰ C. (Meyer's CLex. 5, 795). — Span. Form *bon* s. Bueno, port. *bons* s. Bom.

Bon, Cap, die Nordostspitze Tunesiens, offb. ital. Name, arab. *Ras Adâr*, nach Edrisi eig. *Ras Raddâr* = treuloses Vorgebirge, ant. *Promontorium Hermaeum* s. *Mercurii*, augensch. ehf. in Bezug auf die Gefahren der Schifffahrt.

Barth (Wand. 196) nennt es 'das schwierige Cap, dessen "treulose Natur" ich hier recht aus eigner Erfahrg. kennen lernte'.

Bona, -e s. Hippo.

Bonaparte, Archipel, vor Tasman's Ld. Mit diesem Namen fasste der frz. Capt. Baudin am 16. Aug. 1801 die Iles Champagny, d'Arcole, Maret, de l'Institut etc. in ein Ganzes zs. 'zu Ehren der ersten obrigkeitl. Person unseres Vaterlandes u. des erhabenen Beschützers unserer Unternehmung' (Péron, TA. 1, 117); *b) Golfe B.* s. Spencer; *c) Ile B.* s. Réunion.

Bonaventure, Cape, in Kola, v. engl. Seef. Steph. Burrough 1553 nach seinem Schiffe getauft (Hakl., Pr.Nav. 1, 294).

Bonavista s. Boa.

Bongkok, Gunung = höckeriger Berg, mal. Bergname West-Java's, v. den 'vielen Kuppen, wo unter dem düstersten Kleide v. menschenleerer Urwaldung nicht entwirrbare Berg- u. Hügelzüge durch einander streichen' (Junghuhn, Java 2, 7).

Bonifacio, Stretta di, die Meerenge zw. Corsica u. Sardinien, zu deren Bewachung schon der span. Reisende Ruy Gonzalez de Clavigo, der Kämmerer Heinrich's III. u. Gesandter z. Hofe Timur Begs, am 30. Juni 1403 auf cors. Seite das genues. Castell *B.*, auf sard. das catal. Longosardo bemerkte u. anschaulich beschrieb (WHakl. S. 26, 8), im Alterth. *Taphros*, v. gr. τάφρος = Graben, lat. *Fossa*, auch auf eine der Inseln der Strasse übtragen (Plin., HNat. 3, 83 nimmt die Uebtragg. in umgekehrtem Sinn). Im 3. Jahrh. n. Chr. erhielt sie erst einen Beinamen, *Fretum Gallicum*, der zu keiner weitern Verbreitg. gelangt ist (Nissen, Ital. LK. 100).

Bonin Sima = unbewohnte Inseln, verd. *Bunesima* aus *Bu-* od. *Mu-* od. *Wunin Sima*, eine ostasiat. Gruppe, wo v. einer 1675 hierher verschlagenen japan. Dschunke das zunächst entdeckte, unbewohnte Eiland so getauft wurde, derweil sie vorher nach einem frühern japan. Entdecker *O Kassa Wara Sima* geheissen hatte (Kämpfer, Beschrijv. Jap. 49, Klaproth, Mém. 2, 191. 522, ARémusat, NMél.As. 1, 158. 163), übr. v. span. Seeff. seit 1543 wiederholt gesehen u. u. a. *Islas del Arzobispo* = In. des Erzbischofs, auch *Malabrigos* (s. d.) od. *San Juan*, v. einem engl. Seef. *Three Islands* = drei Inseln u. eines nebst 4 grössere, v. einem Americaner *Coffin's Group* (s. Baily) getauft (Meinicke, IStill.O. 2, 412), v. Capt. Beechey (Narr. 2, 516) im Juni 1827 für die engl. Krone in Besitz genommen 'by nailing a sheet of copper to a tree, with the necessary particulars engraved upon it'.

Bonito s. Bom.

Bonmoutier, Ort des frz. dép. Meurthe, als Abtei ggr. zu Ende des 7. Jahrh. v. heil. Bodon, Bischof v. Toul, nach der Versetzg. als Dorf erneuert, 816 cella quae nuncupatur *Bodonis monasterium*, im 13. Jahrh. *Bonmonstier*, 1314 *Boenmoustier*. Noch ein Faubourg de Nancy *Boudonville*, 965 capella *Bodonis villae* (Dict. top. Fr. 2, 19 f.).

Bonnet Islands = Haubeninseln, 5 Eilande des Arch. Mergui, ˈzeichnen sich durch ihre Gestalt ausˈ, v. Capt. Thom. Forrest am 24. Juli 1783 entdeckt u. getauft (Spr. u. F., NBeitr. 11, 187).

Bonneville s. Salt L.

Bonny, mod. Schiffername des östlichen Mündgsarms des Kuara, nach dem Palmölmarkte *B.* (Meyer's CLex. 3, 516).

Bonpland, Cap, an der King I., Bass Str., v. der frz. Exp. Baudin im Dec. 1802 nach dem Naturforscher *B.* getauft (Péron, TA. 2, 19), bei Flinders (TA. Atl. 6) namenlos.

Bonstetten s. Affolternː

Bontekoe Island, an der Ostküste Grönl., vor Hudsons Cap Hold with Hope, aber, wie es scheint, nicht v. ihm benannt (Scoresby, North. WF. 102), sondern nach dem Schiffe eines holl. Walfgrs. in die Carten eingetragen.

Booby Island = Tölpelinsel, eine kl., unfruchtb., nur an einigen Flecken bewaldete Insel der Torres Str., ˈa mere rockˈ, betreten zuerst v. Cook u. dem Naturforscher Banks am 23. Aug. 1770 u. nach den zahlr. hier brütenden Vögeln, deren meiste Tölpel, Pelecanus sula L., so benannt: ˈthe haunt of birds, which had frequented it in such numbers, as to make the surface almost uniformly white with their dungˈ (Hawk., Acc. 3, 214). Ganz ähnl. King (Austr. 1, 243): ˈIt (die Insel) was so entirely covered with the excrement of birds, that it had the appearance of being white-washed. The numbers of these birds were almost incredible, and they hovered over and about us as we passed, as if to drive us from their hauntˈ. Stokes (Disc. 1, 373), nachdem er p. 371 üb. das der Seefahrt so nützl. ˈPost Officeˈ Auskunft gegeben, erwähnt auch f. den Juli, die Zeit seines Besuchs, die grosse Zahl Wachteln u. Tauben u. lässt die *boobies* namentl. im Sept., der Brütezeit, in Ueberfluss vorhanden sein. ˈFrom the white colour of the top of the island, produced by the boobies, it is clearly once for their temporary hauntsˈ. Denˈblossen Fels, zu dem die Tölpel ihre Zuflucht nahmenˈ, taufte am 3. Juni 1789 auch Lieut. Bligh mit diesem Namen. ˈIch finde, dass Capt. Cook durch eine merkw. Zstreffg. der Ideen ihr dens. Namen gegeben hatˈ (Spr. u. F., N.Beitr. 6, 70). — *B. Rock,* in NBritan., just üb. Wasser reichend u. so einem Tölpel vergleichbar, v. Capt. Carteret am 9. Sept. 1767 (Hawkw., Acc. 1, 374).

Boonesborough, einer der ältesten Orte in Kentucky, 1775 ggr. u. nach dem Ansiedler Boone benannt (Buckingh., East. & WSt., 2, 453), dem Obersten Boon (ohne *e*), welcher, v. Händler John Finlay auf die Fruchtbk. Kentucky's aufmerksam gemacht, auf seiner Erforschungsreise 1769 als der einzige der Gesellschaft entkam u. sich einige Jahre nachher das Fort *B.* erbaute (Meyer's CLex. 9, 960). — In Missuri *Boonville,* offb. nach demselben ˈDaniel Boon, einem der frühesten u. kühnsten Pioniereˈ im Westen der Union ˈ(ib. 3, 518f.).

Boosura s. Bukephala.

Boot Peak = Stiefelberg, am untern Rio Co-

lorado, v. der Exp. Ives (Rep. 3, 21 Carte) nach der Form 1858 getauft.

Booth, Felix, ein reicher schott. Fabricant u. Sheriff, mit Capt. John Ross befreundet, lieferte diesem die Mittel zu seiner Polarfahrt, insb. einen Raddampfer zu der Untersuchg., ob nicht durch Prince Regents Inlet eine Nordwestpassage gehe. ˈI accordingly received from him in the most liberal and uninterested manner entire power to provide on his account, all that I deemed necessary for the expeditionˈ (Ross, Sec. V. 3). Aus Dankbarkeit dafür die Namen: *Boothia Felix,* f. die arkt. Halbinsel, u. dabei *Boothia Golf* u. *Felix Harbour* (ib. 114. 196. 300), ferner *Boothia Isthmus* (ib. 326). Am 16. Aug. 1829, Nachm. 1 ʰ, nahm man auf der kl. Insel vor Brentford Bay Besitz v. dem neuen Lande; man entfaltete die Farben u. trank auf des Königs u. *B.'s,* ˈthe founder of our expeditionˈ, Gesundheit u. taufte *Brown Island* ˈafter the amiable sister of Mr. *B.*ˈ (ib. 117), *Elisabeth Harbour ,* zu Ehren einer Schwester ˈof the patron of our expeditionˈ (ib. 142). Auch J. Cl. Ross taufte am 29. Mai 1830 die Nordspitze v. King Williams Ld. (ib. 415) *Cape Felix* ˈafter the same singularly generous and spirited individual, whose fame and deeds will go down to posterity among the first of those whose characters and conduct have conferred honour on the very name of a British merchantˈ, u. die Hafenbay, in welcher den 1. Oct. 1830, d. i. also bei Beginn des zweiten Winters, das Schiff angelangt war, *Sheriff's Bay* (ib. 483). — Schon auf der ersten Fahrt, am 18. Aug. 1818, hatte Ross (Raff.B. 147) *B. Sound,* zw. Wostenholme- u. Whale-Sd., wie John Franklin 1821 einen *B. Branch* (s. James R.) getauft; Dr. Richardson, auf Franklins zweiter Reise (Sec. Exp. 234 ff.), entdeckte am 21. Juli 1826 die *B. Islands* der arkt. Franklin Bay u. benannte sie wie deren drei Buchten (s. Langton Bay) nach seines Chefs Verwandten, ˈon the same accountˈ. — Auch G. Back (Narr. 215, map) folgte am 11. Aug. 1834 mit *Point B.,* vor der Mündg. des Gr. Fish R.

Boquerones, el Pan de Azucar de los = der Zuckerhut der Oeffnungen, in Magdalenen-Ch., Feuerl., ein Berg, dessen Gipfel in 3 Pics sich theilt, v. span. Seef. P. Sarmiento so benannt nach den beiden Einfahrten, welche sich in dieser Gegend aufthun. Die engl. Exp. Adv.-Beagle, im Febr. 1827, nannte die Bergmasse einf. *Mt. Boquerano* (Fitzroy, Narr. 1, 62).

Bor = Kiefer, Kieferwald, čech. u. slow. Wort, im poln. ˈFichtenwaldˈ, in ON. oft mit der Bedeutg. ˈHeideˈ, ist in slaw. ON. häufig: *B., Bór, Borač, Boračova, Borek, Borje, Borki, Borova, Borovci, Borovje, Borovnica, Borovno, Borovy, Borow, Borowa, Borowe, Borowetz, Borowitz, Borowka, Borowna, Borownic, Borownica, Borownitz* etc. (Miklosich, ON. App. 2, 144, Umlauf, ÖUng. NB. 25).

Borax Lake, in Calif., v. dem krystallisirten *B.ˈ,* der auf dem Seegrunde massenh. vorkommt u., seitdem ihn Veach 1856 entdeckte, v. der California Borax Co. ausgebeutet wird (Meyer's CLex. 3, 525, DRundsch. f. Geogr. 12, 378).

Borbeck s. Burg.

Borda, Cap, in Tasman's Ld., v. frz. Capt. Baudin am 6. Aug. 1801 benannt 'nach dem gelehrten Geometer, 1733—1799, welcher sich durch die Vervollkommng. des Reflexionszirkels so wesentl. Ansprüche auf die Dankbarkeit der Seef. aller Länder erworben hat' (Péron, TA. 1, 113, Freycinet, Atl. 26). — Ebenso *b) Cap B.,* in Kanguroo I., am 4. Jan. 1803 (Péron, TA. 2, 59); *c) Ile B.,* in den Iles de l'Institut, am 14. Aug. 1801 (ib. 1, 116; 2, 211, Freycinet, Atl. 27); *d) Piton B.,* ein Spitzberg Süd-Austr., im Apr. 1802 (Péron, TA. 2, 84).

Borde, la, so nannte man im Mittelalter die Bretterbuden, in welche die Aussätzigen untergebracht wurden, bevor man Siechenhäuser hatte, dann auch die Siechenhäuser selbst, so dasj. v. Toul, ggr. im 13. Jahrh. u., als dem heil. Petrus geweiht, auch *Saint-Pierre* genannt (Dict. top. Fr. 2, 20).

Bordeaux, die v. den vivisk. Biturigern ggr. Seestadt *Burdigăla* an der Garonne, ist uns Stellvertreter einer ganzen Reihe franz. ON., *Bourdeaux,* alt *Burdegala,* im dép. Drôme, *Bourdeilles,* Dordogne, *Bourdelles,* Gironde, *B.* od. *Bourdeaux,* 3 mal im dép. Eure-et-Loir, einmal im dép. Yonne, 6 mal im dép. Eure, 14 mal im dép. Mayenne, wo auch *la Bordelaie* u. le *Bordelay* vorkommt, einmal u. ein *Petit B.* im dép. Vienne, 6 mal im dép. Calvados, gew. noch mit dem Artikel des Appellativs, 2 *Bourdigal* u. *les Bourdigaux* im dép. Vienne (Dict. top. Fr. 17, 55 f.). An verunglückten Erklärungsversuchen hat es nicht gefehlt; 'il n'est pas de nom de ville sur lequel la témérité des étymologistes se soit exercé aussi librement et avec aussi peu de respect pour le sens commun'. In der That, man dachte mit Vorliebe an 'bord des eaux' = Wasserrand od. an *Burgos Gallos* (Isid. Sev., Orig. 15, 1), an *Burgum galaticum* (P. de Marca, Hist. Bearn), la *Bourde et la Jale* (Mercure Juli 1695, 50 ff., März 1733, 416 ff., Apr. 659 ff.), an phön. *burg* = Binse, Schilf (Mém. Acad. Inscr. 27, 145), an *burdos Gallos* = die falschen Gallier (Adr. de Valois, Not. Gall. 87 f.), an kelt. *burg* = Stadt u. *cal* = Hafen (Abbé Beaurein, Rech. Bord. 4, 199). Diesen Erfindungen sei noch beigefügt: *a) B.* eine Verstümmelg. des Volksnamens Buturiger (v. Edlinger, Lex. 18): *b)* v. einem angebl. kelt. *bur* u. *wal* = gallische Festung (v. Klöden, Hdb. Erdk. 2, 513). Die alte Form, v. Strabo bis ins 5. Jahrh., ist gew. *Burdigala,* seit dem 4. auch *Burde-* od. *Bordegala* u. so fast in allen histor. Texten bis 6.—12. Jahrh., etwa mit modificirter Endg., *Burdegale,* auch *Burdegalis,* u. damit stimmen auch die Münz-Lesarten. Es ist jedoch immerhin sicher, dass lang vorher die locale Aussprache das Wort nach den Regeln der roman. Lautlehre in *Burdeghla* u. *Burdiale,* entspr. dem gascon. *Bordeu, Bordel,* umgeformt u. zsge-

zogen hatte. Noch heute spricht der Bauer der Gascogne *Burdè-u* (wo *u* den ital. od. deutschen Klang hat), ähnl. dem ital. *Bordeà,* span. *Burdéos,* wie denn auch in den letzten Jahrh. *bour-*geschrieben u. wahrsch. *dé-aux* gesprochen wurde. Nun kennt die Volkssprache des Mittelalters ein Wort *bordigala, -golum, burdicala, -galum, -golus,* v. einem Wurzelwort *borda* = Fischteich, Fischerei, im südl. Frankr. jedoch v. allgemeinerer Bedeutg. 'Meyerei' (Du Cange, Urkk. 1225 ff.). So kam auch E. Houzé (Et. NL. 8) auf die Vermuthg. eines dim. v. *borio, bordo, borda* = Meyerei, u. er fügt bei : 'Je vous passe l'observation sans l'endosser'. In eleganter Untersuchg. üb. die 'origines de *B.*' gelangt auch A. Luchaire (Ann. FL. Bord. 1879), dem wir hier hptsächl. gefolgt sind, auf die beiden Bedeutungen. 'On peut choisir entre ces deux sens qui conviennent également pour expliquer les origines très-humbles de la grande cité *bordelaise*'. Im Mittelalter hiess das Umland *Bordelais* (Meyer's CLex. 3, 528). — *Ile Bordelaise* s. Triste.

Bordsch = Veste, Schloss, Thurm, befestigtes Haus, jeder vereinzelte Steinbau, in Algerien auch Landhaus, dim. *bridsch, bridscha, buretsch,* plur. *bradsch, abradsch, brudsch,* in den arab. ON. *a) el-B.* u. *b) 'Ain el-B.* = Quelle des Schlosses, beide in Alg. (Parmentier, Vocab. arabe 15. 26); *c) Cherbet Buretsch* s. Cherba.

Boreel Eilanden, bei Tasmania (s. Maatsuyker), eine Mehrzahl v. Inselchen u. schwarzen Felsmassen, im Nov. 1642 entdeckt v. holl. Seef. Tasman u. getauft nach Pieter *B.,* der damals Mitglied des Raths v. Indien war (Tasmans Journ. 21). Bei Capt. Furneaux 1773 *the Friars* = die Mönche, nach ihrem Aussehen (Flinders, TA. 1, LXXXVII. Atl. 7). — *Cabo Pieter B.,* an der Nordinsel NSeelands (s. Egmont), auf derselben Reise getauft (Carte zu Tasman's Journ.).

Boreion, gr. Βόρειον, ἄκρον od. ἀκρωτήριον = Nordcap, in Cyrene, wo die Schiffe v. Westen nach Süden umwenden, um in die Gr. Syrte einzufahren (Strabo 836, Pape-B.). — *Boreios Limen,* gr. Βόρειος λιμήν = Nordhafen, auf Tenedos' Nordküste (Arr. An. 2, 2, 2, Pape-B.).

Borgå = Burgfluss, schwed. Flussname in Finl., Nylands Län, nach einer grossen, uralten, v. hohen 3 f. Wällen umgebenen Erdburg, die der schwed. Colonist hier traf, später auf die neue Gründg., die Stadt *B.,* übtragen u., um den Fluss zu bezeichnen, in *Borgå-å* = Fluss v. *B.* abgeändert (Modeen, Brief u. Geogr. 42, Freudenth., Bidr. 8, 7). — *Borgonuovo* s. Burg.

Borgne, den Namen mehrerer Walliser Zuflüsse der Rhone, erklärt Gatschet (OForsch. 82) als 'unzweifelhaft das d. *born, bron, brunn* = quellendes Wasser'. Eine Zssetzg.: *Longeborgne,* f. die in enger schroffer Schlucht am Eingang des Val d'Érins gelegene Einsiedelei, enthält das dem neuenburg. *lengée* gleichbedeutende *longe* (= langgezogener Engpass) u. bedeutet somit 'Borgneschlucht'.

Borgum s. Büren.

Borja, San Francisco de, ein Ort in Ecuador, unth. des Pongo de Manseriche am linken Ufer des Amazonas angelegt (1619) v. Don Diego de Vaca y Vega, der im Auftrage des peruan. Vicekönigs, Fürsten v. Esquilache, v. Hause Borgia, das Gebiet am obern Amazonenstrom erobern sollte u. den bei den Maynas-Indianern ggr. Ort zu Ehren des Vicekönigs taufte. Don Juan de *B.* war 1607/28 Präsident der Audienca Real (WHakl. S. 24, XVII; 28, XXXVIII).

Boriquen s. Rico.

Borkhausen s. Burg.

Bormio s. Worms.

Bormonis A. s. Bourbon.

Bórneo, verd. aus *Burni, Bruni,* einem ON. der Nordwestküste, bei Pigafetta (Prem. V. 135) noch *Burne,* eine Wasserstadt v. 25000 Häusern (ib. 145), bei Barros (As. 1, 9 p. 312) schon *Burneo, B.* Er erzählt (4, 1, 16), wie Jorge de Menezes, der port. Entdecker NGuinea's, auf seiner Rundfahrt 1526 auch zuerst den Hafen der Königsstadt erreicht habe u. wie 1530 Gonçalo Pereira (4, 6, 19) 'chegou ao porto da cidade de *B.,* da qual como mais principal se denomea toda a ilha'. Er rühmt die Stadt als gross, mit einer Backsteinmauer umgeben, prächtige Gebäude u. schöne Plätze enthaltend; die zahlr. begüterten Kaufleute dieses u. der übr. Hafenplätze des Sultanats verkehrten in Malakka, Sumatra, Siam mit China u. a. Gegenden, u. mit dem reichen u. mächtigen, v. grossem Hofstaat umgebenen Sultan des diamanten- u. kampherreichen Landes suchten die Port. einen Freundschaftsbund. Der Radschah v. *B.* war Oberlehensherr aller übrigen Radschas der Insel, auch den v. Banjarmassing nicht ausgeschlossen, u. solchergestalt ein König der ganzen Insel (Spr. u. F., NBeitr. 10, 63. 77). Es ist also sehr begreifl., dass nach diesem so wichtigen Punkte die Port. das ganze Land benannten. Es heisst mal. *Tanah-* (= Land) od. *Pulo-* (= Insel) *Kalamantan,* nach einer einh. sauern Frucht (Sommer, Taschb. 25, 281, ZfAErdk. nf. 3, 86), Mango, einer Art wilden Obstes (Crawf., Dict. 64). Die aus Rohr u. Holz auf Pfählen gebaute Wasserstadt, 22 km obh. der Flussmündg., ist viell. die f. Schifffahrt u. Handel beste Anlage der ganzen Insel. An der Westseite der Mündg. *Pulo Carmin* = Mündgsinsel (ib. 70).

Bornholm, dän. Insel der Ostsee, 1245 *Burgunderholm,* 1299 *Borghundarholm* = Insel der Burgunder (s. d.), wohl in der dam. Aussprache der Insulaner selbst, da sonst im 13. Jahrh. die dän. Form schon in *Burghaende-,* ja 1268 *Borundeholm* abgeschwächt war u. im 14. gar zu *Borende-* od. *Borendholm* wurde (Förstem., Deutsche ON. 170, Meyer's CLex. 3, 537, Blandn. 3, 171, Styffe, Skand. UT. 75).

Bornstedt s. Braunschweig.

Bornu = Land, *bar,* Noah's, Land am Tsad, da 'die Araber glauben, dass beim Zktreten der Sündflut die Arche auf dem Berge dieses Landes stehen blieb' (Spr. u. F., NBeitr. 1791, 179), so benannt v. den Kanembu, denen die Fruchtbk. u. der Reichth.

der Gegend auffiel. Volksname *Kanuri,* v. arab. *nur* = Licht, mit der Vorschlagsilbe *ka* — ein Hinweis, dass es sie waren, die den Islam in die Heidenländer eingeführt haben (ZfAErdk. Verh. 2, 117). Abweichend Rohlfs (Peterm., GMitth. Erg. H. 7, 34).

Borodino Inseln, zwei flache Sandinseln östl. v. d. Riu Kiu (Meinicke, IStill. O. 2, 417), schon v. Capt. Meares 1788 entdeckt, am 20. Juni 1820 v. russ. Schiffslieut. Ponafidin, Schiff *B.* der russ.-americ. Co., benannt (Krus., Mém. 2, 5 ff.).

— *Borosdinskaja (Staniza)* = Dorf am Borosda, d. i. am Canal; so heisst tat. u. russ. ein Arm des Terek, welcher, urspr. z. Bewässern der Felder gegraben, seit 1768 sich mehr u. mehr z. eig. Flussarm ausgebildet hat (Güld., Georg. 30).

Borong, Karang = hohle Felsen, berühmter Fundort v. Salanganennestern, mal. *sarang-burung* = Vogelnest, jav. *susuh,* an der Südküste Java's. In der Höhe des Seespiegels, am Fusse einer üb. 100 m h. Kalkfelswand öffnet sich die Höhle 9 m hoch, 5½ m breit; inwendig erweitert sie sich zu 20—30 m, bei 130—145 m Höhe. Das Meer dringt auf ¼ der Länge ein u. macht bei wildem Wetter den Zugang unmöglich. Auf schmalen Rotangleitern, die an einem stämmigen Baum befestigt sind, lassen sich die Sammler herab; in der Höhle stehen Bambusgerüste, um die Nester der Wand v. Hand, die der Decke mit langen Haken abnehmen zu können. Die Lese findet 3mal jährl., im April, Aug. u. Dec., statt; nach jeder Lese bleiben die Höhlen f. Menschen verschlossen. Der Ertrag wirft jährlich 450000 Frcs. ab (Crawf., Dict. 54).

Borrak Reis s. Oinussai.

Borromee, Isole = *Borromäische In.,* die reizende im Langensee gelegene Inselgruppe, welche im 17. Jahrh. der Graf Vitaliano Borromeo aus nackten Felsen in paradies. Gärten umwandeln liess, die 3 Inseln, 'deren schöne Natur das Haus Borromei mit so grossen Aufwand überziert' (J. v. Müller, SWerke 19, 111). Vgl. Bella.

Borscheid s. Burtscheid.

Borschomka s. Bargusinsk.

Bortat s. Pyrenäen.

Borysthenes s. Beresina.

Bos Dagh = grauer Berg, türk. ON. 3mal: a) der alte Tmolos östl. v. Smyrna (Tschihatscheff, Reis. 5); b) südöstl. v. Aidin (ib. 7); c) nö. v. Konia (ib. 8). — *Bos Tepe* od. *Bostapa* = grauer Hügel: a) in der Nähe des Tischetschek-Dagh (ib. 31); b) die Landzunge v. Sinope (Spiegel, Eran. A. 1, 285).

Bosanquet s. English.

Boscawen s. Cocos.

Bosco, wie span. u. port. *bosque,* frz. *bois,* v. spätlat. *boscus, buscus* = Wald, Gehölz a) Ort im kesselförmigen Hintergrunde eines 'grösstenth. mit Lärchen u. Tannen bewachsenen' Seitenthals der Valle Maggia, Tessin, auch *Gurin,* dial. f. *collina* = Hügel, da das Dörfchen an einem Hügel erbaut ist. Im gl. Thal noch ein Ort *Gorin,* eines der 8 th. auf sonnigen Hügeln um-

herliegenden, th. an den schroffen Thalwänden
klebenden Dörfchen, welche die Gemeinde Ceren-
tino bilden (Hardmeyer, ThMagg. 2 f.); *b)* ein
Ort *B.* auch im Trentino, um ein 1187 erwähntes
castrum de *Busco* entstanden, 'il quale si deno-
minô dalle boscaglie che sul Monte Gallina dove-
vano allora essere molto più estese e più folte
che non si vedono al dì d'oggi' (Maltatti, S. top.
Trent. 40); *c)* s. Admiralty.
Bosdata s. Standing.
Boschan s. Thianschan.
Bosjesman = Buschmann, v. holl. *bosje, boschje*
= Strauch, gew. 'Strauchdieb' übsetzt (Lichtenst.,
SAfr. 2, 78, Kolb, VGHoffn. 73) als der aus seinem
Hinterhalt im Strauche auf das Wild od. auf seine
Feinde lauert. Während der *B.* der Berge die
Höhlen u. Felsritzen zu seinem Nachtquartier
wählt, gräbt sich der *B.* der Ebene kl. flache
Gruben in den Boden, od. er setzt sich mitten
in einen Strauch, so dass die v. der Mitte aus
niedergedrückten Zweige rund umher z. Schutze
gg. den Wind dienen u. den Insassen bergen.
Solch ein Strauch, welcher einige mal z. Asyl
gedient hat u. dessen Aeste mit den Spitzen nun
wieder aufwärts wachsen, bekommt ganz das Ansehen eines Vogelnestes; so nam. die weichlaubigen
Sträuche der vschied. Arten Tarchonanthus, u.
wenn sie kürzl. bewohnt waren, sieht man noch
Heu, Laub u. Wolle auf dem Boden des Nestes.
Kolb nennt die Buschmänner 'umschweifende
Hottentotten, deren ganze Beschaffenheit darinnen
bestehet, dass sie stehlen u. allen Nationen, die
um das Vorgebürge wohnen, Ungelegenheit machen.
Sie sind ein Mischmasch v. lauter liederl. Hottentotten, die wg. ihrer Unthaten verjagt wurden
od. sich denen Gesetzen u. Gewohnheiten ihres
Vatterlandes nicht unterwerfen wollen, folgl. auf
das Gebürge lauffen u. da ein ungezähmtes Leben
führen. Sie verbergen sich an steile ungangbare
Orte, aus welchen sie bisw. z. Vorschein kommen
u. das Vieh v. der Weyde zu ihrem Unterhalte
stehlen ...' Einleuchtend hält Merensky (Beitr.
65) *B.* f. eine Uebtragg. des 'Waldmenschen', holl.
boschman, bosjesman, d. i. des ind. Orang-Utan,
mit dem die Holländer viel früher bekannt geworden waren (Ao. 1595 erschien das erste holl.
Schiff im Archipel; erst 1648 wurde die Capstadt
ggr.). Was bedeutet der eigne Name *Saan, Sa-
gua,* im sing. *Sab* m., *Sas* f.? Man denkt an
sâ = ruhen, also 'die Sesshaften'. Die *B.* heissen
bei dem Kaffer *Aba-tua* (= ...?), bei dem Ba-
suto *Ba-roa* = Bogenmänner, bei dem Betschuanen
Makautu (= ...?). (Meyer's CLex. 4, 30). —
Bosch-Heuvel = Waldhügel, holl. Name einer
Anhöhe bei der Capstadt (Kolb, VGHoffn. 204).
— *Boschberg,* ebf. eine Anhöhe, welche, mit
Waldung bedeckt, in dem dürren Steppenbezirk
v. Agter Bruintjeshoogte, Capl., einen auffallenden Ggstand bildet (Lichtenst., SAfr. 1, 594).
Bosna Seraj = Palast (s. *Seraj*) an der Bosna,
einem Zuflusse der Save, dem bedeutendsten Ge-
wässer Bosniens, kroat. *Serajewo* = Stadt des
Seraj. In dieser Gegend, aber 10 km weiter flussan,

lag einst der Vorgänger des j. Orts, *Vrh-Bosna*
= Quell Bosna, v. ungar. Wojwoden Krotoman,
Cotroman, 1270 vergrössert, urk. *Bosna, Bosna-
var* = Stadt an der Bosna. Als dieser alte Ort
1464 den Türken zufiel, erbaute der prachtliebende
Chosrew Beg den Schlosspalast, *seraj,* um den
sich dann die Ansiedler, auch die Bewohner der
alten Anlage, zu einer neuen Stadt sammelten
(Zeitschr. f. SchulG. 3, 3, Klöden, Hdb. 3, 1397,
Meyer's CLex. 3, 551). Auch der Landesname,
im 10. Jahrh. *Bosώva,* dann *Bosonium, Bossena,
Bostna, Bosthna, Bissena* der lat. Schriften,
slaw. *Bosna,* auch, veraltet, *Bosana, Bosanje,*
auf welche Formen sich der mit *Bošnjak* id.
Ausdruck *Bosanac* = Bosnier zkführen lässt,
mag. *Bosnia,* deutsch früher häufig *Wossen,*
Bosnien, ist, nicht wie Einzelne wollten, v. Volke
der *Besser, Bosen,* od. v. den *Petschenegen,
Patzinaken,* od. v. Bisthum *Bestoe, Bostna,*
sondern, mit C. Sax, v. Flusse abgeleitet: 'von
allen erwähnten Ableitungen bleibt nur die v.
Flusse *B.* übrig' (Mitth. KK. Geogr. G. nf. 15,
429 ff.). Der letzter Name selbst, hier unerklärt
gelassen, wird v. W. Tomaschek (ib. 13, 497 ff.)
als pannon.-dalm. Wort 'klar, rein', also s. v. a.
'Glatt', betrachtet.
Bosporus, fränk. auch *Str. v. Konstantinopel,*
türk. *Boghas* (s. d.), ist trotz seines griech. Gewandes wohl barbar. Ursprungs, in diesem Gewande erst v. den Griechen adoptirt u. umgedeutet worden, als käme es v. gr. βοῦς (s. Bukephala) u. πόρος = Durchgang, also 'Rinder-
furt', u. beziehe sich auf die myth. Io, welche
als Kuh die Meerenge durchschwommen, dem
Sinne nach erhalten in türk. *Oegüs Limani* =
Ochsenhafen, bei Skutari (Hammer-P., Konst. 2,
309), als Θράκιος *B., B. Thracicus* unterschieden
v. *Κιμμέριος B., B. Cimmerius* (s. Kertsch). Ein
zweiter Name des *B.* war *Prosphorios,* gr. Προς-
φόριος = Zufuhrmeer ... 'vocari tradunt ἀπὸ
τῆς προσφορᾶς, quod nimirum eo importaretur
eduliorum copia' (Lamb. ed. Cod. 275 ed. Bonn).
Bossons, Glacier des, einer der Eisströme des
Chamonix, nach dem Thalorte les Bossons, zu
welchem es herabsteigt (Saussure, VAlpes 82).
Ebenso *le Gl. de Bois* u. *le Gl. d'Argentière*
(ib. 94 f. 110. 130.). Uebr. ist der *Gl. des Bois*
nur das Unterende eines kolossalen Eisstroms,
der, aus 2 Quellarmen entstanden, *Mer de Glace*
= Eismeer heisst. In einer Zeit, wo dieser Name
noch nicht gebr. war, sagte Saussure (ib. 111):
'La surface du glacier, vu du Montanvert, res-
semble à celle d'une mer qui aurait été subite-
ment gelée, non pas dans le moment de la
tempête, mais à l'instant où le vent s'est calmé,
et où les vagues, quoique très hautes, sont
émoussées et arrondies. Ces grandes ondes sont
à peu près parallèles à la longueur du glacier,
et elles sont coupées par des crevasses transver-
sales qui paraissent bleues dans leur intérieur,
tandis qne la glace paraît blanche à sa surface
extérieure'.
Bossra s. Karthago.

Bossuet, Cap, am Spencer's G., v. der Exp. Baudin am 22. Jan. 1803 benannt nach dem berühmten Theologen u. Kanzelredner Jean-Bénigne *B.*, Bischof v. Meaux, 1627—1704 (Péron, TA. 2, 77). — Ebenso *Cap B.* (so glaube ich statt *Ile Bossut* lesen zu sollen), in Tasman's Ld., am 8. Apr. 1803 (Freycinet, Atl. 26).

Bostan, Wady = Gartenthal nennen wg. der Obstgärten die Mönche des St. Katharinenklosters, Sinai, einen Theil des Wady er-Râhah, weil es durch einen Bach aus dem Erbayinthal bewässert wird (Bernatz, Alb.HL. 8, Timkowski, Mong. 1, 429). — *Wostiza*, ngr. *Βοστίτζα*, Ort in Achaja. v. *βοστα*, *βροτάνι* = Garten, da er v. anmuthigem Gartenland umgeben ist (Curt., Pel. 1, 459. 487).

Boston, engl. ON. in Lincolnshire, vkürzt aus 'Botolphs ton', also 'Stadt', *town*, nach einem PN. (Is. Taylor, WordsPl. 260). Viel bekannter *B.* in Massachusetts, durch John Winthrop u. a. engl. Puritaner 1630 ggr., die z. Th. aus dem engl. *B.* gebürtig waren(Quackenb., USt. 84, Meyer's CLex. 3, 560). — *B. Island*, in Austral. zweimal: *a)* ein Atoll v. 14 Eilanden in Ralick, einh. *Ebon, Abone*, v. american. Capt. G. Roy, Walfgr. *B.*, am 25. Mai 1824 entdeckt (Krus., Mém. 2, 376, Hertha 12, 568), v. american. Capt. Covell am 7. Mai 1831 wieder gefunden u. *Covell's Group* getauft (Bergh., Ann. 12, 144, A. 3. R. 1, 226), auch *Fourteen Islands*, nach der Zahl (Meinicke, IStill.O. 2, 328); *b)* im Eingang des Spencer's G., *Ile Lagrange* (s. d.) der frz. Exp. Baudin, Apr. 1802 (Péron, TA. 1, 272), v. Flinders (TA. 1, 140ff.) am 25. Febr. 1802 prsl. getauft wie *B. Bay, Point B.* u. v. a.

Bostra s. Bozrah.

Botany Bay = Botanikbucht, in NSüdWales, v. Cook am 25. Apr. 1770 entdeckt u. so getauft, weil die Botaniker seiner Exp., der reiche u. gelehrte Gutsbesitzer Banks u. der schwed. Dr. Solander, innerh. 3 Wochen hier 400 neue Pflanzenarten fanden, obgl. die üb. die nächsten Ufer hinaus liegenden Gebiete fast nur eine buschbewachsene Sandfläche darstellten (Hawk., Acc. 3, 100, Forster, Bem. 147). Aufsehen erregte die v. Burney (HDisc.South S. 1, 380) beschriebene, v. 1542 dat. Carte des engl. Hydrographen Rotz, die unt. 30⁰ SBr. einen andern *B.* [Als: unter 30⁰ SBr.] *Coste des Herbaiges* = Pflanzenküste hat (King, Austr. 1, 1); allein Major (WHakl. S. 25, XXXIV. LVII) verneint deren Identität mit *BB.* Er nimmt an, die frühen port. Seeff. hätten den Punkt, wo der an der dürren Küste südwärts Segelnde die ersten Zeichen v. Fruchtbk. bemerke, so benannt, u. die Carte sei die frz. Copie einer port. — *B. Island*, in NCaledonia, einh. *Amer*, bei Montrouzier *Uan* (Meinicke, IStill.O. 1, 221. 374), v. Cook (VSouthP. 2, 139) am 24. Sept. 1774 ebf. nach der reichen botan. Ausbeute getauft.

Botocuden, v. port. *botoque* = Stöpsel, Fassspund, also s. v. a. Spündler, Zäpfler (vgl. Bösche, Port.Spr. 226), ein bras. Volk, schon v. Cabral 1500 getroffen, wg. ihrer Gewohnheit, sich v. Jugend auf Holzstücke in Unterlippe u. Ohr-

läppchen zu treiben u. so nach u. nach zu Pflöcken v. der Grösse ordentl. Fasspunde vorzuschreiten: 'furavam os beiços, principalmente o inferior, pondo no buraco um grande botoque, pelo que foram pelos Europeos chamados Botocudos'(Varnh., HBraz. 1, 111). Die Sitte kommt in Abnahme (Avé-L., NBras. 1, 283ff., Peterm., GMitth. 4, 385).

Botowsk s. Bargusinsk.

Botten = Boden (s. d.), Grund, Niederg., altn. *botn* = die Thalsohle, wie engl. *bottom* (Madsen, Sjaell. StN. 198), schwed. Name der Uferländer, die den nördl. Arm der Ostsee umfassen: *Wester-* u. *Norr-B.* in Schweden, *Öster-B.* in Finland, bis z. Meerenge Qvarken (Modeen, Finl.Geogr. 21ff.); danach das Meer selbst, schwed. *Bottniska Viken* = der Bottnische Golf. In Olaus Magnus HGent. Sept. 161 wird zwar *Bothnia* geschrieben, aber Ausdehng. u. Lage ausdrucksvoll bezeichnet: 'Bothnia quae *sinum Gothicum* sive *Sueticum* ad Septentrionem terminat, latissima est terra, divisa in tres magnas provincias, Occidentalem, Aquilonarem et Orientalem'. Urspr. scheint das gesammte Umland des Golfs als *Norrabotten* bezeichnet u. die drei Abtheilungen erst später unterschieden worden zu sein; *Vesterbotten* wird erst 1454 genannt (Styffe, Skand. UT. 317).

Bottin, Hassi = Uebernächtlerbrunnen, arab. Name des letzten Brunnens, *hassi* = *bir*, den Route Wargla-Ghadames, wo man vor Antritt der letzten 10—12 Reistage längere Zeit zu rasten pflegt (GlobeGen. 1875 bull. 52).

Bottle Rock = Flaschenfels, eine Insel an der Nordküste NHollands, v. Capt. Ph. P. King(Austr. 1, 71) am 4. April 1818 so benannt, weil er auf ihr eine Flasche niederlegte, welche auf Pergament eine Erzählg. seines Besuchs enthielt.

Bottom = Grund, Boden, Niederg., bes. f. die Alluvialgründe längs der Flüsse (s. Boden), in engl. ON. *a) American Bs.*, bei Lewis u. Cl. ein ausgedehnter Strich ebenen, höchst fruchtb. Landes, welcher strich abw. folgt (Whitney, NPlaces 232). — *Bottomless Pit* = bodenloser Abgrund, eine ausgez. Einfahrt Nieder-Guinea's, 13⁰ 15' SBr., v. engl. Capt. Chapman, Sloop Espiègle, 1824 so benannt, weil 'kein Loth hier den Grund erreicht, ausser an der Spitze und dann mit 45 Faden' (Bergh., A. 3. R. 3, 305).

Bouchage, Cap du, hinter Nuyts' Arch., durch die frz. Exp. Baudin im Febr. 1803 (Péron, TA. 2, 89), wohl nach ders. Person getauft, wie *Ile du B.* schon v. Bougainville(Krusenst., Mém. 1, 146). Die letztere, ein waldiges Bergland der Hibernian Range, war v. dem holl. Entdecker Tasman am 4. Dez. 1643 *Gerrit de Nys* od. *Garde Neys, Gardenys Eiland*, offb. prsl., genannt worden (Journ. 144) u. heisst bei den Whalern *Day* = *Tag* (Meinicke, IStill.O. 1, 141. 368).

Bouche d'Aigre, Ort an der Confl. Aigre-Loir, als Kloster ggr. 1176 v. Alix de France, der Gemahlin des Grafen Thibaut V., 1177 *Buca-*

Ugriae, 1246 *Bouche d'Ogre* (Dict. top. Fr. 1, 25), also entspr. Neckar-Gmünd u. dgl.

Boudeuse, Isle la, bei NGuinea, dem Schwarm des Echiquier vorliegend, v. frz. Seef. Bougainville (Voy. 291, Pl. 16) am 9. Aug. 1768 nach seinem Schiffe, der Fregatte la *B.*, benannt; *b)* *Cap de la B.* s. Étoile; *c)* *Pic de la B.* s. Osnaburgh.

Boudoir s. Osnaburgh.

Boudonville s. Bonmoutier.

Boue s. Lodo.

Boufflers, Cap, in Süd-Austr. (s. Banks), v. der frz. Exp. Baudin (s. d.) am 2. April 1802 benannt offb. nach dem Marschall d. N., 1644—1711 (Péron, TA. 1, 268).

Bougainville, *Louis Antoine*, einer der berühmtesten frz. Seeff., geb. 1729, früh in Canada u. Deutschland militärisch thätig, gründete 1763 eine Colonie auf Falkland u. wurde nun beauftragt, in den Schiffen 'Boudeuse u. Étoile', begleitet v. Naturforschern, Astronomen u. Zeichnern, die erste frz. Weltumsegelg. auszuführen (1766/68). Sein Reisewerk hat, zs. mit den gleichzeitigen engl. Expp., die Kenntniss ungemein bereichert. Auch später mit Ehren überhäuft, † er 1811. Nach ihm sind eine Reihe geogr. Objecte getauft: *Baie de B.*, vierf.: *a)* bei Cape Forward, wo er 1765 Holz f. d. Malouinen geholt hat (Voy. 142), engl. auch *Jack's Cove* = Flaggenbucht (Fitzroy, Narr. 1, 145); *b)* an der austr. Kanguroo I., aus *Nepean Bay* (s. d.), v. der frz. Exp. Baudin am 5. Jan. 1803 nach dem ehrwürdigen ältesten der frz. Seeff. (Péron, TA. 2, 59); *c)* in Tahiti nui, durch eine sichere Gasse, welche zw. Riffinseln passirt, mit dem Meere verbunden (Meinicke, IStill.O. 2, 168); *d)* s. Humboldt. — *Ile B.*, in den Salomonen, schon v. dem Spanier Mendaña entdeckt, v. *B.* 1768 wieder gefunden, sowie *Passage de B.*, v. engl. Capt. Shortland 1788 in *Shortland Passage* umgetauft (Fleurieu, Déc. 186, Krus., Mém. 1, 160). — *B.'s Passage*, in NHebr., zw. Mallicollo u. Tierra del Espiritu Santo, zuerst befahren v. *B.* 26/27. Mai 1768 (Cook, VSouthP. 2, 87. 95). — Auch eine zweite *Ile B.*, in den austr. Iles de l'Institut, v. der Exp. Baudin am 14. Aug. 1801 getauft (Péron, TA. 1, 116; 2, 211, Freycinet, Atl. 27). — *Ecueil B.*, eine Klippe des austr. Korallen-Meers, v. *B.* am *6.* Juni 1768 entdeckt (Krusenst., Mém. 1, 94). — *Cap. B.* s. Montbazin. — *Canal B.* s. Passage des Français. — *Mont B.* s. Deux Cyclopes.

Bouguer, Cap, bei Kanguroo I., v. der frz. Exp. Baudin am 3. Jan. 1803 nach dem berühmten Mathematiker d. N., 1698—1758, benannt (Péron, TA. 2, 59). — Ebenso *Entrée B.*, in De Witts Ld., anscheinend die Oeffng. einer Hafenbucht, am 30. März 1803 (ib. 201).

Boulay, mod. Form f. *Betulletum* = Birkenort (s. Aunay), einen ON., der das aus dem Gall. stammende lat. Wort *betulla* mit suffix *-etum* enthält u. im 9. Jahrh. auch *Bedolitum, Bidolidum* geschrieben wurde. 'C'est un nom de lieu très-

commun' en France (d'Arbois de Jub., Rech. NL. 617), auch in der Form *le Boullay, les Boulais, les Bouleaux, la Boulaie, la Boulaye, la Boullaye, les Boulaies, Boulaize,* allein im dép. Mayenne 61, in den dépp. Eure-et-Loir u. Eure je 47mal, aber auch in andern Gegenden häufig, so 6mal im dép. Yonne (Dict. top. Fr. 16, 44; 1, 25; 15, 30; 3, 17), hier u. da als *Belloy, Belloys* (ib. 10, 25; 11, 22, Houzé, Et.NLieux 9 ff.)

Boulder Island = Blockinsel, in Camden Bay (s. d.), v. engl. Capt. John Franklin (Sec. Exp. 148) am 4. Aug. 1826 benannt u. so benannt weil sie eine Anhäufg. v. Steinblöcken, *boulder stones*, zu sein schien. — *B. Hill* s. Camel.

Boulet s. Canna.

Boullanger, Baie, eine vermeintl. Bay in Tasmania, v. Lieut. L. Freycinet, Exp. Baudin, im Dec. 1802 benannt nach seinem Gefährten, dem Ingenieur-Hydrogr. der Exp., Ch. P. *B.*, v. Schiffe le Géographe (Péron, TA. 2, 22). Flinders (Atl. 6) fand im Hintergrunde der *Bay'* einen Durchgang (Robbin's Passage). — Ebenso *Cap B.*, zweimal *a)* an der austr. I. Rottenest, im Juni 1801 (Péron, TA. 1, 146, Freycinet, Atl. 21); *b)* s. Cap Maurouard.

Boulogne, Seestadt der frz. Ldsch. Artois, aus dem ältern *Itius Portus* (Caes., BGall. 5, 5, Napol. Caes. Atl. T. 2. 14. 16) durch Kaiser Konstantin, in Uebtragg. des ital. (?), in *Bononia* umgetauft, im 9. Jahrh. *Bolonia*, in der Grfsch. *Boulonois* (Meyer's CLex. 3, 584).

Bouman's Eilanden, ungenau *Bau . . .,* 3 kl. Inseln in Samoa, einh. *Manua*, v. holl. Seef. Roggeveen (Dagverh. 190) am 14. Juni 1722 so getauft, weil der Capt. *B.* des Schiffes Thienhoven sie zuerst erblickt hatte . . . 'om dat die door het Schip Thienhoven, by Capt. Cornelis *B.* gevoerd wordende, syn ontdekt'. Debrosses (HNav. 458) u. Krus. (Mém. 1, 247) dehnen den holl. Bezeichng. auf den ganzen Arch. Samoa aus. Vgl. Meinicke (IStill. O. 2, 109).

Boundary Cone = Grenzkegel, ein auffälliger conischer Bergpic am Rio Colorado, v. der Exp. des americ. Capt. Ives (Rep. 70 f.) im Febr. 1758 benannt, weil der Berg, fast genau unt. 35° N., dem Anfangspunkt der californ. Grenze ggb. liegt.

Bounty Cape = Prämiencap nannte am 4. Sept. 1819 die Mannschaft v. Parry's Exp. u. nach der Chef selbst (NWPass. 72) ein Vorgebirge in Melville I., weil man hier, 9¹/₄ h Nachm., den 110° WGr. kreuzte — ein Erfolg, wodurch die beiden Schiffe Anspruch auf die v. Parlament ausgesetzte Prämie v. 5000 L. hatten. — In ähnl. Sinne *Bountiful Island* (richtiger *Islands*) = freigebige Insel, im Carpentaria G., v. Flinders (TA. 2, 153 ff., Atl. 14) am 4. Dec. 1802 so getauft, weil dies. seiner Mannschaft nach langer Entbehrung Ueberfluss frischer Nahrung an Schildkröten-Fleisch u. -Eiern spendete. Schon am Abend vorher hatte man 3 grosse Thiere erlegt u. aus den zahlr. Löchern des Sandstrandes Eier geplündert; da kamen am Morgen die beiden ausgesandten Boote mit so reicher Beute, dass

man fast den ganzen Tag brauchte, letztere an
Bord zu bringen. Das war sehr angenehm: 'We
had explored tropical coasts for several months
without reaping any one of the advantages usually
attending it, and been frequently tantalized with
the sight of turtle in the water, and of bones
and shells round the fire places on shore.' —
B. Islands, bei NSeel., v. Capt. Bligh am 19. Sept.
1788 nach seinem Schiffe getauft (Krus., Mém.
1, 12). — *B. Bay*, in Pitcairn I., wo einige der
rebell. Seeleute des Schiffes B. (s. Bligh) 1790
sich ansiedelten, um sich in der Verborgenheit
der verdienten Strafe zu entziehen (ZfAErdk.
1870, 347).

Bouquetins s. Steinbock.

Bourbon, ON. der frz. Ldsch. *Bourbonnais*, z.
Römerzeit *Aquae Bormonis*, wg. der dem Apoll
Bormo, Borvo, geheiligten Thermen, wie durch
eine am 6. Jan. 1830 in Bourbonne-les-Bains
aufgefundene Inschrift bezeugt wird (Meyer's CLex.
3, 585, RDenus, AProv. 155 ff.). Hoch über den
Bädern die Burg B., die als Stammburg der alten
Dynastie in viele Entdeckernamen übergegangen
ist: *Archipel de B.* s. Society; *Fort B.* a) s.
Cedar L., *b*) s. Fort York; *Île B.* s. Réunion;
Lac B. s. Cedar L. u. Winnepeg; *Rivière B.*
s. Nelson; *B.-Vendée* s. Roca. — *Rue* u. *Place
B.* s. Morbihan.

Bourbourg s. Bruchsal.

Bourcy s. Burtscheid.

Bourdeilles s. Bordeaux.

Bourges, mod. ON. in Frankr., kelt. *Avaricum*,
v. Flusse *Avara*, j. *Auron*, der sich mit der
Yèvre hier vereinigt, unter Augustus umgetauft,
u. zwar, als im Lande der *Bituriger* = Könige
der Welt (Houzé, Et. NL. 86) gelegen, in *Bitu-
ricae*, bei Greg. v. Tours *Biturigas*, *Biturix*, woraus
sowohl B., als der Landschaftsname *Berry* entstanden sind (Meyer's CLex. 3, 49. 589). Der
Fluss, welcher den *Auron* aufnimmt, wird v. H.
d'Arbois de Jubainville (Rev. Celt. 8, 122) *Evre*,
alt *Autura*, genannt, u. von diesem *Autura* sei
Avaricum abgeleitet.

Bourgogne s. Burgund.

Bourke, Fort, ein Pfahlwerk roher Baumstämme,
v. Major T. L. Mitchell (Three Expp. 1, 216) am
27. Mai 1835 z. Sicherung seines Lagers am
austr. Flusse Darling errichtet: 'a position in
every respect a good one, either for its present
purpose, or, in time perhaps, for a township',
benannt nach Sr. Exc. dem dam. 8. Gouverneur
v. NSouth Wales, dem Generalmajor Rich. B.,
welcher im Dec. 1831 sein Amt angetreten hatte:
'the better to mark this epoch in the progress of
interior discovery'.

Bournand, Baie de, in der MagalhäesStr., v.
frz. Seef. Bougainville (Voy. 17, pl. 5) benannt
nach seinem Gefährten, dem chevalier *B.; b) Île
B.* s. Jan.

Boussole, Canal de la, eine Durchfahrt der
Kurilen, v. frz. Seef. La Pérouse am 30. Aug.
1787 benannt nach der B., der einen seiner Fregatten (Milet-M., LPér. 3, 97).

Bouteille, la = die Flasche, etwas sonderlicher
ON. bei Vervins, dép. Aisne, nach einer ehm.
Glashütte…'a pris sa dénomination d'une ver-
rerie establye en ce lieu, à laquelle se faisait
quantité de bouteilles plus que tout autre sorte
d'ouvrage de pareille nature. Les premières maisons basties environ du four à verre, en forme
d'un hameau, servaient de demeure et retraite
aux gentilshommes verriers, à leurs serviteurs et
marchands qui y abordaient pour les achepter,
les porter vendre ès villes et bourgades' (Dict.
top. Fr. 10, 36).

Bouton s. Rosa.

Bouveret, der Walliser Hafen am Genfer See,
v. dial. *bouveret, boveresse* = Viehweide, *bouvier*
= Rinderhirt, wie *Boveresse*, Ort in Neuenburg
(Gatschet, OForsch. 83 f.). — Lat. *bos* = Rind,
Ochse klingt nach im port. *boi*, span. *buei*, ital.
bove, rätr. *bov, bouv*, frz. *boeuf*; es gehören hierher
ferner *c) Ilha dos Bois*, eines der an guten
Weidegründen reichen Eilande im Unterlauf des
Rio SFrancisco, Bras. (Avé-L., NBras. 1, 416);
d) Piz Buin = *Ochsenkopf* bei den Vorarlbergern,
jenes der rätr. Name des Culms der Silvretta,
nach der zweigehörnten Gestalt (Bergmann, Vorarlb.
85); *e) Bubetum* s. Burtscheid. — Ein türk.
Seitenstück, *Ugus Basch* = Ochsenkopf, enthält
der Thian Schan, in einem Gipfel, der, weit herab
mit Schnee bedeckt, durch seine Gestalt auffällt
(Peterm., GMitth. 4, 366).

Bouvet, Île, eine atlant. Klippe, mit Schnee bedeckt, 1737 gefunden v. frz. Capt. Losier-B., 'ha-
bile navigateur', lange als ein Stück des hypothet.
Südpol-Continents geltend, v. ihm selbst, weil er
es am 1. Jan. entdeckte, *Cap de la Circoncision*
(= der Beschneidg.) genannt (De Brosses, HNav.
478, Marion-Crozet, NVoy. 7).

Boveresse s. Bouveret.

Bow Island = Bogeninsel, in der Centralgruppe
der Paumotu, einh. *Hao*, bei d'Urville *Heïo*
(Garnier, Abr. 1, 194), zuerst v. dem frz. Seef.
Bougainville (Voy. 182) am 23. März 1768 gefunden u. nach der Anordng. der Inselfetzen *Île
de la Harpe* = Harfeninsel genannt, dann wieder
besucht v. Cook am 5. Apr. 1769. Als dieser
die 'extraordinary figure' v. Mastkorbe aus betrachtete, erschien sie ihm in der Form eines
Bogens … it was shaped exactly like a bow, the
arch and cord of which were land and the space
between them water; the cord was a flat beach,
without any signs of vegetation …. the horns,
or extremities of the bow, were two large tufts
of cocoanut trees; and much the greater part of
the arch was covered with trees of different height,
figure and hue, dessen Joch bewaldet u. dessen
Sehne nackt sei (Hawk., Acc. 2, 73 f.). Diesen
Vergleich fand übr. Beechey (Narr. 1, 167) nicht
zutreffend; die Gruppe ist oval u. der ältere Name
der Form besser angepasst (Meinicke, IStill. O.
2, 210). — *B. River*, ein Fluss im Netz des
Saskatchewan, wo einzelne Uferstrecken ein z.
Verfertigg. v. Bögen geschätztes Holz liefern (Ch.
Bell, Canad. NWest 8). — *Bores River* -

gewundener Fluss, ein Wady in West-Austr., v. Capt. G. Grey (Two Expp. 2, 26) am 6. April 1838 entdeckt u. nach den zahlr. Windungen des tiefgefurchten Thales benannt. — *Bowstring Portage* = Trageplatz der Bogensehne nannte am 3. Aug. 1820 Capt. John Franklin (Narr. 211 Carte) einen der Trageplätze des Yellow-Knife R., weil der Fluss hier die Form eines Bogens, die Richtung der Tragstelle die Sehne dazu bildet. **Bowen, Port,** in Queensland, 'which had . . . escaped the observation of capt. Cook', v. Flinders (TA. 2, 36, Atl. 10) am 21. Aug. 1802 entdeckt u. benannt zu Ehren des Capt. James *B.*, 'of the navy', als Stadt ggr. v. G. E. Dalrymple, demselben commissioner of Crown Lands, welcher 1872 einen Weg v. den Palmer Goldfeldern z. Küste fand u. die Stadt *Cookstown*, nach dem gr. Entdecker der continentalen Ostseite benannt, gründete (ZfAErdk. 1876, 178, Peterm., GMitth. 23, 65). Da Sir George *B.* v. 10. Dec. 1859 — 4. Jan. 1868 Gouv. v. Queensland (sowie 1868/73 ff. in NSeeland u. Victoria) war, so dürfte dem ON. eine doppelte Beziehg. zukommen. — Ein zweiter *Port B.*, an der Ostseite v. Prince Regents It., v. Parry (NWPass. 44) am 13. Aug. 1819 getauft nach Capt. James *B.*, 'one of the commissioners of His Majesty's navy'. — *Cape B.*, an der Westseite der BaffinS., v. Capt. John Ross (Baff.B. 1ff., 190 f. Carte) im Sept. 1818. — *B. Strait*, an der Nordküste des Australcontinents, v.Capt. Ph.P. King (Austr. 1, 82) am 16. Apr. 1818 nach seinem Freunde James *B.* esq., 'one of the commissioners of the Navy'. — *B.'s Shoal*, eine Sandbank im Arch. Mergui, mit Klippen, die z. Flutzeit bedeckt sind, v. Capt. Thom. Forrest am 23. Juli 1783 getauft zu Ehren des Officiers, 'der sie zuerst gewahr wurde' (Spr. u. F., NBeitr. 11, 185).

Bowles, Point, im Mündsgsgolf des Gr. FishR. entdeckt am 7. Aug. 1834 v. G. Back (Narr. 211) u. getauft nach Capt. *B.*, R. N.

Bowling-green, Cape, bei austr. Cape Upstart, v. einem engl. Seef. (Cook?) als 'Kegelbahn' benannt nach der Form des durchaus flachen u. den Seespiegel nur wenig überragenden Landvorsprungs (Jukes, Narr. 1, 55).

Box Elder Creek = Bach des Büchsenhollunders, engl. Name eines in den Black Hills entspringenden lkseitg. Zuflusses des South Fork Cheyenne, nach dem hier auftretenden Gehölz, das in den Black Hills übh. da u. dort vorkommt (Jenney, Min. Wealth 70). Am 28. Juli 1874 nannte ihn General Caster *Castle Creek* = Burgbach, nach den abgerundeten u. hochpfeilerigen Wänden, die ihn dort umgeben (Ludlow, BlackH. 41). Der botan. Bericht (ib. 68) nennt den Baum Negundo aceroides Moench, 'a most hardy tree', gew. längs der Prairieströme u. ausdauernd ggb. allen Extremen der Feuchtigk. od. Dürre.

Boya s. Tungusen.

Bozrah, hebr. בָּצְרָה = fester, unzugänglicher Ort, Burg (vgl. *Byrsa*), Hptst. der Edomiter (1. Mos. 36, 33, j. Dorf u. Castell *Busaire, Bosseira* (Meyer's CLex. 3, 600) südl. v. Todten M., gr.

Bóσtρα, nicht mit *Bostra* in Hauran gleichzusetzen (Robins., Pal. 3, 125, Gesen., Hebr. L.), als *Nova Trajana Bostra* z. Hptstadt der Prov. Arabia erhoben, als Trajan + 105 das Umland seinem Reiche einverleibt hatte (Kiepert, Lehrb.AG. 181).

Brabant, Landschaft Belgiens u. der Niederlande, im 8. Jahrh. *Bracbant, Bracbantum*, später u. a. auch *Braim-* u. *Breibant*, volksthüml. *Brabenti*, ist nicht befriedigend erklärt, in verwerfl. Weise v. P. Spinnael (Not. hist., Brux. 1841), der in *Brüssel* (s. d.) einen Ort derBructeri, in *B.*, eig. *Bructerbant* (?), eine 'Marsch der Bructeri' sieht. Uebereinstimmend mit Grimm (Gesch.DSpr. 593) setzt Förstem. (Altd. NB. 311 ff.) den Namen z. Stamme *brac* u. bemerkt dazu: Das erste Umbrechen eines z. Anbau bestimmten Landstücks hiess ahd. *bracha*, während j. *brache* den Zustand der Ruhe bedeutet, in welchem ein umgebrochenes Feld bis zu neuem Anbau gelassen wird. Die Formen *Bratuspantium* fines u. *Bratuspantem* enthalten eine gelehrte, aber ungehörige Erinnerg. an einen v. Caesar erwähnten Ort bei Soissons. Auch der gelehrte Wauters (Hist. Brux.) setzt *B.* = Land der Brachfelder u. Heiden, das, z. Schafzucht geeignet, Rom mit Wolle versah, im Ggsatz zu Morinie u. Menapie, die in ihren Sümpfen grosse Schweineherden hatten (Chotin, Brab. XXVI). Immerhin ist hier das letzte Wort noch nicht gesprochen.

Brachodes, gr. *Bραχώδης* = Furtenhöh (Pape-Bens.), vollst. *Ἄκρα B.*, lat. *Caput Vada, C. Vadorum*, beides = Vorgebirge der Meeresseichten (Barth, Wand. 176) od. 'v. Sumpf umgebenes Cap' (Curt., GOn. 152), j. *Capudia*, als arab. besser *Kabudiah*, aus dem lat. *caput*, ein Vorgebirge am Eingang der Kl. Syrte.

Brachstedt s. Bruchsal.

Braddock's, Bahnstation bei Pittsburg, wo der engl. General Edw. *B.* am 9. Juli 1755 v. den Franzosen u. Indianern geschlagen u. tödtl. verwundet wurde (Cent. Exh. 17).

Bradford, ags. *Bradanford* = breite Furt, mehrf. ON. in England, an alten Uebergangsstellen, so in Yorkshire, West Riding, u. in Wiltshire (Camden-Gibson, Brit. 1, 199).

Brändli s. Brand.

Bragança, v. Stammhause der port. Königsfamilie wiederholt nach Brasil. übtragen *a)* Stadt am Gurupy, östl. v. Pará, aus einer ältern port. Ansiedelg. umgetauft nach den neuen Herrscherhause (1640): 'em honra da regia estirpe que veiu a occupar o throno' (Varnh., HBraz. 1, 333); *b)* s. Janeiro.

Braggo = Felsthor, tib. ON. in Bálti, v. *brag* = Fels, *go* = Thüre, Eingang, dial. auch *Daggo* (Schlagw., Gloss. 177).

Brahestad, Hafenplatz in Finl., v. Grafen P. Brahe, dem schwed. Generalstatthalter Finlands, 1649 ggr., wie *Brahelinna*, wo finn. *linna* = Burg, nach einem Schlosse, welches v. einem frühern Grafen Brahe 1490 begonnen, aber nicht vollendet wurde. Ebenso prsl. *Jakobstad*, v. der verwittweten Gräfin Ebba de la Gardie, geb. Brahe, 1653 ggr. u. nach ihrem † Gemahl, dem schwed. General Jakob de la Gardie, getauft (ZfAErdk. 1871, 126, Modeen, GFinl. 52 u. briefl. Mitth.). **Brahma**, auch *Brama* od. *Bromo*, der Hindugott, dessen Sinnbild das Feuer u. dessen Name bei den Javanen mit 'Feuer' gleichbedeutend ist; daher *Bromo*, der grösste jener Vulcankegel, welche aus dem flachen Kraterboden des javan. Tengger aufsteigen, ein etwa 200 m h., vollkommen kegelfgr., immer thätiger, hier u. da ausbrechender Eruptionskegel, den man auf einem Treppenpfade ersteigen kann (Junghuhn, Java 2, 590, Crawf., Dict. 67. 168). — *Brahmaputra* = Sohn *B.*'s, hind. Name des v. Tibet herabbrechenden heil. Stroms, eig. nur sein Unterlauf bis z. Brahmakund, in Asam *Dihong*, auch *Lohit* = der rothe, nach der Farbe des Schlammes, die erst weiter abw. mehr gelblich wird, in Tibet *Zájö-tschhu* = Wasser, *tschhu*, des Districts *Zájö*, im östl., wo mehrere Gewässer des westl., *Tsangbotschu* = das reine, heil. Wasser, oft mit dem Zusatz *jarú*, *yaru* = ober (Schlagw., Gloss. 178 ff., Reise 1, 470, Pauthier, MPolo 1, LII, wo auch der chin. Name *Ta kin tschä kiang* = grosser Fluss mit Goldsand), skr. wohl nur epithet. auch *Gabhásti* = der Lichtstrahl, wohl in Anspielg. auf die glänzende Wasserlinie, mit welcher er das Thal Asám durchschneidet, auch *Hrádana*, v. *hráda* = See, nach seiner Breite. — *Brahmakúnd* = *B.*'s Pfuhl, ein stilles Seitengewässer, *kund*, des Brahmaputra, obh. Asám 'ein sehr schöner Punkt, wo eine grosse Biegung des Laufes u. eine etwas niedere Stelle in der Thalsohle das Aufstauen eines tiefen Stillwassers begünstigt, gilt den Hindus als sehr heilig u. wird häufig v. ind. Bráhmans ohne nähere Kenntniss der Localverhältnisse als der Urspr. des Flusses beschrieben; die Asamesen aber wissen dens. ganz richtig zu beurtheilen' (Schlagw., Reis. 1, 470), auch *Deo-páni* = Gotteswasser u. *Prabhu-kuthár* = Parasuráma's Axt, letzterer nach den deutl. Erosionsfurchen der Felsen (Gloss. 178), eig. f. die abwärts folgg. Stromschnellen 'mit deutl. tiefen Erosionen der Felsen, auf welche sich unter den heil. Bezeichnungen des Flusses jener als *Prábhu-kuthár* = Parasuráma's Kampfbeil bezieht' (Reis. 4, 71). — *Brahmani*, *Braminy* = die brahmanische, skr. Name eines im Delta des Mahanada mündenden Flusses, Orissa (Lassen, Ind.A.1,221). — *Brahmapuri* s. Swargarohini. — *Brahmavedi* = Altar des *B.*, skr. Name des v. den 5 Teichen der ind. Saraswati (s. d.) eingeschlossenen heil. Raums. Zw. diesem Flusse u. der benachb. Drischadvati war das heiligste aller ind. Gebiete, *Brahmávarta* = Bezirk des *B.*, v. den Göttern selbst gebildet, das Musterland ind. Verfassg. (Lassen, Ind. A. 1, 118). — *Brahmarschideça* = Land des göttl. Weisen, das heil. Mittelland des Ganges, das Duab Ganges-Dschamna. 'Von einem hier gebornen Brahmanen, sagt das Gesetz, sollten alle Menschen auf der Erde ihren Wandel lernen'

— also ein sehr reines, heil. Land, später auch *Antarvedi* = Altar des Innern, der Mitte (ib. 1, 157 ff.). — *Barhampúr* = *B.*'s Stadt, v. *bárham*, der hind. Form f. skr. *B.*, 2 ON. *a)* in Bengal, *b)* in Orissa (Schlagw., Gloss. 174). — *Bahwangáung* = Brahmanendorf, v. *báhwan*, dial. Form f. *bráhman*, hind. ON. in Nepal (ib. 172). — *Brambanan*, öfter *Pr . . .*, verd. aus *Brahmanäan* = Brahmanenort, gut erhaltene, aus dem 13. Jahrh. stammende Tempelruinen bei Djokjokerta, Java, die merkwürdigsten aller aus der Hinduzeit vorhandenen Ueberbleibsel, 2 klosterartige Gebäude u. 6 Tempelgruppen, alles aus ungeheuern Blöcken gehauenen Trachyts, ohne Mörtel, erbaut. Die pyramidalen Tempel enthalten noch Götzenbilder u. zeigen reiche Sculpturen in Relief. Die Gruppe *Lara-jonggrang*, richtiger *Lara-jongkrang* = die grosse od. erhabene Göttin (nämlich Durga), wobei *rara* = Jungfrau in *lara* übergegangen ist, umfasste an 20 Tempel; in dem Haupttempel steht noch unversehrt Durga's Bild, wie sie, auf einem Büffel stehend, auf Mahesasura, die Personification des Lasters, losschlägt. Nach den Dörfern Kalasan u. Kalisari sind die *Chandi* (= Tempel) *Kalasan* u. *Chandi Kalisari* benannt. Die merkwürdigste Gruppe heisst *Chandi-Sewu* = 1000 Tempel, einem Viereck von 164 m Länge u. 155 m Breite; der Haupttempel, von 5 kleinern umgeben, ist 90 m hoch. In den unzähligen Räumen u. Nischen finden sich nur noch 5 Götzenbilder, Buddha, in der gewohnten sitzenden Gestalt (Crawf., Dict. 67). — *Swajambhunath*, skr. ON. in Nepal, v. *swájambha* = der selbstexistirende, u. *natha* = Herr, einem Beinamen v. *B.*, Wischnu u. Siwa (Schlagw., Gloss. 249).

Brahuigebirge heisst nach Pottinger's Vorgange das z. Indus alkälinde Randgebirge Beludschistan's, etwa 26—29⁰ N., weil es v. Stamme der Brahuis bewohnt wird (Spiegel, Eran. A. 1, 17).

Brailasca s. Tomleschg.

Braix, St. s. Dominus.

Brakfontein = brakkische Quelle, holl. Name einer Quelle (u. Ansiedelung) der Schneeberge, v. dem brakkischen, fast untrinkb. Wasser (Lichtenst., SAfr. 2, 32).

Bram s. Bremen.

Brambanan s. Brahma.

Bramble Island, in Torres Str., v. engl. Capt. F. P. Blackwood, HMS. Fly and *B.*, im Febr. 1845 besucht; in der Nähe auch *B. Passage*, *B. Key* = Klippe u. *Fly's Entrance* = Einfahrt (Jukes, Narr. 1, 150. 154. 218).

Brame s. Chanteloup.

Branchier, Saint, gew. *Sembranchier*, 1177 a ponte *Sancti Brancherii*, 1219 qui sunt a ponte *Si. Pancratii* usque ad finem vallis eiusdem, im Walliser Ort an der Confl. beider Zwillinge der Dranse, wo *Branchier*, wie *Planchais*, als dial. Umbildung des Namens des Heiligen anzusehen ist (Gatschet, OForsch. 187, Bourrit, NDescr. 1, 42). — Eine eigenthüml. Parallele bietet *Saint-Branchs*, ein Dorf des frz. dép. Indre-et-Loire, 'dont le nom moderne est la transcription tourangelle de *Sanctus Benignus*'. Hier, in *Sancti Benigni tumulus*, lag nach Greg. v. Tours der Bischof Benignus, der als Reisender in das Land gekommen, beerdigt. In Burgund, wo dieses Namenelement stark verbreitet ist, wurde *Benignus* gew. zu *Broing*, da v. den beiden sich folgg. *n* das erste durch eine andere Liquida, *r* od. *l*, ersetzt wurde; daher die alten burg. ON. *Saint-Belin, Saint-Beroing*, j. *Saint-Blin, Saint-Broing*. In der Touraine entstanden successive *Bereng, Berench, Beranch, Branch*; die dort beliebte Annahme, die, scheinbar einleuchtender, einen heil. *Brachion* ansetzt, ist sprachl. unmögl. u. widerspricht der ausdrückl. Widmg. der Kirche (Longnon, GGaule 286).

Branciforte, Ort in Calif., 1796 ggr. u. benannt nach Don Miguel de Lagrua, Marquez de *B.*, dam. Vicekönig NSpan. (DMofras, Or. 1, 409).

Branco = weiss (s. Blank), in vielen port. ON. wie *Cabo B.* (s. Blanco), *Ouro B.* (s. Ouro), *Rio B.*. in der Sierra Parime (s. Negro u. Preto), im fem. *branca*, insb. *Ilha B.* = weisse Insel, mehrf.: *a)* im Golf v. Arguim, 'weil sie mit weissem Sande bedeckt ist' (Spr. u. F., Beitr. 11, 98); *b)* vor der Bay des Kantonflusses (Hakl., Pr. Nav. 3, 445), sowie *Pedra B.* = 'Weissenstein', ebf. wiederholt: *a)* Landmarke, ein einzelner, üb. 7 m h. Fels, fast mitten im östl. Eingang der Str. v. Malakka, j. mit Leuchtthurm, dessen starkes, 23 m h. Licht vom Deck aus 24 km weit sichtb. ist u. alle die umliegenden Riffe beherrscht (Crawf., Dict. 331); *b)* Landmarke im ind. Arch., auf der Fahrbahn Singapur-Burni, 'que ho mui demandada dos pilotos daquellas partes' (Barros, As. 4, 1, 16); *c)* Felsberg in Santa Catharina, nach seinen grauweissen Abhängen, 'welche weit hinwegblicken üb. Fluss, Hügel, Land u. Meer' (Avé-L., SBras. 2, 159 f.).

Brand, d. i. ein durch Feuer urbar gemachter Ort, 'v. Ausroden u. Ausbrennen der Waldg.', häufig ON. f. sich, so f. den vorarlb. Ort *B.*, der dem v. Pludenz z. Seesaplana ansteigenden Seitenthale den Namen *Brandner-Thal* u. dem Berghaupt selbst die deutsche Bezeichng. *Brandner Ferner* (s. Seesaplana) verschafft hat (Bergmann, Walser 22), im C. Zürich 10 Höfe, neben *Brandacker*, *Brändliacker*. *Brandschenke*. *Brandlen* (Mitth. Zürch. AG. 6, 73 ff.). — Viell. nur scheinbar deutsch ist das anklingende *Brandenburg*, slaw. ON. der Mark gl. N., aber schon im 10. Jahrh. v. deutschem Aussehen: *Brandanburg*, dann *Brandon-*, *Branda-*, *Brandeburg* u. s. f. Nach gew. Annahme ist der urspr. Name *Brennibor*, v. wend. *brenny* = Schutz u. *bor* = Wald, also 'wohlbefestigte Waldgegend' (Förstem., Altd. NB. 319) od., in etwas anderer Fassung, ndd. *Brannybor*. plur. *Brannibory*, wo *bor*, plur. *bory*, dem sandigen Boden entspr., als 'Kieferwald' zu verstehen wäre, wie j. noch die Kiefer in dieser Gegend allgemein verbreitet ist. Der Ort, auf einer Insel der Havel, 'war die Hptveste der tapfern Lutizer, der Sitz der Heiligthümer der

Haveller, wo sie ihre dreiköpfige Gottheit Triglaw verehrten. Zw. Seen u. Sumpfwiesen v. allen Seiten geschützt, lag sie in der Mitte dichter Waldungen beinahe uneinnehmbar'. Im deutschen Munde ging *-bor*, *-bory* leicht in *-burg* über, um so leichter, da die alten Städte Magdeburg, Mecklenburg, Merseburg, Hamburg in der Umgegend bestanden (Jettmar, Überr. 6, Bender, D.ON. 50). Dieser Ableitg. ggb. hält Buttmann (Deutsche ON. 69) am deutschen Urspr. fest, 'ausgebrannte Burg', weil die v. Deutschen u. Slawen so viel umstrittene Burg mehrmals durch Feuer vernichtet wurde, u. aus dem deutschen Namen *B.* sei erst *Brennibor*, endl. gar *Brambor*, wie die Stadt j. noch bei den Slawen heisse, slawisirt worden. 'Zur Entscheidg. zw. diesen beiden Meinungen wird eine specielle Untersuchg. nöthig sein', urtheilte 1872 Förstemann (Altd. NB. 319), u. noch, 1890, ist die Entscheidg. kaum erfolgt. Es hat G. Hey (Leipz. Ztg. Wiss. Beil. 12. März 1887) slaw. Urspr. angenommen u. das Wort v. PN. *Branibor* = Wehrkampf, Kriegkämpfer abgeleitet, aber diese Ansicht nur kurz vorgetragen. Eingehender ist, nachdem Platner (Forsch. z. deutschen Gesch. 17) die Gründe, die *B.* zu einem ehm. Heruler-, also Germanensitz machen, zsgestellt u. ausführl. besprochen hat, W. Seelmann (ZGesch. dd. Volksst. 54) in die Frage eingetreten. Er erkennt den in unmittelbarer Nähe liegenden Berg *Harlung*, urk. 1166 *Harlungberg*. 1217 mons *Harlungorum* als ags. *Herelinge*, somit als eine Ableitg. des Namens der *Heruler*. welche die Zugehörigk. zu ihm od. seinem myth. Eponymus, also seinem königl. Geschlechte, ausdrückt. Die *Brenden, Brandinge*, ags. *Brondinge*, sind ein herul. Volkstamm; *B.*, 948 *Brendanburg* ist deutschen Urspr. u. erst v. den Slawen, die den Ort sonst *Szgorzelcia* nannten, in *Brennibor* = Grenzwald volksetym. umgedeutet worden. — Wie nun die Ggstück z. 'Wälschen Dörfli' (s. d.) tritt in *B.* ein *Deutsches Dorf* auf, welches, als Nachbar der slaw. Altstadt, z. Neustadt erwuchs u., wenn auch bis 1751 mit getrenntem Magistrat, mit jener zu einer Stadt vereinigt wurde (Meyer's Lex. 3, 626). — Ein jüngeres *Brandenburg* im Rgbz. Königsberg, v. Markgrafen Otto II. v. *B.* 1266 ggr., als er auf einem Kreuzzuge nach Preussen dem Deutschorden eine Burg sichern wollte (Toeppen, GPreuss. 208, Jettmar, Üb. slaw. ON. 5). — Ein Schloss *Brandenburg* an der Iller, Donaukr. (Jettmar 5). — *Neu Brandenburg*, im j. Mecklenburg-Strelitz, v. Markgr. Johann I. v. *B.* 1248 ggr. (Meyer's CLex. 11, 999). — *Brandende Berg* s. Dampier.

Brandon Hill, ein kahler Hügel v. Charlton I., James Bay, v. engl. Capt. James so genannt, als bei der Ueberwinterg. der am 6. Mai 1632 † master des Schiffes, John Wardon, hier 'in the most Christian-like manner' beerdigt wurde (Rundall, VoyNW. 213), wohl nicht bloss wg. des Anklangs der Namen, sondern in Anlehng. an die Sage v. heil. Brandanus, der v. einem irischen Kloster in den unbekannten Ocean nach Westen ausgefahren, in America angekommen u. nach 9jähr. Abwesenheit wieder zkgekehrt sei. Die Legende, v. einer That des 6. Jahrh., hat die ältern Seeff. viel beschäftigt u. war mit die Veranlassg. zu den mod. Entdeckgsfahrten. **Bransfield, Point,** u. in der Nähe *B.* *Strait,* in South Shetland, v. Capt. J. Cl. Ross (SouthR. 2, 329) am 30. Dec. 1842 benannt nach Edward *B.* esq., master of the Royal Navy.

Brant Island = Insel der Rothgänse, ein flacher Werder des Unterlaufs des Oregon, mit vielen Teichen, an denen Mengen v. Geflügel aller Art, als Schwäne, Gänse, Rothgänse, Kraniche, Störche, Weissmöven, Cormorane u. Kiebitze, sich aufhalten, benannt am 3. Nov. 1805 v. Captt. Lewis u. Cl. (Trav. 387). We saw great numbers of water-fowl, such as swan, geese, ducks of various kinds, gulls, plover, and the white and grey brant, of which last we killed eighteen (ib. 385). Our choice of a camp had been very unfortunate; for on a sand island opposite to us were immense numbers of geese, swan-ducks, and other wild fowl, who, during the whole night, serenaded us with a confusion of noises which completely prevented our sleeping (ib. 389. 512).

Brasilien s. Brazil.

Brass = Messing, engl. Name eines der 22 Mündgsarme des Kuara, wg. der dorthin ausgeführten Messingschalen, welche z. Abdampfen des Salzes dienen (Bastian, Bild. 167).

Brasso(via) s. Kronstadt.

Bratsk, anfängl. *Bratskoi Ostrog* = Veste bei den Buräten, Burutten, Bratti, in deren Gebiete, an der Confl. Oka-Angara, die Anlage 1631 geschah, nachdem schon 1623 die erste Aufforderg., sich zu unterwerfen, erfolgt war (Müller, SRuss.G. 5, 394; 4, 539). Urspr. war die Anlage $^1/_2$ Tagreise 'weiter' aufw., bei dem grossen Wasserfall Padun, erfolgt u. kam erst 1648 z. Oka, u. zwar auch j. noch 'nicht an die Mündg., sondern ggb. auf das östl. Ufer der Angara', während das westl. z. Anbau vorbehalten wurde, endl. 1654 in den Confluenzwinkel der beiden Flüsse (Fischer, Sib. G. 2, 735 ff. T. 2, Stieler, HandAtl. 1879 No. 59). — *Bratskoi Perewos* s. Kaginsk.

Brattons River, 2 mal v. den Captt. Lewis u. Cl. (Trav. 622 u. Carte) nach einem ihrer Gefährten *a)* ein Zufluss des Missuri, obh. Yellowstone R., im Mai 1805; *b)* ein rseitg. Zufluss des Yellowstone R., am 17. Juli 1806.

Braunschweig, ggr. v. Bruno, Herzog v. Sachsen, wahrsch. 861, im 9. Jahrh. *Bruneswic,* dann *Bruniswich, Brunes-* u. *Brunswich,* latin. *Brunonis ricus* = Stadt Bruno's, noch im Mummenliede
    'Brunsevik, du leiwe Stadt
      vor vel dusent Städten',
treu erhalten in engl. *Brunswick* (s. d.). Noch ohne ausreichde Quellenkenntniss hat M. Krüger (de orig. et increm. Br., Jena 1684) die Entstehg. u. Entwickelg. des Orts behandelt, gründlicher, aber nicht mit vorurtheilsloser Kritik, Leiste (Brschwg. Mag. 1788 p. 17 ff.); eine vortreffliche Studie, durchaus auf Quellen fussend u. besonnen,

ist die Arbeit v. H. Dürre (Gymn. Progr. Brschw. 1857). Er zeigt, dass schon in der altsächs.-heidnischen Zeit hier ein Ort, dessen Namen u. Ursprg. uns unbekannt ist, bestanden hatte u. v. Karl d. Gr. zerstört wurde, dass alsdann die Söhne des Sachsenherzogs Ludolf, Bruno u. Tankward, den Ort erneuert haben. Auf einem buschwaldigen, bruchigen Gelände, an der Ocker, die in der Merowingerzeit Stammes-, in der Carolingerzeit Diöcesan- u. Gaugrenze war u. mit ihren hohen eingeengten Ufern einen bequemen Uebergang, anf. als blosse Furt, bot, entstand zuerst, auf einem Ikseitg. Uferhügel, der die Furt beherrschte, wohl durch Tankward, die Burg *Tankwarderode, Thoncguarderoth,* nach der die *Tankwardevoorde,* jene als 'Rodung', diese als 'Furt' des Tankward benannt wurde. Nun baute Bruno, angebl. gemeinsam mit seinem Bruder, ggb., auf der Stelle des Stadttheils 'alte Wik', u. hierauf, wieder am linken Ufer, das 'neue Wik', u. das ganze, mit der Burg als Kern des Orts, erhielt von dem Namen des herzogl. Erbauers. Nach langsamem Wachsthum wurde *B.* durch die Brunonen, zu Anfang des 11. Jahrh., bedeutend gefördert u. zu einer grössern, stadtähnl. Ortschaft gemacht, endlich durch Heinrich d. Löwen in der zweiten Hälfte des 12 Jahrh. z. Stadt erhoben. — Zu den ON. desselben Stammes gehören *Brünning* od. *Prünning,* alt *Brunningas,* Ort zw. Alz u. Salzach, *Brunisberg,* eine Wüstg. unweit Höxter, *Brunscappel,* alt *Brunscapellun,* geweiht dem heil. Bruno, Bruder Otto's d. Gr., *Brunishorn, Braunsdorf,* alt *Brunistorf,* Wüstg. zw. Halberstadt u. Magdeburg, *Breuninges,* alt *Bruninges,* in Kurhessen, *Breungeshain,* alt *Brunningeshag,* unweit Fulda, *Breungesheim,* im 8. Jahrh. *Bruningesheim,* unw. Frankfurt, *Bornstedt,* alt *Brunningisstedi,* unw. Magdeburg (vgl. Brunn), ein altes *Bruningesthorf* u. *Bruningeswilari,* beide im Elsass, *Brunshausen,* Kloster *Brunisteshusun,* ggr. um 852, *Brennholz-* od. *Breunolz-, Breunzfelden,* früher noch *Brumgartsfelden,* im 11. Jahrh. *Brungeresfeldun,* unweit der Quelle der Altmül, u. a. m. (Förstem., Altd.NB. 333 ff.). — *Braunsberg,* in Ost-Preuss., 1255 ggr. v. Bischof Bruno v. Olmütz, der Ottokar auf seiner Kreuzfahrt begleitete (Daniel, Hdb.Geogr. 4, 245). — *Neu-Braunfels,* Ort in Texas, durch eine deutsche Colonisationsgesellschaft, unter Prinz Karl v. Solms-Braunfels, 1845 angelegt (Meyer's CLex. 11, 999).

Brava, Ilha = schöne Insel, eine der capverd. Inseln, 'ein anmuthiges u. liebl. Eiland, welches, ganz mit immergrünen Bäumen besetzt, gleichsam ein Magazin v. Früchten u. v. Producten ist, als zu allen Zeiten reife Feigen, Cocosnüsse, Pisang, Pomeranzen, Citronen, Baumwolle . . . Von den Küsten ergiessen sich an vielen Stellen klare Ströme silberhellen Wassers . . .' (Spr. u. F., NBeitr. 12, 207). — *Rio Bravo* s. Norte. — *Indios Bravos* s. Indios.

Braz, S. s. Mossel.

Brazil, o, in deutscher Form *Brasilien,* zuerst

am 26. Jan. 1500 v. Spanier V. Y. Pinzon, wenn nicht schon 1499 v. Hojeda, La Cosa u. Vespucci, entdeckt u. v. C. Santo Agostinho b. über den Amazonas hinaus befahren, wurde, als der Port. Cabral am 21. April 1500 einen südlichern Küstenstrich, um Porto Seguro, fand, *Ilha da Vera Cruz* = Insel des wahren Kreuzes genannt — nach einem grossen hölz. Kreuze, welches er am 1. Mai vor seiner Weiterreise aufrichtete. Auf den Gipfel eines Baums aufgepflanzt, unter welchem feierl. die Messe gelesen wurde, galt das Kreuz als Zeichen der Segnungen, die nun durch das Christenthum üb. das heidn. Land kommen würden: 'ficava toda aquella terra dedicada a Deos, onde elle por sua misericordia haveria por bem ser adorado per culto de Catholico povo, posto que ao presente tão çáfaro delle estivesse aquelle Gentio'. Dass das Land eine Insel sei, hatte man v. den Eingeb. erfahren: 'Pelas informações que parecião dar os naturaes, se julgou ser a terra uma ilha — outra Antilha mais' (Varnh., HBraz. 2, 17), wo übr. auch an das bevorstehende Fest der Kreuzerhöh., 3. Mai, erinnert ist: 'commemorando por este nome a festa que no principio do mez immediato devia celebrar a Igreja'. In dem Regl., welches die Regierung dem Indienf. João da Nova 1500 mitgab, *Ilha da Cruz* = Kreuzinsel, ohne *vera*. Als dann 1503 die erste port. Factorei, unweit Porto Seguro, mit 24 Leuten besetzt u. *Santa Cruz* genannt wurde, brach sich *Ilha da Santa Cruz* Bahn. Auch *ilha* wurde nicht sobald aufgegeben, obgl. schon die Flotte v. 1501 bei ihrer Küstenuntersuchung, Cabo San Roque bis Cananea, u. noch bestimmter durch Vespucci's Landtour 1503, bei welcher man über 40 Leguas weit in das Innere eindrang u. neue Erkundigungen einzog, sich überzeugte, dass das neuentdeckte Land zu einem grossen Continente, *Terra da Santa Cruz*, gehöre: 'vierão a adquirir, pela sua extensão, a certeza de que devia ella fazer parte de um continente . . .'. (Varnh., HBraz. 2, 19. 20). Nach den schon befiederten Vögeln des Urwalds nannte man das Land früh auch *Papagalli Terra* = Papageienland (Paesi nov. retr. c. 125), zZ. der frz. Occupation durch Villegagnon *la France Antarctique* (Varnh., HBras. 1, 230), eig. nur f. den occupirten Landestheil, wie *Nova Hollanda* f. den holl. Antheil Bahia-Maranhão, den der Prinzgouv. Mauritius 1637 41 verwaltete — 'nome que mais tarde se applicou a outro territorio' (Varnh. 1, 402). Das auf den ersten Fahrten schon erkannte, 1503 zuerst nach Europa geführte Farbholz, bei den Eingeb. *ibirapitanya* (= Rothholz), bei den Port. nach der glutrothen Farbe *braza* = Glut, war berufen, dem Lande seinen dauernden Namen, *o Brazil* = Glutholzland zu verleihen. E. Weller (Erste dZtg.. Tüb. 1872) hat die hübsche Entdeckg. gemacht, dass der Name *Presilg Landt* schon 1505 gebraucht wurde (Ausl. 46, 640); dann kommt er nach Varnh. (HBraz. 1, 422) 1511 in einem Schiffsjournal vor, u. nach Barros (Asia 1, 5, 2) hatte er den ältern schon um

1550 verdrängt. Es war dieses Holz ein wichtiges Product, welches auch in den span. Besitzungen vorkam u. den Spaniern schon grossen Gewinn abwarf: 'um producto que ja estava dando grande lucro aos Castelhanos, em cujas conquistas tambem se encontrará' (Varnh. 1, 21). V. Hayti sagt z. B. Gomara (Hist. gen. 33): (ay) infinito *brasil*. Schon früher, urk. schon 1193 (Diez, Rom. WB. 1, 81), war oriental. Rothholz durch die Genuesen u. Venetianer in Europa bekannt geworden u. ital. *verzino*, in der Form *brazil*, auf die Port. übgegangen (Varnh. 2, XIII). Der Speculationsgeist sprach nur v. einer *Terra do Brazil* = Rothholzland, einf. *Brazil*. Die Schiffe u. Leute, welche in dem Holzhandel verwendet wurden, bekamen — analog den 'baleeiros' = Walfängern — den Namen *brazileiros* (anst. *brazilenses*, *brasilienses*), sing. *Brazileiro*, was j. noch nom. gent. ist. Für die Eingeb. versuchten die Jesuiten den Namen *Brazis* einzuführen, drangen aber ggb. dem Worte 'Indios' nicht durch (Varnh. 1, 22). Dass der neue Name den v. Entdecker gegebenen so rasch u. vollst. verdrängte, amtl. schon im königl. Brief an Martim Affonso de Souza dd. 28. Sept. 1532, schrieben besorgte Gemüther teufl. Einwirkg. zu: 'Como o demonio per o sinal da Cruz perdeo o dominio que tinha sobre nós . . . . tanto que daquella terra começou de vir o páo vermelho chamado brazil, trabalhou que este nome ficasse na boca do povo e que se perdesse o de Sancta Cruz, como que importava mais o nome de hum páo que tinge pannos, que daquelle páo que deo tintura a todolos Sacramentos per que somos salvos . . .'. (Barros, Asia 1, 5, 2). Da ich in einem ernsthaften Werke der Frage begegnet bin, ob das Holz v. Lande od. umgekehrt den Namen trage, so rufe ich als weitern zweifellosen Zeugen Pigafetta (WHakl. S. 52, 46 f.) an: das Holz komme v. Bäumen dieses Landes, u. sie seien in solcher Menge, dass davon das Land *Verzin* genannt werde.

Brda = Gebirge, auch *Berdas*, serb. Name der östl. Berggebiete Montenegros, an der Moratscha (Meyer's CLex. 11, 702), wie auch 3. böhm. *Brdo* = Anhöhe, Hügel, in ON. 'Egg', f. 3 böhm. Ortschaften, ein *Brdy*, ebf. in Böhmen, *Berda*. häufiger ON. im slow. Gebiete, ferner *Werda*. *Werde*, f. slow. *Berde* (Miklosich, ON. App. 2, 148, Umlaut, ÖUng. NB. 17. 28. 271).

Brea, Tierra de = Pechland, span. Name der kl., durch ihren Pechsee ausgezeichneten Halbinsel v. Trinidad, wie das Cap *Punta de B.* Der See, fast kreisrund u. $2^1/_2$ km im Durchm., gibt so viel Asphalt, dass Raleigh (Disc. G. 3, 204) meinte, alle Schiffe der Welt könnten hier damit beladen werden. 'This *T. d. B.* is a peece of land of some 2 leagues longe and a league brode, all of ston pich or bitumen which riseth out of the ground in little springs or fountaynes and so running a little way, it hardneth in the aire, and covereth all the playne.'

Breaker Inlet = Einfahrt der Wellenbrecher, in De Witt's Ld., v. Capt. Stokes (Disc. 2, 178)

im Juli 1840 so benannt, weil sie durch vorliegende Brecher fast verschlossen ist. — *Point B.*, in Vancouver I., v. Cook (-King, Pac. 2, 264 ff.) getauft, weil v. herabgefallenen Felsstücken viele Brecher vorlagen. — Cook taufte ferner: a) *Break-Sea Spit*, eine Untiefe vor Sandy Cape, Queensland, am 20. Mai 1770, weil er, während aussen die See hoch ging, dahinter glattes Wasser fand (Hawk., Acc. 3, 114); b) *Break-Sea Isle*, ein hohes Eiland vor dem Canal bei Resolution I., NSeel., im Mai 1773, weil es den Eingang vor der Südwestflut schützt, welcher der andere so sehr ausgesetzt ist (VSouth P. 1, 95).

Bream Bay = Brassenbucht, ein schöner u. gut geschützter Hafen NSeelands, einh. *Wangarei* (Meinicke, IStill. O. 1, 258), wo Cooks Matrosen am 24. Nov. 1769 in kurzer Zeit nahezu 100 Seebrassen, v. je 3—4 kg, fingen, so dass die gesammte Schiffsmannschaft auf 2ᵈ versehen war. Dabei das 458 m h. *B. Head*, einh. *Tewara*, dessen malerische Felsspitzen einem alten Schlosse gleichen (Hawk., Acc. 2, 357 f.).

Bred s. Breit.

Breesen s. Beresina.

Breg führt als einfachste Form in eine Reihe ON. kelt. Urspr., v. *briga*, ir. *brigh*, *bri*, kymr. *bre*, corn. *bry*, arm. *bre* = Berg, Hügel, Bühl, alles das wurzelhaft verwandt mit *berg*, ahd. *berc*, goth. *bairg*, urspr. *birg*, viell. im Walliser ON. *Brig*, am Fusse des Simplon, unbestritten in den Zwillingsnamen der Donauquellen, *Brig* u. *Breg*, alt *Brigaha* u. *Bregaha* = Bergbach, Bergwasser — 'Zwillingswasser im Lauf, sind es sicherlich auch im Lauf (Bacm., AWand. 36), ferner f. *Bregenz*, bei Strabo Βριγάντιον, lat. *Brigantia*, *Brigantium* = Bergstadt, sowie f. *Briançon*, gall. ebf. *Brigantium* (Bergm., Vorarlb. 27, Bacm., AW. 52 f.). — Die vindelic. Umwohner v. Bregenz einst *Brigantier*, der See *Lacus Brigantinus* (s. Bodensee), der nahe Fluss *Bregenzer Aach* u. sein einst waldreiches Quellgebirge *Bregenzer Wald* (Meyer's CLex. 3, 689), die *Bregenzer Klause* (s. Clus). — Für *Brig* im Wallis hat Planta (ARät. 24) stützende Citate; aber Gatschet (OForsch. 245) denkt, da die Thalleute *i* f. *ü* sprechen, an 'Brücke'. 'Sowohl die zweite Declinationsendg., z. B. *supra Brigam*, als die Lage des Orts hart an den Brücken üb. die Rhone u. die Saltine, weisen auf solche Herkunft'. *Briger Berg* s. Simplon. Für *Briançon*, dép. Hautes-Alpes, finden sich folgg. Formen: auf Vasen *Brigantium*, *Brigantio*, auf der Peut. T. *Brigantione*, b. Geogr. Rav. *Bricantio*, im Itin. Ant. *Brigantio*, bei Strabo u. Ptol. Βριγάντιον, 739 *Briancione*, 1070 *Brianzoni* u. s. f., f. den Gau 739 pagus *Brigantinus*; der kelt. Volksstamm hiess *Brici-* od. *Brigiani* (Dict. top. Fr. 19, 21). Im Ggsatz zu dieser ganzen Darstellg. nimmt Buck 1888 in seinen 'gall. Fluss- u. ON. in Baden' (Zeitschr. Gesch. Oberrh. 3, 337) diese indogerm. Wurzel *bhray* = leuchten an, so dass *Brig* u. *Breg*, südtirol. *Bria*, frz. *Briga* etc., insb. auch

der Flussname *Bregenz* = 'helles, lauteres Wasser' wäre.

Bregaglia, Val, verdeutscht *Bergell*, ein schweiz. Nebenthal der Adda, wird gern (Lechner, Berg. 18) als lat. *Praegallia* = Vorland der röm. Gallia cisalpina gedacht, u. es soll wohl die alte Form *Praevalia*, in der bekannten unechten Prevost-Urkunde des Königs Dagobert (630), stützen, wenn Mohr (-Campell 116) beifügt: '*B.* ist nie das Vorthal Galliens gewesen, wohl aber dasj. Churwalens'. Dagegen denkt Gatschet (OForsch. 67) an ital. *Berbicaglia* = Schaftrift. 'Die hochgelegenen Weiden dieses Alpenthals sind gewiss schon in der Urzeit der Landescolonisation, wo die Namengebg. statt fand, als Schafweiden benutzt worden'. Und Planta (ARät. 51), gestützt auf den Fund einer ehernen Tafel (1869), hält den kl. rät. Stamm *Bergalei* f. die Urbewohner des Thals, das nach ihnen benannt ist (Nissen, Ital. LK. 162).

Brehm, Cap, in Spitzb., südl. v. Cap Heuglin, v. der Exp. Heuglin-Zeil am 15. Aug. 1870 getauft (Peterm., GMitth. 17, 178), ozw. nach einem ornitholog. Freunde, dem '*Vogel-B*'.

Breid s. Breit.

Breisach, zunächst das bad. *Alt-B.*, *Brisaca*, als fester Ort der Sequaner erwähnt: *Mons Brisiacus*, da er auf einem 246 m h. Basaltfelsen liegt, der einen grossen Theil v. Elsass u. Breisgau beherrscht, wahrsch. kelt. Gründg., unter Valentinian 369 stark befestigt u. bald der bedeutendste Ort der Gegend, die daher *Breisgau*, *Brisachgau*, *Brisagowe* genannt wurde. Als der Ort im Ryswicker Frieden 1697 an Deutschld. zkkehrte, liess Ludwig XIV., der deutschen Veste ggb., durch Vauban *Neu-B.* 1699 anlegen (Meyer's CLex. 3, 691; 11, 1000). Für .*B.* dachte Memminger (Württb. JB. 1830, 192), in Betracht der Veränderungen, die das Rheinbett dort erfahren, an frz. *briser* = brechen, also dass *B.* den Sinn v. 'Durchbruch' haben könnte; die Wurzel dazu könnte im Kelt. liegen. Allein 'es muss noch mehr Licht üb. dieses Wort anbrechen' (Förstemann, Altd. NB. 323), u. dieses Licht dürfte in dem gall. PN. *Brisios*, den Buck (Zeitschr. Gesch. Oberrh. nf. 3, 343) annimmt, noch immer nicht gefunden sein. — Nicht zu übersehen ist dabei, dass *B.* auf entschieden kelt. Boden einen Doppelgänger hat: *Brissac*, im dép. Hérault, 922 *Breisach*, *Breixac*, 1156 *Breissac*, 1189 *Brissiacum*, 1221 *Brixiacum* (Dict. top. Fr. 5, 26).

Breit, holl. *breed*, engl. *broad* (s. d.), dän. u. schwed. *bred*, ahd. *brait* = latus, amplus, in vielen ON., th. unmittelbar, th. durch Vermittelg. eines PN., insb. in dativ. Form wie *Bredanaia*, j. *Bredeney*, an der Ruhr, *Preitinowa*, j. *Breitenau*, 2mal in NOesterr., *Braitenbach*, mehrf., j. *Breitenbach*, *Bredenbeck* etc., *Breidenbrunno*, j. *Breidenborn*, *Beritenbrunn* u. dgl., *Breitenfurt*, j. *Bredevoort*, in Geldern, *Breitenheim* u. a., subst. in *Breite*, *Breiti* (Förstem. Altd. NB. 314 ff.). Von neuern Namen: a) *Breite Bucht*, im arkt. König Karl Ld., am 30. Juli

1872 entdeckt v. norwg. Capt. J. Altmann aus Hammerfest (Peterm., GMitth. 19, 121 T. 7); *b) Breithorn*, im Gebirgskamm des Monte Rosa, 'toute une chaîne qui se présente en face au sudouest aux voyageurs qui de Zermatt ... vont dans la vallée d'Aoste' (Saussure, VAlp. 364). — *Breede Rivier* = breiter Fluss, holl. Name eines östl. v. Cap Agulhas mündenden Flusses, weil er da, wo er aus dem Warmen Bokkeveld durch eine Schlucht in die Ebene heraustritt, sich vielfach theilt u. so in breitem, inselvollem Bette dahin schlängelt (Lichtenst., SAfr. 1, 260). — Im dän. bezeichnet *Bredning* die verbreiterten Strecken der Sunde, wie im Lymfjord u. ist, am Guldborg Sund, auch auf einen Wohnort übergegangen (Madsen, Sjael.StN. 197). — *Breidifjördur* = breite Einfahrt, ein an der Westseite Islands tief u. breit eindringender Golf, so benannt v. Normannen Thorolf. Han säg att hon var bred och omgifven af bergiga kuster och kallade henne *Bredefjärd*, såsom hon heter än i dag (Hildebr., Sagot. 11). **Breithaupt** s. Wyman.
Breme s. Anegada.
Bremen, der Name der Hansestadt, erfreute sich früher, wie manch' andere StädteN., einer Mannigfaltigk. toller Deutungen. Schon im 16. Jahrh. fragte Fr. Irenicus, ob des Ptolemäus Φαβίϱανον nach Bremen zu verlegen sei, u. nachdem Esychius 1598 an *Bramp*flanzen, im Sinne v. Brombeeren, gedacht, tauchten auf: *c)* die poln. Unterdrücker, *Brzmie*; *d)* die aus Indien eingewanderten *Brahminen*, 1602 u. noch 1821 (!); *e)* die *bremen, bremsen*; *f)* die *frameae* des Tacitus; *g)* die *praemen*, breite, flache Fährschiffe, 1600; *h) fimbria*, die ocean. Grenze (Martinus); *i)* das altn. *brim* = Flut, Woge, Meer (Förstem., D.ON. 28); *k)* die *bräme*, der *bram* = Rand, Saum (Br.Jahrbb. 1, 272ff.). Die letztere Etym. denkt sich der Verf. im Sinne v. Dünenrand, W. O. Focke als Waldrand, Brandes (Progr. 1856) als Uferrand. Auf die Brampflanzen greift J.G.Kohl(Br.Sonntagsbl.10No.12f.) zk; diese Ableitg. v. *brame, breme, brome*, f. verschiedene stachlige Sträucher, Ginster etc., 'scheine besonders viel für sich zu haben'. Dagegen kann auch Förstemann, der u. a. die Form *Bremun* 785, *Premu.ı* 791 beibringt, von der in der alten Aufl. seines Namenbuches mitgetheilten Annahme nicht abgehen u. äussert sich (Altd.NB. 322) sehr beherzigenswerth: 'Der Name der Stadt *B.* ... gehört noch zu den ganz dunkeln, u. auch die Bemerkungen v. Brandes (p. 18ff.) sind nicht geeignet, die Sache z. Abschluss zu bringen. Zur genauern Bestimmg. der Lautverhältnisse bemerke ich, dass aller Vermuthg. nach das *e* hier ein impr. kurzes, u. zwar aus *i* entstandenes ist, u. dass die plurale Dativform auf *-un* die echtere zu sein scheint'. — *Cap B.* u. *Cap Hamburg*, an der Kuhn I., Grönl., v. der zweiten deutschen Nordpolexp. 1869/70 zu Ehren der beiden Seeplätze, südlicher *Cap Berlin*, getauft (Peterm., GMitth. 17 T. 10). — *Bremer-haven*, Tochterstadt *B.*'s, ggr. auf Anregg. des

Bürgermeisters J. Smidt, auf einem 1827 erworbenen, 350 Morgen gr. Landstück, eröffnet im Herbst 1830 (Meyer's CLex. 3, 703). — Ein älterer Name ist *Bremervörde*, v. niederd. *vörde*, *förde* = Furt, an dem Canalweg *B.*-Stade, d. i. v. der Nieder-Weser z. Nieder-Elbe. — *(Bremer-) Lehe*, unw. *B.*, ist dem Bestandtheil *lehe, luhe, lühe* nach nicht klar (Peterm., GMitth. 7, 146). — *Bremerhaven* Berg s. Rosenthal. — Das oben angerufene Brombeergebüsch wird mit besserm Rechte, obgl. der Einfall dem Keltomanen *L.* de Bochat (Mém. crit. 1, 130) ebenso wenig zusagte, wie lat. *Prima Guardia* u. ein gutmüthig deutscher *Prang-Garten*, f. den schweiz. ON. *Bremgarten* angesprochen, wo ahd. *bramaghar* sich in *brame-* u. *bremgart*, mit Locativendg. *-en*, umgestaltet hat, nach dem mit Sträuchern, bes. Brombeerstauden, erfüllten Walde. 'Der bern. *Bremgarten (-wald)* bildet noch j. einen sehr umfangreichen Waldbezirk' (Gatschet, OForsch. 98). Dem entspr. nimmt auch Förstem. (Altd. NB. 316ff.) ahd. *bráma* = rubus, vepres an u. erwähnt u. a. aus dem 8. Jahrh. den Wald *Bram*, unweit Bonn, den Fluss- u. ON. *Brambach*, mehrf., j. *Bram-* u. *Brombach*, aus dem 9. *Bramaha*, j. *Brembach*, Flüsschen in Hessen, *Bramfirst*, j. *Bramforst*, Wald unw. Fulda, aus dem 11. *Bromstedi*, j. *Bramstedt*, unw. Bremen.
Bremer, Port, in Nord-Austr., benannt nach Capt. Gordon *B.*, welcher 1824 v. Sydney nach Port Essington abgesandt wurde u. die Küste v. 129—135° OL. in Besitz nahm (Stokes, Disc. 1, 399). — Nahe seiner Gründg. Dundas der *B. River*, ein in die Apsley Str. mündender Fluss v. Melville I. (King, Austr. 2, 237, Plan).
Brenets, les, Ort u. See im C. Neuenburg, sowie *Lac Brenet* im C. Waadt, v. mlat. *brena* = Gebüsch, woher *brenatia* scil. *regio* = buschreiche Gegend (Gatschet, OForsch. 89).
Brenner, tirol. Alpenpass, v. kelt. *bren, brin, byrin* = Berg, steiles Gebirge (Zeuss, Gr. Celt. 86). Anders, doch wohl nicht überzeugend, A. Jäger (Rät.AV.Breon..) u. ihm zustimmend H. Kiepert (Lehrb.AG. 368), v. den rät. Breonen, Breuni, die unter den 24 im Triumphbogen v. Turbia aufgezählten Alpenvölkern erscheinen, jedoch auch f. das tessin. Alpenthal des *Brenno, Blegno*, die *Valle del Brenno*, vor 1500 *Bellegnius*, angesprochen werden (Lavizzari, Esc. 4, 544), A.Ficker (Kelt.Ld.Enns 122), v. kymr. *pyr* = Flamme, u. wieder anders Chr. Schneller: Der *B.* 'hat mit all' dem ihm im Uebermass angefabelten Zeuge v. einem alten Volks- u. Heerführer Brennus od. einem längst abgestandenen Breunenvolke od. gar der Vetterschaft mit dem Namen der Pyrenäen ... nicht das mindeste zu schaffen, sondern ist einfach der Berg jener deutschen 'Brenner', welche dort einst Bäume fällten, Hütten bauten, Kohlen brannten u. durch Brand die schmalen Feldchen u. Wiesen urbar machten' (Peterm., GMitth. 23, 365). — *B. Bach* s. Maltzan.
Brennibor s. Brandenburg.
Brennisteinnamur = Brennsteinquellen, die

Schwefelquellen bei Krísuvík an der Südwestküste Islands (Preyer u. Z., Isl. 63).

Brentesion s. Brindisi.

Brentford = Furt an der Brent, die hier in
die Themse mündet, engl. ON. bei London, wo
der Fluss einst leicht durchwatet wurde (Camden-
Gibson, Brit. 1, 329).

Brese s. Beresina.

Breslau, v. slaw. *Wraclaw*, im Jahre 1000
Wrotizlaw (Adamy, Schles. ON.[2] 8), um 1018
Wrozlawa, bei dem Kosmogr. Münster (1544)
Presla. Wurde, wie die Sage will, v. Böhmen-
könig Wratislaw, auf welchen 'Name u. Wappen
deuten', ggr. (Daniel, Hdb.Geogr. 4, 215). Unter
den Söhnen des poln. Herzogs Wladislaw entstand 1163 ein eignes Herzogth. *B.* (Meyer's
CLex. 3, 720).

Bressanone s. Brixen.

Brest, frz. ON. der Bretagne (s. d.), als *Ile de
B.* auf eine Insel der Belle Isle Str. übtragen
v. frz. Seef. J.Cartier, welcher, v. St. Malo geb.,
im Juni 1534 verschiedenen Objecten jener Gegenden breton. Namen gab, auch dem *Port de B.*
(Hakl., Pr.Nav. 3, 203). 'A partir de ce point
(d. i. obh. Sainte Catherine), Cartier longea vers
l'ouest la côte méridionale du Labrador, jalonnant
çà et là sa route de quelque nom breton, tel
que *B.* ou *St. Servan*, au milieu de beaucoup
d'autres ...' (Avezac, VCart. XI, M. u. R., Voy.
Cart. 10). Bei dem letztern Namen *Port de St.
Servan*, wo am 13. Juni ein Kreuz aufgerichtet
wurde, ist, trotz der orth. Abweichg., eher an den
Hafenort *St. Servan*, bei St. Malo, als an das
binnenländische *St. Servant*, dép. Morbihan, zu
denken.

Brest, v. slow. *brêst*, čech. *brest* = Ulme, u.
zwar Ulmus uberosa, mehrf. ON. in Krain u.
Mähren, wie *Brest'an*, *Brestek* u. *Brestovica*,
in Böhmen, Mähren u. Görz, ferner die böhm.
ON. *Brišt*, *Brišt'an*, *Brištany*, *Bristew* (Miklosich, ON.App. 2, 146, Umlauft, ÖUng. NB. 29),
v. serb. *brijest*, Ulmus campestris, die ON. *Brist*
u. *Bristivica*, in Dalmatien.

Bret, Cape, ein 370 m h. viereckiger Felskopf
NSeel., einh. *Rakaumangamanga* (Meinicke,
IStill.O. 1, 258), v. Cook am 26. Nov. 1769 ent-
deckt u. nach Sir Piercy *B.* getauft (Hawkw.,
Acc. 2, 360), bei den frz. Exp. Marion(-Crozet,
NVoy. 43) am 3. Mai 1772 *Cap Quarré*, nach
der Form.

Bretagne, kelt. *Aremorica* = Land am Meer
(vgl. Morbihan), wie die kelt. Bewohner *Are-
morici* = Nachbarn des Meeres hiessen (d'Arbois de Jub., Rech. NL. 565), eig. Appellativ wie
'maritim', f. alle Küsten u. j. noch in der Basse-
B. so gebräuchl. f. gewisse Uferstriche als *Ar-
morique* de Plouguerneau, *A.* de Landéda. Gegen
Ende des 3. Jahrh. umfasste der alte Name alle
gall. Küsten des Oceans; 100 Jahre später griff
der *Tractus Armoricanus* auch in das Innere,
selbst bis Bourges u. Troyes; in der zweiten
Hälfte des 5. Jahrh. war *A.* das Land zw. Seine
u. Loire u. dauerte in gewisser Fassg. bis in das

14. Jahrh. herab (de Courson, EssaiBr.Arm. 32 ff.).
Als im 5. Jahrh. die v. den Angelsachsen vertriebenen Kymren, u. zwar allmählich in einer
Zahl, welche die der *Armorik* = Meersöhne
weit überwog, hier einwanderten, erhielt die
Halbinsel den Namen *B.*, lat. *Britania Minor*
s. *Parva Britania* = Kl. Britanien (auch *Britania Cismarina* = diesseitiges), im Ggsatz zu
Gross Britanien, dem Stammlande der Einwanderer.
Seit 460 fing der urspr. Name zu verschwinden
an, u. im 6. Jahrh. war *B.* bei den Chronisten,
z. B. Gregor v. Tours, herrschend (R. de Denus,
AProv.Fr. 73 ff.), insbes. f. den westl. Theil, dem
der östl. als *Romania* ggb. gestellt wurde. Im
9. Jahrh. erscheinen die Formen *Britania, Britanica provincia, Britanicum regnum*, 1248
Breteigne, im 16. Jahrh. *Bretaigne*, wie auch
das anliegende Meer 1029 als *mer de B.*, oceanus *Britaniae* (Dict. top. Fr.9, 3.29). In welcher
Beziehg. zu *B.* der ON. *Brest* (im 9. Jahrh.
noch ein Dorf, Meyer's CLex. 3, 722 ff.), stehe,
ist mir nicht klar. — Der Volksname *Breton*,
fem. *Bretonne*, erscheint in *Cap Breton*, St.
Lorenz Golf, wo — neben bask. u. norm. — die
breton. Fischer seit 1504 den Kabljaufang betrieben, 'so called of the people of St. Malo, who
first found and fell with it' (Strachey, HTrav.
142). Der Capname ist auf die Insel, die sonst
Ile Royale = Königseiland hiess, übgegangen
(Navarrete, Coll. 3, 41, Buckingh., Can. 160. 356).

Breun s. Braunschweig.

Breusing s. Freeden.

Brewer s. Braunschweig.

Brewster, Cape, an der Ostküste Grönlands, v.
engl. Walfgr. Will. Scoresby jun. (NWF. 191) am
25. Juli 1822 entdeckt u. nach seinem Freunde
B., dem Secr. der Kön. Gesellschaft in Edinburg,
getauft. — *Mount B.* s. Harcount.

Breza s. Beresina.

Briançon s. Breg.

Bridal Veil = Brautschleier, engl. Name eines
188 m h. Wasserfalles des calif. Thales Yosemiti
(Wheeler, Geogr. Rep. 131), wo die Fluten raketen-
artig zu Thal schiessen u. an den mächtigen
Granitblöcken brausend zerstieben, das ganze
durchsichtig leichte Schleierband wie leichtes
Spitzengewebe v. Winde hin u. her bewegt, daher ind. *Pohonó* = Geist der bösen Winde, weil
die v. Fall stets bewegte Luft den Indianern voll
böser Geister zu sein scheint (Fortschr. 1880, 149,
Gartenl. 1888, 362).

Bridge Island = Brückeninsel, einh. *Kihwa*,
eine sonderb. Insel des Victoria Njanza, v. H.
Stanley (Thr. Dark Cont. 107) am 21. März 1875
getauft. 'Als ich nach einem Wege suchte, um
die Insel zu besteigen, entdeckte ich da eine 6 m
lg., 3½ m br. natürl. Basaltbrücke, unter welcher
der Reisende wohl geborgen ausruhen mag' (Peterm.,
GMitth. 21, 467). — *B. Creek*, ein Zufluss des
Yellowstone L., v. Geol. F. V. Hayden (Prel. Rep.
102) am 31. Juli 1871 so getauft, weil der Trachyt
eine natürl. Brücke bildet.

Bridgewater, Cape, in Victoria, v. Lieut. Grant

1800 benannt (Flinders, TA. 1, 203), ob nach dem Grafen v. B., Francis Henry Egerton (1756—1829), welcher zwar ein Sonderling, aber auch den Wissenschaften ergeben war u. durch sein Testament v. 8000 L. die 'Bridgewaterbücher' veranlasste? Die frz. Exp. Baudin setzte am 1. Apr. 1802 *Cap Duquesne*, nach dem Admiral d. N., 1610—1688 (Péron, TA. 1, 267).

Bridport, Hafenort, *port*, der engl. Grfsch. Dorset, wo der Brid in den Canal mündet (Meyer's CLex. 3, 732). — *B. Inlet*, in Melville I., v. Parry (NWPass. 71) am 4. Sept. 1819 getauft zum Andenken des 1816 † Admirals Lord *B.*

Brieg u. **Briezen** s. Priegnitz.

Bries s. Beresina.

Brig s. Breg.

Brig Rock = Briggfels, eine Felsenklippe der Bass Str., einer Brigg ähnelnd wie fast alle isolirten hohen Felsklippen des Meeres, v. Capt. Stokes (Disc. 1, 268) im Dec. 1838 so genannt: 'a name suggested by its form'.

Brigges his Mathematickes, ein Land an der Hudson Bay, v. engl. Capt. Luke Fox am 31. Juli 1631 entdeckt, als Inselgruppe betrachtet u. benannt nach einem der Hauptförderer seines Unternehmens, dem als Mathematiker berühmten Henry Briggs, dessen Name schon in Verbindg. mit Thom. Buttons Fahrt gestanden war u. der für Fox auch Sir John Brooke (vgl. Brooke Cobham) u. a. Freunde, 'with diuers friends' gewonnen hatte (Rundall, Voy. NW. 152. 177, Forster, Nordf. 420. 413)... a small group of islands no less strangely named than *B. h. M.* There must have been a deal of humour mixed with his conceit — sagt mit Recht der Herausgeber v. Coats' Remarks 2 (Note 3).

Brigham City, Stadt in der Nähe des Grossen Salzsee, benannt nach dem 1877 † Mormonenhaupt *B.* Young (Hayden, Prel. Rep. 17).

Bright Mountain = Glanzberg, in Maine, nach dem Glanze, welchen eine unregelmässige Schicht glatter weisser Felsen der Südseite in den Strahlen der Mittagsonne wirft, 'which glisten like ice in the sunbeams at noon' (Buckingh., East. & W. St. 1, 152). — *B. Mountaius* s. Rocky. — *Cape B,.* an der Ostküste Grönl., v. Walfgr. WScoresby (NorthWF., Carte) im Juni 1822 nach einem seiner Freunde getauft.

Brighton, engl. Seebad am Aermelmeer, angebl. als *Brighthelmstone*, wo *stone* = Stein, Burg, v. einem sächs. Bischof Brighthelm ggr. (Meyer's CLex. 3, 742).

Brimstone Basin = Schwefelbecken, ein Hochthal mit erloschenen Geysern, v. der Exp. des U. St. Geol. F. V. Hayden 1871 so benannt (Prel. Rep. 135). An der Quelle des obern Alum Creek (s. d.) ist der v. den alten Geysern erzeugte Kieselsinter stark mit Schwefel gemengt u. schon $^1/_2$ mile, bevor man den Platz erreicht, füllt sich die Luft mit unangenehmem Schwefelgeruch. Im Flussbett befinden sich zahlr. kl. Quellen, denen fortwährend Gasblasen, wahrsch. v. Schwefelwasserstoff, entsteigen, u. wie der Fluss den Sinter passirt, wird er milchig trübe. Auch der Special-

rapport des Mineralogen Dr. A. C. Peale (ib. 189) nennt die Thalmulde 'an old hot-spring basin, now extinct, to which was given the name of *B. B.*, from the sulphur which exists in it'.

Brindisi, gr. *Βρεντέσιον*, röm. *Brundisium*, ital. Hafenplatz an der Adria, v. messap. *brention* = Hirschkopf, da seine in mehrere Golfe verzweigte Hafenbucht einem Hirschgeweih ähnelt (Strabo 282). Der vortreffl. Hafen wurde, sofort nach der röm. Besitznahme —244, zu einer der bedeutendsten Colonien umgeschaffen u. wurde v. strateg. Wichtigk. f. die Beherrschg. der Passage nach den griech.-illyr. Küsten. Seit Jahrhh. verschlämmt, wurde er seit 1866 ausgebaggert u. mit allen Anstalten eines Seehafens ausgerüstet; trotz aller Anschwemmungen ist der Hafenbucht noch immer die Form des Hirschgeweihs kenntl. geblieben, u. es ist nicht recht einzusehen, dass der Name v. alban. *brente* = das Innere, wie Kiepert (Lehrb. AG. 453) will, abgeleitet sei.

Brinkley, Cape, an der Ostküste Grönlds., am Eingange v. Scott's Inlet, v. engl. Walfgr. Will. Scoresby jun. (North. WF. 104) im Juni 1822 entdeckt u. zu Ehren Dr. *B.'s* benannt.

Brinsmade s. Hoop.

Brion, Ile de, bei NFundl., v. frz. Seef. J. Cartier am 26. Juni 1534 benannt (M. u. R., Voy. Cart. 19, Hakl., Pr. Nav. 3, 205). Zuf. der Introd., welche Mr. d'Avesac der Nav. de Cartier beigegeben (X), war Phil. de Chabot, seigneur de *B.*, comte de Busançois et de Charny, amiral de France, derj., dem der Capt. Cartier das Gesuch eingab, auf Rechng. des Königs zur Entdeckungen ausgesandt zu werden, u. auf dessen Verwendg. dann 2 Schiffe ausgerüstet wurden ... diverses îles, à l'une desquelles fut laissé le nom de *B.*, en l'honneur de Cartier qui avait patroné l'expédition (XI).

Brisbane River, in Queensl., v. Oxley 1823 erforscht u. getauft nach dem damaligen 6. Governor v. NSouth Wales, Generalmajor Th. *B.*, der sein Amt v. Dec. 1821 bis Nov. 1825 verwaltete (King, Austr. 2, 257 u. a. O., Meidinger, Festl. A. 2, 235). Der Landvermesser J. Oxley in Sydney, beauftragt zu untersuchen, ob sich in dieser Gegend eine Pönalstation f. Verbrecher I. Cl. anlegen liesse, gründete das 'Convict Settlement' am 3. Sept. 1824. Aus diesem Anf. entwickelte sich die Stadt *B.* (ZfAErdk. 1876, 172, Hertha 3 GZ. 98). — *Cape B.*, an der Ostküste Grönl., v. engl. Walfgr. Will. Scoresby jun. (North. WF. 104) entdeckt u. nach Sir Thomas *B.* getauft.

Brissac s. Breisach.

Bristol, engl. Hafenstadt am Avon, aus dem brit. *Caer Brito* = Britenstadt ags. umgedeutet in *Bricgstow* = Brückenort, urk. auch *Brigston, Bristowe, Bristallum, Bristold* ..., ganz passend f. die halbinsuläre Lage, die nach mehrern Seiten der Brücken bedurfte (Gibson, Chron. Sax., Anhang). Nach dem Hafenplatz, welcher vor dem Aufschwung Liverpools der wichtigste brit. Seehafen nach London gewesen, der *B. Channel*. — Uebertragen a) *B. Bay*, im Berings M., die *Kwitschak*

See der Ulaghmuten, v. Cook(-King, Pac. 2, 433, Krus., Mém. 2, 109) am 16. Juli 1778 entdeckt u. zu Ehren des Admirals earl of *B.* getauft; *b) B. Cape*, ebf. v. Cook (VSouthP. 2, 225) zu Ende Jan. 1775 entdeckt u. zu Ehren der 'noble family of Hervey' benannt; *c) B. Island*, vollst. *Earl of B.'s Island* (Rundall, Voy. NW. 191), in James Bay, v. Capt. James (NWPass. 38) am 19. Sept. 1631.

Bristow, PN. 3 mal *a) B. Island* (s. Turnagain), *b) B. Rock* (s. Auckland), *c) Cape B.* (s. West).

Britain, die engl. Form f. lat. *Britania, Great B.* = Grossbritania, im Ggsatz z. Bretagne (s. d.), ags. *Bryten, Bryton, Breoton, Bretene, Bryttene,* ir. *Breatain,* welsh *Breathnach,* norm. *Bretland* (s. Wales), ist augenscheinl. benannt nach dem Keltenvolke der *Briten,* ags. *Bryt, Brit, Bret,* gael. *Breatunnach,* welsh *Breathnach,* v. welsh *brith, brit* = buntfarbig, gefleckt, nach der Sitte, den Leib zu bemalen, 'from the manner in which the ancient Britons used to paint their bodies' (Kiepert, Lehrb. AG. 528, Zeuss, Deutsche u. NSt. 194). In dieser gesunden Bahn treffen wir schon 1586 W. Camden (Brit. 24 f.): 'Britania, inquit Isidorus, a vocabulo suae gentis cognominata est'. Später freil. fehlte es nicht an directen Etymologien des Landesnamens, d. h. also solchen, welche nicht auf dem Volksnamen fussen. So dachte der gelehrte Sam. Bochart (Geogr. Sacra 220) an phön. בְּרִית־אֲנָךְ *[barat-anac]* = Zinn- od. Bleiland, gr. *Βρετανική,* was zu dem frühen Verkehr mit den 'Zinninseln' gar gut stimmen würde. Andere riethen auf einen fabelhaften König *Brutus* od. auf den Flussreichthum, v. welsh *bri* = Ehre, *tain* = Fluss, od. auf hebr. *bara* = schaffen, dann trennen, also das v. Continent abgetrennte Land, wie schon der röm. Dichter sage: 'et penitus toto divisos orbe Britannos', od. auf *braithtonn* = der Gipfel der Wellen, wie denn, v. Canal aus betrachtet, die Insel 'seems a low dark line lying along the surface of the deep', od. auf *Breatunn,* verd. aus kelt. *Bretinn* = hohe Insel, od. auf welsh *Ynys Prydain* = die schöne Insel u. s. f. (Charnock, LEtym. 45 ff.). Noch 1882 findet Isaac Taylor (WPl. 38 f.), dass *B.* aus keiner der indogerm. Sprachen zu erklären sei u. nur die Basken Aufschluss geben, dass diese, in eignen od. phön. Schiffen, nach der Bretagne u. v. hier nach *B.* fahrend, es *Br-etan-ia* genannt haben mögen, v. kelt. *bro* = Gegend u. dem eusk. Suffix *etan,* plur. v. *an,* als Zeichen des Locativs. Man wird ozw. zu diesem neusten Versuch nicht das grösste Zutrauen fassen. — *New B.,* mehrf. übtragen auf engl. Entdeckungen u. Colonien: *a)* Insel (u. Inselgruppe) bei NGuinea, ein Theil des j. Bismarck Arch., schon v. den holl. Seeff. Le Maire u. Schouten, Juni 1616, entdeckt, v. Tasman, Apr. 1643, wieder gesehen, dam. noch für einen Theil des hypothet. Südpolcontinents, der Terra Australis incognita, ging u. erst v. engl. Seef. Dampier (s. d.) 1700 v. NGuinea abgeschnitten u. mit dem besondern Namen be-

legt (Debrosses, HNav. 371. 407, Hawk., Acc. 1, 366, Meinicke, IStill.O. 1, 131. 139). Capt. Carteret durchschiffte v. 9.—11. Sept. 1767 die nach ihm benannte Seegasse u. unterschied nun die 2 Hauptinseln *New B.,* einh. *Birara,* j. *Neu Pommern* u. *New Ireland,* einh. *Tombara,* j. *Neu-Mecklenburg* (Hawk., Acc. 1, 375 ff.); *b)* s. Labrador; *c)* s. Virginia. — *South B.* s. NZeeland. — Mit der latin. Form *Britania* ebf. mehrere Uebertragungen als *a) B. Cliffs,* hohe Felsklippen des Belcher Ch., v. Capt. Edw. Belcher (Arct. V. 1, 274) auf einer seiner Schlittenfahrten am 20. Mai 1853 entdeckt u. nach einer der 'banner ladies' getauft; *b) B. Magna* s. Labrador; *c) B. Island* s. Loyalty; *d) Nova B.* s. Virginia; *e) B. Cismarina* od. *B. Minor, Parva B.* s. Bretagne; *f) B. Archipel* s. Schouten; *g) Austral B.* s. Tasmania. — Mit adj. *britanicum: a) Fretum B.* s. Calais; *b) Mare B.* s. Channel. — Mit adj. *british: B. Chain,* eine Gebirgskette des arkt. America, v. Capt. John Franklin (Sec. Exp. 135) am 21. Juli 1826 entdeckt u. 'afterwards' getauft. — Holl. *Huis te Briten* = Britenburg, ein vor Katwijk versunkenes Castell, v. Caligula erbaut, *Arx Britanica,* als ein die Rheinmündungen beherrschender Waffenplatz. Bei ausnahmsweise niedriger Ebbe u. bei heftigem Ostwinde werden die Gemäuer sichtb. (Wild, Niederl. 1, 12).

Brixen, Stadt in Tirol, 1054 *Brexiona,* 1130 *Brixa,* ital. *Bressanone,* erwuchs (Umlauft, ÖUng. NB. 30) aus dem Meyerhof *Prichsna,* den Kaiser Ludwig das Kind 901 dem Bischof Zacharias v. Seeben schenkte.

Brizaner s. Priegnitz.

Brno s. Brünn.

Broad = breit, engl. adj., toponym. wohl am bekanntesten durch die breite Mittelstrasse, den *Broadway,* welcher New York in seiner Länge durchzieht, doch auch in andern ON. *a) B. Island,* ein Werder des obersten Missuri, v. den Captt. Lewis u. Cl. (Trav. 233) am 23. Juli 1805 getauft nach der Form, die v. der gew. langgestreckten auffallend abweicht; *b) B. Mountain* s. West-Arm; *c) B. Sound,* eine Bay in NSouth Wales, v. Cook am 31. Mai 1770 entdeckt u. so benannt im Ggsatz zu dem schmalern Thirsty Sd., welcher auf der andern Seite ders. Insel hinführt (Hawkw., Acc. 2, 130); *d) B. River* s. Carolina; *e) Broadwater* s. Black.

Broch Insel, in spitzb. Nordost Ld., durch die Fahrt des Engl. Leigh Smyth 1871 entdeckt u., wie *Foyn I.* u. *Schübeler I.,* v. APeterm. (GMitth. 18,106.197) mit einem wissenschaftlich verdienten Namen belegt: nach dem norw. Statistiker O. J. *B.*

Brochenberg s. Pilatus.

Brocken, der Name des Culminationspunkts des Harz, ist in einer lat. Notiz v. 1495 mit *Mons Ruptus* = gebrochener Berg gegeben, ähnl. in Grimms Wörterb. als 'gebrochene, gebröckelte Steinmasse', wie auch der Berg mit Felsblöcken u. Felsbrocken übersät ist (Gottschalks Taschb. HarzR.). Auch die freil. weder urspr. noch einh. Form *Blocksberg* könnte diese Ansicht unterstützen.

Nun ist aber die älteste urk. überlieferte Form (1490) *Brackenberg*, u. C. Ed. Jacobs (Brocken u. Gebiet 1870) weist überzeugend nach, dass *bracken*, d. i. verwachsenes, zu Nutzholz untaugl. Gehölz, das am *B.* öfters erwähnt wird, dem Berge den Namen gab, dieser also eine forstmännische Bezeichnung war (Peterm., GMitth. 16, 266). Man wollte im *B.* hier u. da einen mons *Bructerus* finden, u. C. A. F. Mahn (Etym. Unters. 3, 4 ff.) dachte an kelt. *brock* = dunkelgrau.

Brockhausen s. Bruchsal.

Brod, asl. *brod* = Furt, slaw. ON., 17 mal in Böhmen, Mähren u. Galiz., 5 *Brody*, davon eines in Galizien, sämmtl. an grössern od. kleinern Gewässern gelegen (Brückner, Slaw. AAltm. 64, Buttmann, Deutsche ON. 66). — In Westpreussen *Brodden*, am Flusse Jolmka (Thomas, Tils. Progr. 8). — *Brodowen* = Furtort, im masur. Kr. Lyck (Krosta, Mas. Stud. 11).

Brömsebro = Brücke an der Brömsa, d. i. des ehm. Grenzflusses zw. dem dän. u. schwed. Skand., schwed. ON. in der Gegend v. Kalmar (Meyer's CLex. 3, 777).

Broer R. s. Hold with Hope.

Brog = Sommerdorf, wörtl. die 'Wildniss', im Ggsatz zu den permanent bewohnten u. v. Culturland umgebenen Dörfern, tib. ON. in Balti (Schlagw., Gloss. 178).

Broing s. Branchier.

Broke s. Shannon.

Broke, ein zu Ende der 30er Jahre ggr. Dorf v. NSouth Wales, v. Major Mitchell (Three Expp. 1, 12) nach einem ausgezeichneten Officier Sir Charles *B.* Vere benannt.

Broken Bay, in NSouth Wales, nach den durchbrochenen Umgebungen, 'broken land', so benannt v. ihrem Entdecker Cook am 6. Mai 1770 (Hawk., Acc. 3, 103); *b) B. Point*, in Hudson's Str., 'being indeed a point of broken iles', also eig. ein Schwarm v. Küstenholmen, v. engl. NWF. Baffin am 20. Juni 1615 benannt (Rundall, Voy. NW. 117 f., Parry, Sec. V. 21); *c) B. Horn* s. Giant; *d) B. Mountains* s. Tower.

Brombach s. Bremen.

Bromby's Isles, bei austr. Melville B., v. Flinders (TA. 2; 227, Atl. 14 f.) am 17. Febr. 1803 getauft nach einem Geistlichen in Hull, 'after my worthy friend, the Rev. John *B.*'

Bromo s. Brahma.

Brooke Cobham, ein Land an der Westseite der Hudson B., v. Capt. Luke Fox am 28. Juli 1631 entdeckt, als Insel betrachtet u. getauft z. Andenken des Ritters John *B.*, eines der Hptförderer seines Unternehmens . . . 'in commemoration of the services of a man to whom Fox expresses himself as being greatly indebted for delivering his petition to his Majesty, and for bringing him into the Royal Presence, there to shew the hopeful possibility of the attempt: an act as graceful on the part of the monarch, as the acknowledgment is becoming to his subject' (Rundall, Voy. NW. 177). Sonst hiess das (weisse) Land auch *Marble*

Island = Marmorinsel (Forster, Nordf. 419, der die Orth. *Brook* hat).

Brooklyn, 'die Schlafstelle NYork's', z. holl. Zeit (1614/64) ggr. u. nach einem Dorf *Breukelen*, zw. Amsterdam u. Utrecht, getauft, engl. geworden auch *New York Ferry* (= Fähre), erst 1834 Stadt geworden (Meyer's CLex. 3, 799).

Brooks' Island, bei Peabody B., v. Kane (Arct. Expl. 1, Carte) nach seinem 1. Officier, Henry *B.* getauft, wie das nahe *M'Gary Island* (s. d.) nach dem 2. Officier. — *B.'s Bluff* s. Montagu.

Broos s. Sachsen.

Brosch Kamm, ein Bergzug am Matotschkin Scharr, NSemlja, durch die v. Baron v. Sterneck befehligte Hülfsexp. der Polarfahrt Tegetthoff im Aug. 1872 benannt nach dem Schiffslieut. *B.*, Mitglied der österr. Nordpolexp. (Peterm., GMitth. 18, 146; 20 T. 16, gef. Mitth. Prof. Höfers in Klagenf. 17. Febr. 1876).

Brothers the = die Gebrüder, engl. Schiffername f. 2 benachb. u. gleichhohe Berge od. Inseln, mehrf.: *a)* conische Hügel am Victoria R., Arnhem's Ld., v. Capt. Stokes (Disc. 2, 63) am 5. Nov. 1839 benannt; *b)* Felsklippen am Fukian C. (Krus., Mém. 2, 243); *c)* Eilande an der Südseite der Cooks Str., NSeel. (Meinicke, IStill. O. 1, 280).

Broughton, Cape, wiederholt: *a)* die Ostspitze Jeso's, v. russ. Admiral v. Krusenst. (Mém. 2, 205) zu Ehren des engl. Capt. *B.* 'qui, à peu de chose près, fit le tour de toutes les côtes de l'ile de Jeso, et qui détermina le premier la position géographique de son extremité orientale'. Er war, noch als Lieut., auf der Exp. Vancouver 1791, v. der er sich, im Schiffe Chatham, dem Tender des Investigator, trennte, u. wir begegnen seinem Namen wieder im *B. Archipel* (s. Chatham); *b)* an der Westseite der Baffin Sea, v. Capt. John Ross (Baff. B. 209. 219 f.) am 17. Sept. 1818, ebf. nach diesem *B.* (?) getauft wie *Cape Searle, Merchants Bay*, dann *Cape Mickleham*, 29. Sept., *Cape Enderby, Swedish Islands, Charles's Islands*, am 30. Sept. — *B. Insel* s. Round.

Browell Cove, in M'Kinley Bay (s. d.), v. Capt. John Franklin's Gefährten Dr. Richardson am 14. Juli 1826 entdeckt u. zu Ehren des Lieut.-Gouv. des kön. Spitals zu Greenwich benannt (Franklin, Sec. Exp. 218).

Brown = braun, zugl. als engl. Familienname häufig u. in beiderlei Sinne zu ON. verwendet, bes. nach dem Botaniker Robert *B.*, welcher, geb. 1773, v. Sir Joseph Banks empfohlen im Capt. M. Flinders in Austr. 1801 begleitete u. mit 4000 meist neu entdeckten Pflanzenarten 1805 zkkehrte, dann asiat., african. u. arkt. Sammlungen bearbeitete u. 1858 in London †. Nach ihm, 'whose scientific researches reflect so much credit on British talent', sind getauft *Cape B.* 3 mal: *a)* am Russel Inlet, v. Dr. Richardson, Exp. Franklin (Sec. V. 220), am 15. Juli 1826; *b)* am Fox Channel, v. Parry (Sec. V. 266 f.) am 13. Juli 1822; *c)* hinter Canning I., Grönl., v. Scoresby jun. (NorthWF. 295) am 20. Aug. 1822. — Ebenso *Mount B.*, am 9. März 1802, u. *Point B.*, am

5. Febr. 1802, id. *Cap Lavoisier,* beide in Süd-Austr., v. Flinders (TA. 1, 110. 157), *B.'s Channel,* in Banks' Peninsula, v. John Franklin (Narr. 375) am 2. Aug. 1821, *B.'s Strait,* in Arnhem's Ld., v. Flinders' Nachgänger, dem engl. Capt. Ph. P. King (Austr. 1, 251) am 29. Juli 1819. — Wohl eher als dem engl. Botaniker gilt *Cap B.,* in Spitzb., v. der Exp. Heuglin-Zeil 1870, in Gesellschaft mehrerer engl.-schott. Celebritäten (Peterm., GMitth. 17, 182. 314), vorgeschlagen, dem jüngern schott. Naturforscher *R. B.,* welcher 1867 in Grönland war u. über die phys. Geogr. der arkt. Gebiete geschrieben hat. — Ein anderer (?) Robert *B.* war Chef der Exp. nach Vancouver (1863/66), wo ein Zufluss des Courtenay R. als *B. River* eingetragen ist (Peterm., GMitth. 15, 86). — *B.'s Shoal,* 'eine gefährl., wiewohl kl. Untiefe bei Hastings I., Mergui, wo man nur 2 Klafter auf Korallgrund hat', v. Capt. Thom. Forrest am 26. Aug. 1783 benannt nach seinem ersten Officier, der die Gefahr entdeckt hatte (Spr. u. F., NBeitr. 11, 196). — *B.'s Range,* eine Inselreihe der Carolinen, v. Capt. Thom. Butler, Schiff Walpole, am 13. Dec. 1794 entdeckt u. 'in compliment to Mr. *B.,* chief supercargo at Canton', getauft (Bergh., Ann. 9, 154). — Nach andern Personen d. N.: 3 mal *B. Island a)* in Ellice, v. american. Capt. Peyster 1819 (Krus., Mém. 1, 11); *b)* s. Booth; *c)* s. Wilczek. — *Isle B.* s. Danger. — *B. Islands,* in Tasman's Ld., v. Capt. Stokes (Disc. 1, 188) nach der Farbe getauft. — *Brownsville,* in Texas, urspr. ein Fort der Union, v. Capt. *B.* tapfer vertheidigt (Meyer's CLex. 3, 811). **Browne's Islands,** in N. Grönland, v. Capt. John Ross (Baff. B. 67) am 26. Juli 1818 entdeckt u. nach Henry *B.* esq. benannt, welcher sich sehr der Exp. angenommen hatte 'and to whose advice on various subjects we were much indebted'. Ebenso sing. *B. Island,* in der Barrow Str., v. W. Edw. Parry (NW. Pass. 264) am 29. Aug. 1820, wie *Somerville I.,* nach seinem Freunde Dr. *S.* **Browning Pass,** ein Bergjoch in NSeel., Prov. Canterbury, 1416 m h., um Mitte 1865 durch den engl. Ingenieur *B.* entdeckt (Peterm., GMitth. 13, 138). **Broye** s. Brühl. **Bruará** s. Bruck. **Bruce, Mount,** ein 1200 m h. Berg in NW.-Austr., v. dem Reisenden Frank Gregory entdeckt (Peterm., GMitth. 8, 284) u. prsl. benannt — nach dem Africa-reisenden James *B.* 1730/94? **Bruchsal,** Ort in Baden, im 10. Jahrh. *Brochsale, Bruah-* u. *Bruoselle, Bruohsela, Bruohcsell,* in einigen Namensformen mit denen f. *Brüssel* übereinstimmend, 'locus inter paludes Rheni, *Bruhsel,* nuncupatus' (Cod. Hirsaug. im 12. Jahrh.) u. im gleichen Sinn auch v. Förstem. (Altd. NB. 328) dem Stamm *broc,* v. ahd. *bruoch* = palus, nhd. *brūch,* einverleibt, wie *Bruchbach, Bruchburch,* j. *Bourbourg,* in Flandern, *Brochuson,* mehrf., j. *Bruch-* u. *Brochhausen, Brochstad,* j. *Brachstedt,* unw. Halle etc. Auch das einf. *Bruch* kommt mehrf. vor, u. v. Compositis, mit *bruch* als Grundwort, sind 35 Formen aufgezählt.

Bruck u. *Brugg,* dial. f. *Brücke,* ahd. *prucchâ,* altn. *bryggja* u. mit kurzer, starker Form *brû,* gen. *brûar,* dem entspr. schwed. *brygga* u. *bro,* dän. *bro,* holl. *brug,* ags. *brycg,* engl. *bridge* (s. d.), vielf. in ON., jenes z. B. in Oesterreich: *a)* Ort an der Leitha, Uebergangsstelle nach Ungarn, 1065 *Aschirichisbrucca,* nach ihrem Erbauer — od. Besitzer od. Pächter? — Aschirich (Becker, NOest. 1, 219); *b)* Ort in Steierm., wo auf der Route Wien-Triest die Mur überbrückt ist; die schweiz. Form, mit *gg,* ebenfalls wiederholt: *a)* Städtchen im Aargau, wo die merkw. verengerte Aare v. Alters her v. der Route Zürich-Basel passirt wird; *b) Bruggen,* bei St. Gallen, wo der Verkehr der Fabrik- u. Handelsstadt mit der westl. Schweiz die tiefgefurchte Sittern zu passiren hat; *c)* in Zssetzungen wie *Glattbrugg* (s. d.), *Saarbrück, Osnabrück* u. a. — *Brügge,* rom. *Bruges,* in Flandern, 678 *Brugae* (Meyer's CLex. 3, 840), das älteste Beispiel, dass in ON. die 'Brücke' erscheint, der Ueberlieferg. zuf. v. der Brücke 'Brugstok', die in die Nachbarorte führte (Förstem., Altd. NB. 332), aber auch im Innern 'mit zahllosen Brücken, ein zweites Venedig' (Buttm., Deutsche ON. 24). Angesichts dieser Zeugnisse ist es belehrend, den Chorherrn J. J. de Smet (Essai Flandr. occid. 1851) anzuhören: er verwirft den Sinn 'Brücke'. 'Comment peut-on supposer qu'on y ait bâti dès lors un pont assez magnifique pour donner, par autonomase, son nom à la ville?' Alte ON., mit *brucca* als Grundwort, zählt Förstem. 40 auf. — *Bruárá* = Brückenfluss, 'einer der wenigen isl. Ströme, über welche eine Brücke führt' (Preyer-Z., Isl. 260). **Brué Récif,** ein gefährl. Riff in Tasman's Ld., v. d. Exp. Baudin am 15. April 1803 benannt 'nach dem ersten Ruderbesteurer des Expeditionsboots de Casuarina, einem jungen Mann v. Anlagen u. Eifer f. die Geographie' (Péron, TA. 2, 208, Freycinet, Atl. 27). — Ebenso *Rivière B.,* in Tasmania, Jan. 1801 (Péron 1, 216). **Brühl,** unbestimmt ob kelt. od. deutschen Urspr., im mlat. *brogilus, broilum* dann in sämmtl. roman. Sprachen, z. B. ital. *broglio,* frz. *breuil,* in der Bedeutg. schwankend zw. Wald, Buschwerk, Wiese, in einf. ON. wiederholt: *Brül,* bei Regensburg, *B.,* bei Reichenhall u. a. O. (Förstem., Altd.NB. 329). In diese Gesellschaft stellt Gatschet (OForsch. 17) auch den Flussnamen *Broye,* der urk. *Brodia, Broia, Brovia,* 1295 *Broya, Bruya,* auch *Brolius,* in deutschen Urk. *Brusch,* *Brüw, Breuw, Bruch* heisst; es liege ahd. *brogil,* dim. v. *bruoh* = Sumpf, Bach, od. *pruohil* = Sumpfwiese, Bach, dem nhd. *brühl,* mlat. *brogilus* entspr., zu Grunde. **Brünn,** čech. *Brno,* ON. Mährens, ist nicht überzeugend erklärt, ob im Sage v. einem slaw. Fürsten Privinna od. v. einer Cultstätte des Götzen Perun in einer Schrift v. 1881 'am glaubwürdigsten' v. mhd. *brünne,* slaw. *brň,* was beides 'Panzer' bedeute u. auf die bollwerkartige Lage hinweise, sonst v. slaw. *brno* = Furt, da hier, an der Confl. der Schwarzawa u. Zwittawa, die Strassen

Ofen-Prag u. Schlesien-Oesterreich sich kreuzten, neuerdings (ZfSchulG. 3, 5) v. altsl. *brnije* = Koth, nach dem Lehmboden dos Orts, 'Lutetia', wie noch j. ein Theil v. Alt-*B. Hlinky* = Lehmort heisst (Umlauft, Nam.B. 31). V. Brandl, in seiner Abhandlg. (Obzor 1883, deutsch mit Noten v. J. Wisnar), spricht sich p. 17 nicht bestimmt aus; wir erfahren aber aus der Note, dass die Deutg. 'Panzer' auf 1860 (Brandl's Handbuch 35) zkgeht u. 1881 bei Smolle (Markgr. Mähren 30f.) nur wiederholt ist. Auch Jelinek (Schutz- u. Wehrb. 63. 112) dachte an slaw. *brni, brneni* = befestigen, also dass *B.* = Holz-Umfriedungswerk. Inzw. war 1863 Brandl (Kniha 230) zw. *brenije* = Waffe u. *brenije* = Koth schwankend geworden, u. 1876 entschied er f. die letztere Gleichg. (Gloss. 12). Darin stimmt Miklosich (Denkschr. 23, 149) bei; da näml. das genus neutr. v. *Brno* mit aslaw. *brnije* = lutum zsfalle, sei diese Herleitg. vorzuziehen, u. Krones (Gesch. Oest. 1, 419) stützt die Ansicht durch Eingehen auf die Realprobe. Immerhin habe ich den Eindruck, die Frage sei noch nicht entschieden. — Nach der heim. Stadt *Cap B.*, ein 790 m h. Cap in Franz Joseph's Ld., v. Payer am 2. Mai 1874 erstiegen, um einen Ueberblick zu gewinnen (Peterm., GMitth. 20 T. 20; 22, 206). — Vgl. Brunn.

Brünning s. Braunschweig.
Brüsch s. Brush.
Brüssel, frz. *Bruxelles*, die brabant. Hptstadt Belgiens, urspr. *Bruxella*, 794 *Brocela*, 844 *Bruolisela*, 976 *Bruohsale*, ist nicht befriedigend erklärt, v. Bollandisten Henschenius als *Brughsenna* = Brücke über die Senne, in der Annahme, der Ort sei im 7. Jahrh. ggr. v. dem heil. Gery, Gerald, Bischof v. Cambray, u. benannt nach der Brücke, welche zu der Eremiteninsel im Flusse führte (Daniel, Hdb.Geogr. 4, 992, Meyer's CLex. 3, 849). P. Spinnael (Not. hist. Brux. 1841) nimmt an *Broeksele* = Ort der Bructeri, wie *Brabant*, *Bracbant*, eig. *Bructerbant* = Marsch der Bructeri. Es ist diess jedoch eine trübe Quelle. Der Verf. geht aus v. den Sätzen: *a)* dass alle alten ON., wenn sie einer v. Ausländern besetzten Colonie gelten, dem Namen dieses Volkes nachgebildet seien, wie *Anvers* v. den Ampsivarii (!); *b)* dass die Benennng. nach der Ortslage sei 'la plus pauvre, la plus insignifiante, la plus rare de toutes les origines des noms propres'. Er zeigt viel Belesenheit, auch in alten Namensformen; allein wo ihm diese, wie *Bruolisela*, unbequem werden, schiebt er sie bei Seite. Wer wisse, dass der ON. v. den Bructeri komme, der frage nicht mehr, 'quelles sont les différentes manières dont on s'est servi, à diverses époques, pour indiquer la ville.' Es ist, als vertheidige ein gewandter Advocat, was er selbst nicht glaubt. Nichts Besseres war v. A. G. Chotin (Etude étym. Brab. 1859) zu erwarten (Egli, Gesch. geogr. NK. 141); er findet in *B.* das deutsche Wort *brühl*, frz. *breuil* = eingehegter Wildpark, also Wohng. des Brühl. Und in gleich unbefriedigender Weise meint G. J. de

Corswarem (Mém. prov. Limb. 1863), der Name bedeute, wenn = Bruchzelt, 'Hütte in der Sumpfwiese', wenn aber = Bruchsel, 'Haus in der Sumpfwiese'. — Der ON. *B.* auch f. einen Weiler des frz. dép. Aisne (Dict. top. Fr. 10, 42).
Brüster O. s. Ort.
Bruges u. **Brugg** s. Bruck.
Bruguières, Cap, id. *Cape Lambert* der engl. Admiralitätscarten (Krus., Mém. 1, 50), an der Nordwestküste NeuHolland's, v. frz. Capt. Baudin am 30. März 1803 benannt, offb. nach Kerguelen's Begleiter, dem Naturforscher Jean Guillaume *B.*, 1750/99 (Péron, TA. 2, 201, Freycinet, Atl. 25, King, Austr. 1, 51).
Bruhns Insel, eine der spitzb. Tausend In., v. der Exp. Heuglin-Zeil im Aug. 1870 (Peterm., GMitth. 17, 180 T. 9) benannt zu Ehren des Leipziger Astronomen *B.*
Bruintjes-Hoogte, holl. Bergname im Capland, wo die Colonisten einen hottent. Häuptling, scherzw. *Bruintje* = Bräunchen genannt, kennen lernten, in *Achter* (= hinter), u. *Voor* (= vorder) *BH.* unterschieden (Lichtenst., SAfr. 1, 594).
Brujo, Rio del = Hexenfluss, ein Küstenfluss in Costa Rica, dessen weite Mündg. die Schiffer verlockt, in diese Sackgasse, anst. in den nahen schiffb. San Carlos, einzulaufen (Peterm., GMitth. 8, 207).
Brulé Portage = Brand-Trageplatz, im Netz des Rainy L., nach dem grossen Waldbrande, welcher, wohl zu Anf. des 19. Jahrh., hier den majestät. Urwald verzehrte. Noch die Red River-Exp. fand, unter dem jungen aufgeschossenen Gehölze versteckt, viele halbverbrannte Stümpfe edler Tannen, welche 1¹/₂ m ab Boden noch üb. 3 m Umfang hatten. In der Nähe *B. Lake* u. *B. Hill* (Hind, Narr. 1, 63 f.). Vgl. Windego. — *Bois-Brulés* s. Bois. — *Fort B.*, im Gebiet des Saskatchewan, wo die Gros-Ventres 1793 den Posten der Hudsons Bay Co. niederbrannten (Ch. Bell, Canad. NWest 7).
Brundisium s. Brindisi.
Brune s. Whidbey.
Brunel s. Biot.
Brun s. Braunschweig.
Bruni = das gebrannte, zw. Hafnarfjördur u. Krísuvík, ein Theil des ungeheuern isl. Lavagebiets, welches v. Vulcan Skjaldbreid bis Cap Reykjanes sich ausdehnt u. eben dieser grossen Ausdehnung wg. *Almenningur* = allgemeine od. Allerwelts-Lava heisst (Preyer u. Z., Isl. 68). — *Ile Bruni* s. Riche.
Brunn, goth. *brunna*, ähd. *brunno*, ags. *burna*, nhd. *brunnen*, niedd. *born*, oft in ON., th. als Grundwort (Förstem., Altd. NB. 335 ff. zählt deren 160 auf), th. einfach als Fluss- u. ON., im 8. Jahrh. *Brunna*, j. *Brunn*, *Brunnen*, *Brünn*, in der Grfsch. Hoya, *Börne* u. a. m., *Brunadra*, j. *Brunnadern*, etc. mehrf., *Brunbach*, *Bruntal*, *Brunheim*, *Brunnunstat*, j. *Brunnstadt*, in Franken, u. *Bornstädt*, in Thüringen. *Brunnen*, in der toggenburg. Gemeinde Mosnang, erscheint 854 in einem Vergleich zw. dem Abt v. St. Gallen

u. einem Manne Namens Notger ... 'in loco, qui propter fontium ubertatem nominatur *Prunnon*' (Wartm., Urk.-B. Abtei St. Gall. No. 426).

Brunner River, einh. *Arahura*, u. *B. Lake*, in NSeel., v. Thom. *B.* 1847 zuerst durchforscht u. beschrieben (Peterm., GMitth. 13, 135. 138).

Brunswick, engl. Form f. Braunschweig (s. d.), wie Hanover, Osnabrück etc., seit die Welfen 1714 z. engl. Thronfolge gelangten, mehrf. auf engl. Entdeckungen od. Colonien übtragen, als *New B.* 3 mal *a)* Halbinsel der j. Dominion of Canada, v. Nova Scotia 1784 abgetrennt (Buckingh., Canada 418 ff.); *b)* Stadt im Staate Maine (Meyer's CLex. 3, 866); *c)* Stadt im Staate NJersey, 1770 ggr. (ib. 11, 1035). — Ferner *d) B. Bay*, in De Witt's Land, v. Capt. Ph. P. King (Austr. 1, 432) am 9. Oct. 1820 benannt 'in honour of that illustrious house'; *e) B. Peninsula*, in der Magalhães Str., wie das nahe *King Williams IV. Land* 1826/36 v. der Exp. Adv.-Beagle (ZfAErdk. 1876, 486).

Brusanája Gorà = Thon- od. Wetzschieferberg, bei Krusenst. (WReis. P.) *Sóplesa* = Schleifsteinberg, russ. Bergname im Quellgebiete der Petschora, nach der Steinart, welche v. zahlr. Händen gebrochen u. durch die Binnenkaufleute verhandelt wird (Schrenk, Tundr. 1, 199).

Brush Island = Beseninsel, v. *brush-wood* = Reisholz, im Port Dalrymple (s. d.), v. Flinders (TA. 1, CLVI) am 9. Nov. 1798 getauft. — Im alemann. Dial. ist *brüsch* =. Erica vulgaris, also der ON. *Brüsch* = Heide, *Brüsch-Egerten* = eine Egerte mit Heidekraut überwachsen, *Brüschweid*, sämmtl. im C. Zürich (Meyer's Zürch. ON. 24).

Brusjansk s. Tobolsk.

Brussa, türk. *Bursa*, alt *Prusa*, die Stadt am mys. Olymp, nach dem Plan des als Flüchtling am bithyn. Hofe lebenden Hannibal bei den heissen Schwefelquellen, *Therma Basilika*, gr. Θερμὰ Βασιλικὰ = Kaiserthermen, ggr. v. bithyn. König Prusias, nach welchem auch 2 Colonialstädte am *Prusias* umgetauft wurden: das miles. Cius u. das herakl. Cierus (Kiepert, Lehrb. AG. 101, Meyer's CLex. 3, 867) ... 'in Bithynia *Prusa* ab Hannibale sub Olympo condita' (Plin., HNat. 5, 148).

Bruun s. Schweigaard.

Bruxelles s. Brüssel.

Bruyère, la, auch *les Bruyères* = Heidegesträuch, im 12. Jahrh. *Brueria*, hier u. da als *nemus* bezeichnet, oft frz. ON., in den 18 dépp. des Dict. top. Fr. 204 mal, bes. in den dépp. Calvados 95, Nièvre 36, Eure 28, Eure-et-Loir 24 mal (Dict. 18, 45; 6, 27; 15, 28; 1, 33).

Bruzssabdseli = Häckselkammer, v. *bdse* = Häcksel, georg. Name eines 'hohen, dem Ansehen nach ganz verhackten Schneegebirgs' im Kaukasus (Klaproth, Kauk. 2, 325).

Bryant, Point, bei Macleod Bay (s. d.), im Apr. 1787 v. engl. Capt. Nathanael Portlock, Schiff King George, nach einem der Officiere benannt (GForster, GReis. 3, 105, während der Mann weder p. 5 noch 91 vorkommt).

Brzè s. Beresina u. Priegnitz.

Brzica s. Bystroi.

Bteddin = die beiden Brüste, so heisst syr. ein Hügelpaar im Libanon, obh. Beirut, u. zugl. ein Dorf auf einem dieser Berge (Burckhardt, Reis. 1, 317).

Bu, f. *abu*, arab. Wort, in ON. s. v. a. Ort mit, hervorbringend etwas, wie in *Dschebel bu-Diss* = Berg mit dem Diss, einem als Pferdefutter dienl. Grase, *Ued bu-Hadschar* u. *Bir bu-Ghazéla* (s. dd.) u. s. f. (Parmentier, Vocab. arabe 15), aber auch als Ort v. Heiligen od. sonst gefeierten Männern *a) Bu Hassan*, Ort mit Thurm in der Cyrenaica, wo der arab. Häuptling Hassan lange wohnte (Hertha 12, 194); *b) Bu-Ssafar*, die Stelle, wo der v. Brünnen Taboníeh, Trip., südwärts Reisende in der Hammäda betritt, v. der Pflicht, 'zu deren Erfüllung jeder Pilgrim, welcher ... diese gefürchtete Zone früher noch nicht betreten hat, angehalten ist, näml. einen Stein den v. frühern Reisenden aufgeworfenen 'Halden' beizufügen' (Barth, Reis. 1, 143); *c) Sidi Bu-Smerit*, maroce. Dörfchen mit einer weissen Grabeskuppel des heil. Bu-Smerit (Rohlfs, Mar. 3, Peterm., GMitth. 11, 83); *d) Ras Bû-Schaifa*, Cap bei Mesurata, Tripoli., nach dem nahe Grabmal des Heiligen gl. N., einst wg. der 3 geschiedenen Spitzen *Kephalai*, gr. Κεφαλαί = die Köpfe (Barth, Wand. 323).

Buache, zwei frz. Geographen, beide géogr. du roi, beide Mitgl. der Acad. d. Wiss., der ältere Philippe B., geb. 1700 zu Paris, † 1773, der jüngere Jean Nicolas B., geb. 1741 zu Neuvilley au Pont, daher ' *B.* de la Neuville', Neffe des ältern, † 1825, in ON. wiederholt: *Cap B. a)* im nordwestl. America, v. der Exp. La Pérouse am 20. Aug. 1786 (Milet-M., LPér. 2, 230); *b)* in Hunter's Is., v. Lieut. L. Freycinet, Exp. Baudin, im Dec. 1802 (Péron, TA. 2, 25); *c)* an der Ostküste Grönl., v. engl. Wgr. W. Scoresby jun. (North. WF. 272) am 14. Aug. 1822. — *Ile B.*, vor dem Schwanenfl., v. den Officieren des Schiffs Naturaliste, Exp. Baudin, am 18. Juni 1801 (Péron, TA. 1, 153). — *Montagne de B.* s. Strong. — *Port B.* s. Norfolk.

Buade s. Mille u. Missisipi.

Bubach s. Buche.

Bûba-n-Dschidda, eine Prov. in Adamaua, neu unterworfen durch die Fulbe u. nach dem Eroberer Buba b. seiner Mutter Dschidda getauft. 'Auch die Fulbe näml. haben grosse Verehrg. f. ihre Mütter, wenn sie dem freien Stamme angehören, u. diese heim. Namen machen ihnen auch die neuen Sitze heimischer' (Barth, Reis. 2, 607).

Bubastus, gr. Βούβαστις, kopt. *Poubast*, ägypt. *Pe-bascht* = Haus der Katze, d. i. der katzenköpfigen Göttin Bascht, die, hier verehrt, zahllose Pilger, oft über ½ Mill., zu den Festen anlockte (Kiepert, Lehrb. AG. 198, Gesenh., Hebr. Lex., Herod. 2, 156, Steph. Byz.).

Bubetum s. Burtscheid.

Bubis nennt der Engländer die Eingb. v. Fernão do Po, v. *bubi* = Freund, dem Wort, mit welchem diese Schwarzen Andere anzureden pflegen (Reade, Sav. Afr. 60). — Anders *tis B.*, ngr. *τῆς* *βούβης* = die Höhlen, ein früheres Eisenbergwerk v. Thasos, mit zahlr. Spalten u. Thoren nach aussen geöffnet (Conze, IReis. 35).

Bubu, Gunung = wilder Mann, mal. Bergname in Malakka, f. den höchsten Gipfel der zinnreichen Laroot Range, den Eingebornen als Wohnstätte der Gins heilig, so dass sie nicht wagen, den Berg zu besteigen (Journ. RGS.Lond. 1876, 360).

Bucarelly Harbour, in der Insel Prince of Wales, Alaska, v. span. Seef. Don Bruno de Heceta 1775 entdeckt u. nach dem dam. Vicekönig v. Mexico getauft (GForster, Gesch. Reis. 1, 46).

Buccaneros, Cerro de los = Berg der Seeräuber, engl. *buccaneers*, span. Name eines Hügels bei Panama. Zu Anf. 1671 näml. machte sich eine Bande, angeführt v. Morgan, auf, die reiche Stadt, das Centrum des Handels zw. Peru u. Spanien, anzugreifen. Alt-Panama, eine der reichsten Städte des span. America, zählte 8 Klöster, 2 glänzende Kirchen u. eine Kathedrale, ein prächtiges Hospital, 200 reich ausgestattete Häuser, gg. 5000 gew. Häuser, eine genues. Handelskammer, 200 Waarenhäuser u. in der Umgegend herrl. Gärten u. Landhäuser. Diese ganze Herrlichk. erblickten die Räuber zuerst v. dem Berge herab, der bei dem neuen Panama sich erhebt. Nach 3 Wochen Plünderung, Mord u. Brand verliessen sie den Schutthaufen mit 175 beladenen Maulthieren u. üb. 600 Gefangenen (WHakl.S. 33, 17 f.). — *Buccaneers Archipelago*, vor Tasman's Ld., v. Capt. Ph. P. King (Austr. 2, 89) am 20. Aug. 1821 getauft z. Andenken an den Besuch, welchen der brit. Seemann Dampier 1688 auf seiner Buccaneeringreise im Schiffe Cygnet diesen Gegenden abgestattet hat. Nach dem Schiffe die *Cygnet Bay*, nach dem Capt. *Point Swan*, eine auffallende Felsmasse mitten im Arch. *Dampier's Monument.*

Buch, Leopold v., geb. in der Ukermark 1774, Mitschüler A.'s v. Humboldt, in den Alpen, am Vesuv, in Skandinavien, in den Canarien mit Gebirgsforschungen thätig, † 1853, als Geolog auch durch ON. geehrt: *Cap B.*, drei arkt. Vorgebirge *a)* hinter Canning I., Grönl., v. Walfgr. W. Scoresby jun. (North. WF. 295) am 20. Aug. 1822; *b)* in Grinnell Ld., v. Kane (Arct. Expl. 1, map) 1853/55; *c)* vor Ardencaple Inlet, Grönl., v. der zweiten deutschen Nordpolexp. 1869/70 (Peterm., GMitth. 17 T. 10).

Buchan's Bay, in Georg's IV. Krönungs G., v. Capt. John Franklin (Narr. 380) am 11. Aug. 1821 getauft nach seinem Freunde, Capt. David *B.*, of the Royal Navy. — *B.'s Inseln*, in Ginevra B., Spitzb., v. der Exp. Heuglin-Zeil 1870 in Gesellschaft einer Reihe brit. Celebritäten, wohl nach dem schott. Meteorologen Alex. *B.*, dem Verf. eines 'Introductory text-book of Meteorology', Lond. u. Edinb. 1871 (Peterm., GMitth. 17, 182. 316. 396).

Buchanan River, 2 Flüsse des arkt. America,

nach dem engl. Consul James *B.* in New-York, 'whose friendly attention to the officers of the expedition well entitled him to their gratitude': *a)* ein Küstenfluss zw. MacKenzie u. Coppermine R., entdeckt v. Dr. Richardson, dem Gefährten des Capt. John Franklin (Sec. Exp. 242 ff.) im Sommer 1826; *b)* ein rseitg. Nebenfluss des Gr. Fish R., entdeckt am 18. Juli 1834 v. G. Back (Narr. 177). — *B. Bay* u. *Strait* s. Bache.

Buchara od. *Bochara*, nach Aussprache der Nomaden *Buchar*, ON. der v. arischen *Bucharen* bewohnten *(Grossen) Bucharei* (s. Tataren), wird verschieden erklärt, bald als neupers. 'Bücherod. Gelehrtenstadt', entstanden in der Zeit, wo unter den Tadschiks, u. namentl. in Buchara, die muhammedan. Gelehrtenblüthe centralisirt war (Timkowski, Mong. 1, 386 ff. 392), bald als mong. 'Kloster, Klostertempel', entstanden in dem buddhistischen, also vorislamitischen Zeitalter Mittelasiens, als *B.* ein Hptsitz der buddhistischen Glaubenswelt Turkestans war (Peterm., GMitth. 37, 266). Noch in islamit. Zeit heisst es v. ihr: 'La population de *B.* est considérable, innombrable, prodigieuse, et elle se distingue par sa politesse, et par l'état d'aisance et par les richesses dont jouissent les habitants qui font un commerce immense' (Edrisi ed. Jaub. 2, 194). Das ansässige Volk ist, wie Klaproth 1805 erkannte, pers. Stamms u. nennt sich selbst *Tadschik* (s. Tadsch), wird auch *Sarti* = Kaufleute genannt, weil die Städter, im Ggsatz zu den turk. Nomaden, dem Handel obliegen, wohl aber nicht, nach türk. Autoren, v. *schchri* = städtisch (ZfAErdk. 1874, 274) od. 'alte Weiber, Lumpen' (Peterm., GMitth. 21, 154). Den eignen Namen *T.* setzt man bald = Träger des Tadsch, d. i. der Krone des Propheten (Bergh., Phys. Atl. 8, 2), bald = Unterworfene, v. *tat*: 'Le mot *tat* désigne un peuple soumis par autre; et, comme les *Boukhars* sont soumis aux Ouzbeks et aux Turcomans, ils sont aussi appelés *Tat*' (Potocki, Voy. 1, 48. 105; 2, 348), bald = Araber od. Abkömmlinge der Araber, in pers. Gebiet geboren, wie in den Pehlwischriften *Tasik, T.* die Araber bezeichne (Elphinstone, Cab. DA. 1, 488). Am sichersten scheint Spiegel (Eran. A. 1, 337) die Krone mit Khanikoff als Kopfputz zu nehmen u. zwar als 'die eigenth. Kopfbedeckg., welche die Anhänger Zoroasters bis heute tragen'. Auch sein (ib. 368) die *Tat* nicht mit unsern *T.* id., sondern nur ein verwandter Stamm, der hpts. die Halbinsel Apscheron bewohnt. Die *T.* heissen auch (ib. 337) *Dihkan* = Landleute, v. ihrer Beschäftigg., *Dihvar* = Dorfleute, v. ihren (festen) Wohnsitzen, od. *Parsivan* = der Sprache. Chines. Namensform f. Persien (u. dessen Colonien) *Thiao tschi, Tia tschi* (ARémusat, NMél. As. 1, 215). — *Bucharka* = der bucharische (Arm), russ. Name des östl. zur Bucharei zugewandten der beiden Hptarme des Jaik, desselben, an welchem die Veste Guriew liegt (Müller, Ugr. V. 1, 50). — Die Bucharei heisst pers. *Tocharistan, Tokharistan*, nach den Usbeken, den Nachkommen jener alten Skythen, die gr. *Τόχαροι*, chin. *Tu-'ho-lo* heissen (Pauthier, MPolo 1, 115).

Buche, ahd. u. dial. *buoch, puocha,* holl. *beuk,* ags. *bôc,* engl. *beech,* altn. *beyki,* schwed. *bok,* dän. *bög* = fagus, dann Buchwald, in vielen deutschen ON., th. einfach, schon im 7. Jahrh. *Poch,* j. gew. *Buch* u. *Buchen,* auch *Puch, Buoch* etc., als Grundwort so häufig im Verhältniss zu andern Baumnamen, dass man in -*buoch* ... oft viell. eine andere Bedeutg. zu vermuthen hat. Förstemann (Altd. NB. 286 ff.) zählt solcher Formen 43 auf, dann auch *Boconia, Buconia,* schon im 6. Jahrh. Name des Buchenwaldes (s. Gabr) u. infolge dessen der ganzen Gegend um Fulda, *Buocha,* wohl f. *Buochaha,* Flüsschen bei St. Goar, *Buchowa,* j. *Buchau, Buchuwi,* j. *Bukau,* bei Magdeburg, wohl slaw. Urspr., da wend. *buk* = Buche u. *ow* Adjectivendg., *Buochbach,* Fluss- u. ON., j. *Bubach, Buch-* u. *Puchbach, Buchberg,* mehrf., *Bochaim,* j. *Buchen, Buchheim* etc., *Buohhof,* j. *Buchhofen, Bocholt* = Buchholz, in Westf., *Bochorna,* mod. *Buchhorn* (s. Lindau) u. *Bockhorn, Bochursti,* j. *Bockhorst, Bouchhusin,* j. *Buch-* u. *Bichishausen, Pohchirihha, Pohloh* u. a. m. — *Buonas,* hoher Waldvorsprung (mit Schloss) am Zuger See, 1310 *Buochennas* = die buchwaldige Nase (Gatschet, OForsch. 136). — Auch *Bückeburg,* im Fürstth. Schaumburg-Lippe, dessen Gegend im 7. Jahrh. *Bucki,* etwa *Buohahi* = Buchenwald, dürfte hierher gehören u. der Name v. Schaumburger Walde entlehnt sein (Förstem., Altd. NB. 342). Eine jüngere Zssetzg. ist *Schönbuch* = der schöne, d. h. milde Buchenwald, 'der sich auf ebenem Lande mit wenigen milden Thälern ebenso gangbar ausdehnt, als der Nachbar Schwarzwald durch tiefe Schluchten, steile Halden, stürm. Felsbäche den Anbau erschwert' (Schott, ON. Stuttg. 10), od. wie *Osterbuch,* d. i. der v. Benenner gg. Osten gelegene Buchwald (ib. 19). — Für *B.* am Irchel knüpft sich die Volkssage an die sonst seltenen rothen Buchen in der Nähe: 3 Brüder sollen einander hier ermordet haben, worauf aus der mit Bruderblut gedüngten Erde 3 rothblättrige Buchen hervorgewachsen seien. J. ist nur noch eine dieser Buchen vorhanden; aber bis auf unsere Zeit nehmen gew. am Nachmittag des Himmelfahrtsfestes die jungen Landleute der Umgegend Aestchen davon auf den Hüten mit sich nach Hause (Gem. Schwz 1ᵇ, 423). 'Die Gemeinde *B.* führt 3 rothe Buchen in ihrem Wappen; gleichwohl leitet sich ihr Name v. den gew. Buchen her, da die rothen erst später bei uns eingeführt wurden.'

Buchholz Bay, an der spitzb. Ostküste, v. der Exp. Heuglin-Zeil 1870 (Peterm., GMitth. 17, 182), nach dem Zoologen Reinh. *B.,* wissenschaftl. Theilnehmer der Deutschen Nordpolexpp. 1868 u. 1869/70 u. einem der 14 der Eisschollenfahrt der Hansa (ib. 16, 385. 419), † am 17. Apr. 1876 in Greifswald (ib. 23, 64).

Buchon, Monte del = Berg des grossen Kropfs, span. Bergname in Calif., v. *el buche* = Kropf,

mit augm. -*on,* weil der Kazike des dortigen Indianerstamms einen ungeheuern Kropf hatte (DMofras, Orég. 1, 381).

Bucht = sinus, Biegung, ein anderer deutscher Ausdruck f. *busen* (s. Golf), ist in dieser topograph. Verwendg. ein mod. Wort, dem ahd. *biugan,* nhd. *biegen,* zu Grunde liegt. Daraus hat sich in Steigerg. *biugo* =· sinus ergeben, u. Förstem. (Altd. NB. 351) erwähnt aus dem 10. u. 11. Jahrh. die ON. *Persenpeug, Lintpiuga, Salapiugin, Wismopug* u. *Wissepuig,* im dat. *Biugin,* 2 mal *a)* Ort am Flusse Kamp, Oesterreich; *b)* Ort *(Nieder-)Biegen* an der Confl. Ach-Schussen, unw. Ravensburg. Diese Beispiele beziehen sich jedoch nicht auf Meeresbuchten, sondern auf Oertlichkeiten, ozw. an einer Flussbeuge gelegen. In der That verwandten die german. Seeff. des frühern Mittelalters, die Normannen, neben *Fjord,* das seinen besondern Sinn hat, nur *vik* (s. Reykjavik), u. ihre niederdeutschen Nachgänger, die Hanseaten, folgten diesem Beispiel. Sie sagten *Hilförden,* f. die Bucht südl. v. Falmouth, *Milförden,* f. Milford Harbour, Wales, *Santförden,* f. Sandefjord östl. v. Laurvig, *Bromborgswiek,* f. die Wohlenberger Bucht vor Wismar, *Hundeswiek,* f. eine Bucht Dagö's, *Münnicke-* od. *Papenwiek,* f. eine Bucht östl. v. Reval, *Ner-* od. *Narwiek,* f. einen Hafen der Ostseite Gothlands (E. Deecke, Seeörter Hansa). 'Auffallender Weise', sagt J. Grimm (DeutschesWB. 2, 483), 'begegnet das Wort *B.* weder im ahd. noch mhd.; ja das 16. u. 17. Jahrh. kennen es noch nicht'. So ist es auch noch 1741 bei Frisch nicht verzeichnet u. erscheint erst, aus dem niederdeutschen übernommen, 1774/86 im Deutschen WB. v. Adelung (Weigand, WB. 1, 248). Es wäre angenehm zu wissen, wann *bugt* auch in das schwed. u. dän. aufgenommen wurde; das holl. hatte *bogt* schon längst, wenigstens 1642 bei A. Tasman (s. Moordenaars Bogt).

Buchtarminsk, Ort an der Confl. Buchtarma-Irtysch, 1791 als Waffenplatz ggr. f. die Irtyschlinie, welche nach Entdeckg. der reichen Erzgrube Syrjänowsk nach Osten verlängert werden musste (Müller, Ugr. V. 1, 248, Hertha 6 GZ. 86). — Weiter flussan *Werch-Buchtarminskaja* = oberes Dorf an der Confl. Buchtarma (Bär u. H., Beitr. 14, 186).

Buči s. Bukowina.

Buckingham, ein altengl. Ort nordöstl. v. Oxford, das Haupt einer Grfsch., deren Name seit Wilhelms des Eroberers Verleihg. auch Titel einer Adelsfamilie geworden ist. Es scheint, dass die alte Erklärg., v. ags. *bucen, becen,* auch *boccen, buccen* = buchen, v. *boc* = Buche, u. *ham* = heim, also 'Buchenheim', nach den vielen grossen Buchen des Ortes, ggb. den spätern Ansichten, v. *buccen* = Bock, Hirschbock, od. v. *boch-land,* dem ags. Ausdruck f. privilegirte Ländereien, im Ggsatz zu Lehen, folk-land, noch heute allgemein bevorzugt werde (Charnock, LEtym. 48 f., Edmunds, NPl. 145, Blackie, Etym. Geogr. 29, Adams, WordExp. 34). Ungleich andern Adelsfamilien erscheinen die Grafen resp. Herzoge v. *B.* nicht auf dem Felde der Entdeckernamen; dagegen hat 1703 einer dieser Würdenträger den städtischen Residenzpalast in London, den *B. Palace,* erbaut (Meyer's CLex. 10, 924). — *B. Island* s. Victoria. **Buckland,** *William,* berühmter engl. Geolog, geb. 1784, lehrte seit 1813 Mineralogie, seit 1818 auch Geologie in Oxford, wurde 1845 Dechant v. Westminster u. † geisteskrank 1856. Ihm zu Ehren sind getauft: *a) Mount B.,* in Feuerl., 'a tall obelisk-like hill, terminating in a sharp needle-point', der sein mit ewigem Schnee bedecktes Haupt üb. die chaotische Masse der reliquiae diluvianae (Anspielg. auf eines v. *B.'s* beiden Hauptwerken) erhebe, v. Fitzroy (Adv.-B. 1, 51) im Febr. 1827; *b) B. Chain,* westl. v. Mackenzie R., v. John Franklin (Sec. Exp. 125) am 15. Juli 1826; *c) B. Island,* in Bonin, v. Capt. Beechey (Narr. 2, 520) im Juni 1827; *d) B. River,* ein Zufluss der Eschscholtz Bay, ebf. v. Beechey (Narr. 2, 323) im Sept. 1826; der Geologe hat die an der Bay gefundenen Elefantenknochen wissenschaftl. verwerthet; *e) B.'s Tableland* s. Owen.

Buconia s. Buche.

Bucuresci, spr. *bukureschti,* gew. *Bukarest,* seit 1861 das Haupt Rumäniens, wird v. der Sage auf einen Hirten *Bucur,* der hier ein hölzernes Kirchlein gebaut hätte, zkgeführt (Meyer's CLex. 3, 979). Einer alten Kircheninschrift zuf., 'die Vater Musceleanu noch gelesen', habe Mircea I. Bassarab, Fürst v. Rumänien, den Holzbau 1416 durch eine gemauerte Kirche ersetzt u. in dieser die Gebeine der in der Schlacht v. Giurgiu Gefallenen beigesetzt. Aehnlich die Annahme, dass der erste Bewohner *Bucur,* seine Kinder *Bucuresti* geheissen hätten od. dass *Bucur* die rumän. Uebersetzg. v. Hilarius, dem Namen der früheren Herrscher des südl. Daciens, sei, od. wieder, dass *B.* eine Gründg. der *Bakuren,* 'eines im übr. unbekannten Volkes', gewesen. Andere machen aus *B.* geradezu eine 'Stadt der Freude', so genannt v. Fürsten Mircea, der seit 1383 hier seinen Lieblingssitz aufschlug od., erfreut üb. den Sieg, den er 1396 üb. den Sultan Bajazed errungen, den Ort so genannt habe. Auch eine Analogie mit *Bukowina* (s. d.), also v. *bukovie* = Buchen-wälder, wurde beigezogen. Gregor Lahovari, dessen 'Notizen' (Bulet. Soc. Geogr. Rom. 7, 141 ff., Buc. 1886) wir hier gefolgt sind, hält *Bukarest* f. die echte, *B.* f. eine verstümmelte Form u. endet seine Erörterg. in folg. Wendg.: 'Aber was bedeutet der Name *Bukar?* Die Antwort ist schwierig, u. ich kann jetzt keine geben' (!).

Budapest, die seit 1873 aus *Buda* = *Ofen* u. dem grössern Ikseitg. *Pest, Pesth,* vereinigte Doppel-stadt Ungarns, soll nach Hunfalvy (Magyar. 113) dieselbe Bedeutg. zweimal enthalten; denn '*P.* u. *O.* bedeuten dasselbe; das Schloss v. *P.* hatte den Namen *Buda* = Ofen, am Fusse des Schloss-bergs sollen Kalköfen gewesen sein; der deutsche Name wurde auf *B.,* der slaw., *pec, peč,* auf die Ikseitg. Stadt übtragen'. Man hat auch an die

ofenähnlich dampfenden Thermen (Meyer's CLex. 12, 277. 778) od. an einen Bruder Attila's, Namens Buda (Herberst. ed. Major 2, 47. 50), gedacht, u. während dieses *buda* oft als Latinisirg. f. 'Ofen' angesehen wird, will Fr. Riedl (Ung. Rev. 1881, 193) das slaw. Lehnwort *buda* = Hütte, das auch in Böhmen u. Bulgarien mehrf. als ON. vorkomme, in unserm *Buda* finden. Noch anders Fr. Salomon (Ung. Rev. 1881, 983); er findet in u. ausser Ungarn viele ON. mit dem asl. Stamm *bud* = wachen u. glaubt, dass an Stelle eines röm. Castrums, slaw. *Buda,* eben der neue Ort entstanden sei. Und wieder anders Rud. Kraus, der slaw. *bud* = wachsen, v. unten nach oben zunehmen, auch im Sinne v. 'bauen', annimmt u. dann, übereinstimmend mit Riedl, geradezu *buda* = Baude setzt. Fügen wir noch bei, dass die Bäder namentl. z. türk. Zeit ihre erhöhte Bedeutg. hatten. 'Nächst den Domen der Moscheen waren die bleigedeckten Kuppeln der Bäder *O.'s* Stolz: Drei derselben auf der Süd-seite ... u. zwei auf der Nordseite; das Wasser des Kaiserbades treibt die königliche Mühle' (Hammer-P., Osm.R. 6, 438). So viel üb. den Namen des rseitg. Stadttheils. — *Pest* wird all-gemein, wie oben, auf slaw. *peč* = Höhle, Grotte, im Slow. j. noch *pecera* = Grotte (vgl. Petschora), zkgeführt. Bis z. 13. Jahrh. nannte man *P.* die-jenige Gegend beider Ufer, die sich in der Länge des Festungsberges erstreckt. An Kalköfen sei da aber nicht zu denken, weil es hier keinen Kalk gebe u. Slawe wie Magyar bis Mitte des 13. Jahrh. in Holz bauten. 'Unseres Erachtens lag es ganz nahe, dass die zugewanderten Deutschen den Namen 'Ofen' auf einen Platz anwandten, der so höhlen- u. grottenreich war, wie diess eben der Ofener Festungsberg ist' (Zeitschr. f. Schul-geogr. 6, 109 ff.). — *Cap Buda,* in Franz Joseph's Ld., am 7. April 1874 v. Jul. Payer, dem Leiter der 2. Schlittenreise der österr.-ungar. Nordpolexp., 'in nebelgrauer Ferne', etwa in 82° NBr., ent-deckt (Peterm., GMitth. 22, 203).

Budczischken s. Bukowina.

Buddicom, Cape, an der Ostküste Grönl., der Ikseitg. Eckpfeiler v. Masclet Inlet, v. engl. Walfgr. Will. Scoresby jun. (North. WF. 176) entdeckt u. nach einem geachteten Geistlichen v. Liver-pool getauft. Vergl. Cape Jones.

Buddington, Cape, am polaren Hall Basin, be-nannt nach Capt. *B.,* der als Commandant der Polaris die Exp. Hall mitmachte (PM. 22, 469 T. 24).

Budissin s. Bautzen.

Budrum = Darm, türk. Name der Ruinen v. *Sagalassus,* Pisidien, obh. *Aglasan,* das den ant. Namen erhalten hat. Die Ruinen liegen 'auf 4 durch enge Felsschluchten getrennten halbkreisfgen Terrassen, deren offene Seite nach Osten sich wendet u. sind v. *A.* aus nur durch ein enges Felsenthal zugängl. (Tschihatscheff, Reis. 52).

Budrun s. Halikarnass.

Büdös-hegy = stinkender Berg, mag. Name eines durch seine Schwefelhöhlen u. zahlr. schwefelhaltigen Mineralquellen auffallenden Vulcankegels in Siebenbürgen (Meyer's CLex. 3, 949, ZfSchulG. 3, 2).

Budschim s. Kama.
Bückeburg s. Buch.
Bülow s. Frederick.
Bünden s. Graubünden.

Bueno, span. adj. f. *bonus* (s. Bon), in Verbindg. auch bloss *buen* (auch *bon*), fem. *buena*, im plur. *buenos*, *-as* (s. Buenos Aires), in vielen ON. wie *Buen Retiro*, Lustschloss bei Madrid, zu Anfang des 17. Jahrh. v. Herzog v. Olivarez, einem Günstling Philipps IV., als 'Ruhesitz' erbaut, 1645 an die Krone gekommen, gew. Frühlingsresidenz der Königsfamilie, der Park j. noch die belebteste Promenade der Hauptstädter (Meyer's CLex. 3, 956), od. *Bahia del Buen Succeso* = Bay des guten Erfolgs, engl. *Bay of Good Success*, eine sehr bequeme Bucht der Str. Le Maire, v. span. Seef. Barth. Garcia de Nodal im Jan. 1619 unter günstigem Winde durchsegelt, im Febr. 1624 v. der holl. Exp. L'Hermite, die der Pilote Valentin Jansz, der vorm. Begleiter Nodals, führte, ebf. durchfahren u. *Valentyn' Boyt* getauft — ein Name, der auf eine benachbarte Hafenbucht übergegangen ist (ZfAErdk. 1876, 453. 462), od. *Buen Aire* (s. Buenos Aires). — *Buenaventura* = Glück auf! Ort an der Bahia de la Cruz (s. d.), v. span. conquistador Pascual de Andagoya 1540 ggr., bevor er nach dem Binnenlande aufbrach (Navarrete, Coll. 3, 458). — *Buenavista* = guter (schöner) Anblick, wie das port. *Boavista* (s. d.) wiederholt bei span. Entdeckungen: *a)* ein Ort in Tenerife, wo auf Küstenvorsprüngen 'nach verschiedenen Seiten bewundernswürdige Meeraussichten sich darbieten' (ZfAErdk. nf. 11, 109); *b)* eine der Salomonen, v. Mendaña am 8/9. Apr. 1568 entdeckt u. um ihres wohlbevölkerten, stellenweise gutbebauten u. eingefriedigten Aussehens willen so benannt (Viajes Quirós 1, 4; 3, 5, Fleurieu Déc. 8); *c)* eine der südl. Marianen, einh. *Tinian*, 120 m h., urspr. mit üppigem Waldwuchs (Meinicke, IStill. O. 2, 392). — *Buena Guia* s. Colorado. — *Cerro de Buen Tiempo* s. Fair. — *Puerto B.*, wiederholt f. gute Hafenbuchten: *a)* im südl. Chile, v. span. Seef. Sarmiento 'most appropriately' benannt (Fitzroy, Adv.-Beagle 1, 340); *b)* an der Nordküste Jamaica's, wo Columbus im Mai 1494 nach Abtreibg. der feindseligen Indianer sein Admiralschiff ausbesserte (Barrow, Coll. 1, 73, Peschel, ZEntd. 251). — *Isla de Buen Viaje* = Insel der guten Reise, eine Entdeckg. der Exp. Quirós 8. Juli 1606, ozw. im Gilbert Arch., 3½° NBr., so benannt, weil man seit der Abreise v. Espiritu Santo kein Hinderniss getroffen . . . 'porque hasta aquí no se habia encontrado tierra alguna ni bajo, ni otra cosa que impidiese nuestro camino' (Viajes Quirós 1, 358; 3, 5). — *Bon Señal* s. Filipinas.

Buenos Aires = gute Lüfte, wohl das bekannteste Object der mit span. *bueno* (s. d.) gebildeten ON., in älterer Orth. mit *Ay* .., f. die Grossstadt des 'Silberstroms' — plur. zu *Buen Aire* = gute Luft,

f. eine der Leeward Is. (s. Curação) . . . 'so named in regard of the freshnesse of the ayre, and the healthfulnesse of his men' (Hakl., Pr. Nav. 3, 778 ff.) — vollst. *Ciudad de la Santissima Trinidad y Puerto de Buenos Aires* = Stadt der allerheiligsten Dreifaltigk. u. Hafen der guten Lüfte, dieser letztere Ausdruck gerechtfertigt durch das milde, trockene u. gesunde Klima (Meyer's CLex. 3, 955). Mit Recht sei der Stadt dieser Name beigelegt, v. der dort herrschenden gesunden Luft, die sich jederzeit f. Europäer wie Eingeborne als höchst zuträgl. erwies. Jede monatl. Sterbeliste bietet Beispiele sehr hohen Alters dar. Ansteckende Krankheiten haben hier (bis dam.!) nie geherrscht... (Bergh., A 3. R. 12, 130). Auch Skogman (Eug. Resa 52 ff.) schildert das Klima als behagl. u. gesund; häufig sind Fälle eines hohen, geistig u. leibl. rüstigen Alters. Innerh. mehrerer Jahre schwankt das Therm. zw. 30 u. 2° (C.?). Selbst die mataderos u. saladeros, d. i. die grossartigen Schlächtereien u. Salzfleischfabriken, vermögen nicht, das Klima zu beeinträchtigen, u. diese Frische scheint wesentl. durch die allseitige Offenheit der Gegend u. den dadurch ermöglichten ungehinderten Luftwechsel bedingt zu sein. 'BA. är nästan fritt för epidemiska sjukdomar af alvarsamare art, och vistandet i slagteriernas närhet anses på stället snarare helsosamt än motsatsen. Till de lärdes bedömande få vi överlemna, om detta härrör deraf, att luften och klimatet äro så goda, att de ej en gång af den stora myckenheten förruttnande djuriska ämnen kunna förpestas, eller om dessas utdunstningar; sig sjelfva ej skulle vara för helsan så skadlige, som deras stank kommer en att tro'. Nom. gent. ist los *Porteños, las Porteñas* = die Hafenleute (ib. 50). Betr. Gründer u. Gründungsjahr widersprechen sich die Angaben, wenigstens scheinbar: Gew. wird der erste Adelantado, Pedro de Mendoza, v. 2. Febr. 1535, oft Juan de Garay, v. 11. Juni 1580, als Gründer genannt. Beide Angaben sind richtig, indem die erstern Anlage, am Riachuelo, 4 Jahre später v. den Indianern verwüstet u. v. dem andern an dem. Stelle erneuert wurde (Meyer's CLex. 1, 861; 3, 956, ZfAErdk. 1873, 271, Skogm., Eug. R. 1, 45). — *Aguada de los Buenos Señales* = Wasserplatz der guten Anzeichen, einh. *Humunu*, eine der Philippinen, wo im März 1521 Magalhães' an Allem Mangel leidende Leute 2 Brunnen vorzüglichen Wassers u. Lebensmittel fanden u. die ersten Anzeichen v. Gold in jenen Gegenden erblickten (Pigafetta, Pr. V. 68, WHakl. S. 52, 10. 74).

Büren u. ähnl. ON. zu ahd. *bûr* = habitatio, etwa eine kl. Bauern- od. Hirtenwohng. zk., ein Wort, welches nhd. nur noch in 'Vogelbauer' übrig ist, oft als Grundwort verwandt wurde (Förstem., Altd. NB. 367 hat 64 dieser Zssetzungen), das einf. Wort j. oft in *B., Bühren, Beuren, Beyern, Buren, Buir* differenzirt. Auch als Bestimmungswort sehen wir es gebraucht, in *Buribah*, j. Bauerbach, *Buriheim*, j. Borgum u. a. m. — *Bürendorf* s. Birmensdorf.

Bürglen s. Burg.

Bürrâk s. Salomon.

Bütschibach s. Bietsch.

Bufaderos, los = die Wasserstrahlen, span. Name einer Gruppe v. Inselklippen vor San Domingo, wo aus Löchern das Meerwasser, ähnl. dem Speien der Wale, in die Luft geschleudert wird (Hakl., Pr. Nav. 3, 605. 616).

Buffalo, engl. Namensform f. deutsch *büffel*, bei den americ. Colonisten Bos americanus Gm., Bison, der gewaltige am Vorderleibe langzottige, dem Auerochsen ähnl. 'american. Wisent', welcher, als ein $2^1/_2$ m lg. u. 1,6 m h. Wild, die Prairien u. selbst die Wälder Nord-America's bevölkerte, in Herden v. 10—20000 Stück weidete, den Hptggstand der Indianerjagd ausmachte, bei der die List oft Heere in die Flucht u. über Abgründe hinunter sprengte, seit der Einkehr der Feuerwaffen u. der Bodencultur decimirt, um so rascher, da die Haut des ♂ zu Kleiderzwecken untaugl., das Fleisch grob u. unschmackh. ist, die Jäger also nur auf die Kühe zielen u. es glücklich dahin gebracht haben, dass die Herde gew. nur $^1/_{10}$ Kühe zählt. In abgelegenen Gebieten, in Thälern des Felsengebirgs, konnte man bis vor Kurzem noch grosse Herden treffen: Raynolds fand 1859 noch solche Schaaren, dass er nicht wagte, ihre Zahl zu schätzen; etwa 100—130 km^2 waren buchstäbl. dicht bedeckt mit den 'Lords of the prairie'. Eine ständige Erinnerg. an die ältere Zeit, wo auch der Osten sie noch zahlr. besass, ist der ON. *B.*, am Erie L., wo der junge Ort noch 1814 ein kl. v. dichten Wäldern umgebenes Dorf war (Buckingh., Am. 3, 2). — *B. Creek*, f. kl. Flüsse: *a)* ein Zufluss des Maria R. (s. d.), v. Capt. Lewis (u. Cl., Trav. Miss. 595 f.) so genannt, weil er erstaunl. Büffelherden dort sah . . . 'passing such immense quantities of buffaloe, that the whole seemed to be a single herd'; *b)* ein rseitg. Zufluss des Oberlaufs des Missisipi, wo noch Lieut. Zeb. Pike (Expp. 45) zu Ende Nov. 1805 die am *Elk River* betriebene Elenjagd 'vergass' u. sich einem gefährlichern u. ausgibigern Waidwerk hingab; *c)* s. unten! — *B. Island,* eine Flussinsel des untern Missuri, wo ein *B. Creek* einmündet, schon zZ. der Exp. Lewis u. Cl. (Trav. Miss. 5. 9) nur noch ein Namendenkmal entschwundener Zeiten, da sie die ersten Zeichen v. Büffeln erst weiter aufw., um den Big Manitou Creek, antraf. — *B. Lake*, im Churchill R. (Franklin, Narr. 178 ff.). Vgl. Musk-ox L. — *B. Prairie*, eine überaus schöne Steppe am linken Ufer des Missuri, wo die Exp. Lewis u. Cl. (Trav. Miss. 37) am 23. Aug. 1804 die ersten Büffel erlegte. — *B. River*, 2mal: *a)* ein rseitg. Zufluss des Missisipi, kurz obh. Illinois R. (Pike, Expp. 2); *b)* ein lkseitg. do., unth. L. Pepin (ib. 20). — *B. Rock*, mit 'its towering perpendicular cliff' schroff aus dem Illinois R. erhoben; üb. diesen Felsen hinunter pflegten einst die Rothhäute auf ihren Treibjagden ganze Büffelherden zu sprengen (Buckingh., East. u. WSt. 3, 226). — *B. Shoal*, eine 'Untiefe' im Unterlaufe des Yellowstone R., wo die Exp.

Lewis u. Cl. (Trav. Miss. 631) am 30. Juli 1806 einen Büffel traf. — Es gehören hierher auch ON. mit *bull* (s. d.), dem gewaltigen Bullen, Stier, der Buffaloherde. — Auch nach dem bösen Kaferbüffel, Bos cafer L., dem *buffel* der holl. Colonisten, einem weit üb. S.Africa verbreiteten, kurzhaarigen, schwer gehörnten, durch Fleisch u. Haut nutzb. Jagdwild, sind dort manche ON. gewählt: *a)* *B. Rivier*, f. mehrere Flüsse (Lichtenst., SAfr. 1, 120. 215. 362; 2, 59. 70); *b)* *Buffeljagts Rivier*, bei Zwellendam (ib. 1, 265); *c)* *Buffelbout* s. Bies; *d)* *B.'s Kraal*, Ort in Hex Valley (ib. 2, 133); *e)* *Buffelvermaak* = Büffelfreude, Ort an der Südküste (ib. 1, 317); *f)* *B.'s Valley*, ein Thal bei der Capstadt (Kolb, VGHoffn. 204).

Buffon, Cap, in Süd-Austr., v. der Exp. Baudin (s. d.) am 3. April 1802 'nach dem Plinius Frankreichs' 1707—1788 benannt (Péron, TA. 1, 268). — Schon am 10. Aug. 1801 *Ile B.*, im Arch. Areole (ib. 113, Freycinet, Atl. 27).

Bugas s. Boghas.

Bugis, Tanah = Land der Bugisen, mal. Name einer der Halbinseln v. Celebes (s. d.), nach dem Volksstamm der *B.* (Meyer's CLex. 4, 244).

Bugres, Rio dos = 'Sclavenfluss', ein Küstenfluss v. Santa Catharina (s. Indios). 'Wie lange mag es hier sein, dass in diesen Bergschluchten noch cannibal. Botocuden hausten? Jetzt ist nur der Name ders. an dem Flusse hängen geblieben' (Avé-L., SBras. 2, 139 ff.).

Buin s. Bouveret.

Buir s. Büren.

Buira s. Bir.

Buissière s. Bussière.

Buita, Bir el- = Brunnen des Gemächleins, ein Brunnen (u. Chan) bei Tunis, arab. benannt nach einem kl. Chan, welcher jedoch zZ. v. Barth's Reise (1, 3) 'einem höchst anständig aussehenden, weissgewaschenen Chan Platz gemacht' hatte.

Buitenzorg = ausser Sorgen, 'Sanssouci', entspr. *Zorgvliet* (s. Zorg), mit der holl. praep. *buiten* = ausser, zu Ggsatz zu *binnen* = inner, wie in *Binnenhof* u. *Buitenhof* (s. Graf), ein Lustort in der prächtigen, fruchtb. u. gesunden Bergldsch. des G. Gede, Java, einh. *Bogor* = Matte, Teppich (Crawf., Dict. 76), urspr. ein Landgut, seit 1745 dem holl. Generalstatthalter z. Wohng. angewiesen u. z. Erholungsstation holl. Beamten benutzt (Wüllerstorf, Nov. 2, 146, Meyer's CLex. 3, 978). — Das angefahrne *Sanssouci* ein königl. Lustschloss bei Potsdam, v. Friedrich d. Gr. an Stelle eines Weinbergs, des 'Königlichen Weingartens', 1745 angelegt u. durch Friedrich Wilhelm IV. beträchtlich verschönert (Daniel, Hdb. Geogr. 4, 177).

Bujuk s. Böjük.

Buka, in frz. Orth. *Bouka*, eine der Salomonen, v. Bougainville (Voy. 271) am 4. Juli 1768 benannt nach den Worten *bouka, bouka, onellé*, welche die Eingb. in Piroguen, Cocosnüsse entgegenstreckend, unaufhörl. riefen.

Bukarest s. Bucuresci.

Bukejew s. Kirgis.

Bukeiya, el- = kleine Ebene, ein Dorf am Ostrande des kleinen Thalkessels, welchen das galil. Wady Kurn in seinem Oberlauf bildet, im Ggsatz zu den engen Schluchtenstrecken, welche der Reisende auf seinem Wege thalauf vorher zu passiren hat (Peterm., GMitth. 11, 189).

Bukephala, gr. Βουκέφαλα = Ochsenkopf, v. βοῦς = Rind, welches auch in *Bosporus* (s. d.) angenommen wird, ein Felscap nahe dem Skylläum, Argolis (Paus. 2, 34, 8, Curt., G.On. 155, Pel. T. 14); *b)* *Bukephalos,* gr. Βουκέφαλος, ein Vorsprung der Steilküste östl. v. Korinth am Saron. MB., mit einem Hafen gl. N., wie oft Vorgebirge u. Hafen gleich benannt sind (Curt., G.On. 153); *c)* *Buporthmos,* gr. Βούπορθμος = Ochsenfurt, 'Oxford' (Pape-Bens.), 'ein in das Meer vorgeworfener Berg' (Paus. 2, 34, 8), der als grosses Felsenriff mit scharfer Kante in das Meer vortritt, j. *Cap Thérmisi* unweit Hermione, Argolis (Curt., Pel. 2, 453); *d)* *Buprasion,* gr. Βουπράσιον = Ochsenmarkt, eine Stadt, Ldsch. u. ein Fluss v. Elis (Hom., Il. 2, 615 ff., Pape-B.); *e)* *Boosura,* gr. Βοόσουρα = Ochsenschwanz, das lange Cap im Nordosten Cyperns (Ptol.), während auch im Südwesten der Insel ein Ort d. N., j. *Bisur,* erwähnt wird (Strabo 683, Müller, GGr. min. T. 26); *f)* *Bukeleon* s. Kadrigia.

Bukowina, österreich. Kronland, das bedeutendste der mit asl. *buky,* nsl. *bukev, bukva,* wend. u. čech. *buk* = Buche, adj. *bukowy, bukowaty* benannten Objecte, u. zwar 'Buchenwald', passend f. ein Land, das heute noch zu 48⁰/₀ des Areals aus Wald, welcher die östl. Hälfte dicht bedeckt, im Flachland aus Laubholz, vorz. Buchen, besteht u. im Gebirge noch wirkl. Urwälder enthält (Meyer's CLex. 3, 981). Auch die Sage hat sich mit Erklärg. des Urspr. des grossen Buchenwaldes beschäftigt (Daniel, Hdb. Geogr. 2, 181). 'Der Streifen zw. Sereth u. Pruth ist reich mit Buchenwäldern bestandet … Die Leute der podol. Ebenen sagen, sie gehen hinter die *bukowéna,* wenn sie zu uns kommen' (Prof. Marty in Czernowitz, j. in Prag, 2. Dec. 1876). Unter der deutschen Bevölkerg., schrieb ferner mein gelehrter Landsmann, sei allgemein übl. Accentuirung *Bukowína,* übereinstimmend mit der ruthen., die hierin massgebend, während im Grossruss. der Ton auf der ersten Silbe liege: *Búkowina.* — In Böhmen u. Mähren die ON. *Bučí, Bučic, Bučina, Buck, Buckwa, Bucoves, Buk, Bukau, Bukol, Bukova, Bukovice, Bukovina, Bukovka, Bukovník, Bukovno, Bukowan, Bukowina, Bukowitz, Bukowy,* in Krain *Bukov Vrh* = Buchenberg u. vielf. *Bukovje,* in Galiz. *Buków, Bukowice, Bukowiec, Bukowna, Bukowsko* (Mikl., ON. App. 2, 149, Umlauft, ÖUng. NB. 33). — Auch in Masuren ein Ort *B.,* sowie *Budczischken* u. *Budzisken* (Krosta, Masur. St. 11). — Im deutschen Munde ist *u* oft in *o* übergegangen, so im Erzgeb. *Bockau* u. *Bockwa,* ferner *Bockwitz,* urk. *Bukko-* u. *Bukewitz,* v. čech. *bukowice,* wend. *bukwica* = Buchecker (Immisch, ON. Erzgb. 8 f., GHey, ON. Sachs. 15). — In der Lausitz *Bukojna,* ehm. ebf. *B.,*

in das deutsche *Buchwaldo* richtig übootat, u. *Bukowka* = Buchwäldchen, deutsch *Bocka* (Schmaler, Slaw. ON. 12). In Mecklb. 5 mal *Bukow,* 1192 *Buchowe* = Buchenort (Kühnel, Slaw. ON. M. 31), in der Altmark u. im Magdeb. ebf. vielfach (Brückner, Slaw. AAltm. 65).

Bukurgain, eine Berggruppe am obern Irtysch, v. den Kirgisen so benannt, 'weil auf ihnen einige verkrümmte Birken wachsen' (Bär u. H., Beitr. 20, 100 f.).

Bul s. Nki.

Bulacan = Batate, ON. der Tagalasprache. Der Ort, in der Nähe Manila's 1572 ggr., liegt in der unstreitig reichsten, angenehmsten, gesundesten u. bestangebauten aller 20 Provv. Luçons, 'dem Garten der Philippinen' (Crawf., Dict. 76).

Bulgaren, finn. *Bolgaren, Wolgaren,* welche, nach ihrer Hptst. *Bolgar* benannt, an der mittlern Wolga sassen. Als, zuerst 487, ein Theil an der Donau, im j. *Bulgarien,* der spätern türk. *Tuna Vilajet* = Donauprovinz, erschien, unterworfen sie sich die dortigen Slawen, gingen in ihnen auf, u. so ist der Name auf slaw. Stämme übergegangen. Noch Ibn Batuta (Trav. 78) nennt die Stadt *Bulgar,* die auch Edrisi (ed. Jaub. 2, 402) als 'ville peuplée de chrétiens et de musulmans' erwähnt, 20 Stunden südl. v. Kasan u. 2 v. linken Wolgaufer benennt (Pauthier, MPolo 1, 6), j. Dorf *Bolgary* (Meyer's CLex. 3, 983). Im Ggsatz zu diesen Angaben wollen W. Tomaschek (Zf. öst. Gymn. 23, 156; 28, 683) u. H. Vambéry (Urspr. Magyar. 63) den Namen *B.* direct v. einem türk. Wort ableiten, jener v. *bulghāmaq* = mischen, also 'Mischling', dieser v. *bulga-mak* = aufrühren, also 'Aufrührer, Wühler'. Die beiden Deutungen sind offb. dem gleichen türk. Worte, nur in verschied. Wortsinn, entnommen, vermögen jedoch kaum, unsere histor. Daten betr. die Stadt *Bulgar* zu entkräften u. werden, so lange diese Recht behalten, hinfällig. Hingegen erfahren wir aus Greg. Krek (Einl. slaw. Literaturgesch. 305 ff.), dass das Bulgarenreich in Mösien 680 entstand u. schon im 10. Jahrh. unter bulgar. Sprache nicht mehr die eigne türk., sondern die angenommene slowen. verstanden, das diese Sprache redende Volk bei fremden Autoren wohl *B.,* bei einheimischen jedoch nur Slowenen genannt wurde (Jos. Modestin 5. II. 1892).

Bull = Stier, Bulle, mehrf. in engl. ON., zunächst mit *Cow* = Kuh u. *Calf* = Kalb vergesellschaftet in einer Gruppe in Inselklippen, der Landesecke südl. v. Valentia vorliegen u., wohl als die allerkleinste, noch den hanseat. Seeff. *B., Ko un Kalf* (E. Deecke, Seeörter H. 3). Die Irländer lassen hier Donn, einen der sagenhaften Helden der miles. Colonie, mit Mann u. Maus untergehen u. nennen die Gruppe *Teach-Dhoinn* = Donn's Haus (Joyce, Orig. Ir. NPl. 1, 164); *b) B. Creek* nannten am 28. Mai 1805 die Captt. Lewis u. Cl. (Trav. 170 f.) einen lkseitg. Zufluss des Missuri, weil ihr Lager durch den nächtl. Besuch eines Büffelbullen (s. Buffalo) in unver-

20*

muthete Gefahr gerieth. 'A buffaloe swam from the opposite side and to the spot, where lay one of our canoes, over which he clambered to the shore; then taking fright, he ran full speed up the bank towards our fires, and passed within eighteen inches of the heads of the men, before the sentinel could make him change his course. Still more alarmed, he ran down between four fires and within a few inches of the heads of a second row of the men, and would have broken into our lodge, if the barking of the dog had not stopped him. He suddenly turned to the right and was out of right in a moment, leaving us all in confusion, every one seizing his rifle and inquiring the cause of the alarm. On learning what had happened, we had to rejoice at suffering no more injury than the damage to some guns which were in the canoe which the buffalo crossed'; c) *Bullshead*, im Pyramid Cañon des Rio Colorado, 'a gate one side of which looked like the head of a bull', v. Capt. Ives (Rep. 75) im Febr. 1858 getauft; d) *B. Boat Creek*, ein Zufluss des Clarke Fork, Yellowstone R., v. Lieut. H. E. Maynadier, dem Gefährten Capt. Raynolds (Expl. 138), am 19. Juni 1860 benannt, weil er sich aus Büffelhäuten eine 'bull boat' anfertigte, um das Wasser zu passiren.

Bullen, Cape, im Lancaster Sd., v. Parry (NW. Pass. 33) entdeckt u. benannt am 4. Aug. 1819 nach rear-admiral Joseph *B.* — Hingegen *B. River*, ein lkseitg. Nebenfluss des Gr. Fish R., v. G. Back (Narr. 178) am 18. Juli 1834 zu Ehren seines Freundes, Capt. Superintendent Sir Charles *B.*, of Pembroke Dock Yard, under whose command I had once the happiness to serve'.

Buller, Cape, in SGeorgia, v. Cook (VSouthP. 2, 212) am 16. Jan. 1775 entdeckt u. prsl. benannt. — Ebenso unklar *B. River* in West-Austr., v. Capt. G. Grey (Two Expp. 2, 29 f.) am 7. Apr. 1838 getauft — ob in Andeutg. der blökenden Schafe u. brüllenden Rinder, welche er beim Ueberschauen des reichen romant. Thals diesem f. die nächste Zukunft schon prophezeite?

Bulnes s. Felipe.

Bulus s. Romania.

Bum = der Berg, im Sinhpho ein auffälliger, spitzer Pic der niederern Ketten bei Sádia, Ober-Asám, oft auch in Zssetzungen (Schlagw., Gloss. 179).

Bunarbaschi = Quellhaupt, türk. ON. f. Quellen u. nahe Wohnstätten, mehrf., insb. bei Troja. 'Ausser dem Skamandros, welcher sich unfern dem Dorf durch das Thal windet, belebt diese Berghänge ein anderes Gewässer ... Quellen in grosser Zahl riesęln aus dem Boden hervor; daher auch der Name *B.* od. *Kirka Gioes* = 40 Brunnen' (Ausl. 46, 773). Die '40 Augen, genauer 34 an Zahl, sind sämmtl. Thermen v. 17¹⁄₂⁰ C., u. sie bilden den Bach *B. Su'*, wo *su* = Wasser, Fluss (O. Keller, Entd. Troja's 12f.); b) bei Smyrna (Tschih., Reis. 5); c) am Emir Dagh (ib. 10).

Bundi = wilde Thiere, bei den Kanori eine neue Stadt in Bornu, in einer Gegend, welche

wirkl. vor noch nicht länger Zeit voll Raubthiere war (Barth, Reis. 2, 212).

Bunduff s. Dub.

Bunker Isles, an der Ostküste NHollands, benannt nach *B.*, Befehlsh. des Schiffs Albion, South Whaler, 1803 (Flinders, TA. 2, 14, Atl. 10).

Bunkey s. Anonima.

Bunzlau, deutsche Namensform zweier slaw. Städte: a) *Jung-B.* in Böhmen, čech. *Mladá Boleslav*, dessen Schloss 975 (die Stadt 995) v. Boleslav II. ggr. u. benannt wurde; b) *Boleslavia*, *Boleslavicz*, in Schlesien, die 1190 nach Herzog Boleslav I. den Namen erhielt (Meyer's CLex. 3, 1008, Adamy, Schles. ON.² 8, Umlauft, ÖUng. NB. 25).

Buoch u. **Buonas** s. Buche.

Bura, ein Berg östl. v. Kilimandscharo, nach einem am Fusse gelegenen Schilfsumpfe (Journ. RGSLond. 1870, 314).

Burchan Oola = göttliches Gebirge, mong. Bergname im Lande der Chalcha, Quellgebiet des Onon (Timkowski, Mong. 2, 226).

Burdigala s. Bordeaux.

Burdwan s. Wischnu.

Buregrag, ein Fluss an der Westküste Marocco's, 'unzweifelhaft' benannt nach dem j. erloschenen Stamme der Redschrâdsche, Regrâge (Barth, Wand. 31).

Bureja, russ. Namensform f. einen Nebenfluss des Amur, verd. aus tung. *birra* = Fluss. Nach diesem das *Fort Buränsk* (Peterm., GMitth. 6, 94) u. das Gebirge *B.*, v. Middendorff so genannt, chin. *Gom me dschan* = dreiarmig, nach den 3 Vorsprüngen, welche den Stromlauf im Durchbruche knicken, bei den Mandschu *Kamni, Kamgi*, bei den Golde *Kamdschur-Churin* (= ...?) od. *Piratä-gogda* = hohes Gebirge. Sonst nennen es die Russen durch Uebtragg. auch *Chingan, Ginkan;* allein dieser Name ist weder bei den hier durchreisenden Dauren u. Solonen, die mit den wenigen hier wohnenden Birar-Tungusen Handel treiben, noch bei den mandschur. Beamten bekannt (Bär u. H., Beitr. 23, 507 ff. 687. 697, Glob. 3, 360 nach Radde's Ber. 1861).

Buren s. Büren.

Burford's Island, eine Mangroveinsel der Nordseite NHoll., v. Capt. Ph. P. King (Austr. 1, 96) am 27. April 1818 nach Rev. James W. *B.* of Stratford, Essex, benannt.

Burg = arx, goth *baúrgs*, ahd. *burg*, schwed. *borg* (s. d.), auch engl. in Compositis, bereits seit dem 1. Jahrh. (s. *Burgunder*) in ON. nachweisbar, th. als Grundwort (Förstem., Altd. ON. 359ff., zählt 251 solche Formen auf), th. als einf. Wort *B.*, im 8. Jahrh. mehrf., th. in Ableitungen wie *Burgili, j. Bürgel* u. *Bürglen*, th. als Bestimmungswort wie in *Purchowa, j. Burgau, Burgbeki, j. Borbeck* u. *Beuerbach, Burgheim, j. Burg-* u. *Burkheim* u. *Burken, Burghuson, j. Bork-* u. *Burghausen, Purgreina, j. Burgrain, Burghstallun, j. Burgstall* u. a. m. Auch den spätern Römern war *burgus* geläufig, viell. wirkl. aus dem deutschen übernommen, doch jedenf. unter dem Einfluss des gr. πύργος als masc.; daher in neurom. Sprachen *borgo*, *bourg*, wie im ital. *Borgon(u)ovo*, dial. *Burnör*, Ort des Bergell (Lechner, Berg. 116) u. span. *Burgos*, plur. f. lat. *burgi*, *burgorum*, wie denn die Stadt 884 aus der Vereinigg. mehrerer Dörfer entstand (Diez, Rom.WB. 1, 76, Esp. sagr. 26, 169); die Erneuerg. des Ortes geschah durch Don Diego Porcel, einen Abkömmling der goth. Dynastie u. Schwäher des Nuño Bellidez, der ihm in den maur. Kriegszügen beistand. Im sing. *Burgo* kehrt der ON. wieder in Cataluña, in Aragon, in A'lava, in Leon, auch 3 mal mit Differenzirg., 10 mal in Galicia, ferner die Derivate *Burguillos*, *Burguete*, *Burgueta* u. a. (Caballero, Nom. Esp. 90). — *Burghead*, Fischerort am Firth of Murray, Schottl., auf einer weit vorspringenden Landzunge, deren bis 30 m h., steil aufsteigender Endkopf einst v. Festland durch 3 gewaltige bis 6 m h. Parallelwälle abgetrennt u. den Normannen als uneinnehmbare Veste diente (Worsaae, Mind. Danske 275 f.).

Burgassutai = der mit Weiden bewachsene, mong. Name eines der obern Zuflüsse des Uliassutai, Altai (Berghaus, Briefw. 1, 338).

Burgemeister-Thor, ein prachtvoller Felsbogen der Bären-I., bevölkert mit zahlr. Graumöven, dem 'Burgemeister' der nord. Seeleute, welcher die steilen Klippen zu seinem Brutplatz erwählt — so v. der schwed. Exp. 1864 getauft. Selbst grosse Boote können durch die Oeffng. rudern u. gelangen dann in eine kl. v. allen Seiten mit Felsen umschlossene Bucht, neben welcher sich die Russenhütte u. der Walrossstrand befinden (Torell u. Nordensk., Schwed. Expp. 391).

Burger-Halbinsel, in Gänse Lg., NSemlja, v. der öst.-ung. Exp. Wilczek im Aug. 1872 benannt (Peterm., GMitth. 20 T. 16) nach dem Photogr. der Unternehmg., Wilhelm B. (ib. 65), der auch Mitgl. der österr. Exp. wie Ost-Asien war (GM. Prof. Höfers in Klagenfurt d. d. 17. Mai 1876). — Ebenso *B. Hafen*, im Horn Sd., Spitzb., im Juli 1872 getauft durch die v.Baron v. Sterneck befehligte Hülfsexp. der Polarfahrt Weyprecht-Payer (ib. 66).

Burghas s. Antigone.

Burgunder, deutscher Volksstamm, bei Plin. (HNat. 4, 14) *Burgundiones*, gr. Βουργουντίονες, Βουργουντζίωνες, später *Burgundii*, *Burgundi*, sowie anscheinend volksthüml. *Burgundari*, was im nhd. *Burgunder* z. Regel geworden, 'führt deutl. genug auf *burg* zk.; die Burgunder sind also 'Burgbewohner'. Schon im 5. Jahrh. sagt der röm. Historiker Orosius 7, 32: '*Burgundiones* nomen ex opere praesumserunt, quia crebro per limitem habitacula constituta burgos vulgo vocaverint.' Burgen, sagt G. Mercator, in der Geogr., hatten sie in der Pfalz, ihrem frühern Wohnsitze, erbaut (Grimm, Gesch.DSpr. 700, Zeuss, DDeutsch. u. NSt. 133). Die Endg., die sonst selten vorkommt, ist dieselbe wie im goth. *nêhrundja* = proximus, aus *nêhr* = prope. Misslungene Ableitungen, welche die alte ersetzen wollten, finden sich bei R. Denus (A. Prov. France

109 ff.) aufgeführt: *Bourg houndert*, nach den zahlr. Flecken, die das Land enthält, v. *bauer* u. *gunther* = Arbeiter, Soldaten, v. *bord* u. *kund* = Waldmenschen, v. *bor* u. *kundur* = Kinder des Boreas; auch Augustin Thierry ne dédaigne pas de mettre lui-même son opinion en avant dans cette question si discutée ... le mot *Bourgogne*, dit cet éminent historien, vient des mots *burh gunden*, qui signifient 'hommes de guerre', mais hommes de guerre liés entre eux par un pacte de fédération, en deux mots 'soldats confédérés'. Mit der Einwanderg. des Stamms in das Rhonegebiet, 443, ging der Name, *Burgund*, frz. *Bourgogne*, um 470 auf die neue Heimat über. Die Bewohner sind *Bourguignons*, *Bourguignonnes*, auch *Bourguignottes*. Dort j. auch ein *Canal de Bourgogne*, Saône-Yonne.

Burial Reach = Strecke des Begräbnisses, am Flinders R., Carpentaria G., v. Capt. Stokes (Disc. 2, 295 ff.) im Juli 1841 so genannt nach einem jener eigenthüml., weit üb. Austr. verbreiteten Todtenplätze.

Burka', Ras el- = Schleiercap, am Golf v. Akabah, weil es aus der Ferne weiss, wie verschleiert, erscheint (Robinson, Pal. 1, 258).

Burkheim s. Burg.

Burmah s. Birma.

Burmeister s. Philippi.

Burnett River, ein Zufluss der Franklin Bay, v. Richardson, Capt. John Franklins (Sec. Exp. 233) Gefährten, am 20. Juli 1826 nach Dr. *B.*, 'commissioner of the Victualling Board' getauft. — Ebf. prsl. *B. Bay*, in Baring I., v. der Exp. M°Clure im Aug. 1851 (Armstrong, NWPass. 385).

Burney's Island u. *Nicol's I.*, in der Gruppe v. Groote Eiland, v. Flinders (TA. 2, 193, Atl. 14 f.) am 18. Jan. 1803 benannt, erstere nach Capt. James B. of the navy, die andere nach dem Verleger seines Reiseberichts, dem Buchhändler *N.* in London. — Eine ältere *B. Island*. russ. *Koliutschin*, im ostsibir. Eismeer, v. Cook (-King, Pacif. 2, 467) am 30. Aug. 1778, wohl nach James B., einem seiner Officiere.

Burnt Lodge Creek = Bach des abgebrannten Lagers, ein rseitger Zufluss des Missuri, obh. Yellowstone R., am 17. Mai 1805 v. den Captt. Lewis u. Cl. (Trav. 160 f., Carte) so benannt, weil ihr Lager in Feuersgefahr stand u. verlegt werden musste. 'Late at night we were roused by the sergeant of the guard in consequence of a fire which had communicated to a tree overhanging our camp. The wind was so high, that we had not removed the camp more than a five minutes, when a large part of the tree fell precisely on the spot it had occupied, and would have crushed us, if we had not been alarmed in time', *b) B. Island* = verbrannte Insel, in Christmas Sd., Feuerl., bedeckt mit Krautwerk, welches Cook (VSouth P. 2, 178) am 22. Dec. 1774 theilw. abgebrannt fand; *c) B. Hole* s. Fire; *d) Burning Hill* s. Wingen.

Burrough s. Wajgatsch.

Burrow Isle, eine arkt. Küsteninsel bei Moore's

I. (s. d.), durch Capt. John Franklin's Gefährten Dr. Richardson, am 23. Juli 1826 entdeckt u. durch seinen Begleiter, Lieut. Kendall, benannt nach Rev. Dr. *B.*, of Epping (Franklin, Sec. Exp. 238, in der Carte mit plur.).

Burton Gulf, ein durch eine Halbinsel abgetrenntes Seitenbecken im nördl. Theil des Tanganjika, am 27. Juli 1876 v. H. M. Stanley (Thr. Dark Cont. 362) getauft nach dem Entdecker des Sees, Capt. Richard Francis *B.*

Burtscheid, bei Aachen, u. *Borscheid*, Rgbz. Coblenz, im 11. Jahrh. *Burcithum*, *Buorcit*, *Porcit*, *Portcetho*, *Porchetum*, *Purchit* etc., undeutsch wie belg. *Bourcy*, im 9. Jahrh. *Burcido*, *Burcit*, ist erst später fälschl. in die Analogie der deutschen Namen auf -*scheid* hinübergetreten (Förstem., Altd. NB. 358 f.), kann demnach nicht, wie Weitz (Z. Aach. Gesch. V. 3, 332) wollte, v. ahd. *por* = Höhe u. *scheid* = Grenze od. gar, mit einem unbekannten *burt* = Wasser, als 'Ort auf der Wasserscheide' (Coordes, Schulgeogr. NB. 17), erklärt werden. Einleuchtend ist dagegen, wenn Hub. Marjan (Progr. 1882, 13) ein *porcetum* = Schweinetrift sc. der Stadt Aachen annimmt, also eine lat. Form, die allerdings gew. v. Baumnamen gebildet wurde, aber in *Bubetum*, f. *Bovetum* = Ochsentrift, *fimetum* = Schmutzort ihre Parallelen hat. Im Verzeichniss der Prümer Klostergüter, 893, die sich über ganz West-Deutschland erstreckten, ist kaum ein Wald namhaft gemacht, ohne anzugeben, wie viel Schweine er ernähren könne. Silva ad porcos ... ist stehender Ausdruck. So hatten Klöster u. Land- u. Stadtgemeinden ihre gemeinsamen Schweinetriften u. einen gemeinsamen Schweinehirten. Und in u. um Aachen sind fast sämmtl. alte Localbenennungen lat. od. rom. Ursprungs.

Buru, Pulo = Jagdinsel, v. mal. u. jav. *buru* = jagen, in holl. Orth. *Boeroe*, eine grosse Insel der Molukkensee, die ein einziger v. Babirussa zahlr. bevölkerter Urwald bedeckt. Zwischen der Insel u. Ceram die *B. Str.* u. *Nassau Str.* (Crawf., Dict. 55).

Burulyn s. Kuku.

Burundschyk = kleine Nase, türk. ON. bei Smyrna, auf dem Abhange eines Trachythügels, ein 'offb. der Gestalt des Hügels entlehnter Name'. — *Burun Köi* = Nasendorf, ein pont. Dorf bei Bartan, v. der Lage auf einem östl. Vorhügel des Filias Tschai (Tschihatscheff, Reis. 5. 42).

Burung s. Onrust.

Búru-Nyigo = Hyänenhöhle, ein Weiler in der Waldregion v. Baghírmi (Barth, Reis. 3, 297).

Burut, Name der echten od. Kara-Kirgis, um Issyk Kul etc., bei den dsung. Kalmyken, den Kirgisen selbst unbekannt, wahrsch. plur. des Stammgeschlechtsnamens *Bur* od. *Bor* (da die mong. Spr. gern den Völkernamen ihren plur. *ut* anhängt, wie *Jakut* aus *Saka*, *Jaka* (Peterm., GMitth. 10, 163). Demnach wäre in *Jakut*en, *Bur*äten ein Pleonasmus, näml. ein doppelter plur. S. Kirgis.

Burzenland, Gegend in Siebenb., hat ihren Namen

v. Bache Burzen, Buroza, der sie durchfliesst u. in die Alt mündet (Meyer's CLex. 4, 28).

Bus, ʿAïn = Quelle des Schilfrohres, eine der Mosesquellen (s. Musa), welche starke Luftblasen entwickelt u. deren $4^1/_2$ m lg., 3 m br., v. 2 m h. Uferwänden eingefasstes Bassin mit Juncus, Schilfrohr, auch Dattelgebüsch u. Rhamnus Lotus bekränzt ist (Peterm., GMitth. 7, 428). — *Gubet el-B.* = Bucht des Schilfrohrs, eine zieml. breite, am Rothen M. zw. Dschebel Atáka u. Dsch. Abu Dérraga eindringende Bucht, in welche ein beträchtl. permanenter Bach mündet (ib. 429, Journ. Asiat. 4. sér. 11, 274 ff.).

Busaire s. Bozrah.

Buscheir s. Abuschehr.

Buschmann s. Bosjesman.

Bushnan's Isle, in Prince Regent's B., v. John *B.*, midshipman des Capt. John Ross (Baff. B. 79) am 8. Aug. 1818 als Insel erkannt u. v. Chef getauft ... 'and I accordingly give it his name'. — Auch Parry nannte nach seinem Gefährten: *a) B. Cove*, im Liddon G., am 11. Juni 1820 (NWPass. 198); *b) B. Island*, Fox Ch., am 24. Aug. 1821 (Sec. V. 61).

Bushy s. Indefatigable.

Busiklicza, ON. bei Mohacs, Ungarn, verst. aus dem türk. *Pusu Kilisse* = Kirche des Hinterhalts. So nannten die Türken die dort. Kirche anl. der Schlacht v. Mohacs; denn im krit. Momente erschienen die v. Balibeg u. Chosrewbeg angeführten Renner, aus dem Hinterhalte, wodurch sie das Schlachtfeld umgangen, auf dem Kampfplatz, u. hpts. dadurch wurde die Niederlage der Ungarn entschieden (Hammer-P., Osm. R. 3, 60).

Busir, auch *Busyr* u. *Abus(s)ir*, mod. Namenformen zweier ägypt. Ruinenorte, alt *Busiris* = Isisstadt, *Isidis oppidum*: *a)* bei Gizeh mit bedeutenden Ueberresten des Isistempels; *b)* am Busirit-Nilarm, in dessen prächtigem Tempel allj. ein grosses Fest gefeiert wurde (Meyer's CLex. 4, 32).

Busnang s. Wangen.

Bussière, La, ON. des frz. dép. Indre-et-Loire, 862 *Buxarias*, mittelst suffix -*arias* abgeleitet v. *buxus* = Buchs, also der Ort mit Buchsbäumen, plur. *Les Bussières*, im 10. Jahrh. *Buxerias*, dép. Loire, *Bussières*, im 9. u. 10. Jahrh. *Buscerias*, *Busserias*, dép. Saône-et-Loire, eine Variante *La Buissière*, im 11. Jährh. *Buxaria*, dép. Isère (d'Arbois de Jub., Rech. NL. 606). Die beliebtere Form *buxetum* (s. Aunay), in den Urk. des MA. auch *Buxsito*, *Buxidus*, in breton. Gegenden auch *Busitt*, hat die mod. ON. *Boisset*, *Boissey*, *Boissy*, *Bussy*, die in Vielzahl vorkommen, ergeben (ib. 617 ff). Diese Formen begegnen mir im Dict. top. Fr. etwa 170 mal, bes. in den dépp. Nièvre, Dordogne, Eure-et-Loir, Vienne, Eure, Mayenne u. Gard.

Busso s. Schari.

Bussyn Tscholù = Steingürtel, mong. Name eines Bergzugs, welcher die Ebene Ulân Khudùk umsäumt. Ganze Flächen sind hier mit Carneolen u. Achaten bedeckt, deren schönste v. den Chinesen gesammelt werden (Timkowski, Mong. 1, 186).

Bustard Bay = Trappenbucht, in NSouth Wales, v. Cook am 23. Mai 1770 benannt, weil eine der am Ufer gesehenen Trappen erlegt wurde, ein truthahngrosser 9 kg schw. Vogel, welcher der Tafel das schmackhafteste Fleisch lieferte (Hawk., Acc. 3, 117). Dabei die Eingangspfeiler *South Head* = Südkopf u. *North Head* = Nordkopf (ib. map). — *B. Isles*, im Arch. v. Groote E., mit wenig Holz bewachsen u. den Botanikern der Exp. Flinders (TA. 2, 193, Atl. 14 f.) am 18. Jan. 1803 nichts Neues liefernd, aber theilweise mit langem Grase bedeckt, unter welchem sich vschied. Trappen, Otis sp., Sumpfvögel aus der Kranichfamilie, aufhielten.

Butalsk s. Bargusinsk.

Bute Island, im Clyde R., North Ayr, v. Capt. John Ross (Baff. B. 199) am 10. Sept. 1818 benannt 'in compliment to the noble marquis of B.

But-gâh = Götzentempel, npers. Inselname bei Kila Kaisar, im alt. Paropanisus, nach den (buddhist.?) Ruinen (Spiegel, Eran. A. 1, 27).

Butjadinger Land = Land buten (i. e. jenseits) der Jade, Name einer Marschgegend zw. Jade u. Weser, um Brake (Meyer's CLex. 4, 37), zunächst nach dem Volksnamen. Aehnl. die *Stedinger*, wohl nach dem Gestade an der Weser (Förstem., D.ON. 246).

Butler's Bay, in der Magalhães Str. auf der Exp. des engl. Capt. Wallis am 17. Febr. 1767 entdeckt u. benannt nach dem shipmate, welcher sie zuerst gesehen hatte (Hawkw., Acc. 1, 175).

Butte = Erdhaufe, 'petit tertre', ein urspr. frz. Wort, in Frankreich genau dem engl. *knoll* entpr., also f. eine sanft anschwellende Erhöhg. od. einen unmerkl. 'Rundhügel', ist schon durch J. Cartier nach NAmerica verpflanzt worden, der im Juni 1534 den *Port des Buttes*, bei NFundl., taufte (M. u. R., Voy. Cart. 8, Hakl., Pr. Nav. 3, 203, wo offb. Druckf. *Port of Gutte)*. Durch die Canadier gewann das Wort eine weite Verbreitg., nach u. nach f. Berge aller Grössen: auch Lewis u. Cl. (Trav. 253) tauften den *Bayau des Buttes* = Hügelfluss, im Netz des Washita, nach den indian. Hügelwällen, welche dem Wasser entlang liefen. So heissen einige isolirte Berghäupter der Rocky Ms. in Wyoming *Medicine B.*, *Pilot B.*, *Church Buttes*, u. ebenso andere in Colorado bis Calif., selbst bis zu dem 4404 m h. *Mount Shasta*, der in den frühern Tagen des Goldlandes ganz allg. *Shasta B.* genannt worden ist (Whitney, NPlaces 105).

Buttle Lake, in Vancouver I., entw. eine Kette v. Seen od. ein einziger gr. mit Inseln', v. Chef der Vancouver I. Expl. Exp., Robert Brown, am 2. Aug. 1865 getauft nach seinem Gefährten John B. (Peterm., GMitth. 15, 91).

Button Island = Knopfinsel, 2 ind. Inseln, offb. nach der Form v. Capt. Thom. Forrest getauft: a) im Arch. Mergui, am 13. Juli 1783 (Spr. u. F., NBeitr. 11, 180); b) 'dicht' bei Flat I., am 24. Juli 1783 (ib. 185). — *Buttons* = Knöpfe,

3 Inseln in Wheler Str., Mergui, ebf. v. Capt. Forrest, am 19. Juli (ib. 183). — Dagegen nach dem engl. Seef. Thom. *B.* 2 Objecte: *a) B.'s Bay*, die Mündgsbucht des Nelson R., wo er v. Aug. 1612 — Anfang Juni 1613 zubrachte (Rundall, Voy.NW.87); *b) B.'s Islands*, vor der Hudson Str. (James, DV. 12). — *B. Island*, in Feuerl., v. der Exp. Fitzroy (Adv. B. 2, 323) im März 1834 getauft nach einem Eingebornen, welchen die Engländer Jemmy *B.* nannten. — *B. Islands* s. Kutusoff.

Buwyl s. Wyl.

Buyer s. Cuatro u. Two.

Buzios, Ilha dos = Kauriinsel, port. Name eines bras. Küsteneilandes, São Paolo, dessen klumpige Masse einer Kaurimuschel ähnelt (WHakl. S. 51, XXXVII).

Buzoe's Tomb, ein Salzsumpf West-Ausstr., am 18. Juni 1876 entdeckt v. engl. Reisenden Th. Elder u. als *tomb* = Grab getauft nach einem dort gefallenen Kamel (PM. 23, 207).

Buzzard's Bay, bei Rhode I., wohl id. mit norm. Straumfjördr (s. Martha), v. engl. Capt. Gosnold, als er 1602 Cape Cod passirt hatte, *Gosnolds Hope* (= Hoffnung) getauft (Strachey, Hist. Trav. 42). Wie aber engl. *buzzard* = Mäusefalke hierher gekommen? Nur PN.?

Byam Martin's Mountains, die Berge, welche südl. v. Lancaster Sd. landein ansteigen, v. Capt. John Ross (Baff. B. 170) am 30. Aug. 1818 getauft zu Ehren v. Sir *BM.*, 'the comptroller of His Majesty's Navy', wie nach demselben 'most esteemed friend' *BM.'s Cape* od. nach Gliedern seiner Familie, 'after his amiable family and nearest relatives, as a mark of my respect and regard for them': *Catherine's Bay, Cape Fanshawe. Elisabeth's Bay.* — Nach dem gl. Würdenträger *BM.'s Island*, 2 mal: *a)* in den Parry Is., vor *BM. Channel*, v. Parry (NWPass. 60) am 27. Aug. 1819: *b)* in der Centralgruppe v. Paumoto, einh. *Pinaki. Ngamaiti. Nganaiti* (ZfAErdk. 1870, 355, Meinicke, IStill.O. 2, 211), v. Capt. Beechey (Narr. 1, 162) am 8. Febr. 1826.

Byblus s. Gebal.

Bye s. Tungusen.

Bylot, Cape = eine Spitze v. Southampton I., v. Parry (Sec. V. 34. 37) am 6. Aug. 1821 getauft z. Andenken an Baffin's Chef u. als der letzte vor Parry bekannte Punkt in dieser Richtg.: 'from which point the discoveries of the present expedition commence'.

Bynoe Harbour, der innere Hafen der austr. Patterson Bay, v. Capt. Stokes (Disc. 2, 15) im Sept. 1839 getauft nach dem Arzte der Exp., Benjamin *B.* — Ebenso *B. Range*, in Arnhem's Ld., im Nov. 1839 (ib. 81) u. *B. Inlet*, am Carpentaria Golf, im Aug. 1841 (ib. 324).

Byron, *John*, der Seefahrer, der die grosse Periode engl. Seereisen (1765/80) eröffnete, geb. 1723, auf Lord Anson's Weltumsegelg. 1741 schiffbrüchig bei Patagonien, als Commodore 1764 durch Georg III. auf Entdeckungen in die Südsee gesandt, im Mai 1766 nach England zkgekehrt, † 1786). Eine seiner Entdeckungen, *B.'s Island*, im Gilbert Arch., 2. Juli 1765, wurde durch seine Officiere getauft (Hawk., Acc. 1, 114); andere sind v. seinen dankb. Nachgängern benannt: *a) Cape B.*, in NIrland, durch Carteret am 12. Sept. 1767 (Hawk., Acc. 1, 380; aber auf der Carte fehlt der Name). In der Nähe die Seegasse zw. NIrland u. NHannover, v. Carteret *B.'s Streights* genannt u. die hohe *B.'s Island;* j. heisst die mit kl. Inseln, Bänken u. Riffen angefüllte, kaum fahrbare Strasse bei den Walfängern *Intricate Strait* = verworrene Gasse (Meinicke, IStill.O. 1, 140); *b)* in NSüdWales, v. Cook am 15. Mai 1770 (Hawk., Acc. 3, 108); *c)* bei Egmont's I., sowie *B.'s Harbour*, v. Carteret am 17. Aug. 1767 (ib. 1, 356 f.).

Byrsa s. Karthago.

Bystroi Reka = reissender Fluss, im Netz des kamtschatk. Bolschaja R., v. den Kosaken so genannt, 'weil ihn die vielen Klippen u. Abstürze zu einem schnellen Laufe nöthigen' (Krascheninnikow, Kamtsch. 7). Auch Erman (Reise 3, 486 beschreibt den Fluss als einen steinigen u. reissenden Bach; Müller (Kamtsch. 3) lässt das Gewässer benannt sein 'v. dem gar schnellen Laufe u. v. vielen darin befindl. kl. Wasserfällen', u. Kittlitz (Denkw. 2, 344) sagt v. dem 'entsetzlich

reissenden Fluss', an manchen Stellen sei der Wellenschlag so stark, wie man ihn sonst nur auf dem Meere zu sehen gewöhnt ist; die Lenkg. eines 'bats' erfordere daselbst viel Geschicklichk. u. Aufmerksamk. — Auch im Altai ein Fluss *Bystrucha* (Sommer, Taschb. 11, 232), mit dem Begriff der Vergröberg., als Ggsatz z. dim. od. z. Koseform (Legowski 13. Apr. 1891). — Zu slaw. *bister*, čech. u. slow. *brz* = rasch, auch hell, klar, gehören eine Menge Bach- u. Flussnamen: *Bistra*, ein Zufluss der Donau, mag. *Bisatra*, ferner *Bistrai* u. *Bistrau*, böhm. Orte an gleichnamigen Bächen, čech. *Bystré*, im dim. *Bistřic*, *Bistřica*, *Bistřica*, *Bistrice*, *Bistritz*, vielf. in slaw. Gegenden Oesterreichs (Umlauft, ÖUng. NB. 21), *Brzica* = der schnelle, ein Fluss in Krain, wie die böhm. Orte *Brzic* u. *Brzwe*, die wohl nach einem schnell fliessenden Bache benannt sind (Miklosich, ON. App. 2, 149), *Bi-* od. *Vistritza* (s. Halai), *Bystra* sc. voda = schnelles Wasser u. sein dim. *Bystrica*, f. 2 Flüsse im Netz des Dnjepr, *Bystřice*, in Böhmen, *Bystrowice*, *Bystryca* u. *Bystrzyca*, in Galiz., oft in *Feistritz* entstellt (Umlauft 34. 59).

Bytown s. Ottawa.

Byzanz s. Konstantinopel.

C.

Namen unter *C* fehlend, können unter *K* stehen (*č* u. *cz* siehe tsch).

Caballe, Pulo = Topfinsel, mal. Name einer kl. Insel der urspr. Molukken, v. mal. *pulo* = Insel u. *caballe* = Topf, weil hier f. einen weiten Umkreis die irdenen Geschirre gefertigt wurden: 'polas que se alli fazem do barro que tem' u. anderwärts der Rohstoff fehlte (Barros, Asia 3, 5, 5 p. 569).

Caballus, der spätlat., wohl erst aus einem Bauernwort aufgenommene Ausdruck f. *equus* = Pferd (Diez, Rom.WB. 1, 119), ital. u. port. *cavallo*, span. *caballo*, mehrf. in ON. *a) Angra dos Cavallos*, eine Bucht südl. v. Cap Bojador, v. der port. Exp. des Afonso Gonçalves Baldaya 1435 so benannt nach einem Abenteuer, welches 2 muthige junge Portugiesen, Hector Homem u. Diogo Lopez Dalmeida, bei ihrem Explorationsritte bestanden (Barros, Asia 1, 1, 5 meint 'que com mais razão se podia chamar dos primeiros cavalleiros naquella porte de Libya deserta'). Uebr. wurde bald darauf, anl. einer ritterl. Gegenwehr der Exp. des Antão Gonçalves 1441 gegen den 'Mauren' und deshalb erfolgten Ritterschlags des Chefs durch Nuno Tristão, eine südlichere Bucht *Porto do Cavalleiro* = Hafen des Ritters genannt (ib. 1, 1, 6); *b) Bahia de Caballos*, viell. *Choctahatchee* der Carten, zw. Florida u. der Mündg. des Missisipi, so benannt 1528 v. Spa-

nier Panfilo de Narvaez, weil er hier, unter schwerer Entbehrg., Boote bauen liess u. genöthigt war, seine Pferde zu schlachten (Rye, Flor. XXIV); *c) Puerto Caballos* s. Natividad; *d) Caballo Cocha* = Pferdesee, zweisprachiger Name eines dunkelfarbigen, fischreichen, v. Wald umgebenen peruan. Sees, v. span. *caballo* = Pferd u. quich. *cocha* = See (Glob. 12, 65); *e) Bahia de los Cavalleros* s. Ridder; *f) Cap Cavailo*, in Algier, dabei eine Inselgruppe, arab. *Dschesaïr el-Cheil* = Rossinseln (Parmentier, Vocab. arab. 21). — *Cabellio*, *Cabillo*, *Cavaillon* s. Châlons.

Cabaret, frz. ON. unw. Carcassonne, dép. Aude, alt *caput Arietis* u. mit diesem v. gl. Bedeutg. 'Widderkopf', nach dem Berge, welcher den Ort beherrschend 2 Schlösser u. 4 Festungswerke trägt u. der Gemeinde den Namen *Las Tours* = die Thürme verschafft hat (Longnon, GGaule 615).

Cabbage-Tree Cove = Bucht der Kohlpalmen, auf der Ostseite v. North I., Pellew's Gr., v. Flinders (TA. 2, 165, Atl. 14 Carton) am 16. Dec. 1802 so benannt, weil auf den Ufern, reichlicher als anderwärts in den v. ihm bis dahin besuchten Gegenden, die Kohlpalme wuchs.

Cabello s. Chalon.

Cabezon, Cerro de = Kopfkuppe, in NMexico, eine steile, hohe Basaltgruppe, die mit den umliegenden Sedimentgebilden stark contrastirt (Peterm., GMitth. 20, 404).

Cabillo s. Chalon.

Caboclos = Kahlköpfe, einer der Spitznamen, welchen der port. Colonist den Indianern beilegte (s. Bugres), da diese sich Kopf- u. Barthaare auszureissen pflegten (Varnh., Hist. Braz. 1, 101). Vgl. Emboaba u. Indios.

Cabra = Ziege, span. u. port. f. lat. *capra* (s. d.), mehrf. f. kl. Felsinseln, die bloss v. diesen Thieren bewohnt sind, so *Cabrera* 2 mal *a)* Felseiland der Balearen, wenig bebaut, v. wilden Oelbäumen u. Gebüsch bedeckt, mit Triften, die eine grosse Anzahl Ziegen nähren (Willk., Span.-P. 208, Meyer's CLex. 4, 56); *b)* s. Oinussai. — *Isla de las Cabras*, zu Juan Fernandez gehörig, auch *Santa Clara* (Meyer's CLex. 4, 594). — Port. *a) Ilha das Cabras*, Küsteninsel v. São Paolo, Bras. (WHakl. 51, XXXVIII); *b) Ilhas das C.*, zwei Eilande bei Terceira, Açoren (Sommer, Taschb. 12, 287).

Cache, Isle à la = Dépôtinsel, frz. Name einer der Inseln des Grossen Sclavensees, weil auf ihr der Reisende Alex. MacKenzie (Voy. 164), od. vielmehr die Leute seines Begleiters le Roux, am 22. Juni 1789 eine *cache*, d. i. ein verborgenes Lebensmitteldépôt, anlegte (Franklin, Narr. 200). — *Rivière du Bois Caché* s. Hidden.

Cachoeira = Wasserfall, Stadt am Paraguaçú, welcher im Süden der Allerheiligen Bay mündet, ggr. u. getauft v. dem port. Ansiedler Alvaro Rodrigues an der Stelle, wo der Fluss aus dem Gebirge in die Küstenebene hinausstürzt, u. zwar geschah die Benenng. in Verbindg. mit den wilden Aimorés (s. d.), bei denen R., der angebl. Sohn der Sonne, in gr. Ansehen stand (Varnh., IIBraz. 1, 307). — *Cachoeirinha*, auch *Cax* ... = kleine Stromschnelle, im bras. Rio Pardo, Prov. Bahia (Avé-L., NBras. 1, 99).

Cachupin, mexic. Spitzname f. die nicht im Lande verbürgerten Spanier, v. azt. *cactli* = Schuh u. *tzopinia* = stechen, s. v. a. Spörnler, da die ersten span. Reiter Sporen trugen u. v. den Indianern danach benannt wurden (Uhde, RBravo 32).

Cadè s. Gotteshausbund.

Cadenède s. Castanea.

Cadereyta, Ort im mexic. 'Staate' Leon, ggr. 1637 durch den span. Vicekönig Lope Diaz de Armendariz, marques de *C.*, 1635—1640. Uhde (RBravo 112) hat fälschl. 1645.

Cadix s. Gader.

Caellus, Mons = Berg des Caeles Vibenna, eines etr. Häuptlings, welcher sich hier zZ. der Könige ansiedelte, auf dems. Hügel, der nach dem dichten Eichwalde vorher *Querquetulanus* = Eichenberg geheissen hatte (Tacit., Ann. 4, 65). Auch der *Fagutal* = Buchenhain, der v. Weidengebüschen benannte *collis Viminalis*, die zw. Palatin u. Aventin eingelagerte, mit Myrten bewachsene *vallis Murcia* bezeugen, zs. mit den heil. Hainen, die noch später innerh. der Stadt Rom erhalten waren, eine in früherer Zeit ausgebreitete Bewaldg. Da-

gegen ist der *Esquilinus* od. *Exquilinus*, nicht, wie aus der erweichten Form *esqui-* geschlossen wurde, v. *aesculetum* = Eichengebüsch, sondern nach der Vorstadt *Exquiliae* benannt, deren Name, nach Analogie v. *inquilinus* = Einwohner, v. *ex-colere* abgeleitet ist u. Aussenort, 'Vorstadt', bedeutet (Kiepert, Lehrb. AG. 422 f.).

Caen, 1026 *Cathim*, 1040 *Cadum*, 1080 *Cadonum*, 1155 *Caem, Chaem* (Dict. top. Fr. 18, 50), gew. latin. *Cadomum*, einst die Hptstadt der niedern Normandie, gehört mit ihrem Namen unter meine Desiderata; denn wenn der Ort auch nicht, wie angenommen wird (Meyer's CLex. 4, 65), eine Gründg. des 1027 geb. Herzogs Wilhelm des Eroberers sein kann, so ist an kelt. *cath* = Krieg u. germ. *heim* (Charnock, LEtym. 53) doch kaum zu denken, ganz zu geschweigen v. den Fabuleien, als sei der Ort v. Kadmus, als er seine Tochter suchte, od. v. einem röm. Cajus, viell. gar v. Jul. Caesar selbst, als *Caii domus* ggr. worden.

Caerkent s. Canterbury.

Caesarea, die lat. Form f. gr. *Καισάρεια* = Caesars- od. allgemeiner Kaiserstadt, 12 ON. nach röm. Caesaren, der eine viell. in *Jersey* (s. d.) erhalten, sicher *a) C. Palaestinae*, wo früher ein v. Strato erbauter Thurm *Στράτωνος πύργος* (Joseph., Antt. 13, 19), lat. *Turris Stratonis* stand, bis Herodes den Ort erweiterte, den Hafen anlegte u. jenen zu Ehren des Kaisers Augustus, den Hafen *Sebastos Limen*, gr. *Σεβαστός λιμήν* = Seebecken des Erlauchten taufte (ib. 15, 11; 17, 7), bei Ptol. (Geogr. 5, 15) *Καισάρεια Στράτωνος*, *C. Stratonis*, j. menschenleere Ruinen *Káisserie, Kaisarije* (Kiepert, Lehrb. AG. 178, Wilson, LBible 2, 2550); *b) C. Cappadociae*, als *Mazaka* einst Residenz der kappadok. Könige, v. armen. König Tigranes zerstört unter gewaltsamer Wegführg. der meisten griech. Einwohner, dann v. König Ariobarzánes Eusébēs erneuert als *Eusebeia*, endl. seit Tiberius, der das Land z. röm. Prov. machte, eine 'Kaiserstadt', j. *Kaisarieh* (Kiepert, Lehrb. AG. 96, Pauthier, MPolo 1, 37, Meyer's CLex. 4, 69; 9, 677); *c) C. Mauretaniae*, phön. *Jol*, v. Juba II., den Augustus z. König Mauretania's einsetzte, in *Julia C.* umgetauft, j. *Scherschel* (Kiepert, Lehrb. AG. 220); *d)* s. Banias; *e)* s. Kothon; *f)* s. Ain (Zarba); *g)* s. Neapolis; *h)* s. Antiochia. — *Caesarodunum* s. Tours. — *Caesaromagus* s. Beauvaix. — *Solium Caesaris* s. Kaiserstuhl.

Caffarelli, 3 austr. Objecte, v. der frz. Exp. Baudin nach einem der beiden Generäle *C.* der napol. Zeit getauft: *a) Cap C.*, östl. v. St. Vincents G., am 9. Apr. 1802 (Péron, TA. 1, 270, Freycinet, Atl. 14); *b) Baie C.*, hinter Nuyts Arch., im Febr. 1803 (Péron, TA. 2, 105); *c) Ile C.*, in Tasman's Ld., am 15. Apr. 1803 (ib. 2, 208, Freyc., Atl. 27).

Cahohotatea s. Hudson.

Caiapó s. Ubira.

Cailliaud, Bab el-, eine der imposanten Clusen

s. Bab) bei der libyschen Oase Dachel, v. G. Rohlfs am 7. Jan. 1874 getauft 'nach dem ersten europ. Reisenden, der diese unwirthbaren Wüstenstriche erforschte (Peterm., GMitth. 20, 180). Es ist der zu Nantes 1787 geb. Reisende Fréd. *C.*, der, schon 1818 Entdecker der Smaragdgruben am Dsch. Zaberah, 1820 Siwah, die Kl. Oase, Farafrah, Dachel u. die Gr. Oase besuchte u. 1869 †.

Caimanes s. Bay.

Caithness, die Grfsch. im Nordosten Schottl., altn. *Catanes* = Nase v. Catuibh, dem kelt. Namen dieser äussersten Gebiete, die da halbinsel- od. nasenartig gg. die Orkneys vorspringen. Bei den Gaelen, die noch immer das benachbarte Sutherland als Catuibh bezeichnen, heisst *C.* heutzutage *Gallaibh* = Land der Fremden, da so viele Normannen sich angesiedelt haben (Worsaae, Mind. Danske 317 f.).

Calabria, urspr. die östl. der beiden unterital. Halbinseln, die, j. die *apulische* (s. Puglia), im 8. Jahrh. den dor. Griechen bekannt wurde mit einem den Japygern zugerechneten illyr. Volksstamm, den Μεσσάπιοι, denen sich in röm. Zeit noch die Sallentini u. die *Calabri* beigesellten (Nissen, Ital. LK. 540), letztere anscheinend an der nach Illyrien gewandten Küstenstrecke, der ggb., an der Ostseite der Adria, der Stamm der *Galabri*, gr. Γαλάβριοι seine Wohnsitze hatte. Im röm. Alterth. stehen *C.* u. Apulia, als gesonderte Landschaften, neben einander; erst im 10. Jahrh. ist infolge veränderter Besitzverhältnisse des byzant. Reichs der Name *C.* auf die grössere, südwestl. Halbinsel, die ihn noch j. führt, übtr. worden (Kiepert, Lehrb. AG. 452).

Calais, Seestadt der frz. Ldsch. Artois, im Mittelalter *Scalus* (Meyer's CLex. 4, 78), benannt nach den Caleti, einem belg.-gall. Volksstamm, dessen Sitze übr. zu Caesar's Zeit um Dieppe waren (Napol. Jul. Caes. Atl. 16). Nach dem Hafenorte die Meerenge: *Pas de C.* (auch auf das dép. übertragen), röm. *Fretum Gallicum* od. *Fr. Britanicum* (Kiepert, Atl. Ant. T. XI), j. auch engl. *Strait of Dover*, doch ozw. erst seit kurzer Zeit, da noch 1772, bei Camden (-Gibson, Brit. 1, 270) dieser Name unbekannt u. durchweg *Streight of C.* gebraucht ist. — Im Dict. top. Fr. findet sich der ON. *C.* auch im dép. Vienne, f. ein längst zerstörtes Schloss, 1154 castellania de *Calesio* (17, 75), sowie 3 mal im dép. Calvados (18, 54).

Calamari s. Cartagena.

Calanca, Valle, Nebenthal des Misox, nach dem zerfallenen Castell *C.*, welches bei Santa Maria hoch herabschaut (Lavizzari, Esc. 4, 527). Thalbach *Calancasca*.

Calanda, Bergname in Graubünden, nach Gatschet (OForsch. 89) Romanisirung des deutschen *goleten* = eine v. herabgestürzten Trümmern bedeckte Halde. Allein wie konnte in einem rom., spät germanisirten Gebiete ein (älterer) deutscher Name (später) romanisirt werden? — Auf der Nordseite des Bergs, ob Bad Pfävers, die *Calandaschau*, ein mit schmalem Grat vortretender Bergkopf, mit reiem Ausblick auf den *C.*, welcher, v. hier aus

pyramidal u. keck aufgebaut, mit seinen v. der sommerl. Abendsonne beleuchteten Felswänden stolz üb. das grüne Thal u. dessen tiefgefurchte Thermenschlucht hereinschaut.

Calata s. Kalah.

Calaveras, Punta = Cap der Viehschädel u. *Punta Potrero* = Cap der Pferdeherden, span. Name zweier Vorgeb. Calif., 'deuten auf den frühern Zustand dieses alten Viehzuchtlandes hin' (ZfAErdk. nf. 4, 316).

Calcutta s. Kali.

Caldas, as = die Thermen, port. Aequivalent des span. *caliente* (s. d.), ein Badeort der bras. Prov. Santa Catharina, mit Therme v. 37⁰ C. (Avé-L., SBras. 2, 146 f.), mit Beisatz 3 mal: *a) C. da Reinha* = Bäder der Königin, Badeort des port. Estremadura, mit Schwefelthermen v. 37⁰ C. (Meyer's CLex. 4, 83); *b) C. de Gerez*, Badeort der Prov. Minho, am Fusse der Serra de Gerez, mit Schwefelthermen v. 62¹/₂⁰ C. (ib.); *c) C. de Mombuy*, Badeort in Cataluña, mit Thermen v. 57—70⁰ C. (Willk., Span.-P. 179). — *Caldiero*, zu Augustus' Zeit *Caldarium* = Thermalort, ital. Badeort der Prov. Verona, mit Schwefelquellen v. 35⁰ C. (Meyer's CLex. 4, 85). — Damit hängen zs. span. *Caldéra* = Kessel, Kochkessel, als ON. wiederholt: *a)* eine kleine 8 m t., sichere u. bequeme Hafenbucht im Nordwesten des Puerto Belo, CAm. (Barrow, R.u.Entd. 2, 31); *b)* ein Hafenort Chile's, 1850 ggr. (Meyer's CLex. 4, 83). — Engl. *Caldron*, einer der auffälligern Geyser des Fire Hole (s. d.), mit einem hübschen 1 m h., inwendig 2 m weiten Krater, dessen ganzer Inhalt in einem beständigen Aufkochen sich befindet. 'Sometimes it will boil up so violently as to throw the entire mass up four feet, and then die down so as to boil like a caldron. Indeed, the whole process might be imitated by subjecting a caldron of water to continuous and excessive heat' (Hayden, Prel. Rep. 113. 185).

Caldauen u. **Caldenbach** s. Kalt.

Caldwell, Stadt in Liberia (s. d.), 1824 ggr. u. benannt nach einem der beiden Amerikaner *C.* u. R. Finley, welche durch ihren Zstritt in Washington (30. Dec. 1816) den ersten Schritt z. Gründg. Liberia's gethan hatten (ZfAErdk. 1, 21).

Caledonia, ein alter Name Schottlands (s. Scotland), ist v. bestrittener Ableitg., so dass man bald den Volks-, bald den Landesnamen als die urspr. Form betrachtet. Camden (Brit. 51) dachte an brit. u. gael. *kaled* = rauh, herb, plur. *kaledion* = die Rauhen, Uncivilisirten; andere setzen, etwas leichtherzig, 'Kelten des Berglandes', v. *Cael* = Kelten u. *dun* = Berg, od. erinnern an gael. *Coilldaoine* = Männer der Wälder, v. *coill, coille* = Wald, *daoine* plur. v. *duine* = Mann, wie denn ein namhafter Landestheil, zw. Forth u. Clyde, v. Wäldern bedeckt gewesen sei. Eben deswg. hätten, wie Andere meinen, die brit. Colonisten die Gegend *Celyddon* = die Dickichte u. die Bewohner *Celyddoni, Celyddoniaid* = Volk der Dickichte genannt (Kiepert, Lehrb. AG. 532). Das oben erwähnte *kaled*, mit *in, yn* = Gegend, bezieht Macpherson auf das Land selbst u. betrachtet also *C.* als 'das rauhe, bergige Land' (Charnock, LEtym. 55). — *C.* ist 2mal auf neue Objecte übtragen *a) New C.*, in Melanesien, einh. *Baladea*, nach dem District Balade, wo Cook (VSouthP. 2, 124. 143) am 4.—12. Sept. 1774 verweilte, ohne einen Gesammtnamen f. die Insel erfahren zu können; *b)* s. Columbia. — *Mount* (u. *Bay) Caledon*, am Carpentaria G., benannt v. Capt. Flinders (TA. 2, 210, Atl. 14 f.), der Berg am 5., die Bucht am 9. Febr. 1803 nach Sir Caledon 'as a mark of respect to the worthy nobleman, lately governor of the Cape of Good Hope'. — Offb. nach demselben Würdenträger *Caledon River*, ein Nebenfl. des Oranje R. (Berghaus, A. 3. R. 2, 290) u. *Cape Caledon* (s. Hardwicke).

Calf = Kalb, in engl. u. nord. ON. wiederholt f. Klippen, die neben einer grössern Mutterinsel liegen, 'et almindeligt forekommende udtryk for en mindre ö ved siden af en större', insb. *a) C.* (s. Bull); *b) Calf of Man* (s. d.), das durch die Ueberbleibsel einst f. uneinnehmbar gehaltene Nebeneiland Man's, übr. schon bei den Normannen gebr., 'et navn, som de gamle Nordboer hyppig gave mindre öer, der laae i naerheden af en större'; *c) Calva*, altn. *Kálfey* = Kalbinsel, an der Westküste Sutherlands (Worsaae, Mind. Danske 328); *d) Calvay*, eine Nebeninsel v. Lewis, Hebr. (ib. 339); *e) Calve*, neben Mull (ib. 341). An der Südküste Sjaelands *Masnedö Kalv* (Madsen, Sjael. StN. 215).

Calhoun, Cape John C., am Kennedy Ch., v. Kane (Arct. Expl. 1, Carte) 1853 getauft, offb. nach seinem eben † Landsmann, John Caldwell *C.* (1782—1850), der wiederholt Vicepräsident der Union gewesen war.

Caliaghstown s. Monaghan.

Calicut s. Kali.

Caliente, Agua = heisses Wasser, Therme, f. Badorte, wie frz. *Chaudes Aigues* u. port. *Agoas* (od. *Aguas) Caldas* (s. dd.), entspr. dem lat. *Calidae Aquae* (s. Bagnols, Enf u. Vichy), insb. f. eine der Oasen der Wüste Mohave, mit Therme v. 38⁰ C. (Peterm., GMitth. 22, 424), im plur. *Aguas Calientes*, 2mal: *a)* Badort in Mexico, mit Thermen bis 50⁰ C. (Meyer's CLex. 1, 269), als Ort begründet v. Geronimo Hierosco 1555 (Uhde, RBravo 39); *b)* in NMexico, engl. übsetzt *Warm Springs*, mit 2 Quellen, jede stark genug, eine Mühle zu treiben, 'and were more than 33⁰ above blood heat' (Pike, Expp. 207). — *Rio C.*, einer der Flüsse 'mit sehr merkw. Wasser' im Lande der ehm. Quillacingas-Indianer, zw. Popayan u. Pasto. 'This river contains the most excellent water I have met with in the Indies, or even in Spain.' So erzählt (WHakl. S. 33, 122) der vielgereiste Pedro de Cieza de Leon 1532/52. — *Tierra C.*, die heissen Küstenniederungen der America, schon bei Acosta (Hist. Ind. 2 c. 12) der Ggsatz zu *Tierra Fria* (= kalte Region). Zw. beiden (ib. 4 c. 19) die *Tierra Templada* (= gemässigte Region), etwa mit dem Beisatze *de los Helechos* (= der Farne), weil diese ihren Hpt-

sitz in 800—1600 m haben u. in Mexico wie in Süd-Am. selten bis 400 m herabsteigen (Humb., AdNat. 2, 225).

California, v. Spanier Ximenes 1533 entdeckt, dann v. F. Cortez 1535 selbst besucht, anf. f. einen Archipel gehalten, deshalb wohl auch im plur. *las Californias* od., wg. des Anklangs, *las Carolinas*, zu Ehren Karl's II., genannt, galt zunächst nur dem Südende der Halbinsel, wo der Entdecker in einer Bucht, die durch Cortez in *Santa Cruz* (BDiaz, NEsp. c. 200), seit 1596 in *Puerto de la Paz* umgetauft wurde, z. ersten mal den Namen *C.* hörte, ozw. als ind. Wort u. durch die Spanier erst in dieser Form angenommen; in der Folge dehnte man ihn auf die ganze Halbinsel, ja seit der Franciscanermission 1714 auf *Alta* (= ober) *C.* aus, dem das bisherige als *Baja* (= nieder) *C.* ggbstand. Es erscheint als unmöglich, das offb. früh verdunkelte u. unverständl. Wort zu erklären. Wohl galt bei den Mönchen die Ableitg. v. lat. *calida* = heiss u. *fornax* = Ofen. So hätte Cortez, der das Land bei heissem Wetter besucht, es genannt, u. noch O. Loew, in einem Berichte über Lieut. Wheelers Exp. 1875 (Peterm., GMitth. 22, 412) findet daran 'viel Wahrscheinliches'; allein längst hat Burney (HVPac. 1, 178) bemerkt, dass diess der einzige unmittelb. aus dem Lat. abgeleitete Name wäre, den Cortez gegeben hätte (vgl. Beechey, Narr. 1, 384, ZfAErdk. nf. 3, 71). Wohl am ungezwungensten erklärt Dr. Hale (Proc. Am. Ant. Soc. Apr. 1862) den Urspr. des Namens: In einer span. Romanze, v. Las Sergus de Esplandian, erschienen 1510, sei die grosse Insel *C.* beschrieben, 'where a great abundance of gold and precious stones is found'. Diese Romanze sei dam. allgemein gelesen worden, u. so habe wohl einer v. Cortez' Officieren den Einfall gehabt, die neu entdeckte 'Insel' mit dem Namen zu belegen (Staples, St. Union 21 f.). — Der *Golf v. C.*, den span. Seeff. *Mar Bermejo, Mar Rojo*, beides = rothes Meer (s. Rio Colorado), auch *Mar de Cortez* (Galvão, Desc. 201, Möllh., FelsG. 1, 113), bei den Jesuitenmissionären *Mar Lauretaneo*, zu Ehren der heil. Jungfrau u. Loreto 'patronne et protectrice des entreprises apostoliques de la société' (DMofras, Orég. 1, 202).

Calm Point = windstilles Cap, die Südspitze der Hagemeister I., Berings M., v. Capt. Cook am 12. Juli 1778 so getauft, weil in dieser Gegend ihn windstilles Wetter überfiel, 'from our having calm weather when off it' (Cook-King, Pac. 2, 431, Krus., Mém. 2, 111).

Caltanisetta s. Kalah.

Calthorpe Islands, am Eingang der Fury u. Hecla Str. v. Parry (Sec. V. 284) am 27. Juli 1822 nach Lord *C.* getauft.

Calumet Bluffs, Uferfelsen am Missuri, die aus gelbrothem u. braunem, kalkhartem Lehm bestehen, also Material zu den Calumets, d. i. Friedenspfeifen der Indianer, abgeben od. ihm ähnl. sind (Lewis u. Cl., Trav. Miss. 46). — *Pierre au C.* = Pfeifenstein, ein Handelsposten am

Athabasca R., woher die frz. Canadier den Pfeifenstein bezogen (Franklin, Narr. 136). — Ebenso berühmt *Pipestone Quarry* = Bruch des Pfeifensteins, im südwestl. Winkel Minnesota's, Brüche des blutrothen Quarzits, aus welchem die Dakotah ihre mächtigen, reich verzierten Friedenspfeifen schnitten.

Calva s. Calf.

Calvados, Felsklippen der Normandie (u. nach ihnen das anliegende dép.), nach beliebter Annahme so benannt, seit der San Salvadór, ein Schiff der Armada (1588), hier gescheitert ist. Man nimmt an, dass die Aufschrift des Wracks im ersten u. letzten Buchstaben unleserlich gewesen u. f. *Salvador* die Form *C.* in Umlauf gekommen sei. Die Erzählung wird bisw. artig zugestutzt (Peiffer, Lég. terr. 54 ff.); allein 'l'opinion qui fait dériver ce nom de celui d'un des vaisseaux de l'Invincible Armada, échoué sur nos côtes, n'est pas suffisamment justifiée' (Dict. topogr. France dép. Calv. 55).

Calvaire, le = der Schädelberg, Golgatha, v. lat. *calvaria* = Hirnschale, eine Nachahmung des Leidenswegs in Jerusalem, angebl. genau in Abständen u. Abhängen, im frz. dép. Moselle 1860 erstellt v. einem Pilger, der aus dem heil. Lande zkkam (Dict. top. Fr. 13, 44). Der 'Kalvarienberge' gibt es in kath. Ländern viele; sie sind mit Kreuzen, Statuen u. Bildern bezeichnet u. werden häufig v. Wallfahrern besucht.

Calvo s. Chaumont.

Camargo, Dorf bei Ouro Preto, Bras., nach Thomas Lopez *C.*, welcher um 1700 in diesem Gebiete Gold entdeckte (Eschwege, Pluto Bras. 14).

Camargue, la, die meist als Viehweide benutzte grosse Deltainsel der Rhone, wird seit Anquétil als *Caii Marii ager* = Feld des Cajus Marius betrachtet (Spect. milit. 1870).

Camarões s. Camerun.

Camas s. Quamash.

Cambacérès s. Yorke.

Cambalu s. Peking.

Cambay, ind. Stadt am *Golf v. C.*, in Abulfeda (Gildemeister, Script. AReb. Ind. 187) *Kumbâyet,* bei Ibn Batuta *Kinbâyah,* bei Barros (As. IV. 5, 1) *Cambayet,* zZ. der port. conquista die vornehme u. volkreiche Hptst. eines mächtigen Reiches gl. N., 'que per ser a mais nobre, e populosa, e como Metropoli daquelles lugares maritimos, dá nome não sómente á mesma enseada, mas a todo o reyno'. Der port. Historiker fügt hinzu, dass das den gewaltigen Gezeiten ausgesetzte *C.* durch die Gründg. v. Diu seine Bedeutg. eingebüsst habe. Près de la ville, les vagues se brisent avec impétuosité et s'élèvent jusqu' à 40 pieds de hauteur, de sorte que les navires, à la marée haute, peuvent s'ancrer près de la ville; mais à la marée basse, ils sont dans la vase jusqu' au retour du flux de la mer. La ville ... avait autrefois une très-grande importance commerciale (MPolo ed. Pauthier 2, 665).

Cambebas s. Omaguas.

Cambodja, Land in Hinter-Indien, dessen einh.

Name *Kmer* ist (Peterm., GMitth. 10, 316), verd. aus *Kanphutschi, Kanphotsche.* 'Selon le père Alexandre de Rhodes, les Annamites nomment *Kaomien* le Camboge proprement dit, et donnent à la partie de ce pays que nous nommons *Ciampa, Cyamba,* les noms de *Mloï, Tritri* et *Tchiemthanh,* c'est le *Tchantsching* des auteurs Chinois' (A. Rémusat, NMél. Asiat. 1, 99). Der cochinchin. Name der Prov. *Ciampa* ist *Ping schün,* in der Ausspr. des Landes *Binh thuân trán* = ruhiges (unterworfenes) Militärgouv. Noch j. gebr., kommt der alte Name *Ciampa* wahrsch. v. dem Baume, welcher skr. *tschampaka,* bot. Michelia Champaca heisst; nach ihm wurde zunächst der Gebirgszug benannt, welcher die Prov. im Norden v. dem Lande der Moi trennt (Pauthier, MPolo 2, 552).

Cambrai, Stadt des frz. dép. Nord, im Itin. Ant. *Cameracum,* bei Greg. v. Tours *Camaracus, urbs Camaracensis,* im 7. u. 8. Jahrh. *Kamaracum, Kambracum,* später *Cameraca* civitas etc., hat in der Endg. kelt. Gepräge, wenn auch Bullet's *cam-mer-ac* = Ort an einer Flussgabel nicht stichhaltig ist. Auch einen Cimbernherzog *Cambro, Cambre,* hat man z. Erklärg. des Namens fabricirt. Man denkt gew. an lat. *camera* = Kammer, Gewölbe, entw. nach den unterirdischen Gängen od. im Sinne v. Gerichtsbarkeit (Skinner, Etym. LAngl.) od. mit Ducange im Sinne einer Domaine (Mannier, Et. Nord 253 f.). Ungenügend!

Cambridge, engl. ON. mehrf., in Cornwall, in Gloucester, das bekannteste aber in der Grfsch. gl. N., der Sitz einer 1279 ggr. Universität, die aus einer weit ältern Schule erwachsen sein soll, ist leicht verständlich, da hier über den Fluss Cam 10 Brücken führen; allein dass Fluss u. Ort zZ. Wilhelms d. Eroberers *Grant* resp. *Grantbridge* geheissen u. dieser doch z. Römerzeit als *Camboritum* (Kiepert, Lehrb. AG. 532) vorkommt, ist nicht gut zu vereinbaren; auch Camden-Gibson (Brit. 1, 386) 'cannot find the derivation' des ags. Stadtnamens. Könnte nicht, da obh. der Stadt der Granta River in den Cam mündet, der vereinigte Fluss den Namen des heutigen Nebenflusses getragen u. dem Ort den Namen *Grantbridge* od. *Grandceaster* verschafft haben? Wenn die Annahme, dass brit. *cam* = krumm u. *rith* = Furt, haltbar ist, so wäre, sehr natürl., der 'Furt über den Cam' eine 'Brücke über den Cam' gefolgt. Ein Beispiel phantastischer Etym. ist Clelands Ansicht, als sei *C.* aus *Cantalbureich* = Burg einer Hauptschule zsgezogen, v. *cant* = Haupt, *al* = Schule, *bureich* = Flecken, u. als solcher habe der Ort schon Jahrhh. vor den Römern bestanden (Charnock, LEtym. 57). — Der Name *C.* findet sich mehrf. übtr., in Canada ein-, in der Union 12 mal (Ritters Geogr. Lex. 1, 263); der bekannteste dieser Orte ist *C.* in Massachusetts, 1631 als *Newtown* = Neustadt ggr. (Meyer's CLex. 4, 104 ff.), seit 1638 ebf. mit einer berühmten Universität, die, v. John Harvard ggr., die älteste u. bestdotirte Anstalt dieser Art in der Union ist. — *C. Gulf,* in De Witt's Ld., v. Capt.

Ph. P. King (Austr. 1, 306) am 29. Sept. 1819 benannt nach Georg's III. Sohn Adolf Friedrich, welcher, 1774 geb., 1794 Herzog v. C., 1816 Generalstatthalter (später Vicekönig) v. Hannover wurde u. 1850 †. — *Cape C.*, bei Boothia F., v. engl. Polarf. John Ross 1829/33 eingetragen, ozw. in gleichem Sinne.

Camden Bay, in Tasman's Ld., v. Capt. Ph. P. King (Austr. 2, 78) am 15. Aug. 1821 nach dem Marquis *C.* benannt. — Ebenso *C. Bay*, westl. v. MacKenzie R., v. Capt. John Franklin (Sec. Exp. 147) am 4. Aug. 1826.

Camel, Mount = Kamelberg, einh. *Houhora* (Meinicke, IStill. O. 1, 257), bei Sandy Bay, NSeeland, v. Cook am 11. Dec. 1769 so benannt (Hawk. Acc. 2, 373), ozw. nach der Form. — Ebenso *C.'s Hump* = Kamelbuckel: *a)* einer der charakteristisch gestalteten Uferberge des Jangtse Kiang unth. Shishow, v. der engl. Exp. 1861 getauft, wie ein zweiter *Ass Ears* = Eselohren, ein dritter *Boulder Hill* = Blockberg (Peterm., GMitth. 7, 414); *b)* der Culm der Green Ms., Vermont (Whitney, NPlaces 120). — *Kamelberg*, dän. Name des steilen Felsculms v. St. Jean der Jungfern In. (Oldend., GMiss. 1, 74).

Camenz s. Kamen.

Cameron Bays, 3 tiefe Buchten im Südwesten des L. Tanganyika, v. H. M. Stanley (Thr. Dark Cont. 351) im Juli 1876 getauft nach Commander Verney Lovett *C.* RN., 'the first to navigate the southern half of the lake'.

Camerun, engl. *Cameroon*, verd. aus port. *Rio dos Camarões* = Krabbenfluss, ein Aestuarium hinter Fernão do Pó, weit zum Ocean geöffnet, im Hintergrunde v. verschiedenen wasserreichen Flussrinnen gespeist, darunter der 'Krabbenfluss', ebf. mit Schlammboden, wo auf ihren Stelzen die Manglebäume wurzeln u. eine Fülle v. Fischen, Krabben u. a. Wasserthieren angesiedelt ist, einh. *Madiba ma Dualla* = Fluss der *D.* — so heissen die eingeb. Neger (Buchner, Kam. 4). Der europ. Flussname ist auf den gewaltigen, vulcan., 4190 m h. Gebirgsstock, das *C.* Gebirge, übtr., welches bis z. Höhe v. 2000 m mit Urwald bedeckt ist, so dass der Bergsteiger nur durch die picadura hinaufkommt u. 5 ᵈ dazu braucht, höher mit lavabedeckten Abhängen bis hinauf zu der mächtigen Schneehaube, welche den Gipfelkrater umgibt. Die Eingeb. gehen nicht hinauf, voll Scheu vor den Göttern, als deren Sitz sie den Berg betrachten u. *Maongo ma Lobah* = Götterberg nennen. Rich. Burton, Consul auf Fernão do Pó, hat in Begleitg. des deutschen Botanikers Mann 1862 den Berg erstiegen u. die beiden Spitzen des majestät. Doppelhorns als *Victoria-* u. *Albert-Peak* unterschieden — zu einer Zeit, wo ihm der Tod des Prinzgemahls noch unbekannt war (ZfAErdk. nf. 14, 231). — Ein span. Seitenstück ist der *Rio de los Camarones*, Patag., nach den kl. krebsartigen Garneelen, v. denen die Oberfläche weiss gefleckt erscheint; dabei die *Bahía de los Camarones* (Hakl., Pr. Nav. 3, 724).

Camisares s. Smith.

Camoscio s. Gemsistock.

Camotal, eine Untiefe bei Callao, nach den *camote* = Bataten, die einst, bevor die Strecke, 1630, 1687, in das Meer versank, hier nebst anderm Gemüse gepflanzt wurden (Tschudi, Peru 1, 45). — *Camotes*, Inselschwarm der Philippinen, zw. Çebu u. Leyte, v. bisayawort *camote* = Batata (Crawf., Dict. 81). — Auch in Mexico der ON. *Camotlan* = Ort der Bataten, in Nicaragua *Camoapa* = am Batatenwasser, v. azt. *camotli* = Batate (Buschmann, AON. 177). — Es scheint höchst beachtenswerth, dass diese ON., die allerdings sämmtl. im span. Colonialbesitz vorkommen, ausdrückl. aus verschiedenen Sprachen abgeleitet werden.

Camowen, ir. *Cam-abhainn* = gewundener Fluss, ein Fluss in Tyrone, Irl., der 'well deserves the name', wie mehrere andere krumme Flüsse des Landes *Cammoge, Commoge, Commock*, v. dim. *camóg*, heissen. Aehnl. ON. mehr (Joyce, Orig. Ir. NPl. 2, 421).

Campanile, Pizzo = Kirchthurm-Spitze, ital. Bergname der Val Mesocco (Leonhardi, Veltl. 184), v. *campanile* = Glockenträger, da die Kirchenglocke, *campana*, zuerst in Campanien f. den Gottesdienst gebraucht, auch nach dieser Ldsch. benannt wurde (Diez, Rom.WB. 1, 106). — Etwas Vorsicht in dieser letzten Behauptg. gebietet der Umstand, dass auch im ngr. *Kampanario*, τὸ *χαμπαναριὸ* = Glockenthurm, f. die Ruine eines antiken Wartthurms auf Siphnos (Ross, IReis. 1, 145), vorhanden ist.

Campbell Island, bei NSeeland, 1810 entdeckt v. Capt. Hazelburgh, Walfgr. Perseverance, welcher der Firma *C.* in Sydney gehörte (Krus., Mém. 1, 21 ff., Ross, SouthR. 1, 157, Peterm., GMitth. 18, 223), od. v. Capt. Walker (Horsburgh, Eastind. Dir. 2, 574) — mir weniger wahrsch., da schon Hazelburgh neben einem *North Harbour* einen *Perseverance*, j. gew. *South Harbour* hat, wohl id. mit *Isla Ramonsita* des span. Seef. Don José Tirado, der am 13. März 1813 seine Entdeckg. nach seiner Fregatte taufte. — *C. Isles*, im Esquimaux L., v. Capt. John Franklin's Gefährten Dr. Richardson, dem Befehlsh. der v. MacKenzie R. z. Kupferminenflusse beorderten Abth. der Exp., im Juli 1826 entdeckt u. nach dem Generalmajor *C.*, R. M., benannt (Franklin, Sec. Exp. 221). — Von Cook: *Cape C.*, in NSeeland, am 7. Febr. 1770 (Hawk., Acc. 2, 408) u. *Mount C.*, in Kerguelen I., am 30. Dec. 1776 (Cook-King, Pac. 1, 77), ozw. beide prsl. — *C. Bay* s. Hewitt. — *C.'s Crag*, Felsberg am Susquehannah, nach dem schott. Jäger *C.*, der v. Indianern verfolgt, dem ihm bevorstehenden Scalpiren dadurch entging, dass er sich v. der Höhe herabstürzte (Penns. Ill. 38 f.). — *C. Reef* s. Triste.

Campeche, einh. *Quimpech*, Stadt in Yucatan, v. Spanier Francisco Hernandez de Córduba 1517 entdeckt u. nach dem Kalenderheiligen *San Lázaro* benannt, doch nur auf kurze Zeit, da bald der einh. Name sich einbürgerte. Der Entdeckgstag wird auf 23. Febr. (Navarrete, Coll. 3, 54) od. auf

25. März, einen 2. Lazarustag, angegeben (ZfAErdk. nf. 15, 19). Eine mir aus Mexico mitgetheilte Deutg., v. *can* = König, Schlange, u. *pech* = Zecke, ist f. uns werthlos. **Campus** = Feld, Blachland, Ebene, Lager, ist aus dem lat. in die neurom. Sprachen u. viele ON. übgegangen, ital., span. u. port. *campo*, frz. *champ*; auch im engl. ist *camp* = Lager, so in *Camp Cove*, Bucht in Auckland Is., wo 1865 die Exp. Greig u. Norman, vollkommen geschützt, in 20—40 fath. Tiefe, v. hohen Bergen umschlossen ankerte (Peterm., GMitth. 18, 226). Die 6 bekanntesten Objecte dieser Wortfamilie, abgesehen v. den frz. Formen *Chanrion, Chamonix, Champagne* (s. d.), sind: *a) Campania* = Ebene, syn. dem osk. *Capua*, deren Münzen die Formen *ΚΑΠΠΑΝ, ΚΑΜΠΑΝΟ*, enthalten, f. die umliegende Ebene gebraucht (Plin., HNat. 18, 110 sq.), heute *Campagna felice* = glückliche Ebene, wg. ihrer Fruchtbk. Beide, Stadt u. Land, hatten früher andere Namen geführt; zZ. der etrusk. Obmacht, —800 ff., hiess erstere *Volturnum*, nach dem Flusse, an dem sie lag, u. der altgr. Landesname war *Ὀπική, Ὀπικία*, f. das Volk *Ὀπικοί* — Formen, denen lat. *Opscus* = Bauern, v. *operari* = das Land bebauen (Lechner, Lehrb. AG. 442 f.), im spätern Lat. *Oscus* entspricht; *b) Campfer*, Ort des Engadin, am *Ley da Campfér*, s. v. als *campus ferri* = Eisenfeld; denn in ältern Zeiten wurde da auf Eisen gegraben (Lechner P. Lang. 115); *c) Plan Campfér*, ital. *Piano di Campoferro* = Eisenfeld ist im Thal am Septimer, wo sich 'in der ganzen Gegend viel Eisen, sowie eisenhaltiges Wasser findet' (Lechner, Berg. 102); *d) Campione* s. Compadiels; *e) Campodolcino* = liebliches Feld, Ort 'in anmuthiger Lage' obh. Chiavenna (Leonhardi, Veltl. 193); *f) Campoux* = Lagerstadt, im Val de Joux, wo sich um 1550 Holzhauer aus den Nachbarorten Le Lieu u. L'Abbaie, anfängl. in Hütten aus geflochtenem Strauchwerk, lagerten (Gem. Schweiz 19, 2ᵇ, 36). 'En 1550 le territoire du Chenit n'était encore qu'un vallon désert transversé par l'Orbe, entrecoupé de bois et de marécages. Vers cette date, quelques familles de bûcherons sorties des communes voisines du Lieu et de l'Abbaye, s'établirent au bas du Chenit, dans des cabanes de branches entrelacées; se campement a donné son nom au hameau du *C.*, premier lieu habité de la commune' (Mart.-Crous., Dict. 137. 189). **Canada**, die grosse Entdeckg. des frz. Seef. J. Cartier 1535, verd. aus irok. *kanata* = Dorf, Stadt, was der Entdecker als Landesnamen auffasste (Nav. Cart., Par. 1545, Neudr. 1863, Forster, Nordf. 500 ff., Gesch. Reis. 3, 23, Hist. Col. Can. 1, 14, Ann. phil. chrét. Sept. 1869, I. A. Cuoq, Lex. Iroq. 10, 187, Iugem. Err. 103), wie es auch einen irok. ON. *Kanata-Konke*, alg. *Kete-otenang* = Altdorf gibt (Lex. Iroq. 10). Trotz dieser Zeugen hat es auch dem Namen *C.* nicht an phantastischen Auslegungen gefehlt: *a)* als ein urspr. *Kanaan*, das erst 'since its pretended discovery by J. Cartier' in der verd. Form *C.* aufgekommen sei (Daily

Witn. 22. Febr. 1870); *b)* aus *konata*, einem Worte, das der Entdecker angebl. häufig aus dem Munde der Bergindianer vernahm (Alb. Lacombe, Dict. Cris); *c)* als *kanata* = Fremde, wie die Franzosen z. Landg. eingeladen worden seien (s. Quebeck); *d)* v. port. *ca* = hier u. *nada* = nichts, denn so habe Cortereal ausgerufen, als er, in der Hoffng., ein Durchgang nach Indien zu finden, den St. Lorenz 1500 soweit hinaufgefahren sei, bis er die Fruchtlosigk. des Unternehmens einsah, u. diese Worte hätten 1534 die Indianer bei der Ankunft der Franzosen wiederholt, die dann den Ausruf als Landesnamen aufgefasst hätten; *e)* nach einem frz. Edelmann Mr. Cane; *f)* v. ind. *can* = Mündg. u. *ada* = Gegend, wohl auf die Mündg. des Stroms bezogen, aber durch Missverständniss auf das Land selbst angewandt (Charnock, LEtym. 58); *g)* als 'offene, sumpfige Weide' (Mod. E. Notes 3, 6). Von einer erst neuerlich (Transact. Com. Am. Phil. Soc. 1, 436 f.) aufgetauchten Etym. redet Cuoq (Lex. Iroq. 10), ohne sie anders denn als unhaltbar zu bezeichnen. Man sieht, die Köpfe, die nicht auf die Quellen gehen, sind um Missverständnisse nicht verlegen. Wie schon der in frz. Diensten stehende Florentiner Verazzani 1524 einen grossen Theil american. Küsten (Quackenb., USt. 53, Buckingh., Can. 169), so nannte auch Cartier seine Entdeckg. *la Nouvelle France* = das neue Frankreich (Buckingh., Can. 96, Anspach, NFdl. 37, Galvão, Desc. 193, Hakluyt, PNav. 3, 232), angebl. weil beide Länder in Fruchtbk., Polhöhe u. Klima übereinstimmen. So findet (Hakl., PNav. 3, 237 ff.) de Xantoigne, der Oberpilot Roberval's in seinem Bericht v. 1542: The extension of all these lands, vpon iust occasion is called *NF.*; for it is as good and as temperate as France, and in the same latitude; nur der Winter sei empfindl. kälter. — *Rivière de C.* s. St. Lawrence. — Ganz anders *Canadian River* (s. Canna).

Canal s. Channel.

Canarien, afr. Inselgruppe, röm. *Insulae Fortunatae* = glückliche Inseln (vgl. Elysium). Wohl möchte man den alten Namen auf das herrl. Klima u. den fruchtb. Boden beziehen; allein die Bezeichng. *Makaron Nesoi*, gr. Μακάρων νῆσοι, wie sie bei den ältern Griechen übl. war, verräth eine dem tyr. Stadtgotte Makar, Melkart, griech. Herakles geweihte Stätte u. dürften die 'glückl. Inseln' auf diese ältere Benenng. zkweisen (Kiepert, Lehrb. AG. 222). Der numid. König Juba II. sandte Schiffe hin, welche auf der einen Insel, *Canaria* = Hundeinsel, j. *Gran Canaria*, viele riesige Hunde trafen: 'multitudine canum ingentis magnitudinis' u. 2 ders. zkbrachten: ex quibus perducti sunt Jubae duo (Plin. HNat. 6, 202 ff., ZfAErdk. 1870, 8). Von der ant. 'Hundeinsel', die sonst auch *Planaria* = Flachinsel hiess, ist dann der Name, im plur., auf die Gruppe übgegangen, als die Spanier, spätestens 1402, dieselbe auffanden u. auch noch die gr. Thiere trafen (Bergh., Ann. 6, 319). Da die *C.* aus 7 grössern bewohnten (Lanzarote, Fuertaventura, Canaria, Tenerife, Gomera, Palma u. Hierro) nebst unbewohnten Eilanden bestehen, so werden jene auch *las Siete Islas* = 7 Inseln, die andern *Islas Menores* = die kleinern Inseln, *los Islotes* = die Inselchen, wohl auch *Desiertas* (= die verlassenen) od. *Despobladas* (= die unbewohnten) genannt. Unter diesen kleinen findet sich eine *Graciosa* (s. d.) u. eine *Isleta de Lobos* = Seewolfsinsel (ZfAErdk. nf. 10, 2). — *Grotta del Cane* = Hundsgrotte, in der Nähe des Sees v. Agnano, eine schon v. Plin.(HNat. 2, 208) beschriebene, 3 m l. u. h. Mofettenhöhle, in deren kohlensäurehaltiger Bodenluftschicht eingeführte Hunde Betäubungs- u. Zuckungsanfälle bekommen (Cannab., Hülfsb. 1, 480).

Canaval, Cap, an der arkt. Höfer I. (s. d.), durch die v. Baron Sterneck befehligte Hülfsexp. der Polarfahrt Weyprecht-Payer im Aug. 1872 getauft (Peterm., GMitth. 20 T. 16) nach dem Custos des naturhistor. Landesmuseums in Klagenfurt, einem um die wissenschaftl. Durchforschg. Kärntens verdienten Manne (GM. Prof. H. Höfers in Klagenfurt d. d. 17. Febr. 1876).

Cancrinskoi, Jegoro, russ. Platinwäsche des mittlern Urál', etwa 20 km v. Nischne Turinsk, benannt zu Ehren des Finanzministers Grafen Jegor (= Georg) Cancrin, der, v. deutscher Abkunft, die Staatsindustrie, auch in dem erzreichen Urál', während seiner 21 jähr. Verwaltg. mächtig förderte (Bär u. H., Beitr. 6, 180).

Candelaria = Lichtmess, ital. *candelaja*, frz. *chandeleur*, engl. *candlmas*, urspr. gefeiert als Fest des Kirchgangs od. der Reinigg., *purificationis Mariae*, z. Erinnerg., dass die heil. Jungfrau das Jesuskind dem Herrn im Tempel dargestellt u. sich damit dem (3. Mos. 12) vorgeschriebenen Reinigungsgesetze unterworfen habe, später mit Umzügen verbunden, die mit brennenden Kerzen geschahen u. den Tag z. festum *candelarum* od. *luminum* = Fest der Lichter, Lichtmesse gestalteten, insb. seit 494 Papst Gelasius damit die Lichtweihe od. die Einsegng. der Lichter verband. Nach dem Entdeckungstage sind getauft *a) Bajos de C.*, eine grosse, gefährl. Korallenbank in den Salomonen, mit einigen kleinen Eilanden, v. span. Seef. Mendaña zu Lichtmess 1568 (Viajes Quirós 3, 6; 1, 2, Fleurieu, Déc. 5) entdeckt, v. seinem Landsmann Maurelle 1781 *el Roncador* = der Schnarcher, nach dem ungestümen Wellenschlag, benannt (Krus., Mém. 1, 20. 182, Atl. OPac. 9, Meinicke, IStill. O. 1, 159); *b) Puerto de la C.*, am westl. Ausgang der Magalhães Str., v. span. Seef. Pedro Sarmiento benannt, der, am 11. Oct. 1579 v. Lima abgegangen, wohl zu Anfang Febr. 1580 hier erschien (ZfAErdk. 1876, 400); *c) Candlemas Isles* = Inseln der Lichtmess, bei Sandwich Ld., v. Cook (VSouth P. 2, 228) am Lichtmesstage 1775 entdeckt.

Candes s. Condat.

Candia s. Kreta.

Candidum s. Abiad.

Canebrake u. Canelas s. Canna.

Canna = Rohr, schon gr. *κάννη, κάνη* (vgl.

Kanah), in dem histor. UN. Apullens: *Κάννα* = Rohrheim, auch *Κάνναι, Κάννη*, röm. *Cannae*, j. *Canne* (Ptol. 3, 117, Pape-B.). Daher dann, weil das Rohr als Massstab diente, *κανών* = Vorschrift, Regel, Vorbild, Muster, ital. *canna*, span. *caña*, dim. *cañete*, port. *cana* od. *canna*, frz. *canne*, engl. *cane* = Rohr, *canebrake* = Rohrgebüsch, ferner unser Wort *kanone* = Schiessrohr, engl. *cannon*, dann dim. *canella*, *cannella*, span. *canela* = dünnes Rohr, auch f. die Röhrchen der Zimmtrinde, lat. *canalis* = Röhre, Rinne, woher neurom. *canal, canale*, engl. *channel* (s. d.), sämmtl. wie bekannt häufig in geogr. Namen, im span. *caño* = Canal, *cañada* = tiefe Schlucht, auch Röhricht, d. i. Ort voll Rohrgewächs, *cañaveral* = Gebüsch v. wildem Rohr, u. *cañón* = Röhre, auf Schluchten u. Engpässe übtragen (H. K. Brandes, Propr. 1861, wo viel nicht Zugehöriges eingemischt ist). Das classische Land dieser *cañones* ist zu beiden Seiten des Felsengebirges, wo die Flüsse oft durch erstaunl. enge u. tiefe Röhrenschluchten laufen. So der *Rio Cañada*, engl. in *Canadian River*, also scheinbar' Fluss v. Canada', umgeformt, ein rseitiger Zufluss des Arkansas, der 500 km weit eine tiefeingerissene Schlucht durchfliesst, mit so hohen, fast senkr. Steilwänden, dass er auf dieser ganzen Strecke nicht zu überschreiten ist (Glob. 1, 7). Vor allen aber ist der Rio Colorado wesentl. ein Cañonfluss (Wheeler, Geogr. Rep. 14). — *Cañon Butte*, hybr. Name eines Basaltkegels in Arizona (Peterm., GMitth. 20, 411), mit dem v. frz. Trappern verbreiteten Appellativ *butte*, welches zunächst f. mässige, rundl. Hügel, dann aber auch f. Berge jeder Form u. Höhe gebraucht wird (Whitney, NPl. 105). — *Cañete*, Ort in Chile, v. Don Pedro de Valdivia 1550/58 ggr. (Fitzroy, Adv.-B. 1, 268). — *Cabo del Cañaveral*, niedriger Landvorsprung an der Ostküste Florida's (Hakl., Pr. Nav. 3, 621). — *Canebrake Cañon*, eine Schlucht des untern Rio Colorado, in den Purple Hills, am 15. Jan. 1858 v. Capt. Ives (Rep. 48) nach dem die Ufer einfassenden Rohrgebüsch getauft: 'on either side was a border of canes'. — *Canelas* = Zimmtland, so nannten die Spanier aus der Zeit der conquista ein Waldland, das an der Ostseite der Anden u. im Gebiete des Napo (-Amazonas) gelegen, z. j. Ecuador gehört. Es wurde auf der denkw. Exp. Gonzalo Pizarro's 1540 erreicht; 'the fabled land of Oriental spices which had long captivated the imagination of the Conquerors . . . . They saw the trees bearing precious bark, spreading out into broad forests' (Prescott, C. Peru 2, 153. 155). Der erste Entdecker des Zimmtlandes war 1536 Capt. Gonzalez Diaz de Pineda (WHakl.S. 24, 3). Der Historiker der Exp. v. 1540, Garcilasso Inca de la Vega, erwähnt, der (zu den Laurineen gehörige) Baum habe lorbeerartige Blätter. — *Cannonball River* = Fluss der Kanonenkugeln, engl. Uebs. des franz. *le Boulet*, f. einen rseitg. Zufluss des Missuri, zw. Yellowstone u. Cheyenne. An seinen Ufern u. in den Uferwänden finden sich Mengen kugelrunder, grosser Steine (Lewis u. Cl., Trav. Miss. 81). Diese Kugeln, im Sandstein eingebettet, bedecken da, wo der Fels verwittert u. verfallen ist, den Boden massenhaft (Ludlow, Black H. 23 f.). — *Cannon-Shot Reach* = Uferstrecke der Kanonenkugeln, im Unterlaufe des MacKenzie R., wo die östl. Uferbänke aus hellgelbem Mergelschiefer bestehen u. sehr den bekannten Haufen v. Kanonenkugeln ähneln (Franklin, Sec. Exp. 24, App. 24 Ans.). Der Ausdruck 'the name of *CSR.* was, therefore, bestowed on it' lässt zweifelhaft, ob erst Franklin diesen Namen gegeben habe; doch möchte ich dies aus analogen Fällen annehmen.

Cannibalen. *Caniba* missverstand Columbus auf seiner Fahrt längs der Nordküste Hayti's, Dec. 1492, die ind. Begleiter, welche sich vor den menschenfressenden *Cariben* (s. d.) fürchteten, 'porque todas estas islas viven con gran miedo de los de *Caniba'* (Navarrete, Coll. 1, 86). Columbus deutete *Caniba* = Völker des Chan, so dass ihn dieser Irrthum v. der Nähe des Mongolenchans noch mehr in seinem Wahn bestärkte, in Ost-Asien angelangt zu sein. Der Name *Cannibalen* wurde auf die menschenfressenden Bewohner des trop. America, schliessl. auf die Anthropophagen übhpt. übtragen. — *Cannibal Lake* s. Windego.

Canning, Hafenort am Ganges, 1858 ggr. durch den ind. Vicekönig, den Grafen Charles John *C.*, welcher, geb. 1812, im März 1856 Generalgouv., 1858 Vicekönig v. Brit. Indien wurde u. 1862 in London †. Seine Schöpfg. ist seit 1871 verlassen (Glob. 4, 127, Lassen, Ind.A. 1, 160, Meyer's CLex. 4, 134 f.); *b) C. Island,* an der Ostküste Grönl., v. engl. Walfgr. W. Scoresby jun. (North. WF. 271) am 14. Aug. 1822 'nach einem der Staatssecretäre, einem vieljähr. Vertreter v. Liverpool' benannt; *c)* wohl ebenso, nach einem inzw. † Herrn *C.*, taufte John Franklin (Sec. Exp. 149) am 5. Aug. 1826 *C. River,* einen Zufluss des americ. Eismeers.

Cannstatt, besser *Canstadt,* Ort bei Stuttgart, wo der *Canbach* in den Neckar mündet, alt *Condistat,* dann *Canz-* u. *Canstat,* mag mit kelt. *condâte* = Mündg. zshängen (Förstem., Altd. NB. 416). Dazu bemerkt schon 1843 Alb. Schott (Progr. 35), dass die in den Metzer Jahrbüchern aufgeführte kelt. Form 'natürlich das einheimische Zeugniss, *Can-stat,* nicht umstosse; der Ort ist benannt nach dem *Canbache,* der bei *C.* in den Neckar fliesst u. früher wohl *Cana* hiess'. Ausweichend äussert sich Bacmeister (AWand. 56) betr. *Canbach* u. *Condistat,* dass 'bei *C.* sich mit dem Neckar so gut wie nichts vereinigt'.

Canoas, Rio de = Fluss der Kähne, ein atlant. Küstenfluss Mexico's, j. Panuco, wo die Exp. Juan de Grijalva 1518 v. ind. Piroguen tapfer angegriffen worden war: 'diez y seis canoas muy grandes llenas de Indios de guerra, con arcos, y flechas, y lanças, y vanse derechos al nauio mas pequeño ... y dandole una rociada de flechos ....' (Bern. Diaz, NEsp. c. 16). — *Canoeiros, os* = die Bootfahrer, port. Name eines Indianerstamms der Prov. Goyaz; denn in ganz leichten *ubás* pflegten

diese Wilden den Schiffer des Maranhão mit solcher Schlauheit zu überfallen, dass sie sich meist unbemerkt nähern u. ohne Verlust zkziehen konnten (Peterm., GMitth. 21, 384). — Mit der engl. Form *canoe* mehrf. *a) C. Creek* = Bach der Kähne, ein rseitiger Zufluss des Unterlaufs des Oregon, wo die Captt. Lewis u. Cl. (Trav. Miss. 376 f.) am 29. Oct. 1805 eine Menge ind. Canoes erblickten; *b) C. Island,* in dem v. Alex. MᶜKenzie (Voy. 442) befahrenen Zufluss der nordwest-americ. Küste, wo er ein neues Canoe bauen musste, um die Reise fortzusetzen; *c) C. Portage,* ein Trageplatz des Missisipi (Franklin, Narr. 178 ff.).

Cantabria, alter Landesname im nördl. Spanien, nach dem rauhen, kriegerischen Bergvolk der Cantabrer, einem iber. Stamm, der zw. den Asturern u. Basken sass. Nach ihnen das anliegende Meer *Mare Cantabricum* (s. Vizcaya) u. das *cantabrische Gebirge* (Meyer's CLex. 8, 952).

Cantagallo s. Chanteloup.

Canterbury, engl. Stadt, z. Römerzeit *Cantuaria,* auch *Durovernum,* v. brit. *dur-whern* = rascher Fluss, da der Stour hier 'with a swift current' vorbeifliesst (Camden-Gibson, Brit. 1, 265), zZ. die ags. Heptarchie die Hptstadt des Kgr. Kent (s. d.), schon brit. *Caerkent* = Stadt v. Kent, ags. *Cantwara-byrig* od. *-burghe* etc., s. v. a. Kenterburg (Charnock, LEtym. 59). — Uebtragen *C.,* Prov. in NSeel., 1849 (Meyer's CLex. 4, 140).

Cantium s. Kent.

Cañon s. Canna.

Cap, ital. *Capo,* span. u. port. *Cabo,* engl. *Cape,* f. Vorgebirge, wie *capitanus* (s. Capitän) aus lat. *caput* = Kopf, wohl f. sich schon Eigenname des Vorgebirgs der Guten Hoffnung (s. Esperança), wie holl. *Voorgebergte* lange Zeit in diesem Sinne verstanden wurde. Die port. Indienfahrer benutzten die Tafel Bay vorliegende Robbeninsel als Station u. versuchten nur einmal unter dem Vicekönig Fr. d'Almeida, auf dem Cap selbst sich mit Lebensmitteln zu versehen; der unglückl. Ausgang dieses Versuchs schreckte die Seeff. ab, bis die 1600 ggr. Holl.-Ostind. Co. die Seefahrten nach Indien eröffnete. Ihre Schiffe versahen sich hier mit Lebensmitteln u. hinterliessen hier, zu Handen heimkehrender Fahrzeuge, Schiffsnachrichten. Eine förml. Ansiedelg. datirt erst aus dem Jahre 1648, wo auf den Rath Johanns v. Riebeck 4 Schiffe mit Ansiedlern u. Geräthsen nach dem Cap entsandt wurden (Kolb, VGHoffn. 9 ff.). Ein Verzeichniss capländ. Gouverneurs enthält f. 1648 Joh. van Riebeck, 1670/75 Simon van der Stell, dann Adrian u. 1701 Wilhelm v. d. Stell, 1702/9 Ludw. v. Assenburg. Aus der ersten Anlage entstand dann die *Capstadt,* engl. *Capetown,* holl. *Goede Hoop* = gute Hoffnung, bei Kolb (VGHoffn. 201 ff.) *Stadt des Vorgebürges.* — *Capestang,* verständlicher in mod. Schreibg. *Cap E'tang,* Ort am Oberende, *caput,* eines der Strandseen des dép. Hérault, 862 *caput Stanio,* 990 *de capite Stagny,* 1527 *caput Stagnum* (Dict. top. Fr. 5, 33). — In ital. Form *Capo d'Istria,* Hafenort im österr. Littoral, v. den Venetianern,

als sie 1478 den Ort den Genuesen wieder ab-
nahmen, z. Hptst. Istriens gemacht, urspr. *Aegida*,
seit der Eroberg. durch Kaiser Justinian I. (im
6. Jahrh.) in *Justinopolis* umgetauft (Meyer's
CLex. 4, 147).

Capac-Mayu s. Apurimac.

Capel, Cape, bei Melville I., v. Parry (NWPass.
263), am 28. Aug. 1820 auf seinem Heimwege
v. Winter Hr. getauft 'out of respect to the Honourable capt. Thomas Bladen *C.*, of the Royal
Navy'.

Capella u. *chapelle*, in neurom. Sprachen f.
kleinere Kirchen, findet sich häufig in ON., so
allein fast 100 mal in der Hälfte der 18 dépp.
des Dict. top. Fr., abgesehen v. vielen andern,
die durch Beisätze differenzirt sind, wie *la Ch.
Royale*, 1070 *Regia-C.*, *C. Regalis*, 1384 *Ch.
Reale* (ib. 1, 39), od. *la Ch.-Saint-André*, 1173
villa *C. Sancti Andree* (ib. 6, 39). — *La Ch.*, im
dép. Moselle, wo 1505 der Graf Reinhart v. Zwei-
brücken-Bitsch eine Capelle erbaute (Dict. top.
Fr. 13, 49), auch im schweiz. C. Waadt 2 mal:
a) f. eines der 4 Quartiere der Berggemeinde Etivaz; *b)* f. einen Weiler v. Ober-Ormonds, auch
vers l'Eglise = bei der Kirche (Gem. Schweiz
19, 2ᵇ, 31. 71); der Ort 'prend son nom de la
chapelle de St. Théodule, aujourd'hui église pa-
roissiale' (Mart.-Crous., Dict. 161). — *C.*, Ort im
Engadin, nach einer Kirche, welche 'nunmehr
ganz in Verfall.' Hier stand im 16. Jahrh. noch,
abgesehen v. der Filiale des nahen Zuz, 'ein Haus
v. klosterähnl. Aussehen, das als Siechen- u.
Armenhaus dient ...' (Campell ed. Mohr 74). —
Capelle, engl. *Perforated Island* = die durchlöcherte Insel, vor der Einfahrt des chin. Hafens
Amoy, so durchbrochen, dass man durch die
Oeffnung sieht (Krus., Mém. 2, 244). — *Capellen-
berg*, Uferhöhe im Thal der Memel, nach einer
oben befindl. Grabcapelle (Thomas, Progr. 14). —
In der Form *Cappel* häufig ON. *a)* im C. Zürich,
wo das vorm. 1185 ggr. Kloster nach einer ältern
Capelle benannt war (Gem. Schwz. 1ᵃ, 390); *b)*
im C. St. Gallen, v. ähnl. Ableitg. Vgl. Frauenkappeln.

Capellen, Eiland van der, eine Insel in dem 1823
zuerst v. Europäern besuchten See Danao Malayu,
Borneo, 1⁰ 05′ NBr., nach dem damaligen Generalstatthalter in Java (Hertha 12, 310).

Capestang u. **Capetown** s. Cap.

Capiro = Mütze, span. Bergname bei Puerto
Belo. Die Spitze ist fast immerfort mit einer
finstern, dicken Wolkenhaube, *capiro*, *capillo*,
bedeckt, die dicker u. dunkler werdend sich
herabsenkt u. alsdann Sturm, hingegen gutes
Wetter anzeigt, wenn sie lichter wird u. aufsteigt (Barrow, R. u. Entd. 2, 31).

Capitans, Bay des, in Unalaschka, wo der russ.
Capt. Lewashew sich genöthigt sah, den Winter
1768/69 zuzubringen. Die Bucht, in welcher
das Schiff lag, nannte Adm. v. Krusenstern (Mém.
2, 89, Atl.OPac. 19) *Port Lewaschew*. — *El
Capitan*, span. Name einer grauen Granitmauer,
welche 1000 m h. aus der Sohle des Thales Yose-

miti fast conkrecht aufsteigt (Fortschr. 1880, 148),
'als Wächter in scheitelrechter Steilheit, bar jeder
Vegetation, ind. *To-to-cho-nula* = der grosse
Häuptling' (Gartenl. 1888, 362). — *Capitanata*,
ital. Ldsch. um Foggia, im 10. Jahrh. noch als
der letzte Rest byzantin. Eroberungen aus goth.
Zeit, verwaltet v. Καταπανός, d. i. dem in Bari
residirenden Statthalter des oström. Kaisers (Kiepert,
Lehrb. AG. 452).

Capitol, röm. *Capitolium*, mit *caput* = Kopf
zshängend, die hohe Felsburg Roms, welche, v.
Tarquinius Priscus um —600 ggr. u. v. seinem
Sohne Tarquinius Superbus vollendet wurde, ein
gewaltiger Bau, bestehend aus der Burg u. dem
herrl. Tempel, der den 3 etrusk. Hptgöttern Jupiter, Juno u. Minerva geweiht war. Vgl.
Aelia Capitolina s. Jerusalem. — In mod. Zeit
a) C., der Bundespalast zu Washington; *b) C.
Dome*, in den Dome Mountains, mit so senkr. u.
so regelmässig gerundeten Felswänden, dass man
aus der Ferne einen Thurm v. dem riesigsten
Umfange vor sich zu sehen glaubt (Möllh., Fels.
G. 1, 120).

Capivari, Rio do, port. Name mancher bras.
Flüsse nach dem am Wasser oft weilenden grossen
C., Wildschwein (Avé-L., SBras. 2, 135. 138).

Cappel s. Capella.

Capra = Ziege, lat. Stammwort des ital. *capra*,
span. u. port. *cabra*, frz. *chèvre*, gern in ON.,
insbes. f. kleinere, nur v. Ziegen bevölkerte Eilande *a) Capraja*, Insel bei Elba, röm. *Capraria*
u. dieses übsetzt aus *Aigilos*, gr. *Αἴγιλος* = Ziegeninsel (s. Aegina), wie denn auf die trocknen Felseiland neben Fischfang die Ziegenzucht noch
immer ein Hpterwerb ist (Nissen, Ital. LK. 367);
b) Caprera, die kahle Garibaldi-Insel, vor der
Strasse v. Bonifacio, früher die Heimat vieler
wilder Ziegen (Meyer's CLex. 4, 148); *c) Capri*,
Felsinsel bei Neapel, röm. *Capreae* (Tacit., Ann.
4, 67); *d) Caprara* s. Tremiti. — *Cape Capricorn*, in Queensl., unt. 23¹/₂⁰ SBr., d. i. unter
dem Wendekreis des Steinbocks, v. Cook am
25. Mai 1770 getauft (Hawk., Acc. 3, 119). —
Als arab. Parallele *Dschesîrât Hullânijah* =
Ziegeninsel, f. ein Küsteneiland nahe der Bay
Kuria Muria (Pauthier, MPolo 2, 671).

Capstan Island, in De Witt's Ld., v. Capt.
Ph. P. King (Austr. 1, 399) am 8. Sept. 1820 wg.
der sonderb. Gestalt eines Uferfelsens benannt,
also ganz wie *C. Rock*, in Gr. Riu Kiu, 1816 v.
Capt. B. Hall (Cor. XXII), weil der Fels aussieht
wie der Kopf einer Spille od. Schiffswinde.

Capua s. Campus.

Capudia s. Brachodes.

Carabela, bei San Tomás, Antillen, ein zweispitziger, v. Vogelmist weisser Inselfels, welcher
v. ferne einige Aehnlichk. mit einer 'Carabele'
(span. Fahrzeug) hat (Oldend., GMiss. 1, 45).

Carácas, Hptstadt Venezuela's, v. den Span.,
die sich schon 1500 auf der Insel Cubagua angesiedelt, erst 1567 ggr. in einer Gegend, wo die
Arbacos, Paracotos, Teques, Taramainas, Mere-
gotos, Tarmas, Mariches, Charagotos, Quiriquires

u., 'sobre tudo', die gefürchteten *C.*, kriegerische Nationen carib. Stammes, 30 Jahre lg. f. ihre Unabhängigk. kämpften, bis Fijardo 1555 die Gegend eroberte u. Diego de Losada den Ort als Stützpunkt span. Colonisation anlegte. Die wilden *C.* verbargen sich nun in die Bergwälder u. starben allm. aus (ARojas, Est. ind. 33 ff.). Vollst. hiess der Ort *Santiago de Leon de C.*, in Folge einer falschen Deutg. auch *Leopolis* = Löwenstadt (Raleigh, Disc. G. VII d. ep. ded.). Nach der Stadt *la Silla* (= der Sattel) *de C.*, weil der dichtbegraste Berg in 2 abgerundete, durch einen Sattel getrennte Gipfel gegliedert ist, die Schiffsmarke f. den Hafen La Guayra (Humb., VCord. 298).

Caracoles = Schnecken, span. Name eines Minendistricts im Litoral Nord-Chile's, nach den zahllosen Versteinerungen, mit welchen die Abhänge bedeckt sind (Peterm., GMitth. 22, 326).

Caragoude s. Carrara.

Caraiben s. Carib.

Carbon s. Charbonnière.

Cardona s. (New)Hebrides.

Care, Point = Sorgencap, Landspitze der Union, wo die Exp. Gosnold im Mai 1602 auf Untiefen gerieth u. kaum mehr hoffte, der Gefahr zu entgehen: 'a point of land, off which the waters were shoal, and they had great difficulty in extricating themselves from the danger' (Buckingh., East. & WSt. 1, 59).

Careening Bay, in De Witt's Ld., v. engl. Capt. Ph. P. King (Austr. 1, 415. 424 ff., Ans. 420) im Oct. 1820 so benannt, weil er genöthigt war, den Kutter Mermaid am Strande umzulegen u. zu kalfatern, *to careen.*

Carett Bay, in San Tomás, Antillen, v. den Dänen so benannt nach der dort vorkommenden ökon. wichtigen Carettschildkröte, Chelonia caretta (Oldend., GMiss. 1, 45 f.).

Car(e)y Isles, vor dem arkt. Smith Sd., am 8. Juli 1616 v. NWF. Baffin entdeckt u. benannt nach einem der Förderer seines Unternehmens, Mr. Allwin *C.*, der am 15. März 1615 mit Sir John Wostenholme an Bord des Expschiffes Discoverer erschien, als dass. z. Abfahrt gerüstet war (Forster, Nordf. 408, Rundall, Voy. NW. 106. 141). — Wohl dems. gelten *a) C.'s Swans Nest,* ein Küstenpunkt der Southampton I., v. Baffin's Vorgänger Thom. Button im Aug. 1612 entdeckt (Rundall 86, Forster, Nordf. 398); *b) C.'s Island,* in James Bay, v. Capt. Thom. James (1631/32) benannt 'in memory of that honourable gentleman, master Thom. *C.*, one of the bed-chamber of the king' (James, NWPass. 102). Ozw. fand sich an jenem Punkte ein Schwanennest. Hier gingen auch am 21. Juli 1631 einige Leute des Capt. Luke Fox auf die Schwanenjagd (Rundall 175), u. er 'jug viele Schwäne, v. denen man aber keine bekam' (Forster 418). Der Name des *Cape Southampton*, v. Button der Südwestspitze gegeben, ist seither auf die Insel übgegangen.

Cargenholm s. Jameson.

Cari s. Tupi.

Cariben, fälschl. *Caraiben*, v. *carib* = Held, so nannten sich, im Ggsatz zu den schüchternen, sanften Arowak,die vielstärkern, muthigenStämme, welche v. Festland aus sich üb. die Antillen verbreitet hatten (P. Martyr, Dec. 1 c. 1; 8 c. 6). Gefragt, woher ihre Voreltern abstammten, pflegten sie zu antworten: 'Ana cariná rote' = wir allein sind Leute — so stolz schauten sie auf den Rest der Völker als auf ihre Sclaven (Varnh., HBraz. 1, 103). Diese Stelle lässt vermuthen, als bezeichne *C.* einf. 'Leute', u. ich kann auch der Angabe Du Tertre's (HAnt. 2, 360 ff.), als sei das Volk nach seinem Stammvater *Calinago* genannt, nicht trauen. — Nach den *C. a) carib. Meer, b) Isla Carib* s. Rico, *c) Islas de Caribe* s. Antillen, *d) Caribania* s. Guayana.

Carioca, Bahia de, eine der Theilbuchten v. Rio de Janeiro, in den ersten Zeiten der port. Besiedelg. so genannt nach dem ind. *cary-oca* = Haus der Weissen, v. *oca* = Haus und *cary* = Weisser — dem Namen, mit welchem die Indianer die v. Martin Affonso 1531 erbaute Veste bezeichneten (Varnh., HBraz. 1, 252. 439. 486).

Carleton Island, ein canad. Grenzposten im obern St. Lorenz, benannt nach dem Gouv. Sir Guy *C.* (GForster, GReis. 3, 239. 245). — Ebf. prsl. *Point C.*, in Fox Ld., v. Capt. Luke Fox am 22. Sept. 1631 getauft (Rundall, VoyNW. 184).

Carlisle, engl. ON. *a)* in Cumberland, aus brit. *Caer Lyell* = Stadt am Wall, röm. übsetzt *Luguvallum*, bei Anton. einf. *ad Vallum* (Camden-Gibson, Brit. 2, 177); *b)* in Pennsylv., 1751 ggr. u. zugl. mit dem Landesnamen Cumberland (s. d.) übtragen. In der Nähe die Badort *C. Sulphur Springs* = Schwefelquellen (Meyer's CLex. 4, 166). — Wohl nach dem Staatsmann Fred. Howard, Grafen v. *C.*, der, geb. 1748, Schatzmeister des kön. Hauses, dann erster Commissar des Handels u. der Plantagen wurde, † 1825, *C. Harbour,* in Egmont's I., v. engl. Capt. Carteret am 17. Aug. 1767 benannt (Hawk., Acc. 1, 357). — *C. Head* s. Goodenough.

Carlo, die ital., wie *Carlos* die span. Form des deutschen Karl (s. d.) u. wie diese mehrf. in ON. *a) Archipel C. Alberto*, bei NGuinea, ein Schwarm v. Küsteninseln südl. v. McCluers G., v. ital. Reisenden Cora nach seinem König getauft (Meincke, IStill. O. 1, 88); *b) San C.,* Ort des Puschlav, dessen Kirche Carlo Borromeo geweiht ist:

Aino 1613
D. O. M.
A. C. D. Carolo.

(Aino heisst die Umgegend). 'In dem Namen ist ein wichtiges Stück der Kirchengeschichte dieses Thales enthalten. Es war Carls grosse Lebensaufgabe, die Reform zu verdrängen. In Misox u. Calanca, wo schon $^2/_5$ der Einwohner sich dem Lichte des Evang. zugekehrt hatten, ist ihm dies gelungen ... In Puschlav hatte jedoch der Protestantismus zu tiefe Wurzeln geschlagen, als dass er ausgerottet werden konnte. Es gehört blos zu Carl's Verdiensten, dass die evang. Mehrheit z.

Minderh. herabgesunken ist — genug, um in dankbarem Andenken der Katholiken dieses Thales fortzuleben' (Leonhardi, Posch. Th. 40). — *San. Carlos* s. José. — *Isla San Carlos a)* s. Douglas, *b)* s. Lord North.

Carlsen Insel, im Arch. Rönnbäck (s. Bastian), nach einem der um Erforschg. des Eismeers verdienten norweg. Capitäne benannt, wie *Qvale I., Mack I., Tobiesen I., Simonsen I., Nedrevaag I., Torkildsen I., Isaksen I.* (PM. 18, 106, Taf. 6). — *Cap C.* s. Tobiesen. Capt. Elling *C.* hatte 1863, wohl z. ersten mal übh., Spitzb. ganz umfahren; 1869 war er durch die Wajgatsch Str. in den 'Eiskeller' eingedrungen u., ohne Eis zu finden, bis in die Nähe des Ob gelangt; dann umfuhr er 1871 ganz NSemlja u. fand dabei Barents' Winterquartier (s. Ijshaven), aus welchem er einige Reliquien zkbrachte.

Carmarthen s. Blue.

Carmen s. Patagones.

Carmichael, Creek, ein Flussbett des innern Austr., im Sept. 1872 v. engl. Reisenden Ernst Giles entdeckt u. nach dem einen seiner Begleiter getauft (PM. 19, 185).

Carmin s. Borneo.

Carns Reef, im austr. Korallenmeer, auch *Midday Reef* = Mittagriff, entdeckt durch *C.*, den master des Schiffs Neptune, am 21. Juni 1818, wohl zu Mittag (King, Austr. 2, 384).

Carnac s. Carrara.

Carnarvon s. Owen.

Carnegie s. Seaforth.

Carnetum s. Charles.

Carnot Bay, in Tasman's Ld., 'so named after the celebrated french consul and engineer' (Stokes, Disc. 1, 86), wohl in Anlehng. an die dort. *Ile C.* (s. Cape Baskerville). Ob nach ders. Person? — *Cap C.* s. Liguanea.

Carole s. Carrara.

Carolina, in frz. u. engl. Form *Caroline*, fem. v. Mannsnamen Karl, Carolus, mehrf. in ON., insb. *a)* die beiden Unionsstaaten d. N., wo schon 1562 frz. Protestanten, mit 2 Schiffen, am Albemarle Sd. erschienen u. der Capt. René Laudonnière, unweit der Mündg. des R. May 1564 ein Fort *C.*, nach dem frz. König Karl IX. benannt, erbaute (Carte des Corn. a Judaeis 1593, Hakluyt, PNav. 3, 325), während das Land selbst *Floride Française* hiess. Erfolgreich war erst die engl. Besiedlg. Die erste Verleihg., um 1630, durch Karl I. f. einen Landstrich südl. v. der Chesapeak Bay an Sir Rob. Heath ertheilt, wobei der König das Land *Carolana* taufte, wurde zwar infolge Nichtbenutzg. verwirkt; dann aber verlieh 1663 Karl II. die Gegend wieder u. zwar unter dem j. Namen *C.* (Staples, St. Union 10). Später zerfiel die Colonie in *North* u. *South C.*, u. beide betheiligten sich bei der Unabhängigkeitserklärg. v. 4. Juli 1776 (Buckingh., Slave St. 1, 11; 2, 216, Quackb., USt. 118 f.). Aelter sind die beiden span. Landesnamen *Chicora, Chicoria, Checere*, nach einem ind. Fürsten, u. *Tierra de Ayllon*, nach dem span. Seef. Vasquez Ayllon, welcher

die Küste 1520/26 berührte (ZfAErdk. nf. 3, 67), jener nur Provinzialname, um *St. Helens*, also im j. Georgia. 'It appears by a passage in Garcilaso de la Vega (Flor. 3 f.), that Lucas Vasquez de Ayllon and six others, filled out two vessels in San Domingo, about the year 1520, and sailed to the coast of Florida, for the purpose of obtaining Indians to work in their gold mines. The ships are driven by bad weather to a cape, which they named *St. Elena*, because it was on that saints day that they arrived there, and into a river which they called *Jordan*, because the seaman who first saw it, so named it. The *J.* is, most probably, the *Broad River* (= breiter Fluss) in South *C.*, as we find from Cardenas, Ensayo Cron. pp. 4 f. that the province of *Chicora*, in which the *Jordan* is said to be situated, was afterwards called *St. Elena:* 'el reino de *Chicora* que despues se llamô *Santa Elena*' (WHakl. S. 7, 108 ff. 114, Rye, 'Flor. XIV f., Spr. u. F., Beitr. 4, 177); *b) C.*, eine der *Islas Carolinas*, Mikronesien, einh. Yap, wahrsch. v. holl. Admiral Schapenham 1625 entdeckt, v. span. Adm. Lazeano 1686 nach Karl II. getauft, u. erst nach ihr wurde der Name, natürl. im plur., auf die ganze Flur ausgedehnt. Diese selbst, 1528 v. Spanier Saavedra entdeckt, hatte, wenigstens theilw. (s. Marshall Is.), zunächst *Islas de los Barbudos* (s. d.) geheissen, weil die freundl. Polynesièr ihm als bärtiger Menschenschlag auffielen (Navarrete, Coll. 5, 125). Als dann Villalobos (1542) span. Ansiedler auf die Philippinen versetzen sollte, verwechselte er die j. 'Carolinen' mit der j. Marshalls Arch. u. nannte sie ebf. *los Jardines* = die Gärten; auch *Nuevas Filipinas*, wie der Jesuit Serrano 1705 vorschlug, erfreute sich des Beifalls nicht (Krus. Mém. 2, 320, Meinicke, IStill. O. 2, 344). Sonst hiessen sie auch *St. Barnabae*, weil sie an diesem Festtage entdeckt wurden (Debrosses, HNav. 352). — *Islas Carolinas* s. California. — *Carolina*, eine der schwäb. Colonien, ggr. 1769 unter Karl III. in der andalus. Prov. Jaen (Meyer's CLex. 4, 175). — *Baie C.*, die Spitze des 'Golfe Joséphine' = St. Vincents G., v. d. frz. Exp. Baudin im Jan. 1803, wie die meisten übr. Punkte der Gegend, nach einem der weibl. Glieder der Familie Bonaparte benannt, näml. nach der jüngsten Schwester Napoleon's I. (Péron, TA. 2, 74), wie im Febr. 1803 *Ile C.*, im Nuyts' Arch. (ib. 2, 89. 92). — *C. Island*, ein niedriges, unbewohntes Korallengebilde, im Westen der Marquezas, v. engl. Lieut. Broughton am 10. Dec. 1795 entdeckt u. nach einer Tochter des dam. ersten Lords der Admiralität getauft (Bennett, Narr. 1, 365), bei dem Walfgr. Thornton 1820 *Thornton Island*, auf Carten auch *Hiwapotto* = kl. Hiwa, nach einer den Tahitiern bekannten Marquezasinsel, deren Namen man willkürl. auf sie übtragen hat (Meinicke, IStill. O. 2, 259, 433). — *Carolopolis* s. Compiègne.

Carouge s. Carrara.

Carp = Karpfen, zool. Cyprinus sp., mehrf. in engl. ON. *a) C. Island*, im Missuri, an der

Mündg. des Warreconne (s. d.), benannt v. einem Reisenden Evans, welcher vor der Exp. Lewis u. Cl. (Trav. 81) hier war; *b)* C. *Lake*, 2 Seen des Yellowknife R., *Upper* (= oberer) u. *Lower* (= unterer) C. *Lake*, u. danach 2 Trageplätze, *First* (= erster) u. *Second* (= zweiter) C. *Portage*. Dem Capt. John Franklin (Narr. 212 ff.) hatte auf seiner Reise z. Kupferminenflusse (1820) der Führer die beiden See'n als fischreich bezeichnet; sie sollten der hungerleidenden Mannschaft Nahrg. bieten. Nach einem wenig lohnenden Versuche füllten sich die Netze mit so viel Karpfen, Forellen u. Weissfischen, dass den Leuten 2 mal tüchtig vorgesetzt werden konnte: 'two hearty meals, and the men having recovered their fatigue, we proceeded on our journey ...'; *c)* C. *Portage*, ein Trageplatz im Netz des Pine Island Lake (Franklin, Narr. 178 ff. Carte).

Carpentaria, Land u. Golf Nord-Austr., v. holl. Schiffe Duyfhen (s. d.), das v. den Molukken um NGuinea herumging u. dabei die noch unbekannte Torres Str. verfehlte, die Küste bis $13^3/_4{}^0$ SBr., *Cap Keer weer* = kehr' um, verfolgte u. zu der irrigen Ansicht gelangte, als hänge NGuinea mit dem Continent zs., im März (?) 1606 entdeckt ...' Thus, without being conscious of it, the commander of the Duyfhen made the first authenticated discovery of any part of the great *South Land* ...' (Flinders, TA. 1, VIII), benannt jedoch erst 1644 v. Tasman nach dem holl. Capt. Pieter Carpenter, welcher 1623/28 Generalstatthalter der ind. Co. war (ZfAErdk. nf. 11, 16) u. als ihr Präsident in Amsterdam 1659 †, nicht aber, wie oft (seit Bougv., Voy. 14) wiederholt worden, die Küste selbst untersucht hat (WHakl. S. 25, CIII, Debrosses, HNav. 259, Flinders, TA. 1, XLVI). Die Exp. v. 1606 hat 'den uytersten hoeck van 't ontdecte lant met den naem van *Caep Ceer-weer* in haer caerte bekent gemaeckt' (Tasman's Journ. 23). Flinders (2, 129) fand am 10. Nov. 1802 das *Cap* nur als schwachen Vorsprung; immerhin 'from respect to antiquity, the Dutch name is there preserved'. — *Rivier Carpantier*, an der Ostseite des Golfs, auf Tasmans Curs v. 1644 gelegen, hat offb. dieselbe Beziehg. (Carte zu Tasmans Journ.). — *Carpenter Tiefe* s. Tuscarora.

Carrara, ital. Ort, der schon als *Luna*, in der Kaiserzeit, den f. röm. Bauten u. Sculpturen benutzten reinsten weissen Marmor, Lapis Lunensis, lieferte, wird übereinstimmend als 'Steinbruch' erklärt. v. kelt. *kaer, ker, cair(e)* = Stein, Fels, wie auch frz. *carrière* = Steinbruch (Houzé, Et. XL. 28 ff., Kiepert, Lehrb.AG. 406). — Ebenso *Carnac* = pierraie, Morbihan, in einer Gegend, wo jene erstaunl. Sammlg. v. 5000 Steinen, in 11 Reihen angeordnet, einen Raum v. 2 Stunden einnimmt, ferner *Quercize* = behauener Stein (Côte-d'Or), entspr. *Pierre-Scize*, dem alten Schloss der Erzbischöfe v. Lyon, u. *Pera Tallada* (Gerona). Als 'Spitzfels' führt Houzé auf: *Caragoude, Queriqut*, als 'Weissfels' *Caralp* u. *Queralps*, als 'Hochfels' *Cheraute* u. *Queralt*, als Schwarzfels *Caramaurel*, als 'durchbohrter Fels'

Querforada etc. Im dép. Hautes-Alpes gibt es 6 *le Queyras*, 2 *la Queyra*, 2 *la Queyrage*, 2 les *Queyrasses*, le *Queyran* etc. (Dict. top. Fr. 19, 124). Auch *Carouge, Carrouge(s), Queiruga, Cayrol(s), Car(r)ole, Carolles, Charolles* u. a. stehen damit in Verbindg. (s. Crau). — Zahlr. ON. dieser Art in Irland: *Carrick*, am Oberlauf des Shannon, Irl., gehört mit 70 andern unter die mit ir. *carraig, carraic* (spr. carrig. carrick) = Fels, hoher Fels, gebildeten Formen, wie die Nebenform *craig, creag*, in etwa 250 ON. enthalten ist. Wir erwähnen ausser *Carrick* u. *Carrickfin* (s. Finn), eine Insel des Shannon, *Carrigafoyle*, ir. *Carraig-an-phoill* = Fels des Lochs, nahe einem tiefen Loch, welches unmittelbar unter dem Castell im Flussbette sich befand, ferner *Ballynagarrick*. ir. *Baile-na-gcarraig* = Felsenstadt, in Down, *Carrigallen*, ir. *Carraigáluinn* = schöner Fels, in Leitrim, nach dem hohen Fels, auf welchem die urspr. Kirche gebaut war, *Inishargy*, 1306 *Inyscaryi*. ir. *Iniscarraige* = Felseninsel, in Down, wo auf erhöhtem Punkt, v. Sümpfen umgeben, die alte Kirche stand (Joyce, Orig. Ir.NPl. 1, 410).

Carrhae s. Gerra.

Carrickduff s. Dub.

Carrickfinn s. Finn.

Carricurrina = Goldland, v. *carucuri, carucuru* = Gold, sowohl in taman. als carib. Dial., Name f. einen Theil der Sierra Parime, am untern Orinoco, wie er bei Raleigh (Disc. G. 100) vorkommt.

Carrington's Island, im Yellowstone L., v. Geol. J. V. Hayden (Prel. Rep. 130, Carte 100) getauft 1871 nach einem Mitglied der Exp. dem Zool. Campbel C., der mit dem Künstler Henry W. Elliott zuerst, in der Barke Anna, den See befuhr.

Carrizal s. Totoral.

Carroll's Creek, ein kleiner Nebenfluss des Rio Colorado, v. der Exp. des Capt. Ives (Rep. 53) im Jan. 1858 getauft nach seinem Begleiter, Mr. C., dem Maschinisten des Explorer.

Carson City, Hptstadt v. Nevada, 1856 ggr. u., wie C. *River*, benannt nach Christopher C., dem 1809 geb. Agenten, der schon Gefährte Fremonts gewesen war, 1847 z. Indianeragenten in NMexico, dann z. General ernannt wurde u. 1868 in Colorado † (Meyer's CLex. 4, 183).

Cartagena, Hafenstadt v. Murcia, die älteste der Namenstöchter Karthago's, ist mit den andern unter C einzureihen, während *Cap Carthage* unmittelbar der Mutter-Anlage (s. Karthago) angeschlossen ist. Das span. C. ist v. karthag. Feldherrn Hasdrubal —242 ggr. Schon sein Schwäher u. Amtsvorgänger Hamilkar Barkas hatte f. die neue Hptstadt der Prov. eine noch unbebaute. nur f. eine Seemacht sich eignende Stelle, an ödem, wasserlosem Felsstrande, aber ausgezeichnet durch ein geräumiges natürl. Hafenbecken, gewählt. Lange blieb die Anlage. mit der Mutterstadt *Karthahadascha* = der neuen Stadt gleichnamig, ein pun. Hptwaffenplatz; sie galt als uneinnehmbar u. fiel erst. als Scipio. nach Vernichtg. der karthag.

Flotte, sie auch v. der Seeseite einschloss u. durch Hunger z. Uebergabe zwang. Für die fremden Sprachen wurde *neu* dem Namen nochmals vorgesetzt: gr. *ἡ νέα Καρχηδών*, röm. *Nova Carthago*, od. man sagte *ἡ ἐν Ἰβηρίᾳ Καρχηδών*; die Araber brauchten die Form *Kartâdschina*, der neuspan. *C.*, j. gew. *Cartajena*, entspricht. Ein anderer alter Beiname war *Carthago Spartaria*, v. dem *Campus Spartarius* = Espartofeld, d. i. dem sandigen Weichbild, welches nichts als Pfriemgras, das nützl. *spartum*, *esparto*, hervorbringt (Liv. 26, 47; Plin., HNat. 3, 19; Movers, Phön. 2ᵇ, 635; Kiepert, Lehrb. AG. 490 f.); *b) Cartagena de las Indias*, in Columbia, v. Span. Pedro de Heredia 1533 ggr. auf der Stelle eines ind. *Caramaró* (LCasas, Obr. 1, 223) od. *Calamar* (Meyer's CLex. 4, 185 f., WHakl. S. 33, 33), od. *Calamari* = Krabbenort, ᾽por los muchos que alli habia᾽ (Viajes Quirós 3, 8), getauft v. Rodrigo Bastides, weil der Hafen dem span. Orte d. N. ähnl. war (WHakl. S. 23, 308), u. letzteres Motiv waltet bei Garc. de la Vega (Com. Real 1, 7) vor. Beide Angaben sind, trotz des scheinb. Widerspruches, vereinbar: Bastides, 1502, ist der Entdecker, der die schöne Hafenbucht taufte, u. 31 J. später legte Heredia die Stadt an (Barrow, R.u.Entd. 2, 3 f.). In ihrer Blüthezeit war sie ein glänzender Ort, wohlgebaut, mit geraden, breiten, gut gepflasterten Strassen, imposant durch die Menge der Kirchen u. Klöster, ein wichtiger u. reicher Handelsplatz, begünstigt durch den Umfang u. die Sicherheit der Hafenbucht, Ausgangspunkt der südamerican. Silberflotten, Sitz des span. Statthalters u. hatte den schönen Beinamen *la Reyna de las Indias* — die Königin Indiens. Der Verfall datirt v. den wiederholten Eroberungen, Plünderungen u. Brandschatzungen, welche frz. Freibeuter (1544 u. 1597), sowie Fr. Drake, ᾽der Verheerer der neuen Eroberungen᾽ (1572ff.), üb. den Ort brachten (Barrow, REntd. 4 ff.). — *Cartago*, durch Span. 2mal in America übtragen: *a)* Ort in Costa Rica, 1522 ggr., das Land selbst auch etwa *Cartago la Nueva* (= das neue) genannt (Meyer's CLex. 4, 186. 768); *b)* Ort am Rio Cauca, v. Conquistador Jorge Robledo 1540 ggr. u. so getauft, weil fast alle seine Begleiter v. Cartagena gekommen waren (WHakl.S.21,111; XXXIII, 92).

Carteret, Philipp, engl. Seef., der an den v. Georg III. ausgesandten Expp., Byron 1764/66, Wallis 1766/69 u. Cook 1768/71, näml. als Begleiter der 2. dieser Unternehmungen theilnahm, im Schiffe Swallow, mit diesem jedoch in der Magalhäes Str. zkblieb, dann allein den Pacific durchschiffte, Pitcairn, die Paumotu, Santa Cruz, NBritania, die Admiralitäts In. besuchte u. üb. die Philippinen nach England zkkam. Nach ihm sind getauft *a) C.'s Island*, eine der Salomonen, neben Malayta, ᾽augenscheinlich᾽ ein Stück v. Shortlands New Georgia od. Surville's Arsacide (Spr. u. F., NBeitr. III. p. 228), ᾽lofty and of a stately appearance᾽, v. *C.* am 21. Aug. 1767 benannt (Hawk., Acc. 1, 365); *b) C. Point*, in Egmonts I., kurz zuvor, am 17. Aug., getauft (Hawk.,

Acc. 1, 359), bald nachher, 7.—9. Sept., *c) C. Harbour*, in Neu Irland u. dabei *d) C.'s Point* (ib. 368. 373, Carte); *e) Cape C.* s. Cook's Pyramid; *f) C.'s Reef* s. St. Helen's Shoal; *g) C. Strait* s. Cape St. George.

Cartier, Jacques, der frz. Seef., welcher, geb. 1494, dreimal, 1534, 1535 u. 1541 die Gegenden des St. Lorenz Str. besuchte u. damit die Erwerbg. Neu Frankreichs begründete, mehrf. in ON. *a) Port de Jacques C.*, eine gute Hafenbucht an der Strasse Belle Isle, j. *Shecatica*, v. ihm selbst im Juni 1534 entdeckt, ᾽which I take one of the best in all the world, and therefore we named it . . .᾽ (M. u. R., Voy. Cart. 11, Avezac, Nav. Cart. XI, Hakl., Pr. Nav. 3, 203); *b) Rivière C.* s. Croix. — Anders *C. Island*, eine der Sandbänke zw. Tasman's Ld. u. den Sunda In., 1800 v. dem Schiffe Cartier auf der Ueberfahrt Amboina-England gesehen (King, Austr. 2, 389). Auch Krusenst. (Mém. 1, 55) schlägt den Namen *Ecueil C.* vor u. hält die Stelle f. wahrsch. id. mit dem 1688 v. Dampier entdeckten *Dampier's Reef* u. dem an Bord der Freg. Volcano v. Capt. Heywood gesehenen *Scott's Reef*.

Cary-yó s. Ubira.

Casa = Haus, ital. u. rätor. mit mehrern Derivaten wie *Casaccia* = grosses od. schlechtes Haus, als Eigenname *a)* im Bergell, urk. 1160 *Cassache*, 1222 *Casenasce*, wohl bezogen auf den alten festen Thurm; *b)* im Tessin (Lechner, Berg. 99, Sererhard, Del. 50). Häufig ist rätor. *casa* in *ca* verkürzt, so in den ON. *a) Gaschurn* = Oberhaus, mit *sura* = ober, Montavon, v. einem Gebäude, welches links üb. dem Thalwege gestanden (Bergm., Vorarlb. 84); *b) Gamprez*, s. v. a. *ca en* (em) *prez* = Haus auf der Wiese; *c) Gamplatsch*, s. v. a. *ca en plats* = Haus auf der Platte (Bergm., Wals. 17); *d) Gaschür*, der obere Theil v. Ragaz, bis 1762 durch die Tamina abgetheilt (Egger, Urk. AS. XXXIII). — *Casas Grandes* s. Piedras.

Casamansa, auch *Casamanze*, der Negername eines jens. des Gambia mündenden westafr. Flusses, nach einem Fürsten gl. N., ᾽der ungefähr 30 Meilen den Fluss hinauf wohne᾽. So erfuhr 1455 die port. Exp. des Venetianers Cadamosto (Spr. u. F., Beitr. 11, 180).

Casan-linne s. Linn.

Cascade, Baie de la, in Feuerl., v. frz. Seef. Bougainville (Voy. 149) so benannt, weil in deren Hintergrunde ein bemerkenswerther, 20 m h. Wasserfall herabstürzt; *b) C. Cove*, in Dusky Bay, NSeeland, v. Cook (VSouthP. 1, 77) am 12. Apr. 1773 benannt nach einem Wasserfall, welcher am Ende der Bucht sich in das Meer stürzt; *c) C. Creek*, ein Zufluss des Yellowstone R., nach seinem hübschen Fall; ᾽just before it enters the Y., it flowes over a series of ridges and breccia, making one of the most beautiful cascades in this region; hence the name of this little stream᾽ (Hayden, Prel. R. 82); *d) C. Inlet*, ein Fjord der austr. Auckland I., v. der engl. Exp. Greig-Baker 1865 so benannt, weil zahllose Cascaden jeder Art üb. den steilen Abhang herabstürzen (Peterm., GMitth. 18, 225). — *C. Point*, in Austr. 2mal: *a)* an der Südinsel NSeelands, ein hohes rothes Felsencap, üb. dessen Wände, je nach Regen, Wasserfälle herabstürzen (Meinicke, IStill. O. 1, 292), v. Cook am 16. März 1770 (Hawk., Acc. 3, 22); *b)* in NGuinea, v. d. engl. Exp. MᶜFarlane u. Stone zu Ende Aug. 1876 so getauft, weil hier ein Nebenfluss mit kleinem Wasserfall in den Mai-Kassa mündet (Peterm., GMitth. 18, 89). — *C. Portage*, ebf. 2f.: *a)* im Yellow Knife R., *b)* im Clearwater R., beide mal, weil ein Wasserfall die Schifffahrt unterbricht (Franklin, Narr. 188, Carte, u. 212 ff.). — *C. Range*, das Küstengebirge Oregons u. Washingtons, benannt nach dem Durchbruche, wo der Oregon durch eine Reihe Stromschnellen 8 km weit unschiffbar ist, während ̇er abwärts bis z. Meere, auf 220 km, u. aufwärts bis zu den Dalles, auf 70 km Länge, eine Fahrbahn bildet (BdCGLandAmts 68); an den Fällen *C. City* (Meyer's CLex. 4, 687. — *C. Rapids*, eine Reihe v. Cascaden in den Schluchten des Rio Colorado, wo Lieut. Wheeler (Geogr. Rep. 163) am 9. Oct. 1871 bis Mittag 9, vor Sonnenuntergang 15 solcher Schwellen passirte u. besonders schwierig fand. — *C. Reach*, eine Seegasse Feuerlands, wo v. einem enormen Gletscher herab viele prächtige Wasserfälle ins Meer stürzen, eine Ausstattg., die auf gl. Raume wohl nirgends in dieser Zahl u. Höhe wiederkehrt, also dass Fitzroy (Adv.-Beagle 1, 51) auf einer Länge v. 15 km ihrer üb. 150 zählte, je 400—600 m h., u. diese der Hafenbuchten *Port Waterfall* taufte. — *C. River* s. Catarakt.

Casco, Bay of = Reiherbucht, zweispr. Name in Maine, Am., nach dem dort häufigen Wasservogel, ind. *C.* (Buckingh., East. & WSt. 1, 194).

Casino s. Montecasino.

Casnat s. Quercus.

Casoars, Ravine des, eine 'Schlucht' v. Känguruh I., v. der frz. Exp. Baudin am 3. Jan. 1803 nach der Menge jener Vögel benannt (Péron, TA. 2, 59).

Cass Lake, einer der obersten Seen des Missisipi, nach dem americ. General *C.*, welcher 1820 die Gegend untersuch'e (Sommer, Taschb. 14, XXXII), ozw. jenem Gouv. des einst. Territoriums Michigan, der das Land zu beruhigen u. der Bundesrepublik mehr als ̇3 Mill. Acres Landes zu erwerben wusste — früher *Upper* (= ober) *Red Cedar Lake*, v. der Rothceder, die dort häufig . . . *our way, on which red cedar is found, from which the lake takes its name* (Coll. MHS. 1, 162. 168). — Offb. nach dems. Landsmann taufte 1853 Kane die *Bay of Lewis C.*, nördl. v. Humboldt Gl. (Arct. Expl. I. Carte). — Dagegen *C. River*, in NSeeland, v. Jul. Haast 1861 benannt nach dem chef-surveyor v. Canterbury (Hochstetter, NSeel. 346).

Cassard, Pointe = Brecherspitze, in Hunter's Is., v. Lieut. L. Freycinet, Exp. Baudin, im Dec. 1802 so benannt, weil die an Inselfelsen sich

brechenden Wogen ein schreckl. Schauspiel gewähren (Péron, TA. 2, 22).

Cassel od. *Kassel*, ON. aus röm. *castellum* = Burg entstanden u. mit dem Beisatz des betr. Volksstamms unterschieden, insb. *a)* in Gallia Belgica, *Castellum Menapiorum* (Tac., Hist. 4, 28), bei den Menapiern, urk. 913 *Chasalla*, *Chasella* (Daniel, Hdb.Geogr. 4, 448), j. *Kessel* an der Maas, zw. Venlo u. Roermonde; *b)* im dép. du Nord, auf *Montcassel*, *Castellum Morinorum* (Plin., HNat. 4, 106), bei den belg. Morinern (Meyer's CLex. 4, 198). Für das hess. *C.* folgen wir, wie Kiepert (Lehrb.AG. 527), der Ansicht J. Grimms; aber sie ist nicht unbestritten. F. Nebelthau (Zeitschr. V.hess.Gesch. NF. 2, 252) meint: In Bezug auf die rhein. Orte d. ̇N. ist unstreitig Grimms Frage wohl begründet; bei unserm niederhess. Orte aber fehlt dazu jede geschichtl. Veranlassg. Er gibt ferner als urk. Formen *Casella* 1052, *Cassele* 1152, u. daraus construirt er *Cas-sali*, mit dem PN. *Chad* u. *sali*, *seli* = Herrenhaus. Auch A. Duncker (Sybelshist.Zeitschr. NF. 12, 97 ff.) erklärt sich gg. röm. *castellum*, u. daraufhin wird (Zeitschr. f. Schulgeogr. 8, 319f.) rundweg, aber ohne Nachweis, behauptet: 'K. ist ein deutscher Name u. hat mit *castellum* ganz u. gar nichts zu thun'. Man sieht hier, dass der Correspondent persönlich f. die Orth. mit *K* ist; er bemerkt jedoch, auch *C* sei amtlich, *K* aber amtlicher.

Cassini, Cap, bei der Känguruh I., v. der frz. Exp. Baudin am 5. Jan. 1803 getauft nach einem Gliede dieser um Astronomie u. Geographie verdienten Familie (Péron, TA. 2, 59), wie schon am 14. April 1801 *Ile C.*, in den Is. de l'Institut (ib. 1, 116; 2, 211, Freycinet, Atl. 27).

Cassino, Monte, auch *M. Casino*, ital. Name eines Bergklosters, zu diesen Füssen, am Flusse Rapido, die Stadt *C.*, alt *Casinum*, j. auch *etwa San Germano* (Meyer's CLex. 11, 699f.).

Castanea = Kastanienbaum, wie schon gr. τὸ Καστάνιον, ital. *castagno*, span. *castaño*, noch selten in roman. ON., in der Form *chesnut* (s. d.) auch ins Engl., übgegangen wie *Castasegna*, f. das unterste Dorf des Bergell, das 'im Schatten der Kastanienbäume gelegen, diesen seinen Namen verdankt' (Lechner, Berg. 137),'od. *Guardia de Castaños*, im chilen. Thale Piuquenes, urspr. Station eines Wachtpostens (Burmeister, LPlata 2, 279). — Sehr fruchtb. an mod. ON. ist das lat. Collectivwort *Castanetum* (s. Aunay) geworden, welches man als Appellativ schon im 1. Jahrh. unserer Zeitrechng., als Eigenname in einem merowing. Document, gg. Ende des 7. Jahrh., trifft. Gew. hat dieses Wort in den lat. Urk. das *e* des Suffix *-etum* beibehalten; es heisst oft *Casta-*, *Castenedum* u. hat im provençal. Dial. *Castanet*, im mittlern Frankr. *Châtenet*, *Chastenay*, im nördl. entw. *Châtenay Chastenay*, mit *-ay*, od. *Châtenois*, *Châtenoy*, mit *-oi*, ergeben (d'Arbois de Jub., Rech.NL. 619f.). Wir notiren *Castagners* od. *Castagnés*, *Castanet*, neben *Châtaignier*, *Chatenay*, *Chatenet*, *Chataigner*, la

Châtaignerie, la Chataignère, les Chataignères,
la Chataigneraie, fast sämmtlich in Vielzahl u.
urk. bezeugt, wie der letztere Name: um 1300
nemus de la Chasteighnereye (Dict. top. Fr. 1,
43; 5, 36; 6, 43; 7, 49; 12, 56. 71; 16, 73; 17,
98), u. wieder neben *la Cadenède* u. *les Cade-*
nèdes, Wäldern, *Cadenet,* 1314 *de Cadeneto,*
les Cadenets (ib. 7, 40). Eine Ableitg. mit dem
seltner angewandten suffix *-arias,* wird urk. 996
aus dem Lyonnais erwähnt: *Castanerias* f. *Casta-*
nearias (d'Arbois de Jub., Rech.NL. 607). Ein
Castanetum = Kastanienwald ist 1166 erwähnt
im Trentino, f. die Lage des trid. *Castagnè* (a
San Vito, ʼdove si incontrano ɩuttodì estesi
boschi di maestosi castagniˮ, u. in einem Document liest man: a rivo qui vadit zosum ultra
castrum (di Caldonazzo) et *castagnedum.* Ein
anderes *Castagnè,* in Valsugana, u. ein Alpen-
thälchen *Castagnella,* das jedoch heute keine
Kastanienbäume mehr hat, ebf. im Trentino (Malfatti, S. top. Trent. 54). Italien hat üb. 100 solcher
ON. wie *Castagna, Castagno, Castana, Castena,*
Castagnola u. s. f. (Flechia, NLPiante 10).

Castaway Rapids = die Stromschnellen des
Scheiterns, in den Schluchten des Rio Colorado,
wo eines der Boote Lieut. Wheelerʼs (Geogr.Rep.
166) am 15. Oct. 1871 scheiterte.

Castellum, urspr. dim. v. *castrum* = Burg,
festes Schloss, im Mittelalter jedoch im gl. Sinne
wie dieses selbst, bei den merowing. Autoren nur
seltener als dieses gebraucht, obgleich es damals
ozw. fast allein im Volksmunde übl. war, wie
das altfrz. Wort *chastel,* j. *château* (s. d.), od.
castel, das davon abgeleitet ist, erkennen lässt
(Longnon, GGaule 15). Das lat. Grundwort findet
sich auch in ital. *castello,* span. *castillo,* auch
in engl. *castle* (s. d.), deutsch *ca-* od. *kastell,* in
der ersten Zeit slaw. Mission auch in slaw. *kostel*
= Burg, Thurm, Kirche, dim. *kostelec,* übgegangen. Das bedeutendste Object dieser Namenfamilie ist *Castilla* (s. d.). Andere sind *Castella-*
mare = Castell am Meer, ital. ON. *a)* Ort auf den
Trümmern des alten Stabiae, wo Friedrich II. ein
ʼCastell am Meereˮ erbauen liess, vollst. *Castello*
a Mare di Stabiae (Meyerʼs CLex. 4, 206); *b)*
Ort der sicil. Prov. Trapani an weitem Golf, daher
Castello del Golfo, einst der Hafen v. *Segesta,*
gr. Ἔγεστα, u. als solcher ἐμπόριον Ἐγεσταίων
genannt (Kiepert, Lehrb.AG. 472). — *Castel-*
vetrano (s. Sela) u. *Castelvetro* (s. Vetus). — *Ci-*
vità Castellana = Castellstadt, Prov. Rom, nach
der v. Alexander VI. erbauten, den Ort hoch überragenden Citadelle, die lange die Bastille Roms
war (Meyerʼs CLex. 4, 602). — Aehnl. *Città di*
Castello (s. Tevere), Prov. Perugia, da die Stadt
um das Schloss herum liegt (ib. 4, 593). — *Ca-*
stello, ein Theil der Gem. Poschiavo, Graubünden,
nach einer schwer zugängl. Burgruine, wo einst,
hoch ob. der Thalsohle, die mail. Vögte aus der
Familie der Olgiati hausten (Leonhardi, Pösch. 37).
— *Castiel,* im Schanvic, urk. 1210, ʼv. der Burg,
welche nach Stumpf dort gestanden haben sollˮ
(Campell-Mohr 150). — *Casti* u. (Ober-)*Castels*

s. Tiefencastels. — *Castelmur* s. Stalla. — *Castel,*
zwei ON. in Deutschland: *a)* ggb. Mainz, angebl.
v. Drusus in der Zeit v. 12—9 v. Chr. angelegt,
nicht *Castellum Drusi* (Daniel, Hdb.Geogr. 4, 812),
sondern *Castellum Mattiacorum* (Ann. VNass.
AltthK. 7, 1 ff.); *b) C.,* auch *Kast(e)l,* in der
bayr. Oberpfalz, mit Schloss (Meyerʼs CLex. 9, 878).
— *Castelnuovo* = Neuburg, ital. Name einer
Veste am Golf v. Cáttaro (Hammer-P., Osm. R. 3,
215). Auch im frz. begegnet die ältere Form
noch oft: *Castel,* 2 mal im dép. Gard, je 5 mal
in dépp. Dordogne u. Eure, 2 mal *le Catel,* 3 mal
le Catelet, 3 mal *les Catelets,* 3 mal *le Câtelet,*
1431 *Chastelet,* 6 mal *Castelnau,* 1069 *Castrum*
Novum, 1083 *Castellum Novum,* 1124 castellum
Novum, 1211 de *Castro-Novo,*
1518 *Chastelnau* (Dict. top. Fr. 5, 36; 7, 50;
10, 50; 12, 57; 15, 47).

Castiglione, Ile, die grösste der Sir Jos. Banksʼ
Group (s. d.), *Reevesby Island* des engl. Seef.
Flinders (TA. 1, 152), der am 7. März 1802 hier
gewesen, dann im Apr. 1802 v. der frz. Exp.
Baudin getauft nach dem Siege, welchen Napo-
leon am 5. Aug. 1796 üb. den österr. Feldmarschall
Wurmser davongetragen. Die übr. sollten *Ile*
Bassano, Dego, Mondovi, Voltri, Milésimo u.
Roveredo heissen ʼz. Andenken der vornehmsten
Siege, welche den berühmten Frieden v. Leoben
entschieden habenˮ (Péron, TA. 2, 80).

Castilla, verdeutscht *Castilien,* 2 span. Provv.,
zunächst *C. la Vieja* (= das alte), benannt nach
den vielen Burgen, welche die christl. Westgothen
gg. das Maurenreich hier errichteten (s. Castellum);
hier gelang es schon im 9. Jahrh., in *C. la Nueva*
(= neu) erst später, die Mauren zu vertreiben
(Willk., Span.-P. 138. 159). — Uebtragen *a) Nueva*
C. s. Peru; *b) Nuevo Reino de C. s.* Filipinas;
c) C. del Oro s. Costa Rica. — Das adj. *Castel-*
lano, port. *Castelhano,* hat oft die erweiterte
Bedeutg. ʼSpanierˮ, wie in *Bahia dos Castelhanos,*
São Paolo, Bras., wo ein span. Fahrzeug Schiffbruch litt (WHakl. S. 51, XXXVIII) u. in *los*
Baixos (= die Untiefen) *de los Castellanos,* eine
Sandbank des Rio de la Plata (Hakl., PNav. 3,
724). — *Punta del Castillo,* meist engl. *Fort*
Point, ein 250 m h. Cap am Golden Gate, wo
das v. den Span. erbaute Castell das ganze Fahrwasser beherrscht (ZfAErdk. nf. 4, 311).

Castle = Schloss, Burg, die engl. Form des
altfrz. *chastel,* lat. *castellum* (s. d.), in vielen ON.
a) C. schlechtweg, ein Erdhügel im obern Becken
des Fire Hole (s. d.), v. Geologen F. V. Hayden
(Prel. Rep. 122) im Aug. 1871 getauft, weil dem,
der das Thal v. Osten her betritt, der Hügel den
Ruinen eines alten Schlosses ähnelt . . . ʼthe whole
mass resembles some old castle that has been
subjected to a bombardment (186) . . . profusely
decorated with scalloped pools and little upright
pinnacles and towersˮ (Ludlow, Carr. 29); *b) C.*
Butte, ein isolirter Gipfel (s. Butte) der Prairie
am Little Missuri, benannt nach seinem burgartigen Aussehen: a lofty, square-shaped bluff,
named from its resemblance to a mediaeval castle

(Ludlow, Black H. 76). — *C. Creek*, 2 mal: *a)* einer der beiden Quellflüsse des Rapid Creek, Black Hills, nach den Felsen v. Kohlenkalk, deren burgartig aufgethürmte Massen das Thal einrahmen (Jenney, MWealth 32); *b)* s. Box. — *C. Hill*, ein weithin sichtb., 490 m h. Berg der Prov. Auckland, da der Gipfel einer Burgruine ähnelt (Hochst., NSeel. 384), in den romant. Kalksteinbergen der ˈaustr. Schweizˈ, einh. *Wenuapu* (Meinicke, IStill. O. 1, 267). — Im plur. *C. Hills* s. Rakaunui. — *C. Mount*, in Kerguelen, wo der Rücken eine Art Felscastell trägt (ZfAErdk. 1876, 98). — *C. Mountain*, ein Gipfel der Rocky Ms., dessen Spitze einem Castell ähnelt (PM. 6, 21). — *C. Point*, mächtige Korallriffe, die am Sandstrande der Loyalty In. die andern wie alte Burgen übragen (PM. 16, 365). — *C. Rock*, ein Felsberg am Yellowstone R., nach seiner eigentl. Capt. am 21. Juli 1860 getauft v. Lieut. H. E. Maynadier, dem Gefährten Raynolds' (Expl. 144). — *Castletown*, 2 mal: *a)* Hptort der Insel Man, nach dem alten Schloss, um das sie entstanden; *b)* Dorf in der schott. Grfsch. Roxburg, wo zahlr. Ruinen v. Druidentempeln, auch *New Castletown* (Meyer's CLex. 4, 212). — *C. Valley*, ein Thal der Black Hills, am 26. Juli 1874 v. General Custer benannt nach den Burgformen der ˈumgebenden Berge ...ˈthe high lime-stone ridges surrounding the camp had weathered into castellated forms of considerable grandeur and beauty and suggested the name of *CV*.... a series of equal height, that, like immense castle-tops, seem to inclose and guard the valley ...ˈ (Ludlow, BlackH. 13. 40). **Castlereagh, Cape**, in Barrow's Str., v. Capt. John Ross (Baff. B. 174) am 31. Aug. 1818 nach dem vorm. Staatssecretär des Aeussern, viscount *C.*, getauft. — Ebenso *C. Bay*, in Arnhem's Ld., v. Capt. Ph. P. King (Austr. 1, 252) am 29. Juli 1819. **Castrénˈs Inseln**, in Spitzb., v. der schwed. Exp. 1861 getauft (Torell u. Nordensk., Schwed. Expp. 184) nach dem gelehrten Landsmann, dem Linguisten Matth. Alex. *C.*, dem Begründer der uralaltaischen Sprachenkunde, geb. 1813, † 1852. **Castries Baie de**, an der Mandschurei, v. frz. Seef. La Pérouse am 28. Juli 1787 benannt nach dem Marschall de *C.*, Marineminister, unter dessen Verwaltg. die Exp. in Gang gebracht war: ˈqui m'avait désigné au roi pour ce commandementˈ (Milet-Mureau, LPér. 3, 56). **Castro**, Ort in Chilóe, ggr. 1566 auf Befehl des span. Vicekönigs, virey, v. Peru, des Marschalls Don Martin Ruiz de Gamboa, durch den Licentiaten Lope Garcia de *C.* (Fitzroy, Narr. 1, 270). — *Castrovireyna*, eine Gegend des peruan. Minenbezirks, nach der Gemahlin *C.'s*, der *vireyna*, die als Taufpathin eines der Kinder des Grubenbesitzers die Minen v. Huanvelica besuchte, dabei den Weg v. der Wohnung bis z. Kirche mit einer 3 f. Reihe Silberbarren belegt fand u. die letztern dann bei der Heimkehr als Geschenk erhielt (Tschudi, Peru 2, 134). **Castulo** s. Cazlona.

Casuarina, Entrée du, einer der austr. ON., welche die frz. Exp. Baudin nach dem Fahrzeuge Lieut. L. Freycinet's, der Goëlette *C.*, eingetragen hat, f. eine Einfahrt in Tasmania, im Dec. 1802, id. *Robbin's Passage* (Péron, TA. 2, 25, Freycinet, Atl. 8). Ebenso *b) Ilots du C.*, vor Cap Du-Couëdic, am 3. Jan. 1803 (Péron 2, 59), id. mit Flinders *Black Rocks* (Krus., Mém. 1, 35); *c)* am 25. Jan. 1803 *Piton du C.*, ˈein zieml. erhabener Spitzbergˈ im Spencer's G. (Péron, TA. 2, 79), id. mit Middle Black Mt.; *d)* am 8. Apr. 1803 *Récif du C.*, ein Korallriff v. Tasman's Ld. (Freycinet, Atl. 26); *e)* im Juni 1803 *Montagne du C.*, ebf. in Tasman's Ld., ein einzeln stehender, durch seine viereckige Form merkw. Bergˈ (Péron, TA. 2, 244). **Cat Island** = Katzeninsel, nebst dem daneben liegenden *Kitten* = Kätzchen, im Arch. Mergui, nach der Form benannt, wohl v. engl. Capt. Thom. Forrest am 1. Aug. 1783 (Spr. u. F., NBeitr. 11, 188). — *C. Isle a)* s. Salvador, *b)* s. Bull. — *C. Head*, Vorgebirge am Winnipeg L., mit senkrechten Wänden, deren oberste Lagen üb. die untern hinausragen u. deren Profil dem cat-head eines Schiffes ähnl. ist (Hind., Narr. 1, 489). — *Lake of the Cats* s. Erie. — *Catfish Geyser*, im obern Becken des Fire Hole, 1871 getauft v. Geologen F. V. Hayden (Prel. Rep. 112), im Text ohne Angabe des Motivs; allein die Abbildg. (p. 44) zeigt, dass der Krater dem Kopf eines Katzenhay, Squalus catulus L., ähnelt. Sonst wird in America auch ein Wels, Pimelodus catus, als catfish bezeichnet, v. den borstenfg. Fühlern an der Schnauze (Peterm., GMitth. 19, 460). **Catahoola**, ein Zufluss des Washita (s. d.), benannt nach den Indianerstamm, der einst an seinen Ufern hauste (Lewis u. Cl., Trav. 244). **Catalauni** s. Châlons. **Catáldo, San**, Ort auf Sicil., nach dem heil. Bischof v. Tarent, v. dem er Reliquien besitzt (Meyer's CLex. 14, 99). **Catalina**, span. Form v. Katharina (s. d.), in ON. *a) Puerto de Santa C.*, Hafen an der Nordküste Hayti's, den Columbus, als ihn Martin Alonzo Pinzon verlassen hatte, am 25. Nov. 1492 wieder aufsuchte (Navarrete, Coll. 1, 66, Colon, Vida 123); *b) Santa C.* s. Malayta; *c) Nana C.* s. Fuego. **Cataluña**, verdeutscht *Catalonia*, die ehm. röm. Prov. Hispania Tarraconensis, die in der Völkerwanderg. zunächst v. den Alanen, 470 v. den Gothen, u. zwar den West-Gothen, erobert wurde u. daher *Gotholunia*, *Gothalánia*, genannt wurde, in den ON. jedoch nur seltene Spuren german. Einflusses aufweist ... en nuestros nombres topográphicos son raros los recuerdos que nos han trasmitido, mientras que conservamos mayor número de los Romanos y Griegos, huéspedes mucho mas antiguos (Caballero, Nom. Esp. 89). Als die Araber zu Anfang des 9. Jahrh. vertrieben waren, bildete das Land, zuf. der Eintheilg., welche Ludwig der Fromme vornahm, die *Spanische Mark* des Frankenreichs; ein selbständiges Fürstenth. *C.*

entstand 888 nach Karls d. Dicken Tode (Meyer's CLex. 9, 886).

Catamarca s. Val.

Catanes s. Caithness.

Catania s. Kothon.

Cataract Cañon, eine der schauerl. wilden Röhrenschluchten des Rio Colorado (s. Canna), v. der Exp. Ives (Rep. 107) am 14. Apr. 1858 untersucht u. benannt nach einer in der Tiefe gefundenen hübschen Cascade, der weiter abwärts andere folgen. A spring of water rose from the bed of the cañon not far above, and trickled over the ledge, forming a pretty cascade ... cañon of *Cascade River*, in which the progress of our party was arrested by cascades (ib. 3. 62). — *C. River*, ein rseitger Zufluss des Oregon, v. den Captt. Lewis u. Cl. (Trav. 376) am 29. Oct. 1805 so benannt, weil die Indianer erzählten, dass er eine grosse Zahl v. Fällen bilde, welche die Lachse verhindern, den Fluss hinauf zu gehen.

Catas Altas (*do Matto Dentro*) = hohe Minen (des innern Waldes), eine einst in Flor befindl. Goldregion der bras. Minas Geraes (Eschwege, Pluto Br. 18).

Catastrophe, Cape, am Spencer's G., so benannt v. Flinders (TA. 1, 135 ff.), weil hier der Kutter, welchen er z. Aufsuchg. eines Ankerplatzes ausgesandt, am Abend des 21. Febr. 1802 Schiffbruch litt u. sämmtl. 8 Mann, darunter die Officiere Thistle u. Taylor, dabei umkamen.

Catel s. Castellum.

Catena, Porto = Kettenhafen, bei den ital. Seef. ein guter Hafen v. Seriphos, weil nach einer nicht unwahrsch. Tradition sein Eingang im Alterth. mit Ketten gesperrt werden konnte (Ross, IReis. 1, 136). — *Le Catene*, der innere Hals im Golf v. Cattaro, weil die Venetianer diese kaum 150 Klafter br. Gasse mit einer Kette absperrten (PM. 5, 337, Sommer, Taschb. 12, 209).

Catete, eig. *Ca-eté* = wahrer (d. i. Ur)wald, ind. Name eines in die Bay v. Rio de Janeiro mündenden Baches (Varnh., HBraz. 1, 252).

Catharina, port. Form f. Katharina (s. d.), mehrf. in ON. *a) Ilha de Sancta C.*, an der bras. Küste, auf Ribero's Weltcarte 1525 vzeichnet, ozw. nach dem Kalendertage, wohl wie die Küste San Salvador u. die Allerheiligen Bay v. der Exp. Amerigo Vespucci, am 5. Febr. 1502 bei Cananea war (Spr. u. F., Beitr. 4, 162). Nach Bennet (Bergh., Ann. 6, 42) war ihr urspr. port. Name *Isla dos Patos*, 'wahrsch. nach den Indiern, die sie zuerst bewohnten'; es ist jedoch zu berichtigen, dass diese Indier Enten sind (s. Patos) u. *isla* durch port. *ilha* zu ersetzen ist; *b) Cabo de Sancta C.*, in West-Afr., 2⁰ SBr., v. port. Seef. de Sequeira, als äusserstes unter Alphons' V. Regierung gefundenes Land, entdeckt u. nach dem Kalendertage benannt: 'nome que lhe elle então poz polo descubrir em o dia desta Santa' (Barros, Asia 1,2,2).

Cathedral Rock = Kathedralfels, 2mal *a)* eine der gewaltigen Felsmassen des calif. Thals Yosemiti, mit zwei himmelanstrebenden Granitthürmen einem grossen Kirchenbau ähnlich (Gartenl. 1888,

361 f.); *b)* eine ähnl. Felsbildg. in den Schluchten des Rio Colorado, nahe *Notre Dame Rock*, der also an den bekannten Bau der Hauptkirche der Pariser Cité erinnert (Wheeler, Geogr. Rep. 161).

Catherine, frz. f. Katharina, mehrf. in ON. *a) Havre de Sainte C.*, in NFoundl., am 10. Mai 1534 entdeckt u. benannt v. dem frz. Seef. Jacques Cartier, wohl nach einem seiner Schiffe (Hakl., Pr. Nav. 3, 201, M. u. R., Voy. Cart. XI. 2); *b) Ile de Sainte C.*, später in derselben Gegend erwähnt, angebl. Insel, wohl nur Cap (Hakl., Pr. Nav. 3, 202, M. u. R., Voy. Cart. 7); *c) Sainte C. des Bois*, zerstörtes Kloster bei le Chalet-à-Gobet, besass 'une chapelle dédiée à sainte C.', existirte noch 1228, war aber zu Ende des 15. Jahrh. in Trümmern (Mart.-Crous., Dict. 137). Engl. *a) C. Islands* s. Margaret, *b) C.'s Bay* s. Byam.

Catinat s. Neptune.

Catoche, Cabo, in Yucatan, am 1. März 1517 durch die span. Exp. des Hernandez de Cordoba entdeckt. Hier lud der Häuptling der halbgesitteten Indianer die Fremdlinge ein mit den Worten: *Con escotoch, con escotoch* = kommt in mein Haus, kommt in mein Haus! (was durch Vergleichg. der Mayaspr. sich bestätigt hat, Stephens, Yuc. 21) od. *Coreix catoch* (ZfAErdk. 1, 179, nf. 15, 18) od. *Conex catoche* (Navarrete, Coll. 3, 53). Dies fassten die Spanier als Namen der nahen Indianerstadt, der in der Folge auf das Vorgebirge überging (Bern. Diaz, NEsp. c. 2, Gomara, Hist. gen. 61).

Cato's Bank, bei dem Gr. Barrière Riff, vegetationslos, aber v. unzähl. Vögeln belebt, benannt v. Capt. Flinders (TA. 2, 298, Atl. 1) am 17. Aug. 1803 nach dem Schiffe *C.* v. London, befehligt v. John Park, welches zuerst Land erblickte.

Cáttaro, ital. ON. Dalmatiens, bei dem Geogr. Rav. *Decadaro*, bei Konst. Porph. Λεϰάτεϱα, röm. *Decatera*, slaw. *Kotor* (Umlauft, Oest. NB. 36), an 13buchtigem, felsumgürtetem, tiefem Hafengolf, der nach dem ant. Uferort 'Ρίζών, lat. *Risinium*, die *rhizonische* od. *rhizäische Bucht* hiess u. heute ital. *la Bocca* = die Mündg., der Eingang, plur. *le Bocche di C.* (wie die Anwohner *Bocchesen*), serb. *Boka Kotorska* heisst (Kiepert, Lehrb. AG. 359, Sommer, Taschb. 12, 197 f., Umlauft, ÖUng. NB. 23).

Caucaland s. Siebenbürgen.

Caudinae, Furculae, lat. Name des durch die Gefangennahme des röm. Heeres — 321 berühmt gewordenen Engpasses, nach der Stadt Caudium, dem Hptsitz der Caudiner. An den Vorbergen gg. die campanische Ebene hat sich der Dorfname *Forchia* erhalten, aber in einem weiten Thal, auf welches die livianische Ortsbeschreibg. durchaus nicht passt (Kiepert, Lehrb. AG. 441).

Cauldron = Kessel, 'a bad piece of river' sc. Congo in den Schluchten der Jellalafälle, 'which is significantly styled so', v. H. M. Stanley (Thr. Dark Cont. 541 f.) am 25. März 1877 erreicht. 'Our best canoe, 75' lg., 3' wide, by 21'' deep, the famous 'London Town', was torn from the hands of fifty men, and swept away in the early morning down to destruction. In the afternoon, the 'Glasgow', parting her cables, was swept away, drawn nearly into mid-river, returned up river half a mile, again drawn into the depths, ejected into a bay near where Frank was camped and, to our great joy, finally recovered ... On the 27th we happily succeeded in passing the fearful *C.*, but during our last efforts the 'Crocodile', 85' lg., was swept away into the centre of the *C.*, heaved upward, whirled round with quick gyrations, and finally shot into the bay north of *Rocky Island* where it was at last secured. The next day we dropped down stream and reached the western end of the bay above *Rocky Island Falls'*.

Caution Island = Insel der Vorsicht, im Missuri, obh. Lookout Bend (s. d.), am 2. Oct. 1804 v. den Captt. Lewis u. Clarke (Trav. Miss. 71) so benannt, weil die Exp. wg. der Indianer dort beständig auf ihrer Hut sein musste. 'We were not able to hunt today; for as there are so many Indians in the neighbourhood, we were in constant expectation of being attacked, and were therefore forced to keep the party together and be on our guard'.

Cavalle Islands, felsige Eilande in NSeel., einh. *Panake* (Meinicke, IStill. O. 1, 258), v. Cook am 27. Nov. 1769 benannt, weil seine Leute, da während einer Windstille das Schiff etwa 2 h. liegen blieb, v. den Eingeb. etwas Fische, welche sie *cavalles* nannten, einkaufen konnten (Hawk., Acc. 2, 362).

Cavallo s. Caballus.

Cavaillon s. Châlons.

Cave = Höhle, in frz. u. engl. ON. häufig, z. B. in den dépp. Eure-et-Loir u. Yonne zs. 14 mal, sing. u. plur., in ersterm auch *b) le Caveau, la Cavée, les Cavées* (Dict. top. Fr. 1, 36; 3, 24); *c) Covatannaz*, eine jurass. Schlucht der Grenze Waadt-Neuenburg, nach den Tropfsteinhöhlen, *cava-tanna* (Gem. Schweiz 19, 2b, 218); *d) C. Hills*, eine Hügelgruppe v. Dakota, nach einer im Sandstein ausgewaschenen, bis 100 m t. Höhle, vor welcher die Indianer eine abergläub. Furcht zeigen. 'The ridge presents a peculiar appearance, having a level cap of light friable sandstone, which has been washed and weathered into the shape of battlements and towers' .. (Ludlow, Black H. 10); *e)* Im sing. *C. Hill*, Ort im östl. Tennessee, nach einer nahen Höhle (Buckingh., Slave St. 2, 235); *f) C. Valley*, im südöstl. Nevada, benannt nach einer 1000 m lg. Höhle, deren Hintergrund in niedrige schlammige Schläuche ausläuft u. keineswegs den wunderlichen Sagen der Indianer entspricht, zuerst besucht 1869 v. Lieut. Wheeler (Geogr. Rep. 25) u. 1874 v. der Exp. Ord (Nevada 59 f.). — Im plur. *a) Caves*, ON. der Wüste Mohave, nach einigen kl. Höhlen in dem cañon, den der Mohavefluss 50 m t. durch trachit. Gesteine gewaschen hat (Peterm., GMitth. 22, 336); *b) Ile of Caves*, nach einer jurass. Insel v. Flinders (TA. 1, CLXXXII, Atl. 7 Carton) am 15. Dec. 1798 nach den Höhlen benannt ... 'the descrip-

tive name'. — *Cavern*, eine der schönsten Thermen des Fire Hole, von Geologen F. V. Hayden (Prel. Rep. 114) so benannt 1871, weil das Wasser unter einer höhlenartigen Uferkruste aus mehrern Oeffnungen hervorbricht; *b) Ile de la Caverne* s. Marion; *c) Cavergno* s. Bavona. — *Monte Cavo* s. Latium.

Cavite, Ort bei Manila, v. Tagalwort *cavit* = Haken, Bogen, nach der die Bucht einfassenden Landspitze (WHakl. S. 39, 288). Vgl. Ancona.

Cawnpore s. Krischna.

Caxamarca, eine gg. 3000 m üb. M. in ovalem Plateau gelegene alte Incastadt, Peru, urspr. *Kassamarca* = Froststadt, v. *marca* in der allg. Qquechhuaspr. = Stockwerk, im Chinchasuyu, dem nördl. Dial., hingegen = Ortschaft. Auf den umgebenden páramos 'bleibt man fast ununterbrochen der Wuth der Stürme u. jenem scharfkantigen Hagel, welcher dem Rücken der Andes so eigenth. ist, ausgesetzt' (Humboldt, ANat. 2, 344). Etwas abweichend Cl. R. Markham: 'Schneestadt', v. *cassa* = Schnee u. *marca* = Dorf (WHakl, S. 47, 24)...'for the temperature, though usually bland and genial, is sometimes affected by frosty winds from the east, very pernicious to vegetation'. Auch als am späten Nachmittag des 15. Nov. 1532 Pizarro die Stadt betrat, war es ungew. kalt u. fiel Regen- u. Hagelschauer (Prescott, CPeru 1, 394).

Caxoeira s. Cachoeira.

Cayali s. Madeira.

Cayenne, der Hptort der frz. Guayana, sowie der dort mündende Fluss, den Laur. Keymis, der Berichterstatter der 2. Reise Walter Raleigh's 1617, in der verderbten Form *Caliana, Caiana* aufführt, mir etym. unbekannt, nicht einmal, ob der Fluss nach dem Ort benannt ist od. umgekehrt. Sir Walt. Raleigh (Disc. G. 198) taufte jenen nach dem engl. Kriegshelden Howard, dem Sieger üb. die span. Armada: we honoured this 'place' by the name of *Port Howard*.

Caymanes, Islas de los, 2 mal nach dem nur der neuen Welt angehörigen Geschlecht krokodilartiger Thiere, zool. Alligator, bei den american. Negern Kaiman: *a)* südl. v. Cuba (Hakl., Pr. Nav. 3, 671), j. *Gross*- u. *Klein Cayman* u. *Cayman Brac; b)* s. Hardy.

Cayos, plur. des nicht übl. sing. *cayo*, ein span. Ausdruck f. Klippe, Sandbank, wie altfrz. *caye*, während port. *caes, cais*, frz. *quai*, sowie ndl. *kaai*, ndd. *kaje*, engl. *key* = Damm an Flüssen, Ufermauer, in den Isidor. Glossen *kai* = cancellae, *kaij* = cancelli, Schranken, erklärt (Diez, Rom. WB. 1, 120), hat seine Hptverbreitg. in den westind. Gewässern, deren Riffe u. Bänke sowohl an der continentalen Küste, als in den Antillen u. Bahama bald noch den span., bald den jüngern engl. Namen tragen. Wir notiren, ohne die z. Th. leicht verständlichen differenzirenden Beisätze erklären zu wollen, die *Mosquito-, Thomas-* u. *Serrana-Keys*, nach der Mosquitoküste, *Gladden-, Columbus-, St. Georges-, Ambergris-Keys*, im Golf v. Honduras, die *C. de las Doce Leguas*,

an der Südküste Cuba's, *Planas-, Samana-* od.
Alwoods-, Rum-, Verd-, Inmentos-, Green-,
Grass-Keys, in den Bahama, *Cat-, Beak-, Orange-,*
Sal-, Mule-Key, Key West, Cayos Marques, in
der Florida Str.
Cayrol s. Carrara.
Cazlona, ON. in Andalusia, alt *Castulo,* nach
dem der *Mons Argentarius* = Silberberg, eine
durch reiche Silberminen berühmte nahe Gebirgskette, auch *Saltus* (= Waldgebirge) *Castulonensis*
hiess (Meyer's CLex. 4, 214).
Ccuri s. Villa.
Cecil s. Orange.
Cedar, engl. Form f. *ceder,* bot. Larix Cedrus
Mill., aber auch f. andere Nadelbäume gebr.,
insb. f. Arten v. Juniperus, schon gr. κέδρος,
lat. *cedrus,* ital., span. u. port. *cedro,* frz. *cèdre,*
oft in ON. wie *C. Creek a)* ein kl. lkseitgr. Zufluss des Missuri, unth. Fort St. Pierre, früher
viell. zutreffender als heute, wo die Cedern rar
geworden sind: 'but a few trees were scattered
through its valley' (Raynolds, Expl. 121); *b)* s.
C. Island; *c)* im Felsengebirge, nach einigen Ceder-
büschen, welche die Ufer schmücken(Möllh., FGeb.
2, 330); *d)* der südl. Quellarm des Cañon Ball
R., Dakota, Übs. des ind. Namens(Ludlow, Black H.
23). — *C. Forest* = Cederwald, im Colorado
Plateau, wo am 10. Apr. 1858 die Exp. Ives
(Rep. 103) noch im Bereich der niedern Cedern
sich befand, aber schon Tannen eingesprengt fand.
6 km weiter schlug sie das Lager 71 auf in *Pine*
Forest = Tannwald. 'The growth was thicker,
und trees of considerable size began to be mingled with the low cedars'. — *C. Island,* im untern
Missuri, 'so called from the abundance of the tree
of that name' u. in der Nähe ein *C. Creek* (Lewis & Cl., Trav. Miss. 7). — *C. Lake,* urspr. *Lac*
du Cèdre, im Netze des Saskatschewan, benannt
v. den Canadiern nach mehrern an seinen Ufern,
hpts. am Westende vorkommenden Beständen v.
Cedern, einem Baum, welcher sonst in Ruperts
Ld. selten getroffen wird u. nordwestl. v. diesem
See nicht mehr vorkommt (Hind, Narr. 1, 458).
Nach dem See der winterl. Handelsposten *C. Lake*
House (ib. 460); umgekehrt heisst jener nach dem
ehm. (Insel-) *Fort Bourbon,* das um 1739 v.
Verendrye ggr. wurde, auch etwa *Lac Bourbon*
(PM. 6, T. 2, MacKenzie, Voy. 75, Ch. Bell, Canad.
NW. 7). 'Die Franzosen hatten ihm, da sie noch
im Besitze Canada's waren, diesen uneig. Namen
beigelegt. Seine richtte Benenng. aber ist *CL.,*
die er v. den Eingeb. wg. der vielen Bäume
dieser Gattg., die an seinen Ufern wachsen, erhalten hat' (Spr. u. F., NBeitr. 6, 244); *b) Red*
C. Lake s. Cass. — *C. Point,* urspr. span. *Punta*
del Cedro, in Trinidad (Raleigh, Disc. G. 2). —
Cederbergen, holl. Bergname im Caplande, weil
dorther, nicht ohne gr. Beschwerde des Transports,
Bauholz in die umliegenden Ansiedelungen geholt wird (Lichtenst., SAfr. 1, 135).
Cedro, ital., span. u. port. f. *cedrus* (s. Cedar),
in *a) Rio do C.* = Cederbach, port. Flussname
der bras. Colonie Santa Izabel (Avé-L., SBras.

2, 145); *b) Isla de los Cedros,* fälschl. *Cerros,*
bei Calif., 28$^1/_4^0$ NBr., v. Span. Frc. de Ulloa,
welchen Cortez auf Entdeckungen ausgesandt hatte,
am 20. Jan. 1540 genannt, weil die Höhen mit
Wäldern mächtiger Cedern bestanden (Hakl.,
Pr. Nav. 3, 418); *c) Punta del C.* s. Cedar. —
Frz. *a) Ile du Cèdre* = Cederinsel, in der R.
Libourne (s. d.), v. frz. Capt. Jean Ribault 1562
so getauft, weil er sie gänzl. mit Cedern bestanden
fand, 'the fairest that were seen in this countrey'
(Hakl., Pr. Nav. 3, 310); *b) Lac du Cèdre* s.
Cedar. — Diesen abendländ. Formen reihen sich
an: *a) Kaidris,* gr. Καῖδρις = Cederfluss, j.
Cedro, in Sardin. (Ptol. 2, 3^6, Pape-B.); *b) Ke-*
drowka = Arvenfluss, russ. Bezeichng. nach der
im Altai häufigen 'sibir. Ceder', der Arve od.
Zirbelkiefer (Sommer, Taschb. 11, 232).
Cefalonia u. **Cefalu** s. Kephallenia.
Cehil-tan = 40 Körper, ein auf der Route Kelat-
Kandahar gelegener afghan. Berg, hat diesen
(npers.?) Namen v. einer Legende, nach der 40
Kinder auf dem Berge ausgesetzt wurden, welche
der Vater später alle wohlbehalten u. erwachsen
dort antraf, als er hinaufstieg, um ihre Gebeine
zu sammeln (Spiegel, Eran. A. 1, 23).
Celano, Lago di, mod. Name des alten *Lacus*
Fucinus, j. *Lago Fucino,* die beiden ersten nach
Uferorten (Meyer's CLex. 4, 242).
Celébes, f. eine der Sunda In., war, als die Port.
des 16. Jahrh. den Archipel entschleierten, der
Name eines ihrer Völkerstämme. Das in lauter
Halbinseln zerschlitzte, spinnenfge. Land galt zwar
f. eine Inselflur: *Ilhas dos C.* 'por os moradores
dellas assi serem chamados' (Barros, Asia 3, 10,
5) od. gar *Ilhas dos C. e dos Macaçares* (ib.
4, 6, 25), letzteres ein anderer Volksname, der
in ON. *Makassar* (s. d.) ebf. noch erhalten ist.
Noch der Herausgeber v. Barros' 4. Dec., J. B.
Lavanha (4, 9, 21 p. 591) glaubt berichtigen zu
müssen: 'Estes *Macaçares* .... são naturaes de
huma ilha do mesmo nome, que com outras
muitas juntas, são Geografos erradamente fazem
de todas huma só, com nome de Cellebes ...
São estas ilhas senhoreadas ....' In unserm
Sinne berichtet auch der genues. Pilot 'v. hohen
Bergen, welche einer Nation, *Salabos* genannt,
angehören'(WHakl. S. 52, 22). Nach einer dritten
Nation des Landes der mal. Name *Nigri Oran*
Buggess = Land der Buggessmänner (Spr. u. F.,
NBeitr. 12, 169). Nach der Insel die *C. See.* Die
Eingeb. wussten wohl kaum, vermuthet Crawf.
(Dict. 90) richtig, dass das ganze Land eine Insel
sei; wenn er jedoch, indem er *-es* als plur., *si-*
als untrennbare Vorsilbe betrachtet, an einen mal.
Stamm *lábih, lebih* = mehr, über, darüber, u.
demnach an ein urspr. *Pulo Salábih* = obere
Inseln denkt, so übersieht er, dass die Port. *C.*
als Volks-, nicht Inselnamen aufnahmen.
Celle, wie das deutsche *Zell* u. *Zelle* (s. d.) aus
lat. *cella,* oft im frz. ON., th. f. sich, sowohl im
sing. als im plur., z. B. 7 mal im dép. Nièvre,
th. differenzirt durch Beisätze, insb. Heiligennamen,
od. wie in *Celleneuve,* 799 *Nova-Cella,* 820 *Cella-*

nova, f. ein altes Kloster bei Montpellier (Dict. top. Fr. 6, 31; 5, 42). — *Cella* s. Klausthal.

Cenis, Mont, lat. *Mons Cenisius*, wurde zunächst nicht der Pass, sondern 2 Gipfel rechts u. links, der *Gr.* u. *Kl. MC.*, genannt; der Fluss, welchem entlang der König Cottius den röm. Legionen eine Heerstrasse baute, hiess *Dora Cenisa.* Für die Erklärg. des Bergnamens kenne ich nur den verunglückten Versuch des savoy. Geistlichen Espr. Combet, der in der Revolutionszeit die Geschichte der Diöcese Maurienne schrieb. Ihm ist der Berg ein *mons Cinesius, Cinereus* = Aschenberg, weil Hannibal sich mit Eisen, Feuer u. Essig den Uebergang erzwang u. die Wälder so vollst. abbrannte, dass der Berg mit Asche bedeckt war (Mém. Soc. Sav. 2, 223 ff.).

Cenomanicum s. Maine.

Cénotaphe, Ile du, nach dem gr. *κενο-τάφιον* = leerer Grabhügel, wie solche der Grieche f. die im Meer od. Krieg Umgekommenen errichtete — eine Insel der Baie des François, v. frz. Seef. La Pérouse im Juli 1786 so getauft, weil er hier ein Denkmal f. seine 21 umgekommenen Gefährten aufrichtete (Milet-Mureau, LPér. 2, 178).

Centovalli = Hundertthäler, ein z. Maggia gehöriges Thal, nach der sonderbaren Stellg. der Seitenberge, wodurch anscheinend eine Menge Seitenthäler entstehen. 'Questa (valle) deve il suo nome (così il Franscini) agli innumerevoli angoli delle opposte montagne, che fra loro intrecciandosi formano una continua serie di minori valli'(Lavizzari, Esc. 3, 423) ... 'Da diese Bäche in mehr od. minder tief eingeschnittenen Rinnen herabstürzen, so gab wahrsch. dieser Umstand dieser Gebirgskette, welche sich auch in jenes Längenthälchen hinaufbiegt, den Namen *C.* (Fröbel u. H., Mitth. 203). — *Centumcellae* s. Civitas.

Central City = Mittelstadt, ON. im Centrum des Minendistricts v. Colorado, wo Gregory 1858 einige Goldkörner im Sande fand. 'Entdeckg. häufte sich auf Entdeckg. Man fand, dass der im dort. Granit u. Granulit massenhaft eingeschlossene Eisenkies der eig. Träger des Goldes ist. Rasch mehrten sich die Ansiedler u. Bergleute; Capital aus den östl. Staaten betheiligte sich in ausgedehntem Massstabe an der Bearbeitg. der Minen u. dem metallurgischen Ausbringen der Erze, u. j. sind viele Hunderte v. Stampfwerken in Gang u. eine grosse Anzahl v. Stampfmühlen u. Schmelzöfen in Betrieb. Bes. lebhaft sind auch die Orte *Golden City* (= Goldstadt) u. *Goldhill* (= Goldberg). Die Ausbeute an Edelmetallen bis 1869 wird auf 35 Mill. Doll. veranschlagt u. betrug in den letzten 6 Jahren (vor 1874) durchschnittl. 5 Mill. per Jahr, was als Totalausbeute 65 Mill. Doll. ausmacht. Neben Silber u. Gold wird noch Kupfer, Wismuth u. Blei, v. letzterm etwa im Werthe v. 50 000 Doll. per Jahr, gewonnen (PM. 21, 444 f.). Ganz anders tönen die Berichte v. 1880. — *C. Hill*, der Culm v. Groote Eiland, v. Commander Flinders (TA. 2, 184, Atl. 14 f.) am 5. Jan. 1803 getauft. — *Centre Island*, 2 mal *a)* mitten in Disappointment Bay, v. einer

Abtheilg. der Exp. Fitzroy (Adv.-B̄. 1, 353) im Apr. 1830; *b)* s. West. — *Canal du Centre,* das grosse Canalwerk Saône-Loire, welches einen schiffb. Weg mitten durch Frankreich bildet.

Cépet, Cepoix s. Spoix.

Céphise, la, hat Decan Bridel den aus den Waldhöhen um Naye entspringenden u. bei Chillon sprudelnd in den Léman mündenden Bach genannt u. so den Namen *Κηφισός* aus dem alten Griechenland herübergeholt (Gem. Schweiz 19, 2ᵇ, 28, Mart.-Crous., Dict. 143).

Cérant s. Ouest.

Cerekev s. Zirknitz.

Ceresio s. Lugano.

Cerewalt s. Cerrus.

Cerf s. Cervus.

Cergues, St., waadtl. Bergdorf, ist wie *St. Cierges,* Moudon, nach dem heil. Cyriacus benannt, 'et jamais Surgius ou Sergius, comme on l'a trop souvent répété' (Mart.-Crous., Dict. 143. 216, Gem. Schweiz 19, 2ᵇ, 28, Gatschet, OForsch. 8).

Cerigotto s. Aigialos.

Cerne, gr. *Κέρνη,* bei Bochart (Geogr. Sacra lib. 1 c. 37) extrema habitatio, 'Landsend', v. phön. קרן, *qeren* = Horn (vgl. Keras), ON. der westlibyschen Exp. Hanno, die 12ᵈ v. der Meerenge den westlichsten Vorsprg. des Hohen Atlas erreichte u. nach der sichelfgen Gestalt taufte (Diod. Sic. 3, 54), j. Inselchen *Agadir* (Kiepert, Lehrb. AG. 221). Im Zeitalter der port. Entdeckungen suchte man *C.* auch an weit entlegenern Punkten (s. Mauritius). — Aehnl. *Kerynia,* phön. Colonie auf Cypern (Scyl. Per. 41), zshängend mit phön. קרן, קרניס [kĕren, kĕranim] (= *κέρατα*) od. קרנית (*κεραστία*) = Hörner, Spitzen od. Gehörnte, Gespitzte, v. den Landspitzen, deren Cypern so viele hat u. denen es seinen Namen *Κεραστία* = die Gehörnte verdankt (Movers, Phön. 2ᵇ, 223).

Cerneux s. Serneus.

Cernioz od. *Cerniaz,* eine Abth. v. Ormond-Dessous, Waadt, kelt. Wort v. *cern* = Gehäge, in den Alpen f. hohe Lagen, die jährl. nur einmal abgemäht werden (Gem. Schweiz 19, 2ᵇ, 29). Auch *Cerney,* ein Ort im Jura, gehört hierher u. wohl auch die Alpenweiler *Cierne, les Ciernes,* in Château-d'Oex. 'Ce mot, usité dans les Alpes vaudoises pour désigner certaines localités, est le même que celui de *Cerney;* usité dans le Jura. Il désigne un pré élevé, un pâturage entouré de forêts, un défrichement au milieu des bois. Ce mot est celtique; le mot *cerner* vient de là' (Mart.-Crous., Dict. 149. 217, wo indessen (p. 1039) auch die Ableitg. v. *cĕrnir* = abrinden concurrirt).

Cerros s. Cedro.

Cerrus, bei Plin. (HNat. 16, 17 u. a.) die Cerr- od. Zirneiche, bot. Quercus cerrus L., ital. *cerro,* lebte einst in *Cerewalt* (s. Semering) u. lebt, z. Th. völlig entstellt, noch in rom. ON. fort *a) Cerentino,* Ort im C. Tessin; *b) Scharans,* rätr. *Ziraun,* 1270 *Ciraunes,* u. *Zillis,* rätr. *Ciraun,* um 1100 *Ciranes,* Orte in Graub. (Gatschet, OForsch. 237); *c) Schruns,* 857 *Cerones,* dann *Cerunis* etc.,

Ort im Montavon (Bergm., Wals. 15). — Die in den Bergwäldern der österreich. Kronländer oft heimische Zerreiche, slow. *cer*, oft in slaw. ON. wie *Cerje*, in Istrien, *Cernilazi*, mit *laz* = Gereut, in Kroat., *Cerovec, Cerovglie, Cerovlje, Cerovo, Cerowizza, Cervanje Planina* = Gebirge der Steineichen (Miklosich, ON. App. 2, 152), Umlauft, ÖUng. NB. 36 f.). — Auch *Zerbst* dial. *Zerbest*, ON. in Anhalt, 948 *Ciervisti*, 973 *Kiruisti*, dann *Cerwist, Cerwyst, Cherewist, Cerwest, Czerwist, Cerwizst, Ceruwist, Czerbist, Czerwest* u. s. f., in etym. Spielerei als 'Sehrfest' od. 'Zerwüst' gedeutet od. auf die Cherusker od. gar auf die Ceres bezogen, ist offb. slaw. Herkunft, ozw. asl. *cerovište* = Eichwald (Anh. Mitth. 6, 28, Sep.-Abdr.). — *Cerceto* s. Quercus.

Certosa = Kartause (s. Chartreuse), etwa mit dem Beinamen *di Pavia*, ein 1396 v. Giov. Galeazzo Visconti ggr. Kartäuserkloster bei Pavia, das seit der definitiven Aufhebg. 1867 z. Nationaldenkmal geworden ist (Meyer's CLex. 4, 286).

Cervus = Hirsch, aus dem lat. in port. u. ital. *cervo*, span. *ciervo*, frz. *cerf* übgegangen, finde ich nur in wenigen ON. wie *Mont Cervin* (s. Matterhorn), *Piz Cierva* od. *Tschierva*, f. eines der Berghäupter des Bernina (Lechner, PLang. 50), frz. *Corne de Cerf* (s. Elk). — *Ile du Cerf* s. Pedro. — Auch die frz. ON. *Cervières*, um 1000 *Cervaria* = Hirschort, haben gew. die Orth. *Servières* angenommen (d'Arbois de Jub., Rech.NL. 611); in den 19 dépp. des Dict. top. Fr. treffe ich ihrer nur 4.

Cesnola s. Quercus.

Cetiae A. s. Baden.

Cette, Hafenort der Narbonnaise, bei Strabo der Berg *τὸ Σίτιον ὄρος* (f. die verderbte Lesart *Σίγιον*), bei Ptol. (Geogr. 2, 10) *Σήτιον ὄρος*, bei Festus Av. (Ora mar. 605 f.) *Setius*, 822 *Sita*, 1173 *Seta*, 1250 *Ceta*, z. ersten mal mit *c*, 1693 *Cette* (Mém. Soc. Arch. Montp. 1, 128, Ann. Hérault 1839), wo 2 Arbeiten üb. den Namen, v. E. Thomas (Dict. top. Fr. 5, 44). Ob mit Namenerklärung?

Ceulen s. Natal.

Ceuta, verd. aus arab. *Sebta* = 7 (s. Seba) u. dies die Uebsetzg., 'evidently the modern form of its classic name', des röm. *Septem Fratres* = 7 Brüder, f. den dem j. Gibraltar ggb. liegenden afric. Ort, nach den 7 gleichhohen u. ähnl. Bergen 'apparently on account of the seven mountains which are in the neighbourhood' (Richardson, Trav. 2, 113), wie Plinius (HNat. 5, 18) angibt: 'in *Abila* quoque monte et quos *Septem Fratres* a simili altitudine appellant', oder noch anschaulicher: Montes sunt alti, qui continenter et quasi de industria in ordinem expositi ob numerum *Septem*, ob similitudinem *Fratres* nuncupantur (PMela 1, 5, 29). Der Ort selbst, gr. *Ἀβύλη, Abyle*, 'apparently on account of the seven mountains' der Felsberg span. *Ximiera* = Affenberg, dem ein berb. *Idrar-n-Satût* = Affenberg etwas westlicher, f. ein Cap bei Tandschah, entspricht (Barth, Wand. 53).

	Ort	Berg
Ant.	*Abyle*	*Septem Fratres*
Mod.	*Ceuta* (Sebta)	*Ximiera.*

Cevennes, les, ein frz. Mittelgebirge, bei Strabo 128 ff. *τὸ Κέμμενον ὄρος*, bei Ptol. (Geogr. 2, 7 f.; 4, 9) *τὰ Κέμμενα ὄρα*, bei Caesar (BGall. 7, 8) *Cebenna*, bei PMela (2, 5) *Gebennicae, Gebennae*, bei Plin. (HNat. 3, 31; 5, 105) *Gebenna* od. *Cebenna*, bei Auson. *Cebennae* (Dict. top. Fr. 5, 44), denkt sich der Keltist d'Arbois de Jubainville (Rev. Arch. 35, 260 ff.) als gall. *cebenna* = Rücken, allerdings ganz zutreffend f. den langgestreckten Bergzug. Ebenso Glück, welcher (Kelt. N. Caes. 57) ir. *ceb*, kymr. *kefyn, cefn*, arm. *kefn, kevn* = Rücken, auch Bergrücken, vergleicht.

Ceylon, verd. aus skr. *Sinhala dwîpa* = Löweninsel, im Pali *Sîhala Diva*, bei Kosmas *Σιελεδίβα, Serendiva* (Kiepert, AAW. 3), bei Ptol. *Σαλική* (f. die Leute *Σάλαι*), chin. *Sengkialo.* Nom. gent. *Singhalesen.* Wie gew. in ind. ON. ist hier 'Löwe' als Epitheton der Gefährten des Königs Widschaja zu nehmen (Schlagw., Gloss. 179) od. als Titel ind. Residenzen (Wüllerst., Nov. 2, 100); auch Lassen (Ind. A. 1, 241) setzt das ind. *Sinhala*, im Pali *Sihala* = Aufenthalt der Sinha, 'nicht der wirkl. Löwen, sondern der Krieger, welche mit Widschaja einwanderten'. Dieser, ein ind. Fürst, war der Sohn Sihabâhu's = des Löwenarms, u. da jener selbst einen Löwen tödtete, den man f. seinen Vater hielt, so wurde er *Sihâla*, singh. *Sihalô* = Löwentödter genannt, u. als er Herr der Insel geworden, so ging sein Name auf diese über (Pauthier, MPolo 2, 582 f.). Auch die chin. Reisenden übsetzen richtig *Ssê tsë kuë* = Reich des Löwen, geben aber auch die Form *Sî lân* (ib. 584). Während hier (ib. 589) *Serendyb* v. *S'rî Rama* = seliger Rama u. *dvipa* = Insel abgeleitet u. nach arab. Quellen beigefügt wird: île du héros du Râmâyana, qui, selon Valmîki, fit la conquête de l'île de *Lanka ...*, so sagt Lassen einfacher: Die südind. Sprachen wechseln oft mit *r* u. *l;* so findet sich f. *Σιελε* des Kosmas schon bei Ammianus *Serendivus*, u. aus *Seren, Selen*, mit od. ohne *dîb* = Insel, entstanden die arab. u. europ. Benennungen *Serendib, Zeilan, Seilan, C.* u. s. w. (Ibn Batuta, Trav. 183—191, Edrisi ed. Jaub. 1, 71). Für das eben v. den Port. erreichte *C.* gibt der grosse Historiker Barros (As. 3, 2, 1 p. 100) die Form *Ceilão* u. erzählt: Bei einer alten Eroberg. der Insel durch die Chinesen hätten diese in einem Sturme 80 Segel verloren u. daher die Adamsbrücke *Chilão* = Untergang der Chinesen genannt; diesen Namen hätten die später anlangenden Araber u. Perser, unbekannt mit der einh. *Ilanare* od. *Tranate*, in verd. Form *Ceilão, Cilan*, auf die Insel übtr., u. v. ihnen hätten die Port. ihn angenommen. Das oben erwähnte *Lanka*, zunächst Name der Hptstadt, ist erst auf die Insel übertragen; er gilt auch bei den Buddhisten als Name des j. Zeitalters, u. die Einwohner brauchen **ihn** noch. Nach Pauthier wäre er = böse **Geister;**

die v. Continent herübergekommenen ind. Eroberer (—543) hätten *C.* v. den *rakschasâs*, singh.
yakhos, bewohnt geglaubt — Dämonen, die mit
der ind. Eroberg. auch in chin. Quellen erwähnt
werden. Ein dritter Name, ebf. nur Uebtragg.
v. der Stadt, die, den buddh.-singh. Berichten
zuf., der bei Putlam gelandete Eroberer Widschaja ggr., ist im Pali *Tambapanni, Tamra-
pa(r)ni*, woher gr. *Ταπροβάνη*, angebl. = Kupfer-
hand, v. *tamra* = roth u. *pani* = Hand, weil
Widschaja u. seine Begleiter, bei der Ankunft
auf dem Boden ausruhend, rothe Hände bekommen
hätten, od. = Kupferblatt (Pauth. 1, LXVI), nach
Lassen (1, 201. 241) jedoch, viel einleuchtender,
als rothblätterige Art des Sandelbaums, da *tamra*
(neut.) auch rothes Sandelholz u. *parna* = Blatt,
zuerst f. einen Wald dieser Bäume, dann auf
Stadt u. Insel übtr. (Klaproth, Mém. 2, 431, Humb.,
Kosm. 2,433, Journ. As. Janv. 1857, 5 ff.). In der
Form *Tamraparni* auch ein Fluss in Süd-Indien
(Lassen 1, 201) u. in Malabar ein Ort *Tamra-
tschéri, Tambartscheri* = Kupferstadt (Schlagw.,
Gloss. 250).

.**Chabarow, Cap,** am tatar. Sund, v. russ. Capt.
J. A. v. Krusenstern (Reise 2, 172) am 13. Aug.
1805 genannt, 'um den Namen des unternehmenden u. geschickten Russen zu ehren, welcher
1649 auf eigne Kosten mit sehr geringen Hülfsmitteln das gefährl. Unternehmen wagte, die dam.
unlängst gemachte Entdeckung des Flusses Amur
zu vollenden u. diese wichtige Acquisition seinem
Vaterlande zu verschaffen'. — Nach dems. *Cha-
barowka*, eine russ. Ansiedelg. am Amur (Müller,
SRuss. G. 5, 342 ff. 374) u. *Chabarowa*, an der
Lena (Stieler, HAtl. 1879 No. 59), wo der kühne
Eroberer in spätern Tagen ein Richteramt verwaltete (Fischer, Sib. G. 2, 837).

Chablais, ital. *Sciablese*, Ldsch. in Savoyen,
urk. *Chablasium*, 1267 in *Chablasio*, 1268 *Cha-
blaisium*, angebl. früher die Gegend um das
Oberende des Genfer-Sees, in deren Centrum,
nahe dem j. Villeneuve, einst *Pennilucus*, im
It. Ant. *Pennelocos*, in Tab. Peut. *Pennolucus*, v.
kelt. *penn-loch* = Seehaupt, dem entspr. auch
die Umgegend pagus *Caput Laci, Lacensis* =
Gau am Seehaupt, 'd'où est venu évidemment le
nom moderne de *Ch.*' (Mart.-Cr., Dict. 150). Andere
denken an urk. ager *Caballiacus* = Rossland,
früher, mit gl. Bedeutg., provincia *Equestris*,
'weil mehrere Stutereien hier waren' (Ducis, Quest.
arch. Sav.). An Stelle dieser 'Versuche v. Ur-
kundenschreibern' setzt Gatschet (OForsch. 34),
nach Analogie der waadtl. Dörfer *Chablie*, 1228
Chablie, u. *Chabloz*, im Cart. Laus. *Chablo*, das
altfrz. *chaable*, nfrz. *chablis* = Windbruch, in
Wäldern, in dem Sinne, dass v. einer bestimmten
Stelle, wo solche Windbrüche häufig, der Name
auf das Land übergegangen sei, u. nun versucht
es auf demselben Wege der abbé Lacroix (Mém.
et Doc. Acad. Chabl. 1887, 70) mit frz. *chablage*
scil. des bois, bei Ducange *chaableium, cabulus,
capulare*, also Holzschlag od. 'Rüti'. Nom. gent.
Chablaisien, enne (RDenus, AProv. 285).

Chaboneau's Creek, ein rseitger Zufluss des
Missuri, unth. des Yellowstone R., am 14. April
1805 v. den Captt. Lewis u. Cl. (Trav. Miss. 137)
benannt nach ihrem Dolmetscher, dem Franzosen
Ch., der einst mit einer Zahl Indianer mehrere
Wochen hier gelagert hatte.

Chabor, hebr. כְּבֹר od. כְּבָר = Länge, langer
Fluss (2. Kg. 17, 6; 18, 11, 1. Chr. 5, 26), der zw.
Diarbekr u. Mosul links in den Tigris fallende
Fluss, an welchen die Israeliten durch die Assyrer
versetzt wurden. Der mesopot. *Kabûr*, den Ez.
1, 3; 3, 15 etc. erwähnt, heisst כְּבָר; es ist dies
der *Chaboras* der Alten, ein lkseitger Nebfluss
des Euphrat (Spiegel, Eran. A. 1, 290).

Chachájjagà = Götzenlandfluss, sam. Name im
Samojedenlande, v. *chaj* = Götzenbild, welches
sich mit *jej* = Land zu *chacháj* zsgezogen hat;
denn das umliegende Gebiet, auf welchem die
Kirche am Flussufer erbaut ist, war von jeher
Eigenthum der h. Jungfrau zu Mesén', u. das
Marienbild galt den heidn. Samojeden, ebenso
wie jedes andere Bild, dem eine symbol. Verehrg. gezollt wird, als Götzenbild (Schrenk, Tundr.
1, 694).

Chaco, el Gran, halbspan. Name eines weiten
Indianergebiets am Oberlaufe des Rio Paraguay.
Chacu = Meute war (im quich.) die übl. Bezeichng. f. die Menge v. Hunden, welche v. allen
Seiten zsgetrieben wurden, wenn die Incas auf
die Jagd gingen; diesen Namen trugen nun die
Span., mit dem Beisatz *el gran* = der grosse,
auf das Gebiet über, in welchem eine grosse Menge
verschiedener Indianerstämme hausten (WHakl.S.
24, XIII).

Chadileuvu, Name eines der patag. Flüsse, wo
leuvu = Fluss, *chadi* = Salz, also = Salzfluss,
wg. seines salzigen Wassers. Ebenso *Liuleuvu*
= weisser Fluss, *Raûuleuvu* = Kreidefluss,
Rugileuvu = Rohr- od. Binsenfluss, *Relbunleuvu*, nach dem an seinen Ufern häufig wachsenden Kraute Relbun (Murr, Nachr. 2, 479. 483. 485).

Chadra s. Achdar.

Chämi s. Ruchen.

Chag s. Elefantine.

Chagres s. Lagartos.

Chaiber Pass, der berüchtigte Bergweg Kabul-
Pischawar, nach den Chaiberis, einer Gesammtheit v. 3 Volksstämmen, unter welchen die Afrîdi
am bekanntesten sind (Spiegel, Eran. A. 1, 314).
Ein Ort *Haibar* bei Barros (As. 4, 6¹ p. 8).

Chaillou s. Ouest.

Chain Island = Ketteninsel, ein Atoll der Paumotu, dessen kleine Inselfetzen u. Riffe die Lagune nach Art einer Kette umspannen, einh.
Anäa, v. Cook am 8. April 1769 getauft (Hawk.,
Acc. 2, 78). Der span. Seef. Boenechea, welcher
sie am 1. Nov. 1772 sah, taufte sie nach dem
Kalendertage *Todos los Santos* (Bergh., Ann. 6,
199, ZfAErdk. 1870, 364, Meinicke, IStill. O. 2, 207).

Chair Kumin = rascher Junge, türk. Flussname
im Altai, nach den schnellen Laufe (Sommer,
Taschb. 11, 232).

Chaix Bach, ein Zufluss der Beluschja Bucht,

Matotschkin Schar, zuerst cartogr. v. der Exp. Rosenthal 1871 u. v. Dr. A. Petermann in Gotha benannt nach dem Genfer Geographen, Paul *Ch.*, wie der nahe *Beaumont Bach* nach dem Präsidenten der Genfer geogr. Gesellschaft (Peterm., GMitth. 18, 77).

Chalcis, gr. Χαλκίς = Kupfergruben, v. χάλκος = Kupfer, die bedeutendste Stadt Euböa's, v. den nahen Kupferminen, die (Strabo 447) einst 'sehr ergiebig waren, so dass ihresgleichen nirgends anzutreffen gewesen sein soll' (Fiedler, Griech. 1, 441), später *Halikarna*, gr. Ἁλίκαρνα = Meerburg (Pape-B.), als die auf drei Seiten v. Meer umflossene (St. B.). Ggb. den alten Annahmen wird geltend gemacht, dass die Ebene u. Kreidehügel der Umgegend kein Metall enthalten; besser werde der Name *Ch.* auf die hier häufige Purpurschnecke, χάλκη, κάλχη, zkgeführt(Kiepert, Lehrb. AG. 255). Der alte Name, lange v. dem ital. geformten *Negroponte* (s. d.) verdrängt, ist f. die Stadt wieder eingeführt. — Von Chalcidiern u. a. Griechen, seit —700, besiedelt u. gräcisirt, mit kleinen Pflanzstädten, αἱ Χαλκιδικαί πόλεις, erhielt die Halbinsel Χαλκιδική, *Chalcidice*, ihren Namen (Kiepert, Lehrb. AG. 316). — *Chalki*, in Plin. (HNat. 5, 151) *Chalcitis*, bei Steph. Byz. Χαλκίτης, ngr. Name einer der Prinzen In., v. den alten Erzgruben, welche Kupfer lieferten. Noch zeigt sich das Gestein der ganzen Insel, bes. in der Gegend des Hafens Panagia, kupferhaltig (Hammer-P., Konst. 2, 365). — *Chalkis* s. Kaki. — *Chalkitis Chora* s. Malakka.

Chaldaea s. Babylon.

Chaleb u. **Chalybon** s. Aleppo.

Chaleurs, Baie des = Bucht der Hitze (s. Chaud), an der Ostseite NBraunschweigs, wo der frz. Seef. J. Cartier, der am 20. Apr. 1534 v. St. Malo abgesegelt war u. in 20^d NFundl. erreicht, dieses noch im winterl. Schneegewand u. vereist gefunden hatte, eine Hitze 'grösser als in Spanien', am 1. Juli 'une terre de ... grande chaleur' fand (M. u. R., VCart. 25. 34, Hakl., Pr. Nav. 3, 208, Buckingh., Can. 94, Anspach, NFdl. 21).

Chalfan, Márago, ein ostafric. Lagerplatz, *márágo* (f. sich anders betont als in Zssetzg.), nördl. v. Kenia, benannt nach einem Araber, der hier schwer erkrankte (Journ.RGSLond. 1870, 321).

Chalgaich s. Londonderry.

Chalgan, mong. *Chàlga* = Thor, Barrière, Schlagbaum, näml. (Ort) an der grossen chin. Mauer, chin. *Tschang kia kheu* = Thor, Barrière, *kia kheu*, der Familie Tschang, der ersten, welche sich dort niederliess (Timkowski, Mong. 1, 292). Der Ort, 220 km nordwestl. v. Peking, 'schliesst den Durchgang durch die grosse Mauer u. ist ein wichtiger Punkt f. den Handel China's mit der Mongolei ... Im frühen Herbst ziehen v. allen Seiten lange Reihen Kamele, die sich während des Sommers auf der Weide erholt haben, nach *Ch.*, um dort mit Theekisten beladen zu werden' (Peterm., GMitth. 20, 10). 'There is a walled fortress 4 li in circuit, but the merchants houses, shops, and inns form a long, straggling suburb,

stretching from this, for some two or three miles, up to the gate of the Great Wall, which is strongly fortified and garrisoned.' Von dem Ort gehen in Radien 3 Handelsstrassen aus einander (Journ.RGSLond. 1874, 76).

Chalil s. Hebron.

Challenger, Cape, die Südspitze der Hptinsel v. Kerguelen, benannt v. engl. Capt. Nares, welcher 1874 mit dem Schiffe *Ch.* hier Aufnahmen besorgte (PM. 21, 133). — *Ch. Tiefe* s. Tuscarora.

Chalmé s. Charmoy.

Chalmers, Port, Hafenort Dunedins, Otago, v. den schott. Ansiedlern 'ainsi nommmé d'après le célèbre pasteur de l'église libre d'Ecosse' (GdGenève 1875 mém. 14, 41. 59), Thomas *Ch.*, geb. 1780, Stifter der freien presbyt. Kirche Schottlands, † 1847. — Wohl ebf. prsl. *Ch. Harbour*, in Montague I., am 2. Mai 1787 v. engl. Capt. Nath. Portlock benannt (GForster, GReis. 3, 94).

Châlons-sur-Marne, als Veste der kelt. *Catalauni* = der Kampflustigen einf. *Durum* = Burg, Fort, unter röm. Herrschaft, als etwa um das 4. Jahrh. die alten ON. fast allgemein durch die Völkernamen ersetzt wurden, *Durocatalaunum*, einf. *Catalaunum*, bei Greg. v. Tours *urbs Catalaunensis* (Longnon, GGaule 404). Von anderer Etym. die übrigen frz. Orte gl. N., in der Charente-Inf., Isère, Drôme, Nièvre etc., so *a*) *Chalon*, dép. Mayenne, 710 de *Caladunno* monasterio, 832 *Caladon*, 989 ecclesia Sancti Petri de *Chadelone*, im 11. Jahrh. de *Castellone*, 1125 de *Chaalon* (Dict. top. Fr. 16, 66), urspr. *Caladunum* = feste Burg (Houzé, Et. NL. 84 ff.); *b*) *Chalon-sur-Saône*, bei Greg. v. Tours *Cabilonum, Cabillonum, Cavillonum* (Longnon, GGaule 216), v. *Cabillo(num)*, also verwandt mit *Cavaillon, Cabellio*, s. v. a. Rossort, 'une ville dont la principale industrie était l'élève du cheval' (Rev. Celt. 8, 122).

Chal-Usch s. Beresow.

Chambers' Pillar, eine sonderb. Steinsäule im innern Austr., v. engl. Reisenden J. Mac Douall Stuart entdeckt u. benannt nach seinem Freunde u. Gönner John *Ch.*, welcher die Kosten seiner Reise bestritt. Die Säule, auf einem 26 m h. Piedestal v. weissem, schmalem Sandstein, erhebt sich um weitere 45 m, im untern Theil ebf. weiss, oben roth (PM. 19, 184, ZfAErdk. 1875, 349).

Chameleon Falls, eine der zahlr. Cascaden, welche der Lehighzufluss des Glen Onoko, Pennsylv., bildet, nach dem bunten Farbenwechsel, welchen er f. verschied. Standpunkte zeigt. 'Seen from the rustic bridge just below the falls, they have the appearance of a veil composed of fretted silver. They have been poetically termed the *Veil of Wenonah*, and are considered one of the most pleasing features of the glen' (Penns. Ill. 54).

Chamis = Donnerstag, als 5. Tag der Woche v. arab. *chamsa* = 5, in ON. wie *Sûk el-Ch.* = Donnerstagsmarkt, in Marocco, Ort, wo der Markt am Donnerstag abgehalten wird(Parmentier, Vocab. arabe 31). — Daher *Chamsin* = 50, der Wüstenwind, welcher innerh. der 7 Wochen nach dem

Frühlings-Aequinoctium zu wehen pflegt (Russegger, Reis. 1, 226).

Chamisso, *Adalbert v.*, der deutsche Lyriker, geb. in der Champagne 1781, wanderte in der Revolution nach Preussen aus, begleitete als Naturforscher den russ. Capt. O. v. Kotzebue 1815/17 auf der Weltreise u. † 1838. Ihm zu Ehren hat der Chef (EntdR. 1, 144) am 8. Aug. 1816 eine *Insel Ch.*, in Kotzebue Sd., u. der russ. Capt. Lütke 1828 in den Central-Carolinen den *Hafen Ch.* getauft (Bergh., Ann. 9, 154, Meinicke, IStill.O. 2, 353).

Chammath, hebr. חַמַּת = warme Quellen, Ort im Stamme Naphtali (Jos. 19, 35), wahrsch. *Emmaus, Ammaus,* j. *Hammah,* bei Tiberias (Robins., Pal. 3, 508 ff.). 'Es gibt eine warme Quelle unweit Tiberias, in einem Dorfe Namens *Emmaus*' (Jos. 18, 2, 3). Am Ausgang des Thälchens 'Ammâs befinden sich noch j. lauwarme Quellen (gef. Mitth. KFurrer dd. 21. Mai 1887). — *Emmaus* s. Thorn.

Chamonix, gew. *Chamouny* od. *Chamounix,* bei Saussure (VAlp. 73 ff.) *Chamouni,* bei Altmann (Helv. Eisg. 119) *Chamoigny,* den Namen des weltbekannten Touristenthals am Fusse des Mont Blanc, denkt sich Gatschet (OForsch. 205) als *campus munitus,* ähnl. wie das freib. *Cormondes,* verdeutscht *Gurmels,* urk. *Cormunet,* als *curtis munita* = eingefriedigter Hof. 'Bei *Ch.* an eine blosse Umfriedg. dort. Hofstätte zu denken, verbietet der Ausdruck *munitus;* denn obwohl in diesem abgelegenen Alpenthale wenige Feinde zu befürchten waren, so deutet er doch auf eine verschanzte Fläche hin, in der man sich gg. plötzl. Ueberfälle zu sichern suchte.' Diese Ableitg. stammt schon aus dem Jahre 1852; denn in einer Besprechg. des Glossars v. J. A. Gaudy-Le Fort (Genève 1820, in 2. Aufl. 1827), der *Ch.*als *Champ du Meunier* = Müllerfeld betrachtete, sagt sein Landsmann, der Genfer E. Mallet (Mém. Soc. d'hist. et d'arch. 8, 34 f.): 'C'est ainsi qu'il plaisante sur ceux qui veulent dériver le nom du Prieuré de *Ch.* du lat. *Campus munitus* . . ., tandis que, s'il avait pris la peine de consulter quelqu'une des histoires accréditées de Savoie des 17., 18. et 19. siècles, Guichenon, Besson ou Guillet, il y aurait vu que le nom de *Campus munitus* était donné à *Ch.* par les plus anciennes chartes qui en fassent mention, déjà au 11. siècle'.

Chamossaire = Gemsenberg, v. frz. *chamois* = Gemse, Berg bei Ollon, Waadt . . . 'les chamois ont donné le nom à la montagne où ils étaient attirés par les deux sources salées', welche in ½ h 60 kg Wasser u. 1⁰/₀ Salz geben. 'La montagne est riche en beaux pâturages; on y trouve les plus rares et les plus belles plantes de nos Alpes' (Mart.-Crous., Dict. Vaud 153). — Nach Gatschet (OForsch. 78) enthält auch der Walliser Ort *Chamoson* (u. die Alp *Chamossale* am Jaman) die Bedeutg. des 'gemsenreichen', immerhin so, dass zunächst der üb. dem Dorfe befindl. Berg *Chamoson* geheissen hätte.

Champagne, mit *Chamonix* u. *Chanrion* (s. dd.) einer der v. lat. *campus* (s. d.) abgeleiteten frz. ON., in Frankr. häufig, im dép. Nièvre z. B. 4 mal, 1233 *Champania,* am bekanntesten f. die einstige Prov., nach den weiten, auch historisch merkw. Feldern, wo neben den Ebenen um Châlons, den 'catalaunischen Feldern', noch andere natürlich abgegrenzte Gebiete mit besonderm Namen unterschieden wurden, wie 451 *Mauriacensis campania,* nach einem Orte *Mauriaca,* j. *Méry.* Der Name *Ch.* lautete 533 *Campania,* regnum *Campaniae,* 987 *Campagnia,* 1016 *Campania,* 1152 comitatus *Campaniensis,* 1228 *Champangnie, Champaigne* (Dict. top. Fr. 6, 34; 10, 55; 14, 32. 96). Die *Ch.* 'devait son nom à l'immense plaine crayeuse qui mesure une quarantaine de lieues du septentrion au midi, sur vingt lieues environ d'occident en orient'. Die ethn. Bezeichng. wäre die v. den lat. Autoren der Feudalzeit beständig angewandte, regelmässige Form *campaniensis;* die der Merowingerzeit sagen immer *campanensis,* daher frz. *champenois, se* (A. Longnon, GGaule 194, RDenus, AProv. 85).

Champagny, Archipel, in Tasman's Ld., v. frz. Capt. Baudin am 9. Aug. 1801 benannt nach einem hervorragenden Landsmann (Péron, TA. 1, 113). Jean Baptiste *Ch.,* der frz. Staatsmann, lebte 1756—1834. — Später, im Febr. 1802, *Piton Ch.,* ein kegelfgr. Uferberg bei Tasmania (ib. 254). — *Port Ch.* s. Lincoln.

Champion Bay, hinter Houtman's Abrolhos, v. Capt. Stokes (Disc. 2, 141) am 9. April 1840 benannt nach dem Colonialschooner *Ch.,* welcher, befehl. v. Moore, dem Attorney-General at Swan River, unmittelbar vorher die Küste besucht hatte. Eine nahe Landspitze *Point Moore* (vgl. Grey).

Championnet, Ile, eine der austr. Iles Maret, v. der frz. Exp. Baudin im Aug. 1801 benannt (Péron, TA. 1, 115, Freycinet, Atl. 27). Jean Etienne *Ch.* war frz. General, 1762—1800.

Champlain, *Samuel,* seit 1633 frz. Statthalter in Canada, nachdem er in den Jahren 1603/29 das Land vielf. bereist hatte u. † Dec. 1635, hat insb. den *Ch. Lake* u. dessen Abfluss, *Ch. River,* entdeckt . . . 'discovered the lake still called by his name' (Quackb., USt. 54). Am 2. Juli 1609 näml. verliess er, v. den Algonkin gg. die Irokesen zu Hülfe gerufen, die Stromschnellen der *Rivière des Iroquois,* ging diesen Fluss aufw., um den grossen See u. die schöne Gegend im Feindeslande zu sehen, u. schlugen am See angelangt, die Irokesen. 'Ch. gave his name to the lake on whose borders the action was fought' (WHakl.Soc. 23, XXV f.). Am See auch der Ort *Ch.* (Meyer's CLex. 4, 325).

Champoton = stinkendes Wasser, ind. Name einer v. dem Spanier Hernandez de Corduba 1517 entdeckten Stadt in Yucatan (Peschel, ZEntd. 530).

Chamyschlyk Tscheschmé = Rohrquelle, türk. Name einer Quelle der Krym, nach der nahen Weide *Ch.*-Tschaír (Köppen, Taur. 2, 7. 22 ff.).

Chan-Oola = Königsberg, mong. Bergname der chines.-russ. Grenze, nach der an seinem Fusse liegenden Residenz des Chutuchtu, Urga, im Mandschu *Kan alin* mit gl. Bedeutg. (Klaproth, Kauk. 2, 444, Mém. 1, 46); *b) Chankendi* = Dorf des Chans, türk. Ort in Kaukas., Besitzg. der ehm. Karabachschen Chane (Meyer's CLex. 4, 327); *c) Pul-i-Ch.* s. Murghab; *d) Ch.-Balig* s. Pe; *e) 'Ain el-Ch.* s. Akabah. — In der Orth. mit *kh* oft f. ind. ON. wie *Khanpur* = Königsstadt, *Khangärh* = Königsveste (Schlagw., Gloss. 209) u. *Khana-abâd*, wo *abâd* = Stadt, Ort in Nieder-Turkestan, bei MPolo *Gana*, bei Wood (Voy. Oxus) *Khana-i-bad* (Pauthier, MPolo 1, 112).

Chanchoka Wahpa = dicht mit Zimmerholz versehener Fluss, ind. Flussname in America, 2 mal: *a)* in engl. Uebsetzg. *Thick timbered River*, den kieferwaldigen Black Hills entspringend u. auf seinem üb. 300 km lg. Laufe, wenigstens in Vergleich mit den viel holzärmern Nachbarflüssen, zieml. mit Wald umsäumt (Raynolds, Expl. 8). In Aussehen, Farbe wie in der Natur des Bettes dem Missuri, in den er mündet, sehr ähnl., aber diesem ggb. klein, nur 120 m br. u. kaum 1 m t., heisst er auch *Little* (= kl.) *Missuri* (Lewis & Cl., Trav. Miss. 135), u. in dessen Quellgegend hat 1855 Lieut. Warren die *Little Missuri Buttes* getauft (Raynolds, Expl. 33); *b)* ein Zufluss des Cheyenne R., mit etwas Cottonwood, Ulmen etc. bestanden (ib. 27).

Chandakus, 's tus, gr. 'ς τοὺς Χανδάκους = zu den Klüften, ein hoher Berg des ägäischen Kasos, welcher mit zerklüftetem, schwarzblauem Kalkstein schroff in die See abfällt (Ross, IReis. 3, 44).

Chandernagor s. Tscha...

Channel = Canal (s. Canna), engl. Gemeinname f. 'Meerenge', als *English Ch.* Eigenname f. den Grossbrit. v. Continent trennenden Arm, frz. *la Manche* = der Aermel, nach der Umrissform, röm. *Mare Britanicum* (Meyer's CLex. 9, 742). Uneig. in *Bristol Ch.* (s. Bristol). — *Ch. Islands* s. Normandie. — *Ch. Islet* s. Colville.

Chanrion, eine Alp im Hintergrunde des Val de Bagnes, Wallis, s. v. a. *champ-rond* = Rundfeld (s. Campus) ... 'en effet sa forme est ronde' (Bourrit, NDescr. 1, 57).

Chantaisk s. Jenissei.

Chanteloup, häufiger frz. ON., wurde früher als Wolfsgegend gedeutet; aber *Cantus Lupi*, die lat. Namensform, ist nicht, wie man annahm, = 'canton du loup', sondern, wie Houzé (Et. N. Lieux 17 ff.) zeigt, einfach 'Chant du loup, Chante le loup'. Von vorn herein scheinen allerdings andere Thiere mehr Anspruch auf den Titel eines Sängers zu haben, wie in den ON. *Cantamerle, Chantemelte, Chantemerle, Chantemesle* die Amsel, in *Chante-alouette* die Lerche, in *Chantegrue* der Kranich, in *Chantecoq, Cantagallo* (Toscana) u. *Canta el Gallo* (Spanien) der Hahn, in *Chantegéline* die Henne, in *Chantagrel* u. *Chantagrel* das Heimchen od. die Krähe, in *Cantepie* u. *Chantepie* die Elster, in *Canteperdrix* das Rebhuhn, in *Chandoiseau, Chant d'Oiseau* (Belgien), *Chandossel*

(Schweiz) u. *Chantoiseau* der Vogel übh., in *Chanteheux* die Eule, sogar in *Canteraine(s), Cantraine, Chanteraine* (Belgien), *Chanteraines, Chantereine, Chanterenne, Cantarana* (Piemont) u. *Canta la Rana* (Span.) der Frosch (s. Guanajuato); aber der frz. Bauer hatte früher Ursache genug, v. Wolfe in schmeichelhaften Ausdrücken zu reden u. kam so zu einer Reihe v. ON., wie *Cantaloub, Canteleu(x), Cantelou,Canteloube, Canteloup, Chanteloube,Chantelou,Chantelouve*, auch piem. *Cantalupa* u. *Cantalupo*. Aehnliche Formen sind *Huchepie, Hucleu, Heucheloup, Hucaloup*, mit dem altfrz. Verb *hucher, huquer* = schreien, ferner *Crisloup*, mit *crier*, wohl auch *Bramevaque* u. *Bramefan*, mit *bramer* = röhren, brüllen, v. vschied. Thieren, wie Kuh, Pfau, Hirsch etc. Eine Zählung dieser Namen in den 18 dépp. des Dict. top. Fr. ergibt etwa 200; sie zeigt, dass die sangreichsten die dépp. Vienne (37), dann Dordogne u. Mayenne (je 34) sind, die grösste Mannigfaltigk. dieser Nomenclatur aber Mayenne aufzuweisen hat. Von alten Formen erscheinen hier 1080 *Cantans-Lupus*, 1070 *Cantamerula*, 1080 *Cantans-Pica*, 1443 *Chantereyne*, 1365 *Cantus Gallinae*, 1373 *Cantus Gelinae*, 1399 *Chantaloba*, 1463 *Cantalauva*, 1195 *Cantelou*, 1207 *Canti-* od. *Cantulupus*, 1025 *Cantapia*, 1010 *Cantus merule vicus* (Dict. top. 16, 70, wo zu *Chantemesle* ausdrückl. bemerkt ist 'altération de *Chantemerle*'), 1317 *Chantameruli* u. s. f. In dieser farbenreichen Sammlg. darf selbst der Name *Chantepierre*, 3 mal im dép. Mayenne (ib. 16, 70), 1 mal im dép. Aube (ib. 14, 36), nicht fehlen.

Chantre, la Table au, so nannten die Führer einen Felsen des savoy. Buet, weil Bourrit als Cantor der Kathedrale v. Genf, auf seiner ersten Reise hier speiste. 'La base présente des sièges naturels qui semblent inviter le voyageur à s'y reposer' (Saussure, VAlpes 100).

Chanzir s. Rus.

Chaon, gr. Χάον = Höhlenberg, bei Argos, benannt v. seinen Höhlen nahe der Heerstrasse nach Tegea (Curt, Pel. 2, 340).

Chaos, Name einer Inselgruppe in der Nähe des südafric. Port Elizabeth, verd. aus dem port. *chão* = eben, flach, auch *Bird Isles* = Vogelinseln, nach der grossen Menge Seevögel, die sich daselbst aufhalten (Bergh., Ann. 10, 503).

Chaouanons s. Savanna.

Chapawt s. Sohaweh.

Chapelle s. Capella.

Chapéo, Morro do = Hutberg, bras. Prov. Goyaz, bei dem Orte Carolina am Tocantins, 'a prominent mark for an immense distance around', offb. nach seiner Form benannt (JRGSLond. 1876, 323). — Rum. *Chapka* = Hut, der zw. 2 Schluchten sich hinziehende Berg, auf dem die wlach. Colonisten das thessal. Städtchen Wlacho Livadi gebaut haben (PM. 7, 115).

Chaponnière, La, ON. in Frkr., hervorgegangen aus altem *Caponarias*, welches v. *capo* = Capaun mit suffix *-arias* abgeleitet ist (d'Arbois de

Jub., Rech. NL. 610 f.), etwa 7 f. vorkommend in den 19 dépp, des Dict. top. Fr.

Chapotannaz, ein waadtl. Weingut ob Cully, 'fut formé par François Chapotan, notaire et secrétaire de Sébastien Naegueli, bailli de Lausanne, vers 1539' (Mart.-Crous., Dict. Vaud 161).

Chappe, lle, im austr. Arch. Laplace, v. der frz. Exp. Baudin im Febr. 1803 benannt (Péron, TA. 2, 84) nach dem frz. Astronomen Jean *Ch.* d'Auteroche, 1722—1769, od. nach dessen Neffen, Claude *Ch.*, dem Erfinder des opt. Telegr., 1763—1805?

Chapütscha, la = die Kappe, Haube, u. ihr dim. *il Chaküptschin*, 2 mal f. Felshörner des Bernina, das 'Käppchen' einer weissen Nachthaube ähnl. (Lechner, PLang. 50. 64).

Chapultepec, span. Form f. *Chapoltepec* = Berg der Heuschrecken, v. azt. *chapollin* = Heuschrecke u. *tepetl* = Berg, Name eines aus der Ebene des Anahuac isolirt aufsteigenden Felsbergs, der schon z. ind. Zeit der Lieblingssitz der Kaziken, später der span. Vicekönige war. — *Chapulalpa*, aus ind. *Chapollapan* = Fluss der Heuschrecken, mit *apam* = Fluss (Gracida, Cat. Oax. 34), *Chapolixitla* = Ort der Heuschrecken, eig. ihrer Füsse, v. *ixitl* = Fuss, wie auch die Hierogl. zeigt, *Chapolmoloyan* = Ort, wo Wolken v. Heuschrecken auffliegen, also Brutstätte der Wanderheuschrecken, mit *moloni*=sich wie Federn in die Luft erheben u. die Endg. *yan* (Peñafiel, Nombr. geogr. 105).

Char, Puscht-i- = Eselsrücken, pers. Bergname der Gegend, wo Hindu Khu u. Karakorum sich berühren (JRGSLond. 1870, 125).

Chará = schwarz, Aequivalent f. türk. *kara* (s. d.), in mong. u. burät. ON., f. sich allein Name eines z. Selenga geh. Flusses, dem das steinige Bett u. die Tiefe des Wassers eine dunkle Farbe verleihen (Timkowski, Mong. 1, 49). — *Ch. Bulak* = Schwarzwasser, Zufluss des Sees Iltschir, im Sajan (Bär u. H., Beitr. 23, 30). — *Ch. Daban* = schwarze Berge, im Sajan, 'wozu sie (die Buräten) wohl die dunkle, oft aus Zirbelkiefern gebildete Waldg. u. die Häufigk. der Bären — denn diese werden bei allen Mongolen als Schwarzwild bezeichnet — veranlasst haben mag' (Bär & H., Beitr. 23, 144 f.). — *Chara Narin-Ula* = schwarze Spitzberge, mong. Name einer verhältnissmässig unbedeutenden, aber wilden u. felsigen Gebirgsgruppe des Südrandes der Mongolei. 'Kolossale Felsen v. Granit, Hornblendegneiss, Felsitporphyr, Syenit, Felsit, Kalkstein u. Thonschiefer thürmen sich an den Seiten auf od. krönen 'die Gipfel' (PM. 22, 101). — *Ch.-Nidù* s. Ude. — *Ch.-Ola* = schwarze Kuppe, mit *Schara-Ola* = gelbe Kuppe, *Zagan-nor* = weisser See, *Ergiktargàk* = weiter Kamm, nach seinem gezackten Ansehen, mong. Berg- u. Gewässernamen der russ.-chin. Grenze (Klaproth, Kauk. 2, 418 ff., Mém. 1, 20). — *Ch. Tologói* = Schwarzkopf, mong. Bergname: *a)* im der Gobi, nach dem dunkeln Aussehen der mit Budurgunà (-gesträuch) bedeckten Höhen (Timkowski, Mong. 1, 214; 2, 437); *b)* an der

russ.-chin. Grenze (Klaproth, Kauk. 2, 418 ff., Mém. 1, 20). — *Charatit* = Schwarzwald, jakut. Name v. Nadelwäldern am Weg des Stanowoi Chrebet, als *Bastyn* (= erster) u. *Orto* (= zweiter) *Ch.* unterschieden (Dawydow, Sib. 74). — *Charagós Tschokräk* = Schwarzaugen-Wasser, türk. Quellname des taur. Gebirgs (Köppen, Taur. 2, 7. 23 ff.).

Charadros, ngr. Χάραδρος = Wald- od. Giessbach, ein Zufluss des Kephisos, nach ihm *Xαράδρα*, eine völlig wasserlose, auf steiler Höhe gelegene Stadt, deren Bewohner ihr Trinkwasser aus dem 3 Stadien entfernten Bache bezogen (Bursian, GGeogr. 1, 161 f.). Vgl. Kale u. Krios.

Charàtu = von fern zu sehen, mong. Bergname der Gobi (Timkowski, Mong. 2, 398). — Ebenso (I. 232) *Charbàtu* = Schiessberg. Auf ihm habe der Heros Ghessür Chan (seither z. Götterrang erhoben) Schiessziele aufgestellt u. diese v. einem mehr als 50 km entfernten Berge aus mit seinen Pfeilen nie verfehlt.

Charbonnière, la = der Kohlenberg, ein rseitgr. Uferberg des Missuri, obh. St. Louis, welcher 'probably affords sufficient fuel for all the population of Louisiana' (Pike, Expp. App. 1). So hiess schon zu Anf. des 19. Jahrh., u. wohl viel früher (Lewis & Cl., Trav. Miss. 13), auch der Fluss selbst u. die Kohlenbank 'appeared to be very abundant.' — Im plur. *les Charbonnières* = die Kohlenbrennereien, Ort im Val de Joux, 'tire son nom des nombreuses charbonnières qui y furent établies dans le XVe siècle' (Mart.-Crous., Dict. 161). — *Mount Carbon*, engl. ON. in der Nähe der kohlenreichen Pottsville (Penns. Ill. 65).

Chargeh s. Dachel.

Charité, la, v. lat. *caritas* = die Liebe, Nächstenliebe, Wohlthätigkeit, oft Name klösterl. Stiftungen, wie der *abbaye de la Ch.*, dép. Yonne, 1184 als Frauenkloster v. Cistercienserorden, *Caritas*, ggr. (Dict. top. Fr. 3, 29) od. *la Ch.-sur-Loire*, dép. Nièvre, im 11. Jahrh. monasterium *Caritatis super Ligerim*, berühmte Abtei, zw. 1052 u. 1059 ggr. (ib. 6, 40). — *Chariton Lophos*, gr. Χαρίτων λόφος = Grazienhügel, ein in Höhenzug des j. Tripoli, mit 3 Erhebungen, v. den Kyrenäern benannt nach den Grazien, deren gew. drei angenommen waren. Entspricht ozw. dem *Zucchabari* des Ptol., phön. *Tucca-ber* = Kornhügel, fruchtbarer Hügel (nach Gesenius), was gar zutreffend in der überaus fruchtb. Ldsch. des Cinyps (Barth, Wand. 319).

Charles, der Name Karl (s.d.) zweier engl. Könige aus dem Hause Stuart, die, als der kathol. Richtg. ergeben, in die confessionellen Wirren des 17. Jahrh. verflochten u. dadurch mit auf Auswanderg., Besiedelg. u. Namengebg. v. Einfluss waren: *a)* *Ch.* I. als zweiter Sohn Jacobs I. geb. 1600, Prinz v. Wales 1612, König 1625, verheirathet mit der kath. Henriette Maria, der Tochter Heinrich's IV. v. Frankr., nach langen Kämpfen v. Parlament als Hochverräther angeklagt, durch einen besonderen Gerichtshof verurtheilt u. am 30. Jan. 1649 zu London hingerichtet; *b)* *Ch.*II., des Vorigen ältester Sohn, geb. 1630, während des Bürgerkriegs bei seiner

Mutter in Frankreich erzogen, versuchte nach seines Vaters Tode den Thron zu behaupten, erlangte diesen jedoch erst nach Cromwells Tode, hpts. durch General G. Monk, 1660; allein auch er stürzte sich in ein wirrenvolles (u. dazu zügelloses) Leben u. † 1685 v. Schlage getroffen u. z. Katholicismus übgetreten. Während der Regierg. der beiden Könige sind nur wenige Entdeckerreisen unternommen worden, etwa diej. der Captt. Luke Fox 1631 u. Th. James 1631/32 ausgenommen; doch wurde schon 1607 nach dem dam. Prinzen *Ch.* a) ein *Cape Charles* (s. Henry) u. b) v. Hudson im Juli 1610 (Rundall, Voy. NW. 78) *Mount Ch.* getauft, ein hohes Land, welches später, als Insel erkannt, *Ch.'s Island* genannt wurde (WHakl. S. 27, 105); c) *King Ch. his Promontory*, auch einf. *King's Cape* = des Königs Cap, 'a fair headland' am Eingang des Fox Ch., v. Fox am 18. Sept. 1631 getauft (Rundall, Voy. NW. 181, Forster, Nordf. 422); d) *Charlestown* s. Jamestown; e) auch *Cap Ch.*, die Ostspitze v. Labrador, dürfte nach dem ältern Stuart od. nach der pinnace 'the *Ch.*', mit welcher Fox am 7. Mai 1631 seine Fahrt begann, benannt sein. — Dem jüngern der beiden Stuarts gelten zwei *Charlestown*, in Süd-Carol., v. engl. Auswanderern 1672 resp. 1680 ggr., zuerst am Ashley R. (Buckingh., SlaveSt 1, 19) in einem wahren Paradies . . . 'the rivers banks were lined with stately pines, up which the yellow jasmine climbed, loading the air with the parfume of its flowers' (Quackenb., USt. 120); b) zu *Charlton* verkürzt, ein Ort v. *Charlton Island* in James' Bay, v. Capt. Thom. James (NWPass. 89), nachdem man schon am 1. März f. das Wohlergehen des Prinzen v. Wales in der Weise der alten Briten gebetet hatte, an des Prinzen Geburtsfest, 29. Mai 1632, so getauft . . . 'and displayed His Majesty's colours both on land and aboard, and named our habitation, *Charles Town*, by contraction, *Charlton*, and the island *Charlton Island*' (Rundall, Voy. NW. 191—216); c) *King Ch.' Southland* s. Fuego; d) *Fort Ch.* s. Rupert; e) *Ch. River* u. *Charlestown*, in Massachusetts, wohl ebf. nach ihm od. seinem Vorgänger (Meyer's CLex. 4, 341).

Charles, auch der Name frz. Könige, darunter *Ch.* IX., geb. 1550, auf dem Thron seit 1560, unter Vormundschaft seiner Mutter, der Katharina v. Medici, der Veranstalter der Pariser Bluthochzeit, † 1574; nach ihm ist getauft *Charlesfort*, ein befestigter Inselplatz, wohl um das j. Beaufort, Süd-Carol., 'a place of strong situation and commodious, vpon a riuer which wee named *Chenonceau*, and the habitation and Fortresse *Charlesfote*', zu Ende Mai od. Anf. Juni 1562 v. frz. Capt. Jean Ribault angelegt (WHakl. S. 7, 114). — Ausdrücklich eine 'königl. Burg' ist auch *Charlesbourg Royal*, ein Fort obh. Port de Sᵉ Croix, v. frz. Seef. Cartier auf seiner 3. Reise 1540 erbaut (Hakl., Pr.Nav. 3, 235), aber zu dieser Zeit regierte Franz I.; Karl VIII. war 1498 †, u. Karl IX. wurde erst 1550 geboren. — *Charleroi*, im Hennegau, urspr. gall. *Carnetum* =

Felsort, sofern mit ir. *carric* = Stein, Klippe, corn. *karrygy* = Steine, *saxa*, zshängend (Bacm., KBr. 50), dann *Charnoy* u., v. span. Karl II. 1666 befestigt, in die j. Form umgedeutet (Meyer's CLex. 4, 340, Chotin, Et. étym. Hain. 54). — Nach andern Personen sind benannt a) *Charleville*, im frz. dép. Ardennen, erst 1606 v. *Ch.* de Gonzaga ggr. (Meyer's CLex. 4, 342); b) *Ch. Creek*, in Nord-Austr., v. Sturt am 24. Juli 1862 benannt nach dem ältesten Sohne des Herrn John Chambers, eines Förderers austr. Expp. (Peterm., GMitth. 9, 152); c) *Ch.'s Islands* s. Broughton; d) *Charleval*, urk. *Caroli vallise* s. Novionum ad Andellam, dép. Eure (Dict. top. Fr. 15, 52).

Charles, Saint, mehrf. in frz. ON. der Canadier, a) *Fort Saint-Ch.*, ein Handelsposten an der Westseite des Wood Lake (s. d.), da wo j. Buffalo Point liegt, v. der Exp. Verendrye 1732 ggr. u., obwohl in der Form eines Heiligennamens, benannt nach dem Gouv. Canada's, *Ch.* de Beauharnois (Ch. Bell, Canad.NW. 2); b) *Saint-Ch.*, Ort am untern Missuri, auch *Petite Côte* = kleiner Abhang, da er am Fusse einer Hügelreihe liegt (Lewis & Cl., Trav. 3).

Charlotte, Cape, einer der ON., welche der Seef. Cook u. seine Zeitgenossen nach der dam. Königin v. England, der Gemahlin Georg's III., auf den sie grossen Einfluss hatte (geb. 19. Mai 1744, vermählt 1761, † 17. Nov. 1818) 'in honour of her Majesty' austheilte. In SGeorgia geschah dies am 18. Jan. 1775 'on account of the day' (Cook, VSouthP. 2, 216); aber welche Veranlassung lag in diesem Tage? b) *Point Ch.*, bei Cape Digby, am 30. Dec. 1776 (Cook-King, Pac. 1, 80); c) *Queen Ch. Sound*, in der Cook's Str., einh. *Totaranui* (Meinicke, IStill.O. 1, 280), am 30. Jan. 1770 entdeckt (Hawk., Acc. 2, 400); d) *Ch.'s Foreland*, in NCaledonia, am 23. Sept. 1774 (Cook, VSouthP. 2, 132). — Aelter sind *Queen Ch.'s Foreland*, in NHannover, 'a high bluff point', v. Carteret am 12. Sept. 1767 (Hawk., Acc. 1, 380) u. *Queen Ch.'s Island*, in der Centralgruppe der Paumotu, v. Wallis am 6. Juni 1767 (ib. 206). — *Queen Ch.'s Islands* s. Santa Cruz. — Eine zweite Seegasse *Queen Ch. Sound*, hinter Vancouver I., v. den Entdeckern, den Captt. Lowrie u. Guise, 1786 getauft, bei Arrowsmith *Trinity Inlet* (Forster, GReis. 1, 114), nach dem Kalendertage? — Zunächst anschliessend, aber nach dem 2. Exp.-Schiffe, der Queen Charlotte, zwei andere Namen: a) *Queen Ch. Islands*, in Brit. Columbia, v. Capt. Georg Dixon, einem ehm. Gefährten Cook's, 1785 getauft (Spr. u. F., Beitr. 11, 242; 13, 27), dies. Gruppe, die schon v. dem span. Fähnrich Juan Perez, Corvette Santiago, am 25. Jan. 1774 gefunden war (PM. 16, 293) u. die der engl. Capt. Duncan 1788, entspr. den continentalen Strecken NAlbion u. NCaledonia, in *Nova Hibernia* = Neu Irland umtaufen wollte (GForster, GReis. 1, 65 f., 2, 202); b) *Queen Ch.'s Bay*, in den Sandwich I., v. Capt. Nath. Portlock, der das erste Exp.-Schiff (s. King George's Bay) befehligte, am 5. Juni 1786 benannt (GForster, GReis. 3, 29). — In dieselbe Zeit, am 4. Juni 1788, fällt die Entdeckg. der *Ch. Bank* (s. Pandora), u. mit dem Fahrzeuge *Ch.* hängen wieder zs. *Ile Ch.* (s. Six) u. *Ch. Bay* (s. Scarborough). — Nach der † engl. Princessin *Ch.* hat Capt. John Ross (Baff. B. 161, Ansicht) am 26. Aug. 1818 einen conischen Inselfelsen, nördl. v. Lancaster Sd., *Ch.'s Monument* getauft (Parry, NW.Pass. 37). Ob auch die beiden ebf. v. Ross cartogr. *Cape Ch.* (s. Cunningham), dieselbe Beziehg. haben? — *Fort Ch.* s. Kaministiquia.

Charlottenburg, bei Berlin, als Schloss bei dem Dorfe Lietzen, Lützen, zunächst genannt *Lietzenburg*, 1695/98 ggr. v. der Kurfürstin Sophie *Ch.* (Daniel, Handb.G. 4, 175), der 2. Gemahlin des nachm. Königs Friedrich I., v. diesem erst nach ihrem Tode (1705) benannt, zu gl. Zeit, wo um das Schloss die Stadt entstand (Meyer's CLex. 4, 344). — *Charlottenborg* s. Christianshavn.

Charma s. Zephath.

Charmoy, le = Ort mit Hagebuchen, 886 *Carmedum*, 1070 *Charmetum*, auch *la Charmoye*, 1140 *Carmeium, le Charmoi, la Charmoie, la* u. *le Charmois, les Charmois, ferner la Charmille* = Pflanzung mit jungen Hagebuchen, dann *le Charmeteau, Charmesson, Charmolles, le* u. *la Charme, les Charmes, les Charmeaux, les Charmaux, la Charmée, Charmeix, Charmay, Charmette, les Charmets, Charmettes, la Charmelle, la Chalmette,* 1387 *Chalmeta, les Chalmettes,* frz. ON. besonders zahlr. in den dépp. Eure-et-Loir, Yonne, Nièvre u. Aube, etwa 100 mal in den 18 dépp. des Dict. top. Fr. (1, 40 f.; 2, 29; 3, 29; 6, 40; 7, 55; 10, 58; 11, 46; 12, 69; 13, 50; 14, 39; 15, 52; 17, 94; 19, 28. 34). In der frz. Schweiz finden sich die Formen *Chalmé, Charmey, les Charmilles, Charmillottes, Charmoille* (PostLex. 71. 73).

Charolles s. Carrara.

Charpentiers, les = die Zimmerleute, Klippen am Uferstrich des austr. Mt. St. Bernard, v. der frz. Exp. Baudin (s. d.) am 2. April 1802 benannt wohl nach dem schauerl. Ansehen der langen Baulinie, 'deren in Sägezähne zerrissener Rand sich unter den schaumigen Wellen u. Wirbeln kaum unterscheiden liess' (Péron, TA. 1, 268).

Charscha s. Tell.

Chartres, Stadt des frz. dép. Eure-et-Loir, bei Caesar *Carnutes,* bei Ptol. *Autrikon,* gr. Αὔτρικον, nach dem Flusse *Autura,* j. *Eure* (Rev. Celt. 8, 122), bei dem Geogr. Magn. *Carnutenus Autricum,* bei Sulp. Sev. *Carnotum,* bei Paulin *Carnutena moenia,* zZ. der Merow. *Carnotas,* unt. Karl d. Gr. *Carnoas,* um 930 *Cartis civitas,* zu Ende des 12. Jahrh. *Carntis,* nach dem kelt. Volkstamm der Gegend, des *pays Chartrain,* das bei Greg. v. Tours *pagus Chartenus* heisst (Dict. top. Fr. 1, 42).

Chartreuse = Cartause (s. Karthaus u. Certosa), frz. ON. nach Klöstern des Ordens, z. B. der v. heil. Bruno 1084 gestifteten *Grande-Ch.,* dem be-

rühmtesten u. wichtigsten derselben, im dép. Isère (Meyer's CLex. 4, 350), auch 3 mal im dép. Eure (Dict. top. Fr. 15, 52), sowie eine Villa, früher ebf. Cartause bei Thun (Osenbr., Wanderst. 5, 49):

Und als 1460 Jahr man zählte, rief klagend u. heiser zur Mette u. Vesper hier an den Altar ein Glöcklein die frommen Cartäuser.

— *Chartreux,* Kloster im dép. Aube, ggr. 1315 v. Peter v. Moussey, 1332 nach la Prée verlegt, 1341 domus *Carthusiensis de Pratea* (Dict. top. 14, 40).

Chartum, die v. Mehemet Ali 1820 ggr. Stadt, welche zw. der Confl. des Weissen u. Blauen Nils liegt, nach der Landspitze, *Ras el-Chartûm* = Ende des Rüssels. Umgek. hat diese Spitze ihren Namen vertauscht an *Mandschera* = Arsenal, weil hier ein Zeughaus erbaut wurde (Glob. 2, 353). 'Und wir umfuhren das *Ras el-Ch.,* jene lange Landspitze, welche, mit einem Rüssel verglichen, der Stadt den Namen verlieh' (Schweinfurth, IHAfr. 1, 57).

Charybdis s. Heemskerk.

Chaschob, Kôm el- = Hügel des Holzes, ein kegelfgr. Hügel, welcher aus der libyschen Wüste, westl. v. der grossen Pyramide v. Gizeh, hervorragt u. lange f. eine verfallene Pyramide galt, neuerdings v. Ingenieur Dixon u. Dr. Grant besucht u. als v. zahllosen versteinerten Baumstämmen umgeben erkannt. Daher gaben sie ihm diesen arab. Namen (PM. 19, 193). — *Wady el-Chasihaber,* corr. *Kaschabek* = Holzthal, eine der tiefen Thalschluchten, welche das hochthronende Castell v. Banias umziehen, dies., in welcher bei der Pangrotte der Jordan silberklar unter Trümmerhaufen hervorbricht (Seetzen, Reis. 1, 335, Furrer, Wand. 363).

Chasm Island = Kluftinsel, am Carpentaria G. Hier landete am 14. Jan. 1803 der engl. Commander Flinders (TA. 2, 188, Atl. 14 f.) nebst den Botanikern seiner Exp. in der Absicht, v. den höchsten Felsen aus Winkel zu messen; die vielen tiefen Klüfte, v. welchen die höhern Theile durchschnitten sind, machten jedoch unmögl., den Gipfel in der zugemessenen Zeit zu gewinnen, so dass der Zweck des Unternehmens nur unvollst. erreicht wurde. Wohl aber entdeckte Rob. Brown (Prodr. NHoll. 400) eine neue Pflanzenart, seine Myristica insipida.

Chasseur, la Fontaine du, dial. *la Fontana doû tzachieur* = Jägerquelle, eine wg. ihrer Kälte v. 4° C. bei den Hirten u. Jägern allgemein bekannte Quelle des Val d'Hérémence, Wallis (Fröbel, Penn. A. 44).

Châtaignier s. Castanea.

Chatangskoje s. Chopersk.

Château = Schloss (s. Castellum), in vielen frz. ON., wie *Montagne du Ch.,* f. einen Theil des Jorat, wo bis 1798 ein v. Schloss in Lausanne abhängiger Pachthof war (Mart.-Crous., Dict. 608), *Pont du Ch.,* einer der zahlr. frz. Orte, die nach Brücken benannt sind, im dép. Puy de Dôme, am Allier, mit schöner Brücke u. Schloss (Meyer's

CLex. 13, 107 ff.). — *Chateau d'Ocx*, letzterer Bestandtheil urk. in allerlei Formen, wie *Ogo* 1228, *Ogoz, Oit* 1115, *Oiz* 1228 ..., was Gatschet (OForsch. 6f.) als roman. aus goth. *atisks*, ahd. *ezzisc*, mhd. *esch, oesch* = die Azweide betrachtet. Vom 'Schlosse an der Oesch', einer v. den Bernern geschleiften hohen Veste, breitete sich der Name *Ogo* üb. das ganze Gebiet (vgl. Mart.-Crous., Dict. 671). — *Chateaudun*, Ort des frz. dép. Eure-et-Loir, 573 *Castrodunum*, 587 *Castellum-Dunum*, bei Greg. v. Tours *Castrum-Dunense*, zZ. der Merow. *Dunis, Duno*, auf caroling. Münzen, *Dunis-Castelloi, Casteldun*, unt. Karl d. Kahlen *Dunio-Castro*, 1061 *Dunum*, 1089 civitas-*Duni*. 1240 *Castriduni*, 1366 *Chasteldun* (Dict. top. Fr. 1, 43), nach der stattl. Burg der Grafen Dunois (Meyer's CLex. 4, 357). — *Châteauneuf* = Neuenburg, 4 mal im dép. Vienne, 1169 *Castrum Novum* (Dict. top. 17, 98) u. einmal im dép. Eure-et-Loir, 1118 *Castrum Novum*, 1186 *Castellum Novum*, 1364 *le Chastelneuf* (ib. 1, 44). — *Châteauroux*, ebf. mehrf.: *c)* im dép. Indre, zu einem 'rothen Schlosse' ozw. nur umgedeutet f. *Château-Raoul*, das 950 v. Prinzen Raoul v. Deols erbaut worden war (Meyer's CLex. 4, 357); *b)* im dép. Eure-et-Loir 5 mal, darunter ebf. ein *Ch.-Raoulx* 1473 (Dict. top. 1, 44). — *Chatelard*, 4 mal: *a)* im C. Waadt, nach einem *Castellum arduum* = steiles Schloss, das auf hohem Hügel steht (Gem. Schweiz 19, 2b, 33) u. 'qui tire son nom du château, *Castellarium*, de ce nom' (Mart.-Crous., Dict. 180); *b)* 3 mal im dép. Dordogne (Dict. top. Fr. 12, 70). — *Châteaufort*, 2 mal im dép. Vienne, 1404 *Castrum Forte* = starke Burg (Dict. top. 17, 98). — *Ch.-Salins*, in Lothr., 1195 *Castrum Sallum*. 1346 lou chastel con dit *Chastel-Sallin*. 1347 *Saltzburg*. 1397 *Salzborrn*, im 15. Jahrh. *Salzburch* (ib. 2, 30). — *Ch. Thierry*. Stadt des dép. Aisne, 923 *Castrum* s. *Castellum Theodorici*, im 13. Jahrh. *Chastel-Thierri*, durch Gesetz v. 18. brum. an II in *Egalité-sur-Marne* umgetauft, erhielt seinen alten Namen wieder durch Decret v. 13. frim. an VII (Dict. top. 10, 60). — *Châteaumeillant*, dép. Cher, alt *Mediolanum, castrum Mediolanense* (Longnon, GGaule 468). — *Baie des Châteaux*, in der Str. Belle Ile, v. frz. Seef. J. Cartier am 27. Mai 1534 entdeckt u. benannt, ozw. nach den burgartigen Felsformen, die in der auf 5 lieues verengten Gasse aufragen (M. & R., VCart. 5, Hakluyt, PNav. 3, 222. 237, Avezac, Nav. Cart. XI). — Auch f. sich allein ist *Ch.* ein oft wiederkehrender frz. ON.: in 7 der 18 dépp. des Dict. top. Fr. zähle ich, 3 plurale *les Châteaux* eingerechnet. 86 derselben u. dazu die Formen *Châtillon*, 1120 *Castellunm*. 17 mal, *le Châtelet*. 755 *Castellum*. 29 mal, *le Chaté*. 1479 *Chastel, le Châtel* 7, *le Châtelier* 5, *le Châtelot, le Chastel* 2, *les Chastelots* 2 (Dict. top. 1, 45: 2, 29; 10, 59; 11, 47; 12, 70; 13, 50; 14, 40f.; 15, 52f.; 16, 73f.; 17, 98). **Chatham Island,** in Austral. 2 mal *a)* das Haupt einer Inselgruppe östl. v. NSeeland, einh. *Ware-*

kauri, Wairi Kaori = grosses Gebirge, v. engl. Lieut. Broughton, im Schiffe Chatham, dem Tender des Investigators, im Nov. 1791, nachdem er sich v. Commodore Vancouver getrennt hatte, entdeckt, im plur. *Ch. Islands*, f. die Gruppe, die in neuern Carten auch *Broughton Archipel* (s. d.) heisst (Ross, South.R. 2, 110, Krus., Mém. 1, 13 ff. 116, Meinicke, IStill.O. 1, 343); *b)* in Samoa, v. engl. Capt. Edwards getauft, einh. *Savai'i*, bei La Pérouse *Pola* (Meinicke, IStill.O. 2, 102). — Ein zweites mal plur., *Ch. Islands* s. Romanzow. — *Cape Ch.*, in West-Austr., v. d. engl. Capt. Vancouver 1791 benannt (Flinders, TA. 1, 50 f., Krus., Mém. 1, 35).

Chatten s. Hessen.

Châtûn, Pul-i- = Brücke der Königin, Frauenbrücke, am Flusse Herirud, Harérûd, wo dieser den Tedschend, den Fluss v. Meschhed, aufnimmt (Spiegel, Eran. A. 1, 52, Peterm., GMitth. 37, 270).

Chaud = heiss (s. Caliente), oft in frz. ON., namentl. f. Thermalorte *a) Chaudes-Aigues*, röm. *Calentes Aquae* = heisse Wasser, Ort des dép. Cantal, wo fünf Thermen, v. 57—81° C. (Meyer's CLex. 4, 362); *b) Eaux Chaudes*, dép. Nieder-Pyr., mit Schwefelthermen v. 10—36° C. (ib. 5, 795), 1533 *Aygues-Cautes*, 1581 *Aigues Cauldes* (Dict. top. Fr. 4, 57); *c) Chaufontaine*, ein Ort in Lothr., 1182 grangia de *Fontana*, 'ainsi appelée à cause d'une source d'eau minérale' (ib. 2, 31).

Chaudière = Kessel (s. Cauldron), mehrf. in frz. ON., f. sich Flussname des dép. Aisne (Dict. top. Fr. 10, 62) u. wiederholt bei den Canadiern: *b)* ein Fall des Ottawa (s. d.), wo sich die Wassermasse üb. hohe Felsen wild u. romantisch in einen 8 m t. Abgrund stürzt (MacKenz., Voy. 35), Uebersetzg. des irok. *Kanatsio*, algonk. *Akik Endate* (Cuoq, Lex. Ir. 10), nach dem Kessel drei Trageplätze, *Portage de la Ch.*, deren letzter auch *Portage des Chênes* (= der Eichen) heisst, eine seeartige Erweiterg. *Lac de la Ch.* (ib. 36); *c)* ein Fall des Abflusses des Rainy L., weil das Wasser dort ebf. in einen Kessel stürzt (ib. 63). — *Ch.*, vollst. *Ch. des Français* = Franzosenkessel, Trageplatz am See Nepisingui u. Franzosenfluss, nach der Menge cylindr. Uferhöhlen, welche, dem Kochgeschirr nicht unähnl., in den harten Uferfels vorkommen u. auf den Boden gew. Kieselsteine enthalten. Es sind dies Löcher, welche durch die wirbelnde, v. Wasser den Steinen mitgetheilte Bewegg. ausgehöhlt wurden, ganz wie die schwed. Jättegryta, u. sich hier zeige, auch oft hoch üb. dem j. Wasserstande befinden (ib. 41). — Im plur. *Chs. de l'Enfer* = Höllenkessel, Grotten im Val de Joux, Jura, welche sich 4 km weit in den Berg hineinziehen, bald verengt, bald in hohe Hallen erweitert. In beträchtl. Tiefe setzt man auf einer natürl. Brücke üb. einen schauerl. Strom, dessen Rauschen v. allen Seiten her wiederhallt. Bei hohem Wasserstande quillt ein Bach aus den Höhlen hervor (Gem. Schwz. 19, 2b, 1).

Chaulieu, Cap, im Spencer's G., v. frz. Lieut. L. Freycinet. Exp. Baudin, am 25. Jan. 1803 benannt nach dem 'frz. Anakreon', 1639—1720 (Péron, TA. 2, 78).

Chaumont, frz. Bergname, in den Urk. des 12. u. 13. Jahrh. *Calvus mons* = kahler Berg, 38 mal in 6 dépp. des Dict. top. Fr. (2, 31; 3, 32; 6, 46; 11, 49; 12, 72; 17, 105), auch einmal bei Neu-châtel, Schweiz. — *Monte Calvo*, mit gl. Bedeutg., der kahle Culm des Gargano (Meyer's CLex. 7, 410).

Chaussée, la = Damm od. Heerstrasse, ein langes Felsriff im Arch. de la Recherche, benannt v. frz. Adm. d'Entrecasteaux (Flinders, TA. 1, 79).

Chautauqua, besser, da die 2 ersten Silben kurz sind, *Chatakwa*, ein z. Netz des Ohio gehöriger See in der Nähe des Erie Lake, bei den Seneca *T'kän-tchatákwän* = man hat hier Fische ausgenommen, wobei *T'* = hier, *äntchiän*, in Zssetzg. *äntcha* = Fisch u. *tákwän* = herausgenommen, der Anfang jedoch, *t'kän*, der Kürze zu Liebe, unterdrückt ist — im Sinne einer ind. Ueberlieferg., dass die Indianer, seien es erst die Seneca od. schon ihre Vorgänger, die Erie od. 'Katzen', den See mit Fischen aus Lake Erie bevölkert haben, um damit die kleinern Gewässer, die Teiche u. Bäche, zu bequemerm Fang zu versehen (Gatschet in 'Glen Echo' 1891 No. 4, 12).

Chauve s. Bald.

Chaux-de-Fonds, la, in den 'Montagnes' des Jura, mit der dort häufigen Generalbezeichng. baumloser, meist hochgelegener Flächen: *chaux* meist v. mlat. *calma* = Feld, Fläche. Dem *chaux* 'im Grunde', in der Tiefe, *de Fonds*, entspricht ein *Chaux-du-Milieu* (= die mittlere) u. entsprach wohl ein *Chaux-d'en-Haut*, d. i. eine obere (Gatschet, OForsch. 212).

Chavannes, v. *capanna* = Bauern- od. Sennhütte, frz. ON. *a)* bei Moudon, C. Waadt (Gem. Schweiz 19, 2ᵇ, 35); *b)* am Bieler-See, 1348 *Zchauannes*, deutsch *Schaffis* (Gatschet, OForsch. 3).

Chawalych-Boghás, türk. Name eines Bergpasses der Krym, nach der *Ch.-Dschilgá* = Fliederschlucht, durch welche er führt (Köppen, Taur. 2 ff.).

Chawil s. Colorado.

Chaz'r s. Kaspisee.

Chebuktuk s. Halifax.

Cheil s. Caballus.

Chelae, gr. Χελαι, alter Name der Bucht v. Bebek, Bosporus (u. einer andern auf der asiat. Seite), v. den Landungstreppen, deren andern gr. Namen σκέλη die Türken, unter Vorsetzg. des euphon. *i,* in *iskele,* die Franken in *scala* verdarben, wie in der Folge alle Häfen der Levante als *scalen,* frz. *échelles,* bezeichnet wurden. Schon Sultan Selim I. beachtete die schöne Lage der v. Steilufer amphitheatralisch umschlossenen Bucht u. erbaute hier einen Köschk, aus dem sich 1725 die schöne Residenz *Huma Junabad* = Kaiserbau entwickelte (Hammer-P., Konst. 2, 219).

Chelbon, hebr. חֶלְבּוֹן == fett, fruchtbar, j. Dorf *Chelbôn,* bei Damask, wo j. noch starker Weinbau ist (Robins., N.B.F. 614, Peterm., ROrient 1,

308 ff.). Aehnl. *Chelbah,* hebr. חֶלְבָּה = fett, eine Stadt im Stamme Ascher (Richter 1, 31, Gesen., Hebr. L.).

Chelm s. Chlm.

Chelmsford, früher *Chelmersford, Chelmesford,* Ort der engl. Grfsch. Essex, gelegen an einer ehmal. Furt des Flusses Chelmer, wie *Cheltenham* = das 'Heim' am Chilt od. Chelt, der bei der Stadt vorbei u. in den Severn fliesst; dagegen sind die Erklärungsversuche f. *Chelsea* (Charnock, Loc. Etym. 67) ungenügend.

Chelong s. Amur.

Chelydorea, gr. Χελυδώρεα = Schildkrötenberg, v. δείρω, nach den in Arkadien einst sehr häufigen Schildkröten, ein Vorsprung des Kyllene, j. *Mauron Oros* = schwarzer Berg (Curt., Pel. 1, 17. 157). — *Chelone* s. Kaki.

Chemia s. Aegypten.

Chemig = Zapfen, übh. was die Mündg. verschliesst od. verengert, so nennen die Eskimos sowohl Ormond I. im Eingang z. Fury u. Hecla Str., als auch eine Insel ohne europ. Namen im Eingang z. Quillam Inl. (Parry, Sec. V. 360).

Cheminées s. Jumelles.

Chemnitz s. Kamen.

Chêne, altfrz. *chesne* = Eiche, dial. *quesne,* mlat. *casnus,* ist, wie ital. *quercia* v. adj. *querceus,* auf ein anderes lat. adj. *quernus* zkzuführen, da dieses ein älteres *quercinus* voraussetzt, welches in *querçnus,* verkürzt *quesnus,* überging u. die mod. Formen ergab (Diez, Rom. WB. 2, 254). Es ist anzunehmen, das altfrz. Wort *chesne* sei gall. Urspr., da *casnus* nicht lat. ist (d'Arbois de Jub., Rech. NL. 628). Die mod. Form v. *casnetum* = Eichenwald (s. Aunay) ist *le Chesnay, la Chesnaye, la Chesnaie, la Chesnas, le Chesnèi, le Chesne, Chesneau, les Chesnières, Chasnay, Chesnoy,* auch *la Chénaye, le Chenai, Cheneau, Chênet, Chênois, Chênot, Chênoy, Chenu, Chenières, Chenois, le Chénois,* immer 'Eichenorf' (s. Herblay), neben dem einf. *le Chêne, les Chênes,* sehr häufig als frz. ON. u. urk. oft als Wald, Eichwald, ausdrücklich beglaubigt, z. B. in Kloster den dép. Aube, *le Chêne,* 1207 domus Dei de *Quercu* (Dict. top. Fr. 14, 44). — *Le Chêne-Bourdon-de-Haut,* Ort bei Landouzy, dép. Aisne, 'a pris sa dénomination d'un chêne fort droit creu en ce canton, que l'on a jugé à propos pour faire un bourdon à la maison de ville' (ib. 10, 65). — *Portage des Chs.* s. Chaudière.

Chenevières, auch *Chennevière,* frz. ON. etwa 18 mal in den 19 dépp. des Dict. top. Fr. erwähnt, in merowing. Urk. *Canavarias* f. ein älteres *Cannabarias,* welches mit suffix *-arias* v. *cannabis, cannabas* == Hanf abgeleitet ist (d'Arbois de Jub., Rech. NL. 606 f.).

Chepoix s. Spoix.

Cheraga s. Scherq.

Chéraute s. Carrara.

Cherba, in der Verbindungsform *cherbet* == Ruine, Mauerwerk, plur. *chrub,* in arab. ON. *a) Cherbet-Zerya* s. Serka; *b) Chrub,* in der alger. Prov. Constantine (Parmentier, Vocab. arabe

31); *c) Cherbet Buretsch*, mit dim. v. *burtsch*
= Thurm (s. Bordsch), Ort bei Jerusalem, bestehend in Ruinen v. Wasserbehältern u. eines befestigt gewesenen Chans (Peterm., GMitth. 13, 127).
Cheribon s. Tschi.
Cherie s. Beren E.
Chermontane, frz. Name eines Walliser Gletschers, v. der Umbellifere *se(r)montain* = Ross-
kümmel, Laserpitium siler, im ital. pat. *scerr* od.
seller montan, einer Pflanze, welche auf den
benachbarten Alpen wächst (Gatschet, OForsch. 9).
Cherry Creek = Kirschenbach, ein Zufluss des
Cheyenne R., mit *Plum Creek* = Pflaumenbach
in einer Gegend, wo die Thäler mit dergl. Unter-
holz bedeckt sind, 'filled with scrub oak, cherry,
plum and other underbush' (Raynolds, Expl. 31).
— *Cherry Isle*, 2 mal *a)* ein Nebeneiland der
Isle Barwell, einh. *Anuda*, *Anuta*, v. Capt.
Edwards 1791 entdeckt u. benannt; *b)* s. Beren
Eiland.
Chersonesus, gr. ἡ Χερσόνησος = Halbinsel,
insb. f. die Halbinseln in den östl. Gebieten des
Mittelmeers: *a) Thrakische Ch.*, die längs des
Hellespont ausgestreckte, daher auch ἡ ἐφ' Ἑλλησ-
πόντῳ X., die als Theil Thrakiens die im 7.
Jahrh. erscheinenden Griechen v. dem thrak.
Volksstamm der Dolonker bewohnt fanden (Kie-
pert, Lehrb. AG. 325); *b) Taurische Ch.*, j. *Krim*
(s. d.), gr. X. Ταυρικός, lat. *Ch. Taurica*, deren
Berglandschaft bei Erscheinen der Griechen die
Ταῦροι, Tauri (nach denen auch das heutige Gouv.
Taurien benannt ist), bewohnten, wohl die Reste
der von den Skythen verdrängten Kimmerier.
Auf der Μικρὰ X. = kleinen Halbinsel, mit
welcher die Krim im Südwesten, zw. Sebastopol
u. Balaclava, vorspringt, legten Colonisten aus
dem bithyn. Herakleia eine Pflanzstadt an: *Ch.*
od. X. Ἡρακλεωτική od. geradezu *Herakleia*,
die später mehr in die Nähe des mod. Sebastopol
verlegt u. durch eine üb. den 9 km br. Hals ge-
zogene Mauer gg. die Angriffe der Taurer geschützt wurde. Noch j. ist in der Nähe ein *Cap*
Ch. Der Name der griech. Colonie *Ch.* ist übtragen
auf die v. Fürst Potemkin 1778 ggr. russ. Hafenstadt *Chersson* (Kiepert, Lehrb. AG. 348 f., Meyer's
CLex. 4, 392); *c)* X. τραχεῖα, bei Herod. jon.
τρηχέη = die rauhe Halbinsel, die mit steilem,
aber niedrigem Klippenrand abfallende flache
Platte, welche heute als *Halbinsel v. Kertsch*
(s. d.) den östl. peninsulären Flügel der Krim ausmacht (Kiepert, Lehrb. AG. 350); *d)* s. Tin. —
Cherronisi, ngr. τὸ Χερρόνησι, die Nordspitze
der griech. Insel Siphnos (Ross, IReis. 1, 142).
Chesapeake, auf ältern span. Carten mit dem
Heiligennamen *Bahia de Santa Maria* (ZfAErdk.
nf. 3, 66), der bedeutendste der Golfe der atlant.
Unionsküste, v. ind. *k'che-seippog*, bei den Abenaki
k'tsi-sou-békou = grosses Salzwasser, grosse Bay,
bei Heckewelder *tschisichwapéke*, vollst. *ktschisch-*
wapéeki, wobei, wie übh. oft in den Algonkin-
dialekten, das initiale *k* abgeworfen wird, bei den
Weissen in die Form *Chissapiacke, Chesupioca,*
Chesapeack. *Ch.*, gebracht (J. H. Trumbull in

Hist. Mag. Jan. 1870, 48). Ggb. diesen Zeugnissen
kann sich die ohnehin verdächtige 'Mutter der
Gewässer', obgl. 'beautifully expressive of the
number of rivers that are poured into its bosom'
(Buckingh., Slave St. 2, 438. 498), nicht halten.
Cheschui s. Amur.
Chesnay s. Chêne.
Chesnut Hill = Kastanienhügel (s. Castanea), j.
in die Stadtanlage v. Philadelphia hereingezogen,
nach dem einst so reichen Baumwuchs, der die
ganze Gegend, als sie noch Wildniss, auszeichnete
(Keyser, Fairm. P. 112).
Chester, engl. Stadt in der nach ihr benannten
Grfsch. *Cheshire*, am Flusse Dee, bei Ptol. *Deu-*
nana, bei Anton. *Deva*, offb. nach dem Flusse,
brit. *Caer* = Stadt, einf. f. *Caer Leon*, ags.
Legeacester (s. Manchester), wohl weil da die 20.
Legion, Victrix, hier stationirte, noch lange im
Mittelalter eine Burg der Dänen gg. die Kymren
in Wales (Camden-Gibson, Brit. 1, 481, Worsaae,
Mind. Danske 56). — *Ch.*, in Pennsylv., v. W.
Penn selbst übtragen nach seinem Freunde u.
Reisegefährten Pearson, der aus dem alten *Ch.*
geb. war. In ders. Gegend auch ein neues *Lan-*
caster (Penns. Ill. 12). — *Ch. River*, ein Zufluss
der Chesapeak Bay, ind. *Tockwough*, in der ersten
Zeit der Besiedelg., seit 1607, auch prsl. *Sydney*
River (Strachey, HTrav. 40).
Cheu s. China.
Chevalier s. Doubtless.
Chevelon Fork, ein Ikseitgr. Zufluss des Kl.
Colorado, Arizona, so getauft nach dem Trapper
Ch., 'der an diesen Ufern v. Indianern getödtet
wurde' (Peterm., GMitth. 20, 412).
Chèvre = Ziege, v. lat. *capra* (s. d.), in frz.
ON. nicht häufig *a) Le Pas de Chs.*, ein Alpen-
pass nahe Col de Riedmatten (Fröbel, Penn. Alp.
68); *b) Le Pont aux Chs.*, ein schmaler, schwacher,
üb. die Arve gebauter Holzsteg obh. Sallenche,
Savoyen, . . . parce qu'il semble effectivement
n'avoir été fait que pour cet animal aussi hardi
que léger (Saussure, VAlpes 77).
Chewah s. Fish.
Cheyenne, zunächst Volksname, auch *Chaienne,*
Chiens, aber auch *Shay-* u. *Sheyenne, Shiens,*
ist, da die Etym. unsicher, unter *ch* nur mit
Zögern eingereiht. Der holl. Ethnograph H. F. C.
ten Kate (Syn. Ind. 8), der unter den Indianern
des 'Far West' viele Erkundigungen eingezogen
(Tijdschr. Aardr. G. Amsterd. 7), hält ihn f. eine
v. den ersten frz. Reisenden eingeführte Bezeichng.,
'qui n'est que la corruption de *chiens*, parce qu'ils
mangent ces animaux', u. er fügt bei, dass sich
die *Ch.* selbst *Tse-tis-tas'* w nennen. Eine
andere Ansicht hält den Namen f. ind., *Sha-i-*
ena = Unverständliche, 'Wälsche', u. damit s.v.a.
Feinde; so hätten die Sioux, als sie am Fall
St. Anthony wohnten, die am Ufer des obern
Minnesota R. angesiedelten Nachbarn genannt
(Coll. Minn. HS. 1, 296 ff.). Die Canadier nahmen
Ch. ebf. f. *Chiens* = Hunde u. nannten dem
entspr. den *Ch. River*, einen der Quellarme des
Platte, auch *Rivière des Chiens*, engl. *Dog River*

= Hundefluss (Lewis u. Cl., Trav. 69 f.). Auch ein Zufluss des nördl. Red River, an dem einst der dam. noch zahlr. Stamm wohnte, bis ihn die Sioux nach Süden vertrieben, heisst *Ch.* An dem grossen *Ch. River*, in Wyoming, gibt es eine *Ch. City* (Meyer's CLex. 4, 401); der Fluss heisst ind. *Wakpa Washte* = guter Fluss, engl. übsetzt *Good River*, z. Unterschied v. dem kleinern *Wakpa Schicha* = schlimmen Fluss, engl. *Bad River*. Der erstere bietet, in auffallendem Contrast z. Vegetationsarmut des andern, gutes Gras u. angenehmen Schatten (Raynolds, Expl. 23 f.). — *Ch. Creek*, ein kl. Zufluss des Missuri, obh. *Ch. River*, v. den Captt. Lewis u. Cl. (Trav. 80) am 16. Oct. 1804 so benannt, weil auch hier einst die *Ch.* wohnten.

Cheziny s. Ketzin.

Chiaste s. Tiefencastels.

Chiavenna, verdeutscht *Cleven,* ital. Name eines Städtchens am südl. Zugange des Splügen, den Pass beherrschend, v. *clavis* = Schlüssel. 'Wenn auch nicht so eng in steile Thalwände gepresst wie *Ch.*, ist Bellinzona doch eine *clavis* wie die am Eingang od. Ausgang des Splügen gelegene Stadtʿ (Grube, St. Gotth. 240, Lechner, Berg. 140, Leonhardi, Veltl. 185. 187): 'Auf der Nordseite, nahe an der (Maira)brücke, entsteigt dem Boden ein alleinstehender breiter Felsen, der oben zugespitzt ist. In undenkl. Zeit stand darauf ein Schloss, welches den Ausgang aus dem Bergeller Thal sowohl als den Ausgang aus dem St. Jacobsthal beherrschte. Die Visconti liessen durch einen 50 m t., 10 m br. u. 130 m lg. Einschnitt den obern Theil des Felsens in 2 Spitzen theilen u. immer stärker befestigen . . . .ʿ Schon Guler sagte: *C.* war gleichsam ein Schlüssel, mit welchem den ausländ. Völkern der Pass verschlossen ward, dass sie diessorts nicht in Italien einbrechen möchten (Leonhardi, Posch. Th. 37). Mehr Licht! — Ebenso wenig unbestritten ist *les Cléns* = die Schlüssel, ein Ort des Jura, urk. *Cletae,* 1268 *les Cloics,* wie noch j. in roman. Dial. die z. Hut eines Durchgangs angebrachte Holzthüre *la claie* heisst, im Mittelalter schon castrum *de Clavibus* od. *ad Claves* gedeutet, damals eine Veste in wildem Engpass, durch welchen die Strasse v. Burgund nach der Lombardei ging (Gem. Schwz. 19, 2ᵇ, 42). Von der Burg ist noch ein Wartthurm vorhanden; sie stand auf einem hohen, v. 3 Seiten unzugängl. Felsen, so dass sie den Pass vollk. beherrschte (Mart.-Crous., Dict. 219). Die urk. Formen führen jedoch Gatschet (OForsch. 264) auf *cleta* = Zaun, Einzäunung.

Chicago, Ort am Michigan-See, an der Mündg. des *Chicajo,* welcher, 25 km weit flachen Fahrzeugen zugängl., z. Netz des Missisipi hinüberleitet (Spr. u. F., Beitr. 8, 184), urspr. ein Strandsumpf *Chicagong* = bei dem Stinkthier, *cikak,* pl. *cikak8ak,* loc. *cikakong* (Abbé J. A. Cuoq, Brief 25. Nov. 1883), 1795 den Indianern abgekauft u. zu einem kl. Militär- u. Handelsposten eingerichtet, begann als Stadt *Ch.* mit dem Bau des Illinois-Canals 1827/30 (Cent. Exh. 12).

Chichester, Ort der engl. Grfsch. Sussex, brit. *Caercei,* ags. *Cissan-ceaster* = Burg Cissa's (s. Chester), des sächs. Königs, der, nachdem sein Vater Ella das alte Regnum im 5. Jahrh. zerstört hatte, den Ort wieder aufbaute u. z. Residenz erhob (Camden-Gibson, Brit. 1, 243, Charnock, LEtym. 67).

Chichikmaochike s. Plaines.

Chico = klein, dim. *chiquito,* superl. *chiquissimo* od. *chiquirritico* = winzig, wie *chiquillo, a* = kleines Kind, *chiquinéz* = Kindheit, span. Wort, nicht selten als Bestimmungswort in geogr. Namen, um z. B. den kleinern Fluss v. dem grössern gl. Namens zu unterscheiden (s. Colorado, Grande u. Llano), f. sich *Chiquitos,* Name eines Indianerstamms des Gran Chaco. Die ersten Spanier, welche in ihr Land vordrangen, fanden Alles geflohen u. die leeren Hütten mit so kl. Eingängen, dass sie bei einem Volk v. Zwergen angekommen zu sein meinten (WHakl. S. 24, 156). — *Salto Ch.* s. Uruguay.

Chicomoztoc = die 7 Höhlen, azt. Name einer Station der Vorzeit, da die 7 in das Anahuac einwandernden Stämme hier sich trennten, näml. so, dass 6 vorrückten, einer aber, die Azteken, einstweilen noch blieb (Buschmann, Azt.ON. 82).

Chicora s. Carolina.

Chicot, Ile = Stumpfinsel, frz. Name eines Werders des untern Missuri, engl. *Stump Island,* nach den Baumstümpfen, welche die Flussfahrt bedrohen (Lewis u. Cl., Trav. 9).

Chiddekel s. Tigris.

Chidley, Cape, 2mal im Gebiet der 'Nordwestfahrtenʿ *a)* am Eingang der Hudson's Str., ozw. schon v. Cabot 1517 gesehen, aber erst v. John Davis am 1. Aug. 1587 getauft (Hakl., Pr. Nav. 3, 114, Forster, Nordf. 358) . . . 'the Worshippfull M. John *Ch.,* of Chidley, in the countie of Deuon, esquireʿ, was apparently chief promoter of an expedition which sailed anno 1589, for 'the famous Province of Arauco on the coast of Chili, by the straight of Magellanʿ. Of this expedition M. *Ch.* was also the general (Rundall, Voy. NW. 49 Note); *b)* an der Westküste Grönl., etwa 68¹/₂°NB., wohl ebf. v. Davis getauft.

Chiemsee, 798 *Chiminsaeo,* im 9. Jahrh. *Chiemincseo,* im 10. Jahrh. *Chimincsee, Chiminchse, Chimenesse* u. s. f., bayr. Alpensee, der nach einem Uferorte *Chieming,* mit PN. *Chimo,* benannt sein muss, wie der Gau, im 8. Jahrh. *Chiminegowe, Chimingaoe.* 'Ist diese Annahme richtig, so muss die Schreibg. mit *ie,* obwohl sie alt ist, doch als eine unorganische angesehen werdenʿ (Förstem., Altd. NB. 943 f., eingehender Th. v. Grienberger, in Salzb. Mitth. 26, Sep.-Abdr. 26).

Chien, Prairie du = Hundesteppe, am obern Missisipi, v. den frz. Ansiedlern benannt, nicht, wie Hertha (12, 203) meinte, nach einem Indianer le *Ch.,* hier gewohnt, sondern nach den zahllosen Prairiehunden, Hundsmurmelthieren, Arctomys ludovicianus s. latrans, welche hier in eignen Bauen leben. Die Baue, ¹/₂ m. h., stehen in 'Hundedörfern' beisammen — in solcher Zahl, dass man sie in einzelnen Colonien auf mehrere Millionen schätzt (Pelz, Miss. Gesenke 2, Coll. Minn. HS. 1, 351, Meyer's CLex. 13, 185). Die Stadt gl. N., an der Mündg. des Wisconsin in den Missisipi, v. den Canadiern 1740 ggr. als Centralpunkt des Pelzhandels. — *Rivière des Chs.* s. Cheyenne. — *Baie des Chs.-Marins* s. Shark.

Chiesaz, la, v. lat. *ecclesia* = die Kirche, ein Bergdorf obh. Vevey (Gem. Schwz. 19, 2ᵇ, 39), als dépendance du prieuré de St. Sulpice 1223 gebaut (Mart.-Crous., Dict. 204). — *Chiesa,* oft ital. ON. f. Kirchorte: *a)* in Val Malenco, Veltlin, hatte einst die Hptkirche des Thals (Leonhardi, Veltl. 142); *b)* im Trentino, . . 'questo nome ci viene incontro anche in altre parti del Trentino per designare quella frazione di comune, dove trovasi l'edifizio destinato alle pratiche religiose' (Malfatti, S. top. Trent. 56).

Chilafet s. Bagdad.

Chilche s. Kirche.

Chile, ein ind. Name, ist ungenügend erklärt, oft als *Ch. mapu* = Land Ch., v. einem Vogelrufe *tschile,* den gewisse Drosseln häufig hören lassen (Murr, Nachr. 2, 453), eingehend v. Toribio Medina (Ann. Univ. Chile, Nov. 1880, 658—665). Ihm zuf. erscheint der Name zuerst in der Form *Chili,* dann, dem castil. Munde entsprechender, in der j. Gestalt, angebl. f. einen Häuptling des Thals v. Concumicahua, j. Aconcagua, od. f. das Thal selbst od. dessen Fluss; im Munde der Eingeb. soll *tili,* erst bei den Leuten der Inca *Chili* gelautet haben. Einzelne Autoren denken an den kleinen Vogel *tili,* gew. *trili,* den z. Familie der Staare geh. Xanthornus cayenensis der Zoologen, andere an das quech. *chili* = kalt, weil das Land v. Schneeberge umgeben ist. Dagegen übsetze Diego de Rosales 'excelsior', das Beste einer Sache u. finde es natürl., dass die Incaleute, nachdem sie die Wüsten durchwandert, in Bewunderg. der Fruchtbk. u. Schönheit das Thal so benannten, wie das goldreiche Land ja auch den alten conquistadoren als 'Blüthe u. Rahm der Erde' erschien. Zu dieser schmeichelhaften Ableitg. scheint sich auch der Verf. des Aufsatzes zu neigen, sowie, ihm genau folgend, der in Valparaiso angesiedelte Deutsche C. G. Danckwardt (4. Jahr. B. VfErdk. Metz 65—78). Aus G. de la Vega erhellt, übereinstimmend mit einer der obigen Angaben, dass urspr. nur das Thal v. Santiago *Ch.* hiess (WHakl. S. 41ᵇ, 280 f.). In der 1534 an Almagro ausgestellten Verleihungsurkunde Karl's V. wird der Landstrich *Nuevo Toledo* genannt, somit eine Parallele zu Neu Mexico, Neu Spanien, Neu Castilien, Neu Granada etc. But the present attempt to change the Indian name, was as ineffectual as the former, and the ancient title of *Ch.* still designates that narrow strip of fruitful land . . . (Prescott, C. Peru 2, 28). Die einh. Aussprache hat das -*e* bewahrt (ZfSchulgeogr. 5, 217). — *Chiloë,* urspr. *Chilihue* = Ende v. *Ch.,* als Haupt eines Archipels auch

einf. *Isla Grande* = grosse Insel (Peterm., GMitth. 28, 401, Meyer's CLex. 4, 422).

Chilgontui s. Kjachta.

Chillon, bekanntes Schloss auf einer Felsinsel des Genfer-Sees, 'wurde unstreitig nach den am Ufer u. der durchführenden Strasse anstehenden grossen Felsplatten, v. patois *chillon(d)* = Steinplatte, benannt' (Gatschet, OForsch. 113). Die kelt. Etym., v. *chill* = geschlossener Ort, Clus, Engpass, wird mit Vorsicht aufzunehmen sein, obgl. Sie die 'Realprobe' ebf. f. sich hat. Das Schloss beherrscht in der That den Engpass, welcher früher ebenso bezeichnend *la Serraille* genannt u. durch einen befestigten u. crenclirten Thurm verschliessbar war, 'avec herse et pontlevis, qui s'appuyait sur le rocher à pic, du côté d'amont, et était protégé, du côté d'aval, par une pente escarpée qui descendait sur le rivage du lac' (Mart.-Crous., Dict. 204).

Chimboraço, vielgenannter Andenberg. 'La Condamine (Voy. Éq. 1751, 184) leitet *Chimbo,* den Namen des Districts, in welchem der Berg liegt, v. quech. *chimpa* = jenseitiges Ufer, *chimpani* = über einen Fluss setzen, her; *Ch.* bedeutet nach ihm la neige de l'autre bord, weil man bei dem Dorfe Chimbo, im Angesicht des ungeheuern Schneeberges, üb. einen Bach setzt. Mehrere Eingeborne der Prov. Quito haben mich versichert, *Ch.* heisse schlechthin 'der Schnee v. Chimbo'. Oder ob der Name aus quech. *chimpu,* einem Ausdruck f. Franse, Himmelsröthe, auch Hof um Sonne od. Mond, abzuleiten sei? 'Auf jeden Fall sollte man, was auch immer die Etym. v. *Ch.* ist, peruan. *Chimporazo* schreiben, da bekanntl. die Peruaner' — auch im Namen *Chimbo?* — 'kein *b* kennen. Wie aber, wenn der Name, wie Pichincha, Ilinissa, Cotopaxi, gar nichts mit der Incasprache gemein hätte u. aus der grauen Vorzeit herstammte?' So, z. Th. wörtl., Humboldt (Ans. Nat. 2, 47 f.) noch 1849. Eine einfache Lösung gäbe, wie Mahn (Etym. U. 4, 58 ff.) will, wenn statt 'Schnee v. Chimbo' gesetzt würde: 'Schneeberg v. Chimbo'.

Chimney Peak = Schornstein-Spitzberg, am Rio Colorado, nach den ungeheuern Felsmassen, welche sich kühn wie Ruinen eines thurm- (u. kamin-)herzen stolzen Schlosses erheben; der Berg erscheint, v. Fort Yuma aus gesehen, als eine nach oben schmaler werdende, kaminähnliche Säule (Möllh., FelsGb. 1, 119. 175). Die Exp. Ives (Rep. 49) kam am 15. Jan. 1858 in Sicht des Bergs . . . 'its turretted pinnacles towered directly in front'. *ChP.* is a remarkable picturesque double pinnacle which crowns a mountain chain . . . and affords a striking example of the tendency to form columnar summits exhibited by all the mountains of this vicinity (3, 21); *b) Ch. Top* = Kamingipfel, auf Kerguelen, 600 m h., mit nadelfroh hoher Felsspitze (ZfAErdk. 1876, 101); *c) Ch. Rock* s. Thackery. — Im plur. *the Chimnies,* mehrere bis 30 m h. Felssäulen, welche bei Warm Springs, hart an der Grenze NCarol.-Tennessee, aufstarrten u. der Gegend ein romant.

Aussehen verliehen. 'But limestone being wanted for the repair of the road, and the protruding masses being more easily knocked off than the more solid portions of the mass below, these picturesque objects were destroyed for that purpose. The place is still called by its former name however, and is still numbered among the natural curiosities of the neighbourhood' (Buckingh., Slave St. 2, 230).

Chimwo = Arvendorf, gilj. ON. in Sachalin, v. chim = Arve, Pinus Cembra var. pumila, dem echten Nadelbaum Ost-Sib. (Bär u. H., Beitr. 25, 233).

China, europ. Namensform, nach der Dynastie Thsin. Neben den einh. *Tschung kue* = Reich der Mitte, *Tschung hoa* = Blume der Mitte od. *Kiung hoa* = Garten der Mitte besteht näml. v. jeher die Uebg., dass jede neue Dynastie dem Lande einen neuen Namen beilegt. So hiess *Ch.* succ. *Than* = das' endlose (u. so heisst es noch bei den Japanesen), *Yu* = Ruhe, *Hia* = das grosse, *Scia* = Schmuck, *Cheu* = das vollkommene, *Han* = Milchstrasse (noch j. bei den Tataren)..., seit dem Auftreten der ggw. Dynastie *Min* = Herrlichkeit od. *Ta-min* = grosse Herrlichkeit. Die Dynastie Thsin begann —256. Der berühmte Chi Hoâng-ti, 221—208 v. Chr., breitete seine Erobergen üb. einen grossen Theil Asiens, namentl. üb. die Reiche Tongking u. Cochinchina aus, u. nun wurde bei vielen Asiaten Uebg., *Ch.* nach den Thsin zu benennen. Durch den Seeverkehr kam der Name in der ind. Form *Tschina* zu den Arabern, *Çin*, u. zu den Griechen, *Σῖναι* (Kiepert, Lehrb. AG. 43). 'Leurs voisins ont emprunté d'eux cet usage, en retenant les noms des dynasties les plus célèbres... Telle est entre autres... l'origine du nom de *Ch.* que les orientaux ont formé par corruption de celui de la dynastie de *Thsin* et qui a été adopté, avec de légers changemens, par la plupart des nations européennes, mais qui est presque inconnu aux naturels de la contrée à laquelle on l'applique...' (ARémusat, NMél. As. 1, 1 ff.). Auch Schlagw. (Gloss. 181) sagt, dass *Tschin* der pers. u. hind. Name f. *Ch.* sei. Eine dieser Formen hörten nun die Port. in Indien, u. durch sie ist die Form *Ch.*, in port. Aussspr. *schina*, in das Abendland gekommen. Dass für uns Schrift u. Aussprache sich nicht decken, berührt schon Trigault-Ricio (ap. Sin. 3): Celeberrimum est *Ch.* ab Lusitanis inductum, qui emensam navigationem emensi, eo appulerunt ibique ad Australem eius partem in Canconiensi Prouincia hodieque negotiantur. Id nomen Itali et aliae nonnullae in Europa nationes *nonnihil immutarunt, Hispaniae pronunciationis ignari*, quae in nonnullis a Latina discrepat. *Ch.* enim ab Hispanis omnibus ita effertur, ut ab Italis *Cina*. Im griech.-röm. Alterthum hiess der ferne Orient, aus welchem die centralasiat. Landzüge die Seide, chin. *ser*, kor. *sir*, mandschu *sirghe*, mong. *sirkek* (Klaproth, THAsie 58), nach dem Mittelmeer brachten, *Serica* = Seidenland, freil. ohne dass Ptolemäus wusste,

dass dieses zu Land erreichte *Serica* mit seinem z. See erreichten *Sina* ident., Norden u. Süden eines u. desselben Landes sei. Es möge hier erinnert werden, dass die Jesuiten des 17. Jahrh. 'ex Sinarum annalibus' lernten, in *Serica* steige die Seidenindustrie bis —2636 hinauf (Trigault 4). Als die Liao od. Khitan, 1125—1207, das nördl. *Ch.*, bis z. Hoangho, beherrschten, hiess es bei den Mongolen *Kitaï*, plur. *Kitat* (Klaproth, Mag. As. 209); als *Catay* (s. Manzi), führt es MPolo (ed. Pauth. 2, 352. 443) in Europa ein, u. noch ist *Kathay, Khitai* gebr. bei fast allen Völkern, die mit *Ch.* auf dem Landwege bekannt wurden, einschliessl. die Russen, Perser u. die Nationen v. Turkestan (WHakl. S. 36, CXVI). In der tib. Litteratur *Gyanág*, bei den armen. Historikern *Dschinestân, Tschinestân* = Land der Chinesen. — *Ch. Strait*, im östl. Theil NGuinea's, v. engl. Capt. Moresby 1873 entdeckt u. benannt, weil diese Durchfahrt den frühern Weg nach *Ch.*, zw. Louisiade u. Salomonen, um circa 480 km abkürzt ... 'eventually the trade with *Ch.* will be carried on by steamers, and this, the shortest route, will doubtless be the route' (JRGSLond. 1874, 10; 1875, 156). — *Chinafluss*, ein Flussarm v. Banjarmassing, Borneo, 'vermuthl. daher', dass die chin. Dschunken alle auf dems. nach Tatas (v. welchem ein kleinerer Arm *Tatasfluss* heisst) hinauffahren (Spr. u. F., NBeitr. 10, 78). — *La Chine*, Ort in Canada, scherzweise, weil der Ritter La Salle († 1686), bei dem Versuche, einen kürzern Weg nach *Ch.* zu suchen, hier durch einen Unfall genöthigt wurde, seine Reise zu verschieben (GForster, GReis. 3, 257). In der That war er überzeugt, auf diesem Wege 'a short route to China and Japan' zu entdecken: 'to the wealth of Ormus and of Ind' (Coll. MHS. 1, 23. 27. 313).

Chinchas, eine peruan. Inselgruppe vor Pisco, d. i. südl. v. Lima, benannt nach der alten Nation (u. Prov.) *Ch.*, 'which is one of the coast valleys of Peru' (WHakl. S. 33, 228). Das Thal v. *Ch.* wurde einstimmig als der schönste u. beste Theil der v. Fr. Pizarro entdeckten Seeküste betrachtet (ib. 33, 260; 47, 63). — *Chincha-suyu* s. Peru.

Chingan s. Bureja.

Chinook River, ein kl. Fluss an der Mündg. des Oregon, am 18. Nov. 1805 v. den Captt. Lewis u. Cl. (Trav. 399) nach den Indianern dieser Gegend benannt.

Chinquinquira = Nebelwolke, ind. Name (bei den Chibchas) f. ein oft in Nebel gehülltes Thal in Columbia (Glob. 24, 85).

Chiosa s. Chiusa.

Chipp s. Jeannette.

Chippenham, engl. Stadt in Wiltshire, ags. *Cyppanham* = Marktort, v. *cyppan* = handeln, *cypman* = Kaufmann, ist eine toponym. Parallele zu Kjöbnhavn (Camden-Gibson, Brit. 1, 197).

Chippewyans, engl. Namensform, nach deutscher Aussprache *Tschipe-* od. *Tschepewäer*, f. die den Eskimos benachbarte Nation, welche, z. Stamm der Athabaska gehörig, das Innere NAmerica's,

v. den Rocky M[ts] bis z. Hudson Bay, bewohnt, u. im Süden bis z. Saskatschewan reicht, v. dem ind. (Saulteur)wort *Wetshipweyanah* = Leute mit spitzigem Kleid, weil die in eine spitze Capuze auslaufende Mütze ihnen den Anschein gibt, als sei das Kleid zugespitzt (Coll. Minn. HS. 1, 227). Sie selbst nennen sich einf. *Tinnè, Dinneh* = Leute (Richardson, ASExp. 2, 2), vollst. *Sawcessaw-dinneh* = Männer der aufgehenden Sonne (Meyer's CLex. 15, 185). Nach dem Volke *Fort Ch.*, 1778/79 ggr. v. dem Angestellten Pond, 65 km v. Athabasca See, 1788 z. See selbst verlegt (MacKenzie, Voy. 97). — Mit ihnen nicht zu verwechseln eine Abtheilg. der Algonquinen, die *Chippewa*, besser *Odschibwä*, um den obern Missisipi, dem v. der Linken der *Chippewa River* zugeht, bei den Canadiern auch *Sauteaux River* od. *Rivière du Bon Secours* genannt, weil die Gegend an Buffaloes, Bären, Elks u. Hirschen ergiebig war (Coll.Minn.HS. 1, 325. 374). An seinen Fällen der Ort *Chippewa Falls* (Meyer's CLex. 4, 464). Bei den Canadiern hiess das Volk auch *Sauteurs, Saulteaux, Saulteurs*, anscheinend 'Springer', jedoch ledigl. nach ihrem Wohnort, dem Sault de Sainte Marie, einem Wasserfall, den sie behufs Fischfang bewohnen (Richardson, Arct.SExp. 2, 37, Franklin, Narr. 63). 'Es gibt hier viele schöne Fische, bes. Hechte, Forellen u. Weissfische, Corregonus sapidissimus, v. ungew. Grösse' (Forster, GReis. 3, 261). Die *S.* selbst nennen sich entspr. *Hrah-Hrah-twauns* = Leute am Fall; bei den Dakotah heissen sie *Hahatonwan*, mit gl. Bedeutg. (Coll.Minn.HS. 1, 50. 228). — *Chippewyan Mountains* s. Rocky.

Chippis s. Chico.

Chiquito s. Chico.

Chirmac-cassa = der Pass der Leiden, v. *chirmay* = schädlich u. *cassa* = Eis, also eig. das schädliche Eis, ind. Name eines beschwerl. Passes der peruan. Anden, wo schon Hunderte erfroren (WHakl. S. 41[b], 326). Vgl. Hindu-Khu.

Chirps-Kuadsch s. Zebaldinen.

Chisch s. Ketzin.

Chischm, zunächst jeder auffällig vorragende Gegenstand, dann durch die Beduinen auf die sonderb., domfgen, oben zerrissenen Felsen der Vulcanregion v. Hauran übtr. Ein besonderes Gebiet enthält diese. so gehäuft, dass man sie *Ch. el-Mâkräta* (= des Scheidewegs) nennt — da sich dort die Strasse nach der Rhube u. eine andere nach Rigm el Marâ u. Sês trennen (Wetzstein, Haur. 14).

Chisshetaw s. Heart.

Chittagong s. Tschittagong.

Chlusa, la = Verschluss, ital. Ausdruck f. Thalengen (s. Clus): *a)* eine 300 m lg. Clus am Poite, einem rseitg. Zufluss der Piave; *b)* am Tagliamento, wo die Thalstrasse 100 m weit in die senkr. Felswand eingehauen ist; *c) Ch. Veneta*, an der Route Venedig-Villach, im engen Valle di Ferro, das v. der Fella, einem lkseitg. Nebenfluss des Tagliamento, durchflossen wird; etwas nördl. v. Dorfe *Ch.* sind noch Reste v.

Mauer- u. Balkenwerk, v. alten Befestigungen (Pollatschek, MGeogr. 8, 99 ff.); *d)* die 'Berner Clause' obh. Verona, wo die Etsch durch eine tief eingeschnittene Thalsenke hinausbricht u. ihr Thal, 'v. jeher eine Hptstrasse f. Völkerströmungen u. Eroberungszüge', leicht gesperrt werden kann (Daniel, Hdb.Geogr. 2, 244); *d)* an der Dora Riparia, wo zw. M[te] Pirchiriano u. Caprasio einst die Longobarden Karl d. Gr. den Eintritt in ihr Reich versperren wollten (Meyer's CLex. 4, 469); *f) Val Chiosa*, ein Veltliner Weiler obh. Tirano, in einer durch Bergsturz entstandenen Thalenge der Adda (Leonhardi, Veltl. 94).

Chiwa, bei den Tadschik *Chaiwa*, ON. in Turan, nicht sicher erklärt, nach Spiegel (Eran.A. 1, 63) mit dem Landesnamen Chorasmia (s. d.) zshängend, hingegen nach H. Vambéry (Peterm., GMitth. 37, 266) seit dem 18. Jahrh. f. *Chaivak* aufgekommen, nachdem aus der schon im 16. Jahrh. bestandenen Festung eine Stadt u. unter kirgis. Herrschaft die Hptsitz herausgewachsen war, v. türk. *kabuk, chavak* = dürr, trocken, leer. Diese Bezeichng., f. eine Steppe od. Wüste passend, erscheint jedoch ungeeignet f. eine Culturoase, u. verdächtig wird die Angabe vollends durch den Beisatz, dass *Ch.* mögl. Weise mit *Chivak*, dem Namen eines Sohns Dschagatai Chans, zu dessen Zeit diese Festg. erbaut worden sein mag, im Zshang stehe.

Chlm = Hügel, ein asl. Wort, russ. *cholm*, apoln. *chelm*, čech. *chlum*, wend. *kholm*, slow. *holm*, in slaw. ON. th. f. die Berge selbst, th. f. die Wohnorte in Hügellage, wie *Chelm, Chelmek, Chelmiec, Zachelmna*, in Galiz., *Chlum* u. dim. *Chlumek, Chlumec, Chlumetz, Chlomek, Chloumek*, ferner *Chlumanky, Chlumčan, Chlumeček*, in Böhmen etc. (Miklosich, ON. App. 2, 169, Umlauft, ÖUng. NB. 37). Im deutschen Munde wird das Wort zu *Collm*, Dorf mit dem *Collmberg*, bei Oschatz, Sachsen, *Kolm*, in Kärnten (Umlauft 112), häufiger *Culm, Kulm*, so f. die poln. Stadt *Chelmno*, auf einer Höhe üb. dem Weichselufer, Rgbz. Marienwerder (Daniel, Hdb.Geogr. 4, 262, Altpr. Mon. 6, 52), ferner *Kulm*, mehrere Orte in Steiern. u. ein böhm. *Kulm*, 1040 *Hlumek*, 1·107 *Hlymec* (Umlauft 121), *Lommatzsch* (vgl. Daleminizen) in 13. u. 14. Jahrh. *Lomatz*, slaw. *Glomaci*, Stadt auf einer Höhe in Sachsen (GHey, ON.Döbeln, 7). — Auch f. *Kulmbach*, Ort in Ober-Franken, frägt Förstem. (Altd.NB. 431): Sollte darin böhm. *chlum* liegen? Und wirkl. führt Neubig. an der (Arch.Gesch.O/Fr. 7, 29 ff.), durchaus nach urk. Zeugnissen, Entstehg. u. Benenng. der Stadt bespricht, den ON. auf den alten Namen des Stadtbaches, slaw. *Kulma* = Bergbach, zk.

Chlorid, ein früher lebhaftes, j. völlig verlassenes Minendorf am östl. Rande der Wüste Mohave zu Anf. der 60er Jahre ggr. u. schon nach 5 Jahren wieder aufgegeben, weil die Minen nicht so reichhaltig sich erwiesen, als man vermuthet hatte. In der Nähe wurde Chlorsilber gefunden, u. in der Bergmannschemie scheint bloss dieses eine Chlorid zu existiren (Peterm., GMitth. 22, 420).

Chnêsir = der kleine Finger, heisst der letzte der 5 (resp. 6) mit den Fingern der Hand verglichenen, auffälligern Kraterkegel des Safâ (Wetzstein, Haur. 7).

Chocolate Mountains, 'a range of chocolate colored mountains' am calif. Ufer des Rio Colorado, im Jan. 1858 v. der Exp. des Capt. Ives (Rep. 50) erreicht u. getauft. That portion of this chain ... is composed of porphyries, tufas, and trachytes, of which the prevailing color is a dark brownish purple, and hence they have received the name of ChM. (ib. 3, 24).

Chodra s. Alger.

Chodscha s. Kodscha.

Chodschend, ON. des Gebiets Syr Darja, aus *Chub-dschend* = schöne Stadt entstanden, wie *Chokand*, ein unter der Herrschaft des Aschtarchaniden ggr. Ort des alten Ferghana, aus *Chubkand* = schöne Stadt, wie sie auf alten Münzen heisst (Peterm., GMitth. 37, 266).

Chogne s. Sognolles.

Chogon-nogor = Birkencap, sojot. (?) Name eines Vorsprungs an der sajanischen Oka, wo die Weissbirke der Gehänge grössere Bestände bildet u. $^1/_2$ m dick wird (Bär u. H., Beitr. 23, 126).

Choiseul, Ile, eine der durch Bougainville (Voy. 269) am 29. Juni 1768 wieder gefundenen Salomonen, nach dem dam. frz. Staatsminister, dem Herzog v. *Ch.*, benannt, wie *Baie Ch.*, die nach Bougainville's Vorgänger, dem engl. Capt. Wallis (1767), Lieut. Shortland 1788 in *Wallis' Bay* umgetauft hat (Spr. u. F., NBeitr. 3, 227). — *Cap Ch.-Gouffier,* in Gr. Australbay, v. der frz. Exp. Baudin am 11. Febr. 1803 getauft nach dem Gönner des Aesthetikers Delille, wie alle folgg. Punkte, bis Cap des Adieux, mit Rücksicht auf Kunstleistungen benannt wurden (Péron, TA. 2, 105, Freycinet, Atl. 18).

Cholmogory s. Archangelsk.

Cholula, span. Form f. azt. *Chololan* = Ort der Flucht, Zuflucht, der Flüchtlinge, v. *choloa* = Zuflucht u. *lan,* f. *tlan* = Ort von (Gracida, Cat.Oax. 38) — leider ohne weitern histor. Nachweis, als dass die berühmte Republik mit dem stammverwandten Tlascala in fast fortwährender Feindschaft lebte (Buschmann, Azt. ON. 100).

Choma s. Picti.

Chondi s. Ostjaken.

Chone, ngr. *ἡ Χώνη* = der Trichter, heisst v. seiner Gestalt ein Thal auf dem äg. Siphnos (Ross, IReis. 1, 142).

Chontaquirros = Schwarzzähne, v. qquech. *chonta* = schwarzes Palmholz u. *quiru* = Zahn, so wird ein am Ucayali wohnender Indianerstamm benannt nach dem Gebrauche, ihre Zähne mit dem Safte einer Wurzel schwarz zu färben (Glob. 21, 301).

Chopersk, auch *Nowo* (= neu) *Ch.,* russ. Ort 1780 ggr. am Choper, einem Nebenflusse des Don, wo schon Peter d. Gr. eine Erdveste ange-

legt hatte. An der Mündg., russ. *ust* (s. d.), des Choper der Ort *Ustchopersk* (Meyer's CLex. 4, 501; 12, 153). — Ebenso *Chatangskoje,* Ort an der sibir. Chatanga, 72º NBr. (Atl. Russ. 14).

Chopunnish s. Pierced.

Chora, ngr. *ἡ χώρα* = der Ort, entspr. dem 'Platz' od. 'Dörfli' unserer Alpenthäler: *a)* f. das einzige Dorf der Insel Samothrake (Conze, Thrak. I. 48); *b)* f. den Hptort v. Kalymnos, Sporaden (Peterm., GMitth. 8, 235).

Chorasan = Sonnenland, Morgenland, wörtl. 'nach Osten hin' (Peterm., GMitth. 37, 266), pers. Name einer an Afghanistan grenzenden Prov. Persiens (WHakl. S. 26, 110, Hammer-P., Osm. R. 1, 266).

Chorasmia, auch *Charesm, Charism, Choarizm, Chowarezm,* das Land am Unterlauf des Oxus, altpers. *Huvarazmi,* baktr. *Chvairizĕm,* neup. *Chvârizm,* vulg. *Chârizm* = Niederland, v. *chwar* = niedrig u. *zĕmi* = Land, so nach P. Lerch, während, wenig einleuchtend, Burnouf an 'Futterland' u. Spiegel (Eran. A. 1, 47) an 'schlechtes Land' dachte. Die letztere Deutung würde nicht passen, da sich der Name zunächst auf die Oase fruchtb. Alluvialbodens, nicht auf die umgebende Wüste bezog (Kiepert, Lehrb. AG. 58, Meyer's CLex. 4, 469, ZfAErdk. 1874, 266). — *See v. Chowarezm* s. Aral.

Chori, hebr. חֹרִי = Höhlenbewohner, ein Volk, welches (1. Mos. 14, 6) das Gebirge Seïr bewohnte u. (5. Mos. 2, 12. 22) durch die Edomiter v. dort vertrieben wurde (Gesen., Hebr. L).

Chorsabad = Bärennest, pers. umgedeutet aus dem alten *Chisir Sargon,* einem ungeheuern, um —710 v. König Sargon ggr. Palast (Oppert, Exp. Mésop. 1, 67). Layard (Nin. 1) denkt, wohl mit mehr Recht, an 'Chosroe's Stadt'.

Chosch Tischme = schöne Quelle, pers. Name einer sehr kalten, gesunden Quelle, welche am Fusse des Demawend so riesenmässig sprudelt, dass 3 m unth. Kotschy's Maulthier 1843 bis üb. die Knie im Wasser stand (Peterm., GMitth. 5, 58).

Choschau Ling = verbrannter Berg, chin. ON. der Mandschurei, nach dem glänzend saffrangelben Lehm der Gegend (JRGSLond. 1872, 161).

Choschbim s. Palermo.

Chotan, Stadt der HTatarei, hielt Klaproth (Mém. 2, 293) f. eine Hinducolonie; er leitete darum den Namen v. skr. *kiusatana, kustana* = Brustwarze der Erde her. Einleuchtender Pauthier (MPolo 1, 143), unter Verweisg. auf des Venetianers *Cotan,* das mit aspir. Anlaute aus chin. *Hothian* entstanden ... 'Le royaume de *Yu-thian* est heureux et florissant. Le peuple y vit dans une grande abondance. Tous les habitants, sans exception, y honorent la loi bouddhique qui leur procure la félicité dont ils jouissent'. *Hothian, Yuthian,* das Reich, hiess so 'depuis le premier siècle de notre ère, époque à laquelle les Chinois commencèrent à le connaître'. Es bildete unter den Tschang das Generalgouv. *Pischa* = fruchtbares Sandgebiet.

Chotzen s. Ketzin.

Chowarezm s. Chorasmia.

Chozar s. Kaspisee.

Chramtschenko-Insel, in der tschuktsch. St. Lorenz Bay, v. russ. Lieut. v. Kotzebue (EntdR. 1, 161) am 22. Aug. 1816 nach seinem ersten Steuermann getauft.

Chriemhilten Graben, bei dem zürch. Türlersee. Nach der Sage hatten die Einwohner des Weilers Herferswyl die am See wohnende Hexe *Chriemhilt* erzürnt; sie beschloss sich zu rächen, den See abzugraben u. über die Felder zu leiten. Mit einer Schaufel, so gross wie ein Tennthor, begann die Hexe den Durchstich durch einen kl. Berg zw. See u. Weiler. Als sie bereits 200′ ausgegraben, that sie einen Schwur, Gott zu lieb od. zu leid werde sie den See abgraben. Da erregte Gott einen gewaltigen Sturm; der zerbrach die Schaufel u. raffte sie hinweg auf den Glärnisch in ’Vreneli’s Gärtli′; das v. hier aus auf′s schönste sich zeigt (MZürch. AG. 6, 85).

Christ, f. den Erlöser u. seine Bekenner, mehrf. in ON., doch wie *Jesus* nicht oft nach der geheiligten Person direct (s. Salvador), wie *Monte Cristi*, Bergname 2 mal: *a)* in Hayti, v. Columbus am 4. Jan. 1493 (Navarrete, Coll. 1, 123, Colon, Vida 142); *b)* in Ecuador (Barrow, REntd. 2, 69), od. *Mensa Christi* (s. Nazareth), häufiger f. Kirchen, Klöster od. Kreuzstellen, auch nach dem Christfest, der Weihnacht, engl. *christmas*, port. *natal* (s. dd.), od. nach dem Fronleichnamsfest, welches je Donnerstag nach Trinitatis ′(u. dieses 8ᵈ nach Pfingsten) gefeiert wird, also in den Juni zu fallen pflegt: *Monte Cristo*, Berg *a)* bei Puerto San Julian, v. Magalhães 1520 so benannt, weil er auf dem Gipfel ein Kreuz aufpflanzte u. im Namen des span. Königs Besitz v. dem Lande nahm (Pigafetta, Pr. V. 38); *b)* Felsinsel bei Elba nach einem ehm. Camaldulenserkloster, dessen Kirche noch steht (Meyer′s CLex. 11, 700); ferner *Corpus Christi Bay* = Bucht des Fronleichnams, zw. Nordcap u. Kolabucht, u. dabei *C. Chr. Point,* offb. v. dem ersten engl. Nordostf. 1553 so getauft aus dem Kalendertage, an welchem sie erreicht wurde; auch Steph. Burrough kam hier Sonntags 7. Juni 1556 an (Hakl., Pr. Nav. 1, 276), wohl auch, da das Fest die Transsubstantiation des Weines u. das Blut des Erlösers versinnlichen soll, *Sierra del Sangre* (= Bergkette des Blutes) *de Cristo,* f. einen Bergzug in NMexico (Peterm., GMitth. 21, 446). — *Christchurch* = Christuskirche, engl. ON. *a)* der Grfsch. Hants, mit grosser goth. Kirche, bei welcher Eduard d. Bekenner eine Priorei u. ein Kloster gründete; *b)* in der neuseel. Prov. Canterbury, wie das letzte selber v. engl. Ansiedlern ins Antipodenld. übtr. (Meyer′s CLex. 4, 515). The special religious tenets of the founders of the colony may be gathered perhaps more clearly from the names of the streets than from any other characteristic which a stranger will observe. They are all named after some Church of England bishopric (Trollope, Austr. 3, 212). — *Christburg,* Stadt im preuss. Rgbz. Marienwerder, mit einem

Schlosse, das an der Stelle einer ehm. heidnischen, am Abend vor Weihnachten 1247 eroberten Burg als Ordenshaus erbaut wurde u. als Residenz des Ordensdrapier diente (Töppen, GMitth. 182). — *Christians Monument* = des Christen Denkstein nannte am 13. Sept. 1829 Capt. John Ross (Sec. V. 155) einen grabähnl. geformten, mit röthl. Vegetation bedeckten Berg auf Boothia Felix. — *Christiano* s. Slawochori.

Christian, mehrere dän. Könige, in deren Familien die Taufnamen *Friedrich, Amalie* u. *Charlotte* wiederholt, auch in geogr. Namen vorkommen, unter jenen f. uns bes. beachtenswerth *Ch. IV.,* einer der besten Landesfürsten (1588—1648), der den dän. Seemacht hob u. den Handel bis Indien erweiterte, auch Fahrten z. Wiederentdeckg. Grönlands u. z. Auffindung der Nordwestpassage aussandte, *Ch. V.* (1655—1699), der St. Thomas u. den übr. dän. Besitz in den Jungfern In. erwarb, u. *Ch. VI.* (1730—1746), ′der Fromme′, ein friedlicher Freund v. Prachtbauten u. Förderer v. Egede′s Grönland-Unternehmen. Eine Gründg. *Ch.′s II.,* der 1516 auf Amager 24 holl. Familien ansiedelte, ist ozw. *Christianshavn,* wo *havn* = Hafen, der Vor- u. Hafenstadt Kopenhagens (Meyer′s CLex. 1, 483); hier reihen wir auch aus derselben Gegend an: *Frederiksberg,* die Citadelle *Frederikshavn,* die Inseln *Christiansholm* u. *Frederiksholm,* die Schlösser *Amalienborg* u. *Charlottenborg* (ib. 10, 251). — *a) Christianstad,* in Schonen, 1614 ggr., 1658 an Schweden abgetreten; *b) Christiansand,* in Norw., 1641 ggr. (ib. 4, 527 f.); *c) Christiania,* die j. Hptstadt Norw., am *Christiania Fjord,* 1624 ggb. dem schon 1050 v. König Harald Haardrade angelegten, aber im 16. u. 17. Jahrh. wiederholt abgebrannten *Opsló* (s. d.) ggr. (ib. 4, 527, Hertha 6 GZ. 192, wo auch der 1745 geschleifte, 1811 als Blockhaus wieder erstandene Grenzveste *Christiansfield,* in Osterdalen, erwähnt ist); *d) Ch.′s Cap* s. Farewell; *e) Ch.′s Strasse* s. Hudson; *f) Mare Christianum* s. Fox. — Auf den frühern *Ertholme* = Erbseninseln, j. in *Christiansholm, Frederiksholm* (nach dem Kronprinzen, spätern König Friedrich IV.) u. *Gräsholm* (s. Gras) unterschieden, liess der fünfte *Ch.,* nach dem Verlust Schonens u. z. Ersatz des Mangels eines guten u. sichern Kriegshafens auf Bornholm, 1684 die Veste *Christiansö,* mit *ö* = Insel, anlegen (Meyer′s CLex. 4, 528) . . . ′es ist gar einsam dort: mitten im Meere nichts als nackte Felsen′ (E. Egli, WNord. 30). Wohl nach demselben: *Christiansfort,* in St. Thomas, *Christiansstadt,* das nach dem Hafenbecken auch einf. *Bassin* heisst, sowie *Christianswehr,* beide im benachbarten Sainte Croix, wo ferner *Ch.′s Frederikfort* u. *Frederikstad,* während in St. Thomas, hart an der See *Waterfort* (Oldend., GMiss. 1, 48). — *a)* Ein Zeugniss v. *Ch.′s VI.* Prachtliebe ist *Christiansborg,* Residenzschloss in Kopenhagen, urspr. 1733/40 erbaut (Meyer′s CLex. 10, 252); ein anderes *Christiansborg,* nebst *Augustenborg,* Fort auf der Goldküste, seit 1850 engl. (Peterm., GMitth. 20, 30); *b) Christiansund,* in

Norw., 1742 aus älterm Namen umgetauft (Meyer's
CLex. 4, 528); *c) Christianshaab*, wo *haab* =
Hoffng., an der Discobucht, Grönl. (Cranz, HGrönl.
1, 22), ggr. 1734 v. Jakob Severin, dem 'wohl
vornehmen Mann', der, als kein anderer Kaufmann den grönl. Handel übernehmen wollte, 'aus
rühml. Intention zu Ausbreitg. Gottes Ehre, auf
gewisse Jahre, mit kön. Assistenz solches auf sich
genommen' (Egede, Nachr. 266. 286). — *Cape
Ch*. s. Karl. — Ein americ. *Christiania*, v. schwed.
Ansiedlern 1638 im j. Staate Delaware ggr. u.
nach ihrer jungen Königin Christine benannt
(Quackenbos, US. 94). Vergl. Neu Schweden. —
Ein arkt. *Christiania Bach* s. Wilczek Berg. —
Ggb. dem schles. Naumburg, am Bober, *Chri-
stianstadt*, v. sächs. Herzog *Ch*. mit schles. Prote-
stanten besetzt, vorher *Neudorf* (MCL. 4, 528).
— *Ch.-Erlangen* s. Erlangen. — *Christianberg*,
čech. *Křištanov*, Ort in Böhmen, ggr. v. Fürst
Joh. *Ch*. v. Eggenberg (Umlauft, ÖUng. NB. 39).
Christie, Cape, im antarkt. Victoria Ld., v. J.
Cl. Ross (South R. 1, 193) am 15. Jan. 1841 ent-
deckt u., wie die übr. Objecte, nach Mitgliedern der
Royal Society u. British Association getauft: nach
Prof. Sam. Hunter *Ch*., v. der kön. Militäracade-
mie Woolwich, dem Secr. der RS. — *Ch.'s Bay*
nannte der arct. Reisende Back (Narr. 57) eine
Bucht des Gr. Sclaven S. nach *Ch*., dem Ober-
factor der Hudson Bay Co., welcher seiner Exp.
grosse Dienste geleistet hatte.
Christmas = Weihnacht, mehrf. in engl. Entdeckernamen *a) Ch. Harbour*, Hafen in Kerguelen,
benannt v. Cook, weil er, in den Weihnachtstagen
1776 hier ankommend, der vorher hart mitgenommenen Mannschaft den 27. Dec. als Rasttag,
um Weihnachten zu feiern, erlaubte (Cook-King,
Pac. 1, 63. 66). Der Entdecker Kerguelen hatte
die Bay schon am 17. Dec. 1773 besucht u. nach
seiner Fregatte *Baie de l'Oiseau* genannt. — *Ch.
Island*, 2mal: *a)* in Austr., 1⁰ 58′ NBr., v. Cook
(-King, Pac. 2, 188, Krus., Mém. 2, 56) am 24. Dec.
1777 getauft, 'as we kept our Christmas here';
b) s. Traserve. — *Ch. Sound*, in Feuerl., wo
Cook (VSouth P. 2, 185), aller Erwartg. z. Trotze,
bei dem Aufenthalt v. 21.—28. Dec. 1774 eine
fröhliche Weihnacht feierte (s. Goose).
Christovão s. Sergipe.
Chrub s. Cherba.
Chrysos, gr. Χρυσός = Gold, oft in ON., entw.
nach wirkl. Goldfunden od. z. Bezeichng. besondern Werthes, wie *Chryse* (s. Malakka) od. *Chrysopolis a)* s. Skutari, *b)* Amphipolis, *c)* s. Parma,
d) s. Besançon, od. *Chrysokeramos* s. Bey. —
Chrysokeras gr. Χρυσοκέρας = *goldenes Horn*,
die gebogene u. geweihartig verzweigte Hafenbucht Konstantinopels, als 'goldene Horn' des
Ueberflusses, der geräumigste u. überall anker-
barste Hafen, den alle Winde mit Schiffen bevölkern u. der wider alle dens. Sicherheit gewährt. Die Alten, noch in spätröm. Zeit, nannten
ihn so 'seines Reichthums wg. an Schiffen u.
Fischen', namentl. Thunfischen, die jährl. zu Mill.
v. Pontus herabkommen u., in diesem schmalen

Meeresarm zsgedrängt, gefangen werden (Kiepert,
Lehrb. AG. 328, Hammer-P., Konst. 1, 2. 19,
Strabo 320, Moltke-Kiepert, Konst.-Bosp. 1867).
— *Chrysorrhoas*, gr. Χρυσορρόας = goldströmend,
Flussname 2mal: *a)* ein europ. Zufluss des Bos-
porus, 'vermuthl. weil das Gestein in der Nähe
f. goldhaltig galt' (Hammer-P., Konst. 1, 16; 2,
266); *b)* anderer Name des wasserreichen, v. Anti-
Libanon herabfliessenden *Βαρδίνης*, arab. *Bárada*,
wg. der ausserord. Fruchtbk. seiner Ufergelände,
im AT. auch *Amana* = der immerfliessende (Kiepert, Lehrb. AG. 166).
Chudutskaja (Staniza), v. kalm. *chuduk* =
Brunnen, ein Kosakenposten, *staniza*, der kasp.
Steppe (Potocki, Voy. 1, 96).
Chuignes s. Sognolles.
Chunkar Iskelessi = Landungsplatz des Kaisers
od. Königs, türk. ON. an der asiat. Seite des
Bosporus, f. eine der schönsten Lagen, welche zu
jeder Zeit die Aufmerksamk. der Sultane als Er-
lustigungsort auf sich zog. Schon Mohammed II.
errichtete hier einen Köschk, den er, z. Andenken
an die Eroberg. Tokad's, deren Nachricht ihn
hier traf, *Tokad* nannte (Hammer-P., Konst. 2, 290).
Chuquisaca, Plateaustadt in Bolivia, im Auftrage Pizarro's 1538 ggr. v. span. Capt. Pedro
de Anzures, an einem Orte, der nach den nahen
Goldminen u. sehr feines Gold führenden Flüssen
ind. *Chuquichaca* = Goldort, span. meist in
Puente del Oro = Goldbrücke übsetzt, geheissen
hatte u. in der Folge durch die Silberschätze,
die er nach Spanien lieferte, hochberühmt wurde.
'The treasure that was found in those times,
was a wonderful thing.' Viel v. dem Silber des
Sonnentempels Ccuri-cancha war schon zZ. der
Incas aus den Minen v. Porcos gezogen. Eine
einzige, dem Capt. Hernando Pizarro gehörige Mine
ergab jährl. üb. 200000 Pesos Gold an Werth.
Daher erhielt der Ort den span. Namen *Ciudad
de la Plata* = Silberstadt (P. de Cieza de Leon,
1532/50, in WHakl. S. 33, 383 ff., Acosta, HNat.
y mor. 4, 5, Pescott, C. Peru 2, 149). Jetzt heisst
der Ort *Sucrè*, nach dem Grossmarschall v. Ayacucho, 'in honour of one of Bolivar's ablest
generals, who was the first president' 1825/28
(WHakl. S. 41, 335, PM. 13, 317). — *Chuquiapo*
= Goldfeld, der Fluss v. La Paz, Bolivia (Bergh.,
Ann. 12, 279).
Chur, die Hptstadt Graubündens, vollst. *Curia
Raetorum* = die Pfalz der Räter u. als solche
schon im Itin. Ant. u. in der theodos. Reisetafel,
rätor. *Cuera*, ital. *Coira*, 'v. den Römern in einer
militärisch sehr vortheilhaften Lage angelegt, in
sich in geringem Abstande v. der Stadt die Aus-
gänge v. 5 Thälern u. Bergpässen ins Rheinthal
öffnen. Ein procurator Raetiae wird (Tacit., Hist.
1, 11) erwähnt u. ein dux raetici limitis (5). Nach
dem Ort sind benannt *a) Churvalchen* s. Graubünden, *b) Churwälsche* s. Räti, *c) Churfirsten*,
ein Bergzug, welcher das rät. Gebiet v. den deutschen Landen trennte u. etwa in die *7 Kurfürsten* umgedeutet wurde (Meyer v. Knonau,
Erdk. Sch. E. 1, 42, Gem. Schweiz 17,16); *d) Chur-*

walden, im Churer Waldthal, rätor. *Aschèra* = bei dem Ahorn, so schon v. Campell (ed. Mohr 146) abgeleitet, v. *acerna*, 'der in der Nähe gedeiht', u. als Prämonstratenser-Kloster erwähnt, welches zu jener Zeit, 1577, nur v. Abt u. keinen Mönchen bewohnt war (Gatschet, OForsch. 160).

Church, the = die Kirche, ein zuckerhutfger Felsberg v. Uapoa, Mendaña's Arch., v. Wilson 1797 so genannt, weil der Fels, wie Hergest in Vancouver's Reisebericht sagt, mit einer in goth. Geschmacke erbauten Kathedralkirche Aehnlichk. hat, bei dem frz. Capt. Marchand 1791 *le Pic* = Spitzberg (Krus., Reise 1, 155, Meinicke, IStill. O. 2, 241). — Aus gl. Grunde *Ch. Mount*, in Ost-Grönl., v. engl. Walfgr. Will. Scoresby jun. (North WF. 176) am 19. Juli 1822 benannt 'from its striking resemblance to a church ... It has, at the summit, two vertical towers, with gableformed tops, closely studded with pinnacles'. — *Ch. Rock*, 2 mal: *a)* in Heard I., 'ein schwarzer 10 m h. Felsenthurm', *ggb.* einem weisslichblauen Gletscher, eine auffällige Landmarke (Peterm., GMitth. 20, 462); *b)* s. Ship. — *Ch. Butte* s. Butte. — *Ch. Rock* s. Rogers.

Churchill River, der bei *Fort Ch.* mündende Zufluss der 1610 entdeckten Hudson Bay, ein sonderbarer Flusslauf, welcher aus einer Kette seeartiger Erweiterungen u. verengter Flussstrecken besteht, so dass die Breite zw. $^1/_2$ u. 8 km wechselt, daher ind. *Manato-e-sepe* = seeähnlicher Fluss, im Oberlaufe *Missinipi* = viel Wasser, v. *nipi* = Wasser, genannt, erscheint zuerst bei dem dän. Capt. Jens Munk, der am 7. Sept. 1619 hier anlangte, in *Munks Haven*, wie er den Fluss (od. wohl nur dessen Mündg.) taufte, den Winter verbrachte, dabei v. seinen 64 Mann alle bis auf 2 verlor, den Hafen am 16. Juli 1620 verliess, am 21. Sept. Norwegen u. einige Tage später Kopenhagen erreichte (Forster, Nordf. 538, WHakl.S. 18, 241 ff.). Als dann, einige Jahre später, die engl. Reisenden eine dän. Messingkanone hier fanden, wurde der Fluss *Danish River*, seit Jos. Frobisher (Coll. Minn. HS. 1, 214) auch *English River* genannt, weil die Canadier dort frühzeitig den Angestellten der Hudsons Bay Co. begegneten, die v. Hptdepôt an der Mündg. aus landein zogen (Richardson, Arct. SExp. 1, 89). Ueb. den Ursprung des heutigen Flussnamens *Ch.* verdanke ich der Güte des Hrn. Geo. G. Chisholm, London, folgende Ermittelg.: Die Anfrage, welche auf seinen Wunsch erln berühmter engl. Polarreisender bei dem Amt der Hudsons Bay Co. versuchte, ergab kein Resultat. Nun verweist Hr. Chisholm auf Joseph Robson's 'Account of six years residence in Hudsons Bay', Lond. 1752, wo (App. 18 f.), in einer an den Governor Geyer u. Council in Port Nelson gerichteten Ordre, dat. 2. Juni 1688, der *Ch. River* erwähnt u. v. Robson beigefügt ist: '*Ch.* or *Danish River* was not then settled; for when it came therefore by the name of *Ch. River*, is only to be guessed at, as Lord *Ch.* [afterwards Duke of Marlborough] in 1688 had made no great figure, tho' he and his sister were

favorites with king James'. Daraus ersehen wir die Vermuthg., dass der heutige Name des Flusses einem königl. Günstling zu Ehren gewählt u. lernen insb., dass nicht, wie Franklin (Narr. 178 ff.) meinte, der Fluss nach dem Fort benannt, sondern der Flussname vorausgegangen ist, wie gezeigt seit 1688. Das Fort, urspr. nur Factorei, wurde nach Robson (App. 36) 'in or about the year 1718' ggr.; um 1750 entstand ein kleines, aber behagl. Fort, das wohl auch *Fort Prince of Wales* hiess (Forster, Nordff. 436) u. v. frz. Seef. La Pérouse ohne Schwertstreich erobert u. geplündert wurde. Das neue Fort kam 8 km obh. der Mündg., zw. Hayes' u. North R., zu stehen, ein Wunderbau f. dieses Land. Während näml. sonst alle Forts der Co., u. auch alle Missionsstationen, Blockhäuser sind, so besteht Fort *Ch.* aus einem ungeheuern Quadrat v. circa 150 m Seite u. 6 m h., v. grossen Granitsteinen erbaut, 2 m dick. Das Innere ist durch einen Erdwall eingefasst, der dicker als die Mauer u. ebenso h. ist; auf diesem Wall liegen noch einige 20 Kanonen grossen Kalibers, 3 m lg. u. dabei Kugeln in grosser Zahl. Der Raum, welcher v. den beiden Wehren umschlossen ist, enthält die Wohnhäuser, aus Kalkstein gebaut (Peterm., GMitth. 19, 8).

Chuschk-rûd = trockener Fluss, npers. Name des letzten Ikseitg. Zuflusses des Harud(-Hamûn), eines der zahlr. im Frühling angeschwollenen iran. Ströme, deren Wasser gierig durch die Oasen aufgesogen wird (Spiegel, Eran. A. 1, 37).

Chusistan s. Susa.

Chussutû = der mit Birken bewachsene, mong. Bergname in der Mongolei (Timkowski, Mong. 1, 45).

Chuzoth s. Kiriah.

Chvalynskoie s. Kaspisee.

Chydenius Berg, ein Bergriese Spitzb., v. der schwed. Exp. 1861/64 nach dem Physiker *Ch.* getauft, welcher die erste dieser Reisen mitgemacht hatte, aber wenige Wochen vor Abgang der andern † war (Torell u. Nordensk., Schwed. Expp. 471.384).

Chyzy s. Ketzin.

Ciana s. Kyane.

Cibao s. Hayti.

Cibinum s. Hermannstadt.

Cierges s. Cergues.

Ciernes s. Cernioz.

Cierva s. Cervus.

Cicogne s. Sognolles.

Cihuatepetl s. Iztaccihuatl.

Ciliciae P. s. Pylai.

Cimalmotto = auf der *cima*, Gipfel, eines Hügels, *motto*, im Tessin wie *poggio* od. *eminenza*, ein Bergdorf eines Seitenthals der Valle Maggia (Gem. Schweiz 18, 372, Hardmeyer, TTh. M. 3).

Cimbri s. Wales.

Cimbrica s. Jütland.

Cincelle s. Civitas.

Cincinnati, im Ohio, 1778 ggr. u. *Losantiville* genannt, nach dem Anfangsbuchstaben des dem Ort ggb. mündenden Licking, *os* = Mündg., *anti* = gegenüber u. *ville* = Stadt, dann 1789, nach

Anlage des *Fort Washington*, durch Einwanderer aus NEngland u. NJersey od., wie eine american. Zeitg. behauptet, durch den General St. Clair, den dem Cincinnatusorden angehörigen Commandanten des Fort, umgetauft nach dem Orden, der nach dem Unabhängigkeitskrieg 1783 unter den Officieren der Armee gestiftet worden war zu dem Zwecke, die errungenen Rechte u. Freiheiten zu erhalten u. zu dessen erstem Präsidenten G. Washington gewählt wurde. Die Mitglieder, Cincinnaten, wollten, wie einst der Römer, dessen Namen sie trugen, aus dem Kampfe zu ihrem Herde zkkehren u. trugen ein Abzeichen, dessen Vorderseite den Cincinnatus darstellte, wie ihm drei Senatoren ein Schwert überreichen, im Hintergrunde seine. Ehefrau, an der Hütte stehend, nebst Pflug u. Ackergeräth, mit der Umschrift 'Omnia relinquit servare rem publicam'. Der Orden ist, da er v. Vielen als ein unrepublican. Institut angefochten wurde, bald erloschen (Meyer's CLex. 4, 574). Unverkennbar ist der neue ON., nur in anderer Form als die frühere des Fort, dem Andenken des 'Vaters des Vaterlandes' geweiht. — Auch die 'Cincinnatusstadt' hat ihren Spitznamen: *Porkopolis*, v. der grossartigen Schweineschlächterei u. Salzfleischfabrikation (s. Porco).

Cinnabar Mountain = Zinnoberberg, am Yellowstone R., weil eine zu Tage tretende Schicht ziegelrothen Lehmmergels, die v. der Spitze der Seite nach hinunter zieht, f. Zinnober gehalten wurde (Hayden, Prel. Rep. 60) .... 'so named from the color of some of its rocks, which have been mistaken for cinnabar, although the red color is due to iron' (ib. 174). Adjoining this (Ludlow, Carroll 18) are broad bands of red and yellow ... and seize the eye at once from their brillancy of colour and vivid contrast.'

Cinq = 5, in einigen frz. ON. wie *C.-Chênes* = 5 Eichen u. *C.-Ormes* = 5 Ulmen, 1290 *Cinq-Ourmes*, 1300 *Quinque-Ulmi*, beide 2mal, beide im dép. Eure-et-Loir (Dict. top. Fr. 1, 49). — *Cinque Ports* = Fünfhäfen, näml. die Hafenorte Hastings, Dover, Hithe, Rumney u. Sandwich, die, v. Wilhelm d. Eroberer als Schlüssel Englands betrachtet, unter die Hut des Constable v. Dover Castle, des 'Lord Warden of the five Ports', gestellt wurden (Camden-Gibson, Brit. 1, 254).

Cintra, Angra de Gonçalo de, südl. v. Rio do Ouro, wo bei einem Angriffe auf die Mauren 1445 der tapfere Portugiese *G. de C.* erschlagen ward (Hertha 5, 12).

Ciraun s. Cerrus.

Circeji s. Kirkaion.

Circular Head == kreisrundes Cap, in Tasmania, ein runder Felsklumpen, 'in form much resembling a Christmas cake', am 5. Dec. 1798 dem Entdecker, Lieut. Flinders (TA. 1, CLXVI, Atl. 7), v. fern als runde Insel erscheinend (mit dem Hauptlande ist die kl. Halbinsel durch einen niedrigen, sandigen Isthmus verbunden) u. dann, being found to be connected with the main land,

so benannt. — *C. Reef*, ein kreisrundes, inwendig 5 km. haltendes Riff bei Gr. Admiralty I., am 7. Nov. 1825 v. engl. Schiffe Lyra, Capt. Renneck (Krus., Mém. 2, 470) entdeckt, auch *Sidney Reef* (Meinicke, IStill. O. 1, 143), nach dem Schiffe *S.*, welches 1806 hier Schiffbruch litt (Bergh., Ann. 6, 188) — *Circus* = Kreis, Schaukreis, das ungeheure kreisrunde Amphitheater, welches den Krater des Pics v. Tenerife bildet u. aus dessen Mitte sich der eig. Kegel des centralen Vulcans erst erhebt — eine öde, wasserlose, bimsbedeckte, daher weisse od. gelbe, Ebene, in welcher nur die zerstreuten Büsche des Alpenginsters, Spartium nubigenum, fortkommen; daher heisst sie bei den Insulanern auch *Llano de las Retámas* = Ginsterebene (ZfAErdk. 1870, 18).

Cirknica s. Zirknitz.

Circoncision s. Bouvet.

Cirta s. Constantine.

Cis s. Trans.

Cîteaux s. Moine.

Cité, Città s. Civitas.

Citium, auf einer Inschrift u. sidon. Münzen(Gesen., Mon. T. 34) neben Kambe (Karthago), Hippo u. Tyrus als älteste sidon. Colonie (כב, Ket, bezeichnet, Hauptort des üb. Cypern u. der ggb. liegenden cilic. Küste (bei Ezech. 27, 6, Jerem. 2, 10 als ארץ כתיים = Meeresküsten der Kittier) verbreiteten kanaanit. Volksstamms, gr. *Kίτιον, Kίτιον* (Movers, Phön. 2ᵇ, 206 ff., Gesen., Hebr. Lex., Kiepert, Lehrb. AG. 133, noch j. erhalten im Cap *Kiti* (Müller, GGr. min. T. 26). Gleicherweise ist auch die cypr. Stadt u. phön. Colonie (Cultus bei Movers 2ᵇ, 221) *Amathus* v. dem syr. auf Cypern angesiedelten Volksstamme der *Hamatiter* (המתי auf einer Inschrift ib. 212) benannt, wie schon in seinem Sitze am Orontes dieser Stamm einen Hauptort Hamath (s. d.) hatte (ib. 221).

Citlaltepetl od. *Citlaltepec*, der *Pic v. Orizaba* bei den Europäern, Vulcan in Mexico, mit der Hierogl. eines Bergs, dessen schwarze Spitze mit weissen Tupfen besetzt ist, wird v. Orozco y Berra v. azt. *citlalin* = Stern u. *tepetl* = Berg abgeleitet; er ist der Vulkan, dessen Eruptionen bei Nacht wie Sterne erglänzen ...'porque cuando estuvo en erupcion, el fuego que arrojaba se parecia en las noches á una estrella' (Peñafiel, Nombr. geogr. 76, ZfAErdk. 4, 387).

Civitas = Stadt, urspr. Bürgerschaft als das die *cives* = Bürger umfassende Gemeinwesen, noch bei Caesar f. das Gebiet gall. Völker, welche mit noch einem Rest v. Autonomie der röm. Herrschaft unterstellt waren, bei der Einkehr des Christenth. zugl. f. das Gebiet der Diöcesen, also dass die kirchl. mit der staatl. Eintheilg. zsfiel u. dann, wie z. B. bei Gregor v. Tours, *C.* sowohl das Diöcesangebiet als auch die Stadt, welche Bischofssitz war, bezeichnen konnte (Longnon, GGaule 1 ff.). In den neurom. Sprachen ist *C.* zu span. *ciudad*, port. *cidade*, prov. *ciutat* (s. Tarbes), ital. *città* bez. f. phz. *cité*, rum. *cetate* geworden (Diez, Rom. WB. 1, 129) u. so in viele ON. übergegangen. Treuer erhalten *a) Civita Vecchia* =

Altstadt, als die v. Trajan erbaute neue röm. Hafenanlage *Centumcellae* = 100 Zellen, da der Hafen viele kl. Bassins f. Barken enthielt, dann zu Ehren des Erbauers in *Portus Trajani* umgetauft u. schliessl., als die v. den Saracenen 828 vertriebenen Einwohner nach 40 j. Exil th. in *Cincelle* sich ansiedelten, th. wieder in ihre 'alte Stadt' zkkehrten, mit dem mod. Namen belegt (Kiepert, Lehrb. AG. 410, Meyer's CLex. 4, 603); *b) Cividale*, das alte Haupt des Friaul, longob. *Civitas Austriae* = Oststadt, wahrsch. Caesar's *Forum Julii* (s. Friaul), slaw. *Staro Mjesto* = Altstadt (WHakl. S. 35, 2, Meyer's CLex. 4, 594; 7, 192). — *Città Vecchia* = Altstadt, Orte auf ältern Culturstätten: *a)* auf der dalm. Insel Lesina, wo noch die Ruinen v. Pharia, welches das Material z. Neubau lieferte, slaw. *Starigrad*, mit gl. Bedeutg. (Umlauft, Nam. B. 39); *b)* das alte Haupt Malta's, auf einem durch Katakomben ausgehöhlten Felsen, nach dem alten Inselnamen auch *Melita*, arab. einf. *Medina* = Stadt, sonst auch *San Antonio* (Oppert, Exp. Més. 1, 4, Meyer's CLex. 4, 593), während *Città Nuova* = Neustadt, in Istr., v. den Venetianern aus byz. *Neapolis* (s. d.) übsetzt ist (Kiepert, Lehrb. AG. 386). — *Cité*, wie die *City* Londons, der insuläre Embryo v. Paris, in Lausanne die im Mittelalter bischöfl. Stadt, im Ggsatz z. kais. 'Burg' u. den bürgerl. Quartieren (Gem. Schweiz 19, 2ᵇ, 96). — Das dim., ital. *cittadella*, span. *ciudadela*, frz. *citadelle*, hat die Bedeutg. 'Veste' angenommen, insb. eine solche, welche die Stadt beherrscht u. vertheidigt, u. ist ebf. ON. geworden *a) Cittadella*, f. einen Ort der Prov. Padua, der seit 1220 als Grenzfestg. gg. Treviso angelegt wurde u. noch j. mit Mauern, Thürmen u. Gräben umringt ist; *b) Ciudadela*, das einst befestigte Hpt. Menorca's (Meyer's CLex. 4, 593).

Claasset s. Flattery.

Clair, frz. adj., v. lat. *clarus* = rein, in dieser Bedeutg. auch Frauenname (s. Clara), mit dem Sinn klar, lauter, gern in Gewässernamen *a) Clairfontaine* = Lauterbrunn, danach das Prämonstratenserstift des dép. Aisne, 1131 als *Clara Fontana* ggr. (Dict. top. Fr. 10, 70); *b) Lac C.* = klarer See, der tiefste der im Schlammdelta des Peace R., im Ggsatz zu den seichten, trüben Nachbar, *Lac Vascu* = schlammiger See (MacKenzie, Voy. 278). — Ob in den Urkk. des Mittelalters das Wort auch den Sinn 'unberührt', inculte, wild, wüst, gehabt hat, wie mir f. die 2 folgg. Namen versichert worden ist, bleibe hier unentschieden u. mag, während man zunächst auch an 'heiter, hell, licht' denken könnte, mit Fragezeichen immerhin Aufnahme finden: *a) Clermont*, frz. ON., 5 mal in den dépp. Hérault, Meuse u. Calvados (Dict. top. Fr. 5, 47; 11, 55; 18, 71), bekannter jedoch f. das Haupt der Auvergne, kelt. *Nemossus*, s. v. a. *nemetum* = Heiligthum, Tempel, z. Kaiserzeit *Augustonemetum* = Tempel des Augustus (Kiepert, Lehrb. AG. 513), bei Greg. v. Tours *Arvernis, civitas Arverna*, nach dem Volksstamm (s. Auvergne), woraus

sich, wie f. mehrere wohl v. arvern. Colonisten ggr. Orte des nördl. Frankreich, ein mod. *Auvers* hätte ergeben müssen, wäre nicht zZ. Karls d. Kahlen dieser alte Name völlig verschwunden vor *Clarus Mons*, dem Namen, welchen die Burg der arvern. Hptstadt schon z. Merowingerzeit führte. Diese Burg, wohl auf dem Gipfel des Hügels neben der heutigen Kathedrale, erscheint zuerst, *castro Claremunte*, in einer Schrift des 6. Jahrh., ein zweites mal in der Mitte des 8., bei einem der Fortsetzer Fredegars; hingegen die Stadt selbst finden wir unter dem neuen Namen, *Clarimontium*, erst in einem kön. Diplom v. 848, ausgestellt 'in una Puteata non longe a *civitate Claromonte*' (Longnon, GGaule 477). Als Ludwig XIII. mit der Stadt das nahe Montferrand vereinigte, erhielt sie den Doppelnamen *C.-Ferrand*, z. Unterschiede v. *C. de l'Oise*, wo ein altes Bergschloss ebf. *Clarus Mons, Clarimontium* geheissen hatte (Rev. Celt. 8, 124, Meyer's CLex. 4, 625 f.); *b) Clairvaux*, frz. ON. des dép. Aube, urspr. f. ein (1790 aufgehobenes) Cistercienserkloster *Clara Vallis* = wüstes Thal, ggr. v. heil. Bernhard 1115 in der wüsten Waldgegend, die ihm der Herzog Hugo v. Troyes übergeben hatte (Dict. top. Fr. 14, 47, Meyer's CLex. 4, 605). Es scheint, dass die Bedeutg. 'wild, wüst' fallen muss; 'ni la situation des lieux', schreibt mir der Departementsarchivar v. Clermont (29. Sept. 1891), 'ni aucune circonstance historique connue, ne nous engagent à préférer ce sens du mot clarus à celui qu'on adopte généralement'.

Clair, Saint-, in frz. ON. *a) Lac Saint-C.*, zw. Huronen- u. Erie-See, v. dem Jesuiten La Salle im Aug. 1679 erreicht u. benannt 'in honor of one of the saints of the church of Rome', in deren Dienst die Missionäre standen (Coll. Minn. HS. 1, 24). — *Ile Saint-C.*, bei Kiusiu, v. russ. Capt. J. A. v. Krusenstern (Reise 1, 265) so benannt, weil v. ders. Gegend auch ältere Carten eine Insel gl. N. eingetragen hatten.

Clairault, Cap, in Leeuwins Ld., v. der Exp. Baudin 1802/03 prsl. benannt (Péron, TA. 2, 166). Die Vergleichung der dort angewandten Nomenclatur lässt vermuthen, dass der Name ein frz. Mechaniker u. Mathematiker *C.*, 1713/65, gelte.

Clapperton Island, in Darnley Bay, v. Dr. Richardson, dem Gefährten des Capt. John Franklin (Sec. Exp. 239) am 25. Juli 1826 benannt nach dem Africaforscher, den Schotten Hugh C., welcher, geb. 1788, in der Handels- u. Kriegsmarine wiederholt Nord-America, speciell die canad. Seen, besuchte, als Begleiter Oudney's den Tsad u. Sokoto erreichte, auf einer zweiten Reise den Lauf des Kuara erforschte u. auf dieser 1827 †.

Clara, Santa, wiederholt in span. u. port. ON.: *a)* ein Wasserfall (u. Ort) des brasil. Flusses Mucuri, v. sicil. Capuciner Fr. Caetano am Kalendertage der Heiligen entdeckt (Avé-L., NBras. 1, 211); *b)* eine Insel v. Puna, Ecuadôr (s. Elena), v. den Spaniern, ganz im Stile ihrer Heiligennomenclatur, umgetauft aus dem anfängl. Namen *Isla del Muerto* = Todteninsel. Dieser bezog

sich auf den Umstand, dass das unbewohnte, holz-
u. wasserlose Eiland den Bewohnern Puna's als
Kirchhof u. Opferplatz diente (WHakl. S. 33, 24);
d) s. Capra; *e)* s. Juan. — *Cape C.* Fearnall.
Clarence, Cape, einer der Namen, welche engl.
Entdecker mehrf. anwandten, nach dem Herzog
Wilhelm v. *C.*, der, als 3. Sohn Georg's III. 1765
geb., nach mehrjähr. Seedienst zkkehrte, sich 1818
mit der Princessin Adelaïde v. Sachsen-Meiningen
verheiratete, durch den Tod seines Bruders, des
Herzogs v. York, 1827, Thronerbe, 1830 als Wilhelm IV. König wurde u. † 1837; 2 mal *a)* in
North Somerset, v. W. E. Parry (NW. Pass. 37) am
9. Aug. 1819, *b)* im Smith Sd., v. John Ross
(Baff. B. 153) am 21. Aug. 1818 'in commemoration of the birth-day ...' — *C. Cove*, Bucht
(u. engl. Ortschft.) der Insel Fernão do Po, die
Ansiedelg. ggr. v. Capt. Owen, der am 27. Oct.
1827 dort ankam, auf *William's Point*, offb. nach
dem Taufnamen des Herzogs (Hertha 12, GZ. 98).
— *Duke of C. Island*, in der polynes. Union
Group, einh. *Nukunono*, ein Riff mit 93 Inselchen,
v. engl. Capt. Edwards 1791 entdeckt u. offb. in
Gesellschaft der benachbarten York I. (s. d.),
v. dem holl. Capt. Zybrandts 1841 *Paradijs
Eiland* getauft (Krus., Mém.27, Meinicke, IStill.O.2,
128). — Eine ähnl. Association zeigt (1829/33)
John Ross (Sec. V. chart) f. *C. Islands*, näml. mit
King Williams Ld. u. Adelaide Bay (s. dd.). —
Port C., in Berings Str., v. engl. Capt. Beechey
(Narr. 2, 543) im Sept. 1827. — *C. River*, fast
auf der Grenze zw. Brit. America u. 'Alaska', v.
John Franklin(Sec. Exp. 142, Map) am 27. Juli
1826. — *C. Strait*, in Nord-Austr., v. engl. Capt.
Ph. P. King (Austr. 1, 123) am 3. Mai 1818 ge-
tauft. — *C. Island* s. Fanua Loa.
Clarendon, Mount, einh. *Pirone*, am Shire, 1859
v. Livingstone (Zamb. 97) benannt, offb. zu Ehren
des engl. Ministers, Lord *C.* 1800/70, dieses 'stolzen
Namens nicht unwerth' (ZfAErdk. nf. 8, 490).
Clarens s. Glarus.
Clarion s. San Rosa.
Clark, Cape, an der Ostküste Grönlds., zu Wollaston
Foreland gehörig, v. engl. Walfgr. Will. Scoresby
jun. (North. WF. 104) im Juni 1822 entdeckt u.
nach seinem Schwager Mr. John *C.* getauft. —
C. Island, eine der Washington Is., nach dem
Entdecker, Capt. *C.* 1821 (Meinicke, IStill. O. 2,
245). — *C.'s Reef* s. Pearl.
Clarke's Point of View, eine 'Ausschauspitze'
an der Mündg. des Oregon, v. der Exp. Lewis u.
C. (Trav. 400) am 8. Jan. 1806 so benannt, weil
man v. dieser Höhe aus eine herrl. Ausschau genoss ... 'here one of the most delightful views
in nature presents itself. Immediately in front is
the ocean, which breaks with fury on the coast,
from the rocks of Cape Disappointment as far as
the eye can discern to the northwest, and against
the highlands and irregular piles of rock, which
diversify the shore to the south-east. To this
boisterous scene, the Columbia, with its tributary
waters, widening into bays as it approaches the
ocean, and studded on both sides with the Chin-

nook and Clatsop villages, forms a charming
contrast; while immediately beneath our feet,
are stretched the riche prairies, enlivened by
three beautiful streams, which conduct the eye
to small lakes at the foot of the hills.' — *C.'s
Fork*, 2 mal *a)* ein rseitg. Zufluss des Yellowstone R., v. Capt. *C.* am 24. Juli 1806 erreicht,
als er auf dem Rückwege den Yellowstone hinabfuhr, zuerst f. den Bighorn R. gehalten u. später,
als man diesen fand, nach dem eignen Namen umgetauft (ib. 626); *b)* s. Lewis. — *Fort C.*, an einer
Stromenge des Missuri, wenig unth. der Confl.
des Kansas R., wo die Exp. Lewis u. *C.* (Tr. Miss.
13) am 23. Juni eine vortheilhafte Lage erkannten,
'this spot has many advantages for a fort, and
trading house with the Indians' u. dadurch die
Anlage, im Sept. 1808, veranlassten. — *C.'s Island* s. Narcisso.
Clatsop, Fort, das Winterhaus, in welchem
1805/06 die Exp. Lewis u. Cl. (Trav. Miss. 423.
463. 490 ff.) am Pacific, u. zwar am Südufer des
Oregon, ungef. Stelle des j. Astoria, übwinterte,
von ihr benannt nach den umwohnenden Indianern. — Ein dort. Küstenfluss *C. River* am
7. Jan. 1806 (ib. 420).
Claude, River, im Innern des Australcontinents,
v. Major T. L. Mitchell (Trop. Austr. 295) am
2. Sept. 1845 benannt nach dem berühmten Landschaftsmaler *C.*-Lorrain (1600/82), welcher so
viele Hirtenobjecte aus der Gegend v. Mantua
darstellte. Und da die Scenerie einen verwandten
Namen verdiente, so taufte sie der Entdecker als
Mantuan Downs.
Claude, Saint-, Ort des frz. dép. Jura, wo in der
Wildniss die Brüder Lupicinus u. Romanus, in
der Mitte des 5. Jahrh., ein Kloster *Condatiscone* (s. Condate) gründeten. Nach einem der
ersten Aebte, Eugendus, hiess es bald monasterium *Sancti Eugendi Jurense*, vulg. *St.-Oyand
de Joux*, nahm dann aber, als im 7. Jahrh. Claudius, der Bischof v. Besançon, sich in das Kloster
zkzog u. dessen Reliquien bes. am Ende des
Mittelalters verehrt wurden, den mod. Namen an
(Longnon, Géogr. Gaule 199).
Claudius, der Name eines röm. Kaisers des
augusteischen Hauses (41—54), mehrf. im ON.
Claudiopolis a) in Cilicia, dessen waldige Berge
erst im J. 102 besetzt wurden (Kiepert, Lehrb.
AG. 130); *b)* in Bithynia (s. d.); *c)* s. Klausenburg. — *Claudiocestria* s. Gloucester. — *Claudii
Forum* s. Klagenfurt. — *Claudia Ninus* s. Ninive. — *Claudia* s. Martha.
Clavadel s. Tablat.
Clavering, Island, in Ost-Grönl., wie *Sabine
Island* v. A. Peterm. (GMitth. 14, 223 T. 17; 17,
200 T. 10) vorgeschlagen in dankb. Erinnerg. an
die grönl. Exp. 1823.
Clay, Cape Henry, nördl. v. arkt. Humboldt Gl.,
1853 benannt v. Kane (Arct. Expl. 1, Chart) nach
seinem Landsmann, dem 1777 geb., f. innere Reform, insb. schutzzöllnerische Gesetzgbg., unermüdlich thätigen Staatsmann, der zwar wiederholt als Präsidentschaftscandidat unterlag, aber

bei dem Auftauchen der Sclavenfrage dem Lande, vorläufig wenigstens, eine bedrohl. Krise ersparte u. allgemein betrauert 1852 †.
Clear = klar, rein, hell (s. Clarus), in *C. Fork* = klarer Fluss(-arm), engl. Name *a)* f. den beträchtlichsten der Zuflüsse des american. Powder R. (s. d.). Von den Big Horns herabkommend, heisst er bei Raynolds (Expl. 8) 'a dashing mountain torrent', ganz im Ggsatze zu dem sehr trüben, trägen Hptflusse, in dessen schlammigem, treulosem Bette Thiere u. Wagen einsinken; *b)* Fluss in Texas, nach dem klaren Wasser, welches üb. Kalkstein läuft u. nicht, wie so viele a. texan. Flüsse, rothen Thon aufgeschlämmt enthält(Peterm., GMitth. 19, 460). — *C. Lake*, eine der seeartigen Erweiterungen des Churchill R. (Franklin, Narr. 178 ff.). — *C. River*, ein kl. lkseitg. Tributär des obern Missisipi, 'a handsome little river ... water good', v. Lieut. Zeb. Pike (Expp. 33) am 13. Oct. 1805 passirt u. getauft. — *Clearwater River* = Fluss des klaren Wassers, ein Zufluss des Athabasca R., da sein glatter farbloser Strom, in tiefem Längenthal zw. 2 parallelen Bergreihen eingeschlossen, auf alle Besucher den Eindruck einer herrl. Scene macht. 'The valley is not excelled, or indeed equalled, by any that I have seen in America for beauty' (MacKenzie, Voy. 95, Franklin, Narr. 188, Chart, Richardson, Arct. S. Exp. 1, 116 f.). — *Clearwater Creek* s. Eau.
Clède, la s. St. Louis.
Clées s. Chiavenna.
Cleft s. Split.
Clémence d'Ambel u. *Guillaume-Pérouse*, die eigenth. Namen zweier Gemeinden des frz. dép. Hautes-Alpes, nach den Erben des frühern Thalherrn Raymond d'Ambel, der zu Anfang des 15. Jahrh. seine Güter unter die Kinder Anton, Clémence u. Catherine theilte; der erstere Name ist derj. der ältern Tochter, der andere der des Gemahls der jüngern (Dict. top. Fr. 19, 41).
Clerke, Port, in Feuerland, v. Capt. Cook(VSouth P. 2, 181) am 23. Dec. 1774 benannt nach einem seinerOfficiere, Charles *C.*— Ebenso am 23. Jan. 1775 *C.'s Rocks*, eine Gruppe Inselfelsen bei SGeorgia (ib. 220 f.) u. *C.'s Island* s. Laurentius. — *C.'s Shoal* in NHolland, v. Capt. *C.* entdeckt u. v. Ph. P. King (Austr. 1, 57. 60) am 16. März 1818 benannt, wie wohl nach demselben Entdecker *C.'s Reef* s. Ritchie. — *Clerk's Island*, im arkt. America, v. Dr. Richardson, dem Gefährten Capt. Franklins (Sec. Exp. 242 ff.), im Sommer 1826 nach Sir George *C.* getauft.
Clermont s. Clair.
Clermont-Tonnerre, Ile, im Arch. Paumotu, einh. *Natupe*, v. frz. Capt. Duperrey, Schiff Coquille, am 22. Apr. 1822 getauft 'in Dankbarkeit des Schutzes, den der Herzog v. *Cl.-T.*, dam. frz. Marineminister, seiner Exp. angedeihen liess' (Hertha 1, GZ. 123). Als sie der engl. Capt. Bell, v. Schiffe Minerva, am 27. Juni 1822 wieder fand, taufte er sie *Minerva Island* (ZfAErdk. 1870, 358, Beechey, Narr. 1, 148, Meinicke, 1Still.O. 2, 212).
Cleveland, engl. Stadt in Yorkshire, an mehrern

steilen Bergen, die zu einer fruchtb. Ebene abfallen, 'almost impassable with cliffs and rocks', benannt nach den Klippen u. Abgründen (Camden-Gibson, Brit. 2, 114, Charnock, LEtym. 70). — Anders *C.*, in Ohio, 1796 ggr. u. benannt nach dem General Moses *C.*, welcher als Agent der Connecticut-Landgesellschaft die erste Vermessungscommission f. die 'Western Reserve' v. Connecticut begleitete (Meyer's CLex. 4, 628).
Clichy, frz. ON., mehrf., v. kelt. *Clipiacus*, f. dasjenige im dép. Saône-et-Loire im 12. Jahrh. übsetzt in *Petraclausa*, j. *Pierreclos* = Steineinfassung, Steinschluss (Houzé, Et.N.Lieux 25 ff.).
Clifford, Iles de, bei Korea, v. russ. Admiral v. Krusenstern (Mém. 2, 126, Atl. OPac. 21) getauft nach dem Gefährten des Entdeckers Basil Hall, dem Lieut. *C.*, welcher wichtige Beiträge in des erstern Tagebuch geliefert hat.
Clift s. Owen.
Clifton, Point, an der Eismeerküste America's, v. Richardson, dem Gefährten John Franklins (Sec. Exp. 242 ff.), im Sommer 1826 entdeckt u. benannt nach Waller *C.*, esq., secretary of the Victualling Board.
Clinton, Cape, in Port Bowen, benannt am 21. Aug. 1802 v. Flinders (TA. 2, 36, Atl. 10) zu Ehren des Oberst *C.* v. 85. (Regiment), welcher bei der engl. Unternehmg. nach Madeira die Land-, wie Capt. Bowen die Seetruppen befehligte. — *C. Colden Lake*, im Netz des Gr. Sclavensees, v. G. Back (Narr. 72) am 25. Aug. 1833 zu Ehren zweier ausgezeichneter Männer getauft.
Clipperton Rock, ein Inselfels bei den Revillagigedo In., entdeckt v. engl. Seef. *C.*, welcher 1705 eine Reise mit Dampier begonnen hatte, sich aber an den Küsten Süd-America's v. ihm trennte, um nach Indien zu gehen (Krusenst., Mém. 2, 57 f., PM. 5, 188).
Cloak Bay = Mantelbucht, an der nordameric. Westküste, v. engl. Capt. Dixon 1785 so getauft 'z. Andenken unsers vortheilhaften Handels'. Er erhandelte hier, f. Eisen, v. den 'Indiern', deren sich in 10 Canots etwa 120 eingefunden, viele vortreffl. Mäntel v. Biberfellen u. a. Pelzwerk — inner ¹/₂ʰ 300 Felle, 'welches uns nicht wenig Freude machte. Die Mäntel bestanden mehrentheils aus 3 schönen Seeotterfellen, v. denen eines gemeinlin in 2 Stücken geschnitten war. Sie waren sauber zsgenäht u. machten beinahe ein Viereck aus. Dieses länglichte Viereck binden sie, als Mantel, ganz leicht mit kleinen Lederriemen um die Schultern fest' (Spr. u. F., Beitr. 13, 15).
Clobanna s. Banew.
Cloete's-Kraal, holl. Name einer Ansiedelg., Capland, nach der Hottentottenfamilie *C.*, welche einst hier hauste (Lichtenst., S.-Afr. 1, 336).
Cloghroe s. Ruadh.
Clothier Harbour, SShetland, benannt nach dem american. Schiffe *C.*, welches hier verunglückte (Hertha 9, 463).
Cloud, St., frz. ON. unfern Paris, im 6. Jahrh. *Novigentum*, wo nach Ermordg. seiner Brüder Clodoald, der Sohn des Königs Chlodomir, ein

Kloster baute, † u. begraben wurde (Leboeuf, Hist. Par. 6, 3; 7, 29, Longnon, GGaule 360); b) durch Uebtragg. ein Ort in Minnesota, unth. der Sauk Rapids (Meyer's CLex. 14, 27).

Cloud Point = Wolkenspitze, ein schwindlige Felshöhe am pennsylv. Lehigh R., weil der Besucher, den die prachtvolle Aussicht hinaufgelockt, oft die Bergkuppe mit einem Wolkenhut bedeckt findet (Penns. Ill. 58). — Ebenso *C. Peak*, der Culm der Bighorn Ms. (Raynolds, Expl., map). — Im plur. *the Clouds* s. Benedicto. — *Cloudy Bay*, in der Cooks Str., v. Cook so benannt nach dem regnerischen Character der Gegend. 'Rain must be frequent, from the mountainous and woody character of the country. I was here three times, always during heavy rains' — j. *Port Underwood* = Buschwerkhafen (Dieffenbach, Trav. 1, 64). — *Cloudy Islands*, in Kerguelen, auf Cook's dritter Reise, Dec. 1776, so benannt. Schon der Name weist auf eine dicke, neblige Luft in jenen Gegenden hin, u. auch SMS. Arcona wurde durch fast fortwährenden Nebel, der nur durch seltene kurze Aufklärungen des Himmels unterbrochen wurde, an dem beabsichtigten Landen ... gehindert (Peterm., GMitth. 4, 24; 21, 133).

Clump s. Quoin.

Clus = Verschluss, v. lat. *claudere, cludere* = schliessen, frz. *Cluse*, ital. *Chiusa* (s. d.), oft im Alpengebiet, bei dem deutschen Aelpler auch in *Klause* geformt, der Ausdruck f. thorartige Thaleingänge, die leicht zu befestigen u. zu vertheidigen waren, wie die *C.* des Prätigau, in den Graubündner Alpen, od. die *C.* v. Balsthal, im Soloth. Jura, ferner im frz. Sprachgebiet: a) ein Städtchen im Engpass der Arve, Savoyen, v. Genf her durch eine breite Thalebene erreichbar ... cette petite ville ... n'a guère qu'une rue qui se rétrécit en montant contre le cours de l'Arve parce qu'elle est serrée entre la rivière et la montagne (Saussure, VAlpes 60); b) ein Engpass obh. Aosta. 'On passe par une porte destinée à fermer cette avenue du Piémont, et dans un endroit bien choisi pour ce dessein; car le chemin est là en corniche, serré entre le précipice et la montagne taillée à pic au-dessus de lui' (ib. 216). — Das deutsche Wort ebf. oft a) *Ehrenberger K.*, am Lech, wo die Veste Ehrenberg im Revolutionskriege geschleift wurde (Meyer's CLex. 5, 857); b) *Bregenzer K.*, ein tiefes, enges Waldthal, welches den Bregenzer Wald in zwei Thalstufen scheidet, eine obere, breitere mit den Dörfern im Thalgrund, u. eine untere, engere, schluchtartige, mit den Wohnungen auf den seitlichen Berghöhen (Pollatschek, Mil. Geogr. 8, 19. 145); c) zw. Bodensee u. Pfänderberg, eig. drei Clausen, deren jede zwei fest gewölbte, schliessbare Thore mit Wachtthürmen, Schanzen u. Erdwällen hatte: seit 1831 aber sind sie durch eine gerade Uferstrasse ersetzt (v. Bergmann, Vorarlb. 33); d) *Kufsteiner K.*, unth. Kufstein, auf der tirol.-bayr. Grenze. — *Klaus*, ein Dorf des vorarlb. Rheinthals, wo bis 1770 die Strasse durch eine Clus führte (ib. 64). — *Klausen*, 2mal:

a) ein Pass der Glarner Alpen, nach der Clus hinten im Urner Boden; b) ein Ort in Süd-Tirol, in militärisch wichtigem Engpass (Meyer's CLex. 10, 22). — *Klosbach* s. Bach.

Clusura s. Picti.

Clute s. Seagull.

Clyde, bei Beda 731 *Cluith*, urk. 1200 *Cliid*, der Fluss v. Glasgow, v. gael. *clith, cli* = stark, also der starke Fluss (Robertson, Gael. TScotl. 131). — Der Name ist 2mal übtr.: a) in North Ayr, wo Capt. John Ross (Baff. B. 199), auf seiner Rückkehr v. Smith Sd., am 10. Sept. 1818, auch andere schott. Namen ertheilte (auch *Haig's* Island?); b) in NSeel., v. Jul. 1846, wie der nahe Gletscher *Great* (= grosser) *C. Glacier* (Hochstetter, NSeel. 343). — Ozw. derselbe Name, *Clywd*, f. einen Bergfluss u. sein Thal in Wales, daher v. Gouv. Macquarie in die austral. Blue Ms. übtragen: *Vale of Clywd*, 'from its supposed resemblance to the valley of that name in Wales' (Mitchell, Three Expp. 1, 155).

Clypea s. Clupea.

Cnoc-na-ndruadh s. Druid.

Coahuila Valley, engl. Name eines Thales des californ. Antheils der Mohavewüste, nach den Kauvuya-Indianern, deren noch mehrere hier wohnen. O. Loew, Exp. Wheeler 1875, sagt z. Worte *Kauvuya*: 'Der Wortlaut ist genau durch diese Schreibart bezeichnet, während Spanier od. Mexicaner das Wort in *C.* verballhornisirten' (PM. 22, 424).

Coal = Kohle, Steinkohle, darf in mod. ON. engl. Herkunft nicht fehlen: *C. Harbour*, Hafen in Cook's R., v. Capt. Nath. Portlock am 25. Juli 1786 getauft nach dem Kohlenfunde, der dort gemacht wurde. 'Wir entdeckten 2 Schichten v. Glanzkohlen, candle-coal, unweit einiger Anhöhen, nur eben üb. dem Strande u. ungefähr in der Mitte der Bucht. Es hielt gar nicht schwer, einige Stücke v. der Grösse eines Kopfs v. dem abschüssigen Ufer abzulösen. Gegen Abend ... machten wir die Probe damit u. fanden, dass sie hell u. klar brannten' (GForster, Gesch. Reis. 3, 43 f.). — *C. River*, mehrf. a) in NSouth Wales, mit *C. Island* (s. Hunter); b) aus ind. *Oaktaroup* übsetzt, ein rseitiger Zufluss des Unterlaufs des Yellowstone R., nach dem beidseitigen steilen Kohlenbänken (Lewis u. Cl., Trav. 632); c) s. Rocky. — *C. Bay* s. Massacre.

Coaquanock s. Philadelphia.

Coblenz, röm. *Confluentes*, wie *Conflans* u. kelt. Condate (s. d.) f. Orte an der Vereinigg. zweier Flüsse a) an der Confl. Mosel-Rhein, als Castell v. Drusus —9 ggr. (Meyer's CLex. 10, 90, Daniel, Hdb. Geogr. 4, 359), als Militärstation erst seit Valentinian I. bekannt (Bonn. Jahrbb. 42, 1—64), bei Greg. v. Tours 585 *castrum Confluentis*, mit der Bemerkg., der Ort heisse so, weil er bei der Vereinigg. v. Rhein u. Mosel liege (Longnon, GGaule 368); b) an der Confl. Aare-Rhein. — Das erwähnte *Conflans* ebf. mehrf. in frz. ON. (Houzé, Et. NLieux 98 f.): a) im dép. Moselle, nahe der Confl. Orne-Yron, 912 *Confluentis*. 1095 *Con-*

fluentia (Dict. top. Fr. ʽ13, 58); *b)* an der Confl.
Seine-Marne; *c)* nahe der Confl. Seine-Oise (Meyer's
CLex. 4, 708. — *Tine de Conflans*, waadtl. Ort
an der Confl. Veyron-Venoge. — *ils Conflons*, rätr.
Name einer Schlucht am Medelser Rhein, nahe
seiner Mündg. (Gatschet, OForsch. 209. — *Con-
folens*, dép. Charente, an der Confl. Vienne-Goire
(Meyer's CLex. 4, 708). — Auch im quechua ist
Palca, eig. *pallco* = Vereinigungspunkt, ein
häufiger ON. f. Orte, wo 2 Flüsse od. Thäler
zstreffen (Tschudi, Peru 2, 292).

Cobre, el = das Kupfer, span. Name eines
chilen. Grubenorts, dessen 30-, 40- u. mehr ⁰/₀
Kupfererze schon v. den Indianern ausgebeutet
worden sind (Peterm., GMitth. 2, 54); *b) Sierras
de C.* = Kupferberge, eine kupfererzreiche Berggruppe Cuba's (Hakl., Pr. Nav. 3, 670), mit Bergstadt *C.* (Daniel, Hdb. Geogr. 1, 873); *c) Rio do
C.* s. Reis.

Coburg, Stadt in Thüringen, schon 1057 so,
aber auch in der Form *Koburg* erwähnt. Zunächst hiess jedenf. die auf 166 m h. Berge thronende Veste so, angebl. da sie v. einem Grafen
Kobbo, unter Heinrich I., erbaut wurde (Meyer's
CLex. 10, 91, Daniel, Hdb.Geogr. 4, 528). Die
Sicherheit dieser histor. Angabe ist mir verdächtig; Förstem. (Altd.NB. 412) weiss nichts v.
einem PN. Kobbo u. stellt *C.*, freil. rein äusser-
lich, mit ausdrückl. Zweifel, unter die Formen
mit ahd. *kô*, *kua*, nhd. *Kuh* = vacca, wie *Chuo-
pach*, Fluss- u. ON., j. *Kühebach* u. *Cubach*. Der
Name *C.* begegnet uns mehrf. im Entdeckungen, weil Leopold, Prinz v. Sachsen-*C.*, der nachm.
König der Belgier, geb. 1790, durch Heirat mit
der engl. Thronerbin Charlotte Auguste († 1817)
der engl. Königsfamilie angehörte. Gerade die engl.
Orth. hat den Namen mit *c*, das wir denn auch
hier bevorzugen *a) C. Bay* u. *Cape Leopold* (s. d.),
nördl. v. Lancaster Sd., am 26. Aug. 1818 v.
Capt. John Ross (Baff.B. 161, Parry, NWPass.
37); *b) C. Peninsula*, in Nord-Austr., am 29. Apr.
1818 v. Capt. Ph. P. King (Austr. 1, 98); *c) Sax
C. Range*, Inselreihe im Gr. Barriere Reef, v.
Lieut. Jefferies 1815 getauft (Krusenst., Mém. 1,
87); *d) C. Inseln*, im arkt. Austria Sd., v. Julius
Payer, öst.-ung. Nordpolexp., am 7. Apr. 1874
entdeckt (Peterm., GMitth. 22, 203), benannt vermuthl. nach dem Herzog Ernst v. Sachsen-*C.*-
Gotha.

Cocachacra = Cocafeld, ind. ON. der peruan.
Küste, ʼweist darauf hin, dass früher hier Coca
angebaut wurdeʽ, Erythroxylon coca Lam., jener
Strauch, dessen Blätter, mit etwas ungelöschtem
Kalk u. Asche vermischt, v. Indianern u. Negern
gekaut werden. Ggwärtig wird die Pflanze an
keinem Punkte der Küste mehr cultivirt, da sie
ein feuchtes (u. sehr heisses) Klima verlangt (Tschudi,
Peru 2, 7).

Cocal, Gran = grosser Cocoswald, eine Insel der
polynes. Ellice Gr., einh. *Nanomanga*, v. d. span.
Seef. Maurelle am 6. Mai 1781 entdeckt u. benannt, v. engl. Schiffe Elisabeth 1809 als neu
betrachtet u. *Sherson Isle*, v. der american. Exp.

Wilkes 1840 *Hudson Island*, nach Capt. *H.*,
einem ihrer Officiere, getauft (Krus., Mém. 1, 23,
Meinicke, IStill.O. 2, 133); *b) Lagoa do C.*, ein
See der Prov. Goyaz, Brasil., mit niedrigem, satt-
grünem Grasufer, v. dichtem Gestrüpp umgeben,
üb. welches sich Indaiápalmen erheben (Peterm.,
GMitth. 22, 221).

Cochin, auch *Kotschhin*, skr. *Katschha* = Sumpf-
küste, f. einen Theil v. Malabar, ein ausserord.
fruchtb. Reisboden, ʼwg. der Sümpfe unter den
Bergenʽ (Lassen, Ind.A. 1, 190). Vgl. Katsch. —
C. od. ein ähnl. Klang, *Koetschen, Kescho, Ke-
chao, Kachao*, ist auch der annamit. Name der
Hptstadt Tongkings, der, in *Kutschi* umgebildet,
auf eine ganze Ldsch. des Königr. Annam überging; als nun die Port., auf Weisung der Japaner,
den Verkehr mit dieser Gegend eröffneten, war
ihnen diese, im Ggsatz z. malabar. *C.*, das bei
China liegende: *Cochinchina* (ib. 1, 382, Crawf.,
Dict. 105).

Cochrane, Cap, in Kiusiu, v. Capt. J. A. v. Krusenstern (Reise 1, 257) am 3. Oct. 1804 getauft
nach dem engl. Admiral *C.*, ʼunter dessen Leitg.
ich die 3 nützlichsten Jahre meines Dienstes
zugebracht habeʽ.

Cocibolca s. Nicaragua.

Cockatoo Island, in Port Jackson, benannt nach
den Kakadus, einem genus v. Papageyen, welche
früher, im Urzustande des Landes, hier wohl in
grosser Menge angetroffen wurden (Wüllerst., Nov.
3, 56).

Cockburn Island, wiederholt: *a)* im arkt. Ame-
rica, im Sommer 1822 entdeckt v. Capt. W. Edw.
Parry (Sec.V. 330) u. zu Ehren des Viceadm.
Sir George *C.* benannt, ʼone of the Lords Com-
missioners of the Admiralty, whose warm per-
sonal interest in every thing relating to Northern
Discovery can only be surpassed by the public
zeal with which he always promoted itʽ; *b)* im
Arch. Paumotu, am 3. Febr. 1826 v. Capt. Beechey
(Narr. 1, 162), einh. *Ahunui* (ZfAErdk. 1870, 353);
c) in SShetland, am 1. Jan. 1843 v. Capt. J. Cl.
Ross (SouthR. 2, 333). — Im plur. *C. Isles*, vor
Cape Grenville, am 19. Aug. 1770 v. Cook (Hawk.,
Acc. 3, 206). — *C.'s Group*, in Georg's IV.
Kröngsgolf, am 16. Aug. 1821 v. John Franklin
(Narr. 385, chart). — *Cape C.*, zweimal: *a)* in
Bathurst Peninsula, am 26. Aug. 1819 v. Parry
(NWPass. 58); *b)* in der Nähe v. Coburg Bay,
am 27. Aug. 1818 v. John Ross (Baff.B. 162).
— Ferner a) *C.'s Bay*, an der Mündg. des Gr.
FishR., am 29. Juli 1834 v. G. Back (Narr. 203);
b) Mount C., in De Witts Ld., am 25. Sept. 1819
v. Ph. P. King (Austr. 301); *c) Point C.*, in Dol-
phin u. Union Str., v. Dr. Richardson, dem Begleiter des Capt. John Franklin (Sec. V. 255) am
5. Aug. 1826; *d) Port C.*, in Apsley Str., v.
Gründer des Fort Dundas, Capt. Bremer, 1824
benannt (King, Austr. 2, 237).

Cockermouth, engl. Ort der Grfsch. Cumberl.,
gelegen an der Mündg., *mouth*, des Cocker in
den Derwent (Camden-Gibson, Brit. 2, 168, Charnock, LEtym. 72).

Cockin's Sound, an der Westseite Grönl., $65\tfrac{1}{2}^0$
NBr., v. James Hall erreicht am 1. Juli 1612 u.
benannt nach dem Haupte der Gesellschaft, die
ihn weniger auf Entdeckgen, als vielmehr auf
Ausbeutg. berühmter dän. (Gold- od. Silber-)minen
ausgesandt hatte. 'Richard Cockain and C° sub-
scribed the largest amount contributed to the
first voyage made by the Company of Merchants
of London trading into the East-Indies, and a
Master William C. was one of the first Com-
mittees of the fellowship' (Rundall, Voy.NW. 91).
Nach der Liste dat. 22. Sept. 1599 (ib. 250) hat
f. die erste Indienfahrt Rich. Cockain & C° 3000 £
unterschrieben. Als ein Beispiel, wie vorsichtig
bei Benutzg. der Quellen zu verfahren ist, fügen
wir bei, dass der sonst so kundige Forster (Nordf.
410) einen *Cocking Sound* = Kochsund macht,
der v. der Exp. Bylot-Baffin 1616 so getauft
worden wäre, weil hier f. die skorbutkranke
Mannschaft Heilmittel gekocht wurden. 'Sie
fanden gleich auf einer Insel Löffelblatt, Sauerampfer u. scharfen Mauerpfeffer in grosser Menge.
Das Löffelblatt ward in Bier gekocht, u. in 8^d
waren alle Kranken vollkommen gesund ...
Kurz darauf kamen auch die Einwohner u. brachten
Lachs, den sie gg. Glaskorallen, Rechenpfennige
u. Eisen eintauschten'.

Coclée s. Pierre.

Cocoanut Island = Insel der Cocosnüsse, mehrf.
in den trop. Gewässern *a)* vor Carteret's Harbour,
NIrl., durch einen v. Carterets Officieren am
7. Sept. 1767 entdeckt u. so genannt, weil die
der Pflanzenkost so bedürftige Mannschaft hier
üb. 1000 Cocosnüsse fassen konnte (Hawk., Acc. 1,
373). Spätere Seeff. haben keine Palme mehr
vorgefunden; doch ist der 200 m h. Kalkfels noch
mit prächtigen Bäumen bedeckt(Meinicke, IStill.O.
1, 138. 367); *b)* eine kl. Insel der Torres Str.,
wo die Cocospalme sehr verbreitet ist (Peterm.,
GMitth. 22, T. VI). — *C. Point,* einh. *Libobo,* die
Südspitze v. Halmahera (Peterm., GMitth. 19, 213).
— *C. Bay,* in Hiau, v. engl. Lieut. Hergest im
März 1792 so getauft, weil hier ein schöner Bach
zw. Cocoshainen mündet (Meinicke, IStill.O. 2,
245).

Cocos, häufig in Inselnamen: *C. Eiland,* in
Tonga, die östliche, runde, 610 m h., waldige
Vulcaninsel in Niua, einh. *Tafahi,* bei Cook
Kutahi, durch die holl. Exp. Le Maire u. Schouten am 10. Mai 1616 entdeckt u. benannt nach
der Menge Cocosnüsse, welche, den die Eingebornen eingetauscht, den Kranken heilsam waren,
een hooge bergh ... staet vol geboomte, meest
al cocosboomen' (Spiegh., ANav. f. 40, Garnier,
Abr. 1, 64). Als am 13. Aug. 1767 der engl.
Capt. Wallis das hohe, zuckerhutfge Eiland wiederfand, 'abounding in wood and full of people',
taufte er es *Boscawen's Island,* nach dem engl.
Seehelden, dem Adm. Rob. B. 1716/61 (Hawk. 1,
272. 274, Garnier, Abr. 1, 65 ff. 174, Meinicke,
IStill.O. 2, 96). — *C. Insel,* einh. *Anuu,* in Samoa, v. Kotzebue getauft (Meinicke, IStill.O. 2,
108). — Im plur. *C. Islands a)* ein Oval v. 32

Korallenbänken des ind. Oceans, an Cocospalmen
reich, durch den Engl. Will. Keeling, der in
Diensten der engl.-ind. Co. v. d. Molukken zkkehrte,
1608 entdeckt, auch *Keelings Islands* genannt
(ZfAErdk. nf. 3, 505, Skogm., Eug. Resa 2, 254 ff.);
b) vier kl. korallenumsäumte, unbewohnte Eilande an Sumatra's Westküste, mit Cocospalmen
bedeckt, wohl v. den Port. so benannt (Crawf.,
Dict. 115); *c)* s. Hunter. — *Isles of C. s.* Marqueen.

Cod, Cape, in Massachusetts, v. Capt. Gosnold
1602 entdeckt u. nach dem Kabljau od. Codfisch,
zool. Gadus sp., benannt ... 'gave it that name from
the fish taken there' (Buckingh., East & WSt. 1, 58,
Quackenb., U.St. 69). Das Schiff Concord, v. Earl of
Southampton nach Virginia gesandt, war im März
1602 v. Falmouth abgesegelt, unter 43^0 NBr. in
Sicht des Landes gekommen u. hierauf, südw.
der Küste folgend, in der Nähe eines 'mighty
headland' geankert. Der Capt. Gosnold ging in
der Schaluppe an's Land, um sich zu orientiren,
u. als er nach 6 ^{h} Abwesenheit an Bord zkkam,
fand er das Schiff mit vortreffl. 'codfish' so wohl
verproviantirt, dass man einen Theil wieder üb.
Bord werfen musste. Dieser Reichthum versprach
regelmässige Fischerbeute, so reich wie in NFoundl.,
je f. Apr. u. Mai ... this headland, therefore,
they called *Cape C.* (Strachey, H. Trav. 155 f.).
Der frz. Reisende Sam. Champlain, 1603/07, nannte
das Vorgebirge *Cap Fortuné* = glückliches Cap
(WHakl.S. 23, XXI); der Normanne Thorvald,
1004, hatte es *Kjalarnes* = Kielcap, v. *kjölr* =
Kiel, getauft, 'wahrsch. v. der auffallenden Aehnlichk. dieses Vorgebirgs mit dem Kiel eines
Schiffes, bes. eines Langschiffes der Vorzeit', wie
auch Neuere es bald mit einem Horn, bald mit
einer Sichel vergleichen. Der Vorsprung, wo bald
nachher Thorvald, den Pfeilen der Skrälinger
erlegen, bestattet wurde, bekam nach dessen eigner
Anordng. den Namen *Krossanes* = Kreuzspitze,
weil das Grab mit 2 Kreuzen geschmückt wurde,
einem zu Häupten u. einem zu Füssen (ib. 11, 21).

Codrea s. Coudre.

Coelesyria, gr. *Κοίλη Συρία* = hohles Syrien,
bei den Abendländern das zw. den beiden Längs-
ketten des Libanon eingebettete breite Hochthal,
welches die Hebräer *Bikah* בִּקְעָה [biq'ah] = Thal,
tiefliegende Ebene, nannten, arab. *Bekâa,* besser
Beqaa = Gegend, Ort (Parmentier, Voc. arabe
14). In (Jos. 11, 17; 12, 7) ist unter בִּקְעַת הַלְּבָנוֹן
[hall'banon biq'ath] = *Thal des Libanon* nicht
C., sondern Wady et-Teim (s. d.) zu verstehen
(Gesen., Hebr.L.). — *Kyllene,* gr. *Κυλλήνη* = das
hohle, v. *κυλλή* = *κοίλη,* eine 'offene, sichel-
förmige Bucht' an der Nordwestküste v. Elis, mit
dem gleichn. Seehafen der Eleer (Pape-Bens.,
Curt., GOn. 153, Pel. 1, 403). Vgl. Drepanon.

Cöln, oft, aber etym. weniger treu, mit *K,* seit
dem Jahr 51 *colonia Agrippina,* d. i. die nach
des Germanicus Tochter Agrippina benannte Vete-
ranencolonie in Germania, v. ihr selbst ggr. in
oppido Ubiorum, d. i. der Stadt der Ubier ....
'ac forte acciderat ut eam gentem Rheno trans-

gressam avus Agrippa in fidem acciperet (Tacit., Ann. 12, 27). Die Kaiserin besetzte diesen f. röm. Eroberungspläne äusserst günstig gelegenen Platz mit röm. Veteranen u. versah die *Colonia* (s. d.) mit starker Mauer u. festen Thoren (Meyer's CLex. 10, 106). So wurde sie die polit. u. militär. Hptstadt der Prov. u. weitaus die grösste Stadt am Rhein u., im 4. Jahrh. v. den salischen Franken erobert, deren erster Königssitz (Kiepert, Lehrb. AG. 523). Bei Greg. v. Tours *Agrippinensis colonia*, *Agrippina*, *civitas* od. *urbs Agrippinensis*, *civitas Colonia*, *civitas Coloniensis*, doch mit dem Beifügen, dass sie schon damals einf. *Colonia* genannt wurde (Longnon, GGaule 382). — Ein anderes *C.*, *Coln(e)*, *Cölne*, ebf. auch mit *K*, ist der urspr. Inselort der Spree (s. Berlin), nach Einigen als rhein. Colonie gedacht u. mit dem Namen der Rheinstadt belegt, wohl eher mit *Kolin*, Böhmen, zu vergleichen, slaw. *Kolna*, *Kulna* = Blockhaus, Pfahlbaute, v. *kol*, *kül* = Block, Pfahl, also 'ein Ort, dessen Häuser auf Pfählen gebaut sind, was wg. häufiger Ueberschwemmungen an allen Orten, die diesen Namen führen, sehr zweckmässig, ja nothwendig war (Jettmar, Ueberreste 24 f.). Diese Ableitg. hat schon 1796 Nicolai (Muthmass. 1, XIX) aufgestellt, während Pfr. Busch an *kal* = Schlamm, also 'Sumpfort', Barthold an *chl'm*, *cholm* = Hügel, Inselbuckel, Mahn (Etym. Unters. 7, 106 ff.) an wend. *kolnje*, sing. *kolnja* = Hütte aus, nicht auf, Pfählen dachte.

Coesfeld, gespr. *kos-*, da e nur Dehnungszeichen, Ort in Westfal., im 9. Jahrh. *Coasfelt*, 1030 *Cosuelda*, wird verglichen mit *Caesia* silva (Tacit., Ann. 1, 50), was wahrsch. der *Heserwald* jener Gegend. Förstem. (Altd. NB. 380) denkt sich *Caesia* als die verwandte kelt. Form u. findet diese auch in dem mons *Coisium* wieder, der (Ukert, Germ. 132) im Mittelalter bei *C.* vorkommen soll.

Coëtivy, Ile, in der Nähe der Amiranten-Seychellen, benannt nach dem frz. Ritter *C.*, der sie 1771 auffand (Hertha 7, GZ. 125).

Cofanes s. Pedro.

Coffin Bay, westl. v. Spencer's G., id. *Baie Delambre* (s. d.), v. Capt. Matth. Flinders (TA. 1, 127) am 16. Febr. 1802 entdeckt u. benannt zu Ehren des Sir Isaac *C.*, esq., spät. Viceadm. u. Bart., 'the resident naval commissioner at Sheerness from whom I received the most ready concurrence and assistance'. Dort auch *Point Sir Isaac*, eine Landspitze, welche v. der frz. Exp. Baudin am 27. Apr. 1802 prsl. als *Pointe Desfontaines* notirt wurde (Péron, TA. 2, 85, Freycinet, Atl. 17). — *Port C.*, in den Baily Is., v. american. Capt. *C.*, dem Befehlshaber eines Walfgrs., 1823 entdeckt u. getauft (Beechey, Narr. 2, 520). Nach ihm wohl auch *C.'s Bay* u. *C.'s Group* (s. Baily), sowie *C. Island* (s. Espérance).

Cognac, frz. ON. des dép. Charente, alt *Condate* (s. d.), dann *Coniacum*, seit dem 12. Jahrh. *Coignac* (Meyer's CLex. 4, 654), zsgesetzt aus kelt. *koñ* = Keil, *coin*, *cuneus* u. der adj. Endg. *ek*, *ac*, also *C.* = winkelig, d. i. der Ort im Winkel 2er Flüsse od. lieber der Hügel im Winkel 2er Thäler.

Aehnl. *Cogny*, Rhone, *Cogna*, Jura, *Cognan*, Nièvre, *Cognat*, Allier, *Cogné*, Eure-et-Loir, *Coignax*, *Coigné*, *Coigneux*, *Coigny*, *Cugnac*, *Cugney*, *Cugny*, *Coneo* u. *Conio* in Italien, 2 *Cuña* in Spanien (Houzé, Et. NLieux 104).

Coin de Mire, le = der Richtkeil, eine merkw. Landspitze der Insel Dirck Hartighs, v. Schiffsfähnrich L. Freycinet, Exp. Baudin, am 3. Aug. 1801 nach ihrer Gestalt so benannt (Péron, TA. 1, 163).

Coira s. Chur.

Cokalahishkit = Fluss der Büffelstrasse, ein rseitg. Zufluss des Clarke's R., Oregon, v. den Indianern so genannt, weil die Büffelherden ihm folgen, um üb. das Felsengebirge einen leichten Uebergang zu haben (Lewis u. Cl., Trav. 587).

Colbert, Cap, in Port Lincoln, id. *Cape Donnington* (Krus., Mém. 1, 41), v. der frz. Exp. Baudin benannt (Freycinet, Atl. 17). Nach dem Charakter der Baudin'schen Nomenclatur kann man nicht zweifeln, dass ihr Name sich auf den Minister *C.* beziehe, wie *Détroit de C.* (s. Backstair's P.) u. *Ile C.*, bei dem Arch. Arcole, 10. Aug. 1801 (Péron, TA. 1, 113, Freycinet, Atl. 27). — *Fleuve C.* s. Missisipi.

Colby, Mount, im arkt. America, durch Capt. John Franklin's Gefährten Dr. Richardson (Sec. Exp. 242 ff.) im Sommer 1826 entdeckt u. benannt nach Oberst *C.*, 'of the Royal Engineers, one of the Members of the Board of Longitude'.

Colchester, engl. Stadt in Essex, ags. *Colnceaster* = Stadt am Colne (Charnock, LEtym. 72), dem Flusse, welcher nördl. v. der Themsemündg. die Nordsee erreicht, hatte, bevor sie v. Claudius im Jahr 43 erobert wurde, brit. *Camulodunum* geheissen, nach dem auch in Grossbrit. verbreiteten Cult des Gottes Camulus (d'Arbois de Jub., Rech. NL. 354).

Cold = kalt, in engl. ON. a) *C. Spring Lake* = See der kalten Quelle, auf Raynolds Carte (Expl. 116) ein kl. See am Ufer des Missuri, obh. Fort Berthold, gebildet v. einer schönen, sehr kühlen Quelle stahlartigen Geschmacks; b) *Coldwater* = Kaltwasser, ein kl. Zufluss des Missuri, kurz v. dessen Mündg. (Lewis u. Cl., Trav. 3); c) *Coldwater Lake*, ein kl. See des Kaministiquia, 'well named on account of its temperature' 5,3⁰ C., die Hptquelle nur 4,2⁰ (Hind, Narr. 1, 52).

Cole's Group, bei der austr. Halbinsel York, v. Capt. Ph. P. King (Austr. 1, 229) am 13. Juli 1819, auf Wunsch eines seiner Officiere, nach Capt. Sir Christopher *C.* benannt. — Nach Sir Lowry *C.*, dem dam. Gouv. des Caplandes, die 1839 ggr. Colonie *Colesberg* (ZfAErdk. 1, 308).

Coligny s. Villagalhão.

Colima, Volcan de, ein mexic. Vulcan, nach der nahen Stadt *C.*, v. welcher aus man eine freie prachtvolle Ansicht des Berges hat, auch *Volcan de Fuego* = Feuervulcan, im Ggs. zu seinem Nachbar, dem höhern u. in den Schluchten oft permanenten Schnee bergenden *Volcan de Nieve* = Schneevulcan (ZfAErdk. 6, 527. 530, Ausld. 1869, 1137).

Collao, die Hochebene des Titicacasees, benannt nach dem Stamm der Collas-Indianer (WHakl. S. 33, 359).

Collemiers s. Colom.

Collere s. Coudre.

Collie, Cape, am americ. Eismeer, v. Capt. Beechey (Narr. 1, 303, Carte) im Aug. 1826 entdeckt u. nach einem seiner Gefährten, dem Arzte Alex. C., benannt, wie schon im Jan. d. J. C. *Island,* im Arch. Paumotu (ib. 117).

Collier's Bay, in Tasman's Ld., v. Capt. Ph. P. King (Austr. 2, 80) am 16. Aug. 1821 auf seines Arztes, A. Montgomery, Wunsch benannt nach dem † Capt. Sir George C., bart., K.C.B., R.N.

Collins Cape, in Spitzb., am 14. Juli 1607 v. engl. Seef. Henry Hudson benannt nach seinem Hochbootsmann William C., der am 12. das Land zuerst gesehen hatte (WHakl. S. 27, 13. 14).

Collinson, Cape, im arkt. Grinnell Ld., v. E. K. Kane (Arct. Expl. I, chart.) benannt 1853/55 nach dem engl. Franklinsucher d. N., dem 1811 geb. Admiral Sir Richard C., welcher nach vielen Seefahrten, u. a. auch als Begleiter Belcher's 1831, der grossen Exp. angehörte, welche den unglückl. Entdecker aufsuchen sollte, in der Enterprise 1850 die Berings Str. passirte, bis Barrow Point gelangte, in Hongkong überwinterte, dann 1851 wieder in das Eismeer, in die Prince of Wales Str., vordrang, in Prince Albert Ld. überwinterte, Schlittenexcursionen selbst bis Melville I. aussandte, 1852 durch Dolphin- u. Union Str. bis z. Dease Str. kam, während einer neuen Ueberwinter. weitere Aufnahmen besorgte u. nach einer abermaligen Ueberwinter. 1854 nach Europa zkkam.

Collm s. Chlum.

Collobrières s. Coluber.

Colman's Point, bei NYork, am 6. Sept. 1609 v. engl Seef. Henry Hudson benannt, weil hier einer seiner Leute, John C., der mit 4 andern auf Recognition ausging u. im Gefecht mit den Indianern umkam, am 7. eingebracht u. begraben wurde (WHakl. S. 27, 80). Id. mit *Godyns Punt,* einem holl. Namen nach einem der Directoren der holl.-westind. Co., der in der Nachbarschaft eine grosse Besitzg. hatte, j. *Sandy Point* ⇒ Sandspitze (ib. 165).

Colnett, Cape, in NCaledon., v. Capt. Cook (VSouthP. 2, 104) am 4. Sept. 1774 entdeckt u. nach seinem Midshipman, welcher zuerst das Land erblickt hatte, benannt. — C. *Insel,* bei Hondo, v. russ. Capt. J. A. v. Krusenstern (Reise 2, 11, Mém. 2, 120, Atl. OPac. 21) im April 1805 so genannt, weil sie auf des engl. Cartogr. Arrowsmith' Carte angezeigt u. wahrsch. 1789 v. Capt. C. entdeckt war.

Colom, Isla den = Taubeninsel, bei Mahon, Balearen, ein Eiland, an dessen 'steilen Felsen viele wilde Tauben nisten' (Willkomm, Span.-P. 209). — *Les Colombiers* = die Taubenhäuser, ein Inselschwarm bei NFundl., alle 'round islands like doue houses, and therefore wee named them...', v. frz. Seef. J. Cartier am 17. Juni 1534 getauft (M. u. R., Voy. Cart. 15, Hakl., Pr. Nav. 3, 204),

übr. auch häufiger ON. in Frankreich u. der frz. Schweiz (Dict. top. Fr. 6, 53; 7, 61; 14, 48), aus altem *columbarius* entstanden, welches ausnahmsweise unter den Bildungen dieser Art masc. gen. ist u. es schon in der guten Latinität war, auch im Mittelalter meist blieb, seit dem 10. Jahrh. aber das *a* in *e* verwandelte, wie *Colombiers,* dép. Vienne, 926 *Columberium* hiess. Ein *Collemiers* im dép. Yonne, ein *Colombier,* Corrèze, ein *Colombey,* Meurthe-et-Moselle. — *Colombo* s. K . . .

Colonia, der lat. Gemeinname ethnograph. Ableger auf fremder Erde, ist eine Zeit lang Eigenname der unter den Ubiern ggr. C. *Agrippina* geworden u. schliessl. zu *Cöln* (s. d.) verdeutscht worden. — C. *(del Santissimo Sacramento),* älteste Stadt in Uruguay, 1680 als Militärstation ggr. (Meyer's CLex. 4, 683). — *Cologna,* 2 Orte a) im Puschlav, b) im Veltlin, gern auf die Ansiedler zkgeführt, die einst v. Italien her in die rät. Gebirgsthäler hinaufdrangen (Leonhardi, Posch. 66).

Colonne, Capo delle, ngr. *Κάβο Κολόννας* = Säulencap, 2 mal: a) die Südspitze Attika's, einst Sunium, auf dessen höchstem Punkte 13 Säulen u. ein Wandpfeiler des alten Athenetempels v. blendend weissem Marmor stehen, welche, weithin den Schiffern sichtbar, dem Vorgebirge seinen neuen Namen verliehen haben (Bursian, Gr. Geogr. 1, 254); b) s. Lakinion. — *Kolonna(ki),* eine Bucht v. Kythnos, wg. einer dort stehenden Säule (Ross, IReis. 1, 114). — *Les Colonnes* = die Säulen, dial. *le kholonne,* wobei *kh* wie oberdeutsches *ch,* 2 mal: a) eine durch Erosion entstandene Reihe säulenartiger Felsbildungen, welche den scharfen Grat bei Usegne, Val d'Hérémence, krönen u. auf ihrer Spitze je einen Steinblock, einem Pilzhute vergleichbar, tragen. Wollen sich die Leute in gutem Franz. ausdrücken, so nennen sie diese Felssäulen *les Pyramides* (Fröbel, Penn. Alp. 21). Vollkommen ähnl. Bildungen hat G. v. Helmersen (Telezk. S. 53. 91) v. Ostufer des Telezker Sees beschrieben; b) s. Jumelles. — *Column Rocks,* engl. Name 2er säulenartiger Felsklippen bei Black Head, Auckl. I. (Meinicke, IStill. O. 1, 351).

Colorado = gefärbt, v. lat. *color* = Farbe, hat als span. adj. den Sinn 'roth gefärbt', also *Rio Colorado* = rother Fluss a) ein grosser Zufluss des 'Purpurmeers' (s. Californien) nach seinem rothen Wasser. Etwa 10 km v. der Mündg. nahm das Wasser auf 3½ Fad. Tiefe ab 'and became of a deeper red, and very turbid' (Ives, Rep. 19. 26). The water is perfectly fresh, of a dark red color, and opaque from the quantity of mud held in suspension (ib. 39). Anlässl. des tributären Flax R. heisst es (ib. 115): The river is smaler than the C., but ... much resembles the other at its low stage. There are the same swift current, chocolate colored water ... At fort Yuma and above, the sediment consists of fine micaceous sand and red clay, and at all seasons of the year exists in such quantity as to render the water both red and opaque (3, 20). Der *RC.* 'verdankt seinen Namen dem darin suspendirten feinen rothen Schlamm, der ... an Fruchtbark. mit dem Nilschlamm wetteifert. Nach ein paar Stunden ruhigen Stehens kann das klare wohlschmeckende Wasser v. Bodensatz abgegossen werden.̊ So Oscar Loew, v. der Exp. Wheeler 1875 (PM. 22, 339). 'The water is of a yellowish muddy color, heightened at this vicinity on account of the waters received from the Rio Virgin̊ (Ord, Nev. 55). Die beiden Quelladern span. *Rio Verde*, engl. *Green River*, beides = grüner Fluss, u. span. *Rio Grande*, engl. *Grand River*, beides ˀgrosser Fluss̊, letzterer häufiger *Blue River* = blauer Fluss. In der That ist der Strom eine span. Entdeckg. Zuerst sah ihn die Exp. des Capt. Francisco de Ulloa im Sept. 1539. Als sie den Golf aufw. fuhr, fand sie das Wasser trüb v. der Wirkg. einer starken Strömg. u. vermuthete richtig die Nähe eines grossen Flusses, den der Pilot denn auch in die Cartenskizze eintrug (Wheeler, Geogr. Rep. 149). So früh kam, wenn nicht der Name selbst, aber sein auffallendes Motiv zu unserer Kenntniss. Schon das folg. Jahr tauchte der Fluss bestimmter, u. zwar mit 2 Strecken, auf. Am 9. Mai 1540 näml. fuhr der Capt. Fern. Alarchon od. Alarçon, v. neuspan. Vicekönig Antonio de Mendoza abgeschickt z. Erforschg. des Golfs. Als er am Schlusse des Meeres anlangte u. die Mündg. des ˀvery mightie riuer̊ erblickte, fuhr er im Aug. 1540, die Schiffe u. ein Boot zklassend, mit 2 Booten u. 20 Mann stromauf $15^1/_2$ d (Thalfahrt $2^1/_2$ d). Als er am 14. Sept. mit allen 3 Booten die Fahrt wiederholte, hinterliess er den Befehl, dass das Umland *Campaña de la Cruz* (s. d.) genannt, eine Capelle *de Nuestra Señora de la Buena Guia* = ULFr. der guten Führg. gebaut u. auch der Fluss danach *Rio de Buena Guia* geheissen werde, ˀbecause that is your Lordships deuive̊, so sagt des Entdeckers Bericht an den Vicekönig — wohl, weil ders. die Maria de Buena Guia in besonderer Verehrg. hatte? (Hakluyt, Pr. N. 3, 425 f., 537). Gleichzeitig traf eine Abtheilg. der nach New Mexico abgesandten Exp. des Vasquez de Coronado, indem sie 25 Mann stark unter Diaz' Anführg. westwärts zog, den Strom ebf. u. folgte ihm bis z. Mündg. Der Name *C.* wird zuerst gebraucht v. Gouv. Juan de Oñate 1604 u. zwar f. den Kleinen *C.*; er erreichte diesen v. New Mexico aus, nachher auch den Hptstrom selbst u., ohne den Zshang beider zu ahnen, nannte er den Nebenfluss *C.* u. den Hptfluss selbst *Rio Grande de la Esperança* = grosser Fluss der Hoffnung, endl. den *Gila*, den er stromab schiffend ebf. sah, *Rio de Jesus* (Wheeler, Geogr. Rep. 147. 149). Als auch die ˀCanadier̊ den ˀspan. Strom̊ erreichten, nannten sie ihn geradezu *la Rivière Espagnole* (DMofras, Orég. 1, 215). Das Territ. *C.*, infolge der Entdeckg. edler Metalle zuerst 1858 v. den Weissen besiedelt, wurde 1861 geschaffen, Staat 1876; schon im Febr. 1859 war *C. City* ggr., nach ihren Thermen auch *C. Springs* (s. Manitu) genannt (Meyer's CLex. 4, 684, ZfAErdk. nf. 17, 203). Am Flusse *C. Camp*, eine j. ver-

lassene Militärstation (Peterm., GMitth. 22, **422**), ein lkseitiger Nebenfluss, span. *C. Chiquito* = kleiner *C.*, in Arizona (ib. 20, 410). Die Anwohner, Mohaves, nennen den *C.* einf. *χa-wil'-ye*, *χa-wil'* = Fluss (H. F. C. ten Kate, Sym. Ind. 4). — *C.-Plateau*, ein Areal v. üb. 250000 km², üb. Utah, *C.*, New Mexico u. Arizona ausgebreitet, v. j. Capt. G. M. Wheeler 1868 so benannt (Wheeler, Geogr. Rep. 13. 23). — *b)* Ein *Rio C.*, engl. übsetzt *Red River*, in Texas, mündet in die Matagordo Bay (Meyer's CLex. 4, 684); *c)* s. Red River des Missisipi; *d)* ein grösserer Steppenfluss der Centralebene der Prov. Catamarca, v. der rothgelben Farbe des Lehmbodens, den er abwäscht u. in dem kieslosen Bette ausbreitet (Peterm., GMitth. 4, 54); *e)* ein unbedeutender Zufluss des argent. R. Dulce, Tucuman, nach seiner trüben, rothgelben Lehmfarbe (ib. 52), bei den Bewohnern v. Londres *el Otro Rio* = der andere Fluss (s. Anderbach), als der entferntere, im Ggsatz z. nähern Rio de Belen (Peterm., GMitth. 14, 204); *f)* ein atlant. Zufluss, zur wenig nördl. v. Rio Negro, welcher die Grenze Patagoniens u. Argentiniens bildet, mündet zw. Bahia Blanca u. Carmen. — *Palos Colorados* = Rothholz, ein dichter Wald, welcher, hptsächl. aus Rothcederfichten bestehend, auf dem Gipfel der calif. Küstensierra sich heraushob (Beechey, Narr. 1, 375).

Colosseum, ital. *Coliseo,* seit dem Mittelalter f. das v. den flavischen Kaisern Vespasian u. Titus erbaute *Amphitheatrum Flavium,* nach dem einst davor errichteten Apollokoloss (Kiepert, Lehrb.AG. 429).

Colter's River, im Netze des Lewis's R., am 24. Sept. 1805 v. den Captt. Lewis u. Cl. (Trav. 335. 338) benannt nach einem Gefährten, der in dieser Gegend eines der verlornen Pferde zurückbrachte.

Colt-killed Creek = Bach des geschlachteten Hengstfüllens, einer der Zuflüsse des americ. Lewis's R., am 14. Sept. 1805 v. den Captt. Lewis u. Cl. (Trav. 327) so benannt, weil sie, nach einem beschwerl. Tagmarsch v. 27 km hier gelagert, hungrig u. ohne alle Vorräthe, ein Füllen schlachteten, ˀon which we made a hearty supper̊.

Colon s. Columbia.

Colorina s. Coudre.

Coluber = Schlange, lat. wie span. *culebra,* port. *cobra,* ital. *colubro,* frz. *couleuvre* neben den v. *serpens* (s. d.) abgeleiteten Formen oft in ON. *a) Islas de las Culebras,* so nannte der span. Seef. Maurelle 1781 die beiden schwer zugängl., nur v. Seevögeln u. Schlangen bewohnten Felseilande *Hunga-tonga* u. *Hunga-hapai,* Tonga, die benachb. sehr gefährliche Felsbank *Bajo de las Culebras* (Espinosa, Mém. Obs. 2, 180); *b) Colubraria* s. Ophiussa. — *Columbretes* = Schlangeninseln, eine Gruppe vulcan. Felseilande im Golf v. Valencia (Meyer's CLex. 4, 688). — *Collobrières,* im 11. Jahrh. *Colo-, Colubreria, Colobraria* f. *Colubraria,* ON. in den frz. dépp. Var u. Lozère (d'Arbois de Jub., Rech. NL. 611).

Columbarium s. Thyrides.

Columbia, der andere Name des Flusses Oregon (s. d.), gew. aber zu Ehren des grossen Entdeckers der Neuen Welt, dessen ital. Name *Colombo*, in span. *Colón* u. lat. *Columbus* umgeformt, mehrf. in die geogr. Nomenclatur übgegangen ist: *a)* auf eine der Creolenrepubliken, z. span. Zeit *Nueva Granada*, nach den schönen Berglandschaften Süd-Spaniens u., wie Las Casas (Coll. 188) will, 'les diéron titulo de *Nuevo Reyno de Granada*, porquè el primer tirano que mandò allí, era natural del reyno de Granade de nuestra Andalucía'; als die junge Republik 1811 entstand, gab man ihr zunächst einen Namen voll goldener Träume, *Cundinamarca*, verd. aus *Cundirumarca*, den der conquistador Luiz Daza einst vielverlockend vernommen hatte(Humboldt, ANat.2,378, JAcosta, Comp. H.NGran. 189), u. erst später wurde sie in *C.* umgetauft; *b)* der Bundesdistrict der Union, v. den Staaten Maryland u. Virginia 1790 abgetrennt auf Anregg. des Generals Washington, welcher die am 1. Juli v. Repräsentantenhause angenommene Bill am 16. gl. M. sanctionirte (Buckingh., America 1,292); *d) British C.*, engl. Colonie, durch Parlamentsacte v. 2. Aug. 1858 geschaffen aus einem Theil der westl. v. Felsengebirge gelegenen Ländereien, welche schon zZ. der Hudsons Bay Co. als *C.* bezeichnet worden waren, 1778 bei Cook als *New Caledonia* erschienen u. bei dem engl. Seef. Vancouver 1792 in *New Georgia*, 45—50⁰ NBr., u. *New Hannover*, 50—54⁰ NBr. sich theilten, alle 3 als heimatl. Reminiscenz (Peterm., GMitth. 4, 502); *c) New C.* s. Wrangel. — *Colon*, bei den Creolen der neue atlant. Hafenort des Panamacanals, ggr. 1852 (Meyer's CLex. 2, 50), bei den Yankees *Aspinwall*, nach einem der 3 New Yorker Capitalisten, Will. *A.*, John Stephens u. Henry Chauncey, welche den Plan der Eisenbahn entwarfen u. mit der Regierg. v. Columbia den bez. Vertrag abschlossen (Glob. 11, 314). — *Columbus Keys* s. Cayos. — *Columbian Mountains* s. Rocky.

Columkill s. Iona u. Londonderry.

Column s. Colonne.

Colville, Cape, ein steiles, hohes Felsencap in NSeeland, einh. *Moehao* (Meinicke, IStill. O. 1, 263), v. Cook am 24. Nov. 1769 benannt zu Ehren 'of the Right Honorable Lord *C.*' (Hawk., Acc. 2, 356). Nach dem Cap die *C.* (od. Coromandel-) *Chain*, vor ihm die steile Felsklippe *Channel Islet* = Inselchen der Durchfahrt, einh. *Takaupo* (Meinicke, IStill. O. 1, 263. 268).

Comfort, Cape = Trostcap, engl. ON. *a)* bei arkt. Southampton I., v. NWfahrer Rob. Bylot am 12. Juli 1615, weil die Strömg. die an windstillem Platz Ankernden mit grosser Hoffng. erfüllte, dass hier ein Durchgang sich finden lasse (Rundall, Voy. NW. 125, Forster, Nordf. 405); *b)* in der Delaware Bay, an der Mündg. des James' R., schon v. den ersten engl. Ansiedlern so genannt (Strachey, H. Trav. XXVIII); *c)* s. Troosthoek.

Comitatus = Grafschaft, v. lat. *comes*, hier u. da z. Bezeichng. v. Landschaften gebraucht, die unter der Verwaltg. eines Grafen standen, wie *Comitato* (s. Basilicata), *Franche-Comté* (s. Franche) u. noch in neuerer Zeit f. die *Comitate* Ungarns. Das engl. Wort, *county*, früher ebf. in diesem Sinne gefasst, hat einf. die Bedeutg. eines Territorialabschnittes u. auch in den anglo-american. Ländern Eingang gefunden. — *Chemin du Comte* s. Moine.

Commerson, Ile, bei NGuinea, v. frz. Seef. Bougainville 1768 entdeckt u. — weil namenlos gelassen — v. russ. Admiral v. Krusenstern (Mém. 1, 19 ff., Atl. OPac. 2) getauft z. Andenken des Naturforschers, welcher Bougainville begleitete. — Nach demselben Botaniker, Philibert *C.*, 1727/73, *Ile C.*, im Arch. Arcole, v. der Exp. Baudin am 10. Aug. 1801 (Péron, TA. 1, 113, Freycinet, Atl. 27).

Commok s. Camowen.

Como, lombard. Stadt, lat. *Comum*, v. dunkelm Namen (Diez, Rom. WB. 1, 134), am *Lago di C.*, der bei den Alten gew. *Larius* (Polyb., Plin., HNat. 2, 224), doch auch im spätern Alterth. noch *Lacus Comacinus* (Kiepert, Lehrb. AG. 391), 1524 bei P. Jovius *Larii Lacus* hiess, mod. *Lario*. Der andere Golfarm *Lago di Lecco*, nach der am Ausfluss der Adda gelegenen Stadt (Lavizzari, Esc. 1, 83).

Comoren, Inselgruppe bei Madagascar u. mit diesem dem *Dschebel ,el-Qamar*, bei Ptol. in *Σελήνης ὄρος* übsetzt, lat. *Lunae Montes* = 'Mondgebirge' vorliegend, arab. *Komaïr*, besser *Qomaïr* = kleine Mondinseln, v. *qomr*, *qámar* = Mond, bei den Portug. *Ilhas de Comoro* (Barros, As. 4, 3³), f. die Hauptinsel j. noch *Comoro* (Paulitschke, Progr. 1884, 30). Uebr. dürfte der arab. Name *Dschebel Qomr* = bläuliche Berge lauten, da Kilimandscharo u. Kenia, v. der Küste aus betrachtet, als solche erscheinen (Kiepert, Lehrb. AG. 210).

Comorin, Cap, europ. Namensform f. die Südspitze Indiens, skr. *Kumári*, vollst. *Kanja-Kumári* = Jungfrau Kumari, malab.-tamul. *Kanja muri* (Klaproth, Mém. 2, 427), nach einem Marmortempel der Göttin Durga, Siwa's Gemahlin, welche hier ihren Sitz hat, das Gebirge beherrscht u. Wallfahrten empfängt. Aehnl. *Kanjakagrám* = Jungferndorf, in Assam (Schlagw., Gloss. 212, Berghaus, Phys. Atl. 8, 27). Bei den Küstenfahrten der frühern Zeit musste, da auch das reiche Ceylon den Kaufmann anzog, seine Umschiffg. aber sehr weit u. gefährl. erscheinen musste, das Vorgebirge *Kumari* ein bemerkenswerther Punkt werden. In seiner Nähe versammelten sich die Handelsflotten des W. u. O.; *Kumari* mit seinem alten Heiligth. war den Alexandrinern schon bekannt ... (Lassen, Ind. A. 1, 193). Pauthier (MPolo 2, 646) setzt das einh. *Kanjâ Kumârî* = junge Jungfrau u. sagt, dass das Cap auch einf. mit *Kumârî*, also dem skr. Namen der Göttin Durga, bezeichnet werde. Abulféda hat *Ras Komhary*, Ptolemäus *Κομαρία ἄκρον καὶ πόλις*, Per. Erythr. M. (GGr.M. ed. Didot 1, 300) *Κομάς*. MPolo (c. CLXXV) schreibt: '*Comary* est une contrée d'Inde meismes, de laquelle se puet veoir aucune chose de l'estoille tramontane, laquelle ne se puet veoir de la *mendre isle de Java* (d. i. Sumatra) en ça' Wenn diesen Zeugnissen ggb. Güssow (ZfSchulGeogr. 3, 76) u. ihm nach, mit dem Ausdruck 'vielmehr', Thomas (WB. geogr. N. 81) f. einen leicht hingeworfenen Einfall Vorliebe bekunden, so beruht diese auf einem Privatvergnügen, das ihnen zu gönnen ist.

Compagnie Land s. Vries.

Compass Berg, der Culm der Schneeberge, Capland, seitdem 1778 der holl. Gouv. Plettenberg ihn mit Oberst Gordon bestieg, v. der weiten Umschau, welche die Orientirung f. eine Carte wesentl. erleichterte (Lichtenst., S.-Afr. 2, 30), nach der Form auch *Spitskop* = Spitzkopf. — *C. Hill*, in Tasman's Ld., v. Stokes (Disc. 1, 156) so genannt, weil ihn die Exp. 1838 z. Orientirung benutzte.

Compiègne, Ort des frz. dép. Oise, alt *villa Compendium*, im Sinne v. 'voie abrégeant le trajet' (Itin. Ant.), also 'kürzester Weg', devait certainement son nom à la plus courte des voies reliant Beauvais à Soissons (Longnon, GGaule 401). Der Name *Carolopolis*, nach Karl d. Kahlen, der sie erweiterte (Meyer's CLex. 4, 697), war vergänglich.

Complissée s. Pierre.

Compostela, Ort der mexic. Prov. Xalisco, v. Spanier Nunez de Guzman 1531 erbaut, nach dem berühmten Wallfahrtsort Santiago de *C.*, wie er das Land selbst in Nueva Galicia (s. d.) umtaufte (WHakl.S. 30, 189).

Comprida s. Fundo.

Comptroller's Bay, bei engl. Entdeckern 2 mal, ohne Erklärg., doch wohl im Sinne des '*C.* of the Navy': *a)* in Alaska, v. Cook im Mai 1778 (Cook-King, Pac. 2, 353); *b)* bei Nukahiwa, einh. *Umi, Taipii* (Meinicke, IStill.O. 2, 243), v. engl. Lieut. Hergest im März 1792 (Krus., Reise 1, 161).

Comte, Comté s. Comitatus.

Concepção, port. Form f. 'Empfängniss', im Sinne des Kirchenfestes, welches, als das älteste der Marienfeste, im 6. Jahrh. allg. Aufnahme fand, z. Feier der Verkündigg., welche (Luc. 1, 26) der Erzengel Gabriel der heil. Jungfrau brachte, also der Empfängniss Christi, gew. am 26. März, in Span. am 8. Dec. gefeiert, span. *Concepcion*, frz. u. engl. *Conception*, häufig in ON. wie *Bahia de la C.*, engl. *C. Bay*, f. die Bucht NFundl., welche der Port. Cortereal 1501 entdeckte (Navarreta, Coll. 3, 43), ferner *Angra da C.*, 2 mal *a)* s. Tafelbay, *b)* s. Cunha, auch *Ilha da C.* (s. Ascension).

Concepcion, Ciudad de la = Stadt der Empfängniss sc. Mariae (s. Concepção), mehrf. in span. ON. wie *Ciudad de la C. a)* Stadt in Chile, an Stelle des ind. Penco v. Don Pedro de Valdivia 1550 ggr. u., nachdem sie v. den Araucos u. durch Erdbeben wiederholt zerstört worden, v. Meere an die j. Stelle 1764 verlegt (Fitzroy, Adv.B. 1, 268, Meyer's CLex. 4, 699, Hakl., Pr. Nav. 3, 797); *b) C. del Uruguay* in Argent., 1778 ggr. (Meyer's CLex. 4, 700); *c) Villa de la C.*,

im mexic. Staate Chihuahua, am Flusse *C.*, ind. *Pipigóchie* = Schnepfenstadt (ib. 700); *d)* s. José. — *Isla de Santa Maria de la C.*, in den Bahama, am 15. Oct. 1492 v. Columbus benannt (Colon, Vida 108, Navarrete, Coll. 1, 26), ob id. mit *Rum Key* od. *Long I.* (WHakl.S. 43, 2) od. *North Caico* (2, 2)? — *Puerto de la C.*, in Hayti, ebf. v. Columbus, am 7. Dec., also an dem Vortage des Kirchenfestes, 1492 (Colon, Vida 126, Navarrete, Coll. 1, 83). — *Rivière de Conception* s. Missisipi.

Conch, ein engl. Wort f. Muschel, Schalthier, neben den gew. *muscle* u. *shell* gebr., v. gr. κόγχη, κογχύλη, lat. *conchylium*, span. u. port. *concha*, ital. *conchiglia, cochiglia*, frz. *conque, coquille*, erscheint in dem engl. Namen *C. Spring*, f. eine der zahlr. Thermen des Fire Hole, 1871 v. Geologen F. V. Hayden (Prel.Rep. 113, 184) so benannt nach der dreieckigen Form des Bassins ... 'one of the springs, from its resemblance to a shell, we named ...; *b) Conches*, ON. des frz. dép. Eure, 1119 *Conchae*, 1248 *Conche*, 1263 *Conchiae*, in einer Gegend, die bes. um Friche-Coquille an fossilen Muscheln reich ist (Dict. top. Fr. 15, 59. 92).

Conchos, Rio, eig. *Rio de los C.*, mit dem span. Worte *concho* = Trinktag der Indianer, ein Zufluss des Rio Grande del Norte, nach dem Indianerstamm, welchen die Expp. des 16. Jahrh. im nördl. Mexico trafen (Hakluyt, Pr.Nav. 3, 389).

Concord, Stadt in Massachusetts, ozw. nach dem Schiffe der Einwanderer v. 1602 (s. Cod).

Condat, *Condé* u. ähnl. Formen f. Confluenzstellen (s. Rennes) hat schon Adr. de Valois (Not. Gall. 24) richtig auf kelt. *condate* = Confluenz zkgeführt: '*Condate* est vetus nomen gallicum confluentes designans quod nos patriâ linguâ nunc *Conde* et *Coude*, nunc *Cande*, modo *Cosne* et *Conesque*, modo *Condat* et *Condac*, interdum et *Cuniac* ac *Cognat*, dicimus'. So erscheint die Stadt *Condé*, dép. Nord, 870 als *Condatum*, dann in den Formen *Condat, Condet, Condete*, ganz entspr. der Lage zw. Schelde u. Haine (Mannier, Et.Nord 209). Aus dem Dict. top. Fr. notiren wir *Cosne*, dép. Nièvre, im Itin. Ant. *Condate*, 849 *Condita*, 1157 *Conada, Cona*, 1250 *Cone*, gelegen an der Confl. der Loire mit einem ihrer Tributären (6, 55), *Condé*, 3 mal im dép. Aisne, aus *Condetum* in *Condeda* u. *Condé* übgegangen (10, 75), *Condé* im dép. Meuse, 674 *Condatum* super fluvium Callo (11, 58), *Condat*, 3 mal im dép. Dordogne (12, 84), *Condé*, im dép. Moselle, an der Confl. der beiden Nieds, 787 *Cundicum* (13, 58), *Condé*, 2 mal im dép. Eure, das eine im Itin. Ant. als *Condata* (15, 60), *Condé*, 3 mal diff. im dép. Calvados, das eine 1025 als *Condatensis* vicus (18, 75). Auch *Cond* am Rhein, 1051 *Chundedo*, 1056 *Condedo*, rechnet Bacm. (Kelt.Br. 108) hierher. — *Condatiscone* s. St. Claude. — Auffallend ist die Form *Candes*, f. den Ort an der Confl. Vienne-Loire, ebf. ein ehm. *Condate*, auffallend, da in jener das lange *a* der kelt.

keine Spur hinterlassen hat (Longnon, GGaule 270). — *Lac Condé* s. Superior.

Condavir, Ort u. Prov. in Indien, jener die alte, einst blühende, aber seit der mongol. Invasion zerfallene Hptstadt. 'An vielen Oertern (der Ruinenstätte) sieht man Denkmäler aus alten Zeiten, näml. Pagoden, Festungen, Colonnaden u.a. Gebäude, die j. unbewohnt sind; Haufen v. Ruinen, Ueberbleibsel v. Schlössern u. Häusern, u. a. ein gr. Bezirk mit Mauern umgeben, die, aus gehauenen Steinen aufgeführt, sichtb. Beweise sind, dass dieses Land einmal in einem sehr blühenden Zustande gewesen, aber durch Kriege verheert worden' (Spr. u. F., Beitr. 3, 27).

Condillac, Ile, eine der Iles de l'Institut, v. der frz. Exp. Baudin am 14. April 1801 getauft (Péron, TA. 1, 116; 2, 211, Freycinet, Atl. 27), wohl nach dem Philosophen Étienne Bonnot de *C.*, abbé de Mureaux, 1715/80, wie am 27. Jan. 1803 *Cap C.*, in Spencer's G. (Péron, TA. 2, 79).

Condinia s. Ob.

Condite-Head, ein Felskopf bei Hawkin's Maidenland, mit diesem im Febr. 1594 v. dem engl. Seef. Richard Hawkins entdeckt u. benannt nach der Aehnlichk. mit den condite heads v. London: for that howsoever a man commeth with it, it is like to the condite heads about the cittie of London (WHakl.S. 1, 108): ... some three leagues from the shore, lyeth a bigge rocke, which at the first we had thought to be a shippe under all her sayles; but after, as we came neere, it discovered it selfe to be a rocke (ib. 107). Wie man an der Id. Falklands u. Hawkin's Maidenland zweifeln darf u. letzteres auch an die patagon. Küste zu versetzen versucht sein kann, so denkt eine Note (ib. 108) auch an die patag. Bellacoklippe.

Condorcet s. Riley.

Condore, Pulo = Kürbisinsel, vor Saigun, v. mal. *pulo* = Insel, u. *condore* = Kürbis, bei MPolo (ed. Pauthier 2, 563) *Condur*, bei Barros, welcher *pulo* als Gemeinnamen kennt: 'este nome *pullo* não he proprio, mas commum' (As. 3, 2, 6), *Pullo Candor* (Cook-King, Pac. 3, 458, Glob. 2, 157).

Cone Bay = Bucht des Kegelbergs, in Tasman's Ld., v. Capt. Stokes (Disc. 1, 163) im März 1838 benannt nach einem nebenan sich erhebenden auffallenden Berge. — *le C.* s. Redondo. — *C. Point* s. Orangerie.

Conejera = Kaninchenland, v. span. *conejo, a* = Kaninchen, ein unbewohntes Felseiland der Balearen, u. *las Conejeras,* 3 weidereiche Eilande bei Ibiça (Willkomm, Span.-P. 208). Die Form *Cunillera* (Willk., Span. u. Bal. 180) nähert sich dem ital. *coniglio,* das wie *conejo,* port. *coelho* u. altfrz. *connil* v. lat. *cuniculus* stammt (Diez, Rom.WB. 1, 137). — *Conigliera* s. Hamâm.

Coneo s. Cognac.

Conférence s. Faisans.

Confidence, Fort = Veste des Vertrauens, am Gr. Sclaven-See, v. den brit. Reisenden Dease u.

Simpson 1838 als Winterhaus u. Ausgangspunkt ihrer Reise an's Eismeer benutzt.

Conflans s. Coblenz.

Congo s. Zaïre.

Conigliera s. Hamâm.

Connaught, eine der 4 Prov. Islands, in ihrer Namensform v. den 3 übr., Ulster, Leinster, Munster (s. dd.), scharf abstechend, hat den alten Volksnamen der Nagnatae fortbehalten (Kiepert, Lehrb.AG. 534).

Connecticut, ein v. dem Holl. Adr. Block 1614 entdeckter americ. Fluss, corr. aus dem ind. *Quonektacut, Quonehtucut, Quin-neh-tukqut* (Cottons Vocab.), *Quinetuckquet* (Cambr. Records), angebl. langer Fluss (Quackenb., U. S. 88, Staples, St. Union 8). Buckingh. (East & W. St. 1, 341) gibt neben unserer Bedeutg. auch eine zweite, sagt aber, dass den 650 km lg. sei — in der That der längste Fluss NEnglands. Der holl. Entdecker taufte das klare, schönfliessende Gewässer *de Versche Rivier* = den frischen (heitern) Fluss (ZfAErdk. nf. 3, 64). — *New C.* s. Vermont.

Connemara = Land der Bayen, ir. Name einer Ldsch. der Prov. Connaught, nach den zahlr. Bayen der Westküste, deren 20 Schiffen jeder Grösse zugängl. sind (Meyer's CLex. 4, 713).

Connétable, le Grand, Küsteninsel v. Cayenne, zu W. Raleigh's Zeiten (Disc. G. 199) v. Vögeln bevölkert u. v. Dünger ganz weiss, *Island of Birds* = Vogelinsel, 'where there were so many burds as they kild them with staves'. Die holl. Captt. machten sich, wenn sie vorbeifuhren, das Vergnügen, die unendl. Vogelwelt durch einige Schüsse aufzuschrecken; das führte Rob. H.Schomburgk in seiner Ausgabe v. W. Raleigh's Reise, auf die Annahme, der neue Name sei aus holl. *konstabel* = Kanonier entstanden, u. es sei also das Eiland eine 'Kanonierinsel'. Dem entgegen habe ich (NAlp. Post 5, 57f., Kettler's Zeitschr. f. wiss. Geogr. 1, 61f.) zu erweisen gesucht, der Name sei frz. Urspr. u. zwar zu Ehren Matthieu's II. de Montmorency (1174—1230), der unter dem Beinamen des 'Gr. Connétable' bekannt ist. Die Würde, in älterer Zeit die eines Stallmeisters, comes stabuli, Aufsehers der Marställe, bei den Franken auch Befehlshabers der Reiterei u. Verwalters der kais. Palastes, bezeichnet im mod. Sinne den frz. Reichswürdenträger u. Grossschwertträger des Königs, der dem Range nach üb. die Marschälle, selbst üb. die Prinzen gestellt, mit der obersten Leitg. der Landmacht betraut u. dessen Gewalt im Kriege fast so gross der zu derj. der röm. Dictatur ausgedehnt war.

Connexion Island = Insel der Verbindg., ein kl. Eiland zw. Groote u. Bickerton's I., v. Commander M. Flinders (TA. 2, 184, Atl. 14f.) am 5. Jan. 1803 so benannt, weil sie seine Aufnahmen verband u. namentl. v. Chronometern erhebl. unabhängig machte.

Connor s. Moresby.

Conriérie od. *Corriérie,* ein Berg u. Weiler bei den Ruinen der alten waadtl. Carthause Oujon; 'ce nom lui vient de l'office de *conrier,* moine qui, dans les couvents de l'ordre, était préposé à l'économie du couvent ... Il y a aussi la *C.* à la Grande Chartreuse de la vallée du Graisivaudan' (Mart.-Crous., Dict. 233).

Consolacion = Trost, in span. Entdeckernamen, auf eine angenehme Wendg. deutend: *a) Cabo de C.* s. Agostinho, *b) Islas de la C.* s. Amargura.

Constable s. Greville.

Constantia, 3 mal *a)* Ort am Pontus, rum. *Costanza,* türk. *Kö-* od. *Küstendsche,* urspr. *Tomoi, Tomis,* nach Konstantins Schwester umgetauft aus *Flavia Nea* = Neu *Flavia,* das der Kaiser Titus z. Stadt erhoben u. nach seinem Vater Flavius Vespasianus benannt hatte (ZfAErdk. nf. 1, 361, Zeitschr. VDEisBV. 1863, 292); *b)* s. Salem; *c)* Ort bei der Capstadt, das Weingut, welches der holl. Gouv. Simon van der Stell 1686 anlegte u. nach seiner Frau benannte (Kolb. VGHoffg. 204). — *C. Castra* s. Coutance.

Constantine, Stadt in Algerien, pun. *Karta* = Stadt, röm. umgeformt *Cirta.* Als König Juba —46 mit dem Reste der pompej. Partei in Africa unterlegen war, gab Caesar einem seiner Parteigänger, Sittius, einen Theil des Gebiets v. *Cirta,* das als bes. Colonie, *Sittianorum Colonia,* das röm. Bürgerrecht erhielt (MCLex. 10, 225). In dem Kriege des Maxentius gg. den pannon. Bauer Alexander, der sich z. Kaiser in Africa hatte ausrufen lassen, 311 zerstört, wurde der Ort v. Konstantin d. Gr. wieder hergestellt (s. Arles) u. verschönert als Κωνσταντίνη (Aur. VEpit. c. 40, BullSGéogr. 9, 8; 10, 237. Schon auch in Mesopotamien ein Κωνσταντίνη, früher *Nicephorium).* 'Wunderb. genug hat sich — denn der alt einh. Name ist verschwunden — der caesarische durch all' die Jahrhh. hindurch bewahrt', arab. *Kessentina* (Barth, Wand. 68), *Ksentina* (Kiepert, Lehrb. AG. 219), *Cossamtina* (Wagner, Reise 1, 335), *Kosantin(i)a, Kostantina* (Ibn Batuta, Trav. 3), *Kosantinat el-Hawa* (Edrisi ed. Jaub. 1, 242).

Constanz, am *Lacus Constantiensis,* frz. *Lac de Constance* (s. Bodensee), zuf. allg. Annahme v. Constantius Chlorus 378 als Bollwerk gg. die Alemannen angelegt, dial. *Chostez,* im Mittelalter *Kostentz,* häufig *Kostnitz,* in einer Form slaw. Aussehens, so dass man sie auf čech. Einwirkg., aus der Zeit des Conciliums 1414 ff., zkzuführen geneigt war (Meyer's CLex. 10, 233, Daniel, Hdb. Geogr. 4, 791). Es hat jedoch Buck (Schrift. VGBod. 2, 82 ff.) nachgewiesen, dass die angebl. slawisirte Form urk. schon 1353 vorkommt u. zwar einf. als schwäb., wie *Kostenz* als alem. Form anzusehen ist. Da der Ort ozw. vor der röm. Befestigung, als kelt. Pfahlbau, schon bestand, so wollte K. Christ (Aufs. rhein. Germ. 1 ff.) auch den j. Namen an einen freil. nur vermutheten kelt. anknüpfen: *Condistantia* = Gmünd, unter Berufg. auf die anderwärts vork. Formen *Condâte, Coblenz* = Confluenz, Flusswinkel etc.; f. einen solchen ältern Namen der Bodenseestadt fehlt jedoch jeder Anhalt. — Vgl. Konstantinopel.

Constitution, Cape, im arkt. Washington Ld., 1854 durch den american. Polarf. E. K. Kane (AExpl. 1, 305) benannt, wie Washington Ld. selbst, wie Cape Independence etc. z. Feier der americ. Verfassg. ... 'a more enduring name', als wenn es nach dem Wunsche Will. Mortons, der das Cap zuerst erblickt hatte, *Cape Kane* getauft worden wäre.

Contra Costa = Gegenküste, span. ON. bei San Francisco, ozw. daher, dass dieser Strich dem Golden Gate, dem Fort Point, dem Presidio u. Yerba Buena gerade ggb. liegt u. überall v. diesen Hauptpunkten der Ansiedelg. u. des Handels gesehen werden konnte (ZfAErdk. nf. 4, 316). — Mit demselben Grundwort *a) Iles des Contrariétés* = Insel der Hindernisse, Salomonen, einh. *Ulaua, Ulakua,* v. frz. Capt. Surville am 30. Nov. 1769 entdeckt u. so genannt, weil Windstillen u. widrige Winde ihn seit 3 d hier zurückhielten (Marion-Cr., NVoy. 277, Fleurieu, Déc. 143, wo irrig dat. 2. Nov.), *Smith Island* des engl. Capt. Ball (Meinicke, IStill. O. 1, 154), wohl id. mit *Isla Treguada,* welche zu Ende Mai 1568 der span. Seef. Mendaña erreichte u. so benannte, weil, um eher landen zu können, die nackten Wilden mit einem Schein-Waffenstillstand täuschte (Zaragoza, VQuirós 1, 12; 3, 46); *b) Costa de los Contrastes* = Küste der Widersprüche nannte Columbus die v. Costa Rica bis Puerto Belo folg. Küstenstrecke, weil in den furchtbaren Gewittern, welche er hier 1502/03 auszustehen hatte, die Windstösse bald aus Westen, bald aus Osten kamen (LCasas, Obr. 2 c. 24).

Convallis s. Tenerife.

Convent, the = das Kloster nennen die engl. Robbenschläger einen steilen Felsen des antarkt. SShetland, weil er einem grossen goth. Gebäude sehr ähnl. sieht (Hertha 9, 456).

Conway Rock, in Bass Str., v. engl. Schiffe *C.* entdeckt (Stokes, Disc. 1, 298, Carte). — Auch *Cape C.,* in Queensland, v. Cook am 3. Juni 1770 benannt (Hawk., Acc. 3, 132). — *C. Reef,* östl. v. Fearn I., ein Riff mit einer kl. Sandinsel in der Mitte (Meinicke, IStill. O. 1, 194).

Cook, *James,* einer der grössten Seeff. u. Entdecker aller Zeiten u. Völker, der 3 mal die Erde umsegelt hat, geb. in Yorkshire 1728, diente früh auf einem Kohlenschiffe, dann als Steuermannsgehilfe, immer an seiner nautischen Ausbildg. thätig, machte sich einen ersten Namen durch die vorzügl. Aufnahmen in den Gewässern des StLorenz Golfs (1759/67), wurde Befehlshaber der 2. Beobachtg. des Venusdurchgangs auf Tahiti abgesandten Exp., die Green als Astronom, sowie die Botaniker Banks u. Solander mitmachten. Diese Reise begann in Plymouth 26. Aug. 1768, ging um Cap Hoorn nach Tahiti, wo die Beobachtg. v. 3. Juni 1769 vortrefflich gelang, dann zu den Society Is., hierauf den dort noch nicht überschrittenen 15⁰SBr. passirend nach Neu Seeland, dessen Nord- u. Südinsel er umfuhr, z. continentalen Ostküste, wo er am 28. Apr. 1770 die Botany Bay erreichte, längs des Gr. Barrière Riffs z. Torres Str., durch diesélbe z. Cap dGHoffng. u. zk. nach England 11. Juni 1771. Diese grosse Leistg. überbot er auf seiner zweiten Weltumsegelg. Er führte die Resolution, Tob. Furneaux die Adventure; als Gelehrte begleiteten ihn JReinh. Forster u. Georg Forster, Vater u. Sohn. Die Fahrt begann am 17. Juli 1772, ging der Richtg. des Passats entgegen um das Cap dGHoffng., kreuz u. quer durch das Eismeer, nach einer Rast in NSeeland z. zweiten mal in das antarkt. Meer, wo er 71^0 SBr. überschritt u. damit erwies, dass der geträumte Südpolarcontinent, wenigstens in der angenommenen Ausdehng., nicht bestehe, endl. üb. das antarkt. Sandwich Ld. nach Engld. zk. am 30. Juli 1775. Eine dritte Fahrt galt der Aufsuchg. der Nordwestpassage, weil das Parlament dafür einen Preis v. 20000 £ ausgesetzt hatte. Die Exp., Cook in der Resolution, Capt. Clerke in der Discovery, verliess England am 12. Juli 1776; sie ging wieder um Africa, nach Prinz Edward, Kerguelen, Tasmania, Friendly- u. Society Is., zu den nordpacif. Sandwich In. u. z. Oregonküste ($44^1/_2^0$ NBr.), um von hier nordw. den Continent America's auf eine Durchfahrt zu untersuchen, also Alaska entlang u. durch die Berings Str. in das Eismeer, wo man vor den starren Massen des Icy Cape umkehren musste, hierauf zk. nach den Sandwich In., deren Eingeborne den berühmten Entdecker am 14. Febr. 1779 erschlugen. Zunächst seinem Verdienste verdanken wir die Einsicht: 'Die Erde ist v. Ocean bedeckt, in welchem zwei grössere Inseln u. viele kleinere liegen' (Lyell) — die Einsicht des Uebergewichtes, welches der wasserbedeckten Erdoberfläche, dem Lande ggb., zukommt. Eine Reihe v. ON. erinnert an die glänzenden Leistungen des engl. Seef., in alphabet. Ordng. folgg.: C.'s Bay, 2mal a) in den NHebriden, der beste, vor dem Passat geschützte Ankerplatz Eromango's, einh. Wiriau, wo C. landete, v. Bennett so getauft, während die Händler sie, wohl corr. nach dem nahen Dorfe Putnuma, Portenia Bay nennen u. den Namen C.'s Bay auf Bennett's Sophia Bay, einh. Yaliwau, beziehen (ZfAErdk. 1874, 293, Meinicke, IStill. O. 1, 191); b) s. Paaschen. — C.'s Group s. Hervey. — C. Island a) s. Scarborough, b) s. Sandy. — C.'s Land a) s. Queensland. — Mount C., in Austr. 2mal a) das 3764 m h., dem Matterhorn ähnl. Haupt der Südinsel NSeelands, einh. Ahorangi = Wolkenbrecher, v. Capt. Stokes bei der Küstenaufnahme getauft (Meinicke, IStill. O. 1, 295), wie 1862 Jul. Haast nach andern Erforschern des Landes u. der Natur übb. benannte: Haidinger-, la Bêche-, Elie de Beaumont-, Darwin-, Maltebrun-, Moorhouse-Berg, Müller-, Hooker-, Hochstetter-, Tasman-, Murchison-Gletscher (Hochst., NSeel. 64. 347); b) am Endeavour R., v. Capt. Ph. P. King (Austr. 1, 210) am 27. Juni 1819 benannt 'in memorial of our celebrated navigator who suffered so much distress and anxiety at this place'. — C.'s Pyramid, ein Inselfels v. Port Resolution, v. C. 1774 entdeckt u. getauft, ähnl. wie Cape Carteret nach einem zeitgenöss. Seef.

(ZfAErdk. 1874, 294). — C.'s River od. Inlet, ein Golf in Alaska, wo die Küstenaufnahme v. 1778 endete, nach seiner Ansicht die weite Mündg. zweier (im Hintergrunde einlaufender) bedeutender Flüsse, welche wahrsch. 'a very extensive inland communication' darbieten. Diese Ansehauung, ganz zuwider der so lange vermutheten Durchfahrt z. Hudson Bay, war v. Bedeutg. u. insofern River sinnvoll; da aber ein nom. propr. fehlte, so verordnete Lord Sandwich, dam. erster Lord der Admiralität, 'with the greatest propriety', dass der 'Fluss' nach dem (indess †) berühmten Entdecker benannt werde. Bei den Russen Kenay See, weil sie die Anwohner zu den Kenay rechnen, welche auch Kodjak bewohnen (Krus., Mém. 2, 73). — C.'s Streight, 3 Seegassen: a) zw. den beiden Hauptinseln NSeelands, schon v. holl. Seef. Abel Tasman, Ende 1642, nahezu durchschifft, so dass nur die weit vorspringenden Caps des Königin Charlotte Sd. ihm die Aussicht auf das jens. Meer verdeckt haben können, u., v. ihm als Bucht betrachtet, mit dem Namen Zeehaen Bogt (Carte zu Tasmans Journ.), nach dem einen seiner Schiffe, belegt (Bergh., Ann. 4, 6, Meinicke, IStill. O. 1, 279). Cook bestieg einen der Berge des genannten Sundes u. entdeckte am 22. Jan. 1770 die Gasse, die er dann auch am 6. Febr. durchfuhr (Hawk., Acc. 3, 31; 2, 394. 404 ff.); b) im Berings M., zw. der Insel Nuniwok u. dem Continent, wo C. 1771 nahe vorbeifuhr, aber wegen Seichte u. Nebel die Küste nicht aufnehmen u. die Insel nicht entdecken konnte (Hertha 2, 269); c) s. Bering. — Cookstown s. Bower. — Ozw. einem andern C. gilt C.'s Lake, im Netz des Gr. Sclavensees, 1833 v. engl. Reisenden G. Back (Narr. 63) benannt. Das friedliche Bild, welches im Ggsatz zu der gefährl. u. beschwerl. Tagesreise das inselgeschmückte Becken auf den mit Sonnenuntergang ankommenden Reisenden machte, schien ihm das beste Lebenszeit eines Mannes abzuspiegeln, welcher nach der Verirrg. u. Anstrengg. der Jugend z. ruhigen Gesetztheit des reifern Alters gelangt ist. Diess erinnerte den Wanderer an weitentfernte Freunde, u. in dieser Stimmg. taufte er den See, einem jener Freunde zu Ehren.

Cooke, Isle, im arkt. Fox Ch., v. engl. Capt. Luke Fox am 18. Sept. 1631 entdeckt u. getauft nach Walter C., einem Gliede v. Trinity House, d. i. einem der Förderer seines Unternehmens: 'his good friend and countenancer, the secretary of State' (Rundall, Voy. NW. 182. 185, Forster, Nordf. 422, welcher Cook schreibt). — Port C., in Feuerland, v. der engl. Exp. Adv.-B. im Febr. 1827 nach J. C., dem Lieut. der Adventure, getauft (Fitzroy, Narr. 1, 54).

Coolnahinch s. Inis.

Coomavanniha s. Banew.

Cooper's Isle, in SGeorgia, v. Capt. Cook (VSouth P. 2, 216) am 18. Jan. 1775 entdeckt u. nach seinem ersten Lieut., Rob. P. C., benannt. — C.'s Isles, an der Mündg. des Kupferminen Fl., v. Capt. John Franklin (Narr. 361) im Juni 1821 nach dem Freunde seines Gefährten Richardson getauft. — *Cooperstown*, Ort im Staate N York, wo der Richter Will. *C.* wohnte u. auch der 1789 geb. Sohn, der Dichter Fenimore *C.*, einen längern Theil seines Lebens zubrachte (Meyer's CLex. 4, 729).

Copland Hutchison Bay, am americ. Eismeer, v. Dr. Richardson, dem Begleiter John Franklins (Sec. Exp. 214), am 13. Juli 1826 nach seinem Freunde, dem Surgeon Extraordinary to His Royal Highness the Duke of Clarence, getauft, wie wohl auch *C. Islands*, während *Cape C.*, in Grönl., nach einem der Theilnehmer der II. deutschen Nordpolexp. 1869/70 benannt ist, wie *Sengstacke Bay, Cap Susi, Cap Pansch* (Peterm., GMitth. 17, 194. 219. 415 T. 10).

Copleston, Mount, in der Romanzoff-Kette, v. Capt. John Franklin (Sec. Exp. 150) am 5. Aug. 1826 entdeckt u. zu Ehren des Dr. *C.*, Provost of Oriel College, spätern Bischofs v. Landaff, benannt.

Copper = Kupfer, in einigen engl. ON. wie in *Coppermine River* = Kupferminenfluss des arkt. America, woher die *C. Indians* = Kupferindianer, die *Tantsahot-dinneh* = Birkenrinden-Leute der Chipewyans (Franklin, Narr. 287), den Canadiern das Kupfererz z. Tausch zu bringen pflegten. Auf beschwerl. Landreise erreichte 1771 der Engl. Hearne den Fluss u. befuhr diesen fast bis z. Mündg., näml. bis zu den Bloody Falls. Dort die *C. Mountains*, wo die Indianer alljährl. Erz holten, so lange sie ihre Waffen u. Geräthe v. Kupfer verfertigten u. noch nicht die eisernen durch Tausch v. den Europäern erhielten. Uebr. fand Capt. John Franklin (Narr. 340) im Juni 1821 nur wenige Erzstücke u. er glaubt, die Indianer haben das Erz nie in seiner urspr. Lagerstätte aufgefunden. — Mit gr. πόλις = Stadt zu dem zweisprach. *Copperopolis* verbunden, 3 mal in America *a)* in Calif., wo 1861 reiche Kupferminen entdeckt wurden (Glob. 4, 128, Meyer's CLex. 4, 730); *b)* das Centrum des Kupfererzbaus am L. Superior (MChevalier, Rapp. Jury int. 1, CIX); *c)* in Montana, Quellgebiet des Musselshell R., zu Ludlow's Zeit, 5. Aug. 1875 (Carr. 15), nur ein Grubenschacht u. eine verlassene shanty.

Coquebert(-Monbret), Ile, vor Cap Malouet, v. der frz. Exp. Baudin im Febr. 1803 benannt (Péron, TA. 2, 105). Der Name bezieht sich auf einen der beiden dam. lebenden frz. Naturforscher d. N., wahrsch. auf den Mineralogen u. Physiker, 1755—1831.

Coqueiros, os = die Cocospalmen, in port. ON. *a)* eine Gegend im Oberlande der bras. Prov. Santa Catharina, nach einigen Palmen, welche einst hier standen. 'Alle diese kl. grünen Plätze, welche man manchmal am Wege trifft, haben als Lagerplätze ihre ganz bestimmten Namen, nach denen sich die Tropeiros ebenso orientiren, wie wir uns nach Dörfern u. Städten unserer Landcarte richten' (Avé-L., SBras. 2, 135); *b) Ilha dos C.*, im Unterlaufe des Congo, u. weiter flussan eine *Ilha das Palmeiras* = Palmeninsel, beide in der Gegend, wo der Manglewald der Küste zu

schwinden anfängt u. andere Bäume auftreten, die in Gruppen mit den Palmen der Inseln einen schönen Contrast bilden (Peterm., GMitth. 3, 186 f.).

Coquille, la = die Muschel, Muschelschale, frz. f. lat. *conchylium* (s. Conch), in dem ON. *La Grotte (ou la Baume) de la C.*, f. eine Stalaktitenhöhle des dép. Hérault, offb. v. einer Art grosser Muscheln, die am Fusse der Tropfsteingebilde liegen. — Nach der *C.*, dem Fahrzeuge des frz. Capitäns Duperrey, sind benannt: *a) Ile de la C.*, in den Central-Carolinen, einh. *Pigali, Pigela*, *Pikelot*, v. Duperrey am 3. Juli 1824 entdeckt u. v. russ. Admiral v. Krusenst. (Mém. 2, 343, Atl. OPac. 31) getauft; *b) Iles de la C.*, in Ralik, einh. Jaluit, Telut (Meinicke, IStill. O. 2, 329); *c) Le Havre de la C. s.* Strong.

Corallian Sea = Korallen Meer, die rifferfüllte, gefährl. See zw. Queensland u. Melanesien, taufte der verdienstvolle, durch seinen Schiffbruch auf Wreck Reef bekannte engl. Seef. Flinders (TA. 2, 314). — *la Secca del Corallo* s. Nerita. — *Coral Island*, eine der Los (Grundem., Miss. Atl. 2). — *El Coral*, ein Atoll der Hall Is., Carolinen, einh. *Namolipiafan*, v. Villalobos 1543 getauft, bei Legaspi 1571 *los Placeres* = die Untiefen. — *Ile de Corail*, eine kl. Sandinsel der Washington Is., auf gr., gefährl. Korallbank, v. frz. Entdecker, Capt. Dumoulin, benannt (Meinicke, IStill. O. 2, 245).

Corazon = Herz, wie port. *coração* aus lat. *cor* abgeleitet, span. Name eines Schneebergs der Cordilleren v. Ecuador, nach der fast herzfg. Gestalt seines Gipfels (Humboldt, VCord. 273, mit Bild).

Corbie, Stadt im frz. dép. Somme, als Benedictinerabtei *Corbeia* 657 ggr., wurde *Corbeia Antiqua* (= alt), als 822 in Westfalen, auf einem v. Ludwig dem Frommen geschenkten Königshofe, der Ableger *Corvey, Korvey, Neu Corbie*, *Corbeia Nova* durch Abt Adelhard sen. entstand (Bacmeister, AWand. 64, Meyer's CLex. 4, 732; 10, 282).

Corcovado, o = der Buckelberg: *a)* bei Rio de Janeiro, v. den port. Colonisten so getauft, weil er so gekrümmt ist, dass er dadurch einen leichtern Anstieg gewährt: 'por estar como vergado, a fim de permittir mais facil subida ....' (Varnh., HBraz. 1, 249); *b)* in der bras. Prov. São Paolo (WHakl. S. 51, LII).

Cordes Bay, in der Magalhães Str., nach der holl. Exp. Mahu-Cordes-de Weerd, welche 1599 hier überwinterte, nachdem Jacques Mahu † u. Simon de *C.* den Oberbefehl übernommen hatte, vorher 'Groene Bay (= grüne Bucht), die sy ... den name van de *C.* gaven ...' (Waeracht. V. 78, Debrosses, HNav. 175).

Cordilleras s. Andes.

Córdova od. *Cordoba*, span. ON. 2 mal: *a)* in Andalus., röm. *Corduba*, wg. seiner centralen Lage polit. Hptstadt der Baetica, wird als phön. *Karta Tuba* = grosse Stadt erklärt (Willkomm, Span. P. 201); *b)* in Argentinia, v. Spanier Hieron. Cabrera 1573 ggr. u. *c)* in Mexico, durch die reichen Einwohner v. Huatasco ggr. (Meyer's CLex. 4, 736).

Corfu s. Korkyra.

Corinthian B. s. Rogers.

Corisco, Ilha do = Blitzinsel, bei NGuinea, v. port. Entdecker so benannt, 'weil sie dort sehr heftige u. schreckl. Blitze antrafen' (ZfAErdk. 1876, 213).

Cork, der grosse Seeplatz an der Südseite Irlands, v. ir. *corcach* = Sumpf, morastige Niederg., einem Wort, welches überall in Irland zu ON. verwendet worden ist. Nachdem der heil. Finbar, im 6. Jahrh., mehrere Jahre in der wilden Einsamkeit an der Quelle des Lee (des Flusses v. *C.*) zugebracht hatte, vertauschte er diesen Aufenthalt u. gründete eine Kirche am Rande eines Sumpfes nahe der Leemündg.; der Ort wurde noch manche Jahrhh. lg. als *Corcach-mor* = grosser Sumpf, od. vollst. *Corcach-mor-Mumhan*, wo *Mumhan*, spr. mooan, = Münster, bezeichnet, dann nur mit dem ersten Wort u. auch dieses auf die eine Silbe *C.* verkürzt; heisst bei denen, die ir. reden, die Stadt allgemein *Corcach*, 'and the memory of the old swamp is perpetuated in the name *the Marsh*, which is still applied to a part of the city'. In Irl. heissen mehrere Orte *Corkagh* u. *Corkey*, mit dim. *Curkeen, Curkin, Corcaghan* = kleiner Sumpf; auch die Form *corcas* ist sehr häufig: in *Corkish, Curkish, Corcashy, Corkashy* etc. Auch das Wort *cuirreach*, mod. *currach*, hat gew. dieselbe Bedeutg. u. erscheint in *Curra, Curragh, Curry*, in *Curraghmore* = grosser Morast, wohl 30mal, in *Currabaha, Currabeha* = Sumpf mit Birken, in *Curraheen* = kleiner Sumpf, wohl 30mal in der Prov. Munster allein (Joyce, Orig. Ir. NPl. 1, 462 f.).

Corkhill s. Ainsworth.

Corleto s. Coudre.

Cormondes s. Chamonix.

Cormorandière, la = der Versammlungsort der Cormorane, eines pelecanartigen Polarvogels, ein auffälliger Inselfels Feuerl., v. frz. Seef. Bougainville (Voy. 149) im Dec. 1767 so genannt nebst der nahen *Baie de la C.* Das frz. *cormoran* ist kelt. Urspr., v. bret. *môr-vran* = Seerabe, v. *môr* = Meer u. *bran* = Rabe, mit pleonast. *corb, corvus* = Rabe (Diez, Rom. WB. 2, 263).

Corn Island = Korninsel, bei Louisville im Ohio, v. General George Rogers Clarke 1778 so benannt, weil er, aus Virginien kommend, um die noch nicht übergebenen brit. Posten einzunehmen, mit seiner Mannschaft hier landete, etwas Korn pflanzte u. z. Besiedelg. 6 weisse Familien zkliess (Buckingh., East & WSt. 3, 17). — *Cornfield* s. Garden.

Corne, Fort à la, ein Handelsposten im Netz des Winnipeg L., zeitw. auch *Fort St. Louis* od. *Fort Nippeween*, v. ind. *nepiwa* = feuchter Platz, v. dem frz. Canadier de la *C.*, dem Befehlshaber aller innern Posten, 1753 ggr. (Ch. Bell, Canad. NW. 7). — *Monte Corno* s. Grande. — *Cap Cornu* s. Hoorn.

Corneille, Ile, in den Iles de l'Institut, einer der Namen, mit welchen die frz. Exp. Baudin, am 14. Apr. 1801, die berühmten Landsleute verherrlichen wollte (Péron, TA. 1, 116; 2, 211, Freycinet, Atl. 27), wie *Baie C.*, im Spencers G., am 24. Jan. 1803 (Péron, TA. 2, 78). Der Dramatiker *C.* lebte 1606/84, im goldenen Zeitalter der frz. Litteratur.

Corner Inlet, 'a large shoal bay' bei Wilson's Py., v. G. Bass zu Ende Jan. 1798 getauft, wohl weil die Einfahrt sofort scharf um einen Landvorsprung umbiegt (Flinders, TA. 1, CXVI). — *C. Rock,* ein weit in den Strom vortretender, 10 m h. Felsvorsprung, bei welchem der calif. Rio Colorado einen Winkel bildet, v. der Exp. 1858 getauft (Möllh., FelsG. 1, 237)...'the river wound around the base of a massive rock, into which a deep groove had been cut by the ceaseless flow of the stream' (Ives, Rep. 57). — *Corny Point*, ein auffallendes 'Horncap' am Spencers Golf, am 19. März 1802 f. den Entdecker Flinders (TAustr. 1, 164), welcher dam. aus den nördl. Theilen des Golfs zkkehrte, die fernste sichtbare Landspitze im Westen.

Cornwall, lat. *Cornvallia*, später *Cornubia*, die engl. Halbinsel, als v. den kelt. Cornen, den *Cornavii*, die in älterer Zeit die Mitte des Landes bewohnt hatten (Kiepert, Lehrb. AG. 531) u. deren Sprache erst nach 1750 ausgestorben, bewohntes 'wälsches' Land v. den Angelsachsen benannt, wie die Kelten des Landes selbst *Cornvealar* = Wälsche v. *Kernaw;* denn mit diesem letztern Namen, v. brit. *corn* = Horn, plur. *kern*, hiess sie den einheim. Kelten die hornartig auslaufende u. beiderseits mit Vorsprüngen 'gehörnte' Halbinsel (Camden-Gibson, Brit. 1, 143 f.)... 'a name not only expressive of the many natural promontories of the country, but also implying that the inhabitants were Britons of the same nation and descent as those of Wales' (Charnock, LEtym. 75, Adams, Word Exp. 48). — Seit Eduard III., 1330, führt der engl. Thronerbe den Titel eines Herzogs v. *C.*, u. eben in diesem Sinne gilt *North C.*, Parry In., v. Capt. Belcher (Arct. V. 1, 111) am 30. Aug. 1852 getauft 'in compliment to His Royal Highness the Heir Apparent'. — Ob auch *Cape C.*, in Torres Str., v. Cook am 23. Aug. 1770 (Hawk., Acc. 3, 213)?

Cornwallis, der Name eines engl. Grafenhauses, welcher in ON. ebf. vorkommt, da 2 Brüder, Charles Mann, Lord Brome, Marquis u. Graf v. *C.*, geb. 1738, im 7 jähr. u. im americ. Unabhängigkeitskriege erprobt, 2 mal, 1786/93 u. wieder kurz vor seinem Tode (1805) Generalgouv. Indiens (u. Lord der Admiralität), William Mann, Graf v. *C.*, geb. 1744, nach vielen Diensten Befehlshaber der anglo-ind. Seemacht u. Admiral, † 1819, v. engl. Entdeckern geehrt wurden: *C. Island,* in den Parry Is., v. Parry (NWPass. 52) im Aug. 1819 getauft 'in compliment to the Honourable Sir William *C.*, my first naval friend and patron'. — *Mount C.,* angebl. ein Vulcan der Ile Bougain-

ville, v. Capt. Hogan (Meinicke, IStill. O. 1, 151).
— *C. Islands a)* s. Gaspar Rico, *b)* s. Smith.
Coromandel, Küste in Indien, der Kreis, *mandala*, des alten, um die Kaveri gelegenen Reiches *Tschola* (Lassen, Ind. AK. 1, 194), während Pauthier (MPolo 1, LXVII), freil. nur 'probablement', dem Lande *Tschola*, *S'or'a*, eine Dynastie *Mand'ala* geben will, bei den Port. des 16. Jahrh. (Barros, As. 1, 446 ff.) *Cho*..., was im übr. Abendlande zu *Co*... wurde, arab. *Maabar, Ma'bar, Mabar* (Ibn Batuta, Trav. 192, bei den chin. Historikern u. Geogr. *Mà-pă-'rh)* = Ueberfahrt (Silv. de Sacy, R. Égypte 112)... 'et les Arabes auront ainsi nommé la côte orientale de la presqu'ile de l'Inde à cause du passage entre le continent et l'île de Ceylan' (Pauthier, MPolo 2, 600). — In NSeeland ein *C. Harbour*, v. Cruise benannt, einh. *Waihao*, u. die nahe *C.* (od. *Colville)Chain* (Meinicke, IStill. O. 1, 264. 268).
　Corona = Krone ist z. Bildg. rom. wie germ. ON. verwendet worden (s. Kronstadt), in lat. Form zu *Sancta* od. *Spinea C.* (s. Goldenkron). Die geläufigste Nomenclatur dieser Art dürfte sein: *George the Forth's Coronation Bay* = Georg's IV. Krönungsbucht; so nannte Capt. John Franklin, als er v. seiner Küstenfahrt am Eismeer wieder nach Fort Enterprise zkkehrte, die äussere Bucht des Back R., weil er sie am Krönungstage des frühern Prinzregenten v. England, Georg's IV., am 19. Juli 1821, erblickt hatte. Unsere Carten dehnen den Namen, welchen Franklin (Narr. 396) sehr bestimmt zw. Cape Barrow u. Flinders entengt, bis z. Kupferminenflusse aus. — Am 22. Sept., dem Krönungstage Georg's III., fand Cook (VSouth P. 2, 132) *Cape Coronation*, in NCaledonia 1774, sowie Ph. P. King (Austr. 1, 414) *Coronation Islands*, in De Witt's Ld., 1820 (der König war jedoch schon † 29. Jan. 1820). — *Os Coroados* = die gekrönten, v. port. *coroar* = krönen, ein Indianerstamm der Prov. Rio de Janeiro, nach der kronartigen Tonsur (Avé-L., SBras. 2, 246, Burm., Bras. 246, WHakl. S. 51,138). — S. Cuatro.
　Corras s. Nerita.
　Correa, Cap, in Süd-Austr., v. der frz. Exp. Baudin im Apr. 1802 getauft (Péron, TA. 1, 273), offb. nach dem v. der Inquisition verfolgten, seit 1786 meist in Paris lebenden port. Botaniker C.
　Correntes, f., die port., *Corrientes,* m., die span. Form f. 'Strömungen', mit Vorliebe z. Benenng. jener Landspitzen, die v. einer ungestümen Meeresströmg. getroffen werden, wie das ostafr. *Cabo das C.*, welches schon den arab. Seeff. des Mittelalters imponirt hatte. Sie nannten es *Dschebel en-Nedama* = Vorgebirge der Reue; denn, so ging die Sage, dort warfen den unbesonnenen Schiffer starke Strömungen gg. die Felsen od. liessen ihn, sofern er das Cap doublirte, nie wieder umkehren. Barros (Asia 1, 4, 3 p. 289; 8, 4 p. 213 f.): 'Cá são aqui as correntes tão grandes, que em breve apanhão huma náo, e sem vento, e sem véla a levão a parte, em que corre os perigos..... E como os Mouros desta costa Zanguebar navegão em náos, e zambucos comfeito-

com cairo, sem serem pregadiças ao modo das nossas, pera poderem soffrer o impeto dos mares frios da terra do Cabo de Boa Esperança, e isto ainda com monções, e temporaes feitos, e mais tem já experiencia em algumas náos perdidas, que esgarrárão contra esta parte do grande Oceano Occidental, não ousarão commetter este descubrimento da terra que jaz ao Ponente do *cabo das Correntes*.....'
　... corrente n'elle achámos tam possante, que passar não deixava per diante.
　　　　　　　(Camões, Lus. 5, 66).
Eine ganz ähnl. Befürchtg., welche die Malajen, u. nach ihnen die Port., in den Meerengen östl. v. Java hegten: 'que quem sahe per estes canaes contra aquelle mar do Sul, esgarra com as grandes correntes, e não pode mais tornar', hinderte lange Zeit die Entschleierg. der Südküste Java's (Barros, Asia 4, 1, 12 p. 75).
　Corrientes, Capo de los = Vorgebirge der Strömungen (s. Correntes), mehrf. span. ON. *a)* in Florida, v. Ritter Ponce de Leon 1513 benannt nach dem vorüberdrängenden Golfstrom; *b)* an der pacif. Küste Mexico's, $20^1/_2^0$ NBr. (Hakl., Pr. Nav. 3, 446); *c)* an der pacif. Küste Columbia's, $5^1/_2^0$ NBr. (WHakl. S. 33, 20); *d)* eine niedrige, aber scharfe Landspitze am Westende Cuba's (Hakl., Pr. Nav. 3, 671), im 5. Briefe an Karl V. mit der Westspitze, San Antonio, identificirt (WHakl. S. 40, 115); *e)* südl. v. Silberstrom, v. Magalhães im Febr. 1520 getauft, zunächst die vorliegenden Untiefen, in engl. Uebersetzg. *Shoals of the Currents*, die wohl eben in Verbindg. mit der antarkt. Strömg. den Entdecker bewog, die Küste an das hohe Meer zu tauschen u. jene erst am 24. Febr., im Golf v. San Matias, wieder aufzusuchen (Gen. Pil. in WHakl. S. 52, 2). — Im Sinne v. 'Canäle', Durchlässe, erscheint der span. ON. *C.* an der Confl. Paranà-Paraguay, vollst. *Ciudad de San Juan de Vera de las Siete C.*, nach den 7 Canälen, in welche die Inseln den kataraktenvollen Strom dort theilen. Juan de Vera, Adelantado v. Paraguay, hatte seinen Neffen Alonso de Vera mit 80 tapfern Spaniern ausgesandt, um die span. Besitzungen zu erweitern u. neue Ortschaften zu gründen. Angelockt durch die Schönheit der Gegend, stieg er am 3. April 1588 an der Stelle, wo j. *C.* steht, an's Land u. pflanzte hier auf dem hohen Ufer.... das Kreuz auf....' (ZfAErdk. nf. 7, 468, MCL. 7, 56).
　Corry, Cape, in Admiralty Inl., v. Capt. J. Cl. Ross (South R. 2, 343) im Jan. 1843 benannt nach Thomas Lowry C., einem der Lords der brit. Adm.
　Corryvreckan, f. gäl. *Coirebhreacain* = Kessel des gefleckten Meeres, der üb. 1 km br. Sund zw. den schott. Inseln Jura u. Scarba, nach dem wilden Gebahren des Meeres. Durch diesen wild v. hohen Felsküsten eingerahmten Schlund stürzt sich, mit einer Schnelligkeit v. 15 km, das Meerwasser bei Ebbe in der einen, bei Flut in der entgggesetzten Richtg. Bei den engl. Seeleuten *the Great Gulf* = der grosse Strudel od. Schlund — im Ggsatz zu dem gewissermassen imposantern

Little (= kl.) *Gulf,* zw. Scarba u. Lunga (Peterm., GMitth. 10, 348).

Corsica, Insel im Mittelmeer, gr. *Κύρνος,* röm. *Corsis, C.* (Plin., HNat. 3, 45 . . .), frz. *la Corse,* wird verschieden u. kaum einleuchtend erklärt. Der Sage gehört es an, wenn Isid. (Orig. l. 13 c. 6) den Namen v. einer Frau Corsa, welche die Ligurer z. Besiedelg. veranlasst habe, Andere v. Kyrnus, einem Enkel des Hercules, ableiten. Mattei (Glob. 31, 382) denkt an kelt. *corsig* = Sumpf; diese Etym., sofern sie sich sprachl. rechtfertigen liesse, ist 'durch die Gebirgsnatur des Landes' keineswegs ausgeschlossen, da häufig Localnamen eine erweiterte Fassg. erhalten. Kiepert (Lehrb. AG. 477) erinnert an phön. קרן, *keren* = Horn, f. eine an Vorgebirgen so reiche Insel wohl passend . . . 'la configuration topographique de la *Corse* rend cette étymologie on ne peut plus vraisemblable' (RDenus, AProv. 278). Neben diesen Annahmen lässt sich noch Bocharts (Geogr. Sacra) Ableitg. sehen: v. phön. חורשי, *Chorsi* = bewaldeter Ort, da in jener Vorzeit *C.* die holzreichste der Inseln jener Gebiete war. Ihre Nadelholzwälder gewährten im Alterth. vorzügliches Schiffsbauholz.

Corterealis T. s. Labrador.

Cortez s. California.

Corvisart, Baie, am Gr. Austral G. (s. Streaky), v. der frz. Exp. Baudin am 30. April 1802 getauft nach Napoleon's I. Leibarzte Jean Nicolas *C.,* 1755—1821, 'dem berühmten Arzte zu Ehren, welcher durch die erste Errichtg. einer prakt. Klinik in Frankreich u. durch seine schönen Untersuchungen üb. die organ. Krankheiten sich um die Arzneiwissenschaft u. um das Vaterland so wohl verdient gemacht hat' (Péron, TA. 2, 86). — Ebenso *Ile C.,* in den Is. Maret, im Aug. 1801 (ib. 1, 115, Freycinet, Atl. 27).

Corvo, o = der Rabe, eine der Açoren, sonst bei den Port., wie Damiam de Goes, *Ilha do Marco* = Insel des Merkzeichens, weil ihr hoher Berg, wie derj. v. Pico, ihnen als Richtungszeichen diente (Sommer, Taschb. 12, 297). — *Corvus Creek* = Krähenbach, ein kleiner rseitiger Zufluss des Missuri, obh. White Earth R., v. der Exp. Lewis u. Cl. (Trav. 54) am 16. Sept. 1804 so benannt, weil man hier eine Krähe erlegte.

Cosenza, ital. Stadt in Calabria, v. den Lucanern, nachdem sie die Halbinsel bis z. Meerenge erobert, als neue Bundesstadt erbaut u. benannt nach den *dii consentes* = den obern Göttern (Kiepert, Lehrb. AG. 459).

Cosne s. Condat.

Cossigny, Cap, in De Witt's Ld., v. der frz. Exp. Baudin am 30. März 1803 benannt, offb. nach dem Ingenieur u. Botaniker d. N. (Péron, TA. 2, 201, Freycinet, Atl. 25).

Costanza s. Constantia.

Costarica s. Rica.

Côte, la = Küste, Uferland, auch Abhang, Uferhalde u. dgl., in frz. ON. häufig (s. Côte d'Or), 12mal im dép. Eure (Dict. top. Fr. 15, 62), einmal am Genfer-See, ein v. Städten, Dörfern u. Land-

häusern übersäetes Amphitheater, wo sich, im Ggsatz zu den scharfvortretenden u. schroffen Formen v. La Vaux, die Hügel in sanften Wellen u. abgerundeten Abhängen z. Léman herabsenken (Gem. Schweiz 19, 2ᵇ, 50). — *Petite C.* s. Charles.

Cotelle s. Jagerschmidt.

Cotia, auch *Cuttia, Coteya,* ON. in der Nähe v. São Paulo, nach dem Aguti, einem in Brasiliens Wäldern häufigen Thier der stachelschweinartigen Nager (WHakl. S. 51, 37).

Cotopaji od. *Cotopaxi,* ein Vulcan der Cordillere v. Ecuador, dessen Name 'ohne alle Bedeutg. in der Sprache der Incas, also gewiss älter als deren Einführg. in Cuzco' (Humboldt, ANat. 2, 48). Einige Wahrscheinlichk. hat die Ableitg. v. ind. *ccotto* = Haufe, Masse u. *pacsi, pacsa* = Glanz, Schein, also = Glanzberg (Humb., Kosm. 4, 577).

Cotschèn = Rothhorn (s. d.), rätor. Bergname am Piz Kesch, Graub. Zu ⁴/₅ v. Gletschern umgeben, steigen seine rothen Wände aus einer grossen Eiswüste empor. Die Felswände bestehen aus eisenhalt. Granit u. gewähren, je nach Tageszeit u. Stellung, den wunderlichsten Anblick. Stellenweise zeigen Gerölle u. Spalten die hellste Rothfarbe (NAlpen-P. 6, 237); derselbe Name, infolge Lautwandels *Piz Tgietschen a)* im Bündner Oberland, *b)* s. Oberalpstock (Gatschet, OForsch. 164).

Cotter, Cape, in SVictoria, v. Capt. J. Cl. Ross (South. R. 1, 250 ff.) im Febr. 1841 entdeckt u. nach einem seiner Officiere, Pownall P. *C.,* master des Schiffs Terror, benannt.

Cottiae, Alpes, zuerst bei Tacit. (Hist. 1, 61; 4, 68), auch so in mod. Gebrauche, eine Abtheilg. der Westalpen, der dem Meere zu die *Alpes Maritimae* (s. Seealpen) folgen, beide Namen also antik, der erste nach der kleinen gall. Dynastie der Cottii, welche sich ohne Widerstand der röm. Herrschaft unterwarfen. Der Fürst v. 14 Bergstämmen, unter Augustus nur mit dem Titel praefectus, erscheint v. 44—66 n. Chr. als König; dann, mit dem Erlöschen des Hauses, wurde das *Regnum Cottii* od. die *Alpes C.* (s. Genèvre) als procurator. Prov. eingerichtet u. der grossen Prov. Gallia Narbonensis untergeordnet (Kiepert, Lehrb. AG. 400). Der König Julius Cottius Domnus hat in seiner Hptstadt Segusio, j. Susa, dem Augustus zu Ehren einen Triumphbogen errichtet u. den röm. Legionen eine Heerstrasse üb. den Mont Cenis gebahnt (Tacit., Hist. 1, 61. 87, Strabo 204). 'Unter Nero ward das Fürstenthum eingezogen u. in eine Prov. verwandelt' (Nissen, Ital. LK. 146).

Cotton s. English.

Cottonwood = Baumwollholz, in den engl. ON., die dem Gebiete der Felsengebirge angehören, ein häufig auftretender Bestandtheil, weil der glänzend grün belaubte Baum, eine Pappelart, Populus monilifera (Hayden, Pr. Rep. 277, BCom. GLandamts f. 1867, 16) in die sterilen Flächen eine äusserst angenehme Abwechslung bringt. 'Hier u. da sind an den Flüssen grössere Gruppen lose gestellter Pappeln u. Weidengebüsch zerstreut; da sie der einzige Baum- u. Strauchwuchs in dem

Boden der Becken sind, so haben sie dort stets den Reisenden als beliebte Lagerplätze gedient. Der f. die Pappeln gebr. Name *C.* ist daher dort vielf. in die geogr. Nomenclatur übgegangen' (Richthofen, China 1, 15). So lagerte die Exp. v. 1858 in *C. Valley* unter schöner Baumgruppe, deren Grün u. Schatten nach langer Entbehrung erquickte (Möllh., FelsGb. 1, 356). Als man dem Eingang sich näherte, zeigten Gruppen *C.*, v. grösserm Wuchs, als deren je vorher gesehen waren, dass das Thal, zwar nur 8—10 km lg., Alluvialboden enthalten müsse. Dieser bildet einen schmalen, grün getüpfelten Streifen, der mit sterilen Hängen zu den umstehenden nackten Gebirgsketten ansteigt u. durch sein saftiges Grün gartenartig v. der Wüste ringsum absticht. 'The belt of bottom land is narrow, and dotted with graceful clusters of stately cottonwood in full and brilliant leaf. The river flows sometimes through green meadows, bordered with purple and gold rushes, and then between high banks, where rich masses of foliage overhang the stream, and afford a cool and inviting shade. From the edges of this garden-like precinct sterile slopes extend to the bases of the surrounding mountain chaines. A few isolated black hills breaks the monotony of the ascent. There is no vegetation; the barren surfaces reach to the very summits of the lofty ranges and impart to the grandeur of the scene an air of painful desolation' (Ives, Rep. 78). . . . permitting a growth of vegetation, conspicuous in which are many beautiful groups of cottonwoods. These trees, at the time of our visit (February 25), clothed in the vivid verdure of their spring dress, afforded a most agreeable contrast to the surrounding sterility, and suggested this name given to the valley (ib. 3, 35). — *C. Creek*, mehrf.: *a)* im Netz des Cañada R.; *b)* im Netz des Arkansas R. (Möllh., Fels Gb. 2, 328. 377); *c)* ein Zufluss des Cheyenne R., dessen Thal auch einige Krüppel-Eichen aufzuweisen hat (Raynolds, Expl. 29); *d)* ein kl. Arm des Shields R., dessen Thal 'well supplied with cotton-wood trees' (Ludlow, Carr. 16); *e)* ein rseitgr. Zufluss des West Gallatin R., d. i. also im Quellgebiete des Missuri (Ludlow, Carr., Carte); *f)* ein v. den Snowy Ms. herabkommendes Gewässer im Netz des Judith R., eines rseitgen Zuflusses des obern Missuri (ib.). — *C. Island*, 2 mal: *a)* im Missuri, unth. seines obern Falls, v. den Captt. Lewis u. Cl. 1805 so getauft, weil auf einem dieser Bäume ein einsiedlerischer Adler, wie der Herr der Gegend, sein Nest erbaut hat (Raynolds, Expl. 107 f); *b)* im Rio Colorado, etwa 10 km lg. u. 0_4 km br., in einer Gegend, wo die Mesquitbäume ganze Wälder bilden u. ausser ihnen nur noch *C.* vertreten ist. Die Mesquitbäume, mit zuckerreichen essb. Hülsen, gehören 2 Arten an: Strombocarpa pubescens u. Algarobia glandulosa, eine der beide (Peterm., GMitth. 22, 338). — *C. Ranch* (wo ozw. *ranch* f. *rancho* = Hof, Viehhof), in der Wüste Mohave, mit viel Graswuchs u. *C.* (Peterm., GMitth. 22, 335).

Coudre, la = der Haselstrauch, v. lat. *corylus*,

umgestellt in *colrus, coldrus*, im frz. entspr. dem ital. *córilo* (Diez, Rom. WB. 2, 265), in vielen ON., namentl. solchen, die aus lat. *coryletum* = Haselgebüsch hervorgegangen sind, einem Worte, welches als Gemeinname bei Ovid vorkommt (d'Arbois de Jub., Rech. NL. 620). Solche sind in Frkr. sehr verbreitet *le Coudray* u. *la Coudraye, les Coudrays, la Coudraie, les Coudraies, la Coudrais, les Coudrais, les Coudraises, le Coudreau, les Coudreaux, Coudreceau, la Coudrière, les Coudrières, la Coudrois, les Coudroies, le Coudret, les Coudrets, Coudroy, la Coudralière, le Coudré, la Coudrée, les Coudrées*, alles s. v. a. 'Ort mit Haselstauden', 1190 *Coryletum* (s. Hasle), neben einfachem *la Coudre*, plur. *les Coudres*, sehr oft als frz. ON. u. urk. häufig als Wald oder Gesträuch bezeugt, im Dict. top. Fr. etwa 240 mal, davon 78 allein im dép. Mayenne (1, 53; 3, 39; 6, 56; 9, 54; 10, 79; 14, 51; 15, 63 f.; 16, 95; 17, 135 f.; 18, 79). — *Isle aux Coudres*, im St. Lorenz, am 6. Sept. 1535 so benannt v. frz. Seef. Cartier nach der Menge u. Grösse der dort wachsenden Haselnüsse, engl. *Isle of Filberts* (Anspach, NFdl. 22, Buckingh., Canada 172.310). . . 'this island is a goodly and fertile plot of ground, replenished with many goodly and great trees of many sorts. Among the rest there are many filberd-trees, which we found hanging full of them, somewhat bigger and better in sauour then ours, but somewhat harder, and therefore we called it *the Island of Filberds* (Hakluyt, Pr. Nav. 3, 215). . . une ile couverte de coudriers, laquelle conserve encore le nom d'*I. aux C.* qu'il lui donna (Avezac, Nav. Cart. XII, 12, Forster, Nordf. 504). — Da in Ober-Italien lat. *corylus, corulus*, durch Metathese in *colirus, colurus* überging, so lauten diese ON. dort *Collere, Colleri, Colorina*, aber auch *Corleto, Codrea, Codrei* . . . (Flechia, NL. Piante 11).

Coulman Island, in Victoria Ld., v. Capt. J. Cl. Ross (South. R. 1, 199) am 17. Jan. 1841, dem Geburtstage seiner nachherigen Frau, entdeckt u. nach seinem Schwäher Thomas *C.*, esq., of Whitgift Hall, Goole, benannt, wie er, seiner Frau zu Ehren, *Cape Anne*, nach ihrem Oheim, Robert John *C.*, esq., of Wadworth Hall, Doncaster, *Cape Wadworth* taufte: 'a spot of many happy associations'.

Coulomb, Baie, in Bass Str., v. frz. Lieut. L. Freycinet, Exp. Baudin, im Dec. 1802 benannt nach dem frz. Physiker Ch.-A. *C.* 1736—1806 (Péron, TA. 2, 22). — Ebenso am 10. Apr. 1803 *Pointe C.*, in Tasman's Ld. (Freycinet, Atl. 26).

Council Bluff = Rathsberg, eine hohe Uferstelle links am Missuri, v. den Captt. Lewis u. Cl. (Trav. Miss. 29) so getauft, weil sie hier am 3. Aug. 1804 mit den Ind., Ottoes u. Missuris, einen Rathschlag hielten. Der Punkt schien den Americanern äusserst günstig für ein Fort u. eine Factorei, 'as the soil is well calculated for bricks, and there is an abundance of wood in the neighbourhood, and the air being pure and healthy'. Ort *C. B.*, in Jowa. — *C. Grove*, in Kansas, wo

28 *

'vor wenigen Jahren noch' die wilden Söhne der
Steppe sich zu ihren Berathungen versammelten
u. 'auch j. noch allj.' die benachb. Stämme dort
eintreffen, um sich mit den Weissen in Verhandlungen einzulassen ...' (Möllh., FelsGb. 2, 381).

Court, Eau qui s. Eau.

Courtemautruy, einer der wenigen alten ON.
nach Frauen, im Berner Jura, v. *Amaltrudis,*
um 1146 *Curthemaltrut,* 1152 *Cortemaltrut,* wie
Adaldrudowilare im Linzgau, St. Galler Urk.
858, jenes = Hof, dieses = Dorf der Amaltrud
(Gatschet, OForsch. 11).

Courtil = Garten, im sav. wie im altfrz., im
Dufour Atl. 22 geradezu *Jardin,* ein Gletscher-
tisch auf dem Glacier du Talèfre, Chamonix. Der
abgeplattete fast kreisfge Fels, inselartig aus Eis
u. Schnee aufsteigend, ist Ende August mit schönem
Rasen bedeckt u. dieser v. einer.Menge hübscher
Alpenblumen durchwirkt. Il est même fermé
comme un jardin, car le glacier a déposé autour
de lui une arête de pierres et de gravier qui forme
exactement sa clôture (Saussure, VAlpes 127).

Cousin et Cousine = Vetter u. Base, frz. Name
einer der Seychellen (M'Leod, EAfr. 2, 213).

Coutance, Récifs de, bei NGuinea, entdeckt
1804 v. frz. Capt. Raoul *C.,* Schiff Adèle (Krus.,
Mém. 1, 76). — *Coutances,* Ort im dép. Manche,
röm. *Constantia Castra,* im Mittelalter das Hpt.
des *Cotentin* (Meyer's CLex. 4, 782).

Couteaux, corr. aus *Nicutamien,* dem eignen
Namen eines Indianerstamms, der bei den Nach-
barn am Frazer R. *Saw-mi-na* heisst (Peterm.,
GMitth. 6, 52).

Couto, Ilha do Doutor, eine hohe Flussinsel des
Araguaya, in der bras. Prov. Goyaz, im Jan. 1865
so nach sich selbst getauft v. Doctor Couto de
Magalhães, Expraes. jener Prov. (PM. 22, 225).

Couverclée s. Pierre.

Couves, Ilha das = Kohlinsel, port. Name eines
bras.Küsteneilandes,São Paolo ...'which supports
four families' (WHakl.S. 51, XXIV).

Covatannaz s. Cave.

Covell s. Boston.

Cow s. Bull u. Vaches.

Cowan s. Albany.

Cowper Point, in Bass Str., wie *Palmer Point*
getauft nach hier niedergelassenen Engländern,
welche die frz. Exp. Baudin, als diese King I.
umschiffte, mit Gastfreundschaft aufnahmen(Krus.,
Mém. 1, 125).

Cox Channel, eine Durchfahrt, welche die Queen
Charlotte I. v. der kl. North I., NWAmerica,
trennt, am 21. Juni 1789 benannt v. Capt. Will.
Douglas, offb. zu Ehren des. Hrn. Henry *C.,*
nach dem auch der Expgefährte Meares 1788
seinen *C. Harbour* (s.Wikananish) taufte (GForster,
GReis. 1, 298). Offb. ist dieser Hr. *C.* 'der reiche
Kaufmann in China', der im Text (p. 200) mehrmals erwähnt wird, also einer der Hauptförderer
der f. den Pelzhandel ausgesandten Expp. Meares,
Douglas etc.

Coxe's Group, in Fury u. Hecla Str., v. Parry
(Sec. V. 289ff.) im Juli 1822 benannt, ozw. z.

Gedächtniss des vielgereisten Landsmanns Will. *C.,*
1747—1828.

Coyoteros = Esser der Coyote, *coyotl,* d. i. des
Prairieschakals, Canis latrans Say., welcher im
Felsengebirge den Schakal ersetzt, in Schaaren
jagt u. v. den Indianern gegessen wird, während
ein anderer Stamm v. *mescal,* d. i. der Wurzel
einer Agave, lebt, die *Mescaleros* (Glob. 23, 317).
— Nach dem genannten Schakal auch azt. ON.
in Mexico, wie *Coyotepec* = auf dem Berge
der coyotl, 4mal, z. Th. in der Form *Cuyotepec,*
Cuyotepeque (Buschmann, Azt.ON. 196).

Cozcatlan s. Salvador.

Crab = Krabbe, Krebs, in ON. *C. Island* (s.
Woody), adj. *crabby* = krabbenreich, fig. schwer,
dunkel, so zweideutig od. doppelsinnig in *Crabby
Cove,* Magalhães Str., wo der engl. Seef. Rich.
Hawkins 1594 ankerte, v. der Menge kl., rother
Krabben, sowie wg. des schwermüthigen Aussehens der benachb. Bergldsch. 'In this cove we
anchored, but the wind freshing in, and three
or four hilles over-topping, like sugar-loaves,
altered and straightned the passage of the wind
in such manner, as forced it downe with such
violence in flawes and furious blusterings, as
was like to over-set our shippe at an anchor,
and caused her to drive, and us to weigh; but
before we could weigh it, shee was so neere the
rockes, and the puffes and gusts of wind so so-
daine and uncertaine, sometimes scant, sometimes
large, that it forced us to cut our cable, and yet
dangerous if our shippe did not cast the right
way. Here necessitie, not being subject to any
law, forced us to put our selves into the hands
of him that was able to deliver us. We cut our
cable and sayle all in one instant; and God, to
shew his power and gracious bountie towardes
us, was pleased that our shippe cast the contrary
way towards the shore, seeming that he with his
own hand did wend her about; for in less then
her length shee flatted, and in all the voyage
but at that instant, shee flatted with difficultie,
for that shee was long, the worst propertie shee
had. On either side we might see the rockes
under us, and were not halfe a shippes length
from the shore, and if she had once touched, it
had beene impossible to have escaped. — Magni-
fied ever be our Lord God, which delivered
Jonas out of the whales belly; and his apostle
Peter from being overwhelmed in the waters, and
us from so certaine perishing' (WHakl.S. 1, 128f.).
Wie rührende Geschichten erzählen uns gewisse
Namen!

Cracroft Bay, in arkt. Franklin B., v. Dr. Richardson, dem Gefährten des Capt. John Franklin (Sec.V. 234), am 21. Juli 1826 getauft nach
einem Verwandten des Chefs der Exp. — *C.'s
River* s. James. — Ebf. prsl. *Cape Sophie C.,* in
Grinnell Ld., v. Kane (AExpl. 1, Carte) 1853/55.

Craig Islands, in Ost-Grönl., v. engl. Walfgr.
Will. Scoresby jun. (NorthWF. 265) am 11. Aug.
1822 benannt nach einem sehr geachteten Epis-
copalgeistlichen in Edinburg.

Cranberry Lake, Canadiername eines Sees 'wg. der grossen Menge Kranichbeeren, die in den Sümpfen wachsen ... wo wir einige Fische fingen u. so viele Kranichbeeren pflückten, wie wir nur fortbringen konnten' (GForster, Gesch. Reis. 3, 310. 335).

Crau, la, im pat. *Craou* = Steinfeld (s. Carrara), also genau entspr. dem röm. *campus Lapideus,* die über 20 000 Hektaren gr. Kieselebene zw. Rhone u. Durance (Longnon GGaule 436), bei den Troubadours nicht als Appellativ, 'tan de marcs cum ha codols en *C.'* = so viel Mark als Kiesel auf der *C.* liegen, wohl aber adj. *crauc* = steinig, 'en ta sec ni en tant *crauc loc'*, norm. *crau* = ein zarter Stein, auch in Savoyen übl., kymr. *craig,* bret. *crag,* gael. *creag, crag* = Fels, Stein, *creagan* = Felsgegend — kurz 'eines derj. Wörter, welchen man unbedenkl. kelt. Herkunft geben kann' (Diez, RomWB. 2, 267).

Craufurd, Cape, in Admiralty Inl., v. Parry (NWPass. 267) im Aug. 1820 benannt nach seinem Freunde Will. Petrie *C.*

Cravo s. Molukken.

Crawford, Cape, in Ost-Grönl., v. engl. Walfgr. Will. Scoresby jun. (NorthWF. 295) am 20. Aug. 1822 entdeckt u. nach einem seiner Edinburger Freunde benannt. — Ebf. engl. prl. *C. Island,* im Fox Ch., v. Parry (Sec. V. 478) am 30. Aug. 1823.

Crébillon, Baie, im Spencer's Gulphe, v. frz. Lieut. L. Freycinet, Exp. Baudin, am 25. Jan. 1803 benannt nach dem Dramatiker Prosper-Jolyot de *C.* 1674—1762, od. nach dessen Sohne Claude-P.-J. de *C.,* dem Begründer der obscönen Romane in Frankreich (Péron, TA. 2,78).

Credner Hafen, einer der neuen deutschen Namen in Kerguelen I., v. dem Kriegsschiffe Gazelle 1874 eingetragen (Peterm., GMitth. 22, 234), nach dem Greifswalder Geographen Rud. *C.?*

Cree od. *Kris,* mir unerklärter Name eines Indianerstamms, der sich selbst *Eithinojuwuc, Eythinyuwuk, Ininyu-wë-u* = Leute, v. *ethinyu, ininyu* = Mann, od., um sich v. den Nachbarn zu unterscheiden, *Nathehwy-withinjuwuc* = Südleute nennt (Franklin, Narr. 62, Richardson, Arct. SExp. 2,34), bei den Canadiern aber *Knisteneaux, Kinistinocs, Quenistinos,* auch *Christianaux,* ind. *Kinishtinak* = v. Wind bei Hause gehaltene hiessen, d. h. Leute, die der leichteste Wind abhält, sich auf die Reise zu begeben — als einstige Anwohner des Obersees u. anderer grosser Seen, die man nur bei ganz ruhigem Wetter passiren kann. Eine Abtheilg. bilden die *Mashkegons,* eig. *Omashkekok* = Morastleute, welche die sumpfigen Uferländer im Westen, Süden u. Osten der Hudson Bay inne haben (Coll. Minn. HS. 1, 227 f. 342, Bell, Canad. NWest 2), eine andere die *Lenni-Lenape* = ungewöhnliche Leute, wie sie sich selbst nennen (Richardson, Arct. SExp. 2, 37, Berghaus, Phys. Atl. 65). — *Lac Christineaux* s. Winnipeg.

Creek, in der Seemannssprache eine kl. Bucht, schon ags. *crecca,* holl. *kreek,* ist in engl. Topographie, insb. America's u. Austr., im Sinne eines

kl. Flusses, eines oft wasserlosen od. wasserarmen Baches ein häufig verwendeter Ausdruck, in seiner urspr. Bedeutg. auch ins frz. *crique* übgegangen (Diez, Rom.WB. 2, 268).

Creolen heissen die in America gebornen Ansiedler span. Abkunft, span. *criollo* = Nachwuchs, Nachzucht, im Ggsatz zu den im Mutterlande geb. *Chapetones.* So die urspr. Fassg., die jedoch nach den Verhältnissen erhebl. ändert. Zunächst nannte man in Mexico so die Abkömmlinge der ersten span. Familien, u. von dort ging der Name auch auf die übr. Theile des span. America über, selbst mit Bezug auf die in America geb. Abkömmlinge importirter Hausthiere (Oldend., GMiss. 1, 232, Uhde, RBravo 28). *C.* werden alle diej. Americaner genannt, welche v. Eltern aus der Alten Welt, der europ. od. afric., abstammen; es gibt also eben so gut weisse als schwarze *C.* (Tschudi, Peru 1, 162, WHakl.S. 41[b], 449); in Bras. versteht man unter *Creoulos* die im Lande geb. Neger (Skogm., Eug. R. 1, 26, Varnh., HBraz. 1, 486). In Austr. ist der Name f. die Abkömmlinge europ. Eltern verpönt u. wird nur auf die Mischlinge angewandt (Wüllerstorf, Nov.3,34). In Alaska heissen *C.* auch die Mestizen, d. s. die Kinder v. Europp. u. Indianerinnen (Bär u. H., Beitr. 1, 11). — *Creolien* habe ich (Pr. Erdk. 1863, 259) z. Bezeichng. der americ. Staaten span. Provenienz vorgeschlagen.

Crescent Island = Insel des Halbmonds, im im östl. Flügel der Paumotu, einh. *Moe, Timoe* (Meinicke, ZfAErdk. 1870, 348, IStill.O. 2, 225), v. Capt. Wilson, der 1797 die ersten protestant. Missionäre nach Tahiti brachte, am 23. Mai entdeckt u. nach ihrer Form, die aber nach Beechey (Narr. 1, 103) eher länglich ist, benannt.

Crespo s. Plata.

Cresswell Bay, in Prince Regents It., v. Parry (Third V. 140) im Aug. 1825 benannt nach einem seiner Freunde, Francis C., esq.

Crest, au = im Bühel, v. frz. *crest, crêt,* was wie lat. *crista* = Kamm, Felsgrat (s. Crêt de la Neige), ON. der Gemeinde Rougemont, Waadt (Gem.Schweiz 19, 2[b], 52). — *Crispalt,* v. rätr. *cresta alta* = hoher Kamm, ein alpiner Felsgrat zw. Uri u. Graubünden, 'besteht aus 3 hohen, kahlen, kammartig gereihten Berggipfeln', wie in Graub. mehrf. der Bergname *Cristaut* (Gatschet, OForsch. 163).

Cretet s. Encounter.

Creuse s. Ottawa.

Creux du Vent = Windloch, ein jurass. Berg, nach einem Trichter, wo die mit Gewalt herausströmende Luft zieml. schwere Gegenstände, welche man hinein wirft, wieder hinaus schleudert (Gem. Schwz. 19, 127).

Crèvecoeur, das Fort, welches die Exp. der frz. Reisenden la Salle u. Hennepin im Winter 1679/80 am Ausfluss des Lake Peoria, Illinois, errichteten (Coll. MHS. 1, 25), benannt offb. nach dem holl. Fort *C.,* welches Turenne 1672 erobert u. verbrannt hatte od. (ib. 306) 'on account of the many disappointments he had experienced⸍ od. auch aus beiden Motiven zs.

Crimson Cliffs = Scharlachklippen nannte Capt. John Ross (Baff. B. 138) im Aug. 1818 eine 12 km lg. Uferstrecke Grönl., nach dem rothen Klippenschnee, v. dem er eine Abbildg. gibt. Damals war die Natur des Phänomens noch nicht bekannt; aber nach einer mikroskop. Betrachtung einigten sich doch die Officiere in der Ansicht, die Materie sei vegetabil. Ursprungs.

Crisloup s. Chanteloup.

Crispait, Cristaut s. Crest.

Cristaes s. Crystal.

Cristi s. Christ.

Cristina, Santa, eine der Marquezas, einh. *Tahuata*, bei Cook *Waitahu* (Meinicke, IStill.O. 2, 239), v. span. Seef. Alvaro de Mendaña 1595 entdeckt u. nach dem Kalendertage, 24. Juli, getauft (WHakl.S. 39, 67, Debrosses, HNav. 160 ff., Fleurieu, Déc. 20 f., Zaragoza, VQuirós 1, 40; 3, 42).

Cristóval, San, mehrf. im span. Sprachgebiet: *a)* eine Vulcaninsel der Friendly Is., einh. *Tufoa, Tofua* (Meinicke, IStill.O. 2, 71), schon v. Cook thätig gesehen, mit dem Heiligennamen getauft v. Maurelle 1781 (Krus., Mém. 1, 227); *b)* eine der Salomonen (s. Malayta), einh. *Bauro*, diess wenigstens f. eine Binnengegend, v. Mendaña zu Ende Juni 1568 (Meinicke, IStill.O. 1, 3. 157, Zaragoza, VQuirós 1, 14; 3, 35); *c)* s. Osnaburgh I.; *d)* s. Plata. — Stadt in Chiapas, Mexico, aus dem einh. Namen kirchlich umgetauft 1528, j. *Ciudad de Las Casas*, nach dem berühmten Bischof dieses Sprengels, auch *Ciudad Real* (s. Real) (Meyer's CLex. 4, 403). — Ein See in Mexico (s. Xaltoccan). — *C. de la Havana* s. Havana.

Croan, Lough = dunkelbrauner See, in Roscommon, Irl., v. ir. *crón* = braun, dunkelbraun, schwärzlich, einem ziemlich oft gebrauchten Element in ON. wie *Ardcrone* = braune Anhöhe, in Kerry, *Cronkill* u. *Crunkill* = braunes Gehölz, *Cruninish* = braune Insel, f. ein Eiland des untern Sees Erne etc. (Joyce, Orig. Ir. NPl. 2, 281).

Crocella, Lago della = See des Kreuzleins (s. Cruz), ein See des Berninapasses, in Leonhardi (Posch. 19) nicht näher erklärt, jedoch offb. nach einem solcherorts häufigen Abzeichen.

Crochu Lac = gekrümmter See (s. Crooked), bei den Canadiern ein See zw. Superior u. Rainy L., nach seinem geschlängelten Verlauf (Mac Kenzie, Voy. 60).

Croix = Kreuz, in vielen frz. ON. entspr. span. u. port. *cruz*, ital. *croce*, nach der Form eines Objects, häufig f. Pässe, nach aufgerichteten Kreuzen, od. nach Kirchen, übh. in kirchl. Sinne, gern auch nach dem Kalendertage einer Entdeckg., wie 3. Mai, dem Feste der Kreuzerfindg. od. 14. Sept., dem Feste der Kreuzerhöhg. Im frz. dép. Eure-et-Loir ist *la C.* 33 mal ON., neben

dem dim. *la Croisette, les Croisettes, Croisilles,* im dép. Aisne *la C.* 4, *la Croisette* 7 mal (Dict. top. Fr. 1, 56; 10, 88). — *Lac de la C.*, in engl. Uebersetzg. *Cross Lake*, zw. Ober- u. Rainy L., nach der Umrissform (MacKenzie, Voy. 61). — *La C. de Fer*, der 'Kreuzlipass⸍ (s. d.) Savoyens, ⸍parce qu'on y voit effectivement une croix de ce métal, portée là pour l'accomplissement d'un voeu⸍ (Saussure, VAlp. 70). — *Sainte C.*, mehrf.: *a)* Ort im C. Waadt, 1177 *Sancta Crux* (Mart.-Crous., Dict. 268); *b)* Insel im See des Chaudière L., St. Lorenz, v. Gouv. Sam. Champlain im Juni 1612 getauft (WHakl. S. 23, XXXI); *c)* s. Cruz. — *Port de Sainte C.*, Fluss, zugl. Hafen, am St. Lorenz, v. Cartier, der am 15. Sept. 1535 hier sein Winterquartier bezog: ⸍we named it the *Holi Cross(e)*, for on that day we came thither⸍ (Hakl., PNav. 3, 215, Buckingh., Can. 164. 173). Am 3. Mai 1536 war grosse Feier. Cartier errichtete ein schönes, 11 m h. Kreuz; daran hing eine Tafel mit dem frz. Wappen u. der Inschrift: Franciscus primus Dei gratia Francorum Rex regnat. (Hakl., PNav. 3, 229, Avezac, Nav. Cart. 40, XII, wo der Fluss, j. *R. Jacques Cartier*, mit *Riviere St. Charles* identif. ist). — *Rivière St. C.*, ein lkseitiger Nebenfluss des obern Missisipi, nach einem Hrn. *St. C.*, der, wie Le Sueur (1700) erzählt, an der Mündg. Schiffbruch litt u. ertrank. Sein Gefährte Penicaud erwähnt ledigl. ein Kreuz, das hier aufgesetzt ward. In Hennepin's Carte, 1683, *Rivière du Tombeau* = Grabfluss, weil hier die Issati den Leichnam eines ihrer Krieger zkliessen (Coll. Minn. HS. 1, 34 f. 314. 327. 353; 3, 3. 6).

Croker Island, in der Centralgruppe der Paumotu, einh. *Haraiki* od. *Tekukotu* (Wilkes), bei dem span. Entdecker Boenecheo, 1. Oct. 1772, *San Quentin*, bei dem engl. Capt. Stavers, 22. Sept. 1821, prsl.(?) *Birnie Island* (ZfAErdk. 1870, 364, Meinicke, IStill. O. 2, 209, Berghaus, Ann. 6, 197), erst v. Capt. Beechey (Narr. 1, 183) im Febr. 1826 zu Ehren des Secretärs der Admiralität, John Wilson *C.*, esq., getauft. — Ebenso hat Capt. Ph. P. King (Austr. 1, 79) in Nord-Austr. ein *Cape C.*, am 14. Apr. 1818; *b)* in Georg's IV. Krönungs G., v. Capt. John Franklin (Narr. 380) am 11. Aug. 1821. — *C. River*, am americ. Eismeer, v. Richardson (Frankl., Sec. Exp. 242 ff.) im Sommer 1826. — *C.'s Mountains*, eine vermeintl. Bergkette, Barrow Str., v. Capt. John Ross (Baff. B. 174) am 31. Aug. 1818 erblickt, wo sich im folg. Jahre dem Lieut. Parry (NWPass. 32) eine weite *C. Bay* sich öffnete. Da der span. Sieg bei St. Quentin auf den 10. Aug. 1557 fiel, so ist Buencheo's Name nicht ein nationales, sondern einf. ein kirchl. Denkmal.

Croll Gletscher, neben Belcher Berg, Spitzb., v. der Exp. Heuglin-Zeil 1870 getauft (Peterm., GMitth. 17, 182) nach dem Geologen J. C. (ib: 316. 396).

Cronkill s. Croan.

Crooked Falls = krummer Fall, einer der 'Great Falls⸍ des Missuri, 400 m br., auf eine

Länge v. 300 m um 6 m fallend, u. zwar in so unregelmässiger Weise, dass der Fall eine gebrochene Linie darstellt. 'From the southern shore it extends obliquely upwards about one hundred and fifty yards, and than forms an acute angle downwards nearly to the commencement of four small islands close to the northern side.' Diesen Fall erreichte als erster weisser Mann der americ. Capt. Lewis am 14. Juni 1805, u. v. ihm erhielt er auch den Namen (Lewis u. Cl., Trav. 192). — *C. Isles* s. Isabela. — *C. Lake*, wiederholt: *a)* im Assiniboine, sehr malerisch; denn während die übrigen nur das Aussehen eines riesigen Canals haben, so windet er sich in anmuthigen Curven, eingebettet zw. die Höhen, durch welche die Zuflüsse in tief u. weit ausgefurchten Schluchten sich öffnen. Hind (Narr. 1, 871) gibt auch den Creenamen *Kawawakkamac*, wohl das Original des engl.; *b)* im Staat NYork, bei nur 2 km Breite 26 km lg. (Meyer's CLex. 4, 811). — *C. Portage*, ebf. wiederholt: *a)* im Netz des Pine Island L., nach dem mäandrischen Flusslaufe (Franklin, Narr. 178, Carte); *b)* im Netz des Yellow Knife R. (ib. 212 ff.). — *C. Reech*, eine Strecke v. Port Dalrymple, v. engl. Lieut. M. Flinders (TA. 1, CLVI) am 9. Nov. 1798 entdeckt u. benannt. — *C. Spout*, wo *spout*, sonst = Rinne, Wasserstrahl, bei den Angestellten der Hudson's Bay Co. f. unbedeutendere Stromschnellen od. einzz. Durchgänge in solchen gebraucht, eine der Stromschnellen des Weepinapanis, Hill R. (Franklin, Narr. 38).

Cross Bay = Kreuzbucht, an der Westseite Spitzb., v. den Engl. wahrsch. daher genannt, weil das Ende in eine grössere Mittel- u. 2 kleinere Seitenbuchten ausläuft, sie also nach ihrem Umriss einem Kreuze ähnelt (Torell u. Nordensk., Schwed. Expp. 280). — *C. Lake*, ein Anhängsel des Cedar L., Winnipeg, 'doubtless' nach seiner kreuzfg. Gestalt u. der eigth. Lage z. Saskatschewan, v. dem er nur eine quere Erweiterg. ist (Hind, Narr. 1, 463); *b)* s. Croix. — *C. Sound*, in NWAmerica, v. Cook(-King, Pac. 2, 346) am 3. Mai 1778 benannt nach dem Kalendertage (Kreuzerfindg.), dabei *C. Cape*, 'high promontory'. — *C. Island* s. Bernard.

Crosse, Prairie la, nicht v. engl. *cross* = Kreuz, sondern v. frz. *la C.* = Krummstab, Krücke, Kolben u. dgl., eine schöne, im Hintergrund v. Anhöhen umschlossene Ebene am obern Missisipi, Wisconsin, obh. Prairie du Chien, seit 1842 Ort, einst der Schauplatz, wo die Sioux häufig zskamen, um das Ball- od. Kolbenspiel, *le jeu de C.*, zu spielen. Einem solchen Spiel, einerseits Sioux, anderseits Puans u. Foxes, wohnte am 20. April 1806 Lieut., später General, Zebulon M. Pike bei. 'It is an interesting sight to see two or three hundred naked savages contending on the plain who shall bear off the palm of victory; as he who drives the ball around the goal is much shouted at by his companions. It sometimes happens that one catches the ball in his racket, and depending on his speed endeavors to carry

it to the goal, and when he finds himself too closely pursued, he hurls it with great force and dexterity to an amazing distance, where there are always flankers of both parties ready to receive it. It seldom touches the ground, but is sometimes kept in the air for hours before either party kan gain the victory. In the game I witnessed, the Sioux were victorious, more I believe, from the superiority of their skill in throwing the ball, than by their swiftness, for I thought the Puans and Reynards the swiftest runners' (Pike, Expp. 18. 100, Coll. MHS. 1, 373. 415). — Ein solcher Sammelpunkt ind. Spiele war einst auch *Isle à la C.*, in dem z. Winnipeg geh. *I. à la C. Lake* (McKenzie, Voy. 89, Franklin, Narr. 126).

Crow = Krähe, in der engl. Bezeichng. *C. Indians* = Krähenindianer (s. Kapoga u. Basin).

Crowe s. Sackfield.

Crown = Krone, daher der engl. ON. *C. Isle*, so benannt, im Ggsatz z. benachbarten *Long I.*, v. brit. Seef. Dampier 1700 eine der Inseln zw. NBrit. u. NGuinea, weil die Bergspitzen-Gruppirg. die Form einer Krone nachahmte (Debrosses, HNav. 408, Krus., Mém. 1, 67). Die Walfänger haben den Namen der pittoresken, gg. 600 m h., v. Riffen umsäumten *CI.* auf Dampier's *LI.* übertragen u. scheinen f. erstere keinen Namen zu brauchen (Meinicke, IStill. O. 1, 100).

Crozer s. Strong.

Crozet's Islands, eine Inselgruppe des südind. Oceans, am 24. Jan. 1772 v. der frz. Exp. Marion-Crozet (NV. 10 ff.) entdeckt u. *les Iles Froides* = die kalten Inseln genannt, weil dazumal, im austr. Hochsommer, Nebel u. Regen u. eine excessive Kälte herrschte. Im Südosten der erstgesehenen zeigte sich ein ebf. rundes, hohes, aber kleineres Eiland, *Ile Aride* = dürre, unfruchtb. Insel; jene selbst erhielt den Namen *Ile de la Prise de Possession* = Insel der Besitznahme, weil des folg. Tages Capt. *C.* in einem Canot ans Land ging u. sie Namens des frz. Königs in Besitz nahm (Cook, VSouth P. 2, 266, Cook-King, Pac. 1, 54). Die PossessionsI. nennt Ross (South. R. 1, 49) auch *East Island* = Ostinsel; eine andere heisst *Penguin-* od. *Inaccessible Island* = die Pinguin- od. die unzugängl. Insel 'and well deserves either of the names it bears, for it was literally covered with penguins on all the ledges of its rugged shores, nor could we any where see a point on which it would be possible to land'. Die westlichste hiess *Pig* od. *Hog Island*, beides = Schweineinsel 'being so overrun with these animals that .... you can hardly land for them' (PM. 4, 32). Das Schwein war durch Capt. Distance 1834 hierher verpflanzt worden u. hatte sich in weniger als 6 Jahren ins Unglaubliche vermehrt, obwohl die Robbenschläger Unmassen davon vertilgten — gerade wie die v. einem american. Schiffe auf die PossessionsI. ausgesetzten Ziegen vorzügl. gediehen. All' diese engl. Namen scheinen, wie ferner *Dark Head, Windy Bay, Red Crag*, durch die v. Capland aus gehenden Robbenschläger im Laufe des 19.

Jahrh. aufgekommen zu sein. Wenn die alten holl. Carten Van Keulens in 40—41⁰ SBr. die Inseln *Dina* u. *Marzéven* setzen, angebl. wohl bewaldet u. mit Wasser versehen, v. verschiedenen holl. Schiffen erblickt (Marion-Crozet, NV. 8), so ist wohl eher an die Gruppe NAmsterdam-St. Paul zu denken.

Crozier Creek, einer der innern Theile des Hooper It., Fury u. Hecla Str., v. Capt. W. Edw. Parry (Sec. V. 289 ff. 359 ff. 441) im Juli 1822 nach einem seiner Officiere, Francis Rawdon Moira *C.,* einem der midshipmen v. Schiffe Fury, benannt. — Ebenso bei der spitzb. Hecla Bay, wo der Officier die Explorationen geleitet hatte (1827), *Point C.* (Parry, NorthP. 134, Carte). — *Cape C.,* zweimal: *a)* in SVictoria Ld., am 28. Jan. 1841 v. Capt. J. Cl. Ross (South. R. 1, 219) entdeckt u. benaọnt nach dems. Officier, dem Befehlsh. des 2. Schiffs der Exp. 'to whose zeal and cordial co-operation is mainly to be ascribed, under Gods' blessing, the happiness as well as success of the expedition; *b)* in Banks Ld., v. der Exp. M⸳Clure im Sept. 1851 entdeckt u. nach dem tapfern u. würdigen Gefährten Sir John Franklin's, dessen Aufsuchg. die Exp. galt, getauft (Armstrong, NWPass. 448). — Ebẹnso *C. Island,* in Washington Ld., 1853/55 v. E. KKane (AExpl. 1, 296).

Crunkill s. Croan.

Crusatte's River, ein rseitiger Zufluss des Unterlaufs des Oregon, am 30. Oct. 1805 v. den Captt. Lewis u. Clarke (Trav. 377) nach einem ihrer Gefährten getauft.

Crusch, Munt della = Kreuzberg (s. Cruz), rätr. Name eines an hohem Kreuze kenntl. Hügels bei Tarasp (Killias, Tar.-Schuls 74).

Cruz = Kreuz, span. u. port. Wort v. lat. *crux, crucis* wie ital. *croce,* rätr. *crusch,* frz. *croix,* engl. *cross* (s. dd.), in den ON. gew. im Sinne des Abzeichens des christl. Glaubens u. dann gern mit *santa* = heilig od. *vera* = wahr, nicht selten nach dem Kalendertage der Kreuzerfindung, welches die Auffindg. des wahren Kreuzes, mit der Inschrift Jesus Nazarenus rex Judaeorum, durch Konstantins d. Gr. Mutter, die heil. Helena, u. zwar je am 3. Mai, feiert, od. nach dem Tage der Kreuzerhöhg., 14. Sept., eine Feier z. Gedächtniss, dass der Kaiser Heraclius das Kreuz, welches die Feinde des christl. Glaubens geraubt, wieder erlangt u. auf Golgatha habe aufrichten lassen. Wir nennen zunächst *a) Campaña de la C.* = Kreuzland, das Mündgsland, campaña, des Rio Colorado, benannt v. Span. Fernando Alarchon, den 1540 der Vicekönig NSpaniens, Don Antonio de Mendoza, auf Erforschg. des Purpurmeers ausgesandt hatte, in dem Sinne, dass den heidn. Eingebornen nun das Kreuz gebracht werden müsse. Der Entdecker theilte bei seinen Fahrten reichl. Kreuze an die Wilden aus u. freute sich, wenn er Weiber u. Kinder sah, welche die ·Hände hoben u. vor dem Kreuze knieten (Hakluyt, Pr. Nav. 3, 437); *b) Bahia de la C.* = Kreuzbucht, j. Bahia de Choco (?), an der pacif. Seite

Süd.-Am., ebf. 1540 v. conquistador P. de Andagoya (Navarrete, Coll. 3, 458); *c) Puerto de la C.,* Salomonen, v. span. Seef. Mendaña am 8. Mai 1568 entdeckt u. wohl in frischem Andenken an das vorangegangene Fest so genannt. Man errichtete ein Kreuz auf der Höhe, wurde dabei v. den wilden Pfeilschützen gestört, fuhr weiter u. feierte am nächsten Tage die Messe (Zaragoza, VQuirós 1, 8, Fleurieu, Déc. 12). — *Triunfo de la C.,* Bucht in Honduras, v. Cortez' Sendling Cristobal de Olid am 3. Mai 1523 getauft, sowie die Stadt, die er dort gründete (Prescott, CMex. 3, 244 ff., Juarros 2, 171 ff., Buschmann, Azt. ON. 126). — Im plur. *Islas de las Cruces* s. Matelotes. — *Ilha da C.* s. Brazil.

Cruz, Santa = Heiligkreuz (s. Cruz), mehrf. *a)* eine der Virgin. In., v. Columbus am 14. Nov. 1493 entdeckt (Navarrete, Coll. 1, 208), j. *Sainte Croix,* sla die 1651 frz. (u. 1733 an Dänemark verkauft) wurde; *b)* s. Acusamil; *c)* eine melanes. Inselflur, v. span. Seef. Mendaña 7.—14. Sept. 1595 entdeckt u. nach dem Tage der Kreuzerhöhg. getauft (WHakl. S. 39, 70, Zaragoza, VQuirós 1, 80; 3, 42, Debrosses, Hist. Nav. 163 f.). Zunächst galt der Name dem Hptlande, einh. *Indengi, Indeni, Nitendi* (wie auch dieser oft auf die Gruppe ausgedehnt wird), *Egmont Island* (s. d.) des engl. Seef. Carteret, der in bedrängter Lage, mit Tagesanbruch des 12. Aug. 1767, die Gruppe fand u. untersuchte (Hawk., Acc. 1, 362). Er nannte 'the whole cluster, as well those that I did not see distinctly, as those that I did', zu Ehren der Gemahlin Georg's III., *Queen Charlotte's Islands; d)* Ort in Peru, wo 1527f. Fr. Pizarro bei einer vornehmen Indianerin gastfreundl. Aufnahme fand (Prescott, C. Peru 1, 286); *e)* Ort in Arizona, wo durch die Jesuiten seit 1600 ein wohlgeordneter Ackerbau erstand u. j. noch die Reste v. Wasserleitungen überall sichtb. sind (BCGLandamts 52); *f)* Hafen in Patag., entdeckt v. F. Magalhães am 14. Sept. 1520, d. i. am Tage der Kreuzerhöhg. (Pigafetta, Prem. V. 39) u. nicht, wie Peschel (ZEntd. 629) will, am 3. Mai, d. i. Kreuzerfindg. Unsere Angabe bestätigen der genues. Pilot u. der Pilot Alvo, wie der anonyme Port., der Gefährte Duarte Barbosa's; am 24. Aug. verliess Magalhães sein Winterquartier, den Puerto San Julian, schiffte 20 Leguas der Küste entlang, lief am 26. Aug. ein u. blieb hier bis 18. Sept. (WHakl. S. 52, 4. 31. 218); dort mündete *Rio de Santa C.; g)* s. California; *h)* s. Aghadir; *i)* s. Brazil; *k)* Ort in Tenerife; *l)* Ort in Palma, Canar.; *m)* Ort in Graciosa, Açoren; *n) Santa C. del Quiché* s. Utatlan. — *Cabo de Santa C.,* 2mal *a)* in Cuba, v. Columbus (Vida 222) am 14. Mai 1494 benannt; *b)* s. Agostinho. — *Ilha* (u. *Terra) da Santa C.* s. Brazil. — *Ilheo da Santa C.,* Algoa B., v. Barth. Diaz 1487 nach dem Steinpfeiler d. N. (s. Padrão) getauft (Barros, As. 1, 3⁴, Camões, Lus. ed. Fonseca 498), auch *Penedo das Fontes* = Klippe der Quellen, deren sich 2 vorfanden, 'porque neste estavão duas fontes'. — *Santa C. de la Sierra,*

Ort in Bolivia; hier habe ein entlaufener span. Soldat die nach Regen lechzenden Indianer z. Anbetung gebracht dadurch, dass er unter Emporhalten des Kreuzes u. Gebet ihnen sofort Regen im Ueberfluss verschaffte: 'y la misma prouincia se intitula hasta oy por esso *SC. de la Sierra*' (Acosta, Hist. Ind. 526 f.).

Cruz, Vera = wahres Kreuz (s. Cruz), einh. *Ulúa* (s. Ulloa), urspr. Küstenstrich Mexico's, v. Cortez in der Passionswoche 1519 erreicht, daher seine Stadtanlage, bei dem ind. Dorfe Campoallan, *Villa Rica de la VC.* = reiche Stadt des wahren Kreuzes, 'porque llegamos Jueves de la Cena, y desembarcamos en Viernes Santo de la *C.*, é rica', nach den th. schon bezogenen, th. erst noch erwarteten Reichthümern; bald nach der Eroberg. Mexico's verlegt, aber in der zweiten Hälfte des 17. Jahrh.wg. des ungesunden Klima's noch einmal, durch die j. Anlage, *Villa Nova de VC.*, ersetzt, so dass nun die verlassene Anlage *Villa Antigua* (= alte Stadt) *de VC.* hiess (WHakl. S. 40, 131, Navarrete, Coll. 3, 60, BDiaz, NEsp. c. 42 ff.). — *Puerto de la VC.*, in Austral. 2 mal *a)* der innere Theil der golfähnl. Bahía Santiago y San Felipe, NHebriden, v. der span. Exp. Quirós am 3. Mai 1606, dem Tage der Kreuzerfindg. erreicht . . . 'por ser su dia cuando en él surgimos' (Viajes Quirós 1, 334; 3, 35, Fleurieu, Déc. 45, ZfAErdk. 1874, 285, Meinicke, IStill. O. 1, 185); *b)* Hafen in SIsabel, Salomonen, ebf. v. der Exp. Quirós (Viajes Quirós 3, 11). — *Ilha da VC.* *a)* s. Brazil, *b)* s. Perim. — *Puerto Cruzada* s. Port Egmont.

Crystal Falls, eine der zahlr. Cascaden, welche der Glen Onoko-Lehigh, Pennsylv., bildet u. durch ihre charakteristischen Eigenthümlichkeiten (s. Chameleon) zu unterscheidenden Benennungen Anlass gegeben hat (Penns. Ill. 54). — *C. Head*, Vorsprung in De Witt's Ld., v. engl. Capt. Ph. P. King (Austr. 1, 323) am 10. Oct. 1819 benannt, ozw. weil er am Fusse der hptsächl. aus Kieselsandstein bestehenden Masse grosse verwitterte Bruchstücke dieses Felsens, mit Quarz u. Epidot in krystallis. Zustande incrustirt, fand. — *Rio Cristaes*, Bergfluss der Sierra Parime, an dessen Ufern sich Mengen schöner Krystalle, oft amethystartig gefärbter, finden (Raleigh, Disc. G. 84).

Csetate s. Grad.

Csötörtök s. Stwrtek.

Cuadra s. Vancouver.

Cuadrilla de Sierras = Berggesellschaft, in älterer Schreibg. *Quadr . . .*, span. Name der zahlr., hohen u. niedern Berge, welche die ganze Küste zw. Havana u. der westlicher gelegenen Bahia Honda erfüllen (Hakluyt, Pr. Nav. 3, 620).

Cuarantena s. Lazareto.

Cuarto s. Primero.

Cuatro Coronadas, las = die 4 Gekrönten (Heiligen), eine Gruppe v. 4 Atollen der südl. Paumotu, einh. *Anuanurunga* u. *Nukutipipi*, v. der span. Exp. Quirós am 4.—6. Febr. 1606 entdeckt u. benannt (Viajes Quirós 1, 247), während sie sein Pilot Gaspar Gonzalez de Leza *las Cuatro*

Anegadas = die 4 überschwemmten nannte (Viajes Quirós 3, 12), bei Torres *las Virgines* = die Jungferninseln, neu gefunden u. *Duke of Gloucester Islands* getauft v. engl. Seef. Carteret am 12. Juli 1767 (s. Gloucester), endlich nach Capt. Buyer, der am 6. Mai 1803 im Schiffe Margaret herkam, auch *Buyer's Group* od. *Margaret Islands* genannt (ZfAErdk. 1870, 353, Garnier, Abr. 1, 181, Krus., Mém. 1, 266, Meinicke, IStill. O. 2, 213).

Cuba, eine der Gr. Antillen, v. Columbus 1492 entdeckt, erhielt ihren Namen nach der Indianerstadt *C*, welche 4ᵈ landein v. Rio de Mares, j. Puerto de las Nuevitas, liegen sollte (LCasas, HGen. ms. 1 c. 46), bei Columbus *Juana*, nach dem 1497 † span. Thronerben (Navarrete, Coll. 1, 78, Colon, Vida 112. 117), bei Gomara (HGen. 59) u. Galvão (Desc. 83) auch *Fernandina*, zu Ehren des Königs selbst: 'os Castelhanos poserà nome *F*. por el rey dõ Fernando', u. ersterer lässt den Namen v. Columbus selbst herrühren: 'A *C*. llamo Christoual Colon *F*. en honra y memoria del rey don Fernando' Dies ist wohl eine Verwechslg. mit dem Fernandina der Bahama. — *Cabo de C.*, j. *Punta de Mulas*, benannt v. Columbus am 12. Dec. 1492 (Navarrete, Coll. 1, 56).

Cubach s. Chur.

Cuchilla Grande = grosses Messer, Messerklinge, eine dem argent. Rio Negro parallele Höhenkette, 'dient z. passenden Bezeichng. dieser schmalen, gratförmigen Gebirgszüge, welche sich gleich Messerklingen aus der Ebene erheben' (Burmeister, LPlataSt. 1, 44).

Cuenca, la = der Napf, die v. Gebirgen umrahmte Ebene v. Pamplona (Willkomm, Span.-P. 167).

Cuera s. Chur.

Cugnac s. Cognac.

Culebras s. Coluber.

Culgruff Creek, eine Bucht bei Lyon It., v. Parry (Sec. V. 82 ff.) im Sept. 1821 entdeckt u. auf seines Gefährten J. Cl. Ross Wunsch so benannt. Dieselbe Person begegnet uns offb. in *Cape* u. *Point C.*, zwei arkt. ON. der Exp. Ross.

Culm od. *Kulm*, im Deutschen mehrf. f. die oberste Berghöhe gebr. (s. Rigi), wie ital. *colmo*, rätor. *culm*, rum. *culme*, span. *cumbre*, f. *cumbre*, port. *cume*, v. lat. *culmen* = Gipfel, dem *cumulus* = Haufe, Uebermass, frz. *comble*, als adj. 'übervoll', entspricht (Diez, Rom. WB. 1, 133). — Ein anderes *C.* s. Chlm.

Cumaca, bei den Arawak Bombax Ceiba L., engl. silk-cotton-tree, eine Ansiedelg. am Aruka, einem Zuflusse des Barima, Brit. Guayana (Raleigh, Disc. G. 100).

Cumanà, ind. Flussname in Venezuela, 'un rio que da nombre a la prouincia' (Gomara, HGen. c. 75), auf (die Gegend u.) die Stadt übtr., welche der Span. Jacome Castellon 1521 dort anlegte u. *Toledo la Nueva* (= das neue T.) nennen wollte, j. vollst. *San Inés de C.* (Meyer's CLex. 4, 827), also mit Vorsetzg. des 'heil. Agnes'. Auch der

FlussN. selbst, j. *Manzanares*, ist aus Span. übtragen.

Cumanus S. s. Neapolis.

Cumberland, die nordwestlichste der engl. Landschaften, ein romantisches, an Thälern u. Schluchten, Flüssen u. Seen reiches Gebirgsland, wird mit Vorliebe als ags. *Cumbraland* = Land der Thäler, v. kelt. *camb, comb, cumb* = Thal, v. Andern jedoch als Land der Cumbri, Kymri, erklärt, die sich hier, in *Cumbrorum Terra*, noch lange, nachdem das übr. England schon an die Angelsachsen übergegangen war, fort erhielten, ja ihre Sprache bis auf das 18. Jahrh. herab brachten (Kiepert, Lehrb. AG. 531, Charnock, LEtym. 79, Eckerdt, Engl. ON. 7). Wenn man beachtet, dass die ags. Landschaftsnamen Wessex, Sussex, Essex, Ost-Angeln, Mercia, Süd-Wales (f. Cornwall), Nord-Wales (f. Wales) etc. keine Parallele f. die erstere Erklärg. liefern, sondern nach den vorherrschenden Volksstämmen gewählt sind, so scheint 'Kymrenland' das Zutrauen zu meinten, das ihm schon Camden-Gibson (Brit. 2, 166) u. in neuerer Zeit auch der kundige J. J. A. Worsaae (Minder om Danske 25) geschenkt hat. Jedenfalls ist die in Sommer's gelehrtem Glossar vorgetragene Ansicht unhaltbar, dass der Name v. den vielen Bergen u. Seen herrühre, die das Land 'incumber', d. h. schwer passirbar machen. Wiederholt trugen engl. Prinzen den Titel eines 'Herzogs v. *C.*', wie der in den Kriegen des 18. Jahrh. vielgenannte dritte Sohn Georgs II. (1721/65) u. der spätere König Ernst August v. Hannover, Georg's III. fünfter Sohn (1771—1851); von verschiedenen dieser Würdenträger, die als Glied der königl. Familie das Attribut 'Royal Highness' erhalten, ist *C.* in Entdeckernamen gekommen, wie in *C. Strait*, eine Seegasse der DavisStr., v. engl. NWF. Davis im Aug. 1585 entdeckt u. in der Zuversicht, dass nun die gesuchte Durchfahrt gefunden sei (s. Cape of God's Mercy), untersucht, bis ihn das bedrohl. Wetter u. eine mit Sturm wechselnde Windstille am 23. in eine geschützte Bucht drängte u. bald nachher z. Heimkehr zwang. 'Steering westward, with land on his north, or starboard side, he sailed through a fine open passage varying in width from twenty to thirty leagues: which in a subsequent voyage, was named *CSt.* It was entirely free from ice: 'the water of the very colour, nature and quality of the main ocean', and confident hopes were entertained that the desired passage was at length found. Having accomplished sixty leagues, a cluster of islands was discovered in the middle of the passage, 'with great sounds passing betweene them'. A council was held, and it was decided that they had arrived at a point from which the enterprise might be prosecuted with every prospect of success, and that it should be proceeded in' (Rundall, Voy. NW. 40 f., Forster, Nordf. 348). Dabei *C. Island*, ein ausgedehntes Polargebiet, zunächst nur eine im Hintergrunde des *C. Gulf* liegende Inselgruppe, *C. Islands*, wie der v. John Janes verfasste Bericht v. Davis' dritter Reise, 1587, sagt: The

23. (Juli) hauing sayled threescore leagues north-west into the streights (!), at two a clocke after noone we ankered among many isles in the buttome of the gulfe, naming the same the *Earle of C. Isles* (Hakl., PNav. 3, 113). Dass der Name erst später auf die gr. Landmasse ausgedehnt wurde, ist auch aus 'the land now called *CI.*' (Rundall, VNW. 41) ersichtlich. Dem Herzog v. *C.* gelten auch: *C. Bay*, in SGeorgia, v. Cook (VSouthP. 2, 215) am 17. Jan. 1775, *C. Cape*, v. Cook zweimal *a)* in Tierra del Espiritu Santo, am 27. Aug. 1773 (VSouthP. 2, 94); *b)* in Kerguelen, wo auch eine zweite *C. Bay*, am 29. Dec. 1776 (Cook-King, Pac. 1, 70 f.), wohl auch *C. House*, an dem z. Netz des Winnipeg geh. Sturgeon Lake, als Handelsposten v. Sam. Hearne ggr. 1774 (Franklin, Narr. 59, Ch. Bell, Canad. NW. 7) u. ein drittes *Cape C.*, in Boothia Felix, v. John Ross (Sec. V. Carte), sicher *C. Island*, in der Centralgruppe der Paumotu, einh. *Manuhangi* u. nicht, wie Bellingshausen meinte, Nengonengo = William Henry Wall. (ZfAErdk. 1870, 355, Meinicke, IStill. O. 2, 211), v. engl. Capt. Wallis am 12. Juni 1767 getauft (Hawk., Acc. 1, 210); ferner *a) C. Islands*, in ostaustr. Repulse Bay, v. Cook am 3. Juni 1770 benannt (Hawk. 2, 133); auch *b) C. River*, ein Zufluss des Ohio, ind. *Shawanee*, europ. getauft v. Dr. Walker, welcher als der erste weisse Mann 1747 aus Virg. durch Kentucky vordrang (Buckingh., East. WSt. 2, 451); endl. *c) Fort C.*, in NScotia, aus *St. Lorenz* umgetauft (Spr. u. F., Beitr. 7, 64). Die Quelladern des eben genannten Ohiotributären liegen z. Th. in den *C. Mountains;* bei dem Uebergang v. Kentucky nach Tennessee passirt er eine wilde enge Schlucht, *C. Gap.* — In Maryland auch eine Stadt *C.* — Eine zweite *C. Strait*, in Wessel Is., hat Capt. Ph. P. King (Austr. 1, 249) am 29. Juli 1819 getauft nach dem kl. Fahrzeuge *C.*, in welchem Flinders schon 1803 die Gasse befahren hatte.

Cuña s. Cognac.

Cunene = der grosse, auch *Kunene*, einh. Name eines afric. Stroms, den schon Labat u. d'Anville *la Grande Rivière* = den grossen Fluss nannten (Ann. marit. 4, 196, ZfAErdk. 5, 221, Peterm., GMitth. 4, 349).

Cuneus s. Vicente.

Cunha, Tristão da, unrichtig *d'Acunha*, ein atlant. Inselfels, 1506 v. dem port. Seef. *TC.*, am 5. Apr. mit 14 Segeln v. Lissabon abgefahren war, auf seiner Indienfahrt entdeckt, als er im Begriffe war, den Curs nach dem Cap zu richten, u. v. Afonso d'Albuquerque dazu ermuntert, steuerte er auf das neue Land hin u. nahm es genauer in Augenschein (WHakl.S. 53, 24). 'Naqual travessa descubrio humas Ilhas, que ora se chamão do nome de *TC.*' (Barros, Asia 2, 1, 1 (p. 6), 4, 3, 1.) '... e antes q' chegassem ao cabo de boa esperança ē trinta e sete graos d'altura acharam hūas ylhas, q' se agora chamam de *Tristam da cunha*, onde lhe deu tam grande tormenta, q' se espalhou toda a frota' (Galvão, Desc. 105 f.). So umfasst der Name die ganze

Gruppe, d. i. auch *Inaccessible Island* (= die unzugängliche) u. *Nightingale-* (= Nachtigall-) *I.* (Sommer, Taschb. 15, 125). Statt dieser Nebeninseln haben ältere Carten eine *Ilha de Aluares*, so dass diese ozw. v. einem port. Seef. Alvares entdeckt, später v. einem Engländer in zwei Eilande getrennt wurde (Hondius in Fletcher's World Enc. 1628). — *Angra de Dona Maria da C.* nannte des oben erwähnten Entdeckers Sohn Nuno da *C.*, v. der 1506 v. Moçambique aus abgesandten port. Exp., die erste Bucht Madagascars, welche er am 8. Dec. erreichte, aus Liebe zu einem Edelfräulein der Königin: 'por amor de D. Maria, filha de Martim da Silveira Alcaide mór de Terena, que então andava em casa da Rainha ...' Nach dem Kalendertage auch *Angra da Concepção* = Bucht der Empfängniss (Barros, As. 2, 1, 1 p. 8 f.).

Cunillera s. Conejera.

Cunningham, einer der engl. Familiennamen, die in ON. wiederholt auftreten, schon 1612 mit *C.'s River*, eig. einem Fjord der Westküste Grönl., der v. Capt. James Hall besucht wurde u. ihm eine werthvolle Entdeckg. schien; denn die glänzenden Steine hatten schon die Dänen angelockt, u. die Engländer nahmen Proben davon mit, die freil. der Goldschmied James Carlisle als völlig werthlos erkannte (Rundall, Voy. NW. 92). — Im 19. Jahrh. erscheinen in ON. zwei *C.*, der Botaniker Allan *C.*, geb. 1790, in Austr. viel gereist, † 1839, in *Point C.*, Tasman's Ld., v. Capt. Ph. P. King (Austr. 2, 200) am 8. Febr. 1822 getauft nach seinem Begleiter, 'to whose indefatigable zeal the scientific world is considerably indebted for the very extensive and valuable botanical collection that has been formed upon this voyage' (Stokes, Disc. 1, 114), u. Capt. Charles *C.*, 'of the royal navy, resident Commissioner at Deptfort and Woolwich, to whose kindness and attention we were much indebted during the equipment of the ships for this service': *a) Cape C.*, südl. v. Banks' Bay, v. Capt. John Ross (Baff. B. 167) am 28. Aug. 1818 nach seinem alten Freunde u. vorm. Commandanten, nach einem andern Freunde d. N. die nahen *C. Mountains*, getauft; *b) C. Inlet*, in NSomerset, v. Lieut. Parry (NWPass. 54 f.) am 23. Aug. 1819; u. wohl schon *c) C. Island*, in Arnhem's Ld., v. Flinders (TA. 2, 246, Atl. 14 f.) am 6. März 1803 zu Ehren 'of capt. *C.* of the navy'. — Möglich, dass auch *Cape Charlotte* v. Ross auf ein Glied der Familie *C.* bezogen ist.

Cuntur-huanashini-pampa = Ebene, wo man Condore tödtet, ind. ON. der peruan. Hochebene, 3 leguas v. Chacapalpa. Dort ist ein gr., natürlicher, ungefähr 20 m t., oben etwa 25 m br. Trichter; an dessen Rand wird ein todtes Maulthier etc. gelegt, um die Vögel anzulocken, die das Aas herumzerren, hinunterstossen, in der Tiefe verzehren, vollgesättigt aus dem engen Rohr sich nicht mehr erheben können u. dann todtgeschlagen werden (Tschudi, Peru 2, 76); *b) Cuntur-marca* = Stadt des Condors, ebf. peruan. ON. (WHakl. S. 41ᵇ, 326); *c) Cunturcaga*, mit quech.

kacca = Fels, eine groteske Porphyrkuppe bei Caxamarca, welche wie die nahe Kuppe Aroma aus 5- bis 7 seitigen, 12 m h., z. Th. gegliederten u. gekrümmten Säulen besteht, ein Lieblingssitz des mächtigen Andengeiers (Humboldt, ANat. 2, 358).

Cuo-cho-gui od. *Ko-chao-ya* = Markt des grüssenden Hafens, vornehmster Hafenplatz der siam. Prov. Vindinh (Bastian, Bild. 113).

Cupboard Creek = Bach des Schenktisches, ein Zufluss des untern Missuri, nach der Gestalt eines Felsens bei der Mündg. (Lewis & Cl., Trav. 7).

Cupola Rock = Kuppel- od. Domfels, eines der steil aufsteigenden Eilande bei St. Matthew, Mergui, v. engl. Capt. Thomas Forrest am 14. Aug. 1783 entdeckt u. nach der hübschen Form getauft (Spr. u. F., NBeitr. 11, 192). — *C. Mountain* = Domberg, ein kuppelfger Pic der Richardson Chain, v. Capt. John Franklin (Sec. Exp. **32**, pl. 31) am 14. Aug. 1825.

Cupra, mit dem ital. Beinamen *Marittima* = am Meere, Ort zw. Ancona u. Brindisi, nach einem bedeutenden Tempel der Göttin *C.*, der noch unter Hadrian (127) restaurirt wurde (Meyer's CLex. 4, 832).

Curaçao, eine der Leewards Is., v. dem span. Entdecker Hojeda 1499 erreicht u. *Isla de los Gigantes* = Rieseninsel genannt nach den angebl. grossgewachsenen Bewohnern: 'por la gran talla de sus habitadores' (Navarrete, Coll. 3, 7. **259**). Der j. (port.) Name *C.* = Heilung, Pflege, stimmt vortreffl., wie das nahe *Buen Aire* = gute Luft, zu dem gesunden, nicht übermässig heissen, durch Seebrisen gereinigten u. abgekühlten Klima; allein mir ist nicht klar, wie der port. Name hierher gekommen sein kann. *C.* wurde 1527 v. den Span. besetzt, 1634 v. den Holl., 1807 v. den Engl. erobert u. jenen 1814 wieder abgetreten. Charnock (LEtym. 79) vermuthet, die Insel sei v. *curassow*, einem american. Hühnervogel, bewohnt gewesen u. danach benannt worden. Aber die port. Wortform? Tiefer geht A. Ernst (Martin, ReiseWind. 1, 108 Note): die v. Cariben bewohnt gefundene Insel *C.*, auf der Weltcarte v. 1527 (Kohl, Die beiden ältesten GCarten, Weim. 1860) *Curasaote*, m. guaraní *cora-uaçu* = grosse Anpflanzung, mit span. augm. *-ote*, dürfte zum Unterschiede v. *Klein-C.* so genannt sein, wie *Buen-Aire*, eig. *Bonaire*, v. *bur* = sich erheben, mit Adverbialform *naí* = ein wenig, in 3. Pers. sing. *y buri*, durch Agglutination *y burinaí*, dessen *y* wie häufig verloren ging, dann durch Metathesis der Consonanten *buinari* = niedrige Insel, was in unserm Falle 'ganz besonders gut passt'. Sollten diese Etym. gesichert werden, so wären hier zwei frappante Beispiele, wie 'der Schein trügt'. Auch *Aruba*, in ältern Schriften u. Carten *Oruba, Orua*, früher mit span. *oro* = Gold zsgehalten, da die Insel Gold enthält, erklärt Ernst aus dem alten Guaraní, als 'Begleiterin', was auf diese Insel 'ganz gut zu passen scheint'.

Curiosity Peak, ein 140 m h. Pic am Victoria

R., v. Capt. Stokes (Disc. 2, 51) am 31. Oct. 1839 so genannt, weil er zunächst mitwirkte, der neu sich zeigenden Landschaft ein neues u. sonderbares Ansehen zu geben 'from the passion it assisted us in gratifying'. — *Curious Peak*, in Feuerl., v. der Exp. Adv.-B. im Febr. 1827 wg. seiner auffälligen Zackenform (Fitzroy 1, Bild 52). — *Ile Curieuse*, eine der Seychellen (McLeod, EAfr. 2, 213), warum?

Curkeen s. Cork.

Curlew Islet = Inselchen der Brachvögel, Hervey's Bay, v. Flinders (TA. 1, CCI) 1799 so benannt, weil er sie mit allerlei Wassergeflügel, hpts. Brachvögeln, bevölkert fand, im Atl. (pl. 10) *Woody Island* = bewaldete Insel. — *C. River*, im Nordwesten des Australcontinents, v. Capt. Ph. P. King (Austr. 1, 31) am 20. Febr. 1818 nach den zahlr. Brachvögeln (u. Pelecanen) getauft.

Current Island = Strömunginsel (s. Correntes), eine der Palaos, einh. *Pul, Wul*, 'a small island with trees upon it, though scarcely bigger than a rock', v. engl. Capt. Carteret am 12. Oct. 1767 so benannt, weil seine beschädigte 'Swallow' durch eine starke Meeresströmg. (40—48 km tägl.) nach Süden getrieben wurde (Hawk., Acc. 1, 390 f.), schon 1761 durch die engl. Schiffe Carnavaron, Princess Augusta u. Warwick entdeckt u. *Warwick Island* getauft, auf Carten auch *Anna, Pulo* (= Insel) *A*. (Meinicke, 1Still. O. 2, 364, während Krus., Mém. 2, 336 den letztern Namen auf Rechng. der Exp. v. 1761 setzt). Es ist sonderbar, wie *Anna* zu dem Taufnamen einer aus 1577 erwähnten Gräfin v. Warwick (s. d.) stimmt. — *Shoals of the C*. s. Corrientes.

Curtis, Port, in Queensl., v. Cook bei Nacht passirt, erst v. Flinders (TA. 2, 19, Atl. 10 Carton) am 5.—8. Aug. 1802 untersucht u. getauft zu Ehren des Admirals Sir Roger *C*., 'who had commanded at the Cape of Good Hope and been so attentive to our wants'. — Nach ihm auch *C.' Isles*, in Bass Str., v. Lieut. Grant 1800 getauft (Flinders, TA. 1, 223), wohl auch *C.' Island, Kermadeck*, v. engl. Lieut. Watts, Schiff Penrhyn, 1788 getauft (Krus., Mém. 1, 12 ff.). — *C.' Lake*, in Boothia Isthmus, v. Capt. John Ross (Sec. V. chart) 1829/33 benannt nach seinem Gefährten, dem Harpunirer James *C.(?)*. — *C.' Sound* s. Refugio.

Curumará, ind. Name bras. Stämme, bei welchen die Krätze grosse Verheerg. anrichtete, wie der Brazileiro europ. Abkunft sie j. noch *Sarnentes* = Krätzige nennt (Varnh., HBraz. 1, 102).

Curupá od. *Garupá*, eig. *Igarupá* = Hafen, ind. Name eines Landungsorts am bras. Pará (Varnh., HBraz. 1, 333).

Curzola s. Korkyra.

Cuskoeteh s. Black.

Custer's Peak, in den Black Hills, Dakota, v. Capt. Will. Ludlow (Black H. 14) am 31. Juli 1874, anl. der Besteigg. des Harney's Peak, nach seinem Chef, General *C*., getauft. Ein anderer *Terry's Peak* nach General *T*. In ders. Gegend ein

weites, begrastes, parkartiges Thal: *C.'s Park* (ib. 42).

Cut Bluff = Schnitt- od. Spaltfels, ein Uferberg des Missuri, unth. der Mündg. des Yellowstone R., am 21. April 1805 v. den Captt. Lewis u. Cl. (Trav. 141) nach dem Aussehen benannt: 'which from its appearance we called *CB.*'.

Cutlar Fergusson Island, in Boothia Felix, v. Capt. John Ross (Sec. V. 720. 729, Carte) 1829/33 entdeckt u. ozw. benannt zu Ehren des Parlamentsmitgliedes R. *CF*.

Cutsch s. Katsch.

Cutty-Hunka, contr. aus ind. *poo-cut-oh-hunkun-nok* = was ausserhalb des Wassers liegt, die westlichste der Elisabeths Is. (Buckingh., East. W. St. 1, 61).

Cuvera s. Rockingham.

Cuvier, Baie, in Hunter's Is., v. frz. Lieut. L. Freycinet, Exp. Baudin, im Dec. 1802 nach dem Naturforscher d. N., 1769—1832, benannt (Péron, TA. 2, 22); *b) Cap C*., Sharks Bay, am 12. Juli 1801 (Péron 1, 105); *c) Ile C*., Süd-Austr., am 30. Apr. 1802 (Péron 2, 86, Freycinet, Atl. 18), nach Krusenst. (Mém. 1, 39) id. mit Flinders' Olive's I.; *d) C. Island* s. Biot.

Cuyahoga = schlängelnder Strom, ind. Name eines rseitigen Zuflusses des L. Erie, 'a small but beautifully winding river' (Buckingh., East. W. St. 3, 427).

Cuzco, (el) = der Nabel, ind. Name der alten Hptstadt Peru's, in dem Sinne, dass *C*. die Wiege altperuan. Gesittg. sei (Prescott, CPeru 1, 8). Dem Inca Garc. de la Vega gereicht es z. offb. Befriedigg., dass die Spanier diesen Ort nicht seines urspr. Namens 'beraubt' haben, u. dass *Nuevo Toledo* in Abgang gekommen sei. Habe doch *C*. keinen Fluss wie Toledo u. seien die beiden Lagen übh. ungleich (WHakl. S. 41^b, 234).

Cycladen, lat. Namensform f. die Ringgruppe des. Aegäischen M., gr. Κυκλάδες, v. κύκλος = Kreis, also die im Ring um das Centralheiligth. Delos geordneten Inseln ... διὰ τὸ τὴν Δῆλον κυκλοῦν οὗτω καλούμεναι (Schol. Plat. 913), früher meist mit *νῆσοι* = Inseln (Herod. 5, 30), im Ggsatz zu den Σποράδες, *Sporaden* = den zerstreut liegenden der asiat. Küste, v. σπείρω = ich säe (Pape-B., Grasb., StGriech. ON. 185). — *Archipel des Grandes C*. s. Hebriden.

Cygnet s. Buccaneer.

Cymbry s. Wales.

Cypern, türk. u. arab. *Kibris*, röm. *Cyprus*, gr. Κύπρος, ägypt. *Kefa*, assyr. *Jatnan*, ist vielf. zu erklären versucht, aber keineswegs befriedigend gedeutet. Wenn schon Festus den alten Namen *Aerosa* = kupferreich setzt u. Andere ebenso an gr. κύπρος = Kupfer denken, so ist eher umgekehrt anzunehmen, das Metall sei nach dem alten Bezugslande benannt worden: χάλκος κύπριος, aes cuprium = cyprisches Metall. Auch ein Strauch κύπρος, in Cypern sehr häufig u. ein süsses Oel liefernd (Plin., HNat. 12, 108), ist z. Erklärg. herbeigezogen worden, od. gar gr. κρυπτός = verborgen, nach der versteckten Lage des Eilandes. Cyrus, als Taufpathe, kann nicht beigezogen werden f. ein Land, das schon Jahrhh. früher, in Homers Zeit, unter demselben Namen bekannt war (Charnock, ŁEtym. 80, Pape-B.). Die Bewohner waren den Syrern als *Kittîm*, d. i. Chetiter, bekannt, u. schon im 15. Jahrh. v. Chr. haben sich die ihnen stammverwandten Phönizier in der Insel niedergelassen, so dass die Städte grösstenth. semit. Namen führen (Kiepert, Lehrb. AG. 133).

Cyrene s. Achdar.
Cyrisobora s. Mathura.
Cythère s. Tahiti.

D.

Dab = Baum, Eiche, nsl. *dôb*, in ON. durch 'Eiche' übsetzt, bulg. *db*, serb. *dub* — so leitet Miklosich (ON. App. 2, 155) die vielförmige Familie ein, der auch asl. *dabu*, poln. *dab* (gespr. *domb*), slow. *dob*, čech. u. ruth. *dub*, alles = Eiche angehört. Wir zählen auf: *Damerau*, mehrf. in der Prov. Preussen u. a. O. (Altpr. Mon. 6, 297), *Damgard* = Eichenburg, *Damgarten*, im Rgbz. Stralsund (Daniel, Hdb. Geogr. 4, 196, Thomas, Progr. 9), wohl auch — trotz des 1299 angelegten Steindamms, der den Ort mit Stettin verbindet — der scheinbar deutsche ON. *Damm*, 1121 *Vadam*, dann *Damba* (Meyer's CLex. 4, 939), *Dambeck*, v. coll. *dabiku*, also 'Eichwaldorf', 4 mal in Mecklb., 6 *Damerow*, 3 *Damm* etc. (Kühnel, Slaw. ON. 37). In der Lausitz *Dubrawa* = Eichwald, deutsch *Dubrau*, u. *Dubrawka* = Eichwäldchen, deutsch *Dubrauke* (Schmaler, Slaw. ON. 12). Vgl. *Ragusa*. — In West-Preussen, Masuren etc. *Dombrowcken, Dombrowcsken, Dombrowo* etc. (Krosta, Mas. St. 12), in Galiz. *Dab, Dabie, Dabki, Dabrawa, Dabrowa, Dabrowica, Dabrówka, Dabrowki, Deba, Debica, Debina, Debniki, Debno, Debow, Debowice, Debowka,* in čech. Gebiete *Dauba, Daubitz,* čech. *Doubice, Dobrau,* čech. *Doubrava, Dombrau, Doubrava, Doubravčan, Doubravčic, Doubravic, Doubravnik, Doubraw, Doubrawa, Doubrawitz, Doubrawka,* in Kärnten, Krain u. a. slow. Gegenden *Dôb, Dober(-mannsdorf, -ndorf, -sberg, -stetten), Döbernik* slow. *Dobernica, Dôbje, Dôbova, Dobovetz, Dobra, Dobrava,* ferner in slaw. Gebiete zerstreut, *Dub, Dûb, Duba, Duban, Dubčan, Dubeč, Dubeček, Dubecno, Dubĕjovic, Duben, Dubenec, Dubenky, Dubi, Dubian, Dubie, Dubiecko, Dubienko, Dubiken, Dubina, Dubitz, Dubkôwce, Dublany, Dublin, Dubne, Dubnian, Dubnice, Dubno, Dubová Lhota, Dubovic, Dubovka, Dubowa, Dubowce, Dubowica, Dubowitz, Dubowka, Dubschan, Dubsko, Duby, Dubyhora, Dubrav, Dubrava, Dubravica, Dubrawka, Dubrowa, Dubrovnik, Dubryniôw* (Miklosich, ON. App. 2, 155 ff.).

Dab', ed = die Hyäne, ein Vulcan des östl. Hauran, v. den Arabern so genannt (Wetzstein, Haurân 16); wohl dass die langgestreckte Berggestalt, welche mit den Kegeln contrastirt, Aehnlichk. mit einem liegenden Thier hat.

Dacca s. Dhaka.
Dachau, im 8. Jahrh. *Dachawa, Dachowa*, ON. in *D.er Moos*, Bayern, v. ahd. *dáha* = argilla, goth. *thaho* = lutum, Koth, wie *Thachbach*, 874 *Thachebach*, in SMeiningen, *Dacheim*, in Friesl. u. a. (Förstem., Altd. NB. 1436).
Dachel, lib. Oase, arab. *Wah el-Dachila* = die innere, im Ggsatz zu *Chargeh*, vollst. *Wah el-Chariga* = der äussern Oase (Peterm., GMitth. 20, 360).
Dacia, Ländername, nach den alten Einwohnern, den streitbaren Daken, deren heldenmüthiger König Decebalus v. Trajan (104 ff.) besiegt wurde. Aus den untern Donauländern, Theile v. Ungarn, sowie Siebenbürgen u. die Moldau umfassend, entstand, nachdem die Eingebornen th. vertilgt, th. zerstreut worden, eine neue röm. Colonie *D.*, wo röm. Sprache, Cultur u. Einrichtungen einkehrten (Büschings Mag. 3, 543). — *Colonia Dacica* s. Grad.
Dades, Akra, gr. Λᾶδες, ἄκρα = Kien- od. Fackelberg, als Wachtstation so benannt (Curt., G. ON. 158), Gebirgscap an der Südküste Cyperns (Ptol. 5, 14, 2), mit Thurm, der noch an den alten Dienst erinnern mag. Vergl. Müller, GGr. min. T. 26.
Dänemark s. Danmark.
Daer s. Selkirk.
Dafins s. Davos.
Dagassafréd = Karawanensteine, v. *dagáha* = Stein u. *afréd* = Karawane, bei den Somal Name eines Lagerplatzes; denn hier sammeln sich wieder die einzelnen Theile einer Karawane, die durch einige den Weg verengende u. unsicher machende Steine getrennt worden sind (ZdGfE. 10, 281).
Dagelet, Ile, Korea, v. frz. Seef. La Pérouse entdeckt u. benannt nach dem Astronomen seiner Exp. (Milet-M., LPér. 2, 391, Krus., Mém. 2, 118).
Dageraad s. Palliser.
Dagh = Berg, häufig in türk. ON., mit npers. Ableitg. in *Daghestan* = Gebirgsland, dem v. den Vorbergen des Kaukasus erfüllten Landstrich am Kaspisee (Spiegel, Eran.A. 1, 278). — *Daghdibi* = Bergfuss, also ein türk. 'Piemont', Ort bei Ismid, wo die Höhen in die Flussebenen übergehen (Tschihatscheff, Reis. 43).
Dagkár = Weissenstein, tib. Bergname in

Rúptschu, v. *brag* = Fels u. *kar* = weiss (Schlagw., Gloss. 183).

Dagobertshausen, Ort an der Fulda, im preuss. Rgbz. Cassel, benannt nach dem Frankenkönig Dagobert, der hier 631 einen Sieg üb. die Wenden erfocht (Meyer's CLex. 4, 907).

Dagong s. Rangun.

Dahab, mit Umlaut *dähab, deheb, dheheb* = Gold, mehrf. in arab. ON. *a) Tellul el-D.* = = Goldhügel, eine Hügelgruppe im Thal der Serka, weil sie angebl. eine Goldmine enthält (Burckh., Reis. 2, 599); *b) Tell Dähab* = Goldberg, unth. Mosul (Schläfli, Orient 76); *c) Dschebel Dähab* = Goldberg, in Kordofan, mit Goldwäschereien (Russegger, Reis. 4, 199); *d) Wady Dheheb* = goldene Aue, das hauran. Wady Zêdi, wg. seiner Fruchtbk. (Wetzstein, Haur. 42).

Dahlia, 'Ain = Quelle der Weinreben, arab. ON. bei Tanger, einer 'überall gut angebauten Gegend'. v. Marocco (Rohlfs, Mar. 1).

Dahome, Ort hinter der Sclavenküste, eig. *Da home, Dahomy, Da omi* = Wohng. auf Da's Bauche; denn der Häuptling, welchem die Gegend gehörte, wurde im 17. Jahrh. v. einem andern ermordet, mit aufgeschlitztem Bauche begraben u. auf der Stätte die neue Stadt ggr. (Reade, Sav.A. 47, R. Morris, Mém. 105, wo *Foys* als eigner Name der *Dahomaner*). Spr. u. F., NBeitr. 1, 76.

Dahlonega, eig. *Taulauneca* = gelbes Gold, ind. ON. des Staats Georgia, in einer Gegend mit Goldgruben (Meyer's CLex. 4, 911).

Dahra, besser *dhahra* = Nord, v. arab. *dhohor* = Rücken, adj. *dhahrani,* fem. *dhahrania,* od. *dhahraui,* fem. *dhahrauia,* in ON. *a) Zâb Dhahraui* = nördliches Zâb, eine aus 6 Oasen bestehende Gruppe der alger. Ziban, Prov. Constantine, im Ggsatz zu *Zâb Gebli* = südliches Zâb, einer Gruppe v. 9 Oasen (Parmentier, Vocab. arabe 18. 49).

Dajak, in engl. Orth. *Dayak,* nach Crawf. (Dict. 127) die Bezeichng. f. alle wilden Stämme v. Sumátra u. Celébes, doch hpts. Bórneo's, anscheinend s. v. a. 'Wilde', wohl zunächst f. einen Stamm der Nordwestküste Borneo's. Nach P.J.Veth hingegen (Tijdschr. Aardrijksk.G. 5, 182) ist *D.* der allgemeine Name der Nicht-Muhammedaner lediglich Borneo's, nicht aber auch der beiden andern Inseln; nach M. T. H. Perelaer (Born. v. Zuid n. Noord 1, 149) sei *D.* wohl um Bandjermassin entstanden, als Verkürzg. v. *dadajak* = wackelnd laufen, somit als Spottname, wie denn 'alle' Bewohner der Ebenen Borneo's, v. der Art, wie sie mit gekreuzten Beinen in ihren Fahrzeugen sitzend den grössten Theil ihres Lebens verbringen, krumme deformirte Beine u. infolge dessen einen wackelnden Gang haben. Diese Ableitg. bestätige Hardeland's 'Dajak-deutsches Wörterbuch'. Alle Deutungen findet A. B. Meyer (Wien. Sitzgsber. 100, 537 ff.) 'ungenügend'; er vermuthet, dass *D.* einem spec. Volksstamm entlehnt sei u. mit einem Worte wie *daja* = Mann,

Mensch, zshänge; dazu bemerkt F. Grabowsky (Ausl. 56, 40. 55), so seien zuerst die Wilden um den Fluss Kapuas genannt worden, die sich selbst *Oloh ngadju* = Leute, die stromaufw. wohnen, nennen.

Daibung, eig. *Dajabhánga* = Mitleid zerstörend, hind. Bergname in Nepál, weil der Berg sehr schwierig zu ersteigen ist: 'from the severity of the ascent' (Schlagw., Gloss. 183).

Daimonnesoi s. Prinzen In.

Dâkat s. Itam.

Dakotah = Verbündete, ein Indianerstamm, welcher sich auch *Occti sakowin* = 7 Rathfeuer nennt (Hind, Narr. 2, 153), als Ausdruck des Verbandes im Hauptvolke der Familie (Meyer's CLex. 4, 917). Die erste Kunde vernahmen die frz. Jesuiten, welche 1641 in Sault St. Marie, unter den Odschibwä od. Saulteurs, ihren Erbfeinden, erschienen waren; damals wohnte der Stamm 18[d] westlicher u. wurde wohl erst 1654 besucht. Bei diesen Feinden hiessen die *D.*, als die oft besiegten, *Wanak,* eig. *Abwanak* = die auf einem Rost gebraten werden, v. *obwan* = ein auf den Bratspiess gestecktes Stück Fleisch; denn die Saulteurs hatten die Sitte, nach dem Siege ein gr. Feuer anzuzünden, rund herum Spiesse, mit den Schenkeln, Köpfen, Herzen etc. der Erschlagenen gespickt, aufzupflanzen u. alsdann heimzuziehen (Coll. Minn. HS. 1, 19. 236). In den Jesuitenberichten erscheint auch der andere Odschibwäname, *Nedouessans, Nadouessions, Nadouessis, Nadouessioux, Nadowaiswug,* sing. *Nadowaisi,* v. *siwug* = Feind, auf die 2 letzten Silben verk. *S(c)ioux* (Coll. 1, 254 ff. 335f.). Auch Lewis u. Cl. (Trav. 107) geben als urspr. Namen *Darcota;* 'but who are called *Sioux* (s. d.) by the French, *Sues* by the English' (Quackenb., USt. 16). Noch 1859 fand sie Raynolds (Expl. 19) als zahlr., mächtiges Volk, eine Eidgenossenschaft v. 10 Stämmen, zu beiden Seiten des Missuri, v. der Mündg. des Yellowstone R. im Norden bis Fort Randall im Süden, v. Powder R. im Westen bis Minnesota R. im Osten. 'The *D.* are, and have long been, the most formidable Indians in this region'. Das Territ. *D.* organisirt durch Congressacte v. 2. März 1861 (Meyer's CLex. 4, 917, ZfAErdk. nf. 17, 191). — *Grand Lac des Nadouessiou* s. Superior.

Da Kuren s. Urga.

Dal = Thal, in holl. u. nord. ON., insb. *D. Elf* = Thalfluss, f. das Landwasser des entwickeltsten Thalnetzes im alten Schweden. Die Berglandschaften des Quellgebiets, v. den beiden Armen Öster- u. *Wester D. Elf* durchflossen, heissen *Dalarne* = die Thäler, v. plur. *dalar,* ihre Bewohner *Dalkarlar* = die Thalleute, Thalkerle, woher die missbräuchl. Form *Dalekarlien* (Schouw, Eur. 3 f., Meyer's CLex. 4, 919). — In Island *a) Dalfell* = Thalberg, auf Himaey, Westmänner In.; *b) Dalsmynni* = Thalmündg., Ort am Ausgange des ausserordentl. tiefgefurchten Bjarnadalur (Preyer-Z., Isl. 27. 116). — Dän. *Dalby* = Thaldorf (Madsen, Sjael. StN. 199).

Dála = Felsenpass, v. *brag* = Fels u. *la* =

Pass, tib. Bergname auf der Route Távang-Lhassa (Schlagw., Gloss. 183).

Dalai Noor = Meersee, grosser See (s. Bajkal), mong. Name *a)* der v. Kerulun-Argunj gebildete Süsswassersee, auch *Jike-D.* = der grosse Heilige od. *Külün Noor* = heiliger See, weil dem Mongolen, welcher nicht fischt u. mit den ausgeworfenen todten Fischen vorlieb nimmt, das Wasser heilig ist (Timkowski, Mong. 1, 161; 2, 240, Bär u. H., Beitr. 23, 427 f.). Radde hält den Argunj nicht f. einen gewöhnlichen, sondern nur gelegentl. Abfluss des *D.N.*; somit gelte die Bedeutg. 'Meersee' nicht bloss der Flächengrösse, sondern wesentlich auch dem Umstand, dass der See nur Zuflüsse aufnehme, aber keinen Abfluss habe. Man darf diese Motivirg. bezweifeln u. sich mit der ersten begnügen; *b)* der grösste See der südöstl. Mongolei, ein fischreiches Salzwasserbecken v. 60 km Umfang. Je im Herbst erscheinen einige 100 Chinesen, meist heimat- u. obdachloses Volk, zum Fischfang (PM. 19, 85, wo die Uebs. 'Seemeer' offb. verkehrt ist, 22, 12). — *D.-Kui(ssa)* = Meernabel, Insel im Kossogol (Bär u. Helm., Beitr. 23, 98. 137, PM. 6, 92).

Dalberg s. Pearce.

Daleminzien, auch *Dalamince*, ein vormals grosser slaw. Gau des i. Kgreichs Sachsen, zw. Elbe u. Mulde. Die sorb. Bewohner, wahrsch. Verwandte der in das alte Dalmatien eingewanderten Wenden, wurden dessh. v. den Deutschen *D.er*, *Dalmanten*, *Dalmaten*, *Dalmatier* genannt, bezeichneten jedoch sich u. ihr Land als *Glomaci*, angebl. v. einer Quelle, die einen den Slawen heiligen See, j. Polzschner-See bei Lommatsch, bildete. Der Ursprung des ON. *Lommatzsch* (s. Chlm), aus dem Gaunamen *Glomaci*, liegt auf der Hand, wie denn die Wallfahrten z. See, der j. z. blossen Sumpfe reducirt ist, wohl die Entstehg. der Stadt veranlassten, die schon im 9. Jahrh. Hptort des Gaues war (Meyer's CLex. 4, 921).

Dalhousie, eine Genesungsstation im Himalaja, benannt nach James Andrew Brown-Ramsay, Marquis of *D.*, welcher, geb. 1812, als Generalgouv. Indiens seine Verwaltg. epochemachend gestaltete u. u. a. auch die Anlage v. Genesungsstationen, f. Truppen u. Beamte, beförderte (Meyer's CLex. 4, 922). — *Cape D.*, in Russel It., v. Dr. Richardson, dem Gefährten Capt. Franklins (Sec. Exp. 220) am 19. Juli 1826 getauft zu Ehren des governor-in-chief of Canada.

Dalia s. Ampelusia.

Dall s. Wilczek.

Dallas Bay, George M., Kane's Sea, 1853 v. E. K. Kane (Arct. Expl. 1, Chart) benannt. George Mifflin *D.*, geb. 1792, war Staatsmann, wiederholt Gesandter u. 1844/49 Vicepräs. der Union.

Dalle = Giessrinne, Schlucht, cañon, gew. im plur., wiederholt: *a)* die Stromschnellen, in welchen der Oregon die Cascadenkette durchbricht u. v. Cebillo bis *D. City*, d. i. auf 25 km Länge eine zshängende Reihe v. Katarakten bildet. Einer derselben heisst *la D. des Morts* (= der Todten), seitdem 12 'voyageurs' frz. Abstammg., Ange-

stellte der Hudsons Bay Co., 1839 hier verunglückten (Glob. 11, 207; 15, 47, Mofras, Orég. 2, 113); *b)* am Ste. Croix R., gg. 10 km lg., zw. Basaltwände v. 20 m Höhe eingeklemmt, mit *Giants Gate* = Riesenthor, an die Felsen sich wie Thorflügel verengen, u. *Devil's Seat* = Teufelssitz, einem isolirten Felsthurm, sowie mit vielen 'Riesenkesseln', die das Wasser 3—10 m t. ausgehöhlt hat (Herold); *c)* am Wisconsin R.

Dallmann Bay, in Grahams Ld., entdeckt v. deutschen Capt. *D.*, der 1873/74 das v. der Polarschifffahrtsgesellschaft in Hamburg ausgesandte Schiff Grönland befehligte (Peterm., GMitth. 21, 312).

Dalmatia, Uferland der Adria, lat. *Dal-* od. *Delmatia*, jenes nach Mommsen die ältere Form, gr. Δελματία, Δαλματία (Strabo 314), benannt nach der alten Hptst. *Delminium*, bei Strabo Δάλμιον, alban. *Dalmium* = Schaftrift (Tomasch., Bosna 9 f.). Nach dem Lande die Δελματεῖς, Δαλματεῖς (Ptol. 32, 18. 19), lat. *Del-* od. *Dalmatae* (Tac., Ann. 2, 53, Plin., HNat. 4, 65, Meyer's CLex. 4, 926). — *Dalmatisches Meer* s. Adria. — *Dalmatische Alpen* s. v. a. *Dinarische Alpen*, ein Gebirgszug, dessen Stamm Dalmatien u. Bosnien scheidet, nach der Dinara, einer dortigen Berggruppe (Meyer's CLex. 5, 478).

Dalmeny, Mount, in der Admiralty Range, v. Capt. J. Cl. Ross (South. R. 1, 185) am 11. Jan. 1841 benannt 'after the Right Honourable Lord *D.*, one of the three junior lords of the Admiralty' in NSemlja, an dem Theil der Ostküste, der lange

Daljny, Myss, auch *Dalnij Myss* = fernes Cap, in NSemlja, an dem Theil der Ostküste, der lange nur in unbestimmten Umrissen auf den Carten eingetragen blieb, v. russ. Lieut. Pachtussow (1835) als nördlichster Punkt in weiter Ferne erblickt (Spörer, NSeml. 42, Peterm., GMitth. 18, 396).

Dalrymple, Port, in Tasmania, entdeckt v. Flinders (TA. 1, CLXII, Atl. 7), welcher 3. Nov. — 3. Dec. 1798 z. Untersuchg. verweilte u. v. Governor Hunter getauft 'as a mark of respect to' Alex. *D.*, esq., welcher, geb. 1737, in Indien u. der Südsee reiste, Hydrograph der ind. Co. wurde, u. a. auch den Plan zu Cook's erster Reise entwarf u. als kön. Hydrograph 1808 †. — Ihm gilt auch *b) Cap D.*, in Sachalin, v. Capt. Krusenst. (Reise 2, 93) am 20. Mai 1805 u. ozw. *c) D. Rock*, bei Wostenholm I., v. Capt. John Ross (Baff. B. 142) am 18. Aug. 1818. — Wir fügen ferner an: *Adolphus Island*, im arkt. Gebiet 2 mal während John Ross' 2. Reise eingeführt: *a)* bei Felix Hr., am 7. Juni 1830 benannt zu Ehren v. *Ad. D.*, 'on account of its similarity to the crest of that family' (Sec. V. 395); *b)* in den Clarence Is., westl. v. Boothia Isthmus (ib. Carte). — Auch *Cape D.* Hay, bei Moltke Bay, wird sich auf ein Glied jener Familie beziehen.

Dalton, Cape, in Ost-Grönland, v. engl. Walfgr. Will. Scoresby jun. (North. WF. 231) am 29. Juli 1822 entdeckt u. nach Hrn. John *D.* (v. Manchester?) getauft.

Damalle = Ruheplatz, bei den Somali ein stiller, in engem, schattigem Seitenthal liegender, v. hohen dammas, Combretacea spec. propria, beschatteter Wasserplatz, weil die Reisenden hier ausruhen, sowohl wenn sie landein ins Gebirge ziehen, als auf der Rückkehr (ZdGfE. 10, 277).

Damán = Grenze, zunächst Saum (des Kleides), hind., ein niedriges Delta Indiens, eine nicht ungefähr. Sandbank, welche die Küste umsäumt (Schlagw., Reis. 1, 42). — Im urspr. Sinne *D.* = Grenzland, eine Gegend im Westen des Indus, *Damanganga* = Grenzfluss, bei dem port. *D.*, u. *Damangaung* = Grenzdorf, im Dekhan (Schlagw., Gloss. 184). — *Kôh-i-D.* s. Kohistan.

Damar, Pulo = Harzinsel, mal. Name 2 mal im ind. Archipel *a)* an der Westseite v. Borneo, *b)* am Südende v. Halmahera, nach dem Harze, welches namentl. in den Gr. Sunda In. v. vschiedenen Bäumen gesammelt wird, flüssig, 'Kruin', v. genus Dipterocarpus, fest u. steinhart, 'Batu' = Stein, v. genus Valeria (Crawf., Dict. 118).

Dámara, dual fem. des hottentott. Schimpfnamens *Daman*, durch die Engländer übl. geworden f. ein schwarzbraunes Volk der Bantufamilie, im Hinterland der Walfisch Bay. Die Bezeichng. ist nicht erklärt, da sie v. keinem hottentott. Wort sich ableiten lässt; viell. steht sie in Zshang mit *dama* = 'Kind' der Buschmänner v. Rietfontein. Vollständig lautet bei den Hottentotten der Name, anspielend auf den Viehreichthum der Leute, *Gamocha* (= Rinder-)*Daman*. Die D. selbst bezeichnen sich als *Herero*, v. verb *hera* = fröhlich sein, den Speer schwingen, mit dem Art. sing. *omu*, pl. *ova*. Die hottentott. Rinder-D. bilden den Ggsatz zu den *Chau-* (= Schmutz-)*Daman*, die wir, weil sie mit Vorliebe in den Gebirgen hausen, *Berg-D.* nennen, u. die sich selbst als *Hau Khoin* = rechte Menschen bezeichnen (H. Schinz in 'DColonialZtg.' 2. Febr. 1889, Deutsch-SWAfr. 121).

Damas, el Golfo de las = Frauenmeer nannten die span. Seeff. den in der Zone des nördl. Passats gelegenen Theil des Atlantic, weil die Schifffahrt so wenig Kunst u. Anstrengg. erfordert u. bei der Tiefbläue des Meeres u. bei der Himmelsklarheit, welche nur durch einige hohe, den Sonnenuntergang verschönernde Wölkchen unterbrochen wird, so anmuthig zugl. ist, dass auch Frauen hier ein Schiff leiten könnten (Acosta, HNat. y M. 3, 4 p. 127). — *Mar de las D.*, also derselbe Name, die entspr. Zone des Pacific. Von Acapulco pflegten die span. Seeff. nach SW. zu segeln; unter 12½⁰ trafen sie die erwünschten Brisen, welche in den Monaten Nov., Dec. u. Jan. so beständig u. so günstig bliesen, dass 'they haue no neede to touch their sayles, which is the occasion that they do make their voyages with so great ease' (Mendoza, HChina 2, 253). — *Le Plan des Dames* = 'Frauenfeld', eine Bergebene des Col de Bonhomme, Savoyen, wo 2 im Gebirgssturm verunglückte Frauen begraben sind. On voit au milieu de cette plaine un monceau de pierres de forme conique de dix à douze pieds de hauteur sur quinze à vingt de diamètre. Sous ce monceau de pierres reposent,

à ce que porte une ancienne tradition, les corps d'une grande dame et de sa suivante, qui, surprises là par un orage, y moururent et furent enterrées sous les débris de rochers. Ce monceau augmente d'un jour à l'autre, parce que c'est l'usage que tous ceux qui passent là jettent une pierre sur ce tombeau (Saussure, VAlpes 184).

Damascus, class., daher auch europ. Namensform einer uralten Stadt (1. Mos. 14, 15), hebr. פַּמֶּשֶׂק, arab. *Dimeschk* = Thätigkeit, Betriebsk. (Gesen., Hebr. L.). Sie bildet eine Culturoase, welche, v. dem Canalnetz des Barada bewässert, rings v. wasserloser Wüste umgeben ist u. dem Orientalen als 'Auge des Morgenlandes' erscheint. Der arab. Name ist übr. nur litterarisch im Gebrauche; die heutige Volkssprache nennt auch die Stadt, wie das Land (s. Syrien), nur *esch-Schâm* (Kiepert, Lehrb. AG. 167). Ihre arab. Beinamen sind sehr vschied.: *Kinânet Allah* = Köcher Gottes, d. h. der Ort, aus dem Gott seine Geschosse (Kriegsheere u. Gelehrtenschulen) z. Verderben der Ungläubigen entsendet; *esch Schâm Kubbet el Islâm* = *D.* ist die Kuppel des Islam, d. h. Vollendg. u. Schmuck des geistigen Doms der Religion. Dagegen entschuldigt sich die ausgelassene Jugend, wenn sie einmal bei ihren nächtl. Orgien in den Gärten ertappt wird, mit den Worten: *Dimischk dâr el 'Ischk* = *D.* der Wohnsitz der Liebe (Wetzstein, Haur. 79).

Damatira s. Demetros.

Dambo s. Madagascar.

Damerau s. Dab.

Damils s. Tomleschg.

Dammar s. Onrust.

Damodar s. Krischna.

Dampfschiff s. Praesident.

Dampier, *Will.*, der kühnste Seef. des 17. Jahrh., in Somersetshire geb. 1652, schon im 14. Jahr als Schiffsjunge in America, in Westindien genau bekannt, als Flibustier abenteuerlich die See kreuzend u. endlich 1691 in England zurück, wo ihm 1699 das Schiff Roebuck zu einer Entdeckungsreise nach Australien übergeben wurde. Er fuhr später noch einmal in die Südsee u. mit Wood Roger um die Erde u. † unbekannt wo u. wann. Nach ihm sind benannt: *D. Strait*, in Austr. 2 mal: *a)* zw. NBritania in Rook Isle, im März 1700 v. *D.*, angesichts des brennenden Vulcans, durchfahren (Debrosses, Hist. Nav. 406); *b)* zw. Waigiu u. NGuinea, der beste, bequemste u. frequentirteste der dortigen Durchgänge, ebf. 1700 v. *D.* durchfahren, auch *Gemin Str.*, holl. *Straat van Gamen*, nach dem Eiland d. N. (Krus., Mém. 1, 73, Meinicke, IStill. O. 1, 78. 80. 83). — *Ile D.*, ebf. 2 mal: *a)* in den Bashee In., v. *D.* 1687 besucht, aber nicht benannt, erst durch den russ. Admiral v. Krusenstern (Mém. 2, 273, Atl. OPacif. 26) getauft; *b)* vor dem Golfe Astrolabe, eine 1600 m h. thätige Vulcaninsel, bei der holl. Exp. Le Maire u. Schouten 1616 *het Brandende Berg* = der brennende Berg, ebf. v. Krusenst. getauft (Meinicke, IStill. O. 1, 99). — Auch die frz. Exp. Baudin ehrte den Entdecker: *Archipel* *de D.*, in De Witts Ld., am 29. März 1803 (Péron, TA. 2, 201) u. *Baie de D.*, an der Halbinsel Péron, am 2. Juli 1801 (Krus., Mém. 1, 103. 166). — *D.'s Monument* s. Buccaneer. — *D.'s Reef* s. Cartier.

Dampierre s. Dominus.

Danby's Island, Earl, in James Bay, nach dem Earl of *D.*, v. Capt. Thom. James (NWPass. 44, Rundall, VNW. 191) am 2. Oct. 1631 getauft.

Danger Islands = Inseln der Gefahr, 2 mal in Polynesien: *a*) eine Nebengruppe v. Samoa, einh. *Pukapuka* (Meinicke, IStill. O. 2, 127), eine dreiseitige, palmenreiche, bewaldete Lagunengruppe, enthaltend drei bewohnte, v. Felsen u. Brechern umgebene Eilande, denen eine sehr gefährl. Klippe vorliegt, v. engl. Seef. John Byron am 20. Juni 1765 getauft (Garnier, Abr. 1, 154), aber schon v. dem Spanier Mendaña am 20. Aug. 1595 entdeckt u. nach dem Kalendertage ... 'por ser su dia' *Islas de San Bernardo* genannt (WHakl. S. 39, 69, Debrosses, HNav. 162, Zaragoza, VQuirós, 1, 53; 3, 35, Fleurieu, Déc. 22) bei seinem Landsmann Quiros 1606 *Isla de la Gente Hermosa* = Insel der schönen Leute, nach dem prächtig gebauten Menschenschlag, dessen Frauen die schönsten Spanierinnen an Anmuth u. Reiz weit überträfen, in seinem Bericht an den König jedoch durch *Isla de Monterey* ersetzt (Fleurieu, Déc. 38 f., Krus., Mém. 1, 14 ff.), auch *Ile Otter* des frz. Robbenschlägers Péron, der mit dem americ. Pelzhändlerschiffe Otter, Capt. Dorr, v. Sydney nach den Sandwich In. fuhr u. am 3. April 1796 eine Gruppe v. Koralleneilanden traf: *Ile Péron* (u. *Muir*), *I. Dorr* u. *1. Brown*, letztere nach einem Schiffsofficier? (Bergh., Ann. 12, 146); *b*) zwei gefährl. Riffe in Brown's Range, Carolinen, 'the eastern boundary of a most dangerous and extensive line of keys or shoals', v. Capt. John Fearn, Schnacke Hunter, am 16. Nov. 1798 so getauft u. als *East-* u. *West-DI.* unterschieden (Bergh., Ann. 9, 154 ff.). — *D. Islets*, in SShetl., v. Capt. J. Cl. Ross (South. R. 2, 325) am 28. Dec. 1842 benannt, weil die niedrigen Felsmassen zw. mächtigen Eisfragmenten erschienen u. v. diesen letztern vollst. verborgen wurden, bis man ihnen unmittelbar nahe kam. — *D. Island*, bei NGuinea, als ein der Schifffahrt sehr gefährl. Object v. Horsburgh getauft (Krus., Mém. 1, 72). — *Point D.*, f. abwär. Vorgebirge 3 mal: *a*) an der Ostseite NHollands, v. Entdecker Cook am 16. Mai 1770 benannt, weil 10 km weit gefährl. Untiefen vorliegen (Hawk., Acc. 3, 109); *b*) die Ostspitze v. Shortland I., gefährl. durch die umgebenden Klippen, v. Capt. Shortland, als er 1788 die Str. Bougainville passirte, getauft (Krus., Mém. 1, 160); *c*) die Nordspitze v. Washington I., Mendaña (Meinicke, IStill. O. 2, 242).

Dangereux, fem. *-se*, frz. adj. v. *danger* (s. d.), auch engl. *dangerous*, mehrf. in Entdeckernamen *a*) *Roche Dangereuse* = gefährliche Felsklippe, bei Sachalin, v. frz. Seef. La Pérouse im Aug. 1787 so genannt, weil auf dem fast im Niveau des Wassers liegenden Felsen die Schiffe leicht

scheitern können: 'parce qu'elle est à fleur d'eau et qu'il est possible qu'elle soit couverte à la pleine mer' (Milet-M., LPér. 3, 91), 'sehr passender Name' (Krusenst., Reise 2, 59); *b*) *Archipel D.* s. Paumotu. — *Engl. Dangerous Shoal*, im Golf v. Petscheli, v. Capt. B. Hall (Corea VII) anno 1816 entdeckt, u. *D. Rocks* s. Hanna.

Daniell, Cape, in Victoria Ld., v. Capt. J. Cl. Ross (South. R. 1, 193) am 15. Jan. 1841 entdeckt u. z. Andenken seines † Freundes, des ehm. Chemieprofessors *D.*, getauft. — *Danielssen I.* s. Schweigaard.

Danmark, im Deutschen *Dänemark* = die Mark der Dänen, Dansker, eines goth. Stammes, welcher (um das 5. Jahrh.) in den Archipel einwanderte u. sich in der Folge auch auf die sächs. bewohnte Halbinsel ausdehnte (Daniel, Hdb. Geogr. 4, 1027), anfängl. unter mancherlei Reibg. mit dem Frankenreiche, so dass z. B. der dän. König Göttrik 808 in Schleswig einen Grenzwall, *Danewerk*, *Dannevirke*, errichtete, um seine Grenzmark v. dem alten Vaterlande der unter fränk. Hoheit gerathenen Ostsachsen abzusondern (Meyer's CLex. 4, 998), u. noch länger, bis Heinrich I. die alte deutsche Mark, bis z. Eider, wieder herstellte u. Otto I. als förml. Lehensherr sich huldigen liess. Viele sehen in der *mark* eine Umdeutg. aus ältern *mörk* = Wald, wie denn 'das Land im Alterth. ja überaus waldreich war' (E. Löffler 2. Febr. 1890). Den Volksnamen *Dani* selbst stellt S. Bugge (Arkiv 5, 125 ff.) zs. mit ir. *duine* = Mensch, gr. χθόνιος, ind. *ksámyas;* er sieht darin urspr. eine appellativ. Bezeichng. f. 'Eingeborne', im Ggsatz zu einem Volke fremder Herkunft. 'Landeskinder' wurde zu einem Volksnamen, wie sich 'deutsch' aus einer appellativ. Bezeichng. der Volkssprache, im Ggsatz z. Latein, entwickelt hat: Der Ursprung des Namens gehöre einer Zeit an, die sicher ein Jahrtausend vor der ersten histor. Aufzeichng. liege (Berl. Jahresbericht germ. Phil. 10b, 145). — *Ny D. a*) Nicobaren; *b*) s. Wales. — *Danholm* s. Stralsund. — *Dane's Gate* u. *Danskö* s. Smeerenberg. — *Danish River* s. Churchill. — *Danebrog*, der Name der dän. Nationalflagge, ist im Sommer 1829 durch den dän. Capt. Graah an die nördlichste v. ihm erreichte Landspitze OstGrönl. geheftet worden (Peterm., GMitth. 14, 219).

Dannstedt s. Tann.

Danstrup s. Dorf.

Danteraves, v. rätr. *denter* (s. Entre) u. *aua* = Wasser, eine Häusergruppe des Montavon, zw. der Ill u. dem Bach des Gargellathals (Bergm., Vorarlb. 84, Walser 17).

Danu od. *Ranu* = See, im batta *dau* gespr., mal. Name eines untiefen morastigen Sees in Geb. Karang (Junghuhn, Java 2, 5).

Danubius s. Donau.

Danzig, ein viel umstrittener, anscheinend slaw. ON., zuerst um das Jahr 1000 in der dem röm. Mönche Canaparius zugeschriebenen Biogr. des heil. Adalbert, *Gyddanizc*, aus welcher Form sich sprachgesetzlich richtig entwickelt hat das poln.

Gdansk, das man als *Godanske* = Gothenstadt od. mit Bender (D.ON. 18) *Danske Wik* = Dänenort nehmen wollte, letzteres, weil in Ordensurkunden ein *pons danensis* (= dänische Brücke) erwähnt ist. Die Annahme, als sei diess aus poln. *danniczy most* = Zollbrücke umgedeutet, hat K. Lohmeyer (NStDanz. 152) aufgegeben; er denkt an einen aus *god*, mit Suffix *-ani*, abgeleiteten PN., der mit dem Localsuffix *-isko*, *-iske*, den ON. *Gydanize, Gidanie*, geliefert hätte. — Nach dem Orte *D.er Bucht, D.er Haupt* (f. die Trennungsstelle der Elbinger u. D.er Weichsel), *D.er Nehrung, D.er Werder* (Meyer's CLex. 4, 1016 ff., Daniel, Hdb. Geogr. 4, 254).

Daphne, gr. *Δάφνη* = Lorbeer, in mehrern ON., 'Loreto', sowohl f. sich, als auch in der Form *Δαφνίνη νῆσος, Daphnidis Insula* = Lorbeerinsel im Roth. M., j. *Dalley*, od. *Δαφνοῦς* = Lorbeerort, f. Ortschaften u. einen kar. Fluss (Pape-B.). Vgl. Antiochia.

Dapsang = die herrliche Erscheing., wörtl. das gereinigte Zeichen, v. tib. *dra* = Zeichen, *bsang* = gereinigt, ein Berggipfel, der an Höhe (8619 m) mit dem Kantschindschinga wetteifert u. nur dem Mt. Everest nachsteht, 'by far the most prominent object on the Yárkand road' (Schlagw., Gloss. 184).

Dapur = Küche nennen die Javanen den Platz der Fumarolen des G. Idjèn, so schreibt ein mir unbekannter Javareisender(nicht Zollinger) v. 1858, in Berichtigg. der Angabe Junghuhn's (Java 2, 712), an den Rand des der Naturf. Ges. Zürich geh. Ex.

Dara, die neupers. Namensform f. *Darius*, erscheint in verschiedd. ON., wie *Darab, Darabscherd* = Darius' Stadt, in Fars (Meyer's CLex. 4, 1020), auch in Indien: *Daranágar*, wo *nágar* = Stadt, *Daragandsch*, mit *gandsch* = Markt, *Darapúr, Darapúram* (Schlagw., Gloss. 184); allein welchem *D.* gilt der einzelne ON.?

Darah s. Duiven.

Daráir, ed = die Nebenbuhlerinnen, arab., eine Reihe v. Kegeln der hauran. Vulcanregion (Wetzstein, Haur. 16 f.).

Darat s. Laut.

Darbon s. Derborence.

Darch's Island, an der Nordküste NHoll., v. Capt. Ph. P. King (Austr. 1, 78) am 13. April 1818 benannt nach seinem Freunde Thomas *D.*, esq., v. der Admiralität.

Dard, le = der Wurfspiess, Pfeil, ein Bergwasser, welches v. Passe Pillon nach der waadtl. Grande Eau hineilt, augensch. nach diesem reissenden Laufe (Gem. Schwz. 19, 1, 129; 2ᵇ, 60, Mart.-Crous., Dict. 301).

Dardanellen, mod. Name der Meerenge, zunächst in der Form *Dardanellia* f. die Ortschaften an beiden Seiten des mit 7 Stad. = 1300 m engsten Theils der Meerenge u. auf diese schon in spätbyzant. Zeit übtragen (Kiepert, Lehrb. AG. 109), entlehnt v. der Uferstadt *Dardanus, Dardania*. So hiessen dann auch die 'Alten Schlösser' (s. z. Schutz der Hptstadt erbauen u. furchtb. armiren liess, u. denen erst 1658, durch Muhammed IV., die 'Neuen Schlösser' beigefügt wurden ... 'oggi de' Castelli Vecchi ò *Dardanelli*... altri due castelli, chiamati i Noui' (Marsilii, Oss. 19 f.). Bei den Türken heisst die Seegasse *Bahr Sefid Boghas* = Pforte z. Weissen Meer, d. i. z. Mittelmeer, bei den Arabern des Mittelalters *Enge v. Abydos*, nach einem Uferort (Edrisi ed. Jaub. 1, 7), im Alterth. *Hellespont*, gr. *'Ελλήσποντος, Hellespontus* = Meer der Helle, welche, die Tochter des böot. Königs Athamas, ihrer Stiefmutter durch die Flucht nach Kolchis entgehen wollte u. im Meere ertrank, wohl auch *Heptastadion* (s. d.), u. nach der Strasse die anliegende Halbinsel (s. Chersonesus). — *Kleine D.*, die 'Schlösser' am Eingang des Golfs v. Lepanto, *Kastro Rumelias*, auf rumel. Seite, *Kastro Moreas*, in Morea (Meyer's CLex. 4, 1022). — *D. des Orinoco* s. Anegada.

Dardistan = Land der Dardu, Darada, pers. Name einer centralasiat. Ldschft., nach dem Volke (Meyer's CLex. 4, 1022).

Dardschiling = die weitverbreitete (Betrachtungs-) Insel, v. tib. *dar* = verbreitet, *gjas* = weit, *ling* = Land, Insel, u. zwar so, dass das Wort *sam* = nachsinnen, Meditation, vorangehen sollte — so wurde urspr. ein Buddhistenkloster des Sikkim genannt u. nachher der Name auf den Ort, sowie auch auf die brit. Gesundheitsstation daselbst übtr. (Schlagw., Gloss. 184).

Darfur, eig. *Dar el-Fur*, auch *Dar Gondjara* = Land der Fori od. Gondjaren, arab. Landesname im Sudan, nach dem negerartigen Volke (Meyer's CLex. 4, 1024), den ältern Insassen, mit denen sich im 15. Jahrh. arab. Stämme zu einem Reiche verbanden (Peterm., GMitth. 21, 284).

Darien, Golf von, im Carib. M., nach dem dort mündenden Flüsschen *D.*, Tarien, wo frühe eine span. Colonie angelegt wurde (vgl. die Carte zu VHist. adm., Nor. 1599).

Dar-Jol = enger Weg, auch *Darjel*, mit türk. *dar* = eng, f. enge Pässe u. Wege gebr., 2 mal: *a)* im Taur. Gebirg, *b)* im Kaukasus (Köppen, Taur. 1, 5, Klapr., Kauk. 1, 672).

Dark Head = dunkler Felskopf, in Crozets In., v. den engl. Robbenschlägern so benannt, wohl im Ggsatz zu *Red Crag* = der rothen Klippe (Ross, South. R. 1, 53 ff.). — *D.* od. *Black Valley* = schwarzes Thal, ein wg. seiner Naturschönheiten vielbesuchtes Thal der Killarney Seen, Irl. (Sommer, Taschb. 17, 71).

Darling, ein Strom im Netze des austr. Murray R., v. Capt. Ch. Sturt, der, v. Gouv. v. NSouth Wales, General Lieut. Ralph *D.*, beauftragt dem Macquarie abwärts zu folgen, am 10. Nov. 1828 v. Sydney abging, am 3. Febr. 1829 entdeckt u. getauft 'as a lasting memorial of the respect I bear the governor' (Sturt, Two Expp. 1, 85. 100), welcher während seiner Amtsdauer, Nov. 1825—Oct. 1831, den seit Oxley vermutheten See aufsuchen liess (Meinicke, FAustr. 2, 240, Peterm., GMitth. 16, 31, Trollope, Austr. 3, 8). Als auf einer neuen Exp. 1829 f. Sturt auch den Murray selbst entdeckt hatte, lagen die Grundzüge des Stromnetzes auf der Carte.

Darmstadt, in Hessen, bis ins 11. Jahrh. noch ein Dorf, um 1094 *Darmundestat,* 1330 *Darmbstatt,* 1360 *Darmestad,* 'nicht so unpoëtisch als Vielen deucht' (Daniel, Hdb. Geogr. 4, 803), nach Einigen v. Flüsschen Darm, u. zwar wo dasselbe aus dem Walde ausmündet, besser aber, da Darm nicht die alte Bezeichng. des Baches ist, v. einem PN. Dar- od. Taramund (Germ. 29, 335).

Darnley's Island, in Torres Str., einh. *Erroob* (Jukes, Narr. 1, 169), v. Capt. Bligh am 3. Sept. 1792 prsl. getauft (Flinders, TA. 1, XX), wohl wie *D. Bay,* am americ. Eismeer, v. Richardson am 25. Juli 1826 zu Ehren des Grafen v. *D.* (Franklin, Sec. Exp. 240).

Darrery s. Valentia.

Dartmoor, ein früher waldiger, j. Schafheiden u. Sümpfe enthaltender Landstrich in Devonshire, nach dem Dart, der ihn durchfliesst u. bei *Dartmouth,* ags. *Daerenta-muth, Derta-múthan* = Mündg. des Dart, in den Canal mündet. — In Kent der Ort *Dartford* = Furt des Flusses Darent (Meyer's CLex. 5, 5, Charnock, LEtym. 82).

Darul s. Belgrad.

Darwin, *Charles,* der berühmte Begründer der Lehre v. der Zuchtwahl, geb. 1809, in den Jahren 1831/36 Begleiter Fitzroy's, erscheint auch in ON., voraus in *Port D.,* Nord-Austr., v. Capt. Stokes (Disc. 2, 6) am 6. Sept. 1839 so benannt, weil sich in der Nähe ein feinkörniger Sandstein fand 'a new feature in the geology of this part of the continent, which afforded us an appropriate opportunity of convincing an old shipmate and friend, that he still lived in our memory'. Die Besiedelg. begann 1869 mit der Vermessungsexp. G. W. Goyder's, der zum Schutz der erwarteten Ansiedler u. zur Vornahme der nöthigen Arbeiten etwa 100 Mann dort zkliess; der so ggr. Ort heisst, wie schon ZfAErdk. 1870, 206 erwartet hatte, *Palmerston City,* offb. zu Ehren des 1865 † engl. Staatsmanns, der v. Süden kommende Zufluss *D. River* (Peterm., GMitth. 16, 296). — *D. Islet,* in SShetl., v. Capt. J. Cl. Ross (South. R. 2, 326) am 29. Dec. 1842 nach 'the talented companion of capt. Fitzroy during his interesting voyage'. — *Mount D.* s. Cook. — *D. City,* in der Wüste Mohave, am Fusse der *D. Range* (Peterm., GMitth. 22, 427).

Dasaulow Gorod, so nannte Chabarow 1651 eine Stadt am Amur, nach dem daur. Fürsten Dasaul, der sie besessen (u. verlassen) hatte, weiter abw. *Gugudarew Gorod,* nach dem Fürsten Gugudar, u. *Banbulaiew Gorod,* v. Fürsten Banbulai, der die Veste selbst verbrannt hatte (Müller, SRuss. G. 5, 348 ff., Fischer, Sib. Gesch. 2, 805. 815).

Dascht, vollst. *Chor-i-D.* = Fluss der Ebene, npers. Name des beträchtlichsten der z. Indic ziehenden Flüsse Beludschistan's. Der engl. Officier Ross schildert die weiten Ufer als 5 km br., wo Weizen, Mais, Tabak, Mango, Citronen u. namentl. Datteln gedeihen u. eine nicht unbedeutende, fleissige Bevölkerg. wohnt (Spiegel, Eran. A. 1, 82).

Daseai, gr. ON., mehrf.: *a) Δασέαι* = Dickicht, in der fruchtb. u. waldreichen Berglandschaft auf linker Seite des arkad. Alpheios (Paus. 8, 36, 9). 'Der Name deutet auf das Waldesdickicht, dessen Ueberreste noch j. die Höhen v. Deli Hassani bedecken' (Curt., Pel. 1, 294); *b) Δάσκων (ὄρος δασύ, δάσκιον* Hesych, Curt., G.On. 157) = Finsterbusch, Castell bei Syracus (Pape-Bens.).

Dassen s. Robben.

Dauba s. Dab.

Daubé s. Dub.

Daubeny, Mount, in NSouth Wales, v. Major T. L. Mitchell (Three Expp. 1, 241) benannt nach seinem Freunde Dr. *D.*

Daud, im hind. auch *Dávud,* die arab. Form f. David, mehrf. in ON. *a) Daudpútra* = Davidssöhne, ein Volksstamm am Satletsch; *b) Dáudkhel,* wo *khel* = tribus, Stamm, ebenso im Pandschab; *c) Daudnágar* = Davids Stadt, in Bandelkhand; *d) Dáudpur* = Davids Stadt, 2 mal, in Orissa u. in Audh (Schlagw., Gloss. 185). — *Sidi D.,* ON. der tunes. Halbinsel des Cap Bon, nach dem Heiligen, *sidi,* d. N., wie im westl. Tripoli der Küstenort *Sidi Gasi* s. Bengasi. = *D. Pascha,* einer der 3 vorstädt. ON. Konstantinopels, welche nach Paschas u. Vezieren gewählt sind, zunächst f. eine Moschee, die unter Bajazid 1484 der Grossvezier *DP.* erbauen liess (Hammer-P., Konst. 2, 13). — *Magháret D.* s. Schaaul.

Daulatabad s. Deo.

Daulis, gr. *Δαυλίς* = die dichtbewachsene (δαυλός), 'Buschfeld', eine phok. Stadt bei Delphi (Hom., Il. 2, 510), noch j. Dorf *Daulia.* Spätere Form *Δαυλία,* also wie die ganze Ldsch. v. *D.* (Strabo 423).

Daunia, gr. *Δαυνία* = trockenes Land (Pape-Bens.), früherer Name eines Theils v. Apulien, später f. ganz Apulien u. Calabrien mit Japygien u. der Ldsch. v. Frento b. an den Aufidus.

Dauphin, älter *Daulphin,* die frz. Form f. *delphin,* engl. *dolphin* (s. d.), lat. *delphinus,* gr. *δελφίν, δελφίς,* ein artenreiches Geschlecht grosser, räuberischer Fischsäugethiere, nach denen schon im Alterth. die *Delphines,* gr. *Δελφίνες,* 2 Felsen des Meeres an der Marmarica (Anon. st. m. m. 20, 21) benannt waren, die bei Ptol. *Phokusai,* gr. *Φωκοῦσαι* = Sehunds In. heissen (Pape-B.) u. in neuerer Zeit getauft wurden *a) Rivière des Ds,* bei R. May, v. Capt. Rosé Laudonnière am 22. Juni 1564 (Hakl., Pr. Nav. 3, 321); *b) Ilot des Ds,* in Süd-Austr., v. Capt. Baudin am 27. Apr. 1802 (Péron, TA. 2, 85, Freycinet, Atl. 17). Toponymisch jedoch bedeutsamer geworden, seit der Graf v. Viennois den Delphin, der bei den alten Dichtern als dem Menschen freundl. galt (Plin., HNat. 9, 24), z. Wappenthier erkor — als Sinnbild der Milde seiner Herrschaft. Es war in der Mitte des 12. Jahrh., dass Graf Guigo IV. den Beinamen *D.* annahm. Mit Guigo VI., der sich zuerst Graf u. *D.* v. Viennois nannte, starb gg. Ende des 12. Jahrh. diese Dynastie aus. Durch Heirat seiner Erbtochter Beatrix kam das Land an das burgund. Haus, u. der kinderlose

Graf Humbert II. trat es 1349 gg. eine Jahresrente v. 100000 Goldgulden an Karl v. Valois, nachm. Karl V., ab, unter der Bedingg., dass der jew. frz. Thronerbe den Titel 'D. de Viennois' nebst dem dazu gehörigen Wappen führe. Von dieser Zeit an trug der Thronerbe eine Krone aus 4 Delphinen. So kam der Name *Dauphiné* auch f. das Land in Gebrauch (Meyer's CLex. 5, 18, etwas abweichend Salverte, Essai hist. et phil. 1, 411 ff.). Nun konnte der Titel des Kronprinzen in die Namen frz. Entdeckungen u. Gründungen übergehen: *Cap D.*, in NFundl., v. J. Cartier am 26. Juni 1534 getauft ... 'il luy a vng beau cap que nommames *cap du Daulphin*, pour ce que c'est le commancement de bonnes terres' (Hakl., Pr. Nav. 3, 205, M. u. R., Voy. Cart. 20). — *Fort D.*, 2 mal *a)* am südöstl. Ende Madagascars, v. Capt. Camille de Flacourt nach 1648 ggr. (Cortese, Sei Mesi 38); *b)* am See Manitoba, v. Canadier Verandrye um 1739 ggr. (Ch. Bell, Canad. NW. 7). — Ferner *a) Baie D.*, in Feuerl., v. Seef. Beauchesne am 8. Sept. 1699 getauft (Debrosses, HNav. 363); *b) Lac D.* s. Michigan; *c) Ile Dauphine* s. Madagascar.

Daurien, in OstSib., so benannt durch die Russen, als die 1639 z. Witim abgesandten Kosaken auch über Amur-Schilka Nachricht nach Jenisseisk brachten: als sei das Land v. den viehreichen u. landbauenden *Dauri* bewohnt, als wohne einer ihrer Fürsten an der Confl. Ura-Schilka, als werde dort Silbererz ausgeschmolzen u. das Silber gg. Zobel ausgetauscht, welche die Dauri gegen Seidenstoffe etc. an die Chinesen verhandeln. Der erste, welcher das neue Land erreichte, war 1643 der Promyschleniführer Wasilei Pojarkow (Müller, SRuss. G. 5, 332).

David, Cap, in Süd-Austr., v. der frz. Exp. Baudin am 12. Febr. 1803 getauft nach einem frz. Maler, 1748—1825 (Péron, TA. 2, 106, Freycinet, Atl. 18). — *D.'s Sound*, in Meta incognita, v. engl. NWF. Martin Frobisher 1578 prsl. benannt (Hakluyt, Pr. Nav. 3, 43). — *Davidshöhle* s. Schaául. — *St. D.* s. Freewill. — *Dawidkowa* s. Tura.

Davis Strait, der Zugang des Baffins Meers, schon 1585 erreicht u. v. 1.—6. Aug. in der Richtg v. Gilbert's z. Exeter Sund gekreuzt (Rundall, Voy. NW. 39, Forster, Nordf. 348) v. engl. Seef. John D., welcher 'seinen Namen durch verschiedene Versuche, eine nordwestl. Durchfahrt zu entdecken..., berühmt gemacht hat' (Spr. u. F., Beitr. 1, 108). Die erste Fahrt begann am 7. Juni 1585, drang bis z. Polarkreis u. ergab wohl die eben genannte Entdeckg., nicht aber wie die zweite v. 1586, eine brauchb. Durchfahrt; die dritte Exp., 1587, ging zwar weiter polwärts, jedoch ohne besseres Ergebniss. Eine spätere Entdeckg., die er als Begleiter v. Cavendish am 14. Aug. 1592 machte, war *D.' Land* (s. Falkland In.). Er † 1605. — Ein anderes *D.'s Land* ist die austr. Osterinsel (s. Paaschen E.), eine Entdeckg. des engl. Flibustier Edw. *D.*, welcher 1686 an den Küsten v. Peru u. Chile kreuzte,

die Galapagos besuchte, über die Osterinsel z. Cap Hoorn u. v. da nach England zkkehrte. — *Cape D.*, in SVictoria, v. Capt. J. Cl. Ross (SouthR. 1, 250 ff.) im Febr. 1841 nach einem seiner Officiere, John E. *D.*, dem master des Terror, getauft. — *D. Gletscher*, in Spitzb., auf der Carte Heuglin-Zeil 1870 in zahlr. engl. Gesellschaft, wohl nach Capt. J. E. *D.*, welcher wichtige Untersuchungen über die Tiefseethermometer angestellt hat (Peterm., GMitth. 17, 182. 315). — *Mount D.*, am Rio Colorado, 'a symmetrical and prominent peak..., which presents the most conspicuous landmark north of the Dead Mountain' (Ives, Rep. 79 ff.), v. der Exp. 1858 benannt nach Jefferson *D.*, dem frühern Kriegsminister der Union (Möllh., FelsGb. 1, 358), der sich im Kriege mit Mexico 1847 ausgezeichnet hatte u. später Präsident der conföderirten Südstaaten wurde. In der Nähe, zw. Painted u. Black Cañon, ein *D. Valley* (Ives 84, Bild).

Davos, Alpenthal in Graubünden, mit dem *D.er* od. *Grosssee*, v. rätr. *davo* = dahinten, dem das tess. u. milan. *dapòs*, f. *dappoi*, entspricht (Lavizzari, Esc. 4, 569) u. rätr. *davens* = innerlich, *davont* = vorne, *davont davos* = 'hinter für' z. Seite steht, so nach seiner versteckten Lage benannt (Gem. Schwz. 15, 186). 'Dem Herrn Walther III. v. Vatz, welcher v. seiner Stammburg Obervatz, wo das Volk noch vorn. spricht, über die Umgegend mächtig gebot, melden Jäger im Jahr 1233 (nach Salis, Hintl. Schr. 1, 30 um 1250), ihr Gang v. Alveneu habe sie am Landwasser... weiter hinauf als gew. zu einer Fläche im Walde geführt, anmuthig unterbrochen v. fischreichen Seen, wo sie sich mit seiner Genehmigg. gg. bescheidenen Zins ansiedeln möchten. Da dieser öde Bergstrich bisher unter dem Namen *D.* = hintere, innere Gegend geringer Aufmerks. werth geachtet wurde, liess Walther nach der Sage 12 Höfe erbauen...' (Bergm., Walser 2, Gatschet, OForsch. 72, Bühler, Dav. 257). — *Davo*, auch ein Seitenthal des Prätigau. Vgl. Montavon, *Davamont, Davena* (Campell-Mohr 137). — *Dafins*, ein Weiler des Vorarlb., hinter Rankwyl, *Tavo, Tavon, Davone*, Oerter in Tirol (Bergm., Wals. 13).

Davy, Mount, im arkt. America, v. Dr. Richardson, dem Gefährten John Franklins (Sec. Exp. 242 ff.), im Sommer 1826 getauft nach dem vorm. Präsid. der Roy. Society, 'the highly distinguished Sir Humphrey *D.*, baronet'. — Ebenso *D. Island*, BarrowStr., v. Beechey, Exp. Parry (NWPass. 57) am 25. Aug. 1819, *Sir H. D.'s Island*, in Georg's IV. KröngsG., v. Capt. John Franklin (Narr. 386, Carte) am 16. Aug. 1821, u. *D.'s Sound*, Grönl.; v. engl. Walfgr. Will. Scoresby (North. WF. 248) am 10. Aug. 1822 getauft.

Dawatschanda Amut = Forellensee, tung. Name eines fischreichen Bergsees im Sajan. Die dem See eigenthüml., v. Georgi entdeckte Forelle ist Salmo erythraeus P. Sie laicht in dem Zuflusse des Sees, der *Dawatschándeka* (wo das *e* kaum hörbar zu sprechen). Auch ist der 'Forellensee' reich an Perca fluviatilis, dem Flussbarch, u.

P. Esox, dem Spiesshecht, beide v. ausserordentl. Grösse; auch Salmo fluviatilis ist gross u. gemein, S. corregonus'u. Gadus lota L., die Trüsche, gew., dagegen Salmo thymallus selten (Bär u. H., Beitr. 23, 317. 664).

Dawson s. Moresby.

Dax s. Aix.

Dayman, Cape, in SVictoria, v. Capt. J. Cl. Ross (South. R. 1, 250 ff.) im Febr. 1841 nach einem seiner Officiere, Joseph D., Schiff Erebus, benannt.

Dazio = Zoll, v. lat. *datio*, dem das mlat., z. B. in einem Actenstück v. 826, dieselbe Bedeutg., 'gezwungene Gabe', beilegte (Diez, Rom. WB. 1, 150), ital. ON. des untern Veltlin, nach einer Zollstätte, an welcher f. das fremde Vieh, so im Sommer nach Val Masino getrieben wurde, der Zoll zu entrichten war (Leonhardi, Veltlin 176). — D. Grande = grosser Zoll, eine Schlucht Livinens, nach dem Zoll, welcher einst hier erhoben wurde: 'dove anticamente era un dazio o pedaggio'. Bei der Besitznahme Livinens erwarb Uri das Zollrecht v. einer Familie Varesi (angebl.); ao. 1515 wurde ihm durch die eidg. Stände der Zollbezug (gg. Verbesserg. der Strasse), noch 40 Jahre später eine Tariferhöh., zugestanden (Gem. Schwz 18, 378, Lavizzari, Esc. 4, 508).

Dbrno s. Debř.

Dead = todt, adj. des engl. *death* (s. d.), mehrf. in ON., insb. D. Sea (s. Todtes M.) u. D. Mountain, besser *Mountain of the Deads* = Berg der Todten, am Rio Colorado, v. der Exp. 1858 so genannt, weil die Mohaves die Geister der Abgeschiedenen hierher versetzen (Möllh., FelsGb. 1, 357), 'an imposing mountain' bei Ives (75), doch ebf. mit der Angabe, dass die Indianer 'believe it to be the abode of their departed spirits'. Der Häuptling Ireteba versicherte, dass der Tollkühne, der den Berg zu besteigen wagen sollte, augenbl. erschlagen würde. 'The Indians are seated at the verge of camp, earnestly observing the DM. Its hoary crest is draped in a light floating haze, and misty wreaths are winding like phantoms among its peaks and dim recesses. The wondering watchers see the spirits of departed Mojaves hovering about their legendary abode, and gaze reverently at the shadowy forms that circle around the haunted summit' (ib. 80) . . . . . This mountain is supposed by the Mojaves to be the dwelling-place of their disembodied spirits, and hence it has received the name it bears' (ib. 3, 32). — *Deadmans Island* = Todteninsel, im Gr. Sclavensee, nach dem Blutbade, welches ein Haufe Biberindianer unter den Dogrib anrichtete (Richardson, Arct. S. Exp. 1, 154): 'thirty years ago many of the bones of the victims were to be seen, but they have now disappeared' — D. Bird River = Fluss des todten Vogels, in Labrador, nach einer verfehlten Jägerexp., auf welcher nichts geschossen u. beim Nachtlager nur ein todter Vogel gefunden wurde (PM. 9, 122). Wer diese Exp. unternommen u. welcher Spr. somit der (engl.) Name urspr. angehörte?

Deak Insel, in Franz Josephs Ld., v. der 2. öst.-ungar. Nordpolexp. Weyprecht-Payer 1872/74 getauft nach dem 1803 geb. ungar. Staatsmann D. (Peterm., GMitth. 20 T. 20. 23), welchem hptsächl. der Ausgleich zw. Oesterreich u. Ungarn zuzuschreiben ist.

Dealy Island, od. *Dealey I.*, vor Bridport It., v. Parry (NWPass. 71, Dienstliste p. II) im Sept. 1819 benannt nach einem seiner Officiere, Will. J. D., einem der midshipmen der Hecla.

Dean s. Vliegen.

Dearborn's River, ein lkseitg. Zufluss des obern Missuri, am 18. Juli 1805 v. den Captt. Lewis u. Cl. (Trav. 225. 590) zu Ehren des Kriegssecretärs der Union benannt.

Dease, *Peter Warrens*, ein Beamter der Hudsons Bay Co., der jene weiten Ländereien des arkt. America mehrmals bereiste, schon 1825 mit Franklin (Sec. Exp. 79), der eine der Buchten des Gr. Bärensees als D.'s Bay u. deren Zufluss D. River taufte, später in Gesellschaft Thom. Simpson's 1837, auf kühner u. ausgedehnter Bootfahrt, den MacKenzie R. abwärts ging u. der Küste entlang bis Cape Barrow, 1838 auf dem Kupferminenflusse abwärts u. z. D. Strait (s. Confidence), u. 1839 bis Cape Britania. — Nach einem Commissioner der brit. Marine sind getauft: a) Cape Deas Thomson, bei Southampton I., v. Parry (Sec. V: 35) im Aug. 1821; b) Point D. Th., am Eismeer, v. Dr. Richardson im Sommer 1826 (Franklin, Sec. Exp. 242 ff.).

Death = Tod, das subst. z. engl. adj. *dead* (s. d.), mehrf. f. entspr. Lagen a) D. Mountain, f. *Dead Mountain* (Peterm., GMitth. 22, 340), offb. zugl. in Anlehng. an das Bild der Todesöde, welches v. nahen Mt. Newberry aus sich zeigt. 'Wie bedrückend wirkte der Mangel jegl. Grüns rings um uns! Wie unheimlich die Abwesenheit einer jeden Lebensregg.! Grabesstille herrschte; sogar das Winseln des Windes in den Felsenklüften war verstummt. Wir wähnten uns in eine andere Welt versetzt, aus der das Leben entflohen . . .'; b) D. Valley, eine bis —33 m eingesenkte Mulde der Wüste Mohave. Alle Widerwärtigkeiten u. Gefahren, die man sich in der Wüste vorstellen kann, finden sich hier vereinigt. Das Thal ist 200 km lg, 20—60 br. . . . Des Morgens u. in den Abendstunden hüllen sonnbeschienene Salzefflorescenzen u. leichte Sandwolken das Thal in einen unheiml. röthlichgelben Schimmer. Dieser Umstand, sowie der Mangel irgend welcher Vegetation od. lebender Wesen, die dem ganzen Thal entlang zerstreuten Salzmassen, offb. Verdampfgsrückstände des Oceans, die hohen nackten Felsenketten u. erloschenen Krater verleihen dem Thale ein wahrh. infernal. Aussehen, wesh. man ihm den Namen gegeben hat (Peterm., GMitth. 22, 426) . . . 'the most sterile of all the local desert tracts are D. Valley' (Wheeler, Geogr. Rep. 278); c) D. River, aus ind. *Nipuwin-sipi* übsetzt, ein Zufluss des Red River of the North, wo 250 Hütten der Chippeways um 1780 v. den Sioux zerstört wurden (Ch. Bell, Canad. NW. 5).

Deba s. Daba.

Debb, auch *dobb* = Bär, plur. *debub*, fem. *debba*, hier u. da in arab. ON. *a)* *Ued D.* = Bärenthal, *b)* *Belut ed-Debub* = Bärenkette, ein Bergzug, *c)* *'Aïn ed-Debba* = Quelle der Bärin, im Atlas; *d)* *Gelaat ed-D.* = Bärenschloss (Parmentier, Vocab. arabe 18. 25).

Debř = Thal, in čech. ON. *Debř, Debřec, Dbrnik, Dbrno*, verdeutscht *Döberle*, wie slow. *Debrije* zu *Döbriach*, in Kärnten, geworden ist (Umlauft, ÖUng. NB. 43 ff.).

Debrosses, Ile, angebl. eine austral. Küsteninsel, v. der frz. Exp. Baudin im Febr. 1803 benannt, offb. zu Ehren des Präs. Debrosses, (Péron, TA. 2, Freycinet, Atl. 18), kann nach Krusenst. (Mém. 1, 39) nicht existiren.

Debub s. Debb.

Debut s. Phillip.

Decaen, Cap, u. *Iles D.*, bei der austr. Halbinsel Fleurieu, v. der frz. Exp. Baudin im Jan. 1803 getauft nach dem dam. Gouv. in Ile de France, demselben, welcher Flinders 6 Jahre lg. zkhielt (Péron, TA. 2, 73).

Decena s. Osnaburgh.

Deception = Täuschung, in engl. Entdeckernamen mehrf. als Ausdruck getäuschter Hoffng. wie *Cape D.* *a)* die Ostspitze des südl. Eingangs der Manning Strait, welche Capt. Shortland 1788 zu durchfahren hoffte u. dann, freil. irrthüml. Weise (s. Indian Bay), geschlossen fand (Fleurieu, Déc. 184, Krus., Mém. 1, 163); *b)* s. Pleasant. — *D. Island*, SShetl. (Hertha, 9, 455), 'diese Insel trägt ihren Namen mit Recht' (Bergh., Ann. 6, 44) — sollte das Motiv im Bericht v. Weddels Fahrt 1820/24 sich finden? — *D. Bay*, eine der 3 grossen, aber mit Untiefen verschlämmten calif. Hafenbuchten, welche Capt. Meares 1788 mit getäuschter Hoffng. verliess. 'Eine hohe See, v. Osten her, stürzte sich auf den Strand, u. die Abnahme der Tiefe, indem wir uns der Küste näherten, war regelmässig 40—16 F. auf hartem Sande. Jenseits des Caps öffnete sich vor uns, dem Anschein nach, eine geräumige Bay, die viel versprechend schien u. wohin wir mit gespannter Erwartung einliefen. Das hohe Ufer, welches sie begrenzte, war weit entfernt, u. der dazw. liegende Raum bildete eine flache Ebene. Allein indem wir in die Bay steuerten, verminderte sich die Tiefe auf 9, 8 u. 7 F.; v. Verdecke sahen wir schon Brandungen gerade vor uns, u. v. der Mastspitze aus gesehen, erstreckten sie sich quer üb. die Bay. Folglich waren wir genöthigt, wieder auszulaufen u. zu versuchen, ob sich am entgegengesetzten Ufer eine Einfahrt od. ein Hafen zeigte . . . .' (GForster, Gesch.Reis. 1, 59. 149 f.).

Decrès s. Kanguroo.

Dedeagatsch = Schwarzpappel, türk. Name der neu angelegten Hafen- u. Bahnstation an der Mündg. der Maritza, ggb. Enos (ZfAErdk. 1870, 183). In derselben Gegend die Ruinen v. *Trajanopolis* (s. d.).

Deegen s. Bastian.

Deenagh s. Lask.

Deenish s. Dub.

Deep Creek = 'Tüfenbach' (vergl. Deptford), engl. Name eines rseitg. Nebenflusses des- obern Missuri. Der Fluss, dessen beide Quellen v. der Elk Range gespeist werden, ist tief u. wasserreich u. wird z. Bewässerg. bei Mount Baker gebraucht (Ludlow, Carr. 15); *b)* *D. Bay*, Lieu Kieu, v. Capt. Hall (Corea XIX f.) anno 1816 so benannt, weil sie wenigstens 100 Fad. t. ist, im Ggsatz zu der nahen äusserst seichten Barrow Bay; *c)* *D. Rapid*, eine der Stromschnellen des Pyramid Cañon, v. der Exp. des Capt. Ives (Rep. 75 ff.) im Febr. 1858 so getauft, weil das Fahrzeug hier wider Erwarten hinreichend Wassertiefe u. keine Felshindernisse, wohl aber eine reissende Strömg. fand. 'When we first heard its roar and saw the surging and foaming torrent, we were startled, and a little apprehensive that we might have reached the head of the navigation'. Gleich nachher traf man den durch eine Insel in 2 Arme getheilten *Shallow Rapid* = seichte Stromschnelle, wo üb. einer ausgedehnten Stelle u. üb. felsbedecktem Grunde nur 0_6 m Wasser lag u. das Schiff erst nach einem verunglückten Versuch die Durchfahrt erzwang.

Deer, einer der engl. Ausdrücke f. Hirsch, wie auch bei den Aelplern 'Thier' die Gemse bezeichnet (s. Thierberg), auf vschiedd. species des Hirschgeschlechts, auch f. das Renthier angewandt, wie in *D. Field*, Spitzb. (Phipps, NPole 52) u. *D. Sound*, bei Wager Water, v. Capt. Chr. Middleton im Juli 1742 so getauft, weil hier die v. Churchill mitgenommenen Eskimo einige Renthiere erlegten (Forster, Nordf. 451). — *D. Creek*, ein kl. Zufluss des untern Missuri, aus den Zeiten, wo die 'Thiere' zahlr. hier z. Tränke kamen u. wo noch 1805 Lewis u. Cl. (Trav. 5) Halt machten, um durch Jagd den Proviant zu ergänzen. Etwas aufw. am Flusse, in der Gegend des Big Manitou Creek, trafen die Jäger die ersten Bären; sonst hatten sie immer nur Hirsche erlegt. Noch später, am 19. Juli, in der Nähe der Mündg. des Platte R., heisst es im Berichte (ib. 21): 'The hunters have brought for the last few days, no quadruped, but deer'. — *D.'s Ears* s. Slim. — *D. Island*, 2 mal: *a)* im Unterlauf des Oregon, schon ind. *Elaha* = Hirschort, wo die Exp. Lewis u. Cl. (Trav. 496) schon in der Nähe erwünschten Proviant sich verschafft hatte u. nun, am 28. März 1806, eine Jägerpartie 100 dieser Thiere sah u. 7 davon schoss. 'They were the common fallow deer with long tails, and though very poor are better than the black-tailed fallow deer of the coast'; *b)* in Patag., noch wenige Jahre vor der Exp. Fitzroy (Adv.-B. 2, 296) reich an diesen Thieren.

Defiance, Fort = Veste zu 'Schutz u. Trutz', als Militärstation ggr. im Gebiete der Navahoes (Möllh., FelsGb. 2, 229).

Defigham s. Belgrad.

Defterdar Buruni, türk. Name eines Vorgebirgs, welches bei Ortaköi, an der europ. Seite des Bos-

porus, vorspringt, nach Suleiman's des Gr. Defterdar Pascha, welcher die Moschee v. Ortaköi erbaute, auch *Klidion* = Schlüssel des Bosporus
od. *Senex Marinus* = Meergreis, z. Andenken
desj., der den Iason auf seinem Heimwege leitete
(Hammer-P., Konst. 2, 211).

Dégérando, Cap, in Tasmania, benannt v. der
frz. Exp. Baudin im Febr. 1802 nach dem 'ehrwürdigen Gelehrten d. N.', Verf. philos. Schriften
u. als Minister verdient um das Unterrichtswesen
(Péron, TA. 1, 253). — Ebenso *Ile D.*, in Tasman's Ld., am 18. Apr. 1803 (ib. 2, 209, Freycinet, Atl. 27). — *Canal D.* s. *Ouest.*

Degerdorf s. Tegernsee.

Deggessiel = abgebrannter Wald, v. lit. *szils*
= Heide, Kieferwald u. *degas* = etwas Abge-
branntes, Name einer Höhe der Kur. Nehrg.
(Altpr. Mon. 8, 40).

Degermen = Mühle, auch *degirmen*, *deïrmen*,
vulg. *dermen*, oft in türk. ON. wie *D. Köi* =
Mühldorf, 2 mal: *a)* im taur. Gebirge (Köppen,
Taur. 13); *b)* in Pisidien (Tschih., Reis. 51); *D.
Deressi* = Mühlenthal, ebf. 2 mal: *a)* bei Kon-
stantinopel (Tschih., Reis. 67); *b)* auf Tenedos
(Hammer-P., Osm. R. 6, 22); *D.*, Ort am Sakaria
(Tschih. 10); *D. Su* = Mühlenwasser, Bach der
Krym (ib. 50). — In der Form *Dilmen-Su* =
Mühlbach, im Balkan, zw. Karlowa u. Philippopel,
daran der Ort *Dilmen-Mahalesi* = Mühlendorf
(Barth, RITürk. 42).

Dego s. Castiglione.

Deguthee s. Tykoothie.

Dehlau s. Dolina.

Dehli, oft *Delhi*, pers. ON. in Hindustan, un-
erklärt ... 'I could not obtain any satisfactory
details concerning the origin of this name'. Nach
Schahdschehán, einem der Kaiser v. *D.*, auch
Schahdschehanabád (Schlagw., Gloss. 185. 243,
Bernier, Gr. Mog. 2, 140). — Derselbe ON., aber
mal. Urspr., angebl. *dilli* = Schwelle, kehrt im
Arch. wieder *a)* in Sumatra, *b)* in Timor (Crawf.,
Dict. 119).

Dei-Jus, Dschebel el = Berg der Böcke, arab.
Bergname in Kordofan, f. eine isolirte Gruppe,
welche th. durch ihre senkr. Felswände, th. durch
ihre mit üppiger Vegetation bedeckten Hänge
mitten in der unabsehbaren Ebene einen prächtigen Anblick gewährt. Die gute Weide hat der
höchsten Kuppe den Namen *Deis-es-Semin* =
der fette Bock verschafft (Russegger, Reis. 4, 245).

Deine, gr. *Δείνη* = die wirbelnde, eine Hptquelle bei Genethlion (Forchh., Hell. 1, 277).

Deir s. Dêr.

Deistig s. Maisprach.

Deka s. Kolla.

Dekapolis = Gebiet der 10 Städte, gr. Name
a) der nördl. Theil Peräa's u. Palästina's, nach
den 10 Städten, welche um die Zeit des babyl.
Exils v. Syrern u. Griechen besetzt worden waren,
desh. später, als die Juden zkgekehrt, v. ihrem
Lande abgesondert u. zu Syrien, resp. Arabien
gerechnet wurden; *b)* eine Gegend um Ravenna,
die bis z. 8. Jahrh. *Pentapolis* (s. d.) geheissen

hatte; *c)* eine Ldsch. in Cilicia u. Pisidia (Meyer's
CLex. 5, 71).

Dékhan od. *Dákhin*, das ind. Plateau, v. skr.
dákschina = südlich, vollst. *Dakschinâpatha* =
Südweg, Südland, vulg. *Dakhinâbadha*, daher
gr. *Δαχιναβάδης*, was gegen Süden liegt, eig. 'die
rechte Weltgegend', da der Inder bei dem ersten
Gebete das Gesicht der aufgehenden Sonne zu-
kehrt (Lassen, Ind.A. 1, 101, Schlagw., Gloss. 185,
Bergh., Phys. Atl. 8, 35, Kiepert, Lehrb. AG. 32,
Spr. u. F., Beitr. 3, 6).

Delambre, Baie, in Süd-Austr., id. *Coffins Bay*,
v. der frz. Exp. Baudin am 27. April 1802 ge-
tauft zu Ehren des 'achtungswürdigen Gelehrten,
dessen Entdeckungen u. Arbeiten so kräftig z.
Vervollkommng. der Astronomie mitgewirkt haben'
(Péron, TA. 2, 85, Freycinet, Atl. 17). — Ebenso
Cap D., id. *Kanguroo Head*, im Jan. 1803
(Péron 2, 60, Krus., Mém. 1, 42) u. *Ile D.* in
De Witt's Ld., am 30. März 1803 (Péron 2, 201,
Freycinet, Atl. 25).

Delarow Inseln, 2 der Aleuten, v. russ. Adm.
v. Krusenstern (Mém. 2, 82, Atl. OP. 18) benannt
nach einem der ersten Gründer der (russ.-)americ. Co.

Delaware, zunächst der Fluss, nach Lord *D.*,
De la Warr, 1610 ff., 'one of the early settlers
of Virginia' (Buckingh., Am. 2, 192), einem weisen
u. energ. Gouv. (Quackenb., US. 73 f.). Sonderbar, wie die Eingebornen, die Lenni Lénapes,
'owned an extensive tract on the river now called
by their name' (ib. 17); diese *Delawares* sind im
Ggtheil erst nach dem Flusse benannt u. ver-
schwanden aus dessen Nähe, zunächst 1744 vor
der steigenden Macht der Irokesen, dann noch
weiter zkweichend (Strachey, HTrav. 42 u. a. O.).
Bei ihnen hiess der Fluss *Lenape-ittuk* = Fluss
der Lenape. Das Umland, v. 1626 an durch
Schweden besiedelt (s. Pennsylvania), war in den
Gebieten inbegriffen, welche der Herzog v. York
1682 an W. Penn verlieh, ausdrückl. die counties
of Newcastle, Kent und Sussex 'upon *D.*'; sie erhielten 1701 v. Penn eine gewisse Autonomie u.
erwuchsen zu einer der 13 alten Colonien, die
am 4. Juli 1776 ihre Unabhängigk. erklärten
(Staples, St. Union 9). — *Cape D.* s. Hindelopen.
— In Ohio ein Ort *D.* (Meyer's CLex. 5, 83).

Delft, ON. der Prov. Süd-Holl., im 11. Jahrh.
Delf = Graben, ags. *delfan* = graben, ein 'v.
vielen Grachten durchzogener Ort' (Peterm., GMitth.
7, 146, Daniel, Hdb. Geogr. 4, 1018), v. Gründer
Delf genannt, weil der Ort an einem *delf*, einer
Durchfahrt, lag (vdBergh., Meddel-ndrl. G. 160).
Förstem. (Altd. NB. 464) reiht noch an: *Delvunda*,
Flussname des 9. Jahrh., j. *Delvenau*, in der
Nähe der Steckenitz.

Delgado s. Prason.

Delidsche Su = tolles Wässerchen, türk. Name,
2 mal in Cilicien: *a)* ein kühler, tiefer Küstenfluss, dessen zahlr. Hptquellen in vielen Cascaden
v. Gebirge herabstürzen; *b)* ein Bergbach bei
Kaledere u., wie dieses, auf die Raschheit jener
Küstenbäche hinweisend. — *D. Irmak* = toller

Fluss, ein Nebenfluss des Kisil Irmak (Tschi-hatscheff, Reis. 9. 19. 55).

Deliktasch, v. türk. *delik* = Loch u. *tasch*, wie *dâgh, tâgh* = Stein, also = durchlöcherter Stein, ein Ort in der vulcan. Chimära Lyciens. Dort 'bricht die Flamme in dem Serpentingestein aus einer $0_{,6}$ m br. u. $0_{,3}$ m h. kaminartigen Oeffng. hervor', meterhoch schlagend. 'Neben dieser grossen Flamme u. ausserh. der kamin-artigen Oeffng. erscheinen auch auf Nebenspalten mehrere sehr kleine, immer entzündete, züngelnde Flammen ...' (Humb., Kosm. 4, 531, ZfAErdk. 3, 308). — *Deliklü* = löcherig, Dorf bei Edre-mid, in flacher Gegend voller Trachyt- u. Dolerit-ausbrüche (Tschihatsch., Reis. 1). — *Deliklü Tasch* = löcheriger Stein, 2 mal: *a)* ein Dorf auf einer Höhe v. Süsswasserkalk, bei Siwas (ib. 35); *b)* Lo-calität am obern Euphrat, 'Durchbruch am Stein' (Spiegel, Eran. A. 1, 160), die Wasserscheide z. Kisil Irmak od. die Clus im Euphratthale selbst?

Delille, Cap, in Spencer's G., v. frz. Lieut. L. Freycinet, Exp. Baudin, am 23. Jan. 1803 ge-tauft nach seinem Landsmann, dem Aesthetiker Jacques *D.* 1738—1813 (Péron, TA. 2, 78).

Delisle de la Croyère, in Sachalin, v. Capt. J. A. v. Krusenst. (Reise 2, 148) am 27. Juli 1805 getauft 'nach dem Astronomen, welcher den Capt. Tschirikoff auf seiner Reise nach America 1741 begleitete u. während dieser Exp. starb'. — Ob nicht ihm auch *D. Island,* im Arch. Mergui, v. engl. Capt. Thom. Forrest am 22. Aug. 1783 ge-tauft (Spr. u. F., NBeitr. 11, 194), gelte?

Delitsch Insel = in den spitzb. Tausend In., v. der Exp. Heuglin-Zeil im Aug. 1870 (PM. 17, 180 T. 9) benannt nach dem Geographen Prof. O. *D.* in Leipzig, dem dam. Herausgeber der Zeitschrift 'Aus allen Weltheilen'.

Délivrance, Cap de la = Vorgebirge der Be-freig., Louisiade, v. frz. Capt. Bougainville 1768 getauft, weil er, dem Ostpassat entgegen u. v. Nahrungsmangel bedrängt, 15^d ängstl. längs der Gebirge NGuinea's nach Osten gefahren u. nun seelenfroh war, das Ende der langen bangen Fahrt erreicht zu haben (Voy. 258—263). 'La viande salée infectait; nous lui préférions les rats qu'on pouvoit prendre .... Je fus obligé de faire une réduction considérable sur la ration du pain et de légumes. Il fallut aussi défendre de manger le cuir dont on enveloppe les vergues et les autres vieux cuirs, cet aliment pouvant donner de funestes indigestions. Il nous restoit une chèvre, compagne fidèle de nos aventures depuis notre sortie des îles Malouines où nous l'avions prise. Chaque jour elle nous donnoit un peu de lait. Les estomacs affamés dans un instant d'humeur, la condamnèrent à mourir; je n'ai pu que la plaindre, et le boucher qui la nourrissoit depuis si long-tems, a arrosé de ses larmes la victime qu'il immoloit à notre faim. Un jeune chien pris dans le détroit de Magellan, eut le même sort peu de tems après ..... Nous per-dions trop à virer plus souvent, la mer étant extrêmement grosse, le vent violent et constam-

ment le même: d'ailleurs nous étions contraints à faire peu de voiles pour ménager une mâture caduque et des manoeuvres endommagés, et nos navires marchoient très-mal, n'étant plus .en as-siette et n'ayant pas été carenés depuis si long-tems ....' Enfin öffnete sich das Meer; kein anderes Land mehr östl. v. Cap 'que nous dou-blions avec une satisfaction que je ne sçaurois dépeindre. Nous appellâmes ce cap après lequel nous avions si long-tems aspiré, le *C. de la D.*' — *Iles de la D.*, eine kleine Gruppe der Salo-monen, id. *Santa Ana* u. *Santa Catalina* des Spaniers Mendaña, v. frz. Capt. Surville, welcher lange in jenen inselvollen u. gefährl. Gewässern durch Windstillen u. widrige Winde (s. Contra-riétés) zkgehalten worden war, am 5. Dec. 1769 getauft. Die Ostspitze des Hauptlandes wollte er *Cap Oriental* taufen (Marion-Cr., NV. 280); allein Fleurieu (Déc. 151) änderte 'ce nom qui est com-mun à tant d'autres caps' in *Cap Surville.* — *D. Island* s. Turnagain.

Dellach s. Dolina.

Delmenhorst = Wald an der Delme, Oldb., v. niederd. *horst* = Holzung, etwa 'Busch' (PM. 7, 147). Der Ort liegt an der Delme, einem Zu-fluss der Ochte u. damit der Nieder-Weser.

Delos, gr. *Δῆλος* = Sonneneiland , in den Ky-kladen, der Ort, wo der Lichtgott sich hptsächl. ergötzt, wo das grosse, glänzende Fest der Ionier zu seiner Ehre persönl. gefeiert wird ... hanc (*Delum* insulam) Aristoteles ita appellatam pro-didit, quoniam repente adparuerit enata (Plin., HNat. 4, 66). *Delon* ante omnes terras radiis solis illuminatam sortitamque ex eo nomen, quod prima reddita foret visibus (Solin. ed. Mommsen 83). Die alten u. neuen Namen v. *D.* gibt Sal. Reinach (Rev. arch. 3^1, 75 ff.).

Delphi, gr. *Δελφοί*, der Ort des berühmten Orakels, 700 m üb. M., v. der Seeseite her in starkem Aufstieg zugängl., gelegen in engem Felsenkessel, welcher dem Ort kaum 3 km Um-fang liess; daher wohl der Name, zshängend mit *δελφύς* = Bauch. Im Sommer v. übermässiger Hitze, im Winter v. strenger Kälte, stets v. scharfen Winden leidend, galt *D.* f. ungesund; die eiskalten Quellen u. bes. die aus den Spalten u. Klüften des Kalkgebirgs hervorbrechenden kalten Luftströme scheinen den Volksglauben an das Dämonische der Orakelstätte hervorgerufen zu haben (Kiepert, Lehrb. AG. 288).

Delphines s. Dauphin.

Dem, Areg el- = Blutadern, arab. Name eines röthl. Dünenzugs in der Oase Tuggurt (GdGenève 1875 Bull. 42).

Demarcation Point = Grenzcap, bei Clarence R., v. Capt. John Franklin (Sec. Exp. .139. 142 Carte) am 27. Juli 1826 so benannt, weil dort-hin die Grenzlinie zw. dem brit. u. (dam. noch) russ. Besitz fiel.

Demawend, Pic v., der Hauptgipfel der Al-borskette, nach der an seinem Südfusse liegen-den Stadt *D.* (Brugsch, Pers. 1, 299 ff.). Die f. *D.* selbst gesuchte Etym., die bald auf npers.

dem, altbaktr. *dhmâ*, bald auf npers. *dûd*, altbaktr. *dunma* führt u. im erstern Fall sich auf die heftigen Windstürme, im letztern auf den Rauch, den der Berg ausstösst, beziehen sollte (Spiegel, Eran.A. 1, 70 f.), darf demnach nicht auf den Gebirgsstock angewandt werden; es muss die Ableitg. des Ortsnamens sein. 'Die Gleichsetzg. der Form *D.* (f. den Berg) = skr. *himavant* (= schneereich) ist eine etymol. Grille, der zwar die Buchstaben nicht entgg. stehen, die aber sonst gar keinen Halt hat. Die altbaktr. od. altp. Form des Namens ist leider nicht gefunden worden.'

Dembea s. Zana.

Demetros-, wiederholt: *a)* Δήμητρος σκοπιᾶς ἄκρα = Cap der Demeterswarte, am Roth. M. (Ptol. 4, 7, 5); *b)* in dor. Form *Damatira*, ngr. Δαματριά, j. noch ein Dorf auf Rhodos, ozw. auf ein altes Heiligth. zkweisend (Ross, IReis. 3, 99).

Demianka, ostj. *Nimnjanka*, mit russ. Endg., ein rseitg. Zufluss des Irtysch, unth. Tobolsk, nach dem ostjak. Fürsten Demian, eig. Nimnian, der zZ. Jermaks 1581/82 dem Eroberer Widerstand leistete. An der Mündg. der Ort *Demiansk(oi Jam)*, 1637 angelegt, 30 km weiter abw. das Ostjakendorf *Romanowsk*, nach dem Fürsten Roman (Müller, SRussG. 3, 367. 371, Fischer, Sib.G. 1, 223).

Demir Kapu = eisernes Thor, türk. Name verschiedener Pässe, sowohl Bergpässe als Schluchten, die als Verschluss leicht zu befestigen u. gleichsam durch eine 'Eisenthür' zu verschliessen waren, wie das *Eiserne Thor* v. Orsowa, röm. *Porta Augusti*, die gefährlichsten jener Stromschnellen, welche die ungar. v. der bulg.-rumän. Donau trennen; in dieser wilden Passage verengt sich der obh. 1 km br. Strom auf 130 m, bei 55 m Tiefe, u. die Riffe sperren mehr als 100^d des Jahres die Schifffahrt. Die Strasse ist beiderseits in die hohen Felsufer eingehauen (Daniel, Hdb.Geogr. 2, 143); *b)* ein zweites 'Eisernes Thor' in den siebenb. Karpathen, der Pass zw. den Gebirgsstöcken Pojana Ruska u. Piatra, einst wirkl. durch ein eisernes Thor abgeschlossen (Umlauft, Nam.B. 55); *c)* das bulg. Eisenthor, auf dem Balkanpass Tirnowo-Sliwno, ist 7 km weit v. hohen, steilen Felsenmauern eingefasst, durch ein Blockhaus (u. neue Schanzen?) versperrt, u. ein paar hundert Mann können hier ein ganzes Corps aufhalten, ja vernichten (Hammer-P., Osm.-R. 1, 203, Köln. Ztg. v. 23. Juli 1877); *d)* eine riesige, geheimnissvolle Schlucht des Rilo Dagh, auf dem Wege Samakov-Monastir, früher verschliessbar durch ein j. ruinirtes) Castell mit Wachtposten (Peterm., GMitth. 18, 90, Barth, RITürk. 75. 116); *e)* s. Derbend. — Ein russ. Seitenstück ist *Schelesnyje Worota* = eisernes Thor (s. Železo), eine Einfahrt in NSemlja (Peterm., GMitth. 18, 25). — *D. Köi* = Eisendorf, ein natol. Dorf, dessen Wohnungen in den Trachytmassen des Thales ausgehöhlt sind (Tschih., Reis. 9). — *D.-Maden* = Eisengrube, ein Berg der obern Maritza, mit Eisenmine (Barth, RITürk. 65). — *D.-Tasch* = Eisenstein, 2 mal: *a)* Ort bei Brussa (Tschih.,

Reis. 24); *b)* Berg der Hohen Tatarei, nach der Härte des vulcan. Trapps (Schlagintw., Gloss. 185). — *D.-Krani*, aus dem gr. Δαμοκρανειον umgedeutet, wie das j. *Bivados* aus Ἐπιβατον (Hammer-P., Konst. 1, 64). — *Demirsdschilér* = Eisenarbeiter, Ort an der obern Maritza, dessen Bewohner grösstenth. v. den Bearbeitg. des Eisenerzes leben (ZfAErdk. nf. 15, 458) u. wo 'gr. Eisenbarren das erste waren, was meinem Auge begegnete' (Barth, RITürk. 60). — *Demirdschi-Köi* = Schmiededorf, häufig in Kl. Asien (Tschih., Reis. 2, 23 ff., 32 etc.), sowie auf der europ. Seite des Bosporus (Hammer-P., Konst. 2, 273), doch ohne mir eine 'Realprobe' zu bieten. — Mit kirgis. Orth.*t*, wohl nach dial. Aussprache: *a)* *Tik Temir* = gerader Eisen(fluss), ein rseitgr. Nebenfluss der Emba. 'Das Wasser enthält Eisenoxyd, was an der hier u. da vorkommenden röthl.-braunen Färbg. der Ufer erkenntl. ist, weshalb auch die Kirgisen diesen Fluss *Temir* = Eisen nennen. Um ihn aber v. einem andern, gleichf. eisenhaltigen Flüsschen zu unterscheiden, das sich v. Osten in ihn ergiesst, nennen sie ihn *Tik-T.* u. jenen Zufluss *Kuldenen-T.* = *T.* in die Quere (Bär u. H., Beitr. 15, 59); *b)* *Usun-Temir* = langer Eisenfluss, ein viel längerer lkseitg. Tributär des Ilek-Jaik u. in ders. Gegend; *c)* *Temurtu-Noor* s. Issyk.

Demoiselles s. Fées.

Dendan-schiken = Zahnbrecher, npers. Name eines sehr jähen u. schwierigen Bergpasses des westl. Hindukhu (Spiegel, Eran. A. 1, 42).

Denderah, auch *Dendra(h)*, in O/Aeg., gr. *Tentyris*, *Tentyra*, alt *Tha-n-hathor* = Haus der Hathor, die hier einen Tempel hatte (Brugsch, Aeg. 112). Der noch vorhandene zierl. Tempel ist in altägypt. Style, doch grösstenth. erst in röm. Zeit erbaut (Kiepert, Lehrb. AG. 202).

Dendermonde s. Gmünd.

Deneschkino s. Jenissei.

Denghis = Wasser, See, Meer, mit Attributen in türk. ON., doch auch f. sich allein *a)* der Sumpfsee, in welchem der Serefschân, der Fluss v. Buchara u. Samarkand, endet (Spiegel, Eran. A. 1, 275); *b)* s. Balkasch.

Denia s. Hemeroskopeion.

Denial Bay = Bucht der Verneing., in Süd-Austr., v. Capt. Matth. Flinders (TA. 1, 112) am 7. Febr. 1802 benannt 'as well in allusion to St. Peter as to the deceptive hope we had formed of penetrating by it some distance into the interior country'. Das erste Motiv bezieht sich auf den Umstand, dass Flinders, angesichts der geringen Entferng. v. den St. Francis In., die vorliegenden nicht mit Nuyts' St. Peters Eill. identificiren konnte. Bei der Exp. Baudin im Mai 1802 *Baie Murat*, nach Napoleons Schwager (Péron, TA. 1, 275).

Denis, Raz, ein Wirbel, frz. *raz*, gespr. *râ*, wirkl. nach Krusenst. (Mém. 1, 161) kein Riff, sondern bloss 'un refoulement de la mer, produit par un fort courant du NO au SE', bei der Baie Choiseul, am 1. Juli 1768 v. Bougainville (Voy.

266) entdeckt u. nach seinem maître d'équipage benannt.

Denis, St., bei Greg. v. Tours *Sancti Dionysii basilica*, Ort bei Paris, urspr. *Catuliacum*, als Abtei v. König Dagobert 630 ggr. u. benannt nach dem ersten Bischof v. Paris, dem heil. Dionysius, der, als Märtyrer auf dem Montmartre 273 enthauptet, sein Haupt in die Hände genommen u., v. Engeln geleitet, hierher gelangt u. in einer Capelle dieser Stätte beigesetzt worden sei (Meyer's CLex. 14, 28). Der alte Name, *Catulliacus*, bestand noch im 9. Jahrh. (Longnon, GGaule 347. 361).

Denison Range, Bergkette in Süd-Austr., v. Rich. MacDonald auf seiner Reise im Seengebiete 1859 benannt zu Ehren v. Sir Will. Th. *D.*, welcher v. 20. Juni 1855 bis 22. Jan. 1861 Gouv. v. NSouth Wales war (Peterm., GMitth. 6, 385, Wüllerst., Nov. 3, 4). — Ebenso *Port D.*, in Queensl., v. Sinclair im Sept. 1859 entdeckt (Peterm., GMitth. 7, 386).

Denon, Baie (s. Fowler), im Arch. Nuyts, v. der frz. Exp. Baudin am 12. Febr. 1803 getauft nach dem Aesthetiker Dominique Vivant baron de *D.*, 1747—1825 (Péron, TA. 2, 105, Freycinet, Atl. 18). Vergl. Choiseul-Gouffier.

Denqa, gew. *Dinka* = Regenleute, v. *deñ* = Regen, ein Negervolk am WNil; 'denn Regen u. angebl. Regenmacherei spielen im Leben dieser Menschen eine sehr grosse Rolle' (ZfAErdk. nf. 14, 38). Bei den Njamnjam heissen sie *A-tag-bondo* = Stockleute, weil die Lieblingswaffe, geschnitzt aus dem harten Holze des 'Hegelig', Balanites, od. aus dem Ebenholze des Landes, Diospyrus mespiliformis, andern Völkern lächerlich erscheint (Schweinf., IHAfr. 1, 166).

Dental Cup = Zahnschale, eine der Thermen des Fire Hole, Upper Basin, v. U. St. Geol. F. V. Hayden (Prel. Rep. 119) im Aug. 1871 benannt nach der zahnartig ausgerandeten Schale des Thermalbassins.

Dentro, Val di = inneres Thal, ital. Name eines Seitenthals der Adda, bei Bormio in die Berge eindringend, früher nach einem am Eingange gelegenen Weiler auch *Val di Podenosso* (Leonhardi, Veltl. 67).   .

Deo-su, die Gegend zw. Kaschmir, Ladakh u. Iskardu,. kaschm. Form des skr. *Devasami* = Götterebene. 'Die hochgelegene den Menschen schwer zugängl. u. in feierl. Stille schlummernde Gegend um die beiden Alpenseen (Ravanahrada u. Manasasarovara) u. ain Kailâsa ist dem Inder eine der heiligsten; die Seen sind berühmte Wallfahrtsörter, Kailâsa Götterwohng. u. übh. der Sitz wunderbarer Gestalten der myth. Dichtg.' (Lassen, Ind. A. 1, 43. 46). — Eine Reihe hind. ON. wie *Deogarh, Deogaung, Deogong, Deopani* (s. Brahma) u. *Deopreág*, mit *garh* = Veste, *gaung*, *gong* = Dorf, *preag* = Opfer (Schlagw., Gloss. 186). — Die skr. Form in *a) Dewagiri* = Götterberg, ind. Stadt, die spätere Hptstadt des Reiches Karnata (Lassen, Ind. A. 1, 207). Im Jahr 1310 wurde der Ort Residenz der Statthalter der afghan.

Dynastie Gildschi, dann Hptst. des kurzlebigen abess.-muhammed. Staats u. ist seither in *Daulatabad* = Stadt des Reichthums umgetauft (ib. 1, 213, Meyer's CLex. 5, 15); *b) Dewakûta* s. Adam; *c) Dewapur* = Gottesstadt, im Dekhan, wogegen *Dewangandsch* = Ministers Markt, arab.-hind. ON. in Bengal (Schlagw., Gloss. 186); *d) Dewaradschapattana* = Stadt des Götterkönigs, skr. ON. im Plateau v. Meissur (Lassen, Ind. A. 1, 183. 196). — Mit *dewi* = Göttin, insb. Durga, Siwah's Gemahlin, die ind. ON. *Dewikot, Dewikotta,* wo *kot, kotta* = Veste, *Dewipatnam* = der Göttin Stadt (Schlagw., Gloss. 186, Lassen, Ind. A. 1, 196). — *Deodhunga* s. Everest.

Depot Insel, in Spitzb., v. der schwed. Exp. 1861 so getauft, weil hier Lilliehöök, der Verabredg. gemäss, in einem varde einen Vorrath v. Lebensmitteln u. ein Schreiben zkgelassen hatte, in welchem er den durch die HinlopenStr. gedrungenen Mitgliedern Nachricht gab v. den wichtigsten Begebenheiten, dem genommenen Curse etc. (Torell u. Nordensk., Schwed. Expp. 127. 159. 163 f.). — *D. Spitze*, in spitzb. Nordost Ld., ebf. mit Depot 1861. 'Mitten auf der Spitze wurde auf den Sand eine Grube gegraben, daselbst der Proviant hinein gelegt u. mit Grus u. Steinen bedeckt. Sodann wurden alle z. Boote gehörigen Sachen darauf gepackt, das Boot darüber gewälzt u. rings mit Steinen umgeben. Das daselbst errichtete Depot bestand ausser dem eisernen Boote mit Segel, Kufen, Zelt, Rudern, Steuer, 4 Ziehgürteln u. einer Schaufel z. Aufgraben des Proviants, aus 9 Büchsen, welche 43 Pfd. Pemmican enthielten, u. einer Tonne mit 70 Pfd. Schiffszwieback (ib. 182). — *D. Springs,* eine Quelle der westaustr. Wüste, am 5. Juni 1869 v. engl. Reisenden John Forrest entdeckt u. offb. benannt nach der Futter- u. Wasserfülle, die sich hier bot: 'a fine spring near some granit rocks with splendid feed around them. This is the first good spring seen since leaving the settled districts' (Journ.RGSLond. 1870, 237).

Deptford, engl. ON. in Kent, früher *Depeford* = tiefe Furt, näml. an der Themse, im Ggsatz z. nahen *Greenwich, East-Greenwich,* v. alten Autoren auch als *West-Greenwich* unterschieden (Charnock, LEtym. 84). Es ist nicht unwahrsch., dass auch *Dieppe*, dép. Seine Inférieure, Ort mit treffl., sehr sicherm, 10 m tiefem Hafen, v. vläm. *deep* = tief abzuleiten ist (Meyer's CLex. 5, 451). — *D. Reef,* im Korallenmeer, entdeckt v. engl. Schiff *D.*, Capt. Campbell (Krusenst., Mém. 1, 91).

Depuch, Anse, in der Baie du Géographe, v. frz. Capt. Baudin am 31. Mai 1801 benannt nach dem Mineralogen der Exp., Louis *D.*, welcher mit dem Schiffsfähndrich Henry Freycinet u. dem Obergärtner Riedlé zuerst das Land betrat (Péron, TA. 1, 57). — Ebenso *Entrée D.*, im Havre Henri Freycinet, am 12. Aug. 1801 (ib. 165) u. *Ile D.*, im Arch. Forestier, am 27. Juli 1801 (ib. 108, Freycinet, Atl. 25).

Der, Pays ou Forêt du, latin. *pagus Dervensis* = Eichengau, grosse natürliche Gegend des frz.

dép. Aube, umfassend die niedern Lagen der aus Sand u. Gault bestehenden Kreideformation, vor dem 9. Jahrh. noch gänzl. v. Wäldern eingenommen, im Mittelalter u. im 16. Jahrh. theilw. gerodet, 673 *foresta Dervus*, 837 *Dervus sylva*, 1020 *silva Dervensis*. Noch heissen zwei der Theilwälder *le Grand D.* u. *le Petit D.*, ein dritter einf. *le D.*, ein Weiler, ehm. Kloster, 1201 *Derf*, im 17. Jahrh. prioratus *Sancti Petri de Dervo* (Dict. top. Fr. 14, VIII. 57). — *Derrydruel* s. Druid.

Dēr = Kloster, arab. Name einer Burgruine der Grossen Oase, die noch lange nach dem Einbruch des Islam, bis ins 13. Jahrh., christl. geblieben ist (Peterm., GMitth. 21, 389); *b) Dschebel ed-Deir* s. Kreuz. — Im plur. *Diûra* = die Klöster, die 3 ehmal. Castelle, welche die Strasse der Raubzüge (s. Ghazawât) beherrschten.

Dera'ah s. Kerrak.

Deradschát = die 3 Lager, hind. Name (mit arab. Endg.) einer Gegend am Indus, nach den 3 Lagerplätzen, déras: Fátih-, Gházi- u. Ismáel-Chan (Schlagw., Gloss. 186).

Der'ât s. Zumle.

Derbend, auch *Derbent*, s. v. a. Clus, Thürschluss, eig. 'schliesse die Thür!' v. pers. *der* = Thür, Thor u. *bend* = geschlossen (Peterm., GMitth. 37, 266), pers.-türk. Name f. Engpässe (Hamilton, Kl. As. 1, 498): *a)* am Kaukasus, gr. *Ἀλβάνιαι Πύλαι*, lat. *Pylae Albaniae* (s. Albania). 'La ville de *D.* garde le défilé le plus fréquenté du Caucase, celui qui est formé par l'extremité orientale de cette chaîne, et par le rivage de la mer Caspienne. Elle est assise en partie, dans une petite plaine au bord de cette mer; en partie, sur le penchant assez escarpé d'une montagne que la citadelle couronne. Ses murs, flanqués de tours, ont 120 pieds de haut, et 9 pieds d'épaisseur. Une grande porte de fer, qui défend au nord l'entrée de cette ville, lui a fait donner le surnom de *(Demir Kapu =)* porte de fer. *D.* signifie en persan défilé et barrière' (C. d'Ohsson, V. d'Abou el Cassim 160). Die Araber (Edrisi ed. Jaub. 2, 322, Abulfeda ed. Rein. 298) nennen den Ort *Bab al-Abwab* = Thor der Thore; der zweite dieser Autoren lässt die den Engpass schützenden Mauern, statt durch Alexander, wie die Volkssage will, v. Cosroës Nuschirwan, also im 6. Jahrh., erbaut sein. 'Le lendemain nous vînmes à la Porte de fer qui est une ville qu' Alexandre le grand fist bastir, ayant la mer à l'orient; et y a une petite plaine entre la mer et les montagnes, le long de laquelle la ville s'étend jusqu' aux hautes montagnes qui la ceignent du côté d'occident, n'y ayant autre passage que par là; car par la montagne, il n'y a pas moyen d'y passer, à cause de leur hauteur et spreté inaccessible; ni de l'autre coté aussi, à cause de la mer. De sorte qu'il faut passer tout droit par le milieu de ceste ville, où est une porte de fer, dont la ville a pris son nom. Elle a quelque demy lieue de long; et sur le haut de la montagne y a un fort chasteau. Sa largeur est d'environ un jet de pierre. Ses mu-

railles sont très fortes sans aucuns fossez, mais a plusieurs tours basties de bonnes pierres de taille bien polies. Les Ta(r)tars ont abattu le haut de ces tours, et les boulevards de la muraille'. (Rubruquis ed. Bergeron 1634, 271)...'et ce est la province que Alixandres no pot passer quand il voult aler au ponent, por ce que la voie est estroite et douteuse; car de l'un lez est une mer et de l'autre sont grant montaignes qui ne se peuvent chevauchier. Et ceste estroite voie plus de quatre lieues; si que pou de gens ten(d)roient le pas atout le monde' (MPolo ed. Pauthier 1, 40, WHakl. S. 49ᵇ, 186); *b)* am Safed-Rud, Nord-Persien, wo sich der Fluss durch eine enge Schlucht hindurchzwängt, obh. der Confl. mit dem Schahrud u. somit der Schlucht Rudbar (Spiegel, Eran. A. 1, 76); *c)* in Makedon., die alten sapäischen Pässe bei Philippi (Sommer, Taschb. 12,119); *d)* in Kurdistan, mit Wachtposten (Peterm., GMitth. 9, 260, Klaproth, Kauk. 2, 84); *e)* in Indien, auch *Darband*, am Ausgange des Indus aus dem Himálaja ... 'a porta per onde os Persas dizem que entrou Alexandre Magno, a qual elles chamão *Darbande*, que quer dizer porta fechada' = geschlossenes Thor (Barros, As. 4, 6, 1). — *Dervenia*, in ngr. Form, ein Weg durch die Schluchten, welche den mittlern Höhenrücken des korinth. Isthmus durchfurchen, v. dem Engpasse, *derveni*, welcher auf der Höhe zw. zwei Felsmassen hindurchführt u. in türk. Zeit, da er wg. der Unsicherheit der Küstenstrasse der besuchtere war, durch einen Wachtposten geschützt wurde (Curt., Pel. 1, 9). Schon Strabo (391) erwähnt, wie der Weg sich dem Felsen nähere u. üb. ihm hohes, unwegsames Gebirge lagere. — *Derveno-choria*, ngr. *δερβενοχώρια* = Dörfer am Engpass, die Gegend, welche v. den j. Megaräern bewohnt ist, weil die Bevölker. zZ. der türk. Herrschaft die Engpässe zu vertheidigen hatte (Köppen, Taur. 5). — *Dewrendasi*, f. *D.-aghsi* = Mündg. des Engpasses, Ort am Ende einer v. Owa Su durchströmten Schlucht bei Safaranboli, u. *Dewrent-köi*, f. *D.-Köi* = Passdorf, Ort bei Karahissar (Tschihatscheff, Reis. 11. 42).

Derborence = Fichtenalp, eine 'tannenumschattete Alp' an den Diablerets, Wallis, mit den *Lacs D.*, Bergseen, durch einen Bergsturz entstanden, v. Felstrümmern, die mit Nadelholz bewachsen sind, umlagert, wie die Alp *Darbon* u. der diese durchfliessende Bach *Darbonère* v. frz. patois *derbi* = Fichte (Gatschet, OForsch. 193).

Derby, Stadt der engl. Grfsch. *Derbyshire*, am Flusse *Derwent*, als Römerstation *Derventio*, in alten Urkunden *Derbii*, dän. *Deoraby*, wird gern auf ags. *deor* = Wild, Wildthier zkgeführt u. als 'Wohng. des Wildes' erklärt (F. Davis, Derbysh. Pl. N. 13), ist jedoch unverkennbar, wie der röm. Name u. das dän. *Derwentby*, dem Flussnamen entnommen. Dieser selbst wird verschieden, v. Bacmeister (Kelt. Br. 47) aus ir. *daur*, kymr. *derven* = Eiche, somit als Eichenfluss, erklärt. Vgl. Camden-Gibson, Brit. 1, 441, Charnock, LEtym.

85. — *Peak of D.* s. Devil. — *Derwent* s. Rivière du Nord.

Derdsch = Stufe, arab. Name des tripol. Platzes, bei welchem man, auf dem Weg Rhadames-Tripoli, aus dem Tieflande auf das eig. Plateau gelangt, 'am steilen Abhange od. Rande der Hammada' (Rohlfs, QAfr. 1, 58, Marocco 184).

Dereköi = Thaldorf, türk. ON., mehrf. *a)* bei Smyrna, an einem Bache in prachtvoller Thallandschaft, die v. dem völlig öden Gebirgsland scharf absticht; *b)* bei Kiutahia; *c)* am Fuss der Vorberge des Boz D.; *d)* in der Nähe des Sees Abullonia; *e)* bei Aïdin (Tschihatscheff, Reis. 2—7). — Ein *Derebei-Köi* = Dorf der Thalfürsten, in Armenien (ib. 63) u. ein *Derinköi* = tiefes Dorf, am Hamamly-Su, einem v. Bergen eingefassten Flusse (ib. 47). — In npers. Form *Deryâ Derre* = Thalsee, ein im westl. Theil des Paropanisus liegender See, 'dessen Wasser durch die umgebenden hohen Berge keinen Abfluss findet' (Spiegel, Eran. A. 1, 27).

Derius s. Moerenhout.

Dermen s. Degirmen.

Derna, mod. ON. der ehm. Cyrenaica, alt *Dar-(da)mis*, eig. ein Complex v. 5 Ortschaften, deren bedeutendste *el-Medineh* = Hptstadt, Stadt, sich zu den andern verhält wie in Europa eine kleinere Stadt zu den Vorstädten, Wohnsitz der Obrigk. u. der reichen Familien, des Bazars u. Einkehr der Karawanen ist, auch wg. ihrer Ringmauer als *Beled es-Sur* = befestigte Stadt bezeichnet wird. Eine der andern Ortschaften heisst *el-Magharah* = Grottendorf, nach dem alten Brunnen, der in ihrer Mitte sich befindet (Hertha, 12, 190). Vergl. Heabès.

Dernbach s. Tegernsee.

Derq-Woira = trockner Olivenbaum, abess. Prov. u. *D. Wonz* = trockner Fluss, ein Gebirgsfluss v. Abessinien (PM. 13, 428).

Derrah s. Zareh.

Derratsch s. Maria.

Dert-Tjube = 4 Berge, kirg. Name eines Höhenzugs am Oberlaufe des Irtysch (Bär u. H., Beitr. 20, 38), wohl nach der Anzahl der Gipfel wie Utsch-Tjube (s. d).

Dervenia s. Derbend.

Derwent s. Derby.

Desaguadero = Abfluss, v. span. *agua* = Wasser, 2 Steppenflüsse in Creolien *a)* der Abfluss des Titicaca-Sees, 'the river which drains the lake of Titicaca, flowing out of its southern extremity. Hence its name' (WHakl. S. 41, 171); *b)* der Abfluss der argent. L. Silverio, in die L. Bevedero (s. d.) mündend.

Desaix, Ile, Arch. Arcole, v. der frz. Exp. Baudin am 10. Aug. 1801 getauft nach dem General, welcher am Abend der Schlacht v. Marengo, 14. Juli 1800, in die schon wankende Schlachtlinie einrückte, und dem österreich. Grenadiercorps entgegenwarf u. v. einer Kugel getroffen den Heldentod † (Péron, TA. 1, 113, Freyciner, Atl. 27), wie *Cap D.* s. Otway. — Eine *Baie Desault*, in Tasman's Ld., am 7. Apr. 1803, nach

dem Chirurgen d. N. 1744/95 (Péron 2, 206, Freyc. 26).

Desbrowe, Cape, an der Ostseite Grönl., benannt v. der engl. Exp. Clavering-Sabine im Aug. 1823. 'Dieses Vorgebirge wünschte ich nach meinem Freunde, Capt. Sabine, zu benennen; aber auf seine besondere Bitte erhielt es den Namen zu Ehren des † Parlamentsmitgliedes Edward *D.*' (Peterm., GMitth. 16, 328; 17. T. 10).

Descartes, Anse, in Spencers G., v. frz. Lieut. L. Freycinet, Exp. Baudin, am 28. Jan. 1803 getauft nach dem berühmten Philosophen René *D.,* lat. Cartesius, 1596—1650 (Péron, TA. 2, 80). — Ebenso *Baie D.,* in Victoria, am 2. Apr. 1802, zs. mit *Cap Montesquieu* (Péron 1, 267), u. *Ile D.,* in den Is. de l'Institut, am 14. Apr. 1801 (Péron 1, 116; 2, 211, Freycinet, Atl. 27).

Desch D. s. Graubünden.

Deschnew s. Bering.

Descht-i-Bîdaulat = die unglückliche Ebene, npers. Name eines Plateau, welches, am Fusse des afghan. Bolanpasses, eine ganze Tagereise erfordert, bevor der Wanderer in das wohl bewässerte u. fruchtb. Thal v. Schal(a) gelangt (Spiegel, Eran. A. 1, 19). — *Deschtistan* s. Germasir.

Deseado, Puerto = der ersehnte Hafen, so nannte der span. Entdecker Juan de Grijalva am 31. Mai 1518 eine inselreiche Bucht Yucatan's, weil er, nach einem feindl. Zstreffen mit Indianern, eines seiner Schiffe ausbessern u. Wasservorräthe ergänzen konnte: 'donde reparó uno de los navíos y renovó su aguada' (Navarrete, Coll. 3, 58); *b)* s. Desire. — *Cabo D.* s. Hermoso. — *Arcipelago del Cabo D.* s. Adelaide. — *Deseada,* j. *Désirade,* eine der frz. Antillen, v. den span. Schiffern auf der 830 leguas lg. Fahrt Canarien-Westindien zuerst erblickt, je nach 28—30ᵈ (WHakl. S. 2, 213 f.). Nach Benzoni (ib. 21, 2) rührt der Name v. Columbus selbst her, der v. den Canarien aus 24 od. 25ᵈ hatte, 'without ever seeing land, though very desirous of seeing it, when he did discover it, he named it *la Deseada'*. Galvão gibt die Entferng. auf 800 leguas, die Reise auf 25—30ᵈ an ... 'poseran lhe nome a *Desejada,* pelos desejos que leuauã de ver terra' (WHakl. S. 30, 85).

Desertas, as (Ilhas) = die unbewohnten Inseln, 'de öde klipporna *Desertá'* (Skogm., Fr. Eug. Resa 15), 'the Desert', which produceth onely orehill and nourisheth a great number of goates' (Hakl., Pr. Nav. 2ᵇ, 7), bei Madeira, v. den Port. benannt nach ihrem unfruchtb., öden, menschenleeren Aussehen, bei den engl. Matrosen *Deserters* (Hawk., Acc. 1, 3, Forster, Nordf. 496). — *Desiertas* s. Canarien.

Desfontaines s. Coffin.

Deshoulière, Cap, im St.Vincent's G., v. der frz. Exp. Baudin im Jan. 1803 wie die meisten übr. Punkte jener Gegend nach einer Frauensperson benannt, näml. nach der Idyllendichterin d. N. 1634/94 (Péron, TA. 2, 74).

Desima = Vorinsel, scil. v. Nagasaki, v. jap.

de = vor u. *sima* = Insel (Sommer, Taschb. 22, 27).

Desire, Port, in Patag., v. Drake's Nachgänger Thom. Cavendish (Debrosses, HNav. 140) entdeckt u. nicht im Sinne eines 'ersehnten Hafens', sondern nach seinem ersten Schiffe *D.*, mit dem die Exp. v. 17.—28. Dec. 1586 blieb, getauft (Hakl., Pr. Nav. 3, 803 ff., vgl. Garnier, Abr. 1, 35), auf span. Carten fälschl. *Puerto Deseado* (ZfAErdk. 1876, 414). — *D. Provoked* = erregtes Verlangen, Cap am Eingange der Hudson Bay, v. engl. Seef. H. Hudson am 8. Juli 1610 entdeckt u. benannt in hoffnungsvoller Erwartg. der gesuchten Durchfahrt (Rundall, VNW. 77, WHakl. S. 27, 95). — *Cape D.* s. Begeerte. — *Desirade* s. Deseado.

Desolation, Cape = Vorgebirge der Verödung, in Feuerl., v. Capt. Cook (VSouth.P. 2, 173 f.) am 19. Dec. 1774 so benannt, weil hier das verödetste u. unfruchtbarste Land beginnt 'I ever saw: entirely composed of rocky mountains without the least appearance of vegetation. These mountains terminate in horrible precipices, whose craggy summits spire up to a vast height; so that hardly any thing in Nature can appear with a more barren and savage aspect' . . . 'It well deserves the name, being a high, craggy, barren range of land' (Fitzroy, Adv.-B. 1, 389). Nach dem Cap die anlieg. *Desolate Bay* (ib. 400). — *Mount D.* s. Disappointment. — *D. Land* nannte der brit. NWF. John Davis die in winterl. Erstarrg. liegende Ostküste Grönlands, als er auf seiner ersten Polarfahrt, am 20. Juli 1585, die Gegend des j. Cape Discord erreichte. 'This land presented the appearance of a mass of stupendous mountains enveloped in snow. Neither wood, nor grass, nor earth, was visible. For two leagues off, the sea was so pestered with ice, firmly packed, that not even a boat could effect an entrance.' 'The lothsome view of this shore', Davis remarks, 'and the irksome noyse of the yce such, as it bred strange conceites among vs: so that we supposed the place to be wast[e] and voyd of any sensible or vegitable creatures, where upon I called the same *D.*' (Rundall, Voy. NW. 37, Hakluyt, Pr. Nav. 3, 99. 119, Forster, Nordf. 345). Durch Versetzg. ist auf neuern Carten der Name, auch ein *Cape D.*, an die Westküste gerathen, zw. C. Farewell u. Gilbert's Sd. — *D. Land of South* (d. i. südl.), im westl. Feuerl., völlig öde Landschaften, welche mit ihren dürren, schneebedeckten Felsen u. gletscherreichen Thälern unangenehm gg. den baum- u. wiesengrünen Osten contrastiren, so benannt v. engl. Seef. John Narborough 1670 (Debrosses, HNav. 307, Bougv., Voy. 169). Dieses Land, v. span. Seef. Sarmiento, als er 1584 seine 2 Colonien gründen wollte, *Santa Ines* (= h. Agnes) genannt, 'öppnade sig för våra blickar i all sin afskräckande ödslighet. Af vextlighet synes numera knappast något spår, och allt efter som man nalkas utloppet blifva bergen lägre, deras former mindre djerfva och i stället för de storartade utsigterna i de medlersta delarna af

sundet ser man här en oredig massa knaggliga bergsklintar, som med skäl göra detta land förtjent af det namn Narborough gifvit det' (Skogm., FEug. Resa 1, 104. 107). — *D. Island,* in arkt. u. antarkt. Oeden: *a)* eine hochgipflige Insel an der Westseite Grönl., bei C. Dudley Digges, v. der Exp. Belcher (Arct. V. 1, 69) 'not inaptly' so benannt (1852); *b)* in South Shetland, v. engl. Capt. Rob. Fildes am 14. Nov. 1821 entdeckt u. nach dem abschreckenden Ansehn so benannt, 'entfaltete die schrecklichsten Bilder, die ich jemals sah: ungeheure, hohe, rauhe Felsen, deren jegl. Kluft mit Schnee gefüllt war u. dahinter eine undurchdringl. Mauer v. Eis . . .' (Hertha 9, 446); *c) Island of D.* s. Kerguelen. — *D.,* ein abgelegener Weiler des frz. dép. Aisne (Dict. top. Fr. 10, 93).

Despair, Bay of = Bucht der Verzweiflung, NFundl., wo die engl. Colonisationsexp. Hoare schwere Hungersnoth litt (Anspach, NFdl. 25). — *D. Strait* s. Hell.

Despoblados s. Canarien.

Despoto Dagh = Despotenberg, ein Gebirge der Balkan Hl., welches, Makedon. u. Thrakien scheidend, einst den Rest des byzant. v. dem serb. Gebiete schied. Von dieser Seite erschienen häufig die Schaaren der Serben, um dies geschwächte Reich anzugreifen, u. nach Lasar, dem serb. Könige, erhielt das Gebirge den Namen, den es noch heute trägt (Hammer-P., Osm. R. 1, 177 ff. 6, 282). Jedf. ist die j. Form, als türk., nur Adoption des urspr. Nach dem Geol. Hochstetter (Peterm., GMitth. 18, 90, Meyer's CLex. 13, 621) wäre *D. Dagh* = Pfaffengebirge, wg. der vielen Klöster in den Bergen, deren eines z. B. Rilo Monastir. Zwischen den beiden Erklärungen lässt sich erst entscheiden, wenn die eine sorgfältiger gestützt ist.

Dessau, die Hptstadt Anhalts, 'wahrsch. unter Albrecht d. Bären durch eingewanderte Vlämen erbaut', als Stadt erwähnt 1213 (Meyer's CLex. 5, 157) als *Dissowe,* dann *Dess-* u. *Dissouwe, Dyssowe, Dessaw,* 1349 *D.,* was Fr. Kindscher (Anh. Mitth. 1, 267 f.) sicher f. undeutsch u. zwar slaw. ansieht, also dass die erwähnte Colonisation im Anschluss an eine ältere slaw. Anlage dieses Namens erfolgte wäre. Ein deutsches *Diss-ouwe* ergäbe etwa 'Rauschaue', eine Aue, in der es rauscht od. dann, wie ein Namenbuch ohne weitere Erklärg. meint: *Dess-au.* Man will die urk. Form als aus *Dirzowe, Derizowe* = Birkenfeld verkürzt u., mit M. Fraenkel (Anh. Mitth. 1, 564), aus *tis* = Eibe entwickelt denken. Jedenf. wird eine Uebtragg. des bibl. *Dessa* (Makk. 2, 14[16]) heute nicht mehr einleuchten. Dagegen liest sich nicht übel, wenn endlich, 1891, K. Schulze (Anh. Mitth. 6, 4 des Sep.-Abdr.) *D.* als 'Insel am Fall' erklärt, v. mhd. *dieze,* ahd. *diezo* = Schnelle, Katarakt, u. *ouwe, owe* = Insel; bei dem Schlosse befinde sich näml. in der Mulde ein Werder u. da wäre, wie das urspr. ein Katarakt gewesen.

Desset = Insel, abess. Name eines hochgelegenen Landstrichs, welcher auf seinen **beiden**

Längsseiten v. Flüssen, im Osten v. Rothen M. begrenzt ist (Munzinger, OA. Stud. 178). **Desterro** = Verbannung, port. Name: *a)* einer Ansiedlg. im Unterlauf des Amazonenstroms, wo schon 1639 die Port. ein Fort mit 30 Soldaten u. einigen Artilleriestücken unterhielten (WHakl.S. 24, 129); *b)* der Hptstadt der südbras. Küsteninsel Sᵃ Catharina, christ. als *Nossa Senhora de D.* = ULFrauen v. *D.*, auf der Westküste der Insel 1640 ggr. (Meyer's CLex. 5, 159). Ob der Ort urspr. ebf. Verbanngsstation war?

Destillationsfels s. Monument.

Destruction, Isle of = Zerstörungsinsel, ein niedriges, flaches, baumloses, aber grünes Küsteneiland bei Juan de Fuca's It., so benannt v. engl. Capt. John Meares am 1. Juli 1788 nach dem Bilde der Zerstörg., welches die benachbarte Küste bietet — wohl eher als wg. der hohen Brandg., mit welcher sich die Wogen an den ringsum liegenden Klippen brechen. 'Der Anblick dieser Gegend war äusserst wild, u. innerhalb unsers fernsten Gesichtskreises, bis an den steilen, zackigen Felsenrand am Meere, gg. den sich die Wellen mit furchtb. Ungestüm brachen, überall mit unermessl. Wäldern bedeckt. Längs des Ufers lagen th. Klippen, th. felsichte Inseln, u. nirgends zeigte sich weder eine Bucht, noch irgend eine Einfahrt, die nur dem kleinsten Schiffe den mindesten Schutz versprochen hätte .... Wir bemerkten recht deutl. Spuren v. der Heftigk., womit die südl. Stürme hier wüthen. Ganze weitläuftige Wälder lagen niedergestreckt u. bildeten mit ihren Aesten einen langen Strich nach NW. Sie waren mit den Wurzeln unzähliger ganz aus ihrem Boden gerissener Bäume verflochten u. bezeichneten den Gang des tobenden Orkans' (GForster, GReis. 1, 141 ff.).

Desvelo, Cabo = Vorgebirge der Nachtwache, in Patagon., v. F. Magalhães 1520 entdeckt u. wohl auch benannt (ZfAErdk. 1876, 338), ozw. z. Andenken an eine sorgenvolle Nacht. — Im plur. *Bahia de los Desvelos* s. Trabajos.

Desventuradas s. Tiburon.

Detention Harbour = Hafen des Verhafts, richtiger des gezwungenen Verweilens, in Georg's IV. Krönungs Bay, am 26. Juli 1821 v. Capt. John Franklin (Narr. 368) so genannt, weil er hier mit seinem gebrechl. Fahrzeuge, v. Eise eingeschlossen, in gefahrvoller Lage zkgehalten war. — *D. Cove*, NSeel., wo Capt. Cook (VSouthP. 1, 89) v. 1.—4. Mai 1773 durch Windstillen zkgehalten wurde.

Detmold, die Hptstadt des Fürstenth. Lippe-*D.*, zu Karls d. Gr. Zeit *Theotmalli* = Gerichtsstätte am Teut, Volksgericht, mit ahd. *mahal* (s. Malstat), dann *Theot-*, *Thiot-*, *Thiatmelli*, 1074 *Thiedmali*, noch 1350 *Detmelle*, 1674 *Dietmelle* (Förstem., Deutsche ON. 95, Altd. NB. 1445).

Détour = Wendung, eine Landspitz. am Gr. **Slave** L., v. der Exp. Alex. MacKenzie's (Voy. 170) **am** 26. Juni 1786 so benannt, weil hier die Küstenfahrt eine mehr westl. Richtg. annimmt; *b)* s. Kitchi-nashi.

Detroit = Enge, an Stelle des Indianerdorfs *Waweatonong* = Ort mit gewundenem Zugang entstanden, näml. in der Verengerg. zw. St. Clairu. Eriesee, zuerst 1610 (Buckingh., East. u. WSt. 3, 374) od. 1670 (BCommiss.GLAmts 1867, 23), erwähnt 1679 v. La Salle, der auf seiner grossen Reise passirte (Coll.Minn.HS. 1, 24), z. Stadt erweitert 1701 (Meyer's CLex. 5, 167).

Deulemonde = Mündg. der Deule, vläm. ON. des frz. dép. du Nord, nach dem Flusse, der hier in die Lys mündet (Meyer's CLex. 5, 169).

Deurne s. Dorn.

Deutsch, Volks-, urspr. Sprachbezeichng. auf german. Gebiete, viel jünger als der Nationalname Germanen (s. d.), erst in den Urk. u. Schriftstellern der Zeit der Karolinger, u. zwar anfängl. nur adjectivisch od. adverbial v. der Sprache gebraucht, im Ggsatz z. roman. Volkssprache: (lingua) *thiudisca*, *t(h)eudisca*, *theothisca*, *theodisca*, später adv. *tiutisce* ... = dem Stamme, dem eignen Volke, *diot*, *thiuda*, angehörig. So gibt auch H. Leo (Kuhns Zeitschr. 2, 252 ff.) goth. *thiuda*, ahd. *diota*, ags. *theód* = gens, davon *diutisc* = deutsch, germanicus (s. Teutoni). In diesem Sinne entstand der Gebrauch bei den Franken. Nachdem nämlich, in langdauernder Völkerbewegg., die german. Stämme aus einander gerissen waren, trat dort die Volkssprache als solche in Ggsatz z. lat. Kirchenu. Geschäftssprache u. roman. Idiom der Gallier (lingua romana rustica). 'Ut quilibet episcopus homilias aperte transferre studeat in rusticam romanam linguam aut *theotiscam*, quo tandem cuncti possint intellegere, quae dicantur' (Urk. 813). Besonders anschaulich wird der Ggsatz zw. Volks- u. Büchersprache in des 1272 † Predigers Berchthold v. Regensburg Ausspruch: 'Die ungelerten liute die sulen den glouben in *tiutsche* lernen u. die gelerten in buochischem' (Münch. Sitzgsber...., 732?) Geradezu als lingua Germanica erscheint sie, um 830, im Prolog zu Heljand: 'ut cunctus populus, *theutisca* loquens lingua, eiusdem divinae lectionis nihilominus notionem acciperet. Praecepit namque cuidam de gente Saxonum, qui apud suos non ignobilis vates habebatur, ut vetus ac novum testamentum in *Germanicam* linguam poëtice transferre studeat'. Und während hier das Volk erst als 'populus *theutisca* loquens lingua' bezeichnet wird, so wendete Walafr. Strabo (de Reb.Eccl. c. 7), z. ersten mal, so weit es sich nachweisen lässt, um 840, den Namen *deutsch* auf das Volk selbst an, u. diess gerade in der Zeit, wo zw. den rein u. unvermischt gebliebenen Germanen u. den romanisirten Franken auch eine politische Scheidg. sich zu bilden anfing. Mit dem Vertrag v. Verdun 843 fiel Ostfranken als Theilreich dem Enkel des grossen Frankenkaisers zu, Ludwig, welcher als Begründer des *deutschen* Reiches 'der *Deutsche*' zubenannt wird. Die Scheidg. beider Völker musste um so vollständiger werden, je mehr die Franken mit den Galliern zu einem Volke u. ihre verschiedenen Idiome zu einer einzigen roman. Volkssprache verschmolzen. In der Schreibg. hat der Name lange zw.

d u. *t* geschwankt; insb. in der Blüthezeit des Mittelalters herrschte *t*. Bei G. Radlof (Spr. d. Germ.) findet sich ein langes Verzeichniss der Autoren mit beiderlei Orth. Erst im 18. Jahrh., sagt er, sei die Schreibg. mit *d*, in Sachsen bishero nur den Gottesgelehrten, Dresdener Canzleibeamten u. Dichtern, nicht aber allen dortigen Gelehrten eigen, emporgekommen, besonders seit 1774, unter Gottscheds Einflusse so allgemein, dass sogar das 1000jähr. *teutsche* Reich, noch kurz vor seinem Ende, sich in ein *deutsches* vertaufte (p. 119). Noch 1847 wollte H. Hattemer (Urspr. d. Wortes Teutsch), die altfränkische mit histor. Schreibg. verwechselnd, das alte *t* wieder zu Ehren bringen; er stützte sich bes. auf die altdeutschen Schriften des Klosters St. Gallen. Diese tragen jedoch den Stempel des alemann. Dialekts u. können gerade darum f. den gemeindeutschen Gebrauch nicht massgebend sein. Grimm berief sich darauf, dass nach nhd. Regel, der wir doch j. in allen andern Wörtern folgen, alle jene ältern *t* wieder, wie im ahd., zu *d* geworden seien, u. dieser Gesichtspunkt musste durchschlagen. — In mehrern mod. Sprachen wurde ein blosser Stammesname dem Gesammtvolke beigelegt: frz. *Allemands*, *Allemagne*, port. *Allemãos*, *Allemanha*, span. *Alemanes*, *Alemania* (während *Germano* u. *Germanico* f. 'altdeutsch' vorbehalten sind), ital. *Alemanno* (doch gew. *Tedesco*), *Alemagna*. H. Leo (l. c.) ist geneigt, den Namen, den die Slawen dem deutschen Volke gaben u. der dann auch zu den Magyaren u. Türken übging, russ. *Njemez* (s. Nemec), bulg. *némez*, poln. *njemiec*, laus. *njemc*, als mit 'stumm', entspr. *mléch* (s. Walen), zshängend anzusehen. — *D. Dorf* s. Brandenburg. — *Deutschendorf* s. Poprád. — *D. Bay* s. Kaiser Bassin. — *Neu Deutschland*, engl. *New Germany*, Colonie in Natal., v. *D.* 1848 bevölkert (Meyer's CLex. 11, 1002). — Durch ein blosses, bei ON. nicht eben gebräuchl. Suffix aus demselben Stamme abgeleitet ist der alte ON. *Diuza*, im 8. Jahrh. *Teutzo*, *Divitia*, *Diutia*, *Dieze* etc., j. *Deutz* bei Cöln, *Diessen*, am Ammersee, *Dietz*, an der Lahn (Förstem., Altd. NB. 1443 ff.).

Deutera s. Oasis.

Deux = zwei, mehrf. in frz. ON. paarweis stehender Berge, Klippen, Inseln etc., wie: *Ilot des D.Arbres*, wie Capt. d'Urville ein v. Riffen umgebenes, an 2 Bäumen kenntliches Eiland der Salomonen, einh. *Ruadika*, bei engl. Seeff. *Solitary Island* = einsiedlerische Insel, 1838 nannte (Meinicke, IStill. O. 1, 156); *les D.Cyclopes*, zwei benachbarte hohe Pics der Nordküste NGuinea's, die gebirgige Landschaft überragend, v. Bougainville (Voy. 293) am 12. Aug. 1768 benannt, bei d'Urville in *Cyclope* u. *Mont Bougainville* unterschieden (ib. 98); *D.Evailles* s. Ève; *les D.Frères a)* s. Mottuaity, *b)* s. Trois. — *Ecueil des D.Frères*, eine Inselklippe nordwestl. der Sandwich In., nach dem Schiffe, welches dort scheiterte, v. Krusenst. (Mém. 2, 46) getauft. — *Lac des D.Montagnes*, eine seeartige Erweiterg. des OttawaR., nach den 2 Bergen, an deren Fusse das Dorf der Irokesen u. Al-

gonkin lag (MacKenzie, Voy.34), irok. *Kanesatake* = unth. des Abhangs, v. *onesa* = Abhang, Hügel, u. *ehtake* = unterhalb, in neuerer Zeit auch algonk. *Oka* = Goldfisch (Cuoq, Lex. Iroq. 10). — *Baie des D.Peuples*, eine sowohl Flinders als d'Entrecasteaux entgangene Bay v. Nuyts Ld., durch die Exp. Baudin so benannt, weil sie hier die Union, eine american. Brigg, Capt. James Pendleton, unvermuthet antraf (Péron, TA. 2, 130). — *Les D. Soeurs*, mehrf. f. kl. Inseln: *a)* in den Seychellen (McLeod, EAfr. 2, 213); *b)* bei Cap Forward, v. Bougainville (Voy. 149) im Dec. 1767 getauft. — *Mont (ou Rocher) des D.-Vierges* = Felsberg der 2 Jungfrauen, Schloss des dép. Hérault, 922 castrum de *Duas Virgines*, 1060 castrum de *Duabus Virginibus*, wo der Sage zuf. der heil. Fulcran, Bischof v. Lodève, geboren wurde u. seine zwei Schwestern in Zkgezogenheit lebten (Dict. top. Fr. 5, 56). — *Les D.-Eaux* = Zweiwasser, Siechenhaus des dép. Aube, 1123 de *Duabus Aquis*, 1318 maison des *D. Yauves*, begrenzt u. den Bächen la Hurande u. le Triffoire (ib. 14, 58). — *Canal des D.-Mers* s. Midi.

Deva, Dewi s. Deo.

Devil = Teufel, in vielen engl. ON., als Ausdruck des Grausigen, Gefürchteten, Verderblichen, wie in den entspr. Bezeichnungen anderer mod. Sprachen. In alphabet. Folge: *a) D.'s Anvil* = des Teufels Ambos, ein in den Schluchten des Rio Colorado vorspringender, fast senkr. aufgebauter Uferfels (Wheeler, Geogr. Rep. 164); *b) D.'s Backbone* s. Hungry; *c) D.'s Bason* = Teufelsbecken, eine schöne Hafenbucht in Feuerl., umgeben v. steilen Felsen, über welche viele klare Bäche stürzen u. an deren Fusse einige Baumgruppen stehen, getheilt durch einen engen Canal in ein äusseres u. inneres Becken, welch letzteres ein so sicherer Ankerplatz ist, als einer sein kann, aber auch an Düsterheit kaum übertroffen werden mag, da die ungeheure Höhe der wilden umgebenden Felswände selbst im (austr.) Sommer einem grossen Theile des Beckens die Mittagsonne verbergen (Cook, VSouthP. 2, 179); *d) D.'s Bridge* = Teufelsbrücke, ein alter Bau, der in einer wildschönen Schlucht üb. den stürzenden Fluss Mynach, Wales, führt (Meyer's CLex. 5, 410); *e) D.'s Caldron* = des Teufels Kochkessel, eine ungeheure Kochquelle am obern Yellowstone R., mit trübem schwarzdampfenden Wasser, das den schwarzen Schlamm am Rande absetzt, v. überaus düstern Ansehen u. fürchterl. Gewalt des fortwährend aus tiefem Kessel aufsiedenden Inhalts, so getauft 1871 v. der Exp. Hayden (Prel. Rep. 86) . . . 'the depth of the crater of this spring, its dark, gloomy appearance, and the tremendous force which it manifested in its operations, led us to name it the *D.'s Caldron*'; *f) D.'s Cavern* = Teufelshöhle, auch einf. *Peakhöhle*, eine 685 m lg. Tropfsteinhöhle in den Kalkbergen der engl. Grfsch. Derby, deren 605 m h. Hauptberg als *Peak of Derby* einf. *Peak* = Bergspitze bekannt ist (Meyer's CLex. 12, 671); *g) D.'s Den* s. Hell-Broth; *h) D.'s Elbow* = des Teufels Ellbogen, eine äusserst scharfe, gefährl. Krümmg. des Missisipi, ähnl. in derselben Gegend ein paar durch Flussinseln getheilte, bes. bei Niederwasser gefährl. Stromarme: *Devil's Race Ground* = Teufelscanal u. *God's Race Ground* = *Chenal du bon Dieu* — 'Benennungen, welche ihren Urspr. wahrsch. der verzweifelten Lage irgend eines Schiffers' früherer Zeit verdanken (PWHerz. v. Württb., NAm. 138); *i) D.'s Foot* = Teufelsfuss, eine der durch Erosion entstandenen Kerben auf dem Damme des Shuylkillfalls, fussartig, deutl. mit Ferse, Fusshöhle, Balle u. Zehen, so dass man den Sitz des Teufels hierher verlegte (Keyser, Fairm. P. 81); *k) D.'s Gate* = Teufelsthor, eine Clus mit senkr. Granitwänden im Thal des Sweetwater R., 'through which the river has forced its way, and now it thunders through, leaping and foaming from rock to rock as if in triumph at its victory over the massive stone' (Raynolds, Expl. 131); *l) D.'s Grip* = Teufelsrinne, eine Schlucht des Rotoiti, NSeel., nach den vielen Stachelgewächsen, die den Durchgang erschweren (Meinicke, IStill. O. 1, 288); *m) D.'s Hills* = Teufelsberge, engl. Uebs. eines ind. Namens, f. die hohen, weitgedehnten Sanddünen, welche am Assiniboine R., bei der Confl. mit Pine Cr., mehr u. mehr überhand nehmen u., durch die vorherrschenden Westwinde begünstigt, die Prairie beeinträchtigen (Hind, Narr. 1, 287); *n) D.'s Lake* s. Minnewakan; *o) D.'s Landing Place* = des Teufels Landungsplatz, eine der schwierigeh Stromschnellen des obern Hill R. (Franklin, Narr. 34); *p) D.'s Pathway* = des Teufels Fusspfad, eine Schlucht im Quellgebiet des Stinking Water, wo der Pfad zw. Massen v. Gneissu. Granitfelsen hindurch führt (Hayden, Prel. Rep. 171); *q) D.'s Peak* = Teufelspic, der 800 m h. Culm der calif. Küsteninsel Sa. Cruz (PM. 22, 331); *r) D.'s Point* = Teufelsspitze, Cap am English Channel, v. der wilden Flut,'round which (nach Marryat, Three Cutters) the tide runs devilish strong' (Brandes, Progr. 1851, 15); *s) D.'s Pool* = Teufelsteich, ein v. Cresheim Creek durchflossener Teich bei Philadelphia, nach der wildschönen Umgebg., die den schattigen, dicht überwaldeten u. mit Felsblöcken übersäeten Platz früher zu einem Schauplatz des Aberglaubens machte (Keyser, Fairm. P. 107); *t) Great D.'s Portage*, einer der schlimmsten Trageplätze, welche der Canadier auf der mühsamen Route des Missinipi zu bewältigen hat (Franklin, Narr. 178 ff.); *u) D.'s Punchbowl*, eines der schauerlich wilden Thäler in St. Helena (Meyer's CLex. 14, 119); *D.'s Race Ground*, zweimal: *v)* eine sehr schwierige Stromschnelle des untern Missuri, 'where the current sets for half a mile against some projecting rocks on the south side' (Lewis & Cl., Trav. 4); *w)* s. *D.'s Elbow; x) D.'s Riding School* = des Teufels Reitschule, ein merkw. Trachytgipfel der südatlant. Insel Ascension, einst Vulcan, dessen Spitze sich zu einem kreisfgen, 10 m t. Krater aushöhlt (Hertha 5 GZ. 232); *y) D.'s Seat* s. Dalle; *z) D.'s Slide* = des Teufels Rutschbahn, ein Abhang der Cinnabar Ms., wg. des eigenth. wild zerrissenen Cha-

rakters. Der Abhang wird rechts v. einer fast senkr. Mauer v. Quarzit, links v. einer ungeheuern Basaltwand eingefasst, u. der breite Zwischenraum ist mit Felstrümmern, Gras u. einigen zerstreuten Tannen bedeckt (Hayden, Pr. Rep. 62). It consists of two masses of rock in almost vertical position, perfectly defined as two walls. They are about 50 feet in width each, and 300 feet high, reaching from the top of the mountain to its base. They are separated from each other about 150 feet, the intervening softer material having in the lapse of time been washed away (ib. 174, Ludlow, Carroll 18). — *D.'s Stream* = Teufelsfluss, mit malerisch wilden Ufern, bei Fort Wayne (Hertha 9, 61). — *D.'s Thumb* = Teufelsdaumen, zweimal: *a)* ein Berg der Nordinsel NSeel. (Meinicke, IStill. O. 1, 277); *b)* ein hoher isolirter Pic, welcher als 'a striking landmark' (Kane, Grinn. Exp. 86), einem Leuchtthurm ähnl., einer Hügelgruppe bei Melville Bay entsteigt. — *D.'s Tower* = Teufelsthurm, eine hohe einzelne Inselklippe der BassStr., 1800 v. Capt. Grant benannt, nachdem sie schon durch Bass u. Flinders (TA. 1, 223) entdeckt worden war. — *D.'s Valley* = Teufelsschlucht, der wilde Engpass, in welchem der Oregon die Dalles (s. d.) bildet u. so alle Schifffahrt unterbricht (Glob. 15, 47). — *D.'s Workshop* = des Teufels Werkstatt, einer der Schlammvulcane des Nationalparks, v. dem wilden Toben des aus einer Höhle v. 5—6 m hervorbrechenden u. beständig in Dampfwolken verhüllten Quells. 'Hollow, bubbling noises continually issues from it, which simulate, by aid of the cavern, the metrical clang and clash of great pieces of machinery, turning and splashing, accompanied by a recurring hiss of escaping steam' (Ludlow, Carr. 24).

Devlin s. Dub.

Devon, das breite Mittelstück der in Cornwall auslaufenden brit. Halbinsel, bei den kelt. Cornen einst *Dunan*, welsh *Deuffneynt* = tiefe Thäler, v. welsh *dwfn* = tief u. *nant*, plur. *neint*, *nentydd* = Thal, Schlucht, Wildwasser, daher die Bewohner bei Ptol. *Δουμνόνιοι*, Dum- od. *Damnonii*, *Dumnunii* (Charnock, LEtym. 86). — *Devonport* s. Plymouth. — *North D.* s. Somerset.

Dewe-Boyun = Kamelsrücken, Kamelhals, türk. Name eines schmalen, langgestreckten Gebirgsrückens, welcher die Quellen des Euphrat u. des Kale-su scheidet (Spiegel, Eran. A. 1, 145. 155). — Häufig ON. wie *Dewelü* = Kamelort, *Dewelü-Karahissar* = Kamel-Schwarzburg, *Dewelü-Köi* = Kameldorf od. mit *dewedschi* = Kameltreiber zsgesetzt (Tschihatscheff, Reis. 4. 9. 14. 36. 56).

Dewiss-Namuchli = Teufelsknie, georg. Name einer steilen Sandsteinwand am Kur, welcher hier genöthigt wird, den Lauf zu ändern, nach der Felsform, welche am Ufer einem ungeheuern Knie ähnelt (Klaproth, Kauk. 1, 731).

De Witt's Land, im Nordwesten des Australcontinents, v. 21—14° SBr. (Krus., Mém. 1, 46), v. holl. Schiffe Vianen, dessen Capt. vermuthl. Willem *de W.* war, 1628 entdeckt ... *G. f. de Witte Lant* ondeck ao. 1628 (Carte zu Tasman's

Journ., Debrosses, HNav. 261, Flinders, TA. 1, LI f.). — *Mount de W.*, in Tasmania, aus Tasman's irriger Bezeichng. *de W.'s Eilanden* v. Bass u. Flinders (TA. 1, CLXXVII Atl. 7) am 12. Dec. 1798 dem höchsten Gipfel verliehen, da sie erkannten, dass die vermeinten Inseln mit dem Hptlande zshängen. Die Vermuthg., als seien die Inseln 1642 nach dem berühmten Rathspensionär Johan de *W.* benannt worden, ist hinfällig, da dieser dam. erst 17 Jahre alt war. — *Point de Witt Clinton*, am american. Eismeer, v. Capt. Franklins Gefährten, Dr. Richardson, im Sommer 1826 getauft nach dem vorm. Gouv. des Staats NYork, welcher der ausrückenden Exp. viel Aufmerksamkeit erzeigt hatte (Franklin, Sec. Exp. 242 ff.).

Dewrend s. Derbend.

Dewsbury, ON. in Yorkshire, wird v. altsächs. *Diusburg* = Gottesstadt abgeleitet. Die Stadt, eine der ältesten der Angelsachsen, hörte schon 627 Paulinus, den ersten Bischof v. York, predigen (Meyer's CLex. 5, 416).

Dexter s. Duff.

Dháka = die verborgene Göttin, auf Carten gew. *Dacca*, beng. ON., weil, der ind. Sage zuf., um das Jahr 400 hier eine Durgastatue (s. Dewikót) gefunden wurde u. der Finder auf dems. Platze einen Tempel erbaute, um welchen herum nach u. nach die j. Stadt entstand (Schlagw., Gloss. 186).

Dhanjadhar = korntragend, skr. Name eines durch Fruchtbk. berühmten ind. Gebiets, welches im Norden des Golfs v. Cambaja u. zw. den Flüssen Parnaça u. Sarasvati liegt, ein angeschwemmtes, reichbewässertes Gebiet, alle Gewächse seines Klimas in üppigster Fülle tragend u., wo es gehörig angebaut, ein ununterbrochener Garten (Lassen, Ind. A. 1, 136). — *Dhanráu* = König des Reichthums, hind. ON. in Garhwál (Schlagw., Gloss. 186).

Dhar el-'Erg = Rücken der Düne, die Höhenlinie in dem Streifen v. Sanddünen el Wad-Ghadames (PM. 7, 392).

Dharamsála = Haus der Gerechtigkeit, v. hind. *dháram*, skr. *dhárma* = Gerechtigkeit, ON. in Nepál, sowie in Málwa u. im Pandscháb, auch oft f. öffentl. Karawanserais gebraucht. — *Dháram Singhka Kíla* = Schloss, *kíla*, des Dháram Singh (= Gerechtigkeitslöwen), hind.-arab. ON. im Pandscháb. Das Suffix *ka* drückt den Besitz aus (Schlagw., Gloss. 187).

Dharaui s. Dahra.

Dhawalagiri = der weisse Berg, v. skr. *dháwala* = weiss u. *giri* = Berg, einer der höchsten Gipfel des Himálaja (Humboldt, Kosm. 1, 41, Schlagw., Gloss. 187). — *Dholpur* = weisse Stadt, hind. ON. in Hindostan, v. *dhol*, contrah. aus *dháwala* = weiss (Schlagw., Gloss. 187).

Dheheb s. Dahab.

Dhoinn s. Bull.

Dholbhum, eig. *Dhobi-bhum*, v. *dhobi* = Waschermann, Gründer der j. Dynastie des Landes, u. *bhum* = Land, Gau, also = Dhobiland heisst eine Gegend Indiens, nach der Sage, dass jenem

Waschermann die schöne Rankini, eine Menschwerdg. der Göttin Kali, f. seine gastfreundl. Aufnahme das Land geschenkt habe (Peterm., GMitth. 7, 222).

Dholpur s. Dhawalagiri.

Dhum s. Ain.

Diable = Teufel, oft in frz. ON., um das Unheimliche, Schauerliche u. Schreckliche od. auch das Unchristliche, Heidnische, zu bezeichnen, wie la *Table du D.* u. le *Camp du D.*, Druidensteine, *Gorge le D.*, *Mont au D.*, sämmtl. im dép. Meuse, *Chemin du D.* (s. Moine), la *Pierre du D.*, ein dolmen, la *Diablerie*, ein Wald, beide im dép. Eure-et-Loir (Dict. top. Fr. 11, 70; 1, 59). — *Mer du D.* s. Todtes M. — *Diablerets* = Teufelsberge nennt der Aelpler die kahlen zerrissenen Felsmassen, welche, in den Berner Alpen zw. Waadt u. Wallis aufragend, schon 2mal, 1714 u. 1749, die anliegenden 'Alpen' mit gewaltigen Schuttmassen erfüllt u. Hirten u. Herden erschlagen haben. Der Aberglaube versetzte hierher den Eingang der Hölle (Gem. Schwz. 19¹, 116, Tschudi, ThAlpw. 29). 'Nulle part dans les Alpes on ne trouve une vallée d'un aspect aussi sévère. Les sommets orageux des *D.* et l'aspect lugubre du lac de Derborentze donnent à ce paysage élevé un aspect qui remplit de terreur l'esprit du voyageur qui se hazarde dans cette vallée désolée' (Mart.-Crous., Dict. 198). — *Iles du D.* nannte der frz. Deportirte, wg. des ungesunden Klimas, eine Reihe kleiner Küsteneilande v. Cayenne, deren grösstes stolzer *Ile Royale* = Königsinsel. Anno 1763 hatte das Project Choiseul's, Cayenne zu colonisiren, 13000 Ansiedler an die ggb. liegende Küste geführt; nach wenigen Monaten waren diese Tausende hingestorben, u. nur 500 flüchteten sich v. dem mörderischen Gestade auf die Eilande, welche sie im Dankgefühle *Iles du Salut* = Rettungsinseln nannten. Die kleinste hat den Namen *Ile du D.* beibehalten; nach ihr werden nur zeitweilig widerspenstige Insassen der andern Detentionsörter exilirt (ZfAErdk. nf. 4, 252). Eine Note Schomburgks (Raleigh, Disc. G. 201) setzt die Ankunft der Einwanderer, 12000 an Zahl, in 1713, was unmöglich ist, da Choiseul (geb. 1719, als Minister entlassen 1770, † 1785) in jenem Jahr noch nicht einmal geboren war. Ob der Name *IdD.* wirkl., unserer Angabe ggb., bloss auf irgend einem ind. Aberglauben beruhe, möchte bezweifelt werden. Raleigh selbst nennt die Gruppe nach der relativen Lage der 3 Eilande *Triangle Islands*.

Diablo = Teufel, spielt in span. ON. dieselbe Rolle wie in engl. (s. Devil) u. a. Aus blossem Unwillen hat 1858 ein american. Officier, den sie zu einem Umweg v. 30 km nöthigte, eine Teufelsschlucht, *Cañon D.*, im Netz des Kl. Colorado, getauft, einen 500 km lg. u. im Flachland so urplötzl. eingeschnittenen cañon, dass man diesen erst gewahr wird, wenn man am Rande steht (Peterm., GMitth. 20, 411); *b) Monte del D.*, ein hoher wilder Berg Californiens, am San Joaquin R. (DMofras, Orég. 1, 423); *c) Puente del*

D. = Teufelsbrücke, eine v. den Karthagern herrührende, hochgespannte Brücke, welche bei Martoréll, Cataluña, üb. den Llobregat führt (Willkomm, Span.-P. 179); *d) Vuelta del D.* = Teufelswirbel, eine v. schweren Baumstämmen verriegelte Stromschnelle des Ucayali, dessen Strömg. wüthend anprallt (WHakl. S. 24, XLIX). — Im plur. *los Diablos* (s. Bermudas) u. *Cerro de los Diablos* = Teufelsberg, ein hoher, gefährl. Landvorsprung der peruan. Küste, 18° SBr. ...'all this coast is dangerous' (WHakl. S. 33, 29).

Diadème s. Tahiti.

Diamantina, auch *-o*, port. ON. wiederholt in Brasil., dasj. in Minas Geraes um 1730, d. i. nach Auffindg. der ersten Diamanten, ggr. u. v. den Abenteurern zunächst *Tejuco* = Lehm- od. Kothstadt, v. der bei Regenzeit bodenlosen Beschaffenheit aller Wege, getauft (Eschwege, Pluto Br. 356ff., wo die Orth. *Tijuco*, Meyer's CLex. 5, 427). — *Diamant* s. Paarl.

Diamond = Diamant, mehrf. in engl. ON. *a) D. Island*, im Unterlauf des Oregon, am 3. Nov. 1805 v. den Captt. Lewis u. Cl. (Trav. 386 f.) nach dem Aussehen, mitten im Flusse, benannt. 'It is six miles long, nearly three in width, and like the other islands thinly covered with timber, and has a number of ponds or small lakes scattered over its surface'; *b) D. Creek*, ein Zufluss des R. Colorado ...'rein u. klar wie ein Diamant, sprudelte der Bach aus einer Schlucht an uns vorüber ... u. *DC.* tauften wir (die Exp. v. 1858)' das Wasser, das lustig dahin tanzte' (Möllh., FelsGb. 2, 49); *c) D. Spring*, eine Quelle (u. Ort) am Arkansas. 'Einen angemessenen Namen hätte man wohl kaum ersinnen können; denn wie Diamanten quillt ein starker, eisigkalter Wasserstrahl aus dem Boden u. rieselt bachähnlich dem nahen Thale zu (Möllh., FelsGb. 2, 378).

Diana Bay, am spitzb. Edge Sd., v. der Exp. Heuglin-Zeil 1870 getauft nach des schott. Polarf. James Lamont Fahrzeug, welches hier stationirte, einem eigens f. die Eisfahrt gebauten Schraubendampfer v. 250 tons. In die Bay mündet der *Hartmann Gletscher*; ggb. die Hohlseite v. Halfmaan E. bildend, der ausgezeichnete Hafen *Knockdow Cove* (Peterm., GMitth. 17, 182. 223. 470 T. 9, ErgHft 28, 20). — *Bâture de Diane*, wo *bâture* = Basses, vielleicht, eine Sandinsel, kaum die Wasserfläche überragend, bei NGuinea, v. frz. Seef. Bougainville (Voy. 255) am 4. Juni 1768 getauft. — *Dianen Str.*, in den Kurilen, v. russ. Capt. Golownin 1811 zuerst passirt u. nach seinem Schiffe *D.* benannt (Krus., Mém. 2, 196). — *Dianium* s. Hemeroskopeion.

Djangys-Agatsch = einziger Baum, türk. ON. f. ein russ. Piquet im centralasiat. Siebenstromland, weil in der waldlosen Steppe ein einziger Baum stand (PM. 4, 354).

Diarbekr, Stadt am Tigris, urspr., schon in den assyr. Inschriften Nimruds, in den antiken Autoren freilich nicht v. Mitte der 2. Jahrh., altassyr. *Amida*, j. noch türk. *Kara-* (= schwarz) *Amid*, nach der dunkeln Farbe der Mauern. Spiegel

(Eran. Alt. 1, 173) setzt die Stadt auf eine 30 m h. Basaltwand, an welcher der Tigris vorüberfliesst. Häuser u. Mauern sind v. diesem schwarzen Material erbaut, so dass die Ursache des Beinamens 'dem Reisenden bei dem ersten Anblick in die Augen springt'. Südlich v. *D.* der *Karadagh* = Schwarzberg (Hammer-P., Osm. R. 2, 439 ff.). Oppert (Exp. Més. 1, 50) fand die meisten Häuser aus schwarzem porösem Stein erbaut, den Anblick traurig-düster, wie eine Stadt in Trauer, u. die ärmern Quartiere, aus armseligen fahlen Lehmhütten, verbesserten den ersten Eindruck nicht. Wahrsch. hat der Kaiser Constans die Stadt mit der erstaunlichen Mauer v. schwarzen Steinen umgeben (WHakl. S. 49[b], 6), u. der ital. Reisende Zeno, der zu Anfang des 16. Jahrh. Persien bereiste, nennt sie *Caramit*, die Provinz *Dierbec* (ib. 145 ff.). In der That ist der ehm. Landesname *D.* = Land der Bekr, nicht, wie Schläfli (Orient 29) meint, Name eines einzelnen Eroberers, sondern eines arab. Stammes, der um 640 die Gegend den Persern abnahm, erst v. den Arabern, welche gern den Namen antiker Städte durch den Landesnamen ersetzen (s. Kairo), auf die Stadt übertragen (Hammer-P., Osm. R. 2, 438, Meyer's CLex. 5, 431, Oppert a. a. O.).

Diaschisma s. Picti.

Diavel, Val del = Teufelsthal, rätr. Name, wiederholt: *a)* der trümmerreichen, wilden Oberstufe des Graubündn. Albulathals. Albulathals. 'Trotz der herrl. Umgebg.', sagt H. Müller v. seiner winterl. Passfahrt (Davos u. Umg. 1875, 82), 'konnten wir uns eines geheimen Bangens nicht erwehren. Denn j. galt es, die Region zu betreten, welche der Winter als seine eigentl. Domäne betrachtet u. wo er durch Lauinen, Stürme u. Unwetter sein Herrscherrecht geltend zu machen liebt. Schon der Name verspricht nicht das Beste. Von dem Fusse der Hörner z. Rechten senken sich steile Schutthalden gg. die Strasse herunter. Diese sind im Winter mit hohem Schnee bedeckt, u. häufig bricht an denselben eine Lauine los, um Tod u. Verderben ins Thal zu senden ....Kaum ein Jahr vergeht, ohne dass an dieser Stelle ein Unglück vorkommt'; *b)* eines der 'entsetzlich trümmervollen' Quellthäler des Graub. Val Cluoza, im Netz des Spöl. — Ital. *a) Monte del Diavolo* = Teufelsberg, im Veltlin (Leonhardi, Veltl. 133); *b) Ponte del Diavolo*, unth. Bormio, wurde, als bei einer Ueberschwemmg. v. allen Thalbrücken sie allein stehen blieb, f. Teufelswerk gehalten (Leonhardi, Veltl. 77).

Diaz Sp. s. Pequeno.

Dibrugárh = Ort am Dibru, einem Zuflusse des Brahmapútra, hind. ON. in Assám (Schlagw., Gloss. 187).

Dick, Point, ein Vorgebirge der Sandwich Is., v. engl. Seef. Capt. Nath. Portlock am 1. Juni 1786 benannt zu Ehren des ersten Gönners seiner Reise, Sir John *D.* (GForster, Gesch. Reis. 3. 6. 27).

Dickson Hafen, am östl. Pfeiler der Jenisseimündg., v. schwed. Polarf. Nordenskiöld 1875 benannt nach dem Gothenburger Kaufmann Oskar

D., welcher die Kosten jener Exp. (die v. 1876 gemeinsam mit Sibiriakoff) bestritt (PM. 21, 469: 22, 445 ff.).

Didschle s. Tigris.

Didyma, gr. *Δίδυμα* = Zwillingsinseln, wiederholt f. 2 ähnl. Nachbareilande: *a)* im Roth. M. (Ptol. 4, 5, 76); *b)* bei Syros (Artem. b. StB.); *c)* bei Phoenikus, Marmarica (Anon. stas. m. m. 12). — Ein Dorf, ngr. *D.*, wohl Spur des alten *Didymoi*, welches ozw. dem nahen Gebirge, mit 2 gleich hohen (Zwillings-)Gipfeln, den Namen verdankte (Curt., Pel. 2, 464), wie wir denn *Δίδυμα ὄρη* schon im Alterth. treffen (Pape-B.). — *Διδύμη* s. Gader. — *Διδύμαι* = Doppelau, j. *Salina* (s. d.), eine der Liparen, die sich zu 2 rundl. Kuppen erhebt, 'nach der Gestalt benannt' (Strabo 276), bestehend aus 2 durch einen Sattel verbundenen Vulcankegeln (Kiepert, Lehrb. AG. 474).

Dié, St., in Lothr., urk. *Sancti Deodati oppidum,* nach dem Erbauer, dem Bischof Deodatus v. Nevers, 7. Jahrh. (Ausl. 1867, 837).

Diebs In. s. Marianen.

Dieci s. Nove.

Diedenhofen, Ort in Lothr., in ältester Form *Thioden-, Theodenhove, Thiedenhofe,* dann *Dietinchovin, Diedenhovun,* auch *Theodonis villa,* mit ähnl. ON. mittelbar zu goth. *thiuda,* ahd. *diot* = Volk gehörig (s. Deutsche), in *Thionville* französisirt, urspr. derselbe Name mit *Dietikon* bei Zürich (Förstem., Altd. NB. 1446, Dict. top. Fr. 13, 257). Der letztere Name, noch 1232 *Dietinchon,* bezeichnet 'die Höfe des Dieting', abgeleitet v. *Dieto* = Volksmann (Mitth. Zürch. AG. 6, 129). Es gehören hierher ferner a) Ober-*Diebach,* im 7. Jahrh. *Theotbacis,* Fluss- u. ON. am Rhein u. in Westfalen; *b) Dietprucce* 1056, wohl eine Brücke üb. die Würm; *c) Dietfurt,* alt *Theotfurt; d) Dietdorf,* alt *Thioddorf; e) Dietingen,* alt *Thietingen* u. a. m. — *Dithmarschen,* auch *Ditmarsen* = deutsche Marschen, Name einer holstein. Ldsch., die etwa z. Hälfte aus fruchtb. Marschen besteht (Meyer's CLex. 5, 523).

Diego Ramires, Islas de, Felseilande bei Cap Hoorn, zuerst cartographirt 1619 auf der Reise des span. Seef. Bartol. Garcia de Nodal u. getauft nach einem seiner Begleiter, dem Kosmographen *DR.* (ZfAErdk. 1876, 456). — *Rio de D. de Avila,* ein Fluss an der Ostseite v. Santa Isabel, Salom., nach dem Entdecker, einem der Leute Mendaña's, im Febr. 1568 (Viajes Quirós 3, 13). — *D. Soarez,* frz. Hafenort am Nordende Madagascars, an der Bay gl. N., die ozw. nach dem Bruder des port. Flottencapt. Fernão Soarez, des Entdeckers der Insel 1506, so hiess (Cortese, Sei Mesi 37). — *D. Garcia* s. Tschagos. — *Abra de Diogo Leite,* j. Bahia de Gurupy, N Bras., wo 1531 Diogo Leite, v. der Flotte des Martim Affonso de Souza, ankam, als er die bras. Küste untersuchte u. durch padrões in Besitz nahm (Varnh., Hist. Braz. 1, 47).

Diemen, *Anton van,* geb. 1593, ging jung nach Indien u. stieg rasch z. Würde eines ord. Raths empor u. wurde 1631 Admiral, führte als solcher die ind. Flotte nach Hause zk., wurde am 1. Jan. 1635 Generalgouv. in holl. Indien, sandte den grossen Seef. A. Tasman auf Entdeckungen aus u. † 1645 (Meyer's CLex. 5, 448). Nach ihm hat der Entdecker getauft: *VD.'s Land a)* an der Nordwestküste des Australcontinents; *b)* Insel im Süden des Continents (s. Tasmania): die erstere dieser Entdeckungen schreibt Debrosses (Hist.Nav. 261) einem holl. Capt. Zeachen zu, infolge eines eigtl. Missverständnisses, da der 'Zeehaan' eines v. Tasman's Schiffen war (s. Heemskerk); *c) van D.'s Reede,* in Amsterdam E., Tonga (Carte z. Journ.), wo er am 20. Jan. 1643 ankerte (Krus., Mém, 1, 222); *d) Kaap van D.,* in Carpentaria G. (Carte zu Tasman's Journ.), v. Flinders (TA. 2, 151. 159) als Insel erkannt (s. Wellesley); *e) vD.'s Rivier,* vermeintl. ein Fluss am Carpentaria G., v. Capt. Stokes (Disc. 2, 264) im Juni 1841 als Einfahrt erkannt u. in *vD.'s Inlet* umgetauft; *f) Groote Boegt vD.,* neben *v. Diemens Land* (Carte zu Tasman's Journ.) in Nord-Austr., die Capt. Ph. P. King (Austr. 1, 106) im Mai 1818 untersuchte u. in *vD.'s Gulf* umtaufte. — *Straat vD.,* bei Kiusiu, im Sturm entdeckt (Krus., Reise 1, 249).

Dieppe s. Deptford.

Digges, Cape Sir *Dudley,* in ältern Schriften auch *Diggs, Digs,* geschrieben, ein Vorgeb. der Westküste Grönl., 76⁰ NBr., v. Baffin am 2. Juli 1616 getauft zu Ehren des Ritters *DD.,* earl of Warwick, eines der Hauptförderer der Nordwestfahrten (Rundall, Voy.NW. 138, Forster, Nordf. 406, Kotzebue, Entd.R. 1, 30); *b) Cape D.,* am Westende der Hudsons Str., ggb. Cape Wostenholme, v. Hudson am 3. Aug. 1610, nebst den nahen *D. Islands* getauft (Rundall, Voy.NW. 77, Forster, Nordf. 386, WHakl.S. 27, 97. 106).

Dihkan s. Tadschik.

Dih Nemek = Salzdorf, npers. Name eines am Albors, westl. v. Semnan, gelegenen Dorfs, welches, auf salzigem Grunde u. in wenig fruchtb. Gegend, wesentl. v. Salzhandel lebt (Spiegel, Eran.A. 1, 63).

Dikaia, Petra = gerechter Fels, eine Inselklippe des Bosporus, wo der Sage zuf. 2 nach dem Pontus fahrende Kaufleute ihr Gold hinterlegten u. sich gelobten, es nur wieder gemeinsam wegzunehmen. Als dann der eine das Gold allein zu holen kam, weigerte sich der Fels, das seiner Obhut anvertraute Gut herauszugeben u. behielt seitdem den Ehrennamen (Hammer-P., Konst. 1, 14; 2, 244). — *Dikaiarcheia* s. Pozzo.

Dikilitasch = Einzelberg, türk. Name eines aus baumloser Ebene sich isolirt erhebenden Berges in Bulgarien (Meyer's CLex. 5, 469).

Diklah, hebr. ‎דִּקְלָה‎ = Palmengegend (1. Mos. 10, 27), im joktanid. Arabien, viell. die palmenreiche Prov. der Minäer (Plin., HNat. 6, 155 ff.). Bochart, Phaleg. 2, 22, Gesen., Hebr.L.

Dikokamennyje s. Kirgis.

Dilem s. Kaspisee.

Dillenburg, Ort des preuss. Rgbz. Wiesbaden, urspr. als hochgelegene Burg, j. Ruine an der

Dill, einem Zufluss der Lahn (Meyer's CLex. 5, 472).
Dilli s. Dehli.
Dillon s. Pitt.
Dilmen s. Degirmen.
Dimitrovic s. Syrmia.
Dinarische A. s. Dalmatia.
Dingwall s. Thing.
Dinin s. Lask.
Dinis s. Dub.
Dinka s. Denga.
Dinneh s. Chippewyans u. Navajos.
Dió = Nuss, in den mag. ON. *D.*, *Diós*, *Diósd*, *Diód*, *Diószeg*, Ung. u. Siebenb., v. der hier betriebenen Cultur der Nussbäume (Hunfalvy, Ung. 117, Umlauft, ÖUng. NB. 45).
Diogo s. Diego.
Diogratia s. Tschagos.
Diomedes Insel, St., im Atl. Russ. No. 18 *Ostrow Diomida*, in der Berings Str., am 16. Aug. 1728 v. Capt. Bering auf der Rückfahrt entdeckt u. 'efter Dagens Helgen' getauft (Lauridsen, V. Bering 29). — *Diomedeae Insulae* s. Tremiti.
Dionys s. Ilias u. Sulphur.
Dios-, in griech. ON., f. Zeus, als: *a)* *Δ. ἱερὸν*, zwei 'Tempelstädte' in Ionien (Thuc. 8, 19) u. in Lydien (Ptol. 5, 2, 17); *b)* *Δ. πόλις*, *Διόσπολις*, mehrere Orte, davon zwei, *ἡ μεγάλη Δ.* (= die grosse), u. *μικρά* = kleine Zeusstadt, in der Thebais; *c)* *Δ. Σωτήρος λιμήν* = Zeus-Soter's Hafen, in Argolis (Ptol. 3, 16, 10); *d)* s. Neokaisareia. Ein mehreres in Pape-Bens. — Die miles. Colonie *Dioskurias*, j. *Iskuria*, in Kolchis, führte (s. Sebastos) seit Trajan den Beinamen *Sebastopolis* (Kiepert, Lehrb. AG. 88). Ueber span. *diós* = Gott u. andere neurom. Formen s. Diez, Rom. WB. 1, 153.
Dioscorida s. Sokotora.
Dipotamo, ngr. *Διπόταμο* = Doppelfluss, des messen. Flusses Pamisos, ab Confl. des Wassers v. Pidima (Curt., Pel. 2, 162) — *Dipolis* s. Lemnos.
Dippoldiswalde, Ort bei Dresden, nach dem Heidenapostel Dippold, der, später als Adalbert Apostel der Preussen, in der Höhle einer nahen Sandsteinklippe, am *Einsiedlerbrunnen*. gelebt habe (Meyer's CLex. 5, 505).
Diràz s. Kischm.
Direction Island = Leitinsel, so nannte auf seiner abenteuerl. Fahrt der v. der Mannschaft des Schiffes Bounty ausgesetzte engl. Lieut. Will. Bligh 1789 eine Insel des Gr. Barrière-Riffs, 'weil sie in gutem Wetter immer die Lage des Durchgangs angeben kann, dem sie genau gg. Westen liegt u. v. dem Mastkorbe mit dem Riff zugl. gesehen werden kann' (Spr. u. Fr., NBeitr. 6, 39). — Im plur. *Islands of D.* zweimal: *a)* in Queensland, v. Cook (Hawk., Acc. 3, 198) am 13. Aug. 1770 so getauft, weil sie einem Schiffer den Weg durch das Riff v. Lizard I. weisen können; *b)* s. Evangelistas. — *D. Isles*, bei Wilson Py., v. den engl. Seeleuten so benannt 'from their utility' (Stokes, Disc. 2, 426).

Dirk Hartog's Reede, vor Hayfisch Bay, wie *Dirk Hartog's Island* 1616 v. holl. Capt. *DH.*, Schiff Eendragt, entdeckt (Carte zu Tasman's Journ.). Auf dieser Insel, besser: einer dieser Inseln, fand die Mannschaft v. Schiffe Geelvink 1697 eine Zinntafel mit der Inschrift: 'Anno 1616, 25. Oct. kam hier an das Schiff Eendragt v. Amsterdam ....' S. Vlaming's Ld. u. Cap de l'Inscription (Flinders, TA. 1, L). Die Rhede heisst bei Baudin's Exp. *Passage du Naturaliste*, nach dem einem ihrer Schiffe (Freycinet, Atl. 22). — *D. Gerrit's Land* s. Shetland.
Dirschau, preuss. Stadt im Delta der Weichsel, v. slaw. *Dersow(e)*, *Trs(ch)ow* = Weberstadt, wo der pommerell. Fürst Sambor 1207 eine Burg baute (Passarge, WDelta 1, Meyer's CLex. 5, 509).
Dirwelei = Ackerfelder, v. lit. *dirwa* = Feld, ON. in preuss. Litauen, d. *Dirwehlen*. Aehnl. *Dirwonupé* = Brachfeldfluss, v. *dirwonas* = Brachfeld u. *upé* = Fluss, u. nach dem Flusse der Ort *Dirwonupei*, d. *Dirwonuppen* (Schleicher, Lit. Gr. 146).
Disappointment = Widerwärtigkeit, Enttäuschg., in Entdeckernamen immer eine Erinnerg. an bittere Erlebnisse, wie *Cape D. a)* bei SGeorgia, v. Cook (VSouthP. 2, 217 ff.) am 20. Jan. 1775 benannt, weil die Annahme, hier sei endl. ein Stück des gesuchten antarkt. Continents gefunden, sich als irrig erwies; denn hier bog die Küste um, gegen das zuerst gesehene North Cape hin, u. es stellte sich heraus, dass 'this land, which we had taken for part of a great continent, was no more than an island of seventy leagues in circuit'. Und auf Grundlage früherer Eisbeobachtungen 'I still had (had) hopes of discovering a continent... I must confess the disappointment I now met with, did not ....'; *b)* in California, wo der engl. Capt. Meares im Juli 1788 gehofft hatte, jenseits Cape Shoalwater das Cabo Roque der Spanier u. damit den nahen guten Hafen zu finden (GForster, GReis. 1, 149 f.); *c)* in den Parry Is., v. Capt. Edw. Belcher (Arct. V. 1, 281) auf einer Schlittenexcursion, Mai 1853, wg. des unfruchtb., verwitterten u. flechtenbedeckten Aussehens zuerst *Mount Desolation* = Berg der Verödung genannt; *d)* s. Asuncion. — *Camp D.*, eine Stelle am Maria R., Missuri, wo Capt. Lewis, auf dem Rückwege v. Pacific, am 22. Juli 1806 lagerte, um Ortsbestimmungen vorzunehmen, jedoch bewölkten Himmel u. Regenwetter traf u., obgl. er bis z. 26. blieb, doch unverrichteter Dinge abziehen musste; denn zu dem ungünstigen Wetter gesellte sich noch eine Störung des Chronometers. 'We now dispaired of taking the longitude of this place, and as our staying any longer might endanger our return to the United States, during the present season, we, therefore, waited till mine o'clock, in hope of a change of weather; but being no prospect of that kind, we mounted our horses, and leaving with reluctance our position, which we now named *CD.*, directed our course across the open plains ...' — *D. Bay*, im südl. Chile, wo die Exp. King-Fitzroy (Adv.-Beagle 1, 350) im Apr. 1830 ver-

geblich gehofft, einen Ausweg nach Fitzroy Passage zu finden. — *D. Island*, 3 mal: *a)* eine der Freewill Is., v. Capt. Funnel 1705 (Meinicke, IStill. O. 2, 365); *b)* s. Auckland, *c)* Duff. — *Islands of D.*, im Arch. Paumotu, v. engl. Commodore Byron am 7. Juni 1765 entdeckt u. so benannt, weil er trotz zweitägiger Bemühg. hier f. seine kranke Mannschaft keine Erfrischungen bekommen konnte (Hawk., Acc. 1, 96). Damals richtete der Scorbut arge Verwüstungen unter der Mannschaft an; da erschienen die Inseln mit ihrem vielversprechenden, lachenden Aussehen. In der Hoffng., Arzneikräuter u. frische Lebensmittel zu erhalten, sandte der Commodore ein Boot, welches einen Ankerplatz suchen sollte. Die armen Kranken schauten sehnsüchtig nach den schönen Cocospalmen, deren Früchte ihnen Heilg. gebracht hätten; sie sahen die mit Früchten beladenen Bananen u. die auf dem Ufer zerstreuten Schildkrötenschalen, u. alles in solcher Nähe! Als die Boote z. 2. mal abgesandt wurden, kamen die Wilden, bewaffnet u. mit drohendem Geschrei, u. auch an der Nachbarinsel war der Erfolg nicht besser (Garnier, Abr. 1, 150).

Disaster Inlet = unglückliche Einfahrt, die Mündg. des Leichhardt R., Carpentaria G., am 24. Juli 1841 v. Stokes (Disc. 2, 280 ff.) so benannt, weil bei der Bootfahrt des folg. Tags Gore's, seines Freundes u. Begleiters, Vogelflinte, welche Fleischnahrg. hätte schaffen sollen. zersprang. — *D. Bay* s. Foul. — *D. Rapid*, eine der Stromschnellen des Rio Colorado, wo Lieut. Wheeler (Geogr. Rep. 164) am 11. Oct. 1871 einen unersetzl. Verlust erlitt ... 'the first dash filled the boat with water, the second swamped it, and in this way the lives of two boatmen were endangered. The boat ran back against the rocks almost a perfect wreck, and its contents were washed down below the overhangig rocks. A stout case containing my most valuable private and public papers and data for a great share of the season's report was lost, as well as valuable instruments, the astronomical and meteorological observations, and worse than all the entire rations of boat'.

Discovery Bay, in austr. Victoria, den frühern Seeff. Baudin u. Flinders unbenannt geblieben, aber am 20. Aug. 1836 getauft durch den engl. Landreisenden, Major T. L. Mitchell (Three Expp. 2, 225), der v. Darling u. Murray kam u. den Glenelg R. hinab z. Küste gelangte, nach der D., dem einen seiner Boote. — Ebenso *D. Harbour*, in arkt. Grant's Ld., v. Capt. G. J. Nares 1875/76 nach dem einen seiner Schiffe Alert u. D. getauft (Peterm., GMitth. 22, 473 T. 25). — *New D. Island* s. Hunter.

Disentis, Ort, urspr. Benedictinerabtei, gestiftet v. Sigbert (?), dem Gefährten Columbans, im waldigen Oberland, nahe den Quellen des Rheins, schon z. Karolinger Zeit, urk. 766, als *Desertina* = Wüste bezeichnet (v. Mohr, Cod. dipl. Raet. No. 9), *coenobium Desertinense* 846, rätr. *Mustèr*, auch *Muschtè*, bei den Medelsern noch in älterer Weise

Mustair = Münster, Kloster (Campell-Mohr 5, Gatschet, OForsch. 99 f.).

Disgrazia, Monte della = Unglücksberg, ital. Name einer wild zerrissenen Gebirgswelt der Bernina, an Diablerets, Maladetta etc. erinnernd (Lechner, Piz Lang. 104, Leonhardi, Veltl. 146).

Dislocation Harbour = Hafen der Verrenkg., in Feuerl., wo am 7. Dec. 1829 einer der Officiere des Capt. Fitzroy (Adv.-B. 1, 364), der master Murray, seine Achsel verrenkte u. so eine Zeit lang dienstunfähig wurde.

Dismal Flats = traurige Ebene, am Rio Colorado, wo die Exp. des Capt. Ives (Rep. 53) im Jan. 1858 allerlei Schifffahrtshindernisse traf, u. lange zkgehalten wurde, aber schliesslich hindurchkam, ohne schlimmern Zufall, als den Verlust eines Steuerruders u. einige Beulen am eisenbeschlagenen Boote. — *D. Swamp* = trauriger Sumpf, ein ausgedehntes Sumpfrevier Virginia's (Buckingh., Slave St. 2, 488).

Dispersion, Mount = Berg der Zerstreuung, am Darling, v. Major T. L. Mitchell (Three Expp. 2, 103) am 27. Mai 1836 so genannt, weil einige Flintenschüsse eine Bande drohender Wilden in eilige Flucht zerstreuten 'and was the harbinger of peace and tranquillity'.

Disraeli, Cape, in der Arthur Str., v. Capt. Edw. Belcher (Arct. V. 1, 266) auf einer seiner Schlittenexcursionen im Mai 1853 entdeckt u. nach dem dam. Kanzler der Schatzkammer, Lord *D.*, benannt. 'Our cairn was built, the territory duly taken possession of, and, as this sack was to be duly kept until my return, I thought it but prudent that the Chancellor of the Exchequer should seal it'. — *Mount D.* s. Gladstone.

Diss s. Bu.

Distant s. Oskar u. Montagu.

Dithmarschen s. Diedenhofen.

Diu = Insel, ind. Ort in insulärer Lage, wie schon Baldaeus (Mal. u. Corom. 34) u., vor ihm, Barros (As. 2², 9, p. 213) sagt: 'a povoação de *Dio*, que está situada em huma ponta que a terra faz; e porque o mar a cercou com hum esteiro, que a tornea de toda em figura de triangulo, ficou com nome de Ilha'.

Djur = Wilde, so werden die afric. Mittu u. Nachbarstämme, die Luoh, verächtl. v. den Dinka bezeichnet (Peterm., GMitth. 19, 194), weg. Mangels an Rinderzucht. 'Diese verächtl. Bezeichg. soll die Besitzlosigk. ausdrücken, in welcher nach den Vorstellungen der Dinka die *D.* ihre nur auf Ackerbau u. einige Ziegen u. Hühner angewiesene Existenz hinbringen, indem sie der Rindviehzucht durchaus ermangeln' (Schweinfurth, IHerz. Afr. 1, 218).

Diûra s. Dēr.

Divine s. Illinois.

Divodurum s. Metz.

Dixense, la, der Thalfluss des Walliser Val d'Hérémence, nach dessen Hintergrunde: *Val des Dix*. Die Thalbewohner machen dies zu einem Thal v. 10 Räubern, die einst dort gehaust u.

bis gg. Evolena herüber geherrscht hätten (RRitz, OB. Eringerth. 376).

Dixon's Strait, im nordwestl. America, v. Capt. *D.*, der 1785 hier längere Zeit mit Pelzhandel u. Entdeckungen zubrachte, getauft, während Capt. John Meares 1788 sie nach Capt. Will. Douglas, seinem Gefährten, *Douglas's Entrance* nennen wollte (GForster, GReis. 1, 263, Spr. u. F., Beitr. 12 f.).

Dizier, St., frz. ON., nach dem h. Desiderius, zweimal: *a)* im dép. Haute-Marne, da der Bischof v. Langres, v. den Vandalen erschlagen, hier begraben sein soll (MCLex. 14, 29); *b)* bei Porrentruy, mit ähnl. Legende, die den Tod des Heiligen in die Jahre 670—673 setzen lässt (Gelpke, KirchG. 2, 177).

Dlouhy s. Dolgoi.

Dnjepr, russ. Form des ältern *Danapris* (Amm. Marc.), im 10. Jahrh. *Danapros,* einer der Zuflüsse des Pontus, gr. *Borysthenes* (s. Beresina), türk. *Usu, Ohu,* tatar. *Exi* (Meyer's CLex. 5, 531), wohl durch Zssetzg. des sarmat. *don, dan* = Fluss entstanden, ozw. verwandt, wie Jedermann ahnt, mit *Don, Düna, Dwina, Donau,* doch ohne dass ich diese Beziehungen irgendwo beleuchtet fände. Am *D.* zwei Orte *Dnjeprowsk,* als *Werchne* (= ober) u. *Nishnij* (= unter) *D.* unterschieden (Meyer's CLex. 5, 532). — Eine ähnl. Form *Dnjestr,* bei Amm. Marc. *Danaster,* alt *Tyras,* türk. *Turla* (ib. 532). Nach dem alten Flussnamen die miles. Colonie *Tyras* (s. Akjerman) u. der mod. Ort *Tiraspol,* unth. Bender.

Doáb od. *duáb* = Zweiwasser, v. pers. *ab* = Wasser, f. die zw. 2 Flüssen eingeschlossenen halbinselartigen Gebiete, deren mehrere in Indien (s. Mesopotamia). Die Specialnamen im Pandscháb (s. Dschetsch *D.* u. Bári *D.*) 'sind bezeichnend f. das Ungewöhnl. der Gegend; sie sind in einer Weise gebildet, welche etwas Exceptionelles hat: sie sind näml. zu möglichster Kürze aus je 2 der Flussnamen contr.' (Schlagw., Reis. 1, 385, Polak, Pers. 2, 363, Schlagw., Gloss. 189). — *Do Dendán* = die 2 Zähne, Ort im afghan. Gebirge Kurlechi, nach der Form zweier naher Bergspitzen (Spiegel, Eran. A. 1, 22).

Doane, Mount, ein Berg am Yellowstone R., getauft zu Ehren eines seiner ersten Besucher, Lieut. G. C. *D.* (1870), wie östlicher *Mount Langford* u., weiter im Norden, *v.* Seite des Grand Cañon, *Mount Washburne* (Hayden, Prel. Rep. 98. 100. 130. 185).

Dobbin, Bay of James C., im Grinnell Ld., 1854 v. Polarf. E. K. Kane benannt nach dem Secretär der United States Navy (Arct. Expl. 1, 254; 2, 300).

Dobbs, Cape, 2 mal eine Huldigg. f. Arthur *D.* esq., 'the chief projector of an expedition in 1741', im arkt. Entdeckgsgebiete: *a)* bei Wager R., getauft v. Capt. Middleton am 12. Juli 1742 'after my worthy friend' (Coats ed. Barrow 2. 114. 122, Forster, Nordf. 450 f.); *b)* s. Montague.

Dobrawoda = Gutwasser, slaw. Fluss- u. ON., v. asl. *dobr* = gut (Brückner, Slaw. AAltm. 66), bes. in Böhmen u. Mähren zahlr., z. Th. v. Mineral-

quellen, die zu Heilzwecken Verwendg. finden, auch in den Formen *Dobrawuda,* *Dobr-ava, Dobrau, Dobray,* einzeln aufgezählt v. Fr. Stetter (Const. Progr. 1847, 13 ff.), etwa 70 an Zahl, z. Th. ohne den slaw. Namen. Auch zahlr. Orte in slaw. od. vorm. slaw. Gegenden heissen einfach *Dobra* = die gute; ferner gibt es einen Berg in Kärnten *Dobrač,* 2 Orte *Dobrona* u. *Dobronak* = guter Acker, in Ungarn, *Dobropole* u. *Dobropoljici* = Gutfeld, in Galizien u. der Bukowina, *Dobropoljana,* v. gl. Bedeutg., in Dalmatien, *Dobropolje,* Orte in Kärnten u. Krain, *Dobropul,* in Böhmen, *Dobrostany* = gutes Zelt, hospitium, in Galizien u. a. m. (Umlauft, Oest. NB. 46 f.). Es berühren sich aber solche Formen mit *dôb* = Eiche, *dobor, dobov* = Wald, Eichwald, u. gerade *Dobrau* u. *Dobrava* aus Stetters Liste dürften irrig als zu 'gut' gehörig aufgeführt sein. — *Dobrudscha* = gute Landschaft, die zw. Pontus u. Donau eingeschlossene Platte (Ausl. 1868, 488), die nach unsern Begriffen, als ein dürres, ungesundes Weideland, den Namen wenig verdient; allein diese Steppe, bei Strabo *Klein Skythia,* in der diocletian. Reichseintheilung geradezu *Skythia* genannt, war immer, auch seit dem Verfall der röm. Macht, v. Nomadenstämmen besetzt, und die nördl. Hälfte wurde, noch in spätbyzant. Zeit, durch einen doppelten Erdwall abgeschlossen, den man mit Unrecht als 'röm. Wälle', rum. *Vallu Trajanului,* betrachtet hat (Kiepert, Lehrb. AG. 332).

Dobur s. Dover.

Doce = süss, entspr. dem span. *dulce,* ital. *dolce,* frz. *doux,* f. *douce,* in den ersten Jahren des Entdeckgszeitalters einer der port. Namen des Wunders aller Ströme, *Mar D.,* f. den Amazonenstrom — entspr. dem Erstaunen, welches noch heute jeden Seefahrer ergreift, wenn er, vor den Mündgsrachen, der eine 50 km, der andere 250 km weit geöffnet, angekommen, den Eindruck empfängt, als münde hier nicht ein Strom, sondern ein Süsswassermeer in den salzigen Ocean. — *Rio D.* = Süsswasserfluss, in den brasil. Prov. Espiritu Santo (Meyer's CLex. 13, 670, CL. de Carvalho, Atl. Braz. 12).

Doce = 12, span. Zahlwort, erscheint wie port. *doze* in ON. unerwartet selten: *Cayos de las D. Leguas* (s. Cayos) u. *as D. Ilhas,* eine Flur v. 12 Eilanden nordöstl. v. Madagascar; dagegen port. *doce* = süss mehrf. wie span. *dulce* (s. d.) f. Süsswasserflüsse.

Dockum s. Toggenburg.

Dochody s. Begeerte.

Dodabétta = grosser Berg, v. draw. *dóda* = gross und *bétta* = Berg, heisst der höchste Pic des trop. Indiens, Nilgiris (Buchanan, IMaiss. 1, 181).

Dodekaschoinos, gr. Δωδεκάσχοινος = Zwölfschönenland, ein Landstrich am Nil, Syene-Tachompso, v. seiner Erstreckg. nach dem Maassstabe des ant. Schönus benannt (Ptol. 4, 5, 74, Pape-Bens.).

Döberle s. Debř.

Doenje s. Kenia.

Dörfli s. Dorf.

Dörma Kuppe, in NSemlja, Tobiesen Fjeld benachbart, v. Geogr. APetermann in Gotha benannt nach einem der norw. Capt., welche 1871 die Carte dieser Gegenden wesentl. bereichert haben (PM. 18, 396). Ebenso *Johannesen Bach*, der in jener Gegend z. See fliesst und in die Schöne Bay mündet.

Dörn s. Dorn.

nDörn s. Atlas.

Dörpen s. Dorf.

Dog River, ein rseitg. Zufluss des Slave R., ist nicht 'Hundefluss', sondern nach dem Indianerstamm der *Dog Rib* (s. Slave Indians). An der Confl. beider Flüsse die *D. Rapid*, eine Stromschnelle des Slave R. (Franklin, Narr. 194 ff., Carte): *b)* s. Chayenne. — *D. Channel* s. Hungry. — *D.'s Teelh* s. Slim. — *D. Portage*, ein Trageplatz bei dem Kakabeka (s. d.), nach einer Indianersage, dass auf der Höhe des Uebergangs zwei ungeheure Hunde ein Mittagschläfchen gethan u. im Boden den Abdruck ihrer Gestalten hinterlassen hätten, 'and certain it is that such figures have been marked on the turf' (Ch. Bell, Canad. NWest 1).

Doggerbank, v. *dogger* = Kabljau, dann auch Fischerboot, holl. Name einer weiten, der Häringsfischerei dienenden Untiefe der Nordsee, nach den Fahrzeugen, den *buizen* od. *doggers*, soliden, einmastigen Booten, welche mit gewaltigen, 4 eckigen Segeln versehen sind und 420—450 Tonnen halten. Im 17. Jahrh., der Blüthezeit des holl. Häringsfangs. liefen jährl. 1000—2000 solcher *doggers* aus und konnten einen Werth b. 60 Mill. fl. zkbringen (Wild. Niederl. 2, 283, Meyers CLex. 5, 546).

Dógsum = Dreibach, v. *grog* = Bach u. *sum* = drei, tib. ON. in Balti, wo bei der Confl. zweier Flüsse ein Sommerdorf (s. *Brog*) liegt. Dabei leitet, analog dem lat. *trivium* = Dreiweg, f. die Vereinig. zweier Strassen, die Vorstellg., dass der neugebildete Fluss, bes. wenn er keinem der Confluenten in Charakter u. Richtg. gleichkommt, als 3. gerechnet wird. 'It is characteristic of Tibetan geographical terminology, that the word *sum* = 3 is very generally used in connection with the confluence of two rivers . . . (Schlagw., Gloss. 188). Vgl. Súmdo.

Doirada s. Eldorado.

Dois = zwei, f. *duas* (s. Dos), mehrf. in port. ON. wie *os D. Irmãos* = die beiden Brüder, f. 2 nahe u. ähnl. Berge od. Inseln: *a)* in Rio Grande do Sul, Brasil. (Avé-L., SBras. 1, 133); *b)* zwei benachb. Waldberge am Rio Mucuri (ib., NBras. 1, 209); *c)* eine Doppelbildg. schwarzer Berge am untern Rio San Francisco (ib. 1, 388). — *As Duas Irmans* = die beiden Schwestern, zwei Inselklippen bei Socotora, wg. ihrer Aehnlichk. schon v. den Port. des 16. Jahrh. so benannt . . . 'duas ilhetas juntas, a que per sua semelhança chamão . . .'. (Barros, Asia 2, 1, 3 p. 37).

Dolgoi Ostrow = lange Insel, russ. Name, v. asl. *dlg.* russ. *dolgij* = lang, mehrf.: *a)* im europ. Eismeer, westl. v. Wajgatsch, sam. *Jámbu-ngo*, mit gl. Bedeutg., offb. das Original d. russ. Namens

(Schrenk, Tundr. 1, 518), bei der holl. Exp. 1594 als *Mauritius Eiland*, 'ter Eeren van sijn Excellentie', des Prinzen Moriz v. Nassau-Oranien (Linschoten, Voy. f. 19, Adelung, GSchifff. 156. GdVeer ed. Beke 50), auf engl. Carten *Long Island* (GdVeer 36). Der Herausgeber des letztgenannten Berichts identificirt (p. 51) die Mauritius I. mit *Maturyejew-*, *Matthias I.*; *b)* im Delta der Wolga, die Insel von Astrachan (Müller, Ugr. V. 2, 536, Rose, Ural 2, 295); *c)* im Kaspisee, eine langgestreckte Küsteninsel nahe dem Kirel In. (ZfAErdk. 1873 T. 1). — *D. Jar* = langes Ufer, eine hohe, steile Uferstrecke, welche rechts den Tobol, bevor dieser in den Irtysch fällt, eine lange Strecke weit begleitet u. dem Vorrücken Jermaks 1581 einen ernstl. Widerstand bereitete (Müller, SRuss. G. 3, 323). — *D. Porog* = langer Wasserfall, eine der 5 Stromschnellen der untern Angara (Fischer, Sib. G. 1, 487). — Auch *Dolgensee a)* im Rgbz. Potsdam, *b)* im Rgbz. Köslin, wird als slaw. Urspr., als 'Langer See', betrachtet (Jettmar, Ueberreste 23). Vgl. Brückner, Slaw. AAltm. 66. Das ruth. *dolha* findet sich in den ON. *Dolha, Dolhe, Dolholuka* = 'Langwiesen', *Dolžanka, Dolžka, Dolžki, Dolžyća,* denen wir noch čech. *Dlouhy* u. *Dlouha ves* = Langdorf, poln. *Dlugie* anschliessen (Miklosich, ON. App. 2, 157 ff.).

Doliche, gr. *Δολίχη* = Langenau, wiederholt: *a)* früherer Name v. Ikaros (Apd. 2, 6, Pape-B.), welches, ebf. nach der langgestreckten Form, auch *Makris* (s. d.) hiess; *b)* eine ebf. langgestreckte Insel Lyciens, als 'die längste' der Gruppe auch *Dolichiste*, gr. *Δολιχίστη* (Alex. Pol. bei StB.), wohl mit ein Anklang an Megiste, die grösste Insel einer westlichen Gruppe; *c)* s. Kreta.

Dolina = Thal, ruth. *Dolyna*, häufiger slaw. ON. in Kärnten, Krain u. Küstenl., auch in Galiz., spez. f. die kleinen, kesselfgen Einsturzthäler des Karst (s. Tomo), wie v. čech., serb. u. slow. *dol* = Thal die ON. *Dehlau, Dol. Dôl, Dolac, Dole, Doll, Dollern, Dolintschach,* slow. *Dolinčiče, Dollach* u. *Dellach,* slow. *Dolich, Dolyniany* (Miklosich, ON. App. 2, 157 ff.). In Krain unterscheidet man die *Dolenci* = Thalleute v. den *Gorenzi* = Bergleuten (Umlauft, ÖUng. NB. 47). — In Mecklbg. ist das slaw. *Dolenica, Dolenice* = Niederland in *Tollense,* f. See u. Fluss, verdeutscht (Jettmar, Ueberreste 15).

Dollart, fries. *Dullert,* eine insbes. durch die Sturmfluten v. 13. Jan. u. 25. Dec. 1277 entstandene Bucht in der Mündg. der Ems, betrachtet DKoolman (Ostfr. WB. 1, 311) als *dollerd, dullert* = Senkung, Untiefe, Sumpf od. vielm. als die aus einer Sumpfniederung erweiterte Wasserfläche.

Dolly Varden Lake, der eig. Quellsee des Missisipi, ein Nebensee des Itasca, im Juni 1872 durch eine americ. Exp. entdeckt u. benannt. Es ist *dolly varden* ein terminus technicus f. das bunte, mit Blumen bedruckte Zeug, welches dieses Jahr in America bes. Mode war. 'Immerhin praktischer' (ZfAErdk. 1872, 370) 'solche Namengebg. als die 1000de v. den Engländern in die Welt gesetzten Victorias'.

Dolmabagdsche = Kürbisgarten, türk. ON. am Bosporus, zunächst eines kais. Lustsschlosses bei Pera, das inmitten grosser Gartenanlagen erbaut wurde (Hammer-P., Konst. 2, 190).

Dolomieu, Baie, in Tasmania, v. der frz. Exp. Baudin im Febr. 1802 nach dem berühmten Mineralogen Déodat-Sylvain-Tancred de Gradot de *D.*, 1750—1801, benannt (Péron, TA.1, 218), wie am 27. Jan. 1803 *Cap D.*, im Spencer's G. (ib. 2, 79).

Dolon Nor = 7 Seen, mong. ON. der südöstl. Mongolei, 42⁰ 16' NBr., nördl. v. Peking, nach einer Kette v. Seen, an u. zw. welchen der Weg sich hindurch windet, chin. *Lama-mjao* = Kloster der Lama, nach den 2 grossen, v. Fanzen umgebenen Klöstern, in welchen *gg.* 2000 Lamen wohnen (Journ. RGSLond. 1874, 80, Peterm., GMitth. 22, 12).

Dólong Karpo = Bank der weissen Felsen, tib. Name einer mit zahlr. weissl. Felsblöcken bedeckten Sandbank im Hánu Lúngba, v. *do* = Stein, *long* = Masse u. *karpo* = weiss (Schlagw., Gloss. 188).

Dolonsk s. Seja.

Dolores, im Sinne v. 'Schmerzen', auf die Leidensgeschichte des Erlösers u. seiner schmerzenreichen Mutter od. der Märtyrer, mehrf. in span. ON., wie *Villa de Nuestra Señora de los D.* = Stadt ULFr. der Schmerzen, Ort in Guatemala, bei einer Unternehmg., wo span. u. ind. Kriegsvolk, begleitet v. Geistlichen u. Mönchen, zur Unterwerfg. u. Bekehrg. der wilden Choles u. Lacandones ausrückte, 'nach langem, mühsamem Zuge durch rauhe Gebirge, durch unwegsame Wälder u. Einöden am Charfreitag den 1. Apr. 1695 erreicht', unter Entdeckg. der ersten Fusstapen der Wilden, 6ᵈ, ehe der durch seine Ruinen berühmte Indianerort selbst erreicht wurde (Buschmann, Azt. ON. 116). — *Isla de los D.*, am Nutka Sd. (?), v. Seef. Ant. Maurelle 1775 so genannt, weil dort einige seiner Leute, die um Wasser zu holen ans Land gingen, angefallen u. getödtet wurden (Spr. u. F., Beitr. 11, 239f.; 13, 37). — *Mission de los D.* de San Francisco de Asis, Ort in Calif., als Mission ggr. am 9. Oct. 1776 v. Pater Junipero Serra, erstem apostolischen Präfecten der Gegend (DMofras, Or. 1, 424). — *D. de San Salvador* =Schmerzen des heil. Erlösers, Ort in Uruguay (ZfAErdk. 1870, 181).

Dolphin, die engl. Form f. 'Delphin' (s. d.), in *D.'s Nose* = Delphinsnase, f. ein Cap des Arch. Mergui v. Capt. Thom. Forrest am 14. Aug. 1783 nach der Form eingeführt (Spr. u. F., NBeitr. 11, 192); häufiger jedoch indirect, da *D.* ein beliebter Name f. Schiffe ist: *a) D. Bank*, eine Riffkette der austr. Royal B., Taiti, v. Capt. Wallis im Juli 1767 nach dem einen seiner beiden Schiffe getauft (Garnier, Abr. 1, 171); *b) D. Island*, in West-Austr., 1861 benannt v. Frank Gregory, dessen Exp. v. Perth aus durch die Barke *D.* eine Strecke weit nach Norden gebracht worden war (PM. 8, 287); *c) Cape D.* s. Tamar; *d) D. and Union Strait* s. Wollaston.

Dombr s. Dab.

Dôme, le = der Dom, zweimal: *a)* eine imposante Berghöhe an der Bay de Beaubassin, 1767 v. frz. Seef. Bougainville (Voy. 148) benannt; *b)* das höchste der Mischabelhörner, Monte Rosa, deutsch *Domhorn*, getauft v. Domherrn Berchthold v. Sitten, welcher 1831/37 die Triangulation des Wallis ausführte (Engelhardt, MRosa 2f.). — *D. Mountains*, in den Felsengebirgen, nach ihren phantast. Formen (Möllh., FelsGb. 1, 116). — *D. Rock*, der auffälligste Gipfel der *D. Rock Range*, am untern Rio Colorado, ozw. v. der Exp. Capt. Ives' (Pr. Rep. 48) am 15. Jan. 1858 nach der Gestalt getauft. — Nur angedeutet, aus altem *Dumia*, ist der *Puy de D.*, Auvergne, dessen Gipfel einen gewaltigen Mercurstempel trug, so dass der Gott den Beinamen 'Mercurius Dumias' erhielt (Longnon, GGaule 515 f.).

Dominica, 2 Inseln, nach dem Entdeckungstage, lat. *dominica*, span. *domingo* = Sonntag, benannt: *a)* eine der Kl. Antillen, v. Columbus am 3. Nov., einem Sonntage, erreicht, mit salve regina u. Gebet begrüsst (Navarrete, Coll. 1, 200, Colon., Vida 185); *b)* die grösste der 5 Marquesas, einh. *Ohiwaoa, Hiwa'oa* (Meinicke, 1Still. O. 2, 240), v. span. Seef. Alvaro de Mendaña am 4. Aug., dem Tage San Domingo's, 1595 entdeckt (WHakl. S. 39, 67, Debrosses, HNav. 160 ff., Fleurieu, Déc. 20 f.). — In span. Form, mit *san* od. *santo*, ebf. wiederholt *Santo Domingo: a)* Stadt in Hayti (s. d.), deren Grund v. Colon's Bruder Bartolome an einem Sonntag des Jahres 1496 gelegt wurde (LCasas, Obr. 1 c. 113), dann auch auf die grössere, dam. span. Osthälfte Hayti's übtragen (Peschel, ZEntd. 294); *b)* s. York. — *Rio San Domingo*, ebf. 2 mal: *a)* zw. Gambia u. Rio Grande, v. der port. Exp. Cadamosto zu Ende Juli 1455 nach dem Wochentage der Entdeckg. getauft (Spr. u. F., Beitr. 11, 181); *b)* s. Para. — *San Domenico* s. Tremiti.

Dominus = Herr, fem. *domina*, wofür schon röm. Inschriften *domnus, domna* setzen, im ersten mlat. *donnus, donna*, woher ital. *donno, donna*, span. *don, doña, dueña*, port. *dom, dona*, prov. *dombre* (in *dombre-dieu*), *domna*, altfrz. masc. *dame* (in *dame-dieu*), *dan, dant*, alt- u. nfrz. fem. *dame*, rum. *domn, doamne* (Diez, Rom. WB. 1, 157), im Mittelalter lat. Titel v. Heiligen, in ON. verkürzt *dom*, dessen *o* sich oft in *a* verdunkelt hat. Von solchen ON. finde ich *Dommartin* 4 mal im dép. Meurthe, 890 *ecclesia Domni Martini*, 1076 *Domnus Martinus* (Dict. top. Fr. 2, 44), 2 mal im dép. Meuse (ib. 11, 71), einmal im dép. Nièvre (ib. 6, 65), einmal in schweiz. C. Waadt. 'La cellule du seigneur Martin se trouvait sans doute (?) sur les bords de la Menthue. Autour de son emplacement s'éleva dans la suite un village qui a subsisté pendant tout le cours du moyen âge' (Mart.-Crous., Dict. 312). — *Dompierre* u. *Dampierre* 1147 im dép. Nièvre, 2 mal im dép. Nièvre (Dict. top. 6, 65), einmal im dép. Meuse, 1024 *Domno Petro*, 2 mal im dép. Nièvre (Dict. top. 6, 65), einmal im dép. Meuse, 1024 *Domnus Petrus* (ib. 11, 71), im dép. Moselle, 960 *Domni Petri* curtis (ib. 13, 69), im dép.

Aube, 980 *Domnus Petrus* (ib. 14, 57), im dép.
Mayenne (ib. 16, 112), auch *Dampierre*, 1210
Domna-Petra, 5 mal im dép. Eure-et-Loir (ib.
1, 58) u. 2 mal im dép. Calvados (ib. 18, 97);
ferner *Damloup*, 1049 *Domnus Lupus*, *Dom-*
basle, 962 *Domnus Basolus*, *Domremy*, 4 mal,
1047 *Dominus-Remigius*, sämmtl. im dép. Meuse
(ib. 11, 66. 71 f.), endlich *Dammarie*, 1140 *Dona-*
Maria, u. *Dannemarie*, 1250 *Donna-Maria*,
beide im dép. Eure-et-Loir, *Dammarie*, in den
dépp. Aisne u. Meuse, *Dommary*, 1049 *Domna-*
Maria, ebf. im dép. Meuse, *Dame-Marie*, 1203
Domina Maria, im dép. Eure, *Dombasle*, 752
villa de *Domna Busilla* (ib. 1, 58 f.; 2, 43; 10,
91; 11, 66. 71; 15, 70). Auch in der frz. Schweiz
gibt es 2 *Dompierre* (Postlex. 96) u., im C. Neuenburg, ein *Dombresson*, 1228 *Dominus Brictius*,
nach des heil. Himerius (s. St. Imier) Begleiter,
dem auch die Kirche des bern. *St. Braix* geweiht
war (Gatschet, OForsch. 8).

Domitianae A. s. Aix.

Domleschg s. Tomleschg.

Domriansk s. Solikamsk.

Don, einer der pont. Ströme, gr. *Τάναϊς* (s. Asow),
nach dem 'mäot. Tanais', in welchen er mündet,
auch *ποταμὸς Μαιήτης* (Herod. 4, 45), tatar. *Tuna*,
Duna, ist bei den kaukas. Osseten noch Appellativ f. 'Fluss', wie denn auch dieses Volk sarmat.-
med. Stamms einst am *D*. gewohnt habe. So
haben sie z. B. ihren *Arre-D.* (s. d.), *Kisil-D.* =
Goldfluss, *Sau D.* = schwarzen Fluss, *Sawdor-*
giny-D. (s. d.), *Urs-Don* = weissen Fluss; ferner
ist *Donez* = der kleine D. (Kupffer, Elbr. 51),
an welchem der Ort *Donezk* (Meyer's CLex. 5,
582), u. es liegt nahe, mit *D.* auch *Donau*, *Da-*
napris u. *Danaster*, viell. sogar *Düna* u. *Dwina*,
zu vergleichen (Klapr., Kauk. 1, 67. 636. 656. 663;
2, I. 445. 375. 380. 389, Güldenst., Georg. 34 f.,
Potocky, Voy. 2, 115). Wie sich aber der engl.
u. schott. Fluss *D*. (Meyer's CLex. 5, 568 f.) dazu
verhalte? — *D.* s. Hellyer. — *Cape D.*, bei Popham Bay, v. Capt. Ph. P. King (Austr. 1, 93) am
25. Apr. 1818 benannt nach dem Generallieut. Sir
George *D.* K. C. B., dem Lieut.-governor der Festg.
Gibraltar.

Donau, im Unterlauf gr. *Ἴστρος* (Herod. 2, 33),
lat. *Ister* (s. d.), *Hister*, auf röm. Inschriften *Da-*
nuvius, erst in spätern Schriften *Danubius*, im
Nibelungenliede *Tuonowe*, was Seb. Münster mit
Tannenfluss verneuhochdeutschte, slaw. *Dunaj*,
wurde früh mit *Don* u. ähnl. Flussnamen des
slaw. Gebiets verglichen u. in der altd. Form als
eine Verdoppelg. des slaw. Stammes *don* = Fluss
betrachtet, mit deutschem *aa*, *aha* = Fluss, z.
Erläuter., also dass die dadurch entstandene
Doppelform dann auch das weibl. Geschlecht angenommen habe. Nun sprechen aber die heutigen
Keltisten den Namen an, zuerst Zeuss (Gr. Celt.
994); er vergleicht ir. *dána*, gäl. *dàn dàn* =
kühn, tapfer, mit Ableitungssilbe *-uvius*, also
wohl 'der starke, der schnelle Fluss'. Aehnlich
Chr. W. Glück (Cäsar N. 92), in kurzer Entscheidg.,
A. Bacmeister (Kelt. Br. 106, AWand. 113), wel-

cher, ohne die slaw. Abstammg. zu bestreiten, an
ir. *déne* = Schnelligkeit, *dian* = schnell, *dána* =
kühn u. s. f. denkt, K. Müllenhoff (Haupts Zeitschr.
20, 26 ff.), der das adj. *dánu* = fortis beizieht u.
in der Verdeutschg. *Tuonouua*, slaw. *Dunavŭ*,
Dunaj, ein Zeugniss dafür findet, M. R. Buck
(Württb. VJH. 2, 126): 'der reissende — ein Epitheton, das man schwerlich erst im Keltencolle-
gium auf der Wiese bei Eschingen ausgeklügelt
u. durch reitende Boten thalabwärts kund u. zu
wissen gethan hat'. Dabei ist v. einem gemein-
kelt. *dan* = Fluss, wie Ficker (Kelth. 122) will,
nicht die Rede. Immerhin ist beachtenswerth,
dass die Zeuss'sche Ableitg. keineswegs feststeht;
Bacmeister hält slaw. Ursprung nicht f. ausgeschlossen; Förstemann (Altd. NB. 452) bringt die
kelt. Etym. des 'jedenfalls undeutschen Namens'
im Conjunctiv, u. Max Müller (Rev. Celt. 1, 135 f.)
setzt ihr eine andere ggb., die freil. noch weniger
Anhänger finden dürfte. Er verweist auf die v.
den Alten selbst aufbewahrte Bedeutg. 'wolkig,
schneeig' u. erinnert dafür an skr. *dánu* = Regen,
Feuchtigkeit, also dass *dánava* = v. Wolken od.
Schnee gespeist wäre, sowie an zend *Asdanu* =
rascher Fluss, dem nach den Gesetzen des Laut-
wechsels die griech. Form *ἐριδανός* entsprechen
würde. Nach dem augenblickl. Stande der Ansichten ist weder f. reinkelt., noch reinslaw. Ursprung des Namens das entscheidende Wort gesprochen (Zeitschr. f. Gesch. Oberrheins nf. 3, 337).
Als ein Moment, das dem kelt. Ursprung günstig
ist, dürfte das Vorkommen eines frz. Flusses gl.
N., *le Danube*, Zufl. der Vezouse im dép. Meurthe
(Dict. top. Fr. 2, 40), zu betrachten sein. Nach
dem Strom benannt sind: *Donaueschingen*, an
der Confl. der Quellbäche Brig u. Breg, der
württbg. *Donaukreis*, das *Donaumoos*, ein kahler,
mooriger Landstrich Ober-Bayerns, das *Donau-*
ried, eine mit Riedgras bedeckte Moorebene unth.
Ulm, der Ort *Donaustauf*, zunächst die schon
1130 erwähnte hohe Felsburg (s. Staufen), die
Stadt *Donauwörth*, zunächst *Wörth* = Insel,
Halbinsel (s. Werder), f. die j. in Trümmern liegende Burg, die, v. Grafen Hupald 1. v. Dillingen
um 900 erbaut, v. dessen Sohne Mangold in
Mangoldstein umgetauft wurde (Meyer's CLex. 5,
573. 580), endl. der *Donaugau*, alt *Donah-*
gewe etc., an der rechten Seite der Isarmündg.
(Förstem., Altd. NB. 452). — *Donau-Fürsten-*
thümer s. Rum. — *Tuna Vilajet* s. Bulgaren.

Donegal, Seeplatz an der Westseite v. Ulster,
Irl., altir. *Dun-na-n Gall* = Veste der Fremden, da das Wort *gall* schon sehr früh, viell. infolge eines gall. Einfalls, der Ausdruck f. 'Fremdlinge' war, hier viell. auf die Dänen bezogen, die
vor der anglonormann. Invasion hier eine Niederlassg., wohl eine Erdveste, hatten. Die dän. Anlage wurde 1159 verbrannt, u. keine Spur v. ihr
ist sichtb. geblieben; aber man versetzt sie an
die Furt, welche, den Fluss Esk kreuzend, 1419
als *Ath-na-n Gall* = Furt der Fremden erwähnt
wird (Joyce, Orig. Ir. NPl. 1, 96 f.).

Dongola, zunächst eine Landschaft Nubiens, benannt nach den *Dankla,* sing. *Dongolawi,* welche die Hptmasse der Bevölkerg. ausmachen u. unter die Urbewohner Nubiens gerechnet werden; danach die beiden Hptstädte, *D. el-Adjuzeh* = alt *D.,* seit 1820 zerstört, u. die neue, *D. el-Urdu,* einf. *Urdu,* früher *Kassr* (= Schloss) *D.* (Meyer's CLex. 5, 583).

Donhol, abgk. aus *dongon-ol* = Land der Gewässer, einh. Name f. die obern Thäler des seneg. Rio Grande, weil diese malerischen Thalschaften während der Regenzeit furchtb. Ueberschwemmungen ausgesetzt sind, jede Schlucht z. Strom, jedes Thälchen z. bis an den Rand gefüllten Canal u. das ganze Bassin des Tomine z. grossen wilden See wird (Peterm., GMitth. 7, 440).

Donkin's Hill, in De Witt's Ld., v. Capt. Ph. P. King (Austr. 1, 405) am 12. Sept. 1820 nach dem Erfinder der preserved meats benannt, weil an dieser Stelle eine Büchse des Fabricats z. Mittagsmahl kam. Kurz vorher hatte man eine 6 Jahre alte Büchse geleert, welche sich so gut erhalten hatte, wie die frischmitgenommenen. 'This was the first time it had been employed upon our boat excursions, and the result fully answered every expectation, as it prevented that excessive and distressing thirst, from which, in all other previous expeditions, we had suffered very much.'

Donnersberg, im 9. Jahrh. *Thuneresberg, Thoneresberg,* eines der deutschen Mittelgebirge in der Pfalz, v. ahd. *thunar, donar,* wahrscheinlicher auf den Gott selbst zu beziehen, als auf einen blossen Mannsnamen, der allerdings in *Thoneresfelt* u. *Doneresreut* steckt (Förstem., Altd. NB. 1456).

Doolin s. Dub.

Doornik s. Dorn u. Tournay.

Doory u. **Dora** s. Dur.

Dorado s. Eldorado.

Dorchester s. Dorset.

Dordogne, ein rseitiger Nebenfluss der Garonne, entsteht am Fusse des *Mont Dore,* aus der Vereinigg. der *Dore* u. der *Dogne,* hiess im Alterth. gew. *Duranius,* bei Gregor v. Tours *Dorononia fluvius,* 769 *Dornonia,* 889 fl. *Dordoniae,* 1279 *Dordonae* fl., 1281 *Dordonha,* 1341 *Dordoigna,* 1653 *Dordoigne, Dourdoigne.* Der vicomte de Gourgues (Dict. top. Fr. 12, X) leitet *Dore* v. kelt. *dur* = Wasser ab, daher auch *Mont Dore,* 'd'où deux torrents descendent: *la Dore,* celle qui se jette dans l'Allier, et une autre *Dore* tombant du pic le plus élevé de ce groupe, et à la quelle, pour la distinguer, ils ajoutèrent par redondance la finale -*ona: Dorona, Duranius,* devenue *Dourdonha, Dordogne,* par suite de la prononciation locale qui d'*Avernia* a fait *Auvergne,* de *Campania, Campagne* etc.'. La *D.* prend sa source au *mont Dor* au pied duquel elle se forme par la réunion de la *Dore* et de la *Dogne,* ruisseaux qui descendent du pic volcanique de Sancy (ib. 100). Die Darstellg. üb. die Herkunft der beiden Quellflüsse ist zwar nicht immer völlig übereinstimmend (ib. 354); wohl aber bleibt die Hauptsache fest, dass der Name *D.* erst mit der

Vereinigg. beider beginnt, u. man kann sich der Annahme kaum verschliessen, dass er ebf. aus dem Namen der beiden Quellflüsse zsgesetzt ist (s. Thames). — *Bains du Mont Dore* s. Bagne. — *Dore* s. Dover.

Dorf, goth. *thaurp,* altn., alts., ags. *thorp,* ahd. *dorf* = villa, vicus, 'eines der häufigsten Elemente zsgesetzter ON., wenigstens als Grundwort, so dass Förstem. (Altd. NB. 1464) deren 851 aufführt, auch f. sich allein mehrf., im 8. Jahrh. *Dorfa,* j. in den Formen *Dorf, Dorfen* u. *Dörpen,* ferner *Dorfacchera,* j. *Dorfacker* u. a. m. Auch viele alte. ON. mit *torp,* das oft zu *drup, trup* u. *rup* geworden ist, in *Torpe, Torped, Danstrup,* 1174 *Davidsthorp,* u. a. (Madsen, Sjael. StN. 249). — *Dörfli* s. Platz. — *D.* s. Tappus.

Dorlikon s. Thalheim.

Dorn, alts., ags. u. altn. *thorn,* ahd. *dorn* = spina, ein Element vieler alter ON. wie *Turnina,* j. *Dürnen, Düren, Walldürn, Deurne, Durn, Tourinne;* ferner *Thurninga,* j. *Dürningen, Thurnithi,* j. *Dörenthe* u. *Dörnten, Dornach,* j. noch so u. auch *Doornik* u. *Thörnich, Durnawa,* j. *Dörnau, Dornberch,* j. *Dornberg, Dorrenburen,* j. *Dornbirn, Thornburg,* j. *Dornburg, Thurnifelt,* j. *Dörnfeld, Thornuurdh,* j. *Doornwert, Thornheim,* j. *Dornheim* u. *Dorheim, Thurniloha,* j. *Dorla, Dornsteti* u. *Dornstedt, Thoranthorph,* j. *Dorn-* u. *Dondorf, Dornzuni,* j. *Dörnte,* in adj. Form, mit *dornag* = spinosus: *Dornaginpah,* j. *Dörnbach, Thornigestat,* j. *Dornstetten* u. s. f. (Förstem., Altd. NB. 1463). Das oberhess. *Gedörns,* 1325 *Durnaha,* später *Gedorn, uf 'dem Gedorn, Gedornbergk, Gedörn,* seit 1708 *Gedörns,* war 1730, als der Berg v. Gedörn gesäubert war u. eine neue Kirche mit stattl. Thurm erhalten hatte, in Gefahr, seinen Namen in *Gethürms* umgewandelt zu sehen: durch den jungen Pfarrvicar J. Sigism. Ant. Möller (Arch. hess. Gesch. u. Altthk. 7, 193 ff.). — Holl. *Doorn-Rivier,* Fluss u. Thal im Capl., da das letztere mit Mimosen bewachsen ist u. etwas Nutzholz liefert (Lichtenst., SAfr. 1, 135).

Doro, Cap = Vorgebirge der Stürme, arnaut. Name in Euboea, weil es dort oft u. sehr gefährl. stürmt, so dass es die Schiffer j. noch fürchten (Fiedler, Griechl. 1, 439). Schon Agamemnon erlitt mit seinen Hellenen auf der Rückfahrt v. Ilion daselbst Schiffbruch (Paus. 4, 36, 4).

Dorogája Gorá = theurer Berg, ein Dorf auf hügeligem Terrain am Mesén', v. den russ. Ansiedlern so benannt, weil in dieser dem Ackerbau günstigen Lage das Getreide immer reicher trägt als in der Umgegend u. selbst in solchen Jahren noch reift, wenn rings umher keine Ernte mehr gemacht wird (Schrenk, Tundr. 1, 134).

Dorotheenschanze, ein 1684, also gleich nach Gross-Friedrichsburg ggr. brandenburg. Fort v. OGuinea (Peterm., GMitth. 20, 30). Seit 1668 war der 'grosse Kurfürst' Friedrich Wilhelm, geb. 1620, † 1688, in 2. Ehe mit der verwittweten Herzogin Dorothea v. Lüneburg, geb. Princessin v. Holstein-Glücksburg, vermählt. — *Pointe Do-*

rothée, in St.Vincents G., v. der frz. Exp. Baudin im Jan. 1803, wie die meisten übr. Punkte jener Gegend, nach einer Frau getauft (Péron, TA. 2, 74).

Dorpat, Stadt in Livland, 1030 v. dem russ. Grossfürsten Jaroslaw I. Jurij ggr. u. *Jurjew* genannt, esthn. *Tartulin*, lett. *Tehrpat*, in deutschen Quellen *Darpt, Derpt, Dörpt*, latin. *Tarbatum* (Meyer's CLex. 5, 603 f., Daniel, Hdb.Geogr. 2, 1079), hat — neben der Volksetym. v. niedersächs. *dar bet* = dort weiter, so näml. sei bei der Gründg. gerufen worden, als das Flössholz vorzeitig ans Ufer trieb (Inland 16 No. 29) — auch zwei gelehrte, aber schauderhafte 'Erklärungen' gefunden: *a)* eine phöniz., als Tar's, eines estn. Gottes, Haus, v. A. Hansen (Verhh.GEstn.G. 1ᵇ, 74 ff.) als 'wissenschaftlich unzulässig' abgewiesen; *b)* eine türk., aus *dor, tar, tur* = Büffel, Stier, u. *but* = Idol, also 'Stier-Idol', diese vorgetragen in einem schrecklich gelehrten Aufsatze des 'Director Prof. Dr. Frz. v. Erman' (Arb.Kurl.G. 8, 37 ff.). 'Ist keine Hülfe wider solchen Drang?' Wir finden sie wohl auch nicht in der Verbindg., welche die Stadt an die Hansa knüpfte u. damit in der Sage, sie habe Statuten u. Namen des westfäl. Dortmund, damals Dorpmunde, angenommen (Dortm.GProgr. 1849, 8); denn allem Anschein nach ist *D.*, ohnehin ältern Datums, aus der lett. Form zurecht gemacht.

Dorr s. Danger.

Dorre, Ile de, u. *Ile Bernier*, auf Van Keulens Carte, Dalrymple Coll., zs. mit Dirk Hartog's I., *Barren Islands* = die unfruchtb. Inseln (Krus., Mém. 1, 48), v. frz. Capt. Baudin im Juni 1801 benannt, erstere nach einer mir unbekannten Person, die andere nach dem Astronomen des Schiffes Naturaliste, Pierre François *B.* (Péron, TA. 1, 87).

Dorset, engl. Ldsch. zw. Devonshire u. Wight, einst bewohnt v. den brit. *Durotriges*, bei Ptol. Δουροτριγες = Wasseranwohner, v. brit. *dour* = Wasser u. *trig* = Bewohner (Camden, Brit. 141), brit. *Dwr Gwyer*, ags. *Dorsaettas, Dorsettan* (woher *D.*), also mit ags. *saet, set* = Sitz, Station, Lager. Nach dem Lande die Hptstadt *Dorchester*, ags. *Dornceaster* = castrum der Durnii, Dornii (Charnock, LEtym. 89). — Aus der Exp. des Capt. L. Fox ein *Cape D.* u. *Cape Dorchester*, am 21. u. 22. Sept. 1631 getauft 'after the Lord Commissioner of the Admiralty, to whom Fox considered himself indebted for the furtherance of his undertaking' (Rundall, Voy. NW. 182 ff.).

Dorst Bay, in Spitzb., v. der Exp. Heuglin-Zeil 1870 getauft nach Dr. *D.*, dem Physiker, welcher auf Rosenthals Dampfer 'Bienenkorb' die Polarexp. 1869 mitmachte (Peterm., GMitth. 16, 215; 17, 180. 182. 336 T. 9).

Dortmund, ON. des preuss. Rgbz. Arnsberg, im 10. u. 11. Jahrh. *Throt-, Drot-, Trotmanni, Trotmannia, Trutmonnia*, im 12. u. 13. oft *Tremonia*, 1115 deutsch *Trotmunde*, 1342 *Dortmunde*, zu Ende des 14. u. vorherrschend im 15. *Dorpmunde*, wurde vschieden zu erklären versucht: v. lat. *trimoenia*, deutsch *Dorf Munde*, od. nach

dem ersten Grafen *Trutmann*, den zuf. einer unechten Urk. v. 788 Karl d. Gr. in den Ort gelegt hätte. Förstem. (Altd. NB. 1052. 1454 f.) denkt an alts. *torht* = clarus, illustris, insignis u. den schwierigen,auch anderwärts vorkommenden Stamm *-manni*, den man mit *man* = vir in Verbindg. setzen möchte. Das letztere, im Sinne v. Mannen, Dienstmännern, nimmt, in seinem durchaus urk. gestützten Aufsatz (Dortm. GProgr. 1849, 32 ff.), B. Thiersch unbedenklich ebf. an; *drutmanni* setzt er = getreue Männer, wie *trutliut* = treue Leute. Er beruft sich auf die Unzuverlässigk. der Sachsen, gg. die Karl d. Gr. einen ersten Stütz- u. Haltpunkt bedurfte. Diese Annahme wird mehr Vertrauen finden als der 'Drohwall, Drohdamm', den J. Fr. L. Woeste (Picks Monatsschr. 2, 150 ff.), als eine Veste Wittekinds aus der Zeit der fränk.-sächs. Kämpfe, sich dachte. — *Neu D.* s. Memel.

Dory s. Geelvink.

Dos = zwei, span. Aequivalent f. port. *dois*, ital. *due*, frz. *deux* (s. d.), in ON. wiederholt nach 2 auffälligen Bäumen od. f. geschwisterartige Inseln u. Berge *a) D. Arboles* = zwei Bäume, Ort in Argentinia, 'bezeichnend genug f. die Oertlichk.; 2 kl. Bäume einer eigenth. Pflanze, peje, standen auf dem Hofe u. waren die einzigen ihrer Art in der ganzen Gegend; in ihrer Gesellschaft hatte man die neue Anlage ggr., um des grünen Schmuckes ihrer Kronen sich erfreuen zu können' (ZfAErdk. nf. 9, 60); *b) D. Cabezas* = zwei Köpfe, ein Felsgipfel in Arizona, durch einen weithin sichtb. Spalt getrennt (Peterm., GMitth. **20, 454**); *c) Las D. Hermanas* = die beiden Schwestern, zwei Eilande des nördl. Pacific, v. Villalobos **1543** entdeckt(Galvão, Desc. 235); *d) Cabo das D. Palmas* s. Palmas; *e) D. Palms*, wo *palmas* englisirt, am Dry L., d. i. in dem bis — 90 m eingesenkten Colorado Desert, am südl. Theil der Wüste Mohave, wo wir z. erstenmal wildwachsende Palmen antrafen', sagt O. Loew, der Gefährte Lieut. Wheelers. Dort auch eine zweite Oase *Lone Palm* = einzelne Palme(Peterm., GMitth. 22, 423 T. 18).

Dothajin, hebr. דֹּתָיִן = Zweibrunnen (1. Mos. 37, 17), od. mit ders. Bedeutg., *Dothan*, hebr. דֹּתָן, eine Ortschaft in Samaria (2. Kön. 6, 13), gr. Δωθαΐμ (Judith 4, 6), Δωταία (ib. 3, 9), noch j. *Dothán*, ein Hügel mit einer Quelle (Robins., NBF. 158, Gesen., Heb. L.).

Dotion Pedion od. **Argos,** gr. Δώτιον πεδίον od. ἄργος = fruchtbare Ebene nannten die Alten das beste Stück der Pelasgia, das Land um die thessal. Seen Nessonis u. Boibeïs (Bursian, GGeogr. 1, 63).

Double = doppelt, mehrf. in engl. u. frz. ON. *a) D. Island Point*, in NSüdWales, v. Cook am 18. Mai 1770 getauft, weil die Spitze der sonst mässig- u. gleich-hohen Landzunge in 2 Vorinselchen sich zertheilt (Hawk., Acc. 3, 111); *b) D. Sandy Point*, zwei Landvorsprünge Tasmania's, in der Form sich ähnl., indem die Spitze rückwärts in Hügel v. fast purem Sande übgeht, v. Flinders (TA. 1, CLI, Atl. 7) am 2. Nov. 1798 getauft; *c) D. Mount*, in Ost-Grönl., v. Walfgr.

33 *

Will. Scoresby jun. (NorthWF. 178) am 20. Juli 1822 nach den zwei Gipfeln; *d) D. Falls*, im Yellow Knife R., ein *Upper* (= oberer) u. ein *Lower* (= unterer) *DF.* (Franklin, Narr. 212 ff.); *e) D. Butte* s. Slim. — *Cap. D.*, j. Pointe Riche in NFundl., v. frz. Seef. J. Cartier auf seiner ersten Reise, am 14. Juni 1534, entdeckt u. so getauft, da das Cap aus der Ferne wie 2 Inseln erschien, 'l'un par dessus l'autre, et pour ce le noumames *Cap D.*' (M. u. R., Voy. Cart. 13, Hakl., Pr. Nav. 3, 204, Avezac, Nav. Cart. XI).

Doubr s. Dab.

Doubs s. Dub.

Doubtfull Island = zweifelhafte Insel, in der Centralgruppe der Paumotu, einh. *Tekokoto, Tekokota* (Caillet), *Tekareka* (Wilkes), v. Capt. Cook (VSouthP. 1, 141) am 11. Aug. 1773 entdeckt u. so benannt, weil er nicht sicher wusste, ob das Eiland nicht schon v. Bougainville entdeckt worden sei. Am 1. Nov. 1772 fand der span. Seef. Boenechea zuerst Chain I. (s. d.) u. nannte, als am Vorabend v. Allerseelen, die 2. Entdeckg. dieses **Tages** *las Animas* = die Seelen (ZfAErdk. 1870, **363**, Meinicke, 1Still. O. 2, 210). — *D. Bay*, in **Tasman's** Ld., v. Capt. Stokes (Disc. 1, 201) am **13.** April 1838 so benannt, weil er ungewiss **war**, ob er sie f. eine blosse Bucht od. f. die **Mündg.** eines Flusses, was ihm weniger wahrsch., **nehmen** sollte. — Das Ggtheil zu den 'zweifel-**haften'** Entdeckungen bildet die *Doubtless Bay*, **eine** schöne, sichere Bucht NSeel., einh. *Oruro*, (**Meinicke**, 1Still. O. 1, 257), v. Cook am 9. Dec. **1769** entdeckt u. wohl so benannt, weil er zwar **den** Hintergrund der Bay nicht gehörig erkennen **konnte,** doch aber glaubte, dass dort das Bassin durch **niedriges** Land z. Golfe geschlossen sei (Hawk., Acc. **2, 371**). Der frz. Capt. de Surville, welcher am **17.** Dec. 1769, also gleichzeitig mit Cook, in NSeeland erschien, nannte sie *Baie de Lauriston* (Marion-Cr., NVoy. 280, v. Hochstetter, NSeel. 67), zwei Buchten derselben: *a) Anse Chevalier*, zu Ehren des Rheders, im dessen Auftrag die Reise Surville's geschah, *b) Anse du Refuge* = Bucht der Zuflucht, wo in wüthendem Sturme in welchem Surville fast Schiffbruch gelitten hätte, die Krankenschalupe Zuflucht fand.

Douce s. Hurons u. Superior.

Douglas Harbour, ein v. hohen Felsinseln umgebener, wohl geschützter 'Hafen' bei Sir Roe's Welcome, v. d. engl. Schiffen Dobbs u. California am 30. Juli 1747 entdeckt u. zu Ehren der beiden Ritter James u. Henry *D.* benannt (Barrow, R. u. Entd. 2, 536). — *Cape D.*, 'a very lofty promontory (in Cook's River), whose elevated summit, forming two exceedingly high mountains', ..., v. Cook(-King, Pac. 2, 385) am 25. Mai 1778 getauft 'in honour of my very good friend, Dr. *D.*, canon of Windsor'. — *D. Island*, 2 mal: *a)* im nordwestl. America, v. Capt. *D.* am 12. Aug. 1788 entdeckt u. benannt, id. od. nahe Forrester's I. des Capt. John Meares od. des span. Seef. Juan Francisco de la Bodega y Quadra 1775 *Isla de San Carlos* (GForster, GReis. 1, 261); *b)* s. Bay-

field. — *D.'s Entrance* s. Dixon. — *D. Reef* s. Parece Vela. — *Fort D.*, ein Handelsposten der Hudsons Bay Co., am Red River of the North, 1812 errichtet v. Miles McDonnell, im Auftrag der Selkirkschen Ansiedler u. getauft nach dem andern Titel der Familie Selkirk (Ch. Bell, Canad. NWest 4).

Douhan s, Teir.

Dourado s. Eldorado.

Douro s. Duero.

Douvre s. Dover.

Dove Gletscher, in Franz Joseph's Ld., v. d. österreich.-ung. Polarexp. Weyprecht-Payer am 7. Apr. 1874 entdeckt u. nach dem Berliner Meteorologen *D.* benannt (Peterm., GMitth. 20 T. 23: 22, 203); *b) D. Bucht* s. Roon; *c) D. Insel* s. Bastian.

Dover, engl. Hafenplatz an der *Strait of D.*, gall. *Dubrae*, ags. *Dofra, Dofris*, verwandt dem ir. *dobar, dobur* = Wasser, röm. *Portus Dubris*. mit vier andern Hafenplätzen einer der *Cinque Ports* (s. d.). Zu demselben Wortstamm gehören *a)* der Flussname *Dourre*, dép. Calvados, j. unrichtig *Dourres*, im 11. Jahrh. *Dopra*, 1228 *Dobra*, 1246 *Doubra* (Dict. top. Fr. 18, 101); *b) Verdouble, Verdoubr*, ein südfrz. Fluss, gall. *Vernodubrum* = Erlenfluss (s. Vernay); *c)* die *Tauber* (s. d.); *d)* ein ir. Fluss *Dobur* (Bacmeister, Kelt. Br. 24. 46). — Ein *Point D.*, bei Pt. Culver, v. Flinders (TA. 1, 93) am 19. Jan. 1802 ozw. prsl. getauft, übtragen *D.* in New Hampshire, *D.* in Delaware (Meyer's CLex. 5, 617). Einen Fluss *Dobur* in Irl., wie Baem. will, kennt Joyce (Orig. Ir. NPl. 2, 403) nicht, wohl aber einen ehm. 'bright *Dobhar*, which flows from the rugged mountains', dessen Name jedoch obsolet sei. Ein Ort *Dower*, in Corkshire, ist benannt nach einem nahen Flüsschen, u. eine Allmend gl. N. findet sich in Roscommon. Eine andere Form ist *Dore*, Fluss (u. Ort) in Donegal, einst *Doran*, vollst. *Dobharan* = kleines Wasser, dim. v. *dobhar*, näml. verglichen mit den benachbarten Flüssen Drowes u. Erne, hier mit verlornem r-Laut des *bh*, während dieser sich im schott. FlussN. *Doveran* erhalten hat. — *D. Cliffs* s. Stanley.

Dovre F. s. Jätteryggen.

Dowling s. Dub.

Downingtown, Ort bei Philadelphia, benannt nach der Ansiedlerfamilie Downing, deren erster Angehöriger, Thomas *D.*, den Ort nach einer am Big Brandywine 1735 errichteten Mühle *Milltown* = 'Mühlstadt getauft hatte (Cent. Exh. 34).

Downpatrick, ON. in Ulster, Irl., eine der Formen mit verd. *dun* = Veste, nach einem grossen verschanzten Fort bei der Kathedrale. Diese Festg. war im 1. Jahrh. der Sitz eines Kriegers der Red Branch Knights, die man *Celtchair* = Schlachtenkeltar nannte, daher in ir. Urk. *Dunkeltair, Rathkeltar*, wo *rath*, spr. raw, eine runde Befestigg. bezeichnet, od. *Araskeltar*, mit *aras* = Wohng. Bei kirchl. Autoren heisst der Ort gew. *Dunleth-glas, Dunda-leth-glas* = Veste der zwei zerbrochenen Fesseln, entspr. einer Sage v. zwei gefangenen Brüdern, deren Fesseln durch Wunderkraft zerbrachen. In der Folge blieb nur das erste Wort *dun*, in *down* englis., mit Beifügg. des Namens des Landesheiligen, St. Patrick, 'as commemorative of his connection with the place' (Joyce, Orig. Ir. NPl. 1, 258. 280).

Downshire, Cape, Victoria Ld., auf Capt. Crozier's Wunsch hin v. Capt. J. Cl. Ross (SouthR. 1, 184), am 11. Jan. 1841 benannt z. Andenken an des erstern Freund, den vorm. Marquis *D.*

Doze s. Doce.

Drâa, auch *drea, dra*, f. *dhrâa* = Arm, Höhenzug, in arab. ON., bes. in *Ued D.*, einem bedeutenden Flussthal, *wady*, in Marocco (Parmentier, Vocab. arabe 21).

Draay = Wendung, Drehung, holl. ON. in der Karroo, weil der Weg hier eine Biegg. macht (Lichtenstein, S.-Afr. 2, 129).

Drabirdesch s. Drawida.

Drachenloch, eine Felshöhle mit steilem u. verwachsenem Zugang in Nidwalden, weil der Sage zuf. hier der v. Struthan v. Winkelried im 13. Jahrh. getödtete Drache lebte (Gem. Schwz. 6, 151). In der Nähe *Drachenried* u. *Drachencapelle:*

> 'Und dankbar verkündet die *Drachencapell'*
> die That noch den spätesten Zeiten'.
> 　　　　　　　　　　　　(J. M. Usteri).

— *Drachenhöhle*, bei Mixnitz im Murthal, ebf. einst v. dem Drachen der Sage bewohnt, u. *Drachensee*, ein 'Meerauge' der Tatra, poln. *Smoczy Staw*, mag. *Sárkány To*, v. *smok* resp. *sárkány* = Drache (Umlauft, ÖUng. NB. 49 f.).

Draecken Rif, ein gefährl. Küstenriff v. Eendragts Ld., so benannt v. holl. Capt. Aucke Pieters Jonck, der im Schiffe Emeloort die Spuren des am 28. Apr. 1656 schiffbrüchigen Vergulde Draeck (= vergoldeter Drache) aufsuchte u. in den Monaten Febr. u. März 1658 hier erschien (WHakl. S. 25, 80 ff., Carte). Auch die Carte des Sam. Volckersen, der das andere Schiff, de Waeckende Boey, führte, notirt: Op dit rif de Draeck verongeluckt, u. in der Nähe: Hier veel teeckens van de Draeck gevonden.

Drän s. Mosel.

Drago, Boca del = Drachenschlund, die enge, gefährl. Durchfahrt zw. Trinidad u. Paria (s. Serpens), 'wo sich aus der tobenden Flut (des Orinoco) thurmähnlich einzelne Klippen erheben' (Humb., ANat. 1, 255), v. Columbus am 13. Aug. 1498 passirt u. benannt 'porque penso ser tragado el entrar de la grandissima corriente' (Colon, Vida 323, Gomara, HGen. c. 84). — *Ile du Dragon* s. Lawrence. — *Dragonera* = Drachen- od. Schlangenland, eine unbewohnte Felsinsel bei Mallorca, welche angebl. v. Schlangen u. Eidechsen wimmelt (Willk., Span.-P. 208), in Wirklichk., weil sie 'v. dieser Seite gesehen einem liegenden Drachen nicht unähnl. ist . . . davon, u. nicht v. den Schlangen, wie manche Geographen meinen, hat diese gebirgige Felseninsel ihren Namen' (Willk., Span.-B. 177).

Drake's Hr. s. Reyes.

Drakenstein, Colonie im Caplande, unter der

Regierg. des Gouv. Simon van der Stell 1675 ggr. 'In selbigen betrübten Zeiten suchte eine grosse Menge Franzosen, die man wg. der Religion verfolgte, ihre Zuflucht in Holland, welche man ihnen auch grossmüthig verwilligte. Die Herren General-Staaten glaubten, sie könnten auf dem Vorgebürge so vergnügt leben, als es Leuten, die ihr Vaterland verlassen müssen, nur immer mögl. ist, u. empfahlen sie der (holl.-ostind.) Compagnie, welche sie auf ihre Kosten nach dem Vorgebürge schaffte. Man wies ihnen diese Gegend an; daselbst fanden sie viele Handwerksleute, welche ihre versprochene Zeit bei der Co. ausgedienet, die Dienste verlassen, dagegen aber einiges Land angebauet hatten.' An Stelle des frühern Namens *Hellenbok* (Tachard, Voy. Siam 2, 94?) trat der neue. 'Simon van der Stell hat ihr den ggwärtigen beigeleget, zu Ehren des Barons v. Rheede, Herrn v. Drakenstein, in der Prov. Geldern. Dieser Herr wurde 1685 v. der Co. nach Indien geschickt, als General-Commissarius u. Controlleur, um den Zustand der Sachen zu untersuchen, u. nach seinem Gutdünken Aenderungen vorzunehmen. Mit dieser Vollmacht kam er auf das Vorgebürge. Van der Stell unterlies nicht, diesem Mann möglichst aufzuwarten, vor dessen Untersuchg. er sich furchte. Er mag nun hierzu für Mittel gebraucht haben, was er für welche gewollt; so hatten sie doch die Würkg., dass ihn dieser Herr, ohnerachtet der ungetreuen Haushaltg., in seinem Amte bestättigte, u. das Urtheil fällte, es wäre alles der Co. nützlich gewesen, was er vorgenommen hätte' (Kolb. V. GHoffn. 224). Ob auch, trotz der lautl. Incongruenz, *Drakenberge* mit dem Namen des Barons zshänge?

Drammen, Hafenort bei Christiania, Norw., früher *Dröfn, Drafn*, v. skand. *drafn, trafn* = Strom, Wasserlauf (auch Thran od. Vogel *trane*), verwandt dem isl. *dröfn* = Welle (Petersen, DNStedsN. 65).

Drangai s. Zareh.

Drángar = Klippe, eine der isl. Westmänner In., mit einem PN. in der benachb. *Einarsdrángar* (Preyer., Isl. 26).

Drapano s. Drepanon.

Drasch s. Dyrrhachion.

Drasche Kamm, am Matotschkin Schar, v. Prof. Höfer, Hülfsexp. der Polarf. Tegetthoff, im Aug. 1872 getauft (Peterm., GMitth. 20, 38 T. 16), nach einem der Förderer der Exp., Heinr. v. *D.* in Wien (ib. 17, 345) od. nach dem Geologen Dr. R. v. *D.*, den wir 1873 in Spitzb. finden?

Drau, auch *Drave*, röm. *Dravus*, *Draus*, gr. Δράβος, Δράος, im Mittelalter *Tra, Traha, Draa*, slaw. u. mag. *Dráva*, ist nach W. Tomaschek (Mitth. Wien.GG. nf. 13, 497 ff.) pannonisch-dalm. Ursprungs, v. *dru* = laufen, eilen, also 'eilender, jäh laufender Fluss', ozw. mit *Traun* (s. d.) zu vergleichen. Diese Erklärg. stimmt zu Plinius' Angabe: *Draus* e Noricis violentior, *Savus* e Carnicis placidior in Danuvium defluunt (HNat. 3, 147), sowie zu dem kroat. Sprüchlein *Drava* drnje, *Sava* suje = die *D.* reisst ein, die *Sau* schwemmt an (Zeitschr. f. SchulGeogr. 2, 139).

Und wieder stimmt die Etym. selbst mit der Ansicht des Genfer Keltisten Ad. Pictet, welcher (Rev. Celt. 1, 299 ff.) die Flussnamen mit der skr. Wurzel *dru* = laufen, schnell laufen, fliehen etc., im zend ebf. 'laufen', *drâvay* = laufen machen, in 5 od. 6 Gruppen ordnet, indem er *D.* der ersten derselben zutheilt. Ganz so stellt Bopp's WB. d. Sanskr. *Dravus* mit *dravas* = fluens zs., so dass wir also 'auf das Ureigenth. des indogerm. Volkes' zkgelangen, u. dem entspricht die weite Verbreitg. des Worts, das, viell. mit Suffix -*n*, -*ina*, zu *Dravina* geformt, in der *Trave*, (s. Traun), in der *Drän*, alt *Trewina*, Zufluss der *D.* (s. Mosel), in der *Drone*, im 4. Jahrh. *Drabonus*, Zufluss der Mosel, erscheint.

Drausensee s. Elbing.

Dravnitz s. Mosel.

Drawida = die gegen Süden Wohnenden nennt der später eingewanderte Hindu die in das Dekhan zkgedrängten, dunkelfarbigen (mal.?) Urbewohner Indiens (Berghaus, Physik. Atl. 8, 34). Ihr Land skr. *D.-désa*, *Drabir-desch*, wo *désa*, *desch* = Land (Schlagw., Gloss. 188).

Dreary, Mount = trauriger Berg u. *Mt. Horrid* = schrecklicher Berg, ein auffallend öder Berg der austral. York's Pa., v. den Begleitern des Capt. Ph. P. King (Austr. 1, 379) am 9. Aug. 1820 genannt, v. Naturhistoriker der Exp. Allan Cunningham, als *Rugged Mount* = rauher Berg bezeichnet.

Drei, das deutsche Zahlwort, wie engl. *three*, holl. *drie* u. s. f., häufig in ON., bes. f. Bergformen wie *a) D. Kronen*, spitzberg. Gebirgsgruppe, aus welcher 3 eigenth. gestaltete, isolirte Bergspitzen hervorragen u. mit ihrer bestimmt abgegrenzten Kegelform dem Ganzen diesen Namen verleihen (Torell u. N., Schwed. Expp. 287); *b) D. Särge*, auf arkt. Scheda I., 3 Berge, v. norw. Capt. Carlsen nach der Form benannt (Peterm., GMitth. 20 T. 16, gef. Mitth. Prof. Höfers 17. Febr. 1876); *c) Dreifalts Felsen*, ein ausgezeichneter, hoher, wie durch Falten 3theiliger Inselfels bei Kiusiu, v. russ. Capt. J. A. v. Krusenst. (Reise 1, 277) getauft; *d) Dreiberg I.* s. Ponafidin; *e) D. Schwestern*, ein kahler, steiler, 3gipfliger Gebirgskamm des Fürstth. Liechtenstein (Grasb., StGriech. ON. 10). — Nach der Zahl der Nachbarn 'sind benannt: *a) Dreisesselstein*, ein Berghaupt des Böhmer W., an ihm der Fels *Dreieckmark*, wo Böhmen, Bayern u. Oesterreich zsgrenzen (Meyer's CLex. 5, 650); *b)* Aehnl. *Dreiherrenspitze*, *Dreiländerstein*, *Dreiländerspitze*, mehrf.; *c) Dreizentenhorn*, wo die 3 Walliser Ze(h)nten Leuk, Raron u. Visp zsstossen (Fröbel, Penn. A. 148), u. nicht (wie in Dufour C. 18) *Dreizähnhorn*; *d) Dreibündenstein* s. Schwarzwald.

Drepanon, gr. Δρέπανον = Sichel, Hippe, krummes Schwert, hiessen v. ihrer Gestalt krumm ins Meer vorragende, flachere Landspitzen (Curt., G. On. 155, Pashley, Creta 1, 59): *a)* Vorgebirge am Roth. M. (Plin. HNat. 6, 175, Müller, GGr. Min. T. 6); *b)* bei Messina, schon im alten Namen *Zankle* (s. Messene) die Form andeutend (Kiepert,

Atl. Hell.); *c)* Δρέπανα, Cap am Westende Sicil., mit kl. Ort, den Hamilkar erneuerte u. befestigte, j. *Trapani* (Ptol. 1, 41, Kiepert, Lehrb. AG. 473); *d)* in Kreta, j. *Drépano*, Cap, u. *Drapano*, Bergdorf (Peterm., GMitth. 11 T. 13); *e)* in Ikaria, Cap. u. Ort, j. Δρεπάνι; *f)* die Nordspitze des Peloponnes, weniger nach dem Vorragen, als nach dem sichelfg. Einschnitt der Sandküste (Strabo 335), j. *Drapano*, Gebirgsdorf (Curt., Pel. 1, 447); *g)* in Cypern, Name erloschen (Ptol. 5, 14¹); *h)* in Kos (Strabo 657, Ross, IReis. 3, Carte); *i)* an der Gr. Syrte (Scyl. 109), ggb. ein Ἀντιδρέπανον = Widersichel (Ptol., Anon. st. m. m. 79); *k)* in der Form Δρεπάνη ein Ort in Bithynien (St. B.), sowie *l)* f. das gebogene Korkyra selbst (s. d.) Ap. Rh. 4, 988; *m)* ngr. Δρεπάνι, ein 'langer schmaler Sandstreifen, der sich sichelfg. — daher *Drepáni* — in die Bucht zw. Trözen und Kalauria erstreckt.' Diese auffallende Form mag den alten Namen *Pogon* (= Bart, Streifen) f. den Hafen der Trözenier veranlasst haben (Curt., Pel. 444).

Dresden, dial. *Dräsen*, bei dem Kosmogr. Seb. Münster *Dresen*, die Hptstadt des Kgr. Sachsen, olw. *Draždzany*, *Dreždzany*, nlw. *Dreždžany*, čech. *Drážd'any*, serb. *Drǎzcani*, poln. *Drezno*, 1206/15 *Dresdene*, 1216 *Dreseden*, 1240 *Dresedene*, 1242 *Dresden* . . ., hat verschiedene, z. Th. wohl nur scherzhafte Erklärg., naturgemäss aus dem slaw., gefunden, als 'Drei-Seen', als 'Drusi Tropaeis', v. wend. *drozdzin* = Trotzburg, Trotzer, etwa ggb. einer Flussbefestigg. (Meyer's CLex. 5, 665), v. *trasi* = Fähre, so dass man die Elbfähre als den ersten Anlass der Ortsgründg. zu betrachten hätte (Daniel, Hdb. Geogr. 4, 489), bei Schmaler (Slaw. ON. Laus. 9) v. PN. *Draždžan*, bei Buttmann (Deutsche ON. 84) als 'Hafen', da er in Zwahr's wend. Wörterbuche *droždžeje* = Häfen, statt Hefen, fand. In neuester Zeit ist *D.* eingehend behandelt v. G. Hey (ON. Sachsen 21) u. Aug. Jentsch (Dresd. Anz. 11. Sept. 1884 Beil. 4). Der erstere setzt *drezda* = insidiae, Hinterhalt, Lauerort u. gelangt durch den plur. *drezd-jani*, ohne Nasalirung *drazdjani*, *drezdjani*, auf die Formen *dražd'ani*, *drežd'ani*, womit die meisten der oben angeführten, j. gebräuchlichen slaw. Benennungen übereinkommen, d. i. Leute v. Lauerort, v. der Warte od. Wartburg. . . 'Sonach stellt sich *D.* als ein altslaw. befestigter Platz dar, welcher schon in der Vorzeit nicht ohne Bedeutg. gewesen sein mag'. Anders Jentsch, ein geborner Wende. Zum voraus lehnt er *trasi* = Fähre als slaw. Wort übh. ab (vgl. auch Sächs. Schulztg. 19. Febr. 1888). Diese Annahme datire aus der Zeit August's des Starken, der 1697 Polenkönig wurde, am Hofe viele Polen um sich hatte u. das Franz. als Hofsprache gebrauchte; aus solchem Kreise möge frz. *trajet* als *trazi* gedeutet worden sein. Der wend. Slawist Hornig knüpfe, da das Wort im Wend. nicht mehr vorhanden, an altslaw. *Drezga* = Wald an, spr. *drengsga*, das auch in der Form *Drezda* vorkommt, also mit Nasal, der dem Wend. fehlt, also wend. *Drjazga*, *Drězga*; davon kam bei den Oberwenden, die das weiche a zw. 2 weichen Consonanten in weiches e umwandeln, der PN. *Drježd'-janin* = Waldbewohner, plur. *Drježd'janje*, u. 'damit ist die erste urk. Namensform, 1206 *Dresdene*, vollst. erklärt; der Verf. konnte mit deutscher u. lateinischer Orth. nicht richtiger schreiben'. Die Erklärg. sei v. Leskien, Mucke, Immisch, Miklosich als richtig erkannt, u. — ist hier beizufügen — wohl auch v. Hey, der in meinem Ex. seiner Programmarbeit *dresda* = insidiae in *drezga* = Wald umcorrigirt hat. An diese Erörterung knüpfte sich ein Scharmützel mit V. Jacobi, welcher, des Slaw. nur aus dem Wörterbuch kundig, *D.* zu einer 'Strassburg' hatte machen wollen (Dresd. Anz. 1885 No. 72f. 150, Sächs. Schulztg. 1886 No. 18. 23. 30, 36). — *D.*, in Ohio.

Drewyer's River, ein rseitg. Zufluss des Lewis's R., v. den Captt. Lewis u. Cl. (Trav. 346) am 13. Oct. 1805, nach einem ihrer Gefährten, George *D.*, getauft.

Drie = 3, holl. Zahlwort (s. Drei), in den ON. *a) Driefonteinen* = Dreibrunnen, einer der den Quellen u. Wasserläufen entlehnten Namen, welche die Capcolonisten ihren Ansiedelungen beilegten (Lichtenst., SAfr. 1, 165); *b) Driekoningen* s. Three Kings.

Drift-Wood Island = Insel des Treibholzes, eine niedrige mit Treibholz bedeckte Insel des austr. Queen Ch.-Victoria R., v. Capt. Stokes (Disc. 2, 38) im Oct. 1839 getauft.

Dringu, Telaga=Calmussee, v. mal. *telaga*, ostjav. *telogo* = See u. *dringu* = Calmus, ein See des jav. Gebirgs Diëng, welches bis auf ein 30 m weites Centralfleckchen mit entenbelebtem Röhricht überwuchert ist (Jungh., Java 2, 194).

Dripping Pool = Tröpfelteich, viel. *Fern Spring* = Farnquelle, ein wunderschöner Quellteich des nahe dem Rio Colorado gelegenen Kanab Cañon, der hier so eng wird, dass die Sonne den Grund nur 2^h tägl. erreicht; ist ein eingefasst v. üppigem Farnkraut, 'Mädchenhaar', bot. Adiantum capillus Veneris, u. kl. Blüthengesträuch, welches beständig feucht bleibt u. tröpfelt (Wheeler, Geogr. Rep. 52).

Droghed s. Bandonbridge.

Drome, Drone s. Drau.

Dromedary, Mount = Dromedarberg, in NSüd-Wales, v. Cook am 21. Apr. 1770 nach der Gestalt, das nahe Vorgebirge *Cape D.* genannt (Hawk. Acc. 3, 81); dieses letztere hat jedoch Flinders v. Continent abgeschnitten u. so z. Insel gemacht, *Montague Island* (s. d.) des Schiffes Surprise (Krus., Mém. 1, 105).

Drontheim s. Trondhjem.

Drooa s. Druid.

Drotted Park = getüpfelter Park, eine mit Bäumen besetzte Thalfläche der Sierra Blanca, auch *Island Park*, da der Grund mit zahlr. schanzenähnl. Bauten regelmässig, wie mit Inseln, übersäet ist (Wheeler, Geogr. Rep. 65).

Drottning = Königin, schwed. Wort, entspr. dem dän. *dronning*, zu masc. *drot* = Herr, Herrscher, König, das neben *konge* sich erhalten hat, während im schwed. nur das eine *konung*, zsgezogen *kong*,

kung vorkommt — mehrf. in skand. ON., zweimal *Drottningholm*, mit *holm* = Insel *a)* das auf Lofö, Mälarsee, gelegene grösste kön. Lustschloss, erbaut v. der Königin Katharina Jagiellonica, der Gemahlin Johanns III..., 'daher der Name', nach dem Brande 1661 prachtvoll erneuert v. der Königin Hedwig Eleonore, der Wittwe Karls X. Gustav (Meyer's CLex. 5, 679, E. Egli, Wand. 22); *b)* ein kön. Hof auf einem Vorsprg. des Arresö, Seel., 1397 v. der Krone erworben (Styffe, Skand. Un.40); *c) Drottningskär*, eines der Skärencastelle, welche den Eingang des v. Karl XI. erbauten Kriegshafens Karlskrona bewachen (Meyer's CLex. 9, 832).

Drowänoi, Myss = Holzcap, russ. Name am Südufer des Matotschkin Schar, nahe dem östl. Ausgange, 'wo am flachen Gestade eine ganz ungeheure Menge v. Treibholz lag, v. dem so viel gesammelt wurde, als unsere Räumlichkeiten gestatteten' (PM. 18, 24).

Drowned, Portage of the = Trageplatz der Ertrunkenen, im Sclavenfluss, nach einer verhängnissvollen Flussfahrt, welche einst hier stattgefunden. Es waren zwei Canoes oben an der Stromschnelle angelangt; ein erfahrner Führer, die Passage practicabel haltend, anerbot sich, mit seinem Canoe den Versuch zu machen u. kam, freil. nur durch seine u. seiner Mannschaft äusserste Anstrengg., unten glückl. an. Nach Abrede sollte, sofern die Passage leicht sei, dem zkgebliebenen Canoe ein Flintenschussignal gegeben werden. Ein unglückseliger Schuss (er galt einer Ente) lockte die zweite Gesellschaft zu folgen, u. alle ertranken (Franklin, Narr. 194ff. Carte). MacKenzie (Voy. 155) setzt das Ereigniss unter Cuthbert Grant's Leitg. in den Herbst 1786 u. gibt den Namen noch frz.: *P. des Noyés*.

Druid, die von den Griechen u. Römern erborgte kelt. Bezeichng. f. *drui*, gen. *druad*, f. die Heidenpriester, die vor St. Patrick, als Inhaber aller Weisheit, als Propheten u. Zauberer, so gewaltigen Einfluss besassen, lebt noch in einigen zerstreuten ON. fort, wie in *Lough-na-Drooa* = Druidensee, Donegal, in *Killadroy*, ir. *Coill-a'-druadh* = des Druiden Gehölz, Tyrone, in *Gobnadruy* = des Druiden Landspitze, Achill I., *Derrydruel*, ir. *Doire-druadh* = des Druiden Eichwald, Donegal. Vergessen ist der berühmteste derselben, *Cnoc-na-ndruadh*, spr. knocknadrooa = Druidenberg, auf welchem die Druiden Dathi's, des Königs v. Erin zZ. v. St. Patricks Auftreten, ihre Beobachtungen u. Berathungen vorzunehmen pflegten. Dieser auffallende Berg, j. *Red Hill* = rother Berg, in Sligo, hiess einst auch *Mullach-Ruadha*, weil Dathi's Frau Ruada hier begraben lag, j. in *Mullaroe* englisrt, u. da man das Bestimmungswort mit *ruadh* = roth verwechselte, so entstand die mod. Bezeichng. eines 'Rothenbergs' (Joyce, Orig. Ir. NPl. 2, 97 ff.) — *Innisan-D.* s. Iona.

Drummond, Point, a very projecting point of calcareous cliffs in Süd-Austr., entdeckt am 15. Febr. 1802 v. Capt. Matthew Flinders (TA.

1, 126) u. benannt 'in compliment to capt. Adam *D.* of the navy'.

Druna s. Drau.

Druschauna s. Walgau.

Drusen, ed-*Derûz,* sing. ed-*Durzy* heisst, wohl nach ihrem Propheten, welcher den Zunamen *el Derzi* hatte, eine hptsächl. im Libanon verbreitete, etwa 70000 Köpfe starke muhammedan. Secte, welche zZ. der Kreuzzüge entstanden zu sein scheint.

Drusi C. s. Castellum.

Dry = trocken, mehrf. in engl. Flussnamen der dürren Gebiete der Felsengebirge, f. kleinere Flüsse, creeks, die zeitw. ausgetrocknet liegen: *D. Creek a)* aus ind. *Minne Pusa* übsetzt, ein wasserloser breiter Quellarm des Cheyenne R., 'a name well adapted to all the creeks in this section of country' (Raynolds, Expl. 158); *b)* ein Zufluss des Snake R., im Hochsommer austrocknend. *'DC.,* which in the spring season affords a channel for a large body of water ... in midsummer there is no running water' (Hayden, Prel. Rep. 29); *c) Little* (= klein) *DC.,* ein rseitg. Zufluss des Missuri, obh. Yellowstone R., v. den Captt. Lewis u. Cl. (Trav. 153) am 6. Mai 1806 so benannt, weil nur noch in einzelnen Tümpeln Wasser lag, aber keines in den Missuri abfloss, in der Nähe ein *Big* (= gross) *DC.,* doppelt so breit, gänzl. trocken, ein *Big D. River,* der das Bett eines grossen Flusses hat, 200 m br., aber ohne einen Tropfen Wasser. Raynolds (Expl. 12. 113) fand das Bett des 'grossen Trockenbaches' 87 Schritt br., u. die beiden Weidensäume lagen 330, die Uferbänke 600 Schritt auseinander, u. doch fand sich Niemand, der je Wasser in dem ungeheuern Bette gesehen hätte; *d)* s. York. — *D. Bank* s. Vine. — *D. Cape* s. Langenes. — *D. Lake,* gewisse Thonmulden der Wüste Mohave. Man hält die Thonschichten f. den Absatz v. Seen, die noch lange nach Rückgang des quaternären Oceans, viell. noch bis in die neueste Zeit hinein, bestanden haben u. erst mit der zunehmenden Trockenheit verschwunden sind (Peterm., GMitth. 22, 337). Der *Big DL.* bildet den südlichsten Theil des an 130 km lg., durchnittl. 25 km br. Thales Coahuila od. Cabezon, ein Wüstenthal par excellence. Der Seeboden besteht aus einer thonigen Ablagerg., die mit Flecken v. Salzefflorescenzen bedeckt ist u. ausser dem Salzgras u. dem Salz-Stachys nichts hervorbringt. Miles weit sieht man nichts als blanken Thon, üb. welchen Süsswassermuscheln ausgestreut liegen. Der ehm. See war — allem Anschein nach — bis in die jüngste Zeit in Existenz. Die Fläche liegt in — 90 m (PM. 22, 423 T. 18. — *D. Wood Creek* = Trockenholzbach, ein lkseitg. Zufluss des Cheyenne R., v. wenig Gesträuch eingefasst, nur aus einer Kette v. Wasserlöchern bestehend (Raynolds, Expl. 24).

Drymodes, nach Plin. (HNat. 4, 20) eine alte Bezeichng. f. Arkadien, v. seinen dichten (Eich-) Waldungen (Curt., Pel. 1, 307), wie schon Philostr. (Ap. Tyan. 161 ed. Kayser) sagt: ἔστι δὲ πόλλη ἡ Ἀρκαδία καὶ ὑλώδης οὐ τὰ μετέωρα μόνον

ἀλλὰ καὶ τὰ ἐν ποσὶ πάντα — und weiter unten δρυτόμον πολλῶν δεῖται ἡ χώρα. — *Drymussa,* gr. Δρύμουσσα = Eichenau, eine Insel Joniens im Herm. MB (Thuc. 8, 31, Pape-Bens.). — *Dryopis,* gr. Δρυοπίς = Eichenau, alter Name v. Kythnos (St. B.). — *Dryos Kephalai,* gr. Δρυὸς Κεφαλαὶ = Eichköpfe, athen. Benenng. des Engpasses Athen-Platäa wg. der bewaldeten Kuppen des Kithäron, die sich üb. ihm erhoben (Herod. 9, 39, Pape-Bens.).

Dsaisan Noor, auch *Nor Saissan* = der edle, adelige See, v. *saissan* = Befehlshaber, v. den Kalmyken, die er 1650 v. Hungertode errettete, so genannt. 'Dieser See u. der hindurchfliessende Irtysch sind wohl die fischreichsten Gewässer der ganzen Gegend.' Der Fischfang dauert v. Ende Apr. b. 20. Aug. u. liefert hptsächl. Rothfische, d. i. Störe, wie Accipenser ruthenus u. A. sturio, u. Weissfische, d. i. Lachs u. Aesche, als Salmo Nelma Pall. u. S. fluviatilis. Der frühere Name des Sees, *Kisalpu Nor* (Müller, SRuss. G. 5, 204), ist mir unerklärt, wie *Osero Korsana* der ältern russ. Carten (Atl. Russ. 1745); in alten russ. Nachrichten heisst er *Kitaiskoje Osero* = chinesischer See (Bär u. H., Beitr. 16, 154, Sommer, Taschb. 11, 193). Klaproth (Mag. As. 180) schreibt *dsaïsang* u. übsetzt den 2. kalmyk. Namen *Kungkhotu Noor* = Glockensee, v. dem durch den Wellenschlag am Ufer beständig verursachten Getöse u. glockenartigen Geräusch. Die ersten Russen, welche den See 1719 besuchten, waren Capt. Fürst Urakow u. Lieut. Ssokolow; sie waren z. Aufsuchg. v. Goldsand hingeschickt (Bär u. H., Beitr. 20, 16).

Dschadschpur, in engl. Orth. *Jajpore, Jajepoor* = Stadt der Opfer, hind. ON. der Prov. Orissa. Ist der Sitz einer stolzen, habgierigen Priesterkaste, sowie eines hochgehaltenen siwait. Heiligth., das jährl. v. Myriaden (?) v. Pilgern auf ihrem Weg z. Tempel v. Dschagannath besucht wird (Meyer's CLex. 5, 692).

Dschagannáth(a) = Herr der Welt, s. v. a. Wischnu, auch bloss *Puri* = Stadt, auf unsern Carten häufig *Dschagernat,* hind. Name eines Wallfahrtsort in Orissa, dem man durchschnittlich 50000 Pilger per Tag schätzt. Innerhalb einer 6 m h. Steinmauer, v. fast 200 m im Quadrat, erheben sich 120 verschiedene Tempel, der Thurm der Hauptpagode üb. 100 m h. In dieser steht auf hohem goldenem Throne die Gottheit Wischnu, zw. Stiefbruder u. Schwester, alle drei plump aus Holz geschnitzt, mit breiten, schwarz geräucherten Gesichtern, aber angethan mit weissen, goldgestickten, v. Edelsteinen glitzernden Gewändern. Der Götze hat an Stelle der beiden Augen zwei Diamanten v. fabelhaftem Werthe. Ihm wird tägl. eine ausgesuchte Mahlzeit vorgesetzt, u. 3000 Priester sammt ihren Familien sind im Tempeldienste geschäftig. Am Wagenfeste erscheinen die Pilger in unabsehbaren Zügen; man rechnet ihrer 300000. Tausende der Andächtigen spannen sich vor einen riesigen 16 rädrigen Wagen, um das Bild Wischnus eine Strecke weit fort u. zk. zu schleppen. — Das Epitheton der Gottheit wiederholt sich in den ON. *Dschagannáthpur,* Bahar,

Dschagatpur, Audh, *Dschagdeopuram* = Stadt des Gottes des Weltalls, Orissa, *Dschagdispur* = Stadt des Weltherrn, sowohl in Bahar als in Audh, v. *dschagdis*, eig. *dschagadisa*, einem Beinamen Wischnu's (Schlagw., Gloss. 202 u. a.).

Dschagga, auch *Chhaga*, *Zaga*, in W.-Africa = kriegerische Nomaden, in O.-Africa nom propr. eines Gebirgsdistricts (PM. 5, 377).

Dschahangirabád u. *Dschahángirpur*, beides nach einem der Mongolkaiser, der den Namen *Dschahángir* = Welteroberer führte, mit *abád*, resp. *pur*, beides 'Stadt', mehrf. in Indien, wie *Dschahanabád* u. *Dschahánpur*, nach dem PN. Dschahán, *Dschalalabád* u. ähnl., nach dem PN. Dschalál, *Dschalaluddinnágar*, v. PN. Dschalaluddin = Glanz des Glaubens, in Audh; dagegen v. skr. *dschaja* = Sieg die ON. *Dschaibhúm* = Siegesgegend, *Dschaigárh* = Siegesveste, *Dschaindgar* u. *Dschaipur* = Siegesstadt. Wieder anders *Dschalándhar* = der wasserführende, skr. Name eines der Flüsse des Pandschab, durch Uebtr. auch des Duab zw. Bias u. Satledsch, *Dschalapur* = Wasserstadt, *Dschalasór*, *Dschaléswara* = Herr des Wassers, Epitheton Váruna's, des ind. Neptuns, in Bengalen (Schlagw., Gloss. 202 f.).

Dschalanatschi s. Jilan.

Dschalaulia s. Aulia.

Dschamalabád u. ähnl. ON., v. PN. Dschamál, mehrf. in Indien, wie *Dschamgárh* u. ähnl., v. Dscham, dem ind. Pluto (Schlagw., Gloss. 203).

Dschambudwipa s. India.

Dschamna, in engl. Orth. *Jumna*, bei Arr. Ind. (8, 5) 'Ιωβάρης, bei Ptol. (7, 1, 29) Διαμούνας, bei Plin. (HNat. 6, 63 ff.) *Jomanes*, bei Barros (Asia 4, 6, 1) *Jamona*, skr. *Jamuna*, der Name des grossen Zwillingsstroms des Ganges, 'ist offb. etym. verwandt mit *jama* = Zwilling; ich vermuthe mit Beziehg. auf die Ganga, deren Schwester sie durch ihren benachb. Ursprung u. parallelen Lauf ist. Die Inder machen sie z. Schwester des Todtengottes Jama, welcher Sohn der Sonne ist, also auch den Fluss z. Tochter der Surja' (Lassen, Ind. A. 1, 62). — *Dschamnotri*, eig. *Dschamnâwatârî* = des D. Herabkommen, v. skr. *awatára* = niedersteigen, hind. ON. in Garhwal, wo der Fluss v. Gebirge niedersteigt, wie *Gangotri* (s. d.) am Ganges (Schlagw., Gloss. 204). Die Thermen, nahe der Flussquelle, dringen mit 89⁰ C. aus Granit unter einer mächtigen Schneedecke hervor, die sich aus Lauinen fortwährend erneuert. In der Nähe *Dschamnotri Pik* (MCL. 5, 695).

Dschanakpur s. Rama.

Dschángthang = grüne Ebene, v. *dschang* = grün u. *thang* = Ebene, Wiese, eine Prov. in Gnari Khorsum, die, s. z. s. gar nicht angebaut, nur v. Schafhirten besucht wird — im Ggsatz zu den bebauten Flächen *Rungthang*, v. *rung* = nützlich. — Ebenso *Dschánglung* = das grüne Thal, in Ladak, während *Dschangla* = Nordpass, da *dschang* hier nur dial. f. *bjang* = Nord, tibet. Passname in Ladak (Schlagw., Gloss. 204).

Dschawahirgar s. Dschohar.

Dschebel, auch *dsche*- od. *dschabal* = Berg, Bergkette, ein arab. Wort, dessen Anfangsconsonant, wie übhpt. der Buchstabe ج, frz. *dj*, in Aegypten wie hartes *g* lautet u. oft geradezu mit *g* transscribirt wird (s. Gibraltar), findet sich begreifl. häufig in ON., zumeist als Grundwort (s. Atlas, Libanon etc.), vielf. aber auch als Bestimmungswort od. f. sich a) *Kasr il-D.* = Bergschloss, eine Zwingburg auf dem 700 m h. Gipfel des Dsch. Jefren, Trip. (Barth, Reis. 1, 27); b) *Bahr el-Dsch.* s. Nil. — *Dscheble* u. *Dschebal* s. Gebal. — Im dual *Gebeleïn* = Bergpaar, eine Felsengruppe am Nil, OAeg. (Brugsch, Aeg. 205). — *Dschebailia* = Bergleute, plur. v. *dschebaili*, so bezeichnet man die Berg-Berbern der Provv. Algier u. Constantine (Parmentier, Vocab. arabe 19), u. *Dschebalye* die muhammedan. Leibeigenen des Sinaiklosters, dessen Güter sie f. den halben Ertrag zu bebauen u. in dessen Diensten sie die Reisenden auf den Berg zu geleiten haben. Sie sollen v. den Sclaven abstammen, welche der Gründer Justinian z. Dienste des Klosters hersandte. Dass in der schon früh v. Anachoreten u. Pilgern besuchten Gegend Justinian (527 ff.) wenigstens eine Kirche bauen liess, wird v. Procop (De aed. Just. lib. 5, 8) bestätigt, u. spätere Zeugnisse sprechen v. weitern Bauten (Robins., Pal. 1, 223).

Dschedîd, fem. *dschedída* = neu, in arab. ON. a) *Kasr-D.* = Neuenburg, ein junges libysches Bauwerk, in der Nähe des Kathabathmon, uneig. *kasr* = Burg, da 'es kaum je mehr gewesen zu sein scheint, als eine Cisterne, deren Terrasse mit einer Umzäug. umgeben war' (Barth, Wand. 519); b) *Bir el-D.* = neuer Brunnen, in Sûf (Parmentier, Vocab. arabe 20): c) *Blidet el-Dschedida* s. Belad; d) *S'lah D.* s. Rabat.

Dschehalîeh, Kasr el- = Burg der Unwissenden, d. i. Heiden, Römer, arab. Name eines altröm. Gebäudes bei afric. Tripoli (Barth, Reis. 1, 20. 51).

Dschehor s. Laut.

Dschehûd, Bürdsch el- = Judenburg, j. *Kasr el-D.* = Judenschloss (Robins., Pal. 2, 512), ein altes, durch Erdbeben zerstörtes Kloster Johannes d. Täufers, bestand schon zZ. Justinian's, der einen Brunnen darin anlegte. Hier war das Jordanbad der Pilger am heil. Dreikönigsfeste u., der Sage zuf., der Uebergang der unter Josua einwandernden Israeliten (Seetzen, Reis. 4, 370); b) ein 2. mal *Bürdsch el-D.* f. eine Burgruine am Leontes (VdVelde, Reise 1, 153). — *Tell el-D.* = Judenhügel, bei den alten Heliopolis, hohe Trümmerstätten, welche wohl eher auf die zZ. der Ptolemäer nach Aegypten geflüchteten, als auf Joseph-Moses zkweisen. 'Es war zu eben dieser Zeit u. f. eben diese Juden, dass die griech. Uebs. des AT. angefertigt wurde' (Robins., Pal. 1, 41). Brugsch (Aeg. 51) sucht hier die Lage *Onion*, *Onias*, *Onii metropolis*, benannt nach dem jüd. Hohenpriester Onias, der hier einen Tempel baute

u. zZ. Ptol. Philometor's den Juden ein Asyl errichtete. — *Dschesîrat el-Dschehûdijeh* = Judeninsel, am Ende des Golfs v. Suez, z. Ebbezeit zuw. durchwatbar (Robins., Pal. 1, 79), nach Niebuhr (Nat. R. I. Abth. Carte) sogar *Derb el-D.* = Judenweg. — *Dschebel D.* s. Dschemm. — *Dschehudîa* = Judenort, arab. ON. der Syrtenküste, weil bei der muhamm. Einwanderg. hier noch Reste jener jüd. Colonien sich vorfanden, welche die Ptolemäer nach der Cyrenaica versetzt hatten. Der Ort war noch zu Edrisi's Zeit bewohnt; hingegen Barth (Wand. 341) fand alles öde u. wüst, u. die ganze Gegend, bezeichnet mit Steinhaufen, welche auf den Leichen der erschlagenen Räuberhorden aufgethürmt wurden, ist durch ihre Unsicherheit verrufen; nur der Name sich erhalten.

Dschelanaschtsch-Kul = offner See, mit dem Ala-Kul durch eine Kette kl. Schilfseen verknüpft, v. den Kirgisen so genannt, weil er, im Ggsatz zu jenen, rings im Umkreise sichtbar ist (Peterm., GMitth. 14, 81).

Dschema s. Sûk.

Dschema Rh. s. Nemours.

Dschemîl, Mensel el- = der liebliche Ruheplatz, arab. ON. des nördl. Tunis. Der Ort, 'anmuthig gelegen am Abhang wohlbegrünter in den See vorspringender Hügel, verdient seinen echt tunes. Namen mit Recht' (Barth, Wand. 201).

Dschemm = Zusammenkunft, arab. ON. am Tigris, wo angebl. Noah seine Genossen versammelte u. nach allen Weltgegenden aussandte. Der *Dschebel Dsch(eh)udi*, an dessen Fusse der Ort liegt, gilt bei den Moslemin u. den chald. Christen f. den Berg der Arche Noah's (Schläfli, Orient 61).

Dscheneîn, Wady = Gartenthal, arab. Name eines v. der ehm. Cyrenaica heraustretenden Thals, nach seiner frühern Cultur u. Blüthe, während das benachbarte *Wady Kasr Schadu* nach den Trümmern des Castells, *kasr*, d. N. benannt ist (Barth, Wand. 502).

Dschenun s. Idinen.

Dscherab, Hammam = Bad der Krätze (s. Ain), eine Therme v. 45⁰ C. bei Biskra, das Wasser nach Meing. der Araber vorz. bei Hautkrankheiten sich bewährt (ZfAErd. nf. 4, 202, Parmentier, Vocab. arabe 27).

Dscherbi, auch *Dschirbi, Dschirbeh,* arab. Form f. *Girba,* die Lotophageninsel, nach der Südstadt, die um ca. 300 *Gerra* hiess u. j. *el-Kantarah* = die Brücke heisst, nach den Trümmern einer Steinbrücke, die sie einst mit dem Continent verband. Auch der ältere Inselname, *Meninx,* war v. einer Stadt entlehnt, der 'nördl. (s. Sûk), (die damals den Vorrang hatte (Bartl. Wand. 262).

Dscherid, Belad ul- = Dattelland, eig. 'das Land der ihrer Blätter beraubten Palmzweige', weil hier bei der Cultur die Wedel ihrer Fiedern beraubt (Meyer's CLex. 3, 222) od. die überflüssigen abgeschnitten werden, um die Fruchtbildg. zu befördern (Glob. 29, 131), arab. LandesN. in Africa. auch mit *-gerid* geschrieben. wo q =

dsch zu sprechen ist (Richardson, Trav. 2, 200, ZfAErdk. nf. 4, 222). — In Tunis der Steppensee *Schott el-D.* (Parmentier, Vocab. arabe 20). — *Um el-D.* = Mutter, d. i. Fundort, der Palmbäume, ein Hügel Haurans (ZfAErdk. nf. 5, 419).

Dscherma s. Garamanten.

Dschesîre = Insel od. Halbinsel, auch *dschesireh*, wo *-h* als Dehnungszeichen, od. *Dschesîret*, wo *-t* z. Verbindg. mit dem folg. Wort, plur. *dschesâir*, oft in ON., f. sich die arab. Bezeichng. f. *Alger, Mesopotamien* u. *Sennaar* (s. dd.) u., mit einem PN. verbunden, auch ON. am Tigris (s. Omar), ferner *a) Dschesâir*, vollst. *Dschesâiri Bahri-Sefid* = Inseln des Weissen Meeres, türk. Vijalet, welches ausser der troischen Halbinsel auch die umliegenden Eilande, mit dem Haupte Rhodos, umfasst (Meyer's CLex. 5, 698); *b) Ras D.*, ein arab. Vorgebirge (Parmentier, Vocab. arabe 21), fränk. *Cap Isolette.*

Dschetsch Duáb, das Mesopotamien zw. Dschílum u. Tschináb, indem, ähnl. Bari Duáb, der Name aus der Verschmelzg. der Anfänge beider Flussnamen, *dsch* u. *tsch*, gebildet wurde (Schlagw., Gloss. 204).

Dschety Aral = 7 Inseln, kirg. Name eines zw. den Flüsschen Lasty u. Tscherdy in 7 Inselchen getheilten Waldgebiets am obern Irtysch (Bär u. H., Beitr. 20, 102). S. Dschiti.

Dschidda, auch *dschedda, dschudda* = Ufer, Küste, arab. Name der unter dem Chalifen Othman durch pers. Kaufleute ggr. Hafenstadt Mekka's (Sprenger, PRR. 124, Parmentier, Vocab. arabe 20), nach das vorliegende Meer auch *Bahr el-D.* (s. Rothes M.) genannt wird. — *Dschiddy* s. Engeddi.

Dschih s. Gambia.

Dschihad s. Belgrad.

Dschilandi s. Jilan.

Dschilolo s. Halmahera.

Dschilum, auch *Dschílam, Dschelum,* hind. Flussname im Pandschab, v. skr. *dschála* = Wasser, im Oberlaufe *Behud, Behút, Weyút,* wohl verd. aus skr. *witásta* = hurtig, der Lebendige, daher *Hydáspes,* gr. ´Υδάσπης (Schlagw., Gloss. 204), auch *Bejah,* verd. aus skr. *Pajovaha* = Strom (Lassen, Ind. A. 1, 52).

Dschily-Tau = warme Berge, kirg. Name einer Region v. Vorbergen des Tarbagatai, weil der Winter sehr gemässigt ist, so dass ein Theil hier Winterstation nimmt. 'Der Schnee fällt nicht hoch u. wird obendrein bald v. Winde fortgeweht, was f. die Winterfütterg. des Viehs sehr wichtig ist. Es ist auffallend, dass die gewöhnl. v. Tarbagatai her wehenden Winde Kälte mitbringen, während diese in den Vorbergen sehr wenig fühlbar ist' (Bär u. H., Beitr. 20, 65). — *D. Bulak* = warmer Fluss, im Netz der Tschernowaja, weil das Thal, 'v. Felsen umringt, grossen Schutz gg. die Schneestürme des Winters gewährt' (ib. 127).

Dschimels s. Sella.

Dschinnistan s. Nisibin.

Dschirgalangtú = die reiche, Ueberfluss habende. mong. Name einer Station Kiachta-Peking, in einer v. Weiden fetten Gegend. 'Les pâturages font promptement engraisser le bétail, notamment les moutons' (Timkowski, Mong. 1, 161).

Dschischelli s. Galilea.

Dschiti od. *dschity*, auch *tschity* = 7, in türk. ON. *a) D. Schehr* (s. Tatarei); *b) D. Köprük* = 7 Brücken, Fluss des Gebiets Syr Darja, so genannt v. den 7 Brücken, die ihn überspannen (Peterm., GMitth. 37, 268).

Dschitvari s. Benares.

Dschiwéni = Stein, Bergname nördl. v. Kenia, weil der Berg mit einem Felsblocke gekrönt ist, dessen Hälfte üb. die Abhänge hinunter, üb. 1 km weit, fortrollte (JRGSLond. 1870, 321). — *Dschiwe la Mkhoa* = der runde Fels, ein Hügel 100 m h. u. 3 km im Durchm., v. grauem Syenit, in der Wüste Mgunda Mkhali (Glob. 2, 173).

Dschódhpur, skr. *Dschodhapura* = Kriegerstadt, ON. in VIndien *a)* in Radschwara, *b)* in Bandelkhánd (Schlagw., Gloss. 204).

Dschokdschokarta od. *Djodjokerta*, europ. Formen f. *Ayogyakarta*, welches skr. *Ayugya*, verd. aus *Ayudya*, das Reich des Hinduhalbgottes Rama (ident. *Audh*, *Oude*) u. *karta* = Werk enthält. Der Ort wurde nach Beilegg. eines langen Aufstandes ggr. 1755, als das Gebiet des Susunan od. 'Kaisers v. Java' unter 2 Fürsten derselben Familie getheilt wurde u. ist noch der Sitz eines mediatisirten javan. 'Sultans' (Crawf., Dict. 448). Hier hat der Fürst einen ausgedehnten Palast, der früher als Prachtbau galt, u. in der Umgegend zahlr. alte Lustschlösser (Meyer's CLex. 5, 700, wo *D.* = blühende Macht übsetzt ist).

Dschohár = Juwel, bisw. im plur. *Dschawáhir*, ein District in Kamaon, *Kiénpum*, mit gl. Bedeutg., bei dem tib. Stamm der Hunias, welche die Juwelen *kienókpa* nennen. — Auch ein Ort in Hindostan *Dschawahirgarh* = Juwelenveste (Schlagw., Gloss. 204 f.).

Dscholiba s. Kuara.

Dschordschos = Georg, in syr.-arab. Aussprache, daher der ON. *Mar D.*, mit syr. *mar* = heilig, ein Griechenkloster, durch ganz Syrien wg. der Wunder bekannt, welche der Heilige dort verrichtet, reich, abgabenfrei u. ausserord. gastfrei (Burckh., Reis. 1, 267). — Es scheint, dass auch der rumän. ON. *Giurgin*, gew. *Giurgewo*, gespr. *dschurdschewo*, hierher gehöre; es sei der Ort, *San Zorzo*, eine genues. Gründg. aus dem 14. Jahrh. (Meyer's CLex. 7, 849). Freil. will ihn Hammer-P. (Osm. R. 1, 372) als Grenzveste *Jerköki*, durch Sultan Mohammed I., entstehen lassen. — *Bahr Dschordschan* s. Kaspisee.

Dschuani s. Mediterraneum M.

Dschübbe s. Barry.

Dschufut-Kale = Judenfort, auch in der Schreibg. *Tschu . .*, seit dem 12. Jahrh. türk. Name eines Bergcastells bei Baktschiserai, wo einst 800 Familien tatar. redender Karain, weisser Juden, angesiedelt wurden, die nun freil. alle bis auf 20 fortgezogen sind (Sommer, Taschb. 10, 101, Köppen, Taur. 2, 13, Baktsch. 10. 15, Meyer's CLex. 2, 457). 'Noch vor 50 Jahren war die Mehrzahl dieser

Häuser noch bewohnt; die Zeiten besserten sich, die Karaïten zogen in die Städte der Ebene, bes. nach Simferopol u. Eupatoria, wo sie sich mit Handel beschäftigen. In der 'Judenveste' wohnen nur noch zwei Familien u. ein Rabbiner, der die Synagoge besorgt; die Anhänger der Secte wallfahrten dorthin am Laubhüttenfest. Die Karaïten haben nichts mit den andern Juden gemein; sie glauben nicht an den Talmud; sie halten sich an die Bibel u. unterscheiden sich durch manche Einrichtg. in ihrer Liturgie. Im Thal Josaphat sind unter einer Gruppe schöner Eichen die Grabtafeln v. mehr als 1000 Jahren her' (Revue dDMondes 1. Dec. 1886). Bevor die Residenz der Krimschen Horde nach Baktschiserai verlegt wurde, diente die Felsenstadt den Chanen z. Sitz u. hiess *Kirker, Kerkeri, Kirkor, Kirkiel, Cherchiel* etc., wohl nicht mit türk. *kirk* = 40, wie mehrf. volksetymologisch ausgemalt wurde, sondern indogerm. Ursprungs, da der Ort v. den Alanen erbaut ist, u. dann einf. 'Festung', in Reduplication v. *kar*, skr. *karkara*, lat. *carcer* = Kerker (Russ. Rev. 9, 319 ff.).

Dschûn s. Mers.

Dschunaghar s. Girnar.

Dschwak Su = stinkendes Wasser, auch mit *tschu . .*, tatar. Name des kl. Flusses, welcher die Kloake Baktschiserai's bildet . . . 'dessen Name schon seine Haupteigenschaft andeutet . . . der Träger aller mögl. Unreinlichkeiten' (Köppen, Baktsch. 9, Sommer, Taschb. 10, 98).

Dschwála Múkhi = Flammenmund, skr., Gemeinname der ind. Orte, wo unterirdische Feuer hervorbrechen, auch Eigenname im Pandschab (Schlagw., Gloss. 205).

Dsigit Hasi, tat. ON. am Unterlaufe der Wolga, kalm. verd. in *Dsigil Asi*, nach einem Heiligen, Dsigit, der ein *hasi* = ein Segen üb. die Feinde Gottes ist u. mehrere Ungläubige, der muhammedan. Religion wg., erschlagen hat (Falk, Beitr. 1, 126).

Dsun Modo s. Jus.

Dsungaren od. *Songar* . . ., ein Stamm der Ölöt od. Kalmyken, verd. aus kalm. *soongarr*, v. *soon* = links, auch (f. den nach Osten Blickenden) Nord, u. *garr* = Hand, weil sie den centralasiat. Stammsitzen nördl. wohnen (Potocki, Voy. 1, 59 ff., Pallas, Mong. 1, 10). Die Glanzzeit des Reiches der *D.* bezeichnet der Chan Galdan Zyren († 1746); schon ein Jahr früher hatten sich einige Stämme als chin. Unterthanen erklärt, u. die Einverleibg. erfolgte 1756. Wahrsch. wurden im Laufe dieser Begebenheit die *D.* allmählich aus dem nordöstl. Theil der Kirgisensteppe verdrängt (Bär u. H., Beitr. 20, 50 f.). Etwas abweichend sagt ARémusat (NMél.As. 2, 29) v. dem chin. Kaiser Schingtsu, welcher d. mong. Dynastie angehörig, bei dem Missionäre Khanghi heisst: 'Khanghi vit le premier le danger qu'il y avait à laisser s'affermir cette nouvelle puissance qui, sous le nom de *Djoungar* (= aile gauche), menaçait de former de nouveau cette immense armée qui, plus d'une fois, s'est avancée vers le midi, composée de toutes les tribus de la Ta(r)tarie et partagée en aile droite ou occidentale, en centre, et en aile gauche ou orientale'. Nach dem Volke die *Dsungarei*, chin. *Thienschan Pelu* (s. Tatarei). **Dua, Pulo** = zwei Inseln u. *P. Lima* = fünf Inseln, mal. Name zweier zw. Bornco u. Carimata gelegenen Eilandgruppen (Crawf., Dict. 84). **Duagh** s. Dub.

Dualla s. Camerun.

Dub, auch *duv* = schwarz, finster, dunkel, dann traurig, wild, ein kelt. Wort in vielen ON. der heutigen u. einstigen Keltenländer, insb. auch im Jura u. im Alpengebiet wie *a*) *Dube*, die wilde Höhe der Gemmi, welcher 'Wüste' Bourrit (NDeser. 1, 130 ff.) das ganze Capital XIII. widmet, mit dem *Dubensee*, bei Bourrit *Lac Daubé*, welcher mit den Schneeresten seiner öden, wilden Umgebg. 'einer kl. Bucht an den unwirthb. Küsten des Eismeers nicht unähnl. sein mag' (Peterm., GMitth. 2, 96); *b*) *Dubewald*, ein dichter, 12 km lg. 'Urwald' am Eingang des Turtmanthals, Wallis, wo aus der modernden Leiche halbtausendjähr. Tannen u. Lärchen die jungen Stämme aufwuchern, die meergrünen Bartflechten ellenlang v. den Zweigen triefen u. als Unterholz ein nie gelöstes Brombeer-, Rosen- u. Waldrebengebüsch in undurchdringl. Üeppigk. wuchert (Tschudi, Thierl. Alp. 38); *c*) *Val D.* s. Anniviers; *d*) *Doubs*, alt *Dubis*, mit dem Fall *Saut du Doubs*, ein jurass. Zufluss der Saône, auf den jedenf. nicht, wie viell. auf den *Dubewald*, Gatschets (OForsch. 117) Annahme eines mlat. *dova*, *dowra* = Graben, Runse, bezogen werden darf. — Auf unbestritten kelt. Boden *Dublin*, die Hptstadt Irlands, bei Ptol. *Eblana*, in ir. Annalen *Duibh-linn* = schwarzer Pfuhl, latin. *nigra therma*, urspr. f. jenen Theil des Liffey, auf dem die Stadt erbaut wurde, 'and is sufficiently descriptive at the present day'. Der ir. Name lautete *duv*- od. *divlin* u. wurde ozw. bis auf neuere Zeit herab so ausgesprochen v. denen, welche engl. u. ir. redeten; aber in altengl. Schriften sowohl als auf dän. Münzen heisst er *Divlin*, *Dyflin*, bei den Welsh *Dulin* (Joyce, Ir. PlN. 1, 80. 362). Auch in Perthshire, Schottl., gibt es ein *Dupplin*, gael. *Dubhlinne* (Robertson, Gael. TScotl. 420), in Irland ferner *Derlin*, *Dowling*, *Doolin*, *Ballindoolin* = Stadt des schwarzen Pfuhls, wie übh. in dem Lande der Sümpfe u. Moore der Begriff dunkel, schwarz (s. Blackwater) sehr häufig in den ON. vorkommt ... 'a fact which results in a great measure from the prevalence of bogs and boggy lands'. Das ir. *dubh* [spr. duv] ist gew. in *duff*, *doo* u. *du* englisirt, z. B. *Duffcarrick* u. *Carrickduff*, beides = 'schwarzer Fels', *Duff* (River), ir. *Dubh*, Zufluss der Donegal Bay, wo der Ort *Bunduff* = Mündg. des Duff, mehrere *Longhduff*, *Loughdoo* u. *Doolough*, alles 'schwarzer See', da 'many of our lakes look inky black, partly from the infusion of bog, partly on account of the reflection of the dark sides of the surrounding hills', *Duog* od. *Durog* = Schwarzenbach, *Duffry*, besser *Dyffyr*, ir. *Duibhthire* [spr. duffir] = schwarze Gegend, ein Bezirk der Ldsch. Wex-

ford, mit einer Oberfläche, die mit einer dunkeln Decke v. Heidekraut bekleidet ist u. zwar, wie die Legende erzählt, in Folge eines verrätherischen Brudermordes, der das einst fruchtbare u. entzückende Land mit Fluch belegte, dass es seither mit Reisig u. Heide bedeckt liegt; ferner *Dooally*. ir. *Dubh-aille* = schwarze Klippe, *Doocatteens*, ir. *Dubhchoitchinidhe* = schwarze Allmend, beide in der Ldsch. Limerick, *Dooros* u. *Doorus* = Schwarzwald (im Süden) od. Schwarzcap (im Norden), *Duagh*, Dorf in Kerry, nach einer Furt im Flusse Feale, die einst ir. *Dubh-ath* = schwarze Furt geheissen hatte, ferner mit starkerErweichg. mehrf. *Dinis*, *Dinish*, *Deenish*, ir. *Duibh-inis* = schwarze Insel, *Deelis*, *Deelish*, beide häufig, aus ir. *Duibh-lios* = Schwarzenburg, was in einzelnen Fällen zu *Dufless* u. *Doolis* geworden ist, *Divis*, ein alter Bergname bei Belfast, ir. *Dubh-ais* = Schwarzenberg, dem ganz in der Nähe ein *Black Hill* u. ein *Black Mountain* wie als Echo nachklingen, *Divish*, in Mayo u. *Dovish*, in Donegal, beide aus derselben ir. Form verd., *Diviny* u. *Divanagh*, ir. *Duibh-eanaigh* = schwarzer Morast, mehrf. in Tyrone, Armagh u. Fermanagh, *Astee*, ir. *Easa-duibhe* = schwarzer Katarakt, wo ein Sumpfflüsschen, wenn es anschwillt, über Felslagen hinunterstürzt u. s. f. Am Grunde einzelner tiefer Moräste findet sich halbflüssiger Stoff, schwarz wie Pech, v. den Landleuten früher in ganz Irl. u. j. noch in abgelegenen Gegenden z. Wollfärben gebraucht, *dubadh* [spr. dooa], also entspr. dem engl. blacking, genannt, u. noch bewahren aus Gegenden, wo dieser Farbstoff vorkommt, die ON. dieses Wort, wie *Carrickadooey*. ir. *Carraig-a'-dubhaidh* = Fels der Schwarzfarbe, in Monaghan, *Pollandoo*, *Polladooey*, *Polladuhy* = bei dem Loch, *poll*, der Schwarzfarbe u. s. f. (Joyce, Orig. Ir. NPl. 2, 267 ff.). — *D. Loch*, mit *loch* = See, das mit kymr. *llwch* = Sumpf, lat. *lacus* = See, slaw. *laka* = Sumpf, lit. *lanka* = Wiese, Vertiefung, verwandt ist, ein See in Irl. (Bacm., (Kelt. Br. 23).

Dubka = der überwältigende, hind. Name eines schwierig zu passirenden Flusses in Hindostán, v. *dubna* = untersinken u. *dubwána* = versenken (Schlagw., Gloss. 189).

Dubr s. Dab.

Dubris s. Dover.

Dubtschewsk, russ. Anlage. 1637. an der Confl. Dubtsches-Jenissei, nach ihrem Urheber, dem Promyschleni Iwan Worochow, auch *Worochowa* (Müller, SRuss.G. 5. 69).

Dubuque, das Centrum der Bleigegend Iowa's. 1788 ggr. v. frz. Handelsmann *D.*, der noch am 1. Sept. 1805, zZ. v. Pike's Besuch (Exp. 10. 101). Eigenthümer der Gruben war u. 1819 als 'vor einigen Jahren † at what is called *D. Mines*' erwähnt wird (BComm.GLdAmts f. 1867, 27, Coll. Minn.HS. 1, 368: 3. 144. 174).

Ducato = Herzogthum, plur. *Ducati*, in älterer u. neuerer Zeit eine ital. Bezeichng., die fast den

Charakter eines Eigennamens trug (s. Emilia), v. lat. *ducatus*, eig. *ductus*, dem span. u. port. *ducado*, prov. *ducat*, frz. *duché* entsprossen ist. Aus der Zeit des byzant. *D.* erklärt sich die ital. Form f. 'Herzog': Nicht unmittelbar aus *dux* konnte sich ein ital. masc. wie *duca* gestalten, dessen richtige Form *doce*, venet. *doge*, gewesen wäre; es ging zuvor durch den Mund der Byzantiner, welche mit δού'ξ, acc. δοῦχα, od. mit δούχας lange v. der litterär. Zeit der ital. Sprache den Kriegsobersten einer Prov. od. Stadt benannten (Diez, Rom. WB. 1, 159). — *Bois-le-Duc* s. Herzog. — *Duke's River* s. Pawtuxunt.

Ducie s. Encarnacion.

Duck Cove = Entenbucht, eine schöne, geräumige, durch Wasserfälle geschmückte Bucht der Dusky Bay, wo bei einer Exploration am 6. Apr. 1773 Cook (VSouthP. 1, 73) viele Vögel, darunter 14 Enten schoss, 'which occasioned my calling it *DC.*'; *b) D. Lagoon* = Entensee, ein patag. Strandsee, welcher, mit Schaaren v. Wasservögeln bedeckt, der Exp. Adv.-Beagle (Fitzroy, Narr. 1, 81) im April 1827 eine sehr schöne kl. Ente, Anas Rafflesii, lieferte; *c) D. Islands* s. Baffin.

Duckwitz Gletscher, in spitzb. Barents I., v. der Exp. Heuglin-Zeil 1870 benannt (Peterm., GMitth. 17, 178), ozw. nach dem Bürgermeister Arn. *D.* v. Bremen, ehm. deutschem Reichsminister, der, 1802 z. Bremen geb., sich grosse Verdienste um die mercantile Entwicklg. seiner Stadt erworben hat.

Duclos, Baie, in der Magalhães Str., v. Bougainville (Voy. 137) benannt nach seinem Gefährten Capt. *D.* Guyot, 'dont les lumières et l'expérience m'ont été du plus grand secours'.

Due = 2, ital. Zahlwort, hier u. da in ON. *a) i D. Fratelli* = die 2 Brüder, die bekannten 2 Klippen bei Amalfi (Grasb., St. griech. ON. 9); *b) D. Mamelle* s. Mamelles; *c) lan D.* s. Nove.

Dümmersee s. Tief.

Düna, Flussname, wird allgemein als eine der Formen slaw. Appellativs f. 'Fluss' (s. Don) angesehen, jedoch ohne dass dies durch eine Specialarbeit überzeugend nachgewiesen wäre. Die *D.* heisst lett. *Daugawa*, russ. *Sapadnaja Dwina* = die westliche, im Ggsatz z. Dwina des Eismeers, eine Parallele, die f. wirkl. Verwandtschaft der Namen *D.* u. Dwina zeugen möchte. Nach dem Flusse sind benannt: *a) Dünaburg*, eine v. den livl. Rittern 1277 erbaute Stadt des Gouv. Witebsk; *b) Dünamünde*, Hafenort, urspr. Cistercienserkloster, v. Bischof Albert 1201 an der Mündg. der *D.* ggr., ihm ggb. ein v. den Deutschrittern erbautes Schloss (Meyer's CLex. 5, 719).

Düne, ags. *dûn* = mons, Anhöhe, bes. f. die langgezogenen Strandhöhen, die das Meer längs vieler Küsten anlegt, ein Wort in so gefährl. Nähe mit kelt. *dun*, *dunum*, dass an Gemeinsamkeit beider Sprachgebiete od. gar an Identität beider Wörter gedacht wurde, die aber 'nicht zsgehören' (Förstem., Altd. NB. 491). Das be-

kannteste Object dieser Namenclasse wird *Dünkirchen* sein, frz. *Dunquerque*, vläm. ON. des dép. du Nord, augenscheinl. 'Kirche auf den Dünen', wo der heil. Eloi, Apostel der alten Morinie, im 7. Jahrh. zuerst eine Capelle erbaute u. der Graf Balduin v. Flandern 960 das um sie entstandene Dorf mit Mauern umgab (Meyer's CLex. 5, 729), um den Ort gg. die Einfälle der Normannen zu schützen. So die Ueberliefrg., während die Geschichte erst mit einer Urk. v. 1067 beginnt. Auch die Erklärg. des Namens 'n'est pas bien exacte', wie schon die Zweisprachigkeit vermuthen lässt; das sowohl gall. als fränk. *dun* hat wohl hier einf. den ältern Sinn 'Anhöhe, Hügel' u. ist erst später auf die natürl. Schutzdämme der Flachküsten specialisirt worden (Mannier, Ets. Nord 2, wo auch die Zeugnisse aus Camden, Guichardin u. Adr. de Valois beigezogen sind). — *Dünenspitze* od. *Pointe des Dunes*, der starke Vorsprung einer langen, flachen Sandküste Sachalins, v. russ. Capt. J. A. v. Krusenst. (Reise 2, 151, Atl. OP. 25) am 29. Juli 1805 getauft.

Düren, Dürnen s. Dorn.

Dürna-Rescht = schwarzes Steinbecken, kurd. ON. bei Biredschik, türk. *Kara Dschuren*, mit gl. Bedeutg., nach einem 'z. Tränken der Pferde' benutzten Bassin (Schläfli, Or. 22).

Duero (die span., *Douro*, die port. Form des alten FlussN. *Durius*, den man, wie *Thur* (s. Dur) u. ähnl. FlussN., zieml. allgemein aus kelt. *dur* = Fluss, laufendes Wasser, ableitet (Mitth. Zürch. AG. 6, 169). Diese Etym. wird jedoch v. den Keltisten bestritten, da das bret. *dur* einem altgall. *dubron* entspricht u. in keinem altkelt. Idiom *dur* = fliessendes Wasser vorkommt (Rev. Crit. 1873, 68 ff.). — Nach dem Flusse das anliegende Land *Estremadura* (s. d.).

Düsjänhidscha s. Ak.

Duessa, Trik e' = Wäldchenweg, arab. Name der westl. Route Hassi-Murzuk, nach einer kl. Palmgruppe (Barth, Reis. 1, 151), mit *triq* = Weg, plur. *törqan*, *törqat*, *truq* (Parmentier, Vocab. arabe 48).

Düsseldorf, Stadt am Nieder-Rhein, noch zu Ende des 13. Jahrh. nur ein Dorf an der Mündg. der Düssel (Daniel, Hdb. Geogr. 4, 330).

Duff s. Dub.

Duff's Group, eine Gruppe v. 10—11 Inseln bei Nitendi, einh. *Taumako*, bei der span. Exp. Quiros 1606 *Islas de Monterey* (s. d.), obgl. sie den einh. Namen erfahren hatte, v. Purdy's Mappemonde nach dem Schiffe *D.*, Capt. Wilson, welcher sie am 27. Sept. 1797 auch gesehen hat, genannt, nicht glücklich, 'parce que ces îles ont été découvertes par Mendaña et doivent plutôt porter son nom', viell. id. mit Simpson's *Dexter Is.* (1801). Die beiden Hauptinseln *Disappointment* u. *Treasury I.* (s. dd.) v. Wilson getauft (Krus., Mém. 1, 10. 191, Meinicke, IStill. O. 2, 61). — *D. Reef* s. Heemskerk. — *Mount D.*, in Gambier Group, ebf. v. Capt. Wilson 1797 nach seinem Schiffe (Beechey, Narr. 1, 104. 132).

Dufferin, Cap, in spitzb. Agardh Bay, v. der Exp. Heuglin-Zeil 1870 benannt nach einem engl. Vorgänger arkt. Fahrten, dem Verf. der 'Letters from high Latitudes' (Peterm., GMitth. 17, 182).

Dufour Spitze, die höchste der Pyramiden des Monte Rosa, auf Anregg. einiger Berner Bergfreunde durch den schweiz Bundesrath am 23. Jan. 1863 getauft nach dem Chef der Landesvermessg., dem General H. W. Dufour in Genf, 'der sich um die schweiz. Topographie sowie um die Wissenschaft im allg. verdient gemacht hat'. Im Wallis tadelte man diesen Beschluss als Angriff auf ältere Namensrechte, da die Spitze längst *Gornerhorn* geheisen habe; darauf wurde erwidert (Jahrb. schweiz. Alpenclub 1, 553 f.), allerdings sei bei den Zermattern *Gornerhorn* gesagt worden, aber für die ganze Bergmasse, die, v. den Höhen um Zermatt sichtb., am Ursprung des Gornergletschers sich erhebt u. in Nordend u. *D.Sp.* culminirt, vorzugsw. wohl f. Nordend, das v. Gornergrat u. Riffelhorn aus als die höhere Spitze erscheint. Ueberhpt. heisse *Gornerhorn* bei den deutschen Umwohnern das ganze Gebirge(!?). Mit dieser 'Berichtigg.' ist es kaum ganz 'richtig'.

Dugommier, Ile, einer der v. der frz. Exp. Baudin in Austr. eingetragenen Namen z, Gedächtniss hervorragender Landsleute, die in den Berichten oft nicht näher bezeichnet u. überdiess, wg. Collision mit den gleichzeitig ertheilten engl. Namen, theilw. v. der Carte verschwunden sind. Die Insel, im Spencer's G., ist am 21. Jan. 1803 getauft (Péron, TA. 2, 77). — Nach dem Seehelden, den auch Varnhagen (HBraz. 2, 108) erwähnt, ist *Baie Du Guay-Trouin,* id. mit Antichamber, sowie *Cap Du Guay-Trouin,* hinter Nuyts Arch., nach dem Feldherrn Grafen Bertrand Duguesclin eine *Baie* u. eine *Ile Duguesclin,* nach einem berühmten Cameralisten *Cap Duhamel* benannt.

Duivelszee = Teufelssee, holl. Name eines gefürchteten Sees, der sich im Laufe der Zeit bei Groningen nach dem Dollart hin gebildet hatte. 'In seinem tiefen Becken kochte mit höllischem Lärm das Wasser; darein mischte sich das Quacken v. Millionen Fröschen, die Klagen des Damhirsches, das Winseln des Fuchses u. das Geheul der Wölfe. Jahrhh. lang lastete ein geheimnissvoller Fluch üb. der Menschen' (Wild, Niedl. 1, 83); *b*) *Duivelsbosch* = Teufelsholz, eine wilde Waldschlucht bei Zwellendam (Lichtenstein, S.-Afr. 1, 263); *c*) *Duivelsberg* s. Windberg.

Duiven Eiland = Taubeninsel, bei Java, übersetzt aus mal. *Pulo Darah,* da *burung* (= Vogel) *Darah* (= Blut) f. Taube gebr. wird (U.Meister, mündl. A.).

Duizend s. Tausend.

Duke's R. s. Pawtuxunt.

Dukhtar, Kal'a -i- = Jungfernschloss, v. npers. *dukhtar* = Tochter, Mädchen, eine am Kisil-Uesen gelegene Festungsruine, deren Mauern u. Zinnenthürme die steilen Felskanten entlang laufen, deren innerer Raum aber j. mit Gras bewachsen ist. Die Sage bringt den Namen, sowie den der

nahen *Pul-i-D.* = Jungfernbrücke, mit einer Princessin in Verbindg. (Brugsch, Pers. 1, 184).

Dulce = süss, wie port. *doce,* ital. *dolce,* frz. *doux, douce,* v. lat. *dulcis,* in der Toponymik als Bezeichng. des nichtsalzigen Süss- od. Frischwassers, engl. fresh water, der Ggsatz des Salzwassers, mehrf. in span. Fluss- u. Seenamen: *Rio D. a*) der Abfluss des *Golfo D.,* ein v. Fischen, Krokodilen u. Manatí bevölkerter See in Guatemala (Peterm., GMitth. 21, 332); *b*) s. Orinoco; *c*) s. Salado. — *Mar D.* 2mal: *a*) s. Amazonas, *b*) s. Plata.

Dulichion, gr. Δουλίχιον = Langenau, Insel u. Stadt im Jon. M., nach Homer (Od. 1, 246) eine der Echinaden u. grösser als Ithaka, nach ngr. Annahme das untergegangene Kakaba, indem wahrsch. *D.* durch die Anschwemmungen des Achelous z. Festlande geworden u. somit, als Insel, wirkl. untergegangen ist (Pape-Bens.).

Duluth, Ort am L. Superior, benannt nach einem der ersten, die in das j. Minnesota vordrangen, dem Sieur Daniel Greysolon du Luth, der 1678 Quebeck verliess, im nördl. Minnesota ein Jahr zubrachte, am Obersee ein Fort erbaute u. an der Spitze frz. Pelzhändler 1680 den Pater Hennepin unter den Dakotah antraf. 'This gentleman had been a resident of the city of Lyons, and was a cousin of the one-handed chevalier Tonty, the true friend and companion of La Salle' (Coll. Minn. HS. 1, 28. 314; 3, 2, Meyer's CLex. 5, 746).

Dum, oft unnöthig *dhum,* arab. Name v. Chamaerops humilis = Zwergpalme, hier u. da in geogr. Namen wie *Ain ed-D.* = Quelle der Zwergpalme (s. Ain). *Wady Aldum,* f. eine Thalgegend zw. Hedschas u. Jemen, wo viele solcher Palmen wachsen (Sprenger, PRR. 133).

DuMont-Schauberg s. Wilczek.

Dumnonii s. Devon.

Dun = stark, fest, wie in *Dunluce* (castle), ir. *Dunlios* = starkes Fort, nahe dem Riesendamm, od. *Duncla,* ir. *Dunchladh* = befestigter Wall, in der Ldsch. Longford, dann subst. Veste, Burg, Hügel, in vielen kelt., insb. auch gael. u. ir. ON., entspr. kymr. *din,* ags. *tún,* engl. *town,* als Endg. *dunum* häufig in latin. ON. kelt. Ursprungs, auch als Eigenname *Duno* (s. Château), in neuerer Zeit auch zu *don, doon, downe* verderbt. Für Schottl. sei einzig auf *Dundas, Dundee* u. *Dunedin,* den alten Namen Edinburgs (s. d.), verwiesen; in *Dundee* freil. ist mir das Bestimmungswort nicht klar. Wenn Robertson (Gael. Top. 306 f.) an den heidn. Urspr. einer 'Gottesveste', näml. der dem Gott Bel auf dem Gipfel des Berges geweihten, denkt, so kann man sich eines Zweifels ggb. dem unvermeidl. Bel nicht erwehren; eher würde, falls dies aus Urk. erweislich, eine Contraction aus gael. *Dun-tatha, Dun-taa* = Hügel am Tay (s. d.) einleuchten (Charnock, LEtym. 92). In Irl., wo *dun* einst, u. j. noch häufig, gebraucht wurde f. die grossen Vesten, die aus einem hohen, oben flachen Mittelwall, v. mehrern, gew. 3, Erdwällen umgeben, bestanden, als Sitze der Könige u. Häuptlinge dienten u. zahlr. noch üb. das ganze

Irland zerstreut vorkommen (Joyce, Orig. Ir. NPl. 1, 276 ff.), gibt es hunderte solcher Namen wie *Donegal* (s. d.), *Dun-na-séd* (s. Baltimore), *Dunmore* = grosse Veste (ib. 1, 556), f. das mächtige Felscap nördl. v. Valentia, *Downpatrick* (s. d.) u. *Dundalk*, an der Ostküste, urspr. *Dun-Dealgan*, nicht f. die Stadt selbst, aber f. eine nahe Veste, die im 1. Jahrh. der Häuptling Cuchullin bewohnte, auch *Dun-Delca* u. *Dun-Dealgan* = Delga's Veste, nach ihrem Erbauer (ib. 1, 278).

Dun Mountain = rostbrauner Berg, ein kahler 1200 m h. Bergrücken der Prov. Nelson, NSeeland; das serpentinähnliche Gestein, auf frischem Bruche gelblichgrün, wird bei der Verwitterg. an der Oberfläche rostbraun (Hochstetter, NSeel. 330).

Dunaj s. Donau u. Wien.

Dunancory s. Monaghan.

Dunbar s. Jeannette.

Duncan Island, im Pacific, v. Capt. *D.*, dem Befehlshaber eines Kauffahrteischiffs, 1787 entdeckt, wahrsch. die *Ile de la Passion*, welche der frz, Capt. Dubocage, Schiff la Découverte v. Havre, zu Anfang des 18. Jahrh. angebl. am Charfreitag, vendredi de la passion, entdeckt hatte (Krus., Mém. 2, 58), v. engl. Capt. Fyffe 1814/15 in *Indefatigable Island*, nach seinem Schiffe, v. Americaner Porter in *Porter Island* umgetauft (Bergh., Ann. 3. R. 5, 509). — *Point D.*, bei Montreal I., v. G. Back (Narr. 210) am 5. Aug. 1834 entdeckt u. nach Capt. *D.* benannt, mit welchem der Entdeckers einstiger Freund u. Gefährte, der betrauerte Hood, auf dems. Schiffe gedient hatte.

Dundas, gael. *Dun-deas* = die südliche Veste, schott. ON. der Grfsch. Linlithgow; daher der Titel einer Familie, die üb. 700 Jahre lang Besitzer des Platzes gewesen ist (Robertson, Gael. TScotl. 313). Es ist dies ein anderer Titel des Viscount of Melville (s. d.), wie dieser selbst mehrf. in ON. aus dem Zeitraum 1800/30, insb. f. die auf Melville I., Nord-Austr., 1824 versuchte, schon 1829 wieder verlassene Colonie: *Fort D.*, wo auf Befehl der engl. Regierg. der Capt. J. G. Bremer mit einem Détachement des 3. Reg. u. 45 Convicts ankam, Point Barlow rodete, ein 75 m lg., 50 m br. Fort, z. Schutz der Colonie, aus Blockstämmen erbaute, mit tiefen, 3 m br. Gräben umgab u. dort am 21. Oct. 1824 unter Salutschüssen die engl. Flagge aufpflanzte — benannt zu Ehren des Lords Melville, dessen Namen die Insel selbst trägt (King, Austr. 2, 238, Meidinger, Brit. Col. 61). — In Austr. sind ferner: *Mount D.*, *Point D.* u. *Mount Saunders*, am Carpentaria G., v. Flinders (TA. 2, 220 ff., Atl. 14 f.) u. 11./13. Febr. 1803, *D. Group*, eine Berggruppe v. Victoria, v. Mitchell (Three Expp. 2, 257) am 14. Sept. 1836, u. *D. Island* (s. Hopper). — Mit der arkt. Melville I. vergesellschaftet ist *Point D.*, die fernste v. Parry (NWPass. 250) erreichte Spitze, am 16. Aug. 1820 getauft 'as appropriate to the name which the island had received'. — *D. Mountains, Ann D. Island* u. *Jane D. Island* s. Melville.

Dunder, scheinb. das schwed. Wort f. 'Donner', in dem Bergnamen v. Gellivara aber verd. aus lapp. *duondar* = Felsberg, . . namnet 'är en förvridning af lappka ordet som betyder fjellberg' (Pettersson, Lappl. 123).

Dunedin s. Edinburgh.

Duneira s. Melville.

Dunér Bay, in Spitzb., v. der Exp. Heuglin-Zeil 1870 getauft nach einem schwed. Vorgänger, dem Physiker N. C. *D.*, der sich anfängl. an der Exp. Nordenskjöld betheiligte (Peterm., GMitth. 17, 182 T. 9).

Dungeness, ein kieselbedecktes Vorland, *ness* = Nase, in der engl. Ldsch. Kent, mit Buschwerk v. Steineichen, deren scharfstacheliges Laub immergrün bleibt, durch fortwährende Anschwemmung immer mehr, etwa 6 m per Jahr, in den Ocean vorgeschoben u. mit seiner flachen Spitze den Schiffen v. jeher gefährl., wird allgemein, doch ohne Belege, als 'Danger Cape' = Vorgebirge der Gefahr erklärt (Taylor, NPl. 117. 120. 237. 322, Blackie, Etym.Geogr. 121). — *D.Point*, eine Sandbank bei patag. Cap Virgines, v. Capt. Wallis am 17. Dec. 1766 wg. ihrer Aehnlichk. mit engl. *D.* benannt (Hawk., Acc. 1, 159). Den är låg och bestär af sten och grus, hvarpå bränningen oftast bryter temligen våldsamt (Skogm., Freg. Eug. R. 85).

Dúngnji = die 2 Familien, tib. ON. in Garhwál, f. den höchsten Ort im Thale Alaknánda, wo urspr. 2 Familien sich niederliessen, v. *dung* = Stamm, Familie u. *njis* = zwei (Schlagw., Gloss. 189).

Dúniāme = Tränkstätte, bei den Tuareg eine am mittlern Kuara gelegene Stätte, durch welche ein Pfad ins Innere führt u. so den Viehherden den Zutritt u. Strome eröffnet (Barth, Reis. 5, 244).

Dunkelbach s. Bach.

Dunkeltar s. Downpatrick.

Dunkerque s. Düne.

Dunmonaidh s. Edinburgh.

Dunn s. Heard.

Dunöarne = Duneninseln, vor Horn Sd., Spitzb., 77⁰ NBr. 'Die Inseln sind sämmtl. niedrig u. flach, nur bis 25 m h., u. v. verschiedenen seichten Süsswasserteichen bedeckt. Sie bilden also vortreffl. Brutplätze f. die Eidervögel, um so mehr, als das Eis hier früher aufzubrechen pflegt als an den meisten übr. Inseln Spitzbs. Darum sind diese Inseln auch schon seit Langem als vortreffl. 'Dunenwehre' bekannt, u. die Spitzbergenfahrer landen hier gerne im Juni, um Eier u. Dunen zu sammeln. Wer zuerst ankommt, schwelgt förml. in Eiern u. Vögeln; man isst Eier, Pfannkuchen, bedient sich des Eidotters statt des Rahms z. Café etc. Eine mit Eiern gefüllte Tonne steht immer offen auf dem Verdeck; einen Theil der Eier legt man in Salz u. bringt sie sammt den Dunen nach Norwegen. Dieser Fang ist daher nicht ohne Bedeutg.; aber das sinnlose Verwüsten v. Eiern u. Thieren hat ihn doch so geschmälert, dass er nicht entfernt mit demj. zu vergleichen ist, welcher vor 10 od. 20 Jahren hier betrieben wurde' (Torell u. Nordensk., Schwed. Expp. 445).

Es brüten da Bürgermeistermöven u. Bernikel-
gänse; 'die überwiegende Mehrzahl der Brutvögel
besteht aber in Eidergänsen, namentl. Somateria
thulensis Malmgr. Das verhältnissmässig kl. Nest
besteht in einer Bodenvertiefg. u. ist mit Moos
u. a. Pflanzenresten ausgefüttert, worauf eine ganz
gleichfge, fast zolldicke Decke feinster, bräunl.
Dunen liegt, welche auch seitlich u. häufig sogar
v. oben die Eier ganz einhüllt. Ist das Weibchen
öfter der frischen Dunen beraubt worden, so benutzt es alte, die mit Excrementen der Jungen,
mit Moos u. andern Pflanzenstoffen gemischt sind
(PM. 17, 59). Die *D.* verdanken ihren Namen
der Menge v. Eidervögeln, die früher hier ihre
Brutcolonien aufgeschlagen hatten. J. mögen wohl
noch einige 100 Enten hier nisten, aber die barba-
rische Rohheit u. Gewinnsucht der norw. Schiffer,
die nicht nur alle Dunen u. frischen Eier weg-
nehmen, sondern die selbst brütende Weibchen
u. solche, die ihre Küchlein z. See führen, scho-
nungslos tödten, ist Ursache, dass die Menge der
Thiere v. Jahr zu Jahr abnimmt (PM. 19, 50).
Duodici s. Nove.
Duperrey, Ile, in den Carolinen, einh. *Mokil*
(Meinicke, IStill. O. 2, 349), am 23. Juni 1824
v. frz. Capt. *D.* entdeckt u., weil durch ihn namenlos gelassen, v. russ. Adm. v. Krusenstern (Mém.
2, 347) nach dem Entdecker getauft; *b)* In der
Louisiade die *Iles D.*, durch *D.'s* Officiere be-
nannt (ib. 470, Meinicke, IStill. O. 1, 104; *c) Cap
D.*, ein Vorgebirge im Westen des G. Astrolabe,
NGuinea (Meinicke, IStill. O. 1, 98).
Dupleix, Cap, f. ein Vorgebirge an der Halb-
insel Fleurieu, einer der Namen, welche die frz.
Exp. Baudin 1801/03 in Austr. eingeführt hat,
um das Andenken hervorragender Landsleute zu
ehren (Péron, TA. 2, 73), wie *Cap Dupuy*, in
De Witt's Ld. (ib. 199) u. Baie *Duquesne*, hinter
Nuyts Arch. (ib. 105). — *Cap Duquesne* s. Bridgewater, u. ein *Fort Duquesne* s. Pittsburg.
Dupplin s. Dub.
Dur = Wasser, nicht zwar in ir. Urk. zu finden,
aber schon bei Ptol., dessen Carte an der Westseite Irlands einen Fluss *D.* hat; auch gibt es
mehrere Allmenden *Doory*, englisirt aus ir. *Duire*,
wohl im Sinne v. 'wässerigem Land', eine Gemeinde *Doora*, verk. aus ir. *paráiste-dhuire* =
Gemeinde des *D.*, in einer Gegend v. Clare, die
durch ihren Ueberfluss v. Wasser, Sumpf u. Morast
berufen ist, endl. einen Ort *Dooragh*, in adj.
Form, Tyrone (Joyce, Orig. Ir. NPl. 2, 403f.). Auf
dieses *dur* pflegt man allg. auch die Flussnamen
Dora, Duero, Thur (s. dd.), *Durance* (s. Traun),
Dranse, Durovernum (s. Canterbury) zkzuführen
(Fröbel, Penn. Alp. 168, Mitth. Zürch. AG. 6, 169);
allein eine übzeugende Studie hierüber kenne ich
nicht. Ebenso wenig f. *Adour*, den Fluss v.
Bayonne (s. Adder), bei Lucan *Aturus*, bei Ptol.
ὁ Ἀτοῦρις, bei Auson. *Aturrus*, 982 *Aturris*, 1241
Ador, 1319 *Audor* (Dict. top. Fr. 4, 2), der mehrf.
zu kelt. *dur* gestellt wird (vgl. Bagnères).
Durand's Reef, in NCaledonia, dabei *Walpole
Island*, v. Capt. Butler, Schiff Walpole, 1794

entdeckt u., ersteres prsl., getauft (Krus. Mém. 1,
21 ff.).
Durante s. Urbania.
Durazzo s. Dyrrhachion.
D'Urban s. Urban.
Durga Strasse, die Seegasse zw. NGuinea u.
Frederik Hendrik I., durch den holl. Entdecker
Kolff 1825 f. die Mündg. eines Flusses gehalten
u. nach seinem Schiffe *D.* benannt; durch Steen-
boom's Untersuchg. (1828) wurde wahrsch., dass
hier eine Durchfahrt sei, u. Kool 1835 hat sie
befahren u. *Princessin Mariannen Str.* benannt.
Die Nordspitze der Insel heisst *Cap Kolff*, die
Ostspitze *Cap Kool*, die Westspitze ist schon 1623
v. dem holl. Seef. J. Carstensz *Valsches* (= falsches)
Kaap genannt (Meinicke, IStill. O. 1, 92).
Duria s. Waag.
Durias s. Malayta.
Durn s. Dorn.
Durnago Priema, Port = Hafen der schlechten
Aufnahme, so nannte der russ. Schiffslieut. Sawa-
lischin 1827 eine kleine, felsuferige Hafenbucht
der Senjawin In. (s. d.), wahrsch. weil sich die
Eingebornen feindselig gg. ihn benahmen, als er
den Hafen in seinem Boote untersuchte (Bergh.,
Ann. 9, 148).
Durness, zunächst ein Cap, altn. *Dyrnaes* =
Hirsch- od. Wildcap, dann der anliegende Fjord,
Loch D., an der Westküste der schott. Grfsch.
Sutherland, einst ausgezeichnet durch sein zahlr.
Jagdwild, 'ydede riig leilighed for dyrejagt' u.
noch im Mittelalter 'beröret for sine ypperlige dyr'
(Worsaae, Mind. Danske 328).
Durobrivae s. Rochester.
Durotriges s. Dorset.
Durresi s. Dyrrhachion.
Durum = Burg, Fort, kelt. ON., genauer *Duro-
catalaunum* (s. Châlons), oft als zweiter Theil in
zsgesetzten ON.
Dusky Bay = Dämmerungsbucht, in NSeeland,
v. Cook am Abend des 13. März 1770 entdeckt
u. wieder verlassen, da er voraus sah, dass er vor
eintretender Dunkelheit nicht z. Ankern kommen
würde (Hawk., Acc. 3, 20).
Dusnang s. Wangen.
Dutch s. Holland.
Du Toits Kloof, eine Schlucht, holl. *kloof*, im
südwestl. Theil des Caplands, nach der dort zahlr.
Ansiedlerfamilie *DT.* (Lichtenst., SAfr. 2, 153).
Dütschi = Fels, 'vortreffl. passender' ON. der Prov.
Sánfara, Haussa; denn *D.*, v. höchst wildromant.
Aussehen, ist ein Labyrinth v. felsigen Höhen,
durchschnitten v. einem wohlausgeprägten Strom-
bett, u. die Felspartien wiegen in solchem Maasse
vor, dass man die in mehrere Gruppen zerstreut
liegenden Wohnungen kaum gewahr wird (Barth,
Reis. 4, 125 f.)
Duvaldailly, E'tangs, kleine Salzseen in Rottenest,
v. den Officieren des Naturaliste, Exp. Baudin, am
17. Juni 1801 nach einem ihrer Gefährten, dem
Seecadetten M. *D.* benannt (Péron, TA. 1, 146,
Freycinet, Atl. 21).
Duyfhen Point, am Carpentaria G., one of the

very few remarkable projections to be found on this low coast, ozw. v. der holl. Yacht *D.*, the first vessel which discovered any part of Carpentaria, 1606 schon gesehen u. 'that the remembrance may not be lost' v. Flinders (TA. 2, 128, Atl. 13) am 8. Nov. 1802 so getauft (Krus. Mém. 1, 56). Die Yacht Duyffken, in mod. Orth. Duifje (= Täubchen), war v. Präsidenten Jan. Will. Verschoor ausgesandt u. besuchte das Meer zw. NHolland u. NGuinea, etwa 220 Meilen weit; sie fand das Land an der Ostküste des Carpentaria G., v. 5—13³/₄⁰ SBr. (s. Keerweer), meist wüst, vielorts v. schwarzen Wilden bewohnt, die 'eenige van onse matrosen doot geslagen hebben' u. musste endl. aus Mangel an Lebensmitteln umkehren (Tasmans Journ. 23).

Dvipa s. Sunderban.

Dwaers-in-den-Wegh = quer im Wege, holl. Name einer quer in der Sunda Str. vorliegenden Insel (WHakl. S. 25, 68).

Dwaj Bratja = die 2 Brüder, russ. Name zweier benachbarter, gefährlicher Klippen, welche kraft v. der Halbinsel Apscheron aus dem tiefen Küstengewässer aufragen (Müller, SRuss. G. 3, 38.) — *Dwojedaner*, auch *Dwojedanzi* = die Doppeltzinspflichtigen, ein Volk im Altai, welches kraft des chin.-russ. Vertrags 2 Kaisern tributpflichtig ist (Peterm., GMitth. 9, 160). Die ärml. Anwohner des Tschulyschman, eines Gebirgsflusses, der in die Südwestecke des Telezker See's fällt, sind demnach chin. Unterthanen, entrichten aber der russ. Regierung einen jährl. Tribut f. die Erlaubniss, auf dem russ. gewordenen Gebiete bleiben zu dürfen. Den Chinesen zahlt jeder Mann 2 Zobelfelle, nach Russland ein Fell u. zwar v. andern Thieren (Bär u. H., Beitr. 14, 69. 77, Tel. S. 58). — *Dwoisty Staw* = Doppelsee, poln. Name zweier nur durch einen schmalen Hals getrennter Bergseen der HTatra (Peterm., GMitth. 20, 306). — *Dwojniki* s. Lebaschji.

Dwinà, altskand. *Wjena* (Müller, Ugr. V. 1, 336), russ. *Sewernaja* = nördl. *D.* (s. Düna), der grosse Zufluss des Eismeers, sollte (Herberst. ed. Major 2, 36) v. russ. *dwina* = zwei, doppelt, benannt sein, in dem Sinne, dass der Strom aus den beiden

Quellflüssen Suchona u. Jug entstehe; er dürfte jedoch ledigl. als eine der Formen f. slaw. 'Fluss' (s. Don) zu betrachten sein. Nach dem Flusse der *D. Golf* u., an seiner Mündg., *Nowo* (= neu) *Dwinsk*, wo früher, z. Schutze v. Archangelsk, eine einfache Schanze stand, Peter d. Grosse aber 1700/05 eine Veste erbaute (Müller, Ugr. V. 1, 386).

Dyban s. Antillen.

Dyer's Cape, in Cumberland, v. Davis im Aug. 1585 entdeckt (Rundall, Voy. NW. 39, Forster, Nordf. 348), offb. nach Andrew *D.*, einem Gefährten M. Frobishers 1577/78, v. dem ich aber nicht weiss, ob er auch mit Davis selbst war (Hakl., Pr. Nav. 3, 101. 34. 39.43, wo *D.'s Sound*).

Dyme, gr. *Δύμη* = Abendland, als der westlichste der jon. Zwölfstaaten Achajas (Et. M.), in Callim. epigr. als äusserster (*ἐσχάτη*) der ach. Staaten (Curt., Pel. 1, 424. 449). Die eindringenden Achäer errichteten hier ein festes Standlager, *στρατός*, v. welchem die Stadt eine Zeit lang *Stratos* geheissen haben soll.

Dyrin s. Atlas.

Dyrrhachion, Hafenplatz des j. Albanien, aus altillyr. Form wohl nur umgedeutet in gr. *Δυρράχιον* = Uebelbrandungen (Et M.), ähnl. dem frz. *Maupertuis* (Pape-Bens.), d. h. deutend auf die Gefahren der Seefahrt, ein Landvorsprung (u. Stadt) Illyriens (Curt., GOn. 153, DCass. 40,49), j. ital. *Durazzo*, türk. *Drasch*, arn. *Dúrressi* (Meyer's CLex. 5, 770). Die neben den alten illyr. Küstenorte *D.* auf felsig vorspringender Halbinsel — 627 ggr. korinth. Colonie *Epidamnos* is auch in röm. Zeit griech. geblieben u. hat um so eher den altillyr. Namen bewahrt, als röm. Aberglaube den griech., mit *damnum*, als ominövermied (Kiepert, Lehrb. AG. 356). — Aehnl. *Dysos ron*, gr. *Δύσωρον*, v. *οὖρος* = Uebelwind, Sturmhaube, Böswetterberg (Pape-B.), ein Berg der maked. Küste, v. der Gefahr des Umfahrens (Curt., GOn. 153, Herod. 5, 17).

Dzahaban, v. arab. *dzahab* = Gold, Uferort südl. v. Dschidda, in goldreicher Gegend, bei Ptol. *Thebae*, gr. *Θῆβαι πόλις* nach dem Stamme der Debai (Sprenger, AGArab. 40). S. Dahab.

E.

E od. *ee, ehe,* fries. Form f. *aa* (s. d.), urspr. u. meistens aus *a* geschwächt, erscheint als *E* im Berumer Amt, als *Ee* bei Dokkum, als *Ehe* bei Aurich, während eine *A* im Rheiderland (Doornk.-K., Ostfries. WB. 1, 1. 23). In den 3 nördl., einst z. fries. Sprachgebiet gehörigen Provv. der Niederlande gibt es mehrere Flüsse u. Bäche *Ee,* was im dial. v. Groningen auch zu *Ei* od. *Ae* wird, in Friesl. mitunter zu *Je* od. *Ae.* In der Prov. Nord-Holland, deren nördlichster Theil früher auch West-Friesl. hiess, ist dieses *ee* abgeartet od. gesteigert zu *ie, ey, ye* od. *ije, y* od. *ij;* hier ist *Edam,* v. der nahen *Ee* od. *Ey,* j. *Die,* benannt als toponym. Seitenstück zu Amsterdam u. Rotterdam (s. dd.). Auch das *IJ,* früher *Y* geschrieben, der Seearm, an welchem Amsterdam liegt u. der j. durch Schleusen u. Einengg. z. Canal geworden, hat denselben Namensursprung (Nom. Geogr. Neerl. 1, 68, JDornseiffen 17. Apr. 1891). — *Edam* s. Onrust.

Eagle Island = Adlerinsel, ein niedriges, baumbewachsenes Sandland bei Lizard I., wo Cook am 12. Aug. 1770 ausser unzähligen Vögeln, namentl. Seehühnern, auch ein Adlernest mit Jungen fand u. plünderte (Hawk., Acc. 3, 195); *b) E. Point,* in Tasman's Ld., v. Capt. Stokes (Disc. 1, 195) am 10. April 1838 so benannt, weil hier er, während er mit dem Theodoliten arbeitete, ein hungriger Adler, Falco leucogaster Lath., in seine Nähe kam u. 'paid for his curiosity with the loss of his life'. — *Mount E.* s. Monteagle. — *E. Bay* s. Aigle. — *E. Feather-* od. *Piaheto-Creek,* ein kleiner, rseitiger Zufluss des Missuri, obh. Cheyenne R., so benannt am 14. Oct. 1804 v. den Captt. Lewis u. Cl. (Trav. 79), die einige Tage vorher die Indianer, darunter auch der Hptling *Piaheto* = Adlerfeder, mit Tabak beschenkt hatten.

Eamozindata s. Rock.

Eaneawadepon s. Sioux.

Eardly Wilmot, Cape, in Barrows Str., v. Parry (NWPass. 50. 266) am 22. Aug. 1819 benannt ozw. nach demselben Freunde, zu dessen Andenken er *E. Bay,* westl. v. Cap. York, getauft hat.

Earthquake Camp, in America 2 mal f. Lagerstellen, wo der Reisende ein Erdbeben, earthquake, zu notiren hatte: *a)* in Vancouver I., am Abend des 25. Aug. 1865 (Peterm., GMitth. 15, 92); *b)* am Yellowstone R., wo 1871 der Geolog Hayden (Pr. Rep. 190) allnächtlich die Stösse, jeder v. 5—20 Min. Dauer, wahrnahm.

East = Ost, in vielen engl. ON. wie *E. Bluff,* ein kühnes Vorgebirge der Hudsons Str., die Ostspitze des hinter Resolution I. gelegenen Landes, wie in der Nähe *North Bluff* u., diesem anliegend, *North Bay* (Parry, Sec. V. 12. 16). — *E. Cape,* in Austr. 2 mal: *a)* die Nordspitze

NSeel., einh. *Waiapu,* mit dem davor liegenden 128 m h. Felsinselchen *E. Island* (Meincke, IStill. O. 1, 276) v. Cook am 30. Oct. 1769 benannt (Hawk., Acc. 2, 323); *b)* die nunmehrige Ostspitze NGuinea's, mit der die Landzunge des Stirling R. endet, v. Capt. Moresby 1873 getauft (Journ. RGSLond. 1875, 159). — Eine zweite *E. Island* s. Crozet. — *Eastend,* der östliche, seewärts gekehrte u. dem Seewesen ergebene Stadttheil Londons (s. Westend). — *E. Main* = das östliche, u. *West M.* = das westliche Festland, die beiden Uferseiten der Hudsons Bay, mit *main-ld* = Festland (Meyer's CLex. 10, 499). — *E. River* s. Hudson. — *E. Water Hill* = Berg des Ostwassers, an austr. Port Bowen, v. Flinders (TA. 2, 37) am 22. Aug. 1802 erstiegen. Von hier aus, nachdem er den westl. Arm der Bucht untersucht hatte, überschaute er nicht nur den südl., sondern entdeckte, hart am Flusse, einen kleinen nach Osten verlaufenden Arm, welcher Cap Clinton fast zur Insel machte.

Easter, das engl. Wort f. 'Ostern' u. wie dieses aus sächs. Ostera entstanden, dem Namen der Gottheit, deren Fest je im Frühling, als der Zeit des Aufgangs, des Auferstehens u. des Wiederauflebens der Natur, gefeiert wurde, so dass der Name mit *ost,* engl. *east,* in Zshang steht — ist wiederholt, wie die aus dem hebr. abgeleitete Namensform des Festes (s. Paaschen), auf Objecte der Entdeckg. übtragen worden *a) E. Group,* eine der Insel- u. Riffgruppen, welche Houtman's Abrolhos bilden, v. Capt. Stokes (Disc. 2, 144) Freitags den 11. April 1840, als am Ostertage, benannt, wie *Good Friday Harbour* = Charfreitaghafen 'to commemorate the season of the Christian year, at which we visited it. Perhaps at some future period, when the light of the gospel shall have penetrated to every part of the vast Australian continent, the sacred names, bestowed by us upon these of his outworks, may be pronounced with pleasure, as commemorative of the time, when the darkness of ignorance and superstition was just beginning to disperse'; *b) E. Bay,* im südl. Chile, v. der Exp. King-Fitzroy (Adv. B. 1, 348) zu Ostern 1830 getauft.

Eastern, adj. v. *East* (s. d.), ebf. in engl. ON. *a) E. Fields* = östliche Felder, ein Riffgebiet der Torres Str., v. Flinders (TA. 2, 107, Atl. 13) am 28. Oct. 1802 so benannt 'intending thereby to designate their position with respect to the other reefs of Torres' Strait'; *b) E. Cape* s. Ostcap; *c) E. Channel* s. Middle; *d) E. Reef* s. Western.

Eau f. = Wasser, frz. Wort, v. *aqua* mittelst einer starken Umbildg., zuerst *eve,* diphthongirt *ieve, iave, eaue, eau, aigue, augue, iaugue, yawe, iaue,* welche Formen in einer u. derselben

Handschrift neben einander gehen, die Form *eau* noch im 16. Jahrh., z. B. bei Stephanus, noch oft *eaue* geschi..ben od. bei einem u. demselben Autor neben *eaue*, bis man sich endl. entschloss, das weibl. *e* fallen zu lassen (Diez, Rom. WB. 2, 279). In canad. Flussnamen mehrf. auffällig, so mit *beau* m. = schön, verbunden, *E. Beau*, f. 2 benachbarte Zuflüsse des untern Missuri, die ggb. dem schlammigen Strom angenehm abstechen u. engl. *Clearwater Creek* = Bach des klaren Wassers heissen (Lewis u. Cl., Trav. 12), od. mit Relativsätzen, wie: *a) E. qui court*, engl. übersetzt *Running Water* = rennender Fluss, urspr. ind. Name eines Zuflusses des Missuri, nach dem heftigen Laufe (FWWürttb., NAm. 316), auch *Rapid River* = schneller Fluss, v. Capt. Lewis (Trav. 49) etwa 5 km aufwärts befahren, aber unter Schwierigkeiten, wg. der zahlr. Sände u. Inseln, die den Fluss in Arme theilen, sowie wg. des reissenden Laufes ... 'the great rapidity of the current'; *b) E. qui monte* = aufwärtsfliessendes Wasser, ein kleiner lkseitiger Zufluss des Missuri, weil jener den nach Südosten fliessenden Strom in entgegengesetzter Richtg., auf einem nach Nordwesten gerichteten Laufe, obh. Fort Berthold, erreicht, bei Lieut. Warren *Tide River* = Fluss der Gezeiten (Raynolds, Expl. 116); *c) E. qui pleure*, engl. übsetzt *Weeping Water* = weinendes Wasser, ein rseitiger Zufluss des Missuri, unth. Platte R. (Lewis u. Cl., Trav. 21, ohne das Motiv anzugeben); *d) Eaux qui remuent* = wühlende Gewässer, eine der Stromschnellen der Riv. Blanche (MacKenzie, Voy. 68). — Gewöhnl. Formen siehe unter dem Stichwort, z. B. *Eaux Bonnes* s. Bon. — *Fort de l'E.* s. Kef.

Ebal, ein Berg Samaria's (Jos. 8, 30), hiess im Ggsatz zu dem wasserreichen, buschigen Nachbar Garizim, hebr. *Gebâl*, עֵיבָל = nackter, entblösster Felsberg, in der Septuaginta, Γαιβάλ, in der Vulgata *Hebal*, j. wieder im Ggsatz z. Garizim *Dschebel Schemalije* = nördl. Berg. Vgl. Maarath.

Ebelholt s. Affoltern.

Ebenezer = Stein der Hülfe, hebr. ON. in Judaea, wo Samuel ein Denkmal an den Sieg üb. die Philister setzte, denen er hier die Bundeslade wieder abgenommen hatte (Meyer's CLex. 5, 802).

Eberhan Nahar s. Peräa.

Eberhardszell s. Einsiedeln.

Eberswalde s. Neu.

Ebertswyl s. Wyl.

Ebnat, auch *Ebnet, Ebnit*, s. v. a. geebneter Platz, durch Kunst wohnl. gemacht, auch einf. *Ebne, Ebni*, dem frz. *Blonay* entspricht (Gatschet, OForsch. 10. 108), häufiger ON. f. Höfe od. grössere Ortschaften, insb. im aleman. Sprachgebiet (Mitth. Zürch. AG. 6, 74). Das schweiz. Postlexikon 1866 enthält 44 solche Formen, bes. zahlr. aus den Berggebieten StGallen-Appenzell. Hier auch das *Ebenalp*, die, oben flach, mit guter Alpweide, nach P. Clement's Ausdruck 'wie ein grosses Tach über ein gross Gebäu sihet' (Scheuchzer, NGesch. 1, 171. 258).

Ebor s. Kenia u. Njiro.

Ebora s. Thapsacus.

Eboracum s. York.

Ebrabloz s. Herblay.

Ebrill s. Minerva.

Ebro s. Iberia.

Eburodunum s. Yverdon.

Ebusus, eine Insel bei Spanien, j. *Ibiza*, auf phön. Münzen *Ibusim*, בשם אי = אי בישם = Insel der Fichten, v. dem Fichtenreichthum ἀπὸ τοῦ πλήθους τῶν κατ' αὐτὴν φυομένων πιτύων (Diod. 5, 16), dictae a frutice pineo (Plin., HNat. 3, 76, Movers, Phön. 2ᵇ, 586), gr. übersetzt Πιτυοῦσσα, lat. *Pityussae*, j. noch *Pithyusen*, die Hauptinsel *Ibiza* ... 'por sus espesos bosques de Pino' (Descr. Pit. y Bal. 1 ff.). Noch j. ist die Insel th. mit Kiefernhochwald, th. mit Wachholdergebüsch bedeckt (Willk., Span.-P. 210). 'Noch immer, wie schon im Alterthum, besitzt sie, bes. in den Gebirgen der nördl. Hälfte, grosse Waldungen v. Kiefern, weshalb noch j. Bauholz ein bedeutender Ausfuhrartikel istᶠ (Willk., Span. Bal. 178).

Ecce-Homo = siehe (welch ein) Mensch! lat. ON. mehrf. nach Capellen, die den gekreuzigten Heiland darstellen: *a)* im frz. dép. Eure, mit Capelle erbaut 1536 (Dict. top. Fr. 15, 74); *b)* im C. Schwyz, mit Capelle erbaut 1670 (Gem. Schweiz. 5, 308).

Eccles s. Eglise.

Echach s. Neagh.

Echelles, les, = die Leitern, Ort in Savoyen, wo die Schluchten u. Felsmauern nur mittels Leitern zu passiren waren, bis 1670 Herzog Emanuel II. eine schöne Strasse in den Felsen sprengen u. Napoleon den 300 m lg. Tunnel *la Grotte* = die Höhle bohren liess (Meyer's CLex. 5, 811). Im Appenzeller Lande habe ich eine ähnl. halsbrechende Passage, die *Hundwyler Leiter*, oft begangen.

Echinades s. Oxeiai.

Echiquier, l' = das Schachbrett, ein Schwarm niedriger, beholzter Inseln bei NGuinea, am 9. Aug. 1768 v. Bougainville (Voy. 291) entdeckt u. benannt, auf der Carte aber (pl. 16) *Iles Basses* = niedrige Inseln (Krusenst., Atl. OPac. No. 2), bei dem Spanier Maurelle 1781 *las Mil Islas* = die Tausendinseln (Meinicke, IStill. O. 1, 143). So wenig klar auch das Motiv der ersten dieser Benennungen ist, so mag die Deutg. doch sicher bleiben; denn an eine Beziehg. z. E., dem Assisenhof, der im Schlosse zu Caen Namens der Herzoge der Normandie Recht sprach u. ihre Einkünfte verwaltete (Dict. top. Fr. 18, 53), ist doch nicht zu denken.

Echo Cañon = Schlucht des Widerhalls, unw. *E. City*, engl. Name eines an Naturschönheiten reichen, tief in das Plateau v. Utah eingeschnittenen cañon, aus akustischem Grunde so benannt (Meyer's CLex. 5, 813).

Eck s. Eiche.

Eckartsberga, Stadt des preuss. Rgbz. Merseburg, als *Eckartsburg* v. Markgrafen Eckhard I. v. Meissen ggr. (Meyer's CLex. 5, 815).

35 *

Eckernförde s. Furt.

Eclipse Harbour = Hafen der (Mond-) finsterniss, bei Boothia Felix, v. Capt. John Ross (Sec. V. 153) getauft, weil er bei seinem Aufenthalte, Mitternachts des 12. Sept. 1829, eine sichtbare Mondfinsterniss hatte (freil. ohne wg. des schlimmen Wetters Beobachtungen anstellen zu können); *b) E. Islands*, vor De Witt's Ld., u. dabei *E. Hill*, v. Capt. Ph. P. King (Austr. 1, 312) am 2. Oct. 1819 so benannt, weil während seines Aufenthalts eine Mondfinsterniss eintrat.

Écluse, l' = die Schleuse, frz. ON. oft f. Thalengen wie im *Fort de l'E.*, an der Rhone unth. Genf, ferner 4 mal u. eine Gegend *Ecluselles*, 1024 *Exclusellae*, im dép. Eure-et-Loir, 10 mal im dép. Nièvre u. s. f. (Dict. top. Fr. 1, 63; 6, 67).

Ecola s. Whale.

Economy = Haushalt, im Sinne der Gemeinsamkeit, Ort in Pennsylv., v. Georg Rapp 1825 nach den Grundsätzen der Gütergemeinschaft ggr. (Meyer's CLex. 5, 818). Vgl. Harmony.

Écrite s. Pierre.

Ecuador, einer der Creolenstaaten, einst Theil des peruan. Incareichs, dann als presidencia *Quito* ein Theil des span. Vicekönigreichs Peru, resp. Bogota, nach der Capitulation v. 22. Mai 1822 ein dép. *del E.*, nach der Lage unter dem Aequator so benannt, der Centralrepublik Columbia, im Mai 1830 als selbstständiger Freistaat *E.* abgelöst (Meyer's CLex. 5, 821).

Edam s. E.

Eddystone = Wirbelstein, Brandungsfels, v. engl. *eddy* = Wirbel (s. Whirlpool) u. *stone* = Stein, ein 200 m lg. Felsriff vor Plymouth, bei den Hanseaten entw. in der Form *Idensteen* angenommen od. mit den eignen Namen *Mewensteen* = Mövenstein, v. den das Riff umschwärmenden Seevögeln, belegt (Deecke, Seeört. 7. 10), erhielt 1698 einen v. Wistanley erbauten Leuchtthurm, an dem die Brandg. hoch aufwirbelt, u. schon 1703, in einem fürchterl. Novembersturm, wurde der gewaltige Steinbau sammt dem zufällig anwesenden Erbauer, der sich gerühmt hatte, jeden Sturm auf dem Felsen aushalten zu wollen, v. den Wellen verschlungen. Als ein Holzbau, 1703 errichtet, 1755 abbrannte, entstand 1756/59 durch den Ingenieur Smeaton der j. Thurm, dessen Quadern th. unter sich, th. mit der Klippe durch Eisenklammern verbunden sind (Daniel, Hdb. Geogr. 2, 696 f.). — Uebertragungen: *a) E. Rock*, in Falkland, am 27. Jan. 1765 v. Commodore Byron, bei Sir Rich. Hawkins *White Conduit* = weisser Leitfels genannt (Hawk., Acc. 1, 55, Fitzroy, Adv. B. 2, 231); *b) E.*, in Tasmania, am 25. Jan. 1777 v. Cook benannt. 'Nature seems to have left these two rocks here (in der Nähe ist *Pedro Blanco* od. *Swilly*) for the same purpose that the *E.* light-house was built by man, viz. to give navigators notice of the dangers around them . . . . .' (Cook-King, Pac. 1, 94); *c) E.*, einh. *Mondoweri* (Meinicke, IStill. O. 1, 155), bei Choiseul, Salomonen, v. Capt. Shortland 1788 (Krusenst.,

Mém. 1, 162, Fleurieu, Déc. 181); *d) E.*, ein 158 m h. Inselfels der Calvados, Louisiade (Meinicke, IStill. O. 1, 105); *e) E.* s. New Plymouth.

Edel's Land, eine der fast verschwundenen holl. Bezeichnungen der Küstenstriche des Australcontinents, in West-Austr., v. 26—31° SBr. reichend, nach einem holl. Beamten Jans de *E.* (Debrosses, HNav. 261, Flinders, TA. 1, L, Krus., Mém. 1, 46). Einzelne wollen zwei Fahrten aus einander halten, die v. 1617, 'by order of the fiscal d'*E.*', deren Tagebuch verloren zu sein scheint, u. die v. 1619, unter Befehl *E.*'s, die nach *E.*'s *Land* ging (WHakl. S. 25, LXXX. LXXXVI. 44). Diese Collision findet sich auch in Tasmans Journ.); denn der geschichtliche Ueberblick kennt (p. 23 f.) nur die erstere, 'met weynich vrucht gedaen, van welck bejegeningh en ondervindingh tegenwoordich geen seeckere contschap te vinden is', u. die Carte setzt: *E.*'s *Lant* bijseijlt anno 1619.

Eden Islet, bei Paulet I., v. Capt. J. Cl. Ross (SouthR. 2, 329) am 30. Dec. 1842 getauft nach Capt. Charles *E.*, RN. — *E. Bay*, in der Gegend v. Boothia Felix, v. der Exp. John Ross (Sec. V., Carte) 1829/33 eingetragen, ozw. mit derselben Beziehg.

Edesheim s. Odenwald.

Edessa, griech. Bezeichng. des alten Orts an einem der Quellflüsse des mesopotan. Belik, der unth. Thapsacus in den Euphrat mündet, in den assyr. Inschriften *Ruhu*, *Urhoi* der christl. Syrer, armen. *Urhai*, arab. *Ruha*, *Roha*, j. türk. *Urfa*, *Orfa*, gr. *Orrhoë* (sämmtl. mir unerklärt), zZ. der Seleuciden graecisirt u. umbt. *E.* od. *Antiochia*, gr. Ἀντιόχεια ἐπὶ Καλλιρόη (s. d.), genannt. Später noch, als röm. Prov. seit 217, hiess das Umland *Orrhoëne*, gew. *Osroëne*, *Osdroëne* (Kiepert, Lehrb. AG. 156, Hammer-P., Osm. R. 2, 453).

Edfu s. Apollon.

Edge's Land, ein alter engl. Name in Spitzb., nach dem Walfgr. Thomas *E.* 1616 (Adelg., GSchiff. 277), eine Zeit lg. verdrängt durch denj. der Ostspitze, *Stone-*. dann *Stones-*, endl. *Stans Voorland*, wieder zu Ehren gebracht, u. zwar in der bestimmtern Form *E. Insel*, v. Aug. Petermann (GMitth. 17, 182 T. 9).

Edgecombe's Island, auch *Edgcumb's I.*, in Santa Cruz, v. Carteret am 17. Aug. 1767 nach Lord *E.*, aber auch nach einer der Canalinseln *New Sercq* benannt (Hawk., Acc. 1, 362, Krus., Mém. 1, 187), mit seinem Ourry's Island eine einzige Insel, einh. *Tupua*, *Tobua* (Garnier, Abr. 1, 182), die schon Mendañas' Schwager L. Barreto bei Umsegelg. v. Indengi 1595 gesehen (Meinicke, Mém. 1, 171). — Von Cook: *b) E. Bay*, in Queensland, 4. Juni 1770 (Hawk., Acc. 3, 133), *c) Mount E.*, ein 785 m h., erloschener Vulcan mit Kratersee in NSeeland, einh. *Putauaki* (Meinicke, IStill. O. 1, 274), am 1. Nov. 1769 (Hawk., Acc. 2, 327), *d) Mount E.*, in Alaska, v. russ. Seef. Tschirikoff (nach dem Kalendertage?) *St. Lazarus* genannt (Hertha 12 GZ. 180), heisst *Cape E.* am 2. Mai 1778 (Cook-King, Pac. 2, 344).

Edinburgh, die Hptstadt Schottlands, hat offb.

als Bergcastell begonnen, auf einem vereinzelten Felsen, der f. uneinnehmbar galt, gael. *Dunmonaidh* = Bergveste. Hier sollen die Pictenkönige ihre Weiber u. Kinder in Sicherheit gebracht haben; daher röm. *Castrum Puellarum* = Mädchenburg, wie j. noch kymr. *Myned Agned* od. *Caer Agned*, mit gl. Bedeutg. Seit dem Eindringen der sächs. Eroberer erscheint der Ort unter neuem Namen, zuerst 637 in einem MS. des Brit. Museums als *Edin*, 854 *Edwinesburch*, 960 *Edintoun*, dann *Edenes-* u. *Edwynesburg* etc., gael. j. noch *Dunedin*, wo *dun* = Burg, all diese Formen offb. nach dem König Edwin v. Northumberland, der um 626 regierte, ja angeblich hier residirte (Roberstson, Gael. TScotl. 306, Charnock, LEtym. 94). Von Hadrian u. Sept. Severus erneuert, hiess der Ort *Stratopedon Pteroton*, gr. Στρατόπεδον Πτερωτὸν, lat. *Alata Castra*, beides = beflügeltes Lager (Meyer's CLex. 5, 834). — Ein neues *E.* auf Tristão da Cunha, 1821 als Colonie ggr., seit 1867 so getauft (ib. 15, 170), ein neues *Dunedin* in NSeel., durch schott. Colonisten (s. Chalmers) eingeführt, die am 28. März 1848 unter Capt. Cargill ihre Zelte hier aufschlugen (Trollope, Austr. 3, 181, GGenève Mém. 14, 41. 59).

Edirmîd s. Hadhramaut.

Edirne, Edrene s. Adrianopel.

Edlund Berg, in Spitzb., v. der schwed. Exp. v. 1864 bestiegen u. ozw. auch durch sie getauft nach ihrem Landsmann, dem Physiker *E.* (Torell u. Nordensk., Schwed. Expp. 470, Peterm., GMitth. 17, 182 T. 9).

Edmont s. Bernard.

Edmund s. Wilczek.

Edomiter od. *Idumäer*, die feindlichen Nachbarn der Israeliten, nach Jacob's älterm Zwillingsbruder Esau, welcher 'röthlich u. rauh wie ein Fell' z. Welt kam u. desw. *Edom*, אָלֵם od. אֲדֹום = der Rothe hiess (1. Mos. 25, 25).

Edtschatahut-Dinneh, in engl. Uebsetzg. *Strongbow-Indians* = Straffbogen-Menschen, einer der Stämme des arkt. America (Franklin, Narr. 287 ff.), ozw. nach ihren Waffen.

Eduard, der PN., begegnet uns nur einmal in deutscher Form: *Eduard Bach* (s. Stille), einmal in der norwg.: *Cap Edvard* (s. Alexis), wiederholt dagg. in engl. ON., insb. *Prince E.'s Island*, 2 mal: *a)* im St. Lorenz G., die v. Seb. Cabot am 24. Juni 1497 entdeckte u. nach dem Kalendertage *St. Johns* getaufte Insel (Meyer's CLex. 13, 272), umgetauft zu Ehren des vorm. Herzogs v. Kent, Prinz *E.*, welcher, im Jahre 1799 Gouv. v. Brit. America, die Streitkräfte jener Gegenden befehligte (Buckingham, Can. 315); *b)* s. Marion. — *Prince E.'s Cape* s. North Kent.

Edwards, Cape, 2 arkt. Vorgebirge, v. Parry getauft nach einem seiner Gefährten, John *E.*, dem Arzte v. Schiffe Hekla: *a)* in Melville I., am 12. Juni 1820 (NWPass. 200); *b)* in Melville III., am 5. Sept. 1521 (Sec. V. 80).

Ee s. E.

Eel Creek = Aalbach nannte der austr. Reisende

Frank Gregory 1858 einen Nebenfluss des De Grey R., weil sich Aale darin befanden. 'Es ist dies meines Wissens das erste mal, dass f. das westl. Austr. im Süsswasser lebende Aale beobachtet sind; im östl. sind sie bekanntl. nicht selten' (ZfAErdk. nf. 17, 140).

Eendragt, Land de, in West.-Austr. (23—26⁰SBr.), v. holl. Capt. Dirk Hartigs 1616 entdeckt u. nach einem Schiffe *E.* getauft...'t *Lande van de Eendracht* ondeck anno 1616 (Carte zu Tasman's Journ., Debrosses, HNav. 261, Flinders TA. 1, L, Dalrymple, Coll. 6, Krus. Mém. 1, 45); *b)* E. Bay, an der austr. Hoorn I., (s. Schouten Bay) v. der holl. Exp. LeMaire u. Schouten, ebf. 1616, ebf. nach einem ihrer beiden Schiffe (das kleinere hiess Hoorn) getauft 'ter eeren van ons schip' (Spiegl. ANav. f. 52, Beschrijv. 100, Garnier, Abr. 1, 71).

Eenhorn s. Horn Sd.

Eerste Engde s. First.

Eerste River s. Laurentius.

Effeltern s. Affoltern.

Effingham, Port, eine Hafenbucht in Juan de Fuca's It., v. Capt. John Meares am 11. Juli 1788 'benannt dem Lord d. N. zu Ehren' (GForster, Gesch. Reis. 1, 153).

Egalité s. Château-Thierry.

Egebjerg = Eichenberg, neben *Egemark* = Eichwald, *Egholm* = Eichinsel, *Egerup* = Eichdorf, *Eiby*, 1402 *Egby* = Eichenort, *Egenaes* = Eichnase, f. einen Landvorsprung bei Nykjöbing, v. dän. *eeg* (s. Eiche); es lässt übhpt. das überaus häufige Vorkommen der Eiche in den ON. dän. Seelands annehmen, dass sie zZ. der Namengebung der häufigste Waldbaum des Landes war, in welchem j. die gepriesenen Buchenwälder wieder auf dem Rückzuge begriffen sind (Madsen, Sjael. StN. 277).

Egede's Minde, dän. Colonie Grönlands, 1759 v. Capt. *E.* aufgebaut u. seinem Vater, dem Missionar, z. Andenken, *minde*, genannt (Cranz, Grönl. 1, 21).

Egelsee, im 8. Jahrh. *Egalseo*, v. ahd. *ecala* = Blutegel, heissen mehrere kleine Seen, weil Blutegel in denselben gefunden werden, einer unw. Würzburg, 3 im C. Zürich, sowie im 11. Jahrh. ein *Egelebahc*, j. *Egelbach*, ein Zufluss der Sure-Mosel (Meyer, ON. Zür. 83, Förstem., Altd. NB. 510). — *E.* 3 mal in Oesterr., 1112 *Egilse*, wird mit PN. Agil, Egil zsgestellt (Becker, OLex. NÖst., 2, 476).

Eger, čech. *Cheb*, böhm. Stadt am Flusse *E.*, čech. *Ohře*, 805 *Agara*, 810 *Agira*, *Agra*, 1061 *Egire*, 1086 *Egra*, *Ogra*, slaw. *Chub*, 1472 *E.* (Umlaut, ÖUng, NB. 53), in dem ein kelt. 'Salmfluss' gesucht wurde (Ficker, Keltenth. 122).

Egerdir s. Akra.

Egesteion s. Castellum.

Egg Island = Eierinsel: *a)* ein kleines, steiniges grasbewachsenes Eiland in Port Dalrymple, v. Flinders (TA. 1, CLVI) so benannt nach der Menge Eier, hptsächl. v. Möven u. Rothschnäbeln, welche er am 10. Nov. 1798 dort fand; *b)* in Feuerl., v.

Cook (VSouthP. 2, 183) am 23. Dec. 1774 so getauft, weil sein Lieut. Pickersgill dort eine Menge Meerschwalbeneier gefunden hatte; *c)* bei St.Helena, in 6 km Abstand (Meyer's CLex. 14, 119). — *E. Islands* s. Martha.

Eghereu s. Benuë.

Egin, ON. am Oberlaufe des Euphrat, entstanden aus dem arm. *akn* = Quelle. Im 11. Jahrh. zw. steilen Bergen ggr., in wasserreichem Thale gelegen u. v. einem Walde u. Fruchtbäumen umkränzt, hat der Ort ein sehr angenehmes Klima u. ist des vielen Wassers wg. auch im Sommer kühl. Die reichen Armenier lieben es, mit ihrem gesammelten Vernögen sich hieher zkzuziehen (Spiegel, Eran. A. 1, 159).

Egina s. Aegina.

Eglinton, Cape, in North Ayr, v. Capt. John Ross (Baff. B. 197) am 9. Sept. 1818 benannt 'in compliment to the noble earl', dabei *Scott's Bay*, ohne nähere Angabe.

Eglisau s. Au.

Eglise, l', v. lat. *ecclesia* = die Kirche, frz. ON., mit Vorliebe in Bergthälern, deren Häusergruppen od. Weiler zerstreut liegen, f. den Weiler bei der Kirche, wie *vers l'E.*, Val d'Ormont (Gem. Schweiz 19, 2^b, 31. 71). Im frz. dép. Hautes-Alpes 17 mal *l'E.*, im dép. Gard 5 mal *l'E'*. u. einmal dim. *l'Eglisette* (Dict. top. fr. 19, 57; 7, 76). — In Engl. *Eccles*, alt *Ecclesia*, in Lancashire, *Eccleshill,* in Yorkshire, früher Bischofsitz (Meyer's CLex. 5, 810). — *Eklissja-Burun* = Kirchen-Vorgebirge, türk. Name eines Caps in Kl. Asien, nach einer Kirche (Hamilton, Kl. As. 1, 498).

Eglistenried s. Krähbühl.

Egmont Port, in West-Falkland, v. engl. Commodore Byron am 15. Jan. 1765 nach dem Grafen v. *E.*, dam. erstem Lord der Admiralität, getauft (Hawk., Acc. 1, 47 f.), span. *Puerto Cruzada* (Spr. u. F., Beltr. 1, 119. 129). — Ebenso *E. Island*, 2 mal: *a)* in der Centralgruppe der Paumotu, einh. *Pukarunga* (ZfAErdk. 1870, 356, Meinicke; IStill. O. 2, 211), v. Capt. Wallis am 10. Juni 1767 (Hawk., Acc. 1, 209); *b)* in Santa Cruz, v. Capt. Carteret am 17. Aug. 1767 (ib. 356), übr. v. Entdecker auch mit einem andern, den Canal In. entlehnten Namen, *New Guernsey*, bedacht (Krus., Mém. 1,'187). — *Mount E.*, eine völlig isolirt der Niederg. entsteigende aus basalt. Lava bestehende Gebirgsmasse NSeelds, einh. *Pukehaupapa* = Schneeberg, j. *Taranaki* (Meinicke, IStill. O. 1, 272. 377), 'a very high mountain and in appearance greatly resembling the Pike of Teneriffe', v. Cook am 10. Jan. 1770 gesehen u. wieder 3 d. später, 'at fife o'clock in the morning we saw, for a few minutes, the summit of the Peak, towering above the clouds, and covered with snow', dabei *Cape E.* (Hawk., Acc. 2, 383). Gesehen war der Berg schon v. holl. Seef. A. Tarman 1642; auf seiner Carte steht (s. Boreel) *Peter Boreel's Kaap* (Bergh., Ann. 4, 7). Der frz. Capt. Marion du Fresne, 24. März 1772, wollte den Berg nach dem einen seiner Schiffe in *Pic Mascarin* umtaufen (Marion-Cr., NVoy. 38, Garnier, Abr. 1, 166).

Egonuses s. Oinussai.

Egri Su = krummes Wasser, türk. Flussname bei Kaisarie (Tschih., Reis. 9), wie *E. Dagh* = krummer Berg, bei Uesküb (ib. 44).

Egripo s. Euboea.

Ehe s. E.

Ehrenberg, Ort im Staate Arizona, nach einem deutschen Goldjäger, welcher 1865 dort v. den Indianern ermordet wurde (PM. 22, 422). — *E. Insel* s. Bastian.

Ehrenbreitstein, Ort am Rhein, zunächst die hohe Bergveste, z. fränk. Zeit *Irmstein*, angebl. v. König Dagobert 636 dem Erzstift Trier überwiesen u. v. Erzbischof Hermann v. Trier 1153 verstärkt u. in das j. *E.* umgetauft. Eine Zeit lang hiess sie, dem Erneuerer zu Ehren, wohl auch *Hermannstein* (Meyer's CLex. 5, 856).

Eibe, ahd. *iwa*, bot. Taxus baccata, ein bekannter Nadelbaum, kommt gewiss nicht selten in ON. vor, wohl z. B. in *Iberg* od. *Yberg*, welches H. Meyer (Mitth. Zürch. AG. 6, 113) als *Ibunberc* = Berg mit Eiben bewachsen erklärt, 5 mal in der Schweiz, wie *Ibach*, *Eibach* = Eibenbach, ebf. 5 mal in der Schweiz, nebst *Iburg* u. *Ibenmoos* (Schweiz. Postlex. 197), anscheinend auch *Eibenbach*, um 1114 *Iwinbach*, in NOestern. (Becker, OLex. NÖ. 1, 513). Allein das Wort liegt in gefährl. Nähe mit andern, auf slaw. Sprachgebiete mit asl. *iva* = Salweide u. dem PN. *Iba*, *Ibo*, *Iva*, *Ivan* = Johannes, wie denn *Eibenschuss*, in Krain, aus slow. *Ivanje Selo* = Johannisdorf verdeutscht ist (Miklosich, ON. App. 2, 173). Auch *Eibenschitz*, in Mähren, 1304 *Ybanicz*, u. *Eibesthal*, in NOestern., urk. *Iwanestale*, gehen auf Ivan, *Eibesdorf*, 2 Orte in Siebenb., auf den PN. *Ibo*, *Ivo*, zk (Umlauft, ÖUng. NB. 54).

Eiby s. Egebjerg.

Eiche, ahd. *eihhi*, altn. *eik*, ags. *âc*, engl. *oak* (s. d.), holl. *eik*, dän. *eeg*, schwed. *ek*, als gemeine, Sommer- od. Stieleiche, Quercus pedunculata Ehrb., der stärkste bis 50 m h. Baum Europa's, die Königin unserer Wälder, neben ihr die Trauben-, Winter- od. Steineiche, Quercus sessiliflora Sm. (u. anderwärts noch viele Arten), hat starke, toponym. Verwendg. gefunden. Förstem. (Altd. NB. 30) zählte 13 alte ON. auf, welche das Wort als Grundwort enthalten, darunter auch *Trieich* u. *Siebeneich* aus dem 10. Jahrh., dann die einf. ON. *Eich, Aich, Aicha, Eck, Eichi* 8 mal im 8. Jahrh., *Eichach*, im 9. Jahrh. *Aihahi*, in Württbg., *Eichelbach*, 9. Jahrh. *Eichibach*, im st. gall. Rheinthal, *Eichen*, alt *Eihheim*, bei Schopfheim, *Eichhofen*, im 11. Jahrh. in *Eihohe*, Elsass, *Eichholt*, 9. Jahrh. *Ekhulta*, mehrf., *Eichhorn*, ein 'angulus peninsulae', am Bodensee, *Eichen* u. *Eichloch*, 8. Jahrh. *Aihloh*, *Eichstegen*, alt *Aichesteig*, unw. des Federsees, *Eichdorf*, in Kroatien, ferner mit der adject. Form *eichin* = quernus: *Achynebach*, bei Hamelburg, im 8. Jahrh., *Eichinaberg*, ebf. im 8. Jahrh., mehrf., j. *Eichelberg*, *Eichencella*, j. *Eichenzell*, bei Fulda, *Eichendal*, *Eichenfeld*, *Aichinheim*, *Eichinloch* u. a. m. Der ON. *Eichsfeld*, in Thüringen u. Franken, 8. Jahrh. *Eichesfeld*, gehört zu den unorgan. Bildungen, welche den Schein angenommen haben, als stecke in ihnen der gen. eines PN.; die fränk. Orte sind zu *Es-* u. *Essfeld* geworden. — *Eichstädt*, Stadt an der Altmül, wo 745 das Bisthum *Aichstet* ggr. wurde, in alten Formen auch *Aihstet*, *Achistadi*, *Achistidi*, *Eichstete*, *Eichstat* etc., in roman. Volksetym. *Augusta*, in lat. Übsetzg. *Rubilocus*, hat ihren Namen mit einer elsäss. Oertlichk., deren Lage jedoch unbekannt, mit einem *E.* der Prov. Sachsen u. *Aichstetten*, in Württbg., gemein. 'Wohl ohne ausreichenden Grund' hat J. Bachlehner (Haupts Zeitschr. 8, 588) angenommen, dass *Agis-stat*, mit ahd. Mannsnamen *Agi*, *Egi*, die älteste Form u. dass *E.* nur durch Volksetym. entartet sei. Bei K. Kugler, welcher (ON. Altm. 60 ff.) 24 alte Namensformen, als die 3 ältesten *Eistet*, *Eistete* u. *Eistetin*, erst nachher *Egi-* u. *Agistadium*, *Achistadi* etc., aufführt, wird *ei* = Wasser, also *E.* = Stätte am Wasser, also congr. mit schwed. *Ystad*, gesetzt.

Eichwald, Cap, in NSemlja, v. der österr.-ung. Exp. Wilczek im Aug. 1872 benannt (PM. 20 T. 16) nach dem Geol. *E.*, Academiker in St. Petersburg (GM. Prof. HHöfers, Klagenfurt dd. 17. Febr. 1876).

Eider, der bei Tönning mit weiter Mündg. die Nordsee erreichende Fluss Schleswig-Holsteins, bei den fränk. Historikern *Egidora*, bei Helmold *Egdora*, bei Saxo Gr. *Eydora* ..., schien J. Grimm altnord. 'Thor des *aegir*, Meergottes, Meeres', u. damit die Uebsetzg. des altfries. *Fidelor*, zunächst nicht auf den Fluss, sondern auf den Mündgsgolf bezogen, zu sein (ZfAErdk. nf. 8, 123). Nun erfahren wir, 'das *dora* der Endg. hat nichts, wie Egli will, mit 'Pforte' zu thun', und es sei dies 'eine Volksetym., die an die Stelle des nicht mehr verstandenen eigentlichen Sinnes trat (Thomas, Etym. WB. 36). Welches ist nun dieser 'eig. Sinn'? Merkwürdiger Weise findet ihn Hr. Thomas doppelt: *a)* entw. in *eg*, *ac*, *ag*, das auf √ *av* = gehen zkgeht u. dem Doppelsuffix *idora* (Buck, FlussN. 154); *b)* oder in *dora*, das aus deutschem *trawa*, *drawa* = Fluss entstanden, u. *egi*, ahd. *ekka* = Bergkamm (Lohmeyer, FlussN. 421). Wir gratulieren zu diesem 'eigentlichen Sinn', wie zu eines jüngern Keltomanen 'einfachern Erklärg. aus dem Irischen': *aighe* = gross, stark, *dur*, abgeschwächt *der* = Wasser, also das grosse Wasser oder *e*, *y*, *ey* der kelt. Artikel, *dur* = Wasser, '*E.* bedeutet also auch kurzweg das Wasser' (Höft, GN.Rensb. 41, u. so schon Feustking in Noodt's Beiträgen 1744). In späten Tagen, nachdem wir längst abgethan sind, wird uns das Vergnügen *a)* bei dem Wiener Germanisten Rich. Müller (Bl. öst. LK. 1888, 22. 87. 150) die Grimmsche 'Meerthüre', unter Verweisg. auf die isländ. Wiederholg. derselben, adoptirt u. sicherer gestellt zu finden; *b)* bei dem Berliner Germanisten W. Seelmann (ZGesch. d. d. Volksst. 1887, 38) der 'Thüre' wieder, ags. *Fifeldor*, dann, als die *E.* Grenzfluss der Dänen ge-

worden war, dän. *Agi-*, *Egidora*, nord. *Aegisdyr*, wenn auch mit anderer Deutg. des Bestimmgsworts, 'Schreckenthor', u. überdiess einer alten *Slesdyr* (s. Schleswig) zu begegnen. — Nach dem Flusse der *E.*-Canal, 32 km lg., in den Jahren 1777/84 erbaut, u. die Ldsch. *Eiderstedt* (Meyer's CLex. 5, 879).

Eider Island, in Smith Sd., 1854 getauft v. Kane (Arct. Expl. 1, 318), dicht mit Eider- u. andern Enten besetzt, ... 'was so thickly colonized that we could hardly walk without treading on a nest. We killed with guns and stones over two hundred birds in a few hours'. — *Eidervär* = Brutstelle der Eidergans, nord. Inselname in Spitzb., wo sich jedoch, in Folge der ungezügelten Verfolgung, die Vögel bedauerlich vermindert haben; zu 5 kg Federn vertreibt man 100—160 Gänse u. vertilgt man zugl. die Brut zu 600—1000 jungen Vögeln (Torell u. Nord., Schwed. Expp. 264).

Eidgenossenschaft s. Schweiz.

Eie s. Insel.

Eierbrecht, ON. bei Zürich, urk. 1310 *Ernbrehtingen* = Weiler des Erinbrecht, Arinperaht, volksetym. der Ort, wo eine arme Magd, z. Winterszeit fallend, einen Korb voll Eier zerbrochen hätte (Mitth. Zürch. AG. 6, 164, Gatschet, OForsch. 135). — *Eierland*, holl. *Eijerland*, die seit 1629 künstl. mit Texel verbundene fries. Nordsee-Insel. 'Vor der Eindeich. nisteten hier zahllose Möven u. sonstige Seevögel, v. deren Eiern die Insel ihren Namen hat ... Die Eierernte war v. Staate verpachtet worden ... man erzählt, dass Nest an Nest gestanden sei u. dass man wohl tausend Eier im Umfang eines Schrittes sammeln konnte. Das Einsammeln war gewissen polizeil. Verordnungen u. Beschränkungen unterworfen, da die Vögel, wenn sie eine Störg. bemerkten, sogleich in Schaaren, wie Wolken, herangekommen wären u. ihre Eier rachgierig zerpickt hätten. Die Möveneier gingen in Massen nach Amsterdam, wo sie den Gänse- u. Enteneiern gleich geschätzt u. aufgekauft wurden' (Wild, Niedl. 2, 232).

Eifel, die, vulcan. Berggruppe im Rheinland, zuerst in adj. Form 762 in pago *eflinse*, 845 *eiflinse*, 975 *aiflensis*, 888 *Eifla*, dann *Aiflia*, *Eiflia*, 804 in pago *Aquilense*, ist schwierig zu deuten, v. Gymnasialdir. Katzfey (Gesch.Münster-eifel 3) v. engl. *highfield* = Hochfeld erklärt, v. Andern zu ahd. *eiver* = Eifer, altn. *aefr* = hitzig, brennend gestellt, mit Rücksicht auf die vulcan. Vergangenheit, oder gar als hybrid. *Eufalia*, v. griech. *εὖ* u. *-falia* wie in Ost- u. Westfalia, betrachtet, ein etym. Monstrum, dem die Ehre zu Theil wurde, der Titel einer die Eifeler Geschichte behandelnden Zeitschrift zu werden. Hub. Marjan (Progr. 1882) geht v. den Matronae *Afliae* aus, wie sie die Ende des 2. Jahrh. angehörende Inschrift eines zu Cöln gefundenen Votivaltars aufweist. Er setzt f. adj. *aflius* im volles *afilius*, *afulius* u. gelangt auf ein subst., etwa *Apulia* = Wasserland(?), recht passend f. die Geburtsstätte so vieler Flüsschen, die **den**

rhein. Städten v. Bonn abw. durch den Eifelcanal
frisches Gebirgswasser lieferte.

Eigenthal s. Frei.

Eiland s. Insel.

Eile s. Alexis.

Einarsdrangar s. Drangar.

Einsiedeln, schweiz. Wallfahrtsort, schon 979 u.
nicht, wie Osenbr. (Wanderst. 3, 231) meinte, erst
1073 in der Form *Einsidelen*, dann in der Kaiser-
urkunde des letztgenannten Jahres *monasterium
Sanctae Mariae* quod *Solitarium* vocatur, teutonice *Einsidelen* (Hidber No. 1404), um 1080
locus Heremitarum (Hidber No. 1417), gew. u.
zwar seit 946 *Meginradi Cella, Meinradszell,*
in der Urk. vom 17. Juni 1004 ausdrückl. *Celle
Meginrads des Eremiten* (Hidber, Urk. Reg.
No. 1203), nach dem heil. Meinrad, legendar. Sohn
Berchtholds, des 805 geb. Grafen v. Sulgen, einem
Zögling des Klosters Reichenau, welcher als Einsiedler im 'finstern Walde' lebte u. schon bei Lebzeiten
weit umher verehrt, aber 861 durch zwei Räuber
ermordet wurde, ferner *Monasterium in Silva*
= Waldkloster, Waldstatt, od. *Monasterium Eremitarum* = Kloster der Einsiedler etc. genannt
(Gem. Schweiz 5, 251). Als der Domprobst Eberhard v. Strassburg, Herzog aus Franken, mit grossem
Gefolge u. Vermögen 934 (?) nach *E.* kam, erster
Abt u. Erbauer des Klosters wurde, dieses am
14. Sept. 948 einweihen liess (Engelweihe) u.
958.†, so hiess es einmal, in der Urk. v. 3. Febr.
961 (Hidber No. 1058) *Eberhardescella* (Förstem.,
D.ON. 301, Altd. NB. 506. 515. 1040, Beschrbg.
Eins. 1871, 13 ff. 88). Als Filiale des Stifts *E.*
entstand *St. Meinrad*, Indiana, als Gründg. des
letztern ein anderes *St. Meinrad*, Arkansas. Eingeladen durch american. betroffen durch
die Aufhebg. des seit der 1. Hälfte des 17. Jahrh.
bestandenen Collegiums in Bellinzona, 28. Mai
1852, beschloss das Stift *E.* die Gründg. einer
american. Filiale u. erhielt dafür die päpstl. Approbation u. die erforderl. Geldmittel. Am 17. Dec.
1852 gingen 2 'Exploratores' v. *E.* ab, u. auf
ihren Bericht wurde der Platz gewählt. Zwei
neue Sendlinge reisten am 25. Sept. 1853 nach
u. weihten am 21. März 1854 die Stelle ein, die
nun unter gemeinschaftl. Billigung seitens des
Papstes, des Diöcesanbischofs u. des Abtes v. *E.*
den f. die Neugründg. im 'finstern Walde' schickl.
Namen erhielt, vorzügl. deshalb, weil das Mutter-
stift damals eben die Vorbereitungen z. Feier des
Millenariums des heil. Meinrad begann. Durch
Erectionsbulle Pius IX., v. 29. Sept. 1870, wurde
das neue Stift z. unabhängigen Abtei erhoben,
durch Breve Leo's XIII., v. 5. April 1881, v.
schweiz. Benedictinerverband abgelöst u. mit Neu
Engelberg (s. d.) u. der Filiale im Arkansas zu
einer helvetisch-americ. Congregation vereinigt.
Aus dem Brande v. 2. Sept. 1887 hat sich das
Stift rasch wieder erhoben (Aus den Quellen des
Ordens u. nach eignen Erlebnissen Pater Chrysost.
Foffa O. S. B., welcher 30 Jahre in St. Meinrad
zugebracht hat, 7. Apr. 1891). — *Einsiedel,* 2 mal:
a) Kloster in Württb., v. Grafen Eberhard 1492

ggr.; *b)* im ungar. Comitat Zips, warum? (Meyer's
CLex. 5, 898). — *Einsiedler Brunnen* s. Dippoldiswalde.

Eis, ahd., ags., altn., fries. u. mhd. *is*, schwed.
is, dän. *iis*, holl. *ijs*, engl. *ice*, adj. *icy* (s. d.), ein
toponym. Element, welches mit dem Vordringen
in die Polargebiete oft verwendet wurde, voraus
f. das *Eismeer* selbst, lat. *Mare Glaciale*, dessen
mächtige Eisbildungen, th. im Ocean selbst, th.
aus Süsswasser entstanden, unter verschied. Gestalten, Packeis, Treibeis, die Schifffahrt in jenen
höhern Breiten beeinträchtigen, daher engl. auch
the Frozen Sea = das gefrorne Meer, z. B. im
Titel des v. A. H. Markham bearbeiteten Reiseberichts der Exp. des Alert 1885/76 (Lond. 1878),
während derj. v. Nares selbst (ebf. Lond. 1878)
als 'Narrative of a voyage to the *Polar Sea*' erschienen ist. Nach dem 7 zähligen Sternbilde der
Bären, gr. ἄρκτος, dem der Polarstern angehört,
taufte man den *Arktischen*, in ähnl. Weise russ.
Sjewerny Ocean = Nordsee (Atl. Russ.) u., mit
ἀντί = gegen, den *Antarktischen Ocean.* —
Eisblink s. Witte. — *Eishafen Cap* s. Ijs. —
Eisthal, eine tiefe, schauerl. Bergschlucht bei dem
bayr. Königssee, einst mit berühmter Eisgrotte,
Thalfluss *Eisbach* (Meyer's CLex. 10, 122). —
Während Förstem., Altd. NB. 922) einen Ort *Eisenach,* bei Trier, im 9. Jahrh. *Isinacha,* zu dem
in Flussnamen weitverbreiteten Stamm *is* stellt,
so wird das bekanntere thüring. *Eisenach,* aus
dem einst ein Chronist ein *Isinmache* construirte,
in einer gründl. Studie A. Witzschels (NMitth.
sächs.-thür. V. 15, 42 ff.) als 'Eisbach' betrachtet,
mit nächster Beziehg. auf die kalte Hörsel, während die nahe Nesse 'bei der heftigsten Kälte
nicht eiset.' — Anders *Eisfeld* s. Aschaffenburg.

Eisach s. Isar.

Eisen, seit Anbruch der 'Eisenzeit' das wichtigste
aller Unedelmetalle, tritt oft in ON. auf, wo die
Erzgruben, Hüttenwerke u., an diese anschliessend,
vschiedd. Industriezweige der Bevölkerg. beschäftigen, voraus in *Iserlohn* (s. d.); ferner *b) Eisen-
markt,* mag. *Vájda-Hunyád,* Ort im siebenb.
Comitat Hunyád, durch die Eisengruben u. Hüttenwerke der Hptsitz des siebenb. Eisenhandels (Meyer's
CLex. 5, 993); *c) Eisenerz,* Ort in Steierm., am
Fusse des *Erz-* od. *Eisenbergs,* 'der buchstäbl.
ein Eisenerzberg ist' (Umlauft, ÖUng. NB. 54), mit
Gruben, die seit üb. 1000 Jahren im Betrieb sind
u. 5000 Menschen beschäftigen (Meyer's CLex.
5, 986); *d) Isenthal,* 1407 *Iseltal,* 1444 *Isental,*
wohl urspr. *isnёten* pluralform v. *isen* abgeleitet
u. aus euphon. Grunde in *Islёten* übergegangen
(J. L. Brandstetter 30. Juni 1890), ein Seitenthal
im Uri, wo ehm. aus der Wolfshalde Eisenerz gegraben u. am Thalbache *Isleten* ausgeschmolzen
wurde (Gem. Schweiz 4, 97). — *Eisenbäder* s.
Piatigoria. — *Eisernes Thor* s. Derbend.

Eisenlohr s. Grisebach.

Eisleben, ON. in Thüringen, im 8. Jahrh. *Eslebo,*
994 *Islevo,* 1045 *Gisleva,* 1121 *Hislevo,* dann
Isleven, Ysleben etc., ist 'Erbgut des Ivo', bisw.
mit unorgan. *g* od. *h* vor dem PN., wie in *Gelbe*

f. *Helbe, Halberstadt* f. *Alṗerstadt.* Der Chronist Christ. Franke hat als ältere Deutungen aufgeführt die Ableitg. v. *Eis*, nach der kalten Gebirgslage, v. *Eisen*, nach ehm. Bergwerken der Umgegend, am liebsten, meint er, v. der ägypt. Göttin *Isis*, zu deren Ehre die Stadt erbaut worden sei. Andere meinten, der Name hedeute '(hier) *ist Leben*', d. h. Fülle v. Korn, Gartenfrüchten, Obst, Wein, Holz, Gras, Erzen u. dgl. m., od. ᾽Esslauben', v. den Holzhütten, welche die ersten Bergleute hier erbauten. Franke weiss Trost: ᾽Ob nun wohl der Ursprung u. die eig. Derivation der Stadt *E.* nicht zu erforschen, so schadet solches besagter Stadt so wenig, als andern Städten, welche gleiche Fatalitäten haben' (Grössler, ON. Mansf. Kr. 112, Förstem., Altd. NB. 643. 927).

Eithinjuwuc s. Cree.

Ejub, eine Vorstadt Konstantinopels, die Stelle, wo bei der ersten muhammedan. Belagerung der Stadt 672 des Propheten Gefährte *E.* fiel u. gleich nach der Eroberung 1453 Mohammed II. das Grab mit einer Moschee überbaute, in welcher der Sultan bei seinem Regiergsantritt sich den Säbel Osmans umgürtet (Hammer - P., Konst. 2, 21 f., Meyer's CLex. 10, 228).

Ekbatana s. Hamadan.

Ekenäs, v. schwed. *ek* (s. Eiche) u. *näs* = Nase, Landzunge, übsetzt aus finn. *Tammisaari* = Eicheninsel, Ort in Finl., 'weil da Eichen wachsen' (Modeen, Geogr. 42 u. Brief).

Ekins, Cape, im arkt. Belcher Ch., v. Capt. Edw. Belcher (Arct. V. 1, 326) getauft 1853 nach einem ehm. Capt., nachdem er es wg. der sternförmig angeordneten Bruchstrahlen der Felswand *Star Bluff* = Sterncap genannt u. als Landmarke gebraucht hatte.

Eklissja s. Église.

Ekši Su s. Kiseljak.

Eksia Beher Deldel, abess. v. *eksia-beher* = Herr der Welt, Gott u. *deldel* = Brücke, also Gottesbrücke, ein ab. Fluss, nach dem ihn überwölbenden Felsschluss (Peterm., GMitth. 13, 428).

Elaha s. Deer.

Elaion, gr. ἔλαιον = Oel, in ON. *a)* τὸ ὄρος τῶν Ἐλαιῶν = der᾽Oelberg' bei Jerusalem (Matth. 21, 1 ff.), arab. *Dschebel et-Tur* = Berg der Oelbäume, nach seinen Hainen u. Oelkeltern (s. Gethsemane), auf ihm *Kefr et-Tur* = Dorf des Oelbergs (Meyer's CLex. 12, 209); *b)* Ἐλαίον, gr. Ἐλάϊον = Oelberg, bei Phigalia, im nordwestl. Arkadia (Paus. 8, 21[7]), v. den Olivenwäldern einst so genannt, j. wohl im Anklang umgedeutet, *Hagios* (= heiliger) *Elias* (Curt., Pel. 1, 322 f.).

Elandsfontein = Quelle der Elen-Antilope, A. oreas Pall., holl. ON. im Roggeveld. Nach Lichtenst. (S.-Afr. 1, 154) ist der Ort ein trauriger Aufenthalt durch die drückende Nähe der hohen, kahlen, dunkelfarbigen Felsen, zw. welchen das Haus wie eingeklemmt liegt. — *Elandskloof*, eine Schlucht, *kloof*, ebf. im Caplande (ib. 2, 153).

Elaphoeis, gr. τὸ ὄρος Ἐλαφώεις = Hirschberg, einer der nach dem Wildstande gegebenen ant. ON., auf Arginusa (Arist. h. an. 6, 29), wie *Ela-*

phonnesos, gr. Ἐλαφόννησος = Hirschinsel, der andere Name der Sporade Halone, j. *Alonia* (Scyl. 94, Pape-B.). — *Elaphonisi* s. Oneion.

Elasson s. Oloosson.

Elath s. Akabah.

Elba, die toscan. Küsteninsel, röm. *Ilva, Ilua*, trug auch einen griech. Namen Αἰθαλία, Αἰθάλη, Αἰθάλεια; allein beide sind nicht mit Sicherheit erklärt, auch der letztere nicht, da man ihn wohl auf die Minen u. Schmelzöfen, in welchen das Eisenerz bearbeitet wurde, bezieht, aber dahei auf ᾽Russland', v. αἴθαλος = Russ (Pape-B., Kiepert, Lehrb. AG. 407) od. auf αἶθος = Hitze (Th. de Berneaud, V. d'Elbe 6), zkgeht u. überdiess noch annimmt, die 'russige Insel' deute auf vulcan. Ausbrüche (Grasb., St. griech. ON. 292), freil. ein Phänomen, welches weder Geologie noch Geschichte kennen. Dunkler ozw. ist der gew. Name, f. den Lanzi (Sagg. LEtr. 1, 130; 2, 72) an gr. Ἰλούα = Wald denkt, übereinstimmend mit dem urspr. Holzreichth. des Bergeilandes, während hingegen der Pariser Keltist H. d'Arbois de Jubainv. (Rev. Arch. 30, 317) *E.* = die hohe setzt (s. Helvetia). Jedf. müsste der Holzreichth. auf sehr frühe Zeit zkgehen, da schon in Strabo's Tagen alles Brennholz längst verzehrt war, so dass die Erze, wie heute noch, auf dem Festland verhüttet wurden (Nissen, Ital. LR. 367).

Elbach s. Ellwangen.

Elbe, der Name 'eines so bedeutenden u. bekannten Flusses', in 19 verschied. Formen vorkommend (K. Richter im Jahrb. GV. f. sächs.-böhm. Schweiz 3, 48), gr. Ἄλβις (Strabo 6, 290), Ἄλβιος (DCass.), bei Tacitus (Ann. 1, 59, Germ. 41) *Albis*, später *Alba*, slaw. in *Labe* umgestellt, ist viel umstritten, in der leichtn Art älterer Erklärungsversuche sogar als *Halbe*, die Deutschland halbire, od. v. dem mys. *Alyba*, dessen Bewohner sich in Meissen angesiedelt hätten, gedacht, besonders gern aber mit der Zahl *elf* zsgestellt (vgl. Richter 54); man in der Quellgegend zu finden vermeinte: in der *Elbwiese*, einer der moorigen Grasflächen des Riesengebirges, welche wie ein Schwamm die atmosphär. Feuchtigkeit aufsaugen. Hier, wo es überall quillt u. sickert, bald zu Tage tretend, bald unter der Moor- u. Grasdecke dahin, sind die (angeblich 11) *Elbbrunnen*, kleine Quellbecken mit klarem Steingrunde, deren einer seit dem Besuche eines österreich. Erzherzogs officiell als *Elbquelle* erklärt ist. Ihr Abfluss, der *Elbseifen*, d. i. Elbbach, stürzt sich in Fällen durch den *Elbgrund*, einen tiefen Gebirgseinschnitt, vereinigt sich mit dem *Weisswasser*, welches doppelt so stark (u. älter als der erstere?) früher, noch bei Cannabich (Hülfsb. Geogr. 1, 657), als die wahre Quellader galt, u. tritt bei *Hohenelbe* in die Ebene hinaus. ᾽Die *E.* kommet her aus *eylff* Brunnen, deren erste ist der *Elbbrunn*' = 'nomen ab undenis fontibus *Albis* habet' (Schickfuss, Schles. Chron. 4, 4), od. nach Fechner:

Die *Elb'*, als Königin der Ström' aus dem Gewölbe des hohen Riesenbergs entspringt die *Elb'* heraus, mit *eilf* Brunnquellen klar, diss weist ihr **Name** draus.

Ernsthafter fasste J. Grimm (Myth. 413) *E.* wg. *albus* = weiss u. *alps, alp* = der lichte Geist, als 'den klaren Strom'; allein diese Erklärung, f. ein meist schmutzig gelbes Wasser (Mahn, Etym. Unt. 22), wollte nicht einleuchten, u. wohl noch weniger Leo's kelt. Ableitg., v. wal. *elff* = das Elementarische, der wogende Strom. Keferstein dachte an gäl. *all, alb* = weiss u. *an* = Wasser, Höft (NRendsb. 111) an kelt. *al-bais* = das grosse Wasser, Mahn (Etym. U. 23 ff.) an kelt. *alp* = hoch, Gebirge ... 'Für mich ist die *E.* urspr. u. etymologisch der Bergstrom', u. in seiner abschweifenden Besprechg. glaubt er, davon auch Orts 'den Ungläubigsten u. Unkundigsten zu überzeugen.' Nach seiner Angabe war es zuerst Freund, der *E.* mit *alf, elf* = Fluss verglich, u. Pott, der diese Ableitg. stützte. Sie ist ozw. diej., welche am meisten Zutrauen verdient. *Elf, elfa* = Fluss ist vielf. in Island (Preyer-Z., Isl. 498), übhpt. im skand. Norden (Schouw, Eur. 4, Pontoppidan, Norw. 1, 162), ist auch ags. u. mit *Alf* in der Rheinprov., mit *Alb* im südl. Baden, mit *Elben*, einem Zufluss der Eder zu vergleichen, 'sonst in Deutschland eben so selten, wie in Schweden häufig ... Längst ist erkannt worden, dass *E.* zu nord. *elf* vortrefflich stimmt' (Förstem., Deutsche ON. 84). Der Altmeister deutscher Namenforschg. hält auch j. noch diese Ableitg. fest (Altd. NB. 2, 54). Er nimmt einen Stamm *alf* an, zu ags., altn. u. schwed. *elf* = fluvius, im Deutschen nur noch in ON. erhalten. Auf *alf* enden in Deutschland wenige, in Schweden dagegen viele Namen. Es seien angeführt die *Trualba* u. *Sualba*, Flüsse südl. v. Zweibrücken, bei Prüm ein Dorf *Bleialf*, an der Saar ein *Saaralben*. Der Flussname kehrt wieder in der *Alb*, Baden, u. in der *Alf*, Rheinprov. Mehrf. begegnet im 8. Jahrh. ein *Albgau, Albegowe;* es gibt ein *Alfen*, alt *Alfheim*, bei Breda, *Alfhausen*, alt *Alfhuson*, in Hannover, ein *Alstede*, alt *Alfstide*, in Westfalen, u. a. m. — Liegt das nord. Wort, mit der in alten Flussnamen häufigen Endg. *-ing*, auch in dem *Elbing*, jenem Weichslarm, dessen Name, zuerst in der Form *zuom Elbinge, tom Elbinghe*, auf die v. Lübeckern in der Nähe des alten Orts *Truso* (woher *Drausensee*) erbaute Ansiedelg. überging? (Förstem., Deutsche ON. 243).

Elbow Hill = Ellbogenberg, am Spencers G., ein Theil des Hügelzuges, welcher, mässig hoch, granitisch u. vegetationslos, hinter der niedrigen Sandküste beginnend u. der Küste annähernd parallel nach Norden verläuft, dann aber plötzlich v. der Küste umwendet u. so einen scharfen Ellbogen bildet, so dass ihm als vornehmster Marke f. die Küstenaufnahme der Entdecker, der engl. Seef. Flinders (TA. 1, 154), am 8. März 1802 diesen Namen beilegte. — *E.*, die beiden ähnlich gestellten Hptcurven des Saskatschewan, *North Branch E.* u. *South Branch E.*, nach den beiden Quellarmen, dem nördl. u. dem südlichen (Hind, Narr. 1, 238). In dieser Gegend auch ein besonderer *E. River*, 'which gets its name from its shape' (Ch. Bell, Canad. NWest 8).

Elburuz s. Albors.

Eldorado, richtiger *el Dorado* = das goldene (Land), eine Wortform, die auf lat. *deaurāre* = vergolden, mit der praep. *de*, die dem Begriff des Ausbreitens entspricht, zkgeht u. in span. *dorar*, port. *dourar*, prov. *daurar*, frz. *dorer* fortlebt — so nannten die Spanier des 16. Jahrh., in ihren Träumen v. Goldschätzen, ein südamerican. Gebiet v. fabelhaftem Goldreichthum. Zuerst an der Küste v. Cartagena u. Santa Marta, dann in Bogotà ging das Gerücht v. einem Indianerfürsten, der bei öffentl. Anlässen mit Goldstaub über u. über bestreut erschiene, auch v. einem Oberpriester, der vor der Opferg. Hände u. Gesicht mit Fett beschmierte u. dann mit Goldpulver bedeckte. Man fabelte v. dem Lande, dass die goldbedeckte Hptstadt an einem weiten See läge, umringt v. so goldreichen Bergen, dass sie mit blendendem Glanze herniederschienen. Gonzalo Pizarro, dem man v. dem einer Goldfigur ähnl. König erzählt hatte, suchte 1539 das *E.* östl. v. Quito, 1541 Philipp v. Hutten im j. Columbia, u. nach diesen vergebl. Versuchen verlegte man es nach der Guayana, in die Sierra Parime, an eine angebl. *Laguna Parima, Mar Blanco* = weisser See (Raleigh, Disc. G. LI f.). Aus dem Munde eines Spaniers vernahm der engl. Seef. Raleigh (ib. 20) v. den 6—7 tägigen Trinkgelagen, zu denen sich der König u. Duzende u. Hunderte seiner Cumpanen mit Gold überziehen lassen: All those that pledge him are first stripped naked, and their bodies annoynted al over with a kind of white Balsamum ... certaine seruants of the Emperor hauing prepared gold made into fine powder blow it thorow hollow canes vpon their naked bodies, vntill they be al shining from the foote to the head, and in this sort they sit drinking ... Vpon this sigh, and for the abundance of gold which he saw in the citie, the Images of gold in their Temples, the plates, armors, and shields of gold which they use in the wars, he called it *E.* — Auch port. *Alagoa Dourada* = Goldensee 2mal in Bras. *a)* ein (j. abgegrabener) See v. Minas Geraes, nach den einst ergiebigen Goldwäschereien (Ausl. 1869, 353); *b)* ein Teich des Araçoiaba, mit Goldschätzen, die v. Gespenstern bewacht würden ... 'na qual o povo diz apparecerem fantasmas, que guardam os thesouros nelle escondidos' (Varnh., HBraz. 2, 363); *c) Lagoa Doirada* s. Vepabassu. — Nach solchen Vorgängen wurde das Wort *E.* z. sprichwörtl. Ausdruck u. begegnet uns auch in mod. ON. wie *a) E. Cañon*, f. eine der Schluchten des Rio Colorado, wo die Silbererze der 11 km entfernten Black Range verhüttet werden. Ein paar kleine Hütten auf einem Hügel dienen den Arbeitern z. Wohnung. Die aus Mehl, Speck u. Bohnen bestehenden Nahrungsmittel werden allmonatl. einmal auf Kähnen v. dem 100 km entfernten Fort Mohave, dem nächsten v. Weissen bewohnten Orte, herbeigeschafft. Es ist eine höchst traurige Gegend. Doch wohin geht nicht der Mensch des klingenden Silbers halber? (Peterm., GMitth. 22,

417). Die Gegend hatte schon vor dem americ. Kriege v. 1860 ff. die Grubenleute angelockt, war dann einige Zeit fast verlassen u. seit 1865 neu belebt (Ord, Nev. 20); *b) E. City*, Ort in den Goldminen des Willow Cr., Oregon (Ausl. 1870, 421).

Elena, span. f. *Helena*, in ON. *a) Santa E.* s. Carolina; *b) Punta de Santa E.*, eine Landspitze Ecuador's, nach dem Kalendertage der Entdeckg., 22. Mai (Garc. Vega, CReal 1, 7), 'el dia de este santa', v. der Exp. Pizarro 1525, die am 11. Aug. südlicher die Insel *Santa Clara* erreichte (Prescott, CPeru 1, 271); *c) Rio de Santa E.*, im Nordosten v. Guadalcanal, am 22. Mai 1568 v. span. Seef. Mendaña erreicht u. getauft (Zaragoza, VQuirós, 1, 10; 3, 43).

Elephant, auch *elefant*, wie im Span., Schwed. u. Dän. od. holl. *olifant* (wie niederrhein. *olyfant*, bret. *olifant*, corn. *oliphans*, kymr. *oliffant*, altfrz. *olifant*, noch im Gloss. v. Douai, 14. Jahrh., *olifans*, in dem v. Lille, 15. Jahrh., schon *elephant*), der bekannteste Vertreter der riesigen Rüsselthiere, welche eine der 3 Familien v. Vielhufern od. Pachydermata bilden, in den ON. sowohl nach der african. als ind. Art, auch nach dem Mammuth, Elephas primigenius Blb. u. a. fossilen Arten od. wohl auch nach dem See-Elefanten, der riesigsten aller Robben (Diez, Rom. WB. 2, 388) *a) E.'s Back* = Elefantenrücken, ein Berg am Yellowstone R., 1871 v. der Exp. des U. St. Geologen F. V. Hayden (Prel. Rep. 100) cartographirt, wie Ludlow (Carr. 20) angibt, nach der Form ... 'the name is appropriate and descriptive and, having been given by the first topographer of the region, should be allowed to have its original application' (d. h. sollte nicht, wie mehrf. geschehen, auf eine geringere Erhebg., näher den dem Yellowstone Lake, übtragen werden); *b) E.'s Hill*, ein conischer Hügel unth. Black Cañon, Colorado, f. den Geologen J. S. Newberry der 1858er Exp. Ives (Rep. 3, 38) v. besonderm Interesse, weil, was der Bau des Hügels nicht erwarten liess, ein sehr grosser u. vollständiger Zahn v. Elephas primigenius gefunden wurde in dem Bett v. grobem Kies u. Blöcken, welche die Basis des Hügels bilden .... It is evident, therefore, that the elephants tooth is older than the hundred feet of gravel and sand which overlie it; *c) E. Mountains*, eine Reihe schwarzer vulcan. Hügel des Rio Colorado, v. der Exp. 1858 so benannt, weil die Massen sowohl ihrer Farbe als auch ihrer äussern Form wg. im grellsten Widerspruch mit der Umgebg. standen u. mit den Rücken u. Schultern kolossaler Elefanten u. Mastodonten verglichen wurden, die eben im Begriffe ständen, aus der ungestörten Fläche aufzutauchen (Möllhausen, FelsG. 1, 356). — *E. Point*, zwei Vorgebirge: *a)* an der arkt. Eschscholtz Bay, v. Capt. Beechey (Narr. 1, 257. 323; 2, 593 ff.) im Juli 1826 getauft nach den Funden v. Elefantenknochen; *b)* in SShetl., wo auch *E. Island*, nach den See-Elefanten, der gewaltigen Rüsselrobbe, Macrorhīnus proboscideus,

die mit 6—8 m Länge der grösste aller 'Seehunde' ist (Hertha 9, 459. 465 f.). — *E. Rocks*, ein paar ungeheurer Uferfelsen des Olifants R., Limpopo, wo der Fluss in eine wilde Schlucht eingeengt ist u. jene trinkenden Elefanten ähnl. sehen, so benannt am 20. Sept. 1872 v. engl. Reisenden St. Vincent Erskine, special commissioner from the Natal Government (Journ.RGS Lond. 1875, 115). — *Promontorium Elephas* s. Fil. — *Elefanta*, port. Name der durch ihre Höhlentempel berühmten Insel bei Bombay, hind. *Garipúri* = Höhlenort. Nahe dem Landungsplatze ist ein dreifach lebensgrosses Elefantenbild in die Felswand gehauen; allein es ist schon seit geraumer Zeit verstümmelt, u. der Fels selbst ist geborsten (Schlagw., Gloss. 189, Reis. 1, 63). Den Eingang zu den Höhlentempeln bewachen 8 nackte Steinkolosse. In der 40 m lg. u. br. Hpthalle ist die Decke durch 36 massive Felssäulen gestützt u. gleich den Wänden durch riesige Reliefs geziert. — *Ilheta dos Elefantes* = Inselchen der Elefanten, ebf. port., in Africa 2mal: *a)* im Gambia, wo die Entdecker viele solcher Thiere sahen ... 'pelos muitos elefantes que alli havia' (Barros, As. 1, 3, 8); *b)* im Senegal, mit dem frz. Handelsposten Podhor (Meyer's CLex. 7, 394). — *Elefantine*, am Nil bei Syene, arab. *Dschesirah el Chag* = Blütheninsel; denn mitten zw. den grauenvollen Klippen u. Wüsten bietet sie, mit Hainen, Palmgruppen, Gärten, Maulbeerbäumen, Acacien u. Sycomoren bedeckt u. mit ihren Wohnhäusern, Mühlen u. Tempelruinen geschmückt, seine Lage schon früh ein Stapel des aus Aethiopien herabkommenden Elfenbeins, schon hierat. die Insel *ab*, wo der alte Stamm *ab* mit lat. *eb-ur* = Elfenbein zu vergleichen ist. Noch j. ist das nahe Assuan die Hptstation der Gellab, d. i. der Sclavenhändler, welche 'von oben her' auf ihren beladenen Schiffen Neger, Elfenbein, Gummi u. a. Producte der südl. Länder gen Masr führen (Brugsch, Aeg. 246 f.). — *Elfenbeinküste* s. Zahn.

Eleutheros s. Kebir u. Vlanga.

Elf = Fluss (s. Elbe), in skand. Flussnamen oft Grundwort, aber nicht selten auch erster Theil v. ON. *a) Elfsborg*, Fort auf einer Insel der Göta Elf, z. Schutze Göteborgs 1646/54 erbaut u. z. Unterschied der ältern, 1660 geschleiften Veste auch *Nya* (= neu) *Elfsborg* genannt; *b) Elfdal*, ein Gebirgsthal der Oesterdal Elf (Meyer's CLex. 6, 37. 40); *c) Elfby*, Ort, *by*, an der Luleå Elf (Pettersson, Lappl. 24).

Elgg s. Au.

Elghomude = Thal des Kamels, bei den Tuareg ein reich mit Kräutern bewachsenes Wady des südl. Fezzan (Barth, Reis. 1, 208).

Elias, ngr. *Ilias* (s. d.), mit arab. *mar* = heilig, mehrere Klöster des Orients: *a)* auf dem 184 m h. aussichtreichen Vorsprung des Karmel, das gastliche Stammkloster des Karmeliterordens, 1827 neu erbaut z. Andenken an den Altar, welchen *E. 'dem Herrn baute'* (1. Kön. 18, 32, VVelde,

Reise 1, 227); *b)* am Wege Jerusalem-Bethlehem (Seetzen, Reise 2, 38); *c)* bei Saida, auf einem Uferberg; *d)* ein Berg am rechten Ufer des Nahr Kadischa; *e)* s. Oleum. — *St. E.*, eine Insel u. deren Südspitze in Alasca, v. der Exp. Bering-Steller 1741 nach dem Kalendertage, 20. Juli, getauft, v. Cook(-King, Pac. 2, 347. 383) am 4. Mai 1778 auf *Mount St. E.* bezogen, den hinter der bewaldeten Küste ansteigenden Schneeberg: 'these mountains were wholly covered with snow, from the highest summit down to the sea-coast' (Adelung, GSchifff. 631, Müller, SRuss. G. 4, 332). Nach langer Unsicherheit, welche Punkte v. Bering so getauft worden, hat der Däne P. Lauridsen (V. Bering 130 ff., Carte 4) nachgewiesen, dass die Insel mit der j. Kajak Insel, das Cap mit Vancouver's Cape Hamond id. ist.

Elim, hebr. אֵלִם = Bäume (s. Akabah), eine der Wüstenstationen der Israeliten, j. *Wady Garandel*, ein Thal mit mehrern Quellen, mit Bäumen u. Gesträuch, auch Dattelpalmen, bes. aber vielen Manna-Tamarisken, kurz eine Vegetation, wie sie dann bis z. Sinai nicht mehr getroffen wird. Mit diesem Wady, welches in den Golf v. Suez mündet, muss ein zweites, das in die Arabah ausmündende *Wady Garandel*, nicht verwechselt werden; dasselbe ist nach einer im obern Theil gelegenen Ruine *G.* benannt, den Resten des alten *Arindela*, welches in Palästina tertia Bischofssitz gewesen war (Robins., Pal. 3, 39; 1, 110 ff., Gesen., Hebr. L.).

Elimberris s. Auch.

Elimbos s. Olympos.

Elisa Quelle, ein mächtiger Felsbrunn, bei Jericho, j. mit treffl. Wasser, arab. ʿAin es-Szultân = Kaiserquelle; vor Elisa war sie (2. Kön. 2, 19 ff.) bitter u. verdarb nach Joseph. (Bell. Jud.) die Früchte des Landes (Seetzen 2, 266).

Elisabeth, Frauenname, bes. f. die jungfräul. Königin, welche, als Tochter Heinrichs VIII. u. der Anna Boleyn 1533 geb., nach ihrer Stiefschwester, der kath. Maria, z. Regierg. kam 1558 u., nachdem die span. Armada durch den Sturm u. die engl. Seehelden Howard, Drake, Hawkins etc. vernichtet war, freier an der Begründg. der engl. Industrie-, Handels- u. Colonialblüthe arbeiten u. insb. auch engl. Seefahrt u. Entdeckg. fördern konnte († 1603). Kein Wunder, dass die Entdecker u. Flibustiers der gefeierten Regentin auch toponym. Denkmäler errichteten: *a) Queen E.'s Cape*, in Frobisher Str., v. Polarf. M. Frobisher am (20? od.) 31. Juli 1576 (Rundall, Voy. NW. 12. 16, WHakl. S. 38, 72); *b) E. Island*, eine grosse, schöne u. anscheinend fruchtb. Insel der Magalhães Str., wo, 'v. vschiedd. Herren der Flotte begleitet', Fr. Drake am 24. Aug. 1578, als am Bartholomäustage, landete u. Besitz ergriff 'im Namen Ihro königl. Majestät, welcher zu Ehren die Insel getauft wurde' (Fletcher, World E. 75, Spr. u. F., NBeitr. 12, 243), wie an demselben Tage auch 2 andere Inseln *Bartholemew-* u. *St. George's Island* (s. dd.) ihre j. abgegangenen Namen erhielten (ZfAErdk. 1876, 391).

Erst der engl. Seef. Narborough hat 1670 den engen Sund passirt u. dadurch die *E.* Insel v. Continent abgeschnitten (Hawk., Acc. 1, 34 Carte); *c) E. Bay*, ebf. in der Magalhães Str., v. Cavendish am 21. Jan. 1587 getauft (Hakl., Pr. Nav. 3, 806, Debrosses, Hist. Nav. 141); *d) E. Island* s. Hoorn; *e) E. Islands*, in Massachusetts, v. Capt. Gosnold 1602 benannt (Buckingh., East & WSt. 1, 61), nach Strachey (Hist. Trav. 156) nur eine *E. Island*, die aber 'many peeces and necks of land little differinge from severall islands' enthält. — Nach engl. Princessinnen sind getauft *a) Cape E.*, in Alaska, v. Cook(-King, Pacif. 2, 382) am 21. Mai 1778 'as the discovery of it was connected with the princess *E.'s* birth-day'; *b) E. River* s. Potomak.

Elisabeth, der Name bürgerl. Frauen, scheint sich besonderer Gunst der Entdecker zu erfreuen *a) E. Bay*, in NAustr., v. engl. Reisenden Stuart am 25. Juli 1862 benannt nach Miss Chambers, welche der Exp. die am Nordufer aufgepflanzte Flagge geschenkt hatte (Peterm., GMitth. 9, 152); *b) E. Bach, Emma Bach* u. *Marien Bach*, Zuflüsse des Sterneck Fl., NSemlja, durch die v. Baron v. Sterneck befehligte Hülfsexp. der Polarf. Weyprecht-Payer im Aug. 1872 'auf Wunsch S. Exc. Graf Wilczek nach seinen Töchtern', ein *Johanna Bach* nach der Braut des Prof. Höfer, des Geologen der Exp., getauft (Peterm., GMitth. 1874 T. 16 u. gef. Mitth. Höfers dd. 17. Febr. 1876); *c) Port E.*, Hafenort des Caplandes, bis 1820 noch ein kleines Dorf (Meyer's CLex. 13, 120), getauft nach der Gemahlin des Generals Donkin (Bergh., Ann. 10, 503); *d) E.'s Bay* s. Byam; *e) E. Harbour* s. Booth; *f) E. Island* s. Hoorn; *g) E. Isle* s. Juan Bautista; *h) E. Island* s. Palliser. — Von mir unbekannter Beziehg. *Point E.*, im arkt. America, v. Polarf. W. E. Parry (Sec. V. 233 ff.) im Mai 1822.

Eliza, Cap, im St. Vincent's G., v. der frz. Exp. Baudin im Jan. 1803, wie die meisten übrigen Punkte jener Küsten, nach einem weibl. Gliede der Familie Bonaparte benannt, näml. nach der ältesten Schwester Napoléon's I. (Péron, TA. 2, 75), wie *Ile E.*, im Arch. Nuyts, Febr. 1803 (ib. 89. 92). — *E. Shoals* s. Harbour.

Elk = Elen, Elch, in american. ON. *a)* der Orignal od. das Moosedeer, zool. Cervus orignal, der nur als Spielart der grössten Hirschart, des in Europa noch lebenden Cervus alces L. (s. Ellwangen) anzusehen ist, od. — uneigentlich — *b)* der canad. Hirsch, der Wapiti, zool. Cervus canadensis Briss., in America oft toponym. verwendet: *a) E. Creek*, ein lkseitiger Zufluss des Yellowstone R., v. Capt. Clarke, Exp. Lewis u. Cl. (Trav. 630), am 27. Juli 1806 so benannt, weil er zahlr. u. wenig scheue Herden dort traf ... 'Large herds of elk also are lying in every point, and are so gentle that they may be approached within twenty paces without being alarmed'; *b) E. Island*, im Missuri, obh. Big Bend, wo diese Thiere mit Büffeln, Ziegen etc. zahlr. weideten,

v. den Captt. Lewis u. Cl. (Trav. 57. 59) am 23. Sept. 1804 getauft; *c) E. Island*, eine Insel nahe der Mündg. des Winnipeg R., schon auf einer Carte v. 1740 (Ch. Bell, Canad. NW. 3); *d) E. Lake* s. Itasca; *e) E. Range*, eine Bergkette in den Steppen des obern Missisipi, an den Quellen des Muscleshell R., wie viele a. Objecte jener Gegenden nach dem Elk, Cervus canadensis Erxl. (Ludlow, Carr. 15. 69). Diese Stelle zeigt, wie *E. River* (s. Athabasca), dass der Name *E.* auch auf die Wapiti bezogen wird. — *E. Rapid*, Stromschnelle im Missuri, obh. des Yellowstone R., benannt am 26. Mai 1805 v. den Captt. Lewis u. Cl. (Trav. 169), weil, mitten unter den Anstrengungen, welche die Mannschaft machte, um die Strömg. zu überwinden, eine Elkkuh mit ihrem Kalbe flussab geschwommen kam, wie denn in der holzarmen Oede, neben Bighorn u. Hase, der *E.* das einzige Thier war. — Ein zweiter *E. River*, am obern Missisipi (id. mit dem art. Buffalo Creek erwähnten?), im Mai 1680 entdeckt v. Franciscaner Hennepin, der auch den St. Anthony Fall gefunden, u. zu Ehren des Ordenstifters *St. François* genannt (Coll. MHS. 1, 28).

Elkhorn Prairie, eine reich begraste Steppe der Black Hills, Dakota, v. General Custer am 28. Juli 1874 so getauft, weil er dort einen Pfeiler aufgehäufter Elengeweihe fand (Ludlow, Black H. 13. 41, wo der Name als Berichtigg. des ind. *E. Valley* bezeichnet wird). In den Prairien des Missuri liegen viele Geweihe, th. abgeworfene, th. noch am Schädel; in der *EP.* waren um eine Pyramide v. 3 Zeltpfählen eine Menge abgeworfener u. aus der Umgebg. zsgelesener Hörner bis 3 m h. aufgeschichtet (ib. 83); *b) E. River*, engl. Uebersetzg. des frz. *Corne de Cerf*, ein Zufluss des Platte R. (Lewis u. Cl., Trav. 25).

Ella s. Bernhard.

Eller s. Erlangen.

Ellice Island, ein Riff v. 32 polynes. Eilanden, einh. *Funafuti*, v. americ. Capt. Peyster auf der Ueberfahrt Nukahiwa-Indien 1819 entdeckt u. augensch. prsl. benannt (Krus., Mém. 1, 11), nach ihm die *E. Group*, bei den Missionären wenig zweckmässig *Lagoon Islands* (Meinicke, 1Still. O. 2, 131 f.).

Ellinger Kuppe, in NSemlja, zuerst cartographirt v. der Exp. Rosenthal 1871 u. v. A. Petermann (GMitth. 18, 77) benannt nach einem Theilnehmer der 2. deutschen Nordpolexp., dem Matrosen Peter *E.*(?).

Elliot, Mount, der höchste Punkt einer am 22. Febr. 1841 erblickten Bergkette SVictoria's, v. Capt. J. Cl. Ross (SouthR. 1, 254) benannt nach 'Rear Admiral the Honourable George *E.*, C. B., Commander in-Chief in the Cape of Good Hope station, whose great kindness to us, and warm interest he took in our enterprize I have already had occasion to mention'. Sir George *E.*, geb. 1784, wurde 1830 Secretär der Admiralität, 1837 Contre-, 1847 Viceadmiral, 1853 Admiral u. † 1863 u. ist nicht zu verwechseln mit dem ältern Lord *E.*, dem berühmten Vertheidiger Gibraltars (1782),

welcher, z. Lord Heathfield ernannt, 1790 †. — Offb. nach demselben 'Honourable Capt. *E.* of the Admiralty' *E. Bay*, im Gr. FishR., v. G. Back (Narr. 209) am 5. Aug. 1834 getauft; ob auch *E. Rocks*, in Macquarie Is., v. engl. Lieut. Langdon 1822 (Krus., Mém. 1, 9 ff.)? Und die derselben Zeit angehörigen *E. Islands* v. Ross u. *E. Isles* (s. Goulbourn)? — Dagegen *Lady E. Isle*, im Australcontinent, v. engl. Schiff *Lady E.* entdeckt u. v. Capt. Ph. P. King (Austr. 1, 180) am 28. Mai 1819 eingetragen.

Ellis, Mount, am Golf v. Petscheli, 'very remarkable, having two peaks or paps by which it can be distinguished at the distance of fifty miles', benannt 1816 durch die mit Lord Amherst nach China abgegangene Embassade zu Ehren des Herrn *E.*, 3. Mitgliede der Gesandtschaft (Hall, Cor. VII).

Ellora s. Elur.

Ellwangen, Ort im württbg. Jaxtkreis, wo 764 die Abtei *Elehenwang, Elehenwanc, Elenwanga, Elewanga*.... ggr. wurde, 'Feld des *elah*', des Elen, wie schon Pertz (Mon. Germ. 12, 12) erkannt hat. Es gibt noch eine Menge anklingender alter ON. wie *Elichpach*, j. *Elbach* in Bayern, *Alabrunnen*, j. *Altbrunn*, im Elsass, *Alahstat*, j. *Altenstädt* in Hessen, *Alstädde* in Westf. u. *Allerstädt* in Thüringen, *Alahdorf*, j. *Altdorf*, in Württbg., *Alahesfelt*, j. *Alsfeld*, unw. Giessen, *Alahesheim*, j. *Alsheim*, in der Rheinpfalz, *Elehenbach, Alkendorp* etc.; allein in diesen Formen ist nicht immer *elah* v. *alhs* = templum sicher zu sondern (Förstem., Altd. NB. 39 ff.).

Elm = Ulme, in engl. ON. wie *E. Creek* = Ulmenbach, ein kl. rseitgr. Zufluss des Missuri, unth. Big Bend, v. den Captt. Lewis u. Cl. (Trav. 57) am 19. Sept. 1804 getauft. — Auch in Dänemark, wo sie wie schwed. *alm*, aber auch *aelm, elm, elmetrae* heisst, gibt es ein *Elmue*, 1330 *Aelmughae* = Ulmenhöhe u. ein *Elmelunde* = Ulmenhain (Madsen, Sjael. StN. 278).

Elmina s. Mina.

Elmo s. Bligh.

Elnbogen s. Malmö.

Eloth s. Akabah.

Elotoi Kamen = Fels der Bartgeyer, russ. Name isolirter, senkr. Granitwände des transbajkal. Sochondo, da sie früher der Aufenthalt dieser Riesenvögel, Gypaëtos barbatus, gewesen sein sollen. 'Obgl. wir in Daurien viele Orte finden, die nach dem Lämmergeyer benannt worden sind u. es also keinem Zweifel unterliegt, dass ehm. diese Vögel auch hier, wie heute noch im Altai, vorkamen, so habe ich doch, trotz aller Nachfragen, keinen Brutplatz erfahren können ....' (Bär u. H., Beitr. 23, 467).

Elsass, frz. *Alsace*, das voges. Rheinthal, alt *Alisatia, Alisatium, Alisacius*, später auch *Elisatia, Elesazia*.... wo z. fränk. Zeit im nördl. Theil des v. Alemannen besetzten Landes fränk. Ansiedelungen sich bis z. Hagnauer Forst ausdehnten (Meyer's CLex. 6, 64), gilt heute allgemein als 'Land der Fremdsassen' (Müller, MVaterl. 215, Zeuss, Deutsche u. NSt. 318, Förstem., Altd.

NB. 58 f.); auch Grimm (Wörtb. 3, 417) sucht in den Elsässern 'Fremdlinge'. Sonst dachte man früher (auch Förstem., Deutsche ON. 132) an ein 'Land der anders (d. i. auf dem andern Ufer) Sitzenden, od. *E.* galt als '(Land der) Sassen an der Ill, Ell, wie sie früher hiess', dem mächtigen Parallelfluss des Rheins. Da die elsäss. Rheinstrecke völlig ungünstig, die Ill hingegen 75 km weit schiffb. ist, 'so hat die letztere eine grosse Bedeutg. f. Verkehr u. Ansiedelg. An der Ill, nicht am Rhein liegen die bedeutenden Städte' des Landes (Daniel, Hdb. Geogr. 3, 340 f.). Diese Etym. bieten schon Mercator (Atl. 1595) u. Limnaeus (Not. regni Fr. 7, 3, Strassb. 1629); sie ist viell. nicht bleibend 'abgethan'. Ruhig jedoch darf man den Einfall eines Dr. Jul. Schwartz (D.deutschen VN. 46) liegen lassen: *Ellsass* sei nach dem Querprofil, das durch die Vogesen u. das Rheinthal den Winkel einer Elle bilde, benannt. Nom. gent. *Elsässer, -in, Alsacien, -nne* (RDenus, AProv. 101).

Elsgau s. Ajoie.

Elson's Point, (u. dabei *E.'s Bay*), am american. Eismeer, bei den Eskimo *Nuwuk* = Spitze (Peterm., GMitth. 5, 44), v. Steuermann Thomas *E.* erreicht, als er John Franklin in einem Boote, Aug. 1826, entgegen ging, v. Capt. Beechey (Narr. 1, 302) selbst auch *Point Barrow* getauft, 'to mark the progress of northern discovery on each side of the American continent which had been so perseveringly advocated by that distinguished member of our naval administration.' — Schon im Jan. gl. J. ebenso *E. Island*, einh. *Aokena* (Meinicke, IStill. O. 2, 221), eine der 4 Hauptinseln der Gambier Group (Beechey, Narr. 1, 117).

Elton s. Altaï.

Eltville s. Altus.

Elur od. *Ellóra* = Ellu's od. El's (des königl. Gründers) Stadt, tamul. ON. im Karnátik u. im Dékhan (Schlagw., Gloss. 190).

Elvira s. Granada.

Elwend s. Orontes.

Elwin Bay, im Regent's It., am 25. Juli 1825 v. Capt. W. Edw. Parry (Third V. 99) benannt nach seinem Freunde Hastings *E.* esq., v. Bristol, 'as a token of grateful esteem for that gentleman'.

Elysium s. Atlantis.

Elzach, Ort des bad. Kr. Freiburg, an der Elz, einem Flusse des Schwarzwalds (Meyer's CLex. 6, 74).

Emathia, gr. Ἠμαθία = Küstenebene, alter Name f. das flache Alluvialland zw. den maked. Flüssen Axios, j. *Wardar*, u. Haliakmon, j. *Karasu* (Meyer's CLex. 6, 77). Vgl. Makedonia.

Embarras, Portage = schwieriger Trageplatz, im Slave R., weil der üb. 1000 Schritte lg. Canal mit Treibholz verstopft ist (MacKenzie, Voy. 154, Franklin, Narr. 194 ff., Carte).

Emboaba = Hösler, der Spitzname, welchen die bras. Indianer den europ. Ansiedlern, nach der Bekleidg., beizulegen pflegten, zunächst Name eines Vogels, der 'Hosen' hat ... por trázerem

as pernas cobertas á semelhança de certas aves que tem pennas até os pés', Antithese zu *Caboclo* (s. d.). Später, zu Anf. des 18. Jahrh., fingen die Paulisten, die Entdecker der Goldschätze der Minas Geraes u. als solche wie Eingeborne unfreundl. gg. neue Einwander., an, die aus Europa gekommenen Goldsucher so zu benennen (Varnh., HBraz. 1, 101; 2, 102. 468).

Embrun s. Yverdon.

Embûches s. Falle.

Emden s. Ems.

Emek, hebr. עֵמֶק = weithin sich erstreckende Ebene, Thalsohle, in Zssetzungen: a) *Emek-haëlah*, hebr. הָאֵלָה עֵמֶק = Terebintenthal, bei Bethlehem (1. Sam. 17, 2 etc.); b) *Emek-habbakah*, hebr. הַבָּכָא עֵמֶק = Segensthal, zw. Thekoa u. Engeddi (2. Chron. 20, 26, Gesen., Hebr. L.).

Emeloort's Wijdkijk, eine Höhe des austral. Eendragts Ld., geeignet zu einer Ueberschau, *wijdkijk*, üb. die sonst flache Küste, so benannt v. holl. Schiff Emeloort, welches, befehligt v. Aucke Pieters Jonck, die Spuren des am 28. April 1656 schiffbrüchigen Vergulde Draeck aufsuchte u. in den Monaten Febr. u. März 1658 hier erschien. An ders. Küste *t'Land van E.* (WHakl. S. 25, 80 ff., Carte).

Emerald Spring = Smaragdquelle (s. Esmeraldas), in Süd-Austr., ein heisser Süsswasserquell, v. Babbage 1858 entdeckt u. nach ihrer prächtig grünen Umgebg. getauft (Peterm., GMitth. 6, 298); b) *E. Isle* s. Ireland; c) *E. Isle*, südl. v. NSeeland, v. engl. Capt. Nockells im Dec. 1821 gesehen u. nach seinem Schiffe getauft, 'existirt gewiss nicht' (Peterm., GMitth. 1872, 226, Meinicke, IStill. O. 1, 352), wie *Nimrod's Group*, die der engl. Capt. Henry Eilbech, v. Schiffe Nimrod, 1828 gesehen zu haben meinte (Bergh., Ann. 2. 785, Meinicke, IStill. O. 1, 382).

Emerita s. Avenches u. Merida.

Emerson s. Young.

Eméry, Point, in Arnhem's Ld., v. Capt. Stokes (Disc. 2, 18) im Sept. 1839 nach einem seiner Gefährten, Lieut. *E.*, benannt, welcher hier einige seltene u. sonderbare Fische fing.

Emesa v. Homs.

Emi Mádema = rother Felsen, Tedaname eines Berges (u. Orts) der Oase Bilma (Rohlfs, QAfr. 1, 243).

Emigrant Peak = Berg der Auswanderer, einer 'der höchsten Gipfel im obern Gebiete des Yellowstone R., wo 1864 reiche Goldwäschen entdeckt u. durch Auswanderer besetzt wurden. Bis 1871, wo Hayden (Prel. Rep. 54 f.) die Stelle besuchte, mochte f. 100—150 000 £ Gold gewaschen sein.

Emilia, neue ital. Prov., wo —186 der röm. Censor Aemilius Lepidus die via Aemilia, eine Heerstrasse Parma - Modena - Forli - Rimini baute, schon bei der Reichseintheilg. v. 4. Jahrh. eine röm. Prov. *Aemilia*, vor der Unification Italiens 1859 bestehend a) aus den *Ducati* = Herzogthümern (sc. Parma u. Modena), b) aus der *Romagna*, d. i. den 'Gebieten, die in longobard.

Zeit, als letzter Rest des ost-röm. Besitzes, den Namen *Romania* erhalten hatten (Kiepert, Lehrb. AG. 394).

Emilion, St., Ort des frz. dép. Gironde, mit alter Felsengrotte, in welcher der heil. *E.*, 8. Jahrh., gelebt haben soll (Meyer's CLex. 14, 31).

Emim s. Anakim.

Emine s. Balkan.

Emir-Dagh = Fürstenberg, ein Gebirge bei Kiutahia, in imposanter Höhe dem SultanDagh ggb. aufsteigend (Tschihatscheff, Reis. 10).

Emm-å = Fluss, Wasser v. Emm, schwed. Flussname, nach dem Orte, bei welchem das Wasser in den Kalmarsund mündet (Meyer's CLex. 6, 87). — *Emme* s. Ems. — *Emmer* s. Ammer. — *Emma Bach* s. Elisabeth. — *Emma Cape* s. Jeannette.

Emmaus s. Chamath.

Emmeran, urspr. Abtei bei Regensburg, benannt nach dem h. *E.*, dem Sendboten jener Gegend, der † 652 (?) in Regensburg begraben wurde u. aus dessen Verehrg. das Kloster hervorging (Meyer's CLex. 6, 88).

Emper Strasse, eig. *Enneper Str.*, ein Thal, welches v. der Ennepe, einem Zufluss der Ruhr, durchflossen ist (Meyer's CLex. 6, 154).

Emporion, gr. *Ἐμπόρειον* = Markthausen, Kaufburg, Name vschied. Hafenplätze (Pape-Bens.), besonders τὸ *Ἀττικόν ἐμπόριον* = der attische Handelsplatz, d. i. der Piräus, der Sitz des Grosshandels im Mittelmeer, sowie *Ἐμπορίαι*, lat. *Emporiae*, die Gründg. der massil. Phokäer, j. *Ampurias*, in der span. Prov. Gerona (Meyer's CLex. 6, 93). Auch im ngr. hat sich der Name mehrf. erhalten: auf Nisyros, Thera, Chalke u. Kasos (Ross, IReis. 2, 69; 3, 30. 114. 33). — Nach den 'Emporien' *Sacharut*, die phön. urspr. רמרׇה = Handelsniederlassg. geheissen, eine Bucht unth. Lix *Emporikos Kolpos*, gr. *Ἐμπορικὸς Κόλπος* = Golf der Emporien (Movers, Phön. 2ᵇ, 540). Auch die phön. Küsten der kl. Syrte: 'urbes vectigales Carthaginiensium .... *Emporia* vocant eam regionem. Ora est minoris Syrtis .... una civitas ejus Leptis' (Liv. 34, 62) θεωρῶν τὸ πλῆθος τῶν πόλεων τῶν περὶ τὴν μικρὰν Σύρτιν ἐκτισμένων καὶ τὸ κάλλος τῆς χώρας, ἣν καλοῦσιν Ἐμπόρια (Polyb. 32, 32, 1; 3, 23, 2). — Auch Rom erhielt sein *Emporium*, 193—174 v. Chr. angelegt an dem schon früh durchaus mit Magazinen, *horrea*, besetzten Ufersaum, welcher, unter dem Aventinus gelegen, mit der angrenzenden Ebene den natürl. Mittelpunkt des Schiffshandelsverkehrs bildete (Kiepert, Lehrb. AG. 427).

Ems, der bei Emden in den Dollart mündende Fluss, bei Strabo (7, 1) *Ἀμασίας*, bei Ptol. *Ἀμάσιος*, bei Tac. (Ann. 1, 60) *Amisia*, bei Plin. (HNat. 4, 100) *Amisius*, bei Ad. v. Bremen *Emisa*, dann *Emesa*, gehört nach Förstem. (Altd. NB. 2, 71) 'zu den noch nicht genügend erklärten Flussnamen', wie insb. auch die vschiedd. Ableitungen Buck's (FlussN. 152) u. Lohmeyers (NBeitr. 369) anschaulich bezeugen. Der erstere kommt der ältern

Annahme, dass in *E.* ein Appellativ 'Fluss' enthalten sei, am nächsten. Nach jener ältern Ansicht ist die $\sqrt{}$ in *am* = bewegen, fliessen, strömen (vgl. emsig) zu suchen u. zu *amisia*, 'Fluss', auch lat. *amnis*, ir. *amhan*, sowie die *Emme*, zu stellen (Doornkaat-K., Ostfr. WB. 1, 33). Scheinbar nach der *E.* der ON. *Emden*, alt *Emutha* = *mutha*, d. i. Mund, Mündung, der *E*, *Eha*, *Aha*, 'wie ja die Stadt bekanntl. an beiden Ufern der v. Aurich kommenden u. in die *E.* ausmündenden Ehe ggr. u. angebaut ist' (ib. 392). Auch in andern altfries. Gebieten gab es früher mehrere Ortschaften Namens *Emutha*; diej. in GroningerLd., am Dollart, wird schon früher erwähnt, hiess wohl auch, weil westlicher gelegen, *Wester Emden*, j. *Emuiden*.

Emu Plains, eine weite offne Ebene in Arnhem's Ld., durch Strausse belebt u. 'named in their honour' durch den Entdecker, Capt. Stokes (Disc. 2, 81), im Nov. 1839. — *E. River*, in Tasmania, v. Hellyer im Febr. 1827 getauft (Bergh., Ann. 10, 522 ff.).

Enageis s. Kaki.

Enajim s. Aïn.

Encaballados = die Langhaarigen, ein Indianerstamm des Aguarica-Napo, v. span. Jesuiten Rafael Ferrer 1602 nach ihrem Haarwuchs benannt, da beide Geschlechter das Haar lang, bisw. bis unter die Knie herabreichend, tragen (WHakl. S. 24, XXIII, v. Druckf. *endab* ..., 51 f. 94. 161).

Encantada, Laguna = verzauberter See, span. Name eines See's v. Manila, wo 'Vulcanismus u. Tropenpracht der geheimnissvollsten eigenthümlichsten Naturbilder, die des Menschen Auge zu schauen im Stande ist, geschaffen hat'. Nachdem man sich durch das Dickicht der steilen Uferwände den Zugang gebahnt hat, steht man an dem kreisrunden, ruhigen, mit Einbäumen befahrenen Becken, welches angebl. grundlos u. v. zahllosen Wasserpflanzen tiefgrün, durch einen kraterähnl. Wall v. Lavablöcken eingeschlossen ist. Lautlose Stille liegt über der Fläche, nur hie u. da durch die Stimme eines Vogels od., wie zZ., als die Reisenden der Novara dort waren, durch das dumpfe Rollen des fernen Donners unterbrochen. Am Ufer wogt der reichste Tropenwald, mit üppig wuchernden Schlingpflanzen um die Riesenstämme, deren prächtige Laubkronen sich auf der glatten Wasserfläche spiegeln (Wüllerst., Nov. 2, 237). — *Lagoa E.* s. Vepabassû. — *Islas Encantadas* u. *Enchanted I.* s. Galápagos.

Encarnacion, (Isla de) la = Insel der Fleischwerdung, d. i. der Geburt Christi, im Arch. Paumotu, v. der span. Exp. Quiros-Torres am 26. Jan. 1606 als die erste ihrer Entdeckungen getauft (Fleurieu, Déc. 28), v. engl. Capt. Edwards am 16. März 1791 nach dem Schiffe (?) in *Ducie Island* umgetauft (ZfAErdk. 1870, 346, Bergh., Ann. 6, 193). — *Villa della E.*, ind. *Itapua*, in Paraguay, als eine der blühendsten Missionen der Jesuiten, deren herrl. Kirche freil. verschwunden ist (Meyer's CLex. 9, 448).

Encounter, Point = Cap der Begegnung, eine

Landspitze am american. Eismeer, v. Dr. Richardson, Exp. Franklin (Sec. Exp. 202), so genannt, weil er hier in kritischer Lage mit Eskimos zsgetroffen war: 'the spot where this transaction took place has been named *P. E.*'; *b) E. Bay*, in SüdAustr., wo die beiden ri**v**alen Expp., die engl. des Capt. Matth. Flinders u. die frz. des Capt. Nic. Baudin, am 8. Apr. 1802 sich begegneten, so getauft v. dem erstern (Flinders, TA. 1, 195), z. Th. was die Exp. Baudin *Baie* (u. *Cap) Cretet*, ozw. nach dem dam. Staatsmann Emmanuel *C.* 1747 —1809, nennen wollte (Péron, TA. 2, 73); *c) E. Cove*, in De Witt's Ld., v. Capt. Ph. P. King (Austr. 1, 319) am 5. Oct. 1819 so benannt, weil seine Ex**p**. hier mit einer feindl. Gruppe Eingeborener zstraf, welche zu vertreiben freil. ein paar blinde Flintenschüsse ausreichten.

Ende s. Flores.

Endeavour River, eine Flussbucht Queenslands, 15⁰ SBr., in welcher v. 17. Juni bis 4. Aug. 1770 Cook sein leckgewordenes Fahrzeug, die *E.*, ausbesserte, als er seine kühne Fahrt zw. Küste u. Barrière Riff ausführte (Hawk., Acc. 2, 152—184). — *E. Streights* s. Torres.

Enderby Land, im südl. Eism., zuerst gefunden v. dem Holländer Dirk Gherritsz, als er 1599 durch einen Sturm v. seinem Geschwader, Mahu u. Cordes, getrennt wurde, darum *Gherritz Land* der ältern Carten (Meyer's CLex. 8, 33), dann v. dem in Diensten der Londoner Walfgrfirma *E.* stehenden Capt. Biscoe, Brigg Tula, am 16. März 1831 (Journ. RGS. Lond. 3, 109 ff.). Die am 15. Febr. 1832 entdeckte *Adelaide Island* benannte er zu Ehren der dam. Königin (s. Adelaide). Das ganze zshängende Land wurde *Graham's Land* (s. d.) genannt, die vorliegende Inselkette *Biscoe Range*, 'after the discoverer', der höchste der landein sichtbaren Berge nach dem engl. König *Mount William* u. der zweithöchste *Mount Moberly*, nach Capt. *M.*, Royal Navy (Sommer, Taschb. 12, CIX ff., Ross, SouthR. 1, 291). — *E. Island*, in Lord Auckland Is. (s. d.), nach derselben Firma (Ross, SouthR. 1, 132), wohl auch *E. Island*, in Nord-Austr., v. Capt. Ph. P. King (Austr. 1, 35) am 24. Febr. 1818 getauft nach 'a very old and valued friend'. — *Cape E.* s. Broughton.

Endless Ms. s. Alleghany.

Enf, Hammâm el- =Nasenbäder, v. arab.*hammâm* = Bad, röm. *Calidae Aquae* = die heissen Wasser, die Thermen (Liv. 30,24),mehrf. in *hammam l'Enf, Emmamelif, la Mamelif* verst., heissen, nicht v. einer besondern Heilkraft f. Nasenkrankheiten, sondern v. der Gestalt eines nahen Caps, die bei Karthago befindl. Thermen, üb. welche der heil. Patricius dem Proconsul Julius eine merkw. Auskunft gab (Humboldt, Kosm. 4, 500), 'so genannt, v. dem hier nasenhaft vorspringenden Höhenfuss' (Barth, Wand. 128). In der Nähe *Hammâm Gurbes*, benannt v. Orte Gurbos, Kurbes, an dessen Stelle 'zweifelsohne' das alte *Carpis* lag (ib. 130). — Das alger. Wort f. *enf* lautet *nif* u. erscheint z. B. in einem Bergnamen bei Constan

tine: *Dschebel Nif en-Nesör* = Berg des Geyerschnabels (Parmentier, Vocab. arabe 38).

Enfant Perdu, l' = der verlorne Sohn, 2 Inseln: *a)* im Westen der Samoa, einh. *Futuna* (Meinicke, IStill. O. 2, 90), *Allu-fatu* (Garnier, Abr. 1, 71), 11./12. Mai 1768 v. Bougainville (Voy. 241) aus 30—35 km Entferng. entdeckt u. ozw. nach ihrer allem Lande entlegenen Lage getauft, doch schon vorher gesehen v. der holl. Exp. Le Maire u. Schouten (s. Hoorn), eigentl. 2 Inselchen, da neben der grössern noch das kleine *Alofi* (Meinicke, IStill. O. 2, 90); *b)* ș. la Mère.

Enfer = Hölle, frz. Wort wie span. *infierno*, port. *inferno*, rätr. *ufiern, uffiern* (s. dd.), in ON. oft f. unheimliche, schauerliche od. ungünstige Oertlichkeiten *a) L'E.*, plur. *les Enfers*, 7 mal im dép. Eure (Dict. top. fr. 15, 76); *b) Chaudière de l'E.* s. Chaudière; *c) Liapec de l'E.*, dial. *ingfèr* = Steinhaufen der Hölle, ein Trümmerfeld der Walliser Val d'Erin, 'mit Recht' v. den Thalleuten so genannt: ... 'das furchtbarste Trümmerfeld, welches ich je gesehen habe. Die Ate Jonire bildet hier ... eine Art Terrasse mit einer flachen Vertiefg., u. dieser ganze Raum ist mit üb. einander liegenden Serpentintrümmern aller Grössen bedeckt, üb. die wir eine Zeit lang hinwegkletterten, bald üb. schwankende Blöcke hinschreitend, bald mit halbem Leibe zw. ihnen stehend' (Fröbel, Penn. A. 121).

Engadin, der Name des Graub. Innthals, wurde zuerst v. Gilg Tschudi (Raet. 76), nach ihm v. U. Campell (Hist. Rhaet. ed. Mohr 1, 63) u. vielen andern (Salis u. Steinmüller, Alpina 3, 76) v. rätr. *en cò d'Oen*, lat. in *capite Oeni* = am Anfang, Haupt des Inn abgeleitet, v. einem Neuern (Jahrbb. A**e**ad. WErf. 10, 187) als ein 'urdeutsches *Inngaden* = Behälter, Wohnung des Inn' erklärt, v. dem kundigen Gatschet (OForsch.) leider nicht besprochen, auf Grund der Form *Eniatina*, die in einer Urk. Heinrichs I. 930 (Mohr, Corp. dipl.) erscheint, v. Mone (Celt. Forsch. 220) aus *en* = Wasser u. *iat* = Gegend zsgesetzt, also f. 'Flussgegend' gehalten, mit latin. Endg. *-ina, wg. vallis*, somit s. v. a. Innthal; es weist jedoch, wie Steub (Herbst TTir. 239) längst bemerkt hat, diese urk. Form auf einen alten Völkernamen *Oeniates* (Urk. Formen bei Lechner, PLang. 3 f.). — Anklingend *Engadein*, bei Berchtesgaden, v. Steub (Salzb. Mitth. 21, 98 ff.) aus *Rangedein*, d. i. *runchettina* = kleine Reutung abgeleitet. Da jedoch anlautendes *r* nicht abfallen u. das *tt* des Suffixes nicht zu *d* sich erweichen kann, so denkt Th. v. Grienberger (Roman. ON. 25 f.) an *en-gadein*, aus *catina, catino*, f. ein Thalbecken od. einen Thalkessel, also 'im Kessel, im Tobel'.

Engaño, Punta de == Spitze der Täuschung, auf neuern Carten irrthüml. *Cabo San Eugenio* (Mofras, Or. 1, 232, Peterm., GMitth. 14, 14), nannte den span. Entdecker Ulloa 1539/40 die Vorgebirge Californiens, an welches er, durch Stürme verschlagen ... donde arribaram por vento contrario ... getrieben wurde; denn vorher hatte man die calif. Golf f. eine Durchfahrt, die Halbinsel f. eine Insel gehalten (Gomara, HGen. c. 212, Galvão, Desc. 210). — *Cabo E. a*) die Ostspitze Hayti's (Hakl., Pr. Nav. 3, 622), fälschl. in port. Form *Engano; b*) die Nordostspitze Luçons. — Eine Insel *E.*, wohl zuerst port. *Ilha Engano*, an der Westseite Sumatra's (Crawf., Dict. 136).

Enge, eine vorstädt. Ortsch. bei Zürich, da gelegen, wo die weite Thalebene der Stadt sich vor den z. See herantretenden Hügeln verengt u. nur noch einen schmalen Ufersaum übrig lässt. Noch im Volksmunde die Formen: 'In derᶜ, 'in dieᶜ, 'aus derᶜ *E.* etc. — Deutlicher im Glarner Dorfe *Engi*, das am Austritt der engen Schlucht des Sernf liegt (Dufour, Atl. 14). Beide Formen 10mal im schweiz. Post Lex. (109f.)

Engeddi, hebr. עֵין גֶּדִי [ᶜên g'di] = Bocksquelle, bei den Beduinen noch *ᶜAin Dschiddy*, eine durch 2 Quellen bewässerte seltsame Oase im Steinufer des Todten Meeres. Ob der Oase entzog sich als in natürlichen Felsburgen David den Nachstellungen seines Königs Saul: in der *M'zadoth* ᶜ*en g'di*, מְצָדֹות עֵין־ = Burg *E.*, auf den *Zurê haj'gelim*, hebr. צוּרֵי הַיְעֵלִים = Felsen der Gemsen, Steinböcke (1. Sam. 24, 1. 3).

Engelberg, ein Berg des C. Unterwalden. Von diesem herab liess sich, der Legende zuf., Engelmusik hören, als der Gründer des am Bergfusse liegenden Benedictinerklosters †. Dem letztern gab dann 1124 eben diesen Namen, *Mons Angelorum*, Papst Calixtus II. Es ist jedoch nicht zu übersetzen, dass ein *E.* auch bei dem zürch. Orte Stallikon, dessen ehm. Besitzer, Konrad v. Seldenburon, j. Sellenbüren, das Unterwaldner Kloster 1122 gestiftet hat (Mitth. Zürch. AG. 6, 111). Es liegt hier wohl eine einf. Uebtragg. vor; aber in welcher Richtg. diese erfolgt sei, das hängt v. dem relativen Alter beider Namen ab (Gem. Schwz. 6, 126). — Nach dem Kloster die *E.er Aa* u. das *E.er Joch*, ein Pass nach Hasli. Nach dem Vorgange Einsiedelns hat auch das Kloster *E.* zwei Ableger in America *a) Neu E.*, im Staat Missuri, angeregt durch eine Vergabg. des Bischofs Hogan in St. Joseph, Missuri, in Conception 1873 ggr. u. zu Weihnachten gl. J. eingeweiht; die Kirche wurde 1874 erweitert, das Kloster selber v. Pius IX. am 30. Apr. 1876 rechtskräftig aufgerichtet u. der neue Steinbau 1879 begonnen (Alb. Bened. 1880, 283). Am 5. Apr. 1881 erhob Leo XIII. das Stift, damals noch *Prioratus Beatae Virginis Mariae Immaculatae* genannt, z. selbstständigen Abtei, u. incorporirte es, nun unter dem Namen *Neu E.*, der helveto-american. Congregation (Catal. Congr. Helveto-Bened. 1891). — *b) Mount Angel*, in Oregon, 1882 ggr. (Stud. u. Mitth. Bened.- u. Cist. O. 12, 1. Heft 1891). — Sonst finden sich *E.* u. *Engelburg* 10mal im schweiz. Postlex.(109f.), dazu *Engelgarten, Engelbrunnen, Engelholz, Engelsrüti, Engelschwend, Engelswyl, Engelswylen* etc., ozw. theilw. nach einem PN., wie in einer mod. spitzb. Bezeichng., üb. die eine nähere Angabe fehlt: *Engel Inseln*, v. der Exp. Heuglin-Zeil 1870 (Peterm., GMitth. 17, 182 T. 9). — *Engelsdroogte* s. Parece Vela.

Engenho = Maschine, Anlage, in Bras. der Name der Zuckerplantagen u. deren Siedereien, ist ON. der Insel São Vicente, als *E. Velho* (= alt) der Name einer Vorstadt v. Rio de Janeiro (WHakl. S. 51, 43).

Enger(n), Ort im preuss. Rgbz. Minden, ehm. *Ang(a)ria* od. *Angern*, beides nach den alten Bewohnern, den sächs. Angrivariern (Meyer's CLex. 6, 110).

Engey = Wieseninsel, v. isl. *engi* = Wiese, bei Reykjavik, nach ihrem Graswuchs, welcher ermöglichte, die Eiderenten auf dieses Eiland zu locken, da das auf den Strand gelegte Heu ihnen den Nestbau erleichtert (Preyer-Z., Isl. 56).

England = Land der Angeln, so heisst die stärkere Südhälfte Grossbrit., seitdem die 7 Reiche der um 450 eingewanderten Angeln, Sachsen u. Jüten durch König Egbert, einen Zeitgenossen Karl's d. Gr., in Einen Staat vereinigt wurden. So traten die ältern Namen *Albion* u. *Britania* (s. dd.) allmälig zk., bes. als die ganze Insel, in Folge der Erwerbg. v. Cornwall, 10. Jahrh., u. Wales, 13. Jahrh., staatlich in 2 Theile zerfiel. Adj. *English* (s. d.), zugl. Volksname, vollst. *Englishman*, plur. *Englishmen*. — *New* (= neu) *E.* nannte 1614 der Capt. John Smith, der Gründer Jamestown's, richtiger sein Patron, der Prinz Charles, die nordöstl. Gebiete der j. Union, um dem Ggsatz zu der benachb. Nouvelle France (s. d.) auszudrücken u. eine Analogie zu Drake's *Nova Albion*, dem unter gl. Polhöhe gelegenen pacif. Küstenlande, zu gewinnen (Strachey, HTrav. XVIII, Quackenb., US. 80, Buckingh., Am. 3, 240, ZfAErdk. nf. 3, 63, wo fälschl. die Jahrzahl 1616). Officiell wurde der Name, als die 4 Provinzen Connecticut, Massachusetts Bay, New Hampshire u. Rhode Island sich 1643 unter dieser Bezeichng., z. Schutze gg. die Wilden, verbündeten (Spr. u. F., Beitr. 2, 140). Der neuere Sprachgebrauch hat auch die Staaten Maine u. Vermont hinzugefügt.

English, adj. Volksname (s. England), nach dem Lande selbst toponymisch zuerst verwerthet in *Anglesey* (s. d.), später mehrf. f. neue Entdeckungsobjecte, auch in frz., span., ital. u. arab. Form (s. Anglais u. Inglese). *E. Bay*, 2mal v. engl. Seeff. angewandt: *a)* 'a goodly bayᶜ der Magalhães Str., wo Rich. Hawkins 1594 Holz u. Wasser einnahm u. ein altes zerbrochenes Canoe u. ein paar Indianerhütten, 'with peeces of seale stinking ripeᶜ fand (WHakl. S. 1, 124 f.); *b)* s. Smeerenberg. — *E. Channel* s. Channel. — *E. Company Islands*, in Nord-Austr., v. Flinders (TA. 2, 233, Atl. XIV f.) am 19. Febr. 1803 benannt zu Ehren der ostind. Co. u. ihres Directoriums, welches seine Reise unterstützt hatte, 'in compliment to that respectable body of men, whose liberal attention to this voyage was useful to us and honourable to themᶜ, die einzz. *Cotton's, Wigram's, Inglis', Bosanquet's* u. *Astell's Island*, nach den Directoren, ausgenommen *Pobassoo's I.* (s. Malaj) u. *Truant Island* (s. d.). — *E. Cove*, in NBritania, wo Carteret am 30. Aug. 1767 Wasser u. Holz im Ueberfluss fand u. bis 7. Sept. verweilte (Hawk., Acc. 1, 369; Garnier, Abr. 1, 173). — *E. Harbour*, 2mal: *a)* in Antigua, der sicherste Hafen West-Indiens (Meyer's CLex. 6, 151); *b)* in der polynes. Fanning I. (Meinicke, IStill. O. 2, 269). — *E. Narrow*, eine 'Enge' hinter patag. Wellington I., v. der Exp. King-Fitzroy (Adv.-Beagle 1, 335) im Febr. 1830 benannt. — *E. Point* s. London. — *E. River*, 2mal im Gebiete der Hudsons Bay: *a)* ein Zufluss des Winnipeg Lake an dessen Nord-seite, weil die engl. Angestellten der Hudsons Bay Co. auf ihrem Wege nach Fort Alexander hier zu passiren pflegten (Ch. Bell, Canad. NWest 2); *b)* s. Churchill. — *E. Road*, in Friendly Is., die 'Rhede', in welcher Cook (VSouthP. 1, 191 ff., Carte 211) 'being the first who anchored there', v. 2. Sept.—3. Oct. 1773 verweilte. — *Engelsk Elf* = Engländerfluss, der grösste Bach der Bäreninsel, an dessen Mündg. ein Engländer be-graben liegt (Torell u. Nord., Schwed. Expp. 21).

Enguagua-çu s. Santos.

Engwa s. Awa.

Enkhuizen s. Alkmaar u. Wajgatsch.

Enköping s. Kjöbnhavn.

Ennea Hodol s. Amphipolis.

Enneakrunos s. Kalos.

Ennedà = ennet (auf der andern Seite) der Aa, d. i. der Linth, ein Ort ggb. Glarus auf der rechten **Flussseite** (Gem. Schwz. 7, 603). Aehnl. *Ennet-bühls*, jens. v. Glarus aus, u. *Ennetlinth*, jens. v. Linththal aus, sowie die allg. Bezeichng. *ennet-birgisch* = ultramontan, in der deutschen Schweiz f. d. transalpinen Gebiete gebr., oft in Joh. v. Müller (Sämmtl. W. 11, 114). — *Ennetbaden* s. Baden. — Ein anderer Ort *Ennetbühls*, im toggen-burg. Seitenthal der Lautern u. damit auf der rechten, d. i. dem Zug der Landstrasse entggge-setzten Seite des Thalstroms (Osenbr., Wanderst. 3, 35), wie im Toggenburg ein Ort *Ennetthur*, v. Alt St. Johann aus jens. der Thur gelegen. — *Ennethöri* s. Höri. — *Ennetmärch* s. Uri. — *Ennetmoos*, ein Ort Nidwaldens, nach dem an-liegenden Riet (Gem. Schweiz 6, 155). — Als russ. Seitenstück sei angereiht *a)* *Saretschnaja Sloboda* = Ansiedlg. ennet des Flusses, ggb. Werchoturie 1649 angelegt (Müller, 8Russ. G. 5, 59); *b)* *Sawolotschje* s. Wolok.

Enns, auch *Ens*, ahd. *Anisa*, bekannt rseitg. Nebenfluss der Donau, dessen Name nicht befrie-digend erklärt ist. Der Ort *E.* auf der Stelle des alten Laureacum (s. Lorch) seit die Bayern 900 da, wo einst das röm. praetorium gewesen, eine Schutzveste gg. die Ungarn anlegten: *Anesburg*, *Ennsburg* (Meyer's CLex. 6, 155).

Enragée, Pointe = die umwüthete Spitze nann-ten die frz. Kabljaufänger die den entsetzlichsten Brandungen ausgesetzte Südwestspitze NFundls. (Anspach, NFdl. 122).

Entdeckungsfels, ein aus dem Firn des Lys-kamms hervorragender Felszahn, v. den ersten Besteigern des Monte Rosa benannt z. Erinnerg. an eine abenteuerl. Exp., mit welcher 7 Jünglinge aus Gressoney 1778 das im Gebirge 'verlorne Thal',

welches die Gran Fontanô speisen soll, aufsuchen wollten (Schott, Col. Piem. 56).

Enterprise, Fort = Veste der Unternehmg. nann-ten die engl. Landreisenden John Franklin u. Richardson, welche 1820/21 v. Fort Chippeweyan aus via Kupferminenfluss das Eismeer aufsuchten, das zu Anfang des Winters erbaute Blockhaus, welches mit dem nächsten Frühling den Anfang ihrer Reise bilden sollte. Die Lage am Winter L., unfern v. Coppermine R., war verhältnissmässig günstig ... 'possessed all the advantages we could desire. The trees were numerous, and of a far greater size than we had supposed them to be in a distant view, some of the pines being thirty or forty feet high and two feet in diameter at the root. We determined on placing the house on the summit of the bank, which commands a beau-tiful prospect of the surrounding country ...' (Franklin, Narr. 221 f. 238, Ans. 246).

Entlebuch, zunächst eine Gemeinde der obern Thalstufe der Kl. Emme, die dort die Entle auf-nimmt, nach dem Buchenwald. Nach ihr das ganze Alpenthal (s. Gäu).

Entos Th. s. Mediterraneum.

Entrance Island = Eingangsinsel, mehrf.: *a)* in der Einfahrt z. Victoria R., v. Capt. Stokes (Disc. 2, 41) am 17. Oct. 1839 getauft; *b)* v. dems. (1, 189) am 8. April 1838 eine *EI.* in Tasman's Ld.; *c)* eine kleine Insel, am Eingang des Port Bo-wen, v. Flinders (TA. 2, 36, Atl. 10) am 21. Aug. 1802; *d)* s. Haulround. — Mit der Form *entry* 2mal: *a)* *E. Island*, vor dem Eingang eines Canals bei NSeel., einh. *Kapiti* (Meinicke, IStill. O. 1, 279), v. Cook (VSouth P. 1, Carte 13) im Jahre 1773 getauft; *b)* *E. Isle*, 'a high remar-kable island' der Cooks Str., v. Cook am 14. Jan. 1770 (Hawk., Acc. 2, 408).

Entre = zwischen, die gew. neurom. Form f. lat. *inter* (s. d.), rätr. *denter* (s. Danteraves), oft in ON., voraus *E. Douro e Minho*, die port. Prov., nach den beiden genannten Flüssen (Will-komm, Span.-P. 264) u. *E. Rios*, das argent. Meso-potamien zw. den 'Flüssen' Paraná u. Paraguay. Zahlr. sind die frz. als *Entraigues*, s. v. a. *In-teraquae* = Zwischenwasser *a)* Ort des dép. Avey-ron, in der Confl. des Lot u. der Trueyre (Bergm., Wals. 17); *b)* Ort des dép. Gard (Dict. top. Fr. 7, 77); *c)* Ort des dép. Vienne (ib. 17, 157). — *En-trains-sur-Nohain*, dép. Nièvre, im 6. Jahrh. *Interamnum*, um 600 *Interamnis*, 1496 *Antrain* (ib. 6, 68). — *Entramnes*, dép. Mayenne, im 11. Jahrh. ab *Intramnis* monasterio (ib. 16, 117). — *Entre-deux-Mers* = zwischen 2 Meeren, 1363 prepositura de *Inter duo Maria*, die Halbinsel zw. Garonne u. Dordogne, so gross erscheinen vor ihrer Confl. die beiden bis 1 km br. Strom-adern (ib. 12, 100). — *E. Gave-et-Baïse*, Bez. v. Béarn zw. dem Flusse v. Pau u. der Baïse (Dict. top. Fr. 4, 59); *E.-deux-Gardon*, 984 *Antre-duos-Quardones*, die Gegend zw. den beiden Quellflüssen des Gardon, dép. Gard (ib. 7, 77). — Auch in der frz. Schweiz gibt es einige solche ON. *a)* *E.-deux-Eaux* = zwischen 2 Wassern, eine der 7 Abth. der Berggemeinde Château d'Oex, Waadt (Gem. Schweiz 19, 2ᵇ, 32); *b) Val d'Entremont*, in Wallis, wo auch ein deutsches *Zwischenbergen*, Thalort bei Simpeln, jenes 'ainsi nommé, parce qu'il est renfermé de tous côtés par des montagnes élevées où l'on ne peut pénétrer que par le détroit de Saint-Branchier' (Bourrit, Descr. 1, 32); *c) Entreroches* = Zwischenfelsen, im C. Waadt. 'Ce nom lui vient d'un étroit passage, entre deux rochers élevés par la voie romaine et, plus tard, par un canal' (Mart.-Crous., Dict. 333).

Entrecasteaux, *Jos. Ant. B. d'*, frz. Admiral, geb. 1739, wurde infolge eines Beschlusses der Nationalversammlg. abgesandt, um den verunglückten La Pérouse aufzusuchen, mit den 2 Fleuten la Recherche, v. ihm selbst, u. l'Espérance, v. Schiffsmajor Huon de Kermadeck geführt u. mit einem Stabe v. Gelehrten, wie Beautemps-Beaupré, de Rossel, Gebrüder Raoul, Riche, Giquel, Bruni u. a. Die Fahrt ging ab Brest 28. Sept. 1791 z. Cap d. GHoffng. in die austral. Gewässer, die man üb. ein Jahr lang durchkreuzte, bis nach Huons Tode auch der Oberbefehlshaber 20. Juli 1793 †. Die Durchfahrt, welche v. frühern Seeff. f. Tasman's Storm Bogt gehalten, v. *d'E.* aber zu Ende Apr. 1792 durchschifft wurde, verwandelte sich in den *Canal d'E.*, 'into a fine navigable channel, running more than ten leagues to the northward and *there* communicating with the true Storm Bay'. 'It contains a series of good harbours, or is itself, rather, one continued harbour from beginning to end' (Flinders, TA. 1, XCII. 48 ff., Atl. 7). Die Colonisten am Derwent nennen sie 'improperly' *the Storm Bay Passage* (King, Austr. 1, 152); *b) Pointe d'E.*, östl. v. Cap Leeuwin, 'one of the most remarkable projections of this coast' (Flinders, TA. 1, 50), v. ihm am 6. Dec. 1792 erreicht; *c) Récifs d'E.*, bei NCaled., v. ihm selbst 1792 getauft; einige Monate später nannte der engl. Capt. Bond, Schiff Royal Admiral der Indian Co., die nördlichste bis 6 m h. Theile *Bond's Reef and Breaker* (Krus., Mém. 1, 204, Meinicke, IStill. O. 1, 213); *d) Gruppe d'E.*, eine Section der Louisiade, deren Ostseite der Admiral 1792/93 aufgenommen hat (Meinicke, IStill. O. 1, 102).

Entry s. Entrance.

Enua-iti s. Mottuaity.

Enxofre = Schwefel (s. Sulphur), in dem port. ON. *Furnas do E.* = Schwefelhöhlen, eine Stelle des Pics Bagacina, Terceira, wo Rauch u. heisse Dämpfe aus Erdspalten aufsteigen (Sommer, Taschb. 12, 284).

Epaktos s. Naus.

Epernay s. Épinay.

Ephesier s. Böjük.

Epidaurus, gr. Ἐπίδαυρος, v. ἐπιδάσυρος = Buschhorn, nach dem dichten Pflanzenschmuck, wie auch Homer (Il. 2, 561) ἀμπελοέντ' Ἐπίδαυρον = die rebenreiche *E.* nennt (Curt., G.ON.

157, Etym. F. 1, 199, Preller, Myth. 1, 405): *a)* ngr. ἡ ἱερὰ 'E. = das heilige *E.*, Stadt in Argolis, auf einer kleinen aus korn- u. weinreicher Ebene vorragenden Halbinsel, die im Norden einen wohlgeschützten Hafen, gg. Süden eine weite Rhede bildet (Curt., Pel. 2, 426), zubenannt nach dem nahen, in hohem Waldthale gelegenen Heiligth. des Asklepios, *Hieron*, dem Sitze grosser Feste (Kiepert, Lehrb. AG. 276); *b)* 'E. ἡ Λιμηρά, Stadt in Lakonien, 'welche vor allen Plätzen der lakon. Küste den Beinamen der 'hafenreichen', λιμηρά = λιμενηρά, verdiente', im hintersten Winkel einer tiefen, geräumigen Bucht, die durch das noch j. *Limenaria* genannte Cap, sowie durch eine vorliegende Küsteninsel im Süden geschützt ist. Die Stadt, bis in die Anfänge des Mittelalters bewohnt, wurde erst bei dem Andrängen der Avaren u. Slawen verlassen. Die Auswanderer gründeten eine neue Stadt, auf weitvorspringendem Felscap *Minoa* (s. Ninive), welches, nicht unwahrsch. erst später durch einen Graben z. Insel gemacht, nur v. einer Seite zugänglich war u. daher den Namen Μονεμβασία = Einzugang, erhielt, woraus die Franken (Napoli di) *Malvasia* gemacht haben. Auf dieser Insel, deren Castell auf steilem Felsen schon im Alterthum als Festg. diente, hat sich länger als auf der ganzen übr. Halbinsel das Griechenthum der slaw. Zuwanderg. zu erwehren vermocht (Curt., Pel. 2, 293); *c)* Stadt in Dalmatien (s. Ragusa). — *Epidamnos* s. Dyrrhachion. — *Epidaphnes* s. Antiochia.

Epiktetos, gr. Ἐπίκτητος = das hinzuerworbene Land, Neuland, scil. Φρυγία, derj. Theil Phrygiens, welchen Eumenes v. Prusias, dem Könige der Bithynier, erwarb (Strabo 130, Pape-Bens.).

Épinay, auch *Epinaie, Epiney, Epinard, Epinal, Epineau, Epineu, Epineuil, Epinoy, Epinois, Epinais, les Epinières, l'Espinay, les Espinets, Pinet* (s. Pin), s. v. a. Dorngestrüpp, lat. *Spinetum, Espinetum*, 9. Jahrh. *Spinoli*, 880 *Espinolius*, 1184 *Spinolium*, 1154 *Espinolium*, 1214 *Espinetum*, neben dem einf. *l'Epine*, 1142 *Spina, l'Epinette, les Epinettes* etc. häufig als ON. in Frankr., in den 18 dépp. des Dict. top. Fr. üb. 100mal (1, 64 f.; 3, 48 f.; 10, 98; 14, 62; 15, 77; 16, 118). — Aehnl. *Epernay*, 2mal, im dép. Marne u. dép. Côte d'Or, v. kelt. *spernec* = Dornort, latin. *Sparnacum* (Houzé, NLieux 22).

Epiphania s. Hamath.

Epipolae s. Syracusa.

Epirus, gr. Ἤπειρος = Festland, nach dem dor. Dialekt v. Kórkyra Ἄπειρος, auf den Münzen aus der kurzen Zeit der Republik ΑΠΕΙΡΩΤΑΝ, in alten Zeiten bei den griech. Inselbewohnern eine weitgreifende Bezeichn. des Continents (Il. 2, 635, Od. 24, 378), später beschränkt auf die Ldsch. zw. Illyr., Thessal., dem jon. Meer u. dem ambrak. Golf (Pindar, Nem. 4, 82, Pape-B., Burs., Gr. Geogr. 1, 8). Seit Pyrrhos, dem mächtigsten Könige, der alle einzz. Landschaften zu einem Gesammtstaate vereinigte, bezeichnen sich auch die vschiedd. Stämme mit dem Gesammtnamen *Ἀπειρῶται* (Kiepert, Lehrb. AG. 294).

Eplaholt, ehm. Kloster *Ebelholt*, dän. ON. in Seel., v. *aebletrae* = Apfelbaum, also in die unter Affoltern (s. d.) aufgeführte Familie gehörig (Madsen, Sjael. StN. 279).

Epope, gr. *Ἐπώπη* = Wartburg (St. B.) *a)* anderer Name des hohen Akrokorinth (s. Korinth), *b)* *Ἐπῶπις* = Wartenfels, Ort der Lokrer in Unter-Ital. (Strabo 259), beide v. Wartstationen (Curt., G.On. 158).

Epworth s. Nappa.

Équerre, l' = der Winkelhaken, eine Krümmg. v. 90⁰ im MacKenzie R., in engl. Uebsetzg. *the Angle* (Richardson, Arct. SExp. 1, 185).

Equus = Pferd, in dem lat. Namen *Provincia Equestris* (s. Chablais) vertreten, kommt in mod. ON. nicht vor, da an Stelle des alten Wortes ein spätlat. Ausdruck (s. Caballus) in die neurom. Sprachen übergegangen ist.

Erablaye s. Herblay.

Erasmus s. Prinzen C.

Erbayin s. Arba.

Erbil s. Arbela.

Erbsen s. Erfurt.

Erchingen s. Frauenfeld.

Erdeli s. Siebenbürgen.

Erdenî Obò = köstlicher Haufe, mong. ON. der Gobi, am Wege Chalcha-Urga, nach einem ruinenartigen Felsen, bei welchem sich eine Quelle befindet. — Ebenso *Olòn-obò* = viele Haufen, eine Anhöhe, auf der man mehrere Steinhaufen aufgeschichtet sieht (Timkowski, Mong. 2, 407. 419).

Erdschisch s. Arges.

Ere s. Benuë.

Erebus Bank, eine Untiefe bei Kerguelen I., v. Capt. J. Cl. Ross (South R. 1, 59 f.) am 9. Mai 1840 entdeckt u. nach dem einen seiner Schiffe, *E.* u. Terror, getauft ... 'the discovery of this great bank, so likely to be of important advantage to the numerous vessels that occasionally visit the dangerous shores of this island, by warning them of their approach to the land, could not fail to remove every feeling of regret at the delay and fatigue to which we had been exposed.' — Noch in dem gl. Jahr erhielten auch die *E. Cove* u. *Terror Cove*, in den Auckland Is., den Namen (ib. 1, 139), am 27. Jan. 1841 die beiden schneebedeckten Vulcane, *Mount E.* u. *Mount T.*, in 8Victoria (ib. 1, 216 f. 220). Der *E.*, 3370 m h., unt. 77¹/₂⁰ SBr., war zur in voller Thätigk. ... 'emitting flame and smoke in great profusion'. Tags vorher war der Berg, aus der Ferne gesehen, als *High Island* = hohe Insel notirt wörden.

Eregli s. Herakles.

Eremita, in der Sept. *ἐρημίτης* = Einsiedler, v. gr. *ἔρημος* = leer, öde, einsam, ital. *eremita*, span. *ermitaño*, port. *ermitão*, frz. *hermite*, engl. *hermit*, in vielen ON. wie *Monasterium Eremitarum* (s. Einsiedeln), *l'Hermitage* = die Ein-

siedelei u. *l'Hermite*, beide auch im plur., z. Th. ausdrückl. als ehm. Einsiedeleien bezeichnet, 58 mal im Dict. top. Fr. (10, 140; 12, 157; 15, 113; 16, 169; 18, 144; 19, 79), *l'Ermitage*, *l'Ermite* u. *les Ermites*, 15 mal im dép. Meurthe, 4 mal im dép. Eure, 4 mal im dép. Eure-et-Loir (ib. 1, 65; 2, 47; 15, 77 f.), *les Grottes de l'Ermitage*, eine Höhlengruppe des Salève, nach den nahen Ruinen des Schlosses *Ermitage* (Saussure, VAlp. 21. 25). — *Cuevas del Ermitaño* = Höhlen des Einsiedlers, merkw. Tropfsteinhöhlen bei Artá, Mallorca, der Sage zuf. einst v. einem Einsiedler entdeckt u. bewohnt (Willk., Span.-B. 124). — *los Ermitaños*, Inselgruppe bei den austr. Admiralty Is., wie die benachb. Anachorètes zuerst v. dem frz. Seef. Bougainville 1768 entdeckt, aber erst durch den Spanier Maurelle 1781 so getauft (Krusenst., Mém. 1, 7), gew. *Hermite*, besser im plur. *Eremiten*, auf neuern Carten auch *High* = hohe u. *Saddle I.* = Sattelinsel genannt (Meinicke, IStill. O. 1, 143). — Die engl. Form ferner: *a)* the *Hermits Well* = des Einsiedlers Born, ein Brunnen des Wissahickon, Pennsylv., in dessen düstern Schluchten, *Hermits Glen*, der 1698 † Mystiker John Kelpius aus Siebenb. einsiedlerisch in religiöser Beschaulichkeit zubrachte u. unter eifrigem Gebete die Ankunft des 'Weibes der Wildniss' erwartete: das Weib mit der Sonne bekleidet, mit dem Mond unter ihren Füssen u. den 12 Sternen auf der Stirne' (Keyser, Fairm. P. 96 ff.); *b)* *Hermit-Hill* = Einsiedlerberg, eine isolirte Hügelmasse im Südosten des Gregory L., v. Entdecker Babbage 1858 so genannt (Peterm., GMitth. 6, 297). — *Eremit*, bei den Beduinen eine kl. Granitmasse, welche aus der starren Einöde der mit schwarzen Geröllmassen bedeckten Ebene Suakin-Chartum einsam hervorragt. 5 km davon *Abu-Odfa* = Urbild der Odfa (d. i. der mit einem Baldachin überdeckten Kamelsättel der Frauen), ein natürl. 10 m h. Steinobelisk, dessen Gestalt einer verkehrt gestellten Birne od. Feige gleicht. Der isolirte Granitblock 'gewährt als echter Markstein einen jener weithin sichtb. Anhaltspunkte, welche das durch die Langeweile der Wüstenreise erschöpfte Auge des Wanderers so dankbar begrüsst' (Scheinfurth, IHerz.Afr. 1, 40 f.). — Die mag. Form *remete*, kroat. *remetnik*, oft in den ung. ON. *Remete* u. *Remetinec* (Umlauft, ÖUng. NB. 195).

Erfurt, Ort in Thüringen, im 8. Jahrh. *Erpisford*, *Erpesfurt*, *Erpesfordi*, dann *Erfes-*, *Erphesfurt* u. s. f., einer der ältesten Orte der Gegend, schon v. Bonifacius als Stadt vorgefunden u. 741 z. Bischofsitz auserlesen, soll, einer Sage zuf., zu Anfang des 8. Jahrh. v. einem gewissen *Erpes* ggr. worden sein (Meyer's CLex. 6, 274). In der That gehört der Name zu den PN. v. Stamme *arp*, ags. *eorp*, altn. *iarpr* = fuscus, woraus ein antk. *airps* zu vermuthen ist, wie ferner die alten ON. *Arpingi*, j. *Erpingen* u. *Erpfingen*, *Erpesfeld*, *Erpeshusen*, j. *Erbsen*, *Erpisroth*, *Erfstetin*, j. *Erbstetten* u. a. m. (Förstem., Altd. NB. 118 ff.). Die *Erpfinger Höhle*, 1834 entdeckt wird nach dem württb. König auch *Karlshöhle* genannt (Meyer's CLex. 6, 315).

Ergena S. s. Sarepta.

Ergeri s. Argyrinoi.

Ergik-Targak = weiter Kamm, mong. Name eines der Gebirge der russ.-chin. Grenze nach seinem gezackten Ansehen (Klaproth, Kaukas. 2, 418 ff.), Mém. 1, 20). S. Charà.

Erguel s. Imier.

Erhhā, Redschm el- = Zeichen der Steinhaufen, arab. Name des Culms der tripol. Hammāda zw. dem Brunnen Taboníeh u. Wady Haeran, nach dem Steinhaufen, durch welchen er ausgezeichnet ist (s. Bü Ssafar). 'Der Araber, welcher oft einsam u. gedankenvoll üb. sein weites Gebiet schweift, ist wohl empfängl. f. die leiseste Gestaltg. der Oberfläche des Bodens' (Barth, Reise 1, 145).

Ericodes s. Alicuda.

Erie = Katzen, ein seit 1654/57 ausgerotteter Volksstamm der Irokesenfamilie, früher am Nordufer (Hind, Narr. 2, 183), noch um 1650 an der Südseite des *E. Lake* ansässig (Quackb., USt. 10), hier fast ausschliessl. auf die Jagd der 'Wildkatze', in der man den Waschbär jener Gegend vermuthet, angewiesen (Am.Antiq. 5, 286, Chicago 1883). Der See, zuerst v. 'Greif' der Exp. La Salle, Aug. 1679, befahren, wurde denn auch bisw. *Lake of the Cats* = Katzensee, bei N. Sanson 1650 *l'E. ou du Chat* genannt (Coll.Minn.HS. 1, 24, Meyer's CLex. 6, 280, Drapeyron, Rev. Géogr. 3, 92). — Nach ihm der Hafenort *E.,* Pennsylv., u. *Fort E.,* Canada. Es ist zu beachten, dass die frz. Berichte u. Carten, so bei P. Joliet 1674, immer *Erié* schreiben.

Erigös = grosses Auge, d. h. Quelle, türk. Name eines auf hohem Kalkfels üb. tiefem Felsenthal gelegenen Dorfs bei Kiutahia. Schon im Alterth. war hier ein Ort, wie Marmorplatten am Brunnen zeigen. Dabei der Berg, *E. Dagh,* u. ein Fluss, *E. Su* (Tschihatscheff, Reise 2 f.).

Erik's Sund, in Grönl.; v. dem Norweger *E. Rauda,* der in dieser Gegend 982—983 übwinterte, benannt (Scoresby, North.WF. XIX). Nach der Carte (p. 326) gibt es, ganz in der Nähe, auch einen *E. Fjord,* wo *E.* im Frühling 986 ankam u. seine Wohng. aufschlug (Rafn, Entd. Am. 6).

Erimomilos, ngr. Ἐρημόμηλος = das wüste Melos, heisst das hohe u. steile, nur v. wilden Ziegen bewohnte Antimelos (Ross, IReis. 3, 4).

Erin s. Ireland.

Erin, Val d', frz. Name eines Walliser Thals, deutsch *Eringer Thal.* Der erstere klingt dem andern ähnlicher, als man nach der gewohnl. Schreibart *Val d'Hérens* glauben sollte; die 2. Sylbe lautet näml. wie deutsch *-eng,* d. i. dem frz. Nasenlaute *-in* näher als *-ens.* Darum ziehe ich, sagt Fröbel (Penn. Alp. 15), die Form *Erin* dem gebräuchlichern *Hérens* vor (ebenso die Dufour Atl.). Fröbel (p. 170) denkt f. die Ableitg. v. *Eiro, Erin* (mit *Hérens* u. *Eringen*), sowie *Hérémence* od. *Erremengse* u. *Dent d'Erron* an das kelt.

eïre = Schnee, Eis. 'Unter allen Thälern, welche aus der pennin. Alpenkette in das Rhonethal münden, ist das *E*er Thal dasj., dessen Hintergrund seine Schnee- u. Gletschermassen am auffallendsten zeigt. Gatschet hingegen (OForsch. 201) hält das *Eringerthal* f. 'eines der wenig zahlreichen Thäler, welche einen PN. tragen: das v. den Nachkommen Hericho's angebaute u. bewohnte Thal'. — *Dent d'E.* s. Blanche.

Eriwan, armen. Stadt, nach morgenländ. Quellen durch den Schah Ismail's Chan Rewan als Veste erbaut u. nach dems. benannt (Hammer-P., Osm. R. 4, 86).

Erlangen, fränk. ON., nicht sicher erklärt, so leicht auch ist, an ahd. *arilîn, alneus* = Erle zu denken u. ein ahd. *wang* = Aue, Feld hinzuzufügen (Lüttich, VEtym. 35); allein dieses *wang* ist durch die ältesten Formen, 1017 *Erlangun* . . ., nicht bezeugt u. es ist, wie Förstem. (Altd.NB. 115) bemerkt, nicht zu übersehen, 'dass sie eine gefährl. lautliche Nachbarschaft an den Formen haben, welche z. PN. *Erlo* zu stellen sind'. Die Neustadt *Christian-E.,* ggr. 1686 durch Hugenotten u. nach dem Markgrafen Christian Ernst benannt, der ihnen den Grund einräumte (Meyer's CLex. 4, 287). — Oft sind anklingende Formen gewiss v. der Erle od. Eller benannt, wie *Erlach,* alt *Erlaha, Erlenbach,* alt *Arlabeka, Arilbach, Erilapah,* mehrf., *Eller* u. *Ellern,* alt *Erila, Erlheim,* alt *Erliheim, Erlstedt* u. *Allerstädt,* alt *Erlastedi, Erlabrunn,* alt *Erlenbrunnen* u. a. m., sowie *Vernay* (s. d.) u. dgl. auf *vernaz, vergne* u. ähnl. rom. Namen der Weisserle hinweisen (Gatschet, OForsch. 36).

Erlendsey s. Ireland.

Erlitz s. Orel.

Ermite s. Eremita.

Ernsthall, 2 deutsche ON., die mit ihrem Grundwort auf Salinenorte weisen: *a)* Steinsalzwerk, in Sachsen-Gotha, dessen mächtiges Lager 1828, zZ. der Regierg. des Herzogs Ernst III. v. Sachsen-Coburg, dem 1826 auch das Hzgth. Gotha zugefallen war, aufgefunden wurde (Meyer's CLex. 3, 973): *b)* in Sachsen, hptsächl. unter Förderg. des Grafen Christian Ernst v. Schönburg 1680 erbaut (ib. 6, 309).

Erobi s. Ngarè.

Erok s. Kenia.

Erovandagerd, mit arm. *gerd* = Stadt, eine in Trümmern liegende alte Stadt Armeniens, auf dem Felswinkel zw. den Flüssen Achourean u. Araxes, wie das nahe *Erovandaschat* eine Schöpfg. Erovand's II. (Spiegel, Eran.A. 1, 147).

Erpfingen s. Erfurt.

Ertholm s. Christian.

Erymanthos, gr. Ἐρύμανθος = Wehrenfels, Schutzwehr, Bollwerk (Pape-B., Curt., Pel. 1, 399), verwandt mit ἔρυμα, bei Dion.Per. 144 ausdr. σκοπιή Ἐρυμάνθου = Bergwarte *E.* (s. Skope), mehrf.: *a)* ein mächtiges Randgebirge, das den Nordwesten Arkadiens wie eine Burg schützt (Hom., Od. 6, 103); *b)* Ἐ. ὁ ποταμός, ein v. *E.*

herabströmender Nebenfluss des Alpheios. Von dem Flusse (s. Tripotamo) hinwiederum hatte *c)* die Stadt Psophis, in welcher der Flussgott verehrt wurde, ihren frühern mit Berg u. Fluss gleichlautenden Namen (Paus. 3, 24¹², Pape-Bens.).

Eryri s. Snowdon.

Erythräisches M. s. Rothes M.

Eryx, gr. *Ἔρυξ* = Widerhalter, scil. gg. die Wogen (Curt., GOn. 154), ein steiler Küstenberg mit Vorgebirge auf Sicilien, j. *San Giuliano* (Ptol. 1, 55) u., nach ihm benannt, eine Stadt daselbst (Thuc. 6, 2, Pape-Bens.).

Erzerum, grösste Stadt Hoch-Armeniens, alt *Karin,* dann *Theodosiopolis,* als die v. Kaiser Theodosius II. vergrösserte u. stark befestigte (Kiepert, Lehrb. AG. 82), byz. *Ἄρζες,* 'extremus finis regionum Rumeorum ab oriente' (Abulfeda, lat. Uebs.), bei Ibn Batuta *Arzer-rum,* bei MPolo *Arsion, Argiron,* mit dem Wort *arz, erz, ardz,* das in mehrern oriental. ON. gemein ist. 'Le mot *arzen* compose le nom des villes arméniennes *Arzingam* ou *Eriza,* et *Erez* et *Erzeroum,* c'est-à-dire: *l'Arzen des Romains,* ville qui fut formée des débris de la population de la primitive Arzen, située plus à l'Orient, près des sources de l'Euphrate, lorsque les Turcs Seldjoukides la dévastèrent l'an de notre ère 1049' (Pauthier, MPolo 1, 38, WHakl.S. 35, 46, Spiegel, Eran.A. 1, 156f.).

Erzgebirge, mehrf. f. erzreiche Berggebiete: *a)* das *sächsisch-böhmische E.,* bei Ptol. *Sudeta* (s. d.), ahd. *Miriquidui* = Schwarzwald, v. alts. *mirki,* ags. *myrk,* altn. *myrkr* = tenebrosus, obscurus, einem Worte, das auch im hochd. vorkam (Förstem., Alt.NB. 1103), im frühern Mittelalter *Fergunna, Virgunna,* goth. *Fairguni* = Berg, altn. *fjörgun,* Beiname der Erde (ib. 555), bei den Kosmographen des 16. Jahrh. im Namen *BöhmerWald* inbegriffen ... 'der *Böhemerwald* umbzeucht das Böhemer Land rings umb' (Franck) ... 'der *Böhemerwald* vmbgibt vnnd beschleusst das Böhemerlandt gleich alss ein natürliche Ringkmawr. Unden an disem Gebirg, als es sich in Meissen neigt, liegen die Stett Freyburg u. a.' (Seb. Münster). Nun war schon 1163 jene erste Silberstufe entdeckt worden, die den Bergbau erweckte, die Einwanderg. der unter Krieg u. Hungersnoth leidenden Harzer Bergleute u. die Gründg. vieler Bergorte z. Folge hatte ... 'Kein anderes deutsches Gebirge enthält in seinem Namen so bestimmt den Angelpunkt seiner Geschichte' (Sigism., ErzG. 17 f.). Allein diese dem Erzreichthum entlehnte mod. Bezeichng. taucht erst im 16. Jahrh. auf u. erringt sich, selbst im Kampfe mit den wieder erweckten *Sudeten* des Ptol., ihre Herrschaft nur ganz allmählich. Noch 1589 f. ist in Albinus' Meissn. Bergchronik *behmisches Gebirge* u. *Behmerwald* der gewöhnl. Ausdruck, u. nur vereinzelt taucht daneben das Wort *E.* auf, aber, gerade wie in den Berg- u. Münzordnungen v. 1536, 1542, 1571, 1573, 1589 u. in dem Patent v. 1609 etc., im plur. u. übhaupt so, dass damit nicht der ganze Gebirgszug bezeichnet war, sondern mehr die einzelnen

Stollen, Berge u. Gegenden, wo Erzgruben angelegt waren: *die E.* war noch nicht sowohl ein geogr., als vielmehr ein bergmännischer Ausdruck. Im 17. Jahrh. brauchen amtl. Erlasse v. 1615, 1623, 1651f., 1661, 1665 den mod. Namen nur in adj. Form: *erzgebirgischer Kreis,* u. ebenso 1650 M. Zeilers Topographie v. Ober-Sachsens, u. erst 1714 erscheint die subst. Form *das E.* in Junckers Geogr. Es scheint, dass der geogr. Name *E.* früher im amtl. Gebrauche als im Volksmunde Bestand erlangt hat (Arch. sächs. Gesch. 6, 306 ff.); *b)* ein *ungarisches E.* in der Gegend v. Kremnitz u. Schemnitz, O/Ung., 'wg. seines reichen Bergsegens'; *c)* ein *siebenbürg. E.,* eines der erzreichsten Gebirge Europa's, wo Platin, u. das selten gediegene Blei, das Gold begleiten; *d)* ein *kolywansches E.,* nach dem sibir. Bergorte Kolywan, ausgezeichnet durch seinen Silberreichthum (Meyer's CLex. 9, 844; 10, 148). — *Erzberg* s. Eisen. — Alte ON., v. ahd. *aruz, aruzzi* = Erz, sind: *Aruzzapah,* j. *Arzbach,* in Bayern, *Arizperch,* j. *Arzberg,* 'mons qui metallicus dicitur', in NOest., *Arezgrefte* = die Erzgruben bei *Erzbach,* Odenw. (Förstem., Altd. NB. 121). In Oesterreich hat sich *arz* noch lebendig erhalten u. deutet auch noch in den ON. *Arzbach, Arzkogel* u. *Arzwiesen* auf Grubenbau, welcher ehm. dort betrieben wurde od. noch betrieben wird (Becker, NÖ.Ortslex. 1, 83).

Esapo s. Asopos.

Esbus s. Hesbon.

Escalones s. Scala.

Escape = Entrinnen, in einer Reihe engl. Entdeckernamen, die von den Gefahren, nam. bei See- u. Flussfahrten, u. einer glückl. Rettg. Zeugniss ablegen. Wir ordnen sie in alphabet. Folge: *a) E. Channel* = Durchfahrt des Entrinnens, in Tasman's Ld., v. Capt. Stokes (Disc. 1, 113) so getauft z. Andenken an die Gefahr, welcher hier sein Vorgänger, der Entdecker Ph. P. King, durch einen glückl. Windstoss entgangen war; *b) E. Cliffs,* ein Felsvorsprg. der austr. Clarence Str., wo die zu Beobachtungen gelandeten Gefährten Capt. Stokes' (Disc. 1, 415; 2 Carte), die HH. Fitzmaurice u. Key, am 1. Aug. 1839 v. Wilden bedroht waren u. nur durch einen verzweifelt komischen Einfall, näml. durch Tanzen den Grimm der Wilden zu beschwichtigen, dem Tode entrannen; *c) E. Island,* in Ellice Gr., v. americ. Capt. Peyster, Schiff Rebecca, 1819 so benannt, weil er an dem Eilande fast Schiffbruch gelitten hätte (Krus., Mém. 1, 11); *d) E. Point,* in Tasman's Ld., 1838 v. Capt. Stokes (Disc. 1, 131. 154) getauft z. Andenken an eine glückl. bestandene Alligator-Gefahr ... 'in grateful memory of the providential escapes we experienced in its vicinity'. — *E. Rapid,* 2 Stromschnellen des arkt. America: *a)* im Coppermine R., welcher dort zw. hohen Felsklippen, röthl. Schieferfelsen u. abschüssigen weissen Lehmufern fliesst u. voller Untiefen u. Stromschnellen ist, v. Capt. Franklin (Narr. 347) am 15. Juni 1821 so benannt, weil

seine beiden Canoes mit genauer Noth dem Untergang entrannen . . . 'both the canoes having nar-
rowly escaped foundering in its high waves'; b) im
Gr. Fischfluss, v. G. Back (Narr. 190) am 25. Juli
1834 deswegen so benannt, weil die Exp. nur mit
genauer Noth u. durch die kaltblütige Besonnen-
heit seines Steuermanns, des Hochländers James
MacKay, dem Verderben entging. — *E. Reef* s.
Shoalwater. — *E. River*, eine Einfahrt, u. Flussmündg. (?), bei der HI. York, v. Capt. Ph. P. King
(Austr. 1, 240) am 24. Juli 1819 so benannt, weil
sein Schiff in dem seichten Wasser aufgelaufen
war u. mit Noth Schiff u. Mannschaft dem Untergange entrannen.

Escarpée, Pointe = schroffes Vorgebirge, die
steil abgeschnittene Nordspitze v. Lifu, Loyalty
(Meinicke, IStill. O. 1, 239), ozw. v. d. frz. Seef.
d'Urville 1827 benannt.

Esch, ein nicht immer klares Namenelement, in
Eschach, Eschbach u. a., findet sich im Art.
Aschaffenburg berücksichtigt.

Esch, Djuráb el- = Kornschlauch, Getreidesack,
arab. Name einer Nilstrecke obh. Chartum, wo
der Fluss auf 8 Meilen eine nordöstl. Richtg. einschlägt (Schweinfurth, IHAfr. 1, 79).

Eschatia, gr. Ἐσχατιά = die äusserste, 'Landsend', ein Ort auf Syros (Inscr. 2347, Pape-Bens.,
Curt., G.On. 152).

Escher-Canal s. Limmat.

Eschscholtz Insel, die nördlichste in Ralick, einh.
Bikini (Meinicke, IStill. O. 2, 331) od. *Udia-Milai*
(Krus., Mém. 2, 372), v. russ. Capt. v. Kotzebue
(NReis. 2, 153) im Oct. 1825 entdeckt u. benannt
nach dem Naturf. Joh. Frdr. *E.* (geb. 1793, † 1830),
'unserm würdigen Dr. u. Professor, welcher be-
reits die zweite Reise mit mir machte'. — Eine
E. Bay, im Kotzebue Sd., hatte ders. Seef.
(Entd.R. 1. 147) schon auf der ersten Fahrt, am
8. Aug. 1816, getauft.

Escombrero s. Scombraria.

Escondido, el Puerto = der versteckte Hafen,
span. Name *a)* ein kleinern Schiffen zugängl. geschützter Hafen Califs. (Mofras, Or. 1, 221); *b)* ein
Hafen an der Westseite Malayta's, mit vielen
Riffen versperrt . . . 'por ser casí cerrado' v. Mendaña zu Ende Mai 1568 benannt (Viajes Quirós
1, 11; 3, 13). — *Rio E.* s. Norte.

Escorial, el = der Schlackenhaufen (s. Skoriaes),
ON. in Neu Castilien, nach den Ueberresten ehm.
Bergwerke, wird oft, aber uneigentl., f. die nahe
Nekropolis der span. Könige gebraucht, jene eigth.
Klosterresidenz, die Philipp II. 1563/84 mit einem
Kostenaufwande v. 5·260 570 Ducaten erbauen
liess, zuf. eines Gelübdes, welches er f. den Sieg
v. St. Quentin, am Laurentiustage 1557, dem
heil. Laurentius gethan hatte. Der eig. Name ist
demnach *San Lorenzo el Real de la Vittoria*
(Willkomm, Pyr. HI. 2, 117, Meyer's CLex. 6,
348).

Esdrelon s. Zer'în.

Esdud s. Asdod.

Eselsohren, Bergname, 2 mal: *a)* am Kotzebue
Sund, v. russ. Lieut. v. Kotzebue (EntdR. 1, 148)

am 11. Aug. 1816 nach der Gestalt des Doppel-
gipfels getauft; *b)* s. Strong.

Esen, Piz od. *Piz Asen* = Eselspitze, rätr. Name
einer gewaltigen in die Wolken aufragenden Pyramide des Engadin, 'wahrsch. aus dem Grunde,
weil die Spitze oft in graue Wolken eingehüllt
ist' (Leonhardi, Veltl. 72).

Esk s. Jan Mayen.

Eski = alt, in vielen türk. ON. wie *Ekischehr*
= Altstadt, bei Kiutahia, *Eskihissar* = altes
Schloss, mehrf. *a)* f. die Prachttrümmer des alten
Stratonicea, Karien, zw. denen die 40 Hütten der
ca. 150 Bewohner fast verschwinden; *b)* f. eine
weitläufige Trümmerstätte nordwestl. v. Elmaly,
Lycien; *c)* s. Laodicea. — Ferner *Eskiköi* = Altdorf, *E. Boghás* = alter Pass, *E. Kalessi* (s. Pergama) u. a. m. (Tschihatscheff, Reis. 21. 28 f. 39,
Hamilton, Kl.As. 1, 498, Köppen, Taur. 2 ff.),
auch mit Eigennamen (s. Stambul u. Terek) verbunden. — In abess. Simen *Debr E.*, eig. *Echsi*
= Kloster des Herrn, od. *Debr-Sikie* = Blumen-
kloster, neu aufgeblühte Residenz des Herrschers
v. Tigre (Heuglin, NOAfr. 69).

Eskimos, in engl. u. frz. Orth. *Esquimaux* (s.
d.), verd. aus *eskimant-sik* = roh essen, bei den
Abenaki (Cranz, HGrönl. 1, 336) od. *weashkimek*
= Rohfischesser, bei den Saulteurs (Coll. Minn.
HS. 1, 226), f. die mong. Stämme, welche üb. das
polare America zerstreut leben, sich selbst aber
Inuk, plur. *Inu-it* = Menschen nennen (Arm-
strong, NWPass. 191, Spr. u. F., NBeitr. 13, 281).
Wir vertrauen Gatschet's Ableitg: v. *eski* = roh,
mâwâw = essen, dieses nur v. bestimmten Arten
Speise gebraucht, beide Wörter der Naskapisprache
im Innern Labradors entnommen. Obgleich das
Rohfleischessen 'certainly' den *E.* eigenth. ist, so
denkt Richardson (Arct. SExp. 1, 340) doch lieber
an *Ceux qui miaulent* = Miauer, in älterer Orth.
Ceux qui miaux, weil die Kähne, welche in
Hudson's Str. od. Labrador ein Kauffahrteischiff
umgeben, v. dem beständigen Rufe tey-mo er-
schallen, so dass noch j. die 'Orkneymen' *Seymòs*,
Suckemòs, sagen.

Eskol, hebr. נחל אשכל [nachal äschkol] = Trauben-
thal nennt die Bibel (4. Mos. 13, 23 f.; 32, 9:
5. Mos. 1, 24) jenes fruchtb. Thal, aus welchem
die Kundschafter Josua's die grosse Traube als
Zeugniss der Fruchtbk. an einer Stange hertrugen,
viell. das Thal v. Hebron, das noch j. in Weingärten ergiebig ist (Furrer, Wand. 92, Gesen.,
Hebr. L.).

Esloo s. Aschaffenburg.

Esmark s. Schweigaard.

Esmeraldas; Rio de las = Smaragdfluss, span.
Name eines Küstenflusses (u. des Hafenorts, sowie der ganzen Gegend v. Manta, wo der Stein
ebf. gefunden wurde) nach den Smaragdgruben,
welche, an seinem Ufer befindl., schon die Incas
bereicherten u. unter der span. Verwaltg der
'peruan. Smaragde' lieferten . . . 'this was the region of the esmeraldas, where that valuable gem
was most abundant. One of these jewels that fell
into the hands of Pizaro, was as large as a pi-

geon's egg. Unluckily, his rude followers did not know the value of their prize; and they broke many of them in pieces by pounding them with hammers. They were led to this extraordinary proceeding, it is said, by one of the Dominican missionaries, Fray Reginaldo de Pedraza, who assured them that this was the way to prove the true emerald, which could not be broken. It was observed that the good father did not subject his own jewels to this wise experiment; but, as the stones, in consequence of it, fell in value, being regarded merely as coloured glass, he carried back a considerable store of them to Panama' (Prescott, CPeru 1, 252. 321, WHakl. S. 33, 183).
— *E.*, Ort am Oberlauf des Orinoco. — *Serra das E.*, port. Name vschiedd. Bergzüge in Bras., nach den olivengrünen Turmalinkrystallen, die f. Smaragde gehalten wurden (WHakl. S. 51, 72).

Espadarte = Schwertfisch nennen die bras. Schiffer die lange, vor der Mündg. des Pará liegende Sandbank nach ihrer Form (Avé-L., NBras. 2, 25).

España, die im Lande übl. Form f. *Spanien,* port. *Hespanha,* engl. *Spain,* frz. *Espagne,* röm. *Hispania,* gr. *Hesperia, 'Εσπερία* = Westland, früher als Inbegriff der westl. v. Griechenland gelegenen, also auch Italien mitbegreifenden Länder, od. *'Ιβερία* (s. Iberia), ist nicht sicher erklärt (WvHumb., Prüf. vask. Spr. 60), ja viell. nur die Umformg. v. *Hesperia* (Kiepert, Lehrb. AG. 482), mir immer noch wahrscheinl. phön. Ursprungs, 'Kaninchenland', nach den Thieren, welche, heute noch das 'gemeinste Haarwild' (Willk., Span. P. 46), viel schaden, im Alterth. aber (Strabo 144) öfter die Einwohner z. Verzweiflg. trieben u. massenhaft gefangen wurden (Fürst, Hebr.-ch. WB. 2, 490). Mit dem phöniz. Worte hängt zs. das hebr. שָׁפָן [schaphan], was zunächst auf den truppweise die Felsgebiete Vorder-Asiens u. N.-Africa's bewohnenden Klippdachs, Hyrax syriacus Ehrb., bezogen (3. Mos. 11, 5; 5. Mos. 14, 7; Psalm 104, 18; Spr. 30, 26) u. dann auf das in Aussehen u. Lebensart ähnliche Kaninchen übertragen wurde. Die Rabbiner übsetzten das Wort geradezu durch Kaninchen; die Septuaginta hat dafür *χοιρογρύλλιος* = Springhase (Gesen., Hebr. Lex. 895, Leunis, Syn. 1, 154). Während sich die Griechen der Namen *Hesperia* od. *Iberia* bedienten, hielten sich die Römer mehr an die punische Bezeichn. u. nannten das Land meistens *Hispania* od., da sie es gewöhnl. in zwei Provinzen theilten, auch im plur. *Hispaniae,* näml. *H. Citerior* = das diesseitige Spanien, um Tarraco, u. *H. Ulterior* = das jenseitige Spanien, näml. Lusitania u. Baetica. Noch b. in die neuere Zeit herab zog sich der Name *Hispania* als Bezeichng. der ganzen Halbinsel — also ohne die j. übliche politische Beschränkg. auf das grössere der beiden Reiche, da die span. Monarchie als *castilische* bezeichnet wurde (s. Castilla), wie ja j. noch das Schriftspanische *la lengua Castellana* heisst. Der port. Geschichtschreiber Barros (1552) braucht das Wort *Hespanha* immer als General-

name f. 'Spanien' und Portugal (z. B. Asia 1. 3, 11 p. 248). Ebenso sein Zeitgenosse Camões, wenn er (Lus. 3, 17) singt:

> 'Eis-aqui se decobre a nobre *Hespanha,*
> Como cabeça alli de Europa toda',

ergänzt (in 3, 20) durch die Verse:

> 'Eis-aqui, quasi cume da cabeça
> De Europa toda, o reino Lusitano'

u. wieder der heutige Varnhagen, wenn er (HBraz. 1, 3) die beiden Reiche 'os dos reinos da *Hespanha*' nennt. Den engern Sinn, f. das vereinigte castilisch-aragon. Königreich, hat das Wort erst seit der bourbon. Dynastie, die mit dem Utrechter Frieden 1713 das Land erwarb, definitiv erhalten. Volksname: *Español,* plur. *Españoles.* — Angeschlossen: *Puerto d'E.,* in engl. Uebersetzg. *Spanishtown,* in Westind. 2 mal: *a)* die Hptstadt v. Trinidad, Name v. den Engl. auch seit der Erwerbg. schonlich beibehalten (Raleigh, Disc. G. 2, Meyer's CLex. 13, 123); *b)* eine der virgin. Inseln, deren zahlr. Felsen u. Klippen, welche ringsum aus der See emporragen, dem Auge v. ferne als eine Stadt mit vielen Thürmen erscheinen (Oldend., GMiss. 1, 9); ferner *b) Nueva E.* s. Mexico; *c) Española* s. Hayti; *d) Rivière Espagnole* s. Colorado; *e) Spanische Mark* s. Cataluña.

Esparceis, Ilha das = Insel der Sandbänke, in SLeone, v. der port. Exp. des Pedro de Cintra, um 1460, entdeckt u. benannt nach den 'vielen Sandbänken, die sich 10—12 Meilen längs der Küste erstreckten' (Spr. u. F., Beitr. 11, 189).

Espenberg, Cap, am Kotzebue Sd., v. russ. Lieut. v. Kotzebue (Entd. 1, 153) am 13. Aug. 1816 getauft 'nach dem Manne, welcher als Arzt mit Krusenstern die Reise um die Welt gemacht hat u. mein Freund ist'. — Ein Berg *E.,* in Sachalin, v. Capt. Krusenst. (Reise 2, 168) am 12. Aug. 1805 nach seinem Schiffsarzt Dr. Karl *E.*

Esperança, Cabo da Boa = *Cap der guten Hoffnung,* holl. *Kaap van Goede Hoop,* nannte der port. König João II. den der Südspitze Africa's genäherten merkw. Eckpfeiler, die Grenzscheide zweier Oceane, als Barthol. Diaz 1487 das früher nur v. des ägypt. Königs Necho phön. Exp. (Herod. 4, 42) erreichte Cap entdeckt u. den padrão São Filippe aufgerichtet hatte; denn j., nachdem Diaz schon bis z. Grossen Fischfluss vorgedrungen, war die frohe Hoffng., der directe Seeweg nach dem lang ersehnten Indien sei einmal gefunden: 'pola [esperança] que elle promettia deste discubrimento da India tão esperada, e per tantos annos requerida', bei Diaz anfängl. *Cabo Tormentoso* = *stürmisches Vorgebirge,* weil er, v. der Bay St. Helena kommend, es unter 13d Sturm passirt hatte ... 'per causa dos perigos, e tormentas que em o dobrar delle passárão'. Allein mit Recht trat nun dieser Name vor demj. zk., welcher in sich selbst an einen Wendepunkt in der Geschichte der Entdeckungen erinnert (Barros, Asia 1. 3, 4 p. 190). Allerdings blieb daneben der Schiffername noch lange übl.; denn Damião de Goes

(Fonseca-Camões XXVI) sagt noch: ... aos 20 (scil. de Nov. 1497) Vasco da Gama dobrou o cabo de *BE.*, a quem os marinheiros chamam *das Tormentas.* **Espérance,** das frz. Wort, ist ebf. zu toponym. Verwendg. gekommen *a) Cap d'E.*, in NFundl., v. J. Cartier am 3. Juli 1534 so getauft, weil er hoffte, in dieser Gegend endl. einen Ausweg zu finden ... 'pour l'espoir que abuions de y trouues passaige' (M. u. R., Voy. Cart. 27, Hakl., Pr. Nav. 3, 207); *b) Terre d'E.* s. Marion. — Andere Benennungen gelten dem v. Huon de Kermadeck geführten 2. Schiffe der Exp. Entrecasteaux (s. d.) *a) Port de l'E.*, im Détroit d'Entrecasteaux, Tasmania, wo die Exp. am 21. Apr. 1792 angekommen war; *b) Baie de l'E.*, Nuyts Ld., wo das Schiff just vor heftigem Sturm die Zufluchtstätte entdeckte 9. Dec. 1792; *c) Rocher de l'E.*, ein 80 m h., steiles Felseiland der Iles Kermadeck id. *Coffin Island* des americ. Capt. Coffin (Bergh., Ann. 12, 139), j. gew. *French Rock* = Franzosenfels (Meinicke, IStill. O. 1, 343), v. frz. Seef. d'Entrecasteaux am 15. März 1793 nach der einen seiner beiden Fregatten benannt (Krus., Mém. 1, 12 ff.), wie *d) Cap de l'E.*, die Westspitze der Salomone Guadalcanar (Meinicke, IStill. O. 1, 157). **Esperanza,** span. Aequivalent f. port. *esperança*, frz. *espérance* (s. dd.), in 2 ON. *a) E.*, eine v. Schweizern 1856 ggr. Colonie der argent. Prov. Santa Fé, j. in blühendem Zustande, so dass sich die 'Hoffnungen' der Colonisten so zieml. erfüllt haben mögen (Meyer's CLex. 6, 357; *b) Rio Grande de la E.* s. Colorado. **Espinay** s. Épinay. **Espinhaço, Serra do** = Rückgratkette, eine die bras. Prov. Minas Geraes durchziehende Hptkette, v. welcher, als Stamm, beiderseits Zweige auslaufen, wie die Rippen v. Rückgrat, 'significantly named by the baron of Eschwege' (Journ. RGSLond. 1874, 265). **Espirito Santo,** Ansiedelung (u. Prov.) in Brasil., v. port. donatorio Vasco Fernandes Coutinho, welcher mit vielen Colonisten hier landete u. f. sein Vorhaben die Gnade des h. Geistes erflehte: 'povoação para a qual invoquo a graça do *E. S.*, dando lhe este nome', 1548 ggr., bei den benachbarten Indianern *Mboab* = Ort der Emboabas (s. d.) genannt. Die Absicht des Gründers scheint nicht in Erfüllg. gegangen, die Anrufg. des heil. Geistes blosses Lippenwerk gewesen zu sein: 'A invocação do *E. S.* estava sò nos labios, procedera do habito, não nascera do coração' (Varnh., HBraz. 1, 151). — *Rio do ES.*, in Süd-Africa, einh. *Umkomanzi, Comate*, engl. *King George's River*, (Merensky, Beitr. 3). **Espiritu,** span. Aequivalent des lat. *spiritus*, port. *espirito*, frz. *esprit*, engl. *spirit* (s. dd.), mehrf. mit *Santo*, weil Pfingsten das Fest der 'Ausgiessg. des heil. Geistes' ist *a) Bahia de E. Santo*, in Florida, v. Ferd. de Soto, der zu Pfingsten, 25. Mai 1539, hier ankam, so genannt, bei Garcilaso de la Vega beschrieben als 'una bahia honda y buena', daher oft geradezu *Bahia*

Honda = tiefe Bucht genannt (WHakl. S. 9, XXXVII. 24. 173 f.). — *Cabo del E.Santo a)* am atlant. Eingang der Magalhães Str., benannt durch die Gebrüder de Nodal, zwei span. Captt., welche im Jan. 1619 mit ihren Caravelen hier ankamen (ZfAErdk. 1876, 452); *b)* in Samar, den v. Neu Spanien einst ankommenden Seef. der erste Punkt der Philippinen (WHakl. S. 39, 290). — Ferner *a) Archipelago del ESanto* s. Hebrides; *b) Rio de ESanto* s. Missisipi. **Esprit, Port du St.** = Hafen des heil. Geistes, eine schützende Hafenbucht an der Südseite Neu Fundlands, v. frz. Entdecker J. Cartier, der die Pfingsttage hier verweilte, am 4. Juni 1536 getauft (Hakl., Pr. Nav. 3, 231), j. *Port aux Basques* (Avezac, Nav. Cart. XII. 46); *b) Lac d'E.*, engl. *Spirit Lake*, im Netz des Missuri (Lewis u. Cl., Trav. 31, Carte); *c) Pont St. E.*, Ort im dép. Gard, nach einer Steinbrücke, welche v. Ludwig d. Heil. 1265 begonnen u. 1309 vollendet, in 21 Bogen üb. die Rhone führt. **Esquilinus** s. Caelius. **Esquimaux Cove**, in Melville Bay (s. Eskimo), v. Capt. J. Franklin (Narr. 385) im Aug. 1821 so getauft, weil er hier vschiedd. Spuren v. *E.* an den Ufern fand; *b) E. Lake*, am Eismeer, v. Dr. Richardson, dem Gefährten Franklins (Sec. Exp. 221) im Juli 1826 erreicht, schon vorher jedoch v. MacKenzie 'in several parts of his narrative' (Voy. 205. 228. 236) erwähnt. **Essabe** s. Leo. **Essalamon** s. Salem. **Essaquas Kloof**, eine Schlucht, *kloof*, im Caplande, benannt nach dem Stamm der Hottentotten, welcher in den ersten Zeiten holl. Besiedelg. noch in den Bergen um Zoetemelks-Valley hauste (Lichtenst., SAfr. 1, 260). **Essarts, les** = die Rodung, altfrz. Wort, prov. *eissart*, wie *essarter, essarti* = ausreuten, v. *ex-saritum* = das Ausgehackte, verb. *ex-saritare*, schon in den deutschen Volksrechten 'si quis ... in sylva communi *exartum* fecerit' (Diez, Rom. WB. 2, 293), erscheint oft in ON., auch in der Form *l'Essard, les Essards, Essars, l'Essart, Essert*, urk. *Exartum* 1066, *Essartae* 1291, 6 mal im dép. Eure-et-Loir, 3 mal im dép. Yonne, 9 mal im dép. Nièvre, 3 mal im dép. Aisne, 6 mal im dép. Aube, 12 mal im dép. Eure etc. (Dict. top. fr. 1, 65; 3, 49; 6, 69; 10, 100; 14, 63; 15, 78). — Auch die frz. Schweiz hat den einf. Namen, *l'Essert* u. *les Esserts*, 10 mal, daneben 2 mal *Essertes*, ferner ein *Essertine* u. ein *Essertines*, u. mehrere derselben auch durch Beisätze differenzirt (Postlex. 114 f.). **Esselborn** s. Aschaffenburg. **Essex**, ags. *Eastseaxa*, latin. *Estrasaxonia* = Ostsachsen, engl. Name eines der v. den Sachsen in Britanien um 527 errichteten Kgreiche (Camden-Gibson, Brit. 1, 348). — *E. Bay*, Galápagos, wo im engl.-americ. Kriege 1813 der americ. Commodore Porter, im alten Kriegsschiffe *E.*, stationirte u. dem engl. Handel lange Zeit hindurch grossen Schaden verursachte (Bergh., A. 3 R. 1, 361).

Essfeld s. Eiche.

Essington, Port, in Nord-Austr., v. Capt. Ph. P. King (Austr. 1, 87) am 23. Apr. 1818 entdeckt u. benannt z. Andenken seines verstorbenen Freundes, des vorm. Viceadmirals Sir William E. K.C.B. Die 1837 ggr. Colonie, *Victoria*, wurde schon im Nov. 1849 aufgegeben (Meyer's CLex. 13, 179, Cannab., Hülfsb. 3, 522).

Estacado, Llano = die abgesteckte Ebene, in engl. Uebsetzg. *the Staked Plains* (Wheeler, Geogr. Rep. 9), eine weite Gegend zw. Rio del Norte u. Arkansas R., aus der span. Zeit, da die mexic. Handelsleute die einzuschlagende Route mit Pfählen u. Stangen bezeichnen liessen (Peterm., GMitth. 5 T. 2; 22, 217, Kutzner, GBild. 2, 395). — *La Estacada* = die Pallisade, eine Estancia der argent. Prov. Mendoza (Peterm., GM. 16, 406).

Estaing, Baie d', in Sachalin, v. frz. Seef. La Pérouse im Juli 1787 getauft nach dem Adm. *d'E.,* unter welchem er 1779 gedient hatte (Milet-M., LPér. 1, XXXVI; 3, 45). — Von der Exp. Baudin: *a) Baie d'E.,* in Süd-Austr., am 3. Apr. 1802, u. *Cap d'E.,* in Känguruh I., am 5. Jan. 1803 (Péron, TA. 1, 268; 2, 59).

Estavayer s. Stäffis.

Estebán, Islas de San, bei Calif., 28⁰ NBr., zu Ende Dec. 1539, ozw. am 26., dem Stephanstage, entdeckt v. Spanier Francisco de Ulloa, den Fern. Cortez auf Entdeckungen ausgesandt hatte (Hakl., Pr. Nav. 3, 420).

Esterhazy Bay, Boothia Felix, durch die Exp. Capt. John Ross (Sec. V., Carte) 1829/33 entdect u. ozw. nach einem der ungar. Fürsten d. N. getauft.

Esther s. Fearnall.

Esteros, Bahia de los = Bay der Lagunen, eine calif. Bucht bei San Luiz Obispo (Mofras, Or. 1, 382).

Estias s. Akindi.

Estland, eine der russ. Ostseeprovinzen, benannt nach dem tschud. Volke der Esten, Aestii (Tacit., Germ. 45), die sich selbst *Rahwas* = Leute (Müller, Ugr. V. 2, 22), wohl auch, im sing., *Tallopoëg* = Sohn der Erde od. *Maamees* = Mann des Landes nennen, bei den Russen aber *Tschuchni*, *Tschuchonzi* = Fremdlinge, bei den Letten *Iggauni* = Vertriebene, als nach Norden zkgedrängten, bei den Finnen *Wirolaiset* = Grenzer heissen; das Land nennen sie *Mahrawas,* od. *Meie Maa* = unser Land, während es bei den Letten *Iggauni Semme* = Land der Vertriebenen, bei den Finnen *Wiroma* = Grenzland heisst (Meyer's CLex. 6, 374 ff.). — *Estmere* s. Frisch.

Estrechos s. Admiralty.

Estrée, Ort des frz. dép. Yonne, benannt v. der Römerstrasse, 'tire son nom de la strata romaine, sur laquelle il est situé' (Dict. top. Fr. 3, 50). — Wohl nach dem Marschall d. N., 1695—1771, hat die Exp. Baudin 2 austral. Objecte 1803 getauft: *a) Baie d'Estrées,* in Kanguroo I., 2. Jan.

(Péron, TA. 2, 58); *b) Cap d'Estrées,* hinter Nuyts' Arch., im Febr. (ib. 90).

Estrella, Puerto de la = Sternhafen, an der Ostseite v. Santa Isabel, Salom., v. span. Entdecker Mendaña am 9. Febr. 1568 so benannt, weil ihm, als er dort ankerte, bei vollem Tage ein Stern am Himmel erschien (Viajes Quirós 3, 14. 34). Die span. Exp. baute hier eine Brigg u. verblieb bis 8. Mai (ib. 43). Aus frz. Quellen stammt, auch in Homanns Atl. 1737, die Form *Port de l'Etoile.*

Estremadura, 2 iber. Landschaften, alte Provv., nach dem Durius (s. Duero) benannt, jedoch nicht 'weit v. Duero gelegen' (Ziegler, GAtl. 3), sondern f. das mittelalterlich christl. Reich der Könige v. Leon die äusserste jenseits des *D.* nach Süden gelegene Mark, extrema Durii (Meyer's CLex. 6, 381). — *S. de Nueva E.* s. Santiago.

Eszék, meist *Essek,* mag. Namensform f. slaw. *Osjek,* in Slawon., als dieses 1091 dem Königr. Ungarn einverleibt wurde, auf der Stelle der v. Hadrian od. Antoninus Pius ggr., nun z. Dorfe herabgesunkenen Colonie Mursa, Mursia, zunächst als Burg ggr., bald mit kroat. *osiek* = Abhang, Uferrand, näml. der Drau, erklärt (ZfSchulG. 3, 3), bald verglichen mit masur. *Oschekau,* v. poln. *osiec* = behauen, altpr. *osseke, ozzek* = Wehr, im Flusse (Krosta, Mas. Stud. 11, Meyer's CLex. 3, 361). Für einen festen Platz, wie *E.* einst war, würde die letztere Etym. einleuchten, wie denn kroat. *osék, čech. osek,* poln. *osiek* = Verhau, umzäunter Platz fürs Vieh, oft in ON. vorkommt: *Osečka, Osek, Osikó* in Kroat. u. Ung., *Osek, Ossegg, Ossek, Osička,* in Böhmen u. Mähren, *Osieczany* u. *Osiek,* in Galiz., *Osseg,* in Steierm. (Miklosich, ON. App. 210). Es sollte nicht allzuschwierig sein, diese Etym. auch f. *E.* sicher zu stellen.

Esztergam s. Gran.

Étables s. Stalla.

Étang s. Mort.

Etches' Sound, in Queen Charlotte Is., benannt v. engl. Capt. Ch. Duncan (1788), offb. nach den Gebrüdern *E.,* die der Pelzhandelsgesellschaft King George's Sound Co. angehörten, in deren Diensten er seine Fahrten unternahm. Es war im Mai 1785, dass sich hier Richard Cadman *E.* mit einigen andern (engl.) Kaufleuten verband — in der Absicht, den Rauchhandel zw. der nordwestameric. Küste u. China zu betreiben (GForster, GReis. 1, 55 f. 55; 2, 209; 3, 3). — *Port E.,* Montague I.. im Mai 1787 benannt v. engl. Capt. Nath. Portlock, Schiff King George (ib. 3, 102 ff. 114).

Etivaz, l', ein v. hohen Alpen eingeschlossenes, z. waadtl. Gem. Château d'Oex gehöriges, bewohntes Thal, 1478 *Lestivaz,* 1514 *Leytivaz,* ozw. v. lat. *aestiva* = Sommerweide . . . 'la vallée tire son nom des pâturages d'été qu'elle renferme et où les troupeaux restent pendant dix ou onze semaines' (Mart.-Crous., DVaud 355, Gatschet, OForsch. 35, Gem. Schweiz 19, 2ᵇ, 73).

Etruria s. Toscana.

Ets pot agie s. Bighorn.

Etoile, Pic de l', Insel der NHebriden, ein einziger Kegelberg v. 884 m Höhe, ein alter Vulcan v. wenigen km Umfang, einh. *Meralava*, v. frz. Seef. Bougainville (Voy. 242) aus der Ferne gesehen u. nach der *E.*, dem einen seiner beiden Schiffe, in der Carte jedoch *Pic de l'Averdi* (pl. 10) benannt, sollte also nicht, wie bei Markham (Journ. RGS. 1872, 218), in *Star Peak I.* od., wie in deutschen Atlanten, in *Stern Pic* übsetzt werden. Fleurieu (Dec. 42) u. nach ihm Krus. (Mém. 1, 194) u. Markham (a. a. O.) hielten das Eiland f. Nuestra Señora de Luz; allein Meinicke, der genaue Kenner Australiens, findet diese Annahme falsch (IStill. O. 1, 183). — Ebf. v. Bougainville (Voy. 169) *Cap de l'E.*, in der Magalhães Str., Jan. 1768, wie *Cap de la Boudeuse*, nach dem 2. Schiffe. — *Port de l'E.* s. Estrella.

Etschmiadsin = Niederlassung des Eingebornen, nach Brugsch, Pers. 1, 133: er ist herabgestiegen, arm. Name der Klosterresidenz des Patriarchen, nach der Sage, dass an der Stelle, wo die Kathedrale steht, sich der Erlöser nach seiner Himmelfahrt persönl. niedergelassen, dem heil. Gregor, dem Erleuchter des arm. Volks, seinen Willen, hier einen Tempel des wahren, unverfälschten Glaubens zu errichten, kund gegeben u. z. Bezeichng. des Umfangs der Kirche sich eines Lichtstrahls wie eines langen Zeigers bedient habe, bei den Tataren *Utsch-Kilissa* = die 3 Kirchen, wohl weniger (meint Parrot, Ar. 1, 82) nach einer Dreizahl v. Gebäuden, als nach der Dreieinigkeitslehre, welche den Muhammedanern als ein hervorstechender Ggsatz des Christenthums schon früh aufgefallen sein mag, ähnl. wie das *Utsch-Kilissa* v. Bajased arm. (nicht *Jerek-Wank* = 3 Klöster, sondern) *Jeritz-Wank* = Kloster der 3 heisst. Andere weisen, bez. der 3 Kirchen, auf die im 4. Jahrh. erbaute u. im Rufe grösster Heiligk. stehende Patriarchalkirche (Kloster erst um 524, zZ. des Patr. Narses) u. die bei den Armeniern ebf. in grossem Ansehen stehenden Filialen Kaiane u. Hripsime (Meyer's CLex. 6, 394). Der Ort selbst soll v. Erovand I. (—600) ggfr., durch König Vagharsch (im 2. Jahrh. nach Christ) mit Mauern umgeben worden u., als *Vagharschabad*, bis in's 4. Jahrh. Residenz geblieben sein (Spiegel, Eran. A. 1, 149).

Ettenheim, im 8. Jahrh. *Etinheim, Ettinheim* etc., Ort des bad. Kr. Freiburg, am *Ettenbach*, v. Bischof Haddo, Heddo, v. Strassburg 763 ggfr., in der Nähe, aus dem 8. Jahrh., die Benedictinerabtei *Etten(heim)münster* (Meyer's CLex. 6, 394). — Auch adene ON., wie *Ettenhausen, Ettenbohl*, nach einem PN. Atto, gen. Ettin (Förstem., Altd. NB. 509, Mitth. Zürch. AG. 6, 142).

Ettrichan s. Lächowsky.

Ettuahein s. Tahuna.

Euböa, gr. *Εὔβοια* = Land guter Rinderzucht, 'Bullheim' (Pape-Bens.), der Länge halber früher *Makris* (s. d.), auch *Oche* nach ihrem gleichnam. Berge, den man f. den höchsten hielt. Seit dem Mittelalter übertrug man den Namen der Meer-

enge in der verd. Form *Ewripo, Egribo, Egripos* (s. Euripos) auf die anlieg. Hptstadt., das alte Chalcis, u. die ganze Insel, in *Egri-* od. *Negropont* = schwarze Brücke (Fiedler, Griech. 1, 420, Kiepert, Lehrb. AG. 255) od. in *Negentpont* = Schifffahrtsbrücke umgedeutet, weil üb. den Sund eine 5 bogige, 66 m lg. Steinbrücke ging, deren Mittelbogen eine Zugbrücke, f. d. Durchfahrt, hatte (Pauthier, MPolo 1, 16).

Eudaimon s. Jemen.

Euganeï, Monti, alt *Colles Euganei*, ein oberital. Höhenzug bei Padua, daher auch *M. Paduani*, benannt nach den alten Bewohnern, den tusk. Euganeern (Kiepert, Lehrb. AG. 378. 389).

Eugendi s. Claudius.

Eugène, Ile, Nuyts Arch., v. der frz. Exp. Baudin im Febr. 1803 nach dem kais. Stiefsohne *E.* Beauharnais benannt (Péron, TA. 2, 89). — *Eugensberg*, Schlossgut am Bodensee, v. Vicekönig *E.*, Herzog v. Leuchtenberg, erbaut (Gem. Schweiz 17, 262). — *Eugenien Inseln* s. Peters d. Gr. Bay. — *Cap San Eugenio* s. Engaño.

Euhesperidae s. Benghâsi.

Euho s. Yeun Liong.

Euler, Cap, am Spencer's G., v. Lieut. Freycinet, Exp. Baudin, am 28. Jan. 1803 getauft nach dem Basler Mathematiker Bernhard *E.* 1707/83 (Péron, TA. 2, 80).

Eupatoria, mod. ON. der Krim, f. russ. *Kozlow* eingeführt in russ. Form *Jevpatoria*, ist die ganz willkürl. Uebertragg. v. *Eupatorion*, wie eine zZ. Mithridates' VI., mit dem Beinamen Eupator, angelegte, später in *Magnopolis* (s. Siwas) umgetaufte Befestigg. der unter seinem Schutze stehenden dor. Hafenstadt Chersonesos, j. Sebastopol, genannt wurde (Kiepert, Lehrb. AG. 349).

Euphrat, gr. *Εὐφράτης*, in den Keilinschriften v. Bisutun *U-frâtus* = sehr breit, altpers. *frâta*, skr. *prathu*, gr. *πλατύς* (Bopp, VGramm. 1, . . ?, Journ. As. 1851, 425), während man auch *U-frâtu* = gute Furten übsetzt (Spiegel, Eran. A. 1, 150), in der Bibel nach dem bei den Anwohnern wie v. Nil sprichw. Wasser *phrath*, פְּרָת; im aram. ist *ephrat* = süsses Wasser. Der *E.* entsteht aus zwei fast gleich starken Quellflüssen: *a*) dem nördl., kürzern, arab. *Furad, Furât, Frât*, türk. *Kara-Su* = Schwarzwasser, der namentl. desw., dass er mit seinem Theil seines Laufs Jahrh. lg. die Ostgrenze des Römerreichs bildete, seinen Namen üb. das Abendland verbreitet hat, *b*) dem südl., längern, türk. *Murâd-Su*, armen. *Aradzani*, woher ant. *Arsanias* (Kiepert, Lehrb. AG. 74. 136). Den Namen *Schatt el-Arab* s. Tigris.

Eupolis s. Philipp.

Euren u. **Euerbach** s. Uri.

Euripos, gr. *Εὔριπος* = die rasche See, heisst jede Meerenge mit starkem Wechsel der Gezeiten: *a*) die v. Knidos u. Mytilene (Paus. 8, 30, 2); *b*) der Pyrrhäer (Strabo 617); *c*) bei Karthago (ib. 832), bes. aber *d*) der Sund v. Euböa, der als stürmisch galt u. eine tägl. 7 mal wechselnde Strömg. haben sollte (Strabo 403), also dass die Ableitg. v. *ῥιπή, ῥιπίζω* = Gewalt, Andrang, impetus, derj. v. $\varrho\iota\psi$ = Binse, Rohr, vorzuziehen ist (Pape-Bens.).

Europa, alter Name der grossen abendländ. Halbinsel Asiens, wurde schon Herodot (4, 45) unter myth. Gewande gezeigt: Wie Asia u. Libya sollte auch *E.* nach einem Weibe benannt sein, der phön. Königstochter, welche der liebentbrannte Zeus auf seinem Rücken üb. das Meer nach Kreta trug — also dass die Geschicke der Entführten mythologisch die Wahrheit darstellten, *E.* sei v. Asien aus bevölkert worden. Beide Namen, *A.* u. *E.*, waren den ältern Griechen schon unverständlich; sie sind ungriechisch, ozw. semitisch, wie denn die Phönizier der nautisch-geogr. Lehrmeister der Hellenen wurden u. die assyr. Macht frühe bis Kl.-Asien, wohl bis z. ägäischen Meer, reichte. Schon Sam. Bochart (Geogr. Sacra . .) dachte an phön. ־־־־, *Ereb* = Abend, wie schon Hesych. in seinem Lex. das Wort erklärt: 'die Gegend des Abends, die dunkle Gegend'. Diese Ableitg., gebilligt v. Th. Hyde, Gatterer, Voss (Alte Weltk. XIV), Ukert, 'übh. den meisten Autoren, welche den Phön. die älteste Benenng. der Erdtheile zuschreiben', hat sich bewährt: in den assyr. Inschriften werden *aҫu* = Sonnenaufgang, Osten, u. *ereb, irib* = Sonnenuntergang, Westen oft einander ggübergestellt. Da, wo die beiden Richtungen am griech. Meere sich ggb. treten u. Inselbrücken die beiden Landseiten verbinden, lag der Ggsatz v. Morgen- u. Abendland vor Augen, dort unser Kl.-Asien u. was sich ihm anschloss, hier Griechenland u. weiter westwärts. Bei diesem Stande heutiger Anschaug. hätte der Einfall des schwäb. Pfarrers L. Fr. Heyd (Etym. V. 125 ff.), welcher den Ursprung beider Namen am Pontus, 'v. Tanais über den Kaukasus bis an den Hellespont' sucht, dort ein Bergland der Asen, *Ἀσία γῆ* = asisches Land u., diesem nördl. u. nordwestl. anstossend, die Ebene der Skythen, gr. *Εὐρώπη*, d. i. *εὐρά ἀπία* = das weit ausgebreitete, flache Land findet, nur noch den Werth einer histor. Reminiscenz, wenn nicht 40 Jahre später der Grossmeister mod. Erdkunde, K. Ritter (Eur.-Vorl. 41 ff.) diese Annahmen, mehr geistreich als solid, gebilligt u. ausgebaut hätte. Auch er sucht den Ursprung am Kaukasus, wo die beiden Namen als Naturgegensätze entstanden: am Ostufer der Palus Maeotis findet er zahlr. 'Ueberreste des Namens Asia': Asische Städtebewohner, Asburgianen, Asaei, Asa-Meer, Asa-Land der nord. Heroenlehre, 'den Ursitz der Asen, ihrer Götter u. Heroen ... Von diesem Asengeschlechte ... erhielt die alte Heimat bei allen westl. Völkern ... den Namen 'Land der Asen', *Ἀσία γῆ* = asisches Land, heiliger Boden'. Aus dem Ursitz, im bergigen Osten, zogen die Völker in die neuen Sitze, das Flachland des Westens; das skyth. *ἀπία* = Land ist 'gewiss ein dort alteinh. Name, dem man zu den Resten kimmerischer, altthrak. od. nordthessal. Appellativa rechnen muss ... *E.* wäre also die weit ausgebreitete flache Erde, der wahre natürl. Ggsatz z. hohen Asien'. Eine verunglückte Ableitg. bietet

noch 1875 J. N. Sepp (Ausl. 48, 219 ff.): v. zend *urupis* = vulpes od. *oropesch* = Hund, also 'Welfenland'. Bei den Arabern wird *E.* als *Berr er-Rûm* = Land der Christen, eig. 'Land v. Rom' bezeichnet (Parmentier, Vocab. arabe 14). — *Europos* s. Teheran. — *Punta de E.* s. Africa. — *E. Island* s. João de Lisboa.

Eurotas, gr. *Εὐρώτας* = Schönströmer, der Hauptfluss Lakoniens (Curt., Pel. 2, 209), ngr. *Iri* (Kiepert, Atl. AW. 18). Sein 'reines, klares Wasser ist erfreul. zu sehen; seit 2 Jahren hatte ich nicht ein ähnl. Flüsschen gesehen' (Fiedler, Griechl. 1, 317).

Euscaldunac s. Basken.

Eusebeia s. Caesarea.

Euxeinos s. Pontus.

Eva s. Adam.

Evangelistas, los = die Evangelisten, vier Inselklippen am westl. Ausgang der Magalhães Str., 3 davon platt, die vierte, etwas entferntere, einem Heuschober ähnl. (Boug. Voy. 171), im Ggsatz zu der benachbarten zahlreichern Gruppe der 12 Apostel, *los Apostoles*, v. einem span. Seef. des 16. Jahrh., wohl v. Sarmiento 1580, so getauft (ZfAErdk. 1876, 366), bei Rich. Hawkins 1594 *Sugar-Loaves* = Zuckerhüte (Debrosses, HNav. 156), bei John Narborough 1670, welcher bemerkte, dass sich der Seemann hüten muss, seinen Curs östl. vorbei zu nehmen u. so auf die Inselbrocken der Küste geworfen zu werden, *Islands of Direction* = Leitinsein, 'because they formed a capital leading mark for the strait of Magellan' (Hawk., Acc. 1, 315, Fitzroy, Narr. 1, 156, ZfAErdk. nf. 3, 327). — *Evangelista* s. Pinos.

Evans's Bay, eine austr. Bucht bei C. York, in den Jahren 1844 45 wiederholt besucht v. engl. Capt. F. P. Blackwood u. benannt nach dem master seines Schiffes Fly (Jukes, Narr. 1, 139). — *E.' Isle* s. Nuyts.

Evening Reef = Abendriff, in Houtman's A., v. Capt. Stokes (Disc. 2, 162) am Abend eines Maitags 1840 entdeckt. — *E. Island* s. Lord North.

Evêque, Villarzel l' = Bischofswyl, im 13. Jahrh. ein waadtl. Flecken, dessen sich der Bischof v. Lausanne in Folge einer v. Ortsherrn angezettelten Verschwörg. bemächtigte (Gem. Schwz. 19, 2ᵇ, 215). — Ein Berg *E.* im Walliser Val d'Hérens, dem Mont Collon benachbart, so benannt v. den Hirten v. Prå gras u. andern höhern Alpen, weil er v. da aus einer Mitra ähnlich sieht. Unten v. den Mayens de l'Arolla aus gesehen, duckt er sich gar sehr hinter dem *Grand Mont Collon* u. heisst dort *le Petit Mont Collon*, wohl unpassend, da er fast 100 m höher ist als jener. In der Nähe ein Pass *Col de l'E.* (RRitz, OB. Eringerth. 372).

Eve = Wasser, kelt. Wort, dem lat. *aqua* (s. Eau) verwandt, f. uns der Vertreter einer zahlr. Familie v. ON. wie *Aire,* dép. Oise, *Evelle,* dép. Côte d'Or, *Evaux,* dép. Creuse, röm. *Eraunum,* im Mittelalter *Erahon(i)um,* noch im 18. Jahrh. *Evaon,* nach den 18. salin. Thermen v. 29—56° C.

(Rev. Celt. 6, 260ff., Longnon, GGaule 466, Meyer's CLex. 6, 455), *Evières*, bei Angers, *Aivaille*, Belg., *Deux-E'vailles*, dép. Sarthe, *Longeau*, f. *Longava*, dép. Meuse, *Longuève* = Langwasser, ein Zufluss der Huisne, *Bellève* = Schönwasser, ein Zufluss der Sarthe, *Mégève* = mittleres Wasser, *Evires*, f. *Evières*, in Savoyen, mit Collectivendg. *-ières* entspr. rom. *-arius*, nach burgund. Aussprache *-ires* (Houzé, Et. NL. 76 ff.), *Evian*, ebf. in Sav., urk. *Aquianum*, *Acquianum* = Baden, nach den nahen Heilquellen v. Amphion, *Evionnaz*, bei St. Maurice, Wall., in Collectivform 'wasser- od. heilquellenreicher Ort' (Gatschet, OForsch. 87), *Evolena*, f. *iv ue lena*, lat. *aqua lenis* = gelindes, seifenartiges Wasser (ib. 68), v. dial. *evoé*, Ort im Val d'Erins, nach einer Quelle 'unvergleichl. Wasser', wahrsch. derj., welche auf einer Wiese hinter dem Pfarrhause unter grossen Felsblöcken sehr stark hervorbricht u. in den Dorfbrunnen geleitet wird. Der Name 'würde auf die Borgne, einen Gletscherstrom, welcher seinen wilden Ursprung selbst in dem schönen Wiesengrunde v. Evolena nicht verleugnet, schlecht passen' (Fröbel, Penn. Alp. 86).

Everest, Mount, der zu Ende 1849 v. der ind. Landesvermessg. entdeckte 8840 m h. Culm des Himalaja u., so viel bekannt, der ganzen Erdoberfläche, nach dem Ingenieurobersten Sir George *E.*, welcher, geb. 1790, schon 1806 nach Indien ging, seit Lambton's Tode die 1813 begonnene trig. Landesvermessg. leitete, in den Jahren 1823/43 bis Kalkutta u. z. Himalaja ausdehnte u. 1866 in London †. Der Berg ist v. *E.'s* Nachfolger Sir Andrew Waugh getauft u. zwar zuerst in einem Schreiben an die ind. Regierg., 1856 vor der R. Geogr. Society in London. In deren Sitzg. v. 11. Mai 1857 wurde des engl. Residenten in Kathmandu, Brian Houghton Hodgson, Einspruch, dass der Berg ja schon seinen einh. Namen habe, verhandelt, u. der eben anwesende Oberst *E.* gab insb. zu, dass die Umwohner seinen Familiennamen gar nicht auszusprechen vermögen. Seitdem 1861 der Gebr. Schlagintweit 'Results of a scientific mission to India and High Asia' (Atl. zu Bd. I T. 1) den nepales. Namen *Gaurisankar* brachte, ist dieser zu starker Verbreitg gelangt; er kommt, rein dargestellt aus dem Skr. zu erklären, v. *Gaurî* = weiss, gelblich, schön, einem Beinamen der Parwati, Siwa's Gemahlin, die hier als milde gütige Göttin erscheint, u. *sánkar, sánkara* = wohlthätig, segenbringend, einem Beinamen Siwa's. Unterverstanden ist hier, wie bei *Tschamalhári* s. d.) *ri* = Berg, so dass der volle Name bedeutet 'der Göttin u. des Gottes Berg'. Andere nepales. Namen sind *Deo-* od. *Devadhunga* = Sitz der Gottheit, auch 'Oberherr der versammelten Götter', auch z. Bezeichng. der ganzen Gruppe gebr., u. *Bhairav-langur*, welches Bhairava den Namen Siwa's (s. d.) in seiner grausigen Form, enthält u. als 'der aus dem Bergpasse entstandene Siwa' erklärt wird. Der tibetan. Name *Tsungau*, *Tsangañ*, ist nur die verd. Aussprache v. *sánkara*, der zweite *Gnalham Thangla* = der über

den Steppen thronende höchste Gott u. seine Tochter, der dritte *Chingopamari*, eig. *Tschingopangmari* = der Vater u. Mutter beherrschende Berg. All diesen Namen liegt die Anschauung zu Grunde, dass der Oberherr der Götter mit seiner Gemahlin den Sitz in diesem Gipfel aufgeschlagen habe (Schlagw., Gloss. 193, Peterm., GMitth. 14, 30; 34, 338 ff.). Bei den Indern heisst der Berg auch *Kotivara* = die vornehmste der Spitzen (Lassen, Ind. A. 1, 79).

Evonymus s. Lisca.

Evratschey O. s. Hermogenes.

Évreux, Stadt des frz. dép. Eure, bei Ptol. u. Amm. Marc. *Mediolanum* (s. Milano), auf der Peut. T. *Mediolanum Aulercorum*, nach dem Keltenstamm der Aulerci od. Eburovices (Meyer's CLex. 6, 469), auf kelt. Münzen *Ibruix*, in den Not. Gall. civitas *Ebroicorum*, *Evaticorum*, auf caroling. Münzen *Ebrocas* civitas, 878 *Ebrocensis* civitas, 1212 *Ebricae*, 1245 *Evreues*, 1258 *Ebroyce*, 1267 *Evreus* (Dict. top. Fr. 15, 80) — Verführerisch anklingend der Flussname *Eure*, alt *Auctura*, *Authura*, *Othura*, 889 *Odura*, 1087 *Audura*, 1197 *Euria*, 1223 *Eure*, 1723 *Ure* u. häufig, wie verschiedene Reime älterer Dichter beweisen, auch *ure* gesprochen (Dict. top. Fr. 1, 66; 15, 79), u. wirkl. finde ich f. *E.* auch einen Namen *Autricum* 'qui veut dire 'arrosé par *l'Autura*', aujourd'hui *l'Eure*' (d'Arbois de Jub., Rech. NL. 565).

Ewart, Cape, in Ost-Grönl., v. engl. Walfgr. Will. Scoresby jun. (North. WF. 231) am 29. Juli 1822 entdeckt u. nach Hrn. Peter *E.*, in Manchester, getauft.

Ewlia s. Bagdad.

Ewlialar s. Balta.

Ewripo s. Euboea.

Exarchat, gr. Name des Gebiets, welches nach den Gothenkriegen der griech. Kaiser in Italien behauptete, 6.—8. Jahrh., weil der kais. Statthalter den Titel *exarchos* = der Erste, der 'Fürst' hatte (Meyer's CLex. 6, 463). Vergl. Banat. — *Exomytis*, ngr. 'Εξωμύτης = ή έξω μύτη = die äussere Nase, die Südspitze Thera's (Ross, IReis. 1, 69).

Excavada, Agua = gegrabenes Wasser, span. Name eines Thals in New Mexico. 'Es ist diess eines derj. Thäler, in deren Boden ein continuirl. Aufsteigen v. Feuchtigk. statt findet. Sie tritt aber nirgends an der Oberfläche zu Tage, sondern wird, wenn sie sich ders. nähert, rasch v. der trocknen Atmosphäre verschluckt. Wo man aber hier ein 2 m t. Loch gräbt, stösst man auf Wasser — eine Thatsache, die den Indianern u. Mexicanern ... wohlbekannt ist und der das Thal den Namen verdankt' (PM. 21, 452).

Exeter, Ort v. Devonshire, kelt. *Caer-Isk*, röm. *Isca Damniorum*, ags. *Exancester*, alles s. v. a. Stadt am Ex, d. i. dem dort vorbeifliessenden Flusse (s. Ouse), an dessen Mündg. *Exmouth* = Mündung des Ex liegt (Meyer's CLex. 6, 474. 477), letzterm ähnl. *Eymouth* = an der Mündung der Eye, Schottland (ib. 494). Im röm. Namen liegt wohl der des Keltenst. jener Gegend. — *E.*

Sound, in Davis Str., v. Capt. John Davis im Aug. 1585 getauft (Rundall, Voy. NW. 39, Forster, Nordf. 348), wohl nicht prsl., sondern zu Ehren der Stadt *E.*, die wie andere westl. Häfen der erwartete Reichthum an Walen, Robben u. Pelzen zu Förderg. der Nordwestfahrten veranlasste (Hakl., Pr. Nav. 3, 101). 'The important discovery of a free and open passage to the westward, . . . the great number of whales, seals, deer-skins, and other articles of peltry ... excited such lively hopes at home for the extension of the traffic and discovery, that the merchants of *E.*, and other parts of the west of England, contributed a large trading vessel of one hundred and twenty tons, to accompany the little squadron of Davis on a second voyage' (Barrow, Arct. V. 109).

Exhibition s. Sandy.

Exmouth, Name eines Hafenorts Englands (s. Exeter), ist zugl. Adelstitel u. daher 2 mal in Entdeckernamen, zu Ehren des 'noble and gallant viscount' Edward Pellew *E.*, welcher, geb. 1757, schon mit 13 Jahren in den Seedienst trat, in verschiedd. Seekriegen sich auszeichnete, Vice-Admiral, unter dem Titel Lord *E.* v. Canontrige z. Peer erhoben wurde, gemeinsam mit dem holl. Vice-Admiral van Capellen am 27. Aug. 1817 den Seeräuberstaat Algier demüthigte u. 1833 †: *a) E. Island,* im Belcher Ch., vorher 'simply' *Red Island* = rothe Insel, weil diese aus rothem Sandstein besteht, v. Capt. Edw. Belcher (Arct. V. 1, 105) am 27. Aug. 1852 entdeckt u. nach dem Jahrestage der 'action at Algiers'; *b) E. Gulf,* neben Nordwest Cape, NHoll., v. Capt. Ph. P. King (Austr. 1, 29) am 18. Febr. 1815 getauft.

Expectation Bay = Bay der Erwartung, im Canal San Andres, benannt durch eine Abth. der Exp. King-Fitzroy (Adv.-B. 1, 339), welche am 12. März 1830 in den Canal einlief voller Erwartg., sie werde eine interessante Entdeckg. machen ... 'in full anticipation of making some interesting discovery'.

Expedition Pass, ein leichter Bergübergang v. austr. Victoria, v. der Exp. Mitchell (Three Expp. 2, 279) am 29. Sept. 1836 benannt.

Explorer's Rock, ein Fels, mitten im Fahrwasser des R. Colorado bei niederm Wasserstande sehr gefährl. Als Anf. März 1858 die Exp. des Capt. Ives (Rep. 81 f.) den Strom aufw. befuhr, war der Wasserstand aussergew. niedrig, u. wie durch ein Wunder entging der Dampfer *E.* dem Untergang. Man hatte kurz vorher eine Stromschnelle glückl. passirt; die Lothungen fielen aussergew. günstig aus, 'and we were shooting swiftly past the entrance (scil. des Black Cañon), eagerly gazing into the mysterious depths beyond, when the Explorer, with a stunning crash, brought up abruptly and instantaneously against a sunken rock. For a second the impression was that the cañon had fallen in. The concussion was so violent that the man near the bow were thrown overboard; the doctor (scil. Newberry, der Geol. der Exp.), Mr. Mollhausen (so schreibt Ives constant den Namen), and myself, having been seated

in front of the upper deck, were precipitated head foremost into the bottom of the boat; the fireman, who was pitching a log into the fire, went halfway in with it; the boiler was thrown out of place; the steam pipe doubled up; the wheelhouse torn away, and it was expected, that the boat would fill and sink instantly by all, but Mr. Carroll (der Maschinist), who was looking for an explosion from the injured steam pipes. Finding, after a few moments had passed, that she still floated, capt. Robinson (der Lootse der Exp.) had a line taken into the skiff, and the steamer was towed alongside of a gravelly spit a little below; it was then ascertained that the stem of the boat, where the iron flanges of the two bow sections were joined, had struck fair upon the rock, and that, although the flanges were torn away, no hole had been made, and the hull was uninjured. After making these unexpected and welcome discoveries, the captain and myself went out in the skiff and examined the rock. It stands in the centre of the channel, has steep sides and a conical shape. The summit, which comes almost to a point, is about four inches below the surface of the water; and if the boat had struck half an inch to one side or the other of the flanges, the sheet of iron that forms the bow would have been torn open as though it had been a strip of pasteboard'. — *E.'s Pass*, eine Schlucht obh. Fort Yuma, 'the pass which we call after our little steamboat', am 12. Jan. 1858 (ib. 46).

Exquilinus s. Caelius.

Externum M. s. Atlas.

Extreme Hoek = äusserste Spitze, in Nordostland, auf ältern (holl.) Carten mit Unrecht als die nördlichste dieses Landes bezeichnet (Torell u. Nord., Schwed. Expp. 191). Der Sund, welcher die noch nördlichere mit North C. endigende Halbinsel v. Hptlande trennen sollte, hat entw. nie existirt od. ist in Folge der Hebg. des Landes od. des Vorschreitens der Gletscher geschlossen worden. — *Estremadura* s. Duero.

Eyjafialla Jökull = Inselberg, v. nord. *ey* (s. Insel), 'ein schreckl. Vulcan' Isls., hinter den Westmänner In., 'wg. der nahen Inseln so genannt' (Preyer-Z., Isl. 25), *b) Eyjafjördur* = Inselbucht, ebf. in Isl., ein tief eindringender Fjord (ib. 163), bei Hildebrand (Sagot. 12) in schwed. *Öfjärden* übsetzt, an der Bucht der Hafenort, 'den vigtigaste orten på Islands nordkust'; *c) Eyjafjardar Kaupstadir* s. Akureyri.

Eymouth s. Exeter.

Eyre, Lake, in Süd-Austr., v. dem 1815 geb. engl. Reisenden Edward John *E.*, welcher 1833 nach Sydney ging u. als der erste 1839 v. Adelaide aus über den Vincents G. hinaus vordrang, auf einer 2. Reise 1840 vermeitl. als einen Theil des L. Torrens am 14. Aug. erreicht, v. Babbage, welcher 1858 die erste genauere Kunde darüber verbreitete, nach einem Vorgänger *Gregory Lake* genannt (Peterm., GMitth. 6, 297; 9, 299, Meidinger, Br. Col. A. 114. 119). — *E. Sound,* hinter Wellington I., v. der Exp. King-Fitzroy (Adv.

B. 1, 337) am 28. Febr. 1838 nach Sir George
E. getauft.
Eystrasalt s. Ostsee.
Eythinyuwuc s. Cree.

Ezapan = Blutwasser, Name des Teichs, in welchem die aztek. Priester nach ihren strengen u.
grausamen Bussübungen sich reinigten (Acosta,
HNat. y Mor. 5 c. 17).

F.

Facile Harbour = leicht (zugänglich)er Hafen,
eine Bucht v. Resolution, NSeel., v. Cook (VSouthP.
1, 93) im Mai 1773 benannt u. unter Umständen
z. Ankern empfohlen.

Facing Island = vorliegende Insel, ein lang-
gestrecktes niedriges Eiland, 'a slip of rather low
land, eight miles in length and from two to half
a mile in breadth', welches Port Curtis (s. d.)
vorliegt, die Bucht vor der See schützt u. 'in
fact' den Hafen bildet, v. Seef. Flinders (TA. 2,
19, Atl. 10, Carton) am 8. Aug. 1802 benannt.

Factory Island, eine der Los-In. (s. Idolos), offb.
nach der dort befindl. Factorei der Sclavenhändler.
Die Ostsspitze heisst *F. Point* (Grundemann, Miss.
Atl. 2).

Fadejewski, einer der neusibir. Inseln, nach dem
Mammuthsucher, welcher dort die erste Wohng.
baute, entdeckt 1805 durch Sannikow, einem
Commis des Kaufmanns Sirowatski, der als Nachfolger Lächow's das Monopol der Mammuthhaus-
beute erhalten hatte (Wrangell, NSib. 1, XXXIII).

Fae, Faedo s. Fayal.

Fältschen s. Fläsch.

Fär Öer = Schafinseln, v. altsk. Worte *faer*,
dän. *faar*, u. *öe* = Insel, eine atlant. Inselgruppe, v. den Normannen, welche sie 861 entdeckten u. in Besitz nahmen, deswegen genannt,
weil die hierher verpflanzten Schafe wohl gediehen u. im Freien überwintern konnten (Preyer
u. Zirkel, Isl. 19, Ritter-Daniel, Gesch. Erdk. 201).
Schon der Uebersetzer v. Schouw (Europa 25)
warnte: Es ist also widersinnig, *F. Inseln* zu
schreiben, wie man gewöhnl. liest. — Im sing.
das schwed. *Fårö*, Insel an der Nordostecke Gothlands.

Fage s. Fayal.

Fahr s. Furt.

Faïdo s. Fayal.

Faigne s. Veen.

Fain = Heu, rätor. Wort v. lat. *foenum, fae-
num*, wie ital. *fieno,* frz. *foin,* altfrz. *fein,* port.
feno, span. *heno,* gern in ON. der Alpen, wie
Val da F., f. ein triftenreiches Seitenthal des
Engadin (Gem. Schweiz 15, 195). Von seinen
Wiesen, welche sich zieml. weit hineinziehen,
wird viel würziges, kostbares Heu gewonnen,
welches man nach Bernina u. Pontresina heraus-
führt. Das Thälchen 'ist auch ausserordentl. reich
an seltenen Pflanzen der vielfachsten Arten, eine
eig. Fundgrube f. die Botanik' (Lechner, P.Lang.
94). — Ebenso *Fanas* = heureiche Gegend, Ge-

meinde im Prätigau (Gatschet, OForsch. 157),
Finakl, etwa *il Fenaculo* scil. monte = Heu-
berg, Berg im Pinzgau (Th. v. Grienberger, Rom.
ON. 28). — *Les Fenils* = die Heugaden, enge
Thälchen in der waadtl. Gemeinde Rougemont.
Der älteste Weiler v. Unter-Ormonds *les premiers
Fenils* = die ersten Heugaden (Gem. Schweiz
19, 2[b], 74).

Fair Hafen = schöner Hafen, so heisst — schon
bei den ersten engl. Spitzbgfahrern — die Ge-
sammtheit der Sunde u. Häfen bei Smeerenberg,
wg. der Menge guter u. geschützter Ankerplätze,
welche sich dem Seemann hier bieten (Phipps,
Northp. 44 f.). Nach Torell u. Nord. (Schwed.
Expp. 317) rührt der Name v. engl. Seefahrer
Jonas Poole 1610, nach Forster (Nordf. 402) v.
Fotherby u. Baffin 1614 her. — Ferner *b) F.
Foreland,* die Nordwestspitze v. Prince Charles'
Foreland, v. Jonas Poole 1610 getauft (Torell u.
N., Schwed. Expp. 317); *c) F. Head,* ein prächtiges Vorgebirge nächst der Bay v. Ballycastle,
NeuIrland, eine aus einem Chaos formloser Blöcke
senkrecht bis 180 m emporsteigende nackte Basalt-
säulenmasse (Sommer, Taschb. 17, 18); *d) F. Island,* in alter Form *Fayre Iland* (WHakl.S. 1,
107) angebl. in Falkland Is., v. engl. Seef. Rich.
Hawkins 1594 getauft ... 'faire by the shore,
lyeth a low flat iland of some two leagues long; we
named it *F. I.;* for it was all over as green
and smooth, as any meddow in the spring of the
yeare'. Aus *Fayre* hat Debrosses (HNav. 150)
Fairy, eine 'Feeninsel', gemacht; *e) F. Mount,*
ein felsiger Uferberg am Schuylkill, bei Philad.
(u. dabei *Fairmount Park*), zZ. W. Penn's noch
mit Urwald bedeckt u. v. ihm z. Sitze ausersehen
(Keyser, FPark 11 ff.); *f) F. Ness,* wo *ness,* alt
nesse = Nase, 'Point', ein Landvorsprg., eig. eine
Inselgruppe der Hudson Str., am 19. Juni 1615
getauft v. der Exp. Bylot-Baffin, nach dem schönen
Wetter, welches sie hier längere Zeit begünstigte
... by reason of the fayre wether we had at this
place, for from this 19 daye till the 27 daye
(yea tyll the 30) the wether was so faire, cleare
and calme, that it was more then extraordinary
in this place (Rundall, Voy.NW. 117); *g) Fair-
way Rock* = Schönwegfels, die südöstl. der drei
Inseln der Berings Str., ein hoher viereckiger Fels,
ein vorzüglicher Führer z. östl. Canal, welcher
weiter u. besser ist, als der westl. u. darum so
genannt im Juli 1826 v. Capt. Beechey (Narr. 1,
246); *h) F. Weather* s. Stinking Water; *i) Mount*

F. Weather = Schönwetterberg, ein hoher Spitzberg Alaska's (u. dabei *Cape F. Weather*), 'a very high peaked mountain', v. Capt. Cook(-King, Pac. 2, 345 f.) am 3. Mai 1778 so benannt, weil auf das stürmische Wetter, welches seinen Untersuchungen so hinderlich gewesen, nun wieder helle Witterg. gefolgt war, unnöthig in Carten (Stieler, HAtl. 1859 No. LIV) in *Cerro de Buen Tiempo* hispanisirt.

Fairfax s. Moresby u. Gallow.

Fairy Fall = Feensturz, ein schöner Wasserfall im Becken des Fire Hole (s. d.), v. Oberst Barlow so genannt nach der Anmuth des 76 m h. Falls: from the graceful beauty with which the little stream dropped down a clear descent of 250 feet (Hayden, Prel.Rep. 112). — *F. Island* s. Fair.

Faisans, Ile des = Fasaneninsel od. *Ile de la Conférence*, 1690 *Isola della Pace* = Friedensinsel, ein Flusswerder bei Bidassoa, dép. Basses-Pyrénées, weder zu Span. noch zu Frankr. gehörig, wo 1659 der pyrenäische Vertrag geschlossen wurde (Dict. top. Fr. 4, 52).

Faithlenn s. Ireland.

Fakih, Beit el- = Haus des Fakirs, d. i. des sunnit. Heiligen Achmed Ibn Musa, der hier begraben liegt, arab. Name einer Stadt in Jemen (Bastian, Bild. 13). — Auch in Sindh ein ON. *Fakîr-Ka-Koh* = Fakirberg (Schlagw., Gloss. 190).

Falätsche s. Fläsch.

Fálascha = Exilirte, v. äthiop. *fâlássa* = in die Verbannung gehen, Name der abess. Juden (ZfAErdk. nf. 15, 128), welche, obgl. confessionell den Juden verwandt, einen den Bischarin, Galla, Dankali etc. nahestehenden hamit. Volksstamm bilden (Meyer's CLex. 6, 547).

Falcon Island, nicht in 'Falkeninsel' zu verdeutschen, 'eine neue Insel in der Südsee, durch vulcan. Ausbruch v. 14. Oct. 1885 entstanden zw. Tonga- u. Cooks In., ca. 20⁰20' S. u. 175⁰20' W., wo 1867 H. M. Ship Falcon eine Untiefe gelothet u. 1877 das Schiff Sappho Rauch aufsteigen sah, nach der Aufnahme der 'Egeria', Capt. Oldham, 1889, üb. 2 km lg., ozw. aus beträchtl. Tiefe aufgestiegen, aber wohl v. geringer Dauer (Peterm., GMitth. 36, 107).

Falen, alter Völkername, im 8. Jahrh. *Ost-* u. *Westfalahi*, im 9. der ostfäl. Gau *Falaha*, dann *Valun, Valon*, v. *falah*, das nach Grimm (Gesch. DSpr. 630) zunächst aus alts. *felhan*, goth. *filhan*, ahd. *felahan* = condere, tegere entsprungen, mithin ganz den Sinn des lat. conditus, d. i. constitutus, institutus darzubieten scheint, also ein Geschaffener, Ansässiger. Sachlich einleuchtender setzte Bender (D. ON. 49) den Gaunamen *fala* = Flachland, Ebene, v. einer Wurzel *fal*, die durch Ableitgs.-*d* zu *velit* = Feld geworden, urverwandt ist mit goth. *pole*; es wären somit die *Falahi* = Flachländer. Diese 'verfehlte' Erklärg. (Förstem., Altd. NB. 532) wiederholt nun aber in bestimmter Weise A. Erdmann (Angeln 76), u. er rechnet zu demselben Stamm auch schwed. *fal-* in *Falbygden* = Ort in der Ebene, *Falköping*

= Markt in der Ebene, *Falun*, in Dalarne, s. v. a. *på falan* = in der Ebene. S. Falster.

Falkland's Islands, eine antarkt. Inselgruppe, angebl. zuerst v. Astronomen Halley (Spr. u. F., Beitr. 1, 108ff., 4, 163), dann v. Commodore Byron, der im Jan. 1765 f. Georg III. Besitz ergriff, so benannt, in Anlehng. an den ältern Namen des die beiden Hauptstücke, *West-* u. *East F.* (Fitzroy, Adv. B. 2, 250), trennenden Sundes, den Capt. Strong am 27. Jan. 1690 zu Ehren des Lord *F.*, seines Patrons, *F.'s Sound* getauft hatte . . . 'and the name has since been extended through inadvertency to the whole archipelago' (Cook, VSouthP. 1, XIV). Entdeckt war freil. der Archipel schon längst, viell. schon v. Amerigo Vespucci, welcher am 7. Apr. 1502, bei sehr ungestümer, stürmischer Witterg., ein unbekanntes Land, 52⁰ SBr., sah, der Küste entlang segelte, aber bald das kalte Land verliess u. nach Lissabon zkkehrte; wenigstens zeigt schon Ribero's Weltkarte 1525 eine Inselgruppe hier: *Islas de Sanson*, nach einem span. Seemann? Gesehen hat sie auch John Davis, welcher Cavendish auf dessen zweiter Fahrt begleitete, aber im Mai 1592 v. ihm getrennt wurde; sie hiessen eine Zeit lg. *Davis Land*. Dann folgte Rich. Hawkins, am 2. Febr. 1594. Vormittags 9ʰ wurde zuerst Land erblickt, dann recognoscirt, drei einzelne Punkte benannt u. hierauf das Ganze als ein neues Land getauft . . . 'and coming neerer and neerer unto it, by the lying wee could not conjecture what land it should be; for wee were next of anything in 48 degrees (!), and no platt nor sea-card which wee had made mention of any land which lay in that manner, neer about that height . . . The land, for that it was discovered in the raigne of Queene Elizabeth, my soveraigne lady and mistres, and a maiden Queene, and at my cost and adventure, in a perpetuall memory of her chastitie, and remembrance of my endeavours, I gave it the name of *Hawkins Maiden-land*' (WHakl. S. 1, 106 ff.). Mit Recht bemerkt der Herausgeber (ib. 108, Note), dass sich das, was 'so um 48⁰ herum' gesehen worden sei, nicht wohl mit einem zw. 51 u. 53⁰ gelegenen Lande identificiren lasse; er denkt an das halbinselartige Vortreten des patagon. Festlandes unter 47—48⁰, also um Cabo de Tres Puntas (s. d.), Cabo Blanco, Porto Desire etc., u. wenn auch gewichtige Zweifel dieser Annahme entgegenstehen, so ist jedf. das angerufene Cap der 3 Berge günstig (Debrosses, HNav. 150). Im übr. bemerkt Fitzroy (Adv. B. 2, 228), auch Strong habe das der Strasse anliegende Land *Hawkins Land* genannt 'he himself calling the adjacent country *HL*'. Er hielt sie für die v. Cowley, im Jan. 1683, gefundene Gruppe, welche v. ihrem Entdecker *Pepys's Island* genannt worden war (Hawkesw., Acc. 1, 50 ff.), nach dem dam. Secretär der Admiralität, Samuel Pepys, dem 'Patron der Seeff.', zugl. Secretär Sr. kön. Hoheit James, Herzogs v. York, als dieser Oberadmiral v. England war (ZfAErdk. 1876, 467). Die Franzosen nannten die Gruppe, die im 18. Jahrh. v. Fischern aus St. Malo besucht, namentl. 1708/11 durch Porée u. das Schiff des Herrn Brignon v. St. Malo untersucht (Debrosses, HNav. 442) wurde, *Malouines*, eine Zeit lg. auch *Iles Nouvelles du St. Louis*, nach dem Schiffe St. Louis (St. Malo), welches sie besucht hatte. Frezier's Bezeichng. in der Carte v. 1717, als *Iles Nouvelles*, ist um so auffallender, als er in seinem Rapport (p. 512) selbst sagt: 'Ces isles sont sans doute les mêmes que celles que le chevalier Richard Hawkins découvrit en 1593'. Von 1764 bis 1766 bestand hier eine frz. Colonie (Bougainv., Voy. 19). Vergängl. war auch der jüngste dem Archipel ertheilte Name, *Belgia Australis* = Süd-Belgien, v. holl. Seef. Roggeween am 1. Jan. 1722 (ZfAErdk. 1876, 427. 478) so getauft nach der mit den Niederlanden übereinstimmenden Polhöhe ... 'omdat het met ons Vaderland, in opsigt van desselfs polus hoogte, een geproportioneert climaet of lugstreek heeft in 't Zuyden' (Roggew., Dagverh. 57).

Fall, the = der Fall, Wasserfall, in engl. ON. gern, auch f. den einzelnen Sturz, im plur., wie in *a) the Falls* (of Schuylkill), f. eine Cascade (j. Dorf) bei Philadelphia. Von einem Uferberg sprang eine lange Felsrippe in den *Sch.* vor u. bildete auf $2/3$ der Strombreite einen natürl. Damm, üb. welchen Frühjahrs die Wassermasse in schönem Fall herabstürzte, während sie in den übrigen Jahreszeiten auf die Westseite gedrängt wurde. Hier drängten sich die wilden Wogen mit Heftigk. u. unter solchem Rauschen hindurch, dass an stillen Abenden das Tosen auf mehrere miles weit hörbar war (Keyser, FPark 80); *b) F. Timber Creek*, ein rseitgr. Zufluss des Missuri, wo, in der Nähe v. dessen Grossen Fällen, die Händler v. Fort Benton ihr timber, Bauholz, schlugen (Raynolds, Expl. 109); *c) F. Mountains* s. Timm; *d) F. Indians* s. Grosventres. — *Die Falle*, frz. *les Embûches*, eine gefährl. Inselgruppe der Kurilen, v. Capt. J. A. v. Krusenst. (Atl. OP. 24), der hier leicht Schiffbruch gelitten hätte, am 31. Mai 1805 getauft.

Falmouth = Mündung des Fal, engl. Hafenstadt v. Cornwall, am schmalen Eingang des v. der Flussmündg. gebildeten *F. Harbour* (Meyer's CLex. 6, 56, Charnock, LEtym. 103).

False Bay = falsche Bucht (vgl. Hoorn), engl. Schiffername, gleichs. eine Warnungstafel den Schiffen, welche im antarkt. SShetland den Johnson Dock verfehlen u. bei widrigem Südwind leicht in Gefahr kommen (Hertha 9, 460). — Einen andern Ursprg. hatte der Name, urspr. holl. *Valsche Bogt*, am Cap, weil man den Grund anfängl. f. steinig, folgl. z. Ankerwerfen untüchtig hielt, dann aber 1709 den Irrthum erkannte, als auf Befehl des Gouv. Ludwig v. Asseburg ein sehr erfahrner Capt. in Diensten der holl.-ostind. Co. die Bay mit grosser Sorgfalt untersuchte; es zeigte sich nach wiederholten Versuchen, dass treffl. Ankergrund vorhanden sei, u. nun erst erhielt die Bay ihren j. Namen (Kolb, VGHoffn. 217). Wie hatte sie denn vorher geheissen? —

Puerto Falso, span. Name einer nördl. v. Puerto de San Diego, Calif., gelegenen ähnl. Einfahrt, welche aber, durch eine Barre u. durch Brecher verschlossen, f. die Schiffe verhängnisvoll werden könnte (DMofras, Orég. 1, 329).

Falster, dän. Insel, bei Adam v. Bremen *Falstra*, wird v. Arnesen (Frederiksh. Skoleprogr. 1865, 10) v. *fala* = Ebene, mit suffix *str*, wie blomster v. blomi, gnist v. gnide, foster v. föde etc. abgeleitet, u. O. Nielsen (Bland. 3, 183) stimmt ihm bei. — *Falbygden, Falköping, Falun* s. Falen. Den 3. dieser schwed. ON. wollte Passarge (Schwed. 318) ableiten v. *fal*, was in Westergöthland = waldlose Weide, u. dem (im schwed. hinten angehängten) Artikel *un*, also = die Weide. Die zweite Silbe ist ganz kurz.

Famagusta, seit dem venetian. Mittelalter der Name eines Hafenortes Cyperns, der türk. *Ma'ûsa* heisst, beides verd. aus gr. Ἀμαϑοῦς, urspr. als wahrsch. älteste phöniz. Gründg. auf der Insel *Chamath*, hebr. חמת = Festung (s. Hamath) genannt, daneben die nur in assyr. Inschriften erwähnte 'neue Festung' *Amtichadasti*, ein Name, der viele Jahrh. im Verborgenen fortlebend die seltsamsten Umwandlungen u. Sinnverschiebungen erlitten hat: bei Ptol. Ἀμμόχωστος = sandverschüttet, dann das mod. *F.* (Kiepert, Lehrb. AG. 134).

Famars s. Fano.

Fame Islands, eine Inselgruppe des ostgrönl. Hurry's Inlet, v. engl. Walfgr. Will. Scoresby jun. (North WF. 198) am 27. Juli 1822 benannt nach dem Schiffe seines Vaters, der Boote bis hierher, behufs Untersuchg. der Einfahrt, hatte gehen lassen.

Family, the = die Familie, ein Vorberg in den Rocky Mountains des brit. N.-America, v. Entdecker Blakiston, Palliser's Exped., 1858 wg. der eigenthüml. Gestalt so genannt (PM. 6, 19); *b) F. Isles,* 'a closter of small isles', der neuholl. Rockingham Bay vorliegend, getauft v. Cook am 8. Juni 1770 (Hawk., Acc. 3, 137, Caxte).

Famine s. Felipe.

Fâ ming ssé = Helle des Lichts, *Fâ pào ssé* = Edelstein des Lichts u. *Pào ngdn ssé* = Wohlthat der Vergeltung, chin. Namen dreier der 7 in der chin. kais. Geogr. aufgezählten Klöster, welche die Dynastie der Mûng im 8. od. 9. Jahrh. der christl. Zeitrechng. im dép. Jûng-tschäng stiftete (Pauthier, MPolo 2, 398).

Fan Geyser = Fächergeyser, eine Gruppe v. 5 Springthermen des Fire Hole (s. d.), Upper Basin, v. der Exp. des U. S. Geologen F. V. Hayden 1871 so genannt, weil die 5 gleichzeitig ausbrechen u. das Wasser fächerartig nach allen Richtungen auswerfen (Hayden, Prel. Rep. 124).

Fanagoria s. Phanagoria.

Fanas s. Fain.

Fanaraki od. **Fener Köi** = Dorf des Leuchtthurms, türk. Name der letzten europ. Uferorts am Bosporus, dem Pontus zu, nach einem alten Leuchtthurm dieser Gegend, dem *Rumeli Fener* (s. Rum), dem auf der asiat. Seite ein *Anadoli*

Fener (s. Asia) entspricht (Hammer-P., Konst. 2, 270). — *Phanaro* s. Phaistos.

Fanning Island, in Polynesien, 3⁰48′N. u. 200⁰30′ OGr., am Abend des 11. Juni 1798 v. americ. Capt. Edm. *F.*, Schiff Betsy, entdeckt, dann auch 1814 v. Capt. Mather, Schiff America, u. nach diesem *America I.* od., da das Eiland eine Gruppe v. 3 durch das Riff verbundenen Korallenbauten bildet, auch im plur.: *America Isles*, weniger richtig *American Is.*, getauft (Bergh., Ann. 12, 145). Vgl. Washington.

Fanny Spitze, ein Berg am spitzb. Hornsund, durch die v. Baron v. Sterneck befehligte Hülfsexp. der Polarfahrt Weyprecht-Payer im Juli 1872 getauft wie *Lucia Bach, Sophia Kamm, Marie Spitze, Ramme Gletscher, Reischach Spitze,* vorwiegend nach Familiengliedern Wilczek's u. Sterneck's (Peterm., GMitth. 20 T. 4, Gef. Mitth. Prof. H. Höfers in Klagenfurt dd. 17. II. 1876).

Fano, ital. ON. der Prov. Pesaro-Urbino, lat. *Fanum Fortunae* = Tempel der Glücksgöttin (s. Hieron), nach einem berühmten Tempel, welchen die Römer nach dem Siege über Hasdrubal erbauten. Unter Augustus wurde die Stadt eine Colonie als *Colonia Julia Fanestris* (Meyer's CLex. 6, 569). — Aehnl. *Famars*, im frz. dép. Nord, 861 *Fanum Martis*, schon 671 in pago *Fanomartensi* ... 'ce nom indiquerait qu'un temple dédié au dieu Mars existait là autretois' (Mannier, Ét. Etym. 223).

Fanshaw s. Byam.

Fanualoa, auch *Fauna Loa* = grosses Land, das Haupt einer Inselgruppe v. Samoa, den Insulanern das bedeutendste Land ihrer Kenntniss, da die beiden Nebeninseln Nukunono u. Atafu kürzer (wohl aber breiter) sind, gew. *Bowditch Island*, wie sie Hudson, v. der Unions Exp. Wilkes, 29. Aug. 1840, offb. prsl. taufte, bei Smith 1835 *Wolf Island*, bei Gray *Clarence Island*, bei dem frz. Entdecker *Ile Adolphe*. Die Gruppe, einh. *Tokelau* = Passat, bei neuern Schriftstellern gew. *Union*- od. *Bowditch Group* (Meinicke, IStill. O. 2, 127 f.).

Fapaosse s. Famingse.

Faraday s. Owen.

Farah-rûd, einer der Zuflüsse des iran. Hamûnsees, benannt nach der Stadt Farah, Farrah, die unfern seiner Ufer liegt (Spiegel, Eran. A. 1, 35).

Farallon, el, auch *Farellon* = die Klippe, Eigenname in den Marianen, ᵛ. span. Seef. Espinosa gegeben (Krus., Mém. 2, 310). — Im plur. *los Farallones*, 2mal: *a)* 7 Klippen vor Golden Gate, vollst. *los F.es de los Frayles* = Klippen der Mönche, nach ihrem düstern Aussehen (Skogm., Eug. R. 2, 3, Mofras, Orég. 1, 148. 365. 429), v. engl. Admiral Francis Drake, welcher v. 17. Juni —23. Juli in der Bay v. San Francisco zugebracht hatte u. am 24. Juli 1579, also am Vortag des Apostels Jacobus, die Küste verliess, *the Islands of St. James* genannt (Fletcher, World Enc. 134) ... 'not farre without this harborough did lye certaine Ilands ... hauing on them plentifull and great store of Seales and birds, with

one of which wee fell July 24, whereon we found such prouision as might competently serue our turne for a while. We departed againe the next day following, viz. July 25'; *b)* ein Klippenschwarm an der Ostseite Luçons (Govantes, HFil. 9). — In port. Form *Farelhão, Farilhão,* ebf. Eigenname eines Klippenschwarms der Küste Portugals.

Faraun s. Fir'on.

Fareila s. Ferrera.

Farewell, Cape = Vorgebirge Lebewohl (s. Adieu), 2mal: *a)* engl. Schiffername der Südspitze Grönlands, weil der Walfänger hier das arkt. Meer beginnt; 'doubtless it is thus called because those who go beyond this cape, seem to be going into another world and to be taking a long leave of their friends' (WHakl. S. 18, 238). Die dän. Exp. 1605, unter Christian IV. ausgesandt, wollte es *Christians Cap* taufen (Forster, Nordf. 535). Benachbart, nicht id., *Staatenhoek,* zu Ehren der holl. Generalstaaten benannt (Spr. u. F., NBeitr. 13, 275, in Berichtigg. einer andern Angabe G. Forsters, GdReis. 3, 18), entfernter, an der Ostküste, *Herjulfsnes,* nach dem Normannen Bjarne Herjulfsson, welcher, nachdem der Isländer Erik Raude es 983 umschifft u. an der Westküste überwintert hatte, sich 986 in dieser Gegend niederliess (Grönl. Hist. Mindesm. 1, 180 ff., Rafn, Entd. Am. 7, Scoresby, NWF. XXXVIII); *b)* das 100 m h., in die 50 km lg., zu ³/₄ trockne Sandbank *F. Spit* (= Spiess) auslaufende Vorsprung an der Massacre Bay (Meinicke, IStill. O. 1, 282), v. Cook am 31. März 1770 so getauft, als er, entschlossen, v. der Südhemisphäre nach Hause zkzukehren, v. NSeeland Abschied nahm u., durch einen frischen Südost u. schönes Wetter begünstigt, nach Westen segelte (Hawk., Acc. 3, 29). — *F. Island,* in Viti, abseits v. den gefährl. Riffen Charybdis u. Scylla, v. engl. Capt. Wilson, Schiff Duff, 1797 so genannt, weil er, Untiefen u. Riffe verlassend, dort wieder in das freie Meer gelangte (Krus., Mém. 1, 235).

Faribault, ein Ort in Minnesota, getauft nach Jean Baptiste *F.*, der, v. frz. Abstammg., 1796 v. Canada aus in den Dienst v. John Jacob Astor's Northwestern Fur Co. trat u. später auf eigne Rechng., fast ¹/₂ Jahrh., dem Pelzhandel oblag. Er starb am 20. Aug. 1860 fast 87 Jahre alt, als der älteste weisse Mann des j. Minnesota, in der v. seinem ältesten Sohne Alex. *F.* ggr. Stadt. 'He laboured all his life to benefit the red man, teach him agriculture and the arts of industrie, and protect his interests. He had an unbounded influence over them; his advice was never disregarded. He was prominent in all treaties and councils, and rendered the US. many valuable services' (Coll. Minn. HS. 1, 377 f.).

Farich s. Bela.

Fari-n-rua s. Kuara.

Farmer's Creek, ein Bach auf der Westseite der austr. Blue Ms., v. Capt. Mitchell (Three Expp. 1, 156) 1827 so benannt nach einem ihm dort verunglückten Pferde: 'after a usefull horse which there fell and broke his neck, when I was sur-

veying and marking out this line of road'; *b) Cape
F.*, am Buccleugh Sd., v. Capt. Will. Douglas am
8. Juni 1789 prsl. getauft (Forster, GReis. 1, 296).
Faro s. Messina.
Fårö s. Faer Öer.
Far'on s. Fir'on.
Farquhar Point, ein niedrIger Landvorsprung v.
Eendragts Ld., v. Capt. Ph. P. King (Austr. 2, 189)
am 27. Jan. 1822 nach Sir Robert Townsend F.
benannt, welcher der Exp. bei ihrem Besuch v.
Mauritius, wo er dam. Governor war, nützlich
sich erzeigt hatte. — Schon Lieut. Oxley hatte
einen der 3 v. ihm 1819 entdeckten Strandseen
v. NSWales *F.'s Lake,* ein frz. Schiffsofficier,
Brigg Les Trois Frères, ein weites, aus 7 busch-
waldigen Inselchen bestehendes Riff des Korallen
M. am 19. Juni 1821 *F.'s Group,* beides nach
dem gov. F., getauft (King, Austr. 2, 254. 388).
Farranmanny s. Monaghan.
Farreras s. Ferro.
Fars s. Persia.
Fath = Sieg, in den arab. ON. *Rabat el-F.*
(s. Rabat) u. *Dschebel ul-F. a)* s. Gibraltar, *b)* s.
Kaukasus.
Fatigue, Mount = Berg der Ermattung, in Gipps'
Ld., 1842 v. Capt. Stokes (Disc. 2, 428) getauft z.
Erinnerg. an die Strapazen, welche der Erforscher
der Gegend, der Graf Paul Edm. Strzelecky, hier
auszustehen hatte. In Preussen 1796 geb., in
England erzogen, auf weiten Reisen geschult, war
der Pole 1840 nach Gipps' Ld., in die Blue Ms.,
1841/42 nach Tasmania gekommen.
Fāto Ghano = wenige Hütten, 'bezeichnender
Name' (in der Kanorisprache?) eines Weilers v.
Rinderzüchtern, welcher zZ. v. Barth's Anwesen-
heit, 1851, den einzigen Rest einer einst bedeu-
tenden, j. aber verlassenen Stadt bildete (Barth,
Reis. 2, 255).
Fau s. Utimi.
Faul, ahd. *fûl,* mhd. *fûl, vûl,* holl. *vuil,* engl.
foul (s. dd.), ein germ. Wort, bei den Aelplern
f. mürbe Felsarten, wie im *Faulhorn,* Berner
Alpen, v. dem mürben, schwarzen Kalkschiefer
(vgl. Mont Tendre) u. im *Faulen* (s. Riselt), bei
den Seeleuten v. dem schlechten Wetter, dessen
Windstillen ihnen hinderlich sind. — *Faules
Meer* s. Sapra.
Faure, Cap *a)* an der Insel Rottenest, v. der
frz. Exp. Baudin Juni 1801 nach einer ihrer
Officiere, dem Ingenieur-Geographen P. *F.,* v.
Schiffe le Géographe, benannt (Péron, TA. 1, 146,
Freycinet, Atl. 21); *b)* an der Insel Schouten,
Tasmania, im Febr. 1802 (Péron, TA. 1, 245);
c) Ile F., in Sharks Bay, im Aug. 1801 (ib. 168).
Faverolles s. Pfävers.
Favorite s. Foveaux.
Fayąl = Buchenwald, eine der Açoren, v. den
Port. so benannt nach dem sie deckenden 'Buchen'-
wald, eig. nicht Buchen, port. *faya, faia,* sondern
Bäume aus der verwandten Familie der Myriceae,
Myrica Faya (Sommer, Taschb. 12, 292. 301). —
Das lat. *fagus* = Buche, adj. *fageus, -ea,* schon
in dem antiken ON. *Fagutal* (s. Caelius), port.

faia, span. *haya,* ital. *faggio,* altfrz. *fage* (Diez,
Rom. WB. 1, 168), hat viele ON. gebildet aus
lat. *fagetum* = Buchwald (s. Aunay), welches im
9. Jahrh. *Fagitum, Fagidum* lautet u. in Nord-
Frkr. *Fay,* im Süden *Faget* ergeben hat (d'Arbois
de Jub., Rech. NL. 620 f.). In den 18 dépp. des
Dict. top. Fr. zähle ich die Formen *Ia Faye, les
Fayes, le Fay, le Fays, les Fays, les Fayaux,
le Fayel, les Fayels, la Fayelle, la Fayère, le
Fayet, le Faï, Faix, le Faysse, les Faisses,
Fau, la Fage, Fages, le Faget, Féalet, la Fée,
le Fey,* auch *le Phaye,* meist ausdrückl. als 'Wald'
bezeichnet, oft durch alturk. Zeugnisse belegt, wie
1152 *Faycum* castrum, 1189 *Fagus,* 1225 *Fai-
cum,* 1198 *Fagetum,* 1127 silva quae dicitur
Faiet, 1120 *Faia,* 1132 nemus quod vocatur
Fey, 1115 de *Fagis,* 1147 *Fagi,* 1264 *Fayacum,*
876 *Fagus,* 1200 *Fayum,* 1160 foresta *Failli,*
um 1080 terra de *Faia,* 1172 *Fagus,* einmal
mit der Bemerkg., dass die Namen v. dial. *faou,
fayard* = Buche kommen, im ganzen 160 mal
(1, 67. 139; 2, 51; 4, 64; 6, 71; 11, 83; 12, 113;
14, 65; 15, 82; 16, 123; 17, 163; 18, 111; 19, 61).
Ein eigenthüml. Lautwechsel bildet in den Basses-
Pyrénées *la Hagède,* 1535 la *Fagède, Haget,* im
13. Jahrh. *Fayet,* 1356 *Fagetum, Hayet,* 1385
Fayet, 1540 *Faget* (ib. 4, 74. 76). Im ital. Sprachgebiet sind *fagus, fagetum* zu *Fàida,* hier unter
deutschem Einflusse mit dem Accent auf der ersten
Silbe, *Faida, Faèdo, Fài,* diese 4 sämmtl. im
Trentino, geworden (Malfatti, S. top. Trid. 60). Auch
Faido, im C. Tessin, gehört hierher (Salvioni,
NL. Piante 5), als *fageto,* wie *maistro* v. *magestro*
u. dgl., u. in Ital. zählt Flechia (NL. Piante 12)
über 50 solcher ON. wie *Faggio, Faggia, Fagge,
Fae, Fai, Faia, Fo* etc.
Fayum, ein ägypt. See (s. Labyrinth), angelegt
schon im 22. Jahrh. der vorchristl. Zeitrechng.
durch König Amenemha III. als Regulationsbassin
der Nilschwelle, daher ägypt. *Ph'jom-nte-meri* =
See der Ueberschwemmungen, gr. *Μοῖρις, Moeris,*
f. See u. Erbauer, aus *meri,* kopt. *F.,* aus *p'jom,
ph'jom* (Russegger, Reis. 3, 64). — *Medinet el-F.*
s. Arsinoë.
Fe, Santa = der heil. Glaube, einer der kirchl.
Namen, welche die Span. so gern in der Neuen
Welt gebrauchten, um ihrem Berufe als Verbreiter
des wahren Glaubens auch toponymischen Ausdruck zu verleihen; *a)* Eigenname der 1573 v.
Don Juan de Garay ggr. Stadt Argentinia's (ZfAErdk.
1873, 272); *b)* s. Bogotà.
Fead s. Abgarris.
Fear, Cape = Vorgebirge der Furcht, ein Landvorsprung v. Smith's I., Nord-Carol., so benannt
durch die zweite v. Sir Walter Raleigh nach Virginia gesandte Flotte, welche unter dem Befehl
Sir Rich. Greenville's am 20. Juni 1585 vor Florida erschien, der Küste entlang nach Norden
segelte u. am 25. in Gefahr war, Schiffbruch zu
leiden 'on a beach called the *Cape of Feare*'
(Strachey, H. Trav. 145).
Fearn s. Hunter.
Fearnall Bay, eine Bucht südl. v. Cape Garry

(s. d.), entdeckt am 15. Aug. 1829 v. Capt. John Ross (Sec. V. 3, 113) u. nach Hrn. *F.* 'our worthy builder', auf dessen Geburtstag die Entdeckg. fiel, benannt. Herr *F.* war der Schiffbauer, welcher den vorm. Paketdampfer der Exp., die Victory, f. ihre arkt. Reise seetüchtig gemacht hatte. Die beiden Pfeiler, welche z. Seite des Eingangs stehen, taufte Ross *Cape Clara*, den nördlichen, u. *Cape Esther*, den südlichen, nach Gliedern einer Familie, 'to whose kindness when fitting out we were much indebted'.

Fearnley s. Schweigaard.

Feathertop, Mount = Berg mit der gefiederten Spitze, ein merkw. Berg der Australalpen, mit schlanker, kegelförmiger Spitze, deren Seiten v. tiefen Wasserrissen, die den grössten Theil des Jahres hindurch mit Schnee erfüllt sind, durchfurcht werden; diese Furchen, v. Gipfel ausstrahlend, erscheinen alsdann als weisse Streifen, die an den Hängen herabziehen u. dem Berge das Aussehen einer 'Federspitze' verleihen (Rundsch. f. Geogr. 11, 30).

Federal s. Nukahiwa.

Fedoticha, ein lkseitg. Tributär des Kamtschatkaflusses, 190 km unth. Werchnei Kamtschatsk mündend, benannt nach einem Kosaken Fedotow, der mit einem Bruchtheil der Exp. Deschnew 1648 nach Kamtschatka gelangte u. 2 Simowien = Winterhütten baute, deren Ruinen 1697 noch getroffen wurden, die eine an der Mündg. der *F.* (Müller, SRuss. G. 4. 159 f.).

Fee s. Fayal.

Feel s. Fil.

Fées, Grotte ou Baume des = Feenhöhle, dial. *Baouma de las Fadas*, auch *la Baume des Demoiselles*, eine Höhle des frz. dép. Hérault, nach den Kolossalformen der Stalaktiten u. Stalagmiten, prächtigen u. massigen Alabaster- u. Kalkspathbildungen (Dict. top. Fr. 5, 56). — 2 andere Höhlen, ebf. *Grotte-des-F.*, im dép. Yonne (ib. 3, 64).

Fehér od. *fejér* = weiss, in mag. ON. häufig, oft mit dem Sinne des Vorrangs, etwa f. Fürstensitze, wie *Fejérvár* (s. Belgrad, Stuhl-Weissenburg u. Karlstadt), ferner *F.-Gyarmat* = weisse Colonie, *Fejérpatak* = Weissenbach, *F. To* = weisser See, f. die Sodasee'n, die, im Sommer ausgetrocknet, eine schneeähnl. Sodakruste hinterlassen (Umlauft, ÖUng. NB. 59).

Fehraltdorf s. Altdorf.

Feissi s. Gibisnüt.

Feistritz s. Bystroi.

Feiticeira, Forte da = Hexenveste, port. Name eines ehmal. Fort, j. Plantage in Bras. In der Nähe das Cap *Buraca da Velha* = Höhle des alten Weibes, nach einer dunkeln holperigen Höhle, welche an der Spitze sich befindet (WHakl. S. 51, XXVI).

Felcino s. Félice.

Feld, lat. *campus*, oft in deutschen ON., einfachen wie *Felden*, im 8. Jahrh. *Velda*, u. *im Feld*, f. einen Ortstheil v. Meilen, C. Zürich, viel häufiger in zsgesetzten; als Grundwort, wofür Förstemann (Altd. ON. 541 ff.) nicht weniger als

280 Beispiele gibt, darunter auch ein altes *Wormizfeld*, f. *Borbetomagus*, also wo kelt. *magus* in *feld* übsetzt ist, od. als Bestimmungswort, im FlussN. *Felda*, 8. Jahrh. *Feldaha*, Nebenfluss der Werra, *Felbach* u. *Feldbach* (s. Felwen), im 8. Jahrh. *Veltpah*, f. Fluss u. Ort, *Feldberg*, im 9. Jahrh. *Veldperg*, *Velten* od. *Veltheim*, im 8. Jahrh. *Feldhaim*, *Feldhausen*, im 9. Jahrh. *Veldhusun*, *Feldkirch* u. *Feldkirchen* u. a. m. Für das vorarlberg. *Feldkirch* macht schon 1538 der Chronist Aeg. Tschudi (Rätia J. III), gestützt 'auf des gestiffts Chur . . . alte vrber vnd brieff', gg. Vadian (Pomp. Mela) geltend, dass '*Feldkirch* ein tütscher namm, vnd nit Römischer spraach *Vallcircum*', aus lat. *campus* sei nämlich, nachdem es eine christl. Kirche 'in der ehr sant Peters' erhalten, *Veldkirch*, urk. *Campus sancti Petri*, bei den Wälschen *sant Pedro*, *Campo sant Pedro* entstanden.

Félice, auch *filíce*, *felce* = Farnkraut, ital. Wort (wie span. *helecho*) aus lat. *filix*, also wohl zu unterscheiden v. ital. *felíce*, lat. *felix* = glücklich, mehrf. in ON., die z. Theil aus dem coll. *filictum* entstanden sind, wie *Filicaia*, *Felicaro*, *Filigare*, *Filetto*, *Felcino* etc. (Flechia, NL. Piante 13). — *Monte della Fossa F.* = Berg des Farnlochs, ein Berg v. Saline, Lipar., nach dem den Gipfelkrater erfüllenden Farnkraut: 'de fougères qui ont donné à la montagne le nom . . . .' (Dolomieu, Lip. 92). — *Felicuda* s. Alicuda.

Felice's Islands, zwei Inselchen zw. Mindanao u. Basilan, v. der Exp. der Captt. John Meares, v. Schiffe *F.*, u. Will. Douglas, v. Schiffe Iphigenia, am 12. Febr. 1788 getauft, 'da sie bis j. noch in keiner Carte stehen, nach dem einen Fahrzeuge' (GForster, Gesch. Reis. 1, 34. 71).

Felipe, die span. Form des Mannsnamens Philipp, port. *Filippe* u. auch in *Filipinas* (s. d.) mit *fi* . . ., statt *fe* . . ., erscheinent toponymisch th. nach dem Heiligen, th. nach den span. König Philipp II. Wir finden a) *San F.*, span. Anlage z. Beherrschg. der Magalhães Str., ggr. nach dem Schrecken, welchen Drake's Exp. verbreitete, durch Pedro Sarmiento, der, v. Vicekönig v. Peru ausgesandt, den Frevler todt od. lebendig einzubringen, die Seegasse untersuchte, dem König Philipp II. ihre Befestigg. vorschlug, dann den Auftrag dazu selbst erhielt u. die Vesten *Jesus* u. *SF.*, diese wohl nach dem Anklang des königl. Namens, 1582 begründete (WHakl. S. 1, 109. 191). Sarmiento fuhr in Span. mit 3500 Menschen ab; schon unterwegs erlag ein guter Theil, u. die Colonie selbst endete bald durch Hunger, Kälte, Angriffe v. Menschen u. wilden Thieren; Sarmiento selbst gerieth in engl. Gefangenschaft (Debrosses, HNav. 138). Als der engl. Seef. Cavendish, der schon am 7. Jan. 1587 einen Span. Hernando abgefasst, 2 d später an Ort u. Stelle kam, fand er eine leere Stadt mit Kirchen u. 4 Forts; die Kanonen waren in die Erde vergraben; nur die leeren Laffeten standen noch da. Er liess die Geschütze ausgraben u. nahm sie mit. Ein Galgen stand noch als Zeuge der strengen Gesetze. Der Ort bot Holz u. Wasser u. war f.

die Beherrschg. der Durchfahrt gut gewählt. 'It seemed vnto vs, that their whole liuing for a great space was altogether vpon muskles and lympits (i. e. Tellermuscheln); for there was not any thing else to bee had, except some deere which came out of the mountaines downe to the fresh riuers to drinke. These Spaniards which were there, were onely come to fortifie the streights, to the ende that no other nation should haue passage through into the South Sea sauing onely their owne. But as it appeared, it was not Gods will so to haue it. For during the time that they were there, which was two yeeres at the least, they could neuer haue any thing to growe or in any wise prosper. And on the other side the Indians oftentimes preyed vpon them, vntill their victuals grewe so short ... that they dyed like dogges in their houses, and in their clothes, wherein we found them still at our comming, vntill that in the ende the towne being wunderfully taynted with the smell and the sauor of the dead people, the rest which remayned aliue were driuen to burie such things as they had there in their towne either for prouision or for furniture, and so to forsake the towne, and to goe along the sea-side, and seeke their victuals to preserue them for steruing, taking nothing with them, but euery man his harquebuze and his furniture that was able to cary it (for some were not able to cary them for weakenesse) and so liued for the space of a yeere and more with rootes, leaues, and sometimes a foule which they might kill with their peece. To conclude, they were determined to haue trauailed towards the riuer of Plate, only being left aliue 23. persons, whereof two were women, which were the remainder of 4. hundred... The generall (d. i. Cavendish) named this towne *Port Famine'* (Hakluyt, Pr. Nav. 3, 806), span. *Puerto del Hambre* = Hungerhafen, 'from the disasters which befell the vnhappy colonists who mostly perished by want'. John Chidley 1590 fand nur noch einen Mann am Leben u. nahm ihn mitleidsvoll an Bord (Debrosses 140 ff.); die holl. Exp. Oliv. de Noort 1599 konnte keine Spur mehr entdecken (ib. 187). Z. Andenken an die unglückl. Gründg. taufte die engl. Exp. Adv.-Beagle (1, 30 ff.) im Febr. 1827 einen nahen Waldberg *Mount San F.*; sie fügt bei, es hätte Sarmiento, welcher hier nach langer Zeit wieder Eingeborne traf, die Hafenbucht *Bahia della Gente* = Bay der Leute, den j. Sedger River *Rio de San Juan de Posesion* genannt, z. Andenken der feierlichen Besitznahme, welche er hier zu Gunsten 'des 'muy poderoso y muy católico Señor *F.* Segundo' u. f. die ganze Ausdehng. der Meerenge vollzogen hatte. Die neue Anlage, welche 1849 durch Verlegg. der Strafcolonie Juan Fernandez hier entstand, *Puerto de Bulnes*, nach dem dam. Präsidenten v. Chile, nahm schon 1851 durch Meuterei ein eben so blutiges u. tragisches Ende (ZfAErdk. 1876, 415); *b)* s. Helena; *c)* s. José; *d)* s. Luiz; *e)* s. Montevideo. — *Bahia de San F. y Santiago*, die gr. Bucht an der Nordseite v. Espirito Santo

(s. New Hebrides), wo die span. Exp. Quiros-Torres am 1. Mai 1606 ankerte, nach den beiden Tagesheiligen getauft .... por haber sido descubierta en su dia (Viajes Quirós 1, 332; 3, 35, WHakl. S. 25, 37; 39, 410). Die Spanier verweilten, weil am 11. Juni, um 1 h. früh, das Schiff des Befehlshabers Quiros verschwand, 50 d. hier u. nahmen die Bay in Besitz; denn v. deren Grösse auf bedeutende Ausdehng. des entdeckten Landes schliessend, glaubten sie sicher, den lange gesuchten Australcontinent gefunden zu haben (Cook, VSouthP. 2, 94, Carte 3, Krus., Mém. 1, 93).

Felix = glücklich, in lat. ON., wie *felice* in ital., als Ausdruck besonderer Vorzüge *a) Arabia F.* (s. Jemen), *b) Australia F.* (s. Victoria), *c) Campagna Felice* (s. Campus), auch Mannsname u. dadurch ebf. toponym. verwendet: *Cape F.* (s. Booth).

Fellis s. Fil.

Felsberg, mehrf. f. Berge u. Bergorte *a)* in Graubünden, bei Campell (ed. Mohr 21) *Welschberg* (!), rätor. *Fagoing*, Ort am Fusse des Calanda u. v. dessen Felsstürzen stündl. bedroht, da die Felsköpfe, seit Jahren in Bewegg., jeden Tag ins Thal niederdonnern u. das alte Dorf gänzl. verschütten können. Eine patriot. Collecte hat die Mittel aufgebracht, um den Ort in sichere Nähe zu verlegen; allein eine Anzahl Familien vermag noch immer nicht, dem ererbten Boden Lebewohl zu sagen u. *Alt-* an *Neu-F.* zu tauschen; *b)* im preuss. Rgbz. Cassel, zunächst die auf hohem Basaltfels die Stadt überragende Grafenburg, j. Ruine; *c)* im Odenwald, ein Berggipfel, durch ungeheure Syenitfelsen merkw., das *Felsenmeer*. Nach Süden u. Südosten erblickt man unzählige Blöcke v. Gipfel bis in die Thäler, gleich auf einander getriebenen Eisschollen, in wilder Unordng. u. in einer Richtg., die etwa eine v. Berg herabströmende Wasserflut nehmen würde (Meyer's CLex. 6, 651).

Felwen = bei den Weiden, *felwa*, ein thurg. Ort in der weiden(salix-)reichen Thurgegend bei Frauenfeld. Dahin gehört auch *Feldbach*, urspr. *Felebbach* = Felben- od. Weidenbach (Mitth. Zürch. AG. 6, 101).

Fendu, Cap = gespaltenes Vorgebirge, in der Magalhäes Str., nach seiner Formel benannt v. frz. Seef. Bougainville im Jan. 1768 (Voy. 169).

Fénélon, Cap, am 'Golfe Bonaparte' (s. Spencer's G.), v. frz. Lieut. L. Freycinet, Exp. Baudin, am 22. Jan. 1803 nach dem berühmten Theologen u. Kanzelredner François de Salignac de la Motte *F.*, Erzbischof v. Cambrai, 1651—1715, benannt (Péron, TA. 2, 77). — Ebenso *Ile F.*, 2mal: *a)* in den Iles de l'Institut, am 14. April 1801 (ib. 1, 116; 2, 211); *b)* in den Isles of St. Francis, im Febr. 1803 (ib. 2, 88).

Fener Köl s. Fanaraki.

Fenicularius s. Juncarius.

Fenils s. Fain.

Fentsch s. Fontaine.

Fen-tseu Schan = Mehlberg, chin. Name **einer**

Bergkette der Prov. Schan-tung, v. dem weissen Marmor ihrer Abhänge (Ausl. 46, 67).

Fenua'ura s. Scilly.

Feodosia, ON. der Krym in russ. Aussprache statt ant. *Theodosia*, f. die miles. Colonialstadt, welche, zu Trajans Zeit schon in Verfall, im Jahr 131 zerstört wurde, in einer Burg, einh. *Kafas*, dann durch den Genuesen Baldo Doria 1262 als Stadt, *Kaffa*, j. tatar. *Kafé*, jedoch wieder erstand (Meyer's CLex. 6, 662). Durch die Ansiedelg. genues. Kaufleute, 14. Jahrh., blühte die Hafenstadt zu ausserord. Grösse u. Pracht auf, deren Reste unter der türk. Herrschaft erhalten, aber bei der russ. Eroberg. 1779 verwüstet wurden (Kiepert, Lehrb. AG. 351).

Feodorowna s. Alexis.

Fer = Eisen, v. lat. *ferrum*, wie span. *hierro*, port. *ferro* (s. d.), mehrf. in frz. ON. *a) Côtes de F.* = eiserne Küste, f. die unzugängl. Gestade v. Leeuwins-, namentl. Eendragts Ld., niedere, fast durchaus wagrechte, sandige, unfruchtb., röthliche od. grauliche, steile, oft durch Riffe versperrte Uferstriche, so genannt v. Ch. P. Boullanger, dem Ingénieur-hydrogr. der Exp. Baudin 1801 (Péron, TA. 1, 87); *b) Croix de F.* s. Croix; *c) Ile de F.* s. Big; *d) F.-à-Cheval* s. Horse-shoe. Ein Mehreres s. Ferro.

Ferdinand, ital. u. span. *Fernando*, port. *Fernão*, sind als Manns-, insb. österreich., ital. u. span. Regentennamen in die geogr. Nomenclatur eingebürgert. So in *a) Kaiser F.'s Grotte*, nebst der *Erzherzog Johanns Grotte* f. die beiden, erst 1816 entdeckten Abtheilungen der Adelsberger Höhle (Meyer's CLex. 1, 119); *b) Ferdinandea* s. Nerita. — *F. Kette*, ein Bergzug an der Tschirakina Bay, Matotschkin Schar, v. H. Höfer, dem Geologen der österr.-ungar. Hilfsexp. der Polarfahrt Tegetthof im Aug. 1872 getauft zu Ehren seines Freundes Ferd. Truwisth in Wien, 'welcher mich bei den Vorbereitungen z. Exp. vortrefflich unterstützte' (Peterm., GMitth. 20 T. 16, Brief Höfers 17. Febr. 1876).

Fergunna s. Erzgebirge.

Fergusson s. Moresby.

Fermat, **Ile**, eine kleine z. 'Archipel Laplace' der frz. Exp. Baudin geh. Insel, v. Lieut. L. Freycinet, Goëlette Casuarina, am 3. Febr. 1803 besonders entdeckt u. getauft nach dem Mathematiker d. N., 1590—1664, dem Begründer der Analysis des Unendlichen (Péron, TA. 2, 109); *b)* ebenso ein *Cap F.*, östl. v. St. Vincent's G., am 8. Apr. 1802 (ib. 1, 270).

Fermoso s. Hermoso.

Fern Rock, ein Felsinselchen des Rensselaer Harbor, v. Polarfahrer Kane (Arct. Expl. 1, 108) im Sept. 1853 so benannt nach einer heimatlichen Localität, deren er während des langen Polaraufenthaltes häufig gedacht 'after a little spot that I long to see again .... this is to be for me the centre of familiar localities'. — In anderer Bedeutg. *F. Spring* s. Dripping.

Fernandina, nach Ferdinand d. Kath., hat Columbus 2 seiner ersten Entdeckungen getauft (s. Cuba),

insb. eine der Bahama, die er am 15. Oct. 1492 fand (Colon, Vida 109, Navarrete, Coll. 1, 28). Man kann sie in *Long Island*, das v. all' den langgestreckten Rippen den Namen der 'langen Insel' am ehesten verdient, od. mit Major (WHakl. S. 43, 2) in Great Exuma suchen. — Eine *Villa F.* v. Legaspi 1464/74 am Golf v. Vigan, Philippinen, ggr. u. selbst so getauft (WHakl. S. 39, 20).—*SanFernando*, im span. Sprachgebiete mehrf.: *a)* vollst. *Mission de San Fernando Rey de España* = Mission des heil. Ferdinand, Königs v. Spanien, eine im Sept. 1797 als Mission ggr. Ortschaft in Calif. (DMofr., Or. 1, 359); *b)* der Hptort der chilen. Prov. Colchagua, 1742 ggr. (Meyer's CLex. 4, 658). — Port. *Fernão a)* s. Noronho, *b)* s. Pô.

Fernel s. Westall.

Feromi s. Pelusium.

Ferpècle, eine Walliser Alp, im *Val de F.*, dessen Thalfluss *Borgne de F.*, dem *Glacier de F.* entquollen, heisst (Fröbel, Penn. A. 19, Ritz, OB. Ering. 370), ist mir unerklärt. Anklingend in der ersten Silbe *Ferporta* = Thalthor, wie im rätor. oft *val* zu *ver* geworden ist, eine in der Prätigauer Clus noch sichtb. Burgruine, v. welcher sich eine Mauer bis z. Fluss hinabzog; die Mauer enthielt ein Thor, mittelst dessen der Ein- u. Ausgang des Thals vollständig verschlossen werden konnte (Gatschet, OForsch. 240).

Ferrachabad = Wohnung der Glücklichen, Ort am Kaspisee, ggr. 1612 v. Schah Abbas I., den man in seinem Eifer f. Prachtbauten mit Ludwig XIV. verglichen hat (Peterm., GMitth. 15, 265). — *Ferruchfesa* s. Bey.

Ferro (port.), span. *Hierro* = Eisen (s. Fer), eine der Canarien, ant. *Pluvialis* = Regeninsel . . . 'in *P.* non esse aquam nisi ex imbribus' (Plin., HNat. 6, 202), muss ihren mod. Namen durch ein Missverständniss, aus dem Guanchenwort *hero*, *herro* = Brunnen, Cisterne erhalten haben, wie denn auf dem dürren Eiland Cisternen z. Auffangen des Regenwassers in Gebrauch sind. Schon die Historiker der Exp. 1402 fragen sich nach dem Motiv der Benenng.; die langen Lanzen der Guanchen seien ohne Eisenspitzen, u. die Insel enthalte weder Eisen noch irgend ein anderes Metall (WHakl. S. 46, 124). — *Morro do F.* s. Araçoiaba. — *Ferraria*, fem. des v. lat. *ferrum* abgeleiteten adj. *ferrarius*, bedeutet, wenn subst. gebraucht, Eisengrube, wie schon Caesar, wo er die Geschicklichk. der Gallier als Militäringenieurs lobt (Bell. Gall. 7, 22), dies aus dem Umstande erklärt, dass es bei ihnen magnae ferrariae gebe; daher kam das Wort, noch im Mittelalter, häufig in Frankr. als ON. vor, j. *Ferrières*, *la Ferrairie* (d'Arbois de Jub., Rech. NL. 603 f.). — *Val Ferrera* = Eisenthal, in der erweichten Aussprache des Schams *Fareila*, die untere Thalstufe des Averser Rheins, v. den Erzgruben, die einst in Abbau standen. Noch Sererh. (2, 39) nennt das Thal 'reich an Holzungen u. Bergwerken . . . So gibts auch noch andere Bergwerk, die man zu graben bis auf den heutigen Tag nicht unterlasset, masen das Erz zur Eisenschmelze bey Sils noch jez aus Schams abgeholet wird⌐. In Belfort, Albulathal, wo man noch immer rätor. spricht, wird statt *allas Farreras* = bei den Schmiedewerkstätten die Uebsetzg. *Schmitten* vorgezogen (Campell-Mohr 145, NAlpP. 5, 116).

Ferrudsch s. Hamâm.

Ferté, la, aus alt *firmitas* = Festigkeit, Stärke, dem deutschen ⌐Burg⌐ entspr., frz. ON. ziemlich oft, auch im plur. *les Fertés,* 3mal *la Fermeté,* darunter ein Frauenkloster des Benedictinerordens, 1145 monasterium de *Firmitate,* 1191 *la F.,* 1290 *Firmitas* monialium (Dict. top. Fr. 1, 68; 3, 52; 6, 71f., 10, 109; 11, 83).

Fertö s. Neu.

Fetishtown s. Finnema.

Feuer, das vulcanische, wie künstliche, oft in ON. wie *a) Feuerland* s. Fuego, *b) Feuerfeld* s. Ateschgah, *c) Feuerschlacht* s. Schlatt, *d) Feuerschwand* s. Schwanden. Auch das himmlische Feuer, welches im Alpenglühen gewisse Felswände vergoldet, treffen wir toponymisch: *e) Feuerberg,* einer der nackten Gipfel des Glärnisch, an welchem der Schein der untergehenden Sonne mit besonderm Feuer sich abspielt, während der benachbarte *Nebelkäppler* häufig mit einer Nebelkappe sich deckt u. der schlanke *Milchblankenstock,* den Wildheuern lockend durch sein treffl. Futter, aber so gefährl. ist, dass seit einigen Jahren die ⌐Milchblanken⌐, dial. f. milchreiches Futter, nicht mehr benutzt werden; *f)* auch das Alpenthal Entlebuch hat seinen *Feuerstein,* ⌐dessen Felskegel sich wie ein Thurm erhebt⌐ (Osenbr., Wanderst. 1, 240). — Ganz anders *Feuerbach* s. Biber.

Feuillée, Pointe, eine Landspitze westl. v. Spencer's G., v. der Exp. Baudin im April 1802 getauft nach dem Naturforscher d. N. 1660—1732 (Péron, 2, 84).

Feurs, ON. des dép. Loire, röm. *Forum Segusianorum* = Forum der Segusier, eines Keltenstamms (Meyer's CLex. 6, 753).

Fex, Val = Schafthal, rätr. Name des höchsten permanent bewohnten Seitenthals des ·Engadin, dessen prächtig grüne einsame Schaftriften üb. den blendend weissen Gletscher sich erheben (NAlp.P. 6, 133).

Fezzân, tripol. Oase, alt *Phazania,* nach dem alten Libyervolke der *Phazanii* (Plin., HNat. 5, 35), arab., wenigstens f. einen Theil, *Blad el-Hemmad* = Fieberland, weil sie durch ihre Fieber berüchtigt ist (Richardson, Trav. 2, 318. 336).

Fichtelgebirge, früher (Jacobi, Ansp.-Bayr. 16), u. j. noch bei den Anwohnern, der *Fichtelberg,* benannt nach den weiten Fichtenwaldungen, welche ihn grossentheils bedecken. ⌐Viele (Touristen) schreckt (v. Besuche) eben ihr düstere Charakter der mit Nadelwaldg. bedeckten Höhenzüge ab⌐ (Daniel, Hdb.Geogr. 3, 286) u. aus dem Kosmogr. Seb. Münster: ⌐Diese Berg sind all mit Holtz auff's dickest bewachsen ...⌐ Auch der Magister Joh. Will, welcher 1692 in seinem MS. ⌐Das Teutsche Paradeiss in dem vortreffl. *Fichtel-*

berg⌐ (Arch. OFrank. 15, 1—45)den ⌐Nahmen u. Ehrentiteln⌐ des Gebirgs ein ganzes Capitel widmete, erkennt ihm ohne weiteres ⌐seinen teütschen Nahmen⌐, v. dem Walde hoher Fichten, zu. Die auffallende Endg. *-el,* die sich übr. im erzgebirg. *Fichtelberg* wiederholt, führt K. Krüger (Rundsch. f. Geogr. 14, 159f.) auf die Annahme eines ⌐Wichtelbergs⌐, als Sitz der kl. Wichte od. Kobolde; allein er wird dafür wenige Gläubige finden. — Eine mongol. Parallele ist *Kutûl Narassû* = Tannwald, Berg der Mongolei, mit Fichtenwald bis z. Gipfel bedeckt (Timkowski, Mong. 1, 41).

Fida-Buengono, Cap, an der japan. Insel Tsus(-sima), v. russ. Capt. J. A. v. Krusenstern (Reis. 2, 12) im April 1805 getauft ⌐nach dem würdigen Gouv. v. Nagasaki, welcher sich während unseres Aufenthalts mit einer Milde gegen uns benahm, welche man nicht leicht in dem despotischen Verwalter eines tyrannischen Meisters suchen würde⌐.

Fidallah od. *Seid-Allah* = Gottesgabe, Gnade, ein Seedorf der marocc. Prov. Temsna, 1773 ggr. v. Sultan Mohammed (Richards., Trav. 2, 126).

Fidel- od. Fifeldor s. Eider.

Fideles s. Indios.

Fidschi od. Fiji s. Viti.

Field's Creek, 2 Flüsse der Felsengebirge, beide v. der Exp. Lewis u. Cl. (Trav. 246. 634) nach einem Gefährten, Reuben *F.,* getauft: *a)* ein Zufluss des Jefferson R., am 1. Aug. 1805; *b)* ein rseitg. Zufluss des Yellowstone R., am 3. Aug. 1806. — *F. Island* s. Barren and *F.* — *F. Islands* s. Park.

Fierdhundraland s. Sverige.

Fierozzo s. Florida.

Fife Harbour, eine Seitenbucht v. Melville's ⌐Winter Harbour⌐ (s. d.), v. Lieut. W. Edw. Parry (NWPass. 2, 28, Carte) welcher 1819/20 hier überwinterte, benannt nach George *F.,* dem greenland master seines Schiffs Griper; *b)* ebenso *F. Rock,* eine kl., niedrige, schwarze Inselklippe bei Southampton I., im Sept. 1821 (Parry, Sec. V. 78).

Fil, Dschesîrah el- = Elefanteninsel heisst bei den arab. Umwohnern eine Flussinsel im Blauen Nil obh. Chartum (Heuglin, NOAfr. 25, Peterm., GMitth. 8, 167); *b) Ras el-F.* = Elefantenberg, in Senaar-Abess. (ib.); *c) Rus el-F.* = Elefantencap, auch *Ras Fellis* od. verd. *Cap Felix, Dschebel Feel* (Curt., Gr. On. 155), schon im Alterth. gr. ᾽Ελέφας, τὸ ὄρος od. ἀκρωτήριον u. *Elephas Prom.,* unw. Cap Guardafui, eine lebendige Erinnerg. an die Elefantenjagden der Ptolemäer (Strabo 774, Egli, Nilq. 5); *d) F.-Burun* = Elefantencap,an der asiat. Seite des Bosporus (Hammer-P., Konst. 2, 280).

Filberts s. Coudre.

Fildes' Point, ein Vorgebirge des antarkt. SShetld., v. d. engl. Robbenschläger Capt. Rob. *F.* 1823 so genannt (Hertha 9, 459).

Filibe s. Philippp.

Filicaia s. Félice.

Filipinas, Islas, mit *fi* statt *fe* (s. Felipe), **bei**

uns *Philippinen*, eine grosse Abtheilg. des ind.
Archipels, v. F. Magalhães, nach der Landg. auf
Humunu, am 5. Fastensonntag, dem Lazarustage,
17. März 1521 entdeckt u. *Archipelago de San
Lázaro* genannt (Pigafetta, Pr.V. 69, Navarrete,
Coll. 4, 54), erhielt ihren j. Namen erst zZ. der
span. Colonisationsversuche. Diese begannen mit
Garcia de Loaysa 1524 u. A. Alonso de Saavedra
1528, beide erfolglos; dann wurde Ruiz Lopez
de Villalobos 1542 zur Eroberg. abgesandt. Eines
seiner Schiffe, auf der Rückfahrt nach Mexico
(1543), brauchte den Namen zuerst in der Ein-
zahl: *Filipina* (einh. *Tendaja*) zu Ehren des un-
würdigen Sohnes Karls V., welcher, nachm.
Karl II., dam. Prinz v. Asturien war … 'puesto
en honor á Felipe II. entónces príncipe de Astu-
rias' (Govantes, Hist.Fil. 35). Zum Durchbruch
kam der Name erst durch die Eroberg. v. 1565:
Miguel Lopez de Legaspi, in Unternehmgsgeist,
Hülfsmitteln u. Muth ein Cortez od. Pizarro,
doch weit menschlicher als diese seine Vorgänger,
verliess in 5 Schiffen, mit nur 400 Mann, begleitet v. d. Geographen Andrés de Urdaneta,
einem Augustinermönch, am 21. Nov. 1564
den mexican. Hafen Natividad; erreichte Samar,
das er *Bon Señal* = gutes Anzeichen nannte,
am 13. Febr., Çebu am 27. Apr. 1565, unter-
wirft diese u. andere der Inseln, entdeckt 1569
Luçon u. gründet Manila 1571 (Crawf., Dict.
336 ff., Spr. u. F., Beitr. 2, 18 f.). Legaspi selbst
'had given to all these isles the name of *Ph.*,
in memory of his majesty' (WHakl.S. 39, 15 ff.),
dieweil der König selbst *Nuevo Reino de Castilla*
= neues Königreich Castilien vorgezogen hätte
(ib. 308 f.). — *Nuevas F. a)* s. Carolinen, *b)* s. Texas.
  Filippe, mehrf. mit *São* in port. ON. *a)* Ort an
der Mündg. des Paráhiba (do Norte), ggr. 1584
v. Diogo Flores auf Befehl des span. Königs
Philipp II., welcher dam. auch Portugal u. seine
Colonieen besass, u. so benannt, vorgebl. weil er am
1. Mai, d. i. am Tage der Heiligen Philipp u.
Jacob, die neuggr. Stadt verliess, um nach Europa
zkzukehren, aber eig. in verdeckter Schmeichelei
ggb. dem ausländ. König: 'era como querer justi-
ficarse da adulação que rendia ao soberano'.
Daher kam wohl auch Fructuoso Barboza auf
den Einfall, den Namen in eine unverblümte
Cidade Filippea = 'Philippopolis' umzuändern.
Im Juni 1585 schon verlassen, wurde sie am
2. Aug. v. Port. João Tavares, der den Fluss befuhr, nach dem Kalendertage *Cidade de Nossa
Senhora das Neves* = Stadt v. Mariae Verklärg.
u. noch später nach dem Flusse *Paráhyba* (s. d.)
genannt (Varnh., HBraz. 1, 289); *b)* s. Sorocaba.
  Filles-Dieu = Gottestöchter (s. Gottstatt), Nonnen-
kloster in Chartres, ggr. zu Anfang des 13. Jahrh.,
1235 *Filiae-Dei*, 1312 les *Filles-Dé* (Dict. top.
Fr. 1, 69). — *Fille-Dieu*, Cistercienserinnenkloster
im C. Freiburg, Gründg. 1268 bestätigt durch
Bischof Johann v. Lausanne … et locum ipsum
Filiam Dei imposterum appelandum.
  Finakl s. Fain.
  Findlay s. Wilczek.

Fine, Loch = schöner See, eine schmale Einfahrt
des ost-grönl. Hudson Ld., v. der Exp. Clavering-
Sabine am 21. Aug. 1823 entdeckt u. nach den
schönen Uferldschften getauft (PM.16,327; 17T.10).
  Fingalshöhle, die üb. 100 m lg. u. 30 m h.
Basalthöhle Staffa's, ein grossartiger Tempel, welchen der Sage zuf. die Riesen dem Nationalhelden
Fingal, gäl. Fionn-ghal, erbaut hätten. Dieser
schott. König bekämpfte im 3. Jahrh. die Römer
u. unternahm z. See Beutezüge, die durch seinen
Sohn, den Sänger Ossian, in 2 Heldengedichten
besungen wurden (Meyer's CLex. 6, 797).
  Finger Point = Fingerspitze, engl. Name in
Chatham I., Galápagos, an dem das Cap eine
schmale, nach oben verdünnte Klippenspitze gleich
einem Finger in die Höhe steht (Skogman, Eug.
R. 1, 219). — *F. Kuppe* s. Wyman. — *Die Hand*,
ein 5 f. gezackter Felsrücken am Faulhorn (Gat-
schet, OForsch. 297).
  Finisterre, mod. Name *a)* eines Caps in der
Nordwestecke Spaniens, s. v. a. *finis terrae* =
'Landsend' (Caballero, Nom. Esp. 80); *b)* in frz.
Form f. das dép., welches die äussersten Theile der
Bretagne umfasst, während das germ. Aequivalent
(s. Landsend) in einem engl. Vorgebirge erscheint
(Meyer's CLex.6,799).— *F.Mountains* s.Gladstone.
  Finke, Cap, das Nordende v. Hochstetter Vorland, Ost-Grönl., v. der 2. deutschen Nordpolexp.
am 3. Apr. 1870 getauft nach Payer's 'langjäh-
rigem, liebem Freunde' (Peterm., GMitth. 17, 190).
  Finn, *fionn* = weiss, ein Wort v. sehr altem u.
ausgedehntem Gebrauch in kelt. Sprachen, bes.
alt als Element v. PN., in ON. mit der Bedeutg.
weiss od. weisslich, hell od. glänzend, wie in
Tullaghfin, ir. *Tulach-Finn* = weisses Berglein,
in Donegal, *Finvoy*, ir. *Finn-mhagh* = weisse
od. glänzende Ebene, in Antrim u. in Louth,
Carrickfin = weisser Fels, ebf. wiederholt. Im
Süden Irl. wird *finn* gew. *feoun*, *fune* ausgesprochen, englisirt *foun*, *fune;* daher *Knockfune*,
ir. *Cnoc-fionn* = weisser Berg, mehrf., *Inchafune* = weisse Aue, in Corkshire u. s. f. Auch
dient *finn* z. Bezeichng. klaren, durchsichtigen
Wassers, wie in *Finglas*, ir.*Finn-glais* = Krystall-
bach, mit *glais* = Flüsschen, so f. ein Dorf bei
Dublin, das v. einem Bach durchflossen ist, während in andern Landesgegenden derselbe Name
zu *Finglush*, *Finglash* u. *Finglasha* geworden
ist; ferner in *Finnihy*, 'the sparkling little river
at Kenmaie, which deserves its name as well as
any stream in Iseland' (Joyce, Orig. Ir. NPl. 2,
271 ff.).
  Finnema, Negername eines Orts im Delta des
Kuara, wo die Lootsen, *finnema*, wohnen, welche
beim Ein- u. Auslaufen die Schiffe üb. die Barre
geleiten. Die Engldr. nennen den Ort *Jewjewtown* = Stadt der Zauberer, *jewjew*, die dort
haupts. residiren, u. deren Obhpt., der alte Jack
Brown, zugleich Oberlootse ist (Köler, Bonny 15.
78). 'Hier wurde früher alle 3 Jahre eine Jungfrau geopfert, um das Meer z. Herbeiführen v.
Handelsschiffen günstig zu stimmen' (Bastian, Bild.
165). In jener Gegend sind insb. die Haye *jewjew*

= heilig, göttlich; ihnen werden allj. 3—4 mal Ziegen, Geflügel etc. zugeworfen u. ein 9—10 jähr. Knabe, der v. Geburt an dazu bestimmt ist, geopfert (Bergh., Ann. 6, 504 ff.). Ist *F.* id. mit *Fetishtown?* In welcher Beziehg. zu diesem Namen steht der des nahen *Nazareth River?* **Finnen,** schon bei Tacitus (Germ. 46) *Fenni,* das v. den Russen *Tschud,* v. den Samojeden *Sürte* (s. dd.) genannte Volk (Schrenk, Tundr. 1, 369, Erman, Reise 1, 41), das sich selbst *Suoma-laiset* = Sumpfmänner, v. *suoma* = Sumpf, Morast, nennt u. aus diesem ins germ. übsetzt, wo goth. *fani,* ahd. *fanni, fenni,* niederd. *fenn, venne, veen,* nfries. *finne,* engl. *fen* dieselbe Bedeutg. hat (Bergh., Phys. Atl. 8, 9, MMüller, Lect. 323). Die Erklärg. des orig. Namens hat indess Sjögren, 'der beste Kenner der finn. Sprache' (Ausl. 46, 387 ff.), als falsch erwiesen, u. auch A. O. Freudenthal, Prof. f. nord. Sprachen in Helsingfors, ist geneigt, sie abzulehnen u. an *finna* = Schlauer, Kundiger, gemeinigl. Zauberkundiger, zu denken (om Ålands ON. 27), wie schon 1854 C. Säve (Knytl. S. 15) dieser Erklärg. den Vorzug gibt ... 'detta är nästan sannolikare, då *Finnarne* i våra fornsagor alltid omtalas såsom sådane'. Vom Volksnamen schwed. *Finland,* das in der Unionszeit als v. Schweden besiedelt *Oesterland* = Ostland hiess (Styffe, Sk. UTid. 2. 321), sowie *Finska Viken,* f. den Golf (Modeen, Finl. G. 1 ff.), russ. *Finski Saliw* (Atl. Russ.). — *Finmarken* s. Lappen. **Finster,** ahd. *finstar* = obscurus, in mehrern deutschen ON., z. Ausdruck des Düstern od. Verborgenen, wie in *Finsteraar* (s. Aare), *Finsterbach* (s. Bach), *Finstersee,* f. einen 'in engem schattigem Bergthal gelegenen See, der seinen Namen mit Recht trägt' (Mitth. Zürch. AG. 6, 151), nach dem nahen Zuger Hofe Wylen auch *Wyler See* (Staub, Zug 14. 62), ferner die *finstere Schlauche,* eine schmale, tiefe u. düstere Felsspalte, durch welche, als wie durch einen Schlauch, sich die Aare im Haslethal zwängt, ein *Vinsterbuch,* 9. Jahrh., ein Waldthälchen des Odenwaldes (Förstem., Altd. NB. 554). **Fire Hole** = Feuerloch, engl. Name der obersten Thalstufe des Madison R., nach dem beispiellosen Reichthum vulcan. Erscheinungen, nam. Geysern u. Fummarolen, nach ihm der Thalfluss selbst *F.H. River* (Hayden, Prel. Rep. 104 ff.). Es gibt zwei solcher Thalstufen, eine untere u. eine obere (s. Lower Geyser Basin). Die erste Kunde finde ich erwähnt in Raynolds (Expl. 10). Vom Kopfe des Wind R. aus wollte er 1859 die terra incognita, als welche er das Quellgebiet des Yellowstone R. bezeichnet, erreichen; aber die Basaltkette u. die ungeheuern Schneemassen, noch im Juni! vereitelten seine Bemühungen. Um so begieriger lauschte er den Erzählungen, welche James Bridger u. Rob. Meldrum, die beiden weissen Männer, die in jene Gegend sich gewagt hatten, v. brennenden Ebenen, ungeheuern Seen u. kochenden Springquellen zu hören gaben. Bridger erwies sich auf dem ihm heimischen Terrain als zuverlässiger Führer, u. Meldrum,

Agent der americ. PelzCo., wird v. Raynolds (ib. 49) als die beste lebende Autorität betr. die Crows bezeichnet. Ueber 30 Jahre habe er in deren Gebiet zugebracht u. während dieser Zeit die Gegenden der Civilisation nur einmal besucht. Schon in dieser ältesten Nachricht (s. Carte) heisst der Thalgrund der Geyser *Burnt Hole* = verbranntes Thal (s. Hole). — *Bay of Fires* = Feuerbucht, in Tasmania, v. Capt. Furneaux, dem Gefährten Cooks (VSouthP. 1, 114), auf seiner Recognitionsfahrt am 17. März 1773 entdeckt u. so benannt, weil er beim Vorübersegeln eine ununterbrochene Reihe v. Feuern, das Zeichen dichter Bevölkerg., bemerkte. **Firenze** s. Florenz. **Firn,** goth. *fairni,* ahd. *firni* = alt, der bekannte Ausdruck f. den 'ewigen Schnee' der höhern Alpenstufen, kommt in der urspr. Bedeutg. auch mehrf. in altdeutschen ON. vor, wie *Firne,* j. *Verne,* in Hessen, u. später die Umgegend, als *Phirnihgowe,* ferner *Firnibach,* zw. Aachen u. Trier, *Virneburg,* Rheinprov., *Firnheim,* j. *Virnheim,* unw. Mannheim (Förstem., Altd. NB. 555 f.). **Fir'ôn** wird *fir'aun,* die gew. arab. Form f. Pharao, gesprochen, neben welcher auch *faraun,* *far'ûn,* vorkommt u. *far'ôn* wohl dial. Abart v. *fir'aun,* mehrf. in ON. a) *Subbet F.* = der Getreidehaufen des Pharao, ein Vulcan südl. v. Damask, v. seiner einem grossen Haufen aufgeschütteten Getreides nicht unähnl., regelmässigen ovalen Form u. der gelbl. Farbe, welche der ihn überall dicht deckende vulcan. Schutt ihm verleiht. Die Araber erzählen, dass Pharao f. die Bauleute an Kanâtir *F.* Getreide in Haurân gewaltsam weggenommen. v. davon die Subbe u. die beiden *Garâras* habe aufschütten lassen; als er aber eines Tags sein grosses Kamel geschickt, um diese Haufen holen zu lassen, habe Gott das Kamel sowohl als die 3 Haufen in Stein u. Schutt verwandelt. Unter den beiden *Garâras* versteht man einen doppelten Vulcan im Dsch. Haurân, benannt auf ähnliche Weise; denn *garâra* ist ein Getreidehaufen v. 80 Mudd. Die vulcan. Formation, welche die Legende als das versteinerte Kamel ansieht, befindet sich zw. den beiden Garâras u. heisst *el Gemel* = das Kamel; b) *Kanâtir F.* in syr. Dial. *anâtir* = Bogen, eine alte Wasserleitung in Hauran, als Werk der Pharaonen betrachtet (Seetzen, Reis. 1, 58; 4, 35); c) *Khasr Far'ôn* = Pharao's Palast heisst bei den arab. Bewohnern des Wady Musa eine Ruine in Petra, 'das einzige noch vorhandene Gebäu in Maurerarbeit', in der Annahme, dass die Stadt einst dem ägypt. König gehört habe (Robins., Pal. 3, 71). Vgl. Kazneh; d) *Dschesîrat F.* s. Kurejeh; e) *Sebcha Faraun* s. Schott. — In der Orth. mit *ph* finde ich a) *Birket Pharaûn* = Pharao's Bucht, im Golf v. Suez, wo, der arab. u. ägypt. Tradition zuf., die Israeliten üb. das Meer gesetzt hätten u. der äg. König v. den zkkehrenden Wellen begraben worden wäre. Das Volk schreibt die häufige Bewegg. des nach drei Seiten offnen u.

plötzlichen Windstössen ausgesetzten Gewässers den Geistern der Ertrunkenen zu, welche sich noch auf dem Meeresgrunde rühren (Burckh., Reis. 2, 984); *b) Hammâm Ph.* = Pharao's Therme, eine der lauen u. heissen Quellen der Vulcanspalte am Golf v. Suez (ib. 2, 985, Rüppel, Reise 1, 139).

First View, Mount = erst gesehener Berg, ein Pic am obern Darling, v. engl. Reisenden T. L. Mitchell (Trop. Austr. 145) am 3. Mai 1845 so genannt, nachdem er das flache Gelände der obern Zuflüsse durchzogen hatte u. nun in der Ferne blaue Bergspitzen auftauchen sah; denn diese, hoffte er, möchten einem Berglande angehören, welches die Wasserscheide der Nord- u. Südküste des Continents, Murray R. u. Carpentaria G., darstelle: 'the object of all my dreams of discovery for years .... there we might hope to find the divisa aquarium, still undiscovered ...' — In Reihen nummerirt: *a) F. Cañon* s. Grand; *b) F., Second* u. *Third Cove*, drei auf einander folgg. Buchten bei Resolution I., NSeel., v. Cook (VSouthP. 1, 90) am 8. Mai 1773 benannt; *c) F.* u. *Second Narrow*, die Engen im östl. Theil der Magalhães Str., holl. *Eerste* u. *Tweede Engde*, span. *Primero* u. *Segundo Estrecho* (ZfAErdk. 1876, 455); *d) F. Portage* s. Second; *e) F. Shoal*, eine Untiefe der chin. Südsee, v. Capt. Wallis am 3. Nov. 1767 entdeckt, wie später *Second* u. *Third Shoal* (Hawk., Acc. 1, 283); *f) F. Grassy Lake Portage* s. Grass; *g) First* u. *Second Carp Portage* s. Carp.

Firuz-Khu = blauer od. Türkisberg, in Persien 2 mal: *a)* Berg in der Nähe v. Nisapur, mit den berühmten Türkisgruben (Journ. SGGen. 9, 265); *b)* Ort am Südfuss des Elburs, dicht einer steilen, hohen Kalkfelswand angebaut (Spiegel, Eran. A. 1, 65). Es dürfte die Deutg. 'Berg des Phiruz', eines der altpers. Könige (Pauthier, MPolo 1, 72), besser einleuchten. — *Kum-i-F.* s. Murghâb.

Fisch, ahd. *fisc*, dän. u. schwed. *fisk*, engl. *fish*, holl. *visch* (s. dd.), ein Bestimmgswort in deutschen ON. wie in *Fischbach* (s. Bach), im *Grossen Fischsee*, dem bedeutendsten, an Fischen, bes. Forellen reichen der 'Meeraugen' der Tatra (Meyer's CLex. 6, 841) — bisw. jedoch nur scheinbar, wie *Fischament* (s. Gmünd), in *Fischenthal*, 878 *Fiskinestal*, u. *Fischingen*, alt *Vischinna*, beide v. PN. Fiskin (Mitth. Zürch. AG. 6, 155, v. Arx, Gesch. St. Gall. 1, 299), auffallend in *Fischhausen*, ON. am Frischen Haff, verd. aus *Bisch-* od. *Bischofshausen*, wo der samländ. Bischof Heinrich ein Schloss anlegte u. ein späterer Bischof Siegfried den Ort 1299 z. Stadt erhob (Toeppen, GPreuss. 218, Förstem., D. ON. 164 f.).

Fish = Fisch, in engl. ON. *a) F. Creek* (s. Salomon); *b) Fishtown*, im Nigerdelta, einh. *Fóbere*, bei den Engl. 'Fischstadt', weil in dem seichten Wasser lange Stakete behufs des Fischfangs in den Fluss hinein gebaut sind (Köler, Bonny 15); *c) F. Harbour*, eine schöne, tief eindringende, seichte, offb. fischreiche Hafenbucht in Mergui, v. Capt. Thomas Forrest am 14. Aug. 1783 benannt (Spr. u. F., NBeitr. 11, 192); *d) F. Point*,

in Wallaby I., v. Capt. Stokes (Disc. 2, 154) im Mai 1840 getauft nach den vielen Klapperfischen, welche seine Leute dort fingen; *e) F. River*, übsetzt aus ind. *Chewah*, ein kleiner, lkseitgr. Zufluss des Missuri (Lewis & Cl., Trav. 82); *f) Great F. River*, übsetzt aus ind. *Thlew-ee-choh*, mit *desseth* = Fluss, diess im Ggsatz zu dem kleinern *Thlew-ey-aze-desseth* = kleinen Fischfluss, ein fischreicher Strom des arkt. America, entdeckt u. trotz der 83 Fälle u. Katarakten bis z. Mündg. erforscht v. George Back (Narr. 5. 21. 31. 80. 202), welcher v. Winterquartier Fort Reliance aus zu Ende Juli 1834 einen Punkt der bis auf Dease u. Simpson 1838 unerforscht gebliebenen american. Eismeerküste betrat. Wird der Fluss auch *Back's Great F. River* genannt, so ist er v. dem früher entdeckten, westlichern Back's R. (s. d.) wohl zu unterscheiden.

Fishburn s. Jameson.

Fisher, Cape, 2 mal im arkt. Gebiet v. Parry nach Gefährten getauft: *a)* in Melville I., nach Alex. *F.*, dem Arzte des Schiffes Hekla im Juni 1820 (NWPass. 191); *b)* im Fox Ch., nach G. *F.*, dem chaplain u. Astronomen der Exp. (Sec. V. 229 ff.). — Ebf. prsl. *a) F.'s Island*, in Georg's IV. KröngsG., v. Capt. John Franklin (Narr. 380) am 11. Aug. 1821; *b) F.'s Island* s. Mandeb; *c) F. Island* s. Baily; *d)* s. Visscher.

Fisherman's Island = Fischerinsel, im Victoria Njanza, wo am 25. März 1875 H. M. Stanley (Thr. Dark Cont. 110) mit einer Zahl eingeborner Fischer verkehrte. — *F. Peak* s. Whitney.

Fishing Lakes = See'n des Fischfangs, 4 See'n des Qu'appelle R., Assiniboine, 'well named' wg. der reichen Fischvorräthe, welche sie enthalten. Insb. ist der white fish = Weissfisch, Coregonus albus, eine lachsartige, dem Blaufelchen, Gangfisch, des Bodensee's verwandte Art, selten irgendwo so gross, so zahlr. u. so schmackh. wie hier (Hind., Narr. 1, 321). — *F. Lake*, ein See im Netz des Yellow Knife R., am naher Trageplatz *F. Lake Portage* (Franklin, Narr. 212 ff.). — *F. River* s. Trout. — *Black's F. Grounds* s. Gemini. — Ein schwed. Name *Fiskholm* = Fischerinsel, in der Mündg. des lappl. Kalix Elf, wo ein starker Fischfang stattfindet (Petersson, Lappl. 24).

Fissure Spring = Spaltquelle, eine der auffälligsten Thermen des Fire Hole (s. d.), v. US. Geol. F. V. Hayden 1871 nach ihrer Gestalt benannt (Hayden, Prel. Rep. 183).

Fitton Bay, bei Peel's I., v. Lieut. Belcher, Exp. Beechey (Narr. 2, 519) im Juni 1827 entdeckt u. nach Dr. *F.*, vorm. Präsid. der geol. Gesellschaft, benannt, wie am 19. Juli 1826 *Point F.*, v. Richardson, Exp. Franklin (Sec. V. 230) u. *F. Peak* (s. Richardson).

Fittri s. Benuë.

Fitzgerald Bay, eine weite Bucht nördl. v. Cape Kater (s. d.), v. W. Edw. Parry (NWPass. 40) am 8. Aug. 1819 so benannt 'out of respect for capt. Robert Lewis *F.*, of the royal navy'.

Fitzhugh Sound, eine Einfahrt des j. Brit. Columbia, früher NCaledonia, 1786 entdeckt u.

untersucht v. Capt. James Hanna, der hier in der Schnau Seeotter auf Seeotterfelle ausging, benannt 'Hrn. William *F.* zu Ehren' (GForster, GReis. 1, 53; 3, 224), Supercargo der engl.-ostind. Co. zu Canton.

Fitzmaurice Bay, in Bass Str., v. Capt. Stokes (Disc. 1, 267) am 29. Nov. 1838 entdeckt u. nachträglich getauft nach einem seiner Gefährten, wie *F. River,* in Arnhem's Ld., im Oct. 1839, 'after its discoverer' (ib. 2, 45).

Fitzroy, Robert, ein auf dem Felde der Entdeckungen u. damit der Namengebg. hervorragender engl. Seemann, als Enkel des Herzogs v. Grafton 1805 geb., mit 14 Jahren in den Seedienst eingetreten, war Capt. der Schiffe Adventure u. Beagle, welche 1828/36 in Patagonien, Feuerland etc., Aufnahmen besorgten, wurde Gouverneur v. NSeel. 1843/46, Contre-Admiral 1857 . . . u. † 1865. Sein Name ist mehrf. mit dem seiner Familie (s. Grafton), mit dem der Schiffe (s. Beagle) od. seiner Gefährten, wie in *Cape F.,* vergesellschaftet, so in *F. Downs,* den weiten Ebenen im Quellgebiete des Cogon-Darling, v. Major T. L. Mitchell (Trop. Austr. 153) am 8. Mai 1845 getauft, wie die nahe Bergreihe *Grafton Range,* um diese mit erstern zszustellen, 'to identify it', u. der aus der Ebene aufsteigende *Mount Beagle; c) F. River,* in Tasmans Ld., v. Capt. Stokes (Disc. 1, 132) am 26. Febr. 1838 nach dem Seef. u. Gelehrten d. N. getauft . . . 'thus perpetuating, by the most durable of monuments, the services and the career of one, in whom, with rare and enviable prodigality, are mingled the daring of the seaman, the accomplishment of the student and the graces of the Christian'; *d)* ebenso *F. Island,* vor Cape Grafton, Queensland (Stokes, Disc. 1, 341), 'an island which like Fitzroy, carried in its name a pleasing association to many on board the Beagle'; *e) F. Passage,* zw. Skyring- u. Otway Water (Fitzroy, Adv. B. 1, 351). — Nach einem Reisenden Charles *F.,* zeitw. Gouverneur v. NSüdWales, sind 2 *F. River* getauft: *a)* in Victoria, v. Major T. L. Mitchell (Three Expp. 2, 236, Trop. Austr. 386) am 28. Aug. 1836; *b)* in Tasman's Ld., v. Capt. Wickham entdeckt (Grey, Two Expp. 1, 266).

Fiume = Fluss, ital. ON. in Kroatien, ins Kroat. übsetzt *Rieka,* im Mittelalter *Fanum* (= Tempel) *St. Viti ad Flumen,* deutsch *Sanct Veit am Pflaumb* (= am Fluss), alles nach der Lage an der Mündg. eines Flusses, ital. *Fiumera* (Peterm., GMitth. 5, 332). — Verwandt *Flims* = Quellort, rätr. *Flem,* v. *flim,* lat. *flumina,* rätr. *flüms* = fliessendes Wasser, ein Dorf Graubündens, nach den vielfachen Quellen (Campell ed. Mohr 15) . . . 'die Hptquelle ist bei'm Entspringen so mächtig, dass sie Mühlen treiben könnte'.

Five = 5, ahd. *finf, fimf,* mhd. *vünf,* holl. *vijf,* dän. u. schwed. *fem,* gehört nicht unter die toponym. beliebtesten Zahlwörter, ist mir aber doch mehrf. in engl. ON. begegnet, *F. Islands* 2 mal f. eine Gruppe v. 5 Inselchen: *a)* in den Central-Carolinen, einh. *Olimarao,* v. Cheyne (Meinicke, IStill. O. 2, 358); *b)* in Mergui, im Bericht üb. Capt. Thom. Forrest's Untersuchungen erwähnt (Spr. u. F., NBeitr. 11, 189). — *F. Hawser Bay,* eine kleine klippenvolle Bucht des Lyon Inlet, v. Parry (Sec. V. 80) am 6. Sept. 1821 entdeckt u. v. seiner Mannschaft scherzweise 'with their usual humour' so benannt, weil bei der Annäherg. eine Tiefe v. 17—19 fathoms gelothet u., um das Schiff zu stellen, unverzüglich einige Hawsers (= Haken) an den Felsen befestigt wurden. — *Point of F. Fingers,* an der Südwestseite NSeel., auffallend durch 5 hohe zugespitzte Felsen, welche das Aussehen der 4 Finger u. des Daumens einer Menschenhand haben, v. Cook am 13. März 1770 benannt (Hawk., Acc. 3, 20).

Flach, ahd. *flah,* = planus, holl. *vlack* (s. d.), adj. zu 'Fläche', in wenigen deutschen ON. wie *Flaach,* 11. Jahrh. *Flacha,* an der Confluenzfläche zw. Rhein u. Thur. Wohl öfter im Sinne u. 'seicht' f. Wasserflächen, entspr. dem frz. *Rivière Platte* (s. d.); so die *Flache Bay,* frz. *Baie Plate,* an der Ostseite Sachalins, v. ganz niedrigem Land umgeben, v. russ. Capt. J. A. v. Krusenst. (Reise, 2, 137, Atl. OP. 25) am 19. Juli 1805 getauft.

Fläming s. Flandern.

Fläsch, Ort in Graubünden, am Fusse des *Fläscher Bergs,* des schroff z. Rhein abstürzenden Westpfeilers der Rhätikon, sollte zZ. der Etruskomanie v. den Falisci (Plin., HNat. 3, 51; 7, 19) ggr., also eine etrur. Colonie sein; es ist dieser Traum jedoch längst (Salis u. Steinm., Alp. 1, 317) als 'lächerlich' bezeichnet, dafür die Ableitg. v. rom. *avalasca* = Erdschlipf, Steinrutsch, Rüfe (Gatschet, OForsch. 244) od. in der Verwandtschaft des deutschen *fels,* alt *felisa,* kelt. *falätsche,* frz. *falaise* = Felssturland, Felswand (Mitth. Zürch. AG. 6, 83) gesucht u. mit diesen Formen verglichen: *Falätsche,* eine vegetationslose Bergrinne des Uetlibergs, *Fläschloch,* wo *loch* das ahd. *luoc* = Schlucht, ein Felsschlund im Wäggithal, *Fältschen,* Ort im C. Aargau, wo mehrmals Erdschlipfe stattgefunden haben.

Flag Hill = Flaggenberg, ein v. Sand u. zerbrochenen Muscheln gebildeter 15 m h. Fels, der höchste der East Wallaby I., v. Capt. Stokes (Disc. 2, 154) im Mai 1840 so genannt, weil er hier seine Flagge aufpflanzte; *b)* ebenso (Disc. 2, 212) *F. Islet,* ein Inselchen, zieml. mitten in einem Felsschwarm bei Hermite I., De Witt's Ld., im Sept. 1840, weil der Reisende hier, nach Aufpflanzg. der Flagge, Beobachtungen anstellte. — *Flaggenberg* nannten die Dänen einen Berg, St. Thomas, weil auf ihm durch eine aufgesteckte Flagge die Ankunft eines Schiffs angezeigt wurde (Oldend., GMiss. 1, 74).

Flamengo, Sacco do = Flamingobucht, port. Name einer Bucht der bras. Prov. São Paolo, früher *Enseada dos Guaramomis,* nach einer Niederlassg. des Indianerstammes, der *G.* od. Maramomís; der innere Theil heisst *Sacco da Ribeira* = Bucht (näher) am Ufer (WHakl. S. 51, XLIX).

Flandern, eine Ldsch. Belgiens u. des nördl. Frankreich, zunächst Volksname, im 8. Jahrh. *Flandri, Flanderi,* dann *Flandrenses,* daher das Land *Flandria, Flandra* etc., j. frz. *Flandre,* schon v. Adr. de Valois f. unerklärbar gehalten; auch Mercator (Atl. 1629) erwähnt ledigl. als Annahme, als sei der Name nach *Flandbert,* dem Sohne der Königstochter Blessinde, gewählt, der um 445 lebte. Andere denken an *Flandrine,* die Tochter Liderics II., der unter Karl d. Gr. u. Ludwig d. Frommen ein mächtiger Statthalter dieses Landes gewesen sei. Nach C. Shepper komme der Name v. dem deutschen Worte *flaidren* = Pfeil (!), weil Bogen u. Pfeile die urspr. Waffen dieses Volks gewesen seien. Ein Autor des 15. Jahrh. berichtet, dass das Land v. der Wuth der Winde u. Wellen, die diese Küstengegenden peitschen, benannt sei, mit dem vläm. Worte *flaenderen* = kräftig blasen, u. ein frz. Werk v. 1885 nennt dies 'l'étymologie qui nous parait la plus probable' (RdDenus, Anc. Prov. Fr. 2). Da zieht Förstem. (Altd. NB. 564) vor, gar nichts zu sagen u. nur, als andere Bezeichng. der *Flandri,* aus dem 9. Jahrh. die Form *Flamingi,* dem mod. *Vlämen* entspr., anzuführen. Dazu bemerkt er: 'de Smet (Essai Fl. Occid. 10) stimmt der Meing. v. Kervyn de Lettenhove (Gesch. Fland. 1, 110) bei, welcher *Flandri* zu 'fliehen' stellt u. stützt diese Ansicht durch den Hinweis auf die Uebereinstimmg. v. *Flamingi* u. dem sächs. *flyming,* isl. *fláming* (vgl. DKoolman, Ostfries. WB. 1, 499). Ist diese Ansicht richtig, so müssten mit dem Namen zunächst die vor dem german. Eroberer nach Westen zkgewichenen Kelten gemeint sein'. — Der *Fläming,* ein Landrücken zw. Elbe u. Havel, ist benannt nach den vläm. Ansiedlern, welche Albrecht d. Bär in seine Staaten einführte u. die bis ins 17. Jahrh. noch viel v. ihrer Eigenart beibehalten haben. Der thätige Regent, Begründer des Hauses Askanien od. Anhalt, Markgraf v. Brandenburg, 1106/70, zog in die Gegenden, welche nach dem Wendenkrieg (1155) entvölkert standen, nieder- u. rheinländische Colonisten, welche sich unter grossen Begünstigungen massenhaft an der Elbe, Havel u. Spree niederliessen u. viele Städte erbauten (Meyer's CLex. 1, 331 f.; 6, 865). — *Ilhas Framengas* s. Açores.

Flat Bay = flache Bucht, bei Sullivans Island, Mergui, 'wo man 1½ km v. Ufer erst 2 Klafter Tiefe hat', durch den engl. Capt. Thom. Forrest am 18. Juli 1783 getauft (Spr. u. F., NBeitr. 11, 182). — *Flatholm* = flache Insel, ein Eiland der Bristol Bay, niedrig u. flach, mit Leuchtthurm, daneben ein hohes, steiles *Stepholm* = Steilinsel (Camdçn-Gibson, Brit. 2, 389). — *F. Island,* mehrf. a) eine flache Insel der Plenty Bay, NSeel., nur bis 58 m h., einh. *Motiti,* v. Cook benannt, wie die benachbarte kleine, aber 356 m h. *Whale Island* = Walinsel, einh. *Motuhora* (Meinicke, IStill. O. 1, 276) u. die 280 m h. *White Island* (s. d.); b) im Arch. Mergui, v. Capt. Forrest am 24. Juli 1783 benannt (Spr. u. F., NBeitr. 11, 185); c) s. High I. — *F. Mountain,*

oben abgeplatteter Berg am Südufer des Yellowstone Lake (Hayden, Prel. Rep. 131). — *F. Point,* mehrf.: a) die niedrige Ostspitze der Berghalbinsel Mamori im westl. Flügel Neu Guinea's (Meinicke, IStill. O. 1, 86); b) s. Geelvink; c) die Nordspitze Pulo Pinangs (Spr. u. F., NBeitr. 11, 230); d) ein niedriger Vorsprg. in der Nähe der Cooks Str., einh. *Tehukakore,* v. Cook getauft (Meinicke, IStill. O. 1, 277). — *F. Pynt* s. Negro. — *Flatheads* = Plattköpfe, ind. *Pallotepallors* (das Original des Canadiernamens?), ein Indianerstamm, der den Kopf des Kindes mit eigens zugeschnittenen Brettern einpresst, um die Plattform des Schädels zuwege zu bringen (Lewis u. Cl., Trav. 11, ZfEthn. 2, 304).

Flattery = Schmeichelei, mehrf. in Entdeckernamen, f. Fälle, wo man sich Angesichts eines Landvorsprungs mit der Hoffng. auf eine angenehme Wende schmeicheln konnte, 2 mal bei Cook in *Cape F.:* a) ein kühnes Vorgebirge in Queensl., wo sich am 10. Aug. 1770 ein scheinbar freier Ausgang aus dem Rifflabyrinth u. damit die Hoffng., noch einmal der Gefahr entronnen zu sein, unbegründet gezeigt hatte (Hawk., Acc. 3, 191); b) der Südpfeiler v. Fuca's Einfahrt, welcher am 22. März 1778 v. fern* aus Süden gesehen, v. Continente getrennt zu sein u. eine schmale Einfahrt u. geschützte Bucht zu lassen schien . . . 'which flattered us with the hopes of finding an harbour', dann aber diese Hoffng. bei der Annäherg. zerstörte (Cook-King, Pac. 2, 263), v. Capt. Charles Duncan, der am 15. Aug. 1788 vor dem Indianerdorf Claasset, Classet, Claaset ankerte, in *Cape Claasset,* v. Capt. Meares, umbenannt 1788, in *Cape Tatoutche,* nach einem dortigen Indianerhäuptling, umgetauft, davor der Klippenschwarm *F. Rocks* (Peterm., GMitth. 4 T. 20). Die in *Cape F.* auslaufende Halbinsel heisst *Tatutsch* (Forster) od. *Classet* (Peterm.), die dem Cap vorliegende Insel *Tatootche, Tatoosh Island* (Meares, Peterm.) od. *the Green Island* = die grüne Insel (Duncan). GForster, GReis. 1, 122 ff. — *F. Run,* ein ggb. Medicine R. in den Missuri mündender Bach, wo die Captt. Lewis u. Cl. (Trav. 190 ff.) lange mit Arbeiten u. Zurüstungen f. die Gebirgsreise zubrachten.

Flavia, einer der ON., welche den flav. Kaisern, Vespasian u. Titus, zu Ehren eingeführt wurden a) *F. Nea* s. Constantia; b) *Flavia Neapolis* s. Sichem; c) *Flaviopolis,* in Bithynia, früher *Cratea,* j. *Geredé* (Kiepert, Atl. Ant. Ind. 8); d) *Amphitheatrum Flavium* s. Colosseum.

Flaxman's Island, im Eismeer westl. v. MacKenzie R., v. Capt. John Franklin (Sec. Exp. 151) am 5. Aug. 1826 entdeckt u. zu Ehren des vorm. eminenten Bildhauers benannt.

Flechas, el Golfo de las = der Golf der Pfeile, so taufte Columbus die j. Bay v. Samaná, an der Nordseite Hayti's, nach dem Zusammentreffen mit bewaffneten Indianern. 'Los arcos de aquella gente diz que eran tan grandes como los de Francia é Inglaterra: las flechas son propias como las azagayas de las otras gentes . . . . que son de los pimpollos de las cañas....' (Navarrete, Coll. 1, 138).

Fléchier, Cap, am 'Golfe Bonaparte' (s. Spencer's G.), v. frz. Lieut. L. Freycinet, Exp. Baudin, am 22. Jan. 1803 benannt nach dem frz. Kanzelredner Esprit F., 1632—1710 (Péron, TA. 2, 77).

Flem s. Fiume.

Fleming Inlet, ein Arm des ostgrönl. Davy's Sd., v. Walfbr. Will. Scoresby jun. (North. WF. 272) am 14. Aug. 1822 entdeckt u. nach dem Verf. der 'Philosophy of Zoology' benannt, wie *Cape Fletcher*, in Canning I., am 20. Aug. nach einem Edinburger Freunde.

Fleurieu, *Ch. P. Claret,* der berühmte 1738 geb. frz. Hydrograph, 'welchem Frankreich u. das Seewesen so viele schätzb. Arbeiten u. so viele rühml. Werke zu danken haben', wurde insb. v. der Exp. Baudin, deren Reiseplan er entworfen, u. auch schon vorher v. La Pérouse, dessen Unternehmen er durch Carten u. Notizen gefördert hatte, † 1810, in einer Reihe ON. gefeiert: *Cap F.,* 2 mal *a)* im nordwestl. America, v. La Pérouse am 21. Aug. 1786 (Milet-M., LPér. 2, 231); *b)* die Südostspitze v. Choiseul, Salom., v. russ. Admiral v. Krusenst. (Mém. 1, 163) getauft. — *Rivière F.,* in Tasmania, Swan Hr., im Jan. 1802, *Baie F.,* in Tasmania, im Febr. 1802, *Presqu'ile F.,* in Süd-Austr., id. *Cape Jervis* (Krus., Mém. 1, 42), im Apr. 1802, *Ile F.,* in Bass Str., id. *Barren I.,* am 10. Dec. 1802, sämmtl. v. der Exp. Baudin, benannt (Péron, TA. 1, 195. 247 f. 272: 2, 21).

Flevo s. Zuider Zee.

Fligely, Cap, im arkt. Kronprinz Rudolfs Ld., der äusserste Punkt, bis zu welchem die zweite, v. Jul. Payer geführte Schlittenreise der österr.-ungar. Nordpolexp. am 11. Apr. 1874 unt. 82⁰ 05' NBr. gelangte (Peterm., GMitth. 20, 449 f., T. 20. 23; 22, 204). 'Der friedliche Wettstreit der Nationen f. die Erweiterg. der Erdkunde pflanzt dann in dem feierl. Augenblicke des Betretens u. Scheidens v. dem jew. Vorgebirge non plus ultra seine Fahne auf. Zum ersten mal im hohen Norden wehte hier die Flagge Österreich-Ungarns. Nachdem ein Document als Zeugniss unserer Anwesenheit in einem Felsriff deponirt worden war, wandten wir uns zur Rückkehr nach dem Schiffe — 160 Meilen fern im Süden'. — *F. Fjord,* hinter Kuhn I., Ost-Grönl., v. der zweiten deutschen Nordpolexp. 1869/70 ebf. zu Ehren des österr. FML. v. *F.,* Directors des KK. militärgeogr. Instituts, benannt (Peterm., GMitth. 17, 345 T. 10; 18, 2).

Flims s. Fiume.

Flinders, Matthew, ein auf dem Felde austr. Entdeckg. u. Namengebg. hervorragender engl. Seemann, geb. 1770, begann in Begleit des Wundarztes G. Bass 1794 seine Untersuchungen südl. v. Sydney, anf. in einem $2^1/_2$ m lg. Boote, entdeckte mit ihm 1798 die Bass Str. u. umfuhr das j. Tasmania. Zu einer staatl. Exp. 1801 erhielt er nur ein altes, nothdürftig ausgerüstetes Schiff; ihn begleitete Rob. Brown. Es war dies die glän-

zende Aufnahme der Südküste NHollands, wo er mit der frz. Exp. Baudin zstraf; dann wandte er sich 1802 der Ostküste zu, um die Küste v. NSüd-Wales u. Queensl., sowie das Barrière Riff zu untersuchen, ging durch die Torres Str. z. Carpentaria G., litt auf dem Wreck Reef Schiffbruch, gelangte jedoch nach Mauritius, dam. Ile de France, wo ihn der frz. Gouverneur gefangen hielt, u. † 1814 in London. Sein Name begegnet uns in einer Reihe Entdeckernamen: *a) Cape F.,* bei Georg's IV. Krönungs G., v. Capt. John Franklin (Narr. 386, Carte) am 16. Aug. 1821 dem Andenken seines betrauerten Freundes gewidmet; *b) F.'Bay,* eine weitgeschweifte, nach Süden offene Bay bei Cap Leeuwin, wo *F.* (TA. 1, 50) am 7. Dec. 1801 Aufnahmen machte; *c) F.'Group,* ein Insel- u. Riffschwarm des Gr. Barrière Reef, v. Lieut. Jefferies R. N. 1815 (Krus., Mém. 1, 87); *d) F.'Island,* die grösste der Furneaux In., die er im Febr. 1798 näher untersuchte, bei ihm selbst (TA. 1, CXX ff., Atl. 6) einf. *Great Island* = grosse Insel. — *F.'Isle,* zweimal: *e)* die Hptinsel der Investigator Gr., v. Entdecker (TA. 1, 124; 2, 310) am 13. Febr. 1802, nach seinem Bruder S. W. *F.,* dem zweiten Lieut. seines Schiffs, bei der Exp. Baudin, Febr. 1803, *Ile Andréossy,* nach einem der Grafen d. N., wohl demj., welcher zu den Würdenträgern der napol. Herrschaft gehörte (Péron, TA. 2, 85); *f)* im KorallenM., v. *F.* im Aug. 1802 v. der Höhe der Masten entdeckt (Krus., Mém. 1, 97). — *g) Mount F.,* der Culm der Bountiful Is., v. Capt. Stokes (Disc. 2, 266) im Juli 1841 nach dem Entdecker der Gruppe; *h) F.'Pass* s. Torres; *i) F.'Range,* eine Hügelreihe in Süd-Austr., die der Entdecker 1802 erwartungsvoll in den Spencer's G. einlief, der angebl. quer durch den Continent hindurch führen sollte, nun aber vor der Hügelkette ausging; *k) F.'Reef,* im KorallenM., v. *F.* entdeckt (Krus., Mém. 1, 94); *l) F.'River,* ein Zufluss des Carpentaria G., v. Capt. Stokes (Disc. 2, 271) im Juli 1841 entdeckt u. im Sinne eines kurz zuvor gefassten Gelöbnisses nach seinem Vorgänger benannt. 'All the adventures and sufferings of the intrepid *F.* vividly recurred to our memory; his discoveries on the shores of this great continent, his imprisonment on his way home, and cruel treatment by the French Governor of Mauritius, called forth renewed sympathies. I forthwith determined accordingly that the first river we discovered in the Gulf should be named the *F.,* as the tribute to his memory which it was best becoming in his humble fellower to bestow, and that which would most successfully serve the purpose of recording his services on this side of the continent. Monuments may crumble, but a name endures as long as the world'.

Flint s. Tiburon.

Florida, oft mit falscher Tonlegg. *Flórida,* die grosse american. Halbinsel, wurde am 27. März 1512 durch den Spanier Ponce de Leon entdeckt u. sowohl ihres blumenreichen Aussehens wg., als auch weil die Entdeckg. am Ostertag geschah, mit diesem Namen belegt: 'El haberla descubierto en la pascua de Flores, y aparecer tan llana y vistosa por su verdor y frescas arboledas le dieron occasion para imponerle con propiedad este nombre' (Navarrete, Coll. 3, 51, Las Casas, Coll. 1, 226, ZfAErdk. nf. 3, 68; 15,12), auf Ribero's Weltcarte, 1525, *Tierra de Garay*, nach dem span. Seef., der die erste Entdeckg. fortsetzte (Spr. u. F., Beitr. 4,174, Rye, Flor. Xf.). Nach dem Lande die *Strasse v. F.* Ein Vorgebirge, j. *Cap F.*, od. das nördlichere Cap Cañaveral (Navarrete, Coll. 3, 51) wollte der Ritter Ponce nach den eindrucksvoll vorbeidrängenden Gewässern des Golfstroms als *Cabo de los Corrientes* = Vorgebirge der Strömungen bezeichnen: 'esperimentó tan violentas corrientes, que los busques con viento fresco retrocedian en vez de ir adelante'. Auch die j. *F. Keys* erhielten v. ihm einen andern Namen (s. Martires). — *La F.* od. *Isla de Flores*, Insel der Salomonen, v. Capt. Ortega u. Piloten Gallego, Exp. des span. Seef. Mendaña, ebf. in der Osterzeit am 9. Apr. 1568 entdeckt (Viajes Quirós 3, 15, Fleurieu, Déc. 8). — *Floride Française* s. Carolina. — *Florenz*, ital. *Firenze*, das Haupt Toscana's, als Militärstation Sulla's od. spätestens der Triumvirn angelegt u. *Florentia* = Blumenstadt (Tac., Ann. 1, 79) genannt, dem Motiv nach dunkel; denn nicht allein der fabelhafte Erbauer Florino u. das lat. *fluentia*, als die am Arno gelegene Flussstadt, sondern auch die beliebten 'fiori e gigli, si come losse in fior edificata, ciod con moltè delizie' kommen nicht ernstlich in Betracht kommen. — Ebenso unsicher ist *Floris*, *Flores*, eine der Kl. Sunda In., nach Hafenplätzen auch *Ende* od. *Mangarai*, wohl eher, wie Spr. u. F. (NBeitr. 1, 187) versichern, nach einem Dorfe, das an der Meerenge gg. Sumbawa liegt, als, wie Crawf. (Dict. 138) annimmt, id. mit dem Namen in den Açoren. — Dagegen stehen in sicherer Beziehg. z. Blumenwelt deutlich *a)* die Trentiner ON. *Fierozzo*, 1166 *Florutz*, in deutschem Munde aus *Florutium* entstanden, offb. f. eine einst blumenreiche Fläche, ferner die urk. Formen *Florazai* u. *Floriana* (Malfatti, S. top. Trid. 62); *b) (Ilha das) Flores*, Açoren, unter allen j. noch v. lieblichsten Aussehen, den ersten Port. in frischem Blüthenschmuck eine liebl. Erscheing. (Sommer, Taschb. 12, 295); *c) Floral Valley* = Blumenthal, ein Thal der Black Hills, Wyoming, ind. *Minne-Lusa* = schnelles Wasser, nach dem klaren, raschen Thalstrom, am 25. Juli 1874 v. General Custer so getauft, weil dasselbe, in seiner Breite v. 100—300 Yards, mit dem grössten Ueberfluss wilder Blumen, 'in almost incredible numbers and variety', erfüllt war (Ludlow Black H. 12. 38 f.).

Florian, St., Ort in OOesterr., urspr. berühmtes Augustinerstift, im 6. Jahrh. (?) üb. dem Grab des Märtyrers *SF.* erbaut (Umlauft, Öst. NB. 62, Meyer's CLex. 14, 114); *b) Cap F.*, an der Baie Ségur, v. der frz. Exp. Baudin im Apr. 1802 nach einem Dichter *F.*, 1755—1794, benannt (Péron, TA. 2, 83). — *Floriana*, eine 1832 v. der Repu-

blik Ecuador auf Charles' I., Galápagos, angelegte Colonie, dem General Flores zu Ehren getauft (Skogman, Eug. R. 1, 227).

Flosagjä, eine Kluft in der Gegend des isl. See's Thingvallavatn, benannt nach einem Verbrecher Flosi, welcher hier 1012 verurtheilt werden sollte, aber durch einen ungeheuern Sprung üb. die Kluft sein Leben rettete. Die Stelle heisst *Flosahloup* = Flosisprung, analog. Pfaffensprung, Mägdesprung (Preyer-Z., Isl. 85).

Floyd's Grave, bei *F.'s River*, ON. am linken Ufer des Missuri, wo der z. Exp. Lewis u. Cl. (Trav. 35) gehörige Sergeant *F.*, an einer galligen Kolik starb, 20. Aug. 1804. Sein Grab, *grave*, ist auf der Spitze der Uferhöhe. 'He was buried with the honours due to a brave soldier; and the place of his interment marked by a cedar post, on which his name and the day of his death were inscribed'.

Fluh = Fels, Felswand, Felsberg, dim. *flühli*, schweiz. Ausdruck z. B. in 'Nagelfluh', auch in ON. wie *zur F.* (s. la Roche), *Fluhbrig* = Felsberg, in den Voralpen des C. Schwyz, *Flühli*, wiederholt: *a)* bei Saxeln, Unterw., die Felspartie, v. der die Familie v. Flüh benannt ist (Gem. Schwz. 6, 127); *b)* Dorf im Entlebuch, üb. dem 'gerade sich die Schafmatt erhebt mit 12 nackten Felsenstirnen, die in einer Richtg. an einander gereiht sind u. eine Fluhwand bilden: die *Schwändifluh*. Wenn an einem schönen Herbstabend die Sonne ihre letzten Strahlen an diese Kuppe sendet u. sie mit dem feurigsten Golde verklärt, bis allm. die Dämmerg. an ihnen hinaufsteigt u. sie endl. ganz in Schatten hüllt, so ist das eine ergreifende Naturpoesie. Die Flühe machen in dieser wunderbaren Beleuchtg. den Eindruck v. lebenden Wesen, v. Riesen, z. Wache gesetzt üb. das friedl. Thal' (Osenbr., Wanderst. 1, 261).

Flumen = Fluss, in dem mittelalterl. ON. *Fanum St. Viti ad F.* (s. Fiume), wie ant. *ad Fluvium* aus Lañarium (s. d.) übsetzt ist. Modernes nom. gent. *Fluminenses*, als Anspielg. auf den vermeintl. 'Jännerfluss' (s. Janeiro).

Flushing s. Vliessingen.

Fly s. Bramble.

Foam Spring = Schaumquelle, eine der auffälligsten Quellen am Yellowstone R., nahe der Locomotiv Jet (s. d.). Auf dem sehr trüben Wasser schwimmt eine Art grünlichen sandigen Schaums v. Schwefel, Kieselsinter, Calciumoxyd u. Alaunsulphat (Hayden, Prel. Rep. 180).

Föglö = Vogelinsel, v. schwed. *fågel* (s. Vogel), in Åland, früher *Föögel*, *Fögeld*, *Fyghelde* (Script. RDan. 5, 622), benannt nach der Menge v. Seevögeln, die hier im Frühling zskommen (Weckström, Lex. Finl.).

Föjen s. Fyn.

Fog Bay = Nebelbucht, im südl. Chile, benannt v. der Exp. King-Fitzroy (Adv.B. 1, 355), welche hier am 22. Apr. 1830 vor dem dichten Nebel kein Land mehr unterscheiden konnte. — *F. Inlet* s. Refuge. — In adj. Form *a) Foggy Island* = neblige Insel, 2mal: *a)* ein nebliges, ödes

Küsteneiland des Eismeeres westl. v. MacKenzie R., v. Capt. John Franklin (Sec. Exp. 154, Ansicht) am 10. Aug. 1826 entdeckt u. benannt. Mehrmals glaubten die Jäger nach Renthieren zu feuern, was als Kraniche u. Gänse sich beim Auffliegen erwies. Das ungastliche Wetter stand im engsten Zshang mit dem Fortgang der Exp., nicht allein weil die Leute in ihren Ausgängen eingeschränkt, in dem ungedeckten Schiffe schutzlos der Unbill preisgegeben waren u. die Vorräthe litten, sondern auch weil die im kalten Polarnebel schnell verwelkten Blumen den Reisenden das nahe bevorstehende Ende ihres westl. Vordringens an der eisigen Küste verkündeten; *b*) s. Tumannoj Ostrow. — *Foggy Islands* s. La Croyère.

Fogellund s. Schwanden.

Fogo, die port. wie *fuego* die span. Form f. lat. *focus* = Herd, poët. auch Feuer, in diesem Sinne *ignis* verdrängend, mit dem ersten Mittelalter u. in die neurom. Sprachen, ital. *fuoco*, frz. *feu*, übgegangen, mehrf. f. vulkan. Inseln *a*) *Ilha do F.*, eine der Capverde In., v. den Port. als der einzige Feuerherd des Archipels (Hertha 3, 655) so genannt, wie denn der Vulcan in emsiger Thätigk. ist u. in dem Zeitraum 1680—1713 ununterbrochen Feuer gab. 'Das Feuer zeigt sich viermal in der Stunde u. bricht alsdann mit solcher Gewalt u. Heftigk. u. in so grosser Menge hervor, dass es scheint, als wolle es bis zum Himmel hinansteigen ... eine Menge Bimssteine werden mit vielen andern groben' u. rohen Materien aus dem Schlunde geworfen' (Spr. u. F., NBeitr. 12, 207). Lange vor diesem Zeugnisse (aus Fletcher, WEnc. 25) sagen Andere: 'F. so called for that day and night there burneth in it a vulcan, whose flames in the night are seen twentie leagues off in the sea' (WHakl.S. 1, 48) ... 'In this island is a marueillous high hill which does burne continually, and the inhabitants reported that about three yeeres past the whole island was like to be burned with the abundance of fire that came out of it' (Hakl., Pr.Nav. 2ᵇ, 62; 3, 600); *b*) *F. Isle* s. Pinguin.

Foix, ON. der frz. Pyrenäen, lat. *Fuxum* (Meyer's CLex. 6, 944), ist auf einen linkseitig. Nebenfluss des St. Lorenz, j. *Trois Rivières*, engl. *Three River* = die drei Flüsse, da hier deren drei zumal münden (Avezac, Nav. Cart. 12. 28, GForster, GReis. 3, 231) übtragen, als *Rivière de F.*, v. frz. Seef. Cartier, der am 7. Oct. 1535 v. Hochelaga zum Port de Sainte Croix zkfuhr, wo er seine Schiffe gelassen hatte (Hakl., Pr.Nav. 3, 222). Ich vermuthe, der Name, in älterer Form *Rivière du Fouez*, engl. *Fouetz*, gelte mini sowohl der Ldsch. selbst, die mit dem Aussterben des Grafenhauses 1512 an Navarra, später an Frankr., fiel, sondern dem letzten des Geschlechts, dem Grafen Gaston, der in Ital. gg. die Spanier kämpfte u. seinem Heere den Beinamen 'le foudre de l'Italie' erwarb.

Fokien s. Fukian.

Folehave s. Hest.

Folkländer s. Sverige.

Fomharaigh s. Giant.

Fond = Grund, auch Seegrund, Tiefe, v. lat. *fundus*, verwandt dem span. *hondo* (s. d.), port. *fundo* = tief, hier u. da in frz. ON. *a*) *Le F.*, eine der 4 Abtheilungen v. Etivaz (Gem. Schweiz 19, 2ᵇ, 73); *b*) *F. du Lac*, ON. in Wisconsin, am Südende der Winnebago L. (Meyer's CLex. 6, 948). — *Bahia sin Fondo* s. Matias.

Fonseca, Golfo de, eine pacif. Bucht Centro-America's, v. Andres Niño, dem Piloten der Exp. Gil Gonzalez, 1523 gefunden u. benannt nach seinem Gönner F., dem Bischof v. Burgos, Präsidenten des indischen Rathes v. Spanien (Gomara, Hist. gen. c. 200)'en gracia del obispo de Burgos, que le fauorecia, como presidente de Indias'. Oviedo, lib. 29 c. 21 verlangt v. einem Entdecker, dass er die einh. Namen neugefundener Gegenstände erfrage! (WHakl. S. 34, 32).

Fontaine, die frz. Form des lat. *fontana*, welches urspr. die weibl. Form des v. *fons* = Quelle abgeleiteten adj. *fontanus* ist u. im ital. subst. *fontana* sich treu erhalten hat. Toponymisch fällt auch die Ableitg. mit dem suffix *-etum* in Betracht: *Fontanetum* (s. Aunay), welches die frz. ON. *Fontenay, Fontenoy, Fontenois*, in Frkr. f. 37 Gemeiden, gebildet hat (d'Arbois de Jub., Rech. NL. 630 ff.). An solchen 'Brunnenorten' ist übergrosse Zahl: neben *la F.* auch *les Fontaines, la Fonte, Fontenay, Fontenoy, la Fontenelle, les Fontenelles, Fontanès, Fons, las Fons, la Font, Fontenailles*, beglaubigt durch alt-urk. Zeugen, wie *Fontana, Fons, Fontanae, Fontanetum* etc., oft differenzirt, wie in *Fontaine-au-Chêne*, dép. Meurthe, 'tire son nom d'une fontaine qui sort du creux d'un chêne' od. häufiger durch die Attribute gross, schön, kalt, warm, wie in *Fontchaud, Fontcaude*, altes Prämonstratenserkloster des dép. Hérault, 1269 abbatia *Fontis calidi*, ferner *Fons Major*, 957 die Quelle v. Nimes, j. *Fontaine*. Der ON. *Fontoy*, dép. Moselle, 959 *ad Fontes*, nach den starken Quellen, die unth. des ehm. Schlosses hervorbrechen u. den Fluss bilden, ist in *Fentsch* verdeutscht (Dict. top. Fr. 1, 71; 2, 51; 3, 53 f.; 5, 66; 6, 74; 7, 85 f.; 10, 114; 11, 85 f.; 13, 87; 14, 67 f.; 15, 86; 16, 128; 17, 169). In diesem Werke zähle ich, abgesehen v. den differenzirten Formen, diesen ON. über 300 mal. Im übr. folgen noch einige Belege: *Fontaine* ist u. a. auch ein Dorf bei Granson, C. Waadt, wo ringsum schöne Quellen aufsprudeln, *aux F.s* u. *F.-aux-Allemands* = Deutschbrunnen, 2 andere Orte des C. Waadt (Gem. Schwz. 19, 2ᵇ, 75), *Fontanès, Fontaneis, Fontaneys*, darunter ein Weiler v. Aigle, bes. bemerkenswerth 'wg. seiner schönen Quellen', welche, sowie sie aus der Erde hervortreten, Maschinen treiben, dann in milchweissen Fällen herabschäumen u. sich, soweit sie nicht zur Speisg. der Brunnen v. Aigle abgeleitet werden, in die Grande Eau ergiessen. On y trouve des sources d'eau excellentes, qui font mouvoir des artifices à leur sortie de terre, forment ensuite de jolies cascades,

traversent la Grande-Eau sur un aqueduc et vont
alimenter les fontaines d'Aigle. On dit que cette
eau ne gèle jamais et qu'elle empêche la Grande-
Eau elle même de geler par les froids les plus
rigoureux (Mart. - Crous., Dict. 379). — *Fon-
tainebleau* u. *Fontevrault*, frz. ON., enthalten
noch einen PN., jenes latin. *Fons Bleaudi*, v.
Ludwig d. Fr. 998 als Jagdschloss begründet, v.
Ludwig VII. erneuert 1169 (Meyer's CLex. 6, 948),
dieses mit *Ebrald*, welcher die v. Robert v. Ar-
brissel 1099 ggr. klösterl. Stiftg. 1117 erweiterte;
denn anfängl. war das Kloster z. Stammsitz eines
Ordens f. gefallene Mädchen bestimmt u. nun
auch, als 'Orden v. Ebraldsbrunnen', auf männl.
Büsser ausgedehnt (ib. 951). — Im dim. *Fonta-
nella*, rätr. ON. des Walserthals, 'v. der kleinen,
Schwefel u. Eisentheile führenden Quelle, welche
ihren Ruf seit dem Emporkommen bequemerer
Anstalten völlig verloren hat' (Bergmann, Walser
51). — Port. ON. *Fonte Boa* = Gutbrunn, am
Solimões (Avé-L., NBras. 2, 217) u. *Penedo das
Fontes* (s. Santa Cruz).

Fontanes, Ile, im Archipel Arcole, v. der frz.
Exp. Baudin am 10. Aug. 1801, u. *Baie F.*, am
Spencer's G., am 27. Jan. 1803 getauft nach dem
Dichter, marquis de *F.* 1752—1821 (Péron, TA.
1, 113; 2, 79, Freycinet, Atl. 16. 27).

Fonuafou = neue Insel, einh. Name einer 1857
entstandenen Insel v. Tonga, bei den Europp.
Wesley 1. (Meinicke, IStill. O. 2, 63. 422), wohl
Missionärname.

Foott's Island, eine Insel der spitzb. Lomme
Bay, v. Parry's Officier, Lieut. Foster, 1827 ge-
tauft nach einem seiner Begleiter (Parry, Narr.
Carte, Torell u. N., Schwed. Expp. 226).

Foppa s. Grab.

Foraminis s. Pertuis.

Forbans, Anse des = Piratenbucht, frz. Localname auf der brasil. Strafinsel Fernão do Noronha,
z. Erinnerg. an die holl. Freibeuter, welche einst
hier sich festgesetzt hatten. Die frühern Carten,
sogar die der brit. Admiralität v. 1735, beruhten
hptsächl. auf frz. Autorität (Journ. RGSLond. 1872,
431).

Forbes, in ON., insb. solche, die mit dem Glet-
scherphänomen u. ähnl. Gegenständen der phys.
Geogr. zshängen, erinnern zunächst an den schott.
Gletscherforscher James David *F.*, welcher, bei
Edinburg 1809 geb., 1833 hier Prof. wurde, auf
seinen Reisen in die Alpen u. nach Norwegen
sich einen Namen erworben hat u. 1869 † ist.
Dahin gehören vor allem der *F.'s River*, ein
rseitiger Zufluss des Thals Havelock, NSeel., v.
Jul. Haast am 14. März 1861, nebst *F.'s Glacier*, dem grossen Gletscher des Quellgebiets, getauft (Hochstetter, NSeel. 341), sowie *Cape F.* (s.
Agassiz). — Ein anderer ist Edward *F.*, der 1815
geb. Begründer der Zoogeologie, † 1854, u. David
F., geb. 1827, Geolog, in Peru thätig, † 1876;
doch kommen sie in meinem Material geogr.
Namen nicht vor, während schon Cook am 18. Aug.
1770 prsl. die *F.'s Islands*, vor Cape Bolt Head,
taufte (Hawk., Acc. 3, 205) u. *Mount F.*, am obern

Darling, v. Capt. T. L. Mitchell (Three Expp. 1,
136) am 24. Febr. 1832 benannt ist nach des Entdeckers Freunde, Capt. *F.*, v. 39. Reg., dam. Chef
der berittenen Polizei in NSWales.

Forbin, 2 Objecte, getauft v. der frz. Exp. Baudin
nach ihrem Landsmann, dem 1779 geb. Aesthetiker L. N. Ph. Aug. comte de *F.*: a) *Ile F.*, im
Arch. Arcole, am 10. Aug. 1801; b) *Cap F.*, bei
Känguruh I., am 4. Jan. 1803 (Péron, TA. 1, 113;
2, 59. 393, Freycinet, Atl. 27. 59).

Forch, f. einen Pass in der Kette des Zürichbergs, anscheinend eine der zu ahd. *foraha* =
Föhre gehörigen Namenformen, doch wohl, meint H.
Meyer (Mitth. Zür. AG. 6, 84) eher v. *furca* (s. d.),
weil man sonst nicht die, sondern das *F.* =
Föhrengehölz sagen würde. Sonst sind die ON.
mit 'Föhre' zieml. häufig: *Forchrüti, Forrenberg*,
j. *Pforheim* od. *Pfohren*, u. *Forra*, im 8. Jahrh.
Forrun, j. *Pforheim* od. *Pfohren*, u. *Forra*, im 8. Jahrh.
Forehahi, Waldname mehrf., sowie *Foraheim*,
j. *Forchheim*, mehrf., im 10. Jahrh. *Foranholt*,
j. *Voorhout*, bei Leiden, u. a. m. (Förstem., Altd.
NB. 571 ff.). — *Ufm-Forê* = bei den Föhren,
ein Weiler v. Gressoney, wo, der Sage zuf., ein
starker Wald durch Feuer ausgerottet wurde u.
beim Nachgraben sich noch Spuren des Brandes
zeigen (Schott, Col. Piem. 23).

Forchia s. Caudinae.

Forcla s. Furca.

Forest City = Waldstadt, eine der ältesten Ortschaften, welche in der Nähe der Big Woods,
d. i. der grossen Holzdistricte Minnesota's, angelegt wurden (SPaul u. PBahn 21).

Forestier, 3 austr. Objecte, v. der frz. Exp. Baudin zu Ehren des Chefs der ersten Abth. des See-
ministeriums getauft a) *Archipel F.*, vor De Witt's
Ld., am 27. Juli 1801; b) *Presqu'ile F.*, in Tasmania; c) *Cap F.*, die Ostspitze der Halbinsel
Freycinet (Péron, TA. 1, 108. 243).

Fork, engl. Wort im Sinne v. Flussgabel, Confluenz (s. Furca), mehrf. im arkt. America (s. Garry),
in ersterm Sinne oft f. *North* u. *South F.*, z. B.
des Cheyenne, im letztern Sinne: *F. Fort*, Anlage an einer Gabelg. des Peace R., v. Al. Mac-
Kenzie (Voy. 284) ggr., u. *the F.'s*, mehrf., z. B.
die Confl. des Athabasca v. Clear Water R.
(Franklin, Narr. 191).

Forli, ON. der ital. Ldsch. Emilia, als *Forum
Livii* —207 angelegt v. Consul Livius Salinator,
nachdem er Hasdrubal am Metaurus besiegt hatte.
In derselben Gegend *Forlimpopoli*, mit *Forum
Popilii*, offb. ebf. nach einem PN. (Meyer's CLex.
6, 958).

Formentera, die zweite Insel der Pithyusen, v.
dial. *forment*, lat. *frumentum* = Weizen, nach
der ausserord. Ergiebigkeit in diesem Product:
'de formentum ó forment, que significa lo mismo
en el Jargon del Pais, nombre que le dió su
extraordinaria abundancia de esta preciosa especie' (Descr. Pith. 5, Caballero, Nom. Esp. 80), gr.
'Οφιοῦσα, *Ophiusa*, lat. *Colubraria*, beides =
Schlangeninsel, weil, wie noch der port. Historiker Galvão (Desc. 118) sagt, nur hier u. nicht

auch auf den umliegenden Inseln Schlangen vor-
kämen: ē q'auia muita cātidade destas bichas,
nū as auēdo ē todalas outras ilhas jūto cõellas.
Strabo (167) nennt das Eiland unbewohnt, u. Plin.
(HNat. 3 , 78) sagt: 'Ebusi terra serpentis fugat,
Colubrariae parit, ideo infesta omnibus nisi Ebu-
sitanam terram inferentibus. Graeci *Ophiussam*
dixere (Spr. u. F., Beitr. 6, 36). — Auf ital. *fru-
mento, formento* gehen die ON. *Formento, For-
mentone, Formentina, Formentale* (Flechia, NL.
Piante 13).

Formiculi, dim. v. ital. *formica* = Ameise, in
der Seemannssprache f. blinde Klippen übh.,
eine Anzahl Felsklippen, welche an der Nordseite Panaria's, Liparen, im Meere Gefahr drohen,
da sie kaum üb. das Wasser hervorragen '... à
fleur d'eau, nom qui désigne leur multitude
(Dolomieu, Lip. 103). — Ein anderer Schwarm,
zw. Sicilien u. Agaden, *le Formiche,* wie port.
as Formigas, f. eine Klippengruppe bei San
Miguel, Açoren (Meyer's CLex. 1, 144; 2, 346).

Formosa, fem. v. *formoso* = schön, v. lat. *for-
mosus,* port. Wort, wie span. *fer-* od. *hermoso,
a* (s. d.), häufig in Endeckernamen, wohl am bekanntesten in *Ilha F.,* 2 mal f. 'schöne Inseln':
a) in China, den ersten an der Westseite vorbei-
segelnden Port. 1516 in reizendem Anblick erschienen, mit lachenden, wohlbewässerten Ebenen
u. Hügellandschaften, die auf den Terrassen ein
buntes Gemisch v. Dörfern, Feldern u. Gärten
zeigten u. j. noch ggb. der felsigen, hafenlosen
Ostseite, die nur v. kupferfarbigen Wilden bewohnt ist, vortheilhaft abstechen (ZfAErdk. 1857,
155), bei den Chinesen in der Zeit der Ming
Kylung, nach einem Hafen am Nordende, holl.
Quelong, einst chin. *Pekiang* = Nordbay (Klaproth, Mém. 1, 321 ff.), j. nach dem Hafen der
Westseite *Taiwan* = Terrassengestade, weil hinter
dem breiten sandigen Vorlande die grünen Vorberge u. dahinter, alles majestätisch überragend,
die Hochgebirge aufsteigen (Crawf., Dict. 138,
ZfAErdk. nf. 3, 411. 420; 7, 376); *b)* s. Pó. —
Strasse v. F. s. Fukian. — *Angra F.* = schöne
Bucht, 2 mal in Africa: *a)* älterer Name der
Delagoa Bay, wg. der Sicherheit des Ankerplatzes
u. der Schönheit der Scenerie (McLeod, Trav. 1,
151); *b)* nördl. v. Melinde (Miss. Cath. 4. Jan. 1889
p. 9), zZ. der Conquista (nach dem Kalendertage?)
Angra de Sancta Helena (Barros, Asia 1, 8). —
Formosa, brasil. Colonie im Thal des wunder-
klaren Rio Preto, mitten in urwüchsiger Vegetation, malerisch gelegen ... 'in many places the
weeds were so high in the streets as effectually
to prevent a view of the houses on the opposite
side ... truly this district is a wonder of vege-
table wealth' (Journ. RGSLond. 1876, 313).

Fornace = Ofen, Krater, ital. Wort, neben ngr.
φοῦρνο, span. *horno,* port. *forno,* frz. *fourneau,*
rätr. *fuorn* eine mod. Form v. lat. *fornax, fur-
nus,* gr. φοϱνὸς, kommt als ON. vor *a)* im trid.
Bez. Pergine, 'nome che si referisce all' industria
delle miniere, esercitata sino da remoti tempi sui
monti che fiancheggiano il Fersina ed il Sila';

b) ein Ort im Thal der Sila, 845 de *Fornaces*
(Malfatti, S. top. Trent. 63).

Forren s. Forch.

Forrest Strait, die Meerenge des Arch. Mergui,
nach dem engl. Capt. Thomas *F.,* welcher sie
1783 entdeckt u. die Inselflur untersucht hat
(Spr. u. F., NBeitr. 11, 201); *b) Cap F.,* an der
Westseite der Papuainsel Waigiu, nach dem Engl.
F., der 1774 die Gegend besuchte u. uns zuerst
die Natur v. Land u. Leuten eröffnet hat (Meinicke, IStill. O. 1, 80).

Forrester's Island(s), eine kleine Insel (od. Insel-
gruppe) in NW.-America, zw. Douglas I. (s. d.) u.
dem Continent, so zuerst benannt 1788 v. engl. Capt.
John Meares (GForster, GReis. 1, 261). Ein Henry
F. war Schiffsschreiber auf der verwandten Exp.
Portlock-Dixon, Schiff Queen Charlotte (1785/88).

Forster's Bay, zw. Thule u. Freezeland Peak,
welche beiden Landstücke sich Cook (V.SouthP.
2, 225) verbunden dachte, benannt zu Ehren des
Naturforschers seiner Exp., des Deutschen Joh.
Reinh. *F.* (u. s. Sohns Georg). — Ob ihm auch
gelte *F.'s Island,* im Arch. Mergui, die der engl.
Capt. Th. Forrest am 19. Juli 1783 so nannte,
während sie in seiner Carte, ebf. prsl., *Ross I.*
heisst (Spr. u. F., NBeitr. 11, 183)?

Forsyth Range, eine Bergmasse am Victoria R.,
Arnhem's Ld. v. Capt. Stokes (Disc. 2, 81) im Nov.
1839 nach einem seiner Gefährten benannt; *b)*
F.'s Island s. Bayley.

Fors = Wasserfall, im altn. u. noch j. im schwed.,
während dän. *fos,* häufiges Grundwort in geogr.
Namen (s. Rjukand Fos), eigenth. verbastert mit
gäl. Bestimmungswörtern: *Forsinard* = oberer
Fall u. *Forsinain* = unterer Fall, f. die 2 Wasser-
fälle des schott. Thales Halladale, Sutherland
(Worsaae, Mind. Danske 327, Johnston, Pl.N.
Scotl. 113).

Fort = Veste, in ON., sogar f. sich als Eigenname (s. Table Hill). — *F. Mountain,* 2 mal: *a)* in
Maine, 'so called from the appearance of castles
and fortresses on its ridge' (Buckingh., East. u.
WSt. 1, 152); *b)* am obern Missuri, ein in Umriss
nahezu quadratischer Berg v. 1¹/₂ km Seite, mit
senkrechten 90 m h. Wänden, oben mit Grasfläche,
das Ganze einem *F.* ähnl., v. den Captt. Lewis
u. Cl. (Trav. 220) am 14. Juli 1805 getauft (u.
nach dem Berg der *F. Mountain Creek*). — *F.
Point* s. Castillo. — *Ponta da Fortaleza* =
Festungscap, ein kühner, hoher Landvorsprg. der
bras. Prov. São Paolo, nach den regelmässigen
Umrissen u. dem Inselbrocken, der wie ein Aussen-
werk der Veste vorliegt (WHakl. S. 51, XLVIII).
— *Fortification Rock* = Fels der Befestigg.,
ein Uferfels obh. des Black Cañon (s. d.), das Oberende der Schiffbarkeit des Rio Colorado bezeichnend,
v. der Exp. des Capt. Ives (Rep. 86) im März 1858
erreicht u. nach dem festungsartigen Aussehen benannt ... 'a mile above the cañon the river
swept the base of a high hill, with salient angles,
like the bastions of a fort' (Wheeler, Geogr.
Rep. 159).

Forth, der in den *Firth of F.* einmündende

schott. Fluss, ist gael. benannt, angebl. v. *fort*, Verkürzung aus obsol. *fortail* = Stärke, u. zwar wird er z. starken Fluss erst, nachdem der Quell-Lauf, *Abhuinn-dhu* = schwarzer Fluss, durch die zweite Quellader, Duchray, verstärkt worden ist (Robertson, GTopogr. Sçotl. 127 f.). Vgl. Johnston, Pl. N. Scotl. 113 f.

Fortuna = Glück, Glücksgöttin, adj. *fortunatus, -a, -um*, in lat. ON. wie *Fanum Fortunae* s. Fano, *Insulae Fortunatae* s. Canarien, u. in mod. Namen wie *Cap Fortuné* s. Cod u. *Fortunate Cape* s. Virgines. — *Iles de la Fortune* s. Kerguelen.

Forward, Cape = das äusserste Vorgebirge nannte der engl. Seef. Thom. Cavendish 1587 die Südspitze des americ. Continents (Debrosses, HNav. 141). Häufig in *Cape Froward* = widerspenstiges, trotziges, launisches Vorgebirge (Kohl, ZfAErdk. 1876, 401. 415) umgeformt, nicht ohne Grund, weil es bei den Seef. gefürchtet ist, u. wenn dies sich auch weniger auf Gefahren bezieht, so erfordert doch bei den vielen Wendungen u. Windstössen das Doubliren alle Anstrengg. der Mannschaft so sehr, dass den ganzen Tag kaum die Taue aus den Händen der Matrosen kommen (Bougv., Voy. 150). Das Cap ist ein kühnes Vorgebirge, v. dunkelfarbigem Schiefer, an der Aussenseite fast senkrecht u., ob man v. Osten od. Westen komme, als eine hohe, rundgipflige, trotzige Felsmasse, *morro*, aussehend; daher span., der heil. Agatha geweiht, *el Morro de Santa A'gueda* (Fitzroy, Narr. 1, 69). Dieser engl. Seef. schlägt (ib. 145) vor, dem Berge, *morro*, den ältern span. Namen, der Landspitze hingg. den mod. engl. zu belassen.

Fosetisland s. Helgoland.

Fossil Head = Cap der Fossilien, bei Patterson Bay, v. Capt. Stokes (Disc. 2, 31) am 10. Oct. 1839 so genannt, weil er dort einige Fossilien fand. — *Fossa* s. Bonifacio.

Fostat s. Kairo.

Foster Bay, eine weit geöffnete Bucht Ost-Grönlds., 73° NBr., v. der Exp. Clavering-Sabine am 6. Sept. 1823 entdeckt u. zu Ehren eines Mitgliedes, des Officiers Henry F., getauft (Peterm., GMitth. 16, 328; 17 T. 10). — Nach demselben Officier nannte Capt. Parry (NorthP. 132) die *F. Islands*, Hinlopen Str., am 24. Aug. 1827, weil Lieut. F., v. Hecla Cove aus, die Strasse explorirt hatte. — Wohl auch gilt, nachdem F. auf der Exp. des Chanticleer im Flusse Chagres, CAmerica, am 5. Febr. 1831 ertrunken war (Bergh., Ann. 6, 40. 48 ff.), des Capt. J. Cl. Ross (SouthR. 2, 846) Taufe des *Cape F.*, eines hohen, kühnen Vorgebirgs v. SShetl., 7. Jan. 1843 z. Andenken des † Capt. F., RN., eben demselben Begleiter Sabine's u. Parry's.

Foul (s. Faul), in engl. Entdeckernamen a) *F. Point*, ein Cap in Tasman's L., v. Capt. Ph. P. King (Austr. 2, 207 ff.) am 13. Febr. 1822 benannt, nicht ausdrücklich, aber ganz augenscheinlich nach den widrigen Winden, welche ihn in die Goodenough Bay festbannten; denn gemeinlich ging des Nachts eine starke Brise u. war am Tag Windstille, so dass die Leute in dem verdächtigen Ankerplatz Nachts unsicher waren u. am Tage nicht wegkommen konnten. Das andauernd schlechte Wetter, zs. mit dem Verlust eines Ankers, veranlasste auch die Benennungen *Disaster Bay* = Bucht des Missgeschicks u. *Repulse Point* = Cap der Zurücktreibung, weil auf einer plötzlichen Sturm missglückten Excursion King's Officier Perceval Baskerville u. der Naturhistoriker Allan Cunningham umsonst versucht hatten, diesen Landvorsprg. zu erreichen; b) *Cape Foulwind*, einh. *Tauranga*, an der Südinsel NSeel., v. Cook benannt (Meinicke, IStill. O. 1, 282); c) *Cape Foulweather* = Schlechtwetter-Spitze, in NAlbion, v. Cook (-King, Pacif. 2, 258 ff.), als er v. den Sandwich In. kam, am 7. März 1778 getauft nach dem bald darauf eintretenden ungemein schlechten Wetter: 'from the very bad weather that we, soon after, met with', welches den Gang seiner Untersuchungen wesentlich beeinträchtigte; d) *F. Sound* s. Agardh. — *F. Isle* s. Fowl.

Foulke, Port nannte der Franklinsucher Hayes den Hafen, in welchem er 1860/61 im SmithSd. überwinterte, zu Ehren eines Hauptförderers seines Unternehmens (PM. 13, 192).

Foundery Branch = Arm der Giesserei, in Kerguelen I., so genannt (durch die v. Capland kommenden engl. Robbenschläger) wg. der Menge Eisenerz u. Kalkstein, welche dort gefunden wurden (Ross, SouthR. 1, 69).

Fountain = Brunnen, aus frz. *fontaine* ins Engl. übgegangen, in dem ON. *F. Geyser*, eine der Springquellen des Fire Hole, 1871 v. Geol. F. V. Hayden (Prel. Rep. 106 f.) so getauft, weil sie eine schöne Fontaine bildet. Aus dem 7 m weiten Krater eines Beckens v. 45 m Durchm. springt das Wasser 9—18 m h. auf u. fällt mit einem Silberregen in das Bassin zk.

Four = 4, in engl. ON. wie *F. Crowns* s. Bass u. *F. Saddle Island* s. Southeast, sowie *fourteen* = 14, in c) *Fourteen Feet Shoal* s. Harbour, d) *Fourteen Islands* s. Boston. — Die Ordnungszahl *fourth* = vierte, in *Fourth of July Creek*, ein kleiner Zufluss des untern Missuri, v. den Captt. Lewis u. Cl. (Trav. 16) am 4. Juli, also am Jahrestag der Unabhängigkeitserklärg., 1804 erreicht. — *Isle of Fourty four Degrees* = Insel der 44 Grade, ein Nebeneiland der austr. Chatham I., durch den engl. Capt. Broughton 1795 so benannt, weil sie unter 43° 54' SBr. liegt (Krus., Mém. 1, 13 ff., Meinicke, IStill. O. 1, 344). — *Fourty Miles Desert* = Wüste der 40 engl. Meilen, ein wasserloser, 40 miles br. Theil der Mohave-Wüste, wo Holzkreuze die Gräber der Verschmachteten bezeichnen u. zahlr. Pferde- u. Ochsengerippe bleichen — Zeugen der Opfer, die allj. fallen. 'Wenn man lang, anstrengendem Marsch aus dünnern Luftschichten in dichtere, aus mässig heissen in sehr heisse übertritt, wie dies auf der Strecke v. der Cerbat Range nach dem Rio Colorado der Fall ist, so muss die Erschlaffg. auf das höchste steigen' (Peterm., GMitth. 22, 419).

Fourcroy, Cap, in Bathurst I., Arnhem's Ld., v. der frz. Exp. Baudin am 26. Juni 1803 benannt nach dem Chemiker d. N., 1755—1809 (Péron, TA. 2, 245); *b) Ile F.* s. Percy.

Fourvière s. Lyon.

Foveaux Strasse, zw. Stewart u. Süd I., NSeel., v. Cook nicht als Gasse erkannt, erst v. Chase 1809, der die Insel Rakiura nach seinem Lieut. *Steward Island* getauft habe (Krus., Rec. 1, 213) od. gar erst v. Capt. Stewart 1816 entdeckt (Earle, Narr. 4, Polack, Narr. 2, 231), bei Tyerman u. Bennet (Journ. 2, 175) auch *Tees Str.*, nach dem Schiffe, welches sie zuerst durchfahren habe, auf einigen Carten in *Favourite Str.* umgedeutet (Meinicke, IStill. O. 1, 309).

Fowl Isle = Vogelinsel, nicht *Foul Isle,* heisst nach der grossen Menge v. Seevögeln, *sea-fowl,* welche auf ihm brüten, ein Eiland an der Westseite Shetlands (Preyer-Z., Isl. 18).

Fowler's Bay, id. Baudins *Baie Denon* (s. d.), eine südaustr. Bucht am Anfang v. Flinders' Entdeckungen (TA. 1, 104), am 28. Jan. 1802 nach seinem ersten Lieut., Robert *F.,* benannt. Der niedrige Felsvorsprg., welcher sie vor den Südwinden schützt u. wahrscheinl. das Ostende der holl. Entdeckungen an dieser Küste bildete, wurde *Point F.* getauft, bei Baudin *Cap Mansard* (Krus., Mém. 1, 38). — Nach demselben *F. Island,* bei Bentinck I., v. Capt. Stokes (Disc. 2, 268) im Juli 1841 getauft, prsl. auch *F.'s Bay,* arkt. America, v. Capt. John Franklin (Narr. 378ff., Carte) am 7. Aug. 1821.

Fox = Fuchs, in engl. ON. *a) F. Nose* = Fuchsnase, Cap an der Agardh Bay, Spitzb., schon in einer Carte v. 1631 (Peterm., GMitth. 17, 182), ozw. nach einer Felsform; *b) F. River,* in Wisconsin, wo noch im 18. Jahrh. der Indianerstamm der *Foxes,* canad. *Renards,* wohnte, der bei den feindl. Ojibwas *Odugaumeeg* = Volk v. jenseits hiess (Coll. Minn. HS. 1, 348). Ob die 'Füchse' nach dem Fluss od. dieser nach jenen benannt war?

Fox, engl. Familienname, insb. des Nordwestf. Luke *F.,* welcher 1631 seine Entdeckungsfahrt machte: *F. Channel* u. *F. Land,* jener erst v. Parry (Sec. V. 30) am 3. Aug. 1821, *F. his Farthest,* der äusserste am 22. Sept. erreichte Landvorsprg., v. ihm selbst getauft (Rundall, Voy. NW. 182, Forster, Nordf. 422). Uebrigens war der 'Canal' schon am 20. Aug. 1619 v. dän. Capt. Jens Munck gefunden u. nach dem dam. König Christian IV. *Mare Christianum* genannt worden (WHakl. S. 18, 241, Carte).

Foyn s. Broch.

Fraas Berg, an der Westseite der spitzb. Barents I., v. der Exp. Heuglin-Zeil 1870 benannt nach dem württb. Geologen Oskar *F.,* der, 1824 geb., in den Jahren 1864/65 u. 1875 den Orient bereiste u. u. a. auch üb. Heuglin's geolog. Forschungen in Ost-Spitzb. schrieb. In der Nähe *Steinbeis*

Berg, nach dem Director der Gewerbekammer zu Stuttgart (Peterm., GMitth. 17, 178; 18, 275).

Fraccia, dial. = Damm, Wehr, gg. das Wasser, bezeichnet auch die Befestigungslinie, 'Letzi', welche v. Langensee obh. Locarno bis z. Berggipfel obh. Contra sich erstreckte, v. den Visconti errichtet, um den Schweizern den Durchzug zu wehren (Gem. Schwz. 18, 55).

Fräschen s. Frassino.

Fragosos s. Steenberge.

Fragrant s. Isabella.

Fráile, älter *Frayle* = Mönch, eig. Bettelmönch, z. Unterschied v. *monje,* oft Eigenname dunkler Klippen, auch im sing. (s. Monje), im plur. *los Fráiles,* mehrf.: *a)* vor Cap SLucas, Calif. (DMofr., Or. 1, 229); *b)* an der Südküste Hayti's (Hakl., Pr. Nav. 3, 616); *c)* s. Farallon. — *Salto del F.* = 'Pfaffensprung', eine z. See vorspringende Felswand zw. Lima u. Truxillo (Barrow, R. u. Entd. 2, 170), ozw. mit entspr. Sage.

Frakmunt s. Pilatus.

Framengas s. Açoren.

Français, engl. *French,* holl. *Fransch* (s. dd.) adj. Volksname v. Landesnamen abgeleitet (s. France), oft auf dem Felde geogr. Entdeckg. u. Besiedelg. als Andenken frz. Thätigkeit od. als Zeichen frz. Besitzes wie *Baie des F.,* eine Bucht Alaska's, v. Seef. La Pérouse im Juli 1786 so genannt, weil er die Anlage einer nationalen Factorei wünschte (Milet-M., LPér. 2, 147). — In der Form *Baie Française* 2 mal *a)* in der Magalhães Str., v. frz. Seef. de Gennes im Frühjahr 1696 entdeckt u. wie der sie mündende *Fleuve de Gennes* benannt (Debrosses, HNav. 348, Bougv., Voy. 141); *b)* der ältere Name der Fundy Bay, v. dem frz. Reisenden Sam. Champlain 1603/07 getauft (WHakl. S. 23, XXI). — *Cap F.,* ebf. 2 mal *a)* an der Nordspitze des Hauptlands v. Kerguelen, v. Entdecker im Dec. 1773 benannt (Cook-King, Pac. 1, 60); *b)* an der Ostküste America's, 29¹/₂⁰ NBr., v. frz. Capt. Jean Ribault 1562 'in honour of our France' getauft (WHakl. S. 7, 97, Hakluyt, Pr. Nav. 3, 308). — *Chaudière des F.* s. Chaudière. — *Ile des F.,* in dem austr. Port Western, wo sich frz. u. engl. Entdeckungen begegneten (vgl. Phillip I.), v. Flinders noch f. eine Halbinsel gehalten, aber im März 1802 durch die frz. Exp. Baudin zuerst umschifft u. benannt, in engl. Form *French Island* (Freycinet, Atl. 6, Stokes, Disc. 1, 293). — *Passage des F.,* eine breite, ganz sichere Seegasse, bei Freycinet 1818 auch *Canal Bougainville* (Meinicke, IStill. O. 1, 81). — *Pointe des F.,* die Nordspitze v. Joinville Ld., entdeckt v. dem frz. Admiral Dumont d'Urville (Ross, South. R. 2, 324). — *Rivière des F.,* 2 mal, *a)* f. einen als Flussstrasse vielgebrauchten Zufluss des Huronensees (McKenzie, Voy. 40); *b)* f. einen Zufluss des Austernhafens, Nuyts Ld., v. der frz. Exp. Baudin im Febr. 1803 benannt u. im Ggsatz zu Vancouvers schwachem Bache mit der Seine zu Paris verglichen (Péron, TA. 2, 113. 127). — *Récifs F.,* eine Riffkette bei NCaled., v. frz. Seef. d'Entrecasteaux 1793 (Meinicke, IStill.

41*

O. 1, 213). — *Iles F.es*, eine Gruppe kl. hoher Inseln an der Nordseite Birara's, ebf. v. d'Entrecasteaux im Juni 1793 (ib. 137).— *Basse des Frégates F.es*, eine ausgedehnte Felsbank just im Wasserspiegel, westl. v. d. Sandwich Is., v. La Pérouse am 6. Nov. 1786, auf der Ueberfahrt Monterey-Maçāo, entdeckt u. so getauft, weil die beiden Fregaten hier nahezu gescheitert wären, 'parce qu'il s'en est failie de très-peu qu'il n'ait été le dernier terme de notre voyage' (MMureau, LPér. 2, 303), seit sie Unionsbesitz ist (1859) *French Frigate Shoal* (Peterm., GMitth. 5, 189), wohl id. *Twobrothers Reef*, nach einem hier gescheiterten Schiffe (Krus., Suppl. 115) od. *Reef Shoal*. Das Riff ist halbmondfg. u. trägt am einen Ende die kl. felsige u. steile *Guano Islet*, auf welcher etwas Guano liegt (Meinicke, IStill. O. 2, 311).

France, la = Frankreich, altfrz. *pays Francor*, lat. *pagus Francorum*, dann *Terra Francorum* = Land der Franken, *Francia*, *F.* (Bergmann, Orig. et signif. de nom de *F.* 27), als *Francia occidentalis* 947 v. *Francia orientalis* unterschieden, z. Römerzeit *Gallia* (s. Kelten), der eine der aus dem alten Frankenreiche entstandenen drei Theile, als 843 der Vertrag v. Verdun geschlossen wurde, also immer noch benannt nach einem alten, auch üb. Frankreich weitverbreiteten Germanenstamm. **Nom. gent.** *Français* (s. d.). — *Ile de F.*, die **Ldsch.** v. Paris, latin. *Insula Franciae*, offb. v. der inselartigen Lage, die durch die gewundenen **Flussläufe** der Seine, Marne, Oise, Aisne u. des **Ourq** den Eindruck erweckt, als sei man hier überall v. Wasser umgeben (RDenus, AProv. 31). Es verdient aber Beachtg., dass Mercator (Atl. 1595) eine urspr. Fassung, nur f. die Inselstadt der Cité, ü. v. hier aus eine allmälige Erweiterg. des Begriffes annimmt. — *Duché de F.* s. Normandie. — Bei colonialen Unternehmungen gern **übtragen**: *la F. Australe* (s. NSeeland), *la F. Antarctique* (s. Brazil), *la F. Orientale* (s. Madagascar), *la Nouvelle F.* (s. NSeeland u. Canada), *Ile de F.* (s. Mauritius), auch *Fort de F.*, der Hauptort v. Martinique, der in der Zeit des Königthums *Fort Royal*, in der republican. Aera *Fort Libre* = freie Veste, unter Napoleon *Fort National* geheissen (Meyers CLex. 6, 979). — In NCaled., das der Admiral Fébrier Despointes im Sept. 1853 besetzte, wurde durch Montravel 1854 eine zweite Anlage ggr., am *Port de F.*, der Hafenbucht der Bay *Numea*, wo der Fluss *N.*, wohl aus einh. *Ndumbea* abgeschwächt, mündet, unter Napoléon III., nach Aufgabe des ersten Postens Balad (1859), *Nepoléonville*, in Kanala, angelegt (Meinicke, IStill. O. 1, 216. 233. 374).

Frances s. Simpson.

Franche, fem. v. *franc* = frei, in mehrern ON., auffallender Weise, da *comté* = Grafschaft masc. ist, auch in *F.-Comté*, einem frühern Theile Burgunds, aber als besondere Grfsch., *Liber comitatus*, abgetrennt u. 1156 als 'Freigrafschaft' durch Beatrix dem Kaiser Friedrich Barbarossa zugebracht (Meyers CLex. 6, 1009). Die Motivirg. des

Beinamens ist nicht mit der wünschbaren Klarheit gegeben: man spricht v. dem Grafengericht im alten Sinne des Worts (s. Freiamt), v. Immunitäten u. Privilegien, die den Bewohnern des üb. Burgund nicht zukamen, v. einem Grade der Abgaben- u. Steuerfreiheit (Gallut, Mém. Bourg. 6, 6), sogar v. einem unbotmässigen Herzog aus Lothars Zeit. Nach den Localforschern Dunod (Hist. Séquan. 2, 169), Rougebief (Hist. FComté 287. 342. 380), L. de Piépape (Réun. FComté 1, 84) u. a. käme der Name urk. erst 1366 vor (R. Maag, Freigr. Burg. 1 f.). Nom. gent. *Franc-Comtois, se* (RDenus, AProv. 106). — *F.s Montagnes* = Freiberge, einst als *Montagnes du Bois* = Waldberge eine dicht bewaldete, unbewohnte Berggegend des Jura, erst seit 1384 urbar, da Bischof Imer v. Ramstein Allen, welche hier Wald ausreuten u. sich ansiedeln würden, gewisse Freiheiten u. Vergünstigungen zusicherte. — *Francheville*, Orte a) des frz. dép. Eure-et-Loir, j. zerstört, erwähnt 1580, 'contient neuf mynes de terre ou environ, lequel ne doit rien, et dit on que c'est la cause que ledit lieu est appelé *F.*; car tous ceulx qui les ont labourées par tout le temps passé ont dit que ilz n'en ont rien payé et aussi que on ne leur en a jamais rien demandé' (Dict. top. Fr. 1, 74); b) des dép. Yonne (ib. 3, 57). — *Franchevault*, ehm. Frauenkloster der Benedictinerordens, ebf. im dép. Yonne, 1159 ggr. als *Libera Vallis* = Freithal, 1303 *Franchevaux* (ib. 3, 57).

Francisca, fem. v. *Francisco*, Frauenname, in dem brasil. ON. *Donna F.*, einer v. Hamburger Colonisationsverein 1850 ggr. Colonie in der Prov. Santa Catharina, Rio da Caxoeira, benannt nach der Gemahlin des Prinzen v. Joinville, François d'Orléans, dem sie, die jüngere der beiden Schwestern des Kaisers v. Brasilien, diesen Landstrich als Heiratsgut zubrachte. Die Hauptstadt heisst *Joinville* (Avé-L., SBras. 2, 223, ZfAErdk. nf. 7, 79).

Francisco, vielf. in ON. rom. Ursprungs, mit *San*, zu Ehren des Gründers des Franciscanerordens, Franz v. Assisi, der eig. Giov. Bernardone hiess, eines Kaufmanns Sohn zu Assisi 1182 geb. war, als junger Kaufmann aus Frankreich zkkehrte, so vollst. französisirt, dass ihn seine Bekannten nur *Francese* (= Franzos), *Francesco*, nannten(?). Eine schwere Krankheit brachte ihn auf den Entschluss, fortan nur mit Bettlern, Kranken u. Aussätzigen zu verkehren, um sich in Bruderliebe u. Demuth zu üben. Er wurde Stifter eines Ordens f. Bettelmönche, † 1226 u. fand in Antonius v. Padua, dem herzerschütternden Fastenprediger, einen geistesverwandten Nachfolger, der die Strenge der urspr. Lehre gg. die neu auftauchenden Aenderungstendenzen vertheidigte. Sein Festtag im kath. Kalender ist der 4. Oct.; daher der an diesem Tage 1501 v. Vespucci entdeckte brasil. Strom *Rio de San F.* (Varnh., HBraz. 1, 19), dem die Prov. Joinville einen kleinern *Rio de San F.* an die Seite stellt, u. an dessen Mündg. eine Insel (u. Stadt) *San F.* (WHakl. S. 51, 33). — Ein *San*

F. ferner *a)* s. Fuego, *b)* s. Visscher. — *Isla de San F.*, wohl j. *Wake* im Gilberts Arch., benannt v. span. Seef. Mendafia im Sept. 1568, wieder entdeckt 1796 v. Schiffe Prince William Henry (Zaragoza, VQuirós 1, 18, Meinicke, I Still O. 2, 328). — *Puerto de San F.* s. Trinidad. — *San F. de la Selva* s. Copiapó, *San F. del Quito* s. Quito, *San F. de Borja* s. Borja. — Das bekannteste Object, *San F.*, die calif. Hafenstadt, ist zwar v. Franciscanermönchen 1776 ggr., u. ihre Mission, Dolores, im Süden der Stadt, besteht noch; allein urspr. galt der Name, u. zwar in der Form *Port S(ir) Francis (Drake)*, der Bay, in welcher der engl. Seef. v. 17. Juni bis 23. Juli 1579 zubrachte, u. es scheint, dass aus dem engl. Seemannsnamen erst der span. Heiligenname, sei es absichtl. od. irrth., herausgedeutet worden ist (GForster, GReis. 1, 18, ZfAErdk. 1858, 293 ff.). Gleichzeitig mit der Mission entstand an Stelle der j. Stadt ein Militärposten: *Yerba Buena* = gutes Kraut, im Sinne v. Mentha, 'Münze', die dort häufig war (Beechey, Narr. 1, 347, Glob. 1, 5, Skogm., Eug. R. 1, 232 ff.. DMofr., Or. 1, 425, ZfAErdk. nf. 4, 315). Die Mission zerfiel 1833, u. bald darauf begann die Einwanderg. americ. Abenteurer, welche die neue Zeit Califs. anbahnte (Meyer's CLex. 14, 109). — Die holl.-engl. Gestalt begegnet uns in *a) Isles of Francis*, Süd-Austr., f. eine Inselgruppe, deren Centralland v. P. Nuyts so getauft war, v. Capt. Matth. Flinders (TA. 1, 107 f.) am 3. Febr. 1802 auf den ganzen Schwarm übtragen; *b) St. Francis Bay* s. Nassau.

François Premier, ein Fort in Canada, ggr. v. frz. Seef. Cartier, v. seinem Nachgänger, dem Herrn v. Roberval, 1542 benannt nach dem dam. König (Hakluyt, Pr. Nav. 3, 241). — *Rivière St. F.* s. Elk. — *Iles St. F.* s. Nuyts.

Franken, der Name eines german. Volksstamms, im 3. Jahrh. *Franci*, auch *Φράγγοι, Φράγκοι*, ahd. *Franchon*, ags. *Francan*, wird vschieden erklärt (Grimm, Gesch. DSpr. 512 f., Graff, Ahd. Spr. 3, 825, Zeuss, DDeutschen 326 f., Müller, Mark. Vaterl. 176). 'Als annehmbarste Erklärg. hat sich bis j. die gezeigt, das man *F.* zu einem (freil. hypothet.) goth. *fraggs* setzt, welches aus *freis* = liber in ähnl. Weise entspringt, wie *friks* = kühn, audax, avidus; die Bedeutg. muss demnach die v. 'frei sein' (Förstem., Altd. NB. 576). Vereinzelt steht F. W. Bergmann, welcher auf *Fravinc*, patron. v. *frav* = Herr, dem göttl. Nationalhelden, gelangt (Orig. et signif. du nom de Fr., Strassb. 1866). Wenn Andere einen Zshang mit *framea* = kurzer Speer annahmen, so wird dies 1891 v. A. Erdmann (Angeln 80) abgelehnt; j. werde der Name gew. v. einem verlornen ahd. *francho* = Wurfspiess, das sich in ags. *franca*, altn. *frakke* erhalten habe, abgeleitet. Mit dem Vordringen nach Gallien entstand der Ggsatz zw. *West-F.* (s. France) u. *Ost-F.*, dem Mainlande, das j., grösstenth. zu Bayern gehörig, in *Ober-*, *Mittel-* u. *Unter-F.* zerfällt (Daniel, Hdb. Geogr. 3, 45. 68. 80. 312 f.; 4, 3. 701). — Ahd. ON. sind *Francunbach*, j. *Franken-* u. *Frenkenbach*, *Fran-*

kenesberch, j. *Frankenberg*, ehm. Kloster bei Goslar, *Franconodal*, j. *Frankenthal*, *Franconofurt*, auch *Franconovurdi*, *-furde*, *-vurde*..., j. *Frankfurt* a./M. (s. d.), *Franconheim*, *Franconhusen* etc. (Förstem., Altd. NB. 576 ff.). — *Frankenhausen*, Ort des Fürstth. Schwarzburg-Rudolst., wo die *F.* 528 das obere Schloss, j. Hausmannthurm, erbauten, um die Soolen gg. die Sachsen zu schützen (Meyer's CLex. 6, 1024). — *Frankenhöhe*, ein Höhenrücken zw. Neckar u. Main, damit die Grenzmarke zw. den schwäb. u. fränk. Landschaften Bayerns (ib. 1024). — *Frankenwald*, die gg. *F.* vorgeschobene Fortsetzg. des Thüringer Waldes, 'ein 40—50 km br., undulirtes, gipfelarmes, mit Nadelwald bestandenes Grauwackenplateau' (Daniel, Hdb. Geogr. 3, 303). — *Franleu*, verd. aus *Francorum Locus* = Frankenort, die Wahlstatt der Schlacht, welche 881 zw. Normannen u. Franken bei Eu, dép. Seine Inf., geschlagen wurde (Meyer's CLex. 6, 398).

Franken, morgenl. *Frengi*, *Frendschy*, ist der Name, mit welchem die Morgenländer alle Europäer, welche nicht der europ. Türkei angehören, ohne Unterschied d. Nation od. Confession bezeichnen. Dieser Collectivname rührt aus der Zeit der Kreuzzüge her; denn in der ersten dieser Expp. waren Gottfried v. Bouillon u. die meisten andern Anführer fränk. Nation; der Schrecken, welchen die begeisterten Schaaren unter den Muselmännern verbreiteten, bewirkte, dass alle Kreuzfahrer u. in der Folge alle abendländ. Christen mit dem Namen belegt wurden. Barros (Asia 4, 4, 16): 'E por o odio que lhes tem, e aborrecimento ao nome de Frangue, por vituperio chamāo aos Christāos destas partes Frangues, como nós a elles impropriamente chamamos Mouros'. Mir scheint in dieser Beziehg. eine Stelle des Edrisi, eines arab. Schriftstellers, welcher seine Geographie Mitte Jan. 1154 beendete (ed. Jaub. p. XXII. 1, 340) bemerkenswerth, näml. wo er in Bezug auf Ascalon sagt: 'Der König v. Jerusalem, an der Spitze eines christl. Heeres, v. '*F.* u. andern', bemächtigte sich des Orts im Jahre 548 der Hedjra' (1153 p. Chr. n.); denn der an dem Hofe des sicil. Roger lebende Autor, ganz indem er die *F.* voranstellt, identificirt sie doch nicht mit den 'Christen'. — Daher *a) Frankenberg*, ein judäischer Bergkegel, so genannt, weil nach dem Fall v. Jerusalem die *F.* ihn angebl. noch 40 Jahre behaupteten (Robins., Pal. 2, 394), arab. *el Pherdéis* = das Paradies (Seetzen, Reise 4, 256), wahrsch. das v. Herodes gebaute u. benannte Castell *Herodium* (Jos., Antt. 14, 25 u. a. O., Bell. Jud. 7, 25 etc.); *b) 'Ain Frendschy* = Frankenquelle, eine der Thalquellen bei Kerrak, Moab, angebl. nach einer nahen Felsinschrift in fränk. Charecteren (Burckh., Reis. 2, 644). — *Parángi-Maldi* = Frankenberg, tamul. Name des St. Thomasbergs bei Madrás, u. *Parángipéttai* = Frankendorf, in Karnatik (Schlagw. Gloss. 232).

Frankfurt, zwei deutsche Städte: *a) F. a. M.*, wo, der Sage zuf., dem Frankenkönig Chlodwig, als er 496 gg. die Alemannen zog, eine Hirschkuh die Mainfurt zeigte. **Da der Ort** 793 urk., im folg. Jahre als namhafter Ort erwähnt wird (s. Franken), so darf wohl sein Ursprung in die Zeit der Merowinger gesetzt werden. Auch Karl d. Gr. soll hier, auf dem Zuge gg. die Sachsen, den Fluss passirt haben; sicher ist, dass er an der 'Frankenfurt' einen Königshof baute. Seither kommt eine villa *Frankonefurt* öfters vor; er selbst hielt hier 794 ein Concil; Ludwig der Fromme wählte den Ort z. Wohnsitz, erweiterte die Pfalz u. umgab die Stadt 838 mit Mauern u. Gräben. Nach dem Vertrag v. Verdun 843 wurde *F.* das Haupt des ostfränk. Reichs, blühte mehr u. mehr auf u. wurde seit Friedrichs I. Wahl 1152 die ständige Wahlstadt der deutschen Könige (Meyer's CLex. 6, 1031, Daniel, Hdb. Geogr. 4, 466); *b) F. a./O.*, im 13. Jahrh. aus einer Ansiedelg. fränk. Kaufleute entstanden u. v. Markgrafen Joh. v. Brandenburg 1253 zur Stadt erhoben (Daniel, Hdb. 4, 1035). — *Cap Fr.*, eine 600 m h., gletscherbepanzerte Ecke der Hall I., Franz Joseph's Ld., taufte die öst.-ung. Exp. Weyprecht-Payer, deren zweite Schlittenreise zu Ende März 1874 v. hier aus den Austria Sd. entdeckte (Peterm., GMitth. 22, 202), offb. da die geogr. Gesellschaft der Mainstadt unter die Hauptförderer des Unternehmens gehörte (ib. 17, 345). — *F. Berg* s. Glogau.

Franklin, *Benjamin,* der berühmte Mitbegründer american. Freiheit, geb. 1706, † 1790, ist wohl auch durch viele ON. seiner jungen Heimat (Peterm., GMitth. 2, 157 gibt f. 1851 allein schon 88 Städte d. N.) u. in einer Entdeckg. v. 1791, in *F. Island* (s. Mottuaity), geehrt worden, tritt jedoch auf diesem Boden zk. ggb. seinem Namensvetter, dem gefeierten Polarf. *John F.,* welcher, geb. 1786 in Lincolnshire, schon 1801 bei dem Bombardement v. Kopenhagen mitwirkte, 1803 Flinders nach NHolland begleitete, nach verschiedenen Waffenthaten 1819 zu Lande den Kupferminenfluss u. die Eismeerküste befuhr, 1825 den MacKenzie R. hinabging, um die eine Hälfte der Mannschaft, unter Richardson, nach Osten zu senden u. mit der andern Hälfte dem v. Berings Str. vorrückenden Capt. Beechey entgegenzugehen, 1835/43 Governor in Tasmania war u. endl. 1845 seine gross angelegte Nordpolreise antrat, v. der er nicht mehr zkkehrte. Seine Frau, *Lady Jane F.,* u. seine Freunde regten unablässig zu Versuchen an, den Vermissten aufzufinden; diese 'Franklinsucher' entdeckten 1850 die Spuren eines Lagerplatzes am Eingang des Wellington Ch., dann mehr u. mehr, bis sich ergab, dass *F.* schon am 11. Juni 1847 † u. die Mannschaft auf dem Wege z. Fischfluss dem Klima u. den Strapazen erlegen war (1848). Die nach dem unglückl. Reisenden ertheilten ON. sind der Zeitfolge nach: *Cape F.,* im arkt. Gebiete 2 mal: *a)* in Admiralty Inlet, v. Parry (NWPass. 267) im Aug. 1820 nach seinem Freunde; *b)* an der Ostküste Grönlands, v. WScoresby jun. (NorthWF. 116) am 18. Juni 1822 'after the persevering commander of the overland expedition for ex-

ploring the coasts of the Arctic Ocean'. — *Fort F.,* das Winterquartier am Ausfluss des Gr. Bärensees, 1825 erbaut (Frankl., Sec. Exp. 53). Den Platz hatte der um-die Exp. verdiente Peter Warren Dease, Chief Trader of the Hudson-Bay Co., auf der Stelle eines ehm., längst verlassenen Fort der North-West Co. auserlesen, u. die Officiere tauften das Fort nach ihrem Chef, der während des Baues seine vorläufige Recognitionstour zur Mündg. des MacKenzie R. machte u. beabsichtigt hatte, den Ort *Fort Reliance* (s. d.) zu nennen. — *F. Bay,* im arkt. America, v. Richardson (Narr. in Sec. Exp. 236) im Juli 1826 getauft. 'I had now the gratification of naming the extensive bay we had been coasting for three days, after my friend and commanding officer .... In bestowing the name of Franklin on this remarkable bay, I paid an appropriate compliment to the officer, under whose orders and by whose arrangements the delineation of all that is known of the northern coast of the American Continent has been effected; with the exception of the parts in the vicinity of Icy Cape discovered by Capt. Beechey. It would not be proper, nor is it my intention, to descant on the professional merits of my superior officer; but after having served under Capt. Franklin for nearly seven years, in two successive voyages of discovery, I trust I may be allowed to say, that however high his brother officers may rate his courage and talents, either in the ordinary line of his professional duty, or in the field of discovery, the hold he acquires upon the affections of those under his command, by a continued series of the most conciliating attentions to their feelings, and an uniform and unremitting regard to their best interests, is not less conspicuous. I feel that the sentiments of my friends and companions, Capt. Back and Lieut. Kendall, are in unison with my own, when I affirm, that gratitude and attachment to our late commanding officer will animate our breasts to the latest period of our lives.' — *Point F.,* in Alaska, ein schmaler, niedriger Landhals, v. Capt. Beechey (Narr. 1, 301 f.) am 15. Aug. 1826 getauft. — *F. Sound,* bei Wollaston Ld., Terra de Fuego, durch die Exp. Adv.-Beagle im Apr. 1829 (Fitzroy, Narr. 1, 200). — *Point F.* (u. dabei *Cape Jane F.*), an der Westseite des arkt. King William's Ld., der äusserste Punkt, den der engl. Commander J. Cl. Ross, Exp. John Ross (Sec. V. 418), am 29. Mai 1830 erblickte, so benannt allerdings im Gefühl, dass die häufige Wiederholg. eines Namens möglichst zu verhüten sei, aber auch v. der Ueberzeugg. geleitet, dass ozw. diese Ehren noch unter den Verdiensten des Reisenden bleiben. — *Lake F.,* der unterste See des Gr. Fish R., v. engl. Reisenden G. Back (Narr. 195) benannt zu Ehren seines Freundes, 'whose name will always be associated with this portion of America'. — *F. Island,* im antarkt. Victoria Ld., durch den engl. Capt. J. Cl. Ross (SouthR. 1, 214 f.) am 27. Jan. 1841 entdeckt u. benannt in compliment to his Excellency Captain Sir John *F.,* Royal

Navy, to whom, and his amiable lady, I have already had occasion to express the gratitude we all felt for the great kindness we received at their hands, and the deep interest they manifested in all the objects of the expedition.' — *F. Channel*, in Flinders' Island, Bass Str., v. Capt. Stokes (Disc. 2, 443) im Oct. 1842 nach dem dam. Governor Tasmania's benannt. — *F. Port*, eine Art Bay der NewYears Isles, Bass Str., v. Capt. Smith passender in *F. Road* umgetauft (Stokes, Disc. 1, 265). — *F. Strait*, eine grosse Entdeckg. des verunglückten Reisenden 1846, als einer der Canäle, welche die Baffins Bay mit der Berings Str. verbinden. — *F. Peak*, in North Devon, v. der ersten Grinnell Exp., einem der 'Franklinsucher', im Sept. 1850 (Kane, Gr. Exp. 201). — *Cape Sir John F.*, in Penny Str., durch Capt. Edw. Belcher (Arct. V. 1, 87), einen andern Franklinsucher, im Aug. 1852 getauft. — *Sir John F. Island*, die nördlichste Küsteninsel des Washington Ld., v. dem americ. Franklinsucher Kane (Arct. Expl. 1, Carte) 1853/55, sowie *Lady Jane F. Bay*, in Grinnell Ld. — *Lady F. Bucht*, an der Nordwestseite des schwed. Nordost Ld., v. der schwed. Exp. 1861 (Peterm., GMitth. 10, 131). — *Cap F.*, in Ost-Grönland (id. mit Scoresby's?), eine 1300 m h. unmittelbar dem Wasser entsteigende imposante Granitwand, 'zur Erinnerg. an das tragische Geschick des heldenmüthigen F. u. seiner 149 Genossen mit dessen Namen geziert' durch die zweite deutsche Nordpolexpedition v. 1870 (Peterm., GMitth. 17, 196). — In anderm Sinne *Ile F.* s. Nuyts.

Franleu s. Franken.

Franschehoek = Franzosenwinkel (s. Français), holl. Name einer Gebirgsecke, u. des Passes, in einem Winkel des Wagemakers Valley (s. d.), nach den zahlr. frz. Emigranten, welche sich dort niedergelassen (Lichtenst., SAfr. 2, 162).

Franzensbad, vollst. *Kaiser F.*, čech. *Lázně Františkovy*, mit gl. Bedeutg., Badort Böhmens, 1793 z. Bad erhoben u. wie die nächstfolgg. Objecte getauft nach Franz II., welcher 1768—1835 lebte u. dem dort eine Erzstatue errichtet ist. Auch die älteste Heilquelle, schon im 16. Jahrh. bekannt u. nach dem nahen Dorfe Schlada sonst *Schladaer Säuerling* genannt, heisst j. *Franzens Quelle* (Meyer's CLex. 7, 92); b) *Franzensburg*, Inselschloss in einem 26 hekt. grossen Teich des Parks v. Laxenburg, v. Kaiser 1801 erbaut (ib. 10, 647); c) *Franzenscanal*, die künstl. Verbindg. Donau-Theiss, 1793—1801 erstellt (ib. 7, 93); d) *Franzensveste*, in Tirol, 1833/38 angelegt (ib. 7, 93).

Franz Joseph's Land, ein hocharkt. Ländergebiet nördl. v. NSemlja, v. der zweiten öst.-ung. Nordpolexp. unter Weyprecht u. Payer am 30. Aug. 1873 entdeckt, bis 20. Mai 1874 explorirt u. getauft nach 'Sr. Majestät dem Kaiser' (PM. 20, 446 ff., T. 20. 23; 22, 201): 'Und diese geringe Schaar, welche die Heimat bereits zu den Verschollenen zählte, war so glücklich, ihrem fernen Monarchen ein Zeichen ihrer Huldigg. dadurch

zu bringen, dass sie dem neu entdeckten Ld. den Namen *Kaiser FJL.* gab. Aus eisernen Caféschalen hatten wir auf Deck mit rasch bereitetem Grog ein Hoch auf unsern Kaiser getrunken u. unser Schiff beflaggt'; b) *FJ. Gletscher* nannte der aus Oesterreich geb. Geologe Jul. Haast den am 15. Juni 1865 entdeckten Gletscher, welcher das obere Waiauthal, NSeel., ausfüllt u., obgl. unter der mit Marseille corresp. Polhöhe gelegen, bis 215 m üb. M. herabreicht (Peterm., GMitth. 13, 138); c) *Kaiser FJ. Fjord*, einer der zahlr. Fjorde Ost-Grönl., v. der 2. deutschen Norpolexp. im Aug. 1870 entdeckt u. mit dem Dampfer . . . . . befahren. 'Er hat den Namen Sr. Majestät unsers Kaisers erhalten', erzählt der österr. OLieut. Jul. Payer (PM. 17, 195, T. 10). Ebenda sagt er ungläubig: 'K. Maurer glaubte vor einiger Zeit, in diesem Riesensund jenen zu erkennen, welchen die Normannen schon vor vielen Jahrhh. entdeckten u. welchen sie, ohne dass sie seinen Hintergrund erforscht hätten, *Ollum lengri* = der längste von allen nannten'; d) *Kaiser FJ. Bad*, neuer Name eines Badeorts in Steiermark, bei dem Orte Tüffer (Meyer's CLex. 15, 194).

Frassino u. *Frassineto*, f. uns die ital. Vertreter einer zahl., aus lat. *fraxinus* = Esche, coll. *fraxinetum* = Eschenwald (s. Aunay), abgeleiteten ON., wie *Frassina, Frassine, Frassene, Frasso, Frassinello, Frassinella, Frassinelle, Frassinovo, Frassineta, Frassineti, Frassoneta, Frascineto, Frassinara, Frassenara* etc. (Flechia, NL. Piante 13). Auch ein *Fressino* in C. Tessin (Salvioni, NL. Piante 6, Eidg. Postlex. 129). In Trentino ein *Frassilongo*, 1166 *Fraxilongum*, v. f. *longa* = lange Esche, bei den deutschen Einwandern, die hier rodeten u. sich ansiedelten, *Gereut* (Malfatti, S. top. trid. 63 f.). — Auch *Frasuna*, der urspr. Name des Walserthals, Vorarlb., später in *Fresun, Fryson, Frysen, Friesen*, umgemodelt, hängt mit rätr. *fraissen* zs., sowie der *Fräschen*, Berg bei Nüziders, *Fraschen*, Ort im Silberthal, *Frasch*, Ort im Stanzerthal, wohl auch *Frastenz*, 831 *Frastanestum* (Bergmann, Walser 15). — Im nördl. Frankr. ist das Suffix -*etum* zu *ay*, *ey*, auch *oy*, im südl. zu *et* geworden; das a des Stammes, in *e* übergegangen, wird dort mit *e, es*, hier mit *ai, ay, ey* geschrieben (d'Arbois de Jub., Rech.NL. 621): *Fresnay, la Fresnaye, la Fresnaie, Fresney, les Fresnées, Fresné, le Fresne*, 1206 *Fraxini, les Fresnes*, 904 *Fraxinum, Fresneau, le Fresnau, les Fresnots, Fresnoy*, 1194 *boscum Fraxineti, la Fresnoie*, ein Wald, *Fresnois, Fresny, la Fresnerie, la Fresnière, la Freslonière*, od. *la Frénaie, la Frénée*, im 12. Jahrh. *de Fresneia, les Frénées, la Frénais, le Fréne, les Frénes, Frénier*, od. *la Frenaye, la Frenotière, Frenoise*, od. *les Fréneaux, Frénois*, 1139 *Fraisnoit, Frénoise, Frénouville*, 1172 *Fraxinivilla*, od. *Fresseneau* u. *Fressinay, Fressineau*, 909 in *Fraxenello, Fressinet*, od. *la Freissinie, la Freissinouse*, 1245 *Fraisenosa, Freynet*, ein Wald, *le Freynet, les Freyssets, le Freyssinet*, 1512 *Fraxinetum, la Freyssinède, les Freys-

sinèdes, *Freyssinié* u. *Freyssinière*, Wälder, *Freyssinières*, od. *Fraisses*, *la Fraissinède*, *Frasnay*, *Franay*, *les Franais*, *le Fraissinet*, als ON. so häufig in Frankr., dass die 18 dépp. des Dict. top. Fr. ihrer üb. 200 enthalten, bes. zahlr. in den dépp. Mayenne u. Calvados (Dict. top. 1, 76; 2, 54; 3, 57; 5, 68 f.; 6, 78; 7, 92; 9, 73; 10, 120; 11, 88; 13, 92; 14, 71; 15, 92; 16, 163; 17, 180; 18, 123; 19, 68).

Fratelli, i = die Brüder, ital. Name dreier alger. Küstenfelsen, die südl. v. der Insel Galita steil aus dem Meere aufragen, der mittlere v. den Wogen durchlöchert (Grasb., StGriech. ON. 9). Vgl. Due u. Tre. — *Il Frate* = der Mönch, ein Felsform am Monte Rotondo, Corsica (Grasb., StGriech. ON. 12). — *Isola dei Frati* = Pfaffeninsel, anderer Name der Insel Lecchi im Gardasee, nach dem Kloster, welches 1220 der heil. Franciscus an Stelle eines Jupitertempels baute (Meyer's CLex. 14, 60).

Frau, ahd. *frouwâ*, alts. *frûa*, holl. *vrouw*, dän. *frue*, schwed. *fru*, häufig in deutschen ON., bes. im Sinne 'Unserer Lieben Frauen' od. v. Nonnen, f. sich auch als Bergname in den Berner Alpen, angebl. wg. der Gipfelform, wahrsch. schon seit alter Zeit im Volksmunde (s. Jungfrau) u. nebst der nahen *Wittwe*, dial. *Wittli*, einer öden, steinigen Felshöhe (Gatschet, OForsch. 296) zuerst 1605 erwähnt (Rebmann, Poet. Berggespräch p. 491 f. der Ausg. v. 1620): *auf der Frawen* u. *Wythlyhorn* (AWäber, Brief 13. März 1890). Die *Weisse F.* heisst in Kandersteg *Blüemlisalp*, v. *blüemi*, einem alten dial. Ausdruck f. Kuh (J. v. Müller, SWerke 20, 133, Osenbr., WStud. 5, 7). — *Frauenberg* mehrf.: *a)* ein Berg des preuss. Rgbz. Cassel, ehm. mit Burg, welche die Herzogin Sophie v. Brabant 1252 bauen liess; *b)* ein Berg bei Fulda (s. Bischof), der schon v. Bonifacius eine Capelle, später vschiedd. klösterl. Anlagen erhielt (Meyer's CLex. 7, 132). — Ferner *a)* *Frauenbreitungen*, Ort in Sachsen - Meiningen, aus *Königsbreitungen* umgetauft nach dem 1150 gestifteten, 1542 aufgehobenen Nonnenkloster des Augustinerordens (ib. 132); *b)* *Frauenberg*, in Ost - Preussen, Sitz des ermländ. Bischofs, aus einer altslaw. Stadt 1295 umgetauft v. Bischof Heinrich v. Ermeland zu Ehren einer preuss. Frau, die z. Christenth. überging u. Nonne wurde (Versl. en Mededeel. AW. 9b, 205); *c)* *Fraubrunnen*, ehm. Kloster im C. Bern, . . . die beiden Grafen Hartmann v. Kyburg erklären urk., Juli 1246, dass sie ihren Besitz zu Mülinen, apud *Mulinon* sitam, den Nonnen Cistercienser Ordens (deren Patronin Maria ist) übergeben haben, damit daselbst ein Kloster zu Ehren der Jungfrau Maria erbaut werde . . . qui locus edificiorum forma concepta nomen aliud, videlicet *Fons beate Marie*, conquisivit' (FontesRBern. 2 No. 255); *d)* *Frauenfeld*, der Hptort des C. Thurgau, anfängl. ein Hof *Erchingen*, d. i. bei den Nachkommen eines Alemannen Erich, v. Karl d. Dicken um 883 an das Kloster Reichenau vergabt, entstand um einen im 11. Jahrh. erbauten Thurm, auf dem Sonder-

eigenthum ULFrau, der Schutzheiligen des Klosters (Pupik., GFrauf. 6 ff.); *e)* *Frauenkappeln*, Dorf des C. Bern, nach einem ehm. Frauenkloster; *f)* *Frauenkirch*, in Davos, dessen Kirche, die dritte des Thals, ULFrauen geweiht war (Campell 140, Note); *g)* *Frauenkirchen*, übsetzt aus mag. *Boldogasszony* = selige Frau, d. i. Mutter Gottes, f. ungar. Orte, deren Patronin die Jungfrau Maria ist (Umlauft, ÖUng. NB. 25); *h)* *Frauensand*, eine breite Sandbank, welche den Hafen der einst blühenden fries. Seestadt Stavoren versandete. Zuf. der Tradition wäre die Veränderg. die Strafe Gottes f. den Uebermuth der Bewohner, spec. einer reichen üppigen Kaufmannswittwe, welche hier eine ganze Ladg. herrlichen Danziger Weizens ins Wasser werfen liess (Wild, Niedl. 2, 248 f.); *i)* *Frauenwörth* s. Herrenwörth; *k)* *Frauenzimmern* s. Zimmern.

Frayle s. Fraile.

Frazer River, in Brit. Columbia, ind. *Tacoutche Tesse*, j. allgemein nach dem Agenten der Nord WestCo., Simon *F.*, dem ersten Europäer, welcher 1806/8 v. Fort Chippeweyan aus das Felsengebirge überschritt u. am *F. Lake*, 54⁰ NB., den ersten engl. Handelsposten gründete (Glob. 11, 66, Sommer, Taschb. 24, 240, DMofras, Orég. 2, 136). — Nach dem Botaniker gl. N. *Mount F.*, in NSouthWales, v. Major Mitchell (Three Expp. 1, 66) am 4. Jan. 1832; ebf. prsl. *Cape John F.*, in Grinnell Ld., 1854 v. Kane (Arct. Expl. 1, 253) benannt.

Frazier's River, ein Zufluss des Jefferson's R., am 1. Aug. 1805 v. den Captt. Lewis u. Cl. (Trav. 245) nach Robert *F.*, einem ihrer Gefährten, benannt.

Freddy s. Bernhard.

Frederick, engl. Form des Mannsnamens Friedrich, in mehrern ON. *a)* *Cape F.* VIth s. Karl; *b)* *F. Reef*, eines der zahlr. Riffe des Korallen M., v. engl. (?) Schiffe *F.* 1812 entdeckt (Krus., Mém. 1, 95, King, Austr. 2, 386); *c)* *Prince F.'s Harbour*, in De Witt's Ld., v. Capt. Ph. P. King (Austr. 1, 413) am 19. Sept. 1820 nach dem engl. Prinzen d. N. getauft; *d)* *Cape F. William the Third*, an der Westseite v. Boothia Isthm., v. Commander J. Cl. Ross (Sec. V., Carte) im Winter 1829/30 nach dem dann. preuss. König, Friedr. Wilh. III., wie wohl einer andern preuss. Bekanntschaft die *Bülow Bay* gilt.

Frederik, oft *Fredrik*, dän. Form des Mannsnamens Friedrich, in einer Reihe v. ON., nam. v. Lustschlössern u. Festungen, welche die Könige der ehm. nord. Grossmacht bauen liessen. Die dän. Könige dieses Namens sind: *F.* I. 1471—1533, *F.* II. 1534/88, *F.* III. 1609/70, *F.* IV. 1671—1730, *F.* V. 1723/66, *F.* VI. 1768—1839, *F.* VII. 1808/63. Wir geben in alphab. Folge: *Fredericia*, in Jütl., v. *F.* III. ggr. 1651 (Daniel, Hdb. Geogr. 4, 1036), *Frederiksberg* (s. Christianshavn), *Frederiksborg*, kön. Schloss auf Seel., v. Christian IV. 1602/08 erbaut u. ozw. nach dem ein Jahr später geb. Kronprinzen getauft (Meyer's CLex. 7, 140), *Frederikfort* (s. Christian), *Frede-*

rikshaab = Friedrich's Hoffnung, in Grönl., v. Kaufm. Jak. Severin 1742 'med kongelig Understoettelse' ggr. (Cranz, HGrönl. 1, 9), *Frederikshald*, nicht... *hall*, Stadt in Norw., 1661 aus dem frühern Halden v. *F.* III. umgetauft in Anerkennung der Treue u. Tapferk., welche die Einwohner bei vschiedd. Belagerungen bewiesen hatten; in der Nähe *Frederiksteen*, eine Felsenveste, 'Stein', ebf. 1661 angelegt v. kön. Statthalter Niels Trolle (MCL. 7, 140, Hertha 6, GZ. 189), *Frederikshavn*, 2 mal *a)* s. Christianshavn, *b)* s. unten, *Frederiksholm*, ebf. 2 mal: *a)* eine der Christiansöer, Ostsee, 1684 anlässl. der Festungsbauten Christians V. nach dem dam. Kronprinzen getauft (Meyer's CLex. 4, 528); *b)* s. Christianshavn, *Frederiksnagor* (s. Rama), *Frederiksstad*, Ort an der Mündg. des Glommen, v. *F.* II. angelegt 1567, in der Nähe die Veste *Kongsteen* = Königstein, *Frederikshavn*, in Jütl., *Frederiksvaern*, in Norw., wo *vaern* = Wehr (?), letztere beide zeitl. mir nicht bekannt (ib. 7, 140, Hertha 6 GZ. 190), *Frederik's Örne* s. Nicobaren. — *Fredrikshamn*, Hafenort in Finl., 1656 ggr., 1723 nach dem schwed. König *F.* getauft (ZfAErdk. 1871, 317, gef. Mitth. Lector Modeens, Wiborg), finn. *Hamina*, wohl einf. aus *hamn* = Hafen geformt (Meyer's CLex. 7, 140).

Frederik, Mannsname im Hause Nassau-Oranien u. daher in holl. ON. wie *Frederiksoord* = Friedrichsort, eine der v. der Maatschappij van Weldadigheid (Wohlthätigkeits - Verein) seit 1818 in Drenthe u. Over-Ijssel ggr. Armen-Ackerbaucolonien, benannt nach dem Prinzen Friedrich, dem 2. Sohn Wilhelms I., dem Präsidenten dieser Gesellschaft. Zwei andere *Willemsoord* u. *Wilhelmineoord* (Wild, Niederl. 2, 387). — *F. Hendrik*, Prinz v. Oranien, geb. 1584, Erbstatthalter seit 1625, in innerer u. auswärtiger Politik vortrefflich, vor allem ausgezeichnet aber als Feldherr, bes. im Festungskriege, † 1647. Unter ihm erlebte die Republik die höchste Blüthe u. Macht. In seine Zeit fielen die Entdeckungen des grossen Seef. Abel Jansz Tasman, welcher mehrere Objecte nach dem Prinzen taufte: *a) F. H.'s Bay*, an der Ostseite Tasmania's, wo man am 1. Dec. 1642 nach stürmischem Wetter froh war, einen ruhigen Ankerplatz zu finden (Flinders, TA. 1, LXXIX, Atl. VII); *b) F. Hendriks Eiland*, an der Südküste NGuinea's (Meinicke, IStill. O. 1, 92); *c) F. Hendriks Eiland* s. Aignant; *d) F. Hendrik*, die 1637 erbaute Citadelle Batavia's (Meyer's CLex. 2, 664); *e) F. Hendrik*, in Mauritius (Tasman's Journ. 44 ff.). — *Fridericia* s. Para.

Cap Freeden, am Eingang der Bismarck Str., Spitzb., v. der ersten deutschen Nordpolexp. 1868 getauft nach dem Director der Hamburger Seewarte, W. J. Ad. v. *F.*, welcher unter ihre Förderer gehörte. In der Nähe *Cap Breusing* u. *Cap Ravenstein*, nach dem in London lebenden Cartographen (Peterm., GMitth. 17. Erg. H. 28 T. 2); *b)* eine *F. Bay*, in Ost-Grönl., v. der zweiten deutschen Nordpolexp. 1869/70, deren Resultate

er theilweise verarbeitete (ib. T. 10); *c) F. Insel*, in Franz Joseph's Ld., v. der 2. öst.-ung. Nordpolexp. 1872/74 (ib. 20 T. 23).

Freeman Inlet, eine Seegasse zw. spitzb. Barents-u. Edge-I., schon in Pellham's Carte, 1631, eingetragen, während G. v. Keulen 1688 (?) sie, ebf. prsl., *Wolter Thymen-Fjord* nennt. A. Peterm. (GMitth. 17, 182) setzt richtig den ältern voraus: *F.*- od. *Thymen-Strasse*. — *Freemannsburg*, Ort am Lehigh R., Pennsylv., 1833 ggr. v. Jacob Freemann (Penns. Ill. 59).

Freemantle, der Hafenort Perth's, West-Austr., benannt nach Capt. *F.*, der 1829, einige Monate vor Begründg. der Colonie (s. Stirling Mts.), im Schiffe Challenger erschienen war u. auf dieser Stelle die brit. Flagge aufgeflanzt hatte (Trollope, Austr. 2, 240); *b) F. Island* s. Knox.

Freetown = Freistadt, engl. Anlage in Sierra Leone, wo 1787 ein Ort *Granvilletown* entstand, durch eine engl. Gesellschaft, welche befreite Sclaven durch Ansiedelg. unterstützen wollte (Meyer's CLex. 7, 142), wohl dass ein Lord Granville ein Hptförderer der menschenfreundl. Bestrebg. war. Man ist versucht, diesen Namen mit Carterets *Granville's River*, in Egmont I., am 17. Aug. 1767 (Hawk., Acc. 1, 359) zszuhalten u. beide auf den Marquis *G.* v. Stafford zu beziehen, den Vater des 1773 geb. Diplomaten *G.* u. Grossvater des 1815 geb. Staatsmanns GLGower, Grafen *G.*

Freewill Islands, eine v. Korallenriffen umgebene pacif. Inselgruppe, 0^0 57′ N. u. 134^0 25′ OGr., einh. *Mapia*, mit 3 Inseln: *Pegan, Onata* u. *Onello*, v. Capt. Carteret am 25. Sept. 1767 nach einem Eingebornen benannt, welcher, alles Abwehrens u. Abmahnens ungeachtet, durchaus das Schiff begleiten wollte u. deswegen Joseph *F.* (= freier Wille) getauft wurde: 'from his readiness to go with us' (Hawk., Acc. 1, 387 ff.), übr. schon v. dem Span. Grijalva 1537 gefunden u. *Guedes*, v. engl. Schiffe Warwick 1761 *St. David* genannt (Krus., Mém. 2, 6 ff., Meinicke, IStill. O. 2, 365).

Freezeland Peak, ein zuckerhutfger Inselberg in Sandwich Ld., v. Cook (VSouthP. 2, 225) am 30. Jan. 1775 entdeckt u. nach dem Gefährten benannt, welcher das Land zuerst erblickt hatte.

Frei, goth. *freis*, ahd. *fri* = liber, engl. *free*, holl. *vrij* (s. dd.), Bestandtheil vrschiedd. ON., die gewisse rechtliche Vorzüge z. Ausdrucke bringen, wie *Freiberg*, die sächs. Bergstadt, verlockend so benannt als die v. Markgraf Otto d. Reichen 1175 ggr. u. mit Freiheiten ausgerüstete, um die Einwander. der Harzer Bergleute aufzumuntern, nachdem 1163 im 'Miriquidiwalde' eine silberreiche Erzstufe entdeckt worden war (Sigismund, Erzg. 19, Meyer's CLex. 7, 144) u. od. die beiden zäring. Anlagen *Freiburg: a) F.* im Uechtland, 1178 als Freistätte u. Hort gg. den Landadel erbaut v. Berchthold IV., der dem Ort bedeutende Freiheiten u. Gerechtsame u. einen Bann v. 3 Stunden im Umfang gab (s. Novo Friburgo); *b) F.* im Breisgau, 1091 v. Berchthold II. ggr. u. 1115 v. Berchthold III. erweitert (Meyers CLex. 4, 146); *c) F.* an der Unstrut, 1076 *Fryburg* (Förstem.,

Altd. NB. 582); *d) F.* in Lothr., j. *Fribourg*, 1252 *Friburch* (Dict. top. Fr. 2, 54) — *Freienstein*, urspr. Burg, j. Dorf, des C. Zürich, einst Allodium, nicht Lehen, wie auf der andern Seite des Irchels Schloss *Eigenthal*, d. i. frei v. Lehenspflichten, beide im Ggsatz zu *Höri* (Mitth. Zürch. AG. 6, 154 ff.). — Die altdeutschen ON., welche Förstem. (Altd. NB. 582 ff.) unter Stamm *fri* aufführt, sind th. durch einen PN. erst vermittelt, wie *Freising*, im 8. Jahrh. *Frigisingun, Frigisingas, Frigisinga, Frisingas, Frisingen, Frisinga.*

Freiamt, eine ehm. österreich. Ldsch. im Thal der Reuss, wurde, als Herzog Friedrich 'mit der leeren Tasche' in Acht u. Bann fiel, auf kais. Geheiss 1415 v. den Eidgenossen erobert, die rseitg. Thalhälfte v. Zürich allein, die lkseitg. v. den Eidg. gemeinsam. Damals, u. noch 1495/97 bei dem Stadtarzt Türst (QSchweiz. G. 6, 7. 18. 40), unterschied man genau: *a) Fryampt*, die rseitg., j. zürch. Hälfte, später *Knonauer A nt*, nach dem Schlosse des Oberamtmanns, scherzw. auch *Säuliamt*, wg. der starken Schweinezucht; *b) Rüsod. Waggental*, die lkseitg., j. aarg. Hälfte, als 'gemeine Herrschaft', v. den Eidg. gemeinsam, u. zwar zunächst v. 6, seit 1531 v. 7 Orten regiert. Die Bezeichng. *Fryampt* beruhte auf einer hergebrachten Rechtsinstitution, indem eine grössere Zahl v. Gemeinfreien an dem Landtage, nach Art einer alten Volksgemeinde zstrat. Diese Einrichtung findet sich noch in der Landtagsordng. v. 15. Jahrh. ausgesprochen u. hat sich lange, bis 1795, erhalten (Bluntschli, St. u. RGesch. 2. Aufl. 1, 203). Die letzte Freiamts-Gemeinde wurde am 26. März 1795 zu Mettmenstetten gehalten u. nach altem Brauche noch einmal die Amtsstellen des Freiamts-Hauptmanns u. s. f. besetzt; dann wurde der sog. Freiamts-Brief am 13. Juli gl. J. der Regierg. aushingegeben, wie eine Pergamenturkunde, v. zürch. Rath ausgestellt u. v. 26. Sept. datirt, bezeugt. Damit war das Motiv der alten Benenng. ggstandslos geworden; aber seit längerer Zeit war sie auf die lkseitg. Hälfte übertragen worden. Diese 'gemeine Herrschaft' beschäftigte die Tagherren wiederholt. In der eidg. Abschieden (Register) heisst sie *Waggenthal* z. letzten mal 1501, da 'waggenthalern', in der Bedeutg. 'wankelmüthig sein', Spottwort geworden; 1502 ff. nannte man sie die *Aemter im Aargau, gemeine Aemter* u. allmählich, wohl weil auch letztere Bezeichng. anrüchig wurde, nach der andern Thalhälfte: *Freie Aemter.* Diese Uebertragg., in den *Fryen Ämptern*, findet sich, so viel mir aus einer Mittheilg. des Hrn. Dr. H. Herzog bekannt, zuerst in einem Rechnungsrodel v. 1558 (Staatsarch. Aarau); immer aber, u. bis in die Neuzeit herab, steht sie im plur. Nach diesem Ursprg. ist es nicht wahrscheinl., dass der Name *Freie Aemter*, f. die j. aarg. Thalhälfte, in irgend einem besondern Rechtszustande der Bewohner begründet sei, u. es sind auch die in dieser Richtg. zu vschiedd. Zeiten gemachten Erklärungsversuche ganz unbefriedigend. Möglich, dass man die

'Ämter' an dem wohlklingenden Namen des benachbarten *F.* participiren lassen wollte od. dass irgend ein geschichtskundiger Beamter, im Missverständniss der homines liberi in *Ruistal* (Kopp, Urk. 1, 10), das *frei* f. sie in Aufnahme brachte (Zeitschr. f. schweiz. Recht 17, 49). Wir wiederholen: Es gibt ein *Freiamt*, berechtigter Name, zürch. f. Knonauer Amt, u. *Freie Aemter*, missbräuchlicher Name, j. aarg.

Fréjus, frz. ON. des dép. Var, als *Forum Julii* v. Jul. Caesar ggr. u. z. Seecolonie bestimmt, dann Station der westl. Mittelmeerflotte, noch j. mit den Resten eines Amphitheaters, Triumphbogens, Molo etc. (Kiepert, Lehrb. AG. 507).

Fremont's Peak, ein Spitzberg der Rocky Ms., benannt 'auf der grossen Carte, welche der Chef des topogr. Bureau zu Washington, der Oberst Albert, herausgegeben', nach Capt. *F.*, welcher auf Befehl der Regierg. der Vereinigten Staaten in den Jahren 1842—1844 jene Gebiete erforscht hat (Humb., ANat. 1, 56 f.).

Frênaie s. Frassino.

French, engl. Aequivalent f. *Français* (s. d.), in den ON. *a) F. Champany*, Insel vor der Rhede v. Zanzibar (Peterm., GMitth. 5, 376); *b) F. Frigate Shoal* s. Français; *c) F. Island* s. Français; *d) F. Rock* s. Espérance.

Frendschy s. Franken.

Frenkenbach s. Franken.

Frere s. Rawlinson.

Fresen s. Beresina.

Freshwater = Süss-, eig. Frischwasser, in den engl. ON. *a) F. Bay*, so nannte 1670 der Seef. John Narborough, welcher die Magalhães Str. passirte, eine gute kl. Bucht, in welche sich zwei Bäche mit Süsswasser ergiessen (Debrosses, HNav. 305); *b) F. Cove*, in Tasman's Ld., v. Capt. Stokes (Disc. 1, 192) am 9. April 1838 so genannt, weil die Exp., ggb. dem verdorrten Aussehen der nahen Anhöhen, angenehm überrascht war, einen Wasserbach zu finden, welcher in den Hintergrund der Bucht mündete.

Fresnay s. Frassino.

Freudenstadt, Ort des württb. Schwarzwald-Kr., durch vertriebene Salzburger Protestanten 1599 ggr. (Meyer's CLex. 7, 187). Das Motiv, welches die gastlich aufgenommenen Fremdlinge zu dem Namen *F.* führen mochte, liegt wohl auf der Hand.

Freundschafts In. s. Friendly.

Frey Strasse, ein Sund der Barents-I., NSemlja., v. der öst.-ung. Exp. Wilczek im Aug. 1872 benannt (PM. 20 T. 16) zu Ehren des Generaldirectors der Hüttenberger Eisenwerksgesellschaft in Klagenfurt, eines in Oesterreich vortheilhaft bekannten Technikers (GM. Prof. Höfer's in Klagenfurt dd. 17. Febr. 1876).

Freycinet, zwei vortreffl. Seeofficiere der frz. Exp. Baudin (1801/03), *Louis* u. *Henri*, in *Cap F.* (s. Prieto) durch den russ. Adm. v. Krusenstern, u. noch am 18. Juni 1822 v. engl. Walfgr. W. Scoresby jun. (NorthWF. 116) in einem andern *Cape F.*, Ost-Grönl., aber schon v. ihrer eignen Exp. mehrf.

geehrt: *a) Havre Henri F.*, eine Bucht der
Sharks Bay, durch Louis *F.* am 14. Aug. 1801,
nachdem er 14^d auf deren Untersuchg. verwandt
hatte, nach seinem Bruder getauft (Péron, TA. 1,
166); *b) Ile F.*, vor Tasman's Land, durch
Capt. Baudin selbst am 10. Aug. 1801 benannt
nach den zwei 'treffl. Brüdern, welchen unsere
Untersuchg. so viele nützl. Arbeiten zu danken
hat' (ib. p. 113); *c) Pointe F.*, bei Cap Hamelin,
nach Louis *F.*, der in der Goëlette Casuarina
mehrf. Explorationen vorgenommen hatte u. dabei
Cap Mentelle, ebf. prsl. benannt (ib. 2, 166); *d)*
Presqu'ile F., an der Ostseite Tasmania's, deren
Aufnahme den beiden Brüdern *F.* mit zu verdanken war (ib. 1, 247). — Eine 2. *Ile F.* s.
Moller.

Fria, fem. v. *frio*, in span. ON. *a) Agua F.* =
kaltes Wasser, in NMexico, auffallend, da weder
Quelle noch Fluss dort existirt u. die Bewohner ihr
Trinkwasser aus Eseln 3 km weit herholen müssen.
Nach Angabe der Leute war noch vor 150 Jahren
das Bett des Rio de S^a Fé voll fliessenden Wassers;
die Ufer waren mit Weiden- u. Pappelwäldern
eingefasst, die das Wasser sehr kühl hielten;
aber allmählich sei der Fluss im Sande versunken
u. das Gebüsch verschwunden. Wo man hier 3 m
tief gräbt, stösst man auf Wasser . . . Der Fluss
versinkt, 800 m unth.· S^a Fé, im Sande, fliesst
in einer gewissen Tiefe unter der Sandschicht
fort u. erscheint in seinem Bette erst wieder, wo
er, 20 km unth. S^a Fé, der dortigen Basaltmasse
sich nähert (Peterm., GMitth. 22, 214); *b) Tierra*
F. s. Caliente.

Friars s. Borcel.

Friaul s. Friuli.

Friburgo, Novo, v. schweiz. *Freiburg* auf eine
brasil. Colonie übtragen. Die Anregg. dieses Unternehmens war v. port. König selbst, der dam. in
Brasilien wohnte, ausgegangen; am 6. Mai 1881 erfolgte der Beschluss der Regierung. Zum Generalconsul ad hoc in der Schweiz wurde J. B. Bre-
mont in Bern ernannt, der die Werbg. betrieb
(Varnh., IIBraz. 2, 338). Am 11. Juli 1819 verliessen 1100 Freiburger, Walliser u. Waadtländer
in 4 Barken den Hafen v. Estavayer. Eine ungeheure Menschenmenge war herbeigeströmt. Der
Bischof v. Lausanne spendete persönl. den Segen.
Es ging die Aare abw., wo noch Solothurner,
Berner, Luzerner u. Aargauer sich anschlossen,
üb. Basel nach Holland; am 30. Juli kamen die
2003 Auswanderer in Dortrecht an. Auf der
Ueberfahrt † 316 Personen am Typhus. Ankunft
in Rio de Janeiro 4. Nov. 1819 u. 8. Febr.
1820. Einweihung der Colonie 17. April 1820.
Bald begann das Elend: Krankheiten, Armut,
Uebervortheilg., Intoleranz. Schon 1825 war
der Ort keine Colonie mehr. Ein reicher Gutsbesitzer hatte die Gegend als Lehen erworben;
es gab da nur noch einen hohen Baron. 1841
zählte, auch die inzwischen zugewanderten Deutschen eingerechnet, der Ort noch 710 Ew. (Karrer,
Nationalräthl. Bericht 1886.). — *Fribourg* s. Frei.

Friday H. s. Easter.

Friedensfluss s. Peace.

Friderike s. Bernhard u. **Fridericia** s. Para.

Friedrich, oft Taufname in dem hohenzollerschen
Hause, sowie in andern deutschen Dynastien u.
daher die ON. *a) Gross F.'s Berg*, eine Höhe
O/Guinea's, westl. v. den 3 Spitzen, mit einem
1682/83 gegr. Fort der brandb. Co. 'Und weil
Sr. Churfl. Durchl. Nahme in aller Welt Gross ist,
also nennte ich auch den Berg den *Gross F.'s*
Berg, das Fort *Gross F.'s Burg* (Peterm., GMitth.
20, 27); *b)* ein neuer Name, voll schmerzlicher
Weihe, ist *Friedrichskron*, f. das Schloss v. Potsdam, in welchem Kaiser *F.* III. 'der Dulder' am
15. Juni 1888 † ist; *c)* eine *Friedrichsstadt* ist
Wunsch geblieben. Unmittelbar nach der Kröng.
Friedrichs I. wünschten die Einwohner der um
das königl. Schloss zu Königsberg gelegenen 'Burg-
freiheit' ihren Ort z. Stadt, als *Friedrichsstadt*,
erhoben zu sehen (1701); das Gesuch jedoch
scheiterte an dem Widerstande der '3 Städte
Königsberg', Altstadt, Kneiphof u. Löbenicht, ja
die drei Städte nebst Vorstädten wurden schon
1724 vereinigt (Sep.-Abdr. Altpr. Monatsschr. 1886).
— *Friedrichsburg*, v. Kurf. Friedrich IV. v. d.
Pfalz 1606 als Veste Mannheims ggr. (Meyer's
CLex. 11, 184). — *Friedrichshafen*, württb. Hafen
am Bodensee, früher *Buchhorn* (s. Lindau), v.
König Friedrich 1810 angelegt (Daniel, Hdb.
Geogr. 4, 763). — *Friedrichshall*, zwei Salinenorte: *a)* in Sachsen-Mein., wo die Saline seit 1151
in Betrieb u., nachdem der Ort v. den Hussiten
zerstört worden, erst 1714/38 erneuert, ozw. nach
einem der dam. Landesherren, Karl Friedrich,
getauft (Meyer's CLex. 7, 235); *b)* in Württb.,
1812/16 angelegt u. nach Friedrich I., der 1806/16
König war, benannt. — *Friedrichsort*, Festg. in
Schleswig-Holst., 1663 v. dän. König Friedrich III.
angelegt (Meyer's CLex. 7, 235). — *Friedrichstadt*,
Hafen in Schlesw.-Holst., 1621 v. holl. Remon-
stranten ggr. u. wohl nach Christian's IV. zweitem
Sohne, dem nachm. König Friedrich III., getauft.

Friedrich *Franz Insel* u. *Karl Alexander Insel*,
am südl. Ausgang der Hinlopen Str., v. der ersten
deutschen Nordpolexp. 1868 cartographirt u. benannt (PM. 17, EHeft 28, 45 T. 2; 18 Taf. 6).
Wie in dieser Gegend eine Zahl Objecte nach
Fürsten, Staatsmännern u. Generälen, die mit
der Verjüngg. Deutschlands zshängen (vgl. Wilhelm Insel), getauft sind, so gelten diese beiden
Namen den Grossherzogen v. Mecklenburg-Schwerin
u. Sachsen-Weimar.

Friedrich Wilhelm's Hafen, an der Nordküste
NGuinea's, v. Capt. Dallmann, Schiff Samoa, am
14. Oct. 1884 entdeckt u. getauft nach dem Kronprinzen, spätern Kaiser Friedrich III. (Hermann,
DCol. G. 2, 15). — *F. Wilhelms Canal* s. Müllrose.

Friendly Isles = FreundschaftsIn. nannte Cook
(VSouth P. 2, 19; 1, 191 ff.) 1774 eine schon v.
Tasman am 20. Jan. 1643 entdeckte polynes.
Inselgruppe, einh. *Tonga*, abgk. aus *Tongatabu*
(WMariner, Acc. Tonga), weil ihn die gutmüthigen,
unter sich friedlichen Bewohner besonders freund-
schaftlich aufnahmen: 'as a firm alliance and

friendship seems to subsist among their inhabitants and their courteous behaviour to strangers entitles them to that appellation', v. russ. Admiral v. Krusenst. (Mém. 1, 222) auch *Iles Tasman* genannt; *b*) *F. Bay*, eine Bucht in Uapoa, Washington In., einh. *Hakatao*, mit sehr liebl. Ufern, v. engl. Lieut. Hergest 1792 getauft (Meinicke, IStill. O. 2, 241); *c*) *F. Cove*, im Nutka Sd., so benannt v. Capt. John Meares, der am 13. Mai 1788, nach einer Reise v. 3 Monaten 23^d u. speciell nach wüthendem Sturm in den sichern Hafen eingelaufen war. 'Der Leser, der nunmehr die ganze, beschwerliche, ermüdende Reise hindurch unser Begleiter gewesen ist, wird sich unsere dankbare Freude bei unserer Ankunft in dem mit Müh u. Gefahr gesuchten Hafen leicht vorstellen können ... in einem so sichern Hafen, ... wo weder Sturm noch Wellen uns in Furcht setzen od. unsere Ruhe stören konnte' (GForster, Gesch. Reis. 1, 100); *d*) *F. Village*, ein Indianerort am Unterlaufe des Oregon, wo die Exp. Lewis u. Cl. (Trav. 376) am 29. Oct. 1805 aussergewöhnlich gastfrei empfangen wurde. 'The inhabitants were unusually hospitable and good humoured, so that we gave to the place the name of *FV.* — *Cape Friendship* s. Alexander.

Friesach s. Beresina.

Friesen, im sing. holl. *Vries*, bei Tacit. (Ann. 1, 60, Hist. 4, 15) u. Plin. (HNat. 4, 101) *Frisii*, auch *Fresii*, *Fresi*, bei Ptol. (2, 11) Φρίσιοι, bei Dio Cass. (54, 32) Φρείσιοι, später *Frisones*, *Frisiones* etc., dial. *Frese*, wird v. einh. Sprachforschern gern v. *frê* = frei abgeleitet, v. Zeuss (DDeutschen 136 f., 397 ff.) u. Grimm (GDSprache 469 f.) mit goth. *fraisan*, ahd. *freisa* verglichen u. = die wagenden, kühnen gesetzt; sonst hat Grimm (Gramm. 1, 408) auch afr. *frisle* = Haarlocke, westfr. *frisselje*, nhd. *frisieren* = kräuseln, beigezogen. Diese Ableitg. hält J. Doornkaat-Koolman (Ostfr. MBl. 2, 178) 'f. am meisten verfehlt'; in *frese*, wie in pers. *Pars*, *Fars*, liege die Grundbedeutg. 'Aeusserstes, Rand', also *F.* = Küstenbewohner, *Frés-* od. *Friesland* = Küsten- od. Randland (Ostfr. WB. 1, 558). Diese Etym., meint A. Erdmann (Angeln 83), der f. Zeuss' Ansicht spricht, 'ist sicher zu verwerfen', u. Förstem. (Altd. NB. 585 f.) sagt noch besser: 'Das Schwanken in diesen Erklärungen spricht am deutlichsten unsere Unsicherheit aus'. Nach dem VolksN. das Land: *Frisia*, *Fresia*, *Frisonia*, j. *Fries-*, holl. *Vriesland*. — Im Capt. *Vriesland*, v. den Boeren in das Kalte Bokkeveld übtragen (Lichtenst., SAfr. 1, 206). — *West-Vriesland*, an der Karasee, nach den Förderern der Exp. 1594 getauft (Linschoten, Voy. f. 19). — Th. mit dem VolksN., im gen. plur., th. mit einem PN., im gen. sing., die ahd. ON. *Friosan-aha*, j. *Friese*, Fluss bei Fulda, *Fresionoveld*, der Gau um Eisleben, der zs. mit dem nahen Schwaben-, Hessen- u. Angelngau an die Vernichtg. des alten Thüringerreichs sich zu knüpfen scheint, *F. senhaim*, j. *Friesenheim*, 4mal, *Fri-senhus*, j. *Friesenhausen* u. a. m. (Förstem. 587).

Frigid, Cape = kaltes Vorgebirge, die Nordspitze der Southampton I., v. NWFahrer Middleton 1741 benannt, da dieser Punkt, od. ein ihm benachbarter, auf seiner nach Norden gehenden Fahrt der letzte z. Rechten, an der Seite der Frozen Strait (s. d.) war (Parry, Sec. V. 50 ff.).

Frio, Puerto = kalter Hafen, eine Bucht der Magalhäes Str., weil zZ. v. Loaisa's Exp. 1526 mehrere Eingeborne hier vor Kälte umkamen (Herrera, Dec. 3, 9. 4, Oviedo 2, 20. 8). Nach Navarrete (Coll. 5, 39. 42) scheint es, dass dieser Hafen auch *Bahia Nevada* = Schneebucht genannt worden sei. 'Estas sierras eran tan altas que parecia llegaban al cielo, el sol no entraba alli casi en todo el año, la noche tenia mas de veinte horas, nevaba ordinariamente, la nieve era muy azul (!!) por la antiguedad de estar sin derretirse, y el frio era extremado'. — *Serro do F.*, ein bras. Bergzug, den als eine der unwirthbarsten u. sterilsten sertões (s. Sertão) die Indianer *Hyvitujahi* = wüste Gegend genannt hatten (Eschwege, Pluto Br. 348). — *Cabo F. a*) in der Nähe v. Rio de Janeiro, ein isolirter, steiler, hoher, bis z. Gipfel grüner Felspic an einer Ecke der brasil. Küste, hat 'fast immer schlechte Witterungslaunen' u. ist wg. der hier herrschenden scharfen Winde berüchtigt (Avé-L., NBras. 1, 7); *b*) an der Westseite Africa's, 18$^1/_2$'' SBr. — *Rio F.*, ein Zufluss des Rio Cauca, v. den Anden herab sehr kaltes Wasser bringend (WHakl. S. 33, 99).

Frisal s. Furca.

Frisches Haff, ein abgesonderter Theil der Ostsee, mit dem alten Wort f. 'Meer', wie dän. *hav*. schwed. *haf*, u. frisch, holl. *versch* (s. Connecticut), f. süss, nach der Natur seines Wassers (Passarge, WDelta 348), wie auch engl. *fresh water* = Süsswasser ist u. Düsburg noch das kurische Haff als *mare recens* bezeichnet (Altpr. Mon. 5, 120), wohl nicht, wie auch vermuthet wird (Meyer's CLex. 7, 245), nach dem *Frisching*, dem einen der Zuflüsse, der eben so gut umgekehrt nach dem Mündungshaff benannt sein kann. Bei Wulfstân, im 9. Jahrh., heisst das Haff *Estmere* = das Meer der Aestui, also nach den Umwohnern (s. Kurland). Die üb. 50 km lg., nur 2–3 km br. Nehrg., uneig. *Frische Nehrung*, einst besser *Witland* = Weissland, danach das alte Tief, bei Burg Lochstet, *Witlandsort* = Ende, Spitze v. Witland (Töppen, GPreuss. 2). Das Wort *Nehrung* selbst, urk. *Neria*, *Nerei*, *Nergya*, *Nerge*, *Nerige*, auch am Kurischen Haff (s. Kurland) wiederkehrend, ist ozw. undeutsch, jedenf. nicht, wie Einzelne meinten, mit 'Näherg.', 'Niederg.' od. gar 'Nahrg.' zszustellen. Unter Berufg. auf Prof. Rhesa leitet es M. Töppen (NPreuss. Prov. Bl. AF. 1, 81 f.) aus dem altpreuss. ab, lett. *nereht* = auswühlen, also 'ausgewühltes, v. den Meereswellen aufgeworfenes Land' (Voigt, Gesch. Preuss. 5, 190). Anders F. Neumann (NPreuss. Prov. Bl. 6, 385 ff., 411 ff.): Die zahlreichen Namen auf *ner* deuten auf skr. *nâra* = Wasser, spec. seine litt. Verwandten, also dass *Nehrung* als ein im Wasser schwimmendes, untergetauchtes, als 'Tauchland' anzusehen sei.

Fritzlar, im 8. Jahrh. *Fridislare,* 1045 *Fritislare,* auch *Fridis-* u. *Fritislar* etc., Ort in Hessen, augenscheinl. nach einem PN. v. Stamme Frith, mit dem Grundwort *lar* (s. Wetzlar), während bei ähnl. Namen, denen das Zeichen uneig. Composition fehlt, eher an eine Umfriedigg. zu denken ist (Förstem., Altd. ON. 588).

Friuli, verdeutscht *Friaul,* eine venetian. Landschaft am Tagliamento, röm. *Forum Julii,* v. Caesar od. Octavian begründet, am Fusse der *Alpes Juliae,* die zuerst bei Tacit. (Hist. 3, 8), an Stelle der *Alpes Venetae* (Amm. Marc. 21, 9⁴, 31, 16⁷), erscheinen u. das Andenken des ersten Monarchen erhalten haben (Nissen, Ital. LK. 149).

Frobisher, *Martin,* hat die erste Periode engl. Nordwestfahrten eröffnet, nach 15 jähr. Anstrengungen, um die Mittel z. Reise zu erhalten, 1576 seine erste arkt. Fahrt unternommen u. dabei am 21. Juli die *F. Bay* entdeckt, die er selbst als Durchfahrt, *F. Streight,* bezeichnete . . . 'this place he named after his name' (WHakl.S. 38, 72). Er hat zwar in den 2 folgg. Jahren seine Fahrt wiederholt, aber mit angebl. Goldfunden die beste Zeit verloren, u. es hat sich erst durch Chr. Fr. Hall (Life Esq. 1864) gezeigt, dass die Durchfahrt z. Bay geschlossen ist . . . 'a great gut, bay or passage, divided, as it were, by two mainlands or continents, asunder. Frobisher's desire was to have crossed this passage, but, being baffled by ice, currents, and winds, he determined to enter it. This was effected on the 11th of august; and the passage received the name of *F. Str.,* though it has since been known as *Lumley's Inlet* (s. d.). Up these straits, *F.* sailed sixty leagues' (Rundall, Voy. NW. 12, 49). '*F. Streight,* called after the name of our generall, the first finder thereof' (Hakl., Pr. Nav. 3, 33), 'after the generalls name, who being the first that euer passed beyond 58 degrees to the northwardes' (ib. 62).

Fröhliche Wiederkunft, Jagdschlösschen in Sachsen-Altenburg, wo der Kurfürst Joh. Friedrich, als er 1552 aus der Gefangenschaft zkkehrte, mit seinen Kindern zstraf ((Meyer's CLex. 9, 146). Es war dies Joh. Friedrich der Grossmüthige, der im schmalkaldischen Kriege, bei Mühlberg 1547, in kaiserl. Gefangenschaft gerieth u. die 5 Jahre meist in Innsbruck zubrachte.

Frog Portage = Frosch-Trageplatz nennen die Angestellten der Hudsonsbay Co. einen der im Netz des Pine I. Lake vorkommenden Trageplätze, nach einer Froschhaut, welche die Crees dort aufgehängt hinterliessen, um die nördlichern Indianer f. ihre Art 'of dressing the beaver' lächerlich zu machen (Franklin, Narr. 178 ff.).

Froid = kalt, in manchen frz. ON., insb. nach Quellen wie *Froide-Fontaine,* 3 mal im dép. Meuse (Dict. top. Fr. 11, 90) u. *Eau-Froide,* ein Bergbach im C. Waadt, der Abfluss vschiedd. hochgelegener Alpenseen (Mart.-Crous., Dict. 319), od. nach der rauhen, windigen Lage wie *Froid-*

mont, les *Froidmonts, Froidville,* im dép. Aisne (ib. 10, 121), *Froideville,* im C. Waadt, 800 m üb. M., mit strengem Klima . . . 'son nom lui vient de sa situation' (Grm. Schweiz 19, 2ᵇ, 76, Mart.-Crous., Dict. 382). — *Iles Froides* s. Crozet.

Frontenac s. Ontario.

Frosty Creek = frostiger Bach, einer der Quellflüsse des Cogon, im obern Gebiete des Darling, v. Major T. L. Mitchell (Trop. Austr. 152. 156) so genannt, weil er hier am Morgen des 8. Mai 1845 eine Temperatur v. 21⁰ F., des folg. Tages 19⁰ beobachtete — eine Kälte, welche ihm nach seinem leibl. Gefühl sowohl als wg. Mangels an Eis u. Reif auffallend vorkam. — *Frozen Sea* s. Eismeer. — *Frozen Strait* = gefrorne Durchfahrt, hinter Southampton Ld., v. engl. NWFahrer Middleton 1741 so benannt, weil sie durch Eismassen versperrt war (vgl. Frigid). Uebrigens hat Capt. W. Edw. Parry (Sec. V. 50 ff.) im Aug. 1821 die 'gefrorne Strasse' offen gefunden u. passirt. — *Gefrorne Bay,* an der Nordseite v. Shannon I., Grönl., v. der 2. deutschen Nordpolexp. im Aug. 1869 getauft (Peterm., GMitth. 17 T. 10).

Froward s. Forward.

Frue = Frau (s. d.), in den dän. ON. *a) Fruerskov* = Frauenwald, *b) Fruens Have* = Frauenhag u. a. (Madsen, Själ. StN. 271).

Fry Cape, im nördl. Theil der Hudsons Bay, v. den NWFahrern 1746/47, engl. Schiffe Dobbs u. California, benannt dem Ritter Roland *F.* zu Ehren, der eines v. den Mitgliedern dieser Unternehmg. war (Barrow, R. u. Entd. 2, 531).

Fryingpan = Bratpfanne, einer der schon früher gesprengten Riffe im Hell Gate (s. d.), wo das Wasser nur 1¹/₂ m Ebbhöhe hatte u. die Passage bes. gefährl. war (J. J. Egli, Spr. Höllth.).

Frysen s. Frassino.

Fuca Strasse, hinter Vancouver I., untersucht 1592 v. dem span. Seef. Juan de *F.,* einem mysteriösen Griechen, eig. Valerius Apostolos (Purchas, Pilgr. 3, 849 ff., DMofras, Or. 2, 130, GForster, GReis. 1, 19 ff.).

Fuchs = vulpes, ahd. *fuhs,* mhd. *fuhs, vuhs,* holl. *vos,* engl. *fox* (s. d.), in ON. nicht häufig, da das Thier, entspr. seinem verschlagenen Wesen, an abgelegenen Orten seine 'Fuchslöcher' bewohnt u. sich dem Verkehr mit dem Menschen listig u. gewandt zu entziehen weiss. Auf solche einsame Lagen weisen die ON. *Fuchsbühl, Fuchsloch* 3 mal, *Fuchsrüti, Füchsenwies,* sämmtl. im C. Zürich (Mitth. ZAG. 6, 87. 118. 148. 158). — Ozw. nach dem Polarfuchs, Canis lagopus L., der, üb. die ganze nördl. Polarzone verbreitet, überall dem Menschen ein lästiger Gast wird, aber auch geschätztes Pelzwerk liefert, ist getauft *Vossen Bogt* = Fuchsbay, in spitzb. Barents I., zuerst auf der Carte des Holl. G. v. Keulen 1788 (Peterm., GMitth. 17, 182). Die *F. Inseln,* eine Section der Aleuten (s. d.), bewohnt er nicht mehr.

Fucino s. Celano.

Fuego = Feuer, wie port. *fogo,* ital. *fuoco,* prov. *fuec,* frz. *feu,* rum. *foc* v. lat. *focus* = Herd, poetisch auch Feuer, in letzterm Sinne entschieden seit dem ersten Mittelalter, da die neue Sprache das ausdruckslose *ignis* nicht brauchen konnte (Diez, Rom. WB. 1, 192), oft in ON. bes. vulcan. Herde, aber auch wg. gelegentl. Feuererscheinungen. In letzterm Sinne *Tierra del F.* = Feuerland, so nannte F. Magalhães bei seiner Weltumsegelg. die wildzerklüfteten öden Felsinseln, welche er bei seiner Durchfahrt am Südende des american. Continents, 1. bis 28. Nov. 1520, zur Linken hatte, nach den nächtlichen Feuern, welche man mehrmals in der Ferne erblickte (WHakl. S. 52, 8. 196, Debrosses, HNav. 86. 96. 347. 361, Bougv., Voy. 147, Hawk., Acc. 1, 39) . . . 'viendo por la noche muchos fuegos en la parte del Sur' (Navarrete, Coll. 4, 43) . . . 'Die Bewohner zündeten hin u. wieder grosse Feuer an, als wir vorbeisegelten' (Spr. u. F., NBeitr. 12, 246 v. Drake's Durchfahrt 1578) . . . 'fires of invitation . . . made to attract attention, and invite strangers to land' (Fitzroy, Adv. B. 1, 45 f., Narr. 1, 63; 2, 134) . . . 'på Eldslandet sågos flera stora rökar upstiga . . . oaktadt rökar på Eldslandet utvisat' (Skogm., Eug. R. 1, 92. 108). Die ältern Carten, z. B. zu Las Casas, Narr., Frkf. 1598, zeichneten diese Feuer auf Berggipfeln. Der engl. Seef. Narborough nannte 1670 den Archipel od. einen Theil desselben nach dem dam. König, seinem Gönner u. Patron, *King Charles' South Land* (ZfAErdk. 1876, 471). — *Volcan de F.*, ein 4283 m h. 'Feuerberg' bei Guatemala 'mit stets rauchender Gipfelzacke', im Ggsatz zu der nachbarl. 4540 m h. 'stolzen Pyramide' des *Volcan de Agua* = Wasservulcan, welcher im Sept. 1541 durch Schlammfluten (u. Erdbeben) die Umgegend, auch das j. Guatemala la Vieja, verheerte. 'In Mittel-America u. auf den Philippinen unterscheiden die engl. förml. zw. Wasser- u. Feuervulanen, *Volcanes de Agua y de Fuego*; mit dem erstern Namen bezeichnen sie Berge, aus welchen bei heftigen Erdstössen u. mit dumpfem Krachen, v. Zeit zu Zeit, unterirdische Wasser ausbrechen' (Humb., ANat. 2, 259). 'Durch seine weit umher sichtb. Thätigk. hat der 'Feuerberg' auf die lebhafte Phantasie der Indianer einen viel grössern Eindruck gemacht als irgend ein anderer Vulcan im Lande. Während sie ohne Bedenken im Krater des 'Wasserbergs' ihr einf. Nachtlager aufschlagen, besteigen sie den Gipfel des *F.* nicht. So gross ist ihre Furcht vor demselben, dass sie kaum den urspr., ind. Namen des Vulcans, *Kati* = unsere Grossmutter, auszusprechen wagen, aus Angst, die Gottheit des Berges zu beleidigen; sie halten ihn f. den Schöpfer ihres Landes u. aller Dinge. Sie behaupten, wenn man v. *F.* als 'unserer Grossmutter' spreche, so werde der Gott des Vulcans zornig, er speie Rauch u. Asche aus, u. Retumbos, d. h. unterirdisches, v. Erdbeben begleitetes Getöse, bekunde seine Wuth. Gewöhnl. nennen sie ihn daher *Nana* (= Frau) *Catarina* . . . Der 'Wasserberg' heisst unter den j. Cakchiqueles *Qahol huyú* = der alleinstehende, eig. der junge, unverheiratete Berg, in span. Rede *San Fran-*

cisco (Stoll, Guat. 281 f.). — Derselbe Name, *Volcan de F.*, im sing. (s. Colima), im plur. *Volcanes de F.* (s. Volcancitos).

Fünen s. Fyn.

Fünf, das deutsche Zahlwort, begegnet mir nur einmal, im ON. *Fünfkirchen*, mag. *Pecs*, im 9. Jahrh. *ad quinque Basilicas, quinque Ecclesiae* (Umlauft, Öst.-ung. NB. 64), Ort in Ungarn, wo Stephan der Heil. 1036 die prachtvolle Kathedrale baute, nach den 5 Klöstern (Meyer's CLex. 7, 279).

Fuensanta s. Santa.

Fürstenau, fürstbischöfl. Theile des Tomleschg. Graubünden, wie auch der 960 dem Bisthum Chur abgetretene *Fürstenwald*, nahe der Stadt, ihm j. noch gehört (Planta, ARät. 419). Das Schloss *F.*, im *F.er Gericht*, 1270 v. Bischof Heinrich IV. erbaut, 'ist jezmalen des Fürsten, wann er etwann ins Tomleschg komt, Wohnung, u. sonst auch eines Landvogten Sitz' (Sererhard ed. Mohr 1, 24. 122). — *Fürstenland* s. Alte Landschaft. — *Fürstenstein*, Prachtschloss in Schlesien, dem Fürsten v. Pless gehörig u. durch den *F.er Grund*, ein enges, pittoreskes Felsenthal, v. der *Alten Burg*, einer im mittelalterl. Styl erbauten Ritterburg, getrennt (Meyer's CLex. 7, 285).

Fürth s. Furt.

Füssen, nach gew. Annahme urspr. lat. Klostername *ad Fauces* = an der Schlucht (Meyer's CLex. 7, 286), da der Ort, im j. bayr. Rgbz. Schwaben u. Neuburg, den Uebergang bezeichnet, mit welchem der Lech sein enges Alpenthal verlässt u. in die Ebene hinaustritt. 'Auf der grandiosen Strecke Reutte-*F.* durchbricht der Fluss 5 vorgeschobene Riegel in einem Querthale u. bildet, 1 km obh. *F.*, einen Fall u. die schönste Stromschnelle auf deutschem Boden. In schäumenden Gischt aufgelöst, drängt sich der Lech mit tobendem Brausen zw. den Felsen durch . . . Aus den Engen getreten, hat der Lech z. Linken die unter ihrer alten Veste malerisch gelegene Stadt *F.*, auch der v. Magnus 746 gestifteten (?) Benedictinerstifte *Faucena, Fauces Alpium*, erwachsen . . .' (Daniel, Hdb. Geogr. 3, 226). Dem ggb. gibt Baumann (GAllg. 1, 42. 136) als älteste Form *Fuozzin* u. demnach die deutsche Ableitg. 'zu den Füssen der Alpen'; er findet den Namen 'vollkommen identisch' mit *Fützen*, Bonndorf; beide, gestützt auf urk. Parallelen, sind ihm reindeutsch: 'am Fusse der Alpen, resp. des Randen'. Ich zweifle.

Fugamu, ein Wasserfall des afric. Ngunië, Ogowe, v. den Negern so genannt, weil sie glauben, dass der Sturz das Werk des Geistes *F.* ist, welcher dort wohnt u. vor Alters ein mächtiger Eisenschmid war. Weiter aufwärts folgen die Stromschnellen *Nagoschi*, unth. die Fälle *Samba*; denn *S.* ist ein anderer Geist, u. seine Frau *N.* hat den obern Lauf mit Steinen versperrt, damit die Leute nicht hinauf od. hinabfahren (Peterm., GMitth. 18, 50).

Fugitiva, la = die flüchtige u. *Isla del Peregrino* = Pilgerinsel (s. Scilly), in den Society

Is., v. der span. Exp. Quirós am 13. Febr. 1606 aus grösserer Ferne entdeckt, ohne dass man, des Windes wg., den flüchtig vorüberwandelnden Erscheinungen sich nähern konnte (Viajes Quirós 1, 257; 3, 16, Fleurieu, Déc. 37). *F.*, einh. *Tetuaroa* = ferne See, zZ. Bougainville's *Umaitia*, wurde 1772 v. d. span. Capt. Boenechea *los Tres Hermanos* = die drei Brüder genannt (Meinicke, IStill. O. 2, 169).

Fuglö = Vogelinsel, norw. Seemannsbezeichng. jener Klippen u. Inseln, auf welchen die Schwärme nord. Seevögel brüten u. durch das wilde, wirre Auffliegen der durch einen Schuss aufgescheuchten unzählb. Vögel dem Besucher der 'high latitudes' ein so sonderb. Schauspiel gewähren, mehrf. Eigenname geworden: *a)* in den Lofoten, 63⁰ NBr. (Vibe, Norw. 13); *b)* in Finmarken, 70⁰ 20' NBr. Neben Alken u. Tordmulen sind es hptsächl. Lunnen, Mormon arcticus, die hier ihren Hpt-Brüteplatz haben. Der Eigenthümer der Insel, ein Privatmann, lässt durch arme Gebirgs-Lappen, welche als Lohn das Fleisch der getödteten Vögel erhalten, ihm aber Federn u. Eier abliefern müssen, jährl. 30—40000 Vögel umbringen. In den letzten Decennien ist gg. diese Thiere ein wahrer Vernichtungskrieg geführt worden (Torell u. Nord., Schwed. Expp. 51). Heuglin (PM. 17, 58) erwähnt den Seeadler, Corvus corax, Corvus cornix, Turdus torquatus, Turdus Anthus, Fringilla linaria, Möven u. Seeschwalben, Carbo graculus; 'unzählig ist aber die Menge v. Mormon, Uria troile, U. grylle u. Alca torda'. — *Fuglefand* = Vogelfang, ein Theil des skand. Gebirgs, v. dem starken, in seinen wilden Klüften u. Schluchten betriebenen Vogelfang (Pontopp., Norw. 1, 80). — Ein *Fuglebjerg* u. ähnl. Namen auch in dän. Seeland (Madsen, Själ. StN. 276).

Fu-kian od. *Fukien* = glückliche Niederlassung, bei den frz. Sinologen auch *Fou-kien*, der Name einer chin. Provinz, enthält als erstes Wort *fu* = glücklich, im Landesdial. *hok* gespr.; daher auch der Umstand, dass man den Namen gew. *Fo-kien*, statt *Fu-kien*, schreibt (Pauthier, MPolo 2, 533). Es ist dies eine der bestbebauten u. reichsten Provinzen China's, die mit treffl. u. geräumigen Häfen ausgestattet ist (Meyer's CLex. 7, 293). — Nach dem Lande der *F.* Canal, auf des russ. Admirals v. Krusenst. (Mém. 2, 236, Atl. OP. 27) Vorschlag 1827, anstatt des Namens *Strasse v. Formosa*, den man auch f. die südl. v. Formosa durchführende Seegasse gebrauchte u. noch gebraucht.

Fukûa, Dschebel, nennen die Eingebornen eine Bergmasse Palästina's nordwestl. v. Bethsean, Beisan, nach dem grossen hochgelegenen Dorfe *F.* (PM. 2, 83).

Fulbe = Leute, *be*, aus dem Volke der *Ful*, *Pul*, *Pöl* = roth, sing. *pullo*. ein durch seine fast broncefarbene Haut auffallendes Eroberervolk, das schon Shott 1780 als 'zieml. schwarzbraun, aber nicht schwarz' schildert (Spr. u. F., Beitr. 1, 45) u. ggb. den echt schwarzen Stämmen ihrer Umgebg., insb. den Jolof (s. Dscholof) auffallen musste (Bull. SGPar. 9, 49, Barth, Reis. 3, 312). Der Name lautet bei den Mandingos *Fula*, bei den Haussa *Félani*, sing. *Ba-Féllantschi*, arab. *Fullan* (Barth, Reis. 4, 144). G. Ad. Krause zählt 22 solcher Modificationen auf u. setzt *ful*, *pul* = hellbraun, roth, gelb, u. die *F.* selbst nennen sich sing. *pul-o* = ful-er, ful-sie, plur. *ful-be* (Ausl. 56, 182).

Fulda, im 8. Jahrh. *Fuldaha*, u. schon 753 in der heutigen Form *F.*, Fluss u. Stadt in Hessen, lässt sich v. ahd. *fulta* = Land, als *fultaha* = Landfluss, etwa entspr. dem 'Landwasser' des Davos, ableiten (Grimm, Gesch. DSpr. 574).

Fumo, Rio do = Rauchfluss, ein kleiner Küstenfluss v. Sierra Leone, v. der port. Exp. Pedro's de Cintra, um 1460, erreicht u. so benannt, 'weil sie in dieser Gegend einen grossen Rauch sahen, den die Einwohner gemacht hatten' (Spr. u. F., Beitr. 11, 190).

Funchal = Fenchelfeld, 'a field of fennel, *funcho*, a weed which overran the site upon which the city now stands' (WHakl. S. 51, 16), port. ON. auf Madeira, v. der Gewürzpflanze, die auch j. noch in grosser Menge auf den nahen Felsbergen wächst (Hawk., Acc. 2, 8, Wüllerst., Nov. 1, 58).

Fundland s. New Foundland.

Fundo, port. Aequivalent f. span. *hondo*, frz. *fond* (s. dd.), in dem bras. ON. *Lagoa Funda*, am Rio San Francisco, neben einer *Lagoa Comprida* = langem See (Avé-L., NBras. 1, 388. 392).

Fung-Siang = Windkasten, eine kaum 80 m br. Schlucht am Jangtse Kiang zw. Wuschan u. Quaicheufu (PM. 7, 418), ozw. nach dem starken Luftzug. — *Fungtien* s. Mukdén.

Funil, o = der Trichter heisst 'mit Recht' eine der Stromschnellen des Rio Pardo, Prov. Bahia. 'Sie bildet einen wirkl. Trichter. Der obh. des berüchtigten Loches nahezu 60 m br. Fluss wird durch Felswände zu einem Canal eingeengt, welcher an seiner schmalsten Stelle keine 12 m br. sein mag. In den wildesten Wirbeln tobt der ganze Fluss dort hindurch u. gerade da am heftigsten, wo er an u. unter einem herüberhängenden Felsenhaken eine Biegg. macht. Alles ist Aufruhr, schmutziger Wasserwirbel, grauer Schaum u. lautes Brausen; ja dem Unkundigen scheint es Wahnsinn zu sein, ein Fahrzeug durch den Trichter schleppen zu wollen' (Avé-L., NBrasil. 1, 100); *b)* in der Prov. Goyaz, wo 2 Eisensteinfelsen den Rio Somna, im Oberlauf des Tocantins, so einengen, dass eine wilde, wirbelnde Durchfahrt entsteht (Journ. RGSLond. 1876, 320). — In engl. Form *Mount Funnel*, hinter Northumberland Is., v. Flinders (TA. 2, 59, Atl. 10) am 9. Sept. 1802 nach der Form getauft.

Fuorn s. Ofen.

Fura s. Gambia.

Furada, Pedra = durchlöcherter Stein, port. Name eines Felsenriffs, welches, vor dem Hafen Camamù, s. v. Bahía, im Meere sich erhebend, einen kleinen Schwibbogen bildet (Avé-L., SBras. 2, 71); *b)* Mar *Furado* s. Pernambuco.

Furca = Gabel, aus dem lat. in die Sprache der Aelpler übergegangen, gew. *furgge*, f. eine Mistgabel, bildl. eine tief eingerissene Passstelle des Gebirgs, auch *fuorcla*, *forcola*, *furcola*, *fourche* ..., mehrf. Eigenname, insb. f. den j. gebahnten Pass Ursern-Wallis, früher wohl auch *bicornis* = zweihörnig, 'ozw. v. den zwei hohen Spitzen, welche auf dem höchsten Gipfel derselben erscheinen u. v. weitem gesehen werden' (Altmann, Helv. E. 107), *Mons F.* = Gabel, *bicornis*, v. seinem zackigen Gipfel, der sich in 2 Hauptkuppen spaltet (Storr, AlpR. 2, 34). Gewiss ist auch der *Biferten*, der alpine Bergstock, den die Graubündner nach einem Bergthälchen *Piz Frisal* nennen, bei Aeltern oft *Bifurten*, aus *mons bifurcatus* = zweitheiliger od. gespaltener Berg entstanden (Gatschet, OForsch. 25. 119). Im Berner Oberlande eine *Rothe Furke* (s. Roth), eine *Sefinenfurke*, der Pass v. Sefinen- ins Kanderthal, eine *Kienthalfurke*, eine *Furggialp*, in Adelboden, ein *Furggengütsch*, im Glärnisch ein dim. *Furkeli*, ein enger, gefährl. Felsenpass (Gem. Schwz. 7, 613), in der Kette des Zürichbergs eine Uebergangsstelle *Forch* (s. d.), in der rom. Schweiz mehrf. *Forclaz* ... 'ces noms s'emploient très-fréquemment pour désigner des cols ou des passages de montagnes, parce qu'ils présentent souvent des formes analogues à ce nom' (Saussure, VAlp. 180), z. B. *a)* eine der 7 Abtheilungen der Gemeinde Ormonts-Dessous, v. den Keltoramen aus kelt. *for* = Gipfel u. *class* = eingeschlossen abgeleitet (Mart.-Crous., Dict. 380); *b)* ein Pass ggb. dem Col de Balme (Saussure, VAlp. 153); *c)* am Südwestende des Chamonix etc.

Furdustrandir = wunderlicher Strand, vorm. Name der Küste um Cape Cod, also wie j. noch diese vegetationsarmen Sanddünen durch ihre Sonderbk., peculiarity, 'die Aufmerksk. ausserord. auf sich' ziehen. Die völlig wüstenartige Küste musste denen, die so eben an den norm. Waldland vorbeigesegelt waren, doppelt auffallen; viell. veranlasste noch ein besonderes optisches Phänomen die Namengebg. (Rafn, Entd. Am. 20. 13).

Furna fem. = Höhle, dunkle Grotte, Krater, eine andere Form zu *forno* m. = Ofen (s. Fornace), in port. ON. *Valle das Furnas* = Kraterthal *a)* in Bras., eines der v. Araçoiaba herabsteigenden Thäler, nach den kraterähnl. Höhlen u. Kesseln 'por seguir por uma especie de caldeira ou algar que ás vezes parece cratéra de um volcão' (Varnh., Hist. Braz. 2, 363); *b)* auf San Miguel, Açoren, wo Schwefelhöhlen u. Mineralquellen häufig sind (Meyer's CLex. 2, 346).

Furneaux Island, eine der 'halfdrowned' Pau-

motu, einh. *Marutea*, am 12. Aug. 1773 v. Capt. Cook (VSouthP. 1, 141 f.) entdeckt u. nach dem Befehlshaber der Adventure, des zweiten Schiffs der Exp., dem Capt. Tob. Furneaux, benannt; *b) F. Isles*, am östl. Eingang der Bass Str., ebf. v. Cook (ib. 1, Carte 8), weil sein Begleiter sie entdeckt hat.

Furt, auch *Furth* u. *Fürth*, im 10. Jahrh. *Furti*, v. ahd. u. nhd. *furt*, niederd. *förde*, ags. *fyrd*, häufig als Grundwort zsgesetzter ON. wie Frankfurt (Förstem., Altd. NB. hat solcher Formen 93), aber auch mehrmals in der einfachen Gestalt, wie f. die bekannte Nachbarstadt Nürnbergs. Die holl. Form *voerd*, schott. *firth*, schwed. *fjärd*, dän.-norw. *fjord*, isl. *fjördur* (Preyer u. Z., Isl. 498), ist bekanntl. in ON. ebf. häufig angewandt. So in Holstein *Eckernförde* = am Eck, d. i. Vorsprung, einer Einfahrt. — *Fahr*, 1135 *Fare*, 1137 *Vare*, Ort im C. Aargau, an einer Ueberfahrt, j. Brücke der Limmat (Meyer, ON. Zür. 56).

Fury und Hekla Strait nannte nach seinen beiden Fahrzeugen, Will. Edw. Parry (Sec. V. 312) die nach der Carte einer merkw. Eskimofrau Iligliuk im Aug. 1822 gefundene Meerenge, welche den Fox C. mit dem nördlichern Prinz Regents I[t] verbindet; *b)* ebenso (Third V. 106 ff. 139) *F. Point*, bei Prince Regents I[t], weil am 23. Aug. 1825 die z. Felsstrande getriebene *F.* verlassen werden musste. — *F. Cove* = Wuthbucht, in Wide Ch., wo eine Abtheilung der Exp. King-Fitzroy (Adv. B. 1, 336) im Febr. 1830 Schutz vor der Wuth des Sturmes suchte.

Fusijama = grosser Berg, nach Rein *Fuji-noyama*, auch *Fujisan*, wo chin. *san* = Berg, od. bloss *Fuji*, nicht aber *Fuji-yama*, ein 3729 m h., kahlgipfliger, im Hochsommer fast schneefreier Berg v. Hondo (Meyer's CLex. 7, 305, Peterm., GMitth. 21, 217).

Fuss, Pic, ein hoher Spitzberg der Kurile Poromuschir, v. russ. Capt. J. A. v. Krusenstern (Reise 2, 202) am 29. Aug. 1805 getauft nach dem Astronomen *F.* — 'ein Name, welcher in den wissenschaftlichen Annalen Russlands einen ehrenvollen Platz einnimmt'.

Fyn oder *Fyen*, die zweite der dän. Inseln, verdeutscht *Fünen*, in ältester Form *Fiun*, bei Adam v. Bremen *Funis*, eig. *Fiunis*, meist latin. *Feonia*, *Fionia*, *Phionia*, norw.-isl. *Fjón*; ist nach O. Nielsen (Bland. 3, 182 f.) jedf. ein nord. Name, wie die Insel *Föjen*, früher *Fjon* im Hardanger Fjord, u. mag, entspr. der Fruchtbk., 'Viehweide' bedeuten, wie denn in der Vorzeit die Insel weniger Wald haben mochte als die anstossende jüt. Küste.

G.

Gaarz s. Grad.

Gabali s. Gévaudan.

Gabathon s. Geba.

Gaber, die slow. Form des asl. *grabu,* serb. u. poln. *grab* (s. d.), čech. *habr* = Hain- od. Weissbuche, adj. *grabowy,* erscheint in den ON. *G., Gaberče, Gaberje, Gaberk, Gabernig, Gabernik, Gabersdorf, Gaberska Gora, Gabre, Gabrija, Gabrije, Gabrovetz, Gabrovica, Gabrovnica, Gabrovka,* in Steiermark, Kärnten, Krain u. Küstenland; andere Formen sind *Haber, Habern,* aus čech. *Habry* geformt, *Habr, Habři, Habřina, Habřinky, Habrk, Habrkovic, Habrov, Habrova, Habrovan, Habrowitz, Habruvka,* in Böhmen, *Grab* u. *Grabje,* in Dalmatien, *Grabicz, Grabie, Grabina, Grabiny, Grabów, Grabowa, Grabowice, Grabowiec, Grabówka, Grabówki, Grabowna, Grabownica,* in Galiz. (Miklosich, ON. App. 2,165), *Grabau,* mehrf. in den östl. Provv. Preussens (Thomas, Progr. 12), *Grabowen* u. *Grabowken,* in Masuren (Krosta, Mas. St. 12), *Grabenitz* u. *Grabow,* ebf. mehrf. in Mecklb. (Kühnel, Slaw. ON. 55) u. andere mehr (Brückner, Slaw. AAltm. 68). — *Graboschnaja* s. Jolguw. — Hierher gehört auch der anscheinend deutsche Name *Grabfeld,* f. d. Landschaft zw. Main u. Fulda, im 8. Jahrh. *Buconia* = Buchenwald, dann mit Slawen colonisirt (Bacm., AWand. 157).

Gabes, Uferort der Kl. Syrte (s. Syrtis), des *Golfs v. G.,* auch in der Orth. *Gabs,* aus phön. *Takape,* was die einen als 'Haus des Hügels' (Gesen., Hebr. L.) deuten, 'nicht eben wahrsch.', da die Erhöh., auf der die Stadt lag, doch zu gering ist, um denselben einen charakterisirenden Beinamen zu geben (Barth, Wand. 231 ff.), besser 'bewässerter Ort' — die Erklärg. Bochart's, die der schon den Alten so genau angegebenen Eigenthümlichk. des Orts vollk. entspricht. Plinius (HNat. 18, 188) bewundert die ansehnl. Quelle, die je nach bestimmten Tagesabschnitten unter die Einwohner vertheilt werde: 'felici super omne miraculum riguo solo, ternis fere milibus passuum in omnem partem fons abundat, largus quidem, sed et certis horarum spatiis dispensatur inter incolas.' Noch heute kann man sehen, wie die Gabsi bei Paukenschlag u. mit ungeheuerm Geschrei allj. einen Erdwall aufwerfen, um die lebenspendende Wasserfülle nicht ungenützt vorüber fliessen zu lassen; denn der Fluss, einer gewaltigen Quelle entsprungen, bedingt das Dasein dieser liebl. Oase u. macht durch die Bewässerg. der Gärten ihren ganzen Reichth. aus. 'Wahrhaft überrascht fühlte ich mich u. tief ergriffen v. der Lieblichk. des Orts, der uns umfing. Wirklich, man hätte glauben mögen, man wäre in eine Ldschft. Indiens versetzt...'

Gabhasti s. Brahmaputra.

Gable-End Foreland = Giebelcap, an der Ostseite NSeelands, einh. *Parinuitera* (Meinicke, IStill. O. 1, 276), v. Cook am 19. Oct. 1769 benannt, weil die weisse Klippe ganz dem Giebel eines Hauses glich (Hawk., Acc. 2, 310).

Gablonz s. Jablonoi.

Gabr s. Gebern.

Gabreta s. Böhmer Wald.

Gabriel = Mann Gottes, bei den nachexil. Juden einer der 4 Erzengel, bei den Christen Ausleger v. Visionen u. Bote Gottes u. noch bei den Muhammedanern einer der 7 Engel der Offenbarg., mehrf. in span. ON. wie *San G.'s Channel,* eine der Meergassen Feuerlds., ggb. Cape Forward nach dem Admiralty Sound hin führend, v. span. Seef. Sarmiento benannt u. j. meist in dieser (engl.) Form aufgeführt (Fitzroy, Adv.-B. 1, 47). — *San G.,* 2mal: a) s. Jesus Maria, b) s. Santiago. — *G.'s Island,* in Frobisher Bay, v. M. Frobisher am 12. Aug. 1576 nach einem seiner Schiffe getauft (Rundall, Voy. NW. 12, Hakl., Pr. Nav. 3, 30). — Auch das Schiff, welches Capt. Bering 1728 in Nishnji Kamtschatsk zimmern liess f. die Reise nach der Berings Str., hiess 'Gawriel' (Lauridsen, V. Bering 26), u. es ist demnach anzunehmen, dass die Bucht bei Cap Thaddäus nicht eine *Erzengel G.'s Bay* (Stieler, HAtl. No. 59), sondern einf. eine *G. Bay* ist.

Gad s. Baal.

Gadd, Riff, bei Formosa, v. russ. Admiral v. Krusenst. (Mém. 2, 233, Atl. OP. 27) getauft nach dem Entdecker, Capt. *G.,* Befehlshaber des schwed. Schiffs OsterGothland, welcher es am 12. Jan. 1800 ansichtig wurde.

Gader, häufige phöniz.-kanaanit. Ortsbenenng., גָּדֵר [gader] = Mauer, resp. der davon eingeschlossene Ort, die angebl. um —1100 ggr. phön. Colonialstadt Süd-Spaniens, *Gader, Gadir,* auf den Münzen mit prosthet. Aleph = אגדר (Movers, Phön. 2b, 549)... Poeni *Gadir,* ita Punica lingua saepem significare (Plin., HNat. 4, 120)... Punicorum lingua conseptum locum *gaddir* vocabat (Avien., or. mar. 268)... Poenus namque *gadir* locum vocant undique septum aggere producto (ib. descr. orb. 615), gr. Γαδείρα, auch Δίδυμη (s. Didyma), röm. *Gades,* in der Kaiserzeit auch *Augusta Urbs Julia Gaditanorum* (Meyer's CLex. 4, 61), nahe dem *Fretum Gaditanum* (s. Gibraltar u. Pylai), j. *Cadiz, Cadix.* Als phön. Colonie erscheint der Ort auch durch seine Lage, auf einer der Küste durch einen schmalen, niedrigen, sandigen, also leicht zu durchstechenden Landhals zshängt. Der geringe Umfang des Stadtareals, $3^{1}/_{2}$ km, der wie in andern solchen phön. Ortslagen z. Bau thurmartig-hoher Häuser nöthigte, veranlasste die Erweiterg. auf der ggb. liegenden

Küste, den *Portus Gaditanus*, j. *Puerto Santa Maria*, der z. Kaiserzeit eine grosse Vorstadt bildete (Kiepert, Lehrb. AG. 485). — Auch die sicil. *Aegades, Aegates*, wichtig f. die Schiffahrt nach Westen, waren v. Phöniz. besetzt (Skyl. Peripl. 50, Polyb. 1, 61 f.) u., wenigstens die grösste, wohl durch Mauern gg. Ueberfälle geschützt, daher גדר אי‎ = ummauerte Insel (Movers, Phön. 2b, 346), v. der griech. Volksetym. freil. als *Aîγoῦσσαι* = Ziegeninseln aufgefasst (Kiepert, Lehrb. AG. 473). — *Aghader, Aghadir, Agadir*, Hafen in Marocco, ebf. phön. Colonie, wohl mit karischer Betheiligg., da die Karier vielf. gemeinsam mit den Phön. sich ansiedelten, bei Hanno (Per. § 1) *Karikon Teichos*, gr. *Καρικὸν τεῖχος* = karische Mauer od. Veste, wo *τεῖχος* offb. übs. v. גָּדֵר‎ [gader], so dass also dieses *G*. im Unterschied v. andern, wohl bes. dem in Süd-Span., mit dem Zusatze הַכָּרִים‎ [hakkarim] = der Karier genannt wurde (Movers, Phön. 2b, 549). Die Port., in ihren maur. Kreuzkriegen, befestigten den Ort 1503, als *Santa Cruz*, um ihn schon 1536 wieder an Muley Hamed el-Hassan zu verlieren (Richardson, Trav. 1, 259). — Auf kanaanit. Boden: *a) Geder* [גֶּדֶר‎] = ummauerter Ort, Königsstadt der Kanaaniter (Jos. 12, 13, Gesen., Hebr. Lex.); *b) Gedor* [גְּדֹר‎] = Mauer, Ort im Gebirge Juda, nördl. v. Hebron (Jos. 15, 58, Gesen.); *c) Gadara, Γάδαρα*, Stadt im Transjordan L., nicht sehr weit v. See Gennesareth (s. Mkês); *d) Gedera* [גְּדֵרָה‎] = Mauer, bes. eine solche, die auf den Triften als Pferch f. die Herde dient, Stadt in Juda (Jos. 15, 36, Gesen., Hebr. Lex.).

Gadjah, G. = Elefantenberg, v. *gadjah* = Elefant, mal. Name des höchsten Theils des jav. G. Salak (Jungh., Java 2, 9).

Gänse In. s. Goose.

Gaeta s. Kaiata.

Gäu, obd. f. *Gau*, im Sinne 'flachere Gegend', als Ggsatz z. nahen Gebirge, im Soloth. Ggsatz zu dem jurass.'Schwarzbubenland' (s. d.), im Luzern. z. voralpinen Entlebuch (s. d.); davon Volksname *Gäuer* als Ggsatz z. Schwarzbuben resp. Entlebucher.

Gaffar, el = Zoll, Abgabe, ein Posten, Wachthaus, nördl. v. Rás en-Nakhúrah (s. d.), weil man hier ein Passagegeld bezahlt (Seetzen, Reis. 2, 110). Vergl. Dazio.

Gage, Point, ein Landvorsprg. in der Mündg. des Gr. Fish R., v. G. Back (Narr. 204) am 30. Juli 1834 nach Rear Admiral *G*. getauft, wie *Cape G*., im antarkt. Admiralty It., v. Capt. J. Cl. Ross (SouthR. 2, 343) im Jan. 1843 nach Viceadm. Sir Will. Hall *G*., einem der Lords der Admiralität.

Gah-Houn-Tschella = Kaninchen-Spitze nennen die Chipeway- u. Yellow Knife-Indianer eine Halbinsel, welche v. Osten in den Gr. Sclavensee vordringt (Back, Narr. 57).

Gája, Ort in Bahár, nach einem Heiligen *G*., welcher hier v. Wallfahrern verehrt wird, bei den Muhammedanern *Sahibgándsch* = des Herrn Markt (Schlagw., Gloss. 193. 241).

Gaibal s. Ebal.

Gaïdaropniktes s. Krios.

Gaimbé nannten nach einer dort lästigen Pflanze die bras. Indianer eine Insel, welche bei den Colonisten *Santo Amaro* hiess (Varnh., HBraz. 1, 53).

Gairdner's Range, die westaustr. Bergreihe, zu welcher auch Mt Péron u. Lesueur der frz. Exp. Baudin gehören, v. Capt. G. Grey (Two Expp. 2, 60) am 13. April 1838 nach seinem Freunde Gordon *G*., esq., 'of the Colonial Office', benannt. — Nach ihm auch *Lake G*., in SüdAustr. — *Mount G*., eine der 3 Gruppen der austral. River Head Range, v. Major T.L. Mitchell (Trop.A. 175) am 24. Mai 1845 getauft.

Gaisbach s. Geiss.

Gal s. Hebrides.

Galako, gr. *Γαλακώ* = Milchquell (Paus. 3, 24, 7), eine Quelle im Gebiete der Eleuterolakonen (Pape-Bens.), ozw. nach dem Aussehen, wie ein in Uebsetzg. erhaltenes *Galakrene*.

Galápagos, Islas de los, mit einem Wort unbekannter Herkunft, span. *galápago*, dem port. *cágado*, catal. *calápat* = Kröte entspricht (Diez, Rom.WB. 2, 134), so nannten die Spanier eine Inselgruppe, welche auf der Route Panamà-Chile liegend, zieml. früh gefunden wurde u. sich durch Reptilienreichthum übh. u. bes. durch eigenthüml. Arten v. Schildkröten auszeichnete. Dampier glaubt nicht, dass die Schildkröten irgendwo so zahlr. seien, u. noch Skogman (Eug.R. 1, 224): 'Sie werden immer noch, trotz der unerhört hohen Zahl, welche in jedem Jahr gefangen werden, in Menge auf allen grössern Inseln des Archipels gefunden'. Auch Cowley fand diesen reich an Fischen u. Schildkröten, letztere bis 2 Ctr. schwer (Garnier, Abr. 1, 86). Es sind dies Landschildkröten, Testudo elephantopus Harl. od. T. nigra Dum., deren Beine und plumpe Bewegungen an die riesigen Dickhäuter erinnern, selbst bis 3—4 Ctr. schwer, v. schmackhaftem Fleisch, v. americ. Walfgrn., die sich hier, auf dem Weg z. Südsee, auch mit Holz u. Wasser zu verproviantiren pflegten, massenhaft eingefangen, zu 6—900 Stück per Schiff, sind aber j. mehr als decimirt (Berghaus, A. 2, R. 1, 98. 360, Meyer's CLex. 7, 338). Als *G*. erscheint die Inselgruppe schon in Ortelius' Theatr. Orb., 1570; seither ist der Name vielfach entstellt, selbst bei Krus. (Mém. 2, 384, Atl. OP. 34), obgl. er die Bedeutg. kennt, mit *ll*. Er gibt übr. noch an, dass die Spanier sie auch *Islas Encantadas* = die verzauberten Inseln genannt haben u. zwar nicht, wie einige Seeff. vermuthen, wg. der Schönheit des Klimas, sondern wg. der raschen Strömg. u. der Calmen, welche hier herrschen u. sowohl die Annäherg. als die Abreise einem Segelschiffe schwierig machen. Es scheint, als sei der alte Name f. den engl. Capt. Cowley, der 1684 die einzz. Inseln untersuchte u. taufte, Veranlassg. geworden, eine derselben als *Enchanted Island* = verzauberte Insel einzutragen u. zwar, weil sie ihm, je nach dem Standpunkte, unter den verschiedensten Formen, bald wie eine Festg. in Ruinen, bald wie eine grosse Stadt etc. erschien (Krus., Mém. 2, 388ff., Debrosses, HNav. 316. 325). — *Isla de los G.*, im Golf v. Calif. (DMofr., Or. 1, 219).

Galata, Vorstadt Konstantinopels, z. byzant. Zeit mit dem j. Pera als *Sykai*, gr. *Σύκαι* = bei den Feigen zsgefasst, vermuthl. 'weil die Gegend häufig mit Feigenbäumen bepflanzt war.' Als Justinian die Vorstadt erneute, das Theater u. die Mauern wieder aufbaute, erhielt sie den Namen *Justiniana*, dann, als die Genuesen sich ansiedelten, nach einem Manne Galatius den heutigen — u. nicht v. gr. *γάλα* = Milch, auch nicht v. den Galatern das paulin. Briefes (Hammer-P., Konst. 2, 78). — *Galater*, im griech. Munde der Name der Kelten (s. d.), Gallier, insb. desj. Stammes, der das nach ihm benannte kleinasiat. *Galatia* bewohnte, einer Abth. des kelt. Heeres, welches, um —280 in Makedonien u. Griechenland eingedrungen, vor Delphi sich zkziehen musste; sie folgte 278 der Einladung des bithyn. Königs Nikomedes I., der mit seinem Bruder um die Krone kämpfte, u. wurde, nach langem unstätem Räuberleben, zu ansässigem Leben genöthigt, so dass in ihre Städte etwas griech. Bildg. drang — die Veranlassg., sie *Gallograeci* zu nennen (Meyer's CLex. 7, 339).

Galdhöpig, Store = grosse Höhenspitze v. Galde, d. i. einem nahen Orte, wo der Besteiger die Fahrstrasse verlässt, norw. Name des 2604 m h. Culms des skandin. Gebirgs (PM. 22, 125).

Gale Hamke's Land, in der Nähe der *G.H.Bay*, ein Küstenstrich Ost-Grönlds., 75⁰ NBr., angebl. v. holl. Walfgr. *GH.*, Schiff Oranienbovn (Oranjeboom?), 1654 entdeckt u. zuerst auf einer Amsterdamer Carte 1666 eingetragen (Scoresby, North.WF. 103, Peterm., GMitth. 16, 323 ff.).

Galea, Punta de la, die Südostspitze der Insel Trinidad, 'un cabo à que dije *G.*', sagt Columbus in dem v. Hayti an das Königspaar gerichteten Briefe (WHakl.S. 43, 118), v. ihm auf der dritten Fahrt, Juli 1498, entdeckt u. so getauft, weil v. fern der Fels einer Galere unter Segel ähnelte (Colon, Vida 312, Navarrete, Coll. 1, 247), j. *Punta Galeota,* da eine grosse Galere auch Galeote hiess, die urspr. Namensform *Punta de la G., Galera,* auf die nordöstl. Ecke Trinidad's übtr. (Raleigh, Disc. 4). — *Puerto Galera,* eine Hafenbucht an der Nordseite Mindoro's, weil die nach Piraten kreuzenden Galeren hier stationiren (Crawf., Dict. 279). — *Isla Galera,* Salom., v. Capt. Ortega u. Piloten Gallego, Exp. Mendaña, am 8/9. Apr. 1568 benannt (Viajes, Quirós 3, 16). — *Pedra de Galé* = Galerenfels, eine Küstenklippe West-Afr., wo die port. Exp. des Afonso Gonçalves Baldaya 1435 einige Fischernetze am Ufer wegnahm zum Beweise, dass das Land bewohnbar sei, so genannt v. ihm, weil der Landvorsprg. v. fern gesehen einer Galere ähnelt 'por a semelhança que mostra a quem a vê de longe' (Barros, Asia 1, 15). Vergl. Azurara, Chron. 64.

Galena, röm. Name f. Bleiglätte u. wohl auch f. andere Bleierze (Plin., HNat. 33, 95; 34, 159), ON. in Illinois, dessen Minen, die *Upper Lead Mines* = obere Bleigruben (ZfAErdk. 1854, 64, Glob. 1, 63, Peterm., GMitth. 9, 279) zuerst der frz. Reisende Le Sueur 1700 erwähnt, insofern er, in seiner Stromfahrt zu den Dakota, den kleinen Zufluss des Missisipi *Rivière de la Mine* nennt u. beifügt, 7 Stunden weiter rechts sei eine Bleigrube in der Prairie (Coll. Minn. HS. 1, 322). Ort ggr. 1819 (Meyer's CLex. 7, 341). — *G. Point,* in Georg IV. KröngsBay, v. Capt. John Franklin (Narr. 370) am 26. Juli 1821 so genannt, weil sein Gefährte, Dr. Richardson, dort eine kleine Ader Bleierz, Gneissfelsen durchsetzend, fand. Die Versuche der Mannschaft, das gesammelte Erz zu schmelzen u. so den z. Verschaffg. v. Jagdbeute erforderl. Kugelvorrath zu vergrössern, blieben erfolglos.

Galet = steiniger Platz, einer der in der Rivière Blanche vorkommenden Plätze, v. der Gewohnheit der Indianer, Steine auf den höchsten Felsen in einen Kreis zu legen u. mit Gras u. Zweigen zu bekränzen (MacKenzie, Voy. 67).

Galicia, span. Prov., röm. *Calaecia,* v. den *Callaïci, Gallaeci,* den Keltikern, die in einem Feldzuge v. Anas nordwestl. vordrangen, den *Καλλαϊκοί* (Strabo 3, 147. 152. 155, Plin., HNat. 4, 20 etc., Contzen, Kelt.W. 24). Volksname j. *Gallego.* In Neu Span. ein *Nueva G.,* die Ldsch. Xalisco, v. Nuñez de Guzman 1531 so genannt, weil sie ein rauhes Land ist u. einen kräftigen Menschenschlag enthielt: 'por ser regiam aspera, e de gente esforçada' (Galvão, Desc. 189). — *Galizien,* zunächst Schloss *Halics,* v. 1140—1255 Sitz russ. Theilfürsten, dann z. Stadt erweitert, v. dieser auf das Land übtr. (Meyer's CLex. 7, 351). Der Anklang an *hal* liess hier einen Salzort od. ein Salzland suchen, um so mehr, als die galiz. Seite der Karpathen v. fabelhaftem Salzreichthum ist (Czörnig, Öst. Budg. 1862); nach Ketrzynski (Lyg. 128) ist hingegen *Halicz* v. *hala* = Berg abzuleiten u. in der Form *Haliczanin, Galicyanin* auf das Land übgegangen. Die Belege sind noch nicht erschöpfend beigebracht.

Galilea, lat., wie *Γαλιλαία* die gr. Namensform eines Theils v. Palästina, v. hebr. גְּלִיל [g'lil] = Kreis, scil. der Heiden, weil hier viele Sidonier etc. angesiedelt waren (Gesen., hebr. L.). — *Galilaeisches Meer* s. Gennesareth. — *Igilgili,* eine Stadt im afric. Colonialgebiete der Phönizier, zu erklären durch אי גלגל [I galgal] = Küste des Kreises, des Bezirkes — od. einfacher, unter Annahme des prosthet. א — als 'Kreis, Bezirk' (Movers, Phön. 2ᵇ, 507), j. *Dschischelli, Dschischeri* (Wagner, Reise 1, 229).

Galla = Berg, arab. *Dschebel Arang,* eine am Schimfa, Nebenfluss des Bl. Nil, plötzl. aus der Ebene aufsteigende steile Granitgebirgsmasse Abessiniens (Heuglin, NOAfr. 10, Peterm., GMitth. 3, 464, Carte 23, wo fälschl. *Gana*). Hingegen ist die Erklär. des Volksnamens *G.* streitig: nach Bruce 'Hirten', wie sie auch, bevor sie in Abess. einzufallen anfingen, v. Ertrag ihrer Herden lebten (Cannab., Hülfsb. 2, 965), nach Krapf die 'Eingewanderten', nach R. Brenner 'die Ungläubigen',

43*

während sie selbst sich *Orma* = starke, tapfere Männer nennen (Meyer's CLex. 7, 354).

Gallaibh s. Caithness.

Gallant, Port, ein Hafen der Magalhães Str., ozw. v. engl. Seef. Cavendish, 1586/88, getauft nach einem seiner Schiffe, dem Hugh *G.* (ZfAErdk. 1876, 415).

Gallatin River, der dritte der Quellflüsse des Missuri, von den Captt. Lewis u. Cl. (Trav. 20. 238) am 27. Juli 1805 benannt nach dem Staatsmann u. Ethnographen Alb. *G.*, dem 1849 † Secretär der Schatzkammer, einem Freunde des Präsidenten Jefferson.

Gálle = Stein, Fels, in vielen singh. ON., f. sich Eigenname eines Hafenortes in Ceylon, bei den Europäern oft mit dem (unnöthigen) frz. Zusatz *Point de G.*, so selbst in Wüllerstorf-Urbair (Nov. 1, 294, Ansicht), während im Text (280) u. a. guten Schriften nur *G.* steht (Schlagw., Gloss. 191, Reis. 1, 203).

Gallego s. Galicia u. Ortega.

Gallen, St., der Name einer schweiz. Stadt u. v. dieser auf dem seit 1803 bestehenden Canton übtr., nach dem h. Gallus, einem Irländer, welcher ca. 614 ff. hier gewirkt hatte, wo um seine Zelle herum zunächst das nach ihm benannte Kloster u. im Anschluss an dieses die Stadt entstand. — Nach Kirchen, die dem Heiligen geweiht: *St. Gallenkappel*, Ort im C. *St.G.*, u. *St. Gallenkirch*, Ort im Montavon (Bergm., Vorarlb. 83).

Galli, die Kelten in *Gallia* (s. Kelten), in verschiedd. ON. wie *Fretum Gallicum* (s. Bonifacio u. Calais), *Sinus Gallicus* (s. Vizcaya u. Lion) u. *Galata, Galater, Gallograeci.*

Gallipoli, mod. ON. ital. Klangs, in 2 Fällen aus *Kallipolis*, gr. Καλλίπολις (s. Kalos) entstanden, f. das african. aus *Clypea, Kalibia* umgedeutet (s. Aspis).

Gallitzin, Station vor dem 1100 m lg. Tunnel der Bahnlinie Pittsburg-Harrisburg, nach dem in Münster, Westphalen, gebornen Fürsten Dmitri *G.*, der, v. höchsten russ. Adel, 1782 in Baltimore ankam, kath. Priester wurde, 1789 in dieser Gegend, Loretto, sich niederliess, sein fürstliches Vermögen z. Gründg. eines religiösen Centrums verwandte u. am 6. Mai 1840 † (Cent. Exh. 20).

Gallo, Isla del = Insel des Hahns, ein Küsteneiland Columbia's, v. Piloten Barth. Ruiz, welcher auf der Entdeckungsfahrt Pizarro-Almagro 1526 behufs Kundschaftg. vorausgeschickt wurde, entdeckt (Prescott, CPeru 1, 243) u. nach einem hahnähnl. Vorgebirge getauft (WHakl. S. 21, 172). — *Punta de G.* u. *Gallo* s. Arena. — *Rincon de las Gallinas* = Hühnerwinkel, ein Bergknoten Uruguay's, v. den span. Ansiedlern so benannt, weil sie dort ungemein viele wilde Rebhühner, Rhynchotus rufescens, antrafen u. erlegten (Burm., Plata St. 1, 44).

Gallow's Reef, im Süden der Iles d'Entrecasteaux, v. Capt. Moresby (s. d.) 1873 prsl., aus Parallelen theilw. erklärbar, getauft wie *(Sir Alex.) Milne Bay, Stirling Range, Killerton Is., Glenton-, Maben-, Haines-I.*, an der Süd-

küste NGuinea's *Hall Sound, Yule I., Hilda River, Jane I., Fairfax Harbour,* an der Nordküste *Dyke Acland Bay* u. s. f. (Journ. RGLond. 1875, 157).

Gallowa Strasse, zw. Salawatty u. der Westspitze NGuinea's, nach der in ihr befindl. Insel *G.* Auch *Watson's Strait*, weil eine engl. Fregatte, befehligt v. Capt. Watson, 1764 sie zuerst passirte (Krusenst., Mém. 1, 74).

Galloway, schott. Ldsch., u. *Galway*, Stadt in Irl., mögen, beide als unerklärt, hier beisammen stehen; es ist wenigstens ein schlimmes Zeichen, dass jener in Robertson (Gael. TScotl.), jener in Joyce (Orig. Ir. ON.) fehlt. Auch Adams (Word Exp.), Blackie (Etym. G.) u. Edmunds (NPl.) haben diese ON. nicht, u. die Meinungen, welche Charnock (LEtym. 112 f.) zsstellt, können nicht überzeugen, jedenf. nicht die Ableitg. v. kelt. *gal* = West, westlich, od. v. *galmhaith* = felsige Oede. Eher lässt sich an die Volksbezeichng. *gal, gael* (Camden-Gibson, Brit. 2, 270) anknüpfen; allein diese wird bald als kelt. Bezeichng. f. Engländer, Fremde übh., bald als 'Gallier', bald als 'Kaufleute' gefasst, u. so sollte z. B. *Galway* nach einer Colonie v. Kaufleuten, *gailibh*, benannt sein, bis Heinrich II. *Clan-fir-gael* = Wohnung der Gael od. Kaufleute, vor 1400 urk. *Galvy*, dann *Galiva, Galvia*, um 1440 zuerst *Galway* (vgl. Johnston, Pl.N. Scotl. 116). — Ein arkt. *North G.*, am BaffinsM., v. John Ross (Baff. B. 194) zu Anf. Sept. 1818 getauft. Vgl. Jameson.

Galveston, Küsteninsel (u. Stadt) in Texas, v. frz. Emigrantenführer La Salle 1686, also zZ. Ludwigs d. Gr., nach dem h. Ludwig *St. Louis* getauft; später aber hiess das wilde, mit hohem Grase bewachsene u. durch eine Menge v. Schlangen bevölkerte Eiland *Snake Island* = Schlangeninsel, u. bekam seinen j. Namen erst in neuerer Zeit (Uhde, RBravo 7), viell., wie E. Chaix hübsch vermuthet (4. Juni 1892), nach dem im Art. Texas erwähnten Grafen v. Galve, Vicekönig v. Neu Spanien.

Galvez, Islas de Don José, eine Gruppe der Freundschafts In., bei Cook *Hapai Group*, v. span. Seef. Maurelle nach dem Bruder des Ministers f. die ind. Angelegenheiten 1781 getauft (Krus., Mém. 1, 266).

Gamaley, Cap, an der Westseite Hondo's, v. russ. Capt. J. A. Krusenst. (Reise 2, 28) am 3. Mai 1805 getauft nach seinem 'würdigen Freunde', dem General *G.*, Inspector des Seecadettencorps.

Gambhir = der tiefe (Fluss), hind. Name zweier ind. Flüsse, in Malwa u. in Radschwára (Schlagw., Gloss. 191).

Gambia, bei Cadamosto *Gambra, Gambu,* bei Camões (Lus. 5, 10) u. Barros (As. 1, 3, 8) *Gambêa,* Fluss in Seneg., heisst bei den Negern *Dschah* = Wasser (Spr. u. F., Beitr. 1, 40) od. *Fura* = Fluss (Meyer's CLex. 7, 394).

Gambier's Isles, im Eingang z. Spencer G., am 24. Febr. 1802 benannt durch den engl. Capt. Matthew Flinders (TA. 1, 138) zu Ehren ●es Admirals, nachm. Lords *G.*, 'who had a seat at the

Admiralty board, when the Investigator (das Schiff v. Flinders' Exp.) was ordered to be fitted', im April gl. J. bei der frz. Exp. Baudin *Archipel Berthier* nach dem frz. General *B.* (1753—1815), z. Verherrlichg. des frz. Kriegsruhmes (Péron, TA. 1, 273). — Ebenso schon am 23. Mai 1797 *G. Group*, im östl. Flügel der Paumotu, einh. *Mangarewa*, tahit. *Marewa* (ZfAErdk. 1870, 349), benannt v. Capt. Wilson auf der Missionsreise des Schiffes Duff (Beechey, Narr. 1, 104. 132), sowie 1800 *Mount G.*, in Süd-Austr., v. Lieut. Grant (Flinders, TA. 1, 202).

Gamen s. Dampier.

Gammel = alt, altn. *gamall*, schwed. *gammal*, in dän. u. schwed. ON. wie *Gammelby* = Altstadt (s. Stockholm), *Gummeröd*, urk. *Gamlaeruth* = Altenroda, *Gammeröd*, 1229 *Gamelrut* (Madsen, Sjael. StN. 307), *Gammelholm* = alte Insel, einer der Holme der Altstadt Kopenhagens (Meyer's CLex. 10, 251), *Gammelstad* (s. Luleå).

Gamping = Kalk, javan. Name eines Dorfs der Residentschaft Surakerta, nach den weisslichgrauen, durchlöcherten, wie ausgefressenen Kalksteinfelsen der Umgegend (Jungh., Java 2, 896).

Gamplatsch s. Casa.

Gamsberg u. **Gamussihorn** s. Gemsistock.

Gand Vig s. Bjeloe More.

Gandaki, auch *Gandakavati* = reich an Nashörnern, sanskr. Name eines aus den mittl. Theil des Himálaja herabkommenden Flusses, bei Megasthenes (Arr. 4, 4) *Kondochates*, gr. Κονδοχάτης, mit Auslassg. der Silbe *va* (Lassen, Ind. A. 1, 75).

Gander s. Kander.

Gandhárbgárh = Veste der Gandhárbs, d. i. einer Classe v. Halbgöttern, Musikern in Indra's Himmel, hind. ON. in Málabar (Schlagw., Gloss. 191).

Gandstock, der nördlichste Gebirgsstock des Glarner Freibergs, mit seinem rothen Gestein sich als steile Pyramide üb. den begrasten Berggrat erhebend u. in grosse Felsenblöcke zerfallend, welche ausgedehnte 'Gänder', Schuttfelder, an mehrern Seiten desselben bilden (Gem. Schweiz 7, 610).

Ganéspur = Ganésa's Stadt, hind. ON. in Hindostán, v. *Ganésa*, dem gemeinigl. mit einem Elefantenkopfe dargestellten Gotte der Weisheit (Schlagw., Gloss. 191).

Ganga = Strom (MMüller, Lects. 384), skr. u. hind. Form weibl. Geschlechts, f. den grössten Fluss Indiens, doch auch f. den Godaveri, der 'mehr unter dem Namen *G.* bekannt u. v. den Heiden sehr verehrt' ist (Spr. u. F., Beitr. 3, 39), durch die Griechen uns in der Form Γάγγης, *Ganges*, übermittelt, welche die Portug. des Entdeckungszeitalters beibehielten, obwohl sie die einh. Form kannten: *Rio Ganges*, a que os naturaes chamão *Ganga* (Barros, As. 4, 9). Auch in zsgesetzten Flussnamen: *Ramganga* (s. Rama) ..., *Gangapura* = Flussstadt, in Radschwara, *Gangaprasád* = des Flusses Gunst, in Bengal, *Gangadwára* s. Hardwar (Schlagw., Gloss. 191).

— Ferner *Gangotri*, skr. *Gangâwatari* = Herabkunft der *G.* (vgl. Dschamnotri), berühmter Wallfahrtsort der Hindus, weil ihnen die Badestelle als Stromquelle gilt (Meyer's CLex. 7, 402), u. wieder vor der Mündg. der *Gangeticus Sinus* s. Bengalen. — *Ganges Island a)* s. Alexander, *b)* s. Peregrino. — *Bahnganga* = Schwester der *G.*, Dschatname eines Zuflusses des Dschamna (Glob. 33, 324).

Gangolfsberg, ein Berg in der Rhön, trägt die Wallfahrtscapelle des heil. Gangolf; auch nach der eigenth. Form *Heufuder* od. *Todtenlade* (Meyer's CLex. 11, 563).

Gángri = Eisberg, einh. Name tibet. Berge, welche üb. die Schneegrenze hinauf reichen (ZfAErdk. 6, 588, Schlagw., Gloss. 192), wo die Ableitg. aus *gang* = Eis, gefrorner Schnee, u. *ri* = Berg, im skr. *Kailás, Kailasa, Kílás* = Sitz des Keils, v. *kila* = Keil u. *ása* = Sitz (Schlagw., Gloss. 205), verständlicher 'Sitz im Berggipfels' (Lassen). — *Gangriijong* s. Tibet.

Gannet Island = Insel der Rothgänse, an der Westseite NSeelds., v. Cook am 10. Jan. 1770 so benannt, weil er auf ihr eine grosse Zahl Rothgänse sah (Hawk., Acc. 2, 382).

Ganshewehanna s. Schuylkill.

Gantara s. Kantara.

Gántug Súmgya Dúntschu = die 370 Kinder des Ehrwürdigen, ist der sonderb. Name des gr. Ibi Gámin Gletschers in Garhwál, v. *gan* = alt, ehrwürdig, *phrug* = ein Kind, *sum* = drei, *gya* = 100, *dun-tschu* = 70, 'most probably' bezogen auf die sehr zahlr. Eisnadeln im untern Theile (Schlagw., Gloss. 192).

Gao khaosib, mit hottentott. Schnalzlaut, v. *gao* = schneiden u. *khaosib* = Hintertheil, also 'Afterspalte', ON. hinter Angra Pequena, f. einen kleinen Teich, welcher in trocknem Flussbette zw. 2 Granitkegeln eingebettet liegt (Schinz, DeutschSWAfr. 17).

Gap = Lücke, Oeffnung, Sattel, die engl. Bezeichng. f. den süddekhan. Sattel, dessen tiefe Einsenkg. die waldreiche Gebirgsgruppe der Anamalai v. Rumpfe des Hochlandes abtrennt; *b) G. Island*, vor De Witt's Ld., v. Capt. Ph. P. King (Austr. 2, 52) am 30. Juli 1821 so benannt, weil sie in der Mitte einen Einschnitt, einen niedrigen Sattel hat, durch welchen die Flut zu strömen u. so die Insel in zwei zu theilen vermag.

Garamanten, einn lib. Volksstamm, der als *garAman, war Aman* = Söhne des Ammon Widderhörner auf den Helmen trug (Movers, Phön. 2[b], 381). Ihre Hptst. *Garama*, j. *Dscherma*, im Wady Schati (Rohlfs, QAfr. 1, 153).

Garandel s. Elim.

Garara s. Fir'on.

Garay s. Florida u. Texas.

Garças, Ilha das = Reiherinsel nannte der port. Seef. Nuno Tristão 1443 eine der Inseln des Arguim Arch. nach der Menge dieser Vögel, welche er dort nebst andern antraf u. mit der Hand massenhaft einfing: 'e como não erão traquejadas de gente, ás mãos tomárão tanta quantidade dellas, que ficou por refresco ao navio' (Barros, As. 1. 1, 7, Azurara, Chron. 101 f. 107). Cadamosto fand hier eine solche Menge Eier dieses Seevogels, dass er damit zwei Boote der Caravellen anfüllen konnte (Spr. u. F., Beitr. 11, 98).

Garcia, Martin, ein granitisches Felseiland des Rio de la Plata, obh. Buenos Aires, benannt nach dem Steuermann des Stromentdeckers Don Juan Diaz de Solís (Burmeister, LPlataSt. 1, 97). In der Nähe wurde Solís nebst acht seiner Gefährten v. den Wilden erschlagen: 'mataron á Solís, al factor Marquina, al contador Alarcon y á otras seis personas, á quienes cortaron las cabezas, manos y pies y asando los cuerpos enteros se los comian con horrenda inhumanidad' (Navarrete, Coll. 3, 50). — *Diego G.* s. Tschagos.

Garda, Lago di, der nach einem Uferort benannte grösste der oberital. Alpenseen, zw. die Felsberge gelagert, die schroff aus den Fluten steigen u. mit zahlr. Nasen in den See vorspringen, hiess im Alterth. kelt. *Benacus* = der gehörnte, 'aux promontoires multiples', wie im altir. *bennach* = gehörnt (d'Arbois de Jub., Rech. NL. 135).

Gardarsholm s. Island.

Garden Island = Garteninsel, als engl. Entdeckername mehrf., wenn gewisse Nutzgewächse angetroffen od. angesiedelt wurden: *a)* in Georg's IV. Sd., v. Seef. Vancouver 1792 mit vschiedn. nützl. Sämereien bestellt, v. denen jedoch die Exp. Baudin im Febr. 1803 keine Spur mehr fand (Péron, TA. 2, 126), auch *Green I.* = grüne I. (Flinders, Atl. 2); *b)* im Lake of the Woods, v. den Canadiern so benannt, da seit Generationen die 'Lake of the Woods Odschibway Indianer' ihre Pflanzungen v. Mais, Kartoffeln, Kürbissen u. Melonen hier besorgen, daher auch *Cornfield Island* = Kornfeld-Insel (Hind, Narr. 1, 97); *c)* vor Port Etches, v. Capt. Nath. Portlock, Schiff King George, im Juni 1787 nach den dort angelegten Pflanzungen getauft. 'Die Fortdauer des schönen Wetters bewog mich am 6., den Bootmann u. 4 Leute auf die Insel zu schicken u. sie dort ein Stück Land umgraben zu lassen. Sobald dies geschehen war, säeten wir allerlei Gesäme, z. B. Kohl, Zwiebeln, Weisskraut, Radies, Wersing, Portulack, Thymian, Sellerie, Spinat, Blumenkohl, Rüben, Senf, Kresse, Erbsen, Bohnen, Veitsbohnen, Lactuken, ingl. etwas Hafer u. Gerste. Es sollte mich wundern, wenn in dem guten Erdreich v. so vielen vschiedn. Pflanzen nicht einige gediehen' (GForster, GReis. 3, 105). — Im plur. *G. Islands,* eine Gruppe kleiner niedriger Eilande in Mergui, v. Capt. Thom. Forrest am 16. Juli 1783 so benannt, 'weil ich wilde Pisangs u. andere Früchte dort angetroffen habe' (Spr. u. F., NBeitr. 11, 182). — Anders *Gardenys* (s. Bouchage) u. *Garden* (s. Grad).

Gardner Island *a)* ein kleiner unzugängl., 270 m h. polynes. Inselfels im NW. der Sandwich Is., v. americ. Capt. Allen, Walfgr. Maro, am 2. Juni 1820 prsl. getauft. In der Nähe fand er das **kaum** den Wasserspiegel überragende, höchst ge-

fährl. Atoll: *Maro-* od. *Allen Reef* (Krus., Mém. 2, 45, Bergh., Ann. 12, 142, Meinicke, IStill. O. 2, 312); *b)* s. Visscher. — *Gardiner Island* s. Amargura.

Garetschewodsk s. Goreloy.

Gargano, eine ital. Gebirgshalbinsel an der Adria, alt *Garganus,* z. Th. auch *Monte San Angelo* = Berg des Erzengels, da bei dem 600 m h. Wallfahrtsort die wunderthätige Quelle fliesst, dem heil. Michael, im Alterth. dem Orakelheiligen *Kalchas* geweiht (Kiepert, Lehrb. AG. 451). Ob mit diesem Namen der des Berges zshängt?

Gargaron Akron, gr. Γάργαρον ἄκρον = Vorgebirge des Wellengetümmels: *a)* der südl. Vorsprung des Berges Ida in Troas. Früher lag die gleichnam. Stadt auf der Höhe: Γ. ἡ παλαιά = Alt-*G.*, später am Fuss des Berges, in's Meer (u. Wellengetümmel) vorgeschoben (Pape-Bens., Curt., G.On. 154); *b)* auch Italien wurde Γαργαρία genannt (Arist. mir. mund. 108).

Garhwál = das Land mit (vielen) Vesten, hind. Name einer Provinz im westl. Himálaja (Schlagw., Gloss. 192), 'ein Land der Berge u. der Vesten, nach welchen es benannt ist' (Lassen, Ind. A. 1, 66).

Garib s. Oranje.

Garinsk, sibir. Ort an der Tawda, in der Gari = 'Schwendi', d. i. 'in einer Gegend, wo vorher Waldg. gewesen, die ausgebrannt worden, um das Land z. Ackerbau bequem zu machen', am rechten Ufer der Soswa, 15 km obh. der Confl. mit der Loswa, 1622 ggr. (Müller, SRuss. G. 5, 37).

Garipuri s. Elefanta.

Garizim, der durch den samaritan. Tempel berühmt gewordene Berg Samaria's, hebr. הַר־גְּרִזִים [har g'rizim], wohl = Berg der Gerissiter (s. d.), eines Volks in der Nähe v. Philistäa, j. *Dschebel Kibliji* = der südliche Berg (s. Gebli), im Ggsatz z. Ebal.

Garká-Jagán-Goj = Grosslandsrücken od. einf. *Goj* = Landrücken nennen die Samojeden den Höhenzug, welcher das unmittelbare Eismeergebiet des Grosslandes v. den südl. gewandten Petschórazuflüssen, der Usa etc., scheidet, russ. übsetzt *Bol'schesemél'skoj Chrebet* (Schrenk, Tundr. 1, 285; 2, 140). — *G. Matúlova* s. Bol'schój.

Garonne, bei Plin. (HNat. 4, 105) *Garumna, Garunna,* der Grenzfluss der alten Aquitania, wurde schon 1586 v. Will. Camden (Brit. 22) zu brit. *garrw* = schnell gestellt u. seither v. Armstrong v. gael. *garv* an, *garbh amhainn* = der schnelle Fluss abgeleitet (Charnock, LEtym. 113). Dieser einfach-vernünftigen Ansicht ggb. wird es kaum Beachtg. verdienen, wenn Ménage an deutsches 'rinnen, geronnen' erinnert 'tant à cause de son cours ordinaire, que du flux et reflux de la mer'; hingegen erfreut sich Zeuss' Gleichg. *grommae, gronnae* = loca palustria et herbosa (Gr. Celt. 735) der Zustimmg. der neuern Keltisten, zunächst Bacmeisters, der, hier v. seinem Vorgänger Chr. W. Glück im Stiche gelassen, auf die Notiz v. Zeuss zkgreift u. die Frage aufwirft: 'Wäre demnach *G.* der gras- u. schilfreiche Fluss?' (AWand. 77). Ueberzeugender behandelt bald

nachher A. Houzé (Rev. Arch. 20, 214 ff.) den
Gegenstand. Er sagt: 'La syllabe -*umna*, in dem
Namen *G.*, produit *onna* pour la prononciation',
wie *Vultumnus* zu *Boutonne* (Zufl. der Charente),
Irumna zu *Ironne* (im Netz der Loire), *Au-
tumna* zu *Automne* (Zufl. der Oise) geworden;
das kelt. Wort *ona*, *onna*, dem lat. *unda* verwandt, cambr. *awon*, corn. *aon*, armor. *avon*, ir.
onn, hat, gemäss der alten u. allgemeinen Regel,
dass im Altfrz. *d* sich mit *n* assimilirt, *onde* ergeben, d. h. *G.*, 884 *Garonda*, ist zu *Gironde*
(s. d.) geworden. *G.* et *Gironde* sont un seul et
même mot, et ce mot signifie 'herbosus amnis'.
Ebenso hält Kiepert (Lehrb. AG. 502) den Namen
Gironde, bei Sidonius 5. Jahrh. *Garunda*, dann
Gironda auf einem Siegelbilde des Schlosses
Lombrière (Dict. top. Fr. 12, 99. 145), urk. 1205
Girounda, f. uralt, da es als iber. Name *Gerunda*
auch in Span. vorkommt, u. *Garumna* ist wohl
'nur die daraus umgebeugte kelt. Form'. Gewiss
war leicht mögl., dass hier, an der iber.-kelt.
Sprachgrenze, 2 Formen desselben Namens sich
entwickelten, u. ebenso gewiss ist Peschels Annahme (Ausl. 1868, 511), aus Cap *Curianum*
habe sich *Churan*, *Giron*, entwickelt, hinfällig
geworden. — Der Name *G.* findet sich auch f.
ein Flüsschen des dép. Hérault (Dict. top. Fr. 5, 72)
u. ist überdies v. frz. Capt. Jean Ribault 1562
auf einen Fluss v. Florida-Carolina übtragen
(WHakl. S. 7, 110, Hakl., Pr. Nav. 3, 309).

Garranabraher s. Monaghan.

Garrett Island, in Barrow Str., v. Parry (NW-
Pass. 57) am 25. Aug. 1819 entdeckt u. nach
einem seiner Freunde benannt 'out of respect to
my much esteemed friend, Capt. Henry *G.*, of
the Royal navy, to whose kind offices and friendly
attention during the time of our equipment, I
must ever feel highly indebted'.

Garry Island, von dem Delta des MacKenzie
R., v. Capt. John Franklin (Sec. Exp. 36) am
16. Aug. 1825 benannt nach einem seiner um
die Exp. verdienten Freunde, 'the Deputy Governor of the (Hudson-Bay) Company . . . a poor,
indeed, but heartfelt expression of gratitude, for
all his active kindness and indefatigable attention
to the comfort of myself and my companions';
b) nur wenige Tage später, am 23. Aug., taufte
Parry (Third V. 140) *Cape G.*, in Prince Regents
It., nach seinem 'würdigen Freunde' Nicholas *G.*,
esq., 'one of the most active members of the
Hudson's Bay Company, and a gentleman most
warmly interested in everything connected with
nothern discovery'; *c*) auch *G. River*, in Boothia
F., v. der Exp. John Ross (Sec. V. 408) am 22. Mai
1830 u. *Lake G.*, im Gr. Fish R., v. G. Back
(Narr. 182) am 19. Juli 1834 sind ausdrückl. nach
dem Beamten der Hudson's Bay Co. getauft, der
f. Polarfahrten immer einen hilfreichen Eifer bewiesen hat; selbstverständl. gilt es auch ihm,
wenn das an der Confl. Assiniboin-Red River
1799 als *the Forks* = an der Flussgabel erbaute
Fort der Hudson's Bay Co., v. Christie 1835/36
erneuert, in *Fort G.* umgetauft wurde (Ch. Bell,

Canad. NWest 4). Aus diesen Anfängen ist der
heutige Sammelpunkt des 'Nordwestens', die Hptstadt *Winnipeg*, erwachsen (Andrees Hdbuch 467).

Gártok od. *Gar*, *Gáro* = das höchste der Lager,
schlechtweg das Lager, v. *gar* = Lager u. *thog*
= anfangend (oben), tibet. Name einer Ortschaft
in Gnári Khórsum, wo die Bhutiakaufleute massenhaft z. grossen Augustmesse eintreffen. Dann-
zumal wurden auf kurze Zeit, da der Ort nur
wenige (u. nicht permanent bewohnte) Steinhäuser
hat, eine Menge Zelte aufgerichtet (Schlagw.,
Gloss. 192).

Garu-n-B. s. Jakoba.

Garurbir s. Wischnu.

Gasch-Da, wo *da* = Mund, nennen die Ha-
dendoa-Nomaden die wasserlose Confl. des Gasch,
abess. Mareb, mit dem Atbara (Munzinger, OAfr.
Stud. 447).

Gaschur s. Casa.

Gascogne, frz. Ldsch. am *Golfe de G.* (s. Vizcaya), im Mittelalter *Vasconia* = Land der Vasken
(s. Basken), die sich hier, durch die Westgothen
v. südl. Abhang der Pyrenäen verdrängt, im
6. Jahrh. niederliessen (Meyer's CLex. 7, 427),
unter dem mod. Namen *G.* zuerst bei Greg. v.
Tours. Nom. gent. *Gascon*, nne (RDenus, AProv.
204).

Gascoyne's Inlet, bei Barrow Str., v. Parry
(NWPass. 50) im Aug. 1819 von General *G.* getauft, hingg. *G. River*, in West-Austr., v. Capt.
G. Grey (Two Expp. 1, 358) am 5. März 1838
nach seinem Freunde, Capt. *G.*

Gaspe, Cap, der lkseitg. Eckpfeiler der Einfahrt
in den StLorenz, kommt in den Berichten üb.
Cartier's Reisen nicht unter diesem Namen vor;
wohl aber die anliegende Bay als *Baie Gaspay*
(Hakl., Pr. Nav. 3, 238), ob nach einem breton.
ON. (vgl. Ile de Brest)?

Gass's Creek, ein lkseitg. Zufluss des obern
Missouri, am 25. Juli 1805 v. den Captt. Lewis u.
Cl. (Trav. 235) so benannt nach einer ihrer Ge-
fährten, dem Sergeanten Patrick *G.*

Gassendi, Ile, in Baie Maret (s. d.), v. Lieut.
L. Freycinet, Exp. Baudin, am 29. Jan. 1803 ge-
tauft nach dem Mathematiker u. Astronomen d.
N., 1592—1654 (Péron, TA. 2, 80, Freycinet,
Atl. 17).

Gastein, urspr. Flussname in Salzburg, f. einen
rseitg. Zufluss der Salzach, 890 rivulus *Gastuna*,
um 1000 in valle que *Gastuina* dicitur, dann
auch mit *C* u. *K*, im 14. Jahrh. vorherrschend
mit *Ch*, ist noch nicht sicher erklärt, nach
Bergmanns 'grund- u. haltloser Meinung' als
deutsch, ahd. *gasteini* = Gestein, v. Andern als
roman., insb. wg. der fast durchaus in rom. Wörtern
auftretenden Endg. -*un*, etwa zu *gaster*, *gâter*
= verderben, verwüsten geh., od. *la Castuna*
scil. aqua = das reine Wasser, 'Lauterache', wo
zu lat. *castus*, ital. *casto* = keusch, rein, u. zwar
stofflich rein, das Suffix -*una* getreten wäre
(Th. v. Grienberger, Rom. ON. 34), mit überwiegen-
den Gründen jedoch als slaw. Bildg. Eine solche
Erklärg. versuchte schon Schmeller (Bayr. **WB.**

1, 954), 'doch nicht mit Glück', v. *gôst* = dick, dicht, *gostinja* = Dickicht. 'Auch was Schmeller weiter anschlägt: *gosd* = Wald passt nicht ... Das Richtige steht schon seit 1837 bei Zeuss' (DDeutschen 634): *Gastuni*, *Gostyn*, ist eine vielf. in altslaw. Ländern, darunter selbst in Griechenland, erscheinende Ortsbenenng., als 'Niederlassung', 'die gastliche', wobei 'gastlich' im ältern Sinne, f. fremd, unbehaglich, nicht geheuer, passend f. den Waldstrom einer rauhen Gegend (Bl. öst. LK. 134). — Nach dem Wildwasser das Thal u. seine 2 Badeorte: *Bad G.*, mit den Thermen, *Hof G.*, der das Thermalwasser zugeleitet erhält, wie Ragaz die Therme v. Pfävers.

Gaster, ein Halbthal der Linth, s. v. a. *castrum* = Warte kleinern Umfangs (Mitth. Zürch. AG. 12, 336, Planta, ARät. 125, Gatschet, OForsch. 119), wurde v. Gilg Tschudi (Raetia) in *castra Raetica* = rät. Castelle erweitert, die das Grenzland gg. die Germanen zu schützen gehabt hätten. Im Zshang mit der tusk. Einwanderg. in Rätien sei die Befestigg. dieses Zuganges geschehen; zZ. des Auszugs der Helvetier — 55 hätten die Räter das leere Land am Walensee besetzt, Vigilien (s. Primsch) gebaut u. weiter thalwärts ihr 'gewaltig Leger', *castra*, geschlagen, dem ggb. auch das deutschsprachige Grenzland den Namen March (s. d.) erhalten habe. — Auch im Allgäu ein ON. *Gestraz*, aus *çastra* (Baumann, GAllg. 41).

Gasteren, die z. Th. vergletscherte oberste Thalstufe der Kander, heisst das mit Sennhütten besetzte Thal. Noch j. ist *gasteren*, v. mlat. *casatium* = Sennhütte, Stall etc., die Schlafstelle der Sennen (Gatschet, OForsch. 119).

Gates of the Rocky Mountains, the = das Thor der Felsengebirge, eine grossartige Schlucht, durch welche der Missuri aus den Bergen heraustritt, bevor er seine Grossen Fälle bildet, am 19. Juli 1805 v. den Captt. Lewis u. Cl. (Trav. 227) benannt ... 'the rocks approach the River on both sides, forming a most sublime and extraordinary spectactle. For five and three quarter miles these rocks rise perpendicularly from the water's edge to the height of nearly twelve hundred feet. They are composed of a black granite near its base, but from its lighter colour above and from the fragments we suppose the upper part to be flint of a yellowish brown and cream colour. Nothing can be imagined more tremendous than the frowning darkness of these rocks, which project over the river and menace us with destruction. The river, of three hundred and fifty yards in width, seems to have forced its channel down this solid mass, but so reluctantly has it given way that during the whole distance the water is very deep even at the edges, and for the first three miles there is not a spot, except one of a few yards, in which a man could stand between the water and the towering perpendicular of the mountain. The convulsion of the passage must have been terrible, since at its outlet there are vast columns of rock born from the moun-

tain, which are strewed on both sides of the river, the trophies as it were of the victory. Several fine springs burst out from the chasms of the rock, and contribute to increase the river, which has now a strong current ... We were obliged to go on some time after dark, not being able to find a spot large enough to encamp on; but at length about two miles above a smale island in the middle of the river we met with a spot on the left side, where we procured plenty of lightwood and pitchpine. This extraordinary range of rocks we called the *GRM*.'

Gath, hebr. גַּת = Kufe, aus welcher der Saft gepresster Früchte, so der Wein, in eine z. Seite stehende Wanne abfliesst, eine der 5 Hauptstädte der Philister, in Zssetzungen *a)* *Gath-hachepher*, hebr. גַּת הַחֵפֶר = gegrabene Kelter, im Stamme Sebulon (Jos. 19, 13); *b)* *Gath-rimmon*, hebr. גַּת רִמּוֹן = Granatenkelter, im Stamme Dan (Jos. 19, 45), im dual *Giththajim*, hebr. גִּתַּיִם = zwei Keltern, Stadt im Stamme Benjamin (Neh. 11, 33, Gesen., Hebr. Lex.).

Gau s. Gäu.

Gaulichan, ON. der Mandschurei, ein bescheidencs Denkmal eines einst mächtigen Reiches. Die korean. Dynastie Gauli beanspruchte die Herrschaftsrechte üb. ganz Liautung; das führte z. Kriege mit China, welches Korea tributpflichtig machte u. eine neue Dynastie einsetzte (JRGSLond. 1872, 158).

Gaunodurum s. Stein.

Gaur, skr. *Gauda*, die alte Hptstadt Bengalens, unth. Radschmahal am Ganges, v. *gudc* = Rohrzucker, ähnl. wie v. *pundra*, dem rothen Zuckerrohr, ein zu Bengalen u. Bihar gehöriges Volk u. Land *Pundra*; auch *Lakschmanavati*, nach ihrem Gründer (Lassen, Ind. A. 1, 173. 178).

Gâuripur = Gáuri's (der Göttin) Stadt, hind. ON. in Assám (Schlagw., Gloss. 192). — *Gaurisánkar* s. Everest.

Gavre s. Morbihan.

Gawler Town, wie *G. Range* u. *Port G.* in Süd-Austr., nach dem Oberst George *G.*, der dem Capt. Hindmarsh als 2. Gouv. folgte (Stokes, Disc. 2, 235, Trollope, Austr. 3, 19).

Gaya, in engl. Orth. *Gya*, ON. in Behar, ein vielbesuchter Wallfahrtsort der Hindu, die hier vor einem Abbilde des Gottes *G.* Vergebg. f. die Sünden ihrer Vorfahren erbitten u. z. Erhörg. ihrer Gebete den zahlr. Tempelwächtern reiche Geschenke darbringen (Meyer's CLex. 7, 453).

Gaza, hebr. עַזָּה = die starke, feste, arab. *Ghazze*, assyr. *Chazita*, ägypt. *Kazatu*, bei Herod. *Kádytis*, auf einem flachen Hügel der Ebene, aber einst durch gewaltige Mauern so befestigt, dass sie Alexanders Angriffen Monate lg. widerstand (Kiepert, Lehrb. AG. 172), eine der fünf Hptstädte der Philister, an der Südgrenze Palästina's, der Ausgangspunkt der ägypt. Karawanen (Jos. 15, 47, Gesen., Hebr. Lex.).

Gazelle s. Tuscarora.

Gazera s. Geser.

Gdansk s. Danzig.

Géant = Reise, eine der mod. v. lat. *gigas* (s. Gigante) stammenden Wortformen, in frz. ON. *a) Le G.*, einer der Gipfel des Mont Blanc, ´haute cime escarpée que l'on reconnait très-bien des bords de notre lac . . . masse énorme qui peut étre le plus grand bloc de granit qui existe au monde; on le voit de Genève surpasser les autres aiguilles'. Nach ihm der *Col du G.* (Saussure, VAlp. 297, Bourrit, NDescr. 3, 70); *b) Chaussée des Géants* = Riesendamm, bei Antraigues, Rhone, eine 560 m lg. Strecke, die, v. Basaltsäulen aufgebaut, an den irl. Riesendamm erinnert (Meyer's CLex. 1, 724). Sollten die ON. *Antraigues* u. (irisch) *Antrim* selbst auch verwandt sein?

Geba, hebr. גֶּבַע = Höhe, Hügel, Levitenstadt im Stamme Benjamin, an der Nordgrenze des Reiches Juda, nahe am Passe *Michmas*, wie j. *G.* am Passe *Machmâs* (Robins., NBF. 378). Fem. *Gibea*, hebr. גִּבְעָה = Hügel, Saul's Geburtsort, nahe v. Geba ebf. im Stamme Benjamin, mehr Jerusalem genähert; u. in der Verbindungsform *Gibeat*, hebr. גִּבְעַת = Hügel, Ort im Stamme Benjamin (Jos. 18, 28, Gesen., Hebr. Lex.). — *Gibeon*, hebr. גִּבְעוֹן = Hügelstadt, etwas nördl. v. Geba im Stamme Benjamin, j. noch *Gib*, einst v. Hevitern bewohnt (Jos. 10, 2; 11, 19, Hebr. Lex.). — Aehnl. *Gibbethon*, hebr. גִּבְּתוֹן = Anhöhe, Stadt der Philister im Gebiete des Stammes Dan (Jos. 19, 44), bei Eusebius Γαβαθών, bei Josephus Γαβαθώ.

Gebal = Bergland (s. Ebal), verwandt arab. *gabal*, *dschebal a)* hebr. גְּבַל = Berg, eine phöniz. Stadt (Ez. 27, 9), auf einer Anhöhe (Strabo 755) zw. Tripolis u. Berytus, gr. Βύβλος, lat. *Byblus*, assyr. *Gubal*, ethn. *Gublai*, im AT. *Gibli*, arab. *Dschebel*, j. *Dscheble*, *Dschobail* (Kiepert, Lehrb. AG. 168); *b)* hebr. גְּבַל = Bergland, die Gebirgsgegend im Süden des Todten M. (Ps. 83, 8), gr. *Γεβαλήνη*, *Gebalene*, j. noch *Dschebâl* (s. d.), wahrsch. das *Syria Sobal* der Kreuzfahrer (Robinson, Pal. 3, 103, Burckh., Trav. 410, Reis. 2, 674, Ritter, Erdk. 2, 270, Gesen., Hebr. Lex.). — *Gebeleïn* s. Dschebel.

Geder s. Gader.

Gebern, eine Nebenform v. *kafir* (s. d.), Schimpfname der v. Islam verdrängten Parsi, auch ON. *Gebr-abâd* = Ketzerland, eine Gegend nördl. v. Isfahan, 'vermuthl. hier in ältern Zeit der Feuercultus eine besondere Zufluchtsstätte gefunden hatte' (Brugsch, Pers. 2, 259). — *Koh-i-Gabr* = Ketzerberg, ein Berg in Beludschistan, mit den Resten eines Gebäudes, welches, angebl. mit Inschriften, ein Feuertempel der Parsi gewesen sei (Spiegel, Eran. A. 1, 85).

Gebhardsberg, **St.**, eine Anhöhe ob Bregenz, mit einer Capelle auf der Geburtsstätte des heil. Gebhard, welcher 949 geb. v. 980—996 Bischof v. Constanz gewesen.

Gebli od. *qabli*, adj. v. *gebla*, *qabla* = Süd, in arab. ON. *a) Zab el-G.* (s. Dahra); *b) Ued G.* = südlicher Fluss, unweit Collo, Alger. (Parmentier, Vocab. arabe 25); *c) Dschebel Kibliji* s. Garizim.

Gedé, **Gunung** = der grosse Berg, bei Friedemann (Ostas. IW. 61) ungenau 'der erhabene, hohe Berg', jav. Name eines imposanten Gebirgsstocks im westl. Theil Java's (Crawf., Dict. 142, Jungh., Java 2, 13, briefl. Mitth. Dr. Hasskarls).

Gedörns s. Dorn.

Geduld, Stein der, eine isolirte Klippe, welche vor der Mündung des Meta, Orinocq, in einem mächtigen Strudel steht, einh. 'sehr passend' so benannt, 'weil sie bei niedrigem Wasser den Aufwärtsschiffenden bisw. einen Aufenthalt v. zwei vollen Tagen kostet' (Humb., Ans. Nat. 1, 266).

Geelvink Bay, an der Nordseite NGuinea's. Als Dampiers Reise 1700 NBritan. v. der Hauptinsel abgeschnitten hatte, wurde das holl. Schiff *G.*, Capt. Jacob Weyland, 1705 zu weitern Untersuchungen abgesandt (Meinicke, IStill. O. 1, 7. 72). Die Engländer beschränken den Namen auf die Theilbucht, in welcher das Schiff ankerte u. nennen das Ganze *the Great Bay* = die grosse Bucht (Krusenst., Mém. 1, 69). Der Capt. Weyland nannte im Innern der Bay eine Gruppe geselliger Eilande als die *Vier Gebroeders* = 4 Brüder, einige andere nach heim. Städten *Leiden*, *Alkmaar*, *Enkhuizen*, *Hoorn* (Bull. SGPar. 1884, 550 f. Carte). Die Ostspitze des Eingangs taufte Horsburgh *G. Point*, die Westspitze *Flat Point* = flache Spitze, jene id. *Pointe Orientale* = östl. Spitze, diese *Pointe Dory* (nach dem nahen *Port Dory)*, nach Rossel's Carte, Atl. v. d'Entrecasteaux (Krus., Mém. 1, 70). — *Port G.*, eine kleine Bucht westl. v. der grossen GBay (Meinicke, IStill. O. 1, 364). — *G. Strait*, die Durchfahrt hinter Houtmans Abrolhos, v. Capt. Ph. P. King (Austr. 2, 175) am 18. Jan. 1822 benannt z. Andenken an das holl. Schiff *G.*, welches Vlaming 1697 hindurch führte.

Geest, altfries. *gest*, in Friesl. u. Nieder-Sachsen der Ggsatz zu 'Marsch', das höhere, trocknere, weniger fruchtb. Land, in ON. nicht selten, th. als Grundwort, th. als Bestimmungswort, wie die alten Formen *Gesthuuila* u. *Gestlaon*, th. f. sich, *Geist* bei Oelde, Westfalen, im 11. Jahrh. *Gesta* (Förstem., Altd. NB. 636). Ob nicht die *Geeste*, ein rseitgr. Zufluss der Weser, eine *Geest-ee*, *Geest-aa*, sei? An ihr *Geestemünde*, ein neuer, seit den Hafenbauten 1857/63 aufgeblühter Ort in Hannover, wo die Geeste in die Weser mündet, d. i. ggb. Bremerhaven, dieses rechts, *G.* links am Flüsschen. In der Nähe auch *Geestendorf* (Meyer's CLex. 7, 486).

Gefahr, Cap, an der Ostküste NSemlja's, v. norwg. Capt. Carlsen am 15. Sept. 1871 so benannt (PM. 18, 396. Taf. 19). Die Carte zeigt, dass das Schiff hier angesichts einer Eiskante stand u. seinen Curs änderte. — *Gefährlicher Archipelagus* s. Paumotu.

Gefrorne Bay s. Frozen.

Geiklasch = Hirschensprung, eine Clus, wo der vorher 300 Schritte br. Euphrat, unth. Telek, auf 35 eingeengt wird (Spiegel, Eran. A. 1, 161).

Geirfuglasker = Pinguininseln, 4 hinter einander stehende, seltsam geformte Felsklippen im

Bereich der isl. Westmänner In., wo früher der grosse nord. Pinguin, Alca impennis, welcher j. in Island ausgestorben ist, zu brüten pflegte (Preyer-Z., Isl. 26).

Geisa, Nebenfl. der Fulda, im 8. Jahrh. *Geisaha,* sowie ein Ort *G.*, *Geysa,* in Sachsen-Weimar, wo ein kleiner Fluss in die Ulster mündet, v. Verbalstamm *gisan,* also 'die sprudelnde', wie schon J. Grimm (Gesch. d. d. Spr. 578) f. *Geismar* annahm, erinnernd, dass bei dem letztern Orte ein Sauerbrunnen, bei *Hofgeismar* ein Gesundbrunnen liegt. Ein Ort *Geislar,* 11. Jahrh. *Geislare,* ggb. Bonn, u. ein *Geisbach,* östl. v. Bonn (Förstem., Altd. NB. 629, Bl. öst. LK. 1888, 8).
— *Geyser,* besser *Geysir* = Sprudel, v. isl. *ad geysa* = heftig hervorbrechen, nicht wie Humb. (Kosm. 4, 501) u. AErdk. (nf. 10, 331) will, v. *gjosa* = kochen, toben, nennt der Isländer die heissen, intermittirenden Springquellen seines Landes, die zu 40—50 im Thale der Hvitá, angesichts der rauchenden Hekla, arbeiten (Preyer-Z., Isl. 240). Der grossartigste dieser 'Sprudel', der *Grosse G.*, wirft aus 19 m weitem Rohr den 3 m dicken Wasserstrahl 30—40 m h. auf u. beginnt je nach 24^h wieder die Vorspiele eines neuen Ausbruchs. — *Geysir Basin,* zwei Thalstufen des Fire Hole R., d. i. des Oberlaufs des Madison R., zuerst untersucht v. der Exp. Doane-Langford 1870 u. Hayden 1871, als *Lower* (= unteres) u. *Upper* (= oberes) *GB.* unterschieden, das letztere kleiner an Umfang, nur etwa 7 km² gr., mit weniger Springquellen; aber diese sind thätiger u. ihre Krater schöner u. grösser (Hayden, Pr. Rep. 185).

Geiss = capra, ahd. *geiz,* schwed. *get,* dän. *ged,* holl. *geit,* engl. *goat* (s. d.), schon in altdeutschen ON., jedf. in den meisten, welche Förstemann (Altd. NB. 606) unter dem Stamm GAIT verzeichnet: *Keizahu,* in Bayern, *Geizbach,* ein Nebenfluss des Lechs, *Geizzebach,* j. *Gaisbach,* in Württbg., *Keizperch,* j. *Gaisberg,* in Salzburg, *Geizzital,* in Bayern, *Geizefurt,* an der Nersa, *Getakoton,* um Wolfenbüttel, *Getlithi,* j. *Geisleden,* 3 mal in Braunschweig, *Gaizwilare,* j. *Geisweiler,* im Elsass, *Gaizerwald,* j. *Geiserwald,* in Steierm., u. *Gaiserwald,* bei St. Gallen. — *Geissbühl* = Ziegenbühl, ein Hof der zürch. Gemeinde Herrliberg. Jede Gemeinde hatte ein gemeinsames Stück Land z. Weide des grossen Viehes, ein anderes f. Ziegen u. Schafe. Solche Weideplätze wurden allm. z. Ansiedelg. benutzt (Mitth. Zürch. AG. 6, 118). Aehnl. *Geissberg,* mehrf. In der Gemeinde Trüllikon ein *Hatlebuck* = Ziegenhügel, v. dial. *hatle,* f. Ziege (ib. 82). — In Island eine *Geitá* = Ziegenfluss, ein seichter, milchweisser Fluss, *Geitholl'* = Ziegenberg, ein Gehöfte bei Stadir (Preyer-Z., Isl. 91. 131) u. eine *Kidagil* = Ziegenschlucht, eine grasige Oase am nordöstl. Ausgang der centralen Wüste Sprengisandur (ib. 216).

Geist s. Geest.

Gela, Fluss an der Südwestküste Sicil., nach der Kälte seines Wassers, entspr. lat. *gelu,* also in

auffallender Uebereinstimmung. sicul. u. lat. Sprache, noch j. *Fiume di Ghiaccio* = Eisfluss. Die v. Kretern u. Rhodiern v. Lindos —689 an ihm ggr. Colonie *G.*, gr. Γέλα, im Γελῷον πεδίον, der fruchtb. Strandebene, hatte anfängl., in heimatl. Erinnerg., *Lindioi,* gr. Λίνδιοι geheissen (Kiepert, Lehrb. AG. 469 f.). — *Mont Gelé* = gefrorner, d. i. vergletscherter Berg, in der Gruppe des Combin, Wallis, 'un mont de glace taillé à pic . . . qui, avec une autre masse de rocs, forme une gorge comblée de glace' (Bourrit, NDescr. 1, 56).

Gelb, in ON. nicht gar häufig, wie im *Gelben Meer* (s. Hoanghai) u. *Gelbhorn* (s. Mellen).

Geldingasker = Hammel- od. Schafinsel, eine der isl. Westmänner In., u. zwar 'eine der wenigen, auf welchen Gras wächst, das den Schafen z. Weide dient'. Man sagt, bei der Ankunft einer Herde müsse ein Eingeborner die Höhe erklettern u. die Thiere dann an Seilen aus den Booten hinaufziehen (Preyer-Z., Isl. 26). — *Geldingatjörn* = Schafteich, ein kleiner See östl. v. Reykjavík (ib. 79).

Gelibolu s. Kalos.

Gellibrand, Point, die Landspitze v. William Town, Melbourne, nach einem der ersten aus Hobart nach Port Philipp gekommenen Ansiedler (Stokes, Disc. 1, 281).

Gelobtes Land s. Kanaan.

Gelukwaard = Glücksinsel, v. holl. *waard* = Werder, mit Deichen umgebenes Land, eine Ansiedelg. mit gutem Weinbau, Capland (Lichtenst., SAfr. 1, 93).

Gelunggung, G., einer der noch thätigen Vulcane Java's, benannt wahrsch. v. *gong* = Trommel, s. v. a. Geräusch einer *gong,* ein Berg, welcher lärmt, als würde dort die *gong* geschlagen. Ueber seine furchtb. donnernden Eruptionen s. Junghuhn (Java 2, 111 ff.).

Gemein, im Sinne v. gemeinsam, war zZ. der alten Eidgenossenschaft der Ausdruck f. die Landestheile, welche, im Ggsatz zu den Unterthanengebieten der einzz. 'Stände' od. 'Orte', v. ihnen allen od. mehrern derselben gemeinsam regiert wurden u. den Vogt abwechselnd aus den regierenden Ständen erhielten *a) Gemeine Herrschaften,* wie Thurgau; *b) Gemeine Aemter* s. Freiamt.

Gemel s. Fir'on.

Gemini Falls heissen nach Randell's Dampfer *G.*, welcher 1859 bis dahin vordrang, die Stromschnellen des Murray, sonst auch *Nonah* od. *Blacks' Fishing Grounds* (PM. 8, 319, ZfAErdk. 1862, 487).

Gemsistock, ein hoher Gebirgskopf auf einem Seitenarme der Glariden (s. Chamossaire). Fast zu oberst an der jähen Felswand ist das 'rothe Loch', v. welchem nur ein Weg gg. die Tiefe geht (ein fast unmöglicher z. nahen Höhe). Hier lauert der Gemsjäger, während ein anderer das Wild vom nahen *Zutreibistock* herübertreibt (Gem. Schwz. 7, 610). — Andere Bergnamen, die diesen Thieren oder ihrer Jagd gelten, sind *Gemsespiel,* in Unterwalden, *Gamsberg,* ein

ʼgemsenreicher Berg des StGall. Oberlands, der *Thierberg*, in Hasle (Gatschet, OForsch. 78). — *Gamussihorn*, ein Felsberg des Monte Rosa, aus ital. *Corno de Camoscio* verdeutscht (Schott, Col. Piem. 228, Dufour, Atl. 23).

Gemünd s. Gmünd.

Genadendaal s. Baviaan.

Genena = Garten, arab. Name einer Waldstelle im mittlern Nilgebiete, im Lande des Ghattas, ein 4 km v. der Hauptseriba gelegener, dichter u. hochstämmiger Park, ein Anklang an die Urwälder, die im Lande der Njamnjam alle Fluss- u. Bachniederungen anfüllen, v. 25 m h. Uncarien u. Eugenien gebildet, welche ihre schattigen Kronen auf völlig geradem Stamme erheben. ʼSie bildet vermöge ihres tiefen Walddunkels, in dessen Schutze dichte Staudenmassen rothblühender Melastomaceen wuchern, zw. riesigen Aroideen u. neben laubenbildenden Lianengehängen, einen auffallenden Ggsatz zu den übr. Waldgen des Gebiets ...ʼ (Schweinfurth, IHAfr. 1, 197).

Generalife, arab. *Ginaraliph* = Haus der Liebe, das maur. Sommerlustschloss der Königinnen v. Granada, obh. der Alhambra (Meyer'sCLex. 8, 38).

Genessee = angenehmes Thal, ein Zufluss des Ontario L. ʼThis name, as expressive as is the generality of Indian designations, is indicative of the characteristics of the country through which the river flows. Few rivers of equal extent have scenery more picturesque — there are none with banks more fertile. From its rise in Pennsylvania, till it mingles its waters with Lake Ontario near the city of Rochester, the shores of the *G.* present a succession of beauties, such as in other lands would attract crowds of admiring travellers (Buckingh., Amer. 3, 59).

Génetay, frz. ON. etwa 40 mal in den 19 dépp. Dict. top. Fr., bes. in den dépp. Eure, Sarthe u. Seine-Inf., f. lat. *Genistetum* = Ginsterort (s. Aunay), im 9. u. 10. Jahrh. *Gine-*, *Genestedum* (d'Arbois de Jub., Rech.NL. 622).

Genève, frz. Form des röm., eig. kelt. *Genava* od. *Geneva*, bei Greg. v. Tours urbs *Januba*, augensch. den ON. auf mod. *-ève* angehörig (s. Evian), ist schon im 16. Jahrh., v. Ed. Lhuid u. W. Camden, als ʼMündg., Ausslussʼ, scil. der Rhone aus dem See, erklärt worden; jener (de Fluv. Brit. nom.) setzt *gener* = a mouth, dieser (Brit. 120) vermehrt die Beispiele u. findet in *geneu* ein kelt. Wort ʼquae ostium et ingressum notatʼ. Beiden folgte 1731 Will. Baxter, der zieml. viele Namen aus den vschiedensten Theilen der Alten Welt, mit Vorliebe auch kelt., erklärte u. *Genua* die gl. Etymologie mit *Geneva* gibt, dann der gelehrte Keltomane L. de Bochat (Mém. 1, 165 ff., 3, 321 ff.). Dieses gesunde Korn, in der Spreu v. Irrthümern lebendig geblieben, ist im Erdreich der neuern kelt. Sprachforschg. frisch aufgekeimt: Chr. W. Glück, in seiner Untersuchung der bei Caesar aufbewahrten kelt. Namen (1857, 104 ff.), nach Feststellg. der Lesarten, findet: ʼ*G.* ist abgeleitet v. *gena*, kymr. *gen* = os, maxilla

..., plur. *genou*, corn. *genau*, *ganow*, ir. *gen*, *gin*, *gion*; *G.* entspricht dem röm. ON. *Ostia*. Bekanntl. liegt *Genf* da, wo die Rhone aus dem Leman mündet. Daher sein Name. Auch Zeuss (Gr. Celt. 59, 129 ff.) belegt diese Ableitung; Bacmeister (Kelt. Br. 8), unter Beifügg. des arm. *genow*, stimmt 1874 bei, u. H. d'Arbois de Jub. wiederholt sie (Rev. Arch. 30), z. zweiten mal noch 1887 (Rev. Celt. 8, 122): ʼbouche, parce que cette ville se trouve à l'endroit où le lac Léman vomit le Rhoneʼ. Auch das Deutsche verwendet die ʼMündg.ʼ nicht bloss f. Ein-, sondern auch f. Ausmündg. (s. Gmünd). — Nach dem ältesten u. j. bedeutendsten seiner Uferorte heisst der See *Lac de G.*, bei den Waadtländern lieber *Lac Léman*, nach dem ant. Namen *Lacus Lemanus*, *Lemannus* (Caes., BGall. 1, 2). Im Mittelalter hiess er *Lac Losannete*, nach dem dam. Bischofssitz, auch *Mare Rhodani* = Mer du Rhône.

Geneveys, drei Dörfer der jurass. Val de Ruz, Neuenburg, *G.*-sur-Coffrane, *G.*-sur-Fontaines u. *G.*-sur-St.-Martin, betrachtete um 1670 geschriebene Chronik des Kanzlers G. de Montmollin (Mém. Neuch. 2, 143) als eine Colonie v. ʼGenfernʼ, die durch Krieg u. Feuersbrunst vertrieben, 1291 sich 30 Familien stark hier ansiedelten. Als die Herren v. Valangin, Johann u. Dietrich v. Neuchâtel-Aarberg, die Dinge erfuhren, liessen sie den Genfern noch günstigere Bedingungen anbieten, u. es kamen 45 Familien, die sich obh. der Dörfer Coffrane, Fontaines u. St.-Martin niederliessen. Matile (Hist. Valangin, Neuch. 1852) fügt bei, dass die 3 Namen in den Urk. des 14. Jahrh. vorkommen u. dass die Einwohner v. *Genevez*, Berner Jura, sich gleichen Ursprg. zuschreiben. Diesem Berner Orte widmete 1865 der Genfer L. Dufour eine gründl. Untersuchg. (Mém. et Docum. Genève 15, 83 ff.). Sprachlich stehe der Deutg. ʼGenferʼ nichts entgegen; im Patois des Mittelalters hiessen die Genfer wirkl. *les Genevoi*, gespr. *les Genevai*, u. *ay* war geschrieben *ai*, *ais*, *aix*, *ay*; *ei*, *eix*, *eiz*, *et*, *ets*, *ex*, *eys*, *es*; *oi*, *ois*, *oy*, *oix* ... Auch stimmen z. Tradition die wirren Geschicke Genfs im 12. —14. Jahrh., spec. die Ereignisse v. 6. Juni 1307, im fernern auch f. die Berner Colonie nachweisbaren Genfer Familiennamen, selbst die den Nachbarn überlegene Genfer Intelligenz (!), die Sitten u. die Sprache. Eine Urk., welche die Ankunft v. Genfern bezeugt, ist freil. nicht beigebracht; also hält der Verf. jene Annahme, u. damit die Richtigk. im Motiv der Namendeutg., nicht f. gewiss, aber f. wahrsch. Eine neue Studie (Origine des HGeneveys etc., Gen. 1884), über die ʼGenferʼ des Val de Ruz, führte bei dem Mangel urk. Belege zu einem weniger gesicherten Ergebniss.

Genèvre, Mont, der altbegangene Pass der cottischen Alpen, auf Vasen *Summae Alpes*, in der Pent. T. *Alpis Cottia*, 1020 mons *Geminus*, 1065 mons *Jani*, um 1080 mons *Genevus*, 1418 collis montis *Jani*, 1481 mont *Genevre*, die Gemeinde gl. N. 1189 mons *Jani*, 1529 mont *Genèvre*, das Hospiz 1282 Hospitalis montis *Jani*

(Dict. top. Fr. 19, 97). — Aeusserl. reihen sich an die Ableitungen v. lat. *juniperus* = Wachholder, *Juniperaria*, um 1000 *Genebraria, Genebreria*, 1118 *Genebreira*, j. *La Genevrière*, dep. Corrèze (d'Arbois de Jub., Rech.NL. 607).

Gennes s. Français.

Gennesareth, bibl. ON. am galil. Meer, früher hebr. *Kinnärät*, רַּנֶּכ od. *Kinnaroth*, רֹונִּכ, (5.Mos. 3, 17) später רַסֶּנְגּ [*g'nesar*], gr. nach der aram. Form Γεννησαρέτ (Strabo 755). Nach dem Ort der See, gr. λίμνη Γεννησαρέτ (Luc. 5, 1), lat. *Lacus Genesara* (Plin. 5, 71), im NT. nach der anliegenden Landschaft Galiläa auch ϑάλασσα τῆς Γαλιλαίας = *galiläisches Meer* (Matth. 4, 18), in älterer Zeit *Jam Kinnereth*, תֶרֶנִּכ־םָי = Meer v. Kinnereth (4. Mos. 34, 11, Jos. 12, 3), z. Römer-Zeit auch nach der in Tiberias umgetauften Uferstadt ϑάλασσα τῆς Τιβεριάδος = *Meer von Tiberias* (Ev. Joh. 21, 1), daher j. *Bahharat Taberia, Tabarieh*, auch *esch-Schuweir* = der schöne. Die beiden röm. Namen verführen den Cl. Ptolemäus zu einem nördlichern *Genesaritis-See* u. einem südlichern *Tiberias Lacus*, während Ev. Joh. (6, 1. 23) richtig den letztern als einen Theil des galil. auffasst.

Genova, die ligur. Hafenstadt, d. *Genua*, zuerst erwähnt —218 (Nissen, Ital. LK. 473), kelt. *Genava*, ist mit Genève (s. d.) v. gl. Ableitg. (Kiepert, Lehrb. AG. 508) u. ist auch in Lesarten mehrf. mit diesem verwechselt, v. Fredegar (Chron. 71 K.) als *Genava maritima* v. dem allobrog. Genava unterschieden worden. Der *Golfo di G.*, bei Polybios noch z. tyrrhenischen Meer gerechnet, wurde erst nach Augustus als besonderer Meerestheil betrachtet (Nissen, Ital. LK. 100), gr. Λιγυστικὸν πέλαγος, röm. *Sinus Ligusticus, Ligusticum Mare* (Plin., HNat. 2, 151), wie der Landesname *Liguria* nach dem Volke der *Ligurer*, sing. *Ligus, Ligur* (ib. 3, 38. 47). — *Castel Genovese* s. Sardegna.

Gente, Punta della = Cap der Leute, in Feuerl. (s. Felipe), wo der span. Seef. Pedro Sarmiento 1579 nach langem Suchen wieder 5 Leute traf (Debrosses, HNav. 128. 131). — *G. Hermosa* s. Danger.

Geoffroy, Baie, in Tasman's Ld., v. der frz. Exp. Baudin am 7. April 1803 benannt nach dem Naturforscher Etienne G. St. Hilaire, 1772—1844 (Freycinet, Atl. 26).

Géographe, Baie du, in West-Austr., das älteste der 6 Objecte, welche die frz. Exp. Baudin nach dem vornehmsten ihrer Schiffe, der Corvette *le G.*, getauft hat; es war am 30. Mai 1801 (Péron, TA. 1, 57); *b) Basses du G.*, in De Witts Ld., am 28. Juli 1801; *c) Détroit du G.*, zw. Schouten u. Tasmania, im Febr. 1802; *d) Ile du G.*, in Tasman's Ld., am 15. Apr. 1803; *e) Iles du G.*, im Nuyts' Arch., im Apr. 1802 u. Febr. 1803, bei Capt. M. Flinders (Atl. 4) prsl. *Purdie's Islands*; *f) Récif du G.*, ein gefährl. Riff im Spencers G., im Apr. 1802 (Péron, TA. 1, 110. 113. 245. 274; 2, 76. 105. 201. 208, Freycinet, Atl. 25. 27).

Georg, Mannsname, insb. auch *George*, der Name engl. Könige der welf. Dynastie, als *G. I.*, geb. 1660, Kurfürst v. Hannover 1698, König v. Engl. 1714, † in Osnabrück 1727; *G. II.*, des Vorigen Sohn, geb. 1683, seit 1714 Prinz v. Wales u. Graf v. Chester, als König dem Aufschwung Englands, unter Pitt's Leitg., förderlich, † 1760 zu Kensington; *G. III.*, Enkel des Vorigen, geb. 1738, betheiligt in american. Erwerbungen (1763) u. Verlusten (1783), wg. Irrsinn durch den Prinz Regenten ersetzt 1811, † 1820; *G. IV.*, Sohn u. Nachfolger des Vorigen, geb. 1762, † 1830 in Windsor — mehrf. toponymisch gefeiert auf dem Felde der Entdeckg. u. des Colonialwesens. Von der ältern Colonie Carolina hat *G. II.* (1732) *Georgia* abgetrennt u. dem als Philantrop bekannten Parlamentsmitgliede James Oglethorp verliehen, welcher 'for the poor and helpless' dort Vorsorge traf (Quack., US. 149, Buckingh., Slave St. 1, 93, Staples, St. Union 10). In gl. Sinne: *Lake G.*, im Staat NYork, v. engl. Befehlshaber William Johnson 1755 getauft (Quack., US. 169), sowie *Georgetown*, bei Washington, ggr. 1751, also 'long before the revolution, having its name from the King of England, and that name being still retained' (Buckingh., Am. 1, 363, Meyer's CLex. 7, 647). — Die meisten Namendenkmäler gelten der 60jähr. Regierg. *G.'s III.*, unter welcher die pacif. Entdeckungen mächtig gefördert, die engl. Seemacht zu einer gebietenden Stellg. u. das brit. Reich nach allen Richtungen zu hohem Aufschwung gebracht wurde: *King G. the Third's Island* s. Tahiti; *King G.'s Islands* s. Zondergrond; *South Georgia*, eine antarkt. Inselgruppe, viell. schon v. Vespucci 1501 erreicht, bei einem span. Seef. 1756 *San Pedro*, v. Cook (VSouthP. 2, 211 ff.) am 16. Jan. 1775 entdeckt; *Cape G.*, v. Cook 2 f.: *a)* in SGeorgia, am 18. Jan. 1775 (Cook, VSouthP. 2, 216), *b)* in Kerguelen, am 30. Dec. 1776 (Cook-King, Pac. 1, 80); *King G. the Third's Sound*, in Nuyts Ld., wo der engl. Seef. George Vancouver v. 28. Sept.—11. Oct. 1791 ankerte (Flinders, TA. 1, LXIX); *King G.'s Plains*, ein Weideland am Derwent, Tasmania, v. Hayes 1793/94 getauft (Flinders, TA. 1, CLXXXV); *Georgetown*, dreimal: *a)* die Hptstadt v. Pulo Pinang, ggr. seit Erwerbg. der nachm. 'Prince of Wales Island' (Meyer's CLex. 7, 647); *b)* der Hptort der atlant. Insel Ascension, seit der Erwerbg. 1816, viell. erst mit erntsl. Einführg. der Cultur 1829 ggr. (Bergh., Ann. 6, 46); *c)* der Hauptort der 1814 erworbenen Brit. Guayana, holl. *Stabroek*. — *King G.'s Sound* s. Nutka. — *Georgian Islands* s. Society. — *New Georgia*, 3 f.: *a)* s. Salomonen, *b)* s. Columbia, *c)* s. Parry Is. (wo auch *North Georgian Islands*). — *Fort G.* s. Astoria. — Dem vierten jener Könige zu Ehren: *a) Port G. the Fourth*, in Tasman's Ld., v. engl. Capt. Ph. P. King (Austr. 2, 74) am 12. Aug. 1821 nach 'our most gracious king' u. die nahe *Hanover Bay* benannt (Grey, Two Expp. 1, 67); *b) King G.'s River* s. Espirito. — Nach seinem Schiffe taufte der engl. Capt. Nathanael

Portlock am 1. Juni 1786 *King G.'s Bay*, Oahu, als er im 'King George' u. 'Queen Charlotte' behufs des Pelzhandels nach dem Nutka Sd. ging (GForster, GReis. 3, 27), sowie der Liverpooler Walfgr. Capt. J. Robert eine *King G.'s Island* u. *King G.'s Bay*, in South Shetland (Hertha 9, 465). — *G.'s Hill*, in Fairmount Park, Philadelphia, v. Jesse G., einem betagten Mitgliede der Gesellschaft der Freunde, der Stadt geschenkt, damit sein ererbtes, alterthüml. Heimwesen einen Theil der öff. Anlagen ausmache (Keyser, Fairm. P. 54). — *Georgetown* s. Bermudas. — *Vulcan Georgios*, ein nach anhaltenden Erschütterungen am 1. Febr. 1866 aufgestiegener Vulcan in Santorin, nach dem griech. König (Peterm., GMitth. 12, 142).

Georg, Sanct, der Heilige, frz. u. engl. *St. George*, span. *San Jorge*, port. *São Jorge*, ngr. *Hagios Georgios*, in der kath. Kirche, die sein Gedächtniss am 23. od. 24. April feiert, gew. 'Ritter St. G.', in der griech. Kirche 'der Siegbringer', zuf. der Legende aus Cappadocia, ein christl. Prinz, der nach Erlegg. des die Königstochter Aja bedrohenden Drachens als Märtyrer † sei, gew. als ein schöner Jüngling, in ritterl. Rüstg. auf einem Schimmel sitzend u. mit der Lanze einen Drachen durchbohrend, abgebildet wird, durch die Kreuzfahrer, die ihn im Orient kennen lernten u. unter dem Drachen die muhammedan. Welt verstanden, in ihr Panner aufgenommen wurde, so dass seine Verehrg. nun auch im Abendland sich ausbreitete; er wurde z. B. Schutzheiliger v. England u. Genua, u. das moskowit. Grossfürstenth. nahm ihn in das Herzschild seines Wappens auf; in mehrern Ländern gibt es Georgsorden, u. noch im 14. Jahrh. entstand ein fränk. Ritterbund, die Georgengesellschaft, z. Bekämpfg. des Heidenthums. Nach dem Heiligen benannt *a) St. G. Channel*, die Durchfahrt zw. Irland u. Wales; *b) St. G.* (s. Bermudas); *c) Cape St. G.*, in NSouth Wales, v. Cook am 23. Apr. 1770 getauft (Hawk., Acc. 3, 83). — Ozw. aus demselben Veranlassg. *Cape St. G.*, die Südostspitze NIrlands, v. engl. Seef. Dampier 1700, wie die nahe *Bay of St. G.*, die aber durch Carterets Durchfahrt 9.—11. Sept. 1767 z. *Channel of St. G.* od. z. *Carteret Strait* geworden ist (Debrosses, HNav. 401, Hawk., Acc. 1, 368 ff.). — *St. G.'s Bridge*, eine Stelle am obern Darling, wo der engl. Major Mitchell (Trop. Austr. 133 ff.) am 23. Apr. 1845 einen längern Halt machte u. den Fluss Balonne überschritt. — *St. G.'s Island*, mehrf.: *a)* in der Magalhães Str. durch den Admiral Frz. Drake am 24. Aug. 1578 entdeckt u. benannt 'in honour of England, according to the ancient custom there observed' (Fletcher, World E. 76, Spr. u. F., NBeit. 12, 244); *b)* in Maine, NEngland, v. d. engl. Exp. Popham-Gilbert getauft (Strachey, HTrav. 167); *c)* in obern Jangtsekiang, v. d. engl. Exp. am 23. Apr. 1861 (Peterm., GMitth. 7; 419); *d)* s. Bermudas. — *St. G.'s Islands* s. Ssemj. — *St. G.'s Insel* s. Pribuilow. — *St. G. Keys* s. Cayos. — *Port St. G.* s. Praslin. — *St. G.*, Ort auf Grenada, frz. Anlage 1650,

durch die Engländer 1762 erobert (Meyer's CLex. 8, 90). — *St. Georgen*, Ort ob St. Gallen, dessen Capelle dem h. G. geweiht war, zu Ekkehard's Zeit auch *Salomonszell*, offb. nach dem st. gall. Abtbischof (v. Arx, GStGall. 1, 129). — *Hagios G.* s. Slawochori.

Georgia, hier nicht das americanische (s. Georg), sondern das asiatische, ein Theil Kaukasiens im mittlern Gebiete des Kur, ist v. PN. Georg zu trennen, obgl. eine beliebte Annahme besteht, das Land sei nach dem heil. Georgi, seinem Schutzpatron, benannt. Es hat sich gezeigt, dass G. wie der alte Landesname *Iberia* entstanden ist aus dem alten armen. Volksnamen *Vér*, plur. *Virkh*, so auch f. das Land, das mit pers. Bildg. *Vrastan* heisst. Da im Neupers. *v* gew. in *g* übergeht, so entstand daraus *Gurg*, gr. Γεωργία, bei MPolo (ed. Pauthier 1, 39) *Jorganie*, u. aus dem Volksnamen *Gurji, Gurdschi, Gürdschi*, woraus neupers. u. türk. *Gürdschistán*, wieder das russ. *Gruzija, Grusinia* (Kiepert, Lehrb. AG. 86) — nächst Dschagatai 'die albernste geogr. Benenng., die ich kenne' (Klaproth, Kauk. 2, 2, Güldenst., Beschr. kauk. L. 1, Note). Der einh. Landesname *Kharthli* ist dem Auslande bis in die Neuzeit unbekannt geblieben; er bezeichnet im engern Sinne, auch noch im heutigen nationalen Gebrauche, die mittlere Ldsch. am Kur (Kiepert, Lehrb. AG. 86). — Ein *Gürdschi-Köi* = Georgierdorf am Ala Dagh (Tschihatscheff, Reis. 46). — Wohl mit G. in Zshang: *Georgijewsk*, russ. Anlage Ciskaukasiens, ggr. gg. Ende des 18. Jahrh., als die russ. Herrschaft z. Nordfuss des Kaukasus ausgedehnt war u. den Besitz Georgiens erstrebte (Meyer's CLex. 7, 650); zwei *Nowo* (= neu) *Georgijewsk*: *a)* das frühere poln. Modlin, seit 1831 eine starke Veste, *b)* das frühere Krylow, im Gouv. Chersson (ib. 12, 153)

Gephyra, gr. Γέφυρα = 'Brugg', Städte v. Flussübergängen: *a)* Stadt in Böotien, am Flusse Asopus, später Tanagra (Hekat. b. St. B); *b)* Stadt in Syria Seleucis, j. Gatar (Ptol. 5, 15, 15). Aehnl.: *c)* Γεφυρεῖς = 'Brügge', att. Demos auf dem heil. Wege nach Eleusis, wo die Mysten die Brücke üb. den Cephissus unter den Spöttereien der γεφυρισταί passirten. Danach hiess dieser Theil des Festes γεφυρισμοί (Ael. n. an. 4, 43, Pape-Bens.).

Gepidia s. Siebenbürgen.

Geraneia, gr. Γεράνεια od. Γεραρία = Kranichfeld: *a)* Stadt in Megaris, beim j. Porto Germano am Kranichberg, einem Theile des Kranichgebirges τὰ ἄκρα τῆς Γερανείας (Thuc. 1, 105). Nach alten Sagen der Megareer stand der korinth. Isthmus zZ. der deukal. Flut wie eine hohe Felsinsel zw. dem Festlande u. der Insel des Pelops: beim Anwachsen der Flut rettet sich Megaros, dem Geschrei der dorthin geflüchteten Kraniche folgend, aus der Ebene auf die Höhen dieses Bergzuges, der davon Kranichberg genannt wurde (Curt., Pelop. 1, 8. 26, GOn. 157); *b)* Stadt in Phrygien (St. B.).

Gerdauen, ON. der Prov. Preussen, nach dem

preuss. Edelmann Girdaw, welcher hier eine Burg besass (Toeppen, GPreuss. 216).

Gëre, id. mit *ére, érre, árre* = Fluss, Wasser, bei den Mússgu f. jeden Fluss, bes. den v. Lô-gone (Barth, Reis. 2, 550). S. Benuë.

Gerissiter, hebr. יִרָשׁ od. יִרֵשׁ [gerissi, girsi] = die in unfruchtbarem Lande Wohnenden, ein Volk in der Nachbarsch. Philistäa's (1. Sam. 27, 8). Davon viell. der *Garizim* (s. d.).

Gerlsdorfer Sp. s. Lom.

Germain s. Guillaume.

German s. Malayta.

Germanen, Volksname, zunächst f. den Stamm der Tungri, Tungern, der siegreich in Gallien eingedrungen war (Tacit., Germ. c. 2), wo ihn Caesar (Bell. Gall. 2, 4; 6, 32) vernahm u. den Römern, die ihn auf die Bruderstämme ausdehnten, bekannt machte, also viel älter als der Name 'Deutsche' (s. d.) u. seinem Sinn nach viel umstritten. Mit Vorliebe leitete man, auch noch 'der wenigstens die ags. nicht ganz unkundige' Greverus, *G.* v. ahd. *gêr,* ags. *gâr* = Speer, als einer charakteristisch deutschen Waffe, ab; das ergäbe *German* = Speer- od. Kriegsmann. 'Diese Erklärg. ist sprachlich unmöglich' (Kuhns Ztvgleich. Sprachf. 2, 156 ff.). Trotz diesem Urtheil .ist die Etym. 1870 neu aufgetaucht. In scharfsinniger Deduction findet J. M. Watterich (d. deutsche N. Germ.) 'das übereinstimmende Zeugniss des Caesar u. des Tacitus dahin gehend, dass *G.* aus Deutschland stammt, ein deutsches Wort ist.' Er stützt seine Ansicht durch die bekannte Thatsache, dass deutsche Stämme sich gern nach der eigenthümlichen Waffe benannten, sowie durch das zahlreiche Vorkommen beider Namenstheile in alten PN.; er beseitigt die Bedenken, dass -*man* mit einfachem *n* geschrieben, dass *ger* nicht lang, die zweite Silbe nicht kurz ist u. dass das Wort *ger* zu jener Zeit nicht *ger,* sondern *gais* gelautet habe. Sicher wird man dieser Studie, auch ohne, wie 1883 Adalb. Rudolf (Herrig's Arch. 70, 230), in ihr 'die endgiltig sichern Beweise' zu finden, die Beachtung nicht versagen können. Sonst dachte man früher auch an 'Ostleute', an 'Volksgenosse' (Meyer's CLex. 7, 671), v. *irmin* = Volk (Götzinger) od., wie früher Grimm, an 'Verehrer des Irmin', mit Gutmann an 'Kriegsmänner', frz. *guerre,* aus ahd. *werra* od. v. *wari, weri* = Wehre, mit Goldast an 'Heermannen', d. h. freie, heerfähige Männer. Die Ableitungen aus dem Lat. hat Grimm (DGramm. 3. Aufl. 10) zsgestellt. Alles drängte zu einer Herleitg. aus dem Kelt. Da erinnerte 1845 H. Leo (Haupts ZfDA. 5, 514) an gal. *goir, gair* = schreien, *gaire* = Geschrei, *gairm* = Schlachtruf, *gairmean* = Schreiender, Rufer u. s. f., u. diese Ableitg. war nun auch diej. Grimms. Die beiden Sprachforscher 'bringen das Wort geschickt u. ungezwungen in Zshang mit Wörtern, welche heute noch in den kelt. Zungen fortleben'. Zeuss (Gramm. Celt. 735) sieht in *G.* die Bedeutg. 'Nachbarn'; er stellt das Wort zu cambr. *ger* = vicinus, altir. *gair,* gael. *an gar* = bei, *gair* = vicinia mit der Endung *mn,*

man, die auch sonst im Kelt. vorkommt. Diese Erklärg. hält Förstem. (Altd. NB. 633 f.) f. 'die bisher besste'. Im übrigen ist noch beizufügen, dass Herm. Middendorf (Coesf. Progr. 1847 u. Oldenb. Progr. 1850) -*manus* = Mann deutete, unmittelbar als den göttlichen *Mannus,* den Sohn des erdgebornen Tuisco, sowie dass er nach den 'alten Nationalgesängen', deren Tacitus erwähnt, die Wahrscheinlichk. ableitet, dass der Nationalname zu jener Zeit schon mehrere Jahrhh. alt gewesen sein möge, 'seine Entstehg. also in eine Zeit zu setzen ist, auf welche das 'nuper' durchaus keine Anwendg. mehr finden kann'. Ueber *G.* haben seither gehandelt : Ferd. Hitzig (Monatsschr. wiss. VZür. 1, 142 ff.) u. K. Ludw. Roth (Germ. 1, 156 ff.), beide 1856, C. A. F. Mahn (Urspr. u. Bedeut. d. N. Germ., Berl. 1864), f. kelt. Herkunft, Ad. Holtzmann (Germ. 9, 1 ff., ebf. 1864), f. lat. Ableitg., 1865 G. Bornhack (Nordh. Progr. 1865), 1872 K. Müllenhoff (Berl. MonatsB. 3. 472), 1874 Jos. Bender (DSprachw. 6 No. 15), S. Keat (Notes and Quer. 10 f.), u. jüngst 1885/87, sind noch zwei neue Versuche gemacht worden. Paul Walther (Germ. 30, 306 ff.) meint, *germanus,* im röm. Sinne, als 'v. reiner, echter Herkunft', sei den Deutschen aus Furcht, als ehrende, schmeichelhafte Bezeichng., beigelegt worden. Unter Bezugnahme auf Tacitus u. Mela, welche das alte Germanien als ein rauhes, unwegsames, mit Wäldern u. Sümpfen bedecktes Land schildern, verweist J. Basanävitius (Corr. Bl. GfAnthrop. 18, 51 f.) auf lit. *germe* = dichter Wald, also dass *G.* = Waldbewohner. Für die Berechtig. dieser Etym. lassen sich lit. Namen f. Dörfer u. Flüsse anführen, welche sich noch heute in dicht bewäldeten Gegenden befinden, wie *Germenai* = Waldbewohner, *Germona* = Waldbach. Wenn aber auch *Germanoi,* eine Secte ind. Philosophen, die in Wäldern v. Blättern u. wilden Früchten leben, v. Verfasser herbeigezogen werden, so ist zu erinnern, dass Γερμανοι nur unrichtige Lesart f. Σαρμανοι = skr. Çramana ist. Die Bedeutg. 'Wäldner, Bewohner eines Waldlandes', aber aus kelt. Munde, aus dem allein die Römer ihn aufkommen haben können, hält auch H. Kiepert (Lehrb. AG. 525) f. die wahrscheinlichste. — In neuerer Zeit, bes. seit Adelung, wurde es Uebung, eine der 3 grossen Völkerfamilien Europa's mit dem Worte *G.* zuzufassen; f. diesen Zweck tauchte auch der Vorschlag *teutonisch* u. *deutsch* auf, u. die skand. Gelehrten bevorzugten die Bezeichng. *gothisch.* Einer unserer Sprachmeister hat, in einem Vortrage v. 11. März 1826, diese 3 Vorschläge geprüft u. zkgewiesen; er hat gezeigt, dass die Bezeichng. *germanisch,* allen stammverwandten Völkern u. keinem v. ihnen besonders angehörig, am meisten geeignet sei, dem angedeuteten Zwecke zu dienen (Sitzgsber. K. Bayr. Acad. d. Wiss. 1828, 719 ff.). — *Oceanus Germanicus* s. Nordsee. — *Germania Berg,* in Ost.-Grönl., v. der 2. deutschen Nordpolexp. 1869/70 nach ihrem Fahrzeuge getauft (Peterm., GMitth. 17, 189. 219), dem Dampfer, den A. Rosenthal mit Heuglin 1871 in's Eis-

meer sandte (ib. 18, 21). — *Cap Germania*, ein
gg. 400 m h. Vorsprg. v. Franz Joseph's Ld.,
81⁰57′ NBr., v. der 2. öst.-ung. Nordpolexp. Weyprecht-Payer am 11. Apr. 1874 nach dem deutschen Vorgänger getauft (Peterm., GMitth. 20,
442 T. 23; 22, 204). — *New Germany* s. Deutsch.
— *German Creek*, ein Zufluss des Red River
of the North, so benannt nach den Deutschen
des v. Lord Selkirk 1817 hergeführten Regiments
De Meuron (Ch. Bell, Canad. NWest 5), auch
Seine River, offb. eine Erinnerg. an die Zeit der
frz. Canadier.

Germano, San s. Monte.

Germasir, auch *Germesir*, in Sprachen, die *ge*
als Zischlaut behandeln, *ghe...* od. *gue...*, ein
Küstenstrich des Perser Golfs, mit äusserst ex-
cessivem Klima, tagsüber eine Höllenglut, des
Nachts, bes. vor Sonnenaufgang, eine scharfe Kälte,
v. Fiebern heimgesucht, durch das schlechte
Wasser ungesund, bedeutet 'Wärmeland' (Polak,
Pers. 2, 366, Schläfli, Or. 151), 'warmer Strich,
warme Zone' (Brugsch, Pers. 2, 169) ... sie vocant terras immodice calidas (Kämpfer, Am. ex.
717) ... G., ainsi que *guerm*, dont il dérive,
signifie chaud (Pauthier, MPolo 1, 60). Nach
Brugsch (ib. 179. 213. 218. 243) beginnt G., zs.
mit der Fieberregion, schon bei Schiras u. dehnt
sich bis z. Meer mit zunehmender Intensität aus.
Ein zweiter Name ist *Deschtistan* = Wüsten-
land: in dem aus Sand u. grünem Thon bestehenden heissen Küstensaum verdorrt alles, sofern — was oft genug stattfindet — die period.
Regengüsse ausbleiben. Ueberall nackter Sand,
ohne Grün, die (Lehm-)häuser kaum v. Erdboden
zu unterscheiden: nur hier u. da sieht man spärl.
Palmenhaine .... Die Hitze des Sommers ist
furchtb.; wer es nur irgend vermag, flüchtet sich
in die Palmgegenden od. in die noch höhern
Berge (Spiegel, Eran.A. 1, 87. 89).

Germe s. Kremna.

Gernrode, Ort in Anhalt, als Frauenabtei um
960 ggr. v. Markgrafen Gero v. Osterland, dessen
Grabmal in der Stiftskirche sich befindet, demselben Fürsten, welcher die Slawen unablässig
bekämpfte u. der eig. Begründer deutscher Herrschaft jenseits der Elbe wurde, † 965 (Meyer's
CLex. 7, 680).

Gerra, ant. *Carrhae* (Plin., Hist. nat. 5, 86), arab.
Ger'a = Ort, wo nichts wächst, alter Uferort
des Perser-Golfs, mit Markt an einem Sandhügel
al-Ger'a, wo die Beduinen ihre Tauschgeschäfte
machten (Sprenger, AG.Arab. 135).

Geschinen s. Göschenen.

Gesellschafts In. s. Society.

Gesenke s. Jesenik.

Geser hebr. יִיַ = abgeschnittenes Stück v.
Opferthieren, dann abgeschnittener, d. h. hoher,
abschüssiger Ort, eine Levitenstadt an der West-
grenze des Stammes Ephraim, v. Kananitern bewohnt, gr. Γάζηρα (1. Makk. 7, 45, Gesen., Hebr.
Lex.).

Geserich s. Jezero.

Gesseln s. Jesenik.

Gessenay s. Saane.

Gestraz s. Gaster.

Getâr od. *getâra*, auch mit *tt*, in frz. u. engl.
Orth. *gue...*, ein Brunnen, der nur v. Durchsickern gespeist wird, in arab. ON. *a) el-G.*, Ort
in Tunis, *b) el-Gettâra*, in der Sahara, *c) 'Aïn
el-Gettâra*, im südl. Algerien (Parmentier, Vocab.
arabe 26).

Gethsemane, gr. *Γεϑσημάνη* = Oelkelter, ein
im Thal Josaphat gelegener Oelbaumgarten (u.
Kelter), welchen der aus Jerusalem nach dem
Oelberg führende Weg kreuzt (Gesen., Hebr. Lex.).

Gétroz, Glacier de, ein Eisstrom des Val de
Bagnes, Wallis, als bösartig berüchtigt, weil
er beim Vorrücken seine Eismassen in die Drance
abladet u. durch Aufstauen des Wassers schon
grausige Verheerungen angerichtet hat, benannt
nach der Häusergruppe G. Im Dial. ist *gétroz*,
eig. *giétroz*, entspr. dem frz. *les gites* = Nachtlager, Ställe (RRitz, OB. Ering. 373), der appella-
tive plur., mit dem man die Gesammtheit der
Hütten einer Alp, der Sennhütten u. Viehställe
bezeichnet (Fröbel, Penn.A. 50).

Geuse s. Menniste.

Gévaudan, Gauname im südl. Frankr., lat. *Ga-
balitanus Pagus*, nach der kelt. Stamme der
Gabaler (Meyer's CLex. 7, 767).

Gewild s. Wild.

Gewürz In. s. Molukken.

Ghaba = Wald, in der Verbindgsform *ghabet*,
plur. *ghijeb*, hier u. da in arab. ON. wie *el G.*,
Ort in Syrien u. *Blad-G.* = Dattelwald, f. eine
Gruppe v. 7 ksur der Route v. Tuat, da in Al-
gerien das Wort auch f. einen Palmhain, eine
Oase od. gar einen Dattelgarten gebraucht wird
(Parmentier, Vocab. arabe 24).

Ghannami, Bir el- = Schafbrunnen, arab. Name
eines Süsswasserbrunnens im Bette des Igharghar,
Sahara (GGen. 1875 bull. 48).

Gharamandala = Bezirk der
Vesten, sanskr. ON. des ind. Nerbuddathals, auch
abgk. *Mandala*. Hier beginnt das grosse Thal;
dasselbe ist überall v. vielen steilen Kuppen um-
geben, die natürl. Vesten bilden u. das Land z.
Heimat räuberischer, schwer gebändigter Stämme
gemacht haben (Lassen, Ind. A. 1, 113). Spr. u. F.
(NBeitr. 8, 57), wo auch die engl. Orth. *Gurry
Mundella* gegeben ist, wollte die Eigennamen
zweier dieser Vesten des 'gebirgigen, wüsten
Landes' in dem Namen erkennen, *Ghora* u.
Mandel (*Mandala*), dessen letzter 'Sitz des
Rajah' sei.

Gharb, el- = der Westen, auch *ghorb*, adj.
gharbi, ghorbi, in arab. ON. häufig, bes. *a) Algarve*, die Südprov. Portugals (Richardson, Trav.
2, 70, ZfAErdk. 3, 272), ozw. v. j. Cap St. Vincent (s. d.) erst auf die anliegende Gegend übertragen. Denn diese äusserste Landspitze der arab.
Welt nach Westen hiess nun *Tarf al-Gharb* =
Westspitze (s. Trafalgar), bei Artero (Atl. hist.
geogr., Gran. 1879) schon 711—967 in Carte X ff.,
u. der Landesname *Algarbe*, beginnt erst in Carte
XIII. 967—1072; *b) el-G.* heisst kurzweg die

ganze Berberei, v. Standpunkt der arab. Einwanderg., die v. Aegypten üb. den ganzen Nordrand Africa's fortging, spec. in Algier das westl. Nachbarland, *Marocco*, allein; die gewöhnlichere Form ist aber *Maghreb, Moghreb*, eig. *Blad el-Maghreb* = West- od. Abendland (s. Marocco), mit der Theilg. *a) Maghreb el-Adna* = der nächste Westen, auch *Afriqya*, umfassend Tripoli u. Tunis; *β) Maghreb el-Ust* = der mittlere Westen, d. i. Algerien, *γ) Maghreb el-Aqsa* = der äusserste oder entfernteste Westen, d. i. *Marocco* (Parmentier, Vocab. arabe 10. 24. 33). — *Dschebel el-Gharbi* s. Libanon. — *Schott el-Gharbi* s. Schott. — *Wâd el-Gharbi* = westliches Flussthal, in der Sahara (Parm., VA. 24). — *Maghribi* = die westl. Stadt, 2 mal ON. in Sindh (Schlagw., Gloss. 217).

Ghat, Gebirgsname in Indien, einh. *Syadree* (Grundmann, Miss. Atl. 2, 12), eig. *ghatta*, f. die Stellen, wo man v. höhern Ufer z. Wasserrande herabsteigt, an besuchten Badeplätzen oft künstl. gemachte Treppen (Lassen, Ind. A. 1, 180), also kurz 'Treppe' (Meyer's CLex. 7, 802) od. 'Landungsort' (Spr. u. F., NBeitr. 8, 42) in diesem Sinne übtragen auf die Ränder, den westl. u. den östl., mit welchen das Dekhan z. Meeresküste niedersteigt (Hamilt., Descr. 2, 248, Schlagw., Gloss. 194). Irrthüml. (Humb., As. Centr. 1, 144) nahmen die Port. *G.* f. *gate* = Bergkette, ...'huma corda de montes, a que os naturaes per nome comum, por o não terem proprio, chamão *Gate*, que quer dizer serra' (Barros, As. 1, 4, 7). — *Bálaghat* = ob dem G., resp. dem Gebirge, s. v. a. Oberland, hind. Name des Hochlandes, welches sich den Ost-Ghats entlang zieht, im Ggsatz zu *Pájingghat* = Unterland, am Fusse des Gebirgs in Karnatik (Schlagw., Gloss. 173. 233, Lassen, Ind. A. 1, 183, beide gg. Spr. u. F., Beitr. 4, 225; 8, 47, wo *B.* = grosses Gebirge, f. die *West-Ghats*, *P.* = kleines Gebirge, f. die *Ost-Ghats*, angenommen ist).

Ghazal od. *ghasal*, auch *ghazêla*, *ghezala* = Gazelle, plur. *ghozlân*, *ghözlân*, arab. Wort oft in african. ON., am bekanntesten *Bahr el-G.* = Gazellenfluss, ein grosser Zufluss des Weissen Nils, nach dem zahlr. Wild seiner Uferländer — nicht etwa = *Moje el-G.*, der 'sinnvollen' Bezeichng. der Fata morgana (Peterm., GMitth. 7, 130); man sagt 'Gazellenfluss', wie man den *Bahr el-Seraf* = Girafenfluss zu nennen pflegt (ZfAErdk. 1870, 98). — *'Aïn-G.* = Gazellenquelle, bei Parmentier (Vocab. arabe 25) *'Aïn el-Ghazél*, eine klare aber etwas salzige Quelle der libyschen Küste, unmittelb. östl. v. der Kyrenaika — 'ein bedeutungsvoller Name: die in der phantasiereichen Ausdrucksweise der Araber als Gazellenauge dargestellte schöne Quelle. Und lieblich sprudelt sie hervor, wenn auch ihr Wasser dem Menschen, wenigstens dem Fremdlinge, nicht so angenehm ist. Für das Kamel aber ist kein Wasser zuträglicher als dieses; denn Kamel u. Palme, diese beiden Träger u. Vermittler der arabisch-nomad. Cultur, lieben die salzhaltige Feuchtigk. u. gedeihen vortreffl. dabei' (Barth, Wand. 510). — *Bir bu-Ghazêla* = Gazellenbrunnen, mit *bu*, welches in ON. s. v. a. 'Ort mit ...', auf der Route v. Ghadames (Parmentier, Voc. ar. 17. 25). — *Sur-Ghozlân* s. Aumale. — Mit einem zweiten Wort *'Aïn Taby* = Quelle der Gazelle, ein Complex v. Brunnen bei Merdschan, Hauran (Burckh., Reise 1, 209).

Ghazawât, Derb el = Strasse der Raubzüge, 'jene berüchtigte nur 30 km br. Gasse zw. den Seen v. Damask einerseits u. einem üb. 120 km gg. ebenen fortlaufenden unwegsamen, mit Vulcanen übersäeten Lavaplateau anderseits — eine Passage, fast keinen Tag frei v. Raubzügen, welche hier v. Nord-Syrien nach dem Süden u. umgekehrt stattfinden (Wetzstein, Haur. 3). — *Dschema Rhasuat* s. Nemours.

Ghazi s. Ismael.

Gherritz s. Enderby.

Ghiaccio s. Gela.

Ghiara s. Glarus.

Ghibt s. Aegypten.

Ghilân Noor = weisser See, mong. Name eines See's südl. v. Kjachta (Timkowski, Mong. 1, 12).

Ghor, el = die Ebene (Velde, Reise 2, 247) od. = Unterland, im Vergleich z. Gebirgsplateau od. Oberland (Scetzen, Reise 2, 259) heisst bei den Arabern das Jordanthal v. See Gennesareth bis z. Südende des Todten Meeres. — Im dim. *el-Ghureir*, 2 mal f. tiefere Thalgründe: *a)* die v. Bergen amphitheatralisch eingerahmte, anmuthige, einst in Palmen, Weintrauben, Feigen-, Nuss- u. Olivenbäumen fruchtb., j. noch reich bewässerte Uferebene v. Khan Minieh, am Westufer des See's v. Gennesareth; *b)* das Wady, welches die Nordhälfte Edoms, Dschebal, v. der südl. Schera trennt (Burckh., Reis. 2, 686).

Ghozlân s. Aumale.

Ghur, Puscht-i- = Bergrücken, einer der höchsten Berge des Hindu Khu, an welchem der Oxus, der Jarkiang u. der z. Kabulstrom fliessende Kameh, Khonar, ihre Quellen haben (Spiegel, Eran. A. 1, 10). Eine Bergldsch. *Puscht-i-Khu*, was ebf. = Bergrücken, ist auf dem linken Ufer des Flusses Saféd-rud (ib. 76). — *G.* s. Paropanisus.

Ghuta, el = der bewässerte mit Bäumen bepflanzte Grund, Name der durch ihre Bewässerg. u. ihren Anbau berühmten Umgebung v. Damascus (Burckh., Reis. 1, 540).

Ghuweir s. Ghor.

Giacomo, Valle di San = St. Jacobsthal heisst das v. Chiavenna gg. den Splügen ansteigende Alpenthal; *San G.*, 'j. ein unbedeutender Ort, ehedem ein blühendes Dorf, welches dem ganzen Thale den Namen gab' (Leonhardi, Veltl. 193).

Gjaever, Cap, an der Südküste des spitzb. Nordost.Ld., cartographirt durch die Fahrt Smyth-Ulve 1871 u., wie eine Reihe anderer Objecte, mit einem um die Wissenschaft verdienten Namen belegt. Ebenso *Klerk I.*, *Kervel I.* u. *Krohn I.*, alle drei um Cap Mohn gelegen (PM. 18, 106 T. 6).

Gjagár = die weisse Ebene, tibet. Name einer sandigen Ebene am linken Ufer des Indus, in der

Nähe des Klosters Hímis, v. *gja* = Ausdehnung, *gar, khar* = weiss. Dasselbe Wort bildet in der tibet. Literatur auch den Namen f. Indien, wie *Gjanág* = schwarzes Land f. China, in beiden Fällen v. der vorherrschenden Kleiderfarbe der Bevölkerg. entlehnt (Schlagw., Gloss. 197). Vide 'Schwarzbubenland'.

Giant = Riese, einer der gewaltigsten Geyser des Fire Hole, Upper Basin, v. der Exp. des US.Geologen F. V. Hayden im Aug. 1871 so benannt. Ein $1^1/_2$ m dicker Thermalstrahl wird, auf die Dauer v. 2—3^h, bis zu einer Höhe v. 40 m emporgeschleudert. Sein Krater, 3 m h., unten 2_4 m, oben $1^1/_2$ m weit, gleicht einem zerbrochenen Kuhhorn (Hayden, Prel. Rep. 122. 186) u. heisst in Ludlow (Carr. 28) geradezu *the Broken Horn* ... 'a well-chosen and descriptive name, and worthy of being retained. The crater is a steeply conical mound of geyserite, 12 or 15 feet in height, tapering toward the summit, and having the west side broken down or rather partly unconstructed'. — Ein zweiter Springquell ist die *Giantess* = Riesin. 'Our search for new wonders leading us across the Fire Hole R., we ascended a gentle incrusted slope, and came suddenly upon a large oval aperture with scalloped edges the diameter of which were 18 and 25 feet, the sides corrugated and covered with a greyish-white siliceous deposit, which was distinctly visible at the depth of 100 feet below the surface. No water could be discovered, but we could distinctly hear it gurgling and boiling at a great distance below. Suddenly it began to rise, boiling and spluttering, and sending out huge masses of steam, causing a general stampede of our company, driving us some distance from our point of observation. When within about 40 feet of the surface, it became stationary, and we returned to look down upon it. It was foaming and surging at a terrible rate, occasionally emitting small jets of hot water nearly to the mouth of the orifice. All at once it seemed seized with a fearful spasm, and rose with incredible rapidity, hardly affording us time to flee to a save distance, when it burst from the orifice with terrific momentum, rising in a column the full size of its immense aperture to the height of 60 feet; and through and out of the apex of this vast aqueous mass, five or six lesser jets or round columns of water, varying in size from 6 to 15 inches in diameter, were projected to the marvelous height of 250 feet .... This grand eruption continued for twenty minutes, and was the most magnificent sight we ever witnessed. We were standing on the side of the geyser nearest the sun, the gleams of which filled the sparkling column of water and spray with myriads of rainbows, whose arches were constantly changing — dipping and fluttering hither and thither, and disappearing only to be succeeded by others, again and again, amid the aqueous column, while the minute globules into which the spent jets were diffused when falling sparkled like a shower of diamonds, and around

E g l i , Nomina.

every shadow which the denser clouds of vapor, interrupting the sun's rays, cast upon the column, could be seen a luminous circle radiant with all the colors of the prism, and resembling the hallo of glory represented in paintings as encircling the head of Divinity. All that we had previously witnessed seemed tame in comparison with the perfect grandeur and beauty of this display. Two of these wonderful eruptions occurred during the twenty-two houres we remained in the valley' (Hayden, Pr. R. 122 f.). — *G.'s Caldron* = des Riesen Kochkessel, eine merkw. Schlammquelle des Nationalparks, nach dem beständigen Brüllen u. dem Zittern des Grundes, mit 12 m weiten u. 9 m t. Grunde. 'It does not boil with an impulse like most of the mud-springs, but with a constant roar which shakes the ground for a considerable distance, and may be heard for half a mile. A dense column of steam is ever rising, filling the crater, but now and then a passing breeze will remove it for a moment, revealing one of the most terrific sights one could well imagine. The contents are composed of thin mud in a continual state of the most violent agitation, like an immense caldron of mush submitted to a constant, uniform, but most intense heat. That it must have had its spasms of ejection, is plain from the mud on the trees for a radius of .a hundred feet or more in every direction from the crater, and it would seem that the mud might have been thrown up to the height of **75** or 100 feet. This ejection of the mud must **have** occurred within a year or two from the fact **that** small pines near the crater are still green, though covered with mud ...' (ib. 93). — *G.'s Face* = Gesicht des Riesen, einer der Namen, mit welchen die nordamerican. Exp. F. V. Hayden (1871) einzelne der den Yellowstone Lake umkränzenden Berggipfel benannten, als sie die ganze Gebirgswelt v. Mount Washburn aus überblickte u. v. der Aehnlichkeit, welche 2 mit dem menschl. Profil hatten, einmüthig betroffen war. 'These are all of volcanic origin, and the fantastic shapes which many of them have assumed under the hand of time, called forth a variety of names from my party. There were two of them, that represented the human profile so well that we called them the *GF.* and *Old Man of the Mountain*' = den Alten vom Berge (ib. 80). — *G.'s Causeway* = Riesendamm, eine eigenth. Basaltbaute an der Nordostküste Irlands. Dem Meere entlang zieht ein 30—50 m br., hochaufgebauter Streifen, eine Art ungeheuren Quais, wunderliche Formen nachahmend, wie *Honeycomb, Organ* u. *Loom* (s. Organos). Die Säulen gliedern sich in fusshohe u. fussdicke, centnerschwere Gelenkstücke u. bilden eine so kunstgerecht u. regelmässig gefügte grossartige Ufermauer, dass diese wie ein Fremdling an der felsarmen Niederungsinsel erscheint u. v. Volksglauben als das Werk vorzeitlicher Riesen betrachtet wird (s. Fingal). Der ir. Name des Riesendamms war näml. *Clochanna bhFomharaigh* = Fussstapfen der Fomorians,

u. diese Seeräuber wurden in der Volkslegende zu Riesen vergrössert (Joyce, Orig. Ir. NPl. 1, 163). — *G.'s Gate* s. Dalle. — *G.'s Thumb* s. Liberty. — *G.'s Tomb* = Riesengrab, ein sargähnl. Berggipfel v. Auckland I., v. dem schiffbrüchigen Capt. Musgrave 1864 so benannt (Peterm., GMitth. 12, 108).

Glaurköi = Dorf der Christen, eig. der Ungläubigen (s. Kafern), in Kl. Asien häufig f. die ausschliessl. od. überwiegend v. Christen bewohnten Oerter (Hamilton, Kl. As. 498): *a)* südl. v. alten Cicycus (Tschihatscheff, Reis. 5); *b)* in der Ebene des untern Mäander (ib. 23); *c)* südwestl. v. Abullonia See (ib. 24). S. Tschorak.

Gibbon's his Hole, eine Einfahrt, *hole* = Loch, an der Nordostküste Labrador's, viell. id. mit Nain. 'Kühn, mit tausend Hoffnungen' war der v. seinem Vetter Thom. Button empfohlene engl. Nordwestf., Capt. *G.*, 1614 nach der Hudson Str. abgesegelt; aber das Eis trieb ihn in die Bay, hielt ihn hier 20 Wochen fest, u. mit Noth entkam er nach Hause. Es sind seine Gefährten, die der Bucht den spöttischen Namen gaben (Rundall, Voy. NW. 95, Forster, Nordf. 401).

Gibea s. Geba.

Giblsnüt = gib uns nichts, die den Volkswitz entsprungene dial. Bezeichng. einer öden u. unfruchtb. Gegend, 2 Höfe im C. Zürich. Der **Ggsatz** ist *Schmalzgrub*, *Süssenblätz* u. *Feissi*, ähnl. *Angst* u. *Noth*, ein Hof der Gem. Bubikon, die Höfe *Rumpump* u. *Schlampamp* (Mitth. Zürch. AG. 6, 165. 70). — Eine slaw. Parallele ist der masur. ON. *Glodowen*, v. poln. *glod* = Hunger, eine Andeutg. des geringen Bodenertrags, etwa 'Hungerort' (Krosta, Mas. Stud. 11).

Gibraltar, zunächst die Berghalbinsel, arab. Dschebel (= Berg) al Tarik (Ibn Ziad), jenes arab. Feldherrn, welcher, nachdem im Vorjahre ein Streifzug v. 400 M. stattgefunden, begleitet v. dem abtrünnigen Julian, Statthalter des westgoth. Königs Roderich, mit 7000 Moslemin, meist Berbern, 711 hier Europa betrat (Dozy, Maur. Span. 1, 267, Edrisi, ed. Jaub. 2, 17): 'nom qui fut donné à cette montagne, parce que Tarek, fils d'Abdallah le Zenaty, lorsqu'il eut passé (le détroit) avec ses Berbers, s'y fortifia'. Der Berg, sagt Ibn Batûtah (ed. Defrémery u. Sanguinetti 4, 354 f.), 'ist die Festung des Islams, u. sie ist hingestellt durch die Kehle der Götzenanbeter, um diese zu ersticken . . . sie ist der Waffenplatz f. den heil. Krieg u. die Residenz der Löwen der Armen . . . Die grosse Eroberg. Spaniens hatte ihren Anfang an diesem Platze, als Thârik . . . landete, um in das Land einzufallen. Der Berg nahm in Folge dessen den Namen dieses Kriegers an; er wird aber auch *Dschebel ul-Fath* = Siegesberg genannt, weil die Eroberg. hier begann' (Fr. Bürkli 28. Oct. 1891). Im Alterthum hiess der Fels *Κάλπη*, *Calpe*, eine der beiden *Ἡράκλειαι* od. *Ἡρακλεῖαι* od. *Ἡρακλέους στῆλαι*, *Columnae Herculis* = Säulen des Hercules, wo der Sage zuf. der Heros (s. Herakles) am Westende seiner Fahrten die Europa u. Africa ver-

bindenden Felsen zerrissen u. so die Verbindg. des innern Meeres mit dem äussern bewerkstelligt hat (Plin., HNat. 3, 4). Der mod. Name *G.* ist auch auf die am Westfusse des Berges liegende Stadt (wie schon der alte auf den Ort Calpe), sowie auf die *Bay* u. *Strasse v. G.* übertragen. Die einh. Bevölkerg. engl. Abkunft nennt die Felshalbinsel schlechweg *the Rock* = den Felsen u. sich selbst mit einer gewissen Vorliebe *the Rock People* = Felsleute (Wüllerstorf, Nov. 1, 38). Die eben erwähnte Seegasse, gr. *Πύλαι Γαδειρίδες*, lat. *Fretum Gaditanum* (s. Gader), bei den Normannen des Mittelalters *Njörva Sund* = enger Sund (Säve, Knytl. S. 1), bei den Arabern *Bab el-Asuâq* = Thor der Märkte (Parmentier, Vocab. arabe 12. 46), heisst j. bei den engl. Seeleuten *the Gut* = der Darm — in unästhet. Auffassg. des starken, zeitw. massenhaft passirenden Schiffsverkehrs. Wenn der Ostwind ausbleibt, so wird es den Segelschiffen unmöglich, nach Westen zu laufen; dann sammeln sich, bisw. zu wochenlangem Warten gezwungen, viele, bis in die Hunderte v. Schiffen aller Nationen in der Bay, um mit dem ersten günstigen Ostwind in einem grossen Flottenzuge die Strasse zu passiren. 'A noble sight presented itself — a fleet of some hundred merchantmen, all smacking about before the rising wind, crowding every sail, lest it should change ere she got clear of the obstructive straits. Many weeks had she been detained by the westerly gales . . ' (Richardson, Trav. 1, 82). — Ein american. *G.*, eine Stromenge mitten im Black Cañon des Rio Colorado, ist v. den Explorern so getauft worden nach dem auffallenden zackigen Felsberg des westl. Ufers (Wheeler, Geogr. Rep. 158).

Gibson's Creek, ein lkseitg. Zufluss des Missuri, obh. Yellowstone R., v. den Captt. Lewis u. Cl. (Trav. 158) am 14. Mai 1805, u. *G.'s River*, ein rseitg. Zufluss des Yellowstone R. (ib. 632) am 31. Juli 1806, wohl nach einem Gefährten getauft; *c)* ebenso *G.'s Cove*, in Repulse B., v. der Exp. Parry (Sec. V. 85) im Aug. 1821; *d)* *G.'s Point*, in Hurry's It., Grönl., v. Walfgr. Will. Scoresby jun. (North. WF. 198) am 27. Juli 1822.

Gicquel s. Riche.

Giesecké, Cape, an der Ostküste Grönlds., der lkseitg. Eckpfeiler v. Mackenzie's Inlet, v. engl. Walfgr. Will. Scoresby jun. (North. WF. 116) am 18. Juni 1822 entdeckt u. getauft nach Sir Charles *G.*, Prof. in Dublin, der, durch einen mehrjähr. Aufenthalt in Grönl. wie durch seine naturhistor. Arbeiten berühmt, an der unbekannten Ostküste bis 62° NBr. vorgedrungen u. damals die erste Autorität des Gebietes war (Peterm., GMitth. 14, 218). Die beiden Namen Scoresby u. *G.* hängen auf eigenth. Art zs. Letzterer fand, zuf. seiner MS.-Carte, hinter der westgrönl. Disco I., unter ca. 70° NBr., eine weite verzweigte Einfahrt, wie an der Ostküste, zieml. unter demselben Parallel, Scoresby S. (s. d.) tief in das Land einschneidet, u. es liegt die Vermuthg. nahe, dass beide Einfahrten in einen u. denselben grossen Durchgang münden, d. h. also eine Verbindg. beider Küsten andeuten. So schreibt auch die Carte in das Innere: 'Supposed Communication between Jacob's Bight u. Scoresby's od. Davy's Sd.' (Scoresby, North. WF. 326 ff. Carte).

Giessen, in Ober-Hessen, 1197 bure *zë din giezzen,* dann in zahlr. Varianten, 1214 *giezen,* 1245 *Gyzzin,* 1255 *Gieyzin* ..., v. ahd. *zi dên giezôn* = bei den Flüssen, ad fluenta, ad amnes, weil hier die Wieseck in die Lahn mündet, so genannt mit ahd. *der giozo,* mhd. *gieze* = Fluss, Flüsschen (Grimm, Gramm. 3, 420 ff., Arch. hess. Gesch. 7, 252, Jahresber. oberh. VLGesch. 5, 35 ff., Cassel, Märk. Fl. u. ON. 38). Dabei wird die Burg in den Confluenzwinkel v. Lahn u. Wieseck versetzt u. der alte Lauf der letztern mitten durch den heutigen Umfang der Stadt gezogen. — *Giessbach,* Appellativ f. Bergbäche, welche mit einem Sturz in ein erweitertes Becken hinabspringen, Eigenname eines v. Faulhorn herabhüpfenden, hübsch v. Fels, Wald u. Mattengrün eingerahmten Baches, welcher sich zwölfstufig in den Brienzer See hinunterstürzt.

Gifford, Cape, ein kühnes Cap an der Ostseite des arkt. Cunningham It. (s. d.), v. Parry (NWPass. 54 f.) am 23. Aug. 1819 entdeckt u. auf den Wunsch seines Gefährten, des Lieut. Henry Parkyns Hoppner, Schiff Griper, getauft nach dessen Freunde 'out of respect to his friend, Mr. G., a gentleman well known and highly respected ... in the literary world'; *b)* auf der zweiten Reise ebenso *G. River,* bei Fury u. Hekla Str., im Juli 1823 (Sec. V. 463); *c)* v. Capt. Franklin (Sec. Exp. 29, Carte) *Mount G.,* an der Mündg. des Mackenzie R., am 12. Aug. 1825.

Giftthal, einh. *Pakaraman,* auch *Gua Upas* (s. Upas), heisst eine der javan. 'Stickgrotten', ein trichterförmiger Einsturz, nach Junghuhn's einfachem Ausdrucke ein 'Loch', dessen Boden (unathembare) Kohlensäure zuw. aushaucht, im Gebirge Dieng v. Batur. Der Einsturz befindet sich an einem Bergabhang u. hat auf seinem 15 m br. Grunde ein kahles 3 m Durchm. haltendes, v. Rissen durchzogenes, gasströmendes Centralfleckchen, während sonst Grund u. Abhänge buschwaldig sind. In ihm findet man Skelette v. Wildschweinen, Hirschen, Tigern, Vögeln etc., welche in der Kohlensäure erstickt sind, selbst menschliche Leichen. Die vulgäre Ansicht schreibt diese Wirkungen einem Gifte zu. Unverfänglicher ist der andere abendl. Name des Trichters: *Todtenthal* (Junghuhn, Java 2, 201).

Gigante = Riese, span., port. u. ital. Wort wie frz. *géant,* engl. *giant* (s. dd.), v. lat. *gigas,* plur. *gigantes,* adj. *giganteus,* gr. *γίγας,* mehrf. in mod. ON. als *Campo de Gigantes* = Feld der Riesen, eine Fläche bei Bogotà, wo fast 2700 m üb. M. 'die Gebeine elefantenartiger Mastodonten vergraben liegen' (Humb., ANat. 2, 377) u. *Isla de los Gigantes* (s. Curaçao). — *el Cerro de la Gigantéa* = Gebirge der Sonnenblume, in der Halbinsel Calif. (Peterm., GMitth. 14 T. 14), nicht wie DMofr. (Or. 1, 220) wollte, *el Cerro de la*

Giganta = Gebirge der Riesin. — *Torre dai Giganti* = Riesenthurm, die Ruinen eines phön. Sonnentempels in Malta (Nilsson, Sk. Ur.-inv. 4, 154). — *Gigantum Chorea* s. Stonehenge.

Gihon, hebr. גיחון [gichon] = hervorbrechendes Wasser, Quelle, Strom: *a)* eine Quelle westl. v. Jerusalem (2. Chron. 32, 30), deren Wasser v. Hiskia in die Stadt geleitet wurde; *b)* einer der vier Ströme des Paradieses (1. Mos. 2, 13). Vgl. Amu. Das Stammwort *Giach,* hebr. גיח in gl. Bedeutg., findet sich in einem Orte bei Gibeon (2. Sam. 2, 24, Gesen., Hebr. Lex.).

Gilân = Schlamm- od. Dreckland, v. pers. *gil* = Schlamm, mit Wasser vermischte Erde, f. die sumpfige Uferebene um Rescht, welche mit Wäldern grossenth. bedeckt ist u. weite Reissümpfe enthält. So heisst auch ein Dorf bei Sultanabad *Gili, Gilli* = Dreck, d. i. das aus Koth erbaute (Brugsch, Pers. 2, 16, Meyer's CLex. 7, 824).

Gilbert, engl. Familiennamen, mehrf. in ON. verwendet, zuerst f. den grönl. *G.'s Sound,* wo der Polarf. John Davis v. 29. Juli—1. Aug. 1585 verweilte (Rundall, Voy. NW. 38, Forster, Nordf. 346, Kotzebue, EntdR. 1, 33), v. ihm benannt z. Gedächtnisse eines um Entdeckg. u. Besiedelg., namentl. die Nordwestfahrten verdienten Landsmanns, Sir Humphrey *G.,* des Stiefbruders u. Gefährten W. Raleigh 1578 (Roscher, Col. 210 ff.); wir besitzen von ihm noch 'A discourse to prove a passage by the Northwest to Cathaia and the East Indies' (Hakl., Pr. Nav. 3, 11 ff.), 'the letters patent graunted by her Maiestie to Sir Humphrey G. knight for the inhabiting and planting of our people in America 1578' (ib. 135), 'a report of the voyage and successe there of, attempted in the yeere of our Lord 1583 by Sir Humphrey G. knight, written by Mr. Edw. Haies, principal actour in the same voyage' (ib. 143 ff.). Diese Reise v. 1583 war nach NFundl. gegangen; man ergriff Besitz jener Gegenden. Allein z. Heimfahrt blieb nur ein kleines Schiff, mit dem der kühne Mann, schon wieder in die Nähe Englands gelangt, im Sturme verunglückte (Forster, Nordf. 335 ff.) Vom Missionär Egede (Nachr. 24), der hier am 3. Juli 1721 ankam u. am 9. Juli den Grund zu Godhaab legte, *Haabet's Havn* = Hoffnungshafen getauft. — Von Cook auf seiner zweiten Reise nach dem master des Schiffes Revolution: *a)* G. *Isle,* bei Feuerland, am 19. Dec. 1774 (VSouthP. 2, 173); *b)* G.'s *Isles,* bei Resolution I., NSeeland, im Mai 1773 (ib. 1, 91). — Am bekanntesten sind die Entdeckungen, welche die engl. Captn. Marshall, v. Schiffe Scarborough, u. *G.,* v. Schiffe Charlotte, auf der Route Sydney-Kanton 1788 machten: die beiden weitgedehnten Inselfluren, welche Plant's Carte 1793 noch als G. u. *Marshall Islands* zsfasste (Zimmerm., Austr. 1, 196, ZfAErdk. nf. 15, 396), auf Krusensterns (Mém. 2, 377) Vorschlag aber getrennt, die nördl. als *Marshall's* (s. d.), die südl. als G.'s *Archipel,* bezeichnet werden, letztere bei den Americanern auch *Kingsmill Islands* (s. d.), weil Capt. Bishop, im Schiffe Nautilus, 1799 zwei ders. so, offb.

45*

prsl., taufte (Bergh., A. 3. R. 1, 219), j. häufig *Tarawa*, nach der Hptinsel, die Capt. Marshall f. doppelt gehalten u. *Marshall* u. *Knox I.* genannt hatte, während das benachb. *Maiana* bei ihm *G. Island* hiess (Meinicke, IStill. O. 2, 317 ff.). — *G.'s Point*, in Massachusetts, v. d. engl. Exp. Gosnold im Mai 1802 nach dem Officier Barth. *G.* (Buckingh., East. u. WSt. 1, 59).

Gilgen s. Aegyd.

Gill Range, eine aus enormen Massen rothen Sandsteins bestehende Bergkette Inner-Austr., v. engl. Reisenden E. Giles am 30. Oct. 1872 entdeckt u. nach Hrn. Georg *G.* in Melbourne benannt (PM. 19, 188).

Gillis Land, nordöstl. v. Spitzb., 81⁰ NBr., v. holl. Commandeur Cornelis *G.* 1707 entdeckt u. längst verschollen, als es v. der schwed. Exp. 1864 wieder gefunden wurde (Torell u. N., Schwed. Expp. 473, Carte, wo die Form *Giles*, Forster, Nordf. 492, Barrington, Misc. 80. 85, Churchill, Voy. 4, 808, Carte, Van Keulen's Carte v. Spitzb., Newton, Ibis 1865, 18, Peterm., GMitth. 16, 422. 446; 17, 63. 181 f. T. 9, Erg. H. 16, 13; 28, 44).

Gillman, Cape, in Byam Martin's I., v. Parry (NWPass. 60) am 27. Aug. 1819 getauft 'out of respect to the memory of the late sir John *G.*'

Gilolo s. Halmahera.

Gilkerd s. Hossnkeif.

Gimso, hebr. גִּמְזוֹ = גִּמְזוֹ [gimson] = Ort, wo **Sykomoren** wachsen, im Stamme Juda (2. Chr. 28, 18), j. noch *Gimzu*, östl. v. Lydda (Robins., Paläst. 3, 271, Gesen., Hebr. Lex.).

Gindaregánga, eig. *Gingahagánga* = Nipafluss, in Ceylon, v. *gíngaha*, dem singh. Namen einer niedr. Palme, bot. Nipa fruticans (Schlagw., Gloss. 194).

Ginevra Bay, am westl. Eingang des spitzb. Helis Sd., v. der schwed. Exp. 1864 getauft (Peterm., GMitth. 17, 182), offb. nach der Vergnügungsyacht *G.*, einem Schiff v. 142 tons, mit welchem der schottische Polarf. Lamont 1858 nach Spitzb. gegangen war (ib. 470).

Gipping s. Ipswich.

Gipps' Land, in Victoria, v. Grafen Paul Edm. Strzlecki, welcher 1796 in Preussen geb., in England erzogen, weite Reisen in America, Aegypten, Indien, China u. Austr. machte, 1840 diese Ebenen südl. v. Murray entdeckte u. in der Folge noch die Blauen Berge u. Tasmania erforschte, getauft nach Sir George *G.*, welcher v. 24. Febr. 1838 bis 11. Juli 1846 Gouv. v. NSüd-Wales war (Stokes, Disc. 2, 428); *b)* *G.'Island*, bei NBrit., schon v. Tasman 1643 gesehen (Journ. 150), aber erst v. Capt. King 1842 benannt, zugl. mit seiner *Vulcanic Shoal*, einer Untiefe, welche siedendes Wasser strahlenfg. 45 m h. auswirft (Meinicke, IStill. O. 1, 137).

Gipshoek = Gypsspitze, im Hintergrunde des spitzb. Eisfjord, die Klaas Billen- u. Sassen-Bay theilend; sie besteht 'aus einem niedrigen, vielfach zerspaltenen Hyperitfels, üb. welchem, eine Strecke v. Strande, ein hoher Berg aufragte, zu unterst aus horizontalen grauen Gypsschichten bestehend,

in welche hier u. da weisse Alabasterkugeln nach Art einer Perlenschnur eingesprengt waren' (Torell u. N., Schwed. Expp. 415). — *Gypsaria* s. el-Mina.

Gipsy u. **Gipt** s. Aegypten.

Giraud, Pointe, am Havre Henry Freycinet, v. frz. Schiffsfähndrich L. Freycinet, Exp. Baudin, am 11. Aug. 1801 benannt nach seinem eifrigen Begleiter, dem Seecadetten E. Giraud, Schiff le Naturaliste (Péron, TA. 1, 165). — Schon im Juni 1801 *Récif G.*, vor dem Schwanenfluss (ib. 1, 155).

Girgenti, Ort an der Südküste Sicil., röm. *Agrigentum*, dor. Colonie Ἀκράγας, nach dem vorbeifliessenden Gewässer (Pape-B.).

Giridharpur s. Siwa.

Girin Ula, Stadt der Mandschurei, nach dem Flusse gl. N., chin. *Tschuentschang* = Werfte, weil der König Kanghi, z. Schutz gg. die Einfälle der Oelöt, u. a. hier eine Werfte anlegte, um Schiffe zu bauen, welche seinen Truppen Lebensmittel zuführen sollten. Damals war die Gegend noch holzreich; j. muss das Holz weither geflösst werden (JRGSLond. 1872, 165).

Girivradsch s. Radscha.

Girnar, eig. *Girinagara* = Bergstadt, skr. ON. in Guzerat. Ueb. dem Ort erhebt sich ein Berg mit merkw. Inschriften, die auf die ind. Geschichte Licht geworfen haben. Auch *Dschunaghar*, skr. *Dschdwanagdda* = Veste der Dschávana (Lassen, Ind. A. 1, 134, Schlagintw., Gloss. 194. 205), wo *Dschávana* = Griechen gesetzt u. eine Beziehg. z. griech.-baktr. Reich vermuthet wird.

Gironde, der Name des Mündungslaufs der Garonne (s. d.), ab der Confl. der Dordogne, wiederholt sich im südl. Frkr. *a)* f. 4 Zuflüsse zu Armance, Aube, Auzon, Landron, deren letzterer alt *Garunda*, *Geronda*, *Gironda* heisst (Dict. top. Fr. 14, 73); *b)* f. einen Fluss des dép. Hautes-Alpes, 1091 *Jarentonna*, 1158 *Garentona*, 1332 *Gerentonna*, 1394 aqua *Jarentone*, dessen beide Quelladern Cassini's Carte ebf. als *le Gir*, *le Gy*, den linken, u. *l'Onde*, *la Ronde*, den rechten, unterscheiden wollte. 'Rien dans les actes anciens ne justifie ces dénominations; dans les actes aussi bien que dans le langage vulgaire, l'une et l'autre branche se nomme indifféremment *Gironde*' (ib. 19, 92); *c)* f. ein Dorf *G.*, 1088 *Gerunda*, 1103 *Garunda*, 1294 *G.*, im dép. Vienne (ib. 17, 193). Auch ist der Name *G.* v. frz. Capt. Jean Ribault 1562 nach Florida-Carolina übtragen (WHakl. S. 7, 110, Hakl., Pr. Nav. 3, 309).

Gitano s. Zigeuner.

Giththajim s. Gath.

Gjúkti, dial. *gjug-ta* Pferderennen, v. *gjug* = rennen, *ta* = Pferd, tib. Name eines Flusses in Gnári Khorsum, weil allj. zZ. der Gártokmesse hier, zw. diesem u. einem andern Flusse, Pferderennen abgehalten werden, verbunden mit Austheilg. folgender Preise: 1) ein Pferd u. ein Kleid, 2) eine Büchse mit Thee, 3) fünf Rupien u. ein Sammetkleid (Schlagw., Gloss. 197).

Giuliano s. Eryx.

Giumels = Zwillinge (s. Jumelles), ein doppelter,

eig. 3hörniger Felsgipfel des Graubündner Passes Albula; *b) Dschimels* s. Sella.

Glunca s. Juncarius.

Giurgewo s. Dschordschos.

Giustendil s. Köstendil.

Glacies = Eis, adj. *glacialis*, in der lat. Bezeichng. *Mare Glaciale* (s. Eismeer) u. in frz. Form *Mer de Glace* (s. Bossons).

Gladbach s. Glatt.

Gladstone, Mount, u. *Mount Disraeli,* zwei einander ggb. stehende Berggipfel der *Finisterre Mountains,* an der Nordküste NGuinea's, v. engl. Capt. Moresby 1873 nach den engl. Staatsmännern getauft (JRGSLond. 1875, 162), die, im Parteileben so weit getrennt, hier zum Scherz friedl. vereinigt werden. — Nach dem erstern, der den Ort bes. begünstigte, eine Stadt *G.* in Queensl. (Trollope, Austr. 1, 45). — *Cape G.,* die kühn aufragende Nordspitze v. Liverpool Coast, Grönl., v. engl. Walfgr. Will. Scoresby jun. (North. WF. 271) am 14. Aug. 1822 nach John *G.,* esq., MP. in Liverpool benannt.

Glane, auch *Gleen, Glon, Glan,* im 10. Jahrh. *Glana,* 'einer der beliebtesten Flussnamen auf einst kelt. Boden' (Förstem., Altd. NB. 645 hat 9 Beispiele, u. die Zahl ist mit diesen alten Zeugnissen nicht erschöpft). 'Das in allen kelt. Sprachen vorkommende Wort *glan* = purus, mundus, erscheint in dem FlussN. *G.,* der sich fast in allen einst v. den Galliern bewohnten Ländern findet u. dem deutschen FlussN. *Hlûtra, Lûtra,* j. *Lauter,* d. h. pura, clara, entspricht' (Glück, Kelt. N. Caes. 187 u. v. ihm copirt, Bacmeister, Kelt. Br. 114, AWand. 135, Salzb. Mitth. 26, 42).

Glarus, dial. *Glaris,* Land u. Hauptort, welcher anf. die einzige Kirche des Landes hatte (Gem. Schwz. 7, 584), vermuthl. nach dem heil. Hilarius, dem Schutzpatron des Klosters Säckingen, dem das Alpenthal gehörte. Auch in den 4 Gemeinden des zürch. 'Amts Uhwiesen' wird der dem Andenken Hilarii, 13. Jan., geweihte Freudentag als *Gläristag* u. diese Volksfreude als *glärelen* bezeichnet. Recht beachtenswerth ist nun, was schon der Historiker Joh. v. Müller (Schwz. Gesch. 1 c. 9 Note 186) über diese Etymol. beifügt: 'Doch könnte der Name auch älter sein u. sich auf die kiesige Erdreichserhöhg. beziehen, welche der Hptflecken an der wilden Linth endl. behauptet; so ist v. dergl. *glarea* die berühmte *Ghiara* der Adda u. a. in Italien'. Diess adoptirt Gatschet (OForsch. 260), nicht übel unter Hinweis auf *Glarona,* den Namen, den, wie in den alten Urk., auch j. noch bei den Romanen Graubündens u. Tessins der Ort hat. Schon 1500/04 sagte übr. Balci Descr. Helv. (QSchweizG. 6, 91): *Glarona* quod a glarea dicta sit existimatur, sive *Clarona* sermone contrario quod montium sylvarumque umbris nubila atque obscura. Auf mlat. *glaretum* = Kiesfläche u. a. Bildungsformen v. *glarea* sei auch *Glarey,* in Wallis, *Clarens,* bei Montreux u. bei Nyon, *Glérolles,* bei Vevey, *Glères,* am Doubs, zkzuführen. Zur Vergleichg. diene, dass auch der Humanist *Glarean* (1488—1563) sich nach seinem Vater-

hause am 'Steinacker' so benannte (Studer, Gesch. ph. [G.! Schwz. 70). — *G.* s. Jekaterina. — Ein *Neu G.* in Wisconsin, im Aug. 1845 v. 108 Glarnern bezogen, zählte 1885 im ganzen 1136 Ew.

Glasgow, ON. in Schottl., f. die geogr. Namenbücher, auch die engl., ein noli me tangere, einzig zu erklären versucht bei Charnock (LEtym. 117) u. Johnston (Pl. N. Scotl. 121), die je 3 ungenügende Ansichten aufführen. Am glaubwürdigsten scheint die auf altbrit. *glas-coed* = grüner Wald zkgehende Etym. zu sein, die auch durch den ehm. hier bestandenen Wald bestätigt würde, od., zunächst auf den Fluss bezogen, v. *glas-cu* = grüner Fluss. — *Port G.,* als Hafenort der Fabrikstadt, 30 km flussab 1858 ggr., da der Clyde damals, bis z. Correction 1768 nur 6 dm t. u. somit grössern Schiffen unzugängl. war. — *G. Island,* in Island Bay, NSeel., nach der Brigg *G.,* welche hier einen schweren Sturm bestand (Dieffb., Trav. 1, 97). — *Glassdrummond,* ir. *Glas-dromainn* = grüner Bergrücken, ir. ON., v. *glas* = grün, gew. gras-od. blattgrün, auch in der Form *Glasdrumman,* üb. 26 mal in Irland; ferner *Glaslough* = grüner See, ein Ort in Monaghan, nach dem nahen See, *Glasillan* = grüne Insel, mehrf. f. Küsteninseln, sowie f. Eilande in den See'n v. Mayo u. Galway (Joyce, Orig. Ir. NPl. 2, 282).

Glass Houses = Glashütten, drei Berge an der Ostseite NHollands, nahe beisammen, bemerkensw. wg. der sonderb. Gestalt, welche einer Glashütte ähnelt, nebst der nahen *G. House Bay* (s. Moreton), so benannt v. Cook am 17. Mai 1770 (Hawkw., Acc. 3, 111, Carte).

Glatt, Flussname, im 8. Jahrh. *Glata,* mehrf., wird bei den meisten v. ahd. *glat,* altn. *glad,* nhd. *glatt,* in der ältern Bedeutg. 'klar, hell, glänzend' abgeleitet (Weigand, Oberhess. ON. 274, Bergmann, Wals. 47, Bacmeister, AWand, 135). Auch den ON. *Gladbach,* Rheinprov., erklärt J. Pitsch (Alt. u. Neues G. 1883) so u. erinnert an engl. *glad;* jedoch hält Förstem. (Altd. NB. 643 f.), der noch 6 weitere Orte *Gladbach, Gladebeck, Gladbeck, Glattbach,* aufzählt, diese Annahme übh. f. zu gewagt u. möchte eher mit H. Meyer (Zürch. ON. 165) auf kelt. Urspr. rathen. Nach dem Flusse die Orte *Glattbruck, Ober-* u. *Niederglatt,* der *Glattsee* (s. Greifensee) u. das *Glattthal,* deren Oberstufe, v. der *Aa* (s. d.) durchflossen, *Aathal* heisst, sämmtl. im C. Zürich, während *Glattburg,* 788 *Clataburuhc* (v. Arx, Gesch. St. Gall. 1, 136) an der St. Galler *G.* liegt, wie *Ober-Glatt,* 885 cella hospitum (des Klosters), quae vocatur *Clata* cognomine fluvioli vicini (Wartm., Urk.-B. Abtei St. Gall. No. 646). Vgl. Glane.

Glatz, ON. in Schlesien, urspr. čech. *Kladsko* = Burg aus Baumstämmen, zuerst 1010 erwähnt (Adamy, Schles. ON. 9).

Glaukos s. Krios.

Gleen s. Glane.

Glen, gael. *glean* = kleines Thal, Schlucht, sehr häufig in schott. ON. wie *Glenmore* = grosses Thal, allein 4 mal, darunter f. ein langes Schluch-

tenthal der Grfsch. Inverness (Robertson, Gael.
TScotl. 333ff., Meyer's CLex. 7, 904), u. *G.
Bight*, in Port Dalrymple, v. Flinders (TA. 1,
CLVI) am 9. Nov. 1798 benannt. — *G. Herring*
s. Herring.

Glenelg, anfängl. der Name des j. *Melbourne*,
Victoria, ggr. im Juni 1835 v. John Batman,
nach dem Colonialsecretär Lord *G.*, ehm. Charles
Grant (Trollope, Austr. 2, 27). — Nach demselben
Würdenträger sind in Austr. 2 Flüsse, *G. River*,
benannt: *a)* ein Zufluss der Discovery Bay, v.
Major T. L. Mitchell (Three Expp. 2, 199) am
31. Juli 1836, *b)* ein Fluss v. Tasman's Ld., v.
Capt. G. Grey (Two Expp. 1, 166) am 2. März 1837.

Glenner s. Ilanz.

Glennie's Isles, bei Cape Wilson, v. Lieut. Grant
1800 prsl. benannt, doch schon v. Bass u. Flinders
(TA. 1, 223) entdeckt, bei der Exp. Baudin 1801/03
(Freycinet's Atl. 6) *Ilots du Promontoire* = Inselchen des Vorgebirgs.

Glenton s. Gallow.

Glères s. Glarus.

G'Îl s. Galilea.

Glims s. Linard.

Glina u. *hlina* = Thon, Lehm, Erde (Brückner,
Slaw. A. Altm. 67), in vielen slaw. Namen v. Wohn-
orten, z. Th. solchen, wo, wie im böhm. *Hlinsko*,
Töpfereien arbeiten: *Glienik, Glienike, Glien,
Glienecke, Glienick, Glienke*, in den slaw. Ge-
bieten Deutschlands (Jettmar, Ueberr. 25), im slow.
u. poln. Gebiete *Glein, Gleinitz, Gleink, Gleinz,
Gline, Glinek, Glinianka, Gliniany, Glinica,
Gliniczek, Glinik, Glinje, Glinki, Glinna, Glinne,
Glinnik, Glinsko, Gliny*, im čech. Gebiete *Hlina
Hlinay, Hline, Hlinice, Hlinka, Hliny*, auch
Flussname *Hlinna* = der gelbe, d. i. lehmführende
(Miklosich, ON.App. 2, 161, Umlauft, ÖUng.NB.
70. 86). — *Hlinky* s. Brünn. — *Glineke* s. Strelitz.
— *Glinianoi Ostrow* = Lehminsel, russ. Name
einer niedrigen Insel des Kurdelta's (ZfAErdk.
1873 T. 1).

Glodowen s. Gibisnüt.

Glogau, ON. in Schles., urspr. slaw. *Glogów* =
Weissdornort, zuerst erwähnt 1008 (Adamy, Schl.
ON. 9, Buttm., D.ON. 98). — *G. Bach*, in NSemlja,
v. der Exp. Rosenthal 1871 cartogr. u. v. A. Peterm.
(GMitth. 18, 77. 159) benannt, wie *Frankfurt
Berg*, der einzige nicht prsl. v. 63 Namen, nach
H. G., dem Secretär der Handelskammer u. Schrift-
führer des Vereins f. Geogr. u. Statist. in Frank-
furt a/M.

Gloggnitz od. *Glocknitz*, Ort am Semmering,
dessen Benedictiner eine Glocke im Siegel führten,
1094 *Gloencz, Clocinza*, um 1170 *Glogniz*, hat
wie *Glogoviza*, in Krain, u. *Glogovnica* seinen
Namen v. slow. *glog* = Weissdorn u. wohl nicht,
wie M. A. Becker (Gloggn. 415) wollte, v. seinem
Bache, den er sich als 'Rauschebach', v. slaw.
klokati = sprudeln, rauschen, dachte (Miklosich,
ON.App. 2, 162, Umlauft, ÖUng.NB. 70).

Gloin s. Ilanz.

Glomaci s. Chlm.

Glon s. Glane.

Gloria, Santa = heilige Herrlichkeit, ein Hafen
an der Nordküste Jamaica's auf Columbus' zweiter
Fahrt am 5. Mai 1494 erreicht u. wg. der herr-
lichen Umgebg. so genannt (Peschel, ZdEntd. 251).
— *Glorioso*, Insel zw. Comoren u. Madagascar,
v. den Port. schon (nach einem Schiffe: *Ilha do
Glorioso*?) getauft, dann in eine Gruppe aufgelöst,
seit der frz. Capt. Frappaz am 2. Nov. 1818 dort
Schiffbruch litt, u. in irreleitender Form *Iles
Glorieuses* genannt. Die eine der neuen Inseln,
starkbewaldete Korallenbildungen, taufte er *Ile
Verte* = grüne Insel, die andere nach seiner
Goëlette *Ile du Lys* (Hertha 7 GZ. 125).

Glossa s. Keraunia.

Gloucester, engl. Stadt am Severn, brit. *Caer*
(= Veste) *Gloui, Caer-gloyw* = Veste am klaren
Wasser (Edmunds, Traces 180), als röm. Colonie,
durch Claudius (44) ggr., *Colonia Glevum* od.
Claudiocestria, z. erstenmal 577 *Gleaucester*,
also mit *castrum* (Camden-Gibson, Brit. 1, 282,
Meyer's CLex. 7, 924). Als fester Platz in wich-
tiger militär. Lage eines der alten Centren der
Bevölkerg., wurde *G.* das Haupt einer Grafschaft,
mit dem Titel eines Herzogthums, u. Graf u.
Herzog v. *G.* wurde der Titel v. jüngern Prinzen
des kön. Hauses. Schon der engl. Seef. Will.
Dampier 1680 taufte in Neu Britanien ein *Cape
G.* zu Ehren seines hohen Gönners, neben einem
Queen Anne Cape = Cap der Königin Anna (Debrosses, HNav. 407). Später folgten, durch Capt.
Wallis am 11. Juni 1767, *G. Island*, eine Insel
der Centralgruppe der Paumotu, einh. *Paraoa*,
bei Wilkes *Hariri* (Meinicke, IStill. O. 2, 211),
'in honour of his Royal Highness the Duke'
(Hawk., Acc. 1, 210), eine andere, ebf. in Paumotu, durch Carteret (s. Cuatro Coronados), ferner
durch Cook 2 mal *Cape G. a)* an der Ostseite
Neu Hollands 3. Juni 1770 (Hawk., Acc. 3, 133);
b) an der Westseite Feuerl. 18. Dec. 1774 (Cook,
VSouthP. 2, 171).

Glubokaja = das tiefe, russ. Name eines Zuflusses des Iss, resp. Tura, bekannt durch die bedeutendste der ural. Platinseifen (Bär u. H., Beitr.
5, 87). — *Glubokoje Osero* = tiefer See, ein
Bergsee in Sitka (Kittlitz, Denkw. 1, 230).

Glücksgolf, an der Continentalseite des tatar.
Sunds, v. einer russ. Exp. 1849 so genannt, weil
er, obgleich wenig brauchbar (das dort ggr. Petrowskoje Simowjë wurde schon 1855 verlassen),
an der hafenarmen Küste doch einigen Nutzen
versprach (PM. 6, 96). — *Glückstadt*, Ort an der
Nieder-Elbe, 1616 v. dän. König Christian IV.
erbaut, 1620 befestigt u. mit grossen Handelsprivilegien begabt, dam. Stapel der isl. Waaren,
j. noch im Winter, wenn die Elbe obh. mit Eis
bedeckt ist, der Vorhafen Hamburgs u. den
grössten Schiffen jeder Zeit zugängl. (Meyer's
CLex. 7, 927). Man sieht, dass die Erwartungen
gross genug waren, um der *G.* einen verheissen-
den Namen zu geben. Vgl. Gelukwaard.

Glykys Limen, gr. Γλυκὺς λιμήν = süsser Hafen,
Epirus, 'in welchen der Acheron fällt, welcher
aus dem acherus. See hervorfliessend mehrere

Flüsse aufnimmt, so dass der Meerbusen süsses Wasser hat (Strabo 324); *b*) *Glykeiai*, gr. *Γλυ-κεῖαι* = die süssen (Quellen), bei Pellene, Achaja (Paus. 7, 27, 4, Pape-B.).

Glyphada, ngr. *ἡ Γλυφάδα* = *γλυφάς* = Salzigkeit, Brackwasser, ein aus zahlr. Quellen entstehender salziger Strom bei den Ruinen des alten Samos (Ross, IReis. 2, 145).

Gmünd od. *Gemünd*, auch mit *-en*, v. ahd. *mund*, *gamundi*, alts. *muth*, altfr. *mutha* = os, ostium, in altdeutschen ON. oft, 31 mal als Grundwort, wie in *Dendermonde* u. *Rupelmonde*, die an der Mündg. der Dender, im 10. Jahrh. *Tenera*, resp. der Rupel, alt *Rupla*, in die Schelde liegen u. 861 noch ohne *monde*, als *Tenera* u. *Rupla*, vorkommen (Alg. Stat. Ndl. 24, Meyer's CLex. 5, 114; 13, 878), f. sich *Gimundi*, im 8. Jahrh., j. *Nieder-Gemünden* an der Ohm, Hessen, *Gemünd* in OFranken, *Münden*, eig. das ggb. liegende *Altenmünden*, an der Confl. Werra-Fulda, *Neckar-G.*, an der Confl. Neckar-Elsenz, *Münden*, Waldeck, *Gemünd*, an der Confl. Donau-Altmül, *G.*, am Ausflusse der Mangfall aus dem Tegernsee, *Saar-G.*, in Lothr., *Gemünden*, Nassau, *Gmunden*, am Ausflusse des Traunsees. Ein altes *Mutha*, j. *Müden*, 2 mal in Hannover, *Mundiberg*, unw. Fulda, *Mundburg*, j. *Müden*, an der Confl. Aller-Ocker, *Mundiveld*, j. *Minfeld*, Pfalz (Förstem., Altd. NB. 1228 ff. 1433). — Wir verweisen auch auf *Weichselmünde* u. *Travemünde* (s. dd.), *Angelmodde*, an der Mündg. der Angel, u. das merkw. *Fischament*, j. *Fiscahagimundi*, d. i. Mündg. des Fischflusses in die Donau, unth. Wien (Förstem., Deutsche ON. 37).

Gnade, im Sinne v. Gottesgnade, dem frommen Sinn der Brüdergemeinde u. klösterl. Stiftungen entspr., in einer Reihe v. ON. *a*) *Gnadau*, im Rgbz. Magdeburg, 1767 ggr.; *b*) *Gnadenfeld*, in Schlesien u. in Taurien; *c*) *Gnadenfrei*, in Schlesien (Meyer's CLex. 7, 935; 12, 679); *d*) *Gnadenhütte*, eine zu Missionszwecken unter den pensylv. Indianern 1746 ggr. Herrnhuter-Station, die 1755 v. den Franzosen u. Rothhäuten verbrannt wurde u. noch 1780 eine Familie verlor, welche in die Gefangenschaft der Indianer gerieth (Penns. Ill. 45) u. *e*) *Gnadenthal*, in der Nähe des vor. Orts (Meyer's CLex. 3, 81). — Holl. *Genadendaal* s. Baviaan. — Schwed. *Nådendal*, ursp. *Nadhendal* = Gnadenthal, Kloster des Brigittinerorders bei Åbo, Finl., auf Beschluss des Reichsraths 1438 ggr., dann die um das Stift entstandene Stadt (Modeen, Geogr. 43 u. briefl. Mitth., Styffe, Skand. UT. 331).

Gnalham Thangla s. Everest.

Gnári Khórsum = die drei abhängigen Provinzen, eine Ldsch. in Mittel-Tibet, nach der polit. Beziehg. zu China, v. *gnari* = abhängig, *kor* = Kreis, Provinz, *sum* = drei (Schlagw., Gloss. 195).

Gniloe s. Sapra.

Goa, port. Namensform eines ind. Hafenorts, einh. *Goe,* vollst. *Goe moat* = frisches, fruchtb. Land, im Sinne des einh. Sprichworts: 'Vamo-

nos recrear ás frescas sombras de *G.*, e a gostar da doçura do seu betre. Die Canarins, die Herren der Insel, nannten sie *Tis Vari* = dreissig Dörfer 'por serem tantas as que esta Ilha tem (Couto, As. 4, 10, 4), bei Barros (As. 2, 5, 1) *Tissuarin,* 'porque tantas havia nella, quando os Mouros a conquistárão, e tantas lhe pagavão direitos da vovidade que colhião.

Goar, St., Ort am Rhein, in Rheinpreussen, ggr. v. Einsiedler *SG.,* der hier lebte u. † 575. Ggb. *St. Goarshausen* u. im Strome, obh. der beiden Orte, eine verdeckte Klippenreihe, *St.Goarbank,* welche den Strudel des Wilden Gefährt veranlasst (Meyer's CLex. 14, 117).

Goat = Ziege, entspr. *Geiss* (s. d.), in engl. ON. wie *G. Island a*) im Missuri, ob. Big Bend, wo bartlose, aber feingeformte, sehr schöne Ziegen häufig sind u. auch v. der Exp. Lewis u. Cl. (ib. 57. 59) erlegt wurden; *b*) s. Bashee; *c*) s. Juan Fernandez. — *G. Creek,* ein lkseitiger Tributär des Missuri, nach den Thieren, die dort zahlr. sind. Lewis u. Cl. (Trav. 50) 'observed a number of goats, from which the creek derived its name. — *Goatpen Creek* = Bach der Ziegenhürde, ebf. ein lkseitiger Zufluss des Missuri, unth. Yellowstone R., v. den Captt. Lewis u. Cl. (Trav. 138) am 15. Apr. 1805 so benannt, weil dort eine Einfriedigg. z. Fang der Wildziegen erstellt wár.

Gobi = Wüste ist der mong., *Scha-mo* = Sandmeer der chin. Name der grossen, mit Flugsand bedeckten Mongolwüste. 'On donne, en Mongolie, le nom de *G.* à toute steppe dépourvue d'eau et d'herbes' (Timkowski, Mong. 2, 388. 408, Pauthier, MPolo 1, 149, unter Verweisg. auf den 'pléonasme hybride' *Gobiwüste*). 'In mong. Sprache ist *G.* die allgemeine Benenng. sandiger, gras- u. wasserloser Gegenden' (Pater Hyacinth, Denkw. Mong. 53). Mit dem Tarymbecken fassen sie die Chinesen in *Hanhai* = trocknes Meer zs., vollk. passend, da wir sie in der That f. einen vorm. Meeresgrund anwenden (Richthofen, China 1, 24).

Gobnadruy s. Druid.

God = Gott, mehrf. bei ältern engl. Polarff. der gläubig frommen Zeit, der die Schrecken der arkt. Welt noch in voller Gewalt imponirten u. die Abhängigkeit v. höhern Schutze lebhaft empfinden liessen *a*) *Cape of G.'s Mercy,* an der Westseite der Davis Str., v. John Davis am 11. Aug. 1585 erreicht u. so getauft, anscheinend nur, weil er jenseits des Caps die Durchfahrt offen zu sehen hoffte ... 'conceived that by rounding this cape he would come into the passage of which he was in search' (Rundall, VoyNW. 40), wohl deutlicher, wie einer der Theilnehmer, John James (Hakl., Pr.Nav. 3, 102) sagt: ... as being the place of our first entrance for the discovery, also weil hier das Feld der Entdeckg. begann (Forster, Nordf. 346); *b*) *Mount of G.'s Mercy* = Berg Gottesgnade, ein hoher Berg der grönl. Ostküste, 'like a round castle', v. Henry Hudson am 13. Juni 1607 entdeckt u. benannt (WHakl. S. 27, 3); *c*) ebf. v. Hudson am 11. Juli 1610, *Isles of G.'s Mercy,* ein Schwarm v. Felsen u.

Inseln der Hudson Str., wo die Exp., aus Furcht vor Sturm, unter drei Felseilanden Schutz suchte, dabei aber in gr. Gefahr kam (Rundall, Voy.NW. 77, WHakl. S. 27, 96. 103). 'At the west end of this island we found an harbour, and came in (at a full sea) over a rocke, which had two fathome and a halfe on it, and was so much bare at a low water. But by the mercie of God, we came to an anchor cleere of it, and close by it our master named them the Isles of *GM*.'; *d) Harbour of G.'s Providence* = Hafen der göttl. Vorsehg., am Eintritt in die Hudson's Str., wo die Exp. des Capt. James (NWPass. 10), im Juni 1631 kaum den Gefahren, v. Eise eingeschlossen zu werden, wie durch ein Wunder entgangen, mit dem Schiffe Maria auf einer scharfen Klippe auffuhr, just als man in einem Hafen Zuflucht suchte. Als die Ebbe kam, neigte sich das Schiff mehr u. mehr. Alle Anstrengungen der Mannschaft blieben erfolglos. Man konnte auf Deck nicht mehr stehen, so schief lag das Fahrzeug. Jeden Augenblick konnten die an den Masten befestigten Taue reissen u. das Schiff umstürzen. Als aber die Flut kam, richtete sich die Maria wieder auf u. schwamm davon, ohne einen wesentl. Schaden genommen zu haben. In den kritischen Augenblicken, als alle menschl. Anstrengg. unfruchtbar erschien, ging die ganze Mannschaft auf ein Eisfeld u. fiel nieder, um Gott anzuflehen, dass er sich ihrer erbarme. In dem Gefühle der Dankbark. taufte der Capt. den Hafen, wie oben angegeben; ungenau ist die Form: *the Harbour of Good Providence* = Hafen der guten Vorsehg., wie Rundall (Voy.NW. 188) ihn aufführt; *e) Godsend Ledge* = Gottesgabe, eine kl. Insel der Kane See, v. E. K. Kane (Arct. Expl. 1, 68) am 18. Aug. 1853 so benannt im Dankgefühle f. den Schutz, den sie seinem Fahrzeuge gewährt hatte ggb. den rollenden Eismassen: 'feeling what good service this island has done us, what a Godsend it was to reach her, and how gallantly her broken rocks have protected us from the rolling masses of ice, that grind by her ...'; *f) G.'s Race Ground* s. Devil.

Godáwari = der viehgebende, skr. Name zweier vorderind. Flüsse, in Málwa u. im Dékhan (Schlagw., Gloss. 195), in wohl erhaltener Sanskritform, 'die vorzüglichste Kuhgeberin', wohl nach einer Legende (Lassen, Ind.A. 1, 209).

Goddelau s. Gott.

Godesberg, 947 *Wodenesberg*, ON. bei Bonn, z. Götternamen *Wôdan, Wuotan*, gehörig, wie der alte *wodanstag*, j. Mittwoch, engl. *wednesday*, noch in einzelnen Gegenden Deutschlands *godenstag* heisst. Aehnl. *Gutmannshausen*, im 8. Jahrh. *Wotaneshusen*, unw. Weimar, *Gutenswegen*, im 10. Jahrh. *Vodenesvege*, unw. Magdeburg (Förstem., Altd.NB. 1638).

Godhaab = gute Hoffnung, dän. Ansiedelg. am Gilbert's Sd. (s. d.), 'die älteste Colonie im Lande, v. dem ersten Missionario Hans Egede u. Kaufmann Jentoft in Kangek 1721 aufgebaut u. 1728 v. Gouv. Paars an's veste Land transportirt', so

benannt offb. in hoffnungsvoller Erwartg. heilsamer Erfolge im Bekehrungswerk (Cranz, Hist. Grönl. 1, 16). Die Colonie, in Egede's Nachr. gew. als solche, auch als 'alte Colonie' aufgeführt, wurde begonnen am 9. Juli 1721. Es war zunächst ein Haus v. Torf u. Stein, inwendig mit Brettern belegt. Nach der Vollendg., am 31. Aug., eingeweiht durch eine Predigt üb. Ps. 117. 'An Allerhöchsten wurde vor seine gnädige Beschirmung auf der gantzen Reise, mit inbrünstiger Anrufung um ferneres Glück u. Segen in unserm Vorhaben, gedancket' (Egede, Nachr. 24. 224).

Godley River nannte Jul. Haast 1861 einen der Flüsse der Southern Alps, NSeel., nach dem Gründer Canterbury's, einen der Quellgletscher *Grosser G. Gletscher* (Hochstetter, NSeel. 346) wie *G. Head* (s. Lyttleton) nach einem Förderer der Colonisation.

Godyn s. Colman.

Goed = gut, holl. adj. 2mal mit *hoop* zs (s. Esperança u. Hoop), sowie in *Goede Verwachting* (s. Vlieghen).

Gögör Dzinlik s. Golubač.

Gök = blau, blaugrün (s. Kok), in vielen türk. Gewässernamen, entspr. der Vorliebe, welche die Turkvölker f. Farbenbezeichnungen übhpt. an den Tag legen: *G. Su* = blaues Wasser, mehrf. *a)* ein Zufluss des cilic. Golfs, v. Geik D. herabfliessend (Tschihatscheff, Reis. 17); *b)* einer der obern Zuflüsse des Euphrat, in der Nähe eines Kara Su (s. d.), um Malâtia (Spiegel, Eran. A. 1, 164); *c)* ein Ikseitg. Nebenfluss des Sangarius, Kl. As., ebf. in Gesellschaft eines Kara Su (ib. 283); *d)* ein rseitg. Zufluss des Dschihun, der in den Golf v. Iskenderun mündet (ib. 287); *e)* ein Flüsschen der asiat. Seite des Bosporus, alt Aretas (Hammer-P., Konst. 1, 16; 2, 299 f., wo der Name mit 'himmlisches Wasser' übsetzt ist); *f)* ein schöner, reissender, 20 Schritt br. Fluss des Balkans bei Karlowa (Barth, R. ITürk. 40). — Andere *a) G. Irmak* = blauer Fluss, ein Nebenfl. des untern Kisil Irmak (ib. 47); *b) G. Tepe* = blauer Hügel, ehm. Festg. im Gebiete der Achal. Tekke-Turkomanen, fälschl. auch *Geok-Tepe* (Peterm., GMitth. 87, 269); *c) G. Tschai* = blaues Wasser, wohl weniger richtig mit *gok*, ein Alpensee nordöstl. v. Eriwan, durch 'sein schwarzblaues Wasser' ausgezeichnet (Meyer's CLex. 7, 980); *d) G.Bunar* = blaue Quelle, ein Bach in schmalem Felsthal östl. v. Aïdin (Tschih., Reis. 7); *e) G. Dere* = blaues Thal u. *G. Köi* = blaues Dorf, auch jenes f. ein Dorf, dass bei Karaman hoch über weiter Ebene liegt (ib. 15. 23), sind unverständlich; *f) G. Taschlyk* = grüner Hügel u. *Ak Taschlyk* = weisser Hügel, an der Ostseite des Kaspisee's, ca. 38° NBr. (ZfAErdk. 1873 T. 1). — *Göklü Su* = himmlisches Wasser, Fluss in Cilicien, den Ala Dagh umfliessend (Tschihatscheff, Reis. 14). — *Göktsche Dagh* = bläulicher Berg, im Gebiete der Göklen-Turkomanen (Peterm., GMitth. 87, 267).

Göl = See, in türk. ON., wie *Sary G.* = gelber See, auf einer Alp des taur. Gebirgs (Köppen,

Taur. 2, 18), auch f. sich als Eigenname in der Form *el Göleh* (s. Ak). — *Göluchelan* s. Kaspisee.

Göritz, Görz s. Gora.

Görlitz, 1071 *Gorelic, Sgozelic,* wend. *Zhorjelc* [spr. solerz], ON. der Lausitz, nach seiner Ableitg. streitig, wenn auch nicht ernstl. im Sinne des keltoman. Pastors Ender, welcher trotz der eingestanden slaw. Wortform an kelt. *ear, caer, gaer* = Fels, Berg, Ringmauer u. *lis* = glatt dachte, also eine Urform *Gaerlis* = Glattenfels erfand, wie denn 'treffender *G.* gar nicht benannt werden konnte' (NLaus.Mag.48,358). Slaw. ist der Name nun offb., aber kaum v. gesicherter Etymologie. Es wird abgeleitet: *a)* v. čech. *hořeti,* poln. *gorzeč* = brennen, also Brandstätte, sei diese Bedeutg. hergenommen v. der alten Sitte der Leichenverbrenng.(GHey,ON.Döb.G.42),od.v.der Schwendarbeit im Urwald (Hey, Slaw. ON. Sachs. 26) od. v. dem Brande des vorm. Dorfes Drewnow, Drebenau (1131), welches v. böhm. Herzog Sobieslaw I. als Stadt wieder aufgebaut u. *Zgorzelice* = Brandstadt genannt worden sei (Meyer's CLex. 7, 955); *b)* v. slaw. *gora* = Berg, mit *za* = bei, hinter, also Stadt am Berge, zunächst die hochragende Landskrone (Buttm., D. ON. 73, Adamy, Schles. ON. 9), wozu nach Miklosich (Lex. 3. 5. 1) *lesso,* ein asl. *lës* = Wald, scheinb. z. Endg. *-litz* geworden. Diese zweite Ableitg., in etwas veränderter Form, wird v. *G.* aus, leider ohne die erforderl. Belege, wiederholt: 'Die Deutg. 'Brandstatt' ist nur sagenhaft u. in keiner Weise begründet; *G.* wird richtig v. *gora* abgeleitet, aber nicht v. der Landskrone, denn dieser Berg ist üb. eine Stunde v. der Stadt entfernt, sondern v. der Felswand v. Thonschiefer, die an dem Uebergang der alten sächs.-poln. Strasse üb. die Neisse aufsteigt u. in ein Plateau ausläuft. Hier oben befand sich z. Schutz der unten der Neisse entlang laufenden Handelsstrasse ein Castell, um das sich allm. eine Stadt, *Gorelize* = Hochheim, Bergheim, anschloss' (H. Adamy, Brief 14. Aug. 1887). Ggb. der bestimmten Behauptg. bemerkt nun freil. Immisch (ON. Laus. 11): Diesen Namen v. der praep. *za* u. *gora* abzuleiten, ist unstatthaft, da die praep. *za* nie ihren Vokal verlieren kann'. Offb. ist in dieser Sache das letzte Wort noch nicht gesprochen.

Görn od. *görn* = Horn, Bergvorsprung, kleiner Pic, plur. *grun,* dual *görnein,* in arab. ON. *a)* *Dschebel G.,* in Algerien, *b)* *Dschebel bu-Görnein* = Berg mit 2 Spitzen, in Tunesien (Parmentier, Vocab. arabe 26).

Goes Hafen, ein hinter der Höfer Spitze einbiegender Golf des spitzb. Hornsund, durch die v. Baron v. Sterneck befehligte Hülfsexp. der Polarfahrt Weyprecht-Payer im Juli 1872 getauft nach dem Grafen *G.,* 'Landeshauptmann v. Kärnten' (PM. 20 Taf. 4, gef. Mitth. Prof. H. Höfers dd. Klagenfurt 17. II. 1876).

Göschenen, Ort an der nördl. Pforte des Gotthardtunnels, früher ein schlechtes Hirtendörfchen am Ausgang der grausigen Felsschlucht Schöllenen, 1291 *Geschentun,* 1337 *Geschenden,* 1344 *Ge-*

schinon ..., dachte sich Gatschet (OForsch. 41), wie auch den Walliser ON. *Geschinen,* als aus mlat. *casatia, casalitia* = landwirthschaftliche Gebäude verderbt. M. Wanner fabricirte (Allg. Schweizer Ztg. 1883 No. 28 Feuill.) eine alte Form *Gozzinheim* = Heim des Gozzo; darauf wurde (Vaterl. 1883 No. 66) bemerkt, *G.* komme v. dial. *geschi, gäschi,* mit hartem *g,* plur. *gäschini* = geringes Haus, u. dieses komme v. ital. *casa* = Haus, u. J. L. Brandstetter (Brief dd. 28. Dec. 1885) schreibt einleuchtend: Mir würde statt *casina* besser *cascina* = Käshütte, Sennerei, v. *cascio* = Käse, gefallen.

Gösedschi-Depe = Späherhügel, türk. Bergname auf der Insel Tenedos. Hier eröffnete der Grosswesir Mohammed Köprili 1657 die Laufgräben, um das v. den Venetianern besetzte Schloss zu erobern (Hammer-P., Osm. R. 6, 22).

Götaland od. *Götarike* = Land resp. Reich der Gothen, der eine der 3 Hpttheile Schwedens (s. Sverige), mit zieml. grosser Wahrscheinlich. wie *Göta Elf* = Fluss der Gothen v. einem veralteten gen. plur. *Göta,* neuschwed. *Götars,* abgeleitet. In Zssetzungen kam schon früh *Göte-,* statt *Göta-,* vor, so 1397 *Götelunda,* 1440 *Götevi* = Opferplatz der Gothen, dagg. *Götaholm,* wie man die 1473 ggr. Stadt *Ny* (= neu) *Lödöse,* auf einer Insel, *holm,* obh. Göteborg, nennen wollte (Styffe, Skand. UT. 107. 135. 143). Die Stadt *Göteborg,* verdeutscht Gothenburg, ist ozw. zunächst nach dem Flusse benannt; ihr Vorläufer, *Gamla* (= alt) *Lödöse,* im Mittelalter *Liodhus, Lödhusa, Lödhosa,* war im 15. Jahrh. in Verfall gerathen u. 1473 durch das eben erwähnte *Ny Lödöse,* an der Confl. Säfve Å u. Göta Elf, ersetzt; die Bewohner dieser Anlage wurden, nachdem ein älteres *Göteborg* v. den Dänen 1612 zerstört worden, v. Gustav II. Adolf nach dem v. ihm 1619 ggr. neuen, heutigen *Göteborg* versetzt (E. W. Dahlgren 26. Nov. 1891).

Göttingen, 953 *Guttingi,* Ort an der Leine, Hannover, wie der Gau an diesem Flusse, obh. Hannover, schon im 9. Jahrh. als *Guddingun* erscheint (Förstem., Altd. NB. 672), also nach einem PN., dem ein Stamm *gud* od. *god* zu Grunde liegt.

Göttweih s. Gott.

Goitch, ein Pass im transkuban. Landstrich, benannt nach einem 'bis auf die letzten Ereignisse an ihm wohnenden Völkchen, *Goi,* während er russ. mit der gew. Flexion des heterogensten Fremdnamen *Goitinskij Perewal* genannt wird' (PM. 11, 378).

Gold, in deutscher u. engl. Sprache der Name des edelsten der Edelmetalle, das höchste der materiellen Güter, das der Menge all' ihre Wünsche zu erfüllen vermag, kann in der Namenwelt nicht fehlen, entw. bloss als Lobpreisg. gewisser Vorzüge od. als Aushängeschild angebl. od. wirkl. Goldfunde: *Goldach,* im 8. Jahrh. *Goldaha,* bei St. Gallen, im 9. Jahrh. *Goldbiki,* j. auch *Goldbeck, Golnbach* (Förstem., Altd. NB.

651 f.). — *Goldberg*, Ort in Schles., durch Bergleute im 12. Jahrh. ggr., dam. mit Bergbau auf G., der inf. der wiederholten Einäscherg. im Hussitenkriege einging (Meyer's CLex. 7, 992 f.) — *G. Creek* s. Montana. — *Goldfluss* s. Ouro u. Jangtsekiang. — *G. Hill*, 2 mal: *a)* ein Berg in Nevada, durch seine Goldgruben berühmt (Meyer's CLex. 15, 460); *b)* s. Central. — *Goldküste*, ein Strich OGuinea's, wo die port. Seeff. viel G. eintauschten (s. Mina). — *Gulderstock* = Goldberg, ein Bergstock des Sernfthals, auf welchem der Sage zuf. einst fahrende Schüler Gold geholt haben (Gem. Schweiz 7, 617). — *Goldenkron*, Ort in Böhmen, urspr. ein Cistercienserstift, *Sancta Corona, Spinea Corona* = Dornenkrone, ggr. v. Ottokar II. nach dem Sieg üb. Bela v. Ungarn, 12. Juli 1260, da er in Folge eines Gelübdes ein Kloster zu Ehren der Mutter Gottes erbauen liess (Umlauft, ÖUng. NB. 71). — In adj. Form: *Goldcne* od. *Güldene Aue*, thür. Helmethal unth. Nordhausen, aussergew. fruchtb. u. anmuthig, sehr früh cultivirt (Meyer's CLex. 7, 993); v. ihr soll der aus Palästina 1494 zkgekehrte Graf Botho v. Stolberg gesagt haben: 'Ich nähme die *GA.* u. wollte einem Andern das gelobte Land lassen' (Förstem., D. ON. 139). Urspr. hiess das Sumpfriet bei Langenriet die *Aue* od. *Oh*, 1148; der volle Name erscheint zuerst 1330 u. ist bis in das 19. Jahrh. an der *Güldenen Aumühle*, j. einf. *Aumühle*, haften geblieben (Mitth. V. f. Erdk. Halle 1889, 123). — *Golden Bay* s. Massacre. — *Golden City* s. Central. — *Goldenes Horn* s. Chrysokeras. — *Golden Gate* = goldenes Thor, der thorartige enge Eingang der Bay v. San Francisco, v. engl. Seef. Drake, welcher schon 1578 wusste, dass Calif. ein Goldland sei, so getauft, wohl in Bewunderg. der werthollen Hafenbucht, die er sich als den Sitz einer Weltstadt der Zukunft dachte. — *Golden Vale* = goldenes Thal, in Herefordshire, nach dem Flusse brit. *Diffrin Dore*, verdient den engl. Namen durch seine goldene u. angenehme Fruchtbk.; 'for the hills that encompass it on both sides, are clothed with woods, under the woods lie cornfield on each hand, and under those fields lovely and fruitful meadows; in the middle, between them, glides a clear and crystal river' (Camden-Gibson, Brit. 1, 491).

Golea s. Kalah.

Golek, *Golice, Gološe, Golk, Golo, Goliverh* u. *Goloberdo* = Kahlenberg, auch *Golsovo*, eig. *Golšer, Golčah*, zu *Göltschach* verdeutscht, ON. in Kärnten u. Krain, v. slow. *gol* = kahl, nackt, wie auch ruth. *Gologory* = kahle Berge, bei Lemberg (Umlauft, ÖUng. NB. 71 f.). — Ferner *a) Gola Glawitza* = nackter Kopf, serb. Bergname der Gegend v. Trebinje, Herzegowina (PM. 16, 288); *b) Golaja Gora* = nackter Berg, russ. Bergname im Ural (Rose, Ur. 1, 349).

Goletta, la = Kehlenschlund, Kehle, Kragen, aus arab. *Anq el-Ued, Halk el-Wad* od *Fûm el-Halk* = Thalkehle übersetzt, ital. Name des tunes. Hafenorts, nach der Seeenge, welche die Stadt

u. ihren See mit dem Meere verbindet, mit den arab. Ausdrücken *anq* = Hals, *halk*, besser *halq* = Kehle, *fûm*, plur. *fuam* = Mund, Mündg. u. dem bekannten *ued, wad, wady* = Wasserlauf, Fluss, Thal (Hammer-P., Osm. R. 3, 171. 602, Barth, Wand. 192, Parmentier, Vocab. arabe 10. 23. 27. 39). — Auch im frz. dép. Eure-et-Loir gibt es einen Ort *la Goulette* u. *le Goulet* (Dict. top. Fr. 1, 84).

Golf, unsere deutsche Form f. engl. *gulf*, frz. *golfe*, span., port. u. ital. *golfo*, ein anderer Ausdruck f. Meerbusen, Meeresbucht, Bay etc., kommt v. spätlat. *gulfus*, griech. κόλπος = Busen. Als Grundwort häufig in geogr. Namen, doch auch einigemal Bestimmungswort *a) Ile du Golfe*, eine der Salomonen, eig. ihrer 2, einh. *Ugi* u. *Piu* (Meinecke, IStill. O. 1, 158), v. frz. Capt. Surville am 4. Nov. 1769 nach ihrer Lage in einer golfartigen Einbuchtung grösserer Inseln benannt (Fleurieu, Déc. 150)); *b) Castello del Golfo* s. Castellum; *c) Golfstrom* nennt man heute die mächtige Meeresströmg., welche aus dem Golf v. Mexico nach NOsten austritt u., anf. längs der americ. Ostküste verlaufend, nach u. nach breiter wird u. mit dem einen seiner Zweige NWest-Europa erreicht. — Daher *Golfstrom Inseln*, bei NSemlja, v. norwg. Fischern 1871 getauft (Peterm., GMitth. 18, 396), offb. als einer der zahlr. Beweise v. dem Vordringen jener Strömg. in das Polarmeer.

Golgatha s. Thorn.

Golmin Sch. s. Tschhang.

Golowatscheff s. Romberg.

Golubač = Taubenschlag, wie 2 dalmat. Orte *Golubić* v. serb. *golub* = Taube, ungenau *Golumbacz*, einst serb. Veste in den Engen der Donau, auch türk. mit gl. Bedeutg. *Gögör Dzinlik*, deren Uferhöhlen, heute berüchtigt als Ausgangspunkt der gefürchteten Mückenschwärme, früher wohl auch v. Tauben bevölkert waren (Umlauft, ÖUng. NB. 72).

Golyj s. Mertwoi.

Golzanen s. Koltschanen.

Gomez, span. Familienname, 2 mal in ON., nach Entdeckern: *a) las Mesas de Juan G.*, 2 oben flache, also tischfge Berge, *mesa* = Tisch, auf der Grenze Ober- u. U/Calif. (DMofr., Or. 1, 236); *b) Tierra de Estebán G.* s. New York.

Gomme Dsch. s. Bureja.

Gonaqua = die zusammen- od. anstossenden, hott. Name eines Hottentottenstamms, der einst an den Vaal grenzte, seit Anfang des 18. Jahrh. aber th. ausgerottet, th. v. andern Stämmen absorbirt ist (Peterm., GMitth. 4, 50).

Gondjara s. Darfur.

Gongdwāna, auch *Gondarana, Gondwana* = Gegend der Gongd, Gond, eines einh. Volksstamms, landein v. Berar u. Orissa (Lassen, Ind. A. 1, 110, Schlagw., Gloss. 195, Meyer's CLex. 7, 1013).

Gons s. Primeira.

Gonzen s. Saar.

Good, entspr. dem deutschen *gut*, welches in ON. wenig vorkommt, während das engl. Wort sich vielf. wiederholt: *Cape G. Fortune* (s. Bernard),

G. *Friday Harbour* (s. Easter), *Goodhope Island*,
2 mal in ungl. Sinne: *a)* als 'Insel der guten
Hoffng.', im Missuri, obh. Cheyenne R., v. den
Captt. Lewis u. Cl. (Trav. 72) am 4. Oct. 1804
so getauft, weil noch immer (s. Caution I.) die
Indianer Lust hatten, die Exp. anzugreifen, aber
in ihrer geringen Zahl einstw. keine Besorgniss
einflössten; *b)* in der Centralgruppe der Paumotu,
einh. *Rekareka*, v. Schiff Goodhope im Juli 1822
entdeckt (ZfAErdk. 1870, 360, Meinicke, IStill. O.
2, 210). — *G.-humoured Island* = Insel der
guten Laune, im Missuri, obh. Big Bend, v. den
Captt. Lewis u. Cl. (Trav. 60) am 24. Sept. 1804
in guter Laune erreicht, da sie hofften, ihr einziges Pferd, das ihnen die Sioux gestohlen, wieder
zu erhalten (vgl. Bad-humoured I.). — *G. Lookout Islands* = Inseln der guten Umschau, zwei
Eilande v. Palaos, v. Capt. Will. Douglas im Apr.
1788 benannt (GForster, GReis. 1, 248). — *G.
Providence* s. God. — *G. River* s. Cheyenne. —
Bay of G. Success s. Buen Suceso. — *G. Woman's Creek* = Bach der guten Frau, urspr. frz.
Name eines lkseitg. Zuflusses des untern Missuri
(Lewis-Cl., Trav. 8), doch wohl nach einer Indianerin, die sich den Weissen hülfreich gezeigt
hatte. — In anderm Sinne: *G.'s Island*, Torres
Str., v. Flinders (TA. 1, 15; 2, 119, Atl. 13) am
2. Nov. 1802 getauft nach seinem Gefährten, dem
'botanical gardener' Peter *G.*

Goodenough Bay, in Tasman's Ld., v. Capt. Ph.
P. King (Austr. 2, 205) am 12. Febr. 1822 benannt nach dem Right Rev. Lordbischof v. Carlisle, ebenso ein naher, auffallender flachgipfliger
Berg *Carlisle Head*, beides auf Wunsch seines
Reisegefährten Allan Cunningham, des Naturhistorikers der Exp.; *b)* ebenso prsl. *Mount G.*,
an der Mündg. des MacKenzie R., v. Capt. John
Franklin (Sec. Exp. 29) am 12. Aug. 1825 benannt.

Goodman s. Abgarris.

Goose Cove = Gänsebucht, in Dusky Bay, v.
Cook (VSouthP. 1, 86, Carte 13) auf seiner zweiten
Reise, am 2. April 1773, entdeckt u. benannt,
weil er hierher fünf v. Cap der GHoffng. mitge-
brachte Gänse verpflanzte, in der Hoffng., an
diesem futterreichen u. ungestörten Orte möchten
sie wohl gedeihen; *b)* auch in Feuerl. hat Cook
(ib. 2, 182) eine *G. Island*, am 24. Dec. 1774, getauft, weil Lieut. Pickersgill Tags vorher eine *G.
Cove* entdeckt hatte mit vielen Gänsen, deren er
freilich nur eine bekommen hatte. Die reiche
Jagd, welche die zwei Partieen machten, 62+14
= 76 Gänse, erlaubte, das ganze Schiffsvolk mit
Wildpret zu bewirthen, u. ohne dieses Glück wäre
das Weihnachtsmahl aus Salz- u. Schweinefleisch
bestanden; *c) G. Island* im Arch. de la Recherche,
v. Flinders (TA. 1, 87) am 15. Jan. 1802 benannt
nach den Schwimmvögeln, welche er dort traf:
kleine blaue Pinguine gleich denj. der Bass Str.
u. Bernaclegänse, deren 9 (u. später am Tage noch
16), meist mit Stöcken, getödtet wurden. Dabei
der Ankerplatz *G. Island Bay*. Auch King (Austr.
1, 10) fand die Thiere noch 'abundant'; *d) G.
Creek*, ein lkseitg. Zufluss des Missuri, obh. Little

Missuri, v. den Captt. Lewis u. Cl. (Trav. 136)
am 13. Apr. 1805 benannt nach der Menge v.
Schwänen u. Gänsen, die darauf schwammen.
Der Quellsee, *G. Lake*, 'by the same name'; *e) G.
Nest*, ein Berg der Sheep Rock Range, Calif.,
'weil sein ausgehöhlter Gipfel Aehnlichk. mit dem
Neste einer wilden Gans haben soll' (Glob. 22,
201); *f) G. Coast* s. Willoughby. — Im dim.
Goslin(g) Lake, ein See auf dem linken Ufer des
untern Missuri, welchen die Captt. Lewis u. Cl.
(Trav. 16) am 4. Juli 1804 erreichten, nach den
zahlr. Gänsen, die auf dem klaren Wasser
schwammen. — Aus dem Eismeer ist aus frem-
den Sprachen eingebürgert: *Gänseinseln*, eine
Gruppe des spitzb. Eisfjord, wie übersäet mit den
Nestern der Eidergänse, benannt v. der schwed.
Exp. v. 1864 (Torell u. Nord., Schwed. Expp. 412).

Gopal s. Krischna.

Gora, čech. *hora* = Berg, in vielen slaw. ON.,
th. als Grundwort (s. Czernagora), th. f. sich od.
in abgeleiteten Formen wie *Gorači, Goranci, Go-
ranec, Goranica, Gorenec, Gorenci, Gorica* (woraus
ital. *Gorizia*, deutsch *Görz*), *Goricanec, Goriča-
novec, Gorice, Goricica, Goričice, Gorička, Go-
ričko, Gorjani, na Gore* = an od. auf dem Berg,
*Göriach, Gorintschach, Goritschach, Goritz, Gö-
ritz, Goritzen, Goriza, Görtschach* u. s. f. (Umlauft, ÖUng. NB. 72, Miklosich, ON. App. 2, 163,
Brückner, Slaw. AAltm. 67). — *Goralen* = Bergbewohner, die aus poln. u. ruthen. Stamm gemischte Bevölkerg. der Beskiden, wo auch die
im 11. Jahrh. eingewanderten Deutschen slawisirt sind (Meyer's LCex. 7, 1019). — *Horaken*
od. *Podhoraken*, čech. *Horáci*, die Čechen der
böhm.-mähr. Höhe, nach den Terrassen, mit denen
sie gg. die March abfällt (ib. 9, 64. 78, Umlauft
87). — Da auch čech. *Horn*, f. mehrere böhm.
Orte mit *gora* zkgeht (Miklosich 164), so ist anzunehmen, auch die Bezeichn. *Hornaken, Horn-
jaken*, slaw. *Horňáci*, f. die Slowaken der Berglandschaften des nordwestl. Ungarn, gehöre hierher. — *Gory* s. Karpaten.

Gorbowoje s. Beren E.

Gorda, Area = fetter Sand, port. Spitzname
eines tiefen, vegetationslosen Sandgebiets an der
untern Lagoa dos Patos (Avé-L., SBras. 1, 494).
— Dagegen *Piedras Gordas* = grosse Steine, span.
ON. bei Lima, wo das steinige Erdreich theilw. mit
grossen Felsblöcken bedeckt ist (Tschudi, Peru
1, 315).

Gordon's Bay, im arkt. America, v. Capt. John
Franklin (Narr. 378 ff., Carte) am 7. Aug. 1821
nach Sir J. A. G. getauft. — *G. Cape*, in antarkt.
Admiralty It., v. Capt. J. Cl. Ross (SouthR. 2, 343)
im Jan. 1843 benannt nach Capt. Will. *G.*, RN.,
einem der Lords der Admiralität.

Gore, engl. Familienname, mehrf. in ON. wie
G. Bay, 2 mal: *a)* in der Südinsel NSeel., v. Cook
am 16. Febr. 1770 nach seinem 2. Schiffslieut.
G. (Hawk., Acc. 2, Carte); *b)* am Fox Ch., v. der
Exp. Parry (Sec. V. 71) im Aug. 1821 'as a small
token of gratitude' nach rear-admiral Sir John *G.*
— *G. Island*, ebf. 2 mal: *a)* bei Prince Alfreds

46 *

Cape, v. der Exp. McClure im Aug. 1851 entdeckt u. nach einem der wackern Gefährten Sir John Franklin's, dessen Aufsuchg. die Exp. galt, getauft (Armstrong, NWPass. 388); *b*) s. Laurentius. — *Point G.*, am Carpentaria G., v. Capt. Stokes (Disc. 2,280) am 24. Juli 1841 benannt nach seinem Gefährten, dem Lieut. Gore, welcher ihn auf der Exploration begleitet hatte.

Goreloy Cstrow=verbrannte Insel, besser mit *gorjeloj* (spr. gar...)m., *gorjelaja* f., eine der Aleuten, welche einen sehr hohen, am Gipfel mit ewigem Schnee bedeckten Vulcan hat (Krus., Mém. 2, 82); *b*) *Gorjelaja Rjetschka* = feuriger Bach, ein Fluss u. Thal am Awatscha-Vulkan. 'Eine ganze Welt vulcan. Erscheinungen umgab uns hier. Der Boden zeigte nicht nur überall die Spuren jener siedenden Ströme, sowie des Regens glühender Steine; sondern auch die unterirdische Bewegg. war nicht völlig entschlafen: dumpfes Getöse, aufsteigende Dampfwolken, frische Erdspalten, bes. aber unzählige kleine, oft nur halb mannshohe Kegel, die aus den Gipfeln heisses Gas u. aus nahen Spalten Dämpfe ausströmen liessen' (Kittlitz, Denkw. 1, 332). — *Garetschewodsk*, besser *Gorjatschewodsk* = Ort des Warmwassers, ein ciskauk. Thermalort in der Gegend des Fort Konstantinogorsk..... les eaux chaudes en (es ist v. einer langen, engen Vertiefg. die Rede) occupent les bords et sortent en plusieurs sources d'une température plus ou moins élevée, et d'une composition analogue.... (Kupffer, Elbr. 8. 46). — *Pogorelaja Plita* = der gebrannte Fels, russ. Name einer Vulkaninsel des Kaspisees, an der Mündg. des Kur (Humboldt, As. Centr. 2, 652).

Gorin s. Bosco.

Gorkoe Osero = Bittersee, russ. Name eines kleinen Steppensees der Ischim'schen Steppe. Das Wasser enthält im Sommer $2^1/_2$ Quentlein v. mit Bittersalz verunreinigtem Kochsalz. Der See hat keine Fische; der Schlamm seiner Schilfufer stinkt, vermuthl. v. todtem Gewürme u. faulenden Pflanzen (Falk, Beitr. 1, 251); *b*) *Gorkoi*, wohl besser *Gorkaja Reka* = Bitterbach, ein Flüsschen der kuman. Steppe, das z. Kaspisee geht u. 'ekelhaft Wasser hat' (ib. 1, 97, Güldenst., Georg. 2).

Gorminish = blaue Insel, v. ir. *gorm* = blau, eine kleine Insel im Lough Melvin, Fermanagh, wie *Gormlee*, ir. *Gormliath* = bläulich grün, Ort unw. Cork, 'from the colour of the soil' u. a. m. (Joyce, Orig. Ir. NPl. 2, 282).

Gorner s. Dufour.

Gornostájnoj Prilùk = Ufer der Hermelinströmung nennen die Archangeler Russen das rechte Stromufer, welches obh. der Confluenz der Górnaja Tschárka sich als äusserer Stromberg, *prilùk*, etwa 10 km weit längs der Petschóra hinanzieht, nach der ungewöhnlich starken Strömg., welche an ihm verspürt wird (Schrenk, Tundr. 1, 235).

Gorodok s. Pustosersk.

Gortyn, gr. Γόρτυν = κόρτυς, mächtig, gross, 'Meiningen' (Pape-Bens.): *a*) eine arkad. Stadt nordwestl. v. Megalopolis an dem nach ihr ge-

nannten *Gortynios*, einem Nebenflusse des Alpheios (Paus. 8, 4, 8). Die Stadt, j. *Palaeokastro* = Altenburg, lag auf einem Hügel mit geräumiger Hochfläche u. zerklüfteten Abhängen u. war mit 3 m starken polygonen Mauern umgeben. Nach ihr hiess die etwas südlicher liegende enge Alpheiosschlucht im Mittelalter τὰ Σκόρτα, der sie beherrschende hohe Felskegel *Karitena*, j. gew. ή Καρύταινα (Curt., Pel. 1, 391); *b*) eine dor. Stadt auf Kreta, eine der grössten u. mächtigsten, vor Alters ummauert: Γόρτυνά τε τειχιόεσσαν (Hom., Il. 2, 646, Strabo 478).

Gosaingándsch = Gosáin's Markt, hind. ON. in Audh, v. *gosáin*, skr. *gosvámi*, eine Gottheit, ein Heiliger, eine religiöse Secte; *b*) *Gosainthán* = Gosáin's Wohnung, ein Berg in Nepál (Schlagw., Gloss. 196).

Goslar s. Wetzlar.

Goslin s. Goose.

Gosnold Island, bei Martha's Vineyard (s. d.), v. engl. Capt. Gosnold 1602 entdeckt u. 'by his owne name' benannt (Strachey, HTrav. 156); *b*) *G.'s Hope* s. Buzzard.

Gosselin, Ile, eine der Iles du Géographe, v. der frz. Exp. Baudin im Febr. 1803 getauft nach dem um antike Geographie verdienten Pascal-François-Joseph G. 1751—1830 (Péron, TA. 2, 105); *b*) *Cap G.* s. Leeuwin.

Gotha, deutsche Stadt, nicht 'a Gothis ut quidam autumant conditum', zuerst 770 erwähnt, *Gotaha* (Förstem., Altd. NB. 654), als ein Dorf, das z. Stifte Hersfeld gehörte u. durch dessen Abt Gothard, nachm. Schutzheiligen des Orts, mit Mauern umgeben wurde (Meyer's CLex. 7, 1029). Das Bild des Abts j. noch auf einem Stadtbrunnen (Daniel, Hdb. Geogr. 4, 526). — *G. Winkel* s. Spörer.

Gothen, altgerm. Volksstamm, mit welchem Grimm auch die *Geten* identificirt (s. Bessarabien), viell. einst der Name der Gesammtheit der noch ungetheilten Germanen, bei Ptol. Γόϊται, Γαῖται, bei Procop Γαντοί, bei Plin. *Gutones*, bei Strabo Γούτωνες, bei Tacitus *Gotones*, bei Amm. Marc. *Gothi*, bei Beda *Jutae*, nach Förstem. (Altd. NB. 683 f.) v. 'noch ganz dunkler Etym.' u. in 3 Formen unterschieden: die urspr., *Gutas*, wesentl. f. die südl. G., die äusserl. erweiterte, *Gutanas*, f. die Weichselgothen, u. die innerl. erweiterte, *Gautas*, f. die skand. G. Diesen VN. leitete Snorre Sturluson v. Odins Namen *Gautr* ab; J. Grimm (Gesch. DSpr.) dachte an die Verwandtschaft mit *gut* u. setzte 'Götter, Halbgötter', dagegen S. Egilsson 1860 sermocinator, v. verb *gauta*. Andere Versuche führen auf das verb *gjuta* = giessen zk. u. kommen auf vir sagax (C. Zeuss 1837), auf 'Beschäler, Hengste' (Lottner 1856), auf 'die Erschaffenen' (C. Säve 1859) od. auf 'die Ausgebreiteten' (Ferd. Wrede 1891). Nun vergleicht A. Erdmann (om FolkN. Götar, Stockh. 1891), v. der Ansicht ausgehend, der Name sei gebildet aus einem indoeurop. Nominalstamm, der in den german. Sprachen sich mit *g*-prefix verschmolzen, den Stamm *aud*-, der in Form u. Be-

deutg. vortreffl. den gesuchten german. Grund-
stamm darstelle, lat. *aud-ax* = kühn, dreist,
audere = sich erkühnen; er setzt also *G.* = die
Kühnen, Muthigen. — Allgemein betrachtet man
die balt. Insel *Gothland*, bei Schouw (Eur. 15)
Gulland, einst 'eine nördl. Station des Gothen-
volkes' (Förstem., Altd. NB. 683) als 'Land der
G.' (C. G. Styffe, briefl. Mitth.), wie denn die *Gut-
tonen, Gotönes*, erst im 5. Jahrh. *Gothi*, ausdrückl. als das einzige, an der Ostsee bis üb. die
Vistula hinaus sich erstreckende Germanenvolk
genannt werden (Kiepert, Lehrb. AG. 542 ff.), u.
nur Passarge (Schwed. 262) setzt, im Widerspruch
mit schwed. *god* = gut, *Gotland* = Gutland,
weil die Insel trotz ihres th. humuslosen u. mit
Kalksteinstücken überdeckten Bodens zu den ge-
segnetsten Gegenden des schwed. Reichs gehöre,
holzreich sei, fruchtb. Weizenboden habe u. f.
Obstbau sich vorzüglich eigne. — *Sinum Gothicum* s. Botten. — Vgl. Göta.

Gott, ahd. *god* = deus, in ON. nicht selten, so
wahrsch. in *Gottlieben*, 11. Jahrh. *Gotiliubon*,
Thurgau, *Goddelau*, 9. Jahrh. *Gotaloh*, Hessen,
Göttweih, 11. Jahrh. *Gotewich*, NOesterreich, oft
jedoch in gefährl. Nähe mit einem PN. des Stammes
god (Förstem., Altd. NB. 647 f.). — *Gottstatt*, einst
Kloster des C. Bern, an der Aare, ggr. 1247 v.
Graf Rudolf v. Neuenburg u. seinen Brüdern . . .
dedi *Locum Dei*, qui antiquitus *Stadholz* vocа-
batur, ordini Praemonstratensi . . . possidendum
et ad construendum ibidem vel circa eundem locum abbatiam (Fontes RBern. 2 No. 267). — *Gotteshausbund*, wie rätor. *Lia da Cadè*, einer der
3 Bünde, aus deren Vereinigg. 1471 der schweiz.
C. Graubünden (s. d.) entstanden ist, 'stammt v.
Bisth. Chur her u. den besondern Verhältnissen,
in welchen das Volk zu demselben, zumal im
15. Jahrh., stand, wo der gemeinschaftl. Glaube
das engste Band zw. beiden bildete' (Campell
ed. Mohr, Lechner, PLang. 20). — *Gottesberg* s.
Teufel.

Gotthard, St., 2 mal, zunächst: *a)* der centrale
Gebirgsknoten der Central Alpen, nach einem
Heiligen (Gatschet, OForsch. 8) u. zwar v. dem
aus Bayern stammenden St. Godehardus, welcher
1038 als Bischof v. Hildesheim † (Briefl. Mitth.
v. Praef. B. Staub in Zug), nachdem v. Disentis
aus im 12. Jahrh. hier eine Capelle des Heiligen
gestiftet worden (Gem. Schwz. 4, 92 ff.). Gew.
wird diese Stiftg. in 1374 gesetzt: 'Vuolsi que
fino dal 1374 un abbate di Dissentis, *il cui dominio comprendeva allora la valle d'Orsera*
(Ursern), vi facesse erigere il primo ospizio ed
una cappella dedicata a S. Gottardo; la costru-
zione di questa viene da altri attribuita ad Azzone
Visconti, Signor di Milano, il cui dominio vera-
mente si stendeva (thalaufwärts) fino a quelle
cime' (Lavizzari, Esc. 4, 606); *b)* ein Cistercienserkloster auf dem rechten Ufer der Raab (Hammer-
P., Osm.R. 6, 139).

Gouadeloupe s. Guadalupe.

Goudsbloem Rivier = Goldblumenfluss, im südwestl. Theil des Caplandes, v. den holl. Ansied-

lern so benannt, weil seine Ufer in der Regenzeit mit Goldblumen, Gorterien, bewachsen sind
(Lichtenst., S.Afr. 2, 273).

Goulburn Islands, an der Nordküste NHoll., v.
Capt. Ph. P. King (Austr. 1, 70) am 30. März 1818
getauft nach dem dam. Unterstaatssecretär f. das
Colonialwesen, wie *G. River*, ein Zufluss des
Murray, v. Hume im Dec. 1824 entdeckt (Hertha
5 GZ. 166) u. wohl auch *G.'s Isles*, in Bathurst
It., v. Capt. John Franklin (Narr. 376) im Aug.
1821 getauft nebst *Elliott's Isles* u. *Young Isles*
(s. dd.).

Gould's Dome, ein auffallend domfg. Berg der
Rocky Ms., 50⁰ NB., v. Capt. Blakiston 1858 nach
dem brit. Naturforscher *G.* benannt (PM. 6, 20,
ZfAErdk. nf. 7, 341).

Goulet s. Golette.

Goupillières s. Volpe.

Govat's Leap, eine Schlucht in den Gebirgen
v. NSWales, zw. Felsen tief eingeschnitten, v. oben
gesehen ein schwarzer, schauerl. u. unzugängl.
Abgrund, mit dichtem Wald bewachsen, v. einem
Fluss durchströmt. Es wäre ein tollkühner Sprung,
leap, v. oben hinunter in den Abgrund, u. diesen
hat auch der Landmesser *G.*, nach dem die
Schlucht benannt ist, keineswegs gewagt, sondern
einf. 'had visited the spot, had named it, and
had gone home again' (Trollope, Austr. 3, 303).

Governador, Ilha do, hiess bald nach der Gründg.
Rio de Janeiro's, 1565, die grösste der in der
Bay liegenden Inseln, nach dem Gouv. u. alcaide
mór der Stadt: Salvador Correa, sonst auch *Ilha
do Maracaia* = Insel des Wildkaters, nach dem
dort wohnenden Indianerhäuptling (s. Tupinamba),
ind. *Paranápuam* = Meerinsel (Varnh., HBraz.
1, 252. 308).

Gower's Island, eine kleine, niedrige Insel der
Salomonen, v. engl. Capt. Carteret am 20. Aug.
1767 entdeckt u. prsl. benannt (Hawk., Acc. 1,
364), wie kurz nachher, am 28. Aug., *G.'s Harbour*, eine Hafenbucht Neu Irlands (ib. 368, Carte).
Als der frz. Capt. Surville, v. Port Praslin aus
fortsegelnd, am 6. Nov. 1769 das Land erblickte,
nannte er es *Ile Inattendue* = unerwartete Insel
(Spr. u. F., NBeitr. 3, 228, Marion-Cr., NV. 277).
— *Cape G.*, ein aus einer Landzunge vortretendes Klippenriff an der Ostküste China's, v. der
engl. Gesandtschaftsexp. 1792/93 nach einem Mitgliede benannt (Staunton, China 1, 484).

Gowind s. Krischna.

Goworun, Kamen = der Schwätzerfels, russ.
Name einer der senkr. Kalkfelswände, welche
am Laufe des ural. Flusses Sosjwa ein gutes Echo
geben (Bär u. H., Beitr. 5, 70).

Goyaz, port. Name einer bras. Prov., nach dem
seither erloschenen Indianerstamm Goyá, dessen
Weiber sich mit Goldblättchen schmückten (Eschwege, Pl.Bras. 54. 58). Die *Villa Boa* = gute
Stadt, v. port. Colonisten 1726 ggr., wurde 1739
z. *Cidade de G.* erhoben (Meyer's CLex. 8, 8f.).

Gozzo, die Nebeninsel Malta's, bei Edrisi (ed.
Jaub. 2, 75), *Ghodos*, arab. *Ghaudesch*, alt *Gau-
dos, Gaulos*, ist mir etym. nicht erklärt; phön.

Münzen enthalten den Namen *I-nun* אי נון, etwa 'Fischinsel', was wohl dem durch seine Thunfischerei wichtigen Eiland zuzuweisen ist (Movers, Phön. 2ᵇ, 360). Vgl. Pachynus.

Graaff-Reynett, eine Stadt des Caplandes, 1786 auf Veranstaltg. des holl. Gouv. van de *G.* angelegt u. nach ihm u. seiner Frau, einer geb. Reynett, benannt (Lichtenst., S.Afr. 1, 608). Vgl. Zwellendam & Stellenbosch. — *de Graaf* s. Graf.

Grab, v. ahd. *graban* = fodere, als Grundwort deutscher ON. oft verwendet u. zwar namentl. durch Substantiva vertreten, ahd. *grab* = sepulcrum, ahd. *grabo* = fossa, Graben, ahd. *grôba* = fovea, Grube, ahd. *graft, grefti*, was hier die Bedeutg. v. 'Grube' haben muss: *a) Graba,* im 11. Jahrh. *Grabin,* unw. Rudolstadt; *b) Groba,* im 9. Jahrh., unw. Weissenburg; *c) Grabaha* u. a. m. Es liegt jedoch in verführerischer Nähe auch ein slaw. Element *grab* (s. Gaber). — *Die Gruob,* rätor. *la Foppa,* mit gl. Bedeutg., das weite Thalbecken, welches der Rhein v. Ilanz bis z. Schlucht des Flimser Waldes durchrauscht. — *Grubenpass,* ein Gebirgsübergang des Rätikon, der üb. kesselartige Gruben sich fortwindet (NAlp. P. 6, 107).

Grab = Hainbuche (s. Gaber), in slaw. ON. wie *G., Grabicz, Grabie, Grabina, Grabiny, Grabje, Grabów, Grabowa, Grabowice, Grabowiec, Grabówka, Grabówki, Grabowna, Grabownica* (Miklosich, ON. App. 2, 165, Umlauft, ÖUng. NB. 74).

Graccurris s. Pompejopolis.

Gracia, Isla de, einer der ON. mit dem Begriffe v. Gnade, Dank, Anmuth, wie z. B. in *Gratiae Portus* (s. Havre) u. *Rio de G.* (s. Martin), doch im Namen der Halbinsel, einh. *Pária* (LCasas, Coll. 225), nicht recht klar, v. Columbus (Vida 320) auf seiner 3. Fahrt 1498 wohl im Ggsatz zu dem öden Delta des Orinoco so benannt, sofern nicht gerade diesem der Name gilt u. die Küste v. Paria als des Entdeckers *Isla Santa* (s. d.) zu betrachten ist (Raleigh, Disc. G. LXIX). — Bestimmt ist *Cabo Gracias á Dios* = Gott sei Dank, wie Columbus, nach mühseliger Ostfahrt bei widrigem Winde, die am 12. Sept. 1502 erreichte central'americ. Landspitze nannte. Er war v. Rio de la Posesion abgegangen. 'Pasando de aquí adelante fué toda la tierra muy baja, de gente muy selvage y de muy poco provecho: hizo la tierra ya casi al fin de la tierra baja un cabo que fasta aquí fue lo peor de navegar, é púsole nombre de Cabo de *G. á D.*' (Navarrete, Coll. 1, 284, Colon, Vida 406f.). Der grosse Entdecker war schon auf der Ueberfahrt v. Sturme verfolgt worden. Von der Südküste Cuba's aus suchte er trotz Wind u. Strömg. die Tierra firme zu erreichen u. kämpfte 60ᵈ lg. gg. die Widerwärtigkeiten. 'En todo este tiempo no entré puerto, ni pude, ni me dejó tormenta del cielo, agua y trombones y relámpagos de continuo, que parecia el fin del mundo. Llegué al cabo de *G. á D.*, y de allí me dió nuestro Señor prospero el viento y corriente. Esto fue á doce de setiembre. Ochenta y ocho días habia dejado espantable tormenta, á tanto que no vide el sol ni estrellas por mar; que á los navíos tenia yo abiertos, á las velas rotas, y perdidas anclas y jarcia, cables, con las barcas y muchos bastimentos, la gento muy enferma, y todos contritos, y muchos con promesa de religion, y no ninguno sin otros votos y romerías. Muchas veces habian llegado á se confesar los unos á los otros. Otras tormentas se han visto, mas no durar tanto ni con tanto espanto. Muchos esmorecieron, harto y hartas veces, que teniamos por esforzados. El dolor del fijo que yo tenia allí me arrancaba el ánima, y mas por verle de tan nueva edad de trece años en' tanta fatiga, y durar en ello tanto: nuestro Señnor le dió tal esfuerzo que él avivaba á los otros, y en las obras hacia el como si hubiera navegado ochenta años, y él me consolaba. Yo habia adolescido y llegado fartas veces á la muerte . . .' So eindrucksvoll schildert der grosse Entdecker das Ereigniss, welches den Namen *G. á D.* veranlasste, in einem v. Jamaica 7. Juli 1503 dat. Briefe an das Königspaar (WHakl. S. 43, 178f.). Der Capname ist auf die 1536 ggr. Stadt *Gracias (á Dios)* übtr. (Meyer's CLex. 8, 18.) — Diesem rom. Namen fügen wir gleich ein engl. Seitenstück bei: *Thank God Harbour* = Hafen Gott sei Dank, im Robeson Ch., resp. Polaris B. (s. d.), wo am 5. Sept. 1871 die Polaris, das Schiff der american. Exp. Ch. F. Hall, ihren Winterhafen fand (Peterm., GMitth. 19, 312; 22,469). — *Ilha Graciosa* = die anmuthige Insel, eine der Açoren, v. den port. Entdeckern nach dem schönen Anblick so genannt (Sommer, Taschb. 12, 291), auch später noch 'vol van allerley vruchten ende victualie, ende daer benneffens seer playsant ende lustigh' (Eerste Schipv., Amst. 1648, 99). — In span. Form *Isla Graciosa,* unter den Desiertas der Canarien (ZfAErdk. nf. 10, 2ff.). — *Bahia Graciosa* s. Trevanion.

Grad, asl. *grad* = Mauer, Hürde, russ. *gorod,* in westsl. Dial. *grad, grod, hrad, gard* = Burg, Stadt (s. Philippopel), dim. *gradec, hradec,* das Element einer zahlr. Namenfamilie, die uns aus den Compositis *Nowgorod, Königgrätz, Belgrad, Stargard* (s. dd.) geläufig ist u. in dem Namen der steierm. Hptstadt *Graz* (s. d.) ein heiss umstrittenes Object typonym. Ansichten aufzuweisen hat. — Das slow. dim. *Gradec* wiederholt sich übr. mehrf. in Steiermark u. Krain, die Form *Grätz* in OOesterr., *Grades,* aus *Gradez* umgeformt, in Krain, *Grad* u. *Gradac,* mehrf. in den slow. Gebieten, *Gradišče* u. *Gradiše* = Burgstätte, in vielen Fällen zu *Gradisca, Gradisch, Gradische, Gradischen, Gradischka, Gradischku, Gradisce, Gradišce, Graditschach* entstellt, *Gradenegg,* in Kärnten, u. *Gradnitz,* in NOesterr., früher *Grednek* u. *Grednitz,* beide aus *Granica* (Miklosich, ON. App. 2, 165). Unter den čech. Formen ist am bekanntesten die imposante Hochburg in Prag, *Hradschin,* v. *hradče* = Burgbezirk (Grot, Kreml 9); daneben gibt es

viele *Hradec* (s. König) u. *Hradek, Hradišt̆*
= Burgstätte (s. Tabor), in der Form *Hradisch,
Hradišt* u. *Hradišt* (Mikl. 165). — Ferner
Gratzen, čech. *Nové Hrady*, lat. *Neocastrum* =
Neuenburg, in Böhmen (Umlauft, ÖUng. NB. 75),
Grodno, in Lithauen, u. *Grodzisko*, im preuss.
Kr. Angerburg (Krosta, Mas. St. 11), *Gaarz* u.
Garden, mehrf. in Mecklb. (Kühnel, Slaw. ON.
46). — *Grod* s. Spree. — *Ogorod* = Gehäge, ein
Berg östl. v. der Kolyma, wo die Eingb. einen
Fangpferch z. Renthierjagd aufgerichtet haben
(Wrangell, NSib. 2, 25). — *Gradischtje* od. *Gre-
distie*, rum. *Csetate*, mag. *Varhely*, alles = Veste,
f. die vormalige Hptstadt Daciens, *Sarmizegetusa*,
die auch Civilhptstadt der röm. Prov. als zunächst
einzige Coloniestadt derselben blieb u. daher *Colonia Dacica* schlechtweg od. *Colonia Ulpia
Trajana Augusta* hiess (Kiepert, Lehrb. AG. 336,
ZfAErdk. 1872, 262 ff.). — Das rum. Wort, als
Csetate Mare = grosse Burg u. *C. Mike* = kleine
Burg, auch f. die grossartigen Tagbauten, welche
der röm. Bergbau in den goldreichen Gebirgen
v. Vöröspatak, Siebenb., zu weiten Hohlräumen
gestaltete (Meyer's CLex. 9, 1048).

Grad-Berg, ein dem Maltebrun-, Vivien- u. Maunoir-Berg benachb. Gipfel Spitzb., v. de⸲ Exp.
Heuglin-Zeil 1870 getauft (PM. 17, 182). Der
frz. Naturf. Charles *G.* hat die Beobachtungen
der deutschen Nordpolexp. in frz. Zeitschriften
besprochen, übhpt. sich um Verbreitg. deutscher
geogr. Arbeiten in Frankreich verdient gemacht,
Gletscherstudien angestellt, sein Heimatland Elsass
(Bull. SGParis 1872) beschrieben u. ist in Sachen
der elsäss. Optanten 1871 nach Algerien gereist
(ib. 17, 314; 18, 229. 477).

Gräbhain s. Wyman.

Grächen s. Granea.

Graeci, lat. Volksname wie *Graecia* u. *Magna
Graecia* s. Griechen. — *Mare Graecum* s. Lion.

Gränichen s. Granea.

Gräplang, eine Burgruine bei st. gall. Walenstad,
wird — wie v. mehrern Vorgängern, z. B. Campell (59. 175), wo es heisst: '. . . . auf einem
langen Bergrücken liegt das Schloss *G.*, *Crappa
lunga*', sowie v. Arx (Gesch.SGall. 1, 543) — auch
v. Gatschet (OForsch. 50) aus dem rätr. *crap lung*
= langer Fels (auf dem die Burg steht) erklärt.
Das Wort f. Fels heisst im Bündner Oberlande
crap, grippa, im Engadin *crippel*, im Grödner
Dial. *creppes*. Mir scheint gewagt, auch. f. luzern.
Greppen diese rätr. Ableitg. anzunehmen.

Gräs s. Gras.

Grätengebirge, ein zackiges Gebirge der Wüste
zw. Nil u. RothM., das non plus ultra der Hahnenkämme jener Gegend, indem hier die Zacken
fast wie Finger u. gg. 1000 m h. relativ sind.
Die deutschen Reisenden Schweinfurth u. Güss-
feldt bezeichneten alle schroff abfallenden, stark
ausgezackten Felskämme als 'Hahnenkämme' (PM.
23, 389).

Graf, holl. *graaf*, gen. *graven*, ahd. *grafo* =
comes, auch PN., in deutschen ON. mehrf., aber

nach den beiden Bedeutungen nicht immer sicher
zu sondern, wie *Grafenberg*, im 11. Jahrh.
Gravenberch, in NOesterreich, *Grafeneck*, im
11. Jahrh. *Crauinegga*, unw. Reutlingen, *Grafen-
brunn, Grafenbuch, Grafendorf, Grafenstein*
u. a. m. (Förstem., Altd. ON. 659). — *Grafenort*,
2 mal *a)* ein Hof in Unterwalden, v. Grafen
Rudolf v. Habsburg 1210 dem Kloster Engelberg
abgetreten u. noch j. in dessen Besitz (Gem.
Schweiz 6, 128); *b)* ein Ort in Schlesien, mit
Schloss der Grafen v. Herberstein (Meyer's CLex.
8, 31).— *Grafenwerth* s. Nonnenwerd.— *'s Gravenhage*, deutsch *Haag*, frz. *la Haye*, urspr. ein
Jagdschloss der Grafen v. Holland, 'ein Gehege'
mitten in einem grossen Walde gelegen, v. einem dieser
Grafen, die bis 1291 in Grafensand residirten,
dem deutschen Kaiser Wilhelm II., um 1250, in
einen Palast verwandelt, vollendet jedoch erst
unter seinem Sohne Floris V. Die Burg war mit
Wassergräben umgeben; drei Brücken u. drei
Thore führten zu ihr. Um diesen Kern bildete
sich allm. eine Stadt, zuerst der *Binnenhof*, dann
der *Buitenhof*, Strasse um Strasse, bis König
Louis, der Napoleonide, den Ort zur Stadt erhob
(Wild, Niedl. 2, 95 ff., Meyer's CLex. 8, 387). —
Gravelines, vläm. *Gravelinghe*, im 11. Jahrh.
Graveninga, Graveninghe, f. *Graveninghem* =
Grafenheim, Ort des frz. dép. du Nord, d. i. auf
dem alten Gebiete der flandr. Grafen, um 1160 v.
Grafen Theoderich angelegt (Meyer's CLex. 8, 72,
Mannier, Et. Nord 4 ff.) — *Grave* od. *de Graaf*,
Ort in NBrabant, früher den Grafen v. Egmont
gehörig (Meyer's CLex. 8, 72).

Graffigny, Pointe, in St. Vinçent's *G.*, v. der
frz. Exp. Baudin im Jan. 1803 benannt wie die
meisten übr. Punkte jener Gegend nach einer
Frauensperson, näml. nach der Schriftstellerin d.
N., 1694—1758 (Péron, TA. 2, 75).

Graftfontein = Quelle am Grabe, eine dürftige
Quelle des Capl., v. den holl. Colonisten so benannt, weil hier der auf einer Elefantenjagd verunglückte Bruder v. Lichtenstein's Begleiter Krieger
begraben liegt (Lichtenst., SAfr. 2, 347). S. Grab.

Grafton's Isle, Duke of, eine der Bashee In.
(s. d.), v. Will. Dampier 1687 getauft nach Lord
Harry Fitzroy, welcher als natürlicher Sohn
Karl's II. 1662 geb., z. Herzog v. Grafton erhoben u. 1681 z. Vice-Admiral ernannt wurde,
† 1690 (Crawf., Dict. 40); *b)* *Cape G.*, in Queensl.,
v. Cook am 9. Juni 1770 benannt (Hawk., Acc.
3, 138) offb. nach Lord A. H. Fitzroy, Herzog
v. *G.*, welcher, 1735 geb., noch erster Lord der
Schatzkammer, also nominell an der Spitze des
Ministeriums Pitt stand, † 1811; *c)* *G. Range* s.
Fitzroy.

Graham's Land, eine antarkt. Entdeckung des
Capt. Biscoe, der im Dienste der Londoner Walfgrfirma Enderby (s. d.) 1830/32 eine Reihe v. Objecten fand u. taufte (Journ. RGSLond. 3, 110),
ozw. nach dem dam. ersten Lord der Admiralität,
Sir James Robert George of Netherby, earl of
G., † 1861 (Meyer's CLex. 8, 32, Ross, SouthR. 1,

291); *b)* ebenso *G.'s Valley*, in Boothia Isthmus,
v. Capt. John Ross (Sec. V. 729, Carte, 1829/33 u.
c) G.'s Island (s. Nerita); dagegen *Cape G.*, in
Grönl., v. Scoresby jun. (NorthWF. 231) am 29. Juli
1822 nach einem Professor *G.* in Edinburg, wohl
dem Chemiker Thomas *G.*, geb. 1805, † 1869. —
Grahamstown, in Capl., 1812 ggr., dürfte nach
Lord L. Th. *G.*, der, 1750 geb., in den Kriegen
gg. Frankreich 1793—1814 sich vielf. auszeichnete,
namentl. 1811 als Generallieut. bei Vittoria den
linken·Flügel befehligte, benannt sein.

Graiae, Alpes = grajische Alpen, zuerst so bei
Tacit. (Hist. 4, 68), im sing. in *Alpe Graia* (Peut.
Taf.), bei den Alten, mit der ihnen eignen Sucht
zu fabuliren, gleich *Graecae* gesetzt u. davon her-
geleitet, als haben den Berg Hercules u. seine
Griechen begangen (Nissen, Ital. LK. 147), ist wohl
ein kelt. Name, v. gall. *craig* = Stein, Fels
(Klöden, A Hochl. 17).

Grain Coast s. Pfefferküste.

Grámpa = Sumpf, tib. Name einer sumpfigen
Steppe obh. Schígar, Bálti (Schlagw., Gloss. 196).

Grampus Islands, eine pacif. Inselgruppe nördl.
v. den Marianen, v. Capt. John Meares am 5. April
1788 entdeckt u. benannt, 'weil wir einen grossen
Nordkaper, engl. *grampus*, Delphinus Orca L.,
dicht am Ufer Wasser in die Höhe sprützen
sahen — was in diesen Meeren ungewöhnlich ist'
(GForster, GReis. 1, 94). — *Grampian Mountains,* eine gelehrte Namensschöpfg. des 18. Jahrh.
f. das centrale Gebirgsnetz Schottlands, da Tacitus, in seinem Bericht üb. Agricola's Feldzug,
eines Treffens gg. den kelt. Führer Calgacus, bei
dem Berge *Graupius*, erwähnt. Eine falsche
Lesart, *Grampius*, u. eine ungerechtfertigte Identi-
ficirung haben den mod. Namen geboren (Kiepert,
Lehrb. AG. 532).

Grämunke s. Stockholm.

Gran, wohl v. slaw. *Gron, Hron* = Fluss (Umlauft, NB. 75), Fluss in Ungarn, alt *Granua* u.
an seiner Mündg. die Stadt *G.*, die früher, als
am Ister gelegen, auch *Istropolis* = Donaustadt od.,
nach beiden Flüssen, *Istrogranum* hiess. Aus
letzterm Namen haben die Ungarn *Esztergam*,
latin. in *Strigonium*, gemacht (Meyer's CLex. 8,
36 f.). — *Gran*, adj. s. Grande.

Granáda, bei uns oft fälschl. *Gránada* gespr.,
der Name der südspan. Stadt, die im 8. Jahrh.,
ungefähr auf der Stelle des iber. *Illiberis* (=
Neustadt), v. den Arabern ggr. wurde, hängt wohl
mit *granate* zs., so wenig auch gewisse Annahmen
befriedigen, wie z. B. man hätte ihre Gestalt mit
einem aufgesprungenen Granatapfel verglichen,
dessen Mittelpunkt die Alhambra bildete (Meyer's
CLex. 8, 38). Der iber. ON. hat sich in der benachbarten *Sierra de Elvira* erhalten (Kiepert,
Lehrb. AG. 486). — Uebtr. span. Städte in America:
a) in Nicaragua 1522; *b)* in Mexico 1540, die
letztere, weil sie dem span. *G.* etwas ähnl. sah u.
zu Ehren des (aus *G.* geb.?) Vicekönigs Don Antonio de Mendoza (Hakl., Pr. Nav. 3, 373). —
Nueva G. s. Columbia.

Grand = gross, wie im ital., span. u. port. *grande*,

schon lat. *grandis*, das jedoch neben *magnus*
(s. d.) wenig gebr. war, in frz. ON. *a) G. Bruit*
= grosser Lärm, ein Küstenfluss der Südseite
NFundl. (Anspach, NFundl. 122); *b) G. Détour*
s. Big; *c) G. Lac* s. Superior; *d) G. Océan* s. Pacific. — Häufiger fem. *grande a) G. Baie* s.
Lawrence; *b) G. Eau* = Grosswasser, der Thalbach des Val d'Ormonds, Waadt ... 'et c'est enflée
de tous ces ruisseaux tributaires que la *GE.* arrive
souvent menaçante et terrible à Aigle' (Mart.-
Crous., Dict. 417); *c) G. Montagne* s. Grottes. —
G. Rivière a) ein Ikseitg., an der Mündg. egg.
100 m br. Zufluss des untern Missuri, j. engl.
G. River (Lewis u. Cl., Trav. 10); *b)* s. Cunene;
c) s. Somme. — *G. Terre* s. Maria. — *Grandval*
= grosses Thal, mehrf. auf frz. Sprachgebiet:
a) im dép. Eure-et-Loir, 1192 *Grantval* (Dict.
top. Fr. 1, 85), neben einem Ort *la Grande-Vallée*
u. *les Grandes-Vallées*; *b)* s. Moutier. — *Grandes
Dents* s. Za.

Grand = gross, aus dem frz. ins engl. aufgenommen neben das eigne german. *great*, erscheint
in engl. ON. häufig *a) G. Cañon* = grosse Schlucht,
der grandiose Felsschlund, welchen der junge
Yellowstone R., nachdem er seine beiden grossen
Fälle gethan, zu passiren hat ... 'no language can
do justice to the wonderful grandeur and beauty ...
the very nearly vertical walls, slightly sloping
down to the water's edge on either side, so that
from the summit the river appears like a thread
of silver foaming over its rocky bottom; the variegated colors of the sides, yellow, red, brown,
white, all intermixed and shading into each other;
the Gothic colums of every form standing out from
the sides of the walls with greater variety and
more striking colors than ever adorned a work
of human art. The margins of the cañon on
either side are beautifully fringed with pines. In
some places the walls of the cañon are composed
of massive basalt, so separated by the jointage
as to look irregular mason-work going to decay ....
the cañon, which looks like an immense chasm
or cleft in the basalt, with its sides 1200 to 1500
feet high, and decorated with the most brilliant
colors that the human eye ever saw, with the
rocks weathered into an almost unlimited variety
of forms, with here and there a pine sending its
roots into the clefts on the sides as if struggling
with a sort of uncertain success to maintain an
existence — the whole presents a picture that it
would be difficult to surpass in nature...' (Hayden,
Prel. Rep. 84). Die Schlucht wird durch den Beinamen *G.* v. den 3 kleinern, abwärts folgg. unterschieden und diese selbst sind f. den flussaufw.
Kommenden numerirt: *First, Second, Third
Cañon; b) G. Falls* s. Kakabeka; *c) G. Geyser,*
eine der imposantesten Springquellen des Fire
Hole, v. Geol. F. V. Hayden am 5. Aug. 1871
benannt nach den gewaltigen Ausbrüchen, welche
1_8 m dicke Thermalsäulen 60 m h. emporschleudern
u. 20 Min. andauern. 'Soon after reaching camp,
a tremendous rumbling was heard, shaking the
ground in every direction, and soon a column of

steam burst forth from a crater near the edge of
the east side of the river. Following the steam,
arose, by a s cession of impulses, a column of
water, apparently 6 feet in diameter, to the height
of 200′, while the steam ascendend a thousand
feet or more.... We called this the *GG.*, for
its power seemed greater than any other of which
we obtained any knowledge in the valley′ (Hayden,
Prel. Rep. 116. 185). Als Ludlow 1875 den GG.
sah, ging das Spiel nur noch bis 24 m h.; aber
es war immer noch ein grossartiges Schaustück.
Dreimal erneuerte sich der Ausbruch, je in kühnen
Stössen aufsteigend, nachlassend, wieder aufsteigend
u. dann in sich zsfallend, wobei das Becken sich
vollständig leerte, u. inzw. spritzte die andere
Oeffnung ihr Wasser in alle Richtungen u. stiess
Dampfwolken aus, während, hart daneben, ein
Dampfloch das wüthendste Geheul hören liess
(Ludlow, Carr. 27); *d) G. Haven* s. unten; *e) G.
Junction* = grosse Verbindung, ein Canalwerk,
welches, bei Brentford an der Themse beginnend
u. bei Braunston in den Oxford Ch. mündend,
die meisten Canäle des Binnenlandes mit London
u. seinem Strom verbindet (Meyer's CLex. 8, 44);
f) G. Peak s. Pike; *g) G. Portage*, offb. übersetzt
aus irok. *Tiionwakwatha Kowa*, alg. *Kitchi Onikaming*, beides = grosser Trageplatz, wie auch
ON. einf. *Tiionwakwatha* = wo man das Canoe
trägt, letzterer f. die Gemeinde des Côteau du Lac
Superior (Cuoq, Lex. Ir. 48). — *G. Rapid* =
grosse Stromschnelle, mehrf.: *a)* im Saskatchewan,
unmittelb. vor seiner Mündg. in den Winnipeg,
unter allen rapids des Continents sowohl in Pracht
u. Ausdehng., als im Wasservolumen unübertroffen:
′certainly a formidable barrier to the navigation
of the Saskatchewan′ (Hind, Narr. 1, 468). ′The
stream, rushing with impetuous force over a rocky
and uneven bottom, presents a sheet of foam....′
(Franklin, Narr. 45); *b)* im Beaver R., der z. Netz
des Winnipeg gehört (Franklin, Narr. 125, Carte:
Great Rapid); *c)* im Missisipi, die Schifffahrt
unterbrechend u. im *G. Rapid Portage* zu umgehen (ib. 178 ff.); *d)* im *G. River*, Michigan, der
auf der östl. Seite des Sees in eine grosse Bucht,
G. Haven, mündet, an den Stromschnellen die
G. Rapids City, 1833 ggr. (Meyer's CLex. 8, 45).
— *G. River a)* s. oben, *b)* s. Grande Rivière,
c) s. Colorado. — *G. Teton* s. Hayden. — *G.
Tower* = grosser Thurm, eine absonderl. Felsmasse des Missisipi, obh. der Confl. des Ohio
(Buckingh., East. u. WSt. 3, 85). — *G. Trunk* =
grosser Stamm, einer der wichtigsten engl. Canäle,
1766/77 erbaut, verbindet den Mersey mit dem
Trent, d. i. Irische u. Nordsee (Meyer's CLex. 8, 45).

Grande = gross, vor Consonanten auch zu *gran*
verkürzt, in ital., span. u. port. ON., mit Vorliebe f. die ′Landwasser′, welche als die bedeutendsten Flüsse der Gegend, als die Hptader des
Thals etc. sollen bezeichnet sein: *Rio G. a)* in
Senegambien, nach Barros (As. 1, 1, 14) im Jahre
1446, nach Galvão (Desc. 71) im folg. Jahre, nach
dem Berichte der Exp. Cadamosto (Spr. u. F.,
Beitr. 11, 181 ff.) erst v. dieser 1455 entdeckt...

′u. entdeckten die Mündg. eines so grossen **Flusses,**
dass wir alle sie anfängl. f. einen Meerbusen
hielten, obgl. man die schönen grünen Bäume am
südl. Ufer sehen konnte. Seine Breite schätzten
wir wenigstens 20 Meilen .. Wir blieben zwei
Tage an der Mündg. dieses ′grossen Flusses′ ...
Als wir die Mündg. des ′grossen Flusses′ verliessen...′; *b)* in Süd-Bras., eig. bloss der Ausfluss der beiden Strandseen L. dos Patos u. L.
Merim... ′verdadeiramente lhe foi mal posto o
nome; pois que a pequena extensão de aguas a
que se deu este nome não é mais que um canal
ou sangradouro para o mar de duas grandes lagoas que se communicam...′, durch den Zusatz
do Sul = des Südens unterschieden v. dem gleichnamigen bei Natal mündenden, nordbras. *c) Rio
G. do Norte*, bei den ersten port. Colonisten
auch genauer bezeichnet nach der Hafenstadt als
Rio G. de San Pedro (Varnh., HBraz. 2, 151);
d) in Salvador, CAm., auch *Rio de Sonsonate*,
nach der anliegenden Stadt (ZfAErdk. nf. 9, 481);
e) zw. Mexico u. Texas, gew. *Rio G. del Norte*
(s. Norte); *f)* s. Missisipi; *g)* in São Paolo, Bras.,
an der Mündg. zwar ′nur wenige Fuss breit′, aber
aufw. ungemein erweitert (WHakl. S. 51, 52);
h) s. Hudson; *i)* s. Colorado: *k)* s. Magdalena;
l) ein atlant. Zufluss Guatemala's, auch *Motagua*;
m) ein pacif. Zufluss Mexico's, bei San Blas mündend; *n)* ein Zufluss des Rio Bermejo, Arg.(Meyer's
CLex. 13, 670 ff.); *o)* in Luçon, z. Bay v. Manila,
mit Zufluss *Rio Chico* = kleiner Fluss (Govantes,
HFil. 7); *p)* in Mindanao (ib. 8); *q)* in Argent.,
die Quellader des Rio Colorado, mit einem wenig
kleinern Zuflusse *Rio Chico* (Journ. RGSLond.
1873, 46 f.); *r)* ein Zufluss des bras. Rio San
Francisco, ′important not only for its size, but
for the combination of navigable streams that
flow in it′ (ib. 1876, 309). — *Salto G.* s. Uruguay. — *Acqua Grande* = Grosswasser, das
Landwasser des ital. Val Livigno, abw. Spöl genannt (Leonhardi, Veltl. 71). — *Gran Funtanô*
= grosser Brunnen, eine prächtige Quelle, die,
im Thal v. Macugnaga, ′am Fusse eines sehr begrasten Abhangs ebener Stärke hervorbricht,
dass sie sofort eine Mühle treiben könnte. Sie
ist die einzige im Thal, die Winters nicht versiegt; ja sie fliesst das ganze Jahr hindurch ungefähr gleich stark′ (Schott, Col. Piem. 55). —
Ilha G., mehrf. in Bras.: *a)* westl. v. Rio de
Janeiro, in der Nähe mehrerer kleinerer Küsteninseln (WHakl. S. 1, 90); *b)* an der Confl. der
beiden Arme des Uruguay (Avé-L., SüdBras. 1,
356); *c)* eine der beiden bedeutendsten Inseln im
Unterlaufe des Rio San Francisco (ib. 416). — *Isla
G.*, ebf. mehrf.: *a)* vor dem Hafen v. Copiapó
(WHakl. S. 33, 30); *b)* s. Chiloë. — *Llano Grande*
s. Llano. — *Gran Montaña* = grosser Berg, das
centrale Gebirge Fuerteventura's, Cánar. (Meyer's
CLex. 7, 285). — *Ponte G.* = grosse Brücke,
im Valle d'Anza-Toce, wo auf zwei grossen Granitblöcken eine hohe Brücke ruht (v. Welden, MRosa
48, Schott, Col. Piem. 75, Saussure, VAlpes 320).
— *Porto G.* = grosser Hafen, der treffl. **als**

Dampfer- u. Kabelstation dienende Hafen v. São Vicente, Capverd. In., wo jährl. etwa 300 Fahrzeuge Kohlen einnehmen (Meyer's CLex. 8, 281). — *Praia Grande* s. Janeiro. — *Puerto G.*, eine geräumige u. tiefe Bucht an der Südküste Cuba's, v. Columbus zu Anf. Mai 1494 entdeckt u. getauft (Barrow, Samml. 1, 72). — *Gran Sasso* = grosser Fels(-berg), der 2909 m h. Culm des Apennin, auch *Monte Corno* = Hornberg, wg. des hornähnl. Aussehens des Gipfels (MCLex. 8, 51). — *Valle G.*, das grösste u. schönste Thal des Plateau westl. v. Santa Fe, NMexico (Peterm., GMitth. 20, 403). — *Las Casas Grandes* = die grossen Häuser, altmex. Ruinenort am Unterlauf des Rio Colorado (DMofras, Or. 2, 360, ZfAErdk. 3, 145).

Granea, auch *granica* = Scheune, Kornspeicher, augm. u. dim. *grangia, granchia, granecha, graniciolum,* als subst. schon im frühsten mlat. gebraucht, ist in span. *granja* = Meyerei, sonst auch in port. *granja,* frz. *grange* = Scheune (Diez, Rom. WB. 1, 221), selbst in das Deutsche übergegangen, wo klösterl. Besitz den Gebrauch einer rom. Bezeichn. mit sich brachte. Das bekannteste Object dieser Familie ist wohl *La Granja,* Ort u. berühmtes Lustschloss, auch *San Ildefonso,* bei Segovia, am nördl. Abhang der Sierra de Guadarrama, 1250 m üb. M., mit seinen prächtigen Parks, Bildsäulen, Springbrunnen u. Wasserkünsten 'das span. Versailles', aus einem landwirthschaftl. Gebäude früherer Zeit, wie die Tuilerieen aus einem gewerbl. Etablissement, hervorgegangen, näml. v. Philipp V. an Stelle eines ehm. Meyerhofs 1724/27 erbaut (Willkomm, Pyr. HI. 31, 185). — *Mont des Granges,* eine Gruppe steiler, wilder Berge NFundl., v. frz. Seef. J. Cartier am 16. Juni 1534 so getauft, weil über die Höhen kleine scheunenartige Hütten zerstreut waren ... 'among the which were seene certaine small cabbans, which we in the countrey call granges, and therefore we named them ...' (Hakl., Pr. Nav. 3, 204), '... entre lesquelles y a vne apparoissante estre comme une granche, et pour ce noumames ce lieu les monts de G.' (M. u. R., Voy. Cart. 13). — Im frz. dép. Eure-et-Loir *la Grange* 8mal, 1197 *Granchia,* u. *les G.* 4mal (Dict. top. Fr. 1, 85), in der frz. Schweiz 14 Wohnorte *Grange* u. *Granges,* 40 durch Beisätze differenzirt (Postlex. 152 f.), 1 *Grangeatte,* 4 *Grangettes,* in Wallis ein *Grengiols* u. ein *Grächen,* im Aargau ein *Gränichen,* 5 mal *Grenchen* (Gatschet, OForsch. 16).

Granica s. Krain.

Granitberge, eine Gebirgsgruppe bei Schoschong, Transvaal, v. Missionär Ad. Hübner so benannt, weil man, das Gebiet des Grünsteins verlassen, isolirte Granitkuppen trifft, die an ihren Abhängen glatte, hellschimmernde Calottenflächen aufweisen u. auf dem Gipfel eine zackige Felsenkrone tragen (PM. 18, 427).

Grant, Camp, eine neu ggr. Militärstation u. Reservation v. Arizona, getauft nach dem Präsidenten der Union. Ein früheres *Camp* (od. *Fort*) *G.,* gg. 100 km nordwestl., wurde wg. der un-

gesunden Umgebg. verlassen u. liegt als Ruine (PM. 20, 453 T. 21); b) *G.'s Land,* ein arkt. Gebiet in 84⁰ 40', v. Dr. E. Bessels, v. der americ. Exp. Hall 1871/73 benannt (ib. 20, 36). — *Cape Sir W. G.,* in Victoria, Austr., v. Lieut. *G.* 1800 prsl. getauft (Flinders, TA. 1, 203), wohl wie *G. Island* (s. Phillip). — *G.'s Island* s. New Year. — *G. Bay,* nahe dem Ausfluss des Nil aus dem Victoria Njanza, v. H. M. Stanley (Thr. Dark Cont. 190) getauft nach Oberst James Aug. *G.,* dem Gefährten Speke's, im Aug. 1875.

Grantley Harbour, der innere Golf des Port Clarence (s. d.), wohl geeignet f. Ausbesserungsarbeiten, tief genug, eine Fregatte aufzunehmen, sofern sie (auf dem sandigen Vorsprung am Eingang) ihre Geschütze landet, v. Capt. Beechey (Narr. 2, 543) zu Ehren Lord *G.'s* benannt im Sept. 1827.

Granville s. Freetown.

Grao, vollst. *Villa Nueva del Grao* = neue Stadt des flachen Seeufers, Hafenort v. Valencia, wo an der Mündg. des Guadalaviar u. flachem Strande nur mit bedeutenden Kostenaufwande, 42 Mill. Realen, ein ordentlicher Hafen zu erstellen war u. das sehr besuchte Seebad ebf. auf die Uferbildg. deutet (Willkomm, Pyr. HI. 43. 87, Meyer's CLex. 8, 56). — *Ilha dos Grãos* = Körnerinsel nannte die Exp. des Portugiesen D. Jorge de Menezes 1527 eine der bei Gilolo gelegenen kleinern Inseln, nach den dort gefundenen Vorräthen: 'por os muitos que nella acharão' (Barros, Asia 4, 1, 16).

Gras, so schon ahd. u. holl., engl. *grass* (s. d.), dän. u. schwed. *graes,* in den altdeutschen ON. *Grasowa, Grasabah, Grasaloh, Gresatellin,* j. *Gresthal,* Franken (Förstem., Altd. NB. 658). — *Gräsholm,* eine z. Gruppe der Christians Öer, Ostsee, gehöriges Eiland (s. Christian), wo trotz des Namens kaum ein Grashalm wächst (Meyer's CLex. 4, 528). — *Gräsö,* Insel der schwed. Küste, nördl. v. Stockholm.

Grass Creek = Grasbach, engl. Uebersetzg. des ind. Namens eines Zuflusses des Big Horn R., nach dem prächtigen Graswuchs, der die Exp. Raynolds im Sept. 1859, trotz der Eile, die ihr auferlegt war, in Versuchg. eines vorzeitigen Halts führte (Raynolds, Expl. 57); b) *G. Valley,* ein wohl bewässertes, fruchtb. Thal in Nevada (Hayden, Pr. Rep. 273); c) *Sweet G. Hills* s. Three; d) *G. Islands* s. Lenha. — Mit adject. u. adj. Form a) *G. Lakes,* drei kleine z. Yellow Knife R. geh. Seen, nach der Gras- u. Binsenvegetation. In dieser Gegend die *Grassy Lake Portages,* 3 Trageplätze, numerirt *first* = erster, *second* = zweiter u. *third* = dritter; ihnen folgt der Verkehr, um dem krummen u. unpassirb. Flusslauf auszuweichen (Franklin, Narr. 212 ff.); b) *G. River* s. Sandy. — Grass- od. *Gresholm,* vor der Südwestecke v. Wales, ein Eiland, 'in which there is good shore of grass and plenty of wild thyme' (Camden-Gibson, Brit. 1, 389).

Gratiae P. s. Gracia.

Gratian s. Aix u. Grenoble.

Gratschewskaja (Staniza) u. *Wetlianskaja (St.)*, russ. ON. am Unterlaufe der Wolga, nach Bächen, welche dort in den Strom münden: Gratschewka u. Wetlianka (Falk, Beitr. 1, 125).

Gratzen s. Grad.

Graubünden, der schweiz. Antheil des altcät. Alpenlandes, auch *Bünden*, rätr. *Grischun*, frz. *les Grisons*, aus drei Bünden, der *Lia Grischa* = dem 'grauen' (od. obern), der *Lia da Cadè* = dem Gotteshaus- u. der *Lia dellas Desch Dretturas* = dem Zehngerichtenbund 1471, auf dem Hofe Vazerol, vereinigt (Lechner, PLang. 20), vorher *Churwalchen* = das wälsche Land um Chur (Schott, Col. Piem. 1). Es ist wohl anzunehmen, dass der Name des 'grauen Bundes' in den Gesammtnamen übergegangen sei; woher aber dieses *grau?* Die Einwohner, sagt schon 1672 ein Landeskind, 'werden't v. ihnen selbst, u. bei jhren Benachbarten *Grisonen*, wg. jhrer alten grawen landtüchinen Röcken vnnd Kleyderen genambset' (FSprecher, Rhet. Cron. 24). — Dieser Annahme hat die Alpina v. Salis u. Steinm. 319 beigepflichtet u. darauf hingewiesen, dass noch j. die Standesfarbe des obern Bundes grau u. weiss sei. Neuere bezweifeln sie. 'Der Ausdruck *grau...* wird auf das graue Aussehen der Gebirge od. auf die graue Kleidg. der Einwohner gewiss mit Unrecht bezogen' (Mitth. Zürch. AG. 12, 325). Beachtenswerth scheint der Hinweis auf gewisse Vorgänge bei Stiftg. des 'grauen Bundes' 1424; die werdenberg. Dynasten weisser Fahne waren den Landleuten verhasst, der Graf Hugo jedoch, schwarzer Fahne, war dem Volke günstig gestimmt, u. da möchten die Thäler, um ihre Neutralität auszudrücken, die graue Farbe zum Abzeichen gewählt haben (Gatschet, OForsch. 139). Es kann viell. besser einleuchten, dass der durch Vogt Hans v. Rechberg um 1450 organisirten Vereinigg. des Adels, die nach der Kleiderfarbe der Edelleute als 'schwarzer Bund' bezeichnet wurde, der 'obere Bund' der Bauern als der 'graue' ggbgestellt wurde (Alp. P. 17. März 1877). Dass aber der Beisatz *grau* v. einem Theilbund auf den Dreibund überging, erklärt der Archivar C. Kind (Alp. P. 31. März 1877) mit der Thatsache, dass der 'graue Bund' in allen Verhandlungen nach aussen den Vortritt hatte. — *Bündner-Berg* s. Pignieu. — Gar häufig erscheint sonst die graue Farbe nicht in ON., am ehesten f. nackte Felshörner, die wie die *Grauen Hörner*, ob Pfävers, den heitergrünen Vorbergen ggb. durch ihre grauen Schieferwände abstechen, das *Grauhaupt* (s. Roth), an der westl. Thalseite v. Gressoney (Schott, Col. Piem. 228), u. *Piz Grisch*, in Val Ferrera (Gatschet, OForsch. 165).

Gravace s. Kroaten.

Gravas Albas = weisser Kies, ein Bergdorf des Ober-Engadin, 'wg. der dort häufig vorkommenden weissen Kalksteine'. *Grava* = Kies, Geschiebe etc. heisst ein Theil des Engadiner Dorfs Süs, derj., der am Ausgange des Flüelathals liegt, wo die Susasca viel Geschiebe aufgehäuft hat (Campell-Mohr 65).

Grave = Grab, in engl. ON. *a) G. Creek* =

Grabfluss, ein Zufluss des Ohio, nach einem grossen, mit Gebeinen erfüllten ind. Grabhügel (Buckingh., East & WSt. 2, 332); *b) G. Island* s. Murderer.

Graves, Mount, ein Berg in Dawson I., Feuerl., v. der Exp. Adv.-B. (1, 44 Carte) im Febr. 1827 benannt nach dem dam. Schiffscadetten u. Assistenten, spätern (Juni 1827) Lieut. T. *G.* v. Schiffe Adventure, welcher auf dem Deckboote Hope Untersuchungen ausführte.

Gravelines u. **'s Gravenhage** s. Graf.

Gravina = Graben, ON. in Apulien, nach dem Graben, der nördlich in den dichten Kalkstein der Murgiehügel eingetieft ist u. nach Süden in der darüber liegenden Tuff übergeht. In diesem Tuff sind zahlr. verlassene Wohnungen u. eine Kirche (Meyer's CLex. 8, 73).

Gray's Bay, in Georg's IV. Krönungs Bay, am 24. Juli 1821 v. Capt. John Franklin (Narr. 366) nach Herrn *G.*, Vorstand der Belfast Academy, benannt; *b) G. Island* s. Heard.

Graz, die Hptstadt der Steiermark, gehört zu den Formen v. slaw. *Grad* (s. d.). 'Unmittelbar üb. der Stadt, 120 m h., ragt der stumpfe Kegel des schon z. Römerzeit befestigten Schlossbergs ... Dieser bietet wundervolle, kaum irgendwo in Deutschland übertroffene Ansichten in das Thal, die Stadt u. Umgegend, nam. die obersteir. u. Schwanberger Alpen' (Daniel, Hdb. Geogr. 4, 893). Unsere slaw. Etym., schon v. dem Wiener Humanisten Wolfg. Latius 1514/66 aufgestellt, hat sich die Anerkenng. erst in langem Kampfe errungen; der berühmte Aventin dachte an boj. *graenitz* = Grenze, G. Seidl (Wien. Ztg. v. 13. Mai 1843) an kelt. *gradhuig* = anmuthig, A. v. Muchar an das Bächlein *Grecz, Grez*, G. Frz. Schreiner (Steierm. Zeitschr. nf. 7b, 123 ff.) an eine deutsche Ableitg., v. *graz* = Gras, die 'ohne Zwang, gleichs. v. selbst, sich darbiete.' Dieser letztern Etym. vorgängig, hatte näml. der in *G.* selbst geb. Orientalist Hammer - Purgstall, oft als ein ungründl. Sprachgelehrter angesehen, die richtige Erklärg. u. die Reform des ON. angeregt u. u. a. darauf verwiesen, dass auch der Slawist B. Kopitar ihn v. slaw. *grad* = Burg, *gradec* = kleine Burg ableite. Darauf gestützt, bekämpft er zunächst das unmotivirte *ä* in Schreibg. u. Aussprache: *Grätz* (Steierm. Zeitschr. nf. 4, 79); nach den Lautgesetzen verdiene *Gratz*, ggb. der Schreibg. mit *ä*, den Vorzug. Dann veranlasste ihn Idrisi's *Akraisa, Akreisa,* die Anregg. zu wiederholen (ib. 7a, 134 ff.). Hierbei fliesst die Erzählg. mit ein, wie bei der Hochzeit Leopold's 1673 der für die Kaiserin begrüssende Ortsbürgermeister das Wortspiel v. dem Namen der Stadt, 'welcher etwas Gnadenreiches bedeutet', u. v. Grazien, 'v. einer irdischen Gnadengöttin', gebraucht habe. Daran schliesst dann unser Orientalist den sonderb. Appell: 'An den Gratzerinnen ist es vorzügl., als Madonnen piene di grazie u. als Grazien die wahre Aussprache in Schutz zu nehmen.' Man sieht, der leichte Calembour, als sei *G.* 'la ville des graces sur la rivière de l'amour', hat sich auf einen ernsten Boden verirrt. Als dann aber Hammer-P. auch die 21. Versammlg. deutscher Naturforscher u. Aerzte, in Graz am 22. Sept. 1843 abgehalten, dazu benutzte, seine Ansicht üb. den ON. *G.* vorzulegen u. ein öff. Blatt (Wien. Ztg. v. 11. u. 29. Dec. 1843) die Discussion fortsetzte, da erschien des oben genannten Schreiner's Erörterg., eine Schrift v. 150 Seiten, der Erklärg., Rechtschreibg. eines einzelnen ON. gewidmet, fleissig u. kundig, aber unglücklich, weil der Autor f. eine verlorne Sache kämpft. In amtl. Erlassen, in den am Orte selbst verlegten Druckwerken, sowie in der geogr.-statist. Litteratur sei *ä* herrschend gewesen bis zu Hammers Vortrag, der Viele, selbst die 'Grätzer Zeitung', verführt habe, zum *a* überzutreten. Die slaw. Ableitg. sei weder histor. noch sprachl. gesichert. Uebr. sei f. den Entscheid *a* od. *ä* 'ganz gleichgültig, ob der Name v. slaw., kelt. od. altdeutschen abgeleitet werde; in die deutsche Sprache einmal aufgenommen..., musste das Wort *Grazze* gleich den übrigen jener Umbildg. folgen, welche der Bildsstrieb der hochdeutschen Sprache mit dem hellen *a* vorzunehmen sich genöthigt sah.' Wenn sich der Freiherr darauf berufe, dass in der ganzen Mark, sowie in der Stadt selbst alles Volk *a* spreche u. nur einige modesüchtige Städter *ä* vorziehen, so sei dies allerdings richtig, die Berufg. selbst jedoch 'von gar keinem Gewichte, da der Dialekt f. die Rechtschreibg. der ON. das Gesetz niemals geben kann.' In geschichtl. Beziehung sei einfach auf die urk. Belege zu verweisen. Diese finden sich als besonderer Anhang der Schrift beigegeben, ein langes chronolog. Verzeichniss der gedruckten u. ungedruckten Urk., welche den ON. enthalten, üb. 3000 Nummern, aus dem Zeitraum 811—1822. Die älteste Urk. habe allerdings *Grazze;* allein es sei keineswegs sicher, ob jenes Diplom wirkl. v. dem steierm. u. nicht etwa v. dem oberösterreich. *Gratz, Grätz,* spreche. In den folgg. Formen aber, nam. ab Mitte des 12. Jahrh., herrsche doch ganz entschieden *ä, e.* 'So sind wir denn schon im Laufe weniger Wochen, seitdem man v. der alten, allg. übl. Schreibart abgewichen, zu 6 vschiedd. Schreibweisen gekommen.' Schon um der Verwirrg. zu entgehen, sei angezeigt, das *ä* beizubehalten. Auch Jos. Diemer sprach, v. germanist. Standpunkt aus, f. *ä* (Wien. Zeitg. ... 1844). Da kam Hammer-P. auf den Gegenstand zk. Er will zeigen, dass die amtlich angenommene Schreibg. *Gratz* — nota bene: immer noch mit *tz* — die einzig richtige sei. Der Vocal *a* findet sich in der ältesten urk. Form, sowie in der ältesten Medaille der Stadt. Die deutsche Sprache hat, nam. zu Ende des vorigen u. zu Anfang des gegenw. Jahrh., die Neuerg. *e f. a* verschuldet; nur die Ungarn sprechen *gréts,* u. ihre beiden Schriftsteller J. K. Kindermann (Beitr. z. VK. 2, 87 f.) u. Schreiner 'hatten die Anmassg., dieser Aussprache durch die Schreibg. *ä* zum Siege verhelfen zu wollen' (Bull. Soc. Géogr. Par. 3. sér. 7, 40 ff.). Damit schlossen die Debatten auf lange Zeit, u. als ein Zeitungsblatt (NFreiePr. 21. Dec. 1871,

Abdbl.) die Frage neuerdings in Fluss brachte, hatte auch der Gebrauch nicht allein f. *a,* sondern auch f. *z,* schon entschieden, nicht amtlich festgestellt, sondern allmählich u. unbewusst, wie denn auch 'das *a* gedehnt gesprochen wird u. demzufolge nach orthograph. Regeln kein *tz* statt haben kann.' Der Schluss des Streites findet sich in einer Schrift des Germanisten Adalb. Jeitteles (Mitth. Steierm. 20, 54 ff.). Sie zeigt, dass das Sprachgefühl mit der Orthographiefrage nichts zu schaffen hat u. die Veranlassg. zur letztern heutzutage, wo der Gebrauch sich f. *a* entschieden hat u. in der Stadt selbst niemand mehr *Grätz* spricht od. schreibt, 'vollst. antiquirt u. eben so unberechtigt als müssig ist'. Dabei wird eingeräumt, dass seit der zweiten Hälfte des 13. Jahrh. die Schreibg. mit *e, ä, ae,* die vorherrschende geworden ist, aber auch eben so fest behauptet, dass trotz alledem die mundartl. Aussprache immer die mit *a* war; ja diese Form tritt auch im schriftl. Gebrauche seit der zweiten Hälfte des 17. Jahrh. 'immer mächtiger in den Vordergrund'. Nun ist aber unbezweifelt das slaw. *Gradec* die Ur-, *Gräze, Gräz* eine später aufgetauchte Nebenform, u. mit jener stimmt der Sprachgebrauch der Bewohner.

Great, im engl. der germ., wie *grand* der rom. Ausdruck f. 'gross', ebf. in vielen ON., z. Th. mit Eigennamen, auf die hier einf. zu verweisen ist, zsgesetzt, wie *G. Admiralty Island, G. Australian Bight, G. Bear Lake, G. Clyde Glacier, G. Devil's Portage, G. Play Green Lake, G. Salt Lake, G. Sioux River, G. Victoria Desert* (s. dd.), *G. Europe Point* (s. Africa), *G. Java* (s. NHolland), z. Th. aber selbstständig, das Appellativ z. Eigennamen ergänzend, davon wohl am bekanntesten the *G. Falls,* f. die 'grossen Fälle', welche der Missuri bei seinem Austritt aus dem Felsengebirge bildet. Hier erschien Capt. Lewis (Trav. 191 Taf.) als der erste Weisse, dem dieses Schauspiel zu geniessen vergönnt war, am 13. Juni 1805; er ist es auch, der die ganze Folge v. Stürzen u. Stromschnellen so taufte. Der Hauptsturz ist nach ihm 26_8, nach Raynolds (Expl. 12) nur 24 m h., der dritte 15, der oberste 8, der zweite, sein seiner Krümmg. *Crooked Falls* (s. d.) genannte, 5_8 m h. — *G. Geyser,* eine der grössten bekannten Springquellen spec. des Fire Hole, v. der Exp. des Geologen F. V. Hayden (Pr. Rep. 114) benannt 1871. Auf dem Gipfel einer Ablagerung v. Kieselsinter liegt ein nahezu kreisrundes, 45 m weites Becken, dessen Inhalt in der Mitte aufkocht, aber auf allen Seiten so gleichmässig überfliesst, dass eine Reihe kleiner 3—7 cm h. Treppenstufen entsteht, gerade wie wenn Wasser, das üb. einen sanften Hang herunter fliesst, gefröre. 'It is certainly one of the grandest hot springs ever seen by human eye'. — *G. River, a)* ein Zufluss des Pine Island L., wechselnd in Flussstrecken u. seeartigen Erweiterungen, die bis gg. 1 km br. werden (Franklin, Narr. 178 ff.); *b)* s. MacKenzie. — *G. Rapid* s. Grand. — *G. Gulf* s. Coirebhreacain. — *G. Island a)* s. Flin-

ders; *b)* s. Queen; *c)* s. Heard. — *G. Bank* s.
NewFoundland. — *G. Basin* = grosses Becken,
das Utah Territory, zuerst v. Fremont (Rep.
1845) so benannt, weil die Wasser in dem vollst.
abgeschlossenen, aber vertical gegliederten,
12—1500 m h. Becken keinen Abfluss nach aussen
haben (Möllh., FelsG. 1, 446). — *G. Bay* s. Geelvink. — *G. Bend* s. Big.
Grécourt s. Liguanea.
Grederschloss s. Wartenstein.
Grednitz s. Grad.
Green = grün, häufig in engl. ON. *a) G. Cape*,
ein sanft geneigter Landvorsprg. bei Twofold Bay,
v. Flinders (TA. 1, CXXI, Atl. 6) am 4. Febr.
1798 'from its appearance' benannt; *b) G. Bay*,
im Michigan L., nach ihrem frischgrünen Gewässer (Buckingh., East. & WSt. 3, 365), bei
Pater Marquette 1668/73 *Bay des Puans* (s. d.),
nach der Bucht der Uferort *GBay*, v. den Franz.
1745 ggr. (Coll. Minn. HS. 1, 49, Meyer's CLex.
8, 79); *c) G. Harbour*, am Eisfjord, Spitzb., wo
eine üppige Algendecke Grund u. Steinblöcke des
flachen Strandgewässers übwuchert (Torell, Schwed.
Expp. 425); *d) G. Lake*, im Netz des Saska-
tchawan (Franklin, Narr. 123); *e) G. Bank* s.
NewFoundland. — *G. Island a)* eine niedrige,
grüne, waldige Küsteninsel vor CGrafton, in auffälligem Contrast zu dem hohen, felsigen, dünn-
beholzten Festland, v. Cook am 9. Juni 1770 benannt (Hawk., Acc. 3, 138); *b)* ein niedriges,
grünes Eiland vor Port Dalrymple, v. Flinders
(TA. 1, CLIII, Atl. 7 Carton) am 3. Nov. 1798;
c) eine mit höherm Gesträuch bedeckte Laguneninsel der polynes. Midway Is. (s. Pearl), ansprechend im Vergleich zu der niedriger u. dürf-
tiger bewachsenen *Sand I.* (Meinicke, 1Still. O.
2, 314); *d)* s. Garden. — *G. Isle a)* ein niedriges, flaches, grünes Eiland bei SGeorgia, v.
Cook (VSouthP. 2, 217) am 20. Jan. 1775 getauft; *b)* s. Flattery. — Im plur. Die eine
Gruppe niedriger Inseln vor Prince William's Sd.,
Alaska, v. Cook (-King, Pac. 2, 364) am 18. Mai
1778 so benannt, weil sie, ggb. den äussern hohen
Felsinseln schneefrei, mit Holz u. Grün bedeckt,
angenehm abstachen. — *G. Mound*, ein kegelför.
Wallhügel bei Port Macquarie, NSouth Wales
(King, Austr. 2, 255). — *G. Mountain*, der 835 m
h. Pic v. Ascension, gew. in Nebel gehüllt, früher
der einzige mit Vegetation bedeckte Berg der
Felsinsel, die damals das Bild trostloser Unfruchtbk., j., seit Brunnen, Cisternen u. Wasserleitungen angelegt wurden, stellenweise, bes. um
den Berg, Gärten mit europ. u. trop. Gewächsen,
Weinstöcken u. Obstbäumen v. Madeira enthält
(Bergh., Ann. 6, 46, Meyer's CLex. 1, 987, Hertha
3, 656). — *G. Mountains* s. Vermont. — *G. Point*,
im Port St. Vincent, NCaled., v. Capt. Kent 1793
benannt (Krus., Mém. 1, 203). — *G. River*, in
NAmerica mehrf.: *a)* der Fluss der Mammuth-
höhle, ein lkseitg. Zufluss des Ohio (Meyer's
CLex. 8, 80); *b)* s. Blue Earth R.; *c)* s. Colorado.
— *Greenland* s. Spitzbergen.
Greenock, ON. an der Mündg. des Clyde, Schottl.,

ist eine der Formen mit gael. *grean* = Sonne,
einem wichtigen u. häufigen Ausdruck unter den
heidnischen Gaelen v. Alban, die unbezweifelte
Sonnenanbeter waren, gael. *Grian-chnoc* = Sonnen-
hügel, auf dem einst der Sonnencult seine Stätte
hatte (Robertson, Gael. TScotl. 352f.).
Greenough Group, eine Berggruppe, 'a cluster
of hills' v. Major T. L. Mitchell (Three Expp. 1,
284) am26. Juli 1835 getauft nach George Bellas
G., dam Präs. der Royal Geogr. Soc., 'a gentleman who has done so much in uniting geology
with geography, to the great advantage of both';
b) ebenso *Point G.*, bei Sharks Bay, v. Capt.'G.
Grey (Two Expp. 1, 398) am 24. März 1838, u. *c)*
Mount G., am americ. Eismeer, v. Capt. John
Franklin (Sec. Exp. 127ff.) 1826 getauft.
Greensburg, eine Stadt in der Gegend Pitts-
burgs, 1782 nach dem Brande u. *Hanna's town*
ggr. u. nach General Greene, v. der Revolutions-
armee, getauft (Cent. Exh. 17).
Greenville, Port, an der Küste NCarolina's, benannt v. engl. Capt. R. *G.*, der, v. Sir W. Raleigh
abgesandt, 1585 mit 5 Segelschiffen hier ankam
(Strachey, HTrav. 8).
Greenwich, ags. *Grena-* od. *Grene-vic* = grüne
Bucht, der Vorort Londons mit der Sternwarte,
gelegen an buchtartiger Windg. der Themse (Camden-Gibson, Brit. 1, 255, Charnock, LEtym. 121).
Greg, Cape, an der Liverpool Coast, Ost-Grönl.,
v. engl. Walfgr. Will. Scoresby jun. (NorthWF.
176) am 19. Juli 1822 entdeckt u. nach Hrn.
Samuel *G.* of Quarry Bank (Liverpool ?) getauft.
Grega s. Pedalion.
Gregory, Cape, 2mal in America: *a)* in Oregon,
v. Cook (-King, Pac. 2, 261) nach dem Kalendertage, 12. März 1778 getauft; *b)* in der Magalhäes Str., engl. geformt aus dem span. Seef. Loaisa
(1526) *Cabo de San Gregorio* (ZfAErdk. 1876,
357). — *Lake G.*, in Süd-Austr., durch Erlass
des Gouv. 1862 getauft (Peterm., GMitth. 16, 81),
ozw. zu Ehren des um die austral. Forschg. verdienten Reisenden Aug. *G.*, welcher auf der Exp.
v. 1858 den vermeintl. Ostrand des grossen Tor-
rensbeckens erreicht hatte.
Greifswald, Stadt in Pommern, neben dem 1203
gestifteten Cistercienserkloster Eldena erwachsen,
schon 1233 eine bedeutende Stadt (Daniel, Hdb.
Geogr. 4, 196), urk. *Gryphiswald*, *Gripeswold*,
Grypeswalde, *to dem Gripeswolde*, auf den Münzen
des 14. u. 15. Jahrh. *Gripeswo*, *-wol*, *-wolt*, ist
in ihrem Namen lange unerklärt geblieben. Man
stellte diesen mit den zahlr. deutschen ON. *Greifen-
hagen*, urk. *Gryphenhaghen*, *Greifenberg*, urk.
Gryphenberge, *Greifenthal*, *Greifenstein*, *Grei-
fenburg* . . . zs., deren manche direct an den PN.
Greif, *Grifo*, *Grypho*, anzuknüpfen scheinen.
Auch der fabelhafte vierfüssige Vogel *Greif*, gr.
γρύφ, der, als v. ungeheuer Stärke, die Goldgruben in Indien bewachte u. vielorts Wappenthier adeliger Herren geworden, ist wohl in ON.
übergegangen. In *G.* gehört die Familie *Grif*
zu den ältesten Geschlechtern. Dort hat die
Volksetym. auf einen Seeräuber *Grife*, *Gripe*,

od. auf ein gewaltthätiges Adelsgeschlecht *Gripes* od. gar auf ein Nest des Greif selbst verfallen, um Urspr. u. Namen der Stadt zu erklären (Th. Schmidt, Stett. Progr. 1865, 13 ff.) Nun zeigt 1892 Th. Pyl (Beitr. GGreifsw. 3. Heft), dass in Folge einer niederrhein. u. westf. Einwanderg. in Rügisch - Pommern der niederrhein. ON. *Grypswald* auf den Ort übtragen wurde, wie dessen älteste Strasse, *Roremundshagen*, v. den Ansiedlern aus Roermonde benannt ist.   Vor der Stadt der *G.er-Bodden*, mit *bodden* = Meerbusen, wie in *Jasmunder-*, *Saaler-* u. *Kamminer - Bodden* (Förstem., Deutsche ON. 29) u. darin eine Insel *G.er-Oie* (Daniel l. c.). — *Greifensee*, im Gebiet der Glatt, C. Zürich, nebst Burg u. Städtchen gl. N. dicht am Ufer, 1260 in derselben Urk. *Grifense* u. *Glatse* (s. Glatt), ozw. auch mit dem PN. *Grifo* (Mitth. Zürch. AG. 6, 151), wie in der gleichen Landesgegend die hochgelegene Burgruine *Gryffenberg*, 1223 *Griffenberch*, 1354 *Grüffenberg* (Studer, Bäretsw. 11). — *Gripsholm*, Ort an einem Arm des Mälarsees, als Schloss um 1380 auf einem Holm angelegt v. Bo Jonsson u. nach seinem Familienwappen, dem Vogel Greif, benannt (Styffe, Skand. Un. T. 233).

Greig, Cap, bei Cap Sangar, Hondo, v. Capt. J. A. v. Krusenst. (Reise 2, 29) im Mai 1805 getauft, offb. nach demselben Russen, der uns in *G. Insel* (s. Wittgenstein) wieder begegnet.

Grénchen u. **Grengiols** s. Granea.

Grenoble, ON. des frz. dép. Isère, ligur. *Calaro*, seit 379 umgetauft in *Gratianopolis*, bei Greg. v. Tours *urbs Gratianopolitana*, da der röm. Kaiser Gratian, 367 als Sohn Valentinians I. z. Augustus ernannt, hptsächl. Gallien verwaltete u. u. a. auch das v. den Römern abgebrannte Calaro wieder aufbauen liess (Kiepert, Lehrb. AG. 508). Vgl. Aix.

Grenville, Cape, 2 mal: *a)* in der Nähe des Cape York, v. Cook am 19. Aug. 1770 prsl., offb. nach dem in demselben Jahre † Staatsmann George *G.* (Hawk., Acc. 3, 206), wie *b)* in California, v. Capt. John Meares im Juli 1788 benannt (Forster, GReis. 1, 150), wohl auch nach einem der jüngern Staatsmänner d. N.: Thomas *G.* (1755—1846) od. Will. Windham *G.* (1759—1834). — *G. Island*, bei Viti, einh. *Rotuma*, v. engl. Capt. Edwards, Schiff Pandora, 1791 entdeckt (Bergh., Ann. 6, 19, Meinicke, IStill. O. 2, 52).

Greppen s. Gräplang.

Gressoney s. Lys.

Gresthal s. Gras.

Greville, Cape, 2 mal: *a)* in Alaska, v. Cook (-King, Pac. 2, 405) am 8. Juni 1778 prsl. getauft, wie *b)* in Ost-Grönl., v. Walfgr. WScoresby jun. (NorthWF. 273. 327) am 14. Aug. 1822, mit den nahen *Cape Tait* u. *Wood* nach vschiedd. Freunden, 'chiefly resident in the Scottish capital whose names appear in the general chart', ferner *Cape Macknight* u. *Constable* — eine Firma **Archi**bald Constable u. Co. ist Verleger des Reisewerks. Vgl. Neill. — *G. Island*, in De Witt's

Ld., v. Capt. Ph. P. King (Austr. 2, 53) am 30. Juli 1821 nach dem † RH. Charles *G.* benannt.

Grey = grau, in engl. ON. nicht gar häufig *a) G. Point*, im nördl. Spitzb., wo ein schwarzblauer, glimmerhaltiger Thonschiefer mit Schichten eines grauen, in der Luft gelblichen, festen Sandsteins abwechselt (Torell u. Nord., Schwed. Expp. 260); *b) G. Sulphur Springs* (s. Sulphur), mehrf. mit dem Familiennamen *a) Cape G.*, am Carpentaria G., v. Flinders (TA. 2, 204, Atl. 14 f.) am 2. Febr. 1803 benannt 'in compliment to the Hon. general G., lately commander of the forces at the Cape of Good Hope'; *b) Port G.*, in West-Austr., nach dem Erforscher jener Gebiete, Capt. G. *G.* (Two Expp. 2, 35. 123) benannt durch den Schooner Champion 1838, dann aber in *Champion Bay* umgetauft v. Capt. Wickham, RN., Exp. Stokes, welcher im Schiffe Beagle 1840 die Küstenaufnahme besorgte; *c) River de G.*, in Nordwest-Austr., v. Entdecker Frank Gregory 1861 getauft zu Ehren des edeln Lord, welcher bei Beginn dieser Exp. den Vorsitz in der kön. Geogr. Gesellschaft in London führte (PM. 8, 285); *d) G. Glacier*, einer der grossen Eisströme der Southern Alps, v. Jul. Haast 1862 benannt offb. nach dem in NSeel. beliebten Gouv. Sir Georg *G.* (Hochstetter, NSeel. 347), der dieses Amt schon v. 15. Mai 1841 bis 25. Oct. 1845 f. Süd-Austr. verwaltet hatte (ZfAErdk. 1874, 401); *e) Greytown* s. Juan. — *Greyhound's Shoal* s. Ritchie.

Grjasnyj, *-naja*, *-noje* = sumpfig, kothig, russ. adj., ungenau auch *gräsn-* transcribirt, in der Form *grjasnowez* = der Sumpfige masc. subst. geworden, als *grjasnucha* fem. subst., mit der Endg. v. Wörtern, die als Ggsatz z Koseform ein gröberes Ding bezeichnen (Legowski 13. Apr. 1891). Wir nennen *a) Grjasnoi Osero* = kothiger See, ein 250 km südöstl. v. Ural'sk gelegener, wenig salzhaltiger See, der wohl wg. seines geringen u. mit Schlamm verunreinigten Ertrags den Kosaken z. Ausbeutg. üblassen ist (Rose, Ural 2, 234); *b) Grjasnaja* = die kothige, ein Flüsschen in Ost-Sibir., mit schlammigem Grunde (Dawydow, Sib. 105); *c) Grjasnowez* = Kothstätte, Ort an der Strasse Jarosslaw-Wologda, 'führt seinen Namen mit Recht', da zeitweise der Weg in dieser Gegend förmlich unpracticabel ist (Bär u. H., Beitr. 13, 26); *d) Grjasnucha* s. Tagilsk.

Griechen, gr. Γραικοί, zuerst bei Arist. (Met. 1, 14) als älterer Name f. Ἕλληνες (s. Hellenen) u. darnach mit diesem gleichbedeutend bei den Alexandrinern, röm. ebenso *Graeci, Graecia*. Zuerst war der Name eines epirot. Stammes üb. die jon. Meerenge gedrungen u. hatte in Italien Eingang gefunden; mit diesem bezeichneten die Latiner ihre östl. Nachbarn als *Grai, Graeci, ohne* den im 8. Jahrh. aufkommenden gemeinsamen Nationalnamen *Hellenen* od. den Namen eines historisch hervortretenden Stammes sich anzueignen (Nissen, Ital. LK. 120). So brauchten sie auch, statt des entspr. griech. Namens, die Bezeichnung *Magna Graecia* od. *Graecia Major*; so sagen noch wir *Griechenland* f. einh. *Hellas* u.

verstehen darunter den mod. Griechenstaat, während wir mit *Neu-G.* die sämmtl. Volksgenossen griech. Zunge umfassen. Diese selbst nennen sich wohl auch, hybrid wie sie selbst sind, *Karagunis* = Schwarzmäntel, v. türk. *kara* (s. d.) u. ngr. γοῦνα, einer Art Mantel, dem Kleidsstück der Bauern. Die Etym. des Namens *G.* selbst ist dunkel, da er auf die illyr. Stämme v. Epirus zkgeht, deren Abkömmlinge noch j. *Grek* sagen; Curtius (Gr. Etym. 176) denkt an eine $\sqrt{}$ *gar* u. setzt *G.* = die Alten, Ehrwürdigen. — *Griechische Halbinsel* s. Balkan.

Griffin Inlet, im Wellington Ch., Parry Arch., v. der ersten Grinnell Exp. im Sept. 1850 benannt nach einem Theilnehmer, Samuel P. *G.*, Befehlsh. des Schiffs Rescue, welches die Einfahrt entdeckt hatte (Kane, Gr. Exp. 201).

Griffith Island, in Barrow Str., v. Parry (NWPass. 55) am 23. Aug. 1819 nach rear-admiral Edw. *G.* getauft. *Cape Griffith's,* in Melville I., ebf. v. Parry (ib. 67 ff.) am 1. Sept. 1819, ozw. nach Will. Nelson *G.*, midshipman des Exp.-Schiffs Griper.

Grigoriópol = Stadt der Gregorianer, russ. ON. des Gouv. Chersson, weil hier der Sitz der geistlichen Verwaltg. der armen. u. gregorian. Kirchen des Chersoner Gebiets ist (Meyer's CLex. 8, 165).

Grijalva s. Tabasco.

Grillparzer, Cap, in Franz Joseph's Ld., v. der 2. öst.-ung. Nordpolexp. Weyprecht-Payer 1872/74 getauft (Peterm., GMitth. 20 T. 23), wohl nach dem Wiener Dramatiker Franz *G.*, geb. 1791, † 1872.

Grim, Cape = grimmiges Vorgebirge, die Nord-Westecke Tasmania's, ein steiler u. schwarzer Felskopf, welchen sein Entdecker Matth. Flinders (TA. 1, CLXXIII, Atl. 7) im Nov. 1798 nach seinem Aussehen, 'from its appearance', benannte. Die frz. Exp. Baudin (Péron, TA. 2, 22) taufte es (od. ein nahes Cap, Krus., Mém. 1, 110) im Dec. 1802 *Cap Berthoud* (s. d.).

Grindall, Mount, am Carpentaria G., v. Flinders (TA. 2, 195. 202, Atl. 14 f.) am 20. (u. der nahe *Point G.* am 28.) Jan. 1803 benannt zu Ehren des Amer. Viceadmirals *G.*

Grindelwald, der Name des durch seine prächtigen Eisströme, den *Obern* u. *Untern G. Gletscher,* weltbekannten Thals des Berner Oberlands, ist nicht genügend erklärt, auch in Gatschet's OForsch. übgangen; wir erwähnen nur den Einfall des Keltomanen Loys de Bochat (Mém. crit. 3, 357), der das deutsche *grendel* = Riegel f. die kelt. Sprachen anspricht, übr. gar nicht übel beifügt: 'Ceux qui ont vu la montagne qui porte le nom de *G.*, et les glaces qu'elle renferme, comprennent la justesse de cette dénomination. Cette montagne couverte de bois dans les endroits qui ne le sont pas de glaces éternelles, ferme le pays en cet endroit du Hasli, de manière à en rendre l'entrée impossible'. Diese Etym. auch in Ebel (Anl. Alp. 2, 422) u. Storr (AlpR. 2, 2). Für den anderwärts vorkommenden ON. *Grindel, Grindlen* (das schweiz. Postlex. 155 führt 8 Wohnorte d. N. auf), denkt der sonst vorsichtige Meyer (ON.Zür. 17) ebf. an ein kelt. Wort, *grind* = Kopf, dim. *grindel,*

f. kleinere kopfförmige Felsen; aber abgesehen davon, dass Förstem. (Altd. NB. 664) die Deutg. f. 'unsicher' hält, ist zweifelhaft, wie sie auf das Alpenthal anzuwenden wäre.

Grinnell Island, eine grosse Insel des Parry Arch., durch die erste Grinnell Exp. am 21. Sept. 1850 entdeckt u. nach dem Hauptförderer benannt, einem reichen New Yorker Kaufmann, welcher zwei seiner eignen Schiffe der Regierg. z. Verfügg. stellte, 'in honour of the head and heart of the man, in whose philantropic mind originated the idea of this expedition, and to whose munificence it owes its existence' (Kane, Gr. Exp. 197. 201); *b)* *G. Land,* ein arkt. Ländergebiet ggb. Washington Ld., v. Franklinsucher E. K. Kane (Arct. Expl. 1, 15, Carte) auf der zweiten Grinnell Exp. 1853 entdeckt u. nach demselben Hauptförderer des Unternehmens getauft. 'Mr. *G.*, with a liberality altogether characteristic, had placed the Advance, in which I sailed before, at my disposal for the cruise'. — Auch ein *Cape Cornelius G.*, Aug. 1853, nach einem Familiengliede (ib. 1, 59). Henry *G.* war geb. 1799, † 1874, erster Präs. der Amer. Geogr. Society (Meyer's CLex. 8, 171), übergab der Exp. Ch. F. Hall am 26. Juni 1871 die Flagge, welche schon mit Wilkes, de Haven, Kane u. Hayes in den Polarmeeren gewesen war (Peterm., GMitth. 18, 17).

Griper, Roads eine Rhede in Ost-Grönl., entdeckt im Aug. 1823 v. der Exp. Clavering-Sabine u. nach dem *G.*, dem Schiffe der Exp., getauft (PM. 16, 327; 17, 407 T. 10).

Gripsholm s. Greifswald.

Griqua, ein südafric. Stamm v. Bastard-Hottentotten, nach einem seiner Führer benannt. Als die Mission der Londoner Gesellschaft 1801 unter ihnen arbeiten liess, wurde der Ort *Griquatown* = Stadt der *G.* ggr. (Grundmann, Miss. Atl. 12. 13), auch (holl.) *Klaarwater* = klares Wasser genannt, weil hier — im Ggsatz zu den meisten Binnenorten — zahlr. Quellen klaren Wassers sprudeln (Bergh., A. 3. R. 6, 183). Seit 1871 ist das diamantenreiche Land am Vaal brit. Prov. als *G. Land West* (AAZtg. 23. Juli 1877).

Grisebach See, einer der neucartographirten See'n in der Gegend der Belushja Bucht, NSemlja, entdeckt v. der Exp. Rosenthal 1871 u. benannt nach dem Pflanzengeographen *G.* Aehnl. *Eisenlohr See,* nach dem Physiker, u. — nach 2 deutschen, resp. schweiz. (!) Africareisenden[1] — *Munzinger See* u. *Nachtigal See* (PM. 18, 77).

Grisch u. **Grischun** s. Graubünden.

Grita Lobos = Geheul der Seehunde, span. Name einer kleinen v. vielen Seehunden bevölkerten Bucht der peruan. Küste, nördl. v. Chancay. 'In den stillen Nächten schlägt das Heulen dieser Thiere, mit dem dumpfen Toben der Brandg. gemischt, schauerlich aus der Tiefe an das Ohr der Reisenden, die hoch oben vorüberziehen'. An einem der Uferhügel ist auch ein grosser Stein, der in einiger Entferng. nach Farbe u. Gestalt eine täuschende Aehnlichk. mit einem schlafenden Seelöwen hat (Tschudi, Peru, 1, 810).

Grizzly-Bear Lake, auf der Wasserscheide zw. Yellow Knife R. u. Coppermine R., am 14. Aug. 1820 v. Capt. John Franklin (Narr. 219 f.) so benannt, weil man nach Aussage des Führers in dieser Gegend beständig auf der Hut sein sollte vor dem Griselbär, Ursus ferox, einem $2^1/_2$ m lg. Thier, dem gewaltigsten j. lebenden der Bärengattung. An jenem Tage wollte schon ein Indianer ein solches Unthier bemerkt haben: 'to which circumstance the lake owes its appellation'. Nachher stellte sich freil. heraus, dass der einzige Bär jener Gegenden der braune, U. arctos L., ist, welcher keineswegs die ihm v. den Indianern zugeschriebene Wildheit besitzt. 'The fierce grizzly bear, which frequents the sources of the Missouri, is not found on the barren grounds'.

Groba s. Grab.

Grodno s. Grad.

Groen = grün, mehrf. in holl. ON. *a) Groene Berg*, im Capl., heisst 'mit Recht' ein v. unten bis oben bewachsener Berg in der Gegend v. Wagemakers Valley. Nach ihm das Thal zu Füssen *Groene Valley* (Lichtenst., SAfr. 2, 153); *b) G. Kloof* = grüne Thalschlucht, nahe der Capstadt, 'hat treffliche Wayde, u. zahlreiche Heerden' (ib. 1, 46, Kolb, VGHoffn. 205); *c) G. Eilanden* s. Hardy; *d) G. Bay* s. Cordes; *e) Grönhorst* s. Grün. — *Gröningen* s. Groningen.

Grönland = grünes Land (s. Grün), eine arkt. Entdeckg. der Normannen, näml. des Isländers Gunnbjörn (s. d.), welcher um 876 den südl. Theil der Ostküste sah, benannt erst 983 v. Erik Roede, der das Land mit isl. Ansiedlern bevölkern wollte u. ihm den lockenden Namen beilegte (Grönl. Hist. Mindesm. 1, 71 ff.; 1, 176 ff.), wohl nicht ohne entspr. Beobachtungen. Denn wie die neuern Fahrten auch auf Spitzb., Melville I. u. a. arkt. Gebieten stellenweise einen merkw. frischen, starken u. grünen Pflanzenteppich constatirt haben, so fielen auch den beiden Scoresby einzelne solcher üppigen Stellen der ostgrönl. Küste auf: in Jameson's Ld., das ggb. der davor liegenden bergigen, dunkeln u. äusserst sterilen Liverpool Coast ungemein absticht. Von dieser Küste sagt Will. Scoresby jun. (NorthWF. 177): 'Nothing can be conceived more rugged than it is; yet nothing that I have ever seen equals it in bold grandeur, and interesting character. There is nothing in it that is tame, smooth, or insignificant. The mountains consist of an innumerable series of elevated peaks, cones, or pyramids, with the most rugged assemblage of sharp rocks jutting from the sides. They take their rise from the very beach, and ascend by steep and precipitous cliffs . . . .' Ganz anders Jameson Ld.: flach, niedrig, hellbraun, schneefrei, mit Wohnstätten der Eskimos u. an Uferstellen, welche, mit mehr Erdreich bedeckt, v. Schneewasser getränkt werden, einen wahrhaft üppigen Graswuchs tragen. Verschiedene Strecken, je mehrere acres gross, waren fusshoch mit vschiedd. Gräsern u. Kräutern bedeckt u. bildeten ein so schönes Wiesenland, wie

England keine schönern hat . . . 'tracts that might justly be denominated *green-land*' (ib. 214). Im 18. Jahrh. verstanden die Schiffer unter *G.* sowohl Spitzb. als die grönländ. Ostküste (Cranz, HGrönl. 1, 7), wie denn auch eine kirchenähnl. Klippe der spitzb. Nordküste bei den holl. Fischern *G.'sche Kerk*, Spitzb. selbst auch *Nieuw G.*, latin. *Nova Gronia*, hiess (Adelung, GSchifff. 414). — *G. Cap*, im antarkt. Graham's Ld., v. Capt. Dallmann, Schiff *G.*, 1873/74 getauft (Peterm., GMitth. 21, 312).

Grog Spring, eine Quelle am linken Ufer des Missouri, unth. der 'Grossen Fälle', v. Capt. Clarke am 12. Juni 1805 erreicht u. v. seinen Leuten so genannt (Lewis u. Cl., Trav. 196). Es scheint, dass, nachdem 20 km v. Lager zkgelegt waren, dort ein erster Halt gemacht u. eine Erfrischg. eingenommen wurde.

Gronau s. Grün.

Groningen, Ort in Friesl., schon im 8. Jahrh. *Groningon*, 934 *Groninga*, ist mit mehrern andern, j. *Grüningen*, *Gröningen*, wohl nicht unmittelbar zu *grün*, ahd. *gröni*, sondern zu einem PN. zu stellen (Förstem., Altd. NB. 669), trotz dem alten Zeugniss: Locus etymologiam sui nominis ex adjacentium camporum silvarumque virenti amoenitate ostendens, *G.* dicitur (Pertz, Mon. Germ. 14, 261). Nach der fries. Stadt *G.* *Eiland*, in Samoa, einh. *Upolu*, bei La Pérouse *Oyolava*, bei Edwards *Ohatuah*, v. *Atua*, dem östlichsten District der Insel, v. holl. Seef. Roggeveen am 15. Jnni 1722 entdeckt u. nach einer heimatl. Stadt getauft (Meinicke, IStill. O. 2, 104. 424), damit sie zwar 'gelyk de kamers Amsterdam, Zeeland en Rotterdam in de Kaarten van de Zuyd-Zee benaemd gevonden worden' (Dagverh. 194). Die Westspitze einh. *Mulifanua* = Landsend.

Groot = gross, in holl. ON. wie *gross* in deutschen, insb. bei Flüssen, die man als das Hauptgewässer einer Gegend bezeichnen will, *Groote Rivier: a)* bei Batavia, aus mal. *Tschiliwong* übsetzt (Meyer's CLex. 2, 663); *b)* im Capland, zw. Rogge- u. Bokkevelds Karoo, länger als die übrigen, aber eben so schmal u. wasserarm (Lichtenst., SAfr. 1, 202); *c)* s. Oranje; *d)* s. Hudson. — Eben am Oranienflusse auch *Grootriviers Poort*, eine Pforte, Schlucht, zw. hohen Bergen (ib. 2, 359). — *Groote Eiland*, an der Westseite des Carpentaria G., schon auf den holl. Carten des 17. Jahrh., wohl v. Tasman eingetragen (Flinders, TA. 2 183, Atl. 14 f.).

Gros = dick, übh. gross, in wenigen frz. ON. wie *G. Morne* (s. Labé), insb. *G. Ventres* = Dickbäuche, f. einen Indianerstamm Dakota's u. Montana's, engl. übsetzt *Big Bellies* = Grossbäuche, wo *belly* = Bauch, od. *Paunch-Indians* = Wanst-Indianer (Lewis u. Cl., Trav. 96 f.). Zum Unterschied v. einem in Ursprg. u. Sprache völlig vschied. Stamm, den *GV. of the Prairie*, welche etliche 100 miles westl. v. Fort Berthold jagen, heissen sie *GV. of the Missuri*. Für beide ist der Name unpassend, wie f. erstere Edw. Umfreville, der Händler am Saskatchewan (1784/87), bezeugt: '... without any reason, as they are as comely and as well made as any tribe whatever, and are very far from being remarkable for their corpulency'. Es sind dies seine *Pawáustic Eithin-juwuc* = *Fall Indians*, die er an die 'Fälle' des südl. Arms des Saskatchewan versetzt (Franklin, Narr. 108). Von unsern *GV.*, am Missuri, sagt M. v. Neuwied (p. 395): 'Die Franzosen gaben ihnen den sonderb. Namen *GV.*, der ihnen nicht besser zukommt als irgend einem andern Indianerstamm'. Aehnlich Palliser (p. 198), Matthews (Ethn. u. Phil. 32). Vgl. Minnetarees. — *Belly River*, im Netz des Saskatchewan, wo die Gros-Ventres zu wohnen pflegten (Ch. Bell, Canad. NWest 8) u. *G. Ventres Fork*, ein Zufluss des Snake R., nach dem Volksstamm, der allj. auf seinen Bergwanderungen herkam (Raynolds, Expl. 88). — In Frankr. dient *G.* nicht selten, um ON. zu differenziren, im dép. Eure-et-Loir z. B. in den Namen eines dolmen, *le G.-Caillou* = der grosse Kiesel, 8 mal in *la Grosse-Pierre* = der grosse Stein, f. dolmens u. menhirs (Dict. top. Fr. 1, 87). — Das Ital. hat entspr. *grosso, a*, plur. *grossi*, so a) *Isola Grossa*, auch *Isola Lunga* = lange Insel, mit 55 km² die bedeutendste im Schwarm der dalmat. Küsteneilande, ausgezeichnet durch höhere Berge u. langgestreckte Rippenform (Meyer's CLex. 9, 387); b) *Sassi Grossi* = grosse Steine, eine seit 1478 geschichtliche Stelle zw. Bodio u. Giornico, Livinen, nach den ungeheuern Felsblöcken, welche dort am Bergfusse linker Flussseite liegen (Gem. Schweiz 18, 17); c) *Capo Grosso* s. Thyrides. — *Ponta Grossa* = dicker Landvorsprung, port. Name eines plumpen Felscaps v. São Paolo, Bras. (WHakl. S. 51, 50).

Grosellier s. Pigeon.

Gross, ahd. *krôz, crôz*, alts. *grôt*, ags. *greát*, engl. *great*, holl. *groot* (s. dd.), in den nord. Sprachen durch *stor* vertreten, hie u. da Beisatz vor Eigennamen: *G. Britania, G. Griechenland, G. Friedrichsberg* (s. dd.), mit einem Appellativ erst z. Eigennamen erwachsen: a) *Grosser Fluss*, der grössere der beiden Flüsse, welche in die Accessible Bay, Kerguelen, münden, v. der Exp. der Gazelle im Dec. 1874 so genannt (ZfAErdk. 1876, 98); b) *G.* (u. *Klein-) Glockner*, ein zweispitziger Gipfel der Ost-Alpen, nach der glockenähnl. Gestalt, die er, v. dem südl. vorliegenden Möllthal aus gesehen, zeigt (Meyer's CLex. 8, 270); c) *Grosses Moos*, ein weites Sumpfgebiet des Berner Seelands; d) *Grosser Ocean* s. Pacific; e) *Hafen des Grossen Palastes* s. Kadriga; f) *G. See* s. Landwasser u. Vier; g) *G. Thal* s. Limmat.

Grottes, Cap des = Höhlencap, in den Papuainseln v. Waigiu, aus steilen, höhlenreichen Felsen, so benannt durch den frz. Capt. Freycinet (1818), wie die beiden Berge v. Rawak, die 390 m h. *Grande* u. die 300 m h. *Petite Montagne* = grosser resp. kleiner Berg (Meinicke, IStill. O. 1, 79; 2, 393). — *La Grotte* s. Echelles. — *Grotto* = Höhle, eine der Fummarolen des Quellgebiets des Yellowstone R., aus einer Grotte hervortretend, eine dicke Dampfsäule, die einer

Oeffnung v. 12 cm Durchm. entströmt, 1871 benannt v. der Exp. Hayden (Pr. Rep. 92. 181). 'The roaring of the waters in the cavern, and the noise of the waves as they surge up to the mouth of the opening, are like that of the billows lashing the sea-shore. The water is as clear as crystal, and the steam is so hot that it is only when a breeze wafts it aside for a moment one can venture to take a look into the opening ... We came to a sort of a cave in a sandstone rock. The entrance is about 15 feet high, and it gradually slopes inward for about 20 feet. At this point, at regular intervals of a few seconds, there bursts forth a mass of steam, with a pulsation which shakes the ground, while a stream of clear water flows from the mouth of the cavern'. Temperatur 84⁰ C.

Group Islands = Gruppeninseln, angebl. ein weit ausgedehntes Revier v. Korallenbauten südöstl. v. den Paumotu, weitab v. jedem Lande unserer Carten, 31⁰ 25′ SBr. u. circa 130⁰ W., v. americ. Capt. Mitchel 1823 entdeckt u. benannt (Bergh., Ann. 12, 140).

Grouse Creek = Bach der Hasel- od. Heidehühner, ein Zufluss des Missuri, obh. Yellowstone R., am 22. Mai 1805 v. den Captt. Lewis u. Cl. (Trav. 164) benannt nach einer Menge Prairiehennen, welche an der Mündg., z. ersten mal so zahlr. seit mehrern Tagen, erschienen; b) *G. Island*, im Missuri, obh. Cheyenne R., eine baumlose, mit Gras u. Wildreis bedeckte Flussinsel, die v. vielen Hühnern besucht wird (ib. 74); c) *G. Men* s. Mandan.

Grubenpass s. Grab.

Grün, ahd. *grôni*, altn. *groenn*, skand. u. holl. *groen*, ags. *grêne*, engl. *green* (s. d.) = *viridis*, in ON. nicht so häufig wie zu erwarten wäre u. sicher nicht immer nach der Farbe, sondern auch mittelbar, nach einem PN. (s. Groningen). Schon im 8. Jahrh. *Gronowa*, j. *Gronau*, 3 mal *Gruninbach*, j. meist *Grünbach*, öfter, im 9. *Gruonoberg*, j. *Grünenberg* (s. Berg), im 10. *Gronaha*, j. *Gronau, Gruonenbrunnen, Gruonintal*, j. *Grünthal*, im 11. *Gruonuelt*, j. *Grünfeld*, 2 mal, u. *Gronhurst*, j. *Grönhorst* u. a. m. (Förstem., Altd. NB. 667 ff.). — *Grüne Insel*, an der Ostseite NSemlja's, am 20. Sept. 1871 v. norw. Capt. S. Johannesen entdeckt u. benannt (PM. 18, 396). — *Grünspitz*, ein ganz begraster Berggipfel, welcher sich etwa 150 m üb. den Kamm des Camperduner Grats, Glarus, erhebt (Gem. Schwz. 7, 616). — In Uebersetzungen, wie *G. Vorgebirge* (s. Verde), *G. Bay* (s. Cordes), *Grüner Berg* (s. Achdar). — *Grüningen* s. Groningen.

Grüt s. Rütli.

Grund s. Saas.

Gruob s. Grab.

Grusch, Um el- = Mutter, i. e. Fundort, der Haifische, arab. ON. der african. Seite des Rothen M., weil diese Thiere dort zahlr. vorkommen (Munzinger, Ostafr. St. 108), wie *Om Grut* = Fundort der Affen, eine Berggruppe in Sennaar (Heuglin, NOAfr. 14).

Grusia s. Georgia.

Gryffenberg s. Greifswald.

Grytberg = Kesselberg, auf der spitzb. Nord-capHI., v. der schwed. Exp. 1861 so benannt nach den kesselfgen Aushöhlungen, welche in den Steinen u. Felsen bis z. Gipfel angetroffen wurden (PM. 10, 133, Torell & Nord., Schwed. Exp. 192).

Gschwandt s. Schwanden.

Gspaltenhorn s. Schreckhörner.

Gstad s. Stad.

Gsteig s. Steig.

Gstübtbach s. Staubbach.

Guacca-Iarima, v. ind. *guacca* = Gegend u. *iarima* = podex, also = Aftergegend, purga-menti locus, im westl. Hayti eine rauschende Höhle, welche als lebendiges Wesen, als ein grosses Un-thier weibl. Geschlechts, das lebe, verdaue etc., angesehen wurde (Martyr, Dec. 7 c. 8).

Guáchara, Cueva de = Höhle der Nacht-schwalben, span. Name einer berühmten Höhle in Venezuela, nach den ungeheuern Schaaren darin lebender Ziegenmelker, steatornis caripensis (Meyer's CLex. 4, 164).

Guad- od. *guadi-*, in der Ausspr. der westl. Araber f. *wady* = Fluss, auch Flussthal, ein Wort, welches in der neuern Topographie vor-zugsw. auf die vergängl. Regen- od. Lügenbäche der Zone der Winterregen angewandt wird, je-doch eben so wohl einen permanenten Stromlauf bezeichnet, durch die Mauren insb. auch in Spa-nien importirt, wo viele Flüsse einen reinarab. Namen erhielten od. doch mit dem arab. Grund-wort *guad-* anfangen. Aus diesem Lande zählt A. Rojas (Estud. Ind. 109) solcher Namen 24 auf; wir finden jedoch in dem viel ältern F. Caballero (Nom. Esp. 98) ein alphabet. Verzeichniss v. 54, davon mehr als die Hälfte auf Andalusia ent-fällt, keine im Norden, v. Cataluña bis Galicia, vorkommen. *Guadalquivir*, arab. *Wad al-Kebir* = der grosse Fluss, alt *Baῖτις, Baetis* (s. An-dalusia), *Alouady-al-kebyr* ou d'après la pronon-ciation vulgaire *Ouadelkebyr*, d'où on a fait par corruption *Guadalquivir* (Abulf. ed. Rein. 2, 1, 58, Edrisi ed. Jaub. 2, 19). Wie schon aus der allg. Regel, dass vor *i* u. *e* das span. *qu* als einfacher Kehllaut, *k*, zu sprechen, so ergibt sich auch aus der Etym., dass die so häufige Aussprache *-kwivir*, mit Accent auf *ál*, falsch ist. Der alte *Baetis*, in der Landessprache *Perces* od. *Certis*, bei den ältern Griechen *Tartessus* (W. v. Humb., Vask. Spr. 6), zwar der kürzeste, aber der wasser-reichste u. beständigste unter den Hauptströmen Iberiens, der einzige mit langem vollem Unter-laufe, im Alterth. u. noch z. Maurenzeit See-schiffen bis Cordova hinauf zugänglich, wurde v. den Arabern mit Recht als 'der grosse Fluss' be-zeichnet. — In' der Form *Uéd el-Kebir* wieder-holt sich der 'grosse Fluss' in Algerien, als anderer Name des Uéd Schörfa (ZfAErdk. nf. 4, 206). Uebtr. ist der Name des südspan. Flusses (s. Negro). — *Guadiana*, zsgesetzt mit dem alten Anas (Strabo 142 ff., Plin., HNat. 3, 13), also 'Fluss Anas' (ZfAErdk. 1854, 248). *Guadiana Menor* (= der

kleine), ein Zufluss nicht des Guadiana, sondern des Guadalquivir. — *Guadalaviar*, arab. *Wad al-Abiad* = weisser Fluss, im mediterranen Ge-biet der Halbinsel, auch in *Rio Blanco* übsetzt (Meyer's CLex. 8, 302). — *Guadalajara* = 'Stei-nach', wohl urspr. der Henares, in Alt Castil., selbst, dessen 'Thal hier u. weiter aufw. . . . längs des linken Ufers v. steilen, kahlen, seltsam ge-formten Hügeln eingefasst ist' (Stein u. Hörsch., Hdb. 3b, 142), dann auf die Uferstadt übgegangen (Glob. 23, 278). Von dieser übtragen auf *Gua-dalajara*, die mexic. Stadt, die Nuñez de Guz-man 1531 anlegte u. nach seiner Vaterstadt, 'por su natural della', taufte (Galvão, Desc. 189). — *Guadarrama* = Sandfluss, ein rseitiger Neben-fluss des Tajo, dann ein Bergort in der Quell-gegend u. daher endlich die Sierra gl. N. (Ca-ballero, Nom. Esp. 68). — *Guadalupe*, Ort in Estremadura, mit berühmtem Hieronymitenkoster, einst einem der reichsten u. angesehensten Spa-niens. Sein Name mehrf. übtragen *a*) auf eine der Antillen, v. Columbus (Vida 186 f.) am 4. Nov. 1493 entdeckt u. einem den Mönchen gegebenen Versprechen gemäss nach dem eben genannten Kloster getauft, j. frz. *Gouadeloupe*; *b*) auf einen Ort bei Mexico, wo dem Indianer Juan Diego die Mutter Gottes erschien, Wallfahrtsort mit dem Bilde U. L. F. v. Guadalupe (Breker, Etym. ON. Mex. 2); *c*) s. Malayta. — *Guadalcanar* s. Malayta.

Guáduas, ON. in Columbia, zw. Honda u. Bo-gotá, nach dem häufig vorkommenden Bambus-rohr, *guáduas* (PM. 22, 395).

Gua-Galan = Schlachthöhle, jav. Name einer im Kalbgebirge am Nordfusse des Vulcans Tjerimaï befindl. Stickgrotte, deren Luft eintretende Thiere tödtet (Junghuhn, Java 2, 856).

Guaira-Yocina = woher der Wind kommt, ind. ON. in der Schlucht des argent. Rio de Belen, daher, 'weil es dort beständig weht' (PM. 14, 203).

Guaita-ca s. Ubira.

Guanajuato, Stadt u. Landschaft in Mexico, zu-erst in der Form *Guanashuato* übernommen, dann *Guanaxuato*, j. G., hat den Namen v. den urspr. Bewohnern, den Tarascos, *huuato* = Berg, *o* Endung, die den Ort anzeigt, u. *quanas* = Frosch; demnach ist urspr. die Gegend als 'Frosch-berg' u. erst nach ihr die Stadt genannt worden. Die Bezeichng. stimme z. Natur der Gegend, in der die Frösche so zahlr. seien, dass auch eine der Hptstrassen der Hptstadt *Cantaranas* = Froschgesang heisse. Zudem haben in einem dieser Berge die Indianer einen ungeheuern Stein, einem Frosch ähnl., gefunden u. z. Gegenstand religiöser Verehrg. gemacht. La rana, consagrada como diosa de las aguas, fué el númen, que pro-dujó el capricho del rey; y fué questa sobre un pedestal de piedra, una figura de un palmo de longitud, hecha de oro mazico, y adornada con esmeraldas, que imitava perfectamente al animal que acababa de recibir los honores divinos (Peña-fiel, Estad. Mex. est. de G. 52. 56. 58).

Guanapara s. Janeiro.

Guanchen nannten die Spanier zunächst die

berb. Eigenbewohner Tenerife's, dann der Canarien übh., verd. aus *guan* = Mensch u. *Chinerfe*,
dem Namen ihres Häuptlings (ZfAErdk. nf. 11, 74).
Guano s. Français.
Guaramomis s. Flamengo.
Guarani s. Tupi.
Guard's Bay, eine sehr kleine, v. hohen Bergen
umrahmte Bucht der Cooks Str., nach Herrn *G.*,
welcher zuerst diese Uferstrecke rodete u. auf ihr
sich ansiedelte (Dieffb., Trav. 1, 63).
Guarda = Hochwacht, Ausschau, v. spätlat.
warda, einer veränderten Form des germ. *warte*,
f. einen Beobachtungs- u. Lauerort, oft in ital.
u. rätorom. ON., insb. hoher Lage, v. der aus
das Thal überblickt u. beherrscht werden kann.
Es seien erwähnt: *a) G.*, Ort des Trentino, 1166
Warda ... potendosi dall' altura, dov' e situato
il nostro villaggio, dominare le strade che da
Pinè conducono al Perginese, dovessero farne per
tempo un posto di guardia (Malfatti, S. top. Trent.
65); *b) G.*, im U/Engadin, ein auf hoher Wiesen-
terrasse gelegener Ort, welcher einen schönen
Blick üb. das Thal gewährt.

L'ais usche fich in sü plazeda, scha nu'm sbagl,
per taunt megl sur in giò, sco disch sieu nom guarder.
S. **Carratsch**.

'... ob Lavin, auf einer Anhöhe des Bergs ...
lustiger (als Lavin), indem man v. hier das Thal
hinauf u. hinabwärts sehen kann' (Sererh., Del.
1, 86). — Im O/Engadin, hoch üb. Madulein,
die Burgruine *Guardaval* = Thalwacht, v. Bischof Volkard 1251 gebaut, um die bischöfl. Besitzungen in dieser Gegend zu hüten (Lechner,
PLang. 133). — *G. Velha* = alte Wacht, eine
Gegend im Oberlande Santa Catharina's, Bras.,
so genannt, weil man hier früher ein Soldaten-
dépôt zu Schutz u. Trutz gg. die Indianer unterhielt: den Vorgänger z. spätern Militärcolonie
Santa Thereza (Avé-L., 8Bras. 1, 127).
Guardafui, verd. aus port. *Guardafu* = hütet
euch! (Barros, As. 1, 8, 4 p. 206), in Cabot's Carte
Cabo da Guardafune, bei Andr. Corsali *Guarda-
funi*, bei Diego Ribero *Cabo de Garda fune*, bei
Mercator *Cabo de Gardafum*, 1637 *Cabo de Garda-
fuy*, bei Ramusio *Gardafum*, bei Tellez *Cabo de
Guardafui*, bei Lobo *Guardafuin*, bei Dapper *Cape
Dor fur*, bei Bruce *Garde fan*, bei de l'Isle
Gardafu, bei d'Anville *Guardafuy* (Paulitschke,
Progr. 1884, 28), die Ostspitze des afric. Continents, wohl aus arab. *Girdif*, *Girdifu* (Proceed.
RGSLond. 16, 149 ff.) od. aus *Dschard Hafun*,
dem etwas südlichern Capnamen, umgedeutet im
Sinne der Schiffersage, dass dort ein Magnetberg
den Schiffen die Nägel ausziehe (Ausl. 46, 11).
Bei den Alten (Ptol. 1, 9, 1 ff.) als das Ende der
κινναμωμοφόρος χώρα = Gewürz- u. Zimmtlandes, die die Gegend seit Ptolemäus II., lat.
regio cinnamomifera, hiess, ἐμπόριον καὶ ἀκρωτήριον Ἀρώματα, *Cap Aromatum* = Gewürz-
platz, 'Wurzen' (Pape-B.).

O cabo ve ja *Aromata* chamado
E agora *Guardafu* dos moradores ...
Camoes, Lus. 10, 97.

Guardia, eine andere Form f. *guarda*, mehrf. im
südtirol. Lagerthal f. hochgelegene Orte (Schneller,
Tir. NF. 83). — *Monte della Guardiaz* = Wachtberg, in Lipari, wo einst, vor Abstellg. der See-
räuberei der Barbareskenstaaten, eine Hochwacht
postirt war ... 'parce qu'il y a toujours une
sentinelle sur son sommet qui y fait la découverte pour reconnaitre les bâtimens Barbaresques
qui peuvent être dans ces parages, et en donner
avis au gouverneur et aux pêcheurs' (Dolomieu,
Lip. 42. 148). So hat auch das westlicher gelegene Ustica (s. d.), das sonst grösstentheils niedrig
u. flach, unter seinen drei Hügeln einen *Monte
della G. Grande* = Berg der grossen Wacht,
der centrale, u. einen *Monte della G. de' Turchi*
= Berg der Türkenwacht, im Süden der Insel.
In der That musste wg. der Einfälle, deren die
Einwohner sich nicht erwehren konnten, die Insel
um 1500 verlassen werden. Wiederholte Versuche, sie wieder zu bevölkern, schlugen fehl,
bis 1765 ein Fort erbaut u. v. Palermo aus, ein
Détachement Soldaten hin verlegt wurde (ib. 143).
Guatemala, ON. in CAm., verd. aus ind. *Quauhte-
mallan* = Ort der Holzhaufen, v. *quauthemalli*
= Holzstoss (Buschm., Azt. ON. 111) in Berichtigg.
der Angabe in Gomara (HGen. c. 209) u. mit
dem Beisatze: 'Der Umstand, auf welchen die
Benenng. sich gründet, ist nicht überliefert'. Der
v. Alvarado 1524 ggr. Ort, am 11. Sept. 1541
durch einen Wasserausbruch des Volcan de Agua
verwüstet u. z. Th. verlassen, heisst j. *G. la Vieja*
(= das alte), einf. *Ciudad Vieja* = Altstadt, die
zweite Anlage, durch das grosse Erdbeben v.
1773 zerstört u. ihr Rest nebst drei benachb.
Dörfern im Sept. 1874 völlig vernichtet, *G. la
Antigua* (ebf. = das alte), die j. Hptstadt, 1776
begonnen, *G. la Nueva*=das neue (Peterm., GMitth.
16, 437. 461, Meyer's CLex. 8, 312f.). ·
Guatos s. Ubira.
Guayana, ein grösseres Ländergebiet Südamerica's,
nach den Orinoco benachb. *Guainázes*, welche
sich wie andere Tupinamba: *Guaiázes*, *Guaia-
názes* (im Littoral v. São Paulo) als 'geachtete
Leute' selbst bezeichnen: *Guayá*, *Guayá-ná* =
wir die geachteten (Varnh., HBraz. 1, 100). Im
17. u. 18. Jahrh. hiess der ganze Küste zw. Orinoco u. Amazonas *Caribania*, nach den landein
hausenden Cariben, od. die *Wilde Küste* (Raleigh,
Disc. 56). — *Santo Tomas de la G.* s. Angostura.
Guayaquil, unerklärter ind. ON. in Ecuador, im
District Guayás, mit welchem Namen er offb.
zshängt, urspr. *Santiago de G.*, als der v. Pizarro
1533 ggr. u. 1537 zerstörte Ort v. Orellana an
der j. Stelle erneuert wurde (Meyer's CLex. 8,
318, WHakl. St. 32, 202).
Guaycuru = Schnell-Läufer werden v. den wald-
bewohnenden Tupi Brasilien's die Steppenstämme
genannt, welche, weil sie in der Unterlippe ein
zungenartiges Holzstück tragen, bei den Spaniern
Lenguas = Züngler heissen ; im Ggsatz zu jenen
durchstreifen sie wandernd die Pampas, angewiesen

48 *

auf Jagd u. Fischerei mehr als auf Waldfrüchte (Ausl. 1867, 869).

Guaynapotosi = der Knabe Potosi nannten die Peruaner einen dem Cerro de Potosi angelehnten, früher ebf. wie (später) dieser selbst viel Silber liefernden, kleinern Berg, um diesen als den jungen, kleinern, des grossen zu bezeichnen (Acosta, HNat. 4, 6 p. 207).

Gubbihi = unter der Erde, Bongo-Name einer grossen Höhle, welche der deutsche Reisende G. Schweinfurth (IHAfr. 1, 257) in der Gegend v. Kulongo besuchte.

Guberlinsk, russ. Ortsanlage an der Confl. des Urál u. seines rseitg. Tributären Guberlä (Bär u. H., Beitr. 5, Carte). Nach dem Ort das *Guberlinskische Gebirge* (Falk, Beitr. 1, 189).

Gudschiktü = Abhang, mong. Wort f. Berg-abhang, ist nom. propr. einer z. Selenga geh. Schlucht (Timkowki, Mong. 1, 61).

Gudschrat, ind. Halbinsel, auch *Gudscherat* u. *Guzerat*, gr. Συρασϱηνὴ (Kiepert, Lehrb. AG. 39), bei den arab. Autoren *Dschusarât*, einh. *Gudscharáti* (Pauthier, MPolo 2, 658), hiess urspr. *Suraschtra* = schönes Königreich, welcher Name noch in *Soratha*, dem Gebiete Dschunaghar's, sowie in dem festländ. *Surat* erhalten ist. Als die Mahratten v. Süden her anfingen, das Land den Katti, einem rohen v. Indus her eingewanderten Nomadenvolke, welches noch die unzugängl. Berge inne hat, zu entreissen, nannten sie die Halbinsel *Kathiwar, Katharar* = Gebiet der Katti. Vor diesen hatten ind. Hirtenstämme das Land inne gehabt; darauf führt wenigstens ihre Benenng. *Ahir, Abhira* = Kuhhirt (Lassen, Ind. A. 1, 135).

Guedes s. Freewill.

Güldene Au s. Gold.

Guelfo, Castel = Welfenburg, in der Prov. Bologna, wo die Trümmer eines alten Schlosses, der Grenzveste der Guelfen gg. Faenza (Meyer's CLex. 4, 206).

Gülgen-Dagh = Buchenberg, türk. Name eines hohen, schön bewaldeten Bergs im alten Troas (Tschihatscheff, Reis. 5).

Gümüldülü = das eingegrabene, türk. ON. an der Mündg. eines Thalschlundes im Golf v. Samos, in sehr pitoresker Lage u. mit schönster Aussicht üb. den Golf (Tschihatscheff, Reis. 26).

Gümüschchane = Silberstadt, auch *Gemisch-kane*, Stadt in der Umgegend v. Trapezunt, nach den einst ergiebigen, j. danieder liegenden Silber-gruben (Meyer's CLex. 8, 323; Layard, Disc. 5); *b*) G. *Dagh* = Silberberg, bei Aidin; *c*) G. *Maden* = Silberbergwerk, südöstl. v. Hellespont (Tschih., Reis. 1. 23).

Guenater s. Kantara.

Günzach, bayr. Ort an der Quelle der östl. Günz, während da, wo diese in die Donau mündet, *Günzburg*, wohl um das alte Schloss entstanden, liegt. In des erstern Nähe *Obergünzburg*, röm. *Guntia* (Meyer's CLex. 8, 325; 12, 174).

Guêr, 'Ain el = Quelle der kleinen Höhle nennen die Araber eine der wohlbewässerten Oasen der Westseite des Todten M. (s. Engeddi) nach einer dort befindl. Grotte (Seetzen, Reise 4, 361).

Gürdschi s. Georgia.

Guerrero, ein am Pacific gelegener, f. den In-dianergeneral Juan Alvarez errichteter Staat Mexico's, nach dem dam. Präsidenten der Con-federacion, Vicente G. 1829 (Uhde, RBravo 38).

Guerriers, Ance des = Kriegerbucht, eine im Juli 1768 entdeckte Bucht (u. Fluss: *Rivière des G.*) der Insel Choiseul (s. d.), v. Entdecker Bou-gainville (Voy. 269) so genannt, weil die mit Schutz- u. Trutzwaffen wohl versehenen, schwarzen, kühnen, gewandten Wilden einen Angriff auf ihn machten.

Guérin s. Peters d. Gr. Bay.

Guernsey s. Egmont.

Güsel Hissar = Schönburg, türk. ON. mehrf.: *a*) ein Städtchen, malerisch auf einer Anhöhe nördl. v. Smyrna (Tschihatscheff, Reis. 5); *b*) anderer Name f. Aïdin, im Thal des Mäander; *c*) s. Rum. — G. *Dere* = schönes Thal, in Cilicien (ib. 55).

Gütschlü-Tschaï = reissender Fluss, türk. Name eines z. Günek-Su, Armenien, fliessenden Wassers (Tschihatscheff, Reis. 64).

Güzza s. Agudo.

Gufitembo s. Senegal.

Gugudarew s. Dasaulow.

Guibert, Cap, die Nordostspitze der Insel Refun-schery, Str. LPérouse, v. Capt. J. A. v. Krusen-stern (Reise 2, 59) hieher gehetet, weil er das Cap G., welches der frz. Seef. La Pérouse in derselben Gegend getauft, erhalten wollte.

Guichenot, Pointe, ein starkes Cap an der Nord-ostseite der Halbinsel Péron, v. den frz. Offizieren Faure u. Moreau, Exp. Baudin, am 22. Aug. 1801 nach einem ihrer Gefährten, dem Gärtner A. G. v. Schiffe le Géographe, benannt (Péron, TA. 1, 168). 'C'est par erreur que ce nom se trouve autrement orthographié, *Guichenault*, dans le corps du texte et sur nos cartes' (Freycinet, VDéc. TA. XII); *b*) an der Sharks Bay ebenso ein *Cap* G., im März 1803 nach dem 'guten u. arbeitsamen' Gärtner G., welcher den Zoologen Péron auf einer Exploration begleitete u. mit ihm v. den Wilden überfallen wurde (Péron, TA. 2, 185).

Guienne od. *Guyenne*, frz. Ldsch., mit der Krone vereinigt 1137, definitiv 1453, einst *Aquitania*, welcher Name wohl nicht aus kelt. Armorike (s. Bretagne) erst übsetzt, aber umgekehrt im Mittel-alter zu G. erweicht worden ist. Nom. gent. *Guyennois, Guiennois, se*, f. die Bewohner des alten Aquitanien *Aquitains* (RDenus, AProv. 191 f.) — *Sinus Aquitanicus* s. Vizcaya.

Gui-Khoin s. Hottentotten.

Guillaume, Iles de St, zwei Küsteninseln (od. Vorgebirge?) an der Nordküste NFundls., am 29. Juli 1535 benannt v. frz. Seef. Cartier (Hakluyt, Pr. Nav. 3, 212, Avezac, Nav. Cart. 7). In die nächsten Tage fällt auch die Entdeckg. der *Ile de Ste Marthe* u. der *Iles de St Germain*; am 27. Juli war St. Martha gefeiert worden. — *Ile* G. *Tell*, in den austr. Iles Maret, v. der Exp. Baudin im Aug. 1801 getauft nach dem Schützen, der dam. auch f. die Franzosen das Ideal eines Freiheitshelden geworden war (Péron, TA. 1, 115, Freycinet, Atl. 27). — *G.-Pérouse* s. Clémence.

Guinea, zunächst *Guiné* nannten die Portugiesen des 15. Jahrh. das Gebiet des Senegal nach einem grossen Negerreich *Ganuya,* welches lange vorher, z. B. auf der Florentiner Seecarte 1351, verzeichnet stand. Zuf. den Erkundigungen, welche Heinrich der Seef. bei den Mauren, 'dos quaes recebemos esse nome', einzog, nannten diese die Gegend *Guinauhá* (Barros, As. 1, 1, 2). Der Name verschob sich bei dem Fortgang der Entdeckungen v. Senegal (1445) aus immer weiter hinüber u. blieb endlich den beiden Küstenstrichen *Ober-* u. *Nieder-G.,* sowie dem *Golf* u. den *Inseln v. G.;* b) ein zweites *G.* ist das v. Negern u. Mulatten bewohnte Quartier des centralamer. Hafenorts Puerto Belo (Barrow, REntd. 2, 29). — Wg. des negerartigen Aussehens der Eingb. nannte der span. Seef. Iñigo Ortiz de Rez die grösste der austral. Inseln *Neu-G.* Der port. Entdecker Jorge de Menezes (Barros, As. 4, 1, 16), wollte sie 1526 *Ilhas de São Jorge* = St. Georgs In., der Spanier Saavedra (1526/28) *Islas de Oro* = Goldinseln taufen 'par suite de la manie du temps qui faisait voir de l'or partout aux Espagnols' (Garnier, Abr. 1, 24). Als nun aber Ortiz de Rez 1545 v. dem General Lopez de Villalobos abgesandt wurde, streifte er auf der Route Molukken-Mexico die Küste eines ihm noch unbekannten Landes, 'e como nam sabiam q' por ali andara Saavedra ... e por a gente se preta e de cabelo reuolto, poseram lhe nome *Noua G.*' (Barros a. a. O.). Auf den Molukken heisst *NG.* noch j. allg. *Tanah Papua* = Land der Papua (Meinicke, IStill. O. 1, 71), bei den Insulanern der Torres Str. *Koi-lago* = grosses Land (Peterm., GMitth. 22, 88).

Guion, Point, eine Landspitze an der Nordküste NHollands, v. Capt. Ph. P. King (Austr. 1, 62) am 26. März 1818 benannt nach seinem Freunde Capt. G. H. G., R. N.

Guixegui s. Tehuantepec.

Gulangwasch s. Star.

Gulbi s. Benuë.

Guldbrandsdalen s. Nei-honi.

Gulderstock s. Gold.

Gulph Hazard = Strudelgefahr, ein Meeresstrudel der Ostküste der Hudson Bay, 56° 22′ NBr., so benannt v. den Jägern der Hudson Bay Co., während die Indianer 'have found a most expressive word for': *Qua-qua-chick-iwan* = es schluckt rasch (Coats ed. Barrow 66). — *Gulf* s. Corryvreckan.

Gummeröd s. Gammel.

Gumsurgarh s. Siwa.

Gümti, skr. *Gómati* = der viehreiche, hind. Name, zweimal: a) ein Nebenfluss des Ganges (Schlagw., Gloss. 196); b) ein lkseitg. Zufluss des untern Brahmaputra (Lassen, Ind. A. 1, 94. 159).

Gun Island = Kanoneninsel, in Pelsaert Gr., Houtman's Abrolhos, v. Capt. Stokes (Disc. 2, 149) am 24. April 1840 so genannt, weil er darauf

einen kleinen broncenen Vierpfünder v. auffallender Construction u. Verzierg. fand, neben Glasflaschen, Pfeifen u. zwei holl. Hellern (v. JJ. 1707, 1720), eine interessante Entdeckg. insofern, als nun die Stelle gefunden war, wo das Schiff Zeewyk 1727 Schiffbruch gelitten hatte u. sich die Mannschaft eine Schaluppe zimmerte; b) *G. Carriage Island* s. Vansittart; c) *Gunnersquoin* s. Lincoln.

Gunbjörn's Skjaer, ein Klippenschwarm zw. Island u. Grönl., v. Norm. *G.* 876 entdeckt (Peschel, GErdk. 76, ZEntd. 103)'. . . det land, som var blevet seet af *G.* . . ., da han blev forslaaet af storm mod vesten fra Island, og fandt *GS.*' (Grönl. Mind. 1, 73 f.).

Gundi Miran s. Bey.

Gunga s. Salvador.

Gunnersquoin s. Lincoln.

Guntur, Gunung = Donnerberg, mal. Name des zweitthätigsten aller Vulcane Java's. 'Mitunter hört man bei seinen Ausbrüchen den Donner dieses Berges Tagereisen weit v. dem Ursprunge desselben entfernt' (Junghuhn, Java 1, 91; 2, 67, Crawf., Dict. 147).

Guos, mit hottentott. Schnalzlaut zu sprechen, eine Hochebene hinter Angra Pequena, im Uebergang der vegetationslosen Sand- in die Stein- od. Euphorbienwüste, bedeutet 'Platz ohne Schafe', schaflos, v. *gu* = Schaf u. praep. *o* = los, ohne (Schinz, Deutsch-SWAfr. 16).

Gurban-Urtu-Niru = die drei langen Bergketten, mong. Name eines z. Gebiete der Selenga geh. Gebirgs, nach den drei grossen Einbuchtungen, in welche man das Rothwild treibt, wenn der Wang, der Generalgouv. im Lande der Chalcha, v. Urga jagen will (Timkowsi, Mong. 1, 65); b) *G. Tülgotu* = die drei Dreifüsse, 3 Felsmassen eines Thals am Rande des Gobi, grossen aufgeworfenen Steinhaufen ähnl. (ib. 269); c) *G. Almatu* s. Almaly.

Gurbes s. Enf.

Gurd s. Akbar.

Gurdschi s. Georgia.

Guresu Gadsür = Thierland, mong. Name eines unbewohnten, herrenlosen Grenzgebiets zw. Tibet u. der Mongolei, wg. seines Reichthums an Wild (PM. 22, 169).

Gurgan s. Hyrkania.

Gurge s. Ala.

Gurjew, Ort an der Bucharka, der östl. Mündungsarm des Jaik, der Sage nach ggr. v. russ. Kaufmann Michael *G.,* welcher zZ. der Tatarenherrschaft dort Fischerei trieb (Müller, Ugr. V. 1, 50), kalm. *Usän Balgasin* = Flussstadt, v. *usen* (s. d.) u. *balgasin* = Stadt (Falk, Beitr. 1, 172).

Gurin s. Bosco.

Gurmels s. Chamonix.

Gurnet s. Ruivo.

Gurnigel, aussichtreicher Berg bei Bern, urk. *mons Cornelii,* nach Gatschet (OForsch. 304) v. mlat. *cornicula* = Krähe, entspr. *Krähenbühl* etc. u. sein dim. *Gurnigeli* 6 mal im C. Bern, *Kurnikel* bei Splügen, *Kurnigl* im Passeyrer Thal. 'Die Gewohnheit der Krähen, sich auf Hügelspitzen zu versammeln, hat in sehr vielen Fällen Namengebg. z. Folge gehabt.'

Gurri-Fardôt = Dorf der Pferdehirten, v. Somalwort *gurri* = Hirtendorf u. *fardôt*, sing. *farras* = Pferd, Name eines freien Wiesengrundes, auf dem z. Regenzeit die Rosshirten ihre Zelte aufschlagen (ZfAErdk. 1875, 284).

Gurrugürru = Durchlöcherte, so heissen bei den Nubiern die centralafric. Völkerschaften der A-Banga u. Monbuttu, weil beide die Gewohnh. haben, den innersten concaven Theil der Ohrmuschel herauszuschneiden, um ein fingerdickes Holzstück hindurchzustecken (Schweinfurth, IH-Afr. 1, 564; 2, 86, wo der Name *Guruguru* geschrieben u. ausdrückl. als arab. bezeichnet ist).

Gurssisches M. s. Kaspisee.

Gurten, eine Hügelmasse des bern. Theils der schweiz. Hochebene, nach einem anliegenden Dorfe *G.*, *Gurtendorf*, welches urk. *gurt* heisst v. lat. *curtis* = Hof, Viehhürde (Gatschet, OForsch. 28). — Unter den anklingenden ON. dürfte *Gurtnellen*, um 1300 *Gurtenellen*, Station der Gotthardbahn, der bekannteste sein. Steub (Rhät. Ethn. 147) wollte ihn v. rom. *cortinella* ableiten; kaum glücklicher nimmt J. L. Brandstetter (Urn. Wochenbl. 20. Febr. 1886) deutschen Urspr. an, eine Zssetzg. aus *gurt* u. *nellen*, letzteres *x*. ahd. *hnel*, *nella* = Hügel, Kuppe, wie in *Nollen* (s. Titlis).

Gurungani = bei dem Steinbrunnen, bei den Sawahili Name eines Orts bei Mombas, wo alle Karawanen lagern u. zu jeder Zeit Wasser finden (JRGSLond. 1870, 314).

Güsselnie Gôrui = Harfenberge, russ. Name einer Reihe v. Felswänden, welche, aus horizontalen Schichten rother u. grünlicher Mergel bestehend u. so durch ihr farbiggestreiftes Ansehen auffallend, auf dem rechten Ufer der Lena unth. Berésowo Ostrow aufragen (Erman, Reise 2, 234).

Gussinoe Osero = Gänsesee, russ. Name eines Seitengewässers der daur. Selenga, nach dem mannigfaltigen Wassergeflügel (Bär u. H., Beitr. 23, 665 f.); *b)* *Gusinuy Muis* s. Willoughby.

Gustavsvärn, schwed. Name einer Inselfestung, wo *värn* = Wehr, an der Südwestspitze Finls.,

auf Hangö. Nach dieser die nahe Continentalspitze *Hangö-Udd* (Meyer's CLex. 8, 553), wo *udd* = Spitze, *udde* = Vorgebirge. Nach welchem der schwed. Könige 'Gustav' ist die Veste benannt? — *G.'s Vard* s. Sveaborg.

Gut s. Gibraltar.

Gutmannshausen s. Godesberg.

Gutschin-Gurbu = 33, mong. Name einer Gruppe v. Sandhügeln, welche sich, wohl zu Tausenden, zw. der Stadt Dolon-Noor u. dem Dalai-Noor ausdehnen. Nichts ist ermüdender u. abspannender als' der Marsch üb. diese Hügel hin, in deren bewegl. Sand die Pferde tief einsinken. Kaum hat man sich mühselig z. Gipfel des einen emporgearbeitet, so starrt einem ein neues Dutzend entgegen, u. so geht es endlos fort (PM. 19, 85).

Guyton s. Lavoisier.

Guzerat s. Gudscherat.

Gygaie Limne, gr. *Γυγαίη λίμνη* = See des Gyges, ein grosser See Lydiens, an dessen Ufern das Grabmal des lyd. Königs *G.* als grosser Hügel sich erhob (Herod. 1, 93).

Gymnesiai s. Balearen.

Gypopolis = Geyerstadt, gr. Name des wilden Klippenufers an der europ. Seite des Bosporus, da wo dieser sich z. Pontus öffnet. 'Noch nisten Geyer in dem flutdurchhöhlten Gesteine' (Hammer-P., Konst. 2, 270).

Gypsaria s. Mina.

Gyros, gr. *Γυρός* = Rundung, Windung eine v. Tegea nach Argos führende Strasse, die im Ggsatz zu einem gerade üb. das Gebirge gehenden Saumpfad, sich nach der zweckmässigen Anlage der Hellenen in grosser Windg. um die vortretenden, zackigen Felskuppen herumzieht (Curt., Pèlop. 1, 260); *b)* *Gyras*, gr. *Γύρας*, *Γύρος* = Rundberg, ein Cap v. Tenos (Ross, IReis. 1, 20); *c)* *Gyrai Petrai*, gr. *Γύραι πέτραι*, Felsen bei Cap Kaphareus, Euböa (Hom., Od. 4, 500), Drehod. Mühlsteine, der Schifffahrt gefährl., nicht 'Rundberge', wie Pape-B. will, sondern 'Wirbelod. Strudelfelsen' (Grasb., StGriech. ON. 75).

Gythesch s. Bering.

Gyula s. Karlsburg.

H.

Haabet's Havn s. Gilbert.

Haabet's Oe s. Kangek.

Ha'acharon s. Mediterraneum M.

Haag od. *Hag*, ahd. *hac* = Gehege, ein Wort, das v. der Bedeutg. eines umschlossenen, eingefriedigten Raumes ausgeht u. sich in die beiden Bedeutungen v. Stadt od. Wohnort einerseits, v. Gebüsch od. Wald anderseit spaltet, mehrf. in ON. *Hag* (8. Jahrh.), wie: *a)* *H.* in Holland (s.

'sGravenhage), *b)* *H.* in Bayern, *c)* *H.* in Rheinpreussen, *d)* *Hage* bei Norden, in noch waldreicher Gegend, wo einst die Grafen v. Ost-Friesl. ein Jagdschloss u. einen Wildpark hatten (DKoolmann, Ostfr. WB. 2, 4). Als Bestimmgswort in *Hegibach*, j. *Heubach*, Hessen, *Hegiperc*, j. *Hagberg*, OOest., *Hachuson*, j. *Hackhausen*, Rheinpr. u. a. m., als Grundwort ebf. wiederholt (Förstem., Altd. NB. 689). Zum Stamme *hagan* = Dornstrauch stellt p. 691 z. mindesten einzelne der mit *Hagenau*, alt *Haganowa*, *Hagenbach*, alt *Haganbach*, *Hagenbuch*, alt *Haganbuah* etc. vergesellschafteten Formen. Der bekannteste dieser Namen ist hess. *Hanau*, 1140 ff. *Hagenowa* = waldige Au, Anlage auf einer Au im Walde (Kellner. Progr. 1871, 2).

Háardarapáj = Häuserfels, v. sam. *haard* = Haus, Hütte, u. *páj* = Stein, also Berg mit felsigem, hausähnlichem Gipfel, eine Berggruppe des Grosslandes, v. zerklüftetem Ansehen, mit zackigem Gipfel, der die Ruinen einer alten Burg, eines Städtchens od. einer Häusergruppe zu tragen scheint. Das Wort *haard*, *hárda*, in Zssetzungen auch *karda*, haben die Samojeden, welche weder Häuser noch Städte kannten, ozw. durch Adoption des permisch-syränisch-wotjäk., also finn. Wortes *kar*, *karra*, f. eine Stadt, einen befestigten Platz erhalten (Schrenk, Tundr. 1, 339).

Haardt s. Hard.

Haarfagre s. Karl.

Haarlem, auch *Harlem*, im 9. Jahrh. *Haralem*, holl. ON., nicht völlig klar, bei Förstem. (Altd. NB. 741) zu Stamm *har* gestellt, viell. *haar*, wie noch j. in Over Ijssel die Anhöhen auf der Heide bezeichnet werden, mit ahd. *laim*, alts. *lêmo*, nhd. *lehm*, also "Höhenlehm", ein ON., der sich doch zu sonderbar ausnimmt. Bei dem Orte *H*er *Hout* (= Holz), ein Buchenpark, u. das *H*er *Meer*, 1647 aus der Vereinigg. v. 4 kl. Seen entstanden als üb. 20 km lg. u. 4¹/₂ m tiefer Binnensee 1844/52 ausgepumpt (Wild, Niedl. 1, 26 f. 85 f.). — Uebertragen *a)* *H. River* s. Hudson; *b)* *H. Eiland*, in der Geelvink Bay, v. der holl. Exp. Geelvink (Meinicke, IStill. O. 1, 94).

Haast Bluff, ein Berg des innern Austral., v. Reisenden Ernst Giles im Sept. 1872 entdeckt (PM. 19, 185 f.) u. nach dem Geologen Jul. *H.*, dem Erforscher NSeelds., getauft. 'Die Liebe z. deutschen Heimat hat den hochverdienten austr. Forscher, Baron F. v. Müller, bestimmt, einigen hervorragenden Punkten dieser die Einfgk. Inner-Austr. sehr auffällig unterbrechenden Bergkette, Mᶜ Donnell, die Namen deutscher Gelehrter u. Entdeckungsreisender zu geben; denn wir finden … einen *Berg Heuglin*, einen *Berg Zeil*, den *H. Bluff* u. den *Berg Liebig*.' — *H. Berg* s. Rohlfs.

Habab, plur. v. *Habib*, dem Stammvater, nennt sich ein ostafr. Volk, also nach Analogie v. Israeliten, Edomiter u. a. m. (PM. 7, 302).

Habbakah s. Emek.

Habbesor, hebr. הַבְּשׂוֹר = der grasreiche, ein Bach, der sich bei Gaza in das Meer ergiesst (1. Sam. 30, 9).

Habeily s. Ostjaken.

Habenicht s. Spörer.

Habesch s. Abessinia.

Habidéggobéndò = See des Bärenfells, ein See der Tundra, mit Abfluss *Habidéggobejagà*, v. *hábide*, *hajwidè* = Bär, *hóba* = Fell, Haut u. *do* = See, v. den Samojeden benannt nach dem seltenen Ereigniss, dass hier, in der waldlosen

Tundra ein Bär erlegt wurde (Schrenk, Tundr. 1, 521), u. *Hajudéjagà* = Bärenfluss, sam. Flussname im Kleinland (ib. 1, 659). — *Hábidepádara* = heiliger Wald, v. sam. *haj* = Götze, davon *hájode*, *hábide* = heilig u. *pádara* = Wald, ein Wald des Grosslandes, den als geheiligten Begräbnissplatz zu betreten die Samojeden f. Sünde halten, daher ein Abfluss *Hábide-pádara-jagà* u. dessen Mündgsgolf *Hábide-pádara* (ib. 313).

Haborg's G. s. Stonhenge.

Habr s. Gaber.

Habs, Megâret el- = Gefängnisshöhle, arab. Name einer 30 m l. u. 18 m br., zu Gräbern benutzten Ufergrotte Libyen's 'weil sie das Grab f. ein Gefängniss halten' (Barth, Wand 511).

Habsburg, die aarg. Stammburg einer grossen Dynastie, urk. *Habihtesburg*, *Habechisburc*, *Habichesburch*, 1242 *Habesburch*, 1243 *Habspurch* …' so gab auch der Habichts- od. Sperberfang der *H.* den Namen' (Gatschet , OForsch. 258). Es ist nur geschichtl. Reminiscenz, wenn der Wiener Humanist Wolfg. Latius an ·*Abspurg*, als aus dem Namen des elsäss. Stammschlosses *Avendsperg*, der Freiburger Historiker Frz. Guillimann an *habentia* = Besitz, Gut, der gelehrte Benedictiner Bernh. Pez (de etymo n. Habsp. 1731) an ein echt deutsches *Habit-*, *Houpit-*, *Habispurch* = Hauptburg dachte. Für unsere Aufzählg. ist *H.* der Stellvertreter einer Reihe alter ON. mit 'Habicht', ahd. *habuh*, als *Habechowa*, in Bayern, *Habuhpah*, *Habuhesbah*, bei Fulda, *Habohperch*, in Bayern, *Habechesberge*, in S.-Weimar, *Havucabrunno* u. *Habechesdal*, in Hessen, *Habechesfelt*, *Hanukohurst* u. a. m. (Förstem., Altd. NB. 685 ff.). — Eine poln. Parallele ist *Jastrzembie* = Habichtsdorf, v. *jastrzab*' = Sternfalke, ON. in West-Preussen, wohl v. einer Jägerbude, in welcher Falken z. Jagd abgerichtet wurden (Altpr. Mon. 6, 304).

Hackhausen s. Haag.

Hacking, Port, südl. v. Botany Bay, y. den beiden engl. Entdeckern Bass u. Flinders am 31. März 1796 so genannt nach dem Piloten *H.*, welcher ihnen zuerst Nachricht darüber gegeben hatte (Flinders, TA. 1, CII, Atl. 8).

Had, Ras el-, die Nordost-Spitze Arab., bei Barros, (As. 2, 10²) *Roscalgate*, bei Camões (Lus. 10, 101) *Rocalgate*, wird mit 'Vorgebirge der Gefahr' übersetzt; allein ein arab. Wort *had*, *hadd* = Gefahr scheint es nicht zu geben. Man kann an *hadd* = Grenze, extremitas, etwa 'äusserste Spitze', adj. *hadd* = spitz, scharf, od. an *hadd* = Bruch denken, u. wird dies auf Schiffbruch bezogen, so ·ergibt sich ein ähnl. Sinn wie 'Vorgebirge der Gefahr' (Prof. Ryssel 15. Jan. 1891). — Anders *Wady H.*, ein Thal südl. v. Murzuk, berb. *Dschuri*, nach einem Kraute *H.*, Cornulaca monacantha Del., welches nach Regen in der Gegend wächst (Rohlfs, QAfr. 1, 220), u. wieder anders *had*, *ahad* = Sonntag, wörtl. eins, auf den ersten Tag der Woche übtragen *a) Theniet el-H.* = Sonntagspass, wo der Markt am Sonntag abgehalten wird,

eine Stadt Algeriens, *b) Sûk el-H.* = Sonntags-
markt, in Marocco(Parmentier, Vocab. arabe 26,47.)
Haddington, Mount, ein prächtiger, üb. 2000 m
h. Schneeberg SShetls., v. Capt. J. Cl. Ross (SouthR.
·2, 333) am 1. Jan. 1843 benannt nach dem Earl
of *H.,* erstem Lord der Admiralität.
Hadeby s. Schleswig.
Hadhramaut, im AT. *Haçarmaut,* Landschaft an
der Südküste Arabiens, wird wie die 2 folgg. ON.
v. J. Olshausen (Rhein. Mus. NF. 8, 322) als 'Thal
des Todes' erklärt, 'wohl als Zugang zu den Flug-
sandwüsten des Binnenlandes' od., viell. besser,
nach den Schwefelhöhlen, Solfataren u. Thermen
des Bir Burhut (Meyer's CLex. 1, 782). Die Bewohner hiessen gr. *Chatramotiten,* incorrect zsgezogen aus *Chatra-* od. *Adramiten* (Kiepert, Lehrb.
AG. 188). — Für die lyd. Gründg. am Ida, *Adramytteion,* ngr. *Adramyti,* türk. *Edirmîd,* könnte
sich die Benenng. auf die Miasmen der flachen
Strandsümpfe beziehen (ib. 111). — In Tunis der
Hafenort *Hadrumetum,* auch *Hadrume, Hadry-
mes,* dem die griech. Seeleute den Beinamen Σώζουσα = die schützende, woher j. *Sûsa,* gaben,
entspr. Σωζόπολις = Warburg, wie auch das
thrak. Apollonia genannt wurde. Als röm. Colonie
erhielt die alte, reiche u. mächtige Stadt den
pompösen Titel *Colonia Concordia Ulpia Traiana
Augusta Frugifera Hadrumetina,* u. 'das *frugifera* = obstreiche verdiente sie jedf. in vollstem
Maasse'. Als Justinian sich auch ihrer v. den
Vandalen zerstörten Mauern erbarmte, erhielt sie
den Titel *Justinianopolis* (Barth, Wand. 155).
Hadîd = Eisen, nicht selten in arab. ON. *a)
Biban el-H.* s. Bab; *b) Biar el-H.* = Eisen-
brunnen, mit *bir* = Brunnen, hier Schacht, im
plur., ein Eisenbergwerk im nördl. Theil des
Libanon (Seetzen, Reis. 1, 188 f.); *c) Mokta el-H.*
= Eisenbruch, mit *moqta, meqta* = Einschnitt,
Furt, Steinbruch, berühmte Eisenminen bei Bone,
Alg.; *d) Ras el-H.* = Eisencap, in Algerien
(Parmentier, Vocab. arabe 26).
Hadrianopolis s. Adrianopel.
Hadrumetum s. Hadhramaut.
Hadsch od. *hadschi* = Pilger, im plur. *hadsch-
adsch,* der Titel eines Muselman, der die Wallfahrt nach Mekka vollbracht hat, wie sich die
oriental. Christen hadschi nennen, wenn sie z.
Osterfest in Jerusalem gewesen sind, in vielen
arab. ON. wie *Hammam Sidi el-H.* = Pilgerbad,
eine alger. Therme v. 40° C., bei el Uthaja, in
deren Lache die vorüberziehenden Araber fast
nie versäumen, sich zu baden, da das Wasser
bes. bei Rheumatismen u. Knochenkrankheiten als
heilsam sich bewähren soll (ZfAErdk. nf. 4, 201),
od. 'Aïn el-Hadschadsch = Quelle der Pilger,
in der Sahara (Parmentier, Vocab. arabe 27). —
Birket el-Hadschi = Pilgerteich, 2 mal: *a)* bei
Kairo, weil hier die Theilnehmer der grossen
Mekka-Karawane sich zu versammeln u. die *Derb
el-Hadschi* = Pilgerstrasse einzuschlagen pflegten
(Robins., Pal. 1, 58 f., Burckh. Reis. 2, 763); *b)*
im Dschebel Hauran, weil er bis in das 18. Jahrh.
der Trinkplatz der Pilgerzüge war (Burckh., Reis.

1, 153). — In Indien die ON. *Hadschigandsch*
= Pilgermarkt u. *Hadschipur* = Pilgerstadt
(Schlagw., Gloss. 198), bei Angora der Ort *Ha-
dschilar* = die Pilger (Tschihatscheff, Reis. 30),
in der Krym eine Quelle *Hadschi-Tscheschmé,*
die einem Pilger gehörte (Köppen, Taur. 2,7. 22 f).
Hadscham, Chanût el- = Barbierstube, tunes.
ON. unweit Musti, wo das Grabdenkmal eines
M. Corn. Rufus, auf der Westseite offen, den
Eingb. 'als vortrefflich zu einer Barbierstube geeignet
erscheint' (Barth, Wand. 222).
Hadschâr, plur. v. *hadschra* = Stein, oft in
arab. ON., f. sich allein 2 mal Eigenname *a)* f.
eine Gegend im Litoral des Rothen M.; *b)* f.
einen Ort der alger. Prov. Constantine; ferner *c)
Ued el-H.* = 'Steinach', ON. der alger. Prov.
Constantine; *d) Hâsi el-H.* = Steinbrunnen (s.
Hasi), eine Einsenkg. der Sahara; *e) Hammam
bu-H.* = Steinbad (Parmentier, Vocab. arabe 27);
f) Tell el-H. = Hügel der Steine, ein Hügel bei
Bethel, Palästina, mit Ruinen (VVelde, Reise 2,
253); *g) Batn el-H.* = Felsenbezirk, mit *batn,
baten* = Gegend, eig. breites, flaches Thalgelände,
eine steinige Wildniss Nubiens (Meyer's CLex. 2,
670).
Hadschri s. Tondi.
Haduumapaj s. Sedabaj.
Haëlah s. Emek.
Haeme s. Tavastehus.
Háensejdè = Götzenkuppe, ein Berg des samoj.
Kleinlandes (Schrenk, Tundr. 1, 638 f.). — *Haensalè* s. Afgodenhoek; *b)* s. Salidéj.
Haëtumant s. Hilmend.
Häusern s. Klingen.
Haff, niederdeutsche Bezeichn. mehrerer Mün-
dungsgolfe (s. Frisch), die mittels schmaler Gassen
sich z. Ostsee öffnen, altn. *haf* = aequor, in
hafen, holl. u. niederd. *haven, hab, habe,* noch
lebendig, letztere selbst im Oberdeutschen, viell.
auch als dim. im Flussnamen *Havel* (s. d.) er-
halten. — *Hafnarfjördur* = Meeresbucht, kleiner
Ort an einer tief eindringenden Hafenbucht der
Nähe Reykjavíks (PreyerZ., Isl. 65).
Hafulel, ein abess. Thal, v. dem gleichnam.
Fruchtbaum, welcher hier sehr häufig ist (Mun-
zinger, Ostafr. Stud. 252).
Hag s. Haag.
Hagar s. Bahrein.
Hagède s. Fayal.
Hagelsee s. Hexensee.
Hagemeister Insel, 2 mal, zu Ehren des russ.
Capt. Ludw. v. *H.,* welcher, in Livl. 1780 geb.,
in engl. Seemannsschule z. Capt. befördert, eine
Zeit lang Chef der Ansiedlungen der russ.-amer.
Co. war, 3 mal, mit der Newa 1806/11, mit 'Su-
warow' u. 'Kutusow' 1816/19 u. mit 'Krotkoi'
1828/30, die Erde umschiffte, auf der letztern
Reise die Menschikow In. (s. d.), im Febr. 1830
a) die austr. HI. (s. Palliser) entdeckte u. 1834 †
(Bergh., Alm. 1841, 146); *b)* eine HI. in Alaska,
Bristol B. (Krus., Mém. 2, 110).
Haggadol s. Mediterraneum.
Hagion, Oros, gr. Ἅγιον, ὄρος = Heiligenberg

a) Ort u. Berg in Skythien, wo Aesculap verehrt wurde (Alex. Polyh. bei St. B.); *b)* s. Athos. — *Hagios Theologus*, in türk. *Aiasoluk* verd., eine Bezeichng. des alten Ephesus, nach dessen Schutzpatron, dem 'heil. Gottesgelehrten' Johannes (Tschihatscheff, Reis. 23).

Hagla s. Beth.

Haglere, ein Gebirgskamm, der das luzern. Entlebuch v. Obwalden scheidet. 'Der Name ist sehr bezeichnend; denn kein Berg schickt so viele Hagelwetter ins Thal als dieser' (Osenbr., Wanderst. 1, 265).

Hahatonwan s. Chippewa.

Hahn s. Maltzan.

Hahnahhappapchah s. Beaver.

Hahnenkamm, eine kleine steile Felsinsel v. Samoa, mit hohem, zerspaltenem Grate, v. russ. Seef. Kotzebue benannt, einh. *Nulopa*, *Nulofa* (Meinicke, IStill. O. 2, 105).

Haïad, Wad el-, arab. Name eines Thälchens auf der Route Wargla-Ghadames, nach einem dort reichl. wachsenden Dornstrauch *H.* (GdGen. 1875 Bull. 63).

Hájagà = Strudelfluss, ein Flüsschen im Grossland der Samojeden, nach einigen ruhig kräuselnden Strudeln; denn da zu diesen die Fische bes. gern sich hinziehen, so schlägt der ärmere Samojede, welcher seinen Sommerunterhalt in dem Fischreichthum des Flüsschens sucht, sein zeitweiliges Zelt an diesen Strudelstellen auf (Schrenk, Tundr. 1, 495).

Haidarabád = Haidar's Stadt, in engl. Orth. *Hyderabad*, v. PN. *Haidar* = Löwe, arab.-pers. Name zweier ind. Städte, in Sindh u. im Dekhan, letzteres aus dem frühern *Bhagnagor* 1584 erneuert. Auch ein *Haidarnágar* = Haidar's Stadt in Bahar (Schlagw., Gloss. 198, Meyer's CLex. 8, 440 f.).

Haidinger s. Cook.

Hale s. Haye.

Háifa, v. *keph*, hebr. פֿ od. *kepha* כֵּיפָא = Fels, bei Edrisi (ed. Jaub. 1, 348) *Khaïfa*, fränk. *Chaifa*, *Katpha*, eine Seestadt am Felsfusse des Cap Karmel, früher 1 km westl' :her, wo die πορφύρα = Purpurschnecke gefischt wurde, daher auch Πορφυρίων, bei Wilh. Tyr. 9, 13 *Porphyrion* od. *Helpha*, j. arab. auch *el-Amára* = Wiederaufbau, also das neue *H.*, genannt (Seetzen, Reise 4, 283).

Haifisch B. s. Shark.

Haj'gelim s. Engeddi.

Haïkhan s. Armenia.

Hainaut, belg.-frz. Landschaft, um 653 *Hainau* pagus, im 7. Jahrh. *Hagnauvum* territorium, 749 *Hainoavius*, 920 pagus *Hainoiensis*, 1355 *Henau, Hanonia*, 1375 *Henaut*, um 1400 *Henault* (Dict. top. Fr. 10, 135), an der Haisne, Haine, 'rivière qui le traverse et du nom de laquelle on a fait *H.*', deutlicher im vläm. *Henegouw*, deutsch *Hennegau*, der Gau an der Henne. Nom. gent. *Hainuier, ère*, auch *Hainuyer, ère*, alt *Haynuyer* u. *Hannuyer*, scherzh. *Hanonien* (Rolland, Prov. Fr. 4 f.). Den FlussN. *Haine*, 'wovon der *Hennegau* benannt ist', im 10. Jahrh. *Hagna*,

Haina, Hayna, betrachtet Förstem. (Altd. NB. 692. 717 f.) als undeutsch; er gibt als alte Formen des Gaunamens: *Hainnoum*, im 8. Jahrh., auch *Hainaum, Hainou, Haino* u. v. a. Unserer Etym. widerspricht nur Einer, Chotin, der gerade die ON. dieser Ldsch. bearbeitet hat (Et. étym. Hain. 25); er findet den Fluss zu unbedeutend, als dass der Gau davon den Namen hätte bekommen können u. setzt ein kelt. *hen* = alt, also *H.* = alter Gau od. alter Wald —1857!

Haines s. Gallow.

Hairy Lake = 'Haarsee', eine seeartige Erweiterg. des z. Nelson R. gehenden R. Echemamis, resp. Sea R., weil das seichte Wasserbecken ganz mit Binsen überwachsen ist: 'a shallow piece of water overgrown with bulrushes, and hence named *HL.'* (Franklin, Narr. 42).

'Haï-thêu = Hafen am Meere, chin. Name des Hafenorts an der Mündg. des Mîn, Prov. Fu-kian, in MPolo *Kayteu*, 'qui en est la prononciation très-exacte; le premier mot devant se prononcer avec une forte aspiration' (Pauthier, MPolo 2, 527). — Mit dem Worte *haï* = Meer ferner: *Hainan* = (Insel im) Südmeer, port. verd. *Aynam* (Barros, As. 3, 2, 7), sowie *Hailing* = Meergestade, *Thsinghai* = ruhiges Meer, *Haimen* = Meerpforte, f. drei Cantone der j. Jangtscheu (Pauthier, MPolo 2, 466). — *Haiyen* s. Kanfu.

Hajudejagà s. Habide.

Hakluyt Island, vor Whale Sd., Grönl., v. Capt. Baffin am 5. Juli 1616 entdeckt u. nach dem vielverdienten Geogr. jener Zeit, welcher nam. auch die Nordwestfahrten eifrig förderte u. eine werthvolle Sammlg. v. Reiseberichten angelegt hat (s. Egli, Gesch. geogr. NK. 183), benannt (Rundall, Voy. NW. 139, Forster, Nordf. 408, Kotzebue, EntdR. 1, 81); *b)* ebenso *H. Headland*, die Westspitze der I. Amsterdam, Spitzb., wo Baffin 1613/14 gewesen (Phipps, NorthP. 7. 34), schon in Jod. Hondius' Carte eingetragen (WHakl. S. 27, 145 ff.).

Hakone Berge, ein japan. Massengebirge in der Gegend v. Jokohama, noch dem Städtchen *H.*, welches, nahe der Passhöhe, am gleichn. See prächtig gelegen ist (PM. 21, 216).

Hákrit Sar = Unkrautsee, Kaschmíriname eines seichten mit Unkraut bewachsenen See's im Thale Kaschmír (Schlagw., Gloss. 198).

Hakusan s. Siroyama.

Halai, gr. Ἁλαί = Salza (Pape-B.), eine der zahlr. v. ἅλς = Salz abgeleiteten Namenformen: *a)* ein attischer Demos (Strabo 399) an einer Bucht 7 km nördl. v. Cap Zoster, benannt nach dem alten Salzwerk, einem mit Seewasser angefüllten Teiche, aus welchem das Seesalz gewonnen wird, noch j. *Aliki* (Bursian, GGeogr. 1, 360); *b)* Ort Böotiens, wo der Platanios in den opunt. Golf mündet, ebf. v. den Salzwerken, deren noch j. einige am Strand sich finden (ib. 192, Strabo 405); *c)* s. Pape-B. (WB. griech. EigenN.). — *Halmyris*, gr. Ἁλμυρίς = Salzigkeit, Salzsee, die südlichste grosse Lagune (u. daran einst die jon. Colonie gl. N.) an den Donaumündungen; noch in neuerer

Zeit wird aus diesen Lagunen massenhaft Salz gewonnen (ZfAErdk. 1859, 63, Kiepert, Atl. Hell.).
— *Halmyros*, gr. *Ἁλμυρός* = Salzwasser, ist ngr.
in *ἁρμυρό* übgegangen u. findet sich in letzterer
Form, *Armyró*, 2mal als Eigenname: *a)* f. eine
etwas salzige Quelle bei Opus (Forchh., Hell. 1,
163); *b)* f. einen neuen thessal. Ort, in der Nähe
eines ant. *Halos*, benannt nach starken Salzquellen (Kiepert, Lehrb. AG. 306). — Wie die att.
Küstenebene *Halipedon*, gr. *Ἁλίπεδον* sowohl mit
'Salzfeld' (Kiepert, Lehrb. AG. 280), als auch mit
'Seefeld' (Pape-B.) übsetzt wird, so ist häufig
der Begriff 'Salzwasser' auf das Meer übtragen:
a) Haliakmon, gr. *Ἁλιάκμων* = Seequix, d. h.
unermüdlich z. See eilend (Pape-B.), der grösste
Fluss des südl. Makedonien (Herod. 5, 127), ein
salzreiches Gewässer, dessen Boden 'mit Salz ge-
schwängert ist' (Barth, RTürk. 209), türk. *Indsche
Karasu* = kleines (eig. schmales) Schwarzwasser,
slaw. *Vi-* od. *Bistritza* = der schnelle (Kiepert,
Lehrb. AG. 310); *b) Haliartos*, gr. *Ἁλίαρτος* =
'Seehausen' (Pape-Bens.), Stadt am Kopaissee
(Hom., Il. 2, 503), auf einer Höhe, deren gg.
Norden steil abfallende Felswände v. See un-
mittelbar bespült werden (Forchh., Hell. 1, 184,
Bursian, GGeogr. 1, 232); *c) Halikarnasos*, gr.
Ἁλικαρνασός = Meerburg (Pape-Bens.), Meer-
hörnchen (Curt., Gr. Et. 2, 311), eine dor. Stadt in
Karien, an der engsten Stelle der Halbinsel zw. dem
Sinus Lasius u. Ceramicus, daher früher *Isthmos*
(s. d.), zu Anfang des 15. Jahrh. durch den Gross-
meister der Johanniter, Philibert de Raillac, als
Citadelle, dem heil. Petrus geweiht, wieder erstanden: *Petronion*, j. *Budrun* (Meyer's CLex.
8, 456); *d) Halikarna* s. Chalcis; *c) Halimus*,
gr. *Ἁλιμοῦς* = Seedorf, ein att. Demos (Xen.
Hell. 2, 4[30]); *f) Halonnesos*, gr. *Ἁλόννησος* =
Seeland, 2mal, f. eine ägäische Insel mit Stadt
gl. N. (Strabo 436), u. f. ein kleines Eiland an
der jon. Küste Kl.-Asiens (ib. 644, Pape-B.);
g) Halontion, gr. *Ἁλόντιον* = Seehausen (Pape-
B.), eine sicil. Stadt unw. des j. Caronia (Ptol.
3, 4[2]); *h) Halykos*, Fluss an der Südwestküste
Sicil., nach seinem bitterl. Geschmack j. *Fiume
Salso* = salziger Fluss (Kiepert, Lehrb. AG. 471);
i) Halys s. Kisil.

Halal Göl = erlaubter See, türk. Name eines
der beiden auf dem Landhals v. Perekop gelegenen Salzseen, im Ggsatz z. *Haram Göl* =
verbotenen See, weil nur in jenem Salz geholt
werden darf, der andere 'ganz u. gar nicht benutzt wird, obgl. er eben so salzreich ist als der
erste' (Spr. u. F., Beitr. 7, 253).

Halalat s. Babylon.
Haleb s. Aleppo.
Haleion s. Heliopolis.
Haley's Bay, an der Mündung des Oregon,
schon v. dem engl. Seef. Vancouver aufgenommen
u. v. den Captt. Lewis u. Cl. (Trav. 398) am 16. Nov.
1805 benannt nach einem Händler, der hier mit
den Indianern verkehrte u. bei ihnen sehr beliebt war.

Half = halb, in engl. u. holl. ON. als: *Half-*

breed Reservation, f. eine Gegend zw. Mississipi
u. dessen Nebenfluss Des Moines, weil sie bei
einem Grenzvertrag mit den Indianern f. den ausschliessl. Gebrauch der unter den Wilden lebenden Halfbreeds = Halbbrut, d. i. der Kinder
weisser Väter u. rother Mütter, vorbehalten wurde
(Buckingh., East. & WSt. 3, 164). — *Halfmoon
Shoal*, eine Untiefe bei Sullivan's I., Mergui, v.
Capt. Thom. Forrest am 16. Juli 1783 offb. nach
ihrer Halbmondform getauft (Spr. u. F., NBeitr.
11, 182), wie *Halfmaan Bogt* u. *Halfmaan Eiland*, beides holl. Namen in Spitzb., jene an der
Nordküste (Martens, Spitzb. RBeschr. 24), dieses
bei Edge Ld., zuerst eingetragen auf der Carte
G. v. Keulen (Peterm., GMitth. 17, 182). — *Half-
tide Rock* = Fels der halben Gezeiten, in Melville Bay, v. Flinders (TA. 2, 225, Atl. 15) am
16. Febr. 1803 so getauft, wohl um anzudeuten,
dass er bei Flutzeit verborgen, hingegen zur Zeit
der Ebbe u. auch noch in der Zwischenzeit sichtbar sei. — *Halfway*, wie holl. *Halfweg*, Ort
halbwegs zw. Haarlem u. Amsterd. (Wild, Niedl.
2, 172), in mehrern engl. ON.: *a) Halfway Island*, erwünschter Ankerplatz der Torres Str., v.
Flinders (TA. 2, 115, Atl. 13) am 30. Oct. benannt; *b) Halfway Mountains*, am Rio Colorado, v. Capt. Ives (Rep. 53) im Jan. 1858 so
getauft, weil sie die Hälfte Weges zw. Fort Yuma
u. dem Reiseziel, dem Dorf der Mohave, bezeichneten; *c) Halfway Point*, an der Westseite der
Vancouver I., als Mitte Weges zw. Point Breaker's
u. dem Sitz des Indianerhptlings Wikananish v.
Capt. John Meares im Juni 1788 benannt (GForster,
GReis. 1, 122).

Hall s. Mers.

Halibut Head = Schollenhaupt, ein runder Inselfels an der NWestküste America's, wohl mit der
plumpen Gestalt der Schollenfische vergleichbar,
nebst der Insel Sanagh selbst, *H. Island*, am
20. Juni 1778 v. Cook(-King, Pac. 2, 415 f.) benannt (Krus., Mém. 2, 102).

Halics s. Galizien.

Halifax, engl. ON. in Yorkshire, ist ungenügend
erklärt, ozw. mit ags. *halig* = heilig, aber mit
räthselhaftem *-fax*. Da wird, unter Berufg. auf
das nördl. v. Trent gebr. Wort *fax* = Haar, v.
einer Eibe erzählt, welcher der Kopf einer ermordeten Jungfrau aufgepflanzt worden wäre; das
Haargewebe unter der Rinde des Stumpfs sei als
das Haar der Erschlagenen angesehen u. Gegenstand
der Verehrg. u. Wallfahrt geworden (Camden-Gibson, Brit. 2, 84). Andere, kaum einleuchtender,
setzen *H.* als *holy face* = Heiligenbild, da sich
in einer Einsiedelei einst ein Bild Johannis des
Täufers vorgefunden habe (Blackie, Etym. G. 86).
— *H.* ist Name eines Grafengeschlechts u. dadurch in 2 ausereurop. ON. übergegangen: *a) H.*
in NScotia, gelegen an der Südseite eines der vorzüglichsten Häfen der Welt, an Stelle des frühern
ind.-frz. Orts *Chebucto*, besser *Chebuktuk* =
grosser Hafen (Rand, Micmac 89), durch engl.
Ansiedler 1749 ggr. u. nach dem um diese Besiedelg. verdienten Minister, earl of *H.* getauft: 'in

honour of this nobleman as its patron' (Buckingh.,
Can. 326); *b) H. Bay*, in Queensl., v. Cook am
8. Juni 1770 (Hawk., Acc. 3, 136).

Halk s. Goletta.

Hall u. *Halle*, ein viel umstrittener ON., mehrf.
f. Salzorte, in Gegenden, die einst kelt. waren od.
gewesen sein können, insb. *Halle an der Saale*,
welches 806 als *Halla* vorkommt, sicher jedoch
schon Jahrhh. vorher als Salzort wichtig war, *H.*
am Kocher, auch *Schwäbisch H.*, ferner *Reichenhall* (s. d.) u. 5 Orte *H.* in Oesterreich, 'durchgehends an Fundstätten v. Salz' (Umlauft, Ö.NB.
80), *Hallein*, Salinenort in Salzburg, 885 *Salina*,
dann *Halina*, 1407 in der j. Form, im Volksmunde j. noch *'in der Hala'* (ib. 80), *Hallstatt*,
800 *Hallg*, im Salzkammergut, am *Hallstatter
See*, *Hallthal*, das Thal der steir. Salza, bei
Mariazell, nach dem Salzgehalte der dortigen
Berge, auch auf mod. Salzorte, z. B. die 1836
erbohrte Saline *Schweizerhall* übertragen. Es
leuchtet aus dieser Zsstellg. ein, wie nahe den
ältern Versuchen die Annahme kelt. Namens-
ursprungs lag, u. noch J. Grimm schloss sich
ihr an; da aber auch dem Flussnamen *Saale*
dieselbe Ableitg. gegeben wurde, so warf er die
Frage auf: 'Warum haben Flüsse die *s-*, Städte
die *h*-Form?' An dieser Verschiedenheit nahm
Pott so grossen Anstoss, dass er meinte, man
könnte sie nur mit Zuhilfenahme zweier so verschiedd. Dialekte des Kelt., wie kymr. u. gäl.,
sich erklären, u. er möchte deshalb die ganze
Zsstellg. v. *Saale* u. *Halle* bezweifeln. Da wies
H. Leo (Haupt's Zeitschr. 5, 511 ff.) nach, dass
saile = Salzwasser, auf ein Local, eine Saline,
bezogen, wg. der damit sich verbindenden Prä-
positionen die Aspiration des anlautenden Con-
sonaten erfährt, z. B. *a sháile*, gespr. *a hále* =
zu Halle, während dies bei den Flussnamen nicht
geschieht, z. B. *ion saile*, gespr. *in sále* = in
der Saale. 'Gerade dieser aus jeder andern Sprache
als aus der kelt. unerklärl. Wechsel des anlautenden *h* mit anlautendem *s* ist ein Hauptbeweis,
dass *H.* u. *Saale* wirkl. urspr. kelt. Wörter sind.'
Diese Zuversicht wurde erschüttert, als, nach dem
Vorgang des Olearius (Halygr. 1667) u. L. Dieffen-
bachs (Goth. Wörterb.), Förstemann (Deutsche ON.
87) mit eben so viel Bestimmtheit f. deutschen
Ursprung eintrat. Er fasste beide als Bauwerk:
sal u. *halle*, ahd. *halla*, aula, porticus, als dessen
Erneuerg. die *Walhalla* bei Regensburg. 'Wie
sich übr. *hütte* in einem besondern Sinne wesentl.
an die Erzbereitg. anschliesst, so *halle* an die
Salzgewinn. Die kelt. Hypothese kann
damit füglich f. abgethan gelten.' Immerhin gesteht er, auch nachdem M. Heyne (Grimm's
WBuch), trotz des Scrupels, den das neutr. des
Wortes *H.* einflösste, ihm beigetreten war, später
(Altd. NB. 721), 'dass bei dieser Ansicht noch
keineswegs alle Bedenken gehoben sind'. So will
denn auch Bacmeister (Kelt. Br. 53) nicht entscheiden: 'Die alte Frage ist, ob unsere deutschen
Salzorte *H.*... aus brit. *hal* = Salz abstammen
od. gute deutsche (steinerne) 'Hallen' f. den Salz-

verkauf seien'. Anders Schmeller (WBuch), der
die Ableitg. v. deutschen *halle* als ungereimt v. der
Hand weist. Inzwischen hatte Gatschet (OForschg.
80) den kelt. Urspr. verallgemeinert: *'Hal* u. *sal*
= Salz gehen als gleichbedeutende Begriffe u.
Nebenformen durch alle indo-europ. Sprachen
durch', u. er leitet auch den Schaffhauser ON.
Hallau, 1121 *Hallowa*, v. einer bei Unter-Hallau
entspringenden, scharf- u. salzig-schmeckenden
Mineralquelle her, als 'Au bei der Salzquelle'.
Die Streitfrage ist wohl durch V. Hehn (Das Salz,
Berl. 1873) gelöst. Schon die geschichtl. Nach-
weise über die Ausbreitg. der Salzsiederei hinterlassen den Eindruck, als könne *H.* nur kelt. Ursprungs sein; hierauf folgt die sprachl. Seite, zunächst mit einem Résumé der bisherigen Erklärungsversuche, welche die deutsche Ableitg.
bevorzugen, dann 'in einer erneuten Durchsicht
der Acten'. Der Verf. vereinigt eine solche Fülle
v. Zeugnissen, dass gg. die Kelticität des Namens,
in der Bedeutg. 'Salzwerk', wohl kein Zweifel
mehr bestehen kann. In den Quellen, sagt er,
ist nirgends wahrzunehmen, dass der Begriff *aula*
hereinspiele. Der Eigenname bezieht sich niemals auf Legstätten, Stapelorte od. Kaufhallen,
sondern immer nur auf die Brunnen mit ihren
Siedwerken. *H.* ist vielmehr entstanden durch Befestigg. der Dativform des neutr. *hal*, als *im halle*,
vom Halle, *zem reichen Halle*, *zem kleinen
Halle*, u. danach in lat. Form *halla*. Ueber-
dies ist *die halle* = aula in der alten hochdeutschen Sprache ein sehr seltenes Wort. Auch
Jul. Hartmann (Württb. Frank. 10, 28 ff.), der
zuerst die ältesten urk. Namenformen, dann die
Ansichten vschied. Sprach- u. Namenforscher
zsstellt, findet, Hehn habe ozw. den Sieg der
Keltophilen entschieden, u. auf diese Seite stellt
sich endl. A. Kirchhoff (Ausl. 48, 600). Es war
also nicht übel, dass, wie mitleidig bemerkt wird,
die 'Nomina Geogr.' 1872 'die alte Ableitg. festgehalten haben'. Mit der Etym. des ON. berührt
sich auch die Frage: 'Sind die *Halloren* Slawen,
Kelten od. Germanen?' Zöpfl (Altthr. deutschen
Rechts) beantwortet sie, in Abweig. slaw. u. kelt.
Ursprungs, dahin, dass 'die Salzquellen u. die
Wälder, worin sie vorkommen, den Germanen
heilig, ein *hal*, *halidom*, die *Halloren* also wohl
sitzengebliebene, die Stamm- u. Drangperiode der
Völkerwanderg. überdauernde Germanen waren'
(Ausl. 57, 1019). Dagegen wird eingewendet (ib.
58, 178), dass die *Halloren* einen entschieden
nicht-german. Typus tragen u. v. jeher ein specif.
Arbeitervolk, nicht wie Germanen ein ausge-
sprochenes Herrenvolk waren. Es sei kelt. Ur-
sprung anzunehmen, wie denn auch *Halle's* alter
Name *Debrogora*, eine zweisprachige Tautologie,
v. kelt. *di bro* = kleiner Berg u. slaw. *gora* =
Berg, auf das Zstreffen zweier vschiedd. Völker
hinweist. Nun bestreitet aber der ortskundige
A. Kirchhoff (ib. 600. 888. 976) den nicht-german.
Typus der Salzwirker u. berichtigt, *Halle* habe
nie *Debro-*, sondern *Dobrogora*, wohl, wie V.
Hehn will, v. slaw. *dobru* = gut u. *jara* = Er-

trag, od. *Dobrosol* == Gutsalz geheissen. Es gab also ozw. hier einst slaw. Salzsieder. Allein der uralte Name *Halloren*, wie derj. der *Halle*, ist weder slaw. noch deutsch, sondern 'gewiss' v. kelt. *hal* == Salz abzuleiten. Es führe dies zu der Annahme, dass die *Halloren* urspr. kelt., später zeitweise slaw. waren u. in der Folge germanisirt wurden.

Hall, engl. Familienname, insb. auch des schott. Capt. Basil *H.*, welcher, geb. 1788, schon 1802 in den Seedienst trat, rasch avancirte, mit Capt. Maxwell 1816 die Exp. nach Korea befehligte u. 1844 †. Bei Korea taufte Maxwell eine Inselgruppe *Sir James H.'s Group*, am 2. Sept. 1816 nach seines Gefährten Vater, dem Baronet, Präsid. der R. Society of Edinburg (Hall, Corea 7), u. er selbst trug in die Carte (Cor. XIII) *Basil's Bay* ein, der dann Krusenst. (Mém. 2, 125) das nahe *Basil's Cap* beifügte. Am american. Eismeer a) *H.'s Inlet*, im Scoresby Sd., v. Walfgr. W. Scoresby jun. (NorthWF. 200) am 27. Juli 1822 nach Capt. Basil *H.*, RN., getauft; b) *Basil H.' Bay*, in RichardsonLd., v. Richardson (Frankl., Sec. Exp. 259) am 7. Aug. 1826. — Auf unserm Felde erscheint auch der american. Franklinsucher Charles Francis *H.*, welcher, in Cincinnati 1821 geb., seine erste Bootreise 1860/62 z. Grossen Fischfluss unternahm, aber 20 Monate in Frobisher Bay zkgehalten wurde, dann 1864/69 bis King Williams Ld. gelangte, endl. die american. Exp. der Polaris in den Robeson Channel führte, wo er am 8. Nov. 1871 †; nach ihm sind getauft a) *Hall Berg*, in Spitzb., v. der Exp. Heuglin-Zeil 1870 (Peterm., GMitth. 17, 351); b) *H. Insel*, in Franz Joseph's Ld., v. der 2. österr.-ung. Exp. Weyprecht-Payer im März 1874 (Peterm., GMitth. 20 T. 23; 22, 202). — *Isle H.* s. Scarborough. — *Robert H. Sound* s. Gallow. — *H. Islands*, 2 Atolle der Central-Carolinen, wohl schon v. den Spaniern Villalobos 1552 u. Legaspi 1565 gesehen, neu entdeckt v. engl. Capt. John *H.*, Schiff Lady Blackwood, am 2. Apr. 1824 u. v. dem Bordeleser Capt. Saliz so benannt, eine Gasse *Lady Blakwood Passage* (Hertha 10. GZ. 54, Bergh., Ann. 9, 150, Meinicke, 18till. O. 2, 356). — *H.'s Island*, 'a peaked island' am Eingang der Frobisher Bay (u. dabei *H.'s Sound*), v. Nordwestf. M. Frobisher am 16. Juli 1577 entdeckt u. benannt nach dem master des Exp.-Schiffes Aid, 'who was present when the stone, supposed to be gold ore, was found last year' (Hakl., Pr. Nav. 3, 33. 63, WHakl. 8. 38, 82, Rundall, Voy. NW. 16).

Hallé, Cap, in Süd-Austr., v. der frz. Exp. Baudin im Febr. 1803 getauft nach dem berühmten Arzte Jean Noël *H.*, 1754—1822 (Péron, TA. 2, 86).

Hallerspringe s. Spring.

Hallet, Cape, im antarkt. 8Victoria, v. Capt. J. Cl. Ross (SouthR. 1, 250ff.) im Febr. 1841 entdeckt u. nach einem seiner Officiere, Thomas R. *H.*, dem Zahlmeister des Schiffs Erebus, getauft. Vgl. Wood's Bay.

Halloway Bay, an der Liverpool Coast, Ost-Grönl., v. engl. Walfgr. Will. Scoresby jun. (North. WF. 176) am 19. Juli 1822 entdeckt u. nach einem seiner (Liverpooler?) Freunde getauft.

Hallowell, Cape, in Fury- u. Hekla Str., v. Lieut. Reid, Exp. Parry (Sec. V. 449) am 11. Sept. 1822 entdeckt u. zu Ehren des Viceadmirals Sir Benjamin *H.* benannt.

Hallûf == Wildschwein, Eber, fem. *hallûfa* == Bache, Sau, nicht selten in arab. ON. a) *Om el-H.* == Ebermutter, Fundort der Eber, eine zw. Bü-'Adschîla u. Kasr'Aleiga gelegene 'hübsche Pflanzung ... wegen der Menge Eber, welche sich hier früher aufhielten' (Barth, Reis. 1, 16); b) *Dschebel bu-H.* == Eberberg, in der alger. Prov. Constantine; c) *Ued el-H.*, Eberfluss, in Tunis; d) *Enschir Hallûfa* == Ruinen der Sau, wo *enschir*, besser *henschir*, das Wort f. antike, gemeinigl. röm. Ruinen, im östl. Algerien u. in Tunis gebr., ON. der Prov. Constantine (Parmentier, Vocab. arabe 27. 29. 39).

Halmahera, die grösste Insel der Molukkensee, soll, gerade im Ggsatz zu den vorliegenden 'eig. Molukken', den kleinen Eilanden Tidore, Ternate etc., als 'Hauptland', grosses Land, bezeichnet sein (Crawf., Dict. 10, Peterm., GMitth. 19, 209). Das grosse Land, wenig bewässert, v. geringer Cultur u., wie schon Barros wusste, ohne Gewürznelkenbäume, bewohnt v. rohen Eingb., war immer in der Gewalt der Kleinen Molukken u. steht j. noch unter den dortigen holl. Vasallenfürsten. Die Europäer nennen sie nach Ort u. Königreich *Dschilolo*, in holl. Orth. *Djilolo*, auch *Gilolo*, 'correctly' *Jilolo*. Dieser Ort, an der Westküste gelegen, war der Platz, wo die Säcke zum Verpacken der Gewürznelken fabricirt wurden. '... lugar chamado *Geilolo* se fazem os saccos, em que se enfardella todo o cravo, que dão todas as cinco [eig. Molukken] pera se carregar pera fóra...' (Barros, As. 3, 5, 5, p. 569). Pigafetta (Prem.V. 180) schreibt *Giailolo*, was in der ital. Aussprache nahezu wie das port. *Geilolo* als *dscheilolo* gespr. wird. Die Port. nannten die Insel auch *Batochina*. u. wollten diesen Namen v. den Eingb. haben: *bate* == Land, also Chinesenland, als Reminiscenz einer frühern chin. Besetzg. (Barros, As. 3, 5, 5 p. 577).

Hal'mér-Ngo == Todteninsel, v. sam. *hal'mér* == Leiche u. *ngo, ngoh* == Insel, eine in der Tundra auftauchende Waldinsel od. Waldoase, weil der Wald, der gemeinschaftl. Begräbnissplatz des Stammes, diesem eine geheiligte Stätte ist (Schrenk, Tundr. 1, 273); b) nach einem solchen Begräbnissplatze *Hal'mérjagà* == Leichenfluss, ein Zufluss der Tálata (ib. 393).

Halse, Cape, bei Fife Hr., Melville I., v. Parry (NWPass. II, Carte 28) benannt 1819/20 nach einem seiner Officiere, James *H.*, Clerk; b) ebenso (Sec. V. 332) *H. Creek*, in Richard's Bay, Aug. 1822.

Halt Bay == Bucht des Halts, im südl. Chile, wo eine Abtheilg. der Exp. King-Fitzroy (Adv.-B. 1, 335) um Mittag des 21. Febr. 1830 zu ankern genöthigt war.

Hamadân, npers. ON., ant. *Ekbatana*, gr. *Ἀγβά-τανα* (Brugsch, Pers. 1, 363), altir. *Hañgmatâna* = Versammlungsort, näml. der einzelnen medischen Stämme, im Buch Esra hebr. zu *Achmeta* verkürzt, zu Darius' Zeit wohl die Hptstadt Mediens; 'sie scheint dam. als Schatzhaus u. Reichsarchiv benutzt worden zu sein' (Spiegel, Eran. A. 1, 103). Der Ort (od. wohl die Gegend) hiess auch *Baghistan* = Gartenland nach ihrer fruchtb. u. liebl. Lage (Hammer-P., Osm. R. 3, 150).

Hamâm, eig. *ḥamâm,* plur. v. *ḥamâme* = Taube (vgl. Ḥammâm), in arab. ON. *a) Kalaat H.* = Schloss der Tauben, ein Castell auf einem Bergvorsprg. unweit des See's v. Genesareth, nach der ungeheuern Menge dort nistender Tauben (Burckh., Reis. 2, 574); *b) Mirsa Sûsa H.* s. Apollonia; *c) Hamâmeh* = Taubeninsel, das westlichste der drei tunes. Eilande Kuriât (s. Taricheia), nach den vielen wilden Tauben, die sich in den Höhlen und Felsrissen aufhalten. Die beiden andern heissen bei Heiligen: *Sidi Ferrudsch* u. *Sidi Salah* (Barth, Wand. 157); der letztere habe aus der Tiefe des Meeres eine Menge wohlgekochter Fische sich vor die Füsse gezaubert (Barth, Reis. 1, 21). Wenn in diesen Angaben kein Irrthum ist, so entspräche *H.* der Insel *Conigliera* (= Kanincheninsel) neuerer Carten; allein diesen zuf. ist die westlichste nicht zugleich, wie Barth ausdrückl. behauptet, auch 'die grösste'. Oder sollten diese 3 Eilande die viel kleinern u. landnähern, hart vor Mistir gelegenen sein, welche die Carte namenlos gelassen hat?

Hamath, hebr. תמח [chamath] = Burg, Veste, f. die am Orontes gelegene alt-chetitische Königsstadt(2. Kön. 17, 24), dann *Ἐπιφάνεια, Epiphania,* nach dem Nachfolger Antiochus' d. Gr., Antiochus Epiphanes (= der Erlaucht, 176—164 vor Chr.), jenem Seleucidenherrscher, den man aus andern Gründen wohl auch Epimanes (= den Unsinnigen) nannte (Plin., HNat. 5, 93). Im Mittelalter, nachdem die Stadt den Arabern in die Hände gefallen, machte sich der alte Name *Hamat, Hama* wieder geltend (Kiepert, Lehrb. AG. 164).

Hambre, Puerto de l(a) = Hungerhafen, eine kleine Hafenbucht an der Westküste NGranada's, so getauft Ende 1524 durch den conquistador Fr. Pizarro, weil er hier 6 Wochen unter Hunger u. Entbehrungen das nach den Perlen In. zkgesandte Proviantschiff Montenegro's abgewartet hatte. Die Gefährten Montenegro's erschraken ob dem Anblick der abgemagerten Gestalten, die durch Hunger u. Krankheit so heruntergekommen waren, dass man Mühe hatte, sie wieder zu erkennen (Prescott, CPeru 1, 219f.). Von 112 Spaniern waren schon bei der Ankunft nur noch 80 übrig, u. während man Montenegro's Rückkehr erwartete, starben weitere 20 (WHakl. S. 47, 3); *b)* s. Felipe. Das span. Wort *h.,* altspan. *fame,* stammt wie ital. *fame,* sard. *famini,* rum. *foame,* port. *fome,* frz. *faim,* v. lat. *fames,* dem man den genit. *faminis* beilegte (Diez, Rom. WB. 141).

Hamburg, v. Karl d. Gr. 808 in der Form zweier Blockhäuser ggr., nach der Zerstörung 810 er-

neuert u. 811 mit einer Kirche versehen (Meyer's CLex. 8, 480), *Hammaburg* 834, die 'Burg in der *hamme',* d. h. dem Walde, welcher die ganze Bill-, Alster- u. Elbniederg. bedeckte. Noch später hiess so die Holzg., welche vor Entstehg. des St. Jacobi- u. Georgi-Kirchspiels auf deren Grund u. Boden stand (Daniel, Hdb. Geogr. 4, 621, Brandes, Progr. 1856, 18). Dieser Erklärg. setzt C. A. F. Mahn (NJahrbb. Berl. GDSpr. 10, 196) eine andere entgegen: v. ahd. *hamma* = Kniebeuge, zunächst f. Hamm, Dorf bei *H.,* 'dicht an der grossen Krümmg. des alten rechten Elbarms', allein auch er 'hat völlige Ueberzeugg. nicht erreicht' (Förstem., Altd. NB. 730). Aeltere Annahmen schrieben die Gründg. des Ortes dem Sohne Noah's, Ham, zu od. dachten an einen Tempel des Jupiter Hammon. — Uebtragen auf *H.,* Stadt in Süd-Carolina, v. einem deutschen Kaufmann ggr. (Buckingh., Slave St. 1, 180). — *H.er Hafen,* 2 mal *a)* eine Bucht des nordwestl. Spitzb. (s. Smeerenberg), wo um die Mitte des 17. Jahrh. die Hamburger eine grosse Fischerei betrieben, 'indem vor etlich dreyssig Jahren unsere *H.er* z. ersten Mahl mit einem od. zweyen Schiffen es gewaget in so grausamen kalten Landen Nahrg. zu suchen' (Martens, Spitzb. RB. 21); *b)* in der Form *H. Hafen,* eine Bucht des antarkt. Graham's Ld., entdeckt u. benannt v. deutschen Capt. Dallmann, den die *H.er* Polarschifffahrtsgesellschaft 1873/74 auf Entdeckungen aussandte (Peterm., GMitth. 21, 312). — *Cap H.* s. Bremen.

Hamdebaj s. Sedabaj.

Hamelin, Havre, in der Sharks Bay, östl. v. Péron's Halbinsel, v. der frz. Exp. Baudin im Aug. 1801 benannt nach Capt. E. *H.,* dem Commandanten der Corvette Naturaliste, die hier viele Aufnahmen besorgt hatte (Péron, TA. 1, 169); *b)* ebenso *Cap H.,* in der Nähe des Cap Leeuwin, am 7. März 1803 (ib. 2, 166).

Hameln, im 8. Jahrh. *Hamalon,* Ort in Hannover, am Einfluss der Hamel in die Weser (Meyer's CLex. 8, 485), während *Hamelburg,* 777 *Hamalunburg,* Ort an der fränk. Saale (Förstem., Altd. NB. 726 f.).

Hamil, nach chin. Ausspr. *Ha-mi,* bei MPolo *Camul,* nach ostturk. (hoeï-) Dial. *Halmil,* Name einer centralasiat. Provinz, v. *hal* = ferner Ausblick u. *mil* = Erhebg. in der Ebene. 'Le pays est situé sur une élévation; c'est de la que lui est venu son nom' (Pauthier, MPolo 1, 156).

Hamilton, Cape, 2 mal: *a)* im antarkt. Admiralty It., v. Capt. I. Cl. Ross (SouthR. 2, 343) im Jan. 1843 benannt zu Ehren des Capt. W. A. B. *H.,* R. N., Privatsecretärs des earl of Haddington, u. zweiten Secretärs der brit. Admiralität; *b)* in Washington Ld., v. E. K. Kane (Arct. Expl. 1, Carte) 1853 prsl. getauft; *c) H. Bay* s. Jameson.

Hamina s. Fredrikshamn.

Hamma s. Alhama.

Hammâm = Bad, Thermalquelle, maurisches Bad, in arab. u. türk. ON. häufig (s. Ali, Banja, Omar, Firon), auch f. sich mehrf.: *a)* ein Dorf

zw. Skenderun u. Haleb, ᾽v. einer heissen Schwefelquelle, welche hier dem Kalkfelsen entsprudelt᾽
(Schäfli, Or. 10, Oppert, Exp. Més. 1, 34); *b)* s.
Thapsacus. — *Ued el-H.* = Fluss mit Thermal-
quellen, in der Prov. Oran, u. *el Hammamât* =
die Bäder, Ort in Tunesien (Parmentier, Vocab.
arabe 27). — *H. Tschai* = Fluss des Bades,
bei Karahissar (Tschihatscheff, Reis. 11). — *Ham-*
mamly = Warmbadort *a)* am Ostfusse des mys.
Olympos, *b)* bei Tscherkesch, im nördl. Kl. Asien
(ib. 28. 41). — *Hammamly-Su* s. Ulu.

Hammára, Tûr el = Berg des Asphaltlagers
od. der Asphaltquelle nennen die Araber eine
mächtige, nördl. v. der Mündg. des Arnon sich
aus dem Todten M. erhebende Felswand, an deren
Fusse der Asphalt entquellen soll (Seetzen, Reis. 2,
227. 372; 4, 357).

Hammelach s. ῾Ir u. Todt.

Hammerfest = Hafen am Bergvorsprung, v.
hammer = hervorspringender, bes. steiler Berg
u. *fest*, plur. *festar*, j. *feste* = Ort, wo man Schiffe
befestigt, Hafen (O. Rygh 20. Jan. 1891), Hafenort Finmarkens, mit Tromsö einer der nördlichsten
Seehäfen, dessen meer- u. wetterfeste Schiffer die
Polarsee durchfahren, darf auf dem Gebiete arkt.
Entdeckungen nicht fehlen. Ein *Cap H.* 2 mal:
a) als Südspitze des König Karl Ld., 79⁰ NBr.,
zuerst gesehen am 28/29. Juli 1872 v. den Captt.
J. Altmann u.Joh. Nilsen, welche die *H.er* Jachten
Elvine Dorothea u. Freia führten (Peterm., GMitth.
19, 122 ff.); *b)* s. Tromsö.

Hamon s. Baal.

Hampshire od. *Hants*, die engl. Grfsch. um
Hampton, Southampton (s. d.), ist in das Colonialgebiet mehrf., als einf. *H.* 4 mal in die Union
u. nach Canada, übtr., als *New H.* in NewEngl.,
zuerst *Laconia*, 1622 bei der Verleihg. durch
Sir Ferd. Georges u. John Mason eingeführt, wie
Rhode I. nach einer griech. Ldsch. (Quack., USt.
87), dann 1629 nach der Gründg. v. Exeter umgetauft, u. zwar nach dem engl. *H.*, dessen Gouv.
einer der ersten Ansiedler, in Portsmouth, gewesen war (ZfAErdk. nf. 3, 63, Staples, St.Union 5).

Hamra s. Achmar.

Hamschdamai s. Pandschab.

Hamukhave s. Mohave.

Hamun s. Zareh.

Han, aus dem Chin., u. zwar offb. v. ungleichen
Wörtern, transcribirt, mehrf. in ON. *a) H.* s. China;
b) Hanhai s. Gobi; *c) Han*, ein lkseiter Nebenfluss des Jangtsekiang, an seiner Mündg. die Städte
Hanjang u. *Hankau*, *Hankheu* = Mündg. des
H. — *Hanjang*, in engl. u. frz. Orth. *Han yang*,
der wahre Name der Hptstadt Korea's, wie schon
in⸝ den dem P. Du Halde v. Pe King aus gesandten Originalen der Jesuitencarten richtig
steht. Durch ein Versehen des Uebersetzers od.
des Herausgebers dieser Carten wandte man auf
sie den Namen *King ki tao* = Hofprovinz, *tao*
im chin. = Weg, ist der gebräuchl. Name f. Provinz, an (Timkowski, Mong. 2, 98).

Hanaghl, Dabbed, ein Hügel, *dabbed*, am Bahr
Seraf, einem Arme des Nil, 8⁰ NBr., wo ein

Schiffsführer d. N. begraben liegt, ᾽der berühmte
Reis *H.*, der vielmals᾽ zw. Gondokoro u. Chartum
hin u. her gefahren ist᾽ (PM. 19, 131).

Han-ami = Hochebene, *ami*, der *Han*, d. i.
der essbaren Knollen des Cyrerus esculentus L.,
beide Wörter mit hottentott. Schnalzlaut, ein
Plateau hinter Bethanien, Gr. Nama Ld. (Schinz,
Deutsch-SWAfr. 29). — Derselbe Name kehrt
wieder als Vorgebirge an der Südgrenze v. Kl.
Nama Ld., als *ami* = Gebirge, worauf die *han*,
᾽die rothe Zwiebel᾽ wächst (Peterm., GMitth. 4,
52). Vgl. Küen-Lün.

Hanau s. Haag.

Hand s. Finger.

Handuman s. Andaman.

Hangeten, die = die abschüssige Stelle heisst
ein Einschnitt des Glärnischfelsgrats im Ggsatz
zu den senkr. Felszinnen der Umgebungen (Gem.
Schwz. 7, 613). — *Hanglip* = Hängelippe, capholl.
Bergname an der False Bay (u. dabei *Kaap Hang-*
lip), da der Gipfel fast üb. den senkrecht abgeschnittenen Abhang hinaushängt (Lichtenst., SAfr.
2, 272), also, ᾽weil er in der That einer üb. das
Kinn hängenden Lippe ähnlich sieht᾽ (Kolb,
VGHoffn. 217).

Hankes B. s. Bernhard.

Hann, Cap, in der Gegend des Weissen Bergs,
Spitzb., v. der Exp. Heuglin-Zeil im Aug. 1870
getauft nach dem österreich. Meteorologen Dr.
Jul. *H.*, dam. Mitredacteur der Zeitschr. der
österr. Gesellsch. f. Meteorologie (PM. 17, 180,
Taf. 9, gef. Mitth. Prof. Höfers in Klagenfurt).

Hanna Rocks, gefährl. Inselklippen am Eingang
des Queen Charlotte Sld., benannt nach dem engl.
Capt. James *H.*, der 1785/86 in diesen Gewässern
erschienen war (GForster, GReis. 1, 53). Nahe dabei,
im Eingang, die *Dangerous Rocks* = die gefährlichen Klippen (Peterm., GMitth. 4 T. 20). —
H.'s Town s. Greensburg.

Hannings' Bay, in arkt. Montague I. (s. d.), am
1. Mai 1787 v. engl. Capt. Nath. Portlock benannt
᾽nach der rechtschaffnen Familie *H.*, die zu den
eifrigsten Beförderern unsers Unternehmens ge-
hört᾽ (GForster, GReis. 3, 94).

Hannover, besser *Hanover* od. gar in der ältern
Form *Honover*, im 11.Jahrh. *Hanovere* (Förstem.,
Altd. NB. 777), bei Saxo Gramm. auf den alten
Recken Hanef zkgeführt (W. Seelmann, ZGesch.
d. d. Volksst. 9), hat der welf. Historiograph, der
grosse Denker Leibnitz († 1716), richtig gedeutet;
er hat ᾽aus dem Wortverstande vermuthet᾽, dass
H. soviel bedeute als 'alta ripa', also wie Bacmeister (AWand. 26) es ᾽die wörtl. Uebersetzg.᾽ f.
röm. alta ripa nennt. Chr. Ulr. Grupen (Or. et
Ant. H. 1740, 37), zZ. der Abfassg. seines Werkes
Bürgermeister, heute noch in ehrenvollem Angedenken, erwähnt, dass der ON. *H.* z. erstenmal
1163 urk. vorkommt u. dass in den ältesten Documenten immer *Honover* ᾽ausgedruckt u. geschrieben wird᾽; die urk. Form *de Ripen* wiederhole das niederd. Wort *over* = Ufer, u. die Deutg.
Hanober = hinüber, die im 16. Jahrh. beliebt
gewesen, ᾽ist einestheils unerfindlich u. mit scrip-

toribus coaevis nicht dazulegen, andemtheils ... offenbahr falsch u. derj. Zeit zuzuschreiben, da man durchgehends mit solchen leeren Fällen sich aufgehalten˚. In einem akadem. Progr. des Kopenhagener Prof. E. Chr. Werlauff wird, anlässl. der Reiseroute des isl. Abt Nicolaus († 1159), *H.* = hohes Ufer erklärt; die isl. Form *Hanabruinberg*, meldet ein Anon. (Spangenb., VArch. 1825, 161), sei deutl. nur die Uebsetzg. aus *har* = *altus* u. *brûn* = crepido, 'was immerhin eine scharfsinnige Vermuthg. ist˚. Hier in *H.*, schreibt mir Hr. Geh. u. Ober-RRath Gutsch (dat. 11. Sept. 1888) 'besteht kein Zweifel, dass *H.* = hohes Ufer (s. Hoch). Auch das Sachverhältniss stimmt damit, insofern die ältern Stadttheile, namentl. die Strassen am Residenzschlosse, dem Marstall u. s. w., mehr als 6 m üb. dem Flussbett der Leine liegen (Vaterl. Arch. 1825, 1, 161, Grimm, Gramm. 3, 422). Ein *Hannöver*, mit der Nebenform *över*, in Oldenburg, wie *Westöver* in Nord-Holl. (Förstem., D. ON. 39). — Z. Welfenzeit 1714—1837 mehrf. auf engl. Entdeckungen übtragen, als *New H.* 2 mal: *a)* 'a fine large island˚ des j. Bismarck Arch., v. Carteret am 12. Sept. 1767 (Hawk., Acc. 1, 380); *b)* s. Columbia. — *H. Bay* s. Georg.

Hanns Gletscher, ein in Isbjörn Hafen (s. d.) mündender Eisstrom, v. Baron v. Sterneck's Hülfsexp. der Polarfahrt Weyprecht-Payer im Juli 1872 getauft nach den beiden *H.*, dem Grafen H. Wilczek u. dem Geologen H. Höfer (PM. 20 T. 4). — Ebenso im Aug. gl. J. *H. Bach*, ein Zufluss des Matotschkin Scharr, ein rseitgr. Nebenfluss *Lucia Bach* (ib. T. 16). — *Hans Island*, ein Felsinselchen bei Eider I., v. Kane (Arct. Expl. 1, 319) auf seiner Sommertour 1854 getauft nach dem jungen Eskimojäger Hans Cristian, welcher, in Fiskernaes v. der Exp. engagirt, sich derselben sehr nützlich erwiesen hatte.

Hansa, Cap, der südwestl. Vorsprg. des arkt. Wilczek Ld., v. der 2. öst.-ungar. Nordpolexp. Weyprecht-Payer 1872/74 getauft zu Ehren eines Vorgängers in der Polarfahrt, des deutschen Schiffes *H.*, welches am 19. Oct. 1870 an der Küste Grönlands Schiffbruch gelitten hatte, so dass die 14 Mann erst nach 237ᵈ Eisschollenfahrt Rettg. fanden (Peterm., GMitth. 16, 382; 20 T. 20. 23; 22 T. 203).

Hanság, mag. *Hanyság* = Morast, schwimmender Rasen, ein ausgedehntes Sumpfgebiet, welches gleichs. die südöstl. Fortsetzg. des Neusiedler See's bildet u. mehrere kleine u. grössere See'n enthält (Meyer's CLex. 8, 577, Umlauft, Öst. NB. 81).

Hansavati = gänsereich, Paliname des Peguflusses, desselben, der sich mit den Deltaarmen des Iravadi verflicht (Lassen, Ind. A. 1, 391).

Hansteen, Cap, die hohe Nordspitze einer kleinen spitzb. Halbinsel, an der Nordseite des Nordöst Ld., v. der schwed. Exp. 1861 nach dem gelehrten Landsmann, Prof. *H.* getauft (Torell u. Nord., Schwed. Expp. 176); *b)* ebenso *H. Lake*, in Boothia Felix, v. Capt. John Ross (Sec. V. 535) im Mai 1831; *c)* *H. Island* s. Biot.

Hanumán ka Kund = Hanumán's Teich, hind.

ON. in Símla, Indien, v. *hanumán*, dem berühmten Affen u. Freunde Ráma's. Aehnlich *Hanumána* = *H.*'s Ort, in Bandelkhánd, *Hanumangándsch* = *H.*'s Markt, in Hindostán (Schlagw., Gloss. 198). — Auch Cambodscha hat einen '*H.*'s Teich˚, *Sa H.* od. *Sa Hulaman*, bei der Affenstadt Myang Cabin, wo der Affenkönig des Ramayana als Büffel gelegen habe (Bastian, Bild. 451).

Haparanda, eig. *Haaparanta* = Espenstrand, neu angelegte Hafenstadt am Nordende des bottn. G., 'Sveriges nordligaste och äfven yngsta stad˚, 1812 angelegt u. bis 1842 ein Marktflecken geblieben (Pettersson, Lappl. 58, Brockh., CLex. 6, 987).

Happy Island = glückliche Insel taufte 1807, gewiss nach ihrem heitern Aussehen, der engl. Capt. Johnstone, v. Schiffe Cornwallis, eine der Smith Is. (Krus., Mém. 2, 6 ff.).

Haqqadmoni s. Todt.

Hara Berezaity s. Albors.

Hara, hebr. הָרָא = Bergland (1. Chr. 5, 26), nom. pr. einer Gegend des assyr. Reichs, wahrsch. Media Magna, welche j. noch v. ihren Gebirgen Bergland (s. Hor) genannt wird (Gesen., Hebr. Lex.).

Haráb, Gubet- = wüste Bucht, arab. Name des innersten, 70 km lg. u. üb. 40 km br. Golfs der Tadschurra Bay, eines allseitig v. fast senkrechten, oft 100 m h. vulcan. Felswänden umgebenen, nur im Ostrand v. Meer durchbrochenen ungeheuern Kraters, dessen Wasser überall zu tief ist, um als Hafenplatz zu dienen. Noch dauern die Anzeichen vulcan. Thätigkeit fort (PM. 6, 419).

Harájjagà od. *Harájagà* = der bugreiche Fluss heisst bei den Samojeden die Kara (Schrenk, Tundr. 1, 415 ff.).

Haraiwa s. Herat.

Haram = Heiligthum, in arab. ON., theils f. sich (s. Hebron u. Mekka); th. mit PN.: *el H.*, *Ibn Aleim*, f. ein ziemlich grosses Dorf nördl. v. Jaffa, nach dem *H.*, einem auf der höchsten Stelle stehenden, mit Hallen u. Häusern burgähnlich ummauerten Hofe, in dessen Mitte sich ein einzelnstehendes Minaret erhebt, u. dem Ibn *A.*, dessen Grab sich in einer Ecke des Haram befindet (PM. 13, 130). — In türk. ON. wie *H. Göl* mit der Bedeutg.'geheiligt, verboten˚ (s. Halal).

Haramié, Magharat el = Diebshöhle nennen die Araber eine Höhle, welche schlechtem Gesindel als Zufluchtsort dient, zw. Damask u. dem Flusse Awadsch (Burckh., Reis. 1, 114).

Harbach s. Horb.

Harbinger s. New Year.

Harbour Rock = Hafenfels, die grösste der Felsklippen, welche die Südostseite der Melville Bay bilden, benannt v. Flinders (TA. 2, 233, Atl. 15) am 13. Febr. 1803. — *H. Shoal* = Hafenbank, eine Klippe des Roth. M., unweit Dschidda, wird daneben ein guter Ankerplatz in 12 fad. Tiefe liegt. In der Nähe *Fourteen Feet Shoal* = Untiefe der 14 Fuss u. *Eliza Shoals*, wo das engl. Schiff *E.* scheiterte (Bergh., Ann. 5, 43).

Harburg, deutscher ON. mehrf., anscheinend mit *Haarlem* (s. d.) verwandt, aber v. Förstem. (Altd.

NB. 735) unter Stamm *hari* = Heer, im Sinne v. Krieger, gestellt, nicht übel f. die urspr. Grenzveste des Bisthums Bremen. Man sucht in *H.* übr. auch in niederd. *hare, hor(e)*=Koth, Schlick, also eine 'Kothburg' (Peterm., GMitth. 7, 146).

Harcount, Mount, im antarkt. Victoria Ld., am 19. Jan. 1841 v. Capt. J. Cl. Ross (SouthR. 1, 201) entdeckt u. zu Ehren des Rev. W. Vernon *H.* benannt, der benachbarte *Mount Brewster* nach Sir David *B.*, beide 'the joint-founders of the British Association, which has so eminently contributed to the advancement of science in Great Britain'.

Hard, alts. *hard,* ahd. *hart* = Wald (vgl. Hercynia), vielf. zu ON. verwandt, th. f. sich (Förstem., Altd. NB. 736 f. zählt 12 alte Formen u. mehrere Nebenformen *Harta, Harte, Harth* . . . auf), th. in Zssetzungen, als Grundwort (bei Förstem. 60) od. als Bestimmungswort wie *Hartesburg,* die v. Heinrich IV. 1065/69 auf einem bewaldeten Vorposten des *Harzes* bei Goslar erbaute *Harzburg, Hardagewe,* j. *Harzgau,* am Nordrande des *Harzes, Hartheim, Harthusa,* j. *Harthausen,* 5 mal, *Hartchiricha,* j. *Hartkirch* u. *Hartkirchen,* in Bayern u. s. f. 'Auffallend ist, dass der Name des *Harz* j. immer, u. in den ältern Urk. zuweilen, ein *z* angenommen hat, das ihm auch im Hochd. auf keinen Fall nach den Lautgesetzen zukommt. Sollte nicht der Name der *Harzburg* dazu die Veranlassg. gegeben haben, indem man das Wort nicht mehr als uneig. Composition *Hartesburg,* sondern als eig., *Harzburg,* verstand? Hat etwa auch die volksetymolog. Beziehg. zu *harz* = resina mitgewirkt?' Dass der Name des Gebirges aber urspr. 'Wald', Waldgebirge, bedeutete, bezeugen eben die mit dem 8. Jahrh. auftauchenden Formen (Germ. 9, 294). Von dem Areal waren einst 90% mit Holz bestanden, u. noch heute bestreitet der Harz nicht allein seinen ungeheuern Eigenconsum, sondern unterhält Ausfuhr in die Nähe u. Ferne (Meyer's CLex. 8, 617). Der höhere, rauhere *Oberharz* ist grossenth. mit Nadelholz, der niedrigere, mildere *Unterharz* mit Laubholz, namentl. prächtigen Buchen, bewachsen (Daniel, Hdb. Geogr. 3, 402 f.). — Auch ein zweites unter den deutschen Mittelgebirgen, die *Haardt, Hardt,* die pfälz. Holzkammer, ist noch j. 'z. grössten Theil mit Wäldern bedeckt . . . ringsum die frischeste u. üppigste Waldvegetation, vor allem wuchernde Farren' (Daniel, Hdb. Geogr. 3, 336) . . . noch bedeckt Buchen-, Eichen- u. Fichtenwald über 8/5 des Areals' (Meyer's CLex. 8, 586).

Harding River, eine weite, aber seichte u. verästelte Flussmündg. in Dolphin and Union Str., v. Richardson's Begleiter, Lieut. Kendall, benannt nach Lieut. *H.,* of the Royal Navy, am 2. Aug. 1826 (Franklin, Sec. Exp. 249).

Hardwar s. Wischnu.

Hardwicke Bay, eine weite, vor allen Südwinden geschützte Bucht der Ostseite v. Spencer's G., durch ihren Entdecker Flinders (TA. 1, 164) am 19. März 1802 benannt zu Ehren des 'noble earl of *H.*' — *Cape H.* u. *Cape Caledon,* am Ein-

gang des Jones' Sd., v. Capt. John Ross (Baff. B. 157) am 23. Aug. 1818 'after those distinguished noblemen' getauft.

Hardy' Island, in den Salomonen, durch den engl. Seef. Carteret am 24. Aug. 1767 nach Sir Charles *H.* benannt (Hawk., Acc. 1, 367), schon am 24. Juni 1616 entdeckt v. der holl. Exp. Le Maire u. Schouten u. *Groene Eilanden* = grüne Inseln genannt, weil diese 'stonden groen, en vol geboomte' (Beschr. 102), bei den span. Seef. Maurelle 1781 *Islas de los Caymanes* = Krokodilinseln (Krusenst., Mém. 1, 8. 159. 173 ff.); *b)* nach demselben: *H.'s Isles,* in Queensl., v. Cook 19. Aug. 1770 (Hawk., Acc. 3, 206). — *H. Point,* in SShetland, nach dem Commodore Thomas *H.* (Hertha, 9, 460). — *Cape H.* u. *H. Bay* s. Blenky.

Hare Indians = Hasenindianer, ind. *Katschodinneh,* ein Stamm der Chipewyan, so benannt, weil sie, wie die meisten der das ganze Jahr am Mac Kenzie R. lebenden Stämme, in ihrer leibl. Existenz hpts. auf den Hasen, Lepus americanus, angewiesen sind (Richardson, Arct. S. Exp. 1, 211), Ganz ähnl. schon Mac Kenzie (Voy. 194): '. . . Haseuindianer genannt, da bei der geringen Menge v. Renthieren u. Bibern, den einzigen gr. Thieren ihres Landes, Hasen u. Fische ihre einzige Nahrg. ausmachen' (Franklin, Narr. 287 ff.); *b)* H. *Indian River,* ein rseitg. Nebenfluss des Mac Kenzie R., an dessen Confl. der Stamm grosse Zskünfte abhielt (Franklin, Sec. Exp. 22); *c) H. Sound,* ein Golf der Hudsons Str., v. dän. Capt. Jens Munck zu Anfang Aug. 1619 so benannt nach der Menge Hasen, die sich auf einer nahen Insel fand (WHakl. S. 18, 240); *d) Island of Hares* s. Lièvres.

Harére de = der (Baum) Harére, bei den Somali ein Lagerplatz nach einem Baume, 'der dort früher, Schatten gebend, gestanden haben mag' (ZdGfE. 10, 278).

Hariana = grünes Land, ein nach der Dschamna hin gelegenes Grenzland der Wüste Thurr, berühmt wg. seiner Grüne im Vergleiche mit der Wüste, v. skr. *hari, harit* = grün (Lassen, Ind. A. 1, 154).

Haridi, Dschebel el, arab. Name eines steilen Uferbergs, der obh. Siut hart an den Nil vortritt, nach einem Schah, dessen maqam, i. e. Grabkapelle, sich hier befindet (Brugsch, Aeg. 104 f.).

Harjusowa s. Tujutö.

Harlem R. s. Haarlem.

Harlinger Land, in Ost-Friesl., nach dem Flüsschen Harle, das vor Wanger Oge die Nordsee erreicht (Meyer's CLex. 8, 591).

Harlung s. Brandenburg.

Harma, to, gr. τὸ Ἅρμα = der Wagen, ein Felsrücken des nördl. Attika's, welcher an seiner vordersten, steil abfallenden Seite halbkreisfg. abgerundet ist u. dadurch eine gewisse Aehnlichk. mit dem Wagenstuhle eines antik. Streitwagens erhält (Bursian, Gr. Geogr. 1, 333).

Harmony, bei Pittsburg, 1804 ggr. v. dem Württb. Georg Rapp, welcher, geb. 1770, die Gemeine seiner Anhänger, der Harmoniten, nach dem Vorbilde der apostol. Kirche ordnete, unter ihnen

völlige Gleichheit u. Einheit erzielte, die Gütergemeinschaft einführte, nach Verkauf der ersten
Colonie 1811 einen neuen Hptsitz *Economy*, am
rechten Ufer des Ohio, 1815 in Indiana ein *New
H.* gründete u. 1847 † (Meyer's CLex. 11, 1038;
13, 436).

Harmozon A. s. Ormuz.

Harnecker s. Bernhard.

Harney's Peak, einer der höchsten Gipfel der
Black Hills, wird in Custer's Reisebericht 1874
(Ludlow, BlackH. 44) als bekannt vorausgesetzt
u. muss demnach das Andenken eines ersten Explorers dieser Gegenden erhalten; als General
Custer am 1. Aug. 1874 mit einigen Gefährten
den Berg bestieg, feuerte er 3 Flintenschüsse ab,
u. die Gesellschaft trank aus ihren Feldflaschen
auf General *H.*

Harnphál = 'Hirschensprung', hind. Name einer
berühmten Stromschnelle des Narbádda, nach der
Enge der Canäle, in welche sich der Fluss theilt
(Schlagw., Gloss. 199); *b) Harangáung* = Hirsch-
dorf, in Gudschrat, u. *Haranghát* = Hirschpass,
in Bengal (ib. 198).

Harótajagá = Lärchenfluss, bei den Samojeden
ein Fluss v. den vielen in seiner Mündgsgegend
sich findenden Lärchen (Schrenk, Tundr. 1, 415 ff.).

Harpe s. Bow.

Harra, die osthauran. Steinfelder, welche mit
Steinen, den 3 kg bis 5 Ctr. schweren Auswürflingen der Vulcane, fast lückenlos u. dicht bedeckt sind, v. arab. *harr* = Hitze scil. welche
v. dem Boden zkprallt (Burckhardt, Reis. 1, 171,
Wetzstein, Haur. 28 ff.).

Harrington s. Wallis.

Harrisburgh, Ort in Pennsylv., wo der Quäker
John Harris sich 1726 anbaute u. bei den In-
dianern so grosses Ansehen genoss, dass er un-
bewaffnet u. unbehelligt unter ihnen umgehen
konnte, u. 1748 †. Zunächst hiess der Ort *Harris'
Ferry* (= Fähre), wo 1726 des Gründers gleichnam.
Sohn geb. wurde; die Colonie 'became a noted
place' u. wurde Stadt 1785, nach Buckingh.
(East & WSt. 1, 481) schon 1765 (Cent. Exh. 30,
Penns. Ill. 14, Meyer's CLex. 8, 607); *b) Harris'
Island*, in Apsley Str., v. Capt. Ph. P. King (Austr.
2, 237) benannt 1821 nach seinem Freunde John
H. esq., frühern Arzte des 102. Regiments, 'who
has served so. long and so faithfully in various
offices under the government of New South Wales';
c) H. River, in Erromanga, NHebr., nach dem
hier v. den Wilden erschlagenen Begleiter des
Missionärs Williams (ZfAErdk. 1874, 293).

Harrodsburgh, Ort in Kentucky, nach dem Ansiedler James Harrod, welcher sich 1774 zuerst
hier niederliess (Buckingh., East. & WSt. 2, 453).

Harrowby Bay, im arkt. Liverpool B., v. Dr.
Richardson am 16. Juli 1826 zu Ehren des earl
of *H.* getauft (Franklin, Sec. Exp. 221 ff.).

Harsefeld s. Ross.

Harspräng s. Njommelsaska.

Hart s. Hard.

Hartmann s. Diana.

Hartstene Bay, im arkt. Smith Sd., v. Polarf.

E. K. Kane benannt nach Lieut. *H.*, welcher, v.
Congress z. Aufsuchg. Kane's abgesandt, im Sommer
1855 die nahe Eskimoniederlassg. Etah besuchte
(Kane, Arct. Expl. 1, 220; 2, 322 ff.).

Harvard, Mount, der Culm der Rocky Mts., im
Sommer 1869 durch Prof. J. D. Whitney u. mehrern
Angehörigen der Harvarduniversität gemessen u.
getauft 'zu Ehren der Universität, welcher die
meisten Theilnehmer der Excursion als Lehrer
od. Studenten angehörten' (PM. 17, 56).

Harz s. Hard.

Hase s. Osnabrück.

Haselbach, *Haselstud*, *Haslen*, *Hasleneck*,
Hasli u. a. Formen, v. ahd. *hasal*, *hasala* =
corylus, nach der Strauchvegetation, häufig in
ON., bei Förstem. (Ahd. NB. 756) etwa 20 alte
Hasalaha j. gew. *Haslach*, mehrere *Haselbach*,
Haslau, *Haselbrunnen*, *Haselburg* u. dgl., entspr.
dem rom. ON. *la Coudre*, während *Alagno*, im
Val Dobbia, aus *avellana* entstanden ist (Gatschet,
OForsch. 30).

Hasen Indianer s. Hare.

Hasi, el = der kleine Brunnen, ON. der alger.
Prov. Constantine, wo mit *hasi*, plur. *hauasi*, in
der Prov. Oran *hasian*, kleinere, nicht gemauerte,
2—3 m t. Brunnen genannt werden. In den Sand-
gebieten Algeriens muss, um das Wasser zu erreichen, welches auf undurchlässiger Schicht
zkgehalten wird, der Sand häufig weggeräumt
werden (Parmentier, Vocab. arabe 28).

Hassangárh = Hassan's Veste, arab.-hind. ON.
in Radschwara, v. PN. *Hassan*, *Hásan* = der
schöne; *b) Hassanpur*, mit *pur* = Stadt, 3 mal
(Schlagw., Gloss. 199); *c) Hassani* s. Scheich;
d) Bu Hassan s. Bu.

Hassbergen s. Ross.

Hassenstein s. Spörer.

Hastings, ON. in Sussex, ags. *Hastinga*, *Hasting-
ceaster*, nicht, wie Somner wollte, *Haerting*, *Haer-
tingaceaster*, v. *haerte* = Hitze, v. dem Aufwallen der See an diesem Platz, sondern zuf.
Camden-Gibson (Brit. 1, 249), dem auch Edmunds
(HNPl. 189) folgt, nach einem grossen dän. Seeräuber, welcher den Ort eroberte, erbaute od. befestigte. 'In 250 Schiffen, v. Hastinge befehligt,
landeten 893 die Dänen an der Mündg. des
Rother, besetzten Apuldore, verschanzten sich in
dem nach ihnen benannten *H.* u. ver-
wüsteten die ganze nach Westen folgende Küste'
(Dalloway). Kemble denkt sich den Ort als die
Veste des goth. Stammes Haestingas (Charnock,
LEtym. 128), u. Taylor (WPl. 85) meint, 'the *H.*
the noblest race of the Goths, are found at *H.*
in Sussex'. — Nach Warren *H.*, dem 1732 geb.
Generalgouv. Indiens, der schon 1756 im Heere
des Obersten Clive diente, 1765 Mitgl. der Regierg.
in Madras, 1771 Gouv. v. Bengalen wurde, die
Würde eines ersten Generalgouv. 1773/85 bekleidete u. 1818 †, ist benannt *H. Harbour* (u.
davor *H. Island*) in St. Matthew, Mergui, 'einer
der schönsten Seehäfen der Welt', entdeckt v.
engl. Capt. Thomas Forrest am 25. Aug. 1783 u.
v. ihm getauft zu Ehren des Mannes, 'der unsere

Angelegenheiten in jenem fernen Welttheil mit so hoher Weisheit u. Politik verwaltete u., umringt v. Feinden, die v. Frkreich u. Holl. allen Vorschub erhielten u. der brit. Nation in Indien mit gänzlicher Ausrottg. drohten, sich üb. alle ihn umgebenden Gefahren erhaben zeigte u. uns durch bewunderungswürdige Anstrengg. u. Kraft ein grosses Reich erhielt' (Spr. u. F., NBeitr. 11, 195. 231).

Hathorn s. Jameson.

Haththauah, Kirioth-, hebr. קִבְרֹות־הַתַּאֲוָה = Gräber der Lüsternheit, ein Ort der Wüste, benannt nach der Gier, mit welcher die Israeliten v. Wind hergetriebene Wachtelschaaren sammelten u. verzehrten; aber, v. Zorn des Herrn mit einer Plage geschlagen, wurde daselbst 'das lüsterne Volk begraben' (4. Mos. 11, 31 ff., Gesen., Hebr. Lex.).

Hatteras, Cape, j. der Ellbogen einer der Küste NCarolina's vorliegenden gekrümmten Insel, trägt einen mir unerklärten ind. Namen. Urspr. finden wir ihn in der Form Hat(t)orask, Hatarask u. zwar f. ein Hafengewässer jener Gegend, wohl den j. Pamlico Sd.; es ist dies der 'harborow', in welchem Sir Walt. Raleigh's erste Exp. am 4. Juli 1584 anlangte (Strachey, HTrav. 142).

Hattlebuck = Geissbühl.

Hatt'marim s. Jericho.

Hattonchâtel, Ort des frz. dép. Meuse, ggr. durch Bischof Hatton v. Verdun, der v. 847—870 sein Amt verwaltete u. 859 eine durch ihre Berglage wichtige Burg u. eine Wallfahrtskirche erbaute. In derselben Gegend auch ein Dorf Hattonville (Dict. top. Fr. 11, 104). — Nach einer unbekannten Person hat 1578 der engl. NWF. M. Frobisher ein Vorgebirge in der Gegend der Frobisher Bay getauft Hatton's Headland (Rundall, Voy. NW. 30, Hakl., Pr. Nav. 3, 82), wohl nach dem Gefährten, der im Vorjahr den Capt. Best auf den Gedanken gebracht habe, auf diesem höchsten Uferpunkte ein Steinkreuz, z. Zeichen christl. Besitznahme, aufzurichten. So wenigstens verstehe ich die Stelle: And the rather for the honour the said captaine doeth owe to that honourable name which himselfe gaue there unto the last yeere, in the highest part of this headland he caused his company to make a columne or grosse of stone, in token of Christian possession (Hakl. 89).

Hauara s. Musa.

Hauenstein ist der Name zweier schweiz. Jurapässe, deren einer, der Obere H., v. Balsthal, der andere, der Untere H., v. Olten, also weiter abw. an der Aare, nach Liestal-Basel führt. Der letztere, als kürzeste Verbindg. Basels, des grossen cisalpinen Eingangsthors, mit der Centralschweiz u. ihren Pässen, zumal dem St. Gotthard, musste mit dem Auftauchen dieser Bergroute, um 1160, z. Verkehrslinie werden. Noch zZ. der Grafen v. Frohburg wurde der Felsengrat durchhauen; Strasse, Berg u. Dorf, dieses vordem Horben genannt, bekamen den Namen Gehowenstein. Damals, u. noch bis z. Mitte des 18. Jahrh., trotz localer Verbesserungen v. 1568 u. 1740,48, brachte man die Lasten, oft Wagen v. 120 Ctr., ver-

mittelst Haspeln üb. den Berg (auch üb. den Obern H.); die Steigg. betrug an vielen Stellen 20—24%, u. der Uebergang war f. Menschen u. Thiere höchst beschwerl., gefährl. u. kostspielig. Als dann aber dem deutsch-ital. Waarentransit sich bessere Alpenstrassen, üb. Splügen u. Bernardino, öffneten, beschlossen die Stände Solothurn u. Basel 1819 eine Correction. Diese wurde 1827/30 ausgeführt; sie ermässigte die Steigg. auf 5% u. kostete 260 289 alte Schweizerfranken, d. i. circa 390 000 Frcs. Von j. an konnten Lastwagen v. 200 Ctr. passiren, u. man brauchte dazu nicht ¼ der frühern Zugkraft (Gem. Schwz. 10, 220). Jetzt ist die Strasse in Schatten gestellt durch die Eisenbahn. Die Centralbahngesellschaft liess 1854/57 den Berg in einem $2,_{495}$ km lg. Tunnel, 493—550½ m üb. M., durchbohren u. reducirte so die Maximalsteigg. auf 26%00 (Egli, Taschb. 33).

Hauer-Felsen, ein Bergzug des arkt. GänseLd., NSemlja, v. der österr.-ungar. Exp. Wilczek im Aug. 1872 benannt (PM. 20 T. 16) nach einem der berühmtesten u. verdienstvollsten Geologen Oesterreichs, dem Director der KK. geol. Reichsanstalt in Wien (GM. Prof. Höfers in Klagenfurt dd. 17. V. 1876).

Haukawor = Adlerberg, finn. Name des mittlern der 3 grossen Gipfel der Insel Hogland, finn. Golf (Bär u. H., Beitr. 4, 110). Schrenck (ib. 148) schreibt Hauka-Wuori u. nennt den Berg 'eine fast senkrechte Porphyrwand v. grossartigem Eindruck'.

Haul-off Rock = Fels des Anschleppens, ein steiler Felsklumpen vor der Küste v. Nuyts Ld., v. Capt. Matth. Flinders (TA. 1, 75) am 5. Jan. 1802 so benannt, weil er, 6h Abends hier angekommen, 'hauled to the wind, off shore, for the night'; b) Haul-round Islet = Inselchen des Herumschleppens, eine trockne Sandbank vor Arnhem's Ld., v. Capt. Ph. P. King (Austr. 1, 255) am 4. Aug. 1819 so benannt, weil er bei der Annäherg. genöthigt war to haul off u. ihn durch dunkle Wasserfarbe jens. der Untiefe vermochte, die Sandbank zu umfahren, um in die tiefe Einfahrt zu gelangen. Die Insel, welche durch die Untiefe mit der Sandbank zszuhängen schien, nannte er Entrance Island = Insel der Einfahrt.

Haurân, ein Land des syr. Trachyt- u. Basaltgebietes, hebr. חַוְרָן [chauran], wohl = Höhlenland, v. seinen vielen (bewohnten) Höhlen חוֹר [chor], חֻר [chur], die Plateaux zw. Dschebel H. u. Hermon, ein Theil des einstigen Reichs Basan (s. d.), graec. Αὐρανῖτις, Auranitis u. Ὡρανῖτις, Oranitis (Burckh., Reis. 111 ff. 393 ff., Gesen., Hebr. L.); doch soll der Name schon in den assyr. Berichten des 8. Jahrh. Sa'ati-mat-Chauran = Gebirge des Landes H. genannt werden (Kiepert, Lehrb. AG. 158).

Haus, ahd. hûs, ein häufiges Element in ON., bes. als Grundwort, u. zwar in alten Formen entw. im dat. sing., husa, od. im dat. plur., husirum, husum, seltener als nom. sing., hus, od. plur., husir. Förstem. (Altd. NB. 879) zählt nicht weniger als 901 derartiger Zssetzungen auf u. erwähnt hierauf an alten ON.: *Husa*, j. gew. *Hausen*, hier u. da differenzirt, *Huspach, Husfeld, Husgowe, Husechirche* etc. — *Häusern* s. Klingen. — Der *Hausstock*, Glarner Alpen, nach der Form des Gipfels, der v. Glarus' aus einem 'frz. Dachstuhl' ähnelt.

Hauslab Kamm, ein Bergkamm am Matotschkin Scharr, v. Baron v. Sterneck's Hülfsexp. der Polarfahrt Weyprecht-Payer im Aug. 1872 benannt nach dem bekannten Geographen, General *H.* in Wien (PM. 20 Taf. 16, gef. Mitth. Prof. H. Höfers dd. Klagenfurt 17. II. 1876).

Haut, -te = hoch, in frz. ON. höherer Lagen, submariner als *hauts-fonds* wie *a) Pointe des HF.*, die Nordwestspitze der HI. Péron, v. Untiefen umgeben, auf welchen das Schiff des frz. Capt. Baudin am 3. Juli 1801 fast gescheitert wäre, vorher jedoch schon so benannt durch den Seef. St. Allouarn, welcher mit der Fleute Le Gros-Ventre 1772 an diesen Gestaden erschienen war (Péron, TA. 1, 104. 169); *b) Anse des HF.*, ein enger, tiefer, durch Untiefen versperrter Arm der Baie Bougainville, Känguruh I., v. der Exp. Baudin am 6. Jan. 1803 getauft (Péron, TA. 2, 59); *c) Cap des HF.* s. Untiefen. — Zu Lande *a) H. Crêt*, aus *Alta Cresta* = hoher Grat (s. Crest), ein Cistercienserkloster der Berge v. Oron, v. den Grafen Ulrich· u. Reymond v. Greyerz 1134 gestiftet 'sur une colline ou crête qui domine la Broie ... au milieu d'un paysage agreste, autrefois désert' (Mart.-Crous., Dict. 441, Gem. Schweiz 19ª, 94); *b) Haute-Faye*, 1330 *Alta Faya* = hohe Buche, 3 Orte des dép. Dordogne (Dict. top. Fr. 12, 157); *c) Hauts-Murs*, lat. *Altimurium*, die Reste einer gall. Stadt des dép. Hérault (ib. 5, 5); *d) Haute-Seille*, deutsch *Hochforst*, Ort des dép. Meurthe, bei der im 12. Jahrh. ggr. Cistercienserabtei Cirey, abbatia *Alte Silve*, de novo in vasta solitudine fundata, 1282 monasterium der *Alta Silva*, quod vulgariter der *Hoenvorst* nominatur, 1273 *Hautesalle*, 1282 *Hautesalve*, 1592 *Haultseille* (ib. 2, 67); *e) Pays d'en H.* = Oberland, die waadtl. Thalstufe der alpinen Saane, 'un district enfermé dans les hautes Alpes' (Mart.-Crous., Dict. 742); *f) Haute-Terre*, 1381 *Altae Terrae* = Höchland, Ort des frz. dép. Eure-et-Loir (Dict. top. Fr. 1, 92); *g) Hauteur de Terre* = Landhöhe, die höhern Lagen um die Quellen des Missisipi, insb. die Landhöhe zw. Ober- u. Regensee, 450 m üb. M., 270 üb. dem Obersee, auf ihr der *Lac de la Hauteur de Terre*, engl. übsetzt *Height of Land* resp. *Height of Land Lake* (Hind, Narr. 1, 57). — *Hauterive* u. *Hauteville* s. Altus.

Haüy, Cape, bei Tasmania, v. der frz. Exp. Baudin im Febr. 1802 getauft nach dem berühmten Mineralogen 1743—1822 (Péron, TA. 1, 218), wie *Ile H.*, bei De Witt's Ld., am 30. März 1803 (ib. 2, 201, Freycinet, Atl. 25).

Havana, auch *Habana*, vollst. mit vorgesetztem span. Heiligennamen *San Cristoval de la H.*, ist der mir etym. unerklärte Name der Hafenstadt, welche 1515 der Spanier Diego Velasquez an der

Südküste Cuba's, in der Nähe des j. Baracoa, gründete u. die 1519 in die gesundere j. Lage verlegt wurde (Zaragoza, VQuirós 3, 19, Meyer's CLex. 8, 657). Ozw. ist der ON. ind. Ursprungs, u. wenn Johnston an 'Hafen' denkt, so bemerkt Charnock (LEtym. 128) richtig: 'Neither *habana* nor *havana*, for a harbour, is found in the Spanish dictionaries'; allein die sachlich ansprechende Annahme, die Spanier könnten das Wort aus germ. *hafen, haven, havn*, geformt haben, ist zu bedenklich. In der That ist *H.* der eingeborne Name einer Prov. u. Völkerschaft Cuba's, die in den ältern Aufzählungen der Volksstämme, bei Latorre, Pezuela, Urrutia, Arrate u. a. immer mitgenannt wird (Fort y Roldan, Cuba ind. 154. 193). — *H. Harbour*, in Sandwich I., NHebr., v. Capt. Erskine im Sept. 1849 nach seinem Schiffe getauft (Journ. RGSLond. 1872, 277).

Havbröen = Meerbrücke, Brücke unter dem Meere (s. Haff), so bezeichnen die norw. Fischer eine supponirte Bank, welche zw. 62⁰ NBr. u. dem Nordcap sich dem Continent entlang zieht, aber so, dass sie v. diesem durch einen tiefern Meeresarm v. mehrern (geogr.) Meilen u. selbst wieder in mehrere gesonderte Untiefen getrennt wäre (Pontopp., Norw. 1, 122). Der äussere Rand der Bank heisst *Ydereggen* = äussere Kante, der innere *Indereggen*=innere Kante, v. *eg*=Schneide, Schärfe, Kante (Vibe, KMeere Norw. 13).

Havel, alt *Havela, Habola*, auch *Labola, Albola* (Förstem., Altd. NB. 781), ist wohl, wie Spree, Berlin, Potsdam etc., eher slaw. als deutschen Ursprungs, doch nicht, wie Jettmar (ÜberR. 19f.) vermuthet u. L. V. Jüngst (Volksth. Benennung. Preuss. 50) beipflichtet, urspr. *Habrla*, v. *habr* = Weissbuche, wenn auch 'sehr viele Flüsse u. Bäche im Slaw. ihre Namen v. den Bäumen u. Sträuchern erhielten, mit welchen ihre Ufer bewachsen waren'. Für den Fall, dass der Name deutsch, frägt C. Zeuss (D. u. Nachbst. 15), ob er viell. dim. v. *hab, habe*, altn. *haf* u. die *H.* nach ihrer Stagnation so benannt sei. Auf die gleiche Fährte gelangt, aber mit einer kelt. Etym., C. A. F. Mahn (Etym. Unters. 2, 17 ff.), 'Hafenfluss', wg. der See'n, die als Hafenbecken aufzufassen wären. Auf einer Flussinsel der Ort *Havelberg*, schon 946 erwähnt, v. der *H.* auf drei Seiten umflossen das *Havelland* u. durch Erweiterg. des trägen Flusslaufes entstanden die *Havelseen*.

Haviland Bay, in Repulse Bay, entdeckt am 22. Aug. 1821 v. Capt. W. Edw. Parry (Sec. V. 57) u. benannt nach Rev. James *H.*, of Bath.

Havre, le, alt *havene, havle, hable* = Seehafen, frz. Wort aus den ags. *häffen*, altn. *höfn* (Diez, Rom. WB. 2, 343), am geläufigsten f. *H. de Grace*, latin. *Gratiae Portus*, den die Hanseaten einf. *Habel* od. *Habel de Grace* (Deecke, Seeört. 6), frz. Seestadt, ehm. nur ein Fischerdorf, in dessen Mitte die *chapelle de grâce* = Gnadencapelle stand, ·bis Franz I. den Bau des Hafens u. der Stadt 1517 begann u. letztere gg. die Engländer befestigte (vgl. Gibson, Etym. G. 2). — Ein *H.*

de Grace, Hafenort Marylands, 1776 ggr. (Meyer's CLex. 8, 661).

Hāwi = Schlangenfänger, v. arab. *hájjeh* = Schlange, so heissen in Aegypten die Ghagar, welche nach Zigeunerart den Unterhalt gewinnen (PM. 8, 41).

Hawk Rapids = Eulenkatarakt, Stromschnellen des Grossen Fischfl., entdeckt am 18. Juli 1834 durch den arkt. Reisenden G. Back (Narr. 176) u. benannt z. Erinnerg. an die düstere Einsamkeit des Schlundes, wo drei laut schreiende Eulen auf die ersten Störer ihres Stilllebens hoch herab schauten.

Hawke's Bay, an der Ostseite NSeels., v. Cook am 15. Oct. 1769 benannt zu Ehren 'of Sir Edward *H.*, then first lord of the admiralty' (Hawk., Acc. 2, 306); *b)* ebenso *Cape H.*, in NSouthWales, am 10. Mai 1770 (ib. 3, 105).

Hawks Cape, in Kane's Sea, v. Polarfahrer Kane (Arct. Expl. 1, 101) im Aug. 1853 benannt nach Francis *H.*, einem bekannten american. Kirchenhistoriker des 19. Jahrh. Id. mit *Cape Hayes* (Deutsche Ausg. des Reisew. 279).

Hawkins' Bay, in Feuerl., südl. v. Cape Forward, benannt nach dem engl. Seef. Rich. *H.*, der 1594 die Meerenge passirte u. mehrere neue, j. z. Th. verschollene Namen austheilte (ZfAErdk. 1876, 428). — *H.'s Land* s. Falkland.

Hawyrajjaga s. Janaj.

Hay = Heu, wie holl. *hooy* (s. d.) in ON. *a) H. Cabin Creek* = Bach der Heuhütten, urspr. frz. Name eines kleinen Zuflusses des untern Missuri, wo Strohlager errichtet sind (Lewis u. Cl., Trav. 13); *b) H. Camp*, f. ein Lager der Colorado Exp. 1858, wo in 1800 m Seehöhe die Besatzg. v. Fort Defiance wiederholt Heu geerntet hatte (Möllh., FelsGb. 2, 252). — *Hay-stack* = Heuschober, einer der Ausdrücke f. Bergformen, in Engl. u. America 'without number' *a)* die hochaufragenden *Hs.* am Buttermere Water, Lake District; *b)* ein *H.* im Nationalpark, Wyoming; *c)* mehrere *H.* in den Appalachians (Whitney, NPlaces 119). — *Hay-stack Island*, in Ost-Grönl., v. der Exp. Sabine-Clavering am 12. Aug. 1823 getauft 'nach ihrer Aehnlichk.', ist jedoch v. der 2. deutschen Nordpolexp. 1869 70 als Halbinsel erkannt u. in *H. Halbinsel* umgetauft worden (Peterm., GMitth. 16, 325: 17, 190 T. 10).

Hay, engl. Familienname, insb. um 1820 des Privatsecretärs bei dem ersten Lord der Admiralität, spätern Untersecretärs des Colonialwesens, 'a zealous promoter of the expedition, and of geographical researches generally', *Cape H.* 2 mal: *a)* ein hohes, kühnes Vorgebirge westl. v. Cape Providence, v. Parry (NWPass. 85) am 16. Sept. 1819; *b)* ein enormer Landvorsprg. bei der Mündg. des Grossen Fischflusses, v. Back (Narr. 211) am 7. Aug. 1834 getauft; ferner *c) Point H.*, bei Melville Bay, v. Capt. John Franklin (Narr. 381 ff.) im Aug. 1821. — *H. Creek* s. Pocasse.

Hayden-Inseln, Graf, fälschl. *Heiden-Inseln* (Krus., Mém. 2, 368), eine Gruppe der Radack-

kette, einh. *Legiep*, v. Lieut. v. Kotzebue am 5. Nov. 1817 nach dem Capt. Commodor, späterm Admiral Grafen v. *H.* getauft (Kotzebue, EntdR. 2, 124). — *Peak H.*, als Culm der Tetonberge sonst *Grand* od. *Big Teton*, v. 2 Mitgliedern der Exp. *H.* 1860, Stevenson u. Langford, als ersten Europäern erstiegen u. nach ihrem Chef benannt, 'der wahrsch. mehr v. Kämmen u. Gehängen der Rocky M⁸ erforscht hat als irgend ein anderer unter den lebenden Männern der Wissenschaft' (Peterm., GMitth. 20, 236).

Haye, la, kommt neben *la Haie* = die Hecke, bald im Sinne v. Einfriedigg., Gehege, bald im Sinne v. Gebüsch, Wald, auch im plur., üb. 100 mal auf frz. Boden vor, z. Th. mit der ausdrückl. Bezeichng. 'Wald', wie 960 silva *Heis*, ein grosser Wald zw. Toul u. Nancy (Dict. top. Fr. 1, 90; 2, 67; 3, 65; 10, 134; 15, 107; 16, 162; 17, 209; 18, 142).

Hayes, Cape, ein schroffes Vorgebirge des arkt. Grinnell Ld., v. Polarfahrer E. K. Kane (Arct. Expl. 1, 250) 1854 benannt nach seinem Gefährten Dr. *H.*, welcher auf einer Bootreise das Cap entdeckte (s. Hawks); *b)* ihm zu Ehren ein *H. Gletscher*, in Mohn Bay, Spitzb., mündend, v. der Exp. Heuglin-Zeil 1870 (Peterm., GMitth. 17, 182 T. 9), u. *c) H. Inseln*, in Franz Joseph's Ld., v. der Nordpolexp. Weyprecht-Payer 1872/74 (ib. 20 T. 23; 22, 205).

Hayet s. Fayal.

Hayti, eine der Grossen Antillen, wurde schon v. den eingewanderten Indianern *Hayti* = das rauhe Land (hic sua lingua Hispaniolam vocant, Las Casas, Narr. 22), *Cibao* = steiniges Land (v. antill. *cyba* = Stein), auch *Quizqueia* = das grosse Land, die Welt, genannt. '*Haiti* quiere dezir aspereza, y *Quisquaia* tierra grande, Christoual Colon la nombro *Epañola*. Agora la llaman muchos *Santo Domingo*, por la ciudad mas principal que ay en ella' (Gomara, Hist. gen. 31). Uebr. war nach Navarrete (Coll. 1, 209) *H.* ein blosser Provincialname. Noch j. wird *Cibao* auf eine Gebirgsgegend bezogen. Als Columbus auf seiner ersten Fahrt, am 9. Dec. 1492, längs der Nordküste hinsegelte, gab er dem Lande wg. dessen Aehnlichk. mit andalus. Landschaften den Namen *Española* = Klein-Spanien ... 'enfrente dél — näml. dem Puerto de San Nicolas — hay unas vegas las mas hermosas del mundo y cuasi semejables á las tierras de Castilla, antes estas tienen ventaja, por lo cual puso nombre á la dicha isla la *Isla Española*'. Auch die Fische u. Bäume erinnerten an Spanien. Daher noch *Hispaniola* auf unsern Carten. Der Name *Hayti* trug sich nach der Emancipation (1790 ff.) auf den westl. der beiden auf der Insel entstandenen Negerstaaten, den ehm. franz. Theil der Insel, üb., während der östl., ehm. span., sich nach der Hptstadt *San(to) Domingo* (s. d.) benannte (Navarrete, Coll. 1, 84. 86, Colon, Vida 122. 127).

Hayward's Strait, in der Gegend des Norfolk Sd., im Aug. 1787 v. engl. Capt. Nathaniel Portlock, Schiff King George, benannt nach einem seiner Officiere, dem Steuermann Sam. *H.*(GForster, GReis. 3, 134).

Hazard Pass = Gefahrpass, ein kurzes, gefährl. Défilé, 'a short hazardous pass' des Rio Colorado, im Jan. 1858 v. der Exp. des Capt. Ives (Rep. 50) erreicht u. benannt.

Hazine s. Azania.

Hazor, kanaan. Bezeichng. umzäunter Orte, Gehöfte, als Eigenname in der Form חָצֹר [chazor]: *a)* im Stamme Naphtali (Jos. 11, 1. 11; 12, 19; 19, 36); *b)* im Stamme Benjamin (Neh. 11, 33); *c)* im Stamme Juda (Jos. 15, 23); *d)* in mehrern wahrsch. phöniz. Colonien des westl. Mittelmeers: *Assorus,* in Sicilien, *Assuros,* im Gebiete Carthago's, *Assarath,* in Mauretania Caesar., *Ussara,* in Numidien (Movers, Phön. 2b, 342).

Hazret, ON. in Turkestan, v. dem muh. Heiligen *H.,* Dschassawi, der dort in der grossen Moschee begraben liegt (Glob. 23, 371).

Heabès, Magharat el- = Höhlen der Gefängnisse, arab. ON. bei Antipyrgos (s. Tobruk), weil an der Südseite des Hügels eine Menge Katakomben sich finden (Hertha 12, 72).

Head of the Navigation = (oberes) Ende der Schiffbarkeit nannte die Coloradoexp. v. 1858 die südl. Oeffnung des Black Cañon, bei welcher die Schiffbarkeit des Flusses aufhört (Möllh., FelsG. 1, 373); *b) H. Point* s. Hooft.

Health, the Port of = Hafen der Gesundheit, eine Bucht der Magalhães Str., so benannt im Oct. 1578 v. einem Theile der Mannschaft des engl. Admirals Fr. Drake. In einer stürmischen Nacht hatte die 'Elisabeth' das Admiralschiff aus dem Auge verloren, u. hier wartete sie drei Wochen auf Drake's Rückkehr. Durch anstrengenden Dienst, nasskaltes Wetter u. schlechte Nahrg. war die Mannschaft heruntergebracht, u. hier erholte sie sich in kurzer Zeit 'wonderfully' (WHakl. S. 16, 281).

Heaphy Hill, einer der Schlackenkegel v. North-Shore (s. d.), v. Geologen F. v. Hochstetter (NSeel. 109) benannt 1859 z. Andenken an seinen Freund Ch. *H.* in Auckland.

Heard Island, das Haupt einer Inselgruppe des südind. Oceans, 53° 10' SBr., nach dem Entdecker, dem americ. Capt. *H.,* der sie am 25. Nov. 1853 fand. Die Gruppe enthält noch eine kleinere Insel nebst einem zuckerhutfg. Felsen u. wurde v. engl. Capt. McDonald am 3. Jan. 1854, v. Capt. Hutton am 1. Dec. 1854, v. Capt. Attaway am 3. Dec. 1854, v. Capt. Rees am 4. Dec. 1854, v. Dr. Neumayer, im Schiffe La Rochelle, am 9/10. Jan. 1857 wieder besucht resp. gesehen u. getauft, die Nomenclatur endgültig festgesetzt v. d. Challengerexp. welche zu Anf. Febr. 1874 die Inselgruppe aufnahm. Die angewandten Namen sind vorwiegend prsl., drei davon unbestimmt*, einer nach dem bayr. König, der die Kosten v. Neumayers austr. Reise bestritt, einer nach dem Matrosen Gray, der die kl. Insel zuerst erblickt hatte, ein dritter nach dem Capt. des Schiffs La Rochelle; *Steep Rock* = steiler Fels, f. den

'Zuckerhut', zeichnet wie dieser die Form, während bei demselben Capt. *great* = gross u. *little* = klein die Haupt- v. der Nebeninsel unterscheiden sollen (Peterm., GMitth. 4, 17 ff. T. 1; 20, 466 T. 24). Wir erhalten folg. Uebersicht:

Gruppe		Haupt I.	Neben I.	Zuckerhut
Heard		*Heard I.*		
McDonald		**Young I.*	*Mc Donald Is.*	
Hutton	**Sands Gr.*	*Hutton I.*		
Attawaye	*Attawaye Is.*	*Great I.*	*Little I.*	*Steep Rock*
Rees	*Rees Is.*	**Dunn I.*	*Gray I.*	
Neumayer	*König Max In.*		*Heard I.*	*Zuckerhut*
Challenger				*Meyer Rock*

Hearne, Cape, 'a large promontory' bei der Mündg. des Coppermine River, am späten, aber taghellen Abend des 14. Juni 1821 v. Dr. Richardson, dem Begleiter Franklin's (Narr. 347) aus der Ferne gesehen u. v. Chef der Exp. z. Andenken des Reisenden Samuel *H.* benannt, welcher den Strom zum erstenmale befahren, 'as a just tribute to the memory of that persevering traveller'. — Schon am 4. Sept. 1819 hatte diesen auch Parry (NWPass. 72) geehrt: *H. Point,* bei Melville I.

Heart River = Herzfluss, aus ind. *Chisshetaw* übersetzt, ein rseitger Zufluss des Missuri, zw. Yellowstone u. Cheyenne R. An dem Fluss befindet sich ein Felsen, mit Figuren bedeckt, aus denen die Indianer ihre od. ihrer Nation Geschicke abzulesen kommen, so dass der Felsberg die Stelle eines Orakels versieht u. v. ihnen in hohen Ehren gehalten wird (Lewis u. Cl., Trav. 83); *b) H. Butte* s. Slim.

Hebdomon, vollst. καμπος Ἑβδομον = Siebnerfeld, gr. Name des 'Marsfeldes der neuen Roma', wo die ausziehenden Heere sich sammelten u. die Kaiser den Huldiggseid empfingen, nach dem 7. Meilenzeiger, der hier aufgerichtet stand. Noch j. nennen es die Griechen Καμπος (Hammer-P., Konst. 2, 14).

Hebe Reef, eines der Riffe des Flusses Tamar, Tasmania, nach dem Schiffe *H.,* welches 1808 darauf zu Grunde ging (Stokes, Disc. 2, 475).

Hebräer s. Juden.

Hebrides, ein 'Unname' f. die Inselgarnitur an der Westseite Schottlands, die in allen Quellen, Mela, Plin. etc. *Ebudae, Hebudae,* bei Ptol. (Geogr. 2, 2¹¹) Ἔβουδαι, nach der Hptinsel Ἔβουδα, heisst, durch eine falsche Lesart der Localgelehrten des 18. Jahrh. in Gebrauch gekommen (Kiepert, Lehrb. AG. 533). Die Normannen erreichten die *H.* v. Norden her, d. i. v. den Orkneys u. Shetland-In., u. nannten sie darum *Sudreyjar, Söderöar, Sudur Öer* = Südinseln (Hildebr., Sagot. 11). In diesem Namen war früher selbst Man inbegriffen. In der Folge fing man an, die übr. in zwei Sectionen zu bringen: *a) Sudreyjar,* die Inseln südl. v. Mull, *b) Nordreyjar,* umfassend Mull u. alle nördlicher gelegenen. Ihrerseits fingen nun die Kelten in Irland, Wales u. dem schott. Hochlande an, die *H.* als *Inis Gâl* = Inseln der Fremden zu bezeichnen (Worsaae, Mind. Danske 334). In neuerer Zeit adoptirte man aus den alten Namen in modif. Gestalt od. nennt,

insb. in Schottl., die Gruppe nach ihrer West-
lage *Western Islands* (Pape-Bens., Ausl. 1869,
414).

Hebrides, New, ein Archipel Melanesiens, dessen
Hptland schon 1606 die span. Exp. Quiros-Torres
erblickt u. als Theil des hypothet. Südpolarcontinents *Tierra Austral del Espiritu Santo*
= südl. Heiliggeist-Land genannt hatte (Torres'
Tageb. in WHakl. S. 25, 37, Fleurieu, Déc. 45),
bei den Händlern j. in *Santo* verkürzt (ZfAErdk.
1874, 258, Meinicke, IStill. O. 1, 185). Der span.
Entdecker erreichte das Land am 27. Apr. u.
verweilte hier bis z. 14. Mai, dem Pfingsttage,
pascua del Espiritu Santo. Da die grosse Insel
durch eine tief eindringende Bucht, die Bahia de
San Felipe y Santiago, stark gegliedert ist, so
wurden anfängl. die beiden Seiten als gesonderte
Inseln angesehen u. benannt, die eine *Isla de la
Virgen Maria,* 'por la mucha belleza', da sie
mit vielen Palmen, Pisanggärten u. grossen Kräutern geschmückt, mit viel gutem Wasser versehen
u. stark bevölkert war, die andere *La Cardona,*
nach einem Förderer des Unternehmens, 'á memoria del duque de Sesa por lo mucho que amó y
favoresció esta empresa, así en Roma como en la
córte de España, y porque el capitan se precia
de ser muy grato'. Das war der fröhlichste Tag
der Reise. Am 30. Apr. wurde eine kleine Nebeninsel *San Raimundo,* nach dem Tagesheiligen,
getauft (Viajes Quiros 1, 296. 301; 3, 8. 14. 35.
39. 48). Als man aber am 3. Mai im Hintergrunde der Bay, im Puerto de la Vera Cruz, ankam u. sich v. dem Zshange überzeugte, da überwog der Gedanke des bevorstehenden Festes.
Am Samstag allgemeine Beichte. In der Nacht
brannten auf allen 3 Schiffen eine Menge Lampen;
es spielten Feuerräder u. Raketen; die ganze Artillerie feuerte, dass der Donner im Echo der
Berge u. Thäler mächtig wiederhallte, u. das Geschrei der Wilden wurde übertäubt v. Trommel-
schall u. Glockenklang. Musik, Tanz u. laute
Fröhlichk. belebte die Mannschaft. Es war noch
nicht voller Tag, als der Oberst u. seine Officiere mit Mannschaft an's Land gingen u. auf
dem Strande ein Zelt v. Zweigen aufschlugen,
mit Pallisaden umgeben. Die Mönche rüsteten
darin einen zierl. Altar, mit einem Thronhimmel
darüber: die erste Kirche, v. Capt. Nuestra Señora
de Loreto genannt. Nun stellte sich alles in
Ordng. auf, u. v. Schiffe kam die ganze Mannschaft. Dann erhob sich der königl. Fähnrich,
die Standarte in der Hand. Die flatternden
Fahnen, die dem Lager Glanz u. Leben verliehen, zollten ihren Tribut in den Salven der
Musketen. Dann trat der Capt. vor, fiel auf die
Knie, sprechend: Gott allein Ehre u. Ruhm!
küsste die Erde u. rief aus: Ah, Land so lange
gesucht, v. so vielen erstrebt u. v. mir so ersehnt! Hierauf erhob sich der Admiral, mit
einem Kreuz v. Orangenholz, ihm nach der Capt.,
u. unsern Pater Commissario, mit den 5 Mönchen,
alle barfuss kniend, empfing er in den Armen u.
sagte mit Rührg.: Betet an das heil. Kreuz, an

welchem der fleischgewordene Schöpfer des Lebens
gestorben ist f. mich, einen so grossen Sünder u.
f. das ganze Menschengeschlecht. Und nun standen sie auf, den Psalm de Lignun singend u. erreichten die Kirchenpforte. Dort stellte der Capt.
das Kreuz auf ein Gestell, winkte allen heran-
zukommen u. befahl dem Schreiber, mit lauter
Stimme vorzulesen das Protokoll der Besitznahme,
die in dem 6fachen Namen der heil. Dreieinigk.,
der kath. Kirche, des h. Franciscus, des h. Juan
de Dios, des Heiliggeist-Ordens u. Seiner königl.
Majestät geschah. In dieser Stimmg. war es, dass
das Land seinen Gesammtnamen erhielt (Viajes
Quirós 1, 311 ff.). Wie schon des Quirós Begleiter
Torres lieber *Archipiélago del Espiritu Santo*
gesagt hätte, so erkannte am 22/27. Mai 1768
der frz. Capt. Bougainville (Voy. 242) das Land
als insulär: *Archipel des Grandes Cyclades,*
wohl v. der ringfg. Anordng. der v. ihm gesehenen
Gruppe. Dass er die beiden grössten Inseln
(Merena u. Mallicollo), zw. welchen er 26/27. Mai
durchsegelte, nicht benannte, rührt daher, dass er
sie richtig f. des Quiros Hptland hielt (ib. 252).
Als nun 1774 der brit. Seef. Cook die bergigen
Inseln, mit ihren zerrissenen, steilen u. vielorts unmittelb. aus der See 'exceedingly high' emporsteigenden Felsküsten besuchte, nannte er sie
nach der schott. Inselgruppe um. Bougainville
u. Cook trennten mehr u. mehr Inseln v. Haupt-
körper ab, u. der letztere blieb 'the only remains
of Quiros' continent'. Die beiden ältern Namen
durch einen neuen zu verdrängen, glaubte sich
Cook (VSouthP. 2, 96) berechtigt, weil er, abgesehen v. Berichtigungen, mehrere neue Inseln
hinzufügte u. das Ganze erforschte.

Hebron, heb. חֶבְרוֹן [chäbron] = Verbindung,
die alte Stadt, wo Abraham begraben liegt, j.
bei den Arabern, welche den Patriarchen *Khalil
Allah* = Freund Gottes nennen, *el Khalil Ibrahim* (IBatuta, Trav. 19), also entspr. dem bei den
Kreuzff. gebr. lat. *Castellum ad sanctum Abraham* (Meyer's CLex. 8, 685). Die neben dem
Schloss befindliche Hauptmoschee halten sie als
Abrahams Grab in ausserordentlicher Verehrg.;
sie wallfahrten dahin u. nennen sie *el Haram*
= das Heiligthum (Seetzen, Reis. 2, 48); *b) H.,*
in Labrador, 1830 durch die Brüdergemeine
ggr. (Peterm., GMitth. 9, 121).

Hecla and Griper Bay, die Rhede vor Winter
Hr., Melville I., am 5. Sept. 1819 v. Parry (NW-
Pass. 73 f.) entdeckt u. nach den beiden Schiffen
seiner Exp. benannt. 'The ensigns and pendants
were hoisted as soon as we had anchored, and it
created in us no ordinary feelings of pleasure to
see the British flag waving, for the first time, in
these regions, which had hitherto been considered
beyond the limits of the habitable part of the
world'; *b)* eine *H. Cove,* in Treurenburg B., Spitzb.,
wo Parry (NPol. 50. 133) auf seiner Schlitten-
bootreise am 20. Juni 1827 mit der *H.* ankerte
(u. daneben *H. Mount,* v. der schwed. Exp. 1861
getauft, Torell u. Nord., Schwed. Expp. 65); *c) H.
u. Fury Island* s. Biot.

Hector, Cap d', in Alaska, v. La Pérouse am 19. Aug. 1786 getauft nach dem Befehlshaber der Marine in Brest, wo die Exp. ausgerüstet worden war (Milet-M., LPér. 2, 229).

Hedemora s. Kolmorden.

Hedensforss, einer der Katarakten der schwed. Luleå (Elf), nach dem Orte Heden (Pettersson, Lappl. 4).

Hedschas od. *Hidschas*, nach übl. Fassung die nördl. Hälfte des arab. Küstengebiets am Rothen Meere, bestehend aus einer 25—40 km br. Uferniederg. an dem dahinter ansteigenden Gebirgsabhang, war urspr. die Bezeichng. der Gegend v. Mekka, als 'Mittelland', das Land, welches weder z. Tehama, dem Küstenstrich, noch z. Nedschd, dem Hochlande, gehörte, in der Folge jedoch mit dem Sinne eines Mittellandes zw. Scham u. Jaman (Sprenger, AG. Arab. 9). Ggb. diesem Zeugniss wird die Gleichg. *H.* = Durchzug, v. den Karawanen, welche zu u. v. den Prophetenstädten ziehen (Meyer's CLex. 1, 784), hinfällig. — *Bahr H.* s. Rothes Meer.

Heemskerk's Droogte od. *Ondiepte van H.*, ein Labyrinth v. Untiefen, holl. *droogte, ondiepte*, v. Sandküsten u. Klippen des Arch. Viti, eine Gruppe v. 18—20 riffumgürteten Inselchen, aus denen sich die Schiffe der Exp. A. Tasman, *H.* u. Zeehaan, am 6. Febr. 1643 nur mit Mühe wieder herauszogen (Bergh., Ann. 4, 11, Garnier, Abr. 1, 80. 84), wohl id. mit den gefährl. *Duff Reef, Charybdis* u. *Scylla*, die 1797 Capt. Wilson, v. Schiffe Duff, gesehen (Krus., Mém. 1, 231 ff.). 'Dit is alhier overal vol reciffen ende 18 a 19 eylanden, doch man kan die niet doorseylen, dat om de drooghten, die alhier zeer veel leggen ende zyn zeer periculeus ... zagen noch om de noort overal veel droochten, daer bezwaerlyck conden doorcomen, doch ten laetsten vonden een openinge, seylden tusschen de reven door, mosten dese eylanden verlaten, tot ons groot leetwesen, doordien geen anckergront en vonden' (Tasman's Journ. 6. 117 ff.). — *Mount H.* u. *Mount Zeehaan*, die v. Tasman am 24. Nov. 1642 zuerst erblickten Berge Tasmania's, v. engl. Lieut. Flinders (TA. 1, CLXXV, Atl. pl. VII) am 11. Dec. 1798 in Anerkenng. seines frühen Vorgängers getauft. — *H. Eilanden*, in NSemlja, v. d. holl. Entdecker W. Barents 1596 nach einem Gefährten benannt (Peterm., GMitth. 18, 396. 179).

Hegau, im 8. Jahrh. *Hegowe*, 995 *Hegou*, die Gegend der schwäb. Basaltkegel Hohentwiel, Hohenhöwen etc., 'hat ihren Namen v. dem Hohen-Höwen, der wir seit dem 13. Jahrh. als *Hewe* kennen; *Hegowe* wird also aus *Hewagowe* entsprungen sein' (Förstem., Altd. NB. 784, Bacm., AWand. 148). Diesen Zshang vermuthet auch M. Wanner (Forsch. Kletg. 8), u. indem er Mone's keltoman. 'Berg- od. Hügelland', mit *heg*, ir. *aighe*, u. *au*, abweist, denkt er an ahd. *heven* = elevare, ascendere, also etwa 'Hochland', was kaum besser einleuchten wird.

Hegemann-Insel, in Franz Joseph Ld., v. der zweiten österr.-ungar. Nordpolexp. Weyprecht-

Payer 1872/74 benannt nach einem Vorgänger in der Polarfahrt, P. Fr. Aug. *H.*, dem Capt. der Hansa (s. d.) 1869/70 (Peterm., GMitth. 20. T. 23).

Hegyalja s. Piemont.

Hei Garib s. Oranje.

Heianzio s. Kioto.

Heidekrug s. Szilupē.

Heidelberg mag wohl, wie Schulze (Anh. Harz 14) will, da u. dort, im Harz z. B., auf Heidekraut od. Heidelbeere zkgehen; ob aber auch f. die Universitätsstadt der bad. Pfalz, ist kaum zu zeigen versucht. Ueber keinen der bekanntesten ON. beobachtet die Namenforschg. ein so bedeutungsvolles Schweigen. Ein Ort, der wohl schon z. Römerzeit ein Castell hatte, jedenf. früh z. Ansiedelg. lockte, urspr. ein bischöfl. Lehen, seit der Mitte des 12. Jahrh. Residenz der rhein. Pfalzgrafen war, fehlt auch in Förstemanns Altd. NB. Einzig P. Cassel (Name *H.* 1886) hat die Jubiläumsfeier zu einer 'wissenschaftl. Anmerkg.' benutzt, einen PN. wie z. B. f. *Heidelsheim*, das Heidekorn, die Heide u. die Heiden, pagani, abgelehnt u. einzig die Heidelbeere, 'an denen der Berg so reich ist' (p. 7), gelten lassen. Er glaubt, in der v. Valentinian angelegten Bergveste *Pirus* (Amm. Marcell. 28, 2⁶), ahd. *peri* = Beere, einen Beerberg zu erkennen. Mehr Licht!

Heiden, v. altd. *heit* = Stand, Volk (noch in Sammelnamen, z. B. Christenheit), also Leute v. Volk od. v. Lande. Der Ausdruck kam auf, als das Christenthum sich siegreich in den Städten des röm. Reichs ausbreitete u. die Verehrer der alten Götter hpts. noch auf dem platten Lande, in abgelegenen Gegenden, Heiden, sich erhielten. Ganz wie im deutschen hiessen sie auch lat. *pagani* = Leute v. *pagus* (= Gau, Land), daher frz. *payens*. Mit den zahlr. röm. Alterthümern, Gräberfunden u. andern Resten der 'Heidenzeit' darf man viell. *Heidenheim*, Württb., in Verbindg. bringen, während *Heidenheim*, MFrank., als Benedictinerabtei v. heil. Wunibald 750 ggr., andeuten soll, wie dieser v. hier aus die heidn. Deutschen bekehrt habe (Bacm., AWand. 62, Meyer's CLex. 8, 709). Auch in Lothr. ein *Heidenbronn, Heidenbrunnen, Heidenfeld, Heidenmatt, Heidenmauer, Heidenschloss, Heidenstrass* (Dict. top. Fr. 2, 68). — *H. Inseln* s. Hayden.

Height s. High.

Heiho s. Peiho.

Heilig, ahd. *hailag* = sacer, oft in deutschen ON., denen wir voranstellen *das heilige Land* (s. Kanaan), ferner *Heilbronn*, Stadt am Neckar, im 9. Jahrh. *Heiligbrunno* (Förstem., Altd. NB. 699), nach dem köstl. Wasser, welches unter dem Hptaltar der St. Kilians- od. Stadtkirche quoll u. v. hier z. Siebenrohrbrunnen geleitet wurde, aber 1857 versiegt ist. Die Sage will, dass Karl d. Gr., v. der Jagd müde, sich an der Quelle gelabt u. die Stadt nach ihr benannt habe (Meyer's CLex. 8, 711, Daniel, Hdb. Geogr. 4, 745).

Dass solche (Stadt) *Hailbrunn* wird genandt, v. gutem Wasser wohlbekandt, dieweil allda durch 7 Rohr zunächst bei der Kirch springet hervor

ein köstlich Brunn lieblich u. gsund
der frisch erquicket Zung u. Mund.
(Merian).

Der Name auf eine der deutschen Colonieen der Krym übtr. (Meyer's CLex. 6, 662). — *Heilbrunn,* 2 mal *a)* Ort in Ober-Bayern, mit Kochsalzquelle (ib. 8, 712); *b)* Ort in Böhmen, čech. *Hojná Voda,* nach dem nahen 'Brünnl', auch *Wilémova Hora* = Wilhelmsberg, da der Ort 1590 als Glashütte, v. Wilh. v. Rosenberg angelegt, begann, od. *Svata Anna* = St. Anna, nach der Annenkapelle (Umlauft, ÖUng. NB. 83). — *Heiligenblut,* in Kärnten, wo das v. heil. Briccius aus Palästina heimgebrachte Fläschchen heil. Blutes als kostbare Reliquie aufbewahrt wurde (Umlauft 83). — *Heiliggeist Land* s. NHebrides. — *Heiligkreuz,* oft ON. nach Capellen, Kirchen od. Klöstern, so bei St. Gallen, im Entlebuch, bei Hall in Tirol, in der Form *Heiligenkreuz* bei Baden, Oest., wo 1135 Leopold IV. in einsamem Waldthale eine berühmte Cistercienserabtei gründete (Meyer's CLex. 8, 716, Osenbr., Wanderst. 3, 300) u. 1182 mit einem aus Palästina heimgebrachten Theilchen des h. Kreuzes beschenkte (Umlauft 83). — *Heilige Linde,* Waldkloster im Rgbz. Königsberg, der Hptwallfahrtsort der Prov. Preussen (Meyer's CLex. 8, 715). — *Heiligenberg,* Anhöhe bei Winterthur, einst mit Kloster, 1294 *Ecclesia sancti montis* (Meyer's ON. Zür. 44). — *Heiligenmatt* s. Matt. — *Heiliges Werder* s. Werder. — *Heiligenbeil,* Ort des Rgbz. Königsberg, besass z. heidn. Zeit eine den alten Preussen geheiligte Eiche, welche der Sage zuf. der Bischof Anselm mit einem weissen Beil gefällt habe. Damals hiess der Ort *Schwantomest* = Heiligenstadt, v. preuss. *swints, swintas* = heilig u. *mestan* = Stadt. Als der christianisirte Ort auch germanisirt wurde, übsetzte man nur den ersten Namenstheil u. fügte ihm das preuss. *pil* = Berg, Burg, nicht *beil,* an, also wie in *Schippenbeil* f. älteres *Schiffenburg* (Altpr. Mon. 7, 314). — *Heilsberg* u. *Heilsbronn,* jenes ebf. im Rgbz. Königsberg, dieses im bayr. Mittelfranken, haben ihren Namen offb. nach den Zwecken der Mission, also in Rücksicht des Seelenheils, erhalten. Ersteres entstand 1240 als Burg der Deutschritter u. wurde 1306 Residenz der Bischöfe v. Ermland; letzteres stiftete Bischof Otto v. Bamberg 1132 als Cistercienserkloster (MCL. 8, 719). — Alte Namenformen bei Förstem. (Altd. NB. 699 ff.) wie *Halogokircan,* j. *Heiligenkirchen,* bei Detmold, *Heiligenstat,* j. *Heiligenstadt,* in Hannover, u. *Heiligenstetten,* in Holstein, stark entstellt *Haltern,* alt *Halahtre,* offb. nach einem heil. Baum, 2 mal in Westf., 1 mal in Hannover u. 1 mal in Oldenburg, insb. auch *Helgoland* (s. d.). H. Waldmann (ON. v. Heil. 4) nimmt an, unser *Heiligenstadt* hat den Namen entw. v. heil. Sergius od. v. den heil. Aureus u. Justinus.

Heimaey = Heimatinsel heisst, weil sie der einzige bewohnte Theil des Archipels ist, die weitaus grösste der isl. Westmänner In. Wg. der allzu heftigen Brandg. an den Steilküsten steht sie mitunter Monate lang ausser Verbindg. mit

Island u. ist alsdann ganz abgeschieden v. der Welt, so recht die Heimat der Insulaner (Preyer-Z., Isl. 26). Auf ihr der Culm: *Heimaklettur* (ib. 27). — Derselbe Name in schwed. Form: *Hemsö,* f. eines der vor der Mündg. der Angerman Elf gelagerten Eilande. — Im Deutschen hat das alte Wort *heim* = Haus, Wohnung, Wohnsitz, Dorf, th. f. sich, th. als Bestimmungswort, ebf. einzelne ON. gebildet, wie *Heimbach,* mehrf. f. Flüsse u. Wohnorte, *Heimstat,* ebf. mehrf., *Heimenburg* u. *-husen* u. s. f.; aber diese Verwendg. tritt zk ggb. der als Grundwort. Förstem. (Altd. NB. 703 ff.) zählt nicht weniger als 1275 solcher alter Formen auf u. bemerkt dazu: Es ist dieses Wort in vieler Hinsicht das wichtigste Element deutscher ON. An Alter wird es v. keinem in ON. gebrauchten Stamme übertroffen; denn *Bojohemum* begegnet schon im 1. Jahrh. An Häufigk. übertrifft es alle ON.-Bildungen bei weitem. Seine Verbreitg. erstreckt sich üb. alle deutschen Volksstämme, so dass eine Karte der auf *-heim* ausgehenden Namen zugl. das ganze geogr. Gebiet deutscher ON. zieml. genau andeuten würde . . . Seine Gestalten sind in den alten ON., abgesehen v. wenigen vereinzelten Formen, *haim, heim, hem, ham, him*; die neuern erscheinen meistens als *-heim,* in Flandern als *-hem,* in England u. Schweden als *-ham* (obwohl nicht jedes *-ham* hierher gehört), im nordwestl. Deutschland meistens als *-um,* hie u. da zu *-en* abgeschwächt; in Schwaben ist *-ingheim* j. öfters zu *-ingen* geworden.

Heinzenberg, ein Graubündner Berg, früher rätr. *la Montagna* = der Berg, seit dem 15. Jahrh. deutsch umgetauft nach dem Grafen Heinz (= Heinrich) v. Werdenberg, der dam. unter Präz das Schloss *H.* bauen liess (G. Meyer v. Knonau, Erdk. Eidg. 2, 117).

Heirisson, Iles, im Unterlaufe des Schwanenflusses, benannt nach dem Schiffsfähnrich Fr. *H.,* der als einer der Officiere des Schiffs Naturaliste, Exp. Baudin, im Juni 1801 den Flusslauf aufnahm (Péron, TA. 1, 151); *b)* ebenso *Cap H.,* an der Sharks Bay am 9. Aug. 1801 (ib. 164).

Heirkte, gr. Εἴρκτη = das (scil. das Meer) absondernde, einschliessende Vorgebirge (Curt., G. On. 153). Wo? (Pape-Bens. gibt nach Pol. 1, 56 einen Ort Εἰρκτή auf Sicilien u. übsetzt ihn mit 'Schlosshof').

Hekabes s. Kynos.

Hekates Nesos, gr. Ἑ. νῆσος = Insel der Hekate, unweit Delos, wo die Delier die Hekate verehrten (Harp. Pape-Bens.).

Hekatonnesoi, gr. Ἑκατόννησοι = Hundertinseln heisst seit den ältesten Zeiten eine hinter Mytilene der Festlandküste vorliegende Inselgruppe, wohl v. der grossen Zahl, 30—40, dieser geselligen Eilande (PM. 8, 309) od. als Apolloinsel, da Ἑκατος, v. ἑκάς = fern, d. h. der fernhin schiessende ein gew. poët. Epithet in jenen Gegenden vielverehrten Gottes war (Strabo 618). — *Hekatontapyliani,* ngr. Ἑκατονταπυλιανή = die hundertthorige, der stark poetisch übertriebene Name einer im Archipel weit u. breit berühmten Kirche auf Paros (Ross, IReis. 1, 45). — *Hekatompylos* = die 100thorige, ebf. übermässig lobender Name der parth. Hptstadt, welche mit Ritter die überwiegende Mehrheit der Alterthumsforscher im nordpers. Damghan, Dâmeghân, Mordtmann dagg., u. vor ihm Ferrier, in Schahrud suchen (Spiegel, Eran. A. 1, 62, Peterm., GMitth. 16, 310). Die 100 Thore bezieht Kiepert (Lehrb. AG. 66), der nun auch f. die Lage v. Schahrud stimmt, auf das Zstreffen vieler Strassen.

Hekla, fem. gen., vielgenannter Vulcan Isl., v. isl. *hekla* = Mantel, Kappe, kurzes Obergewand, da der Gipfel gew. in einen dichten Wolkenhut gehüllt ist (Preyer-Z., Isl. 25).

Helder, die holl. Bezeichng. für plattd. *heller* = Vorland, Aussendeichsland, das einem eingedeichten, also dem Meere abgewonnenen u. gg. das Meer geschützten Cultur-, meist Grasland, *Polder,* vorliegende, z. Flutzeit überschwemmte, z. Ebbezeit trockne Vorland, welches später auch wieder eingedeicht werden kann. *H.* u. Polder sind also Ggsätze wie geschützt u. ungeschützt, Culturland u. wildes Land (Peterm., GMitth. 7, 147). Auf einem solchen Vorland, der Insel Texel ggb., die Nordspitze (mit Ort) *de H.* Dieser Eigenname wird noch immer appellativisch gebraucht; man sagt nicht: hij woond *in H.,* sondern *op den H.* (DKoolman, Ostfr. WB. 2, 66).

Heldrungen s. Thüringen.

Helechos s. Caliente.

Helenà, span. *Elena,* mit *Santa,* die nach der Legende aus Trier geb. Gemahlin des Kaisers Konstantius Chlorus u. Mutter Konstantins d. Gr., verdient um Verbreitg. des Christenth., Erbauerin der Kirche des heil. Grabes, † als Nonne 80 Jahre alt, wird im kathol. Kalender gew. am 22. Mai, aber auch am 18. Aug. (u. 4. Nov. ?), gefeiert. Nach ihr hiess schon früh *Δρεπάνη* (s. d.), ihr bithyn. Geburtsort, *Helenopolis,* gr. *Ἑλενόπολις,* die aber herunterkam, so dass Joh. Curopalata p. 835ᵈ sagte: *ἦν οἳ ἐγχώριοι ἀγροικικώτερον κικλήκουσιν Ἐλεεινούπολιν* =Elendsstadt(Pape-B.). Als Heilige in mod. ON. *a) Santa H.,* die südatlant. Insel, v. port. Seef. João da Nova auf der ind. Rückfahrt 1502 entdeckt u. zwar am Tage der heil. *H.,* 22. Mai . . . 'teve outra boa fortuna que lhe deparou Deos huma ilha moi pequena, a que elle poz nome *SH.*' (Barros, Asia 1, 5 p. 477, Galvão in WHakl. S. 98); *b) St. H. Bay,* eine der Buchten an der Westseite Süd-Africa's, wohl dieselbe, welche schon bei Barth. Diaz 1487 *Angra das Voltas* = Bucht der Wendungen hiess, weil er bei widrigem Winde 5ᵈ lg. vergebl. versuchte, seinen Weg fortzusetzen . . . 'que por as muitas em que então alli andárão lhe derão este nome . . . , onde se B. Dias deteve cinco dias com tempos que lhe não leixavão fazer caminho' (Barros, Asia 1, 3), dann auch v. Vasco da Gama am 4. Nov. 1497 erreicht u. nach dem Kalendertage (Barros, Asia 1, 4, DdeGoes, Chron., Lusiade ed. Fonseca not. p. XXIV. 493, Lichtenst., SAfr. 1, 81) benannt (j. ist der Name auf eine grössere Bay, unter 32½° SBr., übtragen). Es ist also anzu-

nehmen, dass auch am 4. Nov. das Gedächtniss der heil. *H.* gefeiert wurde; *c) Angra de Sancta H. s.* Formosa; *d) Cabo de Santa H. s.* Royal. — In engl. Form *a) Mount St. Helens,* in der Cascadenkette, v. engl. Seef. Vancouver wohl nach dem Kalendertage getauft (Lewis u. Cl., Trav. 357. 388); *b) Saint H. s.* Carolina; *c) St. Helens Shoal,* eine gefährl. Untiefe der Pelew, v. Capt. Seton 1794 nach seinem Schiffe so benannt, übr. schon v. Carteret 1767 entdeckt u. nach ihm *Carteret's Reef* getauft, bei dem span. Seef. Tomson 1773 *San Felipe* (Krus., Mém. 2. 54ff., Meinicke, IStill. O. 2, 364).

Helgoland, zuerst im 11. Jahrh. *Halagland, Heiligland* u. *Eligland* (Förstem., Altd. NB. 700), fries. *Hilgenland,* v. altd. *hailag* (s. Heilig), also heiliges Land, so umgebildet aus der ältern *Fosetisland.* Hier hatte näml. Foseti, in der germ. Mythologie der Gott der Gerechtigkeit, der jeden Zwist weise schlichtete u. die erbittertsten Feinde versöhnte, einen Tempel mit heil. Brunnen; alle Thiere in der Nähe des Heiligthums waren unverletzlich; aus dem Brunnen durfte nur schweigend Wasser geschöpft werden; sogar die Seeräuber wagten nicht, die Insel zu plündern. Als der Tempel durch den heil. Ludger zerstört wurde, lebte die alte Heiligk. fort im Namen *H.* (Meyer's CLex. 6, 966; 7, 239; 8, 759); aber 'allmählich ist die Erinnerg. an den heidnischen Gott ganz getilgt worden' (Förstem., D. ON. 174). Die Insel heisst wg. ihrer rothen Keuperfelsen bei dem nord. Schiffer *die Rothe Klippe.* '60 m üb. dem Meere erhebt sich der rothe Thonsteinfelsen.' An den schroffen Kanten 'erblicken wir gigantische Thürme, v. Felsen losgetrennt, dunkle Höhlen u. Klüfte, zackige Säulen u. zackige Klippen . . . Jede einzelne Schicht des Felsens ist am ganzen Umfange der Insel mit den Augen zu verfolgen, weil jede aufs bestimmteste bezeichnet wird durch den Wechsel ganz entgggesetzter Farben, der intensivsten Töne v. Roth u. Grün. . . . Selbst das Auge des Eingb. ist nicht abgestumpft gg. den Reiz dieser Farben.'

> Grön is dat Land,
> rood is de Kant,
> witt is de Sand,
> dat is de Flagg vun't *hillige Land.*

(Daniel, Hdb. Geogr. 3, 468f., Fries. in DKoolman, Ostfr. WB. 2, 84). — Nach der Insel: *Cap H.* in Ost-Grönl., v. der zweiten deutschen Nordpolexp. 1869/70 (Peterm., GMitth. 17, 191 T. 10). — Nord. ON. *a) Helgonabacken* = der Heiligenhügel, eine Höhe üb. Lund, auf welcher die Sage v. dem Riesen Finn u. seiner Geister spielt u. wahrsch. schon z. Heidenzeit ein Heiligthum bestanden hat (Passarge, Schwed. 24); *b) Helgafell* = heiliger Berg in den Westmänner In.(Preyer-Z., Isl. 27); *c) Helgeö* = heilige Insel, im norw. See Mjösen (Meyer's CLex. 11, 627); *d) Helgawater,* aus altn. *Helgavatn* = heiliges Wasser, ein Insee der Shetland In., in dessen Nähe Thor eine Cultstätte gehabt haben soll (Worsaae, Mind. Danske 292); *e) Eyin Helga* s. Iona; *f) Helge-*

land, als *Halogaland*, dann *Halgho-* u. *Helgaland*, in der Unionszeit die gemeinsame Bezeichng. f. die Theile nördl. v. 65⁰, dann als der Name Nordland mehr u. mehr aufkam, auf einen engern Raum, südl. v. den Lofoten, zsgedrängt (Styffe, Skand. Un. 380); *g) Helgebostad*, wo *bostad* = Wohnstätte, häufig; *h) Helgö* u. *Helgeö* = heil. Insel; *i) Helgaa* = heiliger Fluss u. a. Formen (Rygh, Gud. Dyrk. 5 ff.), z. Th. sicher hierher gehörig, in einzelnen Fällen aber schwierig v. naheliegenden PN. etc. zu trennen. In Onsö *Forsetelund*, 'det eneste stedsnavn i landet, som minder om ogsaa ellers lidet bekjendte guddom'.

Heliopolis, gr. ῾Ηλιούπολις, lat. *Solis oppidum* = Sonnenstadt, ON. wiederholt f. Cultstätten: *a)* in Aeg., übersetzt aus äg. *ta-Râ*, *pa-Râ* = Haus der Sonne (Brugsch, Aeg. 50) od. *Mes-Ra* = Thron der Sonne (Kiepert, Lehrb. AG. 198), vulg. *Anu*, hebr. *On* (Septuag.), noch j. kopt. *ΩN*, was ozw. = *OYEIN*, *OEIN* = Licht, Sonne, auch bei Jeremias (43, 13) übersetzt durch בֵּית שֶׁמֶשׁ, *Bethschemesch* = Sonnenhaus, Sonnenstadt (s. Beth). Es stand hier zu der alten Aegypter Zeiten ein berühmter Tempel des Sonnengottes, dessen dienende Priester (u. Einwohner) Herod. (2, 3) οἱ ῾Ηλίου πολιῆται = *Heliopoliten* nennt. Im 12. bis 14. Jahrh. der christl. Zeitrechng. finden wir in arab. Schriften (Edrisi ed. Jaub. 306 u. a.) den Ort als *'Ain Schems* = Sonnenbrunnen, welcher Name noch j. auf einen Brunnen bei dem Dorfe Matarijeh bezogen ist (Robins., Pal. 1, 40); *b)* ein Ort des Stammes Juda hat noch j. denselben hebr. u. arab. Namen; *c)* s. Baalbek. — Andere Namen dieser Art: *a) ῾Ιερὰ ῾Ηλίου ἄκρα* = Cap des Sonnentempels, an der Küste der Anarität in Arabia Felix (Ptol. 6, 7, 14); *b) ῾Ηλίου Κρήνη* = Sonnenquelle, ein der Sonne geheiligter Teich, nicht weit v. Ammonium (Herod. 4, 181); *c) ῾H. λιμὴν* = Sonnenhafen, an der Ostküste v. Taprobane (Ptol. 7, 4, 6); *d) ῾H. ὄρος* = Sonnenberg, j. *Cap Cantin* an der Westküste N.-Africa's, lat. *Solis Promontorium* (Ptol. 4, 1, 3). Vgl. *Soloeis*, die phönik. Bezeichng., die z. Entstehg. eines Solis prom. mitgewirkt haben mag. — Noch dor. Aussprache *Haleion*, gr. ῾Αλεῖον = Sonnentempel, ein Heiligth. der Rhodier (Eust. Hom. 1562, 17, Pape-Bens.).

Hell-Gate = Höllenthor, zweimal in engl. ON.: *a)* eine enge Seegasse bei NYork, da wo der Long Island Sd. in den East R. übgeht, durch Inseln u. unterseeische Felskämme u. Riffe verrammelt, namentl. zw. Ward I. u. Long I., wo nach verschiedenen Sprengungen die Durchfahrt doch selbst den gefügsamen Dampfern, natürlich noch weit mehr den Segelschiffen, gefährl. blieb u. alljährl., auch bei der beschränkten Benutzbk. der Gasse, doch eine gr. Summe v. Waarenwerth u. Menschenleben verloren ging. Die bei dem Seemann so verrufene Passage wurde am 24. Sept. 1876 geöffnet durch riesige Sprengungen, zu denen 45 000 Pfd. Dynamit u. Nitroglycerin verwandt wurden (JJEgli, im 'Fortschritt', Org. Kfm. VZür. 1876 No. 54, nach americ. Berichten); *b)*

eine enge Durchfahrt des antarkt. SShetl., wo die Robbenschläger viele Boote u. Menschenleben eingebüsst haben, in eine noch bösere Seegasse auslaufend: *Despair Strait* = Strasse der Verzweiflung, wo Ebbe u. Flut in furchtb. Wirbeln hindurchstürzen (Hertha 9, 454). — *H.-Roaring River* = höllisch brüllender Fluss, einer der obern Zuflüsse des Yellowstone R., nach dem lauten Gebrüll, mit dem das Wildwasser seine Schluchten durchtobt .... is quite a large stream ... flowing with tremendous impetuosity down the deep gorges, thus receiving its peculiar name (Hayden, Prel. Rep. 77). — *H.-Broth Springs* = Höllentrankquellen u. *Devil's Den* = Teufelshöhle, ebf. in der obern Gegend des Yellowstone R., so genannt v. US. Surv. Gen. Washburne auf seiner Exp. 1870. Wild war die Ansicht beider, sowohl der riesigen Kochquellen, welche Dampfmassen ausstiessen, als auch die dicht dabei befindl. Schlucht, wo der Tower Creek sich einen Weg durch Lavafelsen gebahnt hat (Peterm., GMitth. 17, 279) ... 'a cañon so deep and gloomy that it has very properly earned the appellation of the *DD*. (Hayden, Prel. Rep. 78). — Holl. *Hel en Paradijs* = Hölle u. Paradies, f. 2 Höhlen des Tafelbergs (Kolb, VGHoffn. 207).

Hellenen, gr. ῞Ελληνες, eigner Name der Griechen (s. d.), urspr. f. die Ein- u. Umwohner der Stadt ῾Ελλάς, im südl. Thessal., dann allmählich, bes. unter dem Einfluss der Amphiktyonie v. Hermopylä u. Delphi, ausgedehnt, mehr u. mehr, bis endlich jedes v. *G.* bewohnte Land *Hellas* hiess (Thuk. 1, 3, Herod. 1, 56, Homer, Il. 2, 684). *῾Ελλὰς τὸ παλαιὸν οὐδὰ ποτε πόλις .... τῆς τῶν Θετταλῶν οὖος χώρας ἀνάμεσον Φαρσάλου τε κειμένη καὶ τῆς τῶν Μελιταιέων πόλεως* (Dicae. Fr. 61). Bei den Geogr. bezeichnete ῾Ελλὰς die zsammenhäng. Landschaften v. ambrak. G. u. der Peneiosmündg. im Norden bis Cap Tänaron im Süden, die dann wieder als äusseres u. inneres in Ggsatz treten (s. Peloponnes). Dazu kommen die Inselschaaren des ägäischen M., so dass oft auch die griech. Küsten Kl. Asiens in den Namen ῾Ελλὰς eingeschlossen wurden (Herod. 1, 92), während Xen. (Hell. 3, 4, 5) das eig. *G. Land* als *ἡ παρ᾽ ἡμῖν ῾Ελλὰς* = unser Hellas unterscheidet. Spätere Colonisation, mit ihren zahlreichen u. blühenden Pflanzstädten, machte auch Calabria, dann ganz Unter-Italien zu einem Hellas, das als *ἡ Μεγάλη ῾Ελλὰς* = das grosse, mächtige, v. dem eig. Hellas als *ἡ ἀρχαία ῾Ελλὰς* = das alte H. unterschieden (Pape-Bens., Bursian, GGriech. 1, 2 f.), zuerst bei Polyb. erwähnt, bei Cicero in *Magna Graecia*, bei Livius in *Graecia Major* übersetzt wird (Kiepert, Lehrb. AG. 455). — *Hellenike Thalassa* s. Mediterraneum. — *Hellinon Lithari*, ngr. ῾Ελλήνων Λιθάρι = Griechenstein, eine althellen. Ruine an der Passstrasse Argos-Korinth (Curt., Pel. 2, 512).

Hellespont s. Dardanellen.

Hellirey = Höllenimsel, eine der isl. Westmänner In., 'hat zwei Höhlen, in welchen das Vieh z. Nachtzeit u. bei schlechtem Wetter sich aufhält. Solche Höhlen sind in Island häufig. Sie ersparen den Bauern die Mühe, einen Schafstall zu bauen' (Preyer-Z., Isl. 26); *b) Hellirá* s. Laxá. — *Helluland* s. NewFoundland.

Hellville, Stadt des madag. Küsteneilands Nossibé, nach einem der frühern frz. Gouv., *Hell,* v. Réunion (MLeod, East. Afr. 2, 192).

Hellwald, Cap, die Nordspitze der Kane-In., Franz Joseph's Ld., im April 1874 v. Jul. Payer, dem Führer der zweiten Schlittenreise der österr.-ungar. Nordpolexp. 1872/74, entdeckt u. benannt (PM. 22, 205 T. 11). P. bestieg am 17. Apr. die schroffen Wände des 660 m h. Vorgebirgs. Der Gipfel bestand aus zerrissenen Basaltkuppen, auf deren Säulenköpfen Taucher u. Teiste in grosser Zahl nisteten; die Vögel umflatterten den fremden Eindringling ohne Scheu u. gesellten sich dicht zu ihm in den Schnee. Man sieht: Ursache genug zu einem 'Naturnamen'; allein der kühne Polarf. gedachte seiner heimatl. Bekannten, des geogr. Schriftstellers Fr. A. H. v. *H.,* welcher 1842 als der Sohn des österr. Feldmarschalllieut. u. Militärschriftstellers Fr. v. *H.* geboren wurde; *b)* so *H. Insel* (s. Wilczek) u. *c) H. Berg,* in Spitzb., v. der Exp. Heuglin-Zeil 1870 (Peterm., GMitth. 17, 182).

Hellyer River, ein Fluss Tasmania's, im Febr. 1827 entdeckt v. Reisenden *H.,* der ihn *Don,* ozw. nach einem heim. (dem schott.?) Flusse, nennen wollte. Die Compagnie hat diess nicht anerkannt, vielmehr den Namen des Entdeckers dafür gesetzt. Eine andere Entdeckg. dieses Reisenden ist *Arthur River,* getauft nach dem Gouv. Tasmania's (Bergh., Ann. 10, 525).

Helmersen Inseln, zwei Eilande der Rogatschew-Bay, NSemlja, v. der österr.-ungar. Exp. Wilczek im Aug. 1872 benannt (PM. 20 T. 16) nach dem russ. Geologen Gr. v. *H.*

Helos s. Imbrasos.

Helsingborg, schwed. ON., mit *borg* — Burg, u. *Helsingör,* dän., mit *ör, öre,* altn. *eyrr* = sandige Landzunge, beide an der engsten Stelle des Öre Sunds sich ggb. u. nach dem 'Seehalse' benannt (Madsen, Sjaell. StN. 207. 256) od. — lieber? — nach dem alten Volksstamm der Helsingi, welche in dem Emporium Thorna einst zu Tausch erschienen (Olaus M., HGent. Sept. 162). So unbefriedigend diese Erklärg., so sicher ist, dass das finn. *Helsingfors* jungen Urspr., eine Colonie aus dem schwed. *Helsingland* (Modeen, briefl. Mitth.), um die Mitte des 16. Jahrh. v. Gustav Wasa begründet ist, urspr. etwa 7 km nordöstl. v. der j. Lage, am *fors* = Wasserfall des Flüsschens Wanda, erst unter der Königin Christine 1642 an die heutige Stelle verlegt (Müller, Ugr. V. 1, 472, Meyer's CLex. 8, 773). Auch O. Freudenthal (Bidr. Finl. 8, 6) scheint an Geyers Ableitg., v. *helsingr, helsingi,* einer Art Seevogel, nicht zu glauben, sondern eine Uebtragg. aus *Helsingland* ebf. anzunehmen.

Helvetia, der kelt. Name der Schweiz od. vielmehr eines grossen Theils derselben, nach den kelt. Bewohnern, den *Helvetii,* richtiger *Elvetii,*

was der Pariser Keltist H. d'Arbois de Jubainville (Rev. Arch. 30, 316) als 'die grossen' erklärt. In der Zeit der unmethod. Versuche galt *H.* bald als *helvede* = Thalland, das Volk gar als 'Höllvettern' (Egli, Gesch. geogr. NK. 44). Im Zeitalter der frz. Revolution, als das morsche Staatsgebäude der alten Schweiz zsbrach, entstand die 'Eine u. Untheilbare *Helvetische Republik*; sie dauerte v. 1798—1803. — *Lacus Helveticus* s. Vier. — Eine mod. Uebtragg. ist *Nueva H.,* f. eine schweiz. Colonie in Uruguay, wie in der Nähe *Nueva Alemania* (ZfAErdk. 1870, 181). — *Cap Helvetius,* in Bathurst I., Arnhems Ld., v. d. frz. Exp. Baudin am 26. Juni 1803 benannt nach dem Philosophen Claude Adrien *H.* 1715—1771 (Péron, TA. 2, 245, Freycinet, Atl. 28).

Hemeroskopeion, gr. Ἡμεροσκοπεῖον = Tagewart, eines der nach Wachtstationen benannten Vorgebirge, 'dem Heranschiffenden v. weitem sichtbar' (Strabo 159, Curt., GOn. 158), massil. Stadt in Hispania Tarr., auch Ἀρτεμίσιον, Artemus, auch Διάνιον, v. seinem 'sehr verehrten Tempel der ephes. Artemis, Diana' (Strabo 159), j. noch *Denia* (Pape-B.).

Hemesa s. Homs.

Hemetera Th. s. Mediterraneum.

Hemmad s. Fezzan.

Hemsö s. Heimaey.

Hen and Chickens = Henne u. Küchlein, wiederholt f. kleinere Inselschwärme, wo eine Hauptklippe v. einer Zahl kleinerer umgeben ist: *a)* ein Schwarm spitzer Felsklippen vor Bream Head, NSeeland, einh. *Morotiri,* wo die 412 m h. *H.,* einh. *Taranga,* in 2 Spitzen endigt, v. Cook zu Ende Nov. 1769 benannt (Hawk., Acc. 2, 358); *b)* ein Inselschwarm des L. Erie (Buckingh., E. & WSt. 3, 423).

Henderson, Point, eine niedrige Landspitze vor einer Seitenbucht der Southampton I., v. Capt. W. Edw. Parry (Sec. V. 43) im Aug. 1821 entdeckt u. ozw. nach einem seiner Gefährten, John *H.,* erstem midshipman v. Schiffe Fury, getauft; *b) H. Island* s. Juan Bautista. — *Henderville* s. Hopper.

Henlopen s. Hindeloopen.

Hennegau s. Hainaut.

Hennepin u. *La Salle,* zwei Orte in Illinois, wo die beiden frz. Reisenden d. N. auf ihrer gr. Bootfahrt Halt machten, um das Neujahr 1680 zu feiern. — Auch die Insel, welche den St. Anthony Fall theilt, heisst *H. Island.* Nach einem Gefährten wurde ein ind. Grabhügel *Mound Joliet,* dann der Ort *Joliet* genannt (Coll. Minn. HS. 1, 25. 30, Buckingh., East. & WSt. 3, 245).

Henri, frz. f. Heinrich, nicht oft in ON. *a) Port H.,* engl. *Port Henry,* am Lac Champlain (Daniel, Hdb. Geogr. 1, 916); *b) Henriville* s. Janeiro. — Die lat. Form in *Henricus Bay* s. Mauritius.

Henrietta Maria, Cape, nannte am 2. Sept. 1631 der brit. Nordwestfahrer James (NWPass. 30) den Eckpfeiler, wo er, v. Nelson R. kommend, im Begriffe war, in die James Bay einzulaufen, nach seinem Schiffe u. zugl. zu Ehren der engl. Königin, der Gemahlin Karl's I., 'by her Majesty's name, who had before nam'd our ship'. Wenige Tage, nachdem er Capt. James begegnet, traf auch Lucas Fox bei der Landecke ein u. entschloss sich, da das folg. Gebiet schon erforscht war, z. Umkehr; also taufte er das Cap, einem der eifrigsten Förderer der Nordwestfahrten zu Ehren, *Wostenholme's Ultimum Vale*, um den äussersten v. ihm erreichten Punkt zu bezeichnen u. vor weitern Bemühungen in dieser Richtg. abzumahnen ... 'and adopted the above name, as expressive of his opinion that Sir John would not lay out any more moneys in search of this bay' (Forster, Nordf. 421, Rundall, Voy. NW. 181). Der jüngere Sir John Wostenholme, Schatzmeister der Foxfahrt, hatte auf diese 400, auf die Nordwestfahrten übh. 1100 £ verwandt(Rundall 153). — *H. Island* s. Jeanette.

Henry, Cape, u. *Cape Charles*, ind. *Accowmack* (WHakl. S. 27, 104), nannte die engl. Auswanderergesellschaft, welche im April 1607 nach Virginia kam, die beiden Vorgebirge am Eingange der Chesapeake Bay, das erstere nach dem dam. Prinzen v. Wales, das andere nach einem Bruder desselben (Buckingh., Slave St. 2, 496). ZZ. der Abfassung v. Strachey's Bericht (HTrav. 28) war der Kronprinz † u. Prinz Karl zu seinem Range gerückt (1612). — Demselben Prinzen gilt *H.'s Foreland*, in Hudson's Str., v. Hudson 1610 getauft (Rundall, Voy. NW. 77). — *H. Island a)* in Ost-Grönl., v. Walfgr. W. Scoresby jun. (North.WF. 230) nach einem Dr. *H.* v. Manchester am 29. Juli 1822 getauft; *b)* nebst *Cape H.* s. Bache. — Unbestimmt *Port H.*, ein vortreffl. Hafen des chil. Arch. Madre de Dios, wo die Exp. Adv.-B. v. 2—5. April 1828 verweilte u. den Ort so, den innern Theil jedoch *Aid Basin* = Hülfsbecken taufte, da er zwar ein geräumiger, sicherer u. trefflicher Ankerplatz ist, auch Süsswasser u. Holz an seinem Ufer bietet, aber wg. der kühnen, umgebenden, z. Th. fast senkrecht zu 600 m emporsteigenden Bergwände, durch die dicken Wolken, welche gew. üb. diesem Becken hangen u. durch die dichten Ausdünstungen, welche während der seltenen Intervalle v. Sonnenschein hier aufsteigen, zs. mit dem übermässigen Vorwiegen schwerer Regen an dieser Küste, diesen Platz unangenehm u. ungesund, gleichsam nur z. Aushülfsbassin, machen (Fitzroy, Narr. 1, 159).

Henzada, Ort an der Spitze des Irawadi-Delta's, nach birm. Orth. *Hansa-ta*, v. skr. *hansa* (gespr. *henza*) = indische Gans u. dem birm. *ta* = Jammer, weil hier einst ein Prinz eines dieser Thiere erschoss, welches zwar bei den Birmanen nicht heilig gehalten wird, aber standard v. Pegu ist, wie der peacock f. Ava (Crawf., Emb. 1, 38).

Hepburn Island, vor Gray's Bay, Georg's IV. Krönungs Bay, v. Capt. John Franklin (Narr. 366) am 24. Juli 1821 benannt nach einem seiner Gefährten, John *H.*, 'our English sailor'.

Hephaistos, gr. *Ἥφαιστος*, entspr. dem Vulcanus der Römer, mehrf. f. vulcan. Objecte *a) Hephaistia*

s. Lemnos, *b) Insulae Hephaestiae* s. Liparen, *c) Physai Hephaistu* s. Lydia.

Heptastadion, gr. *Ἑπτασιάδιον* = 7 Stadien, das Stadium zu circa 184 m bestimmt, der Damm, der, die beiden Häfen Alexandria's trennend, die Stadt mit der Insel Pharos verbindet u. genau diese Länge hat (Strabo 792, Kiepert, Lehrb. AG. 197). Auch auf Meerengen v. ca. 7 Stad. Breite wurde der Name *H.* angewandt (s. Dardanellen u. Messina); *b) Hepta Parthenes*, gr. *Ἑπτὰ παρϑένες* = 7 Jungfrauen, eine Höhle auf Kalymnos, einst mit Nymphen bevölkert, j. noch mit Spuren alter Denkmäler (Peterm., GMitth. 8, 235); *c) Hepta Pelage* s. Laguna.

Heraia, gr. *Ἡραία* mehrf.: *a)* eine Stadt Arkadiens, in welcher die Hera verehrt wurde (Paus. 8, 26, 2), j. *Jri* od. Hagios Johannes; *b)* ein Vorgebirge bei Chalcedon mit einem Heratempel (Dem. bei St. B.), wie oft Vorgebirge als Cultusstätten benannt sind (Curtius, GOn. 158); *c) Hera Akraia* s. Melas; *d) Heraites Hormos* s. Imbrasos.

Herakles, gr. *Ἡρακλῆς*, der griech. Nationalheros, oft an der Stelle des phön. Melkart (Olshausen, Rhein. Mus. 1853, 321 ff.), nach welchem viele Städte, Häfen u. Vorgebirge benannt sind (Pape-Bens.), am bekanntesten die *Columnae Herculis*, gr. *Ἡρακλέους στῆλαι* = die Säulen des *H.* Es hiessen *στῆλαι* od. *στυλίδες* viele Vorgebirge, weil sie als Zielpunkte der Schifffahrt u. Grenzpunkte verschiedener Meere, jd. welche die Schifffahrt lange Zeit sich nicht hinauswagte (s. Curt., Pel. 2, 299 üb. Malea), wahrsch. nach phön. Erfindg. durch Thürme od. Säulen ausgezeichnet waren (Curt., G. On. 149). Schon Strabo (171) meint, es sei eine alte Sitte, dergl. Marksteine zu setzen; wenn diese dann auch verschwinden, so hafte doch ihr Name am Orte. Man dürfe auch bei den Säulen des *H.* wohl nicht zweifeln, dass auch dort die ersten Ankömmlinge sich gewisser v. Menschenhand verfertigter Grenzzeichen an ihrer letzten Station bedient hätten u. die Gegend darnach 'Säulen' heisse. — *Herakleia*, mehrere Städte: *a)* in Bithynien, zubenannt *ἡ ἐν Πόντῳ*, noch in byzant. Zeit als *Penteraklia* blühend (s. Chersonesos), j. ein unbedeutender Ort *Eregli* (Kiepert, Lehrb. AG. 100); *b)* an der europ. Seite der Propontis, vor dem 4. Jahrh. n. Chr. *Perinthos*, dessen Münzen aber schon den Herakles im Wappen führen, j. *Eregli, Erekli* (Kiepert, Lehrb. AG. 328); *c)* am Golf v. Taranto, v. Thurinern u. Tarantinern gewissermassen als Bundesstadt der italiot. Griechen —432 erbaut (Kiepert, Lehrb. AG. 458); *d)* s. Melkart; *e)* s. Karteia. — *Heraklia* od. *Herklah*, ON. in Tunis, ohne Beziehg. zu *H.*, nur umgedeutet aus ant. *Horrea Coelia*, welches diese Stelle einnahm (Barth, Wand. 183).

Herald Isle, im sibir. Eismeer, entdeckt, wie 4[d] vorher die *H. Bank*, durch das brit. Schiff Herald, Capt. Kellett, welches während der Zeit, wo man Franklin's Exp. erwartete, allj. die Berings Str. passirte, um ihr entgg. zu gehen, am 17. Aug. 1849. Eine andere nahe Insel wurde nach dem Dépôtschiff Plover getauft: *Plover Isle* (Osborn, Disc. 39), scheint jedoch nicht zu existiren (PM. 14, 4 ff.; 15, 32; 28, 8).

Herat, Ort in Afghanistan, schon so bei Ibn Batuta (Trav. 95), bis z. 16. Jahrh. herab *Heri* (Proc. RGSLond. 1885, 591 ff.), dann nach dem Flusse *Heri-rud* = Fluss v. Heri, der altpers. u. baktr. *Haraiwa, Heraêva* = der wasserreiche geheissen hatte (Spiegel, Eran. A. 1, 52, Polak, Pers. 2, 363) u. gr. in Ἄρειος geformt wurde. Auf die Ldsch. ging der alte Flussname über, in abendl. Form als *Areia*. Die Stadt *H.*, durch Alexander d. Gr. gesichert u. erneuert, hiess in der griech. Zeit Ἀλεξάνδρεια Ἀρείων (Kiepert, Lehrb.AG. 59).

Hérault, einer der Flüsse, nach denen die frz. dépp. benannt sind, mir unerklärt, obgl. eine Menge neuer Namensformen erhalten ist: bei Strabo ὁ Ῥαύραρις, bei Ptol. Ἀρανρίου ποταμοῦ ἐκβολαί, f. die Mündungen, bei Plin. *Araris*, bei Mela Ἀρανρις, spätlat. *Araldis, Eravus*, 804 *Araou*, 807 *Araur*, dann *Araurum, Arayrus, Eraurum*, 1118 *Hérau*, 1157 *Lero*, 1247 *Eraut*, bei neuern *Airau, Erau, Eraud, Erhau, Héraut, Érault* etc., in j. Orth. festgestellt durch das Gesetz v. 4. März 1790. Ein Aufsatz üb. d. Orth., v. Paulin Crassous, im Bull. Soc. Sciences Montpellier 3, 77 (Dict. top. Fr. 5, 80; 7, 104).

Herbaiges s. Botany Bay.

Herbert Bay, in antarkt. Admiralty Inlet (s. d.), v. Capt. J. Cl. Ross (SouthR. 2, 343) im Jan. 1843 benannt zu Ehren des 'Honourable Sidney *H.*, M. P.', ersten Secretärs der brit. Admiralität.

Herblay, ON. des frz. dép. Seine-et-Oise, ist bei Houzé (Ét. NLieux 9 ff.) der Typus einer zahlr. Familie, kenntl. an der Collectivendung *ay*, der arm. *ek*, lat. *etum*, südfrz. *ède*, ital. *eto*, span. *eda* entspricht. *H.*, eig. *Arblay*, auch *Rablay, Rableux*, ist s. v. a. *l'Érablaye* = Ort mit vielen Ahornen, v. arm. *arabl,·rable* = Ahorn, frz. *érable* (Diez, Rom. WB. 1, 6), u. findet sich in der einen od. andern Form häufig in Frankr., als *Ebrabloz* im C. Freiburg, als *Isérables*, 1577 *Acer*, im C. Wallis (Gatschet, OForsch. 1). Im dép. Yonne gibt es ein *Arblay*, um 1120 *Areble-tus*, 1163 *Herbeium*, 1236 *Erblay*, 1300 *Erablay*, 1490 *Arbloy*, neben 3 *l'Érable* u. einem *Rablay* (Dict. top. Fr. 3, 3. 49. 105). — Eine räter. Form, *Schgarnei*, früher *Tschgernei*, v.*ischier* = Ahorn, also ebf. 'Ort, wo Ahorne wachsen', Alp im Vorarlb. (Gatschet, OForsch. 1).

Hercules, lat. f. *Herakles* (s. d.), wiederholt auf toponym. Gebiete, wie *Portus Herculis a)* s. Livorno, *b)* s. Monaco; ferner *Columnae Herculis* (s. Herakles) u. *Herculanum*, der röm. Ort in der Lage des heut. Portici, nach einen Porticus des *H.* (Boot, Not. MS. Herc.). — *Herculesbäder*, alt *Aquae Herculis*, ozw. dem *H.* geweiht, Ort mit 18 Thermen, bei Mehadia, Ung. (Meyer's CLex. 11, 390). — *H. Island* s. Oeno.

Hercynia, bei Arist. (Meteor. 1, 13) *Harcynios*, bei Eratosthenes (Caes., Bell. gall. 6 c. 24) *Orcynios*, bei Posid. (Strabo) *Hercynios*, bei den

Alten der Inbegriff der die Donau bis z. Böhmer Wald im Norden begleitenden od. der das Land Böhmen einfassenden Gebirge (Tacit., Germ. 30), dachte man sich mit Vorliebe als eine röm. Umbildg. des Namens *Harz* (s. Hard). Es hat jedoch Bacmeister (Kelt. Br. 105) den Namen, an Ardennen anschliessend, aus dem kelt. zu erklären versucht, in Urform *Arcunia*, der sich kymr. *cunu, cynu* = sich erheben, *er-chynu* = erheben, vergleichen lässt, mit *ar* als Verstärkungssilbe. Daraus würde sich (Zeitschr. f. DAlterth. 23, 454 ff., Rev. Celt. 11, 219) *er-cunio* = sehr hoch ergeben, sei es nun, dass die kelt. Bojer volksetymologisch ein älteres germ. *fergunna* (s. Erzgebirge) od. die deutschen Marcomannen ihr *fergunna* aus dem ältern *ercunio* umgestaltet haben.

Herdman's Cove = Hirtenbucht, in Derwent R., Tasm., v. Flinders (TA. 1, CLXXXVI, Atl. 7) am 25. Dec. 1798 so getauft, weil das umliegende Gebiet als ein Weideland aussah: 'from the pastural appearance of the surrounding country'.

Hérémence, dial. *Erremengse*, im Jahrzeitb. v. Sitten *apud Eremenci, Arementia*, urk. 1195 *Guillermus Aremens*, 1211 *Herementia*, v. dem PN. Heremunt, Harimunt, der auch in *Hermatswyl* u. *Hermetschwyl* vorkommt (Gatschet, OForsch. 42), Ort am Eingang des *Val d'H.*, Wallis, dessen mittlere Stufe nach der *Alp d'Orsèra* = Bärenalp, die Oberstufe nach der *Montagne de la Barma* (s. Balm) ihre besondern Namen führen: *Val d'Orsèra*, resp. *Vallon de la Barma*. Der Bär, dial. l'*or*, kam noch 1839 in den Wäldern vor; ein gewaltiges Ex., 1833 erlegt, stand ausgestopft im Museum des Jesuitencollegiums in Sitten. Der Hptort des Thales wird v. den Bewohnern der übr. kleinern u. dabei verspärften Dörfer u. Weiler *Vella* = la villa genannt (Fröbel, Penn. A. 18. 30. 37). — *Hérens* s. Erin.

Heremite Isles, fälschl. *Eremiten I.* (s. Eremita), die Inselgruppe, zu welcher Cap Hoorn gehört, ist benannt nach dem holl. Admiral *H.*, welcher 1624 hier Entdeckungen machte (Cook, SouthP. 2, 189 f.). — Nach ihm auch *Ile l'H.*, bei De Witt's Ld., v. frz. Capt. Baudin am 23. Juli 1801 (Péron, TA. 1, 107).

Hérens s. Erin.

Herero s. Damara.

Herferswyl s. Wyl.

Hergest Is. s. Mendaña.

Hergest Rs. s. Mottuaity.

Heriko s. Petani.

Herjulfsnes s. Farewell.

Hermann, deutscher Mannsname, in mehrern ON., deren bekanntester wohl *Hermannstadt*, in Siebenb., dial. *Härme-, Harmestàt*, mag. *Nagy-Szeben*, rum. *Sibiiu*, urk. 1223 villa *Hermani*, 1241 villa *Hermanni*, ganz deutsch *Hermann-statt, -stat, -dt* seit Ende des 15. Jahrh., sichtl. nach einem PN., in dem man bald 'den sächs. Abgott' Hermes, mit Vorliebe einen angesehenen Nürnberger fand, der in Thurocz' Chronik *nach* Ungarn kam u. den Ort ggr. hätte. Der mag. **v.**

rum. Name ist der des Flusses *Zibin*, 1201 *Scybin*, 1211 *Sibin*, dann *Cibin, Zebin, Scebin*, j. sächs. *Zabenj*, an dem ein altes *Cibinium*, ein Vorgänger der heutigen Stadt, bestanden hatte (Corr. Bl. siebb. LK. 7, 90 ff.); *b) H.*, eine junge, deutsche Ortschaft Minnesota's, benannt nach dem Schatzmeister u. Landcommissär der Eisenbahncompagnie, *H.* Trott, einem um die Besiedelg. Minnesota's verdienten Mann (Beschr. SPaul u. Pac. B. 31); *c) Hermannsburg*, in Lüneb., wohl nach *H.* Billungs († 973), der hier seinen Sitz hatte (Meyer's CLex. 8, 817); *d) Hermannshöhle*, in NOesterr., erst 1842 v. dem Verwalter *H.* v. Steiger zugängl. gemacht (Umlauft, ÖUng. NB. 84); *e) Hermannstein* s. Ehrenbreitstein; *f) H. Berg* s. Bernhard.

Hermano = Bruder, wie port. *irmão*, catal. *germá*, fem. *hermana*, v. lat. *germanus*, trat bereits in den ältesten span. Urkk. an Stelle v. *frater* (s. Fraile), das dem Ordensbruder überlassen wurde (Diez, Rom. WB. 2, 142) u. findet sich mehrf. in ON. wie *Los Hermanos*, f. eine Gruppe kleiner Eilande, die der Küste Venezuela's bei der Insel Margarita vorliegen (Meyer's CLex. 11, 214). — *Las Hermanas* = die Schwestern, 2 mal: *a)* eine Inselgruppe im Südosten Luçons (Govantes, HFilip. 9); *b)* s. Anónima.

Hermes, bei den Römern Mercur, den Griechen der listige Bote des Zeus, als solcher auch Gott der Wege, der Reisen u. des Gewinns, welchen Handel u. Wandel bringt, der Schutzgott der Strassen, der Führer auf schwierigen Wegen, durch Säulen an Wegen u. auf Vorgebirgen verehrt, in vielen ON. *a) Ἑρμαία (ἄκρα) = H.'* Cap, 5 Vorgebirge des Alterth. u. eine Insel bei Sard. (Pape-Bens.), unter erstern das Cap des j. Rumili Hissar, an der engsten Stelle des Bosporus, auch *Pyrrhias Kyon* = rother Hund, weil die Flut hier die Vorüberfahrenden wie ein böser Hund anbellt, später *Phonoides* = das schallende, nach dem brausenden Flutenschwall, den das Zkprallen der Strömg. verursacht, auch *Rhoodes* =Flutenschwall; v. der aufwallenden Meerflut, die hier, v. der Strömg. wie in einem Kessel herumgepeitscht, aufbraust (Hammer-P., Konst. 2, 225); *b) Ἑρμαῖον = H.* Tempel, vielschiedd. ant. Orte, auch das westl. Vorgebirge Sardin., j. *Capo Malargin*, u. der Punkt, wo man v. Böotien nach Euboea übergeht (Pape-B.). — *Hermaeus Sinus*, j. Golf v. Smyrna, in welchen der Hermos, j. Gedis Tschai, mündet (Meyer's CLex. 8, 824). — *Promontorium Hermaeum* s. Bon. — Ob nicht auch *Hermúpolis*, die v. flüchtigen Chioten u. Psarioten 1828 an Stelle des ant. Syros ggr. Hafenstadt Syra's (Meyer's CLex. 8, 825), als Uebtragg. v. einer der ant. 'Hermesstädte', die der Seefahrt gewidmete Mercursstadt bezeichnen soll?

Hermite s. Eremita.

Hermogenes, Isle of St., eine kleine Küsteninsel des Arch. Kodjack, v. Cook am 25. Mai 1778 benannt in der Annahme, dass diess das Land des v. Bering am 26. Juli 1741 'efter Dagens Helgen' genannten *Cap St. H.* sei (Müller, SRuss. G. 4, 332, Cook-King, Pac. 2, 384, Krus., Mém.

2, 72). Die Russen haben sie seither *Evratschey Ostrow* = Insel der Murmelthiere, da diese hier zahlreich sind, genannt u. die Americaner den letztern Namen in *Marmot Island* übsetzt (Lauridsen, V. Bering 143).

Hermon, der südlichste Knoten des Anti-Libanon, welcher mit seinem v. ewigen Schnee weissen Haupte die südl. anliegenden Landschaften Palästina's beherrseht, hiess bei den Hebräern הֶרְמוֹן [härmon] = s. v. a. hervorragender Bergrücken, bei den Emoritern (5. Mos. 3, 9) *Senir*, שְׂנִיר [s'nir], was viell. id. mit *Schirion*, שִׂרְיוֹן [schirjon] = Panzer = einem Namen, welchen der Berg wohl wg. der Aehnlichkeit seines Rückens mit einem Panzer die Sidonier gaben. Selten wird er *Sion*, שִׂיאֹן = der hohe, erhabene genannt (5. Mos. 4, 48), chald. טוּר תַּלְגָּא, *Tur Thalga* = Schneeberg, arab. *Dschebel es-Scheik* = der König der Berge (VVelde, Reise 1, 97). Im Ggsatz z. *Grossen H.* nennt man, seit Büsching, den galil. Dschebel Dahhi auch den *Kleinen H.*

Hermoso od. *Fermoso* = schön (s. Formosa), mehrf. in span. ON. *a) Cabo H.*, in den Lucayos In., v. Columbus am 19. Oct. 1492 entdeckt u. nach dem hübschen Aussehen benannt, 'y asi es fermoso, redondo y muy fondo, sin bajas fuera de él . . . . .' (Navarrete, Coll. 1, 33); *b) Monte H.*, ein Eiland in Tonga, eigentl. nur ein sehr hoher Kegelberg, einh. *Kao*, v. span. Seef. Maurelle 1781 getauft (Krus., Mém. 1, 227); *c) Morro H.*, ein ziemlich hoher Felsberg in Californien (DMofras, Orég. 1, 233); *d) Puerto H.*, eine Hafenbucht an der Südküste Hayti's (Hakl., Pr. Nav. 3, 616); *e) Rio H.*, ein Küstenfluss nördl. v. Rio Panuco, Mexico (ib. 618); *f) Rostro H.* s. Agostinho; *g) Isla de la Gente Hermosa* s. Danger. — *Cabo Fermoso* u. *Cabo Deseado* = ersehntes Vorgebirge nannte F. Magalhães das feuerländ. Cap (u. Insel), mit welchem am 27. Nov. 1520 das Land zu seiner Linken schloss u. der neue lang ersehnte Ocean sich endlich öffnete. Als die beiden auf Recognition vorausgesandten Schaluppen am dritten Tage z. Geschwader zkkehrten mit der Nachricht, das Cap, wo der Canal in einen neuen Ocean sich öffne, erreicht zu haben, weinten die Matrosen vor Freude (Pigafetta, Prem. Voy. 45). Navarrete (Coll. 4, 49) sagt deutlich: y á mano izquierda vieron un cabo con una isla, que nombraron *Cabo Fermoso*, y (die Insel) *Cabo Deseado*. Jenes, 'eine scharfe u. erhabene Spitze, die den Hinaussegelnden sofort auffällt', heisst j. span. *Cabo de los Pillares*, engl. *Cape Pillar* = Pfeiler- od. Säulencap (ZfAErdk. 1876, 349. 366, WHakl.S. 1, 137).

Hermunduren s. Thüringen.

Hernösand, Ort an der Mündg. der Ångerman Elf, auf der Insel Hernö (Meyer's CLex. 8, 825).

Herodium s. Franken.

Heron Island = Reiherinsel, in der austr. Capricorn Gr., v. engl. Capt. F. P. Blackwood, HMS. Fly, 1843/46, so benannt. Unter den Thieren, welche das dicht bewaldete Eiland bevölkern, finde ich den Reiher nicht erwähnt, obgl. er den Namen veranlasst hat (Jukes, Narr. 1, 6).

Heroonpolis s. Ramesu.

Herrenwörth, die grösste Insel des Chiemsees (s. Werder), nach der einstigen glänzenden Benedictinerabtei, die, im 8. Jahrh. ggr., seit 1803 aufgehoben ist — im Ggsatz zu *Frauenwörth,* 1077 *Nunnenwerd* (Förstem., Altd. NB. 1169), einer andern Insel, auf der ein älteres 783 gestiftetes Frauenkloster gl. Ordens (Meyer's CLex. 4, 406). Ein Nebeneiland dieser ist die *Krautinsel,* mit den Gemüsegärten des Nonnenklosters (Brandes, Progr. 1846, 18).—*Herrnhut,* der Stammort der Brüdergemeinde, in der sächs. Kreishptmannsch. Bautzen, 1722 durch ausgewanderte mähr. Brüder auf dem Grunde eines dam. dem Grafen Zinzendorf geh. Ritterguts erbaut(MCL. 8, 833), im frommen Sinn der Gemeinde unter des 'Herrn Hut' gestellt u. z. Mutteranstalt v. gg. 100 Colonieen erwachsen, insb. auch der grönl. Colonie *Neu-Herrnhut,* wo die Sendlinge am 20. Mai 1733 anlangten (Cranz, HGrönl. 1, 416). — *Herrenzimmern* s. Zimmern.

Herring, Glen =Häringsschlucht nannte der austr. Entdecker Frank Gregory 1861 eine v. ihm gefundene nordwestaustr. Schlucht, welche romantisch v. 45 m h. Felsen eingefasst ist u. deren Wasserlachen häringähnliche Fische beherbergten (PM. 8, 285).

Herschel, Mount, einer der Berge, welche, im antarkt. Victoria Ld., am 15. Jan. 1841 v. Capt. J. Cl. Ross (SouthR. 1, 193) entdeckt u. zu Ehren v. Mitgliedern der Royal Society u. British Association, 'at whose recommendation the government was induced to send forth this expedition', benannt wurden. 'H., an imperishable name, rendered still more illustrious by the scientific labours and achievements of the greatest philosopher of our own time, was given to the most conspicuous of the mountains, after Sir John F. W. H., Bart., President of the British Association; by whom, in the double capacity of Chairman of the Committee of Physics of the British Association, as well as of the Royal Society, the recommendation of those scientific bodies were communicated to Her Majesty's government'. — Ebenso *Cape H.,* 2mal: *a)* 'a remarkable headland' bei Maxwell B., v. Parry (NWPass. 49) am 20. Aug. 1819; *b)* an der Ostküste Grönl., v. Walfgr. W. Scoresby jun. (North.WF. 104) im Juni 1822, u. *H. Island,* am Eism., westl. v. MacKenzie R., v. Capt. John Franklin (Sec. Exp. 126) im Juli 1826 getauft.

Hert = Hirsch, in den holl. ON. *Herten Eiland,* Insel der Strasse v. Bali (Meyer's CLex. ✿, 469), wohl nach dem kleinen Muntjak, der in den Sunda In. verbreitet ist.

Hervey's Island, auch fälschl. *Har...,* ein kleines dreieckiges Lagunenriff mit einigen bewaldeten Inseln, deren 2 grösste einh. *Manuae* u. *Auotu,* v. Cook (VSouthP., 1, 190) am 23. Sept. 1773 entdeckt u. nach Capt. *H.,* einem der Lords der brit. Admiralität, spätern Earl of Bristol, benannt. Die

Gruppe, deren Haupt die Insel ist, bei den Missionären *H.'s Group,* bei Krus. (Mém. 1, 15 ff.) *Cook's Gruppe; b) H.' Bay,* in Queensland, ebf. v. Cook am 21. Mai 1770 (Hawk., Acc. 3, 114, Flinders, TA. pl. 10).

Herzog, mehrf. in ON., wohl auch in dem serb. Landesnamen *Chérzegowina,* v. serb. *chérzeg* = Herzog, deutsch *Herzegowina* (AMarty, Br. 2. Dec. 1876), f. das ehm. Fürstenth. Zachlum, das im 9. Jahrh. v. Serben bewohnt, v. Kaiser Friedrich III. zu einem selbständigen *Herzogthum St. Saba,* nach dem Schutzpatron, dem heil. Sabas, getauft, erhoben wurde, dann aber, 1463 den Türken zinsb. geworden, 1483 unterworfen, an Bosnien fiel als Sandschakat *Hersek* (Hammer-P., Osm. R. 2, 96, Meyer's CLex. 8, 842). — *Herzogenbuchsee,* unweit Bern, wie *Münchenbuchsee* v. dial. *buchsi* = Ruinengesträuch, mlat. *buxium,* ital. *buscione,* frz. *buisson,* seit dem 14. Jahrh. v. *M.,* das nach seinem Johanniterkloster 1495/97 bei Türst domus militum Hierosolimitanorum *Buchsi* (QSchweiz. G. 6,8), unterschieden, weil hier die Zähringer Herzoge eine Benedictinerprobstei gestiftet hatten (Gatschet, OForsch. 284 f.). — *Herzogenmühle,* ein Mühlegewerb, wo Herzog Albrecht vor der Belagerg. Zürichs 1351 sein Hptquartier hatte (Bluntschli, Mem. Tig. 112). — *Herzogstuhl,* ein Stein bei Klagenfurt, 2 spitzig, v. schwerem Eisengitter umgeben, wo die Herzoge v. Kärnthen die Huldigg. der Hptstadt empfingen (Meyer's CLex. 11, 225). — *'s Hertogenbosch,* deutsch *Herzogenbusch,* in lat. Widmungs-Urk. 1258 *Buscho ducis,* 1274 einf. *Busco,* in einer frz. Handschrift v. 1462 *Bois-le-Duc,* in einer Schiffsacte v. 1540 *'s H.* u. s. f. (Nom. GNeerl. 2, 25), Stadt in sumpfiger Niederg. NBrabants, v. Herzog Gottfried v. Brabant 1184 mit Stadtrecht begünstigt (Meyer's CLex. 8, 847).

Hesbon, hebr. חֶשְׁבּוֹן [chäschbon] = Klugheit, das ostjordan. Königreich der Emoriter zw. Arnon, Jabbok, Jordan u. Wüste (4. Mos. 21, 26, Richt. 11, 22), gr. die Stadt *Ἐσεβών* u. das Land umher *Ἐσεβωνῖτις* (Jos., Antt. 13, 23; 12, 5), bei Plin. (HNat. 5, 65) *Arabum Esbonitarum,* in der christl. Zeit die Stadt *Esbus* ein Bisthumsitz, z. arab. Kirchenprov. gehörig, bei Abulfeda (Tab. Syr. Köhler 11) *Chosbân,* j. noch *Hüsban,* danach das z. Jordansenke mündende Thal *Wady Hüsban,* das Land hingegen *el Belka* = das unangebaute, unbewohnte.

Hesperu Keras, gr. *Ἑσπέρου Κέρας* = Abendhorn, Westhorn, ein Golf an der Westseite Africa's, j. *Bissago,* wie *Notu Keras,* gr. *Νότου-Κέρας* = Mittag- od. Südhorn, der südlichste Punkt, zu welchem Hanno vordrang (Han. Per. 17). — *Hesperia* s. España. — *Hesperis* s. Benghasi.

Hessen, zunächst Volksname, mit Vorliebe, schon 1783 v. Wenck, dann insb. auch v. J. Grimm (Gesch.DSpr. 576) v. den *Chatti* (Tacit., Ann. 1, 55, Germ. 31, Hist. 4, 37, Plin., HNat. 4, 100 u. s. f.) abgeleitet u. diese als nach ihrer Kopfbedeckung, dem Hut, ags. *hät,* engl. *hat,* altn. *hattr,* benannt angesehen. Auch Förstem. (**Altd.**

NB. 760) sieht *Chatten* u. *H.* als id. an u. bemerkt, dass sich der erstere Name nur bis ins 3. Jahrh., der zweite erst v. 720 an nachweisen lasse, zuerst in den Formen *Hassi, Hassii, Hessi, Hessii, Hassones, Hessiones, Hessones, Hassingi,* das Land als *Hassia, Hessia, Hessa, Hessun* provincia, *Hassonia, Hessen.* An der Gleichung *Chatti* = *H.* nahm (1837) Zeuss (DDeutschen u. N. 347) Anstoss, u. ihm schloss sich 1866 Vilmar an; aus dem Gesetze der Lautverschiebg., wie aus dem Mangel der Form *Hazzi* zogen sie den Schluss, dass *H.* nicht aus *Chatten* abgeleitet werden könne. Die Frage fand 1871 eingehende Erörterg. in der Schrift Wilh. Kellner's *Chatten* u. *H.* (Herrig's Arch. 48, 85 ff.). Verf. versucht, die ältere Ansicht als richtig aufrecht zu erhalten; zunächst wird die alte Schreibung beider Namen verfolgt u. festgestellt, dass die im Oberland vorherrschende Aussprache u. Schreibung *Hassi* u. *Hassia* war, woraus dann noch heut zu Tage im Fuldaer Oberlande *Hassen* gesprochen wird. Beiden Namen gibt Verf. die Bedeutg. 'Wäldler', 'Hotzen': 'Wir haben es also mit urspr. niedersächs. Stammestheilen zu thun, die colonisirend in die Wälder vordrangen u. hier wohl auch mit suev., v. Süden hergekommenen Stämmen zsstiessen, die alle nach dem gemeinsamen Wohnen im Waldlande ihren gemeinsamen Namen hatten, bis sich der Wald vor genauerer Kunde in seine Sonderbestandtheile auflöste u. der Name *Chatten,* in der nhd. Form *Hessen,* auf dem Mittelpunkte hängen blieb'. Die beiden Ansichten stehen, wie man sieht, noch unvermittelt neben einander. Jedenfalls war eine Entscheidg. den beiden Studien F. Ritter's (Bonn. Jahrb. 36, 19 ff.) u. Herm. Pfister's (Ueb. den chatt. u. hess. Namen 1868) nicht möglich. Der erstere, der Grimm's Vorschlag 'nur eine unsichere Vermuthg.' nennt, kommt auf *Chatten* = Katzen u. damit, da die Katzen blind z. Welt kommen, z. Erklärg. der Redensart 'blinde Hessen'. Der andere, im Streben, 'eine mögliche Ermittelg.' widerstreitender Ansichten anzubahnen', bringt zwar schätzbares Material, insb. f. Zeuss' u. Vilmar's Meinung, dass *Chatten* u. *H.* aus einander zu halten seien; allein der Grosstheil der Arbeit ist fast ungeniessbar, wimmelt von Katzen u. Vermuthungen. — Seit 1866 gibt es, anstatt des frühern Kurf. *H.* od. *H.-Cassel* u. der frühern Landgrfsch. *H.* od. *H.-Homburg* eine (mit Nassau u. Frankfurt verschmolzene) preuss. Prov. *H.-Nassau,* während das Grossh. *H.* od. *H.-Darmstadt* unverändert fortbesteht. Im übr. erwähnen wir *Hessengau,* im 8. Jahrh. *Hassago,* den alten Chattenstamm *Chattuarii,* am Rhein, u. wohl noch andere ON. (Förstem., Altd. NB. 763).

Hest = Pferd, altn. *hestr,* in dän. ON. häufig, bes. in der Form *Hestehave* = Pferdegehege, 'Stuttgart', wie *Folehave* = Fohlengehege (Madsen, Sjael. StN. 274). — *Hestmand* = Reiter, mit Art. -en als *Hestmanden,* wo *mand* = Mann, **eine** unter dem Polarkreis 1000 m aus dem Meere **sich** erhebende Felsklippe, welche einem in den **Mantel** gehüllten Reiter ähnelt (Vibe, KM. Norw. 7).

Heubach s. Haag.

Heucheloup s. Chanteloup.

Heuel s. Hummel.

Heufuder s. Gangolf.

Heuglin, Cap, ein flaches, anscheinend sandiges Vorgebirge der spitzb. Edge I., v. der Exp. *H.-*Zeil am 15. Aug. 1870 selbst getauft (PM. 17, 178). Der Württemberger Theodor v. *H.,* geb. 1824, hatte sich durch naturwiss., insb. zoolog. Studien u. Erlernung neuerer Sprachen f. seine Reisen treffl. vorbereitet, bereitse nach einigen Vorübungen in Europa hpts. Nordost-Africa, wo er eine Zeit lang das österr. Consulat in Chartum besorgte u. an der Exp., welche den ermordeten Dr. Vogel aufsuchen sollte, Theil nahm, besuchte 1870 Spitzb., 1871 f. die Firma Rosenthal N'Semlja, wo einige Eilande der Beluschja Bucht als *H. Inseln* cartographirt wurden (Peterm., GMitth. 18, 77), ging 1875 wieder nach Africa u. † zu Stuttgart am 5. Nov. 1876. — *H. Berg* s. Haast.

Heureux Retour, le Rocher de l' = der Fels der glückl. Rückkehr, so nannte Saussure (VAlp. 266) einen Felsen, unter dem er im Aug. 1787 bei der Rückkehr v. Mt. Blanc übernachtete.

Hewitt, Cape, in Ost-Grönl., v. engl. Walfgr. Will. Scoresby jun. (NorthWF. 316) am 26. Aug. 1822 nach einem Freunde (in Manchester?) getauft. So auch *Neild Bay, Campbell Bay, Cape Smith, Cape Tattershall:* Some other names, applied in the chart to the nothern part of the Liverpool Coast, were derived from different friends, chiefly resident in Manchester.

Hexamilon s. Korinth u. Lysimachia.

Hexensee, ein Bergsee, in einer Kluft des Faulhorns eingebettet, eine der Quellen des Giessbachs ... 'In diesem finstern Bergschosse u. dem Becken des nahen *Hagelsee's* bereiten sich, der Sage nach, schreckl. Gewitterstürme vor, welche mit tückischer Gewalt verheerend üb. das Land hereinbrechen, wenn der Aelpler sich dessen am wenigsten versieht' (Gatschet, OForsch. 168 f.); *b) Hexenberg* s. Strela. — *Hex-Valley* = Hexenthal, ein Nebenthal (mit *Hex Rivier)* des Breede R., Capl., v. den ersten holl. Ansiedlern so benannt nach seiner verborgenen Lage (Lichtenst., SAfr. 2, 133).

Heywood Island, eine Küsteninsel Ost-Grönlds., v. engl. Walfgr. Will. Scoresby jun. (NorthWF. 179) am 20. Juli 1822 entdeckt u. nach seinem (Liverpooler?) Freunde, Mr. B. A. *H.,* getauft.

Hia s. China.

Hiakiang s. Sunda.

Hibbs, Point, ein inselartig vorragendes, v. Tasman wohl als Insel betrachtetes Cap Tasmania's, v. Flinders (TA. 1, CLXXVI, Atl. 7) am 11. Dec. 1798 benannt nach dem Master seines Schiffs.

Hibernia, der alte Name Irlands (s. d.), begegnet uns auch in mod. Entdeckungen: *a)* in *Nova H.* (s. Charlotte), *b)* in *H. Shoal,* einer der Untiefen zw. Tasman's Ld. u. Sunda, entdeckt 1810 v. Sam. Ashmore, dem Befehlshaber des Schiffes *H.,* der weiter westl. 1811 auch eine *Ashmore Shoal* fand (King, Austr. 2, 389 f., Krus., Mém. 1, 55), sowie *c)* in *Hibernian Range,* einer schon v. den holl. Seeff. Le Maire u. Schouten 1616 gesehenen, v. engl. Capt. Bristow 1806 wieder entdeckten Inselkette bei Tombara, benannt in Anlehng. an Carteret's Namen der Hptinsel (Meinicke, IStill.O. 1, 140).

Hibueras s. Honduras.

Hickory Run, ein in den pennsylv. Lehigh R. mündendes Bergwasser, *run*, sowie des an seiner Mündg. befindl. Holzstapels, nach den Hickories, welche, aus einem unsern Walnussbäumen verwandten Genus, Carya, v. verschiedenen Arten sehr schmackhafte Nüsse geben (Penns. Ill. 56), Carya olivaeformis Nutt. od. Pecan-Nussbaum (Leunis, Syn. 2, 1012, BComm. GLA. 1867, 16).

Hicks's Bay, an der Nordostseite NSeel., v. Cook am 30. Oct. 1769 so benannt, weil Lieut. *H.* sie zuerst gesehen hatte (Hawkesw., Acc. 2, 324); *b)* ebenso *Point H.*, im j. Victoria, am 19. Apr. 1770 (ib. 3, 79).

Hidatsa s. Minnetaries.

Hidden-wood Creek, urspr. frz. *Rivière du Bois Caché* = Bach des verborgenen Holzes, ein Fluss in Dakota, Zufluss des Ree od. Grand R., so benannt, weil ein Gesträuch, meist *Negundo,* an der Seite eines v. Bach umflossenen Abhangs so geborgen ist, dass der Berg einerseits, der Bach anderseits das Holz vor den Prairiebränden schützt (Ludlow, Black H. 24). Vgl. Box - Elder Creek.

Hidschau, Gunung = grüner Berg, mal. Bergname am Perak R., Malakka, nach dem reichen Pflanzenwuchs ihrer Abhänge. 'The sides of these mountains are covered with tall jungle-trees, some of them remarkable for their durability and well suited for shipping and building purposes' (Journ. RGSLond. 1876, 357).

Hjelm = Helm, in Valdemars Jordebog *Hiaelm,* Insel vor Aarhuus, nach ihrem Aussehen, da 'de tvende spidser, som dannedes af hovedborgen og det vestlige kastel, måtte sete fra landet i nordvest fremtraede som hjelmsmykket'. Noch lebt des armen Bauers Angst, der vor dem strengen Ritter zittert, fort in dem bekannten Wort:

> Gud nåde arme Bondemand,
> nu får *Hjelmen* horn.

(O.Nielsen in Blandn. 3, 179).

Hielo, la Cueva del = die Eishöhle, span. Name einer am Pic de Teyde sich öffnenden Höhle, deren Boden mit einer dicken, nie schmelzenden Eisschicht bedeckt ist u. z. Sommerszeit den Städten Eis liefert (ZfAErdk. nf. 11, 94).

Hienhai s. Issyk K.

Hiera, gr. *Ἱερά* = die heilige, Inselname mehrf., wo ein Cult, bes. dem Gott des Feuers, gr. Hephaestos, röm. Vulcanus, die Stätte heiligte: *a)* eine der Liparen, *Ἱ. Ἡφαίστου* (s. Volcano); *b)* ein Theil v. Santorin (s. Kaïmeni); *c)* bei Kalauria (Curt., Pel. 2, 447, Fiedler, Griech. 2, 465 ff.); *d)* s. Lemnos. — *Hierapolis,* gr. *Ἱεράπολις* = Heiligenstadt: *a)* am Euphrat, in quellenreicher Oase, mit Tempel der Astarte (Strabo 748), syr. *Mabôg,* vollst. *Manbôg* = Quelle, woraus arab. *Menbidsch* u. verd. das gr. *Βαμβύκη.* Die im

Quellteiche ernährten Fische, der 'Astarte' geheiligt, hat selbst unter der Herrschaft des Islam der altheidn. Aberglaube bis z. heutigen Tage erhalten wie bei Edessa (Kiepert, Lehrb.AG. 163); *b)* in Gr. Phryg., mit Thermen u. Tempeln der Cybele (Strabo 579). — *Hieron* s. Epidaurus. — *Hieron Akroterion,* gr. *Ἱερὸν ἀκρωτήριον* = heil. Vorgebirge, ebf. mehrf.: *a)* in Irland (Ptol. 2, 2, 6); *b)* in Corsica (ib. 3, 2, 5); *c)* s. Vicente. — *Hieron Stoma,* gr. *Ἱερὸν στόμα* = heilige Mündung, die Enge des Bosporus zw. Rumili- u. Anadoli-Kawak, weil die letztere Anlage vor alters *Fanum* (= Tempel) od. *Hieron* hiess, v. dem Tempel der 12 Götter Jupiter u. Juno, Vulcan u. Vesta, Neptun u. Venus, Ceres u. Mars, Apollo u. Diana, Minerva u. Mercur. In dem Zeustempel opferten die in den od. aus dem Pontus Schiffenden, um v. dem Herrscher im Donnergewölk günstigen Wind zu erflehen od. dafür zu danken (Hammer-P., Konst. 2, 281).

Hierakon N. s. Alghorab.

High Island = hohe Insel, mehrf.: *a)* im Ggsatz zu *Flat I.* (= niedrige I.), Eiland des Port St. Vincent, NCaledonia, v. engl. Capt. Kent 1793 benannt (Krus., Mém. 1, 203); *b)* im Süden der Gr. Admiralty Is., ausgezeichnet durch einen kegelartigen Pic (Meinicke, IStill. O. 1, 142); *c)* die höchste aller Austral In., einh. *Raiwawai, Wawitoo* (Meinicke, IStill. O. 2, 195); *d)* s. Eremita; *e)* s. Erebus; *f)* s. Ocean. — *H. Islet,* kleine Berginsel vor Brook Hr., Feuerland, ozw. v. Capt. Fitzroy (Adv.-Beagle 1, 54) im Febr. 1827 benannt. — *Highland* = Hochland, geschlossene Schweizerkolonie im Oberland v. Illinois, ggr. v. dem Luzerner Bauer Kaspar Köpfli v. Triengen, der mit eignen Wagen am 21. Apr. 1831 Sursee verliess u. am 2. Juni mit zwei gemietheten Schiffen v. Havre abfuhr. — *Highlands* = Hochlande, die wilden Berggebiete des nördl. Schottland, im Ggsatz zu der milder geformten, z. Th. tief eingefurchten Südhälfte, *Lowlands* = Niederlande. — *H. Peaked Island a)* eine Nebeninsel v. Rotuma, bei Viti, einh. *Uea, Wia,* die zu einem 213 m h. Pic aufsteigt (Meinicke, IStill.O. 2, 53); *b)* im Arch. v. Korea, ausgezeichnet durch einen hohen Pic, v. engl. Capt. Ross auf seiner Rückkehr mit der Ambassade Lord Amherst's gesehen u. benannt (Krus., Mém. 2, 127). — *H. Point,* der bewaldete, ungewöhnlich hohe Endkopf eines Hafens an der Nordseite des Australcontinents, v. Capt. Ph. P. King (Austr. 1, 79. 81) am 14. Apr. 1818 getauft. — *Highwood Mountains* = Berge mit Hochwald, am obern Missuri, mit Felsformen u. Waldschmuck ein angenehmer Ggsatz z. hellgrünen Prairie (Ludlow, Carroll 14). — *H. Brothers* s. Seba. — Die Form *height* = Höhe in dem ON. *Height of Land* (s. Haut).

Hikurangi = der z. Himmel ansteigende, einer der Vulcane des Oberlandes v. Waikato, NSeel., ein malerischer Kegel, 300 m üb. die angrenzenden Ebenen erhoben, mit flach ansteigendem Fusse, auf welchem sich steiler u. steiler bis zu einer Neigg. v. 35⁰ der schöne regelm. Kegel aufbaut,

oben wie mit dem Messer abgeschnitten (v. Hochstetter, NSeel. 218. 181).

Hildburghausen, ON. in Sachsen-Mein., war man
geneigt, mit dem nahen Bergschlosse *Heldburg*,
der auf einem Basaltkegel thronenden 'Fränk.
Leuchte' zu vergleichen; allein *H.* heisst urk.
Hilpershusia, *Villa Hilperti*, ist also eine prsl.
Bezeichng., während die alte, v. Herzog Joh.
Friedrich dem Mittlern 1558/63 z. Residenz eingerichtete Veste (Meyer's CLex. 8, 755. 917), im
9. Jahrh. *Helidberga*, eine andere, aber noch
nicht sichere Deutg. hat, bei Förstem. (Altd. NB.
786) zu einem Stamm *held*, 'der sich mit einer
gewissen Schüchternheit hier z. ersten male hervor-
wagt', gestellt wird. — Auch Hildesheim, im
9. Jahrh. *Hildinisheim*, ist nicht ganz klar (ib.
800 ff.) u. hat denn auch bei Lüntzel (Diöc. Hild.
92) 'eine wunderliche Etym.' gefunden.

Hilda s. Gallow.

Hilgard B. s. Baird.

Hilgard Tiefe s. Tuscarora.

Hill s. Hügel, Berg, in mehrern engl. ON., f.
sich Eigenname eines Berges im Quellgebiete des
mit Nelson R. in die Hudsons Bay mündenden
Hayes R., gleichsam der Berg par excellence,
ein Aussichtspunkt, welcher vor dem Auge 36 See'n
ausbreitet . . . 'the highest of these hills which
gaves a name to the *H. River*' (Franklin, Narr.
33). — Ein zweiter *H. River* in West-Austr., v.
Capt. G. Grey (Two Expp. 2, 64) am 14. April
1838 benannt, weil er von der Gairdner's Range
herab in das ausgedehnte Thal niederstieg u. nach
22 km den Fluss erreichte. — *H. Gates* = die
Bergpforten, ein romantisches Défilé im obersten
Theil des *H. River*, v. Felswänden eng eingeschlossen. Felsmauern, senkr. zu 20—25 m aufsteigend, engen den Strom üb. 1 km weit ein, an
manchen Stellen so sehr, dass es an Platz z.
Rudern gebricht. In diesem Schlunde sind zwei
Stromschnellen, nach der Lage als *Lower* (=
unterer) u. *Upper* (= oberer) *Hill Gate Portage*
unterschieden (Franklin, Narr. 38 f.). — *Lake of
the Hills*, der westl. Theil des Athabasca, 'not
improperly', weil das Nordufer u. die Inseln hoch
u. felsig sind (ib. 153). — *Point Hillock* = Hügel-
cap, in Queensl., leicht kenntl. an einer rundem
Berg- od. Felsmasse, welche, scheinb. v. Cap getrennt, sich in der Nähe erhebt, so benannt v.
Cook am 7. Juni 1770 (Hawk., Acc. 3, 136).

Hilleh s. Babylon.

Hillsborough Bay, in Kerguelen I., nach dem
Schiffe des engl. Capt. Rob. Rhodes benannt, wel-
cher 1799 hier längere Zeit zubrachte (Ross,
SouthR. 1, 65). — Unbestimmt *Cape H.*, im j.
Queensl., v. Cook am 2. Juni 1770 (Hawk., Acc.
3, 131).

Hilmend, der grösste Fluss Irans, altbaktr. *Haêtu-
mant*, *Haêtumat* = Brücken (od. Dämme) habend,
skr. *Setumat*, pehl. *Itomand*, gr. *Ἐτύμανδρος*,
auch *Αἰτύμανδρος*, *Ἐρύμανθος*, lat. *Hermandus*,
bei Edrisi (ed. Jaub. 1, 445) *Hindmend*, mod.
Hermend, *Helmend*, *H.* (Bournouf, Comm. Yaçna

93, Journ. RGSLond. 1873, 273, Kiepert, Lehrb.
AG. 60).

Hilu, Dschebel el = süsses Gebirge, ein Theil
des nordöstl. v. Damask liegenden Dsch. Kalamûn,
'wahrsch. wg. der Menge u. Güte seiner Weinberge'
(Wetzstein, Reiseb. 3).

Himálaja, das Gebirge am Nordrande Indiens,
v. skr. *hima* = Schnee u. *álaja* = Wohnung,
also = Schneesitz, Schneegebirge (Humb., As.
Centr. 1, 88, Schlagw., Gloss. 199, Bergh., Phys.
Atl. 8, 36), ant. *Imaus*, v. der Nebenform *Hima-
wat* = schneeig (Ritter, As. 2, 420), id. der chin.
Name *Siue Schan* (Timkowski, Mong. 1, 440),
den übr. die Chinesen auch auf den Thian Schan
(s. d.) beziehen. — *Himbab* = der schneeent-
sprungene, tib. Name des Hptflusses der Prov.
Dras, Ladak, v. *him* = gefrorner Schnee, Eis,
bab = heruntergestiegen (Schlagw., Gloss. 199).

Himera, eine phön. Colonie (Movers, Phön. 2ᵇ,
338) auf Sicilien, in deren Nähe heisse, dem
Herakles geweihte Quellen (s. Therme) waren, v.
welchen auch der Name der Stadt = brausen,
schäumen, חָמַר [chamar], sich herleitet; *b*) zwei
Flüsse auf Sicilien (ib. 339). Viell. liegt in dem
Ausdruck 'H. cum fluvio' bei Plin. (HNat. 3, 90)
noch ein Anklang an die Etymologie?

Himjariten = die Rothen, Volk in Jemen, durch
die hellere Farbe stark gg. die dunkle kuschi-
tische Bevölkerg. abstechend, v. Norden her eingewandert (Meyer's CLex. 8, 929).

Himmelreich, als Preis einer schönen Lage, hie
u. da im Ggsatz z. 'Hölle' (s. d.), kommt in Deutschland 25 mal als ON. vor, daneben *Himmelberg*,
Himmelgarten, *Himmelpforte* (Förstem., D. ON.
172).

Hinchinbrook, auch mit *hinching* u. *brooke*, 2
v. Cook benannte Objecte: *a*) *H. Isle*, in den
NHebriden, einh. *Engun*, *Nguna* (Meinicke, IStill.
O. 1, 189), am 25. Juli 1774 (VSouthP. 2, 41);
b) *Cape H.*, am Cooks R., Alaska, Mai 1778
(Cook-King, Pac. 2, 353).

Hindeloopen, alt *Hindahlop*, dann *Hindelopen*,
Hinlopen, fries. *Hynljipen* (Nom. Geogr. Neerl.
1, 19. 40), ON. der Prov. Friesl., zu goth. *hlaupan*,
ahd. *hlaufan* = laufen gehörig, aber nicht, wie
die übrigen Formen dieser Reihe, nach einer Fluss-
schnelle od. einem Wasserfalle (s. Laufen), sondern
wohl im Sinne eines Jagdausdruckes, dem ags.
Hindehlype (Leo, Rect. SP. 98) entspricht, also
mit ahd. *hinta*, nhd. *hinde* = Hirschkuh (Förstem.,
Altd. NB. 805. 809). Der Ort war einst eine
blühende Hafenstadt, 1370 Mitgl. der Hansa, sein
Name in der Glanzzeit der holl. Fischerei auf
eine Seegasse Spitzbs., *Straat van H.*, übtragen
(Wild, Ndrl. 2, 247), das *Weihegat* = Windloch,
aus welchem selbst bei ruhigem Wetter ein starker
Wind hervorweht (Martens, Spitzb. Rb. 24, Adelung,
GSchifff. 414). — Ein ähnl. holl. Familienname
ist, wohl durch die Exp. Hudson's 'oder später',
auf den südl. Eingangspfeiler der Delaware Bay,
Cape Henlopen, bei Capt. Argoll 1610 *Cap Lawar*,
Delaware, übtragen worden (Strachey, Trav. 42 f.,
WHakl.S. 27, 164). — Das ahd. *hinta* kehrt wieder

in *Hindelbank* (s. Wangen), *Hüntwangen* (s. Wiesendangen), *Hintberg*, unw. Bonn, *Hintinbuch*, j. *Hinterbach*, unw. Regensburg, *Hintifeld*, j. *Hindfeld*, unw. Hildburghausen etc. (Förstem., Altd. NB. 805 f.).

Hindmarsh, River, ein in die austr. Encounter Bay mündender Fluss, benannt nach Capt. *H.*, dem ersten Governor der Colonie Süd-Austr. 1836/38 (Trollope, Austr. 3, 18), übtragen auf die Stadt *H.* an der Mündg. (Stokes, Disc. 2, 400).

Hindu, skr. *sindhû* = Anwohner des Indus (s. d.), bei den Iraniern *H.* gespr. u. mit dem pers. *-stan* z. Landesnamen geformt: *Hindustan* = Land der *H.*, wie schon Barros (As. 1, 4, 7) wusste: 'e assi a gente Persea a ella vizinha, ao presente per nome proprio lhe chamão *Indostan* ... *stan* est un mot persan qui signifie 'appuyé sur', 'attenant à' (de la même racine que les mots skr. *sthâ* = stare, *sthâna* = actio standi, locus ...) et qui se joint à certains noms pour former des dénominations géographiques de régions, comme *Farsistân, Kuhistân, Beludschistân* (s. dd.) etc. (Pauthier, MPolo 1, CXL). Im Archipel u. bei den Chinesen heissen die *H.*, od. richtiger alle Bewohner der Halbinsel, ohne Unterschied des Bekenntnisses, *Kling, Kaling*, d. s. Telinga's, die Nation, mit der seit undenkl. Zeiten der meiste Verkehr war; *Kalinga* ist näml. der skr. Name des nördl. Theils der Küste Coromandel, röm. *Calingarum regio*, um die Mündungen der Krischna u. des Godaveri, wo auch der Ort *Kalinga-patan* = Stadt v. Kalinga. Da die Javanen v. jeher viel mit dieser Küste verkehrten, so hat sich deren Name auf die ganze Halbinsel ausgedehnt, mal. *Tanah Kaling*, jav. *Siti Kaling*, oft auch *Tanah Sabrang* = Land jenseits des Wassers (Crawf., Dict. 148, Lassen, Ind. A. 1, 218). — *Hindukuh*, auch *Hindukuh* = der indische Berg, pers. Name der Gebirgskette, welche Schlagw. (Gloss. 199) 'the Western continuation of the Himálaja' nennt, wo *khu, kuh* = Berg (Polak, Pers. 2, 364), wohl auch, freil. durch ein blosses Wortspiel (Humb., As. Cent. 1, 110. 607) *Hindukúsch* = Hindutödter; so nannten die Perser einen der hohen Pässe, auf welchen die Kälte oft ind. z. Markt v. Balkh transportirte Sclaven tödtete (IBatuta, Trav. 97); im Verlaufe ging der Name auf das ganze Gebirgsnetz üb., welches die Begleiter Alexanders d. Gr. als *Caucasus Indicus* = ind. Kaukasus in die Geographie einführten.

Hingladschgárh = Veste mit einem Déwitempel, hind. ON. in Radschwára, v. *hingládsch* = Pilgerort, Déwitempel (Schlagw., Gloss. 199).

Hinlopen s. Hindeloopen.

Hintere Fluh, anderer Name des Entlebucher Rothhorns (s. d.), dem Standpunkt des Thalbewohners angepasst, wie einige ähnl. Bezeichnungen, die z. Th. mit Eigennamen, Rhein, Indien, Asien etc. verbunden u. dort zu suchen sind. — *Hinterbach* s. Hindeloopen.

Hjort = Hirsch, altn. *hjörtr*, in dän. ON. oft, so *Hjorteső* = Hirschsee, urk. *Hyortsyő*, ein See in Jüdstrup; *b)* eine ehm. 'Hirschinsel', 1178

Jorteholm, 1209 *Hyorteholm*, bei Lyngby (Madsen, Sjael. StN. 275); *c)* *Hjortetak* = Hirschzacke, ein dreizackiger hoher Inselberg an der Westküste Grönl., eine Schiffermarke (Cranz, HGrönl. 1, 14).

Hipaoa = Rauchfänge, bei den Maori die dampfenden Bergrisse des Nord-Abhangs des Kakaramea, wo aus allen Sprüngen u. Klüften heisser Wasserdampf u. kochendes Wasser mit fortwährendem Getöse strömt, 'als wären Hunderte v. Dampfmaschinen im Gang'. Durch diese Thätigkeit ist alles Gestein zu eisenoxydisch rothem Thon zersetzt (v. Hochstetter, NSeel. 230).

Hippa(h) Island, eines der Eilande in den Küstengewässern NWest-America's, v. engl. Capt. Georg Dixon im Juli 1787 entdeckt u. benannt nach einer grossen Hütte, 'welche nach Art der neuseel. Hippahs befestigt war' (Spr. u. F., Beitr. 13, 17, GForster, GReis. 2, 187).

Hippo, häufiger ON. im kanaanit. Sprachgebiete, einf. u. in Zssetzungen: אֵף [ippo] = Umringung, v. Orten, die mit Mauern umschlossen sind: *a)* im Gebiete v. Karthago, eine sehr alte sidon. Colonie (Sallust, Jurg. 19, 1, Isidor, Orig. 15, 1²⁸, Movers, Phön. 2ᵇ, 134), gr. Ἱππών, lat. *Hippo*, günstig an der engen Ausmündg. des Ἱππονίτις λίμνη, Lacus *Hipponitis*, eines fischreichen, 'die ungeheuersten Flotten aufzunehmen fähigen' See's, in das Meer, in reichster Ldsch., zubenannt *Zarytos*, gr. Διάρρυτος, *Diarrhytos*, mit gesuchter Anspielg. auf die Ausmündg. des See's, arab. verd. in *Bona-zârit*, woraus *Benzerta, Bensart*, nach heutiger Aussprache *Bizerta* (Barth, Wand. 202 ff., Kiepert, Lehrb. AG. 218 f.); *b)* in Numidien, bei den Römern *Hippo Regius* (= das königliche), weil zZ. des ersten pun. Krieges der massyl. König Hala, Gala, die Colonie eroberte u. sein Sohn Masinissa sie z.· Hptstadt seines Reiches erhob, nach langer Blüthe durch die Vandalen zerstört, spätlat. *Hippona*, arab. *Bona*, frz. *Bone* (Kiepert 219 f.), arab. *Biled el-Annab* = Lotosort, kürzer *Annâba*, nach der Menge Jujuben (Parmentier, Vocab. arabe 10), rother Beeren, die in der Nähe wachsen u. zwar auf dem zu den Rhamneen gehörigen nordafrican. Lotosbaum, bot. Zizyphus lotus W. (Leunis, Syn. 2, 486). Movers' Erklärung: *acheret* = das andere, f. das karthag. *H.* (Phön. 2ᵇ, 144), 'würde weit eher auf das westliche, also sicher auch später entstandene der beiden *H.* passen'; *c)* eine Stadt in Unter-Italien, röm. *Vibo*, wohl ebf. phön. Colonie (Movers, Phön. 2ᵇ, 344); *d)* in der iber. Halbinsel: *Bäs-ippo, Acin-ippo, Basil-ippo, Ipagro, Ir-ippo, Lac-ippo, Or-ippo, Ost-ippo, Ser-ippo, Vent-ippo* (sämmtl. in Hisp. Baetica), *Olis-ippo*, j. *Lissabon*, u. *Cal-ipos*, in Lusitanien (ib. 640).

Hippophagen = Pferdeesser, gr. Name zweier Völker des asiat. Nordens, der sarmat. *H.*, in der Gegend des j. Perm, u. der skyth. *H.*, an der Ostseite des Altai. Noch j. geniessen die Nomaden jener Gegenden Pferdefleisch (MCL. 8, 943).

Hiram, eine Mormonenstadt in Utah, im Sinne der Secte mit bibl. Namen (Hayden, Prel. Rep. 20).

Hirnbach s. Horb.

Hirsch, ahd. *hiruz*, ags. *heort*, altn. *hiörtr* (Förstem., Altd. NB. 807), holl. *hert*, engl. *hart*, dän. u. schwed. *hjort*, in ON. eine ständige Erinnerung an einstigen Wald- u. Wildstand, wie *Hirschau*, alt *Hirzowa*, eine Halbinsel des Königssee's, wie denn jene Gegend kön. Jagdrevier, reich an Hirschen, Gemsen, Murmelthieren, ist (Meyer's CLex. 10, 122), u. a. m., *Hirschbach*, alt *Hiruzpach*, ebf. an mehrern Orten, *Hirzberg*, *Hirzfeld*, *Hirzenloh*, *Hirzwangen* (s. Wiese), *Hirschensprung*, eine natürl. Kalkfelsspalte des st. gall. Rheinthals, einst so eng, dass, der Sage zuf., ein gehetzter Hirsch darüber gesetzt habe (s. Pfaffensprung).

Hiruhurama s. Petani.

Hirwi = Elenthier, in finn. ON., auch solcher Gegenden, die heute diese Thiere nicht mehr haben wie *Hirwi-saari* = Eleninsel, f. Wassilij Ostrow, eine der Inseln, auf welchen St. Petersburg erbaut ist. Ferner *Hirwijärvi*, in Kuopio, *Hirwasjäyri*, in Finmarken, *Hirwihara*, in Nyland, *Hirwikoski*, in Wasa, *Hirsjärvi* u. *Hirwelä*, in Tavastehus, *Hirwonen*, in Uleåborg, *Hirwasjärvi*, *Hirwopä* u. *Hirwone*, in Serdobol, *Hirwensari*, *Hirwisalo*, *Hirwimetsä*, *Hirwipuisto* u. s. f. (Bär u. H., Beitr. 2. F. 6, 243).

Hischsch, Tell el = Hügel des vulkan. Schuttes, ein hauran. Vulcan, dessen Abhänge mit einer tiefen Schicht *H.* bedeckt sind (Wetzstein, Haur. 22).

Hispalis s. Sevilla.

Hispania s. España.

Hispaniola s. Hayti.

Hissar od. *Hisar* = Schloss, in arab. u. türk. ON. oft, auch f. sich Eigenname, z. B. in Hindostán (Schlagw., Gloss. 200). — *Hissarlyk* = Schlossberg, ein Bergzug im alten Lydien, mit den Ruinen des v. Aeolern erbauten Neu Ilion, 689—546 v. Chr. (Meyer's CLex. 8, 954).

Hiuga = Sonnenland, der Sonne zugewandt, einer der 9 Bezirke der japan. Insel Kiusiu, also nahezu syn. mit Nipon (PM. 22, 401).

Hiwapotto s. Carolina.

H'lassa s. Lhassa.

Hlina s. Glienike.

Ho-Desan, d. h. *dessa* = Land der Ho (wie sie sich selber am liebsten nennen) od. der *Larka-Kol* (wie sie auch genannt werden) — eines Zweiges des grossen drawidischen, üb. Central-Indien verbreiteten Volkes der *Kol*, deren Land auch *Kolhan* (PM. 7, 223).

Ho Schan = Feuerberg, chin. Bergname, 2 mal: *a)* in Formosa, nach brennenden (Petroleum-?) Quellen (Klaproth, Mém. 1, 329 ff.); *b)* ein 'Vulcan' des Thian Schan, auch *Pei Schan* = weisser Berg (Humb., As. Centr. 2, 381 f.).

Hoangho = gelber Fluss, der kleinere der beiden chines. Zwillingsströme, in seinem mong. Quelllande noch dunkelfarbig, *Karamoran*, *Kara-* od. *Katun-Muren* = schwarzer Fluss, 'à cause de ses eaux troubles' (Pauthier, MPolo, 1, LVI, WHakl.

S. 36, 125, Meyer's CLex. 8, 959) ... 'si treuve l'en un flun qui a nom *Caramoram*, qui est si grant que l'en ne le puet passer par pont; car il est moult large et moult parfont et va jusques à la grant mer ocianne, qui avironne le monde' (MPolo ed. Pauth. 1, 249. 270; 2, 355. 357. 359. 443). Die dunkle Farbe verliert der Strom in der viereckig geknickten Strecke, mit welcher er das mong. Grenzgebirge durchbricht. Dort besteht der Boden überall aus einer mächtigen Schicht lehmartiger, zerreiblicher gelber Erde, die der Fluss entführt, um sie im Delta abzulegen, ja so massenhaft in das Meer hinaus zu tragen, dass dort der Schiffer, der v. der blauen See herkommt, stets den gelbl. Schein des Wassers erkennt (Pauthier, MPolo 2, 355. 443. 463. 469. 500). 'Le fleuve jaune, en chinois *H.*, ainsi nommé de la couleur dorée que le limon donne à ses eaux dans le temps des inondations' (A Rémusat, NMél.As. 1, 14; 2, 8). Der durch den Schlamm des Stroms gelbgefärbte Theil der chin. Ostsee heisst *Hoanghai* = gelbes Meer (Staunton, China 1, 465, Timkowski, Mong. 1, 458; 2, 267) ... 'the colour of the water was mostly of the same dirty yellow or green which was observed off the Pei-Ho' (Hall, Cor. VI), od. nach der anliegenden Ldsch. *Golfe du Liaotung* (A Rémusat, NMél.As. 1, 3). — *Hô-nan* = südl. des Hoangho, chin. Gouvernement (Pauthier, MPolo 2, 463 ff.), u. *Hô-thûng* = Osten des Hoangho, f. die Gegend, welche unter den Tsin, 265—420, nach der Hptstadt 'Fürstenthum *P'ing-jang*' geheissen hatte (ib. 2, 354). — *Hotschang Fu* s. Samarkand.

Hoar Frost River = Reiffluss nennt man im arkt. America (nach dem Vorgange der Indianer?) einen Fluss, welcher in einer Reihe v. Fällen u. Stromschnellen, 'a series of appalling cascades and rapids', z. Gr. Sclavensee eilt (Back, Narr. 59). — *H. Head* = Reifhaupt, ein einsamer Berg am Olifant R., Limpopo, v. solidem Quarz, mit einem immergrünen Baume auf dem Gipfel eine gute Landmarke, v. engl. Reisenden St. Vincent Erskine am 22. Sept. 1872 so benannt 'from its remarkable appearance' (JournRGSLond. 1875, 116).

Hobart, seit dem 1. Januar 1881 officiell abgk. aus dem urspr. *Hobartstown*, meist *Hobarton*, auf Tasmania, als Deportationsplatz ggr. 1803 durch das Kriegsschiff Calcutta, welches unter dem Auspicien des brit. Colonieministers Lord *H.* 1803 abgesandt wurde, um Verbrecher nach der jüngst entdeckten Küste v. Port Phillip zu bringen, aber diese Gegend als wüst u. unfruchtbar verwarf u. nach dem dam. Van Diemensland überging, wo *H.* entstand (ZfAErdk. 1871, 85).

Hobhouse Inlet, in Lancaster Sd., v. Parry (NWPass. 34. 48) am 4. Aug. 1819 nach einem seiner Verwandten, Benjamin *H.* getuuft.

Hoboken, der Name einer der Nachbarstädte NYorks, verd. aus ind. *Hopoghan*, wie der der Insel Manhattan ggb. liegende Indianerort genannt wurde (WHakl. S. 27, 91), v. den Holl. besiedelt zu Anfang des 17. Jahrh. (Meyer's CLex.

8, 966). Ob *H.*, wie Charnock (LEtym. 313) will, wirklich 'Friedenspfeife'?

Hobson Mount, der 710 m h. Culm v. Gr. Barrier Island, einh. *Hirakimata* (Meinicke, IStill. O. 1, 262), benannt nach dem ersten Governor v. NSeel. (v. Hochst., NSeel. 3).

Hoch, goth. *hauhs*, ahd. *hôh*, holl. *hoog*, dän. *höi*, schwed. *hög*, engl. *high* (s. d.) 'begegnet als erster Theil vieler ON.' wie *Höch*- u. *Hochberg*, *Hochfelden*, *Hochheim*, *Hochhausen*, *Hochstatt* u. *-stadt*, *Hochdorf*, *Hohenau*, *Honau*, *Hoch*-, *Hohen*-, *Homberg*, *Hohen*- od. *Homburg* (s. d.), *Hoheneich*, *Honheim*, *Honhard*, *Hohenkirchen*, *Hanover* (s. d.), *Hohenrain*, *Höhenstein*, *Hohen-wart*, *Hohenweiler* u. v. a., worüber die alten Formen bei Förstem. (Altd. NB. 770 ff.) nachzusehen, oft f. ausgesprochene Höhenlagen wie der *Hohgant*, v. alten *gant* = Fels, Stein, einer der Voralpenberge des Berner Oberlands, *Hochforst* (s. Haute-Seille) od. der *Hochberg*, Felsenschloss üb. dem Neckar (Schott, ON. Stuttg. 15), während *Hohenstein*, Ort der Prov. Preussen, nach dem Gründer des dortigen Ordenshauses, Günther v. Hohenstein, Comthur zu Osterode, benannt ist (Töppen, GPreuss. 186), mehrf. in *ck* übergegangen, wie in *Hockerland* = Höhe, Oberland, Ggsatz z. Niederg. v. Elbing u. Marienburg, seit d. 15. Jahrh. Vulgärname der altpreuss. Ldsch. Pogesanien od. eines Theils derselben (Töppen, GPreuss. 16 f., Meyer's CLex. 8, 973). — Mit dem vielbesprochenen Worte *veen*, *venn* = Hochmoor, Eigenname eines den Ardennen angeschlossenen Landstrichs: *Hohe Veen* . . . 'eine 600 m h. waldlose öde Hochfläche v. traurigsten Ansehn. Die Oberfläche ist entw. mit hohem Heidekraut überzogen, welches aus dem 60 cm t. braunen Moorsande aufwächst, od. v. 1—5 m mächtigen Torflagern überdeckt . . . die vielen schwarzen, reihenweise aufgestellten Torfhaufen u. die z. Andenken an der Irre Umgekommener errichteten Kreuze vermehren das Traurige der Gegend' (Daniel, Hdb. Geogr. 3, 355). — Mit Eigennamen zsgesetzt, wie in *Hohen-Elbe*, *Hohen-Landenberg*, *Hohen-Zollern* etc., siehe unter Elbe . . .; *Hohenstaufen* s. Stauf.

Hochelaga s. Montreal.

Hochelaga, Riv. de s. Lawrence.

Hochrahn od. *Hoher Rahn*, lange Zeit unverständlich gebliebener Bergname des 'Dreiländersteins' der CC. Zürich, Schwyz u. Zug, darum v. schwankender Verwendg., bald als masc., bald als fem., mit *-ne* u. *-nen*, mit *rho*- u. *roh*-, insb. anstössig in der widersinnigen Form *die Hohe Rhone*, als wären Berg- u. Flussname in irgend welcher Verwandtschaft (NZürch. Ztg. v. 8. Sept. 1889). Sehr ansprechend verweist ein Anonymus (NZürch. Ztg. v. 28. Aug. 1889, No. 240, Beil.) auf dial. *rahn* = schmächtig, schlank u. fügt bei: 'Jedes Kind am obern Zürichsee', auf dessen rechtes Ufer der Berg gebietend herabschaut, 'sagt *Der höch Rahn*, was sprachlich u. sachlich gleich richtig ist. Damit wird der Rücken eben richtig als ein *rahner*, wie er ist, genau bezeichnet.

Rahn heisst ja auch ein Mensch, der einen langen, hagern Rücken hat'.

Hochstetter, Ferd. v., der berühmte geol. Erforscher NSeel., ein Württberger, geb. 1829, zunächst z. Theol. herangebildet, aber mit Vorliebe den Naturwissenschaften zugewandt, in der geol. Reichsanstalt zu Wien bethätigt, ging 1857 mit der 'Novara' ab, blieb v. seinen Untersuchungen in NSeel., wurde 1870 Prof. am polyt. Institut zu Wien, machte noch vschiedd. Reisen u. † 1884. Ihm zu Ehren sind mehrere, namentl. arkt. Entdeckungen getauft: *H. Vorland*, eine Halbinsel in Ost-Grönl., v. der zweiten deutschen Nordpolexp. 1869/70 (Peterm., GMitth. 17, 189 T. 10); *H. Gletscher*, 2 mal: *a)* an der Ostküste Spitzb., v. der Exp. Heuglin-Zeil 1870 (ib. 182); *b)* s. Cook; *H. Kamm*, ein Bergzug im Gänse Ld., v. der öst.-ung. Exp. Wilczek im Aug. 1872 (ib. 22 T. 16); *H. Insel*, in Franz Joseph's Ld., v. der 2. öst.-ung. Nordpolexp. Weyprecht-Payer, der. 1873 (ib. 20 T. 20. 23; 22, 201).

Hockerland s. Hoch.

Hodgson, Cape, in Ost-Grönl., v. engl. Walfgr. Will. Scoresby jun. (NorthWF. 181) am 23. Juli 1822 entdeckt u. nach einem seiner (Liverpooler?) Freunde getauft.

Hódmezö-Vásárhely, Marktort, *vásárhely*, des ungar. Comitats Csongrád, hat den Namen v. dem Biber, *hód*, der einst in dieser Gegend stark verbreitet war (Meyer's CLex. 8, 975). Die Erklärg. mit *Hold* (ZfSchulG. 3, 2) will nicht einleuchten. Vgl. Hold. Tava.

Höch s. Hoch.

Höfe s. Hof.

Höfer Insel, 2 mal nach dem Geologen der Polarfahrt Weyprecht-Payer, dem Prof. Hanns *H.* in Klagenfurt *a)* die nördlichste der Barents In., v. Baron Sternecks Hülfsexp. im Aug. 1872 getauft (Peterm., GMitth. 20 T. 16); *b)* s. Wilczek. — *H. Spitze*, ein Cap des Horn Sd., Spitzb., ebf. v. Sterneck im Juli 1872 (ib. 20, 66).

Höhe s. Hoch u. Taunus.

Hölle, v. *hellia*, der Todesgöttin, welche bei den alten Germanen die Seelen der Abgeschiedenen in Empfang nahm, rätr. *Uffiern*, v. lat. *inferna* (Gatschet, OForsch. 169), trägt das berüchtigte des Graub. Rheinwald auf den schauerl. Felsschlund üb., durch welchen sich, hinten im Thal, der junge Hinterrhein durcharbeitet, im Ggsatz zu der nahen Schafweide *Paradies*. Derselbe Vergleich wiederholt sich im bad. Schwarzwalde. Aehnlich dem schönen Murgthale, welches 'droben noch ein wildes einsames Waldrevier, sich gg. die (Rastatter) Ebene hin weitet, lieblich u. fruchtbar', tragen auch die beiden Thalstufen der Dreisam einen sehr ungleichen Charakter: 'Tief zw. hohe Felswände eingeschnitten, bildet das *Höllenthal* einen wichtigen Pass; die Gehänge deckt der Tannwald; durch das Rauschen der ungestümen Dreisam dringt hier u. da das Kreischen eines Raubvogels. Beim *Himmelreich* öffnet sich die Gegend, u. man tritt aus dem dunkeln Thal in die lachende (Freiburger) Ebene hinaus'. Auch bei Danzig ist, hier wohl aus volksetym. Missverstand, einer *H.* ein *Paradies* beigegeben (Förstem., D. ON. 51).

Hörgenbach s. Horb.

Höri = das hörige, nicht selbständige, heissen 3 ehm. dem Stift Zürich zugeh. Höfe an der Glatt, als *Ober-, Nieder-* u. *Ennet-H.* (ennet = jenseits scil. der Glatt) unterschieden (Mitth. Zürch. AG. 6, 166), Ggsatz zu Freienstein u. Eigenthal (s. d.).

Hörnli s. Horn.

Hörselberge, ein thür. Höhenzug, wie der Ort *Hörselgau* u. die Höhle *Hörselloch,* benannt nach der Hörsel, einem rseitg. Zuflusse der Werra (Meyer's CLex. 8, 986).

Hof, in vielen ON., gew. mit PN., wie *Wollishofen,* 1270 *Woloshovin* = bei den Höfen des Wolus, *Hutzikon,* 873 *Huzzinhovan* = bei den Höfen der Huzzinger, d. i. der Söhne Huzzo's (Mitth. Zürch. AG. 6, 127. 133. 136), wo die Form *hofen,* alt *hovun* als dat. plur. zu fassen ist. Förstem. (Altd. NB. 819 ff.) zählt solcher ON. 332 auf, wo freil. manche *-hova* irrth. aus *-hoba* u. *-owa* erwachsen sind. 'Im ganzen ist die Endg. *-hofa,* od. als dat. plur. *-hofun,* mehr Süd Deutschl., namentl. Bayern u. der Schweiz, eigen; in Nord-Deutchl. begegnet sie selten'. In einzelnen Fällen ist *H.* f. sich z. Eigennamen erwachsen; das bekannteste Beispiel bietet die um 1080 entstandene oberfränk. Stadt *H.,* die lange *Regnitzhof* geheissen hatte (Meyer's CLex. 8, 990), ohne dass mir die Beziehg. z. Flüsschen Regnitz, die eine gute Strecke obh. der Stadt in die Saale fällt, klar geworden wäre. Im plur. *die Höfe,* der Landstrich v. Pfäffikon am Zürichsee, ehm. an Einsiedeln vergabte Meyerhöfe, welche zu beträchtlichen Dörfern erwachsen sind (Joh. v. Müller's SWerke 20, 62). — *Hofstatt,* im dat. plur. *Hofstetten,* zunächst nicht Eigenname, sondern Haus u. Hof mit allen nöthigen Wirthschaftsgebäuden versehen, urk. auch durch *curtile* od. *locus curtis* wiedergegeben, alt *Hovastat, Hovastetin,* 'gehört Süd-Deutschland an, wie 'Burgstall' norddeutsch ist' (Förstem., Altd. NB. 823), auch in Zssetzungen wie 774 *Richgaereshovasteti* = Hofstatt der Rihger (Meyer, ON. Zür. 85).

Hoffnung, Cap der Guten, als der bekannteste Ausdruck f. die angenehmen Aussichten, welche sich im Gang grosser Unternehmungen, zumal auf dem Felde der Entdeckungen u. Mission, den Betheiligten eröffnen, ist unter der port. Namensform (s. Esperança) nachzusehen, f. eine spätere holl. Wiederholg. unter 'Hoop' u. s. f. — Eine *Bucht der GH.,* im Kotzebue Sd., ist getauft v. russ. Lieut. v. Kotzebue (EntdR. 1, 141 ff., Carte) im Aug. 1816, weil beim Einlaufen sich die Hoffng. einer neuen schönen Entdeckg. immer mehr bewährte. — *Hoffenthal,* 2 Colonieen: *a)* Missionsort der Brüdergemeinde in Labrador (Peterm., GMitth. 9, 121); *b)* deutsche Agrarcolonie in Taurien, 1804 ggr. (Bär u. H., Beitr. 11, 51).

Hofmann Insel, in Franz Joseph Ld., v. der 2. österr.-ungar. Nordpolarexp. Weyprecht-Payer

1872/74 benannt wie *H. Halbinsel* auf Gänseland im Aug. 1872, nach dem 'hervorragenden russ. Geologen u. Bergingenieur, welcher den nördl. Urál u. den Pae choi studirte' (Peterm., GMitth. 20 T. 16. 23 u. gef. Mitth. Prof. Höfers, Klagenf. 17. Febr. 1876). — *Hoffmann Berg* s. Wilczek.

Hog Island = Schweineinsel, engl. ON. 3 mal *a)* in der Delaware Bay, v. den ersten engl. Ansiedlern so benannt (Strachey, HTrav. XXVIII); *b)* s. Crozet ; *c)* s. Babi. — *Hog-back* = Schweinsrücken, bezeichnend f. gewisse Bergformen, ein in America beliebter Ausdruck: *a) Great* (= grosser) *H.-Back,* ein 1460 m h. Berg in NCarolina; *b) H.-Backs,* am östl. Fusse der Rocky Ms., wo die Schichten, aufgerissen u. aufgerichtet in langen Kämmen, eine höchst sonderb. u. malerische Scenerie erzeugen; *c) H.-Backs* heissen oft auch die merkw. Kiesrücken des nördl. NEngl., die 'kames' od. 'eskars' (Whitney, NPlaces 119).

Hogland = Hochland, eine schroffe Porphyrinsel, die, mitten zw. den Küsten Finlands u. Estlands im finn. Golf, an Höhe beide Landseiten, insb. aber die beiden kleinern Nachbareilande Hoften u. Klein Tütters, die eigentl. nur flache, wenig üb. Meer hervorragende, baum- u. strauchlose Sandbänke darstellen, weit überragt. 'Aus der Entferng. hat sie das Ansehen dreier hoher Berge', die durch niedrigere Hügel verbunden sind. 'Ein starrer Fels, v. Thälern u. Schluchten nach allen Seiten zerrissen, steigt *H.* aus dem Meere. Es ist ein regelloses Gewirre v. höhern u. niedern Bergen, aus welchen hptsächl. drei, der höchste ca. 530′ üb. M., üb. die andern hervorragen'. Selbst Gr. Tütters ist der grössern Hälfte nach flache Niederg. u. erhebt sich im Norden nur zu ca. 45 m (Bär u. H., Beitr. 4, 105 ff.). Auch Schrenck (ib. 147 ff.) spricht v. 'den zerrissenen Höhen u. hochaufstrebenden nackten Porphyrwänden *H.'s*.... 'Ein regelloses Gewirre felsiger Höhen, durch vielf. sich schlingende Thäler v. einander geschieden, v. Spalten u. Klüften nach allen Seiten zerrissen u. v. Trümmerblöcken bedeckt, die — v. den Felswänden in Massen v. oft ungeheurem Umfange herabstürzend — am Fusse derselben in wilder Unordng. üb. einander gethürmt liegen, dies ist der allg. Charakter der Insel *H.*' (Hertha 3 GZ. 75).

Hogulje, amtl. *Hohe Kullge,* sonst *Hohe Gulge, Gülge, Kullga, Koliche,* im Volksmund gew. *H., Hogolje,* zuerst im 16. Jahrh., Trautmannsche Chronik, *Hocollia,* der Culm des Bober-Katzbach-Gebirgs, ein anschauliches Beispiel f. die Bereinigg., welche der Breslauer Geogr. J. Partsch (Sep. Abdr. Wanderer im Riesengeb. 1887) als eine 'Aufgabe der Cartographie im Riesengebirge' angeregt hat. Die Ableitg. aus dem Deutschen, etwa 'hoher Galgen' od. 'Kohlige', als Platz z. Kohlenbrennen, konnte nicht befriedigen, eben so wenig die halbslaw., welche an *gola* = kahle Ebene od. an *kula* = Kugel, mit vorgesetztem deutschem 'hoch', dachten, od. die Vermuthg., dass slaw. *ogólna* od. *okólny* beizuziehen sei, die jedoch keinen rechten Sinn ergeben. Nun kam der Slawist W. Nehring auf poln. *gula* = Beule, Kropf (Arch. f. slaw. Phil. 11, 146, Wand., RiesG. 1. Sept. 1889), u. er fügt bei: *ogule* ist ähnl. gebildet, wie z. B. *oplocie* = Umzäunung, f. *plot* = Zaun; *hogule, hogulje*, mit dem nicht auffälligen *h-* im Anlaut, ist in Bezug auf *j* eine naheliegende deutsche Umbildg. des slaw. Wortes mit dem weichen *l*-Laute (Brief dd. 20. Sept. 1890).

Hoh s. Hoch.

Hohenlohe Insel, in Franz Joseph Ld., 81⁰ 40′ NBr., v. der 2. öst.-ungar. Nordpolexp. Weyprecht-Payer 1872/74 benannt nach Graf Wilczek's intimem Freunde, dem Fürsten *H.*, kk. Obersthofmeister, wie *H. Spitze*, bei Horn Sd., Spitzb., v. Baron v. Sterneck, im Juli 1872, u. *H. Bay* s. Wilczek (PM. 20 Taf. 23, 22; 204, gef. Mitth. Prof. H. Höfers dd. Klagenfurt 17. II. 1876). —

Hohle Gasse — Hohlweg, enger Wegeinschnitt, der nun in eine ordentl. Strasse umgewandelte Uebergang Immensee - Küsnach, eine der durch Tradition geheiligten Stellen der Centralschweiz (Joh. v. Müller, Sämmtl. W. 8, 311); *b) Hohlenstein*, v. alt *holi* = Hohlweg, Bergschlucht, Höhle, eine grosse Höhle der zürch. Gemeinde Bäretswyl, in welcher nach der Sage Hagêren, d. i. Riesen, wohnten (Mitth. Zürch. AG. 6, 86).

Hohonu s. Mea.

Hojna Voda s. Heilbronn.

Hô-kuân = befestigter Flusspass, chin. Name einer an der Westseite des Hoàng-hô gelegenen Veste, auch *Pᵘu-tsin*. Unter der Dynastie der Sung, 1011, änderte sich der Name in *Taï-khing kuán* = befestigter Pass v. (Stadt) Taï-khing (Pauthier, MPolo 2, 355).

Holâwgojè = Möveninseln, sam. Name einer Gruppe v. 3 kleinen nackten Felsinseln der Samojedenküste, nach den zahllosen Möven u. a. Seevögeln, welche sich dort aufhalten, russ. übsetzt in *Tschäïtschji Ostrowa* u. übtragen auf das nahe *Tschäïzyn Nos* = Mövencap, u. *Tschäïzyn Kámen'*, das Gebirge der Halbinsel (Schrenk, Tundr. 1, 668 f.).

Hold Tava = Mondsee, mag. Name eines 1861 ausgetrockneten See's in Siebb., nach seiner Mondgestalt, in neuerer Orth. *Hód Tava*, bei Schwicker (ZfSchulG. 3, 2) *Hódos-to* = Biberteich (Glob. 11, 77).

Hold with Hope = halt an mit Hoffen, auf engl. Entdeckgsgebiet 2 mal: *a)* ein Küstenstrich an der Ostseite Grönl., entdeckt u. benannt v. engl. Seef. Henry Hudson, der am 13.—22. Juni 1607 das Land bis 73⁰ N. verfolgte, noch am 21. v. Eise eingeschlossen zu werden fürchtete u. den die nun eingetretene, aussergew. milde Temperatur mit Hoffng. grosser Erfolge erfüllte (WHakl. S. 27, 6. 146, Forster, Nordf. 375). Petermann (GMitth. 17, 200 T. 10) setzt die Entdeckung in 73₅⁰ u. meint, die Bezeichng. sei ′ein sonderbarer Name′ (ib. 16, 328). Später wurde ′ungerechter Weise′ der holl. Name *Broer Ruys* eingeführt; *b)* eine Insel der Hudson's Str., ang. 61⁰ 24′ NBr. am 19. Juli 1610 ebf. v. Hudson, dem v. froher,

Hoffng. auf eine westl. Durchfahrt erregten, getauft (Rundall, Voy. NW. 77), id. *Long Island* = lange Insel (WHakl. S. 27, 96). — *Holdfast Reach* = Strecke des Festhaltens, eine Stelle des Victoria R., Arnhem's Ld., v. Capt. Stokes (Disc. 2, 102) am 29. Nov. 1839 so genannt, weil er am Morgen jenes Tages mit aller Anstrengg. seiner Leute die beiden Anker seines Fahrzeugs nicht mehr aus dem Quicksandgrunde herausbrachte.

Holderbank s. Wangen.

Hole = Loch, auch Höhle, engl. Wort, welches in den Rocky Ms. früh f. gewisse thalähnliche, verhältnissmässig ebene Flächen gebr. wurde (s. *Pierre's H.*), mit gew. Sinne in dem Namen *H. in the Rocks*, im Quellgebiete des Snake R., Idahô, wo eine merkw. Höhle in den Basaltfelsen. ′About a mile west of the station there is a depression in the level plain 30 by 50 feet, where the rocks seem to have sunk, revealing on the north side quite a large opening. This opening or cave connects with others to an indefinite extent . . .′ (Hayden, Prel. Rep. 29). — Holl. *H. Fontein* = Lochquelle, wo der Mooie R. obh. Wonderfontein in den Boden versiegt (Peterm., GMitth. 18, 425).

Holland, urspr. f. gewisse Gebiete des Rheindeltas, wohl f. die Umgegend v. Dortrecht, später in erweitertem Sinne, j. f. 2 Provinzen des Kgr. der Niederlande, *Nord-* u. *Süd-H.*, gebraucht, im 10. Jahrh. *Holtland* = Holzland, v. dichten Buschwerk der Niederg. zw. Merwede u. Alter Maas (s. Merwe). Diese sumpfwaldige Gegend wurde im 11. Jahrh. v. dem fries. Grafen Dirk besetzt, mit einer Veste bewehrt u. z. Einzug eines Schiffszolls benutzt. Mit der Ausdehng. des Besitzes ging der Name *Holtland* auch auf die rechte Seite der Flüsse über, u. nun begannen sich die Grafen auch allm. Grafen v. *Holtland* zu nennen, so Dirk V. 1083 als Theodoricus Dei gratia *Holtlandensis* comes, wie schon seine Mutter als comitissa *Holdlandensis* erscheint . . . ′het schijnt dat de Boschrijkheid dezer Landstreek haar ook van ouds den Naam van *H.* verworven heeft′ (v. d. Bergh, MG. 218 f.), auch *Holdland*, im 11. Jahrh. *Hollandia, Hollandt* (Förstem., Altd. NB. 866, Deutsche ON. 112, Bacm., Kelt. Br. 45), also dass die Gleichg. *H.* = Tiefland (Ziegler, GAtl. 2) zu verlassen ist, während dieser Sinn im Namen des Gesammtstaats *Nederlande* (s. d.) ausgedrückt ist. Nom. gent. *Holländer* (s. Boers), engl. *Dutch*, als Anklang an ′deutsch′. Zur Römerzeit hiess das Rheindelta, als f. der germ. Stamm Bataver bewohnte Inselland (Tac., Ann. 2, 6, Hist. 4, 18), *Insula Batavorum* (s. Batavi). — In der Glanzzeit holl. Seef., als eine patriot. Strömg. die Namen der Oranien, der Generalstaaten u. der holl. Städte auf viele überseeische Objekte übtrug, fand auch der Name *H.* mehrf. Anwendg.: in *Holländische Bay* (s. Smeerenberg) u. in 3 Uebertragungen, *Nieuw H.: a)* s. Brazil; *b)* das Land an der ugr. Str., v. der holl. Exp. 1594 ′tot onses Vaderlants gheheugenisse′ (Linschoten, Voy. 19, Adelg., GSchifff. 156); *c)* der Australcontinent, der zwar schon 1542 auf Rotz' geheimnissvoller Carte, als *Great* (= gross) *Java*, auftaucht (Krus., Mém. 1, 57), doch erst durch die holl. Seeff. 1606/44 eine bestimmte Form erhielt u. v. dem grössten dieser Entdecker, Abel Tasman, nach seinem Heimatlande benannt wurde (ZfAErdk. nf. 11, 27, Forster, Bem. 2). In Tasman's Journ. p. 2, u. ebenso in der Carte, *Nieuw H.*, of, zoo als dit toen veelal genoemd werd, *Compagnies Nieuw Nederland*, zu Ehren der holl.-ostind. Co., deren Directoren so viel f. austral. Entdeckungen gethan haben. Der Antheil, den die Engländer, insb. Cook 1770, an der Entschleierg. nahmen, bewirkte ein Schisma in der Nomenclatur: *NeuHolland*, f. die Nord-, West- u. Südküste, u. *NewSouth Wales*, f. die Ostküste. Als dann Flinders 1801/03 auch Tasmania v. Continente abschnitt u. dessen noch fehlende Küstenlinie darlegte, schien es ihm an der Zeit, mit Umgehung des holl., wie des engl. Partialnamens z. ältern Bezeichng. *Terra Australis* od. gar *Australia* zkzukehren. 'Had I permitted myself any innovation upon the original term, it as being more agreeable to the ear, and an assimilation to the names of the other great portions of the earth'. — *Cap H.* s. Olivier. — Ein grönl. *Cap H.* ist v. Scoresby (North WF. 104) im Juli 1822 nach Dr. *H.* getauft.

Holm = Klippe, kleine Insel, in nord. ON. wie *Stockholm* (s. d.), *Holmfors*, f. einen Hof am wilden 'Fors', Katarakt, der Kalix Elf (Petersson, Lappl. 26), *Holmö* = Klippeninsel, in der Seegasse Qvarken, *Holmgard* = Inselveste, norm. Name der im 10. u. 11. Jahrh. blühenden Vorläuferin des j. Archangelsk, russ. geformt *Cholmogory*. Auf einer Insel der Dwina fand der v. heil. Olaf, König der Norweger, 1027 abgesandte Raubzug ein Götzenbild der Bjarmier, Jomala, dessen Kniee eine mit Silbermünzen gefüllte silberne Schüssel hielten, u. mit der Beute flüchteten sie sich v. dannen (P. Hunfalvy, V. d. Ural 19). Dennoch entspann sich zw. den Abenteurern u. den Bjarmiern ein Tauschhandel, u. hier war der grosse Stapelplatz der durch Chazaren, Bulgaren u. Bjarmier vermittelten Waaren des Binnenlandes (Spörer, NSemlja 4) — Ein *Holmegaard* auch in Sjaeland, 1327 *Holme* (Madsen, Sjael. StN. 210).
Holmes s. Alexander.
Holothuries, Bancs des = Trepangbänke, bei dem austr. Archipel Bonaparte, v. frz. Capt. Baudin 1801/03 nach der ergiebigen Trepangfischerei benannt (Péron, TA. 2, 212 ff., Freycinet, Atl. 27).
Holstein, Landschafts-, urspr. VolksN., im 10. Jahrh. *Holtsati* = die Holzsassen, dann *Holzati*, bei Ad. v. Bremen *Holcete* 'dicti a silvis quas incolunt' (Förstem., Altd.NB. 866), v. *hulto*, altndd. u. alt-engl. *holt* = Wald u. *séti* = sitzend (Erdm., Angeln 76), daher *Holsatia*, dann *Holstenland*, *Holsten*, *H.* (W. Seelmann, ZGesch. d.d. Volksst. 45, ZfAErdk. nf. 8, 138). — *Holsteinburg*, Colonie in Grönl., 'dem dam. geheimen Rath u. Präsidenten beim hochlöbl. Missions-Collegio, Grafen v. *Holstein*, z. Andenken angelegt' (Cranz,

HGrönl. 1, 20). — *New Holsteinborg* s. Carl IV. Johan. — *Holt I.* s. Holz.

Holy Island = heilige Insel, ein Küsteneiland südl. v. Tweed, Northumberland, mit berühmter v. König Oswald 635 ggr. Benedictiner-Abtei (Meyer's CLex. 9, 19). Hier war der Schotte Aidan erschienen, um die Heiden zu bekehren; der Ort wurde Bischofssitz, verlor diesen jedoch durch die Einfälle der Dänen, u. das Heidenthum kehrte wieder zk. 'The most venerable place in Britain', so schrieb Alcuin an den König Egelred v. Northumbrien, 'is left to the mercy of pagans; and, where the Christian religion was first preached in this country, after St. Paulinus left York, there we have suffered its destruction to begin' (Camden-Gibson, Brit. 2, 420). — *Holywell* = 'Heilbronn', Ort des nördl. Wales, mit sehr kalter Wunderquelle der heil. Winfrida, ehm. häufig v. Wallfahrern besucht (MCL. 9, 19).

Holz, alts. *holt* = Wald findet sich oft, doch selten mit dem urspr. *u*, in deutschen ON. (s. Holland u. Holstein). Unter Stamm *hult* gibt Förstem. (Altd. NB. 861) etwa 40 auf *holz* ausgehende Namen aus dem 7.—11. Jahrh., z. Hälfte in niederdeutscher Gestalt, dann die Belege f. *Holzheim, Holzhausen, Holzkirchen* u. a., die z. Th. in Mehrzahl vorkommen. *Holzminden*, Ort in Braunschw., wo die *Holzminde*, bei Ress (ON. Brschw. 196) noch einf. *Holz*, *Holtsche*, in die Weser mündet. — Eine mod. *Holzbucht* in Jan Mayen, wo man eine ungeheure Menge Treibholz angeschwemmt traf (Vogt, Nordf. 289). Viell. gehört hierher *Holt Island*, Paumotu, v. Capt. Buyer 1803 entdeckt u. benannt, bei dem russ. Seef. Bellingshausen 1819 *Yermoloff Insel*, einh. *Taenga*, wahrsch. dieselbe, welche ein anderer Seef. 1832 *New Island* = neue Insel nannte (ZfAErdk. 1870, 367, Meinicke, IStill. O. 2, 208).

Homberg, eine der aus *hoch* (s. d.) verd. Formen, f. Bergschlösser: *a)* Ruine auf hohem Basaltkegel bei Cassel; *b)* Schloss der Prov. Oberhessen (Meyer's CLex. 9, 40). — Ebenso *Homburg*, ebf. mehrf.: *a)* im Rgbz. Wiesbaden, alte Burg viell. röm. Ursprungs, später Residenzschloss, 1680 erbaut, mit herrl. Umschau auf Stadt u. Gegend; *b)* Ort in der Pfalz, mit einer früher stark befestigten Burg; *c)* Ort in U/Franken, mit Schloss (Meyer's CLex. 9, 41, Förstem., D. ON. 127).

Home, Cape, eines der nach Sir Everard *H.* benannten Objecte, bei Croker's Bay, v. Parry (NWPass. 32) am 3. Aug. 1819; *b)* ebenso *H.'s Group*, eine Inselgruppe bei York's Peninsula, v. Capt. Ph. P. King (Austr. 1, 236) am 20. Juli 1819; *c)* *H.'s Isles*, bei Georgs IV. Kröngs. Bay, v. Capt. John Franklin (Narr. 367) im Juli 1821; *d)* *H.'s Foreland*, 'a fine, bold and picturesque' Vorgebirge in Grönl., v. Scoresby (NorthWF. 104) im Juni 1822.

Homem em Pé = Mensch zu Fusse, aufrechtstehender Mann, port. Name einer sonderb. Felsbildg. des Pico Ruivo v. Madeira. Sie besteht aus einer malerischen Gruppe v. Basaltsäulen, welche vereinzelt aus schönem Grasteppich bis 13 m h. senkr. herausragen (Wüllerst., Nov. 1, 98).

Hommes s. Ormoy.

Homrah s. Achmar.

Homs, arab. Name eines nordsyr. Orts im reichgesegneten Thal des Orontes, röm. *Hemesa*, gr. *Ἔμεσα*, syr. *Chemes* = das fette (Kiepert, Lehrb. AG. 164). Nur Beiname ist arab. *el -'Adije* = die Kühlung hauchende, da sie, ca. 400 m üb. M., gg. Westen offen liegt u. dorther immer Seeluft hat (Wetzstein, Haur. 79).

Honden E. s. Pablo.

Honduras = die Tiefen, atlant. Küstengebiet in CAm., weil hier die Spanier, selbst hart am Ufer, keinen Grund fanden u. Gott dankten, dass er sie aus solchen Meerestiefen gerettet habe (ZfAErdk. 6, 180, Buschmann, Azt. ON. 126). '. . . el golfo tiene el nombre, porque, deseando los primeros Españoles llegar á tierra y no hallando fondo en muchísima distancia de la costa, diéron gracias á Dios de haver salido de tantas honduras' (Alcedo, Dicc. Am. 2). Eine Zeit lg. hiess die Küste auch *Tierra de las Hibueras*, auch *Higueras* = Kürbisland, 'from a species abounding in that locality' (Juarros 2, 173, WHakl. S. 40, 1). — In ON. mehrf. das span. *hondo, a* = tief, welches wie ital. *fondo*, port. *fundo* v. lat. *fundus* = Grund stammt, das subst. als adj. angewandt, während span. subst. *fondo* dem frz. *fond* = Grund, Seeboden, Hintergrund entspricht (Diez, Rom. WB. 1, 184), z. B. in *Bahia sin Fondo* (s. Matias). — *Rio Hondo*, wiederholt span. Flussname: *a)* in Argent., kurzer Zufluss des Rio Dulce (Peterm., GMitth. 14, 53); *b)* in Yucatan, der Grenzfluss gg. Brit. Honduras (Meyer's CLex. 9, 51). — Im fem. *a)* ein ON. *Honda,* an der Mündg. des Guali, wo der Magdalenenstrom, nach Beendigg. seiner Stromschnellen, z. bedeutenden Fahrbahn wird (ib. 9, 51; 11, 58); *b) Cueva Honda* = tiefe Grube, die Schlucht, welche die beiden Stadttheile v. Cuzco trennt (Glob. 4, 192 ff.). — *Bahia Honda* = tiefe Bay, ebf. mehrf. *a)* an der Nordküste Cuba's, 'a deep bay', danach die Stadt u. der schlank aufsteigende *Pan* (= Zuckerhut) *de BH.* (Hakl., Pr. Nav. 3, 620); *b)* eine brauchb. Hafenbucht der Westseite der Ill. Goajira, Col. (Meyer's CLex. 9, 51); *c)* s. Espiritu.

Hone s. Loch.

Honeycomb s. Organ.

Hongkong, die Insel vor Kanton, bei Gützlaw unglaubwürdig 'wohlriechendes Wasser', richtig wohl lieblicher Hafen (Ausl. 46, 110), wie auch Acad. (1. Jan. 1873, 19) 'pleasant port' setzt.

Honigberge, euphbll. Name einer Berggruppe des Gebiets Drakensulm, 'v. der grossen Menge Honig..., den die Bienen in den Thälern ztragen. Man sieht es in der heissen Sommerszeit häufig fliessen. . . Die Hottentotten klettern mit Lebensgefahr an die steilsten Orte, um Honig zu hohlen, das sie auf dem Vorgebürge gg. Kleinigkeiten vertauschen' (Kolb, VGHoffg. 229). — *Honeycomb* s. Organ.

Honwe s. Iroquois.

Hood's Island, ein 360 m h., dürrer, steiler Zuckerhut in den Marquezas, einh. *Fetugu* (Krus., Mém. 1, 255), *Fetuhuku* (Meinicke, IStill. O. 2, 241), am 7. April 1774 durch den engl. Seef. Cook (VSouthP. 1, 298) entdeckt u. benannt nach einem seiner Officiere, 'the young gentleman who first saw it'. — *H.'s River,* ein in Baillie's Cove mündender Zufluss des Eismeers, durch den engl. Capt. John Franklin (Narr. 449 ff.) zu Ende Juli 1821 benannt z. Andenken des auf der Exp. umgekommenen Gefährten Robert *H.* — Nach Samuel *H.,* einem der Lords der Admiralität, hat der engl. Entdecker Vancouver benannt: *a) Mount H.,* ein Berg der Cascadenkette (Lewis u. Cl., Trav. 386); *b) Point H.,* ein Vorgebirge v. Nuyts Ld. 1791 (Flinders, TA. 1, 75). — *H.'s Island,* in der Südgruppe der Paumotu, einh. *Marutea* = giftiger Fisch, nach den hier vorkommenden schädlichen Fischen, durch den engl. Capt. Edwards am 17. März 1791 entdeckt u. ebf. nach Lord *H.* benannt (Meinicke, in ZfAErdk. 1870, 351 u. in IStill. O. 2, 214). Beechey (Narr. 1, 146) schreibt die Entdeckg. dem engl. Capt. Wilson, u. Missionsschiff Duff, zu, u. Meinicke setzt in seiner Specialstudie *Lord Howe's Island;* da jedoch Capt. Edwards in demselben Jahre eine der Freundschaftsinseln so getauft hat u. Stielers HAtl. No. 52 nicht *Howe,* sondern *Hood* gibt, so dürfte hier wohl eine Verwechslg. vorliegen.

Hooft Hoek = Kopfcap, auf engl. Carten in *Head Point* übsetzt, an der Ostseite v. Barents Ld., als einer der am weitesten vortretenden Landköpfe, so benannt am 20. Aug. 1596 durch die holl. Exp. des Will. Barents (GdVeer ed. Beke 194, Carte, PM. 18, 896).

Hoog = hoch, in holl. ON. *a) Hooge Berg,* in der Vulcan Insel des Britania Arch. (s. Schoutens E.), so benannt 1616 v. der holl. Exp. des Maire u. Schouten (Meinicke, IStill. O. 1, 99); *b) Hooge Land* s. Admiralty.

Hoogley s. Hugli.

Hooker, zwei schott. Botaniker, Vater u. Sohn, jener *Will. Jackson H.,* Prof. in Glasgow, dann Director des bot. Gartens in Kew, dieser *Jos. Dalton H.,* geb. 1816, als Unterarzt des Schiffes Erebus Begleiter des Capt. J. Cl. Ross auf der antarkt. Exp., in Europa, Tibet, Indien, Nord-Africa u. America viel gereist, seit 1865 Amtsnachfolger seines Vaters in Kew. Es sind nach ihnen getauft *a) Cape H.,* in Grönl., v. Walter Will. Scoresby jun. (NorthWF. 198) am 27. Juli 1822, nach dem Vater; *b) Cape H.,* im antarkt. SVictoria, v. Ross (SouthR. 1, 250 ff.) im Febr. 1841, nach seinem Begleiter; *c) Mount H.,* der Eismeerküste America's, v. Dr. Richardson, Exp. Franklin (See. Exp. 242 ff.) im Sommer 1826, nach dem Vater; *d) H. Glacier* (s. Cook), nach dem Sohn.

Hoop = Hoffnung, mehrf. in holl. ON., *vorm. Kaap van Goede H.* — Vorgebirge der guten Hoffnung 2 mal *a)* s. Esperanza; *b)* so nannte die holl. Exp. v. Le Maire die Westspitze v. Schoutens Ld., NGuinea, als sie, am 30. Juli 1616 üb. den

Pacific kommend, 'y trouva en abondance des vivres frais qui ranimèrent un peu les malades' (Garnier, Abr. 1, 74) u. endlich hoffen konnte, in Kurzem 'by onse Lantsluyden te comen' (Beschrijv. p. 109, Spiegh. Austr. Nav. fol. 63). Die spätern Seef. Tasman u. Dampier dislocirten jedoch den Namen auf die nahe Nordspitze NGuinea's (Krus., Mém. 1, 63, Meinicke, IStill. O. 1, 364). — *Eiland van Goede H.*, zw. Samoa u. Viti, einh. *Onofu*, *Niuafou*, *Onu-Afu* (Garnier, Abr. 1, 67), durch die holl. Exp. Le Maire u. Schouten am 14. Mai 1616 entdeckt u. v. den Matrosen so genannt, weil sie auf der Berginsel Wasser zu finden hofften (Spiegh. Austr. Nav. fol. 54), bei dem frz. Seef. Crozet 1772 nach der Tageszeit der Begegng. *Point du Jour* = Anbruch des Tages, bei den engl. Seeff. Edwards 1791 u. Wood 1838 offb. in prsl. Beziehg. *Proby Island* resp. *Brinsmade I.* (Meinicke, IStill. O. 2, 94). — *De H.* = die Hoffnung, eine Ansiedelg. mitten im Kl. Roggeveld (Lichtenst., SAfr. 1, 181).

Hooper Inlet, in Fury and Hecla Str., v. Capt. W. Edw. Parry (Sec. V. 289ff.) im Juli 1822 entdeckt u. nach Will. Harvey *H.*, dem Zahlmeister des Schiffs Fury, benannt; *b)* offb. nach demselben *H. Island*, in Liddon G., v. Parry (NWPass. 200) am 12. Juni 1820.

Hoorn, Stadt auf einem hornartigen Vorsprung Nord-Hollands, dürfte wohl nach der Lage benannt sein, ist jedoch toponymisch bedeutender durch Uebertragungen, die in der Zeit holl. Entdeckungen u. Colonisation den rührigen Seeplatz ehren sollten: *Kaap Hoorn*, nicht *Horn*, die Südspitze v. Feuerl., auch für die Insel, der es angehört, bei Fitzroy (Adv.-B. 1, 432) genauer, aber in der unrichtigen Orth. mit *o*, als *H. Island*, am 29. Jan. 1616 v. den holl. Seeff. Jacob Le Maire u. Willem Schouten entdeckt u. umschifft u. 'ter eeren des stadts van *H.*', Schoutens Vaterstadt, benannt: 'ein Cap, welches aus zween spitzigen u. überaus hohen Bergen bestehet'. Die Entdeckg. wurde durch eine dreifache Weinration gefeiert (Spiegh. Austr. Nav. 27). Der engl. Seef. Frz. Drake, auf seiner Fahrt nach der Nordwestküste America's (1578/79), kann nicht, wie G. Forster (GReis. 1, 37) meint, der erste Entdecker gewesen sein u. die Insel *Elizabeths Island* (s. d.) genannt haben, da seine Route durch die Magalhães Str. ging; unter diesem Namen soll die Insel (od. ein anderes Land am Südende America's?) auf J. Hondius' Weltcarte (1602) vorkommen. Hingegen wollte der Spanier Bartol. Garcia de Nodal, der am 22. Jan. 1619 vor der Str. Le Maire erschien, die Landspitze *Cabo de San Ildefonso*, die Insel *Isla de San Ildefonso*, die Carte der chilen. Jesuiten (um 1640) jene *Cabo de San Salvador* = Cap des h. Erlösers, doch mit dem Beisatze 'vulgo de *H.*' nennen. Das Missverständniss führte zu der span. Form *Cabo de Hornos* = Ofencap (Govantes, Hist. Fil. 28) u. zu dem frz. *Cap Cornu* = gehörntes Vorgebirge (ZfAErdk. 1876, 447. 456ff.). Im span. Süd-America scheint das 'Ofencap' noch fröhlich fort zu leben, da eine

argentin. Corvette *Cabo de Hornos* heisst (Peterm., GMitth. 28, 13). — In der Nähe *False* (= falsches) *Cape H.* (Cook, VSouthP. 2, 189). — Durch Uebertragg. des holl. ON. noch weitere Inseln : *a) Hoorn Eiland*, mal. *Pulo Ajer* = Wasserinsel (s. Onrust), vor Batavia (Meyer's CLex. 2, 664); *b)* Insel der Geelvink Bay (s. d.), v. der holl. Exp. Geelvink (Meinicke, IStill. O. 1, 94); *c)* im plur. *H.'sche Eilanden*, 2 Inseln westl. v. Samoa (s. Enfant Perdu), durch die Exp. Le Maire u. Schouten am 19. Mai 1616 entdeckt u. 'ter eeren van de stadt *H.*', 'wo unser Schiff ausgerüstet worden u. wo die mehresten unserer Leute zu Hause waren', benannt (Spiegh. ANav. f. 52, Beschrijv. 100).

Hooy = Heu (s. Hay), in dem holl. ON. *Hooyvlakte* = Heufläche, eine Ebene des Capl., im Gebirge Nieuweveld (Lichtenst., SAfr. 2, 60).

Hóp = Bucht, norm. eig. ein kl. vik, gebildet durch einen ausmündenden Fluss u. einen Einlauf des Meeres, ein Platz an der Küste Vinlands, an der Mündg. des j. Taunton R., wo 1007 Karlsefne sich anbaute, wohl vollst. *Hopsvatn*, wo *vatn* = Wasser, j. in *Mount Hope Bay* umgedeutet (Rafn, Entd. Am. 14. 22. 25).

Hope = Hoffnung, häufig in Entdeckernamen, als Ausdruck freudiger Erwartg.: *H. Bay*, in Vancouver I., v. Cook im März 1778 benannt, weil er hier einen guten Hafen zu finden hoffte u. — fand (Cook-King,Pac. 2, 264. 269). — *Cape H.*, mehrf. *a)* bei Wager Bay, wo am 3. Aug. 1742 der engl. NWF. Middleton das Eis lichter fand u. am 5. eine neue Eisfahrt, eine vermeinte Durchfahrt z. Pacific, sich öffnete. Angesichts des Caps segelte er in tiefem Wasser u. sehr starken Gezeiten 4—5 h hinein, u. 'I named this headland *CH.*, as it gave us all great joy and hopes of its being the extreme north part of America, seeing little or no land to the northward of it' (Coats ed. Barrow 124); *b)* in Patagon., v. Francis Drake am 12. Mai 1578 so genannt, weil er hoffte, jens. dieser Landecke einen Hafen zu finden, der vor dem stürmischen Wetter jener Zeit schütze (Spr. u. F., NBeitr. 12, 217); *c) H. Promontory*, im s. Chile, wo eine Abtheilg. der Exp. King-Fitzroy (Adv.-B. 1, 350) im Apr. 1830 anlangte, in der Hoffng., südw. einen weitern Ausweg nach Fitzroy Passage zu finden. — *H. Harbour*, in Feuerl., ebf. v. der Exp. King-Fitzroy (ib. 1, 63), welche auf ihrem Rückwege v. Cape Turn hier Schutz vor Sturm zu finden hoffte. — *Mount H.*, in Admiralty Sd., Feuerl., v. ders. Exp. (Fitzroy, Narr. 1, 56) im Febr. 1827 so getauft, weil sie, freil. vergeblich (p. 59), hoffte, in wenigen Tagen Nassau Bay zu erreichen u. damit eine Durchfahrt zu entdecken. — *H. Inlet*, eine Einfahrt in Clarence Str., Nord-Austr., v. Capt. Stokes (Disc. 2, 4) am 8. Sept. 1839 benannt, to commemorate the feelings it excited on its first discovery'. — *H. Island*, mehrf. *a)* im Südosten Spitzb., v. einem engl. Walfgr. 1613 entdeckt (Adelung, GSchiff. 273), auf Pellhams Carte 1631 eingetragen u. v. A. Petermann (GMitth. 17, 182 T. 9) beibehalten; *b)* s. Strong. — Im plur. *H.*

Islands, 2 Küsteninseln v. Queensl., die Cook am 13. Juni 1770, nachdem er 23 ʰ festgelegen, als Gegenstand allgemeiner Hoffng. ʾor perhaps rather of our wishesʾ erreichte (Hawk., Acc. 3, 149). — *H. Reach*, eine Strecke des Albert R., Carpentaria, wo in Capt. Stokes (Disc. 2, 311 f.) das Aussehen des Stromes die Hoffng. erweckte, dass sich auf diesem Wasserwege tief in das Binnenland eindringen lasse. — *H. Spring*, westl. v. L. Eyre, v. Stuart 1859 so benannt, weil er aus Wassermangel schon umgekehrt war u. ohne diesen hoffnungsvollen Fund nicht weiter hätte nordw. vordringen können (Peterm., GMitth. 9, 302). — *H. Sanderson* s. Sanderson. — *H. Advanced* = verstärkte Hoffng. u. *Hopes Check'd* = vereitelte Hoffnungen, zwei ON. der Hudson Bay, v. Nordwestf. Thom. Button (1612), weil zunächst die Hoffng. auf ungehinderte Durchfahrt genährt wurde, dann jedoch am 13. Aug., ʾhis expectation was crossedʾ (Rundall, Voy.NW. 86, Forster, Nordf. 398). — Wie in dem letzterwähnten Namen spiegelt sich die vereitelte Hoffng. auch in: *a*) *Mount Hopeless*, am obern Darling, wo der Major T. L. Mitchell (Three Expp. 1, 203) am 14. Mai 1835 v. dem Gipfel aus umsonst nach New Years Range u. Sturt's Twins ausspähte; *b*) *Reach Hopeless*, eine Strecke des Victoria R., Nord-Austr., wo sich Capt. Stokes (Disc. 2, 63) am 5. Nov. 1839 z. Umkehr gezwungen sah.

Hope, als PN. ebf. in engl. ON. *a*) *H.'s Bay*, in Melville B., v. John Franklin (Narr. 381 ff.) am 13. Aug. 1821 entdeckt u. nach dem Vice-Admiral Sir Will. Johnstone *H.*, einem der Lords der Admiralität, benannt; *b*) *Cape H.*, in Dolphin u. Union Str., v. Dr. Richardson am 4. Aug. 1826 (Frankl., Sec. Exp. 252); *c*) *Cape H.*, an der Ostseite Grönlands, v. Walfgr. Will. Scoresby jun. (NorthWF. 192) am 25. Juli 1822 getauft nach Hrn. Samuel *H.* in Everton; *d*) *H.'s Islands*, an der Nordseite des Australcontinents, v. Capt. Ph. P. King (Austr. 1, 97) am 28. Apr. 1818 nach dem † Vice-Admiral Sir George *H.*, der ebf. Lord der Admiralität gewesen war; *e*) *H.'s Monument*, ʾa remarkable conical rockʾ vor Lancaster Sd., v. John Ross (Baff.B. 14.173) am 31. Aug. 1818 nach demselben Verstorbenen, ʾafter my lamented friend, one of the lords of the admiralty, who had recommanded me for the command of this expedition, and whose signature of my orders on his death-bed, was the last act of his valuable lifeʾ, v. Parry (NWPass. 31) am 3. Aug. 1819 als ein Bergstock des Hauptlandes, nicht Inselfels, erkannt. — *H.'s Table Land* s. Owen.

Hôpital, l' = Herberge, Krankenhaus, Siechenhaus, Bergherberge, v. lat. *hospitium* = Herberge, oft frz. ON. nach ehm. Hospitien od. Leproserieen od., wie *l'H. Saint-Jean*, dép. Meuse (Dict. top. Fr. 11, 111), nach Besitzungen des Malteserordens, 1642 commenda de *Sancti-Joannis*, ad provisionem magistri ordinis equitum Jerosolimitanorum. In den 18 dépp. des Dict. top. zähle ich 33 solcher Namen (2, 70; 3, 67; 11, 111; 12, 158 f.; 14, 77; 15, 115). — Anders

Cap l'Hopital, am Spencer's G., v. frz. Lieut. L. Freycinet, Exp. Baudin, am 27. Jan. 1803 getauft nach dem Staatsmann Michel de l'*H.* 1505 —1573 (Péron, TA. 2, 79, Freycinet, Atl. 16).

Hopper Island, eine der Korallfluren des austr. Gilbert-Arch., am 18. Juni 1788 entdeckt v. den Captt. Gilbert u. Marshall u. sammt den benachb. Gruppen *Henderville* u. *Woodle* offb. prsl. benannt (in Stieler's HAtl. 51 *Hoppe*). Was Capt. Bishop 1799, ebf. prsl., *Roger Simpson*, Patterson 1809 *Dundas* taufte, wird f. *H. Island* gehalten (Bergh., A. 3. R. 1, 219).

Hoppner, Cape, 2 arkt. Vorgebirge: *a*) in West-Grönl., v. Capt. John Ross (Baff. B. 147) am 18. Aug. 1818 nach einem seiner Begleiter, Lieut. H. H. *H.*, v. Schiffe Alexander; *b*) in America, v. Parry (NWPass. 200) am 12. Juni 1820 ebf. nach einem Begleiter, Lieut. Henry Parkins *H.*, v. Schiffe Griper, getauft. Dem Taufnamen zuf. handelt es sich hier um 2 vschied. Seeofficiere; dem zweiten gelten sicher: *a*) *H. River*, ein Küstenfluss des arkt. America, v. Dr. Richardson, Exp. Franklin (Sec. Exp. 242 ff.), im Sommer 1826; *b*) *H. Inlet*, in Lyon It., v. Parry (Sec. V. 82 ff.) im Sept. 1821; *c*) *H.'s Strait*, im Fox Ch., v. Capt. Lyon, Exp. Parry (ib. 229 ff.) während der Ueberwinterg. 1821/22 getauft.

Hor, hebr. הֹר u. הָר, ältere Form f. הַר [har] = Berg, Eigenname: *a*) eines Gebirges, an dessen Fusse die Stadt Petra liegt (4. Mos. 20, 22); *b*) eines Armes des Libanon (4. Mos. 34, 7. 8). — Arab. *'Aïn H.* = Platanenquelle, der Ort, bei welchem der Barrada, der Fluss v. Damask, entspringt (Kremer, MSyr. 207).

Horaken s. Gora.

Hóramaga = Renthierrücken, sam. Name einer Bergmasse des nördl. Urál (Schrenk, Tundr. 1, 433).

Horb, dat. sing. f. *horwe*, v. ahd. *horo*, *horaw* = Sumpf, *horawig*, *horawin* = sumpfig, daher *Horben*, *Horwen*, dat. plur. ʾin den Sümpfenʾ, ein Element altdeutscher ON., mit ihm synonym *Horgen*, 952 *Horga*, Ort am Zürichsee, mit *Fluss*- u. ON. *Horaginpach*, j. *Hirn*- u. *Hörgenbach*, *Horgenprucca*, j. *Horgenbruck*, in Salzburg, *Horragaheim*, j. *Horkheim*, in Württbg. Es lässt sich bei diesen\ Formen wohl auch an ahd. *haruc* = templum denken, während die alten Formen *Huriwin*, j. *Hürm*, *Horabach*, j. *Hor*- u. *Harbach*, *Horaheim*, j. *Hor*-, *Harheim* u. *Horren*, *Horohusun* u. a. diesen Zweifel ausschliessen (Förstem., Altd. NB. 827).

Horeb s. Tabor.

Horgen, Horkheim s. Horb.

Hormigas, las = die Ameisen, 2 Insel- u. Klippenschwärme der peruan. Küste, der eine, *H.* schlechtweg, nördl. v. Callao, der andere, landfernere, *H. de Afuera* = die äussern, etwas südlicher (Zaragoza, VQuirós 3, 19).

Hormuz s. Ormuz.

Horn, bezeichnender Ausdruck *a*) f. scharfe Ufervorsprünge, insb. am Boden- u. Zürichsee, oft f. sich als Eigenname, häufiger durch Relation, wie *Romsdalshorn* (Pontopp., Norw. 1, 88) u. *Zürich-*

horn, od. durch einen PN., wie in *Romanshorn*, näher bestimmt; *b*) f. schlanke Berghäupter, oft nach der auffallenden Felsfarbe, wie in *Roth-, Schwarz-, Weisshorn, Graue Hörner* etc., od. nach der Zerklüftg., wie in *Schreckhorn*, od. nach der Orientirg. der Thalleute, wie in *Mittaghorn*, etc. v. den Nachbarspitzen unterschieden, auch im dim. *Hörnli*, f. einen schlank aufstrebenden Bergstock des Voralpenlandes. Ein irrth. *Cap H.* s. Hoorn. Der Bergform schliessen sich an *a*) *H. Point*, ein Cap bei Wilson Prom., Vict., weil es 2 hornähnl. Spitzen trägt (Stokes, Disc. 2, 430); *b*) *H. Geyser*, im Fire Hole, 1871 v. Geol. F. V. Hayden (Prel. Rep. 113. 184) so getauft nach dem hornartigen Krater, der am Grunde 180, oben 30 cm misst.

Horn Sound, ein ON. v. 'Einhorn', d. i. den Hörnern des Narwal, 2 mal *a*) in Grönl., 73⁰ 45′ NBr., wo der engl. NWfahrer W. Baffin am 10.—18. Juni 1612 verweilte u. v. den Eingebornen 'Einhörner', d. s. Hörner des Narwal, eintauschten (Rundall, Voy. NW. 138, Kotzebue, Entd. R. 1, 47, Forster, Nordf. 406). Noch war dam. das Thier wenig bekannt, so dass Baffin Näheres an Sir John Wostenholme, 'one of the chief Adventurers for the discovery of a passage by the North-west' (Rundall 147), schrieb: 'As for the sea-unicorn, it being a great fish, having a long horn or bone forth of his forehead or nostrils (such as sir Martin Frobisher, in his second voyage, found one), in divers places we saw of them: which, if the horn be of any good value, no doubt but many of them may be killed'. Einer Note entnehme ich, dass das v. Frobisher heimgebrachte Horn in der Königin Elisabeth Garderobe aufbewahrt wurde. Lange stand übh. das Narwalhorn in einer Art abergläubischer Verehrg. u. galt als unfehlb. Heilmittel für mehrere Krankheiten. Es wurde zu aussergew. Preisen gekauft. Der Markgraf v. Bayreuth zahlte f. eines 600000 Reichsthaler, u. der Thron, den die dän. Könige aus Narwalhorn fertigen liessen, galt f. werthvoller, als wenn er golden gewesen wäre. Das Horn ist v. feinerer Textur u. nimmt eine schönere Politur an als Elfenbein (Hakluyt, Pr. Nav. 3, 65); *b*) an der Südwestseite Spitzb., v. Jonas Poole, welcher 1610 im Auftrag der Muscovy Co. ausfuhr, am 16. Mai in Spitzb. ankam, vor der Bucht ankerte, getauft nach einem am Strande gefundenen Renthierhorn (Torell u. Nord., Schwed. Expp. 317). — Ozw. mit den Narwalhörnern, u. nicht mit dem hornartig vortretenden Cap Wojeikow, steht in Beziehg. die spitzb. *Unicorn Bay*, holl. *Eenhorn Bogt* = Einhorn Bay, der Eingang z. Helis Sd., zuerst in der holl. Carte G. v. Keulens 1688 erwähnt (Peterm., GMitth. 17, 180. 182 T. 9).

Horsaken s. Gora.

Horner, Pic, ein kegelfgr. Uferberg v. Kiusiu, v. Capt. J. A. v. Krusenstern (Reise 1, 6. 266) im Oct. 1804 getauft nach 'dem geschickten Astronomen' seiner Exp., Dr. J. C. *H.* v. Zürich . . . 'dem trefflichen Mann, den ich immer stolz sein werde, meinen Freund zu nennen'; *b*) ebenso *Cap*

H., in Sachalin, am 10. Aug. 1805 (ib. 2, 166). — Dagegen *Mount H.*, in West-Austr., v. Capt. G. Grey (Two Expp. 2, 57) nach einem Freunde Leonard *H.*

Hornet s. Barracouta.

Hornillos, los = die kleinen Oefen, die Schlammvulcane, welche am Abhang des Rincon de la Vieja u. Cuilapa Miravalles thätig sind u. zugleich schweflige Säure, Wasserdampf u. wahrsch. Kohlenwasserstoff aushauchen (PM. 11, 246). — *Los Hornitos*, f. die Basaltaufwürfe des mexican. Malpais (s. d.), weil diese Oeffnungen, welche in erhärtete Lehmmasse eingehüllte Basaltkugeln auswerfen, dichte Dampfwolken ausstossen u. eine unerträgliche Hitze verbreiten (Humb., Kosm. 4, 338). — *Cabo de Hornos* s. Hoorn.

Horrid s. Dreary.

Horsburg, Cape, bei Cobourg Bay, am 27. Aug. 1818 v. Cap. John Ross (Baff. B. 162) so benannt 'in compliment to the hydrographer of the Honourable East India Company'.

Horse Creek = Pferdebach, ein rseitgr. Zufluss des Yellowstone R., am 24. Juli 1806 v. Capt. Clarke so benannt, weil der erwartete Gefährte, Sergeant Pryor, mit den Pferden der Exp. hier eintraf (Lewis u. Cl., Trav. 627). Etwas weiter thalwärts *Pryor's Fork*. — *H. Island*, in North Ayr, v. Capt. John Ross (Baff. B. 197) im Sept. 1818, nach einer Insel der schott. Landschaft Ayr übtragen.

Horse-shoe Island = Hufeiseninsel, nach der Form ein niedriges Eiland des Carpentaria G., v. Flinders (TA. 2, 139, Atl. 14 Carton) am 20. Nov. 1802; *b*) *H. Shoal*, Untiefe des Korallen M., v. engl. Lieut. Vine RN. (Krus., Mém. 1, 95, King, Austr. 2, 386), frz. übsetzt *Fer-à-Cheval*; *c*) *H. Rapids*, eine Folge v. Stromschnellen des Rio Colorado, die schwierigsten am Oberende des Black Cañon, nach der Form so benannt v. Lieut. Wheeler (Geogr. Rep. 159) . . . 'here the face of the current strikes the western bank and from it rebounds to the south and east with impinging force along a collection of seemingly small boulders; and upon striking the sharp bluff along the eastern shore takes a similar turn to the southwest'.

Horta, port., wie span. *huerta* v. lat. *hortus* = Garten, mehrf. toponym. verwendet *a*) f. die Hptstadt Fayals, Açoren, die mehr einem Kranz v. Granatbäumen eingefasst ist (Meyer's CLex. 2, 346); *b*) *la Huerta*, Insel an der Ostseite der Mosquitoküste, wg. ihres lachenden Aussehens v. Columbus 1502 so getauft; *c*) *Isla de la Huerta* s. Trevanion.

Hortense, Ile, eine der Iles Joséphine des austral. Nuyts Arch., v. der frz. Exp. Baudin im Febr. 1803 nach der kais. Stieftochter *H.* Eugénie Beauharnais benannt, welche seit dem 3. Jan. 1802 an Louis Bonaparte verheirated war (Péron, TA. 2, 89. 92), wie schon im Jan. *Baie H.*, im Golfe Joséphine, wo die meisten Objecte nach Frauen der Familie Bonaparte benannt wurden (Péron 2, 73, Freycinet, Atl. 10 ff.).

Horton River, ein Zufluss der Franklin Bay, v.

Dr. Richardson, Exp. Franklin (Sec. Exp. 232 f.),
am 20. Juli 1826 zu Ehren Wilmot *H.*, des Unter-
staatssecretärs f. das Département der Colonien,
benannt.

Horvaća s. Kroaten.

Horw s. Horb.

Hoschangabád = Hoschang's Stadt, pers. ON.
in Málwa, v. *Hóschang* (= Weisheit), dem Namen
(eines alten Perserkönigs u.) eines Königs v. Málwa,
welcher diese Stadt gründete (Schlagw., Gloss. 200).

Hosenbeinteich heisst unästhetisch nach seiner
Form, die an das doppeltgespaltene Unterende des
Comer See's erinnert, ein kleiner See bei Nain,
Labrador (PM. 9, 122).

Hospenthal, Ort in Ursern, am Fusse des St. Gotthard, wo, bevor 1374 das Hospiz der Passhöhe
entstand, eine menschenfreundliche Herberge, seit
dem 13. Jahrh. ggr. war (Egli, NSchweizer-K.
8. Aufl. 26, Grube, St. Gotth. 145). 'Staunend
zählt der Wanderer die Reihe der Kunstbrücken,
die kühn über brausende Tiefen sich spannen,
die Menge der Galerien, die in den Felsenstock
getrieben sind, verfolgt die Schlangenwindungen
der schönen, breiten, wohlgeschützten Strassen u.
begegnet auf den höchsten u. unwirthlichsten
Punkten nahe dem ewigen Schnee, zw. grenzenlos öden Felswänden, den schützenden Hospizen,
den letzten menschlichen Zufluchtsstätten in der
Alpenregion u. über ihr. Diese Hospize sind einfache, äusserst solide, in der Regel das ganze Jahr
bewohnbare Gebäude u. gewähren gg. ein blosses
Liebesgeschenk od. billige Bezahlung die nöthige
Erquickung u. Unterkunft' (Tschudi, Thierl. d.
Alpenw. 216).

Hossdúrg = 'Neuenburg', canar.-hind. Name einer
Ortschaft im Maissúr, im Malabári *Pangalkóttai*,
mit gl. Bedeutg. Aehnl. *Hossgárhi* = Neuveste,
in Maissúr, *Hosskottái* = Neuenburg, zweisprachig,
in Maissúr, *Hossebétta* = neue Stärke, in Málabar,
Hospett = Neudorf, in Maissúr (Schlagw., Gloss.
200).

Hossnkeif od. *Hösnkeifa* = Schloss der Laune
od. Vergessenheit der Sorgen, 'Sanssouci', türk.
ON. am Oberlaufe des Tigris, pers. *Gilkerd* =
Thonstadt, byz. *Schloss der Vergessenheit* 'wg.
eines Staatsgefängnisses *Lethe*, weil die darin lebens-
lang Eingesperrten der ewigen Vergessenheit gewidmet waren: Φρουρίω τῆς λήϑης (wer: Schloss
od. Gefängniss?). Aus dem pers. Namen haben,
unter Beibehaltg. der ersten Silbe, die Araber
Rasgul = Dämonenhaupt gemacht, eine Andeutg.
des Schreckens, den die hochthronende, fürchterliche Felsenburg mit ihren in den Fels gehauenen
Kerkern einflösste. Das türk. Sanssouci sollte
wohl die Vergessenheit der Kerker in angenehmere
Form umtaufen (Hammer-P., Osm. R. 2, 448. 648).

Hostility, Bay = Golf der Feindseligkeit, in
Vancouver I., v. engl. Capt. Barclay, der im Schiffe
Imperial Eagle hier 1787 erschien.

Hot = heiss, in mehrern engl. ON., insb. *H.
Springs* = heisse Quellen, Thermen, Thermalort:
a) unfern des Gr. Salzsees, Utah . . . 'there is here
a group of warm springs, forming, in the aggre-

gate, a stream 3 feet wide and 6—12 inches
deep; the surface, for a space of 300 or 400 yards
in extent, is covered with a deposit of oxide of
iron, so that it resembles a tanyard in color.
The temperature is 136^0 F. (= 57_7^0 C.). They
flow from beneath a mountain called *H. Spring
Mountain*. . . . The water of the warm springs
is as clear as cristal, containing great quantities
of iron, and the supply is abundant, and as there
are cold springs also in the vicinity, there is no
reason why this locality should not at some future
period become a noted place of resort for invalids.
The medicinal qualities of the water must be excellent, and the climate is unsurpassed' (Hayden,
Prel. Rep. 17); *b)* eine Thermalgruppe in Arkansas, 100 km v. Little Rock. Einem 75 m h.
Bergrücken, aus schönstem Novaculit, der Sand-
steinformation angeh., entspringen Quellen, deren
Temperatur v. derjenigen kalten Trinkwassers bis
zu 160^0 F. (= 71^0 C.) abwechselt, so nahe einander, dass man die eine Hand in kaltes u. zu-
gleich die andere in heisses Wasser halten kann.
'Die Temperatur des *H. Spring Creek* wird durch
das Einfliessen dieser Wässer so erhöht, dass man
in ihm selbst bei kältestem Wetter ein angenehmes
Bad findet. Viele chron. Krankheiten wurden
durch diese Quellen geheilt . . . sie bilden die
Zuflucht f. Invalide aus allen Theilen des Landes
(BComm. GLdamts 30 f.); *c)* in Nevada, dabei ein
Ort *H. Springs* u. als Abfluss der Quellen ein
H. Creek (Ord, Nev. 68); *d)* s. Warm. — *H.
Spring Camp*, eine Lagerstelle der Exp. des Geol.
G. V. Hayden (Prel. Rep. 131) am Nordrande des
Yellowstone L. 1871, in der Nähe v. Thermen.
— *H. Spring Creek*, einer der grossen Zuflüsse
des Yellowstone R., nach den Thermen, welche
an seinen Ufern, z. Th. bis 127^0 F. (= 53^0 C.),
entquellen. '. . . along the shores, the hot water
is oozing and boiling up through the soft mud,
covering the surface with its peculiar deposits . . .
a strong smell of sulphuretted hydrogen pervaded
the atmosphere' (Hayden, Prel. Rep. 78). — *H.
Spring Valley*, ein Thal am Ursprg. v. Jefferson
R., am 7. Juli 1806 v. Capt. Clarke so benannt, weil
er in der offenen Ebene neben einer heissen Quelle
lagerte. '. . . the bed of the spring is about fifteen
yards in circumference, and composed of loose,
hard, gritty stones, through which the water boils
in great quantities. It is slightly impregnated
with sulphur, and so hot that a piece of meat
about the size of three fingers, was completely
done in 25 minutes' (Lewis u. Cl., Trav. 615 f.).
— *Mount Hotspur* = Berg Hitzkopf, eine isolirte
Anhöhe an der austr. Discovery Bay, v. Major
T. L. Mitchell (Three Expp. 2, 251) am 10. Sept.
1836 benannt als einzige Erhebg., welche in der
Nähe v. Lady Julia Percy's Isle z. Küste sich
vordrängt.

Hotham, Cape, am Eingang des arkt. Wellington
Ch., v. Lieut. W. Edw. Parry (NW Pass 51 f.) 1819
benannt 'after rearadmiral, the honourable Sir
Henry *H.*, one of the lords commissioners of the
admiralty'; *b)* ebenso *H. Inlet*, am Kotzebue Sd.,

v. Capt. Beechey (Narr. 1, 250) im Juli 1826. — *Mount H.* s. Latrobe.

Hottentotten nannten, wohl nur, um durch den Klang eine spöttische Verachtg. auszudrücken, die holl. Boers die gelbbraunen Eingeb., die sich selbst *Khoi-Khoib* = Mensch des Menschen, *Khoi-khoin* = Mensch der Menschen, *Gui-khoin* = die ersten Menschen, od. *Ama-khoin* = wahre, ächte Menschen nennen, also dass sie sich, 'wie viele andere Völker, f. Idealmenschen halten' (Glob. 12, 238). Die Bezugsquelle f. *H.* wird vschied. angenommen; bald sollte *H.* ihr eigner Name sein, den das Volk sich selbst v. jeher beigelegt habe . . . 'alle Holländer auf dem Vorgebürge sind dieser Meing.' (Kolb, VGHoffg. 20); bald ist es die schnalzende Sprache u. *H.* = Stotterer (Meyer's CLex. 9, 91); bald ist er ihnen gegeben nach einem ihrer eignen Worte, welches man oft hörte (Tachard, VSiam 2, 81, Mercklin, OInd. R. 1099), u. noch Merensky (Beitr. 75), unter Angabe der alten Formen *Otten-toos*, in den ältesten Nachrichten *Hotnots, Hodmodods*, kommt auf diese Annahme zk. Wie Kolbe bei den Tänzen stets die Worte *hotten-tottum broqua* gehört, so vernehme man noch j. ähnl. Worte bei den Tänzen der Kora, 'wie ich v. einem Kora-Missionar erfahren habe'. Nach H. Schinz (Peterm., GMitth. 30, 390f.) ist der Ursprung des Namens *H.* 'immer noch etwas räthselhaft'; immerhin entbehre Hahns Annahme, als sei bei dem lächerl. Eindruck, den die nackten, magern u. wie Hühner glucksenden Eingb. auf die holl. Colonisten machten, das niederl. 'hüttentütt' f. etwas Verkehrtes, Dummes, Confuses auf sie angewandt worden, der Wahrscheinlichk. nicht (Deutsch-SWAfr. 75). — *Hottentottsch-Holland*, eine Ansiedelg. bei Zwellendam, u. dabei *H. H.'s Kloof*, ein Bergpass (Lichtenst., SAfr. 2, 171). 'Der Name . . . kommt nicht daher, als ob diese Gegend der Prov. Holland ähnl. sähe: sie ist grösser, v. ganz anderer Gestalt u. gebürgig. Man hat ihr den Namen gegeben, weil sie bei der ersten Untersuchg. sehr bequem schien, die Herden der (holl.-ostind.) Co. zu ernehren' (Kolb, VGHoffn. 214).

Hotumlu, ein Dorf Massaua ggb., neuen Datums, wohl v. dem dort häufig vorkommenden Baume *Hotum* (Munzinger, OAfr. Stud. 119).

Houdhoek, abgek. *Houhoek* = Haltecke, holl. Name 'einer steilen u. unwegsamen' Schlucht des Capl., welche durch ihre Krümmungen u. ihre Länge die Reisenden lange aufhält u. wo (früher) an den gefährlichsten Stellen die Wagen festgehalten werden mussten (Lichtenst., SAfr. 2, 199).

Houssay, ON. des frz. dép. Eure-et-Loir, 1090 *Ulcetum* = Ort mit Stechpalmen, 1140 *Osseium*, 4 mal in der Form *la Houssaye* (Dict. top. Fr. 1, 95), ist eine der mit Herblay analogen Bildungen.

Houston, Stadt in Texas, ggr. 1836, 'nachdem Sam. *H.*, an der Spitze der aufständ. Texaner, im Apr. d. J. bei San Jacinto gg. Mexico gesiegt, dadurch das Land unabhängig gemacht hatte u. am 1. Sept. z. Präsidenten gewählt war. Der Befreier v. Texas, geb. 1793, wurde auch f. die Amtsperiode 1841/44

wieder gewählt u. † 1863 (Meyer's CLex. 9, 93, Buckingh., Slave St. 1, 504).

Hout Bay = Holzbucht, holl. Name in der Nähe der Capstadt, 'v. einem grossen Wald, der sie umfasset' (Kolb, VGHoffg. 204).

Houtman's Abrolhos, ein grosses Riff (s. Abrolhos) vor Edels Ld., wahrsch. v. Edel selbst 1619 od. einem seiner Schiffe entdeckt u. nach Frederick *H.*, einem seiner Gefährten, benannt. Als der Holl. François Pelsaert, Schiff Batavia, in der mondhellen Nacht des 4. Juni 1629 auf das Riff stiess, war dieses bei den 'Vlamändern' schon als Frederick *H.'s* Klippen bekannt (Ong. Voy. 2, Thévenot, Coll. XXI, Flinders, TA. 1, LI).

Howara s. Musa.

Howard, Mount, engl. Bergname 2 mal *a)* in der Guayana, v. Capt. Charles Leigh, der am 22. Mai 1604 an der Mündg. des Oyapoc ankam u. das Land im Namen des Königs James in Besitz nahm, getauft sammt der auf dem Berge ggr. Colonie nach dem gefeierten Seehelden, der am 8. Aug. 1588 die span. Armada vernichtet hatte (Raleigh, Disc. G. 197); *b)* am obern Darling, v. Major T. L. Mitchell (Three Expp. carte 5). — *Port H.* s. Cayenne. — *H. Creek*, ein Zufluss des obern Missuri, v. dem Captt. Lewis u. Cl. (Trav. 236) am 26. Juli 1805 nach einem Gefährten, John P. *H.*, getauft. — *H. River* s. Susquehannah.

Howe, wohl auch *How* (Krus., Mem. 1, 28 ff.), engl. Admiral des 18. Jahrh., als Lord der Admiralität einer der Hptförderer der Expp. der Periode Wallis-Carteret-Cook u. darum mehrf. auf dem Gebiete namentl. austral. Entdeckungen beehrt: *a)* *H.'s Isle*, in den Society Is., Abth. Leeward, einh. *Mopelia, Mopiha*, v. Wallis 30. Juli 1767 (Hawk., Acc. 1, 272, Cook, VSouthP. 2, 1); *b)* *H.'s Island*, in Santa Cruz v. Carteret am 17. Aug. 1767 (Hawk., Acc. 1, 362), zugleich aber auch *New Jersey*, eine Uebtragg. aus den Canal In. (Krus., Mém. 1, 187); *c)* *H.'s Point*, an der Nordküste v. Santa Cruz, ebf. v. Carteret am 19. Aug. 1767 (Hawk., Acc. 1, 357); *d)* *Cape H.* die Südostspitze NHollands, v. Cook am 19. Apr. 1770 (Hb. 3, 80); *e)* *Cape H.*, an der Südküste NHollands, v. engl. Seef. Vancouver eingeführt, doch v. Flinders *Cape West H.* genannt, um es v. dem vorigen zu unterscheiden (Krus., Mem. 1, 35); *f)* *H.'s Foreland*, in Kerguelen, v. Cook am 29. Dec. 1776 (Cook-King, Pac. 1, 72); *g)* *Lord H.'s Isle*, ein einzelner Inselposten im Meere östl. v. New South Wales, v. Lieut. Ball, dem Befehlsh. des Schiffes Supply, am 17. Febr. 1788 entdeckt, zugleich mit *Balls Pyramid*, einem hohen, klippenumrahmten, 50 km weit sichtb. Felsen (Krus., Mém. 1, 20 ff.); *h)* *H.'s Group*, in den Salomonen, einh. *Liuniuwa*, mit üb. 30 flachen Waldinseln (Meinicke, IStill. O. 1, 159), v. Capt. Hunter am 14. Mai 1791 benannt, üb. diese H.'s Inseln v. Holl. Exp. Le Maire u. Schouten 1616 entdeckt u. namenlos gelassen u. erst v. Tasman 1643 hob, obgleich 'wij zien hiervan in het Journaal niets vermeld', Ontong Java getauft (Krus., Mém. 1, 8. 173 ff.); *i)* *Lord H.'s Islands*, in den Freundschafts In., einh.

Vavao, v. engl. Capt. Edwards, Freg. Pandora, 1791 so benannt, bei dem Span. Maurelle 1781 *Islas de Don Martin de Mayorga*, zu Ehren des dam. Vicekönigs v. Mexico (Krus., Mem. 1, 227).

Hoy, altn. *Háey* = die hohe Insel, die einzige der Orkneys mit zieml. ansehnlichen Berghöhen u. dadurch auffallend gg. die im allgemeinen flachen, sandigen Eilande, deren heidebedeckte Rücken kaum den Namen 'Berg' verdienen (Worsaae, Mind. Danske 277 f.). Vgl. Old Man.

Hoya, la = die Grube, span. Name eines peruan. Weinguts bei Pisco. In jener Gegend werden einzelne Güter übh. als *hoyas* bezeichnet, weil man den Sand tief auszugraben pflegt, um Wasser zu erhalten (WHakl. S. 41ᵇ, 13).

Hradana s. Brahmaputra.

Hradec s. Grad.

Hrafntinnufjall = Obsidianberg, auch *Hrafntinnuhryggur* = Obsidianrücken, v. *hrafntinna* = Rabenstein, f. Obsidian, ein Berggebiet am Mückensee. V. den grossen glänzendschwarzen, muschligbrechenden Obsidianblöcken, welche den Thalgrund bedecken u. wie der gewaltige Obsidian- (u. Lava)strom den zahlr. seitlichen Kratern der nahen Krafla entstammen (Preyer-Z., Isl. 200). — *Hrafnagjá* = Rabenkluft, eine der grossartigen Vulcanspalten Isl. (ib. 81).

Hrah-hrah s. Chippewa.

Hranic s. Krain.

Hraunland s. Island.

Hu = Wasser, See, in chin. ON. *a) Hu Pi* od. *Hu Pe(h)* = die Nordsee'n, im Ggsatz zu *Hu Nan* = Südsee'n, Name 2ᵉʳ Prov. am Jangtsekiang (ZfAErdk. 4, 346); *b) Hu tscheu* = Seestadt, Ort in der Nähe des Taï hu ... 'le grand lac d'où la ville tire son nom' (Pauthier, MPolo 2, 491).

Huacca patta = Trauerberg, ind. Name eines isolirten, einige hundert Fuss üb. den Fluss v. Abancay, Peru, emporsteigenden Berges, auf welchem ein altes Steingebäude, dessen zerfallende Mauern v. Gebüsch u. Rankgewächsen bedeckt sind. Die Entstehg. dieses Gebäudes verknüpft die Sage mit dem Conquistador Alonso de Alvarado, der, hier v. seinen Gegnern belagert, das einsame Bergfort übergeben musste u. am 12. Juli 1537 als Gefangener weggeführt wurde (WHakl. S. 29, 114 f.); *b) Huaccan-huayccu* = Trauerthal, eine als Todtenstätte benutzte Schlucht bei Cuzco. Die alten Peruaner begruben die Leichname in sitzender Stellung; als Gräber, *huacas*, dienten Nischen an schroffen Felswänden der Anden, u. hier trockneten die Leichen zu Mumien ein. Bei Cuzco ist nun eine tiefe Schlucht, deren beiderseitige Wände nach Art der Honigwaben v. tausenden solcher *huacas* ausgehöhlt (WHakl. S. 29, 143). Früher war es Brauch, v. Zeit zu Zeit die (mit Thüren verschlossenen) Gräber zu öffnen, u. Kleider u. Nahrg., mit welchen der Todte ausgestattet gewesen, zu erneuern. 'And when a chief died, the principal people of the valley assembled, and made great lamentations ...' (ib. 33, 229).

Huacra-chucu = Hornhütler, v. ind. *chucu* =

Kopfbedeckung u. *huacra* = Horn, eine peruan. Bergprovinz, zunächst ihre kriegerischen Einwohner, die durch ihre eigenth. Kopfbedeckg. auffielen. Sie trugen näml. eine schwarzwollene Schnur, v. der beiderseits weisse Troddeln herunterhingen, u. darüber ragte ein Hirschhorn (G. de la Vega, Com. Real 8, 1).

Huaman s. Ayacucho u. Barranca.

Huang Jang Schan = Berg der Gemsen, chin. Bergname bei Peking, wie *Ki Ming Schan* = Berg des Hühnergeschreis, weil allnächtl. die Fasanen sich schaarenweis zu der auf dem Gipfel errichteten Capelle flüchten (Timkowski, Mong. 1, 301). — *H. Tsching* s. Peking.

Huanhi s. Tsihuan.

Huascacocha = Kettensee, ind. Name einer Reihe kleiner Alpenseen der peruan. Anden, weil dieselben, je einer auf einer Terrasse, demselben Bergthal angehören u. durch unterirdische Abflüsse communiciren. Die dritte dieser Lagunen heisst *Morococha* = Farbensee; an ihren Ufern stehen einige Häuser mit Rosten zum Entschwefeln der Kupfererze (Tschudi, Peru 2, 38 f.).

Huatanay, ein kl. lauter Bergstrom v. Cuzco, j. mit Mauern eingedämmt, früher aber so ungeberdig, dass man seine Ufer allj. ausbessern musste; daher der Name, eine Zssetzg. v. *huata* = Jahr u. *ananay*, einem Ausruf des Ueberdrusses (WHakl. S. 33, 332 f.). Auch der kundige Herausgeber sagt (p. 325) v. der Veste, die Südseite habe keine künstliche Vertheidigg. erfordert, da sie durch die fast unzugängl. Schlucht des *H.* gebildet wurde.

Hubbart's Hope, an der Westseite der Hudson Bay, 60⁰ NBr., v. Nordwestf. Thom. Button 1612 entdeckt u. durch seinen Gefährten Josias *H.*, den Piloten des Schiffes Resolution, so getauft, weil die bald heraus, bald hinein drängende starke Flut ihm die Hoffng. (s. Hope) auf eine practicable Durchfahrt einflösste (Rundall, Voy. NW. 89. 246).

Hubert, St., Stadt in belg. Luxemburg, nach dem 727 † Bischof v. Maastricht, dem heil. Hubertus, dessen Gruft in der Kirche gezeigt wird (Hauck, KGesch. D. 1, 301, MCLex. 14, 33).

Huchepic s. Chanteloup.

Hudson, Henry, engl. Seef., geb. um 1550, suchte 1607 f. im Auftrage engl. Kaufleute zweimal eine nordöstl. Durchfahrt, ging 1809 f. die holl.-ind. Comp., da er in NSemlja umzukehren genöthigt war, auf die Nordwest-Passage aus, die er in auffallend niedriger Polhöhe, in der Gegend des j. NYork, suchte; auf seiner 4. Fahrt, in der *H.* Bay (1610), fand er den Tod, da die meuterische Mannschaft ihn sammt seinen Sohn u. 7 kranken Matrosen in eine Schaluppe warfen u. einem elenden, aber unaufgeklärt gebliebenen Tode überliessen. Namendenkmäler *a) H. Land*, ein Theil der Ostseite Grönlands, v. *H.* am 21. Juni 1607 entdeckt u. v. A. Petermann (GMitth. 17, 200 Taf. 10) benannt; *b) H.'s Point* s. Jan Mayen. — *H. River*, einh. *Cahohatatea*, am 11. Sept. 1609 im Schiffe Halfmaan entdeckt u. bis z. j. Albany hinauf befahren, bei den Matrosen des Entdeckers

Noord Rivier = Nordfluss, im Ggsatz z. Delaware, genannt (WHakl. S. 27, 85. 166. 172), übr. schon auf span. Carten 1525—1600 eingetragen als *Rio Grande* = grosser Fluss, darum bei den holl. Colonisten auch *Groote Rivier*, ebf. 'grosser Fluss', od. *Manhattan's Rivier* (s. d.) genannt (ib. 27, 257; 7, 63) od. *Mauritius Rivier*, nach dem Prinzen v. Oranien (Buckingh., Am. 1, 33; 2, 269, Quack., US. 77. 95). Den Namen bei den Iroquois, *Cahotatea* geschrieben, erklärt H. R. Schoolcraft (Proceed. NY. Hist. Soc. 1844, 77 ff.) als 'grosser Fluss mit Bergen', letztere obh. der Cahoes-Fälle gemeint; auch habe der Fluss bei den Mohegan *Shatèmuc* (= Pelican-Fluss?), bei den Mincees *Mohegan* geheissen, u. der mod. Name *H. River* sei erst mit der engl. Erwerbg., 1664, aufgetaucht. Nach dem Flusse die Stadt *H.* durch Quäker 1784 ggr. (Bergh., Ann. 7, 14, Meyer's CLex. 9, 102). Der östl. Arm, v. der Abtrenng. bis z. Höllenthor, heisst *Harlem River*, nach einer holl. Stadt, dann *East River* = Ostfluss, dem zu Liebe der ehm. *North River* = Nordfluss, der die Westseite NYorks abschliesst, j. z. *West River* geworden ist — begreifl., nachdem die Relation z. 'Zuid Rivier', Delaware, sich im Volksbewusstsein verloren hat. — *H. Strait*, der Eingang z. *H. Bay*, wie diese 1610 entdeckt, wohl die weite Einfahrt, die schon 1500 der Port. Cortereal in 60⁰ NBr. gesehen, f. die gesuchte nordwestl. Durchfahrt gehalten u. *Anian Strasse* genannt hatte. 'Woher dieser fremdklingende Name entlehnt sei, ob er, wie Gemma Frisius (the great Probability of a Northwestpassage, Lond. 1768 p. 82) annimmt', 'die 3 Brüder' bedeutet, od. ob es der Name zweier Brüder gewesen, wie J. R. Forster (Gesch. d. Entd. 1784 p. 527) vermuthet, lässt sich nicht mehr bestimmen, da die Notiz v. Cortereals Reise so kurz u. unbefriedigend ist'. In der Folge — es sei diess hier gleich angefügt — wurde die *Anian Str.* weiter nordw. verlegt u. sogar ein Reich *A.* angenommen, das nur durch eine enge Passage v. Asien geschieden sei, also dass endl. die Berings Str. ein Synonym der *A. Str.* wurde (GForster, GReis. 1, 12 f.). Auch Seb. Cabot hat die *H. Strait* schon 1517 befahren u. *Rio Nevado* = Schneefluss genannt (WHakl. S. 27, 257). Der dän. Capt. Jens Munck, v. Christian IV. auf Entdeckungen ausgesandt, erreichte die Meerenge am 17. Juli 1619 u. wollte sie *Christians Strasse* (Barrow, Coll. 1, 372, WHakl. S.18, 238), das 'America anliegende Meer', also unsere *H. Bay*, *Mare Novum* = neues Meer taufen (WHakl. S.18, 241, Rundall, Voy. NW. 77). Bei Ortelius, der aus port. Quellen schöpfte, hiess die Bay 1558/70 *Bahia dos Medaos* = Meerbusen der Heuschober (WHakl. S. 27, 257) — nach der Gestalt der Uferberge? Nach ihr die *H. Bay Länder* (Forster, Nordf. 384 ff.). Auch ein engl. Handelsposten, um 1797 am Nordarm des Saskatschewan ggr., wurde *H. House* genannt (Ch. Bell, Canad. NWest 7). — *H. Island* s. Cocal.

Hübner - Gletscher, auf der spitzb. Barents I., v. der Exp. Heuglin-Zeil am 15. Aug. 1870 ge-

tauft nach dem Africareisenden, Bergingenieur Adolf *H.* (PM. 17, 176 ff.; 18, 79. 422). Ebenso *Cap Mauch* u. *Cap Mohr* — nach zwei seither † Reisenden: Karl Mauch, † 1875, u. Hübners Begleiter Ed. Mohr, † 1876 (ZfAErdk. 1870, 470).

Hühnerbühl s. Krähbühl.

Hüntwangen s. Wiesendangen.

Hürm s. Horb.

Huerta s. Horta.

Huesos s. Key.

Hüttenberg, ein dachförmiger Berg, ca. 800 m h., auf Kerguelen, nach seiner Form benannt durch die deutsche Exp. SMS. Gazelle (ZfAErdk. 1876, 101).

Huexoquilla = kleine Weidenpflanzung, span. dim. einer mexic. Form *Huexocan*, azt. ON. in der Prov. Durango, als *Huejoquillo* im Staate Chihuahua, am rechten Ufer des Rio Florido (Buschmann, Azt. ON. 109). — Wiederholt in Mexico *Huexotla* = Weidengehölz (ib. 198), *Huexotzinco* = kleines Weidengehölz, j. Dorf im Anahuac (ib. 100).

Hughes Hughes, Cape, in Matty I., v. Capt. John Ross (Sec. V. 730, Carte) 1829/33 entdeckt u. ozw. nach dem Parlamentsmitgliede *HH.* getauft. — *H. Bach* s. Rawlinson.

Hugli, in engl. Orth. *Hoogley*, einh. *Bhagarathi*, der Gangesarm v. Kalkutta, hat seinen Namen v. dem 2—3 m h. Rohrgewächse Typha elephantica, beng. *hugla*, einem der in den 'Sunderbunds' häufigen Dschangelgewächse'u. zwar ein wichtiges, sowohl wg. seiner Anwendbarkeit zum Mattenflechten, als auch wg. der Fähigkeit seiner Wurzelstellungen, den Boden v. Deltaanschwemmungen zu consolidiren' (Schlagw., Reis. 1, 218). Am Flusse eine Stadt gl. N. (Meyer's CLex. 9, 128).

Huillier, l', ein Fort u. Handelsposten an der Confl. des Minnesota- u. Mankato- (od. Blue Earth-) R., im October 1700 v. frz. Reisenden le Sueur errichtet u. getauft nach einem gelehrten Pariser, 'one of the chief collectors of the king', der schon 1696 das Kupfererz jener Gegend untersucht hatte, 1703 wieder verlassen, weil man mittellos u. den Angriffen der Wilden ausgesetzt war (Coll. Minn. HS. 1, 34. 330 f. 337).

Huitzilopochco s. Mexico.

Huka = Schaum, Maoriname eines grössern Wasserfalls, welchen der in den Taupo-See, Nord I., mündende Fluss u. zwar nahe seinem Einfluss in den See bildet (v. Hochst., NSeel. 221).

Huleh s. Merom.

Hull, vollst. *Kingston upon H.*, engl. Seestadt an der Confl. *H.*-Humber, früher einf. *Wyke* = Ort, *Wyke upon H.*, wurde, nachdem es v. Abt v. Meaux eingetauscht war, 1296 v. König Eduard I., entspr. der günstigen Lage, z. Seeplatz umgewandelt, mit dem Stadtrecht beschenkt u. als 'Königsstadt' umgetauft (Meyer's CLex. 9, 137 f.). Statt der Kuhställe u. Schafhürden 'he made a harbour and a free burgh, making the inhabitants of it free burghesses, and granting them divers liberties' (Camden-Gibson, Brit. 2, 106).

Hull Island, 2 mal *a*) im nördl. Pacific, v. american. Capt. Wilkes am 26. Aug. 1840 entdeckt u. nach

einem ausgezeichneten Marineofficier seines Heimat-
landes benannt (Peterm., GMitth. 5, 181); *b)* in
den Austral In., einh. *Narurotu*, entdeckt (durch
Capt. Hull?) 1824, auch *Sands'Island*, nach dem
Capt., der sie 1845 wieder fand (Meinicke, IStill.
O. 2, 194).

Hullanijah s. Capra.

Huma Junabad s. Chelae.

Humber, der gemeinsame Mündungslauf f. Ouse,
Trent u. a. Flüsse v. Yorkshire, findet sich nirgends befriedigend erklärt; denn v. einem zw.
Hull u. Barton ertrunkenen Piraten *H.* wissen
wir weiter nichts, u. das starke Gebrause, *hum*,
das die flutenden u. ebbenden Gewässer verursachen
(Gibson, Etym. Geogr. 2), ist ebf. wohl nur ein
Einfall, der die Verbindg. mit kelt. *aber* = Mündung nicht genügend rechtfertigt; ja es ist längst
(Camden-Gibson, Brit. 103) behauptet, dass *H.*
nichts anderes als das umgebildete *aber* selbst sei,
was allerdings f. einen solchen Mündungsfächer
wohl einleuchten würde.

Humboldt, *Alex. v.*, der gefeierte Naturforscher,
der die Kenntniss seiner Zeit wie kein zweiter
umfasste, geb. zu Berlin 1769, nach seinen umfassenden Studien in Europa viel gereist u. mit
den berühmtesten Naturforschern u. andern Gelehrten, auch Göthe u. Schiller, in Verkehr, schiffte
sich am 5. Juni 1799 mit Bonpland in Coruña
ein, landete auf Teneriffa, am 6. Juli bei Cumana,
bereiste Venezuela, Columbia u. Ecuador, ging
üb. Acapulco 1803 nach Mexico u. kehrte üb.
Havana u. Philadelphia nach Europa zk., wo er
am 3. Aug. 1804 in Bordeaux landete. Nach
längerm Aufenthalt in Ital., u. nam. in Paris, kam
er 1827 wieder nach Berlin, bereiste 1829 mit
Ehrenberg u. Rose den Ural u. Altai u. nahm
dann seinen ständigen Aufenthalt in Berlin, wo
er 1859 †. Kein Wunder, dass zu Ehren des
vielseitigen u. vielgereisten Forschers in den
Entdeckungsgebieten der neuen u. polaren Welt
eine Reihe v. Objecten getauft wurden, wie
a) H. Lake, H. River u. *East H. Mountain*, in
Nevada (BComm. GLdamts 60); *b) H. Bay* u.
daran *H. City*, in Calif. (Meyer's CLex. 9, 143);
c) Cape H., in Grönl., v. Walfgr. WScoresby jun.
(NorthWF. 116) am 18. Juni 1822; *d) Baie H.*,
an der Nordseite NGuinea's v. frz. Seef. d'Urville
benannt, bei den Holl. *Bougainville Bay*, bei den
molukk. Seeff. *Telok Linchu*, die Umgegend *Tanah
Mera* = rothes Land, nach den Flecken rothen
Thones, die zw. der Vegetation heraustreten (Meinicke, IStill. O. 1, 97); *e) H. Glacier*, ein ungeheurer Eisstrom der Kane Sea, v. Kane (Arct.
Expl. 1, 101; 2, 151) im Aug. 1853; *f) Pic A.
v. H.* s. Tengri.

Hume's Creek, ein z. mittlern Darling geh. Bachbett, in dessen Nähe der Reisende *H.* seinen Namen
in einen Baum einschnitt, so zu benennen vorgeschlagen v. Major T. L. Mitchell (Three Expp.
1, 293); *b) H. River* s. Murray.

Humen s. Tigris.

Hummel, auch *Humbel*, wie *Homberg* (s. d.) eine
der stark entstellten Namensformen mit *hoch*, alt

Humbol, urspr. *Hohinbuhilo* = Hohenbühl, Ort
bei Pfäffikon, C. Zürich, u. *Hummelwald*, eine
Waldgegend der Passstrafe, welche v. Zürichsee
ins Toggenburg führt (Mitth. Zürich. AG. 6, 119),
sowie *Heuel*, aus *Honwyl*, *Hohenwyl* = hoch-
liegender Weiler, 2mal im C. Zürich (ib. 159).

Humos, Sierras de los = Gebirge der Dünste,
span. Name einer Berggruppe am atlant. Eingang
der Magalhães-Str., auf Ribero's Weltcarte 1529
eingetragen u. demnach v. einer der ersten Fahrten,
Magalhães (1520) od. Loaisa (1526), herrührend
(ZfAErdk. 1876, 364).

Humphrey s. Peregrino.

Hundsrück, das 600 m h. Grauwackenplateau
zw. Rhein, Mosel u. Nahe, nicht aus 'Hochrücken'
verd., sondern schon im 11. Jahrh. *Hundesruche*
(Förstemann, Altd. NB. 872), wie *Hundsrucken*,
f. einen beschwerl. Bergübergang, zweimal im
zürch. Oberlande (Mitth. Zürch. AG. 6, 86), also
mit einem Körpertheil, wie in dem westfäl. *Hundes-
ars*, 9. Jahrh. — *Hundsgrotte* s. Cane. — *Hunds-
rippen* s. Slave.

Hundwyler Leiter s. Échelles.

Hune, Cap la = das Vorgebirge Mastkorb nannten
die frz. Kabljaufischer ein hohes Cap an der Südküste NFundl., weil man dort wie v. einem Mastkorbe aus eine weite Aussicht hat (Anspach, NFdl.
122).

Hunfalvy s. Wilczek.

Hungry Creek = Hungerbach, ein Zufluss des
Kooskooskee, Lewis's R., am 18. Sept. 1805 v.
Capt. Clarke so benannt, weil er hier, aller Lebensmittel entblösst, hungrig lagerte … 'To this stream
he gave the very appropriate name of *HC.*; for
having procured no game, he had nothing to eat'
(Lewis u. Cl., Trav. 328). — *H. Flat* = Hunger-
ebene, eine öde Gegend zw. Paramatha u. Haw-
kesbury R., 'a local appellation not wholly unsuited
to its character,' wie *Devils Backbone* = des
Teufels Kreuzbein, *No-grass Valley* = Keingras-
thal u. *Dennis's Dog-kennel* = D. Hundestall
(Mitchell, Three Expp. 1, 9).

Hunter, Port, auch *Hunter River*, in New South
Wales, Hafenbucht, welche John Shortland entdeckte, als er 1797 in Verfolgung entwichener
Convicts v. Port Jackson längs der Küste nordw.
schiffte, benannt nach dem dam. (zweiten) Governor
der Colonie, Adm. *H.* (Flinders, TA. 1, CV, Atl. 8).
Als sich hier die berühmten Kohlenlager fanden,
kam der Name *Coal River* = Kohlenfluss auf:
'this appellation has partly superseded the more
legitimate name of *PH.*' (King, Austr. 2, 254). —
In gleicher Beziehg. *H.'s Isles*, an der Nordwestecke Tasmania's, v. dem Entdecker Matth. Flinders (TA. 1, CLXXIII. Atl. 7) im Nov. 1798 getauft 'in honour of His Excellency, the governor
of NSWales', welcher den Reisenden ausgesandt
hatte, sowie *H.'s Island* (s. Barren) u. ozw. die
H.'s Islands, eine Gruppe v. 13 kleinen bewaldeten Eilanden der Salomonen, die der engl. Seef.
Mortlock, v. Schiffe Young William, 1796 entdeckte, Krusenstern jedoch (Mém. 1, 8. 174, Atl.
OPac. 8) *Iles de Mortlock* nannte u. der american.

Seef. Morell, dem hier am 24. Mai 1830 mehrere seiner Leute ermordet wurden, *Massacre Islands* = Inseln des Blutbads nennen wollte (Bergh., Ann. 3. R. 3, 175), bei Le Maire u. Schouten *Marken*, bei Wilkinson *Cocos Islands* (Meinicke, IStill. O. 1, 159). In den Berichten, die seiner 5 jähr. Verwaltg. der Strafcolonie, Aug. 1795— Sept. 1800, vorangehen, erscheint der um die austr. Entdeckungen verdiente Seeofficier als Capt. *H.* (Meinicke, Festl. Austr. 2, 225), dem zu Ehren der russ. Adm. v. Krusenstern (Mém. 1, 144) einen *Point H.*, in Neu Island, u. ein *Récif de H.*, in den Carolinen, taufte, das letztere, weil der Capt. 1791 ohne Schaden üb. die unter Wasser deutlich sichtbaren Felsen wegfuhr (Mém. 2, 340, Atl. OPac. 30). Ein zweiter *Port H.*, wo der Capt. im Mai 1791 Untersuchungen anstellte, in Amataka, Neu Britanien, ein schöner, bei Ostwind sehr brauchb. Hafen, mit gutem Grunde u. Trinkwasser (Meinicke, IStill. O. 1, 137). — *H. Island*, bei Viti, einh. *Onacuse, Onascuse*, durch den engl. Capt. *H.*, v. Schiffe Donna Carmelitana, im Juli 1823 besucht (Hertha 6 GZ. 229), in Fannings Bericht üb. neue americ. Entdeckungen (Voy. round the W., Lond. 1834) *New Discovery Island* = neu entdeckte Insel (Bergh., Ann. 12, 142). — *H. Isle*, ein Vulcankegel östl. v. den Loyalty Is., v. engl. Capt. Fearn, Schiff *H.*, am 24. Oct. 1798, nicht 1793, entdeckt (Bergh., Ann. 9, 159, Krus., Mém. 1, 22 ff.), bei Krus. (Atl. OPac. 1) *Ile Fearn*, um Verwechslungen mit dem oft vorkommenden *H.* zu vermeiden (ZfAErdk. 1874, 298, Meinicke, IStill. O. 1, 193). — *H.'s River*, in de Witts Ld., v. engl. Capt. Ph. P. King (Austr. 1, 405) am 12. Sept. 1820, da sich endlich Wasser fand, benannt nach seinem Gefährten James *H.*,'who shared my pleasure in the gratification of finding what we had hitherto thought, at this season, totally wanting near the coast'. — *H.'s Lake* = Jägersee, auf der Wasserscheide zw. Yellow Knife u. Coppermine R. (u. dabei *H.'s Portage*), v. engl. Capt. John Franklin (Narr. 218) am 13. Aug. 1820 so benannt, weil hier vier der ausgesandten Jäger mit der ersehnten Renthierbeute z. Lager zkkehrten. 'This seasonable supply, though only sufficient for this evenings and the next days consumption, instantly revived the spirits of our companions, and they immediatly forgot all their cares. As we did not, after this period, experience any deficiency of food during this journey, they worked extremely well, and never again reflected upon us, as they had done before, for rashly bringing them into an inhospitable country, where the means of subsistance could not be procured'.

Huntingdon, Station der Bahnlinie Pittsburg-Harrisburg, als Ort ggr. 1777 u. benannt zu Ehren der Gräfin *H.* (Cent. Exh. 26).

Huon River u. *Ile H.*, an der Westseite Tasmania's, wo die Exp. d'Entrecasteaux (s. d.) am 21. Apr. 1792 ankam, benannt nach Capt. *H.* de Kermadeck, dem Befehlsh. des Schiffs Espérance (King, Austr. 1, 157); *c) Iles H.*, eine Inselgruppe der Récifs d'Entrecasteaux, NCaledonia, v. Adm.

d'Entrecasteaux ebf. 1792 getauft (Meinicke, IStill. O. 1, 213); *d) Golfe H.*, mit *Ile Riche* (s. d.) an der Nordseite NGuinea's, im Juni 1793.

Huptobaj s. Sedabaj.

Hupto Salejja s. Kanin.

Hurd, Cape, zwei arkt. Vorgebirge: *a)* im Hintergrund des Smith Sd., v. Capt. John Ross (Baff. B. 151) am 20. Aug. 1818 getauft zu Ehren eines Freundes, des Hydrographen der Admiralität, Thom. *H.*, wie *Cape Mouat*, nach einem andern Freunde, beide seither v. der Carte verschwunden, weil der Entdecker durch die hohen Eismassen, welche den Durchgang sperrten, getäuscht wurde, in der Ferne Land zu sehen; *b)* in Barrow Str., v. Parry (NWPass. 49) am 21. Aug. 1819, nebst der nahen *Rigby Bay*, ebf. prsl. — Nach demselben 'marin et hydrographe distingué' *c) H. Isle*, südöstl. v. Gilberts Arch., v. engl. Schiff Elisabeth 1809 gefunden u. auf Purdy's Carte so eingetragen (Krus., Mém. 1, 23 ff.); *d) H.'s Island*, bei Melville Bay, v. Capt. John Franklin (Narr. 381 ff.) im Aug. 1821; *d) Mount H.*, auf Bathurst I., u. dabei *Port H.*, v. Capt. Ph. P. King (Austr. 1, 122) am 26. Mai 1818; *e) H. Channel*, im Fox Ch., v. Parry (Sec. V. 73 ff.) im Aug. 1821.

Hurdwar s. Wischnu.

Hurin's Through-let, die Meerenge, 'Durchlass', an der Westseite v. Mill I., Hudson Str., am 15. Sept. 1631 befahren v. Capt. Luke Fox u. benannt nach dem Officier, der das Schiff hindurchführte, for that he, upon the fore-yard, conducted in the ship (Rundall, Voy. NW. 181).

Hurons = Wildschweinsköpfe, verdeutscht *Huronen*, ein canad. Indianerstamm, der sich selbst *Wendats, Wyandots*, nannte, am Ostende des *Lac des H.*, schon bei S. Champlain, der sie auf der Exp. v. 1615 entdeckte (Mag. Am. Hist. Jan. 1877), so benannt nach der Frisur, die dem Kopf das Aussehen der *hure* eines Wildschweins gab (Quack., USt. 10, Buckingh., East. & WSt. 3, 373). Das altfrz. Wort *la hure* scheint aus dem nördl. Frankreich gekommen zu sein; dafür alte Zeugnisse 'la gent barbée et *ahurie*', norm. *huré* = struppig, 'grant fu *la hure* qui sor les ex li pent' = die dem wilden Schwein üb. die Augen hängt (Diez, Rom. WB. 2, 349). Bei ihren Nachbarn, den Algonquins, hiessen die *H.*, als irok. Stamm, u. als Verbündete gg. die eignen Stammverwandten, *Niina Nato8ek* = unsere Irokesen (Cuoq, Jugem. Err. 104). Im Sept. 1634 begleiteten die frz. Priester Breboeuf u. Daniel die nach Quebeck z. Tauschgeschäft gekommenen *H.* in ihre Waldheimat u. errichteten hier, als die ersten Europäer, ein Haus in der Nähe des *Lac H.* (so auch in P. L. Joliets Carte 1674), engl. *Lake Huron* (Coll. Minn. HS. 1, 19), an dessen Südende j. *Port H.* Sonst hiess der See bei den Canadiern auch *Mer Douce* = Süsswassermeer, nach seinem klaren, reinen Wasser (Meyer's CLex. 13, 120; 9, 166), in einer grossen, dem Cavalier La Salle zugeschriebenen Carte *Mer Douce des H.*, bei Creuxius *Mare dvlce seu Lacvs Hvronvm* (Rev. Géogr. 3, 83. 93).

Hurry's Inlet, in Ost-Grönl., v. engl. Walfgr. Will. Scoresby jun. (NorthWF. 192) am 25. Juli 1822 entdeckt u. nach dem Eigner seines Schiffes benannt: out of respect to Mr. Nicholas *H.*, managing-owner of the Baffin.

Huruwémbod = Hain des Huruwè, eines der samojed. Hauptgötzen, welcher hier verehrt wurde, ist der samojed. Name eines durch frühern Heidencult denkwürdigen Gehölzes in der Gegend v. Mesén'. Das Wörtchen *pod*, durch Assimilation *bod*, bezeichnet eine aus Laub- u. Nadelwald gemischte Holzg. (Schrenk, Tundr. 1, 699).

Huskisson, Mount, einer der Endpfeiler der British Chain (s. d.), v. Capt. John Franklin (Sec. Exp. 135) am 21. Juli 1826 zu Ehren des Herrn *H.* benannt. Ein Jahr später wurde der engl. Staatsmann William *H.*, 1770—1830, Minister.

Hussainabád = Hussáin's Stadt, arab.-pers. ON. im Dékhan, v. PN. *Hussáin*, *Husáin*, dem dim. v. *hássan* = schön. Von gl. Bedeutg. *Hussainpúr*, mehrf. in Hindostán (Schlagw., Gloss. 200). — *Meschhed Hussein* s. Meschhed.

Hussy Harbour, ein vorzüglicher Seitenhafen der States Bay, Falkl., im Jan. 1786 v. engl. Capt. Nathanael Portlock benannt zu Ehren des Entdeckers der Bay, des americ. Capt. Benj. *H.* (GForster, GReis. 3, 19).

Hutchinson, eine der ältesten Ansiedlungen Minnesota's, bgr. durch die bekannte neuengl. Familie *H.*, die vschiedd. grosse Farmen cultivirte u. viele wohlhabende u. energische Landwirthe des Ostens veranlasste, sich in ihrer Nachbarsch. anzusiedeln (SPaul u. Pacif. B. 21).

Hut, 'Aïn el- = Fischquelle, arab. ON. der alger. Prov. Oran, wie *Gera-mta-el-H.* = Teich der Fische u. *Ued el-H.* = fischreicher Fluss (Parmentier, Vocab. arabe 29).

Hutt, ein Fluss (u. Thal) NSeel., in der Nähe der Hptstadt Wellington, benannt nach einem der rührigsten u. ältesten Ansiedler dieser Gegend (Trollope, Austr. 3, 261). — *H. River*, in West-Austr., v. Capt. G. Grey (Two Expp. 2, 21) am 5. April 1838 getauft nach William *H.*, esq., Bruder 'seiner Excellenz, des Gouv. v. West-Austr.'

Hutton s. Heard.

Hutzikon s. Hof.

Huutájagà = Treibholzfluss, v. *húu* = Treibholz u. *jagà* = Fluss, sam. Name eines der z. Tschóscha Bay gehenden Küstenflüsse (Schrenk, Tundr. 1, 688).

Huwa, el = die luftige nennt in seiner ausdrucksvollen Sprache der Araber die Schlucht, welche halbkreisfg. die Stadt Constantine, Alg., umgiebt (PM. 5, 347).

Huyghens, Cap, in Tasman's Ld., v. der frz. Exp. Baudin am 9. April 1803 benannt nach dem holl. Mathematiker, Physiker u. Astronomen Christian *H.* 1629—1695 (Freycinet, Atl. 26).

Hvaleyri = Wal-Halbinsel, v. *hval* = Walfisch, eine kleine, die Hafnarjördur (s. d.) schirmende Halbinsel in der Nähe v. Reykjavik (Preyer-Z. Isl. 65). — *Hvalöe* = Walfisch-Insel, 2 mal: *a)* eines der Küsteneilande bei Tromsöe (Müller, Ugr. V.

1, 429); *b)* die Insel v. Hammerfest, nach der Menge v. Walen, hpts. Finnfischen, Balaena physalus Gray = B. rostrata Fab., welche ihre Küsten besuchen (Sommer, Taschb..7, 360).

Hvammur, Appell. f. 'kleines Thal', nom. propr. eines Priesterhofs an der Westseite Islands (Preyer-Z. Isl. 123).

Hvit = weiss, in nord. ON. *a) Hvitá* = weisser Fluss, an der Westküste Isl. (Preyer-Z., Isl. 93); *b) Hvitramanna Land* = Land der weissen Männer, ein Strich der Ostküste NAmerica's, wahrsch. v. der Chesapeak Bay bis Florida, auch *Irland hit Mikla* = Gross-Irland, u. man nimmt an, es habe sich dort eine irl. christl. Bevölkerg. schon v. dem Jahr 1000 niedergelassen (Rafn, Entd. Am. 26).

Hyali, ngr. τὸ 'Yalí = Glas, heisst v. ihren blendendweissen Bimssteinwänden eine unbewohnte Sporadeninsel zw. Nisyros u. Kos (Ross, IReis. 2, 68).

Hydaspes s. Dschilum.

Hyderabad s. Haidarabad.

Hyères s. Stoichades.

Hygiea, Vorstadt v. Hastings, England, erbaut nach Richardson's hygieinischen Vorschriften (Meyer's CLex. 14, 36).

Hypanis u. **Hyphasis** s. Bejah.

Hyperit-Insel nannte die schwed. Exp. v. Nordenskjöld (1861) eine Insel der spitzb. Hinlopen-Str., weil sie 'ganz u. gar aus Hyperitfelsen besteht, welche am westl. Ufer senkr. ins Meer, stürzen u. die ganz verschiedenartigen Kalkbildungen am Nord- u. Südufer der (Wahlenberg-) Bucht trennen (PM. 10, 129). 'Der Hyperit herrschte mehr u. mehr vor u. stieg v. Meere in lothr. Wänden v. 60—90 m Höhe auf, oft zersprengt in die dem Basalt eigenth. Formen: gigantische, aufrechtstehende, meist vierkantige Pfeiler. Der schwarze Boden sah hier weit fruchtbarer aus als der nackte gelbbraune Kalkstein (der unmittelbar vorher besuchten Westküste Nordostlands); eine zwar dürftige aber schöne Vegetation zeigte sich in den Klüften, welche v. gr. Schaaren Alken, Teisten u. Möven bewohnt waren, wenn gleich nicht mit der ungeheuern Vogelcolonie zu vergleichen, welche wir später auf einem grossen Hyperitberge an der andern Seite des Sundes antrafen' (Torell u. N., Schwed. Expp. 148). Diese Bildg. tritt auch südlich, um die Ginevra Bay, auf, ruhend 'auf Schiefermergeln der Tertiärformation. Letztere zersetzen sich sehr rasch, während die vulcan. Prismenbildungen üb. denselben lange den Elementen Trotz zu bieten im Stande sind, bis ihr Fuss untergraben u. unterwaschen wird u. dann Säule um Säule zu Thal stürzt. Wie riesige Obelisken an der Kante eines Abgrundes stehen noch einige dieser durch Erosion v. der Masse des Hyperits getrennten Prismen in schwindelnder Höhe. Dieses vulcan. Gebilde zeigt übh. hier zahlr. regelm. Vorsprünge, während die dazw. liegenden Klüfte meist mit Schnee erfüllt sind, so dass die ganze Felswand die täuschendste Aehnlichk. mit goth. Ornamentik erhält; man glaubt Bogen, Reihen kleiner Thürmchen, Statuen u. Laubwerk vor sich zu haben' (PM. 17, 179). **Hyrkania,** die altgr. Namensform des j. *Mazenderan* (s. d.), altbaktr. *Vehrkâna* = Wolfsland, in Darius' Inschriften *Varkâna*, altp. *Viskaniya*, *Varkaniya*, u. 'wie so häufig in Eran die Landeshauptstadt denselben Namen führte, so entstand regelrecht aus *Vehrkâna* das neuere pers. *Gurgan*, nach arab. Aussprache *Djordjân*, *Dschordschan*, f. die Stadt, die nach Jakut im Mittelalter bedeutend, j. in Ruinen liegt'. Da λύκος, npers. *gurg*, syr. *zâba* = Wolf, nach dem zerstörenden Laufe, häufige Flussnamen sind, so scheint auch hier die Benenng. der Landschaft v. Flusse ausgegangen zu sein, obgl. es nahe läge, f. das einst

dicht bewaldete, mit reissenden Thieren bevölkerte Gebirge (Meyer's CLex. 9, 203) an wirkl. Wölfe zu denken. Während also wohl einst Land u. Stadt nach dem Flusse benannt wurden, so ist heute der Fluss türk. *Görgen*, nach der Stadt benannt: *Gurgan-rûd* = Fluss v. Gurgan (Spiegel, Eran. A. 1, 60, Kiepert, Lehrb. AG. 67). Neben diesen Zeugnissen wird H. Vambéry's Ansicht (Peterm., GMitth. 37, 267), als sei der türk. Flussname *Görgen* = sichtbar die älteste dieser Namensformen, v. der *Dschordschan*, *Gurkan* u. *Hyrkania* erst abstammen, nicht einleuchten, um so weniger, da ein 'sichtbarer Fluss' doch ein Sonderling v. geogr. Benenng. wäre. — *Hyrkanisches Meer* s. Kaspisee.

Hyvitujahi s. Frio.

I. & J.

Jaatosale s. Kanin.

Jabbok hebr. ‏יבק‎ [jabboq], wohl der fut. v. ‏בקק‎ [bákák] = sich ergiessen, ein Ikseitg. Nebenfluss des Jordan, j. arab. *Serka* = die blaue, *Wady Serka* = blauer Fluss (s. Asrek), v. seinem klaren frischen Gewässer (Seetzen, Reise 2, 318).

Jablonoi Chrebet, russ. Name eines ostsib. Gebirgszugs, umgedeutet aus mong. *Jableni Daba*, wo *daba*, *daban* = Pass, durch Verallgemeinerung Berg, v. russ. *jabloñ* = Apfelbaum, adj. *jablonoi* (auch poln. *jablon*, *jablonka* = Apfelbaum, Krosta, Mas. Stud. 12). Wg. dieses Anklangs formte man sich den russ. Namen u. glaubte dann hinterher, 'um dieses etym. System zu begründen,' Aepfel zu sehen, sei es nun in den Früchten eines Crataegus od. v. Pyrus baccata od., wie Siewers, urspr. Gmelin (Reise 2, 24), wollte, in den *jabloki*, abgerundeten Granitblöcken (Humb., As. Centr. 1, 226). Allerdings wachsen in den niedrigen Gründen eine Art 'Apfelbäume', aber mit Aepfelchen bloss so gross, wie eine Moosbeere od. eine grosse Erbse (Fischer, Sib.G. 2, 772). — Im deutschen Munde ist der Anlaut der ON. dieser Art gew. in *g* übergegangen, mehrf. z. B. in *Gablenz* u. *Gablonz*, die als syn. mit Affoltern in Sachsen, Böhmen etc. vorkommen (GHey, ON. Sachsen 32), ferner in *Gabel*, čech. *Jablonné*, Ort in Böhmen. *Gablitz*, in NOesterr., *Gaflenz*, čech. *Jablonee*, in OOesterr. (Miklosich, ON. App. 2, 173). Wo die deutsche Sprache weniger Einfluss auf das Slaw. gehabt hat, in der Lausitz, in Böhmen u. a. slaw. Ländern, erscheinen diese Namen fast unverändert, als *Jablona*, *Jablonka*, *Jablonovo*, *Jablovken*, *Jablonka*, *Jablonkau*, *Jablonez* ... 'Keiner v. den Fruchtbäumen hat so viele slaw. Ortschaften benannt wie der Apfelbaum' (Immisch, ON. Erzg.

13), od. *Jabling*, slow. *Jablene*, in Steierm., *Jablan*, *Jablana*, *Jablanach*, *Jablanitz*, *Jablanza*, *Jablene*, in Steierm., Kärnt. u. Krain, *Jablon*, *Jablonee*, *Jablonian* etc., in Böhmen u. Schlesien, *Jablonica*, *Jablonhi*, *Jablonow*, *Jablonowka*, in Galiz. (Mikl. 173).

Jabneh, hebr. ‏יבנה‎ = die Er (scil. Gott) bauen liess, Seestadt in Philistäa (2. Chron. 26, 6), gr. Ἰαμνία, Ἰάμνεια, j. Jebna, westl. v. Ekron (Robins., Paläst. 3, 250, Gesen., Hebr. Lex.).

Jacana-Kunny = Fussleute, ein Zweig der patag. Tehuel-het (s. d.), so genannt, weil sie keine Pferde hatten (Fitzroy, Adv.-B. 2, 130).

Jacatra s. Batavia.

Jachmann-Halbinsel, einer der neuen Namen auf der Carte von Kerguelen I., v. deutschen Kriegsschiff Gazelle 1874 eingetragen (PM. 22. 234), nach dem 1822 geb. deutschen Viceadmiral Ed. K. Eman. *J.*

Jachschi s. Jaman.

Jack's Narrows, in frühern Berichten *Jack Anderson's Narrows*, eine Schlucht des Juniata R., benannt nach John Anderson, einem Indian trader, der nebst seinen 2 Dienern hier v. den Wilden ermordet wurde (Cent. Exh. 26). — *J.'s Cove* s. Bougainville.

Jack-fish River, ein Zufluss des Winnipeg Lake, nach den sehr zahlr. Jackfischen, den 'Barschen' der Halbblut-Indianer. Das Vorgebirge an der Mündung, u. bisw. durch Uebtragg. auch der Fluss selbst, heisst *Pike Head* = Spitzkopf (Hind, Narr. 1, 490 f., Carte; 2, 20).

Jackman's Sound, in Frobisher Bay, v. NW Fahrer M. Frobisher im Aug. 1577 nach dem mate seines Schiffes Aid, der zuerst dieses Ziel ins Auge gefasst hatte, getauft (Rundall, Voy.NW. 15. 17, Hakl., Pr. Nav. 3, 34. 65, WHakl. S. 38, 134).

Jackson, Port, der vortreffl. Hafen Sydney's, v. Cook am 6. Mai 1770 nach einem der Secretärs der Admiralität getauft (Hawk., Acc. 3, 29. 103). Ebenso *Cape J.* (s. Stephens). — In vschiedd. Formen wie *Jacksonville* u. a., ON. der Union, ozw. durchweg od. gew. nach dem 7. Präsidenten, Andrew *J.*, der geb. 1767, Präs. 1829/37, † 1845 (Meyer's CLex. 9, 455). So auch *Cape J.*, in Washington Ld., v. Kane (Arct. Exp. 1, 101) im Aug. 1853. — *J.'s Inlet*, nördl. v. Port Bowen, v. Parry (NWPass. 45) am 13. Aug. 1819 getauft nach Capt. Samuel *J.*, RN., wie *Point J.* (s. Spencer). — *J. Island*, in Grönl., v. Walfgr. Will. Scoresby jun. (NorthWF. 104) im Juni 1822 nach seinem Schwager, Capt. *J.* — *J.'s Bay*, bei Te-awa-iti, NSeel., nach dem Eigenthümer mehrerer Walfänger-établissements jener Gegend (Dieffb., Trav. 1, 40).

Jacques, Riviére St., ein Fluss in der Gegend des St. Antonshafen, NFundl., im Juni 1534 entdeckt u. benannt v. frz. Seef. Jacques Cartier (M. u. R., Voy. Cart. 11, Hakluyt, Pr. Nav. 3, 203), nicht nach dem Kalendertage, sondern als in jener Gegend u. in jenen Tagen die dritte Bezeichnung nach Heiligen. Da gleich darauf u. gleich dabei ein Hafen nach dem Entdecker selbst genannt wird, so dürfte dieser mit dem 'Heiligen' ähnl. verschmolzen sein, wie in St. Petersburg der Gründer mit dem Nationalheiligen, in San Felipe der span. König u. der heil. Philipp u. s. w. — *Riviére J.* s. Yancton.

Jadájjagà = abschüssiger Fluss, sam. Name eines Eismeerzuflusses im Grossland, wahrsch. v. seiner Uferbildung (Schrenk, Tundr. 1, 330).

Jadebusen, auch *Jah...*, ein durch Einbrüche der Nordsee, hpts. 1511 entstandener Golf der deutschen Küste, nach dem dort mündenden Küstenflusse, der *Ja(h)de* (Meyer's CLex. 9, 462). Aber diese?

Jadejja s. Nowaja Semlja.

Jadera s. Zara.

Jærken = grosser (Binnen-) See, urspr. v. lapp. *jargn*, in der schwed. Prov. Roslagen (Pettersson, Lappl. 28 nach Lindahl's u. Oehrling's Lex. Lapp., Vorrede v. Ihre).

Jaëser, hebr. יַעְזֵר u. יַעְזֵיר = der Er (scil. Gott) Hülfe leistet, Stadt im Stamme Gad, an der Grenze v. Ammonitis, lange im Besitz der Moabiter (4. Mos. 21, 32), gr. 'Ιαζήρ (1. Makk. 5, 8), wahrsch. da wo j. die Ruinen v. *Szâr* sich finden (Gesen., Hebr. Lex.).

Jätteryggen = Riesenrücken, einer jener langen Rücken, welche — im Ggsatz zu den äser — aus geschichteten Geröllagen bestehen u. demnach als Wasserbildungen zu betrachten sind — ein Erzeugniss der Meeresströmungen, welche einst üb. dem Boden Schwedens fluteten (Passarge, Schwed. 37). — *Jättsholmarne* = Inseln der Riesen, ein Klippenschwarm des bottn. Golfs, mit bez. Sage? — *Jötunfjeldene* = Riesenberge (Peterm., GMitth. 12, 418), die grossartige Central-gruppe des norw. Gebirgs, 'unbedingt die höchste u. wildeste Gebirgspartie Norwegens, wo Schnee-hörner u. Gletscher, Felsplateaux, schöne See'n

u. Alpenbäche eine wunderbare Landschaft bilden' (ib. 22, 125), v. Keilhau so getauft, während andere Abtheilungen, wie der *Dovre Fjeld*, nach anlie-genden Orten benannt sind (Gegw. 25, 108, Meyer's CLex. 5, 617; 9, 591). Das norw. Wort *fjeld*, schwed. *fjäll* = Gebirge, Fels, Kuppe (Daniel, Hdb. Geogr. 2, 879).

Jaffa, auch *Joppe*, gr. 'Ιόππη, als phön. Colonie v. Plin. (HNat. 5, 68) *Joppe Phoenicum* bezeugt, Ort der Küste Judaea's, viell. nach der Beschreibg. (Strabo 759): ἐν ὕψει γάρ ἐστιν ἱκανῶς τὸ χωρίον u. bei Plin. (a. a. O.) 'antiquior terrarum inunda-tione, ut ferunt, insidet collem praejacente saxo' als hebr. יָפוֹ, *Japho* = יָפֵה od. נָאֶה, *Jophe* = נָאֶה [nophe] = Anhöhe zu deuten (Movers, Phön. 2b, 176), während Gesenius (Hebr. WB.) an 'Schönheit' denkt u. Kiepert (Lehrb. AG. 171), wohl einleuchtend f. den vereinzelt auf flachem Riffe weisser Kalkfelsen liegenden Ort, 'das weisse, leuchtende' setzt. — *Cap de J.* s. Rivoli.

Jaffnapatnam, auch *Dscha...*, tam. Stadt der am Nordende Ceylon's sich langhin streckenden Insel Jaffna, Dschaffna (Meyer's CLex. 9, 466).

Jagággasowòj = Strom-Samojeden, sam. Name eines am linken Obufer sich aufhaltenden Ge-schlechts der Samojeden (Schrenk, Tundr. 1, 628).

Jagerschmidt, Pointe, ein Cap der maroccan. Küste bei Tetuan, v. der hydrogr. Exp. des Capt. de Kerhallet u. des Ing.-Geogr. Vincendon-Du-moulin 1854 getauft zu Ehren des um das Unter-nehmen verdienten frz. Geschäftsträgers in Tanger, der die v. Tanger nach Tetuan unternommene Karawane der Officiere des Dampfers Pharus führte. Ebenso *Pointe Cotelle*, nach dem Dolmetscher der frz. Gesandtschaft, *Mont Malmusi*, nach dem sardin. Generalconsul in Marocco, *Mont Scovasso*, nach dem sard. Consul in Gibraltar, sämtl. ebf. Mitgliedern der Landreise, endl. *Mont Anna*, nach der Gemahlin des Capt. Kerhallet. Zwei andere Berge, *Mont Bérard* u. *Mont Tessan*, wurden nach Vorgängern getauft, dem Admiral u. dem Ing.-Geogr., 'auxquels est dû l'important travail de la reconnaissance des côtes d'Algérie jusqu'aux îles Zaffarines, 1831/33 (Bull. Soc. Géogr. Par. 1884, 227 ff.).

Jaggaréj od. *Jagággarajgòj* = krummer Rücken, ein Höhenrücken des Grosslandes, nach einem nahen, stark gekrümmten Flüsschen (Schrenk, Tundr. 1, 340). — *Jaggaréjjagà* = abkehrender Fluss u. *Jursakójagà* = gleichlaufender Fluss, sam. Name zweier Eismeerzuflüsse des Grosslandes, der erstere daher, weil der Fluss plötzl. eine starke Wendg. macht, um dem Eismeere zuzufallen, der zweite, weil er eine ganz ähnl. Wendg. beschreibt, also mit jenem gleich, d. i. parallel, läuft (Schrenk, Tundr. 1, 338).

Jagoschichinsk s. Perm.

Jagst, auch *Jaxt*, 1024 *Jagas* aus urspr. *Ja-gasa, Jagusa* mit unorgan. *t*, ein rsettgr. Zufluss des Neckar, da nach auch die Orte *Jagstzell, Jagst-berg, Jagsthausen*, alt *Jagese, Jagstfeld*, im 8. Jahrh. *Jagesfelden, Jagasgewi* = der Gau um den *J.*, u. modern *Jaxtkreis*, 'nach dem bewegten

Laufe' (Schott, Col. Piem. 218, Bender, Deutsche ON. 7), also mit dem Grundbegriff 'eilen', wie ja auch die 'Yacht', das Schnellschiff, mit unserm 'jagen' zshängt (Bacm., AWand.109, Meyer's CLex. 9, 472). Diese Deutung betrachtet Förstem. (Altd. NB. 929) als unsicher.

Jaguari = Jaguarfluss, mit guarani *i* = Wasser, ein rseitgr. Nebenfluss des Paranà (ZfAErdk. 2, 9).

Jagut, 'Ain, richtiger *'Ain Jakut* = Rubinquelle, in der alg. Prov. Constantine, verdankt diesen arab. Namen der Durchsichtigkeit u. Vortrefflichkeit ihres Wassers (ZfAErdk. nf. 4, 111).

Jaibing s. Jakob.

Jájjagà = Erdfluss, sam. Name eines Eismeerzuflusses im Grossland, nach der Beschaffenheit seiner lehmigen Ufer, v. *ja* = Erde, im Ggsatz zu *tab, jaráj* = Sand (Schrenk, Tundr. 1, 324).

Jaik = Fluss, türk. Name des v. Ural (s. d.) herabkommenden Steppenflusses *Ural*, der bei den Baschkiren *Schojek Idel*, wo *idel* = Fluss, bei den Kalmyken *Saigol* heisst, als *Δαϊχ* hingegen schon bei Ptol. (6, 14), als *Jaac* im 13. Jahrh., bei Plano Carpini, als *Jagog* bei Rubruquis vorkommt u. erst in neuerer Zeit z. *Ural* umgetauft wurde. Es waren näml. die Kosaken, welche schon im 16. Jahrh. am Flusse sich angesiedelt od. doch zu überwintern pflegten, 1655 in russ. Dienste getreten, aber wiederholt, 1676, 1707, 1735 ff., aufständisch geworden. Diese Kosaken besitzen viel Vieh, v. Pferden u. Rindern meist 10, aber bis 2—500 Stück, Schafe in doppelter Zahl, u. einen zweiten Hauptreichthum bildet die Störfischerei im Strome. 'Durch ihr freies u. müssiges Wohlleben gedeihen sie u. sind viell. das schönste, gesundeste, reichste u. kriegerischeste Fischervolk. Sie sind aber auch v. rohen Sitten, grob, unfolgsam, widersetzlich u. haben als Raskolniken, Sectirer, mit andern Leuten nicht gern zu thun' (Falk, Beitr. 173 f.). Als nun der Donsche Kosak Pugatschew rebellisch wurde u. 1773 in *Jaïzk* erschien, da fand er in ihnen auch seine wärmsten Anhänger, u. der Aufstand nahm einen f. die Krone höchst bedrohlichen Verlauf, der nur mit Mühe gedämpft werden konnte. Um das Andenken dieser Empörg. zu verwischen, vollzog 1775 Katharina II. ei.ie gründliche Umtaufe: der Fluss *Jaïk* sollte fortan den Namen *U.* führen; der 'Flecken am Jaik', *Jaizkoi Gorodok*, der Hauptherd des Aufruhrs, an der Confl. des Jaik u. des Tschagan, wurde in *Uralskoi Gorodok*, abgek. *Uralsk*, die *Jaik-Kosaken* in *Uralsk-Kosaken* umgetauft, *Werch* (= oberes)-*Jaizk*, nur 150 km v. der Stromquelle, in *Werch-* od. *Werchne-Uralsk* (Bergh., A. 3. R. 6, 215, Rose, Ur. 2, 232, Göbel, Reise 2, 342, Müller, Ugr. V. 1. 39, Falk, Beitr. 171, Bär u. H., Beitr. 5, 135). Dem entspr. hat auch der Atl. Russ. v. 1745 nur den alten Flussnamen, sowie *Step Jaïzkaja* u. *Werch Jaïzkaja Pristan*. — Ein jüngeres *Uralsk*, Fort *Uralskoje* od. *Nowo-Uralskoje*, am Flusse Irgis der Kirgisensteppe, auf einem 10 Faden h., gg. Norden steil abfallenden Hügel 1845 angelegt v.

Infanteriegeneral Obrutschew, dam. Gouv. v. Orenburg (Bär u. H., Beitr. 18, 120. 152).

Jakaïtl s. Oregon.

Jakkapura s. Arakan.

Jakob, Mannsname, voraus des bibl. Erzvaters u. durch diesen mehrf. in ON. *a) Jakobsbrunnen*, bei Sichem, wo die Erzväter ihre Herden weideten, auch *Bir es-Sâmiriyeh* = Brunnen der Samariterin, da die christl. Legende die Begegng. mit der samarit. Sünderin hierher versetzt (Robins., Reise 3, 329); *b) Kabbr Benât Jakûb* = Grab der Töchter Jakobs, eine kleine in Fels gehauene Grotte Galilea's, das Ziel jüd. Wallfahrer (Seetzen, Reise 2, 126); *c) Haus J.* s. Juden. — Auch ein Element deutscher ON., wie in *Jagobinga*, j. *Jaibing, Jacobesperc*, j. *Jakobsberg*, beide in Bayern, *Jacobsweg*, in der Rheinprov. (Förstem., Altd., NB. 929) u. häufig *Sanct J.* (s. Klosters). — *Jakobshavn*, dän. Colonie in Grönl., v. dän. Kaufmann Jakob Severin (s. Christianshaab) 1749 ggr., 'da der Handel Grönl. noch nicht wie ggw. das ausschliessl. Monopol der Regierg. war' (Cranz, HGrönl. 1, 23, Peterm., GMitth. 17, 378). — *Jakobstad* s. Brahestad. — *Jákoba*, gew. f. *Jakôba*, die Hptstadt der Prov. Bolôbolô, Bautschi, nach ihrem Gründer Jakub, dem Vater des Gouv. Ibrahim, welcher zZ. v. Barth's Reise, 1851, das Land verwaltete, auch *Garû-n-Bautschi* = befestigte Hptstadt v. Bautschi (Barth, Reis. 2, 685). — *Surp-Agop* = St. Jakob, türk. Name eines hoch üb. der Stadt Hadschin, Anti-Taurus, liegenden armenischen Klosters (Tschihatscheff, Reis. 57).

Jaksa s. Albasin.

Jaktheel s. Petra.

Jakutsk, eine ostsibir. Stadt, benannt nach den Jakut, in deren Lande sie durch die Kosaken 1632 ggr. wurde. Das Fort, ostrog, j. in Ruinen, wurde 1647 gebaut (Wrangell, NSib. 1, 29). Dawydow (Sib. 49) erwähnt zwei frühere Anlagen d. N. (welche successive vom Flusse weggespült wurden), die eine weiter ab-, die andere weiter aufwärts an der Lena. Der Volksname selbst ist nicht erklärt; die Russen haben ihn bei den Tungusen vernommen, *Jeko*, mit mong. Endg. *ut*; sie selbst nennen sich *Ssacha*, daher die Formen *Socha, Saka, Jaka, Jeko* (Bär u. H., Beitr. 26, 32, Fischer, Sib. G. 1, 103, Peterm., GMitth. 10, 163). — Solcher Relationsnamen, so bezeichnend f. ein Gebiet der Flussstrassen, fügen wir ferner an: *b) Jangelskoi*, an der Confl. Jangelga-Jaik (Bär u. H., Beitr. 5, Carte); *c) Jaransk*, an der Confl. Jaran-Wjatka (Meyer's CLex. 9, 501); *d) Jansk*, sib. Orte am Flusse Jana, tung. Janga, Juganda (Fischer, Sib. G. 1, 517), die eine am Oberlaufe, *Wercho-* (= ober), die andere im Mittellaufe, *Sredne-* (= mittel), die dritte an der Mündg., *Ust-* (= Mündungs) *Jansk; e) Jeisk*, an der Mündg. der Jeja in das Asow M. 1848 ggr. (Meyer's CLex. 9, 517).

Jalana s. Jilan.

Jalapa, früher *Xalapa*, so auch z. B. in dem v. Karl IV. am 18. Dec. 1791 der Stadt geschenkten Wappen, eig. *Xalapan* = am Sandwasser, Ort des Sandwassers, v. *xalli* = Sand, *atl* = Wasser u. postpos. *pan*, azt. Name einer bekannten mexic. Stadt in der Prov. Vera Cruz. Wiederholt sich noch 5 mal in Mexico u. Guatemala. Das span. dim. *Xalapita* bei Salamanca, Prov. Guanajuato (Buschmann, Azt. ON. 176, Gracida, Cat. Oax. 56). Unsere Etym. schon in Orozco y Berra, während die erwähnte kön. Urk. 'Quelle od. Fundort v. Sand', also Sandgrube, sandige Gegend, annahm (H. C. Rebsamen, briefl. Mitth. v. 12. März 1888).

Jalbus s. Kaukasus.

Jalmal s. Landsend.

Jalpusch-See, ein See der untern Donau, nach dem bessarab. Flusse Jalpusch, Jalpuch, der in ihn mündet (Meyer's CLex. 9, 481).

Jaluturowski Ostrog, russ. Veste in West-Sib., an der linken Seite des Tobol, wo eine alte tatar. Veste Jawlutura gestanden hatte, wurde 1659 angelegt. Die Slobode in der Nähe, 'zu gleicher Zeit' ggr., hiess *Jaluturowska* (Fischer, Sib. G. 2, 549 f.). Der Ort heisst auch *Batschjamka*, von dem nahen Flüsschen (Müller, Ilgr. V. 1, 269).

Jaly-Dere = Uferthal, türk. Name eines steil in den Pontus abfallenden breiten Thals westl. v. Tarabolus (Tschihatscheff, Reis. 62). — *Jalydscha* = Uferrand, Ort am Soghla Göl, bei Konia (ib. 16).

Jam s. Petschora.

Jamaica, Insel in den Antillen, ind. *Xaimaca* = die Quelleninsel, bei Herrera 1601 schon *Xamaica* (WHakl. S. 43), eine nicht mehr ganz zutreffende Hinweisg. auf den Quellenreichthum (ZfAErdk. 1858, 197, Humb., Kosm. 2, 483), eine Zeit lang span. *Santiago* = St. Jacob (Gomara, Hist. gen. 56).

Jaman s. Jemen.

Jaman Darjâ = böser Fluss, türk. Name eines Arms des Syr, welcher sich inselbildend 5 km unth. des Djan D. spaltet (ZfAErdk. nf. 4, 177, Klaproth, Kauk. 2, 500, Polak, Pers. 2, 363); *b) J. Tagh* = schlechte Berge heisst, weil er kein Weideland trägt, im Ggsatz zu den *Jachschi-Tagh* = guten Bergen, bei den Kirgisen ein Hügelzug des Ust-Urt. 'Die Saiga-Antilope, welche wir in kl. Herden in den Saratow'schen Steppen (auf dem Wege v. Dubowka an der Wolga nach dem Eltonsee) antrafen, zeigt sich zZ. ihren grossen Wanderg., im Juni, in Herden v. 7—8000 (Stück) auf den guten Weiden zw. den Mughodjar. Bergen u. Guberlinsk' (Humb., As. Centr. 1, 275); *c) J. Tass* = böser Stein, ein Höhenzug des Alatau, v. dem beschwerl. Wege, der sie auf zerklüfteten Thonschieferfelsen passirt (Bär u. H., Beitr. 7, 302); *d) J. Jol* = schlechte Strasse, ein Bergweg der Krym, nur mit arabás, d. i. zweirädrigen Karren, zu befahren (Köppen, Taur. 7); *e) J. Balyk* = schlechter Fisch, ein Steppensee östl. des s. Ural (Bär u. H., Beitr. 6, 232); *f) J. Tuz* = schlechtes Salz, ein kl. Steppensee der Kirgisensteppe, wo die Umwohner sich mit Salz versehen (Hertha 3, 579); *g) J. Kul* s. Usat. — *Asâfil al-J.* u. *Jamanija* s. Jemen.

Jambo s. Janbu.

Jambu-Ngo s. Dolgoi.

James, der engl. PN. Jakob, insb. auch zweier engl. Könige, des ersten u. letzten der Stuarts, *J. I.* 1603/25 u. *J. II.* 1685/88. Nach ihnen sind benannt *a) J. River*, auch *Kings* (= des Königs) *River*, ein Zufluss der Chesapeak Bay, einh. *Powhatan*, nach der Umgegend, 'according to the name of a principall country that lyeth upon the head of yt' (Strachey, HTrav. 7, 29. 33), 'a noble river which they (die Ansiedlergesellschaft der London Co. 1607) named from King *J.*, u. davon der Uferort *Jamestown* (Quackenb., US. 69 f., Buckingh., Slave St. 2, 496); *b) King J.'s Cape*, in Hudson Str., v. Hudson im Juli 1610 getauft (Rundall, Voy. NW. 77, WHakl. S. 27, 105; *c) Jamestown*, Ort auf Barbadoes, v. dem Engländer Dean u. dessen 30 Gefährten 1625 angelegt (Meyer's CLex. 2, 564), wie später auf ders. Insel *Charlestown; d) Jamestown*, die aus Fort *St. J.* erwachsene Hafenstadt St. Helena's. — *King J. his Newland* s. Spitzbergen.

James, auch engl. Familienname, mehrf. in ON. *a) J. Bay*, die grosse Südbucht der Hudson Bay, v. Nordwestf. Thom. *J.* (DVoy. 1740) während seiner Ueberwinter. 1632/33 untersucht; *b) J. River*, ein Nebenfluss des Hoods R., v. John Franklin (Narr. 234 ff. 397. 400, Carte) am 26. Aug. 1821 entdeckt u. benannt, wie weiter flussan *Booth's Branch, Sellwood's Branch, Wright's River, Cracroft's River*, diese 4 nach Verwandten des Entdeckers; *c)* s. Récif; *d) Cape J.* s. Jordan.

James, Saint, 2 Apostel u. Märtyrer, der ältere, welcher in Spanien das Christenth. verkündigt haben u. in Santiago begraben sein soll, dort Schutzheiliger des Landes ist u. am 25. Juli in der kath. Kirche gefeiert wird, u. der jüngere, dessen Fest, zs. mit dem des Philippus, am 1. Mai gefeiert wird. Von engl. ON. nennen wir *a) St. J.*, ein am Apostel J. geweihtes Kloster, j. Stadttheil Londons (Meyer's CLex. 14, 34); *b) J. Island*, vorm. St. Susanne, in Mergui, v. Capt. Thom. Forrest am 23. Juli 1783 umgetauft (Spr. u. F., NBeitr. 11, 184 f.); *c) Cape St. J.*, die Südspitze der Queen Charlotte Is., v. Capt. G. Dixon am 25. Juli 1787 benannt (GForster, GReis. 2, 194); *d) St. J. Island*, am Südende NSemlja's, v. Steph. Burrough 'on *St. J.* his day' 1555 (Hakl., Pr.Nav. 1, 280, Gerrit de V. ed. 'Beke IX); *e) St. J.' Bay*, in St. Helena, wo die engl.-ostind. Co., nachdem sie 1650 die Insel erworben, 1660 das Fort *St. J.* erbaute (Meyers CLex. 14, 119); *f) Islands of St. J.* s. Farallon.

Jameson Bay, in Jan Mayen, v. Walfgr. Will. Scoresby jun. 1817 nach seinem gelehrten Freunde, dem Mineralogen *J.* in Edinburg getauft, wie *Cape Fishburn* u. *Cape Bodrick*, nach den Freunden, denen sein Schiff, der Esk v. Whitby, gehörte (Vogt, Nordf. 289). — Ebenso ein *Cape J.* in Baffin Bay, v. Capt. John Ross (Baff.B. 194) im Sept. 1818 getauft nebst *Cape Cargenholm, Cape Hathorn, Hamilton Bay, Cape Adair, Bell Isle, Marianne Isle*, 'and to the bays and capes various names, which will be found in the

Chart.' — Ferner *J.'s Group*, in Georg's IV. Krönungs-Bay, v. John Franklin (Narr. 368) im Juli 1821, u. *J.'s Land*, hinter Liverpool Coast, Grönl., v. Scoresby (NorthWF. 191) am 25. Juli 1822 benannt.

Jamnia s. Jabneh.

Jamschtschiken Slobode = Dorf der Fuhrleute, russ. Name einer 1605 ggr. Anlage bei Tjumen, um die herbeigezogenen Fuhrleute in die Nähe ihrer Felder zu bringen. Um näml. die Tataren in ihren Frondiensten zu erleichtern, hatte man eine Colonie russ. Fuhrleute angezogen, die anf. in dem äussern Ostrog wohnten, dann jedoch ihren eignen Anbau erhielten (Müller, SRuss.G. 4, 430).

Jamsk s. Ochota.

Jamyschewsk s. Omsk.

Jan Mayen, die arkt. Insel unt. 71⁰ NBr., v. dem engl. Seef. Henry Hudson, der dam. in holl. Diensten stand, auf der Heimreise v. Spitzb. 1607 'berührt' : *Hudson's Touches*; die Nordostspitze, welche die v. Bären I. Kommenden zuerst erblicken mussten, wurde *Young's Foreland* getauft, nach demj. Gefährten, welcher zuerst die Küste Grönl. erspäht hatte u. wohl auch hier seine Kameraden in Eifer od. Scharfsichtigk. übtraf. Ein Cap, fast genau unt. 71⁰ NBr., erhielt den Namen *Hudson's Point* (WHakl. S. 27, 146. CXCII). Im Schiffe Esk fand der Holl. Jan Mayen 1611 die Insel wieder; daher deren j. Name, wie der ihres Vulcans *Esk* (Peschel, GErdk. 300). Sonst hiess sie holl. auch *Mauritius Eiland*, zu Ehren des Prinzen Moriz v. Nassau, engl. *Trinity Island* = Dreifaltigkeitsinsel, weil sie um diese Jahreszeit ein Walfgr. aus Hull gefunden hatte (Vogt, Nordf. 288). — Nach demselben holl. Vornamen *Jan* = Johannes der ON. *J. Bloms Fontein*, eine Quelle im Capl., nach einem geächteten Ansiedler, welcher sich hier, namentl. durch seine an den Betschuanen verübten Viehräubereien, verabscheut machte (Lichtenst., SAfr. 2, 442).

Janájjagà = der stille Fluss, sam. Name eines Nebenflusses der kleinländ. Indega. Die Russen haben ihn, abweichend v. der im SamojedenLd. befolgten Uebung, nicht übsetzt, sondern sagen *Bolschája Swétlaja* = den grossen hellen Fluss, im Ggsats z. nahen *Málaja Swétlaja* = dem kleinen hellen Fluss, sam. *Háwyrájjaga* = Waldfluss, v. *hawyrá* = magere Holzung (Schrenk, Tundr. 1, 653).

Janbu = Quelle, auch *janbo, jambo*, in frz. u. engl. Orth. mit *y*, in arab. ON. *a) Jambo*, Hafenort v. Medina, am Rothen M.; *b) J. en-Nachl* = Quelle der Dattelpalmen, ebf. im Hedschas (Parmentier, Vocab. arabe 48).

Jandaja s. Tundra.

Jane, engl. Taufname 'Hanne, Hannchen', in mehrern ON. wie *J. River, J. Island* (s. Gallow), *J.'s Island* (s. Triste), *J. Dundas Island* (s. Melville), *Cape J. Franklin* u. *Lady J. Franklin Bay* (s. Franklin), *J.* (s. Adam).

Janeiro, Rio de = im Sinne v. Neujahr-

fluss, die weite, bergumrahmte, inselgeschmückte Bay der j. Hptstadt Brasil., zunächst ihre enge, f. eine Flussmündg. gehaltene Pforte, zuerst erblickt am 1. Jan. 1501 v. Vespucci's Exp., welche am Rochustage das Cabo de San Roque, am Franciscustage den Rio San Francisco, auf Allerheiligen die Bahia de Todos os Santos passirt hatte, u. wie die vorangegangenen Punkte nach dem Kalendertage getauft ... 'o porto que por um notavel engano corographico se ficou chamando *RdJ.'* (Varnh., HBraz. 1, 19. 248). Die Bay, deren Grösse u. Wunder vor dem engen Eingang allerdings nicht erwartet werden, nannten die Tamoyo sinnreich *Nicterohy* = verborgenes Wasser (Avé-Lallem., S.Bras. 1, 77), kaum wie Varnh. (ib. 2, 346) 'meint' = kaltes Wasser, v. *mteró* = kalt u. *y* = Wasser; *N.* ist j. auf eine der Vorstädte urspr. *Bragança*, nach dem port. Königshause, j. gemeinigl. *Praia Grande* = grosser Strand genannt, der Metropolis ggb. (WHakl. S. 51, 82), übtragen. Zuerst besucht wurde die Bay v. span. Seef. Diaz de Solis 1515 (ZfAErdk. 1876 322), am 13. Dec. 1519 v. Magalhães, der sie nach dem Kalendertage *Bahia de Santa Luzia* nennen wollte (Varnh., HBraz. 1, 31, Navarrete, Coll. 4, 31), mit diesem Vorschlage jedoch nicht durchdringen konnte, da der in span. Dienste übgetretene port. Seemann bei seinen Landsleuten, den spätern Ansiedlern in Brasil., als Landesverräther angesehen war. Auch der ind. Name *Guána-para* u. *Pará-na-guá*, beides = Meersack, mehrf. an der brasil. Küste auf Golfe u. See'n, u. a. auch f. die Bay v. Rio verwendet, ist f. diese ausser Gebrauch gekommen. Besetzt wurde die Bay zuerst 1555 v. dem frz. General Villegagnon, der seine Gründg. nach dem frz. König Heinrich III. *Henriville* nannte (Varnh., 1, 229 f.), erst 1565 v. dem port. Statthalter Estacio de Sá, welcher die j. Altstadt anlegte u. *São Sebastião* nannte, sowohl zu Ehren des jungen Königs Sebastian, welcher, 1554 geb., schon als dreijähr. Kind den Thron bestieg u. am 4. Aug. 1578 auf dem heissen african. Schlachtfelde v. Alcassarquivir verschwand, als auch nach dem Heiligen d. N., an dessen gewaltsamen Tod das der Stadt ertheilte Wappen, ein Pfeilbündel, zugleich erinnern sollte (ib. 251, Bösche, Port. Spr. 233. 236). Die amtl. Namensform lautete *São Sebastião do RdJ.* Noch 1593, als der engl. Seef. Rich. Hawkins den Ort passirte, war die Anschauung eines 'Flusses' lebendig ... 'the *river Jenero*, a very good harbour, fortified with a garrison, and a place well peopled' (WHakl. S. 1, 90), wie noch j. die Einwohner sich als *Fluminenses*, v. lat. *flumen* = Fluss, bezeichnen (Varnh. a. v. O., Agassiz, Voy. 80).

Jan(g) s. Jang.

Jangelsk s. Jakutsk.

Jangtsekiang, der Name des grössern der chin. 'Zwillingsströme', in unsern Büchern häufig falsch erklärt: bald als 'blauer Fluss', im Ggsatz z. gelben, bald als 'Meeressohn', wie denn allerdings *jang* = Ocean, *tse* = Sohn, *kiang* = Fluss

(Ausl. 46, 2), v. den Missionairs missverstanden u. f. zutreffend gehalten 'à raison de sa largeur et de l'étendu le son cours' (ARémusat, NMél. As. 1, 14), noch bei Pauthier (MPolo 1, LVIII) wiederholt, bald endl. als 'grosser Fluss' (Pütz, Lehrb. vgl. Erdk. 54). Eine Reihe neuerer Zeugnisse stimmt darin überein, dass *J*. einf. heisst 'Strom v. Jang' — Jang, der uralte Name einer Deltaprovinz, v. Ngan-hwéi abw., wo er noch im Stadtnamen Jangtscheu fortlebt (Peterm., GMitth. 7, 165, Richthofen, China 1, 253, Rev. Crit. 19. Mai 1877, 314, Tour du Monde 13 No. 64, Umschlag); dabei ist *tse* 'ein bedeutungsloser Laut, wie ihn die Chinesen oft des Wohlklangs wg. einschieben'. Im chin. Tieflande ist, nicht 'ausschliesslich' (ZfAErdk. 5, 338), aber 'weit gebräuchlicher' die Benenng. *Takiang* = grosser Strom, aufw. so weit, als er mit grossen Schiffen befahren wird, d. i. bis Hsütschōu, Szetschuan, auch einf. *Kiang* = Strom, wie in der chin. Redensart: 'Grenzenlos ist das Meer, grundlos der *Kiang*'; weiter oben heisst der Strom *Kinschakiang* = Fluss des Goldsandes, weil er, wie auch in der grossen kais. Geogr. v. China angeführt ist, dort Gold führt, u. früher reichte dieser Name abw. bis z. Abfluss des Sees Tungting, dem *Kinhokōw* = Mündung des Goldflusses (Peterm., GMitth. 7, 414, 423). Im mong. Hochlande trägt er vschiedd. Namen: *Britschu*, bei den Sifan, chin. zu *Puleitschuho* verd., auch *Murui-ussu* = gewundenes Gewässer (Richth., China 1, 253, Pauthier, MPolo 2, 368. 379. 389. 393. 477, ARémusat, NMél.As. 1, 5. 14).

Janhai s. Issyk.

Jankwasch s. Nasimsk.

Jans, St. = St. Johanns (sc. Tag) nannte, 'om dat het op S. Jans dag was', die holl. S. Exp. des Le Maire u. Schouten eine 24. Juni, d. i. am Tag Johannes des Täufers, 1616 entdeckte hohe Insel in der austr. Hibernian Range (Beschr. 102, Spiegh., ANav. 55, Hawk., Acc. 1, 367), id. *Ile Bournand*, welche der frz. Seef. Bougainville nach einem seiner Gefährten umtaufte (Krus., Mém. 1, 146).

Jansk s. Jakutsk.

Jao od. *Mujao*, in frz. Schreibg. *Yao*, *Mou-yao*, chin. Name der Bewohner der Districte An-hoa u. Ning-hiang etc., v. einem Worte 'Unterthan, Diener', 'parce que ce sont de mauvais serviteurs ou de mauvais sujets' (ARémusat, NMél. As. 1, 34).

Jap Island, ein Eiland der Carolinen, dessen Eingeborne an Bord des engl. Schiffs Swallow 1804 oft *jap* sagten (Krus., Mém. 2, 339).

Japan, unsere Bezeichng. f. das ostasiat. Inselreich, kam uns durch Marco Polo aus chin. Quelle zu: in der Form *Zipangu*, die je nach den Dial. auch *Sy-*, *Ci-*, *Dschipangu* geschrieben werden konnte. 'Ce nom est la transcription de la manière chinoise des mots *Ji-pèn-kŏue* = le royaume du soleil levant, 'Land des Sonnenaufgangs', 'par lesquels les Chinois désignent le *Japon*, ce pays étant à l'orient de la Chine' (Pauthier, MPolo 1, LXIV; 2, 537). Eine ähnl. Form, *Gipanque*, *Ge-*

puen, brachten die Port. aus China zk. (Rundall, Mem. 91, Müller, SRuss. G. 4, 230). 'Les Japonais eux-mêmes nomment ainsi leur pays; mais ils articulent les mots chinois selon l'ancienne prononciation qu'ils ont conservée: *Ni-pon-kokf*, et selon celle du Fo-kien: *Ji-pun-kok'*, wie denn j. noch 'les écrivains japonais nomment leur pays *Ta-ni-pon* = le grand Japon (Kämpfer, Jap. 1, 73 ff., Pauthier, MPolo 2, 537, Richth., China 1, 612). Daraus wird klar, wie im Abendlande zwei Formen in Umlauf kommen konnten: *J.*, f. das Gesammtland, u. *Nipon*, f. die Hptinsel Hondo, die auch *Nai tsi* = Continent, Hauptland heisst (Peterm., GMitth. 22, 401, Meyer's CLex. 12, 71). — Nach dem Inselbogen das eingeschlossene Seebecken: *Japanesisches Meer*.

Japrachly-Göl = Laubsee, tatar. Name eines mit Wasserpflanzen angefüllten Bergsees, Krym; daher der nahe Pass *J. Göl-Boghás* (Köppen, Taur. 17).

Japtájagà = Gänsefluss, v. sam. *japtó* = Gans u. *jaga* = Fluss, ein Zufluss der Júnjaga (s. d.), der nahe Höhenzug *Japtá-Mylik* = Gänseberge, mit syrj. *mylik* = Hügelkuppe (Schrenk, Tundr. 1, 284). — *Jardjjagà* = Sandfluss, ein seichter Zufluss des Eismeers im samojed. Grossland (ib. 1, 318).

Jaransk s. Jakutsk.

Jarden s. Jordan.

Jardin = Garten, Lustgarten, frz. (s. Courtil), span. *Jardin*, plur. *Jardines*, mehrf. als Name liebl. Eilande verwandt, *a)* zuerst v. Columbus selbst, als er im Mai 1494 die Bänke bei Cuba *Jardines y Jardinillos del Rey y de la Reyna* (Colon, Vida 223), den *J. del Rey* = Königsgarten an der Nord-, den *J. de la Reyna* = Garten der Königin an der Südküste (Ant. de Herrera's Carte v. Westind. 1601, in WHakl. S. 43), taufte, weil durch das anmuthige Gemisch der silberblätterigen baumartigen Tournefortia gnaphaloides, v. blühenden Dolichosarten, v. Avicennia nitida u. Rhizophorengebüsch diese Koralleilande wie einen Archipel schwimmender Gärten bilden (Humb., ANat. 2, 85); *b)* dann noch einmal v. Columbus, als er im Aug. 1498 an der Halbinsel Paria die liebl. Gegend hinter Punta dos Alcatrazes *los Jardines* nannte ... 'hallé unas tierras las mas hermosas del mundo y muy pobladas: llegué allí una mañana á hora de tercia, y por ver esta verdura y esta hermosura acordé surgir... llamé allí á este lugar *J.*, porque así conforman por el nombre' (WHakl. S. 43, 125. 128). — Im plur *Jardines* s. Anonima u. Carolina. — *Islas de los Jardines* s. Sandwich. — *Los Buenos J.* s. Marshall.

Jardine River, ein Zufluss der arkt. Franklin Bay, v. Dr. Richardson, Exp. Franklin (Sec. Exp. 232 f.) am 20. Juli 1826 entdeckt u. nach Sir Henry J., 'King's remembrancer in the court of exchequer for Scotland', benannt.

Jarindrano = voll Wasser, der südlichste District der madag. Prov. Betsileo, v. der Fülle seiner

Flussläufe 'and well deserves its name' (Journ. RGSLond. 1875, 142).

Járistaja Rétschka = Flüsschen mit steilen Uferhängen, russ. Name eines sumpfigen Nebenbachs der Nes' (Schrenk, Tundr. 1, 686).

Jarkand, ON. der HTatarei, bei MPolo mit aspir. Laute *Carcan*, mong. *Jarkiang*, chin. *Ja-örh-kiang*, ist nicht sicher erklärt, entw. als 'Ort der Freunde', v. pers. *jar* = Freund u. *kand* = Ort, da die Stadt angebl. in Folge wiederholter Verträge ggr. worden (Schlagw., Gloss. 258) od. v. ostturk. 'weites Gebiet' (Pauthier, MPolo 1, 141) od. v. kirg. *jar*, *dschar* = Abhang, also 'Stadt am Abhange' (Peterm., GMitth. 37, 267).

Jarmuk s. Jordan.

Jarosslaw(l), russ. Stadt an der Wolga, v. Grossfürsten Jarosslaw Wladimirowitsch 1025 ggr. u. nach Abtretg. an das Grossfürstenth. Moskau 1468 eine zeitlang Residenz (MCL. 9, 503, Müller, Ugr. V. 2, 177).

Jaschtischat = Stadt der Opfer, armen. ON. am Murad, in der Gegend v. Musch. *J.* war in der vorchristl. Zeit als Götterstadt bekannt, der bedeutendste Ort der Prov. Taron (Spiegel, Eran. A. 1, 152).

Jasen s. Jesenik.

Jasmund, Bab el, eine der imposanten Clusen bei der Oase Dachel, v. der Exp. G. Rohlfs am 7. Jan. 1874, mit arab. *bab* = Thor, getauft nach dem deutschen Generalconsul in Alexandria, 'durch dessen Eifer f. die Wissenschaft wie durch seinen mächtigen Einfluss unsere Reise allein ermöglicht worden' (PM. 20, 179). — *Jasmunder Bodden* s. Greifswald.

Jasonion, Akron, gr. *Ιασόνιον* (*ἄκρον*), eine nach dem Seef. Jason benannte Landspitze am Pontus, j. noch *Jasun* (Pape-Bens., Curt., GOn. 147. — *Jason Islands* s. Sebaldinen.

Jassy, rum. *Jasi*, spr. *jáschi*, die Hptstadt der rum. Moldau, wird auf einen Gründer *Jas* od. auf das Volk der *Jazügen, Jassen*, zkgeführt, die im 11. Jahrh., gleichzeitig mit den Kumanen, in das Land eingebrochen seien (Meyer's CLex. 9, 504). Neigebaur, einst preuss. Generalconsul in der Moldau, beruft sich dagegen (Beschreibg. d. Mold., Leipz. 1848) 'auf eine röm. Inschrift, eine Votivtafel, die bei Ulpia Trajana gefunden u. zuerst in des gelehrten poln. Kanzlers Zamoscius 'Vetus Dacia' veröffentlicht wurde. Sie ist zu Ehren des Kaisers Hadrian u. seiner Gemahlin Annia Faustina errichtet v. Clodius, der z. 6. mal Militärpräfect *Dacorum Jassiorum* war. 'Vor der Beredsamk. dieses Marmors schwindet jede andere Annahme' (Bulet. Soc. Geogr. Rom. 7, 141 ff., Buc. 1886) — vorausgesetzt, dass die Inschrift echt sei. Es müsste also schon in röm. Zeit ein Volk *Jassi* in diesem Theile Daciens gewohnt u. seinen besondern Präfecten gehabt haben.

Jastrzembie s. Habsburg.

Jatanapura s. Awa.

Jatsche Th. s. Slave.

Jauer s. Javor.

Jaufen s. Juf.

Jaune s. Yellow.

Java, skr. *Javadvipa, Javadiu* = Gersten- od. Hirse-Insel, wie noch j. in vschiedd. ind. Sprachen *dschav, dschau, java, jaa* = die zweizeilige Gerste heisst (Humb., Kosm. 2, 440), schon Ptol. (7, 2) als *Ἰαβαδίου*, d. i. in der Prakritform u. nach deren Bedeutg., *κρίθης νῆσος*, bekannt. Kühn wird f. die Motivirg. behauptet: 'vor der Einführg. des Reises durch die Indier bildete die Gerste das Hauptgetreide'. Woher weiss man diess? Umgekehrt war der Reis, den die ersten Ansiedler aus VIndien mit sahen, f. sie neu, so dass sie das Korn mit Gerste verglichen (Lassen, Ind. A. 1, 412), od. es ist 'Gerste' allgemein f. 'Brotkorn' zu fassen (ib. 2, 1042); ja die Gerste ist den Einwohnern unbekannt, u. sie könnte auch nur in wenigen höhern Lagern gedeihen (Crawf., Dict. 165). Eine eingehende Erörterg. 'üb. den Urspr. des Namens *J.*' gibt (Ausl. 45, 432) der Leidener Sanskritprof. Heinr. Kern, zu dessen vielseitigen Studien auch das Javanische gehört. Die Uebsetzg. 'Gersteninsel' harmonire mit dem Umstande, dass die ind. Inseln übh. gern nach Naturproducten benannt sind, wie Pulo Pinang, Sandelbosch etc.; dass nun Gerste weder auf *J.* noch auf Sumatra vorkommt, bringt auf die Vermuthg., das Wort sei hier nicht 'im classisch recipirten Sinne' zu fassen; provinziell heisse es auch Fennich. In Indien werden vschiedd. Arten Panicum gebaut u. Kiepert (Lehrb. AGeogr. 43) setzt frischweg 'Hirse-Insel'. Bei MPolo hiess die Insel *Giava*, später bei ital. Reisenden *Giava*, chin. *Haoa-owa, Jou-wa*, in chin. Historikern u. Geogr. *Tschào-wá* (Journ. As. 1, 244), arab. *Jawi*, bei Ibn Batuta (Trav. 201) *Mul J.* = das ursprüngliche *J.*, im Ggsatz zu Sumatra, welches MPolo trotz dem grössern Areal, *J. la Meneur* = klein *J.* nennt (Pauthier, MPolo 2, 559). Diese Umkehrg. der Flächengrösse hat den Auslegern viel Verlegenheit bereitet; sie erklärt sich jedoch aus geschichtl. Verhältnissen. 'Nous pouvons expliquer cela facilement. De son temps, *J.* était un empire puissant, et avait subjugué presque toute la côte orientale de Soumatra, outre un grand nombre d'autres îles. Les petits royaumes de Soumatra étaient sous la dépendance de *J.*, et leurs princes étaient la plupart originaires de *J.*, comme ile sont de nos jours. Le nom de *J.* est resté, et la population qui était sujette de notre *J.*, considérait naturellement cette dernière comme étant *J.* 'la grande', *Maha-J.*, d'où est arrivé que Sumatra est devenue *J.* 'la mineure'; MPolo ne connut certainement pas l'étendue réelle des deux *J.* (Pauthier, MPolo 2, 579). Richtiger hiess, nach pers.-arab. Vorgange, im Ggsatz zu *J.*, bei ältern Geogr. das j. Bali auch *J. Minor* (WHakl. S. 35, 198, Homanns Atl. Min.). Merkw., dass Barros zwei Theilinseln unterscheidet: *J.* u. *Sunda*, die durch eine Seegasse *Chiamo*, wohl missverst. f. den Fluss *Tschitando* = Grenzwasser, der die Ostgrenze der Sundanesen gg. die Javanen bildet, getrennt seien; denn noch j. heisst bei den letztern nur der v. ihnen selbst bewohnte grössere Theil der Insel *J.*, vollst. *Tanah J.* (= Land) od. *Siti J.*, im Ggsatz zu *Tana Sunda* od. *Pasundan* = Land der Sunda (Crawf., Dict. 165. 180. 329).

Javor = Ahorn, auch Platane, in den slaw. ON. *J.*, *Javorek*, *Javoři*, *Javořičko*, *Javorina*, *Javorje*, *Javorka*, *Javornic*,·*Javornik*, *Javorova*, *Jawor*, *Jawora*, *Jaworje*, *Jaworki*, *Jawornic*, *Jaworniček*, *Jawornik*, *Jaworny*, *Jaworów*, *Jaworówka*, *Jaworsch*, *Jaworsko*, *Jaworze*, *Jaworzinka*, *Jaworzna*, *Jaworzno*, verdeutscht *Jauerburg*, *Jauern*, aus *Javorna*, *Jauernig*, aus *Javornik*, *Jauerling*, Bergstock in NOesterr., 830 mons qui vocatur *Ahornic*, *Ahornicus mons* (Miklosich, ON. App. 2, 176, Umlauft, ÖUng. NB. 96 f.).

Jaxt s. Jagst.

Jazer s. Jaëser.

Jazygien, ein selbstständiges Gebiet Ungarns, benannt nach den Jazygen, mag. *Jaszok* = Pfeilschützen, welche th. v. den Petschenegen, th. v. den Szeklern, Kumanen, Bulgaren, selbst Tataren abstammen, meist als Pfeilschützen im Kriege verwandt u. daher mit besondern Vorrechten ausgestattet (MCL. 9, 513). Als sarmat. Nomadenstamm eingewandert, erscheinen sie als Ἰάζυγες μετανασταί = ausgewanderte *J.*, um 69 nach Chr., zw. Donau u. Theiss, u. ihr Fürst anerkennt die röm. Oberhoheit (Kiepert, Lehrb. AG. 346).

Jazzi, Cima di, deutsch *Jazhorn*, eine der Bergspitzen des Monte Rosa, v. dial. *jaz* = kleine Bergmatte (Schott, Col. Piem. 228. 313).

Ibargoïtia, Ile, in den Central-Carolinen, einh. *Suk*, *Pulusuk*, v. engl. Capt. Mortlock 1795 entdeckt, dann v. span. Capt. *I.* 1799 u. wieder 1801 gesehen u. (nach dem Kalendertage?) *San Bartolomeo*, v. russ. Admiral v. Krusenst. (Mém. 2, 346), der *I.* als den ersten Entdecker betrachtete, nach diesem getauft ... ʼce qui mʼa porté à lui donner son nomʼ (Meinicke, IStill. O. 2, 357).

Iberg s. Eibe.

Iberia, zwei alte Ländernamen: *a)* die Pyrenäen-HI. (s. d.), gr. Ἰβηρία, Ἰβηρίη, wahrsch. nach dem j. Ebro, gr. Ἴβηρ, lat. *Iberus*, bask. *Ibarra* = Stromthal, also wie India u. Indus, zunächst das Stromland, wo die ältesten hell.-iber. Colonien, die massil. Orte Rhodae u. Emporiae lagen, u. dann allm. weiter ausgedehnt. Auch die Einwohner hiessen nach dem Flusse Ἴβηρες, lat. *Iberes*, *Iberi*, die mit den Kelten vermischten *Celtiberi*, ihr Land *Celtiberia* (Plin., HNat. 3, 19 f., Kiepert, Lehrb. AG. 481). W. v. Humboldt (Unts. Urb. Hisp. 60) findet ʼsehr unwahrsch.ʼ, dass der Fluss dem Lande u. den Leuten den Namen gegeben habe; auch über den Flussnamen selbst wagt er nur einige Wortanklänge zu bieten u. citirt Astarloa (Apol. 254), welcher unter Abweisg. der Annahmen des Paters Larramendi an bask. *ibai*, *ibaija* = Fluss u. *erua*, *eroa* = heftig, schaumvoll dachte ... ʼqualidad muy propria á los rios caudalososʼ; *b)* das asiat. Georgia (s. d.), nach den Bewohnern, den Kharthli, gr. u. röm. *Iberes*, *Iberi* (Meyerʼs CLex. 9, 209).

Ibex River = Steinbockfluss, ein rseitg. Zufluss des Unterlaufs des Yellowstone R., am 2. Aug. 1806 v. Capt. Clarke so benannt (Lewis & Cl., Trav. 633). Die dem Werke beigegebene Carte setzt *Argalia River*. In der Nähe schoss einer der Leute ein Prachtex. v. Widder des Bighornʼ ʼand it was preserved entire as a specimenʼ (ib. 634). Einen *I. Creek* lässt die Carte in den Missuri selbst münden, gleich obh. Yellowstone.

Ibi Gángmin, gew., ohne Nasenlaut, *Ibi Gámin*, *Abi Gámin* geschr. = Grossmutter der vollkommenen Schneekette, tib. Name eines Pics des Himálaja, v. *a-phi*, dial. *ibi* = Grossmutter, *gang* = Eis, Gletscher, *min* = vollkommen (Schlagw., Gloss. 200).

Ibiza u. **Ibusim** s. Ebusus.

Iblis Kalassi = Teufelsschloss, türk. Name des georg. Schlosses Tschildir, wohl nach der blutigen Schlacht, welche hier am 9. Aug. 1578 die Osmanen dem pers. Anführer Tokmakchan, ʼunter Verlust vieler Tapfernʼ, lieferten (Hammer-P., Osm. R. 4, 64).

Ibrahim, arab. Form f. Abraham, mehrf. in ON.: *a) Nahr I.*, Fluss im Libanon, zeitw. mit rothem Wasser, dessen Färbung durch die rothen Sandsteinfelsen verursacht ist (Maundrell, Voy. 58), aber in der Sage dem Blute des Adonis, daher *Adonis flumen*, zugeschrieben wird (Lucian de dea Syr. 658); *b) Sidi-I.*, Ort bei Nemours, Alg., wo dem Marabut d. N. eine Grabcapelle gewidmet ist (Lilliehöök, 2 J.Zouav. 207); *c) I.-Hadschily* = dem Pilger *I.* gehörig, Ort bei Kaisarie (Tschihatscheff, Reis. 39); *d) Ibrahimia*, neuer Ort am obern Nil, seit der ägypt. Annexion angelegt u. v. Sir Sam. Baker 1872 nach dem Gouv. v. Chartum, *I.* Pascha, getauft (Journ.RGSLond. 1874, 46 ff., Peterm., GMitth. 21, 426), wie der v. Long 1874 entdeckte u. getaufte *I. Pascha See*, zw. Victoria- u. Albert-Njanza (Peterm. 23, 79). — *Chalil I.* s. Hebron. — *Mers I.* s. Mers.

Ibrijim s. Juden.

Ichnusa s. Sardegna.

Icy Cape = Eiscap, eines der Namenmonumente, welche die heldenhaften Anstrengungen engl. Polarfahrer verewigen, ein Landvorsprg. Alaskaʼs, wo Cook (-King, Pac. 2, 455), v. Cape Lisbourne der Küste entlang ostwärts schiffend, am 18. Aug. 1778 durch einen ungeheuern Eiswall z. Umkehr genöthigt wurde ... ʼa point which was much encumbered with ice; for which reason it obtained the name of ICʼ. (vgl. Beechey, Narr. 1, 276). ʼCaptain Cookʼs success in the South Sea, and, indeed, wherever he went, led the nation to hope that he might be the man fated to secure to his country the honour of a discovery which was then desired on commercial as well as geographical grounds. He failed, hovever, in penetrating the ice, and well was it for himself and his crews that it was so; the fate of Sir Hugh Willoughby would assuredly have befallen them, unprepared as they were for such a voyage, and the rigours of such a climateʼ (Osborn, Disc. 6); *b) I. Portage*, obh. Reindeer

L., wo der Thalboden mit einer Gletscherbildg. bedeckt ist, welche v. Schneewehen u. zufliessendem Wasser entsteht. Am 7. Aug. 1820, zZ. der Reise Capt. John Franklins (Narr. 212 ff.), war die Eisdecke bis 1¹/₂ m dick; c) *I. Reef*, ein Küstenriff westl. v. MacKenzie R., v. Franklin (Sec. Exp. 143, Ansicht) am 1. Aug. 1826 so getauft, weil hier die Eismassen des Meeres sich zu förml. Eisbergen aufthürmten u. dem Lande anlegten; d) *I. River*, ein Ikseitg. Zufluss des Gr. Fish R., v. G. Back (Narr. 82) am 30. Aug. 1833 so benannt, weil die Ufer weit thalaufw. mit schweren Eismassen bepanzert waren u. der Fluss unter einer niedrigen Eisbrücke, welche v. Ufer zu Ufer reichte, mit tiefem u. brummendem Getöse schäumend in den Hauptfluss einmündete; e) *I. Sound*, eine lange schmale Bay, welche v. Barbara Ch., Feuerl., abzweigt, ozw. v. d. Exp. Adv.-Beagle (Fitzroy, Narr. 1, 140) so benannt, weil sie im April 1828 durch den eisverstopften Eingang nur mit Mühe eindringen konnte. — *Iceberg Cañon*, eine der Schluchten des Rio Colorado, v. Lieut. Wheeler (Geogr. Rep. 161) am 2. Oct. 1871 erreicht u. nach den eigenthüml. Umrissen seiner nördl. Uferwände so getauft ...'the peculiar shades of color drifting in the strata and the contour of the prominent walls have all been most singular in this cañon'.

Ichthyophágon Kolpoi, gr. Ἰχϑυοφάγων Κόλποι = Buchten der Fischesser, v. ἰχϑύς = Fisch, das Labyrinth v. Buchten bei Rås Mosandam, am Eingang des Persergolfs. Sie werden v. fast senkr. aus dem Meere emporsteigenden schwarzen Felsen eingeschlossen u. sind v. 20—40 Klafter tief. Das ganze Meer ... ist sehr reich an Fischen. Ich fuhr auf einem Boote v. Matrah nach Maskat, u. wo immer ich in die Tiefe blickte, wimmelte es v. Fischen aller Grössen. Sie laden den Menschen z. Fang ein, u. seit die ersten Bewohner jene Küsten betraten, musste Fischfang die vorzüglichste Unterhaltsquelle sein. ... In diesen schwer nahbaren geschützten Buchten können Fischer nicht nur reichen Fanges, sondern auch der vollständigsten Unabhängigk. sicher sein ..., u. ich halte es f. eine glückl. Beobachtg., dass die Alten, obschon es Ichthyophagen an allen Küsten Arabiens gibt, in diesen versteckten Buchten ihren Hptsitz erblickten (Sprenger, AGArab. 122). — *Ichthys*, gr. Ἰχϑύς = Fisch, eine Felszunge v. Elis, die nach Süden weit ins Meer vorspringt, v. der Form (Curt., Pel. 2, 44).

Ida, alter Bergname (s. Psiloriti), kaum erneuert im westaustr. *Mount I.*, da dieser augenscheinl. eine der prsl. Benennungen ist, welche den engl. Reisende John Forrest 1869 ohne nähere Angabe einführte (Journ.RGSLond. 1870, 239 ff., Peterm., GMitth. 16, 148 f.).

Idaho = Edelstein des Gebirgs, ind. Name eines am 3. März 1863 org. Territoriums der Union, wo auch *I. City* u. *I. Springs* (s. Manitu). 'Die Golddistricte in den Felsengebirgen gehören unter die reichsten auf Erden'. Die Minen des Hptorts Virginia City liefern (1864) durchschn. 250 000 Doll. Gold per Woche (ZfAErdk. 17, 195).

Idel s. Wolga.

Idensteen s. Eddystone.

Idjèn, Gunung = alleinstehender Berg, jav. Name des östlichsten Bergstocks der Insel (Junghuhn, Java 2, 691), nach Buschmann v. *hidjèn* = einzeln, allein (Humb., Kosm. 4, 562).

Idinen, der berb., od. *Kasr Dschenun, Kasr el-Dschunûn* = Geisterberg, der arab. Name einer riesigen, aus Mergel- u. Kalksteinschichten gebildeten Felsmasse v. sägefgem Kamm u. thurmähnl. Spitzen; die Einwohner halten die groteske Masse f. den Aufenthalt böser Geister u. das Besteigen des Berges f. gefährl. u. gotteslästerlich (Barth, Reis. 1, 227 ff., ZfAErdk. 15, 228; 17, 269).

Idn, Umm el = die einöhrige nennen die Araber einen südöstl. v. el Karin (s. d.) aufragenden Vulcankegel (Wetzstein, Haur. 16).

Idolos, Islas de los = Götzeninseln, span. Name einer Inselgruppe Seneg., nach dem unter den Schwarzen herrschenden Götzendienste, bei den Europäern meist zu *Los-Inseln* (Grundemann, Miss.-Atl. 2) verk., zunächst durch die engl. Matrosen, welche den vollst. Namen auf d'Anville's u. Demanet's Carten fanden (Spr. u. F., Beitr. 9, 141). Vergl. Salvação. — *Idol Cape* s. Afgodenhoek. — *Mons Idolorum* s. Parres.

Idria, der weltbekannte Krainer Fundort f. Quecksilber, scheint v. diesem Edelmetall, lat. Hydrargyrus, benannt zu sein (Zeitschr. f. SchulG. 3, 4); der Anklang ist verlockend, der Beweis jedoch nicht übzeugend beigebracht. — *Auf New I.*, Calif., ebf. mit Quecksilberminen, übtragen (ZfAErdk. nf. 6, 401).

Idumäer s. Edom.

Jean, die frz. Form f. Johannes, mehrf. in ON. zu Ehren des Heiligen *a) Ilots de St. J.*, ein Schwarm kleiner Eilande in der Mündg. des St. Lorenz, v. J. Cartier entdeckt u. am 29. Aug. 1534 getauft ...'because we found them and entered into them the day of the beheading of that saint' (Hakluyt, Pr.Nav. 3, 214), j. *Iles du Bic* (Avezac, Nav. Cart. XII. 11); *b)* schon am 24. Juni d. J. ein *Cap St. Jean*, in NFundl., 'pource que s'estoit le jour Monsgr saint Jehan', j. Cap de l'Anguille (Avezac, Nav. Cart. p. XI, Hakl., Pr. Nav. 3, 204); *c) St. Jean d'Angély*, Ort des frz. dép. Charente Inf., nach der dem heil. Johannes geweihten Benedictinerabtei, welche Pipin d. Kl., an Stelle der v. ihm zerstörten aquitan. Veste Angeriacum erbauen liess (Meyer's CLex. 14, 34); *d) St. J. d'Acre* s. Akko; *e) Hôpital St. J.* s. Hôpital.

Jeannette Island, eine Insel des sibir. Eismeers in der Nähe v. Wrangel Ld., entdeckt am 17. Mai 1881 v. american. Schiffe *J.*, welches, befehligt v. Capt. G. W. De Long, v. dem Eigenthümer des New York Herald, J. Gordon Bennett, nach dem Nordpol abgesandt wurde, am 8. Juli 1879 San Francisco verliess, die Berings Str. passirte u., vorbei an Herald Island u. Wrangel Land, durch Eismassen nach Nordwesten getrieben wurde u. rasch nach einander *J. Island*, am 3. Juni *Henrietta Island* u., nachdem das Fahrzeug selbst untergegangen, am 29. Juli 1881 *Bennett Island* fand, drei Landstücke, die sich wie ein nordöstl. Flügel des neusibir. Archipels ausnehmen. Auf Henrietta Island wurde *Mount Sylvie*, nach der Tochter des Capt., in Bennett Island *Cape Emma* nach dessen Gattin getauft, u. da auch das Schiff selbst nach Bennetts Schwester Jeannette benannt war (Peterm., GMitth. 25, 303), so ist als sicher anzunehmen, dass auch Henrietta Island eine ähnl. Beziehg. hat. In dieser letztern Insel erhielten 2 kühn hervorragende Vorgebirge den Namen *Bennett Headlands*; eine Landspitze wurde *Cape Melville*, nach dem Ingenieur der Exp., ein anderes *Cape Dunbar*, nach dem alten Eispiloten, ein Berg *Mount Chipp* nach dem ersten Offizier benannt (Peterm., GMitth. 28, 4 f. 241 ff.).

Jearim s. Kiriah.

Jeberos, in älterer Orth. *Xeberos*, eine peruan. Stadt des obern AmazonenStr., benannt nach dem Indianerstamm der *J.*, in deren Gebiet der einst wichtige Ort (er zählte 15 000 Ew.) angelegt war (WHakl. S. 24, XXVII).

Jebna s. Jabneh.

Jeburda s. Berber.

Jebus s. Jerusalem.

Jedburgh, Hptort der schott. Grfsch. Roxburgh, im Thal des Jed, eines z. Netz des Tweed geh. Flüsschens (MCL. 9, 515).

Jedi Göler = (Thal der) 7 See'n, türk. Name der obersten Thalstufe des schwarzen Isker, im Rilo Dagh (PM. 18, 90). Der Geolog Hochstetter, welcher im Sommer 1869 hier passirte, hat die türk. 'Meeraugen' nicht zu sehen bekommen. Ebenso 1862 Barth (R. Türk. 75); *b) J. Klissia* = 7 Kirchen, arm. Kloster bei Wan, freil. mehr v. Aussehen eines Karawanserai u. mit nur 2 Kirchen, einer neuen u. einer alten (Layard, Disc. 387. 409 f.); *c) J. Oluk* = 7 Spalten, Thaldorf des Anti-Taurus (Tschihatscheff, Reis. 35); *d) J. Jalbus* s. Kaukasus.

Jedla s. Iglau.

Jefferson, *Thomas*, der dritte in der Folge der Unionspräsidenten (1801/09), geb. in Virginia 1743, Verf. der Unabhängigkeitsacte v. 4. Juli 1776, lehnte eine dritte Wahl z. Präsidenten ab, zog sich auf sein Gut zurück, lebte den Studien u. † 1826, als Staatsmann hochgeachtet, der die Stellung der Einzelstaaten gg. die Uebergriffe der Centralgewalt schützte. Ihm zu Ehren sind verschiedene Orte benannt, wie *J.*, in Texas, *J. City*, in Missuri, *Jeffersonville*, in Indiana u. a. m., *J. Island*, 2 mal: *a)* s. Adams, *b)* s. San Rosa; insbesondere auch *J.'s River*, einer der 3 Quellflüsse des Missuri, dessen Gabelstelle Capt. Clarke, v. der Exp. Lewis u. Clarke (Trav. Miss. 20. 240), am 25. Juli 1805 erreichte. Die beiden grössern Arme, *J.'s* u. Madison's River, fand die Exp. 'so nearly of the same dignity, that we did not conceive that either of them could with propriety retain the name of the Missuri'; sie waren je 82 m br. u. in Charakter u. Aussehen sich so vollk. ähnlich, 'that they seem to have been formed in the same mould'. Der südwestl. Arm er-

hielt den Namen 'in honour of the president of the United States, and the projector of the enterprise'. — *Mount J.*, 2 mal: *a)* in der Cascade Range, v. ders. Exp. (ib. 502) am 3. Apr. 1806 getauft; *b)* s. White Ms. — *Cape J.*, im arkt. Washington Ld., v. american. Polarf. E. K. Kane (Arct. Expl. 1, Chart) 1853/55 nach Analogie benachb. Objecte benannt. — *J. Davis Peak* s. Union.

Jeffreys T. s. Tuscarora.

Jegla s. Iglau.

Jeisk s. Jakutsk.

Jéjuga, nordruss. Flüsschen, im russ. Munde aus dem finn. *Jaa-jöggi* = Eisfluss verd. (s. Pinega). Der Bach windet sich näml. auf seinem ganzen Lauf durch finstere Nadelforste u. mag im Frühjahr, nachdem die übr. Gewässer eisfrei geworden, in seinem tief eingeschnittenen Bette noch lange Zeit seine Eisdecke behalten (Schrenk, Tundr. 1, 93).

Jekaterina, russ. Orth. f. Katharina, als Name zweier Kaiserinnen toponymisch verwendet, in deutschen Werken wohl auch in nicht russ. Form, voraus *Jekaterinburg*, die Bergstadt des Ural, v. Peter d. Gr., dem Begründer des ural. Bergbaues, 1723 ggr. u. nach seiner Gemahlin, der nachm. *K. I.*, getauft (Gmelin, Reise 1, 112, Falk, Beitr. 1, 231). — Unter *K. II.*, welche, als anhalt. Prinzessin 1729 geb., mit dem Grossfürsten Peter Feodorowitsch 1745 vermählt, an dessen Stelle den Thron 1762 bestieg u. trotz aller Verirrungen eine glänzende Regierg. führte, u. a. auch 216 neue Städte gründete (u. 1796 †), entstanden: *a) Jekaterinenstadt*, an der Wolga, v. Baron Boregar 1765 ggr. (Meyer's CLex. 9, 517), der Hptort der dortigen deutschen u. schweiz. Colonien, deren Falk (Beitr. 1, 110) üb. 100 zählt, darunter ein *Zürich, Schaffhausen, Basel, Luzern, Glarus, Unterwalden*, mit dem Denkmal der Herrscherin (Peterm., GMitth. 19, 434); *b) Jekaterinodar* = Katharina's Gabe, am Kuban, 1793 ggr. (Sommer, Taschb. 10, 80, Meyer's CLex. 9, 517); *c) Jekaterinograd* = Katharinenveste, die erste Veste der Terek-Linie, 1777 ggr. (Potocki, Voy. 1, 172); *d) Jekaterinopol*, im Gouv. Kijew (Meyer's CLex. 9, 517); *e) Jekaterinoslaw*, am Dnjepr, v. Fürst Potemkin 1784 angelegt als Sommerresidenz der Kaiserin, der hier ebf. ein Denkmal errichtet ist (ib. 517); *f)* auch *Katharinenbad*, Thermalort in Ciskauk., am Terek, wo schon Dr. Schober, 20 km flussab, ein St. Petersbad benannt hatte, 1770 v. dem russ. Reisenden Güldenstädt (Georg. 63) umgetauft nach seiner Herrscherin; sonst hiess das Bad nach dem nahen Tatarendorfe das *Dewlet Girei'sche*, bei den Tataren, welche eine nahe Staniza *Aras Kala* = Stadt Aras nennen, *Aras Isse Su* = Therme v. Aras (Falk, Beitr. 2, 14 f.); *g) Katharinen-Archipelagus* s. Aleuten.

Jekyll, Lake, in Boothia Felix, v. Capt. John Ross (Sec. V. 535) im Mai 1831 nach einem seiner Freunde, dem Capt. *J.*, R. N., benannt.

Jela s. Iglau.

Jelansk s. Nizinsk.

Jelissawet, russ. Aussprache des Frauennamens *Elisabeth* (s. d.), in ON. nach der russ. Kaiserin *E.*, die, eine Tochter Peters d. Gr. u. Katharina's I., v. 1741—1762 regierte: *a) Jelissawetgrad* = Veste der *E.*, Ort des Gouv. Chersson, als Grenzveste 1754 angelegt (Meyer's CLex. 9, 519); *b) Jelissawetpol* = Stadt der *E.*, einh. *Gandscha,* Stadt in Georgien; *c) Cap J.* u. *Cap Maria,* in Sachalin, v. Capt. J. A. v. Krusenst. (Reise 2, 160) am 9. Aug. 1805 getauft nach den beiden russ. Kaiserinnen d. N. — 'zwei Namen, welche jedem Russen theuer sein müssen. Gerne hätte ich lachendere Gegenden mit diesen Namen geziert'.

Jella Malla s. Nalla.

Jelmo s. Jilm.

Jelsa s. Olša.

Jemen, in engl.-frz. Schreibg. *Yemen,* d. h. *j* in deutscher Weise, nicht *dsch,* zu lesen, der alte Name des südl. od. 'Glückl. Arabien', bedeutet 'Land der Rechten', im Ggsatz zu Schâm, d. i. Nord-Arab. u. Syrien, dem Lande der Linken. 'Geht man v. Petra zwei Tage südlich, so sinkt der Boden plötzl. um etwa 600 m, u. man steigt v. den *Maschârif al-Schâm* = den Höhen des Landes der Linken in das eig. Arabien hinunter', in ein anderes Land u. zu einer andern Bevölkerg., v. derj. Arabia Petraea's, die, meist ackerbauend u. städtich, syrische Sitten u. syr. Wesen hatte, zu einer echt arab., zunächst nomadischen. Den 'Höhen des Landes der Linken' entspräche nun etwa *Asâfil al-Jaman* = Niederungen des Landes der Rechten, u. in der That, die südl. Nachbarn der Idumäer wurden *Thimanaeer,* welches wie *Jamaniter* = Volk der Rechten, genannt. Die Griechen u. Römer haben dann *Teman, Jaman* mit *Eudaemon, Felix* = glücklich wiedergegeben (s. Aden u. Sokotora); sie bezeichnen damit alles Land südl. v. Scham, d. i. auch Hedschas inbegr., das erst später in der heutigen Ausdehng. sich zw. Scham u. J. einschob. Noch lebt eine Ueberlieferg., als habe Muhammed, da er zu Tabûk einen Hügel bestieg, nach Norden deutend gesagt: 'Alles dieses ist al-Schâm' u. dann nach Süden gekehrt: 'Alles dieses ist al-J.' (Sprenger, AGArab. 9). — *Bahr el J.* s. Roth M. — Bei Mekka 2 Orte: *Nachla Jamanija* = nördliche Palme u. *Nachla Schamija* = südliche Palme (Sprenger, PRR. 127).

Jena, urk. 1029 *Genea* (die Echtheit der Urk. wird angezweifelt), dann *Jene, Gene, Ihene* etc., thüring. ON., in einer Schrift des Pfarrers J. K. Schauer (Ableitg. d. ON. *J.,* 1858) eingehend behandelt. Er bespricht zuerst die ältern Versuche: *a)* aus hebr. *jain* = Wein (M. Joh. Stigel, Poëm. 2, 184 u. a.), indem man sich die Juden als Gründer des Ortes, die den Weinbau eingeführt, dachte; *b)* v. *Johannes* (A. Beier, Geogr. Jen. 1673, 41), da der Ort um die Johanniskirche herum entstanden sei; *c)* aus gr. οἶνος = Wein (Gerh. Mercator, Atl. minor Thur.), so dass Abr. Sauer (Theatr. urb. 225) doppelte Veranlassg. hatte zu' seinem Vers:

Jena, eine berühmte Stadt du bist,
Von Wein dein Name gemacht ist.

d) aus lat. *Janus,* der etwa mit dem 'Weingott' Noah identificirt wurde (C. Aemilius vulgo Oemler zu Stolberg am Harz); *e)* aus slaw. *jeden,* gespr. *jeen* = einsdrei, dreieins, da die Stadt aus 3 Dörfern entstanden sei (W. Heider, Oratt. 1^b p. 360 ff.); *f)* aus slaw. *geen* = eine v. Wald befreite Gegend, also novale (K. Limmer, Gesch. Osterl. 78); *g)* aus slaw. *gahn,* das = Weinarbeiter od. ein z. Ernte anwiesenes Stück Land bedeuten soll (Wiedeburg, Beschreibg. v. *J.*); *h)* aus slaw. *jiny* = ander, verschieden, etwa im Sinne 'markirter Terrainwechsel' (V. Jacobi, Böhm. ON. 168. 192 ff.). Auch aus dem Deutschen wurden Ableitungen versucht, v. dial. *gahn,* f. gang, s. v. a. 'Strich' in der Winzersprache, od. v. *gähnen,* da der Schnapphans an der Rathhausuhr beim Schlagen das Maul aufsperrt, od. v. *Gegenaue,* nach der schönen Ortslage, od. v. *geniess,* v. der Gütergemeinschaft der frühern Einwohner, od. v. *kahôn* = eilen, eine Art Gähenau, letztere selbst noch 1855! Nun entwickelt Verf., unter Angabe der ältesten dial. Formen, sowie unter Beizug v. *Genava, Genua,* eine kelt. Ableitg., im Sinne v. 'Mündg., Oeffng.' Ueber diese Erklärg. v. Verf. befragt, haben Schleicher, Förstemann, Leo, P. Cassel, Mone, Jgn. Peters u. Pott sich th. aus-, th. abweichend ausgesprochen. Es darf beachtet werden, dass in *J.* die Leutra, dial. Litter, in die Saale mündet u. ein anderes *J.,* j. *Gross-Gena,* im 11. Jahrh. *Geni,* dann *Wendisch-J.,* an der Confl. Unstrut-Saale, 'in loco, ubi Sala et Unstrod confluunt' (Pertz, Mon. Germ. Hist. 6, 648), während ggb., auf dem rechten Ufer der Unstrut, *Klein-J.,* einst *Deutsch-J.,* liegt. Bei *J.* selbst der Ort *Wenigen-J.,* worin Schauer ein zweites ehm. 'Wendisch-J.' vermuthet.

Jénamdtö = Elfenbeinsee, sam. Name der Grosslands-Tundra, weil an den Ufern ein Stück fossiles Elfenbein zum Vorschein kam; dieser Fund ist in dieser Gegend schon auffallend, noch westlicher wird das Elfenbein gänzl. vermisst (Schrenk, Tundr. 1, 521).

Jeni = neu, in engl. u. frz. Orth. *yeni,* nach tatar. Ausspr. *jani, jangi* (Parmentier, Vocab. turc-fr. 75), in vielen türk. ON., insb. *Jenikale* = Neuenburg, eine Veste, welche der Grosswesir Daltaban 1702 bauen liess, um den russ. Schiffen den Eingang in das AsowM. zu sperren (Hammer-P., Osm. R. 7, 59. 101. 150), nach ihr die *Strasse v. Jenikale* (s. Kertsch). — *Jenibasar* = Neumarkt, *Jeniköi* = Neudorf, *Jenidsche* u. *Jenidschelu* = Neudorf, *Jenischehr* = Neustadt (s. Larissa), sämmtl. mehrf. (Tschihatscheff, Reis. 2 ff.). Das *Jeniköi* am europ. Ufer des Bosporus erhielt diesen Namen, als es zZ. Suleiman's d. Gr. zuerst angebaut ward, byz. *Thermemerion,* Θερμημεριον = Ort des warmen Tages, v. der Schlacht, in welcher Demetrius, der Feldherr Philipps v. Maked., besiegt wurde (Hammer-P., Konst. 2, 240). — *Janghissar* = Neuenburg, *Jangischahr* = Neustadt, beide in der HTatarei (Peterm., GMitth. 17, 263,

Journ. RGSLond. 1870, 97), *Jan Kale* s. Tschernaja.

Jenissei, der entferntere der beiden westsib. Zwillingsströme, als *Jenissy, Gillissy, Gelissy, Geniscia,* zuerst durch die holl. Nordostfahrten bekannt geworden u. zwar aus dem Munde der Samojeden, welche den Holl. üb. den Ob' u. den nächstöstlichern Strom Auskunft gaben (Adelung., GSchifff. 194 u. 213, 425); dann 1607 auch v. den Russen erreicht u. mit dem tungus. Namen ihnen bekannt geworden (Müller, SRuss. G. 4, 510. 525). Der Name *J.,* eig. *Joandessi,* galt der Obern Tunguska, die als eig. Quellfluss zu betrachten ist. 'Le *J.* n'est que la continuation du cours de l'Angara ou de la Haute-Toungouska... Le Haut-*J.,* que l'on regarde comme la source de ce grand fleuve, n'est, dans la réalité, qu' un affluent de l'Angara' (Klaproth, Mém. 1, 454) u. hiess bei den anwohnenden Kajbylen *Kem* = Fluss (Laxmann, Sib. Br. 12, Humb., As. Centr. 1, 232), wie denn mehrere seiner Quelladern diesen Namen tragen. Am Strome 1619 als Fort f. Eroberg. u. Pelzhandel ggr. *Jenisseisk* (Müller, SRuss G. 4, 523), wie um dieselbe Zeit *Ust-Kemsk* = an der Mündung des Kem, *Ust-Pitskoje* = an der Mündung des Pit, *Symsk, Simsk,* an der Mündg. des Sym, ggr. 1631, *Bachtinsk,* an der Mündg. der Bachta, *Deneschkino,* an der Mündg. der Deneschkina, *Chantaisk,* an der Mündg. der Chantaika. Auch die Anlage *Ilimpeisk,* an der Untern Tunguska, muss mit dem weiter obh. mündenden Zuflusse Ilimpeia zshängen, ob erst später abw. verlegt? (Müller, SRuss. G. 5, 65). — *Na Jenisseiskom Woloku* s. Tagilsk.

Jensórjagà = weisser Fluss, sam. Name eines Nebenflusses des Welikaja, dem Umstande entnommen, dass unter dem schwarzen Kalkgerölle des Bettes auch häufiges Gerölle weissen Kalkspaths sich einfindet (Schrenk, Tundr. 1, 382).

Jen-tsching = Salzstadt, chin. Name eines Orts, wo ein grosser Salzmarkt abgehalten wird. Du temps des Mongols de Chine, il y avait une 'Direction du sel pour les deux 'Hoaï. En 1269, un délégué du président du ministère des Finances, qui avait l'administration des transports par eaux, fut le premier charge de cette direction. De ce moment, jusqu' en 1277, les droits perçus par le gouvernement sur le sel, ne furent pas inscrits sur les registres d'une manière fixe et déterminée. On peut seulement en conclure que la quantité exploitée fut réellement très-grande. Depuis cette dernière époque l'augmentation porta les produits jusqu' à 650075 yìn .... De toutes les branches de revenus de l'État, aucune n'est à comparer au sel pour les larges profits qu'il lui rapporte (Pauthier, MPolo 2, 463).

Jepantschinsk s. Tura.

Jeppe Berg, ein hoher Tafelberg an der Ostseite der spitzb. Barents *I.,* v. der Exp. Heuglin-Zeil am 14. Aug. 1870 getauft (PM. 17, 178). Ich glaube, den Namen auf Mauch's Mitarbeiter, den südafric. Reisenden Friedr. *J.,* beziehen zu dürfen, um so eher, als ein Theil der Benennungen

unter Petermann's (GMitth. 16, 166) Mitwirkg. gegeben worden ist.

Jerbinsk s. Alapajewsk.

Jeres, in älterer Orth. *Xeres,* zwei span. ON.: *a) J. de la Frontera* = J. an der Grenze, das röm. *Asta Regia,* arab. (d. i. seit 711) *Scherisch* u., nachdem es, durch Alfons X. v. Castilien den Mauren 1265 entrissen, Grenzplatz gg. das maur. Kgreich Granada geworden war, unter der mod. Namensform bekannt; *b) J. de los Cavalleros* = J. der Ritter, Stadt in Estremadura, einst den Templerittern geh. (MCL. 9, 525).

Jericho, die einst so fruchtbare, palm- u. balsamreiche Oasenstadt des Jordanthals, hebr. יְרִיחוֹ [j'richo] = duftender Ort, gr. Ἱεριχώ, Ἱεριχοῦς, arab. j. *er-Riha* (Gesen., Hebr. Lex.). Hebr. Zuname עִיר הַתְּמָרִים ['ir hatt'marim] = Palmenstadt (5. Mos. 34, 3, Richt. 1, 16; 2. Chr. 28, 15), v. der 'Menge Dattelpalmen' (Josephus, Bell. Jud. 4, 8, 3). Auch die Classiker erwähnen bei der Ortsbeschreibg. stets der Palmen: palmetis consitam (Plin., HNat. 5. 70)...'Palmenwald ... wohl 100 Stadien lang' (Strabo 763).

Jermain, Cape, im Fox Ch., v. Capt. Parry (Sec. V. 266 ff.) am 13. Juli 1822 entdeckt u. nach seinem Gefährten John *J.,* dem Zahlmeister des Schiffes Hecla, benannt.

Jeritzwank s. Edschmiadsin.

Jermakowo Gorodischtsche, wo das russ. *gorodischtsche* = Ruinen, ehm. Veste, 3 mal in Verbindung mit dem Zuge des Kosakenhetman Jermak, der die Eroberg. des tatar. Reiches Ssibir z. Folge hatte — die Reste zweier Winterlager: *a)* an der Sylwa, einem Zuflusse der Tschussowaja, 1578/79; *b)* an der Serebranka, wo diese den Bach Kokui aufnimmt (1579/80; *c)* ein Haltplatz am Tagil, 3 km unth. der Aufnahme der Barrantscha, wo 1580 die neuen Boote z. Stromfahrt nach Ssibir gebaut wurden (Müller, SRuss. G. 3, 296. 307. 310). — *J. Kamen,* ein Uferfels am rechten Ufer der Tschussowaja, wo der Ueberlief. zuf. Jermak 1579 in schwer zugängl. Höhle ein Dépôt anlegte, um sich f. seinen sibir. Zug eines Theils seiner Schätze zu entledigen (ib. 3, 302). — *J. Perekop,* ein Canaldurchstich, perekop, des Irtysch, 3 km unth. der Mündg. des Wagai, v. Jermak 1584 gebaut (ib. 3, 407). — In derselben Gegend, *Jermakowi Sowodi* = Jermakswirbel, wo der berühmte Eroberer des Chanats Ssibir in den Fluss fiel u. ertrank (Müller, Ugr. V. 1, 266).

Jerne s. Ireland.

Jernbœraland s. Wärmeland.

Jérôme, Cap, hinter Nuyts' Arch., u. *Iles J.* (s. Investigator), bonap. Huldigungen der frz. Exp. Baudin, jene im Febr. 1803 (Péron, TA. 2, 92). — *Baie du Prince J.,* an der Westküste Korea's, v. frz. Contreadmiral Guérin, Freg. Virginie, im Sommer 1856 (Peterm., GMitth. 3, 31). — *Rio de San Jeronymo,* ein bras. Küstenfluss südl. v. Cap Roque, v. Vespucci's Exp. am 30. Sept., also am Tag des h. Hieronymus, 1501 erreicht (DNav. 88).

Jersey, früher auch *Gearsey, Jereseye,* die **grösste**

der engl. Canal In., röm. *Caesarea*, aus dem der
j. Name, 'Caesar's Isle' (Blackie, Etym.G. 60),
verderbt zu sein scheint (Charnock, LEtym. 143).
— *New J.*, 2 Uebertraggn. *a)* ein Staat der Union
(mit *J. City*), 1617/20 holl., 1637 schwed. Colonie,
die 1655 an die Holl. zkfiel u. 1664 an Engl.
übging, dann v. Herzog v. York an Lord Berkeley, der v. *J.* gebürtig u. dort Gouv. gewesen
war, verliehen (Quack., US. 99, Meyer's CLex. 11,
1039) od., wohl genauer, an Sir George Carteret
u. Lord Berkeley u. benannt 'in commemoration
of the brave defence of the Isle *J.* by Carteret,
its governor, against the Parliamentary forces in
the great Civil War' (Staples, St. Union 8); *b)*
s. Howe.

Jersidáj = Mittelberge, v. sam. *jer* = Mitte u.
sidaj = Berge, eine Höhengruppe im Goj (s. d.)
des Grosslands, die Umgegend weit u. breit dominirend u. so deren Centrum bildend (Schrenk,
Tundr. 1, 285).

Jertajaur s. Stuor M.

Jerusalem, das Haupt des jud. Plateau, 753 m
üb. M., in ganz eigenth. Lage, auf einem Vorsprung v. Kalkfelsen, der als echte Felszunge
auf drei Seiten durch tiefe Schluchten eingefasst
nur nach Norden mit dem platten Lande zshängt,
nur v. dort leicht zugängl. u. dorthin gg. die
Angriffe zu befestigen ist, in sich selbst zu Hügeln
ansteigend, deren Culm einst die kanaanit. Veste
Jebus כבוֹס = zertretener Ort (Richt. 19, 10;
1. Chron. 11, 4) trug, noch lange, nachdem die
Juden aus Aegypten zkgewandert waren. Die
viel umstrittene Kanaaniterburg, v. David endl.
erstürmt, sollte der Hort des Judenthums, ein
Bürge gesicherter Ruhe, werden u. verwandelte
sich in das hebr. *J.* = Wohnung des Friedens, v.
יְרִ = Wohnung, שָׁלֵם = Friede, wie schon der
Araber Saadia deutet, in den Hieroglyphen wirkl.
Schalam, gr. Ἰερουσαλήμ, Ἰεροσόλυμα, lat. *Hiero-
solyma* od., nachdem (Aelius) Hadrian 136 den
Ort als röm. Militärcolonie wieder aufgebaut hatte,
Aelia Capitolina, z. Zeichen, dass Jehovah durch
den capitolin. Jupiter ersetzt sei, arab. zubenannt
esch-Scherif = die edle, da *J.* der Wohnsitz so
vieler Propheten war (Wetzst., Haur. 79), gew.
jedoch *el-Kods* = die heilige (Stadt), wie das
Ptateau *Dschebel* (= Gebirge) *el-Kods*, daher
türk. *Küdsi-Schêrif* (Meyer's CLex. 9, 527). —
Der Name ist, insb. zZ. der Kreuzzüge, mehrf.
ins Abendland übtragen worden (s. Bethlehem u.
Thorn) u. v. da auch nach der neuen Welt übgegangen: *a) New J.*, das Haupt der Mormonen-
Colonieen, auch platthin *Great Salt Lake City*
= Stadt am Grossen Salzsee; *b) Nuevo Jerusalén*,
eine der kirchl. Uebtraggen auf Espiritu Santo,
f. d. dort v. Quirós 1606 ggr. Ansiedelg. (Journ.
RGSLond. 1872, 219, Garnier, Abr. 1, 59, Zaragoza, VQuirós 3, 35).

Jervis, Cape, in Süd-Austr. (s. Fleurieu), v. Flinders (TA. 1, 170) am 23. März 1802 ebenso prsl.
getauft, wie kurz nachher *Cap d'Alembert* (s. d.)
v. der frz. Exp. Baudin (Péron, TA. 2, XX).

Jeschil Irmak = grüner Fluss, türk. Name des

schlammigen, östl. v. Samsun in den Pontus mün-
denden *Iris*, ab der Confl. Tosanly-Germily
(Tschihatscheff, Reis. 60); *b) J. Dagh* = grüner
Berg, bei Kaisarie (ib. 15).

Jeschke-Hafen, in Kerguelen-I., benannt nach
Capt.-Lieut. *J.*, welcher unter dem Commando
des Capt. Freiherr v. Schleinitz, v. deutschen
Kriegsschiff Gazelle, 1874 einen Theil der Insel
genauer aufnahm u. viele Objecte mit deutschen
Namen belegte (PM. 22, 234).

Jesenik = Eschengebirge, v. čech. *jesen* = Esche,
im deutschen Munde zu *Gesenke* entstellt, Name des
mähr.-böhm. Höhenzugs, also verwandt den slaw.
ON. *Jesenej, Jesenic, Jesenica, Jesenice, Jesenitz,
Jessenetz, Jessenica, Jessnitz* u. den ebf. entstellten
Formen *Gesseln, Gessing* u. *Jeschnitz.* Serb. u.
slow. *jasen* in den ON. *Jasen*, Krain, *Jasena,
Jasenak, Jasenica, Jasenik, Jasenova, Jaseno-
vac, Jasenovača*, in Kroatien u. Slaw., *Jasenegg*,
aus *Jasenik* geformt, in NOesterr., *Jasenica*, in
Dalm., poln. *jasion, jesion* in den ON. *Jasien,
Jasienica, Jasienna, Jasienów, Jasienowiec,
Jasionka, Jasionów*, in Galiz., *Jasnitz*, Orte in
NOesterr. u. Steierm. (Miklosich, ON. App. 2, 175,
Umlauft, ÖUng. NB. 68. 98).

Jesero s. Jezero.

Jésieu s. Juden.

Jeso, auch mit *ss* (so auch in Peterm., GMitth.
22, 401), *Insu, Aino* (s. d.), *Einso, Jezi* (diese
Form schon bei Hakluyt, Pr. Nav. 3, 862), Volks-
name, den sich die Insulaner nördl. v. Japan (s.
Kurilen) beilegen, v. den Japanesen zu den Euro-
päern übgegangen u. zwar auch f. ihre grosse
Insel (Müller, SRuss. G. 4, 212. 227ff.), die in Japan
Matsmaye, nach der Stadt d. N., heisst (Krus.,
Mém. 2, 202, Reise 2, 31).

Jessup's Halt, eine Stelle am Rio Colorado, wo
der Dampfer *J.* 1858 umkehrte (Möllh., FelsG. 1,
330).

Jesreel s. Zer'in.

Jesuit Sound, wie *Inlet Benito* u. *Inlet Julian*
in den Inselgewässern des südl. Chile benannt z.
Andenken der Jesuitenmissionars, welche in der
Exp. v. 1778 hier einfuhren u. die Küste unter-
suchten (Fitzroy, Adv.-B. 1, 329).

Jesus, Isla de, ein nicht sicher bestimmbares
Eiland der polyn. Ellice Gr., v. d. span. Seef.
Mendaña am 15. Jan. 1568 entdeckt u. getauft
(Zaragoza, VQuirós 1, 2; 3, 20, Fleurieu, Déc. 5,
Krus., Mém. 1, 22, ZfAErdk. 3, 125), in Stieler's
HAtl. 51 ein westl. Vorposten, nach Meinicke
(IStill. O. 2, 3. 353. 425)' viell. id.' mit Nederland
E. — *Nombre* (= Name) *de J.*, 2 Anlagen der
span. Colonialgebiete: *a)* am östl. Eingang der
Magalhães Str., an der Gregory Bay, also ein-
wärts v. der ersten Enge (Skogm., Eug.R. 1, 87),
vor San Felipe (s. d.) ggr. 1582 v. Pedro Sar-
miento, der dem neuen Orte 150 Mann zutheilte
(Hakl., Pr.Nav. 3, 795, Debrosses, HNav. 138);
b) Santisimo N. d. J., erste Gründg. auf den Philippinen, wo sich 1598 bei einem Eingebornen
ein hölzernes Christuskind vorfand, das nach
Pigafetta's Erzählg. einer mit 800 Wilden ge-

tauften jungen schönen Königin hinterlassen worden u. nun bei den Eingebornen in hoher Verehrg. stand (WHakl. S. 39, 16 u. 52, 93). — *Isla de J. Maria*, in den austr. Admiralty Is., v. d. span. Seef. Maurelle 1781, zugl. mit den kleinern *San Miguel, San Rafael, San Gabriel*, sowie der Gruppe *los Reyes* = die Könige getauft (Krus., Mém. 1, 135, Atl.Pac. 6). Der 6. Jan. des kath. Kalenders ist das Fest der heil. 3 Könige. — *Rio de J.* s. Colorado.

Jéttejagà = Fichtenfluss, sam. Name eines Küstenflusses, v. dem bessern Aussehen, welches die Waldung hier zeigt u. durch das Vorkommen v. Fichten, neben Tannen u. Birken, beweist (Schrenk, Tundr. 1, 679).

Jeutsih s. Lop.

Jewjewtown s. Finnema.

Jezero = See im asl., poln. *jezioro*, oft in slaw. ON., auch j. deutscher Gegenden (Brückner, Slaw. AAltm. 70). In Masuren: *Jescziorowsken*, Kr. Lyck, nach der Lage an einem Landsee, u. *Jesziorowsken*, Kr. Angerburg, *Jesziorken*, Kr. Goldapp (Krosta, Mas. Stud. 10). — *Geserich*, v. lit. *ézeras* = See, ein See der Prov. Preussen (Altpr. Mon. 6, 525). — In den slaw. Gebieten Oesterreichs *Jesernik, Jesero, Jeseru, Jeserz, Jeserze, Jezer, Jezera, Jezerca, Jezerce, Jezerek, Jezernica, Jezernicica, Jezero*, auch in Bosnien ein Fluss-See *Jezero*, daran ein Ort gl. N., in Galiz. *Jezierna, Jezierzanka, Jezierzany, Jeziórko, Jeziorzany* (Umlauft, ÖUng. NB. 98).

Iga, auch *Ekhe, Jeki, Jiki, Jike* = der grosse, zs. mit *uhun* = Fluss, Wasser od., wie in Bär u. H. (Beitr. 23, 147, Carte), mit *gol* (= Wasser?), mong. Name des Abflusses des Kossogol, die erstere Form wiederholt f. einen Ikseitg. Zufluss des Irkut (Peterm., GMitth. 7, 450).

Igarapé, in der Sprache der Tupinambas 'kleiner Fluss', richtiger 'eingeschlossener Fluss', v. *i* = Wasser u. *garapé* = Schlucht, nom. propr. f. einen Nebenfluss, welcher bei Nauta in den Amazonas mündet (Glob. 11, 201). Die Etym. in Agassiz (Voy. 237) ist falsch. — *Igarupá* s. Curupá. — *Igára-açú* s. Pernambuco.

Iggauni s. Estland.

Igilgili s. Galilea.

Iglau, čech. *Jihlawa*, ON. in Mähren, an dem gleichnam. Zuflusse der March, sicher ohne Beziehung zu 'Igel', den die Volksetym. in einer Sage erscheinen lässt (Smolle, Mkgr. Mähr. 64), ist ozw. čech. Ursprgs. Schon Schafarik, u. nach ihm Jettmar (Ueberr. 21), verglich russ. *iga, jega*, lith. *jehla, jehliči*, čech. *jedla*, südslaw. *jela* = Nadelholz, Tanne, wie denn eine *Igla, Jegla, Jehla*, in den Plaue-Canal mündet. 'Es ist sehr wahrsch., dass beide Flüsse v. Nadelhölzern, welche ihre Ufer bedeckten, den Namen erhalten haben.' — Hierher gehören auch die österr. ON. *Jela, Jelovina, Jelovi Vrh* = Tannenberg, ferner *Jelovca, Jelovice, Jeloviz*, in Krain u. Küstenland, *Jedla, Jedlina* u. *Jedlov*, in Böhmen, *Jedlični Vrh* = Tannenberg, verdeutscht *Jelitschen-*

werch, in Krain (Miklosich, ON. App. 2, 176, Umlauft, ÖUng. NB. 97 f.).

Ignacio s. José.

Igushcund s. Sugar Loaf.

Iheh, eine Station der Mandschurei, benannt nach dem Fürsten eines Mandschustammms. Ebenso die nahe (j. zerfallene) Veste *Iheh Choton*, die Wohnstätte jenes Fürsten (Journ.RGSLond. 1872, 160).

Ij s. E.

Jicin s. Titschein.

Jihlawa s. Iglau.

Jike = gross, in mong. ON. wie *J. Dalai* (s. Dalai) u. *J. Uhun* (s. Iga).

Jilan od. *jelan*, auch *dschilan* = Schlange, oft in türk. ON. wie *a) J. Adasi* = Schlangeninsel (s. d.); *b) J.-* od. *Jylan-Su* = Schlangenwasser, Fluss bei Dschizzag (Peterm., GMitth. 37, 268); *c) Jilanly* od. *Dschilandi*, Schlangenplatz, Ort im Quellgebiet des Surchab (Peterm., GMitth. 37, 266); *d) Jilanly Dagh* = Schlangenberg, ein hoher Berg südl. v. Siwas (Tschihatscheff, Reis. 36); *e) Jilanly Tschaï* s. Ak Su; *f) Jilandy* = voller Schlangen, eine Gegend der Kirgisensteppe, wg. der grossen Menge dieser Reptilien (Hertha 8, 582); *g) Ji-* od. *Dschilandschik* = kleine Schlange, 2 Oertlichkeiten Central-Asiens (Peterm., GMitth. 37, 266). — Dial. vschieden *a) Jalana Tau* s. Aral; *b) Dschalanatschi Kul* s. Ala.

Jilm = Ulme, in den čech. ON. *Jelmo, Jilem, Jilemnice* (Miklosich, ON. App. 2, 173).

Ji-nân = Mittag der Sonne, chin. Name der Prov. v. Kwang-tscheu, Canton, an Stelle des ältern *Kwei lin siang kiün* = Fürstth. der Elefanten der Wälder v. wohlriechenden Bäumen. Diesen (ältern) Namen empfing das Land, nachdem es durch den chin. Eroberer Thsin-schi Hoangti, um —214, annectirt worden war (Pauthier, MPolo 2, 414).

Jin-schân = Salzberg, chin. Name einer im dép. Thien-tsin befindl. Oertlichk., auf welcher der Salzreichth. der Gegend u. die Bedeutg. Thsang tscheu's als Stapelort u. Markt des Products beruht (Pauthier, MPolo 2, 438); *b) Jintsih* s. Lop.

Ijs = Eis, in holl. (u. dän.) Entdeckernamen der Polarwelt *a) Ijshaven* = Eishafen, eine ständige Erinnerg. an den grsoen Polarf. Will. Barents (vgl. Icy Cape), der auf seiner letzten Reise, am 21. Aug. 1596, hier anlangte, an der Küste v. Barents Ld. weiter vordrang, vor den Eismassen aber umkehren musste u. hier am 26. vollst. einfror . . . 'begon't ys soo gheweldigh te dryven, dat sy daer in beset werden' (Schipv. 17). Nach einer mannhaft übstandenen Ueberwinterg. verliess die Mannschaft am 14. Juni 1597 auf zwei Booten das immer noch eingefrorne Schiff (WHakl. S. 54). Der norw. Capt. Carlsen, welcher v. 7.—14. Sept. 1871 hier zubrachte, nannte die Bucht auch *Barents' Bay* u. ein nahes Vorgebirge *Eishafen Cap* (Peterm., GMitth. 18, 396); *b) Ijshoek*, ebf. v. Barents um Mitternacht des 29. Juli 1594 entdeckt, de allernoordelyckste hoeck

56

van Nowa Sembla (Schipv. 3), ein *Kleines I.*, ebf. v. einer Eisbank umgeben, auf der dritten Reise getauft (ib. 16); *c) lis Fjord* = Eisbucht, in Grönl., v. den Dänen ganz mit Eis verstopft gefunden, während sie zuf. der Grönländersage ehm. ein offner Sund, bis auf die Ostseite des Landes, gewesen wäre (Cranz, HGrönl. 1, 23).

Jisch-Kischi = Schwarzwaldleute nennen sich die Tataren an der obern Bija, am teletsk. See etc., bei den Altajern *Tuba Kischi* = Tubaleute, wohl v. der westlichern Tuba, so dass sie, v. diesem Flusse aus nach Osten gehend, in ihre j. Sitze eingewandert wären (PM. 9, 236).

Ijssel, oft *Yssel*, im 8. Jahrh. *Isela*, dann *Hisla*, *Isla*, *Ysla*, Fluss in Geldern, gehört zu dem f. FlussN. weit verbreiteten Wortstamm *is*, 'der seiner Etym. nach noch gänzlich unbekannt ist', mit Suffix -*l* (s. Isar). Nach dem Flusse im 8. Jahrh. der *Islegaw*, im 11. *Islemunde*, im 12. *Islemuthen*, im 14. *Yselmuden*, j. *Ijsselmuiden*, Ort an der Mündg. (Förstem., Altd.NB. 922, Nom. GNeerl. 1, 139).

Ijûn s. ʿAin.

Ika a Maui s. Nieuw Zeeland.

Ikelan, plur. v. *akeli* = Sclave, nennen die Imöscharh (s. Amâzigh) eine Abtheilg. der unter ihrer Botmässigkeit lebenden Imrhâd (Barth, Reis. 1, 258).

Ikkersoak = grosser, breiter Sund (Cranz, Hist. Grönl. 1, 26; 2, 248) u. *Ikkerasarsuk* = kleiner Canal, 2 Durchgänge in Grönl., der 'Kleine' hinter Okak, z. Unterschied v. dem breiten Fahrwasser, welches die Insel umgibt (Peterm., GMitth. 9, 123).

Iksal s. Kesalon.

Ilanz, rätr. *Gloin*, 'erste Stadt' am (Vorder-) Rhein, galt zZ. der Etruskomanie als ein Ableger v. *Antium*, Latium (Campell-Mohr 10), wurde jedoch v. Bergmann (Wals. 15) mit dem dort mündenden *Glenner*, rätr. *Gloing*, *Gloin* = Erlenbach, verglichen, *ils ogns*, *ons* = die Erlen, nach den ausgedehnten Erlengebüschen der Ufer (Gatschet, OForsch. 180).

Ildefonso s. Granja u. Hoorn.

Ile, früher *isle* = Insel (s. d.), häufig in frz. frz. ON. f. Fluss- u. Insellagen, insb. *Isle de France* (s. d.), oft urk. bezeugt wie 754 *Insula* (Dict. top. Fr. 1, 96; 3, 67; 6, 93; 7, 106; 9, 100; 13, 130; 14, 78; 15, 118 u. s. f.), auch im plur. *les Isles*, ein Weideland zw. den Armen der Rhone, Waadt (Gem. Schweiz 19², 91, Mart.-Crous., Dict. 463), *Lac des Iles* (s. Wood), im dim. *Ilette*, im Flusse Orb, wo unter Karl IX. die Geistlichen v. Béziers sich z. Gottesdienste zu versammeln pflegten (Dict. top. Fr. 5, 82) u. *les Ilettes*, ein Schwarm kleiner Eilande bei NFundl., v. frz. Seef. J. Cartier am 11. Juni 1534 entdeckt, 'which were so many in number that it was not possible they might be tolde ... we named them all the *lettes*' u. die durch sie geschützte Hafenbucht *Port des Islettes* (M. u. R., VCart. 9, Hakl., Pr.Nav. 3, 203).

Ilezk, zwei russ. Anlagen am Ilek, einem Ikseitg.

Nebenflusse des Jaik *a)* vollst. *Ilezkoi Gorodok*, wo *gorodok* = Flecken, an der Confl.; *b)* vollst. *Ilezkaja Saschtschita*, wo *saschtschita* = Schutzwehr, eine Veste, bei dem berühmten Salzwerk 1753 angelegt, weil die Kirgisen, wenn sie ihre Raubzüge nach der Ufa hin machten, dort üb. den Fluss zu schleichen pflegten (Müller, Ugr. V. 1, 42, Rose, Ural 2, 204).

Ilginsk s. Irkutsk.

Ilha = Insel (s. d.), port. Eigenname einer Stadt der bras. Insel Itamaracá, 1535 angelegt, j. zerfallen (Meyer's CLex. 9, 448), im dim. 2 mal: *a) Porto dos Ilheos*, auch *San Jorge dos Ilheos*, südl. v. Bahia, nach den vier dem Hafen vorliegenden Inseln, deren eine bewaldet, die übr. kahl waren. Als um 1540, im Auftrage des donatario Jorge de Figueiredo, der port. Stellvertreter u. Auditor Francisco Romero den Ort gründete, nannte er ihn *San Jorge* = St. Georg, weniger nach dem Heiligen d. N. als nach seinem prsl. Patron: 'não tanto por invocar como padroeiro este guerreiro de Côrte celestial, como por adular a seu proprio patrono humano, que como vimos se chamava Jorge' (Varnh., HBraz. 1, 156); *b) Angra dos I.*, eine Bucht an der Westseite Africa's, wohl die j. *Sandwich Bay*, bei der noch die *Punta dos I.*, wo 1486 der port. Entdecker Barth. Dias seinen ersten padrão (s. d.) aufrichtete (Barros, As. 1, 3, 4).

Ili = der glänzende, schimmernde, kalm. Name des grossen dsungar. Zuflusses des Balkaschsee's (Klaproth, Mag. As. 174, Bär u. H., Beitr. 24, 232). — Nach dem Flusse j. *Ilaïn Khotò* od. *Ilaïn Balgassun* od. *I. Balik* s. Kuldscha; *b) Iliisk*, russ. Ort am Flussufer (Bär u. H., Beitr. 24, 153); *c) Transilia* s. Semj.

Ilias, die ngr. Form f. *Elias* (s. d.), mit *hagion* = heilig zu *Hagion Ilias*, als Bergname in Aegina (s. Oros), Lakonia (s. Slawochori) u. Arkadia (s. Elaion), 2 mal im Olymp u. zwar gerade f. die äussersten Vorposten im Norden wie im Süden des Gebirgsstocks, während eine dritte Kuppe *Hagion Antonios* heisst. Die nördl. hat eine Capelle des Heiligen, aus rohen Steinen aufgeführt, mit 2 Kammern, deren hintere als Betort dient, eine Metallplatte u. einiges Geräthe enthält, auf der Platte die Bilder des heil. *E.*, des heil. Dionysios u. eines Engels. Mit Rücksicht auf die heftigen Gewitter, welche sich am Gebirge zu entladen pflegen, sagt Barth (RTürk. 191. 196): 'Es ist jedf. ein höchst interessanter u. erst den ganzen eig. Charakter der Berggruppe veranschaulichender Zug, dass diese beiden Vorposten den Namen des Heiligen führen, der, den Vorstellungen des heidn. Alterthums aufgepfropft, als Erretter im Ungewitter gilt.' Das nahe Kloster *Hagion Dionysios*, dessen Kirche ein Bild des Heiligen enthält, dürfte auf der Stelle eines einstigen Tempels des Dionysos (d. i. des Bacchus) stehen (ib. 199). Nicht übel bemerkt O. Keller (Entd. Il. 1) betr. der häufigen Wiederkehr des Namens, jew. f. den höchsten Berg einer Gegend: 'Den Marmorfels Olympos hat der neue griech. Glaube, wie gewöhnl. alle höchsten Berge, dem Propheten *E.* geweiht, aus einer gewissen kindl. Rücksicht f. den grossen Propheten, dem das Volk seine Feuerfahrt etwas erleichtern wollte, indem es ihn in möglichst grosser Nähe am Himmel den Wagen schon besteigen liess.' — In türk. Form *Ailia-Jol* = Eliasweg, ein Uebergang der Krym, welcher bei den Ruinen einer Kirche des heil. Elias vorüber führt (Köppen, Taur. 5 ff.).

Ilidscha, auch *Lüdscha*, türk. verd. aus λουτρά, s. v. a. *balneum* (s. Banja), 'Baden' (Barth, RTürk. 30. 39), f. vschiedd. Thermalorte der Balkan-HI., z. B. auch ein *Lüdscha-Köi* = Badenweiler, ferner in Kl. As. (Tschihatscheff, Reis. 10. 49). — *I.-Su* = Bäderfluss, ein Fluss des alten Troas. Auf dem rechten Ufer sprudeln aus den Serpentinspalten mehrere Strahlen heissen Wassers v. 38⁰ C. u. werden in ein nahes steinernes Hammâm, Badehaus, geleitet (ib. 25).

Iljinsk s. Ust.

Ilimpeisk s. Jenisseisk.

Ilimsk s. Tunguska.

Ilipula s. Nevada.

Illano, Bahia, eine Bay der Insel Mindanao, nach den Bewohnern des nördl. u. nordöstl. Umlandes, den Illano, die v. der Herrschaft sowohl des Sultans v. Mindanao, als auch der Spanier sich frei erhalten haben u. als Seeräuber gefürchtet sind (MCL. 9, 229).

Illarse s. Larix.

Illiberis s. Granada.

Iller, Flussname aus dem Netz der Donau, wird v. den Keltologen wie Germanisten angesprochen, v. Dr. Buck 'vermuthl. als der schnelle od. der sich hin u. her wälzende Fluss' (Baumann, GdAllg. 1, 36), v. Th. Lohmeyer (Fluss- u. GN. 361) u. Wessinger (Bayr. ON. 83) als 'eilender Fluss' betrachtet (vgl. Laber). Nach dem Flusse der anliegende bayr. Ort *Illertissen* (MCL. 9, 230).

Illimani, v. ymarra *illi* = Schnee (Humb., ANat. 1, 342), also wohl = Schneeberg.

Illinois, seit 1818 ein Unionsstaat, urspr. ein Indianerstamm, der (sich selbst?) *leno, leni, illin, illini* = wahre, vorzügliche Menschen nannte u. nach welchem der Fluss, bei Hennepin wirkl. *Illini,* u. der grosse See *Lac des I.* (s. Michigan) benannt wurde (Staples, Orig. N. USt. 15, ZfA Erdk. 3, 434). Der Volksstamm der *I.,* bei den Bengi-indianern *Iliniwok,* bei den Sauteux *Ininiwok,* bei den Crees *Jyiniwok* = Menschen (A Lacombe, Dict. Cris), wurde erst um 1769 v. den Ottawa ausgerottet. Offb. beruht die Gleichg. *I.* = des Mannes Fluss auf dem Irrthum, dass die Franzosen zuerst mit dem Fluss u. erst später mit seinen Anwohnern bekannt worden seien. Der Pater L. Joliet, der ihn 1673 flussauf fuhr, gedachte ihn *Rivière de la Divine ou l'Outrelaise* zu nennen, nach dem Kriegsnamen der Frau v. Frontenac u. ihrer grossen Freundin, Fräulein l'Outrelaise, beschränkte sich jedoch später auf die erste Hälfte (Drapeyron, Rev. Géogr. 3, 99).

Illyria, gew. *Illyris,* auch *Illyricum* sc. regnum,

in älterer Form *Hiluricum,* bei Griechen u. Römern das östl. Küstenland der Adria sammt dem v. gleichartigen Völkern bewohnten Hinterlande (Kiepert, Lehrb. AG. 352 f.) u. ist auch im 19. Jahrh. wiederholt z. Bezeichng. staatl. Bildungen verwendet, der Name selbst jedoch nicht erklärt worden.

Ilmenau, thüring. ON. in Sachsen-Weimar, nach der Ilm, die in der Nähe quillt u. die Stadt passirt, um üb. *Stadtilm* nach Weimar u. z. Saale zu gelangen (MCL. 9, 234). Die ältere Form f. *Ilm* muss *Ilmina* gewesen sein (Förstem., D. ON. 232).

Ilnuts s. Iroquois.

Ilóigob = Besitzer des Landes, Eingeborne, v. sing. *Orlóigob,* nennen sich die afric. Wakuafi u. Masai (Peterm., GMitth. 4, 402).

Ilsenburg, Ort, zunächst Schloss, einst kais. Burg, wahrsch. v. Heinrich I. da erbaut, wo die Ilse aus dem Harz hervortritt. Nach dem Flusse auch das *Ilsethal* u. der *Ilsenstein,* ein fast senkr. dem Thal entsteigender 75 m h. Granitfels (MCL. 9, 235).

Ilva s. Elba.

Ima Castra s. Tiefencastels.

Image-canoe Island = Insel des mit Bildwerk verzierten Kahns, ein grosser Werder im Unterlaufe des Oregon, am 4. Nov. 1805 v. den Captt. Levis u. Cl. (Trav. 388) so benannt, weil die Exp. hier 2 ind. Canoes, mit 12 Mann der Skillootnation besetzt, antrafen u. das eine der Fahrzeuge eigenth. verziert sahen. 'The larger of the canoes was ornamented with the figure of a bear in the bow, and a man in the stern, both nearly as large as life, both made of painted wood, and very neatly fixed to the boat. In the same canoe were two Indians finely dressed, and with round hats. This circumstance induced us to give the name of *I.* to the large island . . .' — *I. Cape* s. Afgodenhoek.

Imaus s. Himálaja.

Imbabura = Fischmutter, ind. Name eines südam. Vulcans. Ihm werden merkw., wässerige, breiartige Eruptionen zugeschrieben, die v. Fischauswürfen begleitet sind (Glob. 22, 10).

Imbrasos, gr. Ἴμβρασος = Regenfluss (s. Umbri), auf Samos ein Fluss, der in der winterl. Regenzeit mächtig anschwillt u. die Ebene unter Wasser setzt, auch dichterisch *Parthenios,* nach dem Heiligth. der Hera (wie diese wieder v. Flusse Imbrasia). Die sumpfige Gegend um das Heraeon hiess *Kalamoi,* gr. Κάλαμοι = Rohrfeld od. *Helos,* gr. Ἕλος = Sumpf, der Ankerplatz dem Tempel ggb. ὅρμος Ἡραῖης = Heräonsrhede (Ross, IReis. 2, 143 f.).

Imier, St., Ort an der jurass. Suze, im *Val St. I.,* wo sich angebl. der heil. Himerius, ein Edelmann aus der Gegend Pruntruts, der nach Jerusalem gewallfahrtet war, im 7. Jahrh. eine Zelle baute u. so den Anbau in das Waldthal brachte. Die Zelle 884 zuerst urk. erwähnt (Gelpke, KirchG. 2, 171). Das Thal heisst deutsch *Erguel,* nach dem alten Schlosse, dessen Ruinen hoch üb. dem Orte herabschauen.

Immundus S. s. Akathartos.

Imoscharh, Imrhad s. Berber.

Imperadorsky Ostrowa = Kaiserinseln, russ. Name einer Grupe des Aralsees, wie span. adj. *imperial* u. port. fem. *imperatriz* v. lat. *imperator*, v. Flottencapt. Alexis Iwan Butakow († 1869) bei Erforschg. des Sees 1848/49 getauft zu Ehren des russ. Kaisers, wie die grösste selbst *Nicolai* (Peterm., GMitth. 20, 338, Journ. RGSLond. 1853, 93 ff.); *b) I. Gavan* s. Barracouta; *c) I. Anni Sawod* s. Isetsk; *d) Imperadorskoje* = das kaiserliche (Fort), Veste des kirg. Militärcordon, 1835 ggr. (Bär u. H., Beitr. 5, 198).

Imperial = kaiserlich, in 2 span. ON. bezogen auf den am 24. Febr. 1500 zu Gent geb. u. am 21. Sept. 1558 zu San Yuste † Kaiser Karl V., als span. König Carlos I.: *a) Canal I.*, am Ebro, auf Gesuch der Stadt Zaragossa v. Kaiser 1529 begonnen, doch erst 1768 v. Karl III. bis Zaragossa weiter geführt mit einem Kostenaufwand v. üb. 98 Mill. Realen, ca. 100 km lg., 3,3 m t., an der Oberfläche 22,5 m br., j. hpts. z. Bewässerg. gebraucht (Willkomm, pyr. HI. 3, 12 f.); *b) Ciudad I.*, in Chile, eine der Gründungen des Conquistadors Pedro de Valdivia 1550/58 (Fitzroy, Adv.-B. 1, 268). — *Cidade I.* s. Ouro. — *Villa Bella da Imperatriz* s. Bella. — *Imperieuse Shoal*, austr. Untiefe, v. engl. Capt. Rowley, in HMS. Imperieuse 1800 entdeckt (King, Austr. 1, 57, Krus., Mém. 1, 55).

In = Silber, wie *kin* = Gold, in chin. ON., so *In Schan* f. die nach langem Unterbruch wieder erstehende östl. Fortsetzg. des Thian Schan (Humb., ANat. 1, 113 u. As. Centr. 1, 369, Klaproth, Mém. 1, 468 f., wo jedoch die Uebsetzg. fehlt). Vgl. Altai.

Inaccessible, Montagne = unersteiglicher Berg, ein eigenth. gestalteter Berg des Dauphiné, zu dessen '7 Wundern' er gerechnet wird. Er hat die Form einer umgestürzten Pyramide u. heisst auch *Mont Aiguille* = Nadelberg (Meyer's CLex. 5, 444). — *I. Island a)* s. Crozet, *b)* s. Cunha.

Inattendue s. Gower.

Inbazk, russ. Ort am Jenissei, als *Inbazkoe Simowie* (= Winterhaus) vor 1607 erbaut u. benannt nach dem Inbaki, einem dortigen tributpflichtigen Ostjakengeschlechte (Müller, SRuss. G. 4, 460).

Inca, Baños del = Bäder des Inca, span. Name des in der Nähe v. Caxamarca gelegenen peruan. Badeorts, wo der letzte der Incas, der unglückliche Atahuallpa, einen Theil des Jahres zuzubringen pflegte (Humb., ANat. 2, 347). — *I. Chungana* s. Inti Guaycu.

Inchafune s. Finn.

Inchanappa s. Monaghan.

Indefatigable Strait, eine Durchfahrt, welche v. Korallen M. her durch das Gr. Barrier-Riff hineinführt, also einer der Zugänge der Torres Str., gefunden v. dem engl. Schiffe *I.* 1815. Eine auf dem Weiterwege liegende Insel *Bushy Island* =

buschige Insel (Krus., Mém. 1, 83); *b) I. Island* s. Duncan.

Indega s. Pajjaga.

Indented Head = gezähnter Kopf, ein gezacktes Vorgebirge an der Westseite des Port Philipp, v. engl. Seef. Matth. Flinders (TA. 1, 213) am 27. Apr. 1802 'from its appearance' benannt.

Independence Creek = Bach der Unabhängigkeit, ein rseitg. Zufluss des untern Missuri, so benannt durch die americ. Exp. Lewis u. Cl. (Trav. Miss. 16), weil sie die Mündg. am Abend des 4. Juli 1804 erreichte u. den Jahrestag der Unabhängigkeitserklärg. 1776 durch einen Flintenschuss, Morgens u. Abends, sowie durch eine der Mannschaft verabreichte Zugabe v. Whisky feierte (vgl. Fourth of July Creek). — In gl. Sinne *Cape I.* des arkt. Washington Ld., v. dem americ. Polarf. E. K. Kane (Arct. Expl. 1, Chart) 1855 zugleich mit ähnl. Benennungen, u. ozw. auch *I. Rock*, ein isolirter, gg. 30 m h. ellipt. Granitfels am Sweetwater R., dem Quellarm des nördl. Platte Fork (Raynolds, Expl. 131). — *I. Island a)* eine kleine, flache, riffumsäumte Koralleninsel der polynes. Ellice Gr., nach dem Schiffe des Entdeckers, des american. Capt. Barrett, der sie 'vor einigen Jahren' fand u. *Rocky Island* (s. d.) nannte, id. Bennett's *Sophia Island* (Meinicke, IStill. O. 2, 132, Bergh., Ann. 6 [1832], 18, sowie 12, 138); *b)* s. Malden.

Indereggen s. Havbroen.

India, in urspr. Fassung das Land der Hindu (s. d.), die ihrerseits v. Flusse Indus benannt sind, wie schon der port. Historiker Barros (As. 1, 4, 7) sagt: 'do qual Indo ella tomou o nome', also ungef. in der Ausdehng. wie 'Hindustan', wie, f. das nördl. *I.*, genauer f. das Land zw. Himálaja u. Vindhja u. v. Meer zu Meer, skr. *Aryâwarta* = Sammelplatz der Arier, d. i. der Ehwürdigen, der Leute aus eignem Geschlecht, da sich die Hindu als Beobachter eines heilig gehaltenen, relig. u. bürgerl. Gesetzes, als Angehörige des ind. Staats betrachten, im Ggsatz zu den Mlêkha, d. i. den Barbaren u. Verächtern des heil. Gesetzes (Lassen, Ind. A. 1, 4 ff. 12). Nur in der buddhist. Kosmographie haben die Eingb. einen Namen f. die ganze Halbinsel, *Dschambudwipa* = Insel des Rosenapfels, nach einem Baume, Eugenia Jambolana, zubennant sudarçana = der schön aussehende, der im Land weit verbreitet sein soll — einen Namen, der in *I.* sonst auf die gesammte mittlere od. bekannte Welt, v. der *I.* ein Theil ist, ausgedehnt wird. Bei den Javanen heisst *I.* v. Alters her *Kling* (s. Hindu), in der tib. Litteratur *Gjagár* (s. d.). Zu Cl. Ptol. Zeit (Geogr. 7) war der Name *I.* schon zu seiner j. Fassg. ausgedehnt, zunächst *a) ἡ Ἰνδικὴ ἡ ἐντὸς Γάγγου*, *I. intra Gangem* = *I.* diesseits des Ganges, bei MPolo (Pauthier 1, LXIX f.) *l'Inde Majeure* = Gross *I.*, unser Vorder-*I.*; *b) ἡ Ἰνδικὴ ἡ ἐκτὸς Γάγγου*, lat. *I. extra Gangem* = *I.* jenseits des Ganges, bei MPolo *l'Inde Mineure* = Klein *I.*, unser Hinter-*I.*, woran sich, als dritter insulärer Theil, die *Insulae Sinde*, unser Indischer Archipel, anreihte. In dem Reisebericht Abd er-Razzak's, 1443 f., erscheint Hinter-I. mit pers. Namen: *Zirbad* = Land unter dem Winde (WHakl. S. 22, 6). Nach dem Wunderlande hiess der anliegende Ocean gr. 'Ινδικὸν πέλαγος (Ptol., Geogr. 4, 7, 4), lat. *Oceanus Indicus* (Plin., HNat. 6, 33), auch das *Erythräische Meer* (s. Rothes M.) od. *Azanium Mare* (Plin., HNat. 6, 153. 172), chin. *Siào si jáng* = Meer des kleinen Oceans (Pauthier, MPolo 2, 551). — Als später Anklang an das langgesuchte alte Land erscheinen die *Bassas da I.* (s. João de Lisboa). — *Serhind* = Indiens Haupt, d. i. Anfang, pers. Name einer Stadt u. Prov. des Pandschab (Schlagw., Gloss. 243). — Ein neues *I.* eröffnete Columbus, der auf dem Westwege den Osten Alter Welt erreicht zu haben glaubte, span. *las Indias Occidentales* = *West-I.*, also dass nun das alte *I.* als *Ost-I.* unterschieden wurde. Lange üb. den Zeitpunkt hinaus, welcher der Neuen Welt ihren eignen Namen (s. America) schenkte, verblieb man in Spanien bei der angenommenen Bezeichng. eines westl. *I.*, die j. allgemein auf den trop. Inselherd beschränkt ist.

Indian, plur. *Indians*, engl. Form f. span. u. port. *Indio, Indios* (s. d.), auch f. 'Wilde' übh., oft in ON. der Union *a) Indiana*, am Ohio, wo schon frühe einzz. frz. Pflanzer aus Canada unter den zahlr. Indianerstämmen sich angesiedelt hatten; das Land kam 1783 unter den Schutz der Union, die 1795 den 'Wilden' das Land am Wabasch abkaufte, den Besitz allmählich erweiterte u. 1816 als Staat, mit Hptstadt *Indianopolis*, aufnahm (Quack., US. 389, Meyer's CLex. 9, 252); *b) I. Territory* = Indianergebiet, ein Territorium, den Wilden 1837 als 'beständiger' Wohnsitz überlassen. Die Regierg. verpflichtete sich, sie in ihrem Besitze nicht zu stören u. weisse Ansiedler fern zu halten. Diese Rechte der Indianer wurden 1866, am Schlusse des Bürgerkrieges, während dessen die Rothhäute theilw. auf Seiten der Conföderirten standen, bestätigt. Den vschiedd. Stämmen, anno 1870 noch gg. 60 000 Köpfe stark, wird v. der Bundesregierg. eine Jahresrente v. 888 000 Doll. gezahlt, als Entschädig. f. die Abtretg. ihrer frühern Ländereien. Die Indianer bebauen das Land, treiben Viehzucht u. unterstützen die Ansiedelg. v. Missionären, welche Schulen unterhalten u. die allg. Einführg. der engl. Sprache anbahnen. Der Einfluss der Union beschränkt sich auf Besetzg. des Forts Gibson u. einiger anderer Posten, u. die Bestallg. v. 'Indian Agents', durch welche den Indianern ihre Renten, in Waaren, ausbezahlt werden. Auch hier wird sich die Einwanderg. der Weissen wohl nicht auf die Dauer verhindern lassen (MCL. 9, 255); *c) I. Rock* = Indianerfels, ein Uferfels am Wissahickon (s. d.), weil auf seinem Gipfel die rohe Figur eines Indianers steht z. Erinnerg. an den letzten Häuptling der hiesigen Eingb., v. Stamm der Lenni Lenape. Derselbe, nur noch v. 40 Personen umgeben, meist Weibern, deren Männer schon umgekommen waren, verliess zZ. der Revolution das Erbe seiner Väter u. wandte sich

nach Sonnenuntergang (Keyser, Fairm. P. 110): *d) I. Creek*, ein rseitg. Zufluss des Missuri, obh. Yellowstone R., v. den Capt. Lewis u. Cl. (Trav. 151) am 4. Mai 1805 nach einer Gruppe alter ind. Jagdlager benannt; *e) I. Knob Creek*, ein lkseitg. Zufluss des Missuri, unweit Platte R., v. denselben (ib. 26) am 28. Juli 1804 getauft nach einer Anzahl runder, unbeholzter Erdhöcker, 'Indian Knob'. — Anderwärts bezeichnete der engl. Capt. Shortland 1788 die j. Manning Str. als *I. Bay*, weil er hier eine Unterredg. mit Wilden hatte (Fleurieu, Déc. 184); Cook taufte am 19. Mai 1770 ein schwarzes trotziges Vorgebirge in NSouth Wales *I. Head*, weil er dort im Vorbeifahren viele Eingb. versammelt sah (Hawk., Acc. 3, 113), u. am 6. Apr. 1773 die *I. Isle* u. *I. Cove*, in Dusky Bay, NSeel., wo er die ersten Eingb. traf (Cook, VSouthP. 1, 73, Carte 13); Capt. Stokes (Disc. 2, 45) nannte im Oct. 1839 am nordaustr. Victoria R. einen *I. Hill*, weil er nach dem andauernden Rauch die Nähe v. Wilden vermuthete.

Indios, sing. *Indio*, span. u. port. f. Indianer, die der Neuen Welt eigenth. Race der 'Rothhäute', im weitern Sinn übh. f. 'Wilde', wie in den Philippinen f. die getauften Malajen (Peterm., GMitth. 20, 19). Nach ihrer nunmehrigen Lebensweise unterscheidet man *a) I. Fideles* = treue, in Argentinia auch *I. Mansos* = zahme (Skogman, Eug. Resa 1, 59) u. *b) I. Bravos* = wilde, trotzige Indianer. — *Os I.* = die Indianer, ON. im Oberlande v. S^a Catharina, 'recht charakteristisch', weil die Colonie, v. einem der Ansiedlerpioniere in der Wildniss angelegt, täglich u. stündlich den Angriffen der Bugres, Waldbotocuden, ausgesetzt ist. 'Das letzte Vertrauen liegt immer in der Kugelbüchse' (Avé-L., SBras. 2, 103). — *Chiapa de los I.*, Ort in Chiapas, Mexico. — Dass neben dem regelrechten *I.* auch Parallelbezeichnungen mitliefen, ist selbstverständlich; so hiessen bei den Weissen die brasil. Indianer wohl auch *Bugres* = Sclaven od. *Caboclos* = Kahlköpfe, v. dem Gebrauche, sich Kopf- u. Barthaare auszureissen (Varnhagen, HBraz. 1, 101).

Indispensable Strait, auch *Indispensible*, eine Durchfahrt der Salomonen, zuerst passirt v. dem engl. Schiffe *I.*, Capt. Wilkinson 1794 (Krus., Mém. 1, 172, Meinicke, IStill. O. 1, 153); *b)* ebenso *I. Reef*, eine grosse, gefährl. Bank bei den Salomonen (Krus. 91, Mein. 160).

Indraprastha = Hochebene des Indra, skr. Name einer altind. Stadt, der Vorgängerin des j. Dehli. In der ved. Mythologie ist Indra der nationale Gott der arisch-ind. Stämme, als Gott des Gewitters dem Zeus zu vergleichen, das Haupt der Luftgötter (Lassen, Ind. A. 1, 158). Auf Sumatra *Indrapur*, eine Stadt der Westküste, sowie *Indragiri* = Berg Indra's, ein Bergstaat, *Indramaya* = Illusion Indra's, ein Distr. der Nordseite Java's — Zeugen civilisator. Einflüsse aus VIndien (Crawf., Dict. 157, Pauthier, MPolo 2, 574). — In der Form *Indargarh*, *Indarpúr*, *Indrathan*, mit den Grundwörtern 'Veste, Stadt, Wohnung' mehrf. ON. in Indien (Schlagw., Gloss. 201).

Indsche Burun = schmale Nase, türk. Capname: *a)* f. die schmal auslaufende Nordspitze Kl.-As.; *b)* f. eine hohe Landspitze am Tus Gölly (Tschihatscheff, Reis. 32); ferner *c) I. Köi* = kleines Dorf, in Kl.-As. ebf. mehrf. (ib. 1, 4); *d) I. Su* = Schmalwasser, f. Orte, die an einem Bache (ib. 9. 14) od. am *I. Burun* des Tus Gölly (ib. 32) liegen; *e) I. Karasu* s. Halai; *f) Indschigis* = kleine Höhle, Ort bei Konstantinopel, nach einem Grottenlabyrinth, welches in mehrern Stockwerken üb. einander läuft (Hammer-P., Osm. R. 1, 178f.).

Indschir-Köi = Feigendorf, türk. ON. 2 mal: *a)* Dorf an der asiat. Küste des Bosporus, nach den Feigen, welche sowohl hier als bei dem nahen Sultania häufiger als irgendwo anders wachsen (Hammer-P., Konst. 2, 295); *b)* Dorf in NSyr., zw. Skenderun u. Haleb, 'v. den vielen Feigenpflanzungen, welche es umgeben' (Schläfli, Or. 11). — *Indschirlü* = feigenreich, Dorf südwestl. v. Jüsgat (Tschihatscheff, Reis. 39).

Indus, gr. Ἰνδός, skr. *Sindh, Sindhu* = Fluss, auch Ocean, genauer 'Bewässerer', v. *syand* = begiessen (MMüller, Lect. 384), in Indien mehrf. als Flussname (s. Kameh), voraus aber f. den grossen Grenzstrom u. das Uferland des Mündgslaufes (Schlagw., Gloss. 246), bei Ibn Batuta (Trav. 100) *Sinde*, im Oberlauf tib. *Sénge khabáb* = der aus dem Munde eines Löwen herabgekommene, mythol. in Ladak (Schlagw., Gloss. 242), bei Sommer (Taschb. 17, 227) *Sin-kha-bab.* — *Sinde Sagar*, eig. *Sindhusâgara* = Meerland des *I.,* im Skr. das westlichste der 4 Doabs, welche das Pandschab bilden, als eine oceanartige Steppe (Lassen, Ind. A. 1, 122).

Industriel s. Trois.

Inés, auch *Inéz*, span. Form f. *Agnes* (s. d.), mehrf. in ON. *Santa I. a)* s. Cumaná; *b)* s. Desolation; *c)* als *Cabo de San I.,* ein Vorgebirge an der Nordküste Feuerl., entdeckt u. benannt v. span. Seef. Bartolomeo Garcia de Nodal, welcher mit 2 Caravelen um Mitte Jan. 1619 vor der Magalhães Str. erschien, längs dieser Küste hinabfuhr (ZfAErdk. 1876, 452), am 21. Jan., d. i. am Tage der heil. Agnes, hier, am folg. vor der Gasse Le Maire erschien.

Infante s. Visch R.

Inferno = Hölle, ital. u. port. wie *infierno* die span. Form des lat. *infernum* = Unterwelt, f. wilde Lagen, im südtirol. Lagerthal 2 mal, die eine 'Hölle' einem *Paradiso* benachbart (Schneller, Tir. NF. 83). — *As Grutas do I.* = die Höhlen der Hölle, nennen die Brasileiros (portug. Abkunft) die erst im Jahre 1791 explorirten Höhlen, welche sich in der Nähe v. Nova-Coimbra, Prov. Mato-Grosso, befinden u. welche zu betreten die Indianer den Muth nicht hatten wg. der eingebildeten Schrecken der unterirdischen Räume: 'Os naturaes do paiz não se atrevião a entrar n'estas grutas...'. (Bösche, port. Spr. 230, Eschwege; Pluto Br. 491); *b) Rio Inferninho* = Fluss der kleinen Hölle, in der Prov. Sa. Catharina, wg. des argen Sumpflaufes... 'In dickem Morast watet der Gaul zwischen den losen Stämmen eines Knüppeldamms, dass es wirklich z. erbarmen ist' (Avé-L., SBras. 2, 173). — *Infernillos* s. Infierno.

Inferum s. Toscana.

Inficionado = verpestet, v. einem Uebel besessen, port. Name einer Goldwäscherei in Minas Geraes, Bras., eine reiche Lavra, deren Gold aber v. geringer Qualität war u. welche allm. verfiel, bis sie v. einer engl. Gesellschaft aufgekauft wurde (Eschwege, Pluto Br. 18).

Infierno = Hölle, in span. ON. *a) Boca del I.* = Höllenschlund, gefürchtete Wirbel im Unterlaufe des Orinoco, bei Muitaco (Humb., ANat. 1, 267); *b) Barranca del I.* = Höllenthal, v. 'geheimnissvollen u. schauerlichen Tiefen' (ZfAErdk. nf. 11, 80); *c) Infernillos* = Höllengründe, ein brennendes Thal v. Salvador, CAm. 'Dichte Schwefeldämpfe stiegen aus der Tiefe hervor, begleitet v. einem Geräusch gleich dem des kochenden Wassers. Ein kleiner heisskochender Bach brach aus einer Spalte nicht weit v. dem Gipfel des Berges hervor u. floss rauschend u. zischend den ganzen Weg abw. bis auf den Thalgrund der Schlucht. Der Boden war calcinirt, heiss, rechts u. links v. uns mit einer Schwefelkruste überzogen, während hier u. dort aus Spalten brennende heisse, v. Dampf begleitete Exhalationen hervorquollen. Dann u. wann kamen wir an Oeffnungen od. Löcher v. beträchtlicherer Grösse, aus denen ein Geräusch hervordrang wie aus einem riesigen Kessel voll kochenden Wassers.... Der ununterbrochene unterirdische Lärm ist grausenerregend... Wir kamen an einen grossen Schlund, aus welchem Dämpfe mit erstaunlicher Gewalt u. mit betäubendem Brausen hervorstürzten' (ZfAErdk. nf. 9, 482); *d) Isola del I.* s. Tenerife.

Infirmus s. Malade.

Ingaljam s. Komadugu.

Ingermanland, russ. Provincialname der einst v. den tschud. *Ingerern* bewohnten Gegend v. St. Petersburg, nach G. Fr. Müller (SRuss. G. 1, 352) russ. *Ishersaga Semlja*, nach dem Flusse *Ishora*, wie der Volksname v. demselben Flusse, *Inger*, abgeleitet sei. Nun lautet der Landesname finn. *Ingerinmaa*, lat. *Ingria*, der Flussname finn. *Ingerinjoki*, russ. *Ishora*, der Volksname finn. *Ingerikot, Ingrikot*, russ. *Ishoren, Ishorzen.* In der gemeinsamen Wurzel, finn. *Ingeri*, gen. *Ingerin*, die als Appellativ keine Bedeutg. hat, findet A. J. Sjögren (Mém. Acad. Imp. 6. sér. 2) einen PN. u. zwar den der schwed. Königstochter *Ingegerd*, die an den holmgard. König Jarosslaw 1049 vermählt, Aldeigioborg u. Gebiet z. Morgengabe bekam u. das Jarlthum durch einen aus Schweden mitgenommenen Verwandten verwalten liess. Das Gebiet hiess v. da an *Ingerinmaa*, welches 'wörtlich nichts mehr u. nichts weniger bedeutet als das Land Ingegerds'. Aus diesem nordöstl. Theil des j. Gebiets habe die Bezeichng. nach u. nach weiter gegriffen, um so sicherer, als in der Folge mehr u. mehr die Ishoren sich in demselben ausbreiteten. Der Name *I.* kam erst in der schwed. Zeit, 1617—1702, auf (Meyer's CLex. 9, 286).

Inglefield, *Edw. Aug.,* engl. Polarf., geb. 1820, trat 1834 in den Seedienst, untersuchte 1852 mit dem v. Lady Franklin ausgerüsteten Dampfer Isabel den Smith-, Whale-, Jones- u. Lancaster-Sd., fuhr 1853 mit dem Schraubendampfer Phönix nach Beechey I., um mit Belcher in Verbindg. zu treten, ging 1854 wieder nach Beechey I. u. brachte v. dort einen Theil v. Belcher's Leuten zk., wurde 1875 Vice-Admiral. Denkmäler: *a) I. Golf* (s. Whale Sd.); *b) Cape I.,* in Kane Sea, v. Kane (Arct. Expl. 1, Carte) im Aug. 1853 getauft; *c) I. Gletscher,* in Spitzb., v. der Exp. Heuglin-Zeil 1870 nebst *Belcher Berg* zu Ehren zweier 'Koryphäen arkt. Forschg. u. Entdeckg.' (Peterm., GMitth. 17, 182).

Inglese, plur. *-es* = Engländer, englisch, wie *Inglaterra* = England (s. London) mehrf. in span. u. a. ON. *a) Estancia de los Ingleses,* Oertlichk. am Pic v. Tenerife, ca. 2800 m üb. M., keineswegs wie man nach dem Titel erwarten könnte, eine Art Gasthof, nicht einmal eine einfache Steinhütte, wie die *Casa degli Inglesi* (= Engländerhaus) auf dem Aetna, sondern nur ein etwas geschütztes Plätzchen in der wilden Lavawüste, umgeben v. mehrern grossen, theilw. überhängenden Lavablöcken. Hier übernachten gew. die Picbesteiger unter freiem Himmel, ehe sie die Erklimmg. des Centralkegels unternehmen (ZfAErdk. 1870, 19). — *Bahia dos Is.* = Engländer-Bucht, am linken Ufer der Congo-Mündg., nach einem engl. Schiffe, welches hier gestrandet (Peterm., GMitth. 3, 185). — *Bordsch Inglese* = englische Veste, arab. ON. in Tropoli, j. Ruine (Rohlfs, QAfr. 1, 12).

Inglis' Island, eine der English Co. Islands (s. d.) v. Flinders (TA. 2, 233) am 19. Febr. 1803 benannt nach einem der Directoren der engl.-ind. Co.: *b) Mount I.* s. Owen.

Ingolfshöfdi, ein Vorgebirge, *höfdi,* an der Südostküste Isl., nach dem Normannen Ingolf, welcher, z. Ansiedlg. herübergekommen, hier zuerst seine Wohng. aufschlug. Det bär an i dag samma namn; dess branter besökas ofta af fogeläggsjägare (Hildebr., Sagot. 5, Preyer-Z., Isl. Carte).

Inis = Insel, in ir. ON. entspr. kymr. *ynys,* arm. *enes,* nicht allein f. wirkliche Inseln, sondern auch f. niedrige Land. Wiesen an einem Flusse, wofür die engl. Zunge die Form *inch,* bes. in den südl. Landestheilen, gebraucht. Die heutigen Formen, *inish, ennis, inch,* sind in Irl. überall häufig in ON., namentl. *inis* u. *inish* in allgemeinstem Gebrauch f. die wirkl. Inseln der Küstengewässer, der See'n u. Flüsse, so mehrf. *Iniskeen* u. *Inishkeen,* ir. *Inis-caein* = schöne Insel, *Inismore* = grosse Insel, in der Bay v. Donegal, auch mit dem Artikel am Ende eines Namens, als Endg. *-nahinch,* wie in *Coolnahinch* = Inselecke u. s. f. (Joyce, Orig. Ir. NPl. 1, 442). — *Inishargy* s. Carrara. — *Inis Gal* s. Hebrides. — *Inisfail* u. a. s. Ireland.

Inlets, Bay of = Bucht der Einfahrten, in Queensl., v. Cook am 1. Juni 1770 so benannt,

weil sich an der Küste verschiedene Einfahrten aufthaten (Hawkw., Acc. 3, 130).

Inman Harbour, in Georgs IV. Kröngs G., v. Capt. John Franklin (Narr. 368) am 25. Juli 1821, u. *I. River,* östl. v. McKenzie R., v. Richardson, Exp. Franklin (Sec. Exp. 242 ff.) im Sommer 1826 getauft nach dem Rev. u. gelehrten Professor *I.* 'of the Royal Naval College at Portsmouth'; *c)* ebenso *Cape I.,* in Feuerl., v. Capt. Fitzroy (Adv.-B. 1, 371) am 28. Dec. 1829.

Inn, einer der noch dunkeln FlussN., rätr. *Oen,* bei Tacit. (Hist. 3, 5) *Aenus,* bei Ptol. Αἶνος, später *Inus, Innus, Ina, Ine,* Ἔνος, *Oenus,* wovon der VolksN. *Oeniaten* (s. Engadin), doch wohl kelt. Urspr., aus Wurzel *i,* der auch *ire* entsprossen, also s. v. a. als 'der laufende', 'Fluss' (Glück, Rên. MMog. 5). — An einem wichtigen Flussübergang *Innsbruck,* 1151 *Enspruc,* 1209 *Ynsbrugge,* dial. *Spruck,* latin. *Oenipons,* wo die Innroute nach dem Brennerpasse ablenkt. In der Nähe des röm. Veldidena entstand, nachdem dieses in der Völkerwanderg. zerstört u. seit 1128 durch das Prämonstratenserstift Wilten ersetzt war, an der Innfähre eine Ansiedlg. als Sammelplatz f. Kaufleute, u. aus der Innfähre wurde eine Innbrücke (Daniel, Hdb. Geogr. 4, 908).

Innere Horde s. Kirgis.

Innerroden s. Appenzell.

Innuk s. Eskimo.

Inoi s. Oinoie.

Inschilla s. Sela.

Inscription, Cap de l' = Vorgebirge der Inschrift, die Nordspitze der Insel Dirck Hartighs, v. frz. Capt. E. Hamelin, dem Befehlshaber des Schiffs le Naturaliste, Exp. Baudin, im Juli 1801 so benannt, weil der erste Bootsmann v. dort einen zinnernen, mit zwei holl. Inschriften gravirten Teller zkbrachte, welcher — dam. im Sande neben den Resten eines eichenen Pfostens liegend — urspr. wohl an letzterm angenagelt gewesen war. Die erste dieser Inschriften war v. 25. Oct. 1616 u. stammte v. Amsterdamer Schiffe Endracht, Capt. Dirck Hartighs; die andere, v. 4. Febr. 1697, v. Amsterdamer Schiffe Geelvinck, Capt. Will. van Vlaming (Péron, TA. 1, 161 f.); *b) Point I.,* in Sweer's I., Carpent. G., v. Capt. Stokes (Disc. 2, 270) im Juli 1841 so genannt, weil er in der Nähe einen Baum fand, in welchen der Name v. Flinders' Schiff, Investigator, u. zwar, obgl. schon 40 Jahre alt, doch noch vollk. leserlich, eingeschnitten war. In die entggesetzte Seite liess nun Flinders' Nachgänger den Namen seines Fahrzeugs, Beagle, nebst Datum graviren.

Insel, v. lat. *insula,* was im ältern Sinne *insul* = was darin ist sc. im Meere, wie denn das Wort schon früh (Festus cp. 111 M) scharf u. klar definirt wird 'insulae . . . eae terrae quae fluminibus ac mari eminent suntque in salo'; daher auch die neurom. Ausdrücke: ital. *isola,* span. *isla,* port. *ilha,* frz. *ile,* entstanden aus älterm *isle,* das auch in das Engl., gew. als *island* (s. d.), übergegangen ist. Wie der Hebräer sein אִי, *i* =

grüne Aue, Weide, gew. im plur. ⲥⲥⲭ, *ijim* =
Inseln (der Heiden), auf das Inselgebilde übtrug
u. der Grieche seine *νῆσος*, verwandt dem lat.
naus, navis = Schiff wie unserm *Nauen*, als
'das schwimmende' sich dachte, so hat sinnig u.
liebl. das Niederdeutsche u. Skandinavische *og*,
ey, ö = Auge verwendet (s. Wangerog, Norderney, Eyjafjördur, Sudur Ö, Fär Öer), wobei übr.
auch der schwed. Ausdrücke *holm* u. *skär* (s. d.)
zu gedenken ist. Bei den Capcolonisten ist *Eiland*
z. Eigennamen geworden, f. eine Ansiedelg., welche,
v. Bergströmen rings umflossen, im Winter, z.
Regenzeit, wenn jene angeschwollen, unzugängl.
wird (Lichtenst., SAfr. 1, 239); auch die Exp.
Will. Barents, 20. Aug. 1596, taufte östl. v. Ijshaven ein *Eilands Hoek*, einen Landvorsprung,
dem eine Insel vorliegt, engl. *Island Cape* (GVeer
ed. Beke 194, Carte). Selbst im deutschredenden
Macugnaga gibt es einen Weiler *in der Eie*, ital.
übsetzt *nella Isola*, der inselartig im Thalgrunde
liegt (Schott, Col. Piem. 238 ff.).

Insk s. Ochota.

Inspection Head = Kopf der Ueberschau, im
Vorgebirge v. Port Dalrymple, auf welches der
Entdecker, Lieut. Matth. Flinders (TA. 1, CLIX,
Atl. 6 Carton) am 13. Nov. 1798 sich begab, um
den mittlern Arm der Bay zu übschauen u. auf
welchem er einen engen, f. Schiffe hinreichend
tiefen Canal entdeckte; *b) I. Hill*, ein Kalkberg
v. Sweer's I., wo Flinders (TA. 2, 135, Atl. 14 Carton)
am 17. Nov. 1802 Umschau hielt u. Winkel mass.

Inspiration Point = Punkt der Eingebung, Eröffnung, ein freier Felsvorsprung am Eingang
des calif. Thales Yosemiti, der Standpunkt, welcher
den Blick auf das lieblich grüne Wunderthal
mit einem Schlage eröffnet (Fortschr. 1880, 148).
'Da lag es tief unter uns, v. Feuerschein der
sinkenden Sonne goldig übgossen u. übspannt v.
einem zauberisch schönen californ. Abendhimmel.
Nackte Granitkolosse v. wahrhaft monumentaler
Erhabenheit glänzten uns in mächtiger Doppelreihe entgg.; v. ihren hohen Firnen wehten silber-
weisse Wasserfälle in den tiefen Thalgrund hinab,
um, zu einem rauschenden Flusse vereint, in
Schlangenwindungen durch das dunkle Grün der
Pinien-, Ceder-, Eichen-, Lorbeer- u. Manzanillo-
haine dahin zu eilen' (Gartenl. 1888, 362).

Inster, die deutsche, wie *Isra* die urspr. lit.
Namensform eines rseitg. Zuflusses des Pregel,
beide Formen dunkel. An der Confl. *Insterburg, Isrutis*, 1337 als Ordensburg ggr. (Toeppen,
GPreuss. 216, Meyer's CLex. 9, 316).

Institut, Iles de l' = Inseln des Instituts, d. i.
der frz. Academie, welche die Aussendg. der Ent-
deckungsexp. bei der dam. 'ersten Consul' Bonaparte befürwortet hatte, eine Gruppe austr.
Küsteninseln v. Tasman's Ld., v. Capt. Baudin am
14. Aug. 1801 benannt zu Ehren jener gelehrten
Körperschaft, 'auf welche unser Vaterland stolz
ist', wie die einzelnen Inseln nach den Gliedern
etc. des Instituts (Péron, TA. 1, 116; 2, 211, Freycinet, Atl. 27).

Inter = zwischen, lat. praep. dem ahd. *untar*

= zwischen entspr., in neurom. Form gew. *entre*,
rätor. *denter*, oft in ON. insb. f. Confluenzstellen,
wie schon lat. *Interamna, Interamnia* = zwischen
den Flüssen, mehrf. *a)* f. j. *Teramo*, Abruzzen
(Kiepert, Lehrb. AG. 413, Meyer's CLex. 15, 35);
b) f. j. *Terni*, Umbria (Bergm., Wals. 17); *c)*
Interamna Lirinas, eine v. den Römern —312
in der Ebene der Liris angelegte Colonie (Kiepert,
Lehrb. AG. 438). — Als mittelalterl. Klosterbe-
nennung *Interlaken*, s. v. a. *inter lacus* = zwischen
den Seen, näml. auf dem 'Bödeli', der Alluvial-
ebene zw. Brienzer- u. Thuner-See, übsetzt aus
d. nahen *Unterseen* (Arch. HV. Bern 9, 373 ff.,
Förstem., Deutsche ON. 129). — *Mare Internum*
s. Mediterraneum.

Intercourse Islands = Inseln des Umgangs, an
der Nordwestküste des Australcontinents, v. Capt.
Ph. P. King (Austr. 1, 49) am 27. Febr. 1818 so
benannt nach dem längern Verkehr, den seine
Exp. hier mit den Eingebornen unterhalten hatte.
— *Point Intervene* = Spitze der Dazwischen-
kunft, im südl. Chile, v. d. Exp. King-Fitzroy
(Adv.-B. 1, 351) im April 1830 so benannt, weil
der Vorsprg. ein neues Hinderniss z. Verwirk-
lichung des erwarteten Ausgangs bildete.

Inti-Guaycu, v. qquechua *inti* = Sonne u. *hua-
ycco* = Fels, also = Sonnenkluft, Sonnenfels,
eine Felswand in der Nähe der Veste Cañar, weil
die Eingebornen ein Sonnenbild im Felsen zu
sehen glauben. Eine räthselhafte Bank dabei
nennen sie *Inca-Chungana*, v. *chungana* = Spiel,
also Incaspiel (Humb., ANat. 2, 373).

Intricate s. Byron.

I-nun s. Gozzo.

Inutile, Havre = unbrauchbarer Hafen, eine
sehr schöne kl. Bucht der Sharks B., aber durch
eine Sandbank mit kaum 1 m Wasser verschlossen
u. demnach f. Schiffe unbrauchb., benannt am
9. Aug. 1801 v. Schiffsfähnrich L. Freycinet, Exp.
Baudin (Péron, TA. 1, 165).

Inverness = Mündung, der Ness, schott. Stadt
zu beiden Seiten des Flusses Ness, der, nachdem
er den Loch Ness (s. d.) passirt, hier in den Firth
of Murray mündet, mit dem Prefix *inver*, gael.
inbhir = Confluenz, Mündung — einem Worte,
welches der Historiker G. Chalmers (Caled. 1807/10)
irrig als ausschliesslich kymr. angesehen hat. Es
gibt, wie mit dem gleichbedeutenden *aber*, noch
viele schott. ON. mit *inver* wie *Inveraw*, alt
Inbhir-ā = Confluenz des Wassers, *Invercarron*,
eig. *Inbhir-car-an* = Confluenz des gewundenen
Flusses, *Innerleith* u. *Innerleithen*, gael. *Inbhir-
liath-an* = Confluenz des graulichen Flusses u. s. f.
(Robertson, Gael. TScotl. 372 ff.).

Investigator's Group, eine Inselgruppe an der
Südküste Austr., umfassend Waldegrave's Is.,
Flinders' I., Pearson's Is. u. Ward's Is. (s. dd.),
am 13. Febr. 1802 v. Capt. Matth. Flinders (TA.
1, 3 f. 124) getauft nach seinem Schiffe, der Schalupe *I.*, vorher 'Xenophon', einem Fahrzeuge v.
334 tons. Als die frz. Exp. Baudin im Apr. 1802
an Ort u. Stelle kam, wollte sie die Gruppe *Iles
Jérôme* taufen zu Ehren Jérôme Bonaparte's,

Bruders Napoleon's I. Die grösste der Inseln sollte *Ile Andréossy* (s. Flinders) heissen, wohl nicht nach dem ältern (17. Jahrh.), sondern dem jüngern Grafen d. N., einem der Würdenträger der napoleon. Zeit (Péron, TA. 1, 273). — Inzw. hatte Flinders (TA. 1, 175) v. 20.—27. März die Gasse hinter Kanguroo I. befahren u. *I.'s Strait* getauft, die im Apr. v. der Exp. Baudin als *Détroit de Lacépède* eingetragen wurde (Péron, TA. 1, 272). — Am 20. Nov. gl. J. ankerte der *I.* in zieml. geschützter Rhede zw. Wellesley's Is. u. dem Continent: *I.'s Road* (Flinders, TA. 2, 140, Atl. 14 Carton). — Ein arkt. *I. Sound*, in Prince of Wales' Str., v. der Exp. MacClure im Oct. 1850 nach ihrem Schiffe *I.* getauft 'that the name of our ship might be perpetuated in those icy seas, she had hitherto navigated in safety' (Armstrong, NWPass. 81).

Inviting, Mount = einladender Berg, eine hübsch gestaltete, halb mit Buschwerk bedeckte Berghöhe am obern Darling, v. Major T. L. Mitchell (Trop. Austr. 150) am 6. Mai 1845 entdeckt u. so benannt, weil er die Richtg. des Bergs, als seine bish. nach Norden, einhielt, trotzdem der Fluss, dem er gefolgt war, weit nach Osten ausbog; der Reisende erwartete nämlich sicher, den Fluss auf der geraden Linie wieder zu erreichen.

Inyan Kara, v. Lieut. Warren 1857 u. Raynolds 1859 aus ind. *Heéng-ya Ka-gá* verd., ein 2000 m h. Berg bei den Black Hills, Wyoming, danach *I. K. Creek*, ein Quellarm der Belle Fourche (s. d.), weil derselbe am unmittelbaren Fusse vorüber zieht (Ludlow, Black H. 12. 34). — *I. Okaloka* = Fels mit einem Loch darin, ein Hügel, welcher aus der Prairie des Little Missuri, Montana, isolirt aufsteigt, nach einem auffälligen Merkmal (ib., Carte).

Joachimsthal, deutscher ON. zweimal: *a)* Bergstadt im Erzgebirge, 1521 *vallis divi Joachimi* (Förstem., Deutsche ON. 313), also kirchlich getauft, u. zwar als 'z. heil. Familie erzgebirg. Bergstädte' gehörig, mit *Annaberg* nach den Grosseltern, mit *Jôhstadt*, eig. *Josephstadt*, u. *Marienberg* nach den Eltern Jesu Christi (Wiss. Beil. z. Leipz. Ztg. v. 29. Oct. 1887); *b)* Stadt der Mark Brandenburg, v. Kurf. Joachim Friedrich 1604 angelegt, der 3 Jahre später dort eine Fürstenschule gründete (Meyer's CLex. 9, 549).

João, die port. Form f. Johannes, finde ich in ON. nicht so häufig wie die span. (s. Juan), einmal nach dem Heiligen: *Ilha de São J.* (s. Noronha), 4 mal nach profanen Personen: *a) Ilha de Joannes* = Johannisinsel, ein zweiter Name der grossen, vor der Mündg. des Amazonas gelegenen Insel *Marajó* (ind. Name), wohl zu Ehren des port. Königs João IV.: 'recebera ultimamente, talvez por attenção a D. João IV., o nome . . .' (Varnh., HBraz. 2, 66); *b) Ilha de João de Lisboa*, im Süden der Mascarenhas, offb. nach dem port. Entdecker 1645, im Homann Atl. Insula *Johannis de Lisbona*; dieser niemals wiederholte sich im südl. Eingang des Canals v. Mozambique; allein Capt. Owen suchte im Dec.

1822 vergeblich nach der Insel u. nahm an, die *Bassas de India* = indischen Untiefen, die er später (nach seinem Schiffe?) *Europa Island* nannte, seien unter jenem Namen erschienen (Bergh., Ann. 10, 506). Auf neuern Carten stehen übr. diese beiden getrennt; *c) Ribeirão de P. J. de Faria* s. Antonius. — *J. da Nova*, 2 mal f. Inseln bei Madagascar *a)* im Canal v. Mozambique; *b)* südl. v. den Seychelles, beide nach dem aus Galicia geb., aber in port. Diensten stehenden Indienfahrer (Barros, As. 4, 3[6], Bull. SGPar. 3me S. 8, 138).

Joaquin, San, span. f. den heil. Joachim, ist mir 3 mal begegnet *a)* der grosse Nebenfluss des San Sacramento, Calif., wie alle dort schon z. span. Zeit v. Missionärs getauften Objecte nach einem Heiligen benannt (DMofras, Orég. 1, 423 ff., ZfAErdk. nf. 244); *b)* s. José; *c)* s. Omaguas.

Jobie, in engl. Orth. *Yobi, Yobiyobi*, auch *Yapin*, Insel der Geelvink B., nach einem Dorfe der Nordküste (Meincke, IStill. O. 1, 95).

Jodisakko = Schwarzbrunn, lit. Name einer saml. Quells, v. *judis* = schwarz u. *akis* = Quelle (Altpr. Mon. 7, 602).

Jôhstadt s. Joachimsthal.

Jönköping s. Kjöbnhavn.

Jönsvv = des Flusses Mündung, *suu*, v. *joki* = Fluss, finn. ON. in Karelen, da der Ort 'vid Pielisâns utlopp' liegt (Modeen, Geogr. 48 u. briefl. Mitth.).

Jörtok = Anfang der Aufstiege, tib. Name eines am Südfuss der Dalaberge, Ost-Tibet, gelegenen Haltplatzes, wohl des höchsten bewohnten Orts jenes Gebirgs (Schlagw., Gloss. 259).

Jötun s. Jätt.

Jogotânsejdè = Gabelkuppe, v. *jogotà* = zweispitzige Gabel u. dem durch eine eigenth. Assimilation im kleinld. Dial. aus *séde* = Kuppe gebildeten *sejdè*, der sam. Name einer ansehnl. Berghöhe mit bes. hervorstechenden Spitzen, russ. übersetzt *Wilowa* (Schrenk, Tundr. 1, 638 f.).

Jógraf Monastyr = Kloster, eig. Kirche des heil. Eugraphus, tatar. Name einer Höhlenkirche im taur. Gebirge, nach ihr der Pass *Aj-Jógraf Boghas* (Köppen, Taur. 18).

Johannes od. *Johann*, holl. *Jan*, engl. *John*, frz. *Jean*, span. *Juan*, port. *João* (s. dd.), oft in ON. nach dem Evangelisten u. Apostel, Jesu Lieblingsjünger, dessen Gedächtniss die kath. Kirche am 27. Dec. feiert, od. nach dem Täufer, dessen Kalendertag der 24. Juni ist; die Feier seiner Enthauptg. fällt auf den 29. Aug. Solche ON. sind *a) St. Johann,* ehm. Benedictinerabtei des obern Toggenburg, C. St. Gall., als Zelle in damals wilder Gegend gestiftet v. den Einsiedlern Milo u. Thüring, die sich in der ersten Hälfte des 12. Jahrh. hier niederliessen u. den Heiligen z. Kirchenpatron erwählten (v. Arx, GSt.Gall. 1, 296). Zu Anfang des 16. Jahrh. wird auch das anschliessende Dorf erwähnt. Als in Folge eines geheimnissvollen Krankheit 1624 das Stiftsgebäude gg. ein nahes Wohnhaus vertauscht wurde u. im Febr. 1626 jenes abbrannte, verlegte man den

Neubau weiter thalw., v. *Alt St. J.* nach *Neu St. J.*, wo um das Kloster ebf. ein Dorf entstand (Osenbr., WStud. 3, 35. 53): *b)* s. Rilo; *c)* s. Nain. — *St. J. Berg*, ein hoher schneebedeckter Berg hinter der Küste der Aleuten I. Atka, v. dem todtkranken Commodore Bering am 23. Sept. 1741 erblickt u. efter Kalenderdagen getauft (Lauridsen, V. Bering 150). — *Johanngeorgenstadt*, Bergstadt im Erzgeb., v. Kurf. Johann Georg I. f. evang. Bergleute aus Böhmen 1654 ggr. (Meyer's CLex. 9, 566). — *König Johann Gletscher*, ein Eisstrom der spitzb. Edge I., 50 km br., am Meere 6—30 m h., v. der Exp. Heuglin-Zeil 1870 zu Ehren des Königs v. Sachsen getauft (Peterm., GMitth. 17, 182 T. 9). — *Erzherzog J. Grotte* s. Ferdinand. — *Johannesberg*, Bischofssitz in Schlesien, aus dem im Hussitenkriege zerstörten Jauerning erneuert u. umgetauft v. Bischof v. Warschau, *J.* Thurzo, u. zwar, wie die lat. Inschrift im Treppenhause angibt, nach seinem eignen u. des Täufers Namen (Umlauft, ÖUng. NB. 99). — *Johanna Bach* s. Elisabeth.

Johannesen-Cap, bei Wybe Jans Water, v. der Exp. Heuglin-Zeil 1870 getauft (Peterm., GMitth. 17, 182 T. 9) nach einem jener norweg. Captt., die so kühn in die Gewässer des Eismeers vordrangen. — *Cap J.* s. Tobiesen. — *J. Bach* s. Dörma.

John = Johannes, engl. PN., bei Entdeckerobjecten gew. nach dem Johannistage *St. J.* od. *St. John's* (day), nach dem Kalendertage der Entdeckg. od. der Gründg., 24. Juni: *a)* *St. J.'s Island* u. *St. J.'s.* s. New Foundl.; *b)* *St. J.*, Fluss u. Hafenort in NBrunswick; *c)* *St. J.* s. Edward; *d)* *Cape St. J.* s. Swjätoi; *e)* *St. J.'s River* s. May. — *Johnstown*, in Pennsylv., um 1791 besiedelt v. einem Deutschen Joseph Johns (?), 'from whence the place derived its name' (Cent. Exh. 20). — *John o' Groat's House* od. wohl besser *Johnny G.H.*, v. einem Recensenten in der 1. Aufl. der 'Nomina Geogr.' desw. vermisst, weil es stehende Redensart sei zu sagen: v. Landsend bis *John o' G.H.* anst. 'Grossbritanien v. einem Ende z. andern', ist eine Stelle am Pentland Firth, nahe Duncansby Head, wo im 16. Jahrh. 3 Brüder, Malcolm, Gavin u. John Groot od. Grot, angebl. Holländer, ein Haus erbauten, v. dem nur noch ein grüner Hügel übrig ist (Chambers's Encycl.). Mit dieser Notiz hat unser Freund die Lücke ausgefüllt; aber man sieht, toponymisch war die letztere nicht empfindlich, so lange nicht bestimmtere Angaben beizubringen sind.

Johnsen Berg, im östl. Theil des arkt. König Karl Ld., benannt nach dem norw. Capt. Nils *J.* aus Tromsö, der am 17. Aug. 1872 hinkam (Peterm., GMitth. 19, 123) u. nam. die Ost- u. Südküste verfolgte.

Johnson, Cape, in SVictoria, v. J. Cl. Ross (South. R. 1, 250) am 19. Febr. 1841 entdeckt u. nach Capt. Edward John *J.*, R. N., benannt. — *J.'s Island* s. San Rosa.

Johnston-Bay, in der ost-spitzb. Ginevra-Bay, v. der Exp. Heuglin-Zeil 1870 in Gesellschaft anderer brit. Koryphäen der Geogr. getauft (Peterm.,

GMitth. 17, 182). Es liegt nahe an den schott. Cartographen Alex. Keith *J.* zu denken, der, gebl. 1804, Europa u. den Orient bereiste, den Physical Atlas (1848) u. a. carto- u. geographische Werke herausgab u. z. kön. Geographen v. Schottl. ernannt wurde († 1871).

Joinville, Terre, eine Insel in SShetland, entdeckt v. frz. Admiral Dumont d'Urville 1837 (Ross, SouthR. 2, 324), offb. zu Ehren des Prinzen François de *J.*, der, 1818 geb., 1834 in die Marine eintrat, vschiedd. Seefahrten mitmachte u. 1846 Vice-Admiral wurde, übr. schon 1843, also bevor ihn die Revolution ausser Landes trieb, die bras. Prinzessin Francisca geheiratet hatte. In dieser Verbindg. begegnet uns der ON. *Joinville* (s. Francisca).

Jola, die Hptstadt Adamaua's benannt nach dem gleichnam. Quartier Kano's (Barth, Reis. 2, 598).

Jolguw, sam. Name einer Waldoase der Tundra, wo ein Haufe räuberischer Harúzi, v. Geschlechte Jol, auf einem Kriegszuge nach Mesén' begriffen, hier z. Nachtzeit v. den Samojeden überfallen u. im Schlafe niedergemacht worden ist. Auch die Russen benennen einen Eismeerfluss *Graböschnaja* = Raubfluss, nach einem ähnl. Handel mit den Harúzi (Schrenk, Tundr. 1, 685).

Joliet s. Hennepin.

Jolo s. Sulu.

Jolof s. *Yolof, Djo-* u. *Dscholof*, europ. Namensform f. ein Negervolk am Senegal, einh. *Wu-, Wa-, Ua-, Jaluf* (Spr. u. F., Beitr. 1, 45, Grundem., Miss. Atl. 2), v. *jolof* = schwarz, im Ggsatz zu den benachbarten, fast kupferfarbigen Fulbe (Meyer's CLex. 7, 293, Barros, As. 1, 3[8])

> a provincia *Jalofo*, que reparte
> per diversas nações a negra gente
>   (Camões, Lus. 5. 10).

Unsere Etym. wird, freil. ohne greifbaren Ersatz, bestritten v. Dr. Tautin: *J.* sei eine irrth. Form, entstanden aus dem Namen des Reiches *D'olof*, welches seit der Mitte des 16. Jahrh. in die drei heutigen Königreiche *Wolof* zerfiel. In *D'olof* sei *d* mouillirt, zw. *di* u. *gui*, wie denn auch Cadamosto 1455 *Gilofi*, Gaby 1689 *Guioloph* schrieb; das mouillirte *d'* werde heute meist *di* verstanden, konnte aber auch als Halbconsonant *y, j*, gehört werden. Ich gestehe, aus dieser Erörterg. nicht klug geworden zu sein.

Jomanes s. Dschamna.

Iona, angebl. *Ithona* = Insel der Wellen (Worsaae, Mind. Danske 342), eine kleine felsige, aber immer grüne Insel bei Mull, Hebriden, gael. *Innis-an-Druidh* = Druideninsel, wo einst der Begräbnissplatz der Druiden war u. sich auch noch in christl. Zeit die Häuptlinge u. Könige des Hochlandes mit Vorliebe ihren Ruheplatz wählten. Ein jüngerer Name, *I-columkill*, gael. *I-chaluim-chille* = Insel v. Columba's Kirche, nach dem Apostel der Hochländer (Robertson, Gael. TScotl. 359 ff.), der um 563 hier den Mittelpunkt seiner Thätigkeit hatte. Damals war das j. unbedeutende, weder durch Grösse noch Fruchtbk. noch zahlr. Ruinen ausgezeichnete Eiland 'the light of the western world, der Mittelpunkt, v. wo aus die christl. Lehre nach Osten u. Norden, üb. Schottl. u. die umliegenden Inseln, sich ausbreitete. Ja auch zu den Normannen ging v. hier aus der neue Glaube, u. sie war ihnen *Eyin Helga* = die heilige Insel (Worsaae, Mind. Danske 342 ff.). Eine neuere Studie (Scott. GMag. 2, 461 ff.; 3, 80 ff. 242 ff.) erklärt den Namen *I.*, 657 *Hyona*, als Modificationen v. *aoi uain* = grüner Isthmus u. den christl. Namen *Icholumcille* als 'Isthmus Columcille's.

Jonas, Insel St., ein einsames Felseiland der Ochotsk. See, v. russ. Seef. Billings am 22. Sept. 1789, drei Tage nach der Abfahrt v. Ochotsk, entdeckt u. benannt (Sauer-Sprengel, Reise 152, Krus., Reise 2, 197).

Jonathan s. Union.

Jonc s. Juncarius.

Jondanèjgòj, ein Bergrücken, *gòj*, des Uràl', sam. benannt nach einem Volksgenossen, welcher an diesem Berge nomadisirte (Schrenk, Tundr. 1, 452 ff.).

Ioner, der unerklärte Name einer griech. Stammgenossenschaft, wahrsch. erst auf asiat. Boden angenommen durch Auswanderer, die in Folge der dorischen Eroberg. des Peloponnes im 11. Jahrh. v. Chr. an der Küste Lydiens sich niederliessen, in älterer unverkürzter Form *Ἰάονες*, altpers. *Jauna*, ind. *Jávana*, hebr. *Javan*, syr. *Jaunojo*, armen. *Join, Juin*, ägypt. *Uinin*, daher der Landstrich *Ionia* (Kiepert, Lehrb. AG. 114 f.). Nach dem Volke: *a)* das *jonische Meer*, gr. *Ἰόνιον Πέλαγος* (Strabo 329), lat. *Mare Jonium*, welches eine alte Annahme (Aesch. Prom. 839) ableiten wollte v. der *Io*, der Tochter des Königs Inachus v. Argos, welche es durchschwommen hätte (Pape-B.); *b)* die in diesem Meer liegenden *jonischen Inseln; c) Ionios Poros* s. Otranto. Bei den Autoren des 5. vorchristl. Jahrh. umfasste der Name *ὁ Ἰόνιος Π*. das ganze Meer, welches Italien v. der griech. Halbinsel scheidet, also auch die Adria inbegriffen; die Beschränkg. auf die südl. Hälfte, in mod. Sinne, begann erst nach der Mitte des 4. Jahrh. v. Chr. (Nissen, Ital. LK. 90).

Jones' Sound, vollst. *Alderman J.' Sound*, eine Seitengasse des Baffin M., v. Capt. Baffin am 10. Juli 1616 richtig als Meerenge betrachtet u. nach dem Londoner Alderman *J.* (s. Wostenholme) getauft (Rundall, Voy. NW. 142). — *Cape J.*, 2 mal: *a)* in Grönl., v. Walfgr. W. Scoresby jun. (NorthWF. 176) am 19. Juli 1822 nach einem geachteten Geistlichen in Liverpool; *b)* in antarkt. Victoria Ld., v. Capt. J. Cl. Ross (SouthR. 1, 204. 251) am 20. Jan. 1841 nach seinem Freunde, Capt. Will. *J.*, RN.

Jonquière, Baie de la, im tatar. Sund, v. frz. Seef. La Pérouse am 23. Juli 1787 prsl. benannt (Milet-M., LPér. 3, 51, Atl. 46). — Ebf. frz. Ursprungs, ebf. mit prsl. Beziehg. u. ebf. ohne nähere Angabe *Fort J.*, ein Handelsposten am obern Südarm des Saskatchewan, jedoch bald eingegangen (Ch. Bell, Canad. NWest 8).

Joobe s. Komadugu.

Joppe s. Jaffa.

Jorasse s. Jura.

Jordan, Name des Hptflusses Palästina's, in die abendländ. Sprachen übergegangen aus gr. *ὁ Ἰορδάνης* u. dieses aus *Jardên*, hebr. יַרְדֵּן, was die Semitiker v. יָרַד, *rádán* = rauschen ableiten, während sich wohl eher 'Abfluss' empfiehlt (Kiepert, Lehrb. AG. 159), arab. geformt *Nahr el-Arden* (Parmentier, Vocab. arabc 38) od. selbständig benannt *esch-Scheriat el-Kebir* = der grosse Fluss — im Ggsatz z. *Scheriat el-Mandhur*, dem bedeutendsten der Ikseitg. Nebenflüsse, alt *Hieromiax*, mod. *Jarmuk*, in dessen Thal der arab. Stamm der Manadhir, plur. v. Mandhur, lebt. Es hat zwar Burckhardt (Reis. 1, 430) das Wort *scheriat* = Furt gesetzt, etwas befremdl. als Flussname; wir erfahren jedoch aus Parmentier (Vocab. arabe 17), dass *scheria*, in der Verbindungsform *scheriat* = Weg, also Thalweg, Fluss, ist (Cherbonneau u. Bibersteins arab. WBücher). — Auf Kreta, dem früh v. Phönikern colonisirten Lande, finden wir den Hptfluss Palästina's wieder, als *Ἰάρδανος* (Hom., Od. 3, 292); auch er kommt v. 'weissen Bergen' (vergl. Libanon u. Leukon) herab (Kiepert, Lehrb. AG. 247, Olshausen, Rhein. Mus. 1853, 324, dem wir ggb. Hitzig, ib. 599, beipflichten). — Die Begeisterg. heimgekehrter Kreuzfahrer hat den Namen *J.* auch ins Abendland verpflanzt (s. Bethlehem u. Tabor), u. v. da ging er in die neue Welt über: *a)* mit *Rio San Salvador* (s. d.) f. einen Fluss v. Espiritu Santo, der so breit wie der Guadalquivir in Sevilla in die Bahía de San Felipe y Santiago mündet, beide mit frischem, süssem Wasser v. der Exp. Quiros 1. Mai 1606 (Viajes Quirós 1, 333, Fleurieu, Déc. 45); *b)* s. Nain; *c) J.* s. Carolina; *d) J.*, der Süsswasserfluss v. Utah, welcher wie der paläst. *J.* in einen 'Gr. Salzsee' mündet, v. den Mormonen so genannt im Anklang an die Lehre, dass Christus nicht allein in Asien, sondern auch in America erschienen sei, ind. *Timpanogos* = Felswasser, v. *timpan* = fels u. *ogo* = Fluss, Wasser (Humb., Kosm. 4, 594). 'Insignificant in size, too small to be navigated, yet unlike the Oriental *J.*, from which it derived its name, it is of no other value than simply a watering-place for thirsty man and beast. It and its tributaries afford water for irrigation . . . to an area capable, if properly and thoroughly cultivated, of supporting a population greater than the entire population of the Territory at this time' (Hayden, Prel. Rep. 282). — In ähnlichem Sinne: *J. Hill*, nebst *Cape James* u. *Cape Mary*, in Ost-Grönl., v. der Exp. Clavering-Sabine, nach der Residenz meines Freundes James Smith, sowie nach dessen Gemahlin (Peterm., GMitth. 16, 327; 17 T. 10).

Jorge = Georg, in port. ON. wie *Ilha de J. Grego*, eine Küsteninsel v. São Paolo, nach einem port. Ansiedler (Varnh., HBraz. 1, 144). — Der heil. Georg begegnet uns in *a) São J.* s. Mina; *b) Ilheos de São J.*, eine Inselgruppe vor Mozambique, wo Vasco da Gama z. Anf. März 1498 den Steinpfeiler St. Georg aufrichtete (Barros, As.

1, 4, 3 p. 292; 4, 4 p. 298, Camões, Lus. ed. Fonseca XXXIII), dann auch c) in *Ilhas de São
J. s. Guinea*; d) *São J. dos Ilheos* s. Ilheos; e)
San J., kleine Nebeninsel v. Santa Isabel, Salomonen (s. Malayta), v. span. Seef. Mendaña nach
dem Kalendertage, 23. Apr. 1568, getauft (Zaragoza, VQuirós 1, 6; 3, 36, Fleurieu, Déc. 9).

Jorio, Passo di San, verdeutscht *Jöriberg*, ein
Voralpenpass, welcher das Thal des Langensee's
mit dem des Comer-See's verbindet, nach dem
ital. Oertchen gl. N.

Jorisseno s. Jura.

Joris-Tagh, türk. Name eines Bergs an der asiat.
Seite des Bosporus, weil am Fusse der Tempel
des Jupiter Urios, des Beherrschers der Winde,
stand. Da man auf dem Gipfel das Lager des
Herkules zeigte, welches heute noch als Wallfahrtsort besucht wird, so hat der Mund der
Moslemin ein Grab des Propheten Josua, der
fränk. ein Riesengrab daraus gemacht u. den
Berg *Juscha-Tagh* = Berg des Josua, resp.
Riesenberg genannt. Das Riesengrab auf der
Höhe, wo der griech. Sage zuf. Herakles im Leben
schlief u. nach der türk. Josua begraben liegt,
ist 6 m lg. u. 1¹/₂ m br., mit einem Mauerrand
eingefasst, mit Blumen u. Gesträuch bepflanzt u.
wird v. 2 Derwischen bewacht (Hammer-P., Konst.
1, 27; 2, 288).

Josaphat, hebr. יְהוֹשָׁפָט [j'hoschaphat], arab.
Wady Jûschphat, ein schluchtenartiges Thal bei
Jerusalem, nach dem hier begrabenen jud. König
J. (1. Kön. 22, 41 ff., Joël 4, 2, 12). — *J. Dal* s.
Wagemaker. — Mehrf. auch zZ. der Kreuzzüge
auf abendl. Klöster übtragen (s. Thorn), wie im
dép. Eure-et-Loir, Benedictiner-Abtei, ggr. 1117
v. Geoffroy u. Gosselin de Lèves, 1199 *Josafas*
(Dict. top. Fr. 1, 98).

Jóschuga, finn., wie *Jóssujöggi* = Lauffluss,
raschströmender Fluss, v. verb *joosma* = laufen
u. *jöggi* = Fluss (s. Pínega), der estn. Name eines
Zuflusses des Kuloj, wie denn auch die *J.* im
Oberlaufe viele Stromschnellen hat — eine Erscheing., welche in dem felsenarmen Flachlande
ungewöhnlich ist. Neben der schlechthin sog. *J.*
gibt es noch 2 andere Flüsse gl. N., welche ebf.
üb. Felsplatten u. Steingerölle hinabschiessen: die
Pinegskaja J., ein Zufluss der Pínega, u. *Mesén-
kaja J.*, ein Zufluss des Mesén (Schrenk, Tundr.
1, 92).

José, San = heiliger Joseph, einer der auf ältern
Carten vorkommenden span. Heiligennamen in
den Ladronen (s. San Juan u. San Angel), sowie
*San Joaquim, San Carlos, San Felipe, San
Ignacio, San Lorenzo*, auch *Concepcion* u. a.
(Meinicke, IStill. O. 2, 390 ff.). In span. ON. übh.
häufig wie *a)* in Costa Rica, 1780 ggr.; *b)* in
Columbia; *c)* in Argent., als Colonie 1856 ggr.;
d) in Guatemala, westl. v. ehm. Hafen Istapa,
daher *San J. de Istapa* (Meyer's CLex. 14, 112);
e) *Pueblo de San J. de Guadalupe*, südl. v. j.
San Francisco, v. Felipe de Neve, Gouv. Calif.,
1777 ggr. u. unter das Patronat ULFr. v. Guadalupe gestellt (DMofras, Or. 1, 413); *f)* *San J. de*

Oruña, Stadt in Trinid., v. Gouv. Berreo 1591
ggr. (Raleigh, Disc. 30); *g)* *Bahia de San J.* s. Lobo.

Joseph, als Name des Lieblingssohns des Patriarchen Jakob ein vielangewandter Taufname
u. darum auch toponymisch nicht selten, mit
directer Beziehg. zu dem ägypt. Würdenträger der
bibl. Berichte in *Bahr Jûsef* = Josephsfluss, wie
die Fellahs den 750 km lg. dem Nil entlang
laufenden Bewässerungscanal nennen (Robins., Pal.
1, 41, Kiepert, Lehrb. AG. 201). — *St. Joseph*,
2 mal *a)* ein Zufluss des L. Michigan, v. den
Missionärs La Salle u. Hennepin am 1. Nov. 1679
entdeckt (Coll.Minn.HS. 1, 25); *b)* s. Visscher. —
Jöhstadt s. Joachimsthal.

Joseph, Mannsname, auch v. profanen Personen
in ON. *a)* *Josephstadt*, čech. *Josefov*, böhm.
Festg., an Stelle des Dorfes Pless 1781/87 erbaut u. zu Ehren des Erbauers, Joseph II., benannt (Meyer's CLex. 9, 589). — *Josephshöhe*, ein
anderer Name des Harzer Auerbergs, seit auf
dem Gipfel Graf J. v. Stolberg 1832 ein Bel-
vedère nach Schinkels Entwurf errichten liess
(Meyer's CLex. 2, 166). — *J. Vincent Horn* schlägt
Schott (Col. Picm. 20) vor, die höchste eiförmige
Kuppe des Lyskamms zu nennen — zu Ehren
des einen der beiden Brüder, welche sich um
die Besteigg. des Monte Rosa so verdient gemacht
haben (vgl. Vincentpyramide u. Zumsteinspitze).
'Und so mögen die Gressoneyer, wenn sie diese
brüderl. Höhen in ihr Thal herabglänzen sehen,
der beiden Brüder gedenken, deren Name mit
jenen kühnen Untersuchungen so eng verbunden ist'.

Joséphine, frz. Frauenname, toponym. bei der
Exp. Baudin, die in Austr. der Gemahlin des
ersten Consuls gedachte: *a)* *Iles J.*, im Nuyts
Arch., Febr. 1803 (Péron, TA. 2, 89 ff.); *b)* *Golfe
J.* s. Vincent.

Jossujöggi s. Joschuga.

Jostenberg, holl. Name eines capl. Hügels, 'nach
seinem ersten Bewohner, Josten' (Kolb, VGHoffg.
222).

Jotpatha, hebr. יָטְבָתָה = Güte, gleichs. Gutstadt,
eine Lagerstätte der Israeliten in der Wüste, reich
an Wasserbächen (4. Mos. 33,33, Gesen., Hebr. Lex.).

Jouratte, Joux s. Jura.

Jovis, Mons, mit dem gen. v. 'Jupiter' (s. Bernard), wie *Ara J.* (s. Alajou).

Iowa, spr. eí-ŏ-wä, ind. *Ayuhba, Ah-hee-oo-ba* =
Schläfrige, Faule, ein Indianerstamm an der
Mündg. des Minnesota R., v. ihren Nachbarn, den
Dakotah, so genannt u. den frz. Händlern so mitgetheilt, *Ayavois*, bei Charlevoix (HNouv.Fr. 3,
211) *Aiouez* (CMinn.HS. 1, 296 ff. 321). Der Umstand, dass die *I.* v. den Dakotah beinahe ausgerottet wurden, stimmt nicht übel zu dem verächtl. Namen, den sie v. ihren Verfolgern erhalten
haben sollen (Staples, St. Union 18). Eine der
ältesten Ansiedelungen im Lande *I. City*. Staat
seit 1846 (Quack., US. 18. 419).

Joy, Cape = Vorgebirge der Freude, in der
Nähe des Rio de la Plata, am 14. Apr. 1578 v.
engl. Seef. Fr. Drake so benannt, weil er hier
den 'Christoph' wieder fand, das Schiff, welches

durch den Sturm v. 7. Apr. verschwunden war (Fletcher,World Enc. 37, Spr. u. F., NBeitr. 12, 214).

Joza, eine libyphön. Colonie, aus N.-Africa nach Spanien ausgewandert (Strabo 140) u. desh. יוצאת [joss'at] = die auswandernde genannt (Movers, Phön. 2ᵇ, 631).

Ipanema s. Para.

Iphigenia's Rocks, eine sehr gefährl. Kette v. Klippen, deren jede etwa v. Schiffsgrösse,- zw. Mindanao u. Gilolo, am 2. März 1788 -v. engl. Capt. Douglas, Schiff I., entdeckt (Krus., Mém. 2,51).

Ipswich, Stadt der engl. Grafsch. Suffolk, urk. *Gippeswic, Gipeswich, Ypeswich,* nach dem Flusse *Gipping,* der selbst 'der gewundene', v. ags. *geap* = krumm, sich windend, heissen soll (Charnock, LEtym. 138). — Uebtragen *a)* in Massachussets, am *I. River; b)* in Queensl. (Meyer's CLex. 345).

'Ir, hebr. עִיר = Stadt, in Eigennamen: *a) Ir-hammelach,* hebr. עִיר הַמֶּ֫לַח = Salzstadt, in der Wüste Juda, nahe beim Salzmeere (Jos. 15, 62); *b) Ir-nachasch,* hebr. עִיר נָחָשׁ = Schlangenstadt (1. Chr. 4, 12); *c) Ir-schemesch,* hebr. עִיר שֶׁ֫מֶשׁ = Sonnenstadt, im Stamme Dan (Jos. 19, 41), nach Robins. (Pal. 3, 226) wohl gleich Beth-Schemesch (s. Beth); *d) Ir-hattemarim* s. Jericho.

Iran s. Arier.

Irak, mod. Ländername im Orient: *a) J. Adschemi* in Persien, den grössten Theil des alten Mediens umfassend; *b) I. Arabi,* im Euphratlande, etwa dem alten Babylonien entspr., aus *Arjaka* = arisches Land (s. Arier), dem frühern Namen Mediens, entstanden (Lassen, Ind. A. 1, 8).

Irawádi, in unsern Carten u. Büchern wohl auch, obgl. unnöthig, *Irawaddy,* ein hinterind. Strom, aus *Airáwati,* dem Namen, welcher in der Mythologie der Hindus dem Elephanten Indra's, des Sonnengottes, zukommt (Crawf., Emb. 2, 285). Auch Lassen (Ind. A. 1, 336) stimmt dieser Ableitg. bei; sie ist ihm (Neue Aufl. 1, 390) 'wahrsch. richtig, weil der Elefant in Birma so geehrt ist'. Immerhin gibt es noch eine andere Etym., 'der Wasser habende' (Schlagw., Gloss. 201), wie f. den *Iravati* des Pandschab (s. Rawi).

Irbit, wichtige Messstadt des Ural, am Flusse gl. N. 1633 ggr. u. vollst. *Irbitskaja Sloboda,* kürzer *Irbitsk,* eine Zeit lang auch *Irbeewskaja,* da der Fluss tat. Irbei heisst, genannt (Müller, SRuss.G. 5, 48, Laxm., Sib. Br. 92). — *Ust-Irbitskaja,* ggr. 1643 nicht an der Mündg., *ustj,* des Flusses, sondern 8 km weiter abw., am nördl. Ufer des Niza, seit der Ansiedelg. zweier Bauern aus Pinega in *Pinesk* umgetauft. In Turinsk, v. wo der erste Gedanke zu dieser Anlage ausgegangen, nannte man sie *Bolschaia Jelan* = Grossrüti und. *Krasnopolsk* = schöne Ebene (Müller, SRuss.G. 5, 54).

Irby & Mangles' Bay, im Mündungsgolfe des Gr. Fischfl., entdeckt v. G. Back (Narr. 204) am 30. Juli 1834 u. zu Ehren der Captt. *I.* u. *M.,* the eastern travellers, benannt.

Ireland, in deutscher Form *Irland,* die Schwesterinsel Grossbritaniens, bei Pytheas, der sie als

erster Grieche um —300 auf dem Seewege besuchte, *Béργιον,* kymr. *Vergyn* = die westliche, daher *Ivernia,* gr. *'Ιέρνη,* kelt. *Erin,* röm. in *Hibernia* = Winterland umgedeutet (Kiepert, Lehrb. AG. 528), da man schon dort 'die Kälte kaum aushalten könne' (Strabo 72). Es ist auch ein Irrth., dass *Erin* = grüne Insel, od. gar *Emerald I.* = Smaragdinsel (Worsaae, Mind. Danske 372) od. = heilige Insel. Letztere Gleichung, noch 1868 v. O'Flaherty (Ill. Hist.Irel. p. 36) wiederholt, weist H. Gaidoz (Rev. Celt. 2, 352 ff.) gebührend ab, als ein Missverständniss Aviens, der (Ora mar. v. 108 ff.) *'Ιέρνη, 'Ιερνὶς νῆσος* f. *ἱερὰ νῆσος* genommen. Daran knüpft er die Vermuthung, dass *Erin* selbst, in ältester Form *(h)ériu,* gen. *(h)érenn,* dat. *(h)érinn,* nicht nach *Rhys,* sondern nach Whitley Stokes zu erklären sei, der *eriu,* später *eire* = Westland setzt — eine Bezeichng., die nicht v. den Eingebornen selbst, sondern v. den Kelten Britaniens ausgegangen u. so den frühesten Seeff. bekannt geworden sei. Dem sprachl. Theil dieser Deutg. schliesst sich an: *a)* Robertson (Gael., TScotl. 421), der als gael. Namen der Insel *Iar-fhonn* = westliches Land, wo aber *fh* stumm ist, angegeben wird, 'and this etymology is confirmed by the name given to their country the Irish themselves, as in their most ancient poetry, the spelling of the name is *Eirionn'*; *b)* Joyce (Orig.Ir. NPl. 2, 458), freil. unter Vorbehalt: 'as to the meaning of this form all is conjecture'; er fügt bei, *Eriu* sei in neuern gäl. Schriften immer *Eire* geschrieben u. ags. zu *Iraland* = Land *Ira, Eire,* schliesslich *I.,* geworden. Noch mögen hier *a)* die legendäre Etym. des Namens *Eire,* nach einh. Königinnen, welche zZ. der angeblichen Ankunft der Milesier im Lande wohnten, sowie *b)* die poëtische Bezeichng. *Inisfail* = Insel des Fail, d. i. des berühmten Krönungssteins, endl. *c)* der Name *Scotia* (s. d.), den die Insel bis um das 11. Jahrh. trug, erwähnt werden (Joyce, Orig. Ir. NPl. 2, 458; 1, 87). Auch erhielt *I.* nach St. Patricks Zeit, als es mit einer Menge v. Klöstern, Einsiedeleien u. Kirchen sich bedeckte, als v. Britanien u. v. Continent her Schaaren herbeieilten, dort zu studiren od. in der Zurückgezogenheit zu leben, u. als in allen Theilen Europa's die ir. Sendboten wirkten, die freiwillig ihr Geburtsland verlassen hatten, um das Evangelium zu verkünden, den Beinamen *Insula Sanctorum* = Insel der Heiligen (ib. 2, 91). Volksname *Irishman,* plur. *Irishmen.* Nach dem Lande *Irish Sea* = das irische Meer u. *Irelands-ey* = Insel I.'s, eine Felsklippe vor Cape Howth, Bay v. Dublin, fälschl. etwa als *I. Eye* = Auge *I.'s,* latin. *Oculus Hiberniae,* gedeutet (Rev. Crit. 1873, 68 ff.) Freil. ist im letztern Namen das Bestimmungswort selbst auch nur durch ein Missverständniss z. 'Insel' gekommen; denn der urspr. ir. Name *Inis-Ereann* = Insel der *Eire, Eria,* einer Frau, wurde so aufgefasst, als wäre *Ereann* der gen. v. *Eire, I.* 'The name of this little island has met with the fate of the Highlander's

ancestral knife, which at one time had its haft
renewed, and at another time its blade: one set
of people converted the name of *Eire*, a woman,
to *I.*, but correctly translated *inis* to *ey*; the
succeeding generations accepted what the others
corrupted, and corrupted the correct part; between both, not a vestige of the ancient name
remains in the modern'. Uebrigens hiess das
kleine Eiland früher auch *Inis-mac-Nessan*, nach
Nessans, eines Prinzen der königl. Familie v.
Leinster, 3 Söhnen, die im 7. Jahrh. hier eine
Kirche bauten, deren Ruinen noch j. vorhanden
sind, od. *Inis-Faithlenn*, gespr. *Innisfallen*, nach
einem früher häufigen Mannsnamen, also mit
demselben Namen, der auch einer Insel des
untern Killarneysee's zukommt (Joyce, Orig. Ir.
NPl. 1, 108 f.). — *New-I.* s. Britain. — *I. Island*, in der Centralgruppe der Paumotu, einh.
Kawehi, Kawaha, v. Capt. Island am 2. Oct. 1831
entdeckt, bei Wilkes am 31. Aug. 1839 *Vincennes
Island*, nach seinem Schiffe (ZfAErdk. 1870, 385,
Meinicke, IStill. O. 2, 206). — *Irland hit Mikla*
s. Hvit. — *Erlendsey*, wohl 'Irland Insel', eine
der isl. Westmänner-In., deren erste Einwanderer
aus *I.* kamen (Preyer-Z., Isl. 26).

Iren-Ch. s. Alatau.

Irenopolis, eine Zeit lang Name des thrak. Beröa,
das, zw. Philippopolis u. Nikopolis gelegen u.
eine Gründg. der Makedonier, im Mittelalter
Hptfestung gg. die Einfälle der Barbaren, im
8. Jahrh. durch die Kaiserin Irene restaurirt
wurde (Meyer's CLex. 3, 49). Vgl. Santorin.

Ireteba's Mountain, ein 120—150 m h. Kegelberg der Black Ms., 'surmounted by a cylindrical
tower', v. der Exp. des Capt. Ives (Prel. Rep. 94 f.)
im März 1858 nach dem treffl. ind. Führer *I.*
getauft ... 'it is a conspicuous feature among the
other summits, and would be a good landmark
to guide the traveller from the east to the pass,
and to the excellent camping place at its mouth'.

Irgensk s. Irkutsk.

Irginsk s. Solikamsk.

Irharhar = Strom, Fluss, berber. Name eines
Thals der alg. (u. targ.) Sahara, schlechtweg so
genannt, da es eine Länge v. weit üb. 500 km
bei einer Breite v. meist 20—50 km hat (Rohlfs,
Mar. 165).

Iri s. Eurotas u. Heraia.

Iriberry = Neustadt (s. Granada), bask. ON.
2 mal in dép. Basses-Pyrénées, 1513 *Villanova*
u. *Villanueva*, 1708 *Villeneuve* vulgairement
appelé *I.* (Dict. top. Fr. 4, 83).

Irkinejewa u. *Tassejewa*, auch *Irkineewa* u.
Tasseewa, zwei Zuflüsse der Obern Tunguska,
benannt nach den Brüdern Irkinei u. Tassei, zwei
tungus. Knäsen, Fürsten, welche 1621 unter russ.
Botmässigkeit kamen (Müller, SRuss.G. 4, 533,
Fischer, Sibir. G. 1, 397). Vorher hatte die *T.* bei
den Tungusen 'schlechtweg' *Birja* = Fluss geheissen. Der Name *T.* reicht übr. aufw. nur bis z.
Mündg. der Ussolka (Fischer 475) u. verwandelt
sich, f. den Oberlauf, in *Tschuna* u. *Uda* (s. d.).

Irkutsk, Stadt in Ost-Sib., am Flusse Irkut,

Irkuta, der hier die Angara erreicht, 1661 ggr.
(Bär u. H., Beitr. 24, 133) v. Synbojarski Iwan
Pochabow, der schon 1652 hier, zu bequemerm
Eintrieb des Jassaks, eine Hütte f. die Kosaken
hatte bauen lassen u. dann, 9 Jahre später, auf
Befehl des jenisseischen Wojwoden Iwan Rshewskoi
den Ostrog errichtete, 'welchen anzulegen schon
vor ihm viele Andere sich vergebl. bemühet
hatten. Und dieser Ostrog war die Grundlage
u. der Anfang der weltberufenen Stadt *I.*, welche
an Macht u. Ansehen die zweite v. ganz Sibirien
ist' (Fischer, Sibir. G. 2, 761). Nach dem Reisenden J. Fries (Rahn, Arch. 3ª, 39) stand hier
1661 nur ein einzelnes Bauernhaus; dann aber
wurde, weil des chin. Handels wg. viele Kaufleute sich hier ansiedelten, der Ort zum Ostrog
gemacht. Anno 1669 wurde er Provinzialstadt
des Gouv. Tobolsk, 1765 Hptstadt eines eignen
Gouvernements. Aehnl. *Udinsk, Ilginsk* (s. Ust),
Botowsk, Ust-Kutsky (s. dd.), *Suchowsky*, v. Flüsschen Suchaja, *Kirensk*, v. Lena-Nebenfluss Ki-
renga, *Witimsk*, an der dreiarmigen Mündg. des
Witim, *Nochinsk*, v. Aldanzuflusse Nocha (Dawydow, Sib. 16. 24. 27. 29. 33. 63. 64. 127, welcher
u. a. auch (55) bemerkt, dass alle Stationen v.
I. bis z. Aldan nach See'n od. Flüssen benannt
sind). — Von solchen Relationsnamen fügen wir
an *a) Irgenskoi Ostrog*, eine befestigte Anlage,
ostrog, 1653 v. Peter Beketow ggr. am See Irgen,
der z. Netz der Selenga gehört (Müller, SRuss.G.
5, 391), genauer an der Confl. der beiden j. ver-
trockneten Quellbäche, welche, der eine aus dem
See Irgen, der andere aus dem See Schakscha,
kamen (Fischer, Sib.Gesch. 2, 771); *b) Ischiginsk*,
Hafenplatz in Ost-Sib., an der Mündg. des Flusses
Ischiga (Billing, Reise 42); *c) Ischewsk*, Ort des
Gouv. Wjätka, nach dem Isch, einem Zufluss der
Kama (Meyer's CLex. 9, 378); *d) Ischimskoi
Ostrog*, russ. Anlage etwas unth. der Confl. Ir-
tysch-Ischim, 1631 ggr. (Müller, SRuss.G. 51), wie
seither *Ischim* (s. Omsk) weiter flussan.

Irland s. Ireland.

Iron = Eisen, in mehrern engl. ON., insb. *I.
Mountain* = Eisenberg, 2 mal: *a)* hinter dem
arkt. Bushnan I., wo die Eskimos das Material,
nach Dr. Wollaston meteor. Urspr., zu ihren Messerklingen herzuholen behaupteten, v. Capt. John
Ross (Baff.B. 98. 116 ff., App. 89) eingetragen;
b) im Staat Missuri ... diese Eisenregion 'kann
in Bezug auf Menge u. Reinheit der Erze nirgends
in der Welt übertroffen werden' (BGLdAmts 1867,
29). Vgl. Pilot Knob. — Ferner *a) I. Country*
eine Vorgruppe der Black Hills, v. General Custer
am 18. Juli 1874 benannt, weil eine grosse Fläche
mit Eisenerz bedeckt war u. ganze Haufen aufgethürmt lagen ... 'the landscape suggested the
waste-banks of an enormous iron-furnace' (Lud-
lnw, BlackH. 11); *b) Ironton* = Eisenstadt, im
Staat Ohio, in der Nähe ergiebiger Eisen- u.
Kohlengruben 1849 ggr., mit Giessereien, Ma-
schinenfabriken etc. (Meyer's CLex. 9, 364); *c)
Ironside Butte* = eisengepanzerter Berg, ein
hoher schneegekrönter Berg des östl. Oregon,

dessen waldige Abhänge mit Eisengestein bedeckt sind (Ausl. 43, 421). — Ein anderer Name *I.* s. Osseten.

Iroquois, deutsch *Irokesen*, ein ind. Stamm Canada's. Der des irok. u. alg. kundige J. A. Cuoq (Jugem. Err. 103) denkt an die beiden Wörter *iro* u. *kwe*, welche der frz. Colonist häufig zu hören bekam. Letzteres bezeichnet er ausdrückl. als einen der häufigst gebrauchten irokes. Ausdrücke, der als Gruss diente. Aehnlich, aber v. *hiro-konĕ*, einem Ausrufe der Mohawk, die wirkl. in den ältesten Nachrichten *Herechenes* heissen, denkt sich A. S. Gatschet (Ausl. 58, 720) den Ursprg. des Namens *I.* Die Irokesen selbst nennen sich *Onkwe* (= Menschen) *Honwe* (= wahre), im Sinne v. 'Menschen par excellence, eigentliche Menschen', diess in Berichtigg. einer Angabe Schoolcrafts (Notes Iroq. 47). 'C'est ainsi que les diverses tribus de langue algonquine se donnent à elles-mêmes, le nom d' *Anicinabek*, les tribus de langue montagnaise celui d'*Ilnuts* et les sauvages des différents dialectes abénaquis, celui d'*Alnambe*. Tous ces mots ... n'ont qu'une même signification, celle d'homme et sont employés dans ce cas par antonomase' (Cuoq, Et. phil. 13). — Nach dem Volke *a) Rivière des I.* s. Champlain; *b) Lac des I.* s. Ontario.

Irtysch, der grosse Ikseitg. Zufluss des Ob, einh. *Erthis* (= Fluss?), als Quellfluss, der in den Dsaisan Noor mündet, durchsichtig, daher dunkelfarbig, kirg. *Kara* (= schwarzer) *E.*, während der Abfluss einf. *E.* od. *Weisser E.*, nach seinem weisslich schlammigen Aussehen heisst (Bär u. H., Beitr. 20, 19; 24, 156).

Is = Eis, altn. Wort, in isländ. ON. *a) Island*, das polare 'Eisland', wurde v. dem ersten Entdecker, dem Normannen Nadodd um 863—867 erreicht u. 'Schneeland' getauft: da de seilede fra landet, faldt megen snee, hvorfor han kaldte det *Snjó-* od. *Sneeland* (Grönl. Minnesm. 1, 93). Nach dem Schweden Gardar, der das neue Land umschiffte u. als holm = Insel erkannte, hiess dieses auch *Gardarsholm*, u. erst nach ihm erhielt es v. Floke, der einen Winter dort zugebracht, seinen heutigen Namen: 'Allrasist hade Floke Vilgerdsson begifvit sig at söka Gardarsholmen och ändrat dess namn till *I.*, då han vistats der en vinter och funnit att der icke var brist på vinterkyla, snö og is' (Hildebr., Sagot. 4). Mit eben so viel Recht, meinen Preyer u. Zirkel (Jsl. 66), könnte man die Insel *Hraunland* = Lavaland nennen; denn nirgends in der Welt ist so viel Lava geflossen wie hier, u. eben die finden wir den grössten Lavastrom der Erde; *b) Ishóll* = Eishügel, ein einsames, v. aller Welt abgeschlossenes Gehöft in bergiger kalter Wildniss des innern Island. Dabei der See *Ishóll Vatn*, wo *vatn* = Wasser, See (Preyer-Z., Isl. 213).

Isaac s. Coffin.

Isabela, die span., *Izabel*, die port. Form des Frauennamens *Isabella*, v. Columbus (Vida 111) in Westindien 2 mal zu Ehren der span. Königin verwendet *a)* f. die 4. seiner Bahama, am 19. Oct.

1492 entdeckt, einh. *Saomete* od. *Inagua Grande* (Navarrete, Coll. 1, 33). Da dem glückl. Entdecker ein so köstlicher Blüthenduft entgegendrang, dass er überzeugt war, er sei im gewürzreichen Indien angelangt, so taufte Becher die inzw. in eine Gruppe aufgelöste *I.*, nun auch oft *Crooked Isles* = krumme Inseln, in *Fragrant Isles* = wohlriechende Inseln um; *b)* eine Stadt Hayti's, im Dec. 1493 ggr., aber des Fieberklima's wg. schon zu Columbus' Zeiten verlassen; die Gegend ist j. mit Wald überwachsen (LCasas, Obr. 1, 110, Colon, Vida 203, Navarrete, Coll. 1, 219). — Nach dem einen seiner Schiffe taufte 1818 Capt. John Ross *a) Isabella Bank*, mit *Alexander Bank* eine Untiefe an der Westseite des Baffin M., im Sept. (Baff. Bay 205 ff.); *b) Cape Isabella* s. Alexander.

Isabel, Santa, span. Name der Centralinsel der Salomonen, v. Mendaña z. Anf. Febr. 1568 eingetragen (Fleurieu, Déc. 5 ff.), viell. in Anlehng. an den Taufnamen seiner Gemahlin, Doña *I.* Barreto (W.Hakl.S. 39, 64), wohl nicht nach einem Schiffe Santa *I.*, wie ein solches allerdings dann des Entdeckers 2. Reise 1595 mitmachte (Journ. RGSoc. 1872, 213 ff.). — *Santa Izabel*, eine 1847 f. deutsche ggr. Colonie in SCatharina, Bras., nach der damals noch jungen Prinzessin Donna *I.* (Avé-L., SBras. 2, 141).

Isagarh s. Siwa.

Isaksen s. Carlsen.

Isar, ein rseitg. Nebenfluss der Donau, sprachl. verwandt mit *Isère* u. *Isara* (f. j. Oise - Seine), *Iser*, Nebenfl. der Elbe, *Isarus*, *Isargus*, bei Strabo (4, 207) f. die j. *Eisach*, einem Nebenfl. der Etsch, Formen mit dem 'durch einen grossen Theil Europa's verbreiteten Wortstamm *is*, f. FlussN., der seiner Etym. nach noch ganz unbekannt ist' (Förstem., Altd.NB.922). Ihnen liegen *Isela* (s. Ijssel), also mit Suffix *l*, sowie *Isana*, j. *Isen*, Nebenfl. des Inn, mit Suffix *n*, offb. nahe; allein wir können hier nur auf die Deutungsversuche verweisen: Mahn (Etym. Unts. 26) betrachtet die Form *I.* u. ihre nächsten Verwandten als kelt. Sprachgut, jedoch ohne eine Etym. zu versuchen; M. R. Buck (FlussN. 160) denkt sich eine Wurzel *isch* = treiben, jagen, mit *ara* als Suffix. Wenn Förstem. (Altd. NB. 923) findet, die beiden frz. *Isara* dürfen v. der bayr. *I.* sprachl. nicht getrennt werden, so kommt er doch wohl in der Annahme kelt. Urspr. mit Mahn überein. In einer 'Lettre à Mr. Tournot sur les différents noms donnés à la rivière *Isère*' hat 1841 Cl. Ch. Pierquin de Gembloux den Namen behandelt; aber die Studie liegt mir nicht vor, dafür jedoch die neue, v. G. Vallier, der 1886, in mehr gefälliger, als gründlicher Darstellg. (PRev. Dauph. 1, 17 ff.) die v. den Römern übermittelte *Isara* als kelt. *is-ar* = Eisfluss, Gletscherfluss, betrachtet. Auf einen 'Eisfluss', aber german. Abkunft, gelangt f. die *I.* auch A. Wessinger (Bayr. ON. 136); er citirt ahd. u. altn. *is*, holl. *ijs*, ags. *is*, engl. *ice*, u. die alte Erweiterg. *-ara*, so dass ihm *I.* als 'die Eiserin, die eisführende, kalte', erscheint.

Anders S. Riezler (ON. Münchn. G. 72), dem *I.* kelt. ist mit der Bedeutg. reissend, schnell. 'Der Name *I.* findet sich immer in Gegenden, wo Kelten gehaust haben'. Die böhm. *Iser*, bei den Slawophilen v. *jezero* = See, Sumpf, abgeleitet, wird auch v. den Keltomanen angesprochen u. überdiess mit dem Fischnamen *iser*, syn. mit Aesche, verglichen (Friedl. WBl. 14. Jan. 1888). Man sieht, dass hier noch Licht zu schaffen ist.

Isarae s. Pontoise.

Isbjörn Hafen, an der Nordseite des spitzb. Horn Sd., getauft v. Baron Sterneck's Exp. der Segelyacht *I.*, welche — behufs Unterstützg. der Polarfahrt Weyprecht-Payer — im Eismeer Proviant- u. Kohlendépôts zu errichten hatte u. zu Anfang Juli 1872 dort einige Zeit zubrachte (PM. 20, 66). Die Yacht, ein f. die Eismeerschifffahrt vorzügl. geeignetes Schiff, hatten schon Payer u. Weyprecht 1871 benutzt; sie ging, mit einer Bemanng. v. 10 Köpfen, v. Tromsö am 24. Dec. 1872 ab, um wo mögl. Spitzb. zu erreichen, war aber gezwungen, bei der Bären I. umzukehren. Tromsö 14. Jan. 1873 (ib. 19, 108).

Ischchanath s. Achalziche.

Ischerssaja s. Ingermanland.

Ischemskoj Materik, russ. ON. an der Petschora, 15 km obh. *Ust-Ischma* = Ort an der Mündg. der Ischma, der auch *Ischemskoje Ustje* od. schlechtw. *Ustje* = Mündung heisst, mit *materik* = Felsufer, v. adj. *matéryi* = stark, mächtig, da der Ort auf einem nackten Sand- u. Thonvorsprg. liegt; daher auch *Schtschelijúrskaja Deréwna* = Haupt des schroffen Abhangs, v. syrj. *jur* = Kopf u. *schtschélja*, prov. verd. aus russ. *uschtschélje* = Felskluft, bei den Archangeler Russen jeder steile v. Vegetation entblösste hohe Abhang (Schrenk, Tundr. 1, 221. 235). Nach dem Flusse die *Ischemzen*, ein Stamm der Ssyrjänen (Meyer's CLex. 9, 378).

Ischewsk s. Irkutsk.

Ischia, Insel bei Neapel, im Alterth. *Pithekusa*, gr. Πιθηκοῦσα, Πιθηκοῦσσα = Affeninsel (Grasb., StGriech. ON. 105), eine Bezeichng., an der die Philologen zu viel Anstoss nahmen, so dass sie dieselbe sprachwidrig v. πίθος = Fass, also nach dem Weinbau, entlehnt glaubten (Kiepert, Lehrb. AG. 446), dial. *Isca*, betrachtet Ascoli (Arch. glott. 3, 458 ff.), unter Beizug v. Parallelen u. den Lautgesetzen entspr., als *I.*, spätere Form f. *isula*, *insula* = Insel, allerdings in der Erwartg., dass die urk. Formen früherer Zeit diese Ansicht noch bestätigen sollen. Bei Besprechg. des trid. ON. *I.* hält Malfatti (S. top. Trent. 66) dafür, in vielen Fällen sei wirkl. der Name auf *insula* zkzuführen; aber zu leugnen sei nicht, dass in andern an *lisca* = scirpus, carex, Binse zu denken sei. Im Trentino bezeichne *ischia*, *iscia*, gemeiniglich ein wasserhaltiges, v. Sumpfu. Wasserpflanzen bedecktes Schwemmland u. v. dim. *liscula* haben sich *liscla*, *lischia*, u. durch Aphärese des *l*, die Form *ischia* gebildet. Und sicher sind andere, wie ein urk. *Iscletum*, bei Lucca, *Ischietto*, bei Florenz, *Ischa*, in Grau-

bünden, v. *aesculus*, *aesculetum* abgeleitet, so auch das trid. Bergdorf *I.*, das bei dieser Lage weder v. *insula* noch v. *lisca* benannt sein kann u. viel wahrscheinlicher nach einem Gehölz, *ad aescula*, *kiscula*, 1166 urk. *Hiscla*, den Namen bekam. Es sei dabei erinnert, dass *aesculus* = Rosscastanie häufig auch f. Buche od. Ahorn gebraucht wird.

Ischiklar = Spalten, türk. Name eines Dorfs, in einer Vertiefg. südöstl. v. Karahissar (Tschihatscheff, Reis. 3).

Ischl, ON. des österr. Salzkammerguts, nach der *I.*, einem Zuflusse der Traun (Meyer's CLex. 9, 374). FlussN., im 8. Jahrh. *Iscala* (Förstem., Altd. NB. 927) noch dunkel (vgl. Umlauft, ÖUng. NB. 94).

Iseo, Lago d', ein v. Oglio durchflossener ital. Alpensee, nach dem Handelshafen *I.* am Südende (Meyer's CLex. 9, 376).

Iser, Isère s. Isar.

Isérables s. Herblay.

Iserlohn, Stadt in Westf., noch im 11. Jahrh. einf. *Loon*, eig. *Lohon*, dat. plur. v. *loh* = Hain, Wald, also 'bei den Hainen', wird seit 1233 v. andern Orten d. N. als *Iserenlon* unterschieden, mit Bezug auf die hiesige Eisenindustrie (Woeste, *I.* u. Umg. 1871). Dabei ist zu beachten, dass nach Förstemann (Altd. NB. 1020) in *lon* 'gewiss nur ganz selten an einen dat. plur. des Stammes *loh* zu denken ist', dass viell. bei einigen dieser Formen das altfries. *lona*, *lana* = Weg anzunehmen u. überdiess die unter *laon* stehenden Bildungen in gefährl. Nachbarschaft liegen, 'zumal da auch sie vorherrschend westf. sind'. — *Isenthal* u. a. s. Eisen.

Isetskoi Ostrog, Ort am sibir. Flusse Iset, $^{1}/_{2}$ km v. Ufer, am Lebäschje Osero, 1650 als ostrog = Veste angelegt, um die Ackerbau-Colonien jener fruchtb. Gegend zu schützen (Fischer, Sib. Gesch. 2, 546). Im Netz der Flüsse Iset u. Mias: *Itskimsk*, an der Mündg. des Itskim, *Tetschinsk*, am rechten Ufer der Tetscha, *Miask*, am linken Ufer des Mias, 1776 ggr. (Rose, Ural 2, 20), *Tschumliansk*, an der Confl. Tschumliak-Mias, *Kurtamyschnaja Sloboda*, eine Bauerncolonie, *sloboda*, am Kurtamysch (Falk, Beitr. 1, 232 ff.). Hüttenwerke: *Werch* (= ober) -*Isetsk*, 16 km v. der Flussquelle, *Uktusk*, am Bach Uktus, der 7 km unth. Jekaterinburg in die rechte Seite des Iset fällt, *Sisertsk*, am Anfang des Sisert, ebf. eines rseitg. Zuflusses des Iset, 1738 v. der Krone angelegt unter dem Namen *Imperatorski Anni Sawod* = Hüttenwerk der Kaiserin Anna, *Beresowsk*, an der Beresowka, welche v. der rechten Seite in den Pyschma mündet (ib. 237 ff.).

Isfahân, npers. Form, auch *Isfahûn*, nach älterer Schreibg. *Ispahân*, im Zend *Sepahân*, gr. Ἀσπαδάνη, in älterer Form entw. *açpadhâne* = Pferdestall, 'Stuttgart', oder *çpâdhâna* = Heereslager (Spiegel, Eran. A. 1, 100). Entschieden Brugsch, welcher (Pers. 2, 51) auch der pers. Geogr. beistimmt, d. h. die Ableitg. v. *sepah*, *espah*, plur. *espahân* = Heere, Armee'n, also s. v. a. 'Heerlager', billigt.

Bei den ruhmredigen Persern ist (ib. p. 23) die Etym. *nisf-i-dschehân* = Hälfte der Welt beliebt.

Isgurigrad = verbrannte Stadt, serb. Name einer Stadtruine bei Wratza, Serbien. Lejean (PM. 16, 290) hält den Ort f. das Wratiza des Procop, das eine Klissura des oström. Reiches war u. dem *I.* als Wache diente.

Ishora s. Ingermanland.

Isidoros s. Slawochori.

Isis s. Busir.

Iskanderuna, auch *Iskenderije* (s. Skutari), *Iskanderieh*, *Skan-* od. *Skenderun*, arab. Form f. ein altes Alexandria (s. d.), insb. f. das nordsyr. *Alexandrette* (Edrisi ed. Jaub. 2, 132, Schläfli, Reise 6). Ebenso die Ruinen der Veste, welche Alexander d. Gr. als Basis f. die Belagerg. v. Tyrus bauen u. *'Αλεξανδρο-σχοίνη* nannte, nach der Länge eines Schoinos = 60 Stadien zw. den beiden Landvorsprüngen (Mannert, Geogr. 6, 360). Dabei der Bach *'Ain-Iskander* = Alexander's Quelle (VVelde, Reise 1, 186). — *Iskander-Kul*, türk. Name des Quellsee's des Serafschan. Wie bekannt, knüpfen sich in ganz CAsien zahlr. Legenden an den Namen Alexanders d. Gr., der hier als 'Iskander Sulcarmin' (= doppeltgehörnter) gleich einem Heiligen noch verehrt wird (ZfAErdk. 1870, 409).

Iskelessi, Liman = Landeplatz der Bucht, türk. Name eines Hafens mit Quarantäne an der cilic. Küste (Tschihatscheff, Reis. 18).

Iskodubbo = Bröckelsteine, v. *isko* = Gestein u. *dubbo* = zerbrochen, Somaliname einer Gebirgspartie nach dem in tiefen Schluchten liegenden Geröll (ZdGfErdk. 10, 277).

Iskuria s. Dios.

Isla = Insel (s. d.), als dim. *Islote* (s. Skombraria), im plur. *los Islotes* (s. Canarien).

Islam, Sed ul- = Damm des Islam, türk. Name einer Veste, welche der Grosswesir Köprili 1661 unfern Asow, am Ausflusse des Don, erbauen liess, um das Auslaufen der Tschaiken der Kosaken zu überwachen — das Seitenstück z. Sed Bahr (Hammer-P., Osm. R. 6, 87). — *Islamabád* = Islam's Stadt, arab.-pers. ON. in Kaschmír u. in Málwa (vgl. Tschittagóng), wie *Islámgarh* = Islamveste, in Málwa u. in Radschwára, *Islamkót* = Islamveste, in Sindh, *Islamnágar* = Islamstadt, in Hindostán, in Bandelkhând u. a. O., *Islampúr* = Islamstadt, in Bengál, in Pandschâb u. a. O. (Schlagw., Gloss. 201). — *Islambul* s. Konstantinopel. — *Kubbet el-I.* s. Damascus.

Island = Insel, engl. Wort, hybrid aus altfrz. *isle* u. ags. *land*, oft wie *isle* selbst in ON., so 3mal *Bay of Is. a)* in NSeel., einh. *Tokerau* = 100 Inseln (Meinicke, IStill. O. 1, 258. 377), v. Cook im Nov.—Dec. 1769 benannt nach den zahlreichen Eilanden, 'which line its shores and form several harbours equally safe and commodious, where there is room and depth for any number of shipping' (Hawk., Acc. 2, 369). Als der frz. Capt. Marion (-Crozet, NV. 125) die Bay in seinem Canoe 1772 wieder entdeckte, nannte er sie *Port de Marion*; als er jedoch am 12. Juni v. den Maori, mit denen man in friedl. Verkehr gelebt, verrätherisch überfallen u. mit 16 Gefährten ermordet wurde, nannte sie Capt. Crozet *Port de la Trahison* = Hafen des Verraths; *b)* in Alaska, viell. *Bahia de los Remedios* = Rettungshafen der span. Exp. v. 1775, v. Cook (-King, Pac. 2, 345) am 2. Mai 1778 nach den Inseln des Eingangs getauft, 'in the entrance of that bay are some islands, for which reason . . .'; *c)* im Eingang der Torres Str., v. Lieut. Will. Bligh wg. der Menge der darin gelegenen hohen Inseln am 3. Juni 1789 benannt (Spr. u. F., NBeitr. 6, 69); *d)* eine inselreiche Bucht der Westseite NFundlands (Ansp., NF. 124). — In der Form *I. Bay*, eine weite Bucht mit kleiner Felsinsel, NSeel. (Dieffb., Trav. 1, 97). — *I. Cape* s. Insel. — *I. Lake*, ein See im Netz des nördl. Arms des Saskatchewan, nach einer Insel, die ihn schmückt, dabei *I. Lake Portage* (Frankl., Narr. 178 ff.). — *I. Park* s. Drotted. — *I. Portage*, zwei Trageplätze: *a)* im Missinipi, *b)* im Netz des Yellow Knife R. (Franklin, Narr. 178 ff. 212 ff.). — Auch die kürzere reinrom. Form *isle* findet sich als Bestimmungswort: in *Bay of Isles*, SGeorg., v. Cook (VSouthP. 2, 215) am 17. Jan. 1775 entdeckt u. wg. der Inseln benannt, die in u. vor der Bucht liegen. — Frz. *Isle* s. Ile. — *Islôte* s. Isla. — *I.* u. *Isholl* s. Is.

Ismaïlia, 2 neue ägypt. Anlagen, nach Ismail Pascha, dem 1830 geb. Vicekönig, der auf Said P. 1863 folgte: *a)* die Centralstation am Suez C., 1861 ggr., mit einem Palast des Chedive; *b)* das v. Sam. White Baker am 15. Apr. 1871 erneuerte Gondokoro, 'in honour of His Highness Ismail Pacha, the khedive of Egypt' (Journ. RGSLond. 1874, 44, Peterm., GMitth. 19, 362, Meyer's CLex. 2, 455). — *Derâ Ismael Chan* u. *Derâ Ghazi Chan*, die beiden Hptstädte des rechtsufrigen Küstenlands des Indus, wo sich zu Ende des 15. Jahrh. 2 tapfere Männer aus einer Familie v. Mekran festsetzten (Lassen, Ind. A. 1, 88, Schlagw., Gloss. 186).

Ismid s. Astakos.

Isnik, Ort in Bithynia, gr. *Νίκαια*, lat. *Nicaea*, v. König Antigonus, dem Sohne des Philippos, ggr. u. *Antigona* genannt, dann aber v. Lysimachus z. Hptstadt erhoben u. zu Ehren seiner Gemahlin getauft (Hammer-P., Osm. R. 1, 104, Meyer's CLex. 3, 271; 12, 58). In der Nähe der See *I. Göl* (Tschihatscheff, Reis., Carte). — *Isnikmid* s. Astakos.

Isola = Insel, ital. Form f. lat. *insula* u. unter dessen neurom. Gestalten nebst span. *isla* die am treuesten erhaltene, ist f. sich ON., wiederhol.: *a)* Engadiner Oertchen, inselartig zw. dem Fedozbach u. den beiden Becken des Silser See's, 'den grössern Theil des Jahres fast nur v. lomb. Pächtern bewohnt, deren Vieh sich durch das würzige Heu stärkt' (Lechner, Bergell 96); *b)* Dorf am Südfusse des Splügen; *c)* s. Insel. — *Monte d'I.*, eine Felsinsel des Lago d'Iseo (Meyer's CLex. 9, 376). — *Cap Isolette* s. Dschesire.

Isquawistequannak Kaastaki = wo die Weiber-köpfe liegen, bei den Cree ein rseitig. Zufluss des Qu'appelle R., weil hier einst zwei Weiber, eine Cree- u. eine Odschibway, v. den Mandans getödtet u. unbegraben liegen gelassen wurden, so dass deren Schädel noch dort liegen (Hind, Narr. 1, 376).

Israeliten s. Juden.

Issa s. Benuë u. Kuara.

Isselburg, ON. in Rheinpreussen, als Cleve'sche Grenzveste gg. Kur-Cöln 1492 ggr. u. benannt nach der Issel, holl. (ouden) Ijssel, einem Zufluss der Ijssel in Holland (Meyers CLex. 9, 390).

Issyk-Kul = warmer See heisst bei den Turk-völkern Central-Asiens der zw. Alatau Transilensis u. Thian Schan eingebettete grosse Bergsee, der 'selbst bei der grössten Kälte eisfrei bleibt' (chin. Geogr. Hoanyuki lib. 186), richtiger 'nie ganz gefriert' (Bär u. H., Beitr. 24, 159), 'was wahrsch. v. warmen, auf seinem Grunde mündenden Quellen herrührt ... es ist nicht unwahrsch., dass der See seinen Namen dem Hervorbrechen der heissen Quellen auf seinem Grunde u. der dadurch be-wirkten Temperaturerhöhung seines Wassers ver-dankt'. Auch chin. in *Sche Hai* übsetzt, sonst chin. *Jan Hai* od. *Hjen Hai*, kirg. *Tus Kul*, beides = Salzsee, wie denn schon ein chin. Autor weiss, dass 'dieses Becken salzigen Wassers' einen zugleich salzigen u. bittern Geschmack habe (Humb., As. Centr. 2, 377f. 406ff.), also dass das brackische Wasser 'weder v. Menschen noch v. Thieren getrunken wird' (Hertha 3, 590). Sei den Kalm. *Temurtu Noor* = Eisensee, 'parce qu' on trouve des mines de fer sur ses bords' (Klaproth, Mém. 2, 358. 416, Peterm., GMitth. 4, 496; 10, 163, Schlagw., Gloss. 202).

Istachr, die j. in Ruinen liegende Sassaniden-stadt v. Fars, war ozw. v. altbaktr. *çtachra* = stark, fest, also wg. ihrer ausgezeichneten Lage, so genannt (Spiegel, Eran. A. 1, 94).

Istenâs, türk. f. gr. Στενάς, Vulgärform st. des Nominativs Στεναί = Enge, ein Ort im lyc. Taurus, v. welchem nach vschiedd. Seiten hin die Wege durch Thalengen führen (Tschihat-scheff, Reis. 21).

Ister, gr. Ἴστρος, ein anderer alter Name der Donau (s. d.), insb. ihres Unterlaufs, wo der thrak. Name, v. *sru* = strömen (?), auf die Griechen übging, aber auch f. einen Zufluss der Adria, den *Kl. I.* (Plin., HNat. 3, 127), nach welchem das Umland Istria, gr. Ἰστρία (Strabo 209) genannt wurde. — *Istros, Istropolis* od. *Istria,* gr. Ἰστρία (woher auf Münzen die Bewohner Ἰστριανοί), jon. Colonie am Pontus, nördl. v. Küstendsche, also in der Nähe der Donaumündungen, j. *Kara-Ir-man, Kara-Arman* (Kiepert, Lehrb. AG. 328). — *Istrogranum, Istropolis* s. Gran. — Siehe *Capo d'Istria.*

Isthmus, gr. Ἰσθμός = Hals, Landenge (vgl. τὴν ἁλιουργέα Ἰσθμοῦ δειράδα P. 1, 1[10]), so hiessen 7 Landengen des althellen. Gebietes, vorzugsweise der wichtige Landhals v. Korinth (Pape-P.) u.

früher Halikarnasos (s. Halai). — In mod. Form *Istmo a)* s. Neutral, *b)* s. Panamà.

Iszy-Su = heisse Quellen, 'Thermopylae', ein Kurdendorf am See v. Urmia (PM. 4, 235).

Itacolumi = Stein mit dem Sohne, Tupiname *a)* eines doppel-gipfl. brasil. Berges, weil die Hauptspitze gleichs. noch einen kl., um etwa 150—180m niedrigern Seitengipfel hat(Burmeister, Reis. 338, Ausl. 40, 900; 42, 357, Glob. 11, 94), etwas abweichend 'Sohn des Steins' in Esch-wege (Pluto Bras. 221); *b)* einer doppelspitzigen Felsklippe an der bras. Küste südl. v. Porto Se-guro (Avé-L., NBras. 1, 173); *c)* einer Klippen-gruppe südl. v. der Bucht v. Cananea; *d)* einer solchen, fast um einen vollen Breitengrad süd-licher, ebf. vor der bras. Küste; *e)* eines ganz einsamen hohen Felsblocks, welcher sub 28⁰ 19′ 29′′ S. u. 48⁰ 32′ 06′′ WGr. aus dem Meere aufragt; *f)* eines Caps in den Mündungsgewässern des Maranhão (ZfAErdk. nf. 15, 153). — Ferner *a) Itacoatiara* = bunter Stein, ind. Name f. Serpa, v. einem bunten Steine, welcher dort im Ama-zonas liegt u. bei niedrigem Wasserstande blos liegt (Avé-L., NBras. 2, 265); *b) Itajuba-Tuba* s. Minas Geraes; *c) Itamaracá* = Metallglocke, v. guar. *ita* = Stein, Metall, u. *maracá* = Schall-instrument, eine Insel nördl. v. Pernambuco, ozw. nach einer Glocke, welche die Indianer hier, entw. v. einer europ. Barke od. Capelle, zuerst gehört haben (Varnh., HBraz. 1, 275); *d) Itami-rintiba* = Fluss der runden Kiesel, ind. FlussN. in Bras. (Eschwege, Pluto Br. 349); *e) Itanhaem,* v. tupi *ita nheeng* = der Stein spricht, ON. in São Paolo, wg. eines Felsenechos (Ausl. 1867, 900); *f) Itaiaiossu* = grosser Flammenberg, der 2712 m h. Culminationspunkt der Serra da Mantiqueira, bei den Tupi so benannt nach seinen flammenartigen Umrissen (Ausl. 1869, 351).

Italia, der Landesname, urspr. f. das ehm. Bruttium, den südlichsten Theil Calabr., wo die Viehzucht blühte, ist schon v. Timaeos u. nach ihm v. Varro (RR. 2, 5) mit gr. ἰταλός, lat. *vitulus* = Kalb, Rind, Nebenform *italus,* verglichen, somit als 'Rinder-land' erklärt worden, was sich durch die osk. Form *Viteliu,* auf Münzfunden, glänzend zu be-stätigen schien (Curtius, Grdz. gr. Etym. 208, Strabo 254). Von dem engen Herd aus erweiterte sich die Fassg. des Namens stufenweise: zuerst auf die ganze Südküste v. Laos bis Metapontium (Thuk. 7, 33), bei Plato (Rep. 10, 599) auf Gross-Griechenland, später bis z. Rubicon ... 'fluvius hine Rubico, quondam finis *Italiae'* (Plin., HNat. 3, 115), zuerst bei Pol. (2, 14) auf die ganze Halb-insel bis zu den Alpen, ja auch einerseits üb. einen Theil Istriens bis Pola, anderseits üb. Ligurien bis an den Varus ausgedehnt, also dass Strabo (209) ἡ νῦν *I.* = das jetzige *I.* v. dem frühern engern, ἡ τότε *I.* = die frühere *I.* unterscheidet (Pape-B.). In meisterhafter Beleuchtg. (üb. Nam. *I.,* 1881) schliesst sich auch B. Heisterbergk der An-nahme an, dass der Name *I.* urspr. nur dem süd-lichsten Gliede der calabr. Halbinsel galt u. diese Geltg. allmählich nach Norden hin sich erweiterte;

aber die Deutg. 'Rinderland' erklärt er als unhaltbar,freil. ohne 'die Abschweifg. auf das linguist.
Gebiet' zu einem Entscheide zu führen. Ebenso
entschieden weist H. Kiepert (Lehrb. AGeogr. 455)
die Gleichg. *I.* = Rinderland zk., während sie
Th. Mommsen (Röm. Gesch. 7. Aufl. 1, 132) festhält. Grasberger (StGriech. ON. 97f.) ist geneigt,
die Gleichg. anzuerkennen, aber in dem Sinne
eines redenden Wahrzeichens, wie denn viele
Städte in ihrem Wappen einen Stier mit Menschengesicht führten. Sicher ist, dass die urspr. Halbinsel *I.* im 8. Jahrh. v. Chr., als die griech. Seefahrer das Land kennen lernten, unter andern
Hirtenvölkern die Ἰταλοί od. Ἰταλιῆτες, sowie an
der Westküste die Οἰνωτροί trafen u. es desw.
Οἰνωτρία, später Ἰταλία, nannten (Kiepert, Lehrb.
AG. 454). An diese Aufeinanderfolge der beiden
Namen knüpft der neapolit. Philolog A. Vera (Il
nome *I.*, Nap. 1884) seine Erklärg. in eigenartiger
Weise an: Der jüngere Name ist ihm die unter
neuem ethnischem Einflusse entstandene Uebsetzg.
des ältern, dem er als Elemente zuschreibt οἶν,
f. οἴνη, οἶνος ≙ Rebe, Wein, τρία, f. τρύγαω,
mit complexiver Bedeutg. 'Früchte, Trauben'
sammeln, ernten', also Weinland, dem Bacchus
geheiligtes Land. Diesen Elementen entspreche
ein osk. od. samnit. *vit*, im griech. Munde *it*,
lat. *vitis* = Rebe u. ein complexives *ali*, so
dass in synopt. Zsstellg. sich ergebe:

$$\left.\begin{array}{l}\text{Οἶνον τρύγαι } a\\ \textit{Vitem alit } a\end{array}\right\}\text{woraus}\left\{\begin{array}{l}\text{Οἶνω τρι } a\\ \textit{It ali } a\end{array}\right.$$

Auch der Volksname, urspr. in der oben erwähnten engen Fassg., wurde mit der Erweiterg. des
Landesnamens in griech. Form *Italici* übl. u.
lautet heute *Italiani*, sing. *Italiano*. — *Italica*,
röm. Gründg. ggb. Sevilla, als grosse Militärcolonie
v.Scipio — 106 angelegt (Kiepert, Lehrb. AG.486).

Itam, Ayar- = schwarzer Fluss, wo das in mal.
ON. häufige *ayar* = Wasser, Fluss. Aehnl. *A.-
dákat* = naher Fluss, *A.-básar* = grosser Fluss,
Pulo-Ayar = Wasserinsel (Crawf., Dict. 25).

Itanus, Vorgebirge u. Stadt an der Ostseite
Kreta's, mit Purpurfischerei (Herod. 4, 151) u.
einem Hafen, in welchem Schiffe, die zw. Phönizien u. Libyen fuhren, Schutz fanden. Schon
diese Umstände u. die griech. Mythe, welche den
I., einen Sohn des Phönix, Ἰτανοῦ Φοίνιχος,
Steph. B. h. v., nennt, deuten auf phön. Stiftg.
Hierzu stimmt auch der phön. Name, indem
אֵיתָן [éthan] = alt als Epitheton des phön. u.
babyl. Baal bekannt ist (Movers, Phön. 1, 256f.).
Von diesem Baal — eher als v. ihrem Alter —
dürfte die Stadt benannt sein (Movers, Phön. 2b, 259).

Itasca, j. allg. übl. Name des Quellsee's des
Missisipi, bei den Odschibwä *Omoschkos* = Elk-
see, in frz. *Lac la Biche*, engl. *Elk Lake* übersetzt,
weil die Golfarme mit einem Geweihe verglichen
wurden . . . 'its form is exceedingly irregular,
from which the Indians gave it the name . . .
in reference to its branching horns'. Der erste
weisse Besuch, v. Will. Morrison, fällt in das
Jahr 1804; er wiederholte ihn 1811/12. School-

craft u. Lieut. Allen kamen erst im Juli 1832
(Coll. Minn. HS. 1. 114. 165. 417), u. der letztere
taufte dieses Quellbecken, als ver*itas* *ca*put (richtiger *caput verum* = wahre Quelle), in der Absicht, daraus einen Namen ind. Klanges zu formen,
durch Abschneiden des Kopfs *ver-* u. des Schwanzes
-put 'of this abnormal phrase', mit dem j. eingebürgerten Worte *I.* (Am. Antiq. Juli 1887).

Itelmen s. Kamtschatka.

Iti, Roto- = kleiner See, Maoriname eines viel-
armigen, v. waldigen Anhöhen umschlossenen See's
im 'See'ndistrict' (Hochstetter, NSeel.291, Dieffb.,
Trav. 1, 397). — Das polyn. *iti* = klein mehrf.
in ON. (s. Paaschen).

Itiopia s. Abessinia.

Itchkeppearja s. Rosa.

Itschke Burun = Ziegennase nennen die Türken
die Krümmg., welche die Wolga bei Samianowskaja bildet (Potocki, Voy. 1, 57).

Itskimsk s. Isetsk.

Ittiblik = der flache Strand, Eskimoname einer
grönl. Landenge, wo die Eingb. ihre Boote ausladen u. hinüber tragen müssen (Cranz, HGrönl.
2, 247).

Itú-Tinga = weisser Wasserfall, ind. Name eines
Wasserfalls, São Paulo, wo einer der Bergbäche
üb. die hohe Felswand mit solcher Wuth sich
hinabstürzt, dass man v. weitem den Schaum
seiner sprudelnden Gewässer weiss schimmern
sieht (Varnh., HBraz. 1, 54).

Ituna s. Solway.

Itzquauhtlan = Ort des *itzquauhtli*, d. i. der
prächtige Adlerart, die nach Hernandez Aquila
novacula, nach Lichtenstein Falco destructor,
Vultur harpyia, ist, azt. ON. 2 fach in Guatemala,
das eine mal mit dem span. Zusatze *Todos Santos*
= Allerheiligen (Buschmann, Azt. ON. 200 f.).

Itztapalapan = an dem Wasser der *itztapalli*,
d. i. der grossen z. Pflastern gebrauchten Steinplatten, azt. Name eines Dorfs, früher einer bedeutenden Stadt, bei Tezcuco. 'Die Ableitg. ist
zu einfach, als dass die Richtigk. der Schreibart
I. (ggb. *Izt* . . .) bezweifelt werden könnte' (Buschmann, Azt. ON. 98).

Juan, der span. Taufname Johannes, wie *Juana*,
f. Johanna, auch zu ON. verwendet: *J. Fernandez*,
vollst. *Tierra* (= Land) *de JF.*, die bekannte
chilen. Robinsoninsel, entdeckt v. span. Seef. d.
N., der angebl. schon bei der Exp. Almagro's
1535 als kühner u. gewandter Schiffsführer sich
hervorgethan (4. Jahresb. Metz 66), jedf. aber 1572
einen neuen Seeweg v. Lima nach Chile fand;
denn da die Küstenfahrt durch fast beständige
Südwinde (u. Strömungen?) erschwert war, so
ging er zunächst auf die hohe See, um erst dort
die Südrichtg. zu suchen. So musste sich die
Insel finden (WHakl.S. 25, 20 f., ZfAErdk. 1876,
387) od. vielm. deren zwei: *Mas a Tierra* =
die landnähere, u. *Mas a Fuera* = weiter draussen;
bei jener, eher *JF.*, erhebt sich 'ein fast
ganz nackter Felsen', *Isla de los Lobos* = Insel
der Seehunde (Tschudi, Peru 1, 37), auch *Clara*
od. *Goat Island* = Ziegeninsel, ausgezeichnet

durch grossartigen Reichthum an Ziegen' (Peterm., GMitth. 25, 67 ff.) ... 'nur Seehundsfänger besuchen sie zuweilen. Schon Ulloa erzählt v. der grossen Menge Robben, die dort vorkommen ... Verwilderte Ziegen bevölkern das Eiland u. würden sich ausserordentl. vermehren, wenn sie nicht v. ebf. verwilderten Hunden fortw. verfolgt würden' (Debrosses, HNav. 324, Anson, Voy. 145, Fitzroy, Narr. 1, 305, v. Hochstetter, NSeel. 61). — *Juana* s. Cuba.

Juan, San, einer der beiden Heiligen Johannes (s. d.), Jesu Lieblingsjünger, gefeiert am 27. Dec., mehrf. in span. ON. *a)* die grösste u. bedeutendste der Marianen, einh. *Guam,* span. *Guajan, Guan,* bei den Caroliniern *Wagol, Ual* (Crawf., Dict. 193, Meinicke, IStill. O. 2, 390); *b)* die unbewohnte östlichste Insel der Philippinen (Crawf.); *c)* s. Bonin; *d)* eine Inselgruppe hinter Vancouver (Meyer's CLex. 14, 112); *e)* s. Amazonas; *f)* s. P. Rico; *g)* s. Pasto. — *Rio de San J.,* ebf. mehrf.: *a)* ein Küstenfluss in Col., 4⁰ NBr., v. Almagro am Johannistage erreicht ... 'because they arrived there on this day' (Prescott, CPeru 1, 227, WHakl.S. 47, 4); *b)* der *Desaguadero* = Abfluss sc. der Laguna de Nicaragua, wohl ebf. nach dem Kalendertage, zunächst die Mündg.: *Puerto de San J.* (Herrera, Descr., Carte 6), engl. *Greytown,* j. mit Beisatz *del Norte,* da ihm an der pacif. Seite Nicaragua's ein anderer Hafenort *c) San J.,* zubenannt *del Sur* ggbliegt, im Sinne der span. Bezeichng. eines Mar del Norte, f. den atlant. Ocean, u. eines Mar del Sur, f. den Pacific; *d)* im argent. Staate *San J.,* dessen Hptstadt *San J. de la Frontera* = der Grenze (scil. gg. Chile) 1560 ggr. wurde (Meyer's CLex. 14, 112); *e)* s. Felipe. — Ein zweites *San J. de la Frontera* s. Ayacucho. — *Provincia de San J.,* das Land am Unterlaufe des Amazonas, etwa der j. bras. Prov. Gräo Para entspr., v. dem span. Stromfahrer Orellana, der hier in den Monaten Juni u. Juli 1541 durchkam, wohl nach dem Kalendertage getauft (WHakl.S. 24, 35). — *San J. del Oro* (= des Goldes), Ort in Boliv., an einem der Zuflüsse des Madeira ggr. durch versprengte Spanier, welche nach der Niederlage Almagro's jun. (1542) in die Selvas niederstiegen u. Flüsse entdeckten, deren Sand voll Goldes war; hier erbauten sie drei Orte, u. Karl V. erhob unsere Anlage z. königl. Stadt. Später jedoch kamen die wilden Chuncho, überfielen u. verbrannten die Orte u. metzelten alle Spanier östl. v. den Anden nieder (ib. 24, 3). — *San J. del Monte* (= vom Berge), berühmter Bergwallfahrtsort Luçons, v. Orden der Dominicaner, mit Heilwasser (Crawf., Dict. 193). — *J. de Dios* s. Poas.

Juan Bautista = Johannes der Täufer, dessen Fest die Kirche am 24. Juni begeht, mehrf. in ON. *a)* eine der Paumotu, v. der Exp. Quiros am 29. Jan. 1606, also kurz nach San Pablo (s. d.), entdeckt (Viaje Quirós 1, 244; 3, 45, Fleurieu, Déc. 29, Krus., Mém. 1, 262 ff.), wieder gefunden Ende 1818 v. Capt. Henderson, Schiff

Hercules v. Kalkutta, darum v. Beechey (Narr. 1, 47) *Henderson Island* genannt, u. v. Capt. King, der sie am 1. März 1819 nach seinem Schiffe, dem Walfgr. Elisabeth, *Elisabeth Island* taufen wollte (Bergh., Ann. 6, 193), später *Anderson Island* nach dem american. Capt. *A.,* der sie f. eine neue Entdeckg. hielt. In dem v. Burney publ. Reiseberichte des Spaniers L. V. de Torres *San Valerio,* während dieser, in seinem Briefe dd. 12. Juli 1607, übereinstimmend mit dem Piloten Gonzalez de Leza (Zaragoza, VQuirós 3, 37), das unbewohnte Eiland, weil es keinen Ankerplatz bot, *Isla sin Puerto* = ohne Hafen nannte (WHakl.S. 35, 2. 39, 402, ZfAErdk. 1870, 346, Meinicke, IStill. O. 1, 227).

Juden u. *Israeliten,* patronym. Namen, welche sich, echt semitisch, das 'Volk Gottes' selbst beilegte, v. dem Erzvater *Jakob* = Fersenhalter, der bei der Geburt seinen ältern Zwillingsbruder Esau an der Ferse hielt (1. Mos. 25, 26), entw. יַעֲקֹב בֵּית, *Beth ja'akob* = Haus Jakobs od. einf. יַעֲקֹב, *Ja'akob* od., woher seinem andern Namen *Israel* = Gotteskämpfer (1. Mos. 32, 28), יִשְׂרָאֵל [israel]. Noch gebräuchlicher *Juden,* v. יְהוּדָה [j'hudah] = Preis, Lob, dem Namen v. Jakob's 4. Sohne, seines Stammes, sowie seit Rehabeam —975 des einen der beiden Theilreiche u. im Folge, nachdem die 10 Stämme des 'Reiches Israel' weggeführt waren, auf das ganze Land u. Volk, gr. Ἰουδαῖος, übergegangen, arab. *Dschehûd* (s. d.). Die phöniz. Kanaaniter nannten die im Osten einwandernde Horde Abrahams עִבְרִי ['ibri] sing., עִבְרִים ['ibrim] od. עִבְרִיִּים ['ibrijim] plur., v. עֵבֶר ['eber] = jenseitiges Land, also = die v. jenseits (des Jordan) Gekommenen (s. Peraea), also wie eine Hügelreihe des transjordan. Moab מֹעָבָרִים *Abarim* = jenseitige Gegenden (Jerem. 22. 20), vollst. הָרֵי־הָעֲבָרִים [har-ha'abarim] hiess, u. diese Bezeichng. ging seit Beginn unserer Zeitrechng. auf die Griechen, in der Form Ἐβραῖος, die Römer, lat. sing. *Hebraeus,* u. die mod. Völker über. — Wir verweisen noch auf *Judaion Stratopedon* (s. Liebris) u. geben als abgeleitete ON. *a) de Israëlitische Kloof,* eine 'Schlucht' im südöstl. Theil des Caplandes, deren grosse, aus Kieseln aufgehäuften Grabhügel den Hottentotten der Boer in frommer Einfalt den Kindern Israels zuschrieb, welche auf ihrem Wüstenzuge hier durchgekommen wären (Lichtenst., SAfr. 1, 582); *b) Israilewka,* jüd. Colonie des Gouv. Chersson, 1807 durch Einwanderer aus den Gouvv. Podolien u. Chersson ggr. (Hertha 4 GZ. 34); *c) Dûr Beni Isrâíl* = Wohnsitze der Kinder Israels, Ort des Hauran, auf dem Oberrand des Lohf der Gele, aus sehr niedrigen Häuschen, welche je mit 2—3 Steinen v. Lavarinde bedeckt sind (Wetzstein, Haur. 20); *d) et-Tîh beni Israel* s. Tih; *e) Puech-Jésiou* = Judenberg, einer der 7 Hügel des röm. Nimes, 1030 *Podium Judaïcum,* 1380 *Podium Judaeum,* wo im Mittelalter die Juden des Orts ihren Kirchhof hatten, wie die im 17. Jahrh. gefundenen hebr. Grabschriften zeigen (Dict. top. Fr. 7, 174); *f) Judenburg,* 1074 *Juden-*

burch, Ort in Steierm., wo bis 1496 zahlr. Juden ansässig waren (Umlauft, ÖUng. NB. 99).

Judgment Rock = Richterfels, eine der kleinen Inseln der austr. Kents Groups (s. d.), v. Lieut. M. Flinders (TA. CXXIV, Atl. 6) am 8. Febr. 1798 so benannt, weil sie einem erhabenen Sitze ähnelt . . . 'from its resemblance to an elevated seat'. — *The Judge and his Clerk* = der Richter u. sein Secretär, eine grössere u. eine kleinere Klippe an der Nordseite der austr. Macquarie Is., wie ein ähnl. Paar *the Bishop and his Clerk* (s. d.) an der Südseite, v. einem engl. Capt. 1811 getauft (Krus., Mém. 1, 9 ff.).

Judomskoi Krest = Kreuz der Judoma, eines Zuflusses der Maja, im Netz des z. Lena gehenden Aldan, schon zZ. der Kosaken die Uebergangsstelle, wo man, den Flussweg verlassend, die Fusstour üb. das Stanowoj-Gebirge antrat u. schon damals mit einem alten Kreuz bezeichnet. Für seine Transporte 1741/42 wandelte Bering die Stelle in eine förml. Zwischenstation um, mit Bethaus, 2 Officiershäusern, Kaserne, 2 Jurten, 6 Waarenhäusern u. einigen andern Gebäuden u. Winterhütten (Dawydow, Sib. 107, Lauridsen, V. Bering 81).

Judupē = Schwarzfluss, lit. Name eines Bachs in preuss. Litauen, v. *judas* = schwarz u. *upē* = Fluss; daher der Ort *Judupēnai,* verdeutscht *Judupönen* (Schleicher, Lit. Gr. 146). — Ebenso, u. ebf. leider ohne die 'Realprobe', der ON. *Judźemei* = Schwarzerde.

Jüikwan = Ulmenstation, chin. ON. östl. v. Peking, in einer Gegend, wo die Ulmen häufig wachsen u. nebst Pappeln zu Bauholz dienen. In derselben Gegend ein Fluss, der in den Golf v. Liautung mündet, früher *Jüiho* = Ulmenfluss, j. *Schitauho* = felsiger Fluss, an dessen Mündg. der Ort *Linjüi* = am Ulmenfluss (Journ.SGSLond. 1872, 148).

Jülich, Ort der preuss. Rheinprov., bei Amm. Marcell., im Itin. Ant. u. in der Peutingertafel *Juliacus,* ist keineswegs, wie vermuthet wurde, v. Julius Caesar ggr., sondern aus dem Gute eines obscuren Julius entstanden, 'qui a eu l'heureuse fortune qu'une ville bâtie sur ce fundus ait conservé ce nom jusqu'à nos jours', viell. eines der 12 Männer dieses Namens, welche in den Cölner Inschriften vorkommen (d'Arbois de Jub., Rech.NL. 140 f.).

Jünho = Transportfluss, chin. FlussN. bei Peking (Timkowski, Mong. 2, 129), wie auch der unter Khubilai Chan 1289 erbaute *Juho* = Kaisercanal etwa genannt wird (Cannab., Hülfsb. 2, 616). — *Jünliauho* s. Peiho.

Jü-lung-ki-tschi, j. *Jü-lung Ho-tsche,* chin. Name des Flusses v. Chotan, rseitg. Nebenflusses des Tarym, v. *jü-lung* = Jaspisdämme; on nomme ainsi le fleuve de Khotan, parce qu'il roule et amoncelle des pierres de jade. Die Stadt selbst j. *Ili-tschi* (Pauthier, MPolo 1, CXVII).

Jütland, dän. *Jylland,* isl. *Jótland,* der continentale Rest Dänemarks, das Ausgangsland der 449 gemeinsam mit den Angeln u. Sachsen ausge-

wanderten Jüten, die ganze *jüt.* HalbI. einst Κιμβρικός χερσόνησος (Ptol., Geogr. 2, 11, 2), *Ch. Cimbrica* = die cimbrische, nach dem Volke der Cimbern, die dort schon im 2. Jahrh. sassen (Meyer's CLex. 9, 620). Die Annahme, dass isl. *Jótland* eine erweichte Aussprache f. *Gothland* (Säve, Knytl. S. 30), hat angesichts der ags. Formen *Iota-, Eota-, Geataland,* etwas Annehmbares.

Juf, v. rätr. *giuf,* lat. *jugum* = Joch, der oberste Weiler des Graub. Avers, dessen deutsche Bevölkerg. am Bergjoch, nach dem Oberhalbstein, angesessen ist, wie *Jaufen,* ebf. Bergjoch in Tirol, *Juvalta* = hoher Berg, in Graub., u. *Juvavus,* latin. aus *juv* = Berg u. *aua* = Wasser, also 'Bergwasser', f. die Salza, an der die Römer eine Stadt *Juvavia,* j. Salzburg, bauten (Bergm., Wals. 16). Auch das salzburg. *Jufen* wird v. Steub u., begreifl. mit einigem Vorbehalt, v. Th. v. Grienberger (Rom. ON. 43) so abgeleitet.

Jug, den Namen des mit der grössern Súchona die Dwína bildenden Flusses, nimmt Schrenk (Tundr. 1, 94) als finn. *jöggi, jokki* = Flüsschen (s. Pinega) — das dim. im Ggsatz z. Hptflusse.

Jugement, les Chênes du = die Eichen des Gerichts (s. Judgement), ein Wäldchen des Jorat, wo noch im 14. u. 15. Jahrh. unter jenen Bäumen Recht gesprochen wurde (Gem. Schweiz 19, 2ᵇ, 29).

Jugórskoj Schar = jugrische od. *ugr. Strasse,* auch *Wajgàtsch Str.,* der schmale Canal zw. Wajgàtsch (s. d.) u. dem Continent, nach dem seither verschwundenen Volke der Jugri, Ugri, welche noch im 17. Jahrh. dort wohnten (Schrenk, Tundr. 1, 350 f., 2, 20. 222 ff., Müller, SRuss. G. 4, 278), auch *Pet Strait,* nach dem engl. Nordostf. Pet, welcher sie im Juli 1580 durchfuhr (GdVeer ed. Beke XXI), od. *Straet van Nassau,* v. der holl. Exp. am 22. Juli 1594 getauft, 'de wyle wy t' selfde in haren — näml. der Generalstaaten — naem, ende van weghen syn Excellentie van Nassau ontdeckt hebben' (Linschoten, Voy. 14, Spörer, NSeml. 18). *J. Kamen* s. Ural.

Jugovsk s. Solikamsk.

Juho s. Jünho.

Juist, gespr. *jüst,* mit langem *ü* (Zeitschr. f. Schulgeogr. 6, 64. 96), den Namen einer langen, schmalen, sandigen, unfruchtb. fries. Insel bei Norderney, die erst zu Ende des 14. Jahrh. erwähnt wird u. wohl durch die Sturmfluten des 13. Jahrh. v. Borkum getrennt wurde, denkt sich DKoolman (Ostfries. WB. 2, 150) als zu fries. *güst,* alt *gust* = trocken, dürr, unfruchtbar, gehörig, wie altfr. *jet* f. *gat, jêstlik* f. *gêstlik* u. s. f. hat.

Julia u. *Julius,* gen. *Juliae* u. *Julii,* antike PN., spielen eine ansehnl. Rolle auf toponym. Felde, hptsächl. durch den berühmtesten Vertreter Caesar, da zu seinen u. der kais. Familie Ehren eine Menge v. Orten getauft worden sind: einf. *J. a*) s. Bethsaida, *b*) s. Nikopolis, *c*) s. Parma, *d*) s. Caesarea, *e*) s. Nyon, *f*) s. Fano, *g*) s. Lillebonne, *h*) s. Lisboa, *i*) s. Pola, *k*) s. Pisa; dann *Traducta Julia* (s. Tanger), *J. Caesarea* (s. Caesarea), *Juliomagus* (s. Angers), *Juliobriga,* mit kelt. *brig* = Burg, an den Quellen des Ebro, ggr. zZ. der röm. Eroberg. unter Augustus (Kiepert, Lehrb. AG. 493), *Alpes Juliae* u. *Forum Julii a)* s. Friaul, *b)* s. Fréjus, *c)* das vormalige Illiturgis, Andal., v. Scipio —206 zerstört, dann erneuert (Meyer's CLex. 9, 232), *Pax J.* (s. Badajos), *Turris J.* (s. Trujillo), *Julius Portus* (s. Lucrino), *Augusta Urbs J. Gaditanorum* (s. Gader), *Chemin de Jules César* (s. Moine).

Julian, San, nannte der in span. Diensten stehende Portugiese Fernão Magalhães den am 31. März 1520 erreichten patag. Hafen, den Ort seiner antarkt. Ueberwinterg. u. seines blutigen Gerichts (Navarrete, Coll. 4, 34). Das Motiv finde ich nirgends angegeben, auch nicht im genues. Piloten (WHakl. S. 52, 3), im anon. Port. (ib. 31), im Logbuch Alvo's (ib. 218). Auf den 31. März od. den 24. Aug., den Tag der Abreise, fällt keines der z. Gedächtniss eines heil. *J.* gefeierten 42 Feste (Migne, Dict. hag.); aber in der Zwischenzeit wurden wohl (ZfAErdk. 1876, 362) mehrere solcher Feste gefeiert. Waltete eine speciellere Beziehg., so ist wohl weniger an eine Uebtragg. des port. Fort *São Julião*, vor dem Tajo, als an einen der 'Santos mas conocidos', der den bischöfl. Stuhl v. Toledo v. 29. Jan. 680 bis 6. März 690 inne hatte (Florez, Esp. sagr. 5, 295 ff.), zu denken. — *J. Inlet* s. Jesuit. — *J. Island* s. Percy. — *Julianischer Hafen* s. Kadriga. — *Julianehaab*, in Grönl., 1773 ggr. (Daniel, Hdb. Geogr. 1, 1083), also ein Jahr, nachdem der regierungsunfähig gewordene König Christian VII. gestürzt u. die Königin-Mutter, Juliane v. Braunschweig, in die Regentschaft eingesetzt worden war (Meyer's CLex. 4, 522). — Auch f. *Baie de St. Julien*, in NFundl., v. frz. Seef. Cartier am 17. Juni 1534 benannt, fehlt (M. u. R., Voy. Cart. 15, Hakl., Pr. Nav. 3, 204) eine bestimmte Angabe.

Julie, mod. Frauenname, mehrf. in ON. *a) Baie J.*, im St. Vincents G., v. der Exp. Baudin im Jan. 1803 benannt wie die meisten übr. Objecte jener Küsten nach einem weibl. Gliede der Familie Bonaparte u. zwar einer Nichte Napoleon's I. (Péron, TA. 2, 75); *b) Ile J.*, eine der Iles Joséphine (ib. 2, 89. 92); *c) J. Insel*, bei Kiusiu, im Oct. 1804 v. Capt. v. Krusenst. (Reise 1, 265) prsl. getauft.

Julius, mod. PN. mehrf. in ON. *a) Juliusburg*, in Schles., im Mediatfürstenth. Oels des Herzogs v. Braunschweig 1676 ggr., u. *Juliushall*, Soolbad in Braunschw., 1851 ggr. (Meyer's CLex. 9, 626), beide nach Gliedern der Welfenfamilie, in welcher der Taufname Julius gebräuchl. ist.

Jumelles, les = die Zwillinge, frz. Wort, wie span. *jemelo, jemolo*, rätr. *giu-* od. *dschimels* aus lat. *gemellus*, zugl. ein ON., f. die 'Tours' d'Aï u. de Mayen, zwei neben einander stehende, gleichgestaltete u. gleich hohe Felshörner, welche üb. dem Genfer-See aufragen (Osenbr., WStud. 1, 84, Gem. Schweiz 19, 2b, 91); sie heissen auch *les Colonnes* = die Säulen od. *les Cheminées*, dial. *Tsemenaux* = die Kamine (Mart.-Crous., Dict. V. 7. 372. 464).

Jumna s. Dschamna.

Juncarius, Campus = Binsenfeld, v. lat. *juncus*, dem frz. *jonc*, ital. *giunco* entspricht, eine Ebene am Fuss der Pyrenäen, in der Nähe der massil. Colonie Emporium, j. Stadt *Junquera* — im Ggsatz zu *Campus Spartarius* (s. Karthago) u. *Campus Fenicularis* = Fenchelfeld, das 'viel Fenchel trägt' (Strabo 160). — 'Binsichte', in mod. Form *le Jonc, les Joncs, Jonchère, Jonchères, Joncourt, Jonqueuse,* 1143 *Joncosus, Jonquier, la Jonquière, les Jonquières,* 825 *Juncariae, les Jonquois,* dim. *Joncherolles, Jonqueirolles, Jonqueyrolles,* in Frankr. häufig (d'Arbois de Jub., Rech. NL. 522 f.), so auch 2 mal *Jonquières* im dép. Hérault: *a)* f. einen der narbonens. Strandseen, wo ein Landvorsprg. noch *Cap des Joncs* heisst; *b)* f. einen Ort des C. Gignac, 909 apud *Juncarias* (Dict. top. Fr. 1, 98; 5, 84; 7, 108; 10, 146). — Auch ital. ON. *Giunca, Giunchio, Giunchi, Giuncheto, Giuncaia, Giuncaglia* etc. (Flechia, NL. Piante 14).

Jungfrau, ein herrl. Berggipfel der Finsteraarhorn-Gruppe, seiner Gestalt nach mit einer *J.* verglichen, etwa in dem Sinne, in welchem Anastasius Grün singt:

Seht dort, im weissen Schleier aufragt der *J.* Haupt;
Als Bräutigam hat ihr den Morgen mit Rosen die Stirn umlaubt.
Sie hat mit bunten Blumen gestickt das grüne Gewand;
Dran spielen die rauschenden Quellen — ein flatternd Silberband.

Auch Gatschet (OForsch. 297) nimmt an, die Volksanschaug. habe in den silberhellen Schneeflächen des Berges eine weissgekleidete Nonne erblickt ggb. dem dunkelfarbigen, zu ihren Füssen liegenden *Mönch* (s. d.). Das drastische Motiv, welches Schöpff (Chorogr. Bern. 1577) im Namen *J.* suchte, als sei der unersteigliche Berg mit einer noch unberührten Jungfrau verglichen worden, lehnt er kurz als 'unrichtig' ab — gewiss mit Recht. Die symbol. Namen *J., Mönch* u. *Frau* hält der kundige Hr. A. Wäber, Mitd. d. Jahrb. S. A. C., (Brief v. 13. März 1890) f. alte Volksbezeichnungen, die freil. in der Litteratur spät auftreten. Vgl. Schweiz. Idiot. 1, 916. — *Jungfern Inseln* s. Virgines.

Júnjagà = stiller Fluss, sam. Name eines rseitg. Zuflüsschens der Kólwa (Schrenk, Tundr. 1, 277).

Junk Ceylon, europ. Name einer Küsteninsel in der Nähe der Landenge v. Krah, Malakka, corr. aus dem mal. u. jav. *Ujung* (= Spitze, Ende) *Salang*, so heisst die Insel, also f. ein Cap u. v. diesem auf die Insel übtr. (Crawf., Dict. 442). Aehnl. Spr. u. F. (NBeitr. 11, 240).

Juno, mit der Hera der Griechen identificirt, v. den Römern als Tochter Saturns u. Schwester Jupiters betrachtet, steht dem capitolin. Jupiter herrschend als Königin z. Seite u. ist Schützerin des röm. Staats. Der Name *Junonia* findet sich 2 mal (*a)* s. Karthago, *b)* s. Palma.

Junquera s. Juncarius.

Jun-tschung kiün = Fürstenthum *Jun-tschung*, d. i. der in den Wolken (i. e. in den Gebirgen des In-schán) gelegenen Stadt, chin. Name, welchen eine centralasiat. Landschaft zZ. der Tháng führte. Unter den Liao, welche 916 im Norden China's ein Kgreich gründeten, schuf man das Ld. in *weï Si-king tá-thûng fù* = Dép. v. Táthûng der Westresidenz, unter den Kin (1123 bis 1236) in *Thsûng-kûan fù* = Dép. der Generalverwaltg., zu Anfang der Mongolenherrsch. in eine *Jüen thsû tschi king siüen juen* = Delegation der Regierg. od. Vicekgreich, 1288 in *Tá-thûnglú* = Bezirk Tá-thûng um (Pauthier, MPolo 1, 211).

Jura, zuerst in Caes. (Bell. Gall. 4, 10) erwähnt, u. *Joux* sind lange unerklärt geblieben. 'On a beaucoup disserté sur le nom de *Joux*. Les uns l'ont fait dériver de *Jou*, *Jovis*, nom latin de Jupiter; d'autres l'ont fait venir de *jugum* (= Bergjoch). Aucune de ces étymologies ne nous paraît devoir être acceptée. Dans tout le cours du moyen âge, les sombres forêts de sapins qui tapissent les flancs du *J.*, sont appelées *Juriae nigrae* = les Joux noirs. Le mot *Joux* désignait si évidemment la forêt que ce mot est resté, avec cette signification, dans le langage vulgaire des habitants du *J.* La *dzoura*, la *dzau*, c'est la haute forêt; la *dzoratta*, c'est le jeune bois .... C'est la noire forêt qui a donné son nom au *Lac de Joux* et celui-ci à la vallée entière: *Vallée du Lac de Joux*' (Mart.-Crous., Dict. 454. 458). Anl. des freib. ON. *Jorissens, Jérossant, Joressant,* urkdl. *Jurisceins, Juriscie* 1378, sagt Gatschet (OForsch. 106): *ʾjuricina* sind kleine Waldcomplexe, v. *joria, juria* = Wald abzuleiten, u. *Jorissens* ist die nfrz. Form dieses mlat. Ausdrucks' ... Ein noch j. in Waldbenennungen häufiger frz. Ausdruck *joux* bildete in frühern Zeiten das gew. Appellativ f. den Begriff Wald. So gibt es im Berner Jura Namen einzelner Höfe wie *Pré de Joux, Plaine Joux, la Fin la Joux,* u. Namen v. Waldungen, wie *en vieille Joux, la Joux de haute Plan,* 12 mal *la haute Joux, le Bois Jure* u. s. f. So ist auch in den Urk. des Mittelalters *joria, juria* ein sehr gew. Ausdruck f. Wälder, u. derivate dieses Wortes sind: *Jorasse,* Wald- u. Bergname, *Jouratte,* Wälder bei St. Ursanne, *le Jorat,* Name mehrerer Waldcomplexe, sowie des bewaldeten Bergzugs ob Cully, ... der waadtl. Ort *Juriens,* bei Romainmôtier, der Ort *Jorissens* .... Der Name des *J.* (-gebirgs) bei Caesar (Bell. Gall. 1, 8) ad montem *Juram* qui fines Sequanorum ab Helvetiis dividit, bei Strabo ʾIóϱα, bei spätern ʾIουϱασόϛ, *Jurassus,* bei Greg. Turon. *deserta montis Jurensis,* ist nichts weiter als die altgall. Form des j. *joux* u. bedeutet 'Wald', Schwarzwald.

Jurjusensk s. Ufa.

Jursakojaga s. Jaggarej.

Juru-Una s. Ubira.

Jus = hundert, in türk. ON. wie *J. Agatsch* = 100 Bäume, 2 mal: *a)* eine mit Pappeln bedeckte Strecke im Nordosten des Balkasch See's (Timkowski, Mong. 1, 57), mong. *Dsun-Modò,* v. gl. Bedeutg. (Humb., As. Centr. 3, 224); *b)* ein Kosakenpiquet des Semiretschinsky Kraï, wo am

Ufer des Ajagus einst 100 Bäume standen, j. bloss noch 36 geblieben sind (Bär u. H., Beitr. 20, 150, mit Schreibg. *dschjus,* wohl nach der Aussprache?) — *J. Kuduk* = 100 Brunnen, ein enges Thal Turkestans, wo neben ca. 30 meist trocknen Brunnen zwei grössere, etwa 6 m t., mit vortreffl. Wasser (Hertha 4, 170). — *J. Terek* = 100 Pappeln, russ. *Sto Derewi* = 100 Bäume, in der Nähe v. Mosdok, Kauk. (Güldenst., Georg. 6).

Juscha s. Joris.

Juschnaya Bukhta = südlicher Hafen, russ. Name einer der Bayen v. Sewastopol, türk. *Kartaly Kosch* = Geyer Bay (Sommer, Taschb. 10, 107); *b) Juschnuy Gusinuy Muis* s. Willoughbe.

Juschphat s. Josafat.

Jûsef s. Joseph.

Jussieu, Baie, in Süd-Austr., v. der frz. Exp. Baudin im Apr. 1802 getauft nach einem der Naturf. d. N., zu Ehren der Familie, welche sich selbst, den Wissenschaften u. dem Vaterlande so viel Ehre macht' (Péron, TA. 2, 83), wie schon im Aug. 1801 *Ile J.,* in den Is. Maret (ib. 1, 115.)

Justice and Judgement, Isle of = Insel der Gerechtigk. u. des Urtheils, im patag. Port Julian, v. engl. Seef. Fr. Drake im Juli 1578 so genannt nach dem Gerichte, welches er üb. einen Mordanschlag abhielt. Sein nächster Officier John Doughty hatte näml., u. zwar schon vor der Abreise in England, den Plan gefasst, Drake u. seine Frau zu ermorden, wurde entdeckt u. hingerichtet — eine Wiederholg. des v. Magalhães 1520 an Juan Cartagena im gl. Hafen abgehaltenen Gerichts (Spr. & F., NBeitr. 12, 240).

Justiniana, einer der russ. engl. ON., welche nach dem Kaiser Justinian (527—565), dem Erneuerer alter Ortslagen, aufgekommen sind *a)* s. Galata, *b)* s. Köstendil. — *Justinianea,* j. *Uesküb,* in Albania (Meyer's CLex. 15, 240). — *Justinopolis* s. Cap. — *Justinianopolis* s. Hadrume.

Ju Than = fischreicher Teich od. *Tung Hu* = Ostsee, chin. Name eines fischreichen See's v. Formosa (Klaproth, Mém. 1, 336).

Juvalta s. Juf.

Ivanje Selo s. Eibe.

Ivindi = schwarz, dunkel, Negername eines Zuflusses des Ogowe, da das Wasser je im Mai, wenn es angeschwollen, eine sehr dunkle Farbe annimmt u. diese auch dem Hptstrom mittheilt (PM. 21, 112).

Ivirá = klares Wasser, v. guaraní *ivi* = Wasser u. *irá* = klar, eine ausgedehnte Wasserfläche, welche ¹/₁₀ des Areals der argent. Prov. Corrientes einnimmt, bei den Creolen unnöthiger Weise *Laguna de I.*

Iviza s. Ebusus.

Iwangorod, russ. Veste: *a)* am rechten Ufer der Narowa, erbaut 1492 v. Iwan III. Wasiljewitsch, 'from which it took its name' (Herbelst. ed. Major 2, 28); *b)* an der Mündg. des Weprsch in die Weichsel (Meyer's CLex. 9, 452). Vergl. Nowgorod.

Iwo-yama = Schwefelberg, japan. Name einer Solfatare des Gebirges Hakone, bei Jokuhama.

In der Nähe auch ein Schwefelbad, dessen Wasser
die bei den Japanern beliebte hohe Badetempera-
tur v. 40—45⁰ hat u. a. m. (PM. 21, 216).

Jylland s. Jütland.

Izabel s. Isabela.

Izn, Um = Ohrmutter, arab. Bergname in Hauran, nach einem Felsvorsprg. an der Seite (Journ.
RGSLond. 1872, 60).

Izta, ein See in CAmerica, nach dem kriegerischen Stamme, welcher sich zu Anf. des 15. Jahrh.
dort festsetzte, auch *Peten* = See od. *Noh Kukén*
= trink viel, grosser Trinker, span. übsetzt *Bebermucho*, weil das abgeschlossene Becken wohl viele
Zuflüsse, aber keinen Abfluss hat, 'to express, no

doubt, the great mass of water accumulated in
its basin' (WHakl. S. 40, 50. 56, wo *Itza* u. *No-
huken* geschrieben ist, Peterm., GMitth. 5, 168).

Iztaccihuatl = die weisse Frau, v. *iztac* =
weiss u. *cihuatl* = Frau, auch *Cihuatepetl* =
Frauenberg, einer der Schneeberge des Anahuac,
weil man die Unebenheiten des Gipfels mit einer
auf dem Rücken liegenden Menschengestalt verglichen hat u. noch vergleicht (Humb., Kosm. 4,
520, ZfAErdk. 5, 190 nf. 15, 197).

Izvor = die Quelle, bulg. ON. bei Philippopel,
das in der Glanzzeit durch einen grossen Aquaeduct aus dem nahen Márkowa mit Trinkwasser
versorgt wurde (Barth, RTürk. 51).

K.

(Namen, die unter K fehlen, sind in C zu suchen).

Kaan, Anthony, Insel an der Nordseite NIrlands, zuerst v. der holl. Exp. Le Maire u.
Schouten 1616 entdeckt, dann am 2. April 1643
v. Tasman getauft nach einem der Mitglieder des
Raths v. Indien, der als Ant. Caen die Instruction
f. Tasmans Reise mit unterzeichnet hatte (Tasman's Journ. 8. 21). Bei dem frz. Seef. Bougainville (Voy. 17 pl. 12), der sie am 26. Juli 1768
nach einem seiner Officiere benannte (Krus., Mém.
1, 146): *Ile Oraison*.

Kabak s. Kaukasus.

Kabatasch = der grosse Stein, türk. Name *a)*
einer Inselklippe bei Konstantinopel, alt *Petra
Thermastis*; *b)* eines Gipfels hart hinter Bujukdere (Hammer-P., Konst. 1, 12).

Kabawjatu = wo die Büffel fallen, mal. Name
einer grausigwilden Schlucht Sumatra's, v. der
gefährl. Passage. 'Bickmore schildert so lebhaft
die Fahrt längs einem Abgrunde, auf einem Wege
nicht viel breiter als die Räderspuren, ohne Anwendg. v. Radschuh, mit halbwilden Pferden,
welche bergab stets im Galopp erhalten werden
müssen, dass man be:m Lesen schon schwindlig
werden könnte' (Ausl. 1869, 915).

Kabes s. Syrtis.

Kabre s. Kebir.

Kabudiah s. Brachodes.

Kabul, engl. *Cabool*, bei Ptol. (6, 18) *Κάρουρα*,
was Lassen in *Κάβουρα* verbessert hat, da das
Volk *Καβολῖται* heisst, im pers. 'Waaren-Nieder-
lage' (Spiegel, Eran.A. 1, 8), passend f. die am
Zugang Indiens gelegene Stadt, die eine der
wichtigsten Zwischenstationen im persisch-ind.-
turan. Handel, der Knotenpunkt der Verkehrs-
linien aller Richtungen ist u. dem entspr. 2 Bazare,
einander zieml. parallel, üb. 2 km lg. enthält
(Meyer's CLex. 9, 653). 'Ein reges Treiben zeichnet
diese Stadt aus, in der so vielerlei Völker sich
begegnen u. lebhaften Handel führen.'

Kabur s. Chabor.

Kabylen s. Berber.

Kaddo s. Rohl.

Kadem, el = der Fuss, ein Dorf bei Damask,
weil Muhammed, als er v. Mekka kam, hier Halt
gemacht haben soll, ohne in die Stadt hinein zu
gehen (Burckhardt, Reis. 1, 113).

Kadiköi = Richterdorf, türk. ON. häufig (Tschihatscheff, Reis. 11. 18, Hammer-P., Konst. 1, 62,
Barth, RTürk. 138); *b)* *Kadischehr* = Richter-
stadt, bei Tokat (Tschih. 37); *c)* *Kadilur* = die
Richter, Dorf am Aladagh (ib. 46), wie denn die
Türken ON. nach Berufsarten gerne verwenden,
freil. ohne dass uns darüber Klarheit gegeben
wäre.

Kadischa, Nahr = der heilige, reine Fluss, der
durch ein tiefes Schluchtenthal u. 'zahllose Fälle'
ausgezeichnete Quellarm des bei Tripoli mündenden Libanonflusses, an welchem das berühmte
Kloster Kanobin (Seetzen, 4, 96, Burckh. 1, 273).

Kadriga Limani = Galeerenhafen, türk. Name
eines schönen mit Platanen besetzten Platzes in
Konstantinopel, der früher einen Hafen bildete.
Dieser, v. Kaiser Julian angelegt, hiess der *julia-
nische*, auch der *sophianische*, weil Justinus jun.
ihn mit einem f. seine Gemahlin Sophia erbauten
Palaste verschönerte. In späterer Zeit hiess derselbe Hafen auch der *Hafen des grossen Palastes*,
zu dem man hier mittels einer Marmortreppe
hinaufstieg, od. der *bukoleonische*, weil in der
Nähe der Palast Bukoleon (= Ochsenlöwe), wo
ein Bildhauer Löwe u. Ochs im Kampf dargestellt, stand, auch schlechtweg *Neorion* = Arsenal. Zum 'Galeerenhafen' dürfte er durch
Kaiser Cantacuzenus geworden sein.

Kämleten s. Kemnat.

Känzeli s. Kanzel.

Kärnten, oft *Kärnthen*, Landesname in den Ost-
Alpen, im Mittelalter *Charintirichi, Quarantein*,

Kernden, 803 *Carintia* u. s. f., ist vschieden gedeutet worden, wie G. Freiherr v. Ankershofen (Arch. vaterl. Gesch. 1, 129 ff.) am 24. Oct. 1849 gezeigt hat. Theophr. Paracelsus (Opp. med. chem. 2, 108) fasste das lat. *Carinthia* als aus *caritas intima* verkürzt; denn so hätten die Römer das v. ihnen geliebte Land genannt. Die etym. Versuche, welche eine krit. Beachtg. verdienen, leiten *K.* auf drei Arten ab. Der langobard. Geschichtsschreiber Paulus Diaconus, der erste Quellenautor, bei dem der Name *Carantanum* vorkommt (de gestis Lang. 5, 22), hält diesen Namen als aus dem pannon. ON. *Carnuntum* verd., u. C. Zeuss (DDeutschen u. N. 617) denkt sich *Carantania* nach der civitas *Carantana*, angebl. ehm. Virunum, benannt, während wahrsch. umgekehrt die Pfalz nach dem Lande getauft worden sei. Eine andere Ansicht erkläre den Namen *K.* nach den alten Bewohnern, den *Carni*, u. diese habe die bedeutendsten litterar. Notabilitäten f. sich, so Hansiz (Anal. 1, 8), den Slawisten Jordan (Orig. Slav. App. No. 334), A. v. Muchar (Gesch. Steierm. 2, 6); dennoch könne ihr Ref. nicht beistimmen, weil nach Strabo die Carni nicht exact in diesem Theil des Alpenlandes gewohnt hätten. Vertrauenswürdiger sei die eine beiden Ableitungen, die *K.* aus der natürl. Beschaffenheit erklären, nicht die Jos. Schafariks, der (Slaw. Alterth. 2, 333) aus kelt. *karn* = Gestein u. *tan* = Erde denke, sondern die des Historikers A. Linhart (Gesch. Krain 2, 136). Dieser leite *Carantania* aus slaw. *Goratan* = Gebirgsland ab, u. so nenne der Krainer j. noch 'das ihm westlich gelegene gebirgige Land'. Wie 1849, so scheinen auch heute noch die alten, kelt. od. nor. Carni die ungezwungenste Erklärg. zu bieten, u. diese ist wohl j. als allgemein angenommen zu betrachten (Kiepert, Lehrb. AG. 364, Umlauft, Oest. NB. 104, Meyer's CLex. 9, 661. 837). Nicht ohne Erstaunen sieht man noch 1874 (Carinth. 44, 37 ff.) 'eine neue Erklärg.', die kelt. aus W. Obermüllers Wörterbuch, 'Berghornland', was mit slaw. *goratan* übereinstimme, nicht ohne einiges Zutrauen wiederholt, während 'sonst' vor zu grossem Vertrauen in die kelt. Ableitungen zu warnen sei.

Kaf s. Sicca.

Kafern, missbr. (wie schon Lichtenstein, SAfr. 1, 391 berichtigt) *Kaffern*, v. arab. *kâfir*, dial. *kâfir, gebr, gaur*, türk. *giaur*, plur. *kuffâr, kofar* = Ketzer, so benannten die Araber des Mittelalters die dunkelbraunen Volksstämme äthiop. Race, auf welche sie u. den südl. Theilen der african. Ostküste stiessen u. welche sich der Bekehrg. z. Islam widersetzten. Als dann Diaz 1487, Vasco da Gama 1498 v. Westen her bis zu ihnen vorgedrungen war, nahmen auch die Portugiesen u. nach ihnen die übr. Europäer die arab. Bezeichng. an. Wie schon der engl. Reisende Anth. Jenkinson 1558 aus CAsien weiss, dass die Muhammedaner alle Christen als Ungläubige, 'Ketzer', betiteln, 'meaning us the Christians' (Hakl., Pr. Nav. 1, 331), so kennt auch der port. Historiker Barros, welcher um dieselbe Zeit sein

grosses Werk schrieb, die Etym. v. *K.*...'gente sem lei, nome que elles dão a todo gente idólatra'; er fügt unter Beobachtg. der richtigen Orth. hinzu, dass dam. wegen der vielen v. der Ostküste Africa's bezogenen Sclaven der Name *Cafres* geläufig war: 'o qual nome de *Cafres* he já ácerca de nós *mui recebido* polos muitos escravos que temos desta gente' (Asia 1, 8, 4 p. 206). Natürl. verwerfen die *K.* diesen Namen; 'they consider the name *Cafre* as an insulting epithet' (Livingst., Miss. Tr. 201); sie nennen sich *Koossa, Kaussa*, ihre Gesammtheit sowohl als ihr Land *Ammakosina*, mit der Collectivbezeichng. *amma* (Lichtenst. 1, 405. 466. 643); *b) Kafirkót* = Ketzerveste, arab.-hind. ON. im Pandschab (Schlagw., Gloss. 205); *c) Kafiristan* s. Siaposch; *d) Kafraria*, gew. *British Kaffraria*, 1847 organis. Küstenstrich des Kaferlandes, der wg. der vielen Einfälle schon seit 1806 annectirt, 1835 nach der dam. Königin, der Gemahlin Wilhelm's IV., *Queen Adelaide Province* genannt worden war u. seit 1866 mit dem Caplande vereinigt ist (Meyer's CLex. 3, 761). — *Kobur el-Kofar* = Gräber der Ungläubigen, wo *qobûr* ein sog. innerer plur. v. *qabr* = Grab, nennen alle Beduinen des Sinai eine Gruppe kleiner leerer Gebäude, welche sie f. Gräber der einstigen Christenbevölkerg. des Landes ansehen (Burckh., Reis. 2, 969).

Kaffa s. Feodosia.

Kaflan Kuh = Leopardenberg, pers. Name einer 'berüchtigten' Bergmasse, an deren westl. Fusse die Stadt Mianéh liegt (Brugsch, Pers. 1, 181).

Kaginskoi, Ort des südl. Ural, an der Confl. Kaga-Bjelaja (Bär u. H., Beitr. 5 Carte). Aus dieser zahlr. Kategorie ferner *b) Kansk*, Ort am Kan-Jenissei, nach Ueberwindg. der Kotowen ggr. 1628 als Simowie auf dem linken Ufer, bei dem Wasserfall Araxejew, 1640 als Ostrog 40 Werst weiter flussan auf dem südwestl. Ufer, in der Lage des frühern *Bratskoi Perewos* = Burätenfurt, wo einst die Brati, Buräten, auf ihren westl. Streifzügen den Kan zu passiren pflegten (Müller, SRuss. G. 5, 71, Fischer, Sib. Gesch. 2, 552); *c) Kamarsk*, auch *Kumarsk*, Ort am rechten Ufer des Amur, wo die Kamara, Kumara, Chamar, Chamur, einmündet, wohl v. Chabarow 1652 ggr., eine Zeit lg. der Hptsitz der Russen im Amurlande (Müller 5, 366, Fischer 2, 821); *d) Karaginsk*, Insel an der Ostküste Kamtschatka's, benannt nach dem ggb. liegenden Flusse Karaga, wo zuerst im 1700 ein Kosak, Iwan Golygin, in Einem Tage hinausruderte, selbdritt, ohne dass es gelang, die Insulaner zinspflichtig zu machen (Müller 4, 171. 203); *e) Kastek*, Ort im Lande der Gr. Kirgisenhorde, am Kastek-Ili (H., Beitr. 24, 152); *f) Ketsk*, vollst. *Ketskoi Ostrog* = Veste am Ket, einem Nebenflusse des Ob, bald nach Narym (s. d.) auf dem linken Ufer angelegt, 1614 um 215 km flussab an das rechte verlegt (Müller, SRuss. G. 4, 83). Im Atl. Russ. 15 ist *K.* noch linksufrig; *g) Kirginskaia Sloboda*, sibir. Bauerncolonie, ggr. 1633 am Bache Kirga, der einige Kilom. unth. in die Niza fällt

(Müller 5, 47); *h) Kipanskaja Wolost,* ein tung. Stamm, *wolost,* der erste, welcher sich 1619 den Russen vollst. unterwarf, benannt nach dem Bache Kipan, welcher v. der Linken in die Obere Tunguska, nahe bei deren Mündg., einfällt (Fischer 1, 396); *i) Kokbektinskoi,* russ. Befestigg. 1844 angelegt am Kokbekty, der z. Dsaisan Noor fliesst (Bär u. H., Beitr. 20, 92 Carte); *k) Kostromá,* Stadt an der Confl. Kostroma-Wolga, angebl. 1152 durch Jurie Dolgorukij ggr. (Meyer's CLex. 10, 293); *l) Kularowskaja Sloboda,* russ. Bauernort am Irtysch u. dem See Kular (Müller 3, 359); *m) Kursk,* russ. Stadt am Kur, der hier in die Tuskora-Dnjepr mündet (Meyer's CLex. 10, 480); *n) Kuschwa,* eig. *Kuschwinskoi Sawod,* Hüttenwerk, *sawod,* an der Kuschwa-Tura (Bär u. H., Beitr. 5, 88).

Kagul, Cap, in Kiusiu, v. russ. Capt. J. A. v. Krusenstern (Reise 1, 272) im Oct. 1804 getauft 'z. Andenken des glorreichen Sieges (v. 1. Aug. 1770), welchen der Feldmarschall Romanzoff üb. eine weit überlegene türk. Armee erfocht'.

Kahlenberg, ein Bergvorsprg. des Wiener Waldes, der 'mit steilem, kahlem Gehänge z. Donau abfällt', trug früher ausschliessl. 'u. mit Recht' diesen Namen, 1187 *Challnberg,* hiess dann aber, als Leopold I. bei der grossen Pest 1679 das Gelübde that, auf der Höhe, wo der heil. Leopold 1101 eine Burg erbaut hatte, eine Capelle zu stiften, sie 1679 begründete u. 1694 vollendete, auch *Leopoldsberg* (Umlauft, Öst. NB. 100. 129).

Kaia = Fels, in vielen türk. ON. *a) Kaiabaschi* = Felshaupt, hoch gelegener Ort bei Enderes, im Ggsatz z. nahen *Dereköi* (s. d.); *b) Kaiabunar* = Felsquell, ebf. ein Bergort, bei Siwas; *c) Kaiadibi* = Felsenfuss, Dorf am Fusse einer steilen Bergkette Pisid.; *d) Kaiadschik* = kleiner Fels, Dorf bei Smyrna, auf einer das Thal v. *Dereköi* überhängenden phantast. Felswand u. a. m. (Tschihatscheff, Reis. 2. 13. 51. 65).

Kajana, der schwed. Name einer Stadt Finnl., Uleåberg, nach dem finn. Stamme der Quänen, finn. Kainulaiset (Modeen, Geogr. 52, br. Mitth.).

Kaiata, im ital. ON. *Gaëta* erhalten, gr. *Καιάτα* = Hohlfeld, Vertiefungen (Pape-Bens., Curt., GOn. 156) ... 'denn alle Vertiefungen nennen die Lakedämonier *kaietas*' (Strabo 233), ein ital. Vorgebirge, an dem sich 'ungeheure Höhlen, *σπήλεια ὑπερμεγέθη,* öffnen, grosse u. prachtvolle Wohnungen enthaltend' (ib.), daher bei Plin. (HNat. 3, 59) *Locus Speluncae,* j. *Sperlonga* (s. d.).

Kaidak = Krümmung, Wendung, türk. Name eines Meerbusens (des Kaspisees?), so genannt v. der gekrümmten Form, doch auch *Kara Su* = Schwarzwasser (Peterm., GMitth. 37, 268).

Kaidris s. Cedro.

Kail od. *Cail,* vollst. *Kael-patnam* = Tempelstadt, zweispr. ON. Coromandels, v. tamul. *kail* = Tempel u. *patnam, patam,* skr. *pattanam* = Stadt (Pauthier, MPolo 2, 640).

Kailas s. Gangri.

Kaimans Rivier, FlussN. im Capland, ferner *Kaimans-Gat,* ein Bergübergang, 'Loch', u. *Kai-*

manskloof, eine 'Schlucht', nach den grossen Leguanen, den 'Kaimans' der Boeren (Lichtenst., SAfr. 1, 306 f. 313).

Kaïmeni, ngr. *Καϋμένη* = verbrannter Ort, zweimal: *a)* Name einer Gegend (u. eines Dorfes) der HalbI. Methana, wo eine durch dunkelrothbraune Farbe u. eigenth. rauhe Oberfläche mit der übr. Gebirgsform scharf contrastirende Lavamasse weit ins Meer vorragt, nach dem schlackigen, verbrannten Aussehen des Gesteins (Reiss u. St., Aeg. Meth. 20) ... 'la teinte d'un rouge sombre des Kaïmenis = roches brûlées de Méthana et de Santorin' (Pouillon B., Déscr. d'Egine 71); *b)* ein schwarzes Schlackeneiland bei Santorin *Néa Καμμένη, Nea-K.* = die neu ausgebrannte (Russegger, Reis. 4, 211), weil im Ggsatz zu *Hiera* (s. d.), *Παλαιοκαμμένη, Paläo-*(= Alt-)*K.,* erst 1707/12 n. Chr. aus den Fluten auftauchte, auch *Megalo-* (= gross) *K.,* im Ggsatz zu dem östlichern, 1573 entstandenen *Mikro-*(= klein) *K.* (Fiedler, Griech. 2, 465 ff., Peterm., GMitth. 12 T. 7 f.).

Kainda = Birkenfluss, v. kirg. *kaïn* = Birke, ein lkseitg. Zufluss des Weissen Irtysch, nach den vielen Birken, die an seinen Ufern wachsen (Bär u. H., Beitr. 20, 39). Auch das Thal des nahen Laily 'ist so dicht mit Birken, Espen u. vschied. Gesträuch bewachsen, dass wir an manchen Stellen nicht durchkommen konnten' (ib. 48). Auch der 'dichte Wald', der das Thal des nahen Kuludschin bedeckt u. es förml. unwegsam macht, 'besteht, ausser hohem Gestrüpp, aus Birken u. Espen' (ib. 54).

Kai-Ngaroa = lange Mahlzeit, neuseel. Ebene, welche ein fast baumloses, wenig fruchtbares, nur magern Graswuchs u. niedriges Buschwerk hervorbringendes Gebiet darstellt — bezogen auf die Sage v. einer Anverwandten des Häuptlings Ngatiroirangi, die hier eine lange Mahlzeit hielt u. ihre Gefährtinnen in Tibäume, Cordyline, verwandelte (v. Hochstetter, NSeel. 251).

Kainsbach s. König.

Kaipha s. Haifa.

Kairakti, Jakschi == Fluss der Schleifsteine, kirg. Name eines rseitg. Tributären des Irgis, Kirgisensteppe. 'Im Flussbett lagen weit u. breit zerstreut Platten eines grauen, weichen Thonschiefers, aus welchem sich die Kirgisen ihre Schleifsteine zu sammeln pflegen' (Bär u. H., Beitr. 18, 157).

Kairo, weniger treu *Cairo,* fränk. Namensform der Hptstadt Aegyptens, einh. *Misr, Massr* (Robins., Pal. 1, 38), als *Masr el-Atiqa* = *Alt-K.* 642 ggr. durch Sultan Amru, der bei der Eroberg. des Landes hier das schon bei der Einnahme Babylons gebrauchte Zelt aufschlug u. rings um dasselbe aus dem Baumaterial von alt Memphis eine Stadt, zuerst *Fostat* = Zeltstadt, anlegte (Russegger, Reis. 1, 40, Meyer's CLex. 9, 675), dann etwas nördlicher durch die Fatimiden Moez Eddin 969 (od. 984?) u. *Masr el-Kahira* = die siegreiche Hauptstadt genannt, 'weil der Augenblick der Gründg. zsfiel mit dem Aufgang des Mars, des Bezwingers der Welt' (Meyer's CLex. 9, ö75, Russegger, Reis. 1, 130). *K.* ist also nur Beiname, v. Wetzstein (Haur. 79) 'die unterjochende' übsetzt.

Kaiser, der aus Caesar entstandene Herrschertitel, kommt, wie dieser in vielen ant. ON., übernommen als *Kaisarieh*... (s. Caesarea), in manchen jüngern Gründungs- oder Entdeckungsobjecten vor *a) Kaiserswerth*, Ort im Rgbz. Düsseldorf, als Benedictinerabtei auf einer Rheininsel (s. Werder), der Schenkg. Pipins v. Heristal, um 710 ggr. durch Bischof Suitbert, der Ort, wo 1062 der junge König Heinrich IV. f. den Erzbischof Hanno v. Köln geraubt wurde, ist seit 1214 keine Insel mehr, da Graf Adolf v. Berg den einen Rheinarm durch einen Damm abschneiden liess; *b) Kaiserslautern*, urspr. *Lautern*, nach dem Flusse, pfälz. Ort, zubenannt nach Kaiser Friedrich I., der hier 1152 ein Schloss bauen liess; *c) Kaisersberg*, Ort des Ober-Elsass, unter Friedrich II. z. freien Reichsstadt erhoben. — *Kaiserstuhl*, mehrf.: *a)* eine isolirte Berggruppe bei Freiburg i./Br., zunächst ihr Gipfel, auf welchem 'Kaiser' Rudolf der Habsburger Gericht gehalten haben soll (Meyer's CLex. 9, 679); *b)* ein Rheinstädtchen des C. Aargau, in welchem man 'ohne hinlängl. Beweis' des Ptol. *Forum Tiberii* od. *Solium Caesaris* gesucht hat, eine Lage, welche 'mit grösserer Wahrscheinlichk.' in das nahe Zurzach (GMeyer v. K., Erdk. schweiz. Eidg. 2, 190f.) od. gar nach Solothurn gesetzt wird (K. Christ., Rhein. Germ. 1, 23 ff.). — *K. Bassin*, nebst *Deutsche Bay*, in Kerguelen, v. der Exp. des Kriegsschiffes Gazelle 1874 eingetragen (Peterm., GMitth. 22, 234). — *K. Hafen* s. Barracouta. — *K. Canal*, 2 ausl. Canalwerke: *a)* in China (s. Juho); *b)* am Ebro, v. Karl V. begonnen 1529 (Willk., Span. P. 58. 99). — *K. Rivier*, der Fluss v. Constantia, Capl., 'v. einem Teutschen, der darinnen vor vielen Jahren ertrunken ist' (Kolb, VGHoffn. 212).

Kaiwaka = Canoe-esser od. -zerstörer, Mauriname des Abflusses des Roto Mahana, wahrsch. v. den Stromschnellen, welche der Fluss passirt, da die Canoes hier auf den Boden aufstossen u. leicht beschädigt werden (Hochstetter, NSeel. 280, Dieffb., Trav. 383).

Kaiyikkwan = Hahnenkamm, ein schroffer Kalkfels am Si Kiang, bei Tschausan obh. Schao King dicht am Flusse aufragend, v. höchst malerischer Form in drei sonderbare kegelförmige Spitzen auslaufend u. so genau einem Hahnenkamm gleichend (PM. 7, 110).

Kakabeka = zerborstener Fels, ind. Name des grossen Wasserfalls des Kaministiquia R., der bei Fort William in den Lake Superior mündet, engl. *Grand Falls* = der grosse Fall (Hind, Narr. 1, 35, Ansicht (frontisp.).

Kakawissassa Creek, ein kleiner rseitg. Zufluss des Missuri, obh. Cheyenne R., am 9. Oct. 1804 v. den Captt. Lewis u. Cl. (Trav. 75) benannt nach dem Indianerhäuptling *K.* (= Leuchtkrähe),

der mit zwei andern erschienen u. mit Tabak beschenkt worden war.

Kakahi, Roto- = Muschelsee, bei den Maori einer der See'n des durch seine landschaftl. Schönheit berühmten See'ndistricts, 'wie ein Miniaturbild der prachtvollen Alpensee'n Ober-Italiens' (v. Hochstetter, NSeel. 265).

Kakbektinsk s. Kaginsk.

Kakhjens s. Lokhatra.

Kaki Skala, ngr. *Κακὴ Σκάλα* = die böse Stiege: *a)* eine in alter u. neuer Zeit übel berufene Klippenstrasse des korinth. Isthmus, v. Kaiser Hadrian zu einer Fahrstrasse gebahnt (Kiepert, Lehrb. AG. 277). Zur Rechten man steil ansteigende Bergwände; links geht es jäh z. Meer hinab; der Weg mit oft bröckelnder Unterlage; an einer Stelle treten die nackten Rutschwände zu Tage u. zwingen den Wanderer bis an den schmalen Meeresstrand hinabzusteigen u. dann wieder auf den losen Trümmern mühsam z. Terrasse des Weges hinaufzuklettern. Wild u. schön ist der Weg durch den Ueberblick des ägin. Golfs, aber mühsam u. bei Sturmwetter nicht ohne Gefahr. Strabo (391) sagt sogar v. diesen Felsen, dass sie 'längs der See hin keinen Durchweg übrig lassen'. Diese Gefahren stellte der Mythus v. den Gewaltthaten des wegelagernden Skiron dar (daher der alte Name der *Skironischen Felsen*), während die Megareer unter diesem das Andenken eines um die erste Bahng. der Strasse verdienten Landesfürsten ehrten. Nahe dem Südwest-Ende des Passes wird der Pfad durch vortretende Felsmassen bes. eingeengt; das war die verrufenste Stelle, wo sich an die *Moluris Petra*, gr. *Μολουρὶς πέτρα* = molurischen Klippen die *Ἐναγεῖς πέτραι* = 'verfluchten Felsen' anreihten (Curt., Pcl. 1, 9 f.). Einer der Felsen wurde wahrsch. wg. seiner gewölbten Ausladg. *Chelone*, gr. *Χελώνη* = Schildkröte genannt (wie auch ein koisches Vorgebirge diesen Namen trug, Paus. 1, 2, 4), u. die Gefährlichkeit der Stelle wird die Veranlassg. gewesen sein, dass in der Sage diese 'Schildkröte' zu einer menschenfressenden wurde (1, 26, Bursian, GGeogr. 1, 368, Fiedler, Griech. 1, 222); *b)* ebenso heisst 'nicht ohne Grund' ein bald hoch auf senkr. Felswand, bald am steilen Abhang bis z. Meer sich hinziehender Küstenpfad des südl. Aetoliens an dem kahlen Felsberg *Chalkis*, gr. *Χαλκίς* (Bursian, GGeogr. 1, 133).

Kakortok = das weisse, urspr. *Kakortome* = bei dem weissen Ort, bei den Eskimo ein grönl. Localität, nach einer ehedem ganz weiss gewesenen normann. Kirche (Cranz, HGrönl. 2, 250).

Kalabagh s. Krischna.

Kalah, besser *kalaa* od. *qalaa* = starkes Schloss, Veste, in der Verbindungsform *kalaat*, auch *kaloh, galaa*, davon dim. *go-* od. *qolea* = Schlösschen, Schanze, auch einen Hügel v. der Gestalt einer Citadelle, *gelaa*, f. ein Plateau, welches, v. Böschungen umgeben, eine natürl. Festung darstellt (Parmentier, Vocab. arabe 15. 24 f. 30), als Grundwort in vielen arab. ON., mehrf. auch f. sich allein Eigenname od. Bestimmungswort eines solchen: *a) el-*

K., die Festungsruinen auf dem Garizim, welche Robinson (Reise 3, 320) f. Ueberreste einer v. Justinian errichteten Festg. hält; *b) Kaloh* s. ʿAïn; *c) el-Golea*, Ort der Sahara, auf der Route Algier-Tuat; *d) Koléa*, Ort in Algerien; *e) Deir el-K.* = Kloster des Schlosses, ON. am Wege Tripoli-Beirut, ein Kloster, das aus den Fundamenten eines alten Tempels, vermeintl. eines Schlosses, erbaut ist (Kremer, MSyr. 236); *f) Haret el-K.* = Schlossquartier, in Hebron der Stadttheil mit dem Schlosse (Seetzen, Reise 2, 48). — In Sicilien, übh. Süd-Europa, mehrf. erhalten *a) Caltanisetta*, v. arab. *Kala't el-Nisa* = Frauenschloss, also wie *Calatabellotta*, f. *Kala't el-Belut* = Eichenschloss, *Calatafimi* u. a. Zeugen der Saracenenzeit (Edrisi ed. Jaub. 2, 87. 97 f.). — *Calatayud*, alt *Bilbilis*, in Aragon, wo der maur. Fürst Ayud im 8. Jahrh. ein Schloss bauen liess (Meyer's CLex. 4, 80).

Kalahari, eig. *Karri-karri* = die peinigende, die v. den Saan bewohnte 'Wüste' Süd-Afr. (Peterm., GMitth. 4, 54), eher Steppe als Wüste, aber ohne fliessendes Wasser.

Kalamantan s. Borneo.

Kalamine, gr. *Καλαμίνη* = Rohrsee, bei Plin. (HNat. 2, 209) *Calaminae*, ein See in Lycien (Pape-Bens.), wie *Kalamoi*, gr. *Κάλαμοι* = Röhricht, ein Küstenort v. Samos (Herod. 9, 96); *c) Kalamos* s. Kuru; *d) Kalamoi* s. Imbrasos; *e) Kalamaki* s. Schoinos.

Kalandschara, nach der Durga od. Parvati, der Berggöttin, skr. Name: *a)* eines Klippenzugs der Wüste Thurr, v. Parkur nach Dschassalmir; *b)* eines Felsen in Bandelkhand (Lassen, Ind. A. 1, 139).

Kalapa s. Batavia.

Kalba = Berg, mong. (u. kirg.) Bergname am Oberlaufe des Irtysch (Bär u. H., Beitr. 20, 12).

Kalbis s. Kelb.

Kaldao s. Rabiusa.

Kaldidalur s. Kalt.

Kaldu s. Babylon.

Kale = Schloss, in türk. ON. wie *Kalah* (s. d.) in arab., als *K.-Dagh* = Schlossberg, 2 mal: *a)* ein Theil des Antitaurus, nach einer auf hohem Gipfel sichtb. alten Burg (Tschihatscheff, Reis. 35); *b)* ein Vorberg des Bulghar-Dagh, Cicilien, nach alten Quadermauern (ib. 56). — *K.-Dere* = Schossthal, verd. aus ngr. *Chaladran*, gr. *Charadra, Charadros* = Giessbach, ein Ort an der Mündg. eines cilic. Bergbachs (ib. 19, Kiepert, Atl. Hell.). — *K.-Deressi* = Schlossthal, ein enges Felsenthal östl. v. Tüs Göllü (Tschih. 32). — *K.-Su* = Schlosswasser, 2 mal: *a)* einer der Quellflüsse des Araxes, welchen er bei der Veste Hasan Kale erreicht; *b)* ein rseitg. Zufluss des Murad (Spiegel, Eran. A. 1, 145. 151).

kalender, mod. Name einer kl. malerisch umbuschten Bay am Bosporus, angebl. nach einem 'kalender' = Bettelmönch, der hier begraben wäre, offb. aber nach *Καλὸς εὔδιος* = der schönen Meerstille, wie die Bucht bei den Byzantinern wg. des hier immer ruhigen u. stillen Meeres hiess (Hammer-P., Konst. 2, 240).

Kalfey s. Calf.

Kali, Siwa's Gemahlin, die ind. Hekate, in ON. Indiens, wie *Kaligandsch* = *K.*'s Markt, zwei Orte Bengals, *Kalikot*, eig. *Kalikodu* = *K.*'s Veste (Lassen, Ind. A. 1, 191), fränk. *Calicut*, in Malabar, *Kalimáth* = *K.*'s Tempel, *Kalinádi* = *K.*'s Fluss, beide in Hindostan, *Kalipani* = *K.*'s Wasser, ein Flüsschen in Kamáon (Schlagw., Gloss. 206), dasselbe, in der Form *Kalpani*, ein Fluss in Bengal. Das bekannteste Object dieses Namens ist *Kalikáta, Kalkata*, in engl. Orth. *Kalkutta* od. *C.* . . . = Kali's Wohnung, eig. Begräbnissplatz, bis 1700 nur ein Dorf, seither z. Grossstadt entwickelt (Meyer's CLex. 9, 708) . . . 'we could get *in loco* no further details referring to it' (Schlagw., Reis. 1, 219, Gloss. 209, Neumann, GEngl.R. 1, 56).

Kalibia s. Aspis.

Kaling s. Hindu.

Kaliphoni s. Lampeia.

Kalisari s. Brahma.

Kalix Elf, eig. lapp. *Kalas Eno*, einer der nördlichsten Zuflüsse des Bottn. Golfs (s. Luleå), nach einem Sumpfe gl. N . . . . 'efter ett träsk af samma namn'. An der Mündg. der schwed. Ort *K.*, 'en treflig by, belägen bå pàda stränderna af elfven med samma namn, mellan hvilka kommunikationen underhälles medelst färja', die älteste Anlage dieser Gegend, *Neder* (= nieder) *K.* genannt z. Unterschied v. dem 1644 davon abgetrennten *Öfver* (= ober) *K.* (Petersson, Lappl. 24. 59).

Kalkfontein = Kalkwasser, caph. Name einer Quelle (u. Ansiedlg.) im Südwesttheile des Capl., da der Fuss den einen der umliegenden Hügel ganz aus weisser Kalkmasse besteht, welche th. f. sich, th. höher hinauf mit allerhand Geschiebe zsgebacken vorkommt (Lichtenst., SAfr. 2, 352).

Kalkutta s. Kali.

Kallenborn s. Kalt.

Kallnen s. 'Bergen', v. lit. *kalnas* = Berg, ON. in preuss. Litauen mehrf. (Thomas, Tils. Pr. 14).

Kalmak-Tologoi = Kopfberg, kalm. Bergname am Weissen Irtysch, 'weil der Berg mit einem geschorenen Kopfe Aehnlichkeit hat . . . Der Berg stellt eine völlig vereinzelte runde Kuppe dar, welche sich üb. die übr. erhebt. Sie hat das Ansehen eines ungeheuern Heuschobers . . .' (Bär u. H., Beitr. 20, 63. 87 f.).

Kalmar = Kaufungen, in schwed. ON. finn. Urspr., v. den einwandernden Germanen adoptirt. 'Bland Sveriges äldsta städer räknas billigt *K* . . . . Hit förde främmande folkslag sina handelsvaror, som sedan utspriddes kring hela Sverige' (Pettersson, Lappl. 29).

Kalmyken, frk. *Kalmücken*, ein mong. Volk, v. dem, einer alten Sage zuf., der grösste Theil, lange vor Dschingis Chan nach Westen gezogen, sich im Kaukasus verloren, der Rest aber v. den tatar. Nachbarn den Namen *Ckálimack* = die Zurückgebliebenen, v. verb. *hkálmack* = zurückbleiben, erhalten hätte (Klaproth, Kauk. 1, 162, Müller, SRuss. G. 3, 202, Pallas, Mong. V. 1, 6). Dagegen übsetzte Herberst. (ed. Major 2, 76) 'Lang-

haarige′ ... called *Calmucks*, because they alone
let their hair grow, u. Fischer (Sib. G. 1, 1. 37)
nimmt *Kalmak*, v. tat. *kolpak* = Mütze, als
Schimpfnamen. ′Ihre Nachbarn, die muhammed.
Tataren, als welche Turbane tragen u. in
Sprache, Religion, Sitten u. Lebensart gänzlich
v. ihnen vschieden sind, auch bei aller Gelegenheit sie überfallen u. v. ihnen hinwiederum überfallen u. ausgeplündert werden, haben ihnen
spottweise diesen Namen gegeben′. Ein anderer
Name ist *Ölöt*, seitdem sie der Prinz Olutai v.
dem Verbande des Mongolreichs ablöste (Timkowski, Mong. 2, 209. 216, Pallas, Mong. V. 1,
6). — *Kalmykowskaja*, ein Kosakenplatz am
Unterlaufe des Jaik, auf kalmyk. Gebiet (Müller,
Ugr. V. 1, 54).

Kalos = schön, gr. adj. καλός m., καλή f., κα-
λόν n., in der Zssetzg. mit τὸ κάλλος = die
Schönheit auch mit λλ, oft in ON. wie *Kale Akte*,
gr. Καλὴ ἀκτή = schöne Küste, eine euphem.
Bezeichng. v. Vorgebirgen, die durch Sturm u.
Brandg. häufig Unglücksstätten sind (s. Kopria);
ähnlich lat. *Promontorium Pulchrum* = das
schöne Vorgebirge (Curt., GOn. 154): *a)* ein
Küstenstrich östl. v. Eretria, Euböa (Kiepert, Atl.
Hell.); *b)* in zsgezogener Form Καλάκτη, eine
Stadt an der Nordküste Siciliens, *Caronia* (Suid.).
Aehnlich Καλὴ ἄκρα = das ′schöne′ Vorgebirge,
id. mit *Melaina akra* (s. d.) an der bithyn. Küste.
— *K. Limen*, gr. Καλὸς λιμήν = schöne Bucht,
ein Hafen der Ch. Taurica, unweit Panticapäum
(Arr. p. p. Eux. 19, 5), im plur. *Kaloi Limenes*,
gr. Καλοὶ λιμένες, ein Landungsplatz der Südküste Kreta's (NT. ApG. 27, 8), wie *K.*, gr. *K.*
ὁ ποταμὸς = der schöne Fluss, bei Trapezunt,
j. *Kalopotamo* (Arr. p. p. Eux. 7, 2) u. *K. Eudios*
(s. Kalender). — *Kalon a) K.* τὸ ἀκρωτήριον
== schönes Vorgebirge, bei Karthago, euphem.
(Pol. 3, 22 ff.); *b) K.* πεδίον = ′Schönfeld′, die
Ebene bei Amosala, Mesop. (Pol. 8, 25); *c) K.*
στόμα od. στομίον′ = ′Schönmünden′, die südl.
Mündg. des Issar (Ap. Rh. 4, 306). — *Kaloskopi*,
ngr. Καλοσκοπή = Schönsicht, wie venet. *Bel-*
vedere, frz. *Beauvoir*, der 140 m h. Spitzgipfel
v. Elis, der stattlich die nahen Höhen u. Ebenen
überragt u. eine herrl. Aussicht üb. Hohl-Elis u.
hinüber zu den nahen Inseln bietet (Curt., Pel.
2,22). — *Kallipolis*, gr. Καλλίπολις = schöne Stadt,
im Alterth. 7 mal ON. griech. Pflanzstädte, insb.
a) in UItalien, tarantin. Colonie auf einer kleinen
Felshalbinsel des Golfs, einh. *Anxa*, j. *Gallipoli*
(Kiepert, Lehrb. AG. 453); *b)* an den Dardanellen,
fränk. ebf. *Gallipoli*, türk. *Gelibolu*, zwar nicht
an der engsten Stelle des Hellesponts gelegen,
aber f. den Verkehr üb. Lampsacus bequemere
Ueberfahrtsstelle (Kiepert, Lehrb. AG. 325, wo
der Ort als athen. ′Stadt des Kallias′ citirt ist);
c) s. Aspis. — *Kallirrhoë*, nach Joseph. gr. Καλλιῤῥόη = Schönbrunn, mehrf. ON. *a)* Mehrere
starke, dampfendheisse Sprudel östl. v. Todten
M., v. schwefl. Geruch, viel Tuff u. Schwefel auf
ihrem 50 m lg. Lauf absetzend (Seetzen 2, 336)
′calidus fons medicae salubritatis *C.* aquarum

gloriam ipso nomine praeferens′ (Plin., HNat. 5,
72); sie quellen im Thalgrund der Serka Máein
u. sind nicht zu verwechseln mit dem heissen
Uferbach, der sich 2 km südl. v. der Flussmündg.
in den Todten See selbst ergiesst (Seetzen, Reis.
2, 368); *b)* eine Quelle in Böotien, welche im
Winter versiegt, Sommers in reichl. Strömg. sich
ergiesst (Forchh., Hell. 1, 154); *c)* eine Quelle am
Hymettos die einzige stärkere u. nie versiegende
Quelle des athen. Stadtbezirks (Kiepert, Lehrb.
AG. 279), zZ. der Pisistratiden durch 9 Röhren
in die Stadt geleitet u. daher Ἐννεάκρουνος =
Neunbrunnen genannt (Thuc. 2, 15); *d)* ein Com-
plex v. 25 starken Quellen, mit Weiher, dessen
Fische einst vermuthl. der Astarte, j. dem An-
denken Abraham′s· geweiht, bei Edessa, welches
davon selbst auch *K.* hiess (HammerP., Osm. R.
2, 453, Kiepert, Lehrb. AG. 156); *e)* s. Lesa. —
Aehnl. *Kallidromon*, gr. Καλλίδρομον = Schön-
lauf, ein Theil des Oeta, unweit der Thermopylen
(Strabo 428), *Kallikolone*, gr. Καλλικολώνη =
Schönbühl, ein Hügel in Troas (Hom., Il. 20, 53),
Kalliste s. Thera. — *Kalawryta* s. Alyssos.

Kalt, so schon in ahd., holl. *koud* (s. Bock),
dän. *kold*, schwed. *kall*, engl. *cold* (s. d.), in ON.
nicht selten, schon im 8. Jahrh. *Chaltova*, j. *Cal-*
dauen, Kr. Siegburg, *Caldenbach*, Fluss- u. ON.
mehrf., j. *Kal-*, *Kalten-*, *Keldebach*, im 9. Jahrh.
Chaldebrunna, ebf. mehrf., j. *Kaltbrunn(en)*,
Kaltenbrunn, *Kallenborn*, im 11. Jahrh. *Coude-*
kerke (Mannier, Et. dép. Nord 12). — *Kaltbad*,
ein Curort des Rigi, mit Heilquelle v. 5⁰ C., schon
sehr früh mit Capelle u. Wirthshaus f. die Wallfahrer, wie andere Rigiorte erst seit 1763, d. i.
seitdem der Pfarrer C. Fäsi u. andere Zürcher
den ersten Touristenbesuch, 245 Jahre nach Vadians Besteigg. des Pilatus, machten, f. weitere
Kreise aufgegangen (Egli, Taschb. 99). — *Kalten-*
boden, Hof auf einem den kalten Winden ausgesetzten Plateau des zürch. Oberlandes (Mitth.
Zürch. AG. 6, 82). — *Kaldidalur* = kaltes Thal,
ein ′gletscherumsäumtes steiniges Thal′ nordöstl.
v. Reykjavík (Preyer-Z., Isl. 91).

Kaltschedansk s. Tobolsk.

Kalv s. Calf.

Kama, der grösste der lkseitg. Zuflüsse der Wolga,
bei den wotj. Anwohnern *Kam* = Fluss u. zwar
Budschim Kam = grosser Fluss, tscherem.
Tscholman Wiz, wo *wiz*, *witsch*, *wit* = Fluss
(s. Solikamsk), bei den (stark verturkten) Tschuwaschen *Schorah Adal* = weisser Fluss, tatar.
Tscholman oder *Ak Idel* = weisser Fluss (Müller,
Ugr. V. 2, 330, Meyer's CLex. 9, 721). Das Attribut ′weiss′ kann nur v. Unterlaufe hergenommen
sein; dieser hat seine helle Farbe v. der Bjelaja
(s. d.). Dagegen contrastirt gerade bei der Confl.
das trübe, schwarze Wasser der *K.* mit der Molkenfarbe des Nebenflusses, so auffallend, dass sie bei
den tatar. Anwohnern dort auch *Kara Idel* =
schwarzer Fluss heisst (Müller, Ugr. V. 2, 352,
Falk, Beitr. 1, 200). — *Kamimort* s. Perm.

Kamari, ngr. Bezeichng. eines Hafens der **Insel**

Thera, v. einigen in den Felsen ausgehauenen Kammern (Ross, IReis. 1, 68).

Kamarsk s. Kaginsk.

Kambangan, Nusa = blumenreiche Insel, mal. Name einer Insel der Südseite Java's. Hier wächst nämlich 'widjojo kusumo' = die alles übertreffende Blume, eine kleine strauchartige diöcische Pflanze u. zwar auf zwei schwierig zugängl. Felseilanden: *Bandong Lalaki* = Mannfelsen (v. *bandong* = Damm), wo die männl. Exx., u. *Bandong Perampuan* = Weibfelsen, wo die weibl. Exx. vorkommen. 'Zur Zeit, als die Fürsten auf Java noch unumschränkte Herren waren, durfte bei Todesstrafe niemand diese Pflanze pflücken, u. niemand durfte sie tragen als der Kaiser v. Surakerta (Solo) . . . an seinem Krönungstage . . .'. Auf der Insel wohnte der amtliche Hüter u. Pflücker der heiligen Blume; zu ihm begab sich jew. die feierliche Gesandtschaft v. Reichsgrossen, um ihn in Kähnen zu den Blumenfelsen zu geleiten. 'Auf einer silbernen Schüssel, in feuchte Erde gesteckt, v. einem kostbaren Baldachin beschattet, wurde die Blume z. Hauptstadt getragen, beiderseits escortirt v. Berittenen, vorangegangen u. gefolgt v. dem feierl. Zuge der Gesandtschaft, u. die Bevölkerg. aller Oerter, welche der Zug durchschritt, warf sich ehrerbietigst auf die Kniee nieder' (Junghuhn, Java 1, 93. 266 f.). Ggb. diesen Aufschlüssen fällt Crawfurd's (Dict. 303) Uebsetzg. 'Enfeninsel'.

Kambing, Pulo = Ziegeninsel, mal. Name der bei Dilli, Timor, vorliegenden Insel, augensch. nach der Menge kleiner Hirsche, Cervus Moluccensis, die dort leben u. das Salzwasser des Schlammvulcans lecken (Crawf., Dict. 195).

Kameh ist auf den bisherigen Carten der Name des grössten rseitg. Zuflusses des Kabul, nach einen Dorfe bei der Confl., wohl richtiger *Khonar*, nach einem der v. ihm durchflossenen Gebiete, od., wie ihn die Kafir nennen, *Sindh* = Fluss, dem dann *Khota Sindh* = kleiner Fluss, d. i. der Sisa- od. Ostarm der frühren Carten, ggb. steht (Lassen, Ind. A. 1, 32. 37).

Kamelberg s. Camel.

Kamen = Stein, asl. *kamen* (Brückner, Slaw. AAltm. 70), poln. *kamien*, in ON. häufig: *Kamen*, *Kamená*, *Kamenek*, *Kamenec*, *Kameni*, *Kamenic*, *Kamenice*, *Kameniček*, *Kamenična*, *Kamenik*, *Kamenitschka*, *Kamenitz*, *Kamenizen*, *Kamenje*, *Kamenka*, *Kamenná*, *Kamenné*, *Kamenó*, *Kamensko*, *Kamentsche*, *Kamenz*, *Kamenza*, *Kamenze*, ferner *Kamien*, *Kamienica*, *Kamienna*, *Kamienne*, *Kamionka*, *Kamionki*, *Kamionna*, in den slaw. Gebieten Oesterreichs (Umlauft, ÖUng. NB. 101), *Kamin*, *Camin*, *Cammin*, mehrf. in Mecklb. (Kühnel, Slaw. ON. 64), auch sonst *Camenz* u. in deutschem dim. *Kamminchen*, wend. *Kamenki* (Buttmann, Deutsche ON. 103), *Camina* u. *Kamina*, in Sachsen, *Kamjenczik*, in Polen. — *Kamenez* = Felsburg, urspr. poln. Name zweier **Städte** des alten Polen: a) K. *Podolsk*, d. i. das **podol**ische, auf einer Felshalbinsel, welche der Smotritsch, kurz vor seiner Mündg. in den Dnjepr,

bildet u. welche schon zZ. Herbersteins (ed. Major 2, 170) eine Holzveste mit Steinthurm trug; b) K. *Litowski*, d. i. das litauische, im Gouv. Grodno (Meyer's CLex. 9, 727). — *Kamengrad* = Felsstadt, serb. ON. in Bosnien, f. ein Dorf, welches Bergbau auf Eisen u. Silber u. entsprechende industrielle Anstalten hat (ib. 726). — *Kamennoi Ostrow* = Steininsel, ein Eiland, aus Lehmsand u. Muscheln mit Feuersteinen, 10 km v. der Mündg. des Jaik (Müller, Ugr. V. 1, 50). — *Chemnitz*, dial. *Kemniz*, 1143 *Kameniz*, um 1200 *Kemniz*, 1218 *Camniz* (GHey, ON. Sachs. 35), Fabrikstadt in Sachsen, auf altwend. Boden, wo auf hohem Felsvorsprg. Heinrich I. einen befestigten Ort anlegte u. 938 Otto I. die erste Kirche baute (Meyer's CLex. 4, 382, Bacm., Kelt. Br. 50), an einem Flusse, der wend. *Kamjenica* = Steinach hiess. Die Veranlassg. zu solcher Nomenclatur hat entw. der Fluss, dessen Wasser üb. Steine od. Steingerölle hinfliesst, od. das Vorkommen v. Felsen u. Steinbrüchen gegeben (Immisch, ON. Erzg. 17. 31); nach B. Sigismund (Lebensb. Erzgeb. 121) sind es die nahen Brüche v. Porphyrtuffstein. Für die sächs. Fabrikstadt dürfte die 'Steinach' namengebend geworden sein. In Sachsen wiederholt *Kemnitz*, in Mecklbg. ein *Chemnitz*, 1170 *Caminiz*, *Kameniza*, 1230 de *Kemenisse* (Kühnel, Slaw. ON. 33). — *Kamenniye-Protoki* = Steinrinnen nennt der russ. Ansiedler im Gebiete der Kolyma die v. den Bergen herabkommenden kleinen Zuflüsse der Kolyma — im Ggsatz zu den *Wodyaniye-Protoki* = Wasserrinnen, d. i. den aus den Thalseen entspringenden (Wrangell, NSib. 1, 107 f.). — *Diko Kammenye* s. Kirgis. — *Kámen'* s. Paj.

Kamensk s. Tobolsk.

Kamgárh = Kam's Veste, hind. ON., im Kónkan, v. *Káma*, dem Cupido der Hindumythologie. Aehnl. *Kamgáung* = Kam's Dorf, im Dékhan (Schlagw., Gloss. 206).

Kaministiquia, nach Sir In. Richardson *Kaministikwoya* = Fluss, welcher weite Umwege macht, ind. FlussN. am Obersee (Hind, Narr. 1, 24, Peterm., GMitth. 6, 35). An der Mündg. baute du Luth 1679 (Coll. Minn. HS. 1, 314) ein *Fort K.* (s. William). Nach dieser Quelle würde der Ort j. *Fort Charlotte* heissen.

Kammeni s. Kaïmeni.

Kampanario s. Campanile.

Kamtschatka, die grosse ostsib. Halbinsel, zuerst v. Leuten Deschnews (1648), v. Anadyr aus, also durch korjäk. Gebiet, v. Norden her, erreicht, ist dam. mit seinem Namen aufgetaucht, da die Korjäki ihre Nachbarn *Kontschala* = Leute am äussersten Ende (Fischer, Sib. G. 1, 38) od. nach einem Häuptling *Kontschalo*, den Fluss *Kontschaka*, genannt hätten (Steller, Kamtsch. 2, Müller, Kamtsch. 1 f. 21, Krascheninnikow, Kamtsch. 4. 209). Zuerst handelte es sich um die Gegend des 'Gr. Kamtschatka Fl.'; f. diese formten sich die Kosaken sowohl den LandesN. K. als auch den VolksN. *Kamtschadalen* (nicht etwa nach dem einh. *kamscha*, *ksamsan* = Mensch?). Unter den Eingb. war, entspr. *itelachsa* = ich wohne oder lebe, der Name *Iteljmen*, *Itälmen* in Gebrauch, um jeden menschl. Einwohner, insb. die ihrem Lande angehörigen, zu bezeichnen (Erman, ZfEthnol. 2, 307). Am Flusse *Werchnei* (= ober) *Kamtschatsk*, 1701, als Simowie d. i. Winterwohng. schon 1697, u. *Nishnej* (= unter) *Kamtschatsk*, 1702 ggr. (Müller, SRuss. G. 4, 213, Erman, Reise 3, 172), letzterer Ort in dem Aufstand 1731 zerstört, 1732 erneuert 2 km weiter flussab (Steller, Kamtsch. 201). — *Meer v. K.* s. *a)* Bering, *b)* Ochotsk.

Kamysch = Schilf, Rohr, in türk. ON. *a) K. Samara* = Schilfsee, ein Steppensee, in welchen die beiden Parallelflüsse Gross u. Klein Usen der Kalmykensteppe münden, v. dem vielen Schilf, welches die schlammigen Ufer einfasst. Auch 3 reiche Salzteiche, weiter flussauf, v. den uralsk. Kosaken ausgebeutet, heissen die *Samarischen Salzsee'n* (Falk, Beitr. 1, 168). Nach neuern Carten hat sich der *KS.*, der schon früher im Sommer auf die Hälfte zsschrumpfte u. nur im Frühling wasserreicher Jahrgänge noch in den Jaik abfloss, auf einige kleinere Spiegel reducirt; *b) Kamyschewa*, 'ein weitleuftiger Schilfsee mit grossen verwachsenen Insuln u. Zungen', im Netz des Tobol, mit Abfluss *Kamyschewka* u. daran der Ort *Kamyschewsk* (Falk, Beitr. 1, 227); *c) K. Kurgan* = Schilfveste, Station der Gebirgsstrasse Taschkend-Namengan u. *d) Kamyschli-Basch* = Rohrkopf, Anfang des Rohrsees, ein See am rechten Ufer des Jaxartes, unw. v. dessen Mündg. (Peterm., GMitth. 37, 268).

Kámzam = 'Trockenbrugg', v. tib. *kam* = trocken, u. *zam* = Brücke, gew. *Kángdsang*, eine kleine z. Strasse v. Thöling nach Tschábrang, Gnári Khórsum, geh. Brücke, welche üb. eine durch Erosion gebildete, enge, gew. trockene Schlucht führt (Schlagw., Gloss. 207).

Kan Alin s. Chan.

Kanaan, der älteste Name des *heil. od.* 'gelobten *Landes'*, urspr. nur des Küstenstrichs, den auch die Aegypter *Kanana*, die Griechen *Xṽā* nannten, hebr. כְּנַעַן [k'ná'an] = Niederung, Tiefland, v. כָּנַע [kaná'] = (im niph.) sich hinabsenken, scil. gg. das Meer, mit der Bildungssilbe ן— [an]. Auch der jüngere Name *Palästina* ist v. der Küstenniederg. der *Philister*, hebr. P'lischti, assyr. *Palastu*, ägypt. *Puluschta. Puruschta*, ausgegangen u. lautete hebr. *P'lescheth*, bei den Griechen, die ihn wohl in Aegypten erfuhren *Philistäa*, gew. ἡ Παλαιστίνη Συρία. Er wurde viell. schon in der Richterzeit, als die übermächtigen Philister das Binnenland erobert hatten, bis z. Jordan u. später noch darüber hinaus gefasst (Kiepert, Lehrb. AG. 167. 171). — *K.* s. Wagemaker.

Kanah, hebr. קָנָה = Schilfrohr (vgl. Canna) *a)* ein Bach auf der Grenze v. Ephraim u. Manasse (Jos. 16,8), nach Robins. (NBF. 176. 181) wahrsch. das j. *Wadi Kânah*, welches, bei Sichem entspringend, bei Jafa in den Nahr el-Audscheh fliesst; *b)* eine Stadt im Stamme Ascher (Jos. 18, 28), j. noch *Kâna* (Gesen., Hebr. Lex.).

Kanaken = Menschen (sing. *kanak*), eigener Name der Taitier (Wüllerst., Nov. 3,190), der Sandwich-Insulaner (Meyer's CLex. 9, 740) u. a. Polynesier.

Kanara s. Karnata.

Kanatsio s. Ottawa.

Kandahar, ON. in Afghanistan, ein altes 'Alexandria' (Elphinstone, Cab. 2, 152, Ibn Batuta, Trav. 98) . . . 'a cidade a que os naturaes chamão corruptamente *Candar*, havendo de dizer *Scandar*, nome per que os Persas chamão Alexandre por elle edificar esta cidade . . .' (Barros, As. 4, 6, 1). Die griech.-maked. Colonie, unter den Seleuciden Hptstadt jener Gebiete, hiess *Alexandreia Arachoton*, gr. Ἀλεξάνδρεια Ἀραχωτῶν, da das fruchtb. Umland, nach seinem Flusse *Arachōtos*, altpers. *Harahvati* = wasserreich, v. den Griechen in Ἀραχωσία, mittelalt. *Arrochâdj*, umgestaltet wurde (Kiepert, Lehrb. AG. 60). Der genannte Fluss gehört z. Netz des Hilmend.

Kandalask, im Atl. Russ. richtig *Kandalax*, Ort an der Spitze des nordwestl. Golfs des Weissen Meeres, v. finn. *kanta* = Spitze u. *laax*, *laaks* = Bucht, also 'Ort an der Buchtspitze', u. danach benannt *Kandalakskij Zaliv* = Bucht v. *K.* (P. Hunfalvy, V. d. Ural 18, wo aber die 'Spitzbucht' nicht einleuchtet).

Kandang Badak = Versammlungsort der Rhinozerote, eine hohe Station am G. Gedé, v. den Sundanesen (Java's) so genannt, weil sich hier einst die Rhinozerote zahlr. einzufinden pflegten. Auch heute, allerdings sonst durch das Treiben der Menschen verscheucht, zeigen sie sich noch etwa auf dieser Stelle (Wüllerst., Nov. 2, 158).

Kander, FlussN. 3 mal: *a)* im Schwarzwald, 8. Jahrh. *Cantara*, an den Flusse der Ort *Kandern*; *b)* im Berner Oberland, Zufluss des Thuner See's; *c)* in Luxemburg, j. *Gander*, bei *Gandern*, wird 1888 v. Buck (Zeitschr. Gesch. Oberh. nf. 3, 339) v. gall. *kantos*, kymr. *cann*, *cant*, *cand* = weiss, abgeleitet, ein Stamm, der indog. Wurzel *scand* = leuchten entsprossen wie lat. *candeo*, *candidus*, mit v. d. in der gall. FlussN. oft vorkommenden Endg. *-ara*, die wahrsch. = Wasser. Angesichts dieser neuesten u. vereinzelt stehenden Erklärungsversuche darf auf die Keltomanen L. de Bochat zkgewiesen werden, der auf ähnl. Fährte wandelte (Mém. 3, 414 ff.). Er fand sich in Verlegenheit, welche der kelt. Deutungen f. *kan* = weiss; noch hd. hoch, f. *der* = rasch od. böswillig, er bevorzugt sollte . . . 'on ne le trouvera pas mal nommé laquelle de ces explications qu'on préfère'; doch scheint ihm 'der weisse Bergstrom' f. ein Gletscherwasser bes. zu gefallen. Aus einer eisbepanzerten, wilden Alpenwiege (s. Gasteren) gelangt die bern. *K.* durch eine finstere Clus in ihre zweite Thalstufe hinab, den *Kandergrund*, ein mit Häusern u. Hütten übersäetes, lachendes Alpenthal. Wo sie einst, statt wie seit 1712/15 in den Thuner See zu münden, die Aare selbst erreichte, hat sie aus ihrem Geschiebe, grien, ein weites Schuttland, den *Kandergrien*, angelegt.

Kándi = Berg, bei Barros (As. 3, 2, 1) *Cande*,

auf unsern Carten oft *Kandy*, singh. Name einer
Stadt im Berglande Ceylons, einh. meist einf.
Nùra=die Stadt (Schlagw., Gloss. 207, PM. 1,338).
Kandilli = das mit Laternen begabte, türk. Name
eines Orts, zunächst eines Vorgebirgs, an der
asiat. Seite des Bosporus. In der Schönheit der
Lage u. der Reinheit der Luft übertreffe der Punkt
alle andern des asiat. u. europ. Ufers, so dass
Hammer-P. (Konst. 2, 303) ganz in Ekstase geräth u. v. einer Zauberlaterne od. Schönheitsleuchte
der Erde spricht. Es dürfte sich hier einfach
um eine Art Leuchtthurm handeln, u. es wird
diess um so wahrscheinlicher, wenn wir beachten,
dass eine heftige Strömg., v. Akindi Burun (s. d.)
abgestossen, gerade auf das Vorgebirge zutreibt,
so dass dasselbe einst *Perirrhoon*, gr. Περίρροον
= das umflossene hiess.

Kane, *Elisha Kent*, americ. Polarfahrer, geb.
zu Philadelphia 1820, als Arzt ausgebildet, ging
1844 nach China, besuchte die Philippinen u.
a. Theile Indiens, einen grossen Theil Africa's,
machte 1846 den mexic. Krieg mit etc. u. begleitete 1850/52 die erste Grinnell Exp., welche
z. Aufsuchg. Franklins ausging; die zweite, mit
Hayes u. dem deutschen Astronomen Sonntag
1853/55, befehligte er selbst. In dem kleinen
Schiffe Advance überwinterte er am Smith Sd.,
24. Aug. 1853 bis 17. Mai 1855, u. führte v. da
aus Schlittenexcursionen weit nach Norden aus,
bis Cape Independance, fast 81⁰ NBr. Er selbst
(Arct. Expl. 1, Carte) bezeichnet das v. ihm er-
schlossene, erweiterte Seebecken als *K. Sea*, u.
Hayes (Op. PS. 310) setzt *K. Basin* — 'eine sehr
nöthige u. zweckmässige Benenng.' (Peterm.,GMitth.
13,183); *b) Cape K.* s. Constitution; *c) K. Insel*,
in der prov. Carte erst als *Cap K.*, in Franz
Joseph's Ld., v. der Exp. Weyprecht-Payer 1872/74
nach einem Vorgänger in der Polarfahrt getauft
(Peterm., GMitth. 20 T. 20. 23); *d) John K.
Glacier*, einer der Eisströme des Smith Sd., v.
Reisenden (Kane, Arct. Expl. 1, 221; 2, 259) nach
seinem Bruder benannt.

Kanem = Land des Südens, v. Tibu- u. Bornu-
wort *anem* = Süden u. der Vorschlagsilbe *ka*,
Name des ältesten muhammed. Staats in CAfrica,
da die Begründer v. Norden her einwanderten u.
in Beziehg. zu Arabien standen. Bewohner *Ka-
nemma*, pl. *Kanembu*. Anfängl. Heiden, sind
die Einwanderer Muhammedaner geworden u.
haben sich mit Negern vermischt; erst der 4. muh.
Herrscher war dunkelfarbig (ZdGfE. Verhh. 2,
117, Nachtigal, Sahara u. S. 2, 337).

Kanesatake s. Deux.

Kân-fù = Bucht, kleine Bay, nennt MPolo, in
der Schreibg. *Ganfu*, die j. *Kân-fû-tschin*, eine
Stadt der chin. Prov. Tsché-kiáng, 'place maritime
fortifiée pour la défense des côtes, située à 18 li
au sud-est de la ville cantonale de *Haï-yen'* =
Seesaline (Pauthier, MPolo 2, 498).

Kangingoak = die kleine Ecke, bei den Eski-
mos der Westseite Grönl. eine Landspitze (Cranz,
HGrönl. 2, 250). — Wohl ebf. zu 'Ecke' gehörig
Kangek, dän. *Haabets Oe* = Hoffnungsinsel, weil

hier Hans Egede am 3. Juli 1721 mit dem Schiffe
Hoffnung ankam u. sich zuerst hier ein Haus v.
Stein u. Erde, mit Brettern bekleidet, baute (ib.
1, 15. 365, Egede, Tageb. 9. VII. 1721).

Kanguroo Island, in Süd-Austr., v. Flinders(TA. 1,
170), welcher hier am 22. März 1802 eine gute Jagdbeute gemacht, so benannt 'in gratitude for so seasonable a supply'. Eine Menge weidender dunkelbrauner Kängurus, durch die Landg. keineswegs gestört, lieferte 31 erlegte Stück v. je 69—125 Pfund
Gewicht; die ganze Schiffsmannschaft hatte mit
Abhäuten u. Reinigen den Nachmittag vollauf zu
thun, 'and a delightful regal they afforded, after
four months privation from almost any fresh
provisions'. Die frz. Exp. Baudin, die bei der
Begegnung mit Flinders den Namen gebilligt
hatte, setzte, nach Paris zkgekehrt, prsl. *Ile
Decrès*, f. *K. Head* ebenso prsl. *Cap Delambre*
(s. dd.) u. liess dagegen an der Baie Bougainville
den Namen *Cap des Kanguroos* (Flinders, TA.
1, 191, Péron, TA. 1, 272; 2, 59). — *K. Point*,
am Victoria R., Nord-Austr., v. Capt. Stokes (Disc.
2, 58) so genannt nach den dort häufigen Thieren.

Kranhpur s. Kridschna.

Kanjakagram s. Comorin.

Kanienke s. Oneida.

Kanin, vollst. *Kaninskaja Semlja*, russ. Name
einer arkt. Halbinsel, dunkel, sam. *Salèj-Ja* =
Capland od. *Huptò-Saléjja* = Land mit dem
langen Cap, jener lang ausgezogenen Spitze, die
wir *Kanin Nos* = die Nase v. *K.*, die Russen
auch *Tonkòj Nos* = schmale Nase nennen, wohl
in Uebsetzg. des sam. *Jaaptósalè* (s. Lyatásalè).
— *Kaninskoj Kámen'* s. Paj(Schrenk, Tundr. 1,
669; 2, 140).

Kanilz s. Wilczek.

Kanobîn, ein Kloster im Libanon, der Winter-
sitz des maronit. Patriarchen nach dem griech.
Wort Κοινόβιον = Kloster (Seetzen, Reis. 4, 98).

Kanódsch = die (Stadt der) krummen Jungfrauen, v. skr. *kánja-kúbdscha* = die krumme
Jungfrau, Hindiname einer Stadt in Hindostán,
deren 100 Königstöchter sämmtl. den ungezügelten Begierden Váju's widerstanden u. dafür
v. ihm zu Krüppeln entstellt wurden. Aehnl.
Konjakagrám = Jungferndorf (Schlagw., Gloss.
208).

Kansas, Zufluss des Missuri, nach den Indianerstamme der *K.*, *Konzas, Kasas* (Staples, St. Union
23), einer Abth. der Dakotah (Quackb., US. 18).
Das Umland als Terr. org. 1854, Staat 1858,
mit Stadt *K. City*, 1830 an der Mündg. des *K.*
ggr. (Meyer's CLex. 9, 762).

Kansk s. Kaginskoi.

Kantara, besser *qantara* = Brücke, Viaduct,
Aquaeduct, auch *kantra* od. *kantarah*, mit Dehnungszeichen, *gantara, gantra*, mit erweichter
Aussprache des Kehllauts, dim. *knitra*, plur.
knatör, oft in arab. ON., f. sich allein *el-K. a)*
in der alger. Prov. Constantine (Parmentier, Vocab.
arabe 30); *b)* s. Dscherbi; *c) Gantara*, am Tigris
unth. Bagdad, nach einer angebl. v. Alexander
d. Gr. erbauten antiken Brücke, deren Ueber-

bleibsel früher noch aus dem Wasser hervor-schauten (Schläfli, Orient 136); *d) Alcantara*, Ort in Estremadura, wo eine grossartige Römerbrücke mit 6 Bogen, 187 m lg., 57 m h. den Tajo über-spannt (Willkomm, Span. u. P. 149), hatte schon iber. *Turobriga*, wo *briga* = Brücke, u. röm. *Pons Trajani* geheissen, 'sin que en tantos siglos y tan varias lenguas se haya perdido aun la idea de puente, que tuvo en su orígen, por el que conocieron los Celtíberos, y el que despues edifcó el arquitecto romano Lacer, que subsistia en tiempo de los Sarracenos y aún se conserva en el nuestro' (Caballero, Nom. Esp. 67). — *Wady el-K.* = Brückenfluss, Fluss in Tunis *a)* zw. Nabal u. Kiruan, weil üb. das oft leere Bett die Ruinen einer hohen, ältern Brücke gehen u. neben dieser eine neue, niedrigere (Barth, Wand. 145); *b)* bei Kâf, als rseitg. Zufluss der Medscherda. 'Hier zu Lande, wo es nicht so schwierig ist, die Brücken zu zählen, enthält die Angabe 'Brücken-fluss' schon eine gewisse nähere Bezeichg.' (ib. 222). — *el Guenäter* = die Brücken, Arkaden, eine Berggegend in der westl. Sahara. 'Zw. ba-saltischen Hügelmassen v. colossalen Dimensionen, welche vertical üb. einander gethürmt sind u. deren Gipfel in Kegelform ausgehen, lagern enorme Felsblöcke granitischer Structur, welche die Zeit respectirt zu haben scheint' (PM. 5, 108).

Kantschindschinga = die fünf Juwelen des Hochschnee's, der höchste Gipfel des Himálaja v. Sikkim, mit Bezug auf die fünf Hauptfirn-mulden, welche den Stock des Berges umlagern, v. tib. *gang*, in diesen Theilen des Himálaja gew. *kanq* gespr. = Schnee, Eis, *tschhen* = gross, *dzod* = Schatz, *nga* = fünf, bei den Leptschas in *Tschu-thing-bo-jet-pim-go*, oft nur *Tschu-thing*, übsetzt (Schlagw., Gloss. 207). Lassen (Ind.A. 1, 79) hält den Namen f. skr., verwandt *Kantschan-ganga* = Goldfluss, f. einen Fluss des westl. Himálaja, u. ähnl.; *kantschana* = golden bezöge sich 'sicher auf das Glänzen des schneebedeckten Gipfels', u. *dschinga* wäre eine Pflanze, mit deren Gestalt wohl die des Berges verglichen wurde.

Kanuri s. Bornu.

Kanzel, der Ausdruck f. hoch aufragende Vor-sprünge, hat wohl seine berühmteste Oertlichkeit im dim. *Känzeli*, einem kühn vortretenden Aus-sichtspunkt bei Rigi-Kaltbad. — Als Seitenstücke *a)* *Predikstoel*, 'sehr passender' holl. Name eines scharfabgekanteten Felsens in der Lange Kloof, Capland (Lichtenst., SAfr. 1, 337) u. *b) Pulpit Rock* = Kanzelfels, eine vor Mt. Shanck, Victoria, liegende Felsmasse, so genannt nach ihrer Form ... 'from its exact resemblance' (Stokes, Disc. 1, 258).

Kaoli-mön s. Korea.

Kaoling = hoher Bergrücken, chin. Name des alten Fundorts f. Porcellanstein. Obgleich dieser Ort seit Jahrhh. seine Bedeutg. verloren hat, be-zeichnen die Chinesen noch immer mit *K.* die Art, welche früher v. dort kam, j. aber an andern Punkten gewonnen wird (PM. 17, 276).

Kaoping s. Schan.

Kapakamaou = Einer erschlagen, ind. Name eines Hügels an den Confl. des Qu'apelle R. (s. d.) mit dem Assinniboine R., v. einem tragischen Vorfall aus der frühesten Zeit des Pelzhandels in jener Gegend. Bei den Canadiern heisst der isolirte Hügel, der 36 m üb. der Prairie drei Flussstrassen beherrscht, *Spy Hill* = Spähberg, u. beide Namen beziehen sich auf denselben Vor-fall: Es hatte näml. eine Abtheilg. Assinniboine, in Verfolg. der Crees, einen Späher ausgesandt, u. dieser wurde bei Tagesanbruch v. dem Cree-spion, welcher nahe bei ihm, auf dem Spy Hill, übernachtet hatte, niedergestreckt, eh' er nur die Nähe des Feindes gemerkt hatte (Hind. Narr. 1,424).

Kapal s. Onrust.

Kapauta s. Urmia.

Kaphthor s. Aegypten.

Kapoga = die Leichten, ind. Name eines Unter-tribus der Dakotah, als leichtfüssiger, schneller Läufer: 'because they were lightfooted, or swift pedestrians' (Coll.Minn. HS. 1,264), bei den Weissen *Little Crow* = kleine Krähe, nach dem Häupt-ling Chatonwahtocamany = Petit Corbeau (ib. 36). Nach dem Volke der Ort *Kaposia*, etwa 6 km unth. SPaul, Minnesota.

Kappadokia, gr. Καππαδοκία, lat. *Cappadocia*, eine der centralen Landschaften Kl.-Asiens, am Oberlauf des Halys, altpers. *Katpatuka* = Land der Ducha, Tucha, so heisst in den Inschriften der assyr. Könige das v. ihnen um —680 unter-worfene, in Wäldern lebende Volk, mit dem semit. Wort כתפא, *katpa* = Seite, das auch im Hebr. z. Bezeichng. v. Ländern gebraucht wird. Dasselbe Volk heisst auch *Gimirri*, woher *Kim-merier*, bei den Propheten des 7. Jahrh. *Gômer*, in der Septuaginta Γαμέρ (Kiepert, Lehrb. AG. 91). Eine andere Annahme setzte pers. *Hvaspa-dakhjm* = 'Rossau', Land der guten Pferde(Pape-B.).

Kapsa, ein Centralpunkt des Binnenlandes westl. v. der kleinen Syrte, j. *Gafsa*, durch die Phö-nizier ggr. 'cujus conditor Hercules Libys' (Sall., Jug. 89), 'ab Hercule Phoenice (ut ferunt) con-ditam (Oros 5, 15), urbem Herculi conditam (Flor. 3, 1. 14); noch im Mittelalter lebte die Sage v. der Gründg. durch Herakles (Movers, Phön. 2b, 497 f.). Die Stadt war stark befestigt, 'oppidum magnum atque valens' (Sall., Jug. 89) u. hatte v. ihren Mauern auch den Namen כצע [kaphza] = die eingeschlossene (Movers, Phön. 2b, 498). Die Zerstörg. der Stadtmauern meldet Leo Afr. 469 (Peterm., GMitth. 9 T. 12).

Kaptschagai = das felsige, türk. Name eines 75 km lg. Schluchtthals, wo der Naryn, ein Neben-fluss, eig. Quellfluss des Syr Darja, aus der Ober-stufe durchbricht. Die Berge rücken hier beider-seits hart an den Fluss heran, der mit raschem Lauf u. starkem Gefäll durch sie hindurchströmt. Der Weg geht an den steilen Abhängen hinauf u. hinunter, oft zu einem schmalen Pfad verengt, zuw. durch plötzlich abfallende Stufen erschwert (ZfAErdk. 1870, 154).

Kapu-Dagh = Thorberg, türk. Name der Berghalbinsel des alten Cyzicus (Hammer-P., Osm. R. 1, 142) — ohne Angabe des Motivs; *b)* *Kapudschik* u. *c)* *Kapulu Derbend* s. Sulu; *d)* *Kapukaia* = Thorfels, ein Dorf bei Ismid, im engem Thal zw. Trachytfelsen (Tschihatscheff, Reis. 44); *e)* *Kapukaialy-Dagh* = Thorfelsenberg, ein Berg in Pisid., aus tiefer enger Schlucht aufsteigend, in dessen Tiefe ein Bach in Wasserstürzen hindurchschäumt (ib. 52).

Kar Dagh s. Kaukasus.

Kara, der mir dunkle Name eines ural. Zuflusses des Eismeers, gab zunächst der *Karskaja Guba* = karischen Bucht, hierauf dem ganzen *Karskoe More* = karischen Meer, *K.-See,* dem grossen, v. den Inselmassen NSemlja's umzäunten Becken, in welchen, als in einen 'Eiskeller', die westsib. Ströme ihren Eisgang entladen, den russ. Namen (Müller, SRuss. G. 4, 278. 470). Die *K.-See* hiess bei der holl. Exp. 1594 *Nieuwe Noort Zee* = neue Nordsee od. *Tatarische Zee,* 'is streckende tot naer China, Japon ende omligghende contreyen heen' (Linschoten, Voy. 13, Adelung, GSchifff. 140). — *Karskija Woróta* = *K. Strasse* s. Wajgatsch.

Kara = schwarz, in einer Menge türk. ON., wie übh. die Turkvölker häufig nach Farben die geogr. Objecte benennen: *K. Ağatsch,* gew. *Karagatsch* = Schwarzbaum, was nach Tschihatscheff (Reis. 5), in Kl.-Asien wenigstens, wo er 2 Orte d. N. aufführt, als 'Tanne', nach Bär u. H. (Beitr. 2, 103) f. westtürk. als Ulme, osttürk. *Karama,* zu fassen ist. Ein drittes *K. Agatsch* ist ehm. Sommerpalast des Sultans bei Konstantinopel, am äussersten Nordende des Hafens, lange einer der beliebtesten Frühlingssitze, den der Herrscher je unmittelb. aus dem Sserai bezog (Hammer-P., Konst. 2, 44). — *K. Amid* s. Diarbekr. — *K. Ardidschi* = schwarzer Wachholder, ein Ort am mys. Olymp (Tschih. 28). — *K. Bagh* = schwarzer Garten, mehrf.: *a)* 'eine herrliche' Ldsch. Armeniens, am Araxes (Klaproth, Mém. 1, 294, Hammer-P., Osm. R. 4, 180, wo 'schwarz' = tiefgrünend); *b)* ein Complex mehrerer Dörfer am Urmiasee, schön gelegen auf einem Landvorsprg., welcher sich üb. eine Bucht erhebt (Peterm., GMitth. 4, 235. — *K. Bair* = schwarze Anhöhe, ein Hügel bei Adrianopel (Hammer-P., Osm. R. 6, 30). — *K. Baltschyk* = schwarzer Morast, Dorf bei einem v. mehrern Flussarmen des Günek-Su eingenommenen Thale (Tschih. 64). — *K. Börk* = Schwarzmäntel, 'Melanchlänen', Dorf im Rgbz. Karahissar-Scharki (Peterm. 8, 45). — *K. Boghas* = schwarze Mündung, i. e. Thor, urspr. die pfortenartige Gasse, durch welche der Kaspisee in einen der Golfe der Ostseite übergeht, wg. der Gefahren, welche der Einfahrt die Felsklippen u. die starke Strömg. bringen, j. auf den Golf selbst übtragen, der eig. türk. *Adschi Darja* = bitteres Meer heisst (Humb., As. Centr. 3, 354, ZfAErdk. 1873 T. 1). — *Karaboli* = Schwarzstadt, ein Castell der tripol. Küste, wohl v. den türk.-alb. Soldaten nach alten Ruinen so benannt (Barth, Wand. 301). — *K. Burun,* wiederholt: *a)* s. Leukotheion, *b)* s. Melas. —

K. Dagh = schwarze Berge, ebf. mehrf.: *a)* s. Montenegro; *b)* ein v. Tigris aufsteigendes Gebirge bei Sört, kurd. *Mawa Dagh* od. *Tschia Resch,* mit gl. Bedeutg. (Schläfli, Or. 49, Peterm., GMitth. 9, 62); *c)* s. Kynos; *d)* s. Diarbekr; *e)* in der Form *K. Daghlar* s. Kaukasus. — *K. Dengis* s. Pontus. — *K. Dere* = schwarzes Thal, ein enges Waldthal bei Bartan, Pontus (Tschih. 42). — *Karadere - Su* = Schwarzthal - Wasser, zweimal in Kl.-Asien (ib. 6. 24). — *K. Dewit* s. Lydia. — *K. Dschal* = schwarzer Kamm (u. dabei der russ. Ort *Karadschalsk),* kirg. Name einer Berggruppe am obern Irtysch, weil diese Berge zu Anfang des Winters, wann alle umliegenden mit Schnee bedeckt sind, einen schwarzen Kamm zeigen, also insb. mit dem Ak Tscheku (s. d.) contrastiren (Bär u. H., Beitr. 20, 98). — *K. Dschören* = schwärzliche Ruine, 3 mal in Kl.-Asien (Tschih. 1. 3. 10). — *K. Dschuren* s. Dürna. — *K. Erthis* s. Irtysch. — *Dschabyk Karagai* = Berg des Schwarzwalds, kirg. Name eines Höhenzugs des südl. Ural, 'v. dem hohen Fichtenwalde, der', auffallend im waldlosen Steppenocean, 'seine Gipfel in einer Ausdehng. v. 15—20 km ununterbrochen begleitet' (Bär u. H., Beitr. 5, 205). — *Tau Karagai* = Waldgebirge, ein kleiner dichtbewaldeter Hügelzug, weit in die Steppe vorgeschoben, zw. zwei Zuflüssen des Tobol (ib. 214). — *K. Göl* = schwarzer See, zweimal in Kl.-As. (Tschih. 46), 'ein drittes mal, in der Form *K. Gol,* ein sehr tiefer See des Altai, v. ganz schwarzem Wasser (ZfAErdk. nf. 8, 294). — *Karagunis* s. Griechen. — *K. Hissar* = Schwarzenburg, häufig u. durch Beisätze unterschieden, nach Produkten u. Marktwaaren, wie *afiun* = Opium, f. den Ort bei Kiutahia (Tschih. 3), *schabin* = Alaun, f. das auf senkrechtem Fels thronende Schloss, nach den nahe gelegenen Alaunminen (Hammer-P., Osm. R., 2, 559; 5, 27), *dewelü* (s. d.), od. wie mit *Wan-, Adalia-,* nach der Lage. — *K. Idel* s. Kama. — *K. Kaia* = Schwarzfels, ebf. 2 mal in Kl.-As. (Tschih. 20. 31). — *K.-Kalpapen* = Schwarzmützen, ein türk. Volksstamm in Turan (Meyer's CLex. 9, 792). — *K. Katün* = schwarze Frau, zweiter Name der ciskauk. Station Dersowata, 'welcher Namen v. einer daselbst auf der Steppe stehenden, grob aus Stein gehauenen weibl. Figur herrührt' (Güldenst., Georg. 268). — *K. Kede* s. Wesir. — *K.-Kilissa* = Schwarzkirchen, ein kleines Dorf am obern Murad (Spiegel, Eran. A. 1, 151). — *K. Köi* = Schwarzdorf, ein Ort am Tigris, unth. Mosul (Schläfli, Or. 74). — *Karakorum* = Schwarze Stadt, v. *kerem, cherem* = Festungsmauer (Meyer's CLex. 9, 793) od. türk.-mong. *korin, korum* = Stadt (Pauthier, MPolo 1, XXXVII), zunächst *a)* f. das mittelalt. Hoflager des Mongolenchans, in der Steppe Orchon-Tula-Selenga, 8 km v. Orchon, v. russ. Reisenden Paderin 1872 wieder erreicht (Peterm., GMitth. 20, 154), auch *K. Balgassun* = schwarze Stadt (Klaproth, Mém. 2, 332. 348); *b)* als 'schwarzes Gebirge', tib. *Njentschen Thangla* = Steppenpass der grossen Wildniss (Meyer's CLex. 9, 793), f.

eine tibet. Bergkette (Peterm., GMitth. 3, 389, Sommers Taschb. 17, 226), weit düsterer, als der ggb. stehende schnee- u. gletscherreiche Himálaja ... 'the meaning of these names coincide perfectly with physical features very characteristic for each of these chaines, the Himálaya having a much greater number of glaciers and much larger icefields than the Karakorum, which, in consequence, also presents a much darker appearance' (Schlagw., Gloss. 208). — *K. Koschar* s. Zar. — *K. Kotul* = schwarzer Pass, ein Uebergang im westl. Theil des Hindukhu (Spiegel, Er. A. 1, 42). — *K. Kul* = schwarzer See *a)* in der Kirgisensteppe, 'meist mit hohem Schilf umwachsen ... die unheiml. Stille der Steppe wird durch das lärmende Treiben der Wildschweine, Gänse, Enten, Schildkröten u. Frösche auf überraschende Weise unterbrochen' (Bär u. H., Beitr. 18, 136); *b)* im Plateau v. Pamir. — *K. Kum* = schwarzer Sand, mehrere Wüsten: *a)* an der Nordostseite des Aral, nach dem schwarzen Flugsande, welcher mit dürrem Lehmboden u. salzigen Morästen abwechselt (Peterm., GMitth. 1, 163); *b)* ebenso an der Nordostseite des Kaspisees, südl. v. Flusse Emba (ZfAErdk. 1873 T. 1); *c)* ein Gürtel dunkelfarbiger, vulcan. Steinbrocken im Thale Karakasch, West-Tib. (Schlagw., Gloss. 208). — *K. Maghara* = schwarze Höhle, ein armseliges Dörfchen bei Tokat (Tschih. 37). — *K. Muren* s. Hoangho. — *K. Ossek* = schwarzer Durchbruch, in russ. Uebersetzg. *Tschernoi Protok*, der eine Oeffnungen, durch welche sich die See'n des Terekdelta in den Kaspisee entladen (Güldenst., Georg. 31). — *Karaschehr* = schwarze Stadt *a)* Stadt in Ost-Turkestan, 'cette ville étant devenue, avec le temps, de couleur noire' (Pauthier, MPolo 1, 146); *b)* Dorf in einer Schlucht bei Kaisarieh (Tschih. 37). — *K. Tagh* s. Ak. — *K. Tal* = schwarze Weiden, ein Zufluss des Balkasch See, v. Alatau herabkommend, nach den vielen Pappeln u. Weiden, die seine Ufer bedecken (Bär u. H., Beitr. 20, 170 f., Humb., As. Centr. 3, 225, Peterm., GMitth. 4 T. 16). — *K. Tau* = schwarzer Berg mehrf.: *a)* eine Vorkette des Alatau, die Niederungssteppe des Semiretschinsky Kraï überragend (Bär u. H., Beitr. 7, 285); *b)* ein Bergzug der IInsel Mangischlak, einem *Alatau* = bunten Berge parallel (ZfAErdk. 1873 T. 1); *c)* eine turan. Gebirgskette zw. Tschui u. Syr Darja (Humb., As. Centr. 3, 236, Hertha 3, 593). — *K. Tepe* = Schwarzhügel, ein Dorf am Südufer des Kaspisees, hoch üb. der flachen Sumpfebene (Peterm., GMitth. 15, 263), 'liegt auf einer Anhöhe, welche v. fern schwarz aussieht' (Bull. Acad. Imp. St. Pbourg. 4, 350). — *K. Tepe Boghas* = Schlucht der schwarzen Hügel, ein Engpass am Halys, bevor dieser den Gök Irmak aufnimmt (Spiegel, Er. A. 1, 188). — *K. Toprak* = schwarze Dammerde, Ort im Balkan, wo diese Erdart auftritt, zw. Karlowa u. Philippopel (Barth, RTürk. 42). — *K. Tschai* s. *K. Su*. — *K. Tschair* s. Mauros.

Kara Su = Schwarzwasser, der häufigste der mit *kara* (s. d.) gebildeten türk. ON., in Europa f. 4 Flüsse in Maked. *a)* der Oberlauf des Vardar, Fluss v. Prilip-Bitolia, in slaw. Uebersetzg. *Tscherna Riéka* (Barth, RTürk. 138); *b)* die nachbarl. Wistriza, als *Indsche* (= kleiner) *KS.* (s. Haliakmon); *c)* die Struma, alt Strymon, an dessen Mündg. der Ort *Tschaï Aghese* = Flussmund (Sommer, Taschb. 12, 67 f.); *d)* die hinter Thaso mündende Mesta; ferner *e)* *Czrnawoda* (s. Tschernyi), slaw. ebf. 'Schwarzwasser', zunächst f. eine träge Seenkette bei der Dobrudscha, dann auf den Ort übtr., wo sie in die Donau mündet (Ausl. 1868, 489); *f)* ein Fluss der Krym, und daran der 'Marktort' *K. Su-Bazar* (Sommer, Taschb. 10, 92); *g)* s. Mariupol. — Noch zahlreicher in Vorder- u. Central-Asien: *a)* ein Nebenfluss des Ulu Tschai, südwestl. v. Kaisarieh (Tschihatscheff, Reis. 8); *b)* an der pamphyl. Küste, durch Sümpfe fliessend, daher wohl v. dunkelm Aussehen (ib. 20); *c)* ein gew. 1 m t. Fluss nordwestl. v. Kaisarieh (s. Melas), in einem v. hohen Wänden Süsswasserkalk eingeschlossenen Thale (ib. 33); *d)* ein v. sumpfigen Schilfufern eingefasster Zufluss des Ak-Denis (s. Ak), bei Antakieh (Schläfli, Or. 8, Oppert, Exp. Més. 1, 34); *e)* ein lkseitg. Zufluss des Unterlaufs des Sangarius, Kl.-As. (Spiegel, Er. A. 1, 283); *f)* der Furad, d. i. der Euphrat v. Erzerum, nachdem er, durch zahlr. helle Bäche geschwellt, den Schilfwald Sazlyk durchschlichen, v. hier an 'wahrsch. des trüben Wassers wg. so genannt' (Spiegel, Er. A. 1, 150. 156); *g)* ein lkseitg. Zufluss des Murad, bei Musch mündend (ib. 152); *h)* ein rseitg. Zufluss des Furad, bei Malâtia (ib. 164); *i)* ein kurd. Bergfluss, trib. Kercha-Tigris (ib. 112); *k)* ein Zufluss des Araxes, arm. *Tsewtschur*, mit gl. Bedeutg. (Klaproth, Mém. 1, 297); *l)* ein Flüsschen zw. Teheran u. Hamadan, auch *K. Tschai* = Schwarzfluss (Brugsch, Pers. 1, 352, Spiegel, Er. A. 1, 104); *m)* ein Zufluss des Surchrud, bei Dschelalabad (Spiegel 1, 7); *n)* mehrere Bergbäche des Küen Lün (Schlagw., Gloss. 208); *o)* ein Fluss des Altai (Sommer, Taschb. 11, 232); *p)* ein lkseitg. Quellbach des Aksu-Lepsa, Semiretschinsky Kraï (s. Ak); *q)* ein kl. Zufluss des Irtysch, unweit Semipolatinsk (Humb., As. Centr. 3, 233); *r)* ein kl. See nahe dem Ilek-Tobol, so benannt, 'weil seine Ufer aus zieml. dunkler Erde bestehen' (Bär u. H., Beitr. 15, 55); *s)* einer der Bergbäche, welche v. Asferah Tagh (s. Ak) in die Ebene v. Samarkand herabkommen (ib. 17, 103); *t)* ein See der Kirgisensteppe, im Gebiete des Irgis (ib. 18, 146); *u)* s. Kaidak.

Karabostasion, ngr. Καραβοστάσιον = Schiffsstand, eine kl. Missolunghi geb. liegende achäische Bucht (u. Gehöft), wo kleinere Fahrzeuge bei Südwinden sichern Ankergrund finden; daher der Name (Curt., Pel. 1, 423).

Karadalla Dschungu dja Dsaha = feuriger Kochtopf, einh. Name des Vulcans v. Gross Comoro (PM. 17, 234).

Karafto s. Sachalin.

Karaginsk s. Kaginsk.

Karalius = König (s. Kralj), wie *karaliene* = Königin in lith. ON. *a) Karaliauczus* s. Königsberg; *b) Karalkiemei* = Königsdorf, mit *kiemas* = Dorf, verdeutscht *Karalkehnen*, in preuss. Lithauen; *c) Karalene*, v. *karaliene* = Königin, Ort bei Insterburg, nach der Königin Louise v. Preussen (Thomas, Progr. 14).

Karamania, wie das türk. *Karaman Ili* = Land der Karaman, d. i. des Volksstamms, der einst hier herrschte. Auch Stadt *Karaman* (Meyer's CLex. 9, 793).

Karang, Gunung = Felsberg, mal. Name des höchsten Vulcans der jav. Prov. Bantam (Crawf., Dict. 38, Junghuhn, Java 2, 7).

Karantel s. Quarantana.

Karapiti = kreisförmig, bei den Maori eine Dampfquelle v. NSeel., wo mit ungeheurer Gewalt u. unter lautem Zischen u. Brausen aus einem kreisrunden Loch am Fusse eines Hügels der Wasserdampf ausströmt — hochgespannter Wasserdampf, welcher sich durch das lockere Bimssteingeschütte Bahn gebrochen, u. nun aus der engen Röhre im Grunde des kreisfg. Loches in etwas schiefer Richtg., wie aus einem Dampfkessel, ausströmt u. zwar mit solcher Gewalt, dass Zweige u. Farnbüschel, welche wir üb. das Loch in den Dampfstrahl warfen, 6—10 m h. in die Luft geschleudert wurden (v. Hochst., NSeel. 255).

Karasch nennen die Russen einen kl. Zufluss des Weissen Irtysch nach dem reichen Kirgisen *K.*, der hier nomadisirte (Bär u. H., Beitr. 20, 37).

Karatoja = Handwasser, skr. Name eines v. mittlern Himálaja herabkommenden Nebenflusses des Ganges, der ind. Sage zuf. entstanden aus dem Wasser, welches Siwa bei seiner Hochzeit aus der Hand goss — auch *Sadanira* = stets wasserreich (Lassen, Ind. A. 1, 78).

Karatschin, russ. Ort am Tobol, kurz obh. Tobolsk, benannt nach einem vornehmen Tataren Karatscha, der hier wohnte u. dem Heere Jermaks 1581 einen ernstl. Widerstand leistete. Der Ufersee, an dem der Reiche wohnte, heisst tatar. *Karatscha Kul*, wo *kul* = Steppensee, russ. übersetzt *Karatschinskoe Osero* (Müller, SRuss.G. 3, 325. 347, Fischer, Sib.Gesch. 1, 201).

Karaulnaja Sopka = Wachtkuppe, v. türk. *karaul* = Wachtthurm, Warte, ein Berg, der v. Schlangenberge durch ein mässiges Thal getrennt ist, v. den Russen so genannt, weil zZ. der Mineneröffnung, 1736 ff., ein Wachtposten aufgestellt war aus Vorsicht wg. der Schwärme nomad. Kirgisen u. Kalmyken (Bär u. H., Beitr. 14, 134, Rose, Ural 1, 529); *b) K. Gora* = Wachtberg, bei den ilezk.Salzwerken, der höhere der beiden Gypsberge (Rose, 2, 205); *c) Karaulnoj Jar* = Ufer des Auflauerns, russ. ON. an einer Enge des Tobol, wo zw. Tura u. Tawda eine tatar. Schaar den flussab schiffenden Kosaken des Jermak auflauerte u. am 29. Juni 1581 ein Treffen lieferte (Müller, SRuss. G. 3, 316 f., Fischer, Sib. G. 1, 198); *d) Karaula Planina* = Wachtthurm-Gebirge, in Bosnien (Umlauft, ÖUng. NB. 103).

Karben s. Karwen.

Karchedon s. Karthago u. Cartagena.

Kardong = weisse Grube, Firnmulde, eine Ortschaft in Lahól, tib. benannt nach der Ausdehng. der Schneeflächen (Schlagw., Gloss. 208).

Karelien, der südöstl. Theil Finlands, nach den Karelen, finn. *Karjalaiset* = Hirtenvolk (PM. 23, 141), einem der beiden Hptstämme der Finnen, benannt (Meyer's CLex. 9, 798).

Kargalinsk s. Salairsk.

Karia, ant. Name einer kleinas. Ldschft., nach den Urbewohnern, den v. den Joniern ins Inland vertriebenen kriegerischen Karern, die bei den Griechen als die furchtbarsten Seeräuber gehasst waren (Meyer's CLex. 9, 799). — *Karia* s. Megara. — *Karikon Teichos* s. Aghader.

Karilgan Kul = Pestsee, kirg. Name eines der See'n der Kirgisensteppe, 'weil 1763 alles daselbst weidende Hornvieh, welches aus demselben trank, crepirte' (Falk, Beitr. 1, 363).

Karimgándsch, arab.-hind. = Karím's Stadt, v. *karim* = gnädig, einem Epitheton der Götter (auch als PN. häufig), eine Stadt in Hindostan. Aehnl. *Karim Khan* = Karim's Haus, eine Ortschaft ebf. in Hindostán (Schlagw., Gloss. 208).

Karîn, el = die Vereinten, zwei neben einander aufragende, v. den übr. isolirte Vulcane der osthauran. Vulcanregion (Wetzstein, Haur. 16).

Kariri s. Petani.

Karitena s. Gortyn.

Karl, altdeutscher Mannsname, in lat. *Carolus* u. mit *C* in die neurom. Sprachen übergegangen, span. *Carlos*, ital. *Carlo*, frz. *Charles* (s. dd.) u. in dieser Form auch engl., insb. als Name v. Herrschern u. Prinzen toponym. verwendet, angebl. schon nach d. Gr. in dem fränk. *Karlsburg*, die oft sein Aufenthalt gewesen, daher das nahe *Karlstadt* (Meyer's CLex. 9,834). — *Karlsbad*, in Böhmen, čech. *Karlovy Vary*, der Sage zuf. weil der Sprudel v. deutschen Kaiser *K.* IV. anlässl. einer Hirschjagd 1347 entdeckt (Daniel, Hdb. Geogr. 4, 937), in Wirklichk., weil der Herrscher, nach glückl. Heilg. seiner bei Crecy erhaltenen Wunden, 1358 bei der Quelle ein Schloss erbauen liess u. so einen neuen Ort begründete, der schon 1370 städtische Rechte erhielt (Meyer's CLex. 9, 830); *Karlsberg*, Burg in Böhmen, v. demselben Herrscher 1356/61 erbaut (Umlauft, ÖUng. NB. 103) u. *Karlstein*, hohe Felsenveste in Böhmen, ebf. v. *K.* IV. erbaut 1348/56 als Kronveste u. Aufbewahrungsort der Reichskleinodien u. Staatsarchive (Meyer's CLex. 9, 835). — *Karlsburg*, in Siebb., röm. *Apulum*, dann mag. *Fehérvár* = Weissenburg, mit Zunamen *Károly-* (= Karls-) *F.*, unter Karl VI., 'dem letzten Habsburger', nach dem Plan des Prinzen Eugen befestigt 1715/38 (ib. 831). Früher hatte es *Gyula-Fehérvár* geheissen, weil hier die magyr. *gyula* = Vice- od. Unterkönige (v. Siebenbürgen) ihren Sitz hatten (Zeitschr. f. Schulgeogr. 6, 113). — *Karlshalden*, in Hessen, Hafen an der Confl. Diemel-Weser, v. Landgrafen *K.* 1699 angelegt (ib. 832). — *Karlsruhe*, in Baden, wo der Sage zuf. der Markgraf Karl Wilhelm einst mitten im Hartwalde die Erquickg. einer Schattenruhe genossen, v. dem Verehrer 'origineller Einsamk.', der auf seine bisherige Residenz Durlach erzürnt war, 1715 als ein nur aus Fachwerk aufgeführtes Jagdschloss erbaut, um welches 1719 schon 2000 Menschen angesiedelt waren (ib. 833). — *Karlsbrunn*, Badort bei Freudenthal, öst. Schles., nach Entdeckg. der *Karlsquelle* 1802 v. Erzherzog *K.* aus dem frühern Namen *Hinewieder* umgetauft (ib. 7, 188), f. den eine etym. Erklärg. nicht gefunden ist (Umlauft, ÖUng. NB. 85). — *Karlshöhle* s. Erfurt. — *K. Alexander Land*, in Franz Joseph's Ld., v. Jul. Payer am 7. Apr. 1874 (Peterm., GMitth. 22, 203) benannt, ozw. wie *K. Alexander Insel* (s. Friedrich), nach dem um die Einigg. Deutschlands verdienten Grossherzog v. Sachsen-Weimar. — Auch *Karlstadt*, in Kroat., u. *Karlowitz*, serb. *Carlowicz*, in Slawon., dürften hierher gehören. — Auch ein bürgerl. *K.* erscheint etwa in ON., wie *Karlsfeld*, Eisenwerk in Sachsen, ggr. 1678 v. Grubenherrn *K.* Schnorr (Meyer's CLex. 9, 831).

Karl, der Name v. 15 schwed. Königen, mehrf. in ON., *K. IX.*, der Vater Gustav Adolfs (1550 bis 1611) zweimal: *a)* in *Karlstad*, der v. ihm angelegten Stadt auf Thingvall, einer vor der Mündg. der Klara Elf liegenden Flussinsel am Wener See (Spr. u. F., NBeitr. 8, 158, Meyer's CLex. 9, 834); *b)* in *Karleby*, wo *by* = Dorf, Ort, einer v. ihm 1610 ggr. Colonie in Finl., j. *Gamla* (= alt) *Karleby*, dem 1617 ein *Ny* (= neu) *Karleby* folgte (Modeen, Geogr. 50, briefl. Mitth.). — *Karlskrona*, wo *krona* = Krone, schwed. Kriegshafen, 1660 v. *K. XI.* als Hptstation der Flotte auf einem Schwarm v. Skären erbaut (Meyer's CLex. 9, 832); in der Nähe der Hafenort *Karlshamn*, wo *hamn* = Hafen. — Nach einem der ältern Könige *Karlsholm*, ein Inselschloss dem Lina Sunds, Mälar, nach Karl Knutsson benannt (Styffe, Skand. Un. 231), wohl auch *Karlsö*, eine Insel, *ö*, an der Westseite Gothlands. — Das Gedächtniss des 1682 geb., 1718 † tollkühnen Gegners Peters d. Gr. ehrte 1861 die Exp. Torell u. N. (Schwed. Expp. 195 f., Peterm., GMitth. 10, 134) durch *K. XII. Insel*, als einen der kühnsten polaren Vorposten des spitzb. Nordost Ld., eine hohe, abgestumpfte, schwarze Pyramide, während die andere, niedrige u. unansehnliche, als *Trabanten-Insel* bezeichnet wurde. — Eine ganze Reihe v. Reminiscenzen seiner nordeurop. Reise eröffnet Capt. John Ross (Sec. V., Carte) mit *Cape K. XIV. Johan*, 1829/33 in Boothia Felix getauft nach dem frühern napol. General Bernadotte, Fürsten v. Pontecorvo (1806), der am 21. Aug. 1810 z. schwed. Kronprinzen gewählt u. v. *K. XIII.* adoptirt wurde, am 5. Febr. 1818 den Thron bestieg u. am 8. März 1844 †. Hier reihen sich an: *Oskar Bay*, hart bei dem genannten Cap, nach dem dam. Kronprinzen, der 1844 z. Regierg. kam, *Cape Frederick VIth*, nach dem dam. Dänenkönig, hart dabei *Cape Christian*, wohl z. Ehren des dän. Kronprinzen, *Hansteen Lake* (s. d.),

New Holsteinborg, *Nordenskjöld Cape*, *Nicholas I. Cape*, zu Ehren des russ. Kaisers, dabei *Cape Alexandra*, wohl nach einer russ. Prinzessin, *Krusenstern Lake* (s. d.). Auch eine *Menchikoff Bay*. — *K. Johansvärn*, wo *värn* = Wehre, Landeswehr, norw. Hafenort am Christiania Fjord, auch *Horten*, mit grossen Werften u. Magazinen, Hptstation der norw. Kriegsflotte (Meyer's CLex. 9, 81), u. *Karlsborg*, schwed. Centralveste am Wettersee, 1820 ggr., beide augensch. ebf. nach dem ehm. Bernadotte (ib. 831). — Der letzte der schwed. Könige d. N. erscheint in *Cap K. XV.*, NSemlja, v. norw. Fischern 1871 benannt (Peterm., GMitth. 18, 396) u. in *König K. Land* (s. d.).

Karl Land, König, norw. Entdeckg. östl. v. Spitzb., wo schon 1617 Land gesehen war: *Wyche's Land*, erhielt diesen Namen v. Prof. Mohn, Christiania. Richard Wyche, ein bedeutender Kaufmann in London († 20. Nov. 1621), gehörte zu dem ersten Directorium der ostind. Co. 1599, war einer der Gründer der West Co. 1612 u. 'fungirte in dem Comité derselben, als sie die Walflotte unter Capt. Edge aussandte, welche die nach ihm benannte Insel entdeckte' (Peterm., GMitth. 20, 38. 275). Auch *Ryke Yse Eilanden* (s. d.) war man versucht, in der neuen norw. Entdeckg. wieder auferstanden zu sehen. Nun aber ist durch die Curse der norw. Captt. Altman, Nilsen u. Johnsen (1872) erwiesen, dass ein Land in 75⁰ 45′ — 78⁰ 15′ NBr. u. 3⁰ östl. v. Stone Vorland nicht existirt (Peterm. 19 T. 7); die *Ryke Yse E.* liegen unmittelbar östl. v. Edge's Ld., *König Karl Land*, viel ausgedehnter, viell. 78—79⁰ NBr., noch weiter nach Osten (Peterm. 18 T. 5). Hier war es 1870 v. Heuglin u. Zeil wieder gesehen u. v. A. Petermann nach ihrem württb. Landesfürsten, also mit Beibehaltung des Wortlauts, getauft worden (ib. 112), zugleich die *Olga Strasse*, nach der württb. Königin. Jener Aenderg. aber widersetzte sich Mohn: 'Die Benenng. des Landes v. Seiten Heuglin u. Zeils kann kaum aufrecht erhalten werden, nachdem constatirt worden ist, dass norw. Schiffe früher das Land mehrmals gesehen haben (1859) u. sogar, wie Carlsen, ganz in der Nähe desselben gewesen sind. Wenn ich auf meiner Carte das neue Land *KKLd.* genannt habe, so that ich diess z. Andenken an den König Karl XV. v. Norwegen u. Schweden, in dessen letztem Regierungsjahre 1872 das Land zuerst besucht u. bestiegen wurde — in demselben Jahre, in welchem Norwegen sein 1000 jähr. Bestehen als vereinigtes Reich feierte, woran *Haarfagre haugen*, die höchste Spitze des Landes, mit ihrem des Gründers des Reiches, des Königs Harald Haarfagre, gedenkenden Namen erinnert' (Peterm. 19, 128). Nachdem auch v. engl. Seite, allerdings mit unrichtiger Bezieh., 'against this appropriation of an English discovery' (Markham, OHighw., march 1873, 390) protestirt worden war, trat Petermann (GMitth. 19, 129) zu Gunsten der Auffassg. Mohns zk.

Karlshoff Eiland, einh. *Aratica*, im Arch. Paumotu, v. holl. Seef. Jacob Roggeveen am 18. Mai

1722 getauft u. am 9. März 1824 wieder ans Licht gebracht v. russ. Capt. v. Kotzebue (NReise 1, 65, Garnier, Abr. 1, 126). Offb. ist die Benenng. eine prsl.; allein in Roggeveens 'Dagverhaal' finde ich weder eine Insel noch eine Person d. N. Bei Duperrey heisst die Insel *Ile Kotzebue*, bei Capt. Wilkes am 29. Aug. 1839 *King's Island* (ZfAErdk. 1870, 386), die jedoch in Meinicke's späterm Werk mit der v. Fitzroy 1835 entdeckten Nachbarinsel Taiaro identif. wird.

Karmanaça = die Zerstörerin der guten Werke, skr. Name eines rseitg. Zuflusses des Ganges; auf ihm soll ein so schwerer Fluch ruhen, dass kein Inder ihn berühren dürfe (Lassen, Ind. A. 1, 161).

Karmania s. Kirman.

Karmel, heb. לֶמְרַכּ = Garten, insb. Baumgarten nannten die Hebräer: *a)* den bewaldeten nördl. v. Samaria streichenden Gebirgsrücken, welcher durch seine vielgerühmte Belaubg. sehr angenehm v. der Wüste abstach u. in dieser Beziehg. geradezu sprichw.... 'dein Haupt auf dir ist wie der *K.*' (Jer. 4, 26), sicil. dichtbehaart, wie jener dichtbelaubt ist. Sein äusserster Vorsprg. *Cap K.*, arab. *Ras el-Kirmel*, mit dem *Karmeliterkloster* (s. Elias) 184 m üb. M.; *b)* eine Bergstadt im Westen des Todten M. (Jos. 15, 55), j. *el-Kirmel, Kurmul*, Ruinen südl. v. Hebron u. Jutta (Rolandi, Pal. 695, Robins., Pal. 421 ff., Gesen., Hebr. Lex.).

Karnata = schwarzes Inland, tamul. Name einer vorderind. Binnenldschft., ungef. entspr. dem Gebiete der Krischna (s. d.), v. *karu* = schwarz, *nada* = Land, Binnenld. (Lassen, Ind. A. 1, 206), verd. *Kanara*, auf die v. dort aus einst beherrschte Küste, 12½—15⁰ NBr., übtr. (ib. 186).

Karoly F. s. Karl.

Karpaten, mag. *Kárpát-Hegység* = *K.*-Gebirge, bei Debrosses (HNav. 630) *Krapacks*, der Name des Gebirgsbogens der ung.-galiz. Grenze, den j. slaw. Bewohnern unbekannt, die sie einf. *Gory* = Berge nennen, wohl v. slaw. *chrb* = Bergrücken, ein Name, welcher zunächst auf die Bewohner, *Chrawat*, überging u. v. diesen in der Form *Krapat* od. *Karpa* auf das Centralgebirge übertragen wurde. Bei den alten Classikern heisst dieses *Montes Sarmatici* = sarmatische Berge als die Grenze gg. das sarmat. Flachland. Noch schimmert der gl. slaw. Wortstamm durch im (Hohen) *Karpfen*, dem Burgberg bei Spaichingen, Württb. (Cassel, HZoll. 19).

⋮Karroo = hart, ein hottent. Wort, ist bei den Boeren f. jene Steppenplateaux, welche den Uebergang v. den Küstenbergen zu den Hochflächen des Oranje R. bilden, z. Eigennamen geworden, weil der rothe, eisenhaltige Lehmboden, z. Regenzeit weich u. ungangbar, in der trocknen Jahreszeit z. rauhen, ziegelsteinharten Hungerfläche austrocknet (Lichtenst., SAfr. 2, 33, Wüllerst., Nov. 1, 203).

Karsten-Berg, auf der spitzb. Edge I., v. der Exp. Heuglin-Zeil 1870 benannt (PM. 17, 178), offb. nach dem Physiker u. Geographen G. *K.* in Kiel (ib. 359).

Karta s. Constantine.

Kartaly K. s. Juschnaya.

Kartan s. Kirjah.

Kartasura s. Surakarta.

Karteia, phön., spec. tyr. Colonie in Spanien, westl. v. Gibraltar, v. Strabo (140) als eine 'Gründg. des Herakles od. Melkart genannt, woher sie auch ihren Namen, vollst. *Melkarteia*, haben wird (Gesen., Mon. 421, Movers, Phön. 2ᵇ, 632). Aus gl. Grunde soll sie auch *Herakleia* geheissen haben. Τιμοσθένης, ὅς φησι καὶ 'Ηρακλείαν ὀνομάζεσθαι τὸ παλαιόν (Strabo 140). — Derselbe Name findet sich in dem Hafenplatz *Καρθαία* der durch ihre feinen Gewebe berühmten Insel Keos wieder (Rhein. Mus. 1853, 328).

Karthago, die tyr. Pflanzstadt, schon v. den Sidoniern ggr. als *Bossra*, phön. ארצב = Burg, *Byrsa*, od. mit wahrsch. libyschem Namen *Kakkabe, Kambe* (Movers, Phön. 2ᵇ, 133 ff. mit zahlr. Belegen aus Münzen u. Schriften). Diese Burg wurde, als die Stadt anwuchs, ihre Akropolis, 60 m h., 2½ km im Umfang, geschützt durch 16 m h. u. 9 m br., mehrstöckige Mauern. Erst um —814 (Arist. de mir. ausc. 146, Dionys. Hal., antiq. Rom. 1, 74, jener aus phön. Quellen, dieser nach Timaeus, einem mit Alt-*K.* vertrauten sicil. Geschichtschreiber) siedelten sich die Tyrier an u. schlossen die alte kl. Burg, als den Kern, durch eine neue weitläufige Anlage ein: 'Carthago enim antea speciem habuit duplicis oppidi, quasi aliud alterum complectaretur, cujus *interior pars Byrsa* dicebatur, *exterior Magalia*' (Corn. Nep. b. Serv. ad Aen. 1, 36), phön. לגמ [ma'gal] = rotundum, 'das runde', weil die Neustadt die Burg ringfg. einschloss: 'quae *magalia* sunt *circumjecta* civitati suburbana aedificia' (Sall. b. Serv. 1, 421); τὴν πόλιν τὴν ἔξω τῇ Βύρσῃ περιέθηκαν (Appian 8, 2). Neben dieser räuml. Bezeichg. finden wir f. die spätere tyr. Gründung auch die chronol. תשׁדח תרק, *Keret chadeschet* = neue Stadt (s. Kirjah), auch u. in der Form *Karthada*, gr. Καρχηδών, lat. u. danach in den übr. abendl. Spr. *Carthago*: ἐν τῇ νέᾳ πόλει μικρὸν ἔξω τῆς ἀρχαίας Καρχηδόνος οὔσῃ (Diod. 20, 44). Mit dem Aufblühen der tyr. 'Neustadt' ging deren Name auf die ganze Doppelstadt über, so dass *Byrsa* verschwand: 'Byrsam postea Carthaginem vocant' (Mythogr. Vatic. 1, 214); 'Carthago antea Byrsa dicta est' (Serv. ib. 4, 670, Movers, Phön. 2ᵇ, 139 ff.). Obgleich v. dem röm. Sieger (—146) verflucht, dass der Boden auf ewige Zeiten unheilig sei. z. Wiederaufbau, erstand der Ort bald nachher auf's neue. Schon nach 24 Jahren hob die Demokratenpartei, welche den Armen Land in Africa anweisen wollte, jenen Fluch auf, u. nun entstand, bes. als Augustus zumal 3000 Colonisten hinsandte, das neue *Junonia*, wo Juno, f. die semit. Tanith od. Astarte (s. Tunis), einen Tempel hatte, prächtige, u. einen Cult, fast mächtiger als je. In der Kaiserzeit sollte *K.* auch *Adrianopolis* heissen, nach Hadrian, der viell. den grossen Aquaeduct erbauen liess. Als am 13. Aug. 1270 der frz. König Ludwig IX. der Heilige hier verschied u. in einer eigens erbauten Kapelle beigesetzt wurde, erkaufte Frankreich den ganzen Hügel der alten Byrsa, der daher *St. Louis* hiess. Das Vorgebirge auf mod. Carten *Cap Carthage*. — *Cartagena* u. *Cartago* s. unt. *C.*

Kartschan s. Lahol.

Karthaus (s. Chartreuse), ON. bei Danzig, nach der 1370 gestifteten (j. aufgehobenen) Kartause (Meyer's CLex. 9, 854).

Karu-o-te-Whenua = Augen der Erde, 'schöner' Maoriname zahlr., kreisrunder Wassertümpel in der breiten Thalfläche des neuseel. Flusses Mokau, Westküste der Nordinsel — Löcher v. 4—6 m Durchm., im Torfmoor der Thalsohle, mit stagnirendem Wasser gefüllt, welches gew. mit einem schönen röthlichen Lebermoos, Marshantia macropora Mitten, bedeckt ist (v. Hochst., NSeel. 207).

Karwen, ON. der Prov. Preussen, v. altpr. *karwan*, *karben*, *karbis*, dem neben dem Amthaus eines Gebietigers angebrachten Vorwerke, welches als Rüsthaus od. Schirrkammer diente. Hier wurde alles aufbewahrt, was z. Kriegsausrüstg. u. z. Betrieb der Landwirthschaft gehörte. Aehnl. *Karben*, *Karwenhof*, *Karwenbruch* u. *Pokarben*, *Pokarwen* = am *K.* (Altpr. Mon. 8, 63).

Karyai, gr. Καρύαι = Nussdorf (Curt., Pel. 1, 199, Pape-B.), wiederholt, wie das Dorf *Karyäs*, ngr. Καρυαῖς, in 'an Nussbäumen reicher' Lage v. Megalopolis (ib. 1, 300): *a)* Ort im Hohlweg südl. v. Thale Pheneos (Paus. 8, 13, 6), j. f. eine nahe Schlucht, unweit ein Dorf *Kastania*; *b)* ein Flecken Lakoniens, j. Καρυαῖς, *Karyaes* (Pape-B.).

Kasak s. Kosak.

Kasan od. *Kazan* = Kessel, Thalkessel, Vertiefung, Grube, als türk. ON. 2mal *a)* Ort der Bucharei, nördl. v. Karschi (Peterm., GMitth. 37, 268); *b)* die grosse Wolgastadt, wotjäk. *Kuson*, tschuwasch. *Kosan*, tscheremiss. *Oson*, *Osang*, so urspr. f. das j. *Eski* (= alt) *K.*, d. i. die Anlage, welche Batu Chan od. einer seiner Söhne um die Mitte des 13. Jahrh. begründete. Dieses alte *K.* liegt 45 km nordöstl. v. der heutigen Stadt: dem *Jeni* (= neu) *K.* der einh. Tataren, mit ihr an dem Flüsschen, dem die Russen, eben nach der Stadt, den Namen *Kasanka* gegeben haben. Unsere Quellen deuten, f. die ursp. Lage, nicht bestimmt auf ein kesselförmiges Terrain; ich vermuthe, die Befestigg., ein doppelter Wall mit eingeschlossenem Graben, könnte auf die Kesselform geführt haben (WHakl. S. 49, 33, Müller, Ugr. V. 2, 318 ff., Falk, Beitr. 1, 141 ff.). — *Kazandschik* = kleiner Kessel, Station der Transkaspi-Bahn, wie auch *kazgan* = gegraben in türk. ON., zumeist bei Brunnen, vorkommt (Peterm., GMitth. 37, 268).

Khasba, besser *qaçba* = Citadelle, die feste Burg einer Stadt, weniger gut *kasbah*, *kasbeh*, in der Verbindungsform *kasbet*, dim. *kociba*, *qociba*, der arab. Name der Citadellen v. Algier, Constantine, aber auch Grundwort in Compositis (Parmentier, Vocab. arabe 30).

Kasbek ist der fränk. Name eines der höchsten Gipfel des Kaukasus, durch die Dorpater Gelehrten Parrot u. Engelhard verkürzt aus dem russ. *Kasbekskaja Gora* = Kasbeker Berg, anal. Lomnitzer

Spitze, Matterhorn, Dent de Morcles etc. *K.* näml. ist bei den Russen zunächst der Name des georg. Dorfes *Stephan Tzminda* = St. Stephan, weil daselbst ein georg. Edelmann wohnte, dessen Vorfahren schon seit alter Zeit v. ihren Landeskönigen den Ehrentitel kasibek, kasbek, erhalten hatten. Der Berg selbst heisst bei den Osseten *Urschoch* = weisser Berg, bei den Georgiern *Mqinwari* = Eisberg (Klaproth, Kauk. 1, 297 ff. 678 ff.; 2, 241, Hertha 10, 29. Vgl. Ausl. 1869, 942).

Kasbin s. Kaspi.

Kaschgar-dawân s. Mustagh.

Kaschka Bulak = heisse Quelle, Therme, kirg. Name einer Quelle des Gebiets des obern Irtysch, Gegend v. Semipalatinsk (Humb., As. Centr. 3, 233).

Kaschkara s. Turinsk.

Kaschmir, bei MPolo (Pauthier, 1, 125), *Chesimur*, der Name des berühmten Bergthals des obern Indusgebiets, ist die europ. Form eines einh. aus dem Skr., entw. *Kâsyapa-mar* = Wohnung Kasyapa's, d. i. der heiligen Person, welche den Abzug der Wasser des Thalsees bewirkte, indem sie mit mächtiger Hand in dem Berge Baramulch einen Graben öffnete (Humboldt, As. Centr. 1, 85), od. *Kâsyapa-mira* = See des Kasyapa, wie Burnouf ableitete u. Lassen (Ind. A. 1, 54) billigte. Wilson (As. Res. 15, 117) hält Κασπάτυρος f. verschrieben aus Κασπατύρος, skr. *Kasyapapura* = Stadt des Kasyapa (Herod. 3, 102; 4, 44). Bei den Bhota *Khatsche* = der grosse Mund, v. *kha* = Mund u. *tschhe* = gross, nach der centralen Seeebene, die v. Islamabad bis Baramula reicht (Schlagw., Gloss. 209).

Kasdim s. Babylon.

Kasi s. Benares.

Kasimsk s. Nasimsk.

Kas-Cwa s. Ardowa.

Kaspinskoe More = Meer der Kaspier, *Kaspisee* (Falk, Beitr. 1, 97), der ausgedehnteste Insee der Erde, wg. dieser Flächengrösse u. des brackischen Wassers oft als 'Meer' bezeichnet, gr. Κασπίη θάλασσα, lat. *Caspium Mare*, nach den Kaspiern, armen. *Kaspikh*, einem alten Volke, welches am westl. Ufer, im Delta des Kur u. Aras, wohnte (Herod. 3, 92 u. a. O.), zZ. Strabo's (502) aber schon verschwunden war. Ganz od. theilw. hiess der See nach den Hyrkaniern, den Bewohnern des südöstl. Ufers (Herod. 3, 117; 7, 62), wohl auch gr. Ὑρκανίη θάλασσα, lat. *Hyrcanium Mare* (Strabo 68 u. a. O.), im arab. erweicht zu *Bahr* (= Meer) *Dschordschan*. Nach einer Ldsch. am westl. Ufer haben die arab. Autoren auch *Bahr Dilem* od., nach dem 2. Namen des Uferlandes *Mazenderan* (Spiegel, Eran. A. 1, 63), *Bahr Tabaristan*, *Taberistan* (letzterer Name steht in Stieler's HAtl. No. 43[b] auf der Südseite der Alborskette) od., nach den Chazaren, den uralofinn. Anwohnern der untern Wolga, welche in der zweiten Hälfte des 9. Jahrh. lange Zeit als mächtige Nation die Küsten des *K.* u. der Krym bewohnten, *Bahr Chozar* (PHunfalvy, V. d. Ural 8, Abulfeda ed. Rein. 43, Edrisi ed. Jaub. 1, 7;

2, 178). Aehnl. hat, wenigstens f. die nächstliegenden Theile, MPolo (ed. Pauthier 1, 43 Note)
Gelachelan, Goeluchelan = See od. Golf v. Ghilan,
wo türk. *göl* = See. Einer der arab. Namen
begegnet uns in pers. Form: *Dariâ Chaz'r*, nach
Polak (Pers. 2, 363) u. Potocky (Voy. 1, 17) noch
j. gebräuchl. (Hellwald, RCentr. As. 13 hat die
Form *Darjâ-i-Chyzyr*). Nach den Chwalisen,
den niederbulgar. Deltabewohnern der Wolga
(Müller, Ugr. V. 2, 640, Büschings Mag. 6, 511),
findet man auch bei den Russen *More Chvalynskoie* (Atl. Russ. 1745) 'and still called so by the
people', früher *More Chvalisskoie*, in dem russ.
Reisenden Athan. Nikitin 1468/74 *Doria Chvalits-
kaia*, wo *doria* ungenau f. *darjâ* = Meer
(WHakl. S. 22, 3). Auch die Uferstadt Baku, der
Hpthafen der Westküste, gab dem *K.* im Mittel-
alter einen weitern Namen: Inde ascendens in
quoddam navigium, cum Armenis . . ., per ripam
Maris Vatuk nomine (so Pater Paschal in den
Ann. Min. 7, 256, WHakl. S. 36, 50; 49, 149; 49ᵇ, 8).
Die Hondius'sche Carte zu Fletcher's World En-
comp. (1628) hat *Mare de Sala*, wohl nach der
Insel Sara, Sala, welche vor Lenkoran liegt u.
eine Zeit lang Station der russ. Kriegsflotille war.
Die Georgier sagen *Thethri Swga* = weisses Meer
— im Ggsatz zu *Schawi Swga* = dem schwarzen
Meere (Güldenst., BKauk. L. 21. 195), u. dieselbe
Bedeutg. (s. Zagan) hat tatar. *Tschahan Denghis*
(Falk, Beitr. 1, 97). Ob auch das kalm. *Kulsom
Denghis?* Die Perser nennen den See *Gurssisches
Meer*, v. der alten pers. Residenz Gurgan, welche
in der Prov. Asterabad, 7 km v. Ufer, lag. Bei
den Türken (welchen?) heisst der *K.* auch *Ak
Denghis* — weisses Meer (Büschings Mag. 6, 511)
od. *Kuzghun Denizi* = Rabenmeer (warum?) u.
bei den Turkmanen *Kökküz* = blaues Meer
(Hellw. 13). Selbst 2 chin. Namen kommen vor:
Neï Haï = inneres Meer (MPolo ed. Pauthier
1, CXIV) u. *Si Haï* = Westmeer (ib. 1, 43 Note)
— letzterer freil. auch auf andere centralasiat.
See'n (vgl. Balkasch- u. Kuku-Noor), nach Richthofen (China 1, 125) auch auf den früher viel
grössern Lop Noor angewandt. — Die berühmten
Κάσπιαι Πύλαι, lat. *Caspiae Pylae* = kasp.
Pforten, findet Spiegel (Eran. A. 1, 63) in dem
Passe Serdarra, *Girduni Sirdara* (s. Pylai), welche
aus der Ldsch. Chuar üb. den Albors nach Ma-
senderan hinabführt u. bes. im Anfange ein sehr
enges, leicht zu vertheidigendes Défilé darbietet.
— Nach dem See endl. auch die *Kaspische Steppe.*
— Auch *Kasbin, Kaswin*, ON. in Persien, wird
v. *Caspius* abgeleitet, die Hptstadt der Kaspier,
wie schon Wahl erkannt hat (Spiegel, Eran. A. 1, 74)

Kasr, besser *qaçr*, auch *ksar, qçar*, plur. *ksur,
qçur* = Palast, Schloss, in Algerien auch befestigtes od. ummauertes Oasendorf der Sahara,
sehr häufig in arab. ON. als Grundwort, aber
auch, mit art. *el, al* verbunden, f. sich allein
Eigenname *a) el-Ksur*, Ort in Algerien (Parmentier, Vocab. arabe 32); *b) Alcázar*, der Königs-
palast in Sevilla, welcher nach der Alhambra das
herrlichste maur. Baudenkmal Spaniens bildet (Glob.

11, 129, wo fälschl. ein Zshang des Wortes mit
'*Caesar*' behauptet ist); *c) Alcázar Quivir* od.
Kebir = das grosse Schloss, in Marocco (Meyer's
CLex. 1, 400, Diez, Rom. WB. 2, 89). — *El-Qsûr*
od. *el-Qussor* = die Schlösser, Dorf in O/Aeg.,
'nach seinen wahrhaft kön. Ruinen so benannt',
ist im fränk. Munde zu *Luqsor*, gew. *Luxor*,
geworden (Brugsch, Aeg. 122, Kiepert, Lehrb. AG.
203).

Kassandria, gr. *Κασσάνδρεια*, j. *Kassandra*, der
neuere Name der korinth. Colonie Potidaea, die
auf dem Hals der chalcid. Halbinsel Pallene lag
u. v. den Athenern zerstört, aber v. makedon.
König Kassandros erneuert wurde (Kiepert, Lehrb.
AG. 317 f.).

Kassimpascha, einer der 3 vorstädt. ON. Konstantinopels, welche nach Paschen u. Vezieren
gewählt sind. Nach dem Orte das Flüsschen *K.
Deressi*, alt *Cison* (Hammer-P., Konst. 1, 28; 2, 55).

Kassiterides s. Scilly.

Kassuben, od. *Cassubitae*, ein Wendenrest im
nördöstl. Pommern, v. Mrongovius als '*Pelzröcke*'
erklärt, v. *koza* = *kaza*, *kaszka* = Leder, Pelz,
weil die alten Bewohner solche Kleidg. tragen,
v. W. Hanow hingegen (NPreuss. Prov. Bl. AF. 8,
161 ff.) als '*Grützschläger*', v. poln. *kasza* =
Grütze u. *bita* = geschlagen, 'ein sehr passender Name'. Da nämlich, sagt er, ein Hpterzeug-
niss des Landes der Buchweizen u. das Manna-
gras ist, so ist der Name wahrsch. ein Spottname,
der den *K.* v. den feindl. Pommern beigelegt
worden ist.

Kastanis, gr. *Καστανίς* = Kastanienhain (s. Castanea), Ort am Pontus, ozw. nach dem Baumwuchs wie im ngr. *Kastania* (s. Karyai), *ὅπου
πλεονάζει τὸ καστάνιον* (Schol. NAlex. 271). —
Auch türk. *a) Kestene-Su* = Kastanienwasser,
2 mal: *a)* ein Zufluss des Oberlaufs des Kisil Irmak
(Tschihatscheff, Reis. 35); *b)* eine treffl. Quelle
im Thal v. Sarijari (s. d.). Von allen in der
Gegend Konstantinopels quellenden Wassern nimmt
dieses den Rang unmittelbar nach der Quelle v.
Dschamlidscha ein (Hammer-P., Konst. 2, 260).
— Wie das Wort in deutsche ON., so *Kastanienbaum* am Vierwaldstätter-See, übgegangen, so
auch serb. u. slow. *kostanj* in die ON. *Kostanj,
Kostanje, Kostanjevica, Kostanjica, Kostan-
jovka, Kostanjek, Kostanjevac, Kostanjevec*
(Miklosich, ON. App. 2, 184).

Kastek s. Kaginsk.

Kasten s. Perote.

Kastricum, Cap, ein sehr steiles Vorgebirge, die
Nordostspitze der Kurile Urup, v. frz. Seef. La Pé-
rouse am 20. Aug. 1787 benannt nach dem holl.
Schiffe, welches, abgesandt v. Statthalter Van
Diemen in Batavia u. geführt v. Capt. Mart. de
Vries, im Jahr 1643 (Lauridsen, VBering 50 ff.)
dort Entdeckungen gemacht hatte (Milet-M., LPér.
3, 94).

Kastro = Burg, entspr. dem lat. *castrum* (s.
Castellum), mehrf. in ngr. ON. *a)* die Stadt auf
der Westseite v. Lemnos, alt *Myrina* = Myrten-
dorf (s. Myrtion); sie lehnt sich an eine die Bucht

durchbrechende, schroff abfallende u. scharf geformte, v. türk. Festungsmauern gekrönte Felsmasse an (Conze, Thrak. Ins. 105); *b)* der Ort, welcher im Norden v. Imvros auf herrschender Höhe die beiderseitigen Buchten u. die rückliegende Uferebene überschaut (ib. 81). — Auch türk. ON. *a) Kastrón-Kesi*, wo *kesi* = Bergsattel, ein Pass der Krym bei Kastro (Töppen, Taur. 2, 4 f.); *b) Kastel-Jol*, ein Pass der Krym, nach dem anliegenden Berge Kastel (Töppen, Taur. 1, 5 ff.). — Slaw. ON. *Kostel, Kostelan, Kostenlec, Kosteletz, Kostelzen, Kostelj, Kosteljsko* (Miklosich, ON. App. 2, 184).

Kasyk Belli = Pfahlpass, gew. türk. Name durch Räubereien berüchtigter Bergpässe, wo früher z. abschreckenden Beispiele die eingefangenen Räuber auf Pfähle gespiesst wurden, eine Passhöhe östl. v. Aïdin (Tschihatscheff, Reis. 7).

Katabathmos, gr. Κατάβαϑμος = Abhang, Abstieg, 'Stutz', declivis latitudo, lat. *Catabathmus,* (Salust, BJug. 17), j. *Akabah* (s. d.), ein 240 m h. Bergabhang auf der Grenze Aegyptien-Libyen, v. der Seeküste weit landein reichend, den Alten bedeutend genug, um als Landesgrenze zu gelten, mit einem Weg aus dem höchsten Alterthum, der, z. Th. in den Kalkfels gehauen, eine Stunde Aufstieg erfordert u. v. den Kamelen nur mühsam erklommen wird (Hertha 12, 65), als 'grosser Stutz', *K. ὁ μέγας, C. Magnus,* arab. *Akabet el-Kebira* unterschieden v. dem kleinern, ähnl., der sich halbwegs zw. hier u. Aegypten befindet, dem *K. ὁ Μικρός, C. Parvus,* arab. *Akabet es-Sgir, Sugaier, Srire,* alles = kleiner Stutz (Barth, Wand. 520 ff.). — *Katadupa,* gr. Κατάδουπα = 'Niederhall', die kleine Nilkatarakte, j. *Schellál* (Her. 2, 17). — *Kataebati,* ngr. ἡ Καταιβατή = das herabgeglittene, heisst das samische Vorgebirge Kantharion, v. kleinen, mit geringer Vegetation bedeckten Hügeln, die v. seinen kahlen, schroffen Wänden an den Fuss hinab geglitten zu sein scheinen (Ross, IReis. 2, 156).

Katalskoi Ostrog, sib. Anlage (noch nicht anno 1633) am Flusse Iset, unter den Kataischen Baschkiren (Müller, SRuss. G. 5, 219). Nach Fischer (Sib. G. 2, 548 f.) 'folgte' die Anlage der am Flusse Barnew, d. h. sie fand nach 1652, u. vor 1659, statt. Das tatar. Geschlecht Katai, dessen Name viell. mit dem Ausdruck f. China (s. Kitai) in Beziehg. steht, hatte 'vor Ankunft der Russen daselbst gewohnt u. hernach sich an dem Flusse Sinara niedergelassen.'

Kátak, in Carten *Kattack,* v. skr. *kataka* = Stadt, Hptstadt, Lager etc., Ort in Orissa, am Flusse Mahanada, wo dieser in seine Deltaarme sich verzweigt (Lassen, Ind. A. 1, 220, Schlagw., Gloss. 209).

Katakekaumene s. Lydia.

Katai s. Kitai.

Katalymakla, ngr. statt καταλυματάκια = kleine Wohnungen, so heissen die stufenfg. angelegten schmalen Terrassen, mit j. fast gänzl. zerstörten Ruinen v. Häusern u. Gebäuden, welche sich v. dem Berggipfel, auf dem die alte Stadt der

ägäischen Insel Anaphe stand, z. Meer hinunterziehen (Ross, IReis. 1, 76).

Katana s. Kothon.

Katapaywie s. Qu'appelle.

Katau s. Ufa.

Katechili-Chidi = zerfallene Brücke, georg. Name einer alten Brücke des Karawanenzugs, welcher den Fluss Khzia passirt, tatar. *Synech Kurpi,* mit gl. Bedeutg. (Güldenst., Georg. 117).

Kater, Cape, 2 mal: *a)* in Baffin Bay, v. John Ross (Baff. B. 206, app. CXXIV) am 15. Sept. 1818, *b)* in Prince Regents Inlet, v. Parry (NWPass. 40) am 8. Aug. 1819 benannt 'in compliment to Capt. Henry K., one of the Commissionars of the Board of Longitude, to whom science is greatly indebted for his improvements of the pendulum, and the mariner's compass', wie denn auch der Bericht v. Ross ausdrücklich die treffl. Dienste des Azimuthcompasses der Exp. anerkennt. — Auch ein *Point K.,* an Georg's IV. Krönungsgolf, v. John Franklin (Narr. 371) am 29. Juli 1821, eine *K.'s Bay,* an der Ostküste Grönlands, v. Will. Scoresby jun. (North. WF. 104) im Juni 1822, u. eine *K. Isle,* in Bonin Sima, v. Beechey (Narr. 2, 514) im Juni 1827 getauft.

Katharina = die reine, keusche, wie der kolch. Fluss *Katharos,* gr. Καϑαρός = der reine, 'Lauterbach' (Agath. 3, 7), jenes ein Frauenname, frz. *Catherine,* span. *Catalina,* port. *Catharina,* ital. *Cata-* od. *Caterina,* engl. *Catharine,* russ. *Jekaterina* (s. dd.), Name mehrerer Heiligen, unter denen die älteste die heil. *K.* v. *Alexandria,* die der Legende zuf. 307 enthauptet wurde u. am 25. Nov. gefeiert wird. Engel trugen ihr Haupt auf den Sinai, wo das *Katharinenkloster,* am *Katharinenberg,* es in Gold gefasst u. mit Edelsteinen verziert noch bewahrt (Robins., Pal. 1, 158. 181 ff.). — *St. Katharinenthal,* aufgehobenes Kloster bei Diessenhofen, Thurgau, entstanden 1242, als Bischof Heinrich v. Constanz den Nonnen des Städtchens bewilligte, ihren Aufenthalt wg. grösserer Stille ausserh. der Mauern zu nehmen, an einem Ort, quem *Vallem sanctae Katherinae* desiderant nominari, mit dem ausdrückl. Zusatz: 'locum, quem *Vallem sanctae Katherinae,* sicut postulant, nominamus', sc. wir, der Bischof (Zürch. Urk.-B. 567).

Kathavar s. Gudschrat.

Kati s. Fuego.

Kato Akrotirion, ngr. τὸ κάτω ἀκρωτήριον = das untere Vorgebirge, bei den Einwohnern das SW.-Cap der Insel Seriphos (Ross, Reis. 1, 136).

Katsch, besser *Kátscha* = die sumpfige, näml. Küste, skr. Name einer Prov. Indiens, bei Ptol. *Κάνϑι,* in Ferischtah *Ketsch, Katsch* (Pauthier, MPolo 2, 669), in engl. Orth, *Kutch, Cutch,* urspr. nur f. die grossenth. v. Salzmorästen eingefasste Küste; denn das Innere leidet, wenigstens heut zu Tage, 'an grosser Trockenheit' (Schlagw., Gloss. 205, Reis. 1, 404). Nach dem Uferlande der *Golf v. K.,* bei Ptol. *Κάνϑι κόλπος,* bei den Port. des Entdeckungszeitalters *Enseada de Ja-*

quete, nach einem gefeierten Brahminentempel, welcher auf dem Cap, an der Südseite des Eingangs, sich befand (Barros, As. 2, 8, 5 p. 302). — *Katschha Wihára* = Kloster in den Sümpfen, skr. ON. im Tarai v. Bhutan (Schlagw., Gloss. 205), 'einem Gebiet der üppigsten Sumpfwaldungen, voll böser Fieberluft' (Lassen, Ind. A. 1, 80). — *Katschhi* = Land an den Sümpfen (des Tarai), skr. Name einer Landschaft am Fusse des mittl. Himálaja (ib. 75).

Katscha, ein Zufluss des Jenissei, der ihn bei Krassnojarsk aufnimmt, tatar. *Isir-Su*, hiess so bei den Russen, weil sich die tatar. Anwohner Kaschkar, Kaschtar, Kaschkalar nannten. Nach dem Flusse hiessen diese russ. *Katschi, Katschinzi* (Müller, 8Russ. G. 4, 542).

Katscho D. s. Hare.

Kattegat, f. den Zugang der Ostsee, gern als 'Katzenloch', frz. trou de chat, gedeutet (Adelg., Gesch. Schiff. 299), ist ein junger Name, aus holl. Seecarten erst übernommen, wie Ed. Erslev (Jylland 1886, 293—298) erwiesen hat. Ob mit dieser Thatsache die Ableitg. v. altn. *kati*, dän. *kat*, schwed. *katt* = Boot, Schiff, u. *gata* = Strasse, also Schiffweg (Passarge, Schwed. 325, mit? auch DKoolman, Ostfries. WB. 2, 185), eine Deutg. ganz passend f. eine Seegasse, die allj. v. 20 000 Schiffen der vschiedensten Nationen befahren wird (Meyer's CLex. 9, 901), sich verträgt? In früherer Zeit kannte man den Namen *K.* noch nicht; noch bei Arent Berntsen (1650), sowie in einem kön. Erlass v. 1532 liegen mehrere seiner Uferorte u. Inseln am u. im *Belt.* Auch das Eiland Hjelm, ebf. im *K.*, wird im 14. Jahrh. als 'in passagio *Baltico*' gelegen erwähnt, u. in der Knytlinga Saga wird unser *Grosse Belt*, als Verengerg. des damaligen *Belt*, der *Beltisund* genannt (O. Nielsen, Blandn. 328). — *Katthafvet*, wohl ebf. mit *kati*, eine ehm. v. Wasser bedeckte Fläche Stockholms, j. Berzelius Park, einst als *haf*, mit art. *hafvet* = Meer (Passarge, Schwed. 123).

Kattlwar s. Gudschrat.

Katúnga, eig. *Katánga* = Mauer, Gebäude, bei den Haussa die frühere, j. verlassene Hptstadt Jóruba's (Barth, Reis. 1, 445).

Katunja, v. russ. *katatj* = wälzen, einer der beiden Quellflüsse des Ob, dem Gebirge entspringend, milchig schäumend der Confl. mit der klarblauen, ruhigern *Bija* entgegen stürzend (PM. 10, 308). Müller (8Russ. G. 5, 63) dachte f. die *Bija* an tatar. *bi, bei, beg* = Herr, Fürst, f. die *K.* an *kutun* = (vornehme) Frau (Fischer, Sib. G. 2, 550). Es wäre in der That nicht übel, die beiden so ungleichen Quellflüsse mit 'Mann u. Frau' zu vergleichen, u. es ist keineswegs sicher, ob die russ. Ableitg. Stich hält, da ja die Russen wohl beide Namen schon vorfanden.

Katunska, v. slaw. *katun* = Sennerei, der steinige, nur z. Weide taugliche Bezirk Montenegro's (Glob. 5, 196).

Katzbach, häufiger ON., trotz seines Aussehens noch dunkel. Dass er 'nicht v. der Katze, felis, herkomme, scheint mir unzweifelhaft' (Förstem.,

Altd. NB. 394). Mone (Gall. Spr. 94) vermuthet darin ein kelt. *coti* = Wald; 'ich weiss nicht, ob sich diess wird begründen lassen'. Eher, schon der Form wg., dürfte bei *Katzenbach* u. *Katzensee* an die Wildkatze zu denken sein, obgl. diese zu wenig Beziehg. z. Wasser hat, um zu so vielen ON. Anlass zu geben. Ich erwähne, dass wir in meiner Jugendzeit im *Katzenbach*, einem dem Dorfe nahen Teiche des Baches gl. N., den Ueberschuss junger Katzen unterzubringen pflegten. Am ehesten dürfte an felis zu denken sein f. einsame Gehöfte, wie *Katzenholz, Katzenrüti, Katzensteig, Katzentobel* u. dgl. (Schott, ON. Stuttg. 13, Mitth. Zürch. AG. 6, 89. 137. 141. 151. 156). — *Katzen-Ellnbogen* s. Melibocus.

Kaukasus, bei Herod. Καύκασις, armen. *Kavkaz*, ein uralter Gebirgsname, zuerst bei Aeschylos —490 erwähnt, übr. in Asien wenig, nur bei Armeniern u. Georgiern, gebr., v. dunkler Etym. Klaproth (Hertha 10. 1 ff.) denkt an eine alte Form *Koh Káfsp* = kaspisches Gebirge, Humboldt, (As. Centr. 1, 89, Kosmos, 2, 419; 4, 508), unter Erwähng. der Form *Graukasus* (Plin., HNat. 6, 50), an skr. *kás* = glänzen u. *grávan* = Fels, also 'Glanzberg'. Die Bewohner selbst nennen ihn *Albrus, Elbrus* (s. Albors), bei den Nogai u. andern Turken in *Jalbus* = Eiskamm umgedeutet, sogar *Jedi Jalbus* = 7 Eiskämme; die nördl. Anwohner, tatar. Stamms, uterscheiden das schneebedeckte Hochgebirge, *Kar Daghlar* = Schneeberge, v. den dunkelwaldigen Vorbergen, *Kara-Daghlar* = schwarze Berge, russ. übsetzt *Tschernoi Gory* (Klaproth, Kauk. 1, 298 ff.; 2, 619). Zur Zeit der arab. Herrschaft hiess das Gebirge auch *Dschebel* (= Berg) *el-Keïtach*, nach dem Volksstamm d. N., der noch die östl. Theile desselben bewohnt, in Folge v. Umdeutg. auch 'Siegesberg', arab.-pers. *Dsch. el-Kabak* od. *Dsch. el-Fath.* In Folge der reichen Gliederg. des Gebirgsnetzes sind auch die Bewohner in zahlr. Stämme v. vschiedd. Dialekten zersplittert, so dass v. jeher die Menge der Sprachen auffiel. Auf dem Markte der miles. Colonie Dioskurias hörte man nach Strabo 70, nach Plinius sogar 130 vschiedd. Zungen; diese Beobachtg. veranlasste die Araber, den *K.* als *Dschebel el-Lisán* = Sprachenberg zu bezeichnen (Kiepert, Lehrb. AG. 84). — *Kaukasien*, russ. *Kaukaski Kraï* = Land des *K.*, russ. Besitz in *Cis-* u. *Transkaukasien* getheilt (Meyer's CLex. 9, 910). — Dass Blumenbach die weisse seiner 5 menschl. Varietäten als die *Kaukasische Race* bezeichnet hat, wollte man lieber auf den Hindu Khu, also den ind. *K.*, beziehen, um in die Nähe der Ursitze der Arier zu gelangen; in seinem Sinne lsg diess wohl nicht. 'C'est dans le Caucase qu'on trouve le type le plus parfait, l'idéal enfin de cette race' — diese Annahme v. schön gebauten, schlanken u. kräftigen Leuten, mit feinen Gesichtsformen, v. Frauen namentlich, die durch regelmässige Züge, edeln Schnitt u. schlanke Gestalt, oft wahre Bilder der Anmut, sich auszeichnen, diese Vorstellg. hat ozw. jene Benenng. veranlasst. Immerhin ... 'je doute que

Canova eût choisi un Géorgien pour modèle d'un Apollon, et une jeune fille circassienne, avec son nez retroussé, ses cheveux roux et ses cuisses courtes, pour modèle d'une Venus' (Klaproth, Mém. 2, 3).

Kaukon, gr. *Καύκων* = Becher, z. Bezeichng. des Tiefliegenden: *a)* ein Nebenflüsschen des Teutheas in Achaja; *b)* in der Form *Καύκωνες* die Bewohner des hohlen Arkadien bis Triphylien, woher Elis selbst *Καυκωνία* hiess (Strabo 345, Pape-Bens.).

Kaumajet = die Leuchtenden, bei den Eskimo ein alpenartiges Felsengebirg in Labrador. 'Bei Hebron u. weiter nördlich ist alles kahler Fels, die Berge werden schroffer, steiler u. höher ...' (PM. 9, 122).

Kaupstadir s. Kjöbnhavn.

Kaurdazkoi Ostrog, russ. Veste am Irtysch, etwas obh. Tobolsk, 1631 angelegt u. benannt nach einem der hier geschlagenen Tataren Kurdak. — In derselben Gegend *Tebendinskoi Ostrog,* nach dem tatar. Orte Tüwenda (Müller, SRuss. G. 5, 60, Fischer, Sib. Gesch. 1, 238 f.).

Kawa, Roto- = Bittersee, bei den Maori ein See in der Nähe des Taupo, da das Wasser — wahrsch. v. den Solfataren, welche am Nordende liegen — einen starken Alaungeschmack zeigt (v. Hochstetter, NSeel. 254, Dieffb., Trav. 377).

Kawak = Platane, f. sich sowohl als in der Form *K.-Köi* = Platanendorf u. *Kawaky* = reich an Pappeln, als ON. in Kl.-Asien mehrf. (Tschihatscheff, Reis. 4. 12. 24. 47. 64).

Kawawiga-Kamac = runder See, Creename eines See's des Qu'apelle R., nicht sehr passend, da das Bassin, allerdings weniger schmal als bei mehrern Nachbarsee'n, bei nahe 8 km Länge höchstens 1¹/₂ br. ist: 'by no means an appropriate name, as it is far from being round' (Hind, Narr. 375). — *Kawawak-Kamac* s. Crooked.

Kawe Köprüssü = Cafébrücke, eine solide Brücke mit Caféhütte unter prächtigen Platanen, in der Nähe Aïdins (Tschihatscheff, Reis. 6).

Kawsa-Chamami = die Bäder v. Kawsa, v. ngr. *χαμάμι* = Bad (türk. *hamam*), zubenannt nach dem nahen Dorfe *K., Kaousa,* ein Badeort, welcher etwas westl. v. der Linie Amasia-Sinope am Fusse einer Anhöhe, v. Fruchtebenen umgeben, sehr freundlich u. gesund gelegen ist. Der griech. Name *Καύσα* = die brennende, heisse, zuerst auf die Therme v. nahezu 52⁰ C. bezogen, blieb, auch als die griech. Sprache aus diesen Gegenden verschwand, dem Orte u. durch diesen dem Bezirk: *K. Owassi* (Peterm. GMitth. 5, 517).

Kay, Point, eine Landspitze der Eismeerküste westl. v. MacKenzie R., v. Capt. John Franklin (Sec. Exp. 125) am 15. Juli 1826 nach einem seiner Verwandten benannt. — *K. Islets,* in Süd-Victoria, v. Capt. J. Cl. Ross (SouthR. 1, 250 ff.) am 19. Febr. 1841 entdeckt u. nach einem seiner Officiere, Joseph W. *K.,* dem dritten Lieut. des Schiffs Terror, Director des Rossbank Observatory, Tasmania, getauft.

Kaye's Island, ein langes, schmales Eiland Nord-.

west-America's, v. Capt. Cook (-King, Pac. 2, 350) am 11. Mai 1778 entdeckt u. benannt zu Ehren des Dr. *K.,* 'as a mark of my esteem and regard for that gentleman', Unteralmosenpfleger u. Caplan König Georgs III., spätern Dechanten v. Lincoln. Am Fusse eines Baumes hinterliess Cook eine Flasche, in welcher er ein Papier mit den Namen der Schiffe u. dem Datum, sowie zwei silberne Zweipencestücke mit der Jahrzahl 1772 verschlossen hatte; diese u. viele andere hatte Cook v. Dr. *K.* erhalten.

Kazneh, el- = der Schatz heisst bei den arab. Anwohnern des Berges Hor ein merkw. Felstempel des alten Petra, weil sie annehmen, dass in der den Gipfel der verzierten Façade krönenden Urne, etwa 30 m ab Boden, ein Schatz des Pharao aufbewahrt sei, welchen sie gern heben möchten. In der That trägt die Urne viele Spuren v. Flintenkugeln, da die Araber sie durch Schüsse zu zertrümmern suchen (Robins., Pal. 3, 67).

Kea, Mauna = weisser Berg, bei Cook (-King, Pac. 3, 102) ... *Kaah,* der 4253 m h. Culm Hawaii's, zwar nicht 'die ewige Schneelinie' (sic! in Peterm., GMitth. 22, 360) erreichend, aber zu seinem Namen berechtigt durch die Monate andauernde Schneedecke, die Sommers selbst noch auf dem Gipfel u. in geschützten Lagen ausdauert (Bergh., Ann. 11, 530, Meyer's CLex. 8, 662, Meinicke, IStill. O. 2, 277).

Keats, Port, an der Nordwestküste NHollands, v. Capt. Ph. P. King (Austr. 1, 277) am 6. Sept. 1819 auf Wunsch eines seiner Officiere benannt zu Ehren des Viceadmirals Sir Richard Godwin *K.,* G. C. B. — Nach dems., nun Admiral u. Gov. of Greenwich Hospital, *Point K.,* am Eismeer, östl. v. MacKenzie R., v. Dr. Richardson, Exp. Franklin (Sec. Exp. 242 ff.) am 27. Juli 1826.

Kebîr od. *kbir* = gross, in sog. Steigerungsform *akbar* (s. d.), fem. *kebira, kubrā,* plur. *kbar,* oft in arab. ON. *a) Mers el-K.* = der grosse Hafen, im Ggsatz z. *Mers es-Seghir* (s. d.), ein Ankerplatz bei Oran, schon im Alterth. (Plin., HNat. 5, 19) *Portus Magnus,* v. gl. Bedeutg. (Wagner, Alg. 1, 366). Er bildet einen geräumigen natürl. Hafen, in welchem die f. Oran bestimmten Schiffe, welche dort selbst nicht landen können, einen Ankerplatz aufsuchen. Er wird durch eine in den Golf v. Oran vorspringende Landzunge, einen natürl. Wellenbrecher, gebildet u. ist im Stande, Hunderte v. Schiffen aufzunehmen. Der einzige Hafen auf der ganzen Küstenstrecke Algier-Gibraltar, woselbst die Schiffe eine erträgliche Einfahrt haben u. Schutz gg. Nordstürme finden. Von hier werden die ankommenden Reisenden zu Wagen etc. nach Oran geschafft (Lilliehöök, 2JZouav. 17 f., Sommer, Taschb. 21, 157); *b) Schott K.* = grosser See, hinter der Kleinen Syrte, mit andern Salzsee'n u. Salzsümpfen, *schott, sebcha,* als Rest die v. Herod. erwähnten *Tritonissee's,* wo der Meergott Triton verehrt wurde, u. der v. Kiepert, Lehrb. AG. 215); *c) 'Ain el-K.* = die grosse Quelle, in der Oase Ksur, quillt aus Muschelkalk reichlich hervor, um gleich wieder im Boden zu verschwinden, eine klare, beinahe geruchlose, bittersalzige Therme v. ca. 50° C., umrahmt v. frischgrüner Alfa, besucht 30, 40 km weit her v. Leuten, die sich an der 'grossen Quelle' waschen wollen (Peterm., GMitth. 16, 302); *d) Nahr el-K.*, ein Fluss des Libanon, nördl. v. Tripoli, der syr. *Ἐλεύθερος* = 'Freisach', d. i. der Entfesselte, *Eleutherus* (Strabo 753, Pape-B.), ein grosser, in der Regenzeit wg. seiner reissenden Schnelligkeit gefährl. Strom. Man weiss, dass die Karawanen v. Hamah Wochen lang an seinen Ufern zugebracht haben, ohne hinüber zu kommen; *e) Ras K.* = grosses Cap, bei Colló, Alg. (Parm., Voc. ar. 30); *f) Scheriat el-K.* s. Jordan; *g) Uëd el-K.*, also gleichnamig mit dem span. *Guadalquivir*, viele Flüsse Nord-Africa's, z. B. auch der Ued Rumel, der bei Constantine passirt, nimmt unth. der Aufnahme des Ued Smendu diesen Namen an (ib. 39); *h) Wah el-K.* s. Oasis; *i) Kasr el-K.* = das grosse Schloss, befestigter Ort in Marocco, an span. 'Alcazar' erinnernd (Richardson, Trav. 2, 133), der Ggsatz z. *Kasr es-Seghir* = dem kleinen Schloss, ebenda (Parmentier, Vocab. arabe 32). — *'Ain el-Kabre* = die grosse Quelle, wohl mit dial. Aussprache f. *kubrā*, die reiche Quelle, welche einst Akko durch einen Aquaeduct mit Trinkwasser versorgte.

Kebit-Boghás, bei den Nogaï im Bergübergange des taur. Gebirgs, v. Kebit, dem Quelllaufe der Alma (Köppen, Taur. 2 ff.).

Kebo Glagah = Büffelgras, v. *kebo* = Büffel u. *glagah* = Gras (scil. hohes der Prairiewildniss), ON. im östl. Java (Junghuhn, Java 2, 554).

Kebra-Basa = wo der Dienst unterbrochen wird, eine Strecke des Zambesi mit Stromschnellen, einh. *Kaorabasa*, den Portugiesen dadurch mundgerecht geworden, dass sie den ersten Theil durch *quebra* = bricht, unterbricht, ersetzten. Der Name bezieht sich auf den strengen Dienst, schwere Kähne so weit flussaufwärts u. die Ladg. dann üb. Land nach dem höher gelegenen Chicova zu bringen (Livingstone, Zamb. 55).

Kebrit s. Syrtis.

Kedel, Amora- = Fels der Raubvögel, ein hoher, fast senkrechter Fels in der Gegend v. Gaffat, wo viele Tausende v. Geyern, Adlern u. Milanen horsten u. das Gestein weiss getüncht haben (PM. 13, 424).

K'edela = Mauer, georg. Name eines Schneebergs des Kaukasus, 'weil er so steil in die Höhe geht wie eine Mauer' (Klaproth, Kauk. 2, 42).

Kédidā = Leute der Hunde, Tibuname der Bulgeda, welche mit ihren vielen Hunden, entarteten Windhunden, zuw. auf die überaus zahlr. Büffelantilopen Jagd machen (PM. 17, 453).

Kedrowka s. Cedro.

Keel Point = Kielspitze, an der Mündg. des patag. Rio Santa Cruz, v. der Exp. Fitzroy (Adv. B. 2, 336) im April 1834 so benannt, weil sie dort genöthigt war, den 'falschen Kiel' des Schiffes zu repariren.

Keeling s. Cocos.

Keer weer = kehre um, dem engl. Return

entspr. (s. Carpentaria), auch in deutschen ON., *im Kehr*, f. eine Oertlichk., wo man nicht vorwärts kann, sondern wieder umkehren muss (Mitth. Zürch. AG. 6, 88). — *Keerweder-Berg*, bei Stellenbosch, benannt v. dem nach Drakenstein führenden Fussteige, der 'wg. der ungangb. Felsen u. jähen Abschüsse so viele Krümmen macht, dass es zuw. scheint, als ob man wieder umkehrte' (Kolb, VGHoffg. 214). — *K. de Koe* = kehr die Kuh um! Schanze am Tafelberg; 'denn ein Theil v. dem Amte der Wache bestand darinn, die Kühe zk. zu jagen, die sich unter der Hottentotten Vieh gemischt hatten' (ib. 200).

Keetmanshoop, bei den Hottentotten *Nui-goais* = Schwarzmorast, seit 1866 Station der rhein. Missionsgesellschaft in Gross Nama Ld., v. Missionar Schröder ggr. u. z. Gedächtniss des ersten Präsidenten der Gesellschaft, des Philanthropen Keetman, getauft (Schinz, Deutsch-SWAfr. 38).

Keetooshsahawna s. Beaver.

Kef od. *kaf* = Fels od. Felsspitze, Böschung, plur. *kifán*, mehrf. in arab. ON. *a) K.*, Ort in Tunis; *b) Bordsch el-Kifan*, Felsenburg, frz. *Fort de l'Eau*, Ort in Algerien (Parmentier, Vocab. arabe 29). — Wohl gehört hierher auch *Keffi Abd es-Senga*, Ort des Sudan, v. Sultan Abd es-Senga 1819 ggr. u. z. Hptstadt des Reiches erhoben (Rohlfs, QAfr. 2, 189).

Kehelah, hebr. קְהֵלָה = Versammlung, eine Lagerstätte der Israeliten in der sinait. Wüste (4. Mos. 33, 22, Gesen., Hebr. Lex.).

Kehr s. Keer.

Kei Garib s. Oranje.

Keilhau-Bay, im spitzb. Deicrow Sund, v. der Exp. Heuglin-Zeil 1870 getauft zu Ehren des (1858 †) norw. Geologen, der 1827/28 auch Finmarken bereiste. Der östl. Eckpfeiler der Bucht heisst, ebf. prsl., *Cap Löwenigh* (PM. 17, 182 T. 9).

Keitach s. Kaukasus.

Keith, Point, nannte G. Back (Narr. 52) eine in den Grossen Sclavensee vorspringende Landspitze, welche er im Aug. 1833 entdeckte, zu Ehren des Herrn J. K., Agenten der Hudsonbay Co., Montreal, welcher seiner Exp. förderlich gewesen war; *b) K.'s Bay*, eine der 5 Buchten des Grossen Bärensees, v. Capt. Franklin (Sec. Exp. 79) aus gl. Grunde benannt.

Kekur, Cap = Pfeilercap, am sibir. Eismeer, östl. v. C. Schelagskoi, wo auf abgerundeten Uferbergen sich pfeilerförmige Felszacken, ähnl. Cap Baranow, erheben, so benannt 1823 v. spätern Admiral Ferd. v. Wrangell (NSib. 2, 294). Auch anderw. werden vereinzelt dem Lande vorliegende Klippen v. derselben Gesteinsart, die wie pyramidale Steinsäulen dastehen, v. den russ. Seeleuten als *K.* = Abspringer bezeichnet (Lauridsen, V. Bering 134).

Keladon, gr. *Κελάδων*, v. *κέλαδος* = Getöse, Rauschenbach, ein kl. Fluss in Elis od. Arkadien (Hom., Il. 7, 133, Pape-Bens.).

Kelat, auch *Khelat, Kalat* = Festung, Ort, eine Variante v. *kal'a*, in Beludschistan, v. einer hohen

Lehmmauer umgeben, deren Stärke durch verschiedene Thürme vermehrt wird. Die Citadelle, obwohl in ihrem ggw. Zustand werthlos, könnte — nach Pottingers' Versicherg. — leicht z. stärksten Platze in Beludschistan erhoben werden. 'Die Felsen, auf denen die Veste liegt, sind fast unersteiglich; sie kann bei einiger Aufmerksamkeit leicht vertheidigt werden' (Spiegel, Er. A. 1, 22. 54). — *K. Nadiri*, Veste v. Nadir Schah z. Schutze gg. die Turkomanen erbaut (Peterm., GMitth. 37, 268).

Kelb, fem. *kelba* = Hund, plur. *kelab*, mehrf. in arab. ON. *a) Nahr el-K.* = Hundefluss, der alte *Lycus*, nördl. v. Beirut, v. den auf Felsvorsprüngen stehenden Statuen eines Hundes u. eines Wolfs, deren erstere noch vorhanden ist, während die Wolfsstatue durch die Türken ins Meer gestürzt wurde — freil. ohne den Kopf, den die Engländer einige Jahre vorher abgehauen u. nach Hause geschickt haben (Seetzen, Reise 4, 92, Kiepert, Lehrb. AG. 160). Merkw., dass der viel spätere Oppert (Exp. Més. 1, 18) nur die arab. Sage kennt, es sei einst ein gewaltiger steinerner Hund als Landeswacht hier aufgestellt gewesen u. bei Annäherg. des Feindes habe derselbe ein bis Cypern hörb. Gebell erhoben; *b) Kasr el-K.* = Hundeschloss, Ruine am Tigris, obh. Bagdad (Schläfli, Or. 78); *c) Ssebach el-Kelab* u. *Chaschm el-K.* s. Bab; *d) Ras K.* s. Rus; *e) Bir el-Kelba* = Brunnen der Hündin, in Tunis (Parmentier, Vocab. arabe 15). — Auch der ant. *Kalbis*, in Karien, ist ein semit. כלב, 'Hundefluss' (Kiepert, Lehrb. AG. 120).

Keldebach s. Kalt.

Kelephina, ngr. *Κελεφῖνα* = die mörderische, ein Nebenfluss des Eurotas, der obh. Sparta mündet. Wenn der Schnee des Parnon schmilzt, wird die enge Schlucht, in welche v. Osten die beiden Giessbäche Bambaku u. Agrianos münden, v. reissendem Wasser angefüllt, das plötzl. anschwellend Bäume u. Thiere v. Ufer fortrafft u. sich mit trüber Flut in den klaren, ruhigen Eurotas stürzt. Daher der neue Name, wie auch der alte v. seinem gelblich trüben Wasser *Κνακιών* = Weissbach, od. *Οἰνοῦς*, lat. *Oinus*, da das Städtchen d. N. mit seinen Weingärten nahe der Mündg. lag . . . *οἶνος Οἰνουντιάδης* (Steph.B., Curt., Pel. 2, 262). Vgl. Fiedler, Griech. 1, 320.

Kellenland s. Oberland.

Kellett, Point, an der Südwestseite des arkt. Baring Ld., v. der Exp. MacClure im Aug. 1851 getauft nach Capt. *K.*, einem der Officiere des Unternehmens (Armstrong, NWPass. 381).

Kelossa s. Koilossa.

Kel-Owi = Leute, kël, v. (District od. Thal) Owi, Uï, Berbername eines im Gebirgslande Asben, Aïr, ansässigen Berberstammes (Barth, Reis. 1, 372). Ebenso *Kel-Asaneres* = Leute v. Asaneres, einem Dorfe v. grosser Wichtigkeit wg. seiner Lage zu den Salzseen v. Bilma, welche den Hptreichthum u. das Lebensprincip dieser Gemeinde ausmachen (ib. 337), *Kel-Tamar*, nach dem Wohnort Tamar, *Kel-Táfidet*, *Kel-n-Nég-*

garu u. a. m., auch *Kel-Ulli* = Leute der Ziegen, Ziegenhirten (ib. 380). — Anders *Kelow Spi* s. Assireta.

Kelten, eine im Alterth. weit üb. das westl. Europa, *ἡ Κελτική*, verbreitete Völkerfamilie, bei den ant. Autoren in 3 Namensformen: *a)* gr. *Κέλται, Κελτοί*, lat. *Celtae* (Hekat. fragm. 19, Herod. 2, 33; 4, 49, Polyb. 2, 13 ff., Arist. Polit. 2, 7, Strabo pass.); *b) Galli*, die den Römern geläufigere, auch gr. *Γάλλοι* (Ptol. 3, 1²³, Theodoret. 1, 31), doch mit Ausscheidg. der iber. u. brit. *K.*, nur f. *Gallia* (s. Galli), also weniger z. Gesammtnamen geeignet; *c)* gr. *Γαλάται*, lat. *Galatae* (Paus. 1, 3, Polyb. 2, 15, Strabo p., Hesych 2, 226), die spätere Form, zuerst bei Timäus (Etym. Magn.), erst aufgekommen, als kelt. Schwärme bis ins Herz Griechenlands einfielen, mit der illyr. Endg. *-at*. Den Namen haben namentl. die spätern, nachclass. Historiker an eine myth. Person zu knüpfen gesucht; es hätte Hercules einen Sohn Galates (Diod. 5, 24) od. 2 Söhne Keltos u. Iberos (Dion. 14, 3) gezeugt. Ihn aus der Sprache des Volkes selbst zu erklären, ist v. Hieronymus bis z. heutigen Tag nicht zu allseitiger Befriedigg. gelungen, am ehesten durch C. Zeuss (Gramm. Celt. 1, 993): v. altir. *gal* = proelium, also 'die kämpfenden, kriegerischen Männer' u. durch Chr. Glück (Stelle unfindb.): *Celtos*, plur. *Celti*, das lat. *celsus, celsi*, lautl. u. begriffl. deckt, also 'die hohen, erhabenen' (Contzen, WKelt. 3 f., Studer, Phys.GSchw. 7 f., Kiepert, Lehrb.AG. 499). — *Keltikos Kolpos* s. Lion u. Vizcaya. — *Promontorium Celticum* s. Roca. — *Celtiberia* s. Iberia.

Kem s. Jenissei.

Kemnat, nicht selten ON., v. ahd. *kemináte* - steinernes Gemach, Gebäude, mit Feuerstätte, die, viell. noch aus der Römerzeit her, den Germanen wg. ihrer Seltenheit Anlass z. Benenng. gaben: *a)* bei Stuttgart (Schott, ON. Stuttg. 33); *b) Kemnaten*, vorm. Name Nymphenburgs (Riezler, ON. Münch. 60); *c) Kämnaten* u. *Kämleten* im C. Zürich (Mitth. Zürch. AG. 6, 78); *d) Kemnaten* u. *Kemating*, je 3 Orte, ferner *Kemet*, *Kemetberg*, *Kemeting*, in österr. Ländern (Umlauft, ÖUng. NB. 105).

Kemnitz s. Kamen.

Kemp Island, eine antarkt. Küste, im Jan. 1833 v. *K.*, einem Angestellten der Londoner Walfängerfirma Enderby, aufgefunden.

Kempe, Cape, an der Südwestseite Feuerl., v. Capt. Fitzroy (Adv. B. 1, 380) im Jan. 1830 nach einem seiner Gefährten, Lieut. J. *K.*, benannt.

Kempt, FlussN. im C. Zürich, u. *Kempten*, alt *Cambodunum*, fälschl. *Campo . . .*, f. Orte in Britanien, Vindelicien u. im C. Zürich, unbestritten kelt. Urspr., viell. mit *cam* = krumm zu vergleichen, so dass *K.* = Krummbach, *Cambodunum* = 'Burg auf gewölbter Kuppe' (Baem., Kelt. Br. 104, AWand. 9, Rev. Celt. 8, 124). In dem schwäb. ON. sieht jedoch Buck (Baumann, Allg. 1, 36) 'nicht etwa Krummburg, sondern 'Burg des Cambos', in dem wir wohl *Kemptens* Gründer oder einen estion. Fürsten zu erkennen haben'

Kenai ist die russ., urspr. Eskimoform f. *tnai* = Mensch, *Tnaina* = Leute, f. die Anwohner v. Cook's Inlet (Richardson, Arct. S. Exp. 1, 401, Bär u. H. 1, 103), beim Capt. Sagoskin *Ttynai*. Er hat das Wort 'bei seinem Umgang mit den mittlern u. am meisten unverändert erhaltenen Stämmen sowohl f. 'Mensch' in Gebrauch gefunden, als auch z. Beantwortg. der übl. Weise auch v. ihm gestellten Frage nach ihrem (Eigen-) namen' (Bastian-H., Zeitschr. f. Ethn. 2, 306). — *K. See* s. Cook.

Kenaion, gr. *Κήναῖον, τὸ ἄκρον* od. *ἀκρωτήριον,* v. *κήνεον = καθαρόν* (Hesych, Curt., GOn. 156) = 'Blankenstein', ein Cap Euböa's, mit einem Tempel des Zeus, der davon *Κηναῖος* hiess (Curt., GOn. 158), od. richtiger der ganze vorspringende Gebirgszug, nicht nur sein z. See abfallendes Ende.

Kenay See s. Cook.

Kendall, Cape, ein kühnes 100 m senkr. aus' der See aufsteigendes Vorgebirge v. Richardsons Ld., v. Franklins (Sec. Exp. 259) Gefährten Dr. Richardson am 8. Aug. 1826 entdeckt u. nach seinem Begleiter, spätern Lieut. *K.,* benannt. Von diesem Punkte aus hatten die beiden Officiere das Vergnügen, die Lücke in den Bergen zu erschauen, durch welche der Kupferminenfluss, das Ziel ihrer Exp., sich stürzt, die Bloody Falls bildend. Die Mannschaft, welche vorher — in der Vorsicht, Täuschungen zu vermeiden — noch nicht mit den günstigen Aussichten auf das nahe Reiseziel bekannt gemacht worden war, nahm die unerwartete Botschaft mit Freuden u. dankbarer Rührg. auf: 'the pleasure they experienced found vent in heartfelt expressions of gratitude to the Divine Being, for his protection on the voyage'. — Schon am 16. Aug. 1825 hatte Capt. Franklin selbst (ib. 36) die *K. Islands,* vor dem Delta des MacKenzie R., getauft, u. im Apr. 1829 folgte *K. Harbour,* in Wollaston I., Feuerl., v. Fitzroy (Adv. B. 1, 200).

Kendeng, Gunung = Bergkette, Gemeinname fast aller langgedehnten Rücken auf Java, auch nom. propr. eines solchen in der östlichsten Gebirgsgruppe (Junghuhn, Java 2, 647).

Kendrick s. Rasa.

Kenia, auch *Kignea,* ein Berg Ost-Africa's, v. deutschen Missionär Krapf (Trav. 360) in die Carten eingetragen 1849, als Name bei den Wakamba, bei andern Anwohnern *Doenjo Ebór* = Weissberg, nach der weissen Schneehaube, 'and the summit exceedingly white' — als Ggsatz zu dem bis z. Gipfel dichtbewaldeten *Doenjo Erok* = Schwarzberg (Journ. RGSLond. 1870, 317 ff.).

Kenissieh = die Kirchen, eig. nomen relationis, v. arab. *kenise* = Kirche, also etwa 'die kirchenreiche' (Stadt), Ort bei Derne, Derna (s. d.), wo die grösste der Kirchen einst z. christl. Capelle umgeschaffen wurde. 'Wie in der übr. Pentapolis sieht man hier christl. Arbeiten üb. den heidnischen' (Hertha 12, 194). — Im dim. *Knése* == Kirchlein, in Ruhbe, Hauran, die schönen Fundamente eines Dörfchens, v. dem noch das

Hptgebäude, eine kleine Kirche v. sehr accurater Structur, gut erhalten ist (Wetzstein, Haur. 35).

Kenn's Reef, im austral. Korallenmeer, entdeckt am 24. Apr. 1824 (Hertha 6·GZ. 228) v. Alexander *K.,* dem Master des Schiffs William Shand auf der Route Sydney-Batavia (King, Austr. 2, 385).

Kennedy, Mount, im Quellgebiete des Darlingzuflusses Maranõa, v. Major T. L. Mitchell (Trop. Austr. 156 ff. 202) im Mai 1845 getauft nach seinem Reisegefährten u. Assistenten Edmund B. *K.,* esq., welcher sich auf einer Seitentour befand u. v. seinem Chef ängstlich zk. erwartet wurde; *b) K. Channel,* ein arkt. Meerarm, v. E. K. Kane (Arct. Expl. 1, 108; 2, 299) 1853 entdeckt u. nach einem seiner Vorgänger in der Polarfahrt, J. P. *K.,* dam. v. U. S. Navy Dep., benannt; *c) K. River,* in Vancouver J., nebst *K. Range u. Lake K.* v. der Explor. Exp. am 24. Aug. 1865 nach dem Governor des Landes getauft (Peterm., GMitth. 15, 92, T. 1).

Kent, bei Caesar u. a. *Cantium,* ags. *Cant-guarlantd* = Land der Kantier, die gg. Calais vorspr. brit. Halbinsel, v. Camden-Gibson (Brit. 1, 253) v. brit. *cant, kanton* == Winkel, Vorsprung, abgeleitet, 'because England in this place stretcheth out itself in a corner to the north-east' u. seither gew. so angenommen (nur in Edmunds, NPl. 202, 'a word of uncertain etymology'). Der Name kehrt in Brit. f. ähnl. Vorsprünge wieder, and *K.* is called 'Angulus', or a corner, by all our old geographers, as a name aptly denoting its situation' (Charnock, LEtym. 146), bei den Römern in *Cantium,* f. die Bewohner in *Cantii* geformt, ein Cap bei Ptol. *Κάντιον ἄκρον.* Man will auch ein kelt. Wort *canto-* = weiss annehmen; 'mais cela n'est pas prouvé' (Rev. Celt. 8, 144). Seit Jahrhh. ist der Titel eines Grafen v. *K.* in der Königsfamilie eingeführt u. so der Name bei Entdeckungen neu eingeführt worden: *a) Duke of K. Bay,* bei Boothia Felix, y. Capt. John Ross (Sec. V., Carte) 1829/33; *b) Duchess of K.'s Range,* Bergzug am Gr. Fischfl., v. G. Back (Narr. 7, Carte) zu Ende Juli 1834; *c) North K.,* nebst *Prince Edward's Cape* im Belcher Ch., v. Capt. Belcher (Arct. V. 1, 275) am 20. Mai 1853 nach Gliedern der Königsfamilie ... 'the remaining remarkable extremes I leave for Her Majesty's pleasure'. — *K.'s Groups,* 2 Inselschwärme der Bass Str., v. Flinders (TA. 1, CXXIV, Atl. 6) am 8. Febr. 1798 benannt zu Ehren seines Freundes, Capt. Will. *K.,* dam. Befehlshaber des Schiffes Supply. — *Cape James K.,* an der Kane Sea, 1853 v. E. K. Kane (Arct. Expl. 1, Carte; 2, 155) prsl. getauft.

Kentos s. Schocayba.

Kentucky, Fluss u. Staat der Union, mit ind. Namen, doch ohne befriedigende Erklärg., ja ohne dass man weiss, ob der Name urspr. dem Flusse od. dem Lande galt. Buckingham (East. & WSt. 2, 451. 481) u. Allen (Hist. Kent.) entscheiden f. das letztere u. setzen ind. *Kan-tuck-kee* == dunkler, blutiger Grund, f. die wildreiche Gegend, wo, vor Ankunft des weissen Mannes 1747, die Mohawks od. Irokesen, die Shawnees, Chickasaws, Cherokees, Delawares, Twightwees, Miamis, Mingos, Wyandots u. Illinois, 'who all visited this region occasionally in their hunting excursions', hier manche blutige Schlacht auszufechten pflegten. Andere, wie Moulton (Hist. NYork) u. Haywood (Hist. Tennessee), in ggtheiliger Annahme, setzen *K.* = blutiger Fluss, während der Indianologe Cuoq (Ét. phil. 126) behauptet: 'il y a dans ce mot ni terre, ni rivière, ni sang, ni couleur sombre' u. (Lex. Ir. 19) den canad. ON. *Kentake* u. den LandesN. *K.* v. *kenta*, abgk. aus *kahenta* = Wiese ableitet. Für eine vierte Deutg. 'Land des grünen Rohres', nach den Schilfsteppen (v. Edlinger, Kl. Lex. 54), fehlt die Angabe der Quelle. Auch findet sich (Transact. Am. Antiq. Soc. 1, 271) *K.* als ein Shawanoese-Wort, mit der Bedeutg. 'am Kopf eines Flusses', also auf das Land bezogen, erklärt — in dem mir unklaren Sinne, dass die Shawanese den Fluss bei ihren Wanderungen nach Nord u. Süd häufig passirten (Staples, St. Union 13).

Kepes s. Wilczek.

Kepha s. Haifa.

Kephallenia, gr. *Κεφαλληνία* od. *Κεφαλωνία* = Kuppenau, dor. *Κεφαλλά*, *Κεφαλλανία*, urspr. die Inseln Dulichion u. Same, später das j. *Cephalonia, Cefalonia* (Thuc. 2, 30), bei Homer *Samos*, v. *σάμοι* = Höhen (Strabo 453. 457). — *Kephalai* s. Bû. — *Kephaloidion*, gr. *Κεφαλοίδιον* = Kuppenstadt, Ort an der Nordküste Sicil., auf gewaltiger, ins Meer vorspringender Felsmasse, j. *Cefalù*, 'ad verticem praeruptae rupis, ejusce promontorii habentis condita fuit, ubi adhuc arx est natura munitissima' (Fazello, de reb. Sic. 1, 1⁸), eig. aus phön. *rûs* (s. d.) übsetzt (Curtius, Gr. On. 162, Movers, Phön. 2ᵇ, 338). — Auch im ägr. mehrf. *a) Képhalo* = Kopf, die Ostspitze v. Imbros, Felsmassen, die mit steiler Uferwand dem Meere entsteigen (Conze, IThrak. M. 95); *b) Kepháli* = Kuppenfels, eine mit breiter Stirn in's Meer vortretende unwirthliche Felsmasse am Golf v. Korone, auf welchem sich wohlangebaute Gebirgshänge z. Taygetos hinanziehen (Curt., Pel. 2, 286); *c) Képhalos* = Kopf, zweimal f. hohe u. steile Vorgebirge, auf Paros u. auf Kythnos (Ross, IReis. 1, 51. 106); *d) Kephalaria* s. Anchoë; *e) Kephalas* s. Laketer.

Keppel's Isle, in Tonga, durch den engl. Capt. Wallis am 13. Aug. 1767 zu Ehren des Adm. *K.* benannt (Hawk., Acc. 1, 272 u. Carte) aber schon v. der holl. Exp. Le Maire u. Schouten (s. Verraders E.) entdeckt (Garnier, Abr. 1, 174); *b)* ebenso *K.'s Island*, in Santa Cruz, einh. *Matema*, v. Carteret am 17. Aug. 1767 (Hawk., Acc. 1, 362), auf seiner Carte *Swallow Island* (s. d.), bei Krusenst. *Mendaña Insel*, nach dem ersten Entdecker (Meinicke, IStill. O. 1, 170); *c) K. Bay*, mit den nahen *K. Islands* u. *K. Cape*, in Queensland, v. Cook am 27. Mai 1770 (Hawk., Acc. 3, 122).

Keras, gr. *Κέρας* = Horn (s. Cerne), wie das deutsche 'Horn' mehrf. f. Landvorsprünge (s. Hesperu K. u. Notu K.), sowie f. einen hornfg.

gekrümmten Golf (s. Chrysokeras), im plur. *ta Kerata*, gr. *τὰ Κέρατα*, f. einen Theil des Kithäron, der sich an der attisch-megar. Grenze gg. die Küste in zwei auffällige, Hörnern ähnl. Spitzen erhebt (Bursian, Gr. Geogr. 1, 251, Strabo 395). — *Prokerastis*, gr. *Προκέραστις* = die gehörnte hiess eine Zeit lg., v. der in's Marmara M. vorragenden Lage, die Stadt Chalcedon, Bithynia (Plin., HNat. 5, 149, Curt., GOn. 150, Kiepert, Atl. Hell.). — *Kerastia* s. Cerne.

Kerasus s. Kiresün.

Keraudren, zunächst ON. der Bretagne, 11 mal im dép. Morbihan (Dict. topogr. Fr. 9, 105) in zahlr. Gesellschaft (s. Kerguelen), dann PN. u. durch diesen auf geogr. Objecte übtragen v. der frz. Exp. Baudin, nach dem Oberarzt *K.* der frz. Marine, *Cap K. a)* in De Witt's Ld., am 2. Apr. 1803 (Péron, TA. 2, 202, Freycinet, Atl. 25); *b)* an der Ile Fleurieu, Hunter Is, am 10. Dec. 1802 (Péron 2, 21. 389 ff.); *c)* ebenso *Ile K.*, im Arch. Arcole, am 10. Aug. 1801 (Péron 1, 113, Freycinet, Atl. 27).

Keraunia (Ore), gr. *Κεραύνια ὄρη* = Donnersberge, hiess v. den in dieser Gegend häufigen Gewittern ein steiles, nacktes Gebirge v. Epeiros, dessen unwirthbare, schwer zugängliche, gefürchtete Steilküste nur e i n e n Hafen, *Πάνορμος* (s. d.), den gefährdeten Schiffen darbietet. Die gefürchtete Spitze des Gebirges hiess *Akro-Keraunia* = keraunisches Vorgebirge, j. aber wg. seiner zungenähnlichen Gestalt *Κάβο Γλῶσσα* = Zungencap, bei den ital. Schiffern gleichbedeutend *Linguetta* (Bursian, Gr. Geogr. 1, 14 f.).

Kereth Chad. s. Karthago u. Palermo.

Kereus, gr. *Κηρεύς*, v. *κηριόομαι* = 'Bleichach', Weissbach, ein Fluss Euböa's, so benannt, weil Schafe, die aus ihm trinken, weiss werden, während der andere eub. Fluss Neleus sie schwarz macht (Strabo 449, Pape-Bens.).

Kerguelen, auch *Kerguélen*, kymr. ON., 4 mal im dép. Morbihan, einer der vielen, die, mit bret. *ker, quer* beginnend, so häufig sind, dass eines der 5 dépp., in welche die Bretagne zerfallen ist, allein 8000 enthält (Dict. topogr. Fr. 9, 102 ff.). Während in Wales *caer*, z. B. in *Caermarthen*, den Sinn 'Stadt' behalten hat, so ist bret. *ker*, das sodann lange nur in ON. noch erhalten ist, v. der Bedeutg. 'villa', Wohng. Das Bestimmungswort in diesen Namen der zweite Bestandtheil, ist gew. ein PN.; demnach ist *ker-* ein Seitenstück zu frz. *-court* u. *-viller*, bei denen aber der PN. vorangeht (H. Gaidoz, Brief 11. Mai 1889). — Durch Vermittelg. eines PN.: *Ile de K.*, die v. frz. Capt. *K.* am 13. Jan. 1772 zuerst gesehene südind. Inselgruppe, welche er freil. f. einen Theil des hypothet. Südpolarcontinents hielt, bis Capt. Cook sie durch seine Fahrt z. Insel machte. Die 2 zuerst erblickten Inseln taufte *K.* nach seinem Schiffe *Iles de la Fortune*; auf der Hptinsel konnte er des stürmischen Wetters wg. nicht landen; selbst als er zu Ende 1773 in den Schiffen Roland u. Oiseau wiederkam, um die 'wichtige' Entdeckg. genauer zu untersuchen, gelang nicht ihm, sondern, am 6. Jan. 1774, dem Befehlshaber des zweiten Schiffs, zu landen u. das neuentdeckte Land f. den König v. Frankreich in Besitz zu nehmen (Ross, SouthR. 1, 63 f.). Nach dem öden Aussehen hätte Cook (SouthP. 2, 266, Cook-King, Pac. 1, 83) das Hptland lieber *Island of Desolation* = Insel der Verödg. genannt, wenn er nicht ältere Rechte hätte schonen wollen: 'which, from its sterility, I should, with great propriety, call the *I. of D.*, but that I would not rob Monsieur de *K*. of the honour of its bearing his name'. Das Vorgebirge, welches der frz. Entdecker eine Zeit lang als die Nordspitze des Landes ansah, hatte er nach seinem König Ludwig XV. als *Cap Louis* bezeichnet. — Auch *Kermadeck*, im dep. Morbihan 7 mal ON. (Dict. top. Fr. 9, 134), ist so auf die *Iles de Kermadeck*, bei NSeel., übergegangen, durch den frz. Seef. d'Entrecasteaux am 15. März 1793, nach einem seiner Officiere (Krus., Mém. 1, 12 ff.).

Kerioth s. Kirjah.

Kerma = Feigenbaum, auch Weinstock, in arab. ON. *a) Wad el-K*. = Feigenfluss, ein Flüsschen bei Algier (Wagner, Alg. 1, 125); *b) 'Aïn-K*. = Feigenquelle, in der Prov. Constantine (Parmentier, Vocab. arabe 30. 39). — *'Aïn Kérrim* = Quelle der Weingärten, das Johanniskloster bei Jerusalem, weil dort guter Wein gebaut wird (Seetzen, Reis. 1, 390).

Kermén, Eski- = alte Festung, tatar. Name einer Höhle des taur. Gebirgs (Köppen, Taur. 2, 20).

Kern Lake, nebst *K. River*, in Calif., benannt nach dem unglückl. Herrn *K*., welcher, zs. mit Capt. Gunnison, 1853 v. den Utah erschlagen wurde, eig. v. dem Umstande, dass *K*. u. Walker lange Zeit im Walker Pass (wo der Fluss entspringt) auf die Rückkehr ihres Commandanten, des Capt. Fremont, harrten, welcher, um Lebensmittel anzuschaffen, sich mit einem Theil seiner Leute schon weiter nördl. v. der Exp. getrennt hatte (Möllh., FelsGb. 1, 70).

Kerrak, auch *Kerek, Karak* = Burg, j. noch mit weiten Festungsruinen, die j. Hptstadt Moabs, hebr. *Kir Moab*, קיר מֹאָב [qir moab] = Mauer, Festung Moabs, auch *Xáqaxa* (2. Makk. 12, 17). Nach der Stadt ist sowohl das anliegende Hptthal, welches Moab in zwei Hälften scheidet, *Wady K*. od. *Wady el-Dera'ah* = futterloses Thal, als auch das ganze ehm. Edom (s. d.) benannt.

Kerrim s. Kerma.

Kersten Bach, ein Zufluss der Belushja Bucht, Matotschkin Schar, cartographirt v. der Exp. Rosen thal 1871 u. benannt nach dem deutschen Africareisenden Otto *K*., dem Begleiter v. der Deckens (PM. 18, 77) u. Grandidier's.

Kertsch od. *Kercs*, mir unerklärter türk. ON. der *Halbinsel v. K.* u. an der *Meerenge v. K*., dem ant. *Strasse v. Jenikale* (s. d.) od. *Kaffa*. Der Ort *K*., im Besitze des besten Hafens der europ. Seite der Meerenge, ist die Lage der miles. Colonie *Pantikapaeon*, auf die auch der Name *Bóσπορος* selbst übtragen wurde, bei den Genuesen, v.

13. Jahrh. an, *Vospro* od. *Pandico*, russ. *Vospór* (Kiepert, Lehrb. AG. 350 f.).

Kervel s. Gjaever.

Kerynia s. Cerne.

Kesalon, hebr. כְּסָלוֹן = Stärke, Veste: *a)* eine Stadt im Stamme Juda, wahrsch. das hochgelegene *Kesla* bei Kirjath Jearim (Robins., NBF. 201); *b)* eine Stadt am Fusse des Thabor, כִּסְלֹת־תָּבֹר [kisloth-thabor] = Veste des Thabor, Kisloth am Thabor (Jos. 19, 12), auch bloss תָּבוֹר [thabor], bei Josephus Ξαλώϑ, j. noch *Iksâl* (Robins., Pal. 3, 417 f.).

Keschiak s. Pera.

Kessel s. Cassel.

Kessen s. Rum.

Kessentina s. Constantine.

Kessik-Köprü = zerstörte Brücke, eine durch übergelegte Bretter gangbar gemachte, wahrsch. antike, wenigstens aus mächtigen antiken Quadern bestehende Brücke üb. eine Seitenschlucht des Thales Manawgat, Pamph. (Tschih., Reis. 20).

Kestene s. Kastanis.

Ket s. Cittium.

Kete otenang s. Canada.

Ketef s. Akathartos.

Ketill s. Ketteltop.

Ketschetnäer s. Mednoj.

Ketschī-Dúniä = Süssigkeit der Welt, ein behagl. wohlbevölkerter kleiner Ort der bornues. Prov. Surríkulo (Barth, Reis. 4, 41).

Ketschi Kaya Derbend = Pass der Gemsfelsen, türk. Name einer in wilder Waldgegend eingeklemmten Schlucht zw. Bédschova u. Rádovitsch — bezeichnend, da manche Partieen sich eher f. Gemsen als f. Pferde eignen (Barth, RTürk. 108). — *K.-Maghara* = Ziegenhöhle, an etwa 150 Grotten mit engen Eingängen bestehender Ort nördl. v. Abbistan, Antitaurus (Tschihatscheff, Reis. 58).

Ketsk s. Kaginsk u. Narym.

Ketteltop Butte = Kesseltopf's Kopf, engl. Name des höchsten Theils einiger mässig hohen Basaltrücken westl. v. Market L., Idahó (Hayden, Prel. Rep. 29). — Isl. *Ketill* = Kessel, eine steile Schlucht im Revier der Schwefelquellen v. Krísuvík (Preyer-Z., Isl. 69).

Ketzin, slaw. ON. in Brandenburg, an der Havel, eine Reminiscenz an das slaw. Volk der Kitziner, Chyzaner, die einen Theil des Lutizer Landes bewohnten. Ob auch, wie Jettmar (Überreste 13) behauptet, der russ. ON. *Chyzy*, der böhm. *Chisch*, *Kiesch*, *Chysse*, Kr. Ellenbogen, u. *Chocen*, *Chotzen*, Kr. Königgräz, der galiz. *Checiny* damit zshängt, ist mir unklar. Ebenso die Ableitg. v. *chysa*, *chyza* = Hütte, also Kitziner = Hüttenbewohner, da doch *kieze* = Fischerkahn, *kietz* = eine Reihe Fischerhäuser, *kietzer* = Fischer, *ketzin* = Hechtcaviar, Ausdrücke, die noch j. in der Prov. Brandenburg gebr. seien, auf eine einleuchtendere Etym. hinweisen. Der alte Provincialname *Stodor* (ob nach der dort verehrten slaw. Gottheit Stoda?) u. *Stodorani*, der Name der Bewohner, hat sich im Ort *Studernheim*, bei Havelberg, erhalten.

Keurebooms Rivier, capholl. Name eines in die Plettenberg Bay mündenden Flusses, nach dem dort häufigen Baume Podaliria capensis, *keureboom* = Nutzholz, v. *keur* = Wahl, Auswahl, Vorzüglichkeit (Lichtenst., SAfr. 1, 334).

Kewley s. Arrecifos.

Kexholm, Veste, angelegt um 1293 v. schwed. Reichsvorsteher Thorkel Knutson am Einflusse des Wuoksen in den Ladogasee. Name, nur scheinb. schwed. klingend, wohl aus dem finn. *Käkissalmi* = Kuckuks Sund entstanden (Müller, Ugr. V. 1, 466).

Key, die engl. Form f. span. *cayo* (s. Lootskey), in dem ON. *K. West,* umgedeutet aus span. *Cayos Huesos* = Knochenklippen, f. ein 10 km lg. u. 1¹/₂ km br. Eiland des Canals v. Florida (Meyer's CLex. 9, 983).

Key's Inlet, Einfahrt zu Fitzmaurice R., Arnhem's Ld., v. Capt. Stokes (Disc. 2, 45) im Oct. 1839 benannt nach einem seiner Gefährten, welcher bei Entdeckg. des Flusses gewesen war.

Keyserling-Insel, in der Rogatschew-Bay, N Semlja, v. der österr.-ung. Exp. Wilczeck im Aug. 1872 benannt (PM. 20 T. 16) nach dem Naturforscher Grafen v. Keyserling, der 1843 auch die Petschora bereiste u. darüber ein ausgezeichnetes Werk lieferte (GM. Prof. Höfers in Klagenfurt dd. 17. V. 1876).

Keyssyk-Aüs = krumme Oeffnung, ein schluchtartiger Durchbruch u. Pass im Arassan (Peterm., GMitth. 4, 353).

Khalári Kahár = See der Salzpfannen, einer der drei grössern Soolsee'n des ind. Salzgebirgs u. nach ihm die Stadt an seinem Ufer (Schlagw., Reis. 384).

Khalil s. Hebron.

Khandak, el- = der Graben (s. Kreta) heisst ein Dorf am Orontes nach einem 5 m t. u. 10 m br. Graben, welchen man 7 km weit verfolgen kann, wohl z. Bewässerg. der Thalebene erstellt (Burckh., Reise 1, 240).

Khandesch, auch *Candesch, Candeisch,* ein Land am Tapti, wird v. Lassen (Ind. A. 1, 115) aus skr. *Khanidessa* = Land der Gruben, nach den zahlr. Erdspalten, abgeleitet, hingegen bei Spr. u. F. (NBeitr. 8, 42) als 'Niederland' erklärt.

Khania s. Kydones.

Khanpur s. Chan.

Kharbis, eine Anhöhe in Cis-Kaukas., benannt nach dem vorbeiziehenden Flusse: appelée ainsi, parce que c'est petit plateau, qui ne forme qu'un enfoncement environné de montagnes plus élevées, s'elève de quelques centaines de pieds au-dessus des bords de la rivière *K.* (Kupffer, Elbr. 61).

Khárgjil = die Veste in der Mitte, wörtl. der Veste Mitte, tib. ON. in Dras, v. *khar* = Veste u. *kjil* = die Mitte (Schlagw., Gloss. 210).

Kharthli s. Georgia.

Khatsche s. Kashmir.

Khawaspúr = Minister's Stadt, arab.-hind. ON. im Pandscháb (Schlagw., Gloss. 210).

Khawatschangjijul s. Tibet.

Khjagtód od. *Káktet* = die gefrorne obere Nieder-

lasssung, v. *khjag* = gefroren u. *tod* = Obertheil, eine Ortschaft v. Pankóng, Tibet, so genannt v. der bedeutenden Seehöhe u. Kälte (Schlagw., Gloss. 210).

Khitroff s. Waxel.

Khoi-khoin s. Hottentotten.

Khonar s. Kameh.

Khota Sindh s. Kameh.

Khu s. Kuh.

Kjachta, eig. *Kiaktu,* zunächst ein Zufluss der Selenga, v. *kja,* einem Grase, Triticum repens L., welches, ein dem Vieh sehr beliebtes Futter, in jener Gegend häufig wächst '... du mongol *kia,* chiendent qui y croît en grande quantité et qui offre une excellente pâture pour le bétail'. Als eine Ansiedlg. f. den russ.-chin. Grenzverkehr 1728 ggr. wurde, ging der Name auf den Ort üb., welcher zunächst nach seiner Kirche *Troitzkoi Sawsk Krepost* = Festung der Dreieinigkeit des Herrn genannt worden war (Klaproth, Kauk. 2, 410. 459. 480, Klaproth, Mém. 1, 9). — Ganz in der Nähe bietet sich als Parallele der Name *Chilgontui,* f. die Steppe am Flusse Tschikoy; er kommt v. dem hier häufig wachsenden Bürstenkraut, welches v. dem Vieh der Mong. sehr gesucht ist. Wenn der Reisende Fries (Z.f.wiss.Geogr. 3, 165) in einem Ausblick auf die Steppe, 'die am Fluss tränkenden Kamele benachbarter, unter Filzzelten wohnender mong. Heyden, die Herden fremder Gattungen v. Schafen u. Ziegen, die ich noch nie gesehen hatte, das Brüllen schwarzer ungehörnter Stiere, einer diesen Gegenden ganz eignen Gattung Vieh', erwähnt, so fühlt man sich im Geiste lebhaft auf Nomadengebiet versetzt u. findet es natürl., dass die Oertlichkeiten nach ihrer Bedeutg. f. die Existenz der Bewohner benannt sind. — Eine chin. Parallele ist der Bergname *Ai Schan* der Prov. Schantung, nach der duftenden Grasart, welche dort häufig wächst (Ausl. 46, 67).

Kiai s. Pei.

Kjalarnes s. Kjölen.

Kiang = Strom, in chin. FlussN. (s. Jangtsekiang) u. in Provincialnamen: a) *Kiangsi* = Westen des Stroms, eine südchin. Prov. im Thalbecken des Tschangkiang, eines rseitg. Nebenflusses des Jangtsekiang (Meyer's CLex. 9, 985); b) *Kiangsu* = Flussfülle, Prov. in dem (j. v. Hoangho verlassenen) Mündgsgebiete der beiden chin. Zwillingsströme, reich an Landsee'n u. stark v. Canälen durchfurcht (ib.); c) *Kiangpe* = nördl. des Jangtsekiang u. d) *Kiangnan* = südl. des *K.,* Provinzen in China (Pauthier, MPolo 2, 463 ff.). — *Kiang Schan* s. Ta.

Kjangtschú = Kjang's Wasser, tib. ON. in Rúptschi, v. *kjang,* dem herdenweise in den hochasiat. Steppen lebenden wilden Einhufer, Dschiggetai, Equus hemionus Pall. (Schlagw., Gloss. 212).

Kiaungzeip, richtiger nach birman. Orth. *Kyaongsaik* = Landungsplatz, obsoleter Name eines Orts bei Henzada (s. d.) u. nun zu einem blossen Theil dieser Ortschaft verwachsen (Crawfurd, Emb. 1, 89).

Kiber, Cap, östl. v. Cap Schelagskoi, Sib., v.

nachh. Admiral Wrangell (NSib. 2, 276) 1823 zu Ehren seines Gefährten, des Naturforschers Dr. K., benannt.

Kibliji s. Garizim.

Kibris s. Cypern.

Kibyra s. Kothon.

Kicking-Horse River = Fluss des Pferdeschlags (u. danach *HK. Pass*) nannte Hector, der Geologe der Exp. Palliser 1858, einen Fluss der Rocky Ms., weil er an jenem Flusse v. seinem Pferde einen heftigen Stoss an die Brust erhielt u. so f. mehrere Tage reiseunfähig wurde (Peterm., GMitth. 6, 27).

Kidagil s. Geiss.

Kidnappers, Cape = Cap der Menschenräuber an der Ostseite NSeel., einh. *Matamawi* (Meincke, IStill. O. 1, 277), am 15. Oct. 1769 v. Cook so genannt, weil die Maori einen v. den Gesellschafts In. mitgebrachten Knaben, Tayeto, Tupia's boy, mit Gewalt v. dem engl. Schiffe raubten — freil. um der Raub sofort wieder zu verlieren, da der Donner der Geschütze sie erschreckte u. der Knabe sich durch Schwimmen rettete (Hawk., Acc. 2, 306).

Kidron (Bach), hebr. קִדְרוֹן = der trübe, der Bach, welcher v. Jerusalem z. Todten M. hinab zieht u. nur nach Regengüssen Wasser führt, j. also nur Wady, 'Lügenbach', *Wady K.*, gew. *Wady el-Râheb* = Mönchsthal, nach dem Kloster Mar Saba (Seetzen, Reis. 2, 254), im heissen Unterlaufe auch *Wady en-Nâr* = Feuerthal (Seetzen, Reise 4, 362, Gesen., Hebr. Lex.).

Kidul, Sagara- od. *Laut-K.* = Südsee, bei den Javanen das nach Süden gelegene Meer, wie eine Bergkette längs der dortigen Küste *Gunung K.* = Südberg (Crawf., Dict. 193. 197. 316).

Kjeban Maden = ... Bergwerk, türk. Name eines berühmten, ganz v. Bergen umschlossenen Bergwerks am Oberlaufe des Euphrat (Spiegel, Eran. A. 1, 160). Ggw. lohnt das Werk kaum mehr den Abbau, dem sich die 4—500 (meist griech.) Familien des Orts fast ausschliessl. widmen. Das Product ist silberhaltiges Blei (ib. 251).

Kiel, der deutsche Kriegshafen an der *K.er Bucht*, wird in Namenbüchern nicht od. nur mit einigem Zagen aufgenommen: denn 'üb. die Herleitg. u. Bedeutg. v. K., richtiger *Kil*, ist noch keine Erklärg. abgegeben, die allgemeine Geltg. erlangt hätte' (Jansen, Bedingth. d. Verk. 104). 'Der j. Name K., 1259 *Kyl*, v. 13—15. Jahrh. auch *tom Kyle*, hat zu Deutungen vielf. Anlass gegeben', bald nach der keilförmigen Gestalt des Hafens, bald nach dem Schiffskiel, der auch in das Stadtsiegel übergegangen ist; 'richtiger ist der neuerdings geführte Nachweis, dass der Name K., in einfacher u. zsgesetzter Form, mit unbeutender Differenzirg. des Vocals, auch in Schleswig, Jütland u. Möen vorkommt. Ja noch weiter: An der Südspitze Norwegens finden sich 2 der *K.er* Förde ganz ähnlich gestaltete, südw. sich öffnende Buchten, *Kile* Fjord, mit einer Ortschaft *Kiil* an der innersten Bucht (Schlesw.-holst. Jahrbb. f. Landeskde 9, Heft 9), *de Kyl*,

bei der Insel Jomfruland, so bei den hanseat. Seeff., die auch die Einfahrt zw. Walchern u. Flandern *Boetkyl* nannten (EDeecke, Seeört. 2). Der Verf. weist dem Wort germ. Ursprg. an, im Ggsatz zu Kindts Annahme slaw. Abkunft, die ihm der Beizug v. *Kilia*, Mündg. der Donau, eingegeben (ib. 2, 410 ff.). Unter Berufg. auf die Keltomanen Mone u. Riecke denkt F. Höft (Urdsbr. 3, 87) sogar an kelt. 'Bach, Wässerchen' etc. Es möge auch die Ansicht, dass K. v. altsächs. *kille* = sicherer Platz f. die Schiffe (Meyer's CLex. 9, 990) od. 'Stadt am Wiesenquell' (Gelhorn, WB. 33), wohl in Anlehng. an dän. *kilde* = Quelle, hier Platz finden; dagegen ist mir unverständlich: K., ehm. *tom Kyle* = zum Kiel, Name des Hafenhauses (Coordes, Schulgeogr. NB. 50). K. 'trägt entschieden nach dem Wasser, an dem es liegt, seinen Namen; im mittel-nd. bedeutet *keel* = Meeresbucht, im norw. *kil* eine schmale Bucht, die tief ins Land einschneidet'; daher der *Kleine* K., ein Arm des *K.er* Hafens, K., ein untergegangenes Dorf diesseits der Schlei, *Kielsgaard*, bei Flensburg, unweit der *Kielstau, Wittkiel* in Angeln u. *Arnkiel* am Alsener Sund (Urdsbr. 3, 84). Damit stimmen Kluge (Etym. WB. 157), der altn. *kill* = Canal setzt, u. der Däne O. Nielsen: '*Kil*, en smal vig eller bugt, der går dybt ind i landet', unter Berufung auf die kleinen Fjorde *Kilen* u. *Doverkil*, 4 ON. *Kil* in Synder-Jylland, 'ej heller maa lades upaagtet den holstenske *Kil*' (Bland. 5, 332). Eine weitere Bestätigg. der 'tief eindringenden Bucht' liefert das Vorkommen in den Niederlanden, in den ON. *Kieldrecht* (= Furt über die Bucht), bei Antwerpen, *Kieldrecht*, ein Polder in Flandern, *de K.*, Dorf bei Groningen, an einem Fehncanal od. Wijk (Urdsbr. 3, 96). So sagt denn auch Charnock (LEtym. 147): K. may have been named on account of its magnificent bay, from teut. *kille, kiele*.

Kien, ahd. *kien, chien, ken, chen* = Fichte, in den ON. *Kienbach,* unw. Heilbronn, u. *Kienberg,* im 8. Jahrh. *Chienperg,* 2 Orte in Bayern, *Kienöd,* 11. Jahrh. *Chieneinode,* in Steierm., (Förstem., Altd. NB. 942 f.), *Kien, Kienau, Kienberg, Kienstock, Kienthal,* in den österr. Ländern (Umlauft, ÖUng. NB. 106), *Kien,* 2 mal in den schweiz. CC. Bern u. Soloth., *Kienberg,* 3 mal in den CC. Soloth. u. Basel, *Kienholz* u. *Kienthal,* im C. Bern (Schweiz. Postlex. 208). — *Kienthal-Furke* s. Furca.

Kienpum s. Dschohar.

Kiepert s. Bastian.

Kjerulf s. Schweigaard.

Kiesch s. Ketzin.

Kifan s. Kef.

Kiglapait = die grossen Sägezähne, ein Berg in Labrador, so benannt v. den Eskimos nach seinem zackigen Gipfel (PM. 9, 122).

Kihn = Braut, in engl. Schreibg. *Keen*, türk. Name eines Thals der HTatarei, südl. v. Kaschgar, das in seiner Schönheit u. Fruchtbk. wundervoll gg. die öden u. unfruchtb. Wüsteneien absticht (Journ. RGSLond. 1871, 166).

Kikkertarsoak = grosse Insel, bei den Eskimos eine westgrönl. Insel (Cranz, HGrönl. 1, 25).

Kil s. Kiel.

Kila-sengî = Steinveste, neup. Name einer Citadelle im alten Paropanisus. 'Die Steine sind schlecht behauen, aber sehr gross u. ohne Mörtel auf einander gefügt; wegen ihrer Grösse haben sie den Zerstörungsversuchen der neuern Bewohner widerstanden' (Spiegel, Er. A. 1, 27).

Kildare, ON. in Leinster, Irl., in der heidn. Zeit *Druim-Criaidh*, spr. drumcree, dann *Cilldara* = Kirche der Eiche, latin. *Cella-quercûs*, *Cella roboris*, seit die heil. Brigitte ihre kleine Zelle unter dem Schatten einer 'goodly fair oke' baute. Noch zu Ende des 10. Jahrh. stand der Strunk der v. der Heiligen geliebten u. gesegneten Eiche, u. Niemand wagte ihn zu beschädigen (Joyce, Orig. Ir. NPl. 1, 114).

Kildonan s. Selkirk.

Kilia, ON. an einem der drei Mündungsarme der Donau, als Festg. *Kili* v. Sultan Bajasid II. erbaut (Hammer-P., Osm. R. 3, 202). Die Etym. mir dunkel. Es ist nur eine Andeutg., wenn ich erwähne, dass der Mündg. die Schlangeninsel, die im Alterthum dem Wettrennen des Achilles geheiligte, vorliegt, dass dieser Heros im Namen *Kilburun*, gew. *Kinburn*, noch anklingt. Freil. dem Türken gilt diess f. 'haarfeines Cap', v. *kil* = Haar u. *burun* = Vorgebirge (Hammer-P., Osm. R. 7, 476).

Kilid-Bahr = Meerschlüssel, 'pomphafter Name' des dem alten Tshanak Kalessi ggbliegenden neuen Dardanellenschlosses, welches der Grosswesir Mohammed Köprili 1659 z. Befestigg. des Hellesponts erbauen liess. Aehnl. *Sed Bahr* = Meerdamm, ein 'prächtiger Name, welcher engl. Flotten den Eingang nicht verdämmt hat' (Hammer-P., Osm. R. 6, 65, Meyer's CLex. 4, 1022).

Kilimandscharo, eig. *Kilima-Ndscharo* = Berg des Ndscharo, eines Dämons, der Kälte bringt, s. v. a. Gottesberg, bei den Suaheli der Name des Culms Africa's, dessen 2 Hörner als *Kibo* u. *Kimawenzi* unterschieden sind (Peterm., GMitth. 33, T. 19). R. Burton wollte *Kilima Ngao* = Berg od. Höcker des Schildes gehört haben. Ozw. den Port. in Mombas bekannt geworden, findet er sich nur in einem span. Buche (Enciso, Suma de Geogr. fol. 57, Sevilla 1519) erwähnt, als 'der äthiop. Berg *Olympos*, der sehr hoch sein soll' (Johnston, Kilim. 1 f.). — *Mrima* == Bergland ist Collectivform f. den ostafr. Küstenstrich Tanga-Pangani, in Zanzibar auf den ganzen ggb. liegenden Continent ausgedehnt, nom. gent. *Wakilima*, *Wakirima* = Bergleute. Eine andere Zssetzg. ist *Quilimani*, eig. *Kilima Ny* = Bergfluss, f. einen Zufluss des Zambesideltas, auf den Hafenort übtragen (Peterm., GMitth. 5, 382).

Killadroy s. Druid.

Killamuck's River, ein Zufluss des Pacific südl. v. der Mündg. des Oregon, am 8. Jan. 1806 v. Capt. Clarke benannt nach den Indianern, die er in jener Gegend traf (Lewis u. Clarke, Trav. 422).

Killersoak = die grosse Wunde, eine Insel in Labrador, zuf. der Ueberlieferg. ein Schauplatz in dem Vernichtungskriege zw. Eskimos u. Indianern (PM. 9, 122).

Killerton s. Gallow.

Kim-Bandi = Land der Töpfe, eine Gegend östl. v. Bihe, Benguela, weil die Binnenleute aus ihren sandigen Gebieten hierher in ein lehmreiches Land kommen, sich mit Töpfen zu versehen (Peterm., GMitth. 6, 227).

Kiming s. Huang.

Kimmerier s. Kappadokia.

Kimscha s. Wytegra.

Kin = Gold, in chin. ON. wie *Kinschan* (s. Altaï), *Kimschakiang* u. *Kinhoköw* (s. Jangtsekiang). Uebr. ist *Kinschan* = Goldberg auch eine hohe Felsinsel des Jangtsekiang, mit *Kinschan-sse* = Kloster des Goldbergs, beide so genannt seit dem Besuch des Kaisers Khanghi, der im 23. Jahr seiner Regierg. die südl. Provv. China's bereiste (Pauthier, MPolo 2, 480). 'On voit dans le fleuve une montagne nommé *Kin schan*, ou montagne d'or, à cause de son agréable situation ... elle est bordée de temples d'idoles et de maisons de bronze' (Du Halde, Descr. Chine 1, 154). — *Kintschi* = goldene Zähne, eine Gegend der Prov. Jünnan, bei MPolo treu in pers. *Zar-* od. *Sardandan* übsetzt, nach der Gewohnheit der Leute, die Zähne in goldene Futterale zu stecken ... 'Ex his omnibus regio est, ubi consuetudine recepta, dentes aureis thecis muniunt .... quas edentes removent' (Benaketi, HChin. ed. A. Müller 15) ... 'c'est pourquoi on avait l'habitude de les appeler *Kin tschi mân* = Barbares à dents d'or'. Ein anderer Stamm firnisste die Zähne. 'Le passage de l'historien persan Bénakéti, dont l'ouvrage est un abrégé de Raschid-ed-din, confirme la particularité, indiquée par Marc Pol, que c'étaient des feuilles ou lamelles d'or mobiles, en forme d'étui, dont les habitants se servaient pour couvrir leurs dents; ce qui leur avait fait donner le nom de *Dents d'or*, *Kin tschi*, en chinois, et *Zardandan* en persan, de *zar* = or, et *dandân* = dents' (Pauthier, MPolo 2, 397 f. 417).

Kincaid, Mount, der höchste Theil der Rifle Range, Victoria, v. Major T. L. Mitchell (Three Expp. 2, 240) am 30. Aug. 1836 getauft nach einem seiner Kriegskameraden w. span. Feldzuge ... 'after my old and esteemed friend of Peninsular recollections'.

Kinderdijk = Kinderdeich, holl. Name eines Damms bei Dortrecht, wo anlässl. einer der in Holl. häufigen Ueberschwemmungen ein Kind v. Wieldrecht, das lange schlafend auf den Wogen getrieben hatte, in seinem Fahrzeug, der Wiege, wohlbehalten das Land erreichte (Wild, Niedl. 1, 31). — *Kindlimord* = eine Capelle, romantisch üb. dem Vierwaldstätter See bei Gersau gelegen, wo 'nach uralter Sage ein Spielmann seine kl. Tochter gemordet' (Gem. Schwz. 5, 273).

Kinduin, nach den *Kin*, einem Volksstamme

der Naga, u. *duin* = Thal, birm. ThalN. in den Nagabergen, Birma (Schlagw., Gloss. 211).

King = König, häufig in engl. ON., die zu des Königs Ehren, etwa zs. mit *queen* = Königin, ertheilt sind, wie in *Kings-* u. *Queens County*, f. 2 Grafschaften Irlands (Meyer's CLex. 9, 1008), in *K.'s Cape* (s. Charles), in *K.'s River* (s. James), in *Kingstown* = Königsstadt, mehrf.: *a)* in Irland, gleichs. Vorhafen Dublins, aus dem ehm. *Dunleary* 1821 umgetauft zu Ehren Georg's IV., der dam., 4 Jahre nach Beginn der neuen Hafenbauten, hier landete (ib. 1009); *b)* in St. Vincent, Windwärts In.; *c)* s. Newcastle. — Ebf. in Mehrzahl *Kingston*, ags. *Cynges-tun*, die verkürzte Form f. 'Kingstown': *a)* *K. upon Thames*, in Surrey, einst die Krönungsstadt der ags. Könige (Camden-Gibson, Brit. 1, 238, Charnock, LEtym. 148); *b)* *K. upon Hull* (s. Hull); *c)* *K.* in Canada, seit 1759 engl., aus dem irok. *Katarokwen* (Cuoq, Lex. Ir. 13), nachdem schon der frz. Gouv. de Courcelles 1672 ein Fort ggr. u. dasselbe, v. seinem Nachfolger Grafen Frontenac verstärkt, zu *Fort Frontenac* (s. Ontario) geworden war (Buckingh., Can. 58), zu Ehren des neuen Beherrschers 1784 umgetauft; *d)* *K.* in Jamaica, als Hptstadt 1693 ggr., weil die frühere, Port Royal, am 7. Juni 1692 durch ein Erdbeben untergegangen war (ZfAErdk. nf. 5, 200); *e)* *K.*, im Staate NYork, urspr. eine holl. Anlage 1663, aber v. den engl. Ansiedlern umgetauft.

King, engl. Familienname, mehrf. auf toponym. Gebiete, zunächst nach dem austr. Reisenden Philipp Parker *K.*, Capt. RN., welcher, z. Th. in Begleitg. des Botanikers Cunningham u. des Landmessers Oxley, 4 Reisen im Australcontinente machte 1817/22; wir kennen: *a)* *K.'s Cove*, bei Fort Dundas, v. Gründer der Colonie, Capt. J. G. Bremer, 1824 getauft zu Ehren des Entdeckers der Strasse v. Melville u. Bathurst I. (King, Austr. 2, 237); *b)* *Point K.*, am Eismeer, westl. v. MacKenzie R., v. Capt. John Franklin (Sec. Exp. 122) am 13. Juli 1826 nach seinem Freunde; *c)* *Cape K.*, nebst Cape Fitzroy, in SShetl., v. Capt. J. Cl. Ross (SouthR. 2, 329) am 30. Dec. 1842 nach seinen Freunden, 'from whose admirable surveys we had derived much advantage'; *d)* *K.'s Sound*, in Tasman's Ld., v. Capt. Stokes (Disc. 1, 113) benannt nach seinem Vorgänger, 'in the full confidence that all for whom the remembrance of skill and constancy and courage have a charm, will unite in thinking that the career of such a man should not be without a lasting and appropriate monument'; *e)* *Mount Ph. P. K.* s. Owen; *f)* *K. Island*, in der Centralgruppe der Paumotu, einh. *Taiaro*, v. Fitzroy 1835 (Meinicke, IStill. O. 2, 206). — Nach dem Gouv. Philip Gidley *K.*, welcher die Colonie NSouthWales 1800/06 verwaltete, sind getauft zwei *K.'s Island: a)* in NCaled., v. Capt. Kent 1793 (Krus., Mém. 1, 203, ohne dass der Anachronismus gelöst wäre); *b)* in Bass Str., v. Capt. Read schon 1799 gesehen, v. John Black, Brig Harbinger im Jan. 1801 (Flinders, TA. 1, 205.

227, Krus., Mém. 1, 125). — *K. Island*, im Mündungsgolf des Gr. Fischfl., v. G. Back (Narr. 206) am 1. Aug. 1834 nach seinem Gefährten Richard *K.* — *K.'s Island*, im Berings M., v. Cook (-King, Pac. 2, 442) am 6. Aug. 1778 nach seinem Lieut., dem spätern Capt. James *K.* . . . 'le nom rappelle un marin des plus instruits et plus renommés dans les annales de la navigation' (Krus., Mém. 2, 36). — *The Three Kings* s. Three. *K.'s Island* s. Karlshoff. — Ueber chin. *King* s. Peking!

Kingiktorsoak = das sehr hohe, Eskimoname eines Caps in Grönl. (Cranz, HGrönl. 2, 245 f.).

Kingkitao s. Hanjang.

Kingsmill Islands, eine Abtheilung des austr. Gilbert Arch. (s. d.), bei den Americanern oft f. dessen Gesammtheit, ist einer der v. Capt. Bishop, Schiff Nautilus, 1799 ertheilten prsl. Namen, üb. die nähere Angaben fehlen, während die Beziehg. f. *Bishop Group* u. *Nautilus Shoal* klar ist (Meinicke, IStill. O. 2, 320). In der südl. Gruppe eine Insel *Twotree* = 2 Bäume (Bergh., A. 3. R. 1, 219).

Kingsse s. Pe.

Kini Balu, der Name eines Bergs am Nordende Borneo's, wird allg. = chines. Wittwe gesetzt u. mit einer Sage in Beziehg. gebracht (Junghuhn, Java 2, 850), als 'an exceedingly great mountain' v. genues. Piloten Magalhães' beschrieben u. v. letzterm *Monte San Pablo* genannt (WHakl. S. 52, 18).

Kinikli, eig. *Koinikli*, Ort bei Konstantinopel, durch türk. Ansiedler bevölkert, die Sultan Bajezid 1396 v. den bithyn. Dörfern Koinik u. Jenidsche Tarakdschi herüber holte (Hammer-P., Osm. R. 1, 248).

Kinowsk s. Solikamsk.

Kinsheim s. König.

Kjöbnhavn, spr. *köbnhaun*, dän. Form, aus der *Kopenhagen* (s. Chippenham) verdeutscht, f. die Hptstadt Dänemarks, welche, zu beiden Seiten eines in den Sund geöffneten Meerarms, in diesem einen vortreffl. Hafen, den besten u. sichersten der ganzen Ostsee, besitzt u. demselben sowohl Bedeutg. als Namen 'Kaufmannshafen' verdankt, zuerst erwähnt 1043, noch als Fischerdorf, *Höfn*, da altn. *höfn*, *hafn* = Hafen, als Stadt ggr. unter der Regierg. Waldemars I., also 1157/82, erscheint 1186 noch als *Hafn*, 1248 als *Coppmannaehauen*, in isl. Schriften als *Kaupmannahafn*, schwed. *Köpenham* (Madsen, Sjael. StN. 208, Meyers CLex. 10, 253). — *K.*, ein Dorf dän. Mormonen, in Utah (Hayden, Prel. Rep. 18. 242). — Dieselbe Wurzel *kjöb*, altn. *kaup*, enthalten mehrere altn. ON., wie *Kjöberup*, im Sinne eines durch Kauf erworbenen Gutes, sowie *kjöbing*, altn. *kaupangr*, schwed. *köping* (spr. tschöping), ein Handelsplatz, 'Kaufungen', Markt, wie in *Kjöping* (s. Nordborg), *Nykjöbing* = Neumarkt, Sjaeland (Madsen, Sjael. StN. 217), ferner in *Norr-* u. *Söder-*, *En-*, *Lin-*, *Ny-*, *Jön-*, *Fal-*, *Lid-*, *Malmköping*. 'Wie bei den Türken u. a. Nomaden das nämliche Bedürfniss eine Menge v. 'Marktdörfern' geschaffen hat, so finden wir in dem agricolen Schweden die *K.* in allen Gegenden des Landes‘ (EEgli, Wand. 14, Passarge, Schwed. 7). — Das eben erwähnte *Jönköping* hiess im Mittelalter *Junaköpung,* nach dem Junabach, wo die beiden Hptwege aus Dänemark zstrafen mit andern Verbindungen zw. Ost- u. West-Götland; schon 1284 erhielt der Ort gewisse Handelsprivilegien, u. 1349 verordnete König Magnus Eriksson, dass hier dieselben ’biaerkeret‘ wie in Stockholm gelten (Styffe, Skand. Un. 170). — *Linköping,* im Mittelalter *Liongaköpungr,* dial. j. noch *Lyngköping,* war der Versammlungsplatz des Landsthing, der 1437 als Liongathing erwähnt wird (ib. 195). — Ein isl. *Kaupstadir* = ’Kaufungen‘, einer der beiden Orte der grossen Westmänner-I. Heimaey u. zwar der an der Bucht der NOstseite, während *Ofanleyti* = ’oben auf dem Hügel‘ an der Westseite liegt u. (somit) v. Schiffen nicht erreicht wird (Preyer-Z., Isl. 26). — Ein antikes Seitenstück ist *Priene,* gr. Πριήνη = ’Kaufungen‘ (Pape-Bens.), Handelsstadt, eine jonische Stadt an der Westküste Kariens, v. Verschiedenen colonisirt (Herod. 1, 142).

Kjölen = Kiel nennen unsere Carten eine Gruppe des skand. Gebirgs; aber im Lande selbst weiss man nichts v. diesem Namen (PM. 12, 416), Pontoppidan (Norw. 1, 74) hat zwar die Specialnamen, welche das Gebirge in den vschiedd. Landesgegenden trägt, aufgezählt, braucht aber das Wort *K.* unverkennbar als gemeinsame Bezeichng. u. dürfte wesentl. zu der missbr. Anwendg. dieses Namens beigetragen haben. — *Kjalarnes* = Kiel-Halbinsel, 2 mal *a)* nördl. v. Reykiavik, offb. nach der Gestalt (Hildebr., Sagot. 6); *b)* s. Cod.

Kioto, früher *Miako,* engl. u. frz. Schreibg. *Miyako* = Stadt, Metropole, die Stadt par excellence, f. das ’japan. Athen‘, welches bis 1868 der Sitz des geistl. Kaisers war (Rundall, Mém. 96), seither *K.,* *Saikio* = Westresidenz, im Ggsatz zu Tokio, der östl. Hptstadt (Peterm., GMitth. 21, 214, Meyer’s CLex. 11, 522, Pauthier, MPolo 2, 537). Der Ort ggr. 790 v. Kaiser Kanmu, als Schloss *Heianzio* = Schloss des Friedens, wie noch j. der Palast heisst (Peterm. 22, 402).

Kipansk s. Kaginsk.

Kiptschach = Weideplatz, tatar. Name eines 2000 m ü. M. gelegenen transkauk. Klosters, in dessen Nähe die jesid. Kurden allsommerl. ihre Herden weiden (PM. 22, 147).

Király = (s. Kralj), häufig in mag. ON. wie *Szent-K.* = heiliger König, d. i. Stephan I. v. Ungarn, *Királyfa, Királyfalu, Királyfalva,* alle = Königsdorf, *Király-rév* = Königsfurt, *Királytó* = Königssee, ein See im Hansag (Umlauft, ÖUng. NB. 106) — leider ohne ’Realprobe‘.

Kirche, ahd. *kiricha,* holl. *kerk,* dän. *kirke,* schwed. *kyrka,* engl. *church* (s. dd.), oft in altdeutschen ON., dh. als Grundwort, so dass Förstem. (Altd. NB. 947 f.) solcher 119 aufzählt, aber auch *Chirichun,* j. *Obkirchen* u. *Leutkirch, Kirichbach,* j. *Kirchbach,* mehrf., *Kirichberg,* j. *Kirchberg* u. *Kirchbüchel,* 7 mal, *Kiricheim,* j. 13 *Kirch-*

heim u. 2 mal *Kirchen, Kyrihhart,* j. *Kirchhardt, Kilchouen,* j. *Kirchhofen, Kirchhusen, Chirihsteti,* j. *Kirchstetten* u. *Kirchstädt, Kirihdorp,* j. *Kir-, Kirr-* u. *Kirchdorf* u. a. m. — *Bi d’r Chilche,* im Dial. der dortigen Deutschen der Kirchweiler in Macugnaga (Schott, Col. Piem. 243). — *Kirchenstaat,* ozw. der wichtigste dieser ON., f. einen ital. Staat, der aus einer Schenkg. Pipin’s d. Kl. 754 hervorging, als *patrimonium Petri* = Erbtheil des heil. Petrus z. Stammgut des röm. Stuhls gehörig (Hase, KirchG. 1. Aufl. 189 f.), aber am 20. Sept. 1870 zsbrach. — Im wörtl. Sinne *Kirchfluh,* Muotathal (Osenbr., WStud. 2, 32), *Kirchhofen,* bei Sarnen (Gem. Schwz 6, 132), *Kirchenkopf* (s. Weisstannen), *Kirchholm* (s. Riga), *Kirchditmold* (s. Wilhelmshöhe), *Kirchberg, Kirchbühl* u. v. a. Das schweiz. Postlex. enthält 20 Wohnorte d. N. — *Kirchhöhle,* in der Sulzfluh, Rätikon, benannt nach ihrer hohen geräumigen Halle, während die nahe *Abgrundhöhle* ’mit Recht‘ so heisst wg. ihres 30 m t. Abgrundes (NAlp Post 6, 107).

Kiredsch-Buruni = Kalkcap, türk. Name eines europ. Vorgebirgs des Bosporus, wo das felsige Gestade v. Therapia endet (Hammer-P., Konst. 1, 12; 2, 243). — *K.-Khan* = Kalk-Herberge, ein verfallener Chan bei Eregli, nördl. v. Cilicien (Tschihatscheff, Reis. 15).

Kirensk s. Irkutsk.

Kiresün, türk. ON. f. *Kerasonda,* alt *Kerasus* = Kirschstadt, den westl. der beiden Orte, woher den röm. Berichten zuf. Lucullus die Kirschbäume importirt hat. Die Annahme, als wäre der Baum nach der Stadt benannt, ’kehrt den Sachverhalt um, da die Frucht, armen. *keraz,* neupers. *kires,* dort schon einen Namen führen musste, unter dem sie auch den Griechen schon früher (Theophrastos) bekannt geworden war‘. Nach dem Jahre König Pharnakes, unter dem die Stadt später vergrössert wurde, hiess sie eine Zeit lang *Pharnakeia.* — Die östl. der beiden ’Kirschenstädte‘, schon v. Xenophon genannt, ist verschwunden bis auf den türk. Namen des Thales: *K. Dere* = Thal v. Cerasus (Kiepert, Lehrb. AG. 93).

Kirginsk s. Kaginsk.

Kirgis, in frz. u. engl. Orth. *Khirgiz,* ein türk. Volksstamm, wohl v. *kir* = Steppe, Wüste u. *gis* = durchziehend, also ’Wüstenbewohner‘ od. besser geradezu ’Nomade‘, ihr eigner Name (Peterm., GMitth. 4, 497; 37, 269), also gewiss nicht ’gemeiner, schlechter Kerl‘ (Fischer, Sib. G. 1, 86, der ja ohnehin p. 87 einen Stammvater *K.* erwähnt). Bei den Russen *Diko-Kamennye* = Wildfels-Leute (Bär u. H., Beitr. 20, 196, Bergh., A. 3. R. 6, 209), v. *dikije* = wild u. *sakamennye* = hinter den Bergen wohnend; die Kalmyken (u. Chinesen) nennen sie *Burut,* die Khokander, Kaschgarden u. Chinesen hingegen *Kara* (= schwarze) *K.;* in Sibirien heisst man sie wohl auch *Schwarze Tataren,* daher Nasarow 1821 *Tschörnyje Sakàmennyje Kirgisy* = schwarze, hinter den Bergen wohnende *K.* (PM. 4, 496). Von diesen eig. so genannten *K.* ist durch die

Russen der Name auch auf die *Chasaken*, *Kasaken* = Reiter, auch Strassenräuber (Humb., As. Centr. 2, 437), übtragen worden — diess ist deren eigner Name, u. so werden sie auch v. den Persern, Chiwingen, Bucharen u. Chinesen genannt — in der Form *K.-Kaissaken*, welche in eine *Ulu-djus* = grosse Horde, eine *Orta-djus* = mittlere Horde u. eine *Kitschik-djus* = kleine Horde zerfallen (s. Kütschük). Von der letztern hat sich ein Theil abgetrennt, unter Sultan Bukej († 1815), die *Bukejische*, gew. *Bukejew'sche* od. *Innere Horde*, im Ukas v. 17. Juli 1808 auch die *Kleinere K.-Kaisaken Horde*, die 1801 die Erlaubniss erhielt, zw. Wolga u. Urál zu nomadisiren, im gleichen Jahr mit 1000 Familien in das Gouvernement Astrachan (an Stelle der 1771 geflüchteten Kalmyken) u. zwar in den District der Sandsteppe Ryn einwanderte (PM. 10, 163, Potocki, Voy. 1, 43 ff.). — *K. Noor*, mong. Seename (Timkowsky, Mong. 2, 239). Als ein Beispiel centralasiat. Volksetym. sei notirt die Deutg. v. *kirk* = 40 u. *kis* = Mädchen; die *K.* in den Gebirgen des Issyk Kul sollen näml. v. 40 Jungfrauen abstammen, welche, nachdem ihre Zelte zerstört worden, herumirrten u. einem rothen Hunde begegneten, der in einem Jahre ihre Zahl um das Zweifache vermehrte — die j. *K.* (Journ. As. 6. sér. 309).

Kiri s. Nil.

Kiriah, hebr. קִרְיָה [kirjah], verkürzt קֶרֶת [keret], chald. קַרְתָּא [kartha], wohl eigentl. 'umgebener, eingeschlossener Ort', Stadt. Die längere Form findet sich *a)* im sing. bei zsgesetzten ON. Palaestina's *Kirjath-Baal* (= Baalstadt), *Kirjath-Chuzoth* (= Stadt der Strassen), *Kirjath-Je'arim* (= Waldstadt), *Kirjath-Sanna* (= Stadt der Palmzweige), *Kirjath-Sepher* (= Buchstadt); *b)* im dual bei קִרְיָתַיִם [kirjathajim] = Doppelstadt, Orte im Stamme Ruben u. Naphthali, der letztere, in syrischartiger Bildg., auch קַרְתָּן [karthan], wie ein *Kartenna*, wohl Doppelstadt zu beiden Ufern eines Flusses (Ptol. 4, 2, Movers, Phön. 2ᵇ, 516), im phön. Nordafr.; *c)* im plur. קְרִיּוֹת [kerijjoth] = Städte, zwei Orte im Stamme Juda, j. *Kurjetein* (Robins., Pal. 3, 11) u. in Moab (Gesen., Hebr. Lex.). — Die kürzere Form findet sich: *a)* einf. in *Kirta*, einer phön. Colonie (Heraklesmythe, Movers, Phön. 2ᵇ, 505. 518) in N Africa, j. *Constantine*; *b)* in zsgesetzten ON., wie *Kartilis*, eine Stadt in der phön. Colonialgegend N Africa's, קרת-איל [kart il] = des Il, des phön. Kronos, Saturn. — *Carthago* קֶרֶת חֲדָשֶׁת [keret chadeschet] = Neustadt (s. d.). — *Tigranocerta* = Tigranesstadt, j. *Sert*, eig. *Sa'ird*, also ohne sprachl. Zshang (vgl. E. Egli, Feldz. Arm. 303 ff.).

Kirk auch *kyrk* = 40, in türk. ON., um die Menge zu bezeichnen, gew. in der Bedeutg. 'viel': *a)* *K. Kilisse* = 40 Kirchen, kleine Stadt bei Adrianopel, aber mit 6 Moscheen u. mehrern griech. Kirchen (Meyer's CLex. 9, 1047); *b)* *K. Getschid* = 40 Furten, die Reihe v. 300 Euphrat-Katarakten, die sich auf bloss 150 km Länge so

rasch folgen, dass man unth. der einen schon wieder das Brausen der folg. hört (Spiegel, Er. A. 1, 161); *c)* *K. Getschid-Su* = Wasser der 40 Furten, ein schönes, schmales, tiefes, zw. hohen Waldbergen östl. v. Hellespont sich windendes Thal, durch welches das eben so sich windende, daher oft v. Wege gekreuzte Wasser fliesst (Tschih., Reis. 1); *d)* *K. Agatsch* = 40 Bäume, ein Ort bei Smyrna (ib. 2); *e)* *K. Gioes* s. Bunarbaschi; *f)* *K. Konak* = 40 Häuser, Dorf bei Kiutahia (ib. 2); *g)* *K. Kuju* = 40 Brunnen, mehrf. ON. f. Brunnen in den Centralasiat. Steppen (Peterm., GMitth. 37, 269); *h)* *K. Madjar* s. Madschar; *i)* *K. Tscheschme* = 40 Brunnen, ein Stadttheil Konstantinopels (Parmentier, Vocab. turc-fr. 71, Kandelsd., Beitr. 24).

Kirk u. *Kirke*, 2 engl. Familiennamen, daher *a)* *K. Range*, Bergkette an der Westseite des Shire, v. D. Livingstone (Zamb. 491) benannt 1863 nach seinem Reisegefährten; *b)* *Kirke Channel*, eine der Durchfahrten des Archipels des südl. Chile, v. der Exp. King-Fitzroy (Adv.-B. 1, 348) nach einem der Theilnehmer 1830 getauft.

Kirke = Kirche, in dän. ON. wie *Kirkerup*, 1171 *Kyrketorp* = Kirchdorf, in Sjaeland (Madsen, Sjael. StN. 216). — *Kirkwall*, Hptort der Orkneys, urspr. mit altn. Namen *Kirkjuvágr* = Kirchenbucht. Schon früher ein Handelsplatz u. gg. 7 Jahrhh. der gemeinsame Hptort der Orkneys u. Shetland In., erhielt er durch den Jarl Ragnvald eine grosse Domkirche, in welche die Leiche des heil. Magnus, des Schutzpatrons der Insel, gebracht wurde, u. damit eine erhöhte Bedeutg., die ihm der vortreffl. Hafen bisher nicht hatte verschaffen können (Worsaae, Mind. Danske 308).

Kirker s. Dschufut.

Kirkaion, gr. Κίρκαιον = Falkenstein (Pape-Bens., Curt., GOn. 157), Vorgebirge u. Stadt in Latium (Strabo 23), v. κίρκος, der durch ihren kreisrunden Flug vorbedeutenden Gabelweihe, lat. *Circaeus Mons*, *Circejum Promontorium*, f. den Ort *Circeji*, der Berg j. noch *Monte Circello* (Meyer's CLex. 4, 578).

Kirman, auch *Kerman*, mod. Name einer pers. Ldsch. u. Stadt, alt *Karmania*, die Stadt *Karmana*, nach den kriegerischen Bewohnern, den Karmanen, die den Medern u. Persern verwandt, aber mit keinem der beiden Völker id. waren (Kiepert, Lehrb. AG. 62 f., Meyers CLex. 9, 835. 1047).

Kirnach s. Querfurt.

Kirschna s. Krischna.

Kis od. *kyz* = Mädchen, mehrf. in türk. ON., an die sich dann allerlei Sagen knüpfen wie *K. Kalessi* (s. Leanderthurm), *K.-Köpri* = Mädchenbrücke, in Armenien, f. eine aus der Sassanidenzeit stammende, j. zerfallene Brücke (Spiegel, Er. A. 1, 127), *K.-Kalà* = Mädchenschloss, Ruine eines Fort am rechten Ufer des Oxus, unth. Eltschig, *K.-Kuduk* = Mädchenbrunnen, an dem Wege v. Karschi nach Chodscha Salar (Peterm., GMitth. 37, 269), bes. *Kisljar* = die Mädchen od. *Kisljarka*, ein Arm od. Zufluss des Terek, in dem einstmals schöne Mädchen ertranken (Güldenst., Georg. 31) od. ein schönes Mädchen 'darin ersof' (Falk, Beitr. 1, 80 ff.) u. v. Flusse auf die Stadt übtragen, vollst. *Kisljar-Kala* = Mädchenstadt, wie *Kunku Mysch*, der FlussN. bei den Nogai, v. der ehm. dichten Waldg., ebf. auf die Stadt übergegangen ist. — *Kislar Kalessi*, Ort Ciliciens, mit mittelalterl. Burgruinen (Tschihatscheff, Reis. 55).

Kischla = Winterdorf, türk. ON. in dem Gebirge westl. v. Karaman, als *Basch-* (= oberes) *K.* thalauf, als *Budschak* (= Winkel-) *K.* thalab, zw. steilen Felsen an einer Flusskrümmg. gelegen (Tschih., Reis. 16 f.) — *Kischlak* = Winterort, eine Station der transkasp. Eisenbahn (Peterm., GMitth. 37, 269).

Kischm, el, die bekannte Insel bei Ormuz, wohl verd. aus arab. *el-Kâsum* = die Schönheit, auch arab. *Jezirat Dirâz* u. pers. *Jezirat et-Tawilah*, beides 'lange Insel', nach der langgestreckten Form (WHakl.S. 44, 419). Wenn aber, wie die diesem Bande beigegebene Carte anzeigt u. Sprenger (AGArab. 119) bestätigt, im östl. Theil der Insel ein Dorf *K.* liegt, so erklärt sich *K.* ganz so, wie der alte Name *Uorochtha*, gr. Ὀυορόχϑα nach einem andern Inseldorfe Brokt od., nach Masudi, *Lâfit* nach dem im Norden des Eilandes gelegenen Dorfe gl. N. (Sprenger, ib. 121).

Kischna s. Krischna.

Kischon, hebr. קִישׁוֹן [qischon] = der gewundene, sich schlängelnde, in der Bibel der 'Bach der Schlachten' (Richt. 5, 21), der Hptfluss der Ebene Jisreel, j. *Mkóttha*, wohl verd. aus alt *Megiddo* (Seetzen, Reise 2, 132).

Kiseljak, v. asl. *kysel*, čech. *kysely*, serb. *kisely* = sauer, ein Sauerbrunnen in Bosnien, türk. *Ekši-Su* = Sauerwasser; ferner *Kisielów*, *Kisielowka*, *Kisselice*, ON. in Galiz. u. der Bukowina, *Kyselowitz*, *Kyselow*, *Kysliřov*, in Böhmen u. Mähren (Umlauft, ÖUng. NB. 107. 123). — *Kislowodsk* = Sauerwasser, ein ciskauk. Thermalort, bei den Tscherkessen *Narzan* = Riesenquelle, wg. der muskel- u. nervenstärkenden Wirkung. 'On voit jaillir à gros bouillons une eau limpide, saturée de gaz acide carbonique; la température de cette source ne s'élève pas au dessus de 12⁰ R., et c'est à l'abondance du gaz dont elle est chargée, et à son dégagement spontané, qui en est la suite, qu'est dû ce bouillonnement qui étonne les spectateurs . . . . . L'acide carbonique est faiblement lié à l'eau du *Narzan* et s'en dégage facilement . . . .' (Kupffer, Elb. 44 f.).

Kisil = roth, in vielen türk. ON., wohl am bekanntesten aus *K. Irmak* = rother Fluss: *a)* f. den alten *Halys* = Salzfluss, türk. auch *Adschi-Su* = Bitterwasser (Kiepert, Lehrb. AG. 89), dessen Wasser, bei Spiegel (Er. A. 1, 183 ff.) nur als 'trüb u. schmutzig' bezeichnet, durch Sandsteinfelsen roth gefärbt ist (Hamilton, Kl.-As. 1, 498, Tschihatscheff, Reis. 9), jedf. z. Nebenfluss *Gök Irmak* (s. d.) in Ggsatz tritt. Schon Strabo 561 gibt an, der alte Name Ἅλυς, bei Ptol. Ἅλυς, komme v. den benachb. Salzlagern (auch bei

Siwas u. Kankari finden sich Steinsalz u. Salzquellen); im Arm. bedeutet *agh*, *al* = Salz, u. das Wasser gilt f. so salzig, dass man és f. ungeeignet z. Bewässerg. der Felder hält (Spiegel, Er. A. 1, 183); *b)* als rseitg. Nebenfluss des Oberlaufs des Jaik, zweimal, *Werchne* (= oberer) u., weiter abwärts, der *Grosse K. Irmak*, an den Mündungen die Orte *Werchne Kisilskoi*, resp. — schlechtweg — *Kisilsk* (Bär u. H., Beitr. 5, Carte). — *K. Ada* s. Prinzen I. — *K. Agatsch* = rothe Bäume *a)* im Siebenstrom Ld., eine Station mit Birken u. Pappeln, auf den nahen Fluss übtr. (Humb., As. Centr. 3, 225, Peterm., GMitth. 4 T. 16); *b)* die südlichste Landspitze im Delta des Kur, Lenkoran ggb., danach die *K. Agatsch Bay* (ZfAErdk. 1873 T. 1, Müller, SRuss. G. 3, 47). — *Kisilbasch* = Rothköpfe, der türk. resp. sunnit. Spottname f. die Perser resp. Schiiten, nach der rothen Spitze ihres 12 wulstigen Kopfbundes (Hammer-P., Osm. R. 3, 283, Meyer's CLex. 10, 12), zunächst f. einen Theil der in Persien herrschenden türk. Colonie, nach den rothen Mützen, welche das v. Scheich Heider, zu Ende des 10. Jahrh., errichtete Truppencorps trug (Elphinstone, Cab. 1, 503) od. welche Scheich Sesi, der Stifter des 'unlängst verloschenen' Regentenstamms in Persien, seinen Getreuen, 'aus Dankbk. u. zu ewigem Angedenken aufzusetzen erlaubt hat' (Fischer, Sib. G. 1, 38). — *Kisilbasch-Kul* = See der Rothköpfe, in Central-Asien, vor den russ. Reisenden Matussowsky u. Sossnowsky 1870 nur aus chin. Quellen bekannt, nach einer in ihm lebenden schmackhaften rothköpfigen Lachsart, die schon 1259 der chin. Courrier erwähnt (Peterm., GMitth. 21, 374). — Ferner *a) K. Bel* = rothe Höhe, Ort in Kl.-As., nach einem OW. streichenden auffallenden Hügelzuge rothen Mergels (Tschihatscheff, Reis. 41); *b) K. Burun* = rothes Cap, Ort am Kaspisee, nördl. v. der HI. Apscheron, 41⁰ NBr. (ZfAErdk. 1873 T. 1); *c) K. Dagh* = rother Berg, südöstl. v. Kaisarieh (Tschih. 33); *d) K. Darja* = rother Fluss, in der HTatarei, zw. Kaschgar u. Jangischahr (Peterm., GMitth. 17, 263, Meyer's CLex. 9, 866, Journ.RGSLond. 1870, 97); *e) Kisildscha* = das röthliche, ein Bergzug bei Siwas (Tschih. 13); *f) Kisildscha Hammam* = röthliches Warmbad, eine eisenhaltige Therme v. 37⁰ C., eine Stunde v. Lehmhütte überbaut (ib. 41); *g) Kisildscha Köi* = röthliches Dorf, Ort am Oberlaufe des Mäander (ib. 4); *h) K. Hissar* = 'Rothenburg', ein Flecken zw. Aïdin u. Isbarta (ib. 7); *i) K. Jart* = rother Pass, ein Gebirgsübergang im Westen des Bolor Tagh, nach dem dort vorkommenden rothen Lehm, der zur Linken der Passhöhe einen ganzen Berg bildet (Journ.RGSLond. 1870, 42, Peterm., GMitth. 18, 161); *k) K. Jartura* s. Krasnojarsk; *l) K. Kaia* = rother Fels, ein Dorf zw. Konia u. Kaisarieh (Tschih. 8); *m) K. Kala* = rothe Veste, eine Stadtruine am Südende des Aralsee's, j. v. tiefem Sand umgeben, wahrsch. wg. der Farbe der Häuser, die aus röthl. Lehm aufgeführt sind (Bär u. H., Beitr. 15, 95); *n) K. Kii* = rother Brunnen

(?), ein Zufluss des Ajagus, Semiretschinsky Kraï, u. daran der Kosakenposten *K. Kiiskoi* (ib. 20, 45); *o) K. Kilisse* = ʾRothkirchenʿ, Ort an der cilic. Küste (Tschih. 19); *p) K. Kol* = rother Fluss, in Ciskauk., nach den rothen Niederschlägen ... ʾoù nous découvrîmes une source minérale acidule et ferrugineuseʿ (Kupffer, Elb. 39, wo *ghésil* statt *kisil*); *q) K. Kui* = ʾRothenbrunnenʾ, kalm. *Ulan Chuduk*, russ. *Krasnïe Kolodtsy*, beide v. gl. Bedeutg., einige Brunnen der Kasp. Steppe, mit zieml. gutem Wasser (Potocky, Voy. 1, 211). — *K. Kum* = rother Sand, f. Wüstengebiete, mehrf.: *a)* im Südosten des Aralsees, v. braunrother Farbe (Peterm., GMitth. 11, 164, Hamilton, Kl.-As. 1, 498, Schlagw., Gloss. 211), ʾin der That eine Sandwüste v. braunrother Farbe, mit grossen, z. Theil lichtes Gesträuch tragenden Sandhügeln besetztʿ (Bär u. H., Beitr. 24, 177) ... den Grund bildet ein röthl. Thonfels, der an manchen Orten zu Tage tritt u. zuletzt den gelbl. Sand erzeugt (Hertha 3, 591; 4, 168f.); *b)* nördl. v. der HI. Mangischlak (ZfAErdk. 1873 T. 1). — *K. Liman* = rother Hafen, eine Bucht der cilic. Küste (Tschih. 19). — *K. Ören* = rothe Ruine *a)* Ort unw. des Beischehr Göl, wo 2 prächtige Chans mit Thürmen aus der Seldschukenzeit; *b)* Ort westl. v. Karahissar (ib. 8, 11). — *K. Su* = Rothwasser *a)* ein Zufluss des Kaschgarflusses; *b)* s. Krasnowodsk; *c)* s. Surchab. — *K. Tasch* = rother Stein *a)* die Mündginsel des Kuban, die v. 7. Jahrh. an eine Zeit lang Sitz der Tscherkessen gewesen (Peterm., GMitth. 6, 169); *b)* ein Felsberg des taur. Gebirgs (Köppen, Taur. 6). — *K. Tepe* = rother Hügel, Ort im cilic. Taurus (Tschih. 15). — *K. Tscheku* = rothe Kuppe, ein Berggipfel am obern Irtysch, nach der rothen Färbg., welche gg. den benachb. ʾWeissensteinʿ auffällig absticht ... ʾEtwas weiter v. *Ak Tasch* (s. d.) steigt aus dem Gebirge eine ssopka auf, welche ein röthl. Aussehen hat u. desshalb *K. Tscheku* heisst. Nach der kirg. Sage hätte eine um Mann u. Sohn trauernde Riesenmutter blutige Thränen geweint, die sich in den rothen Felsen verwandelten; nach dem ersten Ausbruch des Kummers fing sie an, sich dem Tologoi zu nähern, u. bei dem *Ak Tasch* waren ihre Thränen schon weiss wie Wasser u. verwandelten sich in weissen Steinʿ. Die rothe Kuppe stellt gehobene Lagen v. Kalkstein u. Thonschiefer dar, u. der erstere ist hier stellenweise ockerig (Bär u. H., Beitr. 20, 89f. 97). — *K. Üzen* = rother Fluss, auch *K. Osen* (s. Usen), Bergfluss des nordwestl. Persien, dann z. Kaspisee hindurchbrechend (Glob. 4, 354ff.), npers. *Safed Rud, Sefid Rud* = weisser Fluss, in einer Gegend, wo seit längerer Zeit die türk.-pers. Sprachgrenze sich fortwährend verschiebt (Spiegel, Er. A. 1, 75, Brugsch, Pers. 1, 179). — *K. Ungur* = rothe Höhle, die durch ziegelrothe Schichtenwände ausgezeichnete Stelle, wo der Zauku, ein Zufluss des Issyk Kul, seinen Nebenfluss Zaukutschak aufnimmt, eine Gegend, wo am rechten Ufer des Zauku zwei sehr geräumige natürl. Höhlen sich finden, theilw. f. menschl.

Bewohner hergerichtet (PM. 4, 366). — *K. Wank* = ʾRothkirchʿ, ein Kloster im Quelllande des Euphrat, nach dem Material, aus dem es gebaut ist, blasigen, oft ziegelrothen Laven (Peterm., GMitth. 23, 261). — Ein osset. *Kisil Don* s. Don.

Kisilbek's Aul, ein abchas. Stamm des Kaukas., mit *a-ul* = Dorf, nach dem Stammvater *K.*, der, ein krimscher Sultan, sich einst hier barg (Peterm., GMitth. 6, 168).

Kisloth s. Kesalon.

Kislowodsk s. Kiseljak.

Kissingah = die Inseln, so heissen bei den Monbuttu die grossartigen Stromschnellen des Kíbali, eines der Quellflüsse des Uélle. Aus dem 400 m br. Strombett erheben sich eine Menge buschwaldiger Inseln, welche den Strom in zahlr. Arme theilen, u. diese, durchsetzt v. Riffen u. Klippen, verlieren sich zw. den Buschdickichten. Hurtig erblickte man die ungastl. Insulaner v. einer Insel z. andern rudern ... (Schweinfurth, IHAfr. 2, 168).

Kissingen, fränk. Salinenort, slaw. 823 *Chizzicha* = saurer, brausender Quell (Hehn, DSalz 52, nach Miklosich): in illo superiore salso fonte qui mollire videtur, wie denn die berühmte Rakoczi-Quelle u. der Badebrunnen mit starkem Geräusch, unter Entwickelg. grosser Gasblasen, entspringen. Auch der Maxbrunnen quillt mit einem leise knisternden Geräusch, das durch die zahllos aufsteigenden weisslichen Gasbläschen verursacht wird. Im Soolensprudel wird die Gasentwickelg. bald stärker, bald schwächer u. s. f. (Meyer's CLex. 10, 6 f.)

Kistna s. Krischna.

Kitai od. *Kathay, Catay*, plur. *Kitat*, mong. u. dann übhpt. mittelalterl. Name f. China (s. d.), insb. auch bei den Russen gebr., ist auch sonst in ON. übgegangen: *K. Gorod* (s. Moskau), *Kitaiskaja Sloboda* (s. Maimatschin), *Kitaiskoje Osero* (s. Dsaisan).

Kitchi-Nashi = grosse Spitze, bei den Odschibway eine weit in den Winnipeg vortretende Landspitze, ʾan immense promontoryʿ, bei den Swampy *Missineo*, mit gl. Bedeutg., bei den Canadiern *le Détour* = der Rank, weil die z. Saskatschewan gehenden u. v. ihm kommenden Schiffe hier die Richtg. ändern (Hind., Narr. 1, 476. 482); *b) K. Gummi* s. Superior; *c) K. Onikaming* s. Grand Portage. — *Kitche Sibe* u. *Kitskatitkuts* s. Missisipi.

Kitei s. Grand.

Kites = Geyer, engl., urspr. frz. Name eines Indianerstamms, der zZ. der Reise v. Lewis u. Cl. (Trav. 25) im Quellgebiet des Platte u. in den Felsengebirgen hauste, nach ihrem Fluge (da sie immer zu Pferde waren) u. ihrer Grausamkeit. Gering an Zahl, aber unter allen westl. Indianern an Kriegsmuth vorragend, in der Schlacht nie weichend, ihre Feinde nie schonend, standen sie im Rufe der äussersten Wildheit u. wurden desw. v. allen bekriegt u. allm. ausgerottet.

Kitharistes, Akron, gr. Κιθαριστής ἄκρον = Cap des Lautenschlägers, lat. *Citharistium, Citharista*, Vorgebirge bei Massilia, v. einer Bezeichng.

des Apollo so benannt (Pape-Bens. Vergl. Curt., GOn. 158).

Kiti s. Cittium.

Kittanning Point, ON. in Pennsylv., v. dem grossen ind. Handelswege, der *K.*, am Alleghany R., mit dem Thal des Delaware verband u. die Bergschlucht der j. Station passirte (Cent. Exh. 22).

Kitten s. Cat.

Kittijim s. Cittium u. Cypern.

Kittiksungoit = die kleinen Inseln, Eskimoname einer westgrönl. Inselgruppe (Cranz, HGrönl. 2, 247).

Kitwa tscha Ndovu = Elefantenkopf, ON. nördl. v. Kenia, bei den Sawahili so genannt, weil hier ein der Stosszähne beraubter Elefantenschädel liegt (JRGSLond. 1870, 321).

Kiúk Köl = blaugrüner See, ein in weiter Wüste gelegener See der HTatarei, an der Strasse v. Karakorúm nach Khótan (Schlagw., Gloss. 211). Dagegen *Kjuk Phju* = die weissen Steine, bei den Birmesen die Hptstadt der nahe der Küste v. Arrakán gelegenen Insel Rámri, wg. der Menge weisser Kiesel, welche das Ufer in ihrer Nähe bedecken (ib. 213).

Kiunghoa s. China.

Kjúngphur, im Dial. v. Kamáon *Kjúngar* = die fliehende Dohle, eine Ortschaft, benannt v. den in jenem Theile des Himálaja selbst in den Eisregionen höchster Erhebg. sehr häufigen Krähen. 'Some of the species of corvus tibetanus Hodg. accompanied Adolphe and Robert during their ascent of the Ibi Gámin peak up to the highest encampment at 19326 feet' (Schlagw., Gloss. 212).

Kiusiu = Neunland nennen nach der Zahl der Provinzen die Japanesen eine der grossen Inseln ihres Archipels (Kämpfer, Jap. 1, 75)...*siu*, gleich wie *koku* (s. Sikoku), ein in Japan gebräuchl. chin. Ausdruck f. *kuni* = Bezirk. Die Prov., deren Hptkörper sie ausmacht, zerfällt in die 9 Bezirke Busen, Bugo, Tsikugo, Tsikusen, Hisen, Higo, Hiuga, Oosumi, Satzuma (Peterm., GMitth. 22, 401).

Kiutahia, auch *Kutahia*, mod. ON. in Phrygia, aus gr. Κοτιάειον = Kuppenstadt, v. κοτίς (Strabo 576, Pape-B.).

Klaarwater s. Griqua.

Klagenfurt, slow. *Celovec, Čelovac*, den Namen der Hptstadt Kärntens, betrachtete Förstem. (D.ON. 314) als aus einem wohl nur vermutheten (Bacm., AWand. 23) *Claudii Forum* umgedeutet, während ihn schon Megiser (Ann. Car. 1612), trotz des alten Gewandes *Chlagenfurt*, als urspr. 'Glanfurt', nach dem Flüsschen, an dem die Stadt liegt, erkannt hat (Umlauft, ÖUng. NB. 107). — *Cap K.*, in Franz Joseph's Ld. (s. Wien).

Klaipeda s. Memel.

Klamm, die, bajuv. Ausdruck f. Thalengen, mehrf. im Alpengebiete: *a)* die Enge, welche im Eisackthal die fruchtb. Thalweite v. Brixen abschliesst; *b)* eine v. schroffen Felswänden eingeengte wildschöne Schlucht im Lauf der Gasteiner Ache (Daniel, Hdb. Geogr. 3, 246).

Klapmuts = Schiffermütze, capholl. Name eines

Bergs bei Stellenbosch, welcher in seinem zugespitzten Gipfel einer Zipfelmütze verglichen wurde, sowie durch Uebtragg. einer nahen Ansiedlg. (Lichtenst., SAfr. 2, 164).

Klause, bald = Clus (s. d.), bald s. v. a. Zelle (s. Zell), mehrf. in ON. *a) Klausenburg*, Stadt in Siebenb., mag. *Koloszvár*, rum. *Clusu*, v. röm. Gründer benannt *Claudia*, weil hier unter Claudius ein Lager der 17. Legion stand, daher *Claudiopolis*. Die Neustadt wurde v. den sächs. Ansiedlern, um 1178, erweitert u. *K.* genannt 'wg. ihrer Lage in der Nähe eines Engpasses' (Meyer's CLex. 10, 23, Umlauft, ÖUng. NB. 108). Und nicht auch zugleich in Anlehng. an den ant. Namen? *b) Klausthal* Bergstadt im Harz, wie das durch den *Zellbach* getrennte *Zellerfeld* aus dem im 12. Jahrh. ggr. Benedictinerkloster *Cella* = Zelle hervorgegangen (Meyer's CLex. 10, 23).

Klaver Valley = Kleethal, einer der Namen, welche der holl. Capcolonist nach auffallender Vegetation gab (Lichtenst., SAfr. 1, 37).

Kleb, ein Vulcan Haurans, dim. v. *kalb* = Herz, also das Herzchen, v. seiner zuckerhut- od. herzfgen Gestalt (Wetzstein, Haur. 28). 'Unter allen Spitzen des Hauran hat der *K.* die schönste Form; er bildet, v. Süden gesehen, einen fast geraden Kegel u. ist dicht bewaldet' (ZfAErdk. nf. 10, 408). Robins. (Pal. 3, 910) u. Burckhardt (Reise 1, 167) schreiben fälschl. *kelb* (= Hund).

Kleinthal s. Limmat.

Kleisas, gr. Κλείσας = Schlüsselveste, eine Stadt in Böotien (Plut. amat. narr. 4, 1), an dem Passe zw. dem Helikon u. einem anliegenden Berge (Forchhammer, Hell. 1, 154). — *eis ta Kleista*, ngr. εἰς τὰ Κλειστά = im Engpass, ein kl. Kloster, am Ausgang einer tiefeingeschnittenen, wilden Bergschlucht des nördl. Attika (Bursian, Gr.Geogr. 1, 333).

Kleklewakpala s. Miry.

Klen = Ahorn, Acer platanoides, in den slaw. ON. Böhmens, Krains u. Kroatiens *Klenak, Klenau, Klenč, Klenice, Klenik, Klenova, Klenovac, Klenové, Klenovec, Klenovica, Klenovice, Klenovik, Klenovnik, Klentsch, Kleny* (Miklosich, ON. App. 2, 180).

Kleopatra s. Tokrah.

Klephten s. Pallikaren.

Klerk s. Gjaever.

Klettgau od. *Kletgau*, das v. Randen z. Rhein niedersteigende, z. Th. badische, z. Th. schweiz. Seitenthal der Wutach, 806 *Chletgowe*, 845 *Cleggowe*, 912 *Chletgewe* ..., ist nicht befriedigend erklärt, bei der Schaffhauser Chronisten Rüeger v. *letten*, v. Glarean nach den *Lacobrigen*, bei Mone v. kelt. *cladh* = Ufer, bei Gatschet v. rom. *cleta* = Zaun, als Gau der Hürden, der umzäunten Landbezirke (OForsch. 264), sogar nach einem hypothet. Flusse *Glatt* (Alem. 1, 173 ff.). Joh. Meyer, der diese Ableitung zsstellt, verwirft sie alle, wagt jedoch nicht, eine eigne Etym. aufzustellen; es geht ihm damit wie Förstemann, der (Altd. NB. 401) nur beifügt, der Name sehe, wie bayr. *Klettheim*, im 11. Jahrh. *Chleteheim*, so aus, als gehörte er wirklich zu ahd. *chletta* = Klette. 'In Uebereinstimmg. mit Fickler' findet dagegen M. Wanner (Forsch. *K.* 7 f.) einen 'Gau des Bergabhangs', v. ahd. *hlita* = clivus, Abhang, Seite, Halde.

Klidion s. Defterdar.

Klimax, gr. $K\lambda \bar{\iota} \mu \alpha \xi$ = Treppe, Leiter, ein Weg, der v. Mantineia üb. eine schroffe Felswand, *Portäs,* wg. der Spalten, die den höchsten Kamm derselben zerklüfteten, z. Thal Inachos u. nach Argos führte, so benannt v. den Stufen, welche in jener Felsgegend eingehauen waren u. die auch dem Berg selbst den Namen *K.* gaben (Curt., Pel. 1, 244). Der kürzere führte südlicher üb. das Artemisium u. hiess *Xenis* (Polyb. 11, 11), weil *er* auf der kürzesten Strecke in die Xenia, d. h. in die Fremde, hinausführte (abweich. Bursian, Gr.Geogr. 2, 63 f. 215). — Als Uebersetzg. des semit. םלֻּס, *Sullam* = Treppe, f. das lykische Gebirge *Solyma,* kommt *K.* auch vor f. den nur auf künstl. Treppenweg gangbaren Engpass, den Alexanders Heer am Fusse umging (Kiepert, Lehrb. AG. 125). — Offb. ein alter Name auch *Klima,* ngr. τὸ *Kλίμα* = die Senkung, f. die Schlucht, welche sich in starkem Gefäll gg. den Hafen v. Melos hinabzieht (Ross, IReis. 3, 9).

Kling s. Hindu.

Klingen = enge Schlucht, Tobel, oft in ON., wie *in der K.,* ein Hof des C. Zürich, *Klingenbach,* ein Bach in tiefer Rinne, C. Schwyz (Mitth. Zürch. AG. 6, 86), insb. auch 2 Schlösser auf klingenfgem Grat: *a) Hohen-K.,* bei Stein, *b) Alten-K.,* ob Märstetten, C. Thurgau. Daher auf Orte übtr., die, nicht so gelegen, die Realprobe nicht bestehen: *Klingenberg, Klingnau, Klingenzell,* letzteres ein thurg. Weiler, benannt nach Johann Walter v. Hohen-*K.,* welcher, auf der Jagd hier v. einem Eber angegriffen, das Gelübde that, f. seine Rettung daselbst zu Ehren Maria's eine Capelle zu erbauen. Die Stiftung wurde Wallfahrtsort: *Maria Hilf* (Gem. Schwz. 17, 231. 292). — Als Walter v. *K.,* dessen castrum *Klingenowe,* j. *Klingnau,* war, 1256 den Kloster *Häusern,* 'quondam in *Hiuseren',* eine Vergabg. in Wehr bei Säckingen machte, entstand hier ein Kloster *Klingenthal,* welches aber bald, mit gl. Namen, nach Klein-Basel übersiedelte u. die Privilegien v. Papst Alexander IV., 29. März 1267, bestätigt erhielt ... 'quod vos monasterium vestrum et ipsius nomen de quodam loco, in quo hactenus fuerat, ad illum, in quo ad presens degitis ... transtulistis' (Basl. Urk. B. No. 324. 315. 233).

Klinkerfues, Cap, in Grönl., v. der 2. deutschen Nordpolexp. 1869/70 benannt (PM. 17, 405) nach dem Director d. Göttinger Sternwarte, E.Fr.Wilh.*K.,* geb. 1827.

Klipfontein = Felsquelle, eine Quelle (u. Ansiedelung) in der Karroo, v. den Capcolonisten 'mit dem vollsten Rechte' so benannt: das Haus selbst lehnt sich gg. einen Hügel, dessen Gipfel, aus einer Sandsteinmasse bestehend, sich 1 km weit hinzieht; das Feld rings umher ist besäet mit gigantischem Granitgerölle, welches v. ggüberliegenden hohen Berge herabgefallen ist (Lichtenst., SAfr. 2, 128). — Ein spitzer *Klipberg* im westl. Theil des Capl. (ib. 1, 46).

Kliutschewskaja Sopka = Kuppe v. Kliutschi, dem nahen kamtschad. Dorfe, nennen die Russen einen der Vulcane Kamtschatka's (Erman, Reise 3, 340). In dem Namen des Dorfs ist das russ. *klutsch, kljutsch* = Quelle zu vermuthen, wie in *Kliutschewskoe* (s. Slatoust) u. in *Klutschewsk,* dem Orte *Sir-* od. *Syrjänskoi Klutsch,* wo an einer den Tataren einst geheiligten Quelle sich zuerst Michailo Sirjänin ansiedelte (Müller, SRuss. G. 5, 52), u. wirkl. — ich finde (Kittlitz, Denkw. 2, 252) den ON. *Klutschi* = die Quellen, mit dampfenden Thermen, so heiss, dass die Fische in wenigen Minuten gar kochen, dabei ein Hospital. Auch andere Berge Kamtschatka's sind nach nahen Orten benannt: *Krestowskaja-, Uschkowskaja-* u. *Tolbatschinskaja-Sopka,* nach den Orten Kresti, Uschki u. Tolbatschik (ib. 302. 306).

Klöden s. Bastian.

Klokatscheff, Cap, in Sachalin, v. Capt. J. A. v. Krusenstern (Reise 2, 157) am 4. Aug. 1805 nach seinem Freunde, dem General *K.,* getauft.

Klosbach s. Bach.

Klosters, ON. in der Schweiz 2 mal: *a)* die oberste Gemeinde des Prätigau, nach dem ehm. Prämonstratenser Kloster (Campell-Mohr 153), das einst *St. Jacob* (W. v. Juvalt, Forsch. 2, 204), v. ältern Walther v. Vaz 1246 beschenkt, schon vor der Reformation allm. einging; in früherer Zeit *zum Kloster* od. *bey'm Kloster* (Sererhard 3, 18), dessen Gebäulichkeiten im 30 j. Kriege 1621 durch die Oesterreicher verbrannt wurden, so dass 1634 die j. Dorfkirche an ihre Stelle trat (NAlp.P. 7, 149); *b)* eine Alp des Weisstannenthals, einst dem zu Anfang des 19. Jahrh. aufgehobenen Damenstift in Schännis gehörig (Pater Foffa). — *Klosterthal,* ein Nebenthal der Ill, z. Arlberg führend, 1495/97 bei CTürst (GSchweiz.G. 6, 55) *Closterli,* nach dem Hospiz, 'Klösterle', urk. 1218 *Vallis Sanctae Mariae* = Thal der heil. Maria (v. Bergm., Vorarlb. 70). — *Klosterberge,* ehm. Benedictinerabtei bei Magdeburg, 937 v. Otto I. gestiftet (Meyer's CLex. 10, 55). — *Kloster-Neuburg,* Ort in NOest., v. Karl G. Gr. auf einem in die Donau vorspringenden Hügel, als *Neuburg?,* ggr., ein Stift der Augustiner-Chorherren, das älteste u. reichste Oesterreichs, v. Leopold d. Heil. 1106 (Meyer's CLex. 10, 56). — *Klösterli,* Curort des Rigi, nach einem Capuzinerhospiz, welches als Filiale des Klosters v. Arth den Gottesdienst in der 1689 erbauten u. den heil. Jungfrau gewidmeten, 1700 als *Maria zum Schnee* geweihten Bergcapelle besorgt (Gem. Schweiz 5, 298).

Klotschkow, Rocher, eine hohe Felsklippe der Aleuten, östl. v. der Insel Atcha, v. Admiral v. Krusenstern (Mém. 2, 85, Atl. OPac. 19) benannt nach ihrem Befehlshaber, einem Officier der russ. Marine, Befehlsh. des kleinen Schiffs Tschirikow der american. Co.

Kloven Klip = gespaltene Klippe, auch 'Klauenklippe', wie Adelung (GSchifff. 415) übsetzt, ein Inselfels des nördl. Spitzb., 'weil er tief eingespalten ist', 'recht mitten v. einander geschieden', so v. den holl. Walfgrn genannt (Martens, Spitzb. R. 24 T. d), engl. *Cloven Cliff*, 'a bare rock so called from the top of it resembling a cloven hoof' (Phipps, NorthP. 44).. Der Fels, gänzl. v. übr. Theil der Insel abgetrennt, v. allen Seiten gleichgeformt, ist, weil fast senkrecht, schneelos u. bildet desw. einen der markantesten Küstenpunkte. — *Cloven Stones* = Spaltensteine, ein Grabdenkmal der Insel Man, 'weil mehrere der z. Bau verwendeten Platten gespalten sind' (Ausl. 46, 799).

Klut, Berg der jav. Prov. Kadiri, ähnl. einem *klut*, der am Nacken des Büffels angehängten Holzschelle (Crawf., Dict. 198).

Klutschewsk s. Kljutschewsk.

Klydai, gr. *Κλύδαι* = Wogenheim, i. e. Ort, wo Wogen u. Brandg. anspülen, eine Stadt am Vorgebirge Pedalion, Karien, auf schmalem Isthmus, wo die Wogen zu beiden Seiten anspülen (An. st. m. m. 259, Pape-Bens., Müller, Geogr. Gr. min. T. 27). — *Klysma* s. Suez.

Knäschja s. Knasch.

Knakion s. Kelephina.

Knasch, besser *knjasch* = Fürst, russ. subst., čech. *knez*, in slaw. ON. *Knež, Kneža, Knežak, Knežic, Knežica, Knežice, Knežiček, Knežina, Kneživka, Knežiže, Knezdol* = Fürstenthal, *Knezdub* = Fürsteneiche, *Kneževes* u. *Knežja Vas* = Fürstendorf, *Knežja Lipa* = Fürstenlinde, *Knežmosty* = Fürstenbrücke, *Knežpol* u. *Knežpole* = Fürstenfeld, 2 Orte in Mähren (Miklosich, ON. App. 2, 181. 218); ferner *Knäschja* besser *Knjaschaja Gora* = Fürstenberg, ein hoher, mit Nadelwald dicht bewachsener weithin sichtb. Hügel, der am Ostufer des Peipussees in ein Vorgebirge mit 10 m h. Steilufer ausläuft (Bär u. H., Beitr. 24, 38). — *Knehnice*, v. čech. *knežna, kneni* = Fürstin, Ort in Böhmen, 1087 ggr. v. der Fürstin Eufemie (ZfSchulGeogr. 3, 6).

Knee Lake = Kniesee, in Brit. America 3 mal a) eine der seeartigen Erweiterungen des Hill R., nach seiner knieähnl. gebrochenen Form . . . *near its middle takes a sudden turn, from whence it derives its name* (Franklin, Narr. 35); b) im Gebiete des Churchill R.; c) im Gebiete des Hayes' R. (Franklin, Narr. 178 ff.).

Knese s. Kenissieh.

Knež s. Knasch.

Knidos, gr. *Κνίδος*, v. *κνίζω*, dem Nagen u. Reiben der Wellen, eine Stadt am weit vorspringenden Cap Triopion, Karien (Curt., GOn. 154).

Kniebrechi, d. h. schlechte Bergstrassen, welche 'die Knie brechen', in den zürch. Gemeinden Horgen u. Langnau, ähnl. *Wagenbrechi* (Mitth. Zürch. AG. 6, 166); auch eine Oertlichk. *an der Beinbrechen* begegnet i. 1307 bei Kehrein (Samml. alt. u. md. W. 39), ein Bergname *Kniepass*, in den bayr. Alpen, sowie der *Kniebis*, im Schwarzwald, 958 *Chnieboz*, mit dem noch in 'Amboss' erhaltenen ahd. *biuzen* = stossen, schlagen, v.

M. R. Buck ebf. als 'Kniebrecher', schroffer Berg, betrachtet (Förstem., Altd. NB. 402).

Knife Portage = Trageplatz der Messer, der mittlere der 3 im Trout R. obh. des Trout Fall Portage folgg. Trageplätze, durch die Angestellten der Hudson's Bay Co. so benannt, weil die das Flussbett bildenden, schieferartigen Klippen mit ihren messerfg. scharfen Fragmenten die Füsse der Bootsleute arg verwunden. '. . . an expressive name' (Franklin, Narr. 37).

Knight's Hill, ein Berg der Gegend v. austr. Careening Bay, v. Allan Cunningham, dem Naturhistoriker der Exp. Capt. Ph. P. Kings (Austr. 1, 425) am 5. Oct. 1820 benannt nach Thomas Andrew *K.*, esq., Präsidenten der Horticultural Society.

Knighton Bay, in Grönl., v. engl. Walfgr. Will. Will. Scoresby jun. (NorthWF. 231) am 29. Juli 1822 entdeckt u. zu Ehren Sir Will. *K.*'s, des kön. Privatsecretärs, getauft.

Knisteneaux s. Cree.

Knob, engl. Ausdruck f. gewisse Bergformen, viell. id. mit dem in Engl., bes. im Lake District mehrf. gebr. *nab* = Mütze, in der Union bes. beliebt, ja fast ausschliessl., f. jeden mehr od. weniger isolirten Berg (s. Pilot *K.*), namentl. in Kentucky u. Tennessee (Whitney, NPlaces 106). — *Prairie of the K.s*, eine Steppe am Cokalahishkit, einem Zuflusse des Clarke's R., v. Capt. Lewis (Trav. 589) am 6. Juli 1806 so benannt wg. der Menge v. Erdhöckern, welche üb. die Ebene ausgestreut sind. — *Cape K.*, ein zw. Sandküsten 3 km weit ausgestrecktes Cap v. Nuyts Ld., nach den Felsklumpen auf dem Gipfel so benannt am 6. Jan. 1802 v. Capt. Matth. Flinders (TA. 1, 75).

Knockathea s. Athea.

Knockdow s. Diana u. Lamont.

Knocker's Bay = Klopfer-, resp. Schlägelbucht, an der Westseite des Port Essington, v. Capt. Ph. P. King (Austr. 1, 86) am 22. April 1818 so benannt, ozw. deswegen, weil Mr. Bedwell am Eingang des innern Hafens eine eigenth. Schlagwaffe fand: der Schaft v. Mangrovenholz, üb. 18 cm lg., u. am Kopfende bewehrt mit einem scharfgespitzten 10 cm lg. u. 3_8 cm br. Quarzsplinter.

Knockfune s. Finn.

Knocknamanagh s. Monaghan.

Knonauer Amt s. Freiamt.

Knopneuzen = Knopfnasen, Name einer südafric. (Bantu?) Völkerschaft des untern Limpopo, v. dem holl. Ansiedler so benannt nach den erbsengrossen Knöpfchen, welche sie üb. die Mittellinie des Gesichts anbringen; es geschieht diess mittelst kleiner Einschnitte, die so lange durch gewisse Mittel offen gehalten werden, bis die Knötchen od. Klümpchen die erforderl. Grösse erlangt haben (PM. 16, 8). Ob der einh. Name *Bahloëkwa* dieselbe Bedeutg. habe?

Knorr s. Wyman.

Knox Island, ein bis 640 m h. unbewohntes Bergeiland der Washington In., einh. *Hiau*, v. americ. Capt. Ingraham, Schiff Hope, im Mai 1791 entdeckt u. prsl. getauft, wie seine Nachgänger: der Frz. Marchand 1791 *Ile Masse*, der Engl. Hergest im März 1792, das nahe Fetu-uhu einschliessend, *Roberts Islands*, der Americ. Roberts im Febr. 1793 *Freemantle Island* (Krus., Reise 1, 157); anders des letztern Landsmann Fanning 1798: *New York Island* (Meinicke, 1Still. O. 2, 245). — *K. Island* s. Gilbert. — *K.* s. Scarborough.

Knuckle Point = Knöchelspitze, an der Nordostseite NSeel., nach Art einer Halbinsel zw. zwei Bayen aus nidrigem Landhalse vorspringend u. deshalb so benannt durch seinen Entdecker Cook am 11. Dec. 1769 (Hawk. 2, 373).

Kobberö s. Kupfer.

Kobur, auch *ke-* od. *gebur*, plur. v. *kebar*, besser *qebar* = Grab, auch *qebör*, *gober*, in arab. ON. wie *'Aïn el-K.* = Quelle der Gräber, in Algerien (Parmentier, Vocab. arabe 32), häufiger als Grundwort, wie *Kbör er-Rumia* (s. Rum) u. a. m.

Koçala s. Audh.

Kochelfall, ein 13 m h. Fall des Flüsschens Kochel, eines v. Riesengebirge herabkommenden Quellbachs des Bober, während der *Kochelsee*, bayr. Alpensee in der Gegend v. Tölz, nach dem nahen Orte Kochel benannt ist (Meyer's CLex. 10, 94).

Kods s. Jerusalem.

Kodscha, auch *chodscha* = Greis, adj. gross, alt (Parmentier, Vocab. turc-fr. 54), in türk. ON. *a) K. Balkan* (s. Balkan); *b) K.-Tschaï* = Hauptfluss, der bedeutendste Fluss, welcher v. NW.-Abhang des cilic. Taurus in den Sumpf östl. v. Ak-Göl mündet (Tschihatscheff, Reis. 15); *c)* mit gl. Bedeutg., wie hier, auch *K.-Dagh*, f. einen langen Bergzug östl. v. Tus Göllü (ib. 8). — Dagegen *K.-Ili* = Land des Alten, die Gegend um das Schloss Semendra, seit Aghdsche *K.* = der weissliche Alte, einer v. Osman's Heerführern, sie eroberte (Hammer-P., Osm. R. 1, 83).

Koeberg s. Kuh.

Köjlüs s. Assireta.

Kökküz s. Kaspisee.

Koelga s. Uisk.

Kölln s. Berlin.

Köngernheim s. König.

König, ahd. *cuning*, altn. *konungr*, dän. u. schwed. *kong*, *kung*, holl. *koning*, engl. *king* (s. dd.), in deutscher Toponymik selten nach einem Familiennamen, sonst wohl gew. z. Gedächtniss eines Monarchen, wie in *Königsberg*, wenigstens dem preuss., dem freil. ein hess., ein coburg., ein böhm., ein schles., ein oburang., ein steierm., eines im Harz u. eines in der Neumark ggb. stehen, ohne dass mir das Motiv f. alle 8 Fälle bekannt wäre. Das preuss. *Königsberg* gilt bekanntl. als eine Schöpfg. des Böhmenkönigs Ottokar (vgl. Thorn), welcher 1255 die Gegend eroberte u. v. den dankb. Deutschrittern auf der eichenbewaldeten Pregelhöhe eine Burg, z. Schutz gg. die heidn. Samländer, erbauen liess. Die Stadt selbst folgte 1256 um den j. Steindamm u. wurde erst, nachdem diese Anlage v. den Preussen 1263 zerstört worden, in dem Thal wieder aufgebaut, unth. des Schloss-

bergs bis an den Pregel (Meyer's CLex. 10, 119). In Uebsetzg. lit. *Karaliauczus*, v. *karalius* = *K.*, poln. *Krolewiez* (Thomas, Progr. 14). In Peter Suchenwirth's 4. Gedicht 1377:

> Tzu *Chunigesperch* so waz uns gach
> Do het wir Rue und gut Gemach.

Im Uebr. alphab.: *a) Königs-Alm* (s. Kralowa); *b) Königsborn*, Saline u. Soolbad bei Unna, Westf. (Meyer's CLex. 10, 119; 15, 282); *c) Königsbreitungen* (s. Frauenbreitungen); *d) Königsbronn*, Ort nahe der Quelle der Brenz, Württb., mit königl. Eisenwerk (ib. 10, 119); *e) Königsbrück*, Ort in Sachsen, wohl in Beziehg. zu König Friedrich August II., zu dessen Andenken der nahe Keulen- od. *Augustusberg* einen Obelisk trägt (ib. 10, 119); *f) Königscanal*, v. Polenkönig Stanislaus 1711 ff. z. Verbindg. v. Dnjepr u. (Weichsel-) Bug erstellt (ib. 10, 120); *g) Königsfelden*, Ort im Aargau, als Kloster gestiftet z. Andenken des am 1. Mai 1308 auf offnem Felde hier gemordeten Königs Albrecht, '. . . stiftete Agnes (die Königin) mit ihrer Mutter in dem Feld, wo der Mord geschah, ein Kloster der mindern Brüder u. ein Clarissinnen-Frauenkloster . . . sie baute den Frohnaltar auf die Stelle, wo der König starb' (J. v. Müller's Sämmtl. W. 9, 16 f.); *h) Königshofen*, in U/Franken, einst ein Königshof im Grabfeld (Meyer's CLex. 10, 120) — die beiden gleichn. Orte in Baden u. bei Strassburg sind mir dem Motiv nach dunkel; *i) Königshütte*, als staatl. Hüttenwerke entstanden, ihrer drei, ein schles. 1797, ein hannöv. u. ein oberpfälz. (ib. 10, 120); *k) Königslutter*, in Braunschw. am Flüsschen Lutter, 1018 als Nonnenkloster ggr., dann Benedictinerabtei, mit Mausoleum des Kaisers Lothar u. seiner Gemahlin Richenza (ib. 10, 121); *l) Königssee*, bayr. Alpensee, dessen Umgebg. ein an Wild reiches königl. Jagdrevier bildet, auch *St. Bartholomäus-See*, nach der alten Wallfahrtskirche St. Bartholomae (ib. 10, 122). Der erstere Name erscheint urk. 1133 als *Chunigessee*; der andere 'lässt sich im Mittelalter nicht nachweisen' — trotz Sepp's Behauptg., dass er der ältere sei (Allg. Ztg. 1886, 2. Beil. No. 111). Vielleicht ist die erwähnte urk. Form unrichtig überliefert; denn nirgends findet sich eine Spur davon, dass die deutschen Könige hier Besitzungen hatten, u. auch der in den See mündende *Königsbach* heisst um 1130 *Covnispach* = Bach des Kuno. Es war näml. Kuno der Hptname in der gräfl. Familie, die vor Stiftg. des Klosters dort als Grossgrundbesitzer waltete. Irmengard, die Schwester des Grafen Kuno v. Horburg u. die Gemahlin des Grafen Gebhard I. v. Sulzbach, die ihren Sohn Berengar z. Gründg. des Klosters bestimmte, war die Tochter u. Enkelin eines Grafen Kuno. Die Vermuthg. liegt also nahe, dass *Chuniges-se* verd. ist aus *Chuonis-se* (Riezler, ON. d. Münchn. G. 7 f.); *m) Königstadtl*, čech. übsetzt *Kraluv Mestec*, in Böhmen (Meyer's CLex. 10, 122); *n) Königstein*, Bergveste in Sachsen, wahrsch. schon v. den Sorben begründet, um 1540 unter Heinrich d. Frommen wieder hergestellt,

v. den Kurfürsten Christian I. u. Johann Georg I. erweitert, aber erst unter König Friedrich August II. vollendet (ib. 10, 122); *o) Königsstuhl*, denkw. Stätte am Rhein, obh. des preuss. Coblenz, bei der Vorwahl Heinrich's VII. zuerst erwähnt 1308 als gew. Versammlungsort ᾿v. Alters her᾿ — an einer Stelle, wo die Gebiete der 4 rhein. Kurfürsten ganz nahe zsstiessen. Nachdem hier am 13. Juli 1346 die Vorwahl Karl's IV. statt gefunden hatte, liess dieser 1376 einen achteckigen Bau v. 8 m Durchm. u. $5^1/_3$ m Höhe aufführen; auf Pfeilern ruhten 7 Schwibbögen; die unbedeckte Plattform hatte ringsum eine gemauerte Bank, auf welcher die Sitze der 7 Kurfürsten durch Steinplatten bezeichnet waren (ib. 10, 122). Mir fällt auf, dass dem niederrhein. Coblenz u. seinem *Königsstuhl* ein oberrhein. Coblenz u., ebf. obh. desselben, ein (Städtchen) *Kaiserstuhl* (s. d.) entspricht u. zwar beide Paare auf der linken Stromseite. *Königsstuhl* auch ein Berg bei Heidelberg u. ein fast senkr. z. Meer abfallender Felsgipfel Rügens. Noch viele andere ähnl. ON. wie *Königswalde*, in Preussen, *Königswart*, čech. *Kynžvart*, in Böhmen, *Königswartha*, in Sachsen, *Königswinter*, in Rheinpreussen..., mir alle dunkel. — *Königgrätz*, in Böhmen, eig. *Königingrätz*, 1490 *Konigen Gretz*, čech. *Hradec Králové* = Burg der Königin, aus dem urspr. *Hradec*, 1061 *Gradec* = Burg, 1420 *Gretze*, als der Ort 1362 der Königin Elisabetha als Wittwensitz zugetheilt wurde (Meyer's CLex. 8, 19; 10, 114). — *Königinhof*, čech. übersezt *Dwur Králové*, unweit des vorigen, wohl auf dieselbe Königin bezogen (ib. 10, 115). — Von nur sprachlich belegten alten Formen folgen: *a) Chuningesbach*, Fluss- u. ON., mehrf. j. *Kains*- u. *Königsbach*, *Cuningesbrunnen*, 2 mal, *Cuningesueld*, j. *Königsfeld*, bei Ahrweiler, *Kuningesuorst*, ein Wald, *Chuningesheid*, eine Heide bei Oettingen, *Chuningesheim*, j. *Köngern*- u. *Kinsheim*, *Chuningeshofa*, mehrf., j. *Königshofen* u. *Königsfeld*, *Cuningessundera*, ein Gau zw. Main u. Taunus, mit ahd. *suntara* = proprium, das scheinb. an *huntari* = centena angelehnt wird, *Cunengestorph*, j. *Königsdorf*, unw. Cöln, *Kuningesweg*, zw. Fulda u. Haun (Förstem., Altd. NB. 433 ff.).

Köpri = Brücke, in türk. ON. nicht selten, was bei den Verkehrsverhältnissen des Orients begreifl. ist, selten f. sich allein gebraucht (s. Wesir-*K.*) od. im dim. *Köpridschik* = Brückchen, Ort am Erigös-Su (Tschihatscheff, Reis. 3), eher als Bestimmungswort: *K. Tschaï* = Brückenfluss, der alte pamphyl. Eurymedon, den der Küste nahe eine lange Steinbrücke passirt (ib. 20) u. *K. Köi* = Brückendorf *ä)* Ort an einer Steinbrücke des Kisil Irmak (ib. 9); *b)* Ort am Tigris, v. Türkmen bewohnt (Schläfli, Or. 43).

Köstendil, rumel. Stadt nahe den Quellen der Struma, urspr. nach ihrem Erbauer Trajan *Ulpiana*, dann nach ihrem Erneuerer *Justiniana*. Hammer-P. (Osm. R. 1, 178) hat den Namen in der mod. Form *Giustendil* u. betrachtet ihn als Verstümmelg. des zweiten; mir kommt (vgl. Köstendsche) vor, es lasse sich, wenigstens f. *K.*, auch an den bulgar. Fürsten Konstantin denken, der 1371 diesen Schlüsselpunkt Murad abtrat. — *Köstendsche* s. Constantia.

Köthen od. *Cöthen*, ON. in Anhalt, dial. *Kiëten*, wohl id. mit dem 927 v. Heinrich I. zerstörten *Kietni*, *Kieta*, *Gietana*, 986 *Kothen*, dann *Kotene*, *Kothene*, *Cotene*, *Koethene*, kann nicht v. slaw. *kociel* = Kessel abgeleitet werden u. wird v. K. Schulze (Anh. Mitth. 6, 10 d. Sep.-Abdr.) als dat. plur. v. niederd. *kote*, *köte* = Hütte, kleiner Bauernhof gedeutet.

Kofar s. Kafer.

Koh s. Kuh.

Kohl s. Wilczek.

Kohlenbucht, eine flache Bucht an der Nordostseite der arkt. Bäreninsel, wo 1827 Keilhau, der norwg. Geolog, vier parallele Flötze bis zu einer Elle Mächtigk. traf (Torell u. N., Schwed. Expp. 398). — *Kohleninsel*, in Ost-Grönl., wo Oberlieut. Jul. Payer während der II. Deutschen Nordpolexp. im Sept. 1869 Braunkohlen entdeckte u. zahlr. Petrefacten fand (Peterm., GMitth. 16, 410).

Koi-Tass = Schaffels, kirg. Name eines Bergrückens am Weissen Irtysch. ᾿Bemerkenswerth ist, dass die Kirgisen den Granit sehr gut v. den übr. Gesteinen unterscheiden u. ihn *KT.* nennen, weil ein Berg mit seinen zerstreut liegenden Entblössungen dieses Gesteins ganz das Aussehen hat, als ob eine Herde Hammel auf demselben weide᾿ (Bär u. H., Beitr. 20, 63); *b) K.-Su* = Schafwasser, ein Zufluss des Kaspisee's, südl. v. Terek (Güldenst., Georg. 17, falsch übsetzt). — In anderm Sinne *K. Lago* s. Guinea.

Koïagebiñ = elende Sclaven, so nennen die kriegerischen Somráï den dem Reiche Baghirmi unterworfenen Stamm der Sara (PM. 20, 15). .

Koilossa od. *Kelossa*, gr. *Κήλωσσα* = die höhlenreiche, bei den Alten (Strabo 382) der mit steilen Felswänden z. Thal Asopos abfallende u. v. zahlr. Höhlen durchbrochene Vorsprg. des höchsten Gebirgs nördl. v. Argos, das darum j. noch *Megalowuno* = das grosse Gebirge heisst (Curt., Pel. 2, 468).

Koingo = der seufzende, bei den Maori einer der intermittirenden Sprudel an der Ostseite des Roto Mahana, v. dem seufzerähnl. Ton, welchen man hört, wenn sich das Wasser in den Kessel zkzieht (Hochst., NSeel. 276, PM. 8, 265).

Kójnoskaja Pústyna = Einsiedelei v. Kójnos od. *Skit Kójnoskoj*, russ. Name einer Ansiedlg. im Samojedenlande, ggr. ᾿zZ. der religiösen Wirren in Russland, wo die hartnäckig an den veralteten Gebräuchen der Kirche hängenden Fanatiker in die ödesten Wildnisse des Nordens sich zkzogen, um, ihren Gebräuchen treu bleibend, hier v. jeder Verfolgg. sicher zu sein. Diese Ansiedlungen in unbewohnten abgelegenen Gegenden wurden Einsiedeleien, *pústyni*, genannt, aus deren einigen in der Folge eine Art Klöster der Altgläubigen, *skity*, entstanden᾿ (Schrenk, Tundr. 1, 170).

Kok od. *kuk* = blau, blaugrün, wie *gök* (s. d.).

mehrf. in türk. ON. wie *K. Su* = blaues Wasser *a)* einer der obern Zuflüsse des Karatal, Semiretschinsk ... 'dessen Wasser, wie das aller kl. Bergflüsse, v. ganz grüner Farbe ist' (Bär u. H., Beitr. 20, 176. 207, Humb., As. Cent. 3, 225, Peterm., GMitth. 4 T. 16); *b)* s. Tschernowaja. — Ferner *a) K. Tasch* = Blaufels, ein Felsvorsprung des taur. Gebirgs (Köppen, Taur. 8); *b) K. Tass* = grüner Fels, ein Berg am Oberlaufe des Irtysch, v. dem Kupfergrün, das einige Schieferschichten u. den Quarz färbt (Bär u. H., Beitr. 20, 58); *c) K. Tau* s. Ala; *d) K. Tjube* = blauer Berg, im Quellgebiete des Karatal, dem *Ak Tjube* (s. d.) benachbart (ib. 215).

Kok od. *Kong* = Fluss nennen die Eskimos gew. den bei der Elsonspitze mündenden *Tu-tu-a-ling* (PM. 5, 42).

Kok-Aigir = Schimmelhengst, tatar. Name eines grossen ciskauk. Hügels, an welchem ein Tatarenchan, aus Freude üb. die Geburt eines Sohnes, einen Schimmelhengst schlachten liess (Güldenst., Georg 300).

Kókkinoplō = rothe Erde, 'romäischer' ON. am Olymp, wie denn auch in sehr lebensvoller Analogie die südl. Fortsetzg. des Gebirgs durch ein *Kokkinopétra* = Rothfels abgeschlossen wird (Barth, RTürk. 182).

Kokoreew Uluss, im Berichte des Entdeckers Chabarow 1651 ein Ort an der Confl. Seia-Amur, nach dem daur. Fürsten Kokorei (Müller, SRuss. G. 5, 352).

Kolaf s. Assireta.

Kolaina, Plains of = Ebenen der Täuschung, weite Lehmflächen an der Innenseite d. Lyell Range, Sharks Bay, v. Capt. G. Grey (Two Exp. 1, 374) am 9. März 1838 so (der Eigenname gehört der Sprache der Eingebornen an) benannt, weil die zeitw. unter Wasser gesetzten Ebenen auch zu andern Zeiten das trügerische Bild eines See's darbieten, näml. wie es der Entdecker an jenem Tage traf, in Folge v. Luftspiegelung.

Koldewey, Karl, deutscher Nordpolf., in Hannover geb. 1835, im Seedienst viel gereist, am Polytechnicum Hannover u. an der Universität Göttingen auch wissenschaftlich ausgebildet, wurde v. A. Petermann mit der Führg. der beiden deutschen Nordpolxpp. betraut, der I., die im Segelschiff Germania, urspr. Grönland, am 24. Mai 1868 v. Bergen auslief, in Grönl. bis 76⁰ NBr. vordrang, die Nordküste Spitzbergens umfuhr, dort 81⁰ erreichte u. im Sept. zkkehrte, der II., die mit dem neuen Dampfer Germania u. dem Segelschiff Hansa am 15. Juni 1869 v. Bremen auslief, an der Ostseite Grönl. viel Erfolg hatte u. im Herbst 1870 heimkam, doch nur in der 'Germania', während die Mannschaft der zertrümmerten Hansa auf einer 6 Monate lg. Eisschollenfahrt nach den dän. Colonieen sich hatte retten können. *K.*, mit **Petermann** entzweit, wirkt seither an der Reichs-**Seewarte** in Hamburg. An seine Verdienste er-**innern** 2 ON.: *a) K. Inseln,* in Grönl., im Apr. **1870** v. *K.* besucht (Peterm., GMitth. 17, 190 **T. 10**); *b) K. Insel,* in Franz Joseph's Ld., v.

der II. österr.-ung. Nordpolexp. Weyprecht-Payer 1872/74 getauft (ib. 20 T. 23; 22, 202).

Kolding Fjord, eine lange Bucht des Kl. Belts, nach der jüt. Stadt Kolding. In der Nähe die Ruinen des 1808 abgebrannten Residenzschlosses *Koldinghuus,* früher *Arensborg* od. *Oerneborg* (Meyer's CLex. 10, 146).

Koleah s. Kalah.

Kolff s. Durga.

Kolhan s. Ho-desan.

Kolin s. Cöln.

Kolla = Niederland, abess. Ausdruck f. die niedern, oft ungesunden Landesstufen, im Ggsatz zu den höhern, 1700—2300 m üb. M. gelegenen, gemässigten, f. Cerealien- u. Weinbau geeigneten *Woina-Deka* = Weinberghöhen u. dem noch höher folg. *Deka, Daga* = Bergland (PM. 13, 434, wo Th. v. Heuglin *Kola, Gola* schreibt).

Kolm s. Chlm.

Kolmorden = Schwarzwald, früher *Kolmoren,* Name eines schwed. Waldgebiets, aus dem lapp. *mor, muor* = Sumpf durch die später einwandernden Germanen adoptirt, wie oft 'Sumpf' u. 'Wald' 'i åtskilliga språk' gemeinsame Namen tragen. Derselbe Begriff in *Mora,* Kirchgemeinde v. Dalarne, *Hedemora* (Stadt) u. *Södermöre* u. *Norrmöre* = Districte nördl. resp. südl. v. Wald (Petterson, Lappl. 29).

Kolómbo, auch *Korúmbu,* in unsern Carten gew. *Colombo* = Hafen, singh. Name eines Hafenorts v. Ceylon (Schlagw., Gloss. 211).

Kolone, gr. *Κολώνη* = Hügel, Höhe, mehrf. als ON., insb. *a)* eine Insel des argol. Golfs, j. Spezia-Tulo (Pape-B.); *b)* eine Inselklippe der bithyn. Küste (Ap. Rh. 2, 650), j. durch Versandung mit dem Gestade verbunden, *Kromion,* v. *Κρομμυών* = das zwiebelfge (Hammer-P., Konst. 2, 277 f.), auch Städte, v. der Höhenlage, sowie in der Form *Kolonai,* gr. *Κολωναί.* — *Kawo Kolonnais* s. Colonne.

Kolonnaki s. Colonne.

Koloschen, auch *Koljuschen,* ein Stamm der Kenaier in Alaska, v. den russ. Ansiedlern so benannt, nach dem eignen Namen der Pflöcke, welche die Frauen in der Unterlippe tragen (Bär u. H., Beitr. 1, 330), v. russ. *kolju* = ich durchsteche od. spalte. So haben 'die Russen durch die Benenng. diese bemerkenswerthe Volkssitte eben so deutl. hervorgehoben, wie es durch den v. den frz. Canadiern eingeführten Namen der *Nezpercés* mit einer ähnl. Sitte bei den nächsten Nachbarn der *K.* geschehen ist.' Diese selbst nennen sich *Tlinkit* = Menschen, etwa mit dem Zusatze *antukuán* = v. überall, also etwa 'Menschen aller Ortschaften'. Bei den Engl. heissen sie *Street Indians* = Indianer der Meerenge, scil. des Prinzen v. Wales (Bastian u. H., Zeitschr. f. Ethn. 2, 300 ff.).

Koloszvar s. Klausenburg.

Kolpuchowsk u. *Samarowo,* 2 russ. Orte am Irtysch, kurz bevor dieser in den Ob fällt, benannt nach den ostjak. Fürsten Kolpuchowa u. Samar, welche dort wohnten, als die Kosaken Jermaks

1582 flussab fuhren. Samar fiel bei Eroberg. seines Orts (Müller, SRuss. G. 3, 376 ff.).

Koltschanen = Fremdlinge nennen die an der Mündung des Copper R. wohnenden Atnäer ein benachbartes Indianervolk, welches um die Quellen jenes Flusses haust (Richardson, Arct. S. Exp. 1, 401 f.), bei den Kenayern, die mit ihnen verkehren, *Galzanen* = Gäste, wohl nur dial. Form f. *K.* u. mit annähernd gl. Bedeutg. (Bär u. H., Beitr. 1, 101 f. 166).

Koluri s. Salamis.

Kolwa, ein Iksseitg. Zufluss der Usa-Petschora, wie das sam. Uferdorf *Kolwinskoje* v. den Russen so genannt, der Fluss aber sam. *Tósjagà* = See'nfluss, v. *to* = See u. *jagà* = Fluss, da er im Höhenrücken des Grosslandes aus einem Gewirre kl. See'n seinen Usprg. nimmt (Schrenk, Tundr. 1, 252).

Kolyergia, gr. Κωλνεργία = Hemmberg, v. κωλύω = hindern, hemmen, ein Vorgebirge nahe der Ostspitze v. Argolis, Hydra vorüber (Paus. 2, 34, 8), nach der 'Beschwerlichkeit des Umfahrens' (Curt., GOn. 153).

Kolyma, dunkler sib. FlussN., nach ihm *Kolymsk*, drei Uferorte: *a) Werchnij K.* = oberes, *b) Sredne K.* = mittleres, *c) Nishnij K.* = unteres, ggr. 1644 v. Jakutsker Kosaken Mich. Staduchin, welcher zuerst einen Ostrog, eine Kirche u. einige Jurten am nördl. Flussarm baute. Seitdem die Ansiedlg. auf die v. andern Flussarm gebildete Insel verlegt wurde, heisst der nördl. *Staroostrogski* = (Arm od. Fluss) des alten Fort. Von diesem selbst waren 1760 noch Ruinen sichtbar. Der neue Ostrog ist eine Holzveste; diese umgiebt ein vierseitiger Wall, mit hoher Mauer, in deren Ecken sich je ein kleiner Thurm mit Spitzdach erhebt. In der Veste sind Wohng., Gerichtshof, die Verwaltungsbureaux u. Magazine. Ausserhalb des Ostrog enthält der Ort 42 Häuser u. eine Kirche (Müller, SRuss. G. 4, 153, Wrangell, NSib. 1, 173 f.).

Kolywan hiess urspr. nicht eine Stadt, sondern ein Bergsee des Altai, an welchem das früheste Centrum f. das Berg- u. Hüttenwesen des Altai entstand. An diesem See näml. legte Akymfi Demidow, urspr. ein Schmied, nachdem er durch deutsche Bergleute die tschud. Schürfe hatte untersuchen lassen, 1727 ein Hüttenwerk an. Den Abfluss des *K.* nannten die russ. Ansiedler *Kolywanka*, die ganze Berggegend *Kolywanisches Erzgebirge* (Falk, Beitr. 1, 299 ff.). Die Werke wurden später verlegt, in den Ort *Berda*, *Berdskoi Ostrog*, der an der Confl. Berda-Ob lag u., 1782 z. Stadt erhoben, in *K.* umgetauft wurde (Müller, Ugr. V. 1, 280 f., Falk 1, 31. 295). Man sieht also, dass *K.* nicht čech. (!) 'Festung im Gebirge' od., in anderer Ableitg., 'Hütte, Laubhütte, Zelt' heissen kann (Ledebour, Reise 1, 49); aber auch die Etym. v. russ. *koledam* = in Bewegung bringen, 'weil das Wasser des Sees bei dem geringsten Winde bewegt werde, also unaufhörlich in Wellenschlag begriffen sei' (G. Fr. Müller, SRuss. G. 9, 94, Heym, Encycl. Russ. R., Gött.

1796, de Haven, Efterrätn. Russ. R. 1747, Schlözer, Münzgesch. Russ. K. 95 f.) kann f. einen Namen 'aus uralten Zeiten', wo der See noch keine russ. Anwohner hatte, nicht ernstl. in Frage kommen. Es lässt sich hingg. hören, wenn A. Schiefner (Inland 16 No. 32) an ein Volk altaischen Stammes, mong. *gol* = Fluss, turk. *kul* = See, jakut. *kyöl* = See, davon dim. *köläjä* od. ähnl. dial. Ausdrücke denkt, freil. mit dem Geständniss, dass damit eine vernünftige Etym. nur angeregt, nicht durchgeführt, sei.

Kolzum s. Suez.

Kom = Schüssel, eine Thalebene des Capl., rings v. Bergen, dem *Komberg*, umschlossen, v. den Boeren so genannt (Lichtenst., SAfr. 1, 177).

Komádugu, in der Sprache der Kanori = Wasser, Fluss (s. Benuë), ein Zufluss des Tsad (Denham, Trav. 2, 178), nach Barth 'sandiges Flussbett' od. See, z. Unterschied v. *Ingáljam* = seichte Gewässer (ZfA Erdk. 1, 201), im Unterlaufe *Jóobě* = Fluss v. Jo (ZfA Erdk. 1871, 143), nach der ansehnl. Uferstadt Jo (Barth, Reis. 2, 221. 243. 462). Daher die irrige Form *Yo*, *Yěu*, f. den Fluss, sowie *Waube*, eine Form, die aus *Jóobě* durch Missverständniss entstanden sein muss.

Komaïr s. Comoren u. Madagascar.

Komandorsk s. Aleuten.

Komarodes s. Bacchus.

Kompsatos, gr. Κόμψατος = Krummbach; denn κομψὰ = τὰ στρογγύλα (Hesych), ein Fluss Thrakiens, welcher sich in den See Bistonis ergiesst (Herod. 7, 109).

Komr = Mond, in wenigen arab. ON., insb. *Comoren* (s. auch Madagascar), sowie in *Deir el-K.* = Mondkloster, ein Bergort bei Beirut, benannt nach einem frühern, der heil. Jungfrau gewidmeten Kloster, da dieselbe in Syrien gew. mit dem Monde zu ihren Füssen abgebildet wird (Burckh., Reis. 1, 316).

Kondochates s. Gandaki.

Kondoscale = kurze Landungstreppe, ein Stadttheil Konstantinopels, einst Hafen, wo der byz. Kaiser Cantacuzenus nach seiner Rückkehr, um 1320, den Bau neuer Schiffe mit grösster Thätigk. betrieb u. in dem hier gelegenen Arsenal Galeeren erbaute (Hammer-P., Konst. 1, 515; 2, 100). Vgl. Kadriga.

Koner s. Bastian.

Kong od. *kung* = König (s. d.), 2mal in *Kungsholm* = Königsinsel *a)* ein insulärer Stadttheil Stockholms (Peterm., GMitth. 12, 423); *b)* eines der Skärencastelle, welche den Eingang des v. König Karl XI. erbauten Kriegshafens Karlskrona bewachen (Meyer's CLex. 9, 832); ferner *Kongstrup*, urk. *Koningstorp* = Königsdorf, 2mal, *Kongsted*, ebf. 2mal, *Kongsmark*, *Kongsdal* etc. In Norw. *Kongsberg*, Sitz des Bergamts u. der kön. Münze, hat wichtige 1623, d. i. unter Christian IV., entdeckte Silberminen, die noch immer, od. vielmehr nach der Pause 1805/16 wieder, u. zwar mit reichem Gewinn f. den Staat, betrieben werden (Meyer's CLex. 10, 201, Madsen, Sjael. St.N. 270). — *Kongsteen* s. Frederik.

Kong, ein Eskimowort f. 'Fluss' (s. Kok), bei den Mandingo 'Berg', der Eigenname eines Gebirgs im Hoch-Sudan (Ritter, Erdk. 1, 377, Meyer's CLex. 8, 339), der Kissisprache entnommen (Zweifel, Voy. Niger 55).

Konjakagram s. Kanodsch.

Koninoi s. Twisthoek.

Konitz = Ort im Kiefernwalde, auch *C* . . ., v. poln. *choynec* = Kiefer: *a)* Name einer Stadt im preuss. Rgbz. Marienwerder; *b) K.* in Mähren, Kr. Olmütz. — Mehrf. in der Prov. Preussen der gleichbedeutende ON. *Kunzen* (Altpr. Mon. 8, 98).

Konstantinopel, gr. *Κονσταντινούπολις* = Stadt Konstantin's, näml. des Grossen, welcher, als Sohn des Kaisers Constantius I. Chlorus (250—306) in Ober-Mösien 274 geb., der erste in der Reihe der 12 byz. Kaiser d. N. ist, die neue Residenz i. J. 330 einweihte, 337 † u. drei Söhne als Caesaren hinterliess, Konstantin II. (316—340), Constantius II. (317—361), Constans (323—350). Wir schreiben die PN. u. ON., je nachdem sie mehr griech. od. rom. übermittelt sind, mit *k* od. *c*. Die 'Konstantinsstadt' an der *Strasse v. K.* (s. Bosporus) ist übr. nur die berühmteste unter den 3 Städten d. N. (Pape-B.). Die Megaräer hatten hier —667 eine kleine thrak. 'Burg des Byzas', *Βυζάντιον* (= Reichenheim?), lat. *Byzantium, Byzanz* getroffen; die neue Residenz, zunächst noch als *Nova Roma* = Neu Rom, erhob sich 'aus einer mehr als 100jähr. Erniedrgg. zu neuem, höherm Glanze u. erhielt dann auch als Haupt der oriental. Hälfte des röm. Weltreichs den mod. Namen *K.*, welcher im levant.-ital. zu *Cospoli* (Meyer's CLex. 10, 225), arab. zu *Kostantinije* (Edrisi ed. Jaub. 2, 298), türk. zu *(kon) Stantinopolis, Stambul* (s. d.) sich geformt hat. Slaw. Name *Zarigrad* = Kaiserstadt (Meyer's CLex. 10, 225).

Konstantinos (= der Beständige), griech. Mannsname (s. Konstantinopel), auch f. Glieder der russ. Kaiserfamilie, die Grossfürsten Konstantin, deren einer, Sohn Pauls I., geb. 1779, ein steter Begleiter seines Bruders, des Kaisers Alexander, u. a. auch bei Leipzig kämpfte, später Gouv. v. Polen war u. 1831 †, der andere, Sohn des Kaisers Nikolaus, geb. 1827, sich hpts. dem Seewesen zuwandte, als poln. Statthalter eine Reform versuchte. Wir erwähnen: *Konstantinow*, 2 russ. Orte, in den Gouvv. Siedljez u. Petrokov, *Konstantinograd*, wo *grad* ⚊ Veste, im Gouv. Poltawa (Meyer's CLex. 10, 225), zwei *Konstantinowsk*: *a)* eine Redoute in Alaska, v. der 1798 ggr. Vereinigten russ.-americ. Pelzhandels Co. ggr. (Bär u. H., Beitr. 1, 137 ff.); *b)* s. Barracouta. — Ferner *Konstantins Hafen*, im Golfe Astrolabe, NGuinea, v. russ. Seef. Nazimoff nach dem Grossfürsten d. N. getauft (Meinicke, IStill. O. 1, 99), *Cap Konstantin* (s. Alexis) u. *Insel Konstantin* (s. Zaren In.).

Kontoporia, gr. *Κοντοπορία* = Steckengasse, ein steiler v. Korinth nach Kleonai führender Weg, den man auf den Stab gestützt ging (Zen. bei **Pol. 16, 16**, Pape-Bens.).

Kool s. Durga.

Koossi = der reiche, bei den Betschuanen einer der kleinern Flüsse am Oranje R., weil er ungleich manch andern jener Gegend überall (u. permanent?) Wasser enthält (Lichtenst., SAfr. 2, 461).

Kopal, richtiger *Kapal* = Umschliessung, befestigter Ort, eine Veste des Ssemiretschinsk, v. den Russen 1846, nachdem in den 30er Jahren ein Theil der Grossen Horde, unter Sultan Sjuk, dem Sohne des berühmten Ablai Chan, den Schirm Russlands nachgesucht hatte, 'z. Schutze dieser neuen Unterthanen gg. die Einfälle u. Plünderg. der benachbarten u. unabhängigen Kirgisen' angelegt (Bär u. H., Beitr. 20, 142. 159; 24¹, 131); nach dem Ort russ. benannt das Flüsschen *Kopalka*. Die nahen Berge 1857 v. Semenow *K. Kette* getauft (Peterm., GMitth. 4, 354; 37, 269).

Kopek-Boghás = Hundepass, bei den Nogai ein Uebergang der taur. Gebirgs, weil derselbe z. Viehtreiben nicht zu gebrauchen ist u. nur v. Menschen (u. Hunden) benutzt werden kann (Köppen, Taur. 2 ff.).

Kopenhagen s. Kjöbnhavn.

Kopria, gr. *Κοπρία* = Miststätte, f. den Küstenstrich v. Tauromenium, an welchen Schiffstrümmer getrieben werden, *ναυάγια παρασυρόμενα* (Strabo 269), die so die Ufer entstellen u. gleichsam beschmutzen (Curt., GOn. 151. 154). — Für *Κόπρος* u. die ngr. Form *Κοπριά*, auf Rhodus (Ross, IReis. 3, 103), fehlen mir nähere Belege.

Kopten s. Aegypten.

Korakesion, gr. *Κορακήσιον* = Rabenhorst (Pape-B.), f. Vorgebirge u. Stadt der cilic.-pamphyl. Grenze (Strabo 667), bei Plin. (HNat. 5, 99) ein *Mons Coracesius* als Zweig des Taurus, sowie *Kórakes*, Ort in Thessalien, nur v. Grammatikern erwähnt (Bursian, briefl. Mitth.), *Κόρακος πέτρα* = Rabenfels, auf Ithaka (Hom., Od. 13, 408), *Κοράκιον ὄρος* = Rabenberg, in Ionien (Strabo 643), *Κόραξ* = Rabenstein, ein Gebirge bei Naupaktos (Bursian, Gr. Geogr. 1, 139) u. a., sämmtl. ohne Angaben, welche die Realprobe bestehen.

Korallen M. s. Corallian Sea.

Korámma = Regenbach, Haussaname einer mit Büschen bewachsenen Einsenkg. v. Rhat, bestätigend die Annahme, dass das v. Asgar-Tuareg bewohnte Land urspr. der Göber- od. Haussanation angehört hat (Barth, Reis. 1, 271).

Korana s. Truan.

Korçul s. Korkyra.

Kordiukoff s. Rose.

Korea, abendl. Namensform einer ostasiat. Halbinsel, chin. *Kaoli*, jap. *Kooraï*, nach Kämpfer (Jap. 1, 77), welcher *Corey* schreibt, eig. nur des mittlern Theils der Halbinsel, deren beide andern Theile ihre Specialnamen hatten. — In der Nähe die *Strasse v. K.*, an der Westseite der *Archipel v. K.*, v. den Captt. Maxwell u. Hall entdeckt (Krus., Mém. 2, 125). — Nach dem chin. Landesnamen ist benannt *Kaoli-mön* = Thor *K.'s*, Ort der chin.-korean. Grenze, des einzigen, wo sonst der Verkehr beider Nationen gestattet war (ZfA Erdk. 1870, 317).

Korjäken, eine ostsib. Völkerschaft, welche auch

den nördl. Theil v. Kamtschatka bewohnt, v. den russ. Kosaken benannt nach dem einh. Worte *chora* = Renthier, das sie hier so oft hörten, da die ganze leibl. Existenz der *K.* auf diesem Thier beruht (Steller, Kamtsch. 8, Krascheninnikow, Kamtsch. 4 ff. 207, Richardson, Arct. SExp. 1, 376, Bastian u. H., Zeitschr. f. Ethn. 2, 306).

Kořistka-Gletscher, ein schmaler, zw. Laube- u. Volger-Berg mündender Eisstrom der spitzb. Ostküste, v. der Exp. Heuglin - Zeil 1870 getauft (PM. 17, 182) nach dem Prager *K.*, der sich durch grössere hypsometrische u. geogr. Arbeiten bekannt gemacht hat (GM. Prof. Höfers in Klagenfurt dd. 14. Aug. 1877).

Korinth, gr. *Κόρινθος*, v. *KOP*, wie *Κορώνη* = Kuppenstadt, der berühmte Ort am *κόλπος Κορινθιακός* = Golf v. *K.* (s. Lepanto) u. auf dem *ἰσθμός Κορινθιακός* = Landenge v. *K.*, die nach der Breite *Hexamilon* = die 6 meilige hiess (Grasb., StGriech. ON. 131 f., Hammer-P., Osm. R. 1, 468). Hier erhebt sich ein mit scharfem Rande abfallender Berg, 55 m h., der weiter rückwärts zu einem trichterfg. Kegel ansteigt, auf dessen helmfg. Spitze die Burg, *Akro-K.* = Hochkorinth, üb. 500 m h. liegt. Schon Strabo (379) beschreibt die Lage nach diesen zwei Stufen: *ὄρος ὑψηλὸν . . . . εἰς ὀξεῖαν τελευτᾷ κορυφήν . . .* ’*K.* ist so selbst eine Hochstadt u. Akrokorinth nur der Gipfel der gemeinsamen Höhe’ (Curt., Pel. 2, 524. 591). Die Gestalt Akrokorinths gab z. Mythos v. Kypselos Anlass; denn der Berg gleicht einem enormen Bienenkorbe, *κυψέλη* (Forchh., Hell. 1, 225). Von einer Burg des Guillaume Geoffroy hiess der südl. Nebengipfel *Montesquiou*, woraus ngr. *Πέντε σκουφία* = Fünfkappen wurde (Curt., Pel. 2, 591). Aristophanes (nub. 710) stellt scherzhaft *K.* mit *κόρις* = Wanzenheim zs. u. nennt daher die Wanzen *κορίνθιοι*.

Kormakiti s. Krommyon.

Kornwert s. Querfurt.

Korkyra, Inselname *a)* f. eine der jon. Inseln, bei Herod. (3, 48) u. auf ältern Münzen *Κέρκυρα*, später, u. so bei Strabo (329) *K.*, lat. *Corcyra*, ngr. *Κορφοῦς*, türk. *Korfus*, ital. *Corfu*, wird, sofern griech. Urspr., als ’die krumme’ erklärt, da sich die Insel ’v. West nach Ost in halbmondod. sichelfgr. Rundg. dehnt’ (Curt., Gr. Etym. 1, 127, Hammer-P., Osm. R. 184), daher einst *Drepanon* (s. d.), früher wohl auch *Scheria* = die felsichte (Strabo 269) od. *Phaiakaia*, nach ihren Bewohnern, den Wohlleben u. Gesang liebenden Phäaken. Die mod. Formen werden auf *korypho* = Gipfel zkführt, zunächst f. die bedeutende Stadt, die im Mittelalter gew. nach ihren beiden Akropolen *οἱ Κορυφοὶ* hiess (Kiepert, Lehrb. AG. 297, Bursian, GGriech. 2, 330, Schliemann, Ithaka etc. 3). Es wird hier übr. erinnert, dass *K.* die einh. illyr. Namensform sein muss u. unsere ohnehin gezwungene griech. Etym. in diesem Falle hinfällig wird; *b)* eine dalmat. Insel, gr. *K. ἡ Μέλαινα* = Schwarz-Korkyra (Strabo 124. 315), lat. *Corcyra Melaena* (Plin., HNat. 3, 152) od. *C. Nigra*, wahrsch. nach den dunkeln Nadelwäldern,

v. Pinus maritima, welche angebl. die ganze Insel bedeckten u. noch in einigen Resten erhalten sind (Sommer, Taschb. 12, 190), j. ital. *Curzola*, slaw. *Korçul, Karkar* (Kiepert, Lehrb. AG. 360).

Korokorootopohinga, te = der Rachen des Topohinga heisst bei den Maori ein $2^1/_2$ m weiter u. 1,9 m tiefer, mit chalcedonartigem Kieselsinter überzogener Geysirkessel, in welchem das Wasser fortwährend kocht (v. Hochstetter, NSeel. 230).

Korone, gr. *Κορώνη* = Hügel- od. Kuppenstadt (vgl. Korinth), früher *Aipeia*, gr. *Αἴπεια* = Hochstädt (Hom., Il. 9, 152), ein Ort des südl. Griechenl., hinter flachem Küstenvorsprg. auf geräumigem Plateau, das beiderseits durch schmale Thäler scharf begrenzt war (Curt., Pel. 2, 166). — Aehnl. *Koroneia*, gr. *Κορώνεια a)* in Böotien, auf aussichtsreichem Hügel (Forchh., Hell. 1, 185); *b)* ein *χερρόνησος πρὸς τὴν Ἀττικήν* (St. B.), wahrsch. eine kleinere felsige Halbinsel im Süden v. Porto Rhaphti, die j. noch *Κορούνι* heisst (Bursian, Gr. Geogr. 1, 351). — *Korseai* s. Phurni.

Korowicha s. Bajkal.

Korowij s. Bolschoi.

Kors = Kreuz (s. d.), in dän. u. schwed. ON. *a) Korsnäs*, eine ’Nase’ an der finn. Seite der Meerenge Qvarken; *b) Korsö*, eine Klippe an der Südküste vor Stockholm. — *Krossanes* s. Cod.

Korsakow Inseln, genauer *Rimsky K. Inseln*, in der Kette Ralick, einh. *Rongrik, Radogola*, eine der Pescadores (s. d.), nachweisl. zuerst v. Wallis 1767 gesehen, wieder entdeckt v. russ. Capt. Kotzebue (NReise 2, 151) im Oct. 1825 u. nach dem 2. Lieut. der Exp. getauft (Krus., Mém. 2, 372, Meinicke, IStill. O. 2, 330).

Korvey s. Corbie.

Koryphaion, gr. *Κορυφαῖον ὄρος* = Kuppe (vgl. Korinth), ein Berg bei Epidauros (Paus. 2, 28, 2), mit Tempel der Artemis, die davon Koryphaia zubenannt wurde (Curt., Pel. 2, 418). — Ebenso *Koryphe*, gr. *Κορυφή*, ein isolirter Berg am Ufer, üb. 700 m h., im ganzen korinth. Golf weithin sichtb. (ib. 1, 484). — *Koryphasion* s. Pylos.

Kosaken, russ. *Kasák* (s. Kirgis), plur. *Kasaky*, Volk, richtiger Kriegerkaste in Russland. Der türk. Name, in der Bedeutg. ’Vagabund’, ist wohl gl. Urspr. wie der f. die Kirgisen (s. d.) gebräuchl., so vschied. die Sache selbst j. gefasst wird. Schon im 10. Jahrh. bekämpften russ. Fürsten die *Kasoghen* auf Taman, u. ein Theil des Kaukasus hiess *Kasachia*. Als im 13. Jahrh. die Mongolen SRussland unterjochten, hatten ihre Statthalter fremde Söldlinge im Dienste, die den Namen *K.* od. Tscherkessen (s. d.) führten. Eine der ersten *K.*-Colonien am Don hiess *Tscherkask* (s. d.), eine ihrer Festungen am Dnjepr *Tscherkassy* — also dass man vermuthen darf, dass urspr. *K.* u. Tscherkess id. war (Meyer's CLex. 10, 284). — In türk. Form *Kasakly* = Kosakendorf, ein grosser Fischerort am See v. Manias, Marmara M., zZ. der Kaiserin Katharina II. ggr. v. flüchtigen Kosaken, die ihre Sprache u. Religion bewahrt haben, u. sich durch Thätigk. vor den muh. Nachbarn auszeichnen (Tschihatscheff, Reis. 6).

Kosayr s. Quoin.

Koschaisk, Dorf zw. den ural. Städten Werchoturie u. Pelim, benannt nach einem Wogulen, der, hier wohnhaft, das Dasein einer Salzquelle den Russen anzeigte u. so die Gründg. einer Saline veranlasste (SRuss. G. 4, 442). — *Koschuza*, Ort am ural. Flusse Tawda, nach dem wogul. Fürsten Koschuk, welchen Jermak 1583 hier traf (ib. 3, 393).

Koscheleff, Pik, bei Cap Lopatka, führte bis z. Reise (2, 106) des russ. Capt. J. A. v. Krusenstern, Juni 1805, 'auf unsern Carten den sehr unpassenden u. nichts bedeutenden Namen: *Der nach Peilungen bestimmte Berg.* Ich habe ihm einen andern Namen gegeben, näml. den des dam. würdigen Gouv. v. Kamtschatka.'

Kosciusko, Mount, der 2187 m h. Culm der 'Austral-Alpen', v. Grafen Strzelecki nach dem poln. Helden getauft, weil die Form ihn an den dem Kosciuskograb zu Krakau aufgesetzten Grabhügel erinnerte: 'the particular configuration of this eminence struck me so forcibly, by the similarity it bears to a tumulus elevated in Krakow, over the tomb of the patriot Kosciusko, that although in a foreign country, on foreign ground, but amongst a free people, who appreciate freedom and its votaries, I could not refrain from giving it the name of *Mount K.*' (Stokes, Disc. 1, 389).

Kosow s. Kossowo.

Kosseir, dim. v. arab. *kassr* = walken, weiss waschen, also 'Walkerhafen', Ort der ägypt. Seite des Rothen M., wo nach Ptol. *Leukos Limen*, gr. Λευκὸς λιμήν, lat. *Albus Portus* = der weisse Hafen lag (Sprenger, AGArab. 17). *K.* schreibt Kiepert (Lehrb. AG. 202) *Qoçêr* = kleines Schloss, freil. ohne diese Deutg. zu motiviren.

Kossowo Polje = Amselfeld, die dem Schar Dagh nördl. vorliegende histor. Ebene, einer der mit slaw. *kos* = Amsel gebildeten ON. wie *Kosovac*, *Kosovečko*, *Kosov*, *Kosów*, *Kosowa*, *Kosowiec*, *Kosowy* (Miklosich, ON. App. 2, 184).

Kostan s. Abessinia.

Kostanj s. Kastanis.

Kostel s. Kastro.

Kostin Schar s. Laurentius.

Kostroma s. Kaginsk.

Kosura, gr. Κόσσουρα (Strabo 123), bei Plin. (HNat. 3, 92; 5, 42) *Cosyra*, j. *Pantellaria*, eine kl., durchaus vulcan. Insel zw. Sicilien u. Africa, noch bis in die spätere Zeit v. Carthago unabhängige phön. Colonie, im Centrum der südsicil. u. nordafric. Handelsstädte der Phönizier. Münzen aus der röm. Zeit enthalten die Inschrift א, בנם, *i banim* = Insel der Söhne, d. h. der phön. Kabiren, welche als Söhne des Hephästos (vgl. Lemnos) od. des Phthah, Πάταικοι, bezeichnet werden. Nun heisst der Hauptkabir, v. welchem die übr. abgeleitet werden, Chusor-Phthah, u. v. diesem Chusor wird sich der Name der Insel herleiten (Movers, Phön. 2[b], 362). Es gibt übr. v. *K.* Münzen mit der Legende קצר = die kleine

(Kiepert, Lehrb. AG. 474), so dass unsere Deutung nicht gesichert ist.

Košute s. Koza.

Koswinsk s. Pawdinsk.

Kotaringin, eig. *Kota-waringin* = Veste des (ind.) Feigenbaums, halb skr., halb jav. Name eines Landstrichs v. Banjermassin, Borneo, wohl ertheilt v. den javan. Fürsten v. Majapait, welche durch Heirat die Oberhoheit üb. Banjermassin erlangt hatten (Crawf., Dict. 200). — Auch das einf. *Kot* = Veste ist ON. in Pandschab, *Kotgárh* = fester Ort im nördl. Indien, *Kot-i-Sultan* = Königsveste, ebf. im Pandschab (Schlagw., Gloss. 212).

Kotelnoj Ostrow = Kesselinsel, russ. Name der die Festung Kronstadt tragenden Insel. Woher dieser Name, konnte ich noch nicht erfahren. Aus der Zeit, als sie noch unbebaut war, datirt finn. *Retusaari* = unbewohnte, unbebaute Insel (briefl. Mitth. des † Prof. A. E. Modeen, Wiborg). — Uebtragen auf die grösste der neusib. Inseln, entdeckt 1773 v. russ. Kaufm. Lächow (s. d.).

Kotes s. Ampelusa.

Kothon, v. קטן [katon] = klein, in phön. ON. mehrf.: *a)* der kleinere innere Hafen bei den phön. Seestädten, wie in Karthago (Strabo 832 f., Movers, Phön. 2[b], 270. 329). — Demselben Begriffe begegnen wir auch in *b) Katana*, j. *Catania*, einer auch durch den Cult als urspr. phön. bezeugten Stadt Sicil., sei es, dass mit קטנא [katana] = die kleine auf den kleinen Hafen (im Ggsatz zu dem v. Syrakus?) od. auf den kleinen Umfang der Stadt hingewiesen ist (Movers, Phön. 2[b], 329); *c) K.*, kleine Insel bei Kythera, wohl wie diese v. den Phön. (Aristoteles bei Steph. B. h. v. Κυθήρου τοῦ Φοίνικος) z. Zwecke des Purpurschneckenfanges besetzt (Movers, Phön. 2[b], 270) u. z. Unterscheidg. v. der grössern Purpurinsel (Πορφύρουσα Aristot. a. a. O.) die 'kleine' genannt. Im Ggsatz dazu die Stadt *Kibyra* כבירא [kebira] = die grosse, an der pamphyl. Küste (Movers, Phön. 2[b], 246), durch ein Erdbeben zerstört, v. Tiberius wieder aufgebaut u. *Caesarea* = Kaiserstadt getauft (Meyer's CLex. 9, 985).

Kotiaeion s. Kiutahia.

Kotivara s. Everest.

Kotor s. Cattaro.

Kotta-Dalam, v. *kotta* = Dorf u. *dalam* = tief, also wohl 'Ort, v. welchem man in die Tiefe schaut', mal. Name eines auf der Höhe des Baturgebirgs, Bali, gelegenen Dorfs (PM. 10, 148).

Kottob, Wady el- = Thal des Brennholzes, arab. Name eines Thals östl. v. Ghadames, in welchem die Bewohner der Oase Derdsch ihr Brennholz holen (Rohlfs, QAfrica 1, 58).

Kottschütschu s. Lopatka.

Kotugina, russ. Name eines Zuflusses des Bajkal, tung. *Tikon*, nach dem tungus. Fürsten Kotuga, welcher hier der Exp. Kolesnikow 1646 Widerstand leistete, aber lebendig in die Hände der Russen fiel u. sich dann unterwarf (Fischer, Sib. G. 2, 751).

Kotzebue, Otto v., ein Sohn des Dichters *K.*, geb. zu Reval 1787, f. den Seedienst herangebildet, begleitete Capt. Krusenstern 1803/06 auf seiner Weltumsegelung, führte dann selbst den Befehl bei zwei solchen Reisen, das erste mal 1815/17 im Schiffe Rurik, v. Chamisso u. Eschscholtz begleitet, hpts. z. nördl. Pacific, bes. in das Berings M., das zweite mal, als Capt., 1823/26 in der Sloop Predprijatje, v. Eschscholtz, Lenz u. a. Gelehrten begleitet, hpt. in Polynesien, u. † 1846. Seinen Namen tragen *a) K. Sund,* im Berings M., den schon Cook passirt, v. *K.* 1816 entdeckt, u. 'dem allgemeinen Wunsche meiner Reisegefährten zuf., nannte ich diesen neu entdeckten Sund mit meinem Namen. So unbedeutend die Entdeckg. dieses Sundes auch sein mag, so ist es doch ein Gewinn f. die Geographie u. mag der Welt als Zeichen meines Eifers dienen; denn wahrlich, selbst Cook ist mit dieser Küste etwas nachlässig verfahren' (*K.*, Entd. R. 1, 155); *b) K. Insel,* in der Centralgruppe der Paumotu, einh. *Aratika,* v. *K.* am 9. März 1824 entdeckt u., weil er sie f. Roggeveen's *Karlshoff E.* (s. d.) hielt, namenlos gelassen, dann aber v. frz. Capt. Duperrey getauft (ZfAErdk. 1870, 386, Meinicke, 1Still. O. 2, 206).

Koubba, Dorf bei Algier, v. arab. *kubba, qubba* = Kuppel, kl. Capelle, zu Ehren eines Marabut, wie man auch solche Capellen dort selbst gew. Marabuts nennt (Parmentier, Vocab. arabe 32).

Kourapirau = der Ort, wo die Krebse (im Flusse, in der Richtg. abwärts gedacht, s. Tenganui) aufhören, eine Maoriansiedelg. am neuseel. Waipa (v. Hochstetter, NSeel. 198).

Kovac = Schmied, poln. *kowal,* čech. *kovář,* oft in slaw. ON. wie *Kovač, Kovača vas* = Schmiededorf, *Kovački vrh* = Schmiedeberg, *Kovače, Kovači, Kovaci hamr* = Schmiedhammer, *Kovačići, Kovačja vas, Kowali, Kowalowitz, Kowalówka, Kowalowy* (Miklosich, ON. App. 2, 184), ferner die nach ihrer Schmiedeindustrie benannten böhm. Orte *Kovar, Kováry, Kovárov, Kovařovice* (ZfAErdk. 3, 6).

Kówil od. *Koil* = Tempel, tamul. Wort, in Süd-Indien häufig in ON., f. sich Eigenname im Karnatik (Schlagw., Gloss. 212).

Koyemann s. Wilczek.

Koza = Ziege, oft in slaw. ON. *Koziarnia, Kozica, Kozice, Kozjak, Kozjača, Kzoje, Kzoji vrh* = Ziegenberg, *Kozy, Kozynec, Kozi Wierch* = Ziegenberg, ein Berg der Tatra, *Kozjak* = Ziegensee, der grösste der Plitvicer See'n. Ferner: *Košuta* = Hirschkuh, in slow. u. serb. ON., so Berg in den Karawanken, *Košute,* Ort in Dalm., *Kosutina* = Hirschgehege, ein Plateau in Bosnien, v. *kozel* = Hirschbock: *Kozel, Kozlany, Kozli, Kožljek, Kozlov, Kozlow, Kozlowek, Kožly* (Miklosich, ON. App. 2, 184 ff., Umlauft, ÖUng. NB. 114, ZfSchGeogr. 3, 4).

Kozmin, Cap, nannte der spätere Admiral Wrangell (NSib. 1, 235) am 6. März 1821 ein Cap östl. v. Cap Schelagskoi zu Ehren seines eifrigen Gefährten, des Officiers *K.*; *b)* ebenso *Kozminka*

Retschka, ein Flüsschen östl. v. der Baranicha, da *K.* hier, v. 4 Handwerkern unterstützt, die Vorbereitungen f. die Reise v. 1823 zu treffen, insb. Lebensmittel f. den Winter aufzubringen hatte (ib. 2, 175).

Krähbühl, od. *Krähenbühl,* alt *Kreginbuhil,* v. *kra,* gen. *kregin* = Krähe, 20mal ON. im C. Bern, auch ein Berghof der zürch. Gemeinde Fluntern, wie *Krähenberg, Kräheck, Krähtobel, Krähenried,* 1241 *Chriunriet* (s. Gurnigel), ferner *Aegerstenried* u. *Eglistenried,* v. *ägerst,* alt *agalastra, egilastra* = Elster, also 'Ried, wo Elstern sich aufzuhalten pflegen', wie denn Krähen u. Elstern gewisse Lieblingsplätze haben. In derselben Landesgegend *Hühnerbühl,* d. i. Bühl, wo Rebhühner sich gerne versammeln, *Schneckenbühl* = Bühel mit Schneckenweide, die s. Z. wohl das Kloster Embrach hier unterhielt, *Storrbühl* = Bühel der Rinderstaare (Mitth. Zürch. AG. 6, 119). — *Kraayenkuil* = Krähengrube, capholl. Name einer Localität, wo Lichtensteins (SAfr. 2, 346) Exp. 1803/06 nach reicher Jagd Mahlzeit hielt, v. der 'unglaubl. Menge' hungriger Raben, corvus albicollis, welche, durch den Geruch angelockt, kamen.

Krämerthal s. Lys.

Krain ist der umstrittene ON. eines österreich. Kronlandes, obgl. ähnl. Formen, *Kraina, Krajina* 2mal f. 'Grenzland' bei den Süd-Slawen in Gebrauch sind: *a)* f. den Nordosten Serbiens, den die Serben erst im 12. Jahrh. besetzten u. in gewissem Grade auch unter der Türkenherrschaft unabhängig behielten; *b)* f. den Nordwesten Bosniens, das sog. Türkisch-Kroatien (Meyer's CLex. 10, 310). Es liegt nun nahe, auch f. das österr. *K.* an serb. *kraj* = Grenze zu denken, f. die Leute *Krajnci* = Grenzbewohner. Diese Anschauung bestätigt eine urk. Form v. 973: *Chreine, Creina-Marcha*; denn die alte *marca Winidorum* = wendische Mark scheint der Alpenslawe als *Krajina* übersetzt zu haben (Krones, Öst. G. 211), Immerhin ist unentschieden, ob nicht *K.* mit *Karner, Kärnten* etc. verflochten sei, u. insb. weisen Miklosich u. Kiepert auf die in *Carni* liegende kelt. Wurzel (Umlauft, ÖUng. NB. 115). Die lat. Form, *Carniola, Carniolia,* zuerst bei Paulus Diaconus, ist dim., *Klein-Carnien,* im Ggsatz z. friaul. Herzogth. Carnien (L. v. Ebengreuth, ON. in Krain 7 ff.) u. weist auf eine ältere Form, aus der die Slowenen erst ihr 'Grenzland' herausgedeutet haben (Kiepert, Lehrb. AG. 364). — Ein unbestrittenes 'Grenzland' ist der russ.-poln. Name *Ukraine* (s. d.); f. einige andere, *Granica* = Grenze, in Kroat. u. Galiz., *Hranic, Hranice* in Böhmen u. Mähren (Umlauft, ÖUng. NB. 75) wäre die 'Realprobe' erwünscht.

Krakadokouw = Mädchenfurt, hottent. Name einer Stelle des Zilver R. durch die holl. Ansiedlg. nicht verdrängt (Lichtenst., SAfr. 1, 312) — aber das Motiv?

Krak = Rabe, wie *kraka* = Dohle, f. *kruk,* gewiss in vielen slaw. ON. v. Böhmen, Mähren, Galiz., Steierm., wie *Krakov, Krakovčic, Kra-*

kovec, *Kraków Krakowan*, *Krakowetz*, *Krako-wiec* (Miklosich, ON. App. 2, 186). In der galiz. Stadt *Krakau*, poln. *Krakow*, 970 *Cracovia*, *Cracow*, 996 *Cracowe*, 999 *Krakov* etc., sieht die Sage einen Heros, Krakus, der als Stammvater des ältesten slaw. Fürstengeschlechtes um 700 seine Burg auf dem Berge Wawel gründete (Meyer's CLex. 10, 312).

Kralj = König, in slaw. ON. *Kralic*, *Kralik*, *Kralje*, *Kraljovci*, *Kralka*, *Králor*, *Kralur* (s. König), *Kralová*, *Kralovice*, *Kralowitz*, *Kralowna*, *Kraljevčáni*, *Kraljevec*, *Kraljer vrh* = Königsberg, *Kralován* (Miklosich, ON. App. 2, 187), *Kralowa Hora* = Königs-Alm, ein grossartig kegelfgr. Gipfel der Tatra (Meyer's CLex. 10, 313), *Kraljerine* = Königsboden, Ort der Herzegowina (Umlauft, ÖUng. NB. 117). — *Krolewiez* s. Königsberg.

Krania, gr. *Koavía* = Kuppenau, die zu üb. 1000 m h. Kuppen sich erhebende Insel Thasos (Steph. B., Pape-B., Conze, IReis. T. 1).

Krankenheil, neuer ON. in der Nähe des bayr. Tölz, nach den heilsamen u. zu Bädern u. Trinkcuren vielverwendeten Natronquellen (Meyer's CLex. 15, 118).

Krapak s. Lomnitz.

Krasa = Schönheit, *krasny*, *a* = schön, in slaw. ON. wie *Kras*, *Krass*, *Krassa*, *Krasulje*, im slow. Gebiet u. in Kroat., *Krasna* sc. *voda* = Schönwasser, mehrf. Fluss- u. ON., *Krasne*, *Krasnitz*, *Krasno*, *Krasnoves* = Schöndorf, *Krasny* (Miklosich, ON. App. 2, 187). Im Russ. hat das Wort oft den Sinn 'roth' wie in *Krasnojarsk a)* Stadt am Jenissei, auf Geheiss der Regierg. v. Tobolsk 1627 v. dem Kosaken-Attaman Dubenskoi, der mit 300 Mann dazu abgesandt war, als Fort f. Pelzhandel u. Eroberg. ggr. u. nach den Ufern rothen Lehms, auf denen der Ort liegt, benannt (Dawydow, Sib. 14), daher tatar. übsetzt *Kisil Jartura* (Müller, SRuss. G. 4, 543)... 'Die rothen, horizontalen Schichten, welche der Stadt den Namen gegeben haben', befinden sich an dem hohen linken Ufer der Katscha, die sich hier mit dem breiten Jenissei so vereinigt, dass die Stadt auf der Landspitze zw. beiden Flüssen liegt (Bär u. H., Beitr. 12, 34); *b)* am linken Ufer der Sylwa, welche in die Tschussowaja mündet (Falk, Beitr. 1, 213); *c)* bei Astrachan, auf einer Insel der Wolga, auch als *Krasnoi-Jar*, v. Zar Alexei Michailowitsch im 17. Jahrh. angelegt, um Astrachan eine Vormauer gg. die Streifzüge der Kirgisen u. Kalmyken zu geben (Müller, Ugr. V. 2, 538); *d)* *Krasnojar*, früher *Krasnye Jarki*, Staniza (Kosakenflecken) am rechten Ufer des Irtysch, obh. Ustkamenogorsk ... 'dicht am Ufer finden sich Entblössungen vschiedd. Granite, welche den Thonschiefer gehoben u. ihn stellenweise in Gneiss umgeändert haben' (Bär u. H., Beitr. 20, 23. 26). — Ferner *e)* *Krasnaja Gora* = Rothenberg, ein Dorf auf dem höchsten Punkte des Westufers des Peipus . . . wo 'an einer 10—12 m h. senkr. Felswand, deren Fuss v. den Wellen erreicht wird, ein feinkörniger, dunkelrother Sand-

stein zu Tage tritt' (Bär u. H., Beitr. 24, 27. 55); *f)* *Krasnogorsk*, die zweite Lage Orenburgs (s. d.), also ebf. Grenzort am Jaik, anf. *Krasni Gori*, v. dem rothen Bergufer, auf welchem der Ort 1741 erbaut wurde, wie auch bei dem benachb. Orenburg der Fluss ein 24 m h., aus rothem Sandstein-Mergel bestehendes Ufer hat (Müller, Ugr. V. 1, 43); *g)* *Krasnogórskoj Monastyr'*, ein Mönchskloster, *monastyr'*, auf den hohen braunrothen Uferabstürzen der Pinega-Dwina, die dem ganzen Hügelland den Namen *Krasnogórskija Gory* = rothbraunes Gebirge verschafft haben, aus dem frühern *Tschernogórskoj M.* = Kloster der schwarzen Berge berichtigend umgetauft (Schrenk, Tundr. 1, 74); *b)* *Krasnïe Kolodtsy* s. Kisil; *i)* *Krasno-Ufïmsk*, Ort, ursp. Veste an der Ufa, 1736 angelegt; *k)* *Krasnaja Woda* = Rothwasser, aus türk. *Kisil Su* übsetzt, eine Bucht am Ostufer des Kaspisee's, den Russen zuerst 1715 durch die Exploration des in ihren Diensten stehenden kaukas. Fürsten Bekewitsch bekannt geworden (Müller, SRussG. 3, 6), urspr. nur auf eine kleine Einbiegg. bezogen, welche an der Spitze der 30 km lg., schmalen, den Eingang der Balkan Bay z. Th. verschliessenden Halbinsel liegt; auf dieser Spitze liess dann Peter d. Gr. ein Fort *Krasnowódsk*, turkom. *Schahkadem* = Königsglück (Peterm., GMitth. 37, 270) anlegen, wozu 6000 Mann, auf 69 Fahrzeugen, im Sept. 1716 v. Astrachan abgingen. Als jedoch im Sommer 1717 die russ. Truppen in Chiwa ermordet wurden, gab man die kasp. Forts auf, u. der Plan ist erst spät wieder aufgenommen worden. Oberst Andeville, der 1859 den Golf recognoscirte, bezeichnete das Thal Kuwodag als geeignetsten Punkt z. Erneuerg. des Fort, u. so entstand dieses 1868 an der Seitenbucht des Balkangolfs, an der *Bay v. Krasnowódsk* (Müller, SRussG. 3, 12 ff., Peterm., GMitth. 16, 73 f.); *l)* *Krasna (Sloboda)* = 'Schönbüren', da *krasnyj* hier im Sinne v. 'schön' zu fassen ist, eine Bauerncolonie an der Niza, einem Zuflusse der sib. Tura, 1624 ggr.... 'die Lage ist ausserordentl. schön u. angenehm; man kann sich keine fruchtbarere vorstellen. Sie wird auch f. die fruchtbarste v. ganz Sibir. gehalten' ... in Urk. anf. meist *Nizinskaja*, etwa (s. Nizinsk) mit Beisatz *Nishnaja* = die untere (Müller, SRussG. 5, 40 ff.); *m)* in dieser Gegend auch *Krasnopolsk* (s. Irbit) u. *Krasnopolskaja Sloboda*, 1645 ggr. (ib. 56).

Krater, gr. *κρατήρ* = Kessel, Mischkrug, schon bei den natursinnigen Alten f. den rundgeschweiften, tiefen Golf v. Neapel (Pol. 34, 11, Pape-B.) gebraucht, in mod. Sinne technischer Ausdruck f. vulcan. Trichteröffnungen, auch in den ON. *Kraterberg* (s. Ambrym) übgegangen. — Engl. *a)* *Crater Hills*, Bergzug am obern Yellowstone, hptsächl. bestehend aus zwei etwa 50 m h. Kegeln u. verschiedenen kleinern, deren Masse z. Th. v. Thermalsinter, z. Th. aus weissem Trachyttuff besteht (Hayden, Pr. Rep. 179); *b)* *Crater Lake* s. Mystic.

Krauss s. Spörer.

Krautinsel s. Herrenwörth.

Krava = Kuh, serb. u. čech. Element der ON. *Kravařsko*, deutsch *Kuhländchen*, ein Gebiet des nordöstl. Mähren u. Öst.-Schles., dessen deutsche, mit Slawen vermischte Bewohner starke Vieh- u. Bienenzucht treiben (ZfSchulGeogr. 3, 6, Meyer's CLex. 10, 428), ferner *Kravica, Krarjan, Kravljak*, Orte in Kroat. (Miklosich, ON. App. 2, 187).

Kreichgau, bad. Ldsch., nach der Kreich, Kraich, einem v. Schwarzwald herabkommenden Nebenfluss des Rheins (Meyer's CLex. 10, 338).

Kreit s. Rütli.

Kreml, die Zarenburg, welche den Kern v. Moskau bildet, in ältern Formen *krom* (wie noch j. die Veste in Pskow *Krom, Krem* heisst), in der Bedeutg. Gehäge, Ein- od. Abschluss, Veste. Im alten Moskau hiess der befestigte Theil, die spätere *Wyschgorod* = Hochstadt, ozw. dam. noch Holzveste, *Kremnik*, wovon *K.* nur die jüngere Form, der *l* hinzugefügt ist, um das *m* zu erweichen (wie in *Semlja*, v. *semj* = Erde). Sie tritt in der Synodalbibel 1499 auf, Buch Esdra VI. 2, u. zwar ebf. f. 'Burg', u. wird in einer Chronik des 16. Jahrh. f. das 'Schloss' der bulgar. Könige gebraucht. In einem kroat. Liede (U. Jarnik, VEtymolog. slow. Mundarten, Klagenf. 1832, 237) heisst es:

Oj ti preljuba kremliza
ki si nasabraniza

Kremnitz, mag. *Körmöczbanja*, in O/Ungarn, *Kremenez*, in Volhynien, *Krementschug* (statt *Krementschik*, dem dim. v. *Kremnik*), im Gouv. Poltawa, u. a. m. (Grot, Kreml 1 ff.) werden v. Jettmar (Ueberr. 26) u. Brückner (Slaw. AAltm. 72) zu asl. *kremen* = Kiesel gestellt. — *Krems*, zunächst Flussname, 'Kieselfluss' (Miklosich, ON. App. 2, 188), 2 mal, als Nebenfluss der Donau in N/Oest., als Zufluss der Traun in O/Oest. An der erstern die Orte: *a) Krems*, 817 *Chremisa, b) Kremsmünster*, urk. 770 *Kremesmünster*, Benedictinerabtei, v. Karl d. Gr. bereichert (Umlauft, ÖUng. NB. 118, Meyer's CLex. 10, 347 f.).

Kremna, gr. *κρῆμνα* = Haldenwang, Stadt in Lycien, v. ihrer Lage; denn sie war *ἐν ἀκροκρήμνῳ κειμένη* (Zos. 1, 69), j. Ruinen bei dem Dorfe *Germé* (Bape-Bens.). — *Kremismeno*, ngr. *Κρημισμένο* = abgestürzt, heisst eine Gegend im westl. Morea, weil durch Ausspülg. der engen Thalschlucht zu beiden Seiten die Mergelablagerg. abgesunken ist (Fiedler, Griech. 1, 370). — *Kremnoi* s. Krim.

Krenai, gr. *Κρῆναι* = Brunnen, *κρήνη*, f. sich ON. bei Argos (Thuk. 3, 105), in der Form *Krenides*, gr. *Κρηνίδες* = Brunnenort, 2 mal: *a)* als Stadt Thrakiens, später *Philippi* . . . *'Κρῆναι γάρ ἐισι περι τῷ λόφῳ ναμάτων πολλαί'* (App. b. civ. 4, 105); *b)* als Stadt Bithyniens bei dem j. Flusse Tschuruk (Arr. p. p. Eux. 13, 5).' — *Krennah* s. Achdar.

Krenitzin Inseln, eine Gruppe der Fuchs In., wo 1768 der russ. Capt. *K.* überwinterte u. die Strasse zw. Unimak u. Alaska entdeckte, v. Krus. (Mém. 2, 94) getauft, wie *Cap K.*, die Südostspitze der Insel Onnekotan (Krus., Mém. 2, 193, Atl. OPac. 22). — Ein *Cap K.*, das Nordostende

Unimaks, v. Capt. Chodubin benannt (Berghaus, Ann. 9, 144).

Krest = Kreuz, russ. Wort, poln. *krzyź*, in andern slaw. Dial. *križ, křiž*, toponym. oft in *Križ* u. *Křiž*, in *Křižanau, Křižanek, Křižanka, Křižanky, Křižanov, Křižanovice, Křižanska, Křižate, Křižatka, Křižek, Křiženec, Křižna, Křižov, Křižovci, Křižovice*, ferner *Krzyz, Krzyzanowka, Krzyzovci, Krzyzowka*, in slaw. Gebieten Oesterreichs (Miklosich, ON. App. 2, 189).
— Russ. *a) Kréstowaja Retschka* = das Kreuzflüsschen, ein Tributär des Kamtschatka-Flusses, einh. *Kanutsch*, nun auch russ. *Krestowka*, nach dem Kreuze, welches z. Zeichen der Besitznahme 1697 an seiner Mündg. durch ein Kosakenpiquet errichtet wurde (Erman, Reise 3, 397, Müller, Kamtsch. 5). Anführer der Kosaken war Atlassow, dam. Befehlsh. zu Anadyrkoi Ostrog. Die Inschrift lautete:

'Im Jahre 1205 den 1". Julius hat dieses Kreuz aufgerichtet der Piätidesätnik Wolodimer Atlassow mit seinen Gefährten, 55 Mann.'

Das Kreuz war noch 1741 zu sehen (Müller, SRuss. G. 4, 209); *b) Krestowaja Gora* = Kreuzberg, im Altai, nahe Ridderskoi, mit Holzkreuz auf dem Gipfel, zu dem im Herbst gewallfahrtet wird (Bär u. H., Beitr. 14, 135); *c) Krestowi Nos* = Kreuzcap, im sib. Eismeer, westl. v. der Kolyma, nach einem hier aufgerichteten, augensch. alten Kreuz; danach das nahe *Krestowaja Retschka* u. *Krestowi Ostrow*, die grösste der vorgelagerten Bären In. (Wrangell, NSib. 1, 331; 2, 66); *d) Krestowsk* s. Bogorodsk; *e) Krestowskaja Sopka* s. Kliutschewsk; *f) Krestowy Myss* s. Kruis.

Kreta, gr. *Κρήτη*, dor. *Κρήτα*, die dem ägäischen M. quer vorliegende Insel, ist nicht sicher erklärt, v. Pape-B. (WB. EigenN. . .) als 'die neue', v. Bursian, Gr. Geogr. 2, 530) entw. v. *κεράννυμι* = mischen, also *Κρῆτες* = Mischlinge, od. v. *κραι*, somit 'Höhlenbewohner', v. Kiepert (Lehrb. AG. 248), v. *Κρής, Κρήσσα*, plur. *Κρῆτες*, (nom. gent.), in röm. Form *Creta*, ngr. *Kriti*, türk. *Krit, Kirid*, auch *Δολίχη* (s. d.), mit Epitheton *νῆσος Μακάρια* = glückliche Insel, bei Vergil durch *terra uberrima* = sehr fruchtbare Insel wiedergegeben (Pape-B.). Im AT. sind als Einwanderer aus *Kaphthor*, das fast nur *K.* sein kann, die *Krétim* neben den *Plétim*, d. i. Plischtim od. Pelasgern, genannt. Bei den Venetianern, die das Land am 12. Aug. 1204 erwarben, *Candia*, übtragen v. dem Hafenort, den die Saracenen bei der Eroberg. um 820 angelegt u. arab. *chandak* = Schanzgraben, Festung genannt hatten (Hammer-P., Osm. R. 5, 380, Kiepert, Lehrb. AG. 249). Die Meing., dass die saracen. Veste einen ngr. Namen, *kandia* = künstl. od. stagnirender Canal, also nach dem dam. verschlämmten u. stagnirenden Hafen, erhalten hätte (Spratt, Trav. 1, 28), kann nicht einleuchten. Heute heisst der Ort ngr. *Megalókastron* = 'Mecklenburg', die v. den Türken der Stadt ggb. neu aufgeführte Veste *Candia Nova* (Hammer-P., Osm. R. 6, 82). Volksname *Candioten*.

Kreuz, ahd. *cruzi* = crux, dän. u. schwed. *kors,* engl. *cross* (s. dd.), in ON. nicht selten, so im 9. Jahrh. *Cruzibereg,* j. *Creuzberg,* bei Altenahr, im 10. *Cruciburg,* j. *Kreuzburg* an der Werra, im 11. *Crucistetin,* j. *Krü-* od. *Kreuzstätten,* bei Göttweig, auch *Kreuzberg,* mehrf. f. Berge, die ein Kreuz auf der Höhe tragen u. Ziele der Wallfahrt sind, z. B.: *a) Hoher* od. *Heiliger Kreuzberg,* in der Rhön, wo der heil. Kilian, der fränk. Apostel, 668 ein Kreuz aufgepflanzt habe, mit Kloster 1582 erbaut (Meyer's CLex. 10, 354); *b) Kreuzberg,* ein Theil des Sinai, arab. *Dschebel ed-Deir* = Klosterberg (s. Dēr), nach einem dort aufgestellten Kreuz (u. frühern Kloster?). — *Kreuzgemeinde* s. Neumünster. — *Kreuzlingen,* urspr. *Cruzelin* = Kreuzlein, ein (nun aufgehobenes) thurg. Kloster, wohl nach einem Partikel des heil. Kreuzes, welches zu besitzen das Kloster sich rühmte. Nach andern hätte das Kreuz die Grenze des Stadtbanns v. Constanz bezeichnet (s. Neumünster). — *Kreuzlipass,* eine der mit Eisenkreuz bezeichneten Passhöhen der Hochalpen, zw. Uri u. Graubünden (s. Croix). — *Kreuz,* ON. des Zeitalters der Eisenbahnen, Prov. Posen, als wichtiger Knotenpunkt, wo die Ostbahn die Linie Stargard-Posen-Breslau kreuzt (Meyer's CLex. 10, 354).

Krim, die *taurische Halbinsel* (s. Chersonesus), nach russ. Orth. *Krym* (Engelh. u. Parrot, Reis. 1, 1 ff.), mod. Name der grossen pontischen Halbinsel, aus dem Namen einer skyth. Stadt, *Kremnoi,* gr. *Κρημνοί* = Felsort, 'Staufen' (Herod. 4, 20) hervorgegangen, da im Mittelalter der Ort, j. in Ruinen, russ. *Staryi-K.,* türk. *Eski-K.,* beides = 'alt-*K.*', die mächtige Hptstadt der Insel war, also dass der arab. Reisende Ibn Batuta (Trav. 75) 'die grosse u. schöne Stadt' *el-Kiram* ebf. besuchte (Sommer, Taschb. 10, 92, Köppen, Taur. 1, 6; 2, 5). 'Les Mongols ayant conquis le pays sur les Comans, firent un commerce considérable dans le ville de *K.,* d'où les Orientaux nommèrent la presqu'ile *Krimée,* selon leur usage de donner au pays le nom de la ville qui en est le chef-lieu, et vice-versa' (Pauthier, MPolo 1, 6 Note 2). Auch Karamsin (Russ. Rev. 9, 313 ff.) nimmt an, dass der Name v. *Eski-K.,* j. Solchat, auf die Halbinsel übergegangen sei; allein *K.* selbst leitet er v. tatar. *kirym* = Graben, Erdwall, ab, nach dem tiefen Felsengraben des Orts.

Kriós, gr. *Κριός* = Widder, Bock, ein Bach, welcher v. Kyllene durch Achaja z. Korinth. Golf fliesst. Durch die Engschluchten der steilen Nordabhänge Arkadiens fliessen die achäischen Flüsse kurzen Laufs, sehr unregelmässig u. unstät. Im Sommer liegen sie trocken. Nach wenigen Regentagen aber ist die Uferstrasse v. zahlr. Giessbächen durchbrochen, welche Steingerölle u. Sand in trüber Flut z. Meere hinabwälzen, ähnl. den Runsen des schweiz. Hochgebirgs od. den Wadys der semit. Länder. Diese heftige u. zerstörende Natur der Wildbäche wurde durch solche Namen wie *K.* u. *Σῦς* (= Eber, Name eines etwas östlichern Flusses) bezeichnet, denen neuere wie

Φόνισσα = Mörderin u. *Γαϊδαροπνίκτης* = Eselersäufer (v. *γαίδαρος* = Esel) entsprechen. Die Sage stellt den rasch anschwellenden u. bald vertrocknenden Fluss dar in dem vorzeitigen Verblühen des schönen Selemnos, dem die Meernymphe ihre Liebe entzieht: das versiegende Wasser des Flusses erreicht den Schooss des Meeres nicht mehr. Daher heilt Herod. (1, 154) v. Krathis als besondere Eigenthümlichk. das (auch j. noch) stetige Wasser hervor *ποταμὸς ἀέννάός ἐστιν.* Die Namen *Χάραδρος* = Giessbach u. *Γλαῦκος* = der Trübgelbe weisen ebf. auf ungestüme Winterbäche. — *Kriu Metopon,* gr. *Κριοῦ μέτωπον* = Widderstirn: *κριοῖο παραγνάζουσα κάρηνα, τοὔνεκα καὶ κριοῦ μιν ἐρημίζαντο μέτωπον* (D. Per. 90) ... Cautes extendunt, ut ferus ora est aries — sic olli nomen prior indidit aetas (Avien. orb. T. 134, Pape-Bens., Curt., GOn. 155), f. kräftige Vorgebirge: *a)* auf der Südwestspitze Kreta's, j. *Kowo Krio* (Strabo 837); *b)* das am schroffsten vorspringende Cap der Südspitze des taur. Chers. (ib. 124), j. *Kawo Aitodor,* d. i. Hagios (= heil.) Theodoros (Kiepert, Lehrb. AG. 348); *c)* das spitze Nordwestcap v. Knidos, alt Triopion, j. *Kawo Krio* (Peterm., GMitth. 13, Erg. H. 20 Carte).

Krischna = der schwarze, Name des ind. Gottes Wischnu während seiner 8. Verkörperg., erscheint in ON. etwas entstellt, in *Kirschnapatám, Kischannágar, Kischanpúr, Kischnapúram,* sämmtl. 'K.'s Stadt', ferner *Kischangándsch, Kischanganga, Kischangarh,* mit 'Markt', resp. 'Fluss', 'Veste' (Schlagw., Gloss. 211), oft in der Form *Kistna,* wie *Kistnaghérri* = K.'s Veste, *Kistnapur* = K.'s Stadt, beide im Karnatik, *Kistnarádschpur* = K.'s Königsstadt, in Maissur, *Krischnagarh* = K.'s Veste, im Pandschab (Schlagw., Gloss. 211), *Krischnanagara* = Krischnastadt (s. Máthura), in Radschputana (Lassen, Ind. A. 1, 143). — In wörtl. Sinne *K.* = schwarz, wohl auch *Krischnaveni* = Schwarzfluss, f. einen Zufluss des Bengalgolfs, dessen Gebiet, in reizender Mannigfaltigk. während der kühlen Jahreszeit cultivirt, zZ. der Hitze, d. i. v. März bis Mai, nur den Anblick eines schwarzen, versengten, harten, zerrissenen Bodens bietet. Das fruchtb. Land bringt drei Ernten. Die meisten Flächen des Dekhans, sowie die des im Nordwesten vorliegenden Khandesch, bestehen aus dem eigentl. schwarzen Boden, welcher Regurerde, engl. cotton-ground, genannt wird ... er liegt nie brach u. erhält nie den geringsten Dünger ... er ist bis 1 m, ja 6—10 m t., wahrsch. aus verwitterten basaltischen Trapfelsen entstanden (Lassen, Ind. A. 1, 204 ff., 271). — *Balkischna* = der mächtige *K.,* ON. in Bengal (Schlagw., Gloss. 173). — Nach Beinamen der Gottheit *a) Damódar,* skr.-hind. Flussname in Bengal (Schlagw., Gloss. 184); *b) Gopálgandsch* = *K.'s* Markt, *Gopálgarh, Gopálpur; c) Gowindapúram* u. *Gowindgárh; d)* nach *Kánha,* der Prakritform f. *K.,* der bekannte ON. *Kánhpur,* engl. *Cawnpore* (ib. 207), sämmtlich in Indien (ib. 195 f.). — Von dem Epitheton *kala* = schwarz *a) Kalabágh* = *K.'s* Garten, Ort des Pandschab (ib. 206); *b) Kalaganga* = *K.*'s Fluss, ein Fluss Ceylon's (Lassen, Ind. A. 1, 235); v. dem Epitheton *mádhawa* = der süsse die ON. *Madhobpur, Madhopur* u. *Madhorádschpur* (Schlagw., Gloss. 217); v. dem Beinamen *móhan* = Süssherz die ON. *Mohan, Mohangandsch, Mohangárh, Mohankót* (= *K.*'s Stadt), *Mohanpúr, Mohanpúra, Mohanke Sarái* = *K.*'s Haus (ib. 224); v. dem Beinamen *scham*, skr. *sjama* = dunkelblau, 2 mal ON. *Schamgarh*, in Radschwara (ib. 243).

Kristinestadt, in Wasa Län, Finl., um 1650 ggr. v. schwed. Generalstatthalter, Grafen Brahe, u. getauft nach der Königin, der Tochter Gustav Adolfs, die, geb. 1626, v. 1644—1654 regierte u. 1689 † (Modeen, Geogr. 50 u. briefl. Mitth.).

Krit s. Kreta.

Kriwówskoj Chrebèt, ein niedriger, unbewaldeter Hügelzug des Samojedenlandes, v. den Russen th. als solcher, *chrebèt*, th. *Kriwówskaja Step'*, als waldloses Gebiet, *step'*, bezeichnet, nach einem nahen See Kriwówo (Schrenk, Tundr. 1, 686).

Križ s. Krest.

Kroaten, slaw. *Krovat, Horvat*, ein slaw. Volksstamm, *Chorwaten, Chrobaten* = Bergleute, v. *gora, hora* = Berg, einst in Galiz. u. Südpolen, also hinter den Karpathen (s. d.) sesshaft, verliessen, v. byzant. Kaiser Heraklios eingeladen, ihre Wohnsitze u. eroberten 634—638 das nach ihnen benannte *Kroatien* (Meyer's CLex. 10, 380, Bergh., Ann. 5, 279, Krones, Grundr. 148). Nach dem Volke die ON. *Krobaten*, slow. *Gravace*, 1084 *Chrowat*, in Kärnten, *Krobatsch*, slow. *Horvača*, in Krain, u. *Krobathen*, in Steierm., sowie das *Kroatenloch*, eine salzb. Höhle, wo sich im Kriege 1742 *K.* verbargen (Umlauft, ÖUng. NB. 119).

Krönung s. Coronation.

Krogh-Berg, an der Ostseite Spitzb., v. der Exp. Heuglin-Zeil 1870 benannt nach Hrn. v. Krogh, dem deutschen Bundesconsul in Tromsö, bei welchem die Reisenden auf der Rückkehr bestens aufgenommen wurden (PM. 16, 449; 17, 182).

Kroghen s. Kronstadt.

Krohn s. Gjaever.

Krokodil, gr. *κροκόδειλος*, wörtl. 'das Meerufer, *κρόκη*, fürchtend', wohl in Andeutg., dass diese Thiere im Süsswasser leben u. selten ins Meer gehen (Leunis, Syn. 1, 308), lat. *crocodilus* u. daher in neurom. Sprachen, auch im Engl,, mit *C*, mehrf. in ant. u. mod. ON. *a) Krokodilopolis* s. Arsinoë; *b) Krokodeilon* s. Serka; *c) K. River* s. Limpopo; *d) C. Eilanden*, bei Arnhems Ld. (King, Austr. 1, 252); *e) Crocodile Rock*, eine Klippe im Niveau des Wassers an der Bass Str., entdeckt v. den engl. Schiffen Cato u. Castle of Good Hope, welch letzteres dem Felsen 'the appropriate name' gab. Später sah ihn auch der engl. Entdecker Bass (Stokes, Disc. 2, 432, Flinders, TA. 1, 223).

Krolewicz s. Königsberg.

Kromion s. Kolone.

Kromme Rivier = krummer Fluss (vgl. Rhein), ein an der Südküste des Capl. mündender Fluss (u.

nach ihm die *K. Riviers Bay*), 'verdient mit Recht seinen Namen; denn er schlängelt sich mit so vielen Windungen durch dass enge wilde Thal, dass ihn der Thalweg 7—8 mal, in tiefen u. wg. der losen Felsbrocken u. des morastigen Grundes gefährl. Furten, schneidet (Lichtenst., SAfr. 1, 351. 362).

Krommyon, gr. *Κρομμυὼν* = Zwiebelort, ein Castell in Megaris, später zu Korinth gehörig (Thuc. 4, 42), offb. v. Zwiebelbau entnommener Name (Bursian, Gr. Geogr. 384, Curt., GOn. 157). — Wohl nach der Form 2 Vorgebirge: *a) Krommyakon*, gr. *Κρομμύακον ἄκρα* = Zwiebelcap, j. *Kormakiti*, im Nordwesten Cyperns (An. st. m. m. 310); *b) Kromion* s. Kolone.

Kronstadt, 2 allbekannte Orte: *a)* die Inselveste v. St. Petersburg, v. Peter d. Gr. auf der 1703 eroberten Kesselinsel als Vormauer der neuen Hptstadt 1710 ggr.; *b)* in Siebb., königl. Freistadt, erst 1355 *Corona*, dial. *Kruhnen*, früher *Brassovia*, aus mag. *varos* = Stadt, wie der Ort urk., zuerst 1252, schlechthin hiess, geformt mag. *Brassó*, (Meyer's CLex. 10, 389), nach Wolff (Z. f. Schulgeogr. 13, 254) v. alten *kran* = Wachholder. — *Kronborg*, Schloss auf Seel., z. Vertheidigg. des Öre Sunds 1574/85 v. Friedrich II. erbaut (ib. 386); sein Vorgänger, das Schloss *Örekrog* od. einf. *Kroghen* = der Haken, etwas nördlicher gelegen, war schon um 1420 behufs Erhebg. des Sundzolls gebaut worden (Styffe, Skand. Un. 34). — *Kronoborg* s. Tavastehus. — **Vgl.** Coronation.

Krossanes s. Cod.

Krowawaja s. Finnen.

Kruglaja Sopka = runder Berg, russ. Name eines 'vorz. wg. seiner abgerundeten Gestalt auffallenden' Bergs des Altai, zw. Riddersk u. Tscheremschanka (Humb., As. Centr. 1, 205). — *Kruglinskoe Ostrow* s. Pestschanie.

Kruis = Kreuz (s. d.), mehrf. in holl. ON. *a) K. Eiland*, so nannte der Seef. W. Barents eine Küsteninsel, welche er am 10. Juli 1594 an der Westseite NSemlja's entdeckte, weil, zwei grosse Kreuze darauf standen . . . van twee groote Cruycen die daer op stonden (Adelg., GSchifff. 169, Schipv. 3); *b) K. Hoek* = Kreuzcap, im Süden NSemlja's, v. der holl. Exp. am 31. Juli 1594 nach einem russ. Kreuz getauft . . . 'daer een Rus Cruys op staet' (Linchoten, Voy. f. 12, Adelg., GSchifff.135), bei den Russen in *Krestowy Myss* übsetzt (Spörer, NSeml. 17) od. *Suchoi Nos* = trocknes Cap (GdVeer ed. Beke 54), ich vermuthe wg. der vorliegenden Sandbänke. — *c) Kruispad* = Kreuzweg, eine Ansiedelg. in der Karroo, v. den holl. Colonisten so benannt, weil sich dort zwei Landeswege kreuzen (Lichtenst., SAfr. 2, 132).

Krusenstern, *Joh. Adam v.*, Vater der russ. Weltumsegler, geb. in Esthland 1770, diente eine Zeit lg. auf einem engl. Chinafahrer u. führte die kais. Schiffe Nadeschda u. Newa auf einer Erdfahrt, bei der, sowie durch spätere hydrogr. Arbeiten, die Kenntniss der Südsee vielfach gefördert wurde (1803/06). Er wurde 1841 Admiral u. † 1846 in Esthland. *Cap K.*, 3 mal:

a) vor Kotzebue Sd., v. Lieut. v. Kotzebue (Entd.R. 1, 153) am 13. Apr. 1816 nach seinem Vorgänger in der Weltumsegelg. getauft; *b)* hinter Canning I., Grönl., v. Walfgr. Will. Scoresby jun. (North.-WF. 295) am 20. Aug. 1822; *c)* in Richardson Ld., v. der zweiten Exp. Franklin (Sec. Exp. 258) nach dem russ. Hydrographen am 7. Aug. 1826. In diesem Punkte reichten sich die Entdeckungen der beiden Expp. die Hand; es war gefunden, wofür ein Preis v. 5000 L. ausgesetzt worden war — 'but as it was not contemplated, in framing the Order, that the discovery should be made from *west* to *east*, *and in vessels so small as the Dolphin and Union*, we could not lay claim to the pecuniary reward'. — *K. Insel*, viermal: *a)* in der Centralgr. der Paumotu, einh. *Tikahau* (ZfErdk. 1870, 391), v. Kotzebue (EntdR. 1, 123) am 25. Apr. 1816 benannt nach dem Manne, 'unter dessen Führg. ich die erste Reise um die Welt machte' (Meinicke, IStill. O. 2, 204); *b)* in Ratack, einh. *Ailu*, ebf., aber 1817, v. Kotzebue (NReise, Carte, u. Krus., Mém. 2, 368); *c)* in der Berings Str., v. Capt Beechey (Narr. 1, 247) im Juli 1826; *d)* in Rogatschew Bay, NSemlja, v. der österr. Exp. Wilczek im Aug. 1872 (Peterm. GMitth. 20 T. 16). — *K. Klippe*, ein nur durch Brechg. des Meeres erkennb. Fels, isolirt im SW. der Lisianskoy I., ebf. v. *L.* 1825 entdeckt 'quelques jours plus tard' (Krus., Mém. 2. 44). — *K. Lake*, der Quellsee des Saumarez R., Boothia F., v. John Ross (Sec. V. 534 f.) am 21. Mai 1831.

Krutie Logi = steile Thäler, russ. ON. in der Nähe v. Kolywan, Sib., wo der Reisende, welcher auf seinem Weg v. Tobolsk nach Osten die Steppe durchzogen hat, zuerst wieder bewaldete Hügelzüge sieht, welche in der Nähe der Ortschaft durch tiefe Schluchten getrennt sind (Erman, Reise 1, 19). — *Krutaja* s. Sandekojaga. — *Krutinka* = 'Tigris', der schnelle, ein Fluss des Altaï, nach dem raschen Gefäll (Sommer, Taschb. 11, 232).

Kryobrisis, ngr. Κρυόβρύσις = Thal der kühlen Quelle, 2mal: *a)* das bei Tharapia z. Bosporus geöffnete Thal, in dessen Hintergrund der Spaziergang zu einer angenehmen kühlen Quelle führt (Hammer-P., Konst. 2, 243); *b)* die Hptquelle des Alpheios (Curt., Pel. 1, 262). — *Kryos*, gr. Κρύος = der kühle, kalte, ein Nebenfluss des Hermos, v. Sipylos herabströmend (Kiepert, Atl. Hell.).

Kryptos Limen, gr. Κρυπτός, mit oder ohne λιμήν, d. h. verborgener Hafen, 2mal: *a)* in Epidauros (Paus. 2, 29, 10); *b)* s. Maskat.

Krysji O. s. Aleuten.

Krzyz' s. Krest.

Ksur s. Kasr.

Ktesiphon, gr. Κτεσιφῶν = durch Besitz glänzend, die reiche, die Winterresidenz der parth. Könige am Ostufer des Tigris (D. Cass. 40, 14, Pape-Bens.).

Kuah, el- = die Bögen, arab. Name einer grossartigen aus 6 Arcaden bestehenden antiken Wasserleitung, Constantine (Wagner, Alg. 1, 350).

Kuan Ku = Veste, *kuan*, der Schlucht, *ku*,

chin. Name eines Schluchtpasses unweit Peking, 'passage extrêmement pénible à cause des grandes pierres dont il est couvert, et des abîmes sur le bord desquelles il faut passer' (Timkowski, Mong. 1, 312). — *Kuan yn Schan* = das Gebirge (der Göttin) Kuan yn heisst bei den Chinesen eins der Gebirge Formosa's, weil die Umrisse einige Aehnlichk. mit der sitzenden Göttin haben (Klaproth, Mém. 1, 327 ff.).

Kuansai = Land westl. der Schutzwehr, der Inbegriff der 4 japan. Provinzen Sanindo, Sanjodo, Nankaido u. Saikaido, im Ggsatz zu *Kuanto* = Land östl. der Schutzwehr, nach den Burgen, welche durch frühere Kaiser in der Centralprov. Siro erbaut u. als *kuan* = Schutzwehr betrachtet wurden (PM. 22, 401).

Kuara, auch *Kowara* u. *Quorra* = Fluss, Wasser (s. Benuë), bei den Joruba der grosse centralafric. Strom, bei den Mandingo *Dscholiba* = grosser Fluss (Hertha 3, 198, Zweifel, Voy. Niger 55), bei den Fulbe *Mayo* = Fluss, bei den Sonrhay, in der Sprache u. Timbuktu, *I-ssa*, *Ssai* = Fluss (Hertha 12, 300). Am Strome auch ein Ort *Ssai*, *Say* (Barth, Reis. 4, 244). Die europ. Form *Niger*, alt *Nigir*, bei Ptol. Νίγειρ, nicht v. *niger* = schwarz, sondern aus berb. *ghir, eghirreu, n-eghirreu* = Fluss umgeformt (Barth, Reis. 4, 243. 397). Uebr. heisst der *K.* bei den Haussa *Farin-rua* = Weisswasser, im Ggsatz z. Binue, *Baki-n-rua* = Schwarzwasser; denn während z. Regenzeit die beiden Ströme dasselbe Aussehen haben, so ist in der trocknen Jahreszeit der Unterschied in der Farbe sehr streng ausgeprägt: der *K.* weiss u. undurchsichtig, voll erdiger Stoffe u. dickschlammig, der Benue v. schöner dunkelblauer Färbg., klar, durchsichtig. Die Linie, wo die beiden Ströme zstreffen, ist sehr bestimmt abgezeichnet; die Gewässer laufen mehrere km weit neben einander her, bevor sie in eins verfliessen (ZfAErd. nf. 14, 107). Durch den lat. Bericht des Mauren Leo Africanus wurde uns der v. *Niger* abgeleitete Landesname *Nigritia* geläufig (Kiepert, Lehrb. AG. 224).

Kuban, ein ciskauk. Fluss, dessen tatar. Name, den die Russen beibehalten, bei den Nogai auch *Kuman*, bei den Abasen *Kubin* ausgesprochen, Klaproth (Kauk. 1, 436) nicht deuten kann, heisst bei den Tscherkessen *Psi-sshé* = altes Wasser, alter Fluss. Nach ihrer Annahme wäre *K.* der Name eines fränk. Königs, dessen einstige Wohng. sie noch zeigen (Kupffer, Elb. 8).

Kuddus, Debr = heiliger Berg, wo abess. *debr* = Klosterberg, ein Berg in N.-Abess., auf dessen Rücken Spuren alter Wohnungen (u. Cultstätten?) sichtb. sind (Munzinger, Ostafr. Stud. 218).

Küdsi s. Jerusalem.

Külün s. Dalai.

Küen-Lün = Zwiebelgebirge älterer, *Kulkun* (f. *Kurkun*), jüngerer chin. Name eines centralasiat. Gebirgs, v. den vielen wilden, meist blauen Zwiebeln... 'parce que cette plante s'y trouve en abondance', dem auf dem *K.* u. allen Bergen des westl. Tibet wachsenden Tartusch, Tartasch, dessen Haufen

bildende Schafte Menschen u. Lastthiere, welche
darauf treten, leicht ausgleiten u. üb. die steilen
Abhänge stürzen lassen. Auch der Russe N.
Sjewjerzow fand 1864 auf beiden Abhängen des
Thian Schan, der früher ebf. als 'Zwiebelgebirge'
bezeichnet wurde, eine reiche Zwiebelflor: 'The
yellow tulips of the northern slope are superseded
on the southern by those of a red, orange, and
red streaked with yellow colours; and the are,
moreover, distinguished by a more marked colou-
ring' (Journ. RGSLond. 1870, 346). Die ältere,
auch auf den Thian Schan bezogene Form f.
'Zwiebelgebirge' ist *Thsung Ling, Tsun Lin* (s.
Sir-i-Köl), u. schon der buddhist. Mönch Huen-
Tszan, der in den Jahren 629—645 das ganze
Gebiet bereiste, fügt bei, dass dieser Name, da
tsun = blau, auch als 'blaue Berge' gefasst
werden könne . . . 'because the summits of the
mountains are bluish' (ib. 344, Klaproth, Mém.
2, 295, Humb., ANat. 1, 114, As. Centr. 1, 577.
598).

Kuen Schui Schan = Berg des kochenden Wassers, bei den Chinesen einer der Berge Formosa's,
nach einer am Fusse ungestüm hervorbrechenden
Schwefeltherme, welche einen kesselfg. eingerahmten u. mit drei Inseln geschmückten See bildet
(Klaproth, Mém. 1, 329 ff.).

Kürnach s. Querfurt.

Küsnach, auch *Küssnach* od. mit *t*: *Küss-* od.
Küsnacht, 3 oberdeutsche ON.: *a)* in Baden;
b) am Zürichsee; *c)* im C. Schwyz, am *Küs-
nacher-See*, einem Arm des Vierwaldstätter-See's.
Die erk. Formen der beiden letztern sind gleich:
Chussenacho, um 876, *Chussenaho* 1178, *Chus-
senach* 1258, *Kussenach* 1261, *Küssenach* 1285, . . .
f. das schwyz., *Cussinach* 1087, *Chussennacho*
1188, *Kuossenach* 1269 . . . f. das zürch., das
der Seminardirector Th. Scherr in den 30er Jahren,
wohl ohne Kenntniss der alturk. Formen, mit dem
nahen Uferstrich *Kuosen, Chuosen*, verglich u.
als *Chuosen-ach*, also in mod. Schreibg. *Küsnach*, erklärte. HMeyer (Zürich. ON. 98) u. Lütolf (Geschichtsfr. 20, 265) hielten *K.* f. kelt.;
Gatschet (OForsch. 50 f.) dachte — sonderbar —
an rät. *cusch* m., *cuscha* f. = Baumstrunk, dem
eine deutsche Collectivendg. *-ach* angefügt sei.
Nun findet J. L. Brandstetter (Fr. Schweizer 1886
No. 15 ff.) den Namen deutsch, zsgesetzt aus dem
PN. *Chusso, Chuzo*, abgek. aus *Chutizo*, u. dem
Fluss- od. Bachnamen *aha, ach*, das *Chussinaho*
im Locativ enthält. Im 13. Jahrh. fing der Umlaut v. *u* an aufzutreten u. das anlautende *ch*
dem *k* zu weichen. Seit 300 Jahren hat sich
auch das abusive *t* in die Schreibg. u. den Dialekt eingenistet; aber die Geschichte, die Etym.,
sowie die Analogie verlangen 'als einzig richtige
Schreibg. offb. *Küssnach*'. Die Nachfolge, welche
dieser Entscheid an Ort u. Stelle — er betraf
zunächst das schwyz. *K.* — fand, beunruhigte
ängstliche Gemüther. Auf Verlangen v. 17 Bürgern sollte die Kreisgemeinde entscheiden, ob *K.*
mit od. ohne *t* zu schreiben sei, Juni 1889. Die
Mehrheit entschied f. das herkömmliche *t* u. be-

schloss *a)* widersetzliche Bezirksbeamte mit Busse
v. 5 Frcs. zu belegen; *b)* bei den resp. Amtsstellen vorzusorgen, dass Post, Eisenbahn u.
Dampfschiffe das *t* wieder herstellen (NZürch. Z.
2. Juli 1889). Die Regierg. v. Schwyz lehnte aus
formellen Gründen ab, die Bussandrohg. zu bestätigen, die denn auch der Cantonsrath f. un-
gültig erklärte. Seither, am 31. Mai 1891, erlebte auch *K.* am Zürichsee, wo die bereinigte
Schreibg. Eingang gefunden, seine stürmische Ge-
meindeversammlg.; es wurde beschlossen, die
Gemeindebehörden müssten den Namen wieder
mit *t* schreiben, u. es müsste der Stempel des
Notariats u. der Poststempel in diesem Sinne geändert werden. Auch das Bezirksblatt sah sich,
um seine Eigenschaft als obligatorisches Publi-
cationsmittel nicht zu riskiren, genöthigt, z. alten
Curs zkzukehren (NZZ. 1891 No. 154ᵇ).

Küstendsche s. Constantia.

Küstenland s. Litorale.

Küstrin, slaw. *Koztrzyn* = Rohrkorb. 'Die Lage
der Stadt in der Gabel der zsfliessenden Ströme
Oder u. Warthe u. schilfigen Sümpfen ist durch
diesen Namen bezeichnet' (Daniel, Hdb. Geogr.
4, 183).

Kütschük, auch *kitschik* = klein, in türk. ON.
(s. Balkan u. Menderes), f. sich allein, im Sinne
'kleines Dorf', als ON. bei Siwas (Tschihatscheff,
Reis. 13), in der Form *Kütschüklü*, bei Belikesri
(ib. 27), sonst mit Appellativen 'Dorf', 'Fluss' etc.
zsgesetzt *a) K. Aghys* = kleine Mündg. od. *K.
Boghás* = kleiner Engpass, ein Bergübergang der
Krim (Köppen, Taur. 2 ff.); *b) K. Djus* s. Kirgis;
c) K. Tschaï = kleiner Fluss, zw. Belikesri u.
Kiutahia (Tschih. 28); *d) K. Tscheschmé* = kleine
Quelle, bei den Nogaï der Krim, als Ggsatz der
Böjük Tscheschmé = der grossen Quelle (Köppen,
Taur. 2, 7. 22 ff.); *e) K. Tschekmedsche* s. Poros.
— Auch die Nebenform *kitschkina* in ON. s.
a) Usen; *b)* Ala.

Kufstein, dial. *Kopfstoan*, 798 *Coafstein*, im
10. Jahrh. *Chuofstein*, tirol. Festg. am Inn, gedeutet nach dem Felskopf, der die Veste trägt
(Zeitschr. deutsch-öst. Alp. V. 1888, 123) . . . 'da
erhebt sich mitten im Thale ein gewaltiger Felsblock, oben umbrandet u. bethürmt, v. Inn links
umrauscht, *K.*' (Daniel, Hdb. Geogr. 3, 242, Umlauft, ÖUng. NB. 121). — *K.er Klause* s. Clus.

Kuh, das deutsche Wort, holl. *koe*, engl. *cow*,
nicht gar häufig toponym. verwendet, wie in *Kuhländchen* s. Krava), *Kühebach* (s. Coburg) u. *Kuh-
stall*, ein massiges Felsgebilde der sächs. Schweiz,
in Gestalt eines breiten, flach gedrückten Thor-
durchgangs, wohin in den Drangsalen des 30 j.
Kriegs die Bauern der Umgegend ihr Vieh flüchteten (MCL. 10, 429). — Holl. *Koeberg*, nahe der
Capstadt, s. Z. als Viehweide benutzt; aber 'er hat
noch weniger Wasser (näml. als der nahe Tijger-
berg) u. bei weitem keinen so fruchtb. Boden.
Auch findet man weder Einwohner, noch Vieh
in solcher Menge daselbst, als auf dem Tieger-
Gebürge' (Kolb, VGHoffg. 205).

Kuh od. *khu* = Berg, in pers. ON. wie *Hindu-*

Khu (s. d.), *Kuh i - Nuh* (s. Ararat) u. namentl. *Kuhistân*, *Kohistân* = Bergland, f. vschiedd. Gebirgslandschaften Irans: *a)* einer Berggegend im Nordwesten Beludschistans, 'le pays étant très-montagneux, comme son nom de *K.* l'indique' (Pauthier, MPolo 1, XXX. 94 Note); *b)* das Plateau zw. Yezd u. Meschhed (Hellwald, RCAs. 13), eine wasserarme, steinige, nur in den Thälern vereinzelt angebaute Ldsch., in den Inschriften *Asagarta* = Höhlenland, v. den vielen, wahrsch. zu Wohnungen benutzten Höhlen des Kalkgebirgs (Kiepert, Lehrb. AG. 66); *c)* die Landschaften um den Oberlauf des Kabulfl., insb. das Quellgebiet des lkseitg. Zuflusses Pandschir, obh. der Mündg. des Ghorband, Gharbend, während die tiefere Thalstufe *Kôh-i-Dâman* = Berg des Randes heisst (Spiegel, Er. A. 1, 11). — *Kohen Wat* = Bergweg, npers. Name eines Bergpasses, der v. Lus, d. i. der südöstl. Ecke Beludschistans, nach Dschalawan, u. weiter nach Kelat, führt. So deutet Pottinger, u. Spiegel (Eran. A. 1, 20) setzt hinzu: 'was möglich ist'. — *Puscht-i-Khu* s. Ghur. — *Sir-i-Koh* s. Sir-i-Köl.

Kuhn Spitze, ein Spitzberg am Matotschkin Scharr, v. der Hülfsexp. des Baron v. Sterneck im Aug. 1872 benannt nach dem frühern kk. Kriegsminister, Freiherrn F. v. *K.*, der sich 'durch seine Arbeiten in der Wiener geogr. Gesellschaft, insb. üb. Veränderlichkeit des Eises im Polarmeer', bekannt gemacht hat (Peterm., GMitth. 20 T. 16, gef. Mitth. Prof. Höfers dd. Klagenfurt 17. Febr. 1876). — *K. Insel*, in Franz Joseph's Ld., ebf. v. der 2. österr.-ung. Nordpolf. Weyprecht-Payer 1872/74 benannt (Peterm., GMitth. 18, 146, 20 T. 23), während *K. Insel* in Grönl., v. der 2. deutschen Nordpolexp. 1869/70 (ib. 17, 190) wohl dem Meteorologen Karl *K.* gilt, der als Mitglied der Academie am 5. Jan. 1869 in München † (ib. 16, 29).

Kuja s. Wytegra.

Kuibes, wohl richtiger *Guibes*, eine Wasserstelle am Wege v. Angra Pequena nach Bethanien, nach den dort nicht seltenen Milchbüschen, guib (Schinz, Deutsch-SWAfr. 25).

Kuils Rivier, ein Flüsschen im südwestl. Theile des Caplandes, nach einer Ansiedlg. *Kuil* = Grube, an der er vorbeifliesst (Lichtenst., SAfr. 1, 163).

Kuiper s. Onrust.

Kujun s. Oinussai.

Kuka, ON. des Sudan, richtiger *Kukaua*, *Billa Kukaua* = Stadt mit den Baobab, Affenbrotbäumen, welche bei den Kanori *kuka* heissen, hier übr. nur selten u. in kleinen Exempl. vorkommen (Barth, Reis. 2, 364). — *K. Meirua* = Affenbrotbaum mit dem Wasser, Haussaname einer unter den Sudanreisenden wohlbekannten Lagerstätte der Prov. Kanō, eines offnen Platzes, welcher v. mehrern gigant. Affenbrotbäumen umgeben ist. Der Name ist, nach dem hohen Preise, um den das Wasser hier an die Reisenden verkauft wird, zu schliessen, als Spitzname zu betrachten, wie übh. die Namen der Haussaua 'ein uner-

schöpfliches Magazin v. lebendiger Anschaug. u. Bezeichng. sind' (Barth, Reis. 2, 178).

Kuku = blau (u. grün) (s. *Kok*), in mong. ON., wohl am bekanntesten f. mong. *K. Noor*, dessen Wasser 'eine herrlich blaue Färbg. hat, die einen wunderbaren Contrast mit den sie umrahmenden, bereits schneebedeckten Gebirgen bildete' (Peterm., GMitth. 22, 166)...'son eau est bleuâtre', chin. *Thsinghai, Tsinchai* = blaues Meer, früher auch nach der Lage *Sihai* = Westmeer (Timkowski, Mong. 1, 391; 2, 224. 240. 277, Klaproth, Mém. 1, 192, Kauk. 2, 515, Pauthier, MPolo 1, 203, ARémusat, NMél. As. 1, 5. 8 f.; 2, 30). — Ein zweiter, 'kleiner, reizender' *K. Noor* = grüner See, der von Mong. als heilig gilt, bei Regel (Reiseb. 5) aus den Gebirgen des Thianschan erwähnt. — Ferner *a)* *K. Tologoi* = Blaukopf, Berg an der russ.-chin. Grenze (Klaproth, Kauk. 2, 418 ff., Mém. 1, 20); *b)* *K. Tscholô* = blauer Stein; *c)* *K. Nirù* = blauer Berg, nebst *Bùrulyn Dabâ* = grauer Berg u. *Nogòn Nirù* = grüner Berg, im Gebiete der Selenga (Timk., Mong. 1, 16. 49. 157. 255); *d)* *K. Chada* = blaue Berge, am transbajkal. Tarei Noor (Bär u. H., Beitr. 23, 358).

Kukulamálla = Berg des wilden Geflügels, singh. Bergname in Ceylon, v. *kúkula* = wildes Geflügel u. *málla* = Berg (Schlagw., Gloss. 212).

Kukusan, Gunung = Korbberg, mal. Name vieler spitzer Kegelgipfel, welche die Gestalt eines umgekehrten *kukusan* = Reiskorbs haben, auf Java, bes. auch des nordöstl. Vorbergs des G. Raon, im östlichsten Theil der Insel (Junghuhn, Java 2, 691).

Kulan s. Sir-i-Köl.

Kularowsk s. Kaginsk.

Kuldenen s. Demir.

Kuldscha, in tatar. Aussprache *Guldscha* = Elenthier, Name zweier Städte im Gebiete des centralasiat. Ili: einer ältern, östlicher gelegenen, tat.-dsung. u. einer neuern, um die Mitte des 18. Jahrh. angelegten, chin. Hptstadt im neueroberten u. neubesiedelten Ilithal: *Chinesisch-Kuldscha* (PM. 12, 88). Klaproth (Mag. As. 174) übsetzt das kalm. *guldsha* = Bergziege u. sagt, dass die Umgegend einst reich an solchen gewesen sein müsse. Nach dem Flusse heisse der Ort auch *Ilaïn Khotò* od. *Ilaïn Balgassun* = Stadt Ili, nach chin. Quellen einst auch mong. *Ili Balik* = Ilistadt (Klaproth, Mém. 2, 362). Die 'Bergziege' ist Capra Ammon (Hertha 6 GZ. 86), also ozw. Ovis Ammon Pall., das Argali (Bär u. H., Beitr. 24, 232).

Kulî = Fischer, plur. *Kulis*, engl. *Coolies*, mahr. Name der ersten Ansiedler u. Bewohner der Inseln Salsette u. Bombay. Cette tribu de *Koulis*, en même temps qu'elle se livrait à la pêche, se livrait aussi à la piraterie... (Pauthier, MPolo 2, 665).

Kulj-Kalan = grosser See, turk. Name eines grössern, buchtenreichen Bergsees östl. v. Samarkand. 'Er dehnt sich in vschiedd. Richtungen mehrere Werst weit aus u. zieht sich durch Felsenschluchten noch weiter nach Süden hin, als wir ihn mit den Augen verfolgen konnten' (Bär u. H., Beitr. 17, 141).

Kulla s. Zaire.

Kulm s. Chlm.

Kulna s. Cöln.

Kulon, Udjung = Westcap, v. *udjung* = Ecke, Cap u. *kulon* = Westen, mal. Name der Westspitze Java's (Junghuhn, Java 2, 7).

Kúlogory, ein nordruss. Dorf, benannt nach dem Kúloj, dem westl. v. Mesén' in das Weisse M. mündenden Flusse, an welchem es liegt (Schrenk, Tundr. 1, 715). — Ebenso der Landstrich *Kúlojskaja Tájbola* (ib. 1, 88).

Kulsom s. Kaspisee.

Kulussutai = Rohrort, v. mong. *kulussun* = Rohr, die am transbajkal. Tarei Noor gelegene russ. Grenzwacht, wo die Ränder der nahen Lachen einen dichten Rohrwuchs ernähren (Bär u. H., Beitr. 23, 359).

Kum Kalessi = Landschloss, türk. Name eines Dardanellenschlosses, welches auf der asiat. Seite des Eingangs der Dardanellen in sandiger Ebene neu angelegt wurde (HammerP., Osm. R. 6, 65); *b) K. Tschaï* = Sandfluss, ein breites Flussbett südöstl. v. Smyrna (Tschihatscheff, Reis. 2); *c) K. Burun* = Sandcap, die ganz flache, sandige, aller Vegetation baare Nordspitze v. Rhodos (Ross, IReis. 2, 80); *d) Kumachtach* = sandige Auffahrt, bei den Jakut eine ostsib. Anhöhe, an welcher die ostwärts gehenden Transporte, welche den im Sommer leeren Fluss gl. N. passirt haben, hinansteigen (Dawydow, Sib. 54); *e) K.-un-Katar* = Sandpark, verd. *Anketeri*, eine Gegend der kasp. Steppe (Potocki, Voy. 1, 213).

Kumani, neue u. wieder verschwundene Insel des Kaspisee's, benannt nach ihrem Entdecker *K.*, welcher sie zuerst am 7. Mai 1861 als ein fast 6 m h. u. gg. 1 km lg. Ldstück bemerkte (Meyer's CLex. 10, 439).

Kumania, der in 2 selbstständige Districte, *Gross-* u. *Klein-K.*, zerfallende Landstrich Ungarns, benannt nach seinen Bewohnern, den *Kumanen*, *Komanen*, die bei den Slawen *Polowci* = Bewohner der Flächen, mag. *Kuni*, bei den Byzantinern *Uzen* heissen — ein asiat. Steppenvolk türk. Stamms, das sich zunächst an der untern Wolga, in der *Kumanischen Steppe*, wo die *Kuma* bei *Kumsk* in den Kaspisee mündet (Meyer's CLex. 10, 438), ein grosses Reich *K.* gründete (Pauthier, MPolo 1, 41 f.), dann 1070 in Europa, 1089 in Ungarn einbrach u., v. ungar. König Wladislaw besiegt u. im heutigen Jazygien angesiedelt, z. Christenthum übtrat. Anno 1235 erfolgte eine neue Einwanderg. v. 40 000 Familien, u. König Bela wies ihnen das Land zwischen Theiss u. Donau an. In der Folge wurden sie, ebf. christl. geworden, ihrer Vorrechte verlustig 1638, u. sind j. gänzl. magyarisirt (Meyer's CLex. 10, 438).

Kumarsk s. Kaginsk.

Kumscha s. Patarajagako.

Kumysch Tübe = Silberberg, kirg. Bergname am Jaik, in der Gegend des Tschubar Tübe (s. d.).

Der Berg besteht aus weissem, strahligem Tremolith, der in grossen, zerklüfteten, silberweissen Massen auftritt (Bär u. H., Beitr. 6, 242).

Kundapura, ein Küstenfluss v. Kanara, 13⁰40′ N., mit *kunda*, einem der Schätze des ind. Plutus Kuvera (Lassen, Ind. A. 1, 187).

Kundrawi Kamen = krauser Fels, russ. Name eines Gipfels des Urál (Rose, Urál' 1, 349). — *K. Sloboda* s. Uisk.

Kundu, Dongo = rothe Erde, Negername eines Districts in Ostafrica, etwas landein v. der Insel Pemba, nach dem tiefrothen Boden, den der Wanderer schon in Bwíti trifft (JRGSLond. 1870, 303).

Kungkhotu s. Dsaisan.

Kungsholm s. Kong.

Kuning, Banju = gelbes Wasser, v. jav. *banju* = Wasser u. *kuning* = gelb, eine Ansiedelg. im G. Ungaran, südl. v. Samarang, v. dem benachbarten Mineralbrunnen, welcher viel Eisenoxydhydrat absetzt (Junghuhn, Java 2, 264).

Kunku Mysch s. Kisljar.

Kunowat, russ. ON. am Ob, nach einer ostjak. Veste *Kunautwasch*, die auf der hohen Landecke Kunaut, Kunawot, gelegen war, wo *wasch* = Veste (Müller, SRuss. G. 3, 439).

Kuntersweg, eine schluchtartige Verengerg. des tirol. Eisackthals Klausen-Cardaun, zunächst auf die v. dem Bozner Bürger Heinrich Kunter 1314 erbaute Thalstrasse bezogen, dann auf das Thalstück selbst übtr. (Pollatschek, Mil. Geogr. 8, 83 f.).

Kunupeli, ngr. *Κοννουπέλι*, v. *κώνωψ* vulg. *κουνούπιον* = Stechmückenort. Die lagunenartigen, stehenden Sumpfgewässer der elischen Küste erzeugen eine Menge Insecten, v. denen die genannte, fast unsichtbare Culex cunupi einem Dorf in der Nähe der Alpheiosmündg. den Namen gegeben. Schon die alten Eleer riefen gg. diese Insectenplage die mächtigsten ihrer Götter u. Heroen, Zeuss u. Herakles, zu Bundesgenossen an (Curt., Pel. 2, 5).

Kunzen s. Konitz.

Kupang, in holl. Orth. *Koepang*, Hafenort Timors an geräumiger u. wohl geschützter Bucht, nach dem Namen einer Muschel (Crawf., Dict. 202).

Kupfer, holl. *koper*, dän. *kobber*, schwed. *koppar*, engl. *copper* (s. d.), mehrf. im ON. *Kupferberg* a) Bergstadt im böhm. Erzgebirge, čech. *Medenec* (s. Maidenoi), mit Bergbau auf Kupfer u. Eisenstein, sowie Vitriolsiederei; *b)* in Schlesien, wo ehm. ebf. Bergbau auf Kupfer, Arsenik u. Schwefel (j. eingestellt); *c)* im bayr. Oberfranken, mit Kupfer- u. Vitriolwerk (Meyer's CLex. 10, 461). — *Kupferinsel* s. Maidenoi. — *Kupferminenfluss* s. Coppermine. — *Kobberö* = Kupferinsel, in Grönl., wo früher eine kleine, j. erschöpfte Einlagerg. v. Buntkupfererz abgebaut wurde (Peterm., GMitth. 26, 93 f.).

Kupffer s. Middendorf.

Kur m. od. *Kura* f., arm. *Kour*, pers. *Kur*, gr. *Κΰρος*, röm. *Cyrus* (Plin., HNat. 6, 25 ff.), ein Zufluss des Kaspisees, georg. *Mtkvari* (= . . .?) eig. erst unth. der Schlucht v. Achalzich, während der Oberlauf georg. *Artahan Tschai* = Fluss v. *A.*, nach der Stadt gl. N., heisst (Spiegel, Er. A. 1, 140).

Kuraschinsk s. Solikamsk.

Kurd od. *Kürd*, gr. Καρδνεῖς, Καρδωοι, Κύρτιοι, bei Xenophon (Κυρ. 3, 5) Καρδούχοι, nach einer mir j. nicht mehr erinnerlichen Quelle im aram. *Kardu* = die Tapfern, arm. *Kordu*, plur. *Kordukh*, v. pers. *kurd* = stark, tapfer u. ist 'jedf. mit slaw. *górd*, *grd*, *chrd* = stolz u. georg. *kurd* = Räuber verwandt' (Bergh., Phys. Atl. 8, 3). Indem Spiegel (Er. A. 1, 363) die Sagen Firdosi's als fabelhaft verwirft, findet er immerhin, dass sich die *K.*, ein höchst kriegerisches u. räuberisches Volk, jederzeit durch Flüchtlinge verstärkt haben, welche aus Gründen die bessere Gesellschaft mieden u. die urspr. Wildheit u. Sittenlosigkeit noch vermehrten. Aehnl. Hammer-P. (Osm. R. 2, 458). Auch Pauthier (MPolo 1, 46 Note) übsetzt das pers. *kurd*, in MPolo *card*, durch 'vaillant, belliqueux', u. Rawlinson glaubte den Namen im assyr. *karadi* = kriegerische Jugend wiederzufinden. Stärker umgeformt lautet der Name Γορδναῖοι, Γορδνηνοί u. danach die Ldsch. *Gordyaea*, *Korduëne* (Kiepert, Lehrb. AG. 80). Nach dem VolksN. der LandesN. *Kurdistan*, mit pers. Endg., 'Land der *K.*'

Kurdkulak-Dagh = Wolfsohrberg, türk. Name eines hohen spitzen Bergs südl. v. Siwas (Tschihatscheff, Reis. 35).

Kurejeh, el- = kleines Dorf, arab. Name der Insel Ailah, die mit Ruinen der ehm. Citadelle bedeckt ist (Abulfeda ed. Hudson 3, 41), auch *Dschesirat Far'ôn* = Pharao's Insel (Wellsted, Trav. 2, 140 ff., Rüppel, Reis. Nub. 252).

Kurgan, Ort am Tobol, benannt nach den zahlr. Grabhügeln, *kurgani*, der Gegend. Diese Kurgani, 11—15 m h., beurkunden, dass hier einst der Sitz angesehener Herrscher war. Der merkwürdigste, ein fürstl. Mausoleum, 240 Ellen im Umfange, mit einem üb. 2½ m h. Wall u. einem Graben umgeben, v. conisch zugespitzter Gestalt, liegt bei dem Dorfe *K.* Derewna u. heisst *Zarew K.* = Fürstentumulus, danach die benachbarte Stadt gew. *Zarewo Kurganskaja* od. *Zarewo Gorodischtsche* = verfallene Fürstenstadt. Aehnliche zahlr. hohe tumuli aus der Tatarenzeit finden sich auch weiter flussab, bei Jalutorsk (Müller, Ugr. V. 1, 269). Nach Falk (Beitr. 1, 247) war der Bauer Neweschin, um 1650, der erste, welcher sich, angelockt durch das gute Ackerland, auf den Ruinen der tatar. Stadt niederliess. Eine Zeit lang, als Grenzveste, war der Ort wichtig; allein mit Gründg. der 'Orenburgischen Linie', 1738, verlor er an Bedeutg. — *K. Tepe* = Festungshügel, Ort im Chanat Buchara, am rechten Ufer des Surchab (Peterm., GMitth. 37, 269).

Kurieteln s. Kirjah.

Kurilen, zunächst Volksname: 'Menschen', wie sich die dem Cap Lopatka nächsten Insulaner nannten, dann durch die südw. vordringenden Russen auf die ganze Inselkette, deutl. in der

Form *Kurilskie Ostrowa* (Zeitschr. f. Ethn. 2, 307), übtragen (Cook-King, Pac. 3, 377), bei den Japanern *Jeso* (Spr. u. F., Beitr. 1, 194). Auch die Umwohner der *Kurilskaja Lopatka* (s. d.) selbst galten den Kosaken nicht als Kamtschadalen, sondern als *K.*, reine od. vermischte (Kraschenninikow, Kamtsch. 4. 33. 205, Müller, 8Russ. G. 4, 215); ja ein continentaler See dieser Gegend hiess *Kurilskoe Osero* = See der *K.*, der Ostrog auf einer Insel dieses See's *Kurilskoi Ostrog*. Heute bildet die Inselkette der *K.* den jap. Bezirk *Tsisima* = 1000 Inseln (Lauridsen, V. Bering 108, Peterm., GMitth. 22, 401).

Kurk-Mari s. Tscheremissen.

Kurland, eine der russ. Ostseeprovv., wo der finn. Stamm der Kuren im 13. Jahrh. die nördl. u. südwestl. Gebiete bewohnte, u. seither dem Andrang neuer Einwanderer so weit erlegen ist, dass sich ihrer nur noch 2400 an der Nordküste vorfinden, die Lithauer, mit 82%, die Masse der Bevölkerg. ausmachen u. der Rest auf Deutsche, Slawen u. Juden sich vertheilt (Sitzgsb. Kurl. G. 1890, 10 ff.). An die ehm. Bewohner erinnern auch die samländ. ON. *Kuren* (Thomas, Progr. 17. 20, Meyer's CLex. 10, 477 f.). Nach dem Lande das *Kurische Haff*, poln. *Rusna*, als Erweiterung des Rus od. Memel betrachtet, durch die *Kurische Nehrung* (s. Frisch) fast abgeschlossen.

Kurn, 'Ain el-, eine Quelle, arab. 'ain, der Kyrenaïka, am Fuss eines Berghorns entspringend u. wg. dieser Lage so benannt (Barth, Wand. 448).

Kurnikel s. Gurnigel.

Kuropatotschni-Jar = Rebhühnerfels, eine aus Eis u. Erde zsgefrorne, steile u. abschüssige Bergmasse, welche Kozmin, ein Theilnehmer der Exp. Wrangell (NSib. 2, 69), am 15. Juli 1821 westl. v. der Kolyma traf.

Kursk s. Kaginsk.

Kurtamyschnaja s. Isetsk.

Kuru = trocken, in türk. Fluss- u. Thalnamen (s. Terek), wie *K. Tschai* = trockner Fluss, mehrf.: *a*) Ort in trocknem Bachthal südl. v. Kusch Dagh (Tschihatschew, Reis. 39); *b*) ein Fluss, südl. v. Smyrna (ib. 23); *c*) einer der 3 Nebenflüsse, welche dem Euphrat unmittelbar obh. seines grossen Gebirgsdurchbruches zugehen (Spiegel, Er. A. 1, 161), od. *K. Dere* = trocknes Thal, ein türkes enges Thal Ciliciens (Tschih. 17), als *Böjük* (= grosses) *K. Dere*, im Balkan, bei Kesanlyk, 'weil es f. gew. v. keinem Bache fliessenden Wassers belebt wird' (Barth, RTürk. 30). — *K. Axai*, also mit dem Eigennamen eines z. Kargina, im Terekdelta, gehenden Flusses, tat. *Jachsai*, der jenen nur bei Hochwasser füllt, russ. übsetzt *Suchoi Axai* (Güldenst., Georg. 17). — *K. Tscheschme* = trockne Quelle, Ort an der europ. Seite des Bosporus, wo einst *Parabolos*, nach dem Auswerfen der Netze, *Kalamos*, der Menge des Schilfrohrs, u. der Ort *Estias* = der Vesta geheiligt, welcher später, nach der berühmten v. Konstantin dem Gr. erbauten Kirche des Erzengels Michael in *Vicus Michaelicus* umgetauft wurde (Hammer-P., Konst. 2, 212). — Statt *Ku-Tscheku* = trockne Kuppe (Bär u. H., Beitr. 20, 87) wohl *K. Tscheku,* kirg. Name einer Bergmasse am Weissen Irtysch, aus 2 spitzen Kegeln bestehend, mit Lagern v. Thonschiefer, Kalkstein u. kalkigem Sandstein.

Kuru Sô-Gawá = Strömung des schwarzen Golfs, gew. *Kuro Siwa* = schwarzer Strom, nennen die Japanesen den zw. Japan u. Bonin dürchziehenden warmen Meeresstrom (Klaproth, Mém. 2, 192). 'Gleichwie der Golfstrom, so zeichnet sich auch diese warme Strömg. durch ihre eigenth. Farbe vor dem benachbarten, nicht regelmässig strömenden Seewasser aus. Die tiefblaue Färbg. ist es, in Folge dessen die Japaner der Strömg. diesen Namen beilegten (Ausld. 46, 305, A. Rémusat, NMél. As. 1, 168, wo die Form *Kurosigawa*).

Kuschwa s. Kaginsk.

Kusghundschik, türk. Dorf bei Skutari, an der asiat. Seite des Bosporus, nach Kusghun Baba, einem türk. Heiligen, der zZ. Mohammed's II. lebte (Hammer-P., Konst. 2, 308).

Kusnezk = Schmiede, Ort im Gouv. Ssaratow, mit 500 Werkstätten einer vielfgen Kleinindustrie, insb. auch f. landwirthschaftl. Geräthe (Meyer's CLex. 10, 485). — Ein jüngeres *K.* im Altai, schon 1618 unter turk. Eisenschmieden angelegt (Humb., As. Centr. 1, 239), die das in der Gegend häufige Eisenerz ausschmolzen u. Haus- u. Jagdgeräthe schmiedeten, davon aber schon vor der conquista den Kirgisen etwa Tribut, in Kesseln Dreifüssen, Pfeilen etc., zu entrichten hatten (Müller, SRuss. G. 4, 119). Wir erfahren aus Falk (Beitr. 1, 347), dass die Schmiede der Stamm der Abinzen waren, die den Ort *Aba Tura,* v. *aba* = Vater u. *tura* = Stadt nennen, dass ferner die erste Anlage 1617 an der Confl. Konda-Tom, die zweite, nachdem der Ort v. den Dsungaren eingeäschert war, an der j. Stelle, der Mündg. ggb. auf dem rechten Ufer des Tom, geschah.

Kússabat, arab. ON. im tripol. District Meselläta, nach einer bedeutenden Bergveste u. einem unbedeutenden neuen Castell an der Westseite (Barth, Reis. 1, 81).

Kusumapura s. Patna.

Kusuptschi = Halsband, 'treffender' mong. Name einer Flugsandregion, welche sich parallel dem Laufe des Hoangho, in 20—25 km Entfernung, auf der rechten Stromseite hinzieht. Das 'Halsband', ein 15—80 km br. Sandgürtel, rahmt das Stromthal etwa 350 km ein u. geht weiterhin auf das linke Ufer über. Die 13—16, selten 30 m hohen Reihen feinen gelben Sandes erinnern an lang gestreckte Meereswogen u. werden, wie bei Schneewehen, bald auf der einen, bald auf der andern Seite zsgeweht u. zu lockern Haufen angeschwellt, in welchen Mensch u. Thier knietief einsinken . . . Kein Laut in der weiten Oede, alles todtenstill, wie einer andern Welt angehörig (PM. 19, 90).

Kuswa s. Solikamsk.

Kútab Minár = Polarstern des Minaret, ein

vielgenanntes Denkmal bei Déhli (Schlagw., Gloss. 212), wie *Kutabdija,* eig. arab. *K. uddin* = Polarstern der Gerechtigkeit, ON. in Arracan.

Kutschi s. Tykoothie.

Kutschkowo s. Moskau.

Kutschonowa s. Sibirien.

Kutsky s. Ust.

Kuttara s. Rohilkhand.

Kutusoff, Bay, an der Westseite Jeso's (u. dabei *Cap K.*), v. russ. Capt. J. A. v. Krusenstern (Reise 2, 36) im Mai 1805 getauft nach dem russ. Admiral *K.* Nach dem Text möchte man an zwei vschied. Personen, einen Viceadmiral Golenischeff *K.*, dam. noch lebend (?), u. den dam. schon † Admiral *K.* denken; allein Krusenstern's späterer Atl. OPac. 23 hat einf. u. gleichmässig *Baie G.K.* u. *Cap G.K.* — *K.-Smolenski,* 2 Inselgruppen in Radack, einh. *Udirik* u. *Tagai,* auf neuern Carten auch prsl. *Button Islands,* v. Lieut. v. Kotzebue 1816 getauft. — *K. Insel,* in der Centralgruppe der Paumotu, einh. *Makemo,* im tahit. Dial. *Maemo,* v. Capt. Buyer schon 1803 gesehen u. prsl., als *Phillip Island,* eingetragen, mit dem Namen eines Landsmanns belegt 1819 v. russ. Seef. Bellingshausen (ZfAErdk. 1870, 367, Meinicke, IStill. O. 2, 208).

Kutzoblachoi s. Walachen.

Kuzghun s. Kaspisee.

Kwaade Eilanden, de = die bösen Inseln, eine Reihe Küsteninseln in Eendragts Ld., v. niedrigen Sanddünen umgeben, 'lage sant duynen', u. so benannt v. der Exp. des holl. Schiffes Emeloort, welches, befehligt v. Aucke Pieters Jonck, die Spuren des am 28. April 1656 schiffbrüchigen 'Vergulde Draeck' aufsuchte u. in den Monaten Febr. u. März 1658 hier erschien (WHakl. S. 25, 80ff., Carte).

Kwajah, Kuh-l-, pers. Name eines isolirten auffälligen Berges, *kuh,* in Sedschistan, benannt nach einem heil. Derwisch, Pir *K.,* der hier begraben liegt, wie auch sonst dieser Punkt oft als Zufluchtsstätte berühmter Männer diente. 'The tomb is profusely ornamented with rosaries of the seed of the binneh-tree and of other beads, and votive offerings of variegated pebbles of quartz and jasper, disposed in patterns on the top of the sarcophagus' (JRGSLond. 1874, 145ff.).

Kwangning Schan, ein Gebirge der Mandschurei, unfern der Stadt *K.*-Hien. Es heisst auch *Liu Schan* = 6 Berge, nach den 6 Reihen v. Terrassen, mit welchen sie v. der Ebene aufsteigen (JRGSLond. 1872, 153).

Kweilin s. Jinan.

Kyaneai, gr. Κυάνεαι (πέτραι) = Schwarzfelsen, zwei Felsklippen am pont. Ausgang des Bosporus (Herod. 4, 89), heute 'eine Reihe unterflutiger Felsen, welchen vermuthl. einst grössere Höhe u. Umfang das Recht auf den Titel v. Eilanden gab', auch *Symplegaden* (s. d.) od. πέτραι Συνδρομάδες, nach Eratosthenes Συνορμάδες, *Synormaden* = die zugleich sich bewegenden, od. *Planke* = die irrenden. 'Die Sage v. ihrer Beweglichkeit u. ihrem Treiben rührte vermuthl.

v. ihrem Erscheinen od. Verschwinden bei hohem u. stürmischem Meere her, indem dieselben, wenn die Flut hoch geht, ... bald versteckt, bald entdeckt erscheinen (Hammer-P., Konst. 1, 9; 2, 270). — *Kyane*, gr. *Kuáνη* = Schwarzwasser. eine Quelle u. Flüsschen unweit Syracus, j. *Ciana* (DSic. 4, 23). — *Kyaneos*, gr. *Κυάνεος, ὁ ποταμὸς* = Schwarzfluss, ein Nebenfluss des Phasis, Kolchis (Steph.B., Pape-B.).

Kyauk-Sit = Steinhauer, Dorf Birma's, in welchem die Marmorbilder Gautama's f. das ganze Reich angefertigt werden (Crawfurd, Emb. 1, 298).

Kyburg, ein alter Dynastensitz im C. Zürich, 1027 *Chuigeburch*, dann *Chuiburg, Chiuburch, Cuiyburg, Kyburga*, ist dem ersten Theil des Namens nach ganz unbekannt. *Cuige, quige*, gehört viell. zu *quig* = Befestigung, also 'stark befestigte Burg', od. *kuigeburg* ist s. v. a. *Zwigeburg* (eine Vertauschung v. *k* u. *zw* findet sich öfter), d. i. arx frondosa = stark bewaldete Burg, od. liegt ein kelt. Wort zu Grunde? (Mitth. Zürch. AG. 6, 113).

Kydones, gr. *Κύδωνες* = die grossen, beträchtlichen (*κυδώνιος* = *μέγα καὶ ἀξιόλογος*), ein alter Volksstamm im Nordwesten Kreta's (Hom., Od. 3, 292). In ihrem Gebiet eine Stadt *Κυδωνία* (Thuc. 2, 85), j. *Khania* (Pape-B.).

Kylenasaggart s. Mónaghan.

Kyllene s. Coelesyria.

Kylung s. Formosa.

Kymaios K. s. Neapolis.

Kynigu, ngr. *Κυνηγοῦ* = Jägerberg, einer der Berggipfel westl. v. der arkad. Stadt Kalabryta. Es erinnert dieser Name an die Lieblingsbeschäftigung der alten Kynätheer, welche Zeus als ihren Jagdgott ehrten u. ihm in der Zeit ihres höchsten Wohlstandes in Olympia einen fast 4 m h. Erzcoloss aufrichteten (Curt., Pel. 1, 383).

Kynos Kephalai, gr. *Κυνὸς Κεφαλαί* = Hundsköpfe, 2 mal: *a)* zwei rauhe u. steile Hügel bei Scotussa, Thessalien (Pol. 18, 5), in deren Gestalt die Alten eine gewisse Aehnlichkeit mit Hundsköpfen zu erkennen glaubten (Bursian, Gr. Geogr. 1, 71), lat. *Cynocephalae*, türk. *Kara Dagh* = schwarzer Berg (Meyer's CLex. 10, 491); *b)* eine Anhöhe, nach St. B. zw. Theben u. Thespiä, Böotien

(Pape-B.). — *K. Sema*, gr. *Κυνὸς σῆμα* = Hundsgrabmal, ebf. mehrf.: *a)* ein Vorgebirge des thrak. Chersonnes, v. dem Grabmal der in einen Hund verwandelten Hekabe, daher auch *Ἑκάβης σῆμα* (Pape-Bens.); *b)* ein Vorgebirge in Karien (Strabo 656); *c)* ein Küstenort in Aegypten (ib. 749). Vergl. Onu Gnathos. — *Kynosura*, gr. *Κυνόσουρα* = Hundsschwanz, dann übh. Klippe (*πᾶς χερσοειδὴς τόπος*, Hesych) heissen v. ihrer Form: *a)* ein schmales, weit ins Meer hinaustretendes, felsiges Vorgebirge westl. v. Marathon (Hesych, Curt., GOn. 156, Bursian, Gr. Geogr. 1, 337); *b)* Phyle in Lakonika, an einem Vorsprunge des Taygetos (Hesych.); *c)* Stadt, Hafen u. Gegend v. Histiäa, Kreta (Erat. Catast. 2); *d)* das spitze Vorgebirge einer felsigen gg. Attika vorspringenden Halbinsel v. Salamis, nach seiner Form so genannt (Bursian, Gr. Geogr. 1, 364).

Kynzvart s. Königswalde.

Kyouk Phyu = 'Weissenstein', Hafenort Arracans, v. den Eingebornen so benannt nach der Menge weisser Kieselsteine, welche zZ. des Südwest-Monsuns auf den dortigen Strand geworfen werden (Bergh., Ann. 5, 548).

Kyparissia, gr. *Κυπαρισσία* = Cypressenort 3 mal: *a)* Stadt in Messenien, bei Plin. (HNat. 4, 15), *Cyparissa*, j. *Arçadia*, immer noch v. dichten Baumgärten umgeben (Curt., Pel. 2, 184, GOn. 157); *b)* Stadt in Lakonien (Strabo 363); *c)* früherer Name der Insel Samos (Arist.), bei Plin. (5, 135) *Cyparissia* (Pape-Bens.). — Auch die Formen *Kyparisseeis* u. *Kyparissos* erscheinen als ON. — Engl. *Cypress Island*, hinter Vancouver I., nach den dort zahlr. hohen Cypressen der Westseite (Peterm., GMitth. 5, 494).

Kyptian s. Zigeuner.

Kyrene s. Achdar.

Kyrka = Kirche, in schwed. ON., so *Kyrksund*, die Meerenge, welche die finn. Insel Mogenpörtö mit dem Festlande verbindet, nach einer Kirche, welche sich einst auf dem Eiland befand u. zu welcher die Leichen sogar aus Elimä gebracht wurden (Bär u. H., Beitr. 13, 83).

Kyselow s. Kiseljak.

Kyssim s. Zar.

Kzoie s. Koza.

L.

Laach, im 8. Jahrh. *Lacha*, 'könnte geradezu lat. *lacus* sein' (Förstem., Altd. NB. 954), Ort in Rheinpreussen, als Benedictinerstift 1093 ggr., *Abbatia Lacensis* = Abtei am See (s. Interlaken), näml. am *Laacher See* (Meyer's CLex. 10, 493). Aehnl. *Laax* = Seeort, rätor. ON. in Graubünden, wo der einstige See noch j. ein weites Sumpfgebiet u. mehrere kleine Wasserflächen hinter-

lassen hat, sowie *Lachen*, Ort am Obersee, Schwyz. — Ein fries. Ort *Lôkward* od. *Lôquard*, unw. Emden, früher *Lachwerth, Lacuurdh*, s. v. a. See- od. Sumpfinsel, Werder am See od. Sumpf (DKoolmann, Ostfr. WB. 2, 528). — Ein slaw. *Laak* od. *Lack* s. Bischof.

Laage Elland, het, schwed. *Låg-Ö*, engl. *Low Island* (s. d.) alles 'die niedrige Insel', urspr. holl.

Name einer grossen Insel an der Nordwestseite des spitzb. Nordost Ld., nur wenige Fuss üb. M. erhoben (Peterm., GMitth. 10, 132) . . . 'Mit Ausnahme des Quarz Rock bildet sie eine Ebene, die sich nur einige Fuss üb. dem Meeresspiegel erhebt u. an die öden Kalkflächen der Gr. Stein I. erinnert' (Torell u. N., Schwed. Expp. 159, 171). Vgl. Shoal Point.

Laaland, dän. *Lolland,* eine Insel des dän. Archipels, nicht nur mit niedrigen Ufern, die durch vorliegende Untiefen schwer zugängl. sind, sondern auch mit einer Oberfläche, die 'beinahe überall in gl. Höhe mit dem Meere' liegt (Meyer's CLex. 10, 492), 'ganz flach u. eben', im höchsten Punkt bloss 45 m üb. M., daher gern f. *Lavland* = niedriges Land genommen (Daniel, Hdb. Geogr. 4, 1043), ist aber 'Wasserland' v. altn. *lá,* einem seltener gebrauchten Wort f. Wasser, das auch im ON. *Lellinge,* alt *Laelinge,* vorkommt (Madsen, Sjael. StN. 219). Das 'Wasserland' bezieht O. Nielsen (Bland. 3, 183) nicht auf die umgebende See, sondern auf die zahlr. Inseen u. Sumpfgewässer, 'hvoraf det i aeldre tid har vaeret opfyldt.'

Laauwwaterskloof = Lauwasserschlucht, capholl. Name einer Schucht am Oranje R., wohl nach einer nahen Lauwasserquelle, als Ansiedelg. v. Bastard-Hottentotten auch *Bastertskloof* = Schlucht der Bastarde (Lichtenst., SAfr. 2, 391).

Lábas'sko, Ort auf Lábasnoj, einer Insel des Petschoradeltas, eig. ein Theil v. Pustosèrsk (Schrenk, Tundr. 1, 566).

Labe s. Elbe.

Labé, Cap, die Ostspitze der Insel Choiseul, Salomonen, v. russ. Adm. v. Krusenstern (Mém. 1, 162) benannt nach Surville's Officier d. N., welcher vermuthete, dass sich hier eine grosse Bay (wie sie Fleurieu, s. Salomonen, zeichnete) vorfinden müsse. Der frz. Seef. Surville hatte es am 7. Oct. 1769 entdeckt u. f. eine besondere Insel, *le Gros Morne* = grosser Düsterberg, gehalten (Spr. u. F., NBeitr. 3, 218, Meinicke, IStill. O. 1, 152).

Laber, im 8. Jahrh. *Labara,* als bayr. FlussN. wiederholt, offb. kelt. Urspr., wie er 'sowohl durch den geogr. Kreis seines Vorkommens als durch seine Uebereinstimmg. mit kymr. *llafar* = vocalis, sonorus, loquax, zeigt' (Glück, Kelt. ON. Caes. 50, Zeuss, Gr. Celt. 5). Hierzu gehören viell. auch die vschiedd. *Leber-bäche* in SDeutschl., v. allem die elsäss. *Leber,* frz. *Lièvre,* im 9. Jahrh. *Lebraha.* 'Wie die lebhaften südl. Römer, so hörten auch die gernschwatzenden Kelten im Rauschen des Baches die menschl. Stimme' (Bacmeister, Kelt. Br. 18, AWand. 133). Nicht zu übersehen ist jedoch die deutsche Ableitg.: *Lap-ara,* urk. 815, v. dial. *lap* = träge, langsam, faul; 'denn man kann v. diesem Flusse die Richtg. des Stroms kaum unterscheiden. Hätte Förstemann diese Eigenschaft gekannt, so hätte er nicht das Kymr. herbeigezogen' (Wessinger, Bayr. ON. 83). Vgl. Rich. Müller (Bl. öst. LK. 1888, 62).

Labiche's River, auch mit *Labieshe, Lebich,*

FlussN. in America, v. der Exp. Lewis u. Cl. nach einem ihrer Mitglieder, 2 mal: *a)* ein lkseitgr. Zufluss des Unterlaufs des Oregon, am 29. Oct. 1805 (Trav. 376); *b)* ein rseitgr. Zufluss des Yellowstone R., am 27. Juli 1806 (ib. 630).

Labourdan s. Bayonne.

Labourdonais, Ile, bei Purdie's Is., v. der frz. Exp. Baudin im April 1802 prsl. benannt (Péron, TA. 1, 274), wie die *Iles Labourdonnaye* (s. Seychellen).

Labrador, port. *Terra de Lavradores* = 'Sclavenküste', v. G. de Corte Real 1501 entdeckt u. benannt, nicht, wie 1791 G. Forster (Reis. Ann. 1, 12) vermuthet hatte, 'ackerbaufähiges Land' (Cannabich, Hülfsb. 3, 74), sondern im Sinne des venet. Gesandten Pasqualigo, welcher die 57 mitgebrachten Eingb. beschrieb u. mit den Portugiesen die Ansicht theilte, sie möchten um ihrer Stärke willen treffliche Sclaven, Arbeiter, lavradores, abgeben: 'gentes salvajes, fuertes y dispuestas para cualquier trabajo' (Navarrete, Coll. 3, 43). Ganz so Buckingh. (Can. 168): 'Their supposed excellent qualities, and the large supply which the country was thought likely to furnish of these labourers ...' Auf den ältesten Carten v. 1608 *Terra Cortereatis* (ib. 169), bei Hudson, der das Land am 25. Juli 1610 erblickte, *Magna* (= gross) *Britania* (Forster, Nordf. 386, Rundall, Voy. NW. 77, WHakl. S. 27, 96), sonst auch *New* (= neu) *Britain* (Forster, GReis. 3, 21).

Labtscha, urspr. *lábtse* = ein Haufen, tib. Name eines Bergs in Spiti, nach dem auf ihm errichteten Steinhaufen. Diese Steinhügel werden aus religiöser Absicht, näml. um die bösen Geister abzuhalten, bei vschiedd. Gelegenheiten errichtet, üb. ganz Tibet, bes. gern an vorragenden Punkten, wie Bergspitzen, u. gewöhnl. werden Stangen mit Lappen od. alten Kleidern in den Haufen befestigt (Schlagw., Gloss. 213).

Labuan, richtiger *Pulo Labuhan* = Anker- od. Hafeninsel, v. mal. u. jav. *labuh* = (den Anker) fallen lassen, im Archipel wiederholt, bes. aber f. eine Insel an der Nordwestseite Borneo's. Von hier bis z. Mündg. des Flusses Bruni ist überall guter Ankergrund (Crawf., Dict. 203).

Labutinsk, russ. Ort an der ural. Tawda, Sib., nach dem reichen Wogulenfürsten Labuta, der hier 1583 der Eroberg. widerstand. Auch ein Bach *Labuta,* welcher in den Tawda fällt (Müller, SRuss. G. 3, 391).

Labyrinth, gr. Λαβύρινθος, verd. aus ägypt. *Lope-ro-hun't* = Palast am Eingang des See's, f. einen Wunderbau am See Möris, wo noch inmitten der Wasserfläche die Kolossalstatuen des Königs Amenemha III. (Mitte des 23. od. 27. Jahrh.) u. seiner Gemahlin Sebeknefru u. am nordöstl. Rande die weitläufigen Trümmer des Palastes stehen, dem Herod. noch 27 Höfe u. 3000 Gemächer zuschrieb (Kiepert, Lehrb. AG. 201). Das Wort, sprichw. geworden f. Irrgänge u. Irrgärten, erscheint toponym. in Paumotu, f. 'Vliegen Eiland od. Meerderzorg' (Garnier, Abr. 1, 127, ZfAErdk. 1870, 390). *L.* näml. nannte der holl. Seef. Roggeween im Mai 1722 eine austr. Inselwolke, in welche er unversehens hineingerathen war u. aus welcher er mit Mühe u. 'vielen Umschweifen' wieder sich rettete (Debrosses, HNav. 454). In des Capt. 'Dagverhaal' u. dessen Carte erscheint der Name nicht; vschiedd. Angaben ergänzt eines Anonymus 'Tweejarige Reize' (Dordt 1728) od. K. Frdr. Behrens' 'Wohlversuchter Südländer' (Leipz. 1738).

Lac = See, als Bestimmungswort frz. ON. nicht häufig: *Mont du L.* = Seeberg, im Val de Joux, 'dans une position qui domine le lac et d'où la vue s'étend sur toute la vallée' (Mart.-Crous., Dict. 613).

La Caille, Pointe, eine Landspitze an der Westseite des Spencer's G., v. frz. Lieut. L. Freycinet, Exp. Baudin, am 28. Jan. 1803 getauft nach dem Astronomen Nicolas-Louis de *L.*, 1713—1762 (Péron, TA. 2, 79); *b) Ile L.*, im Arch. Laplace, im Febr. gl. J. (ib. 84).

Lacedaemon, gr. Λακεδαίμων, in adj. Form Λακωνική, spätlat. *Laconia*, nach dem Volke der Lakonen (Kiepert, Lehrb. AG. 267). — *Laconia* s. Hampshire.

Lacépède, Baie, in Südaustr., v. der frz. Exp. Baudin am 8. Apr. 1802 benannt nach dem Naturforscher d. N., 1756—1825 (Péron, TA. 1, 270); *b) Iles L.*, bei Tasman's Ld., ebenso am 5. Aug. 1801 (ib. 1, 112, Freycinet, Atl. 26); *c) Détroit de L.* s. Investigator.

Lachen s. Laach.

Lachisch s. Lix.

Lachlan River, einer der Zuflüsse des Murray, im Mai 1815 v. Evans entdeckt (Meinicke, Festl. Austr. 1, 257), ist wie der z. gl. Netz gehörige, v. gl. Reisenden 1813 entdeckte *Macquarie River* (s. d.), benannt nach dem vorm. Generalmajor *L.* Macquarie (King, Austr. 1, 62).

Lackmedien s. Medlauken.

La Condamine, Ilots, eine Gruppe kleiner Inseln des austr. Arch. Laplace (s. d.), v. der frz. Exp. Baudin im Febr. 1803 getauft nach dem Naturforscher d. N., 1701—1774 (Péron, TA. 2, 84).

Laconia s. Lacedämon.

La Croyère, Iles de, 5 Inselchen in NW-America, v. frz. Seef. La Pérouse im Aug. 1786 getauft zu Ehren des Geographen d. N., welcher in Gemeinschaft mit Capt. Tschirikow 1741 diese Gegend besucht hatte u. auf der Exp. umkam. Der engl. Seef. Dixon hatte die Gruppe im Juni vorher *Foggy Islands* = neblige Inseln genannt (Milet-M., LPér. 2, 223).

Lacy s. Nuyts.

Ladenburg Insel, ein imposantes, schönes Stück v. Franz Joseph's Ld., v. der 2. öst.-ungar. Nordpolexp. Weyprecht-Payer 1872/74 getauft nach dem Banquier *L.*, der mit an der Spitze des österreich. Nordpolvereins stand (Peterm., GMitth. 18,146; 20 T.20. 23); *b) L. Gletscher* s. Wilczek.

Ladhéjjagà = Spaltfluss nennen die Samojeden einen ihrer Flüsse, nach der tiefen Schlucht, welche den Quellhügel zu spalten scheint (Schrenk, Tundr. 1, 498). — *Ládhajbaj* s. Sedabaj.

Ladikîle s. Laodikea.

Ladiner s. Raeti.

Ladoga(-See), im Russ., wo bei adj. Ableitg. *g* in *sh* übergeht, *Ladoshskoe Osero*, das grosse Seebecken der Newa, hiess bei den hanseat. Seeff. *Aldagen* (E. Deecke, Seeört. 1), bei den ältesten Anwohnern, den Finnen, *Aldoga*, richtiger *Aaltoka*, v. *aalto* = Welle, also charakteristisch f. ein Bassin, dessen stürmisches Gebahren berüchtigt ist. Die Russen stellten *al* in *la* um, ganz im Geiste der slaw. Sprache, die übh. keine Wörter mit *a* beginnt. Am See des skand. *Aldogaborg* (Grot, Not.GN. 626), der erste Sitz Rurik's. Schon der berühmte finn. Sprachforscher A. J. Sjögren (Ingerm. 108) hat constatirt, dass dem skand. *Aldoga* der ggwärtige Name *L.* f. den See u. zwei Städte vollkommen entspricht; das urspr. *Aldoga*, sagt er, ist nichts als finn. *altokas* = wogend, brausend, v. *al-* od. *aalto* = Welle, Woge. In früherer Zeit hiess der See bei den tschud. Anwohnern *Äänine* = der brausende, rauschende, also mit einem Namen gl. Bedeutg. (s. Onega). *Aldogaborg,* russ. *L.*, wurde, seitdem Peter d. Gr. 1704 um ein seit dem 15. Jahrh. bestandenes Kloster den Ort *Nówaja* (= neu) *L.* ggr., als *Stary* (= alt) *L.* unterschieden u. ist j. zu einem unbedeutenden Flecken herabgesunken (Schrenk, Tundr. 1, 4, (Meyer's CLex. 12, 151). Bei alten russ. Schriftstellern hiess der See, nach seinem Abflusse, *See der Newa* (Müller, SRuss. G. 1, 209), in Mentzer (Svensk Hist. Atl.) *Nåwa*; beide Namen, den mod. wie diesen ältern, stellt Herberst. (Rer. Mosc. C. ed. Major 2, 24) neben einander. Der Canal, welcher dem See entlang führt u. die Schifffahrt auf den bösen Gewässer entziehen soll, heisst *L.-Canal.*

Ladrilleros s. Revillagigedo.

Ladronen s. Marianen.

Lächowsky Insel, in NSib., 1769 v. dem Jakuten Etérikan, Ettrikan gefunden u. *Ettrikan I.* genannt, dann v. russ. Kaufmann *L.*, der um die Entdeckg. wusste u. am Swjätoi Nos eine grosse Renthierherde v. Norden üb. das Eis kommen sah, 1770 besucht. Er fand nächst der grossen, die auf Befehl Katharina's II. den Namen *LI.* erhielt, auch *Maloi Ostrow* = die kleine Insel, sowie bei seinem spätern Besuche 1773 *Kotelnoj Ostrow.* Ich begreife nicht, wie die 'erste' Insel, trotz der kais. Umtaufe, noch 1843 ihren urspr. Namen tragen kann u. die 'dritte' nach dem russ. Entdecker benannt ist. Der Archipel hiess früher meist *L. Inseln,* j. *Neu Sibirien* (Wrangell, NSib. 1, XXX).

Laetitia, Cap, am St. Vincent's G., v. der frz. Exp. Baudin im Jan. 1803 benannt u. zwar, wie die meisten übr. Punkte jener Gegend, nach einer Frau der Familie Bonaparte, der Mutter Napoleon's I., Maria *L.*, geb. Ramolino (Péron, TA. 2, 73).

Lafayette, Cap, am St. Vincent's G., v. der frz. Exp. Baudin im Jan. 1803 benannt nach dem 'fleischgewordenen Typus republican. Institutionen', dem Marquis v. *L.* 1757—1834 (Péron, TA. 2, 73); *b)* ebenso *L. Bay,* in Washington Ld., v. Kane (Arct. Expl. 1, Carte) 1853/55, z. Gedächtniss eines Mitkämpfers am american. Unabhängigkeits-kriege, sowie *Mount L.* (s. White).

Lafit s. Kischm.

Lafontaine, Cap, am Spencer's G., v. frz. Lieut. L. Freycinet, Exp. Baudin, am 24. Jan. 1803 nach dem Fabeldichter Jean de *L.* 1621/95 getauft (Péron, TA. 2, 78).

Lagalissonnière, Presqu'île de, nannte im Jan. 1803 die frz. Exp. Baudin das Ostende, *presqu'ile* = Halbinsel, ihrer Ile Decrès (s. Kanguroo I.) 'z. Andenken des Ueberwinders des Admirals Bing' (Péron, TA. 2, 60).

Lagartos, Rio de = Fluss der Eidechsen nannten die span. Entdecker Diego de Nicuesa u. Alonso de Hojeda 1508 den Fluss *Chagres* nach den 'krokodilartigen Fischen, welche Menschen fressen': peces crocodillos que comen hombres (Gomara, HGen. 50) ... e dahi foy ter ao *Rio dos L.*, que se agora chama *Chagres* (WHakl. S. 30, 101), nach einem Ort an der Mündg.

Lagberg s. Thing.

Lage = Fliese, Boden, port. Name der im Eingange z. Bay v. Rio de Janeiro gelegenen kleinen fast à fleur d'eau liegenden Insel, welche in ihrer niedrigen, flachen Gestalt die Art einer grossen Diele nachahmt (Varnh., Hist. Braz. 1, 230).

Lagediack Strasse, in der Gruppe Romanzow, Radack, v. russ. Lieut. v. Kotzebue (Entd. R. 2, 70. 73) im Jan. 1817 nach einem Eingb. genannt, dessen Umgang f. den Seef. sehr lehrreich gewesen war.

Lághame (Na Lógone) = Fluss (v. Lógone), der westl. kleinere Arm des Schari, in dem Bornu tributpflichtigen centralafrican. Lande Lógone, Logón; heisst weiter oben, in der Mússgusprache, *Eré*, *Arré* = Fluss (Barth, Reise 3, 266. 564).

Lago = See, die span., port. u. ital. Form des lat. *lacus*, rätr. *ley*, frz. *lac*, auch ins engl., *lake* (s. d.), übgegangen, erscheint in antikem Gewande auch auf germ. Sprachgebiet, etwa in ON. klösterl. Ursprungs (s. Interlaken). Hier sind aufzuführen *a)* ein ital. *Pascolo dei Laghi* = Weide an den See'n, eine Galtvieh-Alp des Beruinapasses, in der Nähe seiner Bergsee'n (Leonhardi, Posch. 19); *b)* *Laghetto* = der kleine See, die seeartige Erweiterg., welche der Luganer-See nach einer flussartig verengerten Strecke bildet, ehe ihn die Tresa verlässt (Gem.·Schweiz 18, 71).

Låg-ö s. Low.

Lagoon Island (s. Laguna), engl., mehrf. f. Atolle: *a)* eine ovale Insel, welche eine grosse Lagune einschliesst, in der Centralgruppe der Paumotu, einh. *Nukutawake* (ZfAErdk. 1870, 357, Meinicke, IStill. O. 2, 212), v. Cook am 4. Apr. 1769 benannt, nachdem sie um 10ʰ Vorm. v. Peter Briscoe, einem Bedienten des Hrn. Banks, erblickt worden war (Hawk., Acc. 2, 72), id. mit den *Quatre Facardins* (Krus., Mém. 1, 262 ff.), die ein Jahr vorher der frz. Seef. Bougainville so taufte; dieser verglich näml. die Inselfetzen mit dem Drusenfürsten Fahkr-Eddyn, welcher zu Anfang des 17. Jahrh. in Saida residirte u. diesen Ort z. Blüthe brachte (Bouillet, Dict. d'Hist. Géogr.);

b) s. Zondergrond; *c)* in der Torres Str., 1789 v. Lieut. W. Bligh (Spr. u. F., NBeitr. 6, 67). — *L Islands* s. Ellice.

Lagrange, Ile, v. der frz. Exp. Baudin 2 mal in Austr. nach dem berühmten Mathematiker d. N., 1736—1813: *a)* in den Iles de l'Institut am 14. April 1801 (Péron, TA. 1, 116; 2, 211, Freycinet, Atl. 27); *b)* s. Boston. — *Baie L.*, in Tasman's Ld., am 8. Apr. 1803 (Freyc., Atl. 26).

Laguna, span. u. port. Form f. lat. *lacuna* = kleiner See, wie port. *lagôa*, auch ins frz., *lagune*, u. ins engl., *lagoon* (s. d.), übgegangen, bezeichnet die in das Sumpfgebiet eingestreuten Wasserflächen u. dann auch 'Sumpf' u. 'Morast' selbst. Besonders geläufig ist der Ausdruck f. Strand- u. Haffsee'n, wie die *Lagunen* v. Venedig, die einst *Hepta Pelage*, gr.'Επτὰ πελάγη, lat. *Septem Maria* = 7 See'n geheissen hatten (Plin., NHat. 3, 120). — *L.*, Küstenort der bras. Prov. Santa Catharina, an einem grossen Strandsee (Avé-L., SBras. 2, 35). — *Alagoas*, brasil. Stadt südl. v. Pernambuco, mit Art. vollst. *as Lagoas*, wo 2 Binnensee'n, 'charakteristisch genug f. die kleine Prov.', tief ins Land eindringen (Avé-L., NBras. 1, 370). — *L.*, im span. America *a)* in Guatemala, an einem mit Wasserlinsen bedeckten Sumpfe (Peterm., GMitth. 21, 328); *b)* in NMexico, grosser Pueblo, aber v. einem See keine Rede (ib. 453); *c)* Santiago de la *L.*, Missionstation in Peru, v. Pater Lucero 1670 ggr. am rechten Ufer eines v. Huallaga gebildeten See's, nach Borja's Zerfall Sitz des Priors (WHakl. S. 24, XXXV). — *Provincia de L.* s. Bay. — *Cidade de L.*, Ort auf Tenerife, nicht 'so called from an adjoining lake' (Cook-King, Pac. 1, 24), sondern weil er 'in einer fruchtb. Ebene liegt, die vor langer Zeit ein Seebecken war' (ZfAErdk. 1870, 10). — Im dim. *Lagunita*, einer der beiden Kratersee'n des Vulcans Apaneca, SSalvador (ZfAErdk. nf. 9, 482).

Lahn, dial. *Lohn* od. *Löhn*, Fluss in Nassau, im 8. Jahrh. *Loganaha*, dann *Loganahi*, *Loganahe*, *Loginahi*, *Loginahe* ... (Arch. hess. Gesch. 6, 419 ff.), offb. 'Laugenwasser', verwandt mit altn. *lauga* = lavare, ahd. *lauga*, nhd. *lauge* = lix (Förstem., Altd. NB. 1014 f., Bonner Jahrbb. 63, 157; 64, 201), 'v. der thatsächlich trüben Farbe des Flusses' (Kienitz Brief dd. 4. XI. 81). Nach dem Flusse der *Lahngau*, die Orte *Ober-* u. *Nieder-Lahnstein*, an der Mündg. der *L.*, im 10. Jahrh. *Logen-*, dann *Logun-*, *Loin-*, *Lonstein*, u. die Burg *Lahneck*.

Lahól, auch *Lahául*, *Lahúl* = Südprovinz nennen die Tibetaner eine Gegend des westl. Himálaja im Ggsatz z. nördlichern Ladák; bei den Ladákis heisst *L.* gew. *Kártschan* = das weissvolle, nach den zahlr. Gletschern u. Firnmeeren (Schlagw., Gloss. 213).

Lahór = Lawa's Stadt, Hindiname einer Stadt des Pandscháb, nach Lawa, dem Sohne Rama's od. dem König Kaschmír's (Schlagw., Gloss. 213).

Lahsa s. Bahrein.

Laibach, oft *Layback*, slow. *Ljubljana*, der Name der Hptstadt Krains, dürfte trotz der deutschen

Klanges u. trotz der Annahme, dass sie an Stelle des in der Völkerwanderg. zerstörten *Amona, Hämona*, z. Z. Karls d. Gr., u. zwar durch Franken, erbaut worden sei (Meyer's CLex. 10, 529), urspr. slaw. sein u. wie der Flussname *L.* nur eine der deutschen Zunge mundgerechte Umbildg. der Urform sein.

Laily = der trübe, kirg. Name eines in den Balyk Kul mündenden Flüsschens, weil es im Frühjahr, wo viel Wasser darin fliesst, trübe ist (Bär u. H., Beitr. 20, 40).

Lake Fork = Seearm, engl. Flussname in N America *a)* f. einen Zufluss des Wind R., d. i. des Oberlaufes des Bighorn R., weil er ein paar schöne Bergsee'n bildet (Raynolds, Expl. 84); *b)* f. den Abfluss v. Henry's (od. De Lacy's) L., also gleichbedeutend mit dem z. Snake R. gehenden Henry's Fork (ib. 98); ferner *L. Portages*, eine Reihe v. Tragepläzen obh. Reindeer L., nach der See'nkette (s. Nine Lakes), längs deren der Weg verläuft, die 7 ersten nummerirt: *first, second . . . LP.*, der letzte, mit welchem man den Fluss wieder erreicht, *River Portage* (Franklin, Narr. 212 ff.).

Laketer, gr. Λακητῆρ = Rauschenberg, v. Branden der Wellen (Curt., GOn. 154, Pape-Bens.), hiess 'das hohe Westende v. Kos' (Ross, Reis. 2, 67), j. *Kephalas*, ngr. Κεφαλᾶς = Grosskopf (ib. 3, 186), wie das j. Bergdorf.

Lakhimpúr = Lákhim's (od. Lákschmi's) Stadt, hind. Name einer Stadt in Ober-Assám, v. *Lákhim*, besser *Lákschmi*, der ind. Fortuna od. Glücksgöttin. Aehnlich *Lakhipúr*, in Bengál, *Lakschmipúr*, ebf. in Bengál (Schlagw., Gloss. 214).

Lakhnau, auch *Lacknau*, in engl. Orth. *Lucknow*, skr. *Lakschmanavati* (Lassen, Ind. A. 1, 159) = der glückliche Auspicien habende, hind. Name einer Grossstadt in Audh, wohl nach dem Gründer Lakschmana, Rama-Tschandra's Halbbruder (Schlagw., Gloss. 214, Reis. 1, 318). Dazu: *Lakschmanavati* (s. Gaur) u. *Lakschmani* = die glückliche, ein rseitgr. Zufluss in Kaveri (Lassen 1, 195).

Lakinion, gr. Λακίνιον, ὄρος od. ἀκρωτήριον = das zerrissene Vorgebirge, Bruchberg, v. λακίς u. λάκισμα = Riss, Fetzen (Curt., GOn. 156), hiess ein Cap der Ostküste Bruttiums, j. *Capo delle Colonne* = Säulen- od. Pfeilercap, auch *Capo di Nau*, mit Flecken gl. N. (Scyl. 13, Pape-Bens.). — *Lakmos*, gr. Λάκμος = 'Brocken', ein Theil des Pindus (Curt., Gr. Etym. 1, 129), j. *Liaka* (Pape-B.).

Lakkadiwa, skr. *Lákscha-dwípa* = Hunderttausendinseln, v. *lakke*, st. *láksoha*, = 100 000 u. *diwe*, *dwipa* = Insel, eine bekannte Inselgruppe vor Malabar (Humb., Kosm. 2, 433, Schlagw., Gloss. 214), nach Lieut. Wood (1835) aus 15 Atollgruppen gebildet, deren Ringe eine durch tiefes Meer geschiedene Doppelreihe bilden, alle klein u. niedrig, die grössern unter Wiederholg. der Atollform, also dass man den Eindruck einer unendl. Inselzahl erhält.

Lakschmanavati s. Gaur.

Lalaki s. Kambangan.

Lalande, Cap, am Spencer's G., v. frz. Lieut. L. Freycinet, Exp. Baudin, am 28. Jan. 1803 getauft nach dem Astronomen Joseph-Jérome Le-François de L., 1732—1807 (Péron, TA. 2, 80).

Lam s. Bajkal.

Lama-mjao s. Dolon.

Lamarck, Ile, im Arch. Arcole, v. der frz. Exp. Baudin am 10. Aug. 1801 nach dem Naturforscher Jean-Baptiste-Antoine-Pierre Monet de L., 1764 —1829, getauft (Péron, TA. 1, 113, Freycinet, Atl. 27).

Lamanon, Pic, ein hoher Spitzberg an der Westseite Sachalins, v. frz. Seef. La Pérouse am 8. Juli 1787 wg. der vulcan. Form so benannt nach dem Physiker u. Mineralogen der Exp., welcher aus den vulcan. Schmelzproducten ein eigenes Studium gemacht hatte (Milet-M., LPér. 3, 28, Atl. 46), wie *Pic La Martinière*, ein hoher, bis z. Gipfel grüner Berg (ib. 49), am 29. Juli gl. J. zu Ehren des Botanikers der Exp., 'parce qu'il offre un beau champ aux recherches de la botanique, dont le savant de ce nom fait son occupation principale'.

Lambay, f. *Lamb-ey* = Lämmerinsel, ein Küsteneiland unw. Dublin, ozw. v. dem Gebrauche, dass man im Frühling Schafe v. Festlande hinübersandte u. f. den Sommer hier weiden liess (Joyce, Orig. Ir. NPl. 1, 105. 110).

Lambert, Cap, in NBrit., v. russ. Adm. v. Krusenst. (Mém. 2, 454) benannt nach dem Grafen L., dam. russ. Senator, welcher sich s. Z. bei der Exp. d'Entrecasteaux befand. — *Point L.*, an der Nordwestküste des Australcontinents (s. Brugières), v. Capt. Ph. P. King (Austr. 1, 52) am 5. März 1818 benannt nach seinem Freunde Aylmer Bourke L., spätern Vicepräs. der Linnean Society, dem zu Ehren auch Dr. Richardson, Exp. Franklin (Sec. Exp. 256), am 6. Aug. 1826 eine Küsteninsel v. Richardson L., *L. Island*, taufte. — *Ile St. L.*, vor Cape Wiles, id. *Liguanea*(?), v. der frz. Exp. Baudin im Apr. 1802 (Péron, TA. 2, 83, Freycinet. Atl. 17), u. *Cap St. L.*, vor Montagne du Casuarina, im Juni 1803 (Péron 2, 244) offb. prsl. getauft.

Lambèse, la Nouvelle, auch *Lambessa*, ein Ort der alg. Prov. Constantine, arab. *Bat(a)na*, ggr. 1844 (Meyer's CLex. 10, 540), durch Beschluss der frz. Nationalversammlg. v. 12. Sept. 1848 so getauft, weil es mitten unter den Trümmern der alten röm. Stadt Lambaesis steht (ZfAErdk. nf. 4, 114. 123).

Lamlúng = Routen-, Strassenthal, tib. Name eines Haltplatzes in Kamáon (Schlagw., Gloss. 214).

Lammas, Mont, ein Berg der Salomone Guadalcanar, v. Capt. Shortland am 1. Aug., d. i. Petri Kettenfeier, 1788 entdeckt u. nach dem Kalendertage getauft . . . 'du jour du premier août qu'on en avait eu la première vue' (Fleurieu, Déc. 177); *b)* ebenso *L. Island*, eine kl. felsige Küsteninsel v. De Witt's Ld., v. Capt. Ph. P. King (Austr. 2, 55) am 1. Aug. 1821. *L.*, nach Smart altengl. *lammesse, lammasse*, ags. *hlammässe, hlafmässe*, buchstäbl. *loafmass*, d. i. Danktag f. die ersten Früchte der Erde (R. Schoch 11. V. 1891).

Lamont Insel, in Spitzb., v. der Exp. Heuglin-Zeil 1870 getauft in Gesellschaft mehrerer brit. Celebritäten (Peterm., GMitth. 17, 182), u. *L. Bay,* in Franz Joseph's Ld., v. der 2., öst.-ung. Nordpolexp. Weyprecht-Payer 1872/74 benannt (ib. 20 T. 23), nicht nach dem aus Schottl. stammenden Münchner Physiker u. Astronomen Joh. *L.,* sondern zu Ehren des schott. Polarf. James *L.,* welcher 1858 f. seine 'Seasons with the Seahorses', Lond. 1861, 1869 ff. drei 'Yachting in the arctic seas', Lond. 1876, unternommen hatte (Peterm., GMitth. 22, 199). Er hatte hinter der Halbmond I. einen Hafen, den besten jener Gegenden, entdeckt: *Knockdow Cove,* so in der Carte z. Exp. Heuglin-Zeil (ib. T. 9) getauft, weil der Bericht einer briefl. Mitth. *L.'s,* dat. Knockdow 14. Apr. 1871, entnommen war (ib. 181 Note).

Lampedosa, alt *Lopadusa,* gr. Λοπαδοῦσσα, eine kl., durchaus vulcan. Insel vor der röm. Prov. Africa (Strabo 834), wäre, wenn griech. benannt, 'Austerbank' (Pape-B.); der Name ist jedoch phön., v. בפל = brennen (Kiepert, Lehrb. AG. 474).

Lampeia, gr. Λάμπεια = Leuchtenberg, bei Plin. (HNat. 4, 21) *Lampeus Mons,* ein Theil des mächtigen Erymanthus, Arkadien (Strabo 341), j. *Elanda* (Pape-Bens.), *Kaliphoni* (Curt., Pel. T. 2), benannt v. Schneeglanze (ib. 1, 386), wie schon Stat. Theb. 4, 290 die Erklärg. gibt: 'candens jugis *L.* nivosis'. Sinnverwandt ist der j. Name *Astras,* der sich aber auf einen westlichern Theil des Erymanthus bezieht (Curt., Pel. 1, 386). — *Lampeteion Sema,* gr. Λαμπέτειον σῆμα, ein Leuchtthurm auf Lesbos (St. B.), welcher, vom Heros Lampetos (= Leuchte) benannt, 'ein Signalberg u. Observatorium' war, wie das nahe, nach einem alten Palamedes-Heiligthum genannte, äolische Παλαμήδειον (Curt., GOn. 147). — Ein anderes *Palamedeion* ist die venet. Festung *Palamédi* auf steilem Felskegel bei Nauplia, wo man v. schwindelnder Höhe das ganze Gestade nach Lakonien hinunter aufs deutlichste überblickt (Curt., Pel. 2, 390. 568).

Lamta s. Leptis.

Lamut s. Tungusen.

Lamvea s. Ulasindio.

Lanarium, eine ozw. phön. Ansiedelg. auf Sicilien, v. nahen Flusse רהנל [lenahar] = (Ort) am Flusse, röm. übersetzt *ad Fluvium,* im It. Ant. 88 sogar *ad fluvium L.* (Movers, Phön. 2b, 34. 2).

Lancaster, ON. in Engl., bei den Einheimischen *Loncaster,* bei den Schotten *Loncastle* (Camden-Gibson, Brit. 2, 151), zunächst f. das noch stehende alterth. Bergschloss, nicht völlig erklärt, doch wohl wie röm. *ad Alaunum* = am Flusse Lune, so auch als sächs. Castell erneuert, v. *Lan, Lune* u. *ceaster* = Veste, 'the more reasonable etymology', sagt Charnock (LEtym. 151), im Hinblick auf die Annahme 'Langburg', wie schon Camden (Brit.) ein röm. *Longovicium* = Langstrasse abgelehnt hat. — Durch Uebtr. *L.* in Pennsylv., 1730 ggr. (Meyer's CLex. 10, 549) u. bald ein wichtiger Punkt in Penn's Colonie (Cent. Exh. 32). — Von der engl. Mutterstadt ging der Titel eines

Lord v. *L.* gleich nach der norm. Eroberg. auf einen der Grossen, dann auf verschiedd. Prinzen über, wurde später in den eines Grafen, j. Herzogs v. *L.* umgewandelt. Sir James *L.,* der im Verkehr mit Port. seine naut. Kenntnisse bereichert hatte, war der erste engl. Ostindienfahrer; er führte 1591/93 eine Flottille v. 3 Schiffen nach Indien, leitete 1601 die erste Fahrt der Ostind. Co., regte die Nordwestfahrten v. Weymouth u. Hudson an u. †, in den Ritterstand erhoben, 1620. Ihm zu Ehren hat Baffin den am 12. Juli 1616 entdeckten *Sir James L. Sound* getauft (Rundall, Voy. NW. 142, Forster, Nordf. 360, 409). — *L.* s. Chester.

Lancie's Islands, ungenau *Lanz Inseln* (Peterm., GMitth. 4, T. 20), bei Vancouver I., v. engl. Capt. James Hanna 1786 offb. prsl. getauft (GForster, Gesch. Reis. 1, 53. 114), in Capt. Dixon's Carte 1785/87 *Beresford Islands,* augenscheinl. nach dem Verf. der Briefe, welche üb. Dixon's Fahrt erschienen, dem Handlungsgehülfen Will. Beresford, der in Dixon's Schiffe Queen Charlotte die Reise mitmachte (ib. 3, 5).

Lanciers s. Thrum.

Land = terra, in ON. wohl meistens in der Bedeutg. v. *ager, rus,* als Grundwort altdeutscher ON. häufig (41 Beispiele bei Förstem., Altd. NB. 962), aber auch in andern german. Sprachen ein Namenelement, wie in *Cape Landsend,* dem Westende der Halbinsel Cornwall, entspr. dem rom. *Finisterre* (Meyer's CLex. 6, 799), u. dem samoj. *Jalmal,* einem polaren Landvorsprung, v. *ja* = Land u. *mal* = Ende (Schrenk, Tundr. 1, 607), sowie in *Landskrona,* schwed. ON., mit *krona* = Krone; *a)* Veste bei Malmö (ib. 10, 568); *b)* s. Ochta. — *Landes-* u. *Landshut,* 2 deutsche ON., die (s. Waldshut) deutl. den Zweck der Anlage offenbaren: *a) L.* in Schlesien, zu Ende des 13. Jahrh. v. Herzog Bolko I. v. Schweidnitz gg. die Böhmen erbaut u. in den beiderseitigen Kämpfen wiederholt umstritten; *b) L.* in Nieder-Bayern, v. Herzog Otto, dem ersten Wittelsbacher, ggr. u. v. seinem Sohne Ludwig I. erweitert u. mit Bergschloss ausgerüstet. Aehnl. *Landsberg,* wo *-berg* = Burg, mehrf.: *a)* an der Warthe, v. Johann I., Markgrafen v. Brandenburg, 1257 ggr.; *b)* in Schlesien, als Veste 1241 gg. die Mongolen angelegt; *c)* bei Halle, das Haupt ur. 12. Jahrh. begründeten Mark gl. N., v. ersten Markgrafen Dietrich 1170 erbaut (ib. 10, 553. 564. 567). — *Landwasser: a)* f. den Thalfluss des Davos, ein naiver Ausdruck wie *Gross-See* (od. *Davoser-See),* die ON. am *Platz, Dörfli* u. dgl.; *b)* s. Lys. — *Landfall Isle* = Landgsinsel, an der Westseite Feuerl., wo Cook (VSouth P. 2, 170 f.) nach seiner antarkt. Reise v. NScel. bis Cap Hoorn, 10. Nov. — 14. Dec. 1774, wieder Land erblickte.

Landes, les, der Name der Heideflächen in den frz. dépp. les *L.* u. Gironde, hat lange keine überzeugende Erklärg. gefunden, wohl aber verschiedd. Auslegungsversuche gefunden, als 'Heide od. weite offene Gegend', als wilde, unbebaute, buschige Ebene, als offenes Blachfeld u. dgl., all' das jedoch mehr im Sinne einer Beschreibg., als einer etym. Ableitg. Ob das Wort, wie z. B. das grosse Wörterbuch v. Mozin (Dict. 2, 174) will, v. deutschen *land* entlehnt sei, ist mir zweifelhaft, bes. mit der Motivirg., als bestehe ein grosser Theil Deutschlands aus eben so sterilen Flächen. 'C'est probablement par allusion à la stérilité d'une grande partie des terres de l'Allemagne que nous avons appelé *lande* une grande étendue de terre qui ne produit que des bruyères' (Noël). Die Bewohner Aquitaniens haben sich gewiss nicht erst in der Lüneburger Heide darum erkundigt, wie sie ihr flaches Weideland benennen sollen. Uebr. ersehen wir aus dem Dict. top. Fr., dass das Wort, sowohl im sing., *la lande*, als auch im plur., durch ganz Frankreich häufig vorkommt. Noch mehr: es wiederholt sich im prov. u. ital. *landa*, altspan. *landa*, bask. *landa* = Feld, u. wenn es auch deutsches Aussehen hat, so neigt es sich mit seiner Bedeutg. entschiedener z. bret. *lann*, in älterer Form *land* = stacheliger Strauch, plur. *lannou* = Steppe; 'es scheint ächt celtisch' (Diez, Rom. WB. 1, 242). Und so entscheidet denn auch der Keltist H. d'Arbois de Jub., dass (Rev. Arch. 13. sér. 17, 198) gall. *landa* f., dem deutschen *land* verwandt, im bret., wenn ohne Attribut gebraucht, terrain friche = Brachfeld, unbebautes Land bedeutet, wie aus Urk. des 9.—11. Jahrh. erhellt.

Landenberg, zunächst die Stammburg eines Freiherrengeschlechts im Tössthal, C. Zürich, *Alt-L.* ob Bauma, urspr. *Landinberg* = Burg des Lando, dieses wohl abgk. f. Landoaldus, der urk. 744 dem Kloster St. Gallen Güter in der Umgegend vergabte. Zunächst ging der Name auch auf 2 jüngere Burgen des Tössthals üb.: *Breiten-L.*, auf einem Plateau, *Hohen-L.*, auf einem Felsvorsprung (Meyer, Zürch. ON. 42 f. 45), dann auf Hügel u. Burg in Unterwalden, als nach dem 1210 zw. Kloster Engelberg u. Graf Rud. v. Habsburg gg. Grafenort erfolgten Tausche die Burg v. Albrechts Vogte, Beringer v. *L.*, bewohnt wurde (Gem. Schweiz 6, 133).

Lang, wie das engl. *long* mehrf. in ON., insb. f. Inseln, Landvorsprünge, Schluchten etc., wohl auch in dem alten Volksnamen der *Langobardi* (s. Lombardei). Wir citiren *a)* *Langenau* (s. Naab) u. *Langnau*; *b)* *Langenes*, 'een lage uytstekende hoek' an der Westseite NSeml., v. holl. Nordpolf. W. Barents am 5. Juli 1594 getauft (Schipv. 1, Adelung, GSchifff. 167), j. engl. *Dry Cape* = trockenes Vorgebirge (GdVeer ed. Beke 11, Carte); *c)* *Langness*, j. auch *Longness Point*, ist der Endkopf einer lang vorragenden Landzunge an der Südseite der Insel Man, die einst ein Hptplatz norman. Besiedlg. war (Worsaae, Mind. Danske 348); *d)* *Langö* = lange Insel u. *Langeröd*, 1248 *Langeruth* = Langreut, in dän. Seeland (Madsen, Sjael. StN. 307); *e)* *Lange Fontein* = langer Bach, ein Sandbach im westl. Theile des Capl., Saldanha Bay (Lichtenst., SAfr. 1, 52); *f)* *Lange Kloof* = lange Schlucht, eine Thalschlucht der Südküste des Capl. parallel, selten üb. 3 km br.,

aber mit Einrechng. des Theils am Kromme R., etwa 30 km lg. (ib. 1, 337); *g)* *Langensee* s. Magnus; *h)* *Langeten*, eig. *Langeta*, subst. Participialbildg. des mhd. *langen* = lang sein od. werden, ähnl. *haueta, hacketa, stäubeta*, also der Bach, der die langgestreckte Ebene (des Ober-Aargau) durchfliesst, im Namen des Hauptorts zu *Langenthal* umgeformt (Gatschet, OForsch. 31): *i)* *Langensteinen* s. Letzi; *k)* *Lang Point*, ein Cap der dän. Antille Sainte Croix (Oldend., GMiss. 1, 47); *l)* *Langwies*, aus rät. *Pralöng* übsetzt, ON. des Schanvic, Graubünden, 'v. den grünen Wiesenterrassen, die sich rings um das Dorf ausbreiten' (Campell-Mohr 148), auch auf rom. Boden *m)* *Languart*, der Fluss des Prätigau, mlat. *longum aquarium* = langer Bach, also unrichtig *Landquart* (Gatschet, OForsch. 239); *n)* *Piz Languard* = Weitschauspitze, rätr. Name eines schlanken Berghorns, welches eine grossartige Rundschau üb. einen ausgedehnten Theil der Alpenwelt, insb. auf die vorliegende Berninagruppe, darbietet (Lechner, PLang. 39).

Lang River, eine vielarmige Flussmündg. v. Boothia Felix, am 15. Aug. 1829 v. engl. Capt. John Ross entdeckt u. nach seinem Freunde *L.* in Woolwich Yard benannt, welcher sich um seine frühere Exp. viel bemüht hatte. Einen auffallenden zugespitzten Berg, südlicher gelegen, taufte er, ohne nähere Angabe, *Mount Oliver.* Bei dieser Gelegenheit fügt er hinzu: *'The other names of this part will be found in the chart'* (Ross, Sec. V. 114) — freil. ohne dass sich 'on this part' noch weitere Namen fänden.

Lange s. Bastian.

Langford s. Doane.

Langle, Baie de, an der Westseite Sachalins, v. frz. Seef. La Pérouse im Juli 1787 nach einem seiner Officiere, dem Capt. de *L.*, Befehlshaber des Schiffes Astrolabe, benannt, da dieser sie zuerst erblickt hatte u. zuerst an's Land gestiegen war (Milet-M., LPér. 3, 39); *b)* ebenso *Pic de L.*, in Jeso (ib. Atl. 46, Krus., Reise 2, 43). — *Ile Langlès*, eine der Iles du Géographe (s. d.), v. der frz. Exp. Baudin im Febr. 1803 getauft nach dem Orientalisten d. N., 1763—1824 (Pér., TA. 2, 105).

Langphing K. s. Satledsch.

Langres, ON. des *Plateau v. L.*, im frz. dép. Haute-Marne, im Mittelalter *Langoinne* gespr., als Keltensitz der Lingönes *Andematunnum* (Kiepert, Lehrb. AG. 519).

Langri = Seehundsort, gilj. Name eines Dorfes auf Sachalin, v. *langr* = Seehund (Bär u. H., Beitr. 25, 233).

Langton Bay, eine der Buchten der Ostseite v. Franklin Bay, Eismeerküste America's, durch Capt. John Franklin's (Sec. Exp. 234) Gefährten Dr. Richardson, den Befehlshaber der v. MacKenzie R. ostwärts, z. Kupferminenflusse, gehenden Abtheilg. der Exp., am 21. Juli 1826 entdeckt u. nach einem Agenten der um die Exp. verdienten Hudson's Bay Co. in Liverpool benannt.

Languedoc, einst eine der ausgedehntesten frz. Provv., mit Toulouse als Haupt, ist nicht, wie man früher fabelte, *Land-Goth*, nach den ehm. germ. Inhabern, od. *Langue-Goth*, nach ihrer Sprache, sondern *langue d'hoc* = Sprache mit *hoc*, f. ja, während nach Froissart's Eintheilg. die Franzosen nördl. v. der Loire mit *oil*, *oui* bejahten. Nom. gent. in älterer Form *Languedochien*, *nne*, j. *Languedocien*, *yne* (RdDenus, AProv. 257 ff.). Der Name kommt erst im 13. Jahrh. u. in engerer Ausdehng. vor, als provincia *linguae Occitanae*, dann *Occitana*, *Occitania*, comitia *Occitaniae*, am häufigsten *Lingua Occitana, Occitaniae*, 1361 *Lengadoc*, 1397 *Languedoc*, 1424 lo pays de *Lengadoch*, 1514 *Lenguadoc*. Die Abgrenzg., die der Prov. dann b. 1790 verblieb, wurde 1469 v. Ludwig XI. festgestellt (Dict. top. Fr. 5, 87). — *Canal du L.* s. Midi.

Lanka, poln. *laka*, ruth. *luka*, čech. *louka* = Wiese, in den galiz. ON. *Lacka, Lacko, Laczany, Laczka, Laczki, Laka, Lanky, Luća, Lućano-wice, Lućany, Lućka, Lućki, Lućyce, Lućynce*, u. in den böhm.-mähr. *Loučan, Loučany, Loučen, Loučić, Loučka, Loučky, Louka, Loukovec, Loukovitz* (Miklosich, ON. App. 2, 193).

Lanka s. Ceylon.

Lannes s. Rivoli.

Lansdowne s. Blue.

Lanzarote, auf alten Carten auch *Lancilote, Lansalot, Lansaroto* od. wieder *Maloxelo, Marogelo, Maroxello*, die europanächste der Canarien nach dem der berühmten Genueser Familie der Malocelli angehörigen Ritter Lancelot, welcher vor der Mitte des 14. Jahrh. sich dort ein Castell erbaut hatte (Peschel, ZEntd. 49). Vgl. Palma.

Laodicea, gr. *Λαοδίκεια*, Name v. 5 Städten (s. Antiochia), welche durch die syr. Könige Seleukos u. Antiochus angelegt u. nach Familiengliedern benannt wurden: *a) L.* am Lykos, in Phrygien, aus *Diospolis* (= Zeusstadt) durch Antiochus II. zu Ehren seiner Gemahlin Laodike umgetauft (Kiepert, Lehrb. AG. 105), j. türk. *Eski Hissar* = altes Schloss; *b) L.* am Meere, v. Seleukos Nikator gebaut, j. *Lâdikije, Latakia* (Kiepert, Lehrb. AG. 164); *c) L.* am Libanon, v. Seleukos I. am Orontes ggr.; *d) L. Katakekaumene* = die verbrannte, v. demselben in Lykaonia ggr., j. *(Jurgan-) Ladik* (Kiepert, Lehrb. AG. 128, Meyer's CLex. 10, 509. 598).

Laon, Stadt des frz. dép. Aisne, viell. Caesars **Bibrax**, auf einem die weite Ebene 200 m h. schroff überragenden Kalkfelsen (Daniel, Hdb. Geogr. 2, 631), 530 *Lugdunum*, 581 *Lugdunum Clavatum*, auf merowing. Münzen mons *Clavatus*, 842 urbs *Laudunensis*, 920 *Laudunum* mons, im 8. Jahrh, *Lauon*, 1253 *Loun*, 1433 *Lan* (Dict. top. Fr. 10, 149).

Laos, der urspr. Name eines hinterind. Landes, wesentl. f. den Ober- u. Mittellauf des Mechong, nach den Bewohnern, den *Lao, Lowa, Lawa*. Zu uns kam er, als plur. v. *Lao*, durch die Portugiesen (Lassen, Ind. A. 1, 383). Bei den Birmanen heisst das Volk, wie die Siamesen, *Schan*. Man unterscheidet 2 Abtheilungen: *Lao pung dam* = Schwarzbäuche, die den Leib tättowiren,

u. *Lao pung khao* = Weissbäuche, die diese Sitte wenig üben (Thomas, Progr. 18).

Laphystios, gr. *Λαφύστιος*, ein Berg bei Koronäa, nach dem hier stehenden Tempel des Zeus *L*. (Paus. 9, 34, 5, Pape-Bens.).

Lapides Atri = schwarze Steine nannten die Alten die Stromschnellen des Bätis, Guadalquivir, obh. des alten Iliturgis (Liv. 26, 17, Stein u. Hörsch., Span. 7. Aufl. 31). — *Campi Lapidei* s. Crau.

Laplace, lie, in den Iles de l'Institut, v. der frz. Exp. Baudin am 14. Apr. 1801 getauft zu Ehren ihres berühmten Landsmanns, des Astronomen u. Mathematikers Pierre-Simon *L*. 1749 —1827 (Péron, TA. 1, 116; 2, 211, Freycinet, Atl. 27); *b)* ebenso *Baie L.*, am Spencer's G., 27. Jan. 1803 (Péron 2, 79); *c) Archipel L.* s. Whidbey; *d) Cape L.*, in Ost-Grönl., v. engl. Walfgr. W. Scoresby jun. (NorthWF. 116) am 18. Juni 1822.

Lappen wurden v. Finlands ersten Christen die Landeskinder der Waldreviere genannt, 'eine Verstümmelg. des finn. Namens *Lappalainen*, *Lappalaiset* = die an der Grenze Wohnenden, Grenzvolk, was auf die allmähliche Verdrängg. der *L*. gg. Norden durch die später eingewanderten finn. Stämme des Südens hindeutet'. Laestadius, v. dem diese Etym. herrührt, denkt aber auch an das lapp. Wort *lappa* = Kluft, Höhle, 'emedan klyftor och hålor voro *Lappars* första, länge vanligaste och ännu i nödfall begagnade boningar. Namnet *Lappar* blir da alldeles motsvarande de vanliga poetiska benämningarna 'bergfolket', klippanssöner, jordhålornas folk' (Pettersson, Lappl. 10). In Skand. taucht der Name erst gg. Ende des 11. Jahrh. auf (bei Saxo schon früher), näml. seit durch Eriks d. Heil. Eroberungen die Schweden in nähere Verbindg. mit den Finnen kamen, d. h. er muss finn. Urspr. sein, u. diess spricht f. die erst gegebene Etymologie. Uebr. hören die *L*. diesen Namen nicht gern; sie selbst nennen sich *Same-* od. *Sabmeladas*, 'sehr wahrscheinlich' = Sumpfleute (vgl. Samojeden) (Bergh., Phys. Atl. 8, 4. 10). Die Norweger trennen sie nicht v. den verwandten Finnen; daher ist in norw. *Finmarken* synon. mit *Lappmarken*. Das v. den *L*. bewohnte, th. zu Skandinavien, th. zu Russland gehörige Gebiet nach dem Volke *Lappland*, zunächst im schwed.; daher ins deutsche übergegangen. Lange hatte *Lappmarken* keine bestimmte Abgrenzg.; denn die *L*. streiften mit ihren Renthierheerden in den unbebauten Landstrichen zu beiden Seiten des Bottnischen Golfs umher. Doch war ihr eig. Aufenthalt das Hochland obh. Westerbotten, wo die Nähe des Gebirgs die passendste Gelegenheit z. Renthierzucht bot. Selbst in den innern Theilen Oesterbottens hielten sich manche Lappenstämme auf u. streiften bis an die Grenze v. Tavastland. Von den Finnen ist es auch, dass die Schweden den Namen *L*. entlehnt haben; denn auf der Westseite des Bottnischen Golfs ist der urspr. Name *Finnen* (Styffe, Skand. Un. 319). — *Lappeenranta* s. Willmanstrand.

Laptandèr = Bewohner der Ebene, eigner Name eines Zweigs des Samojedenstammes Wanójta, die kleinländ. *laptà* = Ebene bewohnend (Schrenk, Tundr. 1, 627). — *Láptschampaj* s. Sédabaj.

Lara-Jonggrang s. Brahma.

Laragne, sonderbarer ON. des frz. dép. Hautes-Alpes. Im 15. Jahrh. war der Ort nur ein Gut des Barons v. Arzeliers u. eine Herberge 'zur Spinne', dial. *aragna*, urk. erwähnt 1429 *Aranea*, 1510 *Arania*, 1601 *Laraigne*; der Baron liess sich 1614 v. dem Pariser Baumeister Guill. Lemoine ein neues Schloss bauen, u. um dieses erwuchs das j. Dorf (Dict. top. Fr. 19, 84).

Larasch s. Arisch.

Larcom, Mount, ein auffälliger Berg an der Küste v. Queensl., 23⁰ 48′ SBr., v. Matth. Flinders (TA. 2, 14, Atl. 10 Carton) am 4. Aug. 1802 benannt 'in compliment to Capt. *L.* in the navy'.

Lardschan, neup. Name eines Districts v. Mazenderan, nach dem v. Demawend kommenden Gebirgsflusse Lar, der die Gegend durchfliesst (Spiegel, Eran. A. 1, 66).

Laret s. Larix.

Larga, la = die lange (scil. Ebene), span. Name einer langgezogenen calif. Uferebene, welche fast den ganzen 90 km lg. Raum zw. Concepcion u. San Luiz Obispo einnimmt (Mofras, Or. 1, 376).

Larido s. Loreto.

Lario s. Como.

Lárissa, alter thessal. ON. (Barth, RTürk. 178), viell. v. gr. λαρινός = fett, also 'die in fettem Lande liegende', bei den Türken *Jenischehr* = Neustadt (Meyer's CLex. 10, 604).

Laristan = Land v. Lar, pers. Ldsch., nach ihrer Hptstadt benannt (Meyer's CLex. 10, 605), u. *Lar* selbst, v. *lad* = Erde, Staub (Spiegel, Er. A. 1, 86). Es ist jedoch ungenau zu sagen: '*L.* wäre also eig. das Staubland', sowie der Hinweis auf das nördlichere Lar(i)dschan (s. d.) unpassend ist.

Larix = Lärche, bot. *Pinus Larix* L., die lat. Grundform v. rätor. *larisch*, ital. *lárice*, port. *lariço*, span. *alerce*, hat sich auch im frz. patois *larze*, das durch Abwerfg. des *l* zu *arze* wird, ggb. dem schriftgemäsen *mélèze* erhalten u. ist dadurch in mehrere ON. übergegangen: *a) Les Arses*, Burgruine im C. Freiburg; *b) Arzier* u. *Arrissoules*, im C. Waadt; *c) Illarse* od. *Illarsaz*, im Wallis, wo das subst. mit dem art. sich verschmolzen hat; *d) Laret*, in Davos; *e) Lartscheneid*, entspr. dem lat. *laricinetum* = Lärchengehölz (Gatschet, OForsch. 264, Diez, Rom. WB. 2, 90). — Auf germ. Sprachgebiet scheint die Lärche seltener toponym. gebr. zu sein; ich notire *Lark Creek* = Lärchenbach, ein Zufluss v. Maria's R., eines der obern Tributäre des Missuri, am 4. Juni 1805 v. Capt. Lewis (u. Cl., Trav. 181) so benannt nach dem Nadelholze, welches in der Nähe wächst.

Larma s. Larymna.

Larnassos s. Peróte.

La Rochefoucault, Cap, an der Westseite des St. Vincents G., v. der frz. Exp. Baudin im Jan.

1803 benannt nach dem Staatsmann u. Fabricanten Fr.-A.-Fr. duc de *LR.*, welcher vor der Revolution als Duc de Liancourt bekannter war (Péron, TA. 2, 75). Dass die hier angenommene Beziehg. des Namens die richtige (u. letzterer nicht dem Verf. der 'Maximes et Reflexion morales' 1613—80 galt), darf aus dem Umstande geschlossen werden, dass dieselbe Exp. am 27. Apr. 1801 auch eine *Pointe Liancourt*, bei Whidbey Pt., taufte (Péron 2, 85, Freycinet, Atl. 17).

Larrey, Cap, in der frz. Exp. Baudin im Apr. 1803 benannt nach dem Armeechirurgen d. N., 1766—1842 (Péron, TA. 2, 202, Freycinet, Atl. 25).

Lartscheneid s. Larix.

Larymna, gr. Λάρυμνα = Tiefenfeld (Pape-Bens.); denn λαρυμνὸν = βαδύτατα, κατώτατα (Hesych). Dass λαρυμνὸν u. λωρυμνὸν gleich viel bedeuten, beweist Mela (I, 16, 2), indem er Λώρυμα, eine karische Stadt, *Larumna* nennt. — Da den untern Kephissos, wo die Gegend j. noch 'ς ταῖς Λάρμαις heisst, 2 *L.*, 'die obere' ἡ ἄνω Λ. im Ggsatz zu der an der Mündg. liegenden. Noch j. heisst der Strich nach dem Meere hin *Kato* (= unter-) *Larma*, der obere *Apano* (= ober) *Larma*. Kiepert (Atl. Hell. T. 7. 14) gibt Unter-*L.* beide mal in der gl. Lage; Ober-*L.* dagegen liegt T. 12 südl. v. Unter-*L.*, weiter oben am Kephissos T. 14 nordwestl. v. U.-L. auf einer Anhöhe üb. dem Meere.

Las, in unsern Carten auch *Lus*, ein v. Bergen umkränztes Land, der südöstlichste Theil Beludschistans, in der Sprache des Landes 'Ebene', wie denn auch *L.* wesentl. aus dem Thal u. Delta des Flusses Purali besteht … 'die ganze Prov. ist vollkommen eben' (Spiegel, Er. A. 1, 81). — *Las*, gr. Λᾶς = Felsberg, eine abschüssige Felskuppe v. röthlichem Marmorgesteine, im Winkel der Ebene v. Passavá, auf ihrem Gipfel die gleichn. alte, sagenberühmte lakon. Stadt *L.*, als fränk. Ritterburg *Passavá* (Curt., Pel. 2, 273).

Lasach s. Laz.

La Salle s. Hennepin.

Las Casas s. Cristoval.

Lasch =˙ Felsenklippe, Puschtuname eines auf hohem, senkr. Uferfels thronenden Fort v. Seistan (Glob. 23, 221).

Laschkar = stehendes Feldlager, pers. Name der Residenz des Seindiah v. Gwalior (Glob. 23, 339). — *Laschkárpur* = Heeresstadt, pers.-hind. ON. in Málwa (Schlagw., Gloss. 215).

Lásgori = Holzbrunnen, v. *las* = Brunnen u. *gori* = Holz, Somaliname einer Küstenstadt, nach den 3 Dattelpalmen, die einst am Brunnen des Orts standen (ZfAErdk. 1875, 269).

Lasia, gr. Λασία = Rauhenau, v. δασούς, f. die Inseln vorüber Trözen u. an der lyc. Küste, älterer Name v. Andros (Callim. bei Plin., HNat. 4, 65) u. v. Lesbos (ib. 5, 139). Hinsichtlich der letztern dürfte wohl Plinius unrichtig berichten, da ein anderer früherer Name Makaria (s. d.) das Ggtheil üb. die Natur der Insel aussagt u. wirkl. als zu derselben passend erscheint. Wir würden eher

Lemnos, als Lesbos, vermuthen, da schon Hom. (Il. 24, 753) sie ἀμιχθαλόεσσαν = die unwirthbare nennt, was freil. ein Schol. als ὁμιχλώδη == dunstig (wg. der Vulcanthätigkeit) erklären will. — *Lasion*, gr. *Λασιών*, v. δασύς = dicht bewachsen, in Schol. (Il. 15, 531) der Name des Berges, wo der Ladon, ein kleiner Nebenfluss des Peneios, entspringt, später eine alte Waldburg jener Gegend (Xen. Hell. 3, 2, 30), auf 650 m h. Felsberg (Curt., Pel. 2, 41. 106).

Lasistan, Ldsch. am Pontus, röm. *Lasica*, nach ihren Bewohnern, den den Kaukasiern verwandten Lasen (Meyer's CLex. 10, 610).

Lask, ein Fluss in Wexford, Irl., v. ir. *leasc* == träge, 'a very expressive name', während es zwei 'heftige Flüsse' gibt: *a) Dinin*, in Kilkenny, ir. *Deinin*, dim. v. *dian* = heftig, ungestüm, ein verheerenden u. zerstörenden Fluten ausgesetzter Fluss, 'accurately described by its name'; *b) Deenagh*, in adj. Form, v. gleicher Bedeutg., ein Zufluss des untern Killarneysees. — Aehnl. *Lingaun* = der hüpfende od. springende Fluss, in Kilkenny, 'runs at all times very rapidly, a character which is exactly expressed by the name' (Joyce, Orig. Ir. NPl. 2, 474 f.).

Laskowa s. Léska.

Latakia s. Laodikea.

Latium, urspr. die Uferebene des untern Tiber, nicht v. *latus* = breit, aber zshängend mit *latus* = Seite u. πλατύς = flach, also einf. 'die Ebene', unter den ital. Landschaftsnamen der einzige, der nicht nach Volksstämmen gebildet ist. Umgekehrt ist, wie schon die einfache Form v. L. zeigt, der Volksname *Latini*, zuerst bei Hesiod erwähnt (Nissen, Ital. LK. 519), erst v. jenem angeleitet. Die uralte Verbindg. Rom-Campagna hiess *via Latina* (Kiepert, Lehrb. AG. 435), u. ein Theil des Gebirgs, der heil. Berg der Latiner, wo die Bundesfeste gefeiert wurden, *Mons Latialis*, j. *Monte Cavo* = hohler Berg, mit Kloster, nach ihm auch j. das ganze Gebirge *Monti Laziali* (Meyer's CLex. 1, 318 ff.). In der Folge wurde die röm. Sprache als lingua *latina* bezeichnet u. davon auch der Ausdruck *lateinische* f. romanische Völker. — *Ladiner* s. Raeti. — *Latinskograd* = Lateinerstadt, slaw. Name eines Ruinenorts bei Krepost, Serbien (Peterm., GMitth. 16, 290). — *Lateinerberg*, ein Hügel des preuss. Jarftthals, hat seinen Namen daher, dass die Schüler der ehm. Lateinschule zu Heiligenbeil 'hier ihre Erholg. in gemeinschaftl. Ausflügen suchten' (Altpr. Mon. 5, 120). — Mit dem Begriff der 'geogr. Breite' oder Polhöhe *Latitude Bay*, an der Nordwestseite der Landfall I., v. engl. Capt. Fitzroy (Adv. B. 1, 368) am 19. Dec. 1829 so benannt, weil er hier bes. gute Breitenbeobachtungen erhalten hatte. — *Latopolis*, gr. Name des j. Esne, O/Aeg., wo (Strabo 812. 817) die Göttin Aphrodite, Hathor, u. der Fisch 'latus' verehrt wurden (Brugsch, Aeg. 207).

Latouche-Treville, Cap, in Tasman's Ld., v. der frz. Exp. Baudin am 8. Apr. 1803 prsl. getauft (Péron, TA. 2, 207, Freycinet, Atl. 26). — Ebenso

Cap La Tour d'Auvergne, in Süd-Austr., im Febr. 1803, nach dem am 28. Juli 1800 † 'ersten Grenadier Frankreichs' (Péron 2, 85), *Cap* u. eine *Ile Latreille*, jenes am 9. Apr. 1803 (Freycinet 26), diese, seither als Halbinsel erkannt, am 31. März 1802, zu Ehren des 'eben so gelehrten als bescheidenen Naturforschers' d. N., 1762—1833 (Péron 1, 265), eine *Ile La Trimouille*, in den Is. Montebello, am 28. März 1803 (Péron, TA. 2, 200, Freycinet, Atl. 25), u. eine *Ile Laubadère*, die grösste der 'Iles Vauban' (s. Althorpe), im Jan. 1803, nach 'dem tapfern General, welcher 1793 die Veste Landau, das Meisterstück v. Vauban's Génie, so muthig vertheidigte' (Péron 2, 76).

Latrobe, Mount, in den Australalpen, benannt nach dem in Canada 1801 geb. Sohn eines schweiz. Missionärs, Charles Joseph *L.*, der die Alpen u. die Union, dann, in Begleitg. Washington Irvings, Mexico bereist hatte, nach Austr. ging, Superintendent v. Port Phillip u. mit Gründg. der Colonie Victoria deren erster Governor wurde u. 1875 in England †, sowie *L. River*, ein Zufluss der Bass Str. — Nach dem zweiten 1855 † Governor *Mount Hotham* ein anderer Berg der Australalpen (J. J. Burkhard in Zürich, vgl. Trollope, Austr. 2, 59. 98).

Laubadère s. Latouche.

Laube-Berg, ein zw. den Eisströmen des Hochstetter- u. Kořistka-Gletschers aufragender Berg der spitzb. Ostküste, v. der Exp. Heuglin-Zeil im Sommer 1870 benannt (PM. 17, 182) nach dem Geologen Dr. G. C. *L.* in Prag, der mit Dr. Buchholz als Fachgelehrter der Hansa, dem 2. Schiff der 2. deutschen Nordpolexp., beigegeben war (ib. 314). — Ebenso (gef. Mitth. Prof. Höfers, Klagenfurt 17. Febr. 1876) *L. Spitze*, am Matotschkin Scharr, v. Prof. Höfer, Hülfsexp. Tegetthoff, im Aug. 1872 getauft (Peterm., GMitth. 20 T. 16).

Lauchstädt, Ort der preuss. Prov. Sachsen, an der Laucha, einem lkseitg. Zufluss der Saale (Meyer's CLex. 10, 626).

Laudenbach s. Lauter.

Laudonnière, Vallée de, ein gras- u. quellenreiches, v. Waldhöhen umgebenes Thal in der Gegend des R. May, im Juli 1564 'at the request of our souldiers' so benannt v. frz. Capt. René *L.*, der hier (s. Caroline) eine Ansiedelg. gründen wollte (Hakluyt, Pr. Nav. 3, 325).

Laueli, kleine Alp im Sernfthal, in engem Thälchen, aus welchem allj. eine Lauine anbricht u. den Sernf gew. ganz überdeckt, so dass er sich unter dem Schnee einen Durchpass bahnen muss u. — häufig bis z. Frühling — natürlich überbrückt ist (Gem. Schweiz, 7, 626)... 'so benannt, weil durch dieses abschüssige Thal viele Lauenen herunterstürzen' (Fröbel u. Heer, Mitth. 283).

Lauenburg, ON. an der Elbe, in Holstein, früher *Lawenburg*, das aus *Labenburg* = Burg an der Elbe, slaw. Labe, entstanden ist.

Laufen, dat. plur. v. *lauf*, mhd. *louf*, ahd. *hlauf*, ein öfters vorkommender ON., der auf Wasserfälle od. Stromschnellen hinweist, früher f. solche allg., wie schon bei Ekkehard *Loufin*, f. den Steinachfall im Mühletobel ob St. Gallen (v. Arx, GSt. Gall. 1, 201), j. Eigenname: *a)* f. den *Rheinfall* (s. d.) bei Schaffhausen, mit Schloss etc.; *b)* f. zwei Stromschnellen im Rhein, den *Grossen L.*, bei Laufenburg, durch das krystallinische Gestein des Schwarzwalds verursacht, u. den *Kleinen L.*, obh. Coblenz, wo ein Damm v. Juraplatten quer durch das Strombett zieht; *c)* Ort am Birsfall, Berner Jura; *d)* Ort in Württbg., v. dem starken Gefäll des Neckar (Daniel, Hdb. Geogr. 3, 324); *e)* Ort an der Traun, welche hier den 5$\frac{1}{2}$ m h. 'Wilden *L.*' bildet (ib. 257); *f)* Ort in Salzburg, an einer Stromschnelle der Salzach, unth. Salzb. — *Laufenbach* s. Bach. — *Laufenburg*, die Burg am 'Grossen L.', einst eine der '4 Waldstädte am Rhein', j. schweiz., *Gross-Laufenburg*, ihm ggb. das jüngere *Klein-Laufenburg*, in Baden.

Laugardalur = Badthal u. *Laugarvatn* = Badsee, zwei isl. Objecte, benannt nach den Thermen, deren Dampf rings um den See an vschiedd. Orten aufsteigt. 'Kochendheisse Springbrunnen entwickeln sich auch an manchen Stellen der Seefläche. Kleine Teiche, dicht am Ufer, sind in fortwährender siedenden Bewegg., einem steten Aufwallen u. Brodeln, begriffen' (Preyer-Z., Isl. 260).

Laughlan Islands, eine Gruppe v. 7 austr. Inseln, nördl. v. Cap de la Délivrance, 9° 20' S., 153° 40' OGr., v. Capt. *L.*, Schiff Mary, auf der Tour Port Jackson-Bengalen, 1812 entdeckt (Krus., Mém. 1, 8, Atl. OPac. 8).

Lauje Ling, chin. Name eines Bergzugs, *ling*, bei Girin-ula, nach einem schönen Tempel, welcher, Hwanti od. Lauje geweiht, auf der Passhöhe steht. In dieser Gegend auch *Wantszi Schan* = Opferberg, auf welchem im Frühling u. Herbst geopfert wird (JRGSLond. 1872, 163).

Launa s. Pohakörkia.

Launay u. **Launoy** s. Aunay.

Launceston, ON. in Cornwall, im ersten Theil mit gäl. *lann*, kymr. *llan* = Umzäunung, Haus, gew. Kirche, bes. in Wales u. zwar in letzterem Sinne häufig Bestandtheil v. ON., hier mit Stephen verbunden, aus *Llan-Stephen* = St. Stephanskirche verstümmelt (Blackie, Et. Geogr. 101, Edmunds, NPl. 207), während Charnock (Loc. Et. 153) ein zweisprachiges *Lan-cester-ton* = Stadt der Kirchburg annimmt. — Uebtragen auf *L.*, Tasmania, Stadt ebf. an einem Flusse Tamar (Meyer's CLex. 10, 632).

Laurador s. Oratorium.

Laurel Falls = Lorbeerfall, eine der zahlr. Cascaden des Glen Onoko, dessen Fluss in den pennsylvan. Lehigh R. mündet. Die Physiognomie dieser Cascaden ist so vschieden, dass jeder seinen besondern Namen trägt, z. Th. (s. Mossy Falls) nach der ihn einfassenden Pflanzenwelt (Penns. Ill. 54). Ueber das Wort *laurus* u. dessen Derivate s. Loreto.

Laurentius, auch *Lorenz*, span. *Lorenzo*, port. *Lourenço*, frz. *Laurent*, engl. *Law-* od. *Laurence,* Mannsname, mit *Sanct* ein Heiliger, welcher der Leg. zuf. aus Span. geb., um 257 Schatzmeister

in Rom, den Märtyrertod †, indem er auf einem Rost gebraten wurde. Sein Kalendertag ist der 10. Aug. Das bekannteste Object dieser Namenfamilie ist der *St. L. River* (s. Lawrence); ein anderes ist *St. L. Insel*, im Atl. Russ. No. 18 *Ostrow Laurentia*, vor Berings Str., v. Vitus Bering, Schiff Gawriel, am 10. Aug. 1728 entdeckt (Müller, SRuss. G. 4, 252, Adelung GSchifff. 557) u. 'efter Dagens Helgen' benannt (Lauridsen, V.Bering 29), bei Cook(-King, Pac. 2, 490 f.), der sie am 20. Sept. 1778 f. eine neue Entdeckg. hielt, *Clerke's Island*, zu Ehren v. Charles *C.*, dem Capt. seines 2. Schiffs Discovery, wie er 2^d später zu Ehren John Gore's, des 1. Lieut. seines Schiffs Resolution, eine benachbarte Insel, die schon (am 21. Sept.?) 1766 der russ. Seef. Sindt entdeckt u. *St. Matthäus Insel* genannt hatte (Kittlitz, Denkw. 1, 302), *Gore's Island* taufte. — *St. Laurens Baey* (u. dabei *St. L. Hoek*), eine Entdeckg. des holl. Seef. W. Barents, v. 11. Aug. 1594, an der Südwestseite NSeml. (Schipv. 4), doch die Bay seither als Durchfahrt erkannt, prsl. (?) *Kostin Schar* (Adelung, GSchifff. 170). Nach der Durchfahrt heisst j. das Cap, die Südspitze der Insel Meshdurscharsky, *Cap Kostin*, auch *Bobry* = Bibercap (Spörer, NSeml. 17). — *Laurens Rivier*, Fluss der Keerwederberge, Capl., 'nach einem Europäer, Lorenz, der in selbigem ertrunken ist; vorher hiess er *Eerste Rivier* = der erste Fluss', dem, v. der Capst. aus gezählt, 'der anjetzo sog. *Stellenbosch R.*' als *de Tweede Rivier* = der zweite Fluss folgte (Kolb, VGHoffg. 215).

Laureto s. Loreto.

Lauricocha, Laguna de, der Quellsee des Marañon, benannt nach der alten Stadt, die in der Nähe liegt (WHakl. S. 24, 62).

Lauringen s. Thüringen.

Lauriston s. Doubtless.

Lausanne, die Hptstadt der Waadt, alt *Lausonna*, in gemachter Form *Lausodunum*, üb. dem Genfer See, der im Itin. Ant. *Lacu Lausonio*, in der Peutingercarte *Lacum Losonne*, im Mittelalter *Lac Losannete* hiess, am Ufer des Laus, Lauso, j. Flon, (Mart.-Cr., Dict. Vaud 479 ff.). Diese Deutung erinnert an den alten Vers

inter *Laus* et *Anna* fuit fundata *Lausanna*,

mit 2 alten Bachnamen, die schon 1749 Loys de Bochat (Mém. Crit. 3, 531) als 'des noms de la pure imagination des étymologistes' erklärt hat. Mehr Licht!

Lausitz, eine Ldsch. in Sachsen u. Preussen zunächst die *Nieder-L.*, wird v. den Slawisten einstimmig als 'Sumpfland' (s. Luža) betrachtet, v. welchem erst später die Bezeichng. auch auf die obere, *Milčany*, *Milska*, den Sitz der serb. *Milčaner* übging (Schmaler, Slaw. ON. 3, 16), slaw. *Luzice*, dim. v. *luh*, *luhy* = wasserreiche Wiesen- u. Waldniederg., entspr. dem altgerm. *fen*, *fenne* = Weide, Sumpf, Wiese, Niederland. Es ist hier zu bemerken, dass bei Ableitungen das *h* vor dem weichen *i* in weiches *z*, gleich frz. *j*, sich verwandelt. Hier war der weite Ursitz der Wenden, all' jenes mit Wäldern u. See'n erfüllte Flachland, welches v. Riesengebirge üb. die Oder bis an die Weichsel sich erstreckt. Von diesem grossen ⌐uhy-Lande war die L. ein kleiner Bestandtheil u. mit ihren vielen Bächen, Flüssen, See'n u. bes. dem Spreewalde im Kleinen das, was Luhy im Grossen war. Es bildet eine Eigenthümlichk. der Slawen, dass sie, 'wie bei Flüssen, so auch bei Provinzen, neben grossen Ländergebieten kleinere Landschaften mit demselben Namen in der Diminutivform zu belegen pflegten' (wie Gross- u. Klein-Russland, Gross- u. Klein-Polen, Gross- u. Klein-Mähren). 'Der j. Name der L., was ist er anders, als die Verkleinergsform v. Luhy, ein Beweis dafür, dass die L^{er} Serben den geliebten Namen ihrer alten Heimat auf die neue übtrugen?' (Jettmar, Überreste 6 ff., Schafarik, Slaw. Altth.K. 1 §. 18³).

Laut, Pulo = Seeinsel, mal. Name a) einer grössern Insel vor der Südostecke Borneo's. Crawf. (Dict. 215) setzt umgekehrt Laut-Pulo u. fügt noch extra bei, er wisse nicht, warum in diesem Beispiel, aller mal. Syntax zuwider, die beiden Worte verstellt seien; b) die südlichste der drei Natunagruppen, vor der Westseite Borneo's (ib. 291). — Tanah L. = Meerland, der südlichste Theil Borneo's, zw. Pulo L. u. Banjermasin, ozw. weil er oft v. Meer überfluthet ist (ib. 425). — Orang-L. = Seeleute, auch Orang-Rayah = Plünderer, der gebräuchlichste Name der wandernden See-Malajen, welche th. in Küstenorten ansässig sind, th. in ihren Fahrzeugen, wo sie geboren, leben u. sterben, als Fischer (u. gelegentl. als Seeräuber) in ganz Austral-Asien, ja bis z. Nordküste des Austral-Continents bekannt sind. Die Makassaren in Celebes übsetzen O.-L. durch Tau-ri-jene; die Bugisen sagen Bajau, Waju = Leute, welche in Schaaren gehen, die Javanesen Wong-kambang = Schwimmer. In den Molukken nennt man die mal. Seezigeuner einf. Orang-Malaju = Malajen, an der Südostküste der mal. Halbinsel Orang-Dschehor = Leute von Dschehor, dem Sitz eines Königs (Crawf., Dict. 26). In dem einst durch Seeraub verrufenen Archipel b. Singapur unterscheidet man neben den 'Seemenschen' th. Orang-Utan = Waldmenschen, d. i. die Wilden der Wälder, th. Orang-Darat = Landmenschen, die ansässig an der Küste wohnen u. den Boden bebauen (ib. 366). — L. China s. Nan.

Lauter, alter Fluss- u. ON. Hlutraho, v. ahd. hlutar = lauter (s. Glane), mehrf. in den Urk. des 7. Jahrh. u. später, j. L., Lüder, Lutter, Lure, Kaiserslautern (s. d.), Sommerlauter, Lautern u. Lauterach, urk. im 9. Jahrh. Villa Lauteraha, Dorf bei Bregenz, an krystallklarem Bach (v. Bergmann, Vorarlb. 34). — Lautersee, Seelein u. Alp Nidwaldens (Gem. Schweiz 6, 159). — Lauteraar s. Aare. — Lauterbrunnen, eines der schönsten Thäler des Berner Oberlands, mit 20 Wasserfällen, 'lauter stolzen Brunnen', geziert, die v. den 3—500 m h. Kalkfelswänden in den engen Thalhals herabstürzen (Meyer v. Kn., Erdk. Eidg. 1, 233). Mehrf. auch Lauter-, Lauden-, Luter-

bach, im 8. Jahrh. Hlutirinbach (Förstem., Altd. NB. 816 f.), eine Luthern im C. Luzern u. eine Luteren, die als Bergbach v. Säntis z. Thur eilt (Meyer v. Kn., Erdk. Eidg. 2, 48).

Lavamünd, Ort an der Mündg. des kärnt. Lavant-Drau; am Flusse hin das Lavantthal (Meyer's CLex. 10, 643).

Lavanchi s. Aletsch.

Lavatudo = Alleswäscher nannten die port. Ansiedler einen der ersten Zuflüsse des Uruguay, weil er alles mit Wasser versorgt u. die ganze Gegend bespült (Avé-L., SBras. 2, 65).

Lave s. Alexis.

Laviner H. s. Linard.

Lavizzara, Val, die oberste Thalstufe des Val Maggia, Tessin, v. den 'laveggi', den Kochtöpfen aus Chloritschiefer, welche in Val di Peccia verfertigt werden u., trotz ihrer Zerbrechlichkeit, doch in Ital. heutiges Tages noch beliebt sind (Hardm., TThM. 5), 'v. den vielen Lavezsteinen, die in seinen Nebenthälern gebrochen werden' (Fröbel u. H., Mitth. 225), 'sembra prendere il nome da quella pietra ollare o serpentina che si estrae da una cresta molto alta' (Lavizzari, Esc. 3, 431. 437, Gem. Schweiz 18, 386). Zwar neigt sich Flechia (NL. Piante 7) lieber zu der Annahme, als sei L. aus Vall-avezzara = Tannenthal, v. ital. abete, abezzo, lat. abies, entstanden; allein auch C. Salvioni (NL. Piante Tic. 4) zieht aus phonet. Gründen unsere Ableitg. vor.

Lavoisier, Baie, im Spencers G., v. der frz. Exp. Baudin im Apr. 1802 'dem Andenken des berühmten u. unglückl. Chemikers' Antoine-Laurent L., 1743—1794, geweiht. Auch das anliegende Cap Vauquelin trägt den Namen eines frz. Chemikers, 1760—1829, ebenso die vorliegende Ile Guyton, eine Küsteninsel, id. Liguanea (Krus., Mém. 1, 40), 'zu Ehren des berühmten Chemikers, welcher sich durch die Entdeckg. der heilsamen Eigenschaften des übersauern salzsauern Gases um alle Classen der menschlichen Gesellschaft u. um die Seeff. insb. verdient gemacht hat', 1737—1816 (Péron, TA. 2, 83 f.). — Ebenso Cap L., in Süd-Austr., id. Point Brown, im Apr. 1802 (ib. 1, 275) u. Ile L., eine der Iles de l'Institut, am 14. Apr. 1801 (ib. 1, 116; 2, 211, Freycinet, Atl. 27).

Lawford's Isles, in Georg's IV. Krönungsbay, v. Capt. John Franklin (Narr. 364 f.) am 21. Juli 1821 benannt nach dem Viceadmiral L., unter dessen Auspicien der Entdecker den engl. Seedienst begonnen hatte.

Lawrence River, St., der Abfluss der canad. See'n, eine Entdeckg. des frz. Seef. J. Cartier, der v. ehm. Golfo Quadrado = der viereckigen Bucht (Ribero's Weltcarte, Herrera, Dec. 1, 6, 16) in den Strom einlief. Den Golf, in ältern Berichten oft einf. Grande Baie = grosse Bucht (Hakl., Pr. Nav. 3, 237, Avezac, Nav. Cart. 8) od. wohl nur den Eingang des j. St. John's River (Avezac, Nav. Cart. 1, XI), hatte er auf seiner zweiten Fahrt, am 10. Aug. 1535 Baie de St. Laurent genannt ... 'where we found a goodly great gulfe, full of islands, passages, and entrances toward what wind soever you please to bend ... we named the sayd gulfe *Saint L. his bay* (Hakl., Pr. Nav. 3, 213, Spr. u. F., Beitr. 4, 176). Am 15. Aug. wurde Anticosti besucht; dann erst hörte man aus dem Munde der 2 Wilden, die Cartier v. der ersten Reise her bei sich führte, dass nun das Land Saguenay beginne u. die grosse Oeffng. allmählich in einen Süsswasserstrom sich verenge: *Rivière de Hochelaga* (s. Montreal), u. dieser bilde den geraden Weg nach Canada (ib. 3, 213). Cartier fuhr nun diesen Strom, die *Rivière de Canada* (Forster, Nordf. 503), hinauf, 300 lieues weit (Anspach, NFundl. 22, Galvão, Desc. 193, Quackenbos, US. 53, Buckingh., Can. 95. 172) od. 200 leagues weit (Hakl., Pr. Nav. 224, Marginal-note); *b) Fort St. L.*, s. Cumberland; *c) Bay of St. L.*, an der sibir. Küste, wo Cook (-King, Pacif. 2, 472, Note) am 10. Aug. 1778 ankerte ... 'it is remarkable, that Bering sailed past this very place on the 10th of Aug. 1725'; *d)* zwei kl. Felseilande an der Küste v. austr. Victoria hat Lieut. Grant 1800 entdeckt u. ohne nähere An-gabe *Lawrence's Isles* getauft (Flinders, TA. 1, 203); die eine derselben heisst bei der frz. Exp. Baudin, 1. Apr. 1803, *Ile du Dragon* = Drachen-insel, nach ihrer seltsamen Gestalt, da sie an einer ihrer Spitzen wie die halboffene Schnauze eines grossen Reptils aussieht (Péron, TA. 1, 266).

Lawson s. Bennett.

Laxá = Lachsfluss, ein durch seine ungemein ergiebige Lachsfischerei bekannter kl. Fluss bei Reykjavík, auch *Ellidará, Hellirá* = Höhlenbach, v. *hellir* = Höhle, wg. der vielen Löcher u. Ver-tiefungen seines Bettes (Preyer-Z., Isl. 59). — *Lax-Voe* = Lachsbucht, v. altn. *vágr* = kleine Bucht, in Shetland (Worsaae, Mind. Danske 291). — *Loch Laxford*, ein Fjord an der Westküste der schott. Grafsch. Sutherland, wo also z. altn. *Laxafjördr* eine zweite Bezeichng. f. See od. Fjord, gael. *loch*, getreten ist; der Zufluss ist noch heut zu Tage allgemein bekannt als einer der lachsreichsten Bergflüsse (Worsaae, Mind. Danske 328). — Ein Fluss *Laxay*, ebf. altn. *Laxá: a)* auf Lewis, Hebrid. (ib. 335); *b)* auf Islay, 'en aa, hvori mange lax fanges' (ib. 346), ein Fluss *Laxey* an der Ostseite v. Man (ib. 347). — *Leixlip*, altn. *Lax-hloup* = Lachsfall, Ort bei Dublin, 'ved et herligt laxespring i Liffeyfloden, ... erindrer om den af de gamle Nordmaend saa höilig yndede laxefangst (ib. 404).

Laxman, Baie de, bei Cap Broughton, Jeso, russ. Admiral v. Krusenst. (Mém. 2, 206) getauft nach einem der russ. Seeff., welche die Kenntniss jener Gewässer gefördert haben (1792).

Lay, Point, an der americ. Eismeerküste, v. Capt. Beechey (Narr. 1, Carte) im Aug. 1826 benannt nach George T. *L.*, dem Naturforscher seiner Exp.

Laz = Rüti, in slaw. ON. v. Böhmen, Mähren, Schles., Galiz. u. Steierm., wie Krain, Kroatien etc. als: *Laz, Lazac, Lazán, Laze, Lázi, Lázina, Lázine, Lazna, Lažan, Lažanek, Lažanko, Lažanky, Lazeč, Lažic, Lažišt, Lažište, La-*

žinov, Lažovic, Lazy, Lazany, Lazi, ver-deutscht *Lasach* (Miklosich, ON. App. 2, 192).

Lazareto, Isla del == Insel des Lazareths od. *Isla de la Cuarentena* = Quarantäneinsel, span. Insel-Name bei Menorca, weil die Quarantäne-Anstalten der Hafenstadt Mahon sich hier befinden (Willk., Span. P. 209).

Lazarew od. *Lasareff Insel*, 2mal *a)* in der Central-gruppe der Paumotu, einh. *Mata(h)iwa*, v. Bellings-hausen 1819 getauft (ZfAErdk. 1870, 392, Meinicke, IStill. O. 2, 204) nach dem russ. Admiral Mich. Petrowitsch *L.*, welcher, geb. 1788, das 2. Schiff Bellingshausens führte, in den Jahren 1822/25 Befehlshaber einer russ. Erdumsegelg. war u. 1851 †; *b)* s. Bellingshausen. — Wohl nach demselben *Port L.*, 'ein vortreffl. Hafen' der Ostküste Korea's, 39⁰ 19' NBr., v. der russ. Fregatte Pallas 1854 entdeckt (Peterm., GMitth. 3, 31).

Lazarus, in span. Form *Lazaro*, der Heilige, ein Freund Jesu, v. diesem auferweckt, der Leg. zuf. Bischof in Gallien, im kath. Kalender am 17. Dec. gefeiert u. nicht zu verwechseln mit dem 'armen L.' der Parabel (Luc. 16, 19 f.), dem Schutzpatron der Kranken (s. Malade), nach welchem der La-zarusorden, die Lazaristen, das Lazareth u. die Lazzaroni benannt sind, erscheint in mehrern span. ON. wie: *San L.* (s. Campeche), *Archi-pelago de San L.* (s. Filipinas). — *St. L.* s. Edgecumbe.

Lazeka s. Tongue.

Laziali s. Latium.

Lead = Blei, wiederholt in engl. ON. der Union *a) L. Mines* s. Galena; *b) L. Creek*, ein kleiner Zufluss des untern Missuri, weil in jener Gegend Bleierz zu finden sein soll. Die Exp. Lewis u. Cl. (Trav. 7 f.) hatte v. dem Vorkommen Kunde, konnte aber keine Spur dieses Minerals entdecken; *c) Leadville*, einer der rasch aufgeschossenen Minenorte Colorado's, die in ihren Namen, *Oro City, Golden City* (s. Central), *Silverton* etc., f. den Glücksritter so lockend geworden sind, am Oberende des Arkansasthals, 3000 m üb. M., wo erst im Apr. 1860 Gold entdeckt u. v. 1877—1884 ein Werth v. 96 Mill. $, an Gold, Silber u. Blei, ausgebeutet wurde (Scott. GMag. 5, 199, Wheeler, Geogr. Rep. 186).

Leading Hill = Leitberg, an der Südseite des Victoria R., Nord-Austr., v. Capt. Stokes (Disc. 2, 45) im Oct. 1838 so benannt, weil der Berg als Marke f. die Einfahrt dienen kann.

Leagh, auch *Lea*, aus ir. *liath* = grau englisirt, im plur. *Leaha, Leahys, Leaghs*, ir. *Liatha*, im dim. *Leaghan, Leighin, Leaheen, Leighan, Leighon*, sämmtl. f. graue Flecken Landes, oft in ON. Irlands, einmal als *Leamoke voge*, englis. aus ir. *Liath-Mochaemhog*, f. das 'graue Land', in welchem der heil. Mochaemhog, latin. 'Pulche-rius' († 655), der Schwestersohn der heil. Ita, die Kirche gründete (Joyce, Orig. Ir. NPl. 2, 284 f.)

Leanderthurm, der fränk. Name des bekannten auf einer Inselklippe bei Skutari-Konstantinopel stehenden Thurmes. Es hat sich hier die griech. Sage v. Hero u. Leander mit einer türk. vermischt, die der Klippe den Namen *Kis Kalessi* = Mädchenthurm verschaffte. Demnach hätte der arab. Sid, der 300 Jahre vor dem span. (Cid) lebte, als Feldherr des Chalifen Hescham 739 wider die Byzantiner fiel u. dessen Grabstätte zu *Sidi Schehri* (= Cid's Stadt) in Karamanien noch j. ein vielbesuchter Wallfahrtsort ist, eine in dem Inselschloss eingesperrte Prinzessin befreit. In Verkleidg. wäre er zu der Geliebten gelangt, u. als eine Natter, welche unter den mitgebrachten Blumen hervorschoss, die Prinzessin in die Brust biss, sog der Sid das Gift aus, rettete so das Leben der Geliebten u. erwarb sich zugleich ihre Hand (Hammer-P., Konst. 1, 13 f.). Der Thurm, bis 1721 hölzern, dann, nachdem er in einer Nacht abgebrannt, v. Stein aufgeführt, diente lange als Leuchtthurm (Hammer-P., Osm. R. 7, 280, Meyers CLex. 10, 5. 229).

Leavenworth, seit 1854 Stadt in Kansas, 1827 als Fort, z. Schutze gg. die Indianer, begonnen u. benannt nach seinem Erbauer, Oberst *L.* (1783 —1834), der später auch Fort Snelling gründete (Coll. Minn. HS. 1, 420 ff. 435, Meyer's CLex. 10, 650).

Lebáschji = Schwanenflüsse, russ. Name zweier gemeinschaftlich mündender Nebenflüsse der Pet-schóra. Die Erscheing. gemeinschaftlich mündender Nebenflüsse kehrt hier mehrf. wieder: die *Zyl'ma* u. *Píschma*, sowie die beiden *Dwojniki* = Doppelflüsse (Schrenk, Tundr. 1, 235). — *Lebeschie Osero* s. Babi.

Lebban s. Assal.

Lebda s. Leptis.

-leben, goth. u. ahd. *laiba*, altfr. *lâva*, alts. *lêua*, ags. *láf*, als Grundwort thüring. ON, so häufig, dass Förstem. (Altd. NB. 986 f.) üb. 160 alte Beispiele aufführt, ist in seiner Bedeutg. viel umstritten worden; bei frühern Autoren, auch Leibnitz, u. noch bei C. Zeuss galt es als slawisch. Da sammelte P. Cassel (Thür. ON. 1, 163 ff.) mit grossem Fleisse die alten u. neuen Formen dieser ON. u. stellte so zunächst den Umfang des thüring. Verbreitungsbezirks dieser Endg. fest, nicht ohne die Andeutg., dass ein zweites Gebiet, mit *lev*, sich in Schleswig u. Dänemark befinde; er gab dem Wort die Bedeutg. 'Nachlass, Erbschaft', u. Förstemann, der noch 2 andere Deutgen f. möglich hält, schliesst sich ihm an, auch in der Annahme, dass die Endg. den Thüringern zuzuschreiben sei. Nun führt, nachdem noch G. Gerland (Kuhn's Zeitr. 10, 210 ff.) u. K. Christ (Kettler's Zeitschr. f. wiss. Geogr. 3, 199 ff.) sich an der Aufgabe versucht, der Germanist W. Seelmann (ZGesch. d. deutschen Volksstämme 18) auch 66 schwed. ON., mit *löf*, aus Schonen u. Halland u. sogar 8, mit *laew, lew, lewe* aus England an, u. mit Hülfe der Alterthumskunde gelangt er zu der Annahme, dass unsere Endg., f. die auch er die Bedeutg. 'Nachlass' festhält, ein wesentl. warnisches, bezw. warnisch-anglisches Element ist.

Lebena, v. phön. *labi*, ‏ליבא‏ = Löwe, Hafen der alten Hptstadt Gortyna, an der Ostseite Kreta's, nach dem nahen Löwencap (Movers, Phön. 2^b,

260), übsetzt *Leon*, gr. Λέων (Ptol. 3, 17, 4), lat. *Libena* (Geogr. Rav.) u. *Ladena* (Tab. Peut.), j. *Leda*, f. das Vorgebirge *Capo Lion*. *L.* war phön. Colonie, v. der die Ueberfahrt nach Libyen geschah, u. noch zeigen sich starke Spuren phön. Einflusses. Dass bei den Griechen das Bewusstsein der Bedeutg. sich erhielt, zeigt Phil. v. Ap. in den Worten: Ἀεβηανῖον τὸ ἱερὸν ὠνομάσθαι φασίν, ἐπειδὴ ἀκρωτήριον ἐξ αὐτοῦ κατατείνει λέοντι εἰκασμένον' (Curt., GOn. 162). — Arab. *Dschebel Lebua* = Berg der Löwin, im Sinai, das obere Ende des Wady Barak — 'ein Name, welcher viell. darauf hindeutet, dass es in frühern Zeiten Löwen im Sinai gab' (Burckh., Reis. 2, 790).

Leber s. Laber.

Lebeschie s. Babi.

Lecco, L. s. Como.

Lech, ein noch unbefriedigend erklärter FlussN., viell. einf. 'Fluss' (Förstem., Deutsche ON. 34, Baumann, GAllg. 1, 36), gleichwie *Lek*, jener Rheinarm, dessen älteste erreichbare Form (im 8. Jahrh.) *Laca* (= Lache, Sumpf), viell. kelt. *licus* = reissender Fluss (Raiser, RAAugsb. 7 in der Ableitg. v. *Vindelicia*, in der das Wort ozw. ebf. steckt, Planta, ARät. 8). Der Keltist Glück (Kelt. N. Caesar 19) u. ihm nach Bacmeister (AWand. 126. 132), vergleicht kymr. *llech*, altir. *liac* = Stein, also dass *L.* = Steinfluss, u. der letztere fügt, im Hinblick auf Virdo, j. Wertach, u. *Licus* bei: 'Nicht als ob *Vandelicien* mit den beiden Flüssen zshienge'. Mir scheint diese Verwahrg. zu rasch ausgesprochen: aber die Ableitg. des FlussN. dürfte dem Umstand unterstützen, dass die im Rheinbett zu Schaffhausen befindl., nur bei Hochwasser völlig bedeckten Kalkfelsen, üb. welche u. zwischen welchen der Strom schäumend sich ergiesst, od. auch der ganze klippenvolle Stromlauf selbst, als *Lechen* bezeichnet werden, bei Augsburg selbst, nach Pupikofers briefl. Mitth., die Flusscanäle u. übh. die Bäche *Lechen* heissen. Nach dem Fluss die Orte *am L.*, in Vorarlb. (Bergmann, Wals., Carte) u. *Lechhausen*, das *Lechfeld*, an der Mündg. *Lechsgemünd*, im 11. Jahrh. *Lechsgimundi* (Förstem., Altd. NB. 988).

Lechino s. Leukimme.

Leda s. Lebena.

Ledscha, el = der unzugängliche Ort, das Asyl, arab. Name vschiedd. Localitäten *a)* einer der Trachonen des Haurân (Burkhardt, Reis. 1, 510); *b)* ein Hochthal des Sinai (s. el-Arba'in).

Leech Lake = Blutegelsee, engl. Name eines der Quellsee'n des Missisipi. Das Motiv der Benenng. findet sich auch in Schoolcrafts Reise (CMinn. HS. 1, 108 ff., 168 ff.) nicht angegeben, ist jedoch wohl an sich klar.

Leeuw = Löwe, fem. *leeuwin*, in holl. ON. des Capl., wo diese Thiere einst gejagt wurden (Lichtenst., SAfr. 1, 120. 215. 359. 362; 2, 59. 70); so *Leeuwen Rivier* = Löwenfluss u. *Leeuwenbosch* = Löwenholz. — *Leeuwenhoofd* = Löwenkopf, der 664 m h. Endkopf eines Bergzugs im Capl., der Figur eines erhobenen Löwenkopfs ähnl., während der 350 m h. Zug den *Leeuwen-*

romp = Löwenrumpf vorstellt (Peterm., GMitth. 14 T. 2), j. engl. *Lions Head,* resp. *Lions Rump,* ...'weil er einem liegenden Löwen ähnlich scheinet, der auf seinen Raub lauert. Man muss auch gestehen, wenn man ihn v. dem Meere aus, in einer gewissen Entferng., betrachtet, dass er gar viel Aehnlichkeit mit einem liegenden Löwen hat, der den Kopf in die Höhe recket . . . . u. wenn man das Gleichniss vom Löwen beibehalten will, so stehet sein Kopf u. Vorder-Füsse gg. Sudwest, die Hinter-Füsse u. der Schwanz gg. Osten (Kolb, VGHoff. 208). — *Leeuwin's Land,* ein Küstenstrich West-Austr., 31—35^0 NBr. (WHakl. S. 25, LXXXVIf.) od. v. Nuyts Point bis *Cap Leeuwin* (Krus., Mém. 1, 33f.), v. holl. Schiff d. N., 'Löwin', Befehlsh. unbekannt, entdeckt . . . 't *Land van de Leeuwin* anno 1622 angedean' (Carte zu Tasman's Journ., Flinders, TA. 1, LI). Die Südwestspitze auf d'Entrecasteaux's Carte *Iles St. Alouarn* (s. d.), nannte Capt. Flinders (TA. 1, 49) *Cape Leeuwin,* die frz. Exp. Baudin *Cap Gosselin* (s. d.) (Péron, TA. 2, 166, Freycinet, Atl. 21).

Leeward Islands, das Ggtheil zu *Windward Islands,* ein Schiffername, 2 mal: *a)* s. Antillen; *b)* s. Society.

Lefaya = Aufenthalt der gehörnten Vipern, gew. f. *afaaya,* mit vorgesetztem art. *el,* in arab. ON. *a) Hási el-L.* = Vipernbrunnen u. *b) Ued L.* = Vipernfluss, beide in der Sahara (Parmentier, Vocab. arabe 32). •

Lefebure, Ilot, eine kleine Insel im Havre Henri Freycinet, Sharks Bay, v. frz. Schiffsfähnrich L. Freycinet, Exp. Baudin, am 10. Aug. 1801 nach dem Patron seines Bootes, dem vortreffl. Bootsmann *L.,* benannt (Péron. TA. 1, 165).

Lefudsche = der schnelle, so nennen die Barotse einen lkseitg. Zufluss des Zambesi, welcher v. den Monakadzibergen raschen Laufs hierniederstürzt (Livingstone, Miss. Trav. 286).

Legendre, Cap, am Spencer's G., v. der frz. Exp. Baudin am 27. Jan. 1803 getauft nach dem Mathematiker Adrien-Marie *L.,* 1752—1833 (Péron, TA. 2, 79, Freycinet, Atl. 16). — Ebenso *Ile L.,* an der Nordwestküste NHoll., am 30. März 1803 (Péron. 2, 201, Freyc. 25, King, Austr. 1, 51), u. *Ile Le Gentil,* im Arch. Laplace, im Febr. 1803 nach dem Astronomen d. N., 1725/92 (Péron 2, 84).

Legname s. Madeira.

Legua, la = die Meile, span. ON. halbwegs Lima-Callao, da die Stelle eine span. Meile v. beiden Städten entfernt liegt (Tschudi, Peru 1, 64).

Lehighton = Stadt am Lehigh, einem Zuflusse des Delaware (Penns. Ill. 45).

Lehmann-Inseln, zwei kleine Eilande der Rogatschew Bay, NSemlja, v. der österr.-ungar. Exp. Wilczek im Aug. 1872 getauft (PM. 20 T. 16) nach dem Geologen der Baer'schen Exp., der später auch mehrere asiat. Reisen unternahm, aber bald starb (GMitth. Prof. H. Höfers, Klagenfurt ad. 17. Mai 1876). — *L. Bach* s. Bernhard.

Leibnitz s. Lipa.

Leicester, ON. in Engl., ags. *Legra-* od. *Ligoraceaster* = Veste, castrum, am Flusse Legre,

Leir (dem j. Soar), später in *Leircestre, Leycester* übgegangen (Charnock, LEtym. 155, Edmunds, NPl. 209). Von einer röm. 'Legion' (Eckerdt, Progr. 10) wissen die engl. Quellen nichts. Zum Grafen v. *L.* hat die Königin Elisabeth 1568 ihren Günstling Rob. Dudley erhoben, u. ihm gilt es wohl, wenn M. Frobisher im Aug. 1577 in der Frobisher Bay eine *L. Island* tauft (Rundall, Voy. NW. 17, Hakl., Pr. Nav. 3, 66). — Eine zweite *L. Island* s. Townshend.

Leichhardt, *Friedr. Wilh. Ludw.,* deutscher Austr.-Reisender, geb. bei Beeskow 1813, in Göttingen u. Berlin geschult, ging 1841 nach Sydney u. nach ein paar kleinern Reisen üb. die Darling Downs z. Carpentaria Golf u. Port Essington (1844/46); dann versuchte er (1847/48) vergeblich den Continent v. Ost nach West zu durchqueren. Von dem ersten Versuche kehrte er zurück; ein zweiter kostete ihm das Leben. Nach ihm sind getauft: *a) L.'s River,* dessen Mündg. schon Stokes am 24. Juli 1841 gefunden hatte, v. Gregory 1845 (Peterm., GMitth. 10, 176); *b) L.'s Range,* eine v. Burdekin R. durchbrochene Bergkette, v. Dalrymple 1859 (ib. 7, 385).

Leiden, oft *Leyden,* um 960 *Leithon,* 993 *Leythem,* 1083 *Leythen,* gew. als aus *Lugdunum,* scil. Batavorum hervorgegangen betrachtet, so dass der Ort als 'die älteste Stadt Hollands übh.' (Daniel, Hdb. Geogr. 4, 1019) u. der Unterbau der auf künstl. Hügel mitten in der Stadt stehenden Burg als Rest eines v. Drusus erstellten Castells galt (Wild, Niederl. 2, 132), ist vielmehr der dat. einer ältesten Form *Leitha* (s. d.), v. einem Verb, goth. *leithan,* ags. *lithan* = vorbeigehen, -fahren, hier im Sinne v. Wasserleitg., Canal. Die Schreibg. *Leyden,* eig. *Leijden,* 'bijna uitsluitend tot aan onzen tijd', sei v. jeher missbr. gewesen. Es gilt in Holl. als sicher, dass das alte Lugdunum nicht an der Stelle der j. Stadt stand, dass die beiden ON. trotz allem Anschein einander nichts angehen u. erst bei Gründg. der Universität dem Orte sein antiquarischer Vorgänger zugesichert wurde (Hand. u. Med. MLetterK. 1869, 39ff., Nom. GNeerl. 1, 71 ff.). — *Leiden* 2 mal übtragen *a)* Insel vor Batavia, mal. *Pulo Njamok* = Mückeninsel (Meyer's CLex. 2, 664); *b)* Insel der Geelvink Bay (s. d.), v. der holl. Exp. Geelvink (Meinicke, IStill. O. 1, 94).

Leifsbudir = Leif's Hütten, ON. in Vinland, wohl am Taunton R., näml. f. die Stelle, wo der zweite norm. Entdecker Leif (1000) in Bretterbuden überwinterte (Rafn, Entd. Am. 8. 22, WHakl., S. 2, XV; 43, XII).

Leigh s. Smith.

Leimûn s. Limone.

Leinitz s. Mlynu.

Leinster, die südöstliche der 4 Abtheilungen Irlands, alt *Galian,* erhielt im 3. Jahrh. v. Chr. im Zwist in der Herrscherfamilie eine gall. Freischaar, die mit breiten Spitzspeeren, *laighen,* bewaffnet war, ins Land rief, nach den neuen Ansiedlern den Namen *Laighen,* der j. noch in

Irland gebraucht wird u. erst bei den Engl., nach Analogie der 3 übrigen Provinzen, die Endung -*ster*, skand. *stadr* = Ort, Stätte, erhielt: *Laighenster*, gespr. *laynster*, wie schon eine Staatsurk. v. 1515 angibt (Joyce, Orig. Ir. NPl. 1, 92 f., 1r. LN. 64). — *New L.* s. NSeeländ.

Leinungen s. Thüringen.

Leipsydrion, gr. Λειψύδριον = die Wasserarme, eine wasserlose Gegend am Fusse des Parnass, nahe Dekeleia (Herod. 5, 62).

Leipzig s. Lipa.

Leisach s. Les.

Leistenholz s. Altenburg.

Leith od. *Laith, Leithan*, Flüsse in Schottl., in Westmoreland, in Merioneth, in Peebles, also auf altem Keltenboden, nach Chalmers v. brit. *llith* = Flut, wie sie denn alle plötzlichen Anschwellungen ausgesetzt sind. An der Mündung des ersten der Hafenort Edinburghs: *L.*, früher *Inver-L.* = Mündung des *L.* (Charnock, LEtym. 314).

Leitha, der österr.-ung. Grenzfluss, den die Bahn bei Bruck passirt, um *Cis-* u. *Trans-Leithanien* zu verbinden, im 11. Jahrh. *Litaha*, v. ahd. *hlita* = Bergabhang, Leite, u. *aha* = Fluss. In Tirol mindestens 9 Oerter *Leiten*, das im Pinzgau 927 *Litara* (Först., Altd. NB. 812). — Auch ein *Leitenbach*, einer der kleinen Zuflüsse der Bregenzer Aach (v. Bergm., Vorarlb. 34). — Vgl. Leiden.

Leixlip s. Lax.

Lek s. Lech.

Lellinge s. Laaland.

Le Maire s. Maire.

Léman s. Genève.

Lemberg, poln. *Lwow*, ruth. *Lwiw*, die Hptstadt Galiz., v. Lew (d. i. Leo) Danilowicz, Fürsten v. Halicz, um 1255—1259 ggr., latin. *Leopolis* = Löwenberg (Umlauft, Öst. NB. 129).

Lemland s. Lijmfjord.

Lemnos, ngr. *Limno*, türk. *Limni*, ital. *Stalimene*, eine der thrak. Inseln, die, als die Griechen im 6. Jahrh. zu erscheinen anfingen, v. semit. Minyern besiedelt waren, v. semit. לבנה = weiss, da *L.*, die grösste, gegliedertste u. flachste, fast durchweg aus Bimsstein besteht. Bei den Griechen hiess sie auch *Hephaistia*, röm. *Vulcania*, auch *Aithalea*, gr. Ἀιθαλέα = die brennende, flammende, da sie einen noch in histor. Zeit thätig gewesenen Vulcan Mosychlos enthält; dieser, sowie die Metallgruben, erklären die Sage, als hier Hephästos v. Himmel gefallen u. habe hier zuerst Eisen in Essen geschmiedet (Hammer-P., Osm. R. 6, 28). In der That, *L.* gehört der nördl. der 3 vulcan. Zonen an, die das ägäische Meer kreuzend Europa u. Asia verbinden, v. pallenischen 'Brandfeld' (s. Phlegra) bis zu den Thermen auf Lesbos u. der troischen Küste; die Alten berichten, in der Nähe v. *L.* sei das kleine Eiland Chryse verschwunden, u. es ist dafür eine neue Insel entstanden, welche den f. vulcan. Eruptionen gew. Namen *Hierá* = die heilige erhielt. Wie der Bims, so ist die als Heilmittel gebrauchte 'lemnische' od. rothe Siegel-

Erde ein vulcan. Product (Kiepert, Lehrb. AG. 235. **324** f.). *L.* hiess etwa auch *Dipolis*, gr. Δίπολις = Zweistädten, wg. ihrer 2 Häfen Hephästia u. Myrina (Et. M., Pape-B.), da wohl die Insel, welche aus 2 durch einen schmalen Hals verbundenen Halbinseln besteht, auch politisch in 2 Städtegebiete zerfiel.

Lemon s. Limone.

Lemta s. Leptis.

Lena, dunkler Flussname Sib., v. den Eingebornen auf die Russen übgegangen. *Wercholensk* = Ort an der obern *L.*, ggr. 1641 v. Unterhetman der Kosaken, Martin Wasiliew, der mit 50 Mann v. Ustkut flussauf gesandt wurde, mit dem Auftrage, den Ostrog an der Mündg. des lkseitg. Nebenflusses Kulenga zu erstellen. Die Seichte des Wassers nöthigte ihn, die 4 grossen Fahrzeuge, dosstschaniki, zkzulassen u. in kleinen weiter zu fahren; aber auch mit diesen konnte er die bezeichnete Stelle nicht erreichen u. baute den Ostrog vorläufig am östl. Stromufer, 4 Werst unth. der Kulenga. Er war es auch selbst, welcher der Anlage den Namen gab; sie wurde 1647 an die urspr. beabsichtigte Stelle verlegt (Fischer, Sib. G. 2, 728 f.). Stromab folgen u. a. *Ust-Ulginsk* od. *Ilginsk* (s. Ust'), *Ust-Orlinsk*, am Flusse Orlenga, *Ust-Kutsk*, am Flusse Kuta, *Kirensk* u. *Witimsk* (s. Irkutsk), *Sinskoje, Aimsk, Ust-Majsk, Aldansk, Amginsk, Amginskaja*, nach den Flüssen Sin, Aim, Maja, Aldan, Amga etc.

Lenape s. Delaware.

Lenguas s. Guaycuru.

Lenha, Punta da = Holzcap, port. Name eines Landvorsprungs am Unterlaufe des Congo, wo — mitten in waldreichem Lande — port. Factoreien einen Ort bilden (PM. 13, 186), wohl missbr. *Puerto d.L.* (ZfAErdk. 1876, 84 ff.), da das span. *puerto* hier nichts zu thun hat u. 'Hafen' im port. *porto* heisst. Von der Mündg., Banana, bis hierher ist Urwald, welcher im üppigsten Grün prangt u. in der Trockenzeit um so schärfer v. der Vegetation der aufw. folgenden Flussinseln absticht. Diese, mit hohem Schilf u. Papyrus bedeckt, erscheinen alsdann in verdorrtem, wie ausgebranntem Braun. Die erste Gruppe, noch etwas unth. *PdL.*, heisst in den Carten *Grass Islands* (ZfAErdk. 1876, 83 ff.).

Lenkoran, ein Küstenort des Kaspisee's, nach dem Flusse Lenkara, welcher dort mündet. Südlicher, nach dem Flusse Astara benannt, der Ort *Astara* (Müller, SRuss. G. 3, 47).

Lenna s. Umberto.

Lenni Lenape s. Cree.

Lenoir, Cap, die NWestspitze der Ile Fleurieu, v. frz. Lieut. L. Freycinet, Exp. Baudin, im Dec. 1802 benannt nach dem Künstler Alexandre *L.* 1762—1832 (Péron, TA. 2, 92).

Lenzer Heide u. *L. Horn*, zwei nach dem Dorfe Lenz benannte Gebirgsobjecte Graub., Pass u. Berghorn, jener ein niedriger Sattel, der nicht bloss im Winter, sondern auch im Frühjahr u. Herbst sehr rauh u. wg. der häufig vorkommenden Stürme durchaus nicht gefahrlos ist', als **lang-**

gestrecktes Plateau rätr. *Planüras* = die Ebene (Campell-Mohr 146).

Leo = der Löwe, 'der Thierkönig', in Kraft, Muth, Adel u. Stolz der höchste Inbegriff königl. Tugend u. damit der menschlichen Vorstellg. v. jeher eine imponirende Gestalt, darf auf dem Felde geogr. Namen nicht fehlen (s. Leeuw). Schon die Griechen (Curt., GOn. 155, Pape-B.) hatten ihre *Leontopolis*, gr. *Λεοντόπολις* = Löwenstadt, in Aeg., arab. *Tell Essabe* = Löwenhügel (Meyer's CLex. 10, 742) u. a. m. in Phön., Isaur., Mesop. etc. (Pape-B.), auch einen *Leontes*, gr. *Λεόντων ποταμός* = Löwenfluss, ein in der ptol. Carte verzeichnetes Küstenflüsschen, dessen Namen, wg. des zufälligen Anklanges, man auf den phön. *Lita*, j. *Litâni*, übtr. hat (Kiepert, Lehrb. AG. 159, Robins., Pal. 3, 686); ferner zwei Vorgebirge *Λέων* = Löwenberg: *a)* auf Euböa (Ptol. 3, 15, 26); *b)* an der Südküste Kreta's (ib. 3, 17, 4), j. *Capo Lion* (s. Lebena). — Die Walliser Alpen haben ihren *Monte Leone*, ozw. nach der Gestalt gewisser Felspartieen, der Jura seine *Leona* (s. Abbaie), Württbg. ein Städtchen *Leonberg*, früher *Lewinbergh* = Löwenberg, v. Grafen v. Calw 1248 ggr. u. nach seinem Wappen, dem Löwen auf dem Berg, getauft (Schott, ON. Stuttg. 15). Vgl. Lemberg. Das Hptobject dieser Namengruppe ist *Sierra Leone*, missbr. in span. Umformg., f. port. *Serra Lioa* = Löwengebirge, eine Gebirgsküste v. Guinea, v. den port. Entdeckern Pedro de Cintra u. Soeiro da Costa um 1460 so getauft (Barros, As. 1, 2, 2) 'wg. der brüllenden Donner auf ihren hohen stürmischen Gipfeln', wie Ritter, Erdk. 1, 333, meint, gestützt auf Cadamosto, der die Entdeckg. nach den Angaben eines Augenzeugen erzählt: 'wg. des grossen Gebrülles, das man hörte u. welches v. Donner erregt wird, der beständig auf dem wolkenumhüllten Gipfel rollt' (Spr. u. F., Beitr. 11, 188); hingegen Fonseca (bei Camões) schreibt das Geheul auf Rechng. des wüthenden Getümmels der Wellen, welche an dem Klippensaume zerschellen ... 'o choque das ondas, que se espedaçam nos escolhos que orlam a costa, similha o rugido que, ao longe, echôa ... eis porque os navegantes portuguezes a dominaram assim'. Dem entspr. häuft der Dichter (Lus. 5, 12) den Consonanten *r*:

deixando a serra aspérrima leoa

Dieser zweiten Auffassg. folgt Grundemann (Miss. Atl. 3) ... 'nach der mächtigen Brandg. die wie mit Löwenstimmen das äusserste Cap umbraust'. — *Leopolis a)* s. Lemberg, *b)* s. Caracas. — *Insel L.* s. Alexis.

Leoben, Ort in Steierm., slaw. Urspr., angebl. schon 713 ggr., 982 *Liubina*, später *Liuben*, *Leuben*, *L.*, scheint wie *Loiben* in NOesterr. z. aslw. Stamme *ljub* = lieblich od. einer ähnl. Bildg. zu gehören (Umlauft, ÖUng. NB. 129). Auf dem Gebiete der Entdeckungen erscheint dieser Name, nachdem zu *L.* der Präliminarfrieden v. 1797 geschlossen worden, zweimal in Austr. durch die frz. Exp. Baudin: *Cap L.*, in Arnhem's Ld.,

am 28. Juni 1803 (Péron, TA. 2, 245), u. *Archipel de L.* (s. Banks).

Leon, span. ON., v. röm. *legio* (VII Gemina), also dass der Ort, wie mehrere andere, aus einem befestigten Standlager röm. Legionen hervorgegangen (Artero, Atl. Esp. 11). Noch hat sich aus jener Zeit der quadrat. Mauerring erhalten (Kiepert, Lehrb. AG. 489). — *L.*, durch Uebtragg. in der Prov. Guanajuato, Mexico (Meyer's CLex. 10, 741). — *Nuevo (Reyno de) L.* s. Linares. — *Santiago de L.* s. Caracas. — *L.* s. Lebena.

Leones, Isla de los = Insel der Seelöwen, da in der span. Seemannssprache *leo* auch f. allerlei Robben gebr. ist, 2 mal am Südende v. America durch Magalhães eingetragen *a)* an der Ostseite Patag., wo noch 1874 Dr. K. Berg Seelöwen u. Seebären, Ostaria juhata, aber auch eine weit zahlreichere Vogelwelt traf (Peterm., GMitt. 21, 370). Der genues. Pilot, in seinem Bericht üb. Magalhães' Fahrt, erzählt, in der Bahia de los Trabajos hätten sie viele Seewölfe gefangen (WHakl. S. 52, 3), u. der anonyme Port. (ib. 30) nennt geradezu eine 'Landspitze der Seewölfe'. Pigafetta (ib. 49) erzählt: 'We found two islands full of geese and goslings, and sea wolves, of which geese the large number could not be reckoned; for we loaded all the five ships with them in an hour. These geese are black, and have their feathers all over the body of the same size and shape, and they do not fly, and live upon fish; and they were so fat, that they did not pluck them, but skinned them. They have beaks like that of a crow. The sea wolves of these two islands are of many colours, and of the size and thickness of a calf, and have a head like that of a calf, and the ears smal and round. They have large teeth, and have no legs, but feet joining close on to the body, which resemble a human hand; they have small nails to their feet, and skin between the fingers like geese. If these animals could run they would be very bad and cruel, but they do not stir from the water, and swim and live upon fish'; *b)* in der Magalhães Str., wo die Spanier im Oct. 1820 eine Menge Seelöwen, Seebären etc. antrafen (Pigafetta, Prem. V. 46). — *Puerto de los L.* s. Lobos.

Leonhard, St., Ort, urspr. Capelle, bei Ragaz, C. St. Gallen, 1312 unter dem Pfäverser Abt Konrad IV. zu Ehren des heil. *L.* erbaut, 'wahrsch. z. Abwehrg. der Pest' (Egger, Urk. Rag. XXXVII).

Leonsberg, Berg u. Capelle in Lothr., 1751 *mons a S. Leone* papa nisi nato, *L.* vocant, sacello adhuc superstite, quod religionis causa frequenter invisunt vicini (Dict. top. Fr. 2, 77).

Leopold, Cape, an der arkt. Coburg Bay, v. Capt. John Ross (Baff. B. 161, Ans., Parry, NW Pass. 37) am 26. Aug. 1818 getauft 'in honour of his Royal Highness, Prince *L.* of Saxe Coburg', der, geb. 1790, seit Mai 1816 Gemahl Charlottens, der einzigen schon 1817 † Tochter König Georg's IV. v. Engl. war, später König v. Belgien wurde u. 1865 †. — Ebenso *Prince L. Isle* (u. *Port L.*), am Eingang des Prince Regents It., v. Parry

(NWPass. 35) am 4. Aug. 1819. — *Ile de L. I.* s. Trois Cocotiers. — Nach *L. II.* hat H. M. Stanley mehrere Objecte seiner afr. Entdeckungen u. Gründungen getauft *a) L. River*, ein Nebenfluss des Congo in dem Schluchtenlauf der Stanley Falls, am 4. Jan. 1877 erreicht u. benannt 'in honour of his Majesty *L. II.*, King of the Belgians' (Thr. Dark Cont. 465); *b) Leopoldville*, Station am Congo, v. H. Stanley im Febr. 1882 ggr. u. benannt zu Ehren seines Mandatars; *c) L. II. Lake*, ein See im Congonetz, v. Stanley im Mai 1882 umfahren. — *Leopoldskron*, Schloss bei Salzburg, v. Erzbischof *L.* Firmian erbaut (Umlauft, Öst. NB. 129). — *Leopoldsberg* s. Kahlenberg. — *Santa Leopoldina*, Ort der bras. Prov. Goyaz, am rechten Ufer des Araguaya angelegt im März 1850 v. Dr. João Baptista de Castro Moraes Antas, 1853 zerstört, 1855 v. neuem am Lago dos Tigres aufgebaut u. 1856 an den j. Platz verlegt (PM. 21, 382).

Leothenius s. Stenia.

Lepage's River, ein lkseitg. Zufluss des Unterlaufs des Oregon, am 21. Oct. 1805 v. den Captt. Lewis u. Cl. (Trav. 362) nach einem ihrer Gefährten benannt.

Lepanto, ON. in Griechenl., ital. Verstümmelg. aus gr. *Ἔπαχτος*, f. *Ne-* od. *Naupaktos* (s. Naus). Nach dem Ort der *Golf v. L.* u. die diesen abtrennende *Strasse v. L.*, vor dieser der *Golf v. Patras*, ebf. nach einem Uferort, während der innere Theil auch *Golf v. Korinth*, schon gr. *Κορινθιακὸς κόλπος*, heisst.

Lepero, plur. *léperos* (s. Mestizo), heisst in den Städten Creoliens die mit viel Indianer- u. Negerblut gemischte farbige, meist dem Spiel u. Trunk ergebene Menschenclasse, in Mexico die Mestizen (DMofras, Or. 1, 15), v. *lepra* = Aussatz, also s. v. a. die v. der ordentl. Gesellschaft Ausgeschlossenen (Uhde, RBravo 31). — *Ile des Lèpres* = Insel der Aussätzigen, in den NHebr., einh. *Aoba* (ZfAErdk. 1874, Meinicke, IStill. O. 1, 187), v. frz. Seef. Bougainville (Voy. 246) am 23. Mai 1768 entdeckt u. nach dem Uebel benannt, welches unter den kleinen hässl., übelgestalteten Eingebornen stark grassirte. — *Domus Leprosorum* s. Malade.

Lepidus s. Reggio.

Lepontische A. s. Leventina.

Le Poussin, Cap, westl. v. Nuyts' Arch., v. der frz. Exp. Baudin am 12. Febr. 1803 benannt nach einem Historienmaler d. N., 1594—1665 (Péron, TA. 2, 106, Freycinet, Atl. 18).

Lepsa, richtiger *Lepsai* = warmer Bach, türk. Flussname des Siebenstromlands, f. einen Zufluss des Balkasch (Peterm., GMitth. 37, 269). Am Flusse die russ. Station *Lepsinsk*, in meinen Carten (Bär u. H., Beitr. 20, 145. 152) auf dem linken Ufer, während sie im Text rechtsuferig steht. — Von gl. Bildg. die ON. *a) Loswinsk*, um 1590 ggr. an der Loswa-Tawda, Ural (Müller, SRuss. G. 4, 14); *b) Lugansk*, erst 1795 ggr. am Flusse Lugan-Donez (Meyer's CLex. 10, 1010).

Leptis = Schiffsstation, 2 phön. Hafenplätze der afr. Mediterranküste *a) L. Magna*, gr. *Λέπτις Μεγάλη* = gross *L.*, j. *Lebda, Lebida*, in Tripoli, zuerst angelegt durch Sidonier, welche bürgerlicher Unruhen halber aus ihrer Heimat geflohen, geschah auf der Landzunge; um diesen Kern jedoch lagerte sich im Laufe der Zeiten eine unendlich umfangreichere Neustadt, die allmählich einen solchen Vorrang gewann, dass, wie an vielen phön.-pun. Siedelungen, das Ganze als *Νεάπολις* = Neustadt bezeichnet wurde. Immerhin blieb der urspr. Name *L.*, wenigstens später wieder, vorherrschend; *b) L. Parva*, gr. *Λέπτις Μικρά* = klein *L.*, j. *Lamta, Lemta*, an der Ostseite Tunesiens (Barth, Wand. 161. 306 ff.).

Les = Wald, poln. *lâs*, ein slaw. Namenelement in *Lesna, Lesnek, Lesnik, Lesnitz, Lessnik*, auch *Leisach*, verdeutscht aus dem loc. *Lesach*, in Tirol, u. *Leissing*, verdeutscht aus *Liestinicha*, in Steierm., *Liesing*, Fluss in NOesterr., 1002 *Lieznicha*, u. in Steierm., 860 *Liestinacha*, ferner *Lisów, Lisowce, Lisowek, Lisovice, Liszna, Lisznia* (Miklosich, ON. App. 2, 194 f.).

Lesa, ON. des altsem. Gebiets, 2 mal: *a)* in Kanaan (Gen. 10, 19), v. seinen Quellen שׁעי [lescha] = Erdspalte, Quelle, später ähnl. *Καλλιῤῥόη* = Schönbrunn (Ritter, Erdk. 15ᵃ, 573); *b)* in Sard., ebf. mit Quellen, wahrsch. v. den colonisirenden Phöniz. so benannt (Movers, Phön. 2ᵇ, 569).

Leschenault, Port, eine Hafenbucht v. Leeuwins Ld., v. der frz. Exp. Baudin am 11. März 1803 benannt 'einem unserer achtungswürdigsten Collegen zu Ehren, dem Botaniker *L.* de la Tour, v. Schiffe le Géographe (Péron, TA. 2, 170); *b)* ebenso *Ile L.*, im Havre HFreycinet, am 13. Aug. 1801 (ib. 1, 166).

Lesghier, ein Volk des Kaukasus, das sich selbst *Leghi* = Menschen (Potocki, Voy. 2, 101, Parrot, Ar. 1, 64) nennt... 'c'est dans la langue des Kazi Koumuk, qui sont aussi *L.*, que le mot *leg* signifie homme', bei den Persern *Leksi*, bei den Grusiern, Armeniern u. Osseten *Leki*, bei Strabo u. Plutarch *Λῆχαι* = Legen, bei Masudi *Lekzes*, bei Moses v. Chorene (463) *Leker*. Sie werden f. Aboriginer des Kaukasus gehalten. Zuf. grusin. Ueberlieferung stammen sie v. 5. Sohne Thogarma's u. Urenkel Japhets, Lekos, ab, welcher nach seines Vaters Tode das Land zw. dem Meer u. dem Flusse Lomeka (westl. v. Derbent) erbte (PM. 6, 182).

Lêska = Haselstaude, slow. Wort, čech. *liska*, poln. *laska*, oft in ON. der slaw. Gebiete Oesterreichs als *Leska, Leskai, Leskau, Leskenthal, Leskov, Leskovec, Leskowetz, Leskowitz, Leszcânce, Leszczatów, Leszczawa, Leszczawka, Leszcze, Leszczków, Leszczowate, Leszczyn, Leszczyna, Leszczyny, Leszkowice, Liska, Liskowetz, Liskowitz, Lisky, Liski, Liszki, Lisko, Laskowa, Laskowce, Laskówka* (Miklosich, ON. App. 2, 194).

Leslie, Cape, das südöstl. Ende des grönl. Milne Ld., v. engl. Walfgr. Will. Scoresby jun. (North. WF. 199) am 27. Juli 1822 entdeckt u. zu Ehren des Naturforschers *L.* benannt: 'in compliment to the professor of Natural Philosophy in the Edinburgh College'.

Lesueur, Cap, an der Halbinsel Péron, v. frz. Schiffsfähnrich Louis Freycinet, Exp. Baudin, am 14. Aug. 1801 benannt nach einem Gliede der Exp., dem Naturalienmaler Ch.-A. *L.*, v. Schiffe le Géographe (Péron, TA. 1, 166); *b)* ebenso *Pointe L.*, bei Tasmania, im Febr. 1802 (Freycinet, Atl. 5); *c) Iles L.*, bei Tasmans Ld., am 10. Juni 1803 (Péron 2, 243). — *L. River* s. Blue Earth.

Lethakong = Hügel der schönen Brise, ein Dorf am Irawady, etwas üb. der Umgebg. erhaben u. desw. der erfrischenden Brise zugänglich. Uebr. fand Crawford (Embassy 1, 17), zZ. seines Besuchs, am 8. Sept. 1826, den Namen nicht zutreffend: 'for there was not a breath of air stirring, and the village was flooded by the rise of the river, so that the inhabitants were seen wading from one house to another'.

Lethe s. Hossnkeif.

Lethraborg od. *Ledreborg,* Schloss auf dän. Seeland, nach der nahen Stadt Ledre, Leire, dem Wohnsitze der ältesten dän. Könige (Meyer's CLex. 10, 764).

Lett, FlussN. in austr. Vale of Clywd, aus engl. *rivulet* = Flüsschen verkürzt, 'a very good one, being short,' meint Mitchell (Three Expp. 1, 155).

Letzi, schweiz. Ausdruck f. Wehrgraben, Schanze, als ON. mehrf., z. B. bei Zürich, wo der alte Wehrgraben, z. System der ehm. Stadtbefestigg. gehörig, noch sichtbar ist. Einen Theil derselben machten die 'langen Steine', höher oben, aus; daher der ON. *Langensteinen* (Meyer, OCZür. 86).

Leuchtthurm s. Lootsenschiff.

Leuggern s. Luzern.

Leuka, gr. *Λευκά* = Weissenberg, einer der zahlr. v. gr. *λευκός* = leuchtend, hell, weiss, abgeleiteten ant. ON., die wohl gewöhnl. nach der weissen Farbe der Kalkfelsen etc. gewählt sind, mehrf.: *a)* Flecken in Apul. (Strabo 281), j. noch *Santa Maria di Leuca,* die Landspitze *Capo di Leuca.* Hier fleht der v. Sturme geworfene Schiffer gläubig hinauf z. heil. Maria di Leuca, dass Madonna's Huld des Armen Noth sehen möge u. ihm helfen aus Wogendrang z. sichern Port (Avé-L., SBrasil. 1, 11); *b)* Ort Kariens (Mel. 1, 16), bei Plin. (HNat. 5, 107) *Leucopolis* = Weissenstadt. — *Leukai Nesoi,* gr. *Λευκαὶ νῆσοι* = Weisseninseln *a)* drei Inseln vor Kreta (Anon. st. m. m. 344); *b)* bei dem Flusse Kinyps, Afr. (Skyl.). — *Leukas,* gr. *Λευκὰς* = Weissenstein, 2 mal: *a)* Halbinsel *ἡ Λευκαδίων χερρόνησος,* welche mit der korinth. Colonisation (Thuk. 1, 30) z. Insel, *νῆσος* (Strabo 452 ff.), gemacht wurde, indem man die Landzunge, *ὁ Λ. ἰσθμός* (Thuk. 3, 81) durchstach, v. den weissschimmernden Felswänden, mit welchen die Insel an der West- u. Südwestküste aus dem Meere emporsteigt. Vgl. Leukatas (Bursian, GGriech. 1, 116), j. *Levkas,* seit der Venetianerzeit 1684—1800 *Santa Maura* (Meyer's CLex. 10, 779); *b) πέτρα* od. *ἄκρα,* Fels u. Vorgebirge am Gestade v. Epirus (Curt., GOn. 156). — *Leukasia,* 2 mal: *a) Λευκασία* = Weiss-

fluss, ein Flüsschen in Messenien (Paus. 4, 33, 3); *b)* = *Λευκωσία,* also Weissenau, eine Insel im Sinus Pästanus, an der Küste Lucaniens, j. *Piana* (D. Hal. 1, 53). — *Leukaspis,* gr. *Λεύκασπις* = Weissenschild, Hafenplatz der Marmarica (Strabo 799), nach einem nahen, die Bucht schirmenden Vorsprung (Curt., GOn. 153). — *Leukatas,* gr. *Λευκάτας* = Weissenfels, hiess 'ein der Farbe nach weisser, ins Meer u. gg. Cephallenia hin vorragender Felsen, die Südwestspitze v. Leukas, so dass er davon seinen Namen erhielt' (Strabo 452, Curt., GOn. 156); ihre Südseite wird durch senkrechte Marmorwände gebildet, deren glänzendes Weiss im schönsten Contraste steht zu dem in ihren Spalten wachsenden dunkeln Immergrün (Bursian, Gr. Geogr. 1, 116). — *Leuke,* gr. *Λευκή* = die weisse, mehrf.: *a) ἀκτή* = weisse Küste, ein Vorgebirge Marmarika's, westl. v. Hermäum, 'eine Landspitze v. weisser Erde' (Strabo 799); *b)* Rhede u. Flecken Thraciens, an der Propontis (ib. 331); *c)* die Südspitze der Insel Euböa (ib. 339); *d) νῆσος* = weisse Insel, dem Achilleus geweihtes pont. Eiland, j. *Schlangeninsel,* ebf. v. der Farbe benannt (D. Per. 543, Eust. An. p. p. Eux. 64, Pape-Bens., Et. M. 561, 39, Curt., GOn. 156); *e) ἄκρα* = Weisskuppe, ein Ort Spaniens (D. Sic. 25, 14); *f)* s. Oloosson. — *Ὁ Λευκός* = weisser Hafen, ngr. Hafen auf der Insel Karpathos (Ross, IReis. 3, 63). — *Leukimme,* gr. *Λευκίμμη (ἄκρα)* = Weissenhorn, Cap v. Corcyra (Thuk. 1, 30), j. zu *Capo Lechino* verd. od. in ital. *Capo Bianco* übsetzt (Curt., GOn. 156). — *Leukon,* gr. *Λευκὸν* = das weisse, ebf. mehrf.: *a) ὄρος* = Weissenberg, auch im plur. *Λευκὰ ὄρη* = weisse Berge, Gebirgsgruppe im Westen Kreta's, noch j. *Leukaori* (Theophr. h. pl. 4, 1, 3) od. *Madaras* (Kiepert, Lehrb. AG. 246); *b) πεδίον* = weisse Ebene, in Megaris (Nonn. 10, 76), im Ggsatz zu den steinigen, magern Landesflächen mit weisslichem Thon überzogen, der im Alterth. z. Verfertigg. v. Thongefässen verwandt wurde (Bursian, Gr. Geogr. 1, 369); *c) τεῖχος* = weisse Mauer, Weissenburg, einer der 3 Stadttheile v. Memphis, weil er nicht aus Ziegeln, sondern aus Steinen erbaut war (Pape-B.). — *Leukopetra,* gr. *Λευκόπετρα* = Weissenfels, Cap in Bruttium, 'v. seiner Farbe' (Strabo 259, Curt., GOn. 156), j. *Capo del Armi* (Pape-B.). — *Leukophrys,* gr. *Λεύκοφρυς* = Blankenau, eig. Weissenbrau, v. *ὀφρῦς* = Augenbraue, früherer Name v. Tenedos (D. Sic. 5, 83), '. . . . dessen westl. Abhänge des v. Lemnos Anfahrenden weiss üb. die Wasser entgegenschimmern' (Conze, Thrak. Ins. 123). — *Leukosyrer* = weisse Syrer, die Bewohner des am Pontus gelegenen Theils v. Kappadokien, wg. ihrer hellern Farbe (Meyer's CLex. 9, 787; 10, 781). — *Leukos Limen* s. Kosseir. — *Leukotheion,* gr. *Λευκόθειον* = Vorgebirge der Leukothea, in Cilicien, nach einem Tempel der Leukothea (An. st. m. m. 210), j. türk. *Kara Burun* = schwarzes Cap (Curt., GOn. 147, Pape-Bens.).

Levante = Aufgang, Morgenseite, ital. Ausdruck f. Orient (s. d.), in *Riviera di L.* der Ggsatz. z.

Riviera di Ponente (s. Riva), wie in *Cima di L.* der Ggsatz. z. *Cima di Posta*, wo *posta* = ponente, 2 Berge des südtirol. Thals Vallarsa (Umlauft, ÖUng. NB. 39). — *Levantisches Meer* s. Weiss. — *Pierre-Levée* s. Pierre.

Level Bay = flache Bay, ein geräumiger Ankerplatz des südl. Chile, durch eine Abtheilg. der Exp. King-Fitzroy (Adv. B. 1, 335) im Febr. 1830 so benannt, weil der Grund, aus Schlamm u. Sand bestehend, überall dieselbe Tiefe, v. ungef. 10 —12 fathoms, hat; *b*) *L. Island* s. Lincoln.

Leven s. Murderer.

Leventina, Valle, im Deutschen *Livinen*, heisst die Thalstufe des Tessin v. Airolo, d. i. der Vereinigg. der beiden Quellthäler, bis z. Confl. des Blegno, nach den *Lepontii*, einem in Plin. (HN. 3, 134 sq.) erwähnten Alpenvolk (Planta, ARät. 46). Nach diesem Volke hat man die Alpen v. Monte Rosa bis z. Adula als *lepontische Alpen* bezeichnet, ein Name, der, wie Nissen (Ital. LK. 148) meint, 'zu verbannen ist, da er durch keinerlei Zeugniss des Alterth. gestützt wird'.

Levu s. Viti.

Lewaschew s. Capitän.

Lewis, Capt. *Meriwether*, begleitet v. Capt. Will. Clarke, haben die Reihe der zahlr. Expp. eröffnet, welche im 19. Jahrh. z. Erforschg. des fernen Westens ausgesandt wurden. Sie gingen 1804 den Missuri aufw., in Kielbooten, die v. Hand gezogen wurden, überwinterten in Fort Mandan, folgten hierauf dem Missuri aufw. b. zu den Three Forks, welche sie Jefferson, Madison u. Gallatin nannten, erreichten den Pacific u. kehrten 1806 zk. Die Reise legte die Grundzüge der Carte jener Gebiete u. fand sofort, in 1805/07, einen Nachgänger in Lieut. (später Major) Zebulon M. Pike. Wir verweisen auf die Artt. Clarke u. Pike u. beschränken uns hier auf die dem Capt. *L.* gewidmeten toponym. Denkmäler: *L.'s River*, j. gew. *L. Fork*, ein lkseitgr. Neben- resp. Quellfluss des Oregon (s. Snake R.), am 21. Aug. 1805 v. Capt. Clarke nach seinem Gefährten getauft, 'as cant. *L.* was the first white man who visited its waters' (Lewis u. Cl., Trav. 290), wie am 6. Sept. 1805 *Clarke's River*, j. gew. *C. Fork*, ein anderer Quellarm, 'he being the first white man who had ever visited its waters' (ib. 322). Nach beiden gemeinsam *L. u. Clarke Pass*, in den Felsengeb., da die Gegend v. der gr. Exp. 1805/06 unter vielen Beschwerden erforscht wurde (Beechey, Narr. 2, 394). — *Camp L.*, ein Militärposten am obern Missuri, u. *Point L.*, an der Mündg. des Oregon, am 19. Nov. 1805 (Lewis u. Cl., Trav. 400). — *Meriwether's Bay*, in der Mündg. des Oregon, v. der Exp. (Trav. 408) am 7. Dec. 1805 getauft 'from the Christian name of Capt. *L.*, who was no doubt the first white man who surveyed it'.

Lewistown Narrows, die waldige Schlucht zw. Lewistown u. Mifflin, wo vor Eröffng. der Bahnlinie Pittsburg-Harrisburg auf einer Länge v. 16 km ein einziges Haus stand u. die Gegend noch als *Long Narrows* = lange Schlucht bekannt war. Der dichte Tannwald der Nordseite, der im

friedl. Wasser des Juniata R. sich spiegelt, hat dem steilen Berg den Namen *Shade Mountain* = Schattenberg verschafft (Cent. Exh. 26).

Lexington, Stadt in Kentucky, so benannt 1775 durch eine Jägergesellschaft, welche, hier bei dem Abendfeuer lagernd, den ersten Bericht v. der zw. den Engländern u. Colonisten geschlagenen Schlacht v. *L.*, Massachusetts (19. Apr.), erhielt u. 'in the enthusiasm of the moment' beschloss, den hier zu gründenden Ort *L.* zu nennen 'in honour of the place at which the first blow for Liberty was struck in the American Colonies' (Buckingh., East & WSt. 2, 498). *L.* is a very favourite name in the United States, there being not less than 18 towns already so called — after *L.* in Massachusetts (Buckingh., Slave St. 2, 35. 362).

Ley-Timur s. Amboina.

Leyden s. Leiden.

Lhadan s. Lhassa.

Lhádung = Gottes Muscheltrompete, ein Ort Ost-Tibets, an der Strasse nach Lhassa, v. *lha* = Gott u. *dung*, der Muschel, welcher sich die Tibetaner bei ihren religiösen Ceremonien bedienen (Schlagw., Gloss. 215).

Lharidon, Baie, an der Halbinsel Péron, v. den Officieren Faure u. Moreau, Exp. Baudin, im Aug. 1801 untersucht u. später nach einer der Aerzte der Exp., *L.* de Crémenec, v. Schiffe le Géographe benannt (Péron, TA. 1, 168).

Lhassa = Götterland, v. *lha* = Gott u. *sa* = Land, die Hptst. des osttib. 'Kirchenstaats', also der Residenz des bei den Buddhisten göttlich verehrten Dalai Lama (Schlagw., Gloss. 215, Timkowski, Mong. 1, 459 f., hier *H' lassa*). Als einen alten Namen erwähnt Schmidt (Tib. Wörtb. 626) *Lhádan* = die mit Göttern versehene. — *Lházab Tschu* = tiefes Götterwasser, heilige Quelle in Gnári Khórsum, an der Strasse v. *L.* Púling nach dem Passe Lábtse Nágu, um so höher verehrt, als im weiten Umkreise kein anderes Wasser erhältlich ist (Schlagw., Gloss. 215).

L'Heremitens Eiland, an der Südseite Feuerl., benannt nach dem Admiral Jacques l'Heremite, dem Befehlsh. der 'nassauischen Flotte', welche im Febr. 1624 längere Zeit hier mit Untersuchungen zubrachte (N. Vloot 37 ff.).

Lhóu = Süd, bei den Tibetanern eine 4 Tagemärsche südl. v. Tauóng, Bhután, entfernte Station des Himálaja, weil v. hier an das Land allg. nach Süden sich abdacht (Schlagw., Gloss. 215).

Liaison s. Verbindungshügel.

Liancourt s. La Rochefoucauld.

Lianschan = zusammenhängende Berge, chin. Name einer Gebirgskette der Mandschurei, in der Nähe des Golfs v. Liaotung (JRGSLond. 1872, 152).

Liaotung = Land östl. v. Liaoho, so heisst derj. Theil der Mandschurei, welcher zunächst auf dem linken Ufer des z. Meerbusen v. Petscheli fliessenden Liauho liegt. Nach dem Umland der *Golf v. L.* (s. Hoanghai). Einst gab der Fluss auch der Prov. *Liao-si*, j. Hingking, den Namen (Journ. RGS. Lond. 1872, 155, ARémusat, NMel. As. 1, 15).

Liathmhuine s. Neagh.

Libadia s. Böjük.

Libanon, lat. *Libanus mons*, gr. *Λίβανος*, assyr. *Labnana*, arab. *Dschebel Libnân*, alles v. hebr. לְבָנוֹן ['banon] = weisser Berg, so hiess das syr. Hochgebirge wohl v. der weissl. Farbe der nackten Kalkfelsen od. weil vschiedd. Theile mit ewigem Schnee bedeckt sind, wie arab. *Dschebel Teltsch* = Schneeberg (vgl. Hermon). Die östl. Kette, v. L. durch ein Hochthal (s. Coelesyria) getrennt, *Anti-L.*, beide arab. unterschieden als *Dschebel el-Gharbi* = westl. Gebirge u. *Dschebel es-Scherki* = östl. Gebirge (Burckh., Reis. 1, 40). Mit Recht tadelt Kiepert (Lehrb. AG. 158) die bei uns fest eingebürgerte hybride Form *Anti-L.*, die eine griech. Praep. u. eine hebr. Endg. hat.

Libau, Stadt an der Küste Kurlands, am Ausflusse eines Strandsee's, etwa zu *Liebau* verdeutscht im Sinne eines Wortspiels, dem zuf. der Landesherr einigen Deutschen, welche um Erlaubniss sich dort anzubauen nachsuchten, geantwortet hätte: Ihr Lieben, baut! (K. L. Tetsch, Kurl. KG. 1743, 4), sonst aus slaw. *lipawa* = Lindenort (s. Lipa) abgeleitet ebf. v. diesem Autor, der sich dafür auf den 1655 † Pastor P. Eichhorn beruft u., z. Stütze seiner Ansicht, beifügt, dass *L.* bei den Letten *Leepaja*, ebf. 'Lindenstadt', heisse. Als diese Etym. noch im März 1889 die Runde durch die Localblätter machte, fand J. Döring (Sitzgsb. Kurl. Ges. 1890, 10 ff.) aus den Jahren 1253, 1291, 1411 die urk. Formen villa quae dicitur *Lywa, die Lywa*, gegeven to der *Lyva*, u. erst 1508 ging der ON. in *Liba*, 1625 in *Lybaw* üb. Im Lande der finn. Kuren, wo dam. noch keine Slawen wohnten, ist f. *L.* an finn. Urspr. zu denken, wie estn. *liwa, liiw* = Sand, entspr. dem sandigen Strande, wo zuf. der Grenzbestimmg. v. 1625 die Stadt 'an der openbaren See' mit einem 'kahlen Sandberge' beginnt, die Fahrt eine halbe Meile vor *L.* durch den 'tiefen Sand' sehr beschwert wird u. man üb. dem hübschen Anblick des See's den 'beschwerl. Sand' an seinen Ufern vergisst (Schippenb., Wand. Kurl. 77) etc. Ich vermuthe übr., dass *L.* urspr., wie noch in den oben aufgeführten Urk., dem Flusse, als 'Sandfluss', zukam u. auf den Ort erst übertragen wurde. Die gef. Vermittelg. dieser Materialien verdanke ich Hrn. Oberlehrer B. A. Hollander in Riga 12. März 1892.

Libourne, Ort der Gironde, an der Dordogne, wo diese aufhört, Seeschiffe zu tragen, v. mir unerklärtem Namen, wird hier aufgenommen wg. einer Uebtragg.; denn *Rivière L.* nannte der frz. Capt. Jean Ribault einen (j. nicht mehr bestimmten) Fluss v. Süd-Carolina, wo er am 20. Mai 1562 einlief u. auf einer Uferhöhe einen mit des Königs Wappen gravirten Steinpfeiler setzte (WHakl. S. 7, 110. 113, Hakl., Pr. Nav. 3, 310). — Anklingend: *a) Liburnia*, im Alterth. ein Landstreifen zw. Istrien u. Dalmatien, nach dem Bewohnern, den Liburniern, den griech. *Λιβυρνοί*, 634 v. den Slawen besetzt (Meyer'sCLex. 10, 794, Kiepert, Lehrb. AG. 360); *b) Portus Liburnus* s. Livorno.

Libre = frei, v. lat. *liber*, in dem mittelalterl. Namen *Liber Comitatus*(s. Franche) enthalten, wie *liberté*, engl. *liberty*, v. lat. *libertas* = Freiheit, darf, wie républicain u. ähnl., in frz. ON., die zu gewissen Zeiten ältere verdrängten, nicht fehlen: *a) Port L.* od. *Port de la Liberté* s. Louis; *b) Fort Libre* s. France. — In der Union, neben 'Independence', ist *Liberty* so häufig, dass schon der Census v. 1851 deren 64 zählte (Peterm., GMitth. 2, 157). Wir erwähnen übdiess: *a) Liberty Hill*, eine Anhöhe bei Hamburg, Süd-Carol., 'where the Americans were posted at the revolutionary war, when they obliged the English forces to evacuate Augusta' (Buckingh., Slave St. 1, 181); *b) Liberty Cap*, hier s. v. a. Jacobinermütze, ein 15 m h., unten 6 m dicker Steinkegel der White Mountain Hot Springs, 1871 v. Geol. F. V. Hayden (Prel. Rep. 67. 175) 'named from its shape', auch *Giants Thumb* = des Riesen Daumen, 'called from the shape of the mausoleum which it had itself constructed' (Ludlow, Carr. 18). Der Kegel ist der Rest eines erloschenen Geysirs. 'The water was forced up whit considerable power, and probably without intermission, building up its own crater, until the pressure beneath was exhausted, and then it gradually closed itself over at the summit and perished. No water flows from it at the present time. The layers of lime were deposited around it like the layers of straw on a thatched roof or hay on a conical stack'. — *Liberia*, ein Negerstaat der Pfefferküste, verdankt 'seinen Ursprung der regen Fürsorge, mit der man in der Union das Loos der freigewordenen Neger zu verbessern suchte'. Die erste Anregg. gab schon 1796 der Quäker Hopkins in Baltimore. Die Secte bewog 1797 den Senat v. Virginia, alle Sclaven des Staates z. Ausfuhr anzubieten. Präsident Jefferson unterhandelte umsonst üb. Erwerbg. eines Gebiets in Africa od. Brasil. Virginia erneuerte 1816 seinen Antrag, u. es stiftete General Mercer 1817 die americ. Gesellschaft f. Colonisation der Neger (Bergh., Ann. 9, 521). Die Gesellschaft machte einen ersten Versuch auf Sherbro; allein er misslang. Die zweite Sendg., nach Cap Mesurado, 1821, hatte die Anlage des neuen Hptorts Monrovia (s. d.) z. Folge (Grundem., Miss. Atl. 4). Die junge Colonie erhielt 1824 ihren Namen, behielt jedoch den weissen Gouv. bis 1840 u. gab sich die eigne Verfassg. erst 1846 (Quack., US. 389, ZfAErdk. 1, 7).

Libya s. Africa.

Lichtenfeld s. Swetl.

Liddon Gulf, im arkt. America, v. Lieut. Parry (NWPass. 200) am 12. Juni 1820 entdeckt u. benannt nach seinem v. seiner Officiere, Lieut. Matth. L., dem Befehlshaber des Schiffs Griper, 'my much esteemed friend and brother-officer'; *b)* ebenso *L. Island*, in Fury u. Hekla Str., 1822 (Sec. V. 322 f. 331).

Liebig s. Haast.

Liebris, eine phön. Colonie, *πόλις Φοινίκων* (Herod. bei Steph. B. h. v.), an der Handelsstrasse aus Phönizien nach Memphis, im bibl. Lande Gosen, wie Ἰουδαίων στρατόπεδον, vicus od. castra Judaeorum = Ort der Juden, auch *L.* ‫לצבר‬ [le'ibri] als (statio) ad Ebraeos = Hebräerort, zu deuten (Movers, Phön. 2b, 186).

Liechtenstein, fürstl. Stammburg auf dem lichten Steine', bei Mödling-Wien zu Anfang des 12. Jahrh. erbaut (Kaiser, GFLiecht. 439f.), zugl. ein 'souveränes', zw. Oesterreich u. der Schweiz eingekeiltes Fürstenthum, früher die Reichsgrafschaft Vaduz u. die Freiherrschaft Schellenberg bildend u. z. schwäb. Kreise geh., aber am 23. Jan. 1719 dem Fürstenhause *L.* als unmittelbares Reichsfürstenthum u. unter dem neuen Namen übtr. (v. Bergmann, Vorarlb. 110).

Liedo s. Alegre.

Liefde Bay = liebe Bucht, holl. Name eines der Fjorde, welche v. Norden her in Spitzb. eindringen. Nach der übereinstimmenden Erklärung der Besucher soll diesen schönen Fjord das auf Spitzb. gew. Verhältniss auszeichnen, dass, wenn draussen starker Wind mit Schneeschauern tobt, drinnen im Golf ein stilles, mildes Wetter u. klarer Himmel herrschen (Torell u. Nord., Schwed. Exp. 502).

Liège s. Lüttich.

Liepe s. Lipa.

Liesing s. Les.

Lieu, le = der Ort, der Kirchort, Hptort eines Thals etc., im sing. sowohl als im plur., *les Lieux*, oft frz. ON., wie wir im Dict. top. Fr. sehen, auch in der frz. Schweiz 2 mal (Postlex. 227), das eine im Val de Joux, 'où l'hermite Poncius vint fixer sa demeure, vers le sixième siècle', ehm. *le L. de dom Poncet*, im 12. Jahrh. *locus dompni Pontii* heremitae (s. Dominus), 'du nom de Pontius, moine de Saint-Oyens, qui, à une époque reculée du moyen âge, était venu construire un modeste ermitage au sein du désert et s'était fixé sur l'endroit le plus découvert de cette vallée solitaire ... Il est probable que plusieurs colons etaient venus se grouper auprès du saint ermite et avaient défriché quelques terres dans un lieu qui offrait un riche pâturage à leur bétail' (Mart.-Crous., Dict. 455. 547).

Lieu Huang Schan = Schwefelberg, chin. Name eines Bergs v. Formosa, nach den erstickenden Schwefeldunstexhalationen u. den ergiebigen Schwefelminen (Klaproth, Mém. 1, 329ff.).

Lieukhieu, chin. Name der Inselgruppe, welche die Japanesen *Riu Kiu* (Kämpfer, Jap. 1, 76), die Einheimischen *Lu Tschu,* in engl. Orth. *Loo Tshoo,* nennen, eine Bezeichng., welche wahrsch. gar keinen besondern Sinn hat; denn *lieu* allein, f. sich ohne Bedeutg., kann, mit *khieu* verbunden, eine Glasblase od. Glaskorn bedeuten. Ein zweiter chin. Name lautet *Lung Khieu* = gehörnter Drache, jap. *Rio Kiu.* Der wahre einh. Name ist *Oghii,* jap. *Voki,* was durch 'schlechte Teufel' übs. werden kann (Klaproth, Mém. 2, 157, Krusenst., Mém. 2, 256, Hall, Cor. XIX).

Lièvres, Ile aux = Haseninsel, eine Flussinsel des St. Lorenz, getauft auf der Heimfahrt der frz.

Seef. Cartier am 16. Mai 1536 nach der Menge Hasen, welche dort erlegt wurden: 'that euening we went aland and found great store of hares, of which we took a great many, and therefore we called it *the Iland of Hares'* (Hakluyt, Pr. Nav. 3, 230). — *Lièvre* s. Laber.

Lighthouse Hill = Leuchtthurmberg, ein isolirter 277 m h. Inselfels der Bass Str., v. Capt. Stokes (Disc. 2, 423) 1842 so benannt, weil er z. Errichtg. eines Leuchtfeuers wie geschaffen ist: 'its admirably conspicuous situation suggesting the purpose to which it might be devoted'. — *L. Rock*, ein schlanker Felskegel mitten im Rio Colorado, v. merkw. regelmässiger Zuckerhutform, die an die Leuchtthürme des Erie u. Michigan *L.* erinnerte, v. der Coloradoexp. des Capt. Ives (Rep. 24. 50) im Jan. 1858 erreicht u. getauft ... 'a circular pinnacle of rock, which at a distance resembles a light-house, blocks the centre of the river ... in the middle of the stream stands a picturesque conical rock, composed of purple trachyte, and called, from its form, *L. Rock'* (ib. 3, 24, Möllh., FelsGb. 1, 182).

Lignères, auch *Lignières* u. *Linières,* als frz. ON. sehr verbreitet, etwa 22 mal in den 19 dépp. des Dict. top. Fr., urk. *Linarias,* ein Ort, wo der *linum* = Flachs zubereitet wird, während *linarius* masc. den Arbeiter bezeichnet (d'Arbois de Jub., Rech. NL. 607f.).

Liguanea, eine kleine Insel, u. *Cape Wiles,* ein nahes Vorgebirge, beide an der Küste v. Süd-Austr., v. Capt. M. Flinders (TA. 1, 131) am 18/19. Febr. 1802 entdeckt u. in Erinnerg. an seinen Freund Wiles in *L.,* Jamaica, benannt. In dieser Gegend hat die Baudin, Apr. 1802, 2 Vorgebirge getauft: *Cap Carnot,* das Krus. (Mém. 1, 40) mit Cape Wiles identificirt, nach dem General Lazare-Nicolas-Marguerite *C.,* 1753—1823 (Péron, TA. 2, 84), u. *Cap Grécourt,* nach dem Dichter d. N., 1684—1743 (ib. 83).

Liguria, ein mediterraner Küstenstrich, nach den alten Bewohnern, gr. Λίγυες, lat. *Ligyer, Ligurer,* sing. Λίγυς, *Ligus,* mit radicalem *s,* urspr. Form, noch zZ. Cicero's gebräuchl., nach späterer Aussprr. *Ligur,* mit *r* (Kiepert, Lehrb. AG. 399), zuerst erwähnt v. Hesiod (Strabo 7, 300) u. Aeschylos (Str. 4, 183), bei Polybios Λιγυστῖνοι, adj. bei Strabo(4, 202) Λιγυστῖνος, sonst Λιγυστικός (Nissen, Ital. LK. 468). Danach *Ligusticus Sinus,* wie j. *Ligurisches Meer,* f. den Golf v. Genova (s. d.), die *Regio L.* der augustëischen Reichseintheilg. u. die *Ligurische Republik,* welche v. 1797—1805 bestand (Meyer's CLex. 10, 821). Der genannte Volksstamm ist v. bestrittener Verwandtschaft, kelt. nach Maury u. Deloche, vorarisch nach K. Müllenhoff, arisch, jedoch nicht v. unbezweifelter Kelticität, nach H. d'Arbois de Jubainville (Rev. Arch. 30, 211 ff. 309 ff. 373 ff., 31, 379 ff.); der letztere bietet f. *Ligus* die Erklärg. 'wer schnell läuft', bildlich: wer es vorwärts bringt. Damit wird freilich wenig anzufangen sein.

Lihau, Port, eine hafenartige Bucht der Endeavour Str., Torres Str., in der engl. Admiralitätscarte so benannt nach Capt. *L.*, der die Stelle untersuchte (Jukes, Narr. 1, 148).

Lijmfjord od. *Lymfjord*, altn. *Limafjördr*, die durch den Meereseinbruch v. 1825 z. Sund gewordene Einfahrt Jütlands, reich gegliedert in Sunden = Engen, Brednings = Erweiterungen u. Grenar = Zweigen, daher 'die verzweigte Bucht', v. altn. *lim, limr* = Zweig, Glied, 'hvilken löper ut i många grenar och vikar och deraf erhållit sitt namn' (C. Säve, Knytl. S. 30, A. O. Freudenth., Ålands ON. 29). Auch *Lemland*, in den Ålands In., früher *Leme-, Lemme-*, 1431 *Lymaeland*, mag hierher gehören, 'ett land, som grenar sig ut åt många håll, hvilket, enligt kartan, är fallet med socknen och dithörande kapell'.

Likeri s. Lykosura.

Likorrheuma, ngr. *Λυκόρρευμα* = Wolfsschlucht, bei Stymphalos, nach den Wölfen, deren es j. immer noch in Arkadien gibt. Aehnlich *Λοκονδόρρευμα* = Bärenschlucht, im mänal. Gebirge; die wilde Gebirgsgegend Hypsus, nördl. v. Megalopolis, war schon im Alterth. wg. des Wildreichthums ihrer Wälder berühmt (Curt., Pel. 1, 308). — *Likostomion*, ngr. = *Λυκοστόμιον* = Wolfsrachen heisst bisw. das thessal. Thal Tempe, eine tiefe Schlucht, welche auf beiden Seiten durch fast senkr. aufsteigende, mannigf. zerklüftete Felsen eingeengt ist. Es führte diesen Namen allg. im Mittelalter; j. ist er fast ganz durch türk. *Bogaz* = Pass verdrängt (Bursian, Gr.Geogr. 1, 41. 58). — *Likowuni*, ngr. *Λυκοβοῦνι* = Wolfsberge, der z. Eurotas vortretende Theil des Taygetos (Curt., Pel. 2, 204).

Lilienfeld, in Oesterr., 'heisst so v. der Menge der 'Lilien', Niesswurz, Helleborus niger, deren Blume auch auf Säulen der herrlichen Kirche abgebildet ist' (Arch. GDGeschK. 3, 566). 'Von den Lilien haben nicht wenige Oerter in Deutschland den Namen', schon im 10. Jahrh. die österr. Orte *Liliunhova*, j. *Lilienhof*, u. *Liliunprunno* (Förstem., Altd. NB. 991 f.).

Lilla Staek s. Stockholm.

Lille, Stadt in frz. Flandern, v. den flandr. Grafen im 10. Jahrh. ggr., 1066 *Isla*, dann auch *Insula, Insulae* in den roman. Urk. des 12. u. 13. Jahrh. *Lisle, L'Isle*, auch latin. *Lilla*, vläm. *Riissel*, da die ersten Bauten zw. den Bächen aufgeführt wurden, die der Gegend das Aussehen mehrerer Inseln gaben. *Insula, Insulae* quidam, nostri *L'Isle*, Germani *Riissel*, sic dicta à situ inter duos fluvios ac aquis ferè circumdata, hat schon Adr. de Valois gesagt. Aehnlich Ducange: '*Isla* pro *Insula* dicitur; ... on a dit *Lille* pour *L'Ile*, en y ajoutant le pronom pour en faciliter sans doute la prononciation' (Mannier, Et. Nord 78 f.). Die germ. Form *Rijssel* ist aus altholl. *ter LJsel*, später 'verkeerd afgedeeld en in *te Rijsel* veranderd', hervorgegangen (Nom. GNeerl. 1, 72).

Lilliehöök Bay, der westl. Kreuzarm der spitzb. Cross Bay, v. der schwed Exp. v. 1861 nach dem Befehlshaber des Expeditionsschiffs Aeolus, B. *L.*, Secondelieut. in der schwed. Marine, getauft (Torell u. Nord., Schwed. Expp. 11. 13. Carte).

Lilly s. Bernhard.

Lilybaeum, das westl. Vorgebirge Siciliens, j. noch *Capo Boëo*, v. dem sich unter dem Wasser in einer Entferng. v. 3 ital. Meilen ein Felsenriff in das Meer hinaus erstreckt, nach seiner Lage gg. die libysche Küste: ‏לבב‎ [lilubi], gr. *Λιλύβη* = (statio) versus Libyes, das gg. Libyen sich erstreckende u. hinschauende: *Λιλύβαιον* .... τὸ πρὸς Λιβύην ἀνατεῖνον καὶ ὁρῶν (Eun. vit., ed. Didot 456). Die Begründ. f. die Annahme einer phön. Niederlassg. an dieser mit trefflichem, geräumigen Hafen ausgestatteten Stelle, s. Movers (Phön. 2b, 333). Im 9. Jahrh. erstand der Ort wieder durch die Araber, als *Marsâla*, das man als *Mars Allah* = Gotteshafen (Meyer's CLex. 11, 257) od. 'Hafen Ali's' (Brockh. CLex. 10, 171) od. als 'obern Hafen' deutet (Kiepert, LAGeogr. 472) — ein Beispiel v. dem Werthe einer unbelegten Erklärg., selbst wenn sie einem guten Werke enthoben ist.

Lima, die neue Hptstadt Peru's, am Andenflusse *Rimac* angelegt u. j. nach diesem benannt: *Rimac* = einer der spricht, im Quechua die Bezeichng. eines Götzenbildes, Orakels; denn zu dem hiesigen Tempel u. seinem gefeierten Götzen wallfahrteten die Indianer, wg. der Orakel, die er gewährte. Der Tempel war, wie der kundige Garcil. de la Vega berichtet, reich ausgestattet, u. der menschenähnl. Götze, der wie das Orakel des delph. Apollo redete u. auf Fragen antwortete, stand bei den Indianern in hoher Verehrg. (WHakl. S. 41b, 187) ... 'thus *Rimac*, or *L.*, or the *City of the Kings*, all mean one and the same thing' (ib. 47, XVII). Es war näml. Franz Pizarro, welcher, in der Absicht, das entlegene u. schwer zugängl. Cuzco durch eine mehr centrale u. zugl. seenahe vice-königl. Residenz zu ersetzen, den Ort am 6. Jan. 1535, also am Tage der heil. 3 Könige, anlegte u., 'der religiösen Sitte jener Zeit gemäss', *Ciudad de los Reyes* = Stadt der Könige taufte (Burm., LPlata 2, 335, Wüllerst., Nov. 3, 314. 342, Prescott, CPeru 4, 23 f.). Es ist also der Ausspruch in Rich. Hawkins Bericht (WHakl. S. 1, 174): 'it was first named *Lyma*, and retaineth also that name of the river, which passeth by the city' ungenau in seiner ersten Hälfte. Der Fluss hiess *Rimac*, die Stadt war v. Anfang an 'die Stadt der heil. 3 Könige', u. nur allm. ging der Flussname, in *L.* verd., auf die Stadt über. Der span. Reisende Cieza de Leon, 1532/50, nennt diese immer mit dem span. Namen u. nur das Thal *L.* (WHakl. S. 33, 250); schon 1544 jedoch fing der mod. Gebrauch an . . . '*L.*, as it now began to be called' (Prescott, CPeru 2, 255), u. um 1594 war er herrschend, die 'Dreikönigsstadt' nur noch eine histor. Erinnerg. (WHakl. S. 1, 149). Das urspr. Wort begegnet uns auch in dem Namen eines Stadtviertels des alten Cuzco, *Rimac-pampa* = redender Ort, weil hier die Befehle verkündet wurden (WHakl. S. 33, 327; 41, 69, Bastian, Bild. 21). — *Isla de L.* s. Laurentius. — *Pulo L.* s. Dua.

Limburg s. Lindau.

Limerick, Ort an der Mündg. des Shannon, Irl., urspr. f. eine Strecke des Shannon, ir. *Luimneach* [spr. liminegh] = ödes Stück Land, v. *luimne*, dim. v. *lom* = nackt, dürftig, mit postfix -*ach*, wie der Ort lange vor Gründg. der Stadt genannt wurde, dann durch den Wechsel v. *n* in *r* u. Ersatz des Endgutturals durch *ck* in die j. Form gebracht. Der Name wiederholt sich in Irl., einmal, in Wexford, ebf. englisirt: *L.*, anderwärts in der Form *Limnagh, Lumnagh, Luimnagh, Lomanagh, Lomaunagh, Loumanagh*, wie übhpt. das Element *lom* in viele ON. eingetreten ist (Joyce, Orig. Ir. Pl.N. 1, 49 f.).

Limestone = Kalkstein, mehrf. in engl. ON. *a) L. Bay*, eine Bucht des Winnipeg, deren Ufer mit kleinen Bruchstücken kalkiger Steine bedeckt sind (Franklin, Narr. 44); *b) L. Spring*, kleine 'Quelle' u. Lagerplatz der Exp. Ives (Rep. 119) am 10. Mai 1858, in der Nähe der Moquis Pueblos, ... a rough ravine that led through a limestone ridge to the edge of a broad valley. Some tolarable grass and a little spring of water offered sufficient inducement to camp.

Limmen's Bogt, eine Bucht der Südwestecke des Carpentaria G., v. dem holl. Seef. A. J. Tasman auf seiner 2. Reise 1644 entdeckt u. benannt nach dem ersten seiner 3 Schiffe, Yacht *L.*, Yacht Zeemeeuw 'en de quel de Brack', 'in de *L.'s Bogt* heeft hij geankerd' (Tasman's Journ. 2. 187 u. Carte). Bei Flinders (TAustr. **2,** 179. Atl. **14**) *L.'s Bight.*

Limmat, ein Zufluss der Aare, als Quellfluss *Linth*, erst v. Zürichsee an *L.*, urk. früh. *Lindimacus*, 1245 *Lindemage*, 1346 *Lintmagen*, früher dial. *Limmig*, 1495/97 bei C. Türst (QSchweiz. G. 6, 5) *Lingum*, auf dem städt. Laufe auch einf. *Aa* (Gem. Schweiz 1ª, 126), könnte als *Linth-Maag* gedacht werden, da der Fluss aus der Confl. der Glarner Linth u. der Maag, des nun im Linthcanal aufgegangenen Abflusses des Walensee's, entsteht; doch deutet (Förstem., Altd. NB. 997) der Anklang der Form *Lindimacus* an der den Keltenstadt *Lintomagus* auf die Annahme kelt. Ursprungs. Wie der Schwarzwaldfluss Neumagen auf eine verschollene Keltenstadt (s. Noviomagus), so scheint die *L.* auf ein ehm. *Lindo*- od. *Lindimagus* zu deuten (Bacm., Kelt. Br. 57). Auch Buck (FlussN. 172) sucht *L.* in kymr. *lejnn* = Wasser, altir. *mac* = rein, also dass *L.* = Lauterbach wäre. Nach dem Flusse das *Limmatthal*, dessen kürzere Fortsetzg., um Siggingen, das *Siggenthal* heisst. Anscheinend ist also *Linth*, 1495/97 bei C. Türst (QSchweiz. G. 6, 48) *Lint*, in sprachl. Zshang mit *L.*; ihre oberste Thalstufe, bis z. Confl. des Sernf, *Linth*- od. *Grossthal*, im Ggsatz z. dem v. Sernf durchflossenen kleinern *Sernf*- od. *Kleinthal*, die canalisirte Strecke Walen- bis Zürichsee *Linthcanal*, während die Strecke v. Mollis z. Walensee als *Molliser*- od. *Eschercanal* bezeichnet wird, letztere Form zu Ehren des Geol. Joh. Konr. Escher 'v. der Linth', der sich die grössten Verdienste um das ganze Werk erworben hat.

Limnai, gr. *Λίμναι* = Sümpfe (Strabo **331. 362** f., Pape-B.): *a)* eine früher sumpfige Gegend im südl. Theil Athens; *b)* eine sumpfige Vorstadt Sparta's; *c)* eine Stadt Messeniens, an der lakon. Grenze, am linken Ufer des Kamisos; *d)* Stadt im thrak. Chersonnes, unweit Sestos, eine miles. Colonie. — Limne s. Mandrakin. — Verwandt *Limenas*, ngr. *ὁ λιμένας* = der Hafen, ein Landungsplatz im Norden v. Thasos, dem er als Ausgang alles Verkehrs mit dem ggbliegenden Festland dient (Conze, Thrak. I. 4). — *Cap Limenaria* s. Epidaurus.

Limni, -o s. Lemnos.

Limoges, die Stadt, galloröm. *Augustoritum* = Augustusfurt (Rev. Celt. 8, 124), u. *Limousin*, das Umland, nach dem Stamm der gall. Lemovices, zuerst das Land: *Pagus Lemovicinus, Lemovicensis*, bei Greg. *Lemovicina, territorium urbis Lemovicinae*, ab Anfang des 7. Jahrh. *Lemovicinium*, die Stadt als das gemeinsame Centrum civitas *Lemovicum, Lemovica, Lemovecas* auf einigen Münzen des 7. Jahrh., *Limodicas*, auf solchen zu Ende des 7., *Lemodicas*, im 8., *Lemovigas*, im 11., *Letmogas, Lemoges* v. 1246—1377, endl. *L.* VolksN. ehm. *Limosins*, j. *Limousin, Limousines* (RDenus, AProv. 171 ff.).

Limone, ital. f. Citrone, wie frz., prov. u. span. *limon*, port. *limão*, Ausdrücke nach dem pers. *limû*, ind. *nimbûka*, beng. *nimbu, nibu*, daher auch arab. *laimûn* (Diez, Rom. WB. 1, 250). Das engl. Wort erscheint in *Lemon Hill*, Uferberg am Schuylkill, obh. Philadelphia, wo der Gründer der Ansiedelg., der im Unabhängigkeitskrieg vielverdiente Rob. Morris, durch einen frz. Gärtner ausser andern in- u. ausländ. Gewächsen auch den Weinstock anlegen liess. Nach dieser (verunglückten) Anlage hiess der Hügel längere Zeit *Old Vineyard Hill* = alter Weinberg (Keyser, Fairm. Park 24). — In arab. Form *Ümm el-Leimûn* = Mutter, d. i. Fundort, der *L.*, ON. bei Thekoa, Paläst. Freilich ist v. solchen Ggständen, die durch Ortsbezeichnungen mit *ümm* als vorhanden, in auffallendem Masse vorhanden, angedeutet werden, oft nur noch der Name übrig; auch unser *kassr*, denn der Ort ist die Ruine eines Steinbaues, weist j. keine *leimûn* mehr auf (Peterm., GMitth. 17, 207).

Limpopo, wie ihn die Anwohner des Mittellaufes nennen, ist wie *Oori* der Betschuanen, *Lebepe* der Baromapulana u. *Lebempe* der Baloëkwa, ein dunkler FlussN.; die Boers nennen den *L.* 'der, wie alle südafr. Flüsse, reich an Krokodilen ist', *Krokodil Rivier* (Peterm., GMitth. 16, 6, Meyer's CLex. 10, 830), die Port. *Rio do Ouro* = Goldfluss (Merensky, Beitr. 4).

Linard, Piz, ein Berghaupt der Graubündner Alpen, hiess zu Campells Zeit *Piz Chünard* nach einem gewissen Chünard, von dem beigestiegen; j. heisst er im Engadin *Piz da Glims*, in Klosters *Lavin Horn* nach dem Engadiner Ort Lavin (Campell Jhr 88. 153).

Linares, Stadt im mexic. 'Staate' Nuevo Leon, zZ. des Vicekönigs Fernando de Lancaster Noroña y Sylva, Herzogs v. *L.* 1716 ggr. (Uhde, RBravo 111. 417).

Lincoln, röm. *Lindum Colonia,* ON. im östl. England (Meyer's CLex. 10, 831), ist nicht genügend erklärt, wohl v. brit. *llyn* = See, Pfuhl, u. *din* = Stadt, bei den Sachsen *Lincolen, Lincylen, Lindcylen, Lynd-* od. *Lincolla, Lincol* (Charnock, LEtym. 158). — Uebtr. auf *Port L.,* am Spencer's G., durch den aus Lincolnshire geb. Entdecker Matth. Flinders (TA. 1, 142) am 26. Febr. 1802 als 'the most interesting part of these discoveries', bei der frz. Exp. Baudin, Apr. gl. J., als *Port Champigny* (s. d.) eingetragen (Péron, TA. 1, 272). — *L. Island* eine kleine, mässig hohe, flache, grüne Insel bei Uapoa, Mendaña's Arch., v. americ. Capt. Ingraham, Schiff Hope, im Mai 1791 prsl. getauft, bei dem frz. Capt. Marchand, Schiff le Solide, wenige Wochen später, *Ile Platte* = flache I., also wie 1797 Wilsons' *Level I.,* bei Capt. Roberts, Schiff Jefferson, im Febr. 1793 *Revolution I.,* sonst auch *Gunnersquoin* = Kanonierwinkel (?) (Krus., Atl. OP. No. 8, Reise 1, 166, Meinicke, IStill. O. 2, 242). — Nach dem 16. Unionspraes. Abr. *L.* 1860/65 sind benannt: *a) L.,* Hptstadt Nebraska's (Meyer's CLex. 11, 970); *b) Fort Abraham L.,* an der Confl. Missuri - Heart R. (Ludlow, BlackH. 22); *c) L. Valley,* ein Thal in Idahô, urspr. *Warm Spring Valley,* 'from some warm springs, that form the sources of the little stream', dann 'patriotisch umgetauft' v. Geol. Hayden (Prel. Rep. 25).

Lindau, 'das schwäb. Venedig', auf einer Insel des Bodensee's, alt *Lind-* od. *Lintaugia, Lintowa* ..., gehört mit einer Menge ähnl. ON. (Förstem., Altd. NB. 993 ff.), insb. auch *Limburg,* alt *Lind-* od. *Lintburg, -burc, -burch* ..., z. Stamme *lind,* der gew. auf ahd. *linda* = Linde, hier u. da wohl auf *lint* = Basiliscus, Drache, zkzuführen ist. Für *L.* ist Buck (Schrift. VGBod. 4, 92 ff.) geneigt, die erste Bedeutg. anzunehmen, mit *owa, augia* = Insel, u. nicht übel verweist K. Christ (Aufs. rhein. Germ. 19), der den Ort v. den Linden genannt sein lässt, auf das nahe *Buchhorn,* j. Friedrichshafen, als auf eine Landspitze, die mit Buchen bewachsen war; hingegen entscheidet A. Birlinger (Rechtsrhein. Alem. 62) f. die Deutg. v. *lint* = Koth, Schlamm, also 'angeschwemmte Insel'. Der ON. 'Lintburg ist richtiger auf Schlange als auf Linde zu beziehen' (Grimm, Myth. 653). — *Lindenau* u. *Lindenthal* s. Lipa. — Gewiss mischen sich in die Namen mit *lind* ganz andere Elemente wie in Cap *Lindesnaes,* Norw., dem hohen, waldlosen, weit in die See reichenden Felsen, wo die kühnsten Lootsen der Welt wohnen' (Brandes, Progr. 1851, 10); das Cap galt dem Geol. L. v. Buch (Norw. u. L. 2, 377) f. 'Lindencap', hiess jedoch z. Vikingerzeit *Lidandesnaes* (Hildebr., Sagot. 8), *Lidandis-nes,* v. part. *lidandi* = Abhang, Absturz, also 'das schroffe Cap' (Petersen, DStN. 63). Auch in den dän. ON. *Lindholm, Lindebjerg, Lindes-*:*ov, Lindesaa, Lindesgaard* etc. will Madsen

(Sjael. StN. 221) keineswegs wie allgemein angenommen wird 'en tidligere beplantning af linde', sondern immerdar einen Sumpfstrich od. einen Wasserlauf mit sumpfigen Ufern anerkennen.

Lindioi s. Gela.

Lindley s. Owen.

Lindsay, Cape, im Süden v. Jones' Sd., am 24. Aug. 1818, u. *L. River,* in Boothia Felix, am 18. Mai 1831, v. John Ross (Baff. B. 158, Sec. V. 530) nach Lord *L.,* sowie ozw. auch *Coults L. Island,* bei Cape Margaret, benannt. — Ein *Mount Lindesay,* der centrale u. höchste Gipfel derselben austr. Bergkette, zu welcher auch Mt. Riddell u. Mt. Forbes gehören, v. Capt. T. L. Mitchell (Three Expp. 1, 2. 136) am 24. Febr. 1832 getauft nach dem dam. Governor v. NSouth Wales, Sir Patrick *L.* — Ob *Cape Linsey,* in Southampton I., v. Capt. Luke Fox am 12. Sept. 1631 benannt nach einem der Lord Commissioners of the Admiralty, to whom Fox considered himself indebted for the furtherance of his undertaking (Rundall, Voy. NW. 181, 185), nur eine ungenaue od. eine altmodische Orth. desselben Familiennamens enthalte, ist mir unsicher.

Line Island = Linieninsel, eine Flussinsel des Ohio, weil dort, ca. 16 km unth. Beaver, die nordsüdl. verlaufende Scheidelinie Pennsylv.-Ohio den Strom kreuzt (Buckingh., East & WSt. 2, 238).

Lingaun s. Lask.

Linglin-Gai s. Serdze K.

Linguetta s. Keraunia.

Lin-ï s. Annam.

Linjüi s. Jüikwan.

Linköping s. Kjöbenhavn.

Linn = Teich, Pfuhl, auch Wasser u. sogar die See, ir. Wort, das in ON. sehr alt u. in Irl. sowie in Grossbritanien so vorkommt (s. Dublin), in Schottl. jedoch die Bedeutg. 'Wasserfall' angenommen hat, offb. dadurch, dass das Giessloch, welches sich unter jedem Wasserfall bildet, auf diesen selbst übtragen wurde:

> 'Let me in for loud the *linn*
> Is roarin' o'er the warlock craggie'.

Linn-Duachaill od. *Lindua-chaille* hiess einst die seeartige Erweiterg., welche die Flüsse Glyde u. Dee vor der gemeinsamen Mündg. bilden, nach dem berühmten Uferkloster, wo St. Colman 700 †, zunächst eig. das Kloster selbst, das dann v. den Dänen zerstört wurde. Die Mündg. des Stroms hiess *Casan-Linne* = Pfad des Teichs, u. die beiden Theile des Namens haben sich in 2 vschiedd. Benennungen erhalten: *Annagassan,* eig. *Ath-nagcasan* = Furt der Pfade u. *the Linns* (Joyce, Orig. Ir. NPl. 2, 408; 1, 373).

Lin-ngan s. Pe.

Lino, Rio del = Flachsfluss, in Mexico, auf der v. Vicekönig Don Antonio de Mendoza 1540 abgesandten Exp. Francis Vazquez de Coronado entdeckt u. so benannt, weil in dem fruchtb. Thale u. namentl. in der Nähe des Ufers Flachs wuchs (Hakluyt, Pr. Nav. 3, 375).

Linth s. Limmat.

Lioa s. Leo.

Lion = Löwe, in engl. ON. wie *L.'s Head* u. *L.'s Rump* (s. Leeuw) u. *L.'s Cove* = Löwenbucht, in der Magalhães Str., an einem hohen, steilen Felsberge, dessen Gipfel einem Löwenkopf ähnelt, benannt v. engl. Capt. Wallis am 1. März 1767 (Hawk., Acc. 1, 179). — *L. and Reliance Reef*, ein Küstenriff des americ. Eismeers, v. Capt. John Franklin (Sec. V. 153) am 7. Aug. 1826 entdeckt u. nach seinen beiden Fahrzeugen, *L.* u. *R.*, benannt, deren ersteres in dem seichten Gewässer auflief u. beschädigt wurde.

Lion, Golfe du = Löwengolf, die mediterrane Bucht bei Marseille, gr. Κελτικός Κόλπος, lat. *Sinus Gallicus* = der gallische Golf, auch *Μασσαλιωτικός Κόλπος* = der Golf v. Massilia (Strabo 181. 190). Im frühern Mittelalter hiess er noch *Mare Graecum*, wie das Umland v. Marseille *Graecia*, da das griech. Wesen hier zähe fortlebte, noch im 3. Jahrh , ja wohl noch viel länger, die griech. Sprache im Gebrauch blieb (Kiepert, Lehrb. AG. 507). Der mod. Name erscheint zuerst im 14. Jahrh. bei Guill. de Nangis (Gest. S. Ludov.) 'quod ideo nuncupatur *mare Leonis*, quod semper est asperum, fluctuosum et crudele' (Act. SS. Apr. 1, 171), also ausdrückl. nach dem zeitweise wilden u. verderbl. Gebahren der See. Dennoch scheint früh das Missverständniss eingerissen zu sein, als sei das Meer nach der 400 km davon entfernten Rhonestadt benannt: *Golfe de Lyon*. Vor diesem Missbrauch warnte schon der Hydrogr. Fleurieu (Marchand, Voy. 6, ...), 'ce savant illustre qui a relevé tant d'erreurs géographiques', ... 'le *golfe du L.*, *Leonis Sinus*, ainsi nommé parce que la traversée de ce golfe est périlleuse pour les petits bâtiments, lorsque le vent du nordouest, le mistral, souffle avec impétuosité. Les anciens comparaient la force de ce vent à celle du lion'. Es fehlen mir zwar f. diesen Ausspruch die Belege; aber auch Cortambert (Bull. SGéogr. 2. sér. 6, 49 ff.) erinnert daran, dass die Stadt Lyon viel zu weit abliege, um dem Meer den Namen zu geben, u. La Roquette (ib. 191 ff.), auf einen 10 Jahre alten Aufsatz (Bull. Sciences géogr. 1831) verweisend. vertritt unsere Form als allein richtig; auch habe der gewissenhafte u. oft so genaue Brué richtig *du L.*, einmal, 1821, mit dem erklärenden Beisatze *Sinus Leonis*, u. in gl. Sinne vschiedd. neuere Autoren, geschrieben. — Es erhöht die Glaubwürdigkeit unserer Etymologie, wenn wir (Dict. topogr. dépp. Fr., Gard p. II) v. Klima des anliegenden dép. Gard lesen: '...et les changements de température et de saison sont presque toujours brusques. Le froid est rendu très-sensible par la violence et la continuité du vent du nord, mistral, qui règne pendant une grande partie de l'année'. Eine Anlehng. an κόλπος *Λίγος* = ligurischen Golf (Dict. top. Fr. 5, 96) ist kaum anzunehmen, da in der Nähe ein solcher schon bestehe. Schulgeographen, denen der 'Löwengolf' unverständlich ist, wollten ihn durch *Golf r. Marseille* (Zeitschr. f. Schulgeogr. 7, 160. 228) od. durch *Rhonegolf* (ib. 256) er-

setzen, durch den letztern Namen schon deswg., weil 'die Sinkstoffe dieses Flusses die Gestaltg. der ganzen Küste beeinflussen'. Solche Neuerungsversuche sind nicht zu empfehlen. Werden unsere deutschen Schulbücher die Franzosen bestimmen, den alten Namen zu verlassen? Und wenn nicht, dann haben wir einen neuen Dualismus, d. h. eine neue Verwirrg.

Ljósavatn = weisser See, ein Wasser v. krystallklarem Spiegel, Island (Preyer-Z., Isl. 181).

Lioson s. Moléson.

Lipa = Linde, ein fruchtb. slaw. Namenelement, hat seinen bedeutendsten Repräsentanten in *Leipzig*, wend. u. poln. *Lipsk*, čech. *Lipsko*, serb. *Lipska*. bei Dithmar *Libzi*, 1160 *Lipz*, 1213 *Lipzc*, 1232 *Lipzic* u. s. f. (G. Hey, ON. Sachs. 46), lange Zeit, noch im 16. Jahrh., einsilbig gespr., 1839 v. Matth. Ritter Kalina v. Jäthenstein (Ber. DGesellsch. 1, 59 f.) aus dem čech., statt wend., abgeleitet, angebl. v. sorb. Fischern ggr. in einem Lindenwalde, an den auch noch die deutschen ON. *Lindenau* u. *Lindenthal* erinnern (Mag. Litt. Ausl. 42, 539). Aus den slaw. Ländern Oesterreichs gehören hierher: *Lipač*, *Lipan*, *Lipany*. *Lipau*, *Lipchin*, *Lipčice*, *Lipcse*, *Lipe*, *Lipeč*, *Lipenca*, *Lipenec*, *Lipi*, *Lipie*, *Lipin*, *Lipina*, *Lipinki*, *Lipiny*, ferner dim. *Lipic*, *Lipica*, *Lipice*, *Lipiza*, *Lipizza*, *Lipka*, *Lipkau*, *Lipkov*, *Lipkova-voda* = Lindenwasser, *Lipkovic*, *Lipizach*, verdeutscht aus dem slow. loc. v. *lipica*, dann *Lipnice*, 7 mal in Böhmen, *Lipnik* u. *Lipnitz*, ebf. mehrf., auch zu *Leibnitz*, 1127 *Libnize* entstellt, Bäche u. Orte in Steierm., Kärnten u. Krain, *Leipnik*, čech. *Lipnik*, Ort in Mähren, *Lippen*, aus *Lipina* = Lindenholz verdeutscht, mehrere Orte in Böhmen (Miklosich, ON. App. 2, 195, Umlauft, ÖUng. NB. 132). — *Lipsk*, zw. Grodno u. Augustowo, in Masuren die Orte *Lipowen* u. *Lippa*, im Ural ein *Lipowaja Gora* = Lindenberg (Rose, Ur. 1, 349), im Kr. Rössel, mitten in ausgedehnter Waldg., der Wallfahrtsort *Swieta Lipka* = heilige Linde. Das Bild der Jungfrau wurde in dem Stamm einer Linde gefunden, deren Stumpf, j. mit Silber eingefasst, in einer prächtigen zweigethürmten Kirche steht. Nach dem Volksglauben neigen alle Waldbäume ihre Kronen gg. das Bild, u. der ganze Forst ist v. schädlichem Gewürm verschont (Krosta, Mas. Stud. 12). — In Mecklb. *Liepe*, *Liepen*, *Lipen*, *Lipnitz* = Lindenort, Lindenbach (Kühnel, Slaw. ON. 84). Vgl. Brückner, Slaw. AAltm. 73.

Liparie, Isole, gr. αἱ τῶν Λιπαραίων νῆσοι, lat. *Insulae Liparaeae* (Strabo 275), bei Sicil., nach der Hptinsel *Lipari*, 'du nom de la plus étendue. de la plus fertile et de la plus peuplée' (Dolomieu, Lip. 3 f.), die schon alt *Lipara* (Plin., HNat. 3, 93 ff.), gr. *Λιπάρα* = die fette, 'Reichenau' (Pape-Bens.) hiess. Auch *Insulae Aeoliae*, gr. Αἰόλου νῆσοι, Αἰόλίδες, nach der Dichtersage, dass der Windgott Aeolus hier, näml. auf Stromboli, seinen Sitz habe — nicht als ob er, wie etwa geglaubt worden, Stürme erzeuge, sondern weil die Bewohner aus der Thätigkeit des Vulcans u. der

Richtg. des Rauchs Wind u. Wetter 3 Tage vor-
hersagten . . . 'Strongyle Aeoli domus vergit ad
solis exortus minime angulosa, quae flammis li-
quidioribus differt a ceteris: haec causa hinc
efficit, quod ejus fumo potentissimo incolae prae-
sentiscunt, quinam flatus in triduo portendantur,
quo factum, uti Aeolus rex ventorum crederetur'
(Solin. 12, Plin., HNat. 3, 94 u. a. O.), od. *Insulae
Hephaestiae* v. *Vulcaniae*, nach der gänzl. vulcan.
Natur (Dolom. 9 ff.), da Hephaestos, lat. Vulcan,
der Gott des Feuers u. der Feuerarbeiten ist, od.
endl. *Insulae Plotae*, gr. Πλωταὶ αἱ νῆσοι = die
schwimmenden, s. v. a. irrenden Inseln, wie ich glaube,
sehr einf. daraus zu erklären, dass der Vorüberfahrenden immer wieder neue Inseln auftauchen,
andere verschwinden u. somit bei wechselnder
Beleuchtg. auch die Gestalten der Bergeilande
fortwährend wechseln wie herumirrende Gebilde.

Lippe, deutscher FlussN., alt *Luppia*, trotz aller
Erklärungsversuche (Lohmeyer, Beitr. 76) noch
dunkel, 'zu einem nicht ganz seltenen Stamm *lup*
geh., der zwar wahrsch. nicht deutsch ist, aber
mehrf. auf deutschem Gebiete u. mit deutschen
Elementen zsgesetzt erseheint' (Förstem., Altd.
NB. 1026). An der Quelle der Ort *Lippspringe*,
im 8. Jahrh. *Lippiegespring*, u. der *L.sche Wald*,
weiter abwärts *Lippstadt*, auf einer Flussinsel
die Stammburg der 'Herren v. der *L.*', aus deren
Besitz 2 Fürstenthümer hervorgegangen sind: *L.-
Detmold* u. *Schaumburg-L.*, jenes nach der Hptstadt, dieses nach einem alten Grafenschlosse (s.
Schaumburg) zubenannt.

Lippert s. Wilczek.

Lis = Fuchs, asl. Wort, slow. *lisika*, in *Lisi-
čina* u. *Lisičine*, Kroat., *Lisówek* u. *Lisowic*,
Galiz. (Miklosich, ON. App. 2, 196), *Liss'ja Gory*
= Fuchsberge, eine Hügelkette des südl. Russl.
(Meyer's CLex. 5, 569), *Lissagora* (s. Beschtau)
u. *Lisji Ostrowa* (s. Aleuten).

Lisân s. Kaukasus.

Lisboa, d. *Lissabon*, röm. *Osilippo, Olisippo*
(s. Hippo), goth. *Olissipona, Olisibona*, würde
sich hübsch aus phön. *alis ubbo* = lustiger Meerbusen erklären (Meyer's CLex. 10, 859); allein
die älteste Form, *Ulisea*, die Artero (Atl. Esp.
T. 1—3) bis in die Zeit der röm. Eroberg. herab-
zieht, ist dieser Annahme nicht günstig; mit dem
Einbruch der Mauren erscheint die Form *Lix-
bona*, erst im 11. Jahrh. *Lisboa.* Hier wäre
noch viel Licht wünschbar! Eine der röm. Benennungen nach Caesar u. seinem Hause, *Felici-
tas Julia*, wurde auch *L.* bescheert; ja den Einen
galt es als Gründg. des Ulysses od. gar des Elisa,
der als Bruder Tubals ein Enkel Noahs war, u.
wieder Andere dachten an die Nähe der elysäi-
schen Felder (Charnock, LEtym. 160).

Lisca Bianca = weisses Lisca, eine der Liparen,
nach der Farbe ihrer Laven, 'une petite île qui
doit son nom à la couleur de ses laves', während
das kleinere *L. Nera* = schwarzes *L.* als 'un
rocher noirâtre' geschildert wird (Dolomieu, Lip.
105); jenes Εὐώνυμος, *Evonymus* = 'Linkhand'
der Alten, weil sie bes. den v. Lipara nach

Strongyle Schiffenden z. Linken liegt (Strabo 276,
Pape-Bens.).

Lischan, el = die Zunge nennen die Araber des
Todten M. die Halbinsel, welche zungenartig in
den seichten Südtheil des See's sich einschiebt.

Lisianskoy, Insel, eine polynes. Entdeckg. des
russ. Capt. *L.* (1805), gefunden auf der Ueberfahrt v. den Sandwich In. nach China, 'une petite
île de sable, environnée de bancs de rochers à
laquelle il donna son nom' (Krus., Mém. 2, 44),
auch nach seinem Schiffe *Newa Insel* (Meinicke,
IStill. O. 2, 312).

Lisieux, Stadt des frz. dép. Calvados, als kelt.
Noviomagus (s. d.) noch im Itin. Ant., in der
Not. prov. civitas *Lexoviorum*, nach den kelt.
Lexovii, deren Hptort sie war, 1160 *Liseuis*,
Liseis, Lisieues, 1198 *Lexovium*, im 13. Jahrh.
Lisiues (Dict. top. Fr. 18, 168).

Liska s. Léska.

Lisow s. Les.

Lissa, Insel in Dalm., röm. *Issa* (Kiepert, Lehrb.
AG. 360) hat keine sichere Erklärg. gefunden
(Umlauft, ÖUng. NB. 132); hingg. ist slaw. *L.* mehrf.
in ON. (s. Lysa). — Nach dem Seesiege, welchen
hier Adm. Tegetthof am 20. Juli 1866 üb. die
ital. Flotte erfocht, taufte die 2. deutsche Nordpolexp. 1869/70, zunächst wohl Jul. Payer, *Cap
L.*, in Grönl. (Peterm., GMitth. 17, 193).

Lister Cape, ein felsiges Vorgebirge der Liverpool Coast, v. engl. Walfgr. Will. Scoresby jun.
(North WF. 185) am 24. Juli 1822 entdeckt u.
nach einem geistlichen Freunde (in Liverpool?)
benannt.

Liston's Island, in Dolphin u. UStr., v. Richardson, dem Gefährten Franklin's (Sec. Exp. 255),
am 5. Aug. 1826 nach Sir Rob. *L.* getauft.

Listwennitschnaja = die lärchene (Schifflände),
russ. Name der am Ausflusse der Angara aus dem
Bajkal angelegten Station, offb. nach dort häu-
figen Lärchenwäldern (Bär u. H., Beitr. 23, 205,
Carte), 'weil die Bergwand mit Lärchenbäumen
bewachsen ist' (Rahn, Arch. 3ª, 43). — *L. Wiska*
= Lärchenflüsschen, im Samojedenlande, ein
Flüsschen, das durch Lärchenwälder in den See
Súrsa mündet (Schrenk, Tundr. 1, 169).

Litani s. Leontes.

Litauen ist die schon v. Schleicher gebilligte
Schreibart f. *Lith-* od. *Littauen*, den Namen
eines grösstenth. dem russ. Reiche einverleibten
Landes, lit. *Lietuwa*. *L.* v. Poblocki (Krit. Beitr.
Kgsbg. 1880) entscheidet nach Aufzählg. der urk.
Namensformen u. Deutungsversuche f. die Ableitg.
v. lit. *lytus* = Regen, also dass *L.* = regen-
reiches Land, Land mit feuchtem Klima.

Lithodendron s. Secco.

Litorale, ital. Wort f. 'Küstenland', v. lat. *litus*
= Küste, ist österreich. Provinzialname, im deutschen Munde ebf. *Küstenland*, slow. *Primorje*
= am Meer (Umlauft, ÖUng. NB. 132).

Little = klein (s. Lützel), in vielen engl. ON. s.
auch behufs Differenzirg. vor Eigennamen (s.
Manitu, Missuri, Muddy R., Saskatchewan, Timber), bei denen solche Formen eingereiht sind,

andere in lphabet. Reihe: *a)* L. *Bow* = kleiner
Bogen, wie frz. *Petit Arc* übsetzt aus einem ind.
ON. am Missuri, nach einem Hptling der Omaha,
dem 'Kleinen Bogen', der sich v. seinem König
Blackbird trennte u. mit seinen 200 Anhängern
hier ansiedelte. Schon zZ. der Exp. Lewis u.
Clarke (Trav. 41) war der Ort wieder verlassen, da sich nach Blackbird's Tode die beiden
Dörfer wieder vereinigten; *b)* L. *Crow* s. Kapoga; *c)* L. *Gulf* s. Coirebhreacain; *d)* L. *Island* s. Heard; *e)* L. *Lake*, eine gesonderte Abtheilg. des Grossen Sclavensee's(Frankl., Sec. Exp.
12); *f)* L. *River*, ein Abfluss des Pine Island L.
(Frankl., Narr. 48); *g)* L. *Rock* = kleiner Fels,
Stadt in Arkansas, auf 50 m h. Bluff (Meyer's
CLex. 10, 869), d. i. einem jener platten, bewaldeten Hügel, welche sich zahlr. aus der Prairie
erheben, 'an einem felsigen Gebirgsvorsprung,
50' (!) über dem Fluss, beherrscht die Fernsicht
nach allen Richtungen' (BGLAmts 32). — Ein
Grundwort, verbunden mit einer Zssetzg. v. *little*,
findet sich in mehrern ON. *a)* *Littledog Creek*
= Bach der kl. Hunde, ein rseitg. Zufluss des
Missuri, obh. Yellowstone R., am 24. Mai 1805
v. d. Captt. Lewis u. Cl. (Trav. 166) so benannt,
weil sie ggb. der Mündg. ein 'Hundedorf' trafen,
d. i. eine Niederlassg. v. Prairiehunden, einer Art
Murmelthiere, welche v. den frz. 'watermen' wg.
des hundeartigen Gebells als 'petits chiens' =
kleine Hunde bezeichnet wurden; *b)* *Mountain
of the L. People* = Berg der kleinen 'Teufel',
engl. übsetzt aus dem ind. Namen. Es gingen
näml. die Captt. Lewis u. Clarke (Trav. 40), als
sie am 25. Aug. 1804 an der Mündg. des Whitestone R. (s. d.) lagerten, etwa 14 km an diesem
kl. Flusse hinan u. fanden in der Prairie eine
merkw. Erhöhg. v. der Form eines Parallelo-
gramms, dessen Länge 800, die Breite 180 m
betrug, steil zu 60 m ansteigend u. oben eine
Ebene v. 27 m Länge u. $3^1/_2$ m Breite tragend.
Sie wussten nicht, sollten sie die Erhöhg. f. künstl.
od. natürl. halten; aber sie erfuhren, dass der
'Teufelberg' den Indianern ein Ggstand der Furcht
sei. Die Wilden halten ihn f. die Wohng. kl.
Teufel, in menschl. Gestalt, etwa 45 cm h., mit
merkw. gr. Köpfen, bewaffnet mit scharfen, sichern
Pfeilen, u. immer auf der Lauer, die zu tödten,
welche so kühn wären, sich ihrer Residenz zu
nähern. Schon mancher Indianer sei den 'kl.
Teufeln' z. Opfer gefallen, erst 'vor wenigen Jahren'
noch drei Omahas. 'This has inspired all the
neighbouring nations, Sioux, (o) Mahas, and Ottoes,
with such terror, that no consideration could
tempt them to visit the hill'. Die Americaner
sahen, obgl. sie längere Zeit auf der Plattform
verweilten, keinen der ruchlosen 'kl. Teufel', u.
'we were happy enough to escape their vengeance';
c) L. *Red Bay* = kleine Rothbucht, im Nordwesten Spitzb., schon in Parry's Carte eingetragen,
'v. einem ziegelrothen Sandstein, welcher mit seinen
fast horizontalen Schichten einen hohen Berg auf
der Ostseite des Fjords bildet' (Torell u. N., Schwed.
Expp. 241); *d)* L. *Rock Portage*, zwei Trage-

plätze: im Missinipi u. im Slave R. (Franklin,
Narr. 178 ff., 194 ff., Carte); *e)* *Littlewolf River*
= Fluss der kleinen Wölfe, aus dem ind. Namen,
Saasha, eines lkseitg. Zuflusses des Yellowstone
R. (Lewis u. Cl., Trav. 630), übsetzt. Motiv kaum
zweifelhaft.

Littrow, Cap, in Hall I., Franz Joseph's Ld.,
v. der 2. öst.-ungar. Nordpolexp. Weyprecht-Payer
im März 1874 benannt nach dem Wiener Astronomen L. (Peterm., GMitth. 20 T. 23; 22, 202).

Litworowy Staw = See der Engelwurz, poln.
Name eines kl., seichten, moorgründigen Bergsee's der HTatra, wohl desh., weil ehm. an seinen
Ufern Archangelica officinalis, poln. *litwor*, mag
vorgekommen sein — auch *Sobków* od. *Suczy*
u. in der Catastralcarte *Gasienicowy Stawek* (PM.
20, 305)-

Litzel s. Lützel.

Liuleuvu s. Chadileuvu.

Liuschan s. Kwangning.

Lively Shoal, eine der Untiefen vor Tasmans
Ld., nahe Rowley Shoals, nach dem engl. Wal-
fänger *L.*, welcher dort Schiffbruch litt (King,
Austr. 2, 391, Krusenst., Mém. 1, 55).

Liverpool, der Name der bekannten Seestadt
am Mersey, ist nicht sicher erklärt... 'we are
inclined to think, that the true derivation of the
name has not yet been given'. Nach dem Volksglauben hätte ein ibisartiger Vogel, *liver*, *lever*,
einst die sumpfige Gegend, den *pool* = Pfuhl,
Marsch, zu besuchen gepflegt; er ist wirkl. Wappenthier der Stadt geworden; allein diese Vogel-
gestalt, 'as there represented, is said to be of a
species wholly unknown at the present day'. Man
könnte dabei einzig an eine blaue Ente, die blaue
Löffelgans, Anas clypeater L., welche die Gegend
noch j. besucht, denken. Da aber der Name
auch *Lyrpul, Lyrpole, Lerpoole, Leerpole*, geschrieben wurde, so denkt man an welsh *llérpwll*
= Ort am Pfuhl, wie denn einst das ganze
Aestuarium des Mersey *Lyrpul, Lyrpoole* geheissen habe u. *L.* bei dem Landvolk der Umgegend noch immer *Lerpool* genannt werde. Der
Ort erscheint zuerst um 1089, als dort Graf Roger
v. Poitou eine Burg baute (Meyer's CLex. 10, 873);
in Heinrich's II. Originalurk. 1173 erscheint *L.*
as a place 'which the *Lyrpool* men call *Litherpool*', wie denn auch Camden (Brit.) *Lithere-
pool*, Baxter *Litherpool* schreibt; das würde nach
dem Dialekt der Umgegend auf 'Niedersumpf'
od. 'fauler Sumpf', *Latherpool* od. welsh *llathr*
= glatt, glänzend, also 'glatter Sumpf' führen
(Charnock, LEtym. 160 f.). Es wäre Zeit, dass
eine gute Untersuchg. einmal die unhaltbaren Annahmen ausschiede. — *L.*, ein Ort in NScotia,
v. engl. Ansiedlern 'schon vor einigen Jahren'
ggr. (Spr. u. F., Beitr. 7, 75 — 1787). — *Cape L.*,
in Lancaster Sd., v. Capt. John Ross (Baff. B.
173) am 31. Aug. 1818, u. *L. Bay*, am americ.
Eismeer, v. Richardson, dem Gefährten Franklins
(Sec. Exp. 221 f.), am 16. Juli 1826 getauft, beide
nach dem dam. Minister, Robert Banks Jenkinson,
Grafen v. *L.*, geb. 1770, † 1828. — *L. Coast*,

ein Küstenstrich in Ost-Grönl., das Ggstück v. Davis' London Coast, v. Walfgr. Will. Scoresby (NorthWF. 198) am 27. Juli 1822 so benannt, weil er die Vorgebirge u. Inseln dieser Gegend hpts. nach Liverpooler Freunden getauft hatte.

Livigno, Valle di, heisst nach dem Thalorte gl. N. die obere breite Stufe eines rseitg. v. Spöl durchflossenen u. v. Engadin durch einen langen Schluchtenhals getrennten Nebenthals des Inn.

Livii F. s. Forli.

Livinen s. Leventina.

Livingstone, *David,* der berühmte Missionär u. Africareisende, bei Glasgow 1813 geb., aus ärml. Verhältnissen durch Selbststudien herangebildet, ging im Dienste der Londoner Missionsgesellschaft 1840 nach Süd-Africa, gelangte 1849 z. Ngamisee, 1851 z. Oberlauf des Zambezi, durchquerte den Erdtheil 1853/56 z. ersten mal, u. zwar gleich in beiden Richtungen: Kolobeng-Loanda-Quilimane, entdeckte 1859 den Njassa, drang üb. den Tanganjika hinein b. Njangwe, ohne dem Strom abw. folgen zu können, wird, nach Ujiji zkgekehrt, am 10. Nov. 1871 v. Stanley gefunden, befährt mit diesem gemeinsam den Tanganjika u. erliegt der Dysenterie am 1. Mai 1873, in der Nähe des Bangweolo. Diesem grossen Mann zu Ehren wollte Stanley (Thr. DarkContr. 419) den Congo als *L. River* (s. Zaire), die Reihe der 32 Katarakten, deren bedeutendste Jellala, als *L. Falls* einführen (ib. 535); der erste dieser Vorschläge hat keine Aussicht, angenommen zu werden. Hingg. gibt es am Njassa eine *L. Range* u. eine Mission *Livingstonia,* v. United Scotch Mission Comittee 1875 angelegt (Peterm., GMitth. 21, 318; 22, 375).

Livland, russ. Prov., benannt nach dem tschud. Volke der Liven. Der Volksname ist mir unerklärt, u. wenn Wold. a Ditmar (Disquisitio de orig. nom. Livoniae, Heidelb. 1807), nach Prüfg. der verschiedd. Meinungen u. Conjecturen, sich der Ansicht v. Maur. Brandis (Livl. Gesch. 1606) anschliesst, als komme *L.* v. liv.-esthn. *liw, liiw* = Sand, mit dem Beisatz: 'assumenda videtur explicatio nostra, donec melior probabiliorque exploratur', so trösten wir uns, wie er, mit Haller: 'Wir irren allesammt, nur jeder irret anders'.

Livorno, bekannter ON. in Toscana, alt *Portus Herculis* = Hafen des Hercules od. *Portus Liburnus* (Meyer's CLex. 10, 880), engl. *Leghorn.*

Liwyrjagä = Fluss weichen Grases, v. *liwyr* = weiches Gras, im Ggsatz zu *nemà* = grobes Gras, sam. Name eines Eismeerzuflusses im Urál' (Schrenk, Tundr. 415).

Lix, der Name einer phön. Stadt (Scyl. Per. 53, Strabo 825), südl. v. Cap Spartel, dasselbe Wort, welches uns in dem kanaan. Städtenamen *Lachisch* [לָכִישׁ], wohl == das unbezwingliche, entgegentritt, mit der dem phön. eigenth. Aussprache *Licsch,* woraus die Griechen *ΛΙΞ, Λίξος, Λίγξ, Linx* gebildet haben (Movers, Phön. 2ᵇ, 540). S. Arisch.

Lizard Island = Eidechseninsel, in Austr. 2 mal: *a)* vor Queensland, wo Cook am 12. Aug. 1770 keine andern Thiere als eine Fülle sehr grosser Eidechsen sah (Hawkesw., Acc. 3, 194); *b)* vor

Tasman's Ld., wo Stokes (Disc. 1, 193) am 10. Apr. 1838 ein Gewimmel verschiedener Eidechsen traf.

Llagas, las = die Wunden, ein Ebene in Calif., v. den ersten span. Ansiedlern so genannt nach einem Kampfe, in welchem viele der Ihrigen v. den Indianern verwundet wurden (Beechey, Narr. 1, 379).

Llano, *-a* = eben, flach, v. lat. *planus,* wie übh. der Anlaut *cl, fl, pl* im Span. *ll* ergeben hat, span. adj. in mehrern ON., insb. dem der Steppen des Orinoco, subst. plur. *Llanos* = Ebenen (Humb., ANat. 1, 39). — *Punta Llana* = Flachspitze nannte der span. Entdecker Pineda, welcher 1519 die Küsten des mexic. Golfs westl. v. Florida untersuchte, das j. Cape San Blas, Appalachicola B., 'mit einem seine Beschaffenheit bezeichnenden Namen' (ZfAErdk. nf. 15, 35). — S. Estacado. In der mex. Prov. Oaxaca allein kommt das Wort 33 mal in ON. vor, 16 mal als *L. Grande,* dann als *L. Chico, L. Blanco, L. Prieto, L. Verde, L. Seco, L. Redondo* u. s. f.

Lloyd's Point, in Hurry's Inlet, Ost-Grönl., v. engl. Walfgr. Will. Scoresby jun. (NorthWF. 198) am 27. Juli 1822 getauft nach einem Gefährten, der als Capt. des Expeditionsschiffes Trafalgar mehrere nützl. Untersuchungen in der Einfahrt angestellt hat. — *Port L.,* bei Peel I., so viel bekannt, zuerst v. engl. Schiffe Supply im Sept. 1825 besucht, durch Capt. Beechey (Narr. 2, 516) im Juni 1827 benannt nach dem frühern Bischof v. Oxford. — *Mount L.* s. Peacock.

Loa, Mauna = langer Berg, 'the extensive mountain', ein 4194 m h., oben platter Vulcan Hawaii's, v. *mauna* = Berg u. *loa,* auch *roa* = lang, sehr (Cook-King, Pac. 3, 103, Krus., Mém. 2, 283, Humb., Kosm. 4, 522. 526, Meinicke, IStill. O. 2, 278).

Loanda, auch *Loando,* richtiger *Luanda* = Tribut, Negername einer 100—300 Ruthen br. u. eben so gesund wie malerisch gelegenen Küsteninsel der Landschaft Angola. Zu der Zeit, als das Land noch z. Negerreich Congo gehörte (s. Angola), pflegte man hier die Zimbos zu fischen — Muscheln, aus denen der jährl. Tribut an den König bestand (Hertha 1, 150; 3, 556, Bergh., Ann. 6, 61). Den hier angelegten port. Hafenort verlegte Paolo (!) Diaz de Novaes 1575 an eine günstigere Stelle des Continents, wo noch *São Paolo de L.,* also der Negername mit dem heil. Paulus verschwistert, liegt (Bastian, SSalv. 18).

Lobo = Wolf, in span. u. port. ON., doch seltener im nächstliegenden Sinne, f. lupus, 'Landwolf', wie in *Salto del L.* = Wolfssprung, f. den Katarakt des Guadiana, unth. Serpa (ZfAErdk. 2, 292), als in der Bedeutg. *l. marino, marinho* = Seewolf u. dann im plur. (s. Lobos).

Lobodka Jaw s. Mesen.

Lobos, plur. v. *lobo* (s. d.), hier gew. f. Seewölfe od. Robben *a) Camara de L.* = Wolfshöhle, auf Madeira, wo der angebl. port. Entdecker João Gonçalves den Höhlenboden v. den Füssen der sich dort tummelnden Thiere tüchtig zerstampft traf (Barros, As. 1, 1, 3); *b) Farallon de L.,* eine

Klippe der Barbara In., Calif. (DMofras, Or. 1, 363); *c) Isleta de L.*, Canarien (s. d.) ... là viennent tant de lous-marins que c'est merueilles, et pourrait-on auoir chacun an des peaux et des graiffes cinq cens doubles d'or ou plus', sagen die Geschichtschreiber der Exp. 1402 (WHakl. S. 46, 137, Spr. u. F., NBeitr. 12, 7); *d) Puerto de los L.*, auch *Puerto de los Leones* = Bucht der Seelöwen, Patag., wo der span. Capt. Rodrigo Martinez, der Befehlshaber des 2. Schiffs der Exp. Alcazava, 1535, einen bequemen Ort z. Ueberwintern fand, voller Fische, Seewölfe, Seelöwen, die gute Nahrg. versprachen, ozw. die j. *Bahia de San José* od. die ihr nahe *Bahia Nueva* = neue Bay, wo noch j. eine *Punta de los L.* = Cap der Seewölfe (ZfAErdk. 1876, 373 f., Hakl., Pr. Nav. 3, 724); *e)* eine zweite *Punta de los L.*, am Golden Gate, wo sich immer Schaaren dieser Thiere auf den kleinen Klippen tummeln u. sonnen (Skogm., Eug.R. 2, 6, ZfAErdk. nf. 4, 311). — *Isla de L.*, mehrf. *a)* bei Montevideo . . . 'den är flack och tjenar en hop sjölejon och skälar till vistelseort. Man möter understundom dylika ett godt stycke till sjös; äfven besökes holmen af albatrosser och andra tafsfoglar' (Skogm., Eug.R.1,35); *b)* im Golf v. Mexico, zw. Rio Panuco u. Vera Cruz (Hakl., Pr. Nav. 3, 618); *c)* s. Juan Fernandez; *d)* s. Sulphur. — Die peruan. Guanoklippen: *Islas de los L.*, 3 an Zahl, *L. de Tierra*, näher am 'Land', u. 2 *L. de Afuera*, 'die äussern'. Von diesen letztern sagt der span. Reisende P. de Cieza de Leon 1532/50, sie seien nach der grossen Zahl v. Seehunden benannt (WHakl. S. 33, 25) . . . 'for the multitude of seales which accustome to haunt the shore', sagt auch der engl. Seef. Rich. Hawkins 1594 (ib. 1, 177). — Auch nördlicher, vor Payta, kehrt der Name *Islas de los L.* wieder (Skogm., Eug. R. 1, 141, Burmeister, LPlata 2, 360).

Lobwinsk s. Tobolsk.

Locarno, schweiz. Ort am Langensee, verdeutscht *Luggarus*, wollte Bacmeister (AWand. 5) mit 'Luzern' vergleichen; allein die alten Formen, 807 *Leocardum*, dann *Leocarnis, Leocarnum, Lucarnum, Logarum*, weisen auf ein urspr. *Liutgardis*, einen Frauennamen, hin (Gem. Schweiz 18, 389, Gatschet, OForsch. 11). Damit ist zu vergleichen, dass Hidber zu der Urkunde König Heinrichs II. v. 12. Juni 1004 actum in *Lacunauara* diesen Namen auf *L.* bezieht, eine Annahme, der auch Stumpf (Reichskzlr. No. 1383) beistimmt; er fügt bei: '*L.* liegt näml. an einer weit in das Land hineingehenden, theilw. seichten Bucht, u. diess ist die *Lacuna vara'* = die krumme Bucht (Schweiz. Urk. Reg., Beil. No. 14).

Loch, in mod. ON. v. vschied. Bedeutg., hier u. da wirkl. im j. Wortsinne od. gar v. 'Tunnel', wie in *Urner L.* (s. Uri) u. *Vorlornes L.*, Splügen Str., im Falle alten Urspr. jedoch gew. zu ahd. *loh* = Wald, Gebüsch, gehörig, eine zahlr. Gesellschaft, aus der Förstemann (Altd. NB. 1016 f.) etwa 120 ON. aufführt, aber auch einem alten *loo* = Sumpf, Moor, hier u. da selbst dem lat.

locus einen Platz einräumt u. beifügt: 'Eine Scheidg. dieser einzz. Elemente darf nur in einer Monographie versucht werden, u. eine solche wird am besten auf eine Landcarte ggr., die alle Formen dieser Art verzeichnet'. Viel häufiger als im Deutschen sind solche ON. im Ags.: unter 1200 ags. ON. fanden sich 70 auf *-leah'* (Leo, Rect. SP. 87). Es gehören hierher *Lochau*, die 'Waldaue', ein vorarlb. Uferort des Bodensee's (s. Bergm., Vorarlb. 33), *Lochheim, Lochhausen, Lohkirchen, Lockweiler* u. a. m.

Loch = See, in Irland zu *lough* englisirt, dim. *lochan*, eines der häufigsten u. bekanntesten Elemente schott. ON., da es in ganz Schottland mehrere hundert Inlandseen u. Seearme gibt, wie *Lochmore* = grosser See, auch *Lochloch* = See der Seen, 3 mal f. solche See'n, welche aus 2 od. 3 verbundenen Seelein bestehen, od. *Lochawe*, 2 mal mit *ā* = Wasser, also 'Wassersee', *Lochdu*, v. *Loch-dubh* = dunkler See. Ein scheinbarer 'Katharinensee', *L. Katerine*, in Perthshire, einer der schönsten des Landes, entpuppt sich als gael. *Loch-cath-trian*, wo *cath* = Schlacht, ozw. nach einem vorhistor. Kampfe unter den caledon. Stämmen der Gegend, wie hart am See ein *Ben Hone, Ben Honie*, gael. *Benchony* = Trauer- od. Thränenberg an die blutige That erinnert. Der grösste aller brit. See'n, *Loch Lomond*, mit nahezu 30 Inseln u. malerischer Umgebg., scheint nach einem alten caled. Helden *Laomain* benannt zu sein, wie der nahe Seearm *Lochlong* = Schiffsee nach seinem Schiffe, das hier einzulaufen pflegte. Der zweitgrösste See ist *Lochness*, gael. *Loch-an-eas* = Cascadensee (Robertson, Gael. TScotl. 423 ff.).

Lochow s. Luža.

Locker, Point, in Richardson Ld., v. Dr. Richardson, dem Gefährten Franklins (Sec. Exp. 259) am 7. Aug. 1826 benannt nach Edw. Hawke *L.*, eines Secretär am kön. Hospital, Greenwich; *b)* ebenso *Cape L.*, an der Nordwestseite des Australcontinents, v. Capt. Ph. P. King (Austr. 1, 29) am 19. Febr. 1818.

Lockyer, Cape, ein hohes, kühnes Vorgebirge v. SShetl., v. Capt. J. Cl. Ross (SouthR. 2, 346) am 7. Jan. 1843 benannt auf Capt. Crozier's Wunsch hin nach dessen Freunde Nicholas *L.* RN., CB.

Locomotive Jet = Strahl der Locomotive, ein Dampfloch im Quellgebiete des Yellowstone R., 15 cm im Durchm., eine Hptfumarole, die v. zahlr. kl. umgeben ist, nach dem, dem Lärm einer Locomotive vergleichb. Geräusch, mit dem der Dampf ausströmt . . . 'with the strong impulsive noise like a high-pressure engine, and hence its name . . . a steam-jet, which was named the *L. J.* from the noise made by the steam in escaping' (Hayden, Prel. Rep. 89. 180).

Lodève, Stadt des frz. dép. Hérault, nach dem dortigen Volksstamm, den Lutevani (Plin., HNat. 3, 36, in der Peut. T. *Loteva*, 804 *pagus Ludovensis, Lutovensis*, nach dem 9. Jahrh. *Lodeva, Luteva*, 1515 *Lodeve* (Dict. top. Fr. 5, 97).

Lodge Pole Pass = Pass der Pfähle für Indianerhütten nannte Raynold's (Expl. 142) Gefährte, Lieut. H. E. Maynadier, einen Bergpass, welcher ihn, südl. v. dem vorher begangenen Blackfeet Pass (s. d.), aus der Ostgabel des Gallatin R. in das Thal des Shield, resp. Yellowstone R., brachte; denn das vom Passe niedersteigende Thal des *Lodge Pole Creek* war dicht mit Tannen bewachsen u., den Anzeichen nach zu schliessen, ein Lieblingsplatz der Indianer, um Wohnpfähle zu holen; *b)* L. *Butte* s. Slim. — *Lodging Bay* = Bucht der Herberge, eine Station des engl. Capt. Wallis 1767, östl. v. Cape Forward (Hawk., Acc. 1, 196).

Lodi, Ort der Prov. Mailand, alt *Laus Pompeja* = Lob des Pompejus, näml. des Pompejus Strabo, der den transpadan. Gemeinwesen das jus Latii verschaffte (Kiepert, Lehrb. AG. 396). — Nach dem Siege, den Napoleon hier am 10. Mai 1796 erfocht, taufte die frz. Exp. Baudin im Febr. 1802 *Cap L.*, in Tasmania (Péron, TA. 1, 254).

Lodo, Cabo de = Schlammcap, span. Name des Landvorsprungs der Mündg. des Missisipi. 'Barcia sagt, dass der Seef. Barroto 1686 zuerst diesen Namen gegeben habe'. Offb. haben ihn das umgebende trübe Wasser u. die Schlamminseln dazu veranlasst. Die Bezeichng. vererbte sich auch auf die engl. u. frz. Carten, auf die v. d'Anville, 1750, in Uebstzg. *Cap de la Boue* (ZfAErdk. nf. 13, 165).

Lodomeria, latin. aus slaw. *Wlodimirž,* d. i. Wladimiria, so wurde bei der Theilg., welche Jarosslaws I. Söhne 1054 vornahmen, der dem Wladimir zugefallene Theil des alten Roth-Russland genannt (Umlauft, ÖUng. NB. 132, Daniel, Hdb. Geogr. 2, 1015).

Lögrinn s. Mälaren.

Löwendal, Ile, eine der Iles Montebello, De Witt's Ld., v. der frz. Exp. Baudin am 28. März 1803 benannt (Péron, TA. 2, 200, Freycinet, Atl. No. 25) ozw. nach dem in frz. Diensten gestandenen, 1755 † Marschall L. — *Löwendahl Insel* s. Nederlande. — *Cap Löwenigh* s. Keilhau.

Löwenkopf s. Leeuw.

Löwenstern, Cap, in Sachalin, v. russ. Capt. J. A. v. Krusenstern (Reise 2, 158) am 8. Aug. 1805 getauft nach dem dritten (resp. vierten) Lieut. seines Schiffs Nadeschda, Hermann v. L.

Lofty, Mount = stolz (aufragend)er Berg, so nannte der engl. Seef. Flinders (TA. 1, 170), als er am 23. März 1802 v. der Anhöhe des Kanguroo Head aus Umschau hielt, einen nach Nordosten sich zeigenden Berg, welcher anscheinend nicht mit Kanguroo I. zshing, d. h. dem Continent angehörte.

Logan House, ein Ort der Berglinie Pittsburg-Harrisburg, zu Altoona, benannt nach dem in jener Gegend allbekannten Häuptling der Mingo (so hiessen bei den Delawaren die Irokesen od. Six Nations), dessen Bild an der Wand des grossen Speisesaals in der ganzen Pracht der wilden Kleidg. prangt. Seine Heimat, bei Lewistown, heisst *L. Spring* (= Quelle) (Cent. Exh. 22. 26).

Lohlt s. Brahmaputra.

Loiba s. Thüringer Wald.

Loiben s. Leoben.

Loire, la, röm. *Liger, Ligeris* (Plin., HNat. 4, 107), nebst 2 Namensvettern im eignen Netz, le *Loir* u. le *Loiret* (Meyer's CLex. 10, 910), die *L.* selbst 615 *Ledus,* 713 *Liddum,* 852 *Letum,* 1080 *Legrum,* 1190 *Ligerus,* 1226 *Liger* etc. (Dict. top. Fr. 1, 104), mir unerklärt. — Eine *L.,* durch Uebtrgg., in dem Reisebericht des frz. Capt. Jean Ribault, der 1562 Florida-Carolina besuchte (Hakluyt, Pr. Nav. 3, 309, WHakl. S. 7, 110).

Loka Källa = Schlammbrunn, v. finn. *loka* = Schlamm, das die einwandernden Germanen adoptirten als Name einer Heilquelle in Wermeland, deren Schlammniederschlag f. mancherlei körperl. Gebrechen u. schlaggelähmte Glieder sich heilsam erweist (Pettersson, Lappl. 29). — Auch die slaw. Sprachen haben ein Wort *lôka, lokva* = Sumpf, in ON. 'Moos', so *Loka, Lokanje, Lokautz, Lokavec, Loke, Lokovec, Lokovica, Lokovitzen, Lokovin, Lokovo, Lokowitzen, Lokve, Lokvic, Lokvica,* in Steierm., Kärnten etc. (Miklosich, ON. App. 2, 193).

Lokhátra = 'Land der feindlichen Völker mit tättowirten Lippen' od. 'Süden mit Lippengittern', d. i. mit gitterartigen Verzierungen auf den Lippen — so nennen die Tibetaner die Bergregion im Quellgebiete des Irawadi, birm. nach den 2 wichtigsten Stämmen *Land der Schan* (s. Laos) od. *Land der Kákhjens* (Schlagw., Reis. 1, 475).

Lôkward s. Laach.

Lolland s. Laaland.

Lom = Steinbruch, poln. *lom,* adj. *lomny* = zerbrechlich, dazu serb. *lomiti* = brachen u. serb. *loman* = steil, das Element der ON. *Lom, Lomna, Lomnica,* in Galiz., *Lom, Lomec, Lometz, Lomice, Lomitz, Lomna, Lonnice, Lomnička, Lomnitz,* Orte in Böhmen, Schles. u. Mähren, *Lom, Lome, Lomna, Lomno, Lomnic, Lomnica,* Orte in den südslaw. Gebieten u. in Ungarn (Miklosich, ON. App. 2, 196). Insb. ist *Lomnica* der poln. Name einer Ortschaft, deutsch *Lomnitz,* u. zugl. des nahen Tatrahauptes, welches mag. *Lomniczi Csúcs* = *Lomnitzer Spitze* heisst (Umlauft, ÖUng. NB. 41. 134). Wenn nun im poln. Stadt u. Berg auch gleichnamig sind, so muss die Benenng., trotzdem sie zu einem Berggipfel ganz passen könnte, doch der erstern primär u. aus einem mir unbekannten Motiv geflossen sein; denn der eine ist doch sicher der ältere, u. nach Analogie der alpinen Nomenclatur, selbst auch der nahen *Gerlsdorfer Spitze,* sind die 'Spitzen' nach den Orten, nicht umgekehrt, getauft. Uebr. sehe ich, dass eine der höchsten Spitzen der Tatra, die *Grosse Krapak* (s. Karpathen), bei den dortigen slaw. Bergbewohnern *Wysoka* = der hohe, bei den Deutschen *Lomnitzer Spitze* heisst (Bergh., Ann. 5, 287).

Loma, Punta della = Cap des Hügels, span. Capname bei San Diego, Calif., nach dem *loma* de San Diego (DMofras, Or. 1, 330).

Lomanagh s. Limerick.

Lombardia, alt gew. *Lango-,* 843 *Longobardia,*
ital. Prov., ein altetrusk. Land, welches zu Ende
des 5. vorchristl. Jahrh. kelt. Einwanderg. erhielt u., v. den Römern —250 erobert, ihre
Gallia Cisalpina ausmachte. Kurz nachdem es
um 568 dem griech. Kaiser zugefallen war, brach
der german. Stamm der *Longobarden* ein, nach
denen es nun benannt wurde. Früh wurden
diese volksetym. als 'Langbärte' erklärt u. die
Deutg. durch eine Legende veranschaulicht, schon
in der Vorrede zu König Rotharis Gesetzen, Juli
668, sowie in folgg. Stellen: *a) Λογγίβαρδοι,
τουτέστι βαθεῖαν ὑπήνην καὶ μακρὰν ἔχοντες*
(Etym. magn.); *b) Longobardos* vulgo ferunt nomi-
natos a prolixa barba et nunquam tonsa (Isid.
Hisp. orig. 9, 2); *c)* certum est *Longobardos* ab
intactae ferro barbae longitudine — appellatos:
nam juxta illorum linguam *long* longum, *bart*
barbam significat (Paul. Diac. 1, 9). Diese Etym.
wurde v. C. Zeuss (DDeutschen 109) bevorzugt,
u. auch J. Grimm (Gesch. DSpr. 689) ist ihr nicht
ungünstig gestimmt. 'With more reason' dachte
schon Vossius an *longis bardis, bartis,* d. i. die
mit langen Hallbarden, langen Streitäxten (Charnock, LEtym. 163), u. diese Ansicht vertritt nun
1891 wieder A. Erdmann (Angeln 77), der den
2. Bestandtheil v. germ. *bardôn,* alts. *barda* =
Beil ableitet. Die Ableitg. v. der 'langen Börde'
bei Magdeburg verdient kaum Erwähng. Während alle diese 3 Herleitungen es als selbstverständl. ansehen, dass im ersten Theile *lang* =
longus steckt, so sprechen sich Müller (DDeutschen
St. 1, 196), Ledebur (NThür. 34, Bruct. 124) u.
Hammerstein (Bardeng. 73) dahin aus, dass das
Volk eig. nur *Barden* heisse u. dieses Wort in
der Folge, u. zwar allerdings schon früh, nach
einem Ort od. einer Eigenschaft, erst differenzirt
worden sei. Und wenn nun die *Longobarden*
urspr. bloss *Bardi* geheissen haben, so 'ist an
diese Ableitungen nicht mehr zu denken. Der
wahre Sinn der Namen liegt noch im Dunkel.
Da jede ableitende Endg. fehlt, so werden wir
in erster Linie darauf ausgehen müssen, etwa den
Begriff 'Männer' od. 'Krieger' in dem Worte zu
suchen' (Förstem., Altd. NB. 208f.).

Lombok, eine der Kleinen Sundainseln, benannt
nach dem Orte *L.,* v. Malajen u. Javanen j.
Sasak, nach den mal., aber v. Javanen u. Bali-
nesen vschiedd. Bewohnern. Der Culm des Archipels, Gunung Rindjani, ist der *Pic v. L.* der
Seeleute (Crawf., Dict. 219). Dass, wie Jukes
(Narr. 2, 207) meint, der mal. Name *Sassak* =
Floss v. der Form der Insel entlehnt sei, scheint
gesucht.

Lomellina, Ldsch. der ital. Prov. Pavia, benannt
nach dem Flecken Lomello (Meyer's CLex. 10, 920).

Lommatsch s. Daleminzien.

Lomonossow s. Middendorf.

Loms Bay, an der Westküste NSeml., so benannt
v. Will. Barents, der hier 1594 eine Menge *loms,
lommen,* 'ofte noordtsche Papegayen', *lummen,*
plumpe Wasservögel, Alca Lomvia, später Uria
Troile L. (GdVeer, ed. Hakl. 12, Bild) traf . . .

'van wegen eenerley art van vogelen . . . diese daer
in groote menighte vonden, weesende groot van
lichaem, maer so kleyn van vleughels, dat het
wonder is, hoe die kleyne vleughels dat zware
lichaem dragen konnen' (Schipv. 1, Adelung,
GSchifff. 167). — *Lommenberg,* auf Barent's I.,
Spitzb., ebf. v. den holl. Seeff. des 17. Jahrh.,
wenigstens zuerst 1688 auf Gerhard van Keulen's
Carte (Peterm., GMitth. 17, 182).

Lonato s. Aunay.

London, in Tacitus (Ann. 14, 33) u. a. *Londi-
nium, Lundinum,* brit. *Lundayn, Lundein,* sächs.
*Lundin, Lundon, Lunden, Londone, Lundunes,
Lundun-ceaster,* hat wie Berlin u. a. eine reiche
Blumenlese v. Erklärungen gefunden, v. *Luna,*
einem andern Namen f. Diana, v. *Lindus,* Stadt
auf Rhodus, v. kelt. Prinzen *Lugdus,* v. brit.
llwyn = Wald, Gehölz, u. *dinas* = Stadt, v.
llong = Schiff, also Schiffstadt, Schiffshafen, v.
gael. *lon* = Ort, u. *dun, don* = Hügel, 'than
which no denomination can better suit the city
of *L.',* v. einem König *Lud,* der die Stadt wieder
herstellte, mit schönen Gebäuden, Thürmen u.
Spaziergängen schmückte u. nach seinem eignen
Namen *Caire-Lud* = Lud's Stadt taufte, od. v.
altbrit. *lyn* = See, u. *din* = Stadt, Landungsplatz, 'as until recent dates, the south side of
the river was often a lake in some parts, and a
swamp in others, the name might easily be changed
from *Lyndin* to *L.,* and be descriptive of its
local position' . . . die annehmbarste Ableitg.,
meint Charnock (LEtym. 164), während die 'Schiffstadt' schon zZ. des Tacitus einleuchten mochte :
er nennt *L.* 'a place exceedingly famous for the
number of merchants, and its trade.' In der
Kaiserzeit, seit Valentinian (Amm. Marcell. lib.
27 f.), sollte *L.* auch *Legio secunda Augusti* =
zweite Legion des Augustus od. *Augusta Trinobantum,* nach den kelt. Umwohnern, den Trino-
bantes, heissen (Meyer's CLex. 10, 931 f.). Bei
den Normannen hiess der Ort *Lundunaborg,* weil
hier, nicht lange nach Knuds Tode, Wilhelm der
Eroberer, den Tower bauen liess u. überdiess
weiter flussab, an der Lage des j. Westminster,
eine v. Knud erbaute Inselburg in der Themse
lag, ags. *Thornege* = Dorninsel, nach dem Dorngesträuch, das mit nord. *ey* zu *Thorney* od.
pleonastisch zu *Thorney Island* geworden (Worsaae, Minder om Danske 38). — Ein *L.,* in Canada, übtragen zugl. mit Oxford u. Thames, auch
in der Union 2 *L.,* 1 *L. Britain* u. 5 *New L.*
(Peterm., GMitth. 2,156). — *L. Island,* in Feuerl.,
v. Capt. Fitzroy (Adv. B. 1, 389) im Jan. 1830
so getauft, offb. weil ihn der St. Pauls Dome
(s. d.) an die Themsestadt erinnert hatte, wie ja
auch die Westspitze der Insel *English Point* genannt wurde. — *L. Coast,* ein Küstenstrich der
Westseite Grönl., nördl. v. Godhaab, v. brit. Seef.
John Davis, der auf seiner 3. Fahrt v. 21.—30. Juni
1587 dieser Küste entlang segelte (Rundall, Voy.
NW. 46, Hakl., Pr. Nav. 3, 112), so benannt zu
Ehren der grossmüthigen *L.er* Kaufleute, welche
Geld z. Reise zsgeschossen hatten (Kotzebue,

EntdR. 1, 33, Peschel, GErdk. 274). — *London-derry*, in ältester Zeit ir. *Doire-Chalgaich*, gespr. nach engl. Orth. *derry-calgagh* = Eichwald des Calgach, Galgacus (Mannsname), im 10.od.11.Jahrh. *Derry-Columcille*, zu Ehren des heil. Columba, welcher 546 hier ein Kloster ggr. hatte, erst durch eine Urk. Jakobs I., einer Gesellschaft dortiger Kaufleute ertheilt, in den j. Namen umgetauft (Joyce, Orig. Ir. NPl. 1, 503, Ir. LN. 67), da ihr ein Theil der confiscirten Ländereien geschenkt wurden (Meyer's CLex. 10,932). — *Cape London-derry*, in De Witt's Ld., v. Capt. Ph. P. King (Austr. 1,307) am 30. Sept. 1819 benannt ohne nähere Angabe, ozw. zu Ehren des engl. Staatsmannes, Lord Charles William (Vane) Londonderry, 1778 —1854. — *Londres*, span. Form f. *L.*, Ort der Prov. Catamarca, Arg., ggr. während der Vermählg. des span. Königs Philipp's II. mit Maria Tudor u. z. Huldigg. der neuen Königin mit dem grossen Namen beehrt. Die ganze fruchtb. Umgegend führte dam. auch den Namen *Nueva Inglaterra* = NeuEngland (PM. 14, 204).

Lone Tree Island = die Insel mit dem einsamen (einzelnen) Baum, eine der Six Is., Radack, wohl schon v. dem Entdecker des Archipels (s. Marshall) nach dem einen auf ihr gesehenen Baume benannt (Meinicke, IStill. O. 2, 322). — *L. Palm* s. Dos. — *L. Rock* s. Three.

Long = lang, in engl. ON. v. Inseln, Einfahrten, Vorgebirgen etc. häufig, wohl am bekanntesten *L. Island*, die lang ausgestreckte, schmale Küsteninsel vor NYork, sowie *b)* in der chin. Südsee, v. Capt. Wallis am 3. Nov. 1767 benannt (Hawk., Acc. 1, 283); *c)* in Dusky Bay, NSeel., v. Cook 1773 (VSouthP. 1, 88); *d)* in der Torres Str. (Peterm., GMitth. 22 T. 6); *e)* s. Crown; *f)* s. Fernandina; *g)* s. Hold with Hope; *h)* s. Dolgoj. — *L. Inlet*, ein Fjord der austr. Auckland I., v. Capt. Greig 1865 benannt, wie die übr. ein Schluchtenhals, v. 3—400 m h. Felswänden eingefasst u. kaum üb. $1\frac{1}{2}$ km br. (Peterm., GMitth. 18, 225). — *L. Lake*, im Beaver R. des Netzes Winnipeg, üb. 20 km lg. u. kaum üb. 2 km br. (Franklin, Narr. 125). — *L. Narrows* s. Lewistown. — *Longness* s. Lang. — *L. Nose*, eine lang vorgestreckte 'Nase' in NSouthWales, v. Cook am 25. Apr. 1770 (Hawk., Acc. 3, 84). — *L. Ö* s. Sveaborg. — *L. Portage*, ein 'Trageplatz' des stromschnellenreichen Jack R. (Franklin, Narr. 35, Chart). — *L. Range* u. *Short* (= kurze) *R.*, zwei Parallelzüge am Rio Colorado, v. ähnl. Aussehen, aber sehr ungl. Länge, durch die Coloradoexp. 1858 benannt (Möllh., FelsG. 1, 185). — *L. Reach* = lange Strecke, Weg, in Austr. 2 mal: *a)* ein Theil des Port Dalrymple, v. Flinders (TA. 1. CLV) am 7. Nov. 1798; *b)* eine Strecke des Victoria R., 14 km lg. gerade, zw. abschüssigen Lehmufern verlaufend u. sowohl mit der flussaufw. folg. 3 km lg. *Short Reach*, als mit dem breiten, gewundenen Unterlauf contrastirend, v. Capt. Stokes (Disc. 2, 58 f.) am 3. Nov. 1839, u. einmal *c)* in der Magalhäes Str., in deren westl. Verlauf, der sich zw. hohen Bergen gradaus er-

streckt, benannt v. engl. Seef. Rich. Hawkins, der hier 1594 v. Sturm wiederholt auf- u. abw. gejagt wurde, v. Cap Forward bis Cap Pillar u. zk., also dass, wie bei- frühern Seeff., auch seine Mannschaft aus der 'langen Gasse' gern nach Brasil. zkgekehrt wäre (ZfAErdk. 1876, 428), frz. übsetzt *la Longue Rue* (Boug., Voy. 168).

Longue, fem. des frz. *long* = lang, ist soeben, in dem ON. *L. Rue* (s. Long) erwähnt worden; ferner *b)* *Longéve*, 1271 *Longa Aqua* = langer Bach, im frz. dép. Vienne (Dict. top. Fr. 17, 234); *c)* *Longeau* u. *Longueve* s. Eve; *d)* *Longeborgne* s. Borgne; *e)* *Ile L.*, eine der Seychellen (Mac Leod, East-Afr. 2, 213); *f)* *La L. Rivière* s. Missuri.

Loni, eig. *Láwani* = der salzige, hind. Name zweier Flüsse, in Radschwára u. in Tirhút (Schlagw., Gloss. 216, Lassen, Ind. A. 1, 101), auch *Luny*, zunächst f. den nicht selbst salzigen Zufluss des Salzmorastes Irina, Run, dessen Gebiet auf 350 km Länge u. 65 km Breite halb aus Schlammboden, halb aus Salzincrustationen besteht; *c)* im Delta des Indus. Der Arm Phurrân hiess früher *Luni*, *Lavani* = salzig, bei Ptol. (7, 1. 1) Λωνιβάρε, wo *bare* v. a. *vâri* = Wasser sein mag, eine der 7. v. West nach Ost aufgezählten Mündungen (Lassen 1, 117. 125. 131).

Lonsdale, Mount, ein Kegelberg NHoll. am Maranða, einem Zufluss des obern Darling, v. engl. Major T. L. Mitchell (Trop. Austr. 178 f.) am 27. Mai 1845 getauft nach seinem geschätzten geolog. Freunde.

Lontar s. Banda.

Lonza s. Lütschine.

Lookout = Umschau, bei engl. Entdeckern, die auf erhabenem Punkte oder am Ende ihres Vordringens die Gegend recognosciren, mit Vorliebe zu geogr. Namen verwandt *a)* *Cape L.*, in Calif., $45^{1}/_{2}^{0}$ NBr., des engl. Capt. Meares im Juli 1788 südlichste erreichte Landspitze (Forster, GReis. 1, 59. 111. 151); *b)* *L. Creek*, ein rseitg. Zufluss des Missuri, obh. Cheyenne R., v. den Captt. Lewis u. Cl. (Trav. Miss. 70) am 1. Oct. 1804, wie die nahe Stromserpentine *L. Bend*, getauft; *c)* *L. Head* (u. dabei *L. Rock*), in den Furneaux Is., wo Lieut. Matth. Flinders (TA. 1, CXXX, Atl. pl. VI) im Febr. 1798 Winkel mass, die sich auch auf das südl. vorliegende Land erstreckten; *d)* *Mount L.*, am Murray, mit ausgedehnter Fernsicht üb. die waldige Westgegend, v. Major Mitchell (Three Expp. 2, 118) am 3. Juni 1836 benannt. — *Point L.*, mehrf.: *a)* in NSouthWales, v. Cook am 16. Mai 1770, weil er in diesen seichten, riffgefährdeten Gewässern v. Mast aus Umschau hielt (Hawk., Acc. 3, 109); *b)* in Queensl., ebf. v. Cook, am 10. Aug. 1770, aus demselben Grunde (ib. 192); *c)* ein steiler Berg in Arizona, 'mit herrlicher Rundsicht', v. americ. Lieut. G. M. Wheeler 1873 erstiegen (Peterm., GMitth. 20, 410); *d)* s. Bernard; *e)* s. UitkijR. — *L. Ridge*, der 334 m h. 'Rücken' der Insel Pitcairn (ZfAErdk. 1870, 348, Meinicke, IStill. O. 2, 226). — *Lookers-an* = Anschauer, Angaffer, ein Landstrich an der Ostseite der Südinsel NSeel., v. Cook am 14. Febr. 1770 so benannt, weil im Ggsatz zu den Maori anderer Gebiete, welche th. das Schiff ohne weiteres mit Steinen bombardirten, th. in ihrem Fischfang fortfahrend kaum Notiz v. den Ankömmlingen nahmen, th. ohne Einladg. sofort mit vollem Zutrauen u. Wohlwollen an Bord kamen, die 57 Wilden der 4 Doppelboote inner Steinwurfweite heranruderten, still hielten u. die Fremdlinge 'with a look of vacant astonishment' angafften, um nach einer Weile dem Lande zuzurudern (Hawk., Acc. 3, 9). — *Look-ahead Camp* = Lager der Vorwärtsschau, eine Lagerstelle am Rio Colorado, wo die Exp. des Lieut. Wheeler (Geogr. Rep. 167), v. Strapazen u. Mangel erschöpft, am 18. Oct. 1871 ankam u., nachdem das 5. der Boote gescheitert war, auf den Uferfelsen nach dem Diamond Creek ausschauen wollte, wo sie der Landpartie zu begegnen hoffte. — Mehrf. ein oberdeutsches *in der Luegëte*, v. dial. *luega* = sich umschauen, f. Punkte mit weiter Aussicht, auch im imp. *Lueg-ins-Land!* (Mitth. Zürch. AG. 6, 87).

Loom s. Organ.

Loon s. Isersohn.

Loon Head = Tölpelcap, mehrf. auf den grönl. Baffin Is., nach den zahlr. dort brütenden Vögeln dieser Art (Kane, Grinn. Exp. 433).

Loosh-Took = langer Fluss, in engl., *Luschtuk* in deutscher Schreibart, ind. Name des St. John R.,des grössten der Flüsse NBrunswick's(Buckingh., Can. 424).

Lootsenschiff u. *Leuchtthurm*, 2 Klippen bei Jan Mayen, v. denen namentl. die erste einem mit vollen Segeln laufenden Schiffe auf's täuschendste ähnl. sieht, so benannt im Aug. 1861 v. der Exp. Berna (Vogt, Nordf. 280). — *Lootskey* = Lootskenklippe, eine Felsklippe, *key*, im Hafen v. Christianstadt, Ste. Croix; hier wohnt der Lootse, welcher v. ihrer Höhe herab die Schiffe in grosser Entferng. erblicken kann (Oldendorp, GMiss. 1, 44).

Lop Noor = See v. *L.*, einer Stadt, die M Polo (ed. Pauthier 1, XXXVI. 148) erwähnt u. nach welcher auch die mongol. Wüste (s. Gobi) als *désert de L.* benannt war...'où il y a aussi une cité que l'en nomme *L.* ... qui est à l'entrée du grandisme désert; si que les cheminans se reposent en ceste cité pour entrer ou désert'. In einer Note (p. 148) sagt Pauthier, auf den chin. Carten finde man wohl den See, *Lô-pe-nao-örh*, nicht aber eine Stadt d. N.; er vermuthet, seit der Zeit, wo die Verkehrsroute durch den Eingang dieser Wüste gelegt wurde, sei die am Eingang der Wüste gelegene Stadt verschwunden. Gleichzeitig gibt er nach einer chines. Quelle auch eine selbständige Etymologie v. *L.* u. die alten chin. Namen des Sees: *Jeu-tsih* = See mit dunkeln (tiefen) Gewässern, *Jin-tsih* = Salzsee u. Meer v. *Phu-tschang*, i. e. des reichlichen Schilfrohrs. Nach Richthofen (China 1, 125) bezog sich der mehrf. verwendete chin. Name *Si-Hai* = Westmeer auch auf unsern See, der vor 4000 Jahren viel ausgedehnter gewesen ist. Jedf. ist mit H. Vam-

béry's Gleichg.: alttürk. *L.*, auch *ley* = Ungeheuer, Drache (Peterm., GMitth. 37, 269), nichts anzufangen.

Lopadusa s. Lampedosa.

Lopatka = Schaufel, Schulterblatt, vollst. *Kurilskaja L.* = Schaufel der Kurilen, d. i. des dort wohnenden Volksstammes der Kurilen, russ. Name der Südspitze Kamtschatka's, einer niedrigen, kaum 20 m h., bis 20 km lg. u. 100 m br., allmählich abfallenden, vierseitigen, baumlosen, grossen Ueberschwemmungen ausgesetzten, darum nicht permanent bewohnten Landzunge, wie sie schon in dem Bericht 'voller Merkwürdigkeiten', den der Kosak Iwan Kosirewskoi 1726 dem Capt. Bering in Jakustk übergab (Müller, SRuss. G. 4, 221 f.), geschildert ist, einh. *Kottschütschu* = Verlängerung (Steller, Kamtsch. 19, Krascheninnikow, Kamtsch. 3. 13, Müller, Kamtsch. 9, Cook-King, Pac. 3, 324, Adelung, GSchifff. 538. 596). — Auch in Oesterreich ist slaw. *lopata* = Schaufel, Spaten, häufig, mir leider ohne 'Realprobe', namenbildend: *Lopata, Lopatinec, Lopatnik, Lopatza, Lopatne, Lopatyn, Lopata Planina* = Schaufelgebirge, in Bosnien (Miklosich, ON. App. 2, 197, Umlauft, ÖUng. NB. 134 f.).

Lopperberg, ein Vorsprg. des Pilatus, wird v. *lopper*, wie in Unterwalden der Südwestwind heisst, abgeleitet (Anz. schweiz. Gesch. 8, 60 f.).

Lorch, Ort in O/Oesterr., bei Rüdesheim u. in Württemb., röm. *Lauriacum*, 273 *Lauriacum*, 791 *Loriachi*, dann *Loracho* etc., aus dem kelt. PN. *Lauro*, mit Gentilendg. *-iacum* (Umlaut, ÖUng.. NB. 135).

Lord North, die westlichste Insel der Carolinen, einh. *Tobi*, v. Capt. Woodes Rogers 1710 entdeckt, dann v. Carteret am Abend des 27. Sept. 1767 erreicht u. *Evening Island* = Abendinsel, v. span. Seef. Tomson 1773 *San Carlos* getauft, v. Schiffe Montrose 1781 wieder gesehen u. wohl prsl. *Nevil*, v. Schiffe *L. N.* am 14. Juli 1782 mit dem eignen Namen belegt, endlich v. Capt. Douglas, Schiff Iphigenia, am 9. März 1788 *Johnstone Island* genannt (Krus., Mém. 2, 54, Bergh., A. 3. R. 4, 22, GForster, GReis. 1, 242, Meinicke, IStill. O. 2, 364). — *Lord Mayor's Bay*, am Boothia Isthmus, v. Capt. John Ross (Sec. V., Carte) 1829/33 entdeckt u. zu Ehren des ersten Magistrats v. London benannt.

Lorelei od. *Lurlei*, die wg. seines Echos berühmte, 130 m h. Rheinfels zw. St. Goar u. Oberwesel, früher den Schiffern gefährlich, bei dem mhd. Dichter Marner der *Lurlenberg*, in dem der Nibelungen Hort geborgen sei, enthält das alts. *leia* = Fels, Felsplatte, Schieferfels, ein Wort, welches auch sonst am Rhein, im ON. *Lay*, 803 *Leia*, 1096 *Leie*, vorkommt (Förstem., ALN. NB. 980); *L.* wird also mit Vorliebe als 'Fels der Lora', d. i. Hulda, gedeutet (Seyberth, Wiesb. GProgr. 1863, 6. 13. 24). Allein es gibt daneben noch eine Reihe anderer Erklärungsversuche (Ausl. 49, 657), u. es ist wohl zu beachten, dass die Sage v. der Nixe erst um 1800 v. Cl. Brentano erfunden worden ist (Meyer's CLex. 10, 1032).

Es ist diess eingehend v. Wilh. Hertz (Münchn. Sitzgsber. phil. Cl. 5. Juni 1886) erörtert. Die Ballade 'Zu Bacharach am Rheine wohnt eine Zauberin' ist spätestens zu Anfang 1799 verfasst u. 1802 im Roman Godwi p. 392 erschienen mit der Anmerkung: 'Bei Bacharach steht dieser Felsen, *Lore Lay* genannt, alle vorbeifahrenden Schiffer rufen ihn an u. freuen sich des vielfachen Echos' (p. 396). Brentano's Phantasiegebild eignete sich zunächst, etwa 1811, Eichendorff an, fast gleichzeitig N. Vogt, 1821 Graf v. Loeben, 1823 Heinr. Heyne in seiner bekannten Ballade, wo *L.* auf dem Felsen sitzt u. ihre Haare kämmt, während unten das Boot zerschellt. Im etym. Theil seiner Studie weist Hertz nach, dass das alte deutsche Wort *hlûr, lûr*, in schwacher Form *lûro*, abgeleitet *lûrlo*, fem. *lûra*, eine der vielen Bezeichnungen elbischer Wesen war u. dass der Berg v. diesen *Luren, Lurlen*, den Namen hat: ahd. *Lûrlaberch*, mhd. *Lûrlinberc, Lôrleberg, Lôrberg*, nhd. *Lurelei, Lourlei, L.*

Lorenzo, die span. Form f. Laurentius (s. d.), in mehrern ON. wie *San L.*, die Küsteninsel v. Callao, hoch u. öde, aber Schutz der sichern Rhede, bei ältern Autoren, z. B. dem Reisenden Pedro de Cieza de Leon (WHakl. S. 33, 26), einf., *Isla de Lima*; ferner *San L.* (s. José), *Bahia de San L.* (s. Nutka), *San L. el Real de la Vittoria* (s. Escorial).

Loreto, s. v. a. *Lauretum* = Lorbeergebüsch, ein Wort, welches als Gemeinname schon bei Varro, im 1. vorchristl. Jahrh., vorkommt (s. Aunay) u. später Eigenname eines Stadttheils v. Rom wurde, v. lat. *laurus*, ital. *lauro*, franz. *laurier*, port. *louro*, span. u. engl. *laurel* (s. d.), fassen wir zunächst als ON. bei Ancona, v. dem Flechia (NL. Piante 14) versichert: 'certamente *laureto*' u. zu dem er auch die ON. *Laureto, Loreta, Larido, Oreto* etc. stellt. *L.* ist der berühmte Wallfahrtsort, wo die 'Santa Casa', das Wohnhaus Mariae, 1291 durch Engel nach Dalmatien getragen, schliesslich im Fluge angelangt ist u. das aus Cedernholz geschnitzte, reich verzierte Marienbild, früher oft v. 200 000 Pilgern jährl., verehrt wird. *L.* ist die Mutteranstalt jüngerer Gnadenörter geworden: *a) L.* in Peru, als Missionsort 1674 ggr. v. dem span. Jesuiten Cypriano Baraza, der v. Lima üb. die Anden ging u. den Rio Grande, Mamoré, hinabfuhr u. in jener Gegend auch *Trinidad* = Dreieinigkeit gründete (WHakl. S. 24, XL); *b) L.*, in Alt-Calif.; *c) L.* s. Gallitzin. Auch f. das tessin. *L.* nimmt Salvioni (NL. Piante 6) Uebtragg. an, nach einer Capelle od. Kirche, der Madonna v. *L.* geweiht. — *Mar Laureteano* s. California. — Die frz. 'Lorbeerorte', deren 2 im 10. u. 12. Jahrh. als *Lauretum* erscheinen, sind meist zu *Lauret* geworden (d'Arbois de Jub., Rech. NL. 628).

Loreux s. Oratorium.
Lorient s. Orient.
Lormes s. Ormoy.
Loroux s. Oratorium.
Lorraine s. Lothringen.

Los s. Idolos.
Losantiville s. Cincinnati.
Lóssewyje, v. russ. *loss*, poln. los, čech. u. slow. *los* = Elenthier (s. Hirwi), ein ON. des Gouv. Jekaterinosslaw, mit *Loss'jewka* in demselben Gouv., *Losse wka* u. *Lossenka* im Gouv. Charkow u. *Lossewskij* im Land der Donschen Kosaken die südlichsten der nach dem Elen gewählten ON. Im Gouv. Woronesh *Lossewa* u. 2 *Lossewo*, im Gouv. Tschernigow *Lossewka*, *Lossewo* am Sumpfe *Lossewo Stoilo* = Elenstand, *Lossinowka*, im Gouv. Tambow *Lossinaja Luka*, im Gouv. Pensa *Lossewka*, im Gouv. Rjasan *Lossewa, Lossewo* u. *Lossino*, im Gouv. Tula *Lossinskoje*, im Gouv. Kaluga *Lossewo*, *Lossewa, Lossina, Lossinaja*, im Gouv. Moskau *Lossinaja, Lossinowo* u. *Lossinnyi Pogonnyi Ostrow* = Waldinsel, wo Elenthiere gejagt werden, im Gouv. Twer *Lossewka,* 2 *Lossewa* u. 2 *Lossewo*, im Gouv. Wladimir *Lossewo* u. *Loss'je*, im Gouv. Nishnij-Nowgorod 2 *Lossewo*, im Gouv. Kostroma 2 *Lossewo* u. 1 *Lossenki*, im Gouv. Wologda *Lossewskaja* u. *Loss'*, im Gouv. Wjatka *Lossewy* u. *Lossenki*, im Gouv. Ufa *Lossenkowo* (Bär u. H., Beitr. K. russ. R. 2. F. 6, 242 f.).

Lost Lakes = verlorne See'n, 3 an Zahl, am Anfang des Conejos River, Colorado, gänzl. verborgen in dem Walde, welcher v. den Thalhängen bis an den Rand des Wassers heranreicht, 'hence the name', entdeckt u. benannt 1874 v. Lieut. Wheeler (Geogr. Rep. 87).

Lostange s. William Henry.
Loswinsk s. Lepsinsk.
Loth's Wife s. Plata.
Lothringen = Land der Angehörigen Lothars, lat. *Lothari regnum*, der Antheil, welcher Lothar II. bei der Theilg. 855 zufiel, mit der patronym. Endung *-ingen, -igen, -ing, -ungen*, die in sehr vielen nach Personen gewählten ON., z. B. *Andelfingen* = bei den Nachkommen Andolf's, vorkommt, oft wie im vorliegenden Fall v. den Nachkommen auf die Angehörigen im weitern Sinne, ja, wie in *Aidlingen*, wo der Aidbach in die Würm fliesst, in *Öhringen*, wo die Ohre (s. d.) passirt, auf die Anwohner des Flusses od., wie *Reutlingen*, auf die Bewohner einer 'Reute', ausgedehnt (Schott, ON. Stuttg. 29, Mitth. Zürch. AG. 6, 138 ff.). Im frz. ging *Lothari regnum, Lot-règne*, wie schon Mercator 1628 bemerkt, in *Lorraine* über (2. Jahresber. Metz 61). Nom. gent. *Lorrain, Lorraine.* — Ein *Cap Lorraine*, in Cape Breton, v. frz. Seef. J. Cartier am 1. Juni 1536 (Hakl., Pr. Nav. 3, 231).

Lotophagen, gr. Λωτοφάγοι = Lotosesser, ein Volk an der Kl. Syrte (Herod. 4, 177), schon in hom. Zeit den Griechen bekannt, getauft nach der 'honigsüssen Frucht' des Lotos (Od. 9, 94), des Ziphyphus Lotos, einer stachlichen Baumart aus der Familie des Faulbaums; seine Früchte kommen j. als 'ital. Jujuben' in den Handel (Leunis, Syn. 2, 486). Auf Meninx, j. Dscherba, die ebf. Lotos hervorbrachte, bestand noch zu Strabo's (834) Zeit ein Altar des Odysseus.

Loučan s. Lanka.

Loucheux s. Tykoothie.

Loughduff s. Dub.

Louis, eine Reihe v. 16 frz. Königen, hat mehrf. zu ON. Anlass gegeben. Nach *L.* XIV. 'le Grand', geb. 1638, König 1643, mündig 1651, dem Begründer sowohl der absoluten Königsgewalt als der frz. Hegemonie in Europa, sowie weit ausgreifender colonialer Bestrebungen, † 1715, sind getauft: *a) Port L.,* Hafenort des dép. Morbihan, am Eingang der Rhede v. Lorient, v. *L.* selbst angelegt, z. Revolutionszeit in *Port Libre* (= freier Hafen) od. *Port de la Liberté* = Hafen der Freiheit umgetauft (Meyer's CLex. 14, 122); *b) Louisiana,* das ganze Thal des Missisipi, v. dem der j. Unionsstaat gl. N. nur noch einen letzten Rest bildet, f. seinen König feierlich in Besitz genommen u. getauft v. Rob. cavalier La Salle, welcher schon 1680, v. Franciscaner Hennepin begleitet, bis z. Mündg. des Illinois R. den Strom abw. u. bis zu dem Fall St. Anthony wieder aufw. befahren hatte, dann aber, 1682 den Missisipi bis z. Mündg. befuhr (Quack., US. 129, Buckingh., East. u. WSt. 2, 319; 3, 373, Slave St. 1, 300, Uhde, RBravo 144, ZfAErdk. 3, 434; nf. 3, 70). Auch Hennepin's Reisebericht 1683 führt den Titel 'Description de la *Louisiane*' (CMinn. HS. 1, 29) u. sagt in der Widmg. an Ludwig XIV. ausdrücklich: 'Wir haben dieser grossen Entdeckg. den Namen *Louisiana* gegeben'. Die Colonie wurde 1684 ggr. (Bergh., Ann. 2, 126); *c) Ile L. le Grand,* in Feuerl., v. frz. Seef. Beauchesne am 8. Sept. 1699 getauft (Debrosses, IINav. 363); *d) Louisbourg,* auf Cape Breton, v. den Franzosen 1713 ggr. — *L.* XV., der Urenkel 'des Grossen', geb. 1710, König 1715, mündig 1723, anf. 'der Vielgeliebte', dann mit aller Welt zerfallen, Schöpfer einer ungeheuern Schuldenlast, 'après nous le déluge' voraussehend, † 1774, auch er ist durch einige geogr. Namen geehrt: *a) Louisiade,* schon v. span. Seef. L. V. de Torres 1606 gesehen u. f. die golfartig ausgebuchtete Verlängerg. NGuinea's gehalten, auch 1769 v. frz. Seef. Bougainville (Voy. 263) als *Golfe de la Louisiade* (s. Salomon) eingetragen u. erst 1793 v. d'Entrecasteaux in eine Inselflur aufgelöst (Krus., Mém. 1, 1, 63); *b) Port L.,* auf Mauritius, welches v. 1721—1814 in frz. Besitze war (Meyer's CLex. 14, 122); *c) Cap L.* s. Kerguelen. — *L.* XVI., geb. 1754, König 1774, der erste Verbündete der Union, als Sühnopfer in der Revolution 1793 †, lebt fort im ON. *Louisville,* der 1780 einer schon 1772 abgesteckten Stadt Kentucky's gegeben wurde (Meyer's CLex. 10, 954). — *Port L.* s. Tschitschagow.

Louis, St., mehrere ON. nach dem frz. König *L.* IX., 'dem Heiligen', der, 1215 geb., den Thron 1226 bestieg, 1236 mündig wurde, am bekanntesten wurde durch die späten Kreuzzüge, die das Mittelmeer v. den Saracenen befreien sollten, 1248/54 u. 1270, sowie durch den Tod, der ihn bei der Belagerg. v. Tunis wegraffte, als das Opfer einer Seuche, der ein grosser Theil seines Heeres ebf. erlag. Er wurde v. Papst Bonifa-

cius VIII. wg. seiner Frömmigkeit heilig gesprochen, u. seine Krone hiess v. da an die Krone des h. *L.* Sein Tag ist der 25. Aug. — früher der 28. Juli? Denn bei der Taufe des v. JCartier entdeckten *Cap St. L.,* am St. Lorenz G., 28. Juli 1534, sagt der Bericht: 'Le dit cap fut nommé le *cap St.* Loys, pour que ledit jour estoit la fête dudit saint' (M. u. R., VCart. 44); *b)* s. Karthago; *c)* s. Luiz; *d)* s. Galveston; *e)* s. Falkland; *f)* s. Corne; *g)* s. Ontario. — Wie *Saint L.* am Senegal, wo sich die Franzosen seit 1626, also unter *L.* XIII., festsetzten, so ist auch *St. L.* im j. Unionsstaat Missuri, wo am 15. Febr. 1764, also unter *L.* XV., die erste Blockhütte gebaut wurde (Meyer's CLex. 14, 37), nicht sowohl dem heil. *L.* selbst, sondern dem dam. König, als Träger der 'Krone des h. *L.*', geweiht. Der americ. Ort wurde ggr. u. getauft v. Pierre-Liguste La Clède, dem Chef einer Pelzhandels Co. in Ober-Louisiana, u. sollte nach dem Wunsche der Ansiedler eig. *La Clède* heissen (Buckingh., East. & WSt. 3, 111, Möllh., Felsgb. 2, 18, ZfAErdk. 3, 434).

Louis Philippe, Terre, ein Landstück bei dem antarkt. Graham's Ld., v. frz. Adm. Dumont d'Urville am 27. Febr. 1838 entdeckt u. nach dem damaligen 'Bürgerkönig' getauft, wie Terre *Joinville* (s. d.), die östlichste Spitze des erstern, nach dem Prinzen (ZfAErdk. nf. 7, 138). — *Cape LPh.* s. Sabine.

L(o)uisenburg, eine Burg im Fichtelgebirge, sonst *Luchsburg,* 1805 umgetauft zu Ehren der preuss. Königin Louise, als das hohe Paar das Granitlabyrinth besuchte (Meyer's CLex. 10, 1012). — *Ile de la Reine Louise* s. Trois-Cocotiers. — *Louise Island* s. Seagull. — *Lovisa,* in finn. Nyland, 1745 ggr., 1752 getauft nach der dam. schwed. Königin Lovise Ulrika (ZfAErdk. 1871, 314).

Loumanagh s. Limerick.

Lound s. Nuyts.

Loup = Wolf, entspr. span. *lobo* (s. d.), aber nicht so oft in frz. ON. *a) Plaine du L.,* ein Plateau des Jorat, erst 1816 urbarisirt (Gem. Schweiz 19, 2ᵇ, 117); *b) Pierres au L.* s. Roma; *c) Rivière du L.* s. Wolf. — Dagegen entstand *St. L.,* ON. bei La Sarraz, Waadt, aus *Sanctus Lupicinus,* der im 6. Jahrh. hier als Einsiedler gelebt habe (Gem. Schweiz 19, 2ᵇ, 117, Mart.-Crous., Dict. 559).

Lourdoueix s. Oratorium.

Lourenço, port. Form f. Laurentius (s. d.), einmal als *São L.* (s. Madagascar), profan als *L. Marques,* von der Delagoa-Bay, benannt nach einem Portugiesen, welcher hier zuerst einen Posten f. den Elfenbeinhandel errichtete (Lyons M'Leod, Trav. 1, 154).

Lourmel, ein nuggr. Städtchen der Prov. Oran, benannt nach einem der zahlr. frz. Generäle, welche in der Eroberg. Algeriens den Tod gefunden haben u. denen zu Ehren viele der neuen Orte getauft worden sind (Lilliehöök, 2 J. Zuav. 42).

Loužek s. Luža.

Louzouer s. Oratorium.

70

Lovén, Berg, ein hoher u. prachtvoller Uferberg der Hinlopen-Str., zu NVriesland geh., weit höher u. grossartiger als der ggbliegende Angelius-Berg, v. der schwed. Exp. v. 1861 getauft nach einem der beiden Gelehrten, welche das Gutachten der Kgl. Academie der Wissenschaften in Stockholm betr. das Reiseunternehmen Torell's abgefasst hatten (Torell u. N., Schwed. Expp. 6, Carte). 'Seine obere z. grössten Theile aus Hyperit bestehende Masse hat mit ihren ebenen, steil abstürzenden dunklen Seitenflächen grosse Aehnlichk. mit einem Dache; die unter dem Hyperit horizontalen, hellen Kalk- u. Sandsteinlagen, mit ihren nach dem Sunde fast lothr. abfallenden Seiten, geben dem ganzen Berge das Aussehen eines regelm. kolossalen Bauwerks' (ib. 154). — Ebenso *Cap L.,* in Nordost Ld. (ib. Carte).

Lover's Leap, the = des Geliebten Sprung, ein üb. wilder Schlucht 60 m üb. dem Wissahickon (s. d.) aufsteigenden Felsen, der der Schauplatz einer der zahlr. Ueberlieferungen dieser düstern Gegend ist (Keyser, Fairm. P. 97).

Lovisa s. Louise.

Low = niedrig, in engl. ON. mehrf. verwandt, wie in *L. Head* (s. Stony H.) u. *Lowlands* (s. Highlands). — *Low Island*, wiederholt *a)* ein flaches, niedriges Eiland vor Cap Hansteen, Spitzb., schon bei dem engl. Polarf. Phipps (NorthP. 58), bei der schwed. Exp. 1861 in *Låg-ö*, mit *n* als Artikel, übsetzt (Peterm. GMitth. 10, 132); *b)* eine der Central-Carolinen, einh. *Eauripik* (Meinicke, IStill. O. 2, 359); *c)* s. Snow. — *L. Pass,* ein kaum 2000 m h. Pass der Felsengebirge, im Quellbezirk des Madison R., wo auf beiden Gebirgsseiten die Steigg. zieml. gleichmässig nur 1°,0 beträgt, v. der Exp. Raynolds (Expl. 98) am 25. Juni 1860 gemessen u. getauft. — *L. Point,* bei Langenes, NSemlja, v. holl. Seef. Will. Barents im Juli 1594 entdeckt u. span. *Kaap Bajo* getauft, da den mit dem Span. vertrauten Holländern die fremden Ausdrücke distinctiver schienen als die einheimischen (GdVeer ed. Beke 12, Note). — *L. Sandy Island* s. Robbin. — *L. Wooded Isle* = niedrig beholzte Insel, bei Queensland, eine Sandbank mit niedrigem Waldwuchs bestanden (Peterm., GMitth. 22, 85). — *L. Woody Is.* s. Walker. — *Point Lowly,* ein 'niedriger Landvorsprung' am Spencer's G., der fernste sichtbare Punkt dieser Küste, als der Entdecker, der engl. Seef. Flinders (TA. 1, 156), am 9. März 1802 im Golfe stationirte — ein bedeutsamer Umstand, da mit der Verengerg. u. dem Seichtwerden des Wasserbeckens sowohl als mit dem Niedrigerwerden der Küste immer mehr die Hoffng. schwand, dass die Einfahrt sich als eine grosse Durchfahrt des Australcontinents erweisen möchte.

Lower, comp. v. *low* (s. d.), f. 'das untere' zweier benachb. Objecte, vor Eigennamen (s. Double Fall, Carp Lake, Hill Gates, Geyser Basin), 2 mal in *L. Portage*: *a)* im Hill R., zw. Holly- u. Windy L. (Franklin, Narr. 38, Carte); *b)* im Jack R., zw. Swampy- u. Knee L. (ib. 35, Carte); ferner

in *L. Island,* einem Werder des Missuri, unth. Big Bend (Lewis u. Cl., Trav. 57), in *L. Falls* (s. Upper F.)

Lowry s. Owen.

Lowther Island, in Barrow's Str., am 24. Aug. 1819 v. Parry (NWPass. 56) entdeckt u. nach viscount *L.,* 'one of the lords of His Majesty's treasury', benannt.

Lowzow, Cap, die Nordostspitze der Kurile Kunaschir, v. russ. Admiral v. Krusenst. (Mém. 2, 199) benannt nach Capt. L., welcher im Schiffe St. Katharina 1793 als der 2. europ. Seef. (der erste war der Holländer de Vries 1643) die Strasse passirte.

Loyalty Islands, eine engl. Entdeckg. u. Benenng., die beide nicht gehörig aufgeklärt sind, nach Krusenst. (Mém. 1, 205) dem Schiffe Walpole 1794, nach Meinicke (IStill. O. 1, 235) dem Capt. Raven, v. Schiffe Britania 1795, zugeschrieben, wie im Archipel eine *Walpole Island* (s. Durand's Reef) u. eine *Britania Island,* letztere v. Dumont d'Urville (Bergh., Ann. 5, 215), getauft sind. Auch Krus. erwähnt, aber f. 1803, die 'Britania', Grundemann (Peterm., GMitth. 1870, 365) einen Capt. Butler 1800. Die 'Loyalität' illustrirte noch in den 40er Jahren der Kannibalismus, dem die ganze Mannschaft eines Schiffes z. Opfer fiel; die Leute wurden gebraten u. verzehrt. Eine Anfrage nach dem Motiv des Namens, in 'Notes and Queries', 21. Juni 1890, sowie in Seiberts Zeitschr. f. Schulgeogr. u. in der Rundschau f. Geogr. u. Stat., ist ohne Antwort geblieben.

Luang s. Nakhon.

Lubbock, Mount, in SVictoria Ld., v. Capt. J. Cl. Ross (SouthR. 1, 201) am 19. Jan. 1841 entdeckt u. benannt nach Sir John L., bart., 'treasurer of the Royal Society'.

Luéa s. Lanka.

Lucas, Ile, im Arch. Arcole (s. d.), benannt durch die frz. Exp. Baudin am 10. Aug. 1801 zu Ehren des Schiffcapitäns, 'welcher sich in dem Gefechte des (frz. Schiffs) Redoutable mit der (engl.) Victory unlängst so grossen Ruhm erworben hat' (Péron, TA. 1, 113, Freycinet, Atl. 27). — *San L., San Marcos* u. *San Mateo* taufte der span. Seef. Sarmiento 3 Vorgebirge des Sarmiento Ch. offb. im Hinblick auf die Synoptiker unter den Evangelisten (Fitzroy, Adv. B. 1, 341). — *Golfo de San L.* s. Nicoya. — *Heil. L.* s. Rilo.

Lucayos s. Bahama.

Lucca, B. di s. Bagno.

Lucerne, Cape = Luchscap, an den Küsten v. Süd-Carolina-Georgia, v. frz. Capt. Jean Ribault 1562 so benannt, weil die v. der Ankunft der Weissen erschrockenen Indianer eiligst in das Walddickicht flohen u. nur einen Luchs, altengl. lucerne, zkliessen, den sie an einem Bratspiesse gedreht hatten (Hakluyt, Pr. Nav. 3, 310).

Luch s. Luža.

Luchon s. Bagnères.

Lucia, Santa, f. Entdeckgen des 13. Dec. mehrf. verwandt, nach einer Heiligen, deren Fest auf diesen Tag fällt: *a)* in den Inseln des Cabo

Verde 1461 (Peschel, ZEntd. 83); *b)* in den Kl. Antillen, v. Columbus 1498 entdeckt (Meyer's CLex. 14, 138); *c) Rio de Santa L.*, in Bras., v. A. Vespucci 1501 (Diar. Nav. 88); *d)* s. Utatlan. — *Bahia de Santa Luzia* s. Janeiro. — Ein *L. Berg* u. *L. Bach*, im Horn Sd., Spitzb., v. Baron v. Sterneck im Juli 1872 wie Fanny Spitzz (s. d.) benannt (Peterm., GMitth. 20 T. 4, gef. Mitth. Prof.Höfers, Klagenf. 17. Febr. 1876). — *L. Bach* s. Hanns.

Lucisteig, gew. *Luciensteig*, ein Bergpass aus Graubünden nach Liechtenstein, als 'Steig', d. i. Bergweg, nach dem rät. Apostel der Sage, dem heil. Lucius, einem König Englands, der sein Reich verliess, um das Christenthum zu predigen. 'Er bekehrte Bayern u. kam dann gleichzeitig mit seiner Schwester, der h. Emerita, ... nach Rätien. Die Strasse, welche er nahm, führt noch dermalen den Namen *St. L.'* (Campell ed. Mohr35).

Luckenwalde s. Luža.

Lucknow s. Lakhnau.

Lucky Bay = Bay des glücklichen Zufalls, in Nuyts Ld., v. Čapt. Matth. Flinders (TA. 1, 80) gefunden am Abend des 9. Jan. 1802, als er, mit der Untersuchg. des Arch. de la Recherche hingehalten, ängstl. einen geschützten Ankerplatz f. die Nacht suchte. 'The critical circumstance under which this place was discovered, induced me to give it the name of *L. B.'* — *L. Valley*, am Victoria R., Arnhem's Ld., v. Capt. Stokes (Disc. 2, 86) am 13. Nov. 1839 auf seiner Rückfahrt flussab so genannt, weil er dieser Richtg. folgend die dürren Ebenen vermied, welche bei der Bergtour so beschwerlich gewesen waren, 'to record the satisfaction we felt in escaping a second journey over Thirsty Flat ...'

Luçon, auch *Lozon*, übh. span. lieber mit *z*, vollst. *Isla de los Losones* = Insel der Stampftröge, eine der Philippinen, angebl. nach dem *lusong*, dem hölzernen Behälter, in welchem die Eingebornen den Reis, ihre tägliche Nahrung, stampfen (Pigafetta, Pr. V. 134, Wüllerst., Nov. 2, 203, Spr. u. F., Beitr. 2, 20). Auch Crawf., (Dict. p. 222) denkt an den mal. u. jav. *lásung*, der, in den Philippinen eingebürgert, *losong* gesprochen werde. Allein 'die Sage, dass die Spanier nach dem Inselnamen gefragt u. aus Missverständniss den eines Getreidemörsers erfahren', ist augensch. erfunden. *L.* kommt vor, ehe die Spanier auf Luçon landeten (1569). Crawf. beruft sich darauf, dass die Berghalbinsel, welche die Bay v. Manila im Westen abschliesst, sowie ihr 'most conspicuous' Vorgebirge noch j. *Lozon* heissen, u. er meint: offb. erhielt die Insel ihren Namen v. den sie besuchenden Malajen, viell. gerade v. dem höchst merkw. Aussehen der Gegend, wenn man in die Bay einläuft.

Luco Pino = Schildkröteninsel, mal. Name einer Inselgruppe der Bandasee, nach den zahlr. Schildkröten, zuerst durch den Port. Francisco Serrão erreicht (Barros, As. 3, 5, 6 p. 589).

Lucrino, Lago, heute z. blossen Sumpfe reducirt, im Alterth. als *Lucrinus Lacus* (Plin., HNat. 3,

61), eine Bucht od. Lagune an der Bay v. Puteoli u., als Augustus diese mit jener u. jene mit dem See Avernus vereinigt hatte, in dieser Erweiterg. *Julius Portus* genannt (Meyer's CLex. 10, 1014), einer der zahlr. Namen, die das Haus Julius Caesar's z. eignen Glorificirung wählte.

Ludwig, PN., insb.auch Name vschiedd. deutscher Regenten, in ON. mehrf.: *a) Ludwigshafen*, ggb. Mannheim, eine Schöpfg. des bayr. Königs, 1842 Freihafen; *b) Ludwigscanal*, zw. Main u. Donau, v. demselben König 1836/45 erbaut (Meyer's CLex. 10, 987, Daniel, Hdb. Geogr. 3, 233); *c) König L.'s Inseln* s. Tausend. — *Ludwigsburg*, bei Stuttg., als Jagdschloss ggr. 1704 u. benannt 1705 v. Herzog Eberhard *L.* (Schott, ON. Stuttg. 20, Daniel, Hdb. 4, 744). — Ein bad. *Ludwigshafen*, am Überlinger See, 1826 v. Grosshz. *L.* ggr. (Daniel, Hdb. 4, 791). — In Hessen, wo der Landgraf *L.* X., dem Rheinbunde 1806 beigetreten, als *L.* I. Grosshz. wurde u. Sohn, *L.* II. 1830/48 u. Enkel, *L.* III., der j. Regent, folgten: *a) Ludwigshall*, Saline bei Wimpfen, 1818 angelegt; *b) Ludwigsbrunnen*, in Oberhessen, Ort mit erdig-muriat. Säuerling (Meyer's CLex. 10, 987). — *Ludwigslust*, unweit Schwerin, aus einem Jagdschloss,welches Herzog Christian *L.* II. erbauen liess, 1756 z. Residenz erhoben u. dann allm. z. Stadt angewachsen (Jacobi, Ansp. B. 67). — *Ludwigshöhe*, mehrere Orte, ebf. mit fürstl. Namen (Daniel 4, 688. 788. 803), aber auch einer der grossen Gipfel des Monte Rosa, durch den um die Kenntniss des Gebirgsstockes verdienten österr. Baron *L.* v. Welden (MRosa 36) so getauft, weil er die Höhe an seinem Namenstage, näml. am 25. Aug. 1822, erstieg u. barometrisch mass.

Lübeck, benannt nach dem Slawenkönig Liuby, welcher, wilz. Stammes, südl. v. j. Kaltenhofe einen Waffenplatz gg. die Obotriten erbaute. Dieser, 1139 v. den Rugiern zerstört, erstand 1143 an seiner j. Stelle wieder, u. die wenigen Einwohner v. *Olden* (= alt) *Lubecke* trugen nun den Namen auf den neuen Ort über (Daniel, Hdb. Geogr. 4, 614).

Lüder s. Lauter.

Lüderitz s. Pequena.

Lüdscha s. Lüdscha.

Luegete s. Lookout.

Lüneburg, Stadt der *L.er* Heide, Prov. Hannover, im 8. Jahrh. *Hliuni*, im 9. *Hleon, Lunni*, in dieser einf. Gestalt j. noch wend. *Glin*, erst 956 *Liuniburg*, 959 *Lhiuniburg*, dann auch *Luni-, Luneburch* etc., nicht sicher erklärt. Während Krause (Peterm., GMitth. 7, 147) *lüne, lun(e)* = Riegel, Schwelle vermuthet, denkt Jettmar (Ueberr. 25) f. *Lüne*, wie f. den FlussN. *Lüna*, an slaw. *glina, hlina* = Lehm, Thon; v. 9. Jahrh. an wurde bei den Deutschen z. Regel, das *g* od. *h* im Anfang slaw. Wörter abzuwerfen (Grimm, Gramm. 1, 195). Gegen diese slaw. Zugehörigk. nimmt Förstem. (Altd. NB. 813) einen deutschen Stamm *hliun* an, 'viell. eine Weiterbildg. v. *hleo'*, das zu ahd. *hleo* = Hügel gehört. Damit würde die Annahme stimmen, es habe Herm. Billung auf dem Kalkberge v. *L.*, der ragenden Grenzmarke zw. Sachsen u. Wenden, eine Burg gebaut (Daniel, Hdb. Geogr. 4, 415 ff.). Nach dem Benedictinerinnenkloster *Lüne*, das erst 1172 gestiftet wurde, kann die Stadt nicht benannt sein. — Ein *L.* in NSchottl., v. Deutschen 1763 ggr. (Spr. u. F., Beitr. 7, 75).

Lütke, Graf *Fedor Petrowitsch*, russ. Seemann, geb. 1797, trat in Seedienst 1813, umsegelte unter Golowin die Erde 1717/18, erforschte Kamtschatka u. vier Jahre nach einander (1821/24) die Küsten NSemlja's, befehligte die vierte russ. Weltumsegelg. 1826/28 u. schloss als Admiral 1855 seine activen Dienste. 'In honour of that able navigator, who has done more for the geography of NSemlja than any one since the time of Barents', schlug Dr. Ch. T. Beke (GdVeer ed. Hakl. XCVIII, Carte) vor, das Mittelstück Matthias- bis Barents Ld. als *L. Land* zu bezeichnen. — *L. Insel,* zwei: *a)* in Franz Joseph's Ld., v. d. zweiten österreich.-ungar. Polarexp. Weyprecht-Payer 1872/74 (Peterm., GMitth. 20 T. 23); *b)* s. Pajaros. — *L. Berg,* ebf. zweimal: *a)* in Burger HI., v. d. Exp. Wilczek im Aug. 1872 (Peterm., GMitth. 20 T. 16); *b)* s. Middendorff.

Lütsch-ïnen, zwei Flüsse des Berner Oberlandes, wie *Lütschi-Alp* am Faulhorn u. *Lütscherbach* bei Brienz, hält Gatschet (Arch. HV. Bern 9, 373 ff.) f. eine dial. Nebenform der benachbarten *Lonza*, im *Lötschenthal*, Wallis; er fasst diesen Fluss als 'trüben Bach', mlat. *lozzerina*. Die beiden *L.*, die sich bei *Zweilütschïnen* vereinigen, werden unterschieden als die *schwarze*, weil der Abfluss des untern GrindelwaldGl. durch den v. aufgelöstem Thonschiefer geschwärzten Bergelbach dunkel gefärbt wird (Ebel, Anl. 2, 425), u. die *weisse*, die aus Lauterbrunnen kommt. Diese 'erhält die weisse Farbe v. dem Uebermass aufgenommener Theilchen der im Hochgebirge üb. Lauterbrunn v. den Gletscherwassern angegriffenen Quarzwake, wovon sie, wie andere Gletscherbäche, trüb u. milchig wird' (Storr, AlpR. 1, 97). Einst scheint nur der Abfluss des obern Grindelwald-Gletschers als 'schwarze', der des untern als 'weisse' *L.* bezeichnet worden zu sein. Die Verschiedenheit des Namens hat daher ihren Ursprung, weil das Wasser, so v. dem obern Gletscher herkommt, durch den stihlen Berg, der v. dem Grund an bis oben v. schwarzem Schieferstein bestehet, u. davon allezeit etwas mit sich führet, schwärzlicht aussiehet, bei dem untern aber lauft es üb, einen weissen Kalch u. Marmorstein, v. welchem es auch weisslicht ist u. auch daher den Zunahmen der *Weissen L.* empfangt' (Altmann, Helv. Eidg. 31 f.).

Lüttich, die deutsche, *Liège,* die frz., *Luik,* die vläm. Form f. alt *Leodium,* 8. Jahrh., *Leodicum* u. ähnl., eingehend besprochen v. Grandgagnage (Mém. 132 f.), Förstem. (Altd. NB. 1011) u. G. Kurth (Liège, 1883). 'Der Name scheint aus ahd. *liud* = Volk entsprungen u. eine Ableitg. *liudic* = *publicus* zu sein, also dass der Zusatz 'vicus

publicus' zu *Leodicus* (Pertz, Mon. Germ. 1, 148) viell. geradezu als eine Uebersetzg. anzusehen ist. Die geogr. Lage der Stadt, nahe an der Grenze zw. roman. u. german. Bevölkerg., hat ein unorg. Schwanken in den Namensformen veranlasst. Die echteren Formen *Luticha, Luthecha, Leudica, Leodicum,* scheinen fast durchgängig aus deutschem Munde zu stammen; z. grossen Theile rom. müssen die weichern u. entarteten Gestalten sein, die erstens durch eine Unterdrückg. des gutturalen Consonanten *(Leodium, Leudia),* th. durch Abschleifg. des Dentals *(Liuga, Liugewe),* th. endlich durch eine Verwandlg. des organ. Diphthongs in ein schwächeres *é (Legia, Ledgia)* entsprossen sind. Die neuere frz. Form verhält sich zu *Legia,* wie *bien, rien, hier,* zu *bene, rem, heri,* wie *lièvre* zu *lebraha* u. s. w.

Lützel, alts. *luttil,* ahd. *luzil* = klein, engl. *little* (s. d.), gern in oberdeutschen ON., selten in niederd. Form: *a)* *Lützelau,* alt *Luzilunowa,* 741 in *insula Minor* übsetzt, ein Inselchen des Zürichsees, entspr. *Litzelau,* in Ober-Bayern (Wessinger, Bayr. ON. 48); *b)* *Lützelsee,* im 9. Jahrh. *Luzzilunsea,* ebf. im C. Zürich; *c)* *L.-Aa,* thurg. Flüsschen, das v. d. grössern Murg z. Thur geführt wird, entspr. einer alten *Luzelaha,* in Hessen, *Litzlbach,* im 11. Jahrh. *Luzilinpach,* in Bayern; *d)* *Lützenhardt,* im 11. Jahrh. *Lutzelenhart,* in Württbg.; *e)* *Lützelstetten,* im 8. Jahrh. *Luzilsteten,* in Baden (Förstem., Altd., NB. 1029 ff.); *f)* *Lützelstein,* frz. übsetzt *Petite-Pierre,* elsäss. Veste auf freistehendem Fels (Dict. top. Fr. 2, 108; Meyer's CLex. 10, 999); *g)* *Lützelburg,* 1120 *Luzemburg,* 1126 *Luzelburg,* im dép. Meurthe (Dict. top. Fr. 2, 82); *h)* *Lütjenburg* u. *Luxemburg* (s. d.).

Luft s. Allenwinden.

Luga s. Luža.

Lugano, Lago di = Luganer-See, benannt nach dem bedeutendsten seiner Uferorte, der tessin. Stadt L., in einer antiken Angabe *Lacus Clisius,* in einer zweiten, sowie bei Gregor v. Tours, wohl incorrect, *Ceresius,* daher j. bisw. *Ceresio* (Gem. Schweiz 18, 71, Lavizzari, Esc. 2, 162, Kiepert, Lehrb. AG. 391).

Lugansk s. Lepsinsk.

Lugdunum, kelt.-röm. ON. mehrf. *a)* s. Lyon; *b)* s. Laon; *c)* s. Bertrand; *d)* s. Leiden.

Lugo, Stadt in Galicia, Span., v. röm. *Lucus Augusti* = Hain des Augustus (Willkomm, Span. P. 156).

Luguvallum s. Carlisle.

Luh s. Luža.

Luhulaa s. Oaxaca.

Luimnagh s. Limerick.

Luiz od. *Luis,* die port. u. span. Form f. 'Ludwig', mit *San* in mehrern ON. wie: *a) San L. Obispo,* vollst. *Mission de San L. Obispo de Tolosa de Francia,* Ort in Calif., als Mission ggr. v. Pater Junipero Serra am 1. Sept. 1771 u. dem heil. *L.,* Bischof v. Toulouse, geweiht (DMofras, Or. 1, 378); *b) San L. Rey,* vollst. *Mission de San L. Rey de Francia,* ebf. Mission

in Calif., v. catalan. Franciscaner Ant. Peyri am
13. Juni 1798 ggr. u. dem heil. *L.*, König v.
Frankr. (s. Louis), geweiht (ib. 1, 340); *c) San
L.* s. Potosi; *d) San L. do Maranhão*, j. oft
einf. *Maranhão*, wie der Fluss, vor dessen Mündg.
der Inselort liegt, wo die Franzosen ein Fort,
St. Louis, innehatten, es aber am 3. Nov. 1615
an den Port. Alex. de Moura verloren, der es sofort in *San Felipe* umtaufte, während die Stadt
den frz. Namen in port. Form behielt: 'a pezar
da mudança do nome do forte, a povoação não
veiu a perder a primitiva invocação' (Varnh.,
HBraz. 1, 331).

Luleå, einer der balt. Zuflüsse Norrlands, die
zu ihrem altlapp. Namen das schwed. å zugesetzt
erhalten haben, jedoch mit so verdunkeltem Sinne,
dass häufig *elf* = Fluss beigefügt wird. An der
Mündg. der *L.*, die aus einer *Stora* (= grossen)
u. *Lilla* (= kl.) *L.* entsteht, hatte schon Johann III. u. Karl IX. 'anbefallt köpstäders an-
läggande i dessa nordliga nejder'; zu Gustav II.
Adolfs Zeit, 1621, entstand eine erste schwed.
Anlage, welche jedoch 1642 an das j. *L.*, näher
dem Meere, vertauscht, aber nicht v. allen Einwohnern verlassen wurde. Diese ältere Gründg.,
Gammelstad = alte Stadt, 'är nu liksom af
älder en kyrkstad' (Pettersson, Lappl. 2ff.).

Lules, Rio, ein Zufluss des Rio Dulce, Tucuman,
nach dem grossen Dorfe *L.*, welches an seinem
Ufer sich ausbreitet (PM. 14, 52).

Lumley's Inlet, viell. id. mit Frobisher Str.,
v. engl. Seef. John Davis auf seiner 3. Fahrt,
am 30. Juli 1587, entdeckt u. nach 'my Lord
L.' getauft (Hakl., Pr. Nav. 3, 113) . . . so named
after the Right Honourable the Lord *L.*, in
especial furtherer to Davis in his voyages, as to
many other lordly designs, also nach einem
übaus wohlthätigen Manne, welcher u. a. der damals armen Fischerstadt Hartlepool den Hafen-
damm auf eigne Kosten aufbaute u. mindestens
2000 £ auf dieses eine Werk verwandte (Rundall,
Voy. NW. 156, Forster, Nordf. 358).

Lump, the = der Klumpen, eine hohe massige
Küsteninsel v. Tasmans Ld., nach ihrer Form
1820 benannt v. Capt. Ph. P. King (Austr. 2, 73).

Lumpukolsk s. Troizkoi.

Lunae Montes s. Comoren.

Lunaguana = Guanothal, ein Thal südl. v.
Lima, das dem ausgedehnten Gebrauch des Guano
grosse Ergiebigkeit verdankte; namentlich schrieb
man Grösse, Wohlgeschmack u. Schönheit der
Quitten, Granaten u. anderer Baumfrüchte dem
üb. die so gedüngte Erde hergeleiteten Wasser
zu (Acosta, H. Ind. lib. 4 c. 37 p. 286).

Luncheon Cove = Bucht des Zwischenmahls,
'Znüni', eine bequeme, vor allen Winden sichere
Bucht an der Südostseite v. Anchor I., v. Cook
(VSouthP. 1, 78) so benannt, weil er bei der Ex-
ploration am 13. April 1773 mit seinem Gefährten
Forster, zur Seite eines angenehmen Baches u.
durch Bäume vor Wind u. Sonne geschützt, ein
Mahl v. Krebsen hielt.

Lund = Wald, Baumwald, dän. ON. in dem

fruchtb. buchwaldreichen Südtheile Schwedens
(Passarge, Schwed. 13. 35), wie die sjael. ON. *L.*,
Lundby = Waldort u. *Lundsgaarde* = Wald-
hof; auch altn. *lundr* hat die Bedeutg. eines
kleinen Waldes (Madsen, Sjael. StN. 221). — Dagegen ist isl. *Lundey* = Insel der See-Papa-
geien, v. *lundi*, zool. Mormon fratercula Tem.,
'Larventaucher', einer Art Alken, welche auf der
kleinen Inselgruppe zahlr. vorkommt (Preyer-Z.,
Isl. 53).

Lundenvic s. Sandwich.

Lunga s. Grossa.

Lungkhieu s. Lieukhieu.

Lunkpugl s. Troizkoi.

Lupata, Gebirgsname in Ost-Afr., sollte 'Wirbel-
säule der Erde' bedeuten (Hertha 3, 541; 5, 21),
ist jedoch, dem Durchbruch des Zambezi entspr.,
s. v. a. 'Clus', nach Peters (Humb., ANat. 1, 192)
'das geschlossene, versperrte, nur durch einzelne
Flüsse durchbrochene' od. 'Schlucht mit senkr.
Wänden', Engpass (Livingst., Miss. Tr. 656,
ZfAErdk. 6, 265, Peterm., GMitth. 4, 85).

Lurbus, besser *el Arbus*, ON. in Tunis, urspr.
phön., wie die bei Prokop u. a. erscheinende
Form *Laribos* bestätigt, v. den Römern (mit Um-
deutung) in *Colonia Aelia Augusta Lares* (s.
Aelius) umgetauft (Barth, Wand. 226).

Lure s. Lauter.

Lurlei s. Lorelei.

Luserna, ON. des Trento, verdeutscht *Lusarn*,
in der Deser. Dioec. *Luseremus*, zunächst f. den
Berg, auf dem der Ort liegt, ozw. v. *lusa*, das
in den oberital. Dialekten mit 'Wasser' zu verbinden ist, wie die Wurzel *lu, luv*, einen wässerigen,
feuchten Ort bedeutet. So heisst im Thal v.
Scalve *lusa* geradezu Wasser; anderwärts ist
sluscia = Platzregen, *lüsia* im lad. v. Fassa
eine schwache, weiche Sache, woher *Monte Lu-
sia*, im Val di San Pellegrino, ein Berg v. sehr
zerbrechlichem Fels u. mit sumpfigen Wiesen.
So habe ozw. auch *Luserna* die Bedeutg. 'wasserreicher, leicht einstürzender Boden' u. sei, v.
neulat. Bildg., dem Berg (u. Ort) vor Ankunft der
deutschen Einwanderer gegeben worden (Malfatti,
S. top. Trid. 73).

Lusitania s. Portugal.

Lušnitz s. Luža.

Lût s. Todtes M.

Lutetia s. Paris.

Luter s. Lauter.

Lutherbrunnen, eine Quelle in der Gegend v.
Altenstein, Sachsen-Meiningen. Die Sage behauptet, hier habe Luther, bevor er am 4. Mai
1521 auf seiner Rückkehr v. Worms ergriffen
wurde, unter einer Buche ausgeruht u. v. der
Quelle getrunken (Meyer's CLex. 1, 461).

Lutici, 789 *Lutitii*, dann *Liutici, Leutici*, ein
Hptvolk der polab. Slawen, nördl. v. der Lausitz,
in den mittlern u. nördl. Gegenden zw. Oder u.
Elbe, wg. ihrer Tapferkeit berühmt (s. *lut, ljût*
= wild, tapfer (Kühnel, Slaw. ON. 88f.). Daher
ihr Land *Luticia*. Hiessen auch *Weleti, Wele-*

tabĭ, Welatabi, Wiltzi = die mächtigen, starken,
v. *welet*, russ. *wolot*. Jettmar (Überr. 12) verbindet
damit den ON. *Welsow*, Ukermark, *Wildamor*
= Wilten- od. Weletenmeer (f. Ostsee), u. ᾽selbst
die Insel *Wolin*, urk. *Woltze* 946, hat v. diesem
Volke den Namen᾽. Ein dritter Name dess. Volks,
Wilken, woher das Land *Wilcia*, v. *wlk* = Wolf,
hat sich in *Wolkow, Wulkow*, mehrf. in Brandenburg u. Pommern, erhalten.

Lutraki, ngr. *Λουτράκι* = Baden, ein Hafenplatz am Isthmus nordöstl. v. Korinth, nach den
aus vielen Felsöffnungen hervordringenden u.
ins Meer sprudelnden Thermen (Curt, Pel. 2, 545).

Lutschu s. Lieukhieu.

Luwâ, Wady, v. arab. *luwâ* = umschlingen,
also = Gürtelthal heisst das Thal, welches das
Ledscha, d. i. den westl. Trachon, im Osten u.
z. Theil auch im Norden umschlingt (Wetzstein,
Haur. 85).

Lux-Aena = die schönen Weiber nannte (mit
ind. Ausdrucke) der engl. Capt. Duncan einen am
14. Mai 1788 entdeckten Hafen am Südende der
Queen Charlotte's Is., 52^0 07' N. (GForster, GReis.
1. 57).

Luxemburg, der Hptort des Grosshzgth. gl. N.,
738 *Lucilinburch*, im 10. Jahrh. *Lutilinburg*,
Luzilunburch, 1100 *Lucelunburg* u. s. f., gehört
zu den Formen mit ahd. *luzil* = klein (s. Lützelau)
u. bildet somit, nebst seinem kleinen holstein.
Namensvetter *Lütjenburg*, den Ggsatz zu Mecklenburg (Förstem., Altd. NB. 1030). Die Burg, viell.
an Stelle eines röm. Castells, wurde 963 v. Grafen
Sigfried erworben, dessen Nachkommen nahmen
1120 den Titel ᾽Graf v. *L.*᾽ an, u. erst 1354,
unter Kaiser Karl IV., wurde die Grfsch. *L. z.*
Herzogthum erhoben (Meyer's CLex. 10, 1041f.).

Luxor s. Kasr.

Luz, Señora de la = ULFr. v. Licht, die erste
Entdeckg. der span. Exp. Quiros am 25. April
1606, in den NHebriden, einh. *Mota*, v. dem
engl. Capt. Bligh 1789 nach der Form *Sugar
Loaf* = Zuckerhut genannt (Journ. RGS. 1872,
229).

Luža = Sumpf, ein viel verwendetes Namenelement der häufig üb. Sümpfe u. Moore verbreiteten slaw. Volksstämme, čech. *luh*, adj. *lužní*
= zur Aue gehörig, *lužnice* = Aue: *Loužek,
Loužna, Loužnitz*, Orte in Böhmen, *Luh,
Luhy*, in Galiz. u. Böhmen, ferner *Lužce, Luže,
Lužec, Luženz, Lužic, Lužna, Lušnitz, Luš-
nice*, ein Zufluss der Moldau (Miklosich, ON.
App. 2, 198, Umlauft, ÖUng. NB. 135 ff.). Ferner
das *Havelländer Luch, Luh*, das Dorf *Lochow*,
eig. *Luhow*, die böhm. Stadt *Luze*, in quellenreicher Gegend des Chrudimer Kreises, ferner
ein Fluss u. Ort *Luga* in Ingermanland. Im
südl. Serbien eine *Lušanze*. *Lugomira*, wo *mir* =
Land. Mit der Uebs. ᾽Wald᾽ verbunden im ON.
Luckenwalde, Brandenb., ferner *Lugier* od. *Ly-
gier, Lugionen*, die Bewohner des alten Slawen-
landes *Luhy*, u. ganz entschieden auch die *Lausitz* (s. d.).

Luzern, Stadt am Ausfluss der Reuss aus dem
Vierwaldstätter-See, spec. dem L^{er}-*See* (s. Vier),
urk. echt zuerst bei Kaiser Lothar 840 *Lucia-
ria*, später auch *Luceria* u. *Lucerna*, letztere
Form insb. auch in dem vorgebl. dem Jahr 695
angeh. Stiftgsbriefe Wikards, mit dem Beisatze
᾽ex antiquitate dictus locus᾽, wurde mit Vorliebe
als ᾽Leuchte᾽ gedacht, im Sinne v. Etterlin (Luz.
Chron. 4) so, dass da, wo j. die St. Leodegars-
kirche steht, ein funkelndes Licht bemerkt, dann
eine Capelle u. v. alemann. Herzog Wikard ein
Kloster erbaut worden wäre. So dachte auch
Myconius (Comm. Glar. Paneg. 42), nachdem der
Humanist A. v. Bonstetten die ᾽Leuchte᾽ bildlich
genommen hatte: ᾽*Lucernam* aestimo a priscis
dictam, quasi omnibus aliis circum vicinis oppi-
dis amoenitate et fortitudine tanquam lucerna
praelucens᾽ (Mitth. ZAG. 2, 100). Nach seinem
Muster sagt 1500/04 Balci Descr. Helv. (QSchweizG.
6, 87): Si nomen rei conveniat, erit utique lux
atque splendor urbium Svitensium. Auch eine
prosaische Laterne, v. Wasserthurm aus, soll als
Leuchte gedient haben, nützl. genug in einem
Fahrwasser, das künstl. aus einem Sumpf erst
hergestellt wäre (Müller, Schwzgesch. 1 cap. 9)
u. früher die Schiffe zwang, schon bei Altstad
zu landen ... ᾽von sölichem oben angezeigtem
Licht ward ier Platz u. Port v. den Römern nach
ihrer Spraach genannt *Lucerna*᾽ (Stumpf, Chron.
lib. 7 c. 6). Der Keltomane L. de Bochat Mém. 3,
481) sah in *L.* eine kelt. Anlage u. einen kelt. Namen.
Er erinnert an die Vorliebe, welche die Kelten f.
die Wasserlage ihrer Wohnorte, insb. f. die Stellen,
wo ein Fluss in den See mündo od. ihn ver-
lasse, an den Tag gelegt haben; um wie viel
mehr musste ihnen der Zugang z. StGotthard
gefallen ... ᾽sur le chemin le premier ouvert
dans les Alpes pour l'Italie de l'Allemange᾽;
diesem Orte gaben sie gewiss auch einen der
Lage entspr. Namen: *Lug-cern* = See'shaupt,
gerade wie *Luzerne*, in Piemont u. in der Normandie, *Luzernac*, in Roussillon etc. Gatschet findet
zwar (OForsch. 57), dass ᾽die Herleitg. v. *lucerna*
sich sehr wohl hören lässt᾽, dass *L.* ᾽jedenfalls
v. einem rom. Worte abstammt᾽, dass ᾽indess nahe
liegt, an *lozzeria* = Sumpfpartie, Morast, v. rätr.
u. ital. *lozza* = Koth, zu denken᾽. Ganz umgekehrt der Luzerner Rector J. Leop. Brandstetter,
dessen Specialität darin besteht, in den ON. die
deutschen PN. zu verfolgen. Ihm ist *L.* v.
deutscher Abkunft, aus *Luzo*, der Kose- u. Kurzform f. *Chlodegar, Leodegar, Liutger*, u. *ern*,
ahd. *arin, airin* = Feuerplatz, Vorhof, Hof,
wie ja auch die Stiftskirche St. Leodegar die
nähere (neuere) Bezeichn. ᾽im Hof᾽ trägt u. unter
den murbach. Aebten das Hauptgericht auf ihrem
Vorhofe gehalten wurde᾽ (Blätt. kath. Schwz. 11,
542 ff.). Dieser Ableitg. schloss sich 14 Jahre
später auch M. Wanner (Luz. Tagbl. 1883, Unth.
12 f.) an, u. es ist kein Zweifel, dass *Leuggern*,
bei Zurzach, urk. *Lütgern, Luteger*, das Dorf
des Liudiger, Liutger, latin. Leodegarius, u. zwar
des heil. Leodegarius, ist (Gatschet, OForsch. 135).
Eine Uebtragg. *L.* s. Jekaterina.

Luzia s. Janeiro.

Lwow s. Lemberg.

Lyall Islets, in SVictoria, v. Capt. J. Cl. Ross (SouthR. 1, 250 ff.) im Febr. 1841 entdeckt u. nach einem seiner Officiere David L., dem Assistenzarzt v. Schiffe Terror, benannt; b) L. Bluff, ein pyramidaler 6 m h. Fels, Wellington Ch., v. Capt. Edw. Belcher (Arct. V. 1, 85) 1852 benannt nach seinem Gefährten, dem Schiffsarzt Dr. L., welcher ihn bei der Landg. begleitete.

Lyatásalè = breites Vorgebirge, sam. Name einer Waldgegend in Kánin, weil sich dieser Strich aus niedern Breiten heraufzieht u., einem breiten Cap vergleichb., aus dem weiten offnen Tundrameer heraus vorragt, russ. übsetzt *Tolstòj Nos.* Den Ggsatz dazu (s. Kanin) bildet das Nordwestende des allmählich sich verschmälernden Höhenzugs (Schrenk, Tundr. 1, 685).

Lydia, alter Name der Landschaften hinter Smyrna, insbes. im fruchtb. Thale des untern Hermos, wo urspr. der Sitz der Lyder, assyr. *Lud,* war, die den Griechen zuerst als *Μῄιονες* (in jonischer Form) bekannt wurden, so dass L. noch bei Ptol. auch *Maeonia* hiess. Am obern Hermos ein Plateau: *Κατακεκαυμένη Χώρα* = Brandland, mit vulcanischem, aschfarbigem Boden u. schwarzen, wie verbrannten Felsmassen, sowie mit noch sichtb. Erdschlünden (Strabo 628), u. die *φύσαι Ἡφαίστου* = Blasebälge des Hephaestos, türk. *Kara Dewit* = schwarzes Tintenfass (Kiepert, Lehrb. AG. 112). — L., eine der Central-Carolinen, einh. *Pik, Pikela,* benannt nach dem Schiffe L., welches sie 1801 auffand (Meinicke, IStill. O. 2, 357).

Lydra s. Ranger.

Lyell Range, eine bemerkenswerthe Reihe v. Dünen, welche sich an der Ostküste der austr. Sharks Bay, eine Strecke weit nördl. v. Gascoyne R., parallel dem Strande hinziehen, und 'as it offered many geological phenomena' v. Capt. G. Grey (Two Expp. 1, 368. 374) 1838 getauft 'in compliment to the distinguished geologist of that name'. — Ebenso *Mount L. a)* in Tasman's Ld., am 12. März 1837 (ib. 1, 178); b) westl. v. Darling, v. Major T. L. Mitchell (Three Expp. 1, 241) am 26. Juni 1835.

Lykaonia, die centralste der kleinasiat. Landschaften, nach ihren Bewohnern, den Lykaonen, benannt, zumeist ein nur z. Weide taugl., dürres Steppengebiet mit salzigem Boden u. Salzseen (s. Tus Göl). Die baumlose Steppe hiess *Axylos,* gr. *Ἄξυλος Χώρα* = holzloses Land, v. ά = ohne u. ξύλον = Holz, Brennholz (Kiepert, Lehrb. AG. 89, Pape-B., WB. griech. EN.). 'Ab re nomen habet: non ligni modo, quicquam, sed ne spinas quidem aut ullum aliud alimentum fert ignis; timo bubulo (!!) pro lignis utuntur (Liv. 38, 18).

Lykosura, gr. *Λυκόσουρα* = Wolfsschwanz, Stadt im südl. Arkadien (Paus. 8, 2, 1 ff.). Aehnl. sind: b) *Λυκουρία* = Wolfsberg, Ort im nordöstl. Arkadien (Paus. 8, 19, 4); c) *Λυκώρεια* = Wolfsberg, der höchste der Felsgipfel des Parnass obh. Delphi (Strabo 418), noch j. *τὸ Λυκέρι* (Bursian, Gr. Geogr. 1, 157); d) *Λυκωρός* = Wolfsberg,

eine Bergspitze des Parnass in Phocis (Luc. Tim. 3). — *Lykos a)* s. Kelb, b) s. Zapatas. — *Lykopolis* s. Siut.

Lymbèt-Tos = die öden (d. i. fischleeren) See'n, sam. Name einiger ansehnl. See'n im Grossland, russ. übsetzt *Pustynnyja Osera;* daher der Abfluss *L.-jagá* = öder Fluss, russ. *Pustynnaja* = die öde (Schrenk, Tundr. 1, 347).

Lymfjord s. Lijmford.

Lyon, ON. in Frankr., aus kelt. *Lugdunum,* gr. *Λούγδουνον,* das 'Plutarch' (de fluv. 6, 4), 'entschieden falsch', als 'Rabenberg' deutete. Klitophon erzählt, bei Gründg. des Orts sei eine Menge Raben hergeflogen u. habe die Bäume der Umgebg. bedeckt, u. daher habe der Gründer, der Wissenschaft der Auguren kundig, der Anlage ihren Namen, v. kelt. *lugon* = Rabe u. *dunum* = Hügel gegeben. Während nun H. Kiepert (Lehrb. AG. 514), unter Einführg. der Münzlegende *Lugudunum* als der vollen Form (Rev. Celt. 8, 169 ff.), die antike Deutg. beibehält, so will, an Stelle der Raben, Bacmeister (Kelt. Br. 103) ir. *laigiu* = kleiner, *lugem* = kleinster u. dgl. beiziehen, also 'Lützelburg', Kleinburg, setzen; der Baron Ravéral (Rev. Lyon, Juli u. Oct. 1882) denkt an colline des *lônes* = Sumpfhügel, u. nach Littré (Dict. Suppl.) ist *lone* in der Gegend v. L. noch j. f. gewisse Flussarme üblich (RdDenus, AProv. 238). Auch als 'desideratus mons' wird in l. erwähnt. v. Endlicher publicirten u. wahrsch. aus dem 5. Jahrh. stammenden gall. Glosse der Name L. erklärt (Rev. Celt. 8, 171). Nun übsetzt aber der Keltist H. d'Arbois de Jub. (Rev. Celt. 8, 123) den kelt. Namen bestimmt mit 'forteresse du dieu Lugus', u. er zeigt übdiess (ib. 170), dass die v. Pseudo-Plutarch angeführte Etym. 'Rabenberg' im 1. u. 2. Jahrh. in Gallien geläufig war, sowie dass die ältere, den kelt. Sprachgesetzen entspr. Form *Lugu-dunum,* gr. *Λουγόδουνον* war u. erst die spätere röm. Umschreibg. den Endvocal der ersten Bestandtheils verloren hat. Eine 'Bergstadt' war der Ort urspr., da er auf der Höhe v. *Fourvière,* ant. *Forovetere* = dem alten Forum lag (Kiepert l. c.). — Nach dem Ort im Mittelalter das Umland *Lyonnais.*

Lyon's Inlet, eine Einfahrt in Fox Ch., v. Parry (Sec. V. 82 ff.) im Sept. 1821 nach seinem 'brother-officer', Capt. George Francis L., v. der Hekla, getauft; ebenso *Cape L.,* am Eingang der Darnley Bucht, v. Dr. Richardson, dem Gefährten Franklins (Sec. Exp. 240) am 25. Juli 1826. — *Lyonsville* s. Treasure.

Lyra's Island, eine der südlichsten Inseln im Arch. v. Korea, v. Capt. Basil Hall (Cor. X, Carte) nach seinem Schiffe L. getauft; b) L. *Shoal,* eine Untiefe bei NIrl., v. Capt. Renneck, Schiff L., am 8. Febr. 1826 entdeckt (Krus., Mém. 2, 470).

Lys, deutsche Namensform fr. frz. *Laise,* ital. *Lesa,* der v. Monte Rosa herabströmende Fluss v. Gressoney, das Thal *Val Lesa, Lysthal,* der wilde Kamm, an dessen Fusse sie dem *Lysgletscher* entquillt, *Lyskamm* (Schott, Col. Piem. 6. 24. 93. 315, Saussure, VAlp. 338). Das Thal heisst schon in Münster (Kosm. 263) das *Krämer-thal,* 'weil (nach Scheuchzer, AlpR. 1705, wo freil. das benachb. Val Ayaz damit verwechselt ist) seine Bewohner verschiedd. Gegenden mit allerlei Waaren durchwandern'. Noch heute wandern die die jungen Männer v. Gressoney als Handelsleute aus, u.'zu Münster's Zeit hiessen bei den Schweizern die piemont. Handelsleute im allg., zunächst also ozw.des *Krämerthals,Gristheneyer,Gryscheneyer*' (i. e. Gressoneyer). In einer Zeit, wo in Deutschland der Verkehr mit baumwollenen u. seidenen Waaren sehr darniederlag, haben sie in der nördl. Schweiz u. in Schwaben eine Anzahl Handelshäuser ggr., die sich noch j. mit derartigen Waaren abgeben. Der Thalfluss *L.* heisst bei den Gressoneyern selbst das *Landwasser,* gerade wie bei den Deutschen des benachbarten Rimella der Mastalone. Die Dufour C. 23 hat *Vallée de Gressoney,* nach dem Hptorte *G.* St. Jean (das oberste Dorf heisst *G.* la Trinitê). — *Ile du L.* s. Glorioso.

Lysa, *Lyssa* u. *Lissa,* Orte in Böhmen, v. čech. *lysy,* poln. *lysy* = kahl, wie *Lissa Hora* = kahler Berg, ein Berg der Beskiden, u. *Lysa Gora,* v. gl. Bedeutg., die Berggruppe v. Sandomir, Galiz. (Miklosich, ON. App. 2, 198, Umlauft, ÖUng. NB. 132. 137).

Lysimachia, gr. *Λυσιμάχεια,* Ort an dem 36 Stadien = 7₇ km = 6 röm. M. br. Hals der thrak. Halbinsel, wo schon vor den Perserkriegen,

z. Schutz gg. thrak. Raubzüge, eine Grenzmauer des griech. Besitzes *Μακρὸν τεῖχος* = grosse Mauer, angelegt war; die Stelle des am mittlern Thore entstandenen Handelsplatzes*Ἀγορά* = Markt wählte, nachdem das Reich Alexanders getheilt war, Lysimachos z. Hptstadt seines Reiches, unter dem Namen *L.* Die zerstörte Stadt wurde in byzantin. Zeit, wenigstens als Festungswerk, wiederhergestellt u. erhielt dabei ihren heutigen Namen *Hexamilion,* nach der Breite des Landhalses (Kiepert, Lehrb. AG. 326).

Lyssau s. Altenburg.

Lyttleton, Port, in NSeel., aus *Port Cooper* umgetauft nach dem Präsidenten der 1851 angenommenen Colonisationsgesellschaft(Glob.12,87), Lord George Will. *L.,* 1817/76, dem Vater der theokrat. Mustercolonie Canterbury. Er war einer der hervorragendsten Mitglieder der hochkirchl. Partei des Oberhauses u. nahm insb. an allen Colonialfragen lebhaften Antheil (Meyer's CLex. 11, 18). Lord *L.* gehörte unter die Philanthropen, welche in Sachen der Auswanderg. gesundere Bahnen einschlugen. Der Ort 'is named after the nobleman without whose aid the association would not have made its settle'. Den Eingang des Hafens bilden 2 kühne Felsköpfe; *Godley-* u. *Adderley Head,* ebf. nach Förderern der Colonie getauft (Trollope, Austr. 3, 201 f.).

M.

M, Cachoeira do = M-Fall, port. Name eines Falls des brasil. Rio Doce, nach der M-Form der Windungen (Journ. RGSLond. 1874, 274).

Ma = Stein ist in den Khássiabergen Indiens ein in Zssetzungen häufig gebrauchter Ausdruck, bezogen auf die mehr od. weniger rohen Pfeilergruppen, welche z. Andenken wichtiger Handlungen, nam. v. Verträgen, errichtet werden. So *Maflong* = grasiger Stein, 'probably' v. den Umgebungen der Säulen im Ggsatz zu solchen, welche auf blossem Felsen errichtet sind, *Mamlu* = Salzstein, weil bei den Khassiern eine Eideshandlg. darin besteht, Salz ab der Spitze eines Schwertes zu essen, *Masmái* = Eidstein, v. *smái* = Eid (Schlagw., Gloss. 216). — Dagegen *Roto Ma* = weisser See, bei den Maori der neuseel. Seendistricts nach dem weissen sandigen Uferstrande (Hochst., NSeel. 291).

Maabar s. Coromandel.

Máalagoj = Zeltrücken, 'sehr bezeichnender' sam. Name eines langgezogenen Höhengrats im Grossland der Samojeden; denn auf der allmählich sich erhebenden u. gleichmässig begrenzten Scheitellinie stehen, Ameisenkegeln vergleichbar, kleine conische Spitzen od. Zacken, welche das Ansehen entfernter Nomadenzelte täuschend darstellen (Schrenk, Tundr. 1, 339).

Maamees s. Estland.

Maarath, hebr. מַעֲרָת = nackter, von Bäumen entblösster Ort, eine Ortschaft im Stamme Juda (Jos. 15, 59). Aehnliches bezeichnen auch (Gesen., Hebr. Lex.) *'Obal,* hebr. עֵיבָל, Volk u. Gegend des joktanit. Arabiens (1. Mos. 10, 28), u. *Ebal* (s. d.).

Maas, Nebenfluss des Rheins, vläm. *Maes,* frz. *Meuse,* die *Mosa* der alten Autoren, 1268 *Mueze,* 1278 *Muese,* 1331 *Mueuse,* 1411 *Mueuze* (Dict. top. Fr. 11, 149f.), steht bei Förstemann (Altd. NB. 1116) unter dem Stamm *mos* = palus, dem noch andere deutsche Fluss- u. ON., wie *Moos, Moosach* im 8. Jahrh. *Mosaha,* angehören, viell. als ältere Nebenform v. *mor,* ahd. *muor* = Moor, Sumpf (wie *mies* = Sumpfboden), also = Wasser (Mieck, O- u. FlussN. 1). 'Der Vocal dieses Stammes scheint nur ein in Folge tieferer Aussprache getrübtes *a* zu sein'. *Mosel* (s. d.) wohl eine Weiterbildg. desselben Stamms. Alte Zssetzungen: *Mosagao* = Maasgau, *Masalant* = (Dorf) Maasland, *Masemunster,* *Masanuda,* in der Nähe der Maasmündg., *Masuic,* j. *Meeswijck,* Ort bei

Maastricht (s. Utrecht), dem röm. *Trajectum* (= Ueberfahrt) *ad Mosam*, 'nom emprunté à la circonstance d'¹ passage de la Meuse pour la voie antique reliant ₁ ongres à Cologne' (Longnon, GGaule 387), wo indess die *trecht* längst durch eine Brücke, seit 1683 durch eine 162 m lg. Steinbrücke ersetzt ist (Meyer's CLex. 11, 20). — An einem südholl. Flussarm der Ort *Maassluis*, v. holl. *sluis* = Schleuse.

Maascha s. Schaaul.

Maatsuyker's Rivier nannte der holl. Seef. A. J. Tasman 1644 einen vermeintlichen Zufluss des Carpentariagolfs zu Ehren des Joan *M.*, eines Mitgliedes des holl.-ind. Raths in Batavia, welcher, zs. mit Antonio van Diemen, Cornelis von der Lyn, Justus Schouten u. Sal. Sweers (WHakl. S. 25, 58), seine Instruction v. 29. Jan. 1644 mitunterzeichnete. Als der engl. Seef. Flinders (TA. 2, 135, Atl. 14 Carton) am 17. Nov. 1802 an Ort u. Stelle kam, fand er nur eine weite Ausbuchtg., welcher mehrere Inseln, 'the southernmost of Wellesley's Islands', vorlagen; auf diese wollte er den Namen *M.* nicht übtragen, weil schon *M.'s Eilanden*, v. Tasman auf der ersten Reise 1642 getauft, an der Südküste Tasmania's existirten, u. so nannte er eine derselben *Sweers' Island*, nach Salomon Sweers, einem der andern unterzeichneten Räthe (Atl. 7, WHakl. S. 25, 58). — *M.'s Eiland*, in Tasmania, wie *Witsen E.*, *Sweers' E.* u. *Boreel's E.*, 'de eylanden daer rontom zyn leggende, soo veel als ons bekent zyn, hebben wy genoempt na d'E. raeden van India' (Tasmans Journ. 66), als welche p. 8 u. 21 erscheinen: Ant. van Diemen, Ant. Caen, Corn. V. D. Lyn, Joan Maetsuycker, Justus Schouten, J. Sweers resp. Sal. Sweers, Corn. Witsen, Pieter Boreel.

Maben s. Gallow.

Mably, Cap, an der Westseite des Spencer G., id. *Pointe Nuyts* v. d'Entrecasteaux (Krus., Mém. 1, 35), v. Lieut. L. Freycinet, Exp. Baudin, am 27. Jan. 1803 getauft, offb. nach dem Historiker Gabr. Bonnet de *M.*, 1709—1783 (Péron, TA. 2, 79). — Schon am 10. Aug. 1801 hatte dieselbe Exp. im Archipel Arcole eine *Ile M.* benannt (ib. 1, 113, Freycinet, Atl. 27).

Mabog s. Hiera.

Mabokoni s. Utimi.

Mac Adam Range, eine Bergreihe v. Arnhem's Ld., am Eingang des Queen Channel-Victoria River, v. Capt. Stokes (Disc. 2, 35) im Oct. 1839 benannt nach dem europ. Erfinder (vgl. Humboldt, Ans. Nat. 2, 324) der macadamisirten Strasse, weil die Basis u. die Seiten des aus weissem, sehr compactem Sandstein bestehenden Bergzugs mit kleinen Sandsteinstücken so übstreut waren wie eine neu-macadamisirte Strasse . . . 'the appearance presented was precisely similar to that of a new road, after it had undergone the improving process invented by Mr. *MacA'*.

Macalubi, v. arab. *makhlub* = das Umgestürzte, Umgekehrte (Humboldt, Kosm. 1, 448), mod. Name der Schlammvulcane bei Girgenti, sowie einer ähnl. Localität auf Malta. Das 2 km entfernte

kleinere Phänomen dieser Art wird 'par diminutif' *Macalubette* = die kleinen *M.* genannt (Dolomieu, Lip. 169). Vgl. Maklubeh.

Maçampaba, zsgezogen aus *mbae-acy pabe* = Krankheit alles (überall), Tupiname einer durch ihre ungesunde Lage berüchtigten brasil. Ortschaft (Ausld. 1867, 900).

Macao, ursp. *Ama Cao*, chin. Name einer kleinen, den Port. üblassenen Halbinsel vor Canton, nach einem Götzenbild 'Ama', das sich dort befand, u. zwar zunächst auf die Bay, *cao*, bezogen, somit = Bay Ama (Rundall, Mem. 24).

Macartney, Cape, ein sechsspitziges Cap an der Ostseite China's, durch die engl. Gesandtschaft 1792/93 nach deren Chef benannt (Staunton, China 1, 484). — Schon am 17. Aug. 1785 besuchte der engl. Capt. Thomas Forrest die *M.'s Bay*, in St. Matthew, Mergui (Spr. u. F., NBeitr. 11, 192), die wohl bei dieser Gelegenheit erst ihren Namen erhielt.

Macaskill s. Musgrave.

Mac Cleverty, Mount, am untern Si Kiang, China, benannt nach dem engl. Commander, welcher den Strom im Febr. 1859 untersuchte (Peterm., GMitth. 7, 110).

Mac Clintock, *Francis Leopold*, engl. Nordpolf., in Irland 1819 geb., im Seedienst geschult, schon 1848 unter Capt. Ross zur Aufsuchg. J. Franklins ausgesandt, begleitete 1850/51 den Viceadm. Austin, 1852/54 den Adm. Belcher in das Eismeer u. zeichnete sich durch vortrefflich organisirte Schlittenexpp. aus. Eine neue Fahrt, 1857/59, führte ihn im King William's Land herum z. Entdeckg. des *M. Channel*, einer der vier Durchfahrten des american. Polarmeers. — Schon E. K. Kane (Arct. Expl. 1, Carte) benannte *Cape M.*, in Grinnell Ld., 1853/55, u. in Franz Joseph's Ld. ist *Cap* u. *Insel M.*, v. der zweiten österr.-ungar. Exp. Weyprecht-Payer 1872/74 getauft (Peterm., GMitth. 20 Taf. 20. 23; 22, 202).

Mac Cluer's Golf, ein tief in die westl. Halbinsel NGuinea's einschneidender Meerarm, einh. *Telokberow*, schon 1663 v. Vink entdeckt, aber benannt nach dem engl. Capt. MC., der 1790f. in jenen Gegenden (noch unpublicirte) Untersuchungen angestellt hat (Meinicke, IStill. O. 1, 72. 87); b) *MC.'s Island*, s. New Year.

Mac Clure, *Rob. John*, engl. Seef., in Irland 1807 geb., Begleiter Capt. Back's 1836/38 u. des Capt. James Ross 1848/49, ging 1850 im Investigator z. Aufsuchg. Franklins ab, drang v. der Berings Str. ostwärts vor, untersuchte das schon v. Parry 1819 entdeckte Banks' Land, das er Baring's Land nennen wollte, fand Prince Albert's Land u. überwinterte in Prince of Wales' Strait. Auf Schlittenland erblickte er am 26. Oct. 1850 den Melville Sound u. hatte so die erste nordwestliche Durchfahrt entdeckt. Nach zwei neuen Uebwinterungen wurde die Exp. v. Kellett aufgenommen. Für seine Entdeckg. erhielt er den Preis v. 10 000 £ u. grosse Ehren u. † zu Portsmouth 1873. Nach ihm sind getauft: *a) Bay M.*, in Grinnell Ld., 1853/55 v. E. K. Kane (Arct. Expl. 1, Carte); *b) Cape M.* s. Austin.

Mac Cormick, Cape, in South Victoria, v. Capt. J. Cl. Ross (SouthR. 1, 250ff.) im Febr. 1841 entdeckt u. nach einem seiner Officiere, Robert *M.,* dem Arzte v. Schiffe Erebus, benannt (vgl. Wood's Bay).

Mac Culloch, Cape, an der Westseite der Baffins Bay, v. Capt. John Ross (Baff. B. 1—14. 190f., Carte) im Sept. 1818 getauft, ozw. nach Dr. *M.,* welcher die geolog. Ergebnisse der Exp. bearbeitet hat (ib. app. No. 3); *b)* ebenso *M. Island,* in Boothia Felix, ebf. v. John Ross (Sec. V., Carte) 1829/33; *c) M. Range,* eine Bergreihe am Darling, v. Major T. L. Mitchell (Three Expp. 1, 239) am 24. Juni 1835.

Mac Diarmid's Island, am Eingang v. Felix Harbour (s. d.), v. Capt. John Ross (Sec. V. 300) benannt 1829/30 ozw. zu Ehren des Arztes seiner Exp., George *M.*

Mac Donald s. Heard.

Mac Donnell Ranges, Höhenzüge des innern Austral., benannt zu Ehren des 6. südaustr. Governors, Sir R. Graves *M.,* welcher v. 8. Juni 1855 bis 4. März 1862 sein Amt verwaltete (ZfAErdk. 1874, 401). Er war 1859 selbst z. Nordende des L. Torrens u. hierauf zw. diesem u. L. Eyre z. Denison Range vorgedrungen (Peterm., GMitth. 6, 299. 383, Carte).

Macdougall, Lake, ein See des Gr. Fischflusses, entdeckt am 22. Juli 1834 v. G. Back (Narr. 185) u. benannt nach seinem Freunde, dem Oberstl. des 79. Hochländerregiments.

Macedon s. Makedonia.

Mac Gary Island, an der Ostseite der Kane's Sea, v. E. K. Kane (Arct. Expl. 1, 139) im Oct. 1853 benannt nach seinem Freunde u. Reisegefährten d. N., 'after my faithful friend and excellent second officer, Mr. James *M.,* of New London'.

Machairas s. Tomaion.

Machanat s. Palermo.

Machole = Sclaven, Collectivname, mit welchem die stolzen südafric. Matebele die drei ihnen unterworfenen Völkerschaften der Bahloëkwa, Banyai u. Makalaka belegen (Peterm., GMitth. 16, 8).

Mack, *F. E.,* einer der norweg. Polarfahrer, drang 1870f. in die damals offene Karasee u. das sibir. Eismeer vor, nahm die Nordküste Nowaja Semlja's auf u. fand Zeugen des westind. Ursprungs des Golfstroms (Peterm., GMitth. 17, 101; 18, 384, Carte). Nach ihm sind benannt *M.Hafen* (s. Tobiesen) u. *M. Insel* (s. Carlsen).

Mac Kay's Peak, ein durch seine vulcan. Form u. seine schwarze Farbe auffälliger Berg am rechten Ufer des Gr. Fischflusses, entdeckt am 27. Juli 1834 durch die Exp. G. Back (Narr. 193) u. v. diesem benannt zu Ehren seines ersten Steuermanns, des Hochländers James *M.,* welcher freiwillig unternahm, den Berg behufs Exploration des Flusslaufs zu besteigen. — Ein *M. River,* in Queensland, v. Dalrymple 1859 getauft nach

dem ersten Ansiedler *M.* aus Armidale, NSouth Wales (Peterm., GMitth. 9, 69).

Mackenzie River, der grösste americ. Eismeerzufluss, benannt nach dem brit. Reisenden Alex. *M.* (Voy. 150—276), welcher v. 3. Juni bis 12. Sept. 1789 (nach der Entdeckg. des Sclavensee's u. Sklavenflusses) bis z. Eismeer vordrang. Diesen Namen adoptirte der 2. wissenschaftl. Erforscher des Stroms, Capt. John Franklin, am 17. Aug. 1825, wünschend 'that the name oft its eminent discoverer may be universally adopted'. Die anwohnenden Eskimos nennen ihn den *Grossen Fluss* (Osborn, Disc. 71), u. so nannten ihn bis auf Franklin auch die 'traders and voyagers', die Angestellten der brit. Pelzhandelsgesellschaften, *the Great River* = den grossen Fluss (Franklin, Sec. Exp. 40); *b)* am Polarmeer selbst ein *Point M.,* v. Franklins (Narr. 360) Gefährten, Dr. Richardson, der v. Parry's Erfolg noch keine Kunde hatte, am späten aber taghellen Abend des 14. Juni 1821 aus der Ferne gesehen u. zu Ehren des vermeintlich einzigen Europäers benannt, welcher den Polarocean vor ihm erreicht hätte. Vgl. Isle à la Cache; *c) M.'s Outet,* eine Bucht, 'Ausfluss', wo derselbe Reisende (Voy. 520) am 22. Juli 1793 die pacifische Küste Nordwest-America's erreichte. — *M. Islands,* in den Carolinen, entdeckt am 7. Juni 1823 v. Capt. *M.,* dem Befehlshaber des Schiffes James Scot, auf der Fahrt Acapulco-Calcutta (Krus., Mém. 2, 340). — *M.'s Inlet,* an der Ostseite Grönlands, v. Walfgr. Will. Scoresby jun. (North. WF. 116) am 18. Juni 1822 entdeckt u. nach Sir George S. *M.* getauft.

Mackinaw, vollst. *Michillimackinack* = grosse Schildkröte, ind. Name einer niedrigen buckligen Insel, welche in der Enge zw. Michigan u. Huron Lakes liegt u. einer grossen auf dem Wasser schlafenden Schildkröte ähnelt (Buckingh., East & W. St. 3, 351, GForster, Gesch. Reis. 3, 31). Das *Fort M.* erbaut v. der Exp. la Salle-Hennepin, die 1679 den Ort dem Pelzhandel günstig fanden u. innerh. 2 Wochen f. 12000 $ Pelze eintauschten (Coll. Minn. HS. 1, 24; 3, 169. 192). Der die beiden See'n verbindende Hals heisst *Strasse v. M.*

Mac Kinley Bay, an der Eismeerküste America's, v. Capt. John Franklin's (Sec. V. 218) Gefährten, Dr. Richardson, am 14. Juli 1826 entdeckt u. nach Capt. George *M.,* of the naval Asylum, getauft. — *M. River,* ein rseitg. Tributär des Gr. Fischfl., entdeckt am 18. Juli 1834 durch den arkt. Reisenden G. Back (Narr. 177) u. benannt nach Rear-Admiral *M.,* welcher für neuere Entdeckungsreisen fortwährend ein grosses Interesse bewiesen hatte.

Macknight s. Greville.

Mac Laren, Cape, am Eingang der Gore Bay, Fox Channel, v. Capt. W. Edw. Parry (Sec. V. 105) am 18. Sept. 1821 benannt nach seinem Gefährten, Allan *M.,* dem Assistenzarzte v. der Hecla.

Mac Leay s. Owen.

Mac Leod's Bay, in N.-America 2mal: *a)* in

Montague I., v. Capt. Nath. Portlock am 24. Apr. 1787 getauft nach seinem ersten Steuermann *M.*, ozw. demselben, der in einem Walboote die Bay recognoscirte u. 'in Zeit v. einer Stunde' den Bericht brachte, dass die Schiffe daselbst sicher liegen könnten (GForster, GReis. 3, 91. 5); *b)* die nordöstl. Bucht des Grossen Sclavensees, v. G. Back (Narr. 60. 99) so benannt nach dem Gefährten, der dort f. 1833/34 das Winterhaus, Fort Reliance, zu erbauen hatte.

Mac Nisse's Creek, ein Zufluss des Cañada, Arkansas R., benannt nach einem Pionier des Westens, dem Kaufmann *M.*, welcher hier, ermüdet niederliegend, im Schlafe v. einem Indianer erschlagen wurde (Möllh., FelsGeb. 2, 329).

Maconochie Island, vor der Mündung des Grossen Fischflusses, entdeckt durch G. Back (Narr. 220) am 15. Aug. 1834 u. benannt zu Ehren seines Freundes, Capt. *M.*, R. N.

Macquarie Strait, an der Nordseite NHollands, v. Capt. Ph. P. King am 27. März 1818 benannt nach dem vorm. Generalmajor Lachlan *M.*, welcher, als fünfter in der Reihe, u. zwar mit besonderm Eifer, wie in allgemeiner Beliebtheit, das Gouv. NSouth Wales nahezu 12 Jahre (Jan. 1810 bis Dec. 1821) verwaltet hatte (King, Austr. 1, 62, Meinicke, Festl. Austr. 2, 229 ff.); *b)* ebenso *Port M.*, in NSouth Wales, die Mündg. des Hastings R., durch Lieut. Oxley RN., Oberlandmesser der Colonie, entdeckt (King, Austr. 2, 255, Krus., Mém. 1, 101); *c) M. Islands*, südwestl. NSeeland, v. engl. Capt. Walker 1811 gefunden u. getauft (Krus., Mém. 1, 9 ff., Meinicke, IStill. O. 1, 352); *d) M. Tower*, der Leuchtthurm v. Port Jackson (King, Austr. 2, 250); *e) M. River* s. Lachlan.

Mac Tavish's Bay u. *Mac Vicar's Bay*, 2 Buchten des Grossen Bärensees, v. Capt. John Franklin (Sec. Exp. 79) benannt nach zweien der um seine Exp. 1825/27 verdienten Angestellten der Hudson's Bay Comp.

Mad River = wüthender Fluss, engl. Name eines z. Netz des Ohio geh. Flusses, einer der malerischsten Wasseradern des Staats Ohio. Statt wie die meisten andern in breitem, oft kahlem Thale, fliesst der *MR.* in engem u. beschattetem Bette, meistens wie ein reissender Strom, wild u. schäumend, durch eine romantische Landschaft (Hertha 9, 42).

Madagascar, einh. *Nossi Dambo* = Insel der Wildschweine, deren zwei Arten in Menge vorkommen (Glob. 2, 193 ff., Peschel, ZdEntd. 113), arab. *Komr, Kamar, Komara* = Mondinsel, als die dem continentalen Mondland u. Mondgebirge (s. Comoren) vorliegende, bei MPolo (ed. Pauthier 2, 676), zu Ende des 13. Jahrh., *Malagasch, Magastar, Madeisgascar*, angebl. daher, dass die Küste, den Königen v. Magadoxo u. Adel unterworfen, zunächst *Magadascar*, dann *Madagascar* genannt wurde (Hier. Megiser, Beschrbg. Mad. 59, Altenb. 1609). Als die Insel am Laurentiustage, 2. Febr. 1506, zufällig durch den port. Seef. Antão Gonçalves gefunden wurde, hiess sie eine Zeit lang *Ilha de San Lourenço* (Camões, Lus. 10, 39). Auf der port. Seecarte v. 1503 führt sie alle 3 Namen: *Comorbina, San Lourenço* u. *M.*, u. noch in einem holl. Schifferbericht v. 1597 (Hakl., Select. 221 f.) heisst sie durchweg *San Lourenço*, mit nachträgl. Note: 'by the inhabitants it is called *M*.'

> De *san' Lourenço* ve a ilha afamada
> que *Madagascar* é d'alguns chamada
> Camões, Lus. 10, 137.

Zur Zeit der frz. Erwerbungsversuche trug *M.* den Namen *la France Orientale*, auch wohl *Isle Dauphine* (Sommer, Taschb. 26, 177, Bull. SGéogr. Par. 9, 186). Jean-Baptiste Colbert also, the great financial minister of Louis XIV., . . . appointed a Governor-general for this new dependency, which it was hoped in the course of time would form a large and successful colony of France in these seas, and went so far as to give it the 'beautiful' name of Eastern France' (MacLeod, East. Afr. 2, 181). 'Den Namen *M.* kennen nur die Howa, welche sich *Malagäsi*, im Ggsatz zu andern Stämmen der Insel, nennen' (ZfAErdk. 15, 82); aber ist diese Bezeichng. so alt, dass sie in MPolo's *Malagasch* nachklingt?

Madánpur = Madán's Stadt, hind. Name zweier Städte in Bengál, sowie einer dritten in Audh, v. *Madán* (= Aufmunterer), einem Beinamen des Kamadéwa, des Gottes der Liebe (Schlagw., Gloss. 217).

Madeira, das Haupt der an Orseille reichen antiken *Insulae Purpurariae* = Inseln der rothen Farbstoffe (Plin., HNat. 6, 203), erscheint zuerst wieder auf einer ital. Carte 1351, als *Isola do Legname* = Holzinsel (s. Lenha), 'por causa do grande e mui espesso arvoredo de que era cuberta', später, als auch die Port. sie 1420 besuchten, in Uebs. *Ilha da M.*

> Passámos a grande *Ilha da Madeira*,
> que do muito arvoredo assi se chama
> Camões, Lus. 5, 5.

Der Inselwald soll, angezündet, 7 Jahre gebrannt haben . . . 'que sete annos andou vivo no bravio daquellas grandes matas' (Barros, Asia 1, 1[3]). — *Rio da M.* = Holzfluss, einh. *Cayari* od., da in der brasil. Waldsprache *r* u. *l* oft verwechselt werden, *Cayali* = grosser Nebenfluss (ZfAErdk. 1855, 273; nf. 15, 158), der durch endlose Urwälder ziehende, gewaltigste unter den rseitg. Tributären des Amazonenstroms, erhielt seinen port. Namen 1639 durch die Capt. Pedro Texeira. Diese ging, auf Befehl der Audienza Real in Quito dd. 24. Jan. 1639, v. den beiden patres Cristoval de Acuña u. Andrés de Artieda begleitet, den ganzen Amazonas hinunter, u. als die Weissen an der Einmündg. des 'Holzflusses' vorbeifuhren, verwunderten sie sich üb. die Menge grosser Baumstämme, welche auf ihm herunter geschwommen kamen (WHakl. S. 24, 113 f.).

Madeleine, la, od. *la Magdeleine*, im Mittelalter beliebter Name f. Capellen, Einsiedeleien, Klöster u. Siechenhäuser, 'maison hospitalière comme la plupart des lieux nommés *la M*.', oft bestimmter als capella od. abbatia *Beate Marie-Magdalene, Sancta Maria-Magdalena* etc. In den 18 dépp. des Dict. top. Fr. zähle ich ihn 119 mal, davon 35 im dép. Morbihan. Nach der Capelle d. N., die ein Bewohner v. Montpellier bei Villeneuve gestiftet, ist die nahe Kalkhöhle *M.*, wo man eine Frauengestalt, v. Tropfsteingebilden, in einer Nische zu sehen glaubt, sowie die *Fontaine de la Magdeleine* benannt, die als stark kohlensäurehaltig hervorquillt (Dict. top. Fr. 1, 107; 2, 82; 3, 75; 4, 107; 5, 102; 6, 104; 9, 170; 10, 160; 11, 136; 12, 182; 13, 153; 15, 129; 16, 197; 17, 242; 18, 174; 19, 88).

Maden s. Almaden.

Mader = Hügelplateau, arab. ON., in Magreb nicht ungewöhnlich, f. einen Ruinenort Tunesiens, wohl f. das phön. *Tucca* (= Sitz, Colonie), welches — z. Unterschied v. a. Orten gl. N. — v. den hier häufigen Terebinthen den Beinamen *Terebinthina* trug (Barth, Wand. 235).

Maderanerthal, das v. Kärstelenbache durchrauschte rseitg. Nebenthal der Urner Reuss, benannt nach einem Italiener Maderano, welcher am Fuss der Windgelle Eisen gegraben u. hier im Thal geschmolzen habe. Die Thalleute nennen es *Kärstelenthal* u. 'haben unter sich den Namen *M.* noch kaum eingeführt' (Führ. Mad. 3, Osenbr., Wanderst. 1, 180).

Madhobpur s. Krischna.

Madikua, *Madikoa*, *Marikoa* = Fluss der Windungen, 'Rickenbach', im Kaferlande, v. Setsoanaworte *go dika* = sich drehen, wenden (Merensky, Beitr. 154).

Madison's River, in Gesellschaft mit Jefferson's R. (s. d.) v. der Exp. Lewis u. Cl. (Trav. Miss. 20. 241) am 28. Juli 1805 getauft nach James *M.*, welcher geb. 1751, v. Jefferson 1801 z. Staatssecretär ernannt, zu dessen Nachfolger 1809/17 erwählt wurde, den Krieg mit England (1812/14) glücklich beendete u. 1836 †; *b)* ebenso *M.*, in Wisconsin, 1836 ggr.; *c) Fort M.*, in Iowa, als Fort 1808 entstanden (Meyer's CLex. 6, 981; 11, 39); *d) Mount M.* s. White; *e) Cape M.*, am arkt. Kennedy Ch., v. Kane (Arct. Expl. 1, Chart) 1854 getauft; *f) M. Island* s. Nukahiwa.

Madrás, einh. *Mandrádsch*, Stadt in Coromandel, v. skr. *Mandaráschja*, wohl = Reich des Manda od. Jama; des ind. Pluto, alt in tamul.-hind. Form *Tschinnapatnam* = kleine Stadt (Schlagw., Gloss. 181. 217).

Madre de Dios, Puerto de = Mutter Gottes-Hafen, eine Bay v. Santa Cristina, Marquezas, der einzige Ankerplatz der Insel f. grössere Schiffe, erträglich, obwohl durch Windstösse gefährdet (Meinicke, IStill.O.2, 239), einh. *Waitahu* (Sommer, Taschb. 22, 339), v. span. Entdecker Alvaro de Mendaña getauft in dankbarer Erinnerg. an den guten Ankergrund, die treffliche Süsswasserquelle u. die wohlwollende Aufnahme seitens der Eingebornen (Debrosses, HNav. 161, Fleurieu, Déc. 21), bei Cook (VSouthP. 1, 307), etwas gewaltthätig, nach seinem ersten Schiffe, in *Resolution Bay* umgetauft. Der span. Entdecker, der die

Bucht am 28. Juli 1595 erreichte, fand sie vor jedem Winde geschützt, hufeisenfg., mit engem Eingang, tief, das Ufer mit Bächen treffl. Trinkwassers. Er ging mit der Gattin u. vielen seiner Leute an's Land, um die erste Messe zu hören, welcher auch die Wilden, knieend u. den Christen alles nachmachend, still u. aufmerks. beiwohnten (Zaragoza, VQuirós 1, 43. 48; 3, 22. 42).
— *Arcipelago de la MdD.* s. Trinidad. — *Estrecho de la MdD.* s. Magalhães. — Wohl mehr im Sinne des Centralen u. Hauptsächlichen, der 'Mutter' ggb. den 'Töchtern', sind zu fassen: *Sierra de M.*, Gebirgszug in Mexico, sowie *Isola M.*, das centrale Haupt der borrom. Inseln, welche 'occupa il mezzo del golfo' (Lavizzari, Esc. 3, 369). In diesem Sinne wenigstens nimmt auch Capt. G. M. Wheeler (Geogr. Rep. 11), der vielverdiente Explorer des fernen Westens, den Namen einer andern *Sierra M.*, umfassend die Saguache- u. Snowy Ranges in Colorado, 'the mother mass' der Wasserscheide, 'and no other mountain mass (der Felsengebirge) within our borders so well deserves the title'.

Madrid, seit 1560 durch Philipp II. Hptstadt Spaniens, ist keine alte Ortslage, doch dem alten *Miacum*, j. Ruinenstätte *el Despoblado de Meaques*, benachbart (Kiepert, Lehrb. AG. 492), erscheint zuerst 939 als *Magerit* (Willk., Span.-P. 139), wird oft v. arab. *Medschrid*, *Madscherit*, angebl. = frischer Luftstrom, abgeleitet; allein der Etymologe C. A. F. Mahn, der (Untersuch. 4, 49 ff.) den Namen discutirt, hält dieses Wort f. erdichtet; es gebe nur ein Wort *madchraj*, plur. *madschârij* = Ort, wo etwas fliesst, also annähernd wie João de Sousa, welcher an arab. *mai dscheri* = fliessendes Wasser denkt (Lex. Etym., Lisb. 1789). Andere leiten *M.* v. arab. *madarat* = Stadt, Land, v. *madschara* = durstig sein, v. *ma'adschrad* = nackt, ab, Gatschet (Brief v. 5. Mai 1871) v. lat. *materia* = Bauholz, also *materita* = kleines Wäldchen, manche gar v. span. *madre id* = Mutter, geh! In letzterer Hinsicht wird erzählt, ein Knabe, v. einem Bären verfolgt, habe sich auf einen Kirschbaum geflüchtet u. die Mutter, die ihm zu Hülfe eilen wollte, mit diesem Worte z. Flucht ermahnt. Diese Ableitg. ist bei den Madrileños beliebt. Mahn findet mit Recht die arab. Etymologieen unhaltbar; ein röm. Zeugniss f. die Stadt gibt es nicht, ob nun der Name kelt. sei? Er denkt an das oben genannte *Miacum* (Itin. Ant. 435); dieser Name ist offb. kelt., vollst. wohl *Magiacum*, u. am Flusse selbst konnte *Miacoritum* = Furt v. *Miacum* entstanden sein. Aus *Miacoritum* konnte *Magaritum*, *Majoritum*, in Anlehng. an lat. *major*, entstehen u. daraus dann die arab. u. schliessl. die span. Form. Man wird Mühe haben, an dieses Kunststück zu glauben.

Madschar od. *Madschari*, der Name vielbesprochener altkaukas. Ruinen, ist (ohne Beziehg. zu den Magyaren) ein altturk Wort, welches Ziegelsteingebäude bedeutet. Die in der Gegend wohnenden Nogaï u. Türkmen nennen sie *Kirk*

Madjar = die 40 (d. i. vielen) Ziegelsteingebäude, da *kirk* = 40 im Turk. auch f. eine unbestimmte, sehr grosse Zahl gebraucht wird (Potocki, Voy. 1, 188, Klaproth, Kauk. 1, 421). Bei den Kalmyken *Madscharein - kä - Balgasun* = wackere Stadt od.*Zagan-Balgasun*=weisse Stadt(Güldenst., Georg. 267).

Mägdesprung, z. ersten mal 1576 *Meidesprungk* (Zeitschr. HarzV. 20, 317), eine der sagenumschwebten Stellen des Harz, eine Thalenge der Selke, wo eine Riesin, v. ihrer Gespielin durch Winken eingeladen, v. der *Mägdetrappe* auf den ggbstehenden Uferfelsen gesetzt u. bei ihrem Aufsprung die Fusspur in den Felsen eingedrückt habe (Cannab., Hülfsb. 1, 751). Ein ähnliches Wagstück, aber zu Pferde, habe an der Bode eine v. ihrem Liebhaber verfolgte Prinzessin gethan, v. der hohen Uferwand der *Rosstrappe* (s. d.), deren Plattform die Spur der Hufe erkennen lässt. K. Schulze's (Erklär. d. Nam. *M.*, Quedlb. 1886) Versuch, in *M.* den Zeugen einer Nutzniessg., die einst Mägden gewährt worden, zu erweisen, dürfte wenige Gläubige finden; man darf jedoch nicht vergessen, dass es noch 1885 heisst: 'Woher der Name kommt, auf welche Vorstellg. er zkzuführen ist, das entzieht sich unserer Kenntniss' (Gesch. Bl. Magdeb. 20, 198).

Mähren s. Morava.

Mälaren, mit Artikel *-en*, der grosse See bei Stockholm, um 1351 *Mälir* (Sv. Riksark. PBr.), 1540 *Mäler* (Ol. Petri Chrön.₁), in der Carte des Cardinals Nic. a Cusa 1491 *Melar*, in mittelalterl. Carten *Stocol lacus*, hat 3 Deutungen, alle 3 gleich unbefriedigend, gefunden; dagegen ist der ältere Name *Lögrinn*, v. altn. *lögr* = See, Wasser, das noch im nschwed. *löga* = baden nachkingt (E. W. Dahlgren 20. VI. 1892).

Mälik, eine Schlossruine (u. Dorf) bei Buchara, in einer kleinen Oase am Serafschan, benannt nach dem Erbauer, dem abenteuerlichen *M.* Chan, der v. hier aus raubend u. plündernd im Land umherzog u. sich weit u. breit gefürchtet machte (Bär u. H., Beitr. 17, 87).

Maelson Eiland nannte die holl. Exp. v. 1594 (Corneliss, Ysbrandsz u. Barents) eine an der Südseite NSemlja's entdeckte Küsteninsel 'dem Director u. fürstl. Rath Franz *M.* zu Ehren, weil dieser geschickte Mann zu unserer Reise viel beigetragen hatte'. 'Dit eiland noemden wij het Eiland van *M.*, ter ghedachtenis ende eere der Heeren Doctor François *M.*, Raedt Ordinaris neffens sijn excellentie' (Linschoten, Voy. 13, Adelung, GSchifff. 140).

Maeonia s. Lydia.

Maeotis s. Asow u. Don.

Maes s. Maas.

Mäusefalle s. Treurenberg.

Maflong s. Ma.

Magalhães, *Fernão de*, gew. *Magellan*, der erste Erdumsegler, ein Portugiese, geb. 1470, diente in Indien u. Africa u. trat, üb. Undank erbittert, in span. Dienste; f. Karl V. sollte er den westl. Weg zu den Molukken, die damals

als 'Gewürzinseln' v. beiden iber. Seemächten angesprochen wurden, suchen. Mit 5 Schiffen u. 236 Mann segelte er am 5. Sept. 1519 v. San Lucar ab, überwinterte im patag. Hafen San Julian, fuhr 1.—27. Nov. 1520 durch die *M.* Strasse, dann mit den 3 ihm gebliebenen Fahrzeugen durch den Pacific, fast ohne eine der vielen Inseln zu sehen, an Lebensmitteln u. Wasser Mangel leidend, erreichte am 6. März 1521 die Marianen u. wurde 17. Apr. auf den Philippinen erschlagen. Von den Molukken führte Seb. d'Elcano das einzige noch seetüchtige Schiff, die Victoria, nach Spanien zk., wo die Reste der Exp., 18 M. stark, am 6. Sept. 1522 anlangten. *M.* selbst wollte die am 21. Oct. entdeckte u. am 1. Nov. betretene Meerenge nach den Kalendertagen *Estrecho de la Virgines* (s. d.) od. *E. de Todos os Santos* (s. Todos) od. auch *E. de los Patagones* (s. d.) nennen (Navarrete, Coll. 4, 4. 49, Pigafetta, Pr. V. 47, WHakl. S. 52, 6). Der holl. Seef. Sebald de Wert, welcher dort so viel Ungemach erlitten, hätte die Meerenge gerne *het Stormachtig Straet* = die stürmische Strasse genannt (Debrosses, HNav. 180), der Spanier Sarmiento, in Anbetracht der wunderbaren Errettg. seines Schiffs aus vielen Gefahren (1580), *Estrecho de la Madre de Dios* = Meerenge der Mutter Gottes (Adv.-Beagle 1, 35). Allein die Welt blieb dem Andenken des ersten Entdeckers hold:

Magalhanes, Señor, fué el primer hombre
Que abriendo este camino le dió nómbre.
　　　Ercilla Arauc. cant. I. oct. 8.

Im Einzelnen ist noch beizufügen, dass der mod. Name schon bei der Schiffsmannschaft gebraucht wurde, die auch *Estrecho de la Victoria*, nach der 'Königin der Arnauten', welche die Gasse zuerst erblickt hatte, zu sagen pflegte (WHakl. S. 52, 31), sowie dass *M.*'s Tagesbefehl 21. Nov. 1521 aus dem 'Allerheiligen-Canal' datirt war (ib. 178). Der Vorschlag Sarmiento's wollte 'durch eine solche Widmg. die Mutter Gottes gleichsam bewegen, dass sie den Schutz u. die Gunst ihres Sohnes f. alle die vielen u. grossen, in der Nähe der Strasse u. der Südsee liegenden Länder u. Völker erbitten u. erlangen möchte'; ja *S.* erbat sich später einen kön. Befehl, dass man in Zukunft sowohl in den kön. officiellen Documenten, als auch im gemeinen Leben die Gasse nicht mehr *MStr.*, sondern *Estrecho de la Madre de Dios* nenne (ZfAErdk. 1876, 349. 401). — *M. Archipel*, bei neuern Geographen f. die z. Th. fragl. Inselexistenzen im Norden der Marianen, obgleich *M.* diese Gegend nicht berührt hat (Meinicke, IStill. O. 2, 411). — *Océan Magellanique* s. Pacific. — In span. Namensform *Magellanes*, chilen. Colonie in der *M.* Strasse (Meyer's CLex. 12, 644), sowie *Tierra de Fernando Magellanes* s. Patagones.

Magalia s. Karthago.

Mágar Taláu = Alligators Teich od., nach einem muselmanischen Heiligen *Pir* (= der alte), welcher hier beerdigt liegt, oft auch *Mágar Pir* = Alligators Heiliger, hind. Name eines v. heissen

Quellen genährten Teichs in Sindh (Schlagw., Gloss. 217). Der Teich ist deshalb merkw., 'weil in demselben eine Anzahl v. mindestens 80 Alligatoren v. Mussalmánfakirs gehalten werden zu Ehren eines Heiligen, des *M.* Pir. Wg. des günstigen Zswirkens warmer Bodentemperatur u. hinlänglicher Feuchtigkeit ist an dieser Stelle, obwohl zieml. isolirt in einer Steinwüste, die Vegetation v. Palmen, auch Accacien, v. einer selbst f. trop. Landschaften seltenen Ueppigkeit. Mein Bruder Robert hatte auf seiner Reise wiederholt v. dem hohen Grade der Zähmg. dieser Thiere gehört; er hielt es f. arge Uebertreibg., bis er Gelegenheit hatte, all die Détails selbst zu sehen. Wie zahm die Alligatoren im Mágarteiche sind, erwähnt er, lässt sich daraus schliessen, dass die Mussalmáns auf die Köpfe v. einigen grosse Zeichnungen, sowie religiöse Sprüche in Oelfarben aufgetragen haben; es möge dies ferner daraus ersehen werden, dass auf den Ruf *au, au* (= komm, komm!) sofort 40—50 der Thiere, th. aus dem Teiche, th. v. Lande her, u. zwar bis auf wenige Schritte dem Reisenden sich nähern, welcher ihnen dann einige Fleischstücke vorwirft. Es ist ein wunderbares Schauspiel, nach allen Seiten sich v. Alligatoren umringt zu sehen. ... Dieser Alligatorenteich ist eine der merkwürdigsten Erscheinungen Indiens; er erinnert unwillkürlich an eine der Scenen der Märchen v. 1001 Nacht, deren Schönheiten nur derjenige zu würdigen weiss, welcher den Orient aus eigner Anschaug. kennt. Neben dem Teiche befindet sich das Mausoleum des Alligatorheiligen nebst einigen andern mussalmánschen Gräbern u. den aus Thon aufgeführten Hütten der Fakirs' (Schlagw., Reise 1, 403).

Magdalena, Rio de la, der mächtige Fluss v. Columbia, 'none of the tributaries of the Orinoco has the size of the *RM.*' (Raleigh, Disc. G. 8, 33), so dass er einf. *Rio Grande* = grosser Fluss od., nebst seinem Tributären Cauca, *Rio de Santa Martha,* nach der Stadt unweit der Mündg., hiess (WHakl. S. 33, 58. 85. 111), so noch bei dem span. Reisenden P. de Cieza de Leon, welcher 1532/50 in Süd-America war u. immer nur v. 'den beiden Armen des Flusses v. Santa Martha' spricht, einmal wohl auch (p. 114) den ind. Namen Cauca nennt, doch nur f. den Unterlauf, bei Mompox. Auch noch in Andagoya's Bericht (WHakl. S. 34, 80 u. a. O.) heisst der Fluss immerfort *Rio Grande de Santa Martha;* allein er erzählt auch, wie er v. Popayan aus die Indianer besuchte, seinen Gefährten zahlr. Weiber verschaffte u. Massenbekehrungen vornahm. Da wurde am Tage der heil. *M.,* als eben der conquistador im Hause des Häuptlings Jangono sich aufhielt, eine Schaar schöner Indianerinnen, die noch keinen Spanier gesehen, herbeigebracht u. noch desselbigen Tages 'united' (ib. 68f.). — *Isla M.,* einh. *Fatuhiwa, Ohitaoa* (Krus., Reise 1, 116, Meinicke, IStill. O. 2, 238), eine der Marquezas, welche der Entdecker, der span. Seef. **Alvaro** de Mendaña, in den Tagen v. 22. Juli

—4. Aug. 1595 besuchte u. (vgl. Cristine, Pedro, Dominica) nach den Kalendertagen taufte (WHakl. S. 39, 66, Fleurieu, Déc. 20f., Debrosses, HNav. 160ff., Sommer, Taschb. 22, 339f.). In der That wurde *M., Madalena, Santa M.,* Freitag 21. Juli 5ʰ Nachm. erreicht u. so benannt 'por ser víspera de su dia'. Man war üb. den raschen Fortgang u. die schöne Entdeckg. hoch erfreut, u. der Adelantado ordnete an, der Caplan sollte mit aller Mannschaft kniend das Tedeum laudamus singen u. Gott f. die Verleihg. des Landes danken (Zaragoza, VQuirós 1, 35; 3, 22). — *Magdalenenberg,* einer der plateaufg. Berge in der Nähe des Treurenberg Bay, Spitzb., v. der schwed. Exp. v. 1861, Slupe *M.* u. Schoner Aeolus, 'nach einem unserer Schiffe' getauft (Torell u. Nord., Schwed. Expp. 62), wie später *Cap* u. *Golf M.* (ib. 269). — *M. Island* s. Patos. — Vgl. Madeleine.

Magdeburg, deutsche Stadt, zuerst 805 als *Magathaburg,* dann *Magadaburg* u. in ähnl. Formen, auch *Maydenburg* (Daniel, Hdb. Geogr. 4, 272) u. dem entspr. häufig in *Parthenopolis, urbs Virginea* etc. übsetzt, gehört wirkl. z. Stamme *magath,* ahd. *magad,* nhd. *magd* = virgo, puella; allein 'wer die Jungfrau ist, scheint noch nicht ergründet zu sein' (Förstem., Altd. NB. 1040ff.). Nach Einigen wäre der Ort v. Caesar (—47) ggr. u. nach seiner Geliebten *Parthenopolis* od., oder es habe Drusus jenen gebaut u. eine Statue der Venus errichtet. 'Es stund auff einem gulden Wagen ein nackend Weib, mit klaren lieblichen Augen u. gelben langen Haaren, so fein von einander gekemmet war u. jhr biss an die Knie hieng. Auf jhren Haupt trug Sie einen Krantz von Mirrhen, mit rothen Rosen umbgeflochten, u. auff jhrem Hertzen eine brennende Fackel u. helle Stralen. In jhrem lachenden Munde hielt sie eine beschlossene Rose, in jhrer rechten Hand die ganze Welt, in Himmel, Erden u. Meer getheilet, u. in der linken Hand drey gulden Epffel. Bey jhr, auf dem gülden Wagen, stunden jhre drey Töchter, oder Mägde, die Charites oder Gratiae, die waren nackend u. hatten einander lieblich in die Arme gefasset u. hielten einander mit abgewendeten Angesichten (welches bedeut, dass die Liebe blind ist) Gaben zu, nemblich drey gulden Epffel. Für dem gülden Wagen, darauff Sie stunden, giengen zween weisse Schwanen u. zwo weisse Tauben' (Daniel, Hdb. Geogr. 4, 272). Dieses Bild der heidnischen Liebesgöttin, meint die Sage, habe Karl d. Gr., der Gründer des Ortes, zerstört. In einer sehr seltenen Schrift üb. den Namen *M.,* 1621, hat der Gymnasialrector Joh. Blocius die unsinnigen ältern Vermuthungen, f. hebr. *Meged, Megiddo* od. des Jesajas' *Medemena* od. Herodot's *Magdalo* od. f. *Magdala* am galil. Meer, zkgewiesen u. eine reindeutsche Ableitg., v. *magd* u. *burg,* angenommen; das hindert ihn freilich nicht, den Ursprung des Orts, der schon vor Christi Geburt eine sehr berühmte, echte Sachsenstadt gewesen, fast zu Noah hinaufzurücken. Einleuchtend bemerkt Förstemann zu der Namenreihe unter *magath:* In den meisten Fällen ist gewiss, doch nicht immer urspr., an die Jungfrau Maria zu denken. Er erwähnt auch *Maydabrunno* locus, j. wohl *Marienborn* bei Helmstädt.

Magellanes s. Magalhães.

Maggia, Maggiore s. Magnus.

Magharah, el = die Höhle, in der Verbindungsform *magharat*, als Grundwort in arab. ON. (s. Heabès u. Schaául), f. sich ON. 'Grottendorf' (s. Derna). Auch *Megara*, griech. ON. f. eine altkar. Ansiedelung, v. deren beiden Akropolen die eine *Karia* hiess, v. semit. מערה‎ = Höhle, nach den Höhlen, die, in dem weichen Muschelkalkstein des Burgfelsens ausgehöhlt, in ältester Zeit als Wohnungen dienten (Kiepert, Lehrb. AG. 277).

Maghreb s. Gharb.

Magnetical Isle = magnetische Insel, an der Westseite der Cleaveland Bay, v. Cook am 6. Juni 1770 so benannt, weil er bemerkte, dass bei der Annäherung der Compass nicht gehörig traversirte (Hawk., Acc. 3, 135); *b)* *M. Cape*, ein steiles Vorgebirge Korea's, v. engl. Capt. Broughton, dem Befehlshaber des Schiffs Providence, 1797 so getauft nach den Perturbationen, welche die Magnetnadel dort empfand (Krus., Mém. 2, 118). — *Magnetshoogte* = Magnetberg, capholl. Name eines südostafr. Höhenzugs, 'wo man Stunden weit reisen kann u. immer Magnetsteine u. -felsen um sich hat. Wenn man in solcher Gegend einen beliebigen Stein aufnimmt, zieht er eine eiserne Nadel ohne weiteres an ... Der Sand heftet sich an die Räder der Wagen' (Merensky, Beitr. 6). — *Magnitnaja Gora* = Magnetberg, russ. Name eines der ural. Gipfel v. Magneteisenstein, zu denen auch der Blagodat (s. d.) gehört. 7 Werst westl. ist die kleine Grenzveste *Magnitnaja* (Bär u. H., Beitr. 5, 90). An dem Berg sollen schon die Baschkiren Eisen geschmolzen haben (Müller, Ugr. V. 1, 40).

Magnus, *major, maximus* = gross, die Steigerungsformen des lat. adj., etwa vor Eigennamen, wie *Magna Graccia* od. *Graecia Major* (s. Griechen), oft mit Appellativen: *Magnum Promontorium* (s. Roca), *Portus M.* (s. Portsmouth u. Kebir), *Magnopolis* (s. Eupatoria, Siwas u. Mecklenburg), bes. im comp., der dann gern im Ggsatz zu *minor* = das kleinere tritt, wie in *Mallorca* u. *Menorca*, den beiden Balearen, schon röm. (Liv. 28, 37) 'duae sunt Baliares insulae, *major* altera ... in *minorem* inde Balearium insulam', u. so auch bei Procop im 6. Jahrh. *Majorica* u. *Minorica* (Kiepert, Lehrb. AG. 498) u. in neuerer Zeit (Descr. Pith. y Bal. 21. 114). — *Isla Mayor* u. *Isla Menor*, die 2 bedeutenden Inseln des Guadalquivir (Willk., Span.-P. 31). — *Majorberg*, der grössere westliche, der beiden durch eine Hohlweg getrennten Hügel v. Wartau, C. St. Gallen, im Ggsatz z. östlichen *Minor*- (= kleinern) *berg*, zweisprachig in einer Gegend, wo deutsche u. rätr. Namen gemischt auftreten. — *Mare Major* s. Pontus. — *Lago Maggiore*, der schmale, langgestreckte *Langensee* des Tessin, im Ggsatz zu den kleinern Nachbarsee'n, alt *Lacus Ver-*

banus; angebl. v. dem dort häufigen Eisenkraut, Verbena, so noch 1490 in Dom. Macaneo's '*Verbani Lacus* Descriptio', auch j. etwa *Verbano* (Gem. Schweiz 18, 69, Lavizzari, Esc. 2, 332); den mod. Namen finde ich erst 1603 in des Mailänders P. Morigia 'Hist. del *Lago Maggiore*'. — Ob, wie schon Hardmeyer (TThM. 2) wollte, auch sein grosser Zufluss *Maggia*, in *Valle Maggia*, 'il fiume que le dà il nome' (Lavizzari, Esc. 3, 424), 'die grosse', heisst, ist in Ermangelg. urk. Formen nicht sicher zu bejahen. Da ital. *maggio* = Mai, so übesetzten die Deutsch-Schweizer, welche das Thal als eine ihrer 'ital. Vogteien' gemeinsam beherrschten, den Thalnamen durch *Maynthal*. — *Marmoutier*, dép. Indre-et-Loire, berühmte Abtei, ggr. v. heil. Martin u. nach der den Aposteln Petrus u. Paulus geweihten Basilica *Majus Monasterium*, barbar. *Major Monasterium*, dann *Mair*- od. *Marmoutier* genannt; das Kloster stand bei den Gläubigen in hohen Ehren, weil die Oertlichkeiten ganz bes. das Andenken des ruhmreichen Gründers bewahrten (Longnon, GGaule 277). — Mittelbar hergehörig auch *Majoria*, ein 1788 abgebranntes Schloss ob Sion, Wallis, benannt nach den Majoren od. alten Gouverneurs des Landes, denen es lange Zeit, wie später den Bischöfen, als Residenz diente (NAlp. P. 1876, 209).

Maguá = Ebene (weite, fruchtbare) nannten die Indianer Hayti's eines der Inselreiche, welche die Spanier dort trafen, zw. Bergzügen links u. rechts liegend, 'desde la mar del Sur hasta la del Norte' = von Meer zu Meer reichend (Las Casas, Coll. 109).

Maguntium s. Mainz.

Magyaren s. Ungarn.

Mahabaléschwar = Herr der grossen Stärke, skr. ON. im Dekhan, mit einem Epitheton Mahadéwa's od. Siwa's, wie *Mahadeopúr* = Stadt des grossen Gottes, ebf. im Dekhan, *Mahés*, abgek. f. *Mahesa* = der grosse Herr, in Bandelkhand, *Mahessar*, f. *Mahéswara* = des grossen Herrn Land, in Malwa, *Mahendargandsch* = der grossen Indra Markt, in Bengalen. Aehnl. *Maharadschdurg, -gandsch, -pur* = des grossen Königs Veste, resp. Markt u. Stadt, ON. in Maissur u. Hindustan, od. *Mahasinghpur*, wo *singh* = Löwe, ein mit gebrauchtes Epitheton v. Königen, ebf. in Hindustan (Schlagw., Gloss. 217 ff.). — *Mahráth*, skr. *Maharáschtra*, vulg. *Maharattha* = grosses Königreich (Klaproth, Mém. 2, 425, Pauthier, MPolo 2, 664), fränk. *Mahratten, Maharatten*, eine ind. Gegend mit kriegerischem, bes. durch seine Reiterei furchtb. Hindustamm. — *Mahamaláipur* = Stadt des grossen Berges, tamul.-hind. ON. in Coromandel, an hafenloser, oft fast unnahbarer Küste, wo 7 Pagoden in Felsen ausgehauen sind, auch in *Mahabalipura* = Stadt des grossen Bali, eines Riesen, umgedeutet (Lassen, Ind. AK. 1, 201). — *Mahapantha* = grosser Weg, d. i. z. Himmel, skr. Name eines heil. Pics des Himalaja, in der Gegend der Gangesquellen, mit einem stark besuchten Bergtempel; der Pilger, welcher den **Pic**

erreicht od. bei dem Versuche umkommt, geht in den Himmel ein (ib. 64). — *Mahanadi* = grosser Fluss, in Orissa; dagegen singh. *Maha-welli-, Mehavelle-* od. *Mahavali-Ganga* = grosser Sandfluss, der Fluss v. Kandy, hinter Trincomale mündend (ib. 235 mit Uebsetzg. 'grosse Linie').

Mahana, Roto = warmer See, Maoriname in neuseel. Seeindistrict, im Ggsatze z. *Roto Makariri* = kalten See. Jener, eine kleine, schmutzig grüne Schale mit Sumpfufern u. öde u. traurig aussehenden, baumlosen, nur Farngestrüpp tragenden Hügelumgebungen, hat ein durch zahlr. kochendheisse Quellen bis 30—40⁰ C. erwärmtes Wasser, während der 'kalte See' den zahllosen Wasser- u. Sumpfvögeln, welche an den warmen Ufern des erstern brüten, ihre Nahrung liefert (Hochst., NSeel. 268, Dieffb., Trav. 381).

Mahé, engl. *Victoria,* die grösste der Seychellen (s. d.), benannt durch den frz. Capt. Lazare Picault, welcher 1742 v. Gouv. der frz. Besitzungen in Indien, *M.* de Labourdonnaye, nach der Inselgruppe geschickt worden war (Glob. 3, 150, MᶜLeod, East. Afr. 2, 212). — Sollte nicht auch der ind. Ort *M.,* noch immer in frz. Besitz, eine Gründg. des erwähnten Gouverneurs sein?

Máhe Sumdo = Büffels Dreiweg (s. Dogsum), bei den Tibetanern die Confl. der Flüsse Loángka u. Gírthi in Kamáon, nach den Büffeln, *mahe,* welche hier z. Tränke kommen (Schlagw., Gloss. 218).

Mahmudieh-Canal, die grosse 1819/20 v. Mehemet Ali ausgeführte Wasserstrasse, welche den Nil mit Alexandria, dem Hpthafen des Landes, verbindet u. seinen Namen zu Ehren des Sultans Mahmud erhielt (Meyer's CLex. 1, 363). — In arab.-hind. Form die ON. *Mahmudpur* u. *Mahmuda,* in Hindustan (Schlagw., Gloss. 219). — *Mahomet Kurgan,* ein Hügel (s. Kurgan) in Ciskaukasien (Kṵpffer, Elbr. 22).

Mahon, alt *Mago,* die Hptstadt der balear. Insel Menorca, nach der karthag. Eroberung (—452) ggr. u. benannt v. dem Feldherrn Mago, vermuthlich einem Bruder Hannibals (Spr. u. F., Beitr. 3, 39, Meyer's CLex. 11, 102, Kiepert, Lehrb. AG. 498).

Majakót = Mája's Veste, hind. ON. in Nepál, v. *mája,* einem 2. Namen f. Lákschmi, die Göttin des Glücks u. der Schönheit. Aehnl. *Májapur* = Maja's Stadt, in Bahár (Schlagw., Gloss. 222).

Maiden Rock = Jungfernfels, v. engl. *maid,* welches wie unser *magd* u. *maid,* holl. *maagd* u. *meid,* auf ahd. *magad,* goth. *magaths* zkführt, ein Felsvorsprung am Lake Pepin, den eine Siouxtochter, um einer erzwungenen Ehe zu entgehen, unter Absingung des Todtengesanges erstieg, um im Sturz den Tod zu finden (Coll. Minn. HS. 1, 376); *b) M. Land* s. Falkland.

Maidschirgī, ON. in der Prov. Sinder, Bornu, v. einer muldenartigen Einsenkung, an deren Lehne das Dorf liegt; *dschirgī* näml. bedeutet sowohl Boot als auch ein grosses muldenartiges

Gefäss, um das Vieh zu tränken (Barth, Reis. 4, 90).

Mailand s. Milano.

Mailapura s. Thomé.

Maimatschin, eig. *Mái-mài-tschenn* = Handelsstadt, 'Kaufungen', v. chin. *mái-mài* = kaufen u. verkaufen u. *tschĕnn* = Städtchen, als ON. 2 mal in der Mongolei: *a)* in der Nähe Kjachta's ggr. f. den russ.-chin. Grenzverkehr, bei den Russen *Kitaiskaja Sloboda* = Chinesenstadt (Klaproth, Kauk. 2, 464, Timkowski, Mong. 1, 63, Meyer's CLex. 11, 108); *b)* s. Urga.

Main, der grösste unter den rseitg. Nebenflüssen des Rheins, kelt. *Moinas, Moinos,* röm. *Moenus* (Mela 3, 3³, Plin., HNat. 9, 15, Tacit., Germ. 28, Ammian. 17, 1⁶), im frühern Mittelalter gew. *Moin, Moyn,* auch *Mohin, Mogin,* im 11. u. 12. Jahrh. mit scheussl. Latein' *Mogus, Mogonus,* heisst einf. 'Fluss'; denn kelt. *moinos* ist mittels der Endg. *no* v. der zu *moi* gesteigerten √ *mi,* skr. *mî* = ire, movere gebildet u. bedeutet 'der gehende, der sich bewegende, der fliessende' (Glück, Renos etc. 12). Auch Grimm (Gramm. 1, 113) u. Zeuss (DDeutschen 14), u. ihnen nach Bacmeister (AWand. 28) u. Förstem. (Altd. NB. 1107), kennen kelt. Urspr. an; der letztere verwirft insb. Buttmanns (Deutsche ON. 45) Annahme eines ahd. *Maginaha* = grosser Fluss, sowie — natürl. — Herm. Müllers (Moenus etc. 7 ff.) griech. Ableitg. Nach dem Flusse *Moinahgowe,* j. der *Maingau,* zw. Frankfurt u. Aschaffenburg, die *Moinwinidi, Moinwinida* = die um den obern M. angesiedelten Wenden. Ob auch *Mainz? — Mainflingen* s. Mann.

Maìn s. Maon.

Mainau, die kleinste Insel des Bodensees, dürfte kaum, wie Pupikofer wollte, 'die grosse Insel', v. ahd. *majan, magan* = gross, eher im Ggsatz z. Reichenau der *augia minor* = mindere Au sein (Schott, ON. Stuttg. 13); aber die alturk. Formen müssten entscheiden, wie f. *Meginovelt, Meginhart,* j. *Mainhardt, Maginhusir,* j. *Menkhausen* u. ähnl. (Förstem., Altd. NB. 1037 f.). — *Mainland* = grosses Land (s. Maine), im Ggsatz zu den kleinen Nachbarinseln einer Gruppe, auch f. Festland, im Ggsatz zu den nahen Eilanden, mehrf. im german. Sprachgebiete: *a)* f. die Hptinsel der Orkneys (s. Pomona); *b)* f. die Hptinsel Shetlands (Worsaae, Mind. Danske 278).

Maine, frz. Landschaft, einst v. dem Keltenstamm der Cenomani bewohnt, daher *Cenomanensis pagus, Cenomania,* bei Greg. v. Tours *territorium Cenomanicum* u., durch Aphärese, *Mania,* j. *M.* Volksname *Manceaux,* fem. *Mancelles* (Rolland, AProvv. 63 f.). Hptort *le Mans,* bei Greg. *civitas Cenomanni, urbs Cenomannica.* Inwieweit der FlussN. *Mayenne,* der f. die kurze Strecke unth. der Einmündg. der Sarthe zu *M.* wird (Meyer's CLex. 11, 110. 336), mit dem Landesnamen zshängt, ist mir unklar. — *M.,* in New England, auf ältern Carten in *Terra de Bacalhaos* (s. New Founland) inbegriffen, auf span. Carten auch *Tierra de Gomez* (s. York), da der span. Seef. Gomez 1525 die Küste nördl. v. Cape Cod untersuchte, ist wohl nicht v. den Fischern als *Mainland* = Hauptland, Continent, im Ggsatz zu den zahlr. insulären Fischerstationen od., wie Staples (St. Union 11) die Verleihungsurkunde v. 1639 auffasst, als der Hpttheil Neu Englands, getauft, sondern v. der frz. Landschaft *M.* übtragen. Eine vorübergehende Gründg. hatte 1607 bei dem j. Philippsburg sattgefunden; dann kamen einzelne Ansiedler aus NHampshire 1625 u. frz. Colonisten 1635 (Meyer's CLex. 11, 111). Zuerst erscheint der mod. Name 1639, als der engl. König Charles I. das zw. Piscataqua u. Sagadahoc gelegene Land, welches er Sir F. Gorges verlieh, umtaufte 'angeblich zu Ehren der Königin, einer frz. Prinzessin, zu deren Privatbesitzungen die Prov. *M.* in Frankreich gehörte' (ZfAErdk. nf. 3, 62 f.). Der Wortlaut des bei Staples abgedruckten Textes widerspricht dieser Annahme nicht.

Mainflingen s. Mann.

Mainoten, ein griech. Volksstamm des Peloponnes, nach der bergigen Halbinsel Maina, Mani, ihrer Heimat (Meyers CLex. 11, 109).

Mainz, die der Mündg. des Main ggb. liegende hess. Stadt, deren heutiger Name eine so verlockende Lautähnlichk. mit dem Flussnamen zeigt, hiess einst in hypocorist. Form *Magontia*, mit der Variante *Magontiacus* bei Tacitus, in der amtl. röm. Orth., die v. den Inschriften u. meisten Schriftstellern sich findet, *Mogontiacus*, in kürzester Form, v. welcher deutsch *M.*, frz. *Mayence*, hervorgegangen ist, *Magontia*. Ohne Frage ist der Name kelt. Urspr., altgall. *Mogontiâcon*, im Mittelalter zu *Mogontia, Mogoncia, Moguntia* ... verkürzt, dann *Mogunze, Moginze, Meginze, Meinze, Mentz.* Die Urform ist mittels der Endg. *-âco* v. Mannsnamen *Mogontios* = der grosse, mächtige, starke, gebildet, also nach einem Gallier, der sich hier ansiedelte u. den Ort nach sich benannte. So sagt auch d'Arbois de Jub. (Rech. NL. 418) einfach: *Mogontiacus* est· dérivé d'un gentilice romain, *Mogontius.* Für diese Anschaug. ist die Frage, ob Fluss- u. Stadtname etymologische Verwandte seien, verneint ... 'il n'y a donc aucun rapport étymologique entre le nom de la rivière et celui de la ville'. Und so hat denn schon der Keltist Glück, welchem auch hier Bacmeister folgt, jede sprachl. Verwandtschaft zw. *Main* u. *M.* bestritten. Es war näml. bereits im 9. Jahrh. die Meing. aufgetaucht, als wäre die Stadt nach dem Flusse benannt, der dann auch in den Missformen *Mogus, Mogonus*, als ein Verwandter v. *Mogontia* sich kund geben musste: *Mogoin*, ex quo, ut fama sonat, *Mogontia* dicta est od. Nomen ab infuso recipit *Moguntia Mogo* (Zeitschr. f. DArch. 1, 268). Und noch heute findet diese Ansicht ihre Anhänger (Kiepert, Lehrb. AG. 520); sie wird gestützt durch die Thatsache, dass auch Würzburgs westl. Theil im Mittelalter *Maguntia* hiess (Germ. 29, 309). Und so äussert sich denn auch Förstemann (Altd. NB. 1107) mit gewohnter Vorsicht: Diese Frage 'wage ich weder zu bejahen noch zu verneinen'. Man

hat nach beiden Seiten hin vorschnell üb. diese Frage abgesprochen, doch mit Gründen, die auf keinen Fall zwingend sind'.

Majo s. May.

Majorberg s. Magnus.

Maira od. *Mera* = die lautere, klare, ital. Name des Thalbachs des Bergell (Lechner, Bergell 2).

Maire, Straet Le, die zw. Feuerland u. Staatenland durchführende Meerenge, *straet*, 'die voor alle Menschen tot nu verborghen hadde gheweest', nach dem Capt. des einen der holl. Schiffe, welche am 24. Jan. 1616 die Durchfahrt entdeckten u. Staatenland noch f. einen vorspringenden Theil des hypothet. Südpolarcontinentes hielten. Die beiden Führer waren Jakob *Le M.*, als praefectus, u. Willem Schouten, als navarchus (s. Cap Hoorn). '*Le M.* bat den versammelten (Schiffs-) Rath um Erlaubniss, der neuen Meerenge seinen Namen beizulegen' u. erhielt sie (s. die Urkunde in Spiegh. d. Austr. Nav. 28). Am 22. Jan. 1619 nannte der span. Seef. Bart. Garcia de Nodal die Meerenge *Estrecho de San Vicente*, nach dem Kalendertage; daher das nahe *Cape St. Vincent* (ZfAErdk. 1876, 453) u. die *St. Vincents Bay,* v. Cook am 14. Jan. 1769 getauft (Hawk., Acc. 2, 41). Erst 1643 fand ein Schiff den Weg um Staatenland herum u. schnitt so die Insel v. dem Australcontinent ab.

Mairim s. Olinda.

Maisprach, Ort im schweiz. C. Basel, erinnert an Zskünfte, welche die Hofhörigen je im Mai dort abhielten. Aehnl. das zürch. *Deistig*, urk. 1253 *Dincstat*, die einstige Gerichts- od. Dingstätte (s. Detmold), wo *ding, thing* = Gericht, ahd. *dinc* = Volksvsammlg., der Herren v. Wetzikon (Gatschet, OForsch. 19).

Maissúr, v. skr. *máhischa-ásura* od. *mahischá-sura*, nach engl.Orth. *Mysore*, hind. ON. im Dekhan, v. den *ásuras*, den Dämonen, welche die Hindumythologie in das heisse Südland, mitten unter das Drawidavolk, den Feind der Hindús, verlegte, u. *Máhischa*, eig. Büffel, einem dieser Dämonen (Schlagw., Gloss. 219).

Maitland, Point, an der arctischen Liverpool Bay (s. d.), durch Capt. John Franklin's (Sec. Exp. 221 ff.) Gefährten, Dr. Richardson, den Befehlshaber der v. Mackenzie River ostwärts, z. Kupferminenflusse, beorderten Abtheilg. der Exp., am 16. Juli 1826 entdeckt u. nach seiner Excellenz Sir Peregrine *M.*, Lieutenant-Governor v. Ober-Canada, getauft.

Maitmass s. Tura.

Maiuma = Ort am Meere, ägypt. Name der Hafenstädte v. Gaza u. Ascalon, welcher 'in Betracht der geschichtl. Verhältnisse dieser Küste aus der Zeit stammen muss, wo die ägypt. Könige der 26. Dynastie der Seefahrt u. dem Handel hier zuerst einen Aufschwung zu geben bemüht waren' (Movers, Phön. 2b, 178, vgl. Reland, Pal. 530. 590).

Makadeh s. Abessinia.

Makaria, gr. Μαχαρία = Segensthal, mehrf. auf griech. Gebiete: *a)* die fruchtb. messenische

Ebene (Strabo 316), v. baumreichen Gebirgshängen eingesäumt, nur dem erfrischenden Seewind offen, die Gartenflur des Peloponnes (Curt., Pel. 2, 156); schon Eurypides (Strabo 366) rühmt die Bewässerg., die Weidefluren u. das gemässigte Klima; b) Stadt in Arkadien, lat. übs. *Beata* (St. B.); c) eine wasserreiche Quelle im östl. Attika (Paus. 32, 6, Bursian, GGriech. 1, 340). Als Epitheton, νῆσος μαχάρια = glückliche Insel, auch auf mehrere Eilande (s. Kreta) übtragen (Plin., HNat. 5, 129. 132. 139), der plur. Μαχάρων νῆσοι f. d. Canarien (s. d.). In einzelnen dieser Namen lässt sich phöniz. Ursprung vermuthen, das kananit. מכר [makar, mokar), eine lautliche Entstellg. v. מלקרת, *Melkarth* (Rhein. Mus. 1853, 328. 597 ff.), wie in dem tunes. Flussnamen *Medscherdah* das pun. *Makar* = Fluss des Melkart (s. d.) gesucht wird (Barth, Wand. 109).

Makariri s. Mahana.

Makariew, berühmtes russ. Kloster a. d. Wolga, unth. Nishnij Nowgorod, zZ. des Grossfürsten Wasilei Wasiljewitsch, also in der ersten Hälfte des 15. Jahrh., v. dem Heiligen Makarius ggr. u. zunächst *Scheltowodsky Monastyr* = Kloster am gelben Wasser, nach einem benachb. kleinen See benannt (Müller, Ugr. V. 2, 309).

Makassar, eig. *Mangkasara*, mal. *Mangkasar*, zunächst Name einer der beiden cultivirten Nationen v. Celebes (s. d.), die nach Unterwerfg. der Bugis die mächtigste wurden. Die Portug. trafen 1525 unter ihnen schon die Anfänge des Islam, der seit 1606 durch mal. u. jav. Sendboten allg. wurde. Seit 1667/69 den Holl. unterworfen, ging ihr Name auf deren Stadt u. Fort üb. (Crawf., Dict. 231), zwar nicht sofort, da jene zunächst *Vlaardingen*, dieses *Rotterdam*, beide in Uebtragg. heimischer ON., getauft wurde (Spr. u. F., NBeitr. 1, 157. 176). Nach dem Orte *Tanah* (= Land) *M.* u. die *Strasse v. M.* (Meyer's CLex. 4, 244; 11, 124).

Makato s. Blue Earth R.

Makedonia, gr. Μαχεδονία, lat. *Macedonia*, zunächst die v. Axios, Haliakmon u. Ludias durchströmte Ebene, welche als Stammland des Reiches auch Μαχεδονίς im engern Sinne, oft nach ihrer sandigen Beschaffenheit gr. *Emathia*, v. ἄμαθος = Sand, hiess, ist nicht sicher erklärt. Man hat, u. zwar f. die den Dorern verwandten griech. Bewohner, an μαχρός = lang, gross gedacht (Curt., Gr. Etym. 161). — Der Anklang Philipp, in Port Phillip, vermochte den engl. Major T. L. Mitchell (Three Expp. 2, 283), einen Berg in austr. Victoria, v. dem aus er am 30. Sept. 1836 den Golf erblickte, *Mount Macedon* zu taufen.

Maklubeh = Ruine, arab. Wort, auch Name des babylonischen Thurms (s. Babylon) u. in der Form *Medāin el-Maklubat* ON. in Syrien (s. Melah). — Dim. *mukailibeh* ist in babyl. Aussprache z. ON. *Mudschelibeh* (s. Babylon) geworden.

Makowsk s. Orlikowo.

Makrata s. Chischm.

Makreliaes, 's taes, ngr. 'ς ταῖς μαχρελιαῖς = an den grossen Oelbäumen, heisst auf der Süd-

küste Samothrake's der Ort, wo die Ackerfelder auflhören u. die Oelbaumpflanzungen beginnen (Conze, Thrak. I. 48).

Makris, gr. Μάχρις = Langenau, mehrf. f. langgestreckte Inseln, insb. Euböa, dem die Alten höchstens 150 Stadien Breite auf fast 1200 Stad. Länge gaben (Strabo 444), u. Ikaros (Eust. z. D. Per. 520), das aus gleichem Grunde auch *Doliche* (s. d.) hiess. Auch auf Kerkyra (Ap. Rh. 4, 540) u. nam. das attische Hellene, das noch j. *Makronisi* heisst, passt die Bezeichng. *M.* gut, weniger auf Chios (Plin., HNat. 5, 136). Eine phöniz. Etymologie (Rhein. Mus. 1853, 331) scheint gesucht. Vgl. Pape-B., Kieperts Atl. Hell., Fiedler, Reise Griech. 2, Carte, Bursian, Gr. Geogr. 1, 356, Spratt, Trav. — Ferner a) *Akron Makron*, gr. ἄχρον Μάχρον = Langenberg, f. ein sicil. Vorgebirge (Ptol. 3, 4⁸); b) *Makro Gurna* s. Mikro Gurna; c) *Makropolis* = lange Stadt, Ort auf langem Bergrücken bei dem j. Varna (Hammer-P., Osm. R. 1, 461); d) *Makrichori* s. Usunlar; e) *Makron Teichos* s. Lysimachia.

Maksang s. Satledsch.

Mal = schlecht, bös, unfruchtbar, ungesund (s. *Mauvais*), in vielen rom. ON., wie *Malabrigo* = schlechter Schutz, span. Schifferausdruck f. eine offene ungeschützte Rhede, als ON. 2 mal: a) nördl. v. Truxillo, Peru, 'where vessels can only lie in fair weather ... a bad anchorage, though somewhat better than the road of Huanchaco, the port of Truxillo' (WHakl. S. 33, 26); b) nördl. v. d. Mündg. des Oregon (DMofras, Orég. 2, 129). — Im plur. *Malabrigos*, eine Inselgruppe östl. v. Bonin Sima, v. d. Exp. Villalobos am 25. Sept. 1543 entdeckt (Galvão, Desc. 235). — *Maladetta* = die verfluchte, die wilde, mit Eis u. Firn gepanzerte Centralgruppe der Pyrenäen, eine Parallele zu den *Montagnes Maudites* (s. Mont Blanc) u. ähnl. Ausdrücken schauerlicher Gebirgswildnisse. — *Malapalud*, ON. im C. Waadt, s. v. a. *mala palus* = böser Sumpf, nach den ungesunden Sümpfen der Gegend (Mart.-Crous., Dict. Vaud 583). — *Malpais* = schlechtes Land, mehrf.: a) eine 200 km² grosse, ehm. bebaute Ebene, aus welcher nach 90 tägigem Erbeben am 29. Sept. 1759 der neue Vulcan v. Jorullo emporstieg, umgeben v. Tausenden mannshoher Basaltkegel u. unter Ergiessg. eines kurzen, aber mächtigen Lavastroms (Humboldt, Kosm. 4, 338ff.); b) eine Fläche bei Perote, bestehend aus ungeheuern Lavamassen, welche sich sonderbar gruppirt u. aufgeschichtet haben, bald kleine Grotten, bald spitze Kegel, wunderbar ausgezackt, darstellen. Durch die mit ärmlicher Vegetation bedeckte Ebene ist eine gute Strasse gebahnt (Heller, Mex. 201); c) die Lavafelder der Canarien, welche nur dem fruchtbar werden, wenn vulcanischer Sand od. Asche, der Feuchtigkeit auch während der dürren Jahreszeit bewahrend, sich in starken Schichten üb. sie gelagert haben (ZfAErdk. nf. 10, 7). — *Malpasso*, bei Tumbez, Peru, wo der Weg nach Piura durchführt u., da der steile Uferfels in das Meer vortritt, bei der Flut überschwemmt wird, so dass der Reisende jeweilen die Ebbe abwarten muss (Barrow, R. u. Entd. 2, 151). — *Via Mala* = schlechter Weg, auch ungetrennt *Viamala*, hiess einst der Pass, welcher die untere u. mittlere Thalstufe des Hinterrheins, Tomleschg-Schams, v. einander scheidet, nach dem schlimmen u. beschwerl. Bergpfade, dem frühen Vorläufer der j. Kunststrasse (1836 ff.), welche an den Schluchtwänden hinzieht u. den Fluss mehrere mal übersetzt, den alten Namen aber beibehalten hat. Anno 1471 bauten die Gemeinden Tusis, Masein u. Kazis durch diese Felsenclause einen meterbreiten Weg, den sie in die Felsen sprengten; doch hat wohl schon früher ein rauherer Weg u. Steg durch diese Schluchten geführt (Gem. Schweiz 15, 183, GMvKnonau, Erdb. Eidg. 2, 118, Egli, Taschb. 98 ff.). — Ein frz. Seitenstück, *Vie-Male*, ein Weg der Gemeinde Mazeroles, dép. Basses-Pyr. (Dict. top. Fr. 4, 174). — *Platta Mala* = schlimmer Stein, ebf. f. Clusen: *a)* unth. Remüs, Engadin, wo der Weg, theilw. in den Uferfels gesprengt, hoch üb. dem Inn sich hinwindet (Killias, Tarasp 86); *b)* eine Clusveste des Puschlav, 'der bekannte feste Platz, welcher bei der Väter Gedenken v. Feinden (näml. Franzosen u. Mailändern) besetzt war u. nach deren Vertreibg. zsgerissen wurde' (Campell ed. Mohr 127. 185, Leonhardi, Posch. 126). — *Rivière Maligne*, ein Nebenfluss des Saskatschewan, bei Cumberland House mündend, welcher s. z. s. eine ununterbrochene Stromschnelle bildet u. den Canoes grosse Hindernisse bereitet 'on account of its many bad rapids', auch nach den dort häufigen Fischen j. *Sturgeon River* = Störfluss (Back, Narr. 35, Franklin, Narr. 178, Richardson, Arct. SExp. 1, 76). — *Ilha do Malvirado* = falsch gekehrte Insel, port. Name eines Küsteneilandes der bras. Prov. São Paolo, weil sie — im Ggsatz zu allen andern der Küste parallel streichenden Inseln — mit jener einen rechten Winkel bildet . . . 'considered to be the wrong direction' (WHakl. S. 51, XLVIII).

Mal Esija s. Montenegro.

Malabar, ein Theil der ind. Westküste, bei Kosmas Indikopleustes im 6. Jahrh. *Malé* (Kiepert, Lehrb. AG. 41), bei Kaswini, † 1283, *Malibâr* (Gildemeister, Script. Arab. 214), ebenso bei Ibn Batuta, aber mit der Aussprache *Mulaïbar*, bei Abulfeda *Manîbâr*, 'ce qui est moins conforme à l'étymologie', bei MPolo (ed. Pauthier 2, 650) *Melibar*, wohl unterschieden v. dem östl. *Maabar* (s. Coromandel), eig. *Malajavara* = Gebiet v. Malai, 'Berg' in den urspr. indischen Sprachen (Lassen, Ind. A. 1, 188) od. einf. Bergland (Humb., Kosm. 2, 203, Berghaus, Phys. Atl. 8, 27) od. Bergbezirk (Kiepert, Lehrb. AG. 41), während Schlagw., (Gloss. 219) *M.* nicht erklärt. Etwas abweichend Pauthier: 'Ce nom est dérivé des termes sanscrits *mâla* = montagnard, et de *vara* = porte, passage; il signifierait donc côte des passages pour se rendre chez les montagnards. En effet, la longue chaîne des Gâths, qui borde cette côte à une faible distance, depuis le cap

Comorin jusqu'à Sourate, et qui par conséquent est habitée par des montagnards indigènes, peut avoir donné naissance à ce nom'. Jedenfalls wird, ggb. so gewichtigen Zeugen, die Ableitg. v. arab. *Mu-abbar* = jenseits der See (Meyer's CLex. 11, 128) hinfällig. — *Cape M.*, in Massachusetts, verd. aus *Mallebarre*, v. Sam. Champlain 1603/07 so genannt, weil ihm eine grosse gefährl. Untiefe vorlag, 'from the dangers he had there experienced' (WHakl. S. 23, XXI).

Malaca, phön. ON. in Unter-Ital. (Arist. de mir. ausc. 115) u. insb. im südl. Spanien, f. das j. *Malaga*, wo sich Münzen mit dem tyr. Phthah u. der Onka fanden u. dem Strabo (156) die phön. Bauart, Φοινικῇ τῷ σχήματι, sowie 'die grossen Anstalten z. Einsalzen der Fische' auffielen, v. מלחה = Fischdörre (Movers, Phön. 2ᵇ, 633). 'Der Name *M.* bedeutet gr. ταριχεία = Pöckelanstalt (ZfAErdk. nf. 13, 41); der Thunfisch ist das gew. Symbol auf den Münzen v. Gades, Sexi u. a. phön. Städten. In den Ruinen bei Setúbal, welche viell. dem alten Caetobriga entsprechen, sind solcher Behälter z. Einsalzen noch eine ganze Reihe erhalten; an dem festen Mörtel ihrer Wände erkennt man noch die Streifen, in welchen sich das Salz abgelagert hat'. Auch die gr. Bezeichng. mehrf. in ON. (s. Bab), z. B. eine Inselgruppe Ταριχεῖαι, j. *Kuriat*, vor Leptis Parva (Strabo 834).

Malade Valley = Krankenthal, engl. Name eines z. Gebiet des Great Salt Lake geh., ganz fruchtbaren, weidereichen Thals, in dessen oberm Theile, ganz im Ggsatz zu der sonst herrschenden Viehzucht u. Milchwirthschaft, das Vieh einer verhängnissvollen Krankheit unterworfen ist, offb. in Folge einer localen Ursache. 'I noticed, in passing through this part of the valley, quite a number of dead cattle, and understood that ox-teams stopping here for a short time have sometimes suffered severely . . .' (Hayden, Prel. Rep. 241). — *La Maladière*, auch *Maladerie*, *Maladrie*, *Maladrerie*, hier u. da im plur., auch *les Malades*, der frz. Name der Siechenhäuser, im Mittelalter *Malaterie*, *Malaiteria* (Gem. Schweiz 19ᵇ, 119), urk. auch nach dem aussätzigen Lazarus, 1282 *domus Sancti-Lazari*, od. 1138 *domus Leprosorum* s. *Infirmorum*, 1478 *Leprosaria* genannt, 115 mal in den 18 dépp. des Dict. top. Fr. (1, 110; 2, 84; 3, 76; 5, 103; 6, 106; 7, 119; 10, 163; 11, 137 f.; 12, 183; 13, 156; 14, 91; 15, 131; 16, 202; 17, 246; 18, 178; 19, 89). Auch die frz. Schweiz hat 2 Orte *Maladière* u. 1 *Maladeire*. — *Maladers*, Ort bei Chur, auf einst rätoroman. Boden (Postlex. 236). — In Graubünden *Masans*, rätor. als *Malsauns*, s. v. a. *ad malesanos* = zu den Siechen, um 998 *Malasan* ecclesia, um 1370 'uss Curwalder müli sond allü iar werden den siechen zu *Massanes* ain wert swin, s. v. a. Krankenhaus. 'Die Krankenhäuser wurden im Mittelalter hauptsächlich mit solchen, welche an einer ansteckenden Krankheit, bes. an dem so verbreiteten Aussatze, litten, bevölkert; diese Anstalten mussten daher in einer beträchtl. Entferng. v. den Städten

u. bewohnten Orten angelegt werden' (Gatschet, OForsch. 148). Hier 'war schon in früher Zeit ein Pesthaus, auch z. Aufnahme fremder Kranken, gestiftet u. mit Einkünften dotirt worden (Campell ed. Mohr 40).

Malagiri, f. das höchste Gebirge der ind. Landschaft Orissa, ist ein Doppelname, da *malaja* in der ind. Ursprache u. ebenso *giri* in skr. = Berg bedeuten (Lassen, Ind. A. 1, 221). — *Malajabhumi* s. Parvati.

Malaja s. Maloje.

Malajen ist nach Crawf. (Dict. 249) unerklärbar. *Malaju* is no doubt the name of the original tribe or nation, and its source is as obscure and untraceable as many others'. Uebr. sagt er (p. 238), dass *malaju* auch Flüchtling, Participialform v. 'rennen', bedeute; ob darin nicht ein Wink f. die etymol. Erklärg. liege? Wirklich wird *Orang Malaju* = herumschweifende Menschen gesetzt (Meyer's CLex. 11, 133). Nach einer andern Ansicht hätten die Hindu sie so genannt, da sie ihnen zuerst in *Maléala* = Bergland, d. i. an der bergigen Westküste Sumatra's, begegneten. — Mit engl. Orth., *y* f. *j*, in zwei Entdeckernamen der Nordküste des Australcontinents: *a) Malay Road*, eine Rhede zw. der Halbinsel v. Cape Wilberforce u. Cotton's I., wo am 17. Febr. 1803 der engl. Seef. Flinders (TA. 2, 233, Atl. 14 f.) sechs mal. Prauen, 'six vessels covered over like hulks', begegnete, welche v. Makassar gekommen unter Führg. eines ältern Manns, Namens *Pobassu*, standen u. mit welchen er durch das Medium seines mal. Kochs verkehrte. Die eine der die Rhede schützenden Inseln nannte er *Pobassoo's Island*, die andere *Cotton's Island* (s. d.); *b) Malay Bay*, v. Capt. Ph. P. King (Austr. 1, 75) am 11. April 1818 so benannt, weil er, als er sie untersuchen wollte, den Ankerplatz v. mal. Schiffen eingenommen fand.

Malakka, zunächst das einstige Emporium der mal. Halbinsel, sollte nach Barros jav. 'Zuflucht' 's. Malajen) bedeuten, ist jedoch,'no doubt' (Crawf., Dict. 238), v. seinem Gründer, dem ehvorigen König v. Singapore (1253), benannt nach den vielen Bäumen, skr. Malacca, bot. Phyllantus Emblica, jenes Küstenstrichs (Lassen, Ind. A. 1, 404, Newbold, Brit. Settl. 1, 108, Camões, Lus. 10, 124). Diese Euphorbiacee, auch Emblica officinalis Gaertn., kommt in Indien wild u. angebaut vor; die zollgrossen, kugeligen Früchte werden roh od. zubereitet gegessen u. waren früher, getrocknet als schwärzliche od. graue Myrobalanen, bei uns Purgirmittel (Leunis, Syn. 2ᵇ, 499). Die 'malajische Halbinsel' war zunächst als *Chryse Nesos*, gr. Χρυσῆ νῆσος = goldreiche Insel aufgetaucht, durch die erweiterte griech. Schifffahrt des 1. u. 2. Jahrh. in eine Χρυσῆ χερσόννησος = goldreiche Halbinsel, lat. *Chersonesus Aurea* (Ptol. Geogr. 7), corrigirt worden, wie auch des Ptolemäus Carten Siam als Χρυσῆ χώρα = Goldland v. Birma, seinem *Argyra Chora*, gr. Ἀργυρᾶ χώρα = Silberland, wie v. Laos, Χαλκῖτις χώρα = Kupferland unterscheiden (Kiepert, Lehrb.

AG. 42 f.). In gewissem Sinne passte der lockende Name auch noch im Zeitalter der Entdeckungen, indem hier alle Reichthümer Asiens zsflossen: 'no tempo de suas monções concorrião áquella riquissima *Malaca*, como a hum emporio e feira universal do Oriente, onde os moradores de estoutras partes a ella occidentaes . . . as hião buscar a troco das que levavão.....' (Barros, Asia 1, 8¹). — Noch sei erwähnt, dass die Eingb. heutzutage den Namen v. *mahalánka* = die grosse Insel (od. Halbinsel) ableiten (Schlagw., Gloss. 219). — Die *Strasse v. M.*, bei den Malajen ohne Namen (Crawf., Dict. 238), heisst bei den Engländern einf. *the Straits* = die Strasse (im plur.), bei den Arabern *Boghâz M.*, wo *boghâz* = Strasse, od. *Boghâz Singafûra*, nach der Stadt Singapure (WHakl. S. 32, 223).

Malaträsk, ein lappl. See, *träsk*, nach der am nördl. Ufer gelegenen Capelle Malâ: vid hvars norra strand Malâ kapell är beläget (Pettersson, Lappl. 117).

Malayta, eine der grössern Salomonen, durch den span. Entdecker Mendaña im Apr. 1568 benannt, wohl wie *Guadalcanar* (einh. *Gela*), *Guadalupe* u. *Sesarga* eine Uebtragg. aus der Heimat, *Santa Isabel* (s. d.), *San Cristóval, San Durias, San German, San Jorge* (s. d.), *Santa Catalina* u. *Santa Ana* (s. Iles de la Délivrance), nicht durchweg rein nach Heiligen, da wenigstens bei der 2. Fahrt, 1595, die 4 Schiffe San Geronimo, Santa Isabel, San Felipe u. Santa Catalina hiessen (Journ.RGSLond. 1872, 214, WHakl. S. 25, 17; 39, 64). Vgl. Puerto de la Cruz. *M.* selbst wurde v. Mendaña's Generalfähnrich Hernando Enriquez entdeckt u. *Isla de Ramos* genannt, weil sie am Palmsonntag, dem domingo de ramos = Sonntag der (Palm-)zweige, erreicht wurde . . . 'por descubrirse en su dia' (Zaragoza, VQuirós 1, 3 ff., 3, 23. 33, Fleurieu, Déc. 7).

Malbronn s. Malstat.

Malchen s. Melibocus.

Malcolm, Point, im Arch. de la Recherche (s. d.), v. Capt. Matth. Flinders (TA. 1, 90) am 17. Jan. 1802 nach Capt. Pultney *M.*, R. N., benannt, wie *M. River*, ein Eismeerzufluss westl. v. Mac Kenzie R., v. Capt. John Franklin (Sec. Exp. 156) am 23. Juli 1826. — *Mount M.*, ein tafelfgr. Hügel West-Austr., v. Reisenden John Forrest 1869 getauft nach dem Vornamen seines Freundes u. Begleiters *M.* Hamersley, wie *Mount Weld* (s. Weld Spring) ebf. prsl. benannt ist (Peterm., GMitth. 16, 149, Journ.RGSLond. 1870, 241).

Malden Island, im Westen der Marquezas, v. Lord Byron 1825, Schiff Blonde, entdeckt u. nach einem seiner Officiere benannt (Peterm., GMitth. 5, 187), bei den american. (?) Capt. Brayton 1836 *Independence I.* (Meinicke, IStill. O. 2, 259).

Maldepe = Schatzhügel, türk. Name eines asiat. Bergs bei Skutari, der 'v. Geisterbeschwörern u. Schatzgräbern viel durchgraben' ist (Hammer-P., Konst. 1, 63).

Malediven, hind. *Maláyadíba* od. *Maláyadwipa*

= die Inseln v. Malayawára, Málabar, v. *diu*, *dwipa*, dem häufig gebrauchten Namen kleiner Eilande (Lassen, Ind. A. 1, 244, Humboldt, Kosm. 2, 433, Schlagw., Gloss. 219). Für diese Inselflur, deren Oberhaupt sich als Sultan der 13 Atolle u. der 12000 Inseln betitelt (Meyer's CLex. 11, 136), dachte der port. Historiker Barros (Asia 3, 3⁷) an *mal*, was in der Malabarsprache = 1000 bedeute, u. *diva* = Inseln, 'porque tantas dizem haver em huma corda delles' (vgl. Lakkadiven) od. auch an eine Ableitg. v. *Male*, *Mala*, *Malai* = Fels (Lassen, Ind. A. 1, 246), dem Namen des centralen Hptlandes.

Maleh s. Melah.

Malenska s. Mlynu.

Maler s. Paharia.

Malesherbes, Ile, im Nuyts Archipel, durch die frz. Exp. Baudin im Febr. 1803 getauft nach dem Staatsmann Chrétien Guillaume de Lamoignon de *M.*, 1721—1794 (Péron, TA. 2, 88).

Malespina, Cap, bei Jeso, durch den russ. Capt. J. A. v. Krusenstern (Reise 2, 40) am 7. Mai 1805 getauft z. Andenken des unglückl. span. Seefahrers d. N.

Maleventum s. Benevento.

Malingre s. Mère.

Malinke s. Mandingo.

Malinoe Osero = Himbeersee, russ. Name eines Sees *a)* der Kuman. Steppe; *b)* der Kirgisensteppe, nach dem angenehmen Geruch des Salzes (Falk, Beitr. 1, 8).

Malley's Rapid nannte, in Befolgung des Gebrauchs, dass unter den arkt. 'Voyageurs' ähnliche Zufälle den Ort mit einem Namen belegen, G. Back (Narr. 166f.) die gefährl. Stromschnellen, welche er auf seiner Beschiffg. des Grossen Fischflusses am 9. Juli 1834 passirte, nach seinem Gefährten *M.*, welcher, längere Zeit verloren geglaubt, v. langen Irrwegen z. Exp. zkkehrte.

Mallorca s. Magnus.

Malmedy, Ort der Rheinprov., im spätern Mittelalter *Malmendy*, j. in der walon. Umgangssprache *Mâmdy*, bei den deutschen Bewohnern *Malmder*, wie in ältern deutschen Urkk. *Malmeder* od. *Malmender*, 648 ggr. v. heil. Remaklus, 'dem Apostel der Ardennen', welcher 'in loco vastae solitudinis' die Bildsäulen der Diana zerstörte u. die durch heidnischen Aberglauben besudelten Quellen weihte . . . 'et quia eundem (sc. locum) a malorum spirituum mundaverunt infestione, *Malmundarium* quasi a malo mundatum placuit vocitare', sagt Notger, der 1108 † Bischof v. Lüttich (Vita S. Remacli) u. schon vorher der Katalog v. Stavelot. Ist nun auch der etym. Versuch verunglückt, so geht aus der Erzählg. doch deutlich hervor, 'dass die Niederlassg. v. dem Heiligen ihren Namen erhielt'. Nach Marjans einleuchtender Darstellg. (Progr. 1880. 9ff.) ist dieser kelt., wie ja der Stifter nach Abstammg. u. Lebensrichtg. zu den irisch-aquitanischen Mönchen gehörte. Er denkt sich den Namen zsgezogen aus *muntar* = Familie u. *mal*, *magl*, aus *magalus*, *magilus*, *magulus* = Knabe, Knecht,

f. 'Mönch', also *Malmundarium* = servorum (i. e. monachorum) familia. Ganz anders Q. Esser (Beitr. 29), der eine weit ältere Grundform *Malmandra*, zunächst als Flussnamen, annimmt, aber mit der Erörterg. nicht überzeugt.

Malmö, Hafenort in Götaland, 1259 *Malmhuge*, später *Malmoge*, *Malmey*, wo *oge*, *ey* u. *ö* = Insel (Meyer's CLex. 11, 155), u. *malm* = Sand, häufig in ON. (Passarge, Schwed. 318), wie in *Malmköping* (s. Norrköping), in Norr- u. Söder-*Malm*, den beiden continentalen Stadttheilen Stockholms. Bei *M.* schwemmt das Meer immer mehr von seinem Grunde an das Ufer u. umsäumt die Küste mit einem Dünengürtel, dem sich nördl. v. der Stadt die Bucht anschmiegt; so liegt der Ort an einer abgerundeten Landecke u. hiess bei den Hanseaten ganz passend *Elnbogen* (E. Egli, Wand. 4). Dass im dän. u. schwed. *malm* auch = Erz, im Norden Seelands = guter Torfboden (Madsen, Sjael. StN. 286), fällt hier ausser Betracht. Uebr. war die urspr. Lage etwas oberhalb, 1303 *Öfra-Malmöghe* = oberes *M.* genannt, während 1346 auch '*Malmöghe inferior* juxta mare' erwähnt wird (Styffe, Skand. Un. 45).

Malmusi s. Jagerschmidt.

Malo, St., frz. Seestadt, gg. Ende des 11. Jahrh. v. Einwohnern des benachbarten St. Servan, welches den Angriffen der Seeräuber fortwährend ausgesetzt war, ggr. u. nach ihrem Bischof getauft (Meyer's CLex. 14, 38), dem frommen Maclovius, der um 540 lebte (Camden-Gibson, Brit. 2, 425). — *Malouines* s. Falkland.

Maloje = klein, *malyj* m., *malaja* fem., in russ. ON. häufig, wie *Malaja Semlja* (s. Arká-ja), *Maloj Kamen'* (s. Paj), *Malaja More* (s. Bajkal), *Maloi Ostrow* (s. Lächowsky), auch vor Eigennamen, wie *Malaja Swetlaja* (s. Janájjagá), *M. Narym* (s. Narym) u. *M. Senokósnoj Ostrow* (s. Bolschoje O).

Maloxela s. Lanzarote.

Malstat, Ort der Wetterau, zuerst 1040, *Maelstat* 1043, *Malstatt* 1046, einer der ON. mit ahd. *mahal* = Gerichtsstätte, Versammlungsplatz, dem Ausdruck, der auch im 2. Theil des Namens *Detmold* (s. d.) steckt. Schon im 8. Jahrh. *Mahaleihhi*, j. *Malching*, in Bayern, im 9. *Mahelberch*, wohl unw. Wessobrunn, *Mahalineschirichun*, j. *Meiletskirchen*, ebf. in Bayern, im 10. *Malbrunno*, j. *Malbronn*, in der Rheinprov., im 11. *Mahelbac*, ein Nebenfluss der Streu, UFrank. (Förstem., Altd. NB. 1043).

Malstrom heisst nach der strömenden, zuw. kreisfg. schäumenden, mahlenden Bewegg. der Gewässer eine Meerenge bei Mosköe, Lofoten, local auch *Moskestrom*. 'Es ist diese Schnelligkeit der Strömg., welche macht, dass man in Lofoten nicht die sonst gew. Benenng. *Sund* . . ., sondern *Strom*, f. die Strasse zw. zwei Inseln, gebraucht' (Vibe, K. u. M. 20ff.). — Aehnl. *Qvärnen* = das Mühlrad, f. einen der 3 Strudel der Fär Öer (Pontoppidan, Norw. 1, 139f. 145).

Malta, gr. *Melitē*, lat. *Melita* (s. Civitas), die mediterrane Insel, ist wohl nicht erst v. den

Griechen, die den Namen 'Honiginsel' v. μέλι = Honig abgeleitet sich dachten (Pape-B., WBuch gr. EN.), sondern schon v. den Phöniziern benannt, u. zwar ist die Annahme Bocharts (de Phoen. col. 1 c. 26), als liege מלטא = Zuflucht zu Grunde, 'zieml. allg. angenommen', wie sie denn f. die dem Continent entrückte, hafenbuchtreiche Insel unmittelb. anspricht. Der Bienenzucht, die in M. heute nicht unbeträchtl. ist, wird bei den alten Schriftstellern nicht gedacht. Auch die übrigen Orte, die bei den Alten den griech. Namen führten, wie z. B. Samothrake in älterer Zeit, ist mit mehr od. weniger Sicherheit phön. Herkunft anzunehmen (Oberhummer, Phön. Akarn. 32 ff.).

Maltebrun-Berg, in Spitzb., nahe dem *Vivien-* u. *Maunoir-Berg*, v. der Exp. Heuglin-Zeil 1870 nach Pariser Geographen getauft (Peterm., GMitth. 17, 182; 18, 157. 474; 23, 316). — *Kette M. s.* Cook.

Malter u. **Maltheuer** s. Mehl.

Maltzan Insel, im Nechwatowa See, NSemlja, zuerst cantographirt 1871 v. der Exp. Rosenthal u. v. Dr. Petermann in Gotha benannt nach dem Orientreisenden Freih. Heinr. v. M. (geb. 1825, † 1874). Auf Africareisende beziehen sich die Namen *Brenner Bach* u. *Hahn Bach* (PM. 18, 77): auf Richard *Br.* 1833/74 u. den Missionär *H.* im Caplande.

Mamala s. Melah.

Mamelles, les, = die Brustwarzen, frz. Inselname in den Seychellen (Mac Leod, East. Afr. 2, 213), offb. ebenso nach der Bergform wie ital. *le Due Mamelle*, f. 2 Klippen vor dem Hafen Korfu (Brandes, Progr. 1848, 21). Dagg. *Mameloid Hills*, eine Berggruppe in Victoria, v. Major T. L. Mitchell (Three Expp. 2, 275) am 26. Sept. 1836 benannt nach ihrem Gestein: die Felsart besteht aus einer Hauptmasse compacten Feldspaths mit eingebetteten Quarzkörnern, welche einzelnen Theilen den Charakter eines Conglomerats geben, u. da sind auch Krystalle dichten Feldspaths eingebettet. — *Mamelon*, einer der befestigten Hügel bei Sebastopol, v. den Franzosen während der Belagerg. 1854/55 so benannt nach der Form (Charnock, LEtym. 174).

Mameluk, ägypt. *memluk* = Gefangener, Unfreier, eig. Erworbene, Gekaufte (Sommer, Taschb. 16, 275, WHakl. S. 51, 44, Ausl. 46, 743, Meyer's CLex. 11, 163), in Aegypten gebr. z. Bezeichng. der weissen Sclaven, die hpts. aus Georgien, Mingrelien, Circassien u. den Grenzen v. Persien gebracht wurden u. als Söldner der Sultane u. Beys auch deren Leibwache ausmachten (Spr. u. F., NBeitr. 7, 264). — *Memleka* = Burg der *M.*, eine Ruine der Oase el-Chargeh, 'indem das Zeitalter der That- u. Gedankenlosigkeit, in welchem die Oasenleute leben, ihnen ein beständiges Verwechseln jüngst vergangener Ereignisse mit zeitlich weit entrückten auferlegt'. Eine griech. Inschrift am Thor weist den Bau in das Jahr 117 (Peterm., GMitth. 21, 392). — *Mamelucos* s. Mestizo.

Mamertina s. Messene.

Mamia s. Tatar. Sund.

Mamlu s. Ma.

Mammoth Hot Springs = Mammuththerme, einer der Geysir des nordameric. Nationalparks, wg. der Riesengrösse seiner Terrassenbauten, die in mannigfaltigen schönen Formen zu 60 m ansteigen u. im Sonnenschein funkeln; sie bestehen aus einer Collection thätiger u. beruhigter Springquellen (Ludlow, Carr. 18 f.). — *M. Cave*, ein aussergewöhnlicher Höhlencomplex Kentucky's, nach den Knochenfunden, welche man hier zu Tage gefördert hat (Buckingh., East. & W. St. 2, 477).

Man, die ziemlich bergige Insel der ir. See, unter den kelt. Namen *Mon, Mona* (s. Anglesea) kymr. *Môn-âw* = Mon des Wassers, bei spätern Autoren *Monapia* (Kiepert, Lehrb. AG. 533), schon Caesar (Bell. Gall. 5, 13) bekannt, aber j. noch vor unsicherer Etymologie. Edmunds (NPl. 217) denkt an kelt. *ma, man* = Ort, od. an *maen* = Fels, 'either of which etymologies is suitable'. An ihrem Südwestende die Klippe *Calf of M.* (s. Calf) mit gewaltigen Burgruinen (Daniel, Hdb. Geogr. 3, 812). — Eine austr. *Isle of M.*, ebf. zw. einem Britanien u. Irland, Bismarck Arch., v. Capt. Carteret am 9. Sept. 1767 getauft (Hawk., Acc. 1, 376).

Mana Aulje = heiliger Berg, kirg. Name einer zw. Orsk u. Neu Uralsk in der Steppe sich erhebenden Hügelmasse, benannt nach dem den Kirgisen heiligen Denkmal eines Nationalhelden, der — wie die Sage geht — nur dadurch Ruhe bekam, dass man an dem Bergabhange, wo er am liebsten gebetet, seine Leiche beerdigte. An diesem Grabe beten sie, opfern Almosen u. selbst Geld f. ärmere Glaubensgenossen. Jedoch ist der, welcher das Häufchen Kupfermünze v. Grabe des Helden sich zuzueignen gedenkt, verpflichtet, vorher selbst ein kleines Geldopfer zu bringen, damit der Casse ein Fonds bleibe (Bär u. H., Beitr. 18, 148 f.).

Manakalongwe = Pass der Einhorne nennen die Betschuanen einen Pass der Bamangwato-Berge nach einer grossen essbaren Raupe, welche ein aufgerichtetes Schwanzhorn trägt (Livingst., Miss. Trav. 150).

Manam Rimacunan = du sollst nicht sprechen, ind. Name eines hohen Bergzuges an der Ostseite des peruan. Plateau. Dort oben bläst beständig ein so heftiger Wind, v. Schneegestöber begleitet, dass es in der That kaum möglich ist, den Mund z. Sprechen zu öffnen (Tschudi, Peru 2, 294).

Manaos, bras. Stadt an der Confl. Amazonas-Rio Negro, benannt nach den Manaos, einem Indianerstamm, dessen vermischte u. getaufte Nachkommen nun noch in dieser Gegend, th. am Teffé, th. am Rio Negro, wohnen. 'The whole of them are now civilized, and their blood mingles with that of some of the best families in the province' (WHakl. S. 24, 169). Auch *Barra do Rio Negro*, wo 'Barre' s. v. a. Einfahrt, Mündg. (Avé-L., NBras. 2, 68).

Manaswari = Insel des weissen Sandes, einh. Name eines erhobenen, wenig fruchtb. Koralleneilandes am Eingang der Geelvink Bay (Meinicke, 1Still. O. 1, 93).

Manati, Cap, die Südspitze v. Berings I., benannt nach Stellers Seekuh, Manatus borealis Pall. od. Rytina Stelleri C., einem den Seekühen des trop. Atlantic verwandten, gewaltigen 8 m lg. u. an 40 m. Ctr. schweren Seesäugethier, welches nur auf dieser Insel. u. zwar in Menge, vorkam, v. Steller während der Ueberwinterg. 1741/42 beobachtet, seither verfolgt wurde u. schon 1768 ausgerottet war (Lauridsen, V. Bering 162 f., Leunis, Syn. NR. §. 141, Müller, SRuss. G. 4, 389).

Manato s. Churchill.

Manayunk s. Schuylkill.

Manby Island, eine Küsteninsel Ost-Grönlands, v. engl. Walfgr. Will. Scoresby jun. (North. WF. 230) am 29. Juli 1822 entdeckt u. getauft nach Capt. G. W. M., 'whose extraordinary exertions and succes in the rescue of shipwrecked mariners, entitles him to the gratitude of every seaman; and whose very gentlemanly conduct and pleasing society, were the means of rendering a recent voyage, wherein he accompanied me to the Polar Seas, one of the most agreeable I ever undertook'.

Manche s. Channel.

Manchester, im 11. Jahrh. Mancestre, engl. Fabrikstadt, einer der zahlr. Orte, wo ags. ccaster, lat. castrum = Veste in caster, cester, chester übgegangen ist (s. Lancaster, Gloucester, Chester), aber dem Bestimmungswort nach nicht sicher erklärt. Die 'Männerstadt', die man, als Andenken tapferer Vertheidigg. im Dänenkriege, in M. entdecken wollte, kommt viel zu spät; der Name ist brit. Ursprungs, Man-cenion, röm. Mancunium, Manucium, u. wird bald mit 'Zeltort', häufiger mit 'Steinort', v. maen = Stein, Fels, übsetzt, letzteres im Hinblick auf die Steinbrüche, welche am Fusse der Felsstadt standen (Charnock, LEtym. 174, Edmunds, NPl. 217, Blackie, Etym. G. 38, Gibson, Etym. G. 68). — Ein M. in N Hampshire, 1838 ggr., ebf. ein Hptplatz der Baumwollspinnerei (Meyer's CLex. 11, 167). Ob gleich v. Anfang dafür bestimmt?

Mándala, auch Mándara, Wángara, Uándala = Sumpf, in vschiedd. Negersprachen der Name einer z. Reich Bornu geh. Niederg., eines echten Sumpf- u. Wasserlandes, das während der Regenzeit th. durch die v. Gebirge herabkommenden Flüsse u. Bäche, th. durch den austretenden Tsad übschwemmt wird (Rohlfs, QAfr. 2, 13). — Ein ind. M. s. Gharamandala.

Mandan, Fort, ein befestigter Winterposten am Missuri, im Gebiete der M., v. den Captt. Lewis u. Cl. (Trav. 91 ff.) am 2.—20. Nov. 1804 errichtet 'in a good position where there was plenty of timber ... we this day moved into our huts, which are now completed'. Die M., auch Matani, Mawatani bei den Dakota, nannten sich, wenigstens bis 1837, einf. Numakaki = Volk, Menschen, sich u. die verwandten Minnatarees zs. Nüreta = wir (selbst). Ein starker Ast des

Stammes sind die Siposka-numakaki, engl. übsetzt Grouse Men = Volk der Prairiehenne, v. siposka, hidatsa, sitska, tsitska, dem scharfschwänzigen Heidehuhn, Tetra phasianellus L. (Matthews, Ethn. u. Phil. 14).

Mandeb, Bab el- = Thor der Gefahr (Bergh., Ann. 5, 9, Peterm., GMitth. 4, 163), der Bedrängniss, der Thränen od. der Todtenklage, v. arab. mándib = Thräne, Klage, pl. manádib (Edrisi ed. Jaub. 1, 59 ff., MPolo ed. Pauthier 2, 703, Munzinger, Ostafr. St. 97, Paulitschke, Progr. 26), mehrf. mit Orth. Mandel (Bernier, Gr. Mog. 2, 83 ff., in Capper's Obs. 1783), wo zugleich al-Bab = das Thor auf die engere arab. Gasse beschränkt ist (Spr. u. F., Beitr. 4, 191) u. schon in Barros, welcher zwar (Asia 2, 8¹ p. 267) sich die Uebsetzg., aber das Motiv beifügt, weil die vorliegenden '7 Inseln' den Eingang verriegeln u. so eine gefährl. Sackgasse bilden: 'Quando os navegantes de longe as (jene 7 Inseln) vem demandar, assi eng-anão a vista, ajuntando terra a terra, que mostrão não ter transito pera dar passagem; e quando se vão chegahdo áquella abertura que fazem, he tão temerosa, que parece mais pera entallar navios, que dar lhes passagem ...' Sicher war die Einfahrt vor den genauen Aufnahmen der engl. Marine eine gefährliche (Sommer, Taschb. 26, 57) u. konnte der Name ebensowohl auf die Gefahren dieses Punkts selbst, als auf diej., welche das v. Riffen umsäumte schmale Rothe M. den Segelschiffen bietet, sich beziehen. In letzterer Hinsicht sagt Edrisi (a. a. O.): 'Le fond de cette mer est tellement rempli d'écueils jusqu'à B. el-M. que les grands bâtiments n'y peuvent naviguer, et que souvent, lorsque les petits s'y hasardent, ils y périssent surpris par la tempête'. Die Meerenge zerfällt durch die Insel Majún od. Perim in die schmalere arab. Gasse, die 'Kleine Strasse', arab. Bab el-Menhéli, nach der Landspitze Ras Menhéli so genannt, u. die breitere african. Gasse, die 'Grosse Strasse', arab. Dacht el-Majun. Vor dieser liegen die erwähnten '7 Brüder' (s. Seba), in der Gasse selbst Antilope's Bank, wo 1804 die Antilope, ein Kreuzer der ind. Compagnie, Capt. Keys, beinahe verunglückt wäre, v. Horsburgh Panther's Shoal genannt, weil Capt. Court, v. Schiffe Panther, 1805 die Aufnahme der abessin. Küste vollbrachte (Berghaus, Ann. 5, 10 f.). Auch in der Kleinen Strasse droht eine Gefahr: Hart vor Ras Menhéli liegt ein v. Fischern u. Piloten besuchtes Felseiland, arab. Dschesiret Roban, engl. Oyster Island = Austerinsel, auch Fisher's od. Pilot Island, welche die vor dem Cap liegende Untiefe abschliesst; da nun das Cap leicht mit der Insel verwechselt wird, so kann ein Fahrzeug auf diese Untiefe gerathen (Peterm., GMitth. 6 T. 15. 18). Einst scheint das Thor, behufs Zollerhebg., mit einer Kette verschlossen gewesen zu sein (Sprenger, PostRR. 149). — Om Mandeb = Mutter (d. i. Fundort) des Mandeb, eine reizende Waldinsel des Weissen Nil, wo die Mimosa asperata, eines der chicanösesten Stachelgewächse der

Welt, in Gestalt undurchdringlicher Dornverhaue die Ufer umgürtet (Schweinf., IHAfr. 1, 66).

Mandingos, auch *Mandengas* (Grundem., Miss. Atl. 2, Camões, Lus. 5, 10), Name eines seneg. Negerstamms, v. *Mandin*, einem ihrer kleinern Staaten (zw. Bambuk u. Wassulon) u. *nko, nka, nke* = Bewohner. Nach einem andern grössern Staate *Malin*, auch *Malinko, Malinka, Malinke* (Glob. 2, 1. 6).

Mandhur s. Jordan.

Mándla = Aloë, arab. ON. in Malwa, v. *mándal* = Aloëholz, nach der in der Umgebg. häufigen Pflanze (Schlagw., Gloss. 220).

Mandrakin, ngr. τὸ Μανδράκιν = τὸ μαρδράκιον = die Umfassungsmauer, ein Städtchen an der Nordwestecke der Sporade Nisyros, v. den Ueberresten eines 8—9 m br. Dammes aus kolossalen unbehauenen Lavablöcken, welche die Ebene v. Meer trennen. Noch vor 30 Jahren, schreibt Ross (IReis. 2, 72), waren in der j. aus Gemüsegärten bestehenden Ebene nur Wasserpfützen u. Binsen, weshalb sie auch später noch *Limne*, gr. Λίμνη = See, Sumpf, hiess.

Mandschera s. Chartum.

Mandschu, eine Abtheilg. der Tungusen, lange ein unbeachtetes Bergvolk der *Mandschurei*, das aber seit 1583 anfing, eine Grossmacht zu werden, 1610 in die chin. Prov. Tschili einfiel u. die Eroberg. China's 1644 vollendete, wurden chin. *Man Tscheu*, mit dem Ehrentitel eines ihrer frühern Reiche, im Sinne eines stark bevölkerten Landestheils, genannt (Klaproth, Mém. 1, 444, vgl. Bergh., A. 3. R. 4, 288).

Mánesalè = Endvorgebirge, v. sam. *man' Ende u. salè* = Kuppe, Cap, ein Vorsprg. des Háardarapáj (Schrenk, Tundr. 1, 344).

Manfredonia, Hafenort der ital. Prov. Capitanata, v. Kaiser Friedrichs II. Sohne, dem ritterlichen König Manfred, erbaut 1256 (Charnock, LEtym. 175).

Mangaldái = Ort der Glückseligkeit, hind. Name zweier Ortschaften in Unter-Assám u. im Pandscháb. Aehnl. *Mangalkót* = Schloss der Glückseligkeit, in Bengál, *Mangalpúr* = Stadt der Glückseligkeit, in Orissa, *Mangalúr* = Stadt der Glückseligkeit, oft *Mangalore*, in Málabar, (Schlagw., Gloss. 220).

Mangarai s. Flores.

Mangasea od. *Mangaseisk*, Name einer (seither aufgegebenen) russ. Ansiedelg. an dem sib. Flusse Tas (um 1600), verd. aus *Mokasse*, dem Samojedengeschlecht, welches jene Gegend bewohnte (Müller, SRuss. G. 4, 95, Bär u. II., Beitr. 24,133).

Mangatái = der steile, mong. Name eines im Gebiet der Selenga gelegenen Bergs, dessen westl. Theil *Tumukei* = der v. den Sturmwinden gepeitschte, 'Allenwinden', heisst (Timkowski, Mong. 1, 45).

Mangfall, fem., im 11. Jahrh. *Manachfialta, Managfalta*, v. ahd. *manag* = viel, der z. Inn gehende Abfluss des Tegernsees, mus v. seinem mannigfaltig gewundenen Laufe den Namen haben (Schmeller, Bayr. WB. 1, 1605, Freudenspr., Meich.

47), od. treffender, meint Wessinger (Bayr. ON. 82. 115), v. den vielen rechts u. links faltenartig einmündenden Gräben u. Bächen (s. Manyfold). Im 11. Jahrh. auch ein thüring. *Maginfaltbach* (Förstem., Altd. NB. 1049).

Mangischlak, eher *Mankkyschlak* = Winterlager der (turk.) Mang od. Nogaï, die einst dort wohnten, so heisst eine der Ufergegenden an der Ostseite des Kaspisees (Hertha 5, 155, Potocki, Voy. 1, 49). Etwas abweichend setzt H. Vambéry (Peterm., GMitth. 37, 269) als richtige Form *Mingkischlak* = 1000 Winterstationen, so genannt v. den zahlr. Winterlagern der Kirgisen. Diese Deutg., v. turk. *ming* = tausend u. *kischlak* = Winterlager, findet sich schon 1838 bei E. Eichwald (AGeogr. Kasp. M. 109), jedoch mit der Versicherg., dass die Truchmenen 'ihn alle so, näml. *Mankischlak*, u. nicht *Minkischlak* nennen.'

Mangoldstein s. Donau.

Mangrove Islets, eine Riffgruppe in Houtman's Abrolhos, v. Capt. Stokes (Disc. 2, 151) im Apr. 1840 benannt, weil sie stellenweise mit *M.* bedeckt sind, 'covered in places with mangroves', jenen Rhizophoren, die mal. Mangle heissen, Wurzelbäume des seichten Strandgewässers, auf hohem Wurzelgerüst, mit ausgebreitetem Laubdach, das sich v. den knorrigen Aesten aus durch Luftwurzeln stützt. Immer neue Tochterstämme bildend, dehnt sich die Colonie zu meilenbreiten Säumen aus, deren Grund, mit absterbenden Organismen bedeckt u. täglich zweimal mit schlammigem Salzwasser überflutet, Fieberdünste aushaucht; *b) M.* Insel im Delta des Rio Pongas, Westafrica (Grundemann, Miss. Atl. 2); *c) M.* Point, die Nordspitze v. Babbage I., v. Capt. G. Grey (Two Expp. 1, 368) getauft, weil hier die Bäume beginnen, um südwärts fast ununterbrochen zuzunehmen, 'as far as I have seen it'; *d) M.* River, ein Zufluss der Mercury Bay, v. Cook am 15. Nov. 1769 benannt nach der Menge v. Manglebäumen, die ihn einsäumen (Hawk., Acc. 2, 347); *e) Punta de Mangles*, ein pacif. Landvorsprg. an der Grenze v. Columbia u. Ecuador, v. den Conquistadoren ebf. nach der Vegetation getauft (WHakl. S. 33, 21).

Manha Tanka s. Swan L.

Manhattan, ind. Name der Insel, auf welcher New York (s. d.) erbaut ist. Die Entdecker, es war die v. Henry Hudson befehligte Exp. v. 1609, bewirtheten die Indianer reichlich mit Branntwein; daher erhielt der Ort resp. die ganze Flussinsel den ind. Namen *Manahacteneid* = Ort der Trunkenheit, gewöhnl. *M.* (Quack., USt. 78 f. 99, Buckingh., Am. 1, 33, East. & WSt. 1, 130). Dieser Annahme widerspricht zwar H. R. Schoolcraft (Proceed. NY.Hist.S. 1844, 77 ff.): die Insel, ind. *Monahtanuk* = Ort des gefährlichen Strudels, sei nach den Wirbeln des Höllenthors benannt u. jene Annahme sachlich wie sprachlich unhaltbar. Nun erzählt aber das Tagebuch Rob. Juet's, eines engl. Gefährten Hudson's (WHakl. S. 27, 85), die Weissen hätten einige der Häuptlinge in die Cabine hinuntergenommen u. ihnen so viel Wein

u. Branntwein gegeben, dass sie alle fröhlich wurden. Die Sagen der Rɔthhäute (Coll. NYHist. S. NS. 1, 177) melden umständlich, wie der erste Indianer, der ein Glas Branntwein getrunken, zu Boden fiel, in Schlaf sank u., wieder erwacht, mehr verlangte; sein Beispiel haben die andern befolgt, u. sie seien alle betrunken worden. Ggb. diesen Zeugnissen darf die Angabe, die Insel sei nach dem Namen des dortigen Indianerstamms getauft (Meyer's CLex. 11, 178), verlassen werden. Ein Stamm *M.* findet sich auch nirgend genannt. — *M. River* s. Hudson.

Manhem s. Sverige.

Manila, die Hptstadt der Philippinen, bei den Luçones *Maynila*, v. Legaspi, gleich im Jahre der Eroberg. (20. Mai 1571) an der Stelle eines Dorfs der Tagala, dessen Name, entgg. dem span. Gebrauch, hier beibehalten wurde, aber nicht sicher, etwa aus *mani*, dem mal. Namen einer Pflanze (WHakl. S. 39, 19. 288), wohl besser v. dem in der Gegend häufigen Baum Nilad, Nilar, span. Yxora-Manila (Zaragoza, VQuirós 3, 24), erklärt ist. Diess berührt sich mit der Angabe Crawfurds (Dict. 267), der an die Tagalawörter *mairon* = sein, existiren, u. *nila*, einen in Mangrovesümpfen häufigen Strauch, die durch Synkope verkürzt wären, denkt.

Manitu, unnöthiger Weise auch *Manitou*, der Name des ind. Gottes, mehrf. in ON. als: *a) M.,* ein Ort in Colorado, mit einem Reichthum an Eisen- u. Sodaquellen, springs, seit 1870 z. fashionabeln Badort geworden. In der Nähe die Thermalorte *Colorado Springs* u. *Idaho Springs* (Peterm., GMitth. 21, 445); *b) M. Creek,* zwei Zuflüsse des untern Missuri: *Little* (= klein) *MC.,* nach einer seltsamen menschenähnlichen Figur, welche mit Hirschgeweih versehen auf einen vorspringenden Felsen gemalt ist u. wohl eine Gottheit vorstellen soll, u. *Big* (= gross) *MC.,* nach ähnlichen Thierfiguren u. Inschriften ... 'near which is a limestone rock inlaid with flint of various colours, and embellished, or at least covered, with uncouth paintings of animals and inscriptions' (Lewis u. Cl., Trav. 8); *c) M. Islands,* zwei Inseln des Michigan, die als Göttersitz gelten ... 'this name being applied by them to any spot, but especially to islands or caves, which they believe to be the abode of good or evil spirits' (Buckingh., East. & WSt. 3, 347); *d) M. Lake,* der Quellsee des White Sand R. (s. d.), weil ein Wirbel das Wasser angebl. vier mal in 24ʰ herumdreht u. im Winter die wirbelnde Bewegg. unter Geräusch u. Erschütterg. unter dem Eise stattfindet, was die Indianer als Zeichen der Anwesenheit ihres Gottes ansehen (Hind. Narr. 1, 431); *e) M. Hills,* j. *Sand Hills,* bei Melbourne Station, Manitoba, eine Gruppe v. Hügeln, wo an vielen Stellen das Gras so spärl. wächst, dass der Schnee nicht liegen bleibt, so dass die Indianer an übernatürl. Einflüsse glauben (Ch. Bell, Canad. NWest 7). — *Manitoba,* bei den Odjibwä *Mana tuopa* = wo der grosse Geist wohnt (Glob. 26, 206), ein Nachbar des Winnipeg,

dessen grosse Insel als Götterstätte gilt (Peterm., GMitth. 6, 37). Die Indianer scheuen die Höhlen u. überhangenden Felsen als Wohnstätte des Manitu, u. hier, auf der *M. Insel,* glauben sie, sei eine Menge unterirdischer Hohlräume, weil die nahe dem Nordende am Fuss der Klippen anschlagenden Wellen eigenthümliche Töne, oft dem Läuten entfernter Kirchenglocken ähnlich, hervorbringen. Selbst Europäer glauben, beim Erwachen in tiefer Nacht, Glockengeläute zu vernehmen u. begreifen den Eindruck, den das Phänomen auf das abergläubische Gemüth des Indianers machen muss (Hind, Narr. 2, 70). Uebernatürl. kam den Indianern auch vor, dass in den Engen, wo sich das Wasser aus dem einen Becken in das andere ergiesst, der See nie od. selten zufriert. Er heisst 1740 *Lac des Prairies,* später in engl. *Lake of the Meadows* übsetzt (Ch. Bell, Canad. NWest 7). Seit 1870 ist *Manitoba* auf die v. Lord Selkirk (s. d.) 1811 mit Schotten besiedelte Prov. übtragen, die sonst *Assiniboina* od. *Red River Settlement,* nach zwei grössern Flüssen, geheissen hatte (Meyer's CLex. 11, 181).

Mankato s. Blue Earth R.

Mankizitah-Watpa = Fluss der rauchenden Erde, im Gebiete des obern Missuri, v. den Indianern so genannt, weil in jener Gegend Reihen niedriger conischer Hügel periodisch, oft 2—3 Jahre lang, mit dichtem schwarzem Rauch bedeckt sind (Humb., ANat. 1, 66).

Mann, ahd. *man* = vir, in geogr. Namen mehrf., insb. in den Völkernamen *Marcomanni,* 1. Jahrh. v. Chr., u. *Alemanni* (3. Jahrh.), v. einem PN. *Mannheim,* in Baden, 764 *Manninheim,* später *Mannenheim,* während ein *Manheim* der Rheinprov. 898 *Mannunhem* heisst. Durch Volksetym. ist aus dem alten *Manolfingen,* am Main, UFrank., *Mainflingen* geworden (Förstem., Altd. NB. 1049). — Im Innern des Australcontinents die *M. Ranges,* Gebirgszüge, v. Reisenden Gosse im Juli 1873 entdeckt u. nach dem dam. Attorneygeneral, Charles *M.,* benannt (ZfAErdk. 1875, 342). — *The Mans Face* = das Menschengesicht, ein Cap der durch ihre grotesken Basaltformen ausgezeichneten Fär Öer, 'täuschend wie das Profil eines Menschen gebildet' (Preyer-Z., Isl. 19).

Manning, Cape, in Wellington Channel, Parry Arch., durch die erste Grinnellexp. im Sept. 1850 benannt nach einem Förderer der Exp.: 'after a warm personal friend and ardent supporter of the expedition' (Kane, Grinn. Exp. 201). — *M. Strait,* zw. den Salomonen Choiseul u. Isabel, auf Arrowsmith' Carte benannt nach dem engl. Capt. *M.,* v. Schiffe Pitt, welcher sie 1792 zuerst passirte (Krus., Mém. 1, 162), auch *Pitt Strait* (Meinicke, IStill. O. 1, 152). In diesen Gewässern hatte schon Capt. Shortland 1788 eine Durchfahrt gesucht, mit Wilden, 'Indianern', verkehrt u. voreilig eine *Indian Bay* (Fleurieu, Déc. 184) u. ein *Deception Cape* eingetragen; jene hat der russ. Admiral v. Krusenst. (Mém. 1, 163) in die südl. vorliegende Bay, die v. New Georgia abgeschlossen wird, gerückt.

Le Mans s. Maine.

Mansard, Cap (s. Fowler), westl. v. Nuyts' Arch., durch die frz. Exp. Baudin am 12. Febr. 1803 getauft nach dem Architecten Ludwig's XIV. 1598—1666 (Péron, TA. 2, 106, Freycinet, Atl. 18. Vergl. Choiseul-Gouffier).

Mansos s. Indios.

Mansur, fem. *mansura* = siegreich, arab. Name od. Beiname mehrerer Städte (s. Bagdad), auch in Aegypten u. Tunis, sowie eines Bergs bei Constantine (Parmentier, Vocab. arabe 34).

Manta, Puerto, eine Hafenbucht an der Westküste Ecuadors, benannt nach den hier zahlr. Manta- od. Polsterfischen, welche den Perltauchern, die einst ebf. zahlr. hier arbeiteten, gefährlich waren, später jedoch selbst Gegenstand einer ausgiebigen Fischerei wurden. Der Mantafisch, eine ungeheure Roche, ist in Länge u. Breite polsterförmig (*manta* = polster), wickelt seine Flossfedern um die Beute u. drückt diese todt (Barrow, R. u. Entd. 2, 65 ff.). Ob dieser Fisch einer der 'Seeteufel' der Matrosen (Leunis, Syn. 1, 408) sei?

Mantuan Downs s. Claude.

Manuel nannte Affonso d'Alboquerque das nach der Eroberg. Goa's (1510) z. Schutz dieses Besitzes erbaute Fort zu Ehren des dam. Königs v. Portugal 'per memoria d'ElRey D. *M.*, em cujo tempo (die Stadt) fora tomada' (Barros, Asia 2, 5[11] p. 557). — *Manoel Alves*, Fluss u. Colonie der bras. Prov. Goyaz, nach dem Eigenthümer der letztern (Peterm., GMitth. 21, 377).

Manukau-Harbour, Hafenbucht ggb. Auckland, v. *manuka*, dem Maorinamen eines strauchartigen, oft baumfg. Gewächses, Leptospermum scoparium, welches überall in dieser Gegend sehr häufig vorkommt (v. Hochst., NSeel. 115).

Manyfold, Cape = vielfältiges Vorgebirge (s. Mangfall), in Queensland, v. Cook am 27. Mai 1770 getauft nach der Menge hoher Hügel, welche üb. ihm sich erheben (Hawk., Acc. 3, 122); *b) Mount Manypeak*, ein Bergrücken in Nuyts' Ld., v. Capt. Matth. Flinders (TA. 1, 74) am 5. Jan. 1802 nach den zahlr. kl. Pics, welche den First krönen.

Manytsch, russ. Form f. tatar. *Manatsch* = bitter, Name eines ciskauk., in den Don fallenden Flusses (Güldenst., Georg. 291).

Manzanares s. Cumaná.

Manzanas, las = die Aepfel, span. Name eines v. den Jesuitenmissionären ggr. Orts in den patagon. Cordilleren, ca. 40° S., nach den Hainen der Aepfelbäume, welche den Ort umgeben u. den Indianern heute noch das Material zu einem leidlichen Apfelwein liefern (Musters, Patag. 80).

Manzanillo, Isla de, die Insel v. Colon, nach der berüchtigten Euphorbiacee, dem Giftbaume Hippomane Mancinella, welcher dort früher häufig war, übr. am Golf v. Panamà noch häufiger vorkommt (Wüllerst., Nov. 3, 388). — *M.*, pacif. Hafen v. Colima, Mexico, v. üppigster Vegetation der Küsteneuphorbiaceen umgeben (Meyer's CLex. 11, 198).

Manzl od. *Mangi*, bei MPolo (ed. Pauthier 1,

LVII, 2, 365. 452) der Ggsatz z. nördl. China, Chatai, f. das südl., v. den chin. Wörtern *man-tsĕ* = Söhne der Barbaren, 'parce que la Chine méridionale fut civilisée beaucoup plus tard que la Chine du nord', noch j. als Ausdruck der Verachtung gebraucht.

Maon, hebr. מָעוֹן = Wohnung, ON. zweimal: *a)* Stadt im Stamme Juda, unweit des Karmel, v. der die umliegende Steppe benannt ist (Jos. 15, 55; 1. Sam. 23, 24), j. noch *Maîn* (Robins., Pal. 2, 422); *b)* ein nichtisrael., in Verbindg. mit Amalekitern, Sidoniern u. Philistäern (Richt. 10, 12) u. den Arabern (2. Chr. 26, 7) aufgeführter Völkerstamm, noch j. *Maân*, Stadt u. Schloss im petr. Arabien, eine Station südl. v. Todten Meere (Zach's Corr. 18, 382, Burckh., Reise 724, Gesen., Hebr. Lex.).

Maongo-ma-Lobah s. Camerun.

Maori = Einheimische, Eingeborne, im Lande Gewöhnliche, so nennen sich die Polynesier NSeelands: *Tangata-Maori* = eingeborne Menschen, im Gegensatz zu *Tangata Pakeha* = dem fremden Menschen (u. *pakeha mango mango* = dem ganz schwarzen Menschen), wie *wai maori* = das gewöhnliche Wasser, d. h. Trink- od. Süsswasser, während *wai pakeha* = fremdes Wasser, d. i. Spirituosen, der Europäer. Auf Mangarewa u. Hawaii *maoi* = eingeboren, einheimisch, auf Taiti *vai mauri* = Süsswasser (v. Hochst., NSeel. 48 f., Dieffb., Trav. 2, 7, Wüllerst., Nov. 3, 99).

Mao yu lin = grosse Herberge, chin. Name einer Station der Route Chalgan-Peking (Timkowski, Mong. 1, 296).

Mapas s. Mauvais.

Maple Creek = Ahornbach, ein Nebenfluss des Qu'appelle R., Assinniboine, durch die canad. Exp. 1858 so benannt nach einigen sehr alten Ahornbäumen (s. Sugar Point), welche an der Mündg. standen (Hind, Narr. 1, 331).

Maracaia s. Governador.

Maracaybo, Name eines Hafenorts v. Venezuela, nach dem Kaziken, der den span. Entdecker Alonso de Hojeda 1499 hier traf (ZfAErdk. 1870, 419). Die *Laguna de M.* taufte er, ozw. nach dem Kalendertage, 24. Aug., *Lago y Puerto de San Bartolomé*; sie hiess auch *Lago de Nuestra Señora* = See ULFrauen (Gomara, Hist. c. 72).

Maraetal, s. v. a. nahe dem Salzwasser, Marianame einer Niederlassung obh. der Mündung des Waikato (v. Hochst., NSeel. 127).

Marah s. Musa.

Marahwas s. Estland.

Maranhão, der Name eines nordbras. Stroms (u. Hafenstadt), scheint durch Verwechslung mit dem benachb. *Marañon*, port. *Maranhon* (s. Amazonas), aufgekommen zu sein — eine Verwechslg., welche in den ersten Zeiten um so leichter erfolgen konnte, als auch der kleinere *M.* eine ungeheure Mündg., sowie seine Pororoca u. seine Mündungsinsel hat (Varnh., HBraz. 2, 66) u. bei Gomara (Hist. c. 87) wirklich *Marañon* heisst. — *San Luiz do M.* s. Luiz.

Marárraba = die Hälfte, scil. des Weges zw.

Rhāt u. Aïr, v. *raba* = theilen, bei den Haussa (s. Korámma) ein im Tuareglande gelegener durch Steinhaufen bezeichneter Punkt (Barth, Reis. 1, 306).

Marath, phön. מרת, in gr. Form *Μάραθος*, einst Stadt in Phöniz., bei Aradus, j. *Amrit* (Meyer's CLex. 1, 559), v. Gesenius als 'Bitterquell' erklärt, nach Movers benannt v. Flüsschen *Marathias*, dem יָרַד = fliessen zu Grunde liege, scheint richtiger, nach M. A. Levy (Phön. Stud. 37) auf die √ מר = Herr zu führen u. 'Herrschaft' zu bedeuten, wie schon früher Sepp (Heidenh. 2, 117) den Namen des attischen *Marathon* mit 'dominus venit' übsetzt hat. Der ON. *Μαραθών*, als griech. Sprachgut betrachtet, würde 'Fenchelfeld' bedeuten (Pape-B., WB. griech. EN., Rhein. Mus. 1853, 330, Tozer, Lect. 343), u. ihm reihen sich etwa 20 ähnl. an, so dass man a. der Menge griech. 'Fenchelfelder', 'Fenchelinseln', 'Fenchelstädte', etc. stutzig wird. 'Sollte eine Pflanze v. so untergeordneter Bedeutg. wirkl. so oft der Anlass zu Ortsbezeichnungen geboten haben?' fragt E. Oberhummer (Phön. Akarn. 29). Er weist nach, dass sich diese ON. nur da finden, wo phön. Einfluss gewaltet hat u. kommt zu dem Schlusse, dass sie, in mehrern Fällen allerdings mit volksetymolog. Anlehng. an das gr. μάραθρον, semit. Abkunft, Verwandte des altphön. *M.*, sind. Seither hat E. Schauberg (AZeitg. 1891, Beil. zu No. 96) versucht, den Namen des Schlachtorts v. der indogerm. Wurzel *mar* abzuleiten u. als 'Morast, Sumpf' zu deuten; er wird dafür kaum viele Gläubige finden, so wenig als f. die Parallele mit *Morgarten* u. *Murten*, deren Etym. keineswegs sicher steht.

Marble = Marmor, in engl. wie *marbre* in frz. ON. *a) M. Island* u. *M. Harbour*, in Sullivans I., Mergui, v. engl. Capt. Thom. Forrest am 16. Juli 1783 entdeckt u. so genannt, weil dort 'Marmor in grosser Menge angetroffen wird' (Spr. u. F., NBeitr. 11, 181); *b)* eine andere *M. I. s.* Brook Cobham. — *Aiguilles Marbrées* s. Rouge.

Marburg, deutscher ON. a) in Hessen, burgartig an steilem Ufer des *Marbachs*, der hier in die Lahn mündet, emporsteigend 'z. altersgrauen Schlosse' (Daniel, Hdb. Geogr. 4, 452); *b)* in Steierm., zunächst die Burg um 1180 *Marchburc* = Markburg. Auch *Marbach*, mehrf. f. Fluss- u. ON. vorkommend, das oberösterr. um 1256 *Marchpach*, geht auf ahd. *marca, mark*, aber wohl zunächst im Sinne v. Wald (Förstem., Altd. NB. 1050 ff., Umlauft ÖUng. NB. 14).

March, ahd. *marca*, nhd. *mark*, wohl zunächst 'Wald' (vgl. altn. *mörk* = silva u. *Markland*, art. Nova Scotia), dann die den Gau umgebende Gemeindswaldg., im weitern Sinn 'Grenze', endl. das ganze v. dieser umschlossene Gebiet (Förstem., Altd. NB. 1058). 'Les frontières désignées sous le nom de *fines*, puis, vers les derniers temps de la domination romaine, sous celui de *limites*, prirent dans le moyen-âge la dénomination de *marches*' (Bull. mon. 2, 221). In diesem Sinne

erscheint das Wort in *Marcomani* (Caesar, BGall. 1, 51, Tacit., Ann. 2, 46. 62, Germ. 42), den suev. 'Grenzmännern' (s. Mann), die, einst südl. v. Main wohnhaft, unter Marbod um —10 nach Böhmen übersiedelten, sowie in der Bezeichng. *Mark*, welche die seit Karl d. Gr. militärisch eingerichteten Grenzländer des deutschen Reiches trugen, die östl. etc., wie die 931 v. Heinrich I. ggr. *Altmark*. — *M.*, eine Ldsch. des C. Schwyz, im 7. Jahrh. *Marca*, im 9. *Marca Retie*, erklärt Gilg Tschudi als 'terminus Helvetiorum', u. in der That, 'es ist sehr wahrsch., dass in dieser Gegend, wo die schon sehr früh festgesetzten Grenzen der Bisthümer Chur u. Constanz zsstossen, in röm. Zeit Gallien u. Rätien einander begegneten' (Mitth. Zürch. AG. 12, 292. 337, Planta, ARät. 270). — *Marchalp* s. Urner Boden. — Auch die ital. Prov. *Marche* ist nach der ehm. Mark Ancona benannt. — Hingegen ist *M.*, die deutsche Form des FlussN. *Morava* (s. d.), wie *Mähren* v. slaw. *Moravia*, aus dem Slaw. erst umgebildet. Nach dem Flusse der Ort *Marchegg*, 1161 *Marcheck*, an einer Biegung des Flusses, u. *Marchfeld*, 1058 *Marahavelt*, 1271 *Marhvelt* — ein Name, der übr. (Jornandes 58), als *Margoplano*, schon viel früher gebräuchlich war.

March Harbour, v. engl. *march* = März, im Feuerl., wo Capt. Fitzroy (Adv.-B. 1, 408. 424) am 1. März 1830 einlief.

Marchand s. Adams.

Marcian Insel nannte der in russ. Diensten stehende Seef. V. Bering die Insel Amtschitka, eine der Aleuten, 25. Oct. 1741, entdeckte (Krusenst., Mém. 2, 81, Lauridsen, V. Bering 153).

Marcio s. Tendre.

Marco s. Corvo.

Marcos, Isla de San, 2 mal in Polynesien *a)* eine Entdeckg. des span. Seef. Quirós, wohl in den Banks In., ein hohes Land, das bei Dumont d'Urville *Pain de Sucre* = Zuckerhut heisst, entdeckt am 25. Apr. 1606, 'el dia de este santo' (Zaragoza, V.Quirós 1, 293; 3, 37); *b)* eine Entdeckg. der Exp. Mendaña zu Ende Apr. 1568, wohl id. mit der Salomoneninsel *Choiseul* (ib. 1, 7; 3, 37). — *San M.* s. Lucas.

Mardin, alt *Marde*, latin. (Amm. Marcell. 19, 9) *Merida*, ON. in Ober-Mesopotamien, nach dem eben so tapfern als halsstarrigen Volke der Marden, die — urspr. am Kaspisee heimisch — durch die byzant. Kaiser in die syr. u. mesopot. Gebirge, später durch den pers. König Arsaces V. in andere Wohnplätze verpflanzt wurden (Hammer-P., Osm. R. 2, 443; 4, 137).

Mare = Meer, die lat. Grundform des neurom. *mare, mar, mer* u. deren Derivaten, wie *Alpes Maritimae* (s. See), *Senex Marinus* (s. Defterdar), *Cupra Marittima* (s. Cupra), auch *Maritimae* s. *Marinae Partes* (s. Zeeland), *Marina* = Seeort, ital. Name bestimmter Hafen- od. Fischerorte od. auch nur der bez. Stadttheile, wie der Landungsplatz v. Capri od. v. Amalfi, auch die

Vorstadt Iviza's, Pithyusen (Meyer's CLex. 4, 149; 9, 451). — *Marine Islands* = Matroseninseln, im Arch. Chiloë, wo Wager's Boot 4 Matrosen aussetzte (Fitzroy, Adv. B. 1, 324, Byron, Narr. 85). — *Rio de Mares*, wohl j. Puerto de la Nuevitas del Principe, eine Hafenbucht Cuba's, v. Columbus am Abend des 29. Oct. 1492 entdeckt u. so benannt ozw., weil er ihr Wasser in den äussern Theilen salzig u. den vermeintlichen Fluss sehr geräumig u. tief fand: 'el agua de aquellos rios era salada á la coca . . . en este rio podian los navíos voltejar para entrar y para salir, y . . . tienen siete ú ocho brazas de fondo á la boca y dentro cinco' (Navarrete, Coll. 1, 42 f.).

Marea, ein früher christl. abessin. Stamm, welcher in zwei Halbstämme, die *M. Tsellam* (= schwarze) u. *M. Quaih* (= rothe) zerfällt, weil die einen der 10 Söhne des Patriarchen Schum Reti, v. der ersten seiner beiden Frauen abstammend, schwärzlich, die andern, v. der zweiten Frau geboren, sehr hellfarbig waren. 'Diese Färbg. hat sich im allgemeinen noch so erhalten, dass der Name auch heutigen Tages passt' (Munzinger, Ostafr. St. 230).

Mareb = Sonnenuntergang, v. äthiop. Verb *áraba* = occidit sol, einer der abess. Zuflüsse des Nil. Anfänglich nach Süden fliessend, wendet er sich in einer Spirale nach Westen u. Nordwesten; der Name deutet auf diesen endgültigen Lauf hin u. beweist, dass die Abessinier den Fluss nicht misskannten. Die Stelle, wo der anfängl. in Hochmatten dahin rieselnde Fluss sein tief gegrabenes Thal mit einem Falle erreicht, nennen die Abessinier natursinnig 'Ain (= Quelle des) *M.*, 'da er erst hier selbständig auftritt' (Munzinger, Ostafr. St. 437, PM. 10, 136).

Marengo, Ort bei Alessandria, berühmt durch Napoleons Sieg u. Desaix' Heldentod, 14. Juni 1800, durch die Exp. Baudin übtragen: *a) Cap M.* (s. Otway); *b) Ile M.* (s. Wedge).

Maret, Baie, am Spencer's G., v. Lieut. L. Freycinet, Exp. Baudin, am 29. Jan. 1803 getauft nach dem frz. Diplomaten, Hugues Bernard *M.*, späterm Herzog v. Bassano, 1758—1839 (Péron, TA. 2, 80); *b) Iles M.*, vor Tasman's Ld., ebf. v. der Exp. Baudin am 13. Aug. 1801 (Freycinet, Atl. 27).

Margaretha, s. v. a. Margarita (s. d.), Frauenname, auch zweier Heiligen, der v. Antiochia, deren Gedächtnisstag, gew. 13. Juli, zw. dem 12. u. 20. Juli schwankt, u. der jüngern v. Schottland, deren Tag der 10. Juni ist. Toponymisch sind mir nur profane Personen begegnet: *a) M. Island* s. Tilson, *b) M. Islands* s. Cuatro Coronados u. insb. *c) Point M.*, 2 mal in Boothia Felix, v. Commander J. Cl. Ross (Sec. V. 424) am 7. Juni 1830 ohne Motivirung getauft, wie die nahen *Catherine Islands.* Ich nehme an, dass beide zu Tilson od. Byam Martin (s. d.) in Beziehg. stehen. In der Angabe der Longit. muss ein Irrthum sein, da *P. M.* sonst weit ab v. Ross's 'track' zu liegen käme.

Margarita, schon im lat. 'Perle', in 2 Inselnamen America's: *a)* eine der Leeward Is., v. Columbus

(Vida 324) am 15. Aug. 1498 entdeckt u., nachdem er schon im Golf v. Paria Perlen eingetauscht, in Erwartg. reicher Perlbänke so getauft. Der Fang, seit 1509 betrieben, hat längst aufgehört (Meyer's CLex. 11, 214). Das nahe Cubaguà hiess ebf. *Isla de las Perlas* (LCasas, Coll. 1, 224, Gomara, Hist. c. 74); *b)* ein Küsteneiland an der Westseite der· Halbinsel California . . . 'very fairy orientall pearles were caught in good quantitie vpon one fathome and a half passing in beautie the pearles of the island *M.*: the report thereof caused the vice-roy of Mexico to send a citizen of Mexico with two hundreth men to conquer the same' (Hakluyt, Pr. Nav. 3, 439).

Margots, Iles des = Inseln der Cormorane, drei Küsteneilande NFundls., benannt durch den frz. Seef. Jacques Cartier 26. Juni 1534 nach den Seevögeln, welche die eine derselben bedeckten . . . 'and came to three ilands, two of which are as steepe and vpright as any wall, to that it was not possible to climbe them; and betweene them there is a little rocke. These ilands were as full of birds, as any field or medow is of grasse, which there do make their nestes, and in the greatest of them, there was a great and infinite number of those that wee call m a r g a u l x, that are white, and bigger than any geese, which were seuered in one part. In the other were onely g o d e t z (ich vermuthe godes = Möven), and great a p p o n a t z (= . . .?) . . . we went downe to the lowest part of the least iland, where we killed aboue a thousand of those godez, and apponatz. We put into our boates so many of them as we pleased, for in lesse then one houre we might haue filled thirtie such boats of them. We named them . . .' (Hakluyt, Pr. Nav. 3, 205, M. u. R., Voy. Cartier 18).

Margus s. Murghab.

Mari s. Tscheremissen.

Maria, frz. *Marie*, engl. *Mary*, Frauenname, insb·. f. die Mutter Gottes, Beata Virgo, unsere liebe Frau (U. L. Fr.), frz. Notre Dame, ital. Beatissima Vergine, Madonna, *Sancta M.*, u. im frommen Mittelalter u. bei kirchl. Völkern, in den Namen v. Stiftungen, Pilgerstätten, Klöstern, Pflanzschulen etc. häufig. Wir stellen voran die *Mariaquelle* bei Jerusalem, das 'Ain Uemm el *Dérratsch* = Quelle der Mutter des Paradieses. Es ist diess ein tiefer, in den Fels des Ophel ausgehauener Brunnen, in welchen man auf 28 Stufen hinabsteigt; die Ueberlieferg. behauptet, hier habe *M.* die Windeln ihres Erstgebornen ausgewaschen. Von den zahlr. Klöstern, deren wunderthätige Marienbilder die Pilger anlocken, seien nur wenige erwähnt: *a) Marienbrunn,* Wallfahrtsort in NOest., mit einem Marienbilde, welches Gisela, die Gemahlin Stephans v. Ungarn, in einem nahen Brunnen gefunden habe (Umlauft, ÖUng. NB. 141); *b) Mariazell,* in Steiermark, ggr. 1363 v. ungar. König Ludwig I., welcher, in der Schlacht an der Maritza unglücklich gg. die Osmanen kämpfend, f. den Fall der Rettg. dem wunderthätigen Bilde, das er mit sich führte, eine Kirche gelobte (Hammer-P., Osm. R. 1, 170); *c) M. Taferl*, in Nieder-Oest., dessen Wallfahrtskirche, 1661 erbaut, jährl. 100 000 Pilger zählt; *d) M.-Saal*, in Kärnten, mit 50 Processionen, die je bis 15 000 Theilnehmer zählen; *e) M.-Schein*, in Böhmen; *f) Mariastein*, im C. Solothurn, üb. dessen wilde Felsschlucht einst ein Kind fiel u. durch der heil. Jungfrau Hülfe am Leben blieb (Gem. Schweiz 10, 229); *g) M. zum Schnee* s. Klösterli; *h) Mariahilf* s. Klingen; *i) M. Wörth* s. Werder; *k)* auch *Marienbad*, čech. *Lázne Marianske*, v. gl. Bedeutg., der böhm. Badeort, welcher 1807 die ersten Anlagen erhielt, ist 1808 v. Tepler Abte Pfrogner zu Ehren der Mutter Gottes benannt worden, nach der schon früher der eine der 7 Brunnen die *Marienquelle* geheissen hatte (Umlauft, ÖUng. NB. 141f.); *l) Marienberg*, im sächs. Erzgebirge, z. 'heil. Familie der Bergstädte' gehörig (s. Joachimsthal). Nach der heil. Jungfrau, der Schutzpatronin des Ordens der Deutschritter, die in der Christianisirg. der heidnischen Preussen eine culturhistorische Aufgabe sahen, sind getauft: *a) Marienburg*, zuerst erwähnt 1276, z. Schutze der Schiffahrt auf der Nogat ggr., mit kolossalem Marienbilde in einer Mauerblende der Schlosskirche (Passarge, WeichselD. 253. 277).

Auf der Nogat grünen Wiesen steht ein Schloss in Preussenland,
Das die frommen deutschen Riesen einst *Marienburg* genannt.
An der Mauer ist zu schauen Bildniss leuchtend, gross und klar,
Bildniss unserer lieben Frauen, die den Heiland uns gebar.
(M. v. Schenkendorf.)

b) Marienwerder, latin. *Insula Mariana*, v. ersten Landmeister Herm. Balk 1232 angelegt, eine der ältesten Gründungen des Ordens, später Sitz der Bischöfe v. Pomesanien (Daniel, Hdb. Geogr. 4, 263); *c) Mergentheim* (s. d.). — Der heil. Jungfrau gilt auch der ngr. ON. *Panagia* = die allheilige, f. die günstigste Rhede v. Thasos, nach einer Marienkirche (Sommer, Taschb. 12, 131).

Maria, Sancta od. *Santa*, hier noch ohne Nachsatz, in Entdeckernamen häufig den Kalendertag ausdrückend, z. Gedächtniss eines der Marienfeste, deren ältestes, das der Verkündigg. Mariae, am 25. März gefeiert wird, während die Reinigung Mariae auf den 2. Febr., den Tag der Lichtmess, das Geburtsfest auf den 8. Sept., die Empfängniss auf den 8. Dec., die Himmelfahrt auf den 15. Aug., andere auf den 2. u. 5. Aug. u. s. f. fallen. *Bahia de SM. a)* s. Chesapeak, *b)* s. Plata. — *Cabo de SM. a)* bei Cananeo, v. Vespucci am 2. Febr. 1502 entdeckt (Varnh., HBraz. 1, 19); *b)* s. Plata; *c)* die Ostspitze NBritaniens, schon v. den span. Seeff. des 16. Jahrh. gesehen u. als ein Vorsprung NGuinea's betrachtet (Tasman, Journ. 142, Meinicke, IStill. O. 1, 131. 139). — *Ilha de SM. a)* die erst entdeckte der Açoren, v. port. Seef. Cabral am 15. Aug. 1432 erreicht (Peschel, ZEntd. 80); *b)* s. Trinidad; *c)* s. Redonda; *d)* s. Bennet. — *Ilheos de SM.*, eine Klippengruppe vor Mala-

bar, v. Vasco da Gama so benannt, weil er, v. Calicut 1499 zkkehrend, hier den Steinpfeiler Santa *M.* aufrichtete (Barros, As. 1, 4¹¹ p. 359). — *Monasterium Sanctae Mariae* s. Einsiedeln. — *Puerto SM.* s. Gader. — *Selva de SM.*, ein grosser, bis z. Strande vortretender Wald der Pfefferküste, v. derselben port. Exp. kurz nach *Cabo Santa Anna*, das man am 26. Juli erreicht hatte, also wohl an einem der Marientage des August benannt (Barros, As. 1, 4 p. 190). — *Vallis Sanctae Mariae* s. Klosters. — *La Virgen SM.*, die grösste der Banks' In., NHebriden (s. d.). v. der span. Exp. Quiros-Torres am 25. Apr. 1606 entdeckt (WHakl. S. 25, 37; 39, 409, JRGeogr. SLond. 1872, 218), einh. *Vanualava* = das grosse Land, wie bei d'Urville *la Grande Terre* (ZfAErdk. 1874, 283, Meinicke, IStill. O. 1, 184).

Maria de Agosto, Puerto de Santa, ein Hafen der Philippinen, v. ersten Weltumsegler F. Magalhäes am 15. Aug. 1521 erreicht u. getauft (WHakl. S. 52, 21). — *SM. la Antigua*, zweimal: *a)* eine der Windward Is., v. Columbus (Vida 194) am 11. Nov. 1493 entdeckt; *b)* Ort in Darien, v. Balboa 1510 ggr., so getauft, wie dem wunderthätigen Muttergottesbilde zu Sevilla aus Furcht vor den ind. Giftpfeilen gelobt war (Peschel, ZEntd. 348), bei P. de Cieza de Leon *Nuestra Señora del Antigua* (WHakl. S. 33, 33). — *SM. de Belem* s. Bethlehem. — *Isla de SM. de la Concepcion* s. Concepcion. — *Cabo de SM. de la Consolacion* s. Agostinho. — *SM. di Leuca* s. Leuka. — *SM. de Licodia* s. Aetna. — *Rio de SM. da Neve* (= zum Schnee), in Sierra Leone, v. der Exp. Pedro de Cintra's um 1460 entdeckt u. nach dem Kalendertage, 5. Aug., benannt (Spr. u. F., Beitr. 11, 189). — *SM. de los Remedios* s. Yucatan. — *SM. da Serra* (= v. Gebirge), bei den Port. des 16. Jahrh. die vor der arab. Küstenstadt Loheia liegenden Untiefen, weil hier der Gouv. Affonso d'Alboquerque mit seinem Schiffe *SM. da Serra* auf eine Sandbank gerieth (Barros, As. 2, 8² p. 279).

Maria, auch *Marie*, der Name fürstl. Frauen, erscheint oft in ON. *a) Prinzessin M. Berge*, in Central-Austr., v. E. Giles 1874 entdeckt u. v. dem Deutschen F. v. Müller, Melbourne, benannt z. Andenken 'der Vermählg. Ihrer kais. Hoheit', die dam. stattfand (Peterm., GMitth. 20, 428), u. *M. Gletscher* (s. Augusta); *b) Marienlyst*, wo *lyst* = Lust, dän. Lustschloss u. Seebad bei Helsingör (Meyer's CLex. 11, 230); *c) Marien Canal*, zw. Bjelo Osero u. Onéga, v. Peter d. Gr. erbaut aus dem Chatullengeldern seiner † Mutter *M.* Feodorowna (Schrenk, Tundr. 1, 18); *d) St. Marienbad*, Thermalort am Terek, v. russ. Reisenden Güldenstädt (Georg. 63) nach einem Gliede der Herrscherfamilie 1770 getauft, mit *St.*, wie im nahen St. Petersbad (s. d.); *e) Mariinsk*, Anlage am untern Amur, 1853 ggr. u. nach der dam. Thronfolgerin benannt (Peterm., GMitth. 6, 96), wie *Mariehamn*, wo schwed. *hamn* = Hafen, der 1859 'nyanlagd stad' Ålands, nach der Kaiserin (Modeen, Geogr. 44, ZfAErdk.

1871, 310); *f) Marienthal* s. Pawlowsk; *g) Cap
M.* s. Elisabeth.

Maria, der Name bürgerl. Frauen, ist in der
austral. Entdeckungsgeschichte mehrf. vertreten
durch den holl. Seef. Abel Tasman, der auf
seinen kühnen Fahrten, wie es scheint, seines
Gönners, des Generalstatthalters Van Diemen geliebte Tochter, 'to whom our navigator is said
to have been attached', keineswegs toponym. zu
verewigen vergass: *M. Eiland,* an der Ostküste
Tasmania's 1642, auf des Entdeckers Route (WHakl.
S. 25, Carte XCVII) eingetragen (Cook, VSouthP.
1, 114, Flinders, TA. 1, LXXXIX, Atl. 7); *b)
Kaap M. van Diemen,* ein 128 m h. basalt.
Berg, den eine Sandebene v. den benachbarten
Bergen trennt (Tasman's Journ., Carte, Meinicke,
IStill. O. 1, 256), nahe dem Nordende NSeelands,
am 6. Jan. 1643; *c) Kaap M. van Diemen* im
Carpentaria G. (Flinders, TA. 1, XIII); *d) Kaap
M.,* anscheinend ein Vorgebirge der Limmen Bogt,
v. Flinders (TA. 2, 179, Atl. 14) am 31. Dec. 1802
als Insel erkannt; *e) M. Land,* in Arnhem's Land,
neben Van Diemens Bay u. Van Diemens Land,
ebf. auf der zweiten Reise 1644 getauft (Carte zu
Tasman's Journ.). Einer dieser Namen, *M. Bay*
in Tonga, v. 20. Jan. 1643 (Meinicke, IStill. O.
2, 65, Krus., Mém. 1, 222, Garnier, Abr. 1, 83),
gilt jedoch der Gattin des Generalgouv.... dese
bay hebben wij den naem gegeven ... ter eere der
Edele Huisvrouw van den Gouv. Gen. Anthony
van Diemen (Tasman's Journ. 107), u. es wird
mir fraglich, ob nicht auch einzelne der vorigen
hierher gehören. — *M. Muss Bogt,* eine Bucht
in Jan Mayen, benannt nach einer Rotterdamer
Rhederin, welche einen Walfänger hinsandte, den
ersten, der den Thran an Ort u. Stelle versieden
sollte (Vogt, Nordf. 289). — *Angra de Dona M.*
s. Cunha. — *M.'s River,* ein lkseitg. Zufluss des
Missuri, unth. der Grossen Fälle, v. Capt. Lewis
(Trav. 184) am 8. Juni 1805 prsl., wie Judith's
R. (s. d.) benannt. — *M. Spitze,* ein Spitzberg
des Hornsunds, wie Fanny Spitze (s. d.) getauft
durch die Exp. Sterneck im Juli 1872 (Peterm.,
GMitth. 20 T. 4). — *M. Bach* s. Elisabeth. —
M. Insel s. Moerenhout.

Marianen, die zuerst entdeckte austr. Inselgruppe,
wo F. Magalhães am 6. März 1521 die beiden
südlichsten erblickte u. zwischen durch fuhr, seine
Islas de las Velas Latinas = Inseln der latein.
Segel, wg. der mit dreieckigen Mattensegeln versehenen hurtigen Kähne der Eingebornen ...'sus
velas eran de estera de palma y triangulares', bei
seinen Matrosen *Islas de los Ladrones* = *Diebsinseln,* weil schon die zuerst erreichten Insulaner,
die an Bord kamen, mit erstaunl. Gewandtheit
stahlen, selbst die hinten befestigte Schaluppe entführten u. erst durch einen Gewaltact des General-
capitains z. Ruhe gebracht wurden (Pigafetta,
Prem. V.58 f., Debrosses, HNav. 189) ... los natu-
rales fueron muchas veces á bordo para hurtar
cuando podian (Navarrete, Coll. 4, 53). Als während der Minderjährigkeit Karl's II. die Königin
Mutter, eine österreich. Erzherzogin Maria Anna,

span. Mariana, die Wittwe Philipp's IV., Missionäre hinsandte, erhielt die Inselgruppe 1668 den
heutigen Namen (Spr. u. F., Beitr. 2, 24, WHakl.
S. 52, 9. 31, Crawf., Dict. 268, ZfAErdk. 1859,
356; nf. 19, 364). Das Meer zw. *M.* u. Philippinen *el Golfo de las Marianas* (Meinicke,
IStill. O. 2, 387). — Derselbe Frauenname noch
mehrf.: *a) Marianna,* bras. Stadt östl. v. Ouro
Preto, 1745 z. Cidade u. z. Bischofssitz erhoben
u. nach der Gemahlin des port. Königs João V.,
einer österreich. Erzherzogin, umgetauft (Avé. L.,
SBras. 2, 246); *b) Princess Marianna Straat*
s. Durga; *c) Princess Marianna Eiland* s. Alexander; *d) Marianne Isle* s. Jameson. — *Marietta,* Ort in Ohio, v. einer frz. Gesellschaft 1788
ggr. u. zu Ehren der dam. Königin Maria An-
toinette benannt (Buckingh., East. & WSt. 2,
322).

Marie, die frz. Form f. *Maria,* v. den Jesuiten
des 17. Jahrh. zu Ehren der Mutter Gottes toponym. angewandt *a) Sainte M.,* der Hptort der
Irokesen im Lande der Mohawks, ind. *Tionontoken* = Raum zwischen den Bergen, als derselbe
christlich wurde (Cuoq, Lex. Iroq. 49); *b) Sault*
(= Fall) *Sainte M.,* der Fall am Ausflusse
des L. Superior, wo sie 2000 Ojibwas versammelt
fanden 1641, engl. *St. Mary's Falls* (Coll. Minn.
HS. 1, 19). — *Ville M.* s. Montreal.

Marigalante, eine der Windward Is., v. Columbus am 3. Nov. 1493 erreicht u. nach seinem Admiralschiff benannt ...'porque la nao en que iba
Colon tenia este nombre' (Colon, Vida 186, Navarrete, Coll. 1, 200).

Marina, Maritimus s. Mare.

Marino, San, das Haupt einer ital. Zwergrepu-
blik, wo sich der dalmat. Einsiedler Marinus
niederliess u. Anbau brachte. Die Zeitangaben
schwanken: v. 3.—6. Jahrh. In der Hauptkirche
wird noch das Felsenbett des Heiligen gezeigt
(Daniel, Hdb. Geogr. 2, 323 ff.). — *Isla de M.,*
in der Bay v. San Francisco, nach einem Indianerhäuptling (ZfAErdk. nf. 4, 318).

Marion, Ile, die grössere Insel der südatlant.
Gruppe gil. N., am 13. Jan. 1772 v. frz. Capt.
M. du Fresne auf der Fahrt v. Ile de France-
CapdGHoffng.-Tasmania entdeckt u. *Terre d'Espérance* = Land der Hoffnung genannt, weil er
dem hypothetischen Südpolarcontinente auf der
Spur zu sein glaubte, 'parce que sa découverte
nous flattait de l'espoir de trouver le continent
austral que nous cherchions'. Eine Nebeninsel (?)
wurde *Ile de la Caverne* getauft, weil die Exp.
ggb. einer Bucht eine grosse Höhle zu sehen
glaubte (Marion-Crozet, NV. 11 f.). Ist die 'Höhleninsel' id. mit der benachbarten *Prince Edwards
Island,* welche Cook (-King, Pacif. 1, 54, Ross,
South.R. 1, 48) am 12. Dec. 1776 'after his Majesty's fourth son' benannte? — Eine *Baie M.*
an der Ostseite Tasmania's (Péron, TA. 1, 242). —
Port de M. s. Island.

Marjúl = Niederland, Unterland, tib. Name f.
die niedriggelegenen Westprovinzen Tibet's, Ladák
u. Balti, wie es scheint mehr in der class. Litte-

ratur, als bei den Eingebornen gebraucht (Schlagw., Gloss. 222).

Mariupol, eine der in Folge des Friedens v. Kütschük Kajnardschi 1774 ggr. u. 1779 bezogenen griech. Colonien in Taurien. 'Die Griechen, 18 000 an Zahl (Meyer's CLex. 11, 235), gaben ihren neuen Ansiedlungen die Namen der Dörfer, welche sie früher bewohnten. So entstanden denn daselbst Ortschaften mit Namen, die in der Krym zu Hause sind', *M.* nach *Mariampol,* der j. noch v. Griechen bewohnten Vorstadt Baktschiseráj's, durch welche der Weg nach Tschufút-Kalé führt, u. wo sich das in Fels gehauene Kloster Mariae Himmelfahrt befindet (Bär u. H., Beitr. 11, 33). Auch der Name der Vorstadt *Karasu* (s. d.) ist ozw. aus der alten Heimat übtragen.

Mariût, Strandsee bei Alexandria, früher durch Seitenarme der kanob. Nilmündg. gespeist, j. fast trocken, nach seinem südl. Uferland Marea (Kiepert, Lehrb. AG. 197).

Mark s. March.

Markham, *Clem. Robert,* engl. Geogr., geb. bei York 1830, bekleidete die Stellen eines Secretärs des India Office, der Hakluyt Society u. der RGeogr. Society, betheiligte sich bei der Franklinexp. 1850/51, bereiste Peru, sha zweite mal 1860/61 behufs Verpflanzg. der Cinchonen, besuchte Indien u. machte den engl. Feldzug nach Abessinien 1867/68 mit. Ihm gelten wohl: *a) M. Gletscher,* in Spitzb., v. der Exp. Heuglin-Zeil 1870 (Peterm., GMitth. 17, 182); *b) M. River* s. Rawlinson, u. *c) M. Sund,* in Franz Joseph Ld., v. der Exp. Weyprecht-Payer im Apr. 1874 nach einem Vorgänger in der Polarf. getauft (ib. 20 T. 23; 22, 203). Ein 'Vorgänger in der Polarfahrt' war freilich auch der engl. Seeofficier *Alb. Hastings M.,* welcher 1873 den Capt. Adams, auf dem Walfgr. Arctic, in den Boothia G. begleitet hatte (Proceed. RGSLond. 18 No. 1) u. 1875/76 die Exp. Nares mitmachte.

Marlborough, Fort, eine engl., j. holl. Factorei, bald nach dem 1685 angelegten benachbarten Fort York z. Beschützung des Pfefferhandels in Benkulen ggr. u. 1710, wg. der ungesunden Luft der ersten Anlage, an seine j. Stelle verlegt (Spr. u. F., Beitr. 1, 2 ff.).

Marmara, Insel zieml. in der Mitte der *Propontis,* auf der Fahrbahn der Schiffe gelegen, gr. *Prokonnesos,* mit miles. Colonie, seit dem Mittelalter benannt nach dem weissen, schwärzl. gestreiften, schon im Alterth. zu Bauten gesuchten Marmor v. Kyzikos' (Strabo 588, Plin., HNat. 5, 151, Kiepert, Lehrb. AG. 107). Nach ihr heisst die alte *Propontis,* gr. Προποντίς = Vormeer des Pontus (Herod. 4, 85), seither *Mar di M.* (Marsilii, Oss. 19). — *Marmarion,* gr. Μαρμάριον = Glanzenfels, Stadt Euböa's, mit berühmten Marmorbrüchen, j. *Marmari* (Strabo 445, Pape-B.). — *Cascata delle Marmore* = Marmorcascade, der berühmte Fall bei Terni, wo das stark kalkhaltige Bergwasser selbst innerhalb des Falles Tropfstein absetzt u. so nach längerer Zeit stets

wieder den Abflusscanal verstopft (Kiepert, Lehrb. AG. 415).

Marmot I. s. Hermogenes.

Marmoutier s. Magnus.

Marno s. Wilczek.

Marocco, fränk. Namensform f. ein Sultanat der Berberei sowohl als f. die eine seiner Hptstädte, während bei den Einh. Stadt- u. Landesname vschiedene sind: das Land ein Westen (s. Gharb) die Stadt dagegen arab. *Marräkesch* = die geschmückte, auch *Morakesch, Moraksch* (Richardson, Trav. 2, 149), bei Port. u. Span. *Marrocos, Maruecos,* ital. *M.,* frz. *Maroc,* engl. *Morocco,* hat sich in Süd-Europa im 16. Jahrh. auch f. das Land eingebürgert, wie es lange im Gebrauch war, Moskowiter statt Russen zu sagen (ZfAErdk. nf. 8, 82).

Mâron, Mâr, eines der zahlr. maron. Libanonklöster, j. verlassen, nach dem Schutzheiligen, *Mar M., Marun,* der *Maroniten,* welcher im 5. Jahrh. an den Fikiquellen, Orontes, in einer wilden Felseneinsiedelei lebte (VdVelde, Reise 2, 391). — *Maronberg,* in Sainte Croix, wo die entlaufenen Maronneger Zuflucht suchten (Oldendorp, GMiss. 1, 74).

Maros, der siebenb. Nebenfluss der Theiss, bei Herod. (4, 49) Μάρις, später *Marisos, Marisia,* bei Plin. *Marus,* im 9. Jahrh. *Marus,* im 9. Jahrh. *Moreses* (Hunfalvy, Ung. 21), ist nicht erklärt. Nach dem Flusse mehrere Orte wie *M. Vásárhely,* mit mag. *vásárhely* = Markt, in Siebenb. (Umlauft, ÖUng. NB. 142).

Marpori = Rothenberg, tib. Bergname in Balti, nach dem häufigen Vorkommen rother Felsen, wie *Marpo Lungba* = rother Fluss, v. *marpo* = roth (Schlagw., Gloss. 221). Vgl. Poi Labtse.

Marqueen Eilanden, eine aus 12 Inseln bestehende Gruppe nördl. v. den Salomonen, prsl. getauft durch die holl. Seeff. Le Maire u. Schouten Juni 1616, v. Schiffe Indispensable 1794 in *Isles of Cocos* umgetauft (Krus., Mém. 1, 8. 173 ff., Garnier, Abr. 1, 72).

Marquezas s. Mendaña.

Marryat Inlet, eine Einfahrt bei Cape Hope, v. Lieut. Belcher, Exp. Beechey (Narr. 2, 549), im Aug. 1827 entdeckt, als bequemer Ankerplatz benutzt u. v. Befehlsh. nach Belcher's Verwandten, Capt. *M.,* R. N., benannt.

Mars, Martis s. Fano.

Marsala s. Lilybaeum.

Marschallsheide, Ort zw. den preuss. Städten Drengfurt u. Nordenburg, 'erinnert mit seinem Namen daran, dass diese Gegend einst zu dem Ordensgebiet Königsberg gehörte, welches von dem obersten Ordensmarschall verwaltet wurde' (Toeppen, GPreuss. 210).

Marsden, Point, an der Nordküste der Känguruh-I., v. Matth. Flinders (TA. 1, 168) am 21. März 1802 getauft 'in compliment to the second secretary of the Admiralty', sollte am 5. Jan. 1803 in *Cap Vendôme* (s. d.) umgetauft werden.

Marseille, Μασσαλία der phok. Griechen, röm. *Massilia,* im Mittelalter *Marsilia,* hat keine befriedigende Erklärg. gefunden (Pape-B.), bei Ed. Alexis, der 1876 durch seine Studie (Étude signif. Prov. 158) der Bahnbrecher provençal. Namenforschung zu werden hoffte, v. μαζός = Zitze, Brust, u. ἅλια = Versammlung, also μαζάλια, dor. μασαλια = Brüstevereinigung — der Bildsäule der Diana zu gefallen . . . 'Oui, voilà la véritable explication du nom de M. fondée sur un fait historique'. In der That, der Name ist ungriech. u. könnte ligur. u. phön. sein (Kiepert, Lehrb. AG. 506). — Die östlichste der 3 Hauptmündungen der Rhone hiess im Alterth. Ostium Massalioticum (ib. 510). — Massaliotikos Kolpos s. Lion.

Marsens, la Tour de, ein 4eckiger, crenelirter Thurm, welcher mitten im üppigen Reblande der Waadt einen malerischen Eindruck macht, zuerst 1166 maison de M., nach den Mönchen des Freib. Klosters M., welche hier ein Rebgut besassen (Mart.-Crous, D. Vaud 587).

Marsh Island, in Gambier Gr., v. Capt. Beechey (Narr. 1, 117) im Jan. 1826 nach einem seiner Officiere getauft, George M., dem Zahlmeister, wie im Aug. gl. J. Point M., bei Cape Collie (ib. 1, 303, Carte). — M. s. Cork.

Marshall Archipel, eine polyn. Inselflur in 2 Reihen Ralick u. Radack (Kotzebue, Entd.R. 2, 39ff., 158ff.), NReise 1, 162), v. engl. Capt. M., 1788 näher untersucht u. auf Krusenst.'s Vorschlag getauft (s. Gilbert), dazu eine kleinere Entdeckung: M. Islands, nordöstl. v. den Marianen (Krus., Mém. 2, 6ff.) u. eine in Tarawa liegende einzelne M. Island (s. Scarborough). Entdeckt war ein Theil dieser Inselflur schon 1529 v. Span. Alvaro de Saavedra, der einige der zahlr., niedrigen u. liebl. Eilande 'muytas juntas, pequenas e rasas, cheas de palmeiras e verduras, mui frescas e cubertas de grande arvoredo', wohl Bikini (Meinicke, IStill. O. 2, 435), los Buenos Jardines = die guten Gärten (Galvão, Desc. 178, Barros, Asia 4, 1), andere, wohl Ujilong (Mein. a. a. O.), nach den tättowirten Eingebornen Islas de los Pintados = Inseln der Bemalten nannte (Bergh., A. 3. R. 1, 214 sucht die 'Garteninseln' in Radack, die der Tättowirten in Ralick). Vielleicht sind auch die Islas de los Reyes = (Drei)königs Is., welche Saavedra am 6. Jan. 1528 gefunden (Galvão, Desc. 174, Debrosses, HNav. 100), sowie die Pescadores (s. d.) anderer span. Seeff. in dieser Inselwelt zu suchen. Da Capt. M. die südlichste Insel v. Radack Lord Mulgrave's Island nannte (Meinicke 2, 317. 324), so sind wohl auch beide Ketten als Lord Mulgrave's Archipel zsgefasst worden. — John M. Bay, in Kane's Sea, v. Kane (Arct. Expl. 1, Chart. 2, 156) 1853 prsl. getauft.

Marshy Lake = sumpfiger See, ein sumpfartiges Seebecken des Saskatschewan, etwa 4 km lg., 1¹/₂ br. (Hind, Narr. 1, 455).

Martaban, Golf v., auch immer noch Golf v. Pegu, wie schon zZ. der Port. Enscada de Ilhas de Pegu = Bucht des Deltas v. Pegu (Barros, As. 1, 9¹ p. 308), ein Seitengewässer des bengal.

Meeres, trug seinen Namen mit grösserm Recht, so lange das an der Mündg. des Salüen gelegene M., der Stapelplatz alles Verkehrs, 'cidade notavel por causa do grande tracto' que nella ha', noch nicht durch das ggb. liegende Malmein verdunkelt war.

Marteaux, Ile aux = Insel der Hammermuscheln, in der Bay Praslin, NBritain, v. Bougainville (Voy. 280) so 1768 getauft, weil man in einer Inselbucht den selten Fund machte.

Martens Insel, eine der spitzb. Seven Is., nach dem Spitzbergenfahrer M.

Martha's Vineyard = Martha's Weingarten, eine Küsteninsel v. Massachusetts, v. der Exp. Gosnold 1602 so benannt nach der Menge rankender Rebengewächse, 'just as the Northmen of Scandinavia had, many centuries before, called the adjoining country Vinland (s. d.) from the same production of the vines they found so abundant' (Buckingh., East. & WSt. 1, 60). Der Zeitgenosse Strachey (HTrav. 156) spricht v. drei Inseln, 'the one whereof capt. Gosnold called MV., being stored with such an incredible nombre of vynes as well in the woody parte of the island, where they runne upon every tree, as on the outward parts, that they could not goe for treading upon them'. Einen Theil der Insel habe der erste Besitzer seiner Lieblingstochter M. vermacht (Spr. u. F., Beitr. 3, 123). Wohl die Insel, welche der in frz. Diensten stehende Florentiner Verrazani 1524 nach Franz' I. erster Frau Claudia genannt hatte . . . 'an Ilande in the forme of a triangle, distant from the maine lande 3 leagues, about the bignesse of the Ilande of the Rhodes, it was full of hilles, couered with trees, well peopled, for we sawe fires all along the coaste' (WHakl. S. 7, 64, Hakl., Pr. Nav. 3, 298). Wohl auch id. mit der norm. Entdecker Karlsefne u. Snorre stark umströmte Straumey = Strominsel, die in tief einschneidender Bucht, Straumfjördr, v. einem Arm des vorbeiziehenden Golfstroms getroffen wurde (s. Buzzard). Freilich werden der norman. Bericht v. 1007 (Rafn, Entd. Am. 13. 21. 24) der grossen Menge Eier u. Eidervögel erwähnt, so ist man versucht, an die benachbarten Egg Islands = Eierinseln zu denken. Ferner b) Rio de Santa M. s. Magdalena, c) M. Island s. Oeno, d) Ile de Sainte Marthe s. Guillaume.

Martholi s. Tholing.

Martialnyja Wody = martialisches Wasser, besser Marsbad, mit russ. woda = Wasser, plur. wody = Bad, Badort (Legowski 16. Nov. 1891), im Olonezker Hüttenrevier, wo das eisenhaltige Wasser aus sandigem Raseneisenstein hervorbricht u. Peter d. Gr., der die Quellen 2mal besuchte, sich ein hölzernes Wohnhaus mit Nebengebäuden u. einer hölzernen Kirche bauen liess. Diese ist noch zieml. erhalten, während v. 'Palast' 1856 nur noch das steinerne Fundament vorhanden war. In den Bauernhütten logiren die Badegäste (Bär u. H., Beitr. 2. F. 5, 106ff.). — Martis, gen. v. Mars, 2mal a) s. Fano, b) s. Montmartre.

Martin, sowohl Familien- als Taufname, mehrf.

in ON. *a) Rio M. Alonso*, ein Fluss der Nordküste Hayti's, j. *Chuzona Chico*, v. Capt. *M. Alonso Pinzon*, Schiff Pinta, im Dec. 1492 benannt, v. Columbus aber am 10. Jan. 1493 in *Rio de Gracia* = Gnadenfluss umgetauft, weil er die v. Pinzon ergriffenen Wilden in Freiheit setzte (Navarrete, Coll. 1, 130, Colon, Vida 144); *b) Point M.*, die Südostspitze Nukahiwa's (s. d.), ein hohes, steiles Cap, das einem zerfallenen Thurm gleicht, einh. *Tikapo* (Meinicke, IStill. O. 2, 242), v. engl. Lieut. Hergest im März 1792, wie die Insel selbst *Sir Henry M.'s Island*, nach Sir Henry *M.*, v. seinem Landsmann Jones jedoch treffender *Tower Bluff* = Thurmberg getauft (Krus., Reise 1, 154); *c)* ebenso *Point M.*, am american. Eismeer, v. Capt. John Franklin (Sec. Exp. 146) am 4. Aug. 1826; *d) M.'s Range* s. Salvator; *e) M. Vaz* s. Trinidad.

Martin, San, welcher, um 316 in Pannonien geb., Christ wurde u. seinen asket. Hang auch als Soldat nicht verleugnete, Bischof v. Tours wurde, f. die Ausbreitg. des Glaubens wirkte u. um 400 †, war einer der ersten Heiligen, denen in der röm. Kirche eine öffentliche Verehrg. zu Theil wurde, u. sein Fest wurde auf den 11. Nov. angesetzt. In Spanien, wo die Zahl der nach Heiligen benannten Orte z. Anzahl der profanen ON. sich wie 1:13 verhält, ist *Sanct M.* bes. beliebt. Caballero (Nombr. Esp. 30) zählt deren 385, sämmtl. in den Nordprovv. Galicia, Asturia, Alt- u. Neu-Castilia, Leon, Cataluña u. Aragon. Mit feinem Gefühl erklärt er diese toponym. Erscheing. aus dem Volks- u. Zeitgeist: in den Jahrhh. langen Kreuzkriegen riefen die Christen den kriegerischen Heiligen (*M.* = der Kriegerische) um Hülfe an — in jener Zeit, da die Restauration Spaniens u. die Gründg. od. Wiederbevölkerg. vieler Orte Hand in Hand gingen. Voran stellen wir *Martigny*, 3 mal im frz. dép. Nièvre (Dict. top. Fr. 6, 110) u. ein 4. bei Tours, alt *Martiniacus*, nach einem Oratorium, wo der Sage zuf. der Heilige oft gebetet hat (Longnon, GGaule 279). Auch im Wallis ein *Martigny*, deutsch *Martinach*, der mittelalter l. Nachfolger des kelt. *Octodurus* = Engenburg, v. der Thalenge, die den Zugang z. Grossen St. Bernhard beherrscht (Kiepert, Lehrb. AG. 518), ist nach einem der beiden Apostel des Wallis abgeleitet — ob mit Recht? Der Keltist d'Arbois de Jubainville (Rech. NL. 279 f.) reiht den Walliser Ort einf. den 14 frz. Gemeinden an, die j. *Martigna, Martignas, Martignat, Martigné,* 8 mal *Martigny* heissen u. auf ein altes *Martiniacus*, v. *Martinius* abgeleitet, zkführen. — *Saint-M. (de Ré)*, die Hptstadt der frz. Insel Ré, nach dem 735 ggr. Kloster, um welches der Ort entstand (Meyer's CLex. 14, 38). — *Pont de Saint-M.*, Ort im Lysthal, nach einer hochgespannten malerischen Brücke (Schott, Col. Piem. 6). — *St. Martinsbad* s. Worms. — *Puig de San M.*, ein isolirtes, schroffes Kalkgebirge Mallorca's, nach einer Höhle, die der Heilige als Einsiedler bewohnt habe (Willk., SpBal. 62 f.). — Von dem Felde geogr. Entdeckungen *a) San M.*,

eine der Kl. Antillen, v. Columbus am 11. Nov. 1493 entdeckt (Navarrete, Coll. 1, 206, Colon, Vida 194); *b) Couche Saint M.*, eine Bucht NFundlands, v. frz. Seef. Cartier nach dem Kalendertage der Entdeckg. 1534, aber 4. Juli, ebf. einem Gedenktage des h. *M.*, sonst Ulrichs, benannt (Hakluyt, Pr. Nav. 3, 207), 'et le quart jour dudit moys, jour Sainct *M.*, rangeâmes ladite terre du Nort pour trouues hable, et entraimes en une petite baye et couche de terre . . . et la noumames la couche *Saint M.*ᶜ (M. u. R., Voy. Cart. 28). — *Sierras de San M.*, span. Bergname in America *a)* die Waldberge um die Bay v. San Francisco (u. ein *Cabo de San M.*), getauft durch den Port. Juan Rodriguez de Cabrilho, den der neuspan. Vicekönig Mendoza gg. Ende 1542 aussandte, wohl nach dem Kalendertage (GForster, GReis. 1, 14); *b)* die Kette des Vulcans v. Tuxtla, Mexico, v. der Exp. Juans de Grijalva 1518 benannt nach dem Soldaten *San M.*, den die Berge zuerst erblickt hatte (BDiaz, NEsp. c. 12).

Martineau, Cape, in Lyon's Inlet (s. d.), v. Capt. Parry (Sec. V. 82 ff.) im Sept. 1821 entdeckt u. nach einem seiner Freunde u. Verwandten getauft 'out of regard for a highly esteemed friend and relative'.

Martyr, Cape, in arkt. Cornwallis I., v. Parry (NWPass. 55) am 23. Aug. 1819 nach einem hochgeachteten Freunde getauft.

Martyrer, gr. μάρτυρ = (Blut-)zeuge, plur. μάρτυρες, die kirchl. Bezeichng. derer, die in den Christenverfolgungen als Opfer der Treue starben u. an bestimmten Tagen gefeiert wurden. Hierher gehören v. alten ON. *a) Martyropolis*, j. *Miafarakain*, in Ober-Mesop., ein Ort der '300 Märtyrer', berühmt durch die Kirche des heil. Sergius . . ., wie durch die Gräber v. Propheten (Hammer-P., Osm. R. 2, 451; *b) Mons Martyrum* s. Montmartre. — Dem kirchl. Sinn span. Entdecker u. Colonisten entsprach die toponym. Verwendg. des Wortes völlig; schon Ponce de Leon taufte die j. *Florida Keys* (= Riffe) am 12. Mai 1513 als *Islas de los Martires*, weil ihm die buntgestalteten Klippen den Anblick v. Märtyrern gaben, die auf Rosten ausgestreckt lägen (ZfAErdk. nf. 15, 12, Peschel, ZEntd. 523). — *Los Martires a)* die Inseln des Sequeira (s. d.), v. Capt. Lafita 1802 so genannt; *b)* eine der Central-Carolinen, v. Capt. Ibargoitia 1799 (Meinicke, IStill. O. 2, 357). — *Ermita de los Martires*, eine Einsiedelei bei Mexico, 'impertinentemente y sin razon' so genannt, weil die Stelle durch Cortez' blutigen Rückzug denkwürdig geworden war (Acosta, Hist. 524).

Marutea s. Hood.

Marwár = wüste Gegend, hind. Name eines Districts v. Radschwara (Schlagw., Gloss. 221), der als Staat auch *Dschodhpur* (s. d.) nach der Hptstadt heisst, auch in der Form *Maru-Sthala, Maru-Deça* = Land der Wüste (Lassen, Ind. A. 1, 139).

Mary, engl. Form f. *Maria*, selten nach der heil. Jungfrau, wie in *St. M.* (s. Bathurst) u. in *St.*

Mary's Falls (s. Marie), auch in *St. M.'s River* (s. Seine) nur aus roman. Nomenclatur übnommen, mehrf. dagegen nach der engl. Königin d. N., die als frz. Princessin u. Karls I. Gemahlin die Verehrg. der kathol. Partei genoss *a) Maryland*, so taufte Lord Baltimore 1632 die Colonie, wo ältere span. Carten eine *Bahia de Santa Maria* zeigten, sowie in *St. Mary*, der ersten Anlage dieser Colonie, beides zu Ehren der engl. Königin *M.* Henrietta (Quack., USt. 92), darum in der Verleihungsurkunde *Terra Mariae*, angl. *Maryland* (Staples, StUn. 9); *b) Cape M.*, auch einf. *Queens Cape* = Vorgebirge der Königin, am Fox Ch., v. Capt. Luke Fox am 18. Sept. 1631 nach der engl. Königin getauft (Rundall, Voy. NW. 181f., Forster, Nordf. 422). — In neuerer Zeit *a) M. Range*, eine Bergkette in West-Austr., v. John Forrest 1874 getauft (Petermi., GMitth. 21, 33); *b) M. Alexandrowna*, f. den Lukuga, v. Cameron im gl. Jahre, beides nach der russ. Kaisertochter, deren Vermählg. mit dem Herzog v. Edinburg dem afric. Entdecker just in jenen Tagen kund wurde (ib. 83). — *Cape M.* s. Jordan.

Masa s. Batu.

Mas a Fuera s. Juan Fernandez.

Masans s. Malade.

Masaya = brennender Berg, mexic. Name eines centralameric. Vulcans — eine der Bezeichnungen, welche auf (ältere od. jüngere) Colonien der Azteken etc. im Isthmusgebiete hindeuten. In der Sprache v. Nicaragua heisst derselbe Berg *Popogatepeque*, wohl richtiger *Popocatepetl* (s. d.), also wie der zweithöchste Berg in Mexico (Buschmann, Azt. ON. 130. 161).

Mascarenhas, Ilhas de, Inselgruppe bei Madagascar, v. port. Seef. Pedro *M.* 1502 entdeckt. Vgl. Mauritius u. Réunion.

Mascarin s. Egmont.

Maschnaket es Safâ = Galgen des Safâ (s. d.) nennen die Beduinen einen merkw., oben sowohl als seitlich geöffneten Vulcankegel; ihrer Erzählg. zuf. liess dort ein früherer Herrscher im benachbarten Lande Ruhbe einen eisernen Ring anbringen u. daran seine Delinquenten hängen (Wetzstein, Haur. 11).

Masclet Inlet, eine Einfahrt der Ostküste Grönlands, v. engl. Walfgr. Will. Scoresby jun. (North. WF. 176) am 19. Juli 1822 entdeckt u. nach dem frz. Consul in Liverpool, Chevalier *M.*, getauft.

Maseña od. *Masseña*, Stadt in Baghírmi, angebl. nach einem schönen *mass, más, mása* in Tamarindenbaum, welcher im ältesten Quartier auf dem Marktplatze steht, u. einem Fellanimädchen Eña, das bei dem Häuptling Dokkenge, dem Gründer der Stadt, Milch verkaufte (Barth, Reis. 3, 340. 386, Nachtigal, Sahara u. S. 2, 696 etwas abweichend).

Mashkegon s. Cree.

Masimâni = bei den Brunnen, Kisawahiliname eines Lagerplatzes östl. v. Ukerewe (JRGSLond. 1870, 323).

Masis s. Ararat.

Maskat, der Name des arab. Hafenorts vor dem

Eingang des Persergolfs, ist, obgl. mir unerklärt, hier eingereiht. Der Hafen hat v. Norden her einen engen Eingang u. wird im Osten v. malerischen Felshöhen eingeschlossen, auf denen 2 od. 3 schlossartige Gebäude stehen. Wenn also ein Schiffer v. Aden kommt u. die Gegend nicht genau kennt, so ist er in Gefahr, dabei vorüberzugehen u. in dem benachbarten Matrah zu landen. Desswegen heisst dieser Ort *Kryptos Limen*, gr. Κρυπτὸς λιμήν = der verborgene Hafen, bei den Arabern ʿOnna = das Gehege (Sprenger, AGArab. 106). Auch R. Brenner (PM. 19, 60) findet, dass trotz der engl. Küstencarten dem alten Ptolemäus auch heute noch recht zu geben sei. Obgleich die Stadt nahe sein musste, spähten wir (28. Juni 1870) doch vergebens hinter jeden Vorsprg. der Küste u. in jeden Einschnitt hinein. Nichts verrieth die Nähe einer grossen Stadt; im Ggtheil war das Ufer wieder unwirthlicher geworden, das Plateau, welches sich bisher am Fusse der Berge hinzog, war verschwunden, u. steile Felsen traten unmittelbar an das Meer heran. Da zeigte sich plötzlich eine schmale Spalte in der dunkeln Gebirgswand, mit einem hellen Wasserspiegel im Hintergrund, u. im Moment des Vorüberfahrens erkannten wir ein Gewirr v. Masten u. die Formen mächtiger Schiffe zw. den Felswänden, während oben am Felshang ein altersgraues Fort darüber thronte! Aber die 'Marietta' zog mit vollen Segeln vorüber; denn die schmale Felsenspalte war nur das Fenster der Bucht u. f. Schiffe u. grössere Boote unpassirbar. Die wirkl. Einfahrt in den Hafen liegt auf der entgggesetzten Seite eines Vorsprungs der Küste, welche hier eine scharfe Wendg. nach Westen macht.

Maskelyne Islands, bei Mallicollo, NHebriden, benannt 'avec beaucoup de modestie' v. Cook's Astronomen Wales zu Ehren eines Mannes, 'à qui les marins ont tant d'obligation' (Krusenst., Mém. 1, 196), des engl. Astronomen Neril *M.* (1731/1811).

Masmai s. Ma.

Massabat = die nach Osten gezogenen, v. *obah* = Morgen, Name eines Volksstammes, welcher v. den For sich ablöste, die heimatliche Sprache vergass u. die Sitte u. Sprache der Araber annahm (PM. 21, 285).

Massachusetts, ein anglisirter plur. v. *Massachuset* = bei den grossen Hügeln, v. *massa* = gross, *wadschu,* plur. *wadschuasch* = Berge u. dem Suffix *et* = bei, so hiess zuerst die Bay, v. welcher der Hafen Bostons nur einen Theil bildet, nach dem Indianerstamm, den John Smith 1614 in der Gegend traf. In der That hiess die Colonie bis z. Constitution v. 1780 immer the Colony of the *M. Bay* (ZfAErdk. nf. 3, 63, Staples, StUn. 6, Trumbull, Ind. N. 23). — *M. Bay* s. Anna. — *M. Island* s. Washington.

Massacre Bay, in Austr. 2mal: *a)* eine Bucht der Blind Bay, urspr. *Moordenaars Bogt* = Mörderbucht, v. dem holl. Entdecker A. Tasman so, doch auf der Carte *A. Tasmans Bogt* (WHakl. S. 25, XCVII), genannt, weil hier die Maori, ohne dass man sie im mindesten gereizt hatte, am 19. Dec. 1642 ein Canot übfielen u. die Holl. bis auf drei, die sich schwimmend flüchten konnten, niedermachten, ohne dass die v. den Schiffen aus abgefeuerten Schüsse die Wilden erreichten: 'der erste europ. Name an den Gestaden NSeelands' (Garnier, Abr. 1, 82, etwas abweichend Debrosses, HNav. 284). 'Dese moordenaersplaetse hebben wy de name van *Moordenaars Bay* gegeven' (Tasman's Journ. 82). Auf Arrowsmith's Carte *Coal Bay*, nach den Kohlenfunden, dann *Golden Bay*, als 1856 die Goldlager v. Aorere entdeckt wurden (v. Hochst., NSeel. 62. 374); *b)* in Samoa, eine kleine Bay v. Tutuila, v. La Pérouse (Meinicke, IStill. O. 2, 109). — *M. Islands* s. Hunter. — *Rivière du M.*, ein patagon. Zufluss der Magalhães Str., v. dem frz. Seef. Beauchesne benannt, weil im Sept. 1699 die frz. 'Freibeuter' hier einige Wilde tödteten, welche die Kameraden jener im Gehölze ermordet hatten (Debrosses, HNav. 363); der Fluss war 1670 v. Narborough *Bachelor River*, v. *bachelor* = Junggeselle od. Candidat, getauft worden (Skogm. Eng. R. 1, 105). — *M. Island*, im Wood Lake (s. d.), 'was the scene of the massacre of Verendrye's son, a priest, and 20 soldiers by the Sioux Indians, who then frequented the country to the southwest' (Ch. Bell, Canad. NWest 2).

Massaua, Hafenstadt am Rothen M., *Saba* der Ptolemäer, *M.* schon bei den arab. Autoren des 10. Jahrh. (Meyer's CLex. 11, 288), eig. *Medsaú a,* sehr wahrsch. v. äthiop. *dsaú'a* = rufen, da man die Entferng. v. Festland eine *medsaú'a* = Rufweite nannte, d. h. so weit man einen Ruf hören kann — u. diess ist wirkl. die Entferng. der Insel *Baz'é* v. 'Gerar' (Munzinger, Ostafr. St. 114. 177).

Masse s. Knox.

Masséna, Baie, am Spencer's G., v. Lieut. Louis Freycinet, Exp. Baudin, am 28. Jan. 1803 getauft nach dem Marschall André *M.*, späterm Herzog v. Rivoli u. Fürsten v. Esslingen (Péron, TA. 2, 80).

Massilia s. Marseille.

Massillon, Ile, im Nuyts' Arch., v. der Exp. Baudin im Febr. 1803 getauft nach dem Kanzelredner Jean Baptiste *M.*, 1663—1742 (Péron, TA. 2, 88).

Massúri, Ortschaft in Garhval, Himálaja, hat ihren Gharvalinamen v. der dort häufigen Pflanze *masur, monsuri* der Eingebornen, bot. *Coricaria Nepalensis* (Schlagw., Gloss. 222).

Mast Creek, ein rseitgr. Zufluss des untern Missuri, wo der Exp. Lewis u. Cl. (Trav. 7) der Mast brach, als das Schiff unter einem verborgenen Baume wegfuhr. — *Cabo dos Mastos* nannte der port. Seef. Lançarote ein westafr. Cap nach einigen dürren Palmstämmen, welche aufgepflanzten Masten ähnelten . . . 'por razão de humas palmeiras seccas, que á vista representavão mastos arvorados' (Barros, Asia 1, 1¹³), Azurara (Chron. 356): 'onde avya muytas palmeiras secas sem rama'.

Mastûra, al = die verschleierte, ehrbare, arab.

Name der Halbwegstation Mekka-Medinah, aus *al-Abwâ* umgetauft, weil des Propheten Mutter dort begraben liegt (Sprenger, AGArab. 155).

Masura s. Tyrus.

Masuren, eine preuss.-poln. Grenzlandschaft, nach ihren poln. Colonisten, poln. *Mazurzy,* sing. *Mazur,* die W. Ketrzynski (o Masurach, Pos. 1872), u. ihm nach F. Krosta (Mas. Stud. 1875/76), v. lit. *mazuras,* der Bezeichn. eines Menschen n. nicht grossem Wuchse, eines stämmigen, untersetzten Menschen, ableiten wollte. J. Sembrzycki widerlegt diese Erklärg. (Altpreuss. Monatsschr. 24, 256—262, Kgsb. 1887) u. betrachtet, augenscheinl. mit Recht, *M.* als durch Anhängg. der poln. Endg. *or, ur* an den Stamm *maz* des Wortes *Mazowsze,* Masovien, gebildet, wie denn die *M.* als Colonisten aus Masovien eingewandert sind.

Mat = Koth, Schmutz, asl. Wort, im ältern slaw. Namen des Neusiedler See's (s. d.), aber auch in *Mutnik* u. *Mutĕnitz, Möttnig* u. *Möttnik, Motnica* u. *Motnik* etc., Orte in den österr. Ländern (Miklosich, ON. App. 199 f.).

Matamoros, Ort am Unterlaufe des Rio Bravo del Norte, früher *Congregacion del Refugio,* nach einer der Armenpflege gewidmeten Brüderschaft, erst durch Decret v. 1823 (die Carte hat 1828) nach einem Priester *M.* umgetauft (Uhde, RBravo 96). Noch heisst der Hafenplatz *Refugio* (Meyer's CLex. 11, 297).

Matanza = Mord, Blutbad, in mehrern span. ON., z. B. auf Tenerife, wo die Spanier die friedl. Eingebornen erschlugen (Ausl. 52, 915). — Im plur. *Matanzas,* Ort auf Cuba, wo die Eroberer zwei nackte u. nur mit Laub umgürtete Spanierinnen fanden, welche Schiffbruch gelitten hatten (LCasas, lib. 3 c. 30. MS). BDiaz (NEsp. c. 8) erzählt, wie, v. arglistigen Indianern übfallen, eine span. Schiffsmannschaft bis auf drei Männer u. eine Frau hingemetzelt wurde. — *Isla de M.*, 2 mal: *a)* an der Westseite Florida's, wo dem Entdecker Ponce de Leon am 4. Juni 1513 mehrere seiner Leute fielen (ZfAErdk. nf. 15, 12); *b)* in Austr., 10⁰ SBr., wo die Wilden sich der Landg. Torres' widersetzten, dann um Frieden baten u. nachher die Wasserträger überfielen (WHakl. S. 25, 34 f.; 39, 407).

Matapan s. Metopon.

Matelotes, ins. einh. *Lamoliork, Lamuliur, Lamoliao-uru . . .,* wahrsch. die zuerst entdeckte Insel der Carolinen, durch den span. Seef. Villalobos 1545 gefunden u. so getauft, weil ihm die Eingebornen in Kähnen entgegenruderten, ein Kreuz in der Hand haltend u. den span. Gruss *buenos dias, matelotes* = guten Tag, Matrosen! rufend — ein Zeichen, dass schon vor ihm Spanier hier angekommen sein mussten: 'ouueram vista dalgũas ylhas, de q' sahiram paraos e calaluzez com gẽte, e traziam nas mãos cruzes, e os saluaram com bõs dias matelotes, de q' ficaram marauilhados pos se verem de Castella tam alongados, ... hũs lhes chamam *as ylhas das Cruzes* (= Inseln der Kreuze), e outros dos *M.*'

(Galvão, Desc. 222 f., Krus., Mém. 2, 337), bei Drake 1579 *Thieve Islands* = Diebsinseln (Meinicke, IStill. O. 2, 361).

Mateo, San, die span. Form f. den 'heil. Mathäus', kann in der Namenwelt neben Marcos u. Lucas (s. dd.) nicht fehlen *a) Cabo de San M.,* in Espiritu Santo, v. der Exp. Quirós am 30. Apr. 1606 benannt, wohl id. mit *Cabo de Quirós* (s. d.), welches die Carte am Eingang der Bahia de San Felipe y Santiago zeigt; *b) Bajos de San M.,* Untiefen unter $8^1/_2^0$ NBr., v. Mendaña zu Ende Sept. 1568 getauft (Zaragoza, VQuirós 3, 38).

Mathcub s. Pertuis.

Mathiesen-Halpinsel, ein Vorsprung Gänselands, NSemlja, v. der österr.-ungar. Exp. Wilczek im Aug. 1872 benannt (PM. 20 T. 16) nach dem norweg. Polarf. Capt. *M.*

Mathilde s. Osnaburgh.

Máthura od. *Mádhura, Madhupagna* = Tödtung Madhu's, *Mathupura,* gew. *Máthra* = Máthu's Stadt, hind. ON. in Hindustan, wo Mathu, einer der Rákschasas (d. i. böse Dämonen, Riesen), v. Krischna erschlagen wurde (Schlagw., Gloss. 222), gr. *Μόδουρα, Μεδορά,* bei Arr. Ind. 8, 5 *Methora* u. *Clisobora,* bei Plin. (HNat. 6, 22) *Cyrisobora,* wohl f. *Krischnapura* = Stadt des Krischna (Lassen, Ind. A. 1, 158).

Matianus L. s. Urmia.

Matias, San, mehrf. in span. ON. wie *Bahia de San M. a)* in Patagonien, entdeckt am Tage des h. Matthias (24. Febr.) 1520 durch den in span. Diensten stehenden Port. F. Magalhães, welcher hier nach einer Durchfahrt suchte: 'reconociendola para ver si era estrecho, encontró ser una bahía muy grande, con cincuenta leguas de giro, sin fondo para surgir, donde en lo mas interior halló 80 brazas' (Nav., Coll. 4, 33, WHakl. S. 52, 217), bei dem Entdecker auch *Bahia sin Fondo* = Bucht ohne Ankergrund (ZfAErdk. 1876, 337, 361, Hakl., Pr. Nav. 3, 724); *b)* an der pacif. Küste Columbia's, entdeckt v. Piloten Barth. Ruiz, der dem Conquistador Pizarro 1526 behufs Kundschaft vorausging (Prescott, CPeru 1, 243). — *Rio de San M.,* ein Fluss an der Ostseite v. Santa Isabel, Salom., v. Anführer Gabr. Muñoz, Exp. Mendaña, 1568 entdeckt (Zaragoza, VQuirós 3, 38).

Matjesfontein = Matten-, resp. Rohrfluss, ein Quellbach an der Westseite des Caplandes, da die Binsen, aus welchen hübsche Matten verfertigt werden, bei den Boeren *matjesgoed* = Waare (Rohstoff) zu Matten *(matje* ist dim. zu *mat* = Matte) heissen (Lichtenstein, SAfr. 1, 139).

Matiuschkin, Cap, an der Ostseite der Tschaun Bay, durch den spätern Admiral Wrangell (NSib. 1, 238) am 8. März 1821 zu Ehren eines seiner Officiere benannt. — Hieher setzen wir auch *Matotschkin Schar,* Meerenge in NSemlja, mit einem schwer zu deutenden Namen (Spörer, NSemlj. 48), der u. a. auch v. einem Flüsschen *Matotschka* abgeleitet wurde (Hertha 1. 237), doch wohl v. Ch. F. Beke (G. d'Veer p. XXX ff.)

richtig als Corr. v. *Matjuschin* erkannt, v. *Matjuscha* dim. v. *Matwei* = Matthias, also dass dies ozw. der Name des ersten russ. Entdeckers der Meerenge ist. So setzt denn auch A. Petermann in die Carte des erwähnten Berichts (WHakl. S. 54) nicht allein geradezu *Matthew's Strait,* sondern nannte auch, entspr. den durch Anth. Marsh 1584 eingezogenen Erkundigungen, das anliegende Inselstück *Matthew's Land.* Für das neuruss. Wort *schar,* das schon oft mit 'Scheere' wiedergegeben wurde, war der sorgfältige Schrenk (Tundr. 1, 365. 564 u. a. O.) schon auf richtiger Fährte; das syrj. Wort *schör* bedeute Bach, Quelle, Flussarm, Durchfahrt. Das Wort *šar,* sagt P. Hunfalvy (VUral 38), bedeute bei den nördlichsten, der Ischma anwohnenden Syrjänen eine Meerenge u. wog. *sariz* = Meer.

Mato Grosso = grosser Urwald, oft weniger richtig mit *matto,* port. Name einer brasil. Prov., die ein weiter, üb. 9 Leguas br. Urwald v. Nord nach Süd durchzieht (Eschwege, Pl. Bras. 56), mit Ort gl. N., der einstigen *Villa Bella* = schönen Stadt der Goldwäscher (Meyer's CLex. 11, 304; 15, 441). Das dem port. *mato* entspr. span. Wort *mata* = Gebüsch, erscheint bereits 876 urk., dann in der Bedeutg.' Wald ... ipsum forestum vel ipsam *matam,* quae dicitur *silva Sancti Romani*' (Diez, Rom. WB. 2, 154). — Span. *Cabo de Matas* = Gebüschcap, an der patagon. Küste (Hakl., Pr. Nav. 3, 724).

Matrici s. Metz.

Matsmaye s. Jeso.

Matt od. *Matte* = Wiesengrund, in vielen deutschen ON., zsgesetzten, wie *Aeschenmatt, Heiligenmatt, Seelmatten* = die Matte bei den Eschen, bei der Capelle, am Bichelseeli, *Ross-* u. *Tannmättli,* u. einfachem *M.,* wie z. B. 3 Höfe des C. Zürich (Meyer, Zürch. ON. 76) od. Dorf des Glarner Sernfthals (Gem. Schwiz 7, 631). 'Die Thalsohle war v. Engi bis Elm in frühern Zeiten eine zshängende Wiese, welche aber nun der unter dem Hausstock-Gletscher hervorbrechende Sernf ganz zerrissen, ja v. *M.* bis Engi z. Th. weggefressen u. stellenweise in eine sandige steinige Fläche umgewandelt hat' (Fröbel u. Heer, Mitth. 287). Im Loc. die Alpendörfer: *a) Andermatt,* Hptort des urn. Ursernthals, in dessen breitestem Mattengrunde, früher, z. B. 1495 bei C. Türst (QSchwz. Gesch. 6, 13) einf. *Ursern,* u. *b) Zermatt* (s. d.); zu letzterm gehören *Matterthal* (s. Nicolai), *Matterhorn,* bei den frz. Nachbarn *Mont Cervin* = Hirschhornberg (Saussure, VAlpes 352, Fröbel, Penn. A. 125. 140) u. *Matterjoch,* bei Simler (Vall. 18) *Silvius,* sonst auch *Col du Mont Cervin* od. *Passage de St. Théodule,* diess zu Ehren des Schutzpatrons v. *M.,* des Bischofs *Th.* v. Sitten, welcher der Legende zuf. in Rom war, v. Papst eine Glocke f. seine Kirche erhielt u., da ihm diese zu schwer, den aus einem Besessenen ausgetriebenen Teufel zwang, ihm das Geschenk üb. die Alpen nach Sitten nachzutragen (Bergm., Walser 32, Vorarlb. 76). Früher nannten die Walliser den Gletscherpass auch *Glatschert* od.

Aust'lberg, da dieser in das Thal v. Aosta führt; auf der piemontes. Seite, im Val Tournanche, heisst er *Col du Val Tournanche* (Schott, DCol. P. 5. 26. 34. 231 f. 267). — *Matterhorn Kamm*, v. der 2. deutschen Nordpolexp. 1869/70 auf einen wilden Gebirgskamm Ost-Grönl. übtragen (Peterm., GMitth. 17, 189).

Mattau = Fischangel, einh. Name einer Küsteninsel Nukahiwa's, dessen Einwohner dort Fische angeln (Krus., Reise 1, 162).

Matthew, St., eine Insel der Hibernian Range, v. engl. Seef. W. Dampier am 25. Febr. 1700, also Tags nach St. Matthias, benannt, nach Meinicke (IStill. O. 1, 142) die Insel, welche der engl. Lieut. Ball, v. Transportschiffe Supply, am 19. Mai 1790 *Prince William Henry Island* genannt hat. Debrosses (Hist. Nav. 396) hält sie f. id. *Visscher E.*, Krusenst. (Mém. 1, 138) f. Balls *Tench I.*; *b) M.'s Island*, die südlichste der N Hebriden, durch die engl. Captt. Marshall u. Gilbert im Mai 1789 entdeckt u. (prsl.?) benannt, mit 142 m h. Vulcan, dessen halb eingestürzter Krater, wie die Spalten der Abhänge, Rauch- u. Dampfwolken ausstösst (Meinicke, IStill. O. 1, 193); *c) Matthäus Insel* s. Laurentius; *d) M.'s Land* u. *Strait* s. Matotschkin Schar; *e) Matthias* s. Dolgoj.

Mattiacorum C. s. Castellum.

Mattium s. Wiesbaden.

Matty Island *a)* in King William's Ld., am 23. Mai 1830 v. J. Cl. Ross, Exp. John Ross (Sec. V. 409), so benannt, wie die nahen *Beverly Islands*, zu Ehren der beiden Damen, welche die schöne, an jenem Tage zum Zeichen der Besitznahme aufgepflanzte Sammtflagge geschenkt hatten; *b)* bei Neu Guinea, v. Carteret am 19. Sept. 1767 entdeckt u. prsl. benannt (Hawk., Acc. 1, 386), bei Capt. Bristow 1817 *Tiger Island* (Meinicke, IStill. O. 1, 143) nach seinem Schiffe?

Mauch, *Karl*, ein württb. Lehrer, geb. 1837, der sich mit seltener Ausdauer z. Reisenden ausbildete, eine Carte v. Transvaal lieferte, zwei ausgedehnte Goldfelder u. die Ruinen v. Zimbabye entdeckte u. in Blaubeuren 1875 †, ist v. seinem Landsmann, dem Reisenden Heuglin, auf der Carte v. Spitzb. verewigt: *Cap Mauch* s. Hübner. — *M. Chunk* = Bärenberg, ind. Bergname in Pennsylv., wo 1791 die Kohlenlager entdeckt wurden u. 1812 der Ort gl. N. entstand (Penns. Ill. 46 f.).

Maudit s. Blanc.

Maugé, Pointe, an der Insel Maria, Tasmania, v. der Exp. Baudin im Febr. 1802 so benannt, weil die Abtheilg., welche die Insel untersuchte, gerade hier die Kanonenschüsse vernahm, welche den Tod ihres Gefährten, des Zoologen R. M., v. Schiffe le Géographe, verkündigten. Hier wurde der Leichnam am Fusse eines grossen Eucalyptus beigesetzt (Péron, TA. 1, 231).

Mauku = ohne *uku*, d. i. weissen Thon, wie er längs des nahen Waiuku (s. d.) vorkommt, bei den Maori eine neuseel. Ansiedelg. (v. Hochst., NSeel. 135).

Maunoir s. Maltebrun.

Maupertuis, Baie, an der Südwestseite der austr.

Känguruh I., v. der frz. Exp. Baudin am 3. Jan. 1803 getauft nach dem Mathematiker P. L. M. de M. 1698—1759 (Péron, TA. 2, 59), wie im Febr. gl. J. *Ile M.*, im Arch. Laplace (ib. 84). — *M.* s. Dyrrhachion. — *Maunoir* s. Maltebrun.

Maupiti, auch *Maurua*, beides = zwei Berge, eine liebliche Berginsel mit gg. 250 m h. Pic, in den Society Is., Abth. Leeward, v. Cook 1769 entdeckt (Meinicke, IStill. O. 2, 156).

Maur s. Murum.

Maura s. Leuka.

Maurelle s. Wallis.

Maurepas s. Winnipeg.

Maurice, Saint, Walliser Ort, wo 285 der heil. Mauritius den Märtyrertod erlitten, mit sehr altem Kloster, hatte kelt. *Agaunum*, besser *Acaunum* = Stein, Fels (Rev. Celt. 8, 123), geheissen, wie noch j. der nahe Fels, der als Todesplatz der thebaischen Legion gilt, eine Einsiedelei ULFr. *du Scex* = v. Fels trägt. Die kelt. Etym. taucht schon früh auf, wohl zuerst bei dem Biographen des heil. Romanus, also in der 2. Hälfte d. 5. Jahrh. (Bolland. 3. Febr. 741; 6. Sept. 345), dann bei Tillemont (Mém. Eccl. 4, 837) u. bei L. de Bochat (Mém. Crit. 1, 139 ff.); sie findet sich auch bei Zeuss (Gramm. 1. Aufl. 38), bei Bacm. (Kelt. Br. 50) u. ist durch den Keltisten H. d'Arbois de Jubainville (Rev. Arch. 20, 188) endgültig gesichert.

Mauritius, v. Nassau-Oranien (s. St. Maurice u. St. Moriz), der niederl. Feldherr, welcher, als zweiter Sohn Wilhelms I. geb. 1567, nach dem Vaters Ermordg. z. Statthalter u. Oberbefehlsh. der Land- u. Seemacht erwählt wurde, den Krieg mit genialem Geschick u. ausserordentl. Erfolg führte u. so recht eigentl. als der Begründer der holl. Unabhängigk., wie des erstaunlichen Aufschwungs, welchen Seefahrt, Entdeckg., Handel u. Colonisation nahmen, gefeiert wurde († 1625), hat auch eine Reihe toponym. Denkmäler. Das wichtigste der nach ihm benannten Objecte ist *M.*, die eine der Mascarenhas (s. d.), in welcher der port. Entdecker das alte *Cerne* (Plin., HNat. 6, 198) zu finden meinte u. welche, nachdem sie seit 1580 in span. Besitz gewesen, v. holl. Admiral van Neck 1598 erobert u. getauft wurde (Sommer, Taschb. 19, 78 ff., Skogman, Eug. R. 2, 272). In der Franzosenzeit, 1721—1814, hiess sie *Isle de France*, 'as the French will insist upon calling it' (MacLeod, East. Afr. 2, 144). — Ein anderes *M.* in Feuerl., ggb. Staatenland, v. der Exp. Le Maire u. Schouten am 25. Jan. 1616 'met ghemeene resolutie des Raets' benannt (Spiegh., ANav. 26, Beschrijv. 78). — *M. Eiland*, zweimal: *a)* s. Dolgoj; *b)* s. Jan Mayen. — *M. Rivier* s. Hudson. — *Kaap M.*, bei den Oranien In., v. Polarf. W. Barents 1594 getauft (Peterm., GMitth. 18, 396). — *M. Bay*, in der Magalhães Str., v. Seef. O. de Noort im Dec. 1699 nach dem Admiralschiffe, wie *Henricus Bay* nach dem Fahrzeug Henrik Fredrick, das hier ankerte . . . 'hebbende weynigh beschutsels voor een Weste windt'

(Wonderl. V. 15, Debrosses, HNav. 187). Der Prinz Heinrich Friedrich wurde 1625 seines Bruders *M.* Nachfolger. — Aus der Zeit der holl. Besetzg. Brasiliens, 1637, die ein jüngerer Prinz *M.* leitete, stammen 2 ON. *a) M.,* j. Penedo, am Rio de San Francisco, v. den Holländern als Fort angelegt (Varnh., HBraz. 1, 380); *b) Mauricia* s. Pernambuco.

Mauros, gr. adj. μαῦρος = schwarz, in alt- u. ngr. ON. häufig nach der dunkeln Farbe od. düsterm Aussehen wie *Mauranera*, ngr. ’ς τὰ Μαῦρα νερὰ = die schwarzen Wasser, Fluss auf Rhodos (Ross, IReis. 3, 108), u. *Mauroneria*, ngr. Μαυρονέρια = Schwarzwasser, f. den arkad. Styx, nach der Farbe des Gesteins, soweit es v. Wasser besprengt wird. ’Ein Vorsprg. des Hochgebirgs fällt ganz senkrecht ab; das Schneewasser stürzt daran in zwei Armen herunter, um sich durch ein Labyrinth v. Felsblöcken hindurch mit den andern Bächen zu vereinigen. Man kann sich keine wüstere Gegend denken; alles Leben ist erstorben zw. dem zackigen Gesteine, üb. welches man nicht ohne Gefahr bis an den Felssturz klettern kann, u. der Wanderer erbebt inmitten der schauerlichen Oede‘ (Curt., Pel. 1, 195 f., Fiedler, Griech. 1, 398). Schon Homer (Il. 8, 369; 15, 37) spricht v. dem hochherabträufelnden Styxwasser‘ u. v. dem ’jähen Sturze‘. Hesiod nennt es ein ’vielgenanntes, uraltes Gewässer, welches kalt aus der Jähe des unersteiglichen Felsens niederrinnt‘ u. ’durch schroffes Geklüfte hinabfliesst‘ (Theog. 785). Die Schauerlichk. der Gegend u. die in alter u. neuer Zeit verrufene Gefährlichkeit des eiskalten Wassers, ὀλεθρίον ὕδατος (Strabo 389), veranlasste die Hellenen, dem Sturzbache den Namen *Styx*, gr. Στύξ = die schauderhafte zu geben u. das Wasser der Unterwelt nach ihm zu nennen. Zu feierlichen Gelöbnissen kamen die Arkader in Nonakris (s. d.) zs. u. schwuren bei der Styx wie die Juden beim Bitterwasser (vgl. Beerseba) u. die Siculer bei dem Schwefelwasser in Palikoi. — Ferner: *c) Mauro Ampelia*, ngr. Μάυρο Ἀμπέλια = schwarzer Weinberg, ein Platz auf Syra, wg. seiner schwarzen Eisensteinmassen (Fiedler, Griech. 2, 174); *d) Mauropetra*, ngr. Μαυρόπετρα = Schwarzfels, die nördl. Spitze Sar*orins (Peterm., GMitth. 12 T. 7); *e) Mauro* s. Melas; *f) Mauro Castro* s. Ak; *g) Mauro Limni* = schwarzer See bei den Neu Griechen, türk. *Kara Tschaïr* = schwarze Wiese, f. die alte *Nessonis*, den untern der beiden thessal. See’n (Kiepert, Lehrb. AG. 303); *h) Maurommati* s. Asopos; *i) Mauron Oros* s. Chelydorea; *k) Mauri Thalassa* s. Pontus; *l) Maurawuna* s. Teichos; *m) Maurowuni* s. Melankabi; *n) Santa Maura* s. Leuka. — Auch den alten Volksnamen *Mauri, Maurusii*, nach dem in hispan. Bildg., mit iber. *éti* = Land, die westlichsten Atlasgebiete als *Mauretania* bezeichnet wurden (Tacit., Ann. 4, 23, Liv. 24, 15), leitete schon das Alterth., u. ihm nach Neuere (Movers, Phön. 2ᵇ, 373), v. dem alexandr. adj. ab, was freil. zu der hellen Farbe der heutigen Nachkommen

nicht stimmt; immerhin wird auf dieser Auffassg. der Name *Mohr*, f. die schwarzen Africaner, beruhen.

Maurouard, Cap, in Maria Eiland, Tasmania, durch die frz. Exp. Baudin im Febr. 1802 benannt nach dem Seecadetten J. M. *M.*, welcher mit dem Ingénieur-Geographen Ch.-P. Boullanger, beide v. Schiffe le Géographe, die Aufnahmen in jener Gegend besorgte. Nach dem Ingénieur selbst wurde die Nordspitze der Insel *Cap Boullanger*, nach dem Obergärtner A. Riedlé, welcher kurz vorher, am 21. Oct. 1801, in Timor gestorben war, die der Austerbay ggbliegende Bucht *Baie Riedlé* getauft (Péron, TA. 1, 220. 228); *b) Ilot M.*, an der Ostseite Tasmania’s, um dieselbe Zeit getauft, da *M.*, mit dem Boot im Stiche gelassen, eine Zeit lang f. verloren galt (ib. 254).

Maury Channel, zw. Baillie Hamilton u. Cornwallis I., durch die erste Grinnellexp. im Sept. 1850 benannt nach dem Hydrographen Matthew Fontaine *M.* (geb. 1807, † 1873), ’after the distinguished gentleman at the head of our National Observatory, whose theory with regard to an open sea to the north is likely to be realized through this channel‘ (Kane, Grinn. Exp. 201); *b)* ebenso *M. Bay*, in Grinnell Ld., v. E. K. Kane (Arct. Expl. 1, Carte) 1853/55 getauft; *c) M. Berge*, in NSemlja, cartographirt 1871 v. der Exp. Rosenthal u. v. A. Petermann (GMitth. 18, 77) benannt.

Ma’ûsa s. Famagusta.

Maut = Zoll, in mehrern deutschen ON. *a) Mautern*, in NOesterr., um 985 *Mutarun*, was nach dat. plur. v. goth. *môtareis* = Zöllner, also ’bei den Zöllnern‘, wie denn der Ort im 10. Jahrh. auch urk. als Zollstation erwähnt wird; *b) Mauterndorf*, in Salzb., wo seit dem 13. Jahrh. eine *M.* bestand; *c) Mauthausen*, in OOesterr., ebf. nach einer alten Zollstätte (Förstem., Altd. ON. 1135, Umlauft, ÖUng. NB. 143).

Mauvaise, la Rivière = der böse Fluss (s. Mal), 2 mal: *a)* an der Küste v. Süd-Carolina-Georgia, v. frz. Capt. Jean Ribault 1562 so genannt, weil die z. Erforschg. ausgesandte Pinnasse den Bericht brachte, die Mündg. halte nicht üb. ¹/₂ Faden Wasser, sei also f. grössere Schiffe unbrauchbar . . . ’and called it the *Base* or *Shallow River*‘ (Hakl., Pr. Nav. 3, 313); *b)* ein Zufluss des Elkhorn R., Missuri, so genannt (in Uebsetzg. des ind. Namens?) durch die frz. Canadier (die engl. Ansiedler übsetzten gleichf. *the Bad Creek*) von den Schwierigkeiten seiner Furt. In dieser Furt sah Herzog P. W. v. Württemberg (NAm. 315) die Gerippe der daselbst versunkenen Lastthiere der Indianer, wie auch er selbst bis unter die Schulter im Schlamme versank. ’Ausser dem Eau qui court habe ich kein fataleres Wasser als die *MR.* gefunden‘. — *Archipel de la Mer M.* s. Paumotu. — *Mauvaises Terres* = schlechte Landschaften, Canadiername eines 140 km l. u. gg. 50 km br. Landstrichs im Westen des Staats Nebraska. Aus der Ferne betrachtet, erscheint er wie ein v. der Civilisation verlassener Aufenthalt; säulenförmige Felsen u. labyrinthische Schluchten haben den Anschein v. Wohnsitzen u. v. Staatsgebäuden, mit Thürmen, Hallen u. Mauerwänden. Diese im ganzen unfruchtbare Felsengegend bildet einen merkwürdigen Contrast zu der allgemeinen Erscheing. Nebraska's (BCGLandamts 44). Die *Bad Lands* (engl. übsetzt), 'mud dreaded and barren' (Raynolds Expl. 8 ff.), bilden eine unfruchtb. Prairie, öde bis z. letzten Grade, v. dunkel-aschfarbigem Boden, unregelmässig gestreift v. schmutzigen alkalischen Streifen, in der Trockenzeit trocken u. staubig, aber wenn durchnässt eine schmutzige, schlüpfrige unergründliche Masse klebrigen Kothes, durch welche das Vieh kaum die belasteten Räder zu schleppen vermag, fast völlig holzlos, selten mit Wasser u. dieses bitter u. lau, die ganze Vegetation Salbei u. Cactus, nur stellenweise ein kleines, mageres, armes Gras (Ludlow, Carroll 13). — *Mapas*, s. v. a. *mauvais pas*, eine schwer gangb. Passage am Mont Blanc (Saussure, VAlp. 258).

Mawa s. Kara.

Mawera'l-nahr = Transoxiana, d. h. Land jenseits des Flusses (Oxus), arab. Name des die Stadt Samarkand umgebenden Theils der Gr. Bucharei (Pauthier, MPolo 1, 137).

Max, übl. Abkürzung f. *Maximilian*, welche Form in dem Pfälzer ON. *Maximiliansau* vorkommt, in mehrern ON., augenscheinlich wie in diesem, nach einem der beiden ersten bayr. Könige d. N. benannt, wie *Maxburg*, die der dam. Kronprinz aus der ihm v. der Pfalz 1842 geschenkten Ruine des Hambacher Schlosses aufführen liess (Meyer's CLex. 8, 473), *Maxhütte*, 1833 ggr. Eisenwerk der bayr. Oberpfalz (ib. 11, 329) u. *König M. Inseln* (s. Heard). — In Oesterr. *a)* *Maxberg*, früher *Maxruhe*, Ort in Böhm., 1665 ggr. v. Maximilian Wolfgang v. Lamingen u. Albenreuth; *b)* *Maximilians-Grotte*, die Nische der Martinswand, welche als Standort des verirrten Kaisers gilt; *c)* *Maxing*, Lustpark bei Wien, begründet v. nachmal. Kaiser Maximilian v. Mexico (Umlauft, ÖUng. NB. 143 f.).

Maxwell Bay, in Barrow Str., am 4. Aug. 1819 entdeckt u. benannt v. Lieut. W. Edw. Parry (NWPass. 34) zu Ehren eines Freundes, 'to whose kindness and unremitting attention I am more indebted than it might be proper here to express'.

'May = Mai, in engl. ON., f. Entdeckgen, die auf den 1. Mai fielen: *a)* *River M.*, j. *St. John's River*, in Florida, v. frz. Capt. Jean Ribault 1562 entdeckt, 'which riuer wee haue called *M.* for that wee discouered the same the firste day of the Moneth' (Hakl., Pr.Nav. 3, 309, WHakl. S. 7, 100. 108, Note); *b)* *M.-day Island*, eine der Hope's In., wo Ph. P. King (Austr. 1, 98) am 'Maitag' landete. — Dagegen *Cape M.*, an der Delaware Bay, wo der Seef. Cornelius Jacobus *M.*, in Diensten der holl.-westind. Compagnie, 1623 den Boden betrat (Cent. Exh. 40). — *Majo*, eine der am 1. Mai 1462 v. port. Seeff. gefundenen capverd. Inseln (Galvão, Desc. 74).

Mayenne s. Maine.

Mayhew s. Rauparaha.

Mayit s. Baños.

Maynthal s. Magnus.

Mayo s. Benuë u. Kuara.

Mayor s. Tuhua.

Mayor, Isla s. Magnus.

Mayorga s. Howe.

Mazatlan, v. azt. *mazatl* = Ort der Hirsche, mehrf.: *a)* eine Prov. des alten Mexico, *b)* eine Hafenstadt am calif. Golf u. *c)* ein alter Ort in Guatemala (Buschmann, Azt. ON. 18. 108, Gracida, Cat. Oax. 71). Die Hierogl. des ON. besteht aus einem Hirschkopf, v. Cervus mexicanus Gmel. (Peñafiel, Nombr. geogr. 138).

Mazenderan, eine pers. Uferlandschaft des Kaspisee's, alt *Hyrkania* (s. d.), zuerst erwähnt mit dem nahen Gebirge, Μασδωρανὸν ὄρος (Ptol. 6, 5[1]), im 15. Jahrh. arab. eine 'Hügelkette v. *Masduran*'. Das Wort *mazdôr*, sagt der Orientalist J. Olshausen (Berl.-MBer. 1876, 777 ff.), lässt sich leicht als Name der obersten Gottheit in der zoroastr. Lehre erkennen u. zwar als eine aus *mazdá ahura*, bei uns geläufiger *ahura mazdâ* zgezogene Form. Vgl. Ormuz.

Mazigh s. Berber.

Mbegwas s. Tupi.

Mboab s. Espirito.

Mbu, Siwa la = Mosquitosee, Sawahiliname eines ostafr. Sumpfsees nördl. v. Kenia (JRGSLond. 1870, 321).

M'dewakantonwans = Leute vom *M'dewakon*, d. i. Geistsee, dem Mille Lacs der mod. Carten, an welchem sie früher ihren Hptsitz hatten, einh. Name eines der am Minnesota u. Missisipi angesiedelten Stämme der Dakotah od. Sioux (Coll. of Minn. HS. 1, 260).

Meadow Creek = Fluss der Wiesen, ein Bach (u. Thal) an der Ostseite der Black Ms., v. der Exp. des Capt. Ives (Rep. 93 f.) im Febr. 1858 erreicht nach einem sehr beschwerl. Uebergang u. benannt nach dem Graswuchse, der den ausgehungerten Maulthieren sehr willkommen war . . . . 'and half a mile from the valley the ravine spread out for a few hundred yards, forming a snug meadow carpeted with good grass, and fringed on one side by a growth of willows that bordered the stream'; *b)* *Lake of the Meadows* s. Manitu. — *Mount Meadowbank*, am Gr. Fischfl., v. G. Back (Narr. 192) am 26. Juli 1834 nach dem gelehrten Lord d. N. getauft.

Meares' Harbour, in British Columbia, v. Capt. Will. Douglas 1788 getauft nach seinem Gefährten Capt. *M.*, der im Schiffe Felice die südlicher gelegenen Küsten untersuchte (GForster, GReis. 1, 59. 262).

Méchain, Cap, am Spencer's G., v. Lieut. L. Freycinet', Exp. Baudin, am 28. Jan. 1803 getauft nach dem Astronomen P. Fr. A. *M.*, 1744—1804 (Péron, TA. 2, 79).

Mechanics s. Rogers.

Mechong = Haupt der Wasser, einh. Name des Stroms v. Cambodja, schon im Zeitalter der Entdeckg. so erklärt: 'capitão das aguas, porque traz tanta copia della, que quando vem sahir ao mar . . . ., retalhando a terra per muitas partes, por se estender, faz hum lago de mais de vitenta leguas em comprimento' . . . (Barros, As. 3, 2⁵ p. 158).

> Ves passa per Camboja *Mecom* rio,
> Que capitão-das-aguas se interpreta . . .
> (*Camões*, Lus. 10, 127).

Mecklenburg od. *Mek* . . . , heute Landesname, früher der Name des Hauptorts, der j. ein Dorf bei Wismar, noch 973 *Wiligrâd* = grosse Burg, v. asl. *velij* = gross u. *gradŭ* = Burg, 995 ins Deutsche übsetzt (Kühnel, Slaw. ON. 93): *Mikilinburg* = Grossburg, wie denn z. Stamme *mikil*, ahd. *michil* = gross, eine Reihe anderer ON. wie *Michelbach, Michelfeld, Michelstadt* etc. gehören u. *M.* schon frühe durch *Magnopolis* übsetzt worden ist (Förstemann, Altd. NB. 1096f.). Im Ggsatz dazu schlägt Fr. K. Wex (Progr. 1856), der die Orth. mit *ck* festhält, die Latinisirung *Megaloburgium*, in höherm Style *Megalopolis*, vor. — Auch in Island ein ON. *Miklibaer* = grosser Hof (Preyer-Z., Isl. 154). — *Neu M.* s. Britain.

Medaos s. Hudson.
Medemblik s. Mittel.
Měděnec s. Mjedj.
Medicine River = Arzneifluss, engl. Uebsetzg. des ind. Namens eines lkseitg. Zuflusses des Missuri, unmittelbar obh. der Gr. Fälle. Die (Mandan-)Indianer glauben an einen grossen Geist, der über ihren Geschicken wacht, u. als guten Geist verbinden sie ihn mit der Heilkunst so, dass er gleichbedeutend mit 'grosse Arznei' wird. Diesen Namen wenden sie auch auf alles an, was ihnen räthselhaft ist (Lewis u. Cl., Trav. 102. 195); *b) M. Wood (River)*, ein Zufluss des obern Missisipi, nach einer grossen Buche, die — den Sioux unbekannt — ihnen als ein v. grossen Geiste hergepflanzter Geist gilt, der sie je nach Verdienen schütze od. strafe (Coll. of Minn. HS. 3, 153); *c) M. Butte* s. Butte.

Medîna = Stadt, in der Verbindungsform *medinet*, plur. *medain, medun* (Parmentier, Voc. ar. 35), mit Dehnungszeichen *medinah*, gew. f. das alte 'Ιαϑριππα Arabiens gebraucht, zuerst im Koran (33, 60) im Ggsatz zu der gesetzlosen Wüste (Sprenger, AGArab. 155), in der Folge mit dem Zusatze *M. al-Nabi* = Stadt des Propheten, so schon in Barros (As. 2, 2⁶ p. 176) . . . '*Medina Elnebi*, que quer dizer cidade do Profeta' u. oft bei Neuern (Rohlfs, Mar. 3). — Mehrf. wiederholt sich *M.* als ON. in maur. Spanien, mit Zusätzen, wie *M. de Rio Seco*, nach dem 'trocknen Flusse' (s. Seco), ferner in Aegypten (s. Arsinoë) u. in der Berberei: *a) M.*, Ruinenort der cyren. Hochmulde Merdscheh (s. Derna), daher auch *Medînet el-Merdscheh* (Barth, Wand. 402ff.); *b) Medeinah*, an der Küste der Gr. Syrte, daher *Medînet Sirt* (od. *Sort*), auch *Medînet Sultan* = Kaiserstadt, nach dem Geogr. Abu Obeid Bekri einst eine Grossstadt mit Bädern u. Markt-

plätzen, in Dattel- u. Obstgärten, mit Brunnen u. ausgedehnten Cisternen, j. verödet (ib. 334); *c) Medeina*, Ruinenort der Kl. Syrte, am See v. Biban (Barth, Reis. 1, 13); *d) Medina* s. Civitas.
Mediolanum s. Milano.
Mediterraneum, Mare = mittelländisches Meer, erst im 3. Jahrh. n. Chr. aufgetaucht u. viel später zu seiner Verbreitg. gelangt (Nissen, Ital. LK. 101), in alle neuern Sprachen übgegangen, deutsch oft *Mittelmeer*, den Römern das länderumgürtete Seitenbecken des atlant. Oceans, wie schon die Griechen im Ggsatz zum 'Ωκεανός = Weltmeer das ἡ ἔξω ϑάλασσα = dem äussern Meer das *M.* als ἡ ἐντὸς ϑάλασσα = inneres Meer, lat. etwa *mare Internum* s. *Intestinum*, od., um anzudeuten, dass die 'Hellenen es mit Schiffen befahren' (Her. 1, 202), als 'Ελληνικὴ ϑάλασσα = Meer der Hellenen, auch ἥδε ἡ ϑάλασσα = dieses Meer, im Ggsatz z. entferntern, od. ἡμετέρα ϑ., röm. *Nostrum mare* = unser Meer unterschieden. Den Hebräern war es, im Ggsatz zu ihren Binnenmeeren, הַיָּם הַגָּדֹל, *Hajam Haggadol* = das grosse Meer od. הַיָּם הָאַחֲרוֹן, *Hajam Ha' acharon* = das hintere (d. i. westliche) Meer (4. Mos. 34, 6f.; 5. Mos. 11, 24); das Wort יָם [jam] = Meer brauchten sie sogar, eben weil das *M.* ihnen im Westen lag, z. Bezeichng. des Westens (Edrisi ed. Jaub. 1, 5). Die Araber nennen es, ganz in antikem Sinn, *Bahr el-Ust* = Meer der Mitte od. *Bahr el-Dschuâni* = inneres Meer, auch *Bahr er-Rûm* = Meer der Christen, eig. des byzantin. Reiches, *Bahr esch-Schâm* = Meer v. Syrien u. *Bahr el-Abiodh* = weisses Meer, diese beiden letztern wohl mehr als Theilnamen (Parmentier, Vocab. arabe 13).
Medlauken = Holzfeld, v. preuss. *median* = Wald u. *lauks* = Feld, ON. der Prov. Preussen. Eine Umstellg. davon ist *Lackmedien*; eine ähnliche Ableitg. haben *Metkeim* = Holzdorf, v. preuss. *kayme* = Dorf, *Medenau* u. *Mednicken* = Waldleute, Leute am Gehölz, auch *Pomedien* (wo preuss. *po* = an, bei), Dorf in Samland (Thomas, Tils. Pr. 20).
Medschednaja, russ. Name eines Zuflusses des Jaik, v. verfallenen Medscheden, Tempeln, die oben an demselben standen, aber v. den Kosaken der Backsteine wg. meist abgetragen sind (Falk, Beitr. 1, 189).
Medscherda s. Makar.
Méduses, Banc des, eine mit der austr. Küste gleichlaufende Untiefe, durch die frz. Exp. Baudin im Juni 1803 so benannt 'wg. der grossen Anzahl v. Thieren dieser Art, welche unsere Naturforscher fanden' (Péron, TA. 2, 244).
Medwed s. Mjedwjed.
Meederzorg s. Palliser.
Meelhaven = Mehlhafen (vgl. Mehl), eine Hafenbucht in NSemlja, wo die Exp. W. Barents am 11. Aug. 1594 einen angenehmen Fund machte, bestehend in einem Mehlvorrath . . . 'om des meels wille datse daer vonden' (Schipv. 4, Adelung, GSchifff. 170). Die 6 Mehlsäcke, im Boden vergraben, ein auf dem Capfelsen aufgerichtetes Kreuz,

das v. einem Steinhaufen umgeben war, in der Nähe ein anderes Kreuz, dabei drei Holzhäuser, in welchen vie'' Fassdauben sich fanden (was die Holl. f. die Anzeichen eines starken Lachsfanges nahmen). Särge mit Menschenknochen neben den Gräbern, im Hafen ein zerbrochenes, im Kiel 44' lg. russ. Schiff — all' das deutet auf die frühzeitige russ. Niederlassg., welche, der Sage zuf., die Strogonow v. Gross-Nowgorod, wohl zZ. Iwan's des Schrecklichen, hier angelegt hatten. Bei den Walrossjägern heisst das westl. Vorgebirge *Mehlcap*, u. den *M.* hat Lütke in *Strogonow Bay* umgetauft (GVeer ed. Beke 33 f.).

Meeraugen nennt der Zipser Deutsche die kleinen Gebirgssee'n der Tatra, u. nach ihm der Sachse auch die der siebenbg. Karpathen, weil er annimmt, sie stehen mit dem Meere in unterird. Verbindg. u. gerathen mit ihm in Wellenschlag. Die poln. Anwohner nennen nur einen der Tatraseen, also im sing., *Morskie Oko*, mit gl. Bedeutg. (Umlauft, ÖUng. NB. 144).

Meeswijk s. Maas.

Meeuwen s. Robben u. Sulphur.

Megara s. Magharah.

Megas = gross, gr. adj. μέγας m., μεγάλη f., μέγα n., plur. μεγάλοι m., oft in ON. wie *Megalopolis*, gr. Μεγαλόπολις = grosse Stadt, mehrf.: *a)* eine Gründg. des Epaminondas, der die neubegründete Einheit Arkadiens gg. Sparta schützen wollte, mit einem Mauerumfang v. 9 km, der aber bei seinen vielen Winkeln u. Einsprüngen nur ein mässiges Areal umschloss; doch wurde der Raum auch so nie vollst. übbaut, u. die Bevölkerg., aus 44 arkad. Ortschaften zsgewürfelt, zerstreute sich bald wieder, so dass nach kurzer Blüthe die Stadt spottweise μεγάλη ἐρημία = die grosse Einöde genannt wurde (Kiepert, Lehrb. AG. 264); *b)* s. Siwas; *c)* s. Mecklenburg. — *Megaspelæon*, ngr. Μεγαλοσπήλαιον = grosse Höhle, das grösste u. reichste Kloster Griechenlands, im achäisch-arkad. Hochlande, eine Felsgrotte v. 38 m Höhe, 29 m Tiefe, vorn mit einer 19 m h. Mauer, die 58 m lg. die ganze Länge der Grotte schliesst, bis halb hinauf zugemauert. Auf der Mauer ist eine Reihe kleiner Zellen gebaut, mit hölzernen Gallerien vorragend, v. der natürl. Grotte bedeckt. Im kühlen Höhlenraum sind Kirche, Keller, Magazine u. eine Quelle (Curt., Pel. 473, Russegger, Reis. 4, 140, Fiedler, Griech. 1, 405). — Das adj. 'gross' kehrt wieder: *a) Megalos Potamos*, ngr. μεγάλος ποταμὸς = grosser Fluss, f. den Hptbach v. Imbros (Conze, Thrak. I. 79); *b) Megiste*, gr. Μεγίστη = die grösste, die Hptinsel einer Gruppe der Südküste Lyciens (Skyl. 100, Spratt, Trav., Carte); *c) Megale* s. Prinzen I.; *d) Megale Blachia* s. Walachen; *e) Mega Kastron* s. Kreta; *f) Megalowuno* s. Koilossa; *g) Mega Rheuma* s. Akindi; *h) Megalokammeni* s. Kaïmeni; *i)* s. Oasis.

Megamendung = Wolkenstauer, v. sund. *mega* = Wolken, *bendung* (in comp. *mendung*) = aufhalten, stauen, die waldige Bergkette, die dem G. Gede vorgelagert ist (Jungh., Java 2, 13).

Mégève s. Ève.

Mehal, Bordschi el = Fort der Störche, eine v. Menschen verlassene, v. einem Schwarm Störche bewohnte Castellruine Mostaganems, Oran (Wagner, Alg. 1, 445).

Mehedîah, Küstenplatz des östl. Tunesien, v. el Mehdi 'Obeid Allah 300—308 der Hedschra ggr. u. z. Lieblingssitz erkoren (Barth, Wand. 165).

Mehl, ahd. *melo*, holl. u. dän. *meel*, schwed. *mjöl*, isl. *melur*, engl. *meal*, ist in wenigen deutschen ON. vertreten, nur durch volksetym. Umdeutg. in der Gruppe *Mehltheuer*. Dieser ON. kommt vor: *a)* bei Pausa, Vogtl., *b)* bei Lommatzsch, *c)* bei Bautzen, *d)* Berg bei Niederschlema, *e)* am Romsberg, Schlesien, *f)* als *Maltheuer* bei Leitmeritz, *g)* als *Malter* bei Dippoldiswalde, *h)* als dim. *Mulitürli* in Schwaben, nach G. Hey (Zeitschr. f. d. deutschen Unterr. 3, 168 f.) volksetymolog. Form f. spätlat. *molitura* = Mühle, eine wohl v. Mönchen herrührende Bezeichng. Wie aus *aventura* sich die Formen *âventure, abentewer, Abendtheuer, Abenteuer* entwickelten, so aus *molitura* mhd. *möltiure,* dann *meltewer, M.* Der archival. Nachweis, dass diese Orte klösterl. Besitzungen waren, würde die Annahme stützen. — *Meelhaven* u. *Melstadir* (s. dd.)

Meia Ponte = halbe Brücke, eine Localität, Bach, Uebergang u. Ortschaft, in der Prov. Goyaz, so benannt, weil die Goldsucherexp. Bueno's 1721 hier eine Brücke v. zwei Balken legte, deren einer nachher durch das grosse Wasser weggeführt wurde (Eschwege, PBras. 55).

Meida s. Tafelberg.

Meie Maa s. Estland.

Mejillones, Puerto de = Muschelbay, in alter Orth. mit *Mex...*, eine Hafenbucht Peru's, zw. Arica u. Iquique, schon z. Z. der Conquista so genannt, weil hier eine ungeheure Menge Muscheln u. Schnecken, nam. der Concholepas peruviana, lebt u. v. den Küstenbewohnern massenhaft verzehrt wird (WHakl. S. 33, 30, Burmeister, LPlata 2, 310). — Der Name wiederholt sich, zunächst als *Bahia de M.*, in Chile, südl. v. Cobija, wo 'die Küste eine v. Millionen v. Conchilienresten bedeckte Bucht ohne jede Vegetation' bildet u. die Muschelüberreste der untern Abhänge beweisen, dass die ganze Halbinsel, einst Insel, aus dem Meere gehoben ist (Peterm., GMitth. 22, 321 T. 17).

Meiletskirchen s. Malstat.

Meilichos s. Ameilichos.

Meinicke-Inseln, in den spitzb. Tausendinseln, v. der Exp. Heuglin-Zeil 1870 (PM. 17, 180 T. 9) benannt nach dem deutschen Geographen *M.*

Meinrad s. Einsiedeln.

Meissen, im 10. Jahrh. *Misna* urbs, *Misni*, dann *Misine, Misne*, im 14. *Missna, Missena, Mysze, Misin, Mysne, Missen, Missin, Miessen*, 1408 *Meyssin, Meissin*, latin. *Misnia*, wend. *Mišno*, spr. *mischno*, čech. *Mišen*, älteste Stadt Sachsens, als Grenzburg gg. die Wenden v. Heinrich I. angelegt am Schluss des Dresdener Elbkessels, in hoher Uferlage, wo die Triebitsch u. die *Meisse* in die Elbe münden. *M.* wurde um dieser Lage u. Bestimmg. willen durch ein angebl. slaw. Wort *misni* = Schlüssel erklärt; allein schon der Chronist Dithmar, Bischof v. Merseburg († 1018), lässt den Ort nach der *Meisa* benannt sein ... 'ibi urbem faciens, de rivo quidem qui in septentrionali parte eiusdem fluit, nomen eidem *Misni* imposuit'. Diesen Zshang verneint — auffallender Weise — G. Hey (ON. Meissn. G. 7); er sieht in *M.*, entspr. dem asl. (?) russ. *mysŭ*, čech.-wend. (?) *mys*, 'eine Ansiedelg. auf dem Vorgebirge', Capstadt. Nun giebt es, wie A. Jentsch (Sächs. Schulztg. 1890 No. 2) zeigt, bloss im Russ. ein *mys*, das erst in neuerer Zeit die Čechen, noch nicht die Wenden, angenommen haben; *mys* war weder asl., noch west- od. südslawisch. Damit fällt die 'Capstadt'. Die *Meisa, Meise, Meisse,* vulgo *Meisge,* 1150 *Misne* rivulus, slaw. *Miža* = Bach, Seife, Tröpfelbach, lieferte der Burg ihren Wasserbedarf; noch j. führen alte Wasserleitungen aus dem Meisathal in Stadt u. Burg. Der Schlossberg war ein *Mižny gora* = Berg an der Meisa, die Burg ein *Mižny grod* = Meisaburg, *mižin, mižen, mižno,* wo immer *ž* = frz. *j* zu sprechen ist. Als jedoch die Pfarrkirche St. Afra u. auf dem Afraberge ein Augustinerkloster entstand, wurde der Berg, da die j. übhand nehmenden Deutschen zw. *ž* u. *š* schwierig unterscheiden, in *Mišna gora* = Mönchsberg, die Stadt in *Mišno* = Mönchsort umgedeutet u. der fremdartige Zischlaut auch mit *ss, sz, zs* u. *ſs* geschrieben. — *Meissner Oberland* s. Sachsen.

Meissner s. Weissner.

Meiyiteh, 'Ain el- = todte Quelle, die Quelle v. Iesreel (1. Sam. 29, 1), welche sehr stark fliesst, in neuerer Zeit jeden Sommer vertrocknete, dann ganz versiegte, endlich aber durch Husein 'Abd el-Hâdy, mudîr v. Akka, in der ersten Hälfte des 19. Jahrh., wieder hergestellt wurde. Man grub näml. der Quelle so lange nach, bis das Wasser floss u. füllte dann losen Kies hinein; durch diesen dringt nun das Wasser an mehrern Stellen hervor, u. das Wasser mangelt nie (Robins., Reise 3, 400).

Mekka, Name der Prophetenstadt, ist mir unerklärt u. scheint häufig einf. el-*Blad* = die Stadt schlechtweg (s. Belad), vollst. el-*Blad el-Harâm* = die heilige Stadt genannt zu werden (Parmentier, Vocab. arabe 15). — *Bahr el-M.* s. Rothes Meer.

Melah od. *milh* = Salz, fem. *milḥa,* daher adj. *mâlih,* dial. *maleh,* fem. *maleha* = salzig u. die Subst. *mallaḥa, mellaḥa* od. *mamlaḥa, memlaḥa* = Ort, wo Salz gegraben resp. gewonnen wird, oft in arab. ON. *a) Dschebel M.* = Salzberg in der Sahara; *b) Ued el-M.* = Salzfluss, zahlr. Wasserläufe in Algerien u. Tunis (Parmentier, Vocab. arabe 35); *c) Schott el-M.* s. Schott; *d) Sebchat el-M.* = Salzthal, eine bei Ghadames befindl. Thalsenke, die, v. einzeln stehenden Felssäulen, sowie v. schwarzen u. rothen Kieshalden umgeben, im Grunde eine im Sonnenlicht glän-

zende Salzschicht zeigt (GGenève 1875 bull. 68); *e)* auch der tunes. Hafenplatz Farina heisst *Gar el-M.*, nach den bedeutenden Salinen (Meyer's CLex. 6, 580). — *Ued Milha* = Salzfluss, einer der meist salzhaltigen Bäche der Ebene v. el-Arisch (Rohlfs, Marocco 7, Peterm., GMitth. 11, 83). — *Mellâha* od. *Memlaha* = Salzgrube, ein Salzsee südöstl. v. Dscheirud, an der Route Damascus-Palmyra. Im Sommer ist das Becken trocken, u. das Salz bleibt in Krusten zk. Die Araber, denen die weissen Salzgebilde v. ferne wie Ruinen aussehen, behaupten, hier habe ein Stamm Loth's gewohnt, u. ihre Stadt sei durch den Zorn Gottes vertilgt worden; sie nennen den Ort *Medâin el-Maklubat* = die umgestürzten Städte (Kremer, MSyr. 194). — *Wady Maleh* = Salzthal, ein rseitgs. Nebenthal des Ghor (s. d.), nach einer warmen schwefelhaltigen Salzquelle, welche östl. v. Dschasir entspringt u. ins Ghor abfliesst (VVelde, Reise 2, 298). — *Maleha* = die salzige, eine der Quellen der Westküste des Sinai, deren Wasser erträglich salzig sein soll (Burckh., Reis. 2, 787). — *Mamala,* bei Ptol. *Μάμαλα,* arab. *mamlaha* = Saline, arab. Küstenstadt am Roth. M., j. Lohaya, in der Nähe des Hügels Koscha, aus dem gutes Salz gewonnen wird (Niebuhr 200, Sprenger, AG. Arab. 45). — *Thel-Melach* s. Tell.

Melas = schwarz, gr. adj. *μέλας* m., *μέλαινα* f., *μέλαν* n., oft in ON., entw. mit einem Eigennamen (s. Korkyra), gew. mit Appellativen od. in Ableitungen wie *Melaineai* od. *Melanai,* gr. *Μελαινεαί, Μελαναί* = schwarzer Grund, eine Oertlichkeit in der Nähe des Alpheios, wo man aus der gortyn. Felsldsch. in eine v. sanften Höhen bekränzte, anmuthige Uferebene hinunterkommt. Im schattenreichen Grunde findet man eine Ruine; eben des Schattens wg., weil es nach dem Dichter Rhianos 'waldumhüllt' ist (*πολυδρύμος* b. St. B.), hat das alte *M.* seinen Namen. Vgl. *Μελαινεῖς* in Attica u. die j. Ortschaft *Μέλανες* in Naxos (Ross, IReis. 1, 44): die Namen bezeichnen das Dunkel des Waldes (vgl. die 'nigri colles Arcadiae' bei Horaz, Od. 4, 12, 11). Aehnlich heisst auch der arkad. *Σκίαϑις* = der schattige Waldberg, das Dorf am Fusse *Skotini* (*ἡ σκοτεινὴ* scil. *χώρα* = der schattige Ort) (Curt., Pel. 1, 210. 356. 392). — *Melaina Akte* od. *Akra,* gr. *Μέλαινα ἀκτὴ* od. *ἄκρα* = Schwarzenberg: *a)* ein starkes Felscap Bithyniens, am Pontus, später *Καλὴ ἄκρα* (s.d.), j.türk. *Kara Burun* = schwarze Spitze; *b)* in Jonien, ebf. j. *Kara Burun,* u. so noch mehrf. (Curt., GOn. 156). — Ebenso *Melan Oros* = Schwarzenberg, 2 mal (s. Aswad), *Melanos* = Schwarzenfels, *Melanthios* = Schwarzach, *Skopeloi* (od. *Petrai*) *Melantioi* = Schwarzklippen, *Melas* = Schwarzfluss, mehrf., 2 mal als ngr. *Mauronero* = Schwarzwasser, in Kappadokien als türk. *Kara Su* = Schwarzfluss erhalten (Curt., GOn. 158, Bursian, GGriech. 1, 91. 196, Pape-Bens.). — *Melanchlänen,* gr. *Μελάγχλαινοι* = Schwarzmäntel, ein im Skythenlande lebendes, nichtskythisches Volk, nach den schwarzen Ge-

wändern benannt (Herod. 4, 20. 102. 107). —
Melankabi, ngr. Μελαγκάβι = Schwarzkopf, die
westlichsten, spitzauslaufenden, gefährlichen Klippen des korinth. Isthmus. Dieses Vorgebirge ist
eine der am weitesten sichtbaren u. kenntlichen
Formen des Meerbusens. Es trug im Alterthum
den Namen der *Hera Akraia*, v. dem auf der
äussersten Spitze stehenden angesehenen Orakel-
tempel der Göttin, die ihrerseits wieder den Beinamen v. dem Vorgebirge hatte. Somit haben
wir in dieser einen Position ein Beispiel der im
griech. oft vorkommenden (Curt., GOn. 158) Uebtr.
v. Götternamen auf Vorgebirge u. umgekehrt. Jetzt
heisst das Vorgebirge auch *San Nicólaos*, nach
der etwas landein gelegenen Capelle dieses Heiligen. 'Vielleicht war dieses Heiligthum einst
dem Poseidon gewidmet, als dessen Stellvertreter
sich der h. Nicolaus häufig bewährt' (Curt., Pel.
2, 252, Bursian, Gr. Geogr. 1, 383). — Eine mod.
Bildg. ist *Melanesien* = Inseln der Schwarzen,
v. gr. μέλας = schwarz u. νῆσος = Insel, f. die
innere Inselkette Austr., soweit sie eine negerartige, hässlich gebaute u. unbildsame Papua-
bevölkerg. hat (v. Hochst., NSeel. 45).

Melbourne od. *Melbourn*, mehrere engl. Orte,
der bedeutendste in Derbyshire, urk. *Millburn*,
weil hier urspr. eine Mühle, v. einem Bach getrieben, stand, wie denn zZ. Wilhelms des Eroberers eine Mühle als werthvoller Besitz galt
u. im Domesday die Mühle des Orts registrirt
ist (Charnock, LEtym. 178, wo noch einige andere
Ableitungsversuche aufgeführt sind). Zu Ehren
des Viscount Will. Lamb of *M.*, geb. 1779, Minister 1830, Premierminister 1834 u. 1835/41,
† 1848, wurde der austr. Ort Glenelg (s. d.) in
M. umgetauft. Es war im Juni 1835, dass John
Batman die Gegend kaufte u. besiedelte (Trollope,
Austr. 2, 27); ihm folgte im Oct. gl. J. der Sohn
des Convicts John Roscoe Fawkner, der am
10. Oct. 1803 nach Port Phillip (u. dann nach
Tasmania) gebracht worden war (u. 4. Sept. 1869 †).
Zu Ende desselben Jahres 1835 zählte der junge
Ort schon 50 Ansiedler (ZfAErdk. 1871, 85 ff.).
— Nach Lord *M.* taufte der engl. Capt. J. Cl.
Ross: *a) M. Island*, eine Insel bei King William's
Ld., am 5. Juni 1830, in der Gruppe O-wutta
der Eskimos (Sec. V. 423); *b) Mount M.*, im
antarkt. Victoria Ld., am 21. Jan. 1841, dem
Aetna überraschend ähnlich u. v. den Officieren
eine Zeit lang so genannt (South. R. 1, 205). — Auch
Capt. Russel (1837) taufte *Tenarunga*, ein Atoll
der Amphitrite In., Paumotu, *M. Island* (Meinicke, IStill. O. 2, 214). In seiner frühern Specialarbeit (ZfAErdk. 1870, 351) hatte derselbe
Autor die Insel f. Ile Estancelin der frz. Carten
gehalten.

Melchthal s. Moléson.

Mele s. Schari.

Melesk, russ. Ort am rechten Ufer der Tschulima,
eines rseitg. Nebenflusses des Ob, angelegt 1621
im Gebiete der Melessischen Tataren (Müller,
SRuss. G. 4, 536).

Meliapur s. Thomé.

Melibocus, das 517 m h. aussichtsreiche Haupt
des Odenwaldes, oft, u. zwar richtiger, *Malchen*
genannt, nach dem Ort d. N. am Fusse, in den
Urk. bis zu Ende des 15. Jahrh. nur *mons Mals-
cus*, *Malcus*, hat, wie die Sudeten, in humanist.
Zeit seinen gelehrten Namen erhalten, indem des
Ptolemäus *τὸ Μηλίβοκον ὄρος*, f. den Harz, hierher versetzt — u. überdiess aus dem ehrlichen
Katzen- (d. i. wohl Chatten-) *Ellenbogen* ein ge-
lehrtes *Chattimelibokus* erkünstelt — wurde.
Nicht übel vermuthete K. Dilthey (Arch. hess.
Gesch. 7, 87 ff.), es sei dies durch die Heidel-
berger Humanisten geschehen, die sich seit 1482
um den Wormser Bischof Joh. v. Dalberg sammelten, wie Agricola, Reuchlin, Seb. Brandt, K.
Celtes u. a.; allein er befand sich damit doch
im Irrthum. Max Rieger (Arch. hess. Gesch. 13,
409 ff., wiederholt 1884 im Globus 46, 14 f.) wies
als Urheber Beatus Rhenanus nach, dem, ausser
Wilib. Pirkheimer, Seb. Münster u. Ph. Cluverus,
die meisten Schriftsteller folgten, mit aller Bestimmtheit Kuchenbecker 1720. Es ist noch zu
vervollständigen, dass *Malchen-* od. *Malschenberg*,
sowie 2 bad. Orte *Malsch*, zu ahd. *malsc* = stolz,
hoch, gehören (Förstem., Altd. NB. 1047) u. der
Name also 'hoher Berg' heissen mag.

Melita s. Malta.

Melitopol, mir unerklärt, früher *Nowo-* (= neu)
Alexandrowka, tatar. *Kysyljár*, ein im 18. Jahrh.
ggr. taurischer Ort, der an der Mündg. der Molotschnaja, Asow Meer, liegt. Die Neutaufe fand
durch Ukas v. 7. Jan. 1842 statt, als der Ort z.
Kreisstadt erhoben wurde (Bär u. H., Beitr. 11,
25, Meyer's CLex. 11, 428).

Melkaja s. Tarobaha.

Melkart, Rus = Vorgebirge des (Gottes) *M.*,
des tyr. Herakles, Ort der Südküste Sicil., ozw.
tyr. Stiftg., wie ihr Melkartcult u. Münzfunde beweisen, abgk. *Makara* (Heracl. Pont. Fr. 29), gr.
'Ηράκλεια (Suid.), lat. *Heraklea* (Mel. 2, 7), wie
ja Herkules den phön. *M.* entspricht (Movers,
Phön. 2ᵇ, 318 ff., Rhein. Mus. 1853, 328). — *Melkarteia* s. Karteia.

Melkzee = Milchmeer, holl. Name der Bandasee im 17. Jahrh., da 2 mal jährl., im Juni
das 'kleine', u. im Aug. das 'grosse' weisse Wasser,
je mit Neumond, wenn der Wind diesen Regionen unbeständiges Regenwetter bringt, das
nächtl. Meer ein milch- od. schaumweisses Aussehen annimmt u. dabei so glänzt, dass es fast
unmöglich ist, Wasser u. Himmel zu unterscheiden.
Das 'weisse Wasser' kommt aus Südosten, v.
Timor Laut etc., wird im Sept. allmählich nach
Westen geführt, indem es in breiten Bändern bei
Amboina u. Buru passirt u. nach Celebes hin sich
allmählich verliert. Dieses 'weisse Wasser' hält
sich immer gesondert v. Seewasser, wie wenn es
durch ein Band getrennt wäre. Unerfahrene
Schiffer erschrecken darob, im Glauben, sie rennen
plötzl. auf eine grosse Bank (WHakl. S. 25, 97 f.).
— *Melkhoute-Kraal* = Dorf des Milchholzes,
eine Ansiedelg. an der Plettenberg Bay, v. den
dort häufigen Wolfsmilchpflanzen, welche erst

durch die lohnende Urbarmachg. um die Mitte des 18. Jahrh. wichen (Lichtenst., SAfr. 1, 319).

Mellâha s. Melah.

Mellen, Piz = honigfarbenes Horn, v. lat. *mellinus* = honigfarbig, gelb, im deutschen *Gelbhorn*, rätorom. Name eines Bergs im Hintergrunde des Savierthals, Graubünden (Gatschet, OForsch. 165). — *Mellisurgis*, gr. Μελλισουργίς = Honigstadt, Ort Macedoniens an der via Egnatia, mit starkem Honighandel (It. Ant. 320, Pape-Bens.).

Mellizos, los = die Zwillinge, span. Wort neben *jemelo* (s. Jumelles), f. 2 prächtige Schneeberge am Westrande des Titicaca-Plateau, nördl. v. Vulcan v. Gualatieri, da die beiden Nachbarn sich in der Form ähneln (Bergh., Ann. 12, 271).

Melsom Bach, ein Fluss an der Südseite der Belushja Bucht, Matotschkin Schar, durch die Exp. Rosenthal 1871 benannt nach dem norweg. Capt. Jacob *M.* aus Tromsö, welchem die Führg. des Fahrzeugs, des Dampfers Germania, übgeben war (PM. 18, 77).

Melstadir = Mehlort, in Isl., v. isl. *melur* = Mehl od. das wie Korn benutzte, in Isl. hier u. da angebaute Elymus arenarius, Sand-Haargras (Preyer-Z., Isl. 136).

Melville, schott. ON. in Lothien, früher *Maleville*, nach dem Vorfahren des Geschlechts Maule, einer der Zeugen eines Einflusses anglonorm. Adeligen in Schottland, wie er in den Tagen David's I. u. Malcolm Canmore's stattfand (Taylor, Words u. Pl. 127). Von zwei Würdenträgern der schott. Familie *M.* ist der Name auf viele neue Entdeckungen übtragen, zuerst durch Matth. Flinders, welcher (TA. 2, 224, Atl. 14 f.) im Febr. 1803 am Carpentaria G. eine *M. Bay, Mount Dundas, Mount Saunders, Point Dundas* u. *M. Isles* taufte zu Ehren des 'Right Hon. Robert Saunders Dundas, viscount *M.*, who as first lord of the admiralty, has continued that patronage to the voyage which it had experienced under some of his predecessors'. Diesem Lord, geb. 1742, erster Lord der Admiralität geworden 1803, † 1811, folgte im Amte 1812/30 der Sohn, geb. 1771, † 1851, u. in seine Amtszeit fielen die Polarexpp. v. Ross, Parry u. Franklin, die chines. v. Hall, die austral. v. King, welche eine Reihe v. Objecten mit dem Namen *M.* schmückten: *a)* *M. Bay*, an der Westseite Grönlands, v. Capt. John Ross (Baff. B. 67. 74) am 24. Juli 1818 nach dem jüngern Lord getauft, wie das nahe *Cape M.* u. die *Duneira Mountains* (der Viscount war auch Baron Duneira, wie die Widmung des Reisewerks Parry zeigt), während der merkw. gewundene Fels, welcher in der Mitte der Bay sich erhebt, *M.'s Monument*, ein 'Denkmal' des ältern *M.* sein sollte, 'from whom I received my first commission in His Majesty's navy'; *b)* *M. Island*, am 1. Sept. 1819, u. *M. Peninsula*, während zweimaliger Ueberwinterg. 1821/23 v. Capt. Parry (NWPass. 74) getauft; *c)* *M. Sound*, j. unverfänglicher *M. Bay*, an der Ostseite v. Georg's IV. Krönungsgolf, v. Capt. John Franklin (Narr. 383) am 14. Aug. 1821, u. *d)* *M.*

Range, eine Bergkette am americ. Eismeer, v. Franklins (Sec. Exp. 240) Gefährten Dr. Richardson am 25. Juli 1826 benannt; *e)* *M. Lake*, nebst *Dundas Mountains, Ann Dundas Island* u. *Jane Dundas Island*, v. Capt. John Ross (Sec. V. 390, Carte) am 4. Juni 1830, der See nach des Viscount Gemahlin (u. die Inseln nach seinen Töchtern?); *f)* *Port M.*, in Gross Lutschu, v. Capt. Basil. Hall (Cor. 148, Carte 18. 24) im Oct. 1816, u. *Point M.*, an der Südküste des Golfs v. Petscheli, v. demselben (ib. p. VIII) ebf. 1816 getauft. — *M. Island*, zweimal: *a)* in Arnhem's Ld., v. Capt. Ph. P. King (Austr. 1, 106) im Mai 1818; *b)* in Paumotu, einh. *Hikueru*, im tahit. Dial. *Heueru*, v. Capt. Beechey (Narr. 1, 183) im Febr. 1826 benannt, wahrsch. schon v. span. Seef. Boenechea 1772 entdeckt u. id. mit *Tuscan Island*, die der engl. Capt. Stavers, on Schiffe Tuscan, am 21. Sept. 1821 erreichte (ZfAErdk. 1870, 363), mit *Nigeri* des Capt. Bellingshausen 1819 (Bergh., Ann. 6, 197) u. *Brock* des Capt. Moerenhout (Meinicke, IStill. O. 2, 209). — *Cape M.* s. Jeannette.

Memel f., der deutsche, u. *Njemen* m., der slaw. Name des unth. Tilsit mündenden Grenzflusses, poln. auch *Russ* (s. Kurisches Haff). Nach A. Dirikis (Altpr. Monatsschr. 17, 575 f.) kommt *Njeman* v. adj. *niemoj* = stumm, also übereinstimmend mit dem Namen, den die Russen den Deutschen geben, etwa 'der deutsche Fluss'; dem entspr. lett. *Mémule*, v. adj. *méms*, u. daher bei den Deutschen *M.*; die Stadt *M.* hiess lett. *Klaipeda* = flache Gegend. Richtig braucht schon 1377 Peter Suchenwirth den deutschen Flussnamen weiblich: 'und eylten zu der *Mymmel*'. A. Thomas hält *M.* aus lit. Nemonas, durch Wechsel v. *n* in *m* u. *n* in *l*, entstanden u. weiss 'über die Bedeutg. v. *Nemonas* Sicheres nicht zu sagen'. Nach dem Flusse die *Memelburg*, dann ebenso die Stadt, die man nach der Herkunft der meisten Ansiedler (1252) *Neu Dortmund* zu nennen gedachte, endl. einf. *M.* (Thomas Progr. 20, Altpr. Monatsschr. 20, 178 ff., Etym. WB. 102, Meyer's CLex. 11, 433).

Memlaha s. Melah.

Memleka s. Mameluk.

Memory Cove = Bucht des Gedächtnisses, am Eingang des Spencer G., wo Capt. Matth. Flinders (TA. 1, 138) am 24. Febr. 1802 z. Gedächtniss der am Abend des 21. gl. M. gescheiterten Mannschaft eine Inschrift auf einer Kupfertafel eingraben u. an einem starken Pfosten befestigen liess.

Memphis, gr. Μέμφις, uralte Reichshptstadt Aegyptens, ägypt. *Ma-m-phtah* = Ort, Wohnung des Phtah, des ägypt. Vulcans (Champollion, Gramm. ég. 155 ff.), kopt. *Manuph* = Ort, Wohnung des guten (Gottes), Ort der Guten, der Frommen, wobei Ort wie ὁ τόπος f. Begräbniss galt — schon im Alterthum richtig erklärt, als ὅρμος ἀγαθῶν od. τάφος Ὀσίριδις (Plutarch, Is. et Osir. 359). Bei den Kopten lautet der Name der nur unbedeutenden Ruinen am westl. Nilufer, bes. bei Mit-Rahenne, ΜΕΜΦΙ, ΜΕΜΦΕ, woraus sich die hebr. Form רמ, *moph* (Hos. 9, 6) u. gr. *M.* erklären lassen — od. auch *MA-NOΥΦΗI*, woran sich die hebr. Aussprache רנ *noph*, Jes. 19, 13, Jerem. 2, 16, schliesst (Gesen., Hebr. Lex.). — Auch *M.* ist mehrf. auf american. Städte übtragen (Peterm., GMitth. 2, 156).

Menai s. Moresby.

Menam = Mutter der Gewässer, der wichtigste Fluss Siams (Crawf., Dict. 380, Bastian, Bild. 445), wie schon Barros (Asia 1, 9¹; 3, 2⁵) *Menão* als mäi das aguas = Gebärerin der Wasser, 'por causa da grão copia das aguas que traz', erklärt. Dass *nam* = Wasser, z. B. in *nam-run* = Flut, *nam-long* = Ebbe, *Pak-nam* = Flussmund, Ort an der Mündg., bestätigen auch Neuere (Crawf., Dict. 380, Peterm., GMitth. 4, 475; 12, 460).

Menapiorum C. s. Cassel.

Menbîdsch s. Hiera.

Mendaña's Archipel, nach der centralen Hauptinsel auch *Nukahiwa Archipel*, eine austral. Inselgruppe, neben welcher der erste Weltumsegler, Fernão Magalhães, 1520/21 passirt sein muss, ohne Land zu sehen, wurde am 21. Juli 1595 v. dem span. Seef. Alvaro de *M.* gefunden, welcher, v. Marquez de Mendoza, dam. Vicekönig v. Perù, abgesandt, sie *las Marquezas de Mendoza* nannte . . . 'en memoria del marquéz de Cañete, virey del Perú y protector del segundo viaje que hizo aquel descubridor á las islas de Poniente' (Zaragoza, VQuirós, 1, 40; 3, 36). Da näml. die ganze Flur aus 2 Gruppen, einer südl. mit 5 u. einer nördl. mit 7 Inseln, besteht, nur jene v. *M.* gesehen, diese erst v. american. Capt. Ingraham, v. Bostoner Kauffahrer Hope, im Mai 1791 entdeckt wurden, so schlug der frz. Hydrograph Fleurieu vor, jener Gruppe den urspr. Namen zu belassen, diese dagegen, wo der Americaner eine Insel nach seinem grossen Landsmann *Washington Island* genannt hatte, als *Washington Islands* zu unterscheiden, dem ganzen Archipel aber den Namen des ersten Entdeckers zu geben (Krus., Mém. 1, 253, Meinicke, IStill. O. 1, 4; 2, 235 f.). Von dem frz. Capt. Marchand, Schiff le Solide, nur wenige Wochen nach Ingraham, besucht u. *Iles de la Révolution* getauft, dann im März 1792 v. engl. Lieut. Hergest genau aufgenommen u. v. dem berühmten Seef. Vancouver, *Hergest Islands* genannt, z. Andenken seines Freundes, der bei dem Werke, ihm Proviant zuzuführen, auf Woahu, Sandwich Is., ermordet wurde (Krus., Reise 1, 151 ff., Atl. No. 8, Fleurieu, Déc. 21). — *M. Insel* s. Keppel.

Menderes, türk. Flussname in Kl.-Asien, 3 mal: *a) Böjük* (= grosser) *M.*, alt *Maeandros*, der grössere bei der Lage v. Milet mündende; *b) Kütschük* (= kleiner) *M.*, alt *Kaystros*, der kleinere, bei Ephesus mündende; *c) M.* schlechtweg, alt *Skamandros*, in Troas (Kiepert, Lehrb. AG. 104. 108. 118).

Mendez, Toca de, port. Name einer Höhle, *toca*, der brasil. Küste São Paolo, nach einem Mulaten, der vor der Conscription hierher floh (WHakl. S. 51, XXXIX).

Mendoza, Stadt in Argentinia, v. Chile aus 1559 ggr. u. zu Ehren des dam. Gouv. Don Garcia Hurtado de *M.* benannt — nicht nach jenem ältern Don Pedro de *M.*, welcher 1535 in der Nähe des j. Buenos Aires eine Ansiedelg. zu gründen versuchte u. unverrichteter Sache starb (Burmeister, LPlata 1, 182). — *Cabo Mendocino*, in Calif., v. span. Seef. Ferrelo od. dem Port. João Rodriguez de Cabrilho, Ende 1542 od. zu Anfang 1543, entdeckt u. zu Ehren des ersten Vicekönigs v. NSpanien, Antonio de *M.*, Grafen v. Tendilla, 1534/49, benannt (DMofras, Or. 2, 35, Uhde, RBravo 412, GForster, GReis. 1, 14).

Menezes, Ilha de Don Jorge de, u. *Ilha de Valentim Nunes*, in der Barre v. Espirito Santo, Bras., eine Zeit lang benannt nach 2 port. Ansiedlern, welche dieselben v. Donatario Vasco Fernandes Coutinho zugetheilt erhielten (Varnh., HBraz. 1, 151).

Menfruda, Gurd = isolirter Sandpic, ein aus der Ebene westl. v. Ghadames einzeln aufragender Sandberg (Glob. Gen. 1875 Bull. 66), mit dem arab. Worte *gurd*, plur. *agrad* = hohe Düne, Sandberg, welches auch in andern ON. der Sahara vorkommt (Parmentier, Vocab. arabe 25).

Menheli s. Mandeb.

Meninx s. Dscherbi.

Menke Inseln, eine Gruppe der spitzb. Tausend-In., v. der Exp. Heuglin-Zeil im Aug. 1870 (PM. 17, 180 T. 9) benannt nach dem Herausgeber des Sprunerschen Atlas.

Menkhausen s. Mainau.

Menniste Bay, de = Mennonitenbay, in der Magalhães Str., v. Olivier de Noort am 14. Jan. 1700 so benannt nach dem Steuermann, welcher sie aufgesucht hatte u. welcher zu der um 1639 durch Menno Simonis in Holland gestifteten Secte der Mennoniten gehörte: 'om datter geseydt werdt dat de Stuerman diese op-gesocht hadden Mennist was'. Eine verwandte Beziehg. haben: *Geuse Bay*, nach dem Parteinamen der holl. Patrioten, u. die wenig günstige *Papiste Bay:* 'daer niet seer goot leggen was voor een weste winf' (Wonderl. Voy. 16). In der 'Geusen Bay' wurde der Vice-Admiral Jacob Claesz wg. Verrätherei u. Meuterei verurtheilt, mit einem Brotsack u. Wein an's Land gesetzt u. seinem Schicksal üblassen (ZfAErdk. 1876, 437) — viell. ein specielles Motiv zu der angewandten Nomenclatur.

Menor s. Minor.

Menschikow Inseln, 2 Eilande des Marschall's Arch., am 3. Juni 1829 entdeckt v. russ. Seef. Hagemeister u. benannt nach dem Fürsten *M.*, ozw. Alex. Sergejewitsch *M.*, einem russ. Staatsmann, General u. Admiral, der 1789 geb. um jene Zeit als Viceadmiral u. Chef des Marinegeneralstabes an die Spitze des russ. Seewesens trat, † 1869 (Berghaus, Alm. 1841, 146). — *Bay M.* s. Karl.

Menselinsk s. Ufa.

Mentelle s. Freycinet.

Mentéschele, Dorf im Balkan, bei Kalifer, nach einem gewissen Méntesche, welchem — der **Sage**

zuf. — der volksbeliebte Sultan Murad II. dieses
Dorf mitsammt den umliegenden z. erblichen Geschenk gemacht hat. Noch heute gehört dieses
Besitzth., in 27 Portionen getheilt, den Nachkommen jenes glückl. Sterblichen (Barth, RTürk. 39).
Mequinez, f. *Miknasat*, modern-arab. Namensform einer in der Mitte des 10. Jahrh. v. den
berb. Meknâsah, einem Zweige der Zenatah, ggr.
Stadt Marocco's (Richardson, Trav. 2, 133).

Mera s. Humboldt.

Merabet s. Scheich.

Meran, tirol. ON., wurde schon v. Schmeller
(WB. 1, 1642) zu *mari* = Erdrutsch gestellt,
verwandt mit *Mur*, ital. *mora* = Steinhaufen,
frz. *moraine* = Gletscherschutt, somit als die
Moräne betrachtet, welche zu Anfang des 9. Jahrh.
die alte Römerstadt Maja begrub. Nun weist C.
Stampfer (Vorgesch. Merans 1884, 35) nach, dass
M. anfängl. *an maran, an meran* = an der
Muhr od. Moräne, noch 1350 im Rottenburger
Urbar *auf der Meran* geheissen u. einst die ganze
Gegend zw. Passer, Etsch u. Küchelberg bezeichnet
hat, u. der kundige Tiroler Namenforscher Chr.
Schneller (Tir. NF. 96) stimmt bei. — *M. Spitze*,
Bergkamm am Hornsund, Spitzb., durch Baron
Sterneck's Hülfsexp. der Polarff. Weyprecht-Payer
im Juli 1872, wie *Traun Grat*, nach einem
heimatl. Object getauft (Peterm., GMitth. 20, T. 4).

Merapi, Gunung = Feuerberg, nach Crawf. (Dict.
p. 39. 267) *G. Barapi, G. Marapi*, Name
zweier Vulcane auf Java u. Sumatra. — *M.* auch
eine Kohlenwasserstoffquelle zw. Demak u. Purwo-
dadi, Java, wo in einer Thonfläche aus trichterfg.
Vertiefungen ein brennbares Gas strömt (Junghuhn, Java 2, 273. 858).

Merchant s. Broughton.

Mercia = Land der Mercier, eines Stammes
der Angelsachsen, durch diese um 585 als eignes
Reich ggr., 825 an den König der Westsachsen
übgegangen (Meyer's CLex. 11, 464).

Mercury Bay, in NSeeland, einh. *Witianga* (Meinicke, IStill. O. 1, 274), v. Cook so benannt, weil
er hier mit dem Astronomen Green u. den Botanikern Banks u. Solander den Mercursdurch-
gang v. 9. Nov. 1769 beobachtete. In der Nähe
M. Point u. *M. Isles* (Hawk., Acc. 2, 346, Carte).
— *Prom. Mercurii* s. Bon.

Mercy, Bay of = Bucht der Gnade, in Banks'
Ld., v. Mac Clure, der hier 2 mal 1851/53 überwinterte, so genannt im Andenken an die Gefahren,
denen man kurz vor dem Einlaufen im Sept. 1851
entgangen war: 'in token of his gratitude to a
kind providence' (s. Providence). 'But some
amongst us not inappropriately said, it ought to
have been so called from the fact that it would
have been a mercy had we never entered it'
(Armstrong, NWPass. 465, Osborn, Disc. 170). Der
Investigator, das Schiff der Exp., musste nämlich
am 2. Juni 1853 verlassen werden. — *Harbour
of M.* s. Misericordia.

Merdsch, el- od. *Merdscha* = Sumpf, feuchte
Wiese, dim. *meridsch*, plur. *merudsch*, in vielen
arab. Localnamen, *a)* für eine Gegend östl. v.

Damask (Wetzstein, Reis. 2), wiederholt mit dem
Namen des Stamms (s. Omar u. Zerin); *b) Bahret
el-M.* = Wiesensee'n, die Sumpfsee'n bei Damask,
wo die Flussarme in den Wiesen sich verlieren
(Burckhardt, Reis. 1, 350); *c) Schabet el-M.* =
Schlucht des Sumpfs, in Alg. (Parmentier, Vocab.
arabe 36).

Merdwin = Treppe, 'Scaletta', türk. Name eines
steilen treppenähnl. Bergwegs, der vom Thale
Baidar üb. Skelja nach der eig. Südküste der
Krim hinabsteigt. Die Pferde klettern hier 'den
allergefährlichsten (j. verbesserten) Gebirgspfad
hinab, von Felsen auf Felsen, wie auf Stufen
einer Treppe', u. aufwärts ist fast gar nicht fort-
zukommen (Sommer, Taschb. 10, 113, Köppen,
Taur. 3).

Mère et les Filles, la = die Mutter u. die
Töchter, eine Gruppe v. Küsteneilanden Cayenne's,
in deren geselliger Nähe auch *le Père* = der
Vater, *le Malingre* = das schwächliche, kränk-
liche, u. — v. der übr. abgelegen — *l'Enfant
Perdu* = der verlorene Sohn (W. Raleigh, Disc.
G. 199 Note).

Mergentheim, Ort in Württb., 1058 *Mergintaim*,
später wohl auch *Mergen-* u. *Marienthal*, latin.
Mariae domus, eine der 11 Balleien des Deutsch-
ordens (Meyer's CLex. 11, 466), wird gew. mit
den Zielen des Ordens zsgehalten, dessen erste
Stiftg. den Namen Hospital St. Marien der Deutschen zu Jerusalem erhielt. Auch Förstemann
(Altd. NB. 1087) lässt 'bei diesem Namen an
Zssetzg. mit Maria denken'; hingg. Bacmeister
(AWand. 112) findet die Form *mergen* zu jung,
um hier beigezogen zu werden. Sein kelt. *Mar-
gidunum* kommt übr. nicht üb. die Vermuthg.
hinaus, wie die PN., an die Andere gedacht
haben.

Mergui-Archipel, an der Westseite Hinter-Indiens,
nach der continentalen Handelsstadt *M.* benannt,
die an der Mündg. des Tenasserim liegt (Spr.
u. F., NBeitr. 11, II f.).

Meri, Phiom-nte s. Fayum.

Mérida, lat. *Augusta Emerita* (= der ausgedienten Soldaten), span. ON. am Guadiana (Willkomm, Span. P. 148), seit nach dem cantabr.
Kriege — 23 der Ort als lusitan. Provinzialhptstadt
angelegt u. sofort mit den Veteranen zweier Legionen besetzt wurde (Kiepert, Lehrb. AG. 487).
— Der Name mehrf. in das span. America übtragen.
— Vgl. Mardin.

Merim, Lagoa = kleiner See, v. port. *lagoa* =
See u. dem ind. *merim, mirim* = klein, zweisprachiger Name eines südbras. Strandsee's, welcher
mit der grössern L. dos Patos (s. d.) communicirt
(Varnh., HBraz. 2, 151, Avé-L., SBras. 1, 430).

Merîsah s. Mers.

Meriwether s. Lewis.

Mermaid's Strait, an der Nordwestküste NHollands, v. Capt. Ph. P. King (Austr. 1, 49) am
28. Febr. 1818 so benannt nach dem kleinen
Schiffe seiner Exp., dem ersten Fahrzeuge, welches
die Meerenge passirte; *b)* ebenso am 16. März
gl. J. in derselben Gegend *M.'s Shoal* (ib. 60) u.

c) später, in NSouth Wales, v. King's zeitw. Begleiter Oxley getauft, *M.'s Reef* (ib. 2, 254).

Merom, hebr. םֹרֵמ [merom], vollst. םֹרֵמ־יֵמ [memerom] = Wasser der Höhe, Obersee, der mit Schilf u. Schwertlilien umsäumte Sumpfsee des jungen Jordan, gr. *Samochonitis,* nach dem alten Orte Semakh, Semachon (VVelde, MapHL.), arab., mindestens seit den Kreuzzügen, *Bahr Hhule* = See der Thalebene (Robins., Pal. 3, 624), bei Abulfeda *Meer Paneas,* nach der Stadt d. N. (s. Banias).

Merowigli, ngr. τὸ Ἡμεροβίγλι = die Tagwache, das erste v. der Hptstadt Thera's folgende Dorf auf dem höchsten Punkte des Ufers (Ross, IReis. 1, 58).

Merrill Island, in der Centralgruppe der Paumotu, im April 1832 durch den engl. Capt. Merill, v. Schiffe Comboy, entdeckt. Auch *Comboy Island* (ZfAErdk. 1870, 360, Meinicke, I8till. O. 2, 210).

Merry's Island, in der Hudson Bay, an deren Ostküste, zw. dem Grossen u. Kleinen Walflusse, gelegen, durch die Jäger der Hudson Bay Co. zu Ehren eines Comitémitgliedes benannt (Coats ed. Barrow 65).

Mers od. *Mersa* = Hafen, Ankerplatz, plur. *merasi,* in arab. ON. Durch Bestimmungswörter differenzirt, wie *M. Hali* u. *M. Ibrahim,* beides Häfen an der arab. Seite des Rothen M., *M. el-Dschûn* = Hafen der Bucht, ein alter Name des Hafenorts La Calle, alger. Prov. Constantine, *M. el-Kebîr* (s. Kebîr) u. a.' (Parmentier, Vocab. arabe 37). — *Merisah,* auch *Mrisa* = der kleine Hafen, f. eine tunes. Ruinenstätte, wo 'man noch heute die Reste eines kleinen, künstlich gebildeten Hafens sieht, der schon einigen Schutz v. dem hier auf- u. etwas ins Meer vorspringenden Höhenzug erhält, an dessen Fusse die Stadt gebaut war' (Barth, Wand. 130). — *Marsâla* s. Lilybaeum.

Merseburg, alt *Marseburc, Mars-, Mersiburg* etc., Stadt in der Prov. Sachsen, wird v. Zeuss (DDeutschen u. NSt. 86), zs. mit dem alten niederl. ON. *Marsana,* z. gleichen Stamm wie *Marsen* gestellt, die *Marsi* (Tacit., Ann. 1, 50. 56; 2, 25, Hist. 3, 59), im j. Westfalen (Förstem., Altd. NB. 1065 f.); dagegen gab Schafarik dem Namen slaw. Ursprg., v. *mezi* = zwischen u. *bor* = Wald, also 'zwischen den Kiefern' od. Mittenwald, u. G. Hey (Leipz. Ztg. Wiss. Beil. 12. März 1887) denkt an den alten serb. PN. *Merzibor,* wo *z* = *s* zu sprechen ist. In dieser Auffassg. würde *M.* mit *Mersin* u. *Mersinke,* Rgbz. Köslin, poln. *Mierzyno* u. *Mierzynko,* sowie mit *Mierzyn,* Galizien, zsgehören.

Mersey, ags. *Meres-ig, Meres-ige,* v. *ig* = Insel u. *mere* = Meer, See, Pfuhl, erklärt sich, als 'Meerinsel', einf. f. das Küsteneiland *M.*, Essex; f. den bekannten Fluss *M.,* der auf seinem ganzen Laufe Chester u. Lancashire scheidet, denkt man an ags. *maera, gemaera* = Grenze (Charnock, LEtym. 179 f., Armstrong, Gael. Dict.). Mehr Licht!

Merthyr od. *Merther,* aus *martyr* verd., mehrere ON. in Wales, insb.: *a)* Carmarthen; *b)* in Pembroke; *c) M.-Cynog,* in Brecon; *d) M.-Mawr,* am Ogmore R., Glamorgan; *e) M.-Tydfil,* j. der wichtigste dieser Orte, ebf. in Glamorgan, wo die heil. Tydfil, die Tochter eines brit. Königs, durch heidnische Sachsen (od. Picten?) den Märtyrertod erlitt u. später eine Kirche erbaut wurde (Charnock, LEtym. 180, Blackie, Etym. G. 189, Ritters geogr. Lex. 2, 158). In dem Verzeichniss der Heilgen v. Wales (Edmunds, NPl. 33 ff.) erscheint um 400 unsere Märtyrerin Tydfil. Auch in Cornwall ein Ort *Merther.*

Mertwoi Kultuk = todter Busen, russ. Name einer der Buchten im Nordosten des Kaspisee's (Eichwald, AGeogr. 2). Eine ältere, aber unbelegte Notiz gibt das Motiv: v. dem stillen, fast unbewegten Wasser. Andere Buchten: *Golyj Kultuk* = nackter Golf, v. seinen kahlen Ufern, *Bogatyj K.* = reicher Golf, v. seinem (ehm.) Fischreichthum, *Ssineje Morze* (s. d.), *Tumannyj Saliw* = nebliger Golf.

Merw s. Murghab.

Merwe od. *Merwede,* ein Rheinarm zw. Gorkum u. Dortrecht, auch ein Wald in der Nähe, im 11. Jahrh. *Meriwido,* dann *Mirwidu, Mirwide, Merweda* . . . = Sumpfwald, gehört zu den Ableitungen v. ahd. *mari* = Meer, Landsee, Sumpf, Moor, einem Element, das auch als Grundwort alter ON., oft in *mer* umgelautet, vorkommt (58 Beispiele in Förstem., Altd. NB. 1054). 'Ein Blick auf die genaue Carte des nordwestl. Deutschlands od. der Niederlande lehrt, wie noch j. kleine Seen als *meer* bezeichnet werden'. Das Sumpfgehölz *Mereweda* bestand noch im 19. Jahrh. in der Umgegend v. Dortrecht (v. d. Bergh, Hdb. meddel-ndl. G. 73).

Méry s. Champagne.

Mesa, la = der Tisch, das span. u. port. Aequivalent f. Tafelberg, mehrf.: *a)* zwei steil abstürzende Plateaus der Corrientes, Argentinia (ZfAErdk. nf. 7, 462); *b)* ein oben platter Uferberg Cuba's, 'being a hill so called, because of the forme thereof' (Hakl., Pr. Nav. 3, 515); *c)* s. Sandwich. — *Nevado de Mesada,* einer der Schneeberge der östl. Cordillere am Titicaca, mit flachem, tischfgm. Gipfel (Bergh., Ann. 12, 277). — *Las Mesas de Narvaez,* 3 oben abgeflachte Pics auf einem calif. Cap, 24⁰ NBr. (DMofras, Or. 1, 230). — *A M. do Cabo* s. Tafelberg.

Mesar-Burun = Cap der Grabesstätte, türk. Name *a)* eines europ. Vorgebirgs am Bosporus, nach den nahen Gräberhaine v. Sarijari (Hammer-P., Konst. 2, 257); *b)* eines asiat. Caps, welches ein Vorsprung des Riesenbergs (s. Joris) bildet (ib. 288).

Mesarea = Mittelland, fränk. Bezeichng. des Mittel- od. Kernlandes des Peloponnes, des erhabenen, allseitig durch hohe Bergwälle umschlossenen Arkadien (Curt., Pel. 1, 153). *Μεσαρία* ist noch j. ein häufiger Name f. binnenländische Ortschaften, namentl. auf den **griech.** Inseln, wie auf Andros, Kythnos, Ikaros, **Thera**

u. a. (Ross, IReis. 1, 203; 2, 158). Der Hptort v. Kythnos, ungef. in der Mitte der Insel, heisst *Messaria*, ngr. ἡ *Μεσσαρία* (ib. 1, 107). Auf Andros heisst so das reich bewässerte, bebaute Thal, welches sich v. der Stadt 7 km landein zieht (ib. 2, 22). Vgl. Peterm., GMitth. 12 T. 7. — *Akra Mesate*, gr. ἄκρα *Μεσάτη* = Mittelstein, ein Cap Joniens, in der Mitte zw. Erythrai u. Chios (Paus. 7, 5⁶). — *Mesatis* s. Patras. — *Mese*, gr. *Μέση* = Mittelau, Name v. Inseln, wie der mittlern der 3 Stöchaden (Plin., HNat. 3, 79). — *Mesochoria*, ngr. τὰ *Μεσοχώρια* = die mittlern Dörfer, f. die Gebirgsdörfer des Innern v. Karpathos (Ross, IReiss. 3, 51). — Die geläufigsten Bezeichnungen dieser Art sind *Mesopotamia* u. *Messene-Messina* (s. dd.); hier aber sei noch angefügt, dass auch das Slaw. seine Parallelen zu ˈMesopotamienˈ hat: *Meseritsch*, verdeutscht aus čech. *Meziřiči*, v. *mezi* = zwischen u. *řeka* = Fluss, f. Orte, die im Confluenzwinkel zweier Flüsse liegen (Umlauft, ÖUng. NB. 146).

Mescal, ON. der mex. Prov. Durango, wohl das span. gewordene Wort f. einh. Branntwein, der aus dem Safte des *mexcalli*, einer kleinen Agave, gewonnen wird u. die Ranchos einträglich macht (Buschmann, Azt. ON. 109, Mühlenpfordt, Mex. 2, 516). — *Mescaleros* s. Coyoteros.

Mescha = Grenze, einer der russ. Namen der den Hals des Peipussees abschliessenden Insel Pirisaar, daher entlehnt, ˈdass die Grenze der Gouvv. St. Petersburg u. Livland die Osthälfte der Insel durchschneidetˈ (Bär u. H., Beitr. 24, 39).

Meschhed, ungenau *Mesched* = Ort der Märtyrer, ˈGrabstätteˈ eines Heiligen (Hammer-P., Osm. R. 1, 267), ˈtombeau d'un personnage vénéré, chapelle élevé sur le tombeau d'un saintˈ (Parmentier, Vocab. arabe 34), mehrere muhamm. Wallfahrtsorte: *a)* M. *Ali*, auch *Nedschef*, bei Babylon, mit der Grabesmoschee Ali's, des Eidams des Propheten, ein so heiliger Ort, dass sich reiche Perser, um selig neben dem Gottesmann zu ruhen, hier beerdigen lassen; *b)* M. *Hussein*, auch *Kerbela*, ebf. bei Babylon, die Grabstätte Hussein's, Ali's 2. Sohnes, der hier am 10. Oct. 680 erschlagen wurde, ebf. weither besuchter Pilgerort (Meyer's CLex. 9, 168); *c)* M. in Chorassan, mit dem Grab des Imam Riza, eines Jüngers Ali's, z. Hälfte aus Ruinen u. Todtenäckern, Gärten u. Feldern bestehend, jährl. v. 50—60 000 Pilgern besucht (Meyer's CLex. 11, 476, Spiegel, Eran. A. 1, 55). ˈThe city of M. may be said, without fear of contradiction, to contain the most venerated and popular shrine in the whole of Persia. Among Shia Muhammadans a pilgrimage to the resting place of the 8th Imâm, Reza, owing to its convenient site, has become a duty more essential, if not more important, than that of Karbala in Turkish Arabia or even Mecca and Medinah . . .ˈ (JRGSLond. 1874, 200); *d)* M. in der Turkmanen Wüste, 5 km v. Mestorjàn, eig. nur Todtenstadt. ˈEin ungeheurer Raum ist mit Ruinen v. Grabmälern, Capellen, Moscheen etc. bedeckt, die sich z. Th.

noch erhalten haben; unter den Moscheen zeigt man die des Schir-Kabir (welcher Heilige noch j. v. Volke hoch verehrt wird u. dem man zahlr. Wunder zuschreibt) u. dessen Grab, zu welchem eine Menge Wallfahrer pilgern, ebenso wie nach M. in Persien. Diese Moschee schmücken die Pilger mit Teppichen, die dem Heiligen z. Geschenk gebracht werden; in derselben steht auch ein offner Kasten, in welchem sich vschied. heil. Bücher befinden; eine Lampe hängt an der Decke; etliche Gefässe, zu Ablutionen dienend, stehen auch da, obgleich Niemand hier wohnt u. selbst die Umgegend nicht v. Nomaden bewohnt wirdˈ (PM. 22, 17).

Mesén', ein grosser Zufluss des russ. Eismeers, heisst bei den Samojeden, welche ihn nur in seinem golfartigen, durch gewaltige Fluten meerähnlichen Unterlaufe, etwa bis z. Confl. der Pósa, kennen, *Lobódka-Jaw* = Meer bei dem Flecken, v. russ. *slobódka* = Flecken, wie sie corr. das aus zwei Flecken hervorgegangene Städtchen M. nennen, u. *jaw* = Meer (Schrenk, Tundr. 1, 122). Vgl. Petschóra u. Wytegra. — *Mesenskaja* s. Joschuga.

Meseritsch s. Mesarea.

Meskhutin, Hammam el- = die verfluchten Thermen, ein Thermalort der Prov. Constantine, nach dem Gottesgericht, welches hier einen blutschänderischen Reichen ereilt habe (Wagner, Alg. 1, 307, während Parmentier, Vocab. arabe 27 übsetzt ˈbain des mauditsˈ).

Mesopotamia = Zwischenstromland, v. gr. μέσος = mitten (s. Mesarea) u. ποταμὸς = Fluss, als die v. Euphrat u. Tigris umfasste Halbinsel, schon erklärt v. Ael. (n. an. 12. 30): ἡ τῶν ποταμῶν τοῦ τε Εὐφράτου καὶ τοῦ Τίγριτος μέση u. bei Dexipp. fr. 1 (Phot. 82): ἡ μέση τῶν ποτατῶν Τίγρητος καὶ Εὐφράτου. Aehnl. sagen Strabo (746): εἴρηται ὅτι κεῖται τοῦ Εὐφρ. ποταμοῦ καὶ τοῦ Τίγρ., D. Cass. (36, 8): οὕτω πᾶν τὸ μεταξύ τοῦ τε Τίγριδος καὶ τοῦ Εὐφρ. ὀνομάζεται, u. Tac. (Ann. 6,43): ˈcampi qui Euphrate et Tigre inclutis amnibus circumflui *Mesopotamiae* nomen acceperuntˈ. Dieser Name, vollst. *Μέση τῶν ποταμῶν* sc. *Συρία* = das zwischen den Strömen gelegene (Syrien), anscheinend erst zZ. der Seleuciden aufgetaucht (Spiegel, Eran. A. 1, 289), war die genaue Uebersetzg. des semit., der in den ägypt. Denkmälern *Naharina* = Land zwischen den beiden Flüssen (s. Samarkand), hebr. *Aram Naharaïm* (s. Aram) hiess (Layard, Disc. 2, 237) u. bei den Beduinen *el-Dschesirah*, bei Edrisi (ed. Jaub. 2, 142) *Dschesire* = die Insel heisst. — Aehnl. heisst die durch Euphrat, Tigris u. den Königscanal gebildete Insel *Μεσήνη ὑπὸ τῶν δύο ποταμῶν Εὐφράτου καὶ Τίγριδος μεσαζομένη* (Asin. Quadr. bei St. B.).

Mesra s. Heliopolis.

Messapia, gr. *Μεσσαπία* = die wasserumflossene (Curt., Gr. Et. 1, 96; 2, 57): *a)* das röm. Calabria, ἡ ἐπιχερρονησιάζουσα τῷ ἀπὸ Βρεντεσίον μέχρι Τάραντος ἰσθμῷ (Strabo 277), mit einer Stadt gl. N. (Plin., HNat. 3, 99); *b)* alter Name f. das doppelmeerige Böotien (St. B.); *c) Μεσσάπιον* (ὄρος) = Werdenfels, Berg an der Ostküste Böotiens, j. *Ktypa* (Strabo 405, Pape-Bens., Bursian, GGriech. 1, 215).

Messene, gr. *Μεσσήνη, Μεσσηνία,* dor. *Μεσσάνα,* der Name der südwestl. Ldschaft des Peloponnes, mag, doch nicht ohne Bedenken (Kiepert, Lehrb. AG. 265), als 'Mittelhausen' gelten (s. Mesarea). Er wurde auf das messenisch besiedelte *Zankle,* gr. *Ζάγκλη* = Sichelburg übtragen, so genannt, weil eine krumme Landzunge den Golf einschloss (Thuk. 64, Strabo 268). Als näml. Anaxilas, der Tyrann v. Rhegion, sich des Orts bemächtigte, verpflanzte er messen. Colonisten hin u. taufte den Ort nach ihrer Heimat um; dann —281 eine Beute des syracus. Tyrannen Agathokles geworden, erhielt die Stadt den 3. Namen *Mamertina,* der jedoch, als sie —264 an Rom kam, officiell dem frühern weichen musste: *M.,* dor. *Μεσσάνα,* j. *Messina* (Herod. 7,164, Kiepert, Lehrb. AG. 466). Nach diesem heisst die Seegasse, die wohl auch gr. *Heptastadion,* nach der Breite v. 7 Stadien (Strabo 122 ff.), od. *Sikelikos Porthmos,* gr. ὁ *Σικελικὸς πορθμός,* lat. *Fretum Siculum* seu *Siciliae* (Tacit., Ann. 6, 20), nach der Insel u. ihren Bewohnern, geheissen, ital. *Faro di Messina,* nach dem *faro* = Leuchtthurm des *Capo di Faro.* — Eine ngr. Bildung ist *Messawuno* = Zwischenberg, auf Thera, der Hals zw. Eliasberg u. Cap St. Stephan (Ross, IReis. 1, 60), nicht wie in Peterm. (GMitth. 12 T. 7) dieses Cap selbst.

Mestizo, -a = Mischling, port. *mestiço,* prov. *mestis,* frz. *métis,* ital. *meticcio,* verdeutscht *Mestizen,* v. lat. *mistus, mixtus,* ein Mischlingsgeschlecht v. weissem u. indian. Blut, dessen Ursprung gleich mit der Entdeckg. der neuen Welt 1492 zsfällt. In einzz. Gegenden traten an Stelle der gemeinsamen Bezeichng. besondere Ausdrücke, in Brasil. das v. Portugal her importirte Wort *Mamelucos,* f. christl.-maur. Mischlinge . . . 'se que dava em algumas terras da Peninsula aos filhos de christão e moura', bei den brasil. Indianern *Curibocas* (Varnh., HBraz. 1, 172), in Argentinia *Pardos* = Graue, Braune, in Mexico wohl auch *Léperos,* was sonst in den Creolenstädten den mit Indianer- u. Negerblut stark gemischten, dem Spiel u. Trunk ergebenen Farbigen galt, v. *lepra* = Aussatz, also s. v. a. die v. der ordentl. Gesellschaft Ausgeschlossenen (Uhde, RBravo 31, DMofras, Orég. 1, 15). — Mit dem Beginn des Sclavenhandels 1510 kam die Zeit zweier neuer Bastardclassen, die nun statt der allgemeinen Bezeichng. 'Mischlinge' ihre besondern Namen erhalten mussten: *a) Mulatos,* dim. v. *mulo* = Maulesel, f. die Kinder eines weissen Vaters u. einer Negerin (Diez, Rom. WB. 2, 157), in Brasil. *Pardos* = Braune (Skogm., Eug. R. 1, 26); *b) Zambos,* v. lat. *scambus* = krummbeinig (Diez, Rom. WB. 2, 195), wie im span. America auch ein hässl. krummbeiniges Thier v. der Grösse eines Hühnerhundes *zambo* genannt wird, in Parà j. auch *Curibocas,* das ind. Wort,

welches sonst in Brasil. den Mestizen gilt (Varnh., HBraz. 1, 172). Dabei ist zu beachten, dass *Mulaten* in Africa selbst schon früher entstanden sind, auf der Ostseite durch das Vorrücken der Araber, an der Westseite durch die port. Entdeckungen u. Besiedelungen.

Mesurado od. *Misurado,* aus port. *Monte Serrato* = Sägeberg (s. Montserrat), f. ein Vorgebirge der Pfefferküste, v. der Exp. Pedro de Cintra um 1460 entdeckt u. offb. nach dem Berge getauft, der im Cap oben auslief (Spr. u. F., Beitr. 11, 190, Grundem., Miss. Atl. 4). — Dagegen *Mesurata,* auch *Msarâta,* Küstenort in Trip., ozw. benannt nach einem Berberstamm, wie denn Mesrâta einer der 70 tribus der Sanhadscha heisst (Barth, Wand. 322).

Meta incognita = unbekanntes Grenzland, nannte die engl. Königin Elisabeth nach Frobishers zweiter Rückkehr 1577 den nördl. Theil America's als das Schlussgebiet des bekannten NAmerica, 'as a mark and bound hitherto utterly unknown' (Strachey, HTrav. 6, Note, WHakl. S. 38, 226).

Metauro, alt *Metaurus,* ein ital. Zufluss der Adria, entstanden aus den beiden Bergflüssen Meta u. Tauro (Meyer's CLex. 11, 497). Vgl. Thames.

Meteora, ta, ngr. τὰ *Μετέωρα* = die luftigen, schwebenden, heissen v. ihrer luftigen Lage auf hohen thurmähnlichen Felszacken od. deren seitlichen Vertiefungen eine Anzahl (urspr. 21, j. noch 7 bewohnt) seit dem 14. Jahrh. bestehender Klöster im nordwestl. bergigen Theil Thessaliens. Die Felsen steigen senkr. theilw. bis 300 m h. empor u. sind nur mit Hülfe v. Leitern od. Stricken zu erklimmen (Bursian, GGeogr. 1, 49, ZfAErdk. nf. 4, 273).

Methone, gr. *Μεθώνη* = Weinbergen, ἐκλήθη ἀπὸ τοῦ μέθυ, πολύοινον γάρ ἐστι (St. B.): *a)* eine Stadt im Südwesten Messeniens, bei Homer das 'weinreiche Pedasos', bei Pausanias *Μωθώνη,* j. *Mothoni, Modon; b)* Küste Macedoniens in Pieria (Skyl. 66); *c)* Stadt in Thessalien, an der Grenze gg. Macedonien (Hom., Il. 2, 716); *d)* Bergveste in Argolis auf gleichnamiger Halbinsel, gew. *Μέθανα* (Strabo 374, Pape-Bens.).

Methydrion, gr. *Μεθύδριον* = 'Werder', eine mittelarkad. Stadt, so benannt v. ihrer Lage zw. zwei Flüssen (Paus. 8, 36[1]). Sie 'liegt auf einem Hügel, welcher nur wenig aus der Niederg. hervorragt; er ist v. zwei Flussbetten, den zwei Quellflüssen der Bytina, eng eingeschlossen, welche sich an seinem Fusse vereinigen' (Curt., Pel. 1, 308 f.).

Methye Lake, ein See im Netze des Churchill R., v. den Crees benannt nach einem im See häufigen, aber wenig geschätzten Schellfisch, Lota maculosa . . . 'the residents never eat any part but the liver except through necessity; the dogs dislike even that'. Nach dem See *a) M. River* u. *b) M. Portage* (Franklin, Narr. 130, Richardson, Arct. SExp. 1, 109).

Metkeim s. Medlauken.

Metlapa = Ort der Metaten, d. i. 'der länglich viereckigen Steine, auf welchen die Indianerinnen, indem sie davor knien, mit dem 'metlapilli' den Mais zerreiben, azt. Ortsname in Nicaragua, j. *Metapa*; *b)* San Pedro *Metlapas*, in San Salvador (Buschmann, Azt. ON. 178). Vgl. Luçon.

Metopon, gr. *Μέτωπον* = Stirne, Stirnseite, *a)* ein Landvorsprg. bei Konstantinopel, 'weil das Land hier mit breiter Stirne in die Propontis hinausschauf' (Hammer-P., Konst. 1, 23; 2, 184); *b)* *Matapan*, die Südspitze des Peloponnes, alt *Taenaron* (Kiepert, Lehrb. AG. 267).

Metten- u. **Mettmen-** s. Mittel.

Metz, Stadt in Lothr. Ihr Embryo die gall. Veste *Divodurum*, gelegen in dem steil aufsteigenden Winkel zw. Mosel u. Seille, wohl nicht 'göttliche Veste' (Bacm., AW. 17, Rev. Celt. 8, 124), sondern genau entspr. der Lage gall. *diu dur* = zwei Flüsse; als zu Ende des 4. Jahrh. die Stadt mit Wällen umgeben wurde, war v. der gall. Veste nicht mehr die Rede — der Name *Divodurum* verschwand in dem der Stadt. Diese, nach dem Volksstamm der *Matrici* = Lanzenwerfer, Schleuderer (Houzé, Et. NL. 110) als *Mediomatrica* = Ort der Matrici bezeichnet, seit 400 abgek. *Mettis*, was wie *medio* genau dem kelt. *maes*, *magen*, *magus*, lat. *mansus*, mansio = Ort entspricht (Bacm., AWand. 17, Dict. top. Fr. 13, XXXIIIff., Glück, Kelt. N. Caes. 137). Aehnlich D. A. Godron (Mém. SArch. Lorr. 3. sér. 3, 234ff.), der jedoch den Beinamen *medio* daher leitet, als hätten die *Matrici*, die Schleuderer der gall. Waffe *mataras*, auf zahlr. Meyerhöfen gewohnt. Seit Julian habe, wie in den übrigen ON. dieser Art, der Völkername die Oberhand erhalten; dann aber sei durch Apokope der zweite Theil v. *Mediomatrici* unterdrückt worden u. der erstere durch *Mettis* etc. in die heutige Form *M.* übergegangen. Aus dieser hübschen Studie erfahren wir auch, warum die Einwohner, u. die Franzosen übhaupt, nicht *metz*, sondern *messe* sprechen, sich *les Messins* u. die Gegend *le pays Messin* nennen. Als fernere Belege mögen die Namensformen folgen: bei Caesar (BGall. 10, 4) *Mediomatrici*, bei Tacit. (Hist. 1, 63) *Divoduri Mediomatricum* id oppidum est, bei Ptol. (Geogr. 2, 9) *Μεδιωματρίκες*, *ῶν πόλις Διονοδόυρον*, in der Peut. T. *Divo Durimedio Matricorum*, bei Strabo (4, 134) *Μεδιωματρίκοι*, bei Amm. Marc. (Hist. 15, 4) *Mediomatrices*, unter Honorius *civitas Mediomatricorum*, *Mettis*, unter Valentinian III. *Metis*, *Meti*, bei Greg. v. Tours *Mettensis* urbs, v. 6. Jh. an gew. *Mettis*, im 13. *Méz la Forciez*, im 14. u. 15. Jh. meist *Mets*, in den meisten Urkunden u. Chroniken *Méss*. Man sieht, dass die Verkürzg. in *Mettis* (Not. dign. imp. rom. 38, 69) seit dem Anfang des 5. Jahrh. vorkommt; sie geschah nicht durch Verderbniss des Dialekts, sondern durch einen amtlichen Act (vgl. 2. Jahresber. Metz 67), vollzogen bei Valentinians grossem Vertheidigungsplan, da *M.* unter die 40 Grenzvesten gehörte, welche gg. die Einfälle der Barbaren ausgerüstet wurden. Unter Karl d. Gr. änderte *Mettis*, das

als barbar. Name galt, in *Metis* ab, den Ablativ v. *Metae*, *Metarum*, u. unter diesem Namen erscheint seither der Ort in den lat. Urkunden (Dict. top. Fr. 13, XVI. XXXIV). Man wird bemerken, dass diese Darstellg. nicht völlig zu den gegebenen Zeugnissen stimmt. — Der ON. *M.* 7 mal auch im frz. dép. Nièvre (Dict. top. Fr. 6, 114).

Meurthe, ein rseitgr. Zufluss der Mosel, dessen Name auf ein frz. dép. übergegangen ist, 667 *Murtha* fluvius, 671 flumen *Murtae*, 880 *Murt*, 1420 *Meurt* (Dict. top. Fr. 2, 91), gehört noch unter die Desiderata geogr. Namenforschg.

Meuse s. Maas.

Mewburn, Cape, bei Traill I., Grönl., v. engl. Walfgr. Will. Scoresby jun. (North. WF. 247) am 10. Aug. 1822 entdeckt u. nach einem seiner Schulcameraden getauft.

Mewstone = Mövenstein, bei den hanseat. Seeff. *Mevensteen* (Deecke, Seeört. 7. 10), eine isolirte v. Seevögeln belebte Felsklippe in den brit. See (GForster, Gesch. Reis. 3, 179), üb. deren Lage ich weder in meinen Büchern u. Carten, noch bei meinen Freunden in Grossbritanien etwas erfahren konnte u. erst spät aus der Carte zu Camdens Brit. (ed. Gibson 1, 159) ersehe, dass es 2 solcher 'Mövensteine' gibt *a)* vor Plymouth, nicht id. mit dem bekannten Eddystone, sondern hart am Lande, *b)* vor Dartmouth, ebf. ganz nahe der Küste. Durch brit. Seeff. ist der Name *M.* 2 mal auf austral. Inselklippen, die dem heimatl. *M.* ähneln, übtragen *a)* an der Südseite Tasmania's, v. Capt. Tob. Fourneaux, dessen Abenture, im März 1773 (Flinders TA. 1, LXXXVI Atl. 7); *b)* ein 303 m h. Inselfels der Calvados, Louisiade (Meinicke, IStill. O. 1, 105). — *Mew Islands* = Möveninseln, eine Klippengruppe vor Belfast.

Mexico, die Grossstadt des Anahuac, in Erfüllg. eines Orakels v. den einwandernden Azteken ggr. 1325 nach Chr., an der Stelle, wo sie einen Adler, der eine Schlange verzehrte, auf einer Nopalpflanze trafen, die aus einem Stein hervorgewachsen, daher zunächst *Tenochtitlan* = Ort des Stein-Nopals, v. *tetl* = Stein u. *nochtli* = Nopal genannt. Ein Nopal auf einem Stein wurde denn auch die Hieroglyphe des Orts (Acosta, H. Ind. 466f., Buschmann, Azt. ON. 96, Bol. SGeogr. Mex. 2ª ep. 4, 263ff., Peñafiel, Nombr. geogr. 185). Unter Nopal versteht man auf dem Lande die z. Cochenillezucht dienenden Arten der Fackeldistel, hpts. Opuntia coccinillifera L., aber auch Op. vulgaris Mill. u. Op. ficus indica Mill., diese letzteren mit geschätzten süssen Früchten, den 'indischen Feigen'. Als nun um das Heiligthum, den nachherigen Tempel ihres Kriegsgottes Mexitli od. Huitzilopochtli, die Stadt erwuchs, hiess diese auch *Mexico* od. *Huitzilopochco*, da bei derartigen Zssetzungen *tli* durch die Präposition *co* = in, bei, ersetzt wird (Peñafiel, Nombr. geogr. 19). Diese Erklärg., von Clavigero u. Murr (Nachr. 52), findet Buschmann (Azt. ON. 95) 'gewiss richtig, andere Versuche zu unwahrscheinlich, um sie hier aufzuführen'. Die Stelle des Tempels wurde, als das alte *M.*, v. Cortez 1521 zerstört, neu aufgebaut wurde, der Plaza mayor eingeräumt, dem 'grossen Platze', neben welchem sich die Kathedrale, die gewaltigste u. herrlichste aller Kirchen America's, 1657 vollendet, erhebt. Den Namen *M.* hörten die Spanier zuerst 1517, als die Exp. Grijalva die Indianer des Rio Tabasco befragten, wo noch mehr Gold erhältlich sei (BDiaz 1 c. 11, Humboldt, VCord. pl. 3). Die Eingebornen selbst scheinen mehr *Tenochtitlan* gebraucht u. erst die Spanier den Namen *M.* allgemein gemacht zu haben. Der Landesname *Nueva España* kam zuerst unter Cordova's Soldaten in Gebrauch, u. zwar f. Yucatan, wo sie 1517 ein Land mit zahlr. Städten fanden ((ZfAErdk. nf. 15, 20), ging dann aber mit mehr Recht auf das mexic. Hochland über, welches in hydro- wie orographischer Beziehg. dem castilischen auffallend ähnelt (Willkomm, Span. P. 25); er findet sich schon 1525 in Ribero's Weltcarte, unter der ausdrückl. Begründg., dass man in diesem Lande Vieles finde, was Spanien auch habe (Spr. u. F., Beitr. 4, 174). — Nach dem Lande der *Golfo de M.* u. die ON. *Mexicanos* = Mexicaner, zweimal in Central-America, auf mex. Colonisation hindeutend, u. die azt. Form *Mexicapan* = Ort der Mexicaner, wiederholt ebf. in C.-America (Buschmann, Azt. ON. 130). — *el Nuevo M.*, j. *New M.*, auf Unionsgebiet, zuerst 1583 bei der Exp. des Ant. de Espejo, der auf Befehl des Vicekönigs de Coruña nach Norden ging u. die neu entdeckten 'quinze prouincias' so benannte (Hakluyt, Pr. Nav. 3, 383), 'for that it doth resemble the old *M.* in many things' (Mendoza, HChin. 2, 223. 232 ff.). — Seitdem zu Ende des 18. Jahrh. die Madrider Academie eine Neuerg. der span. Orthographie vorgenommen u. dabei das gutturale *x*, im Klang dem oberdeutschen *ch* gleich, durch *j* ersetzt hat, trat in der Schreibg. des Namens *M.* ein Zwiespalt ein; viele Autoren hielten *Mejico* f. 'allein richtig', u. in Spanien, Süd-America u. den Antillen gilt diese Orth. allgemein (J. M. Macías, Dicc. Cub. 848). Im Lande selbst jedoch fand das neue *j* fast gar keinen Anklang, sei es aus bekannter Abneigg. gegen Alt-Spanien, sei es in dem richtigen Gefühle, dass die v. der Madrider Academie ausgegangene Reform sich nur auf castilisches, nicht aber auf aztekisches Sprachgut beziehen kann. Die Schreibg. mit *x* ist denn auch im Lande *M.* die ausschliesslich amtliche u. die allein herrschende gebliebene — wie mir scheint: mit Fug u. Recht. Denn hei den Azteken des Anahuac klang die ON. *meschiko*, mit dem Klang des frz. *ch*, u. diesen Consonanten gaben die erobernden Spanier durch das conventionelle Zeichen *x* wieder. Es ist denn auch sehr beachtenswerth, dass, während die Spanier das *x* als Guttural aussprechen, die Indianer u. Halbindianer noch heute das frz. *ch* festhalten. Jedenfalls ist aus sprachgeschichtlichem Grunde *Mejico* od. gar *Mejiko* nicht zu empfehlen. Meine

eingehende Untersuchg. (Zf.Schulgeogr.8,136ff.) hat mich übzeugt, dass man, sowohl in Schreibg. als Aussprache, wohl thäte, z. althergebrachten *x* zkzukehren, d. h. *x* einfach *x* sein zu lassen. Endlich seien v. den oben angerufenen Erklärgsversuchen erwähnt: *a)* der 'lächerliche' eines Jesuiten, als komme *M.* v. *mecsi*, dem Aequivalent des hebr. Messias, *b)* der 'weniger unsinnige', als bedeute *M. s. v. a.* Brunnen, Quellbecken, v. den vielen See'n des Anahuac, *c)* *M.* sei abgeleitet v. *metztli* = Mond, da die Einwanderer im See das Spiegelbild des Mondes erblickten, wie das Orakel vorausgesagt hätte (JMMacías, Dicc. Cub. 848 f.).

Meyer s. Heard.

Mezdi, Piz = Mittagspitze, bei roman. Aelplern die dem Dorfe im Mittag liegende Bergspitze, z. B. in Val Mustair u. im Bergell (s. Nove), bei Trons ein *Piz Miezdi* etc. — Auch Wohnorte: *Mezzaselva* = mitten im Walde, Prätigau, *Mezzavilla* u. *Mezzovico*, s. v. a. Mettmenstetten, beide im C. Tessin (Postlex. 246).

Miako s. Kioto u. Tokio.

Miamisport, Ort in Indiana, als Hafenplatz am Wabash angelegt u. nach einem Indianerstamm benannt, wie 2 Zuflüsse des Ohio *Miami* u. ein Canal *Miamicanal* heissen (Meyer's CLex.11,522).

Mianzini s. Mihinani.

Mjask s. Isetsk u. Tobol.

Mjasnoj s. Staatenland.

Mibujuni s. Mihinani.

Michael = wer ist dem Höchsten gleich? bei den nachexil. Juden einer der 7 Erzengel, Schutzengel des Volks, Besieger des Satans, daher häufig z. Schutzpatron christl. Kirchen gewählt (s. Archangelsk), früh je am 15. März u. 8. Mai gefeiert, seit dem Mainzer Concil 813 auch am 29. Sept. als Fest der Engelweihe, d. i. der Einweihung der ihm 493 in Rom erbauten Kirche, engl. Michaelmas, u. dieses ist das eig. Michaelisfest geworden u. geblieben. In dieser Richtung sei erwähnt *a)* *Michaelmas Bay*, in der Hudson Bay, v. H. Hudson auf seinen Kreuz- u. Querfahrten am 29. Sept. 1610 entdeckt ... 'and on Michaelmasse day came in and went out of certaine lands, which our master sets downe by name of *MB.*, because we came in and went out on that day' (Rundall, Voy. NW. 78, WHakl. S. 27, 109); *b)* *Vicus Michaelicus* s. Kuru. — Als PN. treffen wir *M.* 9 mal unter den griech. Kaisern u., in der Form *Michail*, unter den Gliedern der russ. Kaiserfamilie; daher *a)* *Michailowsk*, eine der Redouten, welche der 1798 ggr. Vereinigte russ.-american. Pelzhandels Co. in Alaska anlegte (Bär u. H., Beitr. 1, 137 ff.); *b)* *Michailowskoje*, ein Fort des kirgis. Grenzcordon, am rechten Ufer des Togusak 1835 ggr. (ib. 5, 226). — Ist *Fort St. M.*, an der Mündg. des Jukon 1833 angelegt (Meyer's CLex. 9, 623), mit ersterm id.? — *Michel*, die deutsche Kurzform v. *M.*, berührt sich mit ahd. *michal* = gross, welches toponymisch mehrf. vorkommt (s. Mecklenburg). — *Skellig Mhichil* s. Skellig. Vgl. Miguel.

Michelbach s. Mecklenburg.

Michigan = grosser See, v. den Chippewa-Wörtern *mitschaw* = gross u. *(sagie)gan* = See, in Cree *missi* = gross u. *gamaw* = See (A. Lacombe, Dict. Cris), eines der meerähnlichen Seebecken des St. Lorenz, ca. 64 000 km² gr., bei Joliet 1674 (Drapeyron's Rev. Géogr. 3, 95, Carte) schon *Missihiganin*, bei La Salle 1679/81 auch *Lac des Illinois*, nach dem Indianerstamm (GForster, GReis. 3, 30. 241) u. *Lac Dauphin* (vgl. Buckingham, East.WSt. 3, 413). Am See *M. City*, im Staat Indiana (Meyer's CLex. 11, 530) u. der Staat *M.*, seit Jan. 1837 (Staples, NStUn. 15 f.).

Michoacan, ind. *Mechuacán* = Ort des Fischfangs, v. *michhua* = Fischer (Acosta, HInd. 460), *michin* = Fischfang (Peñafiel, Nombr. geogr. 28), urspr. azt. Name der um 1540 an fischreichem See ggr. Stadt Pasquaro, u. dann auf die Provinz, deren Hptstadt sie bis 1580 blieb, übtr. Der Ort *Pazquaro* selbst war vor der span. Anlage schon v. einigen ind. Färbern bewohnt gewesen u. erhielt daher den neuen Namen, v. ind. *phaztza* = Färber, also 'Ort, wo gefärbt wird' (Anal. Mus. Mich. 2, 42 f. Abdr. einer 1581 auf kön. Befehl verfassten 'Descripción de la ciudad de Pasquaro'). Früher kamen *charari*, eine Art getrockneter Fische, aus dieser Gegend (Buschmann, Azt. ON. 99).

Mickleham s. Broughton.

Middelburg, in der Mitte der seel. Insel Walcheren, gehört wohl zu den unter 'mittel' aufgeführten Formen. Der Ort, in der Blüthezeit niederl. Seehandels bedeutend durch starken Verkehr mit beiden Indien, hat, gemeinsam mit Amsterdam, mehrf. Uebtragungen seines Namens erfahren *a)* Insel vor Batavia, mal. *Pulo Rambut* (Meyer's CLex. 2, 664); *b)* die zweitgrösste der Friendly Is., v. Tasman (Journ. 100) am 21. Jan. 1643, einh. *Eauwie, Eua, Eooa* (Cook, VSouth P. 1, 211, Carte 14, Krus., Mém. 1, 223); *c)* s. Amsterdam. — *Middelfart* s. Belt. — *Middelstum* s. Mittel. — *Middelzee* s. Nordsee.

Middendorff, *Alex. Theod.* v., zu St. Petersburg geb. 1815, begleitete 1840 hptsächl. als Ornitholog den Academiker v. Baer z. europ. Eismeer, ging 1842 durch Sibirien bis Taimyr u. z. Golf v. Ochotsk u. kehrte üb. den Amur zk., besuchte 1860 Sibirien wieder, 1867 NSemlja u. Island, 1870 das Meer v. Spitzb. u. Schottland u. lebt, mit wissenschaftl. Arbeiten beschäftigt, gew. in Livland. An seine Verdienste erinnern: *a) M. Berg,* in Edge I., v. der Exp. Heuglin-Zeil am 14. Aug. 1870, in Gemeinschaft eines *Blaramberg-, Stubendorff-, Lomonossow-, Tschitschagow-, Lütke-, Baer-, Kupffer-Bergs*, der *Semenow-Berge*, eines *Radde-* u. eines *Rosenberg-Thals* (Peterm., GMitth. 17, 178 T. 9); *b) M. Insel,* in der Bay Rogatschew, v. der Exp. Wilczek im Aug. 1872 (ib. 20 T. 16); *c) M. Gletscher,* in Kronprinz Rudolf Ld., 82⁰ NB., v. der 2. österr.-ungar. Nordpolexp. Weyprecht-Payer am 10. Apr. 1874 (ib. 20 T. 23; 22, 204); *d) Cap M.* s. Mohn.

Middle od. *midst* = Mitte, *mid-day* = Mittag, *middle* = mittler, oft in engl. ON., deren ältester, soweit sie hier folgen, *Middlesex*, ags. *Middel-Seaxe* = Mittel-Sachsen, die Gegend v. London, zw. Ost-, Süd- u. West-Sachsen gelegen, als eines der 7 ags. Königreiche v. den einwandernden Sachsen ggr., frühzeitig als eigner Staat eingegangen (Meyer's CLex. 11, 532, Adams, WExp. 99). — Als *North Middlesex*, mit einem *North Thames River*, nach Boothia Felix übtragen 1829/33 v. Capt. John Ross (Sec. V., Carte). — Bei engl. Entdeckungen findet sich das Wort *middle*, z. Bezeichng. der centralen Lage, oft: *M. Island, a)* in Houtman's Abrolhos, v. Capt. Stokes (Disc. 2, 151) im Apr. 1840; *b)* in Port Dalrymple, v. Lieut. M. Flinders (TA. 1, CLIV, Atl. 7) am 6. Nov. 1798; *c)* im Hafen v. Zanzibar, einh. *Changu* (Peterm., GMitth. 5, 376); *d)* s. Péron; *e)* s. Seeland. — *M. Ground,* eine gefährl. Untiefe im Tamar, Tasmania, zw. den Fahrwegen *Eastern* u. *Western Channel* (Stokes, Disc. 2, 473). — *M. Head,* ein Felsvorsprg. in Port Essington, v. Capt. Ph. P. King (Austr. 1, 86, Ansicht) am 20. Apr. 1818. — *M. Lake,* See mitten auf Boothia Isthmus, v. Capt. John Ross (Sec. V. 402, Carte) 1830 getauft. — *M. Mount,* das höchste der schwarzen Felshäupter am Spencers G., v. Flinders (TA. 1, 155) am 8. März 1802 erblickt. — *M. Passage,* die centrale Durchfahrt in Houtman's Abrolhos, v. Capt. Stokes (Disc. 2, 153) am 7. Mai 1840. — *M. Point,* 2mal f. einen stark vortretenden Landvorsprg.: *a)* in Caledon Bay, v. Flinders (TA. 2, 205, Atl. 15) am 2. Febr. 1803; *b)* im Carpentaria G., v. Capt. Stokes (Disc. 2, 289) im Juli 1841. — *M. Rock,* eine halb verborgene Klippe des Port Dalrymple, v. M. Flinders (TA. 1, CLIX, Atl. 6) am 13. Nov. 1798 benannt. — *Middletown* = Mittelstadt, in Pennsylv., 1755 ggr. in der Mitte zw. Lancaster u. Carlisle, zu einer Zeit, wo Harrisburg noch Farm war (Cent. Exh. 32). — *Mid-day Reef* s. Carn — *Midway Islands* s. Pearl. — *Midterhuk* s. Saurie. — *Middel* s. Mittel.

Middleton, ON. mehrf. in England (Charnock, LEtym. 181), id. mit *Middletown* (s. d.), ist auch als Familienname eines engl. Seef., auf das Entdeckungsfeld übtragen *a) Sir Charles M.'s Sound* eine Einfahrt Brit. Columbia's, v. Capt. Duncan am 21. Juli 1788 entdeckt u. benannt (GForster, GReis. 1, 58), wie in demselben Jahre u. ebf. nach Sir Charles *M.* der Capt. Shortland taufte: *b) Cape M.,* in der Str. Bougainville, j als Insel erkannt, *Ile M.* (Fleurieu, Dec. 184) *c) M. Isle* u. *M. Shoal,* östl. v. NSouth Wales (ib. 175, Krus., Mém. 1, 20 ff.). — *M. Isle* s. Viti

Midi = Mittag, in frz. ON. häufig, mit Vorliebe in Berggebieten, f. Felshörner, die den Thalbe wohner im Mittag (s. Mezdi) stehen, wie *Pic du M.*, in den Pyrenäen 2 mal in den 'obern' u. 'niedern', hier mit dem Beisatz d'Ossau (Dict top. Fr. 4, 112); *Dent du M.,* ein schlankes Alpenhaupt des Unter-Wallis, das den Waadtländer im Süden steht, ggb. der *Dent de Morcles,* ar deren Fusse das Dörfchen Morcles liegt (Mart.-Crous., Dict. 637, Gatschet, OForsch. 64); *Aiguille du M.*, die Felsnadel südl. v. Prieuré, Chamony (Saussure, VAlp. 142). — *Canal du M.*, die Schiffsverbindg. im südl. Frankr., zw. Mittelmeer u. Golf v. Gascogne, hptsächl. durch das Languedoc gezogen, daher *Canal du Languedoc*, auch *Canal des Deux-Mers* (= der beiden Meere), v. Franz I. projectirt, aber erst unter Ludwig XIV. ausgeführt durch Paul Riquet (Dict. top. Fr. 5, 87).

Mjedj = Kupfer, weniger richtig *med* transcribirt, in russ. ON. *a) Mjednaja Rjeka* = Kupferfluss, einh. *Atna*, ein bei Cap St. Elias, Alaska, mündender Fluss, v. welchem Kupfer unter die umwohnenden Indianer ging. Die Wilden der Königin Charlotte I. machten aus solchem Metall ihre Beile u. Zierate, so lange ihnen das Eisen unbekannt blieb (Bär u. H., Beitr. 1, 64. 98. 162). Die Russen, ind. *Ketschetnäer* = Eisenmänner, v. *ketschi* = Eisen, brachten das Kupfer v. dem lkseitg. Nebenflusse Tschetschitna, an dessen Ufern sich Stücke gediegenen Metalls bis 15 kg, gew. v. 1—3 kg, in den Bodenerhöhungen finden, u. sie gaben dem kaufenden Stamm den Namen *Mjednówzy* = Kupferleute (Erman, ZfEthn. 2, 390); *b) Mjédnoj Jam* = Kupferdorf, Ort zw. Torschok u. Twer, nach der kupfernen Bedachg. der Kirche (Erman, Reise 1, 154); *c) Mjednyj Ostrow* = Kupferinsel, im Berings M., v. V. Bering 1728 so getauft 'v. dem vielen Kupfer auf der nordöstl. Küste . . . Es wird v. der See an's Land gespült u. liegt längs der Küste so massenhaft, dass man viele Schiffsladungen c. daher bringen könnte. Indische Schiffe könnten v. hier nach China eine vortheilhafte Fahrt haben, weil Kupfer bei den Chinesen in grossem Werthe steht. Dies Kupfer ist gediegen u. hat das Ansehen, als wenn es einmal im Feuer flüssig gewesen' (Spr. u. F., Beitr. 1, 206. 210, Cook-King, Pacif. 2, 502). — *Mědénec* s. Kupferberg.

Mjedwjed = Bär, auch *medwed*, čech. *medvěd*, *nedvěd*, poln. *niedźwiedź*, in den slaw. ON. häufig: *Medve*, *Medved*, *Medvedak*, *Medvedec*, *Medvedica*, *Medvedjasče*, *Medvedjek*, *Medvedzia*, *Medvedzse*, *Medves*, *Medvedjek*, *Medvedje Brdo* u. *Medvedski Brieg* = Bärenberg, *Medvedlova Draga* = Bärenthal, *Medwedówcen*, in Böhmen auch *Nedvědic*, *Nedvěz*, *Nedvězi*, *Nedvěži*, *Nedvězicko*, *Nedvěditz*, in Galiz. *Niedzwiada*, *Niedzwiedz*, *Niedzwiedza*, *Niedzwiedzia* (Miklosich, ON. App. 2, 200, Umlauft, ÖUng. NB. 144, 157, Krosta, Mas. Stud. 13). — Russ. *a) Medweschji Ostrowa* = Bären-In., eine Inselgruppe des sibir. Eismeers, vor der Mündg. der Kolyma, offb. entdeckt 1762 v. Feldmesser Andrejew u. näher untersucht v. der Exp. Leontjew-Lisow-Puschkarew, 1767/73 (Wrangell, NSib. 1, XXXI. 296 ff.). Vorläufig kenne ich die russ. Namensform nur per Analogie u. das Motiv der Nomenclatur nur durch Vermuthg. Der Entdecker wird Eisbären getroffen u. mit denselben Kämpfe wie in derselben Gegend Wrangell (289) bestanden haben. Auf einem Ruheplatze wurde die Exp. (27. März 1821) von einem ge-

waltigen nahezu 3 m lg. Thiere übfallen, das den Leuten hinter den Eisblöcken aufgelauert hatte; das Geheul der Zughunde jagte es in die Flucht, u. eine 3stündige Jagd endete mit einem tollkühnen, glücklichen Schuss. Man musste 12 der besten Hunde anspannen, um die Beute z. Lagerplatze zu schaffen. Auf der 'Vierpfeilerinsel (s. Tschetire-Stolbowoy) traf Wrangell, v. den 'Pfeilern' niedersteigend, viele Bärenhöhlen (p. 299), u. auf dem Eismeer selbst wiederholt Bären u. Bärenspuren (1, 319. 325. 332; 2, 99. 100. 101. 111), sowie Schneehöhlen, in welchem der Eisbär den Seehunden auflauert (p. 323). Die einzelnen Inseln, 6 an Zahl, sind nur z. Th. mit Namen belegt; Wrangell (p. 331) unterscheidet *Erste* od. *Krestowi I.* (s. d.), *Zweite, Dritte, Vierte, Fünfte* u. *Sechste* od. *Tschetire Stolbowoy* (s. d.), irrt aber, wenn er die 'erste' als die plus méridionale bezeichnet, da diess seiner Carte zuf. die viel kleinere 5. ist; *b)* eine einzelne 'Bäreninsel' s. Schantar u. *c)* in der Form *Medwjed* s. Beren Eiland; *d) Medwésch'a Peschtschóra* = Bärenhöhle, bei Schanegórskaja, im Samojedenland (Schrenk, Tundr. 1, 717); *e) Cap Medweschi* = Bärencap, östl. v. der Kolyma u. danach *Medweschaja Retschka* = Bärenflüsschen (Wrangell, NSib. 2, 155); *f) Medweschyi Pad* = Bärenbach, ein Zufluss des Amur, im Durchbruch der Bureja, entw. nach den Jagdthieren od. nach der wunderlichen Bärensage (s. Mochada) der Birar (Bär u. H., Beitr. 23, 638). — *Medvjednica* s. Agram.

Mielowoi, Mys = Kreidecap nannten die russ. Seeff. das am Ostufer des Kaspisees, 43° 40′ NB., vorspringende weisse Vorgebirge, welches bei den Türken als *Ak Murun* = weisse Nase bekannt ist (ZfAErdk. 1873 T. 1).

Mierzyn s. Merseburg.

Miezdi s. Mezdi.

Miguel, San, span., mit *são* port. Name des h. Michael (s. d.), dessen 'Erscheing.' auf den 8. Mai fällt, schon durch den Port. Cabral einer am 8. Mai 1444 entdeckten Insel gegeben (Peschel, ZEntd. 86), od. mit dem Beisatz *Arcangel* = Erzengel das am 29. Sept. gefeierte 'Engelfest', der Tag, an welchem z. B. Vespucci 1501 den brasil. Küstenfluss *Rio de San M.* (Diario Nav. 88) entdeckte u. Balboa 1513 den *Golfo de San M.* erreichte: 'chegou a elle dia de SM., e por isso pos aq'lle golfam tal nome' (Galvão, Desc. 124, Gomara, Hist. gen. c. 62). — Ozw. hat auch an eben diesem 29. Sept. 1526 der port. Entdecker Jorge de Menezes, der am 22. Aug. v. Malakka abgesegelt war, die *Ilha de São M.*, einh. *Caguahão*, bei Mindanao, erreicht (Barros, Asia 4, 1[16]). — Dankbar f. die Hülfe, die ihm der Erzengel im Kampfe mit den Indianern der Insel Puná geleistet hatte, nannte Pizarro die im Thale des Rio Chira, an Stelle des Indianerdorfs Tangarara (1532) ggr. Colonie *San M.*, welche später aus der ungesunden Lage an die Ufer des schönen Piura verlegt, *San M. de Piura* hiess, j. einf. *Piura*. Dieser Name 'still commemorates the foundation of the first European colony in the empire of the Incas (Prescott, CPeru 1, 359, WHakl. S. 33, 209. 212. 214; 47, 23). — Ein *Cabo de San M.*, j. *Cabo Tiburon* (s. d.) an der Westspitze Hayti's, v. Columbus 20. Aug. 1494 benannt (Barrow, Coll. 1, 79). — Eine Insel *San M. Arcangel*, in der Südgruppe der Paumotu, einh. *Anuanuraro*, durch den span. Seef. Quiros am 9. Febr. 1606 getauft (Viajes Quirós 1, 248), durch Krusenstern nach dem Begleiter des engl. Capt. Buyer, welcher sie am 5. Mai 1803 wieder fand, *Turnbull Insel* genannt (ZfAErdk. 1870, 355, Meinicke, IStill. O. 2, 213). — *São M.*, eine port. Veste auf Socotora, v. Tristão da Cunha 1606 erbaut (WHakl. S. 53, 54). — *San M. s.* Jesus Maria.

Mihináni = bei den Hinabäumen, ON. südl. v. Kilimandscharo, v. den Bäumen sing. *muhina*, plur. *mihina*, deren zerstossene Blätter einen rothen Farbstoff liefern, welchen die Sawahili z. Färben ihrer Fingernägel verwenden. Aehnl. *Mikindúni*, v. den Brab-trees, die hier, u. an den Ufern mancher african. Flüsse blühen (vgl. Ngarè), *Mikujúni* = bei den Sycomoren, die hier zahlr. wachsen, *Mibujúni* = bei den Baobab od. Affenbrotbäumen, *Mivirúni* = bei den Mvirubäumen, einem wilden Fruchtbaum, dessen Früchte der Grösse kleiner, braunrother Aepfel erreichen, *Mianzíni* = bei dem Bambusrohr, das hier, in einem Rohrsumpfe, massenhaft u. schenkeldick wächst, *Migungani* = bei den Mgunga, einem sehr grossen Baum, der 15 cm lg. Dornen trägt, *Másima Mikomani* = Brunnen, *másima*, der Mikoma, einer Art Fächerpalme, *Mkwajúni* = bei den Tamarinden, *mkwáju*, *Mvongonjani*, nach einem grossen Baum, welcher ungeheure Hülsen od. Schoten trägt, dem Calabassen- od. Affenbrotbaum, *M'swakíni*, nach den Bäumen, v. welchen die Sawahili ihre Zahnstocher schneiden (Journ. RGS. Lond. 1870, 304 ff.).

Miklibaer s. Mecklenburg.

Mikros, gr. μικρός m., μικρά f., μικρόν n. = klein, oft in ON. alter u. neuer Zeit a) *Mikronesia* s. Polynesia, b) s. Chersonesus, c) s. Kaïmeni, d) s. Oasis, e) *Mikro Gurno* u. *Makro Gurno*, im Olymp, die letztere slaw. *Trani Gurno* = grosse Kluft — ein Name, der, mit den erstern zsgehalten, klar zeigt, 'wie wunderbar u. eng in diesem Lande, selbst auf seinem klassischten Boden, slaw. mit gr. vermischt ist'. Die kleinere fällt mit 300—600 m h. steilen Kalkwänden ein; die grössere ist förmlich ein amphitheatralischer Felsenkessel, 'v. imposanter Breite u. noch grösserer Tiefe' (Barth, RTürk. 186 f.).

Mil Islas s. Echiquier.

Milano, deutsch geformt *Mailand*, das Haupt der Lombardei, wie schon der Hptort der Insbrer u. damit so recht der Mittelpunkt des transalpinen Galliens, angebl. v. den unter Bellovesus in Italien eingefallenen Kelten — 580 ggr. u. *Mediolanum*, in den Inschriften richtiger *Mediolanium* = Mitte des Landes (Meyer's CLex. 11, 106. 371) od. 'Mitte der Ebene' (Rev. Celt. 8, 187) genannt, wie das Haupt der Santones (s. Saintes), der Eburovíces

(s. Evreux u. a. Städte) (Bacmeister, Kelt. Br. 71). Diese Erklärg. kann als annehmbar, aber f. eben so wenig gesichert gelten, wie die ältern kelt. v. *medland* = Wiesenland od. v. *mediad* = Ernte, mit *lawn* = voll, also erntereich (Charnock, LEtym. 182), u. es gilt auch hier das Wort: 'Dieser Name gestattet vielerlei Deutungen', welches H. Meyer (Zürch. ON. 99) v. dem anklingenden *Meilen* vorsichtig gebraucht. Die urk. Formen dieses letztern, 966 *Mediolanum* u. später *Mediolana*, *Mediolani*, die neben *Meginlano*, abgk. *Meilana*, erscheinen, sind wohl nur unächte, 'die Deutg. eines gelehrten Clerikers, der auf die Lombardenstadt anspielen wollte'.

Milch, ahd. *miluh*, schwed. *mjölk*, dän. u. holl. *melk*, engl. *milk*, finde ich in ein paar Aelplernamen a) *Milchsee* od. *Milchspüler-See*, in Glarus, nach der bläulich-weissen Farbe (Gem. Schweiz 7, 45); b) *Milchblankenstock* s. Feuerberg; ferner in holl. Namen u. einem engl. *Milk R.* (s. d.).

Milden s. Moudon.

Milesimo s. Castiglione.

Miletopolis s. Olbia.

Milha s. Melah.

Milieu, Isle du = Mittelinsel, eine hohe, grosse Insel mitten im Arch. de la Recherche (s. d.), benannt v. frz. Admiral d'Entrecasteaux 1792/93 (Flinders, TA. 1, 86). — *Ilot du M.* s. Nord.

Milk River = Milchfluss, ein lkseitg. Zufluss des Missuri, obh. Yellowstone R., am 8. Mai 1805 v. den Captt. Lewis u. Cl. (Trav. 154) so benannt nach der Farbe: 'The water has a peculiar whiteness, such as might be produced by a tablespoon full of milk in a dish of tea, and this circumstance induced us to call it *MR.*' Auch auf dem Rückwege v. Pacific, am 4. Aug. 1806, fand Capt. Lewis, dass der Fluss ganz das trübe Wasser des Missuri habe (ib. 608).

Mill Island = Mühleninsel, 'or rather a many of small ilandes' zw. Hudson Str. u. Fox Ch., v. der Exp. Bylot-Baffin am 1. Juli 1615 entdeckt (Rundall, Voy. NW. 121, Forster, Nordf. 405) u. so getauft, weil die Schnelligkeit u. Unregelmässigkeit der Gezeiten ihrer Umgebg. auffällig ist u. das Eis zermalmt (Parry, Sec. V. 30)... 'by reason of the greate-extremetye and grindinge of the ice, as this night we had proofe thereof ... Heare driuinge to and fro with the ice most parte of this daye till 7 or 8 a clocke, at which time the ice began somewhat to open and separate. Then we set sayle and hauinge not stood past an houer: but the ice came driuinge with the tyde of floud from the south east with such swiftnesse, that it ouerwent our shippe, hauinge all our sayles abraod and a good gale of winde, and forced her out of the streame into the eddy of these iles. The ilande or iles, lying in the middle of the channell, hauinge many sounds runninge through them, with dyuers points and headlands, encountering the force of the tyde, caused such a rebounde of water and ice, that unto them that saw it not is almost incredible. But our ship being thus in the pertition, between the eddy which runne on waye, and the streame which runne another, endured so great extremytie, that vnless the Lord himselfe had beene on our side we had shurely perished; for sometymes the ship was hoysed aloft; and at other tymes shee hauinge, as it were, got the vpper hand, would force greate mighty peeces of ice to sinke doune on the on side of hir, and rise on the other. But God, which is still stronger than either rocks, ice, eddy, or streame, preserued vs and our shippe from any harme at all'. — *Milltown* s. Downingtown.

Mille Lacs = 1000 Seen, Canadiername 2mal: *a)* im Netz des Rainy L., engl. übsetzt *Thousand Lakes* od. richtiger *Lake of the Thousand Islands*, weil er durch viele Inseln gleichsam in zahlr. Seebecken zerfällt (Hind, Narr. 1, 59 ff.); *b)* im see'nreichen Minnesota, ind. *Pokeguma*, bei Du Luth 1680 u. auf der Carte 1688 *Lac Buade* (s. Ontario), nach dem Familiennamen des Gouv. v. Canada, des Grafen de Frontenac (Coll. Minn. HS. 1, 177. 314). — *Millemorti* = 1000 Todte, im Hügel des Val Poschiavo, augenscheinl. durch einen Bergsturz entstanden, welcher, der Sage zuf., ein Dorf v. 1000 Seelen begraben hat (Leonhardi, Posch. 85).

Miller s. Tuscarora.

Milne Bank, im Atlant. $43^1/_2^0$ NBr. u. $38^0\,50'$ WGr., unfern der Stelle, wo 1859 Dayman $\frac{\cdot}{3000}$ fath. gelothet, zeigte am 28. März 1864 dem Admiral *M.*, welchem die eigenthüml. dunkle Bleifarbe des Meeres aufgefallen war, 80—90 fath., wie man schon 1832 u. 1851 in jener Region geringe Tiefen notirt hatte. Benannt durch den Hydrograph. der brit. Admiralität, Capt. Richards (Peterm., GMitt. 10, 231). Wenn auf der 'vermeintlichen *M. Bank*' (ib. 15, 232) die Carten eine nur 35 fath. tiefe u. 320 naut. Meilen lg. Bank, als *Beaufort*- od. *M. Bank*, u. bald darauf wieder als ein Loch angaben, wo Commander W. Chimmo 1868 wieder 2280, 2600 u. 4300 fath. lothete, 'so ist eines vielleicht so irrig wie das andere; auf einer so grossen Strecke können viele ansehnliche Bänke u. dazw. wieder tiefe Stellen sein (ib. 19, 471). — *M. Land*, in Grönl., v. Walfgr. W. Scoresby jun. (NorthWF. 199) am 27. Juli 1822 zu Ehren Sir David *M.*'s getauft. — *Sir Alexander M. Bay* s. Gallow.

Milodarowitsch s. Wittgenstein.

Miltodes, Oros, gr. Μιλτῶδες, ὄρος = Rothenberg, v. μίλτος = Röthel, Menning. Berg bei Myos Hormos, dessen Gipfel so feurig glänzte, dass sein Anblick die Augen blendete (Agath. 54 Huds.).

Mimi-a-Homaiterangi, te = der Urin des (Häuptlings) Homaiterangi, bei den Maori eine der intermittirenden Sprudelquellen (v. Hochst., NSeel. 258).

Mimigardevoord s. Münster.

Mina, a = die Goldgrube, vollst. *São Jorge da M.* 'por a singular devoção que ElRey tinho neste Sancto', näml. den heil. Georg (Barros, As.

1, 3^2), hisp. *el-M.* od. *Elmina*, ein 1482 ggr. Ort der Goldküste, wo der fiscalische Pächter, Fern. Gomes v. Lissabon, den Goldhandel in grossen Schwung brachte (ib. 1, 2^2). Noch z. holl. Zeit wurden jährl. mehrere Mill. Gulden eingetauscht. — Dasselbe Wort im plur. *Minas Geraes* = allgemeine Minen, ein goldreicher Bezirk Brasiliens, seit 1694 durch seine Diamantenwäschereien wichtig, 'allgemein' nicht, 'weil Gold hier überall gefunden wurde' (Journ.RGSLond. 1874, 263), sondern im Ggsatz zu den Minen des Rio das Velhas, das Mortes u. des Caeté, die in Privateigenthum sich befanden. Bei den Indianern, die Gold als *ita-juba* = gelben Stein bezeichnen, heisst die Gegend *Itajuba-tuba* = viel Gold (Varnh., HBraz. 2, 100 f.). — Ein frz. *Rivière de la Mine* 2mal in der alten Louisiana: *a)* s. Galena; *b)* ein rseitg. Zufluss des untern Missuri, j. engl. *Mine River*, nach dem Bleierz, welches an vschiedd. Stellen gefunden wurde (Lewis u. Cl., Trav. 9). — Mit engl. adj. *mineral* 3mal *a)* *M. Bluffs*, Uferberge an der rechten Seite des Missuri, benannt am 22. Aug. 1804 v. den Captt. Lewis u. Cl. (Trav. 37) nach dem mineralischen Gehalt derselben: an Alaun, Kupfervitriol, Kobalt etc. Dieser Gehalt brachte dem Capt. Lewis, der ihn untersuchte, erhebliches Uebelsein u. verunreinigte das Flusswasser in dem Grade, dass seit einiger Zeit die Mannschaft an Magenleiden gekränkt hatte; *b)* *M. Park*, ein lebhafter Minenort am östl. Rande der Wüste Mohave, wo Rothgültigerz, Kupfer- u. Eisenkies, Bleiglanz u. Zinkblende vorkommen u. ein Pochwerk u. Schmelzofen in Betrieb stehen, 1863 ggr., dann durch die Wallapi-Indianer verödet u. nach 5 Jahren wieder u. diessmal definitiv eröffnet, da die Wilden th. aufgerieben, th. z. Frieden geneigt waren (PM. 22, 420); *c)* *M. City* s. Oil. — *Les Eaux Minérales*, 'établissement thermal' des dép. Vosges (Dict. top. Fr. 6, 67).

Mina, el = der Hafen, mit Dehnungszeichen auch *el Minah*, arab. ON. 2mal: *a)* der Hafenort v. Tripoli, Syrien (Seetzen, Reis. 4, 124, Burckh., Reis. 1, 275); *b)* westl. v. Tripolis, Libyen, wohl alt *Gypsaria Taberna*, die doch allem Anschein nach v. Gypsbrüchen ihren Namen hat. 'Trümmer liegen umher auf dem gypsartigen Boden' (Barth, Wand. 272).

Mindanao, eine der Philippinen, wo schon Pigafetta (WHakl. S. 52, 121) eine grosse Stadt *Maingdanao*, 'gelegen in derselben Insel wie Butuan u. Calugan', erwähnt, war wohl urspr. Localname, 'Seeort od. Seeland', v. mal. *danu* = See, sei es nun, nach dem Hptsee *Mindano* (Crawf., Dict. 277), od. v. den Anwohnern des See's (Spr. u. F., Beitr. 2, 124).

Minerva's Bank, in austr. Korallen M., v. Schiffe *M.* am 8. Juli 1818 entdeckt (Krus., Mém. 1, 95). — *M.'s Island* s. Clermont Tonnerre. — Wohl ebenso *M.'s Reef*, im östl. Flügel der Paumotu, v. d. Belgier Moerenhout am 1. März 1829 gesehen u. (nach dem Schiffe?) *Ile Bertero*, auf Carten auch *Ebrill*, nach dem tahit. Perlhändler

(1832) genannt (ZfAErdk. 1870, 348, Meinicke, IStill. O. 2, 221). — *Minervae Prom.* s. Athen.

Minfeld s. Gmünd.

Ming = 1000, mong. u. türk. Zahlwort, mehrf. in asiat. ON. *a) Mingadàrà* = über tausend, ein durch seine grosse Zahl buddhistischer Tempel berühmter Berg der Mongolei. In dem grössten dieser Tempel versammeln sich an hohen Festtagen mehr als 4000 Lamas (Timkowski, Mong. 1, 35); *b) Mingan* = 1000, eine mong. Karawanenstation, genau 1000 Li, deren 200 = 1^0 Aeq., v. Peking entfernt (v. Richth., China 1, 30. XIX); *c) Ming Bulak* = 1000 Quellen, türk. Flussname in Turan (Humb., As. Centr. 3, 236). — Das Hptobject dieser Namenclasse ist *Mingrelien*, eig. *Mingreul* = Land der 1000 Quellen, alt Kolchis, mit gleichmässigem, feuchtem Klima, einer Regenmenge bis 1500 mm, vielen lebendigen Quellen u. Bergbächen u. insb. mit üppigen Waldbeständen, f. deren Beschreibung die Reisenden kaum Worte finden. Riesige Eichen, sagt Bodenstedt, Buchen u. Erlen rauschen heimatliche Erinnerungen in uns wach. Wie grüne Moscheenkuppeln wölben sich üb. uns die grossblätterigen Kastanienbäume, u. wie Kirchthürme steigen die glänzenden Silberpappeln aus dem Waldheiligthum hervor. Der Kirschlorbeer, die Myrte u. förmliche Wände v. Buchsbaum u. Mispelgesträuch drängen sich bis dicht ans Meer. Bis zu den Gipfeln der höchsten Bäume klettert die wilde Rebe empor u. lässt ihre Ranken lang herabhängen, wie losgelassene Maschen des grünen Netzes, welches den ganzen Urwald umspannt. Lianen, Hopfen, Epheu, kurz Schling- u. Schmarotzerpfanzen aller Art kriechen v. Baum zu Baum, v. Zweig zu Zweig, den Boden seiner letzten Kräfte beraubend, bloss um alles zu verwirren u. zu umstricken. Weder die starke Eiche noch die mächtige Hagebuche, weder der ernste Lorbeer noch die keusche Myrte kann sich den Umarmungen dieser üppigen Parasiten entwinden.

Minho, Fluss in Port., span. *Miño*, ant. *Minius*, gr. *Μίνιος* = Mennigfluss, v. dem vielen Minium (Just. 44, 3 Isid., Plin., HNat. 4, 112 ff., Pape-B.).

Minisejpaj s. Sedabaj.

Minnairy od. *Minere*, im Pali *Manihira* = Juwelenhalsband, Name des grossen Tanks, d. i. künstlichen Sees, welcher zu den grossartigen Ueberresten königl. Bewässerungsbauten u. einstigen reichen Anbaus auf Ceylon gehört (Lassen, Ind. A. 1, 235).

Minne = Wasser, in ind. ON. mehrf. u. dann wohl auch zu *mini, mina* geformt, dial. *midi*, wohl am bekanntesten in *Minnesota* = himmelblauem Wasser, wie der geistig begabteste Stamm der Dakota seine see'ngeschmückte Heimat nannte, ein Land so hervorstehend reich an krystallhellen Spiegelflächen, dass'fürwahr kein kennzeichnenderer Name dafür hätte gefunden werden können' (Pelz, Minn. 5). Man gibt *M.* 10 000 See'n, welche bald die offene Prairie zieren, bald im Dunkel des Waldes prangen oder wie Krystalle in Felsspalten liegen. Wenn Cuoq (Lex. Iroq. 83) *M.*

= trübes Wasser 'glaubt', so ist zu erinnern, dass er Kenner der irokes. u. algonk. Sprache, aber nicht der der Sioux ist, welcher der Name angehört. Die Himmelfarbe wird vorzugsweise auf den *M.-* od. *St. Peters River* bezogen. Der spätere General Z. M. Pike (Exp. 24), flussauf kommend, fand im Sept. 1805 den Missisipi auffallend röthlich, an tiefen Stellen tintenschwarz, während jener Fluss blau u. klar, selbst noch auf beträchtl. Strecken abwärts v. der Mündg., erschien. 'Whether this phenomenon be due to the sedimentary blue clays brought down from its tributaries; to leaves settled in its bed, or to thick masses of foliage overhanging its banks, under the influence of atmospheric refraction, is uncertain' (Coll. Minn. HS. 1, 110. 197. 378. 482f.). Der Fluss *M.* ist v. Le Sueur 1700 umgetauft 'in honour of his fellow explorer and trader', dem Capt. St. Pierre, welcher einem frühen, 1766 schon zerfallenen Handelsposten an der Ostseite des L. Pepin vorstand (ib. 34. 327 f. 355); bei den Chippewa heisst er *Oʿski bugi Sipi* = Fluss des jungen Laubes, weil er, im Ggsatz zu ihrer noch lange winterlichen Heimat, sich früh im Lenz belaubt . . . 'compared, indeed, to the shores of L. Superior, the valley of St. Peter is an Italy' (vgl. Hertha 12, 539). Für das Territorium kamen 1846 neben *M.* auch die Namen *Itasca*, *Algonquin*, *Chippewa*, *Washington* u. *Jackson* in Vorschlag. Staat *M.* seit 1858. — *Minnehaha* = lachendes Wasser, ein Fluss v. Minnesota, welcher heimlich durch die Prairie schleicht, auf einmal,'ganz unvermuthet f. den ihm folgenden Wanderer, lachend einen Purzelbaum schiesst' u. damit die reizendste u. erquicklichste Ueberraschung bildet (E. Pelz, Minn. 15). —

Wo die Fälle *Minnehaha's*
niedersprüh'n in blanken Güssen,
lachend springend durch das Waldland . . .
    Freiligrath (nach Longfellow, Hiawatha).

Minnetarees = das Wasser kreuzen, ein Stamm der Dakota, v. den verwandten Mandan (s. d.) so genannt, weil jene, ihrer Ueberlieferg. zuf., v. Nordosten einwanderten u. den Missuri kreuzten, um die alten Mandandörfer zu erreichen, dann nach einer Seuche 1837 *Hidatsa* genannt, nach den äussersten ihrer Dörfer, wo die Ueberlebenden sich zszogen (Matthews, Ethn. u. Phil. 34 ff.). — *Minnewakan* = übernatürliches od. heiliges Wasser, im Dial. der Hidatsa *Midihopa*, ein See des nördl. Dakotah, engl. *Devil's Lake* = Teufelssee (ib. 37). — *Minnekata* = Heisswasser, ein lkseitg. Zufluss des Cheyenne, South Fork, weil das Wasser ca. 35⁰ C. hat (W. P. Jenny, Min. W. 15). — *Minnelusa* s. Floral. — *Minnepusa* s. Dry.

Minoa s. Ninive.

Minor = kleiner, comp. des lat. *parvus* u. damit der Ggsatz zu *major*, in den ON. *Insula M.* (s. Lützel), *Isla Menor* u. *Menorca* (s. Magnus), *Islas Menores* (s. Canarien), *Ley Minur* = kleiner See, rätr. Name des kleinsten der 3 Seen des Bernina (Lechner, PLang. 97). — Engl. *Mount Minute* = kleiner, unbedeutender Berg, 'a small rocky knoll᷎ in weiten offenen Gründen des obern Darling, v. Major T. L. Mitchell (Trop. Austr. 147) am 4. Mai 1845 getauft.

Minstrel Shoal, eine austr. Untiefe, wohl nur die Fortsetzg. des Imperieuse Reef (s. d.), am 7. Mai 1820 v. Schiffe *M.* entdeckt (Krus., Mém. 1, 55).

Minthes, to Oros, gr. *Μίνϑης, τὸ ὄρος* = Münzenberg, in der Nähe v. Pylos, benannt nach dem dort wachsenden Kraute, das der Persephone heilig war (Pape-Bens., Curt., Pel. 1, 18; 2, 88).

Minto, Mount, einer der Gipfel der antarkt. Admiralty Range, v. Capt. J. Cl. Ross am 11. Jan. 1841 entdeckt u. wie die übr. Berge benannt nach einem der Lord Commissioners der Admiralität, ᷎after the Right Honourable Earl *M.*, the first lord᷎ (Ross, SouthR. 1, 185); ebenso *b) M. Island,* eines der 4 Amphitrite-Atolle der Paumotu, einh. *Maturewawao* (ZfAErdk. 1870, 351) od. *Wahanga* (Meinicke, IStill. O. 2, 214), benannt 1837 v. engl. Capt. Russel.

Mintschu = das vollkommene Wasser, urspr. tib. Name einer Quelle in Sikkim, nun eines nahen Dörfchens, v. *min* = vollkommen u. *tschhu* = Wasser (Schlagw., Gloss. 223).

Minturn River, ein beträchtlicher Zufluss der Kane Sea, ᷎a roaring and tumultuous river, which, issuing from a fjord at the inner sweep of the bay, rolled with the violence of a snow torrent over a broken bed of rocks᷎, v. Dr. Kane (Arct. Exp. 1, 98) im Aug. 1853 benannt nach Mary *M.,* der Schwester des Herrn Henry Grinnell (s. d.).

Minur s. Minor.

Miramar = Seeblick, span. Name einer ländlichen Besitzg. des toscan. Erzherzogs Ludw. Salvator auf Mallorca, nach ᷎der köstlichen Aussicht᷎, welche der 4 eckige Thurm ᷎üb. das weite Meer u. das wildromantische Gebirge darbietet᷎ (Willk., Span.-B. 93); *b) M.* bei Triest. — *Miraporvos* = nehmt euch in Acht, eig. seht euch vor! bei Herrera 1601 deutlicher *Mira por vos* (WHakl. S. 43, Zeitschr. f. wiss. Geogr. 1880 T. 1), eine gefährl. Klippe in den Bahama In. — Auch engl. *mirror,* frz. *miroir,* altfrz. *mireor,* prov. *mirador* = Spiegel, gleichsam *miratorium,* wie span. *mirador* = Wartthurm, gehört hierher u. damit *Mirror Lake,* eines der Wunder des calif. Thales Yosemiti, wo im Cañon Tenaya, einer der 3 Quellschluchten, das herabrinnende Schneewasser sich in einem Bergsee sammelt. Seine nur selten v. einem Lufthauch bewegte Fläche spiegelt die ganze Umgebg. mit wundersamer Deutlichk. u. Klarheit wieder. Die kahlen, ernst u. schweigsam aufragenden Felswände reichen eben so tief nach unten, u. zu unsern Füssen lockt ein Himmel eben so blau u. unermesslich fern, wie er über uns sich spannt (Gartenl. 1888, 362).

Mirgándsch = des Fürsten Markt, hind. Name dreier Ortschaften Indiens: in Bengál u. zweimal in Hindostán. Aehnlich *Mirgárh* = des Fürsten Veste, im Pandscháb, *Mirkhanthána* = des Fürsten Haltplatz, in Sindh, *Mirpúr* = des Fürsten Stadt, in Hindostán u. in Sindh, *Mirwála* = des Fürsten ᷎Eigen᷎, im Pandscháb. — Aehnl., mit *mirza* = Prinz, die ON. *Mirzagandsch,* in Bengal, *Mirzagarh,* in Berar, u. *Mirzapur,* in Orissa u. in Sindh (Schlagw., Gloss. 223).

Miriquidi s. Erzgebirge.

Miry Creek = schlammiger Bach, mehrf. im Netz des Missuri *a)* einer der zahlr. durch ihren Schlammgehalt wie der Missuri selbst (s. d.) auffälligen Zuflüsse des Prairiestroms, obh. Fort Mandan (Lewis u. Cl., Trav. 132); *b)* ein 3 m br. Zufluss des Cheyenne-R., v. so schlammigem Grunde, dass 1859 die Thiere der Exp. Raynolds (Expl. 29) tief einsanken, übsetzt aus ind. *Kleklewakpala.* — *M. River* s. Muddy.

Mischabel, eine mit hohen Zinken gekrönte Nebengruppe des Monte Rosa, zw. den beiden sprachlich durchaus deutschen Thalarmen der Visp, ist v. Ferd. Keller (Mitth. ZAG. 11, 20) aus dem arab., v. Gatschet (OForsch. 40) aus dem ital. *mezz᷎ a᷎ valli* = mitten in den Thälern zu erklären versucht worden. Im Anschlusse an Reinaud, welcher (Invas. des Sarrazins, Par. 1836) v. den Streifzügen einer in der Provence angesiedelten Piratenbande handelte, kam 1852 **Chr.** M. Engelhardt (MRosa 127 ff.) auf die Vermuthg., dass einige ON. des Saaser Thals, wie Almagell, Alalain, Eien u. *M.,* arab. Ursprungs seien u. suchte im letztern Namen einen *Misch Dscheb* = Dreifuss, ᷎trefflich übereinstimmend mit der Gestalt des Bergs, der sich als Dreispitz auszeichnet᷎. Als dann F. Keller sorgfältig alles sammelte, was über einen ᷎Einfall der Saracenen in der Schweiz᷎, um die Mitte des 10. **Jahrh.,** sich beibringen liess, hielt er ebf. diese Namen f. solche, die sich ᷎ihrer Form nach v. den übrigen der Gegend völlig unterscheiden u. sich vermittelst keiner der dort herrschenden Sprachen erklären lassen. Da sie sämmtlich an dem Gebirgszuge haften, üb. den die Pässe aus Wallis nach Piemont führen u. der im 11. Jahrh. v. den Saracenen besetzt war, so lag die Vermuthg. ihres arab. Ursprungs nicht fern. Wirklich kennen wir ggwärtig eine Reihe solcher Wörter, üb. deren arab. Herkunft kein Zweifel herrscht u. üb. deren Bedeut. die Sprachkundigen einig sind᷎ ... Wirkl. adoptirte er die f. die 3 erstgenannten vorgeschlagene Deutg., meinte jedoch, die des *M.,* mit den nach oben gestreckten Füssen, ᷎sei nicht gelungen. Herr Prof. Hitzig glaubt, dass *M.* = ᷎die Löwin mit ihren Jungen᷎. Für die Richtigkeit dieser Erklärg. spricht th. die Form des Gebirgs, das, vom Saasthal aus gesehen, sich als eine Gruppe v. mehrern Spitzen darstellt, unter denen an Mächtigkeit u. Höhe die andern übertrifft, th. der Umstand, dass es der lebendigen Phantasie der südl. Völker nicht schwer fällt, Thiergestalten in den oft ganz wunderlichen Formen der Berge zu entdecken᷎. Trotz dieser Zuversicht dürfte die arab. Ableitg. heute wenig Anklang finden u. die ital. ebf. bezweifelt, dagegen der Einfall Hirzel-Eschers, welcher 1829 den Monte Rosa bereiste u. an eine prosaische ᷎Mistgabel᷎ dachte (Wanderg. 30), annehmbarer gefunden

werden. Den Zweifel, wie *gabel* sein *g* verloren habe, löst Brandstetter (Kath. Schwzrbl. 2, 683 ff.) durch die dial. *mist-schabla, misch-schabla*, s. v. a. Rossstriegel, mit dessen Form die gezähnte Bergkette übereinstimme.

Misenon, gr. *Mισηνόν*, j. *Punta di Miseno*, in Campagna, ein Denkmal heroischen Angedenkens, nach dem Seef. Misenos, Gefährten des Odysseus, benannt (DHal. 1, 53, Strabo 26, Pape-Bens. Curt., GOn. 147).

Miser = arm, elend, lat. Grundwort v. *miseria* = Elend u. *misericordia* = Barmherzigkeit, 2 Ausdrücken, die unverändert in ital., span. u. port., als *misère* u. *misericorde* ins frz. u. als *misery* v. diesem auch ins engl. übgegangen sind, auf dem Felde mod. Entdeckungen wiederholt toponym. verwendet: *a) Puerto de la Misericordia,* in engl. *Harbour of Mercy* übsetzt, eine feuerl. Hafenbucht am westl. Eingange der Magalhães Str., wo 1584 der v. wüthenden Nordweststürmen geängstigte span. Seef. Pedro Sarmiento Schutz fand (ZfAErdk. 1876, 400), auch *Separation Harbour* = Trennungshafen, weil 1766 hier Commodore Wallis u. Capt. Carteret sich trennten, 'the Dolphin going round the world, the Swallow returning to England' (Fitzroy, Narr. 1, 74); *b) Rio da Misericordia* s. Reis; *c) Mount Misery,* der höchste Berg der arkt. Bären I., schon in älterer Zeit mit diesem 'sehr bezeichnenden Namen' belegt, z. Andenken an das Elend, welches die s. Ueberwinderg. ausgesetzten Mannschaften ausgestehen hatten, bevor sie dem Scorbut erlagen (Forster, Nordf. 380). Noch in neuester Zeit fand eine solche (unfreiwillige) Ueberwinterg. statt. Ein 'in der Nordsee hart mitgenommenes Schiff war näml. an diese ihnen ganz unbekannte Insel getrieben worden. Ein Theil der Fracht wurde ans Land geschafft, u. man hoffte sogar das Schiff zu bergen, als ein plötzl. Sturm es losriss u. an den Felsen zerschellte. Es glückte der Besatzg. indessen sich zu retten, u. es blieb ihr keine Wahl, als sich auf der wenig einladenden Insel so gut als mögl. einzurichten. Ein so trauriges Land hatten auch die am weitesten herum gekommenen Seeleute noch niemals erblickt, u. der üble Eindruck der wüsten Felsen wurde übdies noch durch die Ungewissheit u. die Einsamkeit vermehrt. Kein Mensch, v. welchem man eine Aufklärg. üb. das Land, wo man sich befand, hätte erhalten können. Zuletzt entdeckte man doch einige halbzerstörte unbewohnte Hütten, v. welchen die eine sofort in Besitz genommen u. mit den an den Strand geworfenen Trümmern des gescheiterten Schiffs in Stand gesetzt wurde. Glücklicher Weise hatten die Leute, bevor das Schiff zerstört wurde, einen genügenden Vorrath an Nahrungsmitteln an's Land geschafft, u. am Strande fand man eine Masse Treibholz vor, so dass die Besatzg. hoffen durfte, wenigstens einige Monate lang in ihrer kleinen Hütte gg. Kälte u. Hunger geschützt zu sein. Später wurden auch die Bären, welche im Winter die Stelle besuchten, so dreist, dass sie, da ihnen die Thüre natürl.

nicht geöffnet wurde, durch die weite Kaminöffng. eine nähere Bekanntschaft mit den neuen Bewohnern der Insel zu machen versuchten. Der Winter verfloss indessen ohne wesentl. Unglücksfälle u. ohne dass die gefährl. Pest des Polarwinters, der Skorbut, sie heimsuchte. Im Laufe des Sommers landete zufällig ein norw. Spitzbergenfahrer u. nahm die Schiffbrüchigen auf (Torell u. Nord., Schwed. Expp. 395).

Misocco od. *Mesocco*, deutsch geformt *Misox*, auch *Cremeo*, ein Dorf des graub. *Val M.*, urspr. das Schloss *Monsax* = Berg der (Freiherren v.) Sax... 'nel risurgimento il paese appare como feudo dei *Sax o Sacchi*, il cui dominio si stendeva (abwärts) fino a Bellinzona' (Lavizzari, Esc. 4, 520). Ob nicht *vallis Mesauca* v. Thalflusse Moësa (Mohr, Camp. 25)?

Misqui s. Red.

Misr s. Kairo u. Aegypten.

Missiessi, Cap, 2 austr. Vorgebirge, getauft v. der Exp. Baudin, offb. nach dem frz. Admiral Ed. Th. Burgues, comte de *M.*, 1754—1832: *a)* hinter Nuyts' Arch., im Febr. 1803 (Péron, TA. 2, 89); *b)* in Tasman's Ld., am 6. Apr. 1803 (ib. 206, Freycinet, Atl. 26).

Missineo s. Kitschi.

Missinipi s. Churchill.

Missisipi, so noch in den Carten v. J. Senex 1710 u. Thom. Jeffreys 1782, gew., aber unnöthig *Mississippi*, ind. Stromname, bei den Crees od. Chippewa *miche sepe* = grosser Fluss, v. *misi, missi* = gross u. *sipi* = Fluss, keineswegs 'Vater der Wasser', wie in America mit Vorliebe (Buckingh., Slave St.) behauptet wird (Richardson, Arct. SExp. 1, 89, Quackenb., USt. 127, ZfAErdk. nf. 3, 69, A. Lacombe, Dict. Cris, Cuoq, Jugem. Err. 107, Et. phil. 126). 'Qu'il sache donc que cette expression poétique 'père des eaux' qu'il prétend être la traduction littérale du mot indien, n'est nullement dans le génie des sauvages et qu'elle serait même intraduisible dans n'importe quelle langue de l'Amérique du Nord.' Auch dieser Kenner ind. Sprachen verwirft die 3fache Consonanten-Verdoppelg. u. schreibt, offb. noch immer zu nachgiebig, *Mississipi.* Zuerst erfuhr 1665 der Jesuit Claude Allouez, ein Nachgänger Mesnard's, bei den Dakotah in la Pointe, L. Superior, die Existenz eines grossen Stroms *Messipi*; sein Landsmann Marquette befuhr als erster Europäer den Fluss 1673. Am 10. Juli verliess er die Station an der Green Bay, fuhr den Fox R. auf- u. den Wisconsin R. abwärts, dann 1700 km weit auf dem *M.* abwärts, den Illinois R. aufwärts u. kam zu Ende Sept. an die Green Bay zk. Im März 1680 erreichte Hennepin den *M.* an der Mündg. des Illinois R. u. folgte dann jenem flussan; er nennt ihn *Meschasipi* (Coll. Minn. HS. 1, 21 f. 27 f.), wie der Name noch 1722 in der Carte v. Edw. Wells geschrieben ist. Die Bedeutg. 'grosser Fluss' liegt auch in andern ind. Namen des Stroms: *Tchát Atinsh* der Shetimasha, *Missi Sibi* der Odchibwē, *Mă'shĕ Sĭbi* der Sauks, *Kĭtchĕ Sĭbĕ* der Potewatmi, 'grösster Fluss' in *Yánda wishu* der Huronen od. Wandots, 'grösster Fluss v. allen' in *Missi sipi wiki* der Sháwanos, 'Mutter der Flüsse' in *Báhat - Sassin* der Caddo - Indianer, 'grosser schwarzer Fluss' in *Kitskátitkuts* der Pani-Indianer (Gatschet in undat. Notiz). Man sieht auch aus diesen Formen, welches Recht den oben erwähnten Consonanten-Verdoppelungen zukommt. Dass *Rio Grande* = grosser Fluss, bei dem span. Abenteurer Fern. de Soto, welcher, v. Florida her zu Lande reisend, den *M.* 1542 ggb. der Confl. des Arkansas erreichte u. bis St. Helena aufwärts verfolgte, die Uebsetzg. v. *M.* sei, ist kaum anzunehmen (WHakl. S. 9, LI. 90). Schon Alonzo de Pineda, welcher die Entdeckungen Ponce's fortsetzte u. 1519 bis Vera Cruz ging 'reconociendo con atention todo el pais, puertos, rios, habitantes y demas cosas notables', hatte die Mündg. entdeckt u. den Fluss als *Rio del Espiritu Santo* = Fluss des heil. Geistes eingetragen (WHakl. S. 9, XXIII, Navarrete, Coll. 3, 148). Ein dritter span. Name, v. der Exp. Andres de Pes 1687/88, ist *Rio de las Palizadas* = Fluss der Verhaue, Holzflösse, viell. behufs Schilderg. der Treibholzmassen, welche sich stauen u. so Inseln u. undurchdringliche Verhaue bilden, wie schon de Soto, als er den Strom in der Gegend des j. Memphis erreichte, sich ob den beständig flussabziehenden Baumstämmen verwunderte. Auch die frz. Reisenden der 'Louisiana' wollten den Strom mit europ. Namen taufen: *Rivière de Conception* = Fluss der Empfängniss, so bei Marquette, welcher den Fluss ggb. dem Indianerdorf Kitchigami, 17. Juni 1673, erreichte, 'avec une joie que je ne peux pas expliquer.' Er hatte während der Herfahrt auf dem Wisconsin River tägl. die heil. unbefleckte Jungfrau angerufen, 'pour mettre sous sa protection et nos personnes et le succez de notre voyage' u. ihr gelobt, dem Strom, den er zu erreichen hoffte, den Namen der unbefleckten Empfängniss zu geben; allein P. L. Joliet, der diese Verpflichtg. nicht eingegangen war, nannte ihn zu Ehren des Grafen v. Frontenac *Rivière de Buade* (s. Mille) (Drapeyron, Rev. Géogr. 3, 95). Endl. bei Robert cavalier LaSalle, welcher, v. Canada kommend 1680 den Strom bis z. Mündg. befuhr, heisst dieser *Fleuve de Colbert*, nach dem berühmten, 6. Sept. 1680 † Minister Ludwigs XIV. — Territorium *M.* 1798, Staat *M.* 1817 (ZfAErdk. 13, 165, Uhde, RBravo 104, DMofras, Or. 2, 222, Buckingh., East. & WSt. 3, 270). — Ein paar absonderliche Uebtraggen des Flussnamens, f. Pachtgüter, hat Frankr. aufzuweisen: a) *M.* im dép. Hautes-Alpes, angekauft u. umgetauft v. einem Speculanten als *M.* im dép. Meurthe, ein 1724 errichtetes Lehen (ib. 2, 92), offb. in ähnl. Zshang, da die Schwindelzeit in die Jahre 1719 ff. fällt. **Missuri**, in frz. Orth. noch immer gew. *Missouri* = Schlammfluss, ind. Name des mächtigen Flusses,

welcher, in den Felsengebirgen aus Jefferson-, Madison- u. Gallatin R. entstanden, bis unth. der Gr. Fälle klar u. blau bleibt, erst nach Aufnahme des Maria R. das Aussehen aschfarbiger Weisse annimmt, zunächst noch ohne schlammig zu werden, dann aber durch Aufnahme immer neuer schlammiger Zuflüsse sich immer mehr trübt, so dass vor der Mündg. des Muscleshell R. der Capt. Raynolds (Expl. 111) im Spätsommer 1860 das Wasser 'fast taking on its proverbially muddy appearance' fand. Alle Zuflüsse obh. R. Platte sind so schlammig wie der *M.* selbst . . . 'this is occasioned by beds of sand, or hills of a very fine white earth, through which they take their course'. Weiter abwärts freil. sind die Zuflüsse wieder klar u. durchsichtig; allein 'the waters of the *M.* are muddy, and containe throughout its course a sediment of very fine sand, which soon precipitates' (Lewis u. Cl., Trav. 3 f.). So bildet sich denn, wo sein weiss schlammiges Wasser in den Missisipi sich ergiesst, ein trüber u. ein klarer Doppelfluss in demselben Bette. 'We were struck with the marked difference between its waters and those of the Missisipi, with which it mingles. The *M.*, flowing generally over a flat country and rich soil, brings down, like the Nile, a vast accumulation of floating soil and drift-wood, and its waters are as muddy as those of any stream, perhaps, in the world . . .' (Buckingh., East. & WSt. 3, 150). Es klingt wie eine Bestätigg. unserer Angabe, wenn Lewis H. Morgan (NAm. Rev. vol. CX) angibt, bei den Kansas, die einst am Missisipi, obh. der Einmündg. des *M.*, gewohnt, habe der letztere schon *Ne-sho-ja* = der schlammige Fluss geheissen (Staples, St. Union 18). Die erste Kunde v. dem Strom brachte der frz. Baron la Hontan, welcher 1683 den Des Moines River explorirte u. in seinem 1689 geschriebenen Berichte erzählt, wie er einen v. Westen in den Missisipi mündenden 'langen Fluss', *La Longue Rivière*, 6 Wochen aufw. befahren habe, ohne die Quelle zu erreichen (Wheeler, Geogr. Rep. 543). — *Little M.* s. Chanchoka. — Staat *M.* seit 1820.

Mistaken Cape = verwechseltes Vorgebirge, zweimal in engl. Entdeckungen: a) die Ostspitze v. Maria Eiland, Tasmania, v. Capt. John Henry Cox so getauft, weil er in der Nacht des 7. Juli 1789 der Adventure Bay nahe zu sein glaubte, 'wo wir vor Anker gehen wollten, um uns einen Vorrath v. Holz zu verschaffen u. unsere Wassertonnen zu füllen' (GForster, GReis. 8, 180 f., Péron, TA. 1, 228); b) in den Hermite Isles, leicht mit Cap Hoorn zu verwechseln, v. Cook (VSouthP. 2, 190) am 29. Dec. 1774. — *M. Points*, zwei Vorgebirge in NFundl. v. dem aus Süden kommenden Schiffer leicht für Cape Race zu halten (Anspach, NFdl. 115).

Mistir s. Monasterium.

Mitra = Bischofsmütze, mehrf. a) span. Bergname bei Monterey, Mexico, weil die oberste Kante einer Bischofsmütze ähnlich sieht (Uhde, RBravo 109); b) ein Cap bei Cross Bay, Spitzb.,

mit eigenth. geformter Doppelspitze (Torell u.
Nord., Schw. Expp. 276). — Auch in engl. Form
mitre mehrf. in Berg-, Fels- u. Inselnamen: *a)*
M. Rock (u. danach *M. Lake*), ein Fels v. austr.
Victoria, v. Major T. L. Mitchell (Three Expp.
2, 189) im Juli 1836 benannt; *b) M. Island,*
Nebeninsel v. Isle Barwell, einh. *Fataka,* v. Capt.
Edwards 1791 entdeckt u. getauft (Meinicke, IStill.
O. 2, 58).

Mitromania, Grotta, die Mithrashöhle auf Capri,
Magnum Mithrae antrum = grosse Höhle des
Mithras, in deren antikem Mauerwerk ein Mithras-
relief gefunden wurde (Meyer's CLex. 4, 149).

Mitrowitz s. Syrmia.

Mittagsspitz, ein Berg, der dem vorarlberg.
Mellau nach Mittag steht (Bergm., Wals. 55), wie
die *Mittagshörner* dem Sernfthal (Gem. Schweiz
7, 633), das *Mittaghorn* des Monte Rosa (s.
Bianco) u. viele andere — entspr. dem frz. *midi,*
ital. *mezdi* etc.

Mittel, entspr. dem engl. *middle* (s. d.), in vielen
deutschen ON. z. Bezeichng. der centralen Lage,
wie *Mittelmeer* (s. Mediterraneum), *Mittelhorn,*
am Monte Rosa (Schott, Col. Piem. 228), *Mittelland, Mittelmark, Mittelinsel* u. s. f. Im Stamme
mid unterscheidet Förstem. (Altd. NB. 1091 ff.)
die Formen: *a) mitti,* z. B. in *Mittenbach,* im
8. Jahrh. *Mittinbach,* am Bodensee; *b) mittil,*
z. B. in *Mittelbrunn, Mittelhausen, Mittelweyer;*
c) mittar, wie in *Mitterhofen,* an der Salzach,
u. *mittelosto,* in *Middelstum,* Groningen, im
10. Jahrh. *Mitilistenheim* u. s. f.; endl. *d)* den
alten superl. *metamo,* der sich nur noch in den
ON. erhalten hat, wie *Mettmenstetten,* im C.
Zürich, 998 *Metmenstetten,* 1173 *Mettmostetten,*
1255 *Metmonstetten,* mit dem in ON. häufigen
stat, stetten = Wohnhaus, Wohnstätte, bezeichnet
einen in der Mitte zw. andern gelegenen Hof.
Aehnl. *Mettmenhasli,* zw. Ober- u. Niederhasli,
j. gew. *Neppenhasli* = Nebenhasli, *Mettmen-
teufen,* zw. Ober- u. Hinterteufen, *Mettenhöri*
(s. Höri), zw. Ober- u. Nieder-Höri, j. gew. *Ennet-
Höri* (HMeyer, ON. Zür. 85). Hierher gehört
auch *Metten,* zw. Straubing u. Passau, im 9. Jahrh.
Metamun, Mettmann, zw. Düsseldorf u. Elberfeld, im 10. Jahrh. *Medamana, Mettenheim,*
Mettenhausen, auch das alte *Medemolaca,* j.
Medemblik, am Ausgange der Zuider Zee (Förstem.,
Altd. NB. 1091 ff.).

Miviruni s. Mihinani.

Mizpah, hebr. מִצְפָּה = Berghöhe, Warte, v. der
man eine weitere Umschau hat: *a)* Ort in Gilead
(Richt. 10, 17); *b)* Ort im St. Benjamin (1. Sam.
7, 5), j. *Nebi Samwil* = Grab Samuels, wohl
in Bezug darauf, dass sich hier unter Samuel
das hebr. Volk versammelte (Robins., Pal. 2, 361,
ZfAErdk. nf. 9, 419). — Aehnl. *Mizpeh,* ebf. ON.
f. hochgelegene Städte. — *M. Creek,* ein lkseitg.
Zufluss des Powder R., wo Capt. Raynolds (Expl.
37) am 27. Juli 1859 einen werthvollen Siegel-
ring mit dem Motto *M.* verlor.

Mlynŭ = Mühle, asl. Wort, wie *mlin,* poln.
mlyn, čech. *mlyn,* adj. *malenski,* oft in ON. wie

Malenska vas = Mühldorf, *Malenski vrh* =
Mühlberg, in Krain, *Malna, Malne, Malni,* in
Steierm. u. Krain, *Leinisch,* verdeutscht aus čech.
Mlyništĕ, Leinitz, verdeutscht aus čech. *Mlynce*
= kleine Mühle, beide in Böhmen, *Mlini* u.
Mlinovi, in Kroat., *Mlyn, Mlynařovic, Mlynec,*
Mlynice, Mlyny, in Böhmen, *Mlyn, Mlyniska,*
Mlynka, Mlynne, Mlynowce, Mlynowka, Mlyny,
in Galiz., *Mlynařovice,* v. čech. *mlynář* = Müller
(Miklosich, ON. App. 2, 201). — Auch der ON.
Mölln u. *Möllen* gehört hierher, sei es dass man
ihn aus dem Slaw. (Kühnel, Slaw. ON. 96) od.
aus dem Deutschen (Hey, Sep. Abdr. d. Arch.
Lauenb., 1888, 33) ableite. Die letztere Annahme
beruft sich auf die Form *Gnewes-mulne,* j. *Gre-
vesmühlen,* wo der Genitiv des PN. *Gnêv* die
deutsche Abkunft bezeugt. Ob aber *mulne* selbst
nicht eher auf slaw. Herkunft weise?

Mnatzmin s. Nisibin.

Mnich s. Mönch.

Moa, te Ana o te = Moahöhle, bei den Maori
eine der 3 grossen Höhlen im Oberlande des
Waikato, NSeel., reich an Tropfsteinbildungen,
wurde wiederholt v. engl. Officieren besucht u.
lieferte zahlr. Knochenreste des Moa (Hochst.,
NSeel. 200), des 3 m h. fossilen Straussenvogels
Dinornis giganteus Ow., der nach der Sage der
Maori noch j. in einer Höhle lebt, wo er schlafend
v. 2 Eidechsen bewacht wird, die jeden Eindringling sofort umbringen (Leunis, Syn. 1, 201).
— Ferner: *te Ana o te Atua* = Geisterhöhle,
te Ana Uriuri = dunkle Höhle, *te Ana Hohonu*
= die tiefe Höhle, letztere in den Castle Hills
(v. Hochst., NSeel. 192).

Moab s. Kerrak.

Moberly s. Enderby.

Mobile, ON. in Alabama, zunächst ind. Stadt
Mauvilla, 'laquelle a sans doute donné son nom
à la rivière, et à la nation qui était établie sur
ses bords — nation très-puissante' (WHakl. S. 9,
XLVIII), bei der zuerst der span. Abenteurer
F. de Soto, Mitte Oct. 1540, ankam (ZfAErdk.
nf. 15, 185). Nach dem Ort die *M. Bay.*

Mochada = schlechtes Gebirge, mong. (?) Name
einer steilen Trümmerfelswand, die als das Ende
eines Ausläufers des Murgil das linke Ufer des
Amur im Durchbruch der Bureja erreicht. An
diese Localität knüpft sich eine wunderliche Sage
der Birar-Tungusen; eine Bärin, die einen Jäger
gefangen genommen u. mit der er zwei Kinder
gezeugt, habe diese hier zerrissen u. in den Amur
geworfen, im Zorn üb. die Untreue ihres Mannes
(Bär u. H., Beitr. 23, 524. 528).

Moczary s. Mokryj.

Modder-Gat = Sumpfloch (s. Mud), ein Viertel
der Colonie Stellenbosch, 'hat seinen holl. Namen
v. dem Wasser, das nach dem Regen lange
stehen bleibet u. die Wege unfruchtb. macht' (Kolb,
VGHoffn. 218).

Modon s. Methone.

Modor s. Usen.

Modumanu s. Bird.

Modupapapa = niedrige Insel, v. *modu* = Insel

u. *papapa* = flach, so nannten die Sandwichinsulaner eine angebl. westsüdwestl. v. Tahura liegende niedrige Sandinsel, welche einzig wg. des Schildkröten- u. Seevogelfangs besucht werde (Cook-King, Pac. 3, 101. 172).

Moed Verlooren = Muth verloren, ein wildes Thal des Caplands. 'Nie war ein Name verdienter u. bezeichnender. Der Pfad nämlich, den wir zu nehmen hatten, um aus dem Thale heraus u. auf die ggübliegende Höhe zu gelangen, war an den jähen Hängen so steil u. so gefährlich, dass wir auf dem einstündigen Marsche mit jedem Schritt mehr bereuten, nicht den Umweg vorgezogen zu haben' (Lichtenst., SAfr. 1,131).

Moeijelijken Berg = mühseliger Berg, ein Bergübgang der Colonie Drakenstein. 'Da ich einstens mit einigen Bekannten üb. einen Berg reisete, um uns bei den Hottentotten zu ergötzen, legten wir ihm den Namen des mühseligen Berges bei, welcher die Beschwernuss u. Gefährlichk., ihn zu übsteigen, gar wohl ausdrücket. Er ist gewaltig hoch, u. so steil, dass man unendliche Umschweife suchen muss. Ja an einigen Orten ist der Weg so schmahl, dass die Pferde mit Mühe fortkommen können. Oft ist man mit so gefährl. Tiefen umzingelt, dass man absteigen muss' (Kolb, VGHoffn. 225).

Mölln s. Mlynu.

Mönch, lat. *monachus*, gr. μόναχος = Einsiedler, Mönch, das nicht allein in die neurom. Sprachen (s. Moine), sondern auch ins germ. übgegangen ist, ahd. *munich*, holl. *monnik*, dän. u. schwed. *munk*, engl. *monk*, oft in ON. wie *München* (s. d.) u. ähnl., denen wir auch die skand. Formen anreihen. *M.* heisst ein Berg der Berner Alpen, in dessen Aussehen die Aelpler Aehnlichkeit mit einer Mönchsgestalt (s. Jungfrau) finden, etwa in jenem Sinne, in welchem Anastasius Grün singt:

Seht dort den mächt'gen Felsberg! Der *M.* heisst er
im Land.
Der freie Aar umkreisst ihm der kahlen Stirne Rand;
Fels ist die graue Kutte, Schnee seines Scheitels Zier,
Das Weltall seine Zelle, das Sternzelt sein Brevier.

Im Ggsatz zu diesem Berg, dem *Weissmönch*, heisst der dunkelfarbige Nachbar in Lauterbrunnen, 'dessen dunkle Felsenspitze capuzenartig an der Stellifluh aufragt' (Arch. HV. Bern 9, 373 ff.), *Schwarzmönch*. Ein Berg *M.* auch in Saxeten. — *Mönchaltdorf* s. Alt. — *Mönchsberg* s. Salzburg. — *Monkcester* s. Newcastle. — Auch in die slaw. Sprachen ist *monachus* übgegangen, čech. *mnich*, u. damit in die böhm. u. schles. ON. *Mnich, Mnichi, Mnichovo Hradiště*, 1420 *Gradis Monachorum*, verdeutscht *Münchengrätz, Mnichowitz, Mnischek* (Miklosich, ON. App. 2, 201, Umlauft, ÖUng. NB. 153).

Möntschëlen s. Mutschelle.

Moenus s. Main.

Moer mette Dochters s. Mother.

Moerenhout, Ile, in der Südgruppe der Paumotu, durch *M.*, den frz. Consul in Tahiti, 1829 entdeckt, auch *Derius I.*, nach dem Capt. *D.*, der sie am 27. Dec. 1835 sah, od. *Wright's Lagoon*,

nach Capt. W., 27. März 1837. Von einem Unbekannten auch *Maria I.* genannt (ZfAErdk. 1870, 350, Meinicke, IStill. O. 2, 214).

Möris s. Fayum.

Mörlen s. Wyl.

Moesia, gr. *Mysia*, ant. Gesammtname der untern Donauländer, nach einer ihrer Völkerschaften, die gr. *Myser*, lat. *Moesi*, hiessen u. nebst den Triballern v. Crassus —29 unterworfen wurden. Ihr Gebiet, *M.*, wurde z. Prov. Makedonien geschlagen, später jedoch erweitert u. durch Tiberius zu einer besondern Prov. *M.* erhoben, die Vespasian in eine *M. superior* (= Ober-M.), etwa dem j. Serbien entspr., u. *M. inferior* (= Nieder-M.), ungef. j. Bulgarien, theilte (Kiepert, Lehrb. AG. 331).

Möttnig s. Mat.

Mövenberg, einer der wenigen Namen, welche die spitzb. Exp. Heuglin-Zeil 1870 der Natur des Landes entlehnte; der Berg, nach den Schaaren jener Seevögel getauft, befindet sich an der Nordwestseite der Barents-I. (PM. 17, 182 T. 9).

Moffatspan, eine südafr. 'Salzpfanne', wie dort die Salzlachen genannt werden, nach dem Missionär Moffat, 'dem Nestor der südafr. Mission' u. Schwäher Livingstone's, benannt durch den böhm. Reisenden Dr. Em. Holub (PM. 22. 173). Rob. *M.* hatte 23 Jahre im Dienste der Londoner Missionsgesellschaft verbracht, bevor er seine 'Missionary Travels and Scenes in Southern Africa', 8⁰ Lond. 1846, herausgab.

Moffen-, bei Martens *Muffen-Eiland*, eine kleine niedrige Insel bei Spitzb., kaum 2 m üb. M. u. wohl mit dem holl. *moff*, plattd. *muff*, der Schimpfbezeichng. f. etwas Geringes, im Ggsatz zu den gewaltigen Küsten, belegt (Torell u. N., Schwed. Expp. 237), am 25. Juli 1773 v. Capt. Phipps (NorthP. 53, Peterm., GMitth. 17 EH. 28, 41) besucht u. beschrieben, doch schon vorher v. Holl. betreten, da Capt. Lutwidge, Schiff Carcass, ein holl. Grab mit Inschrift v. Juli 1771 dort fand.

Mogador, Hafenplatz in Marocco, v. Mugdul, Modogul, einem Heiligen des Orts (Richards., Trav. 1, 252).

Moghistan = Palmenland, pers. Küstenstrich, nach der Menge seiner Dattelpalmen, 'por o grande número de palmeiras que ha per toda aquella Comarca' (Barros, As. 3, 6⁴ p. 37), wie denn schon Strabo den Landstrich richtig kennt, die Gluthitze, den Sand u. die Unfruchtbk. mit Ausnahme der Datteln (Spiegel, Eran. A. 1, 86).

Moghreb s. Gharb.

Moghulpúr = Móghuls Stadt, zwei Orte, in Audh u. in Hindostán, wie *Móghul Saráí* = Moghuls Haus, in Bandelkhand (Schlagw., Gloss. 223). — *Mogulbandi*, der 15—75 km br., furchtb. Uferstrich v. Orissa, der, landein v. dem sandigen od. sumpfigen Strande, dem Mogul vorzügl. die Einkünfte lieferte (Lassen, Ind. A. 1, 224).

Mogyla = Grab, Grabhügel, asl. Wort, russ. *mogila*, poln. *mogila*, čech. *mohyla*, auch deriv. *mogilnica* f. Grabhügel, hat sein bekanntestes Ob ject im russ. ON. *Mohilew*, offb. nach diesen 'ältesten Denkmälern der Skythen u. a. nordasiat. Völker'. Aehnl. die ON. *Mügeln*, in Sachsen, Fluss *Müglitz* in Meissen, Ort *Müglitz*, slaw. *Mohilno*, in Mähren u. a. m., im Teltower Kr. der *Müggel*- od. *Mohylsee*, nach Grabhügeln od. den ihnen ähnl. Anhöhen, den *Müggelbergen* (Jettmar, Ueberreste 23, GHey, ON. Döbeln 42). In Galiz. *Mogielnica*, *Mogila*, *Mogilany*, *Mogilno*, *Mohylany*, in Böhmen *Mohelka*, *Mohelnice*, *Mohelno* (Miklosich, ON. App. 2, 149). — Russ. a) *Mogilnoe Osero* = See der Grabhügel, ein See der westsib. Steppe, nach den 76 grössern u. kleinern Begräbnisshügeln, welche ihn umgeben (Falk, Beitr. 1, 273); b) *Mogilnyi* = Todtenacker, eine Sandinsel des Imandra, Lappl., als allgemeiner Begräbnissplatz gebraucht (Bär u. H., Beitr. 11, 154).

Mohan s. Krischna.

Mohave, früher auch *Mojave*, ein Indianerstamm am Rio Colorado, der sich *Hä'-muk-ha'-ve* = drei Berge nennt, wahrsch. nach den 'Needles', die in ihrer Mythologie eine Rolle spielen (H. F. C. ten Kate, Syn. ethn. Ind. 3 f.). — In ihrem Gebiete *M. Range*, eine Bergkette am Fluss, v. der Exp. Ives (Rep. 59. 63 Carte) im Febr. 1858 nach dem hier hausenden Indianerstamm getauft, eine Schlucht *M. Cañon*, eine Thalstufe *M. Valley*. Schon 1853/54 hatte Capt. Whipple den *M. Desert* erforscht (Peterm., GMitth. 22, 335), u. es entstand seither, unth. der Ruinen v. *M. City*, ein *M. Fort*, dieses 1858 z. Schutz der calif. Auswanderer (ib. 420 T. 18). Der *M. River* versinkt 6 mal in einem Thal der Wüste, *M. Sink*, einer üb. 20 km lg. u. 8 km br. rothen Thonfläche; diese ist so hart u. kahl wie die Tenne einer Scheune, v. Salzefflorescenzen weiss gefleckt u. ringsum v. schwarzen Felsenzügen eingefasst (ib. 335 ff.).

Mohegan s. Hudson.

Mohilew s. Mogyla.

Mohn, Cap, 2 mal im Eismeer: a) in NSemlja, nebst *Nordenskiöld Bay*, *Cap Petermann* u. *Cap Middendorff* (s. dd.) v. norw. Fischern 1871 getauft nach Förderern der Polarfahrt, ersteres nach dem Director des meteorolog. Instituts in Christiania (Peterm., GMitth. 18, 396); b) in spitzb. Nordost-Ld., v. der Exp. Smyth-Ulve, ebf. 1871 (ib. 106 T. 6). — *M. Bay*, an der Ostseite Spitzb., v. der Exp. Heuglin-Zeil 1870 (ib. 17, 182).

Mohr s. Hübner.

Mohren s. Mauren.

Moienzl s. Zaire.

Moilah, Kalaat el- = 'Wasserburg', auch *Mohila*, *Moweilih* etc., arab. Name eines Hafenplatzes des Rothen M., unfern der Einfahrt in den Golf v. Akabah, das vierte befestigte Proviantmagazin der ägypt. Pilgerkarawanen. 'Ausserhalb des recht gut befestigten Schlosses sind mehrere schön ausgemauerte Brunnen z. Bequemlichk. der Pilger' (Bergh., Ann. 5, 61).

Moine, le = der Mönch (s. d.), in frz. ON. häufig, th. nach gewissen Aehnlichkeiten, th. nach klösterl. Besitz od. der Nähe eines Klosters, wie im *Che-*

min des Moines ou *de Cîteaux*, f. die Römerstrasse Chartres-Bourges, die die Cistercienserabtei bei Marchenoir berührte u., als durch das Gebiet des Grafen Thibaut le Tricheur gehend, auch *Chemin du Comte* od. als heidnisches Werk auch *Chemin de Jules César* od. *Chemin du Diable* heisst (Dict. top. Fr. 1, 120). — *Vallée aux Moines*, ebf. im dép. Eure-et-Loir, nach der Abtei St. Jeanen-Vallée (ib.). — *Le Pic des Moines*, Berg (u. Pass) der Nieder-Pyrenäen, nach dem vorliegenden span. Kloster Sainte-Christine (ib. 4, 114). — *La Tête du M.* od. *la Cape au M.* = Mönchskappe, ein Alpengipfel der Waadt, zw. Ormonds u. Etivaz (Gem. Schweiz 19²ᵇ, 194), 'à cause de sa ressemblance avec un capuchon monacal' (Mart.-Crous., Dict. 858).

Mokattam, Wady = beschriebenes Thal, arab. Name 2 mal: a) in der Halbinsel des Sinai, nach seinen berühmten Felsinschriften (Robins., Pal. 1, 210); b) am obern Nil (Burckhardt, Reis. 2, 978, v. Hammer, Fundgr. 2, 474, Peterm., GMitth. 5, 470). — *Dschebel M.*, ein Felsberg bei Kairo (Seetzen, Reis. 1, XXXIII).

Mokryj, f. *mokraja*, n. *mokroje* = nass, feucht, russ. adj., ruth. *mokre*, čech. *mokry*, slow. *moker*, serb. *mokar*, oft in ON. wie russ. *Mokrija Gori* = nasse Berge, eine armen. Berggruppe, nach den vielen See'n, die auf dem Plateau lagern: 'in ausserordentl. Fülle auf den flachrückigen Höhen des wassersüchtigen, trennenden Meridianstocks' (Peterm., GMitth. 21, 303), ferner *Mokra*, *Mokragy*, *Mokraluka*, *Mokrica*, *Mokrice*, *Mokrički Breg* = nasser Hügel, *Mokrihái*, *Mokrin*, *Mokro*, Orte in Ung. u. Kroat., *Mokra Dziura* = nasse Höhle, in der Tatra, *Mokra Strona*, mit *strana* = Gegend (?), *Mokrawies*, *Mokre*, *Mokrine*, *Mokrotyn*, *Mokrzane*, *Mokrzec*, *Mokrzyska*, *Mokrzyszów*, in Galiz., *Mokrahora* = nasser Berg, *Mokrán*, *Mokrau*, *Mokre*, *Mokrejschow*, *Mokřic Mokřkŏ*, *Mokrolazec*, *Mokropes*, *Mokrouš*, *Mokrovous*, *Mokrovrat*, *Mokry*, in Böhmen, Mähr. u. Schles., *Mokriach*, aus slow. *Mokrije* verdeutscht, *Mokropolje* = nasses Feld, Orte in Krain u. Dalm., *Močvirje*, v. slow. *močvar* = Sumpf, Moos, in Krain, *Moczary* u. *Moczeradi*, v. poln. *moczara* = Sumpf, Moos, in Galiz. (Miklosich, ON. App. 201 ff.).

Moldau, ein Flussname, zweimal: a) in Böhmen, im frühern Mittelalter *Wltawa*, *Wltavia*, *Wlitava*, dann *Waldaha* u. *Fuldaha*, *Vulta*, *Wultawa*, čech. *Vltava*, v. Zeuss (DDeutsch. u. NSt. 15) als deutsches 'Waldwasser' angesprochen, v. J. Vlach Čecho-Slawen 11) f. kelt. gehalten, beides ohne überzeugende Kraft; b) in der rumän. M., f. einen grossen Karpathenfluss, der der Bukowina kommt u. bei Roman in den Sereth mündet, slaw. *Molda*, *Moldava*, *Moldova*, eben so wenig erklärt wie die böhmische M., etwa durch die Erfindg., der Fürst Dragos habe den Flusse, in welchem sein Hund *Molda* ertrunken, den Namen des treuen Thieres beigelegt. Dass nun aber das Land M., rum. *Moldavia*, nach dem Flusse benannt sei, ist eine so nahe liegende Annahme,

dass wir sie 'in beinahe allen Autoren finden'
(Büschings Mag. 3, 543, Ch. Pertuisier, Valachie,
Mold. etc. 36, Tocilescu, Hist. Rom. u. v. a.). Nur
vereinzelt sind andere Ableitungen aufgetaucht,
bei dem ungar. Historiographen Bonfinius (Dec.
1, 1³) v. *Dacia mole* = weiches Dacien, bei dem
engl. Reisenden A. Neale (Voy. Allem., Mold. etc.
31) v. *Mollah-div-ia* = Land des unsterblichen
(Priesters od.)Mollah, u.noch 1886 bei dem rumän.
Juristen Gregor Lahovari (Bulet. Soc. Geogr. Rom.
7, 141 ff.) v. slaw. *mol* u. *Dacia* = das schwarze,
i. e. bergige u. waldige, Dacien. Er meint sogar,
'die Nähe u. der Verkehr der Moldauer mit der
slaw. Welt befestigen u. rechtfertigen vollständig
diese Deutg.' Man sieht, aus den 'Nomina Geogr.'
hat er wirklich 'nichts gelernt'.

Molé, Pointe, in Investigator's Str. v. der frz.
Exp. Baudin im Jan. 1803 wohl nach dem Staatsmann d. N. benannt (Péron, TA. 2, 75).

Moléson, voralpiner Bergzug des C. Freiburg,
urk. *Moleisun, Moleyson,* wohl nicht *moles
summa* = sehr hohe Masse (Gem. Schweiz 19,
119), sondern zsgesetzt aus *mont* = Berg u.
lioson = Milchgaden, also der Berg, wo Milch-
speisen bereitet werden, wie denn seine Alpen
die Heimat des berühmten Greyerzer Käse sind.
Lioson, als Bergname, auch in den Alpen v.
Ormonts (Gatschet, OForsch. 14). — Eine deutsche
Parallele zu *M.* ist das Unterwaldner *Melchthal.*

Molière, Cap, am Spencer's G., v. Lieut. L. Freycinet, Exp. Baudin, am 25. Jan. 1803 getauft
nach dem Comödiendichter d. N., 1622—1673
(Péron, TA. 2, 78), wie *Ile M.,* in den Iles de
l'Inlgauld, am 24. Apr. 1801 (ib. 1, 116; 2, 211,
Freycinet, Atl. 27).

Molins = Mühlen, v. lat. *molina* f. *mola,* wie
ital. *mulino,* span. *molino,* port. *moinho,* frz.
moulin, rätor. ON. des Oberhalbstein, gew. in
der deutschen Uebsetzg. *Mühlen* gebr., während
in dem längst germ. Schanvic der einzige Thalort
welcher am Flusse liegt u. Mühlen hat, noch
immer *Molinis, Molines* heisst (NAlpP. 5, 116,
Campell-Mohr 150). — Ein *Mulins* auch bei
Trins, im *Mollondins* bei Yverdon (Gatschet,
OForsch. 5), les *Moulins,* vdeutsch *Mühlibach,*
in Château d'Oex, an der Confl. Torneresse-Saane
(Gem. Schweiz 19²ᵇ, 139), eine *Acla Mulins,* wo
acla = Complex v. Gütern, in Val Somvix,
nach der am Bach erbauten Dorfmühle, den die
Bewohnern des Dörfchens Val ihren Roggen
mahlt.

Moller Hafen, in Alaska, sowie *Moller Strasse,*
die Meerenge zw. Amak u. Alaska, benannt nach
der russ. Corvette, die, befehligt v. Capt. Chu-
dobin, hier 1828 Aufnahmen besorgte (Bergh.,
Ann. 9, 144). — *M. Insel,* in Polynesien zweimal: *a)* in der Centralgruppe der Paumotu, nisch.
Amanu, v. ihrem ersten Entdecker, dem russ.
Capt. Bellinghausen 1819 so benannt, während der
frz.Seef. Duperrey 1822 sie nach seinem berühmten
Landsmann *Ile Freycinet* taufen wollte (ZfAErdk.
1870, 361, Meinicke, IStill. O. 2, 210); *b)* westl.
v. den Sandwich Is., v. russ. Capt. Stanikowitsch

so, v. einem Walfgr. aber *Laysan I.* benannt
(Meinicke, IStill. O. 2, 312).

Molliser C. s. Limmat.

Moltke s. Roon.

Molukken, urspr. nur die j. *Kleinen M.,* d. i.
die 5 kleinen Eilande, welche an der Westseite
Halmahera's liegen: Batschian, Makian, Motir,
Tidore, Ternate (Peterm., GMitth. 19, 207), bei
den ersten Port. u. Span. *Maluco, Malucco*
(Pigafetta, Prem. V. 162ff., Barros, As. 1, 8¹; 3,
5⁵, Camões, Lus. 9, 14), berühmt als Heimat der
Gewürznelke, deswegen schon bei Barros (As. 4,
1¹⁶) einmal *as Ilhas do Cravo* = die Ineln
des Nelkenbaums, wie wir sie, zs. mit Banda,
der Heimat der Muskate, etwa die *Gewürzinseln*
nennen, schon vor Ankunft der Europäer der
Sitz der Macht u. des Reichthums, so dass die
grössern Inseln, Halmahera, Ceram, Buru etc.,
unter der Herrschaft der *M.* standen, nach Diogo
do Couta (As. 4, 7⁸) aus mal. *Moloc* = die Hauptsache erklärt '. . . e assi por excellencia se chamão *Moloc* (que he o seu verdadeiro nome) e
não *Maluco,* que he corrupto delle, cujo nome
na sua lingua propria quer dizer cabeça de
cousa grande'. Schon zu seiner Zeit, um 1610,
hatte man angefangen, den Namen *M.* auf die
Nachbarinseln auszudehnen . . . 'e posto que
debaixo deste archipelago se comprehendão outras
muitas ilhas'. Es ist zu beachten, dass Crawfurd
den Namen *M.* unerklärt lässt.

Moluris s. Kaki.

Molutschen s. Pueltschen.

Mombójjagakó = Gestrüppbach, v. sam. *mom-
bój* gegen = Zweig, v. *moh* = Zweig, u.
jagakò (s. Jagà), ein Flüsschen des Samojedenlandes, nach dem verkrüppelten Tannengestrüpp,
welches an seinen Quellen, im Grossland-Rücken,
als eine in der Tundra auffällige Erscheing., sich
findet (Schrenk, Tundr. 1, 520).

Mompe s. Piemont.

Mom. Rinkle's Rock, ein hoher, mauerartiger
Uferfels am Wissahickon, mitten im Walde des
Fairmont Parks, Philᵃ. Die Sage erzählt, ein
armes, altes Weib, das als Hexe galt, Thau aus
Eichelschalen trank, das 'böse Auge' hatte u.
ohne unterzusinken den Fluss bis zum Meere
hinabschwamm, habe hier gewohnt u. den Tod
gefunden durch einen Sturz v. der Felsenhöhe.
Der Name des Weibes, *Mom.* (?) *Rinkle,* wird
v. Knaben, welche die schwindlige Höhe erklimmen, laut ausgerufen u. hallet an all' den
Hügeln rundum zk.; so erhält er sich v. einer
Generation z. andern (Keyser, Fairm. 100).

Mon s. English.

Mónaco, ON. der ligur. Riviera, einst gr. Pflanzstadt *Μόνοικος* = Einsiedeln, *Μονοίκου λιμήν*
(Strabo 202) = *portus Herculis,* bei Tac. (Hist.
3, 42) *Monoecis,* bei Vergil (Aen. 6, 831) *Arx
Monoeci,* mit einem Tempel des dort einsiedlerisch wohnenden u. in seinem Tempel allein verehrten Herakles (Pape-B.). Es war diess ein
Punkt an der alten, den Hellenen bekannten
Strasse des Herakles, die, v. Genua nach Nizza

an der Riviera hinzog u., erst v. Augustus —13 chaussirt, nach ihrem Erbauer den Namen 'via Julia Augusta' erhielt (Nissen, Ital. LK. 157). *M.* = Mönch ist auch die ital. Namensform f. *München.*

Monaghan, Stadt in Ulster, Irl., ir. *Muineachán* = kleines Gesträuch, dim. v. *muine,* spr. *munny,* gew. in *money* englisirt, einem Element, das etwa 170 mal in den ON. aller 4 Provinzen vorkommt, wie *Money-dorragh,* ir. *Muine-dorcha* = dunkles Gesträuch, 3 mal in Down. Der Name *M.* klingt verführerisch an mit *manach,* der ir. Form f. *monachus* = Mönch, das in ON. mit vorangehendem *na,* dem gen.plur. des Artikels, vielfach vorkommt: *Knocknamanagh,* ir. *Cnocna-manach* = Berg der Mönche, in Cork u. Galway, *Farranmanny,* englis. aus *Farranmannagh* = Mönchsland, *Kilnamanagh,* ir. *Cillna-manach* = Kirche der Mönche u. v. a. Eine stehende Erinnerg. an die Zeit, wo Irl., die 'Insula Sanctorum', mit kirchl. Anstalten jeder Art übersäet war, sind die vielen ON. *a)* mit *clérech,* das wie engl. *clergy,* aus lat. *clericus* entlehnt u. mit *na* in der Form *-nagleragh* vorkommt, z. B. *Ballynaglereagh* = des Geistlichen Stadt; *b)* mit *easpog, easpoc,* urspr. *epscop,* dem Lehnwort f. *episcopus,* wie in *Monaspick* = Bischofsried; *c)* mit *cananach,* f. *canonicus,* wie in *Oileanna-gcananach,* engl. *Canon Island,* beides 'Insel der Domherren'; *d)* mit *sagart,* urspr. *sacart,* f. *sacerdos,* wie in *Kylenasaggart,* ir. *Coill-na-sagart* = Gehölz der Priester; *e)* mit *ab, abb,* f. lat. *abbas,* gen. *abadh, apadh,* wie in *Inchanappa* = Werder des Abts; *f)* mit *cailleach* = die Verschleierte, d. i. Nonne, wie in *Calliaghstown,* das als ON. mehrf. vorkommt, bei Drogheda f. einen Ort, der eine v. Nonnenkloster St. Brigid abhängige kleine Kirche hatte; *g)* mit *brathair* = Bruder, lat. *frater,* wie in *Garranabraher,* ir. *Garrdha-na-mbrathar* = Garten der Fratres, Ort bei Cork, ehm. Klostergut; *h)* mit *ancoire,* gr.-lat. *anachoretes,* wie in *Dunancory* = Veste des Einsiedlers; *i)* mit *ord,* gen. *uird,* lat. *ordo,* wie in *Kilworth,* ir. *Cilluird* = Kirche des Ordens (Joyce, Orig. Ir. NPl. 2, 90 ff.).

Monasterium, gr. Μοναστήριον = Einsiedelei, f. 'Kloster', auch in jüngern ON. vielf. gebraucht, deutsch in *münster* (s. d.), engl. *minster,* frz. in *moûtier* (s. d.), aber, u. zwar in leicht kenntl. Gestalt, auch ins russ., arab. u. türk. übergegangen. Es sei zunächst erwähnt *Monastir,* 2 mal: *a)* in Tunis, gew. *Mistir,* nach einem ehm. Kloster, das noch zu Edrisi's Zeiten, 12. Jahrh., bestand, mitten in muhammed. Bevölkerg., die den Mönchen kein Uebel anfügte u. ihre Wohnungen u. Obstgärten vschonte (Barth, Wand. 159); *b)* Bitolia, in Maked., nach den früher zahlr. Klöstern der Gegend (Barth, RTürk. 148). — *Monastir-Deresi* = Klosterthal, ein Seitenthal des Balkans, bei Kesanlyk, nach einem höchst soliden, aus röm. od. vielmehr byz. Zeit stammenden, 4 eckigen Gebäude, das, viell. mit z. Kloster bestimmt, eher eine Veste, z. Verthei-

digung des Passes gewesen zu sein scheint (ib. 33). — *Monastyrskaja Gora* = Klosterberg, russ. Bergname im Altai, da die 'ruinenartige Gestalt', v. fern gesehen, einer durch kleine Thürme gedeckten Festg. ähnelt (Humb., As. Centr. 1, 193). — *The Monastery,* ein früher als Kloster benutztes Gebäude des Fairmount Park, wo im *Willow Glen* = Weidenthal, die Mönche einst ihre Täuflinge untertauchten: bei *the Baptistery* = dem Taufort (Keyser, Fairm. P. 102). — Auch mag. *Monostor* ist ON. geworden (Umlauft, ÖUng. NB. 150).

Mondovi, Cap, am Spencer's G., v. Lieut. L. Freycinet, Exp. Baudin, am 21. Jan. 1803 benannt nach einem der ital. Siege, welche den Frieden von Leoben 22. April 1796 herbeiführten (Péron, TA. 2, 76). — *Ile M.* s. Castiglione.

Mondrain, Ile du = Insel des (Sand-)hügels, im Arch. de la Recherche, 1792 getauft v. frz. Admiral d'Entrecasteaux (Flinders, TA. 1, 80).

Mondsee, im 8. Jahrh. *Manan-* u. *Maninseo,* v. ahd. *mano* = Mond, 901 *Manseo,* in Oesterr., benannt nach der zweigehörnten Gestalt (Pallhausen, Nachtr. Urg. B. 231). An ihm 739 ggr. das Kloster *M.,* in lat. Form 833 *Laculunensis abbatia,* nach der See 879 *Lunaelacus* (Förstem., Altd. NB. 1049).

Monembasia s. Epidauros.

Monêtier s. Moutier.

Moneydorragh s. Monaghan.

Monge, Baie, an der Halbinsel Tasman, Tasmania, v. der Exp. Baudin im Febr. 1802 zu Ehren des Academikers *M.* benannt, dem Gelehrten, 'welchem die physischen u. mathematischen Wissenschaften so viel schätzbare Entdeckungen zu verdanken haben' (Péron, TA. 1, 219). — Ebenso *Cap M.,* östl. v. St. Vincents G., am 9. Apr. 1802 (ib. 1, 270, Freycinet, Atl. 14) u. *Ile M.,* eine der Iles de l'Institut, am 14. Apr. 1801 (Péron, TA. 1, 116; 2, 211, Freycinet, Atl. 27).

Mongibello s. Aetna.

Mongolen, urspr. *Monggol* = die unbesiegbaren, richtiger die stolzen u. tapfern, ehrenvoller Beiname einer Horde, 1189 durch Dschingis Chan, dessen Vater, ein Fürst der schwarzen Tataren, auch die weissen unterwarf, auf die gesammte Nation angewandt, verd. *Mun-* u. *Mongalen,* muh. *Mogol, Mogul,* sowie schliesslich auf das Land, die *Mongolei,* u. durch Blumenbach auf die 'gelbe Race' erweitert (Pallas, Mong. V. 1, 1, Klaproth, Mém. 1, 471; 2, 4). Der letztere Autor findet die Benenng. einer Race, welche unzählbare u. lange vor den *M.* geschichtlich bedeutsame Völker enthält, nach einer kleinen u. relativ jungen, erst seit dem 10. Jahrh. genannten Tribu der Tatarennation absurd.

Monicesloe s. München.

Monje = Mönch, fem. *monja,* span. Form f. lat. *monachus,* frz. *moine* (s. d.), oft Name einzelner Klippen, beide beisammen vor Manila (Skogm., Eug. R. 2, 185), die 'Nonne', mit einem 2.'Mönch', *el Fraile* (s. d.), an der Südostseite Luçons (Govantes, HFil. 9), im plur., *las Monjas,* in den Marianen (ib. 10). Der 'Mönch" im plur., *los Monjes*, ebf. wiederholt: *a)* vier Eilande bei den Iles des Anachorètes, v. span. Seef. Maurelle 1781 benannt (Krus., Mém. 1, 8); *b)* s. Sandwich. **Monkcester** s. Newcastle.

Monmouth's Island, Duke of, eine der Bashee In., v. Will. Dampier's Leuten 1687 benannt, augensch. um zu Duke of Graftons's Isle (s. d.) ein Seitenstück aufzustellen, nach James Herzog v. *M.*, welcher, ebf. als ein natürl. Sohn Karls II. geb., 1685 † war (Crawf., Dict. 40).

Monneron, Ile, vor der Strasse La Pérouse, v. frz. Seef. La Pérouse 1787 getauft nach einem Gefährten, dem Geniecapt. *de M.*, Ingenieur-en-chef der Exp. (Milet-M., LPér. 3, 82).

Monoikos s. Monaco.

Monolithos, gr. *Μονόλιθος* = Einstein, das westl. Vorgebirge der Insel Rhodos (Curt., GOn. 155, Ross, IReis. 4, 60) u. ein steiler Fels auf der Ost-seite Thera's (Ross, 1, 73, Peterm., GMitth. 12 T. 7).

Monroe, Ort in Michigan, nach James *M.*, welcher, geb. 1759, den Unabhängigkeitskrieg mit-machte, unter Madison 1811 Staatssecretär, 1814 Kriegsminister wurde und als Unionspräsident 1817/25 die '*M.* Doctrin' aufstellte (Meyer's CLex. 11, 691). — *Mount M.* s. White. — *Monrovia*, die Hptstadt der Negerrepublik Liberia (s. d.), nach einem der Hptförderer des Befreiungsprojects 1824 benannt (Quackenb., USt. 389, ZfAErdk. 1, 8; nf. 13, 395).

Mont od. *Mons* = Berg, frz. Wort v. lat. *mons*, augm. u. dim. *Montoz*, *Montet*, coll. *Montagne* u. *Montagnes* (s. Vignoble), wie das gleichwerthige *Berg*, *Bergen* (s. d.) häufig Eigenname f. Berge u. Bergorte, übh. f. hohe Lagen, sowohl in Frankr. (Dict. top. 2, 93; 7, 138; 9, 182; 10, 177; 15, 145; 18, 195 ff.; 19, 96), als auch in der roman. Schweiz (Mart.-Crous., Dict. 613, Postlex. 250 ff.). — *Mons*, germ. *Bergen*, in Hainaut, entstand auf dem un-bebauten Berge, welchen die heil. Waudru, Gräfin v. Hainaut, 650 zu ihrem Asyl wählte (Chotin, Et. étym. Hain. 45). — *M.-la-Ville* = Stadt auf dem Berge, 1141 *Montevilla*, Dorf d. C. Waadt, 'sur une pente du Jura et la route de la Vallée' (Mart.-Crous., Dict. 614); *b) M.-le-Vieux* = Alten-berg, Burgruine auf der Uferhöhe des Genfer-See's . . . 'on voyait encore, il y a quelques années, un pan de mur sur la motte où s'élevait autre-fois le château; aujourd'hui ces ruines sont de-venues une carrière de matériaux à bâtir' (ib. 622); *c) Montjoux* s. Bernard; *d) Montmartre*, Anhöhe bei Paris, urspr. *Mons Martis*, nach einem Marstempel, dann *Mons Martyrum*, weil hier der heil. Dionysius mit seinen Genossen den Märtyrertod erlitt (Meyer's CLex. 11, 713); *e) Montpellier* (s. unten); *f) Montpreveyres*, im 12. Jahrh. *Mons Presbyterii*, Ort des waadtl. Districts Oron, nach dem v. St. Bernhardskloster abhängigen Stifte der Augustiner - Chorherren (Mart.-Crous., Dict. 623); *g) Montbéliard*, in ver-deutschter Form *Mümpelgard*, Ort an der frz. Schweizergrenze, urk. *Mons Belicardus* = Berg der Beligard od. des Berigard, also nach einem

ahd. Frauen- od. Mannsnamen (5. Jahresber. Metz 80); *h) Montreal* (s. unten); *i) Montaigu* = spitzer Berg, 2 mal im frz. dép. Gard, 1204 de *Monte-Acuto*, neben *Montredon*, 1094 *Mons-Rotundus* (Dict. top. 7, 139 ff.); *k) Montagut*, 1273 *Mons-Acutus*, 1540 *Montagud*, im dép. Basses-Pyrénées (ib. 4, 116); *l) Montaigu* 2 mal je im dép. Basses - Pyr. u. Aisne (ib. 10, 178), 5 mal im dép. Calvados (ib. 18, 1082); *m) Mont-redon*, 1122 de *Monterotundo*, 1222 *Monsro-tundus*, im dép. Hérault (ib. 5, 126). — Mehr v. collectivem Sinne ist *montagne*; wir finden dieses Wort in *a) Rivière des Montagnes* = Bergfluss, ein Ikseitg., aus bergigem Gebiete herabkommen-der Nebenfluss des MacKenzie R. (MacKenzie, Voy. 177); *b) Lac des Montagnes* s. Athabasca. — *Les Montées* = Gsteig, eine Wegstrecke unth. Servoz, Sav., 'où l'on a à gravir un chemin sur le roc vif' (Sausure, VAlp. 79). — *Eau qui monte* s. Eau.

Mont od. *munt* = Berg, in rätr. ON. *a) Mont-avon*, auch *Montafon*, *Montafun* = in den Bergen dahinten, v. rätor. *mont* = Berg u. *davo*, *davon* = hinten (s. Davos), die mittlere Thalstufe der Ill, die v. Bludenz aus, also thalaufwärts, besiedelt wurde, in *Davamont*, *Tafamont*, f. eine Alp desselben Thales, umgestellt (Bergm., Wals. 13); *b) Montzapon*, verd. aus *Montsapün* = Tannberg, rätor. Name einer Alp des 'Tann-bergs', Vorarlb., v. *sapün*, welches dem lat. *sa-pinus*, ital. *sapino*, frz. *sapin*, entspricht u. als Eigenname, *Sapün*, f. ein wildes Seitenthal des Schanvic vorkommt (Bergm., Wals. 13). — *Montagna* s. Heinzenberg.

Montagu, bei Barrow u. Flinders *Montague*, der Name einer hohen engl. Adelsfamilie, auf mehrere geogr. Objecte 1700—1821, also nach vschiedd. Gliedern jener, leider meist ohne nähere Angabe, übtragen: *a) M. Harbour*, eine Hafen-bucht NBritania's, v. dem Seef. Dampier 1700 nach seinem Gönner, dem Grafen *M.* (Debrosses, HNav. 405); *b) M. House*, das Winterhaus, wel-ches die engl. Nordwestfahrt der Schiffe Dobbs u. California 1746/47 in Port Nelson erbaute, zu Ehren des Herzogs v. *M.*, einem der Hptsubscri-benten, welche der Unternehmg. eine Summe v. 10 000 £ sicherten (Barrow, R. u. Entd. 2, 489. 502). Dieselbe Exp. taufte die beiden Eingangs-pfeiler v. Wager's R.: *c) Cape M.* u. *Cape Dobbs*, nach dem Geographen, der das Hptverdienst an ihrem Unternehmen zukam (ib. 535). — Von Cook: *d) M. Isle*, eine der NHebriden, einh. *Mau* (Meinicke, IStill. O. 1, 189), kenntlich durch einen grosstheils unbewaldeten Berg in der Mitte, den *Distant Pic* der Carten, welcher ganz einem erloschenen Vulcan gleicht, am 25. Juli 1774 (VSouthP. 2, 41); *e) Cape M.*, in Sandwich Land, am 1. Febr. 1775 (ib. 226); *f) M. Island*, vor Prince Williams Sd., am 18. Mai 1778 (Cook-King, Pac. 2, 364). — *M. Island*, eine Küsten-insel vor NSouth Wales, zuerst gesehen v. engl. Schiffe Surprise, vor Flinders' Fahrt, welche am 1. Febr. 1798 v. Port Jackson südwärts ging, und 'honoured with the name of *M.'* (Flinders, TA. 1, CXXI, Atl. pl. I). — *M. Sound*, in De Witt's Land, durch den engl. Capt. Ph. P. King (Austr. 1, 397) am 6. Sept. 1820 auf eines Gefährten Wunsch zu Ehren des Adm. Rob. *M.* esq. benannt, u. ozw. in gleicher Beziehung: *Cape M.*, im Fox Channel, am 24. Aug. 1821 durch Lieut. G. Fr. Lyon, v. der Exp. Parry (Sec. V. 61), Schiff Hekla, getauft, wie der hohe Berg dahinter *Brooks's Bluff*.

Montaigne s. Nelson.

Montalegre s. Alegre.

Montana, mit einem v. *mons* = Berg abgeleiteten Wort lat. Ansehens, heisst ein 1864 v. Nebraska abgetrenntes Gebiet der Union, wo seit 1859 die Goldsucher am *Gold Creek* Glück hatten (Peterm., GMitth. 16, 329), offb. mehr nach den montanistischen Hoffnungen, als nach dem blossen Bergcharakter des Landes. 'Der Nordwesten verdankt seine schnelle Entwickelg. dem Reichthum an Edelmetallen; die Production wurde in den ersten Jahren, wohl zu hoch, bis 16 Mill. Doll. geschätzt, ging jedoch 1868 auf 6 Mill. zk. (ib. 334, Meyer's CLex. 11, 696).

Montbazin, Port, in Tasmania, durch den jüngern Freycinet, Exp. Baudin, im Febr. 1802 benannt nach seinem Gefährten, dem Seecadetten Bonnefoi de *M.*, wie *Cap Bougainville* nach einem andern Cadetten des Schiffes le Géographe (Péron, TA. 1, 244).

Montcassel s. Cassel.

Monte = Berg, entspr. dem frz. *mont* (s. d.), in ital., span. u. port. ON. häufig f. hohe Lagen, wie *M.*, Ort in Tessin (Gem. Schweiz 18, 407), aber in Span. u. Creolien auch = Wald, insb. Buschwald (Humb., Ans. Nat. 1, 324, Rel. hist. 3, 238, Willkomm, Span.-Port. 163. 174. 196, Peterm., GMitth. 6 Erg. H. 7). — *Cabo del M.*, in Sierra Leone, 'ein Vorgebürge, welches weit in die See hinauslief u. auf dem sich ein hoher Berg befand', v. der port. Exp. Pedro de Cintra um 1460 getauft (Spr. u. F., Beitr. 11, 190). — *Capo di M.* s. Piemonte. — *Castel del M.*, Schloss bei Corato, Prov. Bari, v. Friedrich II. auf einem spitzen, aussichtreichen Hügel z. Lieblingssitz erbaut (Meyer's CLex. 4, 732). — *Monteagudo* = zugespitzter Berg, Ort der Prov. Murcia, weil es ihm ein steiler, spitzer, burggekrönter Felskegel sich erhebt (Willkomm, Span.-B. 193). — *Montalto* = hoher Berg, Culm des Aspromonte (Meyer's CLex. 2, 51). — *Montecasino*, berühmtes Kloster auf der Felshöhe üb. dem ant. Ort *Casinum*, einer volsk. 'Altstadt' (so wird der volsk. Name erklärt), die im J. —312 röm. Colonie wurde, in neuerer Zeit *San Germano* hiess u. nun wieder in *Casino* umgetauft ist (Kiepert, Lehrb. AG. 438). — *Montaña*, in den peruan. Anden die dicht bewaldete Region am östl. Abhang des Gebirgs, wo zu beiden Seiten *Costa* u. *Montaña* u. zw. heissen die *Sierra* als 3 Längengürtel unterschieden werden (Whitney, NPlac. 99). — *Montaña* s. Ribera. — *Rio de las Montañas* s. Palmas.

Monteagle. Mount, nicht *Mount Eagle*, ein hoher

Pic in Victoria Ld., v. Capt. J. Cl. Ross (SouthR. 1, 205. 211) am 21. Jan. 1841 entdeckt u. nach dem dam. Kanzler der Schatzkammer, *M.*, benannt.

Montebello, Iles, in De Witt's Ld., v. der frz. Exp. Baudin am 28. März 1803 benannt nach dem Siege Lannes' vorgängig der Schlacht v. Marengo (Péron, TA. 2, 200, Freycinet, Atl. 25), wie *Ile Montenotte*, in Nuyts' Arch., im Apr. 1802 nach dem Siege v. 12. Apr. 1796 (Péron, TA. 1, 274).

Montenegro, die ital. Uebersetzg. des slaw. *Czernagora* = schwarze Berge (s. Tschern...), wie türk. *Kara Dagh*, arn. *Mál zéze* od. *esija*, lat. *Mons Niger*, f. das einst wohl wie Dalmatien nadelwaldige, j. kahle Land der Kalksteinberge, in dessen Wäldern (!) mehrere serb. Stämme, vor den Türken geflüchtet, 1389 ein kleines Gemeinwesen gründeten u. welches heute noch wenig Ackerbau hat, fast nur Ziegen u. Schafen Weide bietet. 'Eben so düster wie diese v. grauschwarzem Kalkstein gebildeten Gebirgsmassen sich dem Wanderer, welcher v. Cattaro aus den Aufstieg in die montenegrin. Berge unternimmt, v. aussen darstellen; ganz ist der Blick in das Innere des Landes...' (ZfAErdk. nf. 13, 220, Meyer's CLex. 11, 704). Man will das Wort *cerna* auch bildlich verstehen, f. öde, wild, schauerlich-erhaben, unwirthlich, unheilvoll (Ausl. 58, 552 f.).

Monterey, Orte *a*) in California, 1598 (dMofras, Orég. 1, 101), *b*) in Mexico, 1599 ggr., beide v. d. span. Vicekönig, dem Grafen v. *M.*, Gaspar de Zuñiga, Acevedo y Fonseca (Uhde, RBravo 101), erstere doch wohl erst nach Entdeckg. der Bay angelegt, die der span. Seef. Seb. Vizcaino nach dem Vicekönig *Bahia de M.* taufte (GForster, GReis. 1, 21). — *Isla de M.* s. Danger. — *Islas de M.* s. Duff.

Montesquieu, Ile, in den Iles de l'Institut, v. der frz. Exp. Baudin am 14. Apr. 1801 getauft nach dem berühmten philosophisch-politischen Schriftsteller, der geb. 1689 die Lettres persanes, die Considérations sur les causes de la grandeur et de la décadence des Romains u., als Hauptwerk, Esprit des lois schrieb u. 1755 † (Péron, TA. 1, 116; 2, 211, Freycinet, Atl. 27). — *Cap M.* s. Descartes. — *Montesquiou* s. Korinth.

Monteverdo, Islas, eine Gruppe der Central-Carolinen, etwa 20 niedrige, bewohnte Eilande, v. span. Capt. Juan Bautista *M.* (bei Meinicke, IStill. O. 2, 354 *Monteverde*) entdeckt u. v. russ. Admiral v. Krusenst. (Mém. 2, 346) so getauft.

Montevideo = Schauberg, in Uruguay, wo Magalhães im Jan. 1520 eine isolirte, z. Hochwacht geeignete Anhöhe, 'que tenia la figura de un sombrero', *Montevidi* taufte (Navarrete, Coll. 4, 32. 211. WHakl. S. 52, 214)... 'och en timna sednare den 500 fots höga kulle. som gifvit åt staden *M.* det namn den bär' (Skogm., Eug. R. 1, 35, Kohl, Mag. Str. 21). Nach der Gründgsurkunde sollte die Stadt vollst. *San Felipe del Puerto de M.* heissen (Bougainv., Voy. 41), wodurch Burmeisters (LPlata 1, 27) Vermuthg., auf ein urspr. *Monte-vireo* = grüner Berg, in sich selbst zsfällt.

Montgolfier, Cap, nördl. v. Whidbey Point, v. der frz. Exp. Baudin am 27. April 1802 getauft nach dem Erfinder der Montgolfièren, 1745—1799 (Péron, TA. 2, 85, Freycinet, Atl. 17).

Montgomery Isles, vor Tasmann's Ld., v. engl. Capt. Ph. P. King (Austr. 2, 79) am 16. Aug. 1821 nach seinem Gefährten Andrew *M.*, dem Arzt des Expeditions-Schiffes Bathurst, benannt. — Unbestimmt nach wem: *M. Islands,* Riu Kiu, v. Capt. Broughton 1797 od. Capt. B. Hall 1816? Vgl. Hall, Cor. p. XXV.

Monti s. Bering.

Montmorency, ein sehr starkes Schloss des frz. dép. Aube, urspr. *Beaufort,* 1085 *Bellum Forte,* 1115 *Belfortum,* 1689 durch den Herzog v. *M.* nach seinem Familiennamen umgetauft. — Nach einem ausgezeichneten Krieger derselben Familie *Ile M.,* in den Iles Catinat (s. Neptune), v. der Exp. Baudin im Jan. 1803 (Péron, TA. 2, 83).

Montpellier, noch im 17. u. 18. Jahrh. bisw. *Montpelier* u. *-pélier,* ON. des frz. dép. Hérault, wurde zu einem alten *mons Puellarum* == Mädchenberg umgekünstelt, im Grundwort 'Berg' allerdings passend f. eine amphitheatralisch auf einer Uferhöhe der Lez gelegene Stadt, welche mit ihren zahlr. Thürmen u. Kuppeln, sowie mit der übragenden Citadelle einen imposanten Anblick gewährt (Meyer's CLex. 11, 715 ff.). Allein die urk. Formen, 975 *Mons-pestellarius,* 1060 *Mons-pistilla,* 1068 *Mons-pislerius,* 1076 *Mons pistellarius,* 1090 *Mons-peller* u. *Mont-peslier,* 1495 *Mont-pellier* (Dict. top. Fr. 5, 121), wissen v. 'Mädchen' nichts.

Montréal, deutlicher *Mont Royal* = königlicher Berg, einer der mit *mont* (s. d.) zsgesetzten Namen, in Frankreich mehrf. wie *a)* im dép. Yonne, 3 mal, 1145 *mons Regalis,* 1180 *mons Regius,* 1255 *Monreaul,* 1370 *Mont-Royal* (Dict. top. 3. 87); *b)* im dép. Dordogne, 1363 *mons Regalis,* v. Prinzen Ed. v. Wales dem Grafen v. Périgord verliehen (ib. 12, 209), am bekanntesten aber f. die Grossstadt Canada's od. zunächst die bergige Waldinsel des St. Lorenzstroms, welche der frz. Entdecker Jacq. Cartier am 2. Oct. 1535 in Booten erreichte. Er hatte seine drei Schiffe in Quebeck zkgelassen u. 'passing up the river to the principal Indian settlement, he was struck with the fineness of the situation and gave the place the name of *M. Réal,* afterwards written as one word, *Montréal'* (Quack., USt. 53). Der Originalbericht beschreibt anschaulich die Freude, welche die Ankunft der Weissen bei den Indianern erregte . . . 'vntill the second of october, on which day we came to the towne of *Hochelaga,* distant from the place where we had left our pinnesse fiue and fortie leagues. In which place of *H.,* and all the way we went, we met with many of those countriemen, who brought vs fish and such other victuals as they had, still dancing and greatly reioycing at our coming. Our captaine to lure them in, and to keepe them our friends, to re-

compence them, gaue them kniues, beades, and such small trifles, wherewith they were greatly satisfied. So soone as we were come neere *H.,* there came to meete vs aboue a thousand persons, men, women and children, who afterward did as friendly and merely entertaine and receiue vs as any father would doe his child, which he had not a long time seene, the men dancing on one side, the women on another, and likewise the children on another . . . Which wen our captaine saw, he with many of his company went on shore . . . then he returned to the boates to supper, and so passed that night.' Erst am folg. Tage begab sich der Entdecker in die 'sixe miles from the river side' gelegene Indianerstadt u. bestieg den Inselberg. 'When as we were on the toppe of it, we might discerne and plainely see thirtie leagues about. On the northside of it there are many hilles to be seene running west and east, and as many more on the south, amongst and betweene the which the countrey is as faire and as pleasant as possibly can be seene, being leuell, smooth, and very plaine, fit for the husbanded and tilled . . .' (Hakluyt, Pr. Nav. 3, 219 ff., Avezac, Nav. 23). Die Stadt selbst, 1642 ggr. u. dem besondern Schutze der Mutter Gottes geweiht, hiess anfängl. *Ville Marie* (Buckingh., Canada 157), nahm dann aber den Namen des Inselbergs *Mont Royal* an, der noch in Documenten v. 1690—1700 vorkommt, dann aber, unbekannt wie u. durch wen, in die j. Form übgegangen ist (ib. 95). Der ind. ON. *Hochelaga* ist verd. aus irok. *Oserake* = am Biberdamm, v. *osera* = Biberdamm (Cuoq, Lex. Iroq. 36. 188). — *M. Island,* im Mündgsgolf des *M.,* v. G. Back (Narr. 207) am 2. Aug. 1834 zu Ehren der Stadt *M.* benannt 'in commemoration of the attention we had received from the public-spirited and hospitable inhabitants of that city'.

Montresor River, ein lkseitger Nebenfluss des Grossen Fischfl., v. G. Back (Narr. 193) am 27. Juli 1834 getauft nach dem Generallieut. Sir Thomas *M.*

Montreuil u. *Montreux,* aus lat. *monasteriolum,* dim. v. *monasterium* (s. d.) durch die Formen *Monsteriolum, Munsteriolo, Monsteriolo, Monsterol, Mosterol, Moustereul, Muistruo, Montruex* etc. hervorgegangen *a)* im dép. Eure-et-Loir (Dict. top. Fr. 1, 124); *b)* im dép. Meurthe, beide Formen (ib. 2, 94); *c)* im dép. Aisne, die erstere Form 2, die andere 1 mal (ib. 10, 184); *d)* im dép. Aube (ib. 14, 104); *e)* im dép. Eure, 2 mal (ib. 15, 145); *f)* im dép. Mayenne, 4 mal (ib. 16, 225); *g)* im dép. Vienne (ib. 17, 277); *h)* im dép. Calvados (ib. 18, 198); *i)* am Genfer-See (Mart.-Crous., Dict. 625, Gem. Schweiz 19²ᵇ, 126, Gatschet, OForsch. 99).

Montserrat, span. *Monte Serrato* = zersägter Berg, *a)* ein seltsam zerklüfteter Bergrücken in Cataluña (Willkomm, SpPort. 179); *b)* eine der Antillen, v. Columbus (Vida 193) aus gl. Grunde am 10. Nov. 1493 getauft.

Montt, Puerto, Hafenplatz in Chile, 1853, d. i.

während der zehnjähr. wohlthätigen Verwaltg. des Präsidenten Man. *M.* (1851/61) angelegt (Wüllerst., Nov. 3, 266, Skogm., Eug. R. 1, 120, Meyer's CLex. 4, 418; 13, 328).

Monument, ein schwarzer, säulenartiger, 130 m h., nur Vögeln zugänglicher Inselfels der NHebriden, ähnl. dem Denkmal, welches z. Erinnerg. an den grossen Londoner Brand errichtet wurde (ZfAErdk. 1874, 289, Meinicke, IStill. O. 1, 189), v. Cook (VSouthP. 2, 40) am 25. Juli 1774 benannt; *b)* *M. Bay,* im Lake of the Woods, America, nach dem Grenzstein, der am Ende der Bay, wo brit. u. Unionsgebiet zstreffen, errichtet ist (Hind, Narr. 1, 103); *c)* *M. Mountain,* ein schlanker, obelisk-ähnl. Felsthurm am Rio Colorado (u. nach ihm der *M. Cañon),* so benannt durch die Exp. v. 1858, während Möllhausen (FelsG. 1, 223) *De-stillations-Fels* vorschlug, da der Obelisk der ganzen Felspartie das Aussehen einer mächtigen Brennerei verlieh. 'Among the group of fantastic peacs that surmount this chain, is a slender and perfectly symmetrical spire that furnishes a striking landmark' (Ives, Rep. 55. 58). 'Throughout the whole of its course this cañon abounds in wild and picturesque scenery, the effect of the varied outline of its walls being heightened by the vivid and strongly contrasted colours which they exhi-bit' (ib. 3, 27); *d)* ein anderer *M. Cañon,* in NMexico, darin ein Wald v. Felssäulen, 6—18 m h., 1 bis üb. 3 m dick, mit einem Steinblock als Kopf, durch Auswaschg. entstanden, getauft im Früh-jahr 1873 v. der Exp. Wheeler (Peterm., GMitth. 20, 403); *e)* *Monumental Isle,* in Auckland, v. Capt. Musgrave 1864 benannt, offb. weil sie das Aussehen eines Denkmals hat (ib. 18, 226).

Moody, Point, in Joinville I., South Shetl., v. Capt. J. Cl. Ross (SouthR. 2, 329) am 30. Dec. 1842 benannt nach dem Lieut.-Governor der Falkland In.

Mooie Rivier = hübscher Fluss, nicht mit *moiie,* ein Zufluss des Vaal u. v. diesem, der nach Gewitterregen dem Rhein bei Cöln gleicht u. im Winter zu durchwaten ist, vortheilhaft 'durch seine Fülle nie versiegenden klaren Wassers' (Merensky, Beitr. 4) unterschieden; 'sein Bett fliesst so voll, bis z. Höhe der Uferränder, dass man ihn leicht z. Bewässerung der Felder ge-brauchen kann' (Peterm., GMitth. 4, 416).

Moor Island, eine isolirte Insel südöstl. v. Hondo, benannt nach ihrem Entdecker, Capt. *M.* (Krus., Mém. 2, 30).

Moordenaars Kuil = Mördergrube, eine Schlucht der Lange Kloof, bei den Boeren des Caplandes so genannt im Unwillen üb. die Beschwerden, welche ihnen der Holztransport hier kostet (Lich-tenst., SAfr. 1, 337). — *M. Bogt* s. Massacre.

Moore, Cape, in Baffin Bay, eines der Objecte, welche nach Sir Graham *M.,* einem der Lords der Admiralität, u. zwar v. Capt. Ross (Baff. B. 1—14. 190 f. Carte) am 5. Sept. 1818 getauft sind, wie *b)* *M. Bay,* in Cornwallis I., v. Lieut. W. Edw. Parry (NWPass. 59) am 26. Aug. 1819; *c)*

M.'s Group, Inselgruppe vor De Witt's Ld., v. Capt. Ph. P. King (Austr. 1, 311) am 2. Sept. 1819; *d)* *M.'s Islands,* in Georg's IV. Krönungs Bay, v. Capt. John Franklin (Narr. 364) am 12. Juli 1821. — *M.'s Bay,* eine Bucht v. Georg's IV. Krönungs B., v. Capt. Franklin (ib. 371 ff. 449 ff.) am 28. Juli 1821, nach seinem Freunde Daniel *M.* of Lincoln's Inn: 'to whose zeal for science, the expedition was indebted for the use of a most valuable chronometer'; ebenso *b)* *M.'s Is-land,* in der Carte als kleine Gruppe, mit *islands,* an der Ostseite v. Cape Parry, v. Franklin's (Sec. Exp. 238) Begleiter Richardson am 23. Juli 1826. — *Cape M.,* in South Victoria, v. Capt. J. Cl. Ross (SouthR. 1, 250 ff.) im Febr. 1841 nach einem seiner Officiere, Thomas E. L. *M.,* v. Schiffe Terror, getauft. — *M.'s Island,* in Palaos, v. Capt. Will. Douglas nach seinem Freunde Hugh *M.,* Apr. 1788 (GForster, GReis. 1, 248). — *Point M.* s. Champion.

Moorhouse s. Cook.

Moorsom, Cape, in Traill I., Grönl., v. engl. Walfgr. Will. Scoresby jun. (North. WF. 247) am 10. Aug. 1822 entdeckt u. nach Hrn. Rich. *M.* jun., Whitby, getauft.

Moos s. Maas.

Moose River, aus dem ind. *Moose-e-sepee* = Elenfluss übsetzt, ist der Name eines Zuflusses der James Bay u. rechtfertigt sich durch die Menge dieser Thiere, welche in dem fruchtb., milden Umlande, dem holz- u. beerenreichen 'Garden of Hudson's Bay', leben. Hier liess 1732 die Hudson Bay Co. *Fort M.* (wieder) errichten. Bei den Indianern heisst der Fluss auch *Nimmow-e-sepee* = Störenfluss, weil diese Fische in ihm zahlr. sind (Coats ed. Borrow 49. 57). — *Moose-deer Island,* im Grossen Sclavensee, wo noch j. das Elen nicht selten ist (Franklin, Narr. 198 ff.).

Mora, Crasta = schwarzer Grat, rätr. Name einer hohen, finstern, ausgezackten Felswand hinter Bevers, Engadin, wo, als in ihrer Zufluchtsstätte, die Steinadler nisten (Lechner, PLang. 129).

Mora s. Kolmorden.

Moraczany, ein Gau zw. Nuthe, Havel, Temnitz, Streme u. Elbe, früher auch *Marscinerland,* *Mortsene, Morazena,* slaw. Name, bedeutet s. v. a. wasserreiche, sumpfige Gegend. Daher die Bewohner *Moratschaner* etc. u. der j. ON. *Marza(h)n.* In Serb. der ON. *Moracza,* in Böhmen *Moraczice, Moraschitz* (Jettmar, Über-reste 18).

Morambala = hoher Wachtthurm, eine einzeln-stehende hohe, steile Bergmasse am östl. Ufer des Shire (Livingst., Zamb. 87).

Morat s. Murten.

Morava, in deutscher Form *March,* mähr. Neben-fluss der Donau, mit slaw. *morje, mor* = Nass, Wasser, verwandt, bei den alten Autoren *Marus,* dann *Mara, Marha, Marcha, Maraha* etc., in vielen slaw. ON. mit der Bedeutg. Au, wasser-reiches Wiesenland (Miklosich, ON. App. 2, 203), in gleicher Form *M.,* deutsch *Mähren,* auch auf Land u. Volk übergegangen: 822 *Moravani,* 831

Moravi, 871 *Moravia*, 1238 *Maravia*. Wenn O. Koller (Progr. 1878) eine Umbildg. der deutschen Grundform *mar-aha* annimmt, so findet diess, schon angesichts der Existenz einer serb. *M.*, Widerspruch (Zeitschr. f. öst. Gymn. 30, 708); auch Förstemann (Altd. NB. 1057) hat Bedenken. An Derivaten v. *M.* gibt es in den slaw. Gebieten Oesterreichs *Moravan*, *Moravánsko*, *Moravce*, *Moravče*, *Moravčič*, *Moravec*, *Moravica*, *Moravice*, *Moravska*, *Moravsko*, *Morawa*, *Morawan*, *Morawec*, *Morawes*, *Morawetz*, *Morawiczan*, *Morawitz*, *Morawka*, *Morawsko*, *Mořitz*, sowie mit dem offb. verwandten poln. *murava* = Rasenplatz das dim. *Morawica*, *Morawczyna* u. *Morawsko*, in Galiz. (Miklosich, ON. App. 2, 203).

Morbihan = kleines Meer, v. bret. *mor* = Meer u. *bihan* = klein (Gaidoz, briefl. Mitth. 11. Mai 1889), der durch einen engen Schlund abgetrennte *Golf v. Vannes*, v. dem ein Theil *la Rivière de Vannes* heisst, übtragen auf eines der 5 aus der Bretagne gebildeten dépp. In derselben Gegend noch ein 2. Golf *M.*, auch *Anse de Gavre*, nach einem Küstenort, od. *la Petite Mer de Linès*, d. i. also in Uebsetzg. des kelt. Namens; ferner eine Barre *M.* u. eine Untiefe *M.*, endl. auch eine Strasse u. ein Thor *M.* in Vannes, erstere, j. *Saint-Vincent*, während der Revolutionszeit *porte des Sans-Culottes* genannt, u. eine Strasse u. ein Platz in L'Orient, die Strasse anfängl. *rue de Rohan* ou *du Prince*, 1789 in *rue du M.*, 1817 in *rue de Bourbon* umgetauft, seit 1830 wieder *rue du M.*, der Platz 1817/30 *place Bourbon*, j. *place du M.* — Das bret. Wort *mor*, auch in Aremorica (s. Bretagne), wiederholt sich in einer Reihe anderer ON. jener Gegend (Dict. top. Fr. 9, 183. 256); so in *Morecambe* = Meeresbucht, einem Golf der Westseite Grossbrit. (Bacm., Kelt. Br. 104).

Morcles, Dent de s. Midi.

Mórdo = des Orakels Steine, ein Haltplatz in Ruptschu, Tibet, v. tib. *mo* = Orakel u. *rdo* = Stein. Der Platz befindet sich nahe der Passhöhe, deren Abhänge mit dunkel- u. hellfarbigen Steinen bedeckt sind; der Reisende wirft v. den Steinen in die Höhe u. betrachtet es f. ein böses Anzeichen, wenn zuerst ein schwarzer Stein niederfällt. Eine Sage erzählt, dass Alexander d. Gr., in Tibet als Gjálpo Kíschar in auffallend frischem Andenken fortlebend, das hiesige Steinorakel befragt habe üb. seine Absicht, nach Ladák vorzurücken, dass er aber auf eine ungünstige Antwort hin v. dem Vorhaben abgestanden sei (Schlagw., Gloss. 224).

Mordwinoff Bay, in Sachalin, v. Capt. J. A. v. Krusenst. (Reise 2, 90) im Mai 1805 getauft nach dem Admiral *M.*

More = Meer, slaw. ON. (s. Bajkal), ferner in *Morskoi Girlo* (s. Boghas), *Morskovy Ostrow* s. Bober) u. *Morskie Oko* (s. Meeraugen).

Morea s. Peloponnes.

Moreau, Entrée, ein Seitenarm des Schwanenflusses, nach dem Seecadetten Ch. *M.*, welcher die Officiere des Schiffs Naturaliste, Exp. Baudin.

im Juni 1801, z. Untersuchg. des Flusslaufs begleitet hatte (Péron, TA. 1, 149f.); *b*) ebenso *Pointe M.*, am Havre HFreycinet, 14. Aug. 1801 (ib. 166).

Morell Island, im Nordwesten der Sandwich In., v. americ. Seef. *M.* am 13. Juli 1825 entdeckt u., weil v. ihm namenlos gelassen, v. Adm. Krusenst. getauft (Bergh., A. 3. R. 3, 172, Meinicke, IStill. O. 2, 314).

Morena, Sierra, span. Bergzug zw. Guadiana u. Guadalquivir, wird bald als 'Maurengebirge', eine Reminiscenz an die roman.-arab. Grenzkriege des Mittelalters (Kiepert, Lehrb. AG. 492), bald als 'schwarzes Gebirge' erklärt, weil es z. Sommersu. Herbstzeit in einförmiges Dunkelgrün gehüllt ist, welches in der Ferne eine düstere, schwärzliche Färbg. annimmt — v. den Cistussträuchern, Cistus ladaniferus, die im Frühling, der Blüthezeit, der Sierra das Ansehen eines Blumengartens geben (Willkomm, Sp.-Port. 17, ZfAErdk. 3, 270).

Moresby Range, eine Bergreihe in Edels Ld., v. Capt. Ph. P. King (Austr. 2, 174) am 18. Jan. 1822 benannt nach Capt. Fairfax *M.*, C. B., v. Schiffe Menai, der sich um die Neuequipirg. des Expeditionsschiffs Bathurst, als dasselbe z. Ausbesserg. v. Australien nach Mauritius gegangen war, verdient gemacht hatte: 'in grateful recognition of the prompt assistance rendered by him to the wants and repairs of our vessel during her late visit to Mauritius'. Einzelne Gipfel *Mount Fairfax* u. *Menai Hills*. — *M. River*, in Queensl., v. Capt. J. *M.*, der das in Sydney stationirte Kriegsschiff Basilisk nach der Torres Str. führte, 1872 entdeckt, der *Mourilyan Harbour* nach einem v. *M.'s* Officieren (ZfAErdk. 1872, 277). Die Gegend, wo man sich sonst das östl. Ende NGuinea's dachte, löste sich durch diese Exp. in eine Flur v. Inseln u. Riffen auf: *Cape M.*, *M. Strait*, *Cape Mourilyan*, *Dawson Strait*, *Dawson Island*, *Basilisk Island*, *Connor Island*, *Smith Island*, sämmtl. nach Theilnehmern, v. Chef 'as their first surveyor and visitor' genannt (Journ. RGSLond. 1874, 1 ff.; 1875, 153 ff.). Nahe dem East Cape *Cape Basilisk*, an der Südküste *Basilisk Pass* u. *Port M.* In *Fergusson Island* suche ich ein Andenken an James Fergusson, der 1869/72 Gouv.Süd-Austr. war (ZfAErdk. 1874, 401), in *Normanby Island* ein do. an den Marquis of Normanby, welcher v. 12. Aug. 1871 — 23. Jan. 1875 Gouv. v. Queensl. war. — Auch in Santa Cruz ein *Basilisk Harbour* (Meinicke, IStill. O. 1, 171).

Moreton Bay, vor Brisbane, v. Cook am 16. Mai 1770 entdeckt u. zunächst *Glass House Bay* (s. d.), dann nach einer nicht näher bezeichneten Person, wie das nahe *Cape M.*, genannt (Hawk., Acc. 3, 109). Letzteres erkannte 1799 Flinders (TA. 1, CXCIX, Atl. 9) als insulär u., 'as supposing it would have received that name from Capt. Cook, had he known of its insularity', taufte es in *M. Island* um, die Südspitze *Sandy Point* (King, Austr. 2, 257). — *M. Bay District* s. Queensland.

Morgan's Island, im Archipel v. Groote Eiland, wo einer v. Flinders' (TA. 2, 197, Atl. 14f.) Matrosen, Thomas *M.*, am 21. Jan. 1803 dem Sonnenstich erlag u. Tags darauf der Leichnam 'was committed to the deep with the usual ceremony'.

Morge s. Murg.

Morgob s. Scheich.

Morinorum C. s. Cassel.

Moriz, die deutsche Form v. Mauritius (s. d.), hier u. da in ON. *a) Morizburg*, Jagdschloss bei Dresden, v. Kurf. *M.* 1542 begonnen, unter Christian I. vollendet 1589 u. v. August d. Starken erweitert u. verschönert (Meyer's CLex. 11, 741); *b) St. M.*, rätr. *San Mouretzan*, Badort in O/Engadin.

Morlaken = Meeranwohner, v. slaw. *more* = Meer, Name der Bewohner des dalmat. Gebirgs, eines Serbenstamms (Meyer's CLex. 11, 741).

Mornay, Pointe, in Investigator's Str., v. der Exp. Baudin im Jan. 1803 nach dem Staatsmann u. Huguenottenfreunde *M.*, 1549—1623, getauft (Péron, TA. 2, 76).

Morning Inlet = Morgeneinfahrt, bei Middle Point, v. Capt. Stokes (Disc. 2, 289) im Juli 1841 so genannt, weil er in der Morgenzeit dort eindrang . . . 'from the time at which I entered it'.

Mornington s. Wellesley.

Morococha s. Huascacocha.

Moroe s. Ruadh.

Morongo = lärmender Wasserfall, Negername eines 3—4 m h. Falls des Kagera, der, ein Zufluss des Ukerewe, mit lärmender Hast hinabstürzt (Peterm., GMitth. 22, 382).

Mort = Tod, frz. subst., erwachsen aus lat. *mors* f., wie ital. u. port. *morte*, span. *muerte*, während dem adj. *mort, e* = todt das ital. u. port. *morto, a*, span. *muerto, a*, entspricht — Formen, die toponym. oft z. Verwendg. kommen, wie *Mer Morte* = Todtes Meer (s. d.), *Lac des Morts* = Todtensee, im Netz des Missinipi, wo eine Landspitze mit Menschenknochen, den Resten der an Blattern gestorbenen Eingebornen, bedeckt ist (MacKenzie, Voy. 86), od. *La Dalle des Morts* (s. Dalle), od. *Portage des Morts* (s. Pin), mit Vorliebe auch f. sog. 'Altwasser' der mediterranen Küste, wo die *Aigues-Mortes* den *Aigues-Vives* ggb. gestellt werden (s. Aigues). Der Name *Mortaigue* u) 1284 *Mortua Aqua* = todtes Wasser 5 mal im frz. dép. Vienne, einmal ausdrücklich f. einen Teich, der einst v. einem Bach gespeist wurde, j. aber ausgetrocknet u. in Wiesen, die *Prés de l'Etang* = Teichwiesen, verwandelt ist (Dict. top. Fr. 17, 280); *b)* ein träger Zufluss des Talent, C. Waadt (Mart.-Crous., Dict. 645).

Mortes, Rio das = Fluss der Mordthaten, 2 mal in Bras. *a)* an der Grenze der Provv. Minas Geraes u. São Paulo, berüchtigt durch die blutige Verfolgg., der die Paulisten Seitens der europ. Mineiros ausgesetzt waren, als sie die Prov. Minas verliessen. Eine Stelle am Flusse, wo eine Menge der Unglücklichen sich gelagert hatte, heisst *Capão de Traição* = Bosquet des Verrathes; denn nach-

dem man den Paulisten gg. Zusicherg. der Freiheit v. Person u. Eigenthum die Waffen abgenommen hatte, wurden sie aller Habseligkeiten beraubt u. auf die grausamste Art ermordet (Eschwege, Pl. Bras. 22); *b)* in der Prov. Goyaz, wo die Goldsucher João da Veiga Bueno u. Amaro Leite, um 1740, viele ihrer Leute an Krankheiten verloren (ib. 64). — *Ilha dos Mortos* = Insel der Todten, bei Diu, v. port. Gouv. Nuno da Cunha am 9. Febr. 1531, unter grossen Verlusten beiderseits, eingenommen 'por este feito ser hum dos mais perigosos et bem pelejados da India, e em que morrêrão tantos Mouros . . .', heisst nach dem Kalendertage der Eroberg. auch *Santa Apollonia* (Barros, As. 4, 4[8]).

Mortlock Islands, 3 benachbarte Atolle der centralen Carolinen, mit gg. 100 Eilanden, einh. *Lukunor*, bei den westl. Caroliniern *Lugulus*, am 27. Nov. 1795 v. Capt. James *M.*, Schiff Young William, entdeckt, auf Vorschlag des russ. Adm. v. Krusenstern (Mém. 2, 345) getauft (Bergh., Ann. 3. R. 3, 175 gibt als Entdeckgstag den 15. Mai, Meinicke, IStill. O. 2, 353 eine *M.*- u. eine *Young William-I.*). — *Iles de M.* s. Hunter.

Mosdok, Name einer Veste am Terek, aus tscherk. *mes* = Wald u. *dok* = taub, dicht, also dichter Wald, in welchem sie 1763 angelegt wurde (Klaproth, Kauk. 1, 547).

Mosel, Nebenfluss des Rheins, frz. *Moselle*, bei den alten Autoren *Mosella* (Tacit., Ann. 13, 53; Amm. Marc. 16, 3), in der Theod. T. *Musalla*, im 8. Jahrh. *Mosela*, dann *Mosula . . ., Moseille, Mozelle* u. s. f. (Dict. top. Fr. 2, 96; 13, 177), 'hat man schon längst als die 'kleine Mosa' (s. Maas) angesehen', wie in derselben Gegend die *Niers*, alt *Nersa*, einen Zufluss *Nerschina*, anderwärts die *Drau* eine *Drän* u. eine *Dravnitz*, die *Mur* eine *Mürz* aufnimmt (Förstemann, Deutsche ON. 252). Um Trier, auf dem rechten Flussufer, der *Moselgau*, im 7. Jahrh. *Mosalgowe* (Förstem., Altd. NB. 1117), sowie in einer Menge latin. Formen (Dict. top. Fr.).

Moses s. Visscher.

Mosioatunja = der Rauch macht Lärm, so nennen die Makololo den grossen Wasserfall des Zambesi, dessen Dampfsäulen man schon 5 km obh. des Sturzes aufsteigen sieht. Der 300 m br. Strom stürzt hier in eine 88 m t. Felsspalte u. wirbelt unter stundenweit hörbarem Gebrüll thurmhohe Wolken auf. Früher auch *Seongo*, *Tschongwe* = Ort des Regenbogens. Livingstone (Zamb. 250, Miss. Trav. 518) wollte ihn nach der engl. Königin *Victoria Falls* nennen.

Moskau, das centrale Haupt Russlands, ggr. an Stelle des Ortes *Kutschkowo*, der reichen Besitzg. des Bojaren Kutschko, welchen Juri Dolgorukij im 12. Jahrh. hinrichten liess u. seiner Güter beraubte. Erst dieser Gewalthaber baute nun, auf einem der 7 Hügel an der Moskwá eine Stadt, die er nach dem Flusse benannte. *M.* erscheint urk. zuerst 1147, eine Zeit lg. noch neben dem urspr. Namen. Im 16. Jahrh. entstanden der *Kitai Gorod* = Chinesenstadt, wo die Bojaren u. die

Gäste, die Gesandten etc. wohnten, u. der *Bjely Gorod* = weisse Stadt. Als die hohen Palisaden, welche seit 1588/92 die Vorstädte in die Befestiggslinie gezogen hatten, 1638 einem Erdwall wichen, hiess der neue, v. 'Volke' bewohnte Ring *Semljänoi Gorod* = Erdstadt (Meyer's CLex. 11, 756). Da *M.* als Sitz der Grossfürsten u. Zaren das Centrum des Reiches bildete, hiess dieses selbst das *moskowitische*, statt russ., so schon im Titel des Buches, welches uns 1549 die erste eingehende Kunde v. dem Slawenstaat brachte, des Freiherrn Sigismund v. Herbersteins 'rerum *Moscoviticarum* commentarii', welches lange Zeit das Hptwerk üb. Russland blieb. Insb. haben die engl. Nordostfahrer, sowie die Kaufleute, die ihren Fusstapfen folgten, den Ausdruck treu beibehalten; nannte sich ja die engl. Handelsgesellschaft, die v. dieser Seite her mit Russl. anzuknüpfen suchte, die *Moscovy* Company! Und der Capt. Jonas Poole, welcher in ihrem Auftrag 1610 ausfuhr u. nach Spitzb. kam, benannte am Horn Sd. den *Moscovy Mount* (Torell u. Nord., Schwed. Expp. 317), der 1631 zuerst auf Pellham's Carte erschien (Peterm., GMitth. 17, 182).

Moske s. Malstrom.

Mosquito Flat, eine Uferebene am Victoria R. v. Capt. Stokes (Disc. 2, 53) im Nov. 1839 nach den lästigen Thieren genannt: 'the mosquitos did not give us any peace again this night'. — *M. Creek*, ein lkseitg. Zufluss des Missuri, obh. Platte R., in einer Gegend, wo die Exp. Lewis u. Cl. (Trav. 24. 29) v. den Insecten belästigt war, 'where we found the *M.* very troublesome'. — *Puerto de los M.s*, span. ON. in Ecuador, am Flusse Ojibar, wo die Mückenqual zeitweise unausstehlich ist u. alles fortzieht; als die frz. Academie, auf ihrem Weg nach Quito, hier übnachteten, versuchten einige, die Nacht im Wasser stehend zuzubringen (Barrow, R. u. Entd. 2, 100). — *Mosquitia*, auf Carten gew. *M. Küste*, in CAmerica, nach dem hier sitzen gebliebenen Indianerstamme der Sambos, span. *Moscos* (wovon dim. *M.*), bei den Buccaneers *Moustics*, engl. *Mosquitos* (Peterm., GMitth. 2, 252). Nach dem Lande die *M. Keys* (s. Cayos).

Moss Cataract = Moossturz, in der Gegend des Delaware Water Gap, wo, v. den Kittatinnybergen herab, ein kleiner Wildbach seinen Schaum nach allen Richtungen aus einander wirft (Penns. Ill. 68). — Mit adj. *Mossy Falls*, ein Fall des Lehigh (ib. 54), nahe *Mossy Lake*, im Yellow Knife R., da die Seeufer ringsum mit Moos bedeckt sind. Im Sommer 1820 fand Capt. John Franklin (Narr. 212 ff.) das Moos so trocken, dass es sich in der Nacht des 7. Aug. zu einem gefährlichen Steppenbrande entzündete.

Mossamedes, Novo Porto de, ein 'neuer Hafen' in Benguela, nach Baron *M.*, welcher 1790 Generalcapitän der Besitzg. war (Hertha 1, 149; 2, 43).

Mossel = Muschel wie engl. *muscle*, ein holl. Wort, neben welchem auch *schelp, schulp* gebr. ist, in ON.: *Mosselbay* = Muschelbay nannte zu Anfang des 17. Jahrh., offb. nach dem nahen

Schulpegat = Muschelloch, einer Höhle, deren Boden, obgl. 130 m üb. M., mit einer tiefen Lage v. Muscheln gefunden wurde, der Holländer Paul van Caerden, der die Südküste des Caplandes genauer untersuchte, die Bucht, welche (nach Lichtenst., SAfr. 1, 287. 292) Vasco da Gama im Dec. 1497 entdeckt u. (warum?) *Aguada de San Braz* = St. Blasiusbay getauft hatte. In Barros' Asia fand ich, als das Werk in meinen Händen war, diese Angabe nicht; noch aber heisst bei den Schiffern die vorragende Bergecke *St. Blasius Cap*. Fonseca (Camões 498) scheint den Namen auf 1497 zurückzuleiten, obgleich er die Stelle: 'Onde segunda vez terra tomámos' auf die *St. Blasiusbay* bezieht.

Most = Brücke, slaw. Wort, wie das deutsche 'Brugg' oft in ON., voraus *Mostar* = Brückenstadt, der Hptstadt der Herzegowina, an wichtigem Uebergang der Narenta, schon ein röm. Platz Mandalium, Matrix, u. zu Anfang des 15. Jahrb. mit einer Brücke ausgestattet; ferner *Mostanica, Mostanje, Mostenec, Mostenic, Moste, Mostec, Mostečna, Mostek, Mostetschno, Mosti, na Mosti, Moštice, Mostitz, Mosting, Mostje, Mostki, Mostkowitz, Mosty, Moszczanica, Moszczaniec, Moszczenica* (Miklosich, ON. App. 2, 203, Umlauft, ÖUng. NB. 152).

Mostert's Hoek, ein Gebirgsvorsprg. der Waterval Berge, nach dem Colonisten *M.* (Lichtenst., SAfr. 1, 236).

Mother and Daughters = Mutter u. Töchter, drei auffallende, weit sichtbare Berge NBritaniens, hart neben einander, deren mittlern, 750 m h., Capt. Carteret am 9. Sept. 1767 mit der Mutter der beiden seitlichen 600 m h. 'Töchter' verglich (Hawk., Acc. 1, 376). Es sind alle 3 regelmässige Kegel, die Mutter mit deutl., doch wohl erloschenem Krater. In der Nähe haben kleinere Vulcane, mit dunkel gähnenden Kratern, die Umgegend mit Lavaströmen bedeckt u. bei Dampiers, Carterets u. Hunters Anwesenheit hohe Rauchsäulen ausgestossen. In solcher Umgebg. konnte d'Entrecasteaux die Mutter in *Mont Beautemps-Beaupré* umtaufen (Meinicke, IStill. O. 1, 136. 367). — Holl. de Moer mette Dochters = die Mutter mit ihren Töchtern, 3 Inseln der norw. Küste in der Nähe des Nordcaps (GVeer ed. Beke 48).

Motier s. Moûtier.

Motilones = Laienbrüder, span. Name eines am Marañon angesiedelten Indianerstamms, bei welchem der Gebrauch herrschte, den Kopf zu rasiren (WHakl. S. 28, XXIX).

Motnik s. Mat.

Motonji s. Njuki.

Motope s. Njanza.

Motowilichnisk s. Solikamsk.

Mottuaity, eig. *Motu-iti* = kleine Insel, in Polynesien dreimal: *a)* in der Hervey Gr., auch *Enua-iti* = kleines Land od. *Takutea* (Meinicke, IStill. O. 2, 140); *b)* eine kleine dürre unbewohnte Felsinsel der Washington In., Marquezas, eig. aus zwei Eilanden bestehend, bei dem american. Capt. Ingraham 1791 *Franklin Island* (s. Washington

Is.), bei seinem Landsmann Roberts 1793, ebf. prsl., *Blake Island* (Krus., Mém. 1, 156 f., Atl. Pac. 8), bei dem frz. Capt. Marchand *les Deux Frères* = die beiden Brüder, bei dem engl. Lieut. Hergest 1792 *Hergest Rocks* (Mein., IStill. O. 2. 244); *c)* in den Society Is., Abth. Leeward, schon 1722 v. d. holl. Seef. Roggeveen gesehen (Mein., IStill. O. 2, 156). — Sprachlich das Ggtheil, aber in scherzhaftem Sinne, gerade wg. ihrer Kleinheit, *Motunui* = grosses Land, *Mutonoe* (s. d.), eine Nebeninsel Nukahiwa's (Krus., Reise 1, 209, Meinicke, IStill. O. 2, 432).

Motuca s. Atak.

Motye, eine phön. Niederlassg. (Thuk. 6, 2) auf einer Insel nahe der Westküste Siciliens, auf phön. Münzen מטמא, v. טוא od. טוה [tavah] = spinnen, also = Spinnerei (Movers, Phön. 2ᵇ, 335).

Mouat s. Hurd.

Moubray Bay, in South Victoria, v. Capt. J. Cl. Ross (SouthR. 1, 250 ff.) im Febr. 1841 entdeckt u. nach einem seiner Officiere, George H. M., dem 'clerk in charge' des Schiffs Terror, benannt.

Mouchoir Carré = quadratisches Nastuch, frz. Name einer Bank der Bahamà, offb. v. den Flibustiers herrührend. Die ältern Carten, z. B. die span. aus der zweiten Hälfte des 16. Jahrh. u. Mercators Atlas, 1606, weniger scharf Herrera, 1601, geben der Bank genau die Quadratform. Der (ältere) span. Name ist *Abreojo(s)* = öffnet die Augen (Kettler, Zfwiss. Geogr. 1880 Taf. I). Vgl. Abreojo u. Miraporvos.

Moudon, ON. des C. Waadt, alt *Meldunum*, woraus *Meudum*, deutsch *Milden*, aus dem Kelt. latin. in *Minnodunum* = Flusshügel (?), da die älteste Anlage auf einer Anhöhe üb. den beiden Flüssen Merine u. Broye stand; ihr wurde erst durch die Zäringer die niedere Stadt beigesellt (Gem. Schweiz 19¹, 54; 19²ᵇ, 93).

Moulin s. Molins.

Moulineau, le Géant, ein hohes Gebirge an der Nordküste NGuinea's, einh. *Moa*, zuerst 1616 v. der holl. Exp. Le Maire u. Schouten gesehen (Krus., Mém. 1, 68), am 14. Aug. 1768 dem frz. Weltumsegler Bougainville (Voy. 294) imposant sich hinter den der Küste vorgelagerten niedern Inseln abhebend u. als Riese getauft. Von einem Nachkommen Bougainville's, Mr. René de Kerallain in Quimper (Brief dd. 18. Oct. 1891), erfahre ich, dass der Riese *M.* wahrsch. 'tout simplement à la famille littéraire des Quatre Facardins' (s. d.) gehört.

Mound, ein in Engl. u. NAmerica gebr. Ausdruck f. einen künstlichen Hügel geringerer Höhe, wird in Wisconsin, Illinois u. Jowa gebr. f. auffällige, isolirte, oben flache Hügel der Bleiregion, um Galena u. Dubuque, die sich gew. 60—90 m, im *West Blue M.* = dem westlichen Blauberg bis 150 m erheben (Whitney, NPlaces 109).

Mountain, abgek. *mount*, engl. Form des frz. *montagne, mont*, in der Anwendg. ersteres mehr in collectivem Sinne, f. eine Berggruppe od. Bergkette, der kürzere Ausdruck *mount* mehr f. einen einzelnen Gipfel, u. zwar so, dass *mountain* dem Bestimmungsworte zu folgen pflegt wie in *Rocky Mountains*, dagegen *mount* dem specif. Bestandtheil voraussteht, wie in *Mount Shasta*. Man sagt *White Mountains* u. *Mount Washington, Green Mountains* u. *Mount Mansfield, Adirondack Mountains* u. *Mount Marcy* etc. (Whitney, NPlaces 91 f.). — *M.* ist Eigenname am Nordufer des Grossen Sclavensee's, wo die Indianer, auf ihren Jagdzügen in die Barren Grounds, ihre Canoes zklassen. Dort in den See stürzend die *M. River* (Back, Narr. 56 f.). In diesen Gegenden auch *M. Lake* u. zweimal *M. Portage* (Franklin, Narr. 194 ff. 212 ff.), sowie *M. Indians* u. *M. Indian River*, diess f. den Fluss, auf dem die Indianer jeden Frühling herabkommen, um bei den Eskimos Pelze, Seehundsfelle u. Thran gegen Eisen, Messer u. Glasperlen einzutauschen, v. Capt. John Franklin (Sec. Exp. 130) am 17. Juli 1826 getauft. — *M. Springs*, eine Oase der Mohave Wüste, am Fusse der Cerbat Range, hoch üb. dem Rio Colorado (Peterm., GMitth. 22, 419).

Mountnorris Inlet, an der Ostküste Grönl., v. Entdecker, dem engl. Walfgr. Will. Scoresby jun. (North. WF. 248) am 10. Aug. 1822 nach Lord *M.* getauft.

Mouretzan s. Moriz.

Mourilyan s. Moresby.

Mourning, Point = Trauerspitze, ein Landvorsprg. der James Bay, wo einer v. Capt. James' Begleitern begraben wurde (Coats ed. Barrow 52).

Mo Ussu = schlechtes Wasser, mong. Name einer Station zw. Urga u. Kjachta, nach der Qualität des Brunnens. 'En effet, le puits qui est à un demi-verst, au sud, étant ordinairement découvert, donne une eau sale et nauséabonde' (Timkowski, Mong. 2, 414).

Moûtier od. *Moustier*, auch *Moutiers, les Moutiers, le Moustoir, Mutruz, Môtier*, v. lat. *monasterium, monasteria* = Kloster, Münster, frz. ON., dem deutschen 'Münster' entspr., zieml. oft: *a)* im dép. Eure-et-Loir, 2 mal (Dict. top. Fr. 1, 129); *b)* im dép. Yonne, ggr. im 8. Jahrh., um die irischen Pilger aufzunehmen (ib. 3, 91); *c)* im dép. Morbihan, 1 mal *les Moustiers*, 22 mal *le Moustoir* (ib. 9, 186); *d)* im dép. Dordogne (ib. 12, 213); *e)* im dép. Moselle (ib. 13, 182); *f)* im dép. Eure, 5 mal (ib. 15, 151); *g)* im dép. Calvados, 10 mal (ib. 18, 204); *h)* im *Mutruz* bei Granson, C. Waadt; *i)* *Môtier* im Val de Travers, C. Neuenburg; *k)* *Moutier-Grandval*, verdeutscht *Münster in Granfelden*, im Berner Jura, als Filiale des Klosters Luxovium ggr. um die Mitte des 7. Jahrh. in der 'grossen Thalstufe' der Birs (Gelpke, KGesch. 2, 174). — *Romainmôtier* s. Romain (Gem. Schweiz 19¹, 15; 19²ᵇ, 126; Mart. Crous., Dict. 625, Gatscher, OForsch. 99, Postlex. 256 ff.). — Eine vereinzelte Form *le Monétier*, f. 2 Gemeinden des frz. dép. Hautes-Alpes (Dict. top. Fr. 19, 95).

Moyenne Ile, mit dem frz. Aequivalent f. deutsch 'mittel','engl.' middle', eine der Seychellen (Mᶜ Leod, East. Afr. 2, 213).

Moyroe s. Ruadh.

Mqinwari s. Kasbek.

Mrasskischi s. Tataren.

Mrima s. Kilimandscharo.

Mrisa s. Mers.

Mrzel = kalt, slaw. Element der ON. *Mrzla-vodica* = Kaltwässerchen, mit *vodica*, dim. v. *voda* = Wasser, in Kroat., *Mrzli Vrh* = Kaltenberg, in Krain, u. *Mrzlopolje* = Kaltenfeld, Orte in Steierm. u. Kroat. (Umlauft, ÖUng. NB. 153).

Mssīd, Dschebel = heiliger Berg, zwei tripol. Berge, im Westen u. im Osten des Distr. Tarhona, jeder mit einem Kloster gekrönt u. durch den arab. Namen ʾaugensch. als alte religiöse Verehrungsstätten dargestelltʿ (Barth, Reis. 1, 78).

Mswakini s. Mihinani.

Mtanganjiko s. Tanganjika.

Mta-Zminda = heiliger Berg, einer der Hügel um Tiflis, wohl nach dem kleinen Kloster, welches den heil. David geweiht an der steilen Bergseite hängt (Parrot, Arar. 1, 39).

Mucajá-Tuba = Ort *(tuba)* der Mucajá, d. i. einer Art Palme, welche dort sehr häufig wächst, ind. Name einer Niederlassg. am Amazonas, obh. Manaos (Agassiz, Brés. 312).

Mud Geysers = Schlammvulcane, einer der merkwürdigsten Quellgruppen des Nationalparks. Die Hptquelle ist ein 15—18 m weiter Teich schlammigen, heissen, wallenden Wassers, umgeben v. zahlr. Luftspalten u. Quellen; das Wasser selbst ist v. grauem, anscheinend ungesundem Schlamme dick u. stinkend. Nach je $4^1/_2{}^h$ macht der Geysir seine Ausbrüche, früher bis zu 15—22, bei Ludlow's Besuch (1875) noch zu $4^1/_2$ m Höhe, so dass die Kraft nachlässt, wie auch zahlr. andere, th. absterbende, th. abgestorbene, Quellen bezeugen. Ganz in der Nähe wallt ein anderer Schlammgeysir beständig auf, brüllend u. dampfend u. die Bäume ringsum mit Schlamm bewerfend (Ludlow, Carr. 23); *b*) *M. Islands*, im Missuri, obh. Cedar I., zwei der zahlr. ʾSchlamminselnʿ des ʾSchlammstromsʿ (Lewis u. Cl., Trav. 51); *c*) *M. Run*, ein Zufluss des Lehigh R. (Penns. Ill. 56).

Muddy == schlammig (s. Mud), in engl. ON. wie *M. Creek*, 2 mal: *a*) f. einen Zufluss des Bighorn R., v. Capt. Clarke am 26. Juli 1806 nach der Farbe des Wassers benannt (Lewis u. Cl., Trav. 629); *b*) f. einen Zufluss des Rio Virgen, Nevada, da seine Gewässer in Folge raschen Laufes u. Lockerheit des Uferbodens Schlamm führen (Ord, Nev. 54). — *M. River*, ebf. 2 mal: *a*) f. einen Zufluss des Missisipi, Illinois, ʾthough a more muddy stream than the Missisipi itself, in this part of it at least, it would be difficult to findʿ (Buckingh., East. & WSt. 3, 85), einst die Heimat der *Peganu-Eithinjuwuc* = *M. River Indians* (Franklin, Narr. 108); *b*) f. zwei benachbarte Zuflüsse des untern Missuri (Lewis u. Cl., Trav. 5), die als *Big* (= grosser) u. *Little* (= kleiner) *M. River* unterschieden u. in der Carte als *Miry River* (s. d.) verzeichnet sind (Raynolds, Expl. 115). — *M. Lake*, 3 mal: *a*) im Kaministiquia, mit kaum 1 m Wasser üb. dem weichen Schlamm-

boden, bei allen Voyageurs berüchtigt, da das seichte zähe Wasser das Rudern erschwert, daher auch *Viscous Lake* = klebriger See (Hind, Narr. 1, 52); *b*) ein Anhängsel des Cedar L., auch *Lac Vaseux*, mit gl. Bedeutg. (MacKenzie, Voy. 76); *c*) ein kleiner See des Saskatschewan, ʾvery appropriatelyʿ, da er ledigl. aus wenigen Canälen besteht, welche ausgedehnte, durch die Springfluten überschwemmte Schlammbänke trennen (Franklin, Narr. 47).

Mudauwarah, ʿAin el- = runde Quelle, eine stark hervorbrechende Quelle, welche in der Uferebene Ghuweir einen runden ummauerten Behälter v. 30 m Durchm. füllt u. z. Bewässerg. der Ebene abfliesst (Robins., Reise 3, 537).

Muderris-Köi = Rectordorf, türk. ON. bei Konstantinopel. Das Dorf gab der Sultan Mohammed einem der Vorsteher der 8 aus Kirchen umgeschaffenen Collegien, Mewlana Ali Et-tusi, welcher schon vor Eroberg. der Hptstadt aus Persien gekommen war, z. Geschenke (Hammer-P., Osm. R. 2, 28).

Mudge, Mount, in Queensland, v. Major T. L. Mitchell (Trop. A. 240) am 19. Juli 1845 benannt nach Artillerie-Oberst *M.*, ʾone of the commissioners of longitudeʿ, weil der Reisende die Berghöhe mittelst des Syphonbarometers bestimmte, dessen Gebrauch er bei dem genannten Oberst erlernt hatte: ʾand in using this instrument, I could not forget colonel *M.*, who had kindly taught me its useʿ; *b*) ebenso *Cape M.*, in der Halbinsel Sabine, v. Lieut. W. Edw. Parry (NWPass. 192) am 7. Juni 1820.

Mudschelibeh s. Babylon.

Mudun s. Samhar.

Müden s. Gmünd.

Mügeln s. Mogyla.

Mühlbacher Gletscher, ein in den Burger Hafen (s. d.) mündender Eisstrom, durch die Hülfsexp. Baron v. Sterneck im Juli 1872 getauft nach dem Jäger der Exp., wie der benachbarte *Paierl Gletscher* nach dem Bergführer (PM. 20, 66).

Mühle, ahd. *mulîn*, kürzer *mulî*, dän. *mölle*, holl. *molen*, engl. *mill* (s. d.), oft in deutschen ON. *Mühlbach* (s. Sachsen), *Mühldorf*, *Mühlen* (s. Molins),*Mühlbach*u. *Mühlgau*,insb. auch*Mühlhausen*, in 8. Jahrh.*Mulihusa*(Förstem., Altd.NB. 1119 ff.). Das elsäss. *Mühlhausen*, j. gew. *Mülhausen*, frz. *Mulhouse*, erscheint 717 als *Mühlenhûsen*, 823 als *Müllenhusen* etc. (Dict. topogr. Fr. 8, 124). Der rhein. *Mühlgau*, den die Niers durchfliesst, habe zahlr. Mühlen, deren die Niers auf einer Länge v. 85 km noch 43 treibe (JPitsch, Alt. u. Neues Gladb. 11 ff.).

Mühry, Cap, an der Einhorn Bay, Spitzb., durch die Exp. Heuglin-Zeil 1870 nach dem deutschen Meteorologen *M.* getauft (PM. 17, 182), wie in der Nähe ein österr. Fachgenosse (s. Hann) seine Stelle gefunden hat.

Müller s. Cook u. Philippi.

Müllroser Canal, z. Verbindg. v. Spree u. Oder 1662/68 v. Kurfürsten Friedrich Wilhelm angelegt u. nach der Stadt Müllrose benannt, auch

Friedrich-Wilhelms-Canal (Meyer's CLex. 11, 788).

Mümpelgard s. Montbéliard.

München, die bayr. Hauptstadt, 1102/54 in den Kloster-Annalen v. Tegernsee *Munichen,* v. ahd. *munich* = monachus (s. Mönch), ist auf klösterl. Boden entstanden (s. Pfaff) u. besitzt seit dem 13. Jahrh. ihr Wappen: ein schwarzer Mönch mit fliegender Kutte u. erhobnen Armen, das 'Münchner Kindl', hält in der einen Hand ein Buch (Daniel, Hdb. Geogr. 4, 662, Meyer's CLex. 11, 794). Es nicht sicher, welchem Kloster die Gründg. u. der Name des Orts zuzuschreiben ist. Früher dachte man gew. an Schäftlarn; Riezler (ON. München. Gg. 36) ist geneigt, Tegernsee dafür zu setzen, u. er zeigt, dass 'für diese Deutg. doch gar manches spricht'. Vgl. Monaco! Um 1060 erscheint *Munihha,* wohl j. *Ober-M.,* in Bayern, das unweit Augsburg, in Schwaben, auch ein *Schwabmünchen,* zw. Passau u. Braunau ein *Münchheim,* alt *Municheim,* zw. Passau u. Straubing ein ehm. *Munichdorff* hat. Ferner an alten ON. *Munichawa,* j. *Münchau,* Hessen, *Munihhusa,* j.*Münchhausen,* 3 mal, u. in Friesland *Muniklanda, Municmad* u. *Monicesloe,* mit fries. *monik* = monachus (Förstem., Altd. NB. 1127). — *M.-Buchsee* s. Herzog. — *Münchengräz* s. Mönch.

Münden s. Gmünd.

Münster, verdeutscht aus *monasterium* = Kloster, entspr. dem engl. *minster,* rom. *Moutier, Mustair* (s. dd.) etc., als ON. ebf. häufig: *a)* in Westfalen, an der Aa, einem lkseitg. Zufluss der Ems, anf. *Mimigarde vord* (= Furt des Mimigard), wo der v. Karl d. Gr. ernannte Sachsenbischof Liudger wohnte, mit dem mod. Namen erst seit dem 11. Jahrh., nachdem ein Kloster entstanden (Daniel, Hdb. Geogr. 4, 316, Förstem., Altd. NB. 1100); *b)* im Gregorienthal, Elsass, wo das ggr. Benedictinerstift v. König Childerich II. um 660, den grössten Theil des Thales geschenkt erhielt (Meyer's CLex. 11, 797 ff.); *c)* im Ober-Wallis, 1392 *Monasterium* (Gatschet, OForsch. 99, Schott, Col. P. 244); *d)* in Lothr., 1262 *de Montre,* 1271 *Monasterium* (Dict. top. Fr. 2, 98). — Im dim. *Münsterlin(gen),* ehm. Kloster bei Constanz. Als Grundwort in *Beromünster,* C. Luzern, v. Bero, dem Grafen zu Aargau, 850 gestiftet (?). Förstem. 1128 zählt 17 alte Formen dieser Art auf, sowie aus dem Jahre 1071 die verderbte Form *Munestra in husa,* j. *Münsterhausen,* unw. Augsburg.

Müritz, ON. mehrf. in Mecklb., zunächst f. einen grossen See, 1230 tuschen der *Muretzenn,* 1273 stagnum *Muriz,* v. asl. *mor, morje* = Meer, dim. *moriči,* also 'das kleine Meer'. Auch das Umland *M.* u. die Umwohner 890 *Morizani* (Kühnel, Slaw. ON. 97).

Mürli s. Murum.

Muerto s. Clara.

Mürz s. Mur.

Müsinen, Localname bei Rankwyl, Vorarlb., v. *müsenen* od. *müselen,* d. i. v. den dort ange-

schwemmten Holzblöcken. Der Ort liegt da, wo die Frutz, der Fluss des Laternser Thals, aus dem Gebirge in die Ebene hinaustritt u. das Treibholz ablagert. In der montfort. Theilgsurkunde v. 2. März 1319 heisst es v. dieser Stätte: 'Die *musella* die vns werdent in der Frutz die son (sollen) och gemain sin'. Dann 1360: 'Der vierdentail des Zehenden der *Mösellon* in der Frutz'.

Mugaisk s. Tagilsk.

Muhzenuhega-Zeebe = Fluss, wo geborgt wird, so nannten die Chippewa einen canad. Fluss, als die weissen Pelzhändler, welche hier mit ihnen zu verkehren pflegten, sich dazu hergaben, auf Borg, d. i. auf Waaren, welche erst im folg. Jahre abzuliefern waren, żu bezahlen (Buckingh., Can. 45).

Muiden s. Aa.

Muinha = Salzinsel, eine Flussinsel des Zambesi, wo die Stromanwohner ihr Salz bereiten (Lyons M'Leod, Trav. 1, 236).

Mukang Schan s. Ta.

Mukebret, Nahr el- = Schwefelfluss, eine Therme, welche 30 km östl. v. Damask rauchend zu Tage kommt, weiterhin einige Mühlen treibt u. nach Süden fliessend in den See v. 'Atêba mündet (Wetzstein, Haur. 24).

Muktâr, ON. an der Syrte, 'offb. eine Erinnerg., dass auch hier einst jener ausgebreitete, j. nur noch in Algerien angesessene Berberstamm seinen zeitw. Aufenthalt hatte'. Hier waren die *Arae Philaenorum,* gr. Φιλαίνων Βωμοί = Altäre der Philänen, Tumuli, die Gräber 2er karthag. Jünglinge, die sich durch Erweiterg. der Landesgrenzen gg. die Kyrenäer um ihr Vaterland verdient gemacht hätten (Barth, Wand. 344).

Mukulu s. Njanza.

Mukundurra s. Siwa.

Mulato s. Mestizo.

Mulgrave, Lord *Constantine John Phipps,* engl. Seef., geb. 1744, führte, noch als Capt. C. John Phipps, die Exp. v. 1773, die eine Nordwestdurchfahrt suchen sollte, bis 80° 48′ NBr., musste jedoch bei Spitzbergen umkehren (vgl. sein Journ. VNorthP., Lond. 1774), wurde mit dem Tode seines Vaters 1775 Lord *M.,* 1777 Commissär der Admiralität, als welcher er auch die auf Pelzhandel u. Entdeckungen gerichtete Reise der Captt. Portlock u. Dixon, in den Schiffen King George u. Queen Charlotte, förderte u. † 1792 auf einer Reise in Lüttich. Da der Capt. Marshall (s. d.) das Eiland *Mili,* auch *Mille,* das südlichste in Radack, am 23. Juni 1788 *Lord M.'s Island* nannte, so ging, wie durch Zufall, sein Name auf die ganze Inselflur üb. (Krus., Mém. 2, 363, Bergh., A. 3. R. 1, 214. 222, Meinicke, IStill. O. 2, 324); *b)* *Point M.* (u. die nahen *M. Hills*), in Alaska, v. Cook (-King, Pac. 2, 453) am 14. Aug. 1778 getauft (Peterm., GMitth. 5 T. 3); *c) M.'s Island,* bei Montague I., v. Portlock am 1. Mai 1787 (GForster, GReis. 3, 94); *d) Port M.,* in der Admiralty Bay, v. Dixon im Juni 1787 (ib. 2, 158; 3, 6, Spr. u. F., Beitr. 12, 301).

Mulierum s. Balta.

Mulifanua s. Groningen.

Mulins s. Molins.

Mulitürli s. M ˙ltheuer.

Mullaroe s. Druid.

Mullet Bay = Bay der Meerbarben, in Nord-Austr., v. Capt. Ph. P. King (Austr. 1, 73) am 7. Apr. 1818 benannt nach den Unmassen solcher Fische, deren sein austral. Begleiter Boongaree mehrere mit seinem Fizgig anspiesste.

Muloffsky, Cap, in Sachalin, v. Krusenst. (Reise 2, 91) am 20. Mai 1805 getauft ʼz. Andenken meines ersten Commandeurs in der Flotte, dem braven Capt. *M.* zu Ehren, welcher vor 18 Jahren bestimmt war, der Chef einer der grössten u. wichtigsten Entdeckgsreisen zu sein u. im jugendl. Alter v. 27 Jahren als Commandeur des Schiffs Mstislaff, Schlacht bei Bornholm, 17. Juli 1789, bliebʼ.

Multán, hind. ON. im Pandscháb, v. *Mulasthâni,* einem Namen der Göttin Parváti (Schlagw., Gloss. 225), die dort ein berühmtes Heiligenthum hatte (Lassen, Ind. A. 1, 127).

Mundrucû = die in Kriegshorden die Pflanzungen plündern, v. tupi *monda* = stehlen, *ru* = gemeinsam u. *cu, co* = Pflanzung, Besitzthum, eine Horde der brasil. Guck, welche, als wohlgenährte Athletengestalten v. hellerer Farbe, ihren Nachbarn durch ihre Kriegstüchtigkeit überlegen sind (Ausl. 1867, 871).

Munik s. München.

Munk, *Jens*, dän. Capt., welcher am 19. Juli 1619 nach der Hudsons Bay vordrang, in 2 ON. jener Gebiete: *a) Munkenaes,* ein Vorgebirge der Hudsons Str. (WHakl. S. 18, 240); *b) Munkshavn* s. Churchill.

Munkholm = Mönchsinsel (s. Mönch), Insel im Brahsnaes Fjord, *Munkegaard* = Mönchhof u. a. (Madsen, Sjael. StN. 272). — *Munken,* mit Artikel *-en,* eine mächtige, 25 m hohe Klippe bei Syderö, Fär Öer, v. hier aus einem Mönch, v. der Breitseite her gesehen einem Schiff unter vollen Segeln ähnlich, eine wichtige Schiffermarke, da sie vor einer gefährl. Wirbelströmg. warnte, im Herbst 1885 plötzl. verschwunden (Grasb., St. Griech. ON. 12).

Munko-Sardyk, bei Radde (Bär u. H., Beitr. 23, 15, Carte) mit *munku,* bei Meglitzki (Abhh. KRMin. G. 1855/56, 155 ff.) mit *munka,* eig. *Monko-seran-Chardick* = Gebirge des ewigen Schnee's, mong. Name des Culms des Sajan (Peterm., GMitth. 6, 88), auch *Munku-Zassu,* ebf. = ewiger Schnee. *Sardyk, sardik,* ist nur dial. vschied. v. *chardik* u. wird f. das unübersteigl. Hochgebirge, im Ggsatz zu den milder geformten *daban,* gebraucht (Bär u. H., Beitr. 23, 106). — *Mungúbulúk* = Silberquell, ebf. im Sajan, wo im Winter, durch das Hervorbrechen des Wassers, das Eis sich mit weissem Eisschaum bedeckt (ib. 27).

Munster, eine der 4 Prov. Irlands, eine der drei, die in ihrem Namen das skand. *stadr* = Ort, Gegend, in *ster* verkürzt, u. damit eines der zahlr. Denkmäler des dän. Einfalls enthalten (Worsaae, Mind. 391), hier dem altir. PN. *Mumhan,* gespr.

mu-an, in welchem man einen König jenes Gebietes vermuthet (Blackie, Etym. G. 153), angefügt, zu *Mughan-ster,* gespr. *munster,* urk. 1515 *Moun-ster,* schliessl. *M.* (Joyce, Orig. Ir. NPl. 1, 112, Joyce, Ir. LN. 73). — *New M.* s. Seeland.

Munzinger s. Grisebach.

Mûr s. Murum.

Mur, Zufluss der Drau, 890 *Muora,* mit Verwandten, v. nicht sicher gedeutetem Namen. Förstem. (Altd. NB. 1130) verzichtet darauf, ʼden Stamm *muor* auf ein älteres *mor* zkzuführen, da die Deutschheit dieses Namens mindestens sehr ungewiss istʼ. Entschiedener nimmt nun Rich. Müller (Bl. östl. LK. 1888, 27) die Motion aus ahd. *muor* = Moor u. eine urspr. Form *Môra* an. ʼIn der That fliesst die *M.* wiederholt durch Sümpfe u. Torfmooreʼ (Umlauft, Öst. NB. 154). — *Mürz* (lkseitgr. Zufluss der *M.*) sei slaw. dim. v. *Muora,* als *Môriza, Muoriza,* u. ʼdenselben Namen führt auch, fast noch in der uranfängl. Gestalt, einer der obersten Quellbäche der *M.,* die *Moritzenʼ.* — Orte: *Murbruck,* 1074 *Muor-prukke,* u. *Mürzzuschlag,* f. dessen zweiten Namenstheil eine gesicherte Erklärg. noch nicht gefunden zu sein scheint. Ich wagte einst die schüchterne Frage, ob nicht hier, wo die Bergstrecke z. Semmering beginnt u. die Fuhrleute Vorspann zu nehmen genöthigt waren, f. diesen ein dial. Ausdruck ʼZuschlagʼ gebr. sei od. war. Nun lautet die älteste urk. Form v. 1265 *Mutzu-slage* (Oesterley, WBuch), u. dazu bemerkt Fr. Umlauft (Zeitschr. f. Schulgeogr. 11, 352) *Mut* ist das mhd. *mûte,* Maut = Wegzoll. *Zuschlag* heisst auch soviel als Steuer- od. Zollzuschlag, so dass die letztere Namensform einen Ort bezeichnen würde, wo eine Wegmaut sammt irgend einem (spätern?) Zuschlage eingehoben würde, was so wahrscheinlicher ist, als Mürzzuschlag an der Stelle liegt, wo die Wege üb. den Semmering u. in das obere Mürzthal zstreffen. ON. nach Mautstellen sind ungemein häufig; so *Maut, Mautern, Mauterndorf, Mauthausen, Mäuse-thurm* = Mautturm etc. Aus *Mutzuslage* wurde später durch volksetym. Umdeutg. *Mürzzuschlag.* Neben dieser Erklärg. wird jedoch noch eine zweite zugelassen: Im Hüttenwesen heisst Zuschlag ein erdiger od. metallischer Zusatz beim Schmelzprocess, welcher entweder die Absonderg. des Metalls aus dem Erze bezwecken od. das Metall v. verunreinigenden schädlichen Substanzen befreien soll. Da Mürzzuschlag ein alter Hüttenort an der Mürz ist, könnte dieser hüttenmännische Ausdruck z. Namengebg. gedient haben. Man sieht, dass diese zweite Erklärg. die alturk. Form unberücksichtigt lässt.

Murat s. Denial u. North.

Murchison River, in West-Austr., v. Capt. G. Grey (Two Expp. 2, 117) im Jahre 1838 getauft nach dem schott. Geologen Sir Rod. Impej *M.,* welcher 1792 geb. wiederholt die geolog. u. die geogr. Gesellschaft präsidirte, seit 1855 die geolog. Aufnahme Grossbrit. zu leiten hatte u. 1871 †; *b)* ebenso *Mount M.,* am Darling, ʼv. Major T.

L. Mitchell (Three Expp. 1, 242) nach 'a gentleman who has so greatly advanced the science of
geology', sowie c) gemeinsam mit *Mount Phillips*,
ein *Mount M.*, in South Victoria, v. Capt. J. Cl.
Ross (SouthR. 1, 201) am 19. Jan. 1841 nach
den beiden Secretären der British Association;
d) *M. Strait* s. Whale; e) *Cape M.*, in Grinnell
Ld., v. E. K. Kane (Arct. Expl. 1 Carte) 1853/55,
dann v. Hayes auf die nahen *M. Mountains*
übtragen (Peterm., GMitth. 13 T. 6); f) *M. Cata-
racts*, eine Reihe v. Fällen u. Stromschnellen
des Shire, 1859 v. D. Livingstone (Zamb. 78)
benannt 'after one whose name has already a
worldwide fame, and whose generous kindness
we can never repay'; g) *M. Bay*, in Nordost Ld.,
Spitzb., v. der schwed. Exp. 1861 (Torell u. N.,
SchExpp. 127); h) *M. Gletscher* s. Cook; i) *M.
Falls*, im Nil, v. Sam. Baker 1863 getauft (Egli,
NilQ. 87); k) *Cap M.*, in Wybe Jans Water,
Spitzb., v. der Exp. Heuglin-Zeil 1870 (Peterm.,
GMitth. 17, 182 T. 9).

Murcia, Vallis, röm. ON. (s. Caelius), der span.
ON. *M.* dagg. ein toponym. Desideratum.

Murdaugh's Island, im arkt. Wellington Ch.,
v. der ersten Grinnell Exp. im Sept. 1850 benannt nach einem Theilnehmer, William H. *M.*,
'acting master u. first officer' des Expeditionsschiffs Advance (Kane, Gr. Exp. 202).

Murderer's Bay = Mörderbucht, an der Südwestseite Madagascar's, wo 2 Officiere, die midshipmen Bowrie u. Parsons, v. den Eingb., als
die Mannschaft des Boots sich an's Land begeben,
erschlagen wurden. Die Getödteten gehörten z.
Bemanng. der engl. Schiffe Leven, Capt. Owen,
u. Barracouta, Capt. Vidal, die im Febr. 1822 v.
England abgingen u. 1825/26 behufs Aufnahmen
sich im Golf v. Guinea etc. aufhielten. Eine
Insel vor der Bucht heisst daher *M.'s Island*, auch
Murder's Island = Mordinsel, eine andere *Grave
Island* = Grabinsel, wo wohl die beiden Erschlagenen begraben wurden (Berghaus, Ann. 4,
514). Nahe dem Südende Madagascars die Klippe
Barracouta Island u. *Leven Island*, offb. in
Zshang mit der erwähnten Exp.

Murg, im 7. Jahrh. *Murga*, FlussN. mehrf.:
bei Bingen, bei Weissenburg, bei Rastatt, bei
Frauenfeld, bei Laufenburg — Namen, mit denen
eine *Murgola*, bei Cremona, eine *Morgia*, Auvergne,
u. als *Morge* 3 mal in der frz. Schweiz, viell.
auch der mösische *Margus*, zu vergleichen ist,
wird gew. v. Kelt. abgeleitet, wo *murg* = Sumpf,
Schlamm, zu bedeuten scheint (Förstem., Altd.
NB. 1132); dagg. dachte Gatschet (OForsch. 7) an
ahd. *muorac* = moorig, da die meisten dieser
Flüsschen sumpfig sind, u. der Germanist Rich.
Müller (Bl. öst. ЕК. 1888, 6) setzt, wenigstens f.
die schwäb. *M.*, die alte Form *Murga* = die
faulige. Nun wendet Buck (Zeitschr. Gesch. Oberrh.
nf. 3, 342) ein, dass der Name komme auch in Gegenden vor, wo nie Germanen sassen, u. er reiche
zugl. weit üb. die ahd. Zeit hinauf; er denkt an
eine indog. Wurzel *mark* u. leitet daraus *M.* als

'dunkles Wasser' ab. Auch dem Leser wird die
M. noch ein 'dunkles Wasser' sein.

Murghab = Vogelwasser, pers. FlussN. 3 mal:
a) f. den Fluss v. *Merw*, nach dem raschen,
fliegenden Lauf (Proc. RGSLond. 1885, 591 ff.;
Peterm., GMitth. 37, 269) od. 'weil man in der
Gegend dieses Flusses ungeheure Vögelschaaren
antrifft, wenn man aus der Wüste kommt' (Burnes,
Reise 294). Auch der Name der Ldsch., wie der
Stadt selbst hängt damit zs.: in Darius' Keilinschriften heisst sie *Margus* = auf die Vögel
bezüglich, im Avesta *Môuru*, das, da pers. *mrû*
= Vogel, mit Margus gleichbedeutend, ja wohl
aus diesem, unter Abwerfg. des g, entstanden ist
(Spiegel, Eran. A. 1, 50), gr. *Margiana*, türk. *Maru*.
'Durch Antiochus I. soll die ganze Fruchtlandschaft,
in der namentl. die Weinrebe zu üppigster Fülle
gedieh, z. Schutze gg. die Nomaden der nördl.
Wüste mit einem 1500 Stadien (= 280 km) lg.
Walle umgeben worden sein; er erhob durch
griech. Colonisation den Hptort, nun *Antiocheia
Margiane*, zu einer Stadt v. 12 km Umfang; noch
im Mittelalter ist sie als *Merw*, eine der grössten
Städte Chorassans, j. turkom. *Mar*, ein Ruinen-
feld auf türkmen. Gebiete' (Kiepert, Lehrb. AG.
58, WHakl. S. 49, 57); b) f. den Oberlauf eines
Flusses in Fars, alt *Medus*, der die Ruinen v.
Persepolis passirt u. im Unterlaufe den Namen
Pulvâr, *Polvâr* = der brückenreiche annimmt.
Bei der *Pul-i-Chan* = Königsbrücke vereinigt
er sich mit dem *Kum-i-Firûz* (= blauen Sand),
dem *Araxes*, *Cyrus* der Alten (Spiegel, Er. A. 1,
93); c) Flussname im Quellgebiet des Oxus
(Peterm., GMitth. 37, 269).

Muri Motu od. *M. Wenua* = letzte Insel, bei
den Maori ein kleines Felseiland, am North Cape,
NSeel., v. Hptland nur zZ. des Hochwassers getrennt (Dieffb., Trav. 1, 204, Meinicke, IStill. O.
(Peterm., GMitth. 1, 256).

Murman s. Normandie.

Muronga s. Zambezi.

Murray River, in Victoria, v. Capt. Sturt, welcher, um dem Murrumbidgee abwärts zu folgen,
am 3. Nov. 1829 v. Sydney abging u. jenen an
der Confl. weit grösser fand, getauft 'in the usual
fashion of Australian explorers after a government official' (Trollope, Austr. 3, 9, Mitth. d.
Herrn G. G. Chisholm in London). Am 14. Jan.
1830 Nachm. 3ʰ rief Hopkinson, einer v. Sturt's
Leuten, dass man vor einer Confl. stehe, 'and in
less than a minute afterwards, we were hurried
into a broad and noble river'. Die Exp. ging
flussab bis z. Darling. u. erst bei der Rückkehr
'I led it down as the *M. River*, in compliment
to the distinguished officer, Sir George *M.*, who
then presided over the colonial departement' (Sturt,
Two Expp. 2, 7. 111). Schon 1824/25 hatte Hamilton Hume, der im Auftrag des Governors Thom.
Brisbane v. NSouth Wales aus z. Südküste vordrang, den Oberlauf, *Hume River*, entdeckt
(Trollope, Austr. 1, 302; 2, 19, Hertha 5 GZ. 166);
b) *M.'s Sound*, im Amherst Arch., Korea, v.
Capt. B. Hall (Cor. XVII) 1816 benannt nach

seinem Reisegefährten, Capt. *M.* Maxwell,'Knight Companion of Bath', wie *M. Maxwell Inlet*, in Fury u. Hecla Str., v. Lieut. Henry Parkyns Hoppner, Exp. Parry (Sec. V. 454) im Juli 1823; *c) M. Narrow*, zw. Nassau Bay u. Beagle Ch., Feuerl., v. Capt. Fitzroy (Adv.-B. 1, 439) am 6. Mai 1830; *d) M. Island*, an der Liverpool Coast, v. Walfgr. W. Scoresby jun. (NorthWF. 316) am 26. Aug. 1822 nach seinem Freunde, Admiral *M.*, getauft; *e) Cape M.*, am Buccleugh Sd., v. Capt. W. Douglas am 8. Juni 1789 ebf. prsl. (GForster, GReis. 1, 296).

Mursching = obere Baumgrenze, v. tib. *sching* = Baum, Holz u. *mur* = obere Grenze, in Bhután, 'probably' mit Bezug auf eine bestimmte Baumart, welche hier nicht mehr gepflanzt wird (Schlagw., Gloss. 245).

Mursinska, Ort im Ural, gelegen an der Neiwa, einem Zuflusse des Tagil, entstand nach Jermaks Ueberwinterg., bei welcher hier einer seiner Streifzüge, 1579/80, vollst. durch die bewaffnete Macht des tatar. Mursa (= Fürsten) niedergemacht worden sei. Gründung der Slobode 1639 (Müller, SRuss. G. 3, 309; 5, 50). Nach dem Mursa Babasan *Basansk(ie Jurti)*, ein Ort am Tobol (ib. 3, 320). — *Mursin Gorodok* s. Tschazk.

Murten, frz. *Morat*, unerklärter schweiz. ON., aber auch z. Bezeichng. des *Murtensees* gebraucht, der im Mittelalter *Lacus Moratensis* od. *Üechtsee*, in röm. Zeit *Lacus Aventicensis* (s. Avenches), hiess.

Murui Ussu s. Jangtsekiang.

Murum = Mauer, in roman. ON. oft f. Oertlichkeiten, deren altes Gemäuer auf frühern Anbau hinweist (s. Stalla), wie *Murviedro* (s. Sagunto) od. *Murviel*, zwei Orte des frz. dép. Hérault, 1031 in villa *Murovetulo*, 1150 ad *Murum Veterem*, 1340 *mons Vetus* (Dict. top. Fr. 5, 130). Auch in der frz. Schweiz gibt es mehrere Orte *Murat, Muraz, Muret, Mauraz*, s. v. a. *ad muros* = *M.* 'qui portent l'un de ces noms caractéristiques. Dans toutes, en effet, on a trouvé des débris de murs et de constructions antiques dont la plupart remontent aux temps romains. Ce nom appliqué à une localité doit appeler l'attention de tous les amis des choses antiques' (Mart.-Crous., Dict. 657, Joh. v. Müller, Schweizer G. 1 c. 12 Note 155ᵇ). — *Muri*, aufgehobenes Benedictinerstift (u. Dorf) in C. Aargau, v. Grafen Radboto v. Habsburg 1027 ggr. auf einem Platz, wo altes Gemäuer einen zerstörten Römersitz anzeigte, wie solche Orte überhaupt vielf. bei den Alemannen als *Maur, Mauren, Muri, Muren, Steinmaur* (s. Stein), dim. *Mürli*, bezeichnet wurden (Gem. Schweiz 16ᵃ, 230, Mitth. Zürch. AG. 12, 260). Das Postlex. (241 ff.) enthält eine grössere Zahl dieser ON., deutsche u. romanische, *Muri* z. B. 4 mal. — *Murus* s. Picti. — *Uf der Mür* = auf der Mauer, noch rein appellativisch, die Spitze einer grünen Zunge, die sich in die Eiswelt hinter Zermatt hineinstreckt u. 'wie eine Zinne üb. dem Gornergletscher sich erhebt' (Schott, Col. Piem. 37).

Musa, ʿAyun = Mosesquellen, eine kleine Oase an der Ostseite des Golfs v. Suez, mit Dattel-

wäldchen u. (sieben) Quellen, deren früher bitteres Wasser Moses durch Hineinwerfen eines Strauchs in köstlich-süsses Trinkwasser verwandelt habe, damit die Kinder Israels den brennenden Durst stillten (2. Mos. 15, 22 ff.). Die Israeliten nannten den Ort מָרָה, *Marah* = Bitterkeit (2. Mos. 15, 23). Seetzen (Reise 3, 121) u. Robinson (Pal. 1, 99) fanden das Wasser wieder bittersalzig u. den Palmhain aus circa 20 Krüppelexp. bestehend; die Quellen sprudeln, z. Th. unter Gasentwickelg., aus schlammvulcanartigen Kegeln hervor u. füllen mehrere bis 3—4 m t. u. weite Bassins. Das *Marah* der Israeliten kann trotz des Namen-Anklangs nicht wohl mit dem wasserarmen ʿ*Ain el Hauara, Howara* = weisse, spiegelnde Quelle identificirt werden; denn schon Seetzen (3, 117) bemerkte, dieser Brunnen könne kein ganzes Volk getränkt haben; *b)* eine einzelne 'Mosesquelle', ʿ*Ain M.*, in Hauran (Burckhardt, Reise 1, 168); *c) Dschebel M.* s. Sinai; *d) Wady M.*, bei den Kreuzfahrern ebenso *Vallis Moysi*, das Thal v. Petra, seit der König Balduin I. hierher kam (1100), den Berg Hor f. den Sinai u. den Thalbach f. das Wasser hielt, welches Moses' Stab aus dem Felsen geschlagen (Robins., Pal. 3, 119); *e) Schak M.*, eine Schlucht des Katharinenbergs, nach einem tiefen Risse, *schak*, der oben im Berge gähnt (ib. 1, 179). — Dieses Wort auch in *Dschebel el-Muschakkah* = zerspaltener Berg, ein Berg üb. el Bussa, Akko (VVelde, Reise 1, 190).

Muscle Cove = Muschelbucht (s. Mossel), in der Magalhães Str., v. Seef. Thom. Cavendish am 14. Jan. 1587 benannt nach der grossen Menge v. Muscheln (Hakluyt, Pr. Nav. 3, 806); *b) M. Bend* = Muschelrank, am austr. Victoria R., wo Capt. Stokes (Disc. 2, 71) v. 8/9. Nov. 1839 übernachtete u. einige Muscheln fand; *c) Muscleshell River* = Fluss der Muschelschalen, übersetzt aus den ind. Namen eines rseitg. Zuflusses des Missuri, obh. Yellowstone R. (Lewis u. Cl., Trav. 162, Raynolds, Expl. 12).

Musgrave, Iles, in den Carolinen, einh. *Pingelap*, v. engl. Capt. *M.*, Schiff Sugarcane, 1793 entdeckt u. v. russ. Admiral v. Krusenst. getauft, auch *Macaskill Islands*, nach dem Capt., der sie im Schiff Lady Barlow 1807 wiederfand, v. Hydrogr. Horsburgh benannt (Krus., Mém. 2, 347), die eine der beiden Inseln v. Capt. Worth 1829 als *Sail Rocks* = Segelmarken bezeichnet (Meinicke, IStill. O. 2, 349). — Nach dem 9. Governor Süd-Australiens, Anthony *M.*: *a) Mount M.*, in der Nähe des Amadeus L., v. Ernst Giles 1872; *b) M. Range*, im centralen Theil des Continents, v. W. C. Gosse im Juli 1873 benannt (Peterm., GMitth. 20, 365, ZfAErdk. 1874, 401; 1875, 342. 349).

Muskox Lake = See der Moschusstiere, im Oberlauf des Gr. Fischflusses, v. G. Back (Narr. 83) am 31. Aug. 1833 so benannt, weil die Umgebg. zu gewissen Zeiten v. zahlr. Moschusochsen besucht wird, bei Hearne *Buffalo Lake* = mit Unrecht, da der Bison diese Gegend nicht besucht (ib. 79). — *Muskingum* = Elk's **Auge**, ind. Flussname im Netz des Ohio, nach der Klarheit des Wassers (Buckingh., East. & WSt. 2, 275).

Mussendom, auch *Mos . . .*, *Masandim* etc. = Ambos, arab. der Name des klippenumgürteten, wg. starker Strömungen gefährlichen rseitg. Eckpfeilers der Strasse v. Ormuz, bei den Griechen nach der Gebirgskette (s. Aswad), deren Ende das Cap ist, Ἀσαβῶν ἄκρον (Sprenger, AGArab. 107). Im Mittelalter ging der Name des gefährlichen Vorgebirgs auf den Persergolf (s. d.) über.

Mustâgh, auch *Muztagh* = Eis- od. Gletscherberg, nicht Schneeberg, v. türk. *muz* = Eis, auch in Balti gebr., f. einen Theil der Karakorum-Kette (Schlagw., Gloss. 225, Humb., As. Centr. 2, 371, Peterm., GMitth. 37, 270), 'wenigstens f. die Stelle, wo er durch einen Gletscher, nahe am Wege Jarkand-Ladak, veranlasst wird' (Elphinstone, Cab. 1, 141 Note), bei andern 'f. den ganzen Zug, welcher, am Puscht-i-Char mit dem Hindu Khu verknüpft, dem Himalaja parallel läuft u. dessen östl. Theil sich v. Küen Lün nach Süden umbiegt' (Peterm., GMitth. 17, 269), bald nur f. den *Kaschgar Dawan*, türk. *dawan* = Pass der Stadt d. N. (Journ.RGSLond. 1870, 66, Hellw., RCAs. 54).

Mustair, dial. auch *Mustèr*, rätr. f. *monasterium*, Münster, f. sich allein ON. in Graubünden 2 mal: *a)* Ort in *Val M.*, urk. *Monasterium Tuberis*, weil in dem nahen Taufers seit Karl dem Dicken, 881, ein dem Johannes Bapt. geweihtes Benedictinerkloster bestand, das hier als Frauenstift fortdauerte (Gem. Schweiz 15, 207, Campell ed. Mohr 2. 129 f., Planta, ARät. 379, Gatschet, OForsch. 100); *b)* s. Disentis.

Mutinskoy Krest = Kreuz Mutin's, eines Kosakenführers, welcher mit Commando nach Ochotsk entsandt wurde u. hier an einem Zuflusse der Allach-Juna ein Kreuz aufpflanzte (Dawydow, Sib. 90).

Mutnik s. Mat.

Mutonoe = grosse Insel, einh. Spitzname eines kleinen Eilandes bei Nukahiwa (Krusenst., Reise 1, 162). Vgl. Mottuaity.

Mutruz s. Moutier.

Mutschelle, in der, ein Hof der zürch. Gem. Wollishofen, nach der *M.*, Spindelbaum, Evonymus europaeus L. (Mitth. ZAG. 6, 102), wie *Möntschelen*, eine Alp am Stockhorn, Bern, u. *Möntschenlo*, wo *lo* = Gebüsch, der frühere Richtplatz bei der Burg Hünenberg, Zug (Gatschet, OForsch. 27).

Muysca = Menschen, Leute, ind. Name eines halbcivilisirten Stamms in der Gegend v. Bogotà (Humboldt, ANat. 2, 376).

Muzo, Ort in Columbia, durch die Spanier 1560 im Lande des Indianerstamms der *M.* ggr. u., mit einer allerheiligsten Dreifaltigkeit 'pompously called' *la Santissima Trinidad de los Muzos* (Raleigh, Disc. G. VIII ep. ded.).

Mvongonjani s. Mihinani.

Mwutanzige, gew. *Mwuta Nzige*, nach Speke's **Darstellg.** id. mit Bakers Albertsee (s. Njanza) **nach** neuern Ermittelungen *AlbertEdward Njanza*,

im Westen des Victoria Njanza, wurde schon v. Lieut. Speke als 'See der todten Heuschrecken' erklärt u. die Erklärg. auch v. H.M. Stanley (Thr. Dark Cont. 384) beibehalten u. motivirt 'from, no doubt, the swarms of locusts on the plains of Ankori, Unyoro, and Western Uganda, and the salinas of Usongora, being swept into it by strong winds.'

Myan-Aong = schneller Sieg, Ort am Irawady, früher *Loon-zay*, *Lwan-ze*, wo der Eroberer Alompra 1754 sein Hptquartier aufschlug, als er in vollem Siegeslauf üb. die Peguaner sich befand, u. v. ihm so genannt (Crawf., Emb. 44).

Myit-Nge = kleiner Fluss nennen die Bewohner Awa's den Nebenfluss, welcher sich dort mit dem Irawady vereinigt (Crawf., Emb. 2, Plan).

Mykale, gr. Μυκάλη = Winkel- od. Eckenberg, ein kleinasiat. Vorgebirge, so benannt, weil es μυχῷ κεῖται τῆς Καρικῆς ἁλὸς, j. *Cap S. Marie* (St. B., Curt., Gr. Et. N. 92). — *Mykenai*, gr. Μυκῆναι = Ecken- od. Winkelberg, eine Stadt im innersten Winkel der Inachosebene (Curt., Pel. 2, 570).

Mynnyd Du s. Black.

Myos Hormos, Hafenort am Rothen M., gr. Μυὸς ὅρμος = Hafen der Miesmuscheln, v. μῦς = Mies- od. Venusmuschel, deshalb auch Ἀφροδίτης ὅρμος = Venushafen (Strabo 769, Mela 3, 8[7], Pape-B.).

Myrtion, gr. Μύρτιον = Myrtenberg, bei den Alten ein Berg etwas südwestl. v. Epidauros; seitdem aber in seinem Myrtengebüsch das heimlich geborne Kind der Koronis v. einer Ziege ernährt worden war, hiess er mit heiligem Namen *Titthion* = Zitzenberg (Curt., Pel. 2, 419). — Auch Μύρινα (s. Kastro), Μυῤῥινοῦς, Μύρτος weisen auf Myrte (Pape-B.), ebenso lat. *Murcia* (s. Caelius).

Mysore s. Maissur.

Mystic Lake = geheimnissvoller See, 2 mal im 'Far West' *a)* im Quellgebiet des Gallatin River, v. Geol. F. V. Hayden (Prel. R. 47) am 12. Juli 1871 v. Fort Ellis aus besucht u. nach seiner grossen Schönheit u. verborgenen Lage getauft 'on account of its great beauty, and being partially hidden . . . The scenery all around it, is very attractive, and Mr. Jackson succeeded in securing some most excellent photographs'; *b)* im See der Cascade Range, nordwestl. v. Fort Klamath, auch *Crater Lake* (s. Krater) genannt, der merkwürdigste der See'n des grossen Binnenbeckens. Er nimmt eine alte Ausbruchöffng. ein u. liegt mit seinem Spiegel 270 m unter dem niedrigsten Punkt des Randes einer Zahl verschiedenfarbiger Lavabetten, die ein Oval v. 11 auf 14 km bilden, ohne sichtb. Abfluss . . . 'a singular mountain reservoir' (Wheeler, Geogr. Rep. 15. 120).

Mytistratum s. Astyra.

Myvatn = Mückensee, ein grösserer See im nordöstl. Isl., nach den zahllosen Mücken, welche um ihn schwärmen. 'Nie hat die geogr. Bezeichng. irgend einer Oertlichkeit besser das Wesen u. die Eigenthümlichkeit derselben wiedergegeben . . . In Grimstadir musste nothwendig angehalten werden; denn unsere Pferde waren fast wahnsinnig durch die Mücken. Man kann sich in einem Kubikfuss Luft kaum mehr lebende Wesen denken als hier sind. Ihre Schwärme sind so dicht, dass man oft seinen nebenher reitenden Reisegefährten nicht zu erblicken vermag, dass man die Augen nicht öffnen, nicht athmen kann. Kurz, es ist eine der entsetzlichsten Plagen ... Wir suchten uns durch Schleier u. durch starkes Tabakrauchen in etwas davor zu schützen ...

Die Zahl der Mücken war unendlich; die Unannehmlichkeit, welche diese überaus lästigen Thiere dem Reisenden verursachen, erreichte ihren Höhenpunkt. Man konnte nicht sprechen, nicht Athem holen, ohne dass Nase u. Mund mit Mücken sich füllten. Die Augen vermochte man kaum aufzuschlagen, u. wenn man sie öffnete, war doch nichts anderes zu erblicken als Mücken, deren dichte Schwärme jegliche Aussicht verhüllten' (Preyer-Z., Isl. 184. 208).

N.

Naab, ein Zufluss der Donau, im 9. Jahrh. *Naba*, gehört mit der *Nahe*, im 8. Jahrh. *Naba*, *Nawa*, *Naha*, zu den Formen, die einf. 'Wasser' bedeuten. Ebenso der Fluss *Nabacus*, in Brit.- u. die *Nau*, 1003 *Navua*, 1150 *Nawa*, an der *Langenau* bei Ulm liegt (Bacm., Kelt. Br. 26). Vorsichtig redet Förstem. (Altd. NB. 1135) als v. 'einem deutlich erkennbaren Stamm f. FlussN., dessen deutsche od. undeutsche Natur zu ergründen noch der Zukunft überlassen bleiben muss'. Er erinnert dabei auch an den span. Fluss *Náβιος*, bei Ptol., *Nabus*, bei dem Geogr. Rav. u. führt als Zssetzungen an: *Nabepurg*, im 10. Jahrh., j. *Naabburg*, an der *N.*, *Nabawinida*, 9. Jahrh., in der Nähe der Naabquelle, u. den Gau an der Nahe, im 8. Jahrh. *Nachgowi*, dann *Nahgoue* etc. Auch Zeuss (DDeutsch. 13) fand den Namen so dunkel, dass er seine Deutschheit bezweifelte u. nach kelt. Urspr. fragte. Kühner findet Rich. Müller (Bl. öst. LK. 1888, 18), *N.* sei buchstäbl. ahd. *naba*, *napa*, nhd. *nabe*, das hohle Mittelstück des Rades; er will 'ohne Künstelei' anschaulich machen, dass den Germanen die Flüsse aus Naben hervorquellend erschienen sein konnten.

Náamân s. Belon.

Nabel s. Neapolis.

Nabigandsch = des Propheten Stadt, arab.-hind. ON. in Hindustan, wie *Nabinagar* in Bahar, u. *Nabipur*, in Audh, beide v. gl. Bedeutg. (Schlagw., Gloss. 225), parallel zu arab. *Medina al-Nabi* s. Medina — Reminiscenzen d. muhammed. Eroberung.

Nablus s. Sichem.

Nachaliel, hebr. נַחֲלִיאֵל = Thal Gottes, eine Lagerstätte der Israeliten in der Wüste (4. Mos. 21, 19, Gesen., Hebr. Lex.).

Nachasch s. 'Ir.

Nachl, in frz. u. engl. Transcr. *nakhl* = Dattelpalme, Palmbaum, auch *nachla*, plur. *nachal*, dim. *nachila* od., wo die Bäume sich im Zwergwuchs befinden, *nechel*, oft in arab. ON. *a) Janbu en-N.* s. Janbu; *b) Kalat en-N.* = Dattelschloss, Station der Hadschroute Suez-Akaba, u. *Wady*

en-N. = Dattelthal, beide Namen wie ironisch, da weder Station noch Thal irgend eine Dattelpalme haben u. wüst liegen; *c) en-N.*, Ort der Sahara (Parmentier, Vocab. arabe 25. 38); *d) Nachila*, Ort der maroccan. Prov. Temsna (Richardson, Trav. 2, 166); *e) Bender Nahilu* od. *Nachilu*, *Nahl* = Palmenhafen, ein Hafenort v. Germasir, also an einer Küste, die ebenso heiss wie das benachbarte Moghistan (s. d.), aber weniger palmreich ist. 'Nur hier u. da sieht man spärliche Palmenhaine' (Spiegel, Eran. A. 1, 89); *f) Um el-Nechl* = Fundort der Dattelpalmen, eine Wegstrecke am Dschebel Gharian, nach einigen dort befindl. Palmbäumen (Barth, Reis. 1, 49); *g) Wady Nechl* = Dattelthal, ein reichbewässertes Thal des tripolit. Plateau Tar-hōna, so benannt nach seiner Menge v. Palmen (ib. 61).

Nachsaksoak = das grosse Thal, bei den Eskimo ein Thal auf Okak, Labrador, u. v. diesem auf den nahen Berg übtragen (Peterm., GMitth. 9, 124).

Nachtigal s. Grisebach.

Nachtschiwan, häufig *Nachitschewan* = neuer Wohnplatz (Klaproth, Kauk. 1, 154) od. erste Wohnung (Brugsch, Pers. 1, 148) od. erster Absteigeort (WHakl. S. 31, 4), Ort in Armenien, wo Noah's Grab gezeigt wird u., wie schon Josephus berichtet, die Arche abgesessen sein soll, als Stadt v. Tigranes I. im 5. Jahrh. ggr. (Spiegel, Eran. A. 1, 149). — *N.*, auf eine Colonie der aus der Krym 1780 ausgewanderten Armenier, bei Nowo Tscherkask, übtragen. — *Nachtsche* s. Tschetschenzen.

Nacional s. National.

Nád = Rohr, Schilf, adj. *nádas* = rohrig, Röhricht, in den mag. ON. *Nádas* u. *Nádasd*, die beide in Vielzahl vorkommen, *Nádfalu* = Rohrdorf, *Nádkút* = Rohrbrunn, *Nádpatak* = Rohrbach, *Nádszeg* = Rohr-Halbinsel, unw. Pressburg (WHakl., Gloss. 155) *Nádudvar* = Rohrhof (Umlauf, ÖUng. NB. 155).

Nadàjpaj = bemooster Fels, samoj. Name eines der Ausläufer des nördl. Urál', nach seiner mit Renthierflechten in Fülle bedeckten abgerundeten Kuppe (Schrenk, Tundr. 1, 383). — *Na-dalsadajagà* = Fluss ohne Moos, russ. übsetzt *Besmóschiza*, ein Flüsschen des Kleinlandes, v. den sumpfigen Niederungen, welche er durchzieht u. welche keine od. nur wenig Renthierflechten tragen (ib. 660).

Nadelcap s. Agulhas.

Nadendal s. Gnade.

Nadeschda, Bay der, an der Nordwestseite Sachalins, v. Krusenstern (Reise 2, 167 ff. 181) so genannt, weil er, nachdem ihm nirgends gelungen war, einen Hafen zu finden, am 14. Aug. 1805 mit seinem Schiffe *N.* hier vor Anker ging; *b)* ebenso *Felsen der N.*, eine Gruppe schwarzer, spitzer Klippen in Japan, im Oct. 1804 (ib. 1, 275); *c) Cap N.*, in Jeso (ib. 2, 29); *d) Canal der N.*, in den Kurilen, am 11. Juli 1805 (ib. 2, 133).

Nadowessiou s. Dakotah.

Nadura = einzeln stehender Berg, v. arab. *nadara* = einzeln heraus- od. hervortreten, mehrf.: *a)* eine Burgruine der Grossen Oase, auf einem isolirten, sanft abfallenden Hügel, als wahre Landmarke weithin sichtbar, üb. 3 km v. el Chargeh, die ganze Oase beherrschend u. einen Fernblick bis 70 km gestattend (PM. 21, 390, Mitth. v. † Prof. Steiner in Zürich 15. XII 1875); *b) en-Nadur*, der Leuchtthurm v. Tunis, der auf einem vorragenden Hügel steht u. einen weiten Ausblick gewährt (Barth, Wand. 81); *c)* ebenso der Leuchtthurm v. Sfakes, an der Ostküste Tunesiens (ib. 180).

Näfels s. Novale.

Naes s. Nase.

Nagaeff, Cap, in Kiusiu, v. Capt. J. A. v. Krusenst. (Reise 1, 262) im Oct. 1804 z. Andenken des ersten russ. Hydrographen getauft.

Nagar = Stadt, hind. Wort in ON., ist Eigenname einer Stadt in Radschwara, wie *Nágari* in Coromandel (Schlagw., Gloss. 226). Hingegen *Nagpur*, in Berar, benannt nach dem Flüsschen Nag (Schlagw., Reis. 1, 170), doch auch, wie *Nagapátnam* in Coromandel, unter den'Schlangenstädten' aufgeführt (Gloss. 226).

Nagoschi s. Fugamu.

Nagy=gross, wie *kis* = klein, in Ung. ein häufig gebr. toponym. Element: *N.-Várad* (s. Wardein), *N.-Rév* = grosse Furt, *N.-Szombat*, f. die Stadt Tyrnau, die am *szombat* = Samstag das Marktrecht übte (Umlauft, ÖUng. NB. 156). — *N.-Szeben* s. Hermannstadt.

Nahal s. Nil.

Naharina s. Mesopotamia.

Naháss, Hofrát el- = Kupfergruben, arab. ON. im mittlern Nilgebiet, am Bahr el-Arab. In einem Chor wird Erz gesammelt: Kies- u. Quarzstücke mit einem erdigen Malachitbeschlag (Kupfergrün); in den Handel gelangt es in geschmiedeten kantigen u. sehr plumpen Ringen v. 5—50 Pfd. Gewicht u. in 1—2pfündigen, länglich ovalen Barren od. Kuchen v. zieml. unreiner Gussmasse. 'Seit einer langen Reihe v. Jahren ist die Kupferproduction dieser Gruben, welche viell. noch

gar nicht einmal das anstehende Gestein erfasst haben mag . . ., immerhin eine sehr beträchtliche geblieben' (Schweinfurth, IHAfr. 2, 390).

Nahe s. Naab.

Nahe Inseln s. Aleuten.

Nahilu u. Nahl s. Nachl.

Nahr, Berdsch Ras el = Thurm an der Flussspitze heisst der östlichste der 6 Hafenthürme v. Tripolis (s. Seba), weil er auf dem Vorsprg. der Kadischamündung steht (Burckh., Reis. 1, 276).

Naiagáung = Neudorf, hind. ON. in Orissa, wie *Naiakót* = Neuveste, in Nepal, *Naianágar* u. *Naiaschâhar*, beides 'Neustadt', in Radschwara, *Naii Sarái* = Neuhaus, in Bandelkhand, (Schlagw., Gloss. 226).

Naiguières s. Aigues.

Nain, in Labradór, viell. id. mit *Gibbon's his Hole* (s. d.), die 1771 od. 1777 angelegte Missionsstation der Brüdergemeinde, 'deren Sendboten seit 1752 unter unglaublichen Beschwerden u. Entbehrungen die Heiden bekehrt u. unterrichtet u. in Dörfer versammelt haben', benannt mit biblischem Namen, wie *Hebron* u. dessen Berg *Johannes*, der *Jordan*, der Abfluss des Hosenbeinteichs etc. (Spr. u. F., Beitr. 1, 103, Berghaus, Phys. Atl. 8, 53, Peterm., GMitth. 9, 121 f.).

Nainitál = Náinisee, hind. Name eines Sees mit Gesundheitsstation in Kamáon, v. dem Namen der Gemahlin des Gottes Mahadéwa (Schlagw., Gloss. 226).

Nainsúkh = Augentrost, ein Fluss in Hazára, so benannt, wie man erzählt, durch eine der Frauen des Kaisers Akbar, weil der Gebrauch des Flusswassers ihr Augenleiden heilte (ib. 226).

Nair s. Ner.

Naissopolis s. Nisch.

Naitsi s. Japan.

Naïvascha = Salzwasser, Negername eines afric. Salzsees südwestl. v. Kenia (Journ.RGSLond. 1870, 320).

Naked Hump s. Saddle.

Nakhon Tom = grosse Stadt od. *N. Luang* = königliche Stadt, die alte Hptstadt v. Cambodja, deren 'mächtige Mauern . . . mehr als eine Tagereise im Umkreise sich erstrecken'. In derselben siam. Prov. Siemrab liegen die berühmten Tempelruinen *N. Vat* = Stadt der Klöster (Bastian, Bild. 450).

Nakhurah, Ras = das felsige Vorgebirge, Cap in Syrien, der felsige steile, buschwaldige Bergvorsprung, welcher, südl. v. der 'Leiter v. Tyrus', mit einem ähnlichen kleinern Stufenpfade versehen ist (VdVelde, Reise 1, 187).

Nakus, Dschebel = Glockenberg, arab. Bergname des Sinai, am Roth. Meer, wo man bei dem Begehen 'Sandmusik' vernimmt: Klänge, welche v. leisen Flötentönen bis zu denen einer starken Orgel wechseln u. durch die ggseitige Reibg. der scharfkantigen Körner des durch die Sonnenstrahlen erhitzten Sandes erzeugt werden (Bull. Géol. 13, 389). Die Beduinen glauben, unter dem Sande sei ein Kloster vergraben, dessen Glocken das

Geläute hervorbringen (Burckh., Reise 2, 942, Peterm., GMitth. 4, 405; 5, 119).

Nálla Málla = die dunkelfarbigen Berge, 'Sierra Morena', tamul. Name eines Theils der Ost-Ghats, zw. den Flüssen Pennar u. Krischna, wie der Theil südwestl. v. Kaddapa *Jella Malla* = weisse Berge heisst (Schlagw., Gloss. 226. 259, Lassen, Ind. A. 1, 183, wo *NM.* mit 'blaues Gebirge' übs. ist).

Nalsöe = Nadelinsel (s. Needles), eine der kleinern Fär Öer, lang u. schmal, an ihrem Südende mit einem natürlichen Tunnel, durch welchen Schiffe passiren können, so dass er 'gleichsam das Öhr der riesenhaften Nadel bildet' (Preyer-Z., Isl. 24).

Nam s. Nil.

Nama, Volksname f. die Hottentotten im Hinterland der Angra Pequena, nicht erklärt, aber hier eingereiht, weil ihm häufig die Silbe *qua*, richtiger *ga*, die nur das männliche Geschlecht anzeigt, übflüssiger Weise angehängt wird (CGBüttner, Walf. B. u. J. Olpp, APequena 1884). Auch H. Schinz berichtet (Peterm., GMitth. 30, 390f.), dass die Holl. die männl. Form *namaga*, dat. plur. v. *namagu*, in *Namaqua* umgeformt haben. 'Acceptiren wir diese grammatical. Berichtigg., so muss natürl. das zwiefach-falsche Suffix *-qua* fallen, u. so gelangen wir zu der richtigen Form *N.* Die nunmehrigen Sitze des Volks, *Gross N. Land*, liegen auf der rechten Seite des Oranienflusses, die frühern *Klein N. Land*, auf der linken, capländischen Seite.

Námdagój = Rücken der Geweihe, ein Hügelrücken im Grossland der Samojeden, wie der nahe *Namdójagà* = Fluss der Geweihe, v. diesen so benannt, weil er angeblich vor der Einwander. der Syrjänen ein Lieblingsaufenthalt wilder Renthiere war, daher auf seinen Hügeln die abgeworfenen Geweihe bes. häufig gefunden wurden; nunmehr, da das Wild sich aus der Gegend weggezogen, eher ein *Námdosigój* = Rücken ohne Geweihe (Schrenk, Tundr. 1, 495).

Namilanga = Freudenquelle, bei den Makololo ein unter grossem Feigenbaum gegrabener Brunnen, dessen Schatten das Wasser erquickend kühl macht, unweit des Mosioatunja (Livingstone, Miss. Trav. 531, Carte).

Namtscho s. Tengri.

Namu s. Sachalin.

Namviet s. Annam.

Nan = Süd, in chin. ON. wie *N. Hai* = Südsee, unser 'südchines. Meer' (s. Tong), mal. *Laut China* = Meer v. China (Pauthier, MPolo 2, 550), *N. Jue-ti* (s. Annam), *N. King* u. *N. Ling* (s. Pe), *N. Tschili* (s. Petscheli), *N. Tscháo* = Südreich, f. den Staat der Mungsche, d. i. die südlichsten Stammes der U-mân od. schwarzen Barbaren, deren Hptstadt *Si-King* = Hptstadt des Westens, später *Tschûng-tu* = zweiter Sitz des Herrschers hiess (Pauthier, MPolo 2, 392. 397. 408). — *Ho-N.* s. Hoangho u. *Kiang-N.* s. Jangstekiang. — *Hu N.* u. *Hu Pe* s. Hu. — *Thian Schan N. Lu* s. Tataren.

Nancy, ON. in Lothr., 896 *Nanceiacum,* 1070 *Nanciacum,* 1130 *Nanceium,* 1138 *Nancei* (Dict. top. Fr. 2, 98), kelt. Ursprungs, in urspr. Form wahrsch. *Nanciacus* od. *Nantiacus,* 'dérivé du gentilice *Nancius* od. *Nantius,* dont il n'a pas été jusqu' ici trouvé d'exemples' (Rev. Celt. 8, 184).

Nánda Déwi = die Göttin Nánda, d. i. die Glückseligkeit (ein Beiname der Göttin Parwáti), skr. Name des höchsten Schneebergs v. Kamáon. Aehnl. *Nandapur* u. *Nandpára,* beides 'Nanda's Stadt', im Dékhan u. in Hindostan (Schlagw., Gloss. 227).

Nandschinagódu = giftverschluckend, tamul. ON. in Maissur, wo der 'giftverschluckenden' Gottheit Mahadéwa ein grosser Tempel geweiht ist (Schlagw., Gloss. 227).

Nân-lâch = Brotlager, neup. Name der $4\frac{1}{2}$ m t., 3 m br. u. 2 m h. Höhle, welche nicht weit v. Gipfel des Vulcans Demawend den Bergsteigern als Ruhepunkt, den Schwefelsuchern als Proviantlager dient (Spiegel, Eran. A. 1, 73).

Nant = Giessbach, kelt. Appellativ f. mehrere savoy. Alpengewässer, daher *Nantuates,* f. einen kelt. Volksstamm des Landes (Kiepert, Lehrb. AG. 518).

Nantes, Stadt an der Loire, röm. *Namnetes,* in der Peutingertaf. *Portus Namnetus,* bei Greg. v. Tours *Namnetae, urbs Namnetica,* auch mit bes. kelt. Namen *Condivicnum* (Kiepert, Lehrb. AG. 515), nach dem Keltenstamm der Gegend, der schon zu Pytheas' Zeit bedeutenden Verkehr mit Britanien unterhalten haben soll. Die v. Caesar (Bell. gall. 3, 9) erwähnten *Namnetes,* bei Strabo u. Ptol. *Namnῆται,* sind viell. 'die starken'; das Wort, wie Caletes u. ähnl. gebildet, ist v. *namn* abgeleitet. Steht, was möglich, ir. *neamhain* = efficacitas, vis, vehementia, f. *naimhain* = *namin,* so könnte es hier angewendet u. *Namnetes* etwa durch 'fortes' erklärt werden (Glück, Kelt. N. Caes. 140).

Nantucket, New, eine pacif. Sandbank, die vschied. in Breite ($11—14^0$ N.) u. Länge ($176^0 20'—179^0 33'$ WGr.) angesetzt wird, eine der austral. Entdeckungen der *N.* Fischer in den 20er Jahren (Bergh., Ann. 12, 143).

Naos, Isla de los = Schiffsinsel (s. Naus), span. Name eines der 3 Eilande, welche die Rhede v. Panama einschliessen u. um welche sich die Schiffe versammeln. Eine zweite heisst *Isla de los Flamencos* = Flamingoinsel, eine dritte *Perico.* Wie Barrow (R.u.Entd. 2, 59) v. letzterer sagen kann: 'Der Platz, wo sich die Schiffe vor Anker legen, ist bei dieser Insel, welche desw. *P.* heisst', begreife ich nicht. — *Ilha de N.,* auf der Rhede v. Malakka, wo einst die port. Schiffe zu ankern pflegten, in 5, 6 Faden, während j., in Folge zunehmender Verschlämmg., nur kleine Fahrzeuge hier anlegen können (Crawf., Dict. 238).

Naphot = Naphthafluss, türk. Name eines Zuflusses des Tigris, in der Naphtharegion v. Mendeli. Das Wasser ist nur f. durstige Thiere trinkbar u. soll bei manchen Fieber erzeugen. Aus dem Bergrücken tröpfelt ein braunes Wasser, welches stark nach Schwefelwasserstoff u. Schwefelammonium stinkt, mit Tropfen eines braunen, flüssigen Bergtheers, der bei ruhigem Stehen des Wassers oben auf schwimmt, mittels Kürbisschalen abgeschöpft, in Lederschläuche gefüllt, nach Mendeli transportirt u. dort der Destillation unterworfen wird. Die tägl. Ausbeute beträgt 300 Oka = 750 Pfd. à 25 °/₀ Petrol (Peterm., GMitth. 20, 343). — *Naphtha Insel* s. Tscheleken.

Napoléon, Terre, eine der Entdeckungen der frz. Exp. Baudin (s. Victoria), nach dem spätern ersten Kaiser, wie *Napoléonville a)* s. Pontivy, *b)* s. France, *c)* s. Roche, u. *Napoleonshöhe* (s. Wilhelm). — Nach *N.* III. sind getauft: *N. Vendée* (s. Roche); *b) Louis N. Island*, in Grinnell Ld., v. Inglefield so benannt, aber 1854 v. Kane (Arct. Expl. 1, 323) als Vorgebirge erkannt u. als *Louis N. Promontory* eingetragen. 'In deference to capt. Inglefield, I have continued for this promontory the name which he had impressed upon it as an island'; *c) N. Channel,* der Wasserarm des Victoria Njanza, aus welchem der junge Nil seinen Weg nimmt, v. Capt. Speke (Journ. 469) zu Anfang 1863 entdeckt u. aus Achtg. f. die Pariser Geogr. Gesellschaft benannt, welche ihm die goldene Medaille überreicht hatte; *d) Golfe N.* s. Peter.

Napoli, die ital., wie *Naples* die frz. Form f. *Neapel* (s. Neapolis), als *N. di Romania* auch ON. in Griechenl. (s. Nauplia).

Nappa-Arktok-Towock = Baumfluss, bei den Eskimos ein anscheinend seichter Zufluss v. Georgs IV. Kröngs. Bay — ob nach dem v. ihm herabgebrachten Treibholz? Freilich versichert Franklin (Narr. 352. 364 ff.), dass v. jenen Flüssen nur der MacKenzie R. Treibholz in das Eismeer führe. Die Hafenbay, in welche der Baumfluss mündet, taufte Franklin prsl. *Port Epworth.*

Nâr = Feuer, in arab. ON. wie *Dschebel el-N.* (s. Aetna), *Wady en-N.* (s. Kidron), *Schekb en-N.* (s. Sicca), wohl zu unterscheiden v. türk. *nar* = Granate, welches in kleinasiat. ON., als *Nar* u. *Narly,* ebf. vorkommt (Tschihatscheff, Reis. 5. 33).

Naraïn s. Wischnu.

Narassotù = Tannenberg, mong. Name eines z. Gebiete der Selenga geh. Bergs, nach einer grossen, auf seinem Gipfel befindl. Tanne, welche, v. den Mongolen sehr verehrt, mit Leinwandstücken u. allen möglichen durch die Andächtigen dort aufgehängten Dingen verziert ist (Timkowski Mong. 1, 61). — *Kutûl Narassû* s. Fichtelgebirge.

Narbáda od. *Narmada* = der Freudenspender, die Freudengeberin, v. skr. *nárma* = Freude u. *da* = gebend, hind. Name eines Flusses in Málwa, nach engl. Orth. *Nerbudda* (Schlagw., Gloss. 227, Lassen, Ind. A. **1,** 112).

Narboroughs Isles, Sir John, eine Reihe kleiner Inseln im Arch. d. Königin Adelaide (s. d.), wo 1670 der engl. Seef. *N.* Aufnahmen machte; *b)* ebenso *N.'s Island* (s. Nomans I.), südl. v. Chiloë (ZfAErdk. 1876, 471).

Narcisso, San, eine Insel der Centralgruppe der Paumotu, einh. *Tatakotoroa,* v. span. Seef. Boe-

nechea am 28. Oct. 1772 (Druckf. 1774), d. i. am Vorabend des h. Narcissus, entdeckt u. benannt, später 2 mal prsl. *a) Ile Augier,* v. frz. Capt. Duperrey am 24. Apr. 1822, *b) Clarke's Island,* v. Capt. des engl. Schiffes Goodhope am 18. Juli 1822. In der Nähe die kleine *Anonymous Island* (= namenlose Insel) eines unbekannten Entdeckers, einh. *Tatakotopoto,* wo *poto* = kurz, klein, wie *roa* = gross, lang (ZfAErdk. 1870, 358 f., Meinicke, IStill. O. 2, 212).

Nares s. Tuscarora.

Narices, las = die Nüstern (des Pic de Teyde), Tenerife, eine Gruppe v. Bergspalten, durch welche mit nicht stets gleicher Intensität dem Trachytgestein erhitzte Dämpfe entströmen (ZfAErdk. nf. 11, 95).

Narikaléh = Steinberg, (georg.?) Name eines der Tiflis umgebenden Hügel, wohl nach den seinen Rücken krönenden ansehnlichen Ruinen einer sehr alten Veste (Parrot, Ararat 1, 38).

Narinku s. Topnaar.

Narksalik = ebenes Land, bei den Eskimo der Name einer grönl. Localität bei Friedrichshaab (Cranz, HGrönl. 2, 244).

Narni s. Nera.

Narraganset Bay, die Hafenbucht v. Providence, Rhode I., durch den Gründer dieser Stadt, Roger Williams, 1631 nach dem Indianerstamme der Nahican benannt, v. dem er ein Stück Land erwarb (Quackenbos, USt. 86), der Volksname mit Locativsuffix *et*, also *Naïaganset* = an dem od. um den Landvorsprg. (Trumbull, IN. Connect. 35).

Narrows, the = die Engen, in America 2 mal: *a)* f. die enge Einfahrt der Bay v. New York; *b)* f. eine Strecke des Unterlaufs des MacKenzie R., wo der Strom zw. sehr hohen Felsen bläulichen Kalksteins eingeengt wird, so benannt v. Capt. John Franklin (Sec. Exp. 29) am 12. Aug. 1825.

Narsingha s. Wischnu.

Narthekis, gr. Ναρθηκίς, v. νάρθηξ = Narthexinsel, 'Rohrau', eine kleine Insel vor der Südspitze v. Sámos (Strabo 637, Pape-Bens.).

Narym, v. ostjak. *nerim* = morastige Gegend, im Netz des Ob mehrf.: *a)* Ort in sumpfiger Lage am Ob selbst, 1596 (wie bald nachher am Nebenfluss Ket *Ketskoi Ostrog* = ketische Veste) ggr., seit 1614, als der Ort 16 Werst flussan verlegt wurde, *Staroe Gorodischtsche* = alter Flecken genannt, nach einem Brand u. wiederholten Ueberschwemmungen 1632 nochmals, um ¹/₂ Werst v. Flusse, weggerückt (Müller, SRuss. G. 4, 77 ff., 5, 3); *b)* ein rseitg. Zufluss des obern Irtysch, u. an jenem 2 Orte: *Maloi N., Malo-Narymskaja* = kleiner Ort am *N.,* flussabw. *Gross Narymskoi* (Bär u. H., Beitr. 14, 187. 193 ff., 20, Carte). — Ein Ort *Narymsk* am untern Irtysch (Müller, SRuss. G. 3, 375, Fischer, Sib. G. 1, 228).

Naryn = schmaler Sand, kalm. Name eines Sandrückens in der kasp. Steppe, russ. *Rynpeski* = Sandstrich. Der Zug bildet einen Rücken v. Sandhügeln, welcher, 50—150 Werst br., in der Gegend v. Saratow beginnt u. bis z. Kaspisee zieht, üb. 500 Werst lg. Er besteht aus unzähligen kleinen, 2—5 Faden h. Flusssandhügeln, welche haufenweise neben einander liegen od. auch durch grosse Flächen v. einander getrennt sind (Müller, Ugr. V. 1, 54 f., Falk, Beitr. 1, 17). — *N. Usak* = langer Sand, ein Isthmus im Ala Kul (Peterm., GMitth. 14, 80).

Narzan s. Kiseljak.

Nasca, peruan. ON., früher *Lanasca*, durch die Spanier corr. aus dem ind. *Nanansca* = der verwundete, v. *nanani* = verletzen, verwunden. Das Motiv ist Garc. de la Vega (Com. Real 1, 18) unbekannt; aber er ist geneigt, an eine durch die Incas auferlegte Züchtigg. zu denken.

Nase, altn. u. norw. *nes*, schwed. *näs*, dän. *nes*, *naes*, häufige Bezeichng. f. Cap, Landzunge, Halbinsel, dann auch der Wohnorte, die auf solchen liegen (Mitth. Zürch. AG. 6, 87), insb. in den reichgegliederten skand. Küsten, darum in ON. wie *Naesby*, in Sjael. (Madsen, Sjael. St. N. 232), *Nasby*, Ort hinter der Südspitze Ölands (E. Egli, Wand. 28), *Nesey*, Insel des isl. Sees Thingvallavatn, da sie einer Halbinsel genähert ist (Preyer-Z., Isl. 84), *Nesse,* fries. Halbinsel, bei Leer u. Emden, u. ein Ort *Nesse*, im Amte Berum (DKoolman, Ostfr. WB. 2, 649), auch im Dekhan ein Vorgebirge *Nasik* = Nase (Schlagw., Gloss. 227), *N.* ein Cap am Zuger See, dem Kiemen ggb., *Obere* u. *Untere N.*, schroffe Felsvorsprünge, die durch ihre Annäherg. Buochser- u. Wäggiser-See trennen (Staub, Zug 17, Dufour C. 8. 13).

Nasi Petrowsk s. Ufa.

Nasimsk(oi Gorodok), russ. 'Flecken' in Sibirien, nach einem Nebenflusse Nasim, eig. Mosim, welcher obh. des Irtysch v. rechter Seite in den Ob fällt, ostjak. *Jankiwasch* = Keilveste, weil sie auf einem hohen, spitzigen Berge liegt, den man der äusserlichen Gestalt wg. mit einem Keil vergleichet. Nicht zu verwechseln mit *N.* ist *Kasimskoe Gorodischtsche* = Ruinen der Veste am Kasim, d. i. einem Flusse, welcher bei Beresow rechts in den Ob fällt. Diese Localität liegt etwa 150 Werst v. Flusse (Müller, SRuss. G. 3, 389).

Nasirabád = Nasír's Stadt, arab.-pers. Name mehrerer ind. Städte: in Bengál, in Radschwára, in Sindh etc., v. PN. *Nasír* (= Helfer). Aehnlich (u. mit gl. Bedeutg.) *Nasirpur*, in Sindh (Schlagw., Gloss. 228).

Naslednika, Ukreplenije = Festung des Thronfolgers tauften die Russen eines der neuen Forts, welche 1835 den kirg. Militärcordon weiter vorschoben. Der Ort liegt am Birsuat, der durch den Dschilkuar in den obern Tobol gelangt (Bär u. H., Beitr. 5, 209). — *Insel Naslednik* s. Zar.

Nasos, dor. *Νᾶσος* f. *νῆσος* = Insel, die einzige Insel des See's Metite, Akarnanien (Pol. 9, 39, Pape-Bens.).

Nassau, Ort im ehm. Herzogth. gl. N., im 10. Jahrh. *Nassaue* = die nasse Au (Grimm, Gesch. DSpr. 583), also wie *Nassenfeld, Nassenhuben* u. ähnl., *Naschhausen* (s. Altenburg), od. holl. *Natewisch*, das frühere *Naatswijk* (Förstem., Deutsche ON. 130). Kehrein (Nass. NB. 240)

macht es sehr unwahrsch., dass in *N.* ahd. *naz*, nhd. *nass*, stecke (Förstem., Altd. NB. 1142). Durch deutsche Auswanderer, welche 1804 die taur. Agrarcolonieen gründeten, in die Molotschnaja übtragen, seit 1814 als *Alt-N.*, da dazumal *Neu-N.* entstand (Bär u. H., Beitr. 11, 51). Ein weites Feld toponym. Verwendg. fand der Name auf holl. Boden, wo das 1530 begründete Fürstenhaus *N.*-Oranien, auf Grund seiner Verdienste um die Unabhängigkeit der Niederlande, die Erbstatthalterwürde erlangte u. in den Entdeckungen u. colonialen Gründungen vielfach toponymisch geehrt wurde: *Kaap* (od. *Forland) de N.*, in der Magalhães Str., v. der Exp. Olivier's de Noort am 25. Nov. 1599 der 'princelijcke Excellentie' zu Ehren getauft (Wonderl. V. 11). — *Fort N.*, 2 mal: *a*) s. Batavia; *b*) auf Banda Neira (Meyer's CLex. 2, 496). — *N. Hoek*, eine niedrige, ebene Erdspitze, 'een langhe ende vlacke hoek', an der Westseite NSemlja's, v. Will. Barents am 10. Juli 1594 (Schipv. 3, Adelung, GSchiff. 169). — *N. Insel* s. Ranger. — *N. Rivier*, eine angebl. Flussmündg. an der Ostseite Carpentaria's, 15⁰ 53′ SBr., nach Flinders (TA. 2, 131), der am 13. Nov. 1802 passirte, wohl nur eine mit der See zshängende Strandlagune. — *Straet van N.*, zweimal: *a*) s. Jugor; *b*) s. Buru. — *Nassausche Voerd*, auch *N. Bay*, eine Durchfahrt, *voerd*, hinter L'Heremitens E. (s. d.), aufgefunden durch die 'Nassauische Flotte' am 17. Febr. 1624 (Vloot 38), nach Fitzroy (Adv.-B. 1, 434) nicht *N. Bay* der j. Carten, sondern ist in *St. Francis Bay* umgetauft, u. der urspr. Name auf ein weit grösseres, nördl. vorliegendes Gewässer übtragen. — *N.* s. Sibiru.

Nasswald, Ort (u. Schluchtenthal) auf der Grenze Nieder-Oesterreich u. Steierm., benannt nach der Nass, welche das Thal durchfliesst, früher ein wegloser Urwald, in welchem sich 1782 Holzknechte aus dem Salzburgischen ansiedelten (Meyer's CLex. 11, 937).

Natal = Geburtstag scil. Jesu Christi, port. Wort f. Weihnachten, v. lat. *dies natalis* wohl auch festa da *natividade* de Nosso Senhor = Geburtsfest unsers Herrn, span. *natividad* od. *navidad*, frz. *noël*, *nativité*, in Entdeckernamen od. bei Ortsgründungen gern nach dem Kalendertage, wie *a) Costa do Natal* = Weihnachtsküste, eine engl. Colonie an der Ostseite SAfrica's, im j. Hafen, *Port N.*, v. Vasco da Gama entdeckt am Weihnachtstage 1497, 'a que elles deste este nome' (Barros, As. 1, 4³); *b) Cabo do N.*, in Madagascar, v. port. Seef. Tristão da Cunha auf seiner Explorationstour so genannt, weil er es am Weihnachtstage 1506 erreichte: 'nome que lhe elle então poz por chegar a ella neste tempo' (ib. 2, 1²); *c) N.*, Ort an der Mündg. des Rio Grande do Norte, Bras., v. port. Capt. Manuel Mascaranhas um Weihnachten 1597 ggr. Das Fort, welches er, z. Vertheidigg. der Mündg., sofort auf dem vorliegenden Riff baute, nannte er *Forte dos Tres Reis Magos* = Veste der drei Könige der Magier, nach dem Kalendertage, 6. Jan.

1598 (Varnh., HBraz. 1, 311), im Jahre 1633 v.
den Holl. erobert u. nach einem ihrer bras. Commissärs in *Fort Ceulen* umgetauft (ib. 369).
Natchez, Stadt im Unionsstaate Missisipi, ggr.
1700 v. d'Iberville, benannt nach dem Indianer-
stamm d. N. '... in the neighbourhood of the
city now called by their name, lived the *N.*
(Quackenb., USt. 19, Meyer's CLex. 11, 939). —
Ebenso der ON. *Natchitoches,* in Louisiana(Lewis
u. Cl., Trav. 202).
Naternagger s. Tritschinapalli.
Natewisch s. Nassau.
Nathdwára = des Herrn Tempel, hind. Name
einer Ortschaft in Radschwára, v. *nath* = Herr,
dem Beinamen frommer Männer u. vschiedd.
Götter. Aehnl. *Náthpur* = des Herrn Stadt, in
Bengal, *Nathrampáll,* des Herrn Rama Dorf, in
Maissur (Schlagw., Gloss. 228).
Nathehwy s. Cree.
Nathlugi, georg. Dorf bei Tiflis, v. dem *nawthi* =
Bergtheer, Petroleum, welches dort einem Ufer-
fels der Kur entquillt (Klaproth, Kauk. 2, 287).
National Park, in den Rocky Ms., ein die Quellthäler des Yellowstone u. des Madison R. umfassendes, 9300 km² grosses Gebiet, welches an
Thermen, Geysern, Fummarolen, Wasserfällen,
See'n, Flussläufen, Schluchten etc. einen unerhörten Reichthum aufweist u. darum durch Gesetz
als unveräusserliches Eigenthum der Nation vorbehalten ist (Hayden, Prel. Rep. 162). Die ersten
Explorationen machten 1870 die Exp. Doane u.
1871 der Geologe Hayden; am 18. Dec. 1871
wurde dem Senat, ungefähr gleichzeitig dem Repräsentantenhause, die bez. Bill eingebracht u. am
1. März 1872 angenommen. — *Fort N.* s. France.
— Span. *Puente Nacional,* aus dem ehm. *Puente
del Rey* = Königsbrücke umgetauft, ein Pass
der Route Mexico-Vera Cruz, nach der prachtvollen Brücke des Flusses (Heller, Mex. 203).
Natividad de Nuestra Señora, la = ULFrauen
Geburt (s. Natal), Ort in CAmerica, v. F. Cortez
am 8. Sept. 1525 ggr. u. nach dem Kalendertage
getauft, nachdem er, wohl ebenso, am 12. Oct.
1524 die *Bahia de San Andres* benannt hatte
— dieselbe, die schon zu Cortez' Zeit in *Puerto
Caballos* umgetauft wurde (WHakl. S. 40, 95 ff.).
— *Port de la Natívité* = Hafen v. Mariae Geburt, in Feuerl., v. frz. Seef. Beauchesne ehl. am
8. Sept. 1699 entdeckt u. benannt (Debrosses,
HNav. 363), u. *Port Noël,* die Hafengewässer
der Inseln Romanzow, wo um Weihnachten 1816
der Rurick, das Schiff des russ. Capt. Kotzebue,
ankerte, durch diesen Seef. so getauft (Krus.,
Mém. 2, 367). — *Puerto de la Navidad* =
Weihnachtshafen nannte Columbus ein an der
Nordküste Hayti's erbautes Fort, weil er hier zu
Weihnachten 1492 Schiffbruch gelitten hatte (Nav.,
Coll. 1, 111. 123).
Nat-Mee = Geisterfeuer, Bergort v. Pegu, un-
weit Thyet Myo, wo auf dem Gipfel eines Hügels
Flammen aus der Erde aufschiessen (Peterm.,
GMitth. 8, 315).
Natolia s. Asia.

Naturaliste, Corvette, das 2. Schiff der Exp.
Baudin, ist wie der 'Géographe' (s. d.) f. die Benenng. vschiedd. austr. Entdeckungen angewandt
worden: *a) Cap du N.,* u. davor *Récif du N.,*
in West-Austr., am 30. Mai 1801 (Péron, TA.
1, 57); *b) Passage du N.* s. Dirk Hartog. —
Natural Walls s. Stone.
Nau = neu, oft in hind.-pers. ON. *a) Nau-
schera,* mit *schera* f. *schahar* = Stadt, mehrf.
im Pandschab; *b) Naupára,* in Orissa, *Naua-
púra,* in Khandesch, *Nauanágar,* in Gudschrat
alle = Neustadt; *c)* die 'Neuburgen' *Nauagárh,*
in Bengal, u. *Nauakót,* im Dekhan; *d)* die 'Neu-
dörfer' *Nauagáung,*in Bandelkhand, u. *Nauagóng,*
in Assam (Schlagw., Gloss. 228). — *Naubehár,*
eig. *Navavihára* = neues Kloster, ein altes Monument in Balch, das nach Firdosi u. a. Muhammedanern ein Feuertempel ist, aber höchst wahrsch.
ein buddhistisches Kloster war. Wir wissen, dass
unter diesem Namen ein solches Kloster dort bestand (Spiegel, Eran. A. 1, 42). — Vgl. *Lakinion*
u. *Naab.*
Naubatpúr = Stadt des Trommelns, hind. ON.
in Bengál, v. *náubat* = vor der Thür eines
grossen Mannes trommeln, *naubatkhána* = das
grosse f. Kriegsmusik benutzte Zimmer ob dem
Aussenthor eines Palastes (Schlagw., Gloss. 228).
Nauborn s. Neuss.
Naugrad s. Wjätka.
Nauhcampatepetl s. Perote.
Náuksalè = Mündungscap, v. *nau* od. *jaganáu*
= Flussmündung u. *salè* = Vorgebirge, so nennen
die Samojeden eines der Caps, welche zu beiden
Seiten des Eismeergolfs Hájode-pádara (s. Habide)
vorragen (Schrenk, Tundr. 1, 313).
Naumburg s. Neuss.
Naus, skr. *nâu-s,* gr. ναῦ-ς = Schiff, lat. *navis,*
ital. *nave* f., *naviglio* m., span. *nave* f., *navio*
m., port. *nao* f., frz. *navire,* in vielen
ON. namentl. seefahrender Völker alter u. neuer
Zeit *a) Naubandhana* = Schiffsbindg., skr. Name
eines Bergs des kaschmir. Himalaja, wo, der ind.
Sage zuf., Manu nach Ablauf der Sintflut sein
Schiff angebunden hat (Lassen, Ind. A. 1, 51);
b) Naupaktos, gr. Ναύπακτος = Schiffswerfte
(Thuk. 1, 103, Pape-B.), Ort in Griechenl., j. *Lepanto* (s. d.), ngr. *Nepaktos,* gew. 'Έπακτος (Bursian, Gr. Geogr. 1, 147), türk. umgedeutet in
Ainabachti = Spiegelglück, als Sultan Bajasid
'dieses festeste Bollwerk der Venetianer' am 26. Aug.
1499 ohne Schwertstreich eroberte (Hammer-P.,
Osm. R. 2, 319); *c) Naustathmos,* gr. Ναύσταθμος
= Schiffsstand, Rhede, Hafen, der alte Name
des j. Karatschi im Indusdelta, das in der Blüthe
des griech.-röm. Indienhandels ein besuchtes Emporium war (Lassen, Ind. A. 1, 124 f.), übr. schon
mehrf. am Mittelmeer: in Troas (Strabo 595 ff.),
in Sicil. (Plin., HNat. 3, 89), bei Phokäa (Liv.
37, 31), in Cyrenaica (Skyl. 108); *d) Nauplia,*
gr. Ναυπλία = Schiffsheim, ngr. *Navplion,* Hafenstadt des Peloponnes, nach ihrem zu beiden Seiten
des Isthmus liegenden Doppelhafen, wo die Schiffe
Ankergrund fanden, ἀπὸ τοῦ ταῖς ναυσὶ προ-

σπλεῖσϑαι (Strabo 368, St. B.), v. den Venetianern in *Napoli* umgeformt u., als im byzant. Gebiete gelegen, mit dem Beisatz -*di Romania* (Curt., Pel. 2, 390 f.); *e) Boca de Navios* = Schiffsmündung, der östlichste, am meisten Wasser führende Mündgsarm des Orinoco (Raleigh, Disc. G. LXXI).

Nautilus Shoal, eine Untiefe, *shoal,* der Gruppe Kingsmill, Gilbert Arch., 1799 entdeckt v. engl. Capt. Bishop, Schiff *N.* (Krus., Mém. 2, 379); *b) N. Rocks* s. Velas.

Navacelle s. Neuf.

Navájas, Cerro de las = Messerberg, ein Berg des mexican. Staats Hidalgo, der Fundstätte des Obsidians, azt. *iztli,* der den mit dem Eisen unbekannten Azteken das Rohmaterial zu den Waffen, auch zu Spiegeln, lieferte (Internat. Arch. f. Ethn. 1, 213 f.). — Ein anderes Wort, wohl auch span., ist der Volksname *Návajos, Navajoas, Navajoes, Navahoas, Navahoes,* eines Indianerstamms, der sich selbst *Tinné, Dinné* (s. Chippewyan) nennt (H. F. C. ten Kate, Syn. Ind. 6).

Navarino s. Pylos.

Navarra, der Name einer der bask. Prov., wurde v. Astarloa (Apol. 36 ff.) *Nabarra* geschrieben u. in folgg. Bestandtheile aufgelöst: *na* = flach, *be* = niedrig, *ar* = Mann. mit Artikel *a*, also = der Mann der niedrigen Fläche! Nun heisst *nava* = Fläche u. zwar eine dem Gebirgsfuss anliegende Fläche, 'Piemont', *arra* ist häufige Endg. der bask. Wörter, 'u. so kann die Etym. v. *N.*, als eines ebenen Landstrichs an den Pyrenäen, keinem Bedenken unterworfen sein' (W. v. Humb., Vask. Spr. 15). Drei leichtfüssige Etymologien z. Auswahl bietet RDenus (AProv. 233).

Navidad s. Natividad.

Navios, Boca de = Schiffmündung (s. Naus), der östlichste, wasserreichste Mündgsarm des Orinoco (Raleigh, Disc. G. LXXI). — *Naviglio Grande* = grosser Canal, bei Mailand, ein künstl. Arm des Tessin (Meyer's CLex. 11, 960). — *Iles des Navigateurs* s. Samoa. — *Rocher Navire* s. Tree. — *Navy Board's Inlet* = Einfahrt des Marineamts, an der Südseite des Lancaster Sd., v. Lieut. W. Edw. Parry (NWPass. 32) am 3. Aug. 1819 getauft.

Naxia, auch *Axia*, mod. Namensform der Kyklade *Naxos,* die in der ältesten Zeit, als sie v. Thrakern bewohnt war, *Strongyle* (s. d.) hiess. Der Sage zuf. erhielt sie den Namen *Naxos* nach dem Anführer der Karier, welchen die Griechen als Bewohner folgten (Hammer-P., Osm. R. 3, 196).

Nazaire, St., frz. Hafenort an der Loire, bei Greg. v. Tours *Sancti Nazarii vicus,* also nach dem heil. *N.,* v. dem die Basilica noch im 6. Jahrh. Reliquien enthielt (Longnon, GGaule 311).

Nazareth = Hut, Wacht, v. hebr. *nazar* = hüten, bewachen, Ort in Galilea, in hoher, fester Lage, die wohl ursp. einen Wachtthurm hatte, in aram. Form *Nazara* = Hüterin, Wächterin (V. Ryssel 8. Apr. 1891), als Ausgangspunkt des Christenthums mehrf. in ON. verwendet, so in *N. River* (s. Finnema) u. insb. durch die Orientalen, welche die Christen, ja oft alle vorislamit.

Bewohner ihres Landes, als 'Nazarener' bezeichnen: *Hedschâr en-Nazara* = Steine der Christen, einige grosse Blöcke schwarzer Steine, ob Tiberias, einer frühen Ueblieferg. zuf. die Stelle der Speisg. der 5000 (während sie die Evangelien auf das Ostufer verlegen), daher bei den lat. Christen *Mensa* (= der Tisch) *Christi* (Burckh., Reise 2, 582, Robins., Reise 3, 486). — *Kobar el-Noszara* = Gräber der Christen, eine Gruppe v. Steinhaufen auf der mit Dattelpalmen u. Brunnen gesegneten Halbinsel Dahab, am Golf v. Akaba (Burckh., Reis., 2, 849), viell. 'die Gräber der Lüsternheit' (4. Mos. 33, 16 f., Peterm., GMitth. 8, 35). — *Hodeybat el-Noszara* = Christenbuckel, eine Gruppe niedriger Hügel, etwas südlicher (Burckh. 2, 849). — *Suck en-Ssara* = Christenmarkt, Ort in Marocco, wohl die Stelle eines frühern Tempels (Rohlfs, Mar. 32). — Auch im Abendlande fand *N.* Verwendg., z. B. f. ein Kloster *N.* v. Benedictinerinnen, das Jean de Loubes, Baron v. Saulce, 1635 in Nogent-le-Rotron gründete (Dict. top. Fr. 1, 130).

Ndarè s. Vus.

Ndè s. Apaches.

Nderen s. Atlas.

Ndogei, Ngarè = Wasser des Brabbaums, Negername eines ostafric. Flusses, an dessen Ufern der *ndogei* häufig wächst, nordwestl. v. Kenia (Journ. RGSLond. 1870, 321). Vergl. Mihinani.

Neagh, Lough, der grösste der Seen Irlands, in Ulster, der Tradition zuf. erst zu Ende des 1. Jahrh., in Folge einer Uebflutg., enstanden, wie auch die bekannte Seichtigkeit des Beckens einen solchen Urspr. bestätigt. Die Gegend, vorher *Liathmhuine* [spr. *leafony*] = graue Stunden genannt, war v. einem Häuptling aus Munster, Namens Eochy Mac Maireda, der die ältern Einwohner vertrieb, besetzt worden; er ging dann bei der Uebschwemmg. mit fast der ganzen Familie unter, so dass der neue See *Loch-n Echach* = Eochy's See genannt wurde — mit prosthet. *n*, das früher auch weggelassen wurde, z. B. in der Form *Loch Echach* od. *Lough Eaugh*, heute jedoch dem Bestimmgswort einverleibt ist (Joyce, Orig. Ir. NPl. 1, 176 f). Noch heute glauben die Fischer bisw. die schlanken Kirchthürme der untergegangenen Orte in der Tiefe zu erblicken:

> On *Lough Neagh's* banks as the fisherman strays,
> When the clear cold eve's declining,
> He sees the round tower of other days
> In the waves beneath him shining.
> 　　　　　　　　　　　　　　(Moore).

Ne-Ak-Kog-E-Nek, bei den Eskimo ein Cap v. Boothia Felix, nach einem durch die flachen Uferlinie hinausragenden Felsen, welcher einige Aehnlichkeit mit einem Menschenkopf zu haben schien (Ross, Sec. V. 345).

Neapolis, gr. *Νεάπολις* = Neustadt, v. *νέος,* fem. *νέα* = neu u. *πόλις* = Stadt, als ON. mehrf., am bekanntesten f. das unterital. *Napoli,* arab. *Nabel* (Edrisi b. Jaub. 2, 71), frz. *Naples,* deutsch *Neapel,* welches als neue, v. flüchtigen Kumäern u. a. Joniern ggr. Anlage neben Parthenope, dann *Palaeopolis* = Altstadt, hervorgegangen war.

Der v. Landvorsprüngen u. Inseln umrahmte *Golfo di Napoli* hiess im Alterth. nach der ältesten griech. Colonie in Italien *Kymaios Kolpos*, gr. *Κυμαῖος κόλπος*, lat. *Sinus Cumanus* (Kiepert, Lehrb. AG. 442). — Andere Orte d. N.: *a) Nablus* s. Sichem; *b)* s. Simferopol; *c)* s. Civitas; *d)* s. Leptis; *e)* s. Palermo; *f)* s. Syrakusa; *g) N.*, in Tunis, wohl aus phön. übsetzt, j. *Nâbel, Nabal*, bei Edrisi *Dschesîret el-Baschek* (= Land der Segnung?), wg. der ausserord. Fruchtbk. u. Schönheit (Barth, Wand. 139 ff.). — *Neokaisareia*, gr. *Νεοχαισάρεια* = 'Neu Kaisersmark', Ort am Pontus, urspr. *Kabira*, durch Pompejus z. Stadt erhoben u., wohl nach seinem berühmten, reichen Tempel, in *Diospolis* (s. d.), in der Kaiserzeit nochmals umgetauft (Meyer's CLex. 9, 653), j. *Niksar, Nikisara* (Ptol. 5, 6¹⁰, Pape-B.). — *Neokastro* s. Pylos. — *Neocastrum* s. Grad. — *Neoplanta* s. Neu.

Nearzitàjagà = Gestrüppfluss, v. *nearkà* = Gestrüpp u. *jagà* = Fluss, sam. Name eines der z. Tschóscha Bay gehenden Küstenflüsse. Nicht fern davon ein *Nudè-Nearzitájagà* = kleiner Gestrüppfluss (Schrenk, Tundr. 1, 688).

Nebelhorn, die höchste Spitze des Grünten, d. i. eines vielbesuchten Bergs bei Immenstadt, Bayern (Meyer's CLex. 8, 285), bildet seinem Namen nach eine Parallele z. *Nebelkäppler* (s. Feuerberg).

Nebraska, j. ein Staat der Union, nach dem *N.* od. Platte R. (s. Plat), Territorium 1854, Staat 1867. Auch eine *N. City* (BCGLandamts 45, Meyer's CLex. 11, 970).

Nechl s. Nachl.

Neckar, Flussname im Netz des Rheins, röm. *Nicar, Nicarus, Nicer*, bei Ekkeh. *Necar*, dann *Nekar, Neccar, Neccarus*, 708 *Neckar*, wird v. Zeuss (Deutsche u. NSt. 14) f. unzweifelhaft kelt. angesehen. Man hat jedoch auch an zwei germ. Ableitungen gedacht, die den *N.* entw. z. 'Gewässer' od. z. 'krummen Fluss' machen würden (Förstem., Altd. NB. 1146); er wird auch, noch 1888, v. M. R. Buck auf die indog. Wurzel *nik* = spülen, waschen, zkgeführt u. bedeute schlechthin 'Wasser, Fluss' (Zeitschr. Gesch. Oberh. nf. **3, 343**). Und wie schon J. Grimm (Gramm. 3, 385, Myth. 456 ff.) die Nähe des ahd. *nihhus*, mhd. *nix* = Wasserungethüm beachtet hat, so scheint, wenn ich recht verstehe, auch der Germanist Rich. Müller (Bl. öst. LK. 1888, 22 ff.) den *N.* als den v. einem Wassergeist bewohnten Fluss, gleichviel ob germ. od. kelt. benannt, anzusehen. Nach dem Flusse mehrere ON. wie *N.-Rems, N.-Sulm, N.-Gartach, N.-Steinach* u. a., wo die Zuflüsse gl. N. münden, *Neckarhausen*, in Hohenzoll., *Neckargemünd* (s. Gmünd), *Neckarau*, Insel bei Mannheim, im 9. Jahrh. *Neckarauwa, Neckarburg*, im 8. Jahrh. *Nechirburc*, am *N.* bei Rotweil, der *Neckargau* im 8. Jahrh. *Nekkargawe* (Förstem., Altd. NB. 1147).

Necker, *Jacques*, der bekannte, aus Genf 1732 geb., im Bankgeschäft reich gewordene, aber auch den Studien ergebene Finanzminister Ludwigs XVI., als Finanzrath schon 1776, als Generaldirector des kgl. Schatzes 1777 an der Spitze des Finanzwesens, wg. seiner Offenheit 1781 plötzl. entlassenspäter wieder eingesetzt u. stark in den Gang der Revolution verflochten, 1804 †. Ihm zu Ehren taufte der frz. Seef. La Pérouse: *a) Ile N.*, ein, 110 m h., nackte Felsinsel, im Westen der Sande wich Is., am 5. Nov. 1786 (MMureau, LPér. 2, 299, Krus., Mém. 2, 46); *b) Iles N.*, eine Gruppe v. 9 Inseln u. Felsklippen vor CBlanco, Oregon, am 5. Sept. 1786 (MMureau, LPér. 2, 240).

Neda, gr. *Νέδα* = giessen, der wasserreichste u. grösste aller am Lykaion (s. d.) entspringenden Bäche, weshalb auch *N.* die geehrteste der arkad. Nymphen, des Zeus Nährerin u. die erstgeborne unter allen Quellen des Landes war. Der Fluss rauscht durch ein tiefgefurchtes, an vielen Stellen unzugängliches Thal v. erhabener Alpennatur mit Wasserfällen u. rauschenden Gebirgsbächen (Curt., Pel. 1, 317 f.), wie auch Relation (p. 247) die *N.* 'renommée par ses cascades' nennt. Nach Glosselin (Strabo 144) soll sich der Name als *Nedina* noch erhalten haben. Aehnlich ist die Bedeutg. des *Nédων*, eines v. Taygetos in dem messen. Golf hinabfliessenden 'Bergstroms', dem entlang beschwerliche Saumpfade hinaufführen (Curt., Pel. 2, 155. 158).

Nedagolwopaj s. Sedabaj.

Nedama s. Correntes.

Nederlande, auch *Neerlande* = Niederlande, der officielle Name des aus der frühern Bundesrepublik hervorgegangenen Königreichs, hptsächl. im Deltagebiet v. Rhein-Maas-Schelde, zu einem erheblichen Theil unter der Flutmarke der Nordsee gelegen, gg. Angriffe des Oceans durch Dämme u. Dünen vertheidigt, früher längere Zeit hindurch in Gefahr, allmälig unterzugehen, in neuerer Zeit jedoch durch hydrotechnische Arbeiten grossen Styls im Gange, der See das früher verlorne Gebiet wieder zu entreissen. Wohl auch *Holland* (s. d.) genannt, aber ungenau, da v. den 11 Provv. nur 2 so heissen: *Nord-H.*, um Amsterdam, *Süd-H.*, um Rotterdam, doch als Bezeichng. des Sprachgebiets nicht zu verwerfen. Der mächtige Aufschwg., welcher, nach 'dem Abfall der vereinigten *N.*', die junge, mit 1579 frei gewordene Nation nahm, zeigte sich, b. z. Mitte des 17. Jahrh., ganz bes. auf dem Felde der Seefahrt, der Entdeckungen u. des Colonialwesens u. hat dabei sehr spürbar auf die geogr. Namengebg. in fremden Erdtheilen u. Meeren eingewirkt, meist mit Namen, die dem erbstatthalterlichen Hause Nassau-Oranien u. seinen einzelnen Gliedern od. dem gemeinen Bundestage der vereinigten Provv., den Generalstaaten od. aber einzelnen Landschaften, Städten u. Personen zu Ehren ertheilt wurden. Der gemeinsame Landesname erscheint in jener grossen Zeit nur 2 mal toponymisch verwendet, in *Nieuwe N.* (s. York) u. *Compagnie's Nieuw N.* (s. Holland), erst spät, am 14. Juni 1825, in *het Nederlandsche Eiland*, der v. 2 holl. Schiffen, der Freg. Maria Reigersbergen u. der Corvette Pollux, Captt. Koerzen u. Eeg, entdeckten Insel der polynes. Ellice Gr., einh. *Nui*, Chromtschenko's

Löwendahl Insel (Krus., Mém. 2, 433, Meinicke, IStill. O. 2, 133).

Nedrevaag s. Carlsen.

Nedschd = Hochland, im arab. der Ggsatz z. *Tehama* = Tiefland, 'terrain bas appliqué à la côte maritime', wie im abess. *deka* u. *kolla* (Abbadie, HEthiop. 1, 82, Ritter, RAnordn. 15, Burckhardt, VArab. 2, 235, Jomard, Hertha' 10 GZ. 393).

Nedvědic s. Mjedwjed.

Needles, the = die Nadeln, mehrf. als engl. Name schlanker Felsnadeln u. Felszacken: *a)* voraus die scharf zugespitzten Felsthürme am Westende v. Wight, den Schiffen eine bekannte Landmarke (Whitney, NPlaces 118); *b)* ein Theil der Mohave Range des Rio Colorado (Möllh., FelsG. 1, 246), 'a cluster of slender and prominent pinnacles … in close proximity to the river' (Ives, Rep. 59), 'the picturesque pinnacles were called 1854 by capt. Whipple' (ib. 3, 30), 'eine Anzahl sehr steiler, aus Trachyt bestehender … Pyramiden, zw. welchen hindurch der Strom sich einen Weg gebahnt hat' (Peterm., GMitth. 22, 422); *c)* 'höchst merkw. Felszacken' am Nordende v. Great Barrier I. (Hochst., NSeel. 3); *d)* s. Saddle; *e)* s. Split.

Neftianol s. Tscheleken.

Negra, fem. v. *negro* (s. d.), begegnet uns 2 mal im plur. *a)* *Pedras Negras* = schwarze Steine, Gegend in Angola, wo mächtige Granitfelsen sich üb. einen Flächenraum v. mehr als 70 km Umfang ausdehnen' u. einzelne gleich riesigen Säulen, andere wie aneinanderhängende Bergmassen emporsteigen. Das gew. Grau u. Graugelb dieser Felsmassen verwandelt sich während der Regenzeit in dunkles Schwarz; denn aus den tiefen Teichen, welche die Platte der Bergmassen krönen, ergiesst sich das Wasser nach allen Seiten üb. die Felsen u. trägt so die Keime einer Faseralge, wohl v. dem fruchtb. Genus Scytonema, zu weiterer ausserord. schneller Fortpflanzg. an die Felswände (Peterm., GMitth. 14, 260ff.); *b)* *Piedras Negras*, Ort am Rio Bravo del Norte, v. den schwarzen Kohlen-Sandsteinen (Uhde, RBravo 51).

Negri Fjord, in Franz Josephs Ld., v. der 2. österreich.-ung. Nordpolexp. Weyprecht-Payer am 2. Mai 1874 offen gesehen u. getauft nach dem um die Wissenschaft hochverdienten Stifter der ital. geogr. Gesellschaft, Commendatore Christoforo *N.*, wie *N. Gletscher*, in Wybe Jans Water, v. der Exp. Heuglin-Zeil 1870 neben *Cap Antinori* benannt (Peterm., GMitth. 16, 304; 17, 178. 320; 20 T. 23; 22, 206).

Negrier, ein Dorf der alger. Prov. Oran, benannt nach einem der Helden der frz. Armee (Lilliehöök, 2 JZouav. 47).

Negro, masc., u. *negra*, fem. (s. d.), die span. u. port. Form, im ON. die häufigste der v. lat. *niger* = schwarz abgeleiteten Farbenbezeichnungen, die das Deutsche in der Form *Neger* f. die schwarze Menschenrace (s. Mauros u. Aithiopes), ebf. angenommen hat. Am häufigsten ist *Rio N.*, insb. bekannt f. des Amazonas grossen lkseitg. Nebenfluss, der schon bei den Tupinambas *Uruna* =

schwarzes Wasser hiess u. dem Spanier Francisco de Orellana 1540 durch die Farbe auffiel. Das tintenschwarze Wasser (vgl. Humb., ANat. 1, 263) fliesse mit solcher Gewalt, dass es üb. 20 Leguas weit f. sich allein ströme, ohne sich mit dem des Amazonenstroms zu vermischen. Auch der span. Jesuit Cristoval de Acuña, 1639, fand, die Port. hätten mit Recht den Strom so benannt, da dieser an der Mündg. u. viele Stunden weiter hinan durch die grosse Tiefe u. Klarheit des aus See'n kommenden, sonst krystallklaren Gewässers völlig schwarz erscheine (WHakl. S. 24, 31. 110). Ein Zufluss heisst *Rio Branco* (s. d.). *Barra do Rio N.* s. Manaos. — Andere 'Schwarzflüsse': *b)* in Patag. (s. d.), wohl derselbe, welchen die Landexcursion des span. Capt. Rodr. de Isla, 1535, dem heimischen *Guadalquivir* ähnl. fand u. so taufte (ZfAErdk. 1876, 375); *c)* ein rseitg. Zufluss des Atrato, v. Balboa 1511 benannt (Peschel, ZEntd. 464); *d)* in Columbia, der eine Quellarm des Meta, wegen der andere *Rio de Aguas Blancas* = Fluss der weissen Gewässer (Raleigh, Disc.G. 30); *e)* ein Zufluss der Fonseca Bay (Meyers CLex. 12, 7). — *Cabo N.*, 2 mal: *a)* in West-Afr., 15⁰ 45′ SBr., wohl schon v. Diogo Cão 1485 getauft (Berghaus, Ann. 6, 57); *b)* in NSemlja, v. holl. Polarf. Will. Barents im Juli 1594 so (vgl. Low Point) benannt, j. auf engl. Carten in *Black Point* übsetzt (GVeer ed. Beke 13). — *N. Point*, 'eine schwarze u. steile hohe Ggbirgsmasse' v. Edge I., auf neuern Carten *Black Point*, bei den norw. Robbenschlägern u. Walrossjägern *Flat Pynt* = flache Spitze (Peterm., GMitth. 17, 182). — *Cerro N.* = schwarzes Gebirge, ein dunkelfarbiger Bergzug der Prov. Catamarca, Argent. (Peterm., GMitth. 14, 205). — Eine *Isla de los Negros* in den Philippinen, 'nach den negerartigen Eingebornen, die seit Anfang des 16. Jahrh. in die Gebirge u. Waldungen der grossen Inseln gejagt sind, wo sie noch ohne bürgerliche Verfassg. u. Bedürfnisse leben' (Spr. u. F., Beitr. 2, 40, Crawf., Dict. 297). — *Islas de los Negros*, eine Gruppe hübsch aussehender, mit Cocosbäumen bedeckter, aber mit Riffen umgebener Inselchen an der Nordostseite v. Great Admiralty, nach seinen dunkelfarbigen Bewohnern v. span. Seef. Maurelle 1781 getauft (Krus., Mém. 1, 136). — *Negrito* s. Papua. — *Negroponte* s. Euboea.

Nehrung s. Frisch.

Neige = Schnee (s. Nevado), in frz. ON. *a)* *Piton de N.* = Schneekegel, der 3270 m h. Culm der Insel Réunion (Sommer, Taschb. 19, 110); *b)* *Crêt de la N.* = Schneegrat, der höchste Gipfel des Jura.

Neihai s. Kaspisee.

Nei-honi = Girafenfluss, mit hottentott. Schnalzlaut, ein Fluss v. Gr. Nama Ld., wo sich bei einer prachtvollen, krystallhellen Wasserfläche der norw. Missionar Knudsen, welcher v. Bethanien aus 1843 öfters herkam, so heimatl. angezogen fühlte, dass er das Thal nach seiner nord. Heimatsgemeinde *Guldbrandsdalen* benannte (Schinz, Deutsch. SWAfr. 50).

Neild s. Hewitt.

Neill Cliffs, eine Felsreihe an der Südostküste v. Jameson's Ld. (s. d.), v. engl. Walfgr. Will. Scoresby jun. (North. WF. 205) am 27. Juli 1822 entdeckt u. nach Hrn. Patrick *N.*, dem Secretär der Wernerischen u. Gartenbaugesellschaft, getauft. Ein *Patrick N.* ist 'printer' des Reisewerks; sollte diess derselbe sein? Vergl. Cape Constable (Art. Greville.). — *N.'s Harbour*, an der Ostküste v. Prince Regent's Inlet, v. Capt. W. Edw. Parry (Third V. 159 ff.) benannt im Aug. 1825 nach Dr. Samuel *N.*, dem Arzte seines Schiffs Hecla. Einen auffallenden, flachgegipfelten nahen Berg taufte er *Sherer's Mount* nach dem Lieut., welcher sowohl den Hafen explorirt als auch die Latit. des nach ihm benannten Berges bestimmt hatte.

Neire s. Ner.

Neisse, slaw. *Nisa, Nissa, Nis(s)awa* = Niederungs- od. Thalfluss, mehrf. in Schlesien, Serbien etc. In Serbien, an der *Nissawa*, die Stadt *Nisch(a)* od. *Nissa* (Jettmar, Überreste 22). Der serb. Ort ist jedoch alt *Naissos*, durch Konstantin d. Gr., der hier geb., verschönert, durch Attila zerstört u. durch Justinian d. Gr., als *Naissopolis* wieder hergestellt (Hammer-P., Osm. R. 1, 180). Das hohe Alter des urspr. Namens zeugt gg. die slaw. Ableitung.

Neiwa s. Newa.

Neleninskaja Retschka = Flüsschen v. Nelena heisst bei den Russen ein Ikseitg. Nebenfluss der Lena, nach dem ostsibir. Station Nelena, an welcher er vorbeifliesst — im Ggsatz zu vielen andern Benennungen russ.-sibir. Orte, welche nach dem vorbeifliessenden od. dort mündenden Flusse benannt sind (Dawydow, Sib. 38).

Nelliseram s. Nilab.

Nelson, Port, eine Hafenbucht v. De Witt's Ld., nebst *Mount Trafalgar* u. *Mount Waterloo*, 2 hohen, schroff aufragenden Bergen, die, oben mit mauerartiger Zinne umgürtet, ein festungsähnliches Aussehen haben, v. engl. Capt. Ph. P. King (Austr. 1,´414. 434, Ansicht 2, 578) am 20. Sept. 1820, offb. zu Ehren des gefeierten Seehelden getauft. — Ebenso, u. zwar ausdrückl., *N.'s Head*, ein 250 m h. kühnes Felscap 'of a castellated appearance' in Baring Sd., v. der engl. Exp. MacClure im Sept. 1850 getauft 'in remembrance of a hero, not hitherto honoured by Arctic discoverers in the bestowal of their favours, who, as a dead hero, has not been sufficiently remembered by modern naval discoverers' (Osborn, Disc. 80), sowie *Cape N.* (s. Victory) u. *N. Insel* (s. Tafel E.), ozw. auch *Cape N.*, in austr. Victoria, v. Lieut. Grant 1800 entdeckt u. getauft (Flinders, TA. 1, 203), v. der frz. Exp. Baudin am 1. Apr. 1802 *Cap Montaigne* (nach dem Philosoph. 1553/92?) genannt (Péron, TA. 1, 267). — Wohl ebenso auch die 1841 ggr. Stadt *N.*, an der Blind Bay, NSeel., mit Hafenbucht *Port N.*, einh. *Wakatu* (Meinicke, IStill. O. 1, 282. 835). — Dagegen *N. River*

(u. an seiner Mündg. *Port N.*) an der Hudson Bay, v. engl. Nordwestf. Button, der 1612/13 hier überwinterte, getauft nach dem master des Expeditionsschiffs Resolution, 'who died and was buried there'. Ein heftiger Sturm, 13. Aug. 1612, u. das darauf folg. stürmische Wetter hatten die Schiffe beschädigt; 'the desired haven was found in a small rile or creeke, on the north side of a river' (Rundall, Voy. NW. 87, Forster, Nordf. 398. 433). Bei den frz. Canadiern des Zeitalters der Bourbons *Rivière de Bourbon* (Coll. Minn. HS. 1, 211).

Neludsk s. Nertschinsk.

Nemausus s. Nimes.

Němec, die čech. u. slow., wie *Njemez'* die russ., *Njemiec* die poln., *Njemc* die wend., *Němec* die bulg. Namensform f. die Deutschen (s. d. u. Slawen), auch in mag. *Német* u. ins Türk. übergegangen, häufig zu ON. verwendet: *Němč, Němčan, Němčic, Němčice, Němčitz, Němčovic, Němečke, Němšic, Nemtschitz, Niemes, Niemetitz, Niemetzky, Niemtsching, Niemtschau, Niemtschitz*, auch die verdeutschte Form *Nimptschdorf*, Orte in Böhmen u. Mähren, *Niemiacz, Niemecki Bok, Niemszyn*, Orte in Galiz., *Nemce, Nemcsic, Nemcsin, Nemecke, Nemecske*, Orte in Kroat., Slaw. u. Ung., *Nemči, Němška-Gora* = Deutschen-Berg, *Němška-Loka* = Deutsch-Moos, *Němška-Vas* = Deutsch-Dorf, Orte in Görz u. Krain, *Németfa* = Deutschdorf, *Német-Gurab* = Deutschgrub, *Németi* etc., Orte in Ungarn (Miklosich, ON. App. 205, Umlauft, ÖUng. NB. 157 ff.), *Nemčekiöj* = Deutschendorf, türk. ON. (Kandelsd., Beitr. 55).

Nemek = Salzfeld, pers. Name einer weiten Fläche südöstl. v. Hamadan. Von seinem nächtl. Ritte erzählt Brugsch (Pers. 2, 7): 'In der That knirschte der Boden unter den Hufen unserer Thiere . . . Wir sahen weissschimmernde wogende Flächen vor uns, als ob wir auf einer engen Landzunge zw. blitzenden Seen reisten'.

Nemetum = Tempel, Heiligthum, kelt.-röm. Wort oft in ON. *a)* s. Speier; *b)* s. Arras; *c)* s. Clermont.

Nemours, eine frz. Stadtanlage Algeriens, aus berb. *Dschema Rhasuat* = Stadt der Seeräuber (Meyer's CLex. 5, 697) umgetauft nach dem durch seine alger. Kriegsthaten ausgezeichnete Herzog v. *N.*, zweitem Sohne Louis Philippe's. — Ein *Cap N.* taufte die Exp. Baudin im Jan. 1803 am St. Vincent's G. (Péron, TA. 2, 73).

Nennortalik = Bäreninsel, bei den Eskimo der grönl. Insel, welcher das bekannte Cape Farewell angehört (Cranz, HGrönl. 1, 26).

Neorion s. Kadriga.

Nepaktos s. Naupaktos.

Nepal = Land am Bergfuss, 'Piemont', v. skr. *nipa* = am Fusse eines Berges u. *âlaya* = Aufenthalt, Sitz, Wohnung, ist der Name eines Vorlandes des mittl. Himâlaja (Lassen, Ind. A. 1, 76).

Nepean Bay, an der Nordseite der Känguru I., entdeckt am 21. März 1802 v. engl. Seef. Matth.

Flinders (TA. 1, 168) u. so benannt zu Ehren des ersten Sectetärs der brit. Admiralität, dem spätern Bart., Sir Evan *N.* (s. Bougainville). — In derselben Zeit: *Point N.*, am Eingang v. Port Phillip, v. engl. Lieut. John Murray 1801 (Flinders, TA. 1, 212), *N. Island*, Bass Str., v. Capt. Bligh am 6. Sept. 1792 (ib. 1, XXII) u. *Cap N.*, bei Nine Hummock B., Salomonen, v. Capt. Shortland 1788 getauft (Fleurieu, Dec. 178). Unbestimmt eine zweite *N. Island*, ein v. gefährl. Felsen umgebenes Eiland bei austr. Norfolk I. (Meinicke, IStill. O. 1, 341).

Nephtenoi s. Tscheleken.

Nepowewin = Standplatz, corr. aus dem ind. Namen einer Stelle, j. Mission, am Saskatschewan, unth. der Vereinigg. der beiden Quellflüsse, ggb. Fort à la Corne; hier pflegten die Indianer die Boote der Hudson Bay Co. zu erwarten, um ihre Tauschgeschäfte abzuschliessen (Hind, Narr. 1, 399).

Neppenhasli s. Mittel.

Neptune's Billow, wo *billow* = Wasserwage, scherzhafter Name, den die americ. Robbenschläger einer Durchfahrt des antarkt. SShetland gegeben, wg. der v. beiden Seiten erfolgenden gewaltsamen Stösse, die wie durch einen Trichter getrieben werden (Hertha 9, 456). — *N. Isles* = Inseln des Meergottes, im Eingang des austr. Spencer's G., v. Capt. Flinders (TA. 1, 134) am 21. Febr. 1802 entdeckt u. so benannt, da sie dem Menschen unzugänglich erschienen: 'for they seemed to be inaccessible to men'. Bei der Exp. Baudin im Jan. 1803 *Iles Catinat*, nach dem Marschall d. N. (Péron, TA. 2, 83). — *Colonia Neptunia* s. Taranto.

Nepubiur s. Tölpos.

Ner od. *nair* = schwarz, rätor. wie *nero*, fem. *nera*, plur. *nere*, ital. Element der geogr. Namengebg., z. B. in *Piz N.* = Schwarzhorn: *a)* zwei Berge am Ofenpass; *b)* im Bündner Oberlande; *c)* bei St. Moriz; ferner *Ley N.* = Schwarzsee: *a)* s. Bianco; *b)* ein kleiner, schwarzgrüner Weiher ob Tarasp, auf vermoortem Plateau gelegen (Killias, Tarasp-Sch. 76), u. *Crap N.* = schwarzer Fels, bei Panix. — Im patois des Val d'Hérens, Wallis *a)* *Serra Neïre* = schwarze Berge, wo *serra* oft wie *cherra* gespr. u. auf Carten so geschrieben, entspr. dem span. *sierra*, eine Reihe v. Gipfeln od. Zacken; *b)* *Sassaneïre* = schwarzer Fels, ebendort (RRitz, OB. Hérens. 368 f.).

Nera, ein starker lkseitg. Nebenfluss des Tiber, so wassermächtig, dass das röm. Sprichwort lautet:

il Tevere non sarebbe il Tevere,
se la N. non gli desse da bevere,

hat seinen alten sabin. Namen *Nar* v. der hellen, weissl. Farbe seines Kalkwassers erhalten; denn das Wort bedeute 'Schwefel' . . . solporeas *Naris* undas (Ennius, Ann. 265 Vahlen), seitdem stehendes Beiwort 'supurea *Nar* albus aqua' (Verg., Aen. 7, 517) etc. Auch Fra L. Alberti, der in *N.* ein *negra* = die schwarze sucht, njmmt diese Deutg. 'per antifrasi, concio sia cosa, ch'a egli l'acqua molto bianca' (Nissen, Ital. LK. 312). Am

Flusse hoch u. fest gelegen das ant. *Narnia*, j. *Narni*. — *Lisca N.* s. Lisca. — *Pulo N.* s. Banda.

Nerbudda s. Narbada.

Nerita. Unter diesem Namen bringen wir jene mediterrane Vulkaninsel, die im Juli 1831 aus dem Grunde des Meeres, ggb. der sicil. Stadt Sciacca, zu ca. 60 m aufstieg, v. den Engländern in Besitz genommen wurde, aber bald wieder versank. Sie hob sich aus der Untiefe, die gew. la Secca del Corallo = Korallenriff, in Capt. Smyth's Küstenatlas v. Sicilien *Banco N.* geheissen hatte. Die Gelehrten Hoffmann, Schultz, Escher v. d. Linth u. Philippi, welche am 19. Juli v. Sciacca aus hinfuhren, schlugen, in Anlehng. an den letztern Namen vor, das neue Gebilde *N.* (= die dem Meer entstiegene) zu nennen. Als aber der engl. Capt. Stenhouse am 2. Aug. auf dem Kutter Hind landete u. die brit. Flagge aufzog, nannte er sie, offb. nach dem dam. ersten Lord der Admiralität, *Graham's Land.* Dann kam der neapolit. Capt. Ventemiglia z. Besitznahme f. Neapel u. taufte sie nach dessen König *Ferdinandea*; vollständiger setzte Prof. C. Gemellaro, der die Insel am 4. Aug. erreichte, *Isola vulcanica di Ferdinando II.*, während die Franzosen nach einem ihrer Captt., der sie einer der ersten gesehen, *Ile Corras* nennen wollten (Bergh., Ann. 4, 635 f., 648 ff.; 5, 125). Als bei der Untersuchg. 1841 sich herausstellte, dass die Insel versunken u. die Stelle mit 2—3 m Wasser bedeckt war, gaben ihr die engl. Nautiker den Namen *Graham's Shoal* (Bergh., A. 4. R. 1, 184).

Nero = schwarz, f. *nera*, plur. *nere*, in ital. ON. *a)* *Pozzo N.* = schwarzes Loch, die Stelle, wo die Tresa, ein lkseitg. Zufluss des Langensees, sich in eine dunkle Tiefe stürzt (Gem. Schweiz 18, 65); *b)* *Lago* u. *Pizzo N.* s. Bianco; *c)* *Pietre Nere* = schwarze Steine, ein v. schwarzen, glasigen Laven, schwarzen Schlacken u. grauer 'Asche' gebildeter Berg der Insel Lipari (Dolomieu, Lip. 42).

Nero, der röm. Kaiser, ist mehrf. in vergängl. ON. geehrt worden *a)* *Bagni di Nerone* s. Bagno; *b)* *Neroniss* s. Artaxata; *c)* *Neronias* s. Banias.

Neromka s. Tura.

Nérotajagá = Gestrüppfluss, sam. Name eines in die Taróbahà (s. d.) mündenden Eismeerzuflusses, nach seinen mit Weidegesträuch bewachsenen Ufern (Schrenk, Tundr. 1, 553).

Nerpitschoe Osero, abgk. *Nerpitsch* = See der Seehunde, v. *nerpui*, dem russ. Namen kleiner Phokenarten, deren Fett mit Schikschabeeren, Empetrum nigrum, zerlassen, ein beliebtes Wintergericht abgibt, ist der Name eines haffartigen Sees an der Mündg. des Kamtschatkaflusses, weil dort vorz. den Nerpui nachgestellt wird (Erman, Reise 3, 251, Cook-King, Pac. 3, 325). — *Nerpitschi* = See des Seekalbs, einer der Quellsee'n des sibir. Eismeerzuflusses Malaja Tschutkotscha, westl. v. der Kolyma, weil man an seinem Ufer einen todten Seehund fand (Wrangell, NSib. 2, 55).

Nertschinsk, ostsib. Bergstadt, v. dem jenisseisk. Wojwoden Afanasei Paschkow, der 1656 die Angara, den Bajkal u. Schilok aufw. ging u. 1658 die Schilka erreichte, an der Mündg. der Nertscha ggr. u. anfängl. *Neludskoi Tunguskoi Ostrog* = Veste der Nelud(tungusen) benannt, weil das vornehmste Geschlecht der dort herum wohnenden Tungusen sich Nelud nannte (Müller, SRuss.G. 5, 394). — Nach Flüssen sind auch *Argunsk* (s. Alapejewsk), *Kumarsk* (s. Kaginsk), sowie, mit *ustj* = Mündung, *Ust-Strjelka* getauft.

Nerviorum T. s. Tournay.

Nes', vollst. *Nesénije Wody* = starke Strömung, russ. Name eines Eismeerzuflüsschens v. Kánin, wohl nach der starken Strömg. mit welcher die Meeresflut den Fluss hinaufsteigt, heftiger als im Mesén' od. in irgend einem der andern Küstenflüsse jener Gegend. Ein Nebenbach heisst *Málaja* (= die kleine) *N.* (Schrenk, Tundr. 1, 696 f.). — Vgl. Wytegra.

Nesbitt's Harbour, Hafenort in Labrador, Anlage der Brüdergemeinde, die v. London aus 1752 den ersten Versuch einer Missionsstation hier, mit 4 Brüdern, machte. Diese Bucht hat Herrn *N.,* Kaufmann in London, Agent der Brüdergemeine u. Hauptbeförderer der hier anzulegenden Mission, ihren Namen zu verdanken; u. er gab sich dam. viele Mühe, bei dem engl. Handelsdepartement eine ausschliessliche Handelsfreiheit nach Labrador zu erhalten (Spr. u. F., Beitr. 1, 103).

Nesey s. Nase.

Nesör s. Enf.

Nesos, gr. νῆσος = Insel, dor. νᾶσος, oft als Grundwort in ON., aber auch f. sich *a)* s. Ortygia; *b) Nesion,* ngr. νησίον = Insel, türk. *Nis,* Insel des Egerdir-Göl, v. Griechen bewohnt (Tschihatscheff, Reis. 4); *c) Nesiazusa,* gr. Νησιάζουσα = Inselberg, im Cap des westl. Cilicien, zieml. weit vorragend (An. st. m. m. 202 f., Verg., Aen. 3, 271, Müller, GGr. min. T. 24).

Nessan s. Ireland.

Nesse s. Nase.

Nésskija Oserá = die Seen an (den Quellen) der Nes', eines Flusses der europ. Tundren, bei den Russen eine Gruppe mehrerer kleiner See'n. Der Name, welchen die 'Podróbnaja Kárta' f. den angeblichen einen See verzeichnet hat, lautet *Oklád̄nikowo Osero,* nach dem Besitzer der einträglichen Fischereien dieser Seegruppe, einer Bürgerfamilie v. Mesén' (Schrenk, Tundr. 1, 689).

Neu, häufig in deutschen ON., verbunden th. mit Eigennamen, wie in *N.-Pommern,* auf die hier einf. zu verweisen ist, th. mit Gemeinnamen: in *Neuburg, Neuenburg, Neudorf, Neugrüt* (s. Appenzell), *Neuhaus, Neuenhaus, Neuhausen, Neuhäusel, Neuheim, Neuhof, Neukirch, Neukirchen, Neumarkt* (s. Nowaja u. Zobten), *Neumarktl, Neumünster, Neurode, Neusatz* (serb. *Neoplanta,* mag. *Uj-Vidék), Neustadt* u. *Neuenstadt, Neustadtl* (s. Rudolf), *Neustädtel, Neuenstein, Neuweiler, Neuwerk* etc. — *Neufähr,* ON. bei Danzig, wo eine Fähre den alten Flussarm passirte

(Förstem., Deutsche ON. 300). — *Neumark,* früher der 2. Hpttheil der Mark Brandenburg, mit der 'das Land jenseits der Oder' 1260 durch die Markgrafen Johann I. u. Otto III. vereinigt wurde (Meyer's CLex. 11, 1016). — Zwei Orte *Neumünster: a)* Stadt in Schleswig-Holstein, deren 1130 gestiftetes-Augustinerkloster seit 1326 nach Bordesholm verlegt ist (ib. 1019); *b)* Vorstadt Zürichs, früher *Kreuzgemeinde,* weil einer der 10 Kreuzsteine, welche das alte Weichbild begrenzten, neben dem Kirchlein stand, seit 1834 zu einer selbständigen Kirchgemeinde erhoben. Von dieser Umtaufe habe ich (Gesch. geogr. NK. 6) eine actenmässige Darstellg. gegeben. — *Neusiedl,* 1406 *Newsidel pei dem See,* in Ungarn, offb. v. deutschen Colonisten zu Anfang des 13. Jahrh. besiedelt (Umlauft, ÖUng. NB. 158); nach dem Ort der *Neusiedler See* (Peterm., GMitth. 12, 124; 13, 392), mag. *Fertö* = Morast, früher auch slaw. *Mutno Pleso* = kothiger od. Sumpfsee, mit *mutno,* adj. v. asl. *mat* = Koth, Sumpf u. *pleso* = See (Miklosich, ON. App. 216). Diese beiden undeutschen Namen entsprechen dem Sachverhalt; denn das kaum 3 m tiefe Gewässer liegt dem viel ausgedehnten Sumpfgebiet des Hansag an, also dass in dem heisstrocknen Sommer 1865, da Fürst Eszterhazy u. Erzherzog Albrecht mit den Entsumpfgsarbeiten begannen, das Seewasser mit abzog, der Grund trocken lag u. der See erst 1870 wiederzukehren anfing (Daniel, Hdb. Geogr. 2, 137). — *Neustadt-Eberswalde,* in Brandenburg, aus 2 Ortschaften erwachsen, dem alten Dorfe, dessen Name auf die wildschweinreichen Eichen- u. Buchenwaldungen der Gegend deutet, u. der 'neuen Stadt' die übr. schon seit 1254 Stadtrechte besass (Bergh., Ann. 2, 517). *Neue Stadt* od. *Schreckenberg* s. Santa Anna. — *Neuwerk,* die Insel vor der Elbe, einst *O* = Insel, dann nach dem urk. 1316 erwähnten neuen Leuchtthurm *Nova O* = neue Insel, *Neu Oge, dat nige Werk* (Oetker, Helg. 20, Krause, Strantvr. 136 f.). — *Neujahrs Insel,* in Ratak, einh. *Miady,* v. russ. Lieut. Kotzebue (Entd. R. 2, 39) zu Neujahr 1817 entdeckt. Vgl. Neuf, Neuss u. Noviomagus.

Neuf, fem. *neuve* = neu (s. Novus), in frz. 'Neuenburg' u. 'Neuenstadt', als *Neufchâteau, Neufchâtel,* urk. *Novum Castrum, Neuveville* od. *Neuville,* urk. *Nova Villa,* in den 18 dépp. des Dict. top. Fr. ungemein zahlr. aufgeführt, so je 6 mal im dép. Meurthe (2, 100 f.) u. Nièvre (6, 134), 11 mal im dép. Aisne, z. Th. differenzirt (10, 198), 4 mal im dép. Meuse (11, 168), 11 mal im dép. Eure (15, 154), 6 mal im dép. Vienne (17, 291), 7 mal im dép. Calvados (18, 206) u. a. m. Im sprachl. Grenzgebiet finden sich die beiden Namen in *Neuenburg* u. *Neuenstadt* verdeutscht. Das westschweiz. *Neuchâtel,* ohne *f* u. oft mit *a* statt *â* geschrieben, urspr. ein festes Castell, *Novum Castrum,* im 5. Jahrh. erbaut, auch in den deutschen Schweiz häufig mit dem frz. Namen erwähnt, während der Canton gemeinigl. im deutschen Gewande, als *Neuenburg,* erscheint. Der *Neuenburger See, Lac de Neuchâtel*, hiess im Mittelalter, als der Ort am Oberende noch der bedeutendste Uferplatz war, *Lacus Eburodunensis, Lac d'Yverdun* (Mart.-Crous., Dict. 967). — Im übr. seien noch erwähnt: *Nouveau-Lieu*, 1182 de *Novoloco*, ehm. Cistercienserstift in Lothr. (Dict. top. Fr. 2, 104), *Navacelle*, 1384 *Nova-Cella*, Ort des dép. Gard (ib. 7, 149), *Neuburg*, oft dial. *nébourg*, eine Veste, j. Stadt des dép. Eure, hervorgegangen aus *Neufbourg*, 1089 *Novus Burgus*, 1195 *Neuf-Borc*, 1211 *Castellum Novum* etc. (ib. 15, 153), 4 *Neufbourg* u. 2 *Neubourg* im dép. Calvados (18, 206). Der ON. *Nouveau-Monde* 10 mal ebenda (18, 209), 24 mal im dép. Eure (15, 158) etc., ein *Neuvy* s/Loire, im 6. Jahrh. *Novus Vicus*, 1147 *Noveium*, 1221 *Neuviz*, im dép. Nièvre (6, 134). — Ein anderes *Neuvy* s. Noviodunum.

Neuf = 9, frz. Zahlwort, findet sich wie lat. *novem*, ital. *nove*, hier u. da im ON. *Neuffontaines* = 9 Brunnen *a)* im dép. Nièvre, 14. Jahrh. *Novem fontes*; *b)* im dép. Meuse (Dict. top. Fr. 6, 134; 11, 167).

Neumagen s. Noviomagus.

Neun und neunzig Inseln, eine Folge v. Flusseilanden des Nil unth. Chartum, bei den Schiffern so bezeichnet, weil in der ganzen Ausdehnung der 6. Katarakte, v. der Insel Marnad bis zu der 500′ h. Berginsel Raujan, diese Bildungen in so erstaunlicher Menge auftreten, dass Niemand ihre Anzahl kennt (Schweinfurth, IHAfr. 1, 44). — *Neungrad Canal* s. Aequator.

Neuss, ON. der Rheinprov., bei Tacit. (Hist. 4, 26. 35, Amm. Marc. 18, 2) *Novesium*, bei Gregor v. Tours *Nivisium*, 1023 *Niusi*, dann *Niusse, Neuscia* u. s. f., wurzelt sowohl im Kelt. als Deutschen, dort in der Form *nov*, hier mit *niwi* = neu, so dass der kelt. Vocal auf deutschem Gebiete die Neigung hat, sich in den deutschen umzusetzen (Förstem., Altd. NB. 1153). Ein deutsches adj. *niwi* in folgg. ON.: *Niwele*, j. *Niewaal*, in der Nähe der Waal, *Nuenberc*, ebf. im 11. Jahrh., *Niunbrunni*, mehrf. im 9. Jahrh., j. meist *Neubrunn, Niwanburg*, im 8. Jahrh., mehrf., j. *Nienburg* u. *Naumburg, Neuendorf, Neuenberg, Neu-, Neun-* u. *Neuenburg, Niwifaron*, im 8. Jahrh., mehrf., j. *Neufarn, Nauborn, Niffern, Nievern, Niwiheim*, im 8. Jahrh., mehrf., j. *Nie-, Nau-, Neuenheim* u. *Nöham, Niwinhova*, im 8. Jahrh., ebf. mehrf., j. meist *Neu-* u. *Neunhofen, Niwinhusa*, j. *Neuhaus* u. *Neuhausen, Niwichiricha*, j. *Neukirch, Neukirchen, Neunkirchen, Neuenkirchen, Niwenstat*, j. *Nienstädt, Nienstedt* u. *Neustadt, Niwendorph*, j. *Nein-, Nien-, Neudorf* u. *Niedorp, Niustria*, im 7. Jahrh. der westl. Theil des Frankenreichs, oft *Neustria*, auch *Neustrasia*, als Ggsatz zu *Austrasia*, der östl. Hälfte, v. Grimm (Gesch. DSpr. 529) als *Niwestria* = Neuwesterland gedacht. — *Naumburg* a/Saale, aus slaw. *Nobograd* übsetzt, hiess in den Schriften des Mittelalters *Noviburgium, Neoburgum, Neopyrgum, Naumburgum* (Versl. en Mededeel. AW. 9ᵇ, 199). — *N.* s. Nyon.

Neutral Ground = neutraler Boden heisst bei der engl. Bevölkerg. Gibraltars der niedrige, kaum 3 m h., sandige Isthmus od. Hals, welcher die bergige Felshalbinsel mit dem europ. Festlande verbindet, weil er als neutral weder z. brit. noch span. Gebiete gehört. Die Spanier nennen die Stelle schlechthin *el Istmo* = die Landenge (Wüllerst., Nov. 1, 39), also mit derselben generellen Bezeichng., die der auf der Landenge v. Panamà gelegene Creolenstaat erhalten hat.

Neuvy s. Neuf.

Nevada, fem. v. *nevado* = beschneit, mit Schnee, span. *nieve*, port. u. ital. *neve*, frz. *neige*, bedeckt, v. span. verb *nevar* = schneien, alles auf lat. *nix, nivis* zkgehend, kommt einmal in *Bahia N.* (s. Frio), mehrf. vor in *Sierra N.* = Schneegebirge *a)* f. das höchste Gebirge der PyrenäenHInsel (Willkomm, Span.-P. 19), mit iber. Namen *Ilipŭla* = das zackige, vielspitzige (Kiepert, Lehrb. AG. 479), wie denn Strabo p. 141 ff. am j. Guadalquivir eine Stadt Ilipa erwähnt, arab. *Dschebel ut-Teldsch* = Schneegebirge (Abulfeda ed. Rein. 2ª, 253, Edrisi ed. Jaub. 2, 49. 52), so dass der span. Name wohl die Uebersetzg. des arab. ist; *b)* f. ein calif. Schneegebirge, welches v. der Exp. Don Antonio's de Mendoza, des Vicekönigs v. Neu Spanien, 1542 benannt wurde, zuerst unter allen Abtheilungen der Cordillerennetzes der Union (Galvão, Desc. 230, Acosta, HInd. 456), auf Mich. Lok's Carte 1582 *Sierra Nevada*, als eine Bergkette, die v. Grunde des Purpurmeers nach Osten verlaufen sollte (WHakl. S. 1852). Nach dem Gebirge ein Territorium N. 1861, Staat 1864 (ZfAErdk. nf. 17, 198, Meyer's CLex. 11, 1033); *c)* f. den 5500 m h., schneeköpfigen Gebirgsstock bei Santa Marta, Columbia, daher *Sierra N. de Santa Marta;* d) im plur. *Sierras Nevadas*, die küstenfernen Schneegebirge Mexico's 'que todo el año están cargadas de nieue', v. Juan de Grijalva 1518 getauft (B. Diaz, NEsp. c. 12); *e) Tierras Nevadas* = Schneeländer, ein Theil Feuerlands auf Ribero's Weltcarte 1525 (Spr. u. F., Beitr. 4, 165). — *Rio Nevado* s. Hudson. — *Volcan Nevado* s. Sarmiento.

Nevers, ON. des frz. dép. *Nièvre*, hiess z. röm. Zeit *Noviodunum* = Neuenburg, später, offb. nach dem Flusse, im Itin. Ant. *Nevirnum*, bei Greg. v. Tours *Nivernum, Nivernensis urbs*, 862 *Necernum, Nivernum*, 1199 *Nivers* (Dict. top. Fr. 6, 135). Seit dem 9. Jahrh. gab es eine Grafsch. *Nivernais* (Meyer's CLex. 11, 1034). Die Ableitg., welche Rolland de Denus (AProv. de France 141) v. *N.* u., nach Bullet, v. Landesnamen gibt, sind unhaltbar; dagegen finden wir den Volksnamen *Nivernais, Nivernaise*, u. unverkennbar hängt der ON. mit dem des Flusses zs., der erst seit 1429 in der Form *Nyevre* vorkommt (Dict. top. 6, 136). Der Flussname mit seinen brit. Verwandten, *Never* od. *Nevern*, in Pembroke, u. *Naver* od. *Navern*, in Sutherland, wird v. kelt. *never* = milder Fluss abgeleitet (Charnock, LEtym. 314).

Nevil s. Lord North.

New = neu, in vielen engl. ON., verbunden sowohl mit Eigennamen, wie in *N. York*, auf die hier einf. zu verweisen ist, als auch mit Appellativen, so *Newburgh*, in schott. Fifeshire, *Newburg*, im Staat NYork, v. Pfälzern 1788 angelegt, *Newbury*, in Berkshire, *Newcastle* (s. d.), *Newhaven a*) in Sussex, an der Mündg. der Ouse; *b*) in Connecticut, 1638 v. einer engl. Colonialgesellschaft ggr. (Quack., US. 91), *N. Fort* (s. William), *Newmarket*, bei Cambridge, *Newport a*) in Wales, an der Mündg. des Usk; *b*) auf Wight; *c*) am Ouse; *d*) in Rhode I., 1639 als Hafen ggr. (Quack., US. 87); *e*) ggb. Cincinnati, am Ohio (Meyer's CLex. 11, 1041), *Newtown a*) in Wales; *b*) s. Cambridge. — *N. Island*, mehrf. bei engl. Entdeckern: *a*) in der chines. Südsee, v. Capt. Wallis am 3. Nov. 1767 gefunden (Hawk., Acc. 1, 283); *b*) bei Washington I., Mendaña, v. Lieut. Hergest 1792 (Meinicke, IStill. O. 2, 242); *c*) s. Holz. — *N. Rush* = neuer Andrang, Zulauf, ein Ort des Diamantenbezirks v. Kolesberg Kopje, da in Folge der Entdeckg. 1870 rasch 12 000 Menschen hier eintrafen (Meyer's CLex. 4, 662).

Newa, finn. Name des durch die Sümpfe Ingermanlands ziehenden Abflusses des Ládoga, soll nach Einigen 'Morast' bedeuten (A. E. Modeen, Brief 11. März 1882), was freil. als FlussN. nicht einleuchten will. In der That führt der finn. Sprachforscher A. E. Sjögren (Ingerm. 117) wohl als alten Namen des Flusses *Nu* od. *Ny* an, der auch zu den Schweden übergegangen sei, als *Ny, Nyn, Nyen*, so dass sie die am Flusse erbaute Veste *Nyenskan(t)s* = Schanze an der N. nannten — diess alles jedoch, ohne dass er die alte Form *Nu* erklärt. Nach dem Flusse der *N.-See* (s. Ladoga). — Uebertragungen, doch nicht v. Flusse selbst *a*) ein Fluss v. Sachalin, in die Baie Patience mündend, gilj. *Plyi*, bei den Oltscha *Saju*, bei den Ainos *Poronai* = grosser Fluss (Bär u. H., Beitr. 25, 205), v. russ. Capt. J. A. v. Krusenst. (Reise 2, 95) am 22. Mai 1805 getauft, wahrsch. nach der *N.*, dem zweiten Schiff der Exp., doch wohl auch, um den Namen des heimatl. Flusses an diese neuerforschte Küste zu heften; *b*) *N. Insel* s. Lisianskoy. — Eine sibir. *N., Neiwa*, wog. *Nŏwja*, tatar. *Nŏuzi*, russ. *Niza*, wohl v. abweichender Herkunft, im Netz Tura-Tobol; an dem Flusse der Bergort *Newiansk*, 1619 ggr. u. als 'älteste ural. Bergstadt' 1699 entstanden (Bär u. H., Beitr. 5, 106, Müller, 8Russ. G. 4, 439, Fischer, Sib. G. 1, 432, Meyer's CLex. 11, 1038).

Newberry, Mount, 'a prominent peak' am R. Colorado, v. der Exp. des Capt. Ives (Rep. 78) im Febr. 1858 nach dem Geologen der Exp., Dr. J. S. N., getauft. Von der Höhe des Berges konnte sein College, der Topograph F. W. Egloffstein, der schon Frémont's Exp. 1853 u. die f. den Bahnbau sub 41⁰ N. ausgesandte Unternehmg. begleitet hatte, die ganze Reihe der Black Ms. übersehen.

Newcastle = Neuenburg, engl. ON., zunächst

a) *N.* am Tyne, 'the glory of all the towns in this country', röm. wohl *Pons Aelii* = Hadriansbrücke (s. Aelius), die östl. Veste des v. Hadrian erbauten Pictenwalls, bei den Angelsachsen Wallfahrtsort, dessen Jesusborn lockte, desw. *Monkcester* = Mönchsstadt genannt, schliessl., nachdem der normann. Herzog Robert, der Sohn Wilhelms des Eroberers, das alte Castell, als Sitz der Rebellen v. Northumberland, hatte schleifen u. eine 'neue Burg' hatte bauen lassen, mit dem j. Namen belegt (Camden-Gibson, Brit. 209, Meyer's CLex. 11, 1036); *b*) *N.* under Lyme, Stafford; *c*) *N.* im Staate Delaware; *d*) *N.* in NSouth Wales, Kohlenhafen, v. Lieut. John Shortland 1797 entdeckt u. anfängl. *Kings Town* = Königsstadt genannt (King, Austr. 1, 165). Wie bei dem engl. Vorbilde können die Schiffe hier die Kohlen unmittelbar bei den Kohlenwerken selbst an der Mündg. des Hunter R. (s. d.) laden, welche durch grossartige Bauten mehr u. mehr zu einem leicht zugänglichen, sichern Hafen gemacht wird .... (Hochst., NSeel. 366, Flinders, TA. 1, CV). — Nach dem Herzog v. *N.* sind getauft *a*) *N. Water*, ein See in NAustr., v. Stuart am 23. Mai 1861 entdeckt u. nach dem damal. Colonialminister benannt (Peterm., GMitth. 8, 62); *b*) *N. Bay*, bei Cape York, v. Cook am 21. Aug. 1770 (Hawk., Acc. 3, 210).

New Foundland, richtiger *Newfound Land* = das neu gefundene Land, wohl die *St. John's Island*, welche v. den Cabots als *Prima Vista* = erster Anblick (Hakl., Pr. Nav. 3, 6, Rundall, Voy. NW. 5), am Johannistage, 24. Juni 1496, erreicht wurde (Biddle, Mem. 172) u. dem Namen nach in *St. Johns* fortlebt, längere Zeit einf. das 'neue Land', die 'neue Insel' genannt, bei P. Martyr (Dec. 3, 6) u. andern Autoren s. Z. auch *Isla de los Bacallaos*, nach den Stockfischen, *bacallaos*, port. *bacalhaos*, der nahen Bänke (sofern der Name nicht eig. nur einem Küsteneiland der Ostseite gegolten hat), das *Helluland* = Steinplattenland, welches v. Norm. Bjarne 987 v. Island aus entdeckt u. v. Leif, Eriks des Rothen Sohn, 1000 wieder gefunden wurde; 'sie warfen Anker, gingen ans Land, sahen kein Gras, aber grosse Eisberge überall auf der Höhe des Landes, *hella*' (Rafn, Entd. Am. 8. 18f., WHakl. S. 2, XV. XIX). Bei den Indianern hiess die Insel, im Ggsatz zu den kleinern Nachbareilanden, *Uktakumkuk* = das Hauptland (Rand, Micm. 94). In den erwähnten *NFoundland Banks* unterscheidet der Fischer die *Great* (= grosse) *Bank*, die *Outer Bank* = äussere Bank, die *Whale* (= Walfisch) *Bank*, die *Green* (= grüne) *Bank*, die *St. Pierre Bank*, um die Insel d. N., den *Banquereau* (= die kleine Bank), die *Porpoise* (= Delphin-) *Bank* (Anspach, NFundl. Carte 2).

Newton Cove, eine Bucht der spitzb. Ginevra-Bay, v. der Exp. Heuglin-Zeil 1870 getauft zu Ehren des engl. Naturforschers d. N. (Peterm., GMitth. 17, 182).

New Year's Harbour = Neujahrshafen, in Staatenland, durch Cook (VSouthP. 2, 196) am 1. Jan. 1775 entdeckt; 'the day on which this port was discovered, occasioned my calling it so' u. eine vorliegende Inselgruppe *N Y. Islands.* — Der letztere Name wiederholt sich an der Nordküste Neu Hollands, f. eine Entdeckg. McCluer's, v. d. Bombay Marine; der Capt. Ph. P. King (Austr. 1, 61) taufte eine ders. *Mac Cluer's Island*, eine andere *Grant's Island*, nach seinem Freunde Capt. Charles Grant, 'under whose auspices I entered the naval service'. — In der Form *NY. Isles*, 2 Eilande der Bass Str., am 1. Jan. 1801 durch John Black, den Befehlsh. der engl. Brig Harbinger entdeckt u. benannt; in der Nähe die *Harbinger's Reefs*, vor der *Baie des Récifs* = Riffbay der frz. Exp. Baudin 1802 (Flinders, TA. 1, 208, Péron, TA. 2, 19). — *NYears Creek* u. *NYears Range*, Bach u. Bergreihe am obern Darling, v. Capt. Sturt getauft (Mitchell, Three Expp. 1, 217).

Nexing, Ort bei Wien, durch Fürst Zinsendorf ggr., nach dem bedeutenden Pfarrdorf Obersulz eingepfarrt u. eingeschult, in den Pfarrbüchern *adnexum* = Anhängsel, im Volksmunde verst. *nexum*, schliesslich, da nach dem Beispiel mancher ON. der Umgegend die Endsilbe *-ing* mundgerechter war als *-um*, zu *N.* geworden (Mitth. des Hrn. Dr. Franz Ritter v. Heintl, KK. Ober-Finanzrath, Wien). Wie auch noch in neuerer Zeit hier analoge Namensformen gezüchtet werden, zeigt die Form Maxing (s. d.).

Neyetse-K. s. Tykoothie.

Nez-percés s. Koloschen.

Nga-Pi-Saik, ein Birmadorf, *saik* = Landungsplatz, am Irawady, v. *nga-pi* = Pressfisch, einem Hauptartikel birman. Diät (Crawfurd, Emb. 1, 42).

Ngaptéjagakò = stinkender Fluss, sam. Name eines Flusses des Grosslandes der Samojeden, v. den überlriechenden Ausdünstungen eines Moores, aus dem er seinen Ursprg. nimmt (Schrenk, Tundr. 1, 380). — *Ngörm-Jagà* = Nordfluss, russ. übsetzt *Séwernaja*, ein Zufluss der Kuja-Petschora, der in seinem Oberlauf beharrlich eine nördliche Richtg. verfolgt u. erst in der Nähe der Mündg. nach Westen u. Nordwesten umwendet (ib. 554). — *Ngójjau* = Inselausfluss, v. sam. *ngo* = Insel u. *jau* = Mündung, der bedeutendste Küstenzufluss z. ugr. Strasse, also genannt v. einem kl. Archipel im Delta seines erweiterten Laufes, als *Ngarkán Ojjau* = grosser Ngójjau v. dem Nebenflusse *Nuvén Ojjau* = kleinen Ngójjau unterschieden, russ. einf. *Wélikaja* = die grosse, auf einigen Carten *Oio*, während die Inseln bei den russ. Jägern *Storoschewjja* = Wachtinseln heissen (ib. 346. 380).

Ngawaltangirua = zweistimmiges Thal, 'Wasserscheide', bei den Maori eine aus Bimsalluvium bestehende Thalfläche im 'Oberland' des Waikato, Nordinsel, 'soll bezeichnen, dass v. dieser Fläche nach zwei Richtungen sich Wasserläufe, Creeks, hinziehen, einerseits nach dem Ohura, andererseits nach dem Ongaruhe' (v. Hochstetter, NSeel. 213). — *Ngaruawahia* = Gegend mit viel Brennholz,

die Residenz des mittlern Waikato, gelegen an der Landspitze, wo sich der Waipa in den Waikato ergiesst (ib. 175). — *Ngauruhoe* s. Tongariro. — *Ngahuinga* = Zusammentreffen, Vereinigg., Ort an der Confl. Wanganui-Ongaruhe (ib. 215). — *Ngamotu* = die Inseln, Eigenname der Inseln u. übr. Gegend v. Sugar Loaf Point (Dieffb., Trav. 1, 140). — *Ngateawa* = Flussvolk, ein Stamm der Maori, der zu Dieffenbach's Zeit (Trav. 1, 91) am Port Nicholson wohnte.

Nghurútua = an Flusspferden reiche Stätte, v. *nghurútu* = Flusspferd, mehrf. vorkommender ON. in Bornu (Barth, Reis. 2, 240).

Ngulúvo Likária = Ocker, Röthel, ON. nördl. v. Kenia, wo das Material sich findet, welches, mit Oel od. Fett vermischt, die Wakwavi verwenden, um Kopf, Brust u. Arme zu beschmieren. Etwas nördlicher der Ort *Boljoï*, benannt nach einer Erdart, welche aus grossen Löchern gegraben u. z. Rindermast verwandt wird (Journ.RGSLond. 1870, 322).

Nhengaibas s. Tupi.

Niágara = Wasserdonner, aus irok. *jorakahre* = lärmen, tosen (Cuoq, Lex. Iroq. 7), nach engl. Angabe zu spr. 'nee-agg-arah und not *nia-gärah*, as is sometimes erroneously done' (Buckingh., Am. 2, 502), der grosse v. der Exp. La Salle 1680 entdeckte u. auf 600' Höhe geschätzte, in Wirklichkeit 50 m h. Fall des St. Lorenz . . . 'certainly no name could be more significantly appropriate than this'. Nach dem Fall die Orte *N.*, auf der canad. Seite des St. Lorenz, *N. City* u. *N. Falls*, auf der rechten Flussseite, im Staate NYork (Meyer's CLex. 12, 3).

Njam-Njam = Fresser, 'Vielfrässe', bei den Dinka, die dem deutschen Reisenden Schweinfurth (IHerz. Afr. 2, 3) nähere Nachricht üb. die angeblich geschwänzten Menschenfresser gaben, der Name eines Negervolks, das wg. seines Cannibalismus verrufen ist. 'Krieg, schon um sich Menschenfleisch zu verschaffen, ist eine ihrer Hptbeschäftigungen . . . Die rohe Gier dieser Wilden ist himmelschreiend, ihr Cannibalismus ohne gleichen. Ihr König isst tägl. Menschenfleisch, u. seine Leute jagen die Nachbarn wie Wildpret. Die Erlegten werden an Ort u. Stelle zugerichtet, das Fleisch auf langen Gestellen gedörrt u. das Fett ausgesotten; die Gefangenen dagg. treibt man weiter zu gelegentlichem Abschlachten'. Die *N.* nennen sich selbst *Sandeh*; bei den Bongo heissen sie bald *Mundo*, bald *Manjanja*, bei den Djur *O-Madjaka*, bei den Mittu *Ma-* od. *Kakkaraka*, bei den Golo *Kunda*, bei den Mombuttu *Babúngera*; allein die Bedeut. dieser Namen ist mir unbekannt.

Njamok s. Leiden.

Njanza, Njassa, Njandscha, bei den Negervölkern des ostafr. Seengebiets dial. Formen f. grosses Wasser, See, Fluss etc. (Livingst., Miss. Tr. 640, Zamb. 80, Peterm., GMitth. 6, 150), u. allen Umwohnern des Victoria *N.* gespr. *nijandscha* od. *nijanza* (Stanley, Thr. Dark Cont. 104): *aj Victoria N.*, am 3. Aug. 1858 v. Capt. Speke entdeckt u. richtig als der eig. Quellsee des Nil erkannt, näher erforscht auf der Reise 1860/63, einh. *Ukerewe*, nach einer Insel *Kerewe* im Bengal Arch., mit präfix *u* = Stelle, Ort; *b) Albert N.*, zuerst v. Sam. Baker 1863 besucht, einh. *Luta Nzige*, richtiger *Mwuta Nzige* (s. d.). Von Baker sind die beiden Vornamen des engl. Königspaars (Glob. 1, 109, Egli, Nilq. 36). — Ein dritter *Njassa* im Netz des Shire-Zambesi, nebst einer Lagune *Njandscha Pangono* = kleiner See, auch *Njandscha ea Motope* = Schlammsee, im Ggsatz zu dem weiter flussaufwärts gelegenen *Njandscha Mukulu* = grosser See (Livingstone, Zamb. 90 f.).

Nias, Point, ein etwa 24 m h. Landvorsprg. an der Hecla and Griper Bay, wo am 6. Juni 1820 die Ueberlandpartie, welche v. Winter Harbour aus die Melville I. kreuzte, das Meer wieder erreichte, v. Parry (NWPass. 191) benannt nach Joseph *N.*, midshipman v. Schiffe Hecla; *b)* ebenso *N. Islands*, bei Southampton I., im Aug. 1821 (Parry, Sec. V. 35).

Nicaea, lat. Form des gr. *Níxaia* = Siegesstadt, *a)* ital. *Nizza*, frz. *Nice*, v. den Massaliensern um —300 ggr. infolge eines Siegs üb. die Küstenbaren u. als Bollwerk zu deren Abwehr. 'Später vermochten sie (die Massalienser), durch Tapferkeit einige der umliegenden Ebenen dazu (zu ihrem anfänglich kleinen Stadtgebiete) zu erobern, vermöge derselben Machtentwickelg., durch welche sie auch Städte als Bollwerke gründeten, th. nach Iberien hin gg. die Iberer . . ., th. gg. die am Flusse Rhodanus wohnenden Barbaren, th. Tauroentium, Olbia, Antipolis u. Nicaea gg. das Volk der Salyer u. die an den Alpen wohnenden Ligurer . . . Denn die Massilienser befestigten diese Pflanzstädte gg. die obh. wohnenden Barbaren, weil sie das Meer frei besitzen wollen . . .' (Strabo 180. 184, Plin., HNat. 3, 47); *b)* s. Isnik.

Nicaragua, Ort, j. Stadt in CAmerica, wo der conquistador Gil Gonçalez, der am 21. Jan. 1522 v. Panama abgesegelt u. bis z. Fonseca Bay gelangt war, 100000 pesos de oro fand u. dem mächtigen Hptling *N.* begegnete, der sich den Spaniern unterwarf u. den christlichen Glauben annahm (Gomara, HGen. c. 200, WHakl. S. 34, 32). Die *Laguna de N.* heisst ind. *Cocibolca* = der grosse See, der die Stadt (Granada) bespült (Buschmann, Azt. ON. 150, Peterm., GMitth. 5, 169).

Nicer s. Neckar.

Nicholls Fish Ponds, eine seeartige, bis 3 m t., permanente Wasserfläche West-Avatr., mit zahlr. Fischen, deren einige üb. 30 cm lg. waren, im Mai 1876 v. engl. Reisenden Th. Elder entdeckt u. als *fish pond* = Fischteich prsl. benannt (Peterm., GMitth. 23, 206) nach einem seiner Begleiter?

Nicholson Island, in der arkt. Liverpool Bay, v. Capt. John Franklin's (Sec. Exp. 221 ff.) Gefährten Dr. Richardson am 16. Juli 1826 entdeckt u. getauft 'as a mark of my esteem for William *N.*, esq., of Rochester'. — *N. Reef,* östl. v. den Freundschafts-In., v. Capt. *N.* 1818 entdeckt (Krus., Mém. 1, 27). — *Port N.,* die Hafenbucht v. Wellington, NSeel., einh. *Wanganui*

atera, eine der schönsten u. sichersten Hafenbuchten der Nordinsel, Mittelpunkt des Verkehrs f. d. Cooks Str. (Meinicke, IStill. O. 1, 278), mir unbekannt zu wessen Ehren benannt.

Nicobaren, eine Inselgruppe des Bengal G., mit *Gross-, Klein-* u. *Car-Nicobar*, mal. *Sambilang* = neun Inseln, da man so viele grössere zählt. Als, nach dem ersten Colonisationsversuche durch die Jesuiten 1711, der dän. Lieut. Tank 1756 Besitz nahm, nannte er sie nach seinem Könige *Frederiks Oerne* = Friedrichs-Inseln, u. später hiessen sie wohl auch *Ny* (= neu) *Danmark* (Wüllerstorf, Nov. 2, 3. 8).

Nicol z. Burney.

Nicolaus, lat. Form des gr. Mannsnamens *Nixólaos* = Volkssieger, dessen *k* die russ. Orth. beibehalten hat (s. Nikolaus), port. *Nicolão*, span. *Nicolao*, frz. *Nicolas*, auch engl. *Nico-* od. *Nicholas*, ist auch als Familienname toponymisch angewandt *a) Nicholas Isle*, in der Hudson's Str., v. engl. Capt. L. Fox am 10. Juli 1631 entdeckt u. auf der Rückkehr zum Secretär der brit. Admiralität getauft (Rundall, Voy. NW. 171. 185); *b) N. Berg* s. Bernhard.

Nicolaus, Sanct, zubenannt der Wunderthäter, einer der Hptheiligen der griech. Kirche (auch der Papst *N.* I. ist canonisirt), geb. aus Lykien, Erzbischof v. Myra, auf dem Concil v. Nicaea 325 ein Gegner der Arianer, wurde im Orient früh, dann, als sein Leichnam 1087 nach Bari gebracht war, auch im Abendlande, u. zwar am 6. Dec., gefeiert. Sein Name erscheint häufig f. Kirchen im Alpengebiete u. v. diesen auf die Ortsgruppe übgegangen, wie im *Matterthal*, das nach dem grossen Thaldorf auch *Nicolaithal* heisst (v. Welden, MRosa 39), od. im Davoser Ort Glaris, das nach seiner Kirche auch St. *N.* hiess (Campell 140). — Weitere ON. *a) Sáo N.,* eine capverd. Insel, v. d. port. Exp. *Noli* Gomez am 6. Dec. 1461, also am Tage des h. *N.*, entdeckt (Peschel, ZdEntd. 83); *b) San N.,* ein Hafen der Westseite Hayti's, der am Abend des 6. Dec. 1492 Columbus den ersehnten Schutz gewährte, 'y á la entrada del se maravilló de su hermosura y bondad' (Navarr., Coll. 1, 80, Colon, Vida 126); *c) San N.* s. Melas; *d) Isla de San N.,* in den Salom., v. der Exp. Mendaña zu Ende Apr. 1568 benannt (Zaragoza, VQuirós 3, 38); *e) Bay v. St. N.* s. Bjeloje; *f) Hávre de St. N.,* eine Bucht NFundlands, durch den frz. Seef. J. Cartier zu Anf. Aug. 1535 benannt (Hakl., Pr. Nav. 3, 213, Avezac, Nav. Cart. 7). — Auch auf griech. Boden sind nach dem Heiligen oft Kirchen u. Capellen benannt, so auf Thera der *Marmorne N.*, ngr. *ὁ Ἀ Νικόλαος ὁ μαρμαρένιος,* aus einem antiken Marmorgebäude bestehend (Ross, IReis. 1. 71), *San N.* (s. Melankabi) u. *Nikoli Tschudotworza* (s. Tagilsk). — *San Nicola* s. Tremiti.

Nicomedia s. Astakos.

Nicoya, Golfo de, in CAmerica, schon 1516 gesehen v. Espinoza, der ihn, wohl nach dem Kalendertage, *Golfo de San Lucas* od. *San Lucar* nannte (Peschel, ZEntd. 511), näher untersucht

1522 v. Gil Gonçalez, der den Kaziken *N.* besuchte u. den Golf nach dessen Wohnsitz umtaufte.
Auch Buschmann (Azt. ON. 125) erwähnt die
frühere Entdeckg.; aber die Exp. war v. Pedra-
rias Davila, dem Gouv. v. Darien, abgesandt u.
v. zwei Hptleuten, Hernan Poncé u. Bart. Hurtado, geführt.

Nicterohy s. Janeiro.

Nidaros s. Trondhjem.

Nidwalden, s. v. a. Unterwalden (s. d.) nid dem
(Kern-)Wald, also mit einer verkürzten Form des
ahd. *nidar*, ags. *nidher*, nhd. *nieder* = infra,
welches in ON. häufig vorkommt, gebunden th.
an Eigen-, th. an Gemeinnamen: *Niedernhall*,
württb. Ort am Kocher, mit Salzquelle (Meyer's
CLex. 12, 46), *Niederbronn*, im Elsass, mit Mineralquellen, die zu Badecuren benutzt werden (ib. 12,
15), *Niederau*, *Niederburg*, am Main, im 11.
Jahrh. *Niderenburc*, *Niederheim*, im Pinzgau,
im 10. Jahrh. *Niderheima*, *Niederndorf*, in
Steiermark, 970 *Nidrinhof*, *Niederhausen*, an
der Elz, 850 *Niderhusun*, *Niedermünster*, in
Regensburg, im 11. Jahrh. *Nidaranmunisturi*
(vgl. Ottilienberg), *Niederwangen*, in Württb.,
im 9. Jahrh. *Nidironwangun*, *Niderweiler*, in
Baden, im 11. Jahrh. *Niderinwillare* (Förstem.,
Altd. NB. 1151f.), *Niederwyl* u. a. m., insb. auch
Niederlande (s. Neder) u. *Niedrige Inseln* 2 mal
in Austr.: *a)* ein Schwarm niedriger, durch Riffe
u. Bänke gefährl. Koralleneilande bei Rook I.,
d. i. zw. Bismarck Arch. u. NGuinea (Meinicke,
1Still. O. 1, 100); *b)* s. Paumotu.

Nied'zwiada s. Mjedwjed.

Nielsen s. Schweigaard.

Nielson s. Osborn.

Njemen s. Memel.

Njemez s. Nemec.

Nienburg s. Neuss.

Njentschen Th. s. Karakorum.

Nieuw = neu, etwa mit Eigennamen verbunden,
doch auch mehrf. mit Appellativen in holl. ON.
wie in *Nieuwland a)* eine Colonie im Capl., angelegt nach dem Garten am Rond Boschje (Kolb,
VGHoffn. 204); *b)* s. Spitzbergen. — *Nieuweveld* s. Roggeveld. — *Nieuport*, ein flandr. Hafenplatz, nach den Ueberschwemmungen v. 1115
ggr. v. den Bewohnern v. Lombardzyde, dessen
Hafen versandet war (Wild, Niederl. 1, 24, Meyer's
CLex. 12, 54).

Nieve = Schnee, in span. ON. (s. Nevada) *a)*
Pozo de la N. = Bergspitze der Schneegrube,
der 1951 m h. Culm Gran Canaria's, aus dessen
Vertiefungen die Bewohner sich mit Schnee f.
den Sommer zu versehen pflegen (Meyer's CLex.
8, 43); *b)* *Volcan de N.* s. Colima.

Nièvre s. Nevers.

Nîf s. Enf.

Niffern s. Neuss.

Nigebolu s. Nikopolis.

Nig-a-lek Kok = Gänsefluss nennen die Eskimos einen östl. v. Elson Spitze in das Eismeer
mündenden Fluss, weil auf ihm Schaaren v. Enten
u. Gänsen übersommern (Peterm., GMitth. 5, 42 f.).

Niger = schwarz, das lat. Stammwort der
toponym. so häufig angewandten neurom. *negro*,
nero, *noir* (s. dd.), begegnet mir in ON. nur
spärl. *a)* verbunden mit einem Eigennamen (s.
Korkyra), *b)* in dem latin. Namen f. Montenegro
(s. d.). — Ein ganz anderes *N.* u. *Nigritia* s.
Kuara u. Sudan, *Nigri Oran Buggess* s. Celebes.

Night Creek = Nachtbach, ein kl. lkseitg. Zufluss des Missuri, unth. des Big Bend (s. d.), v.
den Captt. Lewis u. Cl. (Trav. Miss. 57) am 19.
Sept. 1804 spät in der Nacht erreicht u. benannt. — *N. Island*, bei York Peninsula, v.
Capt. Ph. P. King (Austr. 1, 235) am 18. Juli
1819 benannt, weil er nicht nur die Nacht selbst
hier ankerte, sondern glaubt, immer werde diess
ein Haltplatz f. Schiffe sein, welche auf jener
Küste beschäftigt seien.

Nightingale Creek = Nachtigallenbach, so nannte
die Exp. Lewis u. Cl. (Trav. 7) einen kleinen
Zufluss des untern Missuri, weil, als sie v. 4./5.
Juni 1804 in der Nähe lagerte, eine Nachtigall
die Nacht hindurch sang; *b)* *N. Island* s. Cunha.

Nijmegen s. Noviomagus.

Njiro, Gwaso = grauer Fluss, in der Nähe des
Kenia, stellenweise mit grauem Staube bedeckt.
Ein Ort *Gwaso ná Ebór* = weisser Fluss, in
der Nähe des Kilimandscharo, in einer Gegend
weissen glänzenden Sandes (Journ. RGSLond.
1870, 313. 317).

Nikaia s. Nicaea.

Nikentsiake s. Noire.

Nikolaus, im russ. Herrscherhaus übl. Mannsname (s. Nicolaus), insb. f. den am 7. Juli 1796
geb. dritten Sohn Paul's I., welcher 1825, nach
Alexanders Tode, den Kaiserthron bestieg u.
während des Krymkrieges 1855 †. Wir erwähnen
a) *Nikolai Insel* (s. Zaren In.); *b)* *Nikolaistad*,
in Finl. 1611 v. Karl IX. angel u. nach seinem
Hause *Wasa* genannt, seit dem Brande 1842 zu
Ehren des russ. Kaisers umgetauft (Meyer's CLex.
12, 60); *c)* *Nikolájew*, am Unterlaufe des Dnjepr-
Bug, v. Fürst Potemkin 1789 ggr. (ib. 12, 60); *d)*
N. I. Bucht s. Barracouta; *e)* *Cape N. I.* s. Karl.
— *Nikolajewsk*, mehrf.: *a)* Redoute in Alaska,
v. der russ.-americ. Pelzhandels Co. angelegt
(Bär u. H., Beitr. 1, 137ff.); *b)* Kreisstadt in
einer v. deutschen Colonisten bewohnten Gegend
des Gouv. Ssamara (ib. 61); *c)* Hafenort am Amur,
1851 ggr. (Peterm., GMitth. 6, 96); *d)* s. Alexandrowsk; *e)* *Nikolajewskaja Sloboda*, Ort des
Gouv. Astrachan, ggb. Kamyschin, mit Klein-
russen bevölkert zu Ende des 18. Jahrh.; *f)*
Nowo Nikolajewka, Agrarcolonie in Taurien,
unter griech. Ansiedelungen um 1832 ggr. (Bär
u. H., Beitr. 11, 33).

Nikopolis, gr. Νικόπολις = Siegesstadt, mehrf.
f. Schlachtorte: *a)* vollst. *Colonia Julia Actia
N.*, die Siegesstadt bei dem Vorgebirge Actium,
wo Augustus' Lager auf dem Isthmos der Halbinsel gestanden hatte, v. dem kais. Sieger erbaut
als Sitz der Verwaltungsbehörden der Prov.; ihre
Ruinen v. $7\frac{1}{2}$ km Umfang gehören zu den schönsten Beispielen treffl. Quaderbaues (Kiepert, Lehrb.

AG. 301, Strabo 324, Tacit., Ann. 2, 53); *b)* in
Moesia inferior, v. Trajan z. Andenken an einen
Sieg üb. die Dacier so genannt (Syncell. 376 a.),
j. bulg. *Stari* (= alt) *Nikup*, ngr. *Nikopi*, in
der Nähe v. Trnowa (Kiepert, Lehrb. AG. 332);
c) in Klein-Armenien, v. Pompejus ggr. z. Andenken an seinen ersten mithridat. Sieg, daher
auch *N. ἡ τοῦ Πομπηίου* = das pompeische *N.*
(Dio Cass. 49, 39); *d)* in Unter-Aegypt., v. Augustus
z. Andenken an seinen Sieg üb. Antonius ggr.
(Pape-B.). — Neben dem ant. *N.* hat Bulgarien
noch ein bekannteres, aus dem 7. Jahrh., v. Kaiser
Heraklius an der Donau angelegt, ngr. *Nikopoli*,
türk. *Nigebolu*. Der Zusatz *ad Istrum*, den
auch die abseits v. der Donau, im Thal der
Jantra gelegene ältere *N.* führte, hat die Verwechslg. beider Orte begünstigt.

Niksar s. Neokaisareia.

Nikulásargja = Nicolauskluft, eine der vulcan.
Klüfte Islands, wo sich der Sysselmann Nikulás
Magnússon aus Furcht vor dem unglückl. Aus-
gange eines Processes in den Abgrund stürzte
(Preyer-Z., Isl. 85).

Nikup s. Nikopolis.

Nil, lat. *Nilus*, gr. *Νεῖλος* u. diess v. semit.
Nahal = Fluss (Kiepert, Lehrb. AG. 191), hebr.
יְאֹר, יְאוֹר [j'ôr], v. altägypt. *Aur*, kopt. *Eiro*,
Jarô = Fluss, auch שִׁיחוֹר od. שִׁחֹר, *Schichor*
= der schwarze (d. i. trübe), v. dem schwarzen
Schlamme, welchen er führt (Gesen., Hebr. Lex.).
Vgl. Melas. Mir scheint die 'Berichtigung', die
Kiepert (Lehrb. AG. p. VIII) an seiner eignen
Angabe anbringt, nämlich dass *Νεῖλος* nicht v.
nahal komme, da dieses nur 'Regenbach', nicht
einen perennirenden Fluss bedeute, im Hinblick
auf den phön. Namen des Senegal (s. d.) ggstandslos zu sein; aus dieser alten Bezeichng. erkennen
wir, dass das semit. Wort, wenigstens im Alterth.,
wirkl. f. perennirende Flüsse angewandt wurde.
Die Schrift F. v. d. Haeghens (Étym. du mot *N.*,
Louv. 1855) liegt mir nicht vor; jedenf. war der
bekannte Reisende Miani auf falscher Fährte, als
er in *N.* ein skr. 'blau' annahm (Mitth. Wien.
Geogr. G. 8. 3). Wir unterscheiden, den Arabern
folgend, f. den Oberlauf den aus Abessinien herabkommenden, klaren, fast meergrünen *Bahr el-
Asrek* = blauen Fluss v. dem Abfluss des Victoria
Njanza, dem trüben, milchähnlichen, angeblich
dreimal stärkern *Bahr el-Abiad* = dem weissen
Fluss u. betrachten letztern als den eig. Quell-
strom. 'Das bläulichgrüne Wasser des *Bahr el-
Asrek* nimmt schon im Monat Mai eine intensiv
röthlichgelbe, lehmige Farbe an, während der
Bahr el-Abiad wg. seiner Kalkmilchfarbe seinen
arab. Namen wohl verdient' (ZfAErdk. nf. 13, 5).
Der Geograph Kirchhoff ist geneigt, die beiden
arab. Flussnamen im Sinne des landesübl. Dialekts, als 'dunkles' resp. 'helles Wasser' zu nehmen
(Mitth. VEHalle 1879, 53). Bei den Anwohnern
führt der *N.* besondere Namen, *Nam Aith* =
Fluss, wohl bei den Schilluk (Peterm., GMitth.
8, 219), bei den Kir einf. *Kiri*, *Karè* = Wasser,
bei den Bari *Tschufiri*, *Tubirih* = weisser Strom;

dieser Theil des Laufs, wo der *N.* aus den
Schluchten v. Gondokoro hervorgetreten ist, heisst
arab. *Bahr el-Dschebel* = Bergfluss (Meyer's CLex.
12, 65). Der blaue *N.* heisst abess. *Abaï*, bei
Barros (As. 1, 10¹; 2, 8¹; 3, 4¹) *Abauhi*, *Abavij*,
Abauhij = Vater der Wasser, 'que ácerca delles
quer dizer pai das aguas polas muitas que leva',
od. 'der Riese' (Spr. u. F., NBeitr. 3, 201). —
Ein zweiter *N.* ist Zufluss des Limpopo, schilf-
reich, mit Krokodilen; die Boers meinten, als
sie auf ihren Wanderzügen hierher kamen, sie
wären schon in Aegypten angelangt (Merensky,
Beitr. 5. 163).

Nilgherry, eig. *Nilagiri*, v. skr. *giri*, *gherry* =
Gebirge u. *nila* = blau, also = blauer Berg,
weil das Gebirge, v. Tieflande aus gesehen, in
blauem Dufte sich zeigt. Der Name 'ist bezeichnend f. die scheue Abneigg. der Tropen-
bewohner, die Berge anders als aus der Ferne
sich zu betrachten' (Schlagw., Reis. 1, 197, Gloss.
229, Sommer, Taschb. 11, 344, Humb., As. Centr.
1, 145, Glob. 4, 248). — Aehnl. *Nilab* = Blauwasser, Ort im Pandschab, *Nilgárh* = Blauveste,
in Orissa, *Nilnág* = blauer See, ein Bergsee in
Kischtwar, *Niléschwara* od. *Nelliserám* = der
blaue od. blauhalsige Herr, d. i. Siwa, ein Ort
in Malabar (Schlagw., Gloss. 229).

Nimes, unrichtig *Nismes*, alter frz. ON. des dép.
Gard, auf Münzen NMY, NEMAY, ΝΑΜΑΣΑΤ,
auf Inschriften COLonia NEMausus, NAMAY-
ΣIKABO, NAMAYCATIC, RES PVBLICA NE-
MAVSESIVM, NEMAVSENSES, bei Plin. (HNat.
3, 37) *Nemausum*, bei Strabo (4, 178 ff.) *Νέμαυσος*,
bei Steph. Byz. *Νεμαύσιος*, bei PMela (2, 5) *Nemausus*, im Itin. Ant. *Nemausum*, bei Greg. v.
Tours *Nemausus* urbs, 589 *Nemausensis* ecclo-
sia, bei D. Bouquet *Nemis* s. *Nemauso*, 1090 *Nimis*,
1357 *Nimes* etc., in seiner Urform gleichbedeutend
mit dem v. kelt. ON. häufigen *nemetum* = Heiligthum, Tempel, also das Cultuscentrum des Stammes, der Volcae Arecomici. Das alte *Nemausus*
enthielt auch griech. Ansiedler u. war z. Römerzeit eine glänzende Stadt, weit grösser als das
j. *N.* (Kiepert, Lehrb. AG. 509). Nach dem Orte
die Umgegend: le *Némausenc* od. le *Némozes*,
816 *Nemausensis* pagus (Dict. top. Fr. 7, 150).

Nimmow s. Moose.

Nimnjanka s. Demianka.

Nimptsch s. Nemec.

Nimrin s. Beth.

Nimrud Dagh, vulcan. Bergkette längs des westl.
Ufers des Wansee's. Alte Sagen lauten, Nimrod
hätte beabsichtigt, hier eine unzugängliche Burg
zu bauen, stark genug, um Gott u. Menschen zu
trotzen; da verwandelten sich die Arbeiter u. die
Kamele in Steinsäulen, ein unvergängliches Denkmal göttlicher Rache. Bei den Eingb. heissen
die v. den Winterregen ausgewaschenen, phantastischen Formen der Sandsteinpfeiler *Nimrods
Kamele* (Layard, Disc. 34). — *Birs N.*, Ruine
bei Babylon (s. d.), galt lange als der berühmte
Sprachenthurm (Spiegel, Eran. A. 1, 305). —
Nimrod's Group s. Emerald. — *Nimruz* s. Zareh.

Nimwegen s. Noviomagus.

Nine Islands = neun Inseln, eine zu den Salomonen geh. Gruppe, deren 8 kaum mehr als grosse Felsklippen sind, niedrig u. platt, wohl beholzt u. bevölkert, entdeckt v. engl. Capt. Carteret am 24. Aug. 1767 (Hawk., Acc. 1, 366 f.), nach Krus. (Mém. 1, 8. 173 ff.) dies. Inseln, welche der span. Seef. Maurelle 1781 fälschlich mit Tasman's *Ontong Java* (s. Howe) identificirte u. auch die brit. Seeff. Shortland 9./10. Aug. 1788 u. Hunter 18. Mai 1791 f. neue Entdeckungen ansahen. — *N. Hummock Bay*, in den Salomonen, v. engl. Capt. Shortland 1788 nach 9 abgerundeten Anhöhen, mamelles, mamelons (Fleurieu, Déc. 178), benannt. — *N. Lakes*, eine Reihe v. 9 grossen See'n im Netz des Yellow Knife R. (Franklin, Narr. 212 ff.). — *Ninepin Rock* = Fels des Kegelspiels, mehrf.: *a)* eine Klippengruppe bei Paäma, NHebriden (Meinicke, IStill. O. 1, 188); *b)* ein Inselberg des südatlant. Trinidad, v. Halley nach der Form benannt (Ross, SouthR. 1, 23); *c)* ein Fels vor dem Kraterhafen v., St. Paul (Wüllerst., Nov. 1, 256). — *Two Ninepins* s. Saddle. — *Ninety Miles Beach* = Ufer v. 90 miles, eine geröllbedeckte Küstenstrecke südl. v. Banks' Peninsula, NSeel., eine ununterbrochene Linie ohne Buchten u. Vorsprünge (Hochst., NSeel. 336). — *Ninth Island* = die neunte Insel (welche auf der Exp. gefunden wurde), ein Küsteneiland an der Nordseite Tasmania's, entdeckt u. benannt am 2. Nov. 1798 v. Lieut. Flinders (TA. 1, CLI, Atl. 6), als er, v. der Gruppe Furneaux herkommend, im Begriffe war, Tasmania v. Westen nach Osten zu umschiffen. Weiterhin fand sich, vor Stony Head, *Tenth Island* = die zehnte Insel.

Ninive, Ruinenstätte in der Gegend v. Mosul, assyr. *Ninua* = Wohnung, hebr. נִינְוֵה, *Ninueh*, gr. *Nívos*, d. i. gleichnamig mit dem sagenhaften Gründer des Orts, seit etwa —900 Königsresidenz, v. den verbündeten Medern u. Babyloniern —605 zerstört, in der röm. Zeit erneuert als *Claudia Ninus* (Oppert, Exp. 1, 70. 277, Kiepert, Lehrb. AG. 151). — Auch in Karien (s. Aphrodisias) u. in Griechenland haben altsemit. Colonien den Namen, in der Form *Minoa*, gr. *Mινώα*, mehrf. verbreitet (Kiepert 242. 277), u. auch diese wollte die Sage an eine myth. Figur, den Meerbeherrscher Minos, anknüpfen (Curt., GOn. 147).

Njörva s. Gibraltar.

Njommelsaska, besser *Njåmmelsaska* = Hasensprung, in schwed. Uebsetzg. *Harsprång* (-*et* ist Artikel), die lapp. Name des gewaltigen 78 m h. Falles, den die Luleå, unmittelb. nachdem sie den Store Luleå Träsk verlassen, bildet, 'ett af verldens under ... dett högsta vattenfall i Europa med så stor vattenmassa'. Der Fluss 'framkommer fullbildad ur Stora Lulevattnen och går redan ofvanför *Harsprånget* fram med rök och dån. Der detta börjas ligger en ödslig klippö, på hvilken här och der en ung tall fått rotfäste. Elfvens stränder äro på begge sidor om klippön mycket branta och blifva längre ned alldeles lodräta, bildande en smal ränna af endast 60 till 70 fots bredd, samt en qvart mils längd. Den öfversta delen af rännan, på klippöns östra sida, är, der fallet börjar, 80 till 100 fot bred, men vid öns nedra ända, 500 fot längre ned, endast 30 fot. Denna del af rännan är betydligt brantare än de öfriga. Den väldiga vattenmassan nedstörtar öster om klippöns öfversta ända först lodrätt 35 à 40 fot och kastar sig derefter med den förfärligaste våldsamhet utför den stupande rännan, hvarvid tvenne ofantliga vågor af vildt brusande skum uppstå. Längre ned, midt i vägen för hvirflarnes lopp, uppskjuter från östra stranden eller väggen en klippa. Mot denna vräkes den i vildt raseri framstörtande vattenmassan, och kastades vid ett tillfälle, som i anseende till det myckna regnet sommaren 1862 och den då inträffade fjellfloden var högst gynnsamt för betraktandet af det storartade skådespelet, stundom hela 50 fot mot höjden. I hvarje ögonblick förändras scenen; öfverallt uppkastas stora vattenmassor högt i luften, och höga molnstoder af skum sväfva öfver det hela, stundom så täta, att de bortskymma de bakom liggande föremålen. Omkring klippan midt framför rännan tvingas det hvitkokande svallet att vika åt sidan och möter den från andra sidan klippön kommande smalare grenen, sedan denna först kastat sig lodrätt ned. Derefter framilar det sjudande afgrundssvallet i sin trånga ränna och bildar en kontinuerlig kedja af fall utefter en sträcka af en fjerdedels mil. Ifrån den 120 till 150 fot höga klippstranden ser man i djupet endast rök och skum, hvars bländande hvithet gör en märklig kontrast mot de svartglänsande klippväggarna ...' (Petterson, Lappl. 20 f.).

Nipimenan Sepesis = Flüsschen der Sommerbeeren, bei den Cree ein rseitg. Zufluss des Qu'appelle R., nach den dort massenhaft wachsenden Pembinabeeren, high-bush cranberries, in engl. Uebsetzg. *Summer Berry Creek*, wo *creek* = Bach das Creewort *sepesis* ersetzt, *sepe* = Wasser, Fluss u. *sis* = klein (Hind, Narr. 1, 374). — *Nippeween* s. Corne. — *Nipuwin-sipi* s. Death.

Nipon s. Japan.

Nis s. Nesos.

Nisa s. Kalah.

Nisabat, Küstenort des Kaspisees südl. v. Derbent, an niedriger u. hafenloser Küste, wo die russ. u. pers. Fahrzeuge des Handels wg. landeten, diess aber, u. zwar ohne Schaden, durch Stranden bewerkstelligen mussten. Den mir unerklärten ON. deuteten die Russen als *Nisowoi* od. *Nisowaja Pristan* = niedrige Anfurt (Müller, SRuss. G. 3, 35).

Nisch s. Neisse.

Nischemaince Sakiegan = See der 2 Schwestern, ind. Name eines nordameric. See's, in welchen 2 zu einem starken Strom vereinigte Flüsse sich stürzen (GForster, GReis. 3, 292).

Nischnij, fem. *nischnaja* = unter, in russ. ON. der Ggsatz zu einem flussaufw. od. sonst höher gelegenen Ort (s. Nowgorod u. ähnl.), oft verbunden mit dem Namen eines Flusses, an welchem 2, 3 Orte mit ihm gleichnamig sind (s. Kolymsk).

Nisibîn, als *Nasibin* schon in den Keilinschriften (Oppert, Exp. 1, 60), eines der wichtigsten Emporien im Norden Mesopotamiens, wahrsch. eine phöniz. Colonie נְצִיבִין [nizibin], v. den z. phön. Cultus gehörenden Säulen, נְצִיב, benannt (Movers, Phön. 2b, 163, Spiegel, Eran. A. 1, 297). Der letztere Autor beruft sich auf Steph. Byz. (211): *Νέσιβις σημαίνει τῇ Φοινίκων φωνῇ λίθοι συγκείμενοι καὶ συμφορητοί* u. fügt bei: In der That ist phön. נצב:, *nezib* = die Säule. Schon im altassyr. Reiche der Sitz eines der 4 obersten Reichsbeamten, wurde *N.* unter den Seleuciden eine blühende griech. Colonie, *Antiocheia Mygdonia*, also mit einem Beinamen, der, nach der Vorliebe dieser Herrscher, eine heimatl. Erinnerg. enthielt, näml. an die maked. Ldsch. Mygdonia. Später kehrte der uralte Name, syr. *Nçibin*, arab. *N.*, der wie der hebr. ON. *Nçib* = Militärstation, zurück, in dieser Deutg. passend f. den Ort, welcher 2 Jahrhh. die wichtigste röm. Grenzveste gg. Parther u. Neuperser war (Kiepert, Lehrb. AG. 154). Die Armenier nennen die Stadt *Medzbin* u. erzählen, dass Sanatruk, der zweite Nachfolger Abgars, so viel auf die Ausstattg. des Ortes verwandt habe, dass er nur einen Dirham im Schatze behielt; daher liess er vor seinem Palaste eine Statue errichten, die einen Dirham in der Hand hielt u. die Stadt danach *Mnatzmin* = 'einer blieb übrig' nennen. Diese etymolog. Spielerei bestätigt eig. die erstere Angabe. *N.* ist heute zu einem elenden Dorfe herabgesunken; doch stehen noch die Grundvesten der alten Wälle u. einzelne Thürme. Durch die Oede seiner Ruinen ist dasselbe z. Rufe der Hptstadt des *Dschinnistans* = der Dämonenheimat gelangt u. heisst *Bilad os-Siklein* = Land der beiden Geschöpfgattungen, d. i. der Menschen u. der Dschinnen, wider welche der Wanderer an den hier gezeigten Fusstapfen-Plätzen, den sog. heiligen Städten, v. Noah, Esdras u. Job, Beistand erfleht (Hammer-P., Osm. R. 2, 450).

Nisowo s. Nisabat.

Nissa s. Neisse.

Nisyros, gr. *Νίσυρος* = 'Wallerstein', v. *νίσσομαι* im Sinne eines sich fortbewegenden u. laufenden Steins; *a)* eine an Mühlsteinen reiche Sporade, j. *Nizzaria*, früher auch *Πορφυρίς* (s. d.), weshalb ein solcher *Νισυρῖτις πέτρη* hiess. An die Insel selbst knüpft sich der Mythus, dass sie ein v. Kos abgerissenes Felsstück sei, welches Poseidon mit seinem Dreizack abgeschlagen u. auf Polybotes, einen v. ihm verfolgten Riesen, geworfen habe (Strabo 489, Homer, Il. 2, 676); *b)* τὸ *Νίσυρον*, ein wie die Insel *N.* v. Kos abgerissenes Felsstück (Pape-Bens.); *c)* eine Stadt auf Karpathus, der südlicher gelegenen grössern Insel (Ross. IReis. 2, 100), wohl v. der Insel *N.* nur übtragen.

Nitriai, gr. *Νιτρίαι* = Natronseen, in Unter-Aegypten, j. Birket el Duarah u. die Gegend des *Natronthales* (Strabo 803, Pape-Bens.).

Nitwinsk s. Solikamsk.

Njuki, Ngarè na = Rothwasser, Negername eines kleinen Flusses an der Westseite des Kilimandscharo, da sowohl der Grund aus rothem Schlamm besteht, als auch die Oberfläche mit rothem Staub bedeckt ist. Das Wasser ist bloss armstief, 'and the least disturbance of the bed renders the water at that place a red mass'. Mit diesem Flusse vereinigt sich *Ngarè na Erobi* = Kaltwasser, ein kleines, den Umwohnern unerträglich kaltes Berggewässer. 'It is so intensively cold that, if the natives drink it, they endeavour to swallow it without it touching their teeth'. In derselben Gegend *Ngarè Rongei* = enger Fluss, ein schmales, ebf. v. Kilimandscharo herabkommendes Bergwasser, *Ngarè Motónji*, nach dem Vogel *motónji*, der zahlr. an den Ufern wohnt (Journ. RGSLond. 1870, 313. 319).

Niutireni s. Nieuw Zeeland.

Nivaria = Schneeinsel, v. *nix, nivis* = Schnee röm. Name f. Tenerife (s. d.); modern ist dagegen *Terra Nivea* = Schneeland, auf frühern Carten ein ebener Landstrich auf der Nordseite der Hudson's Str., zieml. höher als das benachbarte Gebiet u., obgl. nicht viel mehr als 300 m üb. M., gänzlich mit, nach Davidson permanentem, Schnee bedeckt (Parry, Sec. V. 13).

Nivernais s. Nevers.

Nizamábád = Nizámstadt, arab.-hind. ON. in Bengálen, v. *nizam* = regierend, einem im Dékhan gebr. Titel f. den höchsten Beamten, Hptgouv., unter dem Rádschah. Aehnlich *Nizampatam*, wo *patam* ebf. 'Stadt', im Karnatik, erbaut u. benannt v. Nizam al Muluk, einem der Vicekönige des Dekhan, vor Zeiten eine der grössten Städte (Spr. u. F., Beitr. 3, 23), *Nizampur*, mit gl. Bedeutg., im Konkan, *Nizámuddinpur* = Stadt des Beherrschers des Glaubens, in Bengal (Schlagw., Gloss. 229).

Nizinsk, vollst. *Nizinskaja Sloboda*, zwei Bauerncolonien an der Niza-Tura, die eine anf. in Urk. *Nischnaja* (= untere) *Nizinskaja*, j. *Krasna Sloboda* (s. d.), die weiter flussan gelegene, 1627 ggr. *Werchna* (= obere) *Nizinskaja*, auch *Jelanska*, v. dem in Sibir. gebr. Tatarenworte *jelan*, welches eine z. Ackerbau wohl geeignete, hin u. wieder mit Birkenwald unterbrochene Gegend bezeichnet, daher auch *na Krasnoi Jelani Iwantschinskom Saimischtsche*, so nach dem hohen Ufer, auf welchem der Ort liegt u. welches damals *Iwantschinskoi Muis* hiess (Müller, SRuss. G. 5, 40 ff.).

Nizza s. Nicaea.

Nizzaria s. Nisyros.

Nkî Búl = weisses (d. i. offnes) Wasser, bei den Kanori eine breite, offne Bucht des Tsad im Ggsatz zu den seichten, bald wasserbedeckten, bald entblössten Sumpfufern *Nkî-tsílim* = schwarzes Wasser (Barth, Reis. 2, 418; 3, Carte).

No, auf unsern Carten der Name eines grossen Sammelbeckens des mittlern Nilgebiets, als 'Sammelplatz sämmtlicher Gewässer im obern Nil' bei den arab. Schiffern *Maqrèn el-Bohúr*. Mün-

dung der Ströme (Schweinfurth, IHAfr. 1, 119).
— Ein anderes *no* s. Non!

Noakot s. Nova.

Noceta s. Nogaredo.

Nochinsk s. Irkutsk.

Nochiztlan = Ort der Cochenille, *nocheztli* (v. *eztli* = Blut u. *nochtli* = Nopal, Cactuspflanze), azt. ON. in Zacatecas u. in Oaxaca (Buschmann, Azt. ON. 105).

Nodales Peak, ein Berg in der Magalhães Str., unfern Cape Forward, benannt nach dem span. Seef. Bartol. Garcia de Nodal, welcher 1619 die Enge passirte (ZfAErdk. 1876, 454).

Noël s. Natividad.

Nöham s. Neuss.

Nörup s. Nordrup.

Nördlingen s. Nord.

Nofels s. Novale.

Nogaredo möge die zahlr. Namenfamilie führen, welche auf lat. *nux* = Nuss u. seine Derivate *Nucetum* u. *Nugaretum* zkgeht. Aus der einfachern Collectivform *nucetum*, die aus *nux* mit suffix *-etum* gebildet ist u. als Gemeinname schon im 1. Jahrh. vorkommt (s. Aunay), ist in 2 merowing. Dipl., zu Ende des 7. Jahrh. *Nocito*, dann zu *Noisy* geworden, ein *Nocetus*, erwähnt 811, zu *Noiseau* = nucellus (d'Arbois de Jub., Rech. NL. 623). Später trat neben die einfachere Bildg. eine mit doppeltem suffix *Nucaretum*, in gl. Weise, wie dies unten (s. Pometum) angegeben ist. Es ist also auch *Nucaretum*, *Nuceretum*, *Nogaretum* = Nussbaumgarten, Fläche, mit Nussbäumen bepflanzt u. unser Stichwort *N.* eine mod. Form des lat. Worts, f. einen Ort des Trentino, wo, wie in einigen Theilen des venetian., übh. gallo-ital. Gebiets, die Nuss *nogara*, v. einem spätlat. *nucaria* heisst. *Nogareit*, die Namensform, die der Ort urk. 1166 trägt, dürfte unter deutschem Einfluss entstanden sein; schon 1214 erscheint die heutige Form *N.*, die oft in *Nogarè* verkürzt ist (Malfatti, S. top. Trent. 80). In Ital. üb. 80 solcher Formen wie *N.*, *Nugareto*, *Nogarè*, *Noglareda*, *Noceto*, *Noceta*, *Nuceto*, *Noce*, *Nocetta* u. s. f. (Flechia, NL. Piante 16). Auch bei Rovereto ein *N.* u. im Walgau rätor. *Nüziders*, 831 *Nezudre*, dann *Nuzadres*, *Nuzedre* (Bergmann, Wals. 15), *Nugerol*, im Jura, urk. *Nuerol*, *Nugerolis*, ferner *Nozeroy*, Ort im dép. du Doubs, *Nuglar*, im C. Soloth., *Noréaz*, im C. Waadt (Gatschet, OForsch. 2. 59), *Nozay*, früher *Noereiz*, *Noroy*, *Noray*, im dép. Seine-.et-Oise, *Norroy*, 4 mal, 960 *Nogaredum*, im dép. Meurthe, *Noyers*, 1078 *Nugerium*, 1080 *Nucerium*, 1101 *Noyeriae*, im dép. Yonne, *Nogairols* u. *Nogeirols*, *la Nogarède* 4 mal, *Nogaret*, 1243 *Nogaretum*, *Noguéret*, *la Nougarède* 2 mal, sämmtl. im dép. Gard, *Noroy*, 1195 *Noeroi*, im dép. Aisne, *Norroy* u. *Noyers*, 1236 *Nouyers*, im dép. Meuse, *la Nogarède* 2 mal, 1243 *Nogareda*, u. *Nogaret*, im dép. Dordogne, *Noers*, 634 *Nugaria*, u. *Norroy* 2 mal, 679 *Nugaretum*, im dép. Moselle, *Nozay*, 1302 *Nozetum*, *Nozeaux*, 1262 nemus de *Noeriaux*, im dép. Aube,

Val des Noérayes, *Noyer*, u. *Noyers*, alt *Nucerium*, 6 mal im dép. Eure, *la Norraye*, im dép. Vienne, *Norolles*, 847 *Nogerolae*, *Norrey* 2 mal, im 11. Jahrh. *Nuceretum*, *Noyers* u. *les Noyers* 4 mal, im dép. Calvados, *le Noiret*, 1320 *Noeretum*, *les Nouyarates*, ein Wald, *le Noyaret*, 1430 *Noaretum*, *le Noyer*, 1152 *Naugerium*, 1271 *Noyerio*, im dép. Hautes-Alpes (Dict. top. Fr. 2, 103; 3, 93; 7, 151; 10, 201; 11, 170 f.; 12, 217; 13, 188 f.; 14, 114; 15, 158; 18, 207 ff.; 19, 101 f.).

Nogaung s. Nova.

Nogon-Nirü s. Kuku.

No Grass s. Hungry.

Nogumbez s. Nova.

Noh-Kuken s. Izta.

Nohò s. Pagansèj.

Nójjagà = rother Fluss, eig. Tuchfluss, v. *jagà* = Fluss, sam. Name eines Zuflusses der Kólwa; denn syrj. *noj* = Tuch, in die Sprache der Samojeden, hptsächl. f. rothes Tuch, übgegangen, bezieht sich hier auf die Hügelkuppe, an welchem das Flüsschen seinen Usprg. nimmt. Dieser Hügel ist näml. v. röthlicher Tundra bedeckt, u. diese ist entweder sonngeröthetes Moos, Sphagnum, od. wahrscheinlicher eine Ericinee: Arctostaphylos alpina = Alpen-Bärentraube, welche im Herbst die Anhöhen mit purpurnem Roth übzieht (Schrenk, Tundr. 1, 276). — *Nóljagà* = kleiner Fluss, sam. Name eines Flüsschens, welches verglichen mit der nahen Petschora unbedeutend ist, russ. *Kuja*, ein v. den Tschuden ererbter, mir unerklärter Name (Schrenk, Tundr. 1, 556).

Noir = schwarz, fem. *noire*, in frz. ON. insb. f. Gewässer u. Felsberge *a*) *Lac N.*, ein Alpensee obh. Bex (Mart.-Crous., Dict. 125); *b*) *Noirmont*, um 1315 *Neyrimont*, ein mit 'Schwarzwald' bedeckter jurass. Bergrücken (ib. 660, Gem. Schweiz 19, 2b, 140); *c*) *Nant N.* = Schwarzbach, ein Zufluss der Arve, Savoyen, 'parce que les débris d'ardoise qu'il charrie, teignent en noir et son lit et ses bords' (Saussure, VAlp. 78); *d*) *Le Tour N.* (s. Rouge). — Noch sei angefügt, dass in allen übseeischen Ländern, wo die frz. Sprache verstanden wird, *noir* u. *nègre* nicht denselben Sinn haben: *noir* heisst der Mensch v. schwarzer Race, u. kein Africaner fühlt sich davon beleidigt, während *nègre* einen Sclaven bezeichnet u. eine tiefe Beleidigg. in sich schliesst (Miss. cath. v. 4. Jan. 1889 p. 11).

Noire, fem. v. *noir* (s. d.), ebf. oft in ON. *a*) *la Baume N.*, 1100 *Balma nigra*, f. eine Höhle des dép. Hautes-Alpes, die im Volksmunde einf. *la Tune* = die Höhle heisst (Dict. top. Fr. 19, 13); *b*) *Aiguille N.* (s. Aiguille); *c*) *Tête N.* (s. Blanc); *d*) *Côte N.* (s. Black); *e*) *Rivière N.*, ein Zufluss des St. Lorenz, irok. *Nikentsiake*, v. *kentsionk* = Fisch, wg. seines ehm. Fischreichthums, wie die *Rivière-aux-Saumons* aus irok. *Nikentsiako-wahne* = Salmenfluss übsetzt ist (Cuoq, Lex. Iroq. 66). — *Noiraigue* = Schwarzwasser, mehrf.: *a*) im Kr. Sainte Croix, Waadt

(Gem. Schweiz 19, 2ᵇ, 140); *b)* ein Zufluss des Murtensee's, *Noire-Aigue*, la plaine marécageuse d'Avenches durchfliessend; *c)* im Netz der Broye nochmals, auch als *Eau N.* (Mart.-Crous., Dict. 320. 660).

Nol s. Nuolen.

Nollen s. Titlis.

Noltenius s. Wilczek.

Noman s. Non.

Nombre de Dios = Gottesnamen, ON. in CAmerica (s. Bastimentos), wird durch verschiedd. Legenden zu erklären versucht: Nach Benzoni wäre Columbus, nachdem ihm die Indianer v. P. Belo 1502 den grössten Theil seiner Leute erschlagen, weiter gefahren, bei Cap Marmoro gelandet, auf besseres Glück hoffend. 'Lasst uns an's Land springen in Gottes Namen!' habe der Admiral gerufen, 'and this appellation has been continued ever since. He erected a wooden house as well as he could, to defend himself from the Indians who molested him' (WHakl. S. 21, 68). Nach Andern hätte Diego de Nicuesa hier ein Fort errichtet u. in der Freude üb. die glückliche Anlage ausgerufen: Paremos à qui en el nombre de Dios = bleiben wir hier in Gottes Namen! Die 1510, 1517 od. 1519 ggr. Stadt war jedoch so ungesund, dass Tausende wegstarben u. Philipp II. die Verlegg. nach P. Belo befahl (Raleigh, Disc. G. VIII ep. ded., WHakl. S. 34, 23, Zaragoza, VQuirós 3, 28). Eine dritte Lesart bei G. de la Vega (Com. R. 1, 7). — *N. de Jesus* s. Jesus.

Non, Cabo, vollst. *Non plus ultra* = (bis hieher u.) nicht weiter, nannten die Portugiesen des 15. Jahrh. ein schwarzes Vorgebirge, welches an den weissen Sandküsten der Sahara sich heraushob u. an dessen weit vortretenden Untiefen die See so wild brandend sich empörte, dass, wie einst die Araber am Cabo Correntes, die Port. sich nicht weiter getrauten: sem algum ousar de commetter a passagem delle. 'Quem passa o cabo de *Num*, ou tornará ou não' (s. Bojador). 'E era tão assentado o temor desta passagem no coração de todos, por herdaderem esta opinião de seus avós, que com muito trabalho achava o Infante quem nisso o quizesse servir' (Barros, As. 1, 1⁴). As correntes som tamanhas, que navyo que la passe, jamais nunca podera tornar (Azurara, Chron. 51). Ob die Benenng. nicht blos eine Spielerei mit Lautähnlichkeiten? (Humboldt, ANat. 1, 149). — Die mod. Verneingsform *no* = nicht, kein, mehrf. in ON. *a) Nomans Island* = Niemands Insel, ein menschenleeres Eiland südl. v. Chiloe, bei den Eingb. der grössern Nachbarinseln *Huafo*, benannt v. engl. Seef. John Narborough, welcher 1670 die Magalhães Str. passirte u. am 21. Dec. wieder in dieselbe zkkehrte (ZfAErdk. 1876, 470); *b) Nomans Land*, ein herrenloses Stück v. Kaffraria, v. Umsimkulu bis z. Umtamtuma (Peterm., GMitth. 12, 276); *c) No Wood Creek* = Ohnholz-Bach u. *No Water Creek* = Ohnwasser-Bach, 2 rseitg. Zuflüsse des Bighorn R., nach dem Charakter jener 'Bad Lands' (s. Mauvais), die nur an der Mündg. des erstern beholzt sind (Ray-

nolds, Expl. 9. 134); *d) No Grass Valley* s. Hungry.

Nonakris, gr. *Νώναϰρις*, v. *νων = νάων* u. *ἄϰρος* = 'Stromberg', ein Felsen im nördl. Arkadien, wo der Styx v. einer Anhöhe herabtröpfelt (Plut. Alex. 77, Pape-Bens.). Vergl. *Mavroneria.*

Nonnenwerd od. *Nonnenwerth*, v. ahd. *nunna* = Nonne, u. *werth, wörth, werder* = Flussinsel, ON. 2 mal: *a)* Insel bei Rolandseck am Rhein, ggb. Schloss *Grafenwerth*, nach dem 1122 ggr., 1802 aufgehobenen Nonnenkloster (Meyer's CLex. 12, 90); *b)* eine Insel des Chiemsees (s. Herrenwörth). — *Nonnenweiler*, im Saulgau, u. *Nonnenweier*, obh. Kehl, 961 *Nunnunwilare*, 845 *Nunnenwilre* (Förstem., Altd. NB. 1169). — *Nonnberg* s. Salzburg.

Noogsoak = grosse Nase, i. e. Vorgebirge, Eskimoname einer dän. Colonie an der Westseite Grönlands, 1758 angelegt (Cranz, HGrönl. 1, 23).

Noord = Nord, in holl. ON. *a) N. Zee* (s. Nordsee), *b) Nieuwe N. Zee* (s. Kara), *c) N. Rivier* (s. Hudson), *d) Noordveen* (s. Zutfen).

Nord, ahd. ebf. *nord,* ags. *nordh,* engl. *north,* holl. *noord,* dän. *nord,* schwed. *nord* od. *norr,* in einer Menge alter u. neuerer ON. wie *Nordgowi,* als Gauname nehrf. im 9. Jahrh. ff., *Nordheim,* ebf. mehrf., *Nordhausen,* im 9. Jahrh. *Nordhusa,* am bekanntesten dasj. südl. v. Harz, *Nordkirchen,* alt *Northkirke,* in Westfalen, *Nordmark,* alt *Nortmarchia,* an der Elbe, *Nordstetten,* alt *Nortstati,* in Baden, *Nordwald,* mehrf., *Nordwijk* bei Leiden, im 9. Jahrh. *Northa,* in mod. Form auf eine Vorstadt Batavia's übtragen: auch mit andern ON. zsgesetzt wie *Nordalbingia,* als Volksname im 9. Jahrh. *Northalbingi* f. den nördl. v. der Albis, Elbe, in Holstein, wohnenden Theil der Sachsen (woher auch *Saxonia transalbina* = überelbisches Sachsen), *Norththuringi,* im 8. Jahrh. Volks- u. Gauname zw. Ohre, Bode u. Elbe, *Nördlingen,* im 8. Jahrh. *Nordilinga* (Förstem., Altd. ON. 1163 ff.). — *Nordcap,* auf der Küsteninsel Magerö, 870 v. Normannen Ottar umschifft (Peschel, GErdk. 290), benannt *North Cape* erst 1553 v. der engl. Exp. Steph. Burrough (Hakluyt, Pr. Nav. 1, 275). — *N. Bay,* am Nordende Sachalins, v. russ. Capt. J. A. v. Krusenst. (Reise 2, 165) im Aug. 1805 getauft. — *Norburg,* dän. *Nordborg,* Ort im Norden der Insel Alsen, nach dem alten Schlosse d. N., welches, 1665 abgebrannt, 1679 erneuert wurde, aus dem urspr. *Kjöping* = Handelsplatz umgetauft (Meyer's CLex. 12, 91). — *Nordende,* der nördlichste der 4 Gipfel in der nördl. Gruppe des Monte Rosa, v. österr. Baron v. Welden 1824 so benannt (MRosa 38). — *Norderney,* die Insel, *ey,* der Nordseeküste, vor dem Orte *Norden,* der im 9. Jahrh. als *Nordhunnrig* erscheint (Förstem., Altd. NB. 1168). Die Insel, fries. *Nörderné,* hiess früher, als das Ostende v. Borkum, v. dem sie erst durch Sturmfluten abgetrennt wurde, *Osterenda,* urk. 1398, mit dem Beisatz 'quae *Norderneia* nunc est' (Ausl. 47, 999f.), auch *Austerania,* *Austeraria* (Plin., HNat. 27). Merkw. ist die

Endg. *nè, ney*, u. da die meisten ostfries. Inseln sonst *ôge* haben, so nimmt man an, dass sie zunächst den vollen Namen *Nordernie-ôge* = Norder neue Insel erhielt u. später *oge* wieder abgeworfen wurde (Doornkaat K., WB. ostfries. Spr. 2, 661). — *N.* Fjord *a)* der nach Norden gerichtete unter den 3 Gabelarmen des Eisfjord, Spitzb. (Torell u. N., Schwed. Expp. 429, Carte); *b)* der nördlichste der Fjorde des norw. Amts Nord-Bergenhus (Meyer's CLex. 12, 96). — *N.- u. Südhafen*, in Bären I., 'flache Buchten, welche gg. das Meer auch nicht durch die kleinste Klippe gedeckt sind u. übdiess einen lockern, sandigen Ackergrund haben' (Torell u. N., Schwed. Expp. 389. 396). — *Nordinsel* s. Bligh u. Nieuw Zeeland. — *Nordpünt*, wo *pünt* = Spitze, dän. Name eines Caps v. St. Jean, Antillen, u. *Grosse Nordseite Bay*, geräumige u. tiefe Bucht der Nordseite v. St. Thomas (Oldend., Gesch. Miss. 1, 45 ff.). — *N. Sund* s. Öre. — *Nordrup*, urk. *Northorp, Nörup*, ebf. 'Norddorf', in dän. Seeland (Madsen, Sjael. StN. 305). — *Nordrå* = Nordfluss, ein Zufluss der Hvitá, weit aus dem Norden Islands herabkommend (Preyer-Z., Isl. 125). — *Nordreyjar* s. Hebrides. — *Nordost-* u. *Nordwest-Cap* s. Tscheljuskin. — *Nordost Spitze*, das nordöstl. Ende des arkt. König Karl Ld. (Peterm., GMitth. 19, 124). — S. auch Nordsee, Norwegen etc.

Nord, das frz. Wort, ebf. oft in ON. *a) Rivière du N.*, in Tasmania, die westliche der grossen Buchten, mit welchen die Storm Bay tief in das Land eindringt. So nannte sie bei seiner zweiten (Tasmania-)reise der Admiral d'Entrecasteaux 1793, da ein Boot, welches 30 km nach Norden vordrang, die Flussnatur dieser Bucht darlegte (Flinders, TA. 1, XCIII). Auch die Exp. Baudin 1802 wollte den Namen beibehalten; schon aber war der Fluss in *Derwent* umgetauft v. engl. Capt. John Hayes, welcher, v. der Bombay Marine, die Gegend mit den Privatschiffen Duke u. Dutchess 1794 besuchte u. den Fluss weiter aufwärts befuhr. Der Name 'Nordfluss', am Südende der Insel, war zweideutig u. ist, da die brit. Ansiedler nicht mit der frz., sondern mit der Carte v. Hayes in's Land kamen, fallen gelassen worden (Flinders, TA. 1, XCIV); *b) Ile du N.*, eine der Seychellen (Mac Leod, East. Afr. 2, 213); *c) Ilot du N.*, vor Maria Eiland, Tasmania, v. der Exp. Baudin im Febr. 1802 getauft, wie *d) Ilot du Milieu* = Mittelinselchen, das mitten in der westl. Durchfahrt liegt (Péron, TA. 1, 229 f.); *e) Bassin* (u. *Passe*) *du N.* s. Ouest; *f) Ile du N.* s. Bligh; *g) Ile du N.-Est* s. Saddle.

Nordenskiöld Fjord, in Franz Joseph's Ld., v. der 2. öst.-ung. Nordpolexp. Weyprecht-Payer 1872/74 im März 1874 besucht u. nach einem Vorgänger in der Polarfahrt getauft, dem schwed. Naturforscher Prof. *N.* (Peterm., GMitth. 20 T. 20. 23; 22, 202); *b) N. Bay* s. Mohn; *c) Cape N.* s. Karl.

Nordsee, holl. *Noord Zee*, röm. *Oceanus Germanicus*, norm. *Vestur Veg* = Westweg, wie noch j. dän. *Vesterhavet* = Westmeer, schwed.

Vesterhafvet (Petersson, Lappl. 112, Hildebrand, Sagot. 4), den Niederländern der Ggsatz z. *Zuider Zee* = Südsee, zu welcher sich der ehm. Lacus Flevo (Mela 3, 2[8]) in Folge v. Meereseinbrüchen 1205—1282 erweitert hat. Im Mittelalter bestand noch eine *Middelzee*, zw. Leeuwarden u. Sneek-Ylst-Bolsward, seit dem 16. Jahrh. trocken gelegt (Wild, Niederl. 1, 81).

Noréaz s. Nogaredo.

Norfolk, engl. Grafsch., zunächst als ags. Volksname 'Nordvolk', im Ggsatz zu *Suth-Folk* = Südvolk, j. *Suffolk* (Camden-Gibson, Brit. 1, 364, Charnock, LEtym. 191, während Munford, LN. Norf., den Namen nicht erklärt!). Als Herzogstitel der Familie Howard ging *N.* auch auf einige Entdeckgsobjecte über, zunächst: *a) N. Isle*, zw. NCaled. u. NSeel., v. Cook (VSouthP. 2, 147) am 10. Oct. 1774 entdeckt u. zu Ehren der edeln 'family of Howard' getauft; *b) N. Sound*, bei Sitka, v. Capt. Georg Dixon im Juni 1787 benannt 'dem Herzog v. *N.* zu Ehren' (Spr. u. F., Beitr. 13, 5, GForster, GReis. 2, 169). Hierher gehört ozw. auch, dass Lieut. Flinders' Schiff eine Colonialschaluppe v. 25 tons, *N.* hiess u. er darnach benannte: *a) Mount N.*, an der Westseite Tasmania's, am 10. Dec. 1798, 'after my little vessel'; *b) N. Bay*, im Derwent G., am 15. Dec. 1798 (TA. 1, CXXXVIII, CLXXIV Atl. 7). Die Bay ist *Port Buache* der frz. Exp. Baudin (Péron, TA. 1, 216). — In welchem Sinne 1705 die Uebtragg. *N.*, f. einen Ort Virginia's (Meyer's CLex. 12, 111) erfolgt ist, ob direct nach der engl. Ldsch. *N.* od. ebf. nach der der Herzogsfamilie, ist mir unbekannt.

Norge s. Norwegen.

Normanby s. Moresby.

Norman Creek, bei Lyon Inlet, v. Capt. W. Edw. Parry (Sec. V. 82 ff.) im Sept. 1821 entdeckt u. nach seinem Freunde, Georges N. jun., v. Bath, getauft; *b) N. Gletscher* s. Schweigaard.

Normandie, eine frz. Landschaft, seit 5. Jahrh. fränk., seit Karl d. Kahlen 861 eine Statthalterschaft, *Duché de France* (Meyer's CLex. 12, 113), wurde 912 dem hier eingefallenen Normannenführer Rollo abgetreten durch Karl d. Einfältigen, der ihm seine Tochter Gisela z. Frau gab. Die neuen Ansiedler, meist junge Abenteurer, mit fränk. Töchtern verheiratet, vererbten ihr Idiom nicht auf die Kinder, deren Muttersprache das franz. war; aber ihre Colonieen tragen Namen v. skandinav. Form, u. es ist seit 1821 eine ganze Litteratur erschienen, welche der Erklärg. dieser ON. gewidmet ist, v. dem gelehrten Dänen H. F. J. Estrup u. dem in Frankr. naturalisirten Deutschen G. B. Depping an gerechnet, in langer Reihe bis auf die Gegenwart herab (J. J. Egli, Gesch. geogr. NKunde 56 ff., 157, 275 f.). In der Schulgeogr. auch eine *normannische Halbinsel*, ein *normannischer Golf* u. in diesem die *normannischen* od. *Channel Islands* = Canal-Inseln. — Die kühnen Seefahrer des skandin. Nordens, die *Normänner*, haben noch andere toponym. Denkmäler hinterlassen, in den geogr.

Namen, die auf dem Gebiete ihrer Entdeckungen, Raubzüge u. Colonisation altnord. Gepräge tragen, direct in den Namen *Norwegen* (s. d.) u. *Murmanskij Bereg* = normannische Küste, so heisst bei den Russen, die in fremden Wörtern gern *n* durch *m* ersetzen, die Uferstrecke, welche v. der norweg. Grenze dem Eismeer entlang bis Swjätoi Nos führt (Peterm., GMitth. 16, 359, P. Hunfalvy, V. d. Ural 18), also dem Weissen Meere zu, das selbst auch *Murmanskoje More* (s. Weiss) heisst.

Noronha Fernão de, eine Felsinsel vor der Ostküste Bras., v. port. König 1504 dem Ritter de *N.* geschenkt, dem Commandanten des Schiffes, welches sie zuerst gesehen ... 'justamente com o fundamento de a haver elle descoberto' (Varnh., HBraz. 1, 21. 168). Die Entdeckg. fällt in 1503, viell. auf St. Johannis Tag den 29. Aug., da sie zuerst *Ilha de São João* hiess; ist sie aber id. mit der in Vespucci's 4. Reise, so geschah sie am Tage des heil. Laurentius, da am 10. Aug. das Vorrathsschiff, ein Fahrzeug v. 300 Tonnen, auf einen Felsen gerieth u. mit Einbruch der Nacht scheiterte, 'ohne dass irgend etwas ausser der Mannschaft gerettet wurde' (Spr. u. F., Beitr. 10, 267).

Norr, schwed. Wort f. Nord, oft in ON. a) *Norrbotten* s. Botten; b) *Norrköping* = Nordmarkt, im Ggsatz zu *Söderköping* = Südmarkt (Passage, Schwed. 287), schon im 12. Jahrh. erwähnt, aber erst seit dem 17. durch die Industrie aufgeblüht (Meyer's CLex. 12, 117); c) *N.- u. Södertelje, Norr-* u. *Söderhamn,* wo *hamn* = Hafen, *N.-* u. *Söder-Malm,* die beiden continentalen Theile Stockholms (Peterm., GMitth. 12, 423); d) *Norrmöre* s. Kolmorden; e) *Norrvik* = Nordort, Ort an der Luleå, 'midt emot Storbacken, på norra sidan om elfvan' (Petersson, Lappl. 6). — *Norrebro* s. Öst.

Norte, die span. u. port. Form f. *Nord,* mehrf. in ON., insb. *Rio Grande del N.,* Zufluss des Golfs v. Mexico, eines Theils des *Mar del N.* (s. Pacific), v. Mexico aus in den Zeiten der span. Vicekönige explorirt, einer der 'grandes rios que vienen de hazia el *N.,* y alguno tan grande como Guadalquiuír, el qual entra en la propria mar del *N.*' (Hakl., Pr. Nav. 3, 384). An dem Flusse bei der Mündg. des Rio Conchos, das Fort *Presidio del N.,* unter 32° NBr. der Ort *Passo del N.* = Uebergang des Nordens, der nördlichste bewohnte Ort Mexico's, 1680 ggr. an der bedeutendsten Handelsstrasse Neu Mexico's, am Unterlauf der texan. Ort *Rio Grande* (Meyer's CLex. 6, 54, Uhde, RBravo 52). Entdeckt wurde der Fluss 1519 v. Spanier Pineda, der ihn *Rio Escondido* = den verborgenen Fluss nannte — 'sehr bezeichnend', da dieser eine so hohe u. unbequeme Barre hat, dass Seeschiffe gar nicht direct in seine Mündg. einfahren können (ZfAErdk. nf. 15, 36). Der Zusatz *grande,* hptsächlich im Unterlauf gebr., wo er sehr breit wird, soll ihn v. den kleinen meist periodischen Wasserläufen jener Gebiete unterscheiden. Auch *Rio Bravo* =

wilder Fluss ist er v. seinen Anwohnern genannt worden, weil er, durch die nachsommerlichen Regengüsse angeschwollen, einen majestätischen Character annimmt u. in wildem Gebahren. seine Ufer überschwemmt. In der Gegend des Presidio del *N.* wird er *Rio Puerco* = schmutziger Fluss genannt, weil sein trübbraunes Wasser gg. den krystallhellen Rio Conchos scharf absticht (Uhde, RBravo 43. 52). — In port. Form *Rio Grande do N.,* im nördl. Bras., als Ggsatz sowohl zu dem benachb. *Rio Pequeno* = kleinen Fluss, als zu dem *Rio Grande do Sul* = dem grossen Fluss des Südens, im südl. Bras. (Varnh., HBraz. 1, 160). — *Cerro del N.* s. Tres Hermañas.

North = Nord, th. f. sich, th. als *N. East* od. *N. West,* v. engl. Entdeckern gern gebraucht, um die Lage eines Objects zu bezeichnen. So *Cape N.* mehrf.: a) f. die Nordostspitze South Georgia's, v. Cook (VSouthR. 2, 211) am 16. Jan. 1775; b) f. ein steiles Felscap der Eismeerküste Ost-Sibiriens, ebf. v. Cook (-King, Pac. 2, 465) am 29. Aug. 1778; c) f. den nördlichsten Punkt South Victoria's, den Capt. J. Cl. Ross (SouthR. 1, 252) am 21. Febr. 1841 erblickte; d) *N. Cape* s. Nordcap. — *Northampton* s. unten. — *N. Head* a) f. die Nordspitze NSeel., einh. *Otu,* wo aus einem niedrigen Landhals eine Zunge, etwa 3 km weit, vorspringt u. dort mit einem trotzigen, 240 m h., oben flachen Felskopf endigt (Meinicke, IStill. O. 1, 256), 'it being the northern extremity of this country', v. Cook am 17. Dec. 1769 benannt (Hawk., Acc. 2, 376); b) die Nordspitze der Hptinsel der austr. Macquarie Is., v. engl. Lieut. Langdon 1822 benannt (Krus., Mém. 1, 9 ff); c) s. Bustard. — *N. Rock,* in den NHebriden, einh. *Watuhandi, Waturhandi,* v. engl. Capt. Bligh 1789 (Meinicke, IStill. O. 1, 183). — *N. Fork* s. Belle. — *N. Bay* u. *N. Bluff* s. East Bluff. — *N. Black Rock* s. Black R. — *N. Branch* s. South Branch, die beiden Quellarme des Saskatchewan R. (Hind, Narr. 1, 238); *N. Branch Elbow* s. Elbow. — *N. Channel,* der nördl. Ausgang der irischen See (s. St. Georgs Ch.). — *N. Cove,* 'a small but perfectly secure place' der Südwestseite Feuerlands, durch Capt. Fitzroy (Adv. & Beagle 1, 381), welcher v. Süden her in die Engen des Archipels hinaufuhr, am 14. Jan. 1830 benannt. — *N. Harbour* s. Campbell. — *N. River* s. Hudson. — *N. Shore,* bei den Ansiedlern v. Auckland, NSeeland, die der Stadt ggbliegende Halbinsel, welche v. ihr durch den Hafen Waitemata getrennt ist (v. Hochst., NSeel. 104). — *N. Side Hill,* ein Hügel an der Nordseite v. Port Lincoln, Süd-Austr., eine gebreitete Fernsicht gewährend bis Sleaford Mere u. Cape Wiles einerseits, z. Spitze v. Coffin Bay anderseits, somit eine Hptstation f. den Entdecker Flinders (TA. 1, 144), welcher im Febr.—März 1802 z. Aufnahme der Bay hier verweilte. — *N. Island,* mehrf.: a) in Houtman's Abrolhos, so getauft durch Capt. Stokes (Disc. 2, 163) am 21. Mai 1840 'from its relative position to the

remainder of the groupe'; *b)* s. Sulphur; *c)* s.
West. — *N. Georgia* s. Parry. — *Cap N. East*,
die Nordostspitze der Halbinsel Melville, v. W.
Edw. Parry (Sec. V. 312) am 18. Aug. 1822, nachdem er einen Steinpfeiler aufgerichtet hatte, benannt; an dieser Ecke hoffte er den Continent
zu umschiffen, um in den 1818 entdeckten Prince Regents Inlet zu gelangen.—*Cape N. West*, in De Witt's
Ld., die Nordwestspitze des Australcontinents, v.
engl. Capt. King nach dem Entdecker *Vlaming
Point*, nach der Lage aber v. Capt. Torins, Schiff
le Couts (1797), u. Capt. Balstone, Schiff Princess
Amalie, (1806) benannt, durch die frz. Exp. Baudin
am 22. Juli 1801 *Cap Murat*, nach dem seit
1800 dem ersten Consul verschwägerten General
(Péron, TA. 1, 106, Krus., Mém. 1, 49). — *N. West
Bay*, an der Nordwestseite v. Groote E., durch
Flinders (TA. 2, 189, Atl. pl. XV) am 14. Jan.
1803 getauft. — *N. West Point*, am Eingang
des Port St. Vincent, NCaledonia, durch. Capt.
Kent 1793 benannt, da dieser Vorsprg. dem Eintretenden im Nordwesten, ggb. *South East Point*,
liegt (Krus., Mém. 1, 203). — *N. West Hump* s.
Southeast H. — *Lord N.* s. Lord. — *Northmountain Creek* = Bach der nördlichen Berge,
ein Ikseitg. Zufluss des Missuri, obh. Yellowstone
R., v. den Captt. Lewis u. Cl. (Trav. 116) am
24. Mai 1805 als v. einer nördl. Bergkette herabkommend getauft, im Ggsatz zu dem ggb. mündenden *Southmountain Creek*.

Northampton, engl. Stadt (s. Hampshire), durch
die Adelsfamilie gl. N. auch auf engl. Entdeckungsobjecte übtragen: *a) Mount N.*, in SVictoria Ld.,
v. Capt. J. Cl. Ross (RouthR. 1, 193) am 15. Jan.
1841 entdeckt u. wie die nach einem Mitgliede der Royal Society u. British Association
(s. Hershel) getauft, 'after the Most Noble the
Marquis of *N.*, President of the Royal Society,
who took a personal and active interest in promoting the great system of magnetic co-operation
throughout the civilised world and in recom-
mending a voyage of magnetic research to the
antarctic seas'; *b) Mount N.*, auf dem rechten
Ufer des austr. Victoria R., v. Major T. L. Mitchell (Trop. Austr. 332) am 1. Oct. 1845 benannt
zu Ehren des Marquis v. *N.* 'at the head of the
Royal Society'.

Northumberland, die nordöstlichste Ldsch. Englands, die einst alles 'Land nördlich v. Humber'
umfasste, bei dem 750 † Beda (Hist. eccl. g.
Angl. 2, 5): Eduinus *Nordanhumbrorum* gentis,
i. e. eius quae ad borealem Humbri fluminis
plagam inhabitat (in engl. Uebsetzg. bei Hakl.,
Pr. Nav. 1, 3). Nach dem gleichnamigen Ge-
schlecht der Grafen u. Herzoge sind getauft: *a)
Cape N.*, ein Felscap in SAustr., v. Lieut. Grant
1800 (Flinders, TA. 1, 202), bei der Exp. Baudin
am 2. Aug. 1802 *Cap Belidor*, offb. nach dem
Ingenieur d. N. 1697—1761 (Péron, TA. 1, 269,
Krus., Mém. 1, 44); *b) N. Isles*, in der Bay of
Inlets, v. Cook (Hawk., Acc. 3, Carte v. NSouth
Wales); *c) N. Sound*, in den Parry Is., v. Capt.
Edw. Belcher (Arct. V. 1, 87) im Aug. 1852 ent-

deckt u. benannt zu Ehren des dam. Ministers,
'the noble duke presiding over the board of admiralty'. Dieser vierte Herzog, Algernon Percy,
geb. 1792, im Febr. 1852 erster Lord der Admiralität geworden, wurde 1857 Viceadmiral,
1862 Admiral u. † 1865. — *N. Reef*, eine weite
Felsklippe zw. Mindanao u. Halmahera, v. Capt.
Rees, im Schiffe *N.* 1796 entdeckt (Krus., Mém.
2, 52).

Norton, engl. Stadt in Norfolk, im Domesday
Book *Nortuna*, v. ags. *north* = Nord u. *tun* =
eingezäuntes Grundstück, District, Hof u. dgl.
(Munford, LN. Norf. 162). — *N. Sound*, in Alaska,
v. Capt. Cook (-King, Pac. 2, 485) im Sept. 1778
entdeckt u. benannt 'in honour of sir Fletcher
N. (späterm Lord Grantley), speaker of the house
of Commons and Mr. King's (des Lieut. der Exp.)
near relation'. — Eine ähnliche Beziehg. hat wohl
Cape *N.* (s. Smyth), eine prsl. auch *Cape N.
Shaw*, in Grinnell Ld., 1853/55 v. Kane (Arct.
Expl. 1, Carte).

Norwegen, bei Plin. (HNat. 4, 104) *Nerigon*,
isl. *Noregr*, früher *Nord-vegr*=Weg nach Norden,
latin. *Norvegia*, engl. *Norway*, wird hier ausnahmsweise in deutscher Form eingereiht, welche
deutlicher als die einh., *Norge*, den *Norveg* der
Normannen bewahrt hat, also eine der 3 Richtungen, in denen ihre Seefahrt sich bewegte (vgl.
Austur- u. *Vesturveg* in Art. Nord- u. Ostsee).
Die einh. Form *Norge*, nicht *Norrige*, ist aus
der früher häufig vorkommenden Redensart *i
Noregi*, dat. sing., entstanden (CSäve, Knytl. S.
41). — *Norway House*, ein Handelsposten der
Hudson's Bay Co., am Winnipeg, wo zuerst, nach
1799 (Bell, Canad. NWest 3), eine Anzahl Norweger, welche durch Unruhen aus der Colonie
des Red R. vertrieben worden waren, Häuser erbauten (Franklin, Narr. 43). — Eine ähnliche
Beziehg. hat wohl *Norway Island*, in Baring Ld.,
v. der Exp. MacClure im Aug. 1851 (Armstrong,
NWPass. 386). — *Norwegische Berge*, die südlichsten der Picos Fragosos (s. Steen), weil 'sie
denen an der norw. Küste gelegenen ähnl. sehen'
(Kolb, VGHoff. 206).

Norwich, engl. Stadt in Norfolk, im Domesday
Book *Noruic*, *Nordvic* = Nordort, v. ags. *north*
= Nord u. *wic* =. Ort, Wohnort, mit der Annahme, dass der Ort erst nach dem Zerfall der
frühern Hptstadt der Icener aufgeblüht sei u.,
als nördl. v. diesem gelegen, seinen Namen erhalten habe (Munford, LN. Norf. 163).

Nosipaembój = Felschen der Eisfüchse, v. *nohò*
= Eisfuchs u. *paembój*, dim. v. *paj* (s. d.), sam.
Name eines Höhenzugs im Urál'. Schlechtweg
Paembój, der Höhenzug, welcher v. Hauptrücken
des Timangebirgs in nordöstl. Richtg. abzweigt
u., allmählich nordwärts wendend, der Insel Kól-
gujew ggb. zu dem weitvorgestreckten Cap *Swatój
Nos* = heiligen Cap ausläuft (Schrenk, Tundr.
1, 216. 454. 638).

Nosowo G. s. Obdorsk.

Nossi-Bê = grosse Insel, eine der Küsteninseln
Madagascars (Berl. ZfAErdk. 7, 17, MacLeod, East.

Afr. 2, 192), offb. als Auszeichng. ggb. den vielen kleinern Inseln, welche in jener nordwestlichen Region liegen.

Nossi Dambo s. Madagascar.

Nostrum M. s. Mediterraneum.

Nosumi-Sima = Ratteninsel, japan. Name einer kleinen, flachen, ganz bewaldeten Insel, welche vor dem Hafen Nagasaki liegt (Krusenst., Reise 1, 335).

Noszara s. Nazareth.

Noteburg s. Schlüsselburg.

Notkersberg hiess im 9. Jahrh. die Rotmonten ggb. ansteigende, v. der Steinach z. Goldach reichende Anhöhe bei St. Gallen, nach dem berühmten Mönch Notker, wie der v. der Steinach aufsteigende Anfang *Notkersstirn*, das gg. die Goldach vortretende Ende *Notkerseck* hiess u. heisst (v. Arx, Gesch. St. Gall. 1, 129).

Notósero, russ. Name eines Sees, *ósero*, des Gouv. Archangelsk, nach dem Noto, dem in Finland entspringenden Zuflusse (Meyer's CLex. 12, 148), aus finn. *Nuot Järvi*, wo *järvi* = See.

Notre-Dame, deutsch 'Unserer Lieben Frauen' scil. Mariae (geweiht), beliebter Ausdruck f. Kirchen u. Capellen, um die z. Th. Ortschaften gl. N. erwachsen sind, allbekannt f. die Stammkirche der Pariser Cité, aber auch als wirkl. ON. häufig, u. zwar sowohl einf. als differenzirt, in den 18 dépp. des Dict. top. Fr., so 63 mal im dép. Hérault (5, 133 ff.), 43 mal im dép. Gard (7, 152), 31 mal im dép. Meuse (11, 170), 24 mal im dép. Aube (14, 112 ff.). — *N.-Dame Rock* s. Cathedral.

Nottingham, engl. ON., alt *Snodengaham* = Heim der Höhlen, urk. *Snotenga-, Snotinga-, Snoting-, Noting-, Nottingaham* etc., v. ags. *snidan, snithan* = schneiden, kauen, aushöhlen, da unter der Stadt sowohl als an der Felswand des River Lene viele Höhlen, angeblich v. den Römern, in den Sandstein gehauen sind (Camden-Gibson, Brit. 2, 435 u. a. m.). — Ein *N.-Island* am Eingang der Hudson Bay, schon in der Exp. Baffin 1615 bekannt (Rundall, Voy. NW. 124).

Notu s. Hesperu.

Nourse River, einh. *Cu(a)nene*, ein atlant. Zufluss Süd-Africa's, 17⁰ 10′ SBr., v. engl. Capt. Chapman, Sloop Espiègle, 1824 entdeckt u. nach seinem Commodore *N.* getauft (Bergh., A. 3. R. 2, 304).

Nouveau s. Neuf.

Nouvelles s. Falkland.

Nova, fem. zu lat. *novus*, wie zu ital. u. port. *novo* = neu, häufig in ON. vschiedd. Sprachgebiete wie a) *Lagoa N.*, Ort der bras. Prov. Alagoas, an einer j. ausgetrockneten Lagune erbaut (Avé-L., NBras. 1, 381); b) *Villa N.* s. Cruz. — Im plur. *Torres Novas* s. Vedras. — In Indien u. Iran *Noakót* u. *Novagarh*, beides 'Neuenburg', *Nogáung* = Neudorf, *Novadera* = Neuhausen, *Novakót* u. *Novanágar* = Neuenstadt (Schlagw., Gloss. 229), *Nogumbez* = neuer Wasserbehälter, ein Oasenort der wüsten Route Yezd-Ispahan (Spiegel, Eran. A. 1, 100). — Von slaw. Formen, die sich hier einfügen, seien ge-

wählt: *Nova, Novaj, Novak, Novaki, Novakovec, Novakovič, Nova Cerkev* u. *Nova Cirkev* = Neukirchen, *Nova Gora,* Neuberg, *Nova Vas* u. *Nová Ves* = Neudorf, beide zahlr., ·*Nové Dworce* u. *Nové Dwory* = Neuhof, *Novi,* ferner *Novegradi, Novigrad* u. *Novigradac* = Neuenburg od. Neuenstadt, *Novilazi* = Neugrüt, *Novi Svet* u. *Novy Svêt* = neue Welt, *Novoles* = Neuwald, *Novoplán* = Neufeld, *Novosady* = neue Pflanzungen, *Novoselo* = Neudorf, *Novy Dvur* = Neuhof, im plur. *Novy Dwory, Nowa Wieś* = Neudorf, *Nowosielce, Nowosielec, Nowosielica, Nowosiolka, Nowosiolky* = Neugau, v. *sielo* = Gau, *Nowytarg* = Neumarkt, in Galiz. (Miklosich, ON. App. 2, 192, Umlauft, ÖUng. NB. 160). — *Naugrad* od. *Naukrad* s. Wjätka.

Novale = Neubruch, 'Rüti', mehrf. in entstellter neurom. Form a) *Nofels*, in Vorarlb. (Bergmann, Vorarlb. 10); b) wohl auch *Näfels*, in Glarus (Gatschet, OForsch. 3), kaum v. lat. *navale, navalia* (s. Nuolen). Für die letztere Ansicht dachte man an die Schiffsschnäbel im alten Gemeindewappen u. an die alte Schreibart *Näuels, Nävels,* u. möchte daraus folgern, dass z. Römerzeit die Linth bis hieher schiffbar war u., wie röm. Münzfunde zu bestätigen scheinen, hier eine röm. Niederlassg. bestand (Gem. Schweiz 7, 635).

Nove, Piz delle = Neunuhrspitze nennt der Bergeller oder der üb. Bondasca sich erhebenden Gipfel, welche ihm den Sonnenstand u. somit die Uhr bezeichnen. Ein andrer heisst *Piz delle Dieci* = Zehnuhrspitze, ein Joch *Furcola di Mezzodi* = Mittaggabel (Gem. Schweiz 15, 162); es giebt einen *Piz delle Undeci* = 11ᵇ Spitze (Scheuchzer, NGesch. SchwzL. 1, 203), in Soglio einen *Piz da Mezdi, lan Due, lan Tre* u. s. f. (Lechner, Berg. 131). Auch der Engadiner hat seinen *Piz Mezdi* (Killias, Tarasp 93), während dort der üb. dem Tiroler Ort Borgo die Mittagsonne üb. der *Cima Duodici* = dem *Zwölferberg* hat (Umlauft, ÖUng. NB. 39). — *Novempopulana* s. Bearn.

Noviodunum = Neuenburg, Neuenstadt, schon 1747 v. L. de Bochat (Mém. crit. 1, 70) so erklärt, kelt. ON. (s. Nevers, Nyon, Soissons), das Ggtheil zu einem supponirten *Senodunum* = Altstadt, somit entspr. Neapolis, Naugard, Nowgorod etc. (Bacm., AWand. 12). Ein *N.* ist in *Neuvy* sur Barangeon erhalten.

Noviomagus = Neuenfeld, kelt. ON. mit *mag* = Feld, Ebene, mehrf.: a) *N. Lexoviorum,* j. *Lisieux;* b) *N.,* j. *Noyon,* im *Noyonnais;* c) *N.,* j. *Neumagen;* d) *N.* s. Speyer; e) *N.* s. Troyes; f) *N.,* holl. *Nijmegen,* Geldern, im Deutschen oft *Nym-* od. *Nimwegen,* röm. *oppidum Batavorum* = Stadt der Bataver od., mit kelt. Grundwort, *Batavodurum* (Tacit., Hist. 5, 19, Meyer's CLex. 12, 69. 151. 154). Bacmeister (Kelt. Br. 57) verlässt die auch v. ihm früher gegebene Deutg. *magus* = Feld u. möchte es eher als Haus, Gebäude, deuten u. mit unsern ahd. ON. auf *-hûs, hûsir,* od. auf *-bûrôn, -beuren,* vergleichen, so dass z- B. *N.* genau dem bayr. *Neu Beuren* entspräche, dem uralten Römercastell,

das noch heute die Pforte des Innthals beherrscht.
Vom Schwarzwald fliesst der od. die *Neumagen*,
902 *Niumaga* diess deutet wohl auf eine verschollene Keltenstadt *N.*

Novum M. s. Hudson.

Nowater u. Nowood s. Non.

Nówaja Sémlja = neues Land hatten die russ.
Küstenfahrer des 16. Jahrh. das neu entdeckte
Inselland des Eismeers schon genannt, als die
engl. Exp. Stephen Burrough's 1556 hin kam
(Adelung, Gesch. Schifff. 96, Spörer, NSeml. 8) u.
v. dem Russen Loschak am 28. Juli den Namen
z. ersten mal hörte (Hakl., Pr. Nav. 1, 280). Nach
zahlr. Analogien u. dem Gang der Entdeckungen
zu schliessen, dürfte die russ. Bezeichng. nicht
ein eigner Name, sondern nur die Uebsetzg. des
(ältern u. gleichbedeutenden) sam. Namens *Jadéj-
ja* sein (Schrenk, Tundr. 1, 518). — *Nowgorod*
= Neustadt, 2 russ. Städte: *a) Weliki* (= gross)
N., am Ilmensee, *b) Nischnij* (= unter) *N.*,
der Confluenz Oká-Wolga. Erstere, um die Mitte
des 5. Jahrh. v. Slawen ggr., wurde als die 'neue'
bezeichnet 'pour la distinguer d'une autre qui
n'en était éloignée que de quelques werstes; celle-
ci fut presqu'entièrement détruite par la peste
et dans la guerre avec les Slawes. L'endroit où
se trouvait cette ancienne ville, s'appelle encore
aujourd'hui *Staroe Gorodischtsche'* = die alten
Ruinen (Klaproth, Voy. 1, 7 f.). Schon Herberst.
(ed. Major 2, 24) übsetzt 'Neustadt, Neuveste' u.
fügt bei: for whatever is surrounded with a wall,
defended with oak stakes, or in any way enclosed,
they call *gorod.* Andre 'Neuvesten' sind: *a) Nowgorod Sjewersk* = das nördliche, auch *Now-
gorodok*, im Gouv. Tschernigow; *b) Nowgorod
Litowsky* = das litauische, im Gouv. Minsk, auch
Nowogrudok od. *Nowyj Gorodok*; *c) Nowograd
Wolynsk*, in Volhynien (Meyer's CLex. 12, 153).
— *Noworossijsk* = die neurussische, Ort am
Pontus u. nach ihm die *Noworossijsk'sche Bucht*
(ib. 12. 154). — *Nowoje Usadischtsche* s. Blagoweschtschensk. — *Nowa* s. Nova.

Nowoschidse = Zahn des alten Weibes, tscherk.
Name eines sonderbar geformten ciskauk. Bergs
. . . . un pic hérissé d'aiguilles d'une forme sin-
gulière, qui lui a valu la dénomination de *N.* en
tscherkesse, ou *Babi-zoub* en russe, ce qui signifie dent de vieille femme (Kupffer, Elbr. 23).

Nowosilzoff, Cap, in Jeso, v. russ. Capt. J. A.
v. Krusenst. (Reise 2, 38) am 6. Mai 1805 getauft zu Ehren des Präsid. der russ. Academie
der Wiss., Grafen *N.*, des bis 1830 in Polen so
gefürchteten Staatsmanns.

Noyers s. Nogaredo.

Noyés s. Drowned.

Noyon s. Noviomagus.

Nozeroy s. Nogaredo.

Nsa s. Bahr.

Nubien, das Land südl. v. Aegypten, wird mehrf.
(Ausl. 1871, 301) als 'Goldland' gedeutet, v. ägypt.
naub, nub = Gold, nicht übel zunächst f. den
nordöstl. Landestheil, dessen Goldminen bereits
zu der Pharaonenzeit u. noch im Mittelalter in

Egli, Nomina.

Betrieb standen; allein hier ist f. Sicherg. der
Etym. noch viel zu thun.

Nublada s. Benedicto.

Nuceto s. Nogaredo.

Nürnberg, in Sigm. Meisterlin's Chronik als
Neronberg gedeutet, da Tib. Nero die Stadt ggr.
habe (Egli, Gesch. geogr. NK. 17), bei Karl Heinze,
der 'in urmytholog. Nebel umhertappt' (Gräter,
Bragur 7, 60 ff.), noch 1802, als 'Berg der Nornen',
sonst auch als Neu-Rom-Berg, Neuenberg, Novi
regni burgus (Daniel 1. c.), auch als Nieren- od.
Nahrgsberg, gew. auf die Noriker zkgeführt, die,
v. den Hunnen vertrieben, hier um 450 ihre
Schmiedewerkstätten errichtet hätten (Daniel, Hdb.
Geogr. 4, 708), ist j. noch nicht genügend erklärt,
auch nicht in einem besondern Aufsatz (Fränk.
Cour. 1865 No. 109), welcher v. dial. *Nörnberg*,
als besser entspr. dem lat. *Norimberga*, ausgeht
u. in *N.* einen v. Süden weither sichtbaren 'Nor-
denberg' erkennen will. Die urk. Formen, *Nou-
renberc*, 1050, dann *Nurin-, Nuorin-, Noren-,
Nurenberc*, führen auf einen PN. (Förstem., Altd.
NB. 1163). Ein (altes?) *Nürnberg* auch bei Zürich
(Meyer, Zürch. ON. 47). — *Nürenberg* s. Schlüsselburg. — *Nirnsdorf* od. *Nürstorf*, 1060 *Nou-
ringesdorf*, also ebf. mit einem PN., in Bayern
(Förstem. 1163). — *Nüresdorf*, im C. Zürich,
fälschl. *Nürensdorf*, urk. *Nuolistorf, Nülisdorf*,
wohl ursp. *Nivelisdorf*, seit dem 13. Jahrh. in
Nueriesdorf übgegangen (Meyer, Zürch. ON. 54).

Nuevo, -a = neu, span. Form des lat. *novus*
(s. Nova), oft verbunden mit Eigennamen u. unter
diesen nachzuschlagen, mit Appellativen nicht
häufig u.) *N. Mundo* (s. America); *b) Nueva
Bahia* (s. Lobos).

Nüziders s. Nogaredo.

Nu Garib s. Oranje.

Nuh, Kuhi- s. Ararat.

Nuhh, Magáret el = Seufzerhöhle am Fusse der
höchsten Felswand v. Ras el Abiad, wo, der Sage
zuf., der Geist einer v. Felsen gestürzten Braut
weile u., je nach der Witterg., stärker od. schwächer
klage (Seetzen, Reise 2, 111).

Nuhundua s. Oaxaca.

Nui s. Paaschen.

Nui-goais s. Keetmanshoop.

Nuitireni s. Nieuw Zeeland.

Nukahiwa, einh. Name der Centralinsel des Men-
daña's od. *N. Archipels*, v. americ. Capt. Ingra-
ham im Mai 1791 *Federal Island* = bündische
Insel, v. frz. Capt. Marchand, ebf. 1791, *Ile
Beaux* (nach einer Person?), v. engl. Lieut. Her-
gest (1792) *Sir Henry Martin's Island*, v. americ.
Capt. Josiah Roberts, Schiff Jefferson, im Febr.
1793 *Adams Island*, nach dem dam. Unions-
präsid., endl. v. seinem Landsmann Porter 1813
Madison Island, ebf. nach einem Staatsmann der
Union, getauft (Krus., Reis. 1, 152 ff., Meinicke,
IStill. O. 2, 242).

Nukra, Niederg. im Hauran, benannt nach der
nukra, d. i. der vertieften Feuerherde, den die
Zeltaraber in der Mitte des Zeltes graben; denn
jene Ldsch. soll damit als Vertiefg. zw. den Ge-

birgen u. dem Ledscha bezeichnet werden (Wetzstein, Haur. 87).

Numakaki s. Mandan.

Numidier, zunächst gr. Νομάδες, lat. *Numidae*, anf. Gemeinname f. Wanderhirten, trugen die Römer, welche das Wort v. den sicil. Griechen annahmen, als nom. propr. auf die Nomaden des Atlas etc. über (VStMartin, NordAfr. 61).

Nunarsoak = das grosse Land, bei den Eskimos ʼein hohes steiles Vorgebirge u. wilde, fürchterliche Gegend, mit hohen Felsen besetztʻ, in Grönl. (Cranz, HGrönl. 2, 247).

Nuñez, Rio, in alten Carten *Rio do Nuno* od. *de Nuno Tristão* (Azurara 402), ein Fluss in Senegamb., 9¹/₂⁰ NBr., nach seinem Entdecker, dem hier 1446 getödteten port. Seefahrer Nuno Tristão. Wenigstens hiess er zu Barros' (As. 1, 1¹⁴) Zeiten *Rio do Nuno* u. wurde die Ableitg. schon dam. so aufgestellt ʼque desta morte de Nuno Tristão lhe ficou o nome que ora tem de Nunoʻ. — *Ilha de Valentin Nunes* s. Menezes.

Nungnehar = Neunstromland, v. afghan. *nung* = neun u. *nehare* = Strom, eine grössere Ldsch. Irans (Elphinstone, Cab. 1, 192).

Nuoble, Mont = Wolkenberg, corr. in *Mont Noble*, Bergname im patois des Walliser Val d'Hérens (RRitz, OB. Ering. 369).

Nuolen, 1313 *Nuol*, v. lat. *navale* = Schiffsplatz, Uferort am obern Zürichsee (Gatschet, OForsch. 4); *b) Nol, Nohl,* Ort unth. des Rheinfalls, wo die Schiffbk. wieder beginnt (Meyer's ON. Zür. 2).

Nuovo, -a = neu (s. Nova), in ital. u. rätor. ON. *a) Monte N.,* der nach 2jähr. Erbeben am 29. Sept. 1538 neu aufgestiegene Berg der phlegr. Felder, welcher, nachdem am Averner See ein Schlund sich geöffnet u. um Mittag ein starker Aschenregen begonnen hatte, inner 48ʰ fertig dastand, ein Kegel v. 139 m Höhe, in den ersten Octobertagen noch Steine u. Asche auswarf, bis Jan. 1539 zu rauchen fortfuhr u. seitdem völlig erkaltet ist (Nissen, Ital. LK. 268); *b) Citta Nuova* s. Civitas. — Rätor. *Alp Nuova,* eine traulich gelegene, hinter Bäumen versteckte treffliche Pontresiner Alp, Engadin; noch vor 300 Jahren, wie aus Urk. hervorgeht, war die Alp da, wo j. der (Mortiratsch-) Gletscher regiert. Durch denselben ist sie immer weiter herausgedrängt worden. Nachdem 1834 eine Hütte, deren Ruinen näher am Gletscher stehen, zerstört worden war, wurde die j. vergrössert (Lechner,PLang. 69).

Nura s. Kandi.

Nurélia, auch *Newera Ellia* = ʼFlaachʻ, singh. Name einer zwar in gebirgigem Theile, aber in verhältnissmässig flacher Umgebg. gelegenen Stadt Ceylons (Schlagw., Gloss. 230).

Nussbach, *Nussbaumen, Nussberg, Nussloch, Nussdorf* etc., ON. zu ahd. *nuz* = Nuss, v. Pflanzungen solcher Bäume, mehrf. vorkommend, schon im 8. Jahrh. z. B. *Nuzpouma, Nuzperech* u. *Nuzloha,* dessen Grundwort ʼWaldʻ bedeutet (Förstem., Altd. NB. 1171f.). Vgl. Nogaredo.

Nutka Sound, an der Westseite der Vancouver I.,

v. Capt. Cook (-King, Pac. 2, 288) im April 1778 wieder entdeckt u. anfängl. *King George's Sound,* zu Ehren Georg's III., dann aber nach dem Indianerort *N.* getauft (GForster, GReis. 1, 103). Die Schnau *N.,* welche, v. der bengal. Pelzhandels Co. abgesandt, in diesen Gewässern 1786 erschien (Spr. u. F., Beitr. 13, 52), war natürl. nach dem Sund, nicht umgekehrt, benannt. Die erste Entdeckg. geschah 1774 durch den Spanier Don Juan Perez, Freg. Santiago; bei den Spaniern hiess der Sund *Bahia de San Lorenzo* (GForster, GReis. 1, 65). Vgl. üb. *N.* DMofras, Or. 2, 143.

Nuwej s. Arkaja.

Nuwen s. Ngojjau.

Nuweta s. Mandan.

Nuwuk s. Elson.

Nuyts' Land hiess nach dem Holländer Peter *N.,* welcher im Schiffe Gulde Zeepard 1627 sie untersuchte, ein Küstenstrich NHollands, zw. *N.' Point* u. *Cape N.* Nach der einen Quelle (De Hondt) sah er zuerst das Land am 16., nach der andern (Thévenot) am 26. Jan. Die Carte zu Tasman's Journ. setzt: ʼt *Land van P. N.* opgedean met gulden Zeepert van, Middelburch ao. 1627 den 26. Februaris. Der westl. Endpunkt wurde getauft v. Admiral d'Entrecasteaux ʼupon the supposition, probably, that this was the first land seen by *N.* in 1627ʻ, der östl., *Cape Soufflot* der Exp. Baudin (Péron, TA. 1, 100; 2, XXII), am 28. Jan. 1802 v. Capt. Matth. Flinders aʼ ein dem Ostende genäherter auffälliger Lav d-vorsprg., ʼa remarkable projection, being witʼ hin a few leagues of the furthest part of the coast discovered by the Dutchʻ. — In der Nähe *N.' Archipel,* getauft ebf. v. Flinders (TA. 1, 51. 117) am 7. Feb. 1802, einzelne Inseln desselben, *Sinclair, Purdie, Lound, Lacy, Evans, Franklin* u. *Olive,* sämmtl. nach Officieren seines Schiffs Investigator. Die Exp. Baudin, welche im April 1802 z. Stelle kam, fasste die 4 Gruppen gesondert (ohne den Gesammtnamen, den Flinders vorgeschlagen), als *Iles St. François., Iles St. Pierre, Iles Joséphine,* zu Ehren der ersten Gemahlin Napoleon's I., u. *Iles du Géographe,* nach dem ersten Schiffe der Exp., der Corvette le Géographe, u. benannte die einzelnen Inseln, Caps etc. nach Gliedern u. Würdenträgern der napol. Dynastie (Péron, TA. 1, 274, Freycinet, Atl. 10ff.). Uebrigens ist zu beachten, dass Baudin's *Iles St. Pierre* nicht identisch sind mit Flinders' *Islands of St. Peter,* sondern:

Flinders		*Baudin*
Islands of St. Peter	=	Iles Joséphine
Franklin's Islands	=	Iles St. Pierre
Isles of St. Francis	=	Iles St. François
Purdies Islands	=	Iles du Géographe

Die beiden grössten der Franklin's Is. taufte Baudin *Ile Turenne* u. *Ile Richelieu,* in unverkennb. Beziehg. — *N.' Reefs,* in der Australbay, am 28. Jan. 1802 v. Capt. Matth. Flinders (TA. 1, 99) benannt, da sie der holl. Vorgänger, theilw. wenigstens, schon entdeckt hatte, bei der Exp.

Baudin *Ile la Bourdonnais* u. *Ile Rameau* (Krus., Mém. 1, 38).

Ny = neu, in dän. u. schwed. ON. wie: *Nykjöbing* = Neumarkt, 3 mal: *a)* auf Falster, *b)* im Lijm Fjord, *c)* in Själland (s. Kjöbnhavn); auch Schweden hat sein *Nyköping*, einen alten Getreidestapel, dabei Ruine *Nyköpingshus* u. der Fluss *Nyköpings A* (Meyer's CLex, 12, 165). — *Nyborg*, Schloss auf Fünen, bis 1869 befestigt, *Nyby* = Neudorf, Ort an der Kalix Elf (Petersson, Lappl. 25), *Nyslott* = Neuschloss, in Finl., 1477 als Veste gg. das Emporkommen der russ. Macht gebaut u. *St. Olofsburg* genannt (Müller, Ugr. V. 1, 467), finn. *Savonlinna*, v. *savolaks* = neu u. *linna* = Burg (Modeen, Geogr. 43. 47), *Nystad* = Neustadt, ebf. in Finl. (Meyer's CLex. 12, 168). Auf Seeland mehrf. *Nyrup* = Neudorf, *Nyord*, *Nybo*, *Nygaard* etc. (Madsen, Sjael. StN. 308). — *Nyenschanz* s. Newa.

Nyanza s. Njanza.

Nyaong-Ben-Saik = Landungsplatz des heiligen Feigenbaums, ein Birmaort am Irawadi, nach einem Feigenbaum, welcher an einem Landvorsprg. sich auffällig erhebt u. dessen Wurzeln 1826 schon v. Flusse bespült wurden (Crawf., Emb. 1, 76). — Andere Orte: *N.-H'la* = schöner Feigenbaum, *N.-Ngu* = Cap des Feigenbaums, nach den zahlr. Ficus (ib. 1, 126 f.; 2, 23).

Nyentschen s. Karakorum.

Nymphaion, gr. *Νύμφαιον* = Nymphentempel, f. weibliche Wald- u. Wassergeister, ähnl. *Νυμφαία*, Orte, Berge, Vorgebirge, Flüsse u. Häfen, zu Ehren der Nymphen benannt (Bursian, Gr. Geogr. 1, 333, Pape-B.). — *Nymphenburg*, 'das bayr. Versailles' mit Wasserkünsten, an Stelle eines ältern *Kemnaten* (s. d.) v. Kurf. Ferdinand Maria u. seiner Gemahlin Adelheid Henriette v. Savoyen 1663 erbaut u. wohl auf Wunsch der Ausländerin so benannt . . . 'ist wohl der erste aus der griech. Mythologie geschöpfte Name, der bei uns inmitten der alten german. auftaucht; er wirft ein bedeutsames Streiflicht auf die Wandlg. des Geschmacks seit der Regierungsperiode des Vorgängers, Max I.' (Riezler, ON. Münchn. G. 63).

Nymwegen s. Noviomagus.

Nyon, Ort am Genfer See, kelt. *Noviodunum* (s. d.), deutsch *Neuss*, v. der Nebenform *Nevisium*, durch Caesar eine Reitercolonie, auf der Uferhöhe, während der jüngere Theil *la Rive* (= das Ufer) in der Küstenniederg. liegt. 'Ce nom, évidemment gaulois, est composé de deux mots celtes: *novio* = neu et *dunum*, *dunon*, qui signifie rempart, fortification, et non hauteur,

comme le répètent nos historiens suisses. Ce nom indique une place récemment fortifiée. En effet, les Helvétiens, venus de l'Est, avaient fondé leurs premiers et plus anciens établissements dans la Suisse orientale, ce qui est confirmé par le fait que dans les dépôts lacustres du Léman on ne trouve que des objets de l'âge du bronze; l'âge de la pierre y est à péine représenté. L'origine du *N.* des Helvètes, comme lieu fortifié, pourrait remonter à la défaite du consul Cassius, dans le territoire des Allobroges, par Divicon, chef des Tigurins, l'an 107 avant J.-C. Après leur victoire, les Helvètes, rentrés dans leurs frontières sur la rive droite du Rhône, afin de mettre leur butin en sûreté, durent sentir le besoin de se prémunir contre un retour offensif des armées romaines. Ce fut probablement alors qu'ils élevèrent les fortifications et la bourgade. La position était bien choisie; elle s'appuyait sur le lac, dominait le chemin qui en longeait la rive, et l'ennemi ne pouvait passer le Rhone, pénétrer entre le lac et le Jura, sans donner l'éveil à la garnison. *N.* au moment où les Helvètes quittèrent leur pays pour chercher à s'établir dans la Gaule, fut brûlé comme les autres villes helvétiennes et ne parait pas avoir été immédiatement rebâti. Après la malheureuse issue de leur expédition, les Helvètes, dont le nombre était fort diminué, furent répartis par César sur les bords du Rhin, afin de pouvoir en disputer le passage aux hordes des Germains. La partie occidentale de l'Helvétie demeura, en grande partie, privée de ses habitants. Cependant, la position de *N.* avait attiré, comme position militaire, l'attention du vainqueur des Helvétiens. C'était un point que devaient sans cesse traverser les détachements des légions qui occupaient la province des Allobroges et la Séquanaise, sur les deux versants du Jura, dans leurs communications avec l'Italie par le Grand-St.-Bernard. Il convenait donc au gouvernement de Rome d'occuper ce point d'une manière forte et permanente. Les murs furent élevés afin de servir d'abri à un poste fixe de soldats romains, qui y fondèrent une colonie militaire: *Colonia Julia Equestris*, offb., wie das Epitheton *Julia* zeigt, v. Caesar ggr. (nach Mommsen —27) u., wie der Beisatz *Equestris* erkennen lässt, 'formée de cavaliers romains émérites'. Später erscheint sie, der Kategorie der transalpinen *civitates* einverleibt, unter den Namen *Civitas Equestrium* sive *Noviodunum* (Gem. Schweiz 19¹, 47; 19²ᵇ, 141, Mart.-Crous., Dict. 662 ff.).

O.

O' = alt, oft im Ggsatz zu *ui* = neu, mag. Namenelement, z. B. *O-Vár* = Altenburg, gew. mit Eigennamen verbunden wie *O'-Buda* = Altofen (s. Budapest) u. unter diesem Stichwort nachzuschlagen. — *O.* s. Neuwerk.

Oak = Eiche, in engl. ON. unerwartet selten; das Mutterland hat 2 Orte *Okeley* u. *Okewood* in einer Gegend Surrey's, die vormals Ein zshängender Eichwald war (Camden-Gibson, Brit. 1, 236). In America *a) Oakland*, Ort in Calif., malerisch inmitten immergrüner Eichen (Fortschr. 1880 No. 141, Meyer's CLex. 12, 169); *b) O. Barrens* s. Barren.

Oakeley, Cape, in SVictoria, v. Capt. J. Cl. Ross (SouthR. 1, 250 ff.) im Febr. 1841 entdeckt u. nach einem seiner Officiere, Henry *O.*, Schiff Erebus, getauft.

Oaktaroup s. Coal.

Oase, gr. *"Οασις, Ἄυασις*, v. äg. *ovahé*, noch j. kopt. *uah* = Station (Kiepert, Lehrb. AG. 204), bewohnter Ort od. fruchtbar aus dem Sandmeer wie eine Insel hervorragender Landstrich (vgl. ZfAErdk. nf. 4, 190): *a) 'O. μικρά* = die kleine *O.*, bei Strabo (813) *ἡ δευτέρα Ἄυασις* = die zweite *O.* in Mittel-Aeg., j. *Wah el Bahire, Uah el-Baharîje* = die nördliche *O.*; *b) 'O. μεγάλη* = die grosse *O.*, bei Strabo (813) *ἡ πρώτη Ἄυα-σις* = die erste *O.*, bei Athan. (Hist. Arian. 387) *ἡ ἄνω "O.* = die obere *O.*, in Ober-Aeg., arab. *Wah el-Kebîr* = grosse Oase (Pape-Bens.). Nach Rohlfs (Ausl. 1869, 1019) erscheint, u. zwar schon bei Makrisi, das ägypt.-kopt. *uah* auch in dem mod. Namen der Jupiter Ammon's Oase *Siwah*, *Si-uah*. In Algier ist es unbekannt u. wird durch *ghâba*, eig. Wald, Gesträuch, dann Dattelhain u. Dattelgarten, in der Verbindungsform *ghâbet*, plur. *gijeb*, ersetzt; so ist *el-Ghaba* (s. d.) im Süden Algeriens z. Eigennamen geworden (Parmentier, Vocab. arabe 24. 39).

Oaxaca, span. Form f. azt. *Huaxyacac* = am Ende der Acacien, v. *huaxin* = guaje, Mimosa esculenta, u. *yacatl* = Nase, Ende, Extremität, u. *c*, für *ca* = in. Ganz so hiess der Ort bei den Zapotecas *Luhulaa* = Ort der guajes, v. *luhu*, *loho* = Ort u. *laa* = guaje, bei den Mixteken *Nuhundúa*, v. *ñuhu* = Ort, Land u. *ndúa* = guaje u. s. w. Der Ort war erst 1486 v. Montezuma's Soldaten angelegt worden, die am Ufer des Atoyac das Benehmen des Vasallen v. Zachila zu beobachten hatten; sie rodeten einen Theil des Acacienwaldes aus u. gründeten einen förml. Ort (Gracida, Cat. Oax. 81 f.).

Ob', der Hptfluss in West-Sib., auch *Oby, Obe*, tatar. *Omar, Umar*, ostj. *As* od. *Jag*, wird in Lefebour's Reise = die beiden gesetzt, weil die beiden Quellflüsse nach ihrer Confl. noch auf langer Strecke hin unvermischt fortfliessen, in einem Bette zwar, aber die dem Gebirg entsprungene *Katunja* schäumend u. milchig, die aus der Ebene kommende *Bija* klar u. bläulich (Sommer, Taschb. 11, 184, Peterm., GMitth. 10, 308). Fischer (Sib. G. 2, 551) hält diese Deutg. f. 'nichts mehr als die Geburt einer fruchtb. Einbildung'; er denkt *a)* an syrj. *ob* = Tante, Grossmutter, im Sinne eines liebkosenden Attributs u. *b)* an pers. *ab* = Wasser, dessen Wanderg. zu den Syrjänen ihm denn doch auch fraglich ist. Freilich, der russ. Etym. steht der gewichtige Umstand entgegen, dass die Russen den Namen *O.* hörten, bevor sie die Confl. aus 'Mann u. Frau' erfahren u. an 'beide' hatten denken können. Als annehmbarste Deutg. bleibt das syrj. Schmeichelwort, wie ja j. noch die Donischen Kosaken den Don als Matuschka = Mütterchen liebkosen. Die Ostjaken 'nennen den *O.*, weil er ihnen alle ihre Bedürfnisse gibt u. auch den Lebensfaden Mancher abschneidet, nie ohne eine gewisse Ehrerbietung' (Müller, Ugr. V. 1, 279, Falk, Beitr. 1, 337). — Nach dem Flusse der Mündungsgolf *Obskaja Gubá* = obischer Meerbusen u. der Ort *Obdorsk*, vollst. *Obdorskoi Gorodòk* = Flecken an der Mündung des *O.*, da bei den Syrjänen *Obdor* = Mündung des *O.* (wie *Wymdor* = Mündung des Wym), im Archangelschen allg. *Nosowò* od. *Nosowòj Gorodòk* = Capstädtchen, da der Ort auf einem langen Ufervorsprg. liegt (Müller, SRuss. G. 4, 455). Dieser kundige Autor fügt bei, dass der Flecken vor der russ. Aera eine ostj. Veste gewesen sei, ostj. *Pulingawotwasch*, sam. *Saliä-garden*, beides 'Ort auf dem Cap', woher das russ. *Nosowoi* übsetzt. Die untere Gegend des *O.*, im Feldzuge 1499—1502 f. Russland erworben, hiess *Obdoria* — ein Name, der mit *Condinia*, d. i. den Landschaften an dem lkseitg. Zufluss Konda, 1516 in den Titel der woskowit. Zaren überging (Egli, Jermak 5).

Obal s. Maarath.

Obelisc, l', ein v. Guano weiss gefärbter Inselfels v. Uapua, Mendaña's Arch., v. frz. Capt. Marchand 1791 so genannt, bei dem engl. Capt. Wilson 1797 *Stack Island* = Schoberinsel (Krus., Mém. 1, 155 f.), j. auch *Sugarloaf* = Zuckerhut (Meinicke, IStill. O. 2, 241). — *O. Mountain*, eine Felsmasse am Rio Colorado, v. Süden gesehen auffallend einem *O.* ähnl., v. der Coloradoexp. 1858 (Möllh., FelsG. 1, 327).

Ober od. *über*, ahd. *ubar*, wie lat. *super* (s. d.), in Berglandschaften oft Bestandtheil v. ON., bes. im Ggsatz zu einem tiefer gelegenen Orte, wie *Ueberacker*, im 8. Jahrh. *Obaraha, Obernhofen*, alt *Oparinhof, Oberhausen*, alt *Oparinhusa, Uebermoos*, alt *Uparmussi, Uebersee*, alt *Ubarse, Oberstetten*, alt *Oberensteten, Ober(n)dorf*, im 8. Jahrh. *Obarindorf*, vielfach, *Oberwang* (Förstem., Altd. ON. 1494 ff.). — *Oberalp*, ein Pass Ursern-Tavetsch, im Ggsatz z. *Unteralp*, auf ersterm der *Oberalpsee*. — *Oberalpstock*, ein Bergstock der Glarner Alpen, nach der *Oberalp* des Maderanerthals, rätr. *Piz Tgietschen* (s. Cotschen). — *Ober-castels* (s. Tiefencastels). — *Oberglatt* (s. Glatt). — *Oberhalbstein*, eines der Quellthäler des Rheins, gg. Tiefencastels hin durch eine Felsenge, rätr. *il Sass* = den Stein, abgeschlossen, daher rätr. *sur Saissa* (Campell ed. Mohr 56). — *Oberland*, mehrf.: *a)* in den Berner Alpen, *b)* am Vorder-Rhein, rätr. *sur Selva* = ob dem (Flimser) Wald (Gem. Schweiz 15, 173), *c)* im C. St. Gallen, um Ragaz, *d)* im C. Zürich, als Ggsatz zu dem agricolen *Unter-* od. *Bauernland*, mehr auf Vieh-zucht u. Industrie gerichtet, scherzw. *Kellenland*, v. der einst stärkern Verfertigg. hölzerner Koch-löffel, '*Kellen*', daher die Leute *Kellenbuben* (vgl. See- u. Schwarzbuben), *e)* in Württemb., die rauhern, flachern Gebiete zw. Bodensee u. Jura, im Ggsatz zu dem milden, weinumkränzten *Unterland*. — *Oberpfalz* s. Palatium u. Petropolis. — *Obersaxen*, rätr. *Sursax*, in Graubünden (s. Uebersaxen, 'auf einem Berge, eben u. schön, wenn auch in kühlerer Gegend' (Campell ed. Mohr 9). — *Obersee*, f. den mehr od. minder selbstständigen Theil des Boden-, Zürich- u. Königssee's (vgl. Superior). — *Oberstrass*, auf einer Terrasse, wie *Unterstrass* am Fusse des Zürichbergs, an den zwei alten Strassenzügen, die einst den Verkehr Zürichs mit Deutschland vermittelten, nun aber durch die Eisenbahn auf den Localverkehr beschränkt sind (s. Strasse). — *Oberwyl* u. v. a., insb. auch mit andern ON. zsgesetzte wie *O.-Winterthur* (s. d.). — Auch im Australcontinent begegnet uns der Ausdruck *Overland*, *Overlander*, f. NSouth Wales u. seine Bewohner, in Süd-Austr. gebr. (Stokes, Disc. 2, 237). — Ueber den neuen zürch. ON. *Obfelden* s. meine actenmässige Vorlage (Gesch. geogr. NKunde 6). — *Obwalden* s. Unterwalden.

Obidos, port. Form f. antik '*Abydos*', jenen Ufer-ort des verengten Bosporus, dem das europ. Sestos ggb. lag u. wo man sich den Schauplatz der Hero-Leander-Sage u. den Uebergang des Xerxes u. Alexanders d. Gr. denkt, als ON. an Flussengen: *a)* in der port. Prov. Estremadura, *b)* am Amazonas, wo dieser auf 1,6 km eingeengt ist (Avé-L., NBras. 2, 101). Hier zuerst sieht der stromauf Fahrende v. Dampfer aus den beiden Ufer gleich-zeitig; das Wasser, in einer Tiefe, die bis j. den Lothungen unergründl. war, eilt durch die Enge mit einer Geschwindigk. v. 6 miles per Stunde. Die Stadt liegt auf steiler Höhe u. hat eine alte Steinveste, die einige hochbejahrte Kanonen 'of no earthly use' u. etwa $\frac{1}{2}$ Dutzend Soldaten enthält (Bull. Am. Geogr. Soc. 21, 483).

Obosaran = Steingebirge, tung. Name eines sibir. Bergzugs (Bär u. H., Beitr. 23, 89, Glob. 3, 358).

Obotriten, eig. *Bodrici*, *Bedrici* = die kühnen, tapfern, v. *bodr* = Held, alter slaw. Volksname, der 'genau den Thaten u. der Geschichte dieses kühnen u. tapfern Hptstamms der Polaber ent-spricht. Aehnl. in andern slaw. Ländern: *Biede-ritz*, slaw. *Bidrici*, im Rgbz. Magdeburg, *Bie-drzyce*, 4f. in Polen, Gouv. Plotzk, *Bedrici* im

russ. Gouv. Kaluga, *Bodrica* im Gouv. Witebsk, *Bedrcz* etc. (Jettmar, Ueberreste 18 f.).

Observation, Mount = Berg der Beobachtg., zweif.: *a)* in Banks' Ld., getauft v. Capt. M'Clure, welcher auf seiner Schlittenexcursion am 26. Oct. 1850 v. hier aus die schon v. Parry durchschifften Gewässer v. Barrow Str.-Melville erblickte u. so-mit, v. Südwesten kommend, die NW.-Passage, d. i. die Wasserverbindg. Atlantic u. Pacific, ent-deckte. 'And never from the lips of man burst a more fervent Thank God! than now from those of that little company' (Osborn, Disc. 108 f., Arm-strong, NWPass. 281); *b)* O. *Mount*, am pacif. Ausgang der Magalhães Str., wo Lieut. Skyring, Exp. Adv.-Beagle, im Febr. 1827, mit den nö-thigen Instrumenten versehen, das eine Ende seiner Vermessungsbasis nahm (Fitzroy, Narr. 1, 78). — Auch O. *Island* zweimal: *a)* im Carpentaria G., wo zZ. der Exp. des Commodore Matth. Flinders (TA. 2, 165, Atl. 14 Carton) sein Sohn Lieut. Fl. am 16. Dec. 1802 eine Reihe Orts-bestimmungen vornahm; *b)* vor der Mündg. des Victoria R., Nord-Austr., v. Stokes (Disc. 2, 44) so benannt, weil er hier Beobachtungen anstellte.

Observatoire = Sternwarte, Beobachtungsstelle, in dem frz. Entdeckernamen *Ilot de l'O.* 2 mal *a)* ein Eiland vor Bougainville Bay, wo der Astronom Verron am 17. Dec. 1767, sofort nach der Ankunft der Exp. Bougainville (Voy. 142. 144), seine Instrumente aufstellte; *b)* ein Eiland des Hâvre de la Coquille, wo der frz. Capt. Du-perrey im Juni 1824 die Länge u. Breite be-stimmte (Bergh., Ann. 9, 147). — *Isle de l'O.*, im Arch. de la Recherche, wo der frz. Admiral d'Entrecasteaux im Dec. 1792 verweilte (Flinders, TA. 1, 379).

Observatory Island = Insel der Beobachtungs-stelle, eine kleine flache Sandinsel in NCaledonia, einh. *Buginë*, bei Labillardière *Pudiüa*, bei Vi-eillard *Puiuvoé*, wo Cook (V.SouthP, 2, 128) während seines Aufenthalts 4.—12. Sept. 1774 eine Sonnenfinsterniss beobachtete (Meinicke, 1Still. O. 1, 219. 374). — O. *Hill*, ein Berg am Victoria Njanza, wo am 4. Aug. 1858 der Entdecker Speke Compasspeilungen nach allen Hptpunkten des Sees nahm (Peterm., GMitth. 5, 502).

Obst s. Wymann.

Obstruction Sound = Verstopfungseinfahrt, eine lange krumme Bucht der Magalhães Str., durch eine Abtheilung der Exp. King-Fitzroy im April 1830 benannt, weil man nach einer langen u. mühsamen Explorationstour den Sund, durch den man in Skyring Water zu gelangen hoffte, ge-schlossen fand (Fitzroy, Adv. B. 1, 352).

Oby, Pulo, richtiger *P. Ubi* = Yamsinsel, mal. Name vschiedener Eilande des Archipels, namentl. eines bei Siam, v. der Menge einer grossen wilden Yams. In der Molukkensee *P. Ubi Basar* = grosse Yamsinsel, port. *Oby Major* = gross Ubi, u. *P. Ubi Lata* = kriechende Y., port. *Oby Latta* (Crawf., Dict. 306).

Ocas, Isla de las = Gänseinseln, im Puerto Deseado, wo Fernão Magalhães 1520 eine ungeheure

Menge schwarzer Fettgänse fand u. z. Verproviantirg. seiner fünf Schiffe benutzte (Pigafetta,
Prem. Voy. 24). — *Occa* s. Pescheräh.

Ocean, lat. *oceanus*, gr. ὠκεανός, der Inbegriff
der zshängenden Wasserhülle des Erdballs, wird
mit Vorliebe auf phön. *og*, *ogen* = Allumfaser
zkgeführt — entspr. der Vorstellg. eines die Erdveste umgürtenden u. in sich selbst zklaufenden
Stroms (Ritter, Gesch. Erdk. 21). — *Oceanien*,
f. die im Pacific ausgestreute Inselwelt, vorgeschlagen v. Lesson 1828, wie schon 1813 *Polynesien*, v. gr. πολύς = viel u. νῆσος = Insel,
v. Maltebrun — 'beide Namen oft geographisch
so widersprechend angewandt' (Humb., Kosm. 4,
588). — Nach dem engl. Schiffe *O.*, welches
1804 die austral. Gewässer befuhr, sind benannt
a) *O. Isle*, im Südwesten v. Tarawa, einh. *Ba-
naba*, auch *High Island* = hohe Insel, ein
rundes, gut bewaldetes Eiland, welches in der
Mitte einen Berg hat u. so sich deutl. v. den
Atollen unterscheidet (Meinicke, IStill. O. 2, 323,
Krus., Mém. 1, 22); *b*) *O. Isle* s. Auckland; *c*)
O. Islands, in Ralick, einh. *Kwajalein*, *Qua-
delen* (Meinicke, IStill. O. 2, 329, Krus., Mém. 2,
373); *d*) *O. Island* s. Visscher.

Oceti Sakowin s. Dakotah.

Oche s. Euboea.

Ochota, v. tung. *okat* = Fluss, russ. Namenform f. einen ostsibir. Küstenfluss, an welchem
Ochotskoi Ostrog = ochotische Veste, als Fort
f. den Pelzhandel 1639 ggr. wurde (Kraschenn.,
Kamtsch. 20, Billing, Reise 41, Erman, Reise 3,
33). Das Fort ersetzte Commodore Bering, der
eines Ausgangs- u. Stützpunkts f. die pacif. Untersuchungen der grossen 'kamtschatk. Exp.' bedurfte, durch eine v. Capt. Spangberg 6 Werst
weiter flussab ggr. Anlage, *Ochotsk*, wo er im
Sommer 1737 sein Hptquartier aufschlug. Der
neue Ort lag im Delta, welches die dort sich ver-
einigenden Flüsse *O.* u. Kuchtuj bilden, auf einer
schmalen Landzunge, die nur aus Kiesel u. Sand
bestand, ohne jegl. Pflanzenwuchs, Ueberschwemmungen ausgesetzt, v. Fiebern heimgesucht, fast
beständig mit rauhen od. kalten Tagen, aber v.
grossem Vortheil als Werfte, Hafen u. Zuflucts-
ort (Lauridsen, V. Bering 91 f.). Nach dem Ort
das *Ochotskoe More*, auch das *Lamutische Meer*
genannt (s. Tungusen), im Atl. russ. 1745 *Kamt-
schatskoe More* (s. Bering). — An derselben Küste
u. a. auch die Orte *Tachtajamsk*, *Jamsk*, *Oly*,
Armaki, *Tauisk*, südlicher *Insk* u. *Udskij*, nach
den Flüssen Tachtajam, Jama, Ola, Arman, Taui,
Inja, Uda.

Ochsenfurt, alt *Ohsrofurt*, das deutsche Seitenstück zu *Oxford* (s. d.), Ort in Franken, wie am
Main auch ein *Hass-*, *Schwein-* u. *Frankfurt*
liegt. Dieses *O.* gehört wohl wie *Ochsenhausen*,
Ossendorf u. *Ossenbeki* (= Ochsenbach) zu ahd.
ohso = Ochse. Ob aber in dem einen od. andern ein PN. steckt, 'halte ich f. ungewiss'
(Förstem., Altd. NB. 1174). — *Ochsenkopf* s.
Buin. — *Ossendrecht* s. Utrecht.

Ochta, *Gross-* u. *Klein-*, 2 Orte, j. Vorstädte

St. Petersburgs, an der *O.*, einem rseitg. Nebenfluss der Newa, erstanden aus der 1617 erbauten
schwed. Veste *Nyenschanz* (s. Newa), welche die
Stelle der zerstörten Stadt *Landskrona* einnahm
(Meyer's CLex. 12, 192).

Ochyroma, gr. Ὀχύρωμα = Festenberg, die
Bergveste v. Jalysos, Rhodus (Strabo 655, Pape-
Bens.).

O'Cohan's Castle, eine nun zerstörte Burg im
nördl. Irland, benannt nach der Familie *O.*,
welche zZ. Karl's I. einer der vornehmsten Gutsbesitzer jener Gegenden war (Sommer, Taschb.
17, 38).

Ocotal = Fichtenwald, span. Bildung aus azt.
ocotl, als ON. in Nicaragua, wie *Ocotepec* =
(auf dem) Fichtenberg, *Monte de los Ocotes* =
Fichtenberg, *Rancho del Ocote* = Hof der Fichte,
Ocotlan = Fichtenort, im dim. *Ocozingo*, in
Mexico u. CAm., z. Th. mehrf. (Buschmann, Azt.
ON. 113. 175. 199).

Octodurus s. Martigny.

Odáda Hraun = Lavafeld der Missethaten, ein
6000 km² gr. Gebiet, 'die unwirthlichste Gegend
v. ganz Island' (Preyer-Z., Isl. 194).

Odenwald, im 7. Jahrh. *Odanwald* = öder
Wald, eines der mittelrhein. Waldgebirge, das
zwar, in seinen krystallinischen Theilen quellen-
reich u. voll munterer Bergbäche u. mit Wald,
vorz. Laubwald, bestanden, im Sandsteingebirge
breite, trockne, meist kieferwaldige Rücken bildet.
Wo die massigen Syenit- u. Graniteinlagerungen,
in Folge späterer Entblössg., in Kuppen aus den
Schiefern hervortreten, sind die Höhen mit Fels-
meeren loser Blöcke bedeckt, deren ausgezeichnetste
das des Felsbergs (s. d.) ist. Während man —
u. zwar noch 1892 K. Krüger (DRundsch. f. Geogr.
14, 159 ff.) — den *O.* mehrf. mit *Odin*, *Wodan*
od. auch mit einem angebl. Fürsten Otto in Verbindg. bringen wollte, vermuthete schon der
Kosmogr. Seb. Münster, 'dieser Name sei daher
erstanden, dass es ein öd vnd rauch Land ist,
so man es vergleichen will andern Ländern'
(Meyer's CLex. 12, 196). Auch Zeuss (DDeutsch.
u. Nachbst. 10) suchte ein älteres *Audina-* od.
Audôniwald in der Bedeutg. silva deserta; nun
stellt auch, allerdings mit Bedenken, Förstemann
(Altd. ON. 166) *O.* nebst einigen andern ON. zu
goth. *auths*, ahd. *ôdi*, nhd. *öde*, während ähnlich
klingende, wie *Odenbach*, *Odenheim*, *Odendorf*,
Oedingen, *Oettingen*, *Otting*, *Ottenbach* (s. Bach),
Utenbach, *Ottenberg*, *Ottenbronn*, *Oedenburg*,
Otenforst, *Odenheim*, *Ottenhofen*, *Ottenhausen*,
Ottenrode, *Odendorf*, *Ottikon*, *Oetikon*, *Oders-
bach*, *Oetisheim*, *Edesheim*, *Oetwyl*, *Oetswyl*,
Ottersheim, *Ottershausen*, *Ottersleben*, *Otterstadt*,
Otterstedt, *Ottersdorf*, *Otmaring*, *Ot-* od. *Ott-
marsheim*, *Othmarshart* u. a. m., wie die urk.
Formen lehren, zu den PN. des Stammes *aud*
gehören. — Dagg. ist der dän. ON. *Odense*,
deutsch *Ottensee*, wirkl. s. v. a. Odin's Heiligthum (Daniel, Hdb. Geogr. 4, 1042); auf Münzen
der Zeit Knuts d. Gr. heisst er *Odsvi*, bei Adam
v. Bremen *Odansue*, *Odanswe*, bei Aelnoth 1109

Othenswi, isl. *Odinsve, Odinsvö*, später, als die Verbindg. *swi* zu hart erschien, ohne *w*, so urk. 1107, 1117, 1141 *Othensi, Othense*, wo *th* eben dasselbe ist wie das weiche *d*, im 13. Jahrh. allgemein *Othaens-* od. *Othensö*, isl. *Odinsey*, also in *ö, ey* = Insel umgedeutet, während das urspr. *vi* = Heiligthum, Gotteshaus (O. Nielsen, Bland. 4, 247 f.). Auf dem altheidn. Boden entstand ein christl. Heiligthum; schon im 10. Jahrh. war der Ort Bischofssitz, u. die Reliquien des heil. Knut schufen ihn z. berühmten Wallfahrtsort um. Die Domkirche war St. Knut geheiligt (Styffe, Unionst. 25). In nord. ON. kommt die heidn. Gottheit so häufig vor, dass Lundgren (Hedn. Gudatro 34 f.), allein f. Schweden, ihrer gg. 100 aufführt, oft in der zu *ons* zsgezogenen Form wie *Onsby, Onsberga, Onsala* u. s. f., auch mehrmals *Odensvi*.

Oder, röm. *Viadus, Viadrus*, bei Helmold (Chron. Slav. lib. cap. 2³) *Odora*, böhm. u. poln. *Odra*, den Namen eines grossen Zuflusses der Ostsee, in altslaw. Ländern, ozw. slaw. Ursprungs, hält — nicht übel — Jettmar (Ueberreste 19) mit slaw. *woda, oda* = Wasser, poln. u. russ. *woda, udor*, lith. *audra* = Wasser, skr. *udra*, zs. Der Name wiederholt sich f. einen kleinen Fluss Illyriens. Demnach hat die *O.* mit der *Adria* (vgl. d.) dieselbe Urbedeutg. 'Gewässer'. — Nach der grossen *O.* zwei ON. *Oderberg a)* in Oest.-Schlesien, slaw. *Bogumin; b)* in Brandenburg, an der *Alten O.*, sowie *c) Odergebirge*, ein Zweig der Sudeten (Meyer's CLex. 12, 198).

Odessa, der pontische Hpthafen Russlands, an der Stelle des Tatarendorfs *Hadschi-Bey* u. einer türk. Burg, die am 14. Sept. 1789 v. russ. General Joseph de Ribas erstürmt wurde, an Stelle des ant. Ἰσιακὼν λιμήν angelegt u. v. der Kaiserin Katharina II. am 22. Aug. 1794 getauft, nicht nach der griech. Colonie Odessos (bulg. Varna), die einst das Haupt der jon. Colonien in Thrakien u. Vorort ihres Vertheidigungsbündnisses gg. die thrak. u. sarmat. Fürsten gewesen war (Kiepert, Lehrb. AG. 328), sondern nach einem im Namen ähnl. lautenden Hafenörtchen Ordēsós, welches mitten zw. dem j. *O.* u. dem alten Olbia (s. d.) gelegen war (ib. 348, Hertha 10 GZ. 94). Einer Pariser Zeitungsnotiz v. 16. Sept. 1881 zuf. hat ein Heft der St. Petersburger archaeol. Gesellschaft den Hergang dieser Neutaufe eingehend vorgelegt, in dem Sinne, dass die 47 vorgeschlagenen Namen v. der Kaiserin abgelehnt wurden, der Vorschlag eines Philhellenen, am 6. Jan. 1795 bei einem Hofball vorgetragen, auf *Odissos* lautend, Billigg. gefunden hätte, mit der Abänderg., dass die weibl. Form *O.* vorgezogen wurde.

Odfa s. Eremita.

Odradescha s. Orissa.

Odugaumeeg s. Fox.

Odysseia Akra, gr. Ὀδυσσεία ἄκρα, Vorgebirge in Sicil., nach dem als Seefahrer in die Mythen verwobenen Heroen Odysseus benannt (Ptol. 3, 4⁷, Curt., GOn. 147).

Oe = Insel, skand. Bezeichng. neben *ey, og* (s. Insel), f. sich ON. *Oie*, ein Eiland östl. v.

Rügen (Förstem., Deutsche ON. 40), als Bestimmungswort in *Oeland*, Küsteninsel vor Kalmar.

Öd, f. einsame, unfruchtb. u. unbebaute Stellen, ist in vielen Gegenden häufig in ON. übgegangen, wie *Ödenhof* u. *Ödischwend* (Mitth. Zürch. AG. 6, 69) aber oft in gefährl. Nähe mit PN. gerathen (Förstem., Altd. NB. 146. 1499), wie *Odenwald* (s. d.) u. ungar. *Oedenburg*, 860 *Odinburch*, dem das Jahr 1065 eine *Deserta Civitas*, wie z. Erhöig. der Sicherheit, folgen liess, röm. *Scarabantia*, *Scarbantia*, dipl. *Sopronium*, mag. *Soprony* (Umlauft, ÖUng. NB. 161).

'Oedheb = Süsswasser nennen die zw. Kairo u. Suez reisenden Araber einen Brunnen südl. v. Ras 'Atákah (Robins., Pal. 1, 80).

Oegüs s. Bosporus.

Oehringen s. Ohre.

Oehrli heisst ein ohrförmig neben stärkern Massen aufstrebender, hoher, nackter Felsberg des Säntis (Gem. Schweiz 8, 213).

Oel s. Oleum.

Öllemose = Erlenmoos, dän. ON. auf Seel., mit ähnl. in der im isl. *öln*, dän. *elle, el*, altn. *elrir*, entspr. Form *ölle* = Erle (Madsen, Själ. StN. 278). Vgl. Erlangen.

Oelöt s. Kalmyk.

Oels s. Olše.

Oeno Island, im östl. Flügel der Paumotu, v. americ. Capt. Worth 1824 nach seinem Schiffe dem Walfgr. *Ö.*, benannt, war schon 1818 v. engl. Capt. Henderson gesehen u. 1826 nach dessen Schiffe *Hercules Island* getauft v. Beechey (Narr. 1, 101), inzw. auch 1825 v. Capt. Bond nach seinem Fahrzeuge als *Martha Island* eingetragen (Bergh., Ann. 12, 140, ZfAErdk. 1870, 348, Meinicke, IStill. O. 2, 226). — *Oenone* s. Aegina.

Oeraefa Jökull = öder Berg, v. *öraefi* = Einöde u. *jökull* = Eisberg, Gletscherberg, ein 1958 m h. Vulcan der Südostküste Islands (Preyer-Z., Isl. 24).

Öre-Sund, isl. *Eyra-Sund*, bei den Hanseaten *Nord-Sund* (Styffe, Skand. UnionsT. 34), der Canal zw. Seeland u. Schweden, in ausserdän. Schriften u. Carten oft nur *Sund*, ohne Bestimmungswort, ist benannt nach der kleinen sandigen Landzunge bei Helsingör, die das Schloss Kronborg trägt. Schon N. M. Petersen (NTidskr. Oldk. 2, 71) erklärt *ör, öre*, älter *ere*, als 'en lav sandig strandbred', u. kurz nach ihm vergleicht C. Säve (Knytl. S. 37) isl. *eyri* = sandiger, grasloser Strand, v. *aurr* = Sand, Kies. Ebenso Madsen (Sjael. StN. 256), indem er auf die Zssetzungen *Helsingör, Korsör* etc. verweist, ON. meist am Meere, doch auch im Binnenlande, wo sandige Uferstrecken in das Wasser vorspringen, wie *Snesere*, urk. *Snesör*, u. wieder Worsaae (Mind. Danske 95): *Öre* er som bekjendt, det gammelnordiske navn for en sandig odde. Nun behauptete E. Hansen-Blangsted (Compte-rendu Soc. Géogr. Par. 1888 No. 1 p. 10), dass altn. *ör, öre* einen Landhaken, 'basse plage de sable en forme de crochet' bezeichne; es wird jedoch v. E. Badia

(Estr. Boll. Soc. Geogr. Ital., apr. 1888) bemerkt, dass die zahlr. Oertlichkeiten, welche mit -*ör* benannt sind, keineswegs immer hakenfg. vorspringen, auch die Zunge v. Kronborg wenigstens heut zu Tage nicht. Wohl bezeichne dän. *öre*, schwed. *öra* sowohl Ohr als Öhr; aber das Wort in Frage sei das schwed. *ör* = Kies, grober Sand u. bezeichne in ON. einfach ein vorspringendes Sandufer. Zudem macht der ital. Verf. geltend, dass oft auch die Dänen, sogar die 1882 revidirte dän. Generalstabscarte, einf. *der Sund* setzen, in ähnl. Voraussetzg., wie man f. *Cap der guten Hoffnung* häufig nur *das Cap* sage. — *Örekrog* s. Kronborg.

Oeren = Ruine, türk. ON. an der Confl. der zwei Quellflüsse des v. Dörfchen benannten *Ö.-Tschaï*, des alten Xanthus, Lycien (Tschihatscheff, Reis. 21).

Oertüllü = das eingeschlossene, türk. ON. in engem Thale, südl. v. Bergama (Tschih., Reis. 23).

Oesel, Insel vor dem Rigagolf, v. P. v. Buxhöwden besprochen (Mitth. Gesch. Livl. 3, 134 ff.), aber nicht klar gestellt. Dr. v. Luce (Gesch. Oesel 1827) setze *Ö.* = Inselsieb, v. schwed. *ö* = Insel u. *sel, soel* = Sieb, nach den vielen Morästen u. Seen; ja der Pastor v. Frey lasse *ö, ey*, geradezu in *ösel, eysel*, übgehen. Der Verf. denkt an estn. *oese* = Nacht, *ello* = Haus, also 'Nachtquartier', indem er annimmt, die Urbewohner hätten, je v. Seeraub u. Fischerei des Tages zkkehrend, auf der Insel nur die Nacht zugebracht. Bei den Ehsten (sic!) heisse die Insel *Saaremaa* = Buchenland (?). Auch ein Scherz wird mitgetheilt. Der Einfall eines vorwitzigen Herrchens, welches bei der Landg. einen Einheimischen gefragt: 'Wie kommt es, dass man die Insel *Esel* nennt — sind denn da so viele Esel?' sei zkbezahlt worden mit der Antwort: 'Einheimische wohl nicht; aber sie werden zuweilen zu Wasser herübergeführt'. Andern Aufschluss gibt A. J. Sjögren (Ingerm. 86): Erik Jarl aus Schweden verwüstete das Land um Aldeigiaburg, verübte auch Feindseligkeiten um *Eysysla* u. nahm im *Eyasund* den Dänen 4 Wikingschiffe weg; *Eysysla* = Inseldistrict (im Isl.) mag die ganze Inselgruppe geheissen haben, u. der *Eyasund*, zw. Oesel u. Dagö, heisst noch j. *Selosund*, v. finn. *salo* = waldige Insel, während das Wort im estn. die abgeleitete Bedeutg. 'Wäldchen' etc. angenommen hat. Der berühmte Sprachforscher frägt sogar, ob *Ö.* nicht aus schwed. *ö* u. diesem urspr. *salo* zsgesetzt sei.

Ost, das dän. u. *Öster* das schwed. Wort f. Ost (s. d.), oft toponymisch angewandt *a) Oestby, Oestrup* etc. in Seel. (Madsen, Själ. St. N. 305), *b) Öster-Botten* s. Botten, *c) Österland* s. Finnen, *d)* die Kopenhagner Vorstädte *Oester-, Norre-* u. *Vesterbro*, mit *bro* = Brücke (Meyers CLex. 10, 251). — *Östra Aros* s. Upsala. — *Östersö* u. *Östersjö* s. Ostsee.

Oeste, o = der Westen, port. Bezeichng. f. 'die **Provin**cialdistricte alle gleich westl. v. Curityba' (Avé-L., SBras. 2, 351), jene centralen Reviere,

in welche die Colonisation als wie eine friedliche Völkerwanderg. allm. vorrückt, langsamer freilich als in *the Far West* des Missisipithals u. der Rocky Ms.

Oesterreich, zunächst *Nieder-Ö.*, um Wien, das Thal der Donau, welches den Einfällen der pannon. Nomaden ausgesetzt als 'Mark' eingerichtet wurde, zunächst gg. die aus Asien eingewanderten tatar. Avaren, welche nach der Zertrümmerg. des Gepidenreichs 566 sich üb. Ungarn u. weiter, längs der Donau bis z. Enns, verbreiteten, den bayr. Herzog Thassilo im Aufstand gg. Karl d. Gr. 785 unterstützten. Der Kaiser, nachdem er sie 791 bezwungen, gründete die *Avarische Mark*, die, mit bayr. Colonisten bevölkert, auch die *Bayrische Mark* hiess. Als die Einfälle der Magyaren 907—955 eine neue Sicherg. der Grenze verlangten, wurde sie z. *Ostmark*, urk. 996 *Ostarrichi*, dann *Osterricha, Ostarrike* u. dgl., latin. *Orientale regnum*, in Anbequemg. der Form *Austria* (s. Australia).

Oestrich s. Ost.

Oetikon s. Odenwald.

Oetker s. Wilczek.

Ofanleyti s. Kjöbnhavn.

Ofen, der Name einer ungar. Stadt (s. Budapest), hier schon viell. im Sinne des deutschen Wortes *O.*, deutlicher im zürch. ON. *Ofengupfe*, wo ein Hof in der Nähe eines kelt. Grabhügels v. Backofenform besteht (Mitth. Zürch. AG. 6, 85), u. im *Ofenpass*, übsetzt aus rätr. *al Fuorn*, einem Graubündner Bergsattel, dessen alte Eisenschmelze, wie Campell (ed. Mohr 80) erzählt, 'einging u. vor wenigen Jahren v. den Zernetzern mit grossen Unkosten wieder eingerichtet wurde . . . Im Buffalorathal standen noch bei meinem Gedenken einige Wirthshäuser in der Nähe vschiedd. im Betrieb befindl. Silberminen . . . auch diese stehen nun still u. verlassen u. die dazu geh. Wohnungen in Schutt u. Trümmern' (Gem. Schweiz 15, 207).

Ogden (City), Stadt in Utah, an der Ostseite des Grossen Salzsees, ist ozw. prsl. benannt, u. zwar nach Major Edm. A. *O.*, welcher, geb. in Catskill, NY., am 20. Febr. 1810, als Erbauer u. Befehlshaber des Forts Riley, Kansas, sich einen gefeierten Namen erwarb. Nach vielen Mühseligkeiten, u. als das ärgste überwunden schien, brach die Cholera heftig aus, so dass tägl. 2—4 seine Leute starben. *O.* arbeitete Tag u. Nacht, wachte bei den Kranken u. tröstete die Sterbenden. Endlich ergriff auch ihn die Seuche, u. er erlag ihr 1856 (Coll. Minn. HS. 1, 437).

Oghii s. Riu Kiu.

Ogilby s. Owen.

Ogle, Point, ein sandiges Vorgebirge (z. Flutzeit Insel), bei welchem das linke Ufer des Mündungsgolfs des Grossen Fischflusses nach Westen umwendet, v. G. Back (Narr. 212) entdeckt am 10. Aug. 1834 u. nach dem Viceadmiral Sir Charles *O.* benannt.

Ognowa s. Tojaga.

Ogonken, urspr. *Schwintz*, poln. ON. am See *Schwenzait* od. *Schwanz-See* im musur. Kr. Angerburg, v. dem schwanzförmigen Gewässer auf das Dorf übtragen, poln. *ogon* = Schwanz, *ogónek* = Schwänzchen (Krosta, Mas. Stud. 11).

Ogorod s. Grad.

O'hare, Fort, eine befestigte Lagerstätte am Glenelg R., Victoria, v. Major T. L. Mitchell (Three Exp. 2, 220) am 18. Aug. 1836 getauft z. Erinnerg. an einen tapfern Soldaten, seinen Chef, welcher zu Badajoz, 1811, beim Sturmlaufen fiel.

Ohio, verderbt aus irok. *Ohionhiio* = schöner Fluss, dessen Wurzel *ohia* nur noch in Zssetzungen gebr. ist (Cuoq, Lex. Iroq. 159, Ét. phil. 16, vgl. Staples, Orig. NSt. 15), bei den Canadiern in *la Belle Rivière* übsetzt, der grosse Ikseitg. Nebenfluss des Missisipi, wg. seiner landschaftl. Reize als 'der american. Rhein' gepriesen (GForster, GReis. 3, 39). 'The view . . . . . was very striking and picturesque; and the banks of the *O*. all the way down, presented constantly succeeding patches of great beauty . . . . Now, every feature was visible, and in their loveliest aspect; such hills, such woods, such plains, and these continued in endless variety, and without break or interruption, fully justified the French in calling this 'the Beautiful River'. . . . It is everywhere fully entitled to its distinctive name of 'the Beautiful R.' (Buckingh., East. & WSt. 2, 206. 436; 3, 79). Auf einer grossen, dem Cavalier La Salle zugeschriebenen Carte findet sich die Legende: *Rivière O.,* ainsy appelée par les Iroquois à cause de sa beauté, par où le sieur de la Salle est descendu' (Drapeyron, Rev. Géogr. 3, 83). In Iberville's Memorial 1702 u. bei Lieut. Jusserat mit seinem grossen rseitg. Zufluss verwechselt, hiess er auch *Rivière Wabash* (Coll. Minn. HS. 1, 341; 3, 3). Nach dem Flusse 1802 der Staat, v. frühern *North West Territory* abgetrennt (Quack., USt. 329).

Ohlsen, Cape, am Smith Sd., wo Christian *O.,* einer der Gefährten Kane's (Arct. Expl. 2, 241), während der zweiten Grinnell Exp., auf der Rückkehr im Juni 1855 †.

Ohre, mit *Aare* (s. d.) derselbe Name 'Fluss', ein Ikseitg. Zufluss des Kocher, auch *Ohrn, Orre,* im 8. Jahrh. *Oorana;* nach dem Flusse sind ozw. benannt: *Oringowe* = der Gau (u. Ort) an der Ohre, noch 1630 *Oeringau,* j. *Oehringen,* was somit nicht patronym. Bildg. ist, sowie in der Nähe *Orenburc,* so 1037, j. *Ohrenberg,* u. aus gleicher Urk. *Orinwalt,* ein Wald (Förstem., Altd. NB. 103, Deutsche ON. 245). Viell. ist röm. *vicus Aurelii,* f. Oehringen, durch Umdeutg. des Flussnamens entstanden.

Ojateshica s. Sioux.

Oje s. Oe.

Ojinoku = grosse Hölle, japan. Name *a)* einer dampfend am rechten Ufer eines Wasserfalls mächtig hervorbrechenden Quelle v. 85^0 C.; *b)* einer Solfatare im vulcan. Gebirge Hakone (Peterm., G. Mitth. 21, 216).

Oil = Oel, seit Entdeckg. des american. Petroleums mehrf. in engl. ON. als eine mod. Section

der unter *Oleum* (s. d.) aufgeführten ältern Namenfamilie *a)* O. *Creek* = Ölbach, ein Zufluss des Alleghany R., im westl. Pennsylv. (u. am rechten Ufer *O. City,* ZfAErdk. nf. 19, 362), wo das Erdöl schon v. den Indianern arzneil. verwendet, den ersten Colonisten, die es Senecaöl nannten, jedoch lästig war, weil das Vieh aus dem Bache nicht trinken wollte (Peterm., GMitth. 7, 151). Im grossen fand das Petrol zuerst 1845 technische Verwendg., mit Thran vermischt, in einer Spinnerei zu Pittsburg, 1850 z. Beleuchtg.; die Bohrungen der Pennsylvania Rock Oil Co. begannen 1859 (Penns. Ill. 24); *b) Petrolia,* Ort bei Enniskillen, in der Petrolgegend Canada's (ZfAErdk. nf. 12, 285); *c) O. Creek, O. City,* wie *Mineral City* am Rio Colorado, nach Producten der Gegend (Peterm., GMitth. 22, 422, Wheeler, Geogr. Rep. 190).

Oilcanna s. Monaghan.

Oinoie, gr. *Οἰνόη* = 'Weinfelden, früherer Name der Insel Sikinos, διὰ τὸ εἶναι ἀμπελόφυτον (Schol. Ap. Rh. 1, 624). Der Ort heisst auch *Οἰνόη,* wie *a)* ein att. Demos an der böot. Grenze (Her. 5, 74); *b)* ein solcher im obern Arm der Marathonebene, j. *Inoi,* dessen fruchtb. Thal f. Weinbau geeignet war (Bursian, GGr. 1, 339); *c)* ein Castell der Korinthier am korinth. Golf, j. *Palaeocastro* (Xen., Hell. 4, 5⁵); *d)* ein Ort in Argolis (Apd. 1, 8, 6); *e)* das frühere Ephyra in Elis (St. B.); *f)* eine Stadt auf der Insel Ikaros, wo am anstossenden pramnischen Fels der berühmte pramnische Wein gezogen wurde (Ross, IReis. 2, 162, Strabo 639); *g)* eine Quelle bei Pheneos (Paus. 8, 15⁶, Pape-B.). — In der Form *Οἰνώνη* der alte Name Aegina's (Herod. 8, 46). — *Oinotria,* gr. *Οἰνωτρία* = Weinland, Weinpfähle, das spätere Lucanien u. Bruttium (Strabo 254), wie *Οἰνωτρίδες* = Weininseln, zwei Eilande des tyrrhen. M. (Strabo 252). — *Oinophyta,* gr. *Οἰνόφυτα* = Weingarten, böot. Stadt am linken Ufer des Asopos (Thuk. 1, 108). — *Oinus* s. Kelephina. — *Oinussai,* gr. *Οἰνοῦσσαι* = Weininseln, zwei Inselgruppen: *a)* 4 im messen. Golf, einst weinreich, wie das grösste, die liegende Methone, 'das weinreiche Pedasos', j. blosse Viehweide, so dass die eine Hptinsel j. *Cabrera* = Ziegeninsel heisst (Curt., Pel. 2, 171), während die andere, im Mittelalter u. noch j. bei ital. u. griech. Seefahrern *Sapienza,* v. den Türken *die Insel des Borrak Reis* heisst, nach dem osman. Seehelden, der, als Schiffe sein Fahrzeug geentert hatten, dieses anzündete, so dass in dem allgemeinen Brande die namhaftesten Seeleute beider Parteien, auch Borrak Reis, den Tod 'in den Fluten od. in den Gluten' fanden (Hammer-P., Osm. R. 2, 318); *b)* 5 hinter Chios, j. *Spermadori* od. *Egonuses* (Herod. 1, 165), türk. *Kujun Adassi* = Schafinseln (Meyer's CLex. 14, 766).

Ojo Caliente = heisses Auge, plur. *Ojos Calientes,* im span. America mehrf. f. Thermen, Sprudel, wie schon im Mutterlande die Sumpfteiche, aus denen der Guadiana gewaltsam hervorbricht, *los Ojos* = die Augen genannt werden (Willk., Span. P. 29): *a)* heisse Sumpfquellen bei Loreto, Alt Calif. (Peterm., GMitth. 7, 141); *b)* zwei Thermalgruppen westl. v. Santa Fe, NMexico, die untere mit einem Sprudel v. 76⁰ C., mit drei v. 48 u. mit sieben kleinern v. 40—45⁰, die obere mit 42 Quellen v. 36—40⁰ C., j. förml. Badeort, f. rheumat. u. syphilit. Uebel heilsam (ib. 20, 403; 21, 449); *c)* ein andrer Thermalort NMexico's, an der Grenze gg. Arizona (ib.). — *O. de Agua* = Wasserauge, eine Gegend bei Perote, wo man, bes. im Herbste, das Spiel der Fata Morgana geniesst. 'Wir sahen uns daselbst lange Zeit v. einem Wasserring umgeben, welcher so täuschend war, dass wir uns mehr als eine Stunde an diesem herrlichen Anblicke ergötzten' (Heller, Mex. 200).

Oiseaux, Ile aux = Vogelinsel, eine wild zerspaltene Insel bei NFoundland, so benannt v. frz. Seef. Jacques Cartier am 21. Mai 1534 nach der Menge Vögel, die hier hausen: birds, whereof there is such plenty, that vnlesse a man did see them, he would thinke it an incredible thing; for albeit the island ... be so full of them, that they seeme to haue bene brought thither, and sowed for the nonce, yet are there an hundred folde as many houering about it as within; some of the which are as big as iayes, blacke and white, with beaks like vnto crowes; they lie alwayes vpon the sea; they cannot flie very high, because their wings are so little, and no bigger than halfe ones hand, yet doe they flie as swiftly as any birds of the aire leuell to the water. They are also exceeding fat; we named them a p o r a t h. In lesse than halfe an hour we filled two boats full of them, as if they had bene with stones, so that besides them which we did eat fresh, euery ship did powder and salt fiue or sixe barrells full of them .... in which there is great store of godetz, and crowes with red beakes and red feete. They make their nestes in holes vnder the ground (Hakl., Pr. Nav. 3, 202 f.). Im Bericht v. der zweiten Fahrt, 1535, heisst es, die Vogelinsel liege 14 leagues v. Hptland entfernt, u. wieder imponiren die Vogelschaaren: This iland is so full of birds, that all our ships might easily haue bene fraighted with them, and yet for the great number that there is, it would not seeme that any were taken away. We, to victuall our selues, filled two boats of them (ib. 212, Avezac, Nav. Cart. 6, M. u. R., Voy. Cart. 3. 8). — Mit sing.: *a) Bec de l'Oiseau* = Vogelschnabel, eine bizarre Felsform des Berggrats v. Mont Blanc, 'dont un angle saillant se projette fort en avant au-dessus du précipice' (Saussure, VAlpes 259); *b) Baie de l'Oiseau* s. Christmas.

Oistrup s. Ost.

Oiteiro s. Prainha.

Oka, mir als russ. Flussname unerklärt, auf einen lkseitg. Zufluss der Angara übtragen od. aus anderm Sprachherd übernommen. Wo die Bergbäche diese sibir. *O.* bilden, liegt die russ.

Ansiedelg. *Okinsk* (Bär u. H., Beitr. 24, Carte). — Ein anderer Name *O.* s. Deux.

Okak = Zunge (nicht wie auch gesagt wird: Festung) heisst bei den Eskimo ein Ort in Labrador, weil zwei zungenförmig vorspringende Berge den Eingang in die geräumige Bucht einrahmen (Peterm., GMitth. 9, 123). Mission der Brüdergemeinde ggr. 1776 (Spr. u. F., Beitr. 1, 103).

Okamandala, eig. *Udakamandala* = Wasserbezirk, skr. Name eines sumpfigen Gebiets an der Westküste Guzerats (Lassen, Ind. A. 1, 134).

O Kassa s. Bonin.

Okewood s. Oak.

Okladnikowo s. Nesskija.

Okto-Karagai = Pfeil-Fichtenwald, baschk. Name eines Höhenzugs des südl. Ural, v. den Fichtenwaldungen, womit dieser Landrücken bedeckt ist (Müller, Ugr. V. 1, 217). — *Októlophos* s. Sucha.

Oku Jeso s. Sachalin.

Olah, Olasz s. Walachen.

Olbia, gr. Ὀλβία = Segens- od. Glückstadt, zwei mal: *a)* ein Ort in Sarmatien, auch Ὀλβιόπολις u. — als die —655 ggr. Colonie v. Milet — *Μιλητόπολις*, v. den andern Griechen nach dem Strom (s. Beresina) genannt Βορυσθένις (Strabo 306, Pape-B.), obgl. der Ort nicht unmittelb. an diesem, sondern an dem Liman des kleinern Hypanis, Bug, lag, sich in denj. des Borysthenes, Dnjepr, öffnet (Kiepert, Lehrb. AG. 347); *b)* Astakos. — *Olbios*, gr. Ὄλβιος = der Segenbringer, j. *Pheneatiko*, der Fluss der arkad. Hochebene v. Pheneos (j. *Phonia*), deren rossnährende Triften schon früh in den Sagen vorkommen u. deren feuchte Niederg. bei geordnetem Zustande des Thales sehr fruchtbar waren. Wg. der schönen Weiden kommen sowohl ein Stier, als auch ein grasendes Pferd u. ein Widder als Münzbilder v. Pheneos vor. Einst u. j. noch Weinbau. Bei andern Arkadern hiess der Fluss *Aroanios*, ein mehrf. wiederkehrender Name f. einen v. culturfähigem Boden umgebenen Bach (Curt., Pel. 1, 186. 194. 212).

Old Faithful = der treue Alte, einer der zahlr. Geyser des Fire Hole (s. d.), Upper Basin, v. der Exp. Langford u. Doane 1870 so benannt th. nach der Regelmässigkeit seines genau allstündlich wiederkehrenden Spiels, th. nach der Lage im obern Ende des Thals, welches er so überwacht, einer Schildwache vergleichbar. Er wirft 1_8 m dicke Wassersäulen 30—45 m h. auf, 'and by a succession of impulses seemed to hold it up steadily for the space of fifteen minutes, the great mass of water falling directly back into the basin, and flowing over the edges and down the sides in large streams. When the action ceases, the water recedes beyond sight, and nothing is heard, but the occasional escape of steam until another exhibition occurs. This is one of the most accomodating geysers in the basin, and during our stay played once an hour quite regularly' (Hayden, Prel. Rep. 125). Auch der Specialrapport des

Mineralogen Dr. A. C. Peale (ib. 186) motivirt den Namen mit der Regelmässigkeit der Eruptionen, die alle 50 Min. wiederkehren, 10 Min. andauern, eine Höhe v. 36—45 m erreichen u. einem 1_8 m h. Kegelkrater entsteigen. Um ihn stehen 4 erloschene Geyser. 'O.F'., sagt Ludlow, welcher 1875 die Stelle besuchte (Carr.26), 'which stands at the head of the valley overlooking it, and which has earned its name from the regularity of its decharges'. Dazumal dauerten die Intervallen 65 od. 66 Minuten, die Ausbrüche je 3 Min., bei merkw. beständigem Charakter; die Höhe erreichte nur noch 33 m; aber 'certainly nothing could be more beautiful than this grand fountain in action, illuminated by the light of the full moon' (ib. 131). — Das engl. Wort old = alt auch in andern ON. als O. Man = alter Mann, 2 mal: a) f. den Culm v. Furness, Lancashire (Meyer's CLex. 7, 303); b) f. eine 450 m h. Felsklippe bei der Insel Hoy, Orkneys, u., v. Capt. John Ross (Sec. V., Carte) übtragen, eine ähnliche in Boothia Felix. — O. Man of the Mountain s. Giant. — O. Vineyard Hill s. Lemon. — Oldenburg s. Alt.

Oldenhorn, den Dreiländerstein der CC. Waadt, Wallis u. Bern, frz. Becca d'Oudon, d'Eudon, nebst der nahen bern. Oldenalp, finde ich nur v. Gatschet, u. zwar 2 mal abweichend, gedeutet: a) nach der herba d'auton, ri (d. i. radix) d'eitan, bot. Bryonia dioica, eine Art Zaunrübe, die an den Abhängen wächst (OForsch. 90); b) aus aud, old, kelt. art = Stein, Fels, also O. = Felshorn (Bern. Arch. 9, 373 ff.).

Oldsen, Hans, Insel vor Port Edormo, einer Seitenbucht der japan. Bay of Volcanos, benannt v. Capt. Broughton (s. d.) nach einem seiner Matrosen, welcher dort beerdigt wurde (Krus., Mém. 2, 209).

Olekminsk s. Omsk.

Olenek = Renthierfluss, ein ostsibir. Eismeerzufluss, v. russ. olén = Renthier. 'Wo sich Vegetation zeigt, halten sich zahlr. Herden v. Renthieren auf, v. denen man auch den Namen f. den Fluss entlehnte, u. die Jagd auf diese Thiere lockt sowohl im Frühling wie auch im Herbst ganze Jagdgesellschaften an die Ufer' (Bär u. H., Beitr. 26, 22). An der Mündg. (Ustj-) Olensk, wo der Atl. Russ. No. 16 erst eine unbenannte Simowie (= Winterwohnung) hat. — Olenji Ostrowa = Renthierinseln, 2 Inseln des Olonezker Reviers in einer Gegend, wo die nie gestörten Thiere ihre Lieblingsplätze haben (Bär u. H., Beitr. 2 F. 5, 168).

Oleschno s. Olse.

Oleum, wie gr. ἔλαιον = Oel, aus der lat. in viele mod. Sprachen übergegangen, wie der Name der den Alten wichtigsten ölgebenden Pflanze, olea, gr. ἐλαία, bot. Olea europaea L., eines zu den Ligustern u. Syringen gehörigen Baums, u. seiner Frucht, gr. ἐλαία, ἐλάα, lat. oliva, in vielen ON. a) Akron Oleastron, gr. ἄκρον Ὀλέαστρον = Oliva-Cap, an der Nordküste v. Mauretania Ting., j. Punta de Mazari (Ptol. 4, 1^6, Pape-B.).

— Ital. Grotta Oleosa = Oelhöhle, eine Höhle bei Ragusa, mit öldurchtränktem Gestein (Meyer's CLex. 13, 415), ferner Oliva, Uliva, Olivo, Olivone, Oliveto, Uliveto (Flechia, NL. Piante 16). — Oelflüsse, bei den europ. Schiffern die 22 Mündungsarme des Kuara, hptsächl. Benin, Nun, Neu-Kalabar, Bonny, Alt-Kalabar u. Kamerun, wg. der starken Ausfuhr v. Palmöl, das aus den taubeneigrossen Früchten v. Elaeïs guineensis Jacq. gewonnen wird; danach die Oelküste (Peterm., GMitth. 1, 206; 9, 176). — Olive Island, 2 mal a) im Arch. Mergui, v. Capt. Thom. Forrest, Brigantine Esther, am 11. Juli 1783 getauft nach einer Frucht, 'die wir hier sowohl grün als schwarz antrafen u. die eine wahre Olive ist' (Spr. u. F., NBeitr. 11, 179); b) s. Nuyts.

Olga s. Karl.

Olifants Rivier (s. Elefant), holl. Flussname in Süd-Afr., mehrf.: a) ein Nebenfluss des Limpopo, einh. Lepalule (Lichtenstein, SAfr. 1, 120). 'Die ungeheuern Herden Wildes', sagt Merensky (Beitr. 152 f.) 'boten Gelegenheit, die Jagdlust zu befriedigen. Die Herden v. Elefanten wurden aus ihrer Ruhe aufgestört; das Elfenbein wurde in den Wagen gesammelt. Hie u. da ward mehrwöchentliche Rast gemacht. Man bereitete neue Rieme, besserte die Kleider aus u. koehte Seifte'. Noch ist, nach K. Mauch (Peterm., GMtth. 16, 5), das Wild zieml. zahlr.: Girafe, Büffel, Kudu, Pallah, Wasserbock u. Zebra, im Wasser Hippopotami, der Strauss nicht gerade selten ...; doch die Elefanten scheinen vertrieben zu sein; b) ein Zufluss des Tugela, a/Nordgrenze Natals; c) eine der Quelladern des Gauritzflusses; d) ein atlant. Zufluss, nördl. v. der St. Helena Bay.

Olinda, den Namen eines Nachbarorts v. Pernambuco, pflegt man der port. Gründer, dem Donatorio Duarte Coelho (1535), als Ausruf des Entzückens in den Mund zu legen: Als er sein Werk überschaute u. sah, dass es schön, hätte er ein ¡O linda! = oh, schön! ausgerufen. Varnh., (HBraz. 1, 148) findet diese Erzählg. lächerlich u. nimmt vielmehr an, der Name sei v. einem port. Landhause od. einer Burg aus der alten Heimat in die neue übtr. worden, wie derselbe Donatorio, wenn auch mit weniger dauerhaftem Erfolg, seine Capitania Nova Lusitania = Neu-Portugal taufte — ein Name, den man eine Zeit lang selbst auf ganz Brasilien übzutragen versuchte. Da Olinda zuerst v. den Franzosen, den mair der Indianer, besiedelt wurde, nannten letztere den Ort Mair-y, Mairim = Wasser der Franzosen; daher das verderbte Marim der Brasileiros (ib. 145).

Oljutorsk s. Omsk.

Olive s. Nuyts u. Oleum.

Olivier Bay nannten die Holländer der Exp. Olivier de Noort im Dec. 1599 eine Bucht am Magalhães Str., wo ihr Befehlsh. eine Pinasse baute: 'ende laghender 12 daghen, tot dat de sloepe voltimmert was' (Wond. V. 14, Debrosses, HNav. 187). Die Erinnerg. an die holl. Fahrt bewahrt der Name Cap Holland (ZfAErdk. 1876, 437). — Cap O., in King's I., Bass Str., v. der

Exp. Baudin im Dec. 1802 nach dem frz. Naturforscher u. Reisenden d. N. 1756—1814 (Péron,
TA. 2, 19). — *Mount Oliver* s. Lang.

Olizon, gr. *Ὀληζών,* v. thessal. *ὄλιζον = μικρὸν*
(St. B.) = die kleine, eine Küstenstadt am Südende des pagas. Golfs (Hom., Il. 2, 717, Pape-B.).

Ollum s. Franz Joseph.

Olmet s. Ormoy.

Olmo = Ulme, port., span. u. ital. Form f. lat.
ulmus (s. Ormoy), kommt ozw. in rom. ON. oft
vor; doch kenne ich nur eine Reihe ital. Beispiele:
Olmo, Ulmi, Olmino, Olmetto, Olmetta, Ormette,
Olmatello, Olmi Secchi, gli Ormazzoli, Olmeto,
Olmedo, Olmeda, Olmeo, Ormea, Olmedola u.
a. (Flechia, NL. Piante 22).

Olmütz, Stadt in Mähren, 863 erwähnt (der
Name fehlt), 1055 *Olomuc,* 1276 *Olomuetz,* čech.
Holomauc, angebl. als Gründg. des Kaisers Julius
Maximus einst *Julimontium* (Meyer's CLex. 12,
309), eher v. altmähr. *holy mauc* = kahler
Felsen, da die erste Ansiedlg. auf Felsengrund
geschah (Umlauft, ÖUng. NB. 163). Andere denken
an einen PN. Holomut (Šembera) od. Olomut
(Brandl), welche selbst wieder verschiedentl. ge-
deutet werden (Wisnar, Untersuch. 29).

Olofsburg s. Nyslott.

Oloh ngadju s. Dajak.

Olòn = viel, in mong. ON. *a) O. Bàïsching* =
zahlreiche Wohnungen, eine Station am Nordrande
der Gobi (Timkowski, Mong. 1, 185); *b) O. Obò*
s. Erdeni.

Oloosson, gr. *Ὀλοοσσών* = die verderbliche,
unheilstiftende, 'Schadeck' (Curt., Gr. Et. 2, 148),
eine thessal. Stadt in Perhäbia, bei Homer (Il.
2, 739) *Λευκή* = die weisse, weil in der Umgegend viel weisser Thon sich findet, später
Elasson, j. *Alassona* (Pape-Bens.).

Olše = Erle, čech. Wort, ruth. *ol'cha,* poln.
olsza, serb. *jelša,* slow. *jolša, jelša,* ein fruchtb.
Element slaw. ON. *Olchowa, Olchowce, Olchow-*
czyk, Olchowiec, Olchowka, Olesin, Olesko,
Olešnika, Olesno, Olesza, Oleszków, Oleszów,
Oleszyce, Olsza, Olszana, Olszanica, Olszanik,
Olszanka, Olszany, Olszniaki, Olszowa, Olszo-
wica, Olszowka, Olszyny, Orte in Galiz., *Oleschno,*
Olešinek, Olešnic, Olešnice, Olešnička, Olešnic,
in *Oels* verdeutscht, *Olsa* u. *Olsach,* FlussN. mehrf.,
Olšany, Olschan, Olschi, Olschnitz, Olschowetz,
Olši, Olšovec, in Böhmen u. Mähren, *Olschnitz,*
in Kärnten, *Olsnitz, Olyse* u. *Olysó,* in Ung.,
Jelsa, Jelsava, Jelsovik, Jelša, Jelše, Jelsovec,
Jelce, in den südslaw. Gebieten (Miklosich, ON.
App. 2, 208, Umlauft, ÖUng. NB. 98. 163).

Olumo s. Abbeokuta.

Oly s. Ochota.

Olympos, gr. *Ὄλυμπος* = Leuchtenberg, wie
ihn schon Hom. (Il. 1, 532) als *αἰγλήεις* = der
glänzende, strahlende bezeichnet, j. *Elimbos,*
gew. *ὁ Ἔλυμβος* (Bursian, Gr. Geogr. 1, 41, Grasb.,
StGriech. ON. 176), türk. *Semawat Ewi* = Sitz
der Himmlischen (Meyer's CLex. 12, 313), ein
mächtiger, 2985 m h. Gebirgsknoten mit vielen
schneebedeckten Zacken u. Kuppen. Andere

Berge *O.* s. Pape-B. — *Olympia,* gr. *Ὀλυμπία,*
eine kleine Ebene in der elischen Ldsch. Pisatis,
benannt nach dem in ihr liegenden berühmten
Tempel des olymp. Zeus (D. Sic. 4, 53, Pape-
Bens.). — *Mount Olympus,* an Juan de Fuca
Str., v. engl. Capt. John Meares am 4. Juli 1788
getauft, offb. in Uebtr. des griech. Namens 'wg.
der ausserord. Höhe des in die Augen fallenden
Gebirgs' (GForster, GReis. 1, 146). — *O.* s. Kilimandscharo.

Olynthos = Feigenstadt, gr. *Ὄλυνθος* = Feige,
welche noch vor dem Blatt sich ansetzt u. deshalb unreif bleibt, eine Stadt in Maced., zw. Athos
u. Pallene, j. *Agio Mamas,* auch *Ὀ. ἡ Χαλκιδική*
= das chalcidische Olynth (Thuc. 4, 123).

Olyse s. Olše.

Omaguas = Flachköpfe, einh. Name eines Indianerstamms am Solimões, im Tupi *Cambebas*
od. *Camperas* (mit gl. Bedeutg.). Gleich manch
andern Stämmen am Amazonenstrom pflegten sie
(j. nicht mehr) die Köpfe ihrer Kinder flach zu
drücken u. die Stärke zu prüfen, indem sie die
Knaben geisselten u. die Mädchen, in einem Netz
aufgehängt, räucherten. Bei diesem intelligenten
Stamm gründeten die Jesuiten Missionen, u. der
Superior wohnte in dem dem h. Joachim geweihten *San Joaquin de O.* (WHakl. S. 24,
XXXVI. 175).

Omaha, auch *Mahas, Mawhaws,* ein den Sioux
verwandter, aber v. ihnen als Feinde behandelter
Indianerstamm (Coll. Minn. HS. 1, 297 ff.); nach
ihm *a) O. Creek,* ein kleiner Zufluss des Missuri
(Lewis u. Cl., Trav. 33); *b) O. City,* Ort ggr.
1854, hatte, als am 6. März 1865 mit den *O.*
ein Vertrag betr. Landreservation abgeschlossen
wurde, 4500 Ew. (BCGLandamts 45). Schon die
Capt. Lewis u. Cl. hatten hier im Aug. 1804
die Ruinen eines Dorfs der *O.* getroffen; dasselbe hatte 300 Hütten umfasst u. war 4 Jahre
vorher durch die *O.* selbst verbrannt worden,
nachdem die Blattern 400 Männer nebst einer
entspr. Zahl Weiber u. Kinder hingerafft hatten.
Die Gräber der Nation fand man auf einem Hügel
bei einem ehm. Dorfe. Die kriegerischen u. macht-
vollen Wilden geriethen, wenn sie ihre Stärke
vor einer unwiderstehlichen Krankheit weichen
sahen, in äusserste Raserei; sie verbrannten ihr
Dorf, u. manche tödteten Weib u. Kinder, um
sie vor so grausamer Heimsuchg. zu retten u.
damit sie alle zs. hinübergingen in's 'bessere
Land'.

Omar, Dschesireh ibn = Insel der Söhne Omar's,
vollst. *Dschesireh Abd ul-Aziz ibn O.,* Ort am
Tigris, das alte *Thomanum,* angebl. erbaut v.
Abd ul-Aziz, dem Sohne *O.'s,* dem 9. Chalifen
der Dynastie der Ommayaden, auf einer Anhöhe
zw. Moyet Saklan u. dem Flusse, wird im Febr.
u. März wirkl. z. Insel (Schläfli, Or. 52, Spiegel,
Er. A. 1, 174, Hammer-P., Osm. R. 2, 451). Vgl.
Oppert, Exp. 1, 64. — *Hammam ibn O.,* ebf.
arab. ON. in Irak, f. ein *hammam* = warmes
Bad, nach dem Sohne *O.'s* (Sprenger, PRR. 62).
— *Merdsch ibn O.* = Wiese der Kinder *O.,*

eine begraste Erweiterg. des Wady Soliman, am Wege Jaffa-Jerusalem (Peterm., GMitth. 13, 126. — Auch ind. ON.: *Omargárh* = *O.*'s Veste u. *Omarkót* = *O.*'s Stadt, jedes 2 mal (Schlagw., Gloss. 230).

Omaruru, ON. im Herero-Ld., urspr. der Name des j. näher der Flussquelle gelegenen Omburo, nach den Früchten der weitverbreiteten omatanga omaruru, d. i. des wassermelonenartigen Citrullus ecirrhosus Cogn. Auch *O.* trug früher, u. trägt bei ältern Eingebornen noch j., seinen besondern Namen: *Okozondje* = Skorpionenort, v. *ozondje* = Skorpione u. praef. *oko*, nach der Häufigk. dieser lästigen Thiere. Das erwähnte *Omburo* = unversiegbare Quelle, in der Quellgegend des z. Atlantic abfliessenden Omaruru-Flusses (Schinz, DeutschSWAfr. 138).

Ombrike s. Umbri.

Omer, St., früher *Sithier*, Stadt des frz. dép. Pas de Calais, benannt nach dem h. Audomar, dessen Grabmal sich hier befindet (Meyer's CLex. 14, 40, Förstemann, Deutsche ON. 301).

Ometépec, urspr. *Ometepetl* = Doppelberg, v. azt. *ome* = zwei u. *tepetl* = Berg (Gracida, Cat. Oax. 35), die Berginsel, welche als der schönste u. regelmässigste Vulcankegel CAmerica's aus dem blaugrünen Krystallgrunde des Nicaraguasee's auftaucht, ein 'Tropenmärchen v. Stein u. Wald, wie es grandioser u. lieblicher kaum die Phantasie zu ersinnen vermag'. — Auch ON. bei Acapulco (Buschmann, Azt. ON. 178, Peterm., GMitth. 2, 245, Glob. 2, 49, Ausl. 1868, 483).

Ommaney, Cap, an der Ostseite Spitzb., v. der Exp. Heuglin-Zeil 1870 in zahlr. engl. Gesellschaft getauft (PM. 17, 182) nach dem engl Viceadmiral *O.*, Mitgliede der RGeogr. S. of London (PM. 18, 475).

Omoschkos s. Itasca.

Omphalion, gr. Ὀμφάλιον = Nabel, Mittelgegend, ein Ort u. eine Ebene südl. v. Thenä, zieml. in der Mitte Kreta's (St. B. Kiepert, Atl. v. Hell. Pape-Bens.).

Omsk, sibir. Stadt, am Om, einem rseitg. Zufluss des Irtysch, 1716 v. Oberst Joh. Buchholz, nachdem er, auf der l. russ. Exp. nach Jarkend, die im Jahr zuvor am Salzsee Jamyschewa ggr. Veste *Jamyschewsk* hatte aufgeben u. sich flussab zkziehen müssen, erbaut zu dem Zwecke, 'um die hier wohnenden Tataren vor den Bedrückgen u. den Plündergen der Kirgisen sicher zu stellen' (Bär u. H., Beitr. 16, 168, Müller, SRuss. G. 5, 92). Im Gebiete des Ob-Irtysch (abgesehen v. Netz des Tobol, dessen analoge Fälle im Art. Tobolsk zsgestellt sind) entsprechen der Nomenclatur *O.* auch folgende: *Berdinsk* od. *Bersk*, an der Mündg. des Berd, *Tymsk*, an der Mündg. des Tym, *Ischim*, am Flusse gl. N., 1782 angelegt, *Soswinsk*, an der Soswa, einem Zuflusse des Unterlaufs des Ob, *Seljesensk*, ggb. der Mündg. der Seljesenka in den Irtysch, obh. Omsk, sowie mehrere in besondern Artt. aufgeführte (Müller, Ugr. V. 1, 265). — Sonst fügen wir noch an a) *Olekminsk*, Ort an der Lena, 15 km ohh. der

Mündg. der Olekma, tung. u. jakut. Olokno, v. Peter Beketow 1635 angelegt (Fischer, Sib. Gesch. 1, 516); b) *Oljutorsk* u. *Wiucniksk*, 2 Hafenorte der pacif. Korjäkenküste, an der Mündg. der Oljutora resp. des Wiwnik (Kraschenn., Kamtsch. 13, Stieler, HAtl. 1879 No. 59).

On s. Heliopolis.

Onarktok = das warme, ein 'schönes, grünes' grönl. Eiland, so benannt nach einem warmen Brunnen, 'welcher sowohl im Winter als Sommer kocht u. so heiss ist, dass ein dahinein geworfenes Stück Eis gleich schmilzt' (Cranz, HGrönl. 1, 26).

One Tree Island = Einbaum-Insel, 2 mal in Austr.: a) eine kleine Insel v. Hanover Bay, Tasmans Ld., v. Capt. G. Grey (Two Expp. 1, 85) am 5. Dec. 1836 benannt, weil sie einen einzigen grossen Mangrovebaum trug; b) eine andere, v. Capt. F. P. Blackwood, HMS. Fly, 'from a single conspicuous tree' am 10. Jan. 1843 getauft (Jukes, Narr. 1, 4). — *O. Hundred and Fourty Three Creek* = 143-bach, einer der Zuflüsse des Kansas R., 'benannt nach der Zahl der Meilen, welche die Entferng. v. dort bis nach Independance beträgt' (Möllhausen, FelsG. 2, 383).

Onega, die russificirte Namensform eines nord. See's u. Flusses im Gebiete tschudischer Bevölkerg., mir unerklärt, wenn nicht anzunehmen ist, der Name, den der See 'noch heutigen Tages' bei den Tschuden des Westufers führt u. den urspr. auch der Ladoga geführt hat, näml. *Aenine*, eig. *ääninen* = die rauschende, brausende, v. *ääni* = Stimme, Laut, Geräusch, sei das Original der heutigen Form (Sjögren, Ingerm. 108). S. auch Wytegra.

Oneida, Grafschaft, See u. Fluss des Staats N York, nebst Stadt *O. Castle*, sowie Ort in Michigan, v. den engl. Ansiedlern verd. aus irok. *Oneiouts*, *Onenhiote* = aufrechter Stein, aufgepflanzter Stein. So hatte schon einer der 5 verbündeten Cantone der Irokesen geheissen (Cuoq, Lex. Iroq. 68) nach einem 4 m h., mit Hieroglyphen beschriebenen Stein, *Standing Stone*, der seither, wahrsch. als die Indianer 1755 das Thal verliessen, verschwunden ist. An dieser Stelle, bei dem j. Huntingdon, mündet der *Stone Creek* = Steinbach in die Juniata (Cent. Exh. 26). Die Angehörigen der *O.* hiessen *Onenhiotehaka*, während die andern a) *Kanienkehaka* = Bewohner v. Kanienke, d. i. der Gegend, wo man Feuerstein, *kannhia*, findet; b) *Onontagués*, gew. *Onondaga*, eig. *Onontakeronon* = Bewohner der Berge, *ononta*; c) *Tsonnontouans*, eig. *Tsionontowanehaka* = Bewohner der grossen Berge etc. (Cuoq, L.Ir. 164).

Oneion, gr. Ὄνειον = Eselsberg, eine Bergkette, die als langer Rücken mit dürrem Kamme zackiger Felsgipfel wie ein hageres Gerippe (Curt., Pel. 2, 515) hinter Korinth sich durchziehend den Zugang z. Peloponnes deckt. — Schon Platon hielt die Vegetation des dam. Griechenlands f. eine entartete u. verkümmerte u. beklagt, dass das atmosphär. Wasser v. den im Laufe der Zeiten entwaldeten u. v. Erde entblössten Felsbergen nutzlos in's Meer fliesse, ῥέον ἀπὸ ψιλῆς τῆς γῆς εἰς θάλασσαν (Kritias 111). Diese nackten Berge erschienen ihm wie die v. Krankheit abgezehrten Glieder eines einst blühenden Leibes. Flüsse sterben wie Menschen u. Städte (Lucian., Cont. 23), u. der Boden der Erde hat nach Aristoteles (Met. 1, 14[2]) wie der Leib der Pflanzen u. Thiere seine Jugend u. sein Alter (loci senium b. Sen., qu. n. 3, 15). Die Vergleichg. der Berge mit einem hagern Gerippe liegt auch unserer Bezeichng. *O.* zu Grunde (Curt., Pel. 1, 53 ff.). — *Onu Gnathos,* gr. Ὄνου γνάθος = Esels-Kinnbacken, Halbinsel u. *a)* Vorgebirge in der Landschaft Lakonika, nahe dem Cap Malea (welches Bochart 458 aus dem Semit. ebf. = Esels-Kinnbacken zu erklären sucht), benannt v. der gabelförmigen Verzweigg. des Gebirgs, in welches ihr Gipfel ausläuft u. so die gespaltene Form der Halbinsel bedingt (Curt., Pel. 2, 295, Strabo 360). J. ist die Halbinsel durch einen seichten Meerarm v. ihrem Hinterlande getrennt u. heisst, als Insel, *Elaphonisi* (Pape-Bens., Curt., GOn. 155); *b)* Landspitze in Karien = Κυνὸς σῆμα (Ptol. 5, 2[11]), der erstern Halbinsel ähnlich, wenn auch weniger ausgeprägt, gestaltet (Müller, GGr. min. T. 25); *c)* Vorgebirge in Kreta (Ptol. 3, 16[9]).

Onesion s. Bagnères.
Oneta s. Aunay.
Ongheluckighe Baye = Unglücksbucht, in der Magalhäes Str., v. der holl. Exp. Cordes-Sebald de Weert im Dec. 1599 so benannt nach einem fürchterl. Nordweststurm, welchem sie nur wie durch ein Wunder entgingen: 'Godt Almachtigh hooghlijcken danckende, dat hy haer, buyten alle hope, soo miraculeuselyck verlost hadde' (Waeracht. Verhael 84). — *Ongeluksfontein* = Unglücksquelle, capholl. Name einer Quelle (u. e. Bachs), wo ein Bastardhottentott das Unglück hatte, seinen Jagdgefährten aus Unvorsichtigkeit zu erschiessen (Lichtenst., SAfr. 2, 427).
Onias s. Dschehud.
Oniuinu = Höhlenplatz, ein grosses Dorf im alten Phrygien, nach den 2 ungeheuern bogenförmigen Höhlenöffnungen des Felsbergs, an dessen Fusse es liegt — Höhlen, welche durch Kunst einst noch befestigt waren (Sommer, Taschb. 23, 35).
Onion Island = Zwiebelinsel, ein Werder des obern Missuri, v. den Captt. Lewis u. Cl. (Trav. 231) am 22. Juli 1805 nach der Menge wilder Zwiebeln benannt, die weiss, kraus, schmackhaft u. v. der Grösse einer Flintenkugel sind, 'and as the plant bears a large quantity of the square foot, and stands the rigours of the climate, it will no doubt be an acquisition to settlers. For this production we called it *O. I.*' — Von denselben (ib. 135 f.) am 13. Apr. 1805 *O. Creek,* ein kleiner lkseitg. Zufluss des Missuri 'from the quantity of that plant which grows in the plains near it'. Vgl. Quamash.
Onna, ON. 2 mal aus vschiedd. Sprachen *a)* arab. (s. Maskat); *b)* ital. (s. Aunay).
Onoko Falls, eine der Cascaden des Glen *O.,* dessen Fluss in den pennsylv. Lehigh mündet.

Mit 27—30 m scheint er der höchste der Fälle u. demnach nach dem Thale selbst benannt zu sein, während die andern (s. Laurel u. Chameleon) nach ihrer Physiognomie getauft wurden (Penns. Ill. 54).
Onondaga s. Oneida.
Onrust = Unruhe, holl. Name einer Insel der Rhede v. Batavia, der Schiffswerfte, früher das allg. Arsenal der holl.-ind. Co., mal. *Pulo Kapal* = Schiffsinsel (Meyer's CLex. 2, 664). Auch *Kuiper Eiland* = Küferinsel deutet auf gewerbl. Anstalten, mal. heisst sie *Pulo Burung* = Vogelinsel. Uebertragungen, v. holl. Städten, sind *Edam-, Hoorn-* u. *Leiden-E.,* die mal. *Pulo Dammar* = Harzinsel, *P. Ajer* = Wasserinsel u. *P. Nnjamok* = Mückeninsel heissen (Meister, mündl. A.).
Onsby s. Odensee.
Ontario, f. den untersten der 'canad. Seen', verd. aus irok. *Oniatariio* — schöner See (Cuoq, Ét. phil. 17). Auch die Weissen preisen die schönblauen Wogen (Buckingh., East & WSt. 3, 469 ff.). Zur frz. Zeit auch *Lac Frontenac,* also, wie das am Unterende gelegene *Fort F.,* nach dem Grafen d. N., der als Oberbefehlsh. Canada's den Ort gründete, um den Einfällen der Irokesen Einhalt zu thun u. den Pelzhandel an sich zu ziehen (GForster, GReis. 3, 237 ff.). Louis Joliet's Carte v. 1674, gewidmet 'à Monseigneur le comte de *F.,* cons. du Roy en ses conseils, gouvern. et lieutenant-genal pour sa Maj. en Canada, Acadie, Isle Terreneufue et autres pays de la nouvelle France', hat beide Seenamen. Bei Champlain heisst der See *le Lac de Saint-Louis,* bei Hondius *le Lac des Iroquois,* bei Sanson 1650 *Ontario de Saint-Loys* (Drapeyron, Rev. Géogr. 3, 92, Mag. Am. Hist. Jan. 1877).
Onusijagà = Ohnebootfluss, sam. Name eines Nebenflusses der Welikaja, v. der geringen Tiefe, welche die Gänsejagd ohne Hülfe eines Bootes erlaubt (Schrenk, Tundr. 1, 382).
Onze-Fontaines, les = die 11 Brunnen, ON. des frz. dép. Meurthe, eines der wenig zahlr. Beispiele f. das Vorkommen v. 11 in ON. (Dict. top. Fr. 2, 105).
Oorlogs Kloof = Kriegsschlucht, capholl. Name einer Ansiedelg. (u. Schlucht), wo einst die Colonisten den Bosjesmans einen Treffen lieferten (Lichtenst., SAfr. 1, 137).
Oosten = Ost, in holl. ON. wie *Oosterbeck* u. *Oosterzeele* (s. Ost), *Oostvrene* (s. Zutfen), sowie im vläm. *Oostburg* (s. Ost).
Opalskaja Sopka od. *Opalenaja Sopka* = der versengte Berg (Kuppe), russ. Name eines kamtschatk. Vulcans, welcher 'zu einer Reihe blossgelegter u. somit activ gewordener vulc. Massen gehört' (Erman, Reis. 3, 525).
Opelousas, ON. der Louisiana, nach dem Indianerstamm der *Appalousa* = Schwarzköpfe, welche einst in dieser Gegend wohnten (Lewis u. Cl., Trav. 207).
Open Bay = offene Bucht, mehrf.: *a)* hinter Wellington I., Chile, v. der Exp. King-Fitzroy (Adv.-Beagle 1, 338) am 5. März 1830 benannt;

b) bei East C., NSeel., ganz offen (Meincke, IStill. O. 1, 276); *c)* bei Hawke's B., ebf. NSeel., auch *Shoal Bay* = seichte Bucht (ib. 277).

Ophel, hebr. לֶפֹע [ʽophäl] = Hügel, Buck, der südl. Ausläufer des Tempelbergs Moriah (Gesen., Hebr. Lex.).

Ophir, 2 Berge in Indien: *a)* auf Malakka, mal. *Gunung Lidang*, dessen Gold, heute gering in Menge, sich durch Schönheit auszeichnet, würdig einer Chryse Chersonnesos, v. den Port. mit bibl. Namen belegt, als sei hier das Land der Ophirfahrer Hieram's u. Salomo's zu suchen; *b)* in Sumatra, mal. *G. Passaman*, aus gl. Grunde (Ausl. 1869, 914).

Ophiussa, gr. Ὀφιοῦσσα = Schlangeninsel, war einst der Name v. Rhodos (s. d.) διὰ τὸ πλῆθος τῶν ἐνόντων ὄφεων (Heracl. Pont., Hesych), sowie anderer Inseln (s. Formentera), auch einer Insel bei Kreta (Plin., HNat. 4, 61) u. des j. *Afzia*, Propontis (Ptol. 3, 18¹⁵). Vgl. Pape-B. — *Ophidonisi* s. Schlangeninsel. — *Ophionis*, gr. Ὀφιονίς = Schlangenbach, eine Quelle in Lycien (Pape-B). — *Ophiusa* s. Ak.

Ophrynion, gr. Ὀφρύνιον = Felsspitze, 'Staufen' (Pape-Bens., Curt., GOn. 7, 43, Ross, IReis. 3, 33), Städte in Troas (Herod. 7, 43). — 's ton Ophryn, ngr. ʼς τὸν Ὀφρὺν = Augenbraue, ein schmales Felsenriff vor der Bucht Emporeion, Kasos (Ross, IReiss. 3, 33).

Ophthalmia Range, eine Bergkette West-Austr., im Mai 1876 entdeckt v. engl. Reisenden Th. Elder u. so getauft 'in Erinnerg. an die hartnäckige Augenentzündg., die ihn während jener Zeit quälte' (PM. 23, 206).

Opike s. Campania.

Opójtojagà = der aus **einem** See kommende Fluss, v. *opòj* = ein, die Mgla bei den Samojeden, im Ggsatze z. *Tójaga* (s. d.), seinem mehrere See'n passirenden Nebenflusse (Schrenk, Tundr. 1, 695).

Opolting s. Abbatia.

Oporto s. Porto.

Oppernavik = Sommerwohng., bei den Eskimos *a)* das nördlichste Cap des Festlandes v. Labrador (Cape Chidley, noch etwas nördlicher, gehört einer Insel an); *b)* in der Form *Uppernavik*, Grönl. (Peterm., GMitth. 7, 217).

Opsloe, richtig *Oslo*, der v. Christiania (s. d.), 'fehlerhaft' erklärt als Mündung, *ōs*, des Thalbaches Lo (Daae, D. gamle Christ. 1).

Or = Gold, wie ital. u. span. *oro*, port. *ouro* (s. dd.) v. lat. *aurum*, in frz. ON. *a)* *Côte d'Or* = Goldhügel, f. die mit Wein gesegneten Hänge Burgunds (Meyer's CLex. 4, 770), ein ganz junger Name, da er erst in den Lettres patentes du Roi, v. 4. März 1790, vorkommt, als Entscheid üb. die Decrete der Nationalversammlg. v. 15. Jan., 16. u. 26. Febr., welche die Eintheilg. Frankreichs in 83 dépp. anordneten. 'Ce qui est moderne dans ce nom, ce n'est pas *côte*, très-ancien au contraire pour désigner notre vignoble, mais *d'or*, épithète qui daterait, d'après ce qui précède, de 1790, et qui est en effet bien dans le goût qui régnait en

France à cette époque' (Abbé J. Bourlier, curé de Montigny-sur-Vingeanne 15. Juni 1891); *b)* *Bras d'Or* = Goldarm, f. die tiefe 'noble' Einfahrt, welche die Insel des Cape Breton in 2 Halbinseln trennt (Buckingh., Canada 360).

Ora s. Orech.

Oradour s. Oratorium.

Oraison s. Kaan.

Orang-Laut = Seemenschen, mal. Name, welchen man im ind. Archipel den 'Nomaden des Meeres' gibt, den Malayen, welche v. Fischen u. zufälligen Verdienste leben u. Seeraub lieben (Skogmann, Eug. R. 2, 218). Einst bei den Port. *Celates* (Peschel, ZEntd. 596), ob v. *O.-Selat* = Männer der Meerengen? — *O.-Slam*, eig. *O.-Islam* = Muhammedaner, die Malayen v. Ceram, im Ggsatz zu den Alfuren (Peterm., GMitth. 7, 241).

Orange, frz. Stadt des Rhonethals, als Hptstadt der kelt. Cavaren *Arausia (Cavarum)*, v. dem PN. *Arausius* (d'Arbois de Jub., Rech. NL. 520) od., einleuchtender, wenn es dort einen Fluss d. N. gibt od. gab, nach der Lage am Flusse Araïse (RDenus, Dict. App. Ethn. 375), später *civitas Arausicorum* (Longnon, Géogr. Gaule 441), wobei freil. der Uebergang der alten in die neue Form unklar bleibt. Als Renatus v. Nassau 1530 aus der Erbschaft seiner Mutter das Fürstenth. erwarb u. 1544 seinem Vetter, Wilhelm dem Verschwiegenen, hinterliess, begründete dieser das Haus Nassau-Oranien, welches, in den Niederlanden begütert, hier mit Moriz die Erbstatthalterwürde, 1815 Königsrang erlangte. So kam die holl. Namensform *Oranje*, früher *Orangien*, wie Nassau (s. d.), zu ausgiebiger toponym. Verwendg., der wir unter dem neuen Stichwort nachgehen. Hierher gehören nur die ON. in frz. u. engl. Form *a)* *Cap O.*, in Cayenne, offb. eine Reminiscenz an die holl. Zeit 1580 ff., f. ein Vorgebirge, welches sonst *Cap Wiapoco*, nach dem ältern Namen des Flusses Oyapoc, hiess u. v. engl. Capt. Keymis 1596 in *Cape Cecil*, nach dem Minister Will. Cecil, Lord Burleigh, † 1598, umgetauft wurde (Raleigh., Disc. 197); *b)* *O. Island* s. Bashee.

Orangerie, Cul de Sac de l', eine weite, offene Bay an der Südküste der Halbinsel Owen Stanley, NGuinea, mit reichem, gut bewaldetem Uferland. An ihrer Ostecke *Cone Point* = Kegelcap, kenntlich durch einen 165 m h. Kegelberg (Meincke, IStill. O. 1, 109).

Oranje, die holl. Form f. 'Oranien', frz. u. engl. *Orange* (s. d.), erscheint voraus in dem südafrican. FlussN. *O. Rivier*, hott. *Garib, Gariep* = der rauschende (Glob. 12, 238), u. zwar *Nu* (= schwarzer) G., im Ggsatz z. *Hei* (= gelben) G. (s. Vaal), v. der Confl. abw. *Kei* (= grosser) G., daher bei den Boeren im *Groote Rivier* (= grosser Fluss) übersetzt, erst 1777 nach dem Hause *O.* umgetauft anlässl. der Rundreise des Gouv. Plettenb. welche den Obersten Gordon bis z. Strome führte (Lichtenst., SAfr. 2, 67, Ritter, Erdk. 1, 390, Sommer, Taschb. 14, LXV). — *Eiland van*

O., die mittlere der Inseln vor der ugr. Str., v. der Exp. 1594 getauft zu Ehren des Vaters des dam. Prinzen Mauritius u. der Princessin v. *O.*, ’ter ghedachtenisse synes Heeren Vaders Hoochloflicker memorie, ende de Princesse van *O.*́ (Linschoten, Voy. f. 19, Adelg., GSchifff. 156) od. ’ter eeren van sijn excellentie ende sijn broeder´ (GVeer ed. Beke 50). — *O. Eilanden*, eine Inselgruppe vor der Nordostecke NSemlja’s, v. Barents am 31. Juli 1594 (Schipv. 3, Adelg., GSchifff. 169). — *O. Fontein*, ON. im Capl., nach einer Quelle (Lichtenst., SAfr. 1, 46). — *Fort O. a)* auf der Insel Itamaracá, v. Sigism. van Schkoppe 1631 ggr., als der Prinz v. *O.* Generalstatthalter der brasil. Colonie war (Varnh., HBraz. 1, 364); *b)* auf Ternate (Meyer’s CLex. 15, 37); *c)* s. Albany. — *O.*, ein ON. der seit 1635 holl. Antille St. Eustathius (Meyer’s CLex. 14, 114). — *O. Republik* s. Boers. — *Oranjewoud* = Oranienwald, ein Lustgefilde in Friesl., im 17. Jahrh. v. den fries. Statthaltern aus Heide-, Moor- u. Torfgründen umgeschaffen (Wild, Niedl. 2, 242). — In deutscher Form *Oranienburg*, ehm. Dorf Bützow in Brandenb., v. Louise Henriette, der ersten Gemahlin des grossen Kurfürsten, einer geb. Princessin v. *O.*, 1665 z. Stadt erhoben, (Meyer’s CLex. 12, 342) u. *Oranienbaum*, 2 mal: *a)* in Anhalt, 1690 ggr. v. Henriette Katharina, der Mutter Leopold’s I. u. ebf. einer geb. Princessin v. *O.* (Förstem., Deutsche ON. 289); *b)* der bekannte Sommersitz bei St. Petersburg, durch den Schlossbau des Fürsten Menschikow 1714 begründet (Meyer’s CLex. 12, 342), v. der Kaiserin Katharina II., einer geb. Princessin v. Anhalt-Zerbst, nach dem anhalt. Orte gl. N. getauft.

Oratorium = Bethaus, in vielen mod. ON. erhalten u. zwar, je nach dem Dialect, in vschiedd. Formen wie *Oradour*, *Ouradou*, *l’Ouradour*, *Laurador*, *le Lauradou*, alle südl. v. der Loire (Dict. top. Fr. 7, 157), während im nördl. Frankreich *r* mehrf. in *z* übgegangen ist: *a) Ozoir lès Ferrière*, 1237 *O. ferrariarum* od. *ferrariae* ità dictum à proximo vico *Ferraria*, wohl die älteste dieser Capellen, in einer Urk. 856 citirt ad´ villam, quae vocatur *O.*; *b) Ozouer-le-Repos*, urk. *O. repositi* od. *Ozouer-le-Repos*, so genannt v. den Mönchen der Abtei Chaumes, die den Ort zu einem ’lieu de retraite´, *absconditum*, gemacht hatten (E. Drouin in Sep.-Abdr. d. Bull. Soc. Arch. dép. Seine-et-Marne 4 f.). Der kundige Houzé (Étud. NL. 50 ff.) zählt 42 solcher Formen auf, wie *Lourdoueix*, mit dem Beisatz *St. Pierre*, im dép. Creuse, dann *Lourdoueix-Saint-Michel*, *Loureux*, *Lourouer*, *Lorouer*, *Louroux*, *Louroux*, *Louzouer*, *Oroer*, *Oroir*, *Oourouer*, *Orrouer* etc. **Orbe**, ein Städtchen des C. Waadt, verdeutscht *Orbach*, lat. *Urba*, im 11. Jahrh. *vicus Urbensi*, ’tire son nom de la rivière de ce nom, qui l’entoure de trois côtés´. Mit dem (mir unerklärten) Flussnamen ist zu vergleichen ein anderer bei Béziers, *l’Orb*, bei Mela (2, 5) *Orbis*, bei Ptol. (Geogr. 2, 10) *Ὄρβις*, bei dem An. Rav. (4, 28) *Orobs*, 791 *Orbus*, 1694 *Orp* (Dict. top. Fr. 5,

137). Von den Einfällen der Saracenen u. den Bürgerkriegen, welche Burgund seit Beginn des 8. Jahrh. verheerten, schwer leidend, erhob sich *O.* wieder, begünstigt durch seine Lage, welche ihm als Station zw. Frankreich u. Italien zu gute kam. ’Des hôtelleries ne tardèrent pas à s’y élever pour recevoir les voyageurs; de là le nom de *Tabernae* (= Herbergen), qui lui est donné dès la fin du Xe siècle´ (Gem. Schweiz 19[1], 102; 19[2b], 145, Mart.-Crous., Dict. 679f.). — *Source de l’O.* = Quelle der *O.* heisst die idyllische Stelle, wo der am Lac Brenet verschwundene Fluss wieder aus einer hohen Felswand hervorbricht.

Ordway’s Creek, ein kleiner lkseitg. Zufluss *a)* des untern Missuri, benannt v. der Exp. Lewis u. Clarke (Trav. 17) am 8. Juli 1804 nach dem Sergeanten John *O.*, der hier mit den Pferden an’s Land u. den Fluss hinauf ging; *b)* des obern Missuri, am 18. Juli 1805 ebenso getauft (ib. 225 f.).

Orech, besser *orjéch* (gespr. *arjéch*) = Nuss, russ. Wort, slow. *oreh*, serb. *orah*, poln. *orzech*, čech. *orech*, oft in ON., wie in *Orechow* (s. Schlüsselburg), ferner in den westslaw. Gebieten *Ora*, *Orahovac*, *Orahovica*, *Oravica*, *Oravka*, *Orechoule*, *Orehek*, *Orehovka*, *Orchovlje*, *Oreschie*, *Oreschje*, *Orešje*, *Orehó*, *Oréhova*, *Orehovec*, *Orehovica*, *Oresac*, *Orešak*, *Orešje*, *Oreskovic*, *Oreszka*, *Oreszko*, *Orišje*, *Orech*, *Orechau*, *Oreschin*, *Orzechów*, *Orzechowce*, *Orzechowczyk*, *Orzechowka* (Miklosich, ON. App. 2, 209, Krosta, Mas. Stud. 12).

Oregon, der grosse pacif. Zufluss, der zw. den Unionsstaaten *O.* u. Washington das Meer erreicht, bei den Tschinuk od. Plattköpfen *Jakaitl*, *Uimakl* = der grosse Fluss (Sommer, Taschb. 24, 235), zuerst erwähnt 1766/68 in J. Carvers Travels als *Oregan*, *Origan*, od. *River of the West*, als einer der 4 Ströme des, mitten im Continent entspringend, nach allen 4 Himmelsgegenden aus einander fliessen; an der Mündg. aber erst v. span. Capt. Bruno de Heceta, Corvette Santiago, am 17. Aug. 1775 entdeckt u., da Tags vorher das Fest des heil. Rochus gefeiert war, *Rio de San Roque* getauft. Erforscht jedoch wurde v. ihm die Mündg. so wenig, als später v. Cook u. Meares (s. Asuncion); denn die Brandg. brach sich in ununterbrochener Linie üb. die quer vorliegende Barre mit solcher Gewalt, dass er nicht einzudringen wagte u. die Mündg. f. Segelschiffe gew. gefahrvoll sich erweist. Ja noch 1792 leugnete der engl. Seef. Vancouver, obgleich die Wasserfarbe der Einfahrt eine Mündg. anzuzeigen schien, die Existenz eines Flussthores. Glücklicher war Capt. Rob. Gray, der als Befehlsh. des Kauffahrteischiffes Columbia am 28. Sept. 1790 v. Boston abfuhr, am 11. Mai 1792 in den Fluss einlief, diesen 20 miles aufw. befuhr u. nach seinem Fahrzeuge *Columbia River* nannte (Quack., USt. 333, Buckingh., East. & WSt., 3, 111, DMofras, Oreg. 2, 107 ff.). Die beiden Flussnamen, *O.* u. *C.*, erscheinen nun neben einander, 1797 in Morse’s Gazetteer auch der *River of the West* noch einmal, während wir dann Am. Geogr. 1805 in der Carte *O.*, im Text *C.* hat; Lewis

u. Clarke brauchen *C*. Ja noch Malte-Brun u.
A. v. Humboldt zweifelteᴅ ob beide Namen demselben Flusse angehören. Malte-Brun hatte in
der Carte v. Mexico, herausgegeben v. Ant. Al-
zate, die auf den Colorado River bez. Legende
'cuyo orígen se ignora' = dessen Ursprung unbekannt ist, in dem Sinne verstanden, dass in
orígen der Name *O*. stecke; Humboldt notirte
diesen Irrthum in seinem 'Neu-Spanien', beging
dann aber später (ANat. 1, 64) 'a slip almost as
amusing', indem er den angebl. *O*. in das span.
Wort *ignora* verlegte. Als der Grenzstreit mit
England der Thatsache, dass ein Bürger der Vereinigten Staaten zuerst den Fluss befahren, ein
unverkennbares Gewicht verlieh, kam im Lande
selbst der Name *C*. z. Herrschaft, um so eher,
als dann der neue Staat *O*. gebildet wurde, da
man in dem Lande, wo schon 13 Staaten nach
Flüssen benannt sind, f. wünschb. hielt, Fluss
u. Staat mit vschiedd. Namen zu belegen. Immerhin gibt es eine *O*. *City* u. eine *O*. *Kette* (s.
Rocky). Der Name *O*. wurde bald als ein be-
deutungsloses Wort, das Carver erfunden hätte, bald
als ind. Name, algonk. *Waurégan*, *Ourighen*,
Wuliexen = schöner Fluss betrachtet (Mag. Am.
Hist. 3, 36 ff.), bald v. span. *orégano* = wilder
Majoran, Origanum vulgare L., abgeleitet (zuerst
in Darby's Gazetteer 1827, dann v. Lieut. Sy-
mons, Rep. Col. 86, Charnock, LEtym. 194,
TdMonde 5. Febr. 1876), mit der Angabe, dass
die Pflanze massenhaft an den Flussufern wachse;
nach Whitney's gründl. Studie (N. u. Pl. 57) liegt
ihm 'unquestionably' das span. Wort *orejon* zu
Grunde: *Rio de los Orejones* = Fluss der Grossohren, nach der ind. Sitte des Ohrenschlitzens,
die schon bei Carver anschaulich beschrieben
wird. Bei alledem wird mir schwer zu glauben,
dass Carver, auf seiner Reise am obern Missisipi,
aus ind. Munde einen span. Flussnamen gehört
habe, u. unklar ist mir vor allem, wie der Fluss,
an den, so viel bekannt, nie span. Ansiedler
wohnten, vor Carver zu einem span. Namen gekommen sein soll, der vermocht hätte, in Ver-
drängung des einheim. selbst unter den Indianern
sich einzubürgern.

Oreiatai, gr. Ὀρειάται = Bergen hiess früher
v. ihrer bergigen Lage die lakon. Stadt Brasiai
(Paus. 3, 24⁴, Pape-Bens.).

Orejones = Grossohren (s. Oregon), v. span.
oreja f. = Ohr, ein Indianerstamm, welcher,
wohnhaft nördl. v. der Confl. Napo-Solimões
(WHakl. S. 24, 176), nach Art der Botocuden
sich grosse u. immer grössere Holzstücke in die
Ohrlappen steckt (Glob. 21, 300). — Die *Chichas
O*., einer der Stämme des Gran Chaco, heissen
'Grossohren', weil sie f. Abkömmlinge der *O*.,
d. i. der Adeligen v. Cuzco od. Beamten des In-
cahofs, gelten (WHakl. S. 24, 155).

Orel, serb. *orao* = Adler ist wohl in viele
slaw. ON. übgegangen, aber kaum irgendwo mit
gesichertem Motiv, wie bei der russ. Stadt *O*.
Am ehesten liesse sich f. Flüsse, *Orlice*, verdeutscht
Erlitz, u. *Orljawa*, einen Zufluss der Save, an

den raschen Lauf denken (Umlauft, ÖUng. NB.
164).

Orellana s. Amazonas.

Orenburg, russ. Ort am Flusse 'Ural', sollte
nach dem Entwurfe Peter's d. Gr. am Jaik der
sichere Sitz des asiat. Handels sein u. die benachbarten räuberischen Steppenvölker im Zaun
zu halten dienen: ein Hafen des 'kirgis. Steppen-
oceans'. Die Kaiserin Anna bestätigte diesen
Entwurf, u. noch im gl. Jahre wurde 'der brave
... (Staatsrath) Kirilow, treuer Diener des Kaisers,
Herausgeber des ersten Atlas v. Russland, Gründer
der *O*.'schen Linie', mit der Anlage beauftragt.
Im Decret der Kaiserin, v. 7. Juni 1734, heisst
§. 1: 'Diese mit Gott neu zu erbauende ange-
fangene Stadt soll *O*. heissen' (Büschings Mag.
5, 457 ff.). Nach mancher Noth gelangte er an
die Or u. den Jaik u. legte im Aug. 1735 (nicht
1738) den Grundstein zu dem ersten *O*. (Falk,
Beitr. 1, 182, Meyer's CLex. 12, 358), u. zwar
an der Confl. Or-Jaik. Als man später erkannte,
dass die Lage f. den Hauptwaffenplatz u. f. den
Handel unpassend sei, befahl ein Ukas v. 9. Aug.
1739 den Neubau; man verlegte die neue Stadt
1740 flussabwärts (wo j. Krasnojarsk) u. 19. Apr.
1742 noch einmal u. zwar an ihre j. Lage. Wenn
in beiden Versetzungen auch der Name mit-
wanderte, so blieb der ersten Gründg., welche
allein mit dem Or in Beziehg. steht, der Name
Orsk, *Orskaja Krepost* (Rose, Ural 2, 197, mit
Corr. der Jahrzahlen nach Falk, Müller, Ugr.
V. 1, 40, Büschings Mag. 5, 457 ff.). — *Ein Neu
O*. od. *Orenburgskoje* an der Kirgisensteppe,
49° 38′ 17″ NBr., v. General Obrutschew, dem.
Gouv. v. *O*., 1845 ggr. (Bär u. H., Beitr. 18,
120).

Oreng, eig. *ngoreng* = glänzend wie die aufgehende Sonne, tib. Name eines v. Oberlaufe des
Hoang Ho durchflossenen See's (Timkowski, Mong.
2, 276).

Oreto s. Loreto.

Organos, Sierra de los = Orgelgebirge, span.
Name eines Bergzugs am Westende Cuba's, nach
den zahlr., höher u. höher, nach Art der Orgelpfeifen ansteigenden scharfen Bergspitzen 'a range
of high and low hilles with many sharpe heads
like vnto organ pipes' (Hakluyt, Pr. Nav. 3, 620). —
Derselbe Name in port. Form: *Serra dos Orgãos*,
in Bras., wo ebf. seltsame schlanke Piks aus der
Ferne gesehen wie Orgelpfeifen neben einander
aufstreben — mit abnehmender Höhe, je nach
dem Standpunkt des Beobachters: v. Rio de Janeiro aus umgekehrter Reihe wie v. Theresopolis
(Agassiz, Brés. 483, Bild. Rio 3 f., Wüllerst., Nov.
125), eine Reihe kolossaler Felsenhörner v. allmählich abnehmender Höhe, den Abstufungen
der Orgelpfeifen ähnlich (Kittlitz, Denkw. 1, 68).
— *Organ, the* = die Orgel, engl. Name einer
Abtheilg. des Riesendamms (s. Giant), wo die Basaltsäulen sich wie Orgelpfeifen folgen, während
ein anderer *the Honeycomb* = die Honigwabe,
nach der wabenartigen Vereinigg. der Säulen, ein
dritter *the Loom* = der Webstuhl heisst (GSamml.

Zürch.Cantonsschule). — *Organ Peaks* = Orgelberge, eine Gruppe v. Berggipfeln der Black Hills, in der Gegend v. Harney's Peak, ganz einer Reihe Orgelpfeifen ähnl., so benannt am 1. Aug. 1874 v. General Custer: a perfect nest of organpipe peaks, whose sharp spindling tops immediately suggested the name *OP.*, which name they retain. There are two such nests, and they were both in view, separated not more than three-quarters of a mile. These bare rocks, presenting in the morning sun a light surface, as they rose above the almost universal pines, afforded a most striking contrast with the dark-green foliage of the forest, and very appropriately received their name (Ludlow, Black H. 43). — *Orgelcap*, in Wilczek I., v. der öst.-ung. Nordpolexp. Weyprecht-Payer 1872/74 entdeckt (Peterm., GMitth. 22, 205).

Orient = Osten, zunächst lat. *sol oriens, orientis* = die aufgehende Sonne, v. *orior* = aufstehen, *adj. orientalis* u. ähnl. in neuern Sprachen, damit auch in ON., wie *l'Orient*, so noch im 18. Jahrh., j. weniger deutl. *Lorient*, Hafenstadt der frz. Westküste, 1664 ggr. v. der ostind. Handels-Co. L'Orient, die bis 1770 hier ein Etablissement hatte (Dict. top. Fr. 9, 168, Meyer's CLex. 10, 941), *Cap Oriental* (s. Délivrance), *Pointe Orientale* (s. Geelvink), *los Orientales* (s. Uruguay), *Orientale Regnum* (s. Oesterreich), *Marchia Orientalis* (s. Ost). Von *O.* der Ausdruck 'orientiren', sich zurechtfinden, nach den Himmelsgegenden richten; daher *Orientirungs-Inseln*, vor Dove Bucht, O.-Grönl., v. der 2. deutschen Nordpolexped. 1869/70 entdeckt u. getauft. 'Wir bestiegen den höchsten Gipfel derselben, um die Landesgliederg. u. die einzuschlagende Reiserichtg. zu erforschen. Der Anblick v. der Höhe aus verschaffte uns die Gewissheit, dass aus derselben nur durch die engen Strassen im Norden der Adalbert-In. nach der äussern Küstenlinie zu entkommen möglich sei' . . . (Peterm., GMitth. 17, 191, T. 10).

Orinal de España, el = das Nachtgeschirr Spaniens ist der Spitzname der Gegend v. Santiago, welche wie übh. Galicia u. die ganze Nordküste durch ihren Regenreichthum seltsam contrastirt mit den regenarmen centralen u. südl. Theilen der Halbinsel. Regenmenge v. Santiago 64″ 5₅‴ span., Madrid 10₆₂″ Par. (Willkomm, Span.P. 37).

Orinoco, bei den Tamanaken *Orinucu* = Fluss, wie 'unter allen Zonen . . . die grossen Flüsse bei den Uferbewohnern der Fluss, ohne andere Bezeichng., heissen' (Humb., Ans. Nat. 1, 305), so hörte der span. Reisende Diego de Ordaz den Namen des Stromes 'zum ersten mal 1531 aussprechen, als er bis an die Mündg. des Meta hinaufführ'. Von hier aufw. heisst der Fluss *O.*, nach *Paragua* = Wasser, grosses Wasser, bei WRaleigh (Disc. LXIX) zu *Baraquan* verd., abw. *Uriaparia.* Der span. Seef. Vic. Y. Pinzon nannte ihm *Rio Dulce* (s. d.), u. so steht noch auf den Carten des 16. Jahrh.; Raleigh's Begleiter, der Capt. Keymis, wollte ihn 1585 *Raleana* nennen (ib. 89). — *Dardanellen des O.* s. Anegada.

Orissa, skr. *Odra*, in der Prakritform v. *auttara* = nördlich, wohl als Nordtheil der alten Prov. Kalinga zu fassen, Name einer ind. Landsch. Aus *Odradescha* (= nördliches Land), *Ordeschá*, formten die Port. ihr *Orixa*, wir unser *O.* (Lassen, Ind. A. 1, 224).

Orizaba, P. v. s. Citlaltepetl.

Orkapu s. Perekop.

Orkneys, Inselgruppe bei Schottl., v. *orkn*, einer nordischen Delphinart, wahrsch. Linné's Delphinus orca, u. *ey* = Insel (Preyer-Z., Isl. 18). Von Agricola bei seiner Umschiffg. Schottlands entdeckt (Tacit., Agr. 10 'ac simul incognitas ad id tempus insulas, quas *Orcadas* vocant, invenit domuitque'), heissen sie bei Ptolemäus (Geogr. 2, 2) Ὀρκάδες, *Orcades*, mit Endg. -*ades*, wie denn auch Plinius (HNat. 9, 5; 32, 53) eine Orca piscis erwähnt. Wesentlich dieselbe Ansicht findet sich in Armstrong (Gael. Dict.), der gael. *orc-innis* = Inseln der Wale, sowie in Joyce (Orig. Ir. NPl. 2, 308), der ir. *orc* = Walfisch, Meerschwein setzt. Unter Meerschweinen versteht der Seemann die zahlr. Delphinarten, im engern Sinne Delphinus phocaena L. = Phocaena communis C., die truppweise lebende, bloss 1¹/₂ m lge., kleinste Art aller Cetaceen (Leunis, Syn. 1, 184 f.). Kelten haben hier frühe sich angesiedelt u. die Inseln *Insi h-orc* = Delphininseln, die umliegenden Gewässer *Muir n-orc* = Delphinmeer genannt. Offb. haben die Normannen den kelt. Namen, mit *ey* = Insel, aufgenommen. — *Orkney Lake*, zw. Yellow Knife u. Coppermine R., v. Capt. John Franklin (Narr. 219) am 14. Aug. 1820 getauft nach den 'Orkneymen', den Angestellten der Pelzhandels Co. — Frage: Wie ist das Dorf *Ourches*, 1402 *Urchiae*, im dép. Meuse, zu seinem alten Namen, 884 *Orcadae*, 922 *Orchadae* (Dict. top. Fr. 11, 174), gekommen?

Orta, Flussname in Thüringen, wohl dim. v. *Ohre, Aare* (s. d.), daher Ort *Orlamünde*, an der Confl. *O.*-Saale (Meyer's CLex. 12, 369).

Orléans, frz. Stadt an der Loire, lange f. die Lage des alten Genabum gehalten (Napol. III. Cäsar Atl. 19), nach Kaiser Aurelian (270—275) *Civitas Aureliani* getauft, bei Greg. v. Tours *Aurelianis, civitas Aurelianensis*, dann zu *Aurelians, Orliens, O.*, geformt (Meyer's CLex. 12, 370). Wie weit das, was Lamartinière (GDict. géogr.) üb. die Erneuerg. sagt: 'La beauté et la commodité de sa situation engagèrent l'empereur Aurélien à augmenter cette ville et à lui donner son nom; il l'érigea même en cité, de sorte qu'on l'appela *Aureliana Civitas* ou *Aurelianum*, en sous-entendant oppidum', zu den geschichtl. Thatsachen stimmt, ist mir nicht bekannt. Nach dem Ort das Umland: *territorium Aurelianense, Orlénoiz, Orlénois, Orléanais* (RDenus, AProv. Fr. 125 ff.). ZZ. der Könige wurde der Name auf Objecte der Entdeckg. u. Besiedelg. übtragen wie *Cap O.*, 'un cap de terre moult beau' in NFundl., v. J. Cartier am 30. Juni 1534 (Hakl., Pr. Nav. 3, 206, M. u. R., Voy. Cart. 22) u. *Ile d'O.*, im St. Lorenzstrom, ebf. v. Cartier, der sie am 6. Sept.

1535 erreichte u. sie zunächst *Ile de Bacchus*
nannte, nach der Menge in Gebüsch u. Wald
wildwachsender Reben (Anspach, NFundl. 22,
Buckingh., Can. 172. 293, Forster, Nordf. 504)...
'and found it full of goodly trees like to ours,
also we waw many goodly vines, a thing not before of vs seen in those countreys, and therefore
we named it *Bacchus Island*' (Hakl., Pr. Nav.
3, 216, wo am Rande die Note: the Ile of Bacchus
or the Ile of *O*.). 'La plus grande était chargée
de vignes ce qui la lui fit appeler d'abord *Ile
de B.*; mais il préféra ensuite le nom d'*I.d'.O.* qui
lui est resté' (Avezac, Voy. Cart. 14. XII). —
Das bekannteste Object dieser Art ist *la Nouvelle O.*, j. engl. *New O.*, an der Mündg. des
Missisipi, also die Pforte z. ganzen dam.'Louisiana',
v. frz. Gouv. Bienville, welcher 1718 den Sitz
v. Biloxi, zw. den Flüssen Missisipi u. Alabama,
hieher verlegte, getauft zu Ehren des Herzogs Philipp v. *O.*, welcher als Brudersohn Ludwig's XIV.
f. den minderjährigen Ludwig XV. die Regentschaft führte 1715/23 (Quack., USt. 145, Sommer,
Taschb. 1, 220, Buckingh., Stave St. 1, 311). —
Orléansville, Ort in Alg., v. Marschall Bugeaud
1842 ggr. u. nach dem dam. Regentenhause benannt (Meyer's CLex. 12, 374).

Orlenginsk s. Tagilsk.

Orlice s. Orel.

Orlikowo, Ort am Ket, einem Zuflusse des Jenissei, nicht, wie ein russ. Ohr vermuthen dürfte,
v. *orel, orlik* abzuleiten, sondern benannt nach
dem ostjak. Fürsten Urnuk, der den Russen in
Entdeckg. u. Bezwingg. der dortigen Völker mit
Rath u. That an die Hand ging. Für *Urnukowo
Gorodischtsche* corr. *Urljukowo, Urlikowo, O.*
Aehnl. heisst nach dem Fürsten Namak die Veste
Namazkoi Ostrog, dann corr. *Makuzkoi, Ma-
kozkoi, Makowskoi* (Müller, SRuss. G. 4, 515.
522, Fischer, Sib. G. 1, 393).

Orma s. Galla.

Ormond Island, in Fury u. Hecla Str., v. Capt.
W. Edw. Parry (Sec. V. 323. 331) im Aug. 1822
entdeckt u. zu Ehren des Earl of *O.* and Ossory
benannt, sowie auch die Ostspitze der Insel *Cape
Ossory*.

Ormonts, Val d', den Namen eines rseitg. Neben-
thals der Rhone, pflegt man v. *Ursimons* =
Bärenberg abzuleiten, da man durch dieses Thier,
dial. *or*, unter den Viehherden des Thals verursachten Verwüstungen (Gem. Schweiz 19²ᵇ, 148).
'Weit, weit zk. liegt die Zeit, wo sich noch Bären
in diesen Thälern aufhielten, obgl. doch wohl der
Name *O.* gerade darauf zkführt; denn in der
Volkssprache heisst der Bär *or*' (Osenbrüggen,
Wanderst. 1, 92). Die Sage v. den Goldblättchen,
welche die Grand' Eau einst aus dem goldreichen
Berginnern, *ormont*, geführt hätte, wird mit Recht
(ib. 93) als eine 'auf etymologischem Wege entstandene' bezeichnet. Eine 3. Ableitg. gibt Gatschet (OForsch. 251): In der Benennng. des mit
Sennhütten u. Heuschobern dicht besäeten Thales
ist das lat. *horreum* = Scheune enthalten u.
les O. = Scheunenberge zu übsetzen.

Ormoy, frz. ON. aus lat. *ulmetum* = Ulmenort (s. Aunay), welches Wort aber eine weibl.
Variante *Ulmeta*, im 10. Jahrh. *Ulmita*, hatte,
beide v. *ulmus* = Ulme (d'Arbois de Jub., Rech.
NL. 628). Neben *O.* findet man auch 3mal
l'Ormois, 1217 *Ulmetum*, 1024 *Olmetum*, im
frz. dép. Eure-et-Loir, wo auch 11mal *l'Orme*,
1250 *Ulmus*, ferner *les Ormeaux, les Ormes*,
3mal, *l'Ormeteau, Ormeville*, 1300 *Ulmeville*
(Dict. top. Fr. 1, 135). Im dép. Meurthe *Ormange,
Fontaine d'Ormes, Orme-et-Ville*, 1179 *de Ulmis*,
1370 *Ourmes*, im dép. Yonne *l'Orme* 6mal,
l'Ormeaux u. *les Ormes* je 2mal, ein *Ormoy*,
9. Jahrh. *Olmedum*, 886 *Ulmetus*, im dép. Hérault *Olmet*, 804 *Ulmus villa, Ulmeda villa*,
im dép. *Lormes*, 1157 *de Ulmo*, 1602
l'Orme, im dép. Meuse *l'Orme* u. *les Ormes*, je
2mal, im dép. Dordogne *l'Orme* 5mal u. *les
Ormes* 4mal, im dép. Eure *l'Orme* 2mal, *l'Ormerie*
2mal, *les Ormes*, 1111 *Ulmetum*, 1206 *Olmes*,
1218 *Ulmi*, im dép. Mayenne *l'Ormeau* u. *les
Ormeaux* je 10mal, *l'Ormier* u. s. f. Bei einem
dieser Orte des dép. Dordogne unterzeichnete, wie
man annimmt, der heil. Ludwig eine Urkunde
sub ulmis veteribus de Pelevezy, wo noch 1845
zwei Ulmen standen, deren sehr knotiger, tief
gefurchter Stamm aus stark entblössten Wurzeln
aufstieg u. 7—10 m Umfang hatte (ib. 2, 105;
3, 94; 5, 136; 6, 101; 11, 172; 12, 219; 15, 160;
16, 239f.). Auch die roman. Schweiz hat solche
ON. wie *Ormona*, Wallis, *Ormey*, deutsch *Ulmitz*, v. lat. *ulmitium* = Ulmengebüsch, im C.
Freiburg, *Urmein*, Graubünden (Gatschet, OForsch.
194). In Ort des frz. dép. Dordogne, *les Hommes*, umgedeutet aus *les Holmes* 1503, also aus
houlme, ulmus (Dict. top. Fr. 12, 157).

Ormuz, auch *Hormuz*, Insel an der Strasse gl.
N., dem Eingang des Persergolfs, urspr. Name
des nahen Vorgebirgs, bei Eratosthenes (Strabo
765) τὰ Ἁρμόζα ἀκρωτήριον, bei Ptol. Ἁρμόζον
ἄκρον, bei Ammian *Harmozon promuntorium*
= das gürtende, zsschliessende, das Meer z.
Schutz umfassende Cap (Pape-B., Curt., GOn. 153).
Anders der Orientalist J. Olshausen, welcher
(Berl. MBerichte 1876, 777f.) in *O.* den Namen
des Lichtgottes Ormuzd erkennt. Von der am
Vorgebirge angelegten Hafenstadt Ἁρμούζα πόλις
ist der Name erst im Mittelalter auf die Insel
übergegangen, durch Auswanderer, die den continentalen Platz an den insularen tauschten: *Neu-
Hormuz*, auch arab. *Dar al-Amân* = Wohnung der Sicherheit, da selbst aller Bekenntnisse,
auch Götzendiener, in grosser Zahl hier wohnten
u. Jedermann vor Gewalt sicher war. Dem Hafen
'kommt kein anderer der Welt gleich; die Kaufleute v. 7 Klimaten kommen hier zs.', berichtet
der arab. Reisende Abd er-Razzak, der 1443
hier zwei Monate verweilte (WHakl. S. 22, 5ff.;
44, XX). So fanden es auch die Port. des
16. Jahrh. . . . 'boca em a qual havia huma Cidade a mais célebre de todas aquellas partes,
por a ella concorrerem todalas especiarias, e ri-
quezas da India, as quaes per cafilas de ca-

melos vinhão ter ás Cidades de Aleppo, e Da-
masco...' (Barros, As. 1, 3⁵; 1, 8¹; 2, 2¹f.). Insel
od. Stadt hiess auch *Harauna* (Ibn Batuta, Trav.
63, Edrisi ed. Jaub. 1, 424), *Gerum* (Barros, As.
2, 2²) *Dscherrun*, *Jerûn*, bei Abulfeda *Zarûn*.
Orneon, gr. *'Ορνέων*, in ON. mehrf.: *a)* *'O.
ἄκρα* = Vogelstein, Vorgebirge auf der Südküste
v. Taprobane (Ptol. 7, 4⁴, Curt., GOn. 157); *b)*
'O. νῆσοι = Vogelinseln, vschiedd. Inselgruppen:
vor der Westküste v. Taprobane (Ptol. 7, 4¹¹), an
der äthiop. Küste des Rothen M. (Ptol. 4, 7³⁷) u.
im sachalit. Golf, Arabia Felix, j. *Sikkah* (Anon.
p. m. Erythr. 27, Pape-Bens.).
Orneos, ngr. *ὁ 'Ορνεὸς* = *'Ερινεὸς* = der wilde
Feigenbaum, ein in Griechenl. häufiger ON. mit
alt-äol. Namensform, ein wüster, aber gg. Nordstürme schützender Hafen der ägäischen Insel
Ikaros. — *'Ορνεαί* hiess schon im Alterth. ein
argivischer Ort (Ross, IReis. 2, 166, Reis. Pel.
1, 135).
Oro = Gold, span. u. ital. Aequivalent f. port.
ouro (s. Or), spielt begreiflich in Entdecker- u.
Colonistenbenennungen eine gewisse Rolle, wie
2mal in *Rio del O.*: *a)* an der Nordküste Hayti's,
j. *Rio Yaque*, v. Columbus am 8. Jan. 1493 entdeckt, Gold im Ufersande führend (Colon, Vida
144, Navarrete, Coll. 1, 129); *b)* in Texas, bei
den frühern span. Reisenden erwähnt u. in Ortelius' Carte v. Florida eingetragen (Rye, Flor.
138). — *Castilla del O.* s. Rico. — *Isla Rica
de O.* s. Plata. — *Islas de O.* s. NGuinea. —
Puente de O. s. Chuquisaca. — *Monte del O.*,
in Val dei Bagni, Veltlin, 'wo früher auf Gold
gegraben wurde' (Leonhardi, Veltl. 161). — *O.
City* s. Lead. — *Cuneo d'O.* s. Splügen.
Orod = Todtenhügel, eine in den Türkenkriegen untergegangene Stadt Ungarns, in der
Lage des j. Glogovatz, nach den 5 Grabhügeln,
welche der röm. Kaiser Probus 277 nach dem
Sieg üb. die Sarmaten hier aufthürmen liess
(Meyer's CLex. 7, 921).
Oroer s. Oratorium.
Orontes, gr. Form des pers. *Arwend, Erwend,
Elwend*, welche auf eine Wurzel mit der Bedeutg. 'das fliessende' zkführen, ist zunächst Name
des Gebirgs, an dessen Fusse das alte Agbatana,
mod. Hamadan, lag u. soll sich in diesem Falle
auf den Quellreichthum des Bergs beziehen. Derselbe Name, im pers. auch s. v. a. Grösse, Pracht
u. Herrlichkeit bedeutend, kehrt wieder f. zwei
Flüsse: *b)* den Tigris u. *c)* den syr. *O.*, den altägypt. Urkunden des 14. u. assyr. des 9. vorchristl. Jahrh. in der aram. Form *Arunata, Arantu,
Arnut* nennen (Brugsch, Pers. 1, 385), arab. *el-
Aâsi* = der stürmische, widerspenstige, da er
durch wildschöne Schluchten z. Küstenebene hinausbricht (Kiepert, Lehrb. AG. 159, Meyer's CLex.
12, 379).
Oros, ngr. *'Ορος* = Berg, auch *Hagios Ilias*
= der heil. Elias, der 540 m h. Culm der Insel
Aegina. Den kegelfg. Gipfel sieht man schon
v. weitem üb. den scharfen Kamm der langgestreckten, steilabfallenden nördl. Bergrücken

emporragen (Reiss u. Stübel, Aeg. u. Meth. 12).
'Les Eginètes désignent cette montagne sous le
nom d'*O.* ou montagne par excellence, sans doute
à cause de son élévation ... On voit le pic *Saint-
Elie* s'élever brusquement comme le cône d'un
volcan récent et dominer l'île entière' (Boblaye,
D. d'Ég. 39ff.). — *Hagion O.* s. Slawochori.
Orotschon s. Tungüsen.
Orséra, Valle = Bärenthal, ital. Name eines
abgelegenen, graubündn. Hochthälchens, welches
im Hintergrunde des Val di Livigno sich ab-
zweigt. Nach dem Thal der *Pizzo di Valle O.*
(Die Accentuirg. nach Leonhardi, Posch.-Thal 26).
— *Val* (u. Alp) *d'O.* s. Hérémence. — *Buco dell'
Orso* s. Volpe.
Orsk s. Orenburg.
Ort, ahd. u. mhd. meist im Sinne v. Spitze, ist
zwar *a)* sowohl Bergspitze, mit dim. in *Ortles,
Orteler*, eig. *Ortle* = Spitzlein, f. einen rät.
Alpenstock, dessen zugerundeter Gipfel eine nadel-
artige, zierliche Felspyramide trägt (Brandes,
Progr. 1851, 12), als auch *b)* Vorsprg., Vorgebirge,
in Skand. häufig, um die Ostsee *Darser-, Gra-
nitzer-, Brüster-O.*, auf Rügen etwa ein Dutzend
dieser Bezeichng. — *O.*, im 10. Jahrh. *Orta*,
in der Bedeutg. margo, ora, angulus, mehrere
Oerter in Bayern, Oesterreich etc. (Förstem.,
Deutsche ON. 46, 71, Altd. NB. 1177).
Orta, el = die Kaserne, das Lager, arab. Name
einer nur v. Türken, arab. Soldaten, übh. v. Re-
gierungspersonal bewohnten Ortschaft Kordofans
(Russegger, Reis. 4, 148). — *Orta-djus* s. Kirgis.
— *Ortaköi* = Mitteldorf, türk. ON., mehrf. in
Kl.-Asien (Tschihatscheff, Reis. 4. 9. 11), auch an
der europ. Seite des Bosporus, z. griech. Zeit
Archias, nach einem Colonisten aus Thasos, der
den Ort anlegte (Hammer-P., Konst. 2, 210).
Ortega, Rio u. *Rio Gallego*, 2 Flüsse der Salo-
mone Guadalcanar, v. span. Seef. Mendaña, u.
zwar auf der v. Puerto de Santa Isabel de la
Estrella aus unternommenen Recognitionstour
Pedro's de *O.* und des Grosspiloten Hernan *G.*
zu Ende Apr. 1567 entdeckt (Zaragoza, VQuirós
1, 8; 3, 17. 30, Fleurieu, Déc. 9, 12).
Ortelsburg, eig. *Ortolfsburg*, Stadt, zunächst
Schloss, im preuss. Rgbz. Königsberg, scheint
durch Ortolf v. Trier, Comthur zu Elbing, ggr.
u. nach ihm benannt zu sein (Toeppen,G.v.Pr.194).
Orthia, gr. *'Ορθία* = die steile, Stadt in Arkadien, woselbst auf hochragendem, steilem Felsen,
ἐπὶ κορυφῇ τοῦ ὄρους (Paus. 2, 24⁶), der Artemis
ein Tempel erbaut war (Pape-Bens.). — *Ortho-
pagon*, gr. *'Ορθόπαγον* = 'Starrenfels', 'Scharfen-
berg', eine Anhöhe Böotiens, die Plut. (Syll. 17)
als *κορυφῇ τραχεῖα καὶ στροβιλῶδες ὄρος* beschreibt. — *Orthe*, gr. *'Ορθη* = 'Scharfenstein',
Ort in Thessal. (Hom., Il. 2, 739), nach Strabo
die Akropolis v. Phalanna.
Ortygia, gr. *'Ορτυγία* = Wachtelfeld, v. *ὄρτυξ*
= Wachtel: *a)* früherer Name eines ätol. Ortes,
v. welchem aus die andern Orte gl. N. benannt
sein sollen; *b)* *'O. ἡ 'Ασιατική* = das asiat. *O.*,
wo Artemis geboren sein soll, ein Hain bei

Ephesus u. Name f. Ephesus selbst (St. B.); c) eine Insel vor Syracus, wovon sie den ältesten Stadttheil bildete u. schlechtweg *Nῆσος* od. im dor. Dialect *Νᾶσος* = Insel hiess. Auch hier sollte Artemis geboren sein (Thuc. 6, 3, Pape-B.).

Orvieto, ital. Stadt, an einem Nebenflusse des Tiber, als *urbs vetus* = Altstadt zuerst im 7. Jahrh. n. Chr. mit zweifellos längst volksthüml. Benenng., der Rest einer ehm. —280 eroberten Etruskerstadt *Volsinii*, etr. *Velsuna*. Von dem neuen *Volsinii*, welches nach der Zerstörg. am *Lacus Volsiniensis* erbaut wurde, ist das j. *Bolseno*, am *Lago di Bolseno*, übr. geblieben (Kiepert, Lehrb. AG. 408).

Orymagdos, gr. *Ὀρύμαγδος* = brausen, tosender Fluss, ein v. Imbarus, Cilicien, herabströmender Küstenfluss (Ptol. 5, 8³, Pape-Bens.).

Osage, Siouxstamm u. Fluss, anscheinend aus *Wabasha*, v. den Franz. verd. (Lewis u. Cl., Trav. 6). 'The *O. River* gives or owes its name to a nation inhabiting its banks', j. kaum mehr 4000 Köpfe stark, im Indian Terr. (Meyer's CLex. 12, 388). — *O. Woman River*, ein lkseitg. Zufluss des untern Missuri, nach einer Frau der *O.* (Lewis u. Cl., Trav. 4).

Osakentake, irok. ON. in Acadien, v. *osakenta* = grobes Heu, Savannenheu, wie *Tsi Wasanentetha* = wo man die Rinde schält, v. *osanenta* = Rinde (Cuoq. Lex. Iroq. 36).

Osborne, der Name des kön. Lustschlosses der Insel Wight, wird mit den Fitz-Osbornes, der ehm. Herren der Insel, in Verbindg. gebracht (Charnock, LEtym. 196), doch etym. nicht sicher erklärt. — Der Familienname *O.* od. *Osborn* findet sich mehrf. a) *Cap O.*, in Spitzb., v. der Exp. Heuglin-Zeil 1870 getauft (Peterm., GMitth. 17, 182 T. 9), wie mehrere der Gegend nach einem engl. Polarfahrer; b) *Cap Sherard O.*, in Kronprinz Rudolf Ld., am 11. Apr. 1874 gesehen v. Julius Payer, dem Führer der 2. Schlittenreise der öster.-ung. Nordpolexp. 1872/74 (ib. 22, 205); c) *O. Islands*, in De Witt's Ld., v. engl. Capt. Ph. P. King (Austr. 1, 325) am 12. Oct. 1819 getauft nach John *O.*, einem der Lords der brit. Admiralität. — *O. Reef*, in den Austral In., auch *Nielson I.*, v. engl. Capt. Nielson, Schiff *O.*, 1827 entdeckt (Meinicke, 1Still. O. 2, 195).

Oscar Land, König, in Franz Joseph's Ld., v. Jul. Payer, dem Führer der 2. Schlittenreise der österr.-ungar. Nordpolexp., am 11. Apr. 1874 entdeckt (Peterm., GMitth. 20 T. 20. 23; 22, 205) u. nach dem König *O.* v. Schweden, einem Förderer der Polarfahrten, getauft. — Schon 1861 *Prinz O. Land*, in Nordost Ld., Spitzb., aus Parry's *Distant Highland* = entferntem Hochland umgetauft v. Torell u. Nord. (Schwed. Exp. 194). — *O. Bay* s. Karl.

Oscha, Dschebel = Berg des Hosea heisst ein Berggipfel v. Belka, weil auf ihm das Grab des v. Muhammedanern u. Christen gleich verehrten Propheten Hosea, Neby *O.*, sich befinden soll, eine 11 m lg. sargähnliche Grube, im Einklang mit der Meing., dass alle vormuhammedan. Propheten Riesen waren (Burckh., Reise 2, 606f.).

Osero = Insel, slaw. Wort mehrf. in ON. a) *Oserskoi*, Redoute in Sitka, an einem grossen See, der sich durch einen äusserst reissenden Fluss in das Meer ergiesst (Bär u. H., Beitr. 1, 13); b) *Osernaja*, Orte am Jaik, nach einem Ufersee, als *Nishnaja* (= untere) u. *Werch* (= obere) *Osernaja* unterschieden (Falk, Beitr. 1, 177. 188).

Oschekau s. Eszek.

Osch'hi-tch'u s. Besch.

Oschtansk s. Wytegra.

Osek s. Eszek.

Oserake s. Montreal.

Osjek s. Eszek.

Osinnaya Gorà = Pappelberg, russ. Name eines im Gebiet des Altai befindl. Bergübergangs, nach den reichen, ihn bedeckenden Zitterpappelwäldern (Tschihatcheff, Altai Or. 71).

Oskibugi s. Minnesota.

Osmanen s. Türken.

Osnabrück, im 8. Jahrh. *Osnabrugga*, hannöv. Stadt an der Hase, alt *Hasa, Asa* = der grauen, bleichen (Bl. öst. LK. 1888, 5), unfern des *Osning*, eines waldigen Höhenzugs. Unverkennbar hängen die 3 Namen unter sich zs., mit den *Asen*, *Osen* den nordischen Göttern, als deren liebster Aufenthalt der Gebirgswald gefeiert wurde? Während jedoch Zeuss (Deutsche u. NSt. 11) an 'Asenbrücke' denkt u. mit ihm Massmann (Egerst 34) u. Grimm (Myth. 106, Gesch. DSpr. 657) gleichmässig ableiten *Osena-bruggi* u. *Osin-wang*, so stellt, einleuchtender, Förstem. (Deutsche ON. 186) das Gebirge voraus u. setzt *O.* nicht == Asenbrücke, sondern als *Osningabrugga*, erst nach dem 'Teutoburger Wald' benannt. Dieser Sinn liegt auch bei M. Rieger (Haupts Zeitschr. 11, 184), wenn er sagt: 'Das Waldgebirge trug einen heiligen Namen v. guter Vorbedeutg., *Osnengi* (Einh., Leb. Karls 8), unverkürzt *Osana engi*, mit dem schwachen gen. plur., der auch in *Osnabrugga* vorliegt; später wird der Name zu der scheinbar patronym. Bildg. *Osning* entstellt'. Hingegen verweist Ign. Peters (Zeitschr. f. öst. Gymn. 29, 754) an den alten Flussnamen *Asa* u. denkt sich, 'dass in *asna-, osina-* der Nebenformen eine volle ältere Form jenes *Asa* sich erhalten habe'. Nach diesem Flusse der Gau, *Hasagowe*, sowie die Anwohner, *Chasnarii*, wohl == Anwohner der Hase (Zeuss 113, Grimm, Gesch. 588).

Osnaburgh, engl. Form f. *Osnabrück*, zZ. da die hannöv. Linie der Welfen den engl. Thron inne hatte (1714—1837), auch v. engl. Entdeckern toponym. verwendet, weil Prinz Frederick, der 2. Sohn Georgs III., Bischof v. *O.* war. *O. Island*, in Australien a) in den Society Is., Abth. Windward, fast nur ein Berg mit abgestumpftem Gipfel, 435 m h., entd. *Maitia*, v. Capt. Wallis 17. Juni 1767 (Hawk., Acc. 1, 212; 2, 78). am. 2. Apr. 1768 bei dem frz. Seef. Bougainville (Voy. 185) *Pic de la Boudeuse*, nach seiner Fregatte, od. *le Boudoir*, wohl weil das hohe schroffe Land wie ein Anhängsel des Hptlandes aussah;

er gab den einh. Namen, in der Form *Oumaitia*, den 2 nördl. v. Tahiti gelegenen Eilanden (Voy. pl. 8). Der span. Seef. Quiros hatte am 12. Febr. 1606 die Insel *la Dezana, Decena* = die zehnte genannt, 'por ser la décima de las reconocidas en aquel viaje' (Viajes Quirós 1, 257; 3, 12), 'sans doute parce que c'était la dixième qu'on découvrait' (Fleurieu, Déc. 30. 35); sein Landsmann, Domingo Boenechea, Capt. der Freg. Santa Maria Madalena 1772, wollte sie *San Cristóval* nennen (Krusenst., Mém. 1, 238); *b*) in der Südgruppe der Paumotu, einh. *Wairaatea*, ein kleines niedriges, flaches, baumbewachsenes Eiland, v. dem engl. Capt. Carteret am 11. Juli 1767 entdeckt (Hawk., Acc. 1, 342). Im Dec. 1791 scheiterte der Walfänger Mathilde, Capt. Weatherhead, an den Riffen, v. wo sich die Schiffbrüchigen auf ihren Booten nach Tahiti retteten, daher auch *Mathilde Rock* (Krus., Mém. 1, 262 ff.), bei einem spätern Seef. auch *Sandy Island*, ozw. nach den niedrigen Sandrücken der mit hohen Bäumen bewachsenen Ostseite (ZfAErdk. 1870, 353, Meinicke, IStill. O. 2, 213 f.).

Osney s. Oxford.

Ossa, gr. Ὄσσα = 'Schauberg', Wartenberg, vgl. ὄσσε = die Augen (Curt., Gr. Et. 2, 51, GOn. 158): *a*) ein 1600 m h. Gebirge der thessal. Landschaft Magnesia, j. *Kissabos* (Strabo 60); *b*) ein Gebirgszug in der elischen Ldsch. Pisatis (Strabo 356). Auch einem Olympos ggb. (Curt., Pel. 2, 51, T. 1).

Osseten, v. georg. *As*, *Os*, heisst nach dem georg. Landesnamen *Osethi* ein in den mittlern Kaukasus versprengter iran. Volksstamm, der noch heute einen iran. Dialect spricht u. sich selbst, seinen Urspr. andeutend, *Irán, Iron*, sein Land *Ironistân* nennen (s. Arier). Es ist anzunehmen, dass sie nicht durch eine uralte arische Auswanderg. aus Medien, sondern erst als Militärcolonisten der neupers. Könige hierher gekommen sind z. Schutze des Engpasses Dariel (Spiegel, Eran. A. 1, 369, Kiepert, Lehrb. AG. 84 f.).

Ossinowka = Espenfluss ist einer der zahlr. v. Ledebour (RAltai) bezeichnend gefundenen russ. Flussnamen des Altai, nach den in der Umgebg. häufigen Espen (Sommer, Taschb. 11, 232).

Ossinsk s. Balagansk.

Ossory s. Ormond.

Ost, ahd. *ôst* = oriens, holl. *oosten*, dän. *öst*, schwed. *öster*, engl. *east* (s. dd.), in ON. häufig: *Oste*, ein Nebenfluss der Elbe, im 8. Jahrh. *Osta*, wohl *Ostaha* = Ostfluss, wie *Wisaraha* = Westfluss (s. Weser), *Oostburg*, in Flandern, im 10.Jahrh. *Ostburg*, *Ostende*, in West-Fland., unfern *Westende*, wie dieses selbst lange ein Dorf, erst v. Philipp d. Guten 1445 mit Mauern umgeben (Meyer's CLex. 12, 398), *Ostfalen*, 'das östlichste' Drittel der Sachsen', im 8. Jahrh. *Ostfalahi*, auch Gauname, f. die Gegend um Hildesheim bis Haunover (ib. 402), *Ostheim*, alt *Osthaim*, mehrf., *Osthofen*, alt *Osthouen*, *Oestrich*, unw. Aachen, im 11. Jahrh. *Hostrich*, *Oistrup*, alt *Osterep* = *Ostdorf*, bei Westheim, Westfalen. In' der erweiterten Gestalt *ôstan*: *Astenbeck*, alt *Asten-*

bechi, unw. Hildesheim, *Asselborn*, alt *Asteneburno*, Luxemb., *Ostenfelde*, alt *Astanuelda*, in Westfalen, *Osterholz*, alt *Astanholt*, bei Detmold. Zu *ôstar* erweitert in *Austrasia*, dem östl. Theil des Frankenreiches, wohl eine unorganische u. undeutsche Erweiterg. v. *Austria, Östrach*, alt *Hostrahun*, iu Hohenzollern, *Oosterbeek* bei Arnhem, *Ostrebant*, im 7. Jahrh. Gau am Oberlauf der Schelde, *Osterberg*, alt *Ostarperch*, bei Altötting, *Ostarburge*, im 9. Jahrh. ein Gau bei Rinteln, *Ostargao*, zwei fries. Gaue, um Dockum u. östl. v. der Jahde, *Osterhofen*, *Ostenholz*, *Osterhausen*, *Oosterzeele*, bei Gent, *Osterwold*, *Osternach* u. *Osterbach*, im 9. Jahrh. *Ostarunaha*, *Ostendorf*, alt *Osterendorf* u. a. m. (Förstem., Altd. NB. 157 ff.). — *Osterbuch* s. Buch. — Die zwei bedeutendsten Objecte dieser Namenclasse sind *Oesterreich* u. *Ostsee* (s. dd.). — *Ostcap*, f. *Eastern Cape*, die östlichste 'Landecke' Asiens, v. Capt. Cook (-King, Pac. 2, 470) am 2. Sept. 1778 getauft. Nordensk. (Umsegl. Vega 2, 69) schlägt vor, dieses Vorgebirge *Cap Deschnew* (s. Berings Str.) zu nennen, 'nach dem kühnen Kosaken, welcher es 1648 umsegelte': aber diese Umtaufe wird wohl keinen Eingang finden. — *Ostende Bay* u. *Ostende Pünt*, dän. Name einer Bucht u. einer Landspitze am Ostende des virgin. St. Thomas (Oldend., GMiss. 1, 45 ff.). — *Österland*, urk. *Marchia Orientalis* = östliche March, urspr. die v. Gero 940—965 ggr. nordthüring. Mark (Meyer's CLex. 12, 400). — *Ostmark* s. Oesterreich. — *Osterenda* s. Norderney. — *Chinesische Ostsee* od. *ostchines. Meer* s. Tong.

Ostensacken-Berg, an der spitzb. Edge I., v. der Exp. Heuglin-Zeil 1870 getauft nach dem russ. Gelehrten, Baron Th. R. v. O., dem Secretär der Kais. Russ. Geogr. Gesellschaft (PM. 17, 178. 226).

Osterinsel s. Paaschen.

Ostia = Mündung, lat. u. mod. Name der an der Tibermündg. schon zZ. der Könige angelegten Hafenstadt, welcher der Fluss, als die Getreidezufuhr zunahm u. seit den punischen Kriegen ein Theil der Kriegsflotte beständig hier stationirte, nicht mehr genügen konnte, u. da überdiess der Fluss immer mehr Land anschwemmte, so liess Claudius etwas nördlicher ein neues Hafenbecken ausstechen u. durch einen Canal mit dem Tiber verbinden; die um die neue Anlage erwachsene Hafenstadt hiess *Portus Augusti*, j. *Porto*, aber ebf. schon binnenländisch geworden. Die zw. Canal, Tiber u. Meer eingeschlossene Insel, im 5. Jahrh. als *Insula Sacra* = heilige Insel erwähnt, heisst j. noch *Isola Sacra* (Kiepert, Lehrb. AG. 432 f.). Es wird jedoch die Wassermasse des Flusses leicht unterschätzt. Vom Anio abw. kann er nirgends u. zu keiner Zeit durchwatet werden; auch im Sommer sinkt die Tiefe nicht unter 1,2 m. Kleine Dampfer fahren noch heute zw. Rom u. Fiumicino. Noch zZ. des Augustus trug der Mündgslauf Lastschiffe v. 1570 Ctr. bis an die Stadt, u. noch im 4. Jahrh. n. Chr. konnte das Schiff mit dem lateranens. Obelisken, der 32 m lg. ist u. 9000 Ctr. wiegt, 5 km v. der

Stadt, bei dem vicus Alexandri anlegen. Grosse Kauffahrer dagegen waren in der Zeit des Augustus genöthigt, vor der Einfahrt einen Theil der Ladg. an Flusskähne abzugeben od. auf der schlechten Rhede v. *O.* vollständig zu löschen (Nissen, Ital. LK. 317).

Ostjaken, den sibir. Volksnamen, leitet P. Hunfalvy (VUral 42) v. *As-jah* = Menschen des Ob, eig. des grossen Flusses, ab, freil. ohne zu sagen, dass sie selbst sich so nennen; Andere denken an kirg. *üschtäk* = Fremder, 'Barbarus', mit dem an diesem haftenden Nebenbegriff des Mangels an Bildg. u. feiner Sitte, so pflegten die Tataren ihre tschudischen Nachbarn zu nennen, u. der Gebrauch ging gleich zZ. der conquista auf die Russen über. Zunächst galt der Name einem den Wogulen zunächst verwandten Stamm, der an dem Flusse Konda sass u. sich daher selbst *Chondi-Chui* Leute v. der Konda nannten; sie mögen, als der Bischof Stephanus Permien bekehrte, der Taufe durch die Auswanderg. entgangen sein. Es gibt, ausser den eig. *O.*, zw. Ural u. Ob, noch ein zweites Volk dieses Namens, die 'Tomskischen *O.*', die eine Abtheilg. der Samojeden bilden, u. ein drittes, die *O.* am untern Jenissei, welche, heute kaum noch 1000 Köpfe stark, 'als ein vereinzeltes, mit den grossen Sprachgruppen in keiner Verbindg. stehendes Volk betrachtet werden (Schrenk, Tundr. 1, 439; 2, 248, Peterm., GMitth. 3, 270, Meyer's CLex. 12, 430, Müller, SRuss. G. 3, 283, Fischer, Sib. G. 1, 129. 135 ff.). — *Sar iUeschtek* s. Baschkiren. — Bei den Samojeden *a) Habejly* = Ostjakengebein, eine Kuppe des Urál, nach einem Ostjaken, welcher im 'Grossland' nomadisirte u. hier verstorben war (Schrenk, Tundr. 1, 393); *b) Habijgoj* = Rücken der Ostjaken, ein Theil des nördl. Ural, nach den Anwohnern (ib. 1, 452 ff.).

Ostrog = Verschanzung, Wall, mit Pallisaden befestigter Ort, Veste, slaw. Namenelement: *O.* u. *Ostroschno*, Orte in Kärnten, Krain u. Steierm., *Ostrožec* u. *Ostrusza*, in Galiz., *Ostrožnik*, in Krain, *Ostružno*, in Böhmen (Miklosich, ON. App. 2, 211), oft Grundwort in den Namen der v. den sibir. Kosaken angelegten festen Plätze (s. Tobolsk).

Ostrow, asl. *ostrov*, čech. *ostrov* = Insel, Werder, oft in slaw. ON. wie *Ostrau, Ostrov, Ostrów, Ostrovačice, Ostrovec, Ostrowanek, Ostrowetz, Ostrowitz, Ostrowczyk, Ostrowek, Ostrowiez, Ostrowsko, Ostrowy,* auch *Wostrow, Wostrowa, Wostrowetz*, mehrf. in Böhmen, Mähren u. Galiz. (Miklosich, ON. App. 2, 211). — Russ. *O.* ebf. wiederholt *a)* eine Stadt des Gouv. Pskow, zunächst die alte, j. ruinirte Veste der Insel der Welikaja, d. i. des grossen Zuflusses des Peipussee's; *b)* f. eine Stadt des Gouv. Lomscha, an der Tysmienica (Meyer's CLex. 12, 443). — *Ostrovo*, bulg. ON. in Maked., am *Ostrovo Göl*, einem grössern See, *göl*, in welchen die Moschee der Stadt 'wirkl. inselhaft' hinausragt (Barth, RTürk. 157). — *Ostrowen* u. *Ostrowken*, zwei masur. Orte, nach der Insellage (Krosta, Mas. Stud. 10). — In Mecklb. ist das Wort mehrf. zu *Wustrow* = Inselort ge-

worden (Kühnel, Slaw. ON. 163), in der Mark *Wustrau, Wusterwitz*, poln. zu *Ostrov, Ostrovo, Ostrovy* etc. (Brückner, Slaw. AAltm. 77). — *Ostrau*, 2 Orte in Sachsen, das eine an der Confl. der grossen u. kleinen Jahne, 1224 *Ozstrzow*, 1249 *Ozstrowe*, 1428 *Ostra*, 1475 *Ostrow* (GHey, ON. Döb. G. 10).

Ostsee, im 9. Jahrh. *Ostarsalt*, altn. *Eystrasalt*, dän. *Östersö*, schwed. *Östersjö*, ein anderer Name des Baltischen Meeres (s. Belt), im Ggsatz z. Nord- od. Westsee, wie bei den Normannen die Seezüge nach 3 Richtungen ausgingen, der *Norveg* nach Norden, der *Vestur Veg* = Westweg nach Westen u. in den *Austra Salt* der *Austur Veg* = Ostweg.

Ofta, när mänen bland skyarna flög, förtalde den
　　　　　　gamle
under från främmande land, dem han sett, och
　　　　　　vikingafärder
fjärran i *Östervag* och i *Vestersaltet* och *Gandvik.*
　　　　　　E. Tegnér, Frith. S. III.

Bei Biruni, dem ältesten der arab. Autoren, welcher die Ostsee erwähnt, heisst sie *Bahr Warank* = Meer der Waräger, die v. dieser Seite her in Nowgorod eingewandert waren (Sitzgsberichte G. f. Gesch. u. AlterthK., Riga 1884, p. 48); ebenso bei Nestor (um 1100) u. spätern russ. Chronisten *Wareschkoi More* (Müller, SRuss.G. 1, 206); bei Camões (Lus. 3, 10) *Sarmatico Oceano*. — Eine chin. *Ostsee* (s. Tong) u. ein vorderasiat. *Ostmeer* (s. Todt).

Oswegatsch, Ort in Canada, gelegen 'am St. Lorenz, ungefähr 150 miles obh. Montreal an der Mündg. des Schwarzen Fl., wo gg. 100 Wilde leben, die ihn gelegentlich besuchen u. die *O.*-Indianer genannt werden, obgl. sie zu den Stämmen der Five Nations gehören' (GForster, GReis. 3, 239).

Ot, fem. *ota*, auch *ault, aul* = hoch, eine der v. lat. *altus* (s. d.) abstammenden Formen, in rätr. ON. *a) Piz Ot*, eine aussichtsreiche Bergspitze des Engadin (Lechner, PLang. 127); *b) Piz Aul(t)*, zw. Glenner- u. Valser-Thal (Gatschet, OForsch. 163). — *Punt Ota* als Seitenstück zu ital. *Ponte Alto*, 2 mal *a)* am Flatz, Pontresina, wo 'sich der Bach zw. schroffen, dunkeln Felsen, an denen aber noch Pflanzenwuchs zu haften sucht', hindurchzwängt u. im Laufe der Zeiten immer tiefer gewühlt hat. Verwundert hört u. fast schwindelnd sieht man es dort unten in der Schlucht wild toben u. schäumen' (Lechner, PLang. 18); *b)* auf der Grenze des Ober- u. Unter-Engadin, bei Campell (ed. Mohr 75) *Puntauta, Pontalta*, früher eine hölzerne, j. etwas weiter abwärts eine steinerne Brücke, welche üb. ein tiefes Tobel gebaut ist (Lechner, PLang. 139).

Otaheiti s. Taiti.

Otranto, gr. Ὑδροῦς, *Hydruntum*, in lat. Inschriften auch *Hutrentum*, Küstenplatz an der *Strasse v. O.*, gr. Ἰόνιος πόρος = jonische Enge (Nissen, Ital. LK. 92), die v. dem kleinen Hafen aus bequem zu passiren ist (Kiepert, Lehrb. AG. 453).

Otro s. Colorado.

Otschek s. Suruk.

Otschersk s. Solikamsk.

Ott ... s. Odenwald.

Ottawa, früher auch *Uttawa, Otaua,* ein lkseitg. Nebenfluss des St. Lorenz, ist nicht sicher erklärt, angebl. 'grosser Fluss' (GForster, GReis. 3, 235 ff. 259). In diesem Falle wären die Indianer *O.* nach dem Flusse benannt, während Andere (Varnhagen, HBraz. 1, 102) *O.* = Handelsleute, in der Sprache der Algonkinen, setzen, also der Fluss seinen Namen nach dem Volksstamm erhalten hätte (Quack., USt. 17, Lacombe, Dict. Cris). So leitet auch Gatschet 'the tribal name' v. dem obsoleten Ojibway-Worte *odowáwe* = er hat Pelzwerk, d. h. er handelt damit, ab. Eine Flussstrecke, etwa 55 km. lg., heisst bei den Canadiern *Rivière Creuse* = tiefer Fluss, weil er hier, 27 km br., in Form eines Canals dahin fliesst (MacKenzie, Voy. 38). Unth. des Falls entstand 1803 durch Oberst By der Ort *Bytown* (Meyer's CLex. 12, 448), der durch einen Beschluss des canad. Parlaments 1854 z. City erhoben u. in *O.* umgetauft wurde (ZfAErdk. 1858, 154). Noch j. (s. Chaudière) heisst der Ort irok. *Kanatsio,* algonk. *Akik endâte* (Cuoq, Lex. Iroq. 10).

Otter Creek = Bach der Fischotter, engl., urspr. frz. Name: *a)* eines lkseitg. Zuflusses des Missuri, obh. Cheyenne R., den eine Menge v. 'geese, swans, brants, ducks, prairie hens, magpie, gulls and plover', wohl auch *O.,* ohne dass sie ausdrückl. erwähnt sind, bevölkern (Lewis u. Cl., Trav. Miss. 73); *b)* eines Zuflusses des Wind R., d. i. des Oberlaufes des Big Horn R. (Raynolds, Expl. 85). — *O. River,* ein lkseitg. Zufluss des Yellowstone R., v. Capt. Clarke am 17. Juli 1806 benannt, wie der nahe *Beaver River* = Biberfluss, da sie 'like all the branches of the Missuri, which penetrate the Rocky Ms., the Yellowstone and its streams ... abound in beaver and otter' (Lewis u. Cl., Trav. 622. 627. 635). — *O. Portage,* einer der Trageplätze des Missinipi (Franklin, Narr. 178 ff.). — *Iles O.* s. Danger. — Auch in altdeutschen ON. erscheint *ottar* = lutra, castor, wiederholt, so in *Ottrau,* 8. Jahrh. *Oteraha,* in *Otterbach,* mehrf., in *Otterloo* u. *Otterlach,* alt *Ottarloh* (Förstem., Altd. NB. 1181).

Ottillenberg u. *Ottilienbrunnen,* auch *Od* ..., in den Vogesen, ersteres ein Franciscanerinnenkloster, benannt nach der heil. Ottilie, welche die Legende zu einer Tochter des Herzogs Attich, Eticho v. Elsass, um 680, macht (Lorenz u. Scherer, GEls. 8 f.). Das *Ottilienkloster,* welches auf der Höhe liegt, sowie das am Fusse liegende Kloster *Niedermünster* gründete um 680 der alemann. Herzog Eticho I. zu Ehren seiner Tochter, der Schutzpatronin des Elsass (Meyer's CLex. 2, 600; 12, 448).

Otu-Iti = grosser Berg, polyn. Name eines alleinstehenden Kraterberges der Osterinsel (JRGSLond. 1870, 167).

Otukapuarangi = wolkige Atmosphäre (Taylor schreibt *Tutupuarangi*), bei den Maori ein grosser Terassensprudel an der Westseite des Roto Mahana, so benannt v. den stets aufsteigenden Dampfwolken (Hochstetter, NSeel. 278, Peterm., GMitth. 8, 265).   •

Otway, Port, eine vortreffl. Hafenbucht der chilen. Halbinsel Tres Montes, v. der Exp. Adv.- B. im Apr. 1828 benannt 'as a tribute of respect to the commander-in-chief of the South American station, rear admiral sir Robert Waller O., K. C. B.' (Fitzroy, Narr. 1, 169). — *O. Water,* eine Seitengasse der Magalhães Str., u. *O. Island,* bei Desolation Ld., v. derselben Exp. (ZfAErdk. 1876, 486). — Schon 1800 taufte Capt. Grant ein *Cap O.,* in Victoria (Flinders, TA. 1, 209), bei der Exp. Baudin *Cap Desaix,* am 31. März 1802, wie das nahe *Cap Marengo* z. Feier des Sieges v. 14. Juni 1800 (Péron, TA. 1, 265).

Ouchy, der Hafenort v. Lausanne, 'Osciacum im 11. Jahrh. 'Les belles prairies qui s'étendent entre la ville et le lac, soit *oches,* lui ont donné le nom' (Mart.-Crous., Dict. 709). Ganz so Gatschet (OForsch. 23) üb. *O.* sowohl als üb. *les Ouches* in Neuenburg u. Chamonix : *Ochia* ist das deutsche Wort *ezzisc* = Esch, Azweide (s. Saane).

Oude s. Audh.

Oudon s. Oldenhorn.

Ouest, Bassin de l' = Westbecken, *Bassin du Sud* (id. Spalding Cove) u. *Bassin du Nord* (id. Boston Bay) nannte die frz. Exp. Baudin im Jan. 1803 die drei grossen Seitenbecken ihres austr. Port Champagny (s. Port Lincoln), die Durchgänge neben der dem Hafen vorliegenden Insel Lagrange *Canal Dégérando* (s. d.), *Passe du Nord, Passe du Sud,* die beiden in letzterm gelegenen kleinen Inseln *Ile Victoria* u. *Ile Susanne* (beide id. Bicker Islands), die dem Eingang des Westbeckens vorliegende *Ile Cérant* (id. Grantham Island). Ausserhalb der Hafenbay *Ile Chaillou,* id. Cap Donington (Péron, TA. 2, 80 ff.).

Ouradour s. Oratorium.

Ouro, Rio do = Goldfluss, 2 port. 'Goldflüsse' in Africa: *a)* eine Bucht der Saharaküste, 60 km t. eindringend u. anf. f. eine Flussmündg. gehalten, wo der Entdecker A. G. Baldaya 1436 Goldstaub eintauschte ... 'huma boa quantidade d'ouro em pó que foi o primeiro que se nestas partes resgatou' u. daher f. den längst ersehnten (hypothet.) atlant. Gabelarm des Nil betrachtet. Man hatte sich den Unterlauf dieses Stromarms als Goldfluss gedacht u. ihn schon vor der Mitte des 14. Jahrh. (vergebl.) zu erreichen gesucht (Barros, As. 1, 1[7]; 1, 1[13]; 1, 3[7]) ... 'os mouros derã por elles (näml. f. ausgelöste Sclaven) negros de cabelos reuolto, e algum ouro: donde ficou nome rio douro' (Galvão, Desc. 69, Azurara, Chron. 66); *b)* s. Limpopo. — *O. Fino* = feines Gold, Ort der bras. Prov. Goyaz, wo das Gold nur als feiner Staub erschien (Eschwege, Pluto Br. 76). — *Morro do Ribeirão de O.* = Berg am Goldbach, gewaltige Granitmassen, welche aus einem Bache des obern Mucuri 380 m h. in ganz kahlen Wölbungen emporsteigen (Avé-L., NBras. 1, 238). — *O. Preto,* vollst. *Villa Rica do O. Preto* = reiche Stadt des schwarzen Goldes, ein Ort der Prov. Minas Geraes, mit mehrern Goldbächen, darunter der *Ribeirão do O. Preto* = Bach des schwarzen Goldes, wo der goldhaltige Eisenglimmer eine schwärzl. Farbe hat, während vorher, an der Serra de Itatiaya, *ouro branco* = weisses Gold gefunden u. ein Ort *O. Branco* od. *San Antonio* angelegt wurde (Varnh., HBraz. 2, 100. 103, Burmeister, Reise 338, Ausl. 1869, 357). Unsere *Villa Rica* od. *O. Preto* wurde am 8. Juli 1711 v. Gouv. Antonio d'Albuquerque ggr. u. erhielt 1823 den Rang einer Cidade, als *Cidade Imperial do O. Preto* (Eschwege, Pluto Br. 14). — *Serra d'Ourada* = Goldgebirge, ein Bergzug der Prov. Goyaz (ib. 64).

Ourry's Island, eine der Carteret'schen Königin Charlotte In., mit Edgcumb I. zs. einh. *Tupua, Tobua* (Garnier, Abr. 1, 182), v. Capt. Carteret am 17. Aug. 1767, offb. prsl. getauft, aber auch mit einem den normann. Inseln entlehnten Parallelnamen *Neu Alderney* (Krus., Mém. 1, 187, Hawk., Acc. 1, 362).

Ouse, Flussname mehrf. in England, latin. *Usca,* ags. *Usa, Wusa,* wird allgemein v. brit. *isca, usc* = Wasser abgeleitet (Monkhouse, Etym. Bedf. 64, Charnock, Etym. 197). Das nämliche Apellativ, gael. *uisge, uisc,* kymr. *wysg,* corn. u. arm. *isge,* wird als Ausgang noch anderer Flussnamen, *Ax, Esk, Ex . . .* angesehen, v. diesen die ON. *Axley, Exmouth, Exeter* etc. (Charnock 139, Munford, LN. Norf. 165).

Outer Bank s. New Foundland.

Outrelaise s. Illinois.

Ovejas, las = die Schafe, span. Schiffername einer Klippengruppe an der Ostseite Hayti's, offb. nach der Geselligk. der kleinen weissen Klippen (Hakluyt, Pr. Nav. 3, 622).

Oven = Ofen, ein schmaler Fjord in Patagon., nach seiner geschlossenen Umgrenzg. durch die engl. Ansiedler so benannt. 'Surrounded on all sides by precipitous hills, it is, indeed, an oven' (Fitzroy, Adv.-B. 2, 304); *b) O. Island* s. Terrien.

Overland s. Ober.

Ovidiopol, eine südruss. Stadt, v. der Kaiserin Katharina II. nach dem Frieden v. Jassy 1792 auf der Stelle eines kl. Dorfs, am linken Ufer des Dnjesters, des dam. russ.-türk. Grenzflusses, ggr. u. benannt auf der Herrscherin Anordnung, weil man eine schöne Thonbüste, welche sich beim Ausgraben eines antiken Grabgewölbes fand, f. die der schönen Julia, Augustus' Tochter, hielt, derselben, unter deren zahlr. Anbeter auch der Dichter Ovid gehört haben soll. Man nahm an, der in der Verbanng. † sei hier (statt in Tomi) beerdigt worden u. habe sich das Bildniss seiner Geliebten mit in's Grab geben lassen (Sommer, Taschb. 10, 133f.).

Owadschyk = kleine Ebene, türk. Name eines Winterdörfchens auf einem Plateau der cilic. Küste (Tschihatscheff, Reis. 18). — *Owa Tschai* = Fluss der Ebene, scil. v. Akschehr, ein Fluss im nordöstl. Kl.-Asien (ib. 61).

Owayr s. Quoin.

Owen, Mount, ein Berg im Quellgebiet des Maransa-Darling, v. Major T. L. Mitchell (Trop. Austr. 202 ff., Carte) am 18. Juni 1845 benannt nach dem berühmten Zoologen Dr. Richard *O.*; in derselben Gegend, nach andern Koryphäen der Wissenschaft etc. getauft: *Mt. Clift, Mt. Ogilby, Mt. Faraday, Hope's Table Land* (= Plateau), *Bucklands Table Land, Mt. Lowry, Mt. Ph. P. King, Mt. Ward, Mt. Inglis, Mt. Dyke* u. *Mt. Acland* (s. d.), *Mt. Lindley* (Botaniker), *Carnarvon Range, Mt. Bentham, Mt. MacLeay.* 'I was now at a loss for names to the principal summits of the country. No more could be gathered from the natives, and I resolved to name the features, for which names were now requisite, after such individuals of our own race as had been most distinguished or zealous in the advancement of science, and the pursuit of human knowledge; men sufficiently well-known in the world to preclude all necessity for further explanation why their names were applied to a part of the world's geography, than that it was to do honour to Australia, as well as to them'. — *O. Lake,* in Boothia Felix, v. Capt. John Ross (Sec. V., Carte) 1829/33, offb. mit gl. Beziehung, während *O. Islands,* Feuerld., v. der Exp. King-Fitzroy (Adv.-B. 1, 342) im März 1830 nach Commodore Sir Edward *O.*

Owen Stanley, Mount, der 4025 m h., an seinem viereckigen Gipfel kenntl. Culm der *O. Stanley Range,* NGuinea, nach dem engl. Capt., welcher 1849/50, als Befehlsh. der 'Rattlesnake' u. im Auftrage der brit. Regierg., die Umgegend der Torres Str., insb. auch die schon 1606 v. Torres u. 1768 v. Bougainville explorirte schwierige See der Louisiade untersuchte (ZfAErdk.2, 443, Meinicke, IStill. O. 1, 72, McGillivray, Narr. 2 vols 1852).

Owenmore s. Black.

Owenna mallaght s. Banew.

Owenroe s. Ruadh.

Owl s. Ilim.

Oxeiai Nesoi, gr. Ὀξεῖαι νῆσοι = Klippen- od. Skäreninseln (Pape-Bens.), auch genannt *Echinades,* gr. Ἐχινάδες = Inseln der Seesterne (Kiepert, Lehrb. AG. 295), kleine felsige Eilande an der Südwestküste Akarnaniens (Strabo 351). — Auch ein unfruchtb. Felseiland der Prinzen In. hiess *Oxeia* (Hammer-P., Konst. 2, 869).

Oxford, das engl. Seitenstück des fränk. *Ochsenfurt* (s. d.), ags. *Oxenvord,* an der Stelle, wo Isis u. Charwell, bei ihrer Vereinigg. u. Verästelg., mehrere kleine hübsche Inseln umfassen, übsetzt von dem brit. *Rit-ychen* od. *Rhydychen,* v. *rit,* corn. *rid* = Furt, wie noch j. der Ort kymr. heisst, entspr. dem kymr. ON. *Pen-ychen* = Ochsenkopf (Camden-Gibson, Brit. 1, 297, Burmeister, Kelt. Br. 24. 38). Mögl. Weise, meint Charnock (LEtym. 198), ist *O.* erst aus *Ouse-* od. *Uskford* = Furt der Ouse, Usk, v. brit. *isca* = Wasser, umgedeutet, wie die Kymren *O.* auch *Rhydwysg* = Furt des Wysg nennen u. noch

j. ein Werder der Themse *Osney, Ouseney*, heisst. In das Dunkel solcher Unsicherheit können nur urk. Zeugnisse Licht bringen. Es gibt übr. auch ein *Oxenford* in Surrey, an einem Zuflusse des Wey (Camden-Gibson, Brit. 1, 235). — *O.* ist mehrf. übtragen; Ritter's geogr. Lex. zählt in der Union u. in Canada 26 solcher Orte auf. — *Cape O.*, in Neu Brit., v. Will. Dampier 1700, seinem Patron zu Ehren, getauft (Debrosses, Hist. Nav. 402).

Oxley's Island, eine der New Year's Is., Arnhem's Ld., v. engl. Capt. Ph. P. King (Austr. 1, 61. 165) am 24. März 1818 benannt ohne nähere Angabe, doch ozw. nach seinem spätern Reisegefährten, Lieut. *O.*, 'surveyor general of the colony' of New South Wales.

Oxus s. Amu.

Oxyrrheon, gr. Ὀξύῤῥεον = Cap der scharfen Strömg., bei Kanlidsche, an der asiat. Seite des Bosporus, nach der heftigen Strömg., welche v. diesem Punkte aus das seitwärts hinunter liegende europ. (s. Askindi Burun) gestossen wird (Hammer-P., Konst. 2, 298). — *Oxyrynchos*, im Itin. Ant. 157 *Oxyringum*, gr. Ὀξύρυγχος = Stadt der 'Spitzschnauze', eines daselbst verehrten Fisches, j. Dorf *Beneseh*, Aegypten (Strabo 812, Pape-B.).

Oyand s. Claudius.

Oybin, ein isolirter, glockenfger, zerklüfteter Sandsteinberg, unweit Zittau, vor 1577 mit Cölestinerkloster, welches den Platz einer ehm. Raubveste einnahm u. heute noch als grossartige Ruine sichtbar ist (Daniel, Hdb. Geogr. 3, 276), wurde volksetymologisch als *o Wien!* bald als *oh bien!* gedeutet, ernstlicher als wend. *Huibin* = Taubenberg, v. *holb* = Taube, nach den Waldtauben, welche vor der Zeit der Mönche dort nisteten (NLaus. Mag. 2 Oct. 224). Taubenberg aber, meint Grabowsky (ib. Nov. 213), müsste

Holubin, Holbin, heissen; er denkt an slaw. *ohybati* = biegen, *Ohbj* n. od. *Ohyb* m. = Biegung, Abweg, *Ohbin* od. *Ohybin* = Ort z. Einkehren, od. es wäre schliessl. *Oywin* = Gegend mit Erdkiefern.

Oyster Bay = Austerbay, in Austr. 2 mal: *a)* an der Westseite v. Maria's E., Tasmania, so benannt v. engl. Capt. John Henry Cox, Esq., welcher als Befehlsh. der Brig Mercury im Juli 1789 hier war u. in der Gegend Haufen frischgerösteter Auster- u. anderer Conchylienschalen fand (Flinders, TA. 1, XCI, GForster, GReis. 3, 181); *b)* in NSeel., 'from the thick beds of rock oysters which are found there' (Dieffb., Trav. 1, 59). — *O. Inlet*, eine Einfahrt in De Witt's Ld., v. Capt. Stokes (Disc. 2, 178) im Juli 1840 entdeckt u. getauft. — *O. Island* s. Mandeb. — *O. River*, einer der Zuflüsse der Mercury Bay, 'very convenient both for wooding and watering', benannt v. Lieut. Cook am 15. Nov. 1769 wg. der ungeheuern Menge v. Austern u. andern Schalthieren (Hawk., Acc. 2, 347).

Ozarks, Name des Hochlandes am Arkansas-R., frz. Form f. *Bois aux Arcs* = Holz f. Bögen; denn so pflegten — getreu ihrer Gewohnheit, alle Namen abzukürzen — die Canadier zu sagen, wenn sie in die Gebirge v. Arkansas gingen (Sommer, Taschb. 24, 166). Dort wächst die Osagen-Orange, bot. Maclura aurantiaca Nutt., eine v. Lewis 1804 entdeckte Baumart, deren festes, elastisches Holz, 'Bogenholz', z. Anfertigg. v. Bogen u. Hecken dient. Dasselbe schwindet im Trocknen nicht, wenn es grün geschnitten wird. Mit dem orangegelben stinkenden Schleim der Früchte bestrichen sich die Indianer das Gesicht, wenn sie in den Kampf zogen (Am. Naturalist Phil. März 1885, 327, Leunis, Syn. 2, 982).

Ozoir s. Oratorium.

P.

Paardeberg = Pferdeberg, holl. Name eines Berges im Capland, 'weil ehedem viel wilde Pferde darauf herumliefen' (Kolb, VGHoffn. 222), zool. Equus festivus Wagn. (Leunis, Syn. 1. §. 125).

Paarl = Perle (s. Perlas), holl. ON. im Capl., nicht, als ob man Perlen dort fände, sondern 'wg. eines mächtigen Felsens, den die gemeinen Leute einer Perle ähnl. halten' (Kolb, VGHoffn. 227), also nach dem grossen Granitblock, welcher auf dem *Paarlberg* der linken Thalseite liegt. Dieser Block ist eine 10 m. h., abgerundete, kahle Steinmasse, auf 10—20 km sichtbar, u. wurde v. den ersten Ansiedlern so benannt im Ggsatz zu der kleinern, eckigen, dicht dabei liegenden Felsmasse, dem *Diamant* (Lichtenst., SAfr. 2, 161).

Paaschen Eiland = *Osterinsel* (s. Pascha), im

östl. Flügel der Paumotu, einh. *Waihu* (Garnier, Abr. 1, 123) od. *Rapa Nui* = gross Rapa, im Ggsatz zu den benachb. Sala y Gomez (ZfAErdk. 1871, 548, Meinicke, IStill. O. 2, 228) od. zu dem kleinern, viel westlicher gelegenen *Oparo, Rapa Iti* = klein Rapa, woher die Bewohner der Insel eingewandert zu sein behaupten (Journ.RGSLond. 1870, 167), v. dem holl. Seef. Jak. Roggeveen gesehen, am Ostermontag, 6. Apr., 1722 (Hawk., Disc. South. Hem. 1, 86 ff.) od. am 'ersten Ostertag' (Debrosses, HNav. 449), doch schon 1686 v. Edw. Davis (s. d.) entdeckt u. bei Cook (VSouth. P. 1, 287 f.) *Davis's Land* genannt, sowie die Bay, wo Cook 1775 ankerte, *Cook's Bay* heisst (Krus., Mém. 1, 29 ff.). Der Reisebericht Roggeveens (Dagverh. 100 f.) entscheidet bestimmt f.

Debrosses' Angabe . . . '5. Apr. gaven aen het land den naem van *'t Paasch Eyland*, omdat het van ons op paaschdag ontdeckt en gevonden is'.

Pabbey s. Papa.

Pablo, San = der heil. Paulus (s. d.), in span. ON. *a) San P.*, das erste v. Europp. gesehene Australland, wahrsch. *Pukapuka* der Eingeb., in der nördl. Gruppe der Paumotu, v. Fern. Magalhães am 24. Jan. 1521 entdeckt (Navarrete, Coll. 4, 52. 218), bei Barros (As. 3, 5[10]) *Ilha Primeira* = erst(gesehen)e Insel, 'a primeira terra que vírão depois da sahida do estreito', irrth. *San Pedro* bei dem anonymen Portug. (WHakl. S. 52, 31. 222). Am 10. Apr. 1616 v. der holl. Exp. Le Maire u. Schouten wieder erreicht u. *Honden Eiland* = Hundeinsel genannt, weil sie hier 3 abgemagerte span. Hunde traf, die nicht bellen zu können schienen (Spiegh. AN. fol. 32 ff. Beschrijv. 83 ff., Garnier, Abr. 1, 63, Meinicke, IStill. O. 2, 203); *b) La Conversion de SP.*, eine Insel der Südgruppe der Paumotu, einh. *Hereheretua* (Meinicke, IStill. O. 2, 212), v. der span. Exp. Quiros-Torres am 9. Febr. 1606 entdeckt u. benannt (Viajes Quirós 1, 256, Fleurieu, Déc. 29, Krusenst., Mém. 1, 262), bei Torres *Santa Polonia*, bei spätern Seeff. *Britomart* u. *Surrey* (Meinicke, IStill. O. 2, 213, WHakl. S. 25, 32; 39, 404); *c) Monte San P.* s. Kini Balu.

Paccari-Tampu = Rastplatz der Morgendämmerung, v. *paccari* = Morgen u. *tampu* (bei den Spaniern in *tambo* corr.) = Wirthshaus, ON. in Peru, wo die einwandernden Incas rasteten u. in der Morgenfrühe weiter zogen (Garc. de la Vega, Com. Real 1, 15).

Pace = Friede, ital. Wort entspr. dem lat. *pax* (s. Pacific), span. *paz* (s. d.), frz. *paix*, in dem ON. *Isola della P.* s. Faisans.

Pachacamak, uralter Sonnentempel auf einem Hügel bei Lima, früher Stätte des Fischgottesdienstes, seit der Einverleibung in das Incareich mit berühmtem Orakel, dessen Ruf weit üb. das v. Lima ging, v. qquech. *pacha* = Welt u. *camac*, part. v. *camani* = erschaffen, also 'Schöpfer der Welt' (WHakl. S. 47, XIX), der 'Welterhalter' (Denkschr. Wien. Acad. 39, 122). Noch j. heisst die Gegend allda *el Templo del Sol* = Sonnentempel (Wüllerst., Nov. 3, 335). — Aehnl. der ON. *Pachayachachic* = Lehrer der Welt (WHakl. S. 30, 252 ff., Tschudi, Peru 1, 290) u. *Pacha-ñaui* = Welt- od. Erdaugen, 2 tiefe, klare Lagunen des peruan. Plauteau, bei Yauli, die eine tiefblau, die andere meergrün (Tschudi, Peru 2, 62).

Pachandajersalè = Kuppe mit einem Einschnitte in der Mitte, v. *pachà* = Einschnitt, Sattel, *jer* = Mitte u. *salè* = 'Cap, Kuppe, ein Theil des nördl. Urál, v. den Samojeden so genannt nach einer tiefen Schlucht, welche seinen Gipfel theilt (Schrenk, Tundr. 1, 385). — *Pachanseda* s. Pytkow.

Pachech s. Syene.

Pachern s. Bach.

Pachtu s. Afghanen.

Pachtussow Insel, an der Ostseite v. NSemlja,

74[0] 24' NBr., im Sommer 1835 v. russ. Lieut. *P.* erreicht (Spörer, NSeml. 42).

Pachynus, das südwestl. Vorgebirge Siciliens, als Hptstation des phön. Handels benannt v. בחון [bachun] = Warte, wahrsch. v. der dortigen Thunfischwarte u. v. der weiten Aussicht . . . adspectus in Peloponnesum et meridianam plagam dirigit (Solin. 5, 2). Der Vorsprg. ist den alljährl. Wanderzügen der Thunfische bes. ausgesetzt (Movers, Phön. 2[b], 325).

Pacific (Ocean), bei Engl. u. Americanern der gebräuchlichste Name des maritimsten aller Oceanbecken, span. *Oceano Pacifico*, entspr. lat. *Oceanus Pacificus* = das ruhige, friedliche Weltmeer, so getauft v. F. Magalhães, der auf seiner Fahrt 1520/21 keinen Sturm erlebte . . . 'porque en todo el tiempo que navegaron por él, no tuvieron tempestad alguna' (Navarrete, Coll. 4, 50, Pigafetta, Pr. Voy. 40), in russ. Uebsetzg. *Tichoe More* (Atl. Russ.), deutsch *Stiller Ocean*. Für die inselreichen Tropenreviere hat der Name nicht nur zufällige, sondern allg. Gültigkeit . . . 'a part of the globe . . . which is generally so tranquil as to be justly named the *true P.*' (Bennett, Narr. Whal. V. 1, 191). Auch die arab. Schiffer des Mittelalters hatten die dem ind. Archipel benachb. Antheile als 'Stille See' bezeichnet; die Windstille beeinflusste den Gang der Schifffahrt (Ibn Batuta, Trav. 205). Dass jedoch gewisse Theile eher ein 'mare furiosum' sein können, bezeugt schon der Bericht v. Drake's Fahrt. 'Am 5. Sept. 1578 schien es recht, als ob uns Gott durch einen gewaltigen Sturm u. widrigen Wind sich uns entgegensetzen wollte, welcher uns nicht allein nöthigte, unsern Vorsatz aufzugeben, sondern uns nach vieler Mühe, überstandenen Gefahren u. endlicher Trenng. der ganzen Flotte zwang, uns seinem Willen blindlings zu überlassen. Der Sturm war so wüthend u. heftig, als ob unser völliger Untergang in dem stürmischen Meere gänzlich beschlossen schien . . . . . Unsere Hoffng. war aber ganz vergebl., u. während eines langen Zeitraums v. 52[d] mussten wir mit solchen Schwierigkeiten kämpfen, dass es beinahe unbegreifl. ist, wie wir unter denselben ausdauern konnten, ohne allen Muth zu verlieren . . . Erst am 28. Oct. begaben sich die Elemente z. Ruhe' (Spr. u. F., NBeitr. 12, 249 ff., nach Fletcher, World Enc. 82). So die Ortl. P. in Missuri, a/Pacificbahn (Meyer's CLex. 12, 474) u. eine *P. City* an der Mündg. des Oregon, um 1855 ggr. als Zukunftsemporium am 'Stillen Ocean'. Dem Alter nach ist *P.* der zweite Name des Oceans; denn nachdem schon Columbus auf seiner vierten Reise (1502/04) von einem jenseitigen Meere gehört, hatte der Spanier Balboa am 25. Sept. 1513 v. der kleinen Bergkette Quareca aus die See erblickt u. einige Tage nachher auf abschliessliche Weise in Besitz genommen. Da der Entdecker v. Norden her, üb. den Isthmus, gekommen, nannte er das nach Süden hin ausgebreitete neue Meer *Mar del Sur* = Südsee, im Ggsatz zu dem caribisch-atlantischen, welches ihm als *Mar del Norte* = Nordsee im Rücken lag (Gomara, HGen.

c. 62). Der Name *Südsee* wird häufig nur auf die australen Theile, aber dann oft in anderweitig erweitertem Sinne, gebraucht. *Grand Ocean* = grosser Ocean, in Uebereinstimmg. mit chin. *Ta Haï* = grosses Meer (Pauthier, MPolo 2, 550), ist ein Vorschlag des gelehrten Hydrographen Fleurieu (Obs. Div. hydr. 9), der 1768 die beiden ältern Namen verwarf, da der *P.* weder stiller noch südlicher sei als andere (Humb., Kosm. 1, 305). Uebr. hat schon sein Landsmann, Ph. Buache (Carte phys. 1744) die Stelle: *'La Grande Mer*, ci-devant nommée *mer du Sud* ou *Pacifique'*. Wenn Zimmermann (Austr. 1, 5) die Priorität dieser Nomenclatur den Deutschen (Gatterer u. Otto, als die 'lange vor Fleurieu' den Namen gebraucht hätten) zuschreibt, so ist dies unrichtig, da des erstern 'Abriss der Geogr.' (p. 70) anno 1775, des andern 'Abriss der Naturgesch. des Meeres' (2, 200) anno 1794 erschienen ist. Krusenst. (Mém. hydr. 1, XI) hatte Lust, vorzuschlagen *Océan Magellanique* nach dem ersten, welcher die See durchfahren. Auch ein kirchl. Name ist dieser geworden: die 6 Franciscaner, welche die Exp. Quiros 1606 begleiteten, tauften sie als *Golfo de Nuestra Señora de Loreto,* also nach ULFrauen v. Loreto (Journ.RGSLond. 1872, 217).

Padajagòj = Meisterrücken, einer der Höhenzüge im Grossland der Samojeden, so benannt, weil er, in der Streichungslinie des *Máalagòj* (s. d.) u. *Háardarapáj* (s. d.) gelegen, diese an Höhe übbietet (Schrenk, Tundr. 1, 340). — *Padarajaga* s. Tschoscha. — *Padraggasowo* s. Pagansej.

Pader, ein Zufluss der Lippe, 'Flussname, der sich genauerer Deutg. noch entzieht', im 9. Jahrh. *Patra*, dann *Pathera*, gen. *Patris*, davon *Patherga*, f. den Gau, u. namentl. *Paderborn*, die Stadt, unter deren Dom der Fluss aus vielen starken Quellen entspringt u. die er in 5 Armen durchfliesst; in *Padrabrunno* hielt Karl d. Gr. 777 den ersten Reichstag mit den unterworfenen Sachsen ab (Meyer's CLex. 12, 478). Der Ort erscheint in einer Menge vschiedd. Formen, *Padrabrunnon*, *Padrabrun*, *Padarbrun*. *Padarbur*n ..., auch *Patrisbronna*, latin. *Paderae fontes* (Förstem., Altd. NB. 1183 ff.). 'Für das Ebenbild dieser niederdeutschen Formen' betrachtet er den hochd. Fluss- u. ON. *Pfätter* u. *Pfättrach*, im 8. Jahrh. *Phetarach*.

Padja Galan = Schlächterei, 'Metzg', ein kahler, rings v. Wald umgebener Fleck des G. Telega-Bodas, v. graubleicher, gelblicher Farbe; der Boden besteht, gleich einer erloschenen Solfatare, aus zersetzten u. zerfallenen Steinmassen, durch welche Kohlensäure der Erde entströmt, 'u. hier auf dieser kleinen kahlen Stelle findet man, so oft man sie besucht, eine Menge todter Thiere allerlei Art, Sciurus u. andere Nagethiere, wilde Katzen u. Hunde, Tiger, Rhinocerosse, viele Vögel, sogar Schlangen, welche in der erstickenden Gasart ihren Tod gefunden haben' (Junghuhn, Java 2, 108). Vergl. 'Todeslöcher'.

Padmawati s. Patna.

Padräo, Cabo do = Vorgebirge des padrão, Steinpfeilers, zweimal in Africa, wo die port. Entdecker des 15. Jahrh. ein Zeichen der Entdeckg. u. Besitznahme errichteten, anf. ein hölzernes Kreuz v. doppelter Mannshöhe ... 'd'altura de dous estados de homens', seit João II. einen Steinpfeiler, auf welchem der port. Schild u. sowohl in lat. als port. Sprache der Name des Königs u. des Capt. eingegraben u. auf der Spitze ein Steinkreuz in Blei eingesetzt war: a) an der Mündg. des Congo od. *Rio de P.* (s. Zaire), j. *Cap Padron,* wo Diogo Cão 1485 den Pfeiler São Jorge aufrichtete, während später, unter 13º SBr., der *São Agostinho* dem Cap den Namen gab (Barros, As. 1, 3³); b) an der Algoa Bay, j. ebf. *Cape Padron,* wo Barth. Diaz 1486 den äussersten Punkt seiner Reise bezeichnete (Bergh., Ann. 10, 503). — *Pontal do P.,* ein Landvorsprg. bei Bahia, ebf. nach einem 'signal de posse', aufgerichtet 1531 v. Martin Affonso de Souza, welcher die ersten port. Ansiedler nach Bras. führte, j. in *Pontal de Santo Antonio* umgetauft (Varnh., HBraz. 1, 47. 167).

Padre = Vater, Pater, Mönch, wie Patriarch (s. d.) v. lat. *pater*, mehrf. in span. ON. a) *Cabo P. é Hijo* = Vater u. Sohn, ein Vorgebirge an der Nordseite Hayti's, v. Columbus am 12. Jan. 1493 getauft nach 2 ungleich grossen Klippen ... 'porque á la punta de la parte del Leste tiene dos farallones, mayor el uno que el otro' (Navarrete, Coll. 1, 132); b) *el Vado de los Padres* = Paterfurt, im Rio Colorado, den v. Weissen zuerst die span. Exp. des Pater Escalante 1776/77, auf der Reise v. Santa Fé z. Gr. Salzsee u. zk., kreuzte (Wheeler, Geogr. Rep. 52).

Padschahgándsch = 'Königsmarkt', ein pers.-hind. ON. in Audh, wie *Pádschah Maháll* = Königshaus, in Hindostán, u. *Pádschahpur* = Königsstadt, in Hindostán u. im Dékhan (Schlagw., Gloss. 230).

Paduani s. Euganei.

Padun = Wasserfall, v. russ. verb *bod* = fallen, ein Sturz der O/Tunguska, der mittlere od. dritte (also dass es ihrer 5 sind), welcher der gefährlichste ist u. wg. seines hohen Abfalls *P.* genannt wird. Die Stromschnelle, mit 3 Absätzen u. 1 km lg., u. 'wenn es glücklich gehet, so ist die ganze Fahrt in 5 Minuten vollendet' (Fischer, Sib. G. 1, 479 f.). — Anders der tib. ON. *P.* od. *Padum* = die 7 Helden, in Zánkhar, durch eine Sage auf die Gründg. u. frühere Wichtigkeit des Orts bezogen (Schlagw., Gloss. 230).

Padus s. Po.

Paemboj s. Nosipaemboj.

Paffenland s. Pfaff.

Pagansèj = Buchtbewohner, v. *pagà* = Bucht, ein Geschlecht der Lagaj-Samojeden, nach der Meeresbucht der Hajodepádara (s. d.), gg. welche sich ihre Wohnsitze hinziehen. Ein anderer Abtheilg. desselben Stamms, die *Tysuji*, spaltet sich in die *Nohotysyje* = Eisfuchs-T. u. *Wönakana* = Hundeschlitten; eine dritte heisst *Nohò* = Eisfüchse, eine vierte *Padrággasowò* = Wald-

Samojeden. Nach den Volkssagen wäre der Stammvater Wónakana aus dem Gebiete der Ostjáken gekommen, wo er mit Hundeschlitten (*wóneko* = Hund u. *chan* = Schlitten) gefahren war (Schrenk, Tundr. 1, 626 ff.).

Pages, the = die Edelknaben, 3 Felsinselchen mitten vor dem Eingang v. Back-stairs Passage (s. d.), die einzigen Gefahren dieser Meerenge, zwei davon leicht auffällig, am 7. April 1802 entdeckt v. Matth. Flinders (TA. 1, 187) u. ozw. so benannt in Verfolgg. des Gleichnisses, welches ihn zu den Bezeichnungen *Back-stairs Passage* u. *Ante-Chamber* geführt hatte.

Pagoden Insel, ein Küsteneiland der chin. Prov. Fu Kian, durch die abendl. Seeff. nach einer kleinen Pagode benannt, welche auf einer Inselhöhe liegt (ZfAErdk. nf. 2, 566).

Pagrika, Ore, gr. Παγρικὰ ὄρη = Eiswindberge, zwei parallele Gebirgszüge Ciliciens, nach welchen der Eiswind, παγρεύς, d. h. der Nordwind bei den Einwohnern v. Mallos, hinweht (Arist., vent. 973 ed. Bekk., Pape-Bens.).

Paharia, bengal. Uebsetzg. des tamul. *Maler* = Bergleute, wie sich die noch halbwilden Urbewohner eines bengal. Berggebiets nennen; daher auf Carten *Pahari-* (u. Garro) *Berge* an der grossen Wende des untern Brahmaputra (Lassen, Ind. A. 1, 176. 454). — *Pahárpur* = Bergstadt, hind. ON., mehrf. im Pandschab u. in Hindostan, u. *Pahargárh* = Bergveste, in Bandelkhand (Schlagw., Gloss. 230).

Pahkinasaari s. Schlüsselburg.

Paj = Stein, Fels, durch Assimilation auch *baj*, im dim. *pambòj*, sam. Bezeichng. felsiger Bergzüge u. einzelner Berge, seien es anstehender Fels od. Trümmerabhänge — th. in Zssetzungen, th. f. sich, wie in *P.* f. russ. *Káninskoj Kamen* = Felsgebirge v. Kanin, sowie f. die gross- u. kleinländischen Bergzüge. — *Pájgoj* = Felsrücken, der letzte Ausläufer des Urál' am Eismeer, russ. *Sibirskoj Kámen* = sibirisches Felsgebirge. — *Pajjagà* = Steinfluss, zweimal: a) im Grossland, russ. *Tschórnaja* = die schwarze, th. v. seinem stellenweis steinigen Geröllbette, th. v. dem dunkelgefärbten Felsufer, welches den Unterlauf einsäumt; b) im Kleinland, russ. *I'ndega*, sowohl v. den steinigen Ufern, welche den Fluss in seinem Quellgebiet säumen, als auch v. dem Umstande, dass er als Abzugscanal der Gewässer dient, welche ihm v. 'Grossen' u. 'Kleinen Stein' zufliessen. Nach dem Flusse heisst eine Gruppe v. 4 ansehnl., ungemein fischreichen See'n *Pájagandòw*, russ. *I'ndegskija Oserà* (Schrenk, Tundr. 1, 452 ff. 543. 649 f. 670).

Paï s. Paschepali.

Pajajaran = Ordnung, geordneter Platz, v. jav. verb *jajar* = anordnen, in Ordng. bringen, Ruinenstätte Java's, östl. v. Batavia. Noch sichtbar die Fundamente eines Palastes u. der *Batu-Tulis* = beschriebener Stein, ein steinernes Denkmal mit Inschrift (Crawf., Dict. 319).

Pajaros, Isla de los = Vogelinsel, mit dem v. lat. *passer* = Sperling stammenden span.

pájaro, port. *passaro*, rum. *pasere* (Diez, Rom. WB. 2, 163), im span. Entdeckungsgebiete wiederholt: a) eine v. Legaspi 1565 schon gesehene Insel der Central-Carolinen, wohl einh. *Ostfayeu, Ostfaiu*, die der russ. Admiral v. Krusenst. *Lütke Insel* (s. d.) genannt hat (Meinicke, IStill.O. 2, 356); b) eine sehr gefährl. Bank der Marianen, mit 3 kleinen Felsen, die sich bis z. Seespiegel erheben, bei Capt. Zayas 1865 *Piedras* (= Steine) *de Torres* (Meinicke, IStill. O. 2, 394); c) vor Mazatlan u. d) vor Guaymas (dMofras, Orég. 1, 173. 180); e) fragl. Existenz im Pacific $26^0 50'$ NBr. u. 135^0 WGr., nach der v. Anson publ. Carte angebl. v. Andres de Urdanietta (GForster, GReis. 3, 147). — *Rio de los P.*, in Californien, weil ihn zweitw. Schaaren wilder Enten besuchen (Beechey, Narr. 1, 379). — Port. *Ilha dos Passaros*, ein steil aufsteigender Inselfels, vor dem Hafen der capverd. Insel São Vicente (ZfAErdk. 1870, 372).

Pajebu s. Stuor.

Paierl s. Mühlbacher.

Pajingghat s. Ghat.

Painted Cañon = gemalte Schlucht, am Rio Colorado, v. der Exp. v. 1858 so benannt nach dem merkwürdigen Farbenspiel, welches die Uferwände zeigten, in ihrem wilden Durcheinander blauschwarze Lava- u. Trachytmassen, grellfarbige Porphyrsäulen u. graue Conglomerate u. bunten Sandstein aufthürmend (Möllhausen, FelsG. 1, 358). Die Schlucht ist nur etwa 4 km lg., 'and the sides were of moderate height, but the gorgeous contrast and intensity of colour exhibited upon the rocks exceeded in beauty anything that had been witnessed of a similar character. Various and vivid tints of blue, brown, white, purple, and crimson, were blended with exquisite shading upon the gateways and inner walls, producing effects so novel and surprising as to make the cañon, in some respects, the most picturesque and striking of any of these wonderful mountain passes' (Ives, Rep. 79). The river has cut through this ridge in a cañon of limited extent, whose walls are nowhere more than a hundred feet in height, having none of the grandeur of many of the cañons of the Colorado; yet the variety and intensity of the colors which the rocks forming it display, render it one of the most picturesque and interesting of the series, and well deserving of the name given it (ib. 3, 35); b) the *P. Mountains* = die gemalten Berge in NCarol., Uferfelsen, welche übhängend 35 m h. aus dem French Broad R. aufsteigen u. hoch oben allerlei bunte Zeichnungen zeigen, deren Entstehung niemand kennt (Buckingh., Slave St. 2, 229); c) the *P. Stone* = der bemalte Stein, ein niedriger Fels, an dessen beiden Seiten zwei Flüsse, der z. Hudson's Bay gehende Hayes R. u. der z. Nelson R. gehende Sea R., resp. R. Echemamis, entspringen, benannt nach einem einst hier aufgestellten Steine, auf welchem die Indianer allj. Figuren einzeichneten u. Opfer niederlegten (Franklin, Narr. 41); d) *P. Wood Creek* = Bach des gemalten Holzes, urspr. ind. Name eines lkseitg. Zuflusses des Cheyenne R., fast wie ein Spott üb. das unter aller Beschreibg. kleine Gesträuch an seinen Ufern (Raynolds, Expl. 26). — *Paint Creek* = farbiger Bach, in Texas, nach dem rothen, sandigen Erdreich, wo an einem Abhange Stücke v. Kupferglanz im Sande herum lagen (Peterm., GMitth. 19, 460). — *Paint Pots* = gemalter Krug, ein Schlammvulcan des Lower Geysir Basin, Nationalpark, nach den bunten, nam. rothen u. hellen Farben, in welchen das Becken spielt. Es ist ein 'Teich' v. 12—18 m Weite, eingefasst v. einem hohen Rande trocknen u. zerrissenen Schlamms; aus dem Becken fahren zahlr. Schlammblasen träge auf u. fallen wieder in der halbflüssigen Masse unter, während andere ihre bestimmten Kratere haben. 'The pool displayed various colors, white, yellow, and red predominating, but shading into each other very beautifully through all the intermediate and combined tints' (Ludlow, Carroll 25).

Pajoschni s. Tapti.

Pair, la Goïllé = blauer See, wo dial. *goïllé*, frz. *gouille* = Pfütze, See, *pair* = blau, ein lieblicher, in Alpenrosen verborgener See der Alp Loussey im Walliser Val d'Hérens (RRitz, OB. Ering. 374).

Paït, Banju = Sauerbach, v. javan. *paït* (= bitter, aber auch zugl.) Ausdruck f. alles, was einen widerlichen, unangenehmen Geschmack hat, Name des dem Krater des G. Idjen entströmenden 'sauern Baches', welcher nämlich, die Zeit der Eruptionen ausgenommen, nur in seinem obern kraternahen Laufe säuerlich schmeckt, sonst z. Ueberschwemmen der Reisfelder benutzt u. zu dem Ende ganz abgeleitet wird (Junghuhn, Java 2, 644). — *Kali-P.* s. Putih.

Pajung, G. = Sonnenschirmberg, 'ein stumpfkegelförmiger Trachytberg' der Südwestecke Java's, ... verdankt seinen Namen ozw. den vielen Bergrippen, welche sich v. seinem Scheitel strahlenförmig nach allen Seiten herabziehen' (Junghuhn, Java 1, 88; 2, 7).

Pakalongan od. *Pakalungan* = Ort der Fledermäuse, Vampyre, *kalung*, Prov. an der Nordseite Java's. 'The vampire bat, from which is derived the name . . ., is to be seen in great numbers in the day-time hanging from the trees and at night preying on the orchards' (Crawf., Dict. 320).

Pakamonei = an der Kamone, einem Zuflusse der Memel, v. lit. *pa* = an, ON. in preuss. Litauen (Thomas, Tils. Pr. 22).

Pakeha s. Maori.

Paklina = Asphalt, auch Pech, serb. Name einer asphaltreichen Berggruppe des Karst, v. *Paklenica*, in Slaw., wo Orte mit Schwefelquellen diesen Namen tragen. Das slow. *pekel* = Pech ebf. oft: *Pekla*, eine Asphalthöhle auf einer Insel der Mur, dann *Pekeletz, Peklo, Pekloves, Pekluvko, Peklén, Peklenica, Peklina* (Miklosich, ON. App. 2, 223, Umlauft, ÖUng.NB. 168. 171).

Paknam s. Menam.

Paku, Songi, ein Fluss v. Carimata, Borneo, nach der grossen Menge v. Pakubäumen, welche seine Ufer schmücken (Journ.SGPar. 9, 361).

Pál = Paul, th. als *Palos* = Paulinermönch, th. als *Szent-P.*, nach dem Patronatsheiligen, zahlr. mag. Orte in Ungarn u. Siebenb. (Umlauft, ÖUng. NB. 168f.).

Palaestina s. Kanaan.

Palaia, gr. Παλαιά = die alte, Altdorf, mehrf. in griech. ON. (s. Tyrus): *a)* in Aeolis, an der Grenze Mysiens (Strabo 614); *b)* in Cypern (Strabo 683); *c)* ein Flecken in Lakonien, Π. Κώμη, zw. Geronthrä u. Akrä (Paus. 3, 22[6]). — *Palaion Teichos*, gr. Παλαιὸν τεῖχος = 'Oldenburg', in Lycien (Al. Pol. bei St. B.). — *Palaeopolis*, gr. Παλαιόπολις = Altstadt (s. Neapel), in ngr. Form mehrf.: *a)* f. das alte Samothrake (Conze, Thrak. I. 49); *b)* die Ruinenstätte des alten Hafens Gythion (Meyer's CLex. 8, 385); *c)* s. Klituras. — *Palaeokastro(n)*, ngr. Παλαιόκαστρον = alte Burg, ebf. mehrf.: *a)* in Imbros, ein mittelalterl. Ruinenort auf beherrschender Berghöhe (Conze, Thrak. I. 100); *b)* s. Oinoie; *c)* s. Gortyn; *d)* s. Policastro; *e)* s. Pylos. — *Palaiokammeni* s. Kaïmeni.

Palacio = Palast, die span. u. port., wie *palazzo* die ital. u. *palais* die frz. Form des lat. *palatium* (s. d.), mehrf. in ON. *a)* o *P.*, eine mit Stalaktiten reich gezierte Höhle in São Paulo, Bras. (Eschwege, Pluto Br. 532); *b)* *le Palais*, im dép. Morbihan 4 mal, der eine dieser Orte 1579 *Pallay*, im 17. Jahrh. *le Pallais*, in Belle-Isle-en-Mer, aus zwei Quartieren bestehend, deren eines ehm. *la Basse Boulogne*, das andere mit der Veste *la Haute Boulogne* geheissen hatte (Dict. top. Fr. 9, 193); *c)* *Palaisieux* od. *Palésieux*, Ort des C. Waadt, 1141 *Palatiolum* = kleine Pfalz, d. i. 'ein hohen Herrschaften od. Klöstern angehör. Gebäude, das zu Verwaltungszwecken, Wohnungen, z. Aufnahme v. Gesandten etc. diente' (Gatschet, OForsch. 79, Mart.-Crous., Dict. 718).

Palamedi s. Lampeteion.

Palandöken = sattelabschüttelnd, eine armen. Bergkette in der Gegend v. Erzerum . . . 'so genannt, weil die Lastthiere dem auf seiner Höhe wehenden heftigen Winde nicht widerstehen können' (Spiegel, Eran. A. 1, 155).

Palaos, engl. *Pelew*, die grösste Inselwolke der Carolinen, viell. durch die Span. aus einh. *panlog*, *panloque* = Inseln geformt u. zunächst auf die Insulaner übtragen (Debrosses, HNav. 354. 359), v. Villalobos 1543 entdeckt u. bezeichnend *Islas Arrecifos* = die Riffinseln genannt; denn sie sind v. grossen gefährl. Riffen umgeben, denselben, an welchen der Wiederentdecker, Capt. Wilson, 1783 Schiffbruch litt (Krus., Mém. 2, 325, Meinicke, IStill. O. 2, 361). Auch hier begegnen wir, nach der Lage z. Passat, 'Wind- u. Leewärts-Inseln'; der Eingb. unterscheidet *Baobelthaob* = obere u. *Aolthaob* = untere Inseln (ib. 363).

Palatium, lat. Grundwort f. 'Palast', ist selbst dem *palatinischen* Hügel Roms, vulg. *P.*, entnommen, da schon vor der Kaiserzeit ein Theil dieser Stadtgegend v. Reichen bewohnt u. mit privaten Prachtbauten geschmückt war, dann aber seit Augustus die ältern Gebäude weichen mussten, um den beständig erweiterten u. bis ins 3. Jahrh. mit immer höherm Luxus aufgeführten kais. Palästen Raum zu machen. So ging der urspr. locale Name *P.* in veränderter Bedeutg. auf kais. Paläste üb. (Kiepert, Lehrb. AG. 426) u. bedeutete im Mittelalter übh. Sitz des Landesherrn. In diesem Sinne konnte *Palatinatus*, verdeutscht *Pfalz*, auch auf das Gebiet des Landesherrn übergehen: *a) Palatinatus superior* = Oberpfalz, zuerst 1329 unter diesem Namen erwähnt, j. noch ein Theil Bayerns; *b) Palatinatus inferior* = Unterpfalz od. *Palatinatus Rheni* = Pf. am Rhein, wo eine Reihe berühmter Königspfalzen: Ingelheim, Kreuznach, Worms, Speyer, Selz etc. bestanden, z. Th. j. noch als *Rheinpfalz, Rheinbayern* im besonderen bayr. Rgbz. (Meyer's CLex. 12, 807). — *Pfalzburg*, frz. *Phalsbourg*, Festg. v. Deutsch-Lothr., v. Pfalzgrafen Georg Johann, Herzog v. Bayern, 1570 ggr., v. Karl III., Herzog v. Lothringen, 1583 erworben, 1661 an Frankr. abgetreten, 1679 nach Vauban's Plan befestigt (Dict. top. Fr. 2, 108).

Palawan, richtiger *Palawang*, bei den Span. der Philippinen *Paragua*, soll nach Crawf. (Dict. 320) in der Sprache der Bugis 'Schlagthor, Schleusse', bedeuten — entspr. der Lage, da die Insel gg. die Gewalt des südchin. Meeres als Schutz u. Riegel dient. In der That liegt *P.* im Gebiet der Teifune u. ist die Westseite schweren Stürmen ausgesetzt.

Palca s. Coblenz.

Palembang, Hafenort der Ostküste Sumatra's, richtiger *Palimbang*, wohl abgek. aus *Palimbangan*, v. jav. verb. *limbang* = (Wasser) ableiten, abseihen (wie es beim Goldwaschen in Weidenkörben geschieht), also Ort des Abseihens, nach dem Vorrücken u. Zurückweichen der Gezeiten, einem der auffälligsten Schauspiele dieser Gegend (Crawf., Dict. 275). Der Ort, eine Gründg. nicht der nähern Sunda, sondern der Javanen, fast gänzlich v. Holz, Rotang u. Bambus erbaut, z. Th. auf Flössen, die wie in Bangkok am Ufer ankern, liegt 80 km obh. der Mündg. des Musi od. Sungsang, wo dieser noch 360 m breit u. 15—16 m t. ist u. der Wasserstand, je nach Ebbe u. Flut, um 3—5 m ändert (ib. 322). — *Songi P.* = Fluss der Anschwemmung, ein Fluss v. Carimata, Borneo (Journ. SGPar. 9, 361).

Palermo, in Sicil., urspr. eine phön. Colonie (Thuk. 6, 2), auf phön. Münzen *Machanat*, מחנת, einem auch sonst übl. Worte f. στρατόπεδον, castra, Lager; dieser Name dehnte sich auch nach Gründg. einer zweiten phön. Ansiedelg., קרת חדשת, *Keret Chadeschet*, auf Münzen (Gesen., Hebr. Lex.) *νέα πόλις* (Pol. 1, 389), beides = Neustadt, neben der alten auf die ganze Doppelstadt aus; die Altstadt allein musste alsdann mit ihrem vollst. Namen חשבם מחנת, *Machanat Choschbim* = Lager der Buntwirker bezeichnet werden (Movers,

Phön. 2ᵇ, 337). Der griech. Name *Πανόρμος* = guter Hafen, lat. *Panormus* (s. d.), richtiger *Panhormus*, bezog sich auf die grossen Hafenanlagen, welche die Karthager od. schon die Phönizier bei der wichtigen Stadt erbaut hatten. — Eine Uebtragg. dieses ital. ON. s. Barracas. — *Palerimo* s. Panormos.

Palgrave River, ein Küstenfluss am amer. Eismeer, v. Dr. Richardson, dem Gefährten des Capt. John Franklin (Sec. Exp. 242 ff.), im Sommer 1826 entdeckt u. nach Francis *P.*, Esq., getauft.

Palibothra s. Patna.

Paligónda, auch *Pallikónda* = die schlafende, tamul. ON. im Karnátik, v. dem Umstande, dass die Stadt z. grössten Theile in Ruinen liegt (Schlagw., Gloss. 231).

Pa Li Kiau = 8 li-Brücke, chin. Name einer Brücke, welche, 8 li v. Peking entfernt, den nach Tung Tschen geführten Canal überschreitet (Journ. RGSLond. 1872, 144).

Palinuros, gr. *Παλίνουρος* = Widerwind, d. h. Vorgebirge, an welchem der Wind anprallt u. deshalb in die Ggrichtg. umschlägt, nach der bei Sen. (Nat. Qu. 5, 13) vorkommenden Anschaug. des *ventus promontorii repercussus*, eine Bezeichng., welche die Gefahr der Umfahrt um dasselbe anzeigen sollte (Curt., GOn. 153), in Lucanien, lat. *Palinurum* (Plin. HNat. 3, 71), j. *Palinuro* (Curt., GOn. 150, D.Hal. 1, 53, Pape-B.).

Palizadas s. Missisipi.

Palk = der Strudel, gew. *Palks Strasse*, singh. Name der Meerenge v. Ceylon (Schlagw., Gloss. 231).

Pallas, Pik, in Jeso, v. russ. Capt. J. A. v. Krusenstern (Reise 2, 41) am 8. Mai 1805 nach dem berühmten Naturforscher Peter Simon *P.* getauft.

Pallikaren = starke Jünglinge, eigner Name der kriegerischen Bergbewohner N.-Griechenl. etc., welche sich, wie die Mainoten des Peloponnes, der türk. Herrschaft nie eig. unterwarfen, wohl aber unter eignen Capitanis, bald als Söldner den türk. Paschas dienten, bald auf eigne Faust ein kriegerisches Räuberleben führten. Von andern wurden sie ngr. als *Klephten* = Räuber bezeichnet (Meyer's CLex. 10, 39).

Palliser's Isles, in der Centralgruppe der Paumotu (s. d.), v. dem engl. Capt. Cook (VSouthP. 1, 316) am 19. Apr. 1774 benannt 'in honour of my worthy friend, sir Hugh *P.*, at this time comptroller of the navy'. Entdeckt schon v. Roggeveen 1722, nach Garnier (Abr. 1, 126) u. Debrosses (HNav. 453) unter dem Schiffbruche, den Meinicke nach Zondergrond verlegt. In der Nacht des 19./20. Mai sah sich den 'African Galley' mitten in einem Schwarm niedriger Inselfetzen, u. bevor man die Gefahr gewahrte, war das Schiff zw. 2 Klippen gerathen; auch der 'Thienhoven' u. der 'Adler' brauchten 5ᵈ, um sich der Gefahr zu entziehen. Der 'African Galley' ging gänzlich zu Grunde, u. seine Mannschaft wurde unter die beiden andern Schiffe vertheilt (Roggev., Dagverh. 145 ff.). Daher holl. *Bederfelijk Eilanden*, frz. *Iles Pernicieuses* = ver-

derbliche Inseln. Es sind 4 Gruppen: *a) Meer-derzorg* = grosse Besorgniss, weil Roggeveen (Dagverh. 167), am 28. Mai 1722, besorgte, sie möchte mit dem eben verlassenen Kaukura zs-hängen u. er somit in eine Sackgasse gerathen sein … 'aengesien wy eenigsints duchtende waren, dat desselfs westelykste eynde met dat van den Advondstond te samen mogten vereenigen, en dat wy dus in een diepen boesem of schaer besloten souden worden', od. *Rurick Kette*, durch Kotzebue (Entd. R. 1, 122) am 24. Apr. 1816 nach seinem Schiffe benannt, einh. *Arutua*; *b) Avondstond* = Abendstunde, einh. *Kaukura*, v. Roggeveen (Dagverh. 164) gg. Abend des 27. Mai 1722 er-reicht … 'omtrent het ondergaen der Zon, sagen wederom een laeg en vlak Eyland noemden het selve (om dat het op dien tyd gesien was), den *Avondstond*'; *c) Dageraad Eiland* = Insel der Morgenröthe, die Roggeveen (Dagverh. 153) mit Anbruch des 25. Mai 1722 erblickte '… om dat het met desselfs aenkomst ontdekt is door het Schip Thienhoven', auf engl. Carten auch *Eliza-beth Island* (nach einem Schiffe?), einh. *Toau*; *d) Hagemeister Insel*, v. russ. Seef. Hagemeister im Febr. 1830 entdeckt u. v. Krusenstern so be-nannt, einh. *Apataki*. Meinicke's Id. (ZfAErdk. 1870, 389f. u. IStill. O. 2, 205f.) weichen unter sich ab. — *Cape P.*, 2mal: *a)* die Südspitze der Nordinsel, NSeel., einh. *Kawakawa* (Mei-nicke IStill. O. 1, 277), ebf. v. Cook am 7. Febr. 1770 nach seinem 'würdigen Freunde' (Hawk. Acc. 2, 408); *b)* ein Vorgebirge der Carteret Str., wie *Cape Stephens* v. Carteret am 9. Sept. 1767 benannt (ib. 1, 376). — *Port P.*, in Kerguelen, v. Cook am 30. Dec. 1776 getauft 'in honour of my worthy friend, admiral Sir Hugh P.' (Cook-King, Pac. 1, 76). — *P. Bay* s. Useless.
Pallmann s. Wilczek.
Palm, engl. Form f. *palma* (s. d.), oft in ON. *a) P. Bay*, an der Nordküste des Australconti-nents, v. Capt. Ph. P. King (Austr. 1, 79) am 14. Apr. 1818 benannt, ozw. weil er, v. einem Uferhügel aus die Bay u. das Land übschauend, hie u. da Fächerpalmen u. Pandanus üb. die Zwerg-Eucalypten gruppenweise hervorragen u., zs. mit den Acacien, den monotonen Ausblick be-leben sah, in der Folge eine Gruppe hochauf-strebender Arecapalmen traf, welche er zuerst f. v. Malayen gepflanzte Cocospalmen hielt; *b) P. Island*, im nordaustr. Victoria R., v. Capt. Stokes (Disc. 2, 63) im Nov. 1839 getauft; *c) P. Isles*, vor Halifax Bay, v. Lieut Cook am 7. Juni 1770 so benannt, weil das, was auf einer derselben als Cocospalmen erschienen war, dem ausgesandten Lieut. Hick u. seinen Botanikern Banks u. So-lander sich als eine kleine Art Krautpalmen er-wies (Hawkw., Acc. 3, 136, Carte); *d) P. Plain* = Palmebene, uneig. Name eines Theils der Wüste Mohave, Calif., nach der hohen Yucca brevifolia, welche nebst Larrea die einzige Vege-tation ausmacht — 'ein nicht nur ganz falscher, sondern auch hochtrabender Ausdruck, der in schreiendem Contraste z. Wirklichkeit steht' (PM.

23, 134). Das genus Yucca, üb. 30 Arten zählend, sieht in der Tracht zw. Palmen u. Lilien, daher 'Palmlilien'; botanisch gehört es zu den Aspho-deleen, einer Familie der Liliengewächse; *e) Glen of Palms* = Palmenthal, ein etwa 65 km lg. Flussthal im innern Austr., v. Ernst Giles 1872 entdeckt u. benannt nach der hier entdeckten Livingstonia, einer Fächerpalme, die im Fluss-bette selbst ihre majestätische, domförmige Krone in 18 m Höhe ausbreitete, in auffallendem Ggsatz zu dem blassern Grün der umgebenden Eukalypten (Peterm., GMitth. 19, 184).
Palma = Palme, schon in antiken ON. wie *Pal-myra* (s. Tadmor), *P.* (s. Tamaricium) u. *ad Pal-mam* (s. Seba), *P.*, röm. ON. in Mallorca, mod. gew. im plur. *palmas* (s. d.).
Palmas, plur. v. span. u. port. *palma a) Cabo das Tres P.* = Vorgb. der 3 Palmen, Zahnküste … 'o Cabo, a quem das Palmas nome demos' (Camões, Lus. 5, 12); *b) Cabo das Dos P.* = Vorgebirge der 2 Palmen, Senegal u. Cabo Verde, nach Cadamosto's Nachricht 1456 (Spr. u. F., Beitr. 11, 168). — Span. *Cabo de las P.*, ebf. 2mal: *a)* die kleine Küsteninsel Guajaba bei Cuba, die Columbus am 30. Oct. 1492 sah u. f. ein 'cabo lleno de palmas' hielt (Navarrete, Coll. 1, 44); *b)* ein Cap der Molukken, v. der Exp. Magalhães im Apr. 1522, am Vorabend des Palmsonntags, entdeckt (WHakl. S. 52, 27). — *Ciudad de las P.* = Palmenstadt, f. den Hptort v. Gran Ca-naria, bei Hakluyt (Pr. Nav. 2b, 4) in *Civitas Palmarum* latin. 'Ueberall traten uns Anblicke v. Africa u. v. Morgenlande entgg. Die Dörfer waren v. Palmen umgeben, die leicht u. freudig zu wachsen schienen … Thäler, die durch ihr Grün u. ihre stolzen Palmen sehr hervorstechen … Palmen steigen von allen Seiten hervor' (Hertha 3, 493). Ich zweifle nicht, dass auch die canar. Insel *P.*, einh. *Benahoare* = mein Land (WHakl. S. 51, 27), den Palmen ihren Namen verdankt. Alterth. *Junonia Magna* = grosses Land der Juno, im Ggsatz zu *Junonia Parva* (= klein), j. *Lanzarote* (Bergh., Ann. 6, 319f.) nach den Palmen benannt ist. — *Isla de las P.*, 2mal: *a)* bei Mindanao, ältere Entdeckg. u. als *Ile P.* v. Krusenst. (Mém. 2, 50) festgehalten, als der engl. Capt. Hunter 1791 die Insel neu auffand; *b)* ein pacif. Küsteneiland v. Columbia, unt. 4⁰ NBr., schon zZ. der conquista wg. der Menge seiner Palmen so benannt (WHakl. S. 33, 20). — *Rio das P.*, in SLeone, j. *Madre-bombe* od. *Salbole*, v. der port. Exp. des Pedro de Cintra um 1460 so benannt, 'indem daselbst viele Palmbäume waren' (Spr. u. F., Beitr. 11, 190). — *Rio de las P.*, südl. v. Rio Grande del Norte, wohl j. *Rio de Santander*, benannt v. Spanier Pineda, welcher 1519 die Küsten des Golfs v. Mexico untersuchte (ZfAErdk. nf. 15, 36). Daher das Land *Gobierno del Rio de las P.* (s. Texas). Der 'Palmfluss' hat auch *Rio de las Montañas* = Bergfluss geheissen, freil. ohne dass es mehr als seine Nachbarn v. dem Berglande herabkäme (Hakl., Pr. Nav. 3, 618). — *El Pal-mar* = der Palmwald, ein breites, schönes Thal

v. Tenerife (ZfAErdk. 11, 82). — *Cabo das Pal-meiras* = Cap der Palmen, einh. *Sahgor*, an der Mündg. de ᴴugli, v. den Port. getauft nach einigen darauı befindlichen Palmen, welche den Schiffern als ᵂegleitg. dienen: 'por humas que alli estão, as quaes os navegantes notão por lhes dar conhecimento da terra' (Barros, As. 1, 9¹ p. 306). — *Ilha das Palmeiras* s. Coqueiros. — *Las Palmitas* = die Zwergpalmen, ON. in Argent. 'Die Gegend umher hatte etwas höchst Eigenthümliches wg. der schönen, so weit man sehen konnte, üb. die Ebene zerstreuten Palmengruppen, kräftige, 5—10 m h. Bäume m. dicken Stämmen, deren obere Hälfte v. den herabhängenden trocknen, dunkelgrauen Blättern od. deren Stielen bekleidet war, während sich am Ende die stattliche Krone mit 20 u. mehr fächerfgen, grünen Blättern wie ein Schirm nach allen Seiten hin ausbreitete. Hinter den Palmen zog sich am südl. Horizonte die Algarobenwaldg. (welche uns bis hieher begleitet hatte!) weiter' (ZfAErdk. nf. 9, 61). — *Palmito Island* nannte der engl. Seef. Rich. Hawkins, der im Nov. u. Dec. 1593 hier ankerte, die kleinere der beiden St. Anna In. (s. d.), Bras., nach der Menge ihrer Palmen, 'for the abundance it hath of the greater sort of palmito trees; the other hath none at all' (WHakl. S. 1, 92).

Palmer Point, ein Vorgebirge v. Melville I., Parry In., v. Lieut. W. Edw. Parry (NWPass. 67 ff.) am 1. Sept. 1819 entdeckt u., wie andere Objecte jener Gegend, nach einem seiner Gefährten benannt: Charles *P.*, einem midshipman der Hecla; *b)* ebenso *P. Bay*, bei Winter I., während der Uebwinterg. 1821/22 (Parry, Sec. V. 229 ff.). — *P. Point* s. Cowper.

Palmerston Island, ein Lagunenriff v. 9 od. 10 kleinen bewaldeten, durch Sandbänke verbundenen, riffumsäumten Inseln der Hervey Gr. (Krus., Mém. 1, 27 ff., Meinicke, IStill. O. 2, 141 f.), v. Cook (VSouthP. 2, 2) am 16. Juni 1774 entdeckt u. nach Lord *P.*, einem der Lords der brit. Admiralität, benannt. *Cape P.*, in Queensland, ebf. v. Cook schon am 1. Juni 1770 (Hawk. Acc. 3, 130). — *Cape P. a)* an der Ostseite v. ›Boothia Felix‹, *b)* an der Westseite v. Boothia Isthmus, beide durch die Exp. v. John Ross (Sec. V. Chart) 1829/33 getauft. — *P. City* s. Darwin.

Palmiet Rivier = Schilffluss, holl. Flussname im Capland, östl. v. der False Bay, v. der Menge des auch in den übr. Flüssen jener Gegend häufigen Palmietschilfs, Acorus palmita, einer zur Aroideenfamilie geh. Gattgsverwandten v. Acorus calamus, Calmus (Lichtenst., SAfr. 2, 195).

Palmyra, der spätere Name der Oasenstadt Tadmor (s. d.), ist auf eine *P. Island* übtragen, ein polyn. Atoll, welches viele kleine Inseln mit fruchtb. Boden u. üppiger Vegetation, auch vielen Palmen, enthält, v. americ. Capt. Fanning, Schiff Betoy, am 14. Juni 1798 entdeckt u. 'wenige Jahre später' v. Capt. Mackay, Schiff the Brothers, getauft wurde (Bergh., Ann. 12, 146, Mei-

nicke, IStill. O. 2, 270). Krusenst. (Mém. 2, 50) schreibt die Entdeckg. dem americ. Capt. Sawle, Schiff *P.*, 7. Nov. 1802, zu.

Palù u. *Palud*, mod. Formen des lat. *palus* = Sumpf, häufig in ON., so eines der deutschen Dörfer des Trentino, zu oberst in Valle del Fersina, wo viell. die ersten deutschen Familien angesiedelt wurden u. auf sumpfigem Thalgrunde, wo zahlr. Bäche u. Wasseradern sich vereinigen, den dial. Namen schon vorfanden. Ein Dorf *P.* in Valle di Cembra, ein *Monte Palùe* in Valle di San Pellegrino, 'detto così dai prati acquitrinosi' (Malfatti, S. top. Trent. 82). — *Palü* od. *Palüd*, rätor. Name v. Maiensässen a/Südseite des Bernina u. auf den *Piz P.* u. *Vadret P.*, einen der Eisströme, übtr. — Ein *Lago di P.*, ein v. Sumpfwiesen umgebener, abflussloser See des Val Malenco (Lechner, PLang. 98, 106, Leonhardi, Posch. Th. 7 f.). — Im plur. *Les Paluds*, die ganze Gegend der Salzsümpfe u. Salzteiche am Strande v. Montpellier u. auf einzelne Orte übtr. (Dict. top. Fr. 5, 139). — *Palos*, span. Hafenort an dem Aestuarium des Rio Tinto, s. v. a. lat. *palus* 'que equivale á laguna' (Caballero, Nom. Esp. 69).

Palzadoir, ital. Name eines Maiensäss im obern Theil des Puschlav, v. dial. *palzà* = ruhen. 'Der Name ertheilt dem Wanderer den freundl. Rath, hier auszuruhen ... Setzen wir uns also auf den weichen Rasen u. lassen wir unsere Blicke auf .... hinschweifen' (Leonhardi, Posch. Th. 18).

Pamboggy = des Kleinen Steines Ohren, sam. Name eines Flüsschens, welches in der Kniewendung des Pambòj (s. Paj) entspringt u. mit seinem Namen auf diesen Ursprg. hindeuten soll (Schrenk, Tundr. 1, 662).

Pamir s. Bam-i-Duniah.

Pampas, plur. v. qquech. *pampa* = offenes Feld, Ebene, 'suelo llano' (A. Rojas, Estud. ind. 144), ist der Name der weiten Niedergssteppen des Rio de la Plata, streng genommen nur soweit sie busch- u. baumlos sind (GVega, Com. R. 4, 14, Peterm., GMitth. 14, 50, Zeitschr. f. Ethn. 2, 281).

Pampoenekraal = Kürbisdorf, holl. ON. im Capl., v. einer Art grosser Kürbisse, welche die Ansiedler *pampoen* nennen u. zieml. häufig bauen (Lichtenst., SAfr. 1, 306).

Pamplona s. Pompejopolis.

Pan Hill = Pfannenberg nannte der engl. Capt. Bligh einen 100 m h. Berg der Halbinsel York, weil die Form einem umgekehrten Pudding dish, wie er bei den Seeleuten in Gebrauch, ähnelt (Stokes, Disc. 1, 365).

Panagia s. Maria.

Panaloya, wohl *Panoloyan* = Ort der Ueberfahrt, v. *pano* v. n. = übergehen scil. üb. ein Gewässer, azt. Name einer langgestreckten Bucht des Nordendes des See's Nicaragua (Buschmann, Azt. ON. 178).

Panama, ind. ON. auf dem *Istmo* (= Landenge) u. am *Golf v. P.*, der Neuzeit geläufig

durch die viel angestaunten Werke der *P.-Bahn*
u. des *P.-Canals*, wird vschieden, doch wohl am
besten durch 'fischreich', 'abounding with fish'
erklärt (WHakl. S. 21, 119; 33, 16; 34, 22) . . .
'there is much fish in all the rivers and also
in the sea, though different from those on the
coast of Spain'. Es will nicht einleuchten, dass
P. = Schmetterling (Ausl. 1867, 873) sei od. v.
einem Cuna-verb *panamaquet* = 'man hat die
Hängematte geschaukelt' herkomme, da an diesem
Erholgsort des Landescaciken einst die übr. Fürsten
seinen hamac zu schwingen hatten (Compte-R.
Soc. Géogr. Par. 1887, 86). Von einer solchen
Residenz melden die Berichte der Entdecker
nichts; *P.*, wie es P. de Andagoya im Aug. 1515
traf, enthielt nur etliche Fischerhütten, 'inmassen
es zu ihrer Handtierung ein sehr gelegener Ort
war. Eben daher hiess er bei den Indianern *P.*,
welches einen Ort bedeutet, wo ein sehr grosser
Ueberfluss an Fischen ist' (Barrow, R. u. Entd.
2, 53, WHakl. S. 34, 22 f.). Ein span. *P.*, etliche
km östl. v. heutigen, wurde 1519 ggr. v. Pedra-
rias de Avila, Gouv. der Tierra Firme, u. 1521 v.
Karl V. privilegirt mit dem Titel 'muy noble
y muy loyal ciudad de *P.*' Nach einem Ueberfall (s. Buccaneros) wurde der Ort 1673 an seiner
j. Stelle v. Don Alonzo Mercado de Villacorta
angelegt (WHakl. S. 33, 18).

Pandan, Pulo = Pandanusinsel, in der Str. v.
Malakka, nach einer der zwei Pandanus-Arten,
die — mit dem Namen — üb. den ganzen Archipel vbreitet sind. Auf den Philippinen 11 Orte
d. N. (Crawf., Dict. 325). — *Pandanus Hill*, eine
Anhöhe auf der grössten der Bustard I., v. Matth.
Flinders (TA. 2, 193, Atl. 15) am 18. Jan. 1803
erstiegen, um Ausschau zu halten u. Winkel zu
messen; diese Aufgabe konnte gelöst werden,
nachdem einige der die Anhöhe bedeckenden
Pandanusbäume umgehauen waren.

Pandico s. Kertsch.

Panditi, Nusa = Eremiten- od. Priesterinsel,
nicht *Banditeninsel*, mal. Name einer Insel bei
Bali (Peterm., GMitth. 10, 146).

Pandora's Entrance, in den Riffgebieten der
Torres Str. die Oeffng., durch welche der engl.
Capt. Edwards, v. Schiffe Pandora, 1791 einge-
laufen war u. darum so benannt v. Seef. Flinders
(TA. 2, 107, Atl. pl. XIII) am 28. Oct. 1802. Auf
jener Fahrt zerschellte näml. am 26. Aug. die
Fregatte an einem Riffe, noch bevor sie z. Me-
ridian des Caps York gekommen war (Krus., Mém.
1, 78). — *P.'s Reef*, nordöstl. v. den NHebrid.,
mit 20 m Tiefe, schon v. den Captt. Marshall u.
Gilbert 1788 entdeckt u. nach des letztern Schiff
Charlotte Bank benannt, dann v. Capt. Edwards
1791 umgetauft (Krus., Mém. 1, 23 ff., Meinicke,
IStill. O. 2, 58. 421).

Pandritán, v. skr. *Puran-adhi-sthána* = die alte
Hauptstadt, hind. ON. in Kaschmír (Schlagw.,
Gloss. 233).

Pandschab = Fünfströme, Fünfstromland, auch
Pendschab, engl. *Punjab*, schon bei Bernier (Gr.
Mog. 2, 63) *Penje-ab*, beng. *Pangtschanád*, bei

den Chinesen *Pa-nu-thso* (ARémusat, NMel. As.
1, 198), pers. Name einer Ldsch. am Indus, die
v. dessen 5 Zuflüssen Dschílum, Tschináb, Ráwi,
Biás u. Sátledsch, der Länge nach so durchströmt
wird, dass sie in vier v. Flussläufen begrenzte
Streifen, 'Mesopotamien', 'Doab' (s. d.), zerfällt.
Der Indus ist als der dem Pandscháb seitlich anliegende Strom, in welchen sich die 5 übr. vereinigen, nicht mitgezählt. In der skr. Wéda-
literatur bildet die Saráswati, j. Gággar, die Ostgrenze, u. das Gebiet zw. diesem Flusse u. dem
Indus heisst *Sapta Sindhu'* = Siebenflussland,
indem näml. zu den 5 Flüssen des *P.* die beiden
seitlich anliegenden Grenzflüsse auch mit gerechnet
wurden (Schlagw., Gloss. 232, Reis. 1, 372, Ibn
Batuta, Trav. 99, Polak, Pers. 2, 363). Den skr.
Namen *Pantschanada* = Fünffluss trägt auch,
wie das Land, der vereinigte Strom selbst,
der aus Gharra (Satledsch) u. Tschandrabhaga
entsteht u. bei Mittun den Indus erreicht (Lassen,
Ind. A. 1, 128). — *Pandschaparvata* s. Swargarohini. — *Darja Pendsch* = die 5 Flüsse, ein
anderer, pers., Name des Landes Wachan, im
Oberlauf des Amu Darja, dessen 5 wichtigste
Quellströme mitgehören (Peterm., GMitth. 19,
164). — *Pendschakend* = 5 Dörfer, pers. ON.
am Serafschan (Hellwald, RCAs. 45).— Ein abessin.
Seitenstück zu *P.* ist *Hamschdamai* = Fünf-
wasser, die bedeutende der Lalibelaquellen, Ta-
kasse, weil er sich in 5 Armen, die sich bald
vereinigen, aus einem See ergiessen soll (Heuglin,
NOAfr. 80). — Aus Central-Asien erwähnt H.
Vambéry (Peterm., GMitth. 37, 270) *a) Pendsch-
schembe* = Donnerstag, als 5. Tag der Woche,
2 Orte in der Gegend v. Samarkand; *b) Pendsch-
deh* = Fünfdorf, ein aus 5 Ortschaften entstandener Ort an der Confl. Kuschk-Murghab;
c) Pendsch-kend s. oben.

Paneas, ant. ON. in Syr. (s. Banias), daher *Meer
v. P.* (s. Merom).

Pang = Grasplatz, tib. Name f. 'Haltplatz', wie
in *Panggúr, Pángar* = Grünboden, in Ruptschu,
wo, unth. des Salzsee's Tso Rul, etwas mehr
Pflanzenwuchs ist als sonst, *Pangmig, Panamik*
= Wiesenauge, oasenartige Steppenpunkte, 'generally connectet with the existance of an isolated grassy spot', *Pangpotsche* = grosser Grasplatz, in Nubra, *Pangringpo* = Langwiesen, ein
grasreiches Thal des Distr. Pandkong (Schlagw.,
Gloss. 231 f.).

Pangalkottai s. Hossdurg.

Pangani, im Binnenlande *Rufu, Ruvu, Lufu*,
ein ostafric. Fluss, hinter der Insel Pemba mündend, bei dem Dorfe *P.*, nach dem er gewöhnl.
benannt ist (Journ.RGSLond. 1870, 304).

Pangasinan = Salzplatz, mal. u. jav. ON. in
der Prov. Luçon, die neben den gew. Producten
des Landbaues nam. viel Seesalz erzeugt, 'from
which it takes its name' (Crawf., Dict. 326).

Pangkóng = die Höhen u. Tiefen, 'up-an' down',
ist der tib. Name einer durch zahlr. Thäler u.
Bergrücken ausgezeichneten Prov. des westl. Tíbet.

'The numerous valleys and ridges are characterized by this name' (Schlagw., Gloss. 231). — *Tso P.* s. T'somognalari. — *Pangtsch Tschúli* = die fünf Häupter, hind. Name einer Gruppe v. Schneegipfeln in Kamaoń (ib. 230).

Pangono s. Njanza.

Pang Orok = Krieg, *pang*, der Schildkröten, *orok*, mal. Name einer Landzunge, nach den Verheerungen, welche ein wilder Hund, Canis rutilans Boie, hier unter den Schildkröten anzurichten pflegt, wenn diese nächtlich v. Meer zu den Dünen u. zk. wandern. 'Hunderte Gerippe der ungeheuer grossen Schildkröten, manche $1^1/_2$ m lg., 1 m br. u. h., lagen da auf dem Strande umher zerstreut. Einige bestanden nur noch aus glatten Knochen, waren gebleicht; andere waren z. Th. noch v. faulenden, stinkenden Eingeweiden erfüllt, u. wieder andere waren noch frisch u. blutend — aber alle lagen auf dem Rücken. Oben in der Luft flogen eine Menge Raubvögel in Kreisen herum. Lange Fährten zogen sich v. Meere quer üb. den Strand bis z. Fusse der Dünen. Meine javan. Begleiter folgten diesen Fährten, welche geradlinigt fortliefen u. fanden eine ungeheure Menge Schildkröteneier, welche dort im Sande verscharrt waren'. So das Schlachtfeld. Den Krieg selbst schildert derselbe Autor (Junghuhn, Java 1, 193) folgendermassen: Die wilden Hunde 'kommen in Truppen v. 20—50 Stück, packen die Schildkröte an allen zugängl. Stellen ihres umpanzerten Körpers, zerren an den Füssen, an dem Kopfe, an dem After u. wissen durch ihre vereinigte Kraft das Thier, ungeachtet seiner ungeheuern Grösse, umzuwälzen, so dass es auf den Rücken zu liegen kommt. Dann fangen sie an allen Enden an zu nagen, reissen die Bauchschilder auf u. halten an den Eingeweiden, dem Fleische u. den Eiern ihr blutiges Mahl. Viele Schildkröten entfliehen ihrer Wuth u. erreichen, oft die zerrenden Hunde hinter sich herschleppend, glücklich das Meer. Auch nicht immer verzehren diese ihre gemachte Beute in Ruhe. In manchen Nächten geschieht es, dass der Herr der Wildniss, der Königstiger, Matjan lorèk, Felis tigris L., aus dem Walde hervorbricht, einen Augenblick stille hält, stutzt, mit funkelnden Augen den Strand überspäht, dann leise heranschleicht u. endl. mit einem Satze, begleitet v. einem dumpfschnaufenden Geknurr, unter die Hunde springt, welche nun nach allen Seiten aus einander stieben u. in wilder Flucht dem Walde zueilen. Nun verzehrt der Tiger seinen Raub in unbestrittenem Besitz, wenn ihm nicht zuw. — was selten geschieht — die Beute wieder v. Menschen abgenommen wird. So führen wilde Hunde u. Tiger hier in Wahrheit einen Kampf mit Bewohnern des Oceans, mit Riesenschildkröten, an einem Orte, ausserord. wüst u. schauervoll . . .'

Panjang, Pulo = lange Insel, mal. Name einer der 4 vor Sumatra, zw. Singapur u. Malakka, gelagerten Alluvialinseln. Von ihr die Durch-

fahrt: *Salat P.* = lange Strasse, *Brewers Straits* der engl. Schiffer (Crawf., Dict. 325).

Panis = Brot, lat. Grundwort f. span. *el pan*, port. *o pāo*, frz. *le pain*, die im Sinne v. 'Laib' die 'Zuckerhüte' bezeichnen u. wg. der Kegelform derselben auf gewisse Bergnamen (s. Zucker) übergegangen sind, so auch *Pan de Bahia Honda* (s. Honduras). Im dim. *el Panecillo*, f. einen kegelfg. Hügel bei Quito (Barrow, R. u. Entd. 2, 118). — *Loaf*, das engl. Aequivalent f. 'Laib', findet sich häufig als Bestandtheil solcher Namen (s. Sugar Loaf).

Panix s. Pignieu.

Panjusu s. Romania.

Pannonicae A. s. Baden.

Panom kjang Sabek = Hügel des Häutemagazins, älterer Name des Orts Pinhalü in Kambodscha. Dort besassen 'die Holländer ein Magazin v. Büffelhäuten, bis in einer Meuterei alle Mitglieder der Factorei ermordet wurden' (Bastian, Bild. 133).

Panormos, gr. Πάνορμος = guter Hafen, viele Seehäfen des Alterthums: *a)* das j. *Palermo* (s. d.); *b)* ein Hafen an der Ostküste Attika's, zieml. in der Mitte der Küste zw. Thorikos u. Sunion, in jener Strecke der geeignetste Ankerplatz, j. noch mit dem alten Namen (Bursian, Gr. Geogr. 1,354); *c)* eine 'tiefe Bucht' bei Rhion, Achaia (Thuc. 2, 86), 'ein wichtiger Hafenplatz der Paträer am innern Meere' (Curt., Pel. 1, 447); *d)* ein Hafen an der kret. Nordküste bei Knosos, wie das sicil. *P.* schon eine phön. Anlage *Machanath*, noch z. Venezianer Zeit ein guter Hafen, j. der versandete Hafen Candia's (Ptol. 3, 17^6); *e)* Hafen auf der äg. Insel Mykonos, eine grosse, tief einschneidende Hafenbucht, j. noch *P.* genannt (Ross, IReis. 2, 30); *f)* der j. zieml. erträgliche Hafen auf Tenos, ebf. *P.* (ib. 1, 19); *g)* Hafen v. Naxos, ebf. noch j. *P.* (ib. 1, 44); *h)* der einzige Hafen an der Küste der unwirthlichen u. gefürchteten akrokeraun. od. Donnersberge, Epirus, fast in der Mitte derselben, mit engem, durch vorspringende Felsklippen gebildetem Eingang u. drei vschiedd. Buchten, die eine beträchtliche Flotte aufzunehmen im Stande sind (Bursian, Gr. Geogr. 1, 15), schon bei·Strabo (324) ein 'grosser Hafen mitten in den ceraunischen Bergen', j.noch *Palermo,Παλέρμο*; *i)* Πάνερμος ist der j. Name einer engen, aber sichern Bucht unter hohen, steilen Felswänden auf der äg. Insel Syme (Ross, IReis. 3, 121); *k)* fernere Häfen d. N. finden sich auf Samos (Liv. 37, 10f.), an der Nordwestküste Kariens (Herod. 1, 157), bei Kargonda, j. Pacha Liman (Anon. st. m. m. 285), in Ionien (Paus. 5, 7^5), auf Cefalonia (Artem. in Porph. antr. Nymph. 4), bei Cycicus (St. B.), auf Cypern (Sapph. fr. 6), an der Ostküste der Chalcidice (Ptol. 3, 13^{11}), an der äussersten Spitze der thrak. Chersonnes (Plin. 4, 50), in Marmarika, j. *Marsa Soloum* (Ann. st. m. m. 31, 32). S. Antigone. Vgl. Pape-Bens., Kiepert, Atl. v. Hellas, Müller, Geogr. Gr. min. T.

Panos Akron, gr. *a)* Πανὸς ἄκρον = Pan's Vorgebirge hiess die Südspitze der Insel Rhodos (Ross, IReis. 3, 71); *b) Π. κώμη* = Pan's Dorf, ein Flecken am Rothen M. (St. B.); *c) Π. νῆσος* = Pan's Insel, in Aethiopien (Ptol. 4, 8); *d) Π. πηγή* = Pan's Quelle, in Indien (Luc. Bacch. 6); *e) Π. πόλις* = Pan's Stadt, in Oberägypt. (Strabo 813); *f) Π. ὄρος* = Pan's Berg, bei Marathon (Paus. 1, 32[7]). Am Abhang dieses Berges war eine dem Pan geweihte Grotte, deren Stalaktiten griech. Phantasie Ziegen ähnl. zu sein schienen u. daher als die Ziegenherde des Pan: *Πανὸς αἰπόλιον* bezeichnet wurden (Bursian, Gr. Geogr. 1, 341, Ross, Bl. f. litt. U. 1833, 428).

Pansch s. Copeland.

Panther Creek, ein Zufluss des Jefferson's R., v. den Captt. Lewis u. Cl. (Trav. 248) am 3. Aug. 1805 so benannt, weil an der Mündg. einer ihrer Leute, Reuben Fields, einen Panther erlegte; *b) P. Island* s. Tiger. — *P.'s Shoal* s. Mandeb.

Panuco, azt. *Panoco* = Ort, wo man üb. den Fluss setzt, trajectum, ON. in Mexico, an dem Fusse gl. N., auch sonst noch 2 mal f. kleinere Orte bei Parral u. Zacatecas (Buschmann, Azt. ON. 109). Das Zeugniss in Uhde (Rio Br. 122), als hätte der span. Entdecker Ant. Alaminos 1519 dort einen Kaziken *P.* getroffen, scheint unhaltbar.

Pao-ngdn-sse s. Fáming.

Páo-schân = kostbarer Berg, chin. Name eines Bergs der Mongolei, welcher in früherer Zeit wohl Silberbergbau hatte (Pauthier, MPolo 1, 221).

Paolo, São, Stadt in SBras. (s. Paul), bei dem Indianerort *Piratininga* (s. d.) v. Jesuitenprovincial P. Nobrega 1554 ggr. als Jesuitencollegium, welches auf der Höhe eines die Umgegend beherrschenden u. durch zwei Flussthäler isolirten Hügels lag. Am St. Paulstage, 25. Jan. 1554, wurde hier die erste Messe gelesen u. der Ort unter das Patronat des unerschrockenen Heidenapostels, des heil. *P.*, gestellt — z. Erinnerg. an das grosse Werk der Indianerbekehrg., welches die Ordensbrüder durch diese Gründg. wesentlich fördern wollten. Durch Verfügg. des Gouv. v. Brasilien, Men de Sá 1560, ging die alte Stadt in der neuen auf; der Name *Piratininga* verlor sich, u. die Prov. hiess nicht mehr San Vicente (s. d.), sondern *São P.* (Varnh., HBraz. 1, 218); *b) São P.* s. Pedro; *c)* s. Loanda.

Pap = Brust, Brustwarze, engl. Ausdruck f. frz. *teton, mamelon*, f. Bergformen dieser Art, so die *Paps of Jura*, f. die wohl bekannten Erhöhungen der Hebriden, sichtb. weit im Meer u. auf der ganzen Küste v. Argyllshire; *b) the Paps*, am Nordufer des L. Superior, 'fine rounded summits, surrounded by noble scenery' (Whitney, NPlaces 119); *c) the Paps*, 2 Hügel einer Insel am Eingang der Torres Str., v. Lieut. Bligh 1789 getauft (Spr. u. F., NBeitr. 6, 67).

Papa, v. gr. *πάππας* = Vater, in der griech. Kirche Bezeichng. f. alle Geistlichen, namentl. die höhern, in der Form *papst* früh z. Titel der röm. Bischöfe geworden u. im Mittelalter Titel der Klostergeistlichen, ahd. *phafo, pfaffe* (s. d.), dadurch vielf. zu toponym. Verwendg.

gekommen. *Papenberg* = Pfaffen-, resp. Mönchsberg, japan. *Takaboku-Sima*, eine Berginsel vor Nagasaki, v. den Holl. so genannt, weil die Sage ging, während der Ausrottg. der Christen in Japan seien die katholischen Priester v. diesem Berge in's Meer gestürzt worden (Krusenst., Reise 1, 334). — *Papentjüch* od. *-tjücht*, ein früheres Klostergut in Ost-Friesl., wo ehm. Viehhöfe, meist auf Klostergütern, z. B. bei Marienhafe u. Burmönniken, als *tjüch, tjücht, tjüche* = Zuchtstätte bezeichnet werden (DKoolman, Ostfr. WB. 417). — *Papendrecht* s. Utrecht. — *Papey* = Pfaffeninsel, v. den Normannen mehrf. benannt: *a)* an der Ostküste Islands; *b)* in den Shetland In., wo ein *Papey stoerri* = grosse u. ein *Papey litla* = kleine Pfaffeninsel, z. Andenken an die irischen Mönche, welche in Shetland als Missionäre, in Island als Einsiedler lebten u. hier, vor den Normannen fliehend, ihre Krummstäbe u. Bücher zkliessen (Worsaae, Mind. Danske 289. 292). — Ein altes *Papey* ferner *c)* neben Lewis, j. *Pabbay, d)* neben Skye, ebf. in den Hebriden, j. *Pabba* (ib. 338 f.). — Mag. *pap* = Priester, mit *lik* = Loch, in *Paplika*, dem Namen der Abaligeter Höhle, Ung. (Umlauft, ÖUng. NB. 169). — *Papiste Bay* s. Menniste.

Papa, te = die Fläche, bei den Maori die Missionsstation der engl. Hochkirche, auf einer fruchtb. Halbinsel am Hafen Tauranga (Hochst., NSeel. 302, Dieffb., Trav. 1, 408). — *P. Kohatu* = der platte Stein, eine grosse 120 Schritt lg. u. ebenso br., aus weisslichem Kieselsinter bestehende Felsplatte, welche sich als schiefe Fläche v. Fusse des Tutukau bis in den Waikato hineinzieht, eine wahre 'Sprudelschale', welche einige der merkwürdigsten u. bedeutendsten Springquellen des 'Seeistricts' enthält, so genannt v. den Maori (v. Hochstetter, NSeel. 257).

Papagalli T. s. Brazil.

Papamarca = Kartoffeldorf, ind. Name eines peruan. Orts, bei welchem die Kartoffeln bes. gross gediehen (GVega, Com. Real 8, 3).

Pape's Creek, ein lkseitg. Zufluss des untern Missuri, durch die frz. Händler benannt nach einem Spanier, der sich hier um's Leben brachte (Lewis u. Cl., Trav. 18).

Papéiti = kleines Wasser, 'fiume', v. *pape* = Wasser u. *iti* = klein, polyn. Name der Hptstadt Taiti's nach einem in der Nähe mündenden Bächlein (Wüllerst., Nov. 3, 186).

Paper-mill Run = Bach der Papiermühle, ein z. Wissahickon-Schuylkill gehender Bach, an dem 1690 die Vorfahren des Astronomen Dav. Rittenhouse die erste americ. Papiermühle anlegten (Keyser, Fairm. P. 98).

Pa pe si fú kue = Reich der 800 Weiber (u. schönen Mädchen), chin. Name einer Prov. im Osten Ava's, nach der Sitte ihrer Chefs, 800 Weiber zu haben u. jeder derselben eine Apanage zu eigner Verwaltg. auszusetzen. 'C'est pourquoi on nomme ce pays le royaume des huit cents épouses' (Pauthier, MPolo 2, 425).

Paphlagonia, einst Name der in den Pontus

vortretenden Ldsch. um Sinope, einst v. den *'Eve-τοί*, Veneti, bewohnt, zu Strabo's Zeit angebl. mit kappadok. Sprache, wahrsch. mit semit. Colonien, so dass den griech. Seefahrern der Unterschied der Zunge stärker war als bei den Thrakern des nordwestl. Kl. Asien u. sie veranlassen konnte, die Küste *Παφλαγών* = *'Wälschland*' zu nennen, v. *παφλάζειν* = stammeln, unverständlich reden (Kiepert, Lehrb. AG. 98).

Pappenheim s. Bamberg.

Papua, eine Völkerbezeichng. aus Austral-Indien, zunächst f. die Eingb. NGuinea's, *Tanah P*. (s. Guinea). Als dessen port. Entdecker, Dom G. de Menezes, 1526 die Wilden um ihren Namen fragte, antworteten sie *P*....'e perguntando como se chamão aquellas gentes, disserão que *P*.' (Couto, Cont. 4, 3³). Man vernahm, dass *P*., *pua-pua* = dunkelbraun ...*os P*., que em lingua dos naturaes quer dizer *negros*, porque o são elles como os Cafres, com cabello revolto, de grandes, e crespas grenhas.... Entre elles ha muitos surdos, e outros *tão bran-cos, e louros* ('Flachsköpfe') *como Alemães*, os quaes vem mui pouco (Barros, As. 4, 1¹⁶ p. 104 Note). Schon bei Galvão (Desc. 177) gesellt sich z. Farbe das Kraushaar...'os Maluqueses chamā a estes homēs os *Papuas* por serem pretos de cabello frizado, e assi lhe chamam os Portugueses, pello tomarem delles'. Wegen des krausen, aber ñicht wolligen Haares, das in gesonderten Büscheln steht, seien sie, sagen Andere (Lassen, Ind. AlththK. 1, 558, Crawf., Dict. 6. 16ff. ฿28, Meyer's CLex. 12, 568), v. den Malayen *Orang puwa-puwa* = kraushaarige Menschen, verd. *P*., genannt worden. Man hat den Namen *P*. nicht allein auf die sämmtlichen Wilden *Melanesiens* (s. d.), die durch grössern Wuchs, stärkern Bau u. ihr Kraushaar meist kleinen, schlichthaarigen 'Australnegern' des Continents contrastiren, sondern auch auf die negerartigen Wilden des indischen Archipels übtragen, die in den Bergwildnissen Malakka's u. der grössern Inseln sich erhalten haben. Weniger dunkel als die Neger u. v. regelmässigern Gesichtszügen, aber v. kurzem schmächtigem Wuchse, bei einer Mittelhöhe v. nicht üb. 142 cm entschieden kleiner als die Malajen, werden insb. die *Aheta, Aeta, Ita* der philippin. Inseln Luçon, Panay, Negros, Mindoro u. Mindanao (Peterm., GMitth. 20, 19) als *Negri-tos* = kleine Neger bezeichnet, im Ggsatze zu den *Negros* = Negern, den grossen u. starken Melanesiern NGuinea's, die mindestens den Malajen an Grösse gleichkommen. Jene 'Negerlein' hausen im rohesten Zustande, nur in abgelegenen Wildnissen, fast gänzlich nackt; sie sind weniger zähmbar u. bildsam als die wildesten der Malajen u. leben mit diesen in ewiger Feindschaft. Man hat auch die oben erwähnten 'Australneger' in der Bezeichng. *Negritos* einschliessen u. so eine negerartige Australfamilie construiren wollen, 'die Reste einer uralten, viell. des ältesten Zweiges der Menschenfamilie zu sein, welche einst weit grössere Territorien bevölkerte, aber aus diesen durch höher entwickelte, begabtere Völker

mehr u. mehr verdrängt wurde u. noch verdrängt wird' (Hochst., NSeel. 45); doch scheinen in der europ. Litteratur die Ausdrücke *Negros* u. *Ne-gritos*, als zu vielförmig angewandt, allmälig verlassen zu werden. Noch sei hier angefügt, dass A. B. Meyer (Wien. Sitzgsber. 100, 537ff.), nach Prüfg. einer Reihe älterer Zeugnisse, den Namen *P*. = verworren annimmt, mit Bezug uuf den Haarwulst; hingegen der Resident J. G. F. Riedel (Arch. Miss. Scient. 3. sér. 11, 203ff.) leitet *P*. v. *hahua, fafua* ab, der in Ceram üblichen Bezeichng. des Fungus der Arenga saccharifera, dem das Haar der Papuakinder sehr ähnlich sieht. In den Sprachen der Molukken gehen *h* u. *f* in einander üb., u. die Malajen, welche kein *f* haben, änderten diesen Laut in *p*. Vor Ankunft der Europäer wurden viele Papuakinder als Sclaven uach Ceram gebracht, u. eben in Ost-Ceram kamen die Malajen zuerst in Berührg. mit der Race.

Papurona s. Petani.

Pa-Ra s. Heliopolis.

Para, in quech. = Regen, im weitern Sinne Wasser, Meer, grosses Wasser, in guar. Fluss, Meer, eine üb. fast das ganze Süd-Am. ausgebreitete Bezeichng...'de todos las radicales del agua, en los pueblos antiguos de la América del Sur, la que ha abrazado una zona geográfica más extensa, y ha impreso su sello sobre las grandes regiones acuaticas del continente' (ARojas, Est. ind. 114), ist zunächst Eigenname *a)* des kleinern der beiden Mündungsarme des Amazonenstroms, port. in der pleonast. Form *Rio do P*., auch auf die Stadt *Belem do Grão P., Belem do P*., ganz kurz *P*., übtragen (s. Bethlehem); *b)* eines der Quellflüsse des Silberstroms...'e outro tanto como varios rios da Europa, cujos nomes etymologicamente não querem dizer senão rio' (Varnh., HBraz. 1, 332). — In der Form *Paragua* einst Name des Orinoco, j. noch bei den Cabres u. Guaypunábis (Rojas 118). — *Paraguaçu* = grosses Wasser hiess der Silberstrom (s. Plata) bei den Guarani, auch *Paranaguaçuque* = Fluss wie Meer. — *Paraguay*, in vschiedd. Art erklärt, v. Ruiz Montoya als 'Fluss der Kronen', v. andern als 'Wasser der Paragua', einer dort häufigen Vogelart, Penelope Paraqua, doch wohl, zuf. der ältesten urk. Schreibart, eher v. *para* = Meer u. *qua-y* = Wasserloch, Quelle, also Quelle des Meeres (Rengger, Reise 4, Rojas, Est. 98. 115. Vgl. Azara, Descr. 1, 34). — *Parana* = Verwandter des Meeres, grosse Wassermasse, 'unzählige mal' f. sich u. in Zssetzungen, insb. *a)* f. den Oberlauf des Silberstroms, *b)* f. den Orinoco; in der augm. Form *Parana-açu, Paranaguaçu a)* f. den Amazonas, *b)* f. den Silberstrom (Varnh., HBraz. 1, 447, ZfAErdk. nf. 15, 157, Agassiz, Voy. 237). — *Pa-ráhiba* od. *-hyba*, auch *Parana-* od. *Parnahiba* = schlechter Fluss u. *Parapanápanema* od. *Ipa-nema* = Fluss, Wasser, welches nichts taugt, keinen Nutzen gewährt — im Ggsatz zu *Para-catú* = guter Fluss, bras. Flüsse, v. deren günstiger od. ungünstiger Beschaffenheit (Varnh., HBraz. 1, 288), die 'schlechten Flüsse' Nord- u.

Süd-Bras. durch den Beisatz *do Norte* u. *do Sul* unterschieden, ersterer nach dem Kalendertage auch *Rio San Domingos* (ib. 288); die nach ihm benannte Stadt (s. Filippe) hiess nach der holl. Eroberg., Dec. 1634, *Fridericia*, zu Ehren des Stadhouders, Prinzen Friedrich v. Nassau-Oranien (ib. 370). — *Parime* = Wasser, ein Nebenfluss des Rio Negro, port. *Rio Branco* = weisser Fluss, im Ggsatz z. Hptstrom, in der span. Form *Sierra Parime* auf das Quellgebirge übtragen. 'Da die Wörter *Paragua* u. *Parime* (s. Anegada u. Eldorado) zugl. Wasser, grosses Wasser, See, Meer bedeuten, so darf man sich nicht wundern, dieselben bei den Omaguas am obern Marañon, bei den westl. Guaranis u. bei den Cariben, folglich bei den am weitesten v. einander wohnenden Völkern, so oft wiederholt zu finden' (Humb., ANat. 1, 305). — *Paraguana* heisst bei den Caiquetías der Golf v. Maracaybo (Rojas, Est. 98). — *Paramaribo*, eig. *Paramachire* = Bewohner des Meeres, Hptort der holl. Guayana, weil die Holl. bei den Cariben so heissen (ib. 120). — *Parinacochas*, eig. *Parihuanaccocha* = Flamingosee, ein See in Peru, j. auf eine Prov. des dép. Ayacucho übtr. (WHakl. S. 41, 231). — *Paraná-Piacaba* = Meerfernsicht, ind. Name der Serra de São Paulo, da hier, 15 km v. Meer, die Indianer jedesmal, wenn sie aus dem Innern z. Küste streiften, um hier einen längern Aufenthalt zu nehmen, das Meer am fernen Horizonte erblickten (Varnh., HBraz. 1, 55). — *Parana-guá* s. Janeiro. — *Paranápuam* s. Governador. Eine Auswahl v. 27 solcher ON. gibt W. Schulz (4. u. 5. Jahresbericht Vf. Erdk. Dresden p. 98—102).

Pára = Dorf, hind. ON. *a)* in Gudschrát, *b)* in Bandelkhánd (Schlagw., Gloss. 232).

Parabolos s. Kuru.

Paracheloitai, gr. Παραχελωῖται = 'die am Achelous' (wohnenden), Stämme in Aetolien u. Thessalien (Strabo 334, Pape-Bens.). Die Ebene, welche durch den ätol. Achelous grösstentheils angeschwemmt ist, hiess Παραχελωῖτις = das Land am Achelous, j. Anachaides. — *Paralia*, gr. Παραλία = Küstenland, hiess *a)* die Süd- u. Ostküste Attika's, v. der Südspitze des Hymettus am saron. u. ägäischen Golf entlang = Πάραλος γῆ = Seeland; *b)* früher Ambrakia (St. B.); *c)* ein Küstenstrich in der Ldsch. Limyrica (An. p. m. Erythr. 58, Pape-Bens.). — *Parapotamioi*, gr. Παραποτάμιοι = am Fluss, Flussstadt, eine Stadt in Phokis, j. Ruinen bei Belissi, am linken Ufer des Cephissus (Herod. 8, 33, Pape-Bens.). — *Parasopia*, gr. Παρασωπία = am Asopos, Landstrich Böotiens zu beiden Seiten des Asopos (Strabo 404). — *Parauaioi*, gr. Παραυαῖοι = 'die am Fluss Auos' (wohnenden), ein thesprot. Volksstamm in Epirus (Thuc. 2, 80) u. *Paraxia*, gr. Παραξία = am Axios, eine Ldsch. Maked., am linken Ufer des Axios (Ptol. 3, 13¹², Pape-Bens.).

Parada, Piedra = Haltstein, span. ON. der peruan. Anden, wo in 4900 m üb. M. ein grosser Felsblock steht. Früher war demselben eine

---

Capelle angebaut, u. der Erzbischof, auf der gesetzl. vorgeschriebenen Rundreise durch die Diöcesen, hat hier je eine Messe. Seit der Blitz die Capelle zertrümmerte, trägt der Stein nur noch ein Eisenkreuz (Tschudi, Peru 2, 41)

Paradies, in ON. nicht selten als Lobspruch, bes. im Ggsatz zu einem wilden, schauerlichen od. unfruchtb. Nachbarorte (s. Hölle), wie das holl. *Paradijs* (s. Hell), *Paradijs Eiland* (s. Clarence), das norw. *P. Bakke*, f. die Höhe zw. Christiania u. Drammen. 'Wer mag es ihnen verdenken? Beweist es doch, dass Niemand v. oben in das Lierthal herabkommt, ohne v. der Grösse des Anblicks getroffen zu werden!' (L. v. Buch, Norw. u. L. 1, 124). — *Paradise Valley*, ein liebl. v. Little Humboldt R. durchflossenes Thal in Nevada. Ein reicher, herrl. Graswuchs, unglaubl. Ergiebigk. in Weizen, Hafer, Gerste u. Kartoffeln, zahlr. Zuflüsse, welche v. den beiderseitigen Thalwänden herunterkommen u. z. Bewässerg. Stoff in Hülle u. Fülle u. überdiess delicate Forellen gewähren, gedeihliche Obstcultur etc., das sind lockende Eigenschaften . . . . the soil and the climate render this valley most inviting to the emigrant seeking a place to build up a desirable home (Hayden, Prel. Rep. 272). — *Le Paradis* ist wiederholt frz. ON., 2 mal im dép. Eure-et-Loir, 2 mal im dép. Eure etc. (Dict. top. Fr. 1, 137; 15, 162), in der Form *Pré-Paradis* (= P.-Wiese), f. eine gute Bergweide der Gem. Gingins, Waadt (Gem. Schweiz 19²b, 166). — *Paradiso* s. Inferno. — *el Paraiso* s. Valparaiso u. Summit. — *Val Paraiso* u. *Valle del Paraiso* s. Valparaiso. — Im religiösen Sinne die Mormonenstadt *Paradise*, in Utah (Hayden, Pr. Rep. 20).

Parakiri = Hautabschäler, bei den Maori eine der Schwefel u. Alaun absetzenden Fumarolen, welche an der Nordostseite des Taupo mit weithin sichtbarer Dampfsäule sich zeigen (v. Hochstetter, NSeel. 253).

Parallel Peak, 'a remarkable mountain' in Campana I., Chile, v. der Exp. Adv.-Beagle so genannt, weil sie zu Mittag des 10. April 1828 sich gerade westl., also unter demselben Parallel mit dem Peak befand (Fitzroy, Narr. 1, 162).

Paramo s. Puna.

Paran od. *Pharan*, hebr. פָּארָן [pharan] = höhlenreich nannten die Hebräer (1. Mos. 21, 21 u. a. a. O), einen, wie es scheint, leidlichen Theil der Wüste Tih, wohl nach einem höhlenreichen Thal, welches Joseph. (Bell. Jud. 4, 9. § 4) erwähnt (Gesen., Hebr. Lex.).

Parangi s. Franken.

Paraschka = die dampfenden, v. poln. *para* = Dampf, heissen die intermittirenden, bei kaltem Wetter dampfenden Quellen v. Sklo, Galizien (PM. 8, 31).

Paraskewe s. Piri.

Parc s. Park.

Pardo = braun, im plur. *Pardos* port. f. Mestizen (s. d.). — *Rio P.* = der braune Fluss, ein Küstenfluss der bras. Prov. Bahia, weil er, nach Regengüssen angeschwollen, eine Fülle schmutziggraubraunen Wasser sdaher wälzt(Avé-L., NBras. 1, 99).

Parece Vela = zieht die Segel ein, bei span. Schiffern die Andeutg., dass man sich einer Stelle nur mit Vorsicht nähern od. vielmehr sich v. ihr entfernen müsse, auf ältern span. Carten der Name einer gefährl. Lagunenbank zw. Riu Kiu u. Marianen, der v. Torre 1543 entdeckten *Abre-ojos* (s. d.), die bei den holl. Seeff. Quast u. Tasman 1639 *Engelsdroogte*, wo *droogte* = Untiefe u. 'Engel' ozw. der Name ihres Fahrzeugs, mod. *Douglas Reef* heisst nach dem engl. Capt. *D.* welcher auf der Rückreise America-China am 15. Sept. 1789 die Stelle passirte (Krus., Mém. 2, 46 ff., Meinicke, IStill. O. 2, 417).

Parentins s. Tupi.

Paretz, Ort am rechten Ufer der Havel, unweit Potsdam, deutet Jettmar (Ueberreste 26) = die am Flussufer, v. slaw. *po*, *pa* = entlang, herab u. *rëka*, *rieka* = Fluss, Localcasus *rëce, riece.* Ebenso ein russ. Ort *Poretschje,* an einem Zufluss der Düna u. das serb. *Poretz,* an der Donau, Orsowa ggb.

Parexis od. *Parecis, Paricis,* richtiger *Poragi* = Oberländer heisst ein an der Wasserscheide des La Plata u. des Amazonas lebender bras. Indianerstamm (Ausl. 1867, 869) u. nach ihm die *Serra dos P.* sowie die *Campos dos P.,* ein welliges Tafelland (Meyer's CLex. 12, 585).

Parfond s. Profond.

Paridênopaj = schwarzer Fels, sam. Name eines Ausläufers des nördl. Urál', nach seinem Aussehen (Schrenk, Tundr. 1, 383).

Parime s. Para u. Eldorado.

Pariquis s. Tupi.

Paris, die frz. Hptstadt, als kelt. Anlage auf der Insel der Seine, im Gebiete der *Parisii* = der Tapfern, *Lutetia,* 'möglicherweise ganz unser deutscher ON. *Horb* = Sumpf, Moor, da ir. *loth* = Sumpf, Koth, kymr. *lludedic* = sumpfig' (Bacm., Kelt. Br. 23) od. genauer *Lutuhezi* = Wasserwohng., was f. den Inselort nicht übel wäre (Meyer's CLex. 12, 598) od., nach R. Mowat (Rev. Arch. NS. 35, 102 f.), 'die weisse', nach dem hellen Baustein des Orts od. nach den berühmten Gypsbrüchen der Umgebg. In röm. Zeit hiess der Ort *Lutetia* (od. *Civitas) Parisiorum* = Stadt der Parisii, seit 358 bloss *Parisii, Parisia,* wie üblh. um das 4. Jahrh. die frz. ON. fast allg. durch die Völkernamen ersetzt wurden (Houzé, Et. NL. 86), bei Greg. v. Tours *Parisius,* gen. *Parisiorum.* Diese Umwandlg. gall. ON. untersucht F. Bourquelot (Mém. Soc. Ant. France 23, 387 ff.). Es ergibt sich ihm, dass sie schon zu Plinius' u. Tacitus' Zeit begann u. mit der 2. Hälfte des 4. Jahrh. schon abgeschlossen war. Wenn C. A. F. Mahn (Etym. Unters. 3, 43 ff.) ein kelt. *Luko-tekia* = Sumpfversteck f. die wahre Form hält, so hat R. Mowat (s. oben) gezeigt, dass *Louko-tekia* in der Bedeutg. Klein-Lutetia od., wohl eher, 'Haus des Lucotios', paraît distinct de *Lu-tetia,* dieses f. die Insel der Cité, jenes f. ein

Dorf auf dem spätern Berge Sainte Geneviève, j. Quartier v. Ponthieu. Uebr. sei noch beigefügt, dass auch der Volksname *Parisii* vschied. gedeutet worden ist: v. Bonamy (Recherches Par.) als 'Schiffleute', v. kelt. *par* = Schiff, u. *gwys, ys* = Menschen, v. Mahn (Etym. U. 3, 47) als 'Lanzenkräftige, Speermänner', v. kelt. *par, bêr* = Lanze, Speer, v. Zeuss (Gramm. 87) f. efficaces, strenui, v. welsh *peri, pari*; Andere lassen ihn sogar v. Paris, dem Sohne des Priamus, kommen od. haben noch andere Anklänge beigezogen.

Parisnath od. *Parasnath,* europ. Form f. *Pars-vanatha,* eine Hügelgruppe zw. Bengalen u. Bihar, benannt nach dem 23. Lehrer der Dschaina; es sind da ihm geweihte Tempel (Lassen, Ind. A. 1, 165).

Park Hillock = Parkhügel, ein erhöhter Sandstrand v. Tasmans Ld., v. Capt. Ph. P. King (Aust. 2, 201) am 9. Febr. 1822 so benannt nach seinem grünen Aussehen u. seinem dichten Baumwuchse. — *Iles des Parcs,* 4 Werder des untern Missuri, engl. übsetzt *Field Islands,* unth. des *P. Creek,* v. den frz. Händlern nach dem Aussehen getauft (Lewis u. Cl., Trav. 15). — *P. Butte,* eine Anhöhe der Sierra Blanca, die v. den schönsten natürl. Parks umgeben ist (Wheeler, Geogr. Rep. 65).

Parker, Mount, im engl. Entdeckungsfelde 2 mal: *a)* in antarkt. Admiralty Range, v. Capt. J. Cl. Ross (SouthR. 1, 185) am 11. Jan. 1841 entdeckt u. wie die übr. Berge benannt nach einem der Lord Commissioners der Admiralität, dem Vice-Admiral Sir William *P.,* bart., G. C. B., 'and commander-in-chief in the Mediterranean, one of the two senior naval lords'; *b)* in Grinnell Ld., am 11. Mai 1853 auf einer Schlittenexp. des engl. Capt. Edw. Belcher (Arct. V. 1, 260) entdeckt u. nach einem v. dessen Freunden, dem ältesten Lord der Admiralität, benannt. — *P.'s Island,* ebf. 2 mal: *a)* eine Küsteninsel Maine's, nach John *P.,* der sie 1650, also nachdem die Ansiedelg. v. 1607 aufgegeben worden, als erster bleibender Colonist den Indianern abkaufte (Strachey, HTrav. 172); *b)* vor Liverpool Coast, v. Walfgr. W. Scoresby jun. (North. WF. 179) am 20. Juli 1822 nach einem seiner Liverpooler Freunde, Charles *P.,* getauft. — *Point P.* s. Bayley.

Parma, ital. Stadt, unter diesem mir unerklärten Namen u. Kelten ggr. (Plin., HNat. 3, 115) wurde —183 röm. Colonie, unter Augustus *Colonia Julia Augusta,* nach dem Untergang des weström. Reichs *Chrysopolis* = Goldstadt (Meyer's CLex. 12, 613). Warum 'Goldstadt'?

Parodi s. Wyman.

Paropanisus, weniger richtig *Paropamisus,* bei den Alten der Name der iran. Berginsel der Hasareh u. Eimak, mir unerklärt. Die mittelalterl. Geographen kennen sie als *Ghur* = Bergland u. sprechen v. ihr als einer wilden, öden u. kalten Bergwelt. Man kann sie als die Fortsetzg. des HinduKhu bezeichnen (Spiegel, Eran. A. 1, 25).

Parres, St., 2 Orte des frz. dép. Aube, **urk.**

Sanctus Patroclus, da der Heilige als Märtyrer in der Gegend v. Troyes begraben liegt. Ueber dem Grabe entstand ein kleines Bethaus, später eine Kirche. In der vita des Heiligen heisst es, dieser sei den Henkern, die ihn in Troyes tödten sollten, üb. die Seine entflohen u. sei dann auf dem *Mons Idolorum* = Götzenberg enthauptet worden (Longnon, GGaule 342).

Parrot Spitze, einer der fünf südl. Gipfel des Monte Rosa, v. Baron v. Welden (MRosa 7. 36) 1822 benannt nach Dr. Friedr. *P.*, welcher im Sept. 1817, v. Mailand aus durch Val Sesia nach Riva u. weiter vorrückend, in der Nähe des Gebirgsstocks physikal. Beobachtungen anstellte (Schlagw., NUnt. 61).

Parry, *Will. Edward*, einer der kühnsten u. ausdauerndsten Polarff., geb. 1790, früh im dän. Seekrieg u. im Eismeer thätig, begleitete 1818 Capt. John Ross als Befehlsh. des zweiten Schiffes Alexander, ging 1819 als Chef einer Polarexp. ab u. überwinterte auf Melville I.; eine dritte Fahrt machte er 1821 mit Capt. Lyon, eine vierte 1824/25, mit Uebwinter. in Prince Regents Inlet. In der Hecla suchte er 1827 direct gg. den Nordpol vorzurücken. Die Jahre 1829/34 verbrachte er in Australien. Er wurde 1852 Contreadmiral u. † 1855 im Bad Ems. Nach ihm sind eine Reihe geogr. Objecte getauft: *Cape P. a)* am Eingang des Whale Sd., v. Ross (Baff. B. 147) am 18. Aug. 1818 getauft, wie *Cape Robertson*, der andere Eingangspfeiler, nach einem andern Begleiter, Lieut. Will. *R.*, v. Schiffe Isabella; *b)* an der Ostküste Grönlands, v. engl. Walfgr. Will. Scoresby jun. (North. WF. 248, vgl. Peterm., GMitth. 16, 328; 17 Taf. 10) am 10. Aug. 1822 benannt 'after our enterprising and highly respected northwestern navigator'; *c)* bei Franklin Bay, v. Capt. John Franklin's (Sec. Exp. 238 ff.) Gefährten Dr. Richardson am 23. Juli 1826 entdeckt u. getauft 'after that distinguished navigator whose skill and perseverance have created an era in the progress of northern discovery'. Vor dieser Franklinexp. hatte *P.* seine dritte Fahrt angetreten, u. es schien den Reisenden möglich, dass *P.* an der Küste mit ihnen zsträfe od. wenigstens das nach ihm getaufte Cap erreichte; darum legte Richardson hier u. an einem östlicher gelegenen Puncte Briefe f. *P.* nieder, um den allf. Finder v. dem Fortgange der Exp. Franklin zu benachrichtigen. — *P. Bay a)* in Melville Bay, ebf. v. Capt. John Franklin (Narr. 381 ff.) im Aug. 1821 nach seinem Freunde benannt; *b)* s. Biot I. — *P.'s Group*, in den Bonin In., v. engl. Capt. Beechey (Narr. 2, 520) im Juni 1827 getauft zu Ehren des vorm. Hydrographen *P.*, 'under whose command I had the pleasure to serve on the northern expedition'. — *P. Harbour*, in Admiralty Sd., Feuerl., ozw. durch die Exp. Adv.-Beagle im Febr. 1827 benannt (Fitzroy, Narr. 1, 56). — *P. Island*, die schon 1823 v. Capt. Dibbs entdeckte östlichste der Hervey In., einh. *Mauke*, tahit. *Maute*, v. Capt. Byron 1825 getauft (Meinicke, IStill. O. 2, 141). — *P. Is-*

lands, arkt. Archipel, v. *P.* (NW. Pass. 99) auf seiner kühnen Fahrt 1819/20 erschlossen u. *New Georgia* od., um die Verwechslg. mit dem ältern Neu Georgia zu vermeiden, *North Georgian Islands*, zu Ehren Georg's III., 'whose whole reign had been so eminently distinguished by the extension and improvement of geographical and nautical knowledge, and for the prosecution of new and important discoveries in both', dann aber v. Ross (Sec. V. p. VIII) mit dem j. herrschenden Namen getauft. — *Mount P.*, in Grinnell Ld., ein markanter Punkt, welchen des americ. Polarf. E. K. Kane (Arct. Expl. 1, 300) Gefährte Will. Morton auf seiner Explorationstour (25. Juni 1854) erblickte, benannt als das dam. nördlichste bekannte Land der Erde 'from the great pioneer of Arctic travel'. — *P. Mountains*, im antarkt. Victoria Ld., v. Capt. J. Cl. Ross (South. R. 1, 218) am 28. Jan. 1841 entdeckt u. als das südlichste bekannte Land benannt 'in grateful remembrance of the honour he conferred on me, by calling the (then) northernmost known land on the globe by my name (s. Ross's Inlet); and more especially for the encouragement, assistance, and friendship which he bestowed on me during the many years I had the honour and happiness to serve under his distinguished command on four successive voyages to the arctic seas; and to which I mainly attribute the opportunity now afforded me of thus expressing how deeply I feel myself indebted to his assistance and example'. — *P. Falls*, ein Fall des bei Fort Reliance in den Gr. Sclavensee mündenden Flusses, mit 2 Absätzen, deren unterer 120—150 m h. ist, v. G. Back (Narr. 234 f.) entdeckt am 25. Sept. 1834 u. im folgenden Frühjahr v. der Westseite her wieder besucht. Der Anblick ähnelte einem spitzb. Eisberg in Smeerenburg; denn die ganze Felsfront, welche den Abgrund bildet, war gänzlich in blaues, grünes u. weisses Eis gekleidet, in Tausenden mächtiger Hangzapfen, in allen erdenkl. Formen v. Höhlen, Spalten u. übhängenden Lagen; drunten in 60 m weitem Kessel das Wasser vom hellsten bis z. dunkelsten Grün u. alles düster übwölbt v. hellgrauen Gischtwolken. Niagara, Wilberforce's Fall, die Kakabakafälle, die schweiz. u. ital. Wasserfälle, obgl. jeder v. ihnen das Auge mit seinen Schrecken entzücken mag, lassen keinen Vergleich zu in Pracht des Effectes. Und, da die eisbergähnl. Erscheing. die Erinnerg. an eine andere Scene weckte, so gab ihr der Entdecker den Namen des berühmten engl. Polarfahrers. — *Lady P. Island* s. Biot.

Parses s. Aigues.

Parsi, in engl. Orth. *Parsee*, d. s. die aus ihrer Heimat Persien (s. d.) vertriebenen u. nach Indien geflüchteten Anhänger der Lehre Zoroasters, in dem ON. *P. Point*, ein Landvorsprg. an der Nordseite NGuinea's, v. engl. Capt. Moresby 1873 getauft offb. nach der eigenthüml. hohen Kopfbedeckg., welche ihm an den dortigen Wilden auffiel u. an die der Parsen erinnerte. 'For the first time in New Guinea we observed tappacloth used; they wore it round their waists, and made into high conical caps which gave them all the appearance of Indian Parsees' (Journ. RGSLond. 1875, 162). — *Parsivan* s. Buchara. **Partábgarh** = Prachtschloss, pers.-hind. ON. in Málwa, in Berár u. in Hindostán. Aehnlich *Partapur* = Prachtstadt, in Bengál u. 2 mal in Hindostán (Schlag., Gloss. 232).

Part-Dieu, la, lat. *pars Dei* = Theil Gottes, eine 1307 v. Wilhelmine, Gräfin v. Greyerz, gestiftete Carthause 'quam volumus appellari *Partem Dei*' (Stiftgsurk. Mém. Frib. 2, 153).

Parthenion, gr. *Παρθένιον* = Jungfernberg, nach dem Beinamen der Artemis Parthenos = der jungfräulichen Artemis: *a)* ein Berg auf der Ostgrenze Arkadiens, üb. welchen ein Pass, j. noch *Partheni*, nach Tegea führt, etwas südl. v. Artemision (Curt., Pel. 1, 18); *b)* ein Vorgebirge der taur. Chersonnes, nach einem Tempel der Parthenos benannt (Strabo 308); *c)* vschiedd. Ortschaften, z. B. auf Leros, j. noch *Partheni* (Ross, IReis. 2, 120ff.). — *Parthenope*, v. gr. παρθένος = Jungfrau u. ὤ = Gesicht, eine griech. Colonie (s. Neapolis), nach dem Denkmal der dort verehrten Sirene d. N. (Strabo 23. 26. 246, Pape-B.). — *Parthenios* s. Imbrasos. — *Parthenopolis* s. Magdeburg.

Partida, Rocca = zertheilter Fels, richtiger *Roca P.*, bei Mexico 2 mal: *a)* ein kleines, hohes, steiles, wie in 2 Hälften getheiltes Felseiland der Gruppe Revillagigedo, v. span. Seef. Ruy Lopez de Villalobos 1542 entdeckt (Herrera dec. 7, 5⁵ p. 115) u. so genannt, weil es, v. Nordwesten gesehen, zwei Schiffen unter Segeln ähnelt (DMofras, Orég. 1, 245, Bergh., Ann. 10, 7, GForster, GReis. 3, 22). Das span. verb. *partir* kann auch abreisen heissen; in dieser Bedeutg. (s. v. a. wandelnder Fels) kämen wir der Vergleichg. mit Schiffen noch näher; *b)* ein Küsteneiland im Golf v. Mexico, vor dem Vulcan v. Tuxtla (Hakl., Pr. Nav. 3, 620).

Partridge Valley = Thal der Rebhühner, ein oben schluchtenartiges Thal des Coloradogebiets, abwärts weiter u. bedeckt mit grasigen Abhängen u. Cedergruppen, ohne fliessende Wasserader, aber mit einer Kette v. Teichen u. dadurch, wie durch die Thierwelt, vortheilhaft gg. die ausgebrannten nördlichern Plateaus abstechend. The pasturage was excellent. The place is a great resort at this season for grizzly bear, antelope, deer, and wild turkeys, large numbers of whose tracks were seen leading to and from the water holes (Ives, Rep. 114). — *P. Crop River* = Fluss des Rebhuhnkropfs, der Manitobah u. St. Martin's L. verbindende Flusslauf, v. den Canadiern so genannt, weil manche Quadratmiles mit Binsen bedeckt sind u. die Umrisslinie dieses Röhrichts v. den Indianern mit einem Rebhuhnkropf verglichen wird (Hind, Narr. 2, 35). — *P. Island*, an der Mündg. des St. John R., NBrunswick (Spr. u. F., Beitr. 7, 19). — Holl. *Patryssenberg*, unw. der südl. Helena Bay (Lichtenst., SAfr. 1, 84).

Parvati = Bergland, skr. Name eines Berggegebiets des mittlern Himálaja, auch *Malajabhumi*, v. gl. Bedeutg., mit dem nichtskr. Worte *malaja* = Berg (Lassen, Ind.A. 1, 75). — Ebenso *Parvati* = Bergfluss, ein Fluss in Malva, da Durga od. *P.* die Berggöttin ist, u. *Parvatipuram* = Stadt der Durga, in Orissa (ib. 146, Schlagw., Gloss. 232).

Pasado, Punta = Cap des Ueberschrittes nannte der Pilot 'Barth. Ruiz, welcher auf der Entdeckgsfahrt Pizarro-Almagro 1526 behufs Kundschaft vorausging, eine v. ihm entdeckte Landspitze südl. v. Aequator, 'having the glory of being the first European who, sailing in this direction on the Pacific, had crossed the equinoctial line' (Prescott, CPeru 1, 246).

Pascal, Baie, im Spencer's G., v. frz. Lieut. L. Freycinet, Exp. Baudin, am 21. Jan. 1803 benannt nach dem Mathematiker Blaise *P.* 1623 —1662 (Péron, TA. 2, 77), wie *Ile P.*, in den Iles de l'Institut, am 14. Apr. 1801 (ib. 1, 116; 2, 211, Freycinet, Atl. 27).

Pascha, die aram. Wortform des hebr. *pessach*, *passah* = Vorübergang, Verschonung, daher Gedenkfest der Verschonung der Erstgeburt in Aegypten (2. Mos. 12, 27) mit dem Passahmahle (4. Mos. 9, 4), wurde bei den Judenchristen als Dankesfeier f. das durch Christus der Menschheit gewordene Heil, als Andenken an Christi Leiden u. Auferstehung, also in 3ᵈ, begangen u. entwickelte sich so z. Osterfest, mit dem hebr. Namen um so leichter, da der Anklang v. πάσχα mit πασχειν = leiden z. Schlusse der Passionswoche wohl stimmte. Der Name ist nicht nur in die neurom. Sprachen, span. *pascua*, port. *pascoa*, ital. *pasqua*, frz. *pâques*, übergegangen, sondern auch in einige german. Sprachen, holl. *paaschen* (s. d.), dän. *paaske*, schwed. *påsk*, u. erscheint darum in einigen Entdeckernamen, zuerst im *Monte Paschoal*, einem hohen Berg bei PSeguro, Brasil., 'wie das Gemäuer eines Thurms v. ungeheuern Dimensionen ragt er heraus aus der Umgegend, gewaltige Reste einer mythischen Cyclopenburg' (Avé-L., NBras. 1, 173), v. Cabral am Osterfeste, 22. Apr. 1500, entdeckt ... 'em attenção à festa da paschoa que se acabava de solemnisar a bordo (Varnh., HBraz. 1, 14).

Pascha, Kalât i- = Paschaschloss, ein j. zerfallenes Erdcastell bei Hilleh, 'genannt v. einem Heitahauptmann, welcher sich vor einigen Jahren gg. den *P.* empörte u. die umliegenden Araber rançonnirte' (Schläfli, Or. 110). — *Chor el-P.* s. Ardeb. — Die Form *pádischah*, *pádschah*, *bádschah*, im Sinne v. 'König', auch in den ON. *Badschanágar* u. *Badschapúr* = Königsstadt (Schlagw., Gloss. 172). S. Padschahgandschi.

Pa-sche-pa-li od. *Bischebalikh* = die 5 Städte, im osttürk. eine Prov., dieselbe, welche vor Beginn der christl. Zeitrechng. *Kueï-tse* geheissen hatte u. diesen Namen bis z. mongol. Zeit (1260 —1340) behielt. In dieser Prov. liegt *Pai* = reiche Ausdehng., gew. einfach = Stadt (im pers.), im mandschu, mong., osttürk. u. pers. *Bai* geschrieben, im tibet. u. chin. *Fài*, weil hier der Initial-Lippenlaut nicht so wie dort erweicht ist, bei MPolo *Pein* (Pauthier, MPolo 1, 146 f. 160).

Pasco's Inlet, eine Einfahrt westl. v. Albert R., Carpentaria G., v. Capt. Stokes (Disc. 2, 301) im Juli 1841 nach einem seiner Gefährten benannt.

Paseka = Novale, Rode, čech. ON. in Böhmen häufig, neben *Pasek, Passek, Paseki, Passeken*, in Dalmat. *Pasičina*, u. damit verwandt *Pasieczna, Pasieka, Pasieki, Paszika, Posiecz*, in Galiz. u. Ung., v. poln. *pasieka, posiecz* = Verhau (Miklosich, ON. App. 2, 212. 219).

Páserlachà od. *Pänserlachà* = trommelförmiger Berg, v. *paser, panser* = Zaubertrommel der Samojeden u. der partikel *lachà* = förmig, sam. Bergname im nördl. Urál (Schrenk, Tundr. 1, 344).

Pasir, Laut = Sandsee, mal. Name des mit dunkelbraunem Sande bedeckten Kraterrings des Vulcans Bromo, Java. 'This name . . . is, like many of the native names, a very fanciful and not a particularly appropriate one' (Jukes, Narr. 2, 69). — *Telaga P.* = Bergsee, ein See des Bergsattels zw. dem Vulcan Lawu u. G. Kendil (Jungh., Java 1, 97).

Pasley, Cape, östl. v. Cap Aride (s. d.), v. Capt. Matth. Flinders (TA. 1, 87) am 15. Jan. 1802 benannt nach dem vorm. Admiral Sir Thomas *P.*, 'under whom I had the honour of entering the naval service'. — *P.'s Cove*, in Richardson Ld., v. der 2. Exp. John Franklin (Sec. Exp. 257) am 6. Aug. 1826 entdeckt u. getauft nach Oberstl. *P.*, 'of the Royal Engineers, to whose invention we owe the portable boat, named the Walnut-shell, which we carried out with us'.

Passage Island = Insel der Durchfahrt, in Frozen Str. (s. d.), am 20. Aug. 1821 entdeckt v. Capt. W. Edw. Parry (Sec. V. 49) u. später so benannt, weil er durch die vermeinte Eine Insel eine Durchfahrt entdeckte u. passirte; *b) P. Isle*, nebst *P. Point*, in der Gruppe Furneaux, v. Lieut. Matth. Flinders (TA. 1, CXXX, Atl. 6) im Febr. 1798 so benannt, weil er hier auf dem Rückwege v. seiner Recognition z. Schooner sich befand. — *Passa Dois* = Zweipass, port. Name einer Ansiedelg. der Prov. Santa Catharina, daher entnommen, weil man den geröllerfüllten Tubarão dort zweimal zu überschreiten hat (Avé-L., SBras. 2, 51). — *Pass Creek* s. Two Ocean.

Passamaquoddy = Fischfang in Ueberfluss, ind. Name der Grenzbay zw. Maine u. NBrunswick, (Buckingh., East. & WSt. 1, 150).

Passaros s. Pajaros.

Passau, Ort an der Confl. Inn-Donau, röm. *Patavium* (Tacit., Ann. 16, 21, Hist. 3, 6, Liv. 10, 2, Mela 2, 4, Plin. 3, 19), bei Strabo u. Ptol. *Πατaουίov*, dann *Patavia, Pazawa, Pazouwa* u. s. f., als befestigtes Lager batav. Truppen. Wenigstens zZ. der not. dign., ca. 400, bestand die Besatzg. der im Flusswinkel angelegten röm. Veste aus Batavern u. zwar der 9. bat. Cohorte: *Castrum Batavum, Oppidum Batavinum* (s. Batavi), u. in der Folge ging der Name des Lagers auf die

'Innstadt' über, die Keltenburg *Bojodurum* = Bojerveste benannt nach einem Thurm, den die aus Vindelicien nach Böhmen ziehenden Bojer erbaut hatten (Planta, ARät. 110, Baem., AWand. 136, Meyer's CLex. 12, 634).

Passava s. Las.

Passeau Minac Sagaigan = See der trocknen Beeren, ind. Name des v. den Canadiern *Lac lu Bois-Blanc* = Weissholzsee getauften See's zw. L. Superior u. Rainy L., nach den auf den felsigen Uferbergen reichlich wachsenden Beeren, welche f. die einst weit stärkere Bevölkerg. v. Wichtigkeit waren (MacKenzie, Voy. 59).

Passek s. Paseka.

Passenheim, Stadt in der Prov. Preussen, 1385 ggr. u. benannt zu Ehren des obersten Spittlers Walpol v. Bassenheim (Toeppen, GvPr. 194).

Passion, Islas de la, eine Gruppe v. 7—8 bewaldeten Eilanden der Carolinen, einh. *Ngatik, Ngarik*, v. span. Capt. Filipe Tomson 1773 (in der Passionswoche?) entdeckt, v. engl. Capt. Musgrave, Schiff Sugarcane 1793, in *Seven* (= 7) *Islands*, v. Capt. Dennet, Schiff Britania 1794 in *Raven Islands* = Rabeninseln umgetauft. Die einzige bewohnte Insel nannte der erste Entdecker *Isla de los Valientes* = Insel der kräftigen Leute (Krus., Mém. 2, 347, Meinicke, 1Still. O. 2, 352). — *Ile de la P.* s. Duncan.

Pasto, Bergstadt in Columbia, am 17. Juli 1539 im Thale Guacanquer auf Befehl Gonzalo Diaz's de Pinedo ggr. v. Capt. Lorenzo de Aldaña u. mit span. Vornamen *San Juan de P.*, später in das Thal Tris verlegt u. *Villa Viçosa de P.* genannt. (Raleigh, Disc. G. p. VIII ep. ded.). Die Gründg. geschah im Gebiete der Pastos(-Indianer), die mit ihren Nachbarn, den Quillacingas, sich vortheilhaft v. den anthropophagen Stämmen jener Gegenden unterschieden u. ihr Land wohl anbauten. Der span. Reisende P. de Cieza de Leon (WHakl. ↸. 33, 119. 123) schildert die Gegend als volkreich u. gibt an, dass im ganzen Gouv. Popayan keine Stadt so viele ind. Unterthanen habe, 'and it even has more than Quito and other places in Peru.' Nach der Stadt der *Volcan de P.*

Pástyjagà = Waldfluss, sam. Flussname f. russ. *Poscha*, nach dem an seinen Ufern sich ausbreitenden Walde, welcher als Beweis des noch zieml. milden Klimas neben den Tannen u. Birken auch Fichten, oft freil. nur in magern Bäumchen, enthält (Schrenk, Tundr. 1, 675).

Patagones, v. span. *pata* = Tatze, also 'Tatzenfüssler', nannte der in span. Diensten stehende Portugiese Fernão Magalhães 1520 die Wilden südl. v. La Plata, weil ihre Füsse, 'disformes pies', mit Guanacofell überzogen, wie Thierfüsse aussahen (Navarr., Coll. 4, 39, P. Martyr, dec. 5 c. 7, Gomara, HGen. c. 91, Debry, Americae l. 4, 66, Fitzroy, Adv.-B. 2, 134). Durch die Uebertreibungen des Ritters Pigafetta (Pr. Voy. 26) wurden die allerdings grossgewachsenen Leute zu einem Geschlechte 3 m h. Riesen, qui dimisere, absque nausea, sequicubitales sagittas per guttur ad stomachi usque fundum (LHulsius, Del. Am. 1599).

Fr. Fletcher, der Schiffsprediger Drake's 1578, betrachtet 5 Ellen als 'die äusserste Grenze der längsten dieser Riesen' (Spr. u. F., NBeitr. 12, 233). — Nach den Leuten das Land *Patagonia*, auf Ribero's Westcarte 1529 *Tierra de Fern. de Magellanes* (ZfAErdk. 1876, 352), noch 1749 im Homannischen Atl. *Terra Magellanica*. Eine Stadt, v. Francisco Viedma um 1790 am Rio Negro, der dam. patagon. Grenze, ggr. u. urspr. *el Carmen*, zu Ehren ULFrauen v. Carmen, unter deren Schutz sie gestellt wurde, getauft, heisst j. *P*. (Musters, Pat. 4. 306), in Falkland gew. *Rio Negro*, nach dem Flusse (ib. 8). — *Estrecho de los P*. s. Magalhães.

Pataliputra s. Patna.

Pátarajagakò = Lachsbach, sam. Name eines rseitg. Zuflüsschens der kleinländ. Wólonga, russ. *Kumscha*, weil die *pátara*, eine Lachsart, Salmo leucomoenis Pall., russ. *kumscha*, diesen Bach hinaufsteigt. Nach dem Flusse die nahen Bergkuppen *Pátara-sedè* od. *Kumschenskija Sopki* (Schrenk, Tundr. 1, 660).

Patavinae A. s. Abano.

Paternoster s. Balabatakan.

Paterson, Baie, 2mal: *a*) bei Cape Wilson, v. der frz. Exp. Baudin im März 1802 nach 'dem ehrwürdigen engl. Gelehrten u. Reisenden d. **N.**, einem der vertrautesten Freunde' des Entdeckers Bass, benannt (Péron, TA. 1, 262), j. auf den Carten *Lady Bay* u. in der Nähe ein *Cape P*.; *b*) an der Nordküste des Australcontinents, ozw. v. engl. Capt. Ph. P. King (Austr. 1, 270) 1818 getauft. — *P. Island*, in NCaled., v. engl. Capt. Kent, welcher 1793 hier 6 Wochen verweilte (Krus., Mém. 1, 203).

Pateshall, Cape, am Eingang v. Lancaster Sd., v. Lieut. W. E. Parry (NWPass. 32) am 3. Aug. 1819 entdeckt u. benannt nach Capt. Nicolas Lechmere *P*., of the Royal Navy.

Pathros s. Aegypten.

Patia, Rio, ein pacif. Küstenfluss Columbia's, nach einem Indianerhäuptling *P*., den Pascual de Andagoya in dieser Gegend traf (WHakl. S. 34, 69).

Patience, Cap = Vorgebirge der Geduld, nebst *P. Bay* an der Ostseite Sachalins, v. holl. Seef. de Vries 1643 getauft z. Erinnerg. an die geduldige Ausdauer, welche er hierbei den widrigen Winden entgegengesetzt hatte.

Patiram s. Rama.

Pátna = Stadt, hind. ON. (s. Pattana) in Bengál, einst *Pátaliputra* = Stadt (eig. Sohn) der Blume *pátali, bignonia*, od. *Báliputra* = Bali's, d. i. des Mächtigen, Sohn, der letzte Name verd. in gr. Παλίβοθρα, Παλίμβοθρα. Zu Megasthenes' Zeit erstreckte sich die schnell u. erst kürzl. erbaute Stadt 180 Stadien == über 30 km längs des Ganges, bei einer Breite v. 15 Stadien = über 2½ km. Als blühende, reiche Hptstadt wird sie noch im 7. Jahrh. v. chin. Besuchern beschrieben. Jetzt ein ungeheures Trümmerfeld bei *P*. (Kiepert, Lehrb. AG. 39). Sonst hiess bei

den Alten der Ort auch *Puschapúra* = Stadt des Maulbeerbaums, *Kusumapúra* = Blumenstadt od. *Padmáwati* = die lotosreiche (der ind. Lotos ist das z. Familie der Seerosen gehörige Nelumbium speciosum Willd.). Heute bei den Muhammedanern gew. *Azimabad*, v. Mannsnamen *azim* = gross, die Ruinen des alten *P*. im Volksmunde *Patelputer* (Diod. Sic. 2, 39, Pape-Bens., Schlagw., Gloss. 171. 233, Reis. 1, 273). Lassen (Ind. A. 1, 168) hält (mit H. H. Wilson) dafür, dass der alte Name urspr. *Pataliputra* = Lotosstadt lautete u. -*pura* erst später in -*putra* sich verwandelt habe; daraus sei dann die brahm. Legende entstanden, als sei der Ort v. Putra u. seiner Gemahlin Patali ggr. worden. Die hier in Frage liegende Lotosblume ist Bignonia suaveolens, engl. trumpetflower. Auch *Puschapura* setzt Lassen wie *Kusumapura* = Blumenstadt.

Patos, Lagoa dos = Entensee heisst, 'u. wohl mit Recht', der v. allerlei Wasservögeln belebte Strandsee, in welchen der bras. Rio Grande do Sul mündet (Varnh., HBraz. 2, 151); 'denn wie sehr auch das Auge des Beschauenden angezogen wird v. lustigen Treiben der Schiffe, welche kommen u. gehen, u. den mannigfachen kleinen Segelbooten, welche im frischen Morgenwind hin u. her flankiren: am meisten u. mit verwundertem Erstaunen haftet der Blick auf der Menge v. Vögeln, welche in Armeen die Ufer bedecken. Man hat wirkl. nicht leicht einen Begriff v. dieser ungeheuern Menge. So viel ich mit meinem Fernrohr erkennen konnte, waren es Mycterien, Reiher, Schwäne, Gänse u. Enten, deren Geschwader einzelne Küstenstriche förmlich colorirten. Während leichte Möven sich in ewiger Bewegg. durch die Luft werfen, stehen jene langbeinigen Mycterien u. Reiher in unverwüstlicher Ruhe im Wasser, umgeben v. einer Menge kleiner, schneeweisser Garças (Reiher). Manchmal stösst der eine od. andere den Schnabel schnell ins Wasser, um nachher desto gravitätischer dazustehen. Kommt etwas, was sie stört, in ihre Nähe, so fängt der lange Zug an zu wandeln, aber ebf. mit grosser Ruhe... Kam ein Boot allzunahe in ihre Gegend, so flogen in staubartigem Gewimmel ganze Massen auf, um sich bald in einiger Entferng. wieder hinzusetzen...' (Avé-L., SBras. 1, 112); *b*) *Bahia de los P*., in Patag., v. Fern. Magalhães zu Ende Febr. 1520 so benannt, weil se auf einer Insel derselben viele Enten u. acht Seehunde erlegte (Navarrete, Coll. 4, 34). — *Isla de los P*., mehrf.: *a*) die j. *Magdalenen I*., Magalhães St., wo die zahllosen Schaaren v. Wasservögeln 'ihr Hauptquartier zu haben scheinen ... ett par af våra skyttar medföljde för att anskaffa några exemplar de de foglar, som i talrika skaror svärmade omkring på alla håll, och tycktes hafva sitt högqvarter på Magdalenaön, hvilken oká af Spaniorerne tillförene kallades *Gåsön* (Skogman, Eug. R. 1, 95); *b*) im Golf v. Calif., Nebeninsel der Isla del Tiburon (DMofras, Or. 1, 214); *c*) s. Sulphur. — *Ilha dos P*. s. Catharina. — *Rio de los P*., in Uruguay, v. F. Magalhães im Jan. 1520 getauft (WHakl. S. 52,

88*

214). — *Rio dos P.*, der Oberlauf 'des Ivahy-Paraná (Peterm., GMitth. 22, 349).

Patras, Ort am *Golf v. P.*, ital. *Patrasso*, ngr. εἰς τὰς Πάτρας, gr. Πάτραι, angebl. aus 3 ältern Orten, worunter *Aroe*, Ἀρόη, erwachsen, v. semit. פתר = weissagen, nach dem seltsam ungriech. Spiegelorakel, das wie noch andere Cultusformen u. die Byssosindustrie als Rest semit., spec. phöniz. Colonisation angesehen wird (Kiepert, Lehrb. AG. 258). Etwa um die Zeit der Perserkriege, bes. aber unter Octavian, erhielt die Stadt neuen Volkszuwachs aus der Umgegend u. war als röm. *Colonia Aroe Patrensis* die Hptstadt des ganzen westl. Achaja (Curt., Pel. 436 ff.).

Patriarchs, the = die Patriarchen (Abraham, Isaak u. Jakob), drei pyramidale Hügel, abgesondert v. dem westlichern Hochlande auf einem niedrigen Landvorsprg. v. Flinders I., Furneaux, den Babel Is. ggb. sich erhebend, so benannt am 9. Febr. 1798 v. Lieut. Matth. Flinders (TA. 1. CXXVI, Atl. 6).

Patrick, Port St., eine Hafenbucht an der Südwestseite der austr. Insel Annatom, NHebr., im März 1830, am Tage des heil. *P.*, entdeckt v. brit. Capt. Lawler u. Lieut. Cole, RN. (Bergh., Ann. 5, 352). — Auch *Battersea*, ein Vorort Londons, enthält das Andenken des Heiligen, als ags. *Patryks-ea* = Insel Patricks, latin. *Patricii Insula* (Camden-Gibson, Brit. 1, 240).

Patryssen s. Partridge.

Pattala s. Potala.

Pattana od. *Páttan* = Stadt, hind. Form f. *Patna* (s. d.), ON. in Gudschrat (Schlagw., Gloss. 233), früher *Anarata* = Feuergehege (Lassen, Ind. A. 1, 137), wohl id. mit *Páttan-Somnath,* bei Abulfeda *Sumanât*, in Ferischtah *Semnât*, bei MPolo *Semenat*, v. skr. *sômanátha* = Herr des Mondes, einem der Namen Siwa's, dem der Tempel geweiht war. So erklärt der arab., des Sanskr. kundige Al-Byruny *sum*, *sôma* = Mond, *nat*, *nátha* = Herr. Tägl. 2 mal, bei Auf- u. Untergang des Mondes, viel stärker jedoch monatl. zweimal, z. Voll- u. Neumondszeit, benetzten die Fluten des Meeres den 'Stein v. Sumenat'; das betrachtete der Indier als Huldigg., welche das Meer Siwa darbringe; denn der 'Stein' stellte die Geschlechtstheile dieses Gottes dar (ed. Reinaud, Fragm. 111).

Patterson s. Tuscarora.

Patteson, Port, ein Ankerplatz v. Vanua Lava, Banks Is., NHebrid., v. engl. Bischof Selwyn 1857 getauft nach einem melanes. Collegen '(Journ. RGSLond. 1872, 229).

Patumbójjagâ = Fluss kleiner Bäume, v. *patumbôj*, dim. v. *pa* = Baum, Holz, sam. Name eines z. Petschóra gehenden Flüsschens, v. einer Waldoase magerer Lärchen, einer in der Tundra sehr auffälligen Erscheing. (Schrenk, Tundr. 1, 555).

Paul, besser *Paulus*, span. *Pablo*, port. *Paolo* (s. d.), Taufname, insb. *Sanct P.*, Name des einflussreichsten der Apostel Jesu, welcher, aus einem pharisäischen Eiferer Saulus ein ebenso eifriger Christ geworden, in römische Haft fiel u. unter dem Kaiser Nero enthauptet worden sein soll. Der Kalender feiert, 1200 v. Papst Innocenz III. angeordnet, das Gedächtniss seiner Bekehrg., festum conversionis *Pauli*, am 25. Jan. u. widmet ihm, zs. mit Petrus, schon seit dem 4. u. 5. Jahrh. auch den 29. Juni, *Peter* u. *Paul*. Es ist wie selbstverständl., dass insb. das Kalenderfest im Gange der geogr. Entdeckungen seine toponym. Verwendg. fand; aber auch der Taufname gewisser Regenten ist z. Namenbildg. gewählt worden. Wir stellen hier voraus *St. P.*, Stadt in Minnesota, mit engl., urspr. frz. Namen, als Indianermission ggr. u. nach dem Heidenapostel getauft, 1849 noch ein blosser 'Grenzhandelsposten, *Minnewakan* (s. Devil), bekannt als der Ort, wo *minne-wakan* = Branntwein, eig. 'geheimnissvolles od. übernatürliches Wasser', zu haben sei (Coll. Minn. HS. 1, 241. 245). — Ein anderes *St. P. a)* Felseiland bei Cape Breton (Meyer's CLex. 14, 40), wohl das v. J. Cartier am 1. Juni 1536 entdeckte *Cap de Saint-P.* (Hakl., Pr. Nav. 3, 231, Avezac, Nav. Cart. 46); *b)* s. Amsterdam, *c)* s. Pribuilow. — *St. P.'s Dome*, ein hoher Berg an der Südwestseite Feuerlands, ähnlich der St. Paulskirche ... which in some views very much resembled the dome of *St. P.*, benannt im Jan. 1830 v. Capt. Fitzroy (Adv.-B. 1, 381). — *St. Paulsbad*, Thermalort am Axai-Terek, v. Güldenstedt (Georg. 63) nach dem Grossfürsten Paul Petrowitsch benannt, tatar. *Axai Isse Su* = Therme am Axai (Falk, Beitr. 2, 15).

Paulet Island, eine 220 m h. kegelf. Insel nahe Cap Purvis, SShetl., v. Capt. J. Cl. Ross (SouthR. 2, 328) am 30. Dec. 1842 benannt nach Capt. Lord George *P.*, R. N., 'our good friend and brother officer, to whom we equally owe many obligations'.

Pauline, Pointe, ein Vorgebirge am St. Vincent's G., v. der Exp. Baudin im Jan. 1803, wie die meisten übr. Punkte jener Gegend nach Frauenspersonen, hpts. Gliedern der Familie Bonaparte, benannt, u. zwar nach der zweitältesten Schwester Napoléon's I. (Péron, TA. 2, 74); *b)* ebenso *Ile P.*, in den Iles Joséphine, im Febr. 1803 (ib. 2, 89. 92). — *Paulinzelle*, ehm. Cicercienstift, j. Dorf, in Schwarzburg-Rudolstadt, v. *P.*, der Tochter eines thüring. Ritters Moricho, 1106 ggr. (Meyer's CLex. 12, 661).

Paumotu = Inselwolke, einh. Name eines austr. Arch. niedriger Korallbildungen, so übsetzt Hales, der Begleiter des americ. Capt. Wilkes (1840). Ebenso Skogman, Eug. R. 2, 30. Trotzdem ist f. Meinicke (ZfAErdk. 1870, 340, 1Still. O. 2, 200. 429) *P.* 'v. unbekannter Bedeutg.'; die Uebs. sei schwerlich richtig, 'weil sie in das Sprachbewusstsein des Volkes etwas legt, was nicht darin ist'. Wenn die frz. Regierg. *P.* = eroberte, unterworfene Inseln setzt, so ist diess offb. falsch, weil der Name älter als die erst gg. Ende des 18. Jahrh. erfolgte tahit. Unterwerfg. Der beleidigende Name wurde 1851, seit *P.* im tahit. Parlament vertreten ist, in den ähnl. klingenden *Tuamotu* = entfernte Inseln (des hohen Meeres) umgetauscht (PM. 4, 439; 10, 391). Allein 'diese Comödie hat nichts z. Folge gehabt, weil der neue Name auf die frz. Regierungsberichte beschränkt geblieben ist'. Krusenstern hat die Benenng. *Niedrige Inseln* vorgeschlagen; die Händler u. Missionäre sagen *Perlen-Inseln* nach einen der wichtigsten Producte. Hier u. da wird der Name der *Palliser's Isles*, wie Cook eine der Gruppen genannt hat, auf die Gesammtflur übtr. Nachdem schon Magalhães 1520/21 dem Arch. nahe gekommen war, geschah die Entdeckg. durch den span. Seef. L. V. de Torres, v. der Exp. P. F. de Quiros 1606 (Peschel, GErdk. 325). Die holl. Seeff. Le Maire u. Schouten 1616 schrieben *Archipel des Bösen Meeres*, was der frz. Hydrograph Fleurieu wiedergiebt: *Archipel de la Mer Mauvaise* (Krusenst., Mém. 1, 259 f., wo die Gefahren dieser Gewässer geschildert sind). Der frz. Seef. Bougainville (Voy. 183), Ende März 1768, nannte 'very properly' den gefürchteten Schwarm 'unnahbarer' Eilande *l'Archipel Dangereux* = die gefährliche Inselflur. 'La navigation est extrêmement périlleuse au milieu de ces terres basses, hérissées de brisans et semées d'écueils, où il convient d'user, la nuit surtout, des plus grandes précautions'.... 'The smoothness of the sea sufficiently convinced us that we were surrounded by them' (i. e. by those low overflowed isles), 'and how necessary it was to preceed with the utmost caution, especially in the night' (Cook, VSouthP. 1, 142). Im einzelnen unterscheidet Meinicke (IStill. O. 2, 202 ff.) eine nördl., centrale u. südl. Section.

Paunch s. Grosventres.

Pauritz s. Altenburg.

Pausilypon s. Posilipo.

Pavia, ital. Stadt am Uebergang des Ticino, fest durch Sumpflage, bis zu Anfang des Mittelalters *Ticinum*, mit Beinamen *Papia*, da die Colonen zu der röm. Tribus Papia gehörten (Kiepert, Lehrb. AG. 396). Demnach wird die Vermuthg., als habe eine aus einer ehmal. *villa Papia* entstandene Vorstadt *Papia* geheissen (d'Arbois de Jub., Rech. NL. 412), hinfällig.

Pawäustic s. Gros.

Pawdinskoi Kamen, einer der grössten Gipfel, *kamen*, des Ural, benannt nach dem nahen Orte Pawdinskaja (u. dieses?), während einer seiner Nachbarn, der *Suchoi K.* (= dürrer Fels), wohl daher so heisst, dass er fast gänzlich unbewaldet u. nackt ist — ungleich dem *Kontschakowskoi K.*, der, am Gipfel zwar auch kahl, sich mitten aus einer morastigen Waldwildniss erhebt. Nach der wasserreichen Koswa, welche z. Netz der Kama gehört, ist das Dorf *Koswinska* u. nach diesem das Berghaupt *Koswinskoi Kamen* benannt; dagegen hat der *Wostroi Kamen* = scharfer Stein 'seinen Namen v. 2 obeliskenartigen Felssäulen, die neben der höchsten Spitze an 10—15 Klafter hervorragen' (Müller, Ugr. V. 1, 79 f.).

Pawlowsk, russ. ON. 2 mal *a)* Sommerfrische bei St. Petersburg, wo 1780 Paul I. ein kaiserl. Lustschloss erbaute. In der Nähe, auf einer Anhöhe,

die kleine Veste *Marienthal*, ebf. v. Paul erbaut (Meyer's CLex. 12, 668) u. nach seiner (zweiten) Gemahlin, der vorm. württb. Princessin Dorothea Auguste Sophie Maria Feodorowna benannt? *b)* sibir. Bergwerksort in der Nähe v. Barnaul. S. *St. Paulsbad*.

Pawnee Island, im Missuri obh. Eau qui court, aus ind. od. frz. Original übs., nach dem Indianerstamm der *P.*, der in dieser Gegend hauste (Lewis u. Cl., Trav. 49). Etwas weiter flussan, am linken Ufer, *P. House*, wo ein frz. Händler Trudeau 1796, 97 überwintert hatte (ib. 51).

Pawtuxunt, ind. Name eines Zuflusses der Chesapeak B., mir unerklärt, nach Strachey (HTrav. 39) nicht einmal insoweit, ob der hier wohnende Stamm *P.* nach dem Flusse od. dieser nach dem Volke benannt war. Die engl. Ansiedler, seit 1607, nannten ihn *Duke's River*, nach dem Herzog v. York.

Payer, *Julius*, österr. Gebirgs- u. Polarforscher, in Teplitz am 1. Sept. 1842 geb., trat in die militär. Laufbahn u. zeichnete sich, in Venetien stationirt, durch seine Fahrten in den Ortleralpen aus (Peterm., GMitth. Erg. H. 17 f. 23. 27. 31). Dann machte er 1869 Koldewey's 2. deutsche Nordpolexp. mit u. entdeckte den Franz Joseph Fjord; mit Weyprecht fuhr er 1871 zw. Spitzb. u. NSemlja bis 79⁰ NBr., u. am 13. Juni 1872 traten beide, im Tegetthoff, die österr. Nordpolfahrt an, welche Franz Joseph Ld. bis 83⁰ NBr. entschleierte u. ohne das Fahrzeug, in Booten u. Schlitten, 1874 wieder heimkehrte. Sein Andenken lebt toponymisch mehrf. fort: *Cap P.*, in Spitzb., v. der Exp. Heuglin-Zeil im Aug. 1870 (Peterm., GMitth. 17, 180 T. 9). — *P. Spitze*, zweimal: *a)* ein ca. 2000 m h. Spitzberg am Franz Joseph Fjord, v. *P.* am 12. Aug. 1870 erstiegen (ib. 17, 199 T. 10); *b)* ein do. an der Westseite des Matotschkin Schar, v. der Hülfsexp. Baron v. Sterneck im Aug. 1872 (ib. 2 OT. 16). — *Port P.*, ein sicherer Hafen des 'Smith Sd.', v. der Exp. G. S. Nares am 30. Juli 1875 (ib. 22, 473).

Payerne, röm. u. noch 962 *Paterniacum*, eine Viila urspr. der paternischen Familie, deutsch *Peterlingen*, ON. des C. Waadt. 'Une tradition consignée dans un volume des archives de *P.* fait remonter la fondation de cette ville à Marcus Dunnius *Paternus*, duumvir de la colonie flavienne d'Aventicum, au II° siècle de notre ère. Mais rien ne prouve que les inscriptions découvertes en divers lieux de la Suisse où le nom de *Paternus* est mentionné, aient le moindre rapport avec *P.* . . . L'itinéraire d'Antonin, non plus que la carte de Peutinger, n'indiquant aucune station sur la voie romaine entre Minnodunum et Aventicum, on ne saurait donc positivement affirmer qu'il existât ce temps-là, dans la localité de *P.*, une ville nommée *Paterniacum*. Cependant, on peut présumer, avec quelque raison, que le Romain *Paternus* a fait bâtir dans cette contrée riante et fertile une villa, métairie ou maison de campagne, à laquelle il donna son nom, *villa Paterni*, qu'ensuite il se forma là un village' (Mart.-Crous., Dict. 727).

Paz, la, vollst. *Pueblo Nuevo de Nuestra Señora de la Paz* = neuer Ort ULFrauen des Friedens (s. Pace), Ort in Bolivia, v. Alonzo de Mendoza 1548 ggr. z. Andenken an den Frieden, welchen die letzten Parteigänger Pizarro u. Almagro nach langem blutigen Zwiespalt wieder feierten (Peterm., GMitth. 12, 374), od. weil 1549 der Präsident Gasca, auf dessen Befehl der zu ihm übgegangene Officier Alonzo de Mendoza die Stadt gründete, ein Gedächtniss dafür stiften wollte, dass nun, nach Bewältigg. des rebellischen Gonzalo Pizarro, der Landesfriede wieder hergestellt sei (WHakl. S. 33, 381; Prescott, CPeru 2, 397). — *Puerto de la P.* s. California.

Pazokel s. Pic.

Pazquaro s. Michoacan.

Pe = Nord, in chin. ON., häufig als Ggsatz zu *nan* = Süd, z. B. in *Peking*, der 'Nordresidenz', u. *Nanking*, der 'Südresidenz'. Unter jeder Dynastie wird der Ort, wo die Regierung sitzt, als *King-ssé* = Hauptstadt bezeichnet ... 'nom générique donné en Chine aux villes principales qui sont le siége du gouvernement'. So nennt, in der Form *Quinsay*, MPolo das j. *Hangtscheu*, welches unter den Sũng *Lingan Fu* geheissen hatte u. unter den Mongolen seinen mod. Namen bekam ... 'quelquefois on leur donne seulement le nom de *King*, avec une épithète, s'il y a deux capitales, pour les distinguer l'une de l'autre, comme *Pe-king* = capitale septentrionale, et *Nan-king* = capitale méridionale (Pauthier, MPolo 1, X. LVIII; 2, 458. 491). 'Au commencement de la dynastie des Thâng, vers 620, on la nomma *Hâng-tscheou*. Les Soung lui conservèrent d'abord ce nom; puis l'empereur Kao-tsoung, 1127—1162, ayant transporté sa cour dans la partie méridionale de son empire, par suite des conquêtes que faisaient sur lui les Kin, dans le nord, il choisit cette ville pour en faire sa résidence, et l'appela *Lin-ngan* = le repos contemplé, désiré ... La ville où réside actuellement la cour, chef-lieu du département de Chun-thian, dans le Tschi-li, n'a pas elle-même d'autre nom que *King-ssê* = la capitale. Lorsqu'il y a eu en Chine plusieurs dominations simultanées ou que la cour a changé de résidence, on a donné aux diverses villes où elle s'établissait, des noms qui marquaient leur position relative: *Pe-king* = cour du nord, *Nan-king* = cour du midi, *Tong-king* = cour orientale etc.' (ARémusat, NMél. As. 1, 55). 'Quinsay, *Kin-sai*, *Kin-tsay*, or according to Morrison (Chin. Dict. 794), *King-sze*, appears to have been no more than a descriptive appellation, signifying, says MPolo, 'the celestial city', 'and which it merits, from its preeminence to all others in the world in point of grandeur and beauty' (WHakl. S. 7, 121, wo wörtl. Uebsetzg. 'residence of the Imperial Court'). Unsere 'Nordresidenz' hat, je nach dem Wandel der Dynastie, auch ihre Namen geändert: *Nan-king* = Südresidenz, als sie 936

v. den tatar. Khitan erobert wurde, *Si-king* = Westresidenz, unter den Kin, die sie 1125 einnahmen, *Schangtu* (s. d.), *Chungtu*, *Schungtu* = Centralhof, v. den 4 Kinfürsten 1153 genannt, dann v. Dschingis Chan 1215 erobert u. v. seinem Enkel Ku- od. Chubilai 1264 z. Hptstadt erhoben, osttürk. *Cambalu*, *Cambalik*, *Cambalech*, *Chan-balig*, *Khân-bâligh* = Hauptstadt des Chans (Pauthier, MPolo 1, IX. XLIV. LVII. 165. 215. 218. 223 f.). Die chin. 'Nordresidenz' heisst auch *Tâ-tû* = grosse Kaiserstadt (ib. 226), eig. f. die v. Chubilai 1267 erbaute neue Stadt, die 3 Li nordwestl. v. der alten lag (WHakl. S. 36, 127), auch *Schun Thian* = dem Himmel gehorchende (Ibn Batuta, Trav. 207, Trigault-Ricio, ap. Sin. 5) od. *King-Tsching* = Wohnung des Fürsten od. Residenz, j. der gew. Name, während der v. Kaiser Yung-le 1409 eingeführte Name *Peking* den Gebildeten wohl bekannt, doch kaum v. den Chinesen gebraucht u. *bei-tsin*, *be-gin* gesprochen wird (Peterm., GMitth. 22, 11. 358). Die 'Nordresidenz' zerfällt bekanntl. in eine chin. *Waï Tsching* = äussere Stadt u. einen Mandschutheil, *King Tsching*, welcher aus 3 concentrischen Städten besteht: *a) Tsu Kin Sching* = rothe heilige Stadt, der Kern des ganzen, mit dem kaiserl. Palast, *b) Huang Tsching* = erlauchte Stadt, *c) King Tsching* schlechtweg, der äussere Ring (Timkowski, Mong. 1, 321; 2, 124. 130. 143). Damit stimmt, wenigstens theilw., wenn E. Bretschneider versichert, dass der Name *Peking* heute v. den Chinesen nicht mehr gebraucht wird, ja dass das niedere Volk die Bezeichnung übh. nicht mehr kennt; die Stadt heisse einf. *King ch'en* = Residenzstadt, in amtl. Gebrauche *Kingtu*, mit derselben Bedeutg. (Peterm., Erg. H. 46, 6). Dabei ist zu beachten, dass auch das j. Thaï-jüan, in der Prov. Schân-si, eine Zeit lg. *Pe-king* geheissen hat, näml. als der Kaiser Ming-ti, v. der Dynastie Thang, 723 hier seinen Hof aufschlug u. die Stadt z. 'Nordresidenz' erhob (Pauthier, MPolo 2, 353). — *Pe Ling* = Nordgebirge u. *Nan Ling* = Südgebirge, ist wohl in europ. Carten, auch bei ARémusat (NMél.As. 1, 9), gebr.; allein 'ich habe das Wort *ling* in China trotz sehr häufiger Erkundigungen nie f. ein Gebirge angewandt gefunden, sondern stets nur f. Gebirgspässe. Allerdings kommt es vor, dass man im allg. die v. einem Flusssystem gg. Norden hinaus führenden Pässe als *Péi-ling*, die den Uebergang nach Süden vermittelnden insgesammt als *Nan-ling* bezeichnet; ... aber in fast allen Fällen ist die Anwendung dieser Bezeichnungen f. die betr. Gebirge unstatthaft. Die *péi-ling* z. B. sind f. die Bewohner des im Norden gelegenen Landes *nan-ling*' (Richth., China 1, 302). — *Pe Kiang*, 2 mal: *a)* s. Si, *b)* s. Formosa. — *Pe Hai* s. Bajkal. — *Pe Schan* s. Ho Schan. — *Kiang-Pe* s. Jangtsekiang. — *Peitscheng* s. Zagan.

Peabody, das frühere *Danvers*, Stadt in Massachusetts, umgetauft zu Ehren ihres Mitbürgers, des am 18. Febr. 1795 dort geb. u. als reicher

Banquier am 4. Nov. 1869 in London † Georg
P., welcher ungeheure Summen nam. f. Zwecke
des Unterrichts u. der Wohlthätigk., aber auch
f. Entdeckgsreisen vergabt hatte u. in seinem Geburtsort beigesetzt wurde (Meyer's CLex. 12, 670).
— P. Bay, an der Ostseite der Kane Sea, v.
american. Polarf. E. K. Kane (Arct. Expl. 1, 253)
benannt nach einem der Hptförderer seiner Exp.
'Mr. P., of London, the generous representative
of many American sympathies, had proffered his
aid largely toward her (des Schiffes) outfit'. Er
hatte 10 000 ₤ auf eine Franklinsuche verwandt.

Peace River = Friedensfluss, einer der Quellflüsse des MacKenzie R., übsetzt aus dem ind.
Namen. An seinem Ufer pflegten die Knisteneaux
u. Biberindianer ihre Streitigkeiten zu schlichten
(MacKenzie, Voy. 278).

Peach Orchard Spring = Quelle des Pfirsich-
gartens, eine klare kalte Quelle im Coloradoplateau, v. der Exp. Ives (Rep. 127) am 18. Mai
1858 z. Lagerplatz erwählt u. getauft nach den
zahlr. Pfirsichbäumen. 'The ravine is the prettiest spot seen for many a day, covered with rich
turf, shaded by peach trees and surrounded by
large gooseberry bushes'.

Peak = Spitze, in Engl. schon früh gebr. f.
ein Tafelland v. Derbyshire, in der ags. Chronik
924 *Peacland*, j. *Peakland*, eine malerische 8 km
lg. u. 2—3 km br. Berggegend, die v. fern gesehen den Anblick v. Spitzen gewährt . . . 'a wide
expanse of alternating moor and mountain, green
valley and glancing stream, limestone tor and
forest ridge'. — In der Union auch f. Berge, die
nicht gerade wg. spitzer Häupter auffallen u., wie
Longs- u. *Pike's P.*, besser als *mount* bezeichnet
würden (Whitney, NPlaces 93. 95). — *P.* u. *Peakhöhle* s. Devil. Im engl. Seendistrict ist *p.* zu
pike geworden, wie in *Scawfell Pike*, dem Culm
des eig. England.

Peacock, Mount, *Mt. Whewell, Mt. Lloyd* u.
Mt. Robinson, vier Berge des antarkt. Victoria
Ld., v. Capt. J. Cl. Ross (SouthR. 1, 193) am
15. Jan. 1841 entdeckt u. benannt nach vier
Geistlichen, welche als eifrige Förderer mag-
netischer Forschungen, zs. mit Sir John Herschel
u. Oberst Sabine, ein Comité der British Association bildeten 'for the purpose of conducting
the magnetical and meteorological co-operation,
and for the reduction of meteorological observations'. — *P. Island* s. Waterland. — *P.'s Spring*,
eine starke Quelle klaren Süsswassers in dem
Passe, welchen 1858 Capt. Ives (Rep. 97) in den
nördl. Ausläufern der Aquarius Ms. benutzte,
durch den Trainmeister *P.*, der voraus ritt, entdeckt u. f. die Maulthiere, die seit 4ᵈ nicht
genug getrunken hatten, ein werthvoller Fund.

Peale s. Viti.

Pearce, Point, ein inselähnliches Vorgebirge an
der Ostseite des Spencer's G., am 18. März 1802
durch seinen Entdecker, den Seef. Flinders (TA.
1, 163) benannt 'in compliment to Mr. P. of the
admiralty'. Im Jan. 1803 wollte die frz. Exp.
Baudin die vermeintl. Insel *Ile Dalberg*, nach

dem Pair *D.*, 1773—1833, taufen (Péron, TA.
2, 76, Krustenst., Mém. 1, 42).

Peard Island, eine der 4 grössern Inseln der
Gambier Group (s. d.), v. Capt. Beechey (Narr.
1, 117) im Jan. 1826 nach seinem ersten Lieut.
P. getauft, wie *P. Bay*, unweit Point Franklin,
auf Elson's Bootfahrt im Spätsommer gl. J. entdeckt (ib. 303, Carte).

Pearl' and Hermes' Reef, ein polyn. Riff der
nordwestl. v. den Sandwich In. ausgestreckten
Gruppe, welche, als 'mitten im Weg' Calif.-Japan
gelegen, das hydrogr. Amt in Washington *Midway Islands* getauft hat, der Schauplatz, wo die
beiden engl. Walfgr. *P.* u. *H.* am 26. Apr. 1822
Schiffbruch litten, doch so, dass die Mannschaft
in den Booten entkam, auch *Clark's Reef*, nach
dem Capt. des *P.*, bei dem american. Capt. Fanning
Unknown Reef = unbekanntes Riff (Krus., Mém.
2, 43, Bergh., Ann. 12, 141, Meinicke, IStill. O.
2, 313).

Pebrach s. Biber.

Peč = Fels, Klippe, slow. Wort, serb. *pećina*,
in vielen ON. Österr.-Ung., wie *P., Peček, Peča,
Pece, Peče, Pechane, Pečica, Pečina, Pečinci,
Pečišče, Pecka, Pecki, Pecska* (Miklosich, ON.
App. 2, 213), manche ferner in deutschem Gewande:
*Petsch, Petschek, Petschin, Petschitsch, Pet-
schize, Petschje, Petschke, Petschnik, Petsch-
nizzen, Petschovje, Petschownik* (Umlauft, ÖUng.
NB. 173).

Peccia, Valle di = Tannenthal, v. dial. *pece,
peccia*, lat. *picea* = Tanne, ein tessin. Alpenthal, wo Tannen u. Lerchen einst die Abhänge
dicht bekleideten u. j. das Holz kaum noch ge-
nügt, der spärl. Bevölkerg. den Brennstoff zu
liefern (Hardmeyer, Maggia 6, Tschudi, Thierl.
Alp. 212, Gem. Schweiz 18, 414, Lavizzari, Esc.
3, 431, Salvioni, NL. Piante 6). Uebr. war *P.*
urspr. der Name des Thalorts. — *Peceto* s.
Zermatt.

Pechau s. Bach.

Pechell, Mount, in Admiralty Range (s. d.), v.
Capt. J. Cl. Ross (SouthR. 1, 185) am 11. Jan.
1841 entdeckt u. nach Capt. Sir Samuel J. Brooke
P., Bart., C. B., K. C. H., one of 'the three
senior lords of the admiralty, benannt; *b)* Point
P., an der Mündg. des Gr. Fischfl., v. G. Back
(Narr. 211) am 7. Aug. 1834 entdeckt u. nach
Sir J. B. *P.*, Bart., getauft.

Pechuel, Cap, in der Gegend der Nechwatowa
See'n, NSemlja, zuerst 1871 cartographirt v. der
Exp. Rosenthal u. durch A. Petermann (GMitth. 18,
77) benannt nach 'dem rühmlichst bekannten Nordpolfahrer M. E. *P.*-Loesche, dessen grössere Arbeit
Wale u. Walfang (Ausl. 1871/72) zu dem bedeutendsten gehört, was bisher üb. diesen Ggstand
producirt ist' (ib. 149). Hr. *P.* war auch im Eismeer (ib. 354) u. am Congo.

Pecore, Cima delle = Gipfel der Schafe, ital.
Name eines tessin. Bergs. 'Ueber den Alphütten
Militomi findet sich an den steilen Felsenabhängen
nur noch auf kleinen, schmalen Absätzen, welche
v. den beinah horizontal ausgehenden Schichten

gebildet werden, etwas Vegetation, welche v. hungrigen Schafherden mühsam aufgezehrt wird, daher auch dieser ganze Rücken *C.d.P.* genannt wird' (Fröbel u. H., Mitth. 213).

Pedalion, gr. *Πηδάλιον* = Steuerruder, Name v. Vorgebirgen in Karien (Anon. st. m. m. 255) u. an der Ostküste Cyperns, j. *Capo della Grega* (Strabo 682), nach ihrer Aehnlichkeit mit einem Steuerruder (Pape-B., Curt., GOn. 155).

Pedemonte s. Piemonte.

Pedra = Stein, Fels (s. Petra), in port. ON. *a) Ilha das Pedras* = Steininsel, ein Eiland der Rhede v. Malakka (Crawf., Dict. 238); *b) Ribei-rão das Pedras* = 'Steinach', Zufluss des bras. Mucuri, ein Bach, welcher 'kaum einige Zoll Wasser an der Furt enthält u. zieml. reglos erscheint', da er 'üb. ganz flach gelagerten Granit hinläuft od. vielmehr nicht läuft' (Avé-L., NBras. 1, 223); *c) Pedreira* = Steinbruch, ein Dorf am Rio Negro, Amazonas, nach den Felsen u. Blöcken, welche das Ufer bedecken. 'L'endroit mérite assurément le nom; car la rive est hérissée de rochers et de blocs' (Agassiz, Brés. 331).

Pedro, span. u. port. Form f. Petrus, oft in ON. *San P. a)* eine der 5 Marquezas, einh. *Motane,* bei Cook *Onateyo* (Meinicke, IStill. O. 2, 239), v. Seef. Alvaro de Mendaña nach dem Kalendertag seiner Entdeckg., 1. Aug. 1595, benannt (WHakl. S. 39, 67, Sommer, Taschb. 22, 339, Krus., Reise 1, 116, Debrosses, HNav. 160 ff., Fleurieu, Déc. 20 f.); *b)* s. Georg; *c) San P. de Cofanes,* Missionsstation in Ecuador, 1603 ggr. v. span. Jesuiten Rafael Ferrer unter den Cofanes(-Indianern), bei denen er 1611 ermordet wurde (WHakl. S. 24, 52); *d) San P. Metlapas* s. Metlapa. — Ferner port. *São P. a)* eine atlant. Klippe, fast unter dem Aequator, da bei Garcia de Noronha's Uebfahrt Brasil-Africa 1511 der v. Capt. Jorge de Brito befehligte *São P.* in der Nacht hier auflief (Barros, As. 2, 7), auf Carten auch etwa *São Paolo* (Bergh., Ann. 6, 47); *b)* s. Pablo; *c)* s. Trinidad; *d)* Insel zw. Madagascar u. den Almiranten, v. den Port. entdeckt, unpassend *St. Pierre* od., wie sie der frz. Capt. Morphey 1756 nach seiner Fregatte taufen wollte, *Ile du Cerf* (Hertha 7 GZ. 124); *e)* Stadt an der Oeffng. des brasil. Rio Grande do Sul, daher vollst. *San Pedro do Rio Grande do Sul,* ggr. u. getauft v. port. Brigadier José da Silva Paes, welcher 1737 die ersten Ansiedler herführte (Vafnh., HBraz. 2, 152). — *Campo Sant P.* s. Feldkirch.

Pedurutallagàlle = dürrer Fels auf der Ebene, singh. Name der höchsten Bergspitze Ceylons, v. *péduru* = Stroh, hier dürr, trocken, *tálla* = Gras, (grüne) Ebene u. *gálle* = Fels (Schlagw., Gloss. 233).

Peel River, ein lkseitg., erst im Delta einmündender Nebenfluss des MacKenzie R., v. Capt. John Franklin (Sec. V. 182) am 3. Sept. 1826 benannt zu Ehren des Staatssecretärs f. das innere Departement; *b) P. Island,* in Bonin, v. Capt. Beechey (Narr. 2, 516) im Juni 1827; *c) P. Inlet,*

in King William's Ld., v. John Ross (Sec. V. 730, Carte) während der Exp. 1829/33; *d) P. Point,* in Prince of Wales' Str., v. Capt. Mac Clure am 26. Oct. 1850 zu Ehren des † Staatsmanns getauft (Osborne, Disc. 107, Armstrong, NWPass. 282).

Peeshow s. Artillery.

Peganu s. Muddy.

Pegu s. Martaban.

Pehuen-Tschen, v. *pehuen* = Fichte, Araucaria imbricata, *tschen* = Leute, also Fichtenmänner, Fichtenleute, d. h. Leute, welche sich vorzugsw. v. den Früchten der Pehuen nähren, ind. Name eines Stamms v. Patagonen (Murr, Nachr. 2, 471, Glob. 1, 262).

Pe i = weisse Barbaren, chin. Name einer der 8 Tribus der Tu-mân, d. i. der einh. Barbaren, während ein anderer *Kin-tschi* (s. d.), ein dritter *Piâo* = schnelle Rosse u. ein vierter *Kiaï* = Träger alter Kleider hiess (Pauthier, MPolo 2, 397 f.). — *Pei Schan* s. Ho. — *Pei Ho* = weisser Fluss, der Fluss v. Peking (Peterm., GMitth. 3, 117), auch *Jün Ho* (s. d.) od. *Jün Liau Ho* = kornflössender Fluss, v. Tientsin abw. *Hai Ho* = Meerfluss. 'The importance of this river to the government is twofold: on the one hand it serves to transport their stores of grain to Tungchow, on the other to supply with provisions their garrison at Kupekou, a place of some importance in the hills on the road to Jehor, the former summer residence of the Manchu emperors' (Journ.RGSLond. 1872, 145).

Peilung s. Koscheleff.

Peilz, la Tour de, v. alten *Turris Peliana,* Name eines Städtchens bei Vevey, nach einem hohen viereckigen Thurm, welchen Peter v. Savoyen erbaut habe (Gem. Schweiz 19[1], 95).

Peip s. Wyman.

Peipus Osero, der mir unerklärte Name des See's der Narowa, heisst im Atl. Russ. 1745 auch *Tschudskoe Osero* = tschudischer See, nach den frühern finn.-tschud. Umwohnern. Der fast abgetrennte Obertheil, in welchen die *Welikaja* (= die grosse) unth. Pskow, *Pleskau,* mündet, *Pskowskoe Osero* = Pleskauer See.

Peiraion s. Peraia.

Peiroz s. Veisivi.

Peixe = Fisch, port. Wort in dem brasil. Flussnamen *Rio do P.,* Prov. Goyaz, nach den zahlr. Schwärmen v. Fischen in den tiefern Tümpeln … 'Dieser Fluss ist reich an Fischen … Wir beschäftigten uns v. Mittag bis Abend mit Fischen u. fingen mit wenigen Würfen genug f. die Hauptmahlzeit unsers ganzen Gefolges u. z. Unterhalt des folgenden Tages' (Peterm., GMitth. 21, 377 ff.).

Pekla s. Paklina.

Pelagosa, v. gr. *ἐν πελάγῳ οὖσα* = die im Meere befindliche — 'Seeland' *a)* ein Eiland einsam mitten in der Adria, 'kaum eine Insel, sondern vielmehr nur ein langer, ganz einsamer Felsenblock mit zwei Nebenblöcken (Avé-L., SBras. 1, 10); *b) Πελαγοῦσα,* anderer Name der Insel Kalauria (Pape-Bens.). — *Pelagia* s. Rhodus. — *Pelagonia,* gr. Πελαγονία = Moorhausen, Schwarzenmoor, hiess eine macedon. Ldsch. im Thale des Flusses Axios, v. schwarzen Moor- od. Schlammboden, j. *Bitolia* od. *Monastir.* — *Pelasgos*, gr. Πελασγὸς = Moorländer, v. πέλος = schwarz u. ἄργος = die Ebene, die ältesten Bewohner Griechenlands, in den Niederungen, den Bruch- u. Moorgegenden od. Feldern. In Attika hiessen sie ähnlich Πελασγοί = Moorbewohner im Sinn v. Störchen, nach den alten Wegen ihrer Wanderungen (Strabo 221, Pape-Bens.).

Pelecan Island, zweimal in America: *a)* vor der Mündg. des Missisipi, 'from its being the abode of myriads of these birds which breed here' (Buckingh., Slave St. 1, 293); *b)* im Missuri, obh. Little Sioux R., v. den Capt. Lewis u. Cl. (Trav. 31) am 8. Aug. 1804 getauft nach der Menge v. Pelecanen, die dort 'weideten' u. deren einer erlegt wurde. — *P.'s Bay*, in Trinidad, wo der engl. Seef. Sir Rob. Duddley am 1. Febr. 1595 eine Menge v. Pelecanen traf (Raleigh, Disc. 2). — *P. Creek*, ein Zufluss des Yellowstone L., nach den zahlr. Schwimmvögeln . . . 'its waters covered with wild ducks and geese', u. eine kleine Insel des Sees, nahe der Mündg., *P. Roost* = Schlafort der' Pelecane (Hayden, Pr. Rep. 100. 190). — *P. Lagoon*, ein stiller Arm der Nepean Bay, enthaltend 4 Inselchen, deren eine der engl. Seef. Flinders (TA. 1, 183 f.) am 4. Apr. 1802 mässig hoch u. beholzt, die andern niedriger u. grasig fand u. auf zweien der letztern viele noch nicht flügge junge Pelecane; Herden alter Vögel sassen am Strande der Lagune; aber 'alas, for the pelicans! their golden age is past'. Bei der Exp. Baudin *Port Daché*, prsl., im Jan. 1803 (Péron, TA. 2, 60). — *P. Lake*, ein See im Netz des Saskatschewan (Franklin, Narr. 178 ff.). — *P. Portage*, ein Trageplatz am Slave R., unth. Dog Rapid (ib. 194 ff.).

Pelée, Ile = kahle Insel, dem engl. *Bald Island* entspr., mehrf.: *a)* ein Felseiland ggb. Cherbourg (Meyer's CLex. 12, 683); *b)* s. Bald; *c)* eine baumlose Insel des Missisipi, 'because there are no trees on it', engl. ebf. *Bald Island*, wo Le Sueur 1695 ein Fort errichtete, *Fort Perrot*, nach einem seiner Gefährten so genannt. 'The French of Canada have made it a centre of commerce for the western parts and may pass the winter here, because it is a good country for hunting' (Coll. Minn. HS. 1, 319; 3, 2. 7). — *Puig Pelat* s. Puy. — Span. *Cerro Pelado* kahlköpfiger Berg, eine hohe, steile, isolirte Bergmasse in den Gebirgen v. Mendoza, Argentinia (Burmeister, LPlata 1, 286); *b)* *Pelada* s. Saunders; *c)* *Cerro Pelon* kahler Berg, in Costa Rica, an seinem steilen, der hübschen Savana Azul zugekehrten Abhange nicht bewaldet (Peterm., GMitth. 7, 382).

Pelew s. Palaos.

Peligroso, el Canal die gefährliche Durchfahrt, span. Name der Meerenge, welche die im Golf v. Calif. befindliche Isla del Tiburon v. der continentalen Westküste trennt (DMofras, Or. 1, 214).

E g l i , Nomina.

Pelimsk s. Penschinsk.

Pelkis od. *Pellike*, v. preuss. *pelki*, lit. *pelkē* = Bruch, Sumpf, Name eines samländ. Waldes. Aehnl. das bei Friedland gelegene *Pelklack* = Bruchfeld, v. preuss. *pelki* = Bruch u. *lauks* = Feld (Altpr. Mon. 7, 310, Thomas, Tils. Pr. 23).

Pellew's Group, im Carpentaria G., da wo die holl. Carten aus der Mitte des 17. Jahrh. ein paar Vorgebirge angaben, entdeckt u. untersucht v. Commodore Matth. Flinders (TA. 2, 170, Atl. 14) im Spätjahre 1802 u. v. ihm, wie *Cape P.*, das felsige Nordcap der Nordinsel, benannt zu Ehren Sir Edward P.'s, 'in compliment to a distinguished officer of the British navy, whose earnest endeavours to relieve me from oppression in a subsequent part of the voyage demand my gratitude.'

Pelly Islands, vor dem Delta des MacKenzie R., v. Capt. John Franklin (Sec. Exp. 36) am 16. Aug. 1825 benannt nach dem um seine Exp. verdienten Gouv. der Hudson Bay Co. 'as a tribute justly due . . . for his earnest endeavours to promote the progress and welfare of the expedition; *b)* *Lake P.*, im Netz des Gr. Fischfl., v. G. Back (Narr. 179) am 19. Juli 1834 getauft zu Ehren des 'liberal and spirited governor of the Hudson's Bay Company', J. H. P.

Peloponnesos, gr. Πελοπόννησος = Insel des Pelops, der Sohn des Tantalos, der durch seinen Kampf mit Önomaos die Hippodameia zu seiner Gattin u. die ganze Halbinsel zu seiner Herrschaft gewann. Der korinth. Isthmus ist so schmal im Verhältniss zu der breit entwickelten Blattform des P., der einzige Landzugang bei Korinth so leicht zu vertheidigen (κλειομένη ἰσϑμῷ στενῷ Strabo 334) u. üb. die Naturgrenzen so bestimmt, dass die Peloponnesier sich mit insularischem Stolze u. insularischer Sicherheit (Curt., Pel. 1, 14) gg. die übrige Welt abschlossen u. immer eine natürliche Abneigg. zeigten gg. transisthmische Expp. (die sie geradezu transmeerische nannten: διαπόντιον, Xen., Hell. 6, 2). Die neue, jenseits des Isthmus wieder continental sich entwickelnde Landesgestaltg. u. die dadurch bedingte Eigenartigkeit des Lebensverhältnisse berechtigte die Alten, über die enge Verbindungsstelle übersehend, v. einer Insel zu reden. Eust. (z. Dion. Per. 403) sagt, der P. sei eig. eine Halbinsel; gleichwohl aber werde er Insel genannt, da die Verbindg. ganz unbedeutend, παρὰ βραχύ, sei. So wird v. Polybius (1, 42) der P. mit Sicilien verglichen; nur sei hier die Verbindungsstelle gangbar, πορευτός, dort aber schiffbar, πλωτός. Dass der P. die eig. hellen. Landform als Ganzes u. in seinen Theilen am vollständigsten verwirklicht, dass er der vollkommenste u. z. Vorrang berufenste Theil ihres Vaterlandes sei, konnte den Hellenen nicht entgehen. Sie verglichen als politisches Volk ihr Land mit einer Stadtanlage, den P. mit deren wohlgelegener Hochstadt, Akropolis (Eust. a. a. O.). Er war der v. Natur ausgezeichnete Wohnsitz der herrschenden Stämme, dem Ausland ggb. der sicherste Einschluss u. die

89

sicherste Freistätte hellen. Bevölkerg. Von dieser Akropolis aus war man gewohnt, Griechenland zu überblicken u. den *P.* das *innere,* den Continent das *äussere Griechenland* zu nennen: *Ἑλλὰς ἡ ἐντὸς καὶ ἡ ἐκτὸς Ἰσθμοῦ* (vgl. Curt., Pel. 1). — Dem erhabenen abgeschlossenen Kern Arkadiens lagern sich reich entwickelte Halbinseln vor; diese zackige Gestalt gab Veranlassg. zu Vergleichen mit dem Blatte der Platane: *ἔστιν ὁ Πελοπόννησος ἐοικυῖα φύλλῳ πλατάνου τὸ σχῆμα* (Strabo 83. 335, Plin., HNat. 4, 9), ob sinus et promontoria, quibus ut fibris litora ejus incisa sunt, simulque senui tramite in latus effunditur, platani folio simillima (Mela 2, 3 u. a.), dem der Weinrebe (Const. Porph. de them. 50 ed. Bonn.) od. des Maulbeerbaums, Morus alba, woher der gew. Annahme zuf. der mod. Name *Morea,* ngr. *ἡ Μορέα* kommen sollte. Zu rasch hat auch hier Fallmerayer (Gesch. Mor. 1, 240 ff.) den slaw. Ursprg. behauptet, v. *more* = Meer, in der fränk. Zeit f. das elische Küstenland gebr., u. zu rasch ist diese Etym. wiederholt worden (Curt., Pel. 1. 113, Bacm., AWand. 152, Meyer's CLex. 11, 734). Allerdings konnte der Vorschlag *'Ρωμαία* = Römer, d. i. Byzantiner, kaum Anklang finden; hingg. hat es doch Aufsehen erregt, als der griech. Gelehrte Sathas (Augsb. Allg. Ztg. 23. Juni 1880) u Elis eine Fischerstation *Muria* fand; er hält diesen Ort f. dial. *Morjás, Murjas,* eine Stadt, deren Name unter der fränk. Herrschaft auf Elis u. im 15. Jahrh., als dessen Fürsten in Wahrheit die Herren des ganzen *P.* waren, auf diesen überging. — *Peloponnesische Pforte* s. Pylai. — *Kastro Moreas* s. Dardanellen.

Pelsaert Group nannte Capt. Stokes (Disc. 2, 138, wo unrichtig *Pelsart* 1627) am 7. Apr. 1840 die Gruppe der westaustr. Insel- u. Riffmassen, welche Houtman's Abrolhos (s. d.) bilden, nach dem holl. Seef. François *P.*, v. Schiffe Batavia, welches, am 28. Oct. 1628 v. Texel abgegangen, in Folge eines Sturms am 4. Juni 1629, in Mondnacht, während der Capt. krank im Bette lag, dort Schiffbruch litt. Die Rhede dabei taufte er nach dem verunglückten Schiffe *Batavia Road* (WHakl. S. 25, 59).

Pelusium, ON. 2 mal *a)* die östlichste, v. Sümpfen u. Morast umgebene Grenzstadt Aegyptens, *ὀρόμασται ἀπὸ τοῦ πηλοῦ καὶ τῶν τιλμάτων* (Strabo 803), an der *Landenge r. P.* (s. Suez), äg. *Pere-ma,* F-*er-omi* = Kothstadt (Champollion, Äg. 2, 82), daher kopt. *Pheromi,* im Mittelalter arab. *Farama,* gr. übersetzt *Pelusion,* v. *πέλος* = Schlamm der Moräste, hebr. טיט, *Sin* = Koth (Ezech. 30, 15), arab. *Tineh* = Sumpf (Kiepert, Lehrb. AG. 198); *b)* eine Stadt in Thessalien (St. B.). Vgl. Barathra. — *Pelodes,* gr. *Πηλώδης* = Schlammgegend, 2 mal *a)* II. *κοῖλος* = Moorbusen, ein Golf im pers. Meer, bei Susiana (Ptol. 6, 3²); *b)* II. *λιμήν* = Moorhafen, der Hafen v. Chaonia, Epirus (Strabo 324), war also wohl, wenigstens z. Th., schon dam. verschlammt (Bursian, Gr. Geog. 1, 18).

Pelvoux, Grand = der grosse Kegel, cône, da im Dauphiné *pelre* Generalname ist f. Bergkegel.

welche alle umgebenden Gipfel beherrschen, auch in *Palavas, Pelvas, Pelvat, Pelvo* erhalten (Ausl. 1868, 501).

Pemba, in Ost-Afr., nach Capt. Owen 1824 eine der fruchtbarsten Inseln der Welt, mit üppiger Vegetation bekleidet, heisst arab. *Dschesirat-Khazra* (Peterm., GMitth. 5, 375), *al-Khuthra* (ib. 7, 259), *Jesirat el-Khadhrá* (WHakl. S. 32, CVI, Bull. SGPar. 3me S. 8, 146) = die grüne od. Smaragd-Insel. Vgl. Achdar.

Pembina, zunächst f. 2 od. 3 rseitge Zuflüsse des Red River of the North, v. ind. *nipíminán* = Wasserbeere, einem hohen Busch, bot. Viburnum opulus var. edule, den die Trappers hier in Menge fanden. Die frz. Canadier kürzten das Wort in *Peminé,* u. bald entstand daraus die mod. Form. Es scheint jedoch, dass das Wort auch *Paubian, Paubna* lautete u. unter alten Selkirk-Colonisten noch lange in Uebung blieb. Als Handelsposten der Nordwest Co. entstand an der Confl. des *P. River* u. des Red River ein Ort *P.* durch Chabollier 1797 (Mag. Am. Hist. jan. 1877, 47 f., Ch. Bell, Canad. NWest 4 f.).

Pembroke, Hafenstadt an einem Arm des Milford Haven, Wales, 'upon an arme of Milford, the wich, about a mile beyond the town, creketh in so that it almost peninsulatith the toune, that standith on a veri maine rokki ground', welsh *Penbraich mór* = am Ende eines Seearms (Charnock, LEtym. 205). Auch die andern Ableitungen finden in der ersten Silbe das welshe *pen* = Ende, Kopf, Gipfel, ein Element, welches als *pen, pem,* in 59 kymr. ON. vorkommt (Edmunds, NPl. 233), aber verbunden mit *bro* = Thal, als das Hptthal, wg. der Fruchtbk. des Bodens (G. Owen), od. mit *broch* = Schaum, 'the pent-up tide of the estuary bringing along with it a mass of white froth or foam' (John Lewis), od. mit *bro* = Gegend, also Hptland, Vorgebirge, 'which is correctly descriptive of the locality' (Rees). Die letztere Etym. findet sich schon bei Camden-Gibson (Brit. 2, 31): brit. *Pen-rro* = See-Vorsprung, da die Stadt, als Burg angelegt zu Heinrich's I. Zeit, auf einem längl. Felsvorsprg. steht. — Eine Uebertragg. des ON. (od. eines PN.?) ist *Cape P.,* in Southampton I., wahrsch. v. Thom. Button 1612 (Rundall, Voy. NW. 89).

Penantipode s. Antipoden.

Pendsch s. Pandschab.

Pendulum Islands = Inseln der Pendelbeobachtungen, in Grönl., v. Physiker Sabine, welcher während der Exp. Clavering, v. 12.—31. Aug. 1823 hier sein Observatorium hatte (Peterm., GMitth. 16, 324. 327; 17 T. 10). Die grösste derselben heisst j. *Sabine-Insel* (s. d.); die zweite wurde v. der 2. deutschen Nordpol-Exp. v. 1869 70 als *Kleine P.-Insel* bezeichnet, eine dritte als *Walross-Insel,* während schon Sabine - Clavering eine vierte als *Bass Rock* = Bassfelsen, wohl zu Ehren des austr. Entdeckers, getauft hatte. Nach PM. 1870 p. 324 fällt die Entdeckg. auf den 10. Aug. 1823. S. ib. p. 327. — *Pendelbucht,* eine kleine sandige Bucht v. Port Lloyd, Bonin Sima, benannt v. russ. Capt. Lütke, der sich v. 19. April bis 4. Mai 1828 im Archipel aufhielt u. in dieser Bucht sein Observatorium aufschlug (Bergh., Ann. 9, 161).

Penér, auch *Penner, Penar, Pannair*, tamul. *Ponáru* = Goldfluss, in Coromandel 2 mal: *a)* der südliche, bei Pondichéry, auch *Pinakini* = der dreizackige od. -bogige, nach dem geknickten Laufe; *b)* der nördliche, bei Nellore, dessen südl. Nachbar Goldkörner führt (Lassen, Ind. A. 1, 200 ff., Schlagw., Gloss. 223).

Penguin s. Pinguin.

Penn, *William*, der Gründer *Pennsylvania's*, zu London geb. 1644, als Quäker mehrf. verfolgt, erbte 1500 £ jährl. Rente u. eine Forderg. v. 16000 £ Staatsanleihen, erhielt durch kön. Patent v. 4. März 1681 einen Landstrich am Delaware. Der Empfänger wollte den Besitz *New Wales* nennen; da jedoch Karl II. auf *P.* od. einer Zssetzung damit bestand, so entschied er sich f. den Vorschlag *Sylvania* = Waldland, 'as the province was so beautifully diversified with wood'. Nach Buckingh. (Am. 2, 5) sollte der Eigenname nicht W. *P.* selbst, sondern seinem Vater, dem Admiral *P.* zu Ehren, in die Benenng. eintreten (Quackb., USt. 121). Dieses Land 'is the only state in the Union named after its founder' (Staples, NStU. 9). Es ist übr. zu erinnern, dass sich schon vorher Schweden am Delaware angesiedelt hatten. Auf Gustav Adolfs Anregg. 1626 gingen die ersten Züge ab, u. nach des Königs Tode sandte 1638 der Staatsmann Oxenstierna neue Schaaren v. Schweden u. Finnen unter Peter Minuits' Leitg. hinüber; damals hiess die Gegend *Ny Sverige* = *Neu Schweden* (Quack., USt. 94). — *P. Station*, Bahnstation in einem Gebiete, welches die Familie Will. *P.*'s als Privateigenthum sich vorbehalten hatte (Penns. Ill. 20).

Pennilucus s. Chablais.

Penninus s. Bernhard.

Penr(h)yn = Flusskopf, corn. Name eines Orts am Ende eines Seearms v. Cornwall (Charnock, LEtym. 206). — Davon 2 Uebtragungen: *a) P. Islands*, nördl. v. der Cook's Group, einh. *Tongarewa*, v. Capt. Sever, Schiff *P.*, 1788 entdeckt u. v. russ. Capt. Kotzebue am 30. Apr. 1816 näher untersucht (Krus., Mém. 1, 16 ff.), auch *Bennet Island*, nach dem Capt. d. N. 1832 (Meinicke, IStill. O. 2, 260); *b) Cape P.*, im Fox Ch., v. Parry (Sec. V. 266 ff.) am 13. Juli 1822 nach seinem Freunde Edw. Leicester *P.* benannt.

Penschinsk = der Ort am Flusse Penschina, in Ost-Sibir., u. nach ihm der Golf: *Penschinskoe More* (Atl. Russ. 18), bei den Itelmen *Tschoking-Nyngäl* = kleines Meer, dem *Gythesch-Nyngäl* (s. Bering) auf der Ostseite Kamschatka's ggb. liegt(Krasch., Kamtsch. 4. 7, Steller, Kamtsch. 20, Müller, Kamtsch. 15). — Aehnl. Bildungen *a) Pelimsk*, Ort 1593 ggr. an der Confl. Pelim-Tawda, also im Netz des Tobol (Müller, SRuss. G. 4, 25 f.); *b) Pinsk*, Ort des Gouv. Minsk, an der schiffb. Pina, einem Zuflusse des Pripet (Meyer's CLex. 12, 968).

Pentapolis, gr. *Πεντάπολις* = Fünfstädte, mehrf. f. einen Bund od. eine Gesammtheit v. 5 Städten: *a) τῶν Δωριέων*: Lindos, Jalysos, Kamiros, Kos u. Knidos (Her. 1, 144); *b) Λιβύης*, seit dem Zeitalter der Ptolemäer die Ldsch. Cyrenaica (s. Achdar), mit den Städten Cyrene, Berenice, Arsinoë, Ptolemais u. Apollonia; *c)* fünf Städte in Palästina: Sodom, Gomorrha, Adama, Zeboim u. Zoar (Sap. Sal. 10, 6); *d)* s. Dekapolis. — *Pentaschoinos*, gr. *Πεντάσχοινος* = Fünfschönen (ähnlich 'Fünfmeilen'), eine Ortschaft in Unter-Aegypten, welche 5 Schönen v. Kasios, dem ägypt. Grenzgebirge ggr. Arabien, entfernt war [St. B.). — *Pentedaktylon*, gr. *Πεντεδάκτυλον* = Fünffinger hiess der Taygetos bei den Byzantinern wg. seiner Gipfelreihe obh. Mistra (Curt., Pel. 2, 204). Diese Anschaug. v. Berggipfeln als Fingern scheint bei den classischen Schriftstellern nicht vorzukommen; höchstens dürften die Ausläufer der Berge so geheissen haben (Strabo 473). *Pente Skuphia* s. Korinthos.

Pentecôte, Isle de la = *Pfingstinsel*, einh. *Aragh, Araga* (Meinicke, IStill. O. 1, 187), in den N Hebrid., v. frz. Seef. Bougainville (Voy. 242) am 22. Mai 1768, als am Tage des Pfingstfestes, entdeckt u. getauft, auffallender Weise die einzige, mir bekannte d i r e c t e Benenng. dieser Art, während Weihnacht u. Ostern so häufig in Entdeckernamen auftreten. Vgl. Espiritu u. Esprit.

Péntek = Freitag, mag. Wort in den ON. *P.*, *P.-Falu* = Freitagdorf u. *P.-Hely* = Freitagort, f. solche Orte, die ihr Marktrecht an diesem Wochentage ausüben (Umlauft, ÖUng. NB. 171).

Penteraklia s. Herakles.

Pentil, Gunung = Brustwarzenberg, Bergname im östlichsten Theile Java's, nach seiner Form (Junghuhn, Java 2, 693).

Pentland s. Picti.

Péntse La = Pass mit schönem Gipfel, tib. Name eines v. Zánkhar nach Dras führenden Passes des Himálaja, v. dem leichten, allmählichen Ansteigen des Bergwegs (Schlagw., Gloss. 233).

Penychen s. Oxford.

Peña = Fels, Klippe, span. Wort, dem port. *penha* entspricht, ital. *penna* = Berggipfel, schon in den ältesten Urkk., so 780 'de Pozos usque ad summam pennam', nicht v. kelt. *pen* = Kopf, Gipfel, das selbst masc. geblieben wäre, sondern v. lat. *pinna* = Zinne der Mauer (Diez, Rom. WB. 1, 312), augm. *peñon, peñol, peñasco*, in der frz. Pyrenäen *pène* (Whitney, N Places 97), erscheint mehrf. in ON. *a) Punta P.*, f. die Ostspitze der Halbinsel Paria, also den einen der beiden Pfeiler, welche die Boca del Drago einfassen (WHakl. S. 43, 123); *b) Las Peñas* = die Felsen, ein Gut der Prov. Mendoza, Argent., nach den Felsen eines nahen Hügels, welcher zu den letzten Ausläufern der Preanden gehört = u. danach der Bach: *Arroyo de las Peñas* (Peterm., GMitth. 16, 401); *c) Cabo de Peñas* s. Sebastian. — Auch port. *Penedo* = Fels, mit Artikel *o Penedo*, Stadt am linken Ufer der Mündg. des San Francisco, Bras., v. der 15—20 m h. Sandsteinwand, welche sich unmittelbar aus dem Flusse erhebt (Avé-L., NBras. 1, 382).

Peoria, ein Ort des Staats Illinois, benannt nach dem Indianerstamme, welcher einst in jener Gegend hauste (Buckingh., East. & WSt. 3, 215), j. aber, auf 47 Köpfe zsgeschmolzen, im Indian Territory lebt. Nach dem Ort (od. Stamm selbst?) der *P. Lake*, eine seeartige Erweiterg. des Illinois (Meyer's CLex. 12, 705).

Pepandajan, Gunung = die Schmiede, einer der Preanger Vulkane, Java. 'Nicht leicht könnte man f. den Krater des Vulcans einen bezeichnendern Namen finden..... Der höchste südöstliche Grund der Kraterkluft . . . wird v. den steilen, aber doch bewaldeten Bergwänden, welche ihn beinahe in einem Halbkreis umgeben, etwa noch um 250 m übragt. Er stellt ein unterminirtes, v. Dämpfen ganz durchwühltes u. gefährlich zu betretendes Terrain dar, wo man fast alle Erscheinungen der Vulcanität: schweflige Sümpfe u. Schlammpfützen, welche brodeln, Solfataren u. Fumarolen, welche brausen, Schlammvulcane, welche schleudern u. sprudeln, u. heisse Quellen, welche zischen, in einer kleinen Scala u. innerhalb eines kleinen Raums alle zs. vereinigt antrifft u. v. einem so verschiedenartigen Lärm einer scheinbar regellosen u. dennoch rhythmisch wiederholten Thätigkeit betäubt wird, so dass man glaubt, sich in einer grossen Fabrikanstalt zu befinden, wo durch einen einzigen Impuls (durch die Elasticität u. Hitze v. Dämpfen) auch Tausende v. Kräften u. Maschinen in Bewegg. gesetzt werden' (Junghuhn, Java 2, 95 f.).

Pepara s. Petani.

Pepln, Lake = Kernsee, nach seinem Umriss v. 30 km Lg. u. 5 km Br., ein See im Missisipi, unth. St. Paul, seit der Zeit des Reisenden Le Sueur 1700 so genannt. Der Entdecker, der flandr. Pater Hennepin, Apr. 1680, hatte ihn *Lac des Pleurs* = Thränensee getauft, angebl. weil er hier einer Flotille v. Dakotah in die Hände fiel. Hier berichten sich die Wilden darüb., was sie mit den Gefangenen beginnen sollten; die z. Mord Entschlossenen bestürmten die Gegner die ganze Nacht hindurch mit Geschrei u. Thränen, dass die Weissen getödtet würden. 'As the Dakotah were generally very kind in the treatment of their white captives, very little credence can be given to the tale of the Father's captivity'. Wirkl. findet sich an anderer Stelle (Coll. Minn. HS. 1, 27. 35. 308) eine abweichende Motivirg.

Pepys s. Falkland.

Pequena, Angra = kleine Bucht, mit der Erwerbg. durch die Bremer Firma F. A. E. Lüderitz (1883) auch *Lüderitz Bucht*, nördl. v. Oranje R., v. dem port. Seef. Barth. Diaz 1487 entdeckt u. getauft. Der marmorne padrão, einer der üblichen port. Steinpfeiler, fand sich noch 1824, als der engl. Capt. Chapman, v. der Sloop Espiègle, die Stelle besuchte, sowie 1825, zZ. der engl. Exp. Leven u. Barracouta, auf der Spitze eines Uferfelsens, *Diaz-Spitze*, freil. halb verwittert, doch so, dass man das port. Wappen (5 Mohrenköpfe) u. die unleserliche Inschrift noch erkannte (Bergh., Ann. 6, 56, A. 3. R. 2, 304), ist jedoch seither versunken, v. einem engl. Capt. aufgefischt worden u. befindet sich j. im Museum der Capstadt (vgl. Schinz, Deutsch-SWAfr. 4). — *Rio Pequeno* s. Norte.

Pera, v. gr. πέραν = jenseits, im alten Thrakien 2 mal f. Vorstädte, die dem alten Stadtkern jens. des Wassers liegen: *a)* in Konstantinopel, dem alten Stambul vorüb. am Goldenen Horn, der glänzende Sammelplatz der Franken, seit Mitte des 16. Jahrh. das Hptquartier der Gesandten, daher türk. *Beg Joli* = Fürstenstrasse, weil der Osmane alle Gesandtschaftsbeamten u. europ. Reisende als *begsade* = Fürstensohn betrachtet, bei dem muh. Pöbel, in Anspielg. auf die abweichenden Satzungen, das *Schweineviertel* (Hammer-P., Konst. 2, 78. 112, Meyer's CLex. 10, 229); *b)* in Philippopel, auf der linken Seite der Maritza, gew. *Késchiak*, ob v. bulg. *kasché* = Brei? 'Jedf. waren die Strassen schon j., im Herbst 1862, nach den wenigen gefallenen Regen, mit so tiefem, breiartigem Koth erfüllt, dass dieser Umstand im Winter wohl Anlass zu einer derartigen Benenng. geben könnte (Barth, RTürk. 43). — *Peraia*, gr. Πέραια = 'Ueberwasser' *a)* eine v. korinth. Isthmus nach Westen vorspringende Berghalbinsel, deren Hptort j. *Perachora*, 'weil ihre Höhen den Korinthern gerade jens. der lechäischen Bucht liegen' (Curt., Pel. 2, 551). Auf der Höhe dieser militärisch wichtigen Gegend lag der feste Platz Πείραιον, dessen Name auch z. Bezeichng. eines grossen Bezirks diente (ib. 552); *b)* ἡ 'Ροδίων Π. = Peraia der Rhodier (Ptol. 7, 6), die v. den Rhodiern besetzte, ihrer Insel gerade ggb. liegende Südküste Kariens; *c)* ἡ Τενεδίων Π., ein troischer, der Insel Tenedos ggb. liegender u. v. deren Einwohnern besetzter Landstrich (Strabo 596); *d)* das transjord. Palästina, in lat. Form *Peräa*, übsetzt aus hebr. 'Eber-han-nahar' = jenseits des Flusses (Kiepert, Lehrb. AG. 179), auch ἡ πέραν τοῦ 'Ιορδάνου (Matth. 4, 25), doch in beschränkter Ausdehng. — *Peraiboi*, gr. Περαιβοί = 'Ueberwasserer', ein euböischer Volksstamm, der nach dem Festlande, also jens. des Wassers, versetzt, nördl. v. Peneios unter einer Niederlassg. jens. des Gebirges Lakmon sesshaft war (Hom., Il. 2, 749, Pape-Bens.). — *Perama*, ngr. τὸ Πέραμα = Ueberfahrt, Fähre, heisst eine felsige Landzunge der Insel Salamis, welche an die Küste v. Megaris so nahe herantritt, dass j. eine Fähre die Verbindg. unterhält (Bursian, Gr. Geogr. 1, 365). — *Perameria*, gr. Περαμεριά, s. v. a. 'Land jens. des Ladon', eine arkad. Gebirgslandschaft (Curt., Pel. 1, 373). — *P. Head*, ein Cap am Carpentaria G., v. M. Flinders (TA. 2, 129, Atl. 13) am 9. Nov. 1802 getauft nach dem holl. Schiffe *P.* (s. Arnhem), 'to preserve the name of the second vessel which, in 1623, sailed along this coast'.

Perak = Silber, mal. Name eines Staats auf Malakka, der durch ausserord. Reichthum an

Zinn, was die Eingebornen f. Silber hielten, sich auszeichnet (Meyer's CLex. 12, 707).

Perampuan s. Kambangan.

Perazim s. Baal.

Percée s. Pertuis.

Percy Isles, eine Abtheilg. der austr. Northumberland Is., 'forming a distinct portion of this archipelago', näher untersucht v. Seef. M. Flinders (TA. 2, 77, Atl. 10) am 28. Sept. 1802 u. getauft zu Ehren des edeln Hauses *P.*, in honour of the noble house to which Northumberland gives the title of duke. — *Mount P.*, 2 mal bei engl. Entdeckern: *a)* ein 1100 m h. in zwei auffallende Gipfel ausgehender Berg v. Joinville Ld., SShetl., v. Capt. J. Cl. Ross (SouthR. 2, 328) am 30. Dec. 1842 benannt nach rear admiral the honourable Josceline *P.*, the commander-in-chief of the Cape of Good Hope station, to which these newly-discovered lands belong'; *b)* ein Inselberg bei Penny Str., v. Capt. Edw. Belcher (Arct. V. 1, 87) im Aug. 1852 getauft. — *Lady P.'s Isle*, eine felsige, flachgipflige Küsteninsel Victoria's, Austr., v. Lieut. Grant 1800 entdeckt u. zu Ehren Lady Julia Percy's benannt (Flinders, TA. 1, 204). Die frz. Exp. Baudin, am 1. Apr. 1802, wollte sie *Ile Fourcroy*, das rückwärts liegende Vorgebirge *Cap Réaumur* nennen, beide nach berühmten Naturforschern (Péron, TA. 1, 266). Während Flinders (Atl. 5) zwei Inseln andeutet u. demgemäss dem Namen die Pluralform *'Isles'* gibt, sagt — im Einklang mit Baudin — der engl. Landreisende Mitchell (Three Expp. 2, 251), welcher 1836 hier an das Meer vordrang, dass es der Inseln dort nur eine gebe: *Julian Island* der Walfänger. — *Ile P.* s. Radstock.

Perdição, Rio da = Fluss der Verirrg. nannte die Goldsucherexp. Bueno's 1721 einen Fluss der bras. Prov. Goyaz, weil die Theilnehmer sich nicht mehr zu orientiren wussten (Eschwege, Pl. Bras. 56); *b) Bahia dos Perdidos* s. Rodrigo. — *Rio de las Animas Perdidas* s. Purgatory.

Père s. Mère.

Peredénia = guavenreicher Sumpf, v. *pére* = Guave (die apfelgr. Frucht, v. Psidium piriferum L., einer Myrtacee), singh. ON. in Ceylon (Schlagw., Gloss. 233).

Peregrino, Isla del = Pilgerinsel (s. Fugitiva), eine austr. Entdeckg. der span. Exp. Quirós am 1. März 1606, ozw. *Mana-* od. *Manihiki* (Viajes Quirós 1, 272; 3, 31), v. Capt. Patrickson 1822 prsl. *Humphrey-*, v. Capt. Coffin, Schiff Ganges, *Great Ganges Island* (vgl. Grossf. Alexander I.) genannt (Fleurieu, Déc. 37, Meinicke, IStill. O. 2, 260). — Unbestimmt *Point Peregrine*, in der her arkt. Southampton I., v. engl. Capt. L. Fox am 13. Sept. 1631 getauft (Rundall, Voy. NW. 181).

Pereja s. Schtschutschja.

Perekop, Ort der *Landenge v. P.*, wo, um die taur. Halbinsel gg. die nördl. Nomaden zu schützen, zZ. des bosporan. Reiches ein Wall u. Graben quer üb. den Isthmus gelegt wurde, daher gr. *Τάφρος* = Graben, Befestiggsgraben, lat. *Taphros*, auch im Mittelalter eine starke Veste, an deren

Besitz sich die Herrschaft üb. die Krim' knüpfte, daher türk. *Orkapu* = goldenes Thor u. daraus *P.* viell. umgedeutet (Hammer-P., Osm. R. 7, 452. 475, Meyer's CLex. 12, 710). Nach Herberst. (ed. Major 2, 77) wäre slaw. *P.* = durchgegraben, wie denn die taur. Könige den Isthmus hätten durchgraben lassen; auch Pallas u. a. geben diese Ableitg. (Charnock, LEtym. 207). — *Perewolog*, v. russ. *perevoloka* = Trageplatz, bei Chr. Burrough 1579 *Perawolok*, der 30 Werst br. Landhals, Trageplatz, zw. Wolga u. Don, wo früher die Tataren ihre Boote v. Fluss zu Fluss trugen, wenn sie auf den Raub der die Flüsse abw. gehenden Fahrzeuge ausgingen (Hakl., Pr. Nav. 1, 325. 419). — *Perewósnyj Nos* = Vorgebirge der Ueberfahrt, in Wajgatsch, an der engsten, nur 4 km br. Stelle der ugr. Str., wo gew. der Uebergang stattfindet. Dabei die *Perewósnaja Gubà* = Bucht der Ueberfahrt (Schrenk, Tundr. 1, 352 f.). — *Perewous-mótrennaja* scil. *Gora* = der erstgesehene Berg, in NSemlja, 73⁰ NBr., v. russ. Entdecker Lütke so getauft, gleichs. als erster Pfeiler der dichtgedrängten Bergwelt, welche f. den v. Süden Vor rückenden dort beginnt (ib. 2, 20), verständlicher 'zuerst sichtbarer Berg', wie er denn auch 'v. der See aus schon v. ferne sichtb. ist' (Peterm., GMitth. 23, 54). — *Per(e)woje* s. Wolokowoje. — *Prevlaka, Privlaka* u. *Privlak*, Orte in Böhm. u. Kroat., *Przewloczna* u. *Perzewloka*, alle = Trageplatz, in Galiz. (Miklosich, ON. App. 2, 222).

Perforated Rock, the = der durchbohrte Fels, f. einen durchbrochenen, hohen, schlanken Inselfels v. Franklin Bay, ein Felsthor, unter welchem die Boote durchfahren können, v. Dr. Richardson getauft am 22. Juli 1826 (Franklin, Sec. Exp. 237, Ansicht); *b) P. Island* s. Capella. Vgl. Pierced, Pertuis u. Furado.

Pergama, gr. *Πέργαμα* = Hohenburg, die her vorragende (ύψηλà Phot. 413, 6), bes. die Burg Troja's, dann die ganze Stadt. Aehnl. *Πέργαμον*, eine Stadt der mys. Landschaft Teuthrania, j. *Pergamo, Bergama* (Pol. 4, 48); ebenso *Πέργη*, eine Stadt Pamphyliens, mit berühmtem Tempel der Artemis auf der Anhöhe, j. *Murtan* (Scyl. 100, Pape-Bens.), türk. *Eski Kalessi* = Altenburg (Meyer's CLex. 12, 713).

Perico s. Naos.

Périgueux, das Hpt. der frz. Ldsch. *Périgord*, urspr. *Vesunna*, z. Römerzeit civitas *Petrocorium*, nach dem gall. Stamm der Petrocorii, oft einf. *Petrocorii* (Sid. Ap. 7 ep. 6, Greg. v. Tours) od. *Petrochoras*, 1153 urbs *Petragorica*, 1240 villa et civitas *Petragoricensis*, dial. *Pierreguys*, l'ere guès, 1466 *Periguhès* (Dict. top. Fr. 12, 228). Den VolksN. v. kelt. *per* = Fels u. *gor* = Hügel, 'double allusion au sol pierreux de cette contrée et aux nombreuses collines qu'on y recontre', also wie einen LandesN., ableiten (RDenus, AProv. Fr. 195), kann z. voraus kein Vertrauen erwecken; dagg. betrachtet ihn H. d'Arbois de Jub. (Rev. Arch. 13me sér. 17, 191) als Parallele zu den v. Livius erwähnten *Tricorii* = 3 Heere der Isère:

Petru-Corii = 4 Heere, v. gall. Thema *corio*- = Truppe, das im plur. der frz. Bezeichng. *-gueux* ergab.

Perim, Insel in Bab el-Mandeb, arab. *Mahum* (Barros, As. 2, 8[1]), *Mehun* (Bergh., Ann. 5, 9) od. *Majún* (Peterm., GMitth. 6 T. 15.18), beide Namen mir unerklärt, zZ. der Port. *Ilha da Vera Cruz* = Insel des wahren Kreuzes. Als der Gouv. Indiens, Affonso d'Alboquerque, mit dem Gedanken umging, auf ihr ein Fort anzulegen, änderte er ihren 'barbarischen Namen' nach dem Kreuze, welches er auf einem Maste aufpfanzen liess u. welches das Zeichen der Christianisirung der Uferländer sein sollte: 'Ao tempo que se arvorou, tirou toda artilheria, e a gente tras ella foi posta em um clamor com os olhos no Ceo, dando cada hum louvor, e gloria a Deos, pois lhe aprouvera naquellas partes çafaras per gentilidade, e infieis per crença daquelle Divino sinal, serem elles os primeiros que o levantárão em gloria, e exalçamento de sua fé, e per elle tomaväo posse de todo o que se continha dentro daquelle estreito' (Barros, As. 2, 8[3]).

Peristereon, gr. *Περιστερεών* = Taubenfels, ein Felsen bei Siloam, Palästina (Jos., Bell. Jud. 5, 12[2], wie *Peristerides*, gr. *Περιστερίδες* = Taubeninseln, bei Smyrna (Plin., HNat. 5, 138, Pape-Bens.), im Motiv wohl unzweifelhaft. — *Perirrhoon* s. Kandilli.

Perkischen s. Berg.

Perlas, Islas de las = Perleninseln, im Golf v. Panamà, wo der Spanier G. Morales 1515 zuerst die Bänke ausbeutete; f. den Gouv. gab ihm der Häuptling einen Korb voll Perlen im Werth v. 1200 Ducaten 'e lhe deu pera elle hum cesto de perolas q' pesara cem marcos . . . .' (Galvão, Desc. 126). 'They have also obtained a great quantity of rich pearls, whence the islands take their name', erzählt der Reisende Pedro de Cieza de Leon 1532/50 (WHakl. S. 33, 20). Die meisten kamen v. der *Isla del Rey* = Königsinsel, auch *Insel der Reichthümer*, einh. *Toe*, *Terarequi*; immerhin war die Ausbeute im carib. Meere grösser u. v. besserer Qualität (Acosta, HInd. 235, Gomara, HGen. c. 63, 198). — *Golfo de las P.* = Perlenmeer, das Meer der Leewärts In., v. Columbus 1498 so genannt, weil er hier den Indianern viele Perlen sah (WHakl. S. 43, 139, Raleigh, Disc. LXIX), wo u. a. eine *Isla de las P.* (s. Margarita) u. der ganze Küstenstrich Cumanà-Carácas: *Costa de las P.* (Las Casas, Coll. 1, 224). — *Perlen-Inseln* s. Paumotu.

Perm, russ. Stadt an der Kama, erst 1781 angelegt, hat den Landesnamen in sich aufbewahrt. Hier bestand, durch Peter d. Gr. 1723 ins Leben gerufen, ein Kupferwerk, *sawod*, am Flüsschen Jagoschicha, darum *Jagoschichinskoi Sawod* genannt, wurde Slobode, 1785 Gouvernementshaupt (Müller, Ugr. V. 2, 346). Die finn. Eingb., schon bei den Normannen des 9. Jahrh. *Bjarmar* (ihr Land bei den Byzantinern *Permia*), russ. *Permjaki*, nennen sich selbst *Kami-mort*, *Komi-murt*,

pl. *Komi-murtjas* = Leute an der Kama; sie sind seit dem 11. Jahrh. tributpflichtig, seit dem 14. getauft, seit 1505 unterworfen, seit 1558 mit russ. Colonisten vermischt, j. auf 67 000 Köpfe zsgeschmolzen (ib. 2, 346, Meyer's CLex. 12, 725, Peterm., GMitth. 23, 145, P. Hunfalvy, VUral 26). Man hat den Landesnamen v. finn. *Perämaa* = hinteres Land od. v. syrj. *Perjemaa* = weggenommen, geerbtes Land (Sjögren, Gesamm. Schr. 1, 295f.) ableiten wollen; nun denkt G. Lytkins (Zeitschr. Minist. Volksaufkl. Dec. 1883), ein Kenner des Syrjän., seiner Muttersprache, an syrj. *par* = Auswuchs, Bärtchen, v. dem *par-a mu*, dann *parma* = Hochwald, Hochebene, komme.

Pernambuco, in frz. Orth. *Fernambouc*, zunächst *Paranámbuco*, v. ind. *paraná* = Fluss, Seitenfluss u. *mbuk* = Arm, also Seitenarm (des Meeres), 'Haff', weil hier an der inselhaltigen, seeartig vereinten Mündgsgegend zweier Küstenflüsse, das gewaltige vorliegende Felsriff ein herrliches Hafenbassin abschliesst. Daher heisst auch der die Haupttheil, 'nome este que passou á povoação', *Recife* = Riff, vollst. *Ciudad do Recife* = Stadt am Riff, während die neuen Stadttheile ihren eignen Namen führen: *Boa Vista* = schöne Aussicht u. *San Antonio*, welches die Mündgsinsel bedeckt. 'And it was picturesquely and accurately so called by the Indians from the gap in the natural wall which here fringes the coast; hence the Portuguese *Mar Furado*' = Meer mit Ausgang (WHakl. S. 51, 20). Die erste Anlage bildete 1526 die Factorei des Port. Christovam Jaques an dem Flusse, welchen die Indianer *Igára-açú* = grosses Canoe nannten nach den europ. Schiffen, welche an der Flussmündung ankerten, 'que á sua foz ancoravam' (Varnh., HBraz. 1, 38. 147). Seit 1637, zZ. der holl. Occupation hiess die Insel San Antonio nach dem holl. Gouv. *Mauricia* (s. Mauritius). In diese Zeit fällt auch der Ursprg. des Namens *Boa Vista*; denn in der Gegend dess. liess sich dam. der Prinzgouv. Mauritius das Landhaus *Schoonzigt* = schöne Aussicht bauen, u. v. ihm bekam, schliesslich in port. Uebersetzung, *Boa Vista*, der nach dieser Seite anwachsende Stadttheil den Namen: 'fez o Principe construir uma vivenda de campo, á qual deu o nome . . . que ora leva o bairro que para esse lado foi crescendo' (ib. 383). Uebr. erinnert Avé-Lallem. (ZfAErdk. nf. 15, 156), dass *P.* in der Bedeutg. eines Wassers, welches sich wie ein Arm hinein erstrecke, in das Land hineindränge, an derselben bras. Küste noch zweimal vorkomme: *b)* bei dem kl. Städtchen Ilheos, wo vor dem Binnenhafen einige Inseln u. die lange Felsenkette eine ziemlich geschützte Aussenrhede bilden; *c)* in Rio Grande do Sul, weil gleich südl. v. den Torres die öde Sandküste *(Praya do) P.*, nach den landein streichenden Strandseen so getauft, ihren Anfang nimmt.

Pernicieuses s. Palliser.

Péron, Presqu'île, die Halbinsel, welche sich weit in die Sharks Bay, West-Austr., vorstreckt,

v. Schiffsfähnrich Louis Freycinet, Exp. Baudin, am 14. Aug. 1801 benannt nach einem der Naturforscher der Exp., dem Zoologen Fr. Péron (TA. 1, 166), v. Schiffe le Géographe. Der engl. Seef. Dampier, 1699, hatte sie f. eine mitten in der Bay liegende Insel gehalten u. *Middle Island* = Mittelinsel genannt. — Ebenso v. der Exp. Baudin *Cape P. a)* ein Cap in Leeuwins Ld., am 10. März 1803 (ib. 2, 167); *b)* in Maria E., Tasmania, im Febr. 1802 (ib. 1, 220). — *Canal P.*, die Durchfahrt zw. Fleurieu u. Three Hummock I., Bass Str., am 10. Dec. 1802 (ib. 2, 21). — *Ile P.*, bei Arnhem's Ld., am 22. Juni 1803 (ib. 2, 245), während eine andere *Ile P.* (s. Danger) auf eine andere Person sich bezieht.

Perote, Cofre de, ein Gipfel der Cordilleren Mexico's, benannt nach der Kofferform eines auf seiner Ostseite stehenden Felsen u. dem nahen Marktflecken *P.*, azt. *Nauh-campa tepetl* = der vierseitige Berg, v. *nauh-campa* = vier Seiten u. *tepetl* = Berg (Humb., Vue Cord. 233, ZfA Erdk. 5, 124). — Ein antikes Seitenstück ist *Larnassos*, gr. *Λαρνασσός*, der frühere Name des 'schroffen' Parnass (Fiedler, Griechl. 1, 213), ein deutsches der *(Hohe) Kasten* in Appenzell.

Pérouse, Détroit de la, Strasse zw. Sachalin u. Jeso, welche der frz. Seef. *LP.* 1787 nach Durchschiffung eines grossen Theils des tatar. Sundes durchfuhr u. so aus dem japan. Mittelmeer in die Ocholsk. See gelangte (Milet-Mureau, LPér. 3, 79); *b)* Canal la *P.*, in den Ladronen, zw. Agrigan u. Assonsong, v. dem frz. Seef. 1786 zuerst durchschifft (Meinicke, IStill. O. 2, 395); *c)* *Riff La P.* s. Pitt.

Perowsky, russ. Fort am Syr Darja, gleich dem ersten, 1853 auf den Fluss gesetzten Dampfer benannt nach dem Chef der Exp. v. 1839/40, die in Chiwa 2000 russ. Sclaven befreite (Peterm., GMitth. 20, 201. 336). Schon am 10. Juli 1847 hatte der Orenburger Gouv., General Obrutschew, den 'Nikolai', ein verdecktes Segelboot, wie sie v. den Fischern auf dem Kaspisee gebraucht werden, v. Stapel gelassen u. eine Fahrt z. Mündg. des Syr Darja unternommen (Bär u. H., Beitr, 18, 123). Ein anderes Fahrzeug, der Michael, diente z. Fischfang. 1848 kam das grössere Schiff Konstantin hinzu, um bei der Aufnahme des Sees u. der Inseln mitzuhelfen (Ermann, Arch. 12, 586 ff.). Als nun 1853 der General auf dem nach *P.* benannten Dampfer den Syr Darja bis *Ak Medsched* (= weisses Märtyrergrab, weisse Moschee) hinauffuhr, wurde dieser Platz erobert u. als russ. Fort *P.* umgetauft (Bär u. H., Beitr. 24, 167 ff., Hellwald, Russ. CAs. 33).

Perpetua, Cape, nannte Capt. Cook(-King, Pac. 2, 260) ein Vorgebirge des j. Oregon, welches er am Perpetuatage, 7. März 1778, nach protestant. Kalender, entdeckte.

Perroques s. Za.

Perreux s. Pierre.

Perrière, La, lat. *Petraria* = Steinbruch, fem. des subst. gebrauchten adj. *petrarius*, f. welche die class. Latinität *petrosus*, frz. *pierreux*, statt *perreux*, setzt, ist der Name einer Gemeinde des dép. Côte d'Or, wie plur. *Perrières*, alt *Petrarias*, einer Gemeinde des dép. Calvados. Es gibt auch eine männl. Form *Le Perrier*, die mehrf. vorkommt, ein *Perreux* m. u. *Perreuse* f., letzteres 1172 *Petrosa* (d'Arbois de Jub., Rech. NL. 604). In den 19 dépp. des Dict. top. Fr. zähle ich solcher Formen an 100.

Perrot s. Pelée.

Pers, Munt = verlorner Berg, rätr. Name eines der Berghäupter des Bernina, in die Volkssage v. Mortiratsch verflochten, in der Art, dass die Alp v. dem thalwärts vorrückenden Gletscher bedeckt wurde u. schliesslich verlassen werden musste (Lechner, PLang. 72). — *Perse* s. Aigues.

Persia, gr. ἡ *Περσίς*, altpers. *Parsa*, assyr. *Pâras*, arab. *Fars*, neupers. *Farsistan*, Name eines iran. Landes, nicht befriedigend erklärt (Charnock, LEtym. 207 f.). Wohl mit ihm gleichlautend, etwa *Pârssa*, die Stadt, gr. *Περσέπολις*, j. *Tschel-* od. *Tschehil-Minar* = die 40 Säulen, weil v. der Audienzhalle, die auf den mittlern Burgterrasse, v. 75 Säulen getragen, sich erhob, noch einige (13) stehen (Spiegel, Erân. A. 1, 93. 214, Meyer's CLex. 12, 730). In der Zeit der Sassaniden u. des arab. Mittelalters hiess der Ort *Stachr*, *Istachr* (Kiepert, Lehrb. AG. 65). — Nach dem Lande die *persische Pforte* (s. Pylai) u. insb. der *Περσικὸς Κόλπος* (Strabo 765 ff.), lat. *Sinus Persicus* (Plin., HNat. 6, 108 ff.), arab. *Bahr el-Fârs* (Parmentier, Vocab. arab. 13), einer der beiden Arme des *arabisch-persischen Meeres* (s. Arabia). Zwar wird eingewandt, jene Benenng. sei unpassend, insofern auf dem Golf die Perser keine Schifffahrt treiben u., abgesehen v. den übermächtigen Engländern, allein die arab. Küsten- u. Inselbewohner beider Ufer mit ihren Baghlen den Golf durchkreuzen (Peterm., GMitth. 9, 210, Brugsch, Pers. 2, 243); allein aus Barros' eindrucksvoller Schilderg. (As. 3, 6⁴) erkennen wir, warum die Portugiesen des Entdeckungszeitalters den Namen *Mar Parseo* (statt *Mar Arábigo*) in Umlauf gebracht haben: Auf der arab. Seite nur 4 Wohnorte, wovon 3 dicht am Eingange, der ganze Rest der Küste öde, dürre Wüste; auf der pers. Seite ein palmengeschmückter Strand, bewohnte Küsteninseln, zahlr. Orte, geschützte Hafenbuchten u. selbst einige Bergbäche, welche das Meer erreichen. Dieser Küste im Eingange vorliegend das Emporium Ormuz, v. welchem aus die Waarenzüge nach dem pers. Binnenlande abgingen, während die arab. Wüste eher beweidet als bewohnt heissen mochte: 'por a terra em si ser tal, que mais se póde dizer pastada que habitada ...' Auf Hondius' Carte 1628 (Fletcher's World Enc.) heisst der Golf *Mare Mesendim*, nach dem Felspfeiler, welcher, Ormuz ggb., den Eingang bewacht (s. Mussendum). — *Parsivan* s. Bucharen. — Vgl. Parsi.

Perspective Ridge, ein Bergzug des ostgrönl. Jameson's Ld., steigt aus niedrigem Flachufer allm. zu 450—600 m auf, so gleichmässig in Anstieg u. Höhe, dass der Rücken scheinbar eine

Horizontale bildet, welche in Folge der Perspective nach Norden regelmässig abnimmt, um in der äussersten Ferne z. Seeniveau zu sinken. So benannt am 27. Juli 1822 v. engl. Walfgr. Will. Scoresby jun. (North.WF. 203) 'from its form and appearance'.

Perseverance s. Campbell.

Perth, gael. ON. in Schottl., alt *Bert*, *Berth*, *Bertha*, wohl v. *bhar-tatha*, gespr. *bar-ta* = Höhe am Tay, d. i. dem Flusse, an welchem die Stadt liegt (Charnock, LEtym. 208). Durch schott. Auswanderer mehrf. übtragen: *a)* in West-Austr., v. Gouv. Stirling im Aug. 1829 ggr. (Trollope, Austr. 2, 240); *b)* in Tasmania; *c)* in Canada; *d)* in der Union 2 mal (Ritters geogr. Lex. 2, 351).

Perthes-Insel, die grösste der drei Inseln vor Cap Torell, Hinlopen Str., v. der ersten deutschen Nordpolexp. 1868 getauft nach dem Besitzer der cartograph. Anstalt in Gotha. Nach Mitarbeitern der in diesem Verlag erscheinenden 'Geogr. Mitth.' v. A. Petermann heissen die beiden kleinern Eilande *Behm-Insel* u. *Berghaus-Insel* (PM. 17, Erg. H. 28 T. 2).

Pertuis, Pierre, im Berner Jura, v. *Petra Pertusa* = durchlöcherter Fels, der natürliche, v. Menschenhand erweiterte Felstunnel, durch welchen heute die Strasse (Genf-)Biel-Moutier(-Basel) führt u. welche schon zZ. der Römer als Uebergang benutzt wurde. — Analog *Pietra Perzia*, ein Felsschloss bei Caltanisetta, arab. übsetzt *Hadschar el-Mathcub* (Edrisi ed. Jaub. 2, 100); ferner *Pierre-Percée*, Burgruine bei Baccarat, dép. Meurthe, 1127 *Petra-Perceia*, 1280 *Pierre-Percie*, 1282 *Pierrepercicée* (Dict. top. Fr. 2, 109), *Pierre-P.*, 1141 *Petra-Pertusa*, im 12. Jahrh. *Petra-Foraminis*, mit gl. Bedeutg., im dép. Yonne (ib. 3, 98), *Pierre Percée*, Gegend bei Vandeville, dép. Meuse, wo der Sage zuf. eine Menge roher Steinblöcke aufrecht im Kreise aufgestellt waren (ib. 11, 179), u. eine *Pierre-Percée* od. *Borne Trouée*, im 10. Jahrh. *Pertusa Petra*, bei Écurey, ebf. dép. Meuse, wo noch unlängst ein grosser durchbohrter Grenzstein, *borne*, stand, als Marke der alten Grfsch. Verdun (ib. 11, 180), *la P.-Percée*, im dép. Eure (ib. 15, 167). Vgl. Perforated, Pierced u. Furada.

Peru, bei Acosta (IIInd.) constant *Pirù*, bei Navarrete (Coll. 3, 420) *Birù*, corr. *Pirù*, seit der conquista 1520/40 ein weit ausgedehntes span. Vicekönigreich, j. in viel engerer Ausdehng. auf eine der seit der Emancipation 1810/25 entstandenen Creolenrepubliken bezogen, erhielt diesen Namen durch die Conquistadores, angebl. nach einem Flüsschen *Birù*, *Pirù*, welches unter 7½° NBr., bei der Punta de Pinas, in die Südsee mündet. Hier nämlich, nachdem schon Balboa 1513 am Isthmus v. dem grossen südl. Culturreiche plastische Belehrg. erhalten, vernahm, v. Isthmus her vordringend, Pasc. de Andagoya 1522 neue lockende Berichte, u. nach dieser Oertlichkeit, welche in der Richtg. der goldreichen Gegenden lag, fing man an, diese selbst zu benennen (Gomara, HGen. c. 108, LCasas 3, 42). Die v.

Balboa 1515 f. ausgesandte Exp. habe einen an der Flussmündg. fischenden Indianer nach dem Namen des Landes befragt u. *Berù*, *Pelù* (= Fluss?) z. Antwort erhalten (GVega, Com.Real 1,4). 'This countrey was called *P.* by the Spaniards, of a river so named by the Indians, where they first came to the sight of gold' (Hakl., Pr. Nav. 3, 799). In Andagoya's Bericht (WHakl. S. 34, 10) erscheint ein Cacique *Biru*, u. der Herausgeber fügt bei: 'whose name supplied the Spaniards with an erroneous designation for the great empire of the Yncas'. Der Fürst kann jedoch selbst nach dem Flusse benannt sein, wie denn Verwechslungen u. Uebtragungen v. Personen- u. ON. den Spaniern häufig unterliefen, so wenn Fr. Xeres den Inca Huayna Ccapac u. seinen Sohn Huascar immer den alten resp. jungen Cusco nennt (WHakl. S. 47, 33). Derselbe Andagoya erwähnt denn auch später (p. 40 f.) keinen Häuptling, sondern schon eine Prov. *Birù*, 'the name of which has been corrupted to *Pirù*'. Als Generalinspector der Indianer fuhr der Berichterstatter 1522 so weit an der Küste herab, dass er die Prov. *Birù* erreichte. 'I then ascended a great river for twenty leagues, and met with many chiefs and villages, and a very strong fortress at the junction of two rivers, with people guarding it ... And the province was called *Pirù* ... and so we call it *Pirù*, but in reality there is no country of that name' (ib. 34, 42). Unsere Unsicherheit spiegelt sich bei Prescott, der am einen Orte (CPeru 1, 41), nach GVega (Com. Real. 1,1[6]), ein Missverständniss des peruan. Worts *pelu* = Fluss, später (ib. 1, 211), nach Zarate (Conq. Peru I.) u. Herrera (HGen. 3, 6[13]), unsere erste Ableitg. vorträgt. Der angerufene Gemeinname *pelu* existire, sagt Montesinos (Mem. Ant. 1, 2), nicht; aus *Ophir* will er *Phiru*, *Piru*, *P.* (!) ableiten. Entschieden entstand der Name in Folge eines Missverständnisses u. war den Eingb. unbekannt; diese nannten das weite Reich *Tavantin-suyu*, eig. *Ttahua-ntin-suyu* = die 4 Provinzen, entspr. der Viertheilg. des Staates, wie ja auch v. dem 'Nabel' Cuzco die 4 Hptstrassen ausgingen u. in den 4 Quartiern der Hptstadt die 4 vschiedd. Stämme, sogar unter Beibehaltg. ihrer nationalen Tracht, getrennt lebten. Die 4 Provv. der Incazeit waren: *Anti-suyu*, nach Osten (s. Anden), *Chincha-suyu*, nach Norden (s. Chincha), *Cunti-suyu*, verd. *Condesuyos*, j. noch gebr., nach Westen, *Colla-suyu*, nach Süden (WHakl. S. 33, 326. 335, Denkschr. Wien. Acad. 39, 137). Seit der Verleihg. 1534 hiess das v. Pizarro eroberte Reich *Nueva Castilla* = Neu Castilien (Prescott, CPeru 1, 305; 2, 28).

Perunski, ein Kloster Gross-Nowgorods, benannt nach einem Götzenbild, welches, an dieser Stelle stehend, z. heidn. Zeit in grosser Verehrg. stand, aber bei der Christianisirg. in den Wolchow geworfen wurde (Herberst. ed. Major 2, 26).

Pescadores, los die Fischer(-inseln), mehrf. im roman. Sprachgebiete: *a)* eine nordpacif. Inselgruppe (s. Marshall), v. einem unbekannten span.

Seef. entdeckt, zuerst auf span. Carten (Bergh., A. 3. R. 1, 215), dann auf d'Anson's Carte verzeichnet, v. engl. Capt. Wallis am 3. Sept. 1767 auf *Bigini*, Ralick, fixirt (Krus., Mém. 2, 371). Vgl. Korsakow; *b)* eine Inselgruppe der peruan. Küste (Stieler, HAtl. No. 49^b); *c)* ein Ort am Wege Huacho-Chancay, einige Fischerhütten, wo man etwas Brackwasser u. geröstete Fische erhält (Tschudi, Peru 1, 309). — *Os Baixos dos P.* = die Fischerbänke, eine Gruppe fischreicher Sandbänke u. Untiefen im Fukian Canal (Hakl., Pr. Nav. 3, 445). — *Isola dei Pescatori,* die am wenigsten bebaute, nur v. Fischern bewohnte der Borrom. In.... 'è d'aspetto rusticale; racchiude un gruppo di case abitate da poveri pescatori, e la nuda natura vi fa contrasto colle artificiali ricchezze delle isole vicine' (Lavizzari, Esc. 3, 369), auch *Isola Superiore* = 'Ufenau', weil sie nach dem Oberende des Golfs hin liegt (Dufour C. 23). — *Pescara,* ant. *Aternum,* adriat. Küstenort Ital., im 7. Jahrh. n. Chr. *Piscaria,* diente den hier zsgrenzenden Vestinern u. Marrucinern nicht sowohl z. Seehandel, da er keinen Hafen hat, als z. Fischfang (Kiepert, Lehrb. AG. 416). Der Fluss j. *Aterno,* im Unterlauf *Pescara.* — Auch *Peschiera,* die Stadt am Ausflusse des Gardasees, erscheint zZ. der Hohenstaufen als *Piscaria* (Meyer's CLex. 12, 769).

Peschâvar, auch *Pischawar, Pischawer, Pischaur,* verd. aus *Purushapura* = Stadt der Männer, skr. Name einer ind. Stadt, die das Centrum der Niederungen am Unterlauf des Kabulflusses ist (Lassen, Ind. A. 1, 33). Hellwald (Russ. CAs. 65) denkt an pers. *bischeh* = Gebüsch u. setzt *P.* = buschtragend.

Peschchabur = vor dem Chabur, fälschl. *Fei*od. *Peischabur,* grosses Christendorf am Tigris, obh. Mosul, v. kurd. *pesch* = vor u. *Chabur* (od. Sachu-Su), dem Flusse, welcher etwas obh. in den Tigris mündet (Schläfli, Or. 62).

Peschel s. Bastian u. Ritter.

Pescheräs wurden die Eingb. Feuerlands v. frz. Seef. Bougainville 1765 genannt nach dem ersten Worte, welches man sie bei der Begegng. aussprechen u. nachher unaufhörlich wiederholen hörte, etwa so, wie der engl. Major Mitchell (Three Expp. 1, 232 f.) einen Stamm austr. Wilden the *Orca Tribe* nennt, nach dem Worte *orca,* welches sie fortwährend ausriefen. Auch auf seiner zweiten Reise, am 6. Jan. 1768, traf Bougainville (Voy. 147) am Cap Gallant wieder 4 Kähne voll *P.,* die den Ruf ertönen liessen (Garnier, Abr. 1, 191), u. noch j. hört man ihn häufig in den centralen Theilen der Magalhäes Str. (Fitzroy, Adv. B. 2, 132, Cook, SouthP. 2, 183. 192). Meine frühere Vermuthg., als dürfte *P.* zshängen mit *shëröo* (= Schiff), welches Fitzroy (Narr. 1, 53. 77) hörte, ist unhaltbar ggb. der bestimmten Aeusserg. (ib. 315), dass es ihm bei zahlr. Versuchen nie gelungen sei, den genauen Sinn des Worts *Pecheray* herauszubringen. Er hält dafür, dass etwas 'of a superstitious nature' in dem 'talismanic *Pecheray*' stecke.

Pest s. Budapest.

Pestschanie Ostrow = Sandinsel, eine der Flussinseln im Mündungslaufe der Wolga, 'der matiaanischen gleich..., nur sandiger.' Eine andere heisst *Kruglinskoe O.* = runde Insel (Falk, Beitr. 1, 127). — *Mys Pestschanyi* = Sandcap, am östl. Ufer des Kaspisees, ca. 43° NBr. (ZfAErdk. 1873 T. 1). — *Peschtschanaja* s. Uwjarsejde.

Pet s. Jugor.

Petanl = Bethanien, *Kariri* = Galilea, *Heriko* = Jericho, *Hiruhurama* = Jerusalem, *Papurona* = Babylon, *Pepara* = Babel, *Piripai* = Philippi u. a. Formen biblischer Namen, welche die Maori nach dem Tode des 'Südsee-Napoleons', des Cannibalen Hongi (6. März 1828), bei dem Aufleben christlichen Geistes unter den Eingebornen, so gern auf ihre Niederlassungen übtrugen (v. Hochstetter, NSeel. 71).

Peten s. Izta.

Peter, span. u. port. *Pedro,* ital. *Pietro,* frz. *Pierre,* holl. *Pieter* (s. dd.), lat. *Petrus,* Mannsname, insb. des Apostels, eines ehm. Fischers Simon, den Jesus z. Menschenfischer machte (Ev. Matth. 4, 18 ff.), des 'Felsen', auf den Christus seine Kirche bauen wollte (Ev. Matth. 16, 18) mehrf. Wortführers der Apostel u. insb. Vertreters des Judenchristenthums, welcher nach vielen Reisen, zuf. den Lehren der kath. Kirche schon i. J. 42, nach Rom kam u. 25 Jahre lg. den päpstl. Stuhl inne gehabt habe. Zu seinen Ehren feiert die Kirche 'Petri Stuhlfeier', 22. Febr., 'Petri Kettenfeier' z. Gedächtniss der Gefangenschaft in Jerusalem u. Rom, 1. Aug., u. das Fest 'Peter u. Paul', 29. Juni, als gemeinsamen Todestag beider. Dass, wie Paulus, auch dieser Apostelfürst toponymisch vertreten ist, insb. bei kirchl. Nationen u. in kirchl. Zeiten (s. Pedro), ist selbstverständlich. Eine Auslese sämmtl. hierhergehörigen Formen gibt H. K. Brandes (Badort Pyrm. 16 ff.). Voraus gehen das *Patrimonium Petri* (s. Kirchenstaat) u. *Campus Sancti Petri* (s. Feldkirch), u. es folgen *a) Petersberg,* ein Berg bei Halle, wo Graf Dedo v. Wettin 1124 ein dem Heiligen geweihtes, 1540 aufgehobenes Augustinerkloster stiftete (Meyer's CLex. 12, 787); *b) St. Peterzell* s. Appenzell; *c) Peterborough,* in Engl., nach einer dem Heiligen geweihten Abtei u. Kirche (Charnock, LEtym. 208); *d) St. P. Islands,* im Nuyts Arch. (Flinders, TA. 1, 110 ff.); *e) St. P.'s River* s. Minnesota; *f) St. P.* s. Ponafidin; *g) St. P.'s* u. *St. Paul's Islands,* 2 Inselgruppen bei Kola, wahrsch. v. engl. Seef. Stephan Burrough 1557 getauft, weil in den Vortagen des Peter- u. Paulfestes dort passirte (Hakl., Pr. Nav. 1, 294); *h) Szent-Péter,* 33 Orte in Ungarn (Umlauft, ÖUng. NB. 172).

Peterlingen s. Payerne.

Petermann, *Aug.,* deutscher Geo- u. Cartograph, bei Nordhausen 1822 geb., in Berghaus' geogr. Kunstschule zu Potsdam herangebildet, v. 1845/54 in Edinburg mit Johnston's Atlas, in London am Athenäum u. eigenen cartograph. Arbeiten be-

schäftigt, seit 1855 Herausgeber der 'Geogr. Mittheilungen' u. als solcher rastlos f. neue Expeditionen, insb. deutsche Nordpolfahrten, wirksam,
† 15. Sept. 1878. Nach ihm sind eine Reihe geogr.
Objecte benannt *a) P. Island,* bei Upernavik, v.
Admiral Inglefield 1854 (Peterm., GMitth. 19, 392);
b) P. Bay, in Grinnell Ld., v. Hayes im Mai
1861 (ib. 13 T. 6); *c) Mount P.,* in den Alpen
NSeel., v. Jul. Haast 1862 (v. Hochstetter, NSeel.
347); *d) P. Spitze,* eine ungeheure Eispyramide
des innern Grönl., v. Jul. Payer am 12. Aug.
1870 getauft (ib. 17, 199). 'Um ungefähr 1600 m
überragte dieselbe einen hohen Gebirgskamm . . .
Diese herrliche Spitze konnte nur mit dem Namen
des gefeierten . . . Urhebers der ersten deutschen
Nordpolexpp. würdig belegt werden'; *e) P. Kette,*
ein Bergzug am Matotschkin Schar, v. Baron v.
Sterneck im Aug. 1872 (ib. 20 T. 16); *f) P. Land,*
in Franz Joseph's Ld., v. der 2. österr.-ung.
Nordpolexp. Weyprecht-Payer 1872/74 (ib. 20,
450 T. 20. 23; 22, 205); *g) P. Creek,* im innern
Austr., v. E. Giles im Nov. 1872 getauft (ib. 19,
188); *h) P. Insel,* im antarkt. Graham's Ld., entdeckt u. benannt v. Capt. Dallmann, welcher im
Schiff Grönland v. der Hamburger Polarschifffahrtsgesellschaft 1873/74 ausgesandt war (ib. 21,
312); *i) P. Range,* eine Bergkette im innern
Austr., v. E. Giles 1874 entdeckt. 'I called
the new range after Dr. Augustus *P.,* of Gotha,
the celebrated European geographer who has laboured so strenuously in the furtherance of all
plans for Australian discovery and who has produced the most excellent and reliable maps of this
continent that have ever appeared' (ib. 20, 428;
22, 35); *k) Cap P.* s. Mohn.

Petersburg, St., in eigenthüml. Verquickg. des
Heiligen- u. Kaisernamens, die v. Peter d. Gr.
1703 ggr. Anlage, welche zunächst z. Fort gg.
das schwed. Gebiet, dann z. Hptstadt des an die
Ostsee erweiterten Reichs der 'Moskowiter' bestimmt war, aber heute fast fürchtet, diesen Rang
wieder an das alte Moskau zu verlieren. — Dieselbe Verquickg. in *St. Petersbad* (s. Petrowy),
während die profane Beziehg. in andern ON. klar
liegt: *a) Peterhof,* die 1711 v. dem grossen Kaiser
ggr. Sommerresidenz bei St. Petersburg (Meyer's
CLex. 12, 785); *b) Peter's Insel,* im südl. Eismeer,
v. russ. Seef. Bellingshausen auf seiner Circumpolarfahrt 1819/21 getauft (Krus., Mém. 1, 31);
c) Peter's des Grossen Bay, ein doppelter Golf
am Südende der Mandschurei, derselbe, wo die
Russen die Hafenanlage *Wladiwostok* (= Herr
des Ostens) ggr. haben. Den Golf hatte der engl.
Capt. H. Hill, der ihn 1855 aufnahm, *Victoria
Bay* getauft; den einen der beiden Arme nannte
er nach dem frz. Kaiser *Golf Napoléon,* den
andern nach dem frz. Officier, der gleichzeitig in
den korean. Gewässern Aufnahmen machte, *Golf
Guérin,* den dem erstern vorgelagerten Inselschwarm nach der Kaiserin *Eugenien Inseln*
(Peterm., GMitth. 3, 32).

Peters, nicht gen. v. *Peter,* sondern Familienname, in americ. ON. als: *a) Petersburgh,* urspr.

Peterstown, in Virgin., nach dem ersten Ansiedler
P. (Buckingh., Slave St. 2, 435); *b) P. Mansion,*
ein Theil des Fairmount Park, Philad., einst
Eigenthum des Richters Rich. *P.,* der, ein intimer
Freund G. Washingtons, hier im Alter v. 84 Jahren
†. Gleich dabei, im Schuylkill, *P. Island* (Keyser,
Fairm. P. 60).

Peterwardein, serb. *Petrovar,* kroat. *Petrova-
radin,* mag. *Pétervárad,* wo *varad* = Burg,
Castell, in Ungarn, zunächst die obere Veste,
welche 49 m üb. der Donau auf einem v. 3 Seiten
isolirten Felsen thront, wird gern als der Platz
betrachtet, wo *P.* der Einsiedler die Kriegsschaaren
des ersten Kreuzzugs ordnete (Charnock, LEtym.
208, Meyer's CLex. 12, 789); allein wenn der Ort
unter byzant. Herrschaft *Petrikon,* 1237 *Petur-
varad,* als einem Petar Garwe gehörig, geheissen
hat (Umlauft, ÖUng. NB. 172), so ist der Kreuzfahrer seiner Position nicht sicher.

Petit, fem. *petite* = klein, in ON. nicht selten:
P. Arc (s. Little Bow), *P. Côte* (s. Charles), *Pe-
tites Dents* (s. Za), *P. Montagne* (s. Grottes), *P.-
Pierre* (s. Lützel), *P. Mer* (s. Morbihan), *P. Rivière,* f. einen nur 15 leagues lg. Zufluss des
Ottawa R. (MacKenzie, Voy. 39). — *Pointe P.,*
in West-Austr., v. der Exp. Baudin im Aug. 1801
getauft nach dem Genremaler N.-M. *P.,* v. Schiffe
le Géographe (Péron, TA. 1, 168).

Petra, gr. ἡ πέτρα = der Fels od. Stein, lat.
petra, ital. *pietra,* span. *piedra,* port. *pedra,* frz.
pierre u. s. f., oft in ON., schon als Uebersetzg.
des hebr. *Sela,* סֶלַע = Fels, f. die alte Hptstadt
der Nabatäer, im (nicht 'steinigen', sondern)
Peträischen Arabien, bei den *Peträern,* aram.
Reqem = Fels, einen Ort, welcher 'in einem
zwar gleichmässigen u. ebenen, aber rings v.
Felsen umschlossenen Thal' gelegen (Strabo 779),
später, als Amazia (2. Kön. 14, 7) sie erobert hatte,
in *Jaktheel,* hebr. יָקְתְאֵל = 'die v. Gott unterjochte' umgetauft wurde. Das Umland ἡ Πετραία
Ἀραβία, lat. *Arabia Petraea* (Joseph., Ant. 16),
auch Ἀραβία πρὸς τῇ Πέτρᾳ (D. Cas. 14) od.
κατὰ τὴν Πέτραν Ἀραβία (Anon. georg. 21 bei
Müller, Geogr. Gr. min. T. 2 p. 499) = Arabien
bei od. um (die Stadt) *P.,* j. *Wady Musa* (s. d.).
Ueber die merkw. Felsbauten s. Robinson (Pal.
3, 63 ff.) u. Burckhardt (Reis. 2, 704). — *Petro-
kephalo* s. Phaistos. — Auch lat. *petra* in ON.
insb. des Mittelalters wie *Petraclausa,* j. *Pierreclos* (s. Clichy), f. *Belgrad* (s. d.) u. a.

Petrel Bay = Bucht der Sturmvögel, im Nuyts'
Arch., welche zwar kein Wasser u. Holz, aber
Schutz u. etwas Beute an Sturmvögeln u. anderm
Fleisch gewährt, so benannt v. Capt. Matth. Flin-
ders (TA. 1, 109) am 4. Febr. 1802. — *P. Island*
s. Rico.

Petrie's Sound, am Cook's R., v. engl. Capt.
John Meares im Sept. 1786 befahren u. benannt
'zu Ehren des Hrn. Will. *P.'* (GForster, GReis.
1, 11); *b) P.'s Island,* bei Cap Farmer, v. Meares'
Gefährten Will. Douglas im Juni 1789 (ib. 296).
— *P. od. Betsy Reef,* eine gefährl., just v. Wasser
bedeckte Bank bei NCaled., v. engl. Capt. *P.,*

Schiff Betsy, 1835 entdeckt (Meinicke, 1Still. O. 1, 237).

Petrocorii s. Périgueux.

Petrolia s. Oil.

Petropolis, Bergstadt in Brasil., hinter dem Orgelgebirge, 760 m üb. M., 1844 als deutsche Colonie ggr. u. nach dem Kaiser Pedro II. getauft, in herrl. Berglage, deren Waldeskühle u. Wasserfülle einen angenehmen Aufenthalt gewährt, daher bald Curort, insb. f. das reiche Rio, geworden (Avé-L., SBras. 1, 91), bei den deutschen Ansiedlern *Oberpfalz*, im Ggsatz der tiefer gelegenen *Unterpfalz* (Ausl. 1869, 351). — Ein *Nova P.*, in Rio Grande do Sul 1858 ggr. (Meyer's CLex. 12, 149). — *Petronion* s. Halikarnass.

Petrow, russ. Form f. Peter (s. d.), mehrf. in dem ON. *Petrowsk a)* Stadt des Gouv. Ssaratow, v. Peter d. Gr. 1698 ggr.; *b)* kasp. Seehafen in Daghestan, um 1845 ggr.; *c)* Stadt im Gouv. Jarosslaw; *d) Nowo Petrowsk* (s. Alexander); *e) Petrowski*, kais. Lustschloss bei Moskau, v. Katharina II., der Gemahlin des 1762 ermordeten Peter III., 1770 erbaut (Meyer's CLex. 12, 798). — *Petrowskoje Simowjë,* an der Continentalküste des tatar. Sundes auf den 29. Juni, Peter u. Paul, 1849 ggr., um der Exp. als *simowje* == Winterquartier zu dienen (Peterm., GMitth. 6, 96). — *Teplizy Petrowy* = Peterbäder (Hertha 5, 153), ein Thermalort des Terek, auf Befehl des Kaisers 1717 v. Dr. Schober untersucht u. *St. Petersbad* getauft, tatar. *Baragun Isse Su* = Therme v. Baragun, einem tatar. Dorfe der Gegend (Falk, Beitr. 2,12, Güldenst., Georg. 63). — *Petrosawodsk* = Peterhütte, Stadt am See Onega, in Folge eines v. 29. Apr. 1703 dat. Ukas Peters d. Gr. als Eisenhütte angelegt v. dem aus Freiberg, Sachsen, berufenen Ber,mann Blüher, seit 1777 Kreis-, seit 1784 Gouvernementshptstadt (Müller, Ugr. V. 1, 408 f.). Seit 1722 geriethen die Eisenwerke des Olonezker Kr. u. mit ihnen auch Petrowsky Sawod in Verfall u. wurden 1734 aufgegeben. Die Ruinen des Hüttenwerks haben sich b. heute, in der Nähe der Peterpaulskirche, erhalten (Bär u. H., Beitr. 2. F. 5, 4 f.). — *Petropawlowsk* = Peter- u. Paul's Hafen *a)* in Kamtschatka, v. dem in russ. Diensten stehenden Dänen Vitus Bering 1740 ggr. als Basis seiner americ. Exp. u. benannt, wie die beiden Fahrzeuge, mit denen er v. Ochotsk gekommen war, u. wie die während des Winterlagers 1740/41 erbaute Kirche (Müller, SRuss. G. 4, 320, Adelung, Gesch. Schifff. 625). Die Gründg. war das Werk des Steuermanns Jelagin. Dieser war v. Ochotsk aus vorausgeschickt worden, um die ein paar Jahre vorher v. Berings Leuten entdeckte Awatscha Bay aufzunehmen u. an geeigneter Stelle einen Ostrog anzulegen. Als gg. Ende Sept. 1740 Bering in der Bay ankam, fand er an einer kleinen Bucht der Nordseite einige Kasernen u. Hütten; üb. Winter kam das Fort u. die St. Peter u. St. Paul geweihte Kirche hinzu, 'og saaledes lagde han Grunden til den nuvaerende By *Petropawlowsk* (Lauridsen, V. Bering 116); *b)* Veste am Ischim; *c)*

Hüttenort bei Bogoslawsk, Ural'; *d)* Inselgefängniss in St. Petersburg, mit Zellen, die mit dem Wasser der Newa ausgefüllt werden können (Bär u. H., Beitr. 5, 66). — *Petrovopolje* = Petersfeld, in Dalmatien, wo 1090 der dalm. Kronprätendent Peter II. auf's Haupt geschlagen wurde (Umlauft, ÖUng. NB. 173). — *Petrovar* s. Peterwardein. — *Petronion* s. Halai. — *Hagion Petros* s. Slawochori.

Petsch s. Peč.

Petscheli, die gew. Namensform f. die Prov. v. Peking (u. nach ihr der *Golf v. P.*), aus *Tschy Li* = Provinz des Hofs entstanden, früher, unter den Ming, als es noch 2 Höfe, Peking u. Nanking, gab, als *Pe Tschy Li* = Provinz des Nordhofs, unterschieden v. *Nan Tschy Li* = Provinz des Südhofs, j. hingg., da es unter den Mandschu nur einen Hof, Peking, gibt, die einzige *Tschy Li* (Timkowski, Mong. 2, 107).

Petschen s. Tulma.

Petschóra = Höhle, slaw. Ausdruck f. russ. *peschtschéra*, mehrf. als ON.: *a)* ein Flecken u. Kloster im Kr. Isborsk, Pleskow, nach den künstlichen v. Mönchen herrührenden Sandsteinhöhlen; *b) Kijewo-Petschórskaja-Láwra*, ein nach Katakomben benanntes Kloster bei Kijew; *c)* der Fluss *P.*, alt *Petschera*, nach den Höhlen, welche am Unterlaufe sich finden, den *Tschudskija Peschtschóry* od. *Tschudskija Kurgány* = Tschude .öhlen (Schrenk, Tundr. 1, 371, Müller, SRuss. G. 3, 440 . . .). Ganz anders P. Hunfalvy (VUral 37), der *P.* als Umbildg. des wog. *Peser-ja* betrachtet, als 'Petscher-Fluss', jedoch ohne das Bestimmgswort zu erklären. Bei den Samojeden heisst der Fluss *Jam* = Meer, 'u. er führt den Namen nicht ohne Recht; denn indem er alle Nebenflüsse aufnimmt, erweitert er sich in seinem untersten Laufe zu einer Breite v. 3 km u. darüber (Bär u. H., Beitr. 9, 280). Dieses *jam*, aber *jaw* geschr., erwähnt auch Schrenk (Tundr. 1, 122); wie der Flecken Pustosersk *Sanárchardá* = Soldatenstadt, so heisse der Fluss *Sanar-Jaw* = Meer der Soldaten.

Pettapolly od. *Pedapolly* = Wohnung des grossen Tigers, karnat. Name einer vor Nizampatam, Coromandel, gelegenen Sandinsel, die nur v. wilden Thieren, hpts. ungeheuer grossen Tigern, bewohnt ist (Spr. u. F., Beitr. 3, 24).

Peuerbach s. Biber.

Peuke, gr. Πεύκη == 'Forchheim', v. der Strandkiefer . . . λέγεται διὰ τὸ πλῆθος ὧν ἔχει πευκῶν (Scymn. 789), Insel in Mysia inf., an der südlichsten Mündg. des Ister, j. *Picsina* (Pape-Bens.).

Péumbaj, sam. Name eines Ausläufers des nördl. Ural', nach dem *Pewjagá*, dem Flusse, *jagá*, welcher aus einem See, *pew*, entspringt (Schrenk, Tundr. 1, 383).

Peyre s. Pierre.

Peyster Islands, ein Riff v. 18 niedrigen Inseln der Ellice Gr., einh. *Nukufestau*, entdeckt am 18. März 1819 v. american. Capt. *P.*, Schiff Rebecca, auf der Ueberfahrt Nukahiwa-Indien (Krus., Mém. 1, 11, Meinicke, 1Still. O. 2, 133).

Pfätter s. Pader.

Pfävers, besser als *Pfäfers* od. gar *Pfeffers*, urspr. Kloster, um 731 ggr. v. heil. Pirminius, Bischof v. Meaux(?), der als fränk. Wanderbischof ca. 724—753 in Franken u. Alemannien eine Reihe v. Klöstern, auch Reichenau stiftete, u. am 3. Nov. c. 753 zu Zweibrücken, nach Stiftung des Klosters Hornbach, †, urk. *Favaris*, *Fabaris*, monasterium *Fabariense*, angebl. v. den Bohnenpflanzungen, *Fabaria* (Gatschet, OForsch. 9) u. dann eine Parallele zu den zahlr. dim. *Faverolles* in Frankr. (d'Arbois de Jub., Rech. NL. 522), od. aus einem unverstandenen Namen umgedeutet? Um das Kloster entstand ein Dorf *Pf.* u. in der Nähe, tief in die Schlucht der Tamina versenkt, das Bad *Pf.*, seit Abt Hugo II. das erste hölzerne Badhaus 1242 erbaute (Egli, Taschb. 96). Am 20. Febr. 1838 erfolgte die Aufhebg. des Stifts, in Betracht, 'dass die Auflösung der Corporation in ihrem eignen Wunsche liegt' (v. Arx, GCSt.Gall. 1, 24, Egger, Urk.SRag. XXIX. XXXIII, Planta, ARaet. 276, Meyer's CLex. 12, 975). Seither sind die Klostergebäude in eine cantonale Irrenheilanstalt, *St. Pirminsberg*, umgewandelt.

Pfaff, ahd. *phafo* (s. Papa), oft in ON. klösterl. Besitzes wie *Pfäffikon*, 810 *Faffinchova*, 862 *Faffinchovun*, 1050 *Pfaffinhovan*, 2 mal in der Schweiz *a*) im C. Zürich, da das Kloster St. Gallen in dieser Gegend viele Güter besass (Mitth. Zürch. AG. 6, 64), u. nach dem Orte der *Pfäffiker See*; *b*) im C. Schwyz, urk. *Pfaffikova*, Schloss, v. Abt Johann v. Einsiedeln im 13. Jahrh. gebaut, wo vorher das Stift, z. Aufbewahrung des eingeführten Korns, nur einen Speicher besass (Gem. Schweiz 5, 270). — *Pfaffenberg*, im C. Zürich, gehörte wahrsch. dem Kloster St. Gallen, *Pfaffhausen* dem Chorherrenstift des Grossmünsters in Zürich. — Der *Pfaffensprung*, eine wilde Felsspalte an der Reuss, wo, der Sage zuf., ein v. Volk verfolgter Mönch, der eine hübsche Tochter entführt, mit seiner Beute üb. den fürchterl. Schlund sprang. — Ein *Pfaffenthal*, Thälchen in Deutsch-Lothr., voller Ruinen, der Sage nach der Ort eines Mannsklosters (Dict. top. Fr. 13, 196). — Wir reihen hier an: *Ober-Pfaffenhofen*, in Bayern; *Pfaffenhofen*, im Elsass; *Pfäffingen*, 793 *Faffinga*, in Württb.; *Pfaffenhausen* u. *Pfaffhausen*, 907 *Fafunhusa*, 3 mal; *Pfaffstetten*, 976 *Papsteti*, in OOesterr.; *Pfaffendorf*, im 10. Jahrh. *Phaffindorf*, 3 mal; *Pabsdorf*, 1084 *Papestorp*, unw. Halberstadt; ferner an alten ON. *Phaffenbrunne*, in Baden, *Pfaffenheim*, im Ahrgau; *Pfaffenland*, an der untern Mosel; *Phaphenstein*, im Odenwalde (Förstem., Altd. NB. 1189f.). — *Pfaffenkirchen* s. Bamberg.

Pfalz s. Palatium.

Pfefferküste, engl. *Grain Coast* = Körnerküste, nennt man, seit der port. Entdecker João Affonso d'Aveira 1486 die ersten Proben heimbrachte, einen gewissen Strich Ober-Guinea's, an welchem eine Zeit lang die heute verschmähten

Früchte v. *Amomum* grana paradisi L., der Paradiesingwer, als ein Surrogat des ind. Pfeffers, eingetauscht wurden . . . 'pimenta . . . a que nós ora chamamos de Rabo (= Schwanzpfeffer), pola differença que tem da outra da India' (Barros, As. 1, 3³), 'from the cardamom, formerly called Guinea grains and grains of paradise. This weed, now universally neglected, gave the main impulse to English exploration' (WHakl. S. 51, 27). Uebr. wurde die Waare schon dam. auf dem flandr. Weltmarkt nicht so hoch geschätzt wie der indische Pfeffer: não foi tida em tanta estima como a da India. — Aus ähnl. Grunde unterschieden die Europäer andere Striche Guinea's als *Zahn-*od. *Elfenbeinküste*, *Goldküste*, *Sclavenküste*, *Oelküste*.

Pfingsteninsel s. Pentecôte.

Pfohren s. Forch.

Pforta s. Forch.

Pfyn, v. lat. *ad fines* = Grenzort, vielf. an den Grenzen der Provinzen u. Völker, insb. auch eine röm. Niederlassung im Thurgau, wo die Römerstrasse die Grenze zw. Sequanien u. Rätien überschritt. Im Itin. Ant. u. der PeutingerT. erwähnt, sonst v. keinem alten Schriftsteller u. v. keiner Inschrift (Mitth. Zürch. AG. 12, 291).

Phaiakaia s. Korkyra.

Phaistos, gr. Φαιστός = Weitenschein, zwei ON.: *a*) eine Stadt auf hohem, aussichtreichem Berge, am Alpheios, früher *Phrixa*, j. *Phanaro*, welches gleich *P.* 'einen zu Signalfeuern geeigneten Höhenpunkt bezeichnet' (Curt., Pel. 2, 90); *b*) eine Stadt auf Kreta, unweit Gortyna, auf dem Nordrande des Gebirgs Asterusia, nahe bei *Petro - Kephalo* = Felskopf (Kiepert, Atl. Hell., PM. 12 T. 16).

Phanagoria, gr. Φαναγόρου πόλις, Φαναγόρεια, Φαναγορία, griech. Colonialstadt auf der asiat. Seite des kimmer. Bosporus, v. Phanagoras aus Teos ggr., in der Form *Fanagoria* auf eine neue Befestigg. bei Taman, also in einer v. der alten Stadt ganz vschiedenen Lage, übtr. (Kiepert, Lehrb. AG. 351).

Phanaro s. Phaistos.

Phánde Khángsar, auch *Phünde Khángsar* = das neue Haus des Segens u. Wohlergehens, tib. ON. f. die wenigen festen Häuser v. Gártok, in euphemistischer Anspielung auf den Schutz, welchen dieselben in der ungew. Höhe v. 4600 m u. so strengem Klima darbieten, an einem Orte, welchen die z. Sommeraufenthalt genöthigten chin. Aufseher fürchten (Schlagw., Gloss. 234).

Pharan s. Paran.

Pharaûn s. Fir'ôn.

Pharlog s. Tsurlog.

Pharmacia s. Tharapia.

Pharnakeia s. Kiresün.

Pharos, ngr. Φάρος = Leuchtthurm (s. Fanaraki), der geräumige u. sichere Hafen v. Siphnos, da die Einwohner nach der Tradition — aber sehr unpassend — die Ruine des antiken Wartthurms als einen alten Leuchtthurm ansehen (Ross, IReis. 1, 139).

Phazania s. Fezzan.

Pheasant Creek, zwei lkseitg. Zuflüsse des Qu'appelle R., Assinniboine, weil beide v. *Ph. Hill* = Fasanenberge herabkommen. Dass der Creename *Akiskoowi Sepesis* das Original des canal. gewesen sei, sagt Hind (Narr. 1, 371) nicht ausdrücklich, lässt es aber durch den Zshang als unzweifelhaft erscheinen. S. Qu'appelle u. Crooked.

Phegaia, gr. *Φήγαια*, eine pelasg. Stadt Arkadiens, benannt v. den Eichen, *φηγός*, die j. noch auf dem Boden der Stadt stehen (Curt., Pel. 1, 388).

Pheneatiko s. Olbios.

Phenicudes s. Alicuda.

Pherdeis s. Franken.

Phergada, gr. *ἡ Φεργάδα* = die Fregatte, hat die Einbildgskraft der Schiffer einen vereinzelt an der Südküste Samothrake's stehenden Inselfelsen v. seiner Gestalt benannt (Conze, RThrak. M. 49).

Pheromi s. Pelusium.

Phiala = Schale, Napf, bei den Griechen u. a. Abendländern, ein tiefer, runder napfförmiger See an den Vorbergen des Gr. Hermon, arab. *Birket er-Ram* (Gesen., Hebr. Lex.)

Phjitschú = Bächlein der Murmelthiere, tib. Name eines v. Murmelthieren als Tränke besuchten Bächleins, v. *phji* = Arctomys bobac u. *tschhu* = Wasser (Sehlagw., Gloss. 234).

Phiba s. Theben.

Phidaliae s. Balta.

Philadelphia, gr. *Φιλαδέλφεια*, schon ON. im Alterth., f. Gründungen der Ptolemäer, in deren Familie der Mannsname *Φιλάδελφος* (= bruderliebend) beliebt war: *a)* in Pamphylia (Kiepert, Lehr. AG. 129); *b)* s. Alaschehr; *c)* s. Rabboth. — Ein mod. *Ph.* = Bruderliebe, die Grossstadt Pennsylvs., wohl im Hinblick auf das *Ph.* der Offb. Joh. 3, 7 so getauft v. Will. Penn, dem Gründer der auf ggseitige Religionsduldg. gestifteten Colonie, als er 1682, nach einer langen u. beschwerlichen neunwöchentlichen Reise in seinem 'Waldland' ankam u. den Platz im Febr. 1683 in einem den frühern schwed. Ansiedlern abgekauften Gebiete sich auslas. 'And the city thus commenced was named *P.*, in token of the feeling which, it was hoped, would prevail among the inhabitants' (Quackenbos, USt. 123). Bei den Indianern hatte er v. Flüssen u. Bächen durchzogene, mit Teichen u. Sümpfen gespickte, mit gewaltigen Bäumen bestandene Waldwildniss *Coaquanock* = Ort grosser Tannen geheissen (Cent. Exh. 37). — Eine *Ile Philadelphie*, nördl. v. den Sandwich Is., v. russ. Admiral v. Krusenst. (Mém. 2, 43) so getauft, weil am 10. Juni 1815 v. einem americ. Schiff (d. N.?) entdeckt worden war.

Philae, j. *Bilak*, der alte Name einer kleinen in den Katarakten v. Syene gelegenen Insel, nicht, wie man oft vermuthet, v. gr. *πύλαι* = Pforte, sondern aus äg. *pilak* = Grenze scil. gg. die obern Nilländer (Brugsch, Aeg. 256).

Philaenorum A. s. Muktar.

Philanthropy s. Philosophy.

Philipp, Mannsname, gr. *Φίλιππος*, lat. *Philippus*, span. *Felipe* (s. d.), port. *Filippe*, frz. *Philippe*, weniger oft durch Heilige, wie in *St. Ph.'s Cap* (s. Sombreiro), als durch Könige in ON. gekommen, wie *Philippopel*, gr. *Φιλιππόπολις*, auf der Stelle der vorm. *Eupolis* = Gutstadt v. *Ph.* v. Maked. ggr. *'εκ τῶν κακίστων καὶ ἀναγωγοτάτων'* (Plut., Ap.), daher *Πονηρόπολις* = 'Bösenhausen' od. nach dem Erneuerer, 'urbs a Macedone Philippo sita' (Tacit., Ann. 3, 38), z. Römerzeit *Trimontium* = Dreibergen, 'weil der Hügel, auf welchem sie liegt, in 3 übr. nicht sehr spitze Höhen sich spaltet' (ZfAErdk. nf. 10, 390) ... 'oppidum sub Rhodope *Poneropolis* antea, mox a conditore *Philippopolis*, nunc a situ *Trimontium* dicta (Plin., HNat. 4, 41), j. *Filibe*, bulg. *Blodiu*, (Meyer's CLex. 12, 878), der höchste u. älteste Stadttheil, slaw. *Grad* = Veste (Barth, RTürk. 45 ff.). Es war ein grosser Schritt des maked. *P.*, hier im thrak. Binnenlande, an der weiten Ebene des Hebros, eine durch eigne Lage geschützte feste Stadt anzulegen; natürlich konnte der Aufenthalt in einem so unter die feindlichen Barbaren vorgeschobenen, stets bedrohten militärischen Posten kein eben sehr angenehmer sein; wahrsch. ward er auch bes. z. Verbanng. u. als Strafanstalt benutzt u. erhielt daher den Beinamen *Πονηρόπολις* (ZfAErdk. nf. 15, 347). — *Philippi*, in Maked., als athen. Colonie —361 ggr. u. nach den dortigen Quellen *Krenides* (s. d.) genannt, v. *P.* II. erobert u. wg. der nahen Goldminen beträchtlich erweitert, j. *Filibedschik* (Meyer's CLex. 6, 787; 12, 876). — Ein 2. *Philippopolis* in Hauran, nach ihrem Erneuerer, dem röm. Kaiser *Ph.* Arabs. — *Philippinen* s. Felipe. — *Philippeville*, 2 mal: *a)* in Belgien, urspr. Corbigny, umgetauft nach *Ph.* II., als seine Tante, Karl's *Ph.* Schwester, Maria v. Oesterreich, 1555 den Ort befestigen liess; *b)* in Algier, v. Marschall Vallier im Oct. 1838 ggr. u. nach Louis *Ph.* getauft (Meyer's CLex. 12, 876). — *Philippsburg*, 2 mal: *a)* im bad. Kr. Karlsruhe, urspr. Udenheim, v. *Ph.* Christoph v. Sötern, dem Bischof v. Speyer, welcher seit 1618 den schon früher befestigten Ort zu seiner Residenz erwählte u. nach neuer Art befestigen liess, zu Ehren des Apostels *Ph.* (u. z. eignen?) umgetauft (ib. 12, 878); *b)* Schloss in Lothr., v. Grafen *Ph.* v. Hanau 1590 erbaut, im 17. Jahrh. zerstört (Dict. top. Fr. 13, 200). — *Philippsthal*, Schloss in Hessen, erbaut v. *Ph.*, dem dritten Sohn des Landgrafen Wilhelm VI., dem Gründer der Seitenlinie Hessen-Philippsthal (1663), die hier residirte (ib. 8, 880). — *Philippstad*, Ort nordöstl. v. Wenersee, wie Karlstad v. Karl IX. erbaut, getauft nach dessen Sohne (Spr. u. F., NBeitr. 8, 158).

Philippi-Gletscher, in Edge I., im Aug. 1870 v. der Exp. Heuglin-Zeil, offb. nach dem Chile wirkenden Naturforscher d. N. In der Nähe *Burmeister-Berg* u. *Müller-Berg* nach zwei deutschen Naturforschern, deren einer nach Argent., der andere nach Austr. ausgewandert ist. Gehört auch der nahe *Schwerdt-Gletscher* in diese Kategorie? (PM. 17 T. 9).

Philistaea s. Kanaan.

Phillip, Capt. *Arthur,* nicht *Philipp,* der Sohn eines Deutschen aus Frankfurt a/M., der erste Governor der Strafcolonie NSouth Wales, war am 13. Mai 1787 in Portsmouth abgegangen, mit 11 Schiffen, 212 Seesoldaten u. 776 Verbrechern, nach einer Rast am Cap (13. Oct.—12. Nov.) vor Tasmania 7. Jan. 1788 u. in der Botany Bay am 18.—20. Jan. angelangt. Da jedoch die Bay sich sofort als unzweckmässig erwies, offen, den heftigen Südostwinden ausgesetzt, so siedelte gleich am 21. Jan. die Flotte nach Port Jackson üb. u. gründete an der Sydney Cove die erste Ansiedelg. (26. Jan.). Im Dec. 1792 verliess *Ph.* die Colonie (Meinicke, Festl. Austr. 2, 220 ff.). Zu seiner Ehre sind benannt: *a) Cap Ph.,* an der Südseite der Salomonen, v. Capt. Shortland, der 1788 vier v. *Ph.*'s Schiffen nach Engld. zkführte (Fleurieu, Déc. 176); *b) Ph. Island,* die den Western Port schützende, unfruchtb., aber buschbewachsene Insel, die George Bass 1798 entdeckte, *Ile des Anglais* der frz. Exp. Baudin, j. *Grant Island,* nach einem der austr. Entdecker (Stokes, Disc. 1, 293, Flinders, TA. 1, CXIV, Atl. 6, Freycinet, Atl. 6); *c) Port Ph.,* in Victoria, v. engl. Lieut. John Murray 1801 entdeckt (Meidinger, Brit. Col. 9), auch v. der frz. Exp. Baudin, die am 30. März 1802 v. hier nach Westen abging u. *Port du Debut* = Hafen der Anfangsleistg. gesetzt hatte, dankbar adoptirt, weil sie in derselben Colonie 'so grossmüthigen u. so kräftigen Beistand' gefunden hatte (Péron, TA. 1, 265, Flinders, TA. 1, 212), viell. auch *d) Ph. Island* s. Kutusoff u. *e) Ph. Island* s. Pig. — Dagg. sind benannt: *f) Ph.'s Point,* ein Cap v. Hurry's Inlet, Grönl., v. engl. Walfgr. Will. Scoresby jun. (North. WF. 198) am 27. Juli 1822 nach einem seiner Gefährten; *g) Ph.'s Bay,* westl. v. Mac-Kenzie R., v. engl. Capt. John Franklin (Sec. Exp. 125) am 15. Juli 1826 nach dem ehm. Professor der Malerei an der R. Academy.

Phillips' Island, in Copland Hutchison Bay (s. d.), v. Capt. John Franklin's (Sec. Exp. 214) Gefährten Dr. Richardson am 13. Juli 1826 entdeckt u. benannt nach Capt. Charles *Ph.,* R. N., 'to whom the nautical world is indebted for the double capstan, and many other important inventions'. — *Cape Ph.,* in SVictoria, v. Capt. J. Cl. Ross (SouthR. 1, 250 ff.) am 19. Febr. 1841 entdeckt u. nach einem seiner Officiere, Charles Gerans *Ph.,* dem zweiten Lieut. des Schiffs Terror, getauft. — *Mount Ph.* s. Murchison.

Philosophy River, ein rseitgr Zufluss des Jefferson R., v. Capt. Clarke am 31. Juli 1805 so benannt (Lewis u. Cl., Trav. 243). In der Nähe hatte ihm die Indianerin der Exp. erzählt, wie sie, als vor 5 Jahren ihre Landsleute, die Snake Indians, v. den Minnetarees übfallen worden, genau an dieser Stelle zur Gefangenen gemacht u. entführt worden sei. Die Feinde waren v. Knife R. heraufgekommen; die Snake Indians

verbargen sich am Jefferson R. im Walde. Jene aber verfolgten die Flüchtigen, griffen sie an u. tödteten einige Männer u. Frauen, sowie eine Anzahl Knaben; die meisten Weiber aber, u. unter ihnen Sacajawea, wurden gefangen weggeschleppt. Da sie ihr Schicksal (gleichgültig od.) mit philosophischer Ergebg. trug, so wählte wohl Capt. Clarke diese Form der Namengebg., um den Vorfall zu verewigen. 'She does not, however, show any distress at all these recollections, nor any joy at the prospect of being restored to her country; for she seems to possess the folly or the philosophy of not suffering her feelings to extend beyond the anxiety of having plenty to eat and a few trinkets to wear.' Demselben Ideenkreis entstammte es, wenn gleich nachher die Reisenden 2 andere Zuflüsse *Wisdom River* = Fluss der Weisheit, am 7. Aug., u. *Philanthropy River* = Fluss der Menschenliebe, am 8. Aug., tauften, den erstern wohl auch desw., weil sie nach mehrtägigen Anstrengungen endlich zu der Einsicht gekommen waren, dass v. den drei Armen der mittlere am schiffbarsten, die wahre Fortsetzg. des Jefferson R. sei (Lewis u. Cl., Trav. 253).

Phipps' Insel, die grösste der spitzb. Seven Is., zuerst erreicht 1773 v. engl. Seef. Constantin John *Ph.,* spätern Lord Mulgrave, welcher mit den Schiffen Racehorse u. Caracay zu seiner 'berühmten Reise' auszug, den Nordpol zu erreichen, zu Ende Juli 80⁰ 37′ erreichte, die genannte Inselgruppe in Sicht bekam, einige der Eilande besuchte u. diesen Theil Spitzbergens cartographirte (Torell u. Nord., Schwed. Expp. 358, Bergh., A. 3. R. 5, 314).

Phlegra, gr. *Φλέγρα* = Brandfeld, eine Gegend der chalkid. Halbinsel Pallene, mit kolossalen Steinauswürflingen bedeckt, daher v. der Mythe als 'Kampffeld der Giganten' betrachtet.

Hier dampft Schwefel u. Feuer u. siedendes Harz
                                        im Gefild auf.
Hier droht brüllend Vulcanus den Tod u. öffnet sich
                                        Schlünde;
Wüthend zerreisst er die Flur, dass Höhen u. Thäler
                                        erbeben.
Dieser Boden ist noch erschüttert von jenen Giganten,
Die einst Herkules stürzte hinab; ihr grässlicher
                                        Athem
Dörret die Felder aus, ihr Drohn steigt schrecklich
                                        zum Himmel
                                        (nach Sil. Ital.).

Im plur. *Φλέγραια, πεδίον Φλέγραῖον, πεδία τὰ Φλέγραια,* lat. *Campi Phlegraei* = Brandgefilde, an der Küste Campaniens, mit Krateraeen, Solfataren, heissen Schwefelquellen, Schwitzstuben, einem neuen Berg, der Hundsgrotte etc. (Kiepert, Lehrb. AG. 235. 376, Daniel, Hdb. Geogr. 2, 383, (Meyer's CLex. 12, 896).

Phoca, gr. *φώκη* = Seehund, Meerkalb, in antiken u. mod. ON. *a) Phokusai* (s. Dauphin); *b) Anse des Phoques,* Bucht der Känguruh I., v. der frz. Exp. Baudin im Jan. 1803 so getauft, weil sie 'vornehmlich zahlr. Herden dieser 'Amphibien' z. Freistätte' diente (Péron, TA. 2, 59); *c) Ilot des Phoques,* Tasmania, ebenso im Febr. 1802 (ib. 1, 247).

Phoenix Island, eine polyn. Insel, v. Capt. Winslow, Schiff *Ph.*, entdeckt (Peterm., GMitth. 5, 182) in der *Ph. Gruppe*, die in der Entdeckungsgeschichte u. Benenng., ja Existenz der einzelnen Eilande zu mangelhaft bekannt ist, um hier weiter berührt zu werden (Meinicke, IStill. O. 2, 265).

Phönizien, gr. *Φοινίκη*, der Name der Libanonküste, ist nicht zweifellos erklärt, obgleich der Zshang mit gr. *φοῖνιξ*, lat. *phoenix, -icis*, unbestritten ist; denn dieses Wort kann sowohl Palme, Dattelpalme, u. ihre Frucht, als auch die Purpurfarbe bezeichnen, letztere nach der zw. Gelb u. Purpur schwankenden Farbe der Datteln, u. da diese Farbe als phön. Erfindg. gilt u. den Griechen in *Ph.* her zukam, so vermuthet Movers in *Ph.* die 'Purpurküste'. Die gew. Annahme setzt *Ph.* = Palmenland, wie das Dorf *Phoinikia*, ngr. *ἡ Φοινικία* = Palmdorf, auf Thera, nach einer Palme benannt ist (Ross, IReis. 1, 57), auch *Phoenikussa* (s. Alicuda) eine 'Palmeninsel', u. in der That, der neue orientalische Charakter, den die edle Palmform dem syr. Gestade heute noch in den Augen des fränk. Ankömmlings verleiht u. sicher früher, bei reicherem Anbau der Libanonküste, insb. zu Homer's Zeit, wo auf Delos die einzige dem Dichter bekannte griech. Palme stand (Od. 6, 162), in erhöhtem Grade in den Augen des griech. Schiffers verlieh, ist zu überwältigend, als dass nicht diese Etym. den Vorzug verdiente (so auch Leunis, Syn. 1 § 668, Charnock, LEtym. 209). Freilich gerade umgekehrt ist die Behauptg.: 'die Dattelpalme ist durch ihren Namen schon als ein Geschöpf *Ph.'s* bezeichnet' (Ausl. 1870, 388), u. Kiepert (Lehrb. AG. 168) macht auf den gewichtigen Umstand aufmerksam, dass der Volksname *Φοίνικες*, lat. *Poeni, Puni*, in der einfachen, der Landesname *Φ.* in der abgeleiteten Wortform erscheint.

Phoibe s. Artemos.

Phonea s. Skyllaion.

Phonia s. Olbios.

Phonissa s. Krios.

Phonoides s. Hermes.

Phrygia, alter Name der um das j. Kiutahia gelegenen Landschaften Kl.-Asiens, nach den Bewohnern, den mit den Armeniern verwandten Phrygern, die sich angebl. *Βρίγες, Βρέκυντες*, nannten (Kiepert, Lehrb. AG. 103).

Phtelia s. Pteleon.

Phul = Blume, f. sich hind. ON. in Serhind, od. in Zssetzungen: *Phulbádi* = Blumengarten, *Phulpúr* = Blumenstadt, *Phulwári* = Blumenort etc. (Schlagw., Gloss. 234).

Phung-dam = Schwarzbäuche u. *Phung-kao* = Weissbäuche, die beiden Abtheilungen der Laos, der westl. u. der östl. Die erstern trugen schwarze Zeichnungen am Leibe. 'On les nomme ainsi parce que les hommes de la race 'Ventres noirs', arrivés à l'âge de quatorze ans, ont coutume de faire peindre sur leurs corps différentes figures d'hommes, de fleurs, d'éléphants,

de tigres, de serpents et autres animaux. Cette opération se fait en pratiquant, au moyen de plusieurs aiguilles jointes ensemble, une foule de piqûres sur l'épiderme; puis ils y versent une encre noire qui fait ressortir tous les traits dessinés sur la peau; ils ont beau se laver ensuite, l'impression ne s'efface jamais' (Rev. Or. 9, 60, janv. 1846, Pauthier, MPolo 2, 425).

Phurnos, gr. *Φοῦρνος*, ngr. *Φοῦρνο* = Ofen, Schmelzofen, Krater etc., in ON. *a) Phurni*, Name der alten Korseai, da die vielen Höhlen ihrer schroffen Küsten gewölbten Oefen gleichen (Ross, IReis. 2, 156); *b) Phurno*, ngr. *Φοῦρνο*, ein Gang, in der Nähe einer Quelle beim Dorfe Zugra, Achaja, in den Felsen gehauen, mit den wenige Minuten entfernten Mauerschichten, v. denen der Ort auch *Portäs* = Thore genannt ist, die einzigen sichtbaren Ueberreste der alten Stadt Pellene (Curt., Pel. 1, 481). Vgl. Furna.

Phutschang s. Lop.

Phykiada, ngr. *ἡ Φυκιάδα* = Bucht des Seetangs, die grosse, bequeme Hafenbucht v. Kythnos, wo der Seetang in Menge wächst (Ross, IReis. 1, 114).

Piäsina, j. Name eines sibir. Flusses, urspr. sam. *Pjäsida* = holzlose Niederung, Tundra, zunächst f. die Gegend am untern Jenissei u. v. den Russen auf den Fluss übtragen (Müller, SRuss. G. 4, 467).

Piaheto s. Eagle.

Piako, bei den Maori ein Zufluss des *Waipa*, nach einem Kahikateabaum, der New Zealand white pine der Colonisten, Podocarpus dacrydioides, welche in den Flussniederungen wuchs u. durch ihre bes. guten Früchte unter den Eingb. bekannt war. Von diesen Früchten sagte einst ein Häuptling: sie sind wie *P.'s* Augen. Wenn aber die Früchte wie *P.'s* Augen sind, so muss nach der Vorstellg. der Eingb. die Gegend, in welcher der Baum steht, *P.'s* Leib sein, u. so erhielt die ganze Gegend u. der Fluss den Namen *P.* (v. Hochstetter, NSeel. 145. 175).

Piani-Bitschok = trunkner Ochs, ein mitten aus der Lena, obh. der Mündg. der Wittima, sich erhebender u. der Flussfahrt gefährl. Felspfeiler (Wrangell, NSib. 1, 22).

Pianosa s. Tremiti.

Piao s. Pei.

Pjatigoria, gew. *Pjatigorsk* = bei den 5 Bergen (s. Beschtau), ciskauk. Thermalort mit Schwefel-, Sauerschwefel- u. Salzquellen v. 28—46⁰ C., v. den Russen 1832 umgetauft aus *Goraedschewodsk* (s. Gorelow). In derselben Gegend die warmen *Eisenbäder* u. wieder *Bogatirskaja Woda* = Heldenwasser, dessen Therme v. $12\frac{1}{2}^0$ C. ihren Namen v. der magenstärkenden, restaurirenden Kraft erhalten hat (Bergh., Ann. 5, 543). — *Pjatistenni* = die 5 Mauern, Ort am Anjui, nach einem Felsen, dessen 5 Flügel so senkrecht aufsteigen, dass er das Ansehen eines ungeheuern Thurmes erhält (Wrangell, NSib. 2, 45).

Piauhy = grosses Wasser, ind. ON. am Paranahyba (Meyer's CLex. 12, 937).

Pic, le = der Spitzberg (**s. Church**), in den

Pyrenäen u. Westalpen Appellativ f. spitze Bergformen, in den Pyrenäen auch *pique*, dim.*piquette*,
span. u. port. *pico*, augm. *picacho*, ital. *pizzo*, rätor.
piz, in augm. Form *Piz*- od. *Pazokel*, v. *pizzocco*,
pazzocco, Bergname bei Chur, als *Piz Pisoc*
im Engadin, im dim. *Pazzolo* an der Oberalp u.
in Val Medels (Gatschet, OForsch. 167).— *O Pico*
heisst *a)* eine der Açoren, die unter lauter niedrigen Eilanden zu einem Kegel, dem *Pico Alto*
= hohen Spitzberg, aufsteigt (Sommer, Taschb.
12, 294, Hertha 3, 647, Whitney, NPlaces 94);
b) s. Assucar. 'Die Wörter lehnen sich an lat.
picus = Specht, der mit spitzem Schnabel in
die Baumrinde hackt' (Diez, Rom. WB. 1, 318).
Auf dieses Wort führten schon die Alten den
Namen der *Picentes*, sing. *Picens*, wovon *Pice-
nus*, *Picenum*, zuerst v. Polybios erwähnt, zk.;
'v. Specht des Mars, der einen heiligen Lenz der
Sabiner geleitete, haben sie den Namen' (Nissen,
Ital. LK. 511).

Picard, Ile, in De Witt's Ld., v. der Exp. Baudin
am 30. März 1803 benannt, wohl nach dem Astronomen Jean *P.* 1620/82 (Péron, TA. 2, 201, Freycinet, Atl. 25). — Von dem Ldschsnamen *Picardie*
kenne ich nur 2 ungenügende Ansichten: v. der
Waffe, *pique*, u. v. verb *piquer*, im Sinne v. stacheln,
beleidigen, kränken, weil die *Picards* schon v.
Kleinigkeiten gereizt werden (RDenus, AProv. 18).
Wir würden diese Vorschläge übergehen, wenn
nicht der letztere v. Adr. de Valois (Not. Gall.
Par. 1575 p. 447 herrührte.

Pickering, Point, in De Witt's Ld., v. Capt. Ph.
P. King (Austr. 1, 325) am 13. Oct. 1819 nach
einem seiner Freunde benannt.

Pickersgill Cove, eine Bucht in Christmas Sd.,
v. Capt. Cook (VSouthP. 2, 183) im Dec. 1774
nach einem seiner Schiffslieutenants, Richard *P.*,
benannt, wie *P. Harbour*, in Dusky B., am
26. März 1773 (ib. 1, 69) u. *P. Island*, in SGeorgia
(ib. 2, 217).

Picquet, Pointe, ein Cap an der Baie du Géographe, v. Capt. Baudin am 1. Juni 1801 nach
einem seiner Officiere, dem Schiffsfähndrich Furcy
P., benannt (Péron, TA. 1, 58).

Pictet, Cape, in Grönl., v. engl. Walfgr. Will.
Scoresby jun. (North. WF. 272) am 14. Aug.
1822 entdeckt u. nach dem Genfer Physiker *P.*
getauft, einem der wenigen Schweizer, deren die
mod. Entdecker in ihrer Namengebg. gedacht
haben.

Picti = die Bemalten (vgl. Pintados), röm. Name
der Scoten, nach ihrer Sitte, den Leib zu bemalen (s. Scotland), die Feinde der Römer an der
Nordgrenze Britaniens. Zu ihrer Abwehr erbaute
seit 122 Hadrian eine Verschanzg., *Roman Wall*,
früher gew. *Picts Wall* = Pictenmauer genannt,
welche das Land in der Thalsenke Eden-Tyne
quer durchschnitt, 17 Castelle, 80 befestigte Thore
u. 320 Thürme enthielt, durch Antoninus Pius
aber 142 durch einen viel kürzern mit 10 Ca-
stellen, v. Clyde z. Forth laufenden ersetzt wurde:
Pius Wall (Kiepert, Lehrb. AG. 529 f.). Die Pictenmauer hiess bei ältern Autoren *Vallum Bar-*

baricum = Wall gegen die Wilden, auch *Prae-
tentura* = Linie od. *Clusura* = fence, hedge,
bei Dio C. *Διατείχισμα* = Durchwall, bei Hero-
dian *Χῶμα* = vast ditch, bei Anton., Cassiod.
u. a. einf. *Vallum*, wie oft j. noch *Wall*, bei Beda
Murus = Mauer, brit. *Gual*- od. *Gal-Sever*,
Mur-Sever, da sie den Bau dem Sept. Severus
zuschreiben; bei den Schotten *Scottish Waith* =
Schotten- ...? (Camben-Gibson, Brit. 2, 187). —
Auch *Pentland* sei eine verderbte Form f. *Pet*- od.
Pictland, daher die Meerenge *Pentland Firth*,
altn. *Petlandfjördr* (Grönl. Mind. 1, 90, Skene,
Celt. Scotl. 3, 517) u. davor die *Pentland Skerries*,
altn. *Petlandsker*, v. *sker, skär* = Klippe (Worsaae, Mind. Danske 316 f.). Diese Annahme finde
ich glänzend bestätigt, indem, wie 1750 bei Coats
(WHakl. S. 11, 6), so noch 1772 die Seegasse durchweg *Pictland Frith* genannt wird, unter Hinweis auf den Gebrauch, in dieser Gegend, zu
beiden Seiten der Meerenge, gewisse seltsame, z.
Theil übwachsene Bauten als 'Picts Houses' zu
bezeichnen; es sei Buchanan, der aus *Pictland
Frith* ein *Fretum Penthlandicum* machen wollte,
nach einem König Penthas, 'a man of his own
making' (Camden-Gibson, Brit. 2, 404). — *Picton*,
schott. Colonie in Marlborough, NSeel. (Trollope,
Austr. 3, 221).

Pictured Rocks = bemalte Felsen, Uferwand
an der Südseite des Superior L., 8 km lg., 60 m
h., mit zahlr. Vorsprüngen, Zacken u. Höhlen,
in denen die hineindringenden Wogen ein furchtb.
Getöse verursachen; auch die lebhafte, durch Auf-
lösg. v. Mineralien entstandene bunte Färbg.
machen die Scenerie äusserst sehenswerth (Meyer's
CLex. 12, 173). Die theilweise buntfarbigen Felsmassen sehen aus wie zerfallene Tempel u. Burgen
(BCGLandamts 1867, 21). Vgl. Painted.

Piczina s. Peuke.

Pidima, ngr. *Πήδημα* = Wassersprung, ein Dorf
Messeniens, in dessen Nähe ein ansehnlicher Quellbach entspringt (Curt., Pel. 2, 155).

Piedade, Porto da = Mitleidshafen, port. Name
einer alten Niederlassg. der bras. Prov. Goyaz,
am Araguaya. Der Ort passt schlecht zu einer
Colonie, da er einen gr. Theil des Jahres Ueberschwemmungen ausgesetzt ist (PM. 22, 222).

Piedra = Stein, Fels (s. Petra), in span. ON.
a) las Casas de Piedras = die Steinhäuser, f.
die grossartigen Baudenkmäler der altmexic. Stadt
Palenque, die durch einen Vulcanausbruch theilw.
verschüttet worden ist. Die Ruinen, nahe der
Grenze v. Yucatan, haben einen Umfang v. 25
—30 km u. bestehen aus Tempeln, Festgswerken,
Gräbern, Pyramiden, Brücken, Wasserleitg. u.
Häusern etc. (Meyer's CLex. 12, 504); *b) las Pie-
dritas* = die Steingegend, ein kleiner armseliger
Ort in Uruguay, benannt nach einer lückenhaften
Reihe grosser abgerundeter Felsblöcke, welche
auf nahen Höhenzuge lagern (Burm., LPlata
1, 54); *c) Fuente de P.* s. Salado.

Piemonte, deutsch *Piemont*, ital. Landschaft,
seit dem Mittelalter so genannt v. lat. *ad pedes
montium* = am Fuss der Gebirge, näml. der

Alpen (Kiepert, Lehrb. AG. 399), wie mehrere Orte: *a) Piedimonte*, in Terra di Lavoro, während hart vor Neapel, auf ʼr Höhe eines Hügelzuges, *Capo di Monte* = auf dem Kopf des Berges liegt; *b) Pedemonte,* im Veltlin, ʼam Fusse des Berges, wie der Name anzeigtʼ (Leonhardi, Veltl. 155); *c) Pedemonte*, in der Gem. Alagna, d. i. im Quellthal der Sesia, ʼam Fusseʼ der beiden Pyramiden Cima Carnera u. Tagliaferro u. zugl. des Uebgangs nach dem Thalkessel v. Rima (Dufour C. 23); *d) Pedemonte*, Ort des Trentino, am Fuss des Monte Osol (Malfatti, S. top. Trent. 42, Schneller, Tir. NF. 113); *e) Piémont*, 1719 *Piedmont,* Ort des dép. Moselle (Dict. top. Fr. 13, 200 — ohne Realprobe). — *Mompe*, rätr. ON. mit umgestellten Bestandtheilen, f. 2 Orte bei Disentis, deren eines am Eingang des Val Medels, das andere am Eingang des Tavetsch, beide unter sich diff. durch Beisatz des Thalnamens. — Ob die ung. *Hegy-alja*, das Hügelgebiet des Tokajer Weins, als ʼBerg-Unteresʼ, somit als ein Seitenstück zu *P.,* zu betrachten sei (Z. f. SchulG. 3 Sep.-A. p. 4), ist wohl bis auf Weiteres noch unsicher. — *Piedmont Region*, das Hügelland, welches sich dem höhern Gebirge der Blue Ridge, Virginia, vorlagert u. somit den Uebgang z. Küstenniederg. bildet (Meyer's CLex. 15, 458).

Pier Head = Dammkopf, die Nordwestspitze der austr. Thirsty Bay, v. Lieut Cook am 31. Mai 1770 so benannt (Hawkw., Acc. 3, 129).

Pierce, Point, am americ. Eismeer, v. Dr. Richardson, dem Gefährten Capt. Franklin's (Sec. Exp. 242 ff.) am 27. Juli 1826 entdeckt u. durch seinen Begleiter Lieut. Kendall nach einem seiner Freunde, ʼa particular friend of hisʼ, benannt. — *Bay of Franklin P.,* an der Kane Sea, v. Polarf. E. K. Kane 1853/55 nach dem dam. Unionspräsidenten getauft, v. Hayes 1860/61 als Durchfahrt erkannt u. *Franklin P.'s Sound* genannt (Peterm., GMitth. 13 T. 6).

Pierced-Noses = durchbohrte Nasen, aus ind. *Chopunnish* ins Engl. übersetzt, ein Indianerstamm, der am *Chopunnish River*, wie Capt. Lewis (Trav. 331, Carte) im Sept. 1805 den Zufluss des Lewis R. nannte, angetroffen wurde. Vgl. Perforated, Pertuis, Furada.

Pieria, gr. Πιερία = das reiche (πιερά = λιπαρά, πλούσια, Hesych) scil. an Wald, also Reichenwald: *a)* ein Gebirge u. Wald in Thrakien (Strabo 471); *b)* eine Landsch. Makedoniens, in regione quae *P.* appellatur a nemore Aeginium (Plin., HNat. 4, 33), nach dem Walde, die schmale Küstenlandschaft am nördl. u. östl. Ausläufern des Olymp, nebst dem waldreichen Hügellande, mit der Vertreibg. der Einwohner in die Gegend des Pangäon übgegangen (Hom., Il. 6, 226, Pape-B.).

Pierre, v. lat. *petra* = Stein, Fels (s. Petra), in frz. ON. häufig, th. f. sich, eine steinige Gegend, einen Steinbruch etc. bezeichnend, wie *les Pierres, la Pierrière, les Pierriers,* im dép. Eure-et-Loir (Dict. top. Fr. 1, 143), *la Perreuse*, 1172 *Petrosa,* 4 mal, *les Perreux*, im 16. Jahrh. *Petrosum.*

2 mal im dép. Yonne (ib. 3, 97), *la Peyre,* 1472 *Petra,* 6 mal neben *Peyrarié, Pérasson, les Peyres* u. *le Peyret* im dép. Gard (ib. 7, 162), *Dengs Perroques* (s. Za), *les Pierrettes,* ein langer, schmaler Teich bei Lausanne, v. See nur durch einen Sand- u. Kiesriegel getrennt (Mart.-Crous., Dict. 750), theils mit Attributen, die sich gew. auf die auffällige Form beziehen, wie *P. Pertuis* (s. d.), *Pierreclos* (s. Clichy), *P.-Scize* (s. Carrara). Insb. sind es die zahlr. druidischen Denkmäler, die dolmens, menhirs u. peulvans, die eine Menge derartiger Bezeichnungen tragen: *P.-Aigue, P.-Bise, P.-Coclée, P.-Complissée, P.-Couverclée, P.-Couverte, Peyregrosse, Peyremale, P.-Piquée, P. Ronde,* auch nach Stellg. u. Lage *P.-au-Bout, P.-Levee, Pierrefitte, Peyreficade, Peyrefiche* u. *P.-Fichée* (d. i. tief in den Erdboden eingedrungener Stein), ähnl. *Peyre-Plantade,* dann *P.-Verte, Peyraube,* 1225 *Petra Alba,* u. sogar drehende Steine wie *Pierre-qui-Vire,* f. ein Mannskloster des dép. Yonne, nach einem noch vorhandenen Druidensteine, auf den 1858 eine Bildsäule der heil. Jungfrau gestellt wurde (Dict. top. Fr. 3, 98), *P.-qui-Tourne,* im dép. Eure-et-Loir (ib. 1, 143), *la P.-Tournante,* im dép. Eure, ein grosser Stein, der sich je einmal jährl., in der Weihnacht, um sich selbst drehen soll (ib. 15, 167) u. s. f. Noch sei angefügt: *Pierrefort,* 1402 *Petra fortis,* altes, festes Schloss des dép. Meurthe (ib. 2, 109), *les Plates Pierres,* eine Gegend im gl. dép., ʼoù l'on trouve des vestiges d'anciennes constructionsʼ, *la P.-Ecrite,* Ort des dép. Nièvre, nach einem Felsen, auf welchem grobe antike Bildhauerei zu sehen ist (ib. 6, 144), *la P.-Vieille* = der alte Stein, Ort des C. Waadt, nach einem ungeheuern Fündling, der dort seit langer Zeit ausgebeutet wird (Mart.-Crous., Dict. 751).

Pierre, die frz. Form f. Petrus (s. Peter), oft in ON. nach dem Heiligen *a) Cap de St. P.,* in NFundl., 29. Juni 1534 . . . ʼpour ce que le jour dudit sainct y ariuamesʼ (M. u. R., V. Cart. 21, Hakl., Pr. Nav. 3, 205); *b) Détroit de St. P.,* im St. Lorenz, zw. Anticosti u. Cap Gaspe, 1. Aug. 1534 . . . ʼpour ce que le jour saint *P.* nous entrasmes dedans ledit destroitʼ (M. u. R., VCart. 48, Hakl., Pr. Nav. 3, 211, Avezac, Nav. Car. XI); *c) Ile de St. P.,* an der Südseite NFundl., anfängl. im plur., *Iles de St. P.,* wohl mit Inbegriff Miquelon's, wo Cartier am 6. Juni 1536 ankam u. v. 11.—16. viele frz. u. breton. Fischerboote, also wohl auch den Namen schon antraf (Hakl., Pr. Nav. 3, 231). Nach der Insel die *Bank St. P.* (s. New Foundland); *d) Iles de St. P.* s. Nuyts; *e) Lac St. P.* s. Angoulème; *f) St. P.* s. Borde; *g) St. P.* s. Pedro; *h) Fort St. P.,* ein Handelsposten an dem Punkt, wo Rainy River den gleichn. See verlässt, 1731 ggr. v. den Söhnen Pierre Gualtier Varennes, des Herrn de la Verendrye, der in Begleitg. seiner 3 Söhne, des Neffen Jeremie u. 50 Mann der Route des Pigeon River in das Innere folgte (Ch. Bell, Canad. NWest 1). Der Vorname des Vaters war offb. Veranlassg. f. die Wahl des Heiligennamens (s. Fort St. Charles).

— *P.'s Spring*, eine Oase (u. Quelle) des westl. Austr., entdeckt am 2. Juni 1874 v. Reisenden J. Forrest u., nachdem man lange durch eine trostlose Spinifexsteppe gegangen, v. ausserordentl. Naturschönheit erfunden', benannt nach einem eingebornen Begleiter, Tommy *P.*, der die Oase zuerst aufgefunden (ZfAErdk. 1875, 355). — *P.'s Hole*, ein Thalgrund (s. Hole) der Rocky Ms., etwa 50 km lg. u. halb so br., im Ost u. Süd eingefasst v. niedrigen, unterbrochenen Rücken, im Osten v. den Three Tetons, stolzen Bergen, die als Landmarke die Gegend weit umher beherrschen, zu Anfang der Explorationen im Far West das Stelldichein f. Pelzhändler u. Trapper, benannt nach einem tapfern Häuptling, der hier v. den Blackfeet erschlagen wurde (Whitney, NPlaces 189f.).

Piestroje s. Tschebar.

Pieter-Maritzburg, ein Ort in Natal, in einer baumlosen u. wohlbewässerten Prairie, angebl. v. den Boerenführern Pieter (d. i. Peter) Retief u. Gerrit Maritz angelegt (Peterm., GMitth. 1, 283, Merensky, Beitr. 157). Abweichend v. diesen beiden Quellen erwähnt H. Haury, welcher 'Jahre lg. unter u. mit den Boeren gelebt hat' (Mitth. St. Gall. GG. 1891/92, 9f.), einen dritten Führer, 'den kernigen Pieter Maritz', welcher nach Retiefs Ermordg.(1838) den Zulukönig Dingaan z.Abtretg. Natals zwang; die Boeren besetzten nun das Land u. 'gründeten einen Hptort, den sie zu Ehren ihres Anführers *Pieter Maritzburg* nannten'.

Pjetuschji Greben = Hahnenkamm, so nennen die Kosaken eine senkrechte, äusserst hohe, freistehende Felsspitze, welche in dem Durchbruchthal zw. Buchtarminsk u. Ustkamenogorsk an der Uferwand aufragt (Müller, Ugr. V. 1, 249).

Pig Island = Schweineinsel *a)* in austr. Norfolk, sonst auch *Phillip I.* (s. d.) genannt, hat nur Ziegen u. Kaninchen, während die Ansiedlg. v. Schweinen misslungen ist (Meinicke, IStill. O. 1, 341); *b)* s. Crozet.

Pigeon House = Taubenhaus, ein Berg in NSüd-Wales, merkw. zugespitzt, ähnl. einem viereckigen Taubenhause, welches oben in eine Kuppel endigt, so benannt v. Cook am 22. Apr. 1770 (Hawk., Acc. 3, 82) . . . 'that singular landmark, which Capt. Cook, with his usual felicity in the choice of names, called the *PH*. It was just open at the south end of some table lands and resembled a cupola superimposed upon a large dome' (Stokes, Disc. 1, 307). — *P. Island a)* vor der Südküste NFundl., nach der Menge v. Tauben, welche hier nisten (Ansp., NFundl. 122); *b)* s. Baily. — *P. Islands*, drei kleine flache Eilande der Wallaby Gr., v. Capt. Stokes (Disc. 2, 154) im Mai 1840 so getauft, weil er sie voller braunflügliger Tauben fand. — *P. River*, der Abfluss des Rainy L., wo der Lyoner Du Luth 1679, v. Canada kommend, das Fort Charlotte erbaute, auf einer Carte 1732 ind. *Naluagan* od. nach einem der frz. Händler, welche 1659 die Sioux der Mille Lacs besucht hatten, *Grosellier River* (Coll. Minn. HS. 1, 314; 3, 1). — *P. Rocks*, eine Hügelkette West-Austr.,

wo E. Giles am 22. Oct. 1875 lagerte u. viele bronzeflüglige Tauben erlegte (Journ. RGSLond. 1876, 354).

Pignieu, ON. des Schams, v. rätr. *pign, pein, ping* = Rothtanne (Gatschet, OForsch. 163), also zu lat. *pinus* (s. Pin) gehörig, wie *Pigneid* u. (dim.) *Pinell*, in Salzburg (Th. v. Grienberger, Roman. ON. 9). Mit dem Schamser Ort gleichnamig *Pigniu, Paniu*, in deutschem Munde *Panix*, Graubündner Dorf am Fusse des in den Hintergrund des Sernfthals führenden *Panixer Passes*, den die Sernfthaler den *Bündner-Berg* nennen, sowie *Pany*, Ort des Prätigau, auf j. ebf. deutschem Sprachgebiete (NAlp. P. 5, 116).

Pijlstaart Eiland = Taucherinsel, in Tonga, ein 341 m h. Eiland v. kaum 2 km Durchm., einh. *Ata*, (Meinicke, IStill. O. 2, 67), v. dem holl. Seef. A. Tasman am 19. Jan. 1643 benannt nach der Menge 'Pfeilschwänze', jener Tropikvögel, Phaeton L., die den Schiffern die Nähe der Wendekreise anzeigen (Bergh., Ann. 4, 8, Garnier, Abr. 1, 83, Debrosses, HNav. 284). . . . 'dit eylandt hebben wij den naem gegeven van *het Hooge P. Eylandt*, omdatter soo veel pylstaerten waren' (Tasmans Journ. 99). Nach ihrer isolirten Lage, üb. 150 km v. Tonga, bei den span. Seef. Maurelle 1781 *Isla Sola* = vereinzelte Insel (Krus., Mém. 1, 229).

Pike = Spitze (s. Peak), Stachel, auch Hecht, in einigen engl. ON. wie *P. Head* (s. Jackfish) u. *P. Pond*, ein Teich im Netz des Missuri, v. den Captt. Lewis u. Cl. (Trav. 17) am 9. Juli 1804 benannt nach der zahlr. Hechten, 'which some of our party saw from the shore'. — Nach dem americ. Reisenden Zebulon M. *P.*, welcher 1805/06 weit in den Westen reiste, sind getauft: *a) P.'s Island*, im obern Missisipi, wo er am 21. Sept. 1805 lagerte (Coll. Minn. HS. 1, 368. 378); *b) P.'s Peak*, eine der höchsten Spitzen des Felsengeb., die er 1806 besuchte (Peterm., GMitth. 12, 445), in des Entdeckers Bericht (Expp. 168) einf. *the Grand Peak* = der grosse Spitzberg . . . 'Indeed it was so remarkable as to be known to all the savage nation for hundreds of miles around, and to be spoken of with admiration by the Spaniards of New Mexico, and was the bounds of their travels NW. Indeed in our wandering in the mountains, it was never out of our sight (except when in a valley) from the 14th nov. 1806 to the 27. jan. 1807'; *c) P. Mountain*, in Iowa, v. dem Reisenden als vortreffl. z. Anlage eines Forempfohlen (Hertha 12, 203). — Eine eigenth. Vert doppelg enthält *P. o' Stickle*, eines der beiden Häupter v. Langdale, wo *stickle* = scharfe Spitze, wie in dem Fischnamen Stickleback = Stichling, d. i. Fisch mit stachligem Rücken (Whitney, NPlaces 95).

Piketberge = Thurmberge, holl. Name eines an der St. Helena Bay sich hinziehenden Bergzuges, dessen höchster Gipfel scharfzackig nach beiden Seiten hin abgekantet ist u. wo lange Reihen thurmartiger Felsgebilde das Ansehen weiter Ruinen bieten (Lichtenst., SAfr. 1, 88).

Wenig wahrsch. klingt die Angabe, dass sie 'ihren Namen haben v. einem Piquetspiel, das die Europp. da spielten, welche am ersten biss hieher gekommen waren. In der That war auch diese Partie merkw. genug, weil sie v. früh Morgens anfieng u. bis in die späte Nacht dauerte' (Kolb, VGHoffn. 229). **Pilá** = Säge, russ. Name eines reissenden sibir. Küstenflusses, östl. v. der Indigirka, weil seine ungestüme Strömg., indem sie an den Ufern nagt, Erde einreisst u. in den untern Theilen eine grosse Menge fossiler (Mammuth-)Knochen blosslegt(Wrangell, NSib. 2, 75). — *Piljegory* = Sägeberge, Ort auf der Uferhöhe der Pinega; das Gestein ist bald mehr krystallinisch, fein- od. grobkörnig, bald dicht u. am häufigsten schieferig, u. das letztere 'löst sich in mächtigen, wie abgesägten Platten ab, welche — am Fusse des Felsengestades ruhend — v. den atmosphärischen Gewässern am stärksten in den Schieferungsflächen angegriffen werden, wodurch diese Trümmerplatten im Querbruch der Schicht oft kamm- od. sägezahnartig ausgezackt erscheinen' (Schrenk, Tundr. 1, 83). — *P.*, auch sonst slaw., ist poln. ON. bei Bromberg, *Schneidemühl*, u. so auch ins Deutsche übsetzt (Legowski 13. Apr. 1891).

Pilatus, ein wild geformtes Alpenhaupt, bei Luzern, wird verschiedentlich gedeutet: v. *pileatus* = gehutet (Büsching, Erdb. 10, 381, Ebel, Anleitg. 2, 133, Cannab., Hülfsb. 1, 354), da der Nebelhut, der ihn oft bedeckt, den Umwohnern als Wetterzeichen gilt:

> Hat der *P.* einen Hut,
> dann ist das Wetter gut;
> hat er einen Degen,
> dann gibt es Regen,

od. als *mons pilatus* = kahler Berg, v. *pilare* = kahl machen (Gem. Schweiz 3ᵃ, 44), od. v. ahd. *billôn* = spalten, als übereinstimmend mit dem gezackten, zerschrundeten Aussehen, wie mit dem alten Namen *Frakmunt* = Brochenberg (Gatschet, OForsch. 32). Die Bedeutg. des letzterwähnten Namens findet auch H. K. Brandes (Lemgoer Progr. 1841, 6) in *P.*, wenn er diesen v. *pila* = Pfeiler ableitet, also als 'Pfeilerberg' betrachtet. Anders, u. zwar schon 1500/04 in Balci Descr. Helv. (QSchweizG. 6, 87), welche da, wo er v. Luzern spricht, 'auf einem nahen Berge' (!) den *Pilati lacus* kennt, der Volksglaube: dass sich der röm. Landpfleger Pontius *P.* in den Bergsee gestürzt habe u. noch bei stürmischem Wetter umgehe:

> Wenn Donnerschläge gellen, wenn heult der Stürme Chor,
> dann steiget aus den Fluten des Feigen Geist empor.

Und richtig: in einer gründlichen Studie (Mitth. Zürich. AG. 12, 157 ff.) hatte H. Runge schon 1859 gezeigt, dass der Berg zuerst 1387, alt *Fracmont*, zs. mit dem See des Landpflegers Pontius Pilatus, erscheint, unter mod. Namen *P.* dagegen erst in Schilling's Chronik, deren Verf. um 1520 †, u. dass der mod. Name *P.* gg. Ende des 18. Jahrh. die Alleinherrschaft erlangte. Ist dem so, so sind alle die frühern Versuche, *P.* aus der Natur des Objects zu erklären, gegenstandslos geworden: der

Name des See's, den die Pilatussage umschwebte, ist allmählich auf den ältern *Fracmont* übgegangen. **Pillage** s. Shoalwater.

Pillans, Cape, in Grönl. v. engl. Walfgr. Will. Scoresby jun. (North. WF. 231) am 29. Juli 1822 entdeckt u. getauft zu Ehren eines Professors der Universität Edinburg.

Pillar s. Hermoso.

Pilões, Rio dos = Fluss der Pochwerke, Mühlenfluss, port. Name eines goldführenden Flusses der bras. Prov. Goyaz, durch die Goldsucherexp. Bueno's 1721 nach den Maismühlen, welche sie hier fand, so benannt (Eschwege, Pl. Bras. 55).

Pilot Knob = Pilotenknauf, mehrf. in der Union, *a)* der berühmteste, ein ganz aus Eisenerz bestehender Einzelberg in Missuri, unweit des Iron Mountain, aber auch *b)* ein abgesonderter, schwarzer, glänzender Felsberg am Rio Colorado, weithin in der 'Wüste' sichtbar u. f. die Reisenden eine Landmarke (Möllhausen, Felsgb. 1, 111). Es scheint, das im nördl. Engl. gebr. Wort *nab* sei in der Neuen Welt zu *knob* geworden, einem beliebten, ja fast auschliessl. Ausdruck f. jeden mehr od. weniger vereinzelten Berg des Südwestens, hptsächl. in Tennessee u. Kentucky (Whitney, N. u. Pl. 106). — Ferner *a) P. Island* s. Mandeb, *b) P. Butte* s. Butte.

Pilwo = grosses Dorf, gilj. Name zweier Dörfer auf Sachalin, deren eines bei den Ainos *Porokotan*, bei den Giljaken *Tamlawo*, v. *tamlanjtsch* = zahlreich u. *wo* = Ansiedlungen, ebf. = grosses Dorf, heisst. Beide sind in neuerer Zeit herabgekommen, viell. in Folge der Blattern, die in den 50ᵉʳ Jahren furchtb. Verheerungen unter der Bevölkerg. anrichteten (Bär u. H., Beitr. 25, 233).

Pilwórndo = tiefer See, sam. Name eines zieml. grossen u. sehr tiefen Sees im Grossland-Rücken, daher der Abfluss *Pilwórjagà* = sehr tiefer Fluss, was auf den seichten Wasserlauf schlecht passt u. eig. den Sinn 'der aus dem sehr tiefen See kommende Fluss' hat (Schrenk, Tundr. 1, 531). Der russ. Name *Schápkino*, besser *Schapkinoje Osero* = Mützensee, ist seinem Motiv nach unerklärt.

Pin, frz. Wort v. lat. *pinus* (s. d.), häufig in ON. f. Wälder u. Wohnorte: *Le Pinet, la Pinède, les Pinets*, diese aus ehmal. *pinetum* = Fichtenwald (s. Aunay) hervorgegangen, ferner *le P., les Pins, les Pines, le Pineau, les Pineaux, la Pineraie, la Pinerie, la Pinetric, la Pinatelle, les Pinatelles, la Pinée, la Pinie*, am häufigsten im dép. Hautes-Alpes, wo 20 dieser Formen vorkommen (Dict. top. Fr. 1, 143; 5, 146; 7, 164; 12, 241; 17, 315; 19, 111 f.). Einer dieser Namen, *Pinet* im dép. Nièvre, heisst 1355 *Espinayum* u. ist demnach *Epinay* (s. d.) — *Portage du Pin*, im Netz des Rainy L., 'name evidently derived' v. dem Vorwiegen grosser Roth- u. Weisstannen, auch *Portage des Morts* = Trageplatz der Todten, weil hier einer der 'Voyageurs' einen schnellen Tod fand durch Ausglitschen unter einem der schweren Nordcanoes, welche, wenn sie lange im Wasser gelegen, bis üb. 150 kg wiegen können (Hind. Narr. 1, 67).

Pinakini s. Penér.

Pinang, Pulo = Insel der Arecanuss, *pinang*, mal. Name einer Insel der Malakka Str., nach der Frucht der Arecapalme, die als Kauingredienz den Malajen so unentbehrlich ist. Die Insel, nur $3^1/_2$ km v. Festland entfernt, 20 km lg. u. 10—15 km br., besteht aus einer Granitmasse mit Bergen bis 900 m, grössernth. noch Urwald, doch auch in bebautem Gebiete waldartig durch die Ueppigk. der Palmen, Bambusen, Bananen, Obst-, Nelken- u. Muskatbäume. Die schlanke, anmuthige Betel-Palme, Arēca catēchu L., jav. *jambi*, in Bali *banda*, in Bugis *rapo*, in Tagala u. Bisayo *bongo*, wird im ganzen Archipel, am stärksten in Sumatra, gebaut; sie trägt etwa 100 gelbe, eigrosse Nüsse mit taubeneigrossen, harten Samen, die wie Café u. Thee das Nervensystem anregen, frisch überall genossen u. im getrockneten Zustande stark nach China u. Indien exportirt werden. Als die engl. Regierg. an der Ostseite des Bengalgolfs eine Seestation zu errichten beabsichtigte, empfahl der localkundige Francis Light, der master eines Kauffahrteischiffs, welches mit Queda u. andern Malajenstaaten zu verkehren pflegte, zuerst das siam. Junk Ceylon, mal. Salang, unt. 8^0 NBr., schliessl. aber die unbewohnte Insel *PP.*, welche der Raja v. Queda, ein Vasall Siams, um eine Erbrente v. 10 000 harten span. Thalern verkaufte. Man fabelte v. Light, er hätte als Eidam des Raja die Insel z. Aussteuer erhalten u. dann der ostind. Co. verkauft; seine Frau war weder Princessin, noch Malajin, sondern eine port. Mestiça v. Siam. Am 1. Aug. 1786, als am Geburtstage des Prinzen v. Wales, nachm. Georg's IV., wurde die Insel v. Light, 'bei Anwesenheit vieler Officiere u. Herren, nach Sr. kön. Hoheit genennet' (Spr. u. F., Beitr. 12, 253, NBeitr. 11, 226) ... 'the island to which we gave the clumsy and unmeaning name of *Prince of Wales Island*, but which is fortunately becoming obsolete.' Light wurde erster Gouv., unter dem Titel Superintendent, gründete die Colonie u. amtete bis z. Tode 1791 (Crawf., Dict. 20. 331. 361). — Ein *Tanjung P.* = Cap der Arecanuss bei Bintang, mit den holl. Posten Rhio (ib. 53).

Pindasos, gr. Πίνδασος = Wasserberg, hiess ein Berg in Mysien, welcher die Quellen des Flusses Cetius enthält ... Cetius profusus *Pindaso* monte (Plin., HNat. 5, 126). — *Pindos*, gr. Πίνδος = Wasserberg, das nordgriech. Hptgebirge, dem die Quellen des Peneios, Achelous, Arachthus, Aous u. s. f. entströmen (Strabo 221, Pape-B.).

Pine, engl. Form f. lat. *pinus* (s. d.), in ON. häufig wie *P. Island* = Fichteninsel *a)* ein Werder des Saskatschewan, North Branch, nach seinen Hainen v. Pechtannen, den 'Fichten' v. Ruperts Ld. (Hind., Narr. 1, 448), nach ihr *P. Island Lake* (Franklin, Narr. 178 ff. Carte); *b)* im Arch. Mergui, 'v. der Menge fichtenähnl. Bäume, die darauf wachsen', mal. kaju aru (Spr. u. F., NBeitr.

11, 188); *c)* ein Werder des obern Missuri, v. den Captt. Lewis u. Cl. (Trav. 223) am 17. Juli 1805 benannt nach einer grossen Fichte, der ersten, die seit langem in der Nähe des Flusses erblickt worden war; *d)* im plur. *P. Islands*, vor Queensl., nach den prachtvollen Coniferenwäldern, welche jene bedecken (Peterm., GMitth. 7, 385); *c)* in der Form *Isle of Pines* ein Eiland am Südostende NCaled., einh. *Koniē* (Meinicke, IStill. O. 1, 221), v. Cook (VSouthP. 2, 135. 139) entdeckt; man sah den Rand mit undeutl. Erhabenheiten bedeckt, die den Einen Bäume, den Andern Basaltmassen zu sein schienen u. sich als eine Art Pechtannen, einzelne 15—20 m lg., den Eingb. z. Schiffbau dienl., auswiesen, 'which occasioned my giving that name to the island'. — *P. Barrens* s. Barren. — *P. Creek*, ein Ikseitg. Zufluss des Missuri, obh. Yellowstone R., v. den Captt. Lewis u. Cl. (Trav. 157) am 12. Mai 1805 getauft nach den der virgin. ähnl., aber längernadeligen Pechtannen, den ersten, die am Missuri übh. getroffen wurden. — *P. Forest* s. Cedar. — *P. Peak*, Yler mit Fichten dicht bedeckte Spitzberg, Percy Is., v. Flinders (TA. 2, 79, Atl. pl. X) am 2. Oct. 1802 benannt. — *P. Portage*, 3 Trageplätze in Brit. NAmerica, th. nach Pinus resinosa, th. nach Pinus Banksiana, der Cypresse der Canadier: *a)* im Netz des P. Island L. (Franklin, Narr. 178. 188, Carte); *b)* im Clear Water R. (Richardson, Arct.SE. 1,116 ff.); *c)* im Missinipi (Franklin, Narr. 178 ff.). — *P. River*, ein rseitg. Nebenfluss des Oberlaufs des Missisipi, nach einer neuen Fichtenart, the French Sap pine, der Lieut. Zeb. Pike (Expp. 56) am 30. Dec. 1805 dort entdeckte.

Pinega, finn. Flussname im nördl. Russl., wie *Pálenga, Wólonga* u. v. a. mit dem Ton auf der Antepenultima (nur *Onéga* ausgenommen), wo die Endg. *ga* aus finn. *jöggi* verkürzt ist, wohl v. *Pint-jöggi* = Zackenfluss, nach den eigenthüml. ausgezackten Gypsfelsen (Schrenk, Tundr. 1, 93). Nach dem Flusse der Ort *Pineg* (ib. 75).

Pinell s. Pignieu.

Pinesk s. Irbit.

Pingi s. Batu.

Pingjang s. Hoangho.

P'ing-kiāng = der pacificirte Kiang, Fluss, chin. Name der Prov. an der Mündg. des Jangtsekiang. Seit Beginn der Dynastie Thâng bis zu den Sûng, 618—960, hatte sie nach der dam. Hptstadt *Su-tscheu* geheissen: unter den Sûng aber wurde sie mit obigem Namen umgetauft (Pauthier, MPolo 2, 488). — *P.-schün* s. Cambodscha.

Pinsk s. Penschinsk.

Pinguin = Fettgans, im Engl. oft *penguin*, obgl. v. lat. *pinguis* = fett, eine Gattg. v. Wasservögeln, die mit den Flügeln rudernd schwimmen, aber nicht fliegen können, auf hohem Meere leben, doch z. Eierlegen u. Brüten die Inseln u. Felsspitzen aufsuchen u. bevölkern, dadurch aber oft Anlass zu geogr. Benennungen geben: *P. Bay*, an der Ostseite v. St. Paul, v. der Exp. Novara Wüllerst. 1, 259) nach den zahlr. Sprungtauchern,

Eudyptes chrysocoma, getauft. — *P. Cove*, an der Nordseite v. Kerguelen I., v. Capt. Cook (-King, Pac. 1, 76) am 29. Dec. 1776. — *P. Island* (od. *Isle*), mehrf.: *a)* in der Magalhães Str. (Debrosses, HNav. 346), v. Thom. Cavendish am 8. Jan. 1587 getauft, 'where wee anchored the 8. day, and killed and salted great store of pengwins for victuals' (Hakl., Pr. Nav. 3, 806); Rich. Hawkin's Bericht (WHakl. S. 1, 126 ff.) hat im plur. *Islands of the Pengwins*, u. v. der Mannschaft dieser Reise v. 1594 waren 'some of our company which had bin with master Candish in the voyage in which he died . . .'; *b)* in Port Desire, Patag., ebf. v. Cavendish, der bei seinem Aufenthalt, v. 17.—28. Dec. 1586, aus der Menge Geflügel viel Proviant bezog . . . 'une grande quantité de lions marins et de pingouins' (Garnier, Abr. 1, 35); auch auf seiner letzten Reise 1592 fanden seine Leute, die den General umsonst hier erwarteten, dass zu Zeiten die Pinguine in Menge z. Brüten herkämen (Hakl., Pr. Nav. 805. 846); *c)* vor der Magalhães Str., unw. des östl. Eingangs 'och penguiner plaskade och dykte kring fregaten . . . Sjöfogel fanns i ofantlig mängd . . . ty knappast ser man dem på andra ställen i sädan mängd som på de nämnde' (Skogm., Eug. R. 1, 82); *d)* an der Südseite NFundl., 1536 benannt (Ansp., NFundl. 23) v. einer engl. Exp. Hore . . . 'they came to the *Pl.*, which is very full of rockes and stones, whereon they went and found it full of great foules white and gray, as big as geese, and they saw infinite numbers of their egges. They draue a great number of the foules into their boates vpon their sayles, and tooke vp many of their egges, the foules they flead and their skinnes were very like hony combes full of holes being flead off: the dressed and eate them and found them to be very good and nourishing meat' (Hakl., Pr. Nav. 3, 129). Noch der Bericht v. der Exp. Sir Humphrey Gilbert's, 1583, erwähnt 'a foule there breading in abundance, almost incredible, which cannot flie, their wings not able to carry their body, being very large (not much lesse than a goose) and exceeding fat: which the French men vse to take without difficulty vpon that island, and to barrell them vp with salt. But for lingering of time we had made vs there the like prouision'; *e)* an der Ostseite NFundl., j. *Fogo Isle* (Ansp., NFundl. 31. 126); *f)* im antarkt. SShetl. (Hertha 9, 466); *g)* s. Robben; *h)* s. Crozet; *i)* vor Angra Pequena, früher nur v. Pinguinen u. Robben (ALMelzer, Deutsche Col. 9) u., wie die nahen Seal- u. Shark Is., noch immer v. Tausenden v. Pinguinen u. Seemöven bewohnt (Schinz, Deutsch SWAfr. 7).

Pinnacle Island = Thurminsel, zweimal: *a)* ein kleines hohes Felseiland südl. v. Kiusiu, nach seiner Form wahrsch. v. engl. Seef. Colnett getauft (Krus., Reise 1, 263, Atl. 22); *b)* eine kleine Insel vor Point Upright, deren hoher Gipfel in mehrere Thurmfelsen endigt, v. Capt. Cook (-King, Pac. 2, 491) am 23. Sept. 1778 getauft, eine hohe,

steile, dem Aussehen nach völlig vegegationslose Felsinsel, die oben mit vielen nadelfgen Spitzen geziert ist (Kittlitz, Denkw. 1, 302). — *Point P.*, bei Foggy I., 3 od. 4 thurmähnl. Felsen tragend, ebf. v. Cook (ib. 2, 410) am 16. Juni 1778.

Pintados, Islas de los = Inseln der Bemalten, span. Name *a)* in den Philippinen, der v. den Bissayas bewohnte Theil, weil sich diese Stamm wie mehrere Polynesier zu tättowiren pflegt (Spr. u. F., Beitr. 10, 185, Govantes, HFil 23, der die Benenng. auf Magalhães zkführt); nach de Morga (WHakl. S. 39, 19) heissen diese Inseln gewöhnl. *Bissayas de los P.*, 'because the natives there have their whole bodies marked with fire'; die Haut wird geritzt u. das Blut mit schwarzen Pulvern überstreut (ib. 266. 291); *b)* im Marshall Arch., wo der span. Seef. Alvaro Saavedra 1529 'descobrio hūa ylha, a q' pos nome dos *P.*, por serem homẽs brancos, todos ferrados' (WHakl. S. 30, 177). — *Pueblo Pintado*, Ruinenort in NMexico, wo Scherben gemalter Thongefässe massenhaft herumliegen (ZfAFrdk. 3, 160).

Pinus = Fichte, Tanne, Rothtanne, mit *pinetum* = Fichtenwald, einem schon bei Ovid als Gemeinname gebr. Ausdrucke, der auch Eigenname einer röm. Station in Spanien wurde (s. Aunay), in die neurom. Sprachen u. deren ON. übergegangen, ital. u. span. *pino*, port. *pinho*, *pinheiro*, frz. *pin*, auch engl. *pine* (s. d.). So ist *Pinè* ein verkürztes *pinetum*, dial. *pineto*, 1160 plebs *Pinedi*, 1214 de *Pineto*, der Obertheil des trid. Thales Sila, 'dai boschi di conifere, che dovevano anticamente coprirla quasi tutta e che pur troppo andarono manomessi in molta parte, se non propriamente distrutti. Nell' uso del popolo, *pino* serve in certo modo di nome generico per tutti le conifere' (Malfatti, S. top. Trent. 87). — Aehnl. ital. ON. sind *Pino, Pina, Pini, Pin, Pigna, Pigno, Pigne, Pigni, Pinetti, Pinone, Pignone, Pignona, Pineto, Pineti, Pineta, Pineda, Pigneto, Pinidello, Pinera, Pinerolo* u. a. (Flechia, NL. Piante 17). — Aus dem span. Sprachgebiete *a) Cabo del Pinar* = Vorgebirge des Kieferwaldes, Cap bei Alcudia, Mallorca, v. Kieferwald gekrönt (Willkomm, Span.- B. 68); *b) Isla de Pinos*, südl. v. Cuba, wo — sonderbar genug — in der Ebene u. auf den niedrigen Hügeln eine Pinusart, Pinus occidentalis Swartz, mit Palmen u. Mahagonybäumen gemengt ist (Humboldt, Ans. Nat. 2, 85. 185), v. Columbus im Juni 1494 entdeckt u. *Evangelista* getauft (Peschel, ZEntd. 255); *c) Bahia de Pinos*, Hafenbucht bei Mendocino, Calif., v. Juan Rodr. de Cabrilho, einem in Diensten des neuspan. Vicekönigs Mendoza stehenden Port., 1542 'wg. der vielen Fichten' so genannt (GForster, GReis. 1, 14); *d) Puerto de Piñas* = Fichtenhafen, eine pacif. Bucht Columbia's, v. waldbedeckten rauhen Bergen eingefasst, schon zZ. der Conquista so benannt (WHakl. S. 33, 20). — *Piñuela* s. Poas.

Pinzgau, Tiroler Thal am Oberlaufe der Salzach, im 8. Jahrh. *Pinezgaoe, Pinuzgaoe, Pinzgov . . .*, nicht, wie versucht worden, v. lat. *pinus* =

Fichte od. v. ahd. *binuz* = Binse (Schmeller, WB. 1, 152) abzuleiten, sondern volksetym. umgestaltet v. *Bisonzgaoe*, nach dem uralten, undeutsch benannten Orte *Bisontium*, der namentl. in der Juvavia häufig erwähnt wird (Zeuss, DDeutsch. u. NSt. 243, Förstem., Altd. NB. 256).

Pioneer Cañon, eine Schlucht in Nevada, benannt v. den ersten Weissen, welche sie 1869 mit Wagen passirten, der Exp. Ord (Nev. 12)… 'an appropriate name, as we were all pioneers during its passage. Most of the wagons were upset while going through this cañon, although all possible care was taken, and everybody was at work from sun to sun'. — *P. Island*, in Northumberland Sd., Parry In., v. Capt. Edw. Belcher (Arct. V. 1, 89) im Aug. 1852 nach seinem Schiffe getauft.

Pipestone s. Calumet.

Pipigochi s. Concepcion.

Piqua, Ort in Ohio, benannt nach den Indianerstamm der *P.*, der in dieser Gegend schweifte, aber schon 1823, zZ. v. Major Long's 2. Reise, fast ausgestorben war u. sich, mit den Miamis vereinigt, in der Umgegend des Forts Wayne angesiedelt hatte (Hertha 9, 44).

Piquée s. Pierre.

Pir = Heiliger, in hind. ON. wie *Pirgándsch* = des Heiligen Markt, in Bahár, *Pirnagar* = Heiligenstadt, *Pir Pandschál* = Heiligenberg u. a. m. (Schlagw., Gloss. 234).

Pira, Pirken s. Birke.

Piraeus, gr. Πειραιεύς, der Hafen Athens, schon v. G. Curtius aus πέρα, πεῖραο, περαίνω erklärt (s. Pera). Auch Kiepert (Lehrb. AGeogr. 280) versteht den Namen v. der 'jenseitigen' Lage, da die ehm. Insel durch Versumpfg. des Halipedon z. Halbinsel geworden, u. Tozer (Lect. 378), unter Anführg. eines alten Zeugnisses (Strabo 59), bemerkt: The name *Piraeus* implies that the hill and place from which the harbour derived its name, was once a island and was reached from the mainland by a ferry.

Pirahy = Fischfluss, v. guarani *pira* = Fisch u. *hy* = Fluss, einer der zahlr. ON., welche die Bedeut. des Fischfangs f. die brasil. Indianer bekunden, f. einen fischreichen Zufluss des Uruguay. An diesem Flusse, wo die Fische einen kleinen Fall zu übspringen haben u. in Menge zw. den Steinen stecken bleiben, der Ort *Pirapó* = 'Fischauf', v. *pó* = im Sprunge aufwärts (Avé-L., SBras. 1, 150). — *Pirapora* = Fischsprung, 2 Katarakten im Oberlaufe des Rio SFrancisco (Ausl. 1869, 376). — *Piratininga*, eig. *Piratining*, dial. auch *Pira-sinunga* = Fischtröckne, Ort bei São Paulo, wo der periodisch stark anu. abschwellende Fluss au gewissen Stellen viele Fische auswirft u. so die Anwohner reichlich mit Speise versieht: o que dava aos moradores grande fartura (Varnh., HBraz. 1, 55 f. 440), v. Martim Affonzo de Souza 1532 als *villa sertaneja* = innere Burg besetzt.

Pirataegogda s. Bureja.

Piraten-Inseln, nach Brué (Carte G. Egypte, mai

1822) eine Inselreihe des Rothen M., 26° 30′ — 26° 40′; die nördlichste heisst *Ile de Sable* = Sandinsel (Bergh., Ann. 5, 60).

Piri Pascha, einer der 3 vorstädt. ON. Konstantinopels, welche nach Paschen u. Vezieren gewählt sind. *P. P.*, ein Vezier aus der Zeit Sultan Bajazid's II. u. Sultan Selim's I., baute, v. der Anmuth des Orts angezogen, denselben mit Gärten u. Häusern an. Vorher hiess der Flecken, wie j. noch der dem Ufer zunächst gelegene Theil, *Paraskeve*, weil er schon bei den Byzantinern als die Grabstätte der Heiligen d. N., Barbara u. Marina, galt u. ein besuchter Wallfahrtsort war (Hammer-P., Konst. 2, 47).

Piripai s. Petani.

Pirminsberg s. Pfävers.

Pirustarum V. s. Vörös.

Pirori = Strudel, Wirbel, bei den Maori ein grosser Sprudel, wo aus einem tiefen Loch an der linken Uferwand des in den Tauposee mündenden Tokanu eine siedendheisse Wassersäule v. $\frac{1}{2}$ m Durchm., stets unter starker Dampfentwickelg., wirbelnd mannshoch u. höher, bis 10 m?, empor springt (v. Hochstetter, NSeel. 230).

Pisa, alter ON. in Ital., röm. *Pisae* (Plin., HNat. 3, 50), mir unerklärt. Nachdem —182 der Ort röm. Colonie geworden u. mit Latinern bevölker. war, hiess er unter Augustus *Colonia Julia Pisana*, die nahen Thermen *Aquae Pisanae*, der Hafenort *Portus Pisanus* (Meyer's CLex. 12, 978).

Pisang, Pulo = Bananeninsel, 6 f. im ind. Archipel, z. B. auch in Banda (s. d.). Da die Banane nur bei den Malajen *pisang* heisst, so lässt die Verbreitg. der 6 Inseln auf die Ausdehng. mal. Seefahrt schliessen (Crawf., Dict. 355). — *P. Rivier*, im Capl., v. dem an seinen Ufern häufigen wilden *P.*, Strelitzia alba, welche in der Gestalt ihrer Blätter viel Aehnlichkeit mit der Musa paradisiaca hat (Lichtenst., SAfr. 1, 331).

Pisanoi Kamen = Schriftfelsen, russ. Name einer glatten, gelbgrünen, schiefrigen Uferwand des Ob unth. Kusnezk; es sind da an einer 10 Faden h., kaum zugängl. Stelle allerlei Thierfiguren eingegraben (Falk, Beitr. 1, 341).

Piscaria s. Pescara.

Pischa s. Chotan.

Pischaur s. Peschavar.

Pischelsriet s. Bischof.

Pischkar s. Pokhara.

Pisoc s. Pic.

Pisonia, Isle, im Carpentaria G., v. Matth. Flinders (TA. 2, 153, Atl. 14) am 3. Dec. 1802 so benannt, weil in dem dichten Gehölz eine weiche, weisse Art v. Nyctagineen, wohl *P. alba*, vorherrschte.

Pissevache, der triviale Name des schönen Wasserfalls der Sallenche, eines lkseitg. Nebenflusses der Rhone, anscheinend v. frz. *pisser* = harnen u. *la vache* = die Kuh, während Gatschet (OForsch. 123) an ahd. (!) *puzzin-wag* = Quellstrudel denkt. — Unsere Annahme bestätigt jedoch aus derselben Gegend die Wiederholg. v. *le Pissot* = Pisstopf: *a)* f. die wilde Schlucht, durch welche das v.

hohen Alpen eingeschlossene Thal der Torneresse, Etivaz, nach dem Pays d'en Haut ausmündet, deswegen, weil der Bach sich rauschend in den Abgrund stürzt (Gem. Schweiz 19²ᵇ, 73): *b*) f. einen zweiten Bach, der in dem Bergsturz der Diablerets 1714 verschwunden ist (Mart.-Crous., Dict. 751). — Auch ein *P.* bei Nevers (Dict. top. Fr. 6, 145), ein Ort *Pissot* bei Chauny, dép. Aisne, so genannt v. Uebfluss des Wassers, u. *la Pissotte*, ein Brunnen bei Vaurezis (ib. 10, 216), *la Pisserote*, ein Brunnen bei Montfey, dép. Aube (ib. 14, 122), *le Pissot*, 5 mal im dép. Calvados (ib. 18, 221).

Pitcairn Island, ein bergiges, baumbewachsenes Eiland im östlichen Flügel der Paumotu, am 2. Juli 1767 v. Capt. Carteret entdeckt u. benannt nach dem jungen Gentleman *P.*, welcher sie zuerst aus weiter Entferng. erblickt hatte (Hawk., Acc. 1, 341).

Pitch Mount = Pechberg, eine Höhe v. Arthur's Str., Parry In., v. Entdecker, dem engl. Capt. Edw. Belcher (Arct. V. 1, 290), im Mai 1853 nach einem starken Asphalterguss Benannt.

Piteå, schwed. Hafenstadt a/Mündg. des gleichnam. Flusses, 1621 angelegt, 1668 auf eine Küsteninsel verlegt (Meyer's CLex. 12, 985).

Pithekusa s. Ischia.

Piton = Kegel, Zuckerhut, span. Name des centralen Aschenkegels des Pics v. Tenerife. Er 'lag vor uns wie ein riesiger Zuckerhut, v. einem prachtvollen Schneemantel rings umhüllt, welcher im Sonnenglanze schimmerte. Der Name . . ., mit welchem die Insulaner den Aschenkegel stets bezeichnen, war gerade in der That äusserst zutreffend. Jetzt war es nicht wie im Sommer die gelblichweisse Bimssteindecke, sondern der üb. diese ausgebreitete, blendend weisse Eismantel, welcher keine andere Vergleichg. als mit einem kolossalen Zuckerhute zuliess' (ZfAErdk. 1870, 22). Vergl. Piton de Neige.

Pitskoje s. Jenissei.

Pitt, der gefeierte Name zweier engl. Staatsmänner, Grafen v. Chatham, des ältern 1708 geb., 1778 † *William P.*, welchen das Volk wg. der grossartigen Erfolge seiner, insb. im Wettstreit mit Frankreich, eingehaltenen Politik fast vergötterte, u. des jüngern 1759 geb., 1806 † *William P.* Kein Wunder, dass sie in ON. der Entdeckv. u. Colonisation verewigt sind, bes. in *Pittsburg*, das, v. frz. Gouv. Du Quesne 1753 selbst angelegt u. nach seinem Namen *Fort Du Quesne* getauft, am 25. Nov. 1758 durch Washington, nachdem die Franzosen das Fort angezündet u. verlassen hatten, besetzt u. zunächst in *Fort P.* umgetauft, dann 1765 neu ggr., 1816 z. City erhoben wurde (Quack., USt. 174, Buckingh., East. & WSt. 2, 172). — *Pittsfield*, in Massachusetts, 1761 incorporirt, u. *Pittston*, in Pennsylv. (Meyer's CLex. 12, 988, Cent. Exh. 15). — *P. Bay* s. Gallow. — *Cape P.*, 2 mal in den Salomonen: *a*) bei Nine Hummock B., v. Capt. Shortland 1788 (Fleurieu, Déc. 178); *b*) in NGeorgia, v. Adm. v. Krusenst. (Mém. 1, 163) nach dem Schiffe

des engl. Entdeckers, Capt. Manning 1792. — *Fort P.*, ausser dem oben erwähnten Platze auch ein Berg am Buccleugh Sd., v. Capt. Will. Douglas am 7. Juni 1789 getauft nach dem festungsartigen Aussehen — u. dabei *P.'s Harbour* (GForster, GReis. 1, 295, Carte). — *P. Island*, 3 mal: *a*) die runde, durch grosse u. gefährl. Riffe schwer zugängl., zweitgrösste Insel des Arch. Santa Cruz, schon v. dem Spanier Barreto, dem Schwager Mendaña's, 1595 gesehen, einh. *Manikolo* (Quiros 1606), gew. *Wanikoro*, v. engl. Capt. Edwards 1791 nach seinem Schiffe *P.*, v. frz. Seef. d'Entrecasteaux 1793 nach seiner Fregatte *Ile de la Recherche* genannt (Krus., Mém. 1, 187). Der breite Gürtel v. Barrièreriffen, der das Ganze im Abstand v. 7 km einschliesst, der Schauplatz v. La Pérouse's Schiffbruch, welchen der Capt. Dillon durch Zufall entdeckte, heisst *Riff La Pérouse*, der schmale, kaum fahrb. Durchgang, welcher die kleine Insel Combermere abtrennt, *Dillon Pass* (Meinicke, IStill. O. 1, 171 f.); *b*) bei Mt. Edgecumbe, v. Capt. Nath. Portlock, Schiff King George, im Aug. 1787 (GForster, GReis. 3, 134); *c*) in antarkt. Graham's Ld., im Febr. 1832 v. engl. Capt. Biscoe entdeckt (Journ.RGSLond. 3. 111). — *P. Strait* s. Manning.

Piura s. Miguel.

Pius Wall s. Picti.

Pityussa, gr. Πιτυοῦσσα = Forchau, Name vschiedd. Inseln u. Orte 'v. den Fichten' (Strabo 394, D. Sic. 5, 16): *a*) früherer Name v. Salamis (Strabo 394), Chios (Strabo 589), Milet (Eust. z. D. Per. 456. 832), Phaselis in Pamphyl. (St. B.), Lampsacus (Strabo 589), Opius in Cappad. (Ptol. 5, 6⁶)); *b*) Klippeninselchen beim Vorgebirge Skyllaion in Argolis (Paus. 2, 34⁸); *c*) Klippeninselchen in der Propontis, bei Bithynien (Hesych.); *d*) s. Ebusus. — *Pitya*, gr. Πίτυα = Forchheim, Ort in Mysien, 'hat über sich einen Berg voll Fichten' (Strabo 588). — *Pityus*, gr. Πιτυοῦς = Forchau, 2 mal: *a*) District in Mysien (Strabo 588); *b*) Stadt am Pontus, j. *Pitsunda* (ib. 496).

Pizokel s. Pic.

Placeres, Sierra de los = Gebirge der Goldwäschen, v. span. *placer* = Vergnügen, im allg. der Bezeichng. f. eine Goldwäsche, ist der Name einer Bergmasse NMexico's, südl. v. Santa Fé, weil hier goldführender Quarz gewaschen wird, sowohl in den *Nuevos P.* = neuen Goldwäschen der östl. u. südl. Abhänge, als auch in den *Viejos P.* = alten Goldwäschen der Nordseite. 'Die Erde u. der Sandstein der an die Berge anstossenden Strecken enthalten Gold, bald in lohnenden Massen, bald in Spuren, während in den eig. Abhängen des Gebirgs der Goldquarz in bedeutende Tiefen reicht . . . Bei den *V. P.* hat 1873 alle Arbeit aufgehört; bei den *N. P.* wird noch eine Mine bearbeitet. Im Jahre 1849 herrschte jedoch reges Leben hier; mehrere 1000 Menschen waren beschäftigt, u. manches schwere Goldkorn v. 1000—1500 Doll. Werth wurde gefunden' (PM. 20, 458). — *los P.* s. Coral.

Plaffeyen s. Plana.

Plakatos s. Plattenberg.

Plana, subst. *planities* = Ebene, schon in dem lat. Namen *Planaria* (s. Canarien), dann in rom. ON. oft Grundwort, sowohl als zweiter Theil zsgesetzter ON. (s. Silvaplana), als auch als erster Theil *a) Plaffeyen*, deutsche Form eines freibg. ON., 1148 *Planfeiun*, patois *Planafaïe* = Buchwald in der Ebene, mit dial. *faïe, fau, fou, fohi* m., *fohira* f. = Buche; *b) Plasselb*, in der Nähe des erstern, urk. *Plannaseyva*, patois *Plianasyvaz, Planaseva*, s. v. a. *plana silva* = Wald in der Ebene (Gatschet, OForsch. 282). In der Waadt wiederholt *Blonay*, urk. *Blanay* (Gatschet, OForsch. 10), im Vorarlb. *Blons*, im St. Galler Oberland *Plons*, ebf. v. rom. *plan*, plur. *planes* (Steub, Rhät. Ethn. 91), in Graubünden *Planüras* (s. Lenzer-Heide). Auch serb. *plony* = eben in den ON. *Planica* u. *Planikovac*, Kroat., während das čech.*plany*, ebf. in ON. wiederholt, ein ganz anderes Wort,'dürr, unfruchthar', ist (Miklosich, ON. App. 2, 214 f.). — Dagegen *Rivière des Plaines*, ein Zufluss des obern Illinois, nicht 'Fluss der Ebenen', sondern nach der *plaine*, einem Ahorn (dem Zuckerahorn?), der an den Ufern wächst, ind. *Chichikmaochike Sepe* = Fluss des pissenden Baumes, da v. dem Ahorn im Frühjahr viel Saft herabtröpfelt (Hertha 11, 329).

Planaires s. Amphinomes.

Planína = Alpe, Bergwald, wohl auch Gebirge, wie ·in *Stara Planina* (s. Balkan), ist ein unbezweifelt slow. Wort (doch auch ruth. *Poloniny* f. die Alpen des karpath. Waldgebirgs), freil. unsicherer Herkunft, da die Versetzg. aus *alp* (Jarnik, Etym. slow. MA. 54) kaum einleuchten kann; die Slowenen sagen *planiniti* = Alpenwirthschaft betreiben, *planinz, planz* = Aelpler, *planinzhan* = Alphirt, *planinshzhiza* = Sennerin. Daher die ON. *Planine* u. *na Planini*, dim. *Planinca* u. *Planinka*, in Steierm., Krain u. Küstenland (Umlauft, ÖUng. NB. 176. 180).

Planke s. Kyaneai.

Plantius, Kaap de, ein Vorgebirge bei Loms Bay, N Semlja, durch den holl. Seef. Will. Barents auf seiner ersten Reise 1594 nach dem gelehrten Kosmographen Peter *P.* († 1622) benannt, der ein Hptdirector u. Unterweiser der Fahrt gewesen war. *P.*, geb. 1552 zu Drenoutre, Flandern, war ein berühmter Theolog u. Mathematiker u. wurde durch die Dortrechter Synode 1619 mit der Revision der holl. Bibelübersetzg. beauftragt (GVeer ed. Beke 41).

Plaquemine = Dattelpflaume, frz. ON. im Delta des Missisipi, nach den vielen in der Gegend wachsenden Dióspyros (PW. v. Württb., NAm. 26).

Plasselb s. Plana.

Plat Point = flache Spitze, die 390 m h., schwarze tafelfg. abgeflachte Südspitze der spitzb. Edge-I., eine hohe, steile Gebirgsmasse, ... eine frostige Einöde v. traurig wildem Character'. Jenen Namen hat das Cap bei den 'heutigen norw. Robbenschlägern u. Walrossjägern', fast den einzigen Menschen, welche jene Gegend frequentiren'. Auf der ältesten Carte heisst es *Negro Point* =

schwarze Spitze, daher, bes. auf den engl., holl. u. schwed. Carten, *Black Point* = schwarze Spitze (PM. 16, 180. 182. T. 9). — *Lac P.* = seichter See, engl. übsetzt *Shoal Lake*, im L. of the Woods, ein mit Schilf erfülltes, seichtes Seitenbecken, welches durch einen engen seichten Canal mit dem Hptbecken zshängt (Hind, Narr. 1, 102). — Fem. *plate* ebf. mehrf.: *a) Ile P.*, eine der Seychellen (McLeod, East. Afr. 2, 213); *b) P.*, eine der Prinzen In. (Hammer-P., Konst. 2, 367); *c) Baie P.* s. Flach. — *Rivière Platte*, engl. *Shallow River*, aus ind. *Nebraska* übsetzt (Staples, Or. NStU. 23), ein rseitg. Zufluss des Missuri . . . 'It is nearly a mile in width at its entrance; but, as its name imports, very shallow, and is not boatable except at its highest floods' (Buckingh., East. & WSt. 3, 154), an der Mündg 600 yards br., in viele Arme getheilt, v. denen keiner mehr als $1_5—1_8$ m tief ist. Mit Booten kann der Fluss nicht weit aufw. befahren werden, wohl aber mit kleinen flachen ind. Canoes, die aus Häuten gefertigt sind (Lewis u. Cl., Trav. 22). 'Unwissende Geographen haben ihn neuerdings in einen silberverheissenden Platastrom umgewandelt' (Humb., ANat. 1, 55). Weiter abw., wenig obh. des Kansas, mündet v. der Linken die *Petite Rivière Platte* (ib. 14). — *Ile Platte* s. Lincoln. — *Les Plates Pierres* s. Pierre.

Plata = Silber, mehrf. in span. ON., insb. *Rio de la P.*, entdeckt 1515 (nach Varnh., HBraz. 1, 31 schon 1508) v. Diaz de Solís, 'una gran abra ó abertura, que por ser tan espaciosa y el agua no salada, llamaron *Mar Dulce*' = Süsswassermeer, auf den Carten eine Zeit lg. auch *Rio de Solís* od. nach dem v. Solís getauften *Cabo de Santa Maria* (Kohl, Mag. Str. 7) auch *Bahia de Santa Maria* (ZfAErdk. 1876, 336). Ribero's Carte v. 1525 zeigt am Ufer eine Veste mit der Ueberschrift: Esta tierra descubrio Juan de Solís en el anno 1515. Der Entdecker wurde, wie Pigafetta (Spr. u. F., Beitr. 4, 162 f.) erzählt, nebst 60 Gefährten v. den Wilden gefressen. Magalhães hoffte hier eine Durchfahrt zu finden u. verblieb, zuf. der Erzählg. des genues. Piloten, wie des anonymen Portug., bis 2. Febr. 1520 in der Mündg. seines *Rio de San Cristóval* (WHakl. S. 52, 2. 30). Seb. Cabot, in span. Diensten, erreichte den Strom 1526, betrachtete das Silber, welches die Guaycurus u. Payagoás der Exp. des Port. Alexo Garcia geraubt hatten, als ein dem Lande selbst angehöriges Pfand peruan. Reichthümer u. gab dem Strom den j. Namen (Eschwege, Pluto Br. 81, Bull. SGéogr. 12, 262, Galvão, Desc. 169, Navarrete, Coll. 3, 49). Bei den Guaranis *Paranáguaçú* = grosses Wasser'que quiere dezir rio como mar, o agua grande' (Gomara, HGen. c. 88, Galvão, Desc. 122, Varnh., HBraz. 1, 33), bei andern Wilden *Amaru-Mayu* = Schlangenfluss, entw. nach der Menge Schlangen, welche aus den zahlr. Nebenflüssen ihm zugehen (Debrosses, HNav. 417) od. weil unter den dortigen Flüssen der Strom das sei, was unter den Schlangen die ungeheure amaru der Wälder

(WHakl. S. 41b, 263). — *Isla de la P.*, eine
Küsteninsel v. Ecuador, einst ind. Opferplatz, bei
dem Frz. Pizarro, mit seinen 13 Gefährten, landete, etwas Silber u. Edelsteine, sowie reichge-
stickte Kleider fand (WHakl. S. 33, 23. 199, Barrow, R. u. Entd. 2, 71). — *Monte de P.*, ein Berg
der Nordküste Hayti's, v. Columbus am 11. Jan.
1493 nach dem Aussehen benannt, 'porque es
muy alto y está siempre sobra la cumbre una
niebla que lo hace blanco ó plateado' (Navarrete,
Coll. 1, 131). — *Ciudad de la P.* s. Chuquisaca.
— *Isla Rica de P.* y de Oro, Fabelgebilde der
frühern span. Seeff., v. einer nordpolyn. Silber-
u. Goldinsel (WHakl. S. 39, 356), auf den Carten
fixirt, ehe dort selbst Land entdeckt war; an der
Stelle der 'Goldinsel' fand am 9. Apr. 1788 der
engl. Capt. Meares einen kleinen, höchst auffälligen, kegelfg. 100 m h. Inselfels, der einem
segelnden Schiffe ähnelt: *Loth's Wife* (Krus., Mém.
2, 41), v. Schiffe Macedonian *Sail Rock* = Segelfels, v. Somerby *Black Rock* = schwarzer Fels
genannt, an der Stelle der 'Silberinsel' am 15. Oct.
1801 der span. Capt. Crespo, Schiff el Rey Carlos,
eine hohe *Ile Crespo*, v. Krusenst. so getauft
(Meinicke, IStill. O. 2, 314. 412 schreibt *Roca*,
f. *Rica*). — Port. *Rio da Prata*, ebf. 'Silberfluss', ein Küstenfluss v. Santa Catharina, Bras.
(Avé-L., SBras. 2, 250).

Plataniston, gr. Πλατανιστών = Platanenbach,
ein Fluss in Messene, welcher der Stadt Korone
das Wasser lieferte, nach der Platane benannt,
aus welcher die Quelle floss (Paus. 4, 34⁴, Curt.,
Pel. 2, 166). — Auch *Plataneus*, gr. Πλατανεύς,
ein Fluss in Bithyn. (Plin., HNat. 5, 148), *Platanios*, gr. Πλατάνιος, ein Küstenfluss in Böotien
(Paus. 9, 24⁵), *Platanistus*, gr. Πλατανιστοῦς =
Platanenberg, 2 mal (Pape-B.).

Platea, gr. Πλατέα = Breitenfeld, als ON. mehrf.:
a) Insel der Cyrenaica, j. Bomba (Herod. 4, 151);
b) Πλατεῖαι, Ort bei Kroton (Jambl. v. Pyth.
261); *c)* älterer Name v. Paros (Plin., HNat. 4,
67); *d)* Insel bei Kreta (Plin. 4, 71) u. drei vor
Troas (ib. 5, 138); *e)* Platiae, Insel vor dem
Vorgebirge Sammonium, Kreta (ib. 4, 61, Pape-
Bens.).

Platen, Cap, an der Nordseite des spitzb. Nordost-
Ld., durch die schwed. Exp. 1864 benannt zu
Ehren des Grafen v. P., dessen Zuschüsse er-
möglicht hatten, der Exp. auch den Zoologen
Malmgren aus Finl. beizugeben (Torell u. N.,
Schwed. Expp. 384. 196).

Plattenberg, Bergname *a)* im Glarner Sernfthal,
wo die längst benutzten Brüche v. Schieferplatten;
b) auf Kerguelen, wo mit 6 m starken Basaltlagen je eine horizontale Schicht weichen, rothen
Gesteins wechselt, das letztere durch den Regen
so ausgewaschen, dass die Ränder der Basaltlagen
übhängend vortreten, benannt im Dec. 1874 v.
der deutschen Exp. SMS. Gazelle (ZfAErdk. 1876,
99); *c)* *Plattenspitze*, im Rätikon, nach den vielen
auffälligen Gneisplatten ringsum (Umlauft, ÖUng.
NB. 177). — Ein Seitenstück ist *Plakotos*, ngr. ὁ
πλακωτός = Plattenberg, ein spitziger Hügel v.

Ios, v. der platten- od. schichtenförmigen Bildg.
des Schiefer- u. Marmorgesteins (Ross, IReis. 1,
164). — Vgl. *Plattensee* art. Blat u. *Rivière
Platte* art. Plat.

Platz u. *Dörfli* (s. Landwasser) sind Benennungen,
welche, f. Davos weitbekannt, auch in andern
'Walserthälern', in Vals, Safien, Klosters u. Langwies, wiederkehren, P. je f. die Hptort u. Mittel-
punct der Colonie (Egger, Urk. XVI). Der P.
in Klosters dominirt durch seine Lage den ganzen
Sprenge . Das *D.* hiess (Campell 140 Note) *St.
Theodor*, zunächst wohl als Name der Kirche.

Plauen, Ort im Vogtlande, an der weissen Elster,
slaw. *Plawin*, *Plawen*, v. slaw. *plavü*, čech.
plav, wend. *plaw* = das Schwemmen od. Flössen
des Holzes, asl. u. čech. *plaviti* = flössen, čech.
plavni, -*ny* = Floss, *plavnice* = Flossplatz.
Ebenso *P.* an der Weisseritz, *Plaue* an der Zscho-
pau u. a. m., sämmtl. an Flüssen, auf welchen
noch heute Holz geflösst wird; die Orte bezeichnen
wohl, z. Th. wenigstens, die Stellen, wo das Floss-
holz in den Fluss geworfen wurde (Immisch, ON.
Erzg. 24, GHey, ON. Sachs. 50). — In österr.
Kronländern die ON. *Plav*, *Plava*, *Plavsko*, *Pla-
via*, *Plavno*, *Plavz*, *Plawen*, *Plavci*, *Plavič*,
Plavija, *Plavisevica*, *Plavna*, *Plavnica*, *Plav-
šinek*, *Plavie*, *Plavna*, *Plavo*, *Plavy*, hier u.
da in gefährl. Nähe v. asl. *plav* = weiss, falb
(Miklosich, ON. App. 2, 215). — Hierher gehören
wohl auch die slaw. Fluss- u. ON. *Plön* u. *Plöne
a)* bei Stettin, *b)* bei Kiel, wo zugl. der *Plöner-
See*, ferner der bulgar. Bach *Plewa* u. Ort *Plewna*,
der Fluss *Plewa*, *Pliwa*, in Bosnien u. der Ort
Plewnik in Ungarn (Jettmar, Ueberreste 20).

Play Green Lake = Grünsee des Volksfestes,
engl. Uebsetzg. des ind. Namens f. einen See des Sea
R., auf dessen Centralinsel die Indianer ihre Fest-
u. Freudentage hielten (Franklin, Narr. 42).

Playa = Strand, entspr. dem port. *praya*, *praia*,
in dem span. ON. *Cabo de las Playas*, so nannte
1539 die v. F. Cortez abgesandte Exp. des Francisco de Ulloa einen Landvorsprung des Golfs v.
Calif., weil sich die Spanier, je weiter sie im
Golfe vorrückten, um so mehr darüber wunderten,
dass sie das Land zu beiden Seiten hatten, das
continentale im Osten, das peninsuläre, anscheinend
in lauter Inseln aufgelöste im Westen (Hakl., Pr.
Nav. 3, 399).

Pleasant Valley = angenehmes Thal, ein schönes
Gelände, 'the beautiful valley', im Quellgebiete
des Snake R., Idahô, nach seinen schönen, gras-
bedeckten Hügeln u. dem aus einer hohen Schlucht
hervorrauschenden Thalbache (Hayden, Pr. Rep.
30). Auch der Specialrapport des Mineralogen
Dr. A. C. Peale (ib. 170) nennt das Thal 'a beautiful little valley set in the mountains like a
gem'; *b)* *Mount P.*, ein Hügel des Fairmount
Park, im Baumschmuck prangend u. herrl. Aus-
blicke auf Strom u. Land darbietend (Keyser,
Fairm. P. 71f.); *c)* *P. Island*, ein isolirtes, hohes,
30 km weit sichtb. Eiland westl. v. Gilberts Arch.,
0⁰ 25′ SBr. u. 167⁰ 10′ OGr., v. engl. Capt.
Fearn, Schiff Hunter, am 8. Nov. 1798 entdeckt

(Krusenst., Mém. 1, 20ff., Bergh., Ann. 9, 159;
d) Point P., in den Salomonen, v. engl. Capt.
Shortland 1788 benannt, da er annahm, j. habe
er das Ende der Küste erreicht. Darum wurde
der nächst hervortauchende Landvorsprg., welcher
diese Annahme als Täuschg. herausstellte, *De-*
ception Cape = Vorgebirge der Täuschung, der
nächstfolgende aber, wo endlich die Erwartung in
Erfüllung ging. *Satisfaction Cape* = Vorgebirge
der Befriedigung genannt (Fleurieu, Dec. 179ff..

Plemmyrion, gr. *Πλημμύριον* = Wellenberg
(Curt., GOn. 153), ähnlich dem ngr. εἰς τὸ
Πλημμύριν (Ross, IReis. 4, 66), bei Verg. (Aen.
3, 693) mit der erklärenden Bezeichnung *P. un-*
dosum = der wellenreiche *P.*, ein Vorgebirge
an der Ostküste Siciliens, j. *Punta di Gigante*
— u. ein Castell dabei (Thuc. 7, 4ff.).

Plenty, Bay of = Bucht des Ueberflusses, an
der Nordostseite NSeel., an deren Uferländern
die zahlr. Maori in Sicherheit lebten, zahlr. Pflanzungen, zierlichere Canoes, hübschere Schnitz-
arbeiten u. hübschere Kleider hatten (s. Poverty),
v. Cook so benannt im März 1770 (Hawk., Acc.
3, 67).

Plês = Kahlheit, slow. Wort, čech. *pleš*, offb.
Element vieler slaw. ON. der österr. Kronländer,
wie *Pleš*, *Plesch* etc. (Miklosich, ON.App.2,216f.),
jedoch ohne dass mir auch nur f. eines dieser
Objecte die Realprobe bekannt wäre.

Pleskauer See s. Peipus.

Plessur, urk. 1314 *Plassura*, rätr. Name des
rseitg. Nebenflusses des Graub. Rheins, v. alten
pleisa = Bachrunse. *Pleissura, Plassura, Ples-*
sura bedeutet 'das Rinnsal, in welchem sich viele
Runsen zu einem Bache vereinigen. Nicht leicht
hat ein Thal v. der geringen Ausdehnung des
Schanvie so viele Wildbäche aufzuweisen, wie
dieses'. — *Bleisas Verdas* = Grünruns, eine
Schlucht am Tödi (Gatschet, OForsch. 161).

Plettenberg's Bay, im Capl., wo der holl. Gouv.
P. im letzten Viertel des 18. Jahrh. Aufnahmen
machte (vgl. Compass).

Pleureur, Mont, den Namen eines Bergs im
Hintergrunde des Bagnethals, Wallis, erklärt
Gatschet (OForsch. 55) als *monte pioverajo* =
Regenberg, d. h. Berg, der durch Gewölk Regen
verkündet. Er denkt sich ihn aus dem Ital. herübergekommen wie den nahen Bergnamen *Ruinette*
v. ital. *la rovinata* = vergandeter, überschütteter
Berg (*rovina* = Schutt). Eine andere Ableitg.
des *MP.* versuchte Bourrit (NDescr. 1, 49): v.
den prächtigen Wasserfällen, deux magnifiques
cascades qui, sans doute, auront fait donner à la
montagne le nom de *Pleureuse*; *b) E. qui pleure*
s. Eau; *c) Lac des Pleurs* s. Pepin; *d) Pluie*
s. Rainy; *e) Pluvialis* s. Ferro.

Plewa, Plewna s. Plauen.

Plick = der kahle (Berg), v. lit. *plikas* =
kahl, 'bezeichnender' Name eines langen, öden
Dünenzugs der Kurischen Nehrung (Altpr. Mon.
8, 110). Ebenso der ON. *Plicken* (Thomas, Tils.
Pr. 23).

Pliwa, Plön s. Plauen.

Ploades, gr. *Πλοάδες, αἱ νῆσοι* = die schwimmenden Inseln im orchomen. See (Theophr. h. pl. 4
10², Pape-Bens.).

Plons s. Plana.

Plotae s. Lipari.

Plotbischtsche = s. v. a. Schiffsbauplatz, russ.
ON. an der Ostseite des sibir. Stanowoy Chrebet,
weil hier am Flusse Urak die üb. das Gebirge
kommenden Waaren auf Flösse u. Schiffe geladen
u. z. Ochotsk. Meere geschafft werden (Dawydow,
Sib. 53).

Plotinopolis s. Trajanopolis.

Plover s. Herald.

Pluie s. Rainy.

Plum Creek = Pflaumenbach, engl., urspr. frz.
Name: *a)* eines kleinen Zuflusses des Missuri,
nach der Menge u. dem Wohlgeschmack der an
seinen Ufern wachsenden Pflaumen (Lewis u. Cl.,
Trav. 48); *b)* s. Cherry.

Pluto, Mount, einer der 3 in stumpfem Winkel
stehenden vulcan. Kegelberge im Quellgebiete
des inneraustr. Victoria R., v. Major T. L. Mitchell (Trop. Austr. 300) getauft am 10. Sept. 1845
als Herd der pluton. Kräfte.

Pluvialis s. Ferro.

Plymouth, Hafenort in der engl. Grafsch. Devon, mit dem j. das frühere *P. Dock*, seit 1824
in *Devonport* umgetauft, vereinigt ist, am Aestuarium des Plym (Handelshafen), des Tamer (Kriegshafen) u. a. Flüsse, urspr. *Tameorworth*, nach
dem Tamer, später *Sutton* = Südstadt, bei Erhebung z. Stadt 1438 in *P.* — Mündung des
Plym, wie im Ggsatz zu dem weiter flussan gelegenen *Plymton* = Stadt am Plym, umgetauft.
Nach ihm der *P. Sound* (Meyer's CLex. 13, 3f.).
— Durch Uebertragg.: *a) P.*, in Massachusetts,
an Stelle des ind. Orts *Pautuxet*, zunächst als
P. Colony ggr. durch eine Auswanderergesellschaft, welche am 6. Sept. 1620 v. dem engl. *P.*
abgesegelt u. am 11./21. Dec. gelandet war
(Quackenb., USt. 81, Buckingh., East. & W. St.
3, 543); *b) P.*, in Connecticut (Meyer's CLex.
13, 4). — *New P.*, 2 mal: *a)* eine Hafenbucht
in SShetland, da die Robbenschläger die dem
Hafen vorliegende hohe Klippe *Eddystone* nennen,
auch *Ragged Harbour*, nach der nahen *Ragged*
Island = Zackeninsel (Hertha 9, 453f.); *b)* ein
Hafenort NSeel., mit offener Rhede, der die *Su-*
garloaf Islands = Zuckerhut In. nur wenig
Schutz gewähren, ggr. 1841 (Meinicke, IStill.O.
1, 266. 335).

Po, lat. *Padus*, noch bei Edrisi (ed. Jaub. 2,
253) *Badi*, der Hptfluss Ober-Ital., als Sammel-
ader vieler Alpengewässer auffallend wasserreich,
bereits obh. Turin, wo er gew. 2—3 m Tiefe hat,
nicht mehr, ausser durch unsichere Furten, zu
durchschreiten (Nissen, Ital. LK. 183), schien den
Alten (Plin., HNat. 3, 122) v. gall. *padi* = Kiefer,
Föhre benannt zu sein, während der ligur. Name
Bodincus, Βόδεγχος (Ptol. 2, 16) der tiefe od.
grundlose bedeute. 'Pudet a Graecis Italiae ra-
tionem mutuari, Metrodorus tamen Scepsius dicit,
quoniam circa fontem arbor multa sit picea, quales

Gallice vocentur padi, hoc nomen accepisse, Ligurum quidem lingua amnem ipsum *Bodincum* vocari, quod significet fundo carentem'. Die ligur. Abkunft ist zwar aufgegeben (Rev. Celt. 8, 179), aber die Deutg. anerkannt (Rev. Arch. 30).

Pó, Fernão, do, eine Insel im Golf v. Guinea, entdeckt inf. der fünfjähr. Pachtzeit des Fernão Gomez 1479 84 v. Port. d. N., welcher 1485 sie übr. 'por sua grandeza' od. deutlicher wg. ihres hohen, reich bewaldeten Pics (ZfAErdk. nf. 14, 230) *Ilha Formosa* = schöne Insel getauft hatte: a qual tem ora o nome de seu descubridor e perdeo o que lhe elle então poz' (Barros, As. 1, 2²; 1, 3³). Weniger genau: 'E no año seguinte de 1472 descobrio Fernão do poo a ilha q' se chama como elle' (Galvão, Desc. 75).

Po = an, bei, die in viele ON. eingetretene slaw. praep., welche nach einer alten u. beliebten Annahme auch in *Preussen* (s. d.) enthalten wäre, jedf. aber in *Pommern* (s. d.), wie eine Ebene in Dalm. *Primorje* = am Meere heisst (s. Litoral). ON. ähnl. Bildg. sind *Poreber* = am Berge, in Krain, *Poreč* u. *Poreč* = am Flusse, in Slaw., *Poreče,* in Kärnt. u. Krain, *Porečj, Porjčj, Porič, Poričan,* in Böhmen, *Podravina* u. *Posavina* = an der Drave u. an der Save, mit den adj. Formen *dravina, savina* (Miklosich, ON. App. 2, 226, Umlauft, ÖUng. NB. 179. 183. 186).

Poaçu, v. guarani *pó* = aufwärts u. *açu* = gross, also bedeutende Höhe, ON. obh. Belmonte, Bras., auf der bedeutendsten Höhe ihrer Umgegend (Avé-L., NBras. 1, 133).

Poas, früher *Puas,* Ebene in Costa Rica, v. *pua* = Dorn, Stachel, benannt nach den piñuela, einer dort häufigen, mit stacheligen Blättern versehenen Bromeliacee, was den Bewohnern den Spottnamen *Piñueleros* zugezogen hat. Den *Volcan de P.* hat 1815 ein Geistlicher des Landes, Arias de Alhajuela, umgetauft, den wilden Heidenberg in einen sanften Christen *Juan de Dios,* mit wenig praktischem Erfolg; denn 1834 zerstörte die ungezähmte Berg durch einen starken Aschenwurf die am Südabhang gelegenen Viehweiden v. Alhajuela. Man suchte damals durch Gelübde den Vulcan wieder zu besänftigen u. nannte ihn desw. auch *Volcan de los Votos* = Vulcan der Gelübde (PM. 7, 332).

Pobassco s. Malajen.

Pocasse Creek, ein kleiner rseitg. Zufluss des Missuri, obh. Cheyenne R., v. den Captt. Lewis u. Cl. (Trav. 79) am 13. Oct. 1804 so benannt, weil sie hier mit dem Indianerhäuptling *P.,* d. i. Hay (= Heu), verkehrt hatten (vgl. Kakawissassa Creek). Der Bericht gibt neben *PC.* auch die andere Form *Hay Creek,* was aber leicht zu Missverständniss, zu einem gemeinen 'Heubach', führen könnte.

Pocken Eiland = Insel des Pockholzes, bei Sainte Croix, v. den Dänen vermuthl. so genannt nach dem Franzosen- od. Pockholz, Lignum sanctum, da Guajacum officinale L., eine der Zygophylleen, einst in Menge darauf wuchs (Oldend., GMiss. 1, 44).

Poço s. Pozzuoli.

Pocock Pool, eine stille Strecke, *pool,* in den Schluchten der Jellala Fälle, unth. des Katarakts, in welchem am 3. Juni 1877 Francis John *P.,* einer der engl. Bootsleute der Exp. Stanley (Thr. Dark Cont. 586), ertrunken war. — *Point Pococke,* ein 257 m h. Vorgebirge NSeel., einh. *Wiwiki* (Meinicke, IStill. O. 1, 258), mit Cape Bret den Zugang der Bay of Isles beherrschend, v. Cook am 26. Nov. 1769 entdeckt u. benannt (Hawk., Acc. 2, 361), ozw. nach dem kurz vorher † engl. Orientreisenden Richard *P.* (1704/65).

Pod = unter, die gemeinslaw. präp., die in vielen ON., nach meiner Ansicht auch in *Potsdam* (s. d.), vorkommt wie *Podbor, Podborce, Podborze* = unter dem Kiefer- od. (im poln.) Fichtenwald, *Podboršt* u. *Podborst* = 'Unterwald', *Podbrd* u. *Podbrda* = 'Piemont', *Podbreg, Podbreže, Podbrezi, Podbrežitz, Podbrežie* = unter dem Ufer od. Hügel, *Podbrezie, Podbreže, Podbrezi, Podbrežitz* = unter den Birken, *Potdub* = unter Eichen, *Podgojzd,* deutsch *Unterwald, Podgora, Podgorci, Podgori, Podgorje, Podgorom, Podgorach, Podgoraz, Podgorca, Podgoric, Podgorica, Podgoriza, Podgórzany, Podgorze, Podgorzen* = Piemont, *Podgrad* u. *Podgradje, Podhrad* u. *Podhradi* = unter der Burg, *Podhaj* u. *Podhajczyki* = unter dem Hain, *Podhorn* = unter dem Berg, *Podhum* = hinter dem Hügel, *Podleśi* = 'Unterwald', *Podlezč* = unter dem Moor, *Podlipa, Podlipce* u. *Podlipie* = unter der Linde, *Podliski* = unter der Haselstaude, *Podlog* u. *Podlok* = unter dem Hain, *Podluh* = unter der Waldwiese, *Podlužan* u. *Podluze* = unter dem Sumpf etc., *Podotočje* = unter der Insel, *Pod-Pečo* = unter den Felsen, *Podpole* = 'Unterfeld', *Podreber* = unter dem Berg, *Podskali* = unter den Felsen, *Podstene* = unter der Mauer, *Podulschan* = unter der Erle, *Poppichl,* aus slow. podpole verdeutscht, in Kärnten (Miklosich, ON. App. 2, 145 ff.). — Ein russ. *Podgory* = 'Piemont', Dorf bei Samara, weil es, 'wie schon der Name anzeigt, tief am Ufer der Wolga' liegt, am Anfang einer Niederg., die den südöstl. Theil der Wolga-Halbinsel einnimmt (Bär u. H., Beitr. 21, 167). — *Podhoraken* s. Gora.

Podenosso s. Dentro.

Podhoraken s. Gora.

Podolia = Niederland, eine weite Ldsch. der sarmat. Tiefebene, v. poln. u. ruth. *podolny* = niedrig, tiefliegend (Bär u. H., Beitr. 11, 12), ist das bedeutendste Object einer zahlr. Namenfamilie, welche auch Wohnorte in Böhmen, Mähren, Schles. u. Galiz. umfasst, als *Podol, Podolanka, Podolany, Podolce, Podole, Podolec, Podoli, Podollen, Podolsko, Podolsze, Podoly* (Umlauft, ÖUng. NB. 179). — Derselbe Name, ital. *Bodulia,* verdeutscht *Bodulei,* f. die beiden Inseln Veglia u. Cherso, die als verhältnissmässig niedriges Land gg. die bis 1000 m h. Uferberge des Karst contrastiren (Peterm., GMitth. 5, 89).

Pöl s. Fulbe.

Pölten, St., Ort in N.|Oesterr., urspr. Kloster, dem heil. Hippolyt geweiht (Meyer's CLex. 14, 126), urk. 754 *St. Hippolytus,* später auch *Treisma Sancti Hippolyti,* da es an dem Flusse Treisma, j. Traisen, liegt (Umlauft, ÖUng. NB.182).

Pösche-Berg, einer der hinter Mohn-Bay aufsteigenden u. mit americ. Namen belegten vier Berge Spitzb. (s. Hall-Berg), 1870 getauft v. der Exp. Heuglin-Zeil (PM. 17, 182), ozw. nach dem Statistiker Theod. *P.* in Washington (ib. 279).

Poespas Valley, holl. Name eines Thals, unweit der False Bay, v. *poespas,* dessen Sinn unserm Mischmasch verwandt ist, wohl v. den zertrümmerten Felsbrocken, welche das Bachbett bedecken (Lichtenst., SAfr. 2, 226).

Pogannoe Osero == unreiner See, russ. Name eines Sees der ural. Ostseite, weil hier Jermak's Kosaken 1583 die Tataren völlig schlugen, so dass — der Sage zuf. — 'der See mit den todten Körpern angefüllet' wurde (Müller, SRuss. G. 3, 392). — *Pogánoj Nos* == unreines Cap, ein felsiges Vorgebirge ggb. der Confl. Petschóra-Ischma, dürfte nach Analogie vieler ähnl. Benennungen im Samojedenlande auf einen frühern heidnischen Opferplatz hinweisen (Schrenk, Tundr. 1, 219).

Pogantschensk s. Pytkow.

Pogon s. Drepanon.

Pogorelaja P. s. Goreloy.

Pohjakörkia == Nordberg, finn. Name des an der Nordspitze Hoglands aufsteigenden Berggipfels — im Ggsatz zu dem am Südende sich erhebenden *Launakörkia* == Südberg. Nach letzterm ist offb. der anliegende See *Launajärvi* benannt. Denselben Ggsatz zeigen die Namen der beiden etwa 4 km aus einander liegenden Inseldörfer *Launakülla* == Süddorf u. *Pohjakülla* == Norddorf, welch letzteres als das grössere u. im Besitz der kleinen hölzernen Kirche befindliche auch *Suurkülla* == grosses Dorf heisst (Bär u. H., Beitr. 4, 107 ff.).

Pohono s. Bridal.

Poieessa, gr. *Ποιήεσσα* == Grasberg: *a)* eine Stadt auf Kos, deren Ruinen noch j. *αἱ Πυήσαι* heissen, auf hohem Vorgebirge der Westküste (Ross, IReis. 1, 133); *b)* früherer Name v. Rhodos (Pape-Bens.).

Poikhöhle, slow. *Piuka Jama,* die vorderste Abtheilg. der Adelsberger Höhle, so benannt nach dem kleinen Flusse Poik, Piuka, der sich hereinstürzt, um nach einer Strecke v. 400 Klaftern unterirdisch zu verschwinden (Meyer's CLex. 1, 119, Umlauft, ÖUng. NB. 180). Es fällt mir auf, dass das slow. *ponikva,* auch *ponikle,* neuslow. *ponor,* f. Stellen, wo ein Fluss unter der Erde verschwindet, wie in den 'entonnoirs' des Jura, u. vielf. in ON. *Ponikla, Ponikle, Ponigl, Ponikowica, Ponikwa, Ponikiew, Ponikva, Ponikcári, Ponikre, Ponkva, Ponor, Ponorac, Ponore, Ponorel,* an den FlussN. *Poik* so nahe anklingt; sollte dieser mit jenen Formen etym. verwandt sein?

Poikile Petra, gr. *Ποικίλη πέτρα* == buntge-

staltiger Fels, ein unter dem Einfluss der Brandg. gehöhltes u. mannigfaltig geformtes Vorgebirge Curt., GOn. 157), in Cilicien (Strabo 670), nach Leake j. *Perschendi* (Pape-Bens.).

Pói Lábtse == der Gipfelhaufen, v. *po* == Gipfel mit *i* als genitiv) u. *lábtse* == ein Haufe, tib. Name eines Bergs in Gnari Khórsum, nach drei abgerundeten, mässig hohen, v. Gipfel aufragenden Erhabenheiten, welche als *kárpo* == weisse, *márpo* == rothe u. *náypo* == schwarze unterschieden, sämmtlich aber als die Sitze dreier Göttinnen angesehen werden (Schlagw., Gloss. 235).

Point == Punkt, entspr. wie *pointe* == Spitze, adj. *pointu* == zugespitzt, dem span. *punta* (s. d.), lat. *punctum,* in einigen frz. ON. wie *Cap Pointu* == zugespitztes Vorgebirge, in NFundl., das oben in eine stumpfe Spitze ausläuft u. auch seitw. in eine Spitze endet, v. Seef. Cartier am 16. Juni 1534 getauft (M. u. R., Voy. Cart. 14, Hakl., Pr. Nav. 3, 204). — *Point du Jour* s. Hoop.

Poison Rock == Giftfelsen, eine Felsmasse in West-Austr., so benannt 1854 v. Reisenden Austin, dem hier 9 Pferde an Giftpflanzen starben (PM. 16, 146, Journ.RGSLond. 1870, 231. 248.).

Poissine == Fischteich, 1275 *piscina* de Lysserno, ein Weiler des Kr. Granson, Waadt, nach einem Weiher, in dessen staatlicher Fischerei man viele schöne Forellen fängt, welche, um zu laichen, den Fluss hinanschwimmen (Gem. Schweiz 19²ᵇ, 164, Mart.-Crous., Dict. 755).

Poitiers, Stadt der frz. dép. Vienne, einst das Hpt. der Prov. *Poitou,* bei Caesar (Bell. Gall. 8, 26) *Le-* od. *Limonum,* bei Ptol. *Λίμονον,* in der Peut. Taf. *Lemuno,* im Itin. Ant. *Lomonum,* im 3. Jahrh. civitas *Pictonum,* also nach den *Pictavi,* dem gall. Volksstamm der Gegend, bei Amm. Marc. *Pictavi,* der Not. Prov. civitas *Pictavorum,* bei Greg. v. Tours *Pictavis, Pictava* urbs, *Pictavensis* civitas, dann *Pectavum,* urbs *Pectava,* auf merow. Münzen *Pectavis, Pectavo,* bei Eginhard apud *Pictavium* civitatem, 1266 *Poyters, Peytiers, Peiters, Peters,* 1366 *Poictiers,* 1394 *Poitiers.* Verschieden v. der Stadt *P.* ist die alte Römerstation, *le Vieux-P.,* 742 *Vetus Pictavis,* welche die Reste eines antiken Tempels u. eines menhir mit kelt. Inschrift enthält. Die Umgegend bei Greg. v. Tours *pagus Pictavus, terminus Pictavus, terminus Pictavorum,* 671 *Pictavi ager,* 876 *Pectavus pagus* u. s. f., 1352 *le Poictou* (Dict. top. Fr. 17, 321 ff). Der alte Volksname, *Pictavi, Pictones,* in Caesar, Strabo u. Plinius erwähnt, ist noch nicht erklärt; man dachte an ein kelt. *pice* == Wurfspiess, *tev* == gross u. *ons* == Männer, also Männer, die sich grosser Wurfspiesse bedienen, u. findet es heute 'plus probable' (!) des Plinius (HNat. 4, 88) skyth. Agathyrsi herbeizuholen, röm. *Picti* == gemalte, weil sie sich die Haare u. das Gesicht färbten u. sich häufig selbst an Beinen u. Armen Zeichen einbrannten (RDenus, AProv. 178).

Pokaiwhenua == der sich in die Erde einbohrende, bei dem Maori ein rseitg. Nebenfluss des Waikato, v. jener durch eine enge Felsspalte sich in

Hauptfluss hindurcharbeitet (v. Hochstetter, NSeel. 313).

Pokarben s. Karwen.

Pokhára, auch *Pischkár*, eig. *Puschkára* = Lotusteich, hind. ON. in Radschwára, 'ein stark bepilgerter Wallfahrtsort, ein kleiner, künstlich gemachter See an der Quelle eines unbedeutenden Flusses, dem der ehrwürdige Name Sarasvati (s. d.) beigelegt worden. Hier ist der einzige in Indien j. bekannte Tempel des Brahma' (Lassen, Ind. A. 1, 143, Schlagw., Gloss. 235).

Poklonaja Gora = Bücklingberg nennen die Russen einen Bergrücken bei Kusnezk, Sibir., weil die Heiden, wenn sie ihn passiren, daselbst unter vielen Neigungen gg. die Sonne einen Zweig opfern' (Falk, Beitr. 1, 344).

Pokrowsk s. Ud.

Pol, v. lat. *polus*, gr. *πόλος*, f. uns der Endpunkt der Erdaxe, als Nord- u. Süd-*P.*, damit Centrum der Polarzone, hat dem umliegenden Ocean den Namen *Polarmeer*. engl. *Polar Sea*, verschafft (s. Eismeer). — Auch das Fahrzeug der Exp. Hall 1871 73 trug v. seiner Bestimmg. den Namen 'Polaris'; daher a) *Polaris Bay*, die flache Bucht bei Thank God Harbour: b) *Polaris Promontory,* die nahe Halbinsel, also richtiger *Polaris Peninsula* (Peterm., GMitth. 22, 469).

Pola, slow. *Pul*, alter Name eines Hafenorts in Istrien, mir unerklärt, v. den Römern —178 erobert, v. Augustus, der ihn f. die Anhänglichk. an Pompejus zerstören u. auf Bitte seiner Tochter Julia wieder herstellen liess, *Julia Pietas* getauft. Nach dem alten Namen hiess die j. *Punta di Promontorio* (= Spitze des Vorgebirgs) lange hindurch *Polaticum Promontorium*. die Bucht *Polaticus Sinus* (Meyer's CLex. 13, 22).

Polemonion, gr. *Πολεμώνιον*, Stadt in Pontus, j. *Puleman*, benannt nach Polemon I., König v. Pontus (Arr. per. p. Eux. 16, 2, Pape-B.).

Polen, zunächst Landesname, v. poln. *pole* = Feld, in der Nebenbedeutg. Ebene, Flachland, so schon in 11. Jahrh. erklärt in der Chronik des Abts Theodosius v. Kiew (Müller, SRuss. G. 1, 209), ebenso in der Kaisergeschichte des um 1235 † Historiographen Gervasius 'inter Alpes Huniae et oceanum est *Polonia*, sic dicta in eorum idiomate quasi campania' (Leibnitz, Script. RBrunsv. 2, 765), dann wiederholt bei v. Herberstein (ed. Major 2, 47) u. seither v. den meisten poln. Schriftstellern. auch Perwolf u. Jagič, angenommen (Bergh., Ann. 5, 278), wie denn eine Menge ähnl. ON. im slaw. Sprachgebiete vorkommen: *Polona*, Orte in Kärnten, Krain u. Galiz., *Polanka*. Orte in Böhm., Mähr. u. Galiz., dim. *Polička*. Ort in Böhm., Poljana, Poljanci. Poljane, Poljanec, Poljanica, Poljanska. Polje, Poljica, Poljice, Pollana. Pollane, Pollanitz. *Pölland. Pöllandl, Pölltschach,* Orte in den südslaw. Gegenden, *Polje,* die grössern kesselfg. Einsturzthäler des Karsts, mit fruchtb. Boden f. den Anbau geeignet, *Pölla.* 3 Orte in Kärnt. u. NOest., aus slaw. *poljana* = Feld verdeutscht, *Pollau,* *Pöllau, Pollein,* Orte in Mähren (Umlauft, ÖUng.)

NB. 180 f.). Nehring wollte *polana* = Ebene als Stammwort annehmen (Arch. f. slaw. Phil. 3 f.): allein auch der kundige J. Karlowicz (Pamigtnik Fizyjogr. 1, 410 ff., Warsch. 1881) entscheidet f. die gewohnte Ableitg. u. bringt zu ihrer Sicherg. neues Material. — *Polskie Staw* s. Czeski. — *Poloczen,* v. slaw. *Palorze* = Feldbewohner (s. Kumania), die Magyaren, die im Hevéser u. Borsoder, z. Th. auch im Neograder u. Kömörer Comitat angesiedelt sind (Meyer's CLex. 12, 522).

Polewsk s. Solikamsk.

Policarpo, Puerto San, an der Nordseite des der Str. Le Maire anstossenden Theils v. Feuerl., durch die span. Seeff. nach dem heil. Polycarpus benannt (Fitzroy, Adv.-B. 453).

Policastro, unterital. Hafenort am *Golfo di P.*, Principato, in byzantin. Zeit *Παλαιόχαστρον* = Altenburg, als der Ort in der Lage des altgr. Pyxus, Buxentum (Kiepert, Lehrb. AG. 458).

Polichne, gr. *Πολίχνη* = Städtchen, hiessen mehrere altgr. Orte in Lakonien, Messenien, Chios. Sicil., Kreta, Troas (Pape-B.).

Pollet s. Traverse.

Pollina, Pollonia s. Apollonia.

Polonia s. Pablo.

Polos, auch *Bolos, Polûs*, mit *mar* = heilig die arab. Form f. St. Paul, finde ich in 2 ON. *r)* *Dér* (= Kloster) *Mar P.*, ein Kloster der Wüste westl. v. Golf v. Suez. Um 250, zZ. der Christenverfolg. unter Kaiser Decius, floh — der Christ Paulus in die Wüste u. lebte dort in strengster Ascese als Einsiedler u. soll 113 J. alt geworden sein. In ders. Gegend *Dér Mar Antoniûs*, nach dem heil. Antonius, der 270 Christ geworden war, seine Reichthümer verschenkt hatte u. nun, fern v. Treiben der Welt, das strengste Leben der Entsagg. u. Gottesfurcht führen wollte (Peterm., GMitth. 23, 340); b) *Magárat Mar P.* = St. Paul's Höhle, arab. ON. bei dem Dorfe Sahnaya, Damask, der Legende zuf. die Asyl, in welchem sich der Apostel vor den Verfolgungen seiner Feinde in Damaskus verborgen hielt (Burckh., Reis. 1, 103).

Polynesien = Vielinseln, Inselflur, v. gr. *πολύς* = viel u. *νῆσος* = Insel, hat Malte Brun (vgl. Oceanien) die ungezählte Inselwelt Australiens genannt, streng genommen ohne Melanesien (s. d.), also jene Inselschwärme, welche vorwiegend aus kleinen niedrigen Korallbauten bestehen u. eine lichtbraune, schöngebaute, civilisirbare, seetüchtige, den Malajen nahe stehende Bevölkerg. beherbergen. Als eine Specialgruppe erscheint *Mikronesien,* die Asien genäherten Fluren winziger Atolle: Marianen, Carolinen, Marshall, Gilbert, mit hellerm Menschenschlag, dem der Cannibalismus fremd war, v. gr. *μικρός* = klein, u. *νῆσος* = Insel. — *Amerianisch P.* hat E. Behm das der Union zugehörige Gebiet der Südsee genannt (Peterm., GMitth. 5, 173 ff. T. 8). — *Polynesen,* verführerisch aus mal. *pulo* = Insel geformt, ist in Java'Bezeichng. f. Sclaven, die man einst aus fernen Inseln importirte (ZfAErdk. 4, 215).

Polytimetos s. Serafschan.

Pomaret s. Pomet.

Pomedien s. Medlauken.

Pomet u. *Pomoy*, frz. ON., der erstere mehr dem südl. Frkr. angehörig, einer dieser Orte im dép. Hautes-Alpes, um 1100 *de Pometo*, ablat. v. *Pometum* = Obstgarten, welches Wort, v. *pomus* = Apfelbaum mit suffix *-etum* gebildet, als Gemeinname im 5. Jahrh., als Eigenname, *Pomedo*, in einer Urk. v. 984 vorkommt (s. Aunay). Zahlr. sind die mod. ON., welche aus der spätlat. Bildg. *pomaretum* hervorgegangen sind. Diese Form, mit dem doppelten suffix *-arius* u. *-etum*, trat an die Stelle des ältern *pometum*, als das mit *-arius* abgeleitete adj. gebraucht wurde, um den Baum zu bezeichnen, dessen Frucht den einfachen Namen trug, d. h. man sagte *pomaretum*, als *pomarius* der Name des Apfelbaums geworden war. Vorher hatte man sich des Worts *pometum* bedient, abgeleitet v. *pomus*, um den mit Apfelbäumen bepflanzten Garten zu bezeichnen. Auf gleiche Weise trat neben *ficetum* das neue Wort *ficaretum*, neben *juncetum* ein *juncaretum*, neben *nucetum* ein *nucaretum*. Das neue Wort *Pomaretum*, im 9. Jahrh. *Pomerido*, um 1000 mit einer weibl. Form *Pomareda*, ergab die mod. ON. *Pommeray*, *Pomarède*, *Pommeraie*, *Pommeraye* etc. Diese dem deutschen 'Affoltern' entspr. ON. sind in Zahl u. Form sehr verschieden: *Pommarie*, *Pommeray*, 1210 *Pomeretum*, *la Pommeraye*, 986 *Pomereta*, im plur. *les Pommerayes* etc., häufig auch in den Formen *Pommeraie*, 9. Jahrh. *Pomeredum*, *les Pommerais*, *la Pommerée*, *la Pomarède*, *les Pomarèdes*, *Pomaret*, *Pomeret*, *Pommcret*, *la Pommeroie*, 1131 *Pomeretum*, *le Pommerey*, *Pomeiret*, *le Pommerat*, *les Pommerats*. *Pomérols*, *Pommercuil*, *Pommery*, *Pommérieux*, *Pomaries*, 1049 *Pomeriolum*, *les Pommereux*, *la Pommellerie*, *Pommay*, *le Pomier*, *le Pommier*, *les Pommiers*, 1269 *de Pomaribus*, *la Pomerie*, *les Pommais* u. s. f. (Dict. top. Fr. 1, 147; 3, 101; 5, 147; 6, 147; 7, 166; 10, 218; 13, 202; 15, 171; 17, 325; 18, 225; 19, 115). In der frz. Schweiz: *a) les Pommerats*, Ort des Berner Jura, ebf. nach den Baumgärten, obgl. die Apfelbäume 'seit geraumer Zeit unter dem Einflusse der Entwaldung verschwunden sind' (Gatschet, OForsch. 77); *b) Pomy*, 1211 *Pomiers*, Dorf bei Yverdon, mitten in einem pomarium, Obstgarten (Gem. Schweiz 19^2b, 165), 'parait tirer son nom du pommier, qui croit en abondance dans le vergers qui entourent le village' (Mart.-Crous., Dict. 757); *c) au Pomay* u. *Pomeran*, Wallis, *le Pomeret*, Bern, *Pomey*, Neuenburg, *le Pommier*, Genf (PostLex. 291). — Auch in Italien sind solche Formen häufig: *Pomo*, *Poma*, *Pomazzo*, *Pometo*, *Pomareto*, *Pomaja*, *Pomajo*, *Pomaro*, *Pomarolo* etc. (Flechia, NL. Piante 18).

Pommern, v. slaw. *po-more*, *po-moran* = längs des Meeres — so nannten, als die Rugier u. Turcilinger das Land verlassen, dieses die neuen slaw. Einwanderer gg. Ende des 5. Jahrh., mit

einem Namen, der zZ. Karls d. Gr. auftaucht (Bergh., Ann. 5, 279, Bacm., AWand.152, Meyer's CLex. 13, 94), bei Herberst. (ed. Major 2, 100) *Pomerüae* = maritim, meernahe.

Pomona, das 'Mainland' der Orkneys, zZ. der Normannen *Hrossey* = Rossinsel, ist erst seit dem 14. Jahrh. gebräuchlich u. beruht auf einer missverstandenen Stelle des Polyhistors Jul. Solinus, der im Mittelalter als grosses Orakel galt (P. A. Munch 1855 in Proceed. Soc. Ant. Scotl. 1, 15 ff.). Torfaeus (Orc. 5) sagt, *P.* heisse bei Solinus *Diutina*, offb. die Stelle 'ab Orcadibus Thyle usque quinque dierum ac noctium navigatio est. Sed Thyle larga et diutina pomona copiosa est' so auffassend . . . 'u. *Diutina* hat Ueberfluss an Korn'. Andere MS. gaben 'Sed Thyle larga et diutina, *P.* copiosa est' od. 'sed Thyle larga, et diutina *P.* copiosa est' — in beiden Fällen so, dass man den angebl. Eigennamen *P.* nicht auf das eisige Thule, sondern auf das Hptland der Orkneys beziehen musste. Die mittelalterl. Autoren folgten den Texten, wohl zuerst Fordun, welcher (Scoti-chron. 2¹) kurz nach Erwähng. Solins die Inselgruppe 'insulae *Pomoniae*' nennt, u. allmählich gewann der neue Name allg. Geltung.

Pompeiopolis, gr. Πομπηϊόπολις = Pompejusstadt hiessen nach dem bekannten röm. Feldherrn mehrere Städte: *a)* in Paphlag. (Strabo 562); *b)* in Cilicien, früher Σόλοι, v. phön. צר == Fels, dann v. Pompejus mit den Resten der v. ihm gefangenen cilic. Seeräuber bevölkert u. nach ihm umgetauft (Kiepert, Lehrb. AG. 131); *c)* ein Ort des j. Navarra, bask. *Ilurcis*, mit bask. *ilia* == Stadt, ein röm. *Pompelo*, gr. Πομπέλων (Strabo 161, Inscr. Orell. 4032), nach Beendigg. des keltiber. Krieges in *Graccurris*, nach dem ältern Tib. Gracchus, umgetauft, j. *Pampelona* (Kiepert, Lehrb. AG. 495, Willkomm, Span.-P. 168); *d)* späterer Name v. Amisus u. Eupatoria in Cappad. (Plin., HNat. 6, 7) . . . 'Amiso junctum fuit oppidum Eupatoria a Mithridate conditum; victo eo *Pompejopolis* utrumque appellatum est'. — *Laus Pompeja* s. Lodi. — Als Beiname s. Nikopolis. — *Pompey's Pillar* s. Yellowstone. — *Pompejofka*, Ort am Amur, ggr. am 9. Juni 1858 u. benannt nach dem Bataillonschef Pompej Polikarpowitsch Pusino (Bär u. H., Beitr. 23, 526).

Pompompasus s. Three.

Pomy s. Pomet.

Ponafidin, Insel, einsiedlerischer Posten nördl. v. den Marianen, v. Admiral v. Krusenst. (Mém. 2, 42) nach ihrem Entdecker, dem russ. Lieut. *P.*, benannt, welcher sie auf seiner Ueberfahrt Manila-America 1820 auffand u. nach den drei Spitzen des nackten Felseilandes *Dreiberg Insel* nennen wollte — eine Bezeichng., welche im Pacific schon vorkommt, v. seinem Landsmann Powalischin 1821 (nach dem Nationalheiligen od. dem Schiffe?) *St. Peter* getauft, übr. schon auf ältern span. Carten *San Tomás* u. *Todos los Santos* = Allerheiligen (Meinicke, IStill. O. 2, 412).

Poncara River, ein rseitgr. Zufluss des Missuri,

benannt nach dem Indianerstamm der *P.*, deren Dorf zwei Leute der Exp. Lewis u. Cl. (Trav. 49) vollst. leer fanden, da es gerade Jagdzeit war. **Poncet** s. Lieu.

Pond Bay, eine doppelte Bucht an der West-seite des Eingangs zu Bell B., Feuerl., v. der Exp. Adv.-B. im Apr. 1828 benannt zu Ehren des vorm. 'Astronomer Royal', Mr. *P.* Ebenso *b) Mount P.*, ein naher, doppelseitiger Berg, welcher f. den das Cap Froward Umschiffenden ein hervorstechendes Object bildet (Fitzroy, Narr. 1, 130); *c) P.'s Bay*, an der Westseite der Baffin Sea, v. Capt. J. Ross (Baff. B. 1 ff. 190 f., Carte) im Sept. 1818.

Ponditschérry, in engl. Orth. *Pondishery*, frz. *Pondichéry*, tamul. *Podutschéri* = 'Neuenstadt', eine Ortschaft des Karnátik, Coromandel, v. *pódu*, *púdu* = neu u. *tschéry* = Stadt (Schlagw., Gloss. 235).

Pondok Sumur = Brunnenhäuser, Ort in Java, nach einem sonderbaren $1\frac{1}{2}$ m weiten u. 5 m t. senkrechten Loche, welches vollk. einem ge-grabenen Brunnen gleicht' (Junghuhn, Java 2, 626).

Pondong, Gunung = Hayzahn, mal. Name eines Bergs v. Malakka, am Perak R., nach seiner schlanken Zackenform ... 'apparently inaccessible, the sides falling sheer down' (Journ.RGSLond. 1876, 361).

Poneropolis s. Philippopolis.

Ponikle s. Poik.

Pont, le = die Brücke, wie deutsch 'Brugg' in vielen frz. ON., oft f. sich (Dict. top. Fr. 1, 147 etc.), auch mehrf. in der frz. Schweiz, z. B. Dorf im Val de Joux, im 15. Jahrh. ggr. an der Brücke, die den Lac de Brenet v. Lac de Joux trennt (Gem. Schweiz 19²ᵇ, 165, Mart.-Crous., Dict. 123, Saussure, VAlp. 44), th. in untrenn-barer Zssetzg. *a) Pontault* s. Altus; *b) Pontalta* s. Ot; *c) Pontarlier*, dép. Doubs, wo die Strasse den Doubs überschreitet, früher *Ariolica* (Meyer's CLex. 13, 107); *d) Pontoise*, dép. Seine-et-Oise, an der Confl. Viosne-Oise, mit Brücke üb. letztere, schon kelt. *Briva* (= Brücke) *Isarae*, da die Isara, Isaria, Esia der alte Name der Oise (Rev. Celt. 8, 123, Bacm., Kelt. Br. 25), *Pontrieux*, Côtes du Nord, am Trieux, u. s. f. — *P.-à-Mousson*, Ort an der Mosel, 896 villa *Pontus sub castro Montionis*, 1257 le *P.*, auch *Pons subtus Montionem*, *P.-à-Monçons*, 1261 le *P.*, 1265 *la Nueveville-au-Pont*, auf einh. Drucken des 16. u. 17. Jahrh. auch *Pontimussi*, *Mussi-ponti*, *Pontimussani*, *Pons ad Montionem* (Dict. top. Fr. 2, 110). — *P. Saint-Vincent*, Flecken unw. Nancy, 1126 cella quae dicitur *ad Sanc-tum-Vincentium*, 1161 *Portus Sancti-Vincentii*, 1177 villa de *Ponte*, 1193 *Conflans* = Con-fluenz, da hier der Madon in die Meuse mündet, u. 1362 'la ville de *Conflans*, laquelle se nom-moit *ville Neufve*, et laquelle maintenant est appelée communément *P. Saint-Vincent*' (ib. 2, 110). — *P.-Sepme* od. *Septime*, verd. aus *pons Septimus*, die Ruinen einer Römerbrücke zw. Narbonne u. Béziers, weil dieses Stück der 'Do-

mitian. Strasse', $\frac{1}{7}$ der ganzen Baute, durch den See v. Capestang ging (ib. 5, 148). — *P.-du-Gard*, 1295 *Pons de Gartio*, der röm. Aquae-duct üb. den Gardon, dasj. Stück, welches bei der Zerstörg. des Werkes im 5. Jahrh. stehen blieb, im Mittelalter u. noch länger als Brücke diente u. 1628 dem Herzog v. Rohan das Mate-rial zu einer Veste lieferte (ib. 7, 168). — *P.-sur-Seine*, Ort des dép. Aube, 574 *Duodecim pontes* = 12 Bruggen, weil hier 12 primitive Brücken üb. die Seine führten (ib. 14, 126). — In ähnl. Mannigfaltigkeit findet sich auch ital., port. u. rätor. *ponte*: *a)* Ort des Veltlin, wo das Seitenthal Fontana ausmündet; *b)* Stadt der Prov. Minho, wo üb. den Lima eine Steinbrücke v. 24 Bogen führt; *c)* Ort im Formazzathal (s. Am-steg); *d) Punte trenta*, Ort im Quellthale der Sesia, deutsch *Zerbruggen* (Schott, Col. Piem. 243); *e) Punt*, Ort des Engadin, an der Innbrücke, rätr. *Punt*, deutsch *Zur Bruck* (Campell ed. Mohr 70, Lechner, PLang. 130); *f)* 2 mal im C. Tessin (PostLex. 292) u. s. f. An Zssetzungen seien er-wähnt: *Pontecorvo* = gekrümmte Brücke, ital. Prov. Caserta, wo eine Bogenbrücke üb. den Ga-rigliano führt, *Pontassieve*, Prov. Florenz, wo der Sieve in den Arno mündet, *Pontedera*, Prov Pisa, wo die Era in den Arno mündet u. beide Flüsse überbrückt sind (Meyer's CLex. 13, 107 ff.). Vgl. Altus, Grande, Vedra. — *Ponton* = Brücken-boot, engl. Name f. Kibandiko, eine Insel bei Zanzibar, besteht aus einer Reihe grünbewachsener Klippen, welche bei niedriger Ebbe mit French I. zshängen (Peterm., GMitth. 5, 376).

Pontault s. Altus.

Pontinische Sümpfe, ein zw. Rom u. Neapel gelegenes Sumpfgebiet, lat. *Paludes Pomptinae*, sing. *Palus Pomptina* (Plin., HNat. 3, 59; 26, 19), angebl. nach einer zerstörten Latinerstadt Pometia, auf die der alte Name *ager Pometinus*, *Pomptinus* hinweist. — Der Küste vorliegend die *Insulae Pontiae*, deren grösste *Pontia*, j. *Ponza*, früher volskisch, —312 röm. Seecolonie wurde (Kiepert, Lehrb. AG. 434 ff.).

Pontivy, 1160 *Pontivi*, ON. des frz. dép. Mor-bihan, mir nicht erklärt, wird hier aufgenommen, weil der Ort, als Napoleon I. grosse Arbeiten erstellen liess u. eine neue Stadt anlegen wollte, durch kaiserl. Decret v. 20 floreal an XIII in *Napoléonville* (s. Napoléon) umgetauft wurde u., nachdem er in der Restaurationszeit den alten, 1852—1870 wieder den neuen Namen getragen, j. zu *P.* zgkehrt ist (Dict. top. Fr. 9, 188. 213, Gaidoz 11. Mai 1889).

Pontus, lat. Form f. gr. Πόντος = Meer, als Eigenname des *Schwarzen Meers* j. noch oft gebr., urspr. πόντος Ἄξεινος = das ungastliche Meer, wg. seiner Unwirthlichkeit, später, als es mit einem Kranz helles. insbes. miles. Colonieen umgeben war, in πόντος Εὔξεινος = gastliches Meer, lat. *P. Euxinus*, dann schlechtweg *P.* um-getauft. *Pontus Euxinus* antea ab inhospitali feritate *Axinus* appellatus, peculiaris invidiae naturae sine ulla fine indulgentis, aviditate maris

(Plin., Hist. 6, 1). 'Dieses Meer näml. sei dam. unbeschifft gewesen u. habe *Axenos* geheissen wg. der Winterkälte u. der Wildheit der umwohnenden Völker, bes. der die Fremden schlachtenden, ihr Fleisch essenden u. ihre Schädel als Trinkgefässe benutzenden Skythen; nachher aber sei er *Euxeinos* genannt worden, als die Jonier Pflanzstädte an der Küste angelegt hätten '(Strabo 298). *P.* auch übtr. auf die Südufer, im engern Sinne zw. Jasonium u. Halys, später das Reich *P.* (Herod. 4, 8. Pape-B.). Nach dem Meere die *pontischen Steppen.* Im Mittelalter hiess der *P.* bei den Venetianern, so auf der venet. Seecarte des 13. Jahrh., *Mar Maor*, bei MPolo *Marmaiour*, bei Jos. Barbaro *Mar Maggiore* (WHakl. S. 49, 50. 117), lat. *Mare Majus*, bei Fletcher (WHakl. S. 16, Carte) *Mare Major* = grosses, eig. grösseres Meer (Pauthier, MPolo 1, 5. 42), wohl im Vergleich z. Propontis (WHakl. S. 36, 44). Auch der mod. Name, *Schwarzes Meer*, russ. *Tschernoe Moore*, v. gl. Bedeutg., ist offb. unter dem Eindruck eines Ggsatzes entstanden; dem griech. Seemann lag es nahe, das unfreundl. Wesen des *P.* mit den heitern, liebl. Inselgewässern der heimischen See zu vergleichen. Ehm. erstreckte sich das 'Weisse Meer' (s. d.), wie j. die See um Cypern heisst, auch auf das ägäische, das z. B. im Homannischen Atl. 1740 *Mare Album* = weisse See heisst. Von Halbinseln u. Inseln eingezäunt u. überstreut, ähnelt es einem Garten v. Landfetzen, Seebecken, Golfen u. Durchfahrten; wie anders der *P.*, ein inselloses, oft v. dichten Nebeln überlagertes, dem Schiffer gefährl., düsteres Seebecken (ZfAErdk. 1855, 240) ... 'o pure per aver di raro l'Orizonte purgato dalle oscurità di dense nuvole' (Marsil., Osserv. 68). 'In keinem Theile der Welt ist das Wetter so wild u. trügerisch, wie auf diesem Meere; daher ist es auch bei den Türken gew. *Fanar Kara Dengis* = das böse schwarze Meer genannt' (Cameron, Georg., C. u. R. 1, ˜6), *Kara Dengis* (Polak, Pers. 2, 366), *Kara Dignis* (Mars., Osserv. 17), in gl. Bedeutg. arab. *Bahr i-Sija*, ngr. Μαυοι θάλασσα u. georg. *Schawi Swga* (s. Kaspi). Der russ. Reisende Ath. Nikitin, 1468/74, setzt neben den mod. Namen auch den persischen in russ. Form: *Doria Stem-* od. *Stimbulskaja* = Meer, *darjâ*, v. Stambul (WHakl. S. 22, 3. 31). — *Pontia*, gr. *Ποντία* = Meerhim, Inseln nach ihrer Lage ggsätzl. z. Continent: *a)* vor Latium, j. *Isola di Ponza* (DSic. 19, 101); *b)* vor Bruttium (Plin., HNat. 3, 85); *c)* in der Syrte (Anon. st. mar. 74); *d)* beim Cap Hermäon, Libya, nebst Stadt *Ποντίων* (Scyl. 112). — *Pontinos*, gr. *Ποντίνος* = Meerberg, ein Cap, welches, die argol. Ebene südw. abschliessend, einen bes. 'meer-erstrebenden' Eindruck machte (Curt., Pel. 2, 337).

Poor Knights = arme Ritter, eine Gruppe v. zwei 60 m h. Felsinselchen u. einigen einzelnen Klippen NSeel., einh. *Tawiti rahi* (Meinicke, IStill. O. 1, 258), v. Cook am 25. Nov. 1769 benannt (Hawk., Acc. 2, 358).

Poort = Pforte, Thor, holl. Name eines Eng-

passes, welcher 2 Ebenen des Capl. thorartig mit einander verbindet (Lichtenst., SAfr. 1, 143). S. Porta.

ˎPopayan, Stadt in Columbia, 1536 v. span. conquistador Seb. de Belalcazar ggr. u. nach dem vorm. Indianerfürsten benannt, der ein mächtiger Herrscher in diesen Gegenden war, so bezeugt (WHakl. S. 33, 109) der span. Reisende P. de Cieza de Leon, der mit dabei war (Raleigh, Disc. G. p. VIII ep. ded. 34).

Popham Bay, an der Nordseite des Australcontinents, v. Capt. Ph. P. King (Austr. 1, 93) am 25. April 1818 nach dem vorm. Rear Admiral Sir Home *P.*, K. C. B., getauft.

Popilii F, s. Forli.

Popocatepetl, v. azt. *popocani* = rauchend u. *tepetl* = Berg, also = Rauchberg, Bergname 2 mal in America: *a)* f. den zweithöchsten Vulcan Mexico's (ZfAErdk. 5, 127; nf. 15, 197); *b)* s. Masaya.

Popoloken = Barbaren, Ausländer, Nichtverständliche, 'Wälsche', azt. Name eines mexican. Volksstamms, v. dessen Abkunft nichts bekannt ist u. unter dessen Hptörtern Tecamachalco genannt wird (Buschmann, Azt. ON. 16).

Popowa s. Waldai u. Wytegra.

Poppichl s. Pod.

Poprád, slaw. ON. im Zipser Comitat, Ung., nach dem Flusse, der z. Netz der Weichsel gehört, als deutsche Colonie, die, im 12. Jahrh. durch eingewanderte Sachsen ggr., bis heute deutsche Sprache u. deutsches Wesen hat, auch *Deutschendorf* (Meyer's CLex. 13, 113).

Porco = Schwein, wie frz. *porc*, span. *puerco* (s. d.) v. lat. *porcus*, gr. πόρος, im port. u. ital. ON. wie *Ilha dos Porcos* = Schweineinsel, ein Küsteneiland der bras. Prov. São Paolo, dessen Bewohner dar darauf bestehen, den Namen in *Ilha dos Portos* = Insel der Häfen od. Fähren umzuwandeln (WHakl. S. 51, L). — *Porkopolis* s. Cincinnati. — *Pork River* s. Sawawkawna. — *Porquières*, ON. des dép. Hérault, in einem dipl. Karls d. Gr. *Porcarias* = Schweineort, mit suffix *-arias* gebildet (d'Arbois de Jub., Rech. NL. 612).

Porcupine River = Fluss der Stachelschweine, ein lkseitg. Zufluss des Missuri, obh. Yellowstone R., v. den Captt. Lewis u. Cl. (Trav. 149 f.) am 2. Mai 1805 so benannt nach den zahlr. Thieren, die an ihm hausten: 'from the unusual number of porcupines near it ... The porcupines are numerous, and so careless and clumsy that we can approach very near without disturbing them as they are feeding on the young willows'. — *P. Creek*, 2 lkseitge Zuflüsse des Yellowstone R., the *Great* = der grosse u. the *Little* = der kleine (Raynolds, Expl. 144, Carte). — *P. Cove*, am Lax M., v. Alex. MᶜKenzie (Voy. 509 f.) um 21. Juli 1793 so benannt, weil am Abend vorher eine Häuptling einer gastfreundl. Indianerhorde ein grosses Stachelschwein herbrachte, zurichtete u., unterstützt v. seinen Gästen, verzehrte. — *P. Bank*, ein Theil der irischen Bank, bis

82 fath. aufsteigend, v. Capt. Hoskyn, Dampfer *P.*, 1862 gefunden (Peterm., GMitth. 9, 35).

Poretschje s. Paretz.

Porgjál = die aufstrebenden Zwillinge, tib. Name eines Bergstocks des Himálaja, nach dem doppeltgethürmten Gipfel (Schlagw., Gloss. 235).

Porohi s. Prag.

Porokotan s. Pilwo.

Poronai s. Newa.

Pororoca = das beständige Schnarchen, 'o roncar continuado', ind. Name jenes täglich 2 mal sich erneuernden wüthenden Kampfs, den einige bras. Flüsse, nam. Amazonas u. Maranhão, mit dem z. Flutzeit stroman dringenden Ocean kämpfen (Varnh., HBras. 1, 482).

Poros, ngr. *Πόρος* = Meersund, Ueberfahrt, allbekannt aus der Zssetzg. *Bosporus* (s. d.), f. sich 2 mal: *a)* der im Norden weite, im Südosten enge, flache, klippenreiche Sund v. Kalauria u. diese Insel selbst (Curt., Pel. 2, 443 T. 14); *b)* Ort bei Konstantinopel, später *Anthyras*, nach dem Flüsschen, türk. *Bujuk Tschekmedsche* = grosse Schublade, wo die Mündg. die natürlichste u., nachdem 814 die Brücke abgeworfen, am leichtesten zu vertheidigende Grenze wurde. Die 'Schublade', der ein der Stadt näheres *Kütschük Tschekmedsche* = kleine Schublade entspricht, ist wohl aus dem dortigen gr. ON. *Χεττουκωμη* umgedeutet (Hammer-P., Konst. 2, 3 ff.).

Porphyris, gr. *Πορφυρίς* = Purpurinsel, mehrf.: *a)* früherer Name der Insel Nisyros bei Kos, *ἀπὸ τῶν ἐν αὐτῇ πορφυρέων* (St. B., Plin., HNat. 4, 134); *b)* v. Kythera (Plin. 4, 56), *διὰ τὸ καλλίστας ἔχειν πορφύρας* (Eust. zu D. Per. 498), *διὰ τὸ κάλλος περὶ αὐτῶν πορφυρῶν* (Arist. bei St. B.). Sie lag der lakon. Küste, so weit sie durch ihre Purpurschnecken ausgezeichnet war, nahe ggb. u. trug ihren Namen *P.* als Hptplatz der Fischerei u. der Verarbeitg. des Saftes (Curt., Pel. 2, 299). — *Porphyrion* s. Haifa. — *Porphyrussa*, gr. *Πορφυροῦσσα*, früherer Name v. Cerigo, Kythera, als der grossen Purpurinsel, der die kleine nahe lag (s. Kothon). — *Porphyry Gate* s. Red Rock.

Porpois Point = Spitze der Meerschweine, ein Cap der patag. Seite der Magalhães Str., benannt am 23. Dec. 1764 v. Commodore Byron (Hawkw., Acc. 1, 35). — *P. Bank* s. New Foundland.

Porrentruy, ON. des Berner Jura, deutsch *Pruntrut*, urspr. *Pons Ragentrudis*, wahrsch. v. einer Brücke, *pons*, welche Ragnetrud, die Gemahlin Dagoberts I., hier erbauen liess.

Porta = Thor, in lat., ital. u. rätr. ON. oft f. 'Thalenge', Clus, entspr. dem span. *puerta*, wie dem ind. *puncu, pongo*, oft mit Beisätzen: *p. Iberica, p. Caspie, p. Albanese, p. Thermopylae, p. Romana* (s. dd.), aber auch f. sich als Eigenname, wie *a) Porta* in Val Verzasca, Tessin, wo das Thal einst einerseits durch ein Thor abgeschlossen war, 'mentre sull' opposta riva la nuda rupe fa insuperabile barriera' (Lavizzari, Esc. 3, 880); daher das dort sich öffnende Seitenthal *Valle della P.*; *b)* s. Promontogno; *c) Portas*, am Eingang

des Val Somvix, wo dieses sich zu öffnen beginnt. — *Portäs*: *a)* s. Phurnos, *b)* s. Klimax. — Span.

Portillo, der Engpass, welcher in den Circus des Pic v. Tenerife hineinführt. Die beiden ungeheuren Bergrücken nähern sich hier derartig, dass der Pass wie eine riesige Thorespforte zw. beiden erscheint (ZfAErdk. 1870, 17).

Portage = Trageplatz, die urspr. frz. Bezeichng. jener Stellen, wo wg. irgend eines Schifffahrtshindernisses Canoes u. Gepäck auf einen andern Wasserweg hinübergetragen werden müssen (Back, Narr. 18, Franklin, Narr. 36, Ansicht, v. Hochstetter, NSeel. 82), in Alaska russ. *perenoss*, mit gl. Bedeut. (Bär u. H., Beitr. 1, 148, vgl. Wolotschok) hier u. da Eigenname: *a) P.*, Ort des Staats NYork, an den Fällen des Genesee R., wo die Schifffahrt unterbrochen war; *b) P. City*, am Wisconsin, den j. ein Canal mit dem Fox R. verbindet; *c) P. Lake*, auf der Landzunge Keweenaw, welche die Schiffe des L. Superior zu einem 200 km lg. Umweg um die gefährl. Landspitze nöthigte u. j., um auch den Uebergang zu erleichtern, einen 4 km lg. Canal querüber erhalten hat (Meyer's CLex. 13, 118); *d) P. Creek*, der erste rseitg. Zufluss des Missuri unth. der Gr. Fälle, v. den Captt. Lewis u. Cl. (Trav. 198) am 16. Juni 1805 so benannt, weil hier der Landweg begann, auf welchem Ladg. u. Canoes an das Unterende der Fälle gebracht werden mussten.

Portalis, Cap, am Spencer's G., v. frz. Lieut. L. Freycinet, Exp. Baudin, am 27. Jan. 1803 getauft nach dem Rechtsgelehrten d. N., dem Grafen Jean-Etienné-Marie *P.* 1745—1807 (Péron, TA. 2, 79).

Portenia s. Cook.

Porter s. Duncan.

Portland, Isle of, am engl. Canal, eig. eine 6 km lg. Halbinsel, die durch eine 15 km lg. kiesige Nehrg. mit dem Festlande zshängt u. auf dem äussersten Vorsprung, dem *Bill* (= Schnabel) *of P.*, zwei Leuchtthürme trägt — ein Zeichen der Wichtigkeit der nahen Rhede, die seit 1849/72 durch zwei grossartige Wellenbrecher in einen förml. Zufluchtshafen umgeschaffen ist (Meyer's CLex. 13, 121). Mit dieser Bestimmg. hängt ozw. der alte Name des 'Hafenlandes' selbst zs. Direct übtr. mehrf.: *a) P.*, Hafenort Maine's, v. engl. Colonisten 1632 ggr. u. anf. mit ind. Namen *Muchigonee*, 1786 umgetauft; *b) P.*, im Staate Oregon; *c) Island of P.*, in NSeel., einh. *Tehura* (Meinicke, ISüll. O. 1, 277) od. *Teahowray*, v. Cook am 12. Oct. 1769 benannt 'from its very great resemblance to *P.* in the English Channel' (Hawk., Acc. 2, 300). — Nach einem Träger des Familiennamens *P.* sind getauft: *a) Cape P.*, in Tasmania, v. Lieut. Matth. Flinders (TA. 1, CXLVIII, Atl. 7), zu Ehren des dam. Staatssecretärs der Colonien; *b) P. Bay* s. Tourville; *c) P.'s Isles*, 'six or seven small islands' bei NBrit., v. Capt. Carteret am 13. Sept. 1767, zu Ehren des Herzogs v. P. (Hawk., Acc. 1, 380); *d) P.'s Island*, an der Nordseite v. Egmont's I., ebf. v. Carteret am 17. Aug. 1767 (ib. 1, 357).

Portlock's Harbour, in Alaska, 57⁰ 47′ NBr., entdeckt u. benannt im Aug. 1787 v. engl. Capt. Nathanael *P.*, der mit Capt. Georg Dixon, u. zwar in den Schiffen King George u. Queen Charlotte, die Erde 1785/87 umsegelte (GForster, Gesch. Reis. 1, 56; 3, 122). — *P. Reef,* eines der Riffe der Torres Str., v. Capt. Will. Bligh u. Lieut. Nath. *P.* 1792, zu Ehren des letztern, welcher das zweite Schiff, die Brig Assistance (Providence hiess das erste), befehligte (Flinders, TA. 1, XX, Krus., Mém. 1, 78).

Porto = Hafen, mit dem männl. Art. *o* im port. ON. *Oporto,* röm. *Portus Cale* (Willk., Span.- P. 265), später *Portocale,* auch ON. bei Rom, ant. *Portus Augusti,* dessen 6eckiger Hafen üb. 2 km Umfang hatte, j. aber versandet ist (Meyer's CLex. 13, 123), oft mit span. *puerto* wechselnd, insb. in *Portobello* (s. Bello), dem ON., der seit 1742, urspr. als *Portobello Hut,* v. einem alten schott. Matrosen, z. Andenken des Sieges v. Porto-bello (1739), in die Nähe Edinburgs übtr. ist, u. in *Porto Rico* (s. Rico), in untrennbb. Zssetzung bei *Portalegre* (s. Alegre), im plur. *Ilha dos Portos* (s. Porcos). Da der Hafen *P.* um die Mitte des 11. Jahrh., als die Gegend v. Ferdinand v. Castil. erobert worden, die wichtigste Stadt des Landes war, so erhielt dieses den Namen *Portugal* (mit Volksnamen *Portuguez*). Im Alterth. hatte es *Λ(o)νοιτανία, Λνοιτάνεια, Λνοιτανή,* lat. *Lusitania,* geheissen, nach dem Hptvolke, den *Λνοιτανοί,* fälschlich v. den durch die ersten Bewohner eingeführten Bacchusfesten: 'lusum enim Liberi patris et lyssam cum eo bacchantium nomen dedisse *Lusitaniae*' (Plin., HNat. 3, 8), wie noch Camões (Lus. 3, 21) wiederholt:

'Esta foi *Lusitania* derivada
De Luso, ou Lysa, que de Baccho antigo
Filhos forão, parece, ou companheiros.
E nella então os Incolas primeiros'.

— *Nova Lusitania* s. Olinda. — *The Portuguese Houses* = die Häuser des Portugiesen, ein alter Handelsposten am Powder R., v. einem port. Händler Antonio Matéo, lange Jahre vor 1859, errichtet (Raynolds, Expl. 65). — *Porteños* s. Buenos Aires.

Portsmouth, wohl einf. 'Mündg.' des Hafens', obgl. die sächs. Chron. um 500 einen sächs. Häuptling Porta in *Portesmuth* landen lässt, in lat. Schriften *Ostium Portae* (Charnock, LEtym 215), bei Ptol. *Μέγας λιμήν,* röm. *Portus Magnus* = der grosse Hafen. Mehrf. übtr. nach America: *a)* in NEngland, *b)* in Ohio, *c)* in Virginia (Meyer's CLex. 13, 125).

Po Schan = Weissberge, chin. Name eines Bergzugs der Mandschurei, auch *Tschang PS.* = lange od. (früher) *Tai PS.* = grosse Weissberge. Alte u. neue Schriftsteller beschreiben diese Berge als waldlos, weissblumig u. mit weisshaarigen Thieren (Journ. RGSLond. 1872, 164).

Poschiavo, deutsch *Puschlav,* ON. in einem Seitenthal des Veltlin, wird v. den Freunden lat. Etym. u. *Pesclavium* = Fuss der Schlüssel, d. i. der schliessenden Berge, also' v. der Lage', abgeleitet (Leonhardi, Posch. 36 f.). Nach dem Orte das Pusch-

laver Thal: *Val di P.,* der Puschlaver See: *Lago di P.* u. der Puschlaver Thalfluss: *Poschiarino.*

Poschwinsk s. Solikamsk.

Poseidon, gr. *a) Ποσείδων* = Poseidonshain, Name v. 12 Vorgebirgen u. Städten mit Poseidonstempeln (Pape-Bens.). Der Name v. *Poseidion,* einer alten Stadt auf Karpathos, haftet noch als *τὸ Ποσόν* (entstanden durch dor. Ausstossg. des Zungenlauts, die aus *Posidion* = Poseidion) an den Ruinen (Ross, IReis. 3, 56); *b) Ποσείδωνος λίμνη* = Poseidons-See, *ἱερόν* = Heiligthum, *νῆσος* = Insel; *c) Ποσειδώνιον* = Poseidons-Tempel, Vorgebirge an der Westküste der Halbinsel Pallene (Thuc. 4, 129) u. v. Rhegium (Strabo 257).

Posesion s. Possession.

Posiecz s. Paseka.

Posilip(p)o, Berg bei Neapel, benannt nach einer altröm. Villa *Pausilypon* = 'Sanssouci', welche Vedius Pollio dem Augustus vermachte (Meyer's CLex. 13, 150, Plin., HNat. 9, 167). Die *Grotta di P.* ist ein natürlicher durch künst. Nachhülfe ausgebauter, etwa 1 km lg. Tunnel.

Posolskoi, russ. Name eines Klosters, z. Andenken des tobolk. Sinbojarskoi Serofei Sabolotskoi, der 1650 als Abgesandter zu den Mongolen gehen sollte, aber zu Ust-Prorwa, einem Orte jens. des Bajkal, durch die Buräten ermordet worden (Müller, SRuss. G. 5, 391). Fischer (Sib. G. 2, 760) fügt bei, der Ort bilde einen Landvorsprg. u. habe zunächst den Namen *Posolskoi Muis* = Gesandtencap erhalten, u. dieser habe sich dann auf das Kloster 'fortgepflanzet'. Seine 2. Carte ist das Kloster nahe dem westl. Ufer der Selengamündg.

Possession = Besitznahme, oft in engl. u. frz. ON., durch welche ein Entdecker zugleich den Act der Besitzergreifg. documentiren will, 3mal bei Cook: *a) P. Island,* in Torres Str., wo er am 21. Aug. 1770 im Namen Georg's III. Besitz v. der Ostküste nahm 'with all the bays, harbours, rivers and islands situated upon it' (Hawk., Acc. 3, 212); *d) P. Bay,* in SGeorgia, wo er am 17. Jan. 1775 unter Gewehrfeuer den Act vollzog (Cook, VSouthP. 2, 213 ff.); *c) Point P.,* im Cook's R., wo er am 1. Juni 1778 den Lieut., spätern Capt. King, mit 2 bewaffneten Booten ans Land sandte — mit dem Befehl, hier die Flagge zu entfalten, 'in his Majesty's name' Besitz v. der Gegend u. dem 'River' zu nehmen u. im Boden eine Flasche mit den übl. Münzen u. Notizen zu vergraben (Cook-King, Pac. 2, 397). — *P. Mount,* ein zuckerhutförmiger Berg in *P. Bay,* neben Cape Byam Martin (s. d.), wo am 1. Sept. 1818 Capt. John Ross (Baff. B. 178. 182) eine Anzahl seiner Officiere landen liess, um unter den übl. Formen Besitz v. der Gegend zu nehmen, im Namen u. zu Gunsten Sr. brit. Majestät. 'A flag staff was erected; and, at its foot, a bottle, containing the proceedings of our ships, was buried on the summit of a conical mount'. — *P. Island,* in SVictoria Ld., v. Capt. J. Cl. Ross (SouthR. 1, 189, Ans. 165) am 11. Jan. 1841 entdeckt u. so benannt, weil er Tags darauf, in Begleitung

Commander Crozier's u. anderer Officiere, hier im Namen der Königin Victoria Besitz v. den entdeckten Polarländern nahm. 'On planting the flag of our country amidst the hearty cheers of our party, we drank to the health, long life, and happiness of Her Majesty and His Royal Highness Prince Albert'. — *P. Creek*, ein Zufluss des Maranòa-Darling, v. Major T. L. Mitchell (Trop. Austr. 195) am 10. Juni 1845 so getauft, weil er an dem nach langem Wassersuchen gefundenen reichlichen Bach erst durch Wegtreiben einer feindl. Horde v. Wilden lagern konnte. — *Ile de la Prise de P.* s. Crozet. — In span. Form *posesion* bei 3 Flüssen: a) *Rio de la P.*, in Honduras, j. Rio Tinto, wo 1502 Columbus 'hizo tomar la p.' (Navarret, Coll. 1, 284); b) in Fonseca Bay, wo Niño 1523 f. den castil. König die Besitznahme vollzog (Gomara, HGen. c. 200); c) *Rio de San Juan de P.* s. Felipe.

Posta s. Levante.

Pótala = der Schiffe aufnehmende (Hafen), Schiffslände', meist *Pattala*, gr. Πατάλα, skr. ON. f. den einstigen Hpthandelsplatz des Sindh; daher das Delta *Pattalene* (Schlagw., Gloss. 235, Lassen, Ind.A. 125, Kiepert, AG. 36).

Potchefstroom, Ort in Transvaal, gelegen am Mooi Rivier (s. d.), s. v. a. 'Fluss(-stadt) des Chefs Potgieter', v. den Boeren so benannt zu Ehren eines ihrer frühern Anführer (Peterm., GMitth. 1, 289; Erg.H. 37, 20), auch *Vrijburg* = Freiburg, entspr. dem Ursprung der beiden Boerenstaaten (Meyer's CLex. 13, 164).

Poti, Hafenort im sumpfigen Delta des Rion, als miles. Colonie *Phasis* gg. —500, d. i. kurz vor dem Fall der Mutterstadt, auf Pfählen ggr. u. seit Trajan (s. Sebastos) zubenannt *Sebastopolis* (Kiepert, Lehrb. AG. 88).

Potocki, Archipel de Jean, im Gelben M., v. Philologen Klaproth (Mém. 1, 316) aus chin. Schriftstellern (also im Studirzimmer! 'et sans m'être exposé aux fureurs des ouragans et des typhons si fréquens dans les mers de la Chine') entdeckt u. benannt nach dem Grafen Joh. *P.*, den er während der Reise der nach China bestimmten russ. Gesandtschaft begleitete. Die Gelehrsamk., der Reichthum u. die amtliche Stellg. befähigten den edeln Grafen, die Wissenschaft u. namentl. die Bestrebungen Klaproth's wesentl. zu fördern ... 'toutes ces considérations m'ont déterminé de donner aux îles que j'ai découvertes ..., le nom de ce savant si recommandable à tant de titres'.

Potok = Bach, slaw. Element in ON. Oesterreichs wie *Potočač*, *Potočani*, *Potočec*, *Potočko*, *Potockoszelo*, *Potocsina*, *Potocska*, *P.*, *Potoka*, *Potočarska Vas*, *Potoče*, *Potoke*, *Potoko*, *Potoczany*, *Potoczyska*, *Potučník* (Miklosich, ON. App. 2, 219, Umlauft, ÖUng. NB. 183).

Potomak, eig. *Patawomek*, der (mir unerklärte) ind. Name eines Zuflusses der Chesapeak B. Die Ansiedler, seit 1607, nannten ihn *Elisabeth River* (Strachey, H. Trav. 38), wohl nach der Tochter James' I.

Potosí, span. umgeformt aus ind. *Jatum Potochi* f. den silberreichen *Cerro de P.* (Peterm., GMitth. 13, 244), angebl. v. aymara *potocsi* = der Lärm macht, da sich hier, als der Inca Huayna Ccapac 1462 nach Silber suchen liess, eine furchtb. Stimme aus dem Innern vernehmen liess, in dem Sinne, die Reichthümer seien f. andere Herren aufgespart (WHakl. S. 33, 386. 390). Stadt ggr. 1547. — Wg. des Silberreichthums übtr. a) auf die mexican. Bergstadt *San Louis P.* (Murr, Nachr. 1, 66); b) ein *P.* in Nicaragua; c) in Wisconsin; d) in Missuri (Meyer's CLex. 13, 163).

Potrero s. Calaveras.

Potsdam, bei Friedrich d. Gr. *Potzdamm*, slaw. ON. bei Berlin, urk. 993 *Potstupimi*, *Potsdupimi*, bei ältern Autoren, so Hermes (MBrandenb. 1828) u. noch 1846 bei Jettmar (Überreste 25) abgeleitet v. *pod* = unter, *dub* = Eiche, im instr. des plur. *dubmi*, *dubimi*, also 'unter Eichen, bei den Eichen'. Der Slawist Adalb. Cybulski (Slaw. ON. *P.* 1859) hält diese Etym. f. weder urk., noch topographisch, noch sprachlich haltbar; er nimmt ein urspr. *Pódstapim*, *Podstompim* = 'Uebergang' scil v. einer niedern Lage zu einer höhern, an. Natürlicher klingt, was Mahn (Etym. Unters. 62 ff.) gegen Cybulski vorbringt u. wie er auch 'die unbedeutende sprachliche Schwierigk.', die der alten Etym. anhängt, zu lösen versucht. Noch 1890 gibt G. Weisker (Progr. 31) dieser Ableitg. den Vorzug; er verweist auf das Inseldorf *Eiche*, wie noch 1729 der Park v. Sanssouci 'Eichwald' war. Als ähnl. Bildungen nennt er *Podbrězje* = unter den Birken, in Krain, *Podlipce* = unter den Linden, in Galizien, *Podlipa* = unter der Linde, in Krain, *Podliski* = unter den Haselstauden, in Galizien, *Poddub* = unter den Eichen, in Böhmen. Füglich unberücksichtigt kann bleiben, was V. Jacobi einfällt: ein slaw. *pod* = unter u. *stupenj* = Stufe, also 'unter dem Abstieg' (ON. um *P.* 46), od. die Träume eines G. Liebusch (Herrigs Arch. 39, 129 ff.). Ihn führte die alturk. Form auf die kelt. Urform *Po-ot'-iz'-dun* = Stadt an dem grossen Wasser entstanden. Der kundige Ign. Petters, der diese letztere Arbeit beleuchtet, hat, wie seither Miklosich (ON. aus Appell. 62), schon längst den ON. *P.* v. einem PN. *Podstupim* abgeleitet (Herrig's Arch. 41, 113, Litter. Centralbl. 1859 No. 25).

Potterie, la = die Töpferei, auch im plur. u. in der Form *la Poterie*, als frz. ON. alt u. vielf. verwendet, 9 mal im dép. Eure-et-Loir, 13 mal im dép. Eure (Dict. top. Fr. 1, 148; 15, 174) u. s. f. Jüngern Datums ist der engl. ON. *Potteries*, Stafford, j. 7 Städte u. zahlr. Dörfer umfassend, um den Hptsitz der Porcellanmanufactur, noch zu Anfang des 18. Jahrh. wenig bewohnt, v. Landleuten, welche grobe Töpferwaaren verfertigten, durch den Unternehmungsgeist Josua Wedgwoods, † 1795, in einen förml. Fabrikdistrikt umgewandelt, der 150 000 Ew. zählt u. s. z. s. eine Stadt bildet. Auf die höhern Leistungen der dortigen Töpferei weist auch der ON. *Etruria* (Meyer's CLex. 13, 166). **Pottsville**, eine Stadt am Schuylkill, Penns., wo 1827 John Pott einen Schmelzofen baute u. bei der Fundamentirung ein Kohlenlager entdeckte; dadurch war die Entstehg. der neuen Stadt veranlasst, in welcher noch 1876 Abkömmlinge des Gründers lebten (Penns. Ill. 64). An der Bahn Philadelphia-Reading, also zieml. in derselben Gegend, *Pottstown* (ib. 62). — *Potts's Creek*, ein Zufluss des obern Missuri, ohh. der 'Gates', v. d. Captt. Lewis u. Cl. (Trav. 228) am 20. Juli 1805 nach John Potts, einem ihrer Gefährten, getauft.

Poty-uaras s. Ubira.

Pou s. Puerco.

Poverty Bay = Bucht der Armut (s. Plenty), 'an unfortunate and inhospitable place', NSeel., v. Lieut. Cook am 8. Oct. 1769 entdeckt u. so genannt, weil er trotz aller Bemühungen nicht im Stande war, mit den Eingebornen in Verkehr zu treten . . . 'as it did not afford us a single article that we wanted except a little wood' — einh. *Taoneroa* = langer Sand, weil die Küste ein niedriger, flacher Sandstrand ist (Hawk., Acc. 2, 296).

Powder River = Pulverfluss, ein rseitg. Zufluss des Yellowstone R., nach den Schwefeldämpfen, welche einem in der Nähe brennenden Braunkohlenlager entsteigen. Einer seiner Quellarme heisst *the Little* (= der kleine) *PR.* (Raynolds, Expl. 8). Nach Lieut. H. E. Maynadier, dem Gefährten Raynolds, Sept. 1859, bildet das Vorkommen eines ungeheuern Lignitlagers den auffälligsten Zug des Thales; zu beiden Seiten sah er 120 cm dicke Schichten zu Tage treten, u. augensch. erstreckten sie sich viel tiefer. Massen v. 5—6 Ctr. lagen im Fluss u. am Ufer; am Fusse eines Uferbergs befand sich das Lager in Brand, u. an manchen Stellen sah es schon gänzlich verbrannt aus (ib. 129).

Powhatan s. James.

Poworotny-Rutschei = Fluss der Wendung, ein Zufluss des Eismeers östl. v. sibir. Cap Schelagskoi, v. russ. Reisenden v. Wrangell (NSib. 1, 235) am 6. März 1820 erreicht u. so benannt, weil der Mangel an Lebensmitteln ihn z. Umkehr nöthigte. — *Poworotnoy Nos* = Cap der Wendung, in Kamtschatka, die Küste, welche v. Lopatka bis zu diesem Vorgebirge eine Nordostrichtung gehabt hat, eine Wendung macht u. bis z. Einfahrt der Awatscha Bay direct nördl. geht. In der Nähe ein Berg: *Poworotnaja Sopka* (Krusenst., Reise 2, 108, Erman, Reise 3, 283).

Pozzo, ital. Wort, wie span. *pozo*, port. *poço*, frz. *puits* v. lat. *puteus* = Brunnen (Diez, Rom. WB. 1, 331), in dem mod. ON. *Pozzuoli*, *Puzzuoli*, röm. *Puteoli* (s. Beer), bei Neapel, wo, wie schon M. Terrentius Varro, der umfassendste Gelehrte des röm. Alterth. (de lingua lat. 5), angibt, viele kalte u. warme Quellen, sowie Einsturzhöhlen mit Solfataren vorkommen (Kiepert, Lehrb. AG. 447). In vorröm. Zeit hatte der v.

den Kumäern —521 ggr. Ort *Dicaearchia*, gr. Δικαιάρχεια, etwa 'Burg der Gerechtigkeit', geheissen. — Port. *Pico do Poço* = Cisternenpic, ein Spitzberg v. São Paolo, Bras., nach einem Wasserfall (WHakl. S. 51, XXXVI). — Auch auf frz. Sprachgebiete finden sich ON. dieser Art, im dép. Eure-et-Loir *la Puisaye*, 1225 *Puteosa* villa, *Puisaux*, *le Puiset*, 1095 *Puteolum*, *Puiseux*, 774 *Putioli*, *les Puits* 19 mal, 1080 *Puteus* (Dict. top. Fr. 1, 151).

Praborgne s. Visp.

Prabhu-Khuthar s. Brahma.

Praderias s. Sargasso.

President, eine Klippe bei Jan Mayen, v. der Exp. Berna am 21/22. Aug. 1861 so benannt, weil sie einem der grossen transatlant. Dampfboote mit 2 Schornsteinen täuschend ähnl. sieht, so dass die Mannschaft sie einf. *Dampfschiff* nannte. Die Gelehrten des Joachim Hinrich 'führten die Fabel weiter aus u. tauften das *D.* nach dem vielgesuchten '*P.*', der vor Jahren mit Mann u. Maus im Grossen Ocean verloren ging' (Vogt, Nordf. 274).

Praeste Fjord = Priesters Einfahrt, in der Nähe v. Godhaab, Grönl., 'ein schöner Platz, darauf zu bauen . . . sehr schön mit Grass bewachsen, nebst einem Buschwerk v. Erlen u. Weiden . . . mit schönem Laxgrund, worin wir viele kleine Laxe sahen', v. dem Missionär Hans Egede (Nachr. 25. 47), bald nach Gründg. Godhaabs, besucht u. getauft. Eine Colonie begonnen am 21. Aug. 1722 (Cranz, HGrönl. 1, 14); *b) Praestö* = Priesterinsel, j. Stadt an der Südküste Seelands (Madsen, Sjael. StN. 272).

Prätigau, rätr. *Val Pratens* = Wiesenthal, j. ohne *val* einf. *Partenz*, auch *Purtenz*, ein Graubündn. Nebenthal des Rheins, wo einst roman. Bevölkerung sass u. die Germanisirung erst im 14.—16. Jahrh. erfolgte (W. v. Juvalt, Forsch. 2, 204). Im Jahre 1577 bezeugt Campell (ed. Mohr 141 f. 159), dass die Bewohner des *P.* u. Schanvic 'v. jeher u. z. Th. j. noch rätisch sprechen', aber auch den Oberwalliser Dialekt der Davoser 'sich anzueignen beginnen'. 1590 wurden die rätr. Sprache u. die Reste des Katholicismus zu Seewis, dem letzten Posten, wo sie noch ausgedauert hatten, durch den spätern Oberstpfarrer Georg Saluz abgeschafft. 'Vor nicht gar 300 Jahren', bezeugt 1742 Sererhard (ed. Mohr 54. 88), war die welsche od. romanische Sprach diser Enden üblich gewesen, welche aber propter vicinitatem cum Germanis . . . nach u. nach in grobteutsch verwandelt worden. Die Seewiser sind etwas später z. Reformation kommen, als die andern benachbarten Gemeinden, dann bei Etlichen hielt es hart' (Salis u. St., Alp. 1, 381, Salis, Hinterl. Schr. 2, 47, Bergm., Wals. 4). So ist denn in dem Streite, den im Frühjahr 1890 die Bündner Blätter üb. die Orth., mit *t* od. *tt*, sowie üb. die Etym. des Namens *P.* geführt haben, der rätor. Ursprg. unangetastet geblieben; dagegen vernahm man, dass *P.* viell. mit *Räticon* (u. dieses mit dem VolksN. der Rucantier) zshänge, also eig. *Rätigau* heisse (C. v. Mohr, Gesch. v. Currät. 36) od. aus *part* = Theil u. *d'ens*, *dadens* = inner entstanden sei, also 'Innerland' heisse (Davoser Ztg. v. 5. Juni 1890). Diese Vermuthungen verdienen kaum eine Widerlegg., die erstere um so weniger, da ihr Urheber seinen eignen Namen bald Mohr, bald Moor, u. den der bündn. Hptstadt bald Cur, bald Chur schreibt.

Prag, čech. *Praha* = Schwelle, Name der böhm. Hptstadt, sollte, wie der älteste böhm. Chronist, der 1045 geb. Cosmas, anlässl. der Gründg. (700) erzählt, daher kommen, dass der Gründerin, der Herzogin Libuscha, ein Arbeiter auf ihre Frage geantwortet habe, er arbeite an einer Schwelle. Die Beobachtg., dass die Čechen in den Anfängen ihrer Cultur überwiegend Naturnamen gaben, führte nun den Historiker Frz. Mart. Pelzel in einer f. ihre Zeit, 1795, vortreffl. Abhandlg. (NAbh. böhm. GWiss. 2ʰ, 112 ff.), auf die Vermuthg., 'dass das Schloss *P.* seine Benenng. auf eben diese Art erhalten habe'. Das altslaw. *prag*, schon im 9. Jahrh. f. 'Wasserfall', russ. *porog*, poln. *prog*, seit dem 12. Jahrh. *prah*, j. in dieser Bedeutg. dem čech. Wörterbuch unbekannt, aber auf die Thürschwelle übtr., findet er motivirt in dem ausgewaschenen, doch noch wohl sichtb. Felsdamm, welcher die rasche, tief gebettete Bruska, einen Zufluss der Moldau, durchquert. Das Ergebniss dieser Ableitg. hat, so viel ich weiss, allgemeine Zustimmg. gefunden, mit der Ausnahme, dass Prof. Jos. Palacky (Briefl. Mitth. v. 1. Oct. 1885) den 'Wasserfall' in den Stromschnellen der Moldau sucht, die bei Branik beginnen u. bei Troja enden. 'Porphyrriffe durchziehen hier das Flussbett, das im weichen silurischen Thonschiefer sich auch auf härtere Quarztriffe stützt; diese blieben in der Bruchfalte unausgewaschen, u. auf ihnen stehen die Prager Wehre. Nicht die im Sommer fast austrocknende Brusnice, sondern die Moldau war es, die nach der Hypothese Krejčí's (in der 'Landesdurchforschg. Böhmens') die Slawen an die südruss. *porogi* erinnerte. Bei Moldřan sieht man, dass das Wasser einst bis 20 m höher stand, ehe es die Riffe ausgewaschen'. — *Prága*, 2 Orte in Ungarn, v. serb. *prag* = Schwelle, u. *Porohy*, in Galiz., (Miklosich, ON. App. 2, 220).

Praia = Ufer, Strand (s. Playa), in port. ON. *a) Villa de P.*, einf. *P.*, Ort auf hohem Strand u. an guter Bay der capverd. Insel Santiago, 'placed on high, with a goodly bay' (WHakl. S. 1, 48); *c) P. Grande* s. Rio de Janeiro; *d) Prainha*, Ort am linken Strande des Amazonas, im Ggsatz zu dem ältern, mehr landein folgenden *Oiteiro* = Waldhügel (Avé-L., NBras. 2, 85).

Prairies = Wiesenebenen, die 'Grasfluren' des Missisipithals (s. Pratum), v. den frz. Händlern u. Missionärs so bezeichnet, 1697 durch P. Hennepin, welcher die 'prairies' v. Illinois so eingehend u. genau schildert, wie man das kaum heute besser thun könnte. Auch Lewis u. Cl. brauchen das Wort oft in den ersten Theilen ihrer Reise, neigten sich dann aber mehr z. Wort

plain = Ebene, wie ja auch wirkl. der westlicher folgende dürre Gürtel waldarmer Flächen im heutigen Sprachgebrauch der Union genau v. den 'Grasfluren' längs des Missisipi, jene als *plains*, diese als *prairies*, unterschieden werden (Whitney, NPlaces 188). Das durch die span. Colonisation importirte Wort *savana* (s. d.) ist im Missisipithal nicht mehr gebräuchl. — *Prairie Portage*, frz. *Portage de la Prairie*, f. gewisse Trageplätze in den Grasfluren (MacKenzie, Voy. 58, Hind. Narr. 1, 143). — *Lac des P.* s. Manitu.

Prambanan s. Brahma.

Prammeberg s. Teton.

Pranaraga s. Preanger.

Praprot od. *prapret*, slow. Wort f. Farnkraut, serb. *praprat*, oft in den ON. der südslaw. Länder: *Prapatnica*, *Prapatnice*, *Prapetna*, *Prapetno*, *Praporchie*, *Prappra*, *Papreče*, *Prapetniza*, *Prapetnu*, *Prapretnuberdu*, *Prapretsche*, *Praproče*, *Praprosche*, *Praprot*, *Praprotna*, *Praputnik* (Miklosich, ON. App. 2, 220).

Praslin, Port, nach dem frz. Minister des Auswärtigen, Herzog v. *P.*, vorm. Grafen v. Choiseul, 2 austral. Hafenbuchten: *a)* in NBrit., 1768 v. Bougainville (Voy. 279, Pl. 12. 14), nach dem engl. Seef. Carteret 1767 *Gower Harbour* (s. d.), bei dem frz. Hydrographen Fleurieu *Port St. George*, nach dem benachbarten St. George's Channel (Krus., Mém. 1, 143); *b)* in den Salomonen, Isabel, v. frz. Seef. Surville am 13. Oct. 1769 so getauft ...'un excellent port à l'abri de tout vent, formé par une multitude de petites îles' (Marion-Croz., NV. 266, Fleurieu, Déc. 118). Am 7. Oct. war eine *Ile de la Première Vue* = zuerst gesehene Insel (Spr. u. F., NBeitr. 3, 218), u. ein Berg, *le Gros Morne* (s. Cap Labé) entdeckt worden. — *Ile P.*, in den Seychellen (MacLeod, East. Afr. 2, 213).

Prason, Akroterion, gr. *Πράσον*, *ἀκρωτήριον* = Seemoos-Cap, einer der antiken ON., die nach diesem Moose gegeben sind, f. die mir aber die Realprobe fehlt (Pape-Bens., Curt., GOn. 157), ein Vorgebirge an der Ostküste Africa's (Ptol. 4, 8¹), j. *Cabo Delgado* = schlankes Vorgebirge, v. den port. Seeff. ebf. als Schiffermarke betrachtet.

Prata s. Plata.

Pratischthana s. Allahabad.

Pratum = Wiese, die Grundform f. spätl. *prataria*, frz. *prairie*, *pré*, rätor. *prà*, *prau*, *prò* = Wiese, *prada* = Wiesland etc., ist ein weit verbreitetes Namenelement geworden (s. *Prätigau* u. *Prairies*), insb. in rätor. Alpengelände, wo einf. *Prad*, *Prada*, *Praden*, *Prat*, *Praz*, *Braz*, mit augm. u. dim. Formen vielf. wechseln wie *Pra-*. *Par-*, *Perdatsch*, *Pardätsch* = schlechte Wiese, *Parmartsch* = faule Wiese, *Pardels*, *Pardela*, *Pradella*, *Pertill*, wohl f. *Pratillo*, *Pratello* (Bergm., Vorarb. 70, Leonh., Posch. 83, Gatschet, OForsch. 152, Bündn. Tagbl. 8. V. 1890, Th. v. Grienb., Rom. ON. 8. 62). — *Pardisla*, eig. *Prà d'Isla* = Wieseninsel *a)* im Prätigau; *b)* im Tomleschg. — Auch in Mallorca begegnet uns der ON. *Prat* = Wiese, f. eine wiesenartige

Sumpfniederg. zw. Palma u. Llummayor. Früher barg die Ebene einen grossen, v. Sümpfen umringten Strandsee in der Mitte u. bildete eine sehr ungesunde, v. Wechselfiebern heimgesuchte Gegend; durch Entwässerg. sind See u. Sümpfe grossenth. verschwunden, u. der zähe, etwas salzhaltige Thonboden trägt einen dünnen Pflanzenteppich, der, streckenweise mit Tamarisken u. Gesträuch abwechselnd, nur als Schafweide benutzt zu werden scheint (Willkomm, Span. B. 102). — *Prata*, Ort bei Chiavenna (Leonh., Veltl. 105). — *Pralöng* (s. Langwies) u. *Pralong* = lange Wiese, Ort in Val d'Hérémence, Wallis, 'wo das erweiterte Thal einen ebenen Raum gewährt, in einer Wiesenfläche v. Wald begrenzt (Fröbel, Penn. A. 41). — *Praborgne* s. Visp. — *Praderias de Yerva* s. Sargasso. — Eine Auswahl solcher Namen aus dem südtirol. Lagerthal hat Chr. Schneller (Tir. NF. 126 ff.) gegeben. — Auch auf frz. Sprachgebiet gibt es viele dieser Derivate: *las Pradals, le Pradas*, 936 *Prata villa, la Prade* 10 mal, *Pradel*, 3 *Pradels*, 6 *Prades*, 6 *Prat*, 3 *Prats*, sämmtl. im dép. Hérault (Dict. top. Fr. 5, 152), 4 *le Pradal, le Pradarel, Pradau*, 2 *la Prade*, 2 *le Pradel, la Pradelle*, 2 *les Pradels, Praden*, 2 *les Prades, Pradinas*, 2 *Pradine, Pradines, Pradiret, le Pradou, la Prairie, Pralong, le Prat, le Prat-Viel*, 1165 *ad Pratum-Vetus*, im dép. Gard (ib. 7, 171 f.), 3 *le Prudal*, 2 *la Prade, le Pradeau, Pradeaux, le Pradel, Pradelas*, 3 *la Pradelle*, 2 *Pradelles, les Pradelous, la Praderie, Pradeyrol*, 2 *le Pradoux*, 3 *Prat, Prats*, im dép. Dordogne (ib. 12, 249), *Pralong*, 3 mal, 1249 *Pratum longum*, im dép. Hautes-Alpes (ib. 19, 118), mehrf. *le Praz* u. *la Praz*, auch differenzirt, in der frz. Schweiz (Post Lex. 294), ferner häufig *Pré, Prée, les Prés, Prez*, urk. *pratum, prata* (Dict. top. Fr. 1,149 f.; 10, 222; 15, 174, PostLex. 294 f.).

Prau, Gunung = Schiffberg, nach seiner Form, einer der thätigen Vulcane Java's (Crawf., Dict. 360).

Preag s. Allahabad.

Preanger, ON. in Java, holl. verd. aus *Prayangan* = Geisterland, v. jav. *prayang* = Wandelgeist der Gestorbenen, eine in malerischer Schönheit ausgezeichnete Berggegend, auch skr. *Sukapura* = Stadt der Freude (Crawf., Dict. 360. 412). — Aehnl. *Pranaraga* = Verlangen des Lebens, eine andere schöne Ldsch. mit zahlr. Resten des Brahmanenthums in Tempeln u. Bildern.

Pred = vor, praep. in čech. ON. wie *Predhrad* = vor der Burg u. *Predmost* = vor der Brücke, Böhmen u. Krain (Umlauft, ÖUng. NB. 185).

Predikstoel s. Kanzel.

Predpriatie = Unternehmung, eine Insel der Centralgruppe v. Paumotu, einh. *Faka-* od. *Akahaina* (ZfAErdk. 1870, 360, Meinicke, IStill. O. 2, 210), am 2. März 1824 v. russ. Capt. Kotzebue entdeckt u. nach seinem Schiffe benannt (Kotzebue, NReise 1, 62, Krus., Mém. 2, 462).

Prejuizo, o = der Schaden, port. Name einer Stromschnelle des bras. Rio Pardo, weil dieselbe

(im pfeilschnellen Hinunterfahren zw. den Felsklippen) gefährlicher ist als die weiter unten befindliche 'Caxoeirinha' (Avé-L., NBras. 1, 100 ff.). **Première Vue** s. Praslin.

Prémontré, 1120 *Premonstratum*, Mutterabtei des Prämonstratenser Ordens, ggr. 1121, im dép. Aisne, während im gl. dép. auch 4 Orte *Prémont*, im 11. Jahrh. *Petrosus mons*, vorkommen (Dict. top. Fr. 10, 222).

Preobraschenskoje, neutr. des adj. *preobraschenskij*, fem. *-aja*, v. russ. subst. *preobraschenje* = Verklärung scil. Christi, welche in der röm. u. griech. Kirche, in Russland als ein Hptfest, gefeiert wird, kommt in russ. ON., f. Dörfer u. Klöster, so häufig vor, dass das 5bändige geogr.-statist. Lexikon des russ. Reichs v. Semionow deren 40 aufführt. Der Name wird urspr. meist an einer Kirche haften, wie z. B. sicher anzunehmen ist f. die nordöstl. Vorstadt Moskau's, wo ein 4blätteriger Plan, aufgenommen 1859, v. kriegstopogr. Depot 1862 herausgegeben, 2 ehm. Klöster, ein Mönchs- u. ein Nonnenkloster, enthält (O. Koffmahn 8. Dec. 1891). Ein Dorf *P. Sjelo*, begegnet uns z. B. auch am Irtysch, unmittelb. obh. des ehm. Ssibir (Müller, SRuss. G. 3, 408, Russ. Generalst. Carte No. 20). — *Preobraschenskoj Saliw* = Bucht der Verklärung, 2 mal *a)* an der Tschuktschen-HI., an hoher Felsküste, 'hvor enhver Indskaering undersoegtes meget noeje', v. Capt. V. Bering am 6. Aug. 1728 entdeckt u. benannt im Einklang mit der übr. v. ihm angewandten 'frommen' Nomenclatur (Lauridsen, V. Bering 28) 'paa Grund af Helligdagen' (I. Bergh, Russernes 1. Sörejse 46); *b)* im Ausgang des Obgolfs (Atl. Russ. 14). 'Zaliw' ist masc.; also muss *preobraschenskoj* ein dial. masc. od. verderbt sein' (Legowski 16. Nov. 1891). — Ein *Cap St. Preobraschenija* am östl. Ausgang der sibir. Chatanga Bucht (Stielers HAtl. No. 59).

Prescott, Cape, in Grinnell Ld., v. Polarf. E. K. Kane (Arct. Expl. 1, Carte) benannt, ozw. nach dem berühmten Historiker der 'Conquest of Peru' u. 'Conquest of Mexico'.

Prese, le, v. ital. *presa* = Ebene, ON. 2 mal im Puschlav: *a)* ein Ort u. Schwefelbad am Oberende des Lago di Poschiavo; *b)* ein Theil der bedeutenden Ebene, welche San Carlo ggb. liegt (Leonhardi, Posch 41); *c)* auch das Veltliner Dorf d. N., zw. Bormio u. Tirano, liegt in einer Thalebene, welche nach den langen Engschluchten der Teufelsbrücke um so auffallender ist.

Préservation, Ile = Insel der Verwahrung, in der Gruppe Furneaux, v. der Exp. Baudin im März 1802 benannt nach ihrer Lage; sie schützt die Kent Bay gg. die Westwinde, u. an ihr u. den zahlr. Eilanden bricht sich die Wuth des Meeres (Péron, TA. 1, 294).

Presidios, los, pl. des span. *presidio* = Besatzung, Zuchthaus scil. f. männliche Verbrecher, während die f. Weiber *casas de correccion* = Besserungshäuser genannt werden: *a)* die an der african. Küste gelegenen, an Stelle der ehm. Galeeren getretenen, den frz. Bagnos entspr. Straforte ersten

Grades, presidios mayores (es gibt auch 'presidios minores' u. 'presidios correccionales'), näml. Ceuta, der härteste, Alhucemas, Melilla u. Peñon de Velez (Willkomm, Span.-P. 115); *b)* die befestigten Punkte od. Militärcolonien, welche zZ. der span. Herrschaft in Mexico längs der Nordgrenze, v. einem Ocean z. andern, behufs Schutz gg. die Raubeinfälle der wilden Indianer, bestanden: 'Militärgrenze' (Uhde, RBravo 55).

Presnoe, Osero, auch *Presnoje Osero* = süsser See, russ. Name: *a)* eines kleinern Süsswassersees, der, 3 km. v. Elton, mit diesem berühmten Salzwasserbecken contrastirt (Müller, Ugr. V. 2, 525); *b)* eines kleinen Sees, welcher, bei den Ilezk. Salzwerken, schwachsalziges, aber übelschmeckendes Wasser hat (Rose, Ural 2, 205).

Pressburg, schon 769 *Presburch,* 1042 *Brezis-, Brezesburg, Breziburc,* dann *Preslawaspurch* = Burg des Brecislaw, deutscher ON. f. mag. *Pozsony,* lat. *Poso-* od. *Pisonium,* 784 *Posanum,* 1106 *Bozan,* v. unsicherer Ableitg. (Umlauft, ÖUng. NB. 185).

Preston, aus *priest-town* = Pfaffenstadt(s. Praeste) verkürzt, Name einer Stadt in Lancashire, angebl. nach den verhältnissmässig zahlreichen (42)Kirchen (Meyer's CLex. 13, 201). 'Edmund Earl of Lancaster, son of Henry III., founded an hospital for Gray or Franciscan Friars here; but from what foundation or from what period it derived the name, is not known' (Charnock, LEtym. 215). *Cape P.,* an der Nordwestküste des Australcontinents, v. Capt. Ph. P. King (Austr. 1, 34) am 23. Febr. 1818 entdeckt u. benannt nach seinem Freunde Richard *P.,* esq. — *Prestholm* = Pfaffeninsel, ein Eiland bei Anglesey, früher Wallfahrtsort mit heil. Thurm (Camden-Gibson, Beitr. 2, 390).

Preto, Rio = schwarzer Fluss (s. Prieto), port. Name eines der Zuflüsse des bras. RGrandeSFrancisco, im Ggsatz z. nahen *Rio Branco* = weissen Fluss, nach seinem merkw. dunkeln, tiefen Gewässer . . . 'I never saw clearer water in a river' (Journ.RGSLond. 1876, 311).

Pretoria, seit 1858 Hptstadt des Transvaal, benannt nach dem verdienten, 1853 † Boerengeneral Andries Pretorius (Merensky, Beitr. 167). Bei der Annexion, am 12. Apr. 1877, war Mart. W. Pretorius (ein Sohn des genannten Generals?) Staatspräsident (PM. 22, 166 f.).

Pretty s. Slim.

Preuss, Lake, ein hypothetischer See in Nevada, benannt nach dem Topographen Karl *P.,* welcher den Lieut. J. C. Fremont 1844 in die Rocky Mountains begleitete . . . it was (1869) determined that the lake was without doubt the alkaline flat, overflowed from Sevier Lake at seasons of high water, lying to the southward of this lake, and between the Hawawah and Beaver Creek Ranges' (Wheeler, Geogr. Rep. 28. 556 f.). Auch ein Thal v. Nevada ist *P. Valley,* nach demselben Topographen, benannt (Ord, Nev. 12).

Preussen, latin. *Borussia,* urk. im 10. Jahrh. *Pruzzi, Pruzia,* zunächst f. ein slaw. Volk u. Gebiet an der Ostsee, hat wie Berlin in der Zeit

der unmethod. Versuche eine Menge unhaltbarer, z. Th. thörichter Deutungen gefunden. In einem selten gewordenen Referat (Abhandlg. v. der Abstammg. des Nahmens *P.,* Königsb. 1750) werden folgg. Vorschläge vorgeführt: *a)* nach *Pruto,* dem Sohne Scythae, Enkel Araxae, Urenkel Noae (Joh. Annius Viterbiensis, Comm. ad libr. 2 Berosi f. 19); *b)* nach den bithyn. König *Prusias,* dessen griech. Krieger nach *P.* gekommen (Joh. Dlugossus, Hist. Pol. 1, 114); *c)* nach den *Bructeri,* die in *P.* eingewandert (Petrus v. Duisburg, Chron. Pruss. part. 2 cap. 7); *d)* nach *Bru-* od. *Prutenus,* einem Einwanderer um 500 (Kasp. Schütz, Beschr. d. L. *P.* p. 2); *e)* nach den *Boruscis,* die mit dem *Boreas,* aus dem Schneegebirge der Rhipäen, hier einwanderten (Erasm. Stella, de Boruss. ant. 10 f., vgl. noch 1845 Fr. Zchokke, Wand. Litt. Samml. 1, 216); *f)* nach dem rumän. Flusse *Pruth,* woher der latin. Landesname *Prutenia; g)* v. *Rusna,* dem alten Namen des Kur. Haffs, od. v. der *Russe,* einem Arm der Memel; *h)* v. altpr. *pruta, pruota* = prudentia, da die alten *P.* 'sich eingebildet, dass sie klüger u. verständiger als andere Völker wären' (Praetorius, Orb. Goth. c. 4 p. 35); *i)* v. *Prusso,* einem leibl. Bruder des röm. Kaisers Augusti, der jenem die Gegend an der Weichsel zugetheilt habe; *k)* v. ital. Volk der *Breucen,* die nebst Senonern u. Gothen im 6. Jahrh. eingewandert (Kasp. Abel, Sächs. Alterth. c. 11 §. 9); *l)* v. *po Russi* = bei den od. unterhalb der Russen (Hartknoch, Alt u. NP. 1, 39 ff.). So weit die Schrift v. 1750. Dazu kamen ferner (J. Voigt, Gesch. Preuss. 1, 667 ff.) die Ableitungen: *m)* v. masov. Schimpfwort *bruti* = Unvernünftige; *n)* v. den wend. *Briezen* (Hennig); *o)* v. den kelt. *Präusiern* (Radlof); *p)* v. d. *Brysae* in Thrakien; *q)* v. den *Horithi, Porizzi* (Rask); *r)* v. den *Phrugundionen* (Schafarik, Slaw. Altth. 1,459 ff.); *s)* ja v. pers. *berussan* = communitas ejusdem religionis (Hammer-Purgstall). Bes. ansprechend schien, wenn 1782 Friedrich d. Gr. (Mem. z. brandenb. Gesch. 46), die oben unter *g)* u. *l)* gemachten Vorschläge combinirend, *Borussia* v. *bo Russe* = nahe bei der Russe ableitete. Mehr Glück als die 'Unvernünftigen' (litt. *m)* hatte der ggtheilige Vorschlag des Matth. Praetorius (litt. *h),* dessen Ableitg. in dem vor 1681 geschriebenen Sammelwerk üb. *P.*(Deliciae Pruss. s. Verhandl. VI. DGeogr. Tags 167) nicht allein Jos. Bender (Zeitsch. Gesch. Erml. 1, 384 ff.), Will. Pierson (Elektr. 96 ff.) u. Sch. . . . (Norddeutsche Allg. Ztg.) gebilligt haben; sondern es ist wieder ganz neuerdings, 1879, Karl Lohmeyer (Wiss. Monatsbl. 7, 7 ff.) eingehend, unter Zsstellg. der urk. Formen v. 11.—15. Jahrh., auf litt. *protas,* altpr. *pruta* = Verstand zurückgekommen, u. die Etym. hat willig Glauben gefunden, obgl. man weiss, dass Naturvölker sich u. andere wohl gern nach körperl. u. moral. Merkmalen, nach Waffen, Schmuck, Kleidg., Nahrg., Wohng. etc., wohl nie aber nach den Kräften der Intelligenz benennen. Der Berliner Philologe C. A. F. Mahn ist in einem besondern Aufsatz 1850 (Urspr. d. NPreuss.) u. wieder

1873 (Etym. Unters. 8, 113 ff.) auf anderer Fährte gewandelt: er dachte an lit. *prud* = Teich, v. den zahlr. stehenden Gewässern der balt. See'n-platte. In der Zwischenzeit, 1863, hatte Herm. Adolph, Commercienrath in Thorn, das Thema behandelt (Corr. Bl. d. GVereins deutscher G. u. AlthV. 11, 2 f.) u. auf poln. *protza* = Schleuder hingewiesen, u. im Jahre 1877 fügt Ad. Rogge (Altpreuss. Monatsschr. 14, 251 ff.) 'den etymolog. Kunststücken, welche diesem Namen ihre Entstehg. verdanken', wie er sagt, ein neues (wie er aber nicht sagt) bei: Die schon dem Tacitus bekannten Peruns- od. Eber-Anbeter wurden v. den christlich gewordenen Polen so benannt, v. *wieprz*, slaw. *vepr* = Eber, u. die Begründg. liege in dem Hergang des preuss. Götzendienstes. Nur um ein Jahr älter ist das Kunststück eines Dr. Jul. Schwartz, dem (DDeutschen VN. 44) 'die *P.* die Grossen u. Hohen, die Muthigen u. Kampfbereiten — mit Einem Worte *die Preussen* sind'. — *Preussisch-Holland*, Stadt im preuss. Rgbz. Königsberg, 1290 v. 6 flüchtigen Edelleuten aus Holland ggr., 'eine holl. Colonie, die sich um eine schon vorhandene Ordensburg ansiedelte' . . . 'darum auch schnurgerade mit Bäumen bepflanzte Strassen' (Toeppen, GPreuss. 193). — *Preuschmark*, s. v. a. preussischer Markt, Ort in Ost-*P.*, in der Gegend des alten Handelsorts Truso (ib. 15).

Prevlaka s. Perekop.

Pribuilow Inseln, eine aus *St. Georg*, *St. Paul* u. *Seeotter Insel* bestehende Gruppe des Berings M., benannt nach ihrem Entdecker, dem russ. Piloten *P.* 1768 (Krusenst., Mém. 2, 5).

Price's Cove, am Eingang der Hudson Str., taufte am 23. Juni 1631 zu Ehren Arthur *P.*'s, des Masters seines Schiffs, der engl. Capt. Thom. James (NW.Pass. 12, Rundall, Voy. NW. 189).

Prickly Pear Creek = Bach der Stachelbirnen, ein rseitg. Zufluss des Missuri, im Unterende des Big Bend (s. d.) mündend, v. den Captt. Lewis u. Cl. (Trav. 57) am 19. Sept. 1804 so benannt, weil in der anliegenden Ebene grosse Mengen der Stachelbirne wachsen, 'which name we gave to the creek'.

Priegnitz, ein Theil der preuss. Prov. Brandenburg, slaw. *Bregnice*, *Brignice* = Uferland, dessen Bewohner *Brizaner*, v. *brzeh*, *breg*, *brig* = Ufer. Jettmar (Ueberreste 14) vergleicht mit diesen Formen auch die ON. *Briezen*, slaw. *Bregowa*, auch *Wriezen*, im Rgbz. Frankfurt a/O., *Treuenbriezen*, im Rgbz. Potsdam, *Brieg*, in Schlesien, *Brzèzan*, in Böhmen. Mir scheint jedoch, dass einige dieser Formen in gefährl. Nähe des asl. *brèza* = Birke (s. Beresina) gerathen.

Priene s. Kjöbnhavn.

Priesen s. Beresina.

Priestholm = Insel der Seepapageien, ein kleines Eiland bei Anglesey (nach Leunis, Syn. 1, 196), als *Puffin Island*, v. gl. Bedeutg., auf mod. Carten zu finden, benannt nach dem dort massenhaft brütenden Seepapageien, dem Alkenvogel *Mormon fratercula* Tem., welcher wg. des einer Bischofsmütze ähnelnden Schnabels in Island auch

prestur, in Cornwall etc. *priest*, beides = Priester, im übr. England *pope* = Papst heisst (Preyer u. Z., Isl. 53).

Prieto, Cabo = schwarzes Cap, die hohe, steile Südostspitze Santa Isabels, Salom., v. span. Seef. Mendaña am 4. Apr. 1568 entdeckt u. benannt (J. Zaragoza, Viajes de Quirós 3, 6, Fleurieu, Déc. 7, Journ.RGSLond. 1872, 214), v. russ. Adm. v. Krusenst. (Mém. 1, 165) umgetauft in *Cap Freycinet*, nach einem der um die austr. Erdkunde verdienten frz. Schiffsofficiere. — *Llano P.* s. Llano.

Prieuré s. Priorato.

Prihyrníngur = Dreihorn, ein dreigipfliger Berg Islands (Preyer & Z., Isl. 25).

Primeau Lake = Pfriemsee, eine der seeartigen Erweiterungen des Churchill R., weil seine Gestalt den Widerhaken eines Pfeils, die Spitzen nach Norden gekehrt, ähnlich ist (Franklin, Narr. 178 ff.).

Primeira, Ilha = die erste Insel, port. Name (s. Pablo). Im plur. *Ilhas Primeiras*, 2 mal: *a*) Küsteninseln bei Moçambique, wo, v. schrecklichen Stürmen auf seiner Ueberfahrt v. Brasilien heimgesucht, Pedralvares Cabral hier mit seiner decimirten Flotte zuerst wieder Land erblickte (Barros, As. 1, 5²); *b*) zwei od. 3 Inseln am Eingang des Rothen M., hinter der 'Grossen Strasse', die ersten, die der Einfahrende erblickt (Berghaus, Ann. 5, 10). — In span. Form *a*) *Cabo Primero*, am Golf de la S^a Trinidad, v. P. Sarmiento 1579 getauft (Fitzroy, Narr. 1, 159); *b*) *Rio Primero*, Steppenfluss bei Cordova, Argent., südlicher *Rio Segundo* = der zweite Fluss, dann *Rio Tercero*, *Rio Cuarto*, *Rio Quinto* (ZfAErdk. nf. 9, 60 ff.). — *Primero Estrecho* s. First. — *Primsch*, *Seguns* od. *Gons*, *Tanzen*, *Quarten*, *Quinten*, ON. am Walensee, früher gern als lat. betrachtet, f. röm. Wachtposten. Der Chronist Aeg. Tschudi (Raet. alp.) u. mit ihm Stumpf u. Guler nahmen an, die Räter, welche urspr. nur das hohe Gebirge bewohnten, wären nach dem Auszuge der Helvetier, um die Landesgrenzen nach der fruchtbaren Ebene hin zu erweitern, in das v. Menschen entblösste helvet. Gebiet eingefallen, hätten bei ihrem Vordringen nach dem Walensee Wachtposten aufgestellt, nachher aber auch noch einen Theil des unth. des Sees gelegenen Thals erobert u. z. Schutze dieses Landstrichs daselbst ein Lager (s. Gaster), aufgeschlagen. Nachdem schon um 1570 der Graub. Historiker Campell (ed. Mohr 177) entschieden gg. röm. 'Vorwachten' sich ausgesprochen u. später mehrf. der lat. Ursprg. dieser Namen bezweifelt worden, z. B. 1810 v. Ild. v. Arx (Gesch. StGall. 1, 545), auch 1838 v. A. Henne (Leitf. d. Geogr. 158), so fand die Frage ihre Erledigg. durch die Untersuchungen Ferd. Keller's (Mitth. Zürch. AG. 12, 340). Diese sprechen gg. die Annahme röm. Wachtposten, übh. röm. Ansiedelungen, u. er hält dafür, dass die Namen rätische, aus dem frühern Mittelalter, seien. Er verweist auf die Thatsache, dass im Rätor. mehrmals Ordinalzahlen vor-

kommen, wie *Alp Prüma* u. *Alp Seguonda*, bei
Pontresina. 'Vielleicht dürfte die Vermuthg. nicht
ganz unbegründet sein, dass durch dieselben die
Besitzungen eines weltl. od. geistl. Grundherrn
bezeichnet wurden zZ., als diese Localitäten noch
nicht mit Häusern besetzt, sondern gleich andern
j. zu Ortschaften gewordenen Gütern roncalia
= Reutenen, noch unbewohntes u. eines bestimmten Namens entbehrendes Land od. Weideplätze
waren'. In dieser Gegend besassen die kön.
Kammer, die Ahnen des h. Gebhard zu Constanz,
das Bisthum Constanz Güter, auch die Abtei
Pfävers, in welcher im 12. Jahrh. noch ausschliesslich romanisch gesprochen wurde. — *Prima Vista*
s. Boa. — *Ile de la Première Vue* s. Praslin.
— *Primorje* s. Litorale.

Prince = Fürst, Prinz, wie span. *principe*, holl.
prins v. lat. *princeps*, oft in frz. u. engl. ON.,
wie das deutsche Wort in *Prinzen Inseln* (s. d.):
a) Port au P., Hptstadt der Negerrepublik Hayti,
aus der Zeit, da das Land noch frz. Besitz war,
j. auch *Port Républicain* (Meyer's CLex. 13,
119), *Rue du P.* (s. Morbihan), *P. Island* (s.
Traserve), *P.'s River* (s. York). Eine *Fontaine des
Princes*, ziemlich reiche Quelle bei der Einsiedelei
Sainte-Anne, Lothr., so genannt, weil die Prinzen
aus der Familie des Herzogs Leopold dort ihre
Meute zu tränken u. Wasser f. den Jagdbedarf
zu fassen pflegten (Dict. top. Fr. 2, 114). — Zwei
scherzhafte Namen, z. Ausdruck der Freude üb.
die vor Abgang der Exp. erfolgte Geburt eines
königl. Prinzen (s. Charles), gab am 23. Sept. 1631
Capt. Luke Fox in der Hudson's Str. *a) the P.
his Cradle* (= Wiege), f. eine Seitenbucht, *b)
the P. his Nurse* (= Amme), f. die Insel (Rundall, Voy. NW. 184).

Princesa u. *princeza*, fem. v. *prince*, in span.
u. port. wie *princess* in engl. ON. *a) P.*, eine
der Leeward Is., Society, einh. *Raiatea, Ulietea*,
schon v. Cook 1769 entdeckt, doch erst v. dem
span. Seef. Boenechea 1772 so getauft (Meinicke,
IStill. O. 2, 158); *b) Villa Nova da Princeza*
s. Sebastião; *c) Las Princesas* s. Bahama. —
Princess Royal Island, hinter Queen Charlotte
Is., entdeckt u. benannt v. engl. Capt. Charles
Duncan, der am 1. Juni 1788 im Schiffe 'Princess Royal' hier erschien (GForster, GReis. 1, 57).

Principe, Puerto del = Fürstenhafen (s. Prince),
eine Bucht an der Nordküste Cuba's, wo Columbus am 13. Nov. 1492 Schutz fand u. sowohl
durch die Weite u. Tiefe der Gewässer . . . y al
pie dellas — der Bay Inseln — *fondo grandisimo
que podrá llegar á ellas una grandisima carraca*,
als auch durch die Fruchtbk. u. Schönheit der
Gestade, erfreut wurde (Navarrete, Coll. 1, 58,
Colon, Vida 120). Gründung der Stadt 1514
(Meyer's CLex. 13, 328); *b) Ilha do Principe*
s. Thomé.

Pringle, Point, in Kerguelen I., v. Capt. Cook
(-King, Pac. 1, 71) am 29. Dec. 1776 benannt
nach einem seiner Freunde . . . 'after my good
friend sir John P., president of the Royal Society', wohl dem berühmten Arzte d. N. 1707/82.

Prinos, gr. *Πρῖνος* = Feld der Steineiche, die
Grenze zw. Argolis u. dem Gebiete v. Mantinea
(Paus. 8, 6[4], Pape-Bens.). Der Weg Xenis (s. d.),
welcher v. Mantineia durch diese Gegend führte,
heisst bei den Griechen j. noch *Prinos*, wg. der
mit Stacheleichen bewachsenen Gebirgsabhänge
(Curt., Pol. 1, 244). — *Prinoessa*, gr. *Πρινόεσσα*
= Eichau, Insel bei Epirus (Inscr. 2554).

Prinsen Castell, in der holl. Form f. *Prinz* (s.
Prince), f. 'eine weite u. tiefe Höhle' der Steenberge, Capl., offb. zu Ehren des Prinzen Stad-
houder, während eine nahe Felspartie, die 'einem
gehauenen Bilde mit einem Buche in der Hand
nicht unähnl. siehet' u. an die Statue des berühmten Rotterdamer Humanisten erinnert, *Erasmus von Rotterdam* getauft wurde (Kolb, VGHoffn.
206); *b) P. Eiland*, eine Insel der Sunda Str.,
schon im Bericht üb. den Schiffbruch Fr. Pel-
saerts, v. 4. Juni 1629, erwähnt (WHakl. S. 25,
68), ozw. ebf. zu Ehren des Prinzen v. Oranien.

Prinzen Insel, die grösste eines im Marmara
Meer gelegenen Inselschwarms, im Alterthum
einf. *Megale*, gr. *Μεγάλη* = die grosse (Plin.,
Hist. Nat. 5, 151), dem byzant. Kaiser Justinus II.
(† 578) schon vor seiner Thronbesteigg. gehörig
u. wohl, seit er dort im 5. Jahr seiner Regierg.
einen Palast bauen liess, als 'die fürstliche' bezeichnet, ngr. *τοῦ Πρίνκιπου*, türk. aber *Kisil
Ada* = rothe Insel, nach der rothen Farbe ihrer
Felsberge; daher die Gruppe im plur. *Kisil Adalar*.
Im Alterth. *Daimonnesoi*, gr. *Δαιμονήσοι* =
Inseln der Seligen, 'zZ. des byzant. Kaiserthums
ein Verbannungsort f. gefallene Feldherren u.
Patriarchen, f. abgesetzte Kaiser u. Kaiserinnen,
die den Purpur des Palastes mit dem Schleier
des Klosters vertauschten, heute ein Frühlings-
paradies der Bewohner der Hptstadt, bes. der
reichen Griechen, welche die Klöster . . . z. Lust-
sitze . . . verwandelten u., indem sie hier wie
Fürsten s. Selige leben, noch heute den ältern
u. neuern Namen dieser Inseln bewähren' (Hammer-P., Konst. 1, 2; 2, 359. 372ff.).

Prion, gr. *Πρίων* = Kamm- od. Zackengebirge,
Säge, Sierra: *a)* Ort in Libyen, bei Karthago . . .
*τόπος ὃν συμβαίνει διὰ τὴν ὁμοιότητα τοῦ σχή-
ματος πρὸς τὴν νῦν εἰρημένον ὄργανον ταύτης
τετευχέναι τῆς προσηγορίας* (Pol. 1, 85); *b)* Berg
bei Sardes . . . *ὁ τόπος ὁ συνάπτων τὴν ἄκραν
καὶ τὴν πόλιν* (Pol. 7, 15); *c)* Berg auf Chios
(Plin., HNat. 5, 134).

Priorato, el, Name eines durch den besten Roth-
wein Cataloniens, einen ziemlich süssen, aro-
matischen Wein, bekannten Bezirks um Tarragona, umfassend das Thal v. Falset u. das ganze
Land südwärts v. demselben, nach einer j. zerstörten Carthause (Willk., Span.-B. 23). — Für
die prsl. Nomenclatur: *Prior's Bay* u. *Prior's
Sound*, in Frobisher Bay, v. M. Frobisher am
13. Aug. 1576, fehlen nähere Angaben (Rundall,
Voy.NW. 12, Hakl., Pr. Nav. 3, 31). — Frz. *le
Prieuré*, ON., nach alten Prioraten, 13 mal im dép.
Eure (Dict. top Fr. 15, 175), 7 mal im dép. Eure-

et-Loir (ib. 1, 150), 6 mal im dép. Meurthe (ib. 2, 113), 1 u. *les Prieurs* im dép. Yonne (ib. 3, 104), 3 mal im dép. Aube (ib. 14, 129), 9 mal im dép. Calvados (ib. 18, 231), 4 mal im dép. Hautes-Alpes (ib. 19, 122).

Prismatic Springs = Quellen der Prismafarben nannte der Geol. F. V. Hayden zu Anf. August 1871 einige der Quellen des East Fork, Madison R., welche die Erscheinung der Regenbogenfarben bes. schön zeigten. So wird No. 13 beschrieben: 'The most beautiful of all in this group, 128⁰ (F.), main basin 10 by 15 feet, water marvelously transparent, of a most delicate blue. As the surface is stirred by the passing breeze, all the colors of the prism are shown, literally a series of rainbow'. Dem entsprechend wurde auch eine ähnl. Quelle, etwa 1_5 km südl. v. East Fork, *Rainbow Springs* = Quelle des Regenbogens genannt. Ein dünner, ornamental geformter Wall v. Kieselsinter umgibt ein Becken v. 1_8 m Durchm., das bis z. Rande mit vollkommen klarem Wasser gefüllt ist, u. wenn die Morgensonne darauf scheint, so spiegelt es alle Farben des Prismas wieder (Hayden, Prel. Rep. 104 f. 183).

Prison Island = Gefängnissinsel, eines der Cocos- od. Keelings Eilande, so getauft, weil der engl. Abenteurer Hare, welcher sich 1823 mit mal. u. ind. Sclaven auf der Südinsel angesiedelt hatte, hier eine Art Gefängniss f. seine Leute errichten liess (ZfAErdk. nf. 3, 508). — *Prisoner's Harbor* = Hafen der Gefangenen, der einzige gute Landsplatz der vor Sᵃ Barbara liegenden calif. Insel Sᵃ Cruz, wohin früher die mexic. Verbrecher deportirt wurden (PM. 22, 329).

Pristan = Flusshafen, russ. Name zweier Landgsplätze am Oberlaufe des Irtysch, *Werchnaja* = oberer, u. *Nishnaja* = unterer *P.* (Bär u. H., Beitr. 14, 193. 202).

Privlak s. Perekop.

Probalinthos, gr. *Προβάλινθος* = Hornberg, wo Horn = Winkel u. vorspringender Berg: *a)* Städtchen u. Demos der pandion. Phyle, Attika, u. der Südostwinkel der marathon. Ebene am Fuss des Berges Argoliki (Strabo 383); *b)* das ngriech. *Προβάλι*, ein vorspringendes Cap zw. Epidauros u. Trözen (Curt., Pel. 2, 430), wahrsch. ein altes *P.*

Problaka = Durchstich, slaw. Name des grünen, stellenweise schilfbewachsenen Landstreifens, der die Linie des v. Xerxes gegrabenen Canals der Landzunge Akte darstellt (Meyer's CLex. 1, 290).

Proby s. Hoop.

Procida, lat. *Prochyta,* gr. *Προχύτη* = die vorgeschüttete, 'Schütt', eine Insel Campaniens ... *ἀπὸ τοῦ προχύναι* (Serv. z. Verg. Aen. 9, 716); denn sie soll durch einen Erdbrand v. Pithekusa od. v. Vorgebirge Misenum losgerissen worden sein (Strabo 60. 247).

Prodano s. Prote.

Profundus = tief, in rom. ON. entspr. dem deutschen 'Teufen', wie *a) Parfondeval,* 1340 *Profunda vallis* = Tiefenthal, ON. des frz. dép.

Aisne; *b) Parfondru,* 1150 *Profonde rue,* 1217 *Profundus vicus* (Dict. top. Fr. 10, 209).

Prokerastis s. Keras.

Promise, Plains of = Ebenen der Verheissung, so nannte Capt. Stokes (Disc. 2, 316 f.) am 4. Aug. 1841 die endlose Grasebene, welche, mit Waldinseln besetzt u. v. fruchtb. Boden, den Oberlauf des Albert R. umgab. Die Untersuchg. der nach England mitgebrachten Bodenproben durch Sir Will. Hooker zeigte, dass Stokes sich nicht getäuscht hatte u. diese austral. Erde ... 'a light coloured mould of great depth' ... v. reicher Qualität sei.

Promontogno, Berg (u. Dorf) des Bergell, in der Thalenge, 'wo ein Ausläufer des südöstl. Bergzugs, ein Felsenriff wie ein 'promontorium' hervortritt u. das Thal in eine untere u. obere Hälfte trennt. Dieser Thalschluss ist eine v. der Natur gebildete u. durch Menschenhand vervollkommnete *Porta* = Thür, Clus; denn hier standen v. Alters her Festgswerke' (Lechner, Berg. 3). — *Promentoux,* röm. *promontorium* = Vorgebirge, ein in der Nähe Nyon's befindl. Bergvorsprung, bis zu welchem das einstige Noviodunum reichte (Gem. Schweiz 19ᵃ, 47). 'Le nom de ce lieu lui vient sans doute de sa position; c'est un promontoire formé par les dépôts de la Promenthouse et qui s'avance dans le lac' (Mart.-Crous., Dict. 772). — *Ilots du Promontoire* s. Glennie. — *Punta di Promontorio* s. Pola. — *Promontory Point,* eine der fingerartig in den Yellowstone L. vorspringenden Halbinseln (Hayden, Prel. Rep. 189).

Pron s. Taunus.

Prony, Cap, in Kanguroo I. (s. d.), v. der Exp. Baudin am 4. Jan. 1803 getauft (Péron, TA. 2, 59) nach dem Mathematiker Gaspard-Clair-François-Marie Riche, Baron de *P.,* 1755—1839, od. nach seinem Bruder, dem 1797 † Naturforscher der Exp. La Pérouse?

Propontis s. Marmara.

Propus, gr. *Πρόπους* = Vorderfuss, dann der vortretende Fuss eines Berges: *a)* ein Ort in Arkadien, der 'vortretende Gebirgsfuss unth. der Schlucht Kandila' (Curt., Pel. 1, 231); *b)* im plur. *Πρόποδες* = Vorderfüsse, nach Hesych die Inseln vor Aegypten.

Prospect Hill = Berg der Um- od. Ausschau, engl. ON. 2 mal: *a)* eine sandige Höhe v. Nepean Bay, v. Flinders (TA. 1, 183) erstiegen am 4. Apr. 1802 in der Absicht, das Innere der Känguruh I. zu überschauen; er war darum sehr überrascht, als er, anst. einer Landansicht, kaum 3 km im Süden das offene Meer vor sich ausgebreitet sah; *b)* der höchste Punkt am Rein Deer L., v. dessen Gipfel aus John Franklin (Narr. 216 f.) am 11. Aug. 1820 einen weiten Ausblick üb. die Wasserscheide zw. Yellow-Knife R. u. den nördlichern Gewässern hielt. — *P. Island,* im Missuri, unth. des Big Bend, wo man auf 25 m h. Uferfelsen die allmählich ansteigende Prairie überschaut (Lewis u. Cl., Trav. 56). — *Mount P.,* ein Hügel im Fairmount Park, Philad., nach der prachtvollen Aussicht, weil man hier den ganzen Park wie eine Landcarte überblickt, zu Füssen einerseits den Lake Chamony, anderseits den gewundenen Schuylkill u. in der Ferne den Spiegel des Delaware, der seinen Weg in den Ocean sucht ...'from the mansion extends a grand panorama; for its background, rocky ranges, deep glens, and dark woodlands, villages, and farmlands; and for its foreground, all the broad acres of this pleasure ground, the spires and domes of the second city of the continent, and the great rivers, which are its wealth- and live-giving boundaries' (Keyser, Fairm. P. 67 f.). — *P. Rock*, in Pennsylv. 2 mal: *a)* eine überhangende Felsspitze am Lehigh R., weil das Auge dort 'a glorious panorama' geniesst (Penns. Ill. 58); *b)* ein aussichtreicher Berg, v. Water Gap aus in 3 km zu erklimmen (ib. 68). — *P. Valley*, ein Thal in Dakota, v. einem Arm des Little Missuri durchzogen, wohl begrast u. bewässert, ein angenehmer Ggsatz zu der vorher bereisten dürren Steppe, v. General Custer am 14. Juli 1874 benannt (Ludlow, BlackH. 10).

Prosperous, Lake = glückverheissender See, eine seeartige Erweiterg. des Yellow-Knife R., v. Capt. John Franklin (Narr. 211) am 3. Aug. 1820 so genannt, weil diese erste Entdeckg. auf seiner Reise z. Kupferminenflusse, unter ermuthigenden Umständen gemacht, ihm die Hoffng. auf weiteres Prosperiren seiner Pläne einflösste. 'Its shores, though scantily supplied with wood, are very picturesque, as will appear from the annexed interesting sketch, by Mr. Hood, which exhibits an accurate representation of our brigade, at the time of passing through it'.

Prosphorios s. Bosporus.

Prote, gr. Πρώτη = die erste (scil. v. hohen Meer aus sichtbar werdende) Küste Messeniens, so bezeichneten die Alten nach Schifferbrauch das vorgelagerte Eiland, j. *Pródano* (Curt., Pel. 2, 183); *b)* eine der Prinzen In., die erste v. Konstantinopel aus erreichbare, *Elea* (Plin., HNat. 5, 151), türk. *Kinali Adassi* (Hammer-P., Konst. 2, 360 f.); *c)* s. Oasis.

Provence, frz. Ldsch., v. alten *Provincia*. Massalia, v. den Umwohnern belästigt, erhielt röm. Hülfe. Der Consul Fulvius schlug —125 die ligur. Sallusier, u. der Consul Sextius unterwarf in den folgg. Jahren sowohl die Galluvier der *P.* als die Allobrogen des Dauphiné u. Savoyens; das ganze Land v. Meer bis z. Leman, v. den Alpen bis z. Rhone wurde röm. 'Provinz' (Studer, GPhys. GSchw. 10, Meyer's CLex. 13, 307, Kiepert, Lehrb. AG. 504). Es ist wohl beachtenswerth, wie sich ein Franzose (RDenus, AProv. 252) diese Bezeichng. als eine f. sein Land besonders schmeichelhafte ausmalte.

Providence := Vorsehung, Ort in Rhode I., v. Puritaner Roger Williams, welcher, weil er f. jeden Einzelnen volle Religionsfreiheit lehrte, aus seiner Gem. Salem fliehen musste u. nach vierzehnwöch. Umherirren v. den Wampanoags gütig aufgenommen wurde, mit 5 Gefährten 1635 ggr.

u. z. Erinnerg. an die göttl. Gnade benannt ... 'in commemoration of the divine mercy' od. 'in a sense of God's merciful providence to him in his distress' (Quackenbos, USt. 86, Buckingh., East. & WSt. 1, 314, Meyer's CLex. 13, 308). — *New P.*, die wichtigste der Bahama, mit Fort Nassau. — Auch engl. Seeff. haben in ihren Nöthen u. Drangsalen, sowohl bevorstehenden als überstandenen, der göttl. Vorsehg. vertraut od. gedankt; das zeigt sich am deutlichsten in the *Harbour of Gods P.* (s. God), aber auch in einfachen Namen wie *P. Isle*, an der Nordseite NGuinea's, v. Dampier 1700 (Debrosses, Hist. Nav. 395, Krus., Mém. 1, 4, Atl. Pac. 2), v. seinem Landsmann Carteret am 24. Sept. 1767 als zwei Inseln erkannt, 'which had a green, pleasant appearance and were well covered with trees' u. *Stephens's Island* getauft (Hawk., Acc. 1, 387, Krus., a. a. O., Meinicke, IStill. O. 1, 96). — *P. Island*, mehrf.: *a)* eine kleine, niedrige Sandinsel der Makassar Str., v. Capt. John Meares in der Nacht v. 15/16. Febr. 1788 entdeckt u. benannt, weil die Grundlosigk. des anliegenden Meeres die Gefahr erhöht, also dass 'Wachsamkeit u. Vorsicht aller Art in einer finstern Nacht nicht hinreichen, war der drohenden Gefahr des Unterganges zu schützen' (GForster, GReis. 1, 74 f.); *b)* Insel im südchin. Meere, 7º 52' NBr., 112º 32' OGr., ebf. v. Meares 'wg. unserer glückl. Rettg.' am 4. Juni 1789 getauft ... 'Die ganze Nacht hatten wir einen frischen Wind gehabt ...; z. Glück war er gg. 4ʰ verschwunden. Eine halbe Stunde länger hätte er wehen, od. ¹/₂ʰ länger hätte es finster bleiben dürfen, so wären wir ohne Rettg. verloren gewesen' (GForster, GReis. 3, 375); *c)* s. Arrecifos. — Es gibt auch eine frz. *Ile de la P.*, am Nordende eines 20 M. lg. Felsenriffs, wo 1769 das Schiff l'Heureur auf der Fahrt Mauritius-Bengalen scheiterte, die Mannschaft sich auf die Insel rettete u. hier Süsswasser, Cocosnüsse u. Schildkröten fand (Hertha 7 GZ. 124). — *Cape P.*, 2 mal: *a)* die Südspitze v. Melville I., v. Lieut. W. Edw. Parry (NWPass. 84) entdeckt u. benannt, weil am 13. Sept. 1819 einige Leute der Mannschaft glücklich wieder v. einer Recognition zkkehrten, nachdem sie 91ʰ abwesend u. während drei Nächten der Unbill eines ersten Winterwetters ausgesetzt gewesen u. ängstlich aufgesucht worden waren, 'in humble gratitude to God for this signal act of mercy'. Denn 'before midnight we had still greater reason than ever to be thankful for the opportune recovery of our people; for the wind increased to a hard gale about half-past eleven, at which time the thermometer had fallen to 15º, making altogether so inclement a night, as it would have been impossible for them, in their already debilitated state, to have survived'; *b)* an der Südseite Korea's, v. Admiral v. Krus. (Mém. 2, 121, Atl. Pac. 21) in frz. Form so getauft nach dem Schiffe *P.* des engl. Capt. Broughton, welcher 1797 in den Gewässern v. Korea Untersuchungen anstellte (s. Magnetical Cape). — *P. Hill*, eine

Berghöhe bei Treachery B., v. Capt. Stokes (Disc. 2, 112) am 7. Dec. 1839 so genannt, z. Danke f. den Schutz der Vorsehg., welche ihn gnädig der Gefahr eines Angriffs der Wilden entzog. — *Point P.*, in Banks' Ld., v. der Exp. M°Clure im Sept. 1851 entdeckt u. so genannt, weil die Mannschaft der Vorsehg. f. Errettg. an dieser schlimmen eisbepanzerten Küste dankte (Armstrong, NWPass. 454 ff.). — *Port P.* s. Preobraschenskoi Saliw. — *Providential Channel* = providentielle Durchfahrt nannte Lieut. Cook die Passage, welche ihn, der kaum den Gefahren des Barrière Riffs entwischt war, schon 2^d später, am 17. Aug. 1770 wieder in das gefährl. Küstenwasser führte, so dass er dann in Verfolgung der Küste die zw. NHolland u. NGuinea durchführende Meerenge fand (Hawk., Acc. 3, 204) . . . 'a name which must ever remind us of Him, who in moments when our lives hang as by a thread, is ever watchful, and spares us in the exercise of his inscrutable will' (Stokes, Disc. 1, 347).
Prüma s. Primeira.
Prünning s. Braunschweig.
Prunay, frz. ON. entstanden aus lat. *prunetum* = Pflaumengarten (s. Aunay), wie *Preny*, 745 *Prunidum*, j. auch *Prunoy, Prunet, la Prunette, Prunède*, ferner *Prunaret, Prunarède, Prunerède, Pruneyrade*, v. altem *prunaretum*, neben *le Prunier, les Pruniers, les Prunières, la Pruneyrie, Pruneiroles, la Prunerie, les Prunes, les Pruneraies* u. s. f. (d'Arbois de Jub., Rech. NL. 624 f., Dict. top. Fr. 1, 151; 2, 113; 3, 104; 5, 155; 7, 172; 12, 251; 14, 130; 17, 337; 18, 232; 19,122). — Ebenso ital. ON. *Pruno, Prugno, Prugna, Prunella, Pruneto* . . ., manche mit *B* geschrieben (Flechia, NL. Piante 19).
Pruntrut s. Porrentruy.
Prusa s. Brussa.
Pryor's Creek, ein lkseitg. Zufluss des obern Missuri, v. den Captt. Lewis u. Cl. (Trav. 230) am 21. Juli 1805 nach einem ihrer Gefährten, dem Sergeanten John P., benannt. — *P.'s Fork* s. Horse.
Przewloka s. Perekop.
Psaropyrgos, gr. *Ψαρόπυργος* = Fischthurm (s. Pachynus), ein zerstörter, viereckiger Wartthurm auf Ios (Ross, IReis. 1, 164).
Pseudostomas = unechte Mündung, so nannten die Griechen den bei Mangalore mündenden malabar. Küstenfluss Netravati, weil er nicht in das Meer, sondern in eine kleine Bucht ausmündet (Lassen, Ind. A. 1, 188).
Psiloriti, ngr. Name des Gebirgs *Ida*, gr. *Ἴδη*, in Kreta, v. *ὑψηλὸν ὄρος* = hohes Gebirge (Kiepert, Atl. AW. 18, Lehrb. AG. 246).
Psi-sshe s. Kuban.
Pskowskoe O. s. Peipus.
Pteleon, gr. *Πτελεὸν* = Ulmenheim, 'Ulm', *καλεῖται ὅτι πολλὰς ἔχει πτελέας* (St. B.): *a)* eine Hafenstadt des thessal. Phthiotis, j. noch *Phtelia*: *b)* ihre Tochterstadt im elischen Triphylien: *c)* ein Castell Ioniens in Troas, z. Gebiete v. Erythrä geh. (Thuc. 8, 24³¹); *d)* 'Ulmenstein', ein Berg

in Epirus (Strabo 329); *e)* ein Ort bei Kardia im Chersonnesus Thracicus (Dem. 7, 39, Pape-Bens.). — Die waldige, unbewohnte Gegend Triphyliens, wo früher *P.* lag, hiess *Pteleasion* = Ulmer-Au (Pape-Bens., Strabo 350). — *Ptelea*, gr. *Πτελέα* = Ulmenort, als ON. mehrf., auch *f.* einen weinreichen Ort auf Kos, wo der Wein sehr oft an Ulmen gepflanzt wurde (Schol. Theokr. 7, 65). — *Pteleus*, gr. *Πτελεούς* = Ulmenau, Insel vor Adramyttion (Polyaen. 7, 26).
Pteria, gr. *Πτερία* = Clus, v. sem. *פתה* = öffnen, hervorbrechen, eine Stadt in Kappad., wo der Halys, Kisil Irmak, aus dem engen Felsthal der Kara Tepe tritt, der Schlüssel des nördl. Kappad. in der Nähe v. Sinope (Herod. 1, 76, Pape-Bens., Gesen., Hebr. Lex.).
Ptolemaïs, ON. aus der Zeit der Ptolemäer, mehrf.: *a)* Hafen der Cyrenaica, j. *Tolmeita, Tolmita, Dolmêta*, in spätröm. Zeit blühend, wohl an der Stelle eines ältern Hafenorts, der nach der Plateaustadt *Barka* ebf. *Barka* hiess (Skyl. per. u. Strabo 837). Erst unter der Herrschaft der Ptolemäer, welche die vortreffl. Lage würdigten, erhob sich hier . . . in ausgezeichneter Lage eine grosse Stadt, die bald die Hptbevölkerg. v. Barka an sich zog u. auf ihre Kosten erblühete, so dass viele alte u. neue Schriftsteller fälschl. gemeint haben, *P.* sei der neue Name v. Barka (Barth, Wand. 399, ZfAErdk. 1871 T. 4); *b)* in Pamphylia (Kiepert, Lehrb. AG. 129); *c)* s. Akko.
Ptychia, gr. *Πτυχία* = die im Winkel gelegene, eine Insel div. Corcyra u. dem epirot. Festlande, vor der grossen Bucht, die sich zw. der alten Stadt u. der Nordostspitze der Insel ausdehnt, j. *Vido* (Thuc. 4, 46, Pape-Bens., Kiepert, Atl. Hell.).
Puans s. Winnebago.
Pucara = Veste, ind. ON. des Collao, d. i. der Hochebene des Titicaca, nach dem alten Incapalast, der einst hier gestanden u. den Tribut vieler Provinzen bezog. 'In this place there is such a quantity of dressed stones that, from a distance, it truly appears like some city or towered castle, from which it may be judged that the Indians gave it an appropriate name'. Von einem kolossalen Felsen sagt 1532/50 der span. Reisende P. de Cieza de Leon, der selbst darunter übernachtet, dass derselbe, läge er auf irgend einer gefährdeten Grenze, leicht in eine uneinnehmbare Veste verwandelt werden könnte, u. überdiess könnten in den zahlr. Höhlen mehr als 100 Mann u. eine Anzahl Pferde untergebracht werden (WHakl. S. 33, 303).
Puch s. Buch.
Pudding Hill, so nannte der engl. Lieut. Bligh 1789 einen stumpf auslaufenden Hügel, welchen er auf einer der im Eingang der Torres Str. liegenden Inseln erblickte, 'nach seiner Gestalt' (Spr. u. F., NBeitr. 6, 67).
Puebla, auch *Ciudad de P.* od. *Ciudad de los Angeles*, *Puebla de los Angeles* = Engelort, eine Stadt in Mexico, v. Franciscaner Toribio Motolinia 1531 ggr. u. vollst. *la muy noble y muy leal ciudad de la P. de los Angeles* = sehr

edle u. sehr treue Stadt des Engelorts genannt, weil bei dem Bau der Kathedrale die Engel (s. Engelberg) mithalfen (ZfAErdk. nf. 15, 195, Uhde, RBravo 38. 412, Heller, Mex. 128, Acosta, HInd. 456). — *Pueblo*, die span. Bezeichng. f. einen sesshaften Indianerstamm od. seine Orte, ist Eigenname einer jungen Stadt in Colorado ₍Peterm., GMitth. 22, 443. 452). — *Pueblo Creek*, ein hübscher, zw. steilen 3 m h. Uferbänken fliessender Bach im Westen v. Fort Defiance, benannt nach den zahlr. Wohnungen der Navajo (Ives, Rep. 128). — *Valle del Pueblo Viejo* = Thal des alten Indianerorts, in Arizona, 'wg. mehrerer Ruinen v. Wohnungen längst vergangener Geschlechter' (Peterm., GMitth. 20, 416).

Pückler-Hafen, in Friedrich Franz Insel, Hinlopen Str., v. der 1. deutschen Nordpolexp. 1868 getauft (Peterm., GMitth. 17 T. 2), offb. nach dem Reisenden Hermann, Fürsten zu *P.*-Muskau 1785 —1871.

Puel-Tschen = Ostleute heissen die Patagonier auf der Ostseite der Anden, während die auf der chilen. Seite *Molu-tschen* = Kriegsleute genannt werden — v. *tschen*, das wie *het* u. *kunny* = Volk, Leute (Fitzroy, Adv.-B. 2, 130).

Puella, plur. *puellae*, *puellarum* = Mädchen, in *castrum Puellarum*, dem röm. Namen f. Edinburg (s. d.), angebl. auch in *Mons Puellarum* (s. Montpellier).

Pürckwang s. Birke.

Puerco = Schwein (s. Porco), dial. *pou*, adj. schmutzig, daher *Rio P.*, mehrf. f. Gewässer, die zeitweise schmutzig fliessen: *a)* s. Rio Grande del Norte; *b)* ein rseitg. Nebenfluss desselben, 'weil er z. Regenzeit ein sehr trübes Wasser führt' (Peterm., GMitth. 20, 404); *c)* ein Zufluss des R. Colorado, im östl. Arizona, *RP. Mayor* (= der grössere) od. *RP. of the West* (ib. 406). — *Rio de Puercos*, ein Fluss Cuba's (Hakl., Pr. Nav. 3, 620). — *Isla d'en Pou-Pou* = Schweineinsel, ein Felseiland des Canals zw. Iviza u. Formentera (Willkomm, Span.-B. 180).

Puerta, la = das Thor, die Pforte, dim. *portillo* (s. Porta), die engste Stelle, Clus, des Thals am Rio de Catamarca, Arg., u. nach ihr der Ort gl. N. (Peterm., GMitth. 14, 53. 201). — *Puerto* s. Valparaiso.

Puffin Island s. Priestholm.

Puget, Cape, die hohe Südspitze v. Eden I., SShetl., v. Capt. J. Cl. Ross (SouthR. 2, 329) am 30. Dec. 1842 benannt nach Capt. William David *P.*, RN.

Puglia, la, ital. Ldsch., in *P. piana* (= ebene) u. *P. petrosa* (= steinige, d. i. höhere) unterschieden, alt *Apulia*, nach den Bewohnern, die bei den Römern *Apuli*, bei den Griechen *Japyges*, Ἰάπυγες hiessen (Kiepert, Lehrb. AG. 449). Nach dieser Ldsch. die *apulische Halbinsel* (s. Calabria).

Pugutschejjaga s. Wasaimbaj.

Puia-nui, te = der grosse Sprudel, bei den Maori einer der drei Sprudel, welche dicht neben einander, vis-à-vis dem Badeplatz eines Atakokoreke, Taupo, liegen (v. Hochstetter, NSeel. 231).

Puisaye, Puits s. Pozzo.

Pukehaupapa s. Egmont.

Pukura = rother Klumpen, bei den Maori eine der kleinen Inseln im Roto Mahana (v. Hochstetter, NSeel. 269).

Pulchrum, Promontorium = schönes Vorgebirge, euphemistisch gefasst (s. Kalos). Einer dieser Punkte an der Küste v. Tunis, j. *Ras Sidi el-Mekki*, also nach einem Heiligen (Barth, Wand. 71).

Puleman s. Polemonion.

Pulgas, Rancho de las = Hof der Flöhe, 'Flohnest', span. Name einer Farm halbwegs zw. San Francisco u. Santa Clara, Calif., zu Beechey's (Narr. 1, 376) Zeiten eine elende Wohng., mit kaum einem Hausgeräth, v. verwesenden Häuten u. Knochen umgeben; die Bewohner gaben munter zu, dass der Name nicht grundlos gegeben sei. Auch Skogman (Eug. R. 2, 19) fand, derselbe sei 'mit unübtreffl. Wahrheit' gewählt. Dieselbe Klage führten schon Lewis u. Cl. (Trav. 373 ff), als sie, freil. nördlicher, an der Mündg. des Oregon, die pacif. Küste im Oct. 1805 erreichten. Die Plage begann schon bei den Katarakten (s. Dalles). In einem unlängst verlassenen Indianerlager wurden die Weissen v. unzähligen Flöhen angefallen. 'The sagacious animals were so pleased to exchange the straw and fish skins, in which they had been living, for some better residence, that we were soon covered with them, and during the portage the men were obliged to strip to the skin, in order to brush them from their bodies. They were not, however, so easily dislodged from our clothes, and accompanied us in great numbers to our camp' (ib. 366).

Pulingawot s. Obdorsk.

Pulpit s. Kanzel.

Pulugaia = Elefanteninsel, mal. Name einer kleinen Insel zw. Singapore u. Borneo nach ihrer Gestalt . . . 'pela figura que mostra em seu aspecto' (Barros, As. 4, 1[16]).

Pulvar s. Murghab.

Pumallacta = Löwendorf, ind. Name einer Gegend in Peru, weil hier der Puma od. Cuguar, Felis concolor L., 'der american. Löwe', bes. häufig war u. vor der Einverleibg. in das Reich der Incas v. Volke verehrt wurde (WHakl. S. 41[b], 341). — *Pumatampu*, ebf. ind. peruan. Gegend, v. *tampu* = Ablage, wohl nach einer Höhle der hier zahlr. Löwen (ib. 232). — *Pumayacu* = Löwenwasser, ein peruan. Gebirgsfluss des Amazonasnetzes, nach dem gewaltigen Toben u. Brausen (Avé-L., NBras. 2, 245).

Pumice-Stone River = Fluss der Bimssteine, hinter Moreton I., Queensl., 1799 v. Lieut. Flinders (TA. 1, CXCVI, Atl. 9) so benannt, weil er an den Ufern eine Menge Bimsstein fand.

Pumpkin Butte = Rundhügel des Kürbis, die engl. Uebsetzg. des Siouxnamens *Wagamu Paha*, f. einen Berg am Oberlaufe des Powder R., angebl. nach dem am ihm wachsenden kleinen Kürbissen (Raynolds, Expl. 157). — *P. Creek*, ein rseitgr. Zufluss des Tongue R., Yellowstone, nach dem

Art wilder Kürbisse, welche sich an seinen Ufern finden (ib. 40).

Puna = despoblado, also unbewohnter Ort, der Ausdruck der Quechuasprache, f. span. *Páramo* = unbewohnte, allen Winden ausgesetzte Ebene, in den hohen Plateaustufen der Cordilleren, die voraus durch Rauhheit u. Unbeständigkeit des Wetters, bes. durch häufige, schroffe Temperaturwechsel sich auszeichnen u. f. die menschl. Existenz schwere Unbilden bringen, nur als Weide f. Rinder-, Pferde- u. Schafherden, auch als Jagdgebiet benutzt, v. dem Reisenden gefürchtet wg. des Ungemachs, das da üb. ihn u. seine schwerbeladenen Lastthiere hereinbrechen kann (Tschudi, Peru 2, 79, Stübel, Skizzen a. Ecuador 28 f).

Punamu, Roto = grüner See, bei den Maori eines der den Roto Mahana umgebenden Sprudelbassins, benannt v. seinem schmutziggrünen, 12 m Durchm. haltenden Wasserbecken (v. Hochstetter, NSeel. 276).

Punch Bowl, mehrf. f. runde, schalenartig eingefasste Wasserbecken: *a)* eine der Thermen des Fire Hole, v. USt. Geol. F. V. Hayden (Prel. R. 119) im Aug. 1871; *b)* ein Bergsee der Felsengebirge, um die Quellen des Athabasca R.; *c)* ein See v. Grenada, Leeward Is., beide nach der runden Form u. den Steilrändern (Meyer's CLex. 2, 94; 13, 339).

Pundra s. Gaur.

Púndun = die sieben Brüder, tib. Name einer Gruppe v. 7 Gletschern in Pangkóng, v. *pun* = Bruder u. *dun* = sieben (Schlagw., Gloss. 236).

Puni s. Phönizien.

Punt s. Pont.

Punta, la = die Spitze (s. Point), span. ON. (s. Aktion), im plur. *las Puntas*, f. den Gipfel des peruan. Silberbergs Cerro de Gualgoyac, dessen Umriss 'durch unzählige, thurm- u. pyramidenähnl. Spitzen u. Zacken unterbrochen' ist, wie ein Zauberschloss . . . 'como si fuese un castillo encantado' (Humb., ANat. 2, 340). — *Puntauta* s. Ot.

Púra = Stadt, sanskr.-hind. ON. in Hindostán, wie *Puri* = Stadt, in Orissa u. a. O. (Schlagw., Gloss. 236). Vgl. Dschagannáth.

Purchas Hill, ein zweigifliger niedriger Rücken im Tuffkrater des Mt. Wellington bei Auckland, ein doppelter Schlackenkegel mit zwei kleinen Kratereinsenkungen, benannt durch den Geologen F. v. Hochstetter (NSeel. 92) z. Andenken an seinen dortigen Freund Rev. *P.,* welcher ihn bei der Untersuchg. 1859 begleitete.

Purdie s. Géographe u. Nuyts.

Purgatory, urspr. in span. Form *Purgatorio* = Fegfeuer, eine Bezeichng. f. schauerl. Felsschluchten, die, mit Trümmern erfüllt, nur schwierig passirt werden u. in andern Fällen mit 'Hölle' u. 'Teufel' z. Ausdruck kommen. Das grosse Modell solcher Felsschlünde ist der *P.* des *Rio P.,* engl. *Purgatorio River*, eines Zuflusses des Arkansas R.; die 80 km lg. Schlucht, eingeklemmt zw. 250—300 m hohe Wände, ist v. imposanter Wildheit. 'There cannot be a doubt that, coming unexpectedly upon this marvellous spectacle,

P. was the constant and unvarying idea impressed upon the imagination . . .; for it seemed only just out of some mighty fornace'. Früher hiess der Fluss span. *Rio de las Animas Perdidas* = Fluss der verlornen Seelen, weil der Sage zuf. ein ganzes span. Regiment hier umgekommen sei. Der Name *P.* wiederholt sich *b)* in Massachusetts 2 mal, *c)* in Rhode I., *d)* in den Orkneys, *e)* in Shetland (Whitney, NPlaces 160).

Puri s. Dschagannatha.

Purpura, ins Lat. übgegangen v. gr. πορφύρα = Purpurschnecke u. Purpurfarbe, in dem ant. Namen *Insulae Purpurariae* (s. Madeira), ist mit geringen Abweichungen in den neuern Sprachen erhalten, aber toponymisch nicht häufig verwendet: *Purpurmeer* s. Rothes Meer. Im Engl. *Purple Hills* = Purpurberge, f. eine den untern Rio Colorado kreuzende Hügelmasse, 'low purple hills', v. der Exp. des Capt. Ives (Rep. 46 f.) am 12. Jan. 1858 getauft . . . 'and the variety of colours assumed by the rocks adds to its (sc. der Scenerie) beauty . . . several ranges, to which, from the general color they exhibit, the name of *PH.* was given. They are composed of granite and mica slates, associated with which are purple porphyries and trachytes, in sufficient quantity to impart to them their prevailing color' (ib. 3, 21). In diesem Gebirge, 11 km obh. Explorers Pass, ein Défilé *Purple Hill Pass,* wo das hellrothe u. violette Gestein der Felswände, noch feucht v. dem nächtl. Regen, mit frischer Farbe überstrichen zu sein schien (Möllhausen, FelsGb. 1, 169).

Purús od. *Puris* = Menschenfresser, ind. Name eines Indianerstamms des obern Amazonas. Noch heute existiren einige Reste im Littoral südl. v. Bahia (Varnh., IIBraz. 1, 102). Nach dem Volksstamm der *Rio P.* — *Tagipurús* = die Menschenfresser mit Steinmessern, ind. Name des engen, Pará u. Amazonas verbindenden Canals (ib. 1, 332).

Purvis, Cape, das hohe, kühne Cap an der Südspitze der Joinville I. SShetland, v. Capt. J. Cl. Ross (SouthR. 2, 328) am 30. Dec. 1842 benannt nach Commodore *P.,* 'of whose valuable assistance to our expedition . . .'

Puschapura s. Patna.

Puschlav s. Poschiavo.

Pusetháng = 'Mullebene', tib. Name einer in Gnári Khórsum befindl. Steppe, in welcher, auffallend genug f. die bedeutende Seehöhe, zahlr. Maulwurfhaufen aufgeworfen sind (Schlagw., Gloss. 236).

Pust = öde, wüst, im Slow. u. Serb., altsl. *pust,* poln. *pusty,* čech. *pusty,* in vielen slaw. ON., wie *Pusava, Pušća, Pusce, Pusina, Pusina,* Orte in den südslaw. Ländern Oesterreichs, *Pustin, Pustina, Pustinach,* Orte in Böhmen u. Mähren, *Pustritz,* Orte in Kärnten, *Pustepolje* = ödes Feld u. *Pusterwald* in Steiermark (Miklosich, ON. App. 2, 223). — *Pusterthal,* latin. vallis *Putrissa,* oberes Rienz- u. Drauthal, Tirol, v. Mitterrutzner (Brix. Progr. 1879, 24), entspr. einem urk. Zeugniss 770: ab antiquo tempore inanem atque inhabitabilem esse cognovimus, als slaw. *pustudol* = Oedenthal erklärt. — Auch *Puszta,*

f. die öden Weideflächen der ungar. Ebene, ist, wie mir schon längst Prof. J. Hunfalvy mittheilte, nur mag. Lehnwort aus dem Slaw. (Umlauft, ÖUng. NB. 188). — *Pustoje*, vollst. *Pustósero* = der leere See, russ. Name eines Sees, welcher seinen Abfluss z. Delta der Petschóra schickt, daher entnommen, weil er, im Ggsatz zu der in jenen Gewässern sonst so bedeutsamen Fischerei, keine geschätzten Fischarten aufzuweisen hat (Schrenk, Tundr. 1, 599). An ihm der Flecken *Pustosèrsk*, vollst. *Pustosèrskoj Gorodòk* = Städtchen am *Pustósero*, auch schlechtw. *Gorodòk* = Städtchen od. *Gorodèzkaja Slobòdka* = städtischer Flecken (ib. 1, 195. 563). Nach dem Ort ist nun auch der See umgetauft: *Gorodezkoje Osero* (Bär u. H. 9, 335). — Ein anderer *Pustóje Osero* in der Prov. Jekaterinburg, Ural, 'ohne Fische, weil er des Sommers im Pfunde Wasser bis 5 Quentlein unrein Kochsalz hält u. stinckt' (Falk, Beitr. 1, 229). — *Pustynnaja* s. Lymbet. — *Pustie Ostrowa* s. Schantar. — *Pustinnyi Ostrow* = einsame Insel, im Mertwyi Kultuk, Kaspisee (ZfAErdk. 1873 T. 1). — *Pustlauken* = Wildenod. Wüstenfeld, v. preuss. *pausto* = wild u. *lauks* = Feld, ON. des Rgbz. Königsberg (Thomas, Tils. Pr. 24).

Puteoli s. *Pozzo*.

Putih, Kali- = weisser Fluss, wie *Kali-pait* = bitterer Fluss u. *Kali-asam* = Tamarindenfluss dem javan. Theil Java's, hingegen die Formen mit *tschi* (s. Tschitarum) dem sundan. Theil angeh. (Crawf., Dict. 170).

Puy, ein Ausdruck f. Bergformen, allgemein in der Auvergne (s. *P.* de Dôme), nicht mit *pic* verwandt, sondern aus lat. *podium* entstanden (Jaubert, Gloss. CFrance), in den Pyrenäen u. a. O. *pueche, pech, puch, puig, poy, pouy*, auch *peu, pié* (Whitney, NPlaces 97). Die Form *puig* ist namentl. in den lemosin. Provv. Spaniens gebr. 'para designar las montañas mas elevadas, especialmente las que forman picos', wie *Puig-pelat* = kahler Berg, *Puig-redond* = runder Berg, *Puig-vert* = grüner Berg, *Bell-puig* = schöner Berg, in Cataluña, *Creu de la Puig* = Kreuz des Berges, *el Puig* schlechtweg, in Valencia, u. a. in Aragon u. Mallorca (Caballero, Nom. Esp. 51).

Pyiesai s. Poieessa.

Pylai, gr. *Πύλαι* = Thor, Engpass, mehrf. in ON., auch Eigenname f. sich, wenigstens bei den Umwohnern, bei entferntern Hellenen gew. *Thermopylai*, gr. *Θερμόπυλαι* = Pass der warmen Quellen, die in gerader Linie v. Westen nach Osten, v. Continent nach Euböa, ziehen u. deren mittlere Gruppe hier zu Tage tritt (Herod. 7, 201, Fiedler, RGriech. 1, 208). H. Schliemann sagt: 'Der Engpass hat seinen Namen v. den heissen Salzquellen, die aus der steilen östl. Felswand des Berges Kallidromos hervorströmen u. j., wie auch bestimmt im Alterthum, als Heilquellen benutzt werden' (ZfEthn. 15, 148). Heutigen Tages ist die Wegenge verschwunden, nachdem Jahrtt. lg. zugeführtes Alluvium der Flüsse längs des Gebirgsfusses die stundenbreite, nur stellenweise

sumpfig gebliebene Ebene üb. die antike Küstenlinie vorgeschoben hat (Kiepert, Lehrb. AG. 290). Die Lage ist bei andern angegeben: *a) Ἀμανικαὶ Π.* = portae Amani montis (Plin., HNat. 5, 80), der Pass westl. v. Issus aus Cilicien, daher auch *Portae Ciliciae* (Plin. 5, 91), nach Syrien, daher auch *Σύριαι πύλαι* (Arist. vent. 548), j. *Baylan; β) Κάσπιαι πύλαι*, der Weg üb. das kasp. Gebirge, die einzige Verbindg. des nordwestl. Asiens mit den nordöstl. Provv. des Perserreichs, j. *Siah-Koh: γ) αἱ Ἡρωίδες Π.*, der Gebirgspass im Nordwesten v. Persis (Pol. 7, 17); *δ) αἱ Π. Πελοπόννησου*, auf dem Isthmos v. Korinth, nach dem Peloponnes führend (Xen. Ages. 2, 17); *ε) Π. Γαδειρίδες*, die Meerenge bei Gader, die Säulen des Herakles (Strabo 170). — *Pylos*, gr. *Πύλος* = Thorort, 'Thorn' (Curt., GOn. 153), 2 mal: *a)* eine Stadt in Messenien. In einförmigen Küstenverhältnissen u. hafenloser Gegend liegt am Fusse einer gebietenden Burghöhe eine grosse, wohlgeschützte Bucht, deren nördl. Eingang zw. dieser Burghöhe u. einer vorgelagerten Insel durchführt. Die Burghöhe ist der beherrschende Punkt der ganzen Küste, an den v. Süd nach Nord streichenden Langseiten steil abschüssig, auf senkr. v. Meer unterhöhlten, nur durch wenige enge Felsspalten zugängl. 250 m h. Felswänden, an den Schmalseiten sanfter abfallend. So wird dieselbe z. Thor, Schlüssel, des rückliegenden Hafens, weshalb sie die Alten *Pylos*, gr. *πύλη* = Thor, nannten. Mit mehr 'gleichgültigem' Namen hiessen sie die Lakonen v. ihrer Gestalt *Κορυφάσιον*, v. *κορυφή* = Kuppe. Spätere Geschlechter suchten sich einen bequemern Wohnsitz am südl., weniger versandenden Eingang, auf breitem Bergfusse; er sollte ein fester Punkt gg. die auf der Südspitze Morea's herrschenden Venetianer sein. So ist j. noch das alte *P.* unbewohnt, voll v. den Trümmern der verschiedensten Zeiten; die umwohnenden Griechen aber nennen es, im Ggsatz zu *Neócastro* = der neuen Festg., die 'alte Festg', *Paleócastro* (venet. *Zonchio*), od., da die neue Burg, wohl nach den seit 6. Jahrh. hier ansässigen Avaren, *Avarino* od. *Navarino* genannt worden, *Paleo-* (= *alt-*)*Navarino* (Curt., Pel. 2, 173f. T. 8); *b)* eine Stadt der griech. Ldsch. Elis (Strabo 339), j. *Agrapidochóri* = Dorf der Wildbirnen (Curt., Pel. 2, 39), gelegen auf der hügeligen Landzunge, wo der Ladon in den Peneios fliesst; er beherrscht dessen mittleres Thal u. ist der Schlüssel, das Thor. v. rückliegende des elischen Hochlande. — *Pylon*, gr. *Πυλών* = Pforte, eine Gegend Illyriens, die Grenze gg. Makedn. (Pol. 34, 12, Pape-B).

Pym, Mount, in Arthur St., Parry Is., v. Capt. Edw. Belcher (Arct. V. 1, 290) im Mai 1853 nach seinem Freunde, dem Admiral Sir Samuel *P.*, dessen Enkel bei der Exp. war, benannt.

Pyralioi Nesoi, gr. *Πυράλιοι νῆσοι* = Feuerinseln, j. Manda, Lamu etc., an der Ostküste Africa's, so genannt, weil sie unter dem Aequator liegen (An. p. m. Erythr. 15).

Pyramid, the, bei engl. Entdeckern ein beliebter Ausdruck f. schlanke Spitzberge: *a)* eine pyra-

midale Felsmasse der Chatham Gr., Austr., v.
Capt. Broughton 1795 (Krus., Mem. 1, 13 ff.); *b)*
ein scharfer, pyramidaler, ganz mit Schnee be-
deckter Gipfel der Felsengebirge, Brit. Am., v.
Capt. Blakiston 1858 (Peterm., GMitth. 6, 19,
ZfAErdk. nf. 7, 340); *c)* einer der auffälligsten
Geyser des Fire Hole, mit pyramidalem 7_5 m h.,
am Grunde 30 m weitem Krater, der nur noch
Dampf ausstösst, 1871 v. USt. Geol. F. V. Hayden
(Prel. R. 124) so benannt. — *P. Hill*, ein pyramidaler Berg des Murray, v. Major TLMitchell
(Three Expp. 2, 158) am 30. Juni 1836 getauft.
— *P. Cañon*, ein Défilé des Rio Colorado,
35^0 15′ NBr., v. der Exp. des Capt. Ives
(Rep. 75 f.) im Febr. 1858 getauft nach einer
6—9 m. h. natürl. Pyramide, welche sich auf dem
Uferfelsen erhebt . . . a name suggested by a remarkable monument-like pinnacle of porphyritic
rock which crowns the left bank near the northern entrance. This range has nowhere a great
altitude, nor does the cañon cut through it bear
comparison, in point of magnitude, with several
others which we traversed (ib. 3, 32). — Im plur.
the *Pyramids*, eine Gruppe pyramidaler Berge
in der Quellgegend des Victoria R., Inner-Austr.,
v. Major Mitchell (Trop. Austr. 222) am 5. Juli
1845. — Auch das frz. *la Pyramide*, f. einen
obeliskähnl., freistehenden, etwa 50 m h., grani-
tischen Inselfels vor Cap Péron, v. der Exp. Baudin im Febr. 1802 (Péron, TA. 1, 220). — *Les
Pyramides* s. Colonnes.

Pyrasos, gr. *Πύρασος* = Weizen, eine Stadt
in Thessalia Phthiotis mit einem Hain der De-
meter, der Göttin der Erdfrucht (Hom., Il. 2,
695 . . . *Κέκληται διὰ τὸ τὴν χώραν εἶναι πυρο-
φόρον* (St. B.).

Pyrenäen, frz. *les Pyrénées* f., span. *los Pi-
rinéos*, der Name des Gebirgs im Hals der
P.- od. der *iber. Halbinsel*, darf wohl zuerst
in *Πυρήνη* (Herod. 2, 33), hier noch irrth.
als Stadtname, gesucht werden; auch Strabo
setzt *Ἡ Πυρήνη*. Bei Sallust heisst das Gebirge
Pyrenaeus, bei Tibull Tarbella *Pyrene*, nach
den Anwohnern, bei Plin. saltus *Pyrenaeus*, bei
Auson. *Pyrenen*, bei Greg. v. Tours *Pyrenaei*
montes, bei dem arab. Geogr. Edrisi *Dschebel
el-Bortat* = Berg der Pforten, da zu den 4
Uebergängen je eine Pforte führte (Dict. top. Fr.
4, 140). Die Griechen betrachteten die *P.* als
Grab der *Πυρήνη*, der Geliebten des Herkules;
auch sollte der Name v. gr. *πυρ* = Feuer
kommen, sei es, dass einst die zahlr. Vulcane
auf den Höhen erglüht od., wie Diodor meinte,
viele Feuersbrünste durch die Unvorsichtigk. der
Hirten gewüthet hätten. Mamvert fand ein kelt.
byren = Berg, Chausengue ein bearn. (also bask.)
biren, *pyren* = Spitze, Grat, ein Wort mit dem
in vschiedd. Landestheilen noch immer die höchsten
Weiden, also wie die ʼAlpenʼ des Alpengebirges,
bezeichnet werden (Dict. top. Fr. 4, 25). Nach
dem Gebirge sind die 3 dépp. des *Basses-P.*,
Hautes-P. u. *P.-Orientales* benannt.

Pyrgos, gr. *Πύργος* u. der plur. *Πύργοι* =
Thurmort, Name vieler antiker Ortschaften, offb.
v. Thurmbauten, die f. den Ort charakteristisch
erschienen (s. Pape-Bens.), wie in *Πύργοι·λευκοί*
= Weissenthurm, eine Stadt in Lusitanien (Ptol.
2, 5^6). — Auch *P. tu Chimarrhu*, ngr. *Πύργος
τοῦ Χιμάρρου* = der Thurm am Bergbach, eine
kreisrunde hellen. Ruine auf Naxos (Ross, IReis.
1, 43) u. *Pyrgiria*, ngr. *Πυργίρια* = Thurm,
ein Cap v. Thasos, welches die Ruinen eines
alten Thurmes trägt (Conze, Thrak. I. 33).

Pyrijagà = Hechtfluss, ein Zufluss des Obʼ,
v. den Samojeden benannt nach seinem Reichthum an Fischen, namentl. an Hechten, welche
v. renthierlosen Samojeden an seiner Mündg. gefischt werden. Der See, aus dem er kommt,
heisst daher *Pyrijagandò* = Hechtsee (Schrenk,
Tundr. 1, 415 ff.). — *Pyritè-Mutulowa* = Hecht-
pass (ib. 458 ff.).

Pyrmont, 1184 *Permunt*, ON. des Fürstenth.
Waldeck, wurde aus *per montes* = über die
Berge od. *Pierremont* = Steinberg od. hybr. aus
gr. *πΰρ* = Feuer u. lat. *mons* = Berg, also
ʼFeuerbergʼ, mit Bezug auf die wirksamen Heilquellen, v. lat. *per montes*, weil der Berg all-
wärts ʼdurch Bergeʼ nach *P.* führe, od. aus *Vier-
mont*, einem angebl. Bachnamen od. *purus mons*
= heiliger Berg abgeleitet, letzteres unter Vermuthung eines urspr. *purus fons* = heiligen
Quelle (Menke, Pyrm. 46 ff.) — sämmtl. Annahmen
würdig einer Zeit, ʼwo die Etym. noch im Argen
lagʼ. Ernstlicher war das auf unserm Gebiete
verdienten Rectors H. K. Brandes († 1874) Versuch, in besondern Schriftchen (Name d. Bad-
ortes *P.*, Detm. 1870) einen ʼPetersbergʼ zu construiren; demnach wäre die Burg 1183 v. Cölner
Erzbischof Philipp erbaut u. zu Ehren des Apostels
Petrimons getauft worden. Allein die alters-
schwache Arbeit überzeugt weder sachlich noch
sprachlich. Nun entwickelt Th. Lohmeyer (Herrigs
Arch. 70, 123 ff.) die Gleichg. *Permunt* = Bärenfluss, v. ahd. *përo* = Bär u. einem dem Worte
munt vorgängigen *mona, mana* = Fluss, zunächst als Flussname, näml. f. den Bach, ʼder
als der natürl. Abfluss der beiden gewaltigen, nicht
erbohrten, sondern v. selbst seit uralter Zeit hervorsprudelnden Quellen . . . der Emmer zueilteʼ.

Pyrrhia s. Hermes.

Pyschminsk s. Tobolsk.

Pytho, gr. *Πυθώ* = Rathort, Gegend u. Stadt
v. Delphi, insb. das Heiligthum u. der Ort, wo
das Rath ertheilende Orakel stand (Hom. Il. 9,
405, Pape-Bens.).

Pytkow Kámen', russ. Name einer Hügelgruppe
des Samojeden Ld., nach einem Samojeden Pytka,
welcher hier vor Zeiten nomadisirte. Die Samojeden selbst nennen sie *Pachanséda* = Buchtkuppe, v. *pachà* = Bucht u. *séda* = Kuppe,
wg. der Nähe der Meeresbucht, auf welche die
Russen den sam. Bergnamen in der Form *Po-
gántschenskaja Gubà* = Bucht der Buchtkuppe
übtr. haben (Schrenk, Tundr. 1, 544).

Q.

Qahol s. Fuego.
Qamar s. Comoren.
Qsûr s. Kasr.
Quadr s. Abd.
Quadra s. Vancouver.
Quadrado s. Lawrence.
Quagga-Vlakte = Quaggafläche heisst bei den Boeren eine Ebene im südöstl. Theile des Caplandes, wo einst die Thiere sich in Schaaren sammelten. Noch Lichtenstein (SAfrica 1, 564) sah dort Rudel v. 80—100 Stück. — Auch z. *Q. Fontein* = Quaggaquelle kamen diese Thiere häufig z. Tränke (ib. 2, 298).
Quaglio Porto = Wachtelhafen, v. ital. *quaglia* = Wachtel, bei Cap Matapan, wo der Wachteln letzter europ. Ruheort, ehe sie den Seeflug nach den Küsten v. Kreta u. Cyrene beginnen (Curt., Pel. 2, 277, Russegger, Reis. 4, 170, Fiedler, Griech. 1, 340). — Die engl. Form *quail* 2 mal: *a) Q. Island*, eine durch ihre Wachtelschwärme auffallende niedrige Sandinsel, Clarence Str., v. Capt. Stokes (Disc. 2, 28) im Sept. 1839 benannt ... 'it was the season for their incubation, and at that time the island swarmed with them'; *b) Q. Springs* = Wachtelbrunnen, eine Oase am östl. Rande der Wüste Mohave (Peterm., GMitth. 22, 419).
Quaih s. Marea.
Quamash Flats, 2 mal f. Ebenen, *flats*, des Oregon (u. nach der zweiten der *Q. River*), v. der Exp. Lewis u. Cl. (Trav. 573. 582 u. a. O.) auf ihrer Rückreise im Frühling 1806 nach der herrschenden Vegetation getauft ... 'through handsome meadows of fine grass and a great abundance of quamash .... This is a handsome plain of fifty acres in extent, covered with an abundance of quamash'. — *Q.*, span. Schreibart f. das Nutkawort *camas* = süss, in der Shasti-Sprache *sók*, am Pit-River *ähualé*, im Klamath *poks*, *pú'kš*, bot. Camassia esculenta, ist eine der Scilla ähnl. Liliacee, die im Juni blau blüht u. zolldicke, ausserord. süsse Zwiebeln hat; die Pflanze wächst auf sumpfigen Gründen v. nördl. Calif. durch ganz Oregon, Washington Ty, Idaho bis ins westl. Montana u. ins britische Gebiet. Die Indianer lieben die Zwiebeln sehr, auch roh, u. legen geröstete Vorräthe davon an (A. S. Gatschet 17. Apr. 1891). — *Camas Prairie*, ein Weidegrund am Oberlaufe des Snake R., nach der dort häufigen Pflanze, deren Zwiebeln auch v. der Exp. Raynolds (Expl. 97) am 22. Juni 1860 gesammelt u. gekocht wurden. Vgl. Onion.
Qu'appelle, Riviére = Fluss wer ruft? engl. übsetzt *Who calls River*, ein durch das Echo seines Thals berühmter rseitg. Zufluss des Assiniboine R., nur die Uebsetzg. des Cree *Katapaywie Sepe*, aus der Zeit herrührend, wo ein Indianer, allein in seinem Canoe, den Fluss hinabschiffte,

sich wiederholt u. laut anrufen hörte u. doch, so oft er auch anhielt, hörte, antwortete u. der Stimme nachging, keine Spur eines Wesens auffinden konnte (Hind, Narr. 1, 370). 'There is no doubt that the remarkable echo noticed by all who have been in the valley of the lower *Q.* has given rise to that rivers name' (Ch. Bell, Canad. NW. 6).
Quaquachickiwan s. Gulph.
Quarré s. Bret.
Quarrelers s. Tykoothie.
Quart, 921 villa *Quarto*, zerstörter Ort bei Nimes, einst am 4. Meilenstein, *ad quartum lapidem*, der domitian. Strasse Nimes-Beaucaire (Dict. top. Fr. 7, 177). — *Quarten* s. Primsch. — *Quarantana*, Berg im Westen v. Jericho, in dessen Höhlen die Sage die Versuchung Christi u. sein 40 tägiges Fasten verlegt (daher der Name), arab. *Karantel* (Meyer's CLex. 13, 365). — Span. Wörter s. *cuatro*.
Quarz-Rock, der einzige etwa 45 m h. Berg der spitzb. Low I., aus Quarzit u. Sandstein bestehend, so getauft 1827 v. W. E. Parry (Torell u. Nord., Schwed. Expp. 170 ff.).
Quathlapotle Island, im Unterlaufe des Oregon, v. den Captt. Lewis u. Cl. (Trav. 497) am 29. März 1806 nach dem Indianerstamm benannt.
Quatre Frères, les = die vier Brüder, angebl. 4, in Wirklichkeit nur 3 kleine Inseln zw. den Kurilen Simusir u. Urup, v. frz. Seef. La Pérouse so benannt (Krus., Mém. 2, 196). — *Les Q. Vents*, dem deutschen 'Allenwinden' entspr., häufig ON., in den 18 dép. des Dict. top. Fr. 45 mal (1, 152; 2, 115; 3, 105; 6, 154; 10, 225; 11, 185; 13, 208; 15, 177; 16, 268; 17, 342; 18, 233). — *Q. Facardins* s. Lagoon.
Quebeck = Durchfahrt, Verengerung, 'a strait, narrows' (u. nicht, wie etwa behauptet wird, 'Flusserweiterung'), ind. ON. am St. Lorenz, obh. der seeartig erweiterten, mit Flussinseln übersäeten Strecke, an einer Stelle, wo der Strom, an hohem Ufer verengt u. überbrückt, in mächtigem Wasserschwall vorüberzieht u. angebl. den Franzosen der Ausruf *Quel bec* = welche Landspitze! entschlüpft sein (Meyers CLex. 13, 369). Der ind. Ort, *Stadacona*, 'résidence royale du chef de Canada, remplacé maintenant par la ville de *Q.* dont le faubourg St. Jean est assis précisément à l'endroit ou gisait l'ancienne capitale des sauvages' (Avezac, Nav. Cart. p. XII. 14, Hakl., Pr. Nav. 8, ...(?), Buckingh., Canada 172. 177, WHakl. S. 23, XXIV). Die neue Anlage war vorbereitet v. Du Pont Gravé, der den Platz an der engsten Stromstelle auserlas, Gebäude errichtete, Gärten anlegte, Land rodete u. besäete — alles auf Befehl des Gouv. S. Champlain (VNFrance Par. 1829), der dann selbst am 3. Juli 1608 (nicht 1668 wie in GForster, GReis. 3, 72) ankam. Unser Ge-

währsmann f. die ind. Etym., Sil. J. Rand in Hantsport, NScotia (Micmac L., Halif. 1885), fügt bei, dass *Q.*, entgg. dem anglo-american. Gebrauch, nicht *kwi*-, sondern *ke-bek*, mit stummem *u*, auszusprechen ist. In der That, die frz. Missionäre, welche die Etym. des Namens behandeln, citiren ind. Worte: *képek, képák, képao, kébek*, u. gg. den Vocal *i* spricht schon die frz. Orth. *Québeck*, die als die urspr. massgebend u. unter der frz. Bevölkerg. heute noch in allgemeinem Gebrauche ist. In der Aussprache des Namens *Q.* ist also zu wählen zw. der etym. richtigen, ind.-frz. *ké-*, u. der im engl. America üblichen, *kwi*- (vgl. Hirt, Seydl. Comm. 36). Hinsichtlich der Etym. selbst weichen, offb. je nach dem Indianerdialekt, einzelne der Missionäre v. der oben gegebenen ab; denn während der abbé Bellanger, ehm. Missionär bei den Micmacs, mit Rand übereinstimmend, *Q.* = verengter Durchgang setzt (Ferland, Hist. Can. 1), Mgr. Laflèche u. abbé Alb. Lacombe (Dict. Cris), etwas abweichend, 'es ist verstopft', da der Strom bei der Bergfahrt durch Cap Diamant, bei der Thalfahrt durch die Insel Orléans verschlossen scheine, so will ein anspruchsvoller Aufsatz des 'Événement de *Q.*' (Tour du Monde 22. Jan. 1881 Umschlag) 'la signification exclusive' des Wortes *Q.* im Gewande einer erdichteten Einladg. vortragen. Die Bergindianer hätten demnach dem frz. Entdecker zugerufen: *kanata* = Fremde, *kepek* = landet! 'C'est tout naturel . . . ainsi se trouve corroborée l'étymologie du mot *Canada* par celle du mot *Q.*' Zwei Fliegen mit Einem Schlag! Es ist freilich schlimm, dass der oben citirte Originalbericht v. alle dem nichts weiss.

Queck s. Queich.

Quedlinburg, 922 *Quidilingaburg*, ON. am Harze, ist kaum befriedigend erklärt: *a)* v. Bender (Deutsche ON. 118) als zu *wedel* = Quelle, aufsprudelnde Quelle, gehörig (Förstem., Altd. NB. 1207); *b)* v. einem Ungenannten, der sich auf den uralten Königshof, 961 cortes *Quitilinga*, beruft, neben welchem der Ort angelegt ist (Magdeb. Ztg. 28. Jan. 1886). Er betrachtet *quitil* als niedd. Form f. *zwissel* = Flussgabel, wie denn der Königshof in einer Gabelg. der Bode lag; *c)* v. G. Hey, der, ausgehend v. den urk. Formen *Quitiline Burga*, im ersten Theil einen slaw. PN. *Kwĕtel*, asl. *Cvĕteli*, vermuthet u. annimmt, das deutsche 'burg' möchte erst später, nach der Befestigg. des Ortes, dem slaw. Wort angefügt worden sein (Wiss. Beil. Leipz. Ztg. 12. März 1887). 'Nur ein missglückter Versuch ist es zu nennen, wenn man den ON. v. dem *quedel* od. Hunde, dem Sinnbilde der Wachsamk., welcher, in dem Stadtthore sitzend, in dem neuern Stadtsiegel geführt wird, ableiten wollte'.

Queen = Königin, in engl. ON., die der Zeit der Elisabeth (1558—1603), insb. aber Victoria's (1839 ff.) angehören, häufig angewandt: *a) Q.'s Foreland* od. *Q. Elizabeth's Cape*, am Eingang der Frobisher B., v. M. Frobisher 1576 getauft (Hakl., Pr. Nav. 3, 33. 69); *b) Queensland*, früher ein Theil v. NSouth Wales u. als solcher *More-*

ton *Bay District* genannt, nach der Bay, an welcher Brisbane, die j. Hptstadt, ggr. wurde (ZfAErdk. 1876, 172), am 3. Juni 1859 zu einer besondern Colonie erhoben u., nach Ablehng. des ersten Vorschlags: *Cook's Land* (Meidinger, Col. Austr. 21), nach der Königin getauft (Peterm., GMitth. 7, 33, Glob. 3, 233); *c) Q.'s Channel* s. Victoria; *d) Queensborough* s. Westminster; *e) Queenstown* = Königinstadt, Hafenstadt der *Great Island* = grossen Insel, vor Cork, Irl. — *Queenston* 2 mal: *a)* in Canada, unth. des Niagara; *b)* bei den 1861 entdeckten Goldfeldern v. Otago, NSeel. (Meyer's CLex. 4, 741; 8, 77; 13, 376, Trollope, Austr. 3,171). — Nach Königinnen auch *Q.'s County*, eine Grafsch. Irlands (s. King) u. *Queensferry*, Ort an einer Fähre, ferry, des Firth of Forth, Scotia (Meyer's CLex. 13, 376), angebl. nach der heil. Margaretha, der Gemahlin des schott. Königs Malcolm Canmore, welche oft in Dunfermline wohnte u. dort ein Kloster zu bauen anfing (Camden-Gibson, Brit. 2, 266), sowie *Q.'s Cape*, 2 mal: *a)* s. Anne, *b)* s. Mary, u. *Q.'s River* s. Rappahannock. — Auch der deutsche ON. *Quenstedt*, im Harz, 993 *Quenstedi*, 1024 *Quenstidi*, 1060 *Quenstete*, ist hier anzufügen, als 'der einzige (altdeutsche), wahrsch. zu goth. *qvinô*, ahd. *quena*, ags. *cven* = uxor, regina geh. Name' (Förstem., Altd. NB. 1204, Grössler, ON. Mansf. Kr. 10).

Queich, die, der pfälzische Fluss, welcher bei Germershein in den Rhein mündet, im 9. Jahrh. *Queicha* (Förstem., Altd. NB. 1204), ist nach dem Germanisten Rich. Müller 'die lebendige', v. Verbalstamm *quihhan* (Bl. öst. LK. 1888, 8), also verwandt mit *quik, quek*, welches in *Queck*, 9. Jahrh. *Quekaha*, an der Fulda, sowie mit *Queckborn*, 10. Jahrh. *Quecbrunn*, das in Oberhessen vorkommt (Först. 1205). — Engl. *Quicksand* = Treibsand, 2 mal in ON. *a) Q. River*, ein lkseitg. Zufluss des Unterlaufs des Oregon, v. den Captt. Lewis u. Cl. (Trav. 386) am 3. Nov. 1805 so getauft, weil der Grund des seichten, nur wenige Zoll tiefen u. an der Mündg. sich in einer Sandbank verlierenden Flusses aus schlimmem Flugsande besteht, zu tief, als dass man ihn zu Fuss durchwaten könnte. 'It drives its quicksand over the low grounds with great impetuosity, and such is the quantity of coarse sand which it discharges, that the accumulation has formed a large sandbar or island, three miles long, and a mile and a half wide which divides the waters of the river into two channels. This sand island compresses the Columbia within a space of half a mile, and throws its whole current against the right shore'; *b) Q. Bay*, in Calif., 'zu unsern grössten Leidwesen mit einem flachen, sandigen, der See beinahe gleichen Strande verschlossen', v. Capt. Meares 1788 mit getäuschter Hoffng. aufgesucht (GForster, GReis. 1, 59. 150).

Queiling, ein v. Norden kommender Zufluss des Si Kiang, benannt nach *Q.*, der Hptstadt der Prov. Quang Si. Dieses *Q.* ist selbst = Wald der Quei, weil dort diese Blume, nach Williams wohl eine Cassie, massenhaft auf Bäumen wächst (Peterm., GMitth. 7, 108).

Queiruga s. Carrara.

Quelong s. Formosa.

Quemado, Pueblo = verbrannter Ort, span. Name eines Indianerpueblo an der Westküste Columbia's. Der erste Entdecker, Frz. Pizarro, hatte 1525 hier einen Angriff der kriegerischen Indianer zu bestehen; als sein Freund Almagro auf seinen Fusstapfen folgte, griff er den Platz an, erstürmte ihn, das Schwert in der Hand, legte Feuer ein u. trieb die Bewohner in die Wälder. Der kühne Landvorsprg. wurde *Punta Quemada* genannt (Prescott, CPeru 1, 222. 227). — In port. Form *as Queimadas* = die versengten (Inselklippen), eine den Schiffen gefährl. Gruppe v. Felsklippen an der bras. Prov. São Paulo (Avé-L., SBras. 2, 407).

Quente, Arrayal de Agua = Lager des heissen Wassers, eine Lavra, Goldwäscherei, der bras. Prov. Goyáz, ggr. 1732 an einem grossen tiefen See warmen Wassers (Eschwege, Pl. Bras. 77).

Quentin, St., Ort des frz. dép. Aisne, nach dem heil. Q., dessen Grab schon im 6. Jahrh. berühmt war (Longnon, GGaule 411), 1167 municipium *Beati Quintini*, 1306 *Sanctus-Quintinus in Viromandia*, 1558 *Saint-Q. en Vermandoys*, hatte kelt. *Samarobriva*, bei Ptol. Αὐγοῦστα Οὐρομαρδύων geheissen, letzteres nach dem Keltenstamm der Veromandui (Dict. top. Fr. 10, 251, Meyer's CLex. 14, 42). — *San Q.* s. Croker.

Queralps s. Carrara.

Quercus = Eiche, im lat. ON. *Querquetulanus* (s. Caelius) deutlich erhalten, in den neurom. Sprachen dagg. bis z. Unkenntlichk. entstellt (s. Chêne), so auch in den ital. ON. *Cesnola*, *Casnale*, *Casnedo*, neben welchen, je nach dem Dialekt, auch *Querce, Querceto, Quercia, Querciola, Querceto* od. doch *Cerceto. Cercelole, Cerqueta* u. s. f. vorkommen (Flechia, NL. Piante 19). Den gewöhnl. Formen laufen im frz. parallel: *Quesnay, Quesney, Quesnoy, Quesnei, Quesnerie* (Dict. top. Fr. 15, 177; 18, 233).

Querétaro, spr. *ke* . . . . Stadt in Mexico, auf einem Felshügel, in ihrem Namen als Gründg. der Tarasco-Indianer, die das Suffix *-ro* = Ort, in, oft in ON. verwenden, kenntlich u. wirklich, obgl. nicht im Gebiete der Tarascos gelegen, eine Colonie dieses Volksstamms. Der Historiker Orozco y Berra fand in einem MS. des 16. Jahrh., v. Hernando de Vargas, die Angabe, dass diese Indianer um 1570 Hernando Perez de Bocanegra auf der Exploration in die unbekannten nordwestl. Gegenden begleiteten u. in der Felslage einen Ort, anfängl. *Querenda* = Fels, dann *Queréndaro* = Felsort, endl. Q., anlegten (An. de Michoacan 1, 72). Wie sich die Angabe, der Ort sei 1536 v. den Spaniern erobert worden (Meyer's CLex. 13, 381), damit reimen lässt, ist mir nicht bekannt. Auch die Erklärg. selbst wird v. kundiger Seite, Dr. Nicolas Leon in Morelia, bestimmt abgelehnt, da zwar *quereta* wie *querenda* v. tarask. Urspr., jedoch v. gänzl. vschied. Wurzel

seien; unser Q. heisse einf. 'Ort des Ballspiels' (Gaceta ofic. Mich. 11. Sept. 1890), wie schon in Pater M. Gilberti's Vocab. Tarasco angegeben ist: quer`eheta` = lugar do juegan á la pelota (An. Mich. 1, 74).

Querfurt, ON. der Prov. Sachsen, im 10. Jahrh. *Quirnifurt* = die Furt an der *Querne*, einem Zufluss der Saale. Dieser Flussname selbst, sowie *Quirnaha* (j. *Kürnach*) u. *Quirnberg*, bei Würzburg, *Quirnheim*, bei Worms, u. mehrf. *Quirnebach*, gehört zu goth. *quairnu*, ahd. *quirn* = Mühle; er ist 'Mühlbach' (Förstem., Altd. NB. 1206). Wie ein zweites *Quirnifurt*, j. *Kornwert*, nordöstl. v. der Zuider Zee, hierher gehört, so betrachtet B. Thomas (Progr. Realsch. Barr 1887) das elsäss. *Kirneck*, bei Barr, als *Kirnach* = Mühlbach.

Quesnay s. Quercus.

Quessant, eine kleine Insel der Louisiade, am 17. Juni 1768 v. frz. Seef. Bougainville (Voy. 261) entdeckt u. getauft nach ihrer Aehnlichkeit mit der heim. Küsteninsel Q. Aber diese?

Queyra s. Carrara.

Quicksand s. Queich.

Quih s. Rora.

Quilimane s. Kilima.

Quilliam Creek, einer der innern Theile v. Hooper Inlet, Fury u. Hecla Str., v. Capt. W. Edw. Parry (Sec. V. 289 ff. 359. 361) im Juli 1822 entdeckt u. nach Capt. John Q., R. N., benannt.

Quimper, auch *Kim-, Kem-* u. *Qemper*, Hafenort der Bretagne, zw. der Confl. des Odet u. 'eir, wird ggb. unhaltbaren Deutungen, wie Adlerfeld', v. dem kundigen Houzé (Ét. NLieux 103) als 'Coblenz' erklärt, wie *Quimperlé*, der Ort an der Confl. der Flüsse Isole u. Ellé, ebf. im dép. Finisterre. Wir finden diese Erklärg. auch bei Charnock, (LEtym. 218), der zugl. auf *cymmer* = Zusammenfluss v. Gewässern verweist, ein auch in Wales u. z. Bildg. v. ON. verwendetes Element.

Quincy, als ON. mehrf. in der Union (Ritters OLex. hat deren 6), nach John Q. Adams, der, geb. 1767, nach Bekleidung vschiedd. Staatsämter 1825 z. 6. Präsidenten der Union gewählt wurde, 1828 gg. Jackson unterlag u. 1848 †: *a*) sein Geburtsort in Massachusetts; *b*) in Illinois, Grfsch. Adams (Meyer's CLex. 13, 386); *c*) *Mount* Q. s. White.

Quinsay s. Pe.

Quint, le = das Fünftel, ein Bezirk der Nieder-Pyrenäen, nach dem Recht der Eichelmast f. die Schweine, welches gemeinigl. *le quint* heisst (Dict. top. Fr. 4, 140). — *Quinten* s. Primsch. — *Quinto* s. Primero.

Quirn s. Querfurt.

Quiros, Cape, in Tierra del Espiritu Santo (vgl. San Mateo), v. Cook (VSouthP. 2, 94, Carte 3) am 27. Aug. 1774 getauft nach dem span. Entdecker der Gruppe 'in memory of its first discoverer'. — *Q. Insel* s. Solitaria. — *Quirosa*, die bedeutendste der Carolinen, einh. *Ponape*,

Banabe, Bonebe, Ponope, bei Lütke *Puinipet,* bei Kittliz *Hunnepet,* bei Cheyne *Bornabi,* bei den westl. Caroliniern *Faunupëi, Falope,* ebf. v. der Exp. *Q.*-Torres 1595 entdeckt u. auch *Torres I.* genannt, v. engl. Capt. Frazer 1832 *William the Fourth Island,* nach seinem König (Meinicke, IStill. O. 2, 350).

Quisana = hier genest man, ein Lustschloss ob Castellamare. Auf der Höhe des mit Reben, Kastanien u. Villen bedeckten Monte Auro bietet sich ein prächtiger Anblick auf den Golf v. Neapel, den Vesuv, die Ruinen Pompeji's u. den Küstenstrich v. Sorrento bis z. Cap Campanella (Meyer's CLex. 4, 206).

Quiscatina-Sepy = Fluss mit hohen Ufern, ind. Name eines Zuflusses des PeaceR. (McKenzie, Voy. 313).

Quito, spr. *kito,* die Hptstadt Ecuadors, ist benannt nach den Quitu, den alten Bewohnern jener Gegenden . . . 'nach ihnen führten das Land u. die Stadt den Namen' (Denkschr. Wien. Acad. 39, 137 f.). Diese Quitu waren, zuf. des Historiographen Juan de Velasco, etwa 500 Jahre vor der Conquista den Caras unterworfen worden . . . 'a nation from the seacoast ascended the river Esmeraldas in balsas, and conquered the whole of the Quitu highlands' (Journ. RGSLond. 1871, 317). Es war der span. Conquistador Seb. de Benalcazar, welcher die Gegend 1534 eroberte u. die erste Anlage, 'for some days', an der Stelle v. Riobamba gründete, dann aber nach der heutigen Stelle verlegte u. zu Ehren seines Generals, Franzisco Pizarro, in *San Francisco del Q.* umtaufte (Prescott, CPeru 2, 16 f., Galvão, Desc. 192). Der span. Reisende P. de Cieza de Leon, der 1532/50 in Süd-America u. Begleiter des genannten Conquistadors war, gibt an, dass die kön. u. edeln Gebäude, welche Huayna Capac u. sein Vater Tupac hier hatten errichten lassen u. unter welchen, 'amongst ancient buildings', dann die Spanier sich angesiedelt, bei den Eingebornen *Q.* geheissen haben, 'whence the city took its name' (WHakl. S. 33, 140. 155).

Quizqueia s. Hayti.

Quoin, Great = grosser Eckstein, engl. Name eines 160 m h. Felsens in der Str. v. Hormûz. Die Matrosen sprechen *coin* u. finden, dass die Oberfläche v. Westen betrachtet, einer Münze ähnl. sei. Südöstlich v. dem grossen ist ein zweiter Fels, *Little Q.* = kleiner Eckstein. Bei den Arabern heisst jener *Kosayr* = der Zerscheller, dieser *'Owayr* = der Vertilger; denn hier wüthen reissende Strömungen, tide races, Wirbel, wo sich das Wasser wie ein Mühlrad dreht; wenn es den Schiffen missflang, sich ausserh. der Strömg. zu halten, so kamen sie in eine kritische Lage. Desswegen umschwebte diese Felsen im Munde der arab. Matrosen dieselbe Poesie wie bei den Römern die Skylla u. Charybdis (Sprenger, AGArab. 107). Vgl. Tawakkul.

— *Q. Island* u. *Clump Island,* am Eingange v. Queen Channel-Victoria River, Arnhem's Ld., v. Capt. Stokes (Disc. 2, 34) im Oct. 1839 nach den auffallenden Baumgruppen des Nordendes benannt.

Qvärnen s. Malstrom.

Qvale s. Carlsen.

Qvarken = Meerhals, bezeichnender Name f. den Eingang des Bottn. G., v. finn. *meren,* gen. v. *meri* = Meer, u. *kurkku* = Hals (Br. M. des † Hrn. Lector Modeen, Wiborg).

Qvickjock = der reissende (stürzende) Fluss, lapp. ON. am Kamajock, der hier aus dem Gebirge heraustritt u. die ganze herrl. Gegend mit seinen Fällen verschönert. Sagatträsk är en vacker sjö, omsluten af branta nästan lodräta berg, och i vester träffar ögat snöbetäckta fjell. *Q.'s* läge är förtjusande herrligt . . . . detta lappländska paradis . . . . En mil från *Q.'s* kyrka har man en den skönaste utsigt från höjden öfver Saggat-sjön med dess mångfaldiga, af gräs och löfskog bevexta holmar och öfver de skogsparker, genom hvilka de nämnda elfvarne (scil. Kamajock u. Tarrejock) slingra sig bildande åtskilliga vattenfall (Pettersson, Lappl. 17).

R.

Ra s. Heliopolis u. Tura.

Raab, zunächst ein Fluss Ungarns, mir unerklärt, röm. *Arrabo,* 790 *Raba,* dann *Rapa, Hrapa, Rafa* etc., auch mag. *Rába,* auf die Stadt an der Mündg. übtr., röm. *Arrabona,* deutsch *R.,* mag. *Györ,* v. dem frühern Namen *Geurinum, Georinum, Jeurinum,* latin. *Jaurinum* od. *Jaurium.* Unweit der Flussquelle, in Steierm., auch ein Ort *R.,* ein Zufluss *Rabnitz,* slaw. dim. v. *Raba,* also 'die kleine *R.',* u. mag. *Rába-köz*

= Raab-Au, die v. der *R.* u. Rabnitz umflossene Insel (Umlauft, ÖUng. NB. 189 f.).

Rabanabád = Rában's Stadt, bengal-pers. ON. in Bengál, v. *Rávana,* einem der bösen Geister der Hindumythologie (Schlagw., Gloss. 236). — *Rawanhrád* = Rawan's See, skr. Name eines tibet. See's, gew. *Rakus Tal,* nach dem Helden Rakus (ib. 239).

Rabat, auch *Arbat,* übliche Namensform eines Hafenorts v. Marocco, eig. *R. el-Fath* = Lager

des Sieges, so nannte' nach dem Siege v. Alark,
im 13. Jahrh., den Ort sein Erbauer Jakub ben
Jusuf, wohl auch *S'lah Dschedid* = Neu Sale,
im Ggsatzg zu dem nahen *Sale, Sela, Sala, Sala-
conia* (Meyer's CLex. 13, 392, Barth, Wand. 34. 51).
Rabbit Ear Creek = Hasenohrbach ein Zufluss
des obern Cañada, Arkansas, nach einem der hervorragendsten conischen Trapphügel, welcher
einige Aehnlichkeit mit einem Hasenohr hat.
'Die ersten Reisenden in diesen Gegenden nahmen
es nicht so genau mit den Benennungen' (Möllhausen, FelsGb. 2, 329). — *R. Ground* = Ka-
ninchengrund, 'the absurd appellation' eines etwa
300 yards br., sanftfliessenden, tiefen Stücks des
Hill R., obh. Windy L. (Franklin, Narr. 38). —
R. Island, bei Wilson Prom., 1842 v. Capt.
Stokes (Disc. 2, 422) nach den zahlr. Kaninchen
getauft.

Rabboth Ammon, hebr. רַבַּת [rabbah] = Haupt-
stadt, vollst. רַבַּת בְּנֵי עַמּוֹן [rabbath b'ne 'ammôn]
= Hauptstadt der Kinder Ammons (5. Mos. 3,
11). Gräsicirt unter ägypt. Herrschaft nach dem
Exil, erhielt sie, ozw. v. Ptolemäus Philadelphus,
den Namen *Philadelphia*, gr. Φιλαδελφία, bei
Euseb. u. Hieron. Ἀμμάν, noch j. *Ammân* (Burckh.,
Reis. 2, 1062).

Rabelais, Cap, bei St. Vincent's G., v. der Exp.
Baudin am 7. April 1802 nach dem Satyriker
François *R.* 1483—1553 getauft (Péron, TA. 1,
270, Freycinet, Atl. 10).

Râbia, Wad el-, arab. Name einer runden Thalsenke der Route Wargla-Ghadames, nach einer
dort reichlich wachsenden kleinen Pflanze *râbia*.
Als der v. Genf aus unterstützte Reisende
V. Largeau am 8. Febr. 1875 dort übernachtet u.
sowohl die Tiefe als die umgebenden Dünen mit
Acacienkörnern besäet hatte, nannte er die Stelle
Vallée des Acacias = Acacienthal. 'Ils (näml.
die Acacien) sont le symbole de la vie: puissent-
ils croître et multiplier au point de couvrir un
jour de frais ombrages ces contrées aujourd'hui
dévorées par le soleil!' (GdGen. 1875 Bull. 62).

Rabiusa = die rasende, rätor. Flussname, in
Graubünden 2 mal: *a)* in Safien; die Safier'namsen
sie *Rhein*, viel auch mit einem andern Namen
den 'Wütherich' (Sererh., Delin. 2, 30); *b)* in
Schanvic, ein Zufluss der Plessur. Auch ein
Ort *Rabbius* bei Truns, Graubünden. — In ital.
Form *Rabbiosa*, ein Zufluss des Liro, 'der seinem
Namen Ehre macht' (Leonhardi, Veltl. 193). —
Im Gebiete der frz. Hautes-Alpes gibt es 2 Wild-
bäche *le Rabious* u. *le Rabioux*, 1046 rivus de
Rabeos, 1252 rivus qui dicitur *Rabios* (Dict. top.
Fr. 19, 125). — Ein tibet. Seitenstück der *R.*
ist *Kaldâo Murän* = wüthender Fluss, in der
Nähe v. H'lassa, wo der Bergstrom unter der
Brücke weg 'se précipite avec fracas' (Timkowski,
Mong. 1, 461), ein kirg. *Tentek* = der rasende,
f. einen Fluss im Quellgebiete des semiretschinsk.
Karatal, so genannt, 'weil sein Fall ausserord.
reissend ist. Die Fluten des *T.* zerschlagen sich
wüthend an den in seinem Bett umhergestreuten
Steinen; diese bilden an manchen Orten Schwellen,

üb. welche das Wasser mit Gewalt u. Getöse hinströmt. Bei schlechtem Wetter gelingt es den
Kirgisen selten, wohlbehalten üb. diesen Fluss zu
setzen, u. sie ziehen desshalb den kleinen Umweg
vor, ihn in der Nähe seiner Quellen zu passiren...
Trotz der geringen Tiefe ($\frac{1}{2}$ m) ist seine Strömg.
so stark, dass die Pferde sich kaum auf den
Beinen halten konnten' (Bär u. H., Beitr. 20, 213).

Rablay s. Herblay.

Rabnitz s. Raab.

Racine, Cap, am Spencer's G., v. der Exp. Baudin am 22. Jan. 1803 getauft nach dem Dramatiker *R.* 1639—1699 (Péron, TA. 2, 78), wie
schon am 14. Apr. 1801 *Ile R.*, in den Iles de
l'Institut (ib. 1, 116; 2, 211, Freycinet, Atl. 27).

Radama Islands, an der Nordwestseite Madagascar's, aus hohen Vulcankegeln bestehend, 1824
so benannt v. engl. Capt. Owen zu Ehren des
Königs v. Madagascar (Bergh., Ann. 10, 518).

Raddefka, russ. Ansiedelg. am Amur, im Durchbruche der Bureja, benannt nach dem Reisenden
Gust. Radde, der 1855/59 im Auftrage der kais.
russ. geogr. Gesellschaft den Süden v. Ost-Sibir.
u. vorzugsw. den Amur bereist hatte (Bär u. H.,
Beitr. 23 Carte). — *Radde-Thal* s. Middendorff.

Radehausen s. Roth.

Radiwurz s. Ratzeburg.

Radscha, in engl. Orth. *raja* = König,' oft in
ind. ON., wie *Radschadúrgam* od. *Radschdrúg*
= Königsschloss, *Radschakótta* = Königsstadt,
Radschagíri = Königsberg, *Rádschahat* = Kö-
nigsmarkt, *Rádschapur* = Königsstadt, *Radscha-
râmpur* = König Rama's Stadt, *Radschamándri*
= Königshaus, *Radschasthan* = Königswohnung
oder -platz, *Radschagírha* = Königshaus, auch
Girivradscha = Bergweide, in Bihar, in einem
Kessel v. 5 Bergen umgeben, j. in Ruinen,
Radschgárh = Königsburg, *Radschghat* = Kö-
nigspass, *Radschqur* (s. Safed), *Radschkót* =
Königsburg, *Radschmahál* = Königsplatz od.
-wohnung, -harem, *Radschnágar* = Königsstadt,
Rádschpur u. *Rádschpuri* = Königsstadt, *Radsch-
putána* od. *Radschputna*, eig. *Radscha-putra-
sthana* od. *Radschasthana* = Sitz der *R.* od.
eig. der *radschaputra* = Königssöhne, Krieger,
f. eine Prov. des westl. Indien, die v. den Radsch-
put einem zahlr. Zweige der Kschátrijas, bewohnt
ist, *Radschvara* = Königsweg, f. einen Theil
Orissa's, der v. vielen kleinen Vasallenradscha
beherrscht wurde (Schlagw., Gloss. 237 ff., Lassen,
Ind. A. 1, 142. 167. 172. 224). — Im mal. *Songi
R.* = königlicher Fluss, ein schiffb. Fluss der
Insel Carimata, Borneo (Journ. SGPar. 9, 361).
In der Bengaliform: *Raegándsch* = Königsmarkt,
Raegárh, *Raekót*, *Raemángal* = Königsglück
u. *Raemáta* = Königsmutter, diese zwei f. bengal.
Flüsse (Schlagw., Gloss. 236).

Radstock, Cape, ein keckes Felscap in Süd-
Austr., am 9. Febr. 1802 v. Capt. Matth. Flinders (TA. 1, 120) entdeckt u. benannt zu Ehren
des Admirals Lord *R.*, bei der Exp. Baudin im
Febr. 1803 *Ile Percy*, nach dem Armeechirurgen
d. N., 1754—1825, also fälschl. f. eine Insel ge-

halten (Péron, TA. 2, 86, Krus., Mém. 1, 39). —
R. Bay, in Barrow Str., v. Lieut. W. E. Parry
(NWPass. 50 f.) am 22. Aug. 1819 entdeckt u.
auf Lieut. Liddon's, des Befehlshabers des zweiten
Schiffs, Wunsch benannt 'in compliment to the
Earl of *R.*'
Raeffsköy s. Seagull.
Räter, lat. *Raeti*, zuerst bei Polybios 'Ραιτοί
erwähnt (Strabo 209), die alten Bewohner des
Berglandes *Raetia*, wesentl. des heutigen Graubünden u. Tirol. In den Inschriften erscheint
der Name nicht mit *rh* (Orelli, Inscr. 1 No. 492);
aber als ob er durch die griech. Schreibg. ein
vornehmeres Aussehen erhielte, sieht man noch
immer *Rhaeti*, *Rhaetia*, u. selbst L. Steub, der
Vater rät. Namenforschg., der schon 1843 (Üb.
die Urbew. Rätiens) die richtige Schreibart angenommen hatte, aber 1854 (ZRhät. Ethn.) auf Jahr-
zehnte hinaus verliess, ist nur ungern, durch die
Beweise überwältigt, v. dem gewohnten *rh* abgegangen (ZEthn. d. DAlp. 22). Auch *Reti*, *Retia*,
findet sich häufig, weil spätlat. *ae* u. *e* verwechselt
wurden. Die Römer erfuhren den Volksnamen
bei den cisalpin. Galliern im 2. vorchristl. Jahrh.
u. nannten, als die Kaisersöhne Drusus u. Tiberius —15 die *R.* unterwarfen, nach diesen das
Land *Raetia*. Die Orth. *Raetier* kehrt also, als
wären die *R.* nach dem Lande benannt, den Sachverhalt um, u. *Rhaetier* ist doppelt falsch. Die
röm.' Prov. zerfiel in 2 Theile: *Raetia prima*,
mit der Hptstadt Chur, u. *Raetia secunda* od.
Vindelicia, mit der Hptstadt Augsburg. Wenn die
Gallier der Poebene ihre alpinen Nachbarn *R.*
nannten, so möchte einleuchtend die kelt. Wurzel
rait = Gebirgsland beigezogen u. die *R.* als
'Bergler, Bergleute', aufgefasst werden. Jedenfalls ist es nur ein Wortspiel, wenn, nach neuer
Unterwerfg. des Landes im 5. Jahrh., der Ost-
gothenkönig Theodorich d. Gr. an lat. *rete* =
Netz scil. v. Gebirgen dachte (Cassiod., Ven. 1729
104ᵇ); dagegen hat die alte zuerst v. Trogus Pom-
peius vorgetragene Sage, als sei der Etruskerfürst
Raetus, v. den Galliern —587 aus Ober-Italien
vertrieben, mit einem Theile seines Volkes in die
Gebirge eingewandert (Liv. 5, 33, Plin. 3, 133,
Justin. 20, 5), in Aeg. Tschudi (Raet. 1538) einen
frühen u. angesehenen Verfechter u. Jahrhh. lg.
viele Anhänger gefunden, um so eher, als eine
Reihe v. Anklängen, welche in rät. u. ital. ON.
sich finden, wie *Tusis - Tuscia*, *Vtan - Vettones*,
Zernetz-Cernetani, *Lavin-Lavinii* u. s. f. od. v.
gekünstelten Etymologien, wie *Realt = Raetia
alta*, *Reams = Raetia ampla*, *Räzüns = Raetia
ima*, jene Annahme zu bestätigen schienen. Die
besonnene Forschung hat diese jedoch längst als
unhaltbar erklärt, u. schon 1806 finden wir den
Ausspruch: 'Uebh. sieht es um die ächten histor.
Beweise, dass sowohl Tuscier als Campaner Bünden bevölkert haben, misslich aus' (Salis u. St.,
Alp. 1, 317). Die v. Raetus abgelöste allgemeinere
Frage, ob übh. v. den rät. Alpenländern u.
Etruria ein ethnographisch-sprachl. Zshang, v.
den Einen in einer Auswander. nach, v. den

Andern in einer Einwanderg. aus Italien gesucht,
bestehe, geht über unsere Etym. hinaus; es ge-
nügt hier, auf die bez. Litteratur zu verweisen
(JJEgli, Gesch. geogr. NK. 129 f., 246 ff.). — *Rä-
toromanen*, auch *Ladiner* od. *Churwälsche*, die
neurät. Bevölkerg. roman. Zunge, die aus der
Einführg. der röm. Volkssprache hervorgegangen
ist. — Den *Raetikon*, in Pomp. Mela 3, 3 als
eines der höchsten Gebirge Germaniens bezeichnet,
wollte man, u. zwar als *Raetico mons* = rätischer
Berg (Salis u. St., Alp. 2, 190), in dem wilden
Grenzgebirge zw. Graubünden u. Vorarlb. suchen.
— *Curia Raetorum* s. Chur. — *Marca Retie*
s. March.
Rafael, **Bassa de São**, Untiefe bei Mozambique,
wo der *SR.*, das Schiff Vasco da Gama's 1498,
auffuhr u. nur mühsam wieder flott wurde (WHakl.
S. 42, 94. 261); b) *San R.*, Mission in Calif., am
18. Dec. 1817 v. Pater Fortuni ggr. (DMofras,
Orég. 1, 444). — *Isla de SR.*, 2 mal: a) s. Jesus
Maria; b) s. Urville.
Raffles Bay, an der Nordseite des Australcon-
tinents, v. Capt. Ph. P. King (Austr. 1, 82 ff.)
am 16. Apr. 1818 entdeckt u. benannt zu Ehren
Sir Thomas Stamford R., welcher der Exp. einen
malajisch geschriebenen Ausweis zu Handen der
jene Gegend oft besuchenden Malajen mitgegeben
hatte. — *R. Island*, vor Liverpool Coast, v.
Walfgr. Will. Scoresby jun. (North. WF. 181) am
23. Juli 1822 entdeckt u. zu Ehren des Rev.
Dr. *R.* in Liverpool getauft.
Raflunda, schwed. Ort in Skåne, nach dem
Bernstein, *raf*, der hier einst eingesammelt wurde
. . . hvars namn erinrar om att der fordom varit
ett ställe för insamling af *raf* (Nilsson, Skand.
Ur-inv. 3, 125).
Raft Point = Flossspitze, in Austr. 2 mal a) in
Tasmans Ld., v. Capt. Stokes (Disc. 1, 199) am
12. Apr. 1838 so benannt nach einigen dort
liegenden Flössen der Eingeborenen; b) in Ben-
tinck I., Carpentaria, ebenso (Disc. 2, 273) im
Juli 1841.
Ragaz s. Ronco.
Ragged Islands = zerrissene Inseln, in der Bay
of Placentia, nach ihren wildgezackten Felsformen
(Anspach, NFundl. 118). — *R. Island* s. Plymouth.
Raghawa s. Rama.
Ragusa, in Dalmatien, mit *R. Vecchia* (= alt
R.) an der Stelle des ant. *Epidauros* (s. d.), welches, v. Peloponnesiern —589 ggr., —164 röm.
u., nach der Zerstörg. v. 656, durch Flüchtlinge
als *Lausa*, *Rau-* od. *Rhausium* erneuert wurde
(Meyer's CLex. 13, 414). Die gr. Form 'Ραύσιον
dachte sich Konst. Porphyr. (de adm. imp. c. 29)
durch Verwechslg. der Laute aus λαύσιον, u.
dieses v. λαῦ = praecipitium, abgeleitet; diese
Erklärgsweise 'soll in Zukunft mehr nur als Beispiel der bekannten Liebhaberei des Kaisers f.
das Philologisiren u. sein Unglück in diesem
Fache gelten', meint Jos. Modestin (Vienac v.
29. März 1890). Ganz verwerflich, in Anbetracht
des alten Zeugnisses des Geogr. v. Ravenna, der

Ragusium schon erwähnt, ist Engels Vermuthg., als sei *R.* aus ital. *roccha* = Fels od. *chiusa* = Clause, als *Rocchusa* od. *Rachiusa*, entstanden (Gesch. d. Freyst. *R.* 47), sowie die Annahme v. ital. *ragunare* = versammeln, vereinigen (Zeitschr. f. Schulgeogr. 3, 4). Als 'die wahrsch. richtige Etym.' betrachtet Modestin 'die mit der Wurzel *Ϝραγ*, welche den Begriff des Brechens, des Reissens, des Steilen u. Felsigen inne hat . . . Die ganze Natur der steilen ragusan. Felsküste verträgt sich mit dieser Etym. recht gut'. Wir möchten sie sprachlich noch besser gestützt sehen, dürfen jedoch wohl *R.* als italienisirte Form des ältern Namens betrachten (Peterm., GMitth. 5, 335, Sommer, Taschb. 12, 180). Die Slawen nennen die Stadt *Dubrovnik*, was früher v. *dubrava* = Wald, da die Gegend einst bewaldet gewesen, abgeleitet, in dem grossen academ. Wörterb. d. serb. Sprache (2. Th. 1884/86) unerklärt gelassen wurde. Nun verwirft V. Klaić (Vienac v. 22. März 1890) jene Ableitg., da aus *dubrava* nicht *Dubrovnik*, sondern im besten Falle *Dubravnik*, entstehen könnte, eine Form, die 'weder in den Urkunden noch bei den Schriftstellern nicht einmal vorkommt'. Die richtige Etym. sei die v. *dub* = quercus, ältere Form *dubar*, davon possessives Beiwort *dubrov*, das mit Suffix -*nik* z. Eigennamen *Dubrovnik* wird. Schon der alte kroat. Chronist, 'Pop Dukljanin', der Presbyter Diocleates, ca. 1143—1153, berichtet: Sclavi vero *(Ragusam) Dubrovnich* appellaverunt, id est sylvester sive sylvestris, quoniam, quando eam aedificaverunt, de silva venerunt'. Demnach wäre der slaw. Name als 'Ort der aus dem Waldland gekommenen' anzusehen. Freil. setzt auch Miklosich (ON. App. 2, 155), der Altmeister slaw. Namenforschg., *Dubrovnik* = Wald, u. als Realprobe wird ein einfacher 'Waldort' eher einleuchten als aus Wald gekommene Ansiedler'.

Rahabah s. Reheboth.

Rahdar s. Rezeh.

Raheb s. Kidron.

Rahim s. Allahabad u. Aral.

Rahwas s. Estland.

Rajas s. Assireta.

Raimundo, San s. (New) Hebrides.

Railroad Pass, ein Uebgang der Cerbat Range, v. Capt. Ives (Prel. *R.* 95) im März 1858 überschritten u. so getauft, weil der Bau einer Eisenbahn, *railroad*, offb. leicht wäre … 'It was found that the ascent was scarcely perceptible. A place more like a cañon than an ordinary mountain pass presented itself, and we penetrated the range for a few miles through the windings of a nearly level avenue'. Man sieht aus den nächstfolgenden Zeilen, dass schon Lieut. Whipple, als er 1853 Bill Williams's Fork gefolgt war, zu der Uebzeugg. kam, ein leichter u. kürzerer Uebgang, f. den Bau einer Eisenbahn practicabel, müsse gefunden werden.

Rainer Insel, Erzherzog, in Franz Joseph's Ld., entdeckt v. der österr.-ungar. Nordpol-Exp. Weyprecht u. Payer, deren zweite v. Jul. Payer ge-

führte Schlittenreise am 7. April 1874 hier vorbeikam (PM. 22, 203). Der österr. Nordpolverein, der die Untersuchg. anregte, stand unter der Protection des Erzherzog R. (ib. 18, 146). — *R.* Berg s. Wilczek.

Rainha, fem. des port. *rei* (s. d.), in den ON. *Caldas da R.* (s. Caldas) u. *Villa Bella da R.* (s. Bella).

Rainy Fall = Regenfall, ein Katarakt zw. Oberu. Winnipeg L., wo 1740 der frz. Canadier Joseph La France einen senkrechten Wasserfall *Chûte de la Pluie* = Regenfall traf, dessen Staubwolken in regenartigem Niederschlag sich herabsenken. Nach dem Fall der nahe See *R.* Lake, frz. *Lac de la Pluie,* u. dessen z. Winnipeg mündender Abfluss *R. River,* sowie ein Handelsposten der Nordwest Co.: *R. Lake Fort* (Ch. Bell, Canad. NWest 1 f.). So lang ich nur v. See wusste, leitete mich v. die Thatsache, dass jene Gegenden häufige u. starke Regengüsse haben (Hind, Narr. 1, 80, Back, Narr. 21), auf die Vermuthg., danach sei der See benannt, etwa v. einem Canadier, der besonders stark darunter gelitten. Man sieht, wie vorsichtig solche Vermuthungen aufzunehmen sind. — *R. Butte* s. Slim. — *Rainbow* s. Prismatic.

Raizen, auch *Ratzen,* slaw. *Ratzi, Raschtzi, Raschane,* mag. *Rácz, Rätz,* mlat. *Rassiani,* Name serb. Volksstämme griech. Confession in den untern Donauländern, v. der bosn. Stadt Rassia, j. Novipasar, dem Ursprg. der Grosszupanie *Rassa* (1159), aus welcher das spätere rassische od. serb. Königreich hervorging. Nachdem sich dieses bis z. dalmat. Küste ausgedehnt hatte, nahm das Herrscherhaus Nemanja den Titel Könige des ratzischen (serb.) u. Küstenlands an. Später zerfiel das Reich, u. *Rascien* hiess nun Serbien (Meyer's CLex. 13, 419).

Rak = Krebs, in slaw. ON. häufig, *Rakov, Rakova, Rakovic, Rakow, Rakowa, Rakowetz, Rakwitz, Rakowy, Rakonitz,* aus čech. *Rakovnik* verdeutscht, Orte in Böhm., Mähr. u. Schles., *Rakova, Rakovac, Rakovci, Rakovec, Rakovic, Rakovica, Rakovje, Rakovpatak* = Krebsbach, in Kroat., Slaw. u. Ung., *Rakovec, Rakovnca, Rakovni, Rakovnik, Rakowitzen* in Steierm., Kärnt. u. Krain, *Raków, Rakowá, Rakowice, Rakowiec, Rakowkat,* Orte in Galiz. (Miklosich, ON. App. 2, 224), *Rakowen, Rakowken, Rekownitzen* in Masuren (Krosta, Mas. St. 13). — Russ. *Rákowaja Gubá* = Krebsbucht, eine Bucht, welche v. der Petropauls Bucht nur durch ein felsiges Cap u. durch einige vorgelagerte Klippen getrennt ist (Erman, Reise 3, 550, Kittlitz, Denkw. 1, 306). — Dagegen *Kosa Rakuschetschja* = Landzunge der Miesmuschel, am Nordufer, u. ein *Mys Rakuschetschnoj* = Cap der Miesmuschel, am Ostufer des Kaspisee's (ZfAErdk. 1873 T. 1), u. wieder anders *Rakita, Rakitje, Rakitno, Rakitki, Rakitnik, Rakitoc, Rakitova, Rakitovetz,* ferner *Rokiciny, Rokietnica,* u. *Rokitno,* in Galiz., *Rokitai, Rokitnitz, Rokitno, Rokytan, Rokytnice, Rokytno, Rokytoves,* *Rokytzan,* in Böhm. u. Mähren, *Rokitó* u. **Ro-**

kitóc, in Ung., sämmtl. v. slow. u. serb. *rakita*, poln. *rokita*, čech. *rokyta* = Salweide, Salix caprea (Miklosich, ON. App. 2,224). Damit ist nun auch der poln. Name des weiten wolyn. Sumpfgebietes, *Rokitno*, erklärt.

Rakaunui = grosser Wald, bei den Maori ein Fluss der Westküste, welcher v. den *Castle Hills* = Schlossbergen herabkommt, einer Gebirgslandschaft, wo bis zu wenigstens 300 m. üb. dem Hafen weisse Felsmauern u. Felskronen aus Wald u. Busch hervorragen (Hochst., NSeel. 192).

Rakiura s. Stewart.

Rakus s. Rabanabad.

Raleigh, Stadt in Virg., zunächst *City of R.*, benannt nach Walter *R.*, welcher 1585 die Gegend in engl. Besitz nahm u. 1587 den Ort gründen liess, 'for which he had received a charter' (Quackenbos, U. St. 68). — *Mount R.*, an der Westseite der Davis St., v. John Davis am 6. Aug. 1585 entdeckt u. nach seinem berühmten Zeitgenossen getauft (Rundall, Voy. NW. 39, Forster, Nordf. 348) — prsl., obgl. der Berg ein stattliches Object war, die Schiffe in der schönen Rhede schützte u. seine 'cliffes was as orient as golde . . . the mountaines were of the brauest stone that ever we saw'. In dieser Station erschienen auch fürchterliche Eisbären, die man noch wenig kannte u. aus der Ferne f. Ziegen od. Wölfe hielt, 'white bears of a monstrous bignesse'. They were attacked and after a sharp fight four of them were killed. The day following another bear was killed, after much shooting with guns and stabbing with pikes; and on measuring one of his fore paws, it was found to be fourteen inches from side to side. So wenig als diese f. die frühen Nordpolfahrer aufregende Begegn., hat die Beobachtg. eines auf *Mt. R.* sitzenden Raben, noch der an Weiden u. Primeln erinnernden Vegetation, noch die Oede der Umgebg. vermocht, statt der prsl. Auszeichng. einen Naturnamen zu veranlassen (Hakl., Pr. Nav. 3, 101). — *Raleana* s. Orinoco.

Ram Head = Widderkopf, ein Vorgebirge am Eingang v. Plymouth Sd., Engl., u. v. Cook, am 19. Apr. 1770, auf einen ähnl. Vorsprg. in NSouth Wales übtragen (Hawk., Acc. 3, 80).

Ráma, in singh. Form *Saman* (s. Adam), f. sich skr. ON. in Radschwára, v. (dem berühmten Nationalhelden u.) Wischnu's Incorporation, häufig in zsgesetzten ON. wie *Ramaghérri* u. *Ramagiri* = *R.*'s Berg, *Ramapátan*, *Rámapur*, beides 'R.'s Stadt', *Rama*- od. *Ramsarái* = *R.*'s Haus, *Ramdurg* u. *Ramgárh*, beides 'R.'s Veste', *Ramessar*, *Rameśwar* u. *Rameśwaram*, sämmtl. 'der Herr R.', *Ramgandsch* = *R.*'s Markt, *Ramganga* = *R.*'s Fluss, *Ramghát* = *R.*'s Pass, *Ramghérry* u. *Ramgiri* = *R.*'s Berg, *Ramnágar*, *Rampur*, *Rampura*, *Rampuri*, sämmtl. 'R.'s Stadt', *Ramnáth* = der Herr *R.* od. *Ramnáthpúram* = des Herrn *R.* Stadt, *Rampur Schahpur* = *R.*'s Stadt, Königsstadt (Schlagw., Gloss. 237). Die geheiligte Insel *Rameswaram*, auf **Carten** *Ramiseram*, in der Adamsbrücke, wird

v. zahlr. Pilgern besucht, weil, der Sage zuf., Rama, um die Blutschuld seines Krieges zu sühnen, das Bild des dortigen Tempels selbst gestiftet habe (Lassen, Ind. A. 1, 192). — *Patiram* = der Herr *R.*, hind. ON. in Bengal, *Boloram*, skr. *Bala-rama* = der strenge *R.*, ON. im Dekhan, u. nach *Rághawa*, dem andern Namen des Gottes: *Raghawapúram*, *Raghawgárh* od. *Raghebgárh* u. *Raghugárh* (Schlagw., Gloss. 177. 232. 236). — *Srî-R.* s. Ceylon. — *Sérampur*, eig. *Srirámpur* = des heil. *R.* Stadt, bei den Hindu ein Ort in Bengal, einst dän. Factorei *Frederiksnagor* = Friedrichsstadt, nach einem der dän. Könige (Meyer's CLex. 14, 597). — Aehnl. *Sriramapuram*, in Orissa (Schlagw., Gloss. 243). — Der skr. Beiname *Baladéwa* = der strenge, mächtige Gott, ist in hind. Form *Baldéo*, beng. *Baldéb*, ON. in Hindustan (ib. 173). — Nach Dschanak, dem Vater v. Rama's Gemahlin Sita, der ON. *Dschanakpur*, in Bengal (ib. 204).

Ramah, hebr. רָמָה = Höhe, Erhöhung: a) eine Stadt im Stamme Benjamin (Richt. 19, 13), j. *er-Râm* (Robins., Pal. 2, 326. 567); b) eine Stadt im Stamme Naphtali (Jos. 19, 36), j. *Râmeh*, bei Akko (Robins., NBF. 100); c) eine Stadt im Stamme Asser, j. *Râmeh*, bei Tyrus (Jos. 19, 26, Robins., NBF. 82); d) *Ramoth*, hebr. רָמֹות, eine Stadt in Gilead (s. Szalt) (Jos. 19, 8); e) *Ramath-negeb*, hebr. רָמַת נֶגֶב = *R.* der Mittagsgegend, Stadt im Süden Palästina's, im Stamme Simeon (Jos. 19, 8); f) *Remet*, hebr. רֶמֶת, eine Stadt in Issaschar (Jos. 19, 21, Gesen., Hebr. Lex.).

Rameau, Ile, im Nuyts Arch., v. der Exp. Baudin am 12. Febr. 1803 getauft nach dem Musiker Jean Philippe *R.*, 1683—1764 (Péron,TA. 2,106, Freycinet, Atl. 18). Vgl. Choiseul-Gouffier.

Ramelsford, einer der zahlr. Fjorde an der Westküste Grönl., offb. mit dän. Namen. Hier war auf seinen Reisen in dän. Diensten 1605/7, der engl. Capt. James Hall erschienen, u. hier wurde er auf seiner in engl. Diensten unternommenen Fahrt 1612 durch einen Grönländer erschlagen, wie man vermuthet, aus Rache f. die Grausamkeiten, welche die Dänen hier begangen hatten (Rundall, Voy. NW. 92).

Ramesu, hebr. *Raëmses*, eine der v. König *R.* II. (1394—1328) erbauten Städte, welche v. Nil z. Rothen M. durch Wady Tumilât erstellten Schifffahrtscanal sichern sollten, wohl id. dem griech. *Heroonpolis* (s. Baal), nach der der Golf v. Suez auch der *heroopolitische Golf* hiess (Kiepert, Lehrb. AG. 199).

Ramle, er-, mit Dehnungszeichen *Ramleh* = das sandige, arab. ON. mehrf., z. B. a) Ort zw. Joppe u. Jerusalem, nach Zerstörg. des nahen Ludd, in der ersten Hälfte des 8. Jahrh., v. Suleimân, dem Sohne des Chalifen 'Abd el-Melek, ggr. (Abulf., TabSyr. ed. Köhler 79) in sandiger Ebene (Robinson, Pal. 3, 252); b) ein kahler, sandiger Platz, dem das im Olivenwald verborgene Suila, bei Thysdra, Tunis, als grüner Ggsatz entspricht (Barth, Wand. 168). — *Dschebel*

Ramla = Sandberg, ein 4 km lg. unbedeutender Sandsteinzug der östl. Sahara (Peterm., GMitth. 16, 28). — *Wady er-R.* = Sandthal: *a)* ein v. hohen Sandwänden eingefasstes Thal bei dem Kl. Kathabathmon (Barth 539); *b)* ein Thal mit hoch aufsteigenden Sandwänden, Tripolis (ib. 300). In Algerien ist *remla* = Alluvion, Kiesfeld, *rumel*, *remel* = Sand, woher *Ued er-Rumel* = Sandfluss, der Fluss v. Constantine, u. *Rugib er-Remel* = Sandhügel, in der Sahara (Parmentier, Vocab. arabe 43).

Ramme Gletscher, ein kolossaler in die Adria-Bucht des spitzb. Horn Sd. mündender Eisstrom, durch die Hülfsexp. Baron v. Sterneck's v. der Polarfahrt Weyprecht-Payer im Juli 1872 getauft (PM. 20 T. 4, Gef. Mitth. Prof. H. Höfer's, Klagenfurt Lfg. 17. Febr. 1876). Vgl. Fanny.

Ramonsita s. Campbell.

Ramos s. Malayta.

Ramparts, the = die Wälle, eine 10 km lg. Strecke des MacKenzie R., welcher, vorher 3—5 km br., sich hier auf 700—350 m verengt u., v. wallartigen, kühnen, 20—45 m h. Sandsteinwänden eingeschlossen, die zweite der v. Al. MacKenzie erwähnten Stromschnellen bildet (Franklin, Sec. Exp. 22, App. 24 Ansicht).

Rancheros, Isla de los = Insel der Gutsverwalter (*ranchero* ist in Creolien der Name des Aufsehers in einem *rancho* = Pachtgute), eine der Inseln im untern Laufe des RBravo del Norte (Uhde, RBravo 53).

Ranger Island, eine Nebeninsel v. Samoa, eine runde Koralleninsel v. 5 km Durchm., gg. 15 m h. u. mit Bäumen besetzt, v. dem Lond. Walfgr. (schiffe) *R.*, Capt. Simpson, 1835, dann im März 1835 auch v. american. Walfgr. Nassau gefunden: *Nassau Island* (Peterm., GMitth. 5, 184 T. 8), bei Capt. G. Rule 1823 *Lydra* (Bergh., Ann. 2, 781, Meinicke, IStill. O. 2, 127), wohl ebf. nach dem Schiffe.

Rangitoto = blutiger Himmel, bei den Maori ein 280 m h. aufsteigender Inselberg im Golf Hauraki, Auckland, des lavareichsten u. in seinen letzten Ausbrüchen wahrsch. auch jüngsten aller Auckland-Vulcane, freil. ohne dass die Feuererscheinungen, auf die der Name hindeutet (etwa der Wiederschein feurigflüssiger Lava am nächtlichen Himmel), der jüngsten histor. Zeit anzugehören scheinen (v. Hochst., NSeel. 94, Dieffb., Trav. 1, 33).

Rangpur, Ort u. Gebiet in Bengalen, heisst so nach dem steifen rothen, weniger fruchtb. Lehmboden *ranga* = Farbe (Lassen, Ind. A. 1, 171).

Rangún, Stadt in Birma, in engl. Orth. *Rangoon*, birm. *Rankong*, gespr. *Yangong* = bewirkter Friede, etwa 'Siegesstadt' (Schlagw., Gloss. 238), so wurde sie getauft v. dem Herrscher Alompra, welcher nach der Zerstörg. Pegu's u. Syrians 1755 sie z. Hptstadt u. z. Hauptseehafen seiner Besitzungen machte. Vor dieser Zeit hatte sie *Dagong*, nach der grossen Pagode *Schwe Dagong* = goldener D., geheissen (Crawfurd, Emb. 2, 53).

Ranigándsch = Königinmarkt, hind. ON. in

Bengál. Aehnl. *Ranighát* = Königinpass, *Raniköt* = Königinveste, *Ranipúr* = Königinstadt, *Ranisarái* = Königinhaus (Schlagw., Gloss. 238).

Rankin's Range, eine Bergreihe am Darling, v. Major Mitchell (Three Exp. 1, 232; 2, 256) am 15. Juni 1835 benannt nach einem seiner austr. Freunde.

Ransonnet, Baie, in Hunter's Is., v. der Exp. Baudin im Dec. 1802 nach dem Fähnrich des Expeditionsschiffs le Naturaliste getauft (Péron. TA. 2, 25). — Ebenso *Bassin R.* (s. Shoal) u. *Cap R.*, in Dirck Hartighs, am 4. Aug. 1801 (ib. 1, 163).

Ranu, Gunung = Seeberg, jav. Name eines im Osttheile Java's befindl. Bergstocks, wohl v. kleinen See'n in seiner Nähe (Junghuhn, Java 2, 642. 655). Vgl. Seelisberg.

Raoul s. Recherche.

Raphti, Porto = Schneiderhafen an der Ostküste Attika's, v. einer kolossalen Marmorstatue, beim Volke ῥάφτης = Schneider, weil sie auf einer Klippe mitten im Eingang der Bucht sitzt (Ross, IReis. 2, 9, Bursian, Gr. Geogr. 1, 351).

Rapid = schnell, als subst. = Stromschnelle, mehrf. in engl. ON. *a) R. Creek*, ein aus den Black Hills kommender lkseitg. Zufluss des Cheyenne R., South Fork, nach dem sehr raschen Laufe des 6—7 m br. u. 30 cm t. Wassers (Jenney, Min. W. 37); *b) Isles of the R.*, eine Reihe Sandinseln, zw. welchen der McKenzie R., bei seinem Austritt aus dem Gr. Sclavensee, reissend dahinfliesst, so durch Capt. John Franklin (Sec. Exp. 12) am 3. Aug. 1825 im Ggsatz zu der vor dem Flussaustritt, im See liegenden Inselreihe benannt; *c) Mountains of the R.*, als *East* (= östl.) u. *West* (= westl.) unterschieden, 2 zu beiden Seiten des McKenzie R. stehende Bergmassen, welche den Fluss abzusperren scheinen u. bei dessen Durchbruch die oberste der v. McKenzie erwähnten Stromschnellen bilden, getauft v. Capt. Franklin (Sec. Exp. 21) am 9. Aug. 1825; *d) Point R.*, ein Vorgebirge v. Port Dalrymple, wo das Becken scharf nach Südwesten umbiegt, zw. genannt v. Entdecker, Lieut. Matth. Flinders (TA. 1, CLVI) am 9. Nov. 1798, weil die Flut die Schaluppe schnell aufwärts trieb, so dass der in einem Boot nachfolgende Explorer Eile hatte, das Oberende v. Long Reach zu untersuchen; *e) R. qui ne parle point* = schweigsame Stromschnelle, Canadiername eines der im Missinipi befindl. Rapids, v. der stillen, wirbelnden Bewegung des Wassers (McKenzie, Voy. 86). — *R. River*, 2 mal: *a)* ein rseitg. Zufluss des Missinipi, welchen er etwas obh. einer grössern Stromschnelle erreicht. Wie der Fluss v. *R.*, so hat hinwieder v. jenem den Namen aufgenommen: *Portage of the R. River* (Franklin, Narr. 178 ff.); *b)* s. Eau.

Rappahannock, der (mir unerklärte) ind. Name eines Zuflusses der Chesapeak B., findet sich in den frühesten Aufzeichnungen als *Toppahannock*, wurde aber seit 1607 v. den Colonisten *Queen's*

River = Königinfluss, nach der Gemahlin James' I., genannt (Strachey, HTrav. 37).

Rapperswyl, st. gall. Städtchen am Zürichsee, ist eine jüngere Gründg., *Neu R.*, *Raperti-* od. *Rupertivilare*, des Geschlechtes d. N., dessen Burg auf der Schwyzer Seite des See's, bei Altendorf, stand, urk. 972 *Ruhprehtswilare*, j. *Alt-R.* (Gem. Schweiz 5, 233). Als der Graf Rudolf v. *R.* aus Palästina zkkehrte, legte er die neue Burg an u. verlegte 1091 seinen Sitz dahin (v. Arx, GSt.Gall. 1, 301 f.).

Rara s. Anthony.

Rasa, Isla = flache Insel, eine kleine flache Klippe östl. v. den Riukiu, v. Schiff Cannonière schon 1807 entdeckt, doch erst v. Capt. des Magellans 1815 so, wohl auch nach einem andern Seef. *Kendrick Island*, getauft (Meinicke, IStill. O. 2, 417).

Rascal's Village = Schurkendorf, ein Indianerort Alaska's, v. Alex. McKenzie (Voy. 522), welcher zu Ende Juli 1793 dort arg bestohlen wurde, so getauft.

Rasch s. Schweigaard.

Raschdorf s. Ross.

Rasena s. Toscana.

Rasgul s. Hossnkeif.

Rasiga = Säge, ital. ON.: *a)* in Puschlav (Leonhardi, Posch. 81); *b)* bei Tirano, Veltlin, also unmittelb. vor der Mündg. des Puschlav (Leonhardi, Veltl. 106).

Raspille, frz. Name eines Baches, welcher sich v. den Höhen des Wildstrubels durch eine Waldschlucht nach der Rhone ergiesst, s. v. a. Bach im Waldgebüsch, v. mlat. *raspa* = Holz, Gebüsch (Gatschet, OForsch. 199).

Rastok s. Rostock.

Rasulabád = des Propheten Stadt, arab.-pers. ON. in Hindostán u. in Audh. — Aehnlich *Rasulpúr*, ebf. 2 mal (Schlagw., Gloss. 238).

Rat = Ratte, frz. u. engl., wie ital. *ratto*, span. *rata*, port. *ratão*, *rato*, holl. *rot* (s. Rottennest), *rat*, in ON. nicht sehr häufig: *R. Island*, 2 mal *a)* die centrale Insel der Easter Group, Houtman's Abrolhos, v. Capt. Stokes (Disc. 2, 145) zu Ostern 1840 so benannt nach dem dort lästigen Gethier ... 'from the quantity of that vermin with which it was infested'; *b)* im Arch. Mergui, v. Capt. Thom. Forrest am 13. Juli 1783 getauft (Spr. u. F., NBeitr. 11, 180). — *R. River*, ein Zufluss des Saskatschewan, den er vor Pine I. Lake erreicht, u. nach dem Flusse benannt der nahe Trageplatz, *R. Portage* (Franklin, Narr. 178ff. Carte). — Ein anderer *R. Portage* an einer Bay des Wood Lake (s. d.); diese Bay liegt längs der felsigen Anhöhe u. beherbergt eine Menge Bisamratten, die hier beständig z. Winnipeg River hinüber passiren (Ch. Bell, Canad. NWest. 2). — *Rats Lodge* s. Beaver. — *Ratteninseln* s. Aleuten.

Ratanapura, als ein anderer Name bei Awa (s. d.) erwähnt, führt uns, da *rátan* = Juwel, Edelstein auch als PN. gebr. u. als solcher zu Ortsbezeichnungen verwendet ist, auf eine ganze Reihe ind. ON. wie *Ratangándsch, -garh, -giri,* -*púr, -púri, Ratnagherri* od. -*giri, Ratnapúra* (Schlagw., Gloss. 238). Vgl. Rama.

Ratara, auch *Redere, Rheda, Rethre, Rederi*, einst slaw. ON. im j. Mecklenb.-Strelitz, zunächst auf den Volksstamm, *Ratari* = Krieger, v. *rata* = Krieg, bezogen, dann die Stadt *R.* = Kriegerstadt, welche Deutg. mit der Geschichte dieses tapfern Volks aufs vollkommenste übereinstimmt (Jettmar, Überr. 15 f., Schafarik, Slaw. Altth. 2. §. 44, 580).

Rath s. Rütli.

Rathbone Island, vor Liverpool Coast, v. engl. Walfgr. Will. Scoresby jun. (North. WF. 179) nach einem Freunde Will. *R.* getauft, obgl. die Form des Bergeilandes zu einem Naturnamen eingeladen hätte ... 'having an insulated peak jutting into the sea, with a rock on the summit, resembling the ruins of a castle'.

Rathkeltar s. Downpatrick.

Ratibor s. Ratzeburg.

Ratmanoff, Cap, in Sachalin, v. Capt. Krusenstern (Reise 2, 146) getauft am 23. Juli 1805 nach dem ersten Lieut. seines Schiffs Nadeschda, Makary *R.*; *b)* ebenso *R. Insel*, in der Berings Str., v. Kotzebue (Entd. R. 1, 138) nach seinem ehm. Chef benannt u. v. Beechey (Narr. 1, 247), nach Berichtigg. eines Irrthums, fixirt.

Ratschewo Gorodischtsche, ein ostjak. Ort am Irtysch, unth. Tobolsk, nach dem Götzen Ratscha, welcher hier verehrt wurde. Es mündet der Bach *Ratschewka* in den Irtysch. Als im Frühjahr 1582 die Kosaken Jermaks anlangten, war gerade eine Versamlg. v. Zauberpriestern, die Opfergaben f. den Götzen gesammelt hatten u. sich nun in den Wald verkrochen; immerhin blieb den Kosaken das f. den Götzen (u. die Priester?) bereitete Opfermahl (Müller, SRuss. G. 3, 272, Fischer, Sib. G. 1, 226).

Ratschitz s. Reka.

Ratteninseln s. Aleuten.

Rattlesnake Creek = Bach der Klapperschlange, ein rseitg. Zufluss des Missuri, obh. Yellowstone, v. den Captt. Lewis u. Cl. (Trav. 160) am 17. Mai 1805 so benannt, weil sie dort eine Klapperschlange trafen u. gleich nachher v. zwei andern die eine tödteten. 'It resembles those of middle Atlantic states, being about two feet six inches long, of a yellowish brown on the back and sides, variegated with a row of oval darkbrown spots lying transversely on the back from the neck to the tail, and two other rows of circular spots of the same colour on the sides along the edge of the scuta; there are one hundred and seventy-six scuta on the belly, and seventeen on the tail'; ebenso *b)* *R. Cliff*, eine Felswand am Jefferson R., wo die Exp. am 10. Aug. 1805 zahlr. Klapperschlangen traf (ib. 256); *c)* *R. Springs*, eine Gruppe schlechter alkal. Quellen, bei welchen 1869 General E. O. C. Ord (Nev. 10) vor Eintritt der Nacht 14 Klapperschlangen tödtete; *d)* *Mount R.*, in der Louisiade, nach Capt. Owen Stanley's Schiffe 1849 benannt (Meinicke, IStill. O. 1, 106).

Ratu, Kawah = Kraterfürst, v. *ratu* = Fürst u. *kawah* = Krater, mal. Name der östl. der beiden Kraterhälften des G. Tangkuban Prau. Diese Hälfte ist nicht nur ʾviel grösser u. tiefer als die westlicheʿ, sondern der Krater übh. ʾeiner der grössten der Insel Javaʿ, da er gg. 2 km lg. u. 1 km br. ist (Junghuhn, Java 2, 36 f.).

Ratzeburg, ON. in Lauenburg, 1062 *Racesburg*, 1154 *Racezburc*, 1158 *Raceburg*, auch gräcisirt *Racipolis*, 1250 bei Boguphal v. Posen *Rathibor*, nach G. Hey (ON. Lauenb. 26) v. slaw. PN. Ratibor (vgl. Kühnel, Slaw. ON. 116), sei es dem 1042 † Obotritenfürsten od. einem ältern Namensvetter, angewandt in der männl. Adjectivform mit dem asl. Suffix *ju*, welches in Verbindg. mit *r* im poln. die Lautgruppe *rz*, im čech. *ř*, welches *rsch*, bildet, also *-borz*, *-boř*, das in seinem weichen Auslaut v. den Deutschen nicht entsprechend wiedergegeben werden konnte u. durch *-burg* ersetzt wurde, wie in *Braniborju*, poln. *Branibórz*, čech. *Branibôr*, deutsch *Brandenburg*. ʾAuf diese Weise ergibt sich, dass *R.* sich deckt mit asl. *Ratiborju*, poln. *Racibórz*, čech. *Ratiboř* == Ansiedlung des Rati- od. Racibor, ebenso wie das schles. *Ratibor*, poln. *Racibórz*, ferner *Ratzebuhr* in Pommern, *Ratiboř*, in Mähren, 5 *Ratiboř*, in Böhmen, entstellt zu *Rothbern*, *Rothwurst* u. *Radiwurz*. — Nach dem lauenb. *R.* der *Ratzeburger* See.

Rául od. *Ráwal* == Hauptpriester, auch im Sinne eines Souveräns, f. sich hind. ON. in Hindostán, zsgesetzt *R. Pindi*, richtiger *Pind-i-Rawal* = *R.'s* Dorf, im Pandschab (Schlagw., Gloss. 239).

Raunach s. Ravan.

Rauparaha's Island, in Cook's Str., als gew. Wohnplatz des Häuptlings *R.*, auch *Mayhew's Island* nach einem Americaner, welcher hier ein Walfängeretablissement hatte (Dieffb., Trav. 1, 99).

Rautheim s. Roth.

Raûuleuvu s. Chadileuvu.

Ravan = eben, serb. Wort, wie asl. *ravn*, slow. *raven*, čech. *rovny*, slowak. *rovno*, poln. *równy* oft in ON. der betr. Gebiete: *R.* = Ebene, *Raven*, *Ravenszka*, *Ravljane*, *Ravna*, *Ravnagora*, *Ravneš*, *Ravnica*, *Ravnice*, *Ravninszko*, *Ravno*, in Kroat. u. Ung., *Ravna*, *Ravne*, *Ravni Dol* = ebenes Thal, *Ravnica*, *Ravnik*, *Ravno*, in Steierm., Kärnt., Krain etc., *Raunach*, 2 Orte in Kärnt., aus slow. *Ravnie*, *Raune*, Orte in Steierm. u. Krain, aus slow. *Ravne*, *Raunik*, in Krain, aus slow. *Ravnik* verdeutscht; ferner *Rovná*, *Rocnačov*, *Rornei*, *Rovny*, in Böhm., *Rovna*, *Rocne*, *Rovno*, *Rovnya*, *Rovnye*, in Ung., *Rowná*, *Rownaj*, *Równe*, *Rownej*, *Rownia*, *Rovny*, in Böhm., Mähr. u. Galiz. (Miklosich, ON. App. 2, 225).

Raven s. Passion.

Ravenstein s. Freeden.

Ravières, frz. ON. aus altem *Raverias* f. *Raparias*, v. lat. *rapa*, *rapum* == Rübe, in den dépp. Loire u. Yonne (d'Arbois de Jub., Rech. NL. 608), u. — zuf. dem Dict. top. Fr. — auch in den dépp. Nièvre u. Mayenne.

Rawanhrad s. Rabanabad.

Rawi, den Namen eines der 5 Ströme des Pandschab, erklärt Lassen (Ind. A. 1, 56) aus skr. *Iravati* == wasserreich, mit dem hinterind. Irawadi nicht zu verwechseln. Er gibt dort zugl. die gr. Formen: ʿΥάροτις Strabo, ʿΥδραώτης Arr. u. ʿΡοváδις Ptol.

Rawlinson Range, eine Bergkette an der Nordküste NGuinea's, v. engl. Capt. Moresby 1873 benannt zu Ehren des Präsidenten der Londoner Geogr. Sʸ, Generalmajor Sir Henry *R.* In derselben Gegend ein *R. Point* u. dazw. ein *Markham River*, ebf. nach einem hervorragenden Mitgliede jener Gesellschaft. Auch *Cape Frere* u. *Bartle Bay* sind zu Ehren eines um die Erdkunde verdienten Engländers, des Consuls Bartle Frere, getauft (Journ. RGSLon. 1875, 162, Carte). — *R.'s Cap*, ein isolirter runder Felsblock, der auf einem Berggipfel am Olifant's R., Limpopo, liegend dessen ʾMützeʿ bildet, v. engl. Reisenden St. Vincent Erskine am 20. Sept. 1872 zu Ehren desselben Präsidenten *R.* getauft (Journ. RGSLond. 1875, 115). — *R. See*, in NSemlja, v. Rosenthal 1871 cartographirt u. v. Aug. Petermann (GMitth. 18, 77) wie *Hughes Bach* u. *Whymper Kette* benannt. — *R. Sund*, in Franz Joseph's Ld., v. der 2. österr.-ung. Nordpolexp. Weyprecht-Payer am 7. Apr. 1874 entdeckt (Peterm., GMitth. 20 T. 23; 22, 203).

Rawyl, ein Pass der Berner Alpen, der durch eine furchtbar tiefe Schlucht am Ursprung der Rière führt, v. lat. *ruina*, ital. *rovina* == Schutt, Geröll, dann Ort, wo Geröll sich sammelt, Bergschlucht; der Abgrund hat den dortigen Alpen die Benenng. *les Ravins* verschafft (Arch. HV. Bern 9, 373 ff.).

Rayah s. Laut.

Raymipampa == Dorf des Raymi, d. i. des Hptsonnenfestes, peruan. ON., v. erobernden Tupac Inca Yupanqui an Stelle des frühern Namens gesetzt, weil er hier, so gut es anging, das Fest feierte, welches durch den Oberpriester u. die zkgebliebenen Incas in Cuzco mit gewohnter Feierlichkeit begangen wurde (G. de la Vega, Com. Real 8, 3). Vgl. Santa Cruz.

Raynal, Ile, in Baie Maret, v. der Exp. Baudin am 29. Jan. 1803 getauft (Péron, TA. 2, 80, Freycinet, Atl. 17), ozw. nach dem Cameralisten d. N. 1711/96.

Reagh, englis. Form f. ir. *riabhach* == gräulich, scheckig, schwärzlich od. lohfarben, mehrere Orte in Irl., im Sinne v. ʾgrauem Landʿ, auch zu *Ree* erweicht u. im dim. *Reaghan*, f. eine kleinen grauen Fleck Landes, wie denn übh. die ʋschied. Farbentöne der Oberfläche häufig zu Ortsbenennungen dieser Art Veranlassg. gaben (Joyce, Orig. Ir. NPl. 2, 283).

Real, adj. v. *rey*, *rei* (s. d.), mehrf. in ON. *a) Villa R.* in Algarve, v. Minister Pombal 1770 ggr., um die Fischerei zu heben (Willk., Span.-P. 223); *b) Ciudad R.*, Ort in NCastil. u., in Folge Uebtr., in Chiapas, Mexico (s. Cristoval); *c) Vega R.* == Königsgau, die herrlich grüne, anmuthige

Thalebene des Yaque, Hayti, v. Columbus am 13. März 1494 benannt (Peschel, ZEntd. 247).
Reaper s. Wostok.
Réaumur s. Percy.
Rebaix s. Ross.
Rebecca Island, die südlichste Insel der austr. Ellice Gr. (s. d.), v. Capt. Peyster, Schiff *R.*, 1819 nach seinem Fahrzeuge benannt (Krusenst., Mém. 1, 11).
Rebschi s. Teir.
Recherche, der Name des 1. Schiffs der Exp. d'Entrecasteaux (s. d.), ist in den austr. Gewässern mehrf. erhalten, zuerst *a)* f. den *Port de la R.*, eine Hafenbucht des Détroit d'Entrecasteaux, Tasmania, wo man am 21. Apr. 1792 angekommen war u. eine Reihe v. Objecten nach den Theilnehmern der Exp. taufte; *b) Archipel de la R.*, vor Nuyts Ld., v. 9.—17. Dec. 1792 untersucht — eine pietätlose Benenng., da der Holländer Nuyts (1627) ihn nicht nur lange vorher entdeckt, sondern auch eine Aufnahme geliefert hatte, der selbst d'Entrecasteau unverholenes Lob spendete (Flinders, TA. 1, 78. LXXII, Atl. 2). — Von demselben Entdecker auch *Ile de la R. a)* in den Kermadeck In., am 15. März 1793 benannt, so wenigstens nach Purdy's Carte, während sie in Atl. des Adm. Rossel *Ile Raoul*, da dieser 'premier pilote de l'expédition (s. d'Entrecasteaux) découvrit cette ile' 17. März 1793, in Arrowsmith' Carte *Sunday Island* = Sonntaginsel, nach Capt. Raven 1796, heisst (Krus., Mém. 1, 12ff.), wohl id. mit *Isla de Vasquez*, die der span. Seef. Maurelle 1781 im Süden der Tonga entdeckt hatte (Meinicke, IStill. O. 1, 342); *b)* s. Pitt.
Récif = Riff, Klippe, ein frz. Wort, welches wohl wie port. *recife*, span. *arrecife*, altspan. *arracife*, altport. *arracef*, v. arab. *ar-racif* = Dammweg, hohe Fahrstrasse, *ar-raçaf* = hohe Steine im Wasser abgeleitet ist (Diez, Rom. WB. 2, 99) u. in ON. wiederholt vorkommt *a) Ile aux Récifs* s. Abrolho: *b) Baie des Récifs* s. New Year; *c) Recife* s. Pernambuco, sowie *los Arrecifos* (s. d.).
Recknitz s. Reka.
Reconcavo, o = die Meeresbucht, das um Bahia im Halbkreis gruppirte Gebiet v. Städten u. Ortschaften (Avé-L., NBras. 1, 21).
Reconnaissance, Piton de = Spitzberg der Erkenng., ein einzeln stehender, kegelförmiger Uferberg Victoria's, Austr., v. der Exp. Baudin am 31. März 1802 so benannt als vorzügliche Erkenntnissmarke (Péron, TA. 1, 265).
Record Point = Cap der Urkunde, eine niedere Sandzunge bei Port Essington, v. Capt. Sir J. Gordon Bremer, Schiff Tamar, 1824 so benannt, weil er, nach einer förml. Besitznahme v. Arnhem's Ld., in der Absicht, eine Ansiedelg. zu begründen, das ausgedörrte Land als hiezu untaugl. verliess u. auf dem in Frage stehenden Vorgebirge eine versiegelte Flasche vergrub, welche üb. die bisherigen Verrichtungen Auskunft enthielt (King, Austr. 2, 236, Stokes, Disc. 1, 383). — *R. Hill*,

ein Hügel in Houtman's Abrolhos, v. Capt. Stokes (Disc. 2, 163) am 21. Mai 1840 so getauft, weil er eine in einer Flasche eingeschlossene Urkunde, welche üb. die so eben beendete Exploration des Archipels Rechenschaft gab, hier niederlegte.
Recréation s. Verkwikking.
Recruit Harbour = Erfrischungshafen, eine Hafenstelle der Wallaby Gr. (s. d.), v. Capt. Stokes (Disc. 2, 154) im Mai 1840 so genannt, weil Kängurus u. Fische seiner Mannschaft eine willkommene Erfrischg. boten . . . 'from its according fresh supplies of the small kangaroo, in addition to the fish found every where else'.
Red = roth, oft in engl. ON. einfach mit dem Grundwort *river*. *cliff*, *mount* . . . verbunden *a) R. Beach* = rothes Ufer, *R. Hill* = rother Hügel u. *R. Cliff* = rothe Klippe, sämmtl. an der Nordküste Spitzbs., wo dem ostwärts fahrenden Seemann die schwarze Felsenfarbe verschwindet u. das landschaftl. Aussehen sich völlig ändert: it was probably owing to this remarkable difference in the appearance of the shore, that the old navigators gave to places hereabouts the names of *RB*. . . . (Phipps, Northp. 52); *b) R. Buttes* = rothe Rundhügel, eine Reihe am Pow- der R., v. rothem, erhärtetem Lehm, der auch das Wasser roth färbt. Einer dieser Rundhügel, mitten im Thal, ähnelt v. ferne einer zerbröckelnden Burgruine mit Thürmen u. Bastionen u. zahllosen, den Seiten angeklebten Vogelnestern (Raynolds, Expl. 68 sagt nicht, ob der Name v. ihm, 1859, od. v. den Trappern herrühre; *c) R. Cray* s. Dark. — *R. Hill: a)* s. oben; *b)* in De Witts Ld., v. Capt. Stokes (Disc. 2, 371f.) am 14. Oct. 1841 nach der dort herrschenden Formation v. Rothsandstein getauft; *c)* s. Druid. — *R. Island a)* eine kleine, nicht hohe Felseninsel v. sehr dunkelrother Farbe, vor dem Arch. Champagny, Tasmans Ld. (King, Narr. 1, Carte u. Grey, Two Expp. 1, 66); *b)* bei Heard I., im südind. Ocean, 'durch ihre rothe Farbe sehr leicht erkennbar, ein runder Block dunkelrother Lava' (Peterm., GMitth. 20, 461); *c)* s. Exmouth. — *R. Lake*, nach dem rothen Ufersand benannt (Bell, Canad. NW. 4), das Quellbecken des *R. Lake River*, eines rseitg. Zuflusses des *R. River of the North* (s. unten!), Minnesota, die milde Ubsetzg. des *R. Misqui Sakiegan*, der das blutgetränkte Schlachtfeld der Algonquin u. Dakota bezeichnet . . . 'RL. whose waters have so often drank blood from battles on its shores as to have gained the ensanguined cognomen which we mildly translate *red*' (Coll. Minn. HS. 1, 47). Der Sage zuf. hätten 2 Tschippewäer ein unbekanntes Thier, in welchem sie dann den Matschi Manitu (== bösen Geist) erkannten, so lange mit Schüssen verfolgt, bis es blutend im See verschwand (GForster, GReis. 3, 290). — *R. Mountain*, ein Berg v. rothem Trachyt, am Südufer des Yellowstone Ld. . . . 'some portions are very red, and from this fact it derives its name' (Hayden, Prel. R. 131). — *R. Point a)* in NSouthWales, v. Lieut. Cook, am 25. Apr. 1770 wg. der Farbe des um-

gebenden Landes ... from the colour of the land about it (Hawk., Acc. 3, 84); *b)* ein v. Feldspath lebhaft rothgefärbter Landvorsprg. v. Hoppner's Inlet, v. Capt. Parry (Sec. V. 82 ff.) im Sept. 1821 entdeckt u. benannt, das einzige nicht prsl. getaufte v. 13 Objecten jener Gegend. — *R. River*, ebf. 2 mal: *a)* der letzte rseitg. Tributär des Missisipi, schon span. *Rio Colorado* = der rothe Fluss genannt (PW. v. Württb., NAm. 121), nach den röthlichen Schlammmassen, welche sein aus rothen, horizontal geschichteten Sandsteinen u. Thon gebildetes Gebiet ihm zuführt (ZfAErdk. 1, 151 ff.) ... 'from the rich fat earth or marle, of that colour, borne down by the floods' (Lewis u. Cl., Trav. 239). Schon der Arkansas ist, wenn angeschwollen, so trüb wie der Missuri u. hat sein Wasser eine glänzend röthliche Färbg., 'almost that of flame'; aber der *R. River*, v. eben so dicktrüber Beschaffenheit, ist v. einem noch dunklern Roth (Buckingh., East. & WSt. 3, 187); *b)* ein Zufluss des Winnipeg L., aus Minnesota kommend, vollst. *R. River of the North* (Hind, Narr. 1, 126), frz. *Rivière Rouge*, wie der engl. Name übsetzt aus dem ind. *Miscoussipi* (Ch. Bell, Canad. NWest 3), an ihm das *R. River Settlement* s. Manitoba. Der Fluss wurde z. ersten mal 1736/37 v. Weissen u. zwar v. Verendrye's Leuten, befahren; *c)* s. Colorado. — *R. Rock* s. Standing. — *R. Wing* s. Remnica.

Red Cañon Creek = Bach der rothen Schlucht — damit beginnen die ON., deren Grundwort durch eine Zssetzg. mit *red* bestimmt ist — ein Zufluss des Powder R. (s. d.), 'a stream very appropriately named', weil er zw. hohen, sattrothen Felswänden hinfliesst, so dass das Wasser selbst dieselbe glänzende Färbg. annimmt (Raynolds, Expl. 67). — *Mount R. Cap* = Berg der Rothmütze, ein eigentl. rother Bergkegel am obern Darling, mit einem Felsklumpen gekrönt, v. Major Mitchell (Trop. Aust. 150) am 6. Mai 1845 getauft. — *R. Cedar Lake* s. Cass. — *R. Clay Valley* = Thal des rothen Lehms, ein Seitenthal des Cheyenne R., SouthF., v. General Custer am 4. Aug. 1874 so benannt nach dem tiefen, in rothen Lehm eingeschnittenen Bette (Ludlow, Black H. 15). — *R. Earth Creek* = Bach der rothen Erde, so nannten 1859 'unanimously' die Theilnehmer an der Exp. Raynolds (Expl. 30) einen Zufluss des Cheyenne R., weil die glänzendrothe Ufererde das Wasser färbt. Die Indianer nennen ihn *Wokeokeloka Wakpa* = Bach, welche aus einem Quellbecken entspringt. — *R. Knife Indians* = 'Rothmesser', ein Indianerstamm des McKenzie R., v. ihren kupfernen Messern (McKenzie, Voy. 166). — *R. Pipe Stone River* = Fluss des rothen Pfeifensteins, engl. urspr. frz. Name eines Tributären des Gr. Sioux R. (Lewis u. Cl., Trav. 36), nach den rothen Uferfelsen, aus denen die Indianer das Material zu ihren Friedenspfeifen holen ... 'and the necessity of procuring that article, has introduced a sort of law of nations, by which the banks of the creek are sacred, and even tribes at war meet without hostility at these

quarries, which possess a right of asylum. — *R. Rock Creek* = Bach des rothen Felsen, einer der Quellarme des Jefferson Fork, Montana, nach zahlr. zu Tage tretenden ziegelrothen Sandsteinen u. kreidigen Lehms längs seiner Ufer. Sein Thal, *R. Rock Valley*, zw. 2 hohen Ketten, deren Basis 'with yellow and red beds' (Hayden, Prel. Rep. 33). — *Portage of the R. Rock* = Trageplatz des rothen Felsen, im Netz des Pine Island L. (Franklin, Narr. 178 ff.). — *R. Rock Gate* od. *Porphyry Gate* = rothes Felsenthor, 'Porphyrthor', der thorartige Ausgang, mit welchem der Rio Colorado die Chocolate Ms. verlässt, 1858 v. Capt. Ives (Rep. 50. 53) benannt nach der lebhaft rothen Felsfarbe ... 'a gate formed by a huge crag of vivid red rock', wo die rothen (statt weiter abwärts schwarzen) Felsmassen, vorzugsweise Porphyr, sich senkrecht aus dem Wasser bis zu einer Höhe v. 40 m erheben (Möllhausen, FelsGb. 1, 181 ff.). — *R. Rock Pass*, ein Uebergang in Idaho, an den eisenschüssigen rothen Kalkfelsen ... 'carboniferous limestones, a portion of which have a reddish appearance in the distance, from the presence of oxide of iron' (Hayden, Prel. R. 22). — *R. Sulphur Springs* s. Sulphur. — *Redstone River* = Fluss der rothen Steine, ein rseitg. Zufluss des Yellowstone R. u. durch seinen Namen im Ggsatz z. Hptader. Capt. Clarke, auf dem Rückweg v. Pacific, fand, als er die Mündg. erreichte, das Wasser wie die Ufer v. dunkelbrauner Farbe u. eine Menge rother Steine, die das Wasser auswirft. So taufte er den Fluss am 30. Juli 1805 u. erfuhr erst später, dass der ind. Name *Wahasah* dieselbe Deutg. hat. — *Redwater Creek* = Bach des Rothwassers, ein Quellarm der Belle Fourche (s. d.), offb., weil sein Wasser v. dem backsteinrothen Thonboden gefärbt ist (Ludlow, Black H. 12).

Redes, Rio de = Fluss der Netze. nannte der span. Entdecker Balboa 1511 einen Arm des Atrato, weil die Eingebornen den Flussschweinen Netze an's Ufer gelegt hatten (Peschel, ZEntd. 463).

Redniz, gew. mit *tz*, den aus der *schwäb.* od. *obern* u. der *fränk.* od. *untern Rezat* entstandenen u. bei Bamberg mündenden bedeutendsten der Ilkseitg. Zuflüsse des Main, im 8. Jahrh. *Radantia*, dann *Radanzia*, *Ratanza*, *Ratenza*, hielt Zeuss (Gramm. Celt. 760) f. kelt., ohne eine überzeugende Ableitg. beizubringen; der Consistorialrath J. H. A. Ebrard dachte an den deutschen Stamm *rad* = schnell sein, um so mehr, als der Fluss selbst heute noch, trotz der unzähligen Wehre, eine lebhafte Strömg. habe. Förstem. (Altd. NB. 1214) liess die Frage unentschieden. Dagegen hält der Keltist Q. Esser (Beitr. gallokelt. NK. 14) die / *rad* f. entstanden aus europ. *ard* = wallen, netzen, im altind. auch strömen, gerade wie der Fluss v. Nürnberg, die bei Fürth einmündende *Pegniz*, alt *Paginza*, *Pagenza*, *Begenze*, urspr. *Bagantia*, als laufende bezeichnet ist v. der europ. √ *bhag* = eilen, laufen. Die *Rezat*, 786 *Rethratenza*, muss mit *Redniz* zshängen, wohl als Compositum mit *reth*; in dieser Vorsatzsilbe sieht Esser (p. 12) den Stamm des gall. adj. *rectos-*, goth. *raihts*, ahd. *rëht*, nhd. *recht*, u. zwar in der Bedeutg. 'südlich', da Kelten wie Inder den Süden als die dem ostwärts Gekehrten z. Rechten liegende Himmelsgegend bezeichneten (s. Dekhan). Beachtung verdient aber auch die ältere Ansicht, als bedeute *Rethratenza* 'die rätische Rednitz' (Anzeige f. Kunde der AV. 1864, 439). Mit der echten Form *R.* hat sich eine unberechtigte, *Regniz*, f. die wir übr. mit ? auf art. *Reka* verweisen möchten, gemengt, viell. weil der Nürnberger Dialekt, dem Gleichklang zu Liebe, zu *Pengez* auch eine *Rengez*, statt *Rennez*, gesellte; jedenf. aber hat sich die Missform nicht direct, sondern auf dem Umweg durch das Humanistenlatein eingeschlichen. Sie geht nämlich auf den berühmten Konr. Celtes, Prof. zu Ingolstadt, zk, der (Lib. Nor. 1502) Nürnberg besucht hatte u. in *Pegnesus* u. *Regnesus* ein eleganteres Latein gab, sei es, dass ihn die dial. *Rengez* verführte od. die in Nürnberg vielgehörte *Pegniz* auf eine anklingende *Regniz* brachte. Ihm folgte 1585 der Humanist Will. Pirkheimer (Descr. Germ. 40 ff.), 1603 P. Bertius, géogr. du Roy (Tab. geogr. 468), der bei aller Kenntniss die ON. wie ein Franzose maltraitirte, 1609 der Cöln. Kasp. Ens (Del. Germ. 239), 1612 P. Hentzner (Itin. 596), der übr. auch die richtige Form, sowie die alte *Radantia* kennt, 1632 Mart. Zeiller in seinem berühmten Reisebuch (Germ. 2. Aufl. p. 102 f.), das in der 'Contin.' freil. *g* in *d* corrigirte. Mit dem Nürnberger Chr. Scheurer od. Scheurer, der selbst nicht wusste, wie er den eignen Namen schreiben sollte, beginnt nun ein Schisma; er schreibt den Flussnamen obh. Fürth, wir wollen sagen: im Oberlauf, mit *d*, im Unterlauf mit *g*; diese orthogr. Unterscheidg. kehrt sich um 1733 bei Falkenstein (Delic. Norib.) u. 1741 bei Zedler (Univ. Lex. 30, 1642) u. artet in den Homannischen Carten zu wilder Verwirrung aus; denn während der Atl. minor 17 f., gestochen 1728/44, zu Scheurer zkkehrt, obh. Fürth mit *d*, unth. Fürth mit *g*, schreiben andere Blätter dieser Firma den ganzen Fluss mit *d*, andere mit *g*, ein Blatt v. 1782 in der Unterscheidg. wie Falkenstein u. Zedler. Offenbar geschah es also in der Absicht, der Confusion zu steuern, dass 1761 Stieber (Hist.-topogr. Nachr.) sein Theorem formulirte: *Redniz* obh., *Regniz* unth. Aufnahme der Pegniz; erhielt doch durch diesen Pact der aus *Redniz* u. *Pegniz* entstandene Fluss auch ein Erbstück des Nebenflusses, das *g*. Seither ist der Stiebersche Pact merkw. zähe in der geogr. Litteratur geblieben, obgleich wiederholt der Irrthum bekämpft wurde, zuerst v. Historiker Meusel (Journ. v. Frank. 4, 411), 1799 v. Chr. G. Murr, 1801 v. J. K. Bundschuh, u. in einer gründl. Arbeit, der wir hier gefolgt sind, v. dem oben erwähnten Ebrard (Anz. f. Kunde DVorz. 1864 No. 9—12). Aus seinen Angaben lässt sich erkennen, dass die Missform, mit *g*, 'eine erst seit Ende des 18. Jahrh. ein-

geschmuggelte Erfindung der Schulgeographie' (Bl. f. Schulpraxis 1882 No. 1, 12) nur ist f. den, der nicht weiter zkgeht. Noch 1887 erschien (Zeitschr. f. Schulgeogr. 9, 32) die Frage, ob der aus *Redniz* u. *Pegniz* entstandene Fluss *Red*od. *Regniz* heisse. So hat die Verwirrg. bald ihr 400. Altersjahr erreicht, u. so spurlos gehen die Früchte gelehrten Fleisses an dem heutigen Geschlecht vorüber.

Redon s. Rennes.

Redondo, Escollo = runde Klippe, ein grosser, nackter, runder Inselfels der Galápagos, v. Capt. Cowley 1684 getauft (Krus., Mém. 2, 390). — *R.*, eine der Kl. Antillen, nichts als ein steiler, oben platter Fels, v. ferne wie ein hoher, runder Thurm (Oldend., GMiss. 1, 7). — *Llano R.* s. Llano. — *Cabo R.* in Patagon. (Hakl., Pr. Nav. 3, 724). — In fem. *R. Redonda* = die runde, vollst. *Santa Maria Rotunda*, eine der Windwärts Ins., v. Columbus (Vida 193) gleich nach Montserrat, am 10. Nov. 1493, entdeckt u. nach der Kegelform getauft 'per esser tanto rotonda, e liscia, que pare que non vi si possa salir senza scala'. — Hierher gehört wohl auch die Missform *Isle Rodondo*, f. ein zugespitztes Eiland der Bass Str., v. Lieut. Grant 1800, bei der frz. Exp. Baudin *le Cône* = der Kegel (Flinders, TA. 1, 223, Krus., Mém. 1, 130).

Redut Kaleh, aus dem fränk. u. türk. Wort f. Veste, Schloss, eine Uferveste am Pontus (Parrot, As. 1, 251).

Reef Islands = Riffinseln, mehrf.: *a)* eine grüne, niedrige Insel vor dem Hafen Napakiang, Gr. Lutschu, 1816 v. Capt. Bas. Hall (Corea XXI) so benannt, weil ihr ausgedehnte Riffe vorliegen; *b)* in den NHebriden, einh. *Rowo, Rowa*, ein halbmondfg. Korallenriff mit drei flachen Waldinselchen (Meinicke, IStill. O. 1, 183), an dessen convexer Westseite das Meer stets still u. ruhig ist, so dass die Stelle den Schiffen bes. Gefahr droht (ZfAErdk. 1874, 282). — *R. Shoal* s. Français.

Rees s. Heard.

Reeveld = Rehfeld heisst bei den Holländern eine spitzb. Ebene, weil sich dort gew. viel Hirsche (?) aufhalten (Martens, Spitzb. RB. 24).

Reevesby s. Castiglione.

Reevey's Prairie, eine Prairie am linken Ufer des untern Missuri, durch die frz. Händler benannt nach einem Mann, der hier getödtet wurde (Lewis u. Cl., Trav. 16).

Refik, Kaber er- = Grab des Gefährten, arab. ON. der Route Mekka-Taif, weil hier ein Reisender seinen blatternkranken Gefährten, einen ihm sonst unbekannten Beduinen, der wie er v. der Wallfahrt zkkehrte, treu gepflegt habe u. dann selbst an den Blattern † sei. Burckhardt (V. Arab. 1, 83) traf dort ein Steingebäude.

Refuge = Zuflucht, oft in frz. u. engl. Entdeckernamen, z. Andenken an die Rettg., welche den Reisenden geworden, v. Capt. *Anse du R.*, in NSeel. (s. Doubtless), v. Capt. Surville am 22. Dec. 1769 entdeckt u. dankbar so getauft, weil in einem argen Sturme die Schalupe, in welcher die Kranken sich befanden, hier Aufnahme u. Erfrischg., bis 29. Dec., fand. Unedel war die Rache, welche Surville, z. Strafe f. den Diebstahl eines gestrandeten Bootes, an dem wohlthätigen Häuptling nahm: der arme Wilde wurde entführt u. starb, wohl vor Kummer u. Strapazen, am 24. März 1770 vor Juan Fernandez (Spr. u. F., NBeitr. 2, 234). — *Ilot du R.*, in Baie Fleurieu, Tasmania, v. der Exp. Baudin im Febr. 1802 so benannt, weil die Bootexploration v. Faure u. Bailly durch ungestüme südl. Stosswinde gezwungen war, sich unter den Wind der kleinen Insel zu flüchten (Péron, TA. 1, 246). — *Pointe du R.*, der südl. Pfeiler der Baie des Tétrodons (s. d.), ebf. v. der Exp. Baudin, da der Schiffsfähnrich L. Freycinet am 5. Aug. 1801, nachdem ihm der ganze Tag durch Laviren mit widrigen Winden verloren gegangen, hier eine Zufluchtsstätte f. die Nacht suchen musste (ib. 1, 163). — *R. Cove a)* eine Bucht am Eism., wo nach dem stürmischen Wetter des 7. Juli 1826 die v. MacKenzie R. nach Osten gehende Abtheilg. der Exp. Franklin (Sec. Exp. 205), befehligt v. Dr. Richardson, Schutz fand; *b)* bei Wilson Prom., der einzige Platz, wo die Ostseite der Halbinsel einem Schiffe Schutz bietet (Stokes, Disc. 2, 429). — *R. Harbour*, in Smith Sd., benannt durch Dr. Kane (Arct. Expl. 1, 55), welcher am 8. Aug. 1853 in die schützende Nische getrieben wurde. Zuerst hatte er sie auf den Wunsch James' MacGary, eines seiner Officiere, *Fog Inlet* = Nebeleinfahrt genannt, da beim Einlaufen das Schiff v. einem dichten Nebel umgeben wurde . . . 'a dense fog gathering round us'; dieser Name musste später aus Dankbarkeit dem definitiven weichen. — *R. Inlet*, eine schmale 'Einfahrt' bei Point Barrow durch die Bootexp. Elson's, v. Schiffe Blossom, Capt. Beechey (Narr. 1, Carte), im Aug. 1826 in der Nähe v. Packeismassen entdeckt. — *R. Island*, im Ukerewe. Nach entsetzl. Sturm u. Regen, seit 48h völlig entblösst v. Nahrungsmitteln, erreichte sie H. Stanley (Thr. Dark Cont. 153) zu Anfang Mai 1875; dort fand die Exp. reife Bananen u. eine kirschenähnliche Frucht, die wie Datteln schmeckt. Sie verbrachte die Nacht u. den folgenden Tag gesichert in einer kleinen Bucht (PM. 22, 380).

Refugio, Puerto del = Zufluchtshafen, der beste Hafen in Tonga, vollk. sicher u. geschützt, einh. *Taulanga* = Ankerplatz, v. span. Seef. Maurelle 1781 benannt, bei seinem Landsmann Malaspina *Puerto de Valdez*, bei dem engl. Capt. Edwards *Curtis' Sound* (Krus., Mém. 1, 227, Meinicke 2, 70). — *R.* s. Matamoros.

Rega s. Reka.

Regaf, Dschebel = Berg der Erdbeben, arab. Bergname am Nil, obh. Gondokro, *Logwek* bei den Bari, wo, wahrsch. wg. der auffallend kegelfgen Gestalt, die Ursache der in dieser Gegend allj. mehrmals vorkommenden Erdstösse gesucht wird. Marno erstieg den Berg 1874, fand aber v. Laven u. a. Zeugen vulcan. Thätigkeit keine Spur (PM. 21, 430).

Regân = Sand, iran. ON., 2 mal: *a)* in der Wüste Beludschistans, wo der feine, rothe Flugsand, der die Lungen angreift, anfängt, gröber zu werden u. allm. in Kies überzugehen (Spiegel, Eran. A. 1, 85); *b)* am Rande der Wüsten v. Kermân u. Banpûr, wo noch Bergbäche die Ebene bewässern (ib. 86).

Regenfeld, eine trostlose Einöde der libyschen Wüste, 25°11' NBr. u. 27°40' OGr., v. der Exp. G. Rohlfs am 4. Febr. 1874 so benannt, weil er 2d fortwährend Regen hatte (16 mm) — ein african. Wunder. 'Unter dem Eindrucke dieser merkw. Ausnahme nannten wir unsern Lagerplatz *R.*' (PM. 20, 183).

Regensburg, bayr. Stadt ggb. der Confl. Regen-Donau, als röm. *Castra Regina* auf dem linken Ufer der Donau, d. i. unmittelb. bei der Einmündg. des Regens entstanden, zuerst 780 als *Reganispurc*. Im Flussnamen suchte Graff (Ahd. Sprachsch. 2, 384) ein in altd. Mundarten öfters andern Wörtern vorgesetztes verstärkendes *regin-*, also im Sinne 'der grosse', Berghaus (Zeitschr. f. Erdk. 9, 267) geradezu das nhd. *Regen* = pluvia, wie denn die Regenmenge des Böhmerwaldes allerdings auffallend gross ist. Ebenso der Germanist Rich. Müller (Bl. öst. LK. 1888, 19): Der *Regan* ist nichts als das . . . Appellativ *rëgan* = pluvia, mit der urspr. Bedeutg. einer herabstürzenden Wassermasse, viell. bestimmter als der häufig v. Regengüssen geschwellte Waldstrom. Vorsichtig meint Förstemann (Altd. NB. 1233), 'wir werden noch sehr zu bezweifeln haben, ob dieser Flussname übh. deutsch ist'. So hat denn auch Zeuss die Deutschheit bezweifelt u. nach kelt. Ursprg. gefragt, u. Bacmeister (AWand. 134) versichert: 'Fluss u. Stadt sind sicherl. kelt. Namen; woher aber das mittelalterliche, ebf. kelt. klingende *Ratisbona* stammt, weiss ich nicht'. Diese neuere Form, zuerst in Heiligenlegenden des 8. Jahrh. *Radasbona*, später *Radis-* u. *Ratisbona*, hält K. Christ (Aufs. rhein. Germ. 14 f.) f. eine roman. Verstümmel. des wirkl. Namens *R.*; allein er überzeugt damit so wenig wie die Vorgänger, die der rom. Form eine eigne Etym. gesucht haben. Für den 1158 † Historiker Otto v. Freising ist '*Ratisbona* eo quod ratibus opportuna bonaque sit vel a ponendo ibi rates' (Bl. öst. LandesK. NF. 18, 102). Ein Neuerer dachte 1826 an *rada* = Vorrath, Waare, u. *bonna. banna* = Bahn, Umlauf, also 'Marktort'; ein Leipziger Gelehrter meinte noch 1840: 'ubi *rates reponebantur*' (Hist. V. Oberpfalz 6, 71 f.). Unter Berufg. auf Graff, Kaltschmidt u. Schmitthenner setzt 1845 J. A. Pankofer (ib. 9, 82 ff.) *R.* = die ragende, starke, herrliche Burg, die Burg *xát´ ἐξοχήν*, die Burg der Burgen, u. *castrum Reginum* ist ihm nur die wörtliche Uebersetzg. des ahd., urdeutschen Namens, alle mittelalterl. Formen aber, wie *Reginobyrgum, Regelsburg, Reginopolis* . . ., sind Verbildungen des urspr. u. echten Worts. Der Flussname *Regen* habe, wie ja die Stadt 'nicht eigentlich' an der Mündg. liege, mit dem ON. nichts zu schaffen (!), als dass er derselben Wurzel entstamme, jedoch mehr im Sinne der Bewegg. u. *Regin*, *Re'in*, also mit *Rhein* ident. sei. — Weiter aufw. am Nebenflusse *Regenstauf* u., nahe der Confl. der beiden Quellflüsse, der Ort *Regen*. — Ein *Regensberg*, urspr. *Reginesberg* = Berg od. Burg des Regin, j. *Alt-Regensberg*, *Alte Burg*, Ruine auf einem isolirten Hügel am Katzensee, C. Zürich, im Ggsatz zu dem um 1250 erbauten *Neu-Regensberg*, u. in des erstern Nähe *Regensdorf*, 870 *Reganes-*, urspr. *Reginesdorf* (Meyer, ONZür. 42. 54).

Regent's Bay, Prince, zw. Cape Melville u. Cape York, Grönland, v. Capt. John Ross (Baff. B. 99) am 12. Aug. 1818 getauft, am Geburtstage des dam. Prinz Regenten, welcher f. seinen kranken Vater Georg III. seit 6. Febr. 1811 die Regentschaft des Reichs führte u. erst nach des Vaters Tode, am 29. Jan. 1820, als Georg IV. z. König ausgerufen, am 19. Juli 1820 gekrönt wurde. 'It was observed by the usual celebration of hoisting flags and colours, and I also ordered a salute of musquetry to be fired'; *b) PR. Inlet*, eine 'Einfahrt', die v. der Barrow Str. z. Hudsons Bay führen konnte, v. engl. Nordwestf. W. E. Parry (NWPass.44) ein Jahr später, aber ebf. am 12. Aug., benannt; *c) PR. River*, in De Witt's Ld., v. Capt. Ph. P. King (Austr. 1, 435) am 11. Oct. 1822 getauft; *d) PR. Strait*, bei Auckland, NSeeland, v. Cruise, einh. *Temaki* (Meinicke, IStill. O. 1,264).

Reggio, 2 ital. Städte: *a)* in Calabr., gr. *'Ρήγιον*, lat. *Rhegium*, v. *ῥήγνυμι* = zerreissen, spalten, also 'Ort am Risse' (Kiepert, Lehrb. AG. 462), der Sicil. v. Continent trennt ... ab hoc dehiscendi argumento *R.* Graeci nomen dedere oppido in margine Italiae sito (Plin., HNat. 3, 86); *b)* in Emilia, lat. *Regium Lepidi* (Kiepert, Lehrb. AG. 394), ozw. nach dem Erbauer der via Aemilia (s. Emilia). 'Die Hellenen nahmen an, dass Sicilien mit dem Continent urspr. zshg u. beide durch seismische od. neptun. Mächte getrennt worden sind. In der That wird die empirische Beobachtg., welche den Schluss veranlasst hat, durch die völlig identische Zssetzg. der Gebirge hüben u. drüben bestätigt' (Nissen, Ital. LK. 96).

Regium, Balneum = Königsbad (s. Bagnarea), mit Bestimmungswort v. lat. *rex*, *regis* = König, fem. *regina*, adj. *regius*, *regalis*, in lat. ON. auch neuerer Zeit, in den neurom. Sprachen häufiger u. vielförmig, span.-port. *rei*, früher *rey*, *reina* u. *rainha*, *real*, ital. *rege* od. *re*, *regina* od. *reina*, *reale*, frz. *roi*, *reine*, *réal*, hier nach den einzz. Sprachherden gesöndert.

Régnard, Baie, eine angebliche Bucht v. De Witt's Ld., v. der Exp. Baudin am 30. März 1803 benannt nach dem Comödiendichter J. Fr. *R.* 1655—1709 (Péron, TA.2,201, Freycinet, Atl. 25).

Regniz s. Redniz.

Re-Gyen == das Wasser hörte auf, ein Dorf am Irawady, da die Flut gelegentl. so weit den Strom heraufdringt od. wenigstens früher so weit gelangte (Crawf., Emb. 1, 42).

Rehoboth, hebr. רְחֹבֹת == breite Flächen, Strassen (vgl. *πλατεῖα*), dann der weite Platz an dem Thor

morgenländ. Städte, wo Gericht u. Markt gehalten wird, das Forum der Morgenländer, so heissen *a)* ein Brunnen (1. Mos. 26,22), j. viell. *Ruheibeh*, südwestl. v. Berseba; *b)* eine alte assyr. Stadt, רְחֹבֹת עִיר *Rehoboth 'Ir* = Strassenstadt (1. Mos. 10, 11); *c)* eine Stadt am Euphrat רְחֹבֹת הַנָּהָר *Rehoboth Hannahar* = *R.* des Flusses, scil. des Euphrat, viell. *Rahaba*, östl. v. Circesium (Gesen., Hebr. Lex.). — *R.*, gleich *Beersaba* u. *Bethanien* eine biblisch getaufte Missionsstation im Gross-Nama Ld., ganz im Geiste jener evang. Erregg., welche in der fernen Gegend dem Schauplatze israel. Geschichte nahe zu sein glaubte u. u. a. auch den Nil (s. d.) in Süd-Africa wieder auffand (Grundemann, Miss. Atl. 9).

Rei = König, früher *rey*, oft in span. u. port. ON., wie *Acequia del R.*, der Bewässerungscanal zw. Jucar u. Albufera, v. den Mauren angelegt, aber v. Jakob I. v. Aragon wieder hergestellt (Willkomm, Span.-P. 58. 99). — *Isla del R.*: *a)* in der Bay v. Mahon, wo um 900 der ritterl. König, Alphons III. d. Gr., gelandet sei (ib. 209); *b)* s. Perlas. — *Puente del R.* s. Nacional. — *Pinhal del R.* == Kieferwald des Königs, eine 10000 Hekt. grosse Waldg. der Prov. Estremadura, im 13.Jahrh. v. König Dionysius gepflanzt (Meyer's CLex. 6, 380). — *Jardines y Jardinillos del Rey y de la Reina* s. Jardin.

Reichel s. Bernhard.

Reichenau, mehrf. *a)* das v. heil. Pirmin 724 gestiftete, später zu sprichwörtl. Reichth. gelangte Kloster auf der 'durch Naturschönheit u. Fruchtbk. ausgezeichneten' grossen Insel *R.*, die, im untern Becken des Bodensees gelegen, urspr. *Sintleozesavia*, *Sinthleozowa* etc. = Au des Sintlaz, eines reichen Alemannen, od. einf. *Awa*, *Owa*, *Augia* = Insel geheissen hatte u. erst seit 1100 unter dem Namen *R.* vorkommt (Förstem., Altd. ON. 171. 1342, Deutsche ON. 303, Schott, ON. Stuttg. 13, Gatschet, OForsch. 288, Gelpe, KGesch. 2, 284, Rahn, KunstG. Schweiz 99); *b) R.*, ein Schloss an der Confl. des Vorder- u. Hinterrheins, v. Bischof v. Chur gebaut u. nach der Insel im Bodensee benannt 'aus Rücksicht wohl auf die freundl. Beziehungen, welche dam. zw. dem Bischofssitz u. der Abtei bestanden' (Osenbr., Wandst. 1, 196); *c)* Ort in NOesterr., in einem Augrunde der Schwarza, einst Mittelpunkt eines bedeutenden Eisenbaues (Umlauft, OUng. NB. 195). — Es gibt noch andere Orte d. N. u. viele anklingende ON. übh.; jedoch ist hier Vorsicht nöthig, ja wohl eine Scheidg. ähnl. Formen oft schwierig. 'Reichenbach z. B. kann das eine mal einen Bach des Richs, das andere mal einen wasserreichen Bach bedeuten, u. viell. ist noch eine dritte Deutg. anzunehmen' (Förstem., Altd. NB. 1241). Dagegen ist die neue Bezeichng. *Reichenhall*, f. ein älteres *Halle* (Förstem., Deutsche ON. 302, Altd. NB. 721), das bedeutendste Salzwerk Bayerns, dessen Anlagen die schönsten u. grossartigsten Deutschlands sind, deutlich genug (Meyer's CLex. 13, 516), sowie *Reichenstein*, f. einen Ort Böhmens, dessen ehm. reiche Goldwäschereien u. Goldberg-

werke nun freil. eingegangen sind (Umlauft, ÖUng.
NB. 195). — *Insel der Reichthümer* s. Perlas.
Reid, Point, in arkt. Melville I., durch die Ueber-
landpartie Lieut. W. Edw. Parry's (NWPass. 191)
im Juni 1820 entdeckt u. nach einem seiner
Officiere, Andrew *R.*, midshipman v. Schiffe Griper,
benannt. — Ebenso *Cape R.*, in Lyon Inlet, im
Sept. 1821 (Parry, Sec. V. 82 ff.) — Unbestimmt
R. Island s. Seagull.
Reif s. Riva.
Reims, auch *Rheims*, Ort der Champagne, bei
Greg. v. Tours *Remis, civitas Remis, urbs Re-
mensis*, ist benannt nach dem dort ansässig ge-
wesenen belg.-gall. Volke der Remi u. hiess z.
Römerzeit *Durocortorum* (Napoleon, J. Caesar,
Atl. T. 2, Kiepert, Lehrb. AG. 526).
Reina, fem. des span. *rei* (s. d.), in ON. *a)*
Puente de la R. = Brücke der Königin, Ort
der span. Prov. Pamplona, nach dem Aquaeduct
(Meyer's CLex. 13, 327); *b) la R. de las Indias*
s. Cartagena. — Auch das frz. Wort *reine* wieder-
holt *a) Forêt de la R.*, im 12. Jahrh. *foresta regia
Ermundia*, 1582 *bois de la Royne*, 1707 *sylva
Reginae*, ausgedehnter, einst der Kathedrale v.
Toul geh. Waldbestand des dép. Meuse (Dict. top.
Fr. 11, 190); *b) Vallée de la R.* s. Tahiti.
Reindeer Island = Renthierinsel (s. Rensdyr),
eine der *R. Islands* des Gr. Slave L., v. engl.
Reisenden Alex. McKenzie (Voy. 163) so getauft,
weil am 21. Juni 1789, zu einer Zeit, da ihm
wenig Lebensmittel zu Gebote standen, seine Jäger
hier fünf grosse u. zwei kleine Renthiere erlegten (Franklin, Narr. 198 ff.); *b) R. Mountains*,
am Peace *R.*, der Aufenthalt grosser Herden
selten gestörter Renthiere (McKenzie, Voy. 285);
c) R. Hills, am Delta des McKenzie R., 'a ridge
of land to the eastward, which we have since
learned is so named by the natives' (Franklin,
Sec. Exp. 189 ff.); *d) R. Lake*, der oberste der
See'n des Yellow Knife R. (u. dabei *R. Lake
Portage*), wo die Renthierjäger Capt. John Franklins (Narr. 212), auf seiner Reise z. Kupferminenfl.
1820, die Canoes zkliessen.
Reinhardsbrunn, Schloss bei Gotha, als Sommersitz 1827 neu erbaut, als Benedictinerkloster *Re-
ginhersprunnun* 1085 ggr. v. Landgrafen Ludwig
dem Springer, dem, der Sage zuf., als v. der
Schauenburg durch den Wald ritt, ein Töpfer
Reinhard im Dickicht glänzende Lichter zeigte.
Reirson s. Alexander.
Reis, plur. des port. *rei* (s. d.), in ON. nach dem
Feste der heil. 3 Könige (s. Reyes): *a) Rio dos
R.*, nördl. v. Natal, wo Vasco da Gama am
6. Jan. 1498 einlief.

Trazia o Sol o dia celebrado,
Em que tres Reis das partes do Oriente
Forão buscar hum Rei de pouco nado,
No qual Rei outros tres ha juntamente:
Neste dia outro porto foi tomado
Por nós, da mesma já contada gente,
N'hum largo rio, ao qual o nome démos
Do dia em que por elle nos metemos.
Camões, Lus. 5, 68.

Man nannte ihn wohl auch *Rio do Cobre* =
Kupferfluss wg. der in Kupfer betriebenen Tausch-

geschäfte 'por o resgate delle em manilhas, e
assi marfim, e mantimentos, que os Negros da
terra com elle resgatarão'. Die Küstengegend
nannte um der freundl. Aufnahme willen, . . .
'por causa da muita familiaridade que os nossos
tiverão com elles em cinco dias', der Entdecker
Aguada da Boa Paz = Wasserplatz des guten
Friedens (Barros, As. 1, 4³).

Deste gente refresco algum tomámos
E do rio fresco agua . . . . .
Camões, Lus. 5, 69.

Es scheint, dass der *Rio da Misericordia* =
Fluss der Barmherzigkeit in G. Correa's Bericht
(WHakl. S. 42, 66 ff.) mit dem Dreikönigsfluss
id. war. Nach den Stürmen hatte die Mannschaft
Gottes Barmherzigkeit angefleht, dass er sie einen
Hafen finden lasse, um die Schiffe auszubessern
u. Wasser zu fassen; *b) Angra dos R.*, in Bras.,
zw. Rio de Janeiro u. der Insel São Sebastião,
v. Vespucci am 6. Jan. 1502 erreicht (Varnhagen,
HBraz. 1, 19, WHakl. S. 52, 213); *c) Forte dos
R. Magos* s. Natal.
Reischach Spitze, ein Berg am Südufer des
spitzb. Horn Sd., durch die Hülfsexp. Baron v.
Sternecks im Juli 1872 benannt nach einem
Onkel Wilczeks (PM. 20 T. 4, Mitth. Prof. H.
Höfers, Klagenfurt dd. 17. Febr. 1876).
Reit s. Rütli.
Rek, Meschera el- = Ausschiffungsplatz der
Rek, arab. Name eines Flusshafens am Bahr el-
Ghazal, weil ehm. die aus dem Rekgebiete an-
langenden u. aus Rekleuten gebildeten Trägerzüge
daselbst ihre Ladungen einschifften (ZfAErdk.
1870, 99). Die *R.*, ein benachbarter Stamm der
Dinka, waren die ersten Verbündeten, welche in
frühern Jahren die fremden Ankömmlinge unter
den Eingb. erworben hatten u. die sie mit Trä-
gern zu versehen pflegten, zu einer Zeit, als die
Chartumer Kaufleute noch keine Niederlassungen
im tiefern Innern besassen (Schweinfurth, IHAfr.
1, 133 f.).
Reka = Fluss, slow. *rêka*, serb. *rijeka*, čech.
řeka, slaw. Flussname: *a)* im Karst, *b)* s. Fiume,
c) s. Spree, *d)* in der Form *Rega*, Hinter-Pommern
(ZfAErdk. 4, 329); ferner *Rečic, Rečica, Rečice,
Rečin, Ričan, Riček, Ričky, Ričina, Riecina,
Riecska*, Orte in den slaw. Ländern Oesterreichs,
Ratschitz, 1212 *Reczicz*, aus slaw. *Rečica* ver-
deutscht, in Böhmen, wie *Retschach* u. *Rietschach*,
Orte in Kärnt. aus slaw. *rečah*, ferner *Riek,
Rieka* u. *Rietsch* (Miklosich, ON. App. 2, 226). —
Alte Formen: *Reke*, f. Verengerungen der Elde,
Reke aqua u. *Reke locus*, in Mecklb., wo einst
an der Havel die Volksstamm der *Rezener*, 949
Riaciani, 965 *Riezani* = Flussanwohner, u. j.
noch ein Fluss *Recknitz*, 1250 *Reknicza*, 1276
riuulus Rekeniz, dim. v. asl. *rêka*, also 'kleiner
Fluss' (Kühnel, Slaw. ON. 116. 119).
Re-ka, spr. *ye-ga* = Bitterwasser, ein Salzsee
unfern Awa, dessen Wasser zwar nicht sehr salz-
reich ist, aber z. Darstellg. v. Küchensalz gebraucht wird (Crawfurd, Emb. 1, 356).
Rekata, Pulu = Krabben Insel, in der Sunda

Str., v. Kawiworte *rekata*, *rakata* = Krabbe (Junghuhn, Java 2, 3).

Relbunleuvu s. Chadileuvu.

Reliance, Fort = Veste des Vertrauens, scil. auf Gottes Beistand, 'in token of our trust in that merciful Providence, whose protection we humbly hoped would be extended to us in the many difficulties and dangers to which these services are exposed', nannte der brit. Reisende G. Back (Narr. 107) das am obern Ende des Grossen Sclavensee's gebaute Fort, welches ihm als Ausgangspunct f. seine Exploration der Eismeerküsten z. Winterquartier 1833/35 diente. Es bestand aus einem 15 m lg. u. 9 m br. gefütterten Blockhause, welches eine Mittelhalle u. 4 Zimmer hatte, u. einem kleinen Observatorium.

Remarque, Isle de = Merkinsel, eine kleine hohe Spitzinsel im Arch. de la Recherche (s. d.), so genannt 1792 v. frz. Admiral d'Entrecasteaux (Flinders, TA. 1, 79).

Rembo, eig. *Orembo* = Fluss, ein anderer Name des westafr. Ogowe, streckenweise näher bestimmt durch den Namen des anwohnenden Negerstamms, wie *Orembo Okota, Oremb' Apinga* u. s. f. (Peterm., GMitth. 8, 181; 18, 8; 21, 112, ZfAErdk. nf. 8, 326).

Remedios-Peten, mod. Name eines Inselorts des **Ixta** (s. d.), auf der Insel, die bei den Indianern *Tayasal* heisst, v. den Spaniern des Martin de **Ursua** 1697 in *Nuestra Señora de los Remedios y San Pablo* = ULFrauen der Hülfe u. St. Paul **umgetauft** wurde. Die Spanier fanden in den 21 Tempeln so viele Götzenbilder, dass sie v. Vorm. 7^h bis Abends 6^h ununterbrochen zu thun hatten, um sie zu zerstören (WHakl. S. 40, 56). — *Bahia de los R.* s. Island.

Remel s. Ramle.

Remet s. Ramah.

Remete s. Eremita.

Remuent, Eaux qui s. Eau.

Remy, St., Stadt des frz. dép. Bouches du Rhône, benannt nach dem heil. Remigius, dem Chlodwig das Umland schenkte (Meyer's CLex. 14, 43). — *River St. R.* s. Blue Earth.

Remnica = Berg, Wasser u. Holz, ind. Name eines Untertribus der Dakotah, weil sie bei einem hohen Hügel wohnen u. mit Wasser u. Holz wohl versehen sind, bei den Weissen *Red Wing* = Rothflügel, wohl noch ihrem Häuptling, demselben, den Pike auf seiner Reise, am 18. Sept. 1805, traf. Heute ist *Red Wing* ein Ort am L. Pepin (Coll. Minn. HS. 1, 264).

Re-nan-k'hyaung, gew. *Ye-nan-gyaung* = Flüsschen des Petroleums, ON. am Irawady, wo unter *re-nan* = Riechwasser das Petroleum verstanden ist, f. welches der Ort den Markt bildet. Etwa 40 Min. v. Orte sind die berühmten Petroleumbrunnen (Crawfurd, Emb. 1, 92 f., Glob. 2, 303, Ehrmann, NBeitr. 306, diese etwas abweichend).

Renard = Fuchs, in das frz. übgegangen aus ahd. *Reginhart, Reinhart* = Rathgeber, dem Namen, welchen der Fuchs in der Thierfabel trug u. der endl. im Frz., als *ranart* auch im nordöstl.

Spanien, z. Appellativ ward, so dass das alte *volpill*, s. v. a. *vulpecula* = Füchslein, aus der Sprache verschwand (Diez, Rom. WB. 2, 413), ist in ON. nicht häufig, als Volksname *Renards*, verwendet (s. Foxes).

Rencounter, Bay of = Raufbay, an der Südküste NFundl., berüchtigt durch die Schlägereien, welche die Europäer gg. die Indianer hier zu bestehen hatten (Anspach, NFundl. 122).

Rendsburg, Stadt in Holstein, als *Reinholdsburg*, nach dem Erbauer benannt, auf einer Eiderinsel entstanden u. nach der Zerstörg. 1169 v. Grafen Adolf wieder aufgebaut (Strodtmann, ON. Schlew. 191, Daniel, Hdb. Geogr. 4, 386, beide ohne Angabe u. Zeit der urk. Form. Der Name fehlt bei Förstemann!).

Rensdyr Sund = Renthiersund (s. Rein-deer), ein (der Lage nach nicht bestimmbarer) Golf der Hudsons Str., am 19. Juli 1619 v. dän. Capt. Jens Munck so benannt, weil er hier eine Menge Renthiere erlegte (WHakl. S. 18, 239). — Ein *Renthier Thal* in Spitzb., an Renthieren reich, v. der schwed. Exp. 1864 getauft (Torell u. Nord., Schwed. Expp. 419).

Rendez-vous s. Ross.

Rennell Island, in den Salomonen, eig. 2 Inseln, eine grössere, längliche, einh. *Mongava*, u. eine kleine, runde, einh. *Mongiki*, v. engl. Capt. Butler 1794 entdeckt (Meinicke, IStill. O. 1, 159), zuerst auf Purdy's mappemonde erschienen u. benannt nach dem als Hydrographen geachteten Major *R.* — 'nom que tout géographe adoptera volontiers' (Krus., Mém. 1, 172); *b)* ebenso *Cape R.*, in NSomerset, v. Lieut. W. E. Parry (NWPass. 265) am 29. Aug. 1820, u. *c) Mount R.*, in Melville Range, v. Dr. Richardson im Sommer 1826 getauft (Franklin, Sec. Exp. 242 ff.).

Rennem, Chor el- = Ziegenbach, arab. Flussname im mittlern Nilgebiet, 'weil hier beim Uebgange während der Regenzeit eine ganze Ziegenherde in den reissenden Fluten des schmalen Baches verunglückte' (Schweinfurth, IHAfr. 2, 372).

Rennes, ON. des frz. dép. Ille-et-Villaine, nach dem bedeutenden Binnenvolke der Redônes, im Alterth. *Condate* (s. Condat), da hier die Flüsse Ille u. Villaine sich vereinigen (Kiepert, Lehrb. AG. 516). Weiter abw. an der Villaine ein Ort *Redon*.

Rennstieg, auch *Rennsteig*, *Rennweg*, v. *rain*, *rinn* = Grenze, im allg. eine vielf. in Deutschland vorkommende alte Bezeichng. f. Grenzen kleinerer u. grösserer Landgebiete u. Volksstämme, vorzugsw. aber Name des Hptstammes der lang gestreckten Kette des Thüringer Waldes, welche die Thüringer Ebene v. der fränk. Platte scheidet, zugl. auch die Wasserscheide zw. den Zuflüssen zu Main, Weser u. Elbe bildet. Nachweisbar seit den Tagen des Bonifatius (sicherlich aber schon früher) bildete der Kammzug — v. dem reuss. Rodacherbrunn bis z. Gr. Weissenberg — u. v. da ein zw. dem Thüringer Thal u. der Druse südw. laufender Bergstrang Jahrhh. hindurch die Gau-, Rechts-, Sprach-, Jagd- u. bischöfl. Kirchengrenze zw. Thüringen u. Franken, die noch heute nicht ganz verwischt ist (Meyer's CLex. 13, 559)

Reno s. Rhein.

Rensselaer Harbor, van, an der Ostseite v. Kane's Sea, v. Polarf. Kane (Arct. Expl. 1, 105) im Sept. 1853 so benannt, ozw. nach Steph. van *R.*, der, einem der ältesten holl. Geschlechter des j. Staats NYorks entsprossen (Quack., USt. 95), einer der reichsten Bürger u. einer der Förderer der Grinnellexp. war (Buckingh., Am. 2, 327).

Repose, Lake = See des Ausruhens, in Victoria, wo Major T. L. Mitchell (Three Expp. 2, 262) am 18. Sept. 1836, in einer an Gras u. Wasser wohlversehenen Gegend, mit einem Theil seiner Mannschaft nach schweren Strapazen zwei Wochen zubrachte.

Républicain s. Prince.

Repulse Bay, mehrf. f. Buchten, in welchen engl. Entdecker eine Durchfahrt vermuthet hatten u. dann z. Umkehr genöthigt wurden: *a)* in Queensld., v. Cook am 3. Juni 1770 (Hawk., Acc. 3, 132); *b)* in Kerguelen, ebf. v. Cook (-King, Pac. 1, 72) am 29. Dec. 1776; *c)* im Norden der Hudson Bay, wo der engl. Nordwestf. Middleton im Aug. 1742 seine anfängl. Hoffng. (s. Cape Hope) getäuscht sah ... 'but the joy and encouragement ... are said to have been soon clouded by finding they had reached a close bay, which prevented their further progress in that direction (Parry, Sec. V. 28); auch Capt. Lyon, im Schiffe Griper 1824, wurde hier 'sadly repulsed' (Coats ed. Barrow IV. 71). — *R. Point* s. Foul.

Reqem s. Petra.

Requisite Ponds = Teiche der Erforderniss, ein dem Maranôa-Darling tributärer Wasserlauf, das einzige Glied in der Linie, wo bis dahin Wasser gefunden wurde, v. Major T. L. Mitchell (Trop. Austr. 377) entdeckt u. getauft am 2. Nov. 1845.

Resaina s. 'Ain.

Reschid s. Rosette.

Rescht, die j. bedeutendste Stadt Gilan's (s. d.) im neup. sowohl schwarze Erde, Staub, als auch Kalk, mit dem man die Häuser bestreicht (Spiegel, Eran. A. 1, 78).

Rescue, Cape, am Wellington Ch., v. der ersten Grinnellexp. im Sept. 1850 benannt nach dem zweiten der beiden Fahrzeuge, welches der reiche NYorker Kaufmann Grinnell z. Verfügg. gestellt hatte (Kane, Grinn. Exp. 199).

Resolution Island *a)* eine dem Cap Chidley, Labrador, ggbliegende Insel am Eingang der Hudson Str., schon 1578 bei der 3. Reise Frobishers v. Cumberland abgeschnitten, erhielt ihren Namen nicht, wie Parry (Sec. V. 6) meint, erst 1615 nach der *R.*, einem der beiden Fahrzeuge der Exp. Bylot-Baffin, sondern schon im Sommer 1612, nach dem einen der Schiffe des engl. Capt. Thomas Button — das andere Schiff, von Capt. Ingraham befehligt, hiess Discovery (Forster, Nordf. 398). Die Exp. v. 1615 besass nur das eine Schiff, 'the Discouerare, beinge of the burden of 55 tonn ... which ship had beene the three former voyages on the accion'. Einer der Nachgänger Buttons, Capt. Luke Fox 1631, erwähnt *RI.* auch, beifügend: so named by whom I know not (Rundall, Voy. NW. 106. 157). Der Name der Insel ist auf ihre Ostspitze, *Cape R.*, übertragen (Parry, Sec. V. 6 ff.); *b)* eine Insel am Südende NSeel., v. Capt. Cook (VSouth P. 1, 67—102) so benannt, weil er in diesen Gegenden längere Zeit, März bis Mai 1773, mit seinem Schiffe *R.* stationirte; *c)* in der Centralgruppe der Paumotu, einh. *Tauere*, zuerst entdeckt (nicht v. Bougainville, sondern) v. span. Seef. Boenechea, der sie am 28. Oct. 1772 fand u. nach dem Kalendertage *San Simon* taufte (ZfAErdk. 1870, 361), dann aber v. Cook (VSouth P. 1, 141) am 11. Aug. 1773 nach seinem Schiffe, der *R.*, benannt. — *Port R.*, der Hafen v. Tanna, NHebr., ebf. v. Cook (VSouth P. 2, 85) nach seinem Fahrzeug benannt, das hier v. 3.—20. Aug. 1774 ankerte.

— *R. Bay* s. Madre de Dios.

Rest, Bay of = Bay der Ruhe nannte die **engl.** Capt. Ph. P. King (Austr. 1, 26) eine am 15. Febr. 1818 entdeckte Bay an der Nordwestseite NHollands — 'not unaptly' — weil die vortheilhafte Ankerplatz dem ermüdeten Expeditionscorps **sehr** wohl bekam.

Restoration Island, an der Ostseite der **Halb**insel York, am 29. Mai 1789, dem Jahrest**age** der Restauration Karl's II., v. Capt. Bligh **besucht** 'during his extraordinary and unparalleled voy**age** in the Bounty launch from the Society Island**s**' (Stokes, Disc. 1, 355) u. in Anknüpfg. an das **ge**schichtl. Ereigniss getauft, weil der Sinn dieses Wortes 'auf uns zieml. anwendbar war; denn **wir** waren zu neuem Leben u. Stärke wiedergekehrt'. Auf der Insel hatte sich näml. die ausgehungerte Mannschaft erlabt an Palmkohl, Farnwurzeln u. vschiedd. Beeren (Spr. u. F., NBeitr. 6, 46 ff.).

Retamas s. Circus.

Retel s. Roth.

Retreat Rock = Felsen der (Sonntags-) Ruhe, ein Lagerplatz in West-Austr., so benannt v. John Forrest, der am 23. Mai 1869 umsonst den Spuren der Eingebornen gefolgt war u. um 2ʰ Nachm. ins Lager zkkam, wo Gottesdienst gehalten wurde (Journ.RGSLond. 1870, 233). — In span. Form *Puerto del Retrete*, in San Blas, 'un puerto muy pequeño', 6 Schiffe fassend, mit engem Eingang, etwa 'Cabinetshafen', v. Columbus am 26. Nov. 1502 getauft (Navarrete, Coll. 1, 285).

Retschdo s. Reka.

Retschna Duáb, hind.-pers. Name eines der Duábs (s. d.) des Pandscháb, wie Bari Duáb (s. d.) gebildet aus den Anfangstheilen der Namen der das Duáb einschliessenden Flüsse Ráwi u. Tschináb (Spr. Schlagw., Gloss. 239).

Rettenbach s. Roth.

Return Reef = Umkehrriff, eine Landspitze des arkt. America, v. Capt. John Franklin (Sec. Exp. 166) am 16. Aug. 1826 auf seiner Fahrt v. der Mündg. des McKenzie R. erreicht u. so benannt, weil er hier z. Umkehr genöthigt war, ohne den ihm v. Westen entggkommenden Capt. Beechey, dessen Barke am 22. Aug. bis Elson Spitze (s. d.) kam, erreichen zu können. — *Point R.*, in Obstruction Sd., wo die Exp. King-Fitzroy (Adv.-B. 1, 352), Apr. 1830, den Sund geschlossen fand u. umkehren musste.

Retusaari s. Kotelnoj.

Reuben's Creek, ein kleiner lkseitg. Zufluss des Missuri, obh. Big Bend, so benannt v. den Captt. Lewis u. Cl. (Trav. 59) am 23. Sept. 1804 nach *R.* Fields, einem ihrer Gefährten, der zuerst bei dem Flusse anlangte.

Réunion = Vereinigung, Wiedervereinigung, frz. ON., heute eine der Mascarenhas In.,v. Flaccourt, der sie 1643 im Namen Ludwigs XIV. besetzte, *Ile de Bourbon*, im napol. Zeitalter 1806/14 *Ile Bonaparte*, seit der Wiedererwerbg. 1815 *R.* getauft (Sommer, Taschb. 19, 78, Skogman, Eug. R. 2, 272, McLeod, East. Afr. 2, 154, Meyer's CLex. 3, 586).

Reuss, rseitger Zufluss der Aare, bei Glarean (CBl. f. Bibl. 1888, 82. 85) vereinzelt *Dubis* od. *Budas*, aus dem Alpenthale Ursern (s. d.), urk. 840 *Riusa*, später *Rusa, Ruse*, noch 1495/97 bei C. Türst *Rhusa* (Quell. z. Schweiz. Gesch. 6, 12 f. 15. 18), galt den Keltomanen (Bochat, Mém. 1, 193) als Appellativ, v. kelt. *urus* = Fluss, das zu *rus* od. *urs* geworden wäre; Simler (de Alp.) nahm an, v. Quellthal sei der Name *R.* auf den Fluss übgegangen. Gatschet (OForsch. 275) vergleicht *R.* mit der Graubündner *Aro(u)sa, Erosa, Erossa* u. der jurass. *Arosa, Arousa, Arouse, Oureuse*, 1346 *Areuse*, u. denkt an mlat. *arrogium* = Wasserlauf, Fluss. Gatschets Ableitg. wird v. 2 Seiten aus bestätigt: *a)* durch die weite Verbreitg. des angerufenen *arrogium*, welches schon in einer Urk. v. 775 auftritt, altspan. *arrogio*, span. *arroyo*, port. *arroio* = Bach, *arroyar* = überfluten, wegspülen, wohl dem lomb. *rogia* = Bach zum Wässern, mlat. *rogium*, u. dem rum. *eruge* = Wassergraben verwandt (Diez, Rom. WB. 2, 100); *b)* durch die urk. Formen des 13. u. 14. Jahrh., die zugl. die etwa vorkommende Orth. *la Reuse* abweisen (AGodet, Brief 23. XII. 1887). Ohne die urk. Zeugnisse konnte der gelehrte L. de Bochat (Mém. Crit. 3, 58) dazu kommen, die an früherer Stelle (ib. 1, 193) gebrauchte Form *l'Areuse* in *la Reuse* zu verschlimmbessern. — Nach der *R.* sind benannt der Ort *Reussegg* u. das *Reussthal* (s. Freiamt).

Reuss, zunächst dynastischer u. dann Landesname in Thüringen, ist ein längst u. vielumfreites Object der Toponymie, so dass ihm eine förmliche kleine Litteratur gewidmet ist. Alb. Cranz (Saxon. lib. IX cap. 33, Colon. 1521) glaubte alten Chroniken, als habe Heinrich I. das Vogtland in die 4 Vogteien Gera, Wyda, Plawe u. *Rutzen* getheilt, u. es falle somit der Ursprg. des Namens in das 10. Jahrh. Bald nachher, 1529/30, setzte 'der pirnaische Mönch' (Script. R. Germ. praec. S ax. 2, 1447) den Ursprg. in das 12. Jahrh. herab u. nahm 'der gemeinen Meing. nach' an, dass

einer dieses Geschlechts sich lange im Reussenlande, Russia, aufgehalten habe. Letztere Annahme schmückte 1608 der sächs. Geschichtschreiber Laur. Peckenstein (Theatr. Sax. 1, 18 p. 262 f.) zu einer hübschen Geschichte aus, die aber der Vogtländer J. C. Fr. v. Koppy (de nomine Rutheni, Jena 1691) f. nicht zuverlässig erklärte. Man fand urk. den Namen *R.* zuerst 1289, wo die Söhne des Vogts Heinrich v. Plauen, als Heinrich 'der Böhme' u. Heinrich 'der Reusse', zweimal im gleichen Jahre, erscheinen. Da nun (Bohusl. Balbinus, Miscell. hist. regni Boh. dec. 2 lib. 2, 1) Maria, eine Tochter des mit einer russ. Princessin vermählten böhm. Fürsten Brzetislav, an einen Vogt v. Plauen verheiratet war, so lag die Annahme nahe, der eine der beiden Söhne sei nach dem Vaterlande der Mutter, der andere nach dem der Grossmutter zubenannt worden — eine Annahme, welche Heinrich XIII. ä. L. in seinen Stammtafeln auch adoptirte (Geneal. Ruthen. etc., Nürnb. 1715). Der Schleizer Rector J. Chr. Heinisch (Schulschrift 1733) nahm an, der eine der Prinzen möge der Mutter, der andere der Grossmutter ähnlich gesehen od. es möge die Mutter resp. die Grossmutter f. den einen u. andern eine gewisse Vorliebe gezeigt haben. J. D. Köhler (Hist. Münzbelust. 9. 17. St., Nürnb. 1737) dachte an einen in Böhmen u. Russland ererbten Güterbesitz, v. welchem der böhm. Antheil dem einen, der russ. dem andern der beiden Brüder zugefallen wäre. Dagegen zeigte der Dresdener Rector Christ. Schöttgen (Dipl. hist. med. aevi 2, 470), dass in jenem Zeitalter unter dem höhern Adel Sitte war, v. irgend einem fremden Lande, wo man einst gereist war od. Kriegsdienste gethan hatte, einen Beinamen anzunehmen. Ein Aufsatz, in welchem Fürst Heinrich XXVI. Reuss-Ebersdorf den Gang der ältern Erklärgsversuche eingehend u. einleuchtend bespricht (GIntellig. Bl. Lobenst. 1786, St. 43 f.), bezeichnet diese Ansicht als die natürlichste u. ungezwungenste. Im Hinblick auf die 4 Vogteien, welche Cranz annahm, betont er namentlich auch, 'dass der Beiname *R.* v. jeher allein in einem der Aeste des plauischen Hauses gebraucht wurde' u. dass 'in diesem Landstriche nie Gegenden bekannt gewesen, so *Rutze* geheissen hätten' — eine Versicherg., die trefflich zu den oben angeführten urk. u. geschichtl. Thatsachen stimmt. Im 19. Jahrh. kam 'eine neue Anregg. durch den vogtl. Pfarrer K. Limmer, welcher, vorm. Prediger zu Ssaratow, in Gera privatisirte u. dem Publicum vorläufig 'diese wichtige Entdeckg. mittheilen wollte' (Deduct. Ursp. *R.*, Gera 1824). Gestützt auf Alb. Cranz behauptet er, die Slawen, die einst im Vogtlande gewohnt, seien ident. mit den *Reuczen, Reussen* od. *Russen*, spec. den Schwarz-Russen gewesen, u. daher rühren die vogtl. Namen *Reussa, Reussig, R., Retsch*(-bach), *Röppisch*, mittelbar auch *Greiz*, als *Grewcz*, vgl. *Gaw Rewcz, Gaw Rouze* = Reussen- od. Russengau. Diese Ableitg., in 2 Localgeschichten jener Zeit übgegangen, fand Widerspruch sowohl im Schosse des vogtl. Alter-

thumsvereins als auch in dessen Druckschriften.
Dem Pfarrer Friedr. Alberti verdanken wir die
gründliche Erörterg. 'Aphorismen z. Erklärg. des
fürstl. Geschlechtsnamens *R.*' (15. Jahresbericht
d. Vogtl. AltthV. 63 ff., Gera 1840). Er resümirt,
ähnlich wie das Lobenst. Int. Bl., den Gang der
Frage u. schliesst sich Schöttgen an. 'Wäre Heinrich der Böhme nicht kinderlos gestorben, so hätte
es leicht kommen können, dass auch die v. ihm
abstammende Linie seinen Zunamen fortgeführt
hätte'. Er weist ferner nach, dass die Slawen
schon vor dem Auftauchen des Namens Russen
im Vogtlande sassen u. dass *R.* urspr. nur Beiname eines der Vögte war. Auch Kopitar leite
Greiz, mit *Graz*, v. *hrad*, poln. *grod* = Burg
ab. Kurz, 'die Limmersche Erklärg. sei ein
histor. u. sprachl. Unding u. nothzüchtige Sprache,
Geschichte u. Urkunden'. Das war deutlich. Erst
die neuere Zeit brachte zwei neue Erklärgsversuche: v. G. Brückner (Volks- u. LK. *R.*, Gera
1870) u. v. F. V. Resch (Urspr. d. N. *R.*, Gera
1874). Der erstere (p. 353) findet die bisherigen
Deutungen 'historisch unhaltbar' u. sieht in dem
Namen 'das Denkmal eines ruhmvollen Kampfes',
wenn nicht in der Schlacht v. Wahlstadt 1241,
zu welcher Zeit die Mongolen od. Tataren v.
Volke gew. Russen genannt worden seien, so doch
in den Kämpfen der deutschen Ritterordens gg.
die Polen. Der erste Vogt v. Plauen habe sich,
so erfindet Brückner, als 19- od. 20jähr. Jüngling in der Reihe der Edlen befunden, welche
sein Vater 1246 od. 1247 an die Weichsel führte.
— Der emeritirte Pastor beruft sich zunächst auf
die zahlr. -*rode* u. *reut*, deren erstere nur in
rein-german., die andere in einst slaw. Gebieten (!)
vorkomme. Auch -*grin*, welches er früher ganz
anders erklären wollte (Egli, Gesch. geogr. NK.
106), ist ihm nun ein 'novale', insofern das
alte *gerun*, *gruna*, s. v. a. *rune*, die z. Abgrenzg.
einer Rodstelle gemachten Einschnitte, bedeute.
'Mit der *reut* aber ist die Benenng. *Rutzen*, *Reuss*,
völlig gleichbedeutend', wie man aus dem ON.
Greussen, alt *Giruzen*, ersehe. 'Da haben wir
also, mit Weglassg. der Vorsilbe *gi*, *ge*, den *Rutzen*'.
Jeder Unsinn findet Gläubige: Aus einem Referat,
nicht einmal aus Resch's Schrift selbst, schöpfte
der Verf. eines neuen Namenbüchleins diese Erklärg. des viel umstrittenen Namens u. findet
Schöttgens Ableitg. 'ganz unhaltbar' (A. Thomas,
Etym. WB. 1886). Die Antwort ist jedoch nicht
ausgeblieben. In einer durchaus urk. gestützten
Studie (56. u. 57. Jahresbericht d. vogtl. AltthV.
12 ff.) hat der fürstl. Archivar Berth. Schmidt
auch diese Frage erörtert, die sämmtlichen aufgestellten Ansichten geprüft u. Schöttgens Etymologie, in etwas modificirter Fassg., als den
geschichtlichen Zeugnissen entsprechend adoptirt.
Resch's Zsstellg. v. *Reuss* u. *Rütli* betrachtet auch
er als 'eine wahre Ungeheuerlichkeit; dieser
blühende Unsinn bedürfe einer längern Widerlegg. nicht'. Die Erklärg. v. *R.* dürfte damit
als abgeschlossen gelten.

Reute s. Rütli.

Reval, Hafenort Esthlands, auch *Rewel*, lat.
Revalia, 1218 v. dän. König Waldemar II. an
Stelle eines esthn.-heidn. Orts ggr., esthn. *Talina*,
Talline, v. *Tani Linn* = Dänenstadt, lett. *Dahni*
Pils, v. gl. Bedeutg. (Daniel, Hdb. Geogr. 2, 1077 f.,
Mitth. Gesch. Livl. etc. 3, 134 ff.). Nach letzterer
Quelle sollte, wie der Name Oesel (s. d.), auch
R., als der ältere der beiden ON., mit dem urspr.
Seeraub zshängen; sie setzt *Röwe-ello* = Räuber-
haus. Volksetymolog. Spielerei dachte an *Regen-
fall*, da die Niederschläge üb. den Dohnberg her-
unterfallen, od. an *Rehfall*, da eben dort ein v.
kön. Jäger verfolgtes Reh verunglückt sei, u. die
Gelehrsch. bemühte sich sogar, die Stelle dieses
Unglücks zu ermitteln. Auch verwies man auf
lat. *revelatio* = Offenbarung, Traumgesicht, da
Erich IV. durch ein Gesicht z. Bau des Klosters
aufgefordert worden sei, od. auf das adelige Geschlecht der *Revallen*, die etwa 50 Jahr vor dem
Chronisten ausgestorben u. viell. einst bei der
Gründg. der Stadt hervorragten, od. auf das engl.
Cistercienserkloster *Rievallis*, *Regalis vallis*, da
unserm Orte ein Cistercienserinnenkloster, v. dän.
König Erich 1093 ggr., vorausgegangen war (Mor.
Brandes' Chron. ed. Paucker, Riga 1840 u. Inland
16 No. 25). Eine erste Anlehg. an das dän.
rev = Klippe, Riff, Sandbank, nicht übel f. eine
Oertlichk., wo das Meer voll gefährl. Riffe ist,
musste verunglücken in der kindischen Verbindg.
'Reff- voll'; dagg. dachte H. Neus (*R.*'s sämmtl.
Namen 11 f.) an dän. *revle*, schwed. *räfvel* =
Sandbank, Untiefe, Riff, wie auch das nahe Dorf
Rälby v. 17. Jahrh. *Reualby*, *Räwelby*
= Klippendorf geheissen habe. Diese Ableitg.
wird v. A. Schiefner (Inland 16 No. 31) als 'die
einfachste u. beste' bezeichnet, u. seinem Urtheil
dürfte man beistimmen. Betr. *Lindanissa*, den
Namen des esthn. Vorgängers v. *R.*, sowie betr.
Kolywan, den bei den russ. Chronisten neben
R., parallel gehenden Namen s. f. die Discussion
kaum üb. Vermuthungen hinausgekommen.

Revillagigedo, Islas de, eine pacif. Inselgruppe
der mexic. Vulcanspalte, 19^0 NBr., v. der Exp.
des Diego Hurtado u. Hern. de Grijalva, die v.
F. Cortez abgesandt war, 1533 (nicht 1523 od.
1553) entdeckt u. zwar *Santo Tomas*, das grösste
Land der Arch., am Thomastage, 22. Dec. . . .
'hüa ylha a que poz nome de *sam Tomas*, pella
descobrir em tal dia' (Galvão, Desc. 194, BDias,
NEsp. c. 200), j. *Isla del Socorro* = Insel der
Hülfe (DMofras, Or. 1, 244, Krus., Mém. 2, 28).
Auf den span. Carten des 17. Jahrh. hiessen sie
Islas de Ladrilleros, wohl nach dem Piloten
Hernan *L.*, welcher in Mexico lebte, 1574 eine
Durchfahrt im american. Continent entdeckt haben
wollte u. unsere Gruppe auch besucht haben mag.
Auch *Spillbergens Eilande* werden sie genannt,
nach dem holl. Admiral Georg *Sp.*, welcher sie
am 13. Dec. 1615 sah, aufnahm u. beschrieb
(Berghaus, Ann. 10, 4 ff., Govantes, HFilip. 34).
Der engl. Capt. Collnet, der 1793 die Gruppe
neuerdings aufnahm, taufte sie nach dem dam.
Vicekönig NSpaniens, welcher das v. Cortez neu

aufgebaute Tenochtitlan so eigenth. verschönert hat (Humb., Vue Cord. 7), dem Grafen Juan Vicente de Guemes Pacheco de Padilla Horcasitos y Aguayo, conde de *R.*, der sein vicekön. Amt in den Jahren 1789—1794 bekleidet hat (Uhde, RBravo 418).

Revolution I. s. Lincoln.

Révolution, Is. de la s. Mendaña.

Rewdinsk s. Solikamsk.

Rewucheja Sopka = brüllender Berg, russ. Name eines der beiden Vulcane v. Unalaschka (Spr. u. F., Beitr. 1, 213).

Reyataotonwe s. Sioux.

Reyes, plur. des span. *rei* (s. d.), in ON. meist nach dem Kalendertage, 6. Jan., auf welchen die abendl. Kirche das Fest Epiphania (= Erscheinung) gesetzt hat, d. h. die Ankunft der heil. 3 Könige, Magier, Weisen, aus dem Morgenland u. damit die Anerkenng. der Hoheit Jesu Christi seitens der Heidenwelt: *Ciudad de los R.* s. Lima. — *Islas de los R.*, f. zwei benachbarte Atolle der westl. Carolinen, einh. *Ulithi, Uluthi* (Meinicke, IStill. O. 2, 359); *b*) s. Barbudos; *c*) s. Marshall id.?; *d*) s. Sandwich; *e*) s. Jesus. — *Puerto de los R.*, in Calif., nördl. v. Gold. Thor, span. Entdeckg. v. 1542, engl. *Drake's Harbour*, weil der berühmte Pirat Francis Drake ihn im Juli 1579 besuchte (DMofras, Or. 1, 467). Dabei die *Punta de los R.*, v. Seb. Vizcaino 1602 getauft (Beechey, Narr. 1, 374).

Reykjavik = Rauchbucht, ON. in Isl., v. isl. *ad reykja* = rauchen, dampfen, daher entlehnt, weil am Ufer eine heisse Quelle dampft, u. *rik* = Bucht. I dalen flyta varma källor och af de från dessa uppstigande dunsterna fick bugten namnet *R.* (Hildebr., Sagot. 5, Preyer-Z. Isl. 31). — Ebf. v. der Nähe dampfender Thermen *Reykjanes* = Rauchcap, die Südwestspitze Isl. (ib. 29), u. *Reykjanybba* = Rauchspitze, ein schöner pyramidaler Berg, an dessen Fusse eine Therme v. 55⁰ C. quillt, dabei der Ort *Reykir* (ib. 148).

Reymond s. Barth.

Reynolds Island, vor Liverpool Coast, v. Walfgr. Will. Scoresby jun. (NorthWF. 316) am 26. Aug. 1822 entdeckt u. z. Andenken des Philanthropen *R.* getauft ...'in compliment to different respected individuals, descendents of the late Mr. Richard *R.*, of Bristol, universally known and esteemed for his extraordinary philanthropy'.

Rezeh Tschai, türk. Flussname zw. Teheran u. Hamadan, nach dem nahen Dorfe *R.*, pers. *Ab-i-Rahdar-khaneh* = Wasser des Steuerhauses, *rahdar-khaneh*, in der Nähe (Brugsch, Pers. 1, 351).

Rezener s. Reka.

Rezat s. Rednitz.

Rhaba od. *Ghaba* = Wald, berb. Name eines Wady der marocc. Sahara, weil das Flussbett eine Strecke weit ein schmaler Palmwald ist (Rohlfs, Mar. 79). — *Rhadames* s. Gadames.

Rhade s. Rütli.

Rhäti, Rhätia s. Räter.

Rhasuat s. Nemours.

Rhau s. Wolga.

Rhegium s. Reggio.

Rhein, holl. *Rijn*, lat. *Rhenus*, gr. 'Ρῆνος, (u. zwar noch nicht bei Herodot, zuerst —200 bei Apollon. Rhod., dann bei Caesar (Bell. Gall. 4, 10) u. a., der Name nicht des grössten, aber wohl des stolzesten der europ. Ströme, in Graubünden, wie schon 1751 Altmann (Helv. Eisgb. 101) hervorgehoben hat, appellativisch gebraucht, ist lange ohne befriedigende Erklärg. geblieben. Das 'Flusslexikon' v. 1743 sagt: 'Was die eig. Abstammg. seines deutschen Namens u. dessen Ursprung anlangt, ob er, nach Etlicher Meing., v. dem gr. Wort ῥέειν = fliessen od. dem kelt. *riven* herkomme, ist noch nicht so gar genau entschieden worden; gleichwohl stehet gar fügl. zu vermuthen, dass er entw. v. *rinnen* od. v. der Reinigkeit u. Klarheit seines Wassers der *Rh.* genannt werde' (Allg. hydrogr. Lex. 465). Um dieselbe Zeit, 1747, bespricht auch der Keltomane L. de Bochat (Mém. 1, 198ff.) den Namen, auch die Annahme, dass die Reinheit des Wassers bei den Germanen benutzt worden sei, üb. Schuld od. Unschuld der des Ehbruchs angeklagten Frauen zu entscheiden, od. die andere, als bedeute *rein*, wohl *rain*, einen Hügel, bildl. eine Grenze, schicklich f. einen Fluss, der v. jeher Germanien u. Gallien geschieden habe. Diesen Annahmen schenkt der Verf. kein Vertrauen: er denkt an kelt. *ren* = fluentum sive aquae cursum, das Fliessende, 'Fluss'. Eine kelt. Etym. konnte, bei den Verirrungen, die ihren Freunden vorzuwerfen waren, lange Zeit keinen Anklang finden; erst durch K. Zeuss wurde sie 1837 Deutsche u. Nachbst. 13) u. 1853 (Gramm. Celt. 1, 98) gesichert, 1859 v. C. A. F. Mahn (Unters. 2, 27ff.), 1861 v. Max Müller (Lects. 384), 1865 v. Chr. W. Glück (Renos etc. 1ff.), 1867 v. Ad. Bacmeister (AWand. 68) adoptirt u. darf j. als allgemein angenommen gelten. Das gall. *rênos*, früher *rênas*, ohne *rh*, da das kelt. kein gehauchtes *r* hat, ist durch das Suffix *no* v. der zu *rê* gesteigerten Wurzel *ri* gebildet, die im skr. gehen, fliessen, heisst; *rênos* heisst nichts anderes als 'Fluss'. Im ir., welche langes *e* in *ia* aufzulösen pflegt, heisst der *Rh.* *Rian*; dort lebt noch *rian*, mit der Bedeutg. Weg, Gang, (sich bewegendes) Meer, u. im kymr. entspringt v. der Wurzel *ri* das Wort *rin*, j. *rhin* f. = canalis. 'Die Deutschen knüpften den fremden Namen an ihr *hrinan* = tangere, mugire, sonare u. nannten den Fluss *Hrîn*, später *Rîn* = der brausende, wie Grimm (DGramm. 3, 385) den deutschen Namen bereits richtig erklärt hat' (Glück u. ihm nach Bacm.). Es hat Glück schon als sonderbar hervorgehoben, dass die Römer die sonst kelt. Namen wie Rauraci ohne *h* schreiben bei *R.* u. Rhodanus die griech. Schreibweise befolgt haben, u. Bacmeister erklärt rundweg: 'Unsere Schreibg. *R.*, mit gr. *h*, ist Gelehrtenzopf'. Ggb. den oben mitgetheilten Zeugnissen wird die Ansicht, 'the most reasonable derivation is that of Armstrong, from gael. *reidh-an* = the placid water, a name which well accords with the general appearance of this river' (Charnock, LEtym. 223), einen schweren Stand haben. Der Name *R.* wiederholt sich im ital. *Reno*, im *Rhin* des Ruppiner See's, sowie in einem Bache *Rh.* bei Cassel; differenzirt ist er in *Vorder-* u. *Hinter-Rh.*, den beiden Quelladern in Graubünden, wo übdiess einige Seitenflüsse nach den Thälern zubenannt sind, sowie in *Kromme* (= krummer) *Rijn*, der vielgekrümmten Strecke Duurstede-Utrecht, u. in *Oude* (= alter) *Rijn*, dem verarmten Mündgslauf v. Katwijk. Als Bestimmgswort findet sich *Rh.* in a) *Rheinau*, im 9. Jahrh. *Rinowa*, zunächst das auf einer Flussinsel ca. 800 erbaute, am 22. Apr. 1862 aufgehobene Benedictinerstift, dann auch die Ortschaft der anliegenden Halbinsel; b) *Rheinbayern* u. *Rheinpfalz* s. Palatium; c) *Rheinsberg*, alt *Rinsberg*, ein Burgberg an der Einmündg. der Töss; d) *Rijnsburg*, im 10. Jahrh. *Rinasburg*, an der Mündg. des *Rh.*; e) *Rheineck*, urk. *Hrinekka*, obh. des Bodensees u. im Rgbz. Coblenz; f) *Rheinfall*, der 'Laufen' (s.d.) bei Schaffhausen; g) *Rheinfelden*, im 11. Jahrh. *Rinveldon*, obh. Basel; h) *Rheinfels*, Festg. 1245 v. Grafen Diether III. v. Katzenellnbogen auf einem Felsen ob St. Goar erbaut, 1797 geschleift, seit 1843 v. Kaiser Wilhelm I. erneuert, wie 1825/29 die ehm. Ruine Voigtsberg, j. *Rheinstein*, v. Prinz Friedrich v. Preussen (Meyer's CLex. 13, 607. 611); i) *Rheingau*, 788 *Rinahgawe*, der Gau am südl. Abhang des Taunus, so abgegrenzt wenigstens heute, in der Beschränkg. auf den frühern *Nieder-Rheingau*, der sich v. Waldaffa bis unth. Lorchhausen erstreckte, während der *Ober-Rheingau* die j. 'Bergstrasse' umfasste. Der *Rheingau* war begrenzt v. *R.* (nur wenige Orte der linken Flussseite, wie Bingen, wurden dazu gerechnet) u. dem 'Gebück', einer lebendigen Verschanzg., die sich v. Walluff üb. die 'Höhe' nach Lorchhausen zog (Ann. VNass. AlthK. 13, u. Kienitz 18. 5. 81); k) *Rheinheim*, im 9. Jahrh. *Rinheim*, dreimal am Flusse; l) *Rinderen*, zw. Cleve u. Schenkenschanz, im 7. Jahrh. *Rynharen*, s. v. a. *Rhein-Aren*, z. Römerzeit *Arenacum*, 'die Römer haben wohl jedenf. dabei an *arena* gedacht' (Förstemann, Altd. NB. 1251); m) *Rheinhausen*, im 11. Jahrh. *Rinhusen*, obh. Wesel; n) *Rinisgemunde*, j. *Alten-Rhein*, eine alte Mündg. des *Rh.* in den Bodensee, u. *Rinesmuthon*, ebf. aus dem 11. Jahrh., bei Zwammerdam am Rhein; o) *Rheinprovinz*, auch Rhein-Preussen, f. die 1815 wieder erworbenen u. abgerundeten Besitzungen des preuss. Königshauses in den Rheinlanden; p) *Rheinspitz* = die Landspitze, durch welche als sein Delta der *Rh.* sich in den Bodensee ergiesst (mit *spitz* = Horn, wie im nahen *Rohrspitz*, der mit Schilfrohr bewachsenen, flachen, schmalen Landspitze); q) *Rheinthal*, eine Rhodes des st. gall. Halbthals am *Rh.*, in *Ober-* u. *Unter-Rheinthal* unterschieden; r) *Rheinwald*, aus rätr. *Val Rin*, *Val da Rh.* = Rheinthal, umgedeutet, f. die oberste Thalstufe des Hinterrheins, in dessen Hintergrunde der *Rheinwald-Gletscher* (Campell ed. Mohr 25).

Rhin s. Rhein.

Rhinokorura s. Arisch.

Rhinoster Fontein = Rhinocerosquelle, holl. Name einer der höchsten Gegenden der Schneeberge, Capl. (Lichtenst., SAfr. 2, 29), wie *Rh. Rivier*, ein Zufluss des Hartebeest R., u. *Rh. Berge*, eine Gruppe der Schneeberge (vgl. Elefant).

Rhion, lat. *Rhium*, gr. *'Ρίον* = Landspitze, in Achaja, mit Castell Morea, einst mit Poseidonstempel, wie auf dem ggb. liegenden *Antirrhion* = Gegenspitze (Curt., Pel. 1, 446), daher die Enge selbst *Rhium . . . fauces eae sunt Corinthii sinus* (Liv. 28, 7).

Rhizon s. Cattaro.

Rhodanus s. Rhone.

Rhode Island, f. einen der Unionsstaaten, ist Uebtragg. des griech. *Rhodus*, urspr. auf eine Insel des j. Staats, ind. *Aquiday*, *Aquednet*, *Aquetneck*, beschränkt, welche die v. den Puritanern v. Boston vertriebene Anna Hutchinson u. deren Gesellschaft 1635 den Indianern abkaufte, um sich hier anzusiedeln (Quackb., USt. 86 f.). Es ist viel darüber gestritten worden, ob nicht das holl. *Roode Eiland* = rothe Insel zu Grunde liege; denn so habe der Seef. Adr. Block, als er in Narragansett Bay einsegelte, die Insel genannt, 'where he commemorated the fiery aspect of the place, caused by the red clay in some portion of its shores'. Oder man dachte an *Road Island* = Rhede- od. Hafeninsel, oder an ein Glied der Familie *Rhodes*, die in der frühern Geschichte des Staates etwa vorkommt u. also wohl schon bei den ersten Ansiedlern vertreten sein konnte (vgl. ZfAErdk. nf. 3, 64). Die Uebtragg. aus dem Mittelmeer wollte nicht einleuchten, da man sie nur in einer nicht vorhandenen Aehnlichk. suchte; 'by what strange fancy this island was ever supposed to resemble that of *Rhodes* on the coast of Asia Minor, is difficult to imagine, and it is equally strange that the tradition that it was named from such resemblance should be transmitted or be believed unless indeed because it is easier to adopt a geographical absurdity than to investigate an historical point'. Es gibt jedoch zu Uebertragungen noch andere Motive als die Aehnlichkeit der Objecte, u. was man als absurd verwarf, ist geradezu urkundl. festgestellt: 'At the Generall Court of Election held at Nuport 13. Jan. 1644 . . . it is ordered by this Court that the ysland commonly called *Aquethneck* shall be from hence forth called the *Isle of Rhodes* or *Rhode Island'* (Rh. ICol. Records 1, 127, Peterson, Hist. RhI.). 'The form of this vote introducing the *Isle of Rhodes* first, is opposed to all the theories of the origin of the name — except that which refers it to the island in the Mediterranean' (HBStaples, NSt. Un. 6 ff.).

Rhodes Bay, in Kerguelen I., v. Capt. J. Cl. Ross (SouthR. 1, 257) 1840 benannt nach dem eifrigen Erforscher der Insel, Capt. Rob. *Rh.*, welcher 1799 hier 8 Monate lg. zugebracht hatte (Peterm., GMitth. 21, 132).

Rhodus, j. *Rhodis.* gr. *'Ρόδος*, *Rhodos* — Roseninsel(?) angebl. benannt nach dem reichen, prächtigen, die Berghänge bekleidenden Rosenflor, welcher die Insel den ältesten Besuchern auffällig machte; auf den rhod. Münzen diente auch die Rose als Wahrzeichen. Sonst trug das Eiland auch andere (wohl nur dichterische Bei-) Namen: *Pelagia*, v. seiner Lage im Meere, *Thrinakria* (s. Sicilia), v. seinen drei Hptspitzen, *Atabyria*, v. seinem Culminationspunkt, dem Atabyris,*Ophiussa*, v. der Menge der Schlangen (Schneiderw., GRhod. 1ff,), wohl auch Αἰθραία = Lichtenau, v. αἰθήρ = reine, obere Himmelsluft, im Ggsatz z. Dunsthülle (St.B., Pape-B.).

Rhoiteion, gr. Ῥοίτειον, v. ῥοῖζος poet. = ῥόθιον Wogengebrause, Wogenschwall, ein Vorgebirge u. Stadt Mysiens am Hellespont (Curt., GOn. 154, Benseler, SchWörtb.).

Rhône, le, in der deutschen Schweiz *die Rhone,* im südfrz. Dial., der *d* zw. 2 Vocalen flectirt, *Rhoze* (Longnon, GGaule 529), ein alpiner Zufluss des Mittelmeers, im deutschen Ober-Wallis, seinem Quelllande, der *Rhodan* od. *Rotten* (Fröbel, Penn. A. 193), wie 1495/97 bei C. Türst (QSchweizG. 6, 52) *Rhotten,* lat. *Rhodanus,* schon v. den Römern (Plin., HNat. 3, 33) mit der rhod. Colonie *Rhoda,* die in der Nähe der Strommündg. gelegen (?), in Verbindg. gebracht, hat sich, wie der Rhein, als ein kelt. Taufkind erwiesen. Bei jener röm. Annahme lag ohnehin eine Verwechslg. vor: Plinius dachte an *Rhodanusia,* eine v. den Phokäern an der Rhone ggr. Anlage u. setzte dafür die rhod. Colonie in Cataluña. In der That musste die phok. Stadt nach dem Flusse benannt sein, u. dieser selbst hatte ozw. seinen Namen, schon bevor die griech. Einwanderer erschienen, d. h. v. den Galliern. Schon 1731 trug W. Baxter (Gloss. sub danum) die kelt. Etym., v. *rho* = Fluss u. *dan* = rasch, reissend, vor, u. es musste 'der reissende Fluss' um so eher einleuchten, als die langsame Saône bei der Confl. scharf mit dem Hptfluss contrastirt ... 'incredibili lenitate, ita ut oculis, in utram partem fluat, iudicari non possit' (Caesar, BGall. 1, 12). Seither ist die Etym. fast unangefochten geblieben (L. de Bochat, Mém. 1, 172ff., Ebel, Anl. 2, 314, Zeuss, Gr. Celt. 13, Glück., ON. Caes. 148), meist in dem Sinne, dass man *Rh.* zu ir. *reth* = currere, cursus, stellte, während Stokes (Beitr. z. vergl. Sprachf. 6, 239) u. nach ihm Buck (FlurN. 222) die √ *rad* = graben, laufen, beizog. Diese letztere Ableitg. wird Wenigen einleuchten, u. Esser (Beitr. z. gallokelt. NK. 14) vergleicht die *Rednitz,* alt *Radantia,* zu deren √ *rad* sich auch zu *rod* in *Rodanus* verhalte wie *mog* zu *mag* (vgl. Redniz). Nun ist es, ggb. diesen Annahmen, ein gewichtiger, wenn auch nur negativer Einwand, wenn einer der angesehensten Keltisten, H. d'Arbois de Jubainville (Rev. Arch. 35, 260, Rev. Celt. 8, 172), den *Rh.* als einen nicht kelt., sondern ligur. Namen erklärt. Er geht dabei freil. v. der Ansicht aus, dieser sei dem Fluss im Unterlaufe, um welchen zZ. der Gründg. Massalia's Ligurer wohnten, gegeben worden. — *La Porte du Rh.*

heisst das grossartige Felsenthor bei St. Maurice, welches den Verschluss des Wallis bildet, dagg. *la Perte du Rh.* die Stelle, wo der Fluss unth. Genf auf ein paar Kilom. weit sich unter Kalkfelsen verliert resp. verlor. — *Rhonegletscher,* der Eisstrom, dem die *Rh.* entquillt, schon v. dem ersten Gelehrten, der ihn 1515 besucht hat (non ex vetustis auctoribus, sed ea Glareanus presens vidit), bewundert u. eindrucksvoll beschrieben ... 'mons sub cuius radice sunt fontes *Rhodani,* non saxis, non rupibus, non terra, sed ɩerpetua glacie in altitudinem decem et sex pene stadiorum insurgit; vtrinque quidem veros habet montes, abietibus syluestribusque arboribus virentes ...' (Centralbl. Bibl. 1888, 89). — *Mer du Rh.* s. Genève. — *Rhonegolf* s. Lion. — Einer der Deltaarme, bei Fourques abzweigend, heisst *le Petit-Rh.,* 1031 *Rodanunculus,* 1102 *Rhodanus minor,* 1174 *Braceolus Rodani,* 1583 *Rhodanetus,* u. v. ihm zweigt sich bei dem Fort Sylvéreal *le Rh.-Mort,* 1434 *Rosemort* ab, während *le Rh.-Vif* v. Montferrier bis z. Mündg. reicht (Dict. top. Fr. 182). — Neben der grossen *Rh.* gibt es im frz. dép. Eure-et-Loir auch einen Fluss *le Petit-Rh.* od. *la Rhône* od. *le Rhum,* Zufl. der Huisne, 1031 *Róna,* 1081 *Rodna,* 1430 *Rum* u. *la Ronne,* 1491 *la Rosne* (Dict. top. Fr. 1, 155), in Lothr. einen 'ruisseau rapide', *le Petit-Rh.,* Zufl. der Meurthe (ib. 2, 118) u. einen Zufl. der Nied-Mosel, *la Rotte,* 1018 *Rotha,* (ib. 2, 120), im dép. Hérault zwei Flüsse *Rhônel* (ib. 5, 161), im dép. Gard einen Fluss *le Rhôny* bei Nimes (ib. 7, 182).

Rhoodes s. Hermes.

Rhun s. Truns.

Rhydychen s. Oxford.

Riachuelo s. Rio.

Riâd = Gärten, die Hptstadt der Wahabiten, 'in einem blühenden Gartenlande gelegen, woher eben der Name' (ZfAErdk. nf. 18, 221; 19, 6).

Rialto s. Venezia.

Riba = Zelt, tib. Name eines zeltähnlich geformten Schneebergs in den Umgebungen des Passes Mustágh (Schlagw., Gloss. 239). — Vgl. Ryba.

Ribâgo = Landsitz eines Statthalters, bei den Batta ein hübsches, 1851 v. H. Barth (Reis. 2, 571) entdecktes, weit ausgebreitetes Dorf, Adamaua.

Ribaute s. Riva.

Ribeira = Uferland, das port. Aequivalent f. 'Riviera', Name der Hptstadt: *a)* in San Miguel, Açoren; *b)* in Santiago, Cabo Verde Is. (Meyer's CLex. 13, 627). — *Saceo da R.* s. Flamengo. — Span. *Ribera,* der thalartige Landstrich Navarra's, welcher längs des Ebro, also im Niederland, sich hinzieht, im Ggsatz z. *Montaña* u. dem Berggebiete im Norden u. Nordosten des Landes (Willkomm, Span. u. P. 167). — *Er-Rîf,* fälschl. *Riff,* in Marocco der öde Küstensaum v. Ceuta bis z. alger. Grenze. Es ist diess (Barth, Wand. 44) 'eines der wenigen Beispiele in der ehem. lybische Sprache eingedrungener röm. Namen.'

Riblah, hebr. רִבְלָה = Fruchtbarkeit, eine Stadt im nördl. Paläst., in der Gegend v. Hamath, welche die Chaldäer bei ihren Einfällen zu berühren pflegten, j. *Ribleh* am Nordrande Cölesyriens (Robins., Pal. 2, 747, NBF. 708. 710) od. *Rebla* am Orontes (Buckingh., Trav. 4, 481).

Rica, fem. v. *rico* (s. d.), mehrf. in *Villa R.* *a)* in Chile, eine der Gründungen des golddurstigen Pedro de Valdivia 1550/58 (Fitzroy, Adv. B. 1, 268); *b)* in der Prov. Curitiba, Bras., v. den Jesuiten 'in einem überreichen Thal' ggr., aber in Folge der Raubzüge der Mameluken, d. i. der Mestizen v. São Paolo u. Paranà, 1631 verlassen (Peterm., GMitth. 22, 348); *c)* s. Ouro Preto; *d)* s. Cruz. — *Isla R.* s. Plata. — *Costa R.* = reiche Küste, anf. *Costa del Oro* = Goldküste nannte Columbus die im Oct. 1502 nach langem Suchen gefundene goldreiche Gegend, welche v. des Entdeckers 'Cipangu', Hayti, nach Südwesten, v. seinem 'China', Cuba, nach Süden liegen, also der *Chryse* = Goldinsel des Ptol. (s. Malakka) entsprechen u. somit bei jeder Landg. Gold in Fülle liefern sollte (Peschel, ZEntd. 371), 'on account of the great riches that he found in this province' (WHakl. S. 21, 70): bei Balboa heissen die v. Nicuesa entdeckten anliegenden Gebiete *Castilla del Oro* = Gold-Castilien (LCasas, Coll. Obr. 1, 214, Navarrete, Coll. 3, 170, Garc. de la Vega, Com. Real. 1, 7). Auch *Cartago la Nueva* wurde etwa *Costa R.* genannt (s. Cartago).

Rican s. Reka.

Rich Island, vor der Nordküste NGuinea's, v. Dampier 1700 getauft nach Sir Thomas *R.* (Krusenst., Mém. 1, 68).

Richard Desert, ein austr. Wüstenstrich, v. Ernst Giles auf seiner 3. Reise 1874/75 entdeckt u. nach seinem Begleiter benannt, dem Policisten P. *R.,* der, in Port Fowler stationirt, ihm f. die erste Strecke beigegeben war u. ihm gute Dienste leistete (ZfAErdk. 1875, 352).

Richards' Bay, bei Fury and Hecla Str., v. Capt. W. Edw. Parry (Sec. V. 310) im Aug. 1822 entdeckt u. nach seinem Reisegefährten Charles *R.,* einem der midshipmen v. Schiffe Hecla, benannt. — *R. Island,* bei dem Delta des McKenzie *R.,* v. der Exp. Franklin (Sec. Exp. 192) am 6. Juli 1826 getauft zu Ehren des Gouv. der Bank of England.

Richardson, John, der arkt. Reisende (nicht zu verwechseln mit seinem Landsmann, dem Missionär u. Africareisenden *James R.,* dem 1851 † Chef der innerafr. Exp. mit Barth u. Overweg), geb. 1787 zu Dumfries, Schottl., z. Arzte herangebildet u. als solcher im Seedienst, begleitete 1819/22 u. 1825/27 Capt. John Franklin auf seinen Reisen, welche der Auffindg. einer nordwestl. Durchfahrt galten, ging 1848/49 mit Rae z. McKenzie R. u. Wollaston Ld., um den ehm. Chef aufzusuchen, u. † 1865. Nach ihm sind getauft: *a) R. River,* nahe Coppermine R., v. Franklin (Narr. 352) im Juni 1821 'as a testimony of sincere regard for my friend and companion'; *b) R. Chain,* eine Bergkette am McKenzie R., v. Franklin (Sec. Exp. 32, App. 31) am 14. Aug. 1825, wie der auffallende Kegelpic dieser Kette *Fitton Peak,* nach dem Präsi-

denten der geolog. Gesellschaft; *c) R. Bay,* zw. Coppermine R. u. Point McKenzie, ebf. v. Franklin (Sec. Exp. 260), im Sommer 1826 durch Uebtragg. v. *R. River,* der sich j. als eine blosse trockne Schlucht erwies; *d) R. Bay,* an der Nordseite v. King William's Ld., v. Commander J. Cl. Ross, Exp. John Ross (Sec. V. 415) am 28. Mai 1830; *e) Point R.,* die äusserste, nach Westen sichtb. Landspitze, welches die Explorer Back's (Narr. 218) am 12. Aug. 1834 zu erkennen vermochten; *f) Sir John R. Bay,* in Grinnell Ld., v. E. K. Kane (Arct. Expl. 1, Carte) 1853/55 getauft.

Riche, Isle, eine Küsteninsel an der Nordseite NGuinea's, benannt v. frz. Seef. d'Entrecasteaux im Juni 1793 nach den Naturforscher seiner Exp. (Journ.RGSLond. 1875, 161 — die Carte fügt bei: of the French); *b) Pointe R.,* ein Landvorsprg. im Détroit d'Entrecasteaux, Tasmania, wo die Exp. am 21. Apr. 1792 angekommen war, neben einer *Ile Bruni* u. *Pointe Gicquel* (s. d'Entrecasteaux).

Richelieu s. Nuyts u. Schanck.

Richmond, urspr. *Riche-mont* = reicher Berg, mehrf. engl. ON., zunächst Name einer alten Stadt der engl. Grfsch. York, in deren Nähe die Ruinen einer prächtigen Burg u. einer 1158 ggr. Abtei. Jene war getauft 'either from a castle in Brittany, or from its being situated in the most fruitful part of his territory' (Charnock, LEtym. 224). Als 1497 in *Sheen* (= schön), einem an der Themse gelegenen Orte, der durch seine schönen Umgebungen, 'from its shining or splendor' (Camden-Gibson, Brit. 1, 238), namentl. durch eine reizende Fernsicht so berühmt war, dass viele Dichter ihn besangen, ein kön. Palast erbaut wurde, nahm auch dieser Ort den Namen *R.* an, weil der Erbauer, Heinrich VII., v. dem ältern *R.* den Titel eines Grafen v. *R.* führte, der 1342 v. Eduard III. seinem Sohne, dem nachmal. Herzog v. Lancaster verliehen worden u. v. diesem Hause auf Edmund Tudor u. dessen Sohn, den eben genannten König Heinrich, übergegangen war. — Ein *R.* im Staate Virginia, 1737 ggr. (Meyer's CLex. 13, 635) u. andere Uebtragungen in America, so dass Ritters geogr. Lex. (2, 461) dort den ON. *R.* 29 mal enthält.

Richthofen Spitze, der wohl 1500 m h. Culm in Franz Joseph's Ld., v. der zweiten österr.-ung. Nordpolexp. Weyprecht-Payer 1872/74 entdeckt u. v. hohen Cap Brünn aus, welches Jul. Payer am 2. Mai 1874 bestieg, als schlanke, weisse Pyramide erblickt, welche die grauen Felsenkegel der Umgegend überragte (Peterm., GMitth. 20 T. 20. 23; 22, 206), offb. nach dem Geologen u. Chinareisenden, Baron v. *R.* — *R. Bay* s. Wilczek.

Rickenbach s. Bach.

Ricketts Cape, 'a bluff headland' bei Barrow Str., v. Lieut. W. Edw. Parry (NWPass. 50 f.) am 22. Aug. 1819 entdeckt u. nach Tristram Robert *R.* getauft.

Rico, fem. *rica* = reich, gew. an Gold od. Silber, entspr. frz. *riche,* engl. *rich,* mehrf. in toponym.

Denkmälern des Golddurstes span. u. port. Entdecker od. Colonisten, voraus *Puerto R.* = reicher
Hafen, uneig. *Porto R.*, Antillen, zunächst eine
Hafenbucht der Nordküste, wo Columbus Ueberfluss v. Gold u. Silber fand . . . 'in this they found
exceeding riche gold mines' (PMartyr in Hakl.
Sel. 426). Bei den Eingb. hiess die Insel *Boriquen, Burenquen, Borichiù* = Land der Dunkelfarbigen (Gomara, HGen. 36, WHakl. S. 21, 13,
Fort y Roldan, Cuba 131); der Entdecker nannte
sie *San Juan* — nach dem Kalendertage (?),
vollst. *San Juan de Puerto R.* Auch hiess sie
eine Zeit lg. *Isla Carib*, nach den hier eingedrungenen Cannibalen (Navarrete, Coll. 1, 139,
Acosta, HInd. 4, 32). — *Rio R.*, in der Prov.
Goyaz, mit goldreichem Sande, v. der Exp. Bueno
1721 getauft (Eschwege, Pl. Bras. 56).
   Rico, Gaspar, eine kleine polynes. Inselgruppe,
im Norden des Marshall Arch., einh. *Taongi,*
span. *San Bartolomeo* (s. d.), häufiger nach dem
spätern span. Seef. *GR.,* der (Galvão, Desc. 238)
als Pilot der Exp. Villalobos 1545 Tidore-Neu
Spanien erwähnt wird, bei Capt. Johnstone *Cornwallis Island,* nach seinem Schiffe, sonst auch
Petrel Island = Insel der Sturmvögel, da das
mit Gesträuch bedeckte Eiland v. Seevögeln bewohnt
ist (Krus., Mém. 2, 6 ff., Meinicke, IStill. O. 2, 327).
   Ricord, Cap, die Südspitze v. Iturup, Kurilen,
v. russ. Admiral v. Krusenstern (Mém. 2, 197)
benannt nach einem der russ. Seeff., welche die
Kenntniss jener Gewässer gefördert haben. Vergl.
Verratherbay.
   Riddarholm s. Stockholm.
   Ridders Bay -- Ritterbay, auf span. Carten
übsetzt *Bahia de los Cavalleros* (ZfAErdk. 1876,
436), Magalhães Str., wo der holl. Seef. Simon
de Cordes 1599 den Ritterorden des entbundenen
Löwen, 'broederschap van den ontbonden leeuw',
stiftete. Der Name zielte auf den holl. Löwen,
welcher die span. Fessel abgeworfen; der Orden
beabsichtigte einen ewigen Krieg wider die Spanier
in der Südsee, 'fast wie der Malteserorden einen
solchen Krieg wider die Türken in dem mittelländ.
Meere führet'. 'Sy lietender oock tot een ghedachtenisse hare namen ghesneden in een tafereel.
't welck sy op een hooghe pilaer stelden, op dat
het van de voor-by varende schepen mochte ghe-
sien worden . . .' (Waeracht. V. 79, Debrosses,
HNav. 175).
   Riddersk, sibir. Bergort im Altai, benannt nach
dem Bergbeamten Ridder, welcher 1783 hier eine
Silber- u. Bleimine entdeckte (Sommer, Taschb.
11, 167).
   Rideau = Vorhang, f. Wasserfall, 2 mal in Brit.
America: *a)* in einem Zuflusse des Ottawa, wo
sich, in der Nähe der Chaudière (s. d.), der Fluss
üb. einen 12 m h. Felsen in einem Bogen, in
Gestalt eines Vorhangs, 'v. dem er auch den
Namen hat', herabstürzt. Nach dem Fall heisst
der Fluss selbst *R. River* u. das neuere Canalwerk *R. Channel*: *b)* ein Wasserfall v. vorhang-
artigem Aussehen, zw. L. Superior u. Rainy L.
(McKenzie, Voy. 35. 61).

   Ridge River = Rückgratfluss, eine Fussstrecke
des brit. America, zu dem aus secartigen Erweiterungen u. Flussstrecken bestehenden Gewässer
gehörend, welches in den nordöstl. Abschnitt des
Pine Island L. mündet, benannt nach einem obh.
des Hay R. sich erhebenden Landrücken, welcher
— die Schifffahrt unterbrechend — eine Tragstelle, *R. Portage,* veranlasst (Franklin, Narr.
178 ff.).
   Riding od. *Reding,* heute noch f. die 3 Abtheilungen v. Yorkshire, *North-, East-* u. *West-R.,*
wie früher, lt. Domesday Book, auch das benachbarte Lincolnshire in *Nort-. West-* u. *Sudtreding*
zerfiel, ist keine ags. Bezeichng. u. als solche
nicht verständlich; die v. Normännern stark besetzten Gegenden des alten Northumberland erhielten sie aus dem südl. Norwegen, wo die Landschaften nicht nur in Hälften, *hálfur,* u. Viertel,
fjórdungar, sondern auch in Drittel, *thridjun-
gar, tredinger,* getheilt wurden: als *thrithing,* aus
dem durch Missverständniss *R.* entstand (Worsaae,
Mind. Danske 205).
   Riebeck, Kasteel, ein steiler Berg des Capl.,
nach Johann v. *R.,* erstem Gouv., der daselbst
Baracken f. hundert Mann, und Ställe f. eben
so viele Pferde, gebauet, auch ein grosses Stuck
hingestellet . . . . Nach dem 'Schloss' auch das anliegende Thal: *R. Valley* (Kolb, VGHoffn. 228).
   Riedlé s. Maurouard.
   Riedmatten, Col de, der Pass, welcher die beiden Walliser Thäler Val d'Hérémence u. Val
d'Erin im Hintergrunde verbindet; derselbe habe
(Fröbel, Penn. Alp. 53) seinen Namen nach dem
bekannten Adrian v. *R.,* der, Bischof v. Sitten
um die Mitte des 16. Jahrh., üb. den Berg gegangen sei u. auf der Höhe an einer Felswand die
eignen Namenszüge eingegraben habe. Seit jener
Zeit pflege ein jeder Reisende, welcher üb. diesen
Pass gehe, dasselbe zu thun. ZZ. v. Fröbel's
Reise, 1839, war in dem Schieferfelsen der Name
des berühmten Bischofs nicht mehr zu finden;
aber ein Namensverwandter des letztern 'war vor
einigen Jahren hier gewesen u. hatte durch Ein-
grabg. des seinigen den v. der Zeit verwischten
des Bischofs ersetzt' (ib. 68).
   Rieka s. Reka.
   Rient s. Rossa.
   Riepke s. Ryba.
   Rière, Rieu s. Rio.
   Riesengebirge, in gew. Sinn als eine Abtheilg.
der Sudeten (s. d.) betrachtet, ist wie *Riesenberg*
(s. Joris) eine Erinnerg. an vorzeitl. Riesen, sofern es vor Alters wirkl. *Asengebirge,* nach dem
altgerman. Göttergeschlechte, geheissen hat (Umlauft, ÖUng. NB. 197). Welche Sagen u. Deutungen die Annahme eines mächtigen Riesenge-
schlechtes u. insb. des kön. Berggeistes Rübezahl
hervorgebracht hat, mag man aus Daniel (Hdb.
Geogr. 3, 270 f.) ersehen. Zuerst taucht der Name
Riseberg 1546 auf, bei G. Agricola de nat. foss. 1.
6 p. 298), dann wieder 1561 in Martin Helwigs Carte
v. Schlesien, die dabei auch die phantastisch gezeichnete Gestalt Rübezahls mit vollem Namen

ansetzt, u. ungefähr gleichzeitig, als *mons Gigantum*, in einem lat. Gedicht Fabers (Franz Köckritz). Dem Namen *Riesenberg* fügt, um 1600, Kasp. Schwenckfeldt (Delin. 7, Warmb. 155. 212) die Bemerkg. bei: so genannt, 'nicht dass Riesen, wie Etliche dafür halten, darumber gewohnt haben, sondern weil er als ein hoher Riese vor den andern allen herfür raget u. sich sehen lässet'. Bei diesen Worten erinnert man sich, dass das *R.*, in der Schneekoppe 1601 m, nicht allein die höchste Abtheilg. der Sudeten, sondern das höchste aller deutschen Mittelgebirge ist. Der čech. Name *Krkonoské* erscheint zuerst, als *Kerkenoss*, 1543 bei Seb. Münster, dann als *Horkonos* bei Schwenckfeldt u. s. f.; er wird, nicht einleuchtend, v. den Corcontiern abgeleitet, die nach Ptol. unth. des Asciburgium (s. Sudeten) sassen, od. v. čech. *krk* = Hals u. *nositi* = tragen, also 'Halsträger', v. dem Gebrauche der Bewohner, alle Lasten auf dem Kopfe zu tragen (Umlauft, ÖUng. NB. 119); auch die Deutg. v. čech, *krkavec* = Rabe, also die Deutg. 'Rabengebirge' (E. Malende, Sudet. 12), ist mit Vorsicht aufzunehmen. — *Riesendamm* s. Giant.

Riet od. *ried*, ahd. *hriod* = carex, 'Rietgras, u. dann die mit ihm bewachsene Fläche, in vielen ON., freil. oft unsicher, da seine Formen in gefährl. Nähe mit *rüti* (s. d.), ahd. *riuti*, kommen u. nicht überall so sicher, wie z. B. im C. Zürich, durch die Aussprache, v. den letztern geschieden sind (Förstem., Altd. NB. 1260). Wir verweisen auf *Rieden* (s. Albis) u. *Riedbad*, Toggb., zu dem man v. Ennetbühls aus erst durch eine Riedfläche gelangt (Osenbr., WStud. 3, 36). — *Röll. a) Rietkloof* Rohrschlucht, eine weite, wasserreiche Niederg. nahe der St. Helena Bay u. *b) Rietvalley* Rohrthal, ebf. im Capl. (Lichtenst. SAfr. 1, 30. 88. 103).

Rietsch s. Reka.

Rjetschaner s. Tschrespjunjaner.

Rif s. Ribeira.

Riffelgrat, der Name eines Bergkamms des Monte Rosa, bedeutet (Gatschet, OForsch. 55) s. v. a. gezackter Berggrat, v. ahd. *rifilôn* = sägen, mhd. *diu riffel* = die Säge, *riffeln* = sägen, durchkämmen. In der nördl. Schweiz *die raffle*, ein Geräth, um Zucker, Muskaten, Schabzieger etc. zu zerreiben.

Rifferswyl s. Wyl.

Riga, die russ. Hafenstadt an der untern Düna, eine Gründg. deutscher Wisby-Kaufleute, welche, durch Sturm verschlagen, die Flussmündg. 1158 entdeckten u., unter Letten u. Liven sich ansiedelnd, zuerst die Flussinsel, *holm*, bebauten, welche v. der ersten Kirche j. noch *Kirchholm* heisst. Nach der *Ryghe*, *Riege*, einem seither eingegangenen Flussarm, dessen Reste in der zweiten Hälfte des 18. Jahrh. noch vorhanden waren, erhielt — dies ist urk. bezeugt — die neue Stadt den Namen *tho Ryghe*, später *Riga* (Müller, SRuss. G. 1, 52). Diese Angabe bestätigt wesentlich u. ergänzt Leithann (Adumbr. 1): 'Urbi *Rigae* nomen dedit brachium Chesini (Dünae),

Rige dictum, ad quod anno circiter 1200 p. Ch. n. Alberto, episcopo tertio in Livonia, imperante, a Germanicis mercatoribus et equitibus condita est. Ille interim rivulus, *Rige* vocatus, decursu temporum sensim sensimque tantopere limo impletus fuit, ut anno 1733 placuerit, eum omnino terra explere ejusque loco cloacam oblectam condere qua, Rising nominata, adhuc urbem permeat'. Dieselbe Ansicht vertritt auch W. v. Gutzeit (Mitth. Livl. etc. 10, 231 ff.), u. er vermuthet in *Rige* das plattd. *rüje*, slaw. *rika*, altliv. *rige* = Fluss. Er findet auch, ggb. C. Hennings, der die ehm. Existenz einer *rige* verneinte (Notizbl. techn. V. 1866 No. 6), die Gründe f. einen selbständigen Bach siegreich (Sitzgsberichte G. f. Gesch. der Ostseeprovv. 1875, 42 ff.). — Nach der Stadt *Rizkoi Zaliw* = Golf v. R. (Atl. Russ. 3).

Rigby s. Hurd.

Rigi, ein Voralpenstock der Central-Schweiz, viell. der berühmteste Aussichtspunkt der Erde, schon vor der Eröffng. seiner ersten Zahnbahn, 1871, allj. v. ca. 40000, seither oft v. üb. 100000 Personen besucht, musste bei vielen die Frage nach der Bedeutg. des Namens anregen; die Erklärg. ist jedoch lange unsicher geblieben (Ebel, Anl. Schweiz 2, 138, Gem. Schweiz 3, 44; 5, 294). Man durfte es als eine blosse Spielerei betrachten, wenn der Humanist Alb. v. Bonstetten in seiner um 1478 geschriebenen Descr. Helv. (Mitth. Zürch. AG. 3ª, 97) an *Regina Montium* = Königin der Berge dachte. Auch eine zweite lat. Ableitg., v. *rigidus mons* = rauher Berg, u. selbst diej. v. mhd. *rik* = Wildgasse, Landrücken etc., also 'eine Bergpartie, an die viele Wildgassen u. steile Wege hinaufführen' (Gatschet, OForsch. 9), konnten nicht einleuchten. Längere Zeit hielt man sich, u. so noch 1880 M. R. Buck (FlurN. 218), an ahd. *rige* = Klinge, Schlucht, als an einen v. Runsen vielfach zerschrundeten Berg.

Es ist die *Regina Montium*. 'die Königin der Berge' gepriesen;
doch ist das nur poetisch erlaubt, wie die Germanisten erwiesen.
Die *R.* ist ihnen ein Berggestell. gefurcht von den *righen*, den Schluchten, die in die harte Nagelfluh die Wasser zu graben sich suchten.
J. J. Egli, im 'Rütli' No. 89, 1874.

Eine neue, selbständige Bahn wandelte J. L. Brandstetter (Geschichtsfr. 27, 271 ff.); die alte Form, zuerst 1384, *die Rigmen*, ein plur., führt ihn auf dial. *rigi* = Band, einen j. noch gebr. Ausdruck; die *rigi* heisst das alte der alten, gefältelten 'Büschelijüppen' der Luzernerinnen aufgenähte Band, das, früher v. rother Farbe, die Falten zshält. Er denkt an die frappante Folge der Felsenbänder, welche die Abhänge nach dem Vierwaldstätter-See hin zeigen u. sagt: 'Diese Deutg. passt denn doch auf die Form des Berges, so charakteristisch durch ihre gg. Viznau herabziehenden Bänder'. Der *R.*, richtiger die *R.*, ist ihm also ein 'Bänderberg' (Freie Schwzr. 3. März 1886).

Rigjàl = Bergkönig, tib. Name in der Kette

Kailás, Tibet, v. *ri* = Berg u. *gjál* od., sofern nicht vkürzt, *gjál-po* = König (Schlagw., Gloss. 239).

Rigm el Mara = Steinhaufen der Warte, einer der Vulcane Haurans, nach der auf ihm aus Stein erbauten Warte des Landes Ruhbe benannt (Wetzst., Haur. 35).

Riha s. Jericho.

Rijn s. Rhein.

Riissel s. Lille.

Rijswijk, ON. in Süd-Holl., ist scheinbar auf eine v. Batavia's Vorstädten übtragen, u. die Vorliebe der Holländer, heim. ON. in Indien zu wiederholen, verleiht der Annahme eine Stütze. Nun findet aber N. P. v. d. Berg (Tijdschr. Ind. Taal-, L.-en VK. 18, 328 ff.) aus den Urk., dass *R.* urspr. eine gg. die Angriffe der Bantamer 1656 erbauten Befestigungen war, 'gelegen in de *rijsvelden* . . . ende da deselve genoemt *R.*', also eig., sofern die heutige, unzweifelhaft verdorbene Aussprache *rijst* = Reis massgebend sein sollte, *Rijstwijk*. Im 17. Jahrh. brauchte man nur die (richtigere) Form *rijs*; wie übh. in den Schriften jener Zeit, so ist auch in den Briefen der ind. Compagnie das heutige *rijst* unbekannt, u. dieses kam erst zu Anfang des 18. Jahrh. in Gebrauch.

Riley, Point, ein felsiges Vorgebirge am Spencer's G., v. Matth. Flinders (TA. 1, 162 f.) am 15. März 1802 getauft zu Ehren des 'gentleman of that name in the admiralty', wie im Aug. 1819 *R. Cape*, in Barrow Str., v. Parry (NWPass. 51) nach 'Richard *R.*, of the admiralty', u. am 16. Aug. 1821 *R.'s Bay*, bei Georg's IV. Krönungs G., v. Capt. John Franklin (Narr. 385 f., Carte). Das austr. Vorgebirge wollte L. Freycinet, Exp. Baudin, am 21. Jan. 1803 in *Cap Condorcet* umtaufen, nach dem Mathematiker d. N. 1743 —1794 (Péron, TA. 2, 77).

Rilo Monastir, gr. μοναστήριον τῆς 'Ρίλας, also besser mit *Rila*, eines der reichsten, berühmtesten u. grossartigsten Klöster der Balkan HI., mit den Gebeinen des heil. Johannes des Einsiedlers (es gibt übr. in der Nähe noch zwei kleinere Klöster: *Hagios Joannes*, ngr. ὁ ἅγιος Ἰωάννης = der heil. Johannes u. *Hagios Lukas*, ngr. ὁ ἅγιος Λούκας = der heil. Lucas), mit 150 Mönchen, im Stande, 3000 Menschen zu beherbergen. Jeder, der nach dem Kloster kommt, wird 3d lg. unentgeltl. verpflegt. Im Anfang des 15. Jahrh. erbaut, liegt es 'in tiefer, herrlich wilder Waldschlucht', wo dem Gebirge die prächtigen Wälder noch erhalten sind. Die Schlucht ist v. der *Rilska*, die im *R.-See* entspringt, durchrauscht, u. ausserh. der Schlucht passirt der Fluss das Dorf *R. Sselo*. Die ganze Ldsch. wird überragt v. Haupt des *R. Dagh* (ZfAErdk. nf. 15, 478, Barth, RTürk. 80 ff., Peterm., GMitth. 18 T. 1). Leider lassen uns die Quellen gerade üb. die Bedeutg. v. *R.* im Stich.

Rimac s. Lima.

Rimiet s. Tschamalhari.

Rimmon, hebr. רִמּוֹן = Granatapfel, mehrf.: *a)* Stadt im Stamme Simeon, an der Südgrenze Palästina's (Jos. 15, 32); *b)* im Stamme Sebulon

(Jos. 19, 13), j. noch *Rummâneh*, nördl. v. Nazareth (Robins., NBF. 142); *c)* Felsen unw. Gibeon (Richt. 20, 45), j. noch *Rummôn* (Robins., Pal. 2, 325, NBF. 380, Gesen., HLex.). S. Gath.

Rimnik, Cap, in Sachalin, v. russ. Capt. J. A. v. Krusenst. (Reis. 2, 144) am 19. Juli 1805 getauft z. Andenken an den russ. Sieg, welchen Graf Suwarow(-Rimnikskoi) im Sept. 1789 üb. das Türkenheer am Flusse *R.*-Sereth erfochten hatte.

Rin, auch *Rinn* od. *Run*, skr. *Irina* = salziges Land, Name einer ind. Sumpfwildniss, die auf 350 km Lg. u. 65 km Br. kein freies Wasser ist, sondern halb aus Schlammboden, halb aus Salzincrustationen besteht, je nachdem die Sonne ihn austrocknet od. das Wasser ihn auflöst (Lassen, Ind. A. 1, 131 f.).

Rinderen s. Rhein.

Rio, eine der v. lat. *rivus* = Bach, Fluss abgeleiteten neurom. Formen, entspr. dem frz. *rivière*, engl. *river* (s. d.), in port. u. span. ON. od, wie in *R. de Janeiro* u. a., die im Stichwort aufzuschlagen sind; ferner *a) Castro del R.* = Flussburg, Ort am Guadajoz, zunächst das hochgethürmte Castell, welches einem Kegelberge gleicht (Willkomm, Span.-B. 224); *b) el Plan del R.* = die Flussebene, eine Rancheria bei Jalapa, mitten durchzogen v. einem Flusse (Heller, Mex. 203). — Ein dim. ist *Riachuelo*, Flüsschen bei Buenos Aires, auf engl. Carten *River Chuelo* (Skogm., Eug. R. 1, 53). — Im dial. des Languedoc *Rieu*, mehrf. mit Attributen zu Eigennamen verwendet: *Rieugrand* = grosser Fluss, *Rieussec*, 1069 *Rivus siccus* = trockner Fluss, *Rieutor(d)*, 1079 *Rivus tortus* = krummer Fluss (Dict. top. Fr. 5, 161), wie übh. in patois *rivus* durch *rio*, *ru*, *ruau*, *rue*, *rui*, *ruit* vertreten ist (Diez, Rom. WB. 2, 420). Im Walliser dial. *rière*, f. *rivoria* (s. Rueras), daher *Rapille* la *Rière*, der Bach, welcher v. Rawyl z. Rhone fliesst (Gatschet, OForsch. 82 f. 162).

Rion s. Rotmonten.

Ripa s. Altus.

Ripaille s. Riva.

Ripon Falls, bei den Waganda *die Steine*, der Wasserfall, welchen der junge Nil unmittelbar nach seinem Austritt aus dem Victoria Njanza bildet, v. Capt. Speke 1862 entdeckt u. getauft nach dem vorm. Präsidenten der Londoner Geogr. Gesellsch., dem earl of *R.*, späterm earl de Gray and *R.* (+ 1859), 'after the nobleman who presided over the R. G. S., when my expedition was got up' (Speke, Journ. 466 ff.). — Schon G. Back (Narr. 220) hatte am 15. Aug. 1834 *R. Island*, im Mündgsgolf des Gr. Fischfl., getauft zu Ehren des earl of *R.*, 'under whose auspices and directions it was my good fortune to act'.

Risch-'aina s. 'Ain.

Riselstock, fälschl. *Riselt-* u. *Reiselt-* od. gar *Griesellstock*, ein Berg der Glarner Alpen, trägt seinen Namen v. den zahlr. Felsblöcken, die er immer in die Tiefe 'risen' lässt. Andere nennen ihn deshalb den *Faulen* = rhorschen (Schott,

Col. Piem. 325). Vgl. Faulhorn. Beide Namen wiederholen sich an der Ostseite des Glarnerlands: als *Risetengrat* u. *Faulenstock*.

Ritchie's Reef, an der Nordwestküste des Australcontinents, nach dem engl. Lieut. *R.*, RN., der das gefährliche Riff wieder fand, nachdem es schon v. Capt. Clerke entdeckt worden war, auch *Greyhound's Shoal*, weil Capt. Horsburgh, v. Schiffe Greyhound, es am 15. Jan. 1818 fand (King, Austr. 2, 391, Krus., Mém. 1, 52, Stokes, Disc. 1, 66; 2, 212).

Ritisuyu s. Anden.

Ritter, Cap Karl, in Grönl., v. der 2. deutschen Nordpolexp. v. 1869/70 getauft nach dem berühmten Geographen d. N., wie nördlicher *Cap Peschel* u. *Peschel Inseln*, zu Ehren des Verf. der 'Geschichte der Erdkunde' u. des 'Zeitalter der Entdeckgen' (PM. 17, 190. 193 T. 10). — Ein *Cap R.* auch in Franz Joseph's Ld., v. der II. österr.-ungar. Nordpolexp. Weyprecht-Payer 1872/73 (ib. 20 T. 26. 23). — *Bay of Karl R.*, in Grinnell Ld., v. E. K. Kane (Arct. Expl. 1, Carte) 1853/55.

Ritychen s. Oxford.

Riukand-Fos = rauchender Fall, ein v. Wasserstaub umhüllter Fall des Flusses Maan, in der Gegend v. Christiania, Norw. (Peterm., GMitth. 4, 319, Schouw, Eur. 5).

Riukiu s. Lieukhieu.

Riva s. *Rive*, span. u. port. auch *ria*, f. *riba*, lat. *ripa* = Ufer, in roman. Sprachen beliebt f. 'Ufer', Stad, Gestade, Landsgplatz (s. La Vaux, Nyon, Walenstad), wie *R.*, deutsch *Reif*, am Oberende des Gardasee's (Meyer's CLex. 13, 679), *R.*, am Oberende des Lago di Mezzolá-Comer-See (Leonhardi, Veltl. 183), *Rivaz* u. *Ripaille*, letzteres v. adj. *riparia* scil. loca, am Genfer-See, wie denn das alte *riparia* im frz. häufig zu *la Rivière* geworden ist, so 8 mal im dép. Eure-et-Loir, 8 mal im dép. Nièvre, 9 mal im dép. Gard u. s. f. (Dict. top. Fr. 1, 156; 6, 159; 7, 182). — *Les Rives*, 2 mal, 987 *Ripa*, im dép. Hérault (ib. 5, 162), ferner *Rivehaute*, *Ribaute*, *Ribautes* (s. Altus). — *Riverina* = Flussland, die Steppen im Netz des Darling, 'as it is bounded or intersected by the largest known rivers in Austr.' (Trollope, Austr. 1, 227). — *Riviera* = Ufergelände, mehrf. als ital. Aequivalent f. span. *ribera*, port. *ribeira*, altfr. *rivière*: *a)* der berühmte Küstensaum der ligur. Meeres, v. Nizza bis Genua *Riviera di Ponente* (= westliche), v. Genua bis Spezzia *Riviera di Levante* (= die östliche); *b)* am Gardasee, v. Gargano bis Salo (Meyer's CLex. 7, 408; 13, 680); *c)* das Thal des Tessin v. Biasca bis gg. Bellinzona. — *Rialto* s. Venezia. — *Lac Rivaun* s. Walensee.

River = Fluss (s. Rio), mehrf. als Bestimmswort in engl. ON. wie *a) R. Bay*, in Feuerl., v. engl. Capt. Wallis 1767 getauft nach dem einmündenden Flusse (Hawk. Acc. 1, 196); *b) R. Head Range* = Kette des Flusshauptes, am Maranóa-Darling, v. Major T. L. Mitchell (Trop. Austr. 175) am 24. Mai 1845 benannt, weil er

sich hier im Quellgebiete des Flusses, d. i. also, wie er hoffte, in der Nähe der Wasserscheide z. CarpentariaG. befand; *c) R. Mountain*, hart am Ufer des obern Missisipi, bei den Canadiern bezeichnender *Montagne qui trompe à l'eau* = Berg, der ins Wasser taucht (Pike, Expp. 19); *d) R. Peak*, ein auffallender Spitzberg am austr. Victoria R., v. Capt. Stokes (Disc. 2, 39) im Oct. 1839 so genannt, weil er sicher hoffte, hier weiter gehend den erwarteten Fluss zu finden; *e) R. Portage*, 2 mal f. Trageplätze (s. Lake) in den Ländern der Hudson's Bay (Franklin, Narr. 212 ff.). — *Riverside Geyser* = Ufergeyser, im Fire Hole, 1871 v. Geologen F. V. Hayden (Prel. R. 113, Carte) so getauft, weil die Springquelle unmittelb. am Flussufer des obern Beckens arbeitet. — *Riverside Mountain* = Berg am Flussufer, der z. Rio Colorado vortretende nördl. Endpfeiler der Half-way Ms., die bis dorthin etwa 30 km v. Flusse entfernt hinstreichen, v. dem Wasser durch eine breite, ebene Lehne getrennt. Der Berg hat 2 Spitzen, deren nördliche, höhere, 'stands close to the river side'. So berichtet Capt. Ives (Rep. 55), der Chef der Exp. v. 1858.

Rivoli, Baie, in Süd-Austr., *Cap R.*, in der Ile de Marengo, u. *Ile de R.*, in De Witt's Ld., sämmtl. z. Feier des Sieges v. 14.—16. Jan. 1797 getauft v. der Exp. Baudin (s. d.), wie ähnl. *Cap de Jaffa* u. *Cap Lannes* (Péron, TA. 1, 106. 269; 2, 83, Freycinet, Atl. 10ff.).

Roaninish, ir. *Rón-inis* = Robbeninsel, f. ein kleines Küsteneiland v. Donegal, mit *Roancarrick*, ir. *Rón-charraig* = Robbenfels, dem Namen mehrerer isl. Uferklippen, unter den wenigen nach Thieren benannten Oertlichkeiten, wo das Bestimmswort den ersten Namenstheil bildet, Die bekannteste der nach Seehunden getauften Stellen ist ein v. Schaaren dieser Thiere besuchter Fels der *Roundstone Bay*, Connemara, ir. *Clochróinte* ✦ Stein od. Fels der Seehunde, v. gen. *róinte* [spr. roanty], der aus Missverständniss in *Round-Stone* = Rundstein umgedeutet wurde (Joyce, Orig. Ir. NPl. 2, 290 f.).

Roaring Rapid = brüllende Stromschnelle, eine v. weitem hörbare Strecke des Rio Colorado, v. Capt. Ives (Rep. 85) im März 1858 erreicht u. benannt, da der Indianer Ireteba, welcher den Explorer begleitete, schon vorher versichert hatte, bei der wildlärmenden Stromschnelle des Black Cañon werde das Ende der Schiffbk. des Stromes sein. 'Eight miles from the mouth of the cañon, a loud sullen roaring betokened that something unusual was ahead, and a rapid appeared which was undoubtedly the same that had been described by Ireteba. Masses of rock filled up the sides of the channel. In the centre, at the foot of the rapid, and rising four or five feet above the surface of the water, was a pyramidal rock, against which the billows dashed as they plunged down from above, and glanced upwards, like a water spout'.

Roban s. Mandeb.

Robank s. Wangen.

Robben Eiland, 2 mal *a)* Insel der Tafel Bay, nach den Robben, welche schon zu Lichtenstein's Zeit (SAfr. 1, 72) fast ausgerottet waren u. etwas zahlr. nur noch auf dem landfernern *Dassen-Eiland* = Dachsinsel vorkamen (v. den Klipdassen = Klippdachsen, Hyrax capensis Gm.). Sonst bildeten Möven u. andere Seevögel, auch Schlangen u. Eidechsen, die zahlreichsten Bewohner jener Inseln, deren eine *Meeuwen-Eiland* = Möveninsel getauft wurde. Auf *Dassen-Eiland* sammelte man alle 14^d gg. 30 000 Möven- u. Pinguineier, die auf dem Markte v. Capetown zu 1—2 Pence das Stück verkauft wurden. Kolb (VGHoffn. 203), zu Anfang des 18. Jahrh., erwähnt *R. Eiland* auch, jedoch ohne der Thiere zu gedenken, wie er p. 379, wo das 'Seekalb' z. Sprache kommt, keine Oertlichkeit nennt; es heisst einfach: 'Dergleichen habe ich offt gesehen'. Hingegen fand, Juli 1604, der Indienfahrer Middleton noch eine solche Unzahl v. Robben, dass es 'wunderbar anzusehen war'. All the sea-shore lies overspread with them, some sleeping, some travelling into the island, and some to the seaward; besides all the rocks which lie a pretty distance off, so full as they can hold — thousands at a time going and as many coming out: there be many of them as big as any bear, and as terrible to behold. And up towards the middle of the island, there be infinite numbers of fowls called penguins, pelicans, and cormorants. The penguins be as big as our greatest capons we have in England; they have no wings, nor cannot fly, but you may drive them by thousands in a flock whither you will. They be exceeding fat, but their flesh is very rank, for that they live upon fish: there be so many of them upon this small island, which is not above five miles about, to lade a ship of fifty tons withal. Später wurde es deswegen auch *Penguin Island* genannt (WHakl. S. 19, 8 f.); *b)* vor Patience Bay, Sachalin, v. holl. Capt. de Vries 1643 getauft (Krus., Reis. 2, 98 ff., Atl. Pac. 25).

Robbin Island, bei Tasmania, benannt nach Charles *R.*, 'acting lieutenant of His Majesty's ship Buffalo', welches 1804 v. Port Jackson abgeschickt wurde, jene Gegend genauer zu untersuchen (Flinders, TA. 1, CLXIX.) Der Atlas (pll. VI. VII) nennt die (später erforschte) Insel nur *Low Sandy Island* u. die südöstl. Einfahrt *R.'s Passage*, id. *Entrée du Casuarina* (s. d.).

Robert's Dock, eine dockartige Hafenbucht des antarkt. SShetld., benannt 1821/22 nach der Brigg *R.*, einem der Fahrzeuge des Walfgrs. Capt. Rob. Fildes (Hertha 9, 464). In der Nähe *Robert's Island* (p. 463), ebf. nach dem Schiffe od. nach dem Taufnamen des Capt., od. endlich nach dem Capt. J. *R.* des Liverpooler Schiffes King George (p. 465)? — *R. Islands* s. Hancock.

Roberts' Ville, methodist. Mission in Liberia, benannt nach ihrem Vorstande, dem aus Virginia geb. Neger Joseph J. *Roberts*, welcher 1847 erster Präsident Liberia's wurde (ZfAErdk. 1, 26 f.). — *R. Island* s. Knox.

Robertson Bay, im antarkt. South Victoria, zw. C. Adare u. C. Wood, v. engl. Capt. J. Cl. Ross (South R. 1, 250 ff.) im Febr. 1841 entdeckt u. nach Dr. John *R.*, dem Arzte v. Schiffe Terror, benannt. — *Cape R.* s. Parry.

Robeson Channel, eine neuentdeckte arkt. Seegasse, gleichsam die Wiederholg. v. Smith u. Kennedy Ch., 82⁰ NBr., v. der Exp. Ch. F. Hall 1871 entdeckt (PM. 19, 307) u. benannt nach dem Marineminister der Vereinigten Staaten (ib. 310. 316).

Robinson's Landing, der Landungsplatz, wo die den Rio Colorado heraufkommenden Schiffe zu ankern pflegen. Es befindet sich hier ein auf Pfählen erbautes Gebäude, erbaut v. dem ehm. Matrosen *R.*, der sich in dieser Einsamkeit niederliess, um Schwarzfische zu fangen u. Oel zu bereiten, wohl auch in der Hoffng., das Gold des in der Nähe versunkenen Schiffs des Grafen Rousset de Boulbon sich anzueignen (Ives, Rep. 27). — *Mount R.*, 2 mal: *a)* in der British Chain, v. Capt. Franklin (Sec. Exp. 135) am 21. Juli 1826 entdeckt u. zu Ehren des dam. Kanzlers der Schatzkammer u. Präsidenten der Handelskammer getauft; *b)* s. Peacock.

Robur = Eiche, Steineiche, lat. Grundform der neurom. Wörter, port. *roble*, span. *roble*, *robre*, ital. *rovero*, frz. *rouvre*, die nebst den mod. Formen f. *roboretum* = Eichwald häufig in ON. vorkommen, insb. *Roveredo*, *Rovereto*, *Rovereit*, ital. u. rätr. ON. *a)* in Süd-Tirol, *b)* in Misox, *c)* in Tessin u. a. O. (Gatschet, OForsch. 36, Gem. Schweiz 18, 350, Meyer's CLex. 13, 836), auch übtragen: *Ile Roveredo* (s. Castiglione). Der bedeutendste dieser Orte ist das Haupt des südtirol. Lagerthals, dial. *Rovere*, bei dem deutschen Landvolk in Südtirol *Rovreit*, *Rofreit*, wohl auch in *Hofreit* umgedeutet, zuerst urk. sicher 1211 *Rouredo*, in Folge Magistratsbeschlusses 1737 *Roveredo*, seit Beschluss v. 1823 *Rovereto*, (Schneller, Lagerth. 136 ff.). Im ital. Sprachgebiet wechseln, je nach dem Dialekt, die Formen stark: *Rovere*, *Regolo*, *Rovolo*, *Rogora*, *Rore*, *Role*, *Orroli*, *Rogoledo*, *Regoleto*, *Rogoredo*, *Roreto* u. s. f. (Flechia, N. Piante 20). Im Trentino ein Ort *Rovéda*, 1166 *Robure*, dial. f. plur. *rubeta*, in *Eichleit* verdeutscht (Malfatti, S. top. Trent. 94). — *Mission de los Robles* s. Antonius.

Roca = Fels, entspr. dem frz. *roc* u. *roche*, engl. *rock* (s. d.), in span. u. port. ON. wie: *Cabo da R.*, die mit schroffen Felswänden angebl. 500 m hoch aufragende Westspitze des europ. Continents, eines der höchsten Vorgebirge der Erde, röm. *Magnum Promontorium* (Willk., Sp. u. Port. 5, Brandes, Progr. 1851, 16) od. *Prom. Celticum*, nach dem Aufenthalt der Keltiker (Contzen, Kelt. W. 24). — *Font de la R.*, eine schöne, starke Quelle, *font*, in einer Felsgrotte Mallorca's (Willk., Sp. u. Bal. 154). — Im plur. *as Rocas*, eine Gruppe v. Inselklippen, zuerst. v. Fernão de Noronha (Avé-L., SBras. 1, 69). — *R. de Plata* s. Plata. — *Roccella* = Felsburg, Ort in Calabr., auf jähem Uferfels am tyrrhen. M. (Meyer's CLex. 13, 689).

Roche, la = der Fels (s. Roca), neben *les Roches*, *le Roch*, *le Roc*, *la Rochelle*, *les Rochelles*, *la Rochette*, *le Rocher*, *la Rocherie*, *la Roque*, *la Roquette*, *la Rocque*, *les Rocques*, häufig als frz. ON. f. Felslagen, f. sich allein ca. 250 mal in den 18 dépp. des Dict. top. Fr., wo f. manche die urk. Formen *Rupes*, *Rupecula*, *de Rupibus*, *de Rochis*, *Rocheta*, *Roqueta*, *Roccha*, *de Rupe*, *de Ruppe*, *ad Rupes*, *Rupis*, *sub Rupe* angeführt sind, oft mit Attributen wie in *Rochefort* a) dép. Eure-et-Loir, 1204 *Rupis fortis*; b) dép. Nièvre, 3 mal, 1143 *de Roca-Forti*: c) dép. Gard, 1169 *Roca-Fortis*; d) dép. Morbihan, 4 mal, 1260 *Rupes Fortis*; e) dép. Aisne, 2 mal, 1183 *Rupes Fortis*; f) dép. Eure, 2 mal; g) dép. Vienne, 5 mal, 1199 *de Rupe Forti*; h) dép. Hautes-Alpes, 2 mal, 1376 *in Rocha Forti*, bes. auch i) Stadt des dép. Charente-Inf., bis 1665 ein blosses Fort, dann durch Vauban gross angelegt u. in eine Festg. ersten Ranges umgewandelt (Meyer's CLex. 13, 690); ferner *Rochevert* = grüner Fels, Ort des dép. Eure-et-Loir (Dict. top. Fr. 1, 157), *la R.-Percée* = der durchbohrte Fels, eine Felspartie am Meer, bei Biarritz (ib. 4, 143), *la R.-des-Pierres* = Steinfels, Ort des dép. Nièvre, wo einige umgeworfene Druidensteine liegen (ib. 6, 159), *Rocalte*, 1180 *Roca-Alta* = hoher Fels, *Rochebelle* = Schönfels, 4 mal, *Rochegude*, 1121 *de Rupe-Acuta* = spitzer Fels, *Roquepartida*, ein Steinbruch bei Beaucaire, *la Roquepertuse*, 1309 *Rocapertus* = der durchbohrte Fels, sämmtl. in dép. Gard (ib. 7, 185 ff.). — Ein Thal im C. Freiburg, mit zerfallenem Felsenschloss v. malerischem Anblick, *la R.* (Gem. Schweiz 9, 82), deutsch *Zur Fluh*, was jedoch in Folge Vorrückens der frz. Sprache ausser Gebrauch gekommen ist (Osenbr., WStud. 5, 97). — *Le Portage Roché*, ein Trageplatz mit steinigem Boden am See Saginaga (M°Kenzie, Voy. 58). — *Iles des Roches*, eine der Amiranten, engl. *Wood Island* = Waldinsel (Meyer's CLex. 1, 539). — *La R. sur Yon* (der dort vorbeifliesst), ein Ort der Vendée, früher *Bourbon-Vendée*, nach dem Hause Bourbon-Conti, dem das ehm. Schloss *R.* gehörte, blieb bis 1807 ein Flecken v. kaum 800 Einw., wurde, v. Napoleon I. z. Hptstadt des Dép. erhoben, regelmässig ausgebaut u. bis 1814 *Napoléonville*, unter dem zweiten Kaiserreich 1848 —1870 *Napoléon-Vendée* genannt (Meyer's CLex. 13, 692 f.). — *Rochelle Strasse* s. Heard.

Rochester, zunächst ON. der engl. Grfsch. Kent, ist seiner Ableitg. nach nicht klar, als brit. Anlage *Dur-bryf* (= hurtiger Fluss) od. *Dourbriva* (= Wasserfurt), röm. *Durobrivae*, *Durobrivis*, ags. *Hrofecaester* = die Stadt des (sächs. Häuptlings) Hrof, was allm. in das j. *R.* übging (Charnock, LEtym. 225, jedoch mehrf. auf blosser Annahme beruhend). — Ein *R.* im Staate NYork, v. Nathaniel *R.* 1812 ggr., 1817 als village, 1834 als city incorporirt (Meyer's CLex. 13, 692),

eine der 16 Uebtragungen, welche der Name *R.* in America gefunden hat.

Rochon Baie, westl. v. Spencer's G., v. der Exp. Baudin im April 1802 benannt nach dem Astronomen u. Mathematiker Alexis Maria de *R.* 1741—1817 (Péron, TA. 2, 84).

Rock, the = der Fels (s. Roca), nebst adj. *rocky* (s. d.) häufig in engl. ON., auch Familienname f. sich (s. Gibraltar), gew. aber als Bestimmgswort: a) *R. Head* = Felskopf, ein hohes trotziges Felscap Alaska's, v. Cook am 20. Juni 1778 benannt (Cook-King, Pac. 2, 415 f., Krus., Mém. 2, 102); b) *Point of Rocks*, ein Bauernhaus der Wüste Mohave, in der Nähe gänzlich kahler Felsenkuppen (Peterm., GMitth. 22, 335); c) *R. Point*, 'a bluff head' der Südinsel NSeel., einh. *Tawateweka* (Meinicke, IStill. O. 1, 282), vor welchem einige Felsbrocken üb. das Wasser hervorragen, ebf. v. Cook am 23. März 1770 benannt (Hawk., Acc. 3, 25); d) *R. Portage* (u. dabei das Dépôt *R. House*), am Hill R., eine Stelle, üb. welche die Canoes der Pelzhändler sammt Ladg. getragen werden müssen, so benannt, weil obh. mehrerer enger, felsiger Passagen der durch eine Kette kleiner Inseln eingeengte Fluss mehrere Cascaden bildet (Franklin, Narr. 32); e) *R. Rapid*, eine Stromschnelle des Gr. Fischfl., v. G. Back (Narr. 187) am 22. Juli 1834 getauft nach einem grossen Felsen, auf welchem der Entdecker einen v. Eskimos aufgerichteten Obelisken fand; f) *R. River*, ein lkseitg. Zufluss des Missisipi, Illinois, bei den Algonkin *Sinsepe*, bei den Winnebago *Verochanagra*, beides ebf. 'Felsfluss', da der Oberlauf voller Felsen ist (Hertha 11, 334) od., ebf. ind., *Eamozindata* = Hochfels, weil eine weisse Felspyramide hoch aufragt (ib. 12, 205); g) *Rockville*, Ort bei Harrisburg, wo die Susquehannah, aus der letzten Kette der Alleghanies hervortretend, mit Felsbrocken übsäet ist u. in Stromschnellen schäumend dahinzieht (Cent. Exh. 30); h) *Rockport*, ein Kohlenhafen an einer höchst malerischen Schlucht des Lehigh R. (Penns. Ill. 56).

Rockingham, alter Ort der engl. Grfsch. Northampton (mir unerklärt) u. Familienname, daher *R. Bay*, in Queensl., v. Cook am 8. Juni 1770 getauft (Hawk., Acc. 3, 137), ozw. nach dem dam. Premierminister, Ch. W. W. marquis of *R.* 1730/82. — Dagegen *R. Insel*, 2 Inseln der Torres M., die *Erste* unt. 17⁰ 00′ NBr., die *Zweite* unt. 18⁰ 46′ NBr., v. Geographen Heinr. Berghaus (Ann. 5, 35. 37) benannt nach dem engl. Schiffe, welches ihre Lage bestimmt hat. Aehnlich die *Ternate In.*, unt. 17⁰ 36′ NBr., nach dem Schiff *T.*, welches seit 1811 entdeckte, die *Cuvera In.*, nach dem Schiff *C.*, die 2 *Ersten* unt. 17⁰ 58′ NBr., die 6 *Zweiten* unt. 20⁰ 26′ NBr.

Rocky Mountains = Felsengebirge (s. Rock), Gebirgszug in NAmerica, ein Glied im Netz der die ganze Länge des Erdtheils durchziehenden 'Cordilleren', nach den imposanten Linie seiner Felsmauern, Felszinnen u. Felszacken, welche sich dem v. Osten vorrückenden Colonisten immer höher u. höher aufbaute (Franklin, Sec. Ex. XXV).

zuerst geradezu als eine Fortsetzg. der Anden betrachtet, deren Hptkette in Mexico den Namen Sierra Madre führe. 'Farther north they have been called from their bright appearance the *Shining Mountains*' = die glänzenden Berge, berichtet 1802 Morse (Am. Univ. Geogr. 4. Aufl.). Dieser Name war zuerst aufgetaucht 1778 im Text v. Carver's Reisen, mit der Begründg. 'from an infinite number of chrystal stones of an amazing size, with which they are covered, and which when the sun shines full upon them sparkle so as to be seen at a very great distance', während auf der begleitenden Carte der Name *Mountains of Bright Stones* = Berge der glänzenden Steine steht. Diese 'Glanzberge' begegnen uns noch bei Lewis u. Cl. (Trav. 213), u. zwar im Nordwesten der 'Grossen Fälle' des Missuri . . . 'they listen with great beauty when the sun shines on them in a particular direction, and most probably from this glittering appearance have derived the name of the *Shining Mountains*'. Auf Arrowsmith' Carte v. 1795 heissen sie *Stony Mountains* = steinige Berge, auf der spätern Ausgabe v. 1802 *R. Mountains*, u. nach längerm Schwanken wurde die letztere Form die herrschende, sicherlich mächtig gefördert durch Lewis' u. Clarke's Reisebericht, der ihn ausschliesslich gebrauchte, während die v. Jefferson verfasste Instruction der Reise noch v. *Stony Mountains* geredet hatte. Es fehlte auch später nicht an neuen Vorschlägen: *Columbian-* od. *Oregon-* od. *Chippewayan-Mountains*, die sich aber nicht erhielten (Whitney, N. u. Pl. 15 ff.); doch meinte A. v. Humboldt (ANat. 1, 64) noch 1849 gg. die eine dieser Abweichungen sich aussprechen zu sollen. 'So unverständig ausgewählt auch die leider allgemein eingeführte Bezeichng. 'Felsgebirge'. . . ist, so scheint mir doch nicht rathsam, sie, wie man häufig versucht, *Oregon-Kette* zu nennen. Allerdings liegen in derselben die Quellwasser der drei Hptäste, welche den mächtigen Oregon bilden; aber derselbe Fluss durchbricht auch die calif. Kette der mit ewigem Schnee bedeckten 'Seealpen'. Heute scheint im eignen Lande der Name *R. Mountains* auf den Aussterbe - Etat gesetzt zu sein, weil die Aufnahmen eine solche Menge v. Gebirgszügen, jeden mit besonderm Namen, ergeben haben, dass die frühere Vorstellg. v. einem einfachen Felsenwall unhaltbar ist . . . 'this name fades away, as the true condition of its topography becomes known from actual surveys, and each of the several ranges claims a title' (Wheeler, Geogr. Rep. 11). Es dürfte sich jedoch, eben so gut wie bei den Alpen, empfehlen, die eingelebte Bezeichng. als Gesammtnamen beizubehalten; *b) Rocky Bight*, eine v. kahlen Felshöhen umgebene Bucht des südl. Chile, durch eine Abtheilg. der Exp. King-Fitzroy (Adv.-B. 1, 336) im Febr. 1830 so benannt; *c) R. Cape*, an der Nordküste Tasmania's, entdeckt am 5. Dec. 1798 v. Lieut. Flinders (TA. 1, CLXVI, Atl. pl. VII) u. aus der Ferne benannt v. Aussehen eines gezackten Felsens 'of a jagged appearance'; *d) R. Creek*, in reissen-

der, rseitg. Zufluss des Yellowstone R. (Raynolds, Expl. 140); *e) R. Cañon Creek* = Bach der Felsschlucht, ein Zufluss des Gallatin-Missuri, in felsigem Bette einer grossartigen Schlucht, eingefasst v. hohen, schroffen, thurmartigen Kalkwänden, auch *Coal River* = Kohlenfluss (Ludlow, Carr. 17, wo üb. das Vorkommen des Minerals keine Auskunft gegeben ist); *f) R. Defile Rapid* = Stromschnelle des Felspasses, im Coppermine R., welcher hier, zw. hohe senkrechte Uferwände eingeengt, mehr als 1 km weit in einem tiefen, engen, krummen Canal wüthend an den vorstehenden Felssäulen sich bricht u. am Nordende sich als eine Schaummasse in das offnere Land Bahn macht, im Juli 1821 v. Capt. John Franklin (Narr. 338) benannt; *g) R. Head*, ein steiles Felscap an der Nordwestküste NHollands, v. Capt. Ph. P. King (Austr. 1, 35) am 24. Febr. 1818 getauft; *h) R. Island* s. Independence u. Cauldron; *i) R. Lake*, ein See im Netz des Yellow Knife R. (Franklin, Narr. 212 ff.); *k) R. Point*, an der Westseite Tasmania's, 'a projection which merited the name', v. Flinders (TA. 1, CLXXVII, Atl. 7) benannt.

Roda s. Rütli.

Rodach s. Roth.

Roden s. Sverige.

Rodez, nicht *Rhodez*, ON. des dép. Aveyron, kelt. *Segodunum* u. das Hpt. der Rutenier, deren Name in *R.* übgegangen ist (Meyer's CLex. 13, 696).

Rodgers s. Wrangel.

Rodney, Point, zwei Vorgebirge: *a)* am Golf Hauraki, NSeel., einh. *Tokatuwenua*, v. Capt. Cook am 24. Nov. 1769 entdeckt u. benannt (Hawk., Acc. 2, 355); *b)* im Berings M., ebf. v. Cook (-King, Pac. 2, 440), beide ozw. nach dem Admiral G. B. *R.* (1717/92), welcher auf den Vorschlag des dem Seedienst nicht angeh. John Clerk, die feindliche Flotte im Centrum zu durchbrechen, am 12. Apr. 1782 seinen grossen Seesieg üb. die Franzosen errang.

Rodomont s. Rodmonten.

Rodondo s. Redondo.

Rodrigo, Porto de Don, südl. v. Santa Catharina, benannt nach dem span. Seef. Don *R.* de Acunha, welcher mit der Flotte des Garcia de Loaysa im Juli 1525 v. Coruña ausgelaufen war u. nach dem Schiffbruch, welchen sie vor der Magalhães Str. erlitten, mit seinem Schiffe San Gabriel hier eine Zuflucht fand. Bei D. de Solís, 1515, *Bahia dos Perdidos* = Bay der Verlornen, wohl weil seine geflüchteten Gefährten hier zu Grunde gingen. In der Nähe, einige zehn leguas nördlicher, die *Baixos* (= Untiefen) *de Don R.*, eine seichte Küstengegend, wo die ihrem Capt. entflohenen Seeleute mit dem Schiffe ans Land trieben (Varnh., HBraz. 1, 39 f., Navarrete, Coll. 3, 49). — *Ilha de Rodriguez*, bei den Mascarenhen, im Homannschen Atl. 1745 lat. *Insula Roderici* vel *Jacobi Roderici*, offb. nach dem port. Entdecker (Meyer's CLex. 13, 697).

Roe's Welcome = *R.*'s Willkomm, ein nördl.

Ausgang der Hudson's B., v. den Nordwestff. Button u. Ingraham 1613 getauft zu Ehren des 'Honourable Knight, si Thomas *R.*, as the most learned, and the greatest Traveller by Sea or Land, this Day in England` (James, NWPass. pref.), od., wie Forster (Nordf. 418. 423) will, v. Capt. Lukas Fox zu Ende Juli 1631 benannt nach dem Ritter Thom. *R.*, welcher, v. seinem schwed. Gesandtschaftsposten zkgekehrt, die Ausrüstg. der Exp. gefördert hatte, u. z. Zeichen der willkommenen Erscheinungen, welche ihm dort eine Durchfahrt versprachen: die hohe Flut u. die zahlr. Wale. Der Zwiespalt in diesen Angaben löst sich leicht; denn da Capt. James, 1631, v. der Sache als einer längst vergangenen weiss, so muss Forster, der die Entdeckg. in die Zeit v. James' Reise selbst setzt, im Irrthum sein. In der That, die Frage klärt sich durch die Originalberichte (Rundall, Voy. NW. 176 f.): die Entdeckg. geschah am 27. Juli 1613 durch L. Fox, der zunächst eine in der Durchfahrt gelegene Insel *Sir Thomas R.'s Welcome* nannte, viell. weniger wg. der guten Anzeichen, die ihn nordwärts lockten u. denen er, seiner Instruction gemäss, doch nicht folgte, eher wg. des Holzfundes, den man auf der Insel machte. Diese zeigte sich als ein grosser Kirchhof, wo die Leichen alle, mit dem Kopf nach Westen, auf dem Felsboden lagen, mit Steinblöcken umwallt u. mit alten Schlitten überdeckt, deren Planken 3 m lg. u. 10 cm dick waren. Dieses Holz kam den Seeff. sehr 'willkomm`, u. der Chef erzählt vergnügt: 'We rob'd the graves to build our fires, and we brought on board a whole boate's lading of firewood`. Heute allerdings wird der Name auch auf die Meerenge bezogen: 'a designation which has since been extended to the straits in which it is situated ...` Was die im Namen verewigte Persönlichkeit betrifft, so gibt unsere Quelle (p. 152 f.) auch darüber Auskunft. Fox, schon seit Button eine Nordwestfahrt anstrebend, hatte den Mathematiker Briggs u. durch diesen Sir John Brooke, 'with diuers friends`, f. sein Unternehmen interessirt; Brooke hatte Karl I. die Petition übergeben u. dem König den Capt. Fox vorgestellt; die Exp. unterblieb wg. vorgerückter Jahreszeit. Mittlerweile starb Briggs, u. andere Gönner verliessen das Unternehmen. Wahrsch. wäre es unterblieben, hätten nicht die Kaufleute v. Bristol beschlossen, ein Schiff auszuschicken — eine Neuigkeit, welche die Londoner Handelswelt mit begeistertem Wetteifer erfüllte. Gerade in diesem Augenblick kam Sir Th. *R.* v. seiner Gesandtschaft in Schweden zk., nahm sich eifrig des Planes an, u. seinem Einflusse war es zu danken, dass der König Sir John Wostenholme, 'the never failing friend of this voyage`, kommen liess u. beschloss, das Unternehmen abgehen zu lassen. — *R.'s Island*, bei Rundall (Voy. NW. 191) vollst. *Sir Thomas R. Island*, in James B., v. Capt. Thom. James (NWPass. 41) am 23. Sept. 1631. — *R.'s River*, in De Witt's Ld., v. Capt. Ph. P. King (Austr. 1, 411) am 13. Sept. 1820 getauft nach dem Vater

seines eifrigen u. hingebenden Assistenten, dem Rector *R.* in Newbury, wie nach dem Gefährten selbst *R.'s Group*, eine Inselgruppe in Tasmans Ld., v. Capt. Stokes (Disc. 1, 109), nach Lieut. *R.*, RN., 'surveyor-general of Western Austr., whose valuable information had enabled us to escape so many of the dangers to which our predecessors had been exposed`. — *Mount R.* s. Bedwell.

Röhrenbach s. Rohr.

Rönnbäck s. Bastian.

Roer s. Ruhr.

Rösa s. Rosa.

Roesebeck s. Ross.

Roeskilde = Quelle des (alten dän. Königs) *Roe*, deutsch *Roth-* od. *Roschild*, Ort auf Seel. (Ausl. 885, Daniel, Hdb. Geogr. 4, 1037. 1042), im Mittelalter die erste Stadt Dänemarks mit 27 Kirchen u. Klöstern u. 100 000 Einw., die Residenz der Könige, der Dom die Krönungsstätte u. mit 20 Gräbern v. Königen u. Königinnen.

Röthel s. Roth.

Röthenbach s. Bach.

Roevehagh s. Ruadh.

Rogainen = Roggenfeld, deutsch *Rogehnen*, v. preuss. *rugis* = Roggen, ON. in Ostpreussen. Die Endg. *enai*, lit. u. preuss., in ON., oft als *ehnen, änen, ainen, ienen*, f. den Ort, an dem sich etwas in Menge vorfindet (Nesselmann, Altpr. ON. 12).

Rogel, hebr. לֵג רְ עֵין [ên rogêl] = Walkerquelle nannten die Hebräer den v. Gerbern u. Walkern vielbenutzten Brunnen, welcher im Thal Kidron an der Vereinigg. der beiden Quellthäler liegt, in regenreichen, also fruchtb. Jahren überfliesst u. dann einen Wasserlauf im Wady erzeugt, j. arab. *Bir Ajub* = Hiobsquelle (Seetzen, Reis. 2, 386).

Rogers' Strait, eine Meerenge bei Tasman's Ld., v. Capt. Ph. P. King (Austr. 2, 74) am 11. Aug. 1821 getauft nach Capt. R. H. *R.*, RN. — *R.'* *Head*, ein hohes Felscap der südind. Heard I., v. der Exp. Challenger 1874 nach Capt. *R.*, welcher bald nach der ersten Entdeckg. die Gegend explorirte u. das zweite mal, März 1855, drei Schiffe führte, nach denen *Corinthian Bay, Atlas Cove* u. *Mechanics Bay* genannt wurden. Ob *Church* hiecht auch nach Capt. Church, Schiff Alert? (Peterm., GMitth. 20, 21 f.). — *Roger Simpson* s. Hopper.

Roget, Cape, in Victoria Ld., v. Capt. J. Cl. Ross (SouthR. 1, 193) am 15. Jan. 1841 entdeckt u. wie die übr. Objecte nach Mitgliedern der Royal Society u. British Association (s. Hershel) benannt nach Dr. Peter Mark *R.*, dem Secretär der Royal Society.

Roggeveld = Roggenfeld, holl. Name eines Theils der Karoo. 'Wenn wir, etwa v. der Capstadt aus, uns der zweiten höhern Terrasse nähern, so erwartet uns ein sonderbares Schauspiel: Hohe Gräser bedecken die Berghänge, so weit das Auge reicht; in der Trockenzeit vergilbt dies` Grün, u. die Ldsch. erhält genau das Aussehen eines endlosen, mehr u. mehr ansteigenden Roggenfeldes, dessen reife Halme im rastlosen Winde hin u. her wogen. Es sind diess die *R. Berge*. Weiterhin, wie die Besiedelg. nach Osten fortschritt, fanden sich die *Nieuweveld Berge* = das neue Roggenfeld' (Lichtenst., SAfr. 1,235; 2,33, NZürch. Ztg. v. 22. Jan. 1880, Meyer's CLex. 1, 230). — Engl. *Rye Valley* = Roggenthal, zunächst ein Thal, dann die Minenstadt, am Oregon, nicht wg. Roggenbau, der dort fehlt od. fehlte, sondern nach dem in Menge wild wachsenden Roggenod. Ryegras, Lolium perenne, einer f. das Vieh bes. nahrhaften Grasart mit roggenähnl. Halmen (Ausl. 1870, 422).

Rogoz u. *rohož*, ein slaw. Wort f. Sumpf- u. Wasserpflanzen, Schilf, Rohrkolben, Binse, in den ON. *R.*, *Rogoza, Rogozestic, Rogoznica, Rogožnik*, *Rogózno, Roguzno, Rogozna Planina* = Schilfgebirge, *Rohoschetz, Rohoseć, Rohovka, Rohow, Rohozdetz, Rohožec, Rohozna, Rohoznic, Rohoznitz, Rohovo* u. s. f. (Miklosich, ON. App. 2, 227).

Rohan s. Morbihan.

Rohilkland, v. *roh* im pendsh. = Berg u. *khanda* = Gebiet, eine Gegend am Mittellaufe des Ganges, nach den Besitzern so genannt, welche Afghanen aus dem Stamme Jusufzei sind u. im Anfange des 18. Jahrh. sich hier festsetzten. Wg. der Nähe der Berge waren dieselben *Rohilla* = Bergler genannt, wie das skr. *Kuttara* = Berg die ältere Benenng. des Landes gewesen sein mag (Lassen, Ind. A. 1, 159 f.).

Rohl, eig. *Nam-Rohl*, Name eines der zahlr. Nebenflüsse des Weissen Nil, v. den Dinka nach dem eignen Stamme der *R.* Bei den Mittu, Madi etc. führt er den Namen *Jalo*, bei den Bongo *Djollebé*, auf einigen Carten auch *Kaddo, Kodda* = Fluss, Wasser, in der Mittu- u. Rohlsprache (Schweinfurth, IHAfr. 1,409). Warum der letzter Name 'unzulässig erscheint', begreife ich nicht; was würde sonst aus Kuara, Tsad, Njassa u. 100 andern wohl eingebürgerten Gewässernamen?

Rohlfs, *Gerhard*, der berühmte Africareisende, geb. 1832 zu Vegesack, trat als Arzt 1855—1861 in die Fremdenlegion u. machte die Eroberg. der Grossen Kabylie mit, lernte dabei arab. u. machte sich das oriental. Wesen ganz zu eigen. Er durchreiste Marocco bis Tafilet, wurde überfallen u. hülflos liegen gelassen. Später erreichte er Tuat, 1866 den Tsad, den Binuë u. den Niger, begleitete 1868 die engl. Armee nach Abessinien, besuchte die Cyrenaica u. Siwah, bereiste die libyschen Oasen u. s. f. Seinen Namen tragen: zwei *R. Berge*: a) am Maalmanie Spruit, SAfr., v. dem böhm. Reisenden Em. Holub 1874, wie der nahe *Andersson's Hill* nach einem andern Vorgänger (Peterm., GMitth. 22, 173); b) in Barents' I., Spitzb., v. der Exp. Heuglin-Zeil 1870, wie *Haast Berg* nach dem Geol. Jul. Haast (ib. 17, 178). — *Cap R.*, in Kronprinz Rudolfs Ld., v. der 2. österr.-ungar. Nordpolexp. Weyprecht-Payer 1872,74 (ib. 20 T. 23).

Rohoseé s. Rogoz.

Rohr, ahd. *rôr*, zu goth. *raus* geh., f. Orte, wo Schilfrohr wächst, Röhricht, f. sich mehrf. als Eigenname, *Rohrbach*, im 8. Jahrh. *Roraha*, ein Zufluss der Zorn, unweit Strassburg, *Rohrbach*, im 7. Jahrh. *Raurebacya*, sowohl Fluss- als Wohnortsname häufig, *Rohrberg*, im 11. Jahrh. *Roriberch*, *Rohrheim*, *Rorschach*, im 9. Jahrh. *Rorscanchin*, am Bodensee, *Ror-* od. *Rohrdorf*, mehrf., *Röhrenbach*, im 11.Jahrh. *Rorisbach*, *Rohrsheim*, *Rohrspitz* (s. Rhein), sowie einige Bildungen, die ein adj. *rôrac, rôrin* = arundinosus enthalten: *Rorichum*, alt *Rarughem*, bei Emden, *Rörmosen*, alt *Roraga-Mussea*, unweit München, *Röhrensee*, *Röhrnang* u. a. (Förstem., Altd. NB. 1230 f.).

Rojo s. Roxo.

Rokitno s. Rak.

Roland, Brèche de, frz. Name eines 2804 m h. Engpasses der Pyrenäen. Den Einschnitt, *brèche*, nur 12 m br. u. v. 60—100 m h. Wänden eingefasst, hat, der Sage nach, der Held *R.* mit einem Schwertstreich geöffnet (Meyer's CLex. 3, 685). Nicht damit zu verwechseln *la Porte de R.*, der nach Frankreich sich öffnende Ausgang des Thals *Roncevalles*, frz. *Roncevaux* = Dornthal, in Navarra, einer v. Bergen umschlossenen Thalfläche, wo angebl. Karl's d. Gr. Nachhut 778 v. den Basken (od. Arabern?) vernichtet wurde u. *R.* fiel.

Roldan, Mesa de = Rolands Tisch, ein tafelfg. abgeplatteter Felskloss bei Alicante, durch einen tiefen Riss, den *Tajo de R.*, in 2 Hälften gespalten, angebl. durch einen Schwerthieb des berühmten Helden, dessen span. Namensform *R.* lautet (Willkomm, Span.-B. 181); b) Campana de R. s. Sarmiento.

Rolland, Isle, eine v. Kerguelen (s. d.) entdeckten Inseln, nach seinem Schiffe *R.* benannt (Cook-King, Pac. 1, 58).

Rollin, Cap, die Südwestspitze der Insel Marikan, Kurilen, v. La Pérouse am 30. Aug. 1787 benannt nach dem Ober-Chirurgen der Exp. (Milet-M., LPér. 3, 97). — Wohl nach demselben auch *Cap R.*, am Spencer's G., v. der Exp. Baudin am 26. Jan. 1803 (Péron, TA. 2, 79).

Rollinghausen s. Rudolf.

Rom s. Zigeuner.

Roma, deutsch *Rom*, die ewige Stadt, welche eine alte Sage nach dem blutbefleckten Gründer Romulus benannt sein liess u. deren Namen es auch sonst in älter u. neuerer Zeit an Auslegern nicht gefehlt hat, so dass bald eine trojan. Flüchtige, *R.*, eine Verwandte des Aeneas, bald ein Sohn des Odysseus u. der Circe, od. ein Latinerkönig *Romus*, der die Etrusker vertrieben, als Taufpathe erscheint, bald eine pelasg. od. phöniz. Colonie zu Hülfe kommen muss (Charnock, LEtym. 226 f.), wird mehrf., auch erst wieder 1868 v. *R.* Murad (Mém. Soc. Ling. 1, 94 ff.) mit gr. *ῥέω* = fliessen, *ῥεῦμα* = Fluss, verglichen u. als 'Flussstadt' gedeutet, wie der Tiber selbst auch *Rumo* geheissen habe. Der Name ist mehrf. übtragen, schon in alter Zeit, als *Nova R.* (s. Konstantinopel), häufig in America, so dass der

Census v. 1851 f. die Union 10 *R.* ergab (Peterm., GMitth. 2, 156). — *Romania* = römisches Gebiet *a)* s. Emilia; *b)* s. Bretagne: *c)* s. Rum. — *Romanen*, d. h. alle jene mod. Völker, welche ihre Abstammg. auf röm. Ursprg. zkführen. — *Porta Romana*, thorartiger Bergweg bei Ragaz, wo wohl in röm. Zeit eine clausura mit Wachtposten sich befand, um in Kriegszeiten den Weg zu sperren (Mitth. Zürch. AG. 12, 336). — *Roman Wall* s. Picti. — *Table des Romains* = Römerod. Heidenstein, auch *les Pierres-au-Loup* = Wolfssteine, dolmen des frz. dép. Eure-et-Loir (Dict. top. Fr. 1, 174). — *Römerbad* s. Tepl.

Romain, mlat. *Romanus*, ein Heiliger aus Burgund, der um die Mitte des 5. Jahrh. mit seinem Bruder Lupicinus 3 Klöster, Condatiscone (s. Claudius) u. St. Lupicin auf der westl., *Romainmôtier* (s. Moutier) auf der östl. Seite des Jura gründete u. bei den Felshöhlen v. *Balma* (*s.* d.), j. *St. R. de Roche*, begraben wurde, hat zweien dieser Localitäten seinen Namen hinterlassen. Ueb. den waadtl. Münsterort berichtet ein Localforscher: 'Une chose assez curieuse et qui mérite d'être signalée, c'est que les Romains qui ont laissé tant de traces de leur séjour dans les diverses parties du pays, n'en ont laissé aucune dans notre Jura, si ce n'est à Ste-Croix, sur la voie que suivaient les légions pour se rendre dans la Gaule. Dans toute l'antiquité et bien avant dans le moyen âge, notre Jura était inhabité. Avant l'année 1126, l'usage proclamait, en Franche-Comté comme chez nous, que la noire Joux appartenait au premier occupant. Toute cette partie du pays, aujourd'hui si intéressante et si populeuse, est une conquête des moines et des ordres religieux sur le désert, dans le cours du moyen âge. Le premier monastère du Jura est, assurément, celui de Condat, aujourd'hui St.-Claude, fondé au sein de la forêt solitaire, par les frères Saint *Romain* et Saint Lupicin, au Ve siècle. De là, il rayonna autour de lui, devint la souche des nombreux monastères qui, bientôt, conquièrent à la culture toute la partie occidentale du Jura. Il étendit ses défrichements jusque près de Jougne, en Franche-Comté, et, du côté de Vaud, à St. Cergues, Chéserex et Genollier. Un petit empire, peuplé de nombreux colons, se forma sur ces montagnes élevées et autrefois désertes, sous le gouvernement des religieux. Deux autres monastères, cette fois-ci du côté de Vaud, ne tardèrent pas à s'élever, après celui de Condat; ce furent ceux de Baulmes et de *Romainmôtier.* C'est au dernier que doivent leur population les villages de Premier, Vaulion, Juriens, Lapraz, Bretonnières, Bofflens et Agiez en partie, ainsi que Vallorbes, depuis que son prieuré fut réuni à celui de *Romainmôtier.* Au XIIe siècle, les abbayes de Bonmont (s. d. art.), du Lac de Joux, la chartreuse d'Oujon au-dessus d'Arzier, le prieuré de Bière, celui de St. Georges, complétèrent, à leur tour, les défrichements du haut et du bas Jura. Les colons qui vinrent cultiver les domaines des religieux dans le haut Jura,

étaient surtout originaires de la haute Bourgogne, comme leur langage le démontre encore aujourd'hui. Ce fait se comprend aisément, si l'on veut se souvenir que la Franche-Comté était, dans ces temps reculés, l'une des provinces de l'Europe les plus troublées par les guerres et par les violences des seigneurs. Aucune sécurité n'y existait pour le pauvre serf, qui menait une existence précaire et malheureuse dans ce pays si souvent ravagé. De là l'empressement des colons à accourir sur les domaines des ordres religieux, où ils avaient l'espérance d'échapper aux maux de la guerre dont ils avaient tant souffert. La vallée de Joux, Vallorbes, Vaulion, les montagnes de Ste-Croix ont été presque exclusivement peuplées par la race bourguignonne, qui est peut-être la plus énergique de l'Europe centrale' (Mart.-Crous., Dict. 465 f. 795). Freil. fehlt nun in dem Klostsr jede auf den heil. *Romanus* bez. Urk.; im Ggtheil sie enthalten einstimmig die Form *Romanum monasterium*, angebl. weil Papst Stephan II., der auf seiner Reise nach Frankr. in diesem Kloster beherbergt wurde, dasselbe unter den unmittelbaren Schutz des heil. Stuhls gestellt habe (Fr. de Charrière, Rech. Rom.). Der Streit ist noch nicht entschieden, so dass z. B. Longnon (GGaule 227) ein Wortspiel zw. *Romani* u. *Romanum* annimmt u. sich der hergebrachten Annahme zuneigt. — *Cabo de San Roman*, am Eingang des Golfs v. Maracaybo, v. span. Entdecker Alonso de Hojeda am 9. Aug. 1499 getauft nach dem Kalendertage (Navarrete, Coll. 3, 8). — *Silva Sancti Romani* s. Mato. — Auch in deutschen ON. scheint der PN. *Romanus* zu stehen: *Rumlingen,* im 9. Jahrh. *Rumaningun,* im C. Bern, *Rumelshausen,* alt *Rumaneshusir,* im Elsass, *Romanshorn,* im 8. Jahrh. *Rumanishorn, Rumingen,* in Baden, u. *Rümikon,* bei Winterthur, beide alt *Romaninchoua* u. a. (Förstem., Altd. NB. 1257).

Romania, Cap, üblicher Name f. die Südspitze Malakka's, wohl einst v. den Port. eingeführt, aber uns unerklärt, mal. *Tanjung Bulus* = nackter Kopf od. *T. Panjusu* = Cap der Säugamme od. *Ujung Tana* = 'Landsend' (Crawf., Dict. 254. 369. 442), eine Dreiheit, die mir ebf. unklar ist.

Romanowsk s. Demianka.

Romanzow Insel, in der nördl. Gruppe der Paumotu, einh. *Tikei, Henuake* (ZfAErdk. 1870, 387), v. Lieut. v. Kotzebue (Entd. R. 1, 120) am 20. Apr. 1816 wieder entdeckt u. nach dem grossmüthigen Förderer seiner Exp. benannt. 'Wir tranken unter lautem Hurrah! auf die Gesundheit des Grafen *R.,* u. ich nannte die Insel nach seinem Namen. Unsere Schalupen schmückten sich mit Flaggen u. feuerten einige Flinten ab, u. der Rurick', das Schiff der Exp., 'dieses Signal erwartend, liess j. die kais. Flagge wehen u. seine Kanonen lösen'. Der erste Entdecker, Roggeveen, hatte die Insel *het Bedrieglijke Eiland* = das trügliche Eiland genannt (Meinicke, IStill. O. 2, 203), weil die am 18. Mai 1722 gesehene Insel, anfängl. f.

Schoutens Honden Eiland gehalten, erst nach mehrern Tagen als neue erkannt wurde, als man üb. die wahre Route des Vorgängers ins Reine gekommen war . . . 'derhalve konnen wy ook aen dat Honden Eiland, 't geene wy op den 18 deser ontdekten, dien naem niet laten behouden, maer met meerder regt het selve noemen, het Bedriegelijke Eyland, omdat het ons bedroog en deed gelooven, dat wy de ware route van Capt. Schouten (welke hy nooyt bevaren heeft) beseylden' (Roggev., Dagverh. 144. 167). — R. Inseln, eine Section der Ratak, einh. Otdia, v. den engl. Captt. Marshall u. Gilbert am 29. Juni 1788 entdeckt (Bergh., Ann. 3. R. 1, 224), v. erstern f. die Barbudos in Anson's Carte gehalten, v. andern Chatham Islands getauft (Krusenst., Mém. 2, 366 f.),genau untersucht v. Lieut. v. Kotzebue, Schiff Rurick (Entd. R. 2, 71) 1817 u. mit dem Namen des Grafen R. belegt, der die Kosten der Exp. des Rurick trug. -— Demselben russ. Reichskanzler, Grafen Nikolay R., zu Ehren sind getauft: c) Bay u. Cap R., in Jeso, v. Capt. J. A. v. Krusenstern (Reise 2, 45); d) R. Chain, ein Küstengebirge westl. v. McKenzie R., v. Capt. John Franklin (Sec. Exp. 145 u. App. 31) am 3. Juli 1826 'as a tribute of respect to the memory of that distinguished patron and promoter of discovery and science'.

Romarin s. Rosemary.

Romberg, Cap u. Cap Golowatscneff nannte der russ. Capt. J. A. v. Krusenstern (Reise 2, 171) am 13. Aug. 1805 die beiden sich nahen Landspitzen, welche den Tatar. Sd. an der nördl. Verengerg. begrenzen, den continentalen u. den insulären, nach zwei Lieuts. seines Schiffs Nadeshda, Fedor v. R. u. Peter G. — R. Bach s. Wilczek.

Romont s. Rotmonten.

Roncador s. Candelaria.

Ronce, la = das Dorngesträuch, urk. Runcia, Runtia, Roncha, Runcha, in Frankr. häufig als ON., in den 18 dépp. des Dict. top. Fr. neben la Ronze 26 mal; ferner die Formen les Ronces, les Roncettes, le Roncier, le Ronzier, les Ronciers, la Roncière, les Ronsières, la Ronsière, 1573 la Roncière, Ronceau, Ronceux, le Ronceray, la Roncerie, la Roncinière, Roncenay, im 10. Jahrh. Ronconiacus, 1120 Roncenniachus, 1200 Roncenaium, 1292 Runcenei, Roncenaywm, Roncheville, 1014 Runtiavilla, 1203 Roncevilla, zs. 40 mal, auch Roncevaux = Thal mit Dorngesträuch, 2 mal: a) im dép. Eure-et-Loir, 1491 Roncevaulx, b) im dép. Morbihan, wie Roncevalles (s. Roland) in den Pyrenäen (Dict. top. Fr. 1, 158; 3, 109; 6, 160; 7, 186; 9, 238; 10, 236; 11, 197; 14, 136; 15, 183; 16, 285; 17, 365; 18, 241).

Roncière le Noury, Halbinsel, in Wilczek Ld., v. der 2. österr.-ungar. Nordpolexp. Weyprecht-Payer 1872/74 benannt nach General R., dam. Präsidenten der geogr. Gesellschaft in Paris (Peterm., GMitth. 20 T. 23; 22, 389).

Ronco = Rüti, ital. ON. v. lat. runcus = novale. in Ital. selbst häufig, im C. Tessin 6 mal

(Postlex. 316), wie übh. Derivate v. runcare = ausreuten, als runcale, runchella, runcazza in ON. oft vorkommen: Roncaccio, Roncapiano, Ronchetto, 3 mal in C. Tessin, Ronchignolo, Roncaglia, im untern Veltlin (Leonhardi, Veltl. 177), Rongella, Runggällen, auch Raggål, urk. uff Rungal, Ruggell, Dorf im Fürstth. Liechtenstein (Gatschet, OForsch. 181). In diese Gesellschaft dürfte (Steub, Herbst T. 237 f.) auch Ragaz gehören, rätor. ON. a) im C. St. Gallen, b) im Walserthal, Vorarlb., v. Aeg. Tschudi auf die Rucantier zkgeführt, den rät. Stamm, der einst das Rheinthal unth. der Lanquart bewohnte (Strabo 706, Egger, Urk. Rag. p. III., v. Arx, GSt.Gall. 1, 3), wogg. Gatschet (OForsch. 132) in den urk. Formen einen Grundherrn Regenzo, Reginzo suchte.

Rond = rund, in mehrern frz. ON., wie Cap R. 2 mal: a) ein hoher, rundgeformter Landvorsprg. bei Port Famine, Magalhães Str. (Bougainv., Voy. 139); b) an der Mündg. des Oregon, v. La Pérouse so genannt, während der engl. Entdecker Vancouver Point Adams gesetzt hatte (Lewis u. Cl., Trav. 400). — Lac R., ein Alpensee obh. Bex (Mart.-Crous., Dict. 125). — Ile Ronde, eine der Seychellen (McLeod, EAfr. 2, 213). — Pierre Ronde s. Pierre. — Iles Rondes, 7 hohe Küsteneilande Labrador's, v. J. Cartier am 19. Aug. 1535 getauft, engl. the'Seven Isles = die 7 Inseln (Hakl. Pr. Nav. 3, 214. 224, Avézac, Nav. Cart. 10). — Am obern Amazonas der port. ON. Ilha da Ronda = Insel der Runde od. Patrouille, wo die bras. Regierg. eine Besatzg. unterhielt, um dem Menschenhandel der Jesuiten aus Ecuador ein Ende zu machen, im tupi Yahuarate = Hundeinsel (Glob. 12, 72 f.).

Rongei s. Njuki.

Ronsard, Ile, im Arch. Forestier, v. der Exp. Baudin am 30. März 1803 benannt nach einem frz. Dichter d. N. 1524—1585 (Péron, TA. 2, 201).

Ronsière s. Ronce.

Rooaun s. Ruadh.

Rood = roth, in holl. ON. (s. Roth) a) Roode Gebroken Klip = rother geborstener Fels, am Eingang einer Schlucht des Oranje R., wo die Schichten vielfach zerborsten u. an der Seite herabgesunken, durch spätere Sinterg. aber wieder in dieser Lage zsgebacken sind (Lichtenst., SAfr. 2, 381); b) Roode Zand = rother Sand, ein Thal des Capl., v. der rothen Farbe seines durch Eisengehalt stark gefärbten Bodens (ib. 1, 232) od. 'wg. eines Berges, welcher sich v. Drakenstein absondert u. worauf man, gleich wie auch in der umliegenden Gegend, viel rothen Sand findet' . . . Unter Regierg. Wilh. van der Stell, 1701, wurde das Land besiedelt u. in Waveren umgetauft, dem Hause d. N. zu Ehren, 'damit er verschwägert war'. — In der Nähe das Zwarte Land = schwarze Land, 'so benennet, weil dieses an Wieswachse sehr fruchtbare Erdreich dergleichen Farbe hat' (Kolb, VGHoffn. 230); c) Roode Natië, der bedeutendste Stamm der Nama, Gui-khoin, Gei''-kau, v. den Boers so genannt (Grundem., Miss. Atl. 9);

d) Roode Hoek Pünt = Spitze des Rothcaps, dän. Name eines Felscaps v. St. Thomas, nach den röthl. Klippen, welche v. ferne sehr angenehm auffallen (Oldend., GMiss. 1, 47).

Rook's Isle nannte nach dem Ritter Sir George *R.* der brit. Seef. Will. Dampier 1700 eine der Inseln der Dampier Str. (Debrosses, HNav. 408, Krus., Mém. 1, 67).

Roon-Bay, an der Ostküste Grönl., v. der II. deutschen Nordpolexp. v. 1869/70 entdeckt u. nach dem preuss. General v. *R.*, einem Mann der geogr. Wissenschaft, getauft, wie nördlicher die *Dove-Bucht*, nach dem Berliner Meteorologen, u. *Cap Bismarck* (Peterm., GMitth. 17, 190 T. 10). — Schon die I. deutsche Nordpolexp. 1868 taufte in Spitzb. eine *R. Insel*, in Bismarck Str., u. ein *Cap Mollke*, zu Ehren des 'grossen Strategen' (ib. 17 Erg. H. 28, 45 T. 2; 18, 106 T. 6), u. 1874 folgte das deutsche Kriegsschiff Gazelle, welches in Kerguelen I. eine *R. Halbinsel* eintrug (ib. 22, 234).

Roque, Cabo de San, in Brasil. die grosse Landecke, wo Vespucci am 16. Aug. 1501, also am Tage des heil. Rochus, anlangte (Varnh., HBraz. 1, 19), des Schutzpatrons gg. Pest u. Viehseuchen, welcher, geb. zu Montpellier 1295, umherzog, um Pestkranke zu pflegen, u. 1327 †. Sein port. Name *R.* ist zweisilbig: *ro-ke* u. hat mit frz. *roc* = Fels, wie oft gehört wird, nichts zu thun. — *Rio de San R.* s. Oregon. — Frz. *R.* s. Roche.

Rora = Plateau ist der abess. Name des Hochlandes der Marea u. zerfällt nach der Färbg. des Bodens in die *Rora Tsellam* = schwarzes Plateau (der rothen Marea) u. *Rora Quih* = rothes Plateau (der schwarzen Marea) — also im geraden Ggsatz zu dem Namen des Volkes (Munzinger, OAfr. Stud. 230).

Rorschach s. Rohr.

Roschbach s. Ross.

Rosa od. *Rose*, die Königin der Blumen, findet sich in ON. nicht gar häufig, viell. in *Rosenlaui* (s. d.), einer in Alpenrosen gebetteten *laue, lauine* verglichen, od. *la Rösa*, Ort am Bernina, ebf. v. den Alpenrosen, welche hier zu Tausenden blühen u. mit ihrem Glühroth u. Glanzgrün ganze Abhänge überziehen (Leonhardi, Posch. Th. 24), nicht aber im *Monte R.*, Walliser Alpen. Dieser Name ist keineswegs klar, jedf. auch ohne Beziehg. auf roth, wie dem im Abendsonnenschein noch über die Nacht hin glänzenden Gipfel angedichtet wurde (Gegenw. 25, 106). Auch Schott's Ansicht (Col. Piem. 232), als sei *R.*, v. kelt. *ros* = Vorgebirge, übh. das Hervorragende, durch ital. *monte* = Berg ergänzt, s. v. a. 'der Riese unter den Riesen' (Schlagw., NUnters. 60), wird v. den Keltisten als unhaltbar bezeichnet (Rev. Crit. 1873, 68 ff.). — *Val R.* s. Saas. — Nur übsetzt aus ind. *Itchkeppearja* ist engl. *Rose River*, ein rseitgr. Zufluss des Yellowstone R., nach der Menge v. Rosen, die eben ihre Knospen öffneten (Lewis u. Cl., Trav. 623), in der Carte genauer *Rosebud River* = Fluss der Rosen-

knospen, bei Raynolds (Expl. 138) in frz. *Bouton de R.* übsetzt ... 'a name which it deserves as well from its beauty as from the roses, which we saw budding on its borders ... The tops of the hills are densily covered with pines, alternating with bare, castellated cliffs of red clay and sandstone, presenting in the combination of dark rich green and glowing scarlet a contrast of colour highly pleasing. In deed, among all my recollections of the trip, the valley of the *R.* holds the highest place for beauty' (Raynolds 128).

Rosa, San, die westlichste Insel der Revillagigedo, so benannt v. einem span. Seef., wohl nach der Heiligen des Kalendertages. Verschiedene Ausleger der ältern Berichte suchen hier die *Rocca Partida* (s. d.) des Villalobos od. seine *Isla Annublada* od. *Nublada* (s. Benedicto). Als am 21. Aug. 1721 der engl. Capt. G. Shelvocke, v. Calif. her, sie erreichte, nannte er sie *Shelvocke Island*. Später hiess sie wohl auch *Johnson's Island*, nach einem Capt., der sie 1824 gesehen, od. *Clarion's Island*, so benannt v. einem Americaner nach sich od. dem Schiffe? (Berghaus, Ann. 10, 11; 12, 139), od. *Jefferson Island*, als ein Schiff, Namens Jefferson(?), am 8. Apr. 1826 eine Entdeckg. gemacht zu haben glaubte.

Roschestwensk s. Solikamsk.

Roscoe Mountains, eine hohe Kette v. Uferbergen des ostgrönl. Liverpool Coast, v. engl. Walfgr. Will. Scoresby jun. (NorthWF. 179) am 20. Juli 1822 entdeckt u. zu Ehren des Verfassers des 'Life of Lorenzo de Medici' getauft. Die imposante Kette, mit scharfen Spitzen, mit Thürmen gekämmt u. zersägt, veranlasste den Entdecker nicht, den Namen aus dem Naturbereich zu entlehnen. — *R. River*, im arkt. America, v. der Exp. Franklin (Sec. Exp. 242 ff.) im Sommer 1826 nach demselben 'eloquent historian of the Medici' benannt.

Rose, engl. PN., als *Point R.* im nördl. Pacific: *a)* in King George's Bay, Oahu, v. engl. Capt. Nath. Portlock am 1. Juni 1786 getauft 'z. Gedächtniss des Secretärs der Schatzkammer, George *R.* Esq., der die z. Förderg. des Pelzhandels u. der Entdeckungen veranstaltete Reise begünstigt hatte' (Forster, GReis. 3, 6. 27); *b)* in Queen Charlotte Is., v. Capt. Will. Douglas am 21. Aug. 1788, ozw. nach demselben Würdenträger, benannt (ib. 1, 263). — *R. Island*, vor Prince William's Sd., ebf. v. Portlock, im Juni 1787, ausdrückl. 'nach einem der Beförderer des ggw. Handelsunternehmens' (ib. 3, 106). — *Ile R.*, ein kleines rundes Atoll v. 5 km Durchm. in Samoa, v. frz. Seef. Freycinet 1819 nach seiner Frau getauft, bei dem holl. Entdecker Roggeveen am 13. Juni 1722 *t'Vuile Eiland* = die schmutzige Insel, bei Kotzebue 1824 prsl. *Kordiukoff Insel* (Meinicke, 1Still. O. 2, 110). Der holl. Seef. beschreibt das riffumlagerte, den Schiffen sehr gefährl. Atoll u. fügt bei: 'en hebben te dier vorsake daeraen den naem gegeven' (Roggev., Dagverh. 186), also s. v. a. widerwärtig, niederträchtig.

— *Rosebud* s. Rosa. — *Rosenburg* u. *Rosenes* s. Ross.

Roselle s. Bagno.

Rosemary Island, die Hptinsel des Arch. Dampier, v. engl. Seef. Will. Dampier am 22. Aug. 1699 so benannt, weil unter den wenigen Gesträucharten, welche sie bedeckten, eine rosmarinähnliche, aber geruchlose Staude übwog (WHakl. S. 25, 154, Flinders, TA. 1, LXIII, Debrosses, HNav. 379). Auch der frz. Capt. Baudin hatte hier seine *Ile du Romarin* (Péron, TA. 2, 200). Ueber die Identität beider s. King (Austr. 1, 37) u. Krusenst. (Mém. 1, 50).

Rosemont, Berg bei Besançon, früher mit wohl kelt. Namen *Rognon,* erhielt den neuen, als der 1301 † Erzbischof *Eudes* v. Rougemont, *R.*, v. Besançon auf der Höhe eine Burg bauen liess (1291), die aber v. der misstrauischen Bürgerschaft nach kurzer Belagerg. erobert u. dem Erdboden gleich gemacht wurde (Mém. Soc. Emul. Doubs 4. sér. 8, 573 ff. 5. sér. 1, 213). — Auch eine Schlossruine *R.* im dép. Nièvre, 1210 *Roygemont,* 1220 *Rogemont,* 1276 *Rosei mons* u. s. f., *rouge* u. *rose* gemischt (Dict. top. Fr. 6, 161).

Rosenberg Th. s. Middendorff.

Rosenlaui, in dem Thal des bei Meyringen, Hasle, z. Aare mündenden Reichenbachs, durch den ultramarinblauen, v. keinen Moränen verunreinigten *R. Gletscher* einer der im Touristenwelt bekanntesten ON., 1760 (Gruner, Eisgb. Schweiz. L. 1, 64 f.) abgeleitet — entspr. der auch hier localisirten Sage v. der Blüemlisalp, als sei einem Hirten, z. Strafe f. seinen Uebermuth, die blumenreiche Alp vergletschert worden — 'v. der ehm. Alp, so daselbst gelegen ware', also etwa 'die in Alpenrosen gebettete Laui' (s. Rosa), 1817 (Wyss, Reise BObl. 2, 701 f.) 'v. dem Rosenglanze des Morgens u. Abends' od. gar v. dem rothen Schnee, der etwa die höhern Gehänge mit carmoisinrothem Schimmer überkleide. Ansprechender wäre der Gedanke an *rüs,* dial. f. *runs,* also ein urspr. *Runsenlaui,* da mehrere dieser Wildbäche in den Thalbach ausladen; allein dieses Wort 'ist dem Dial. der Gegend unbekannt, u. man nennt auch die Runsen hier Laui, so dass *Runsenlaui* eine Tautologie wäre' (A. Wäber 29. VI. 1892). Nun kennt aber freil. der Dial. des Hasle das Wort *rüs:* in der Form *rüs* = Geschiebe, Geröll, wie in *Aar-rüs* = Geschiebe der Aare, u. in den 'Wetterkessel', den Ursprg. des *R. Gletschers,* stürzen v. Rosenhorn Firn- u. Gletscherlauinen ab (Pfr. G. Strasser 9. VII. 1892). Die beiden ortskundigen Gewährsmänner lehnen nun zwar die Deutg. *Runsenlaui* ab; allein mir scheint, dass sie die 3 andern, bis auf Weiteres, nicht nachstehe. — Nachdem im Juni 1771 Andr. v. Bergen bei'm Holzfällen die Quelle entdeckt u. z. Heilg. eines kranken Beins benutzt, dann die Alp gekauft u. 1788 mit Badhaus versehen hatte, entstand ein neuer ON.: *R. Bad* (Meyer- v. Kn., Erdk. schweiz. Eidg. 1, 244). Nach *R.* hat 1842 E. Desor (Excurs. 610) das nahe *Rosenhorn,* einen 3691 m h. Gipfel der Wetter-

hörner, getauft; es war demnach unnöthig, f. diese neue Uebtragg. eine eigne Etym. zu suchen (Jahrb. SAC. 19, 109).

Rosendaal, Hoek van, nannte der holl. Seef. Roggeveen 1721 die Ostspitze Falklands, nach dem Schiffsofficier, welcher sie zuerst gesehen hatte (Debrosses, HNav. 447). Dieser Officier, nicht Roventhal, wie Debrosses schreibt, hiess Roelof *R.* u. war Befehlsh. des 3. Expeditionsschiffes, der 'Africaanschen Galey'; jedoch findet sich das Cap weder in Text, noch in Carte des amtl. Berichts (Roggeveens Dagv., Middelb. 1838).

Rosenthal Inseln, im antarkt. Grahams Ld., entdeckt u. benannt v. dem deutschen Capt. Dallmann, der 1873/74 v. der Polarschifffahrts-Gesellschaft in Hamburg auf Entdeckg. ausgesandt war u. benannt nach dem grossen Förderer deutscher Polarfahrt, Albert *R.*, dem Director genannter Gesellschaft, der schon an die Forschgen v. Dorst, Bessels u. Heuglin üb. 30000 Thlr. gespendet hatte (PM. 21, 312). Das Schiff dieser Fahrt war die Segelyacht Germania, alias Grönland, welches schon 1868 die erste deutsche Nordpolexp. geführt hatte (ib. 16, 195). Seit dem allmählichen Verfall der deutschen Grossfischereien hat in neuester Zeit Hr. A. *R.* in Bremerhaven fast allein diesen Zweig der Volkswirthschaft fortbetrieben u. allj. 2 Dampfer nach dem nördl. Eismeere gesandt . . . Da Hr. *R.* nicht bloss die praktische, sondern auch die wissenschaftl. Seite artet. Expp. mit grossem Interesse verfolgt, so konnte ihm die Bedeutg. der norweg. Entdeckgen u. Erforschungen in der östl. Hälfte des Eismeers nicht entgehen. Dieselben mussten seine werkthätige Theilnahme in ähnl. Weise erwecken wie bei seinen beiden 1869 unternommenen u. v. Dr. Dorst u. Dr. Bessels begleiteten Expp., die . . . namhafte Resultate gehabt haben. Während er daher einen Dampfer wie gew. auf den Robbenschlag u. Walfang sandte, hat er den Forschgsdampfer der II. deutschen Nordpolexp., die Germania, gechartert, um eine höchst wichtige Forschgsexp. in das sibir. Eismeer auszusenden (ib. 17, 336). — *R. Kette,* ein Bergzug im Matotschkin Schar, nebst *Albert Kuppe* u. *Bremerhaven Berg* v. A. Petermann (ib. 18, 77) nach demselben reichen Rheder benannt, welcher die Gesammtkosten der Exp. v. 1871, etwa 11000 Thlr., aus Privatmitteln bestritt.

Rosette, fränk. ON. in Aegypten, f. arab. *Reschîd,* nach dem Chalifen Harun al Raschid, dem die Gründg. zugeschrieben wird (Meyer's CLex. 13, 800).

Rosières, auch *Rozières,* häufig ON. auf frz. Sprachgebiet, im 10. u. 11. Jahrh. *Rosarias* f. *Rausarias,* eine Ableitg. v. germ. *raus,* frz. *roseau* = Rohr, Schilfrohr (d'Arbois de Jub., Rech. NL. 608). Mit suffix *-etum* ist gebildet *Rausetum,* 751 *Rausedo,* später mit *o* f. *au,* daher in den Urk. des 9.—11. Jahrh. *Rosetum,* auch *Rosetus,* j. *Rosoy, Rozoy, Rosey, Rosay,* alle in Mehrzahl vorhanden (ib. 629). In den 19 dépp. des Dict. top. Fr. zähle ich solcher ON. etwa 50.

Rosily, Ile, in De Witt's Ld., benannt v. der Exp. Baudin im März 1803 'dem berühmten Seef. zu Ehren, welchem das frz. Seewesen so viele schätzbare Carten v. Rothen M., v. dem Perser-golf, v. Cochinchina, v. den Philippinen etc. zu danken hat' (Péron, TA. 2, 198); *b)* ebenso *Cap R.*, hinter Nuyts' Arch., im Febr. 1803 (ib. 2, 105). **Ross,** ein anderes Wort f. 'Pferd', ahd. *hros,* alts. *hers,* engl. *horse* (s. d.), holl. *ros,* nicht gar häufig in deutschen ON. u. auch in den alten Formen bisw. schwer v. den zu 'hirse' gehörigen zu scheiden. Förstem. (Altd. NB. 852f.) erwähnt aus dem 8. Jahrh. *a) Hrosbah,* j. *Ross-* u. *Rosch-bach, Rossbeck, Roesebeck, Rebecq* u. *Rebaix; b) Herseberg,* j. *Hassbergen,* in Hannover, aus dem 10. u. 11. Jahrh. *Hersebruke,* in Westf., *Rossebuoch,* j. *Rossbach,* in Starkenburg, *Ros-burg,* j. *Rosenburg,* an der Mündg. der Saale, *Horsadal,* j. *Rossthal,* in Mittel-Franken, *Herse-veld,* j. *Harsefeld,* in Hannover, *Hrosdorf,* j. *Ross-* u. *Raschdorf* etc. — *Rosstrappe,* Fels-partie im Harz (s. Magdeburg), eine Granitklippe, welche 167 m üb. der Bode das Thal beherrscht. Den Namen hat sie nach einer Vertiefg., welche — einer riesigen Pferdespur ähnl. — auf dem 2 m br. Gipfelfels zu sehen ist u. wohl v. einer altgermanischen Opfer- u. Todtenstätte herrührt, während die Sage v. einer Princessin spricht, die, v. einem Riesen verfolgt, mit ihrem Ross üb. den Felsen weggesetzt sei u. so jenen Eindruck hinterlassen habe (Meyer's CLex. 13, 808). — *Rossmättli* s. Matt. — *Hrossey* s. Pomona.

Ross, auch in *Rossie* u. *Ros* verd., gael. Aus-druck f. Cap, Landvorsprung, Halbinsel (s. Ar-drossan), oft in schott. ON. wie *Ros-du* = dunkles Cap, *Roslea,* eig. *Ros-liath* = graues Cap, *Roseness,* wo z. gael. Wort das gleichbedeu-tende *nes* getreten ist, u. a., auch f. sich, insb. f. die ausgedehnte Grfsch. *R.,* die einem Ge-schlechte den Earlstitel gab.

Ross, brit. Familienname, insb. der 2 aus Schottl. gebürtigen berühmten Seeff.: *John R.,* geb. 1777, auf drei Reisen im Eismeer 1818, 1829/33, 1850/51, Contreadmiral, † 1856, u. sein Neffe, *James Clark R.,* geb. 1800, drei mal 1819/25 mit Parry, mit *JR.* 1829/33, z. Südpol 1839/42, als Franklinsucher 1848/49, † 1862. Nach dem ältern finde ich bloss das grönl. *Cape R.,* hinter Jameson Ld., v. engl. Walfgr. Will. Scoresby jun. (North.WF. 199) am 27. Juli 1822 benannt, 'after the commander of the first of the recent ex-peditions towards the north-west, and surveyor of Baffin's Bay', u. *Commander R.'s Farthest* (s. Blenky), nach dem Neffen hingegen: *a) R. Point,* in Melville I., v. Parry (NWPass. 67ff.) am 1. Sept. 1819; *b) R. Bay,* in Lyon Inlet, ebf. v. Parry (Sec. V. 82ff.) im Sept. 1821; *c) R.'s Islet,* eine kleine Insel nördl. v. Spitzbergen, ebf. v. Parry (NorthP. 121) als das damals, 1827, nördlichste bekannte Land des Erdballs, 'for I believe no individual can have exerted himself more strenuously to rob it of this distinction'; *d) Point R.,* ein Inselcap vor dem Gr. Fischfl.,

v. arkt. Reisenden G. Back (Narr. 215, Carte) am 11. Aug. 1834 zu Ehren seines unerschrockenen Freundes; *e) Mount R.,* in Grinnell Ld., v. american. Polarf. E. K. Kane (Arct. Expl. 1, Chart) 1855; *f) Port R.,* j. gew. f. *Rendezvous Harbour,* der bekannteste Hafen der Lord Auckland I., wo des Südpolfahrers beide Fahrzeuge 1840 zstrafen, v. Capt. Bristow schon 1806 entdeckt u. *Sarah's Bosom* (nach dem Schiffe?) getauft (Meinicke, IStill. O. 1, 350). Eine *Andrew R. Island,* in Boothia Felix, taufte Capt. John *R.* (Sec. V. 171) am 25. Sept. 1829 nach seinem Sohne. — *R. Desert,* eine austr. Wüste, v. engl. Reisenden E. Giles auf seiner dritten Reise 1874/75 so be-nannt, weil dieselbe seinem Vorgänger John *R.* (1874) 'so grosse Verlegenheiten bereitete, wenn-gleich er sie zuletzt passirte' (ZfAErdk. 1875, 352). — Unbestimmt *R. Island* s. Forster.

Rossa, Aqua = 'Rothenbrunnen' (s. Roxo), Ort des Val Blenio, Tessin, nach einer Quelle, welche einen röthlichen, eisenhaltigen Niederschlag gibt . . . 'il cui nome proviene da un' aqua salino-ferruginosa-alluminifera che lascia un sedimento ferruginoso' (Lavizzari, Esc. 4, 538, Gem. Schweiz 18, 74); *b) Ganna R.* = rother Schutt, ein Berg v. Valle Maggia, wie die Trümmerstätte *Ganna di Rient,* wo um 1595 das Thaldorf Rient durch einen Bergsturz verschüttet wurde, mit *ganna,* dial. f. *gand* = Schutt, Moräne (Hardmeyer, ThMagg. 2. 4).

Rossel, Ile, in der Louisiade, v. frz. Seef. d'Entre-casteaux (s. d.) nach seinem Gefährten, dem spätern Admiral *R.,* welcher den Atlas zu seiner Reise besorgte, getauft. Dabei das gefährl. *Récif R.* (Krus., Mém. 1, 155). — *Cape R.,* an der Ost-küste Grönl., v. engl. Walfgr. Will. Scoresby jun. (North.WF. 116) am 18. Juni 1822 entdeckt u. benannt 'out of respect to mr. De *R.,* member of the Institute of France'.

Rossily, Cape, an der Ostküste Grönl., v. Walfgr. Will. Scoresby jun. (North.WF. 272) am 14. Aug. 1822 getauft nach dem frz. Gelehrten *R.,* Mit-gliede des Instituts.

Rossmyslow's Station, eine (j. verfallene) Russen-hütte auf NSemlja, am östl. Eingang der Ma-totschkin Schar, nach einem Russen, der hier 1768/69 den Winter verbrachte (PM. 23, 55).

Rostock, mecklenbg. Hafenort an der Warnow, deutete Joh. Posselius, der Prof. der griech. Sprache allda, in seiner am 25. März 1560 gehaltenen 'oratio de inclyta urbe *Rostochio',* als 'Rosen-stadt', u. noch heute leben die Rosen fort in der 'alma rosarum academia'. Prosaischer denken Andere u. einen 'rothen Stock', bei dem einst die wend. Fischer ihre Zskünfte gehalten hätten, u. selbst der Obotritengott Radegast wurde an-gerufen, um aus *R.* ein *Radestock* zu machen. Ansprechender wäre, wenn bereinigt u. besser ge-stützt, Abr. Frenzels Versuch: *R.* = diffluentia aquarum, v. slaw. *ros* = zer u. *stocka* = Wasser-furchen (Westph., Mon. inedita RGerm. 2, 2404ff., Lips. 1740). Eine hebr. Etymologie gibt, noch in einem Schulprogr. v. 1854 (!), der **Rostocker**

Conrector J. F. A. Mahn. Er nimmt an, auf ihrem Zuge durch Vorder-Asien hätten die Slawen das Semitische kennen gelernt u. ihren neuen balt. Sitz als 'Hauptstadt', v. hebr. *rosch* = Haupt, bezeichnet. Sein Berliner Namensvetter, der Etymologe C. A. F. Mahn, hat Recht, wenn er Frenzels Vorschlag annehmbarer findet (Etym. Unters. 4, 52 ff.). In der That nennt Kühnel (Slaw. ON. 122), nach den alten Formen *Rotstoc* 1189, *Rozstok* oppidum 1218, *Roztoc* 1219, *Rostoky* a dissolutione aquarum 1250, ein asl. *rastoku* = Ort, wo Flüsse sich vereinigen od. aus einander gehen, also 'Ort am Breitling'. Und der Slawist Brückner (Slaw. AAltm. 79) führt *R.* unter asl. *raz-* = zer u. *tok* = Fluss auf, so dass die alte Etym. sich bewährt hat, um so sicherer, als auch Miklosich (ON. App. 2, 225) dieselbe Erklärg. des asl. Wortes gibt u. aus Kroat. u. Ung. die ON. *Rastočno, Rastok, Rastoka, Rastoki*, aus Böhmen u. Mähren *Rostok* u. *Rostoka*, aus Galiz. *Rosztoki*, aus Böhm. u. Galiz. *Roztoczki, Roztok, Roztoka, Roztoki, Roztoklat*, als Parallelen, aufzählt.

Roth, ahd. *rôt*, altn. *raudhr*, alts. *rôd*, ags. *reád*, engl. *red*, holl. *rood*, dän. u. schwed. *röd*, oft in ON. wie *Röthel*, im 8. Jahrh. *Roatula*, Fluss obh. Linz, *Retel*, im 9. Jahrh. *Rotila*, an der Mosel, eine Menge alter *Rotaha* u. *Rotinbach*, sowohl Fluss- als Wohnortsnamen, die j. *Roth, Rodau, Rodach, Rothaine, Rothbach* (s. Weiss), *Rott, Rothach, Roden-* od. *Rothen-, Röthen-, Rettenbach* (vgl. Bach) etc. lauten, ferner *Rottenacker*, im 11. Jahrh. *Rotenackere*, obh. Ehingen, *Rothbach*, wiederholt, im 9. Jahrh. *Rotibach, Rothenberga*, bei Weimar (s. Württemberg), *Rothenburg*, im 9. Jahrh. *Rodanburg, Rothfeld*, im Elsass, *Rothenfels*, alt *Rotenuels*, bei Rastatt, *Rotenförde*, alt *Rodunfuordi*, zw. Magdeburg u. Aschersleben, *Rod-* u. *Rautheim*, im 7. Jahrh. *Rodoheim, Rod-, Rade-* u. *Rothenhausen*, im 9. Jahrh. *Rodahusun, Rothenkirchen, Rothen-, Rotten-* u. *Rottmann*, alt *Rotinmanna, Rothenstein*, alt *Rodestein, Rothwasser*, im 11. Jahrh. *Rotwazzer*, Fluss zw. Iller u. Wertach, *Roth-* od. *Rottweil*, im 8. Jahrh. *Rotwila*, dasj. am Neckar, od. *Rotwilare*, im breisgau (Förstem., Altd. NB. 1222 ff.). — Ein Hptobject dieser Namenfamilie ist das *Rothe Meer* (s. d.). — *Rothe Bay*, im nördl. Spitzb., wg. der rothen Felsklippen (Adelung, GSchifff. 415). — *Rothenbrunnen*, Ort im Tomleschg, mit jod- u. eisenhaltiger Mineralquelle v. 17⁰ C., '... v. der Brunnquelle, welche die anliegenden Steine roth tingirt' (Sererhard ed. Mohr 1, 21 f., Gem. Schweiz 15, 262), Parallele zu Aqua Rossa (s. d.). — *Rothhorn*, im Alpengebiete häufig f. Berge mit rothen Felspartieen, z. B. *a)* bei Parpan. 'Zuerst trat z. Rechten das Lenzer Horn klar hervor, dann die Silberspitze des *Weisshorns*, u. allmählich enthüllte sich auch das breitere *R.*, dem sicherlich einst v. der goldenen Abendsonne Glanz u. Name als Pathengeschenk verliehen wurde. Die Farbenscala v. Silberweiss, Goldroth u. Purpur in einem so geschlossenen Bilde würde übertrieben erscheinen, wenn ein

Maler es wagen wollte, sie auf die Leinwand zu bringen' (Osenbr., WStud. 1, 147); *b)* bei Brienz, die *Hintere Fluh* der Entlebucher, die im Pilatus-Schratten ihre *Vordere Fluh* haben (Schnider, Entleb. 1, 37); *c)* in Gressoney, neben einem *Grauhaupt* (Saussure, VAlp. 340 f.), v. marmorhartem Serpentin, der auch die obern Regionen des Monte Rosa bildet u. 'an der Luft seine grüne Farbe durch Oxydirg. mit einer röthlichten vertauscht' (Schott, Col.Piem. 27). — *Rothe Furken* s. Furca. — *Rothe Klippe* s. Helgoland. — *Rothstöckli*, in Sernfthal, ein aus rothem Felsgebirg gebildeter kleiner Bergstock (Gem. Schweiz 7,645). — *Rothenthurm*, 2 mal: *a)* Ort im C. Schwÿz, 1495 bei C. Türst (QSchweiz.G. 6, 47) einf. *Turn*, wo einst die rothe Thurm stand, ein Rest der Letzi, d. h. der Grenz- u. Vertheidigungsmauer v. Alt-Schwyz (Gem. Schweiz 5, 307); *b)* eine tiefe Schlucht, 'Pass', an der Aluta, welche hier das Gebirge durchbricht, nach einem roth bemalten Felscastell, das durch die *Castra Trajana* geschützte *Porta Trajana* (Meyer's CLex. 13, 819). — *Rothhern* u. *Rothwurst* s. Ratzeburg. — Andere *Roth* s. Rütli.

Rothes Meer, heute f. den arab. Golf, früher f. die sämmtlichen ihm nähern Theile des indischen Oceans, in ersterer Fassg. arab. einf. *Bahr* = Meer, vollst. *Bahr el-Arab* = arab. Meer od. *Bar el-Achdör* = grünes Meer (Parmentier, Vocab. arabe 10), od. nach Ldschaften u. Städten, u. dann wohl ganz in eingeschränktem Sinne, *Bahr el-Jemen*, B. *el-Hedschas*, B. *el-Mekka*, B. *el-Dschidda* (Bergh., Ann. 5, 9), früher auch (Edrisi ed. Jaub. 1, 5) *B. Kolzum* (s. Suez), reicht mit seinem mod. fränk. Namen an die hohe Alterth. hinauf: gr. ἡ Ἐρυθρὴ θάλασσα, lat. *Mare Erythraeum* s. *Rubrum* = Purpurmeer hiess der Golf u. mit ihm etwa der offene, j. nach Indien benannte Ocean, nach den heute noch auftretenden rothen Färbungen, welche sich üb. weite Flächen erstrecken. Von Alexander's Indienzuge brachten Nearch u. Onesikritus das Märchen v. einem König *Erythras*, welcher, auf einer Insel Ogyris begraben, mitten im Palmhaine sein Denkmal besässe u. dem Ocean seinen Namen verschafft hätte (Strabo 766 u. 779, Curtius R. lib. 10, c. 1, 13—15). Und so gänzlich ging der urspr. Sinn durch die neue Fabel verloren, dass Curtius (lib. 8 c. 9¹⁴) sagt: 'Mare certe, quo aluitur, ne colore quidem abhorret a ceteris. Ab Erythro rege indictum est nomen: propter quod *ignari* rubere aquas credunt'. Die Port. des 16. Jahrh., noch unberührt v. arab. Localkunde (Barros, As. 2, 8¹), nannten das Meer im antiken Sinne *Mar Roxo* = rothes Meer, u. der König Emmanuel schrieb am 2. März 1514 an den Admiral Albuquerque: 'Item follgariamos q'levase comsigo quē lhe beem pymtase todo o *mar Roixo* asy como jaz e as cousas q'nella ha de maneira que nã ficase cousa alguma delle que nos nã viese pintado' (WHakl. S. 42 App. XXVI). Dem Meere komme, schrieb der Admiral, der Name mit Recht zu ... 'que lhe convem muito este nome *Roxo*', weil es, bes.

zu beiden Seiten des Ausgangs, Bab-el-Mandeb, voll röthlicher Flecken sei, weitgedehnter Areale, soweit v. Mastkorbe aus der Blick reiche: 'por ser mui cheio de manchas vermelhas; porque querendo elle abocar com a frota que levava ás portas delle, vio sahir per ellas huma vea grossa de agua vermelha, a qual se estendia contra Adem, e pera dentro das portas quando hum homem podia divisar do capitão da não, era desta côr vermelha; e depois que entrou ao largo deste mar, muitas vezes o via manchado da mesma côr.' Von den arab. Piloten erfuhr er, dass die Ursache dieser Röthg. in der durch die Gezeiten hervorgerufenen Bewegg. der Gewässer liege, wodurch v. Grunde gewisse Farbstoffe an die Oberfläche gebracht u. ausgebreitet würden. Die port. Piloten schrieben die Färbg. eine Zeit lang dem rothen Staube zu, den die herrschenden Winde v. Arabien hereintrügen, od. auch der Einzäung. des Meeres mit röthlichen Klippen u. Untiefen. Da widmete 1541 (Barros, As. 2, 8¹) Dom João de Castro, zZ. als Dom Estevão da Gama (der Sohn Vasco's da Gama) Gouv. in Indien war, nicht nur der nautischen Erforschg., sondern insb. auch der rothen Färbg. eine sorgfältige Exploration. Aus dem Resultate dieser Reise, einem 'roteiro' des Rothen M., enthebt Barros (2, 8¹) die Hauptmomente. Voraus wird constatirt, dass dem genannten Seef. die Aufhellg. des Namens zunächst am Herzen gelegen sei: 'que pera nenhuma outra cousa daquella entrada do estreido teve mais alvoroço, que pera notar as causas deste mar ser chamado *Roxo*', also fast eine nomenclatorische Exp.! Auf der Küstenfahrt längs Abasia am meisten zw. 'Çuáquem' u. 'Alcocer', in den seichten Gewässern zw. den Klippen u. Inseln, habe D. João das Meer voll jener Flecken gesehen; in Gläsern geschöpft, sei aber dieses Wasser viel klarer u. durchsichtiger gewesen als ausserhalb der Meerenge. Matrosen, welche er untertauchen liess, brachten v. Seeboden röthliche od. mit röthlichem Filz bedeckte Astkorallen herauf, während die Grundproben v. grünen Stellen aus grünlichen Gebilden ähnlicher Art, v. weissen Stellen aus sehr weissem Sande bestanden. Beobachtungen, welche D. João de Castro ausserh. Bab-el-Mandeb machte, führten ihn zur Annahme eines animalischen Ursprgs. . . . 'que sería algum parto de baléas'. Den rothen Landstaub u. die röthlichen Randklippen (der port. Piloten) wollte er nicht als erhebliche Ursache anerkennen. Diesen Ansichten v. Alboquerque u. Castro schliesst sich, den 'parto de baléas' abgerechnet, Barros im wesentlichen an (As. 2, 8¹), nam. auch unter motivirter Verwerfg. der Fabel v. Könige *Erythras*: 'e por ser per tanta parte deste mar os que antigamente o navegárão, the mesmo de vermelho, e não d'el Rey Erythreo que o senhoreou ...' Die alten Farbenphänomene hat die mod. Seefahrt bestätigt u. aufgeklärt. Man trifft jene am häufigsten im innern Theil des Golfs, ganz bes. aber um die Mündg. des persischen Meerbusens, in 10—15⁰ NB. u. 55—60⁰ OGr. Bei

dem Durchsegeln der See gibt es Weniges, was so auffallend f. einen Fremden sein muss, als wenn das Schiff, welches eben noch das tiefste Blau durchlaufen, nun durch eine Fläche rauscht, die Blut zu sein scheint. Die Ränder des gefärbten Raumes sind genau abgegrenzt. In Fällen, wo die Farbe sehr stark ist, sagt Dr. G. Buist zu Bombay, habe ich dieselbe selten üb. ein Areal v. mehr als einigen Hundert Yards im Durchm. sich ausbreiten sehen. Im allgemeinen zeigt sich die rothe Färbg. sehr blass, u. ich habe die See in u. um Bombay-Hafen herum meilenweit mit mattem Roth tingirt gesehen. Die Geschöpfe, die dieses zuwege zu bringen scheinen, sind subglobularisch, vertical zsgedrückt, oben gewölbt, unten concav; sie bestehen aus einer durchsichtigen Hülle, innerhalb welcher sich eine Masse rothen Blutes u. durchsichtiger Körnchen findet. Diese ist in einer grünlich colorirten, gallertartigen Substanz abgesetzt u. mittelst heller Zwischenräume kreuzweis in 4 Fächer getheilt, die am Umkreise in Kerben enden. Die blutrothen Körnchen sind um die Mitte herum in Kreisform geordnet, einen durchsichtigen, offnen Raum umschliessend. Bei'm Fortbewegen wird das Infusorium in wenig ausgedehnt u. rautenförmig, nach hinten abgestumpft u. an der Seite tief gekerbt. Es hat nicht das Aussehen einer Celia; seine Bewegungen sind rasch u. schwankend, wobei es sich häufig überschlägt u. v. einem Augenblick z. andern seine Gestalt ändert, in Kreisen rollt od. in gerader Linie fortschreitet, aber niemals rückwärts geht. Seine Länge beträgt 0,₀₃ mm. Todt nimmt es grüne Färbg. an. Ich habe die gefärbte Fläche 20—50 km weit sich ausdehnen sehen (Peterm., GMitth. 2, 236). Ggb. diesen Zeugnissen des Alterth., des Entdeckgszeitalters wie der Neuzeit wollen einzelne Neuere, die das Schauspiel nicht getroffen, dem Namen die physische Begründg. u. damit die Berechtigg. absprechen (Zeitschr. f. Schulgeogr. 4, 244 ff.). Das Farbenphänomen hat näml. die Unart, nicht immer u. nicht überall präsent zu sein, u. wenn der Tourist es bei Suakin (Ausl. 57, 39) od. gar bei Suez, d. h. 2000 km v. dem gew. Schauplatze, vermisst, so begreifen wir diess, ohne an wohl belegten Thatsachen zu zweifeln. — Der coloniale Eifer der Neuzeit hat auch den altgr. Namen des Meeres wieder erweckt: Die ital. Besitzungen der Küste sind in die Colonie *Eritrea* vereinigt u. unter die Verwaltg. eines Militärgouv. gestellt worden (Boll. Soc. Afr. d'Ital. 1889, XI f.).

Rotmonten, v. lat. *rotundus mons* == runder Berg, Anhöhe bei St. Gallen, deren Vorsprg. v. Arbon aus in abgerundeter Gestalt erscheint, früher *Waltramsberg*, nach dem Eigenthümer, dem dem Kloster bekannt. Centgrafen Waltram (v. Arx, GSt. Gall. 1, 23. 128). — Aehnl. *Romont*, Städtchen des C. Freiburg, sowie *Rodomont* u. *Mont Riond*, im C. Waadt, letzteres 1036 *Mons Retundus*, f. einen isolirten zuckerhutfg. Berg (Mart.-Crous., Dict. 634. 788).

Roto, te == der See, bei den Maori eine sehr

sumpfige Grasfläche im 'Oberland' des Waikato
(Hochst., NSeel. 211), auch in andern Namen (s.
Kawa u. Mahana).
Rotten s. Rhone.
Rottennest Eiland = Insel der Rattennester (s.
Rat), bei West-Austr., v. holl. Seef. Vlaming 1696
entdeckt u. benannt nach den zahlr. vorgefundenen
rattenähnlichen Beutelthieren, welche der frz.
Naturforscher Péron (TA. 1, 157) als neues inter-
essantes Genus erkannte u. Geoffroy St. Hilaire sen.
als Perameles nasutus = spitznasiger Beuteldachs
einreihte (ZfAErdk. nf. 11, 31, King Austr. 2, 376.
166, wo fälschl. die Jahrzahl 1610).
Rotterdam, holl. Seestadt an der Confl. Rotte-
Maas, vor der Flut durch einen Damm geschützt.
'Das Stadtdreieck wird v. der kleinen Rotte der
Länge nach durchströmt u. v. einem riesigen
Damme in der Mitte quer durchschnitten', so dass
er die neuere 'Buiten-' u. die ältere 'Binnenstad'
trennt (Wild, Niedl. 1, 58; 2, 122. 172. 216). —
Auf holl. Entdeckungen u. Besitzungen übtr.:
a) R. Eiland, in Tonga, einh. *Anamocka, Anna-
moka, Nomuka*, v. Tasman am 24. Jan. 1643
(Tasmans Journ. 110, Cook, VSouth P. 1, Carte
14; 2, 19, Krus., Mém. 1, 224, Meinicke, IStill. O.
2, 67); *b) R.* s. Makassar.
Rouen, frz. Stadt, kelt. *Rotomag*, v. *mag* =
Ort, u. *rod, rut, roto* = Uebergang, Weg, Strasse,
also s. v. a. Strassburg, latin. *Rotomagus*, noch
im Mittelalter *Rothomum, Rodamum*, bei Edrisi
(ed. Jaub. 2, 360) *Rothomagos* (Meyer's CLex.
13, 829). Denselben Namen *Rotomagus* trug
nach Gregor v. Tours auch das j. *Pont de-Ruan*,
das an einer grossen gall. Strasse lag (Houzé, Et.
N. Lieux 92).
Rouge = roth (s. Roxo), in frz. ON. bes. gern
f. Berge, Felsnadeln u. Caps *a) Rougemont*,
1219 *Rubeus Mons*, dép. Eure-et-Loir (Dict. top.
Fr. 1, 159); *b) Cap R.*, am St. Lorenz, nach
einer sonderb. röthl. Felsmasse, 'which terminates
in an overhanging bluff towards the river'
(Buckingh., Can. 165). — *Mont R.*, mehrf. *a)* ein
Berg der Vallée Challant, Piem. (Saussure, VAlp.
340f.); *b)* s. Blanc etc. — *Rivière R.* s. Red.
— *Rouge aigue* = Rothwasser, ein Bach der
Gegend v. Oron (Mart.-Crous., Dict. 788). — Im
plur. *rouges*, ebf. oft: *a) Aiguilles R.*, ein Bergzug rother Felshörner im Mont Blanc, wo auch
ein *Tour Noir* m. = schwarzer ...(?), eine *Aiguille
Verte* = grüne Nadel u. *les Aiguilles Marbrées*
= die marmorirten Nadeln (Saussure, VAlp. 152);
b) Pointes R., dial. *Puintes Russes* = rothe
Spitzen, ein Zug scharfer Felsnadeln des Val
d'Arolla, Wallis (Fröbel, Penn.A. 103).
Round Island = runde Insel, mehrf.: *a)* die
nördlichste der kuril. Quatre Frères, v. engl. Capt.
Broughton 1795 nach der Umrissform benannt,
bei den russ. Seeff. Krusenstern (1805) u. Golownin (1811) *Broughton Insel* (Krus., Mém. 2, 196);
b) im Berings M., v. Cook(-King, Pac. 2, 431)
am 12. Juli 1778; *c)* im Rio Colorado, 'at the
base of Mt. Davis, the river divides and forms
a round island of considerable extent' (Yves, Rep.

79), v. der Coloradoexp. 1858 benannt (Möllh.,
FelsG. 1, 359. 364); *d)* in Port St. Vincent, NCaled.,
v. Capt. Kent 1793 (Krus., Mém. 1, 203); *e)* in
Viti, ein halbmondfges, aus einem steilen 160 m
h. Bergrücken bestehendes Eiland, einh. *Alera
Kalou*, gew. *Arakalo*, v. american. Südpolf.
Wilkes 1840 getauft (Meinicke, IStill. O. 2, 15).
— *R. Rock Lake* s. Winter. — *Roundstone
Bay* s. Roaninish.
Rousses, Lac des, heisst nach dem frz. Orte
les R. der Quellsee der Thièle, früher *Quinsonnet*
(Mart.-Crous., Dict. 778).
Rouvray, auch *Rouvroy* u. *Rouvrois*, frz. ON.
entstanden aus altem *roboretum* = Eichenwald,
das schon im Itin. Ant. als Eigenname vorkommt
u. im MA. die Formen *Roverito, Ruberido, Ru-
bridum* zeigt (s. Aunay), doch auch in einigen
Fällen das *e* des suff. erhalten hat: 814 *Rovereto,
Roveredo* (d'Arbois de Jub., Rech. NL. 625). Wir
notiren ferner *Rouvrois, Rouvreux, la Rouvraye,
les Rouvrais, le Rouvre*, 1225 *Robur, Rouvres,*
1148 *Robur-Villare, la Fontaine du Rouvre,*
1149 *Roboris Fons* ... aus den dépp. Eure-et-
Loir, Seine, Yonne, Aisne, Meuse, Aube, Eure,
Calvados u. a. O. (Dict. top. Fr. 1, 160; 3, 110;
10, 237; 11, 199; 14, 138; 15, 186; 18, 244). Vgl.
Houzé, Ét. NL. 9ff. Auch die frz. Schweiz hat
ein *Roveray, Rovereaz*, u. *Rovray*, alle 3 im
C. Waadt (Post. Lex. 319).
Roveray s. Rouvray.
Roveredo s. Robur.
Rovna s. Ravan.
Rowan s. Ruadh.
Rowlett, Cape, in Admiralty Sd., v. der Exp.
Adv.-Beagle (Fitzroy 1, 28 Carte) im Febr. 1827
so benannt nach G. *R.*, dem Zahlmeister der Adventure, welcher nebst dem Officier Wickham
die Exploration im Deckboote Hope mitgemacht
hatte; *b)* ebenso *R. Narrow*, ein enger Canal
des südl. Chile, im Febr. 1830 (ib. 1, 336).
Rowley's Shoals, gefährliche Riffe der NWestküste NHoll., v. Capt. Ph. P. King (Austr. 1, 60)
am 16. März 1818 benannt nach dem Entdecker
der westlichern Imperieuse Shoals.
Roxo, a = roth, im port. noch j., während das
span. *roxo* in *rojo* übergangen ist, wie prov. *ros*,
ital. *rosso, rossa*, frz. *roux, rousse*, rum. *ros',
ros'iu*, v. dem selten lat. *russus* (Diez, Rom. WB.
1, 358), mehrf. in ON. wie *Cabo R.*, 2 mal in
West-Africa: *a)* jenseits Rio Cosamanze, ein
hohes Cap v. röthl. Ansehen, 'daher wir — die
Exp. Cadamosto's 1455 — es *Cabo R.* nannten'
(Spr. u. F., Beitr. 11, 181); *b)* in Sierra Leone,
v. Pedro da Cintra um 1460, weil 'der Boden
ebf. röthlich war' (ib. 188). — *Ilha Roxa*, ebf.
in Sierra Leone u. v. der Exp. Pedro's da Cintra,
wie *Rio R.*, dessen 'Wasser v. der Farbe des
Bodens röthlich aussah' (ib. 188). — *Mar R. a)*
s. Rothes M., *b)* s. California. — *Cabo Rojo*, mehrf.
a) im Golf v. California, 1539 getauft durch die
v. F. Cortez abgesandte Exp. des Francisco de
Ulloa, weil sich an der flachen Küste v. weissem
Sande der rothe Fels auffallend abhob (Hakluyt,

Pr. Nav. 3, 399); *b)* die Südwestspitze Puerto Rico's, ebf. nach der Farbe eines Felsen, 'hath certaine red cliffes' (ib. 605); *c)* auch ein Cap an der Südküste Hayti's; *d)* an der atlant. Küste Mexico's, unweit der Isla de los Lobos (ib. 619). **Royal**, adj. des frz. *roi* (s. Rex), 3 mal in *Mont R. a)* eine Burg, v. König Balduin I. auf isolirtem, steilem Bergstock Edoms 1115 ggr., lat. *Mons Regalis*, arab. *Schôbek* (Robins., Pal. 3, 120); *b)* s. Montreal; *c)* s. Saar. — *Fort R. a)* eine Einfahrt in Georgia, v. frz. Capt. Jean Ribault 1562 entdeckt u. nach ihrer Grösse u. Schönheit (s. Somme) so getauft; denn auch die Umgebg. war ausnehmend lieblich u. mit Blumengeruch erfüllt. Das nahe *Cap de Santa Helena* v. span. Entdecker Lucas Vasques de Ayllon, wohl nach dem Kalendertage (Hakl., Pr. Nav. 3, 309, Spr. u. F., Beitr. 4, 177); *b)* s. Annapolis. — *La Chapelle Royale* s. Capella. — *Cap R.*, in NFundl., v. J. Cartier am 17. Juni 1534 (M. u. R., Voy. Cart. 15, Hakl., Pr. Nav. 3, 204). — *Fort R. a)* ein Werk der Insel Pelée, z. Schutze des Hafens v. Cherbourg (Meyer's CLex. 12, 683); *b)* s. France. — *Ile Royale a)* s. Breton, *b)* s. Diable. — Auch in engl. ON. wie *R. Bay: a)* in Taiti, v. Capt. Wallis 1767, einh. *Matavai* (Hawk., Acc. 2, 80. 259); *b)* in SGeorgia, v. Capt. Cook (VSouthP. 2, 216) am 18. Jan. 1775. — *R. Islands*, in Magalhães Str., v. engl. Seef. Narborough (Bougainv., Voy. 153). — *Princess R. Islands*, in der Str. Prince of Wales, v. der Exp. McClure im Sept. 1850 'after H. R. H. the Princess-*R.*' (Osborn, Disc. 82, Armstrong, NWPass. 232. 266). — *Port R.*, in Jamaica, nach dessen engl. Eroberg. (1640) angelegt (Meyer's CLex. 13, 125). — *R. Sound*, eine grosse Bay v. Kerguelen I., v. Capt. Cook (-King, Pac. 1, 80) am 30. Dec. 1776 benannt zu Ehren seines Monarchen, wie er in dieser Gegend mehrere andere Objecte nach Gliedern des kön. Hauses taufte.

Rozières s. Rosières.

Roztok s. Rostock.

Rschtuni s. Wan.

Rua, Roto- = Lochsee, im See'ndistrict NSeel., fast kreisförmig, v. den Maori so genannt als 'See, welcher in einer runden Vertiefg. liegt' (v. Hochstetter, NSeel. 282); *b)* R. *Hine*, wo *hine* = Weib, eine Solfatare, welche das Ansehen eines thätigen Kraters hat, auf deren Boden aber schwarzer Schlamm brodelt, der v. den aufsteigenden u. platzenden Dampfblasen mehrere Fuss hoch in die Luft gespritzt wird (ib. 290); *c)* Ruahoata, eine Lagune bei dem Roto Mahana, nach Hoata, einem der Taniwhas, welche, der Sage zuf., das heilige Feuer nach dem Tongariro brachten (ib. 278); *d)* Ruakiwi, ein mit klarem, 98° C. warmem Wasser gefüllten Kessel v. 5 m Lg. u. 4m Br., an der Ostseite des Roto Mahana (ib. 276), nach dem Kiwi, dem straussenartigen Apteryx. — Dagegen *Ruapahu* od. *Ruapehu*, bei den Maori der höchste Berg der Nordinsel, wohl v. *Rupahu*, d. i. einem Menschen, welcher viel Lärm aus

nichts macht, etwa weil v. dem Berge bisw. Erschütterungen mit unterirdischem Getöse ausgehen, aber ohne vulcanische Ausbrüche (v. Hochst., NSeel. 241).

Ruad s. Aradus.

Ruadh [spr. roo] = roth, röthlich, fuchsroth, verwandt mit lat. *ruper*, engl. *red, ruddy*, häufig z. Bildg. ir. ON. verwandt, meist in *roe* englisirt: *Cloghroe* = rother Stein, 'Rothenburg', mehrf., *Owenroe* = rother Fluss, *Moyroe* u. *Moroe*, ir. *Magh-ruadh* = röthliche Ebene, *Roevehagh*, ir. *Ruadh-bheiteach* = rothe Birke, Ort in Galway, wo bei einem Einfall 1143 der 'inaugurationtree' umgehauen wurde u. s. f. Ableitungen mit dim. -*án* sind *Ruán, Ruanes, Ruaunmore, Rowan, Rowans, Rooaun*, sämmtl. z. Bezeichg. der Oertlichkeiten v. röthlichem Aussehen, mit -*lach*, was s. v. a. 'mit viel', die ON. *Roolagh, Rolagh, Rowlagh* etc. (Joyce, Orig. Ir. NPl. 2, 278 f.).

Rubens s. Sinclair.

Rubiha, ein Fluss im Samojeden Ld., so benannt durch die russ. Fuhrleute, weil sie allj. die den Bach säumenden Weidengesträuche niederhauen müssen, um sich das Fahrwasser in demselben frei zu halten (Schrenk, Tundr. 1, 174).

Ruchen, der = der rauhe (s. Rugged u. Ruigte) heisst ein kahler, steiler, aus dem bläulichen Eismeere aufsteigender Felsengrat, welcher sowohl den mittlern Glärnisch als gg. das Klönthal in steilen Felswänden abfällt u. nur v. der Westseite — durch das *Chämi*, dial. f. Kamin — zugängl. ist (Gem. Schweiz 7, 612). — *Grosser R.*, ein Berg des hintern Schächenthals, v. rauher, gigantischer Gestalt u. weiten Schnee- u. Eisfeldern.

Ruda = Erz, Eisenerz, wovon *rudnik* = Knappe, slaw. Namenelement: *R., Rudance, Rudawa, Rudawka, Rudele, Rudenka, Rudenko, Rudestie, Rudka, Rydki, Rudna, Rudnik, Rudniki, Rudno, Rudy Rysie*, Orte in Galiz. u. der Bukow., *R., Rudaria, Rude, Rudenice, Rudes, Rudina, Rudinka, Rudinszka, Rudna, Rudno, Rudnok, Rudobánya, Rudopolje*, Orte in Siebenb., Ung. u. Kroat., *R., Rudeč, Ruden, Rudenitz, Rudic, Rudikovi, Ruditz, Rudka, Rudkov, Rudlitz, Rudnik, Rudow* in Böhm., Mähr. u. Schles., *R., Ruden, Rudina, Rudnawds, Rudnik*, in Kärnten, Krain u. Dalm. (Miklosich, ON. App. 2, 228). — Russ. *Rudnaja Sloboda*, eine Schmelzhütte am Flusse Niza, 1628 angelegt, die älteste des Ural, 'die erste, die in Sibir. das Eisen gemeiner gesucht . . . u. viele Jahre ganz Sibir. mit Eisen versorgte, bis mit dem Anfang des 18. Jahrh. das Bergwesen in dortigen Gegenden eine andere Gestalt gewonnen' (Fischer, Sib. G. 1, 437).

Rudarpur s. Siwa.

Rudolf Land, Kronprinz, ein Stück des hocharkt. Franz Joseph's Ld., entdeckt u. getauft am 7. Apr. 1874 v. Jul. Payer, dem Führer der zweiten Schlittenreise der 2. österr.-ungar. Nordpolexp. (Peterm., GMitth. 20 T. 20. 23; 22, 203). — *Rudolfswert*, Ort in Krain, schon 1436 so

genannt (Oesterley, WBuch, seit 1783 *Neustadtl*
(s. Neu), slow. *Novomesto*, mit gl. Bedeutg., ist
seit 1865 zkgetauft, diessmal zu Ehren des damal.
Kronprinzen, wie *Rudolfsheim*, Vorort v. Wien,
am 1. Dec. 1863 aus der Vereinigg. mehrerer
Dörfer hervorgegangen (Umlauft, ÖUng. NB. 158.
202). — Mit dem PN. *R.* zgesetzt *a) Rudolstadt*,
Ort in Schwarzburg-*R.*, im 8. Jahrh. *Hrotholf-*
stedi; *b) Rudolfingen*, im 8. Jahrh. *Hrodolvinga*;
c) Rudolfsburg, im 10. Jahrh. *Rodolvesborch*;
d) Rudelsheim, im 8. Jahrh. *Hruodolfesheim*;
e) Rüdelshausen, im 9. Jahrh. *Hrodolfeshusun*;
f) Rollinghausen, alt *Rotholvinghusen*; *g) Ru-*
disleben, alt *Rudolfeslebo* u. a. m. (Förstem., Altd.
NB. 849 f.).

Rudrahimalaja s. Swargarohini.

Rügen, Insel der Ostsee, im 15. Jahrh. *Ruy-*
land, ozw. nach den Rugii, einem german. Volksstamm, der nach Tacit. (Germ. 43) an der Ostsee,
zw. Weichsel u. Oder, wohnte, (Förstem., Altd. NB.
1268 f.).

Rümikon s. Romanus.

Ruéras od. *Ruäras*, aus mlat. *rivoria*, *rivorium*
= Bach, Runse, Oertchen des Tavetsch, Bündner
Oberland, in einer v. Lauinen u. Wildbächen sehr
bedrohten Lage, nach der v. Val Milan herab-
kommenden Runse. Ebenso *Rueyres*, 3 mal im
C. Freiburg (Gatschet, OForsch. 82 f. 162).

Rütli, auch *Grütli*, die Wiege schweiz. Freiheit,
eine Matte am Vierwaldstätter-See, 'heimlich im
Gehölz . . . das *R.* heisst sie bei dem Volk der
Hirten, weil dort die Waldg. ausgereutet ward'
(Joh. v. Müller's SWerke 8, 307; 18, 75. 219,
Schiller's WTell 1. A. 4. Scene), eine der zahlr.
Formen, die zu ahd. *riutjan* = reuten, roden
gehören. So bezeichnet c. 880 der Freie Sigihart
sein Eigengut *Riutin*, j. *Rüti*, unw. Zürich, als
'proprietatem meam, quam labore proprio de in-
cultis silvis exstirpavi' (Zürch. Urk. B. No. 141).
Förstem. (Altd. NB. 1260 ff.) zählt zunächst 30
fast sämmtlich süddeutsche Composita, die ahd.
riuti = novale als Grundwort enthalten, auf,
dann einige auf *-reut*, hierauf die wohl auch mit
ried = carex sich berührenden auf *-riod*, *-reod*,
-ried, endlich 234 Composita auf das mehr norddeutsche *rod*, *roda*. Die einfachen ON. *Grüt*,
Rüti, *Rüteli*, *Rütler*, *Reute*, *Ried*, *Rieden*,
Reuthe, *Riedern*, *Reut*, *Reit*, *Riethen*, *Riede*
etc. gehören sämmtl. zu *riuti*, *Roth*, *Rothis*,
Rode, *Rödchen*, *Roden*, *Roda*, *Rodde*, *Rhade*,
Rath, *Rohden*, *Rhöda*, *Rodau* u. s. f. zu *roda*.
Dazu kommen noch *Riethbach*, *Riedfeld*, *Ried-*
heim, *Riestädt* u. a. m. — *Reutlingen* s. Lothringen. — In Bayern gibt es u. a. Entstellungen
auch *Kreut*, *Kreuth*, *Kreit*, *Kreith*, denen L.
Steub (AAZtg. 7. Mai 1880) ironisch auf den Leib
rückte (Egli, Gesch. geogr. NK. 366). — Auch in
Schweden Hunderte mit *ryd*, *röd*, *red* zgsetzter
ON. (P. v. Möller, Sv. Jordbr. Hist. 10). Eine
grössere Arbeit üb. *rode* in den Niederlanden
u. a. O. enthalten die Nom. GNeerl. 2, 32 ff.

Rufus = der rothe, ein Nebenfluss des Murray.
v. Capt. Sturt entdeckt u. nach den rothen Haaren

(!) seines Freundes u. Begleiters Georg McLeay
benannt (Sommer, Taschb. 17, 247).

Rugged Mount = rauher Berg (s. Ruchen), der
östliche u. höchste Pfeiler einer rauhen Bergkette,
hinter Bald I., benannt am 5. Jan. 1802 v. Capt.
Matth. Flinders (TA. 1, 75); *b) R. Mount* s.
Dreary; *c) R. Rapid* = holperige Stromschnelle,
im Kooskooskee, Lewis' R., v. den Captt. Lewis
u. Cl. (Trav. 339) am 10. Oct. 1805 getauft 'from
its appearance and difficulty'.

Ruggell s. Ronco.

Rugileuvu s. Chadileuvu.

Ruhbe = weites, üppiges Saatfeld heisst eine
16 km lg. u. 12 km br., v. 4 Flüssen bewässerte
Ebene, welche inselartig zw. die Lavaplateaux u.
Steinwüsten der hauran. Vulcangebiete eingeschlossen ist, th. eine grosse Getreideflur, th.
Weideland, das fruchtbarste Land Syriens, wo
der Weizen durchschnittl. 80-, die Gerste 100fältig
gibt (Wetzstein, Haur. 30).

Ruheibeh s. Rehoboth.

Ruhr, im 7. Jahrh. *Rura*, ein rseitg. Nebenfluss
des Rheins, derselbe Name mit holl. *Roer* [spr.
rûr], Zufluss der Maas, beide in Förstem. (Altd.
NB. 1272) ungedeutet, v. Bender (Deutsche ON.
43) v. *hruoran* = die ruhrige, bewegliche, v.
Th. Lohmeyer (Beitr. 39) v. ahd. *rôr* = Schilf
abgeleitet, da er *Rur-â* = *Rur-aha* = Rohrfluss
setzt u. den Namen passend findet f. ein Gewässer, dessen Quelllauf v. Schilfwiesen umgeben
sei. Anders der Keltist Q. Esser, der (Beitr. z.
gallokelt. NK. 70 ff.) Förstemanns Frage, ob *R.*
aus *Ruvera* zsgezogen sei, in bestimmter Weise
bejaht. *Ruvera*, älter *Rubera*, heisst im 9. u.
10. Jahrh. urk. die *Ruver*, ein unth. Trier in die
Mosel mündender Bach, im 4. Jahrh. *Rubrus*,
verkürzt aus vollem kelt. *Rubro-gilum* od. *Rubro-*
dubrum = Rothenbach. Für die linksrhein. *R.*
ist das Quellgebiet als eine Plateaumulde beschrieben, deren oberständige Wasser zw. Torf-
moos, Ried- u. Wollgras, Simsen u. Weidenge-
sträuch sich ansammeln u. als röthl. Sumpfbäche
v. Mulde zu Mulde langsam hinschleichen; noch
bei Monsjoie zeichnet sich die braune *R.* deutlich
vor dem hellen u. reinen Wasser des Perlbachs,
wie weiter abw. vor dem weisslichen Wasser der
Urft od. Call aus. Auch f. die rechtsrhein. *R.*
ist der Name genügend motivirt; sie ist entspringt im Rothhaargebirge, dessen grobes Con-
glomerat, das Rothliegende, ein eisenreiches, thonig-
sandiges Bindemittel enthält u. dadurch den Quell-
wassern eine röthl. Färbg. ertheilt. — An der
Confl. Roer-Maas die Festg. *Roermonde* = Mündung der *R.* (Daniel, Hdb. Geogr. 1025), längs
des Flusses *Roerdorf*, *Roerhof*, *Ruhrberg* . . .,
bald in deutscher, bald in holl. Orth. — An der
Confl. *R.*-Rhein *Ruhrort*, wo *ort* die Bedeut.
v. 'ora, margo, angulus' hat, wie in *Angerort*,
an der Mündg. der Anger, *Störort*, an derj. der
Stör, in *Tiegenort*, an der Tiege (Förstem., Deutsche
ON. 71). Der Gau an Flusse 811 *Ruracgawa*,
1065 *Ruriggowe* etc.

Ruigte Valley = rauhes Thal (s. Ruchen), holl.

Name eines Bergwassers (u. Thals), an der Südküste des Caplandes; die Colonisten scheuen die Passage wg. des mit groben eckigen Steinen bedeckten Bodens, üb. den die Pferde schwierig wegkommen (Lichtenst., SAfr. 1, 315).

Ruinette s. Pleureur.

Ruivo, Pico = Rothhorn, der Culm Madeira's nach den rothbraunen Gesteinmassen seines Gipfels (Avé-L., SBras. 1, 58). Vom Gipfel abw. zieht sich ein steiles Steinfeld aus gelben u. rothen Schlacken u. vulcan. Auswürflingen: eine mit rothen Schlackenmassen bedeckte Felsplatte v. säulenfg. abgesondertem Basalt bildet die Plattform (Wüllerst., Nov. 1, 102). — *Angra dos Ruiros* = Bucht der Rothfedern, Knorrhähne, Trigla sp., engl. *gurnets*, südl. v. Cap Bojador, v. dem Port. Afonso Gonçalves Baldaya 1434 so genannt nach der Menge der dort vorkommenden Fische d. N. 'pela muita quantidade destes peixes que alli encontrárão' (Azurara, Chron. 59). 'pola grande pescaria que alli fizerão delles' (Barros, As. 1, 1⁵), engl. *Gurnets Bay* (Hertha 5, 11).

Rulhière, Cap, in Tasmans Ld., v. der Exp. Baudin am 10. Juni 1803 benannt offb. zu Ehren des Academikers C. C. de R. 1735 91, eines geschätzten Historikers (Péron, TA. 2, 243), wahrsch. id. mit *Cape Londonderry* (Krusenst., Mém. 1, 53).

Rûm, die oriental. Form f. *Roma* (s. d.), bald nur f. die byzantin. Reichshälfte, die dem Einfall der Türken 1453 erlag (s. Erzerum), bald in weiterm Sinne, als *Berr er-R.*, f. das ganze christl. Europa (s. d.), bald f. die den Türken unterworfenen europ. Landestheile, im Ggsatz zu dem nichttürk., reinchristl. Europa (s. Franken) ... 'e posto que nas mesmas provincias de Grecia, Tracia, Esclavonia ... ha Christãos, não são dos Mouros aborrecidos, como os das outras partes de Europa aquelles chamão Frangues' (Barros, As. 4, 4¹⁰). Heute heissen bei den Eing. Algeriens die Christen *Rumi*, fem. *Rumia*, als Abkömmlinge der alten Römer (s. Rom); so wird denn auch dort eine röm. Ruine als *Hadschar er-R.*, ein röm. Aquaeduct als *Saguet er-R.* u. ein antikes Monument zw. Algier u. Scherschel als *Kbôr er-Rumia* = Grab der Christen bezeichnet. Die morgenländ. Geographen nennen *R.* die Griechen u. übhpt. alle Europäer, u. das Mittelmeer (s. Mediterraneum) ist ihnen *Bahr er-R.* (Parmentier, Vocab. arabe 13. 27. 43.). Am Bosporus, wo *Rum* u. *Anadoli* (s. Asia) sich so nahe ggb. stehen, auch anderwärts im Orient. ist der Ggsatz zw. Europa u. Asien in dieser Weise ausgedrückt: in *Dar Rum* (s. Bir), *Kastro Rumelias* (s. Dardanellen), *Rumili Fener* (s. Fanaraki), insb. auch in *Rumili Hissari* = Schloss im Römerland, Veste am Bosporus, ggb. *Anadoli Hissar*, jenes 1451 v. Mohammed II., dieses v. Mohammed I. erbaut. Ersteres hiess anfängl. *Bogas Kessen* = Durchschneider des Canals (Hammer-P., Konst. 2, 222), auch *Güsel Hissar* (s. d.) u. später *Schwarzer Thurm*, als in den Türkenkriegen viele Kriegsgefangene hier im Kerker schmachteten (ib. 2, 299). Ein zweites Paar v. Burgen, v. Mu

rad IV. z. Sicherg. des Bosporus gg. die Streifereien der Kosaken, ebf. an einer Enge, die z. byzant. Zeit mit Ketten gesperrt wurde, erbaut, heissen *Rumili Kawak* u. *Anadoli Kawak* (ib. 262 ff.), v. türk. *kawak* = Platane. Ersteres bestand schon z. byzant. Zeit als Kloster *Asomaton*. ngr. Ἀσωμάτων = der körperlosen, d. i. der Erzengel, deren Heerführer Michael das v. Manuel dem Comnenen gestiftete Kloster geweihet war. — Eine 3. u. 4. *Romania* (s. Roma) finden sich in der ehm. Osthälfte des röm. Reiches *a) Romania*, verdeutscht *Rumänien*, als den Donaufürstenthümern Walachei u. Moldau entstanden, der Staat der *Romuni, Rumänen*, die ein aus der Vermischg. röm. Colonisten mit Dakern hervorgegangenes Romanenvolk darstellen (Berghaus, Phys. Atl. 8, 15); *b) R. Ili* = Land v. Rom, der türk. Ausdruck, in *Rumelien* verdeutscht.

Rumâna, Wadi = Granatenthal, eine tiefe u. etwas wilde, aber wohlbewässerte Thalspalte des Dschebel Ghurian, benannt v. den Obstpflanzungen, welche ausser Feigen u. Trauben auch vorzügliche Granaten hervorbringen (Barth, Reis. 1. 55).

Rumathia D. s. Bahr.

Rumel s. Ramle.

Rumichaca = Steinbrücke, v. quech. *rumi* = Stein u. *chaca* = Brücke, eine Naturbrücke, welche, ähnl. denj. v. Iconozo, Bogotà, üb. einen Fluss bei Pasto gespannt ist. 'In truth it is a lofty and massive rock, with a hole in it, through which the river passes in its fury, and on the top all wayfarers can pass at their pleasure' (WHakl. S. 33, 132). — *Rumibamba* = rauhe od. steinige Ebene, ein Theil des Plateau v. Quito, voller grosser Felstrümmer, den Auswürflingen des Pichincha (Barros, R. u. Entd. 2, 119). — *Rumimuchi* = Steinkeller, Ort auf dem Plateau v. Quito, nach einer grossen Felshöhle, welche den Reisenden als Herberge dient (ib. 2, 113).

Rumlingen s. Romanus.

Rummaneh s. Rimmon.

Rumoffsky, Pik, 'ein überaus hoher Berg' an der Westseite Jeso's, v. Capt. J. A. v. Krusenstern (Reise 2, 39) am 6. Mai 1805 getauft nach dem Astronomen *R.*, v. der Academie der Wissenschaften.

Rumon s. Tevere.

Rumpump s. Gibisnüt.

Runaway, Cape = Vorgebirge Rennfort, im nordöstl. Winkel NSeel., wo die Eingb. den Lieut. Cook am 31. Oct. 1769 angegriffen, auf einige blinde Schüsse hin aber mit belustigender Eile u. athemlos dem Lande zusteuerten (Hawk., Acc. 2, 324 f.). — *Running Water* s. Eau.

Runggällen s. Ronco.

Rungthang s. Dschangthang.

Ruotse-moa s. Russen.

Rupelmonde s. Gmünd.

Rupert's River, ein Zufluss der Hudson's Bay, am 29. Sept. 1668 entdeckt v. Capt. Zach. Gillam, welchen der Prinz *R.* v. der Pfalz mit einem kleinen Schiffe Nonsuch nach der Hudson's Bay abgesandt hatte (Coats ed. Barrow p. VII). Es hatte näml. der Streit, den der frz. Canadier Groseiller, ein vielgereister Mann, mit seinen Rhedern führte u. b. vor die kön. Minister brachte, den engl. Gesandten in Paris, den nachm. Herzog v. Montague, veranlasst, zu Gunsten engl. Entdeckungen den Canadier in engl. Dienste zu ziehen; seine Empfehlungsbriefe wirkten. 'Der Prinz unterstützte alle löbliche u. nützliche Unternehmungen u. sahe sehr wohl ein, dass aus dieser Niederlassg. viel Vortheil f. England erwachsen könnte' (Forster, Nordf. 433 ff.). Die Exp. überwinterte am Flusse u. errichtete das *Fort Charles*, 'which appears to have been the first English settlement in Hudson's Bay'. Es bildete sich eine 'Company of Adventurers trading in Hudson's Bay', die v. Karl II. einen Freibrief dd. 2. Mai 1670, f. den ausschliessl. Handel in *R.'s Land*, erhielt (Coats p. VIII. 57); der erste Gouv. war Prinz *R.*, u. das erste Comité bestand aus dem Herzog v. Albemarle, Lord Craven, Lord Arlington u. andern angesehenen Männern (Spr. u. Fr., NBeitr. 6, 197, Meyer's CLex. 9, 103, Roscher, Coll. 393). — *R.'s Island*, in der Magalhães Str., v. Narborough ebenso getauft (Bougainv., Voy. 153).

Ruppen-Stein, ein Fels auf der Passhöhe des Monte Moro, nach Toni *R.*, den hier einmal die Nacht überfiel u. der sich nur dadurch retten konnte, dass er die ganze Nacht um dieses Felsstück herumlief, weil er, weitergehend, in Gefahr war, zu Tod zu stürzen u., niederliegend, zu erfrieren (Schott, Col. Piem. 70).

Rurick Strasse, zwei Durchfahrten des Pacific, beide in Beziehg. zu dem Schiffe des russ. Lieut. Otto v. Kotzebue, der in den Jahren 1815/17 den Kotzebue Sund entdeckte: *a)* in Ratak, v. ihm selbst am 6. Jan. 1817 getauft (Kotzeb., Entd. R. 2, 44); *b)* in den Fuchs In., v. seinem ehm. Chef, dem Admiral v. Krusenst. (Mém. 2, 95, Atl. OPac. 19) so genannt, weil hier das Schiff *R.* ebf. passirt war. — *R. Kette* s. Palliser. — *R. Klippe*, bei Tasmania, v. Schiffe *R.* 1822 gesehen, viell. id. mit der *Pedra Blanca* (= Weissenstein) der brit. Admiralitätscarte (Hertha 6 GZ. 228). Uebr. ist die Orth. mangelhaft, da *pedra* port., *blanca* span.

Rus, phön. רשׁ [rûs] = Haupt, Kopf, eine Bezeichng. f. Vorgebirge, arab. *râs*, in gr. κεφαλαί, wobei sich der plur. aus der erweiterten Fassg. erklärt (Curtius, Gr. ON. 131), röm. in *caput* übsetzt, findet sich häufig in ON. des phön. Colonialgebiets: *a) Rhosus*, eine durch ihren Kabirencult (Eckhel, doctr. numm. vett. 3, 324) u. ihren Namen als phön. bezeugten Colonialstadt am Busen v. Issus, nach dem nahen Vorgebirge σκόπελος Ῥωσσικός (Ptol. 5, 14), j. *Ras-Chanzir* = Schweinecap od. *Ras-Kelb* = Hundecap (Movers, Phön. 2ᵇ, 167); *b)* mehrere Orte der Nordküste Numidiens u. Mauretaniens, so *Rus-pa, Rusâphah*, wohl = רשׁ צֵא [rosch ssefô] = promontorium speculae, v. den hier erwähnten Wachtthürmen (Hirt. B. Afr. 87); *Ruspinna* deutlich רשׁ אנٴ [rosch pinna] = Cap der Spitze, Ecke,

spitzes Cap; *Rusgada* = גַּד רשׁ [rosch gad] = Vorgebirge des Glücks; *Rusazus* = עזיז רשׁ [rus aziz] = Vorgebirge des Mars; *Rusgunium* = גٴאٴן רשׁ [rosch gaôn] = Cap der Erhebung, Anhöhe; *Rusaddir* = אַדٴיٴר רשׁ [rûs addir] = Vorgebirge des hohen, erhabenen, Eigenname eines phön. Gottes; damit wohl id., nur berberisch verd. *Oussadion, Rusadion*, an der Westküste NAfrica's (Movers, Phön. 2ᵇ, 514 ff.). — Auch arab. *Burdsch er-R.* = Thürme der Köpfe, 2 Thürme bei Damask, die einst, der Sage zuf., ein Pascha mit den Köpfen gefallener Rebellen bekleidete (Kremer, MSyr. 190).

Ruschwasch s. Star.

Rusellarum A. s. Bagno.

Russ s. Memel.

Russel, Point, in Banks' Ld., v. Capt. McClure am 26. Oct. 1850 auf seiner denkwürdigen Schlittenexp. (s. Observation) erreicht u. nach Lord John *R.* benannt. Hier campirte die Exp. üb. Nacht 'and cheered lustily as they reached the shores of Barrow Strait. A mimic bonfire, of a broken sledge and dwarf willow, was lighted by the seamen in celebration of the event; and an extra glass of grog, given them by their leader, added to their happiness' (Osborn, Disc. 109, Armstrong, NWPass. 281). — Wohl ebenso *R. Peak*, Insel u. Inselpic in Balleny Is., v. Capt. J. Cl. Ross (SouthR. 1, 267) am 2. März 1841. — Dagegen nach dem ausgezeichneten Professor of Clinical Surgery an der Universität Edinburg: *a) Cape R.*, in Grönl., v. Walfgr. Will. Scoresby jun. (NorthWF. 231) am 29. Juli 1822; *b) R. Inlet*, eine Einfahrt am american. Eismeer, v. der Exp. Capt. John Franklins (Sec. Exp. 220) am 15. Juli 1826. — *Cape Russell*, in Kane Sea, v. Kane (Arct. Expl. 1, 102) im Aug. 1853 nach George R. *R.* getauft.

Russen, die zahlreichste der slaw. Nationen, mit dem russ. Staat selbst 863 aus der Vermischg. der slaw. Eingb. u. der eingewanderten Normänner hervorgegangen. Die finn. Bezeichng. *ruotsi, rodsen* = Ruderer, f. die üb. Meer gekommenen Abenteurer, die der bedrängten Stadt Nowgorod zu Hülfe kamen u. sich als ein Edelreis dem slaw. Stamme aufpflanzten, ging auf die junge, v. Unternehmungsgeist u. Thatendurst getragene Nation üb. Noch heute heisst Schweden, die Heimat der einstigen Waräger, finn. *Ruotsemoa* = Land der Ruderer, während *Russland*, russ. *Rossyja* [spr. ras ...], als *Wenne-moa* = Wenden- od. Slawenland bezeichnet wird (Meyer's CLex. 13, 913, Müller, SRuss. G. 2, 344). Der finn. Name ist das Urwort des byzant. *Ross*, des deutschen *Russ*, des ung. *Orosz*, des türk. *Urus* (P. Hunfalvy, VUral 20), sowie des russ. *Russkij*, plur. *Russkie* (Legowski 13. Apr. 1891). Der Name *Rûs*, f. ein indiv. Volk an der Wolga etc., erscheint im 10. u. 11. Jahrh. bei arab. Autoren (Ibn Foszlan ed. Frähn, St.Pburg 1823 u. Edrisi ed. Jaub. 2, 336). Als dem alten Kern des Reichs, *Gross-Russland*, neue Erwerbungen sich anfügten, erhielten einzelne den Namen *Klein-, Süd-* u.

West-Russland. In Süd-Russland, wo zZ. der um Besiedelg. der endlosen Steppen bemühten Kaiserin Elisabeth, 1572, Serben aus Oesterreich angelangt waren, entstand ein Colonialgebiet *Neu Serbien*, u. Katharina II., die f. die Colonisten gg. 50 Ortschaften am Bug bevölkerte, bildete daraus 1764 ein besonderes Gouv.: *Neu Russland* (Meyer's CLex. 9, 517; 10, 287; 11, 1022). — *Cap der R.*, in Hondo, Japan, v. Capt. J. A. v. Krusenst. (Mém. 2, 23) am 1. Mai 1805 getauft. — *R. Inseln*, vor Murchison Bay, Spitzb., auf deren einer ein 'Russenhaus' u. ein grosses griech. Kreuz steht (Torell u. Nord., Schwed. Expp. 128). — *Russischer Hafen*, in NSemlja, v. den norw. Fischern 1871 benannt (Peterm., GMitth. 18, 396).

Ruthner s. Wilczek.

Ryba = Fisch, asl., russ. u. čech. Wort wie serb. u. nslow. *riba*, poln. *ryba*, oft in ON. wie *Rybinsk a)* an der Wolga, *b)* an der obern Tunguska. Der sibir. Ort, als *Rybenskoi Ostrog* 1628 an einer Flussstelle ggr., wo schon 2 mal die Kosaken v. den auflauernden Tungusen überfallen worden waren, 'führet den Namen mit der Taht, weil der Fluss, der daselbst wg. der vielen Inseln in kleinere Arme zerteilet wird, z. Fischerei

sehr bekwem ist' (Fischer, Sib. G. 1, 478). — *Rybazkoi* s. Schlüsselburg. — In Mecklb. die Stadt *Ribnitz*, 1210 *Rybenitz* = Fischort, *Riepke*, 1170 *Ribike*, *Ribeke*, 1244 *Ribki* = die Fischer (Kühnel, Slaw. ON. 120). In Böhmen *Rybná* = der fischreiche Fluss, v. *rybny* = fischreich, *Rybne*, *Rybnic*, *Rybnik* = Fischteich, dim. *Rybniček* = kleiner Fischteich, in andern österr. Gegenden *Rybno*, in Galiz., *Riba*, *Ribár* = Fischer, *Ribari*, *Ribarič-Selo* = Fischerdorf, *Ribarpole* = Fischerfeld, in Ung. u. Kroat., *Ribeci*, *Ribjek*, *Ribno*, *Ribnica* u. *Ribnik* (Miklosich, ON. App. 2, 228 f., Umlauft, ÖUng. NB. 197. 203).

Rye s. Roggeveld.

Ryfthal s. La Vaux.

Ryke Yse Eilanden, eine Gruppe v. Küsteninseln an der Ostseite Spitzb. (s. König Karl's Land), benannt nach dem Entdecker, dem holl. Walfgr. *RY.* aus Vlieland, welcher hier 1640 eine unglaubliche Menge v. Walrossen fand u. einen äusserst grossen Gewinn machte (Adelg., GSchifff. 294, Peterm., GMitth. 17, 182).

Rynpeski s. Naryn.

S.

Sáadjagà = Bergfluss, sam. Name eines Zuflusses des Eismeers, östl. v. der Petschóra, v. dem Goj herabkommend, auf dessen Höhe er dem *Sáadtò* = Bergsee entspringt (Schrenk, Tundr. 1, 286 f.). — Dagg. *Sáajagà* = der schnelle Fluss, ein Zufluss der Kara (ib. 1, 415 ff.).

Saager s. Za.

Saalberg = Sattelberg, v. holl. *zadel*, dän. *sadel*, an der Westseite Grönl., 'weil der höchste Gipfel, welchen man 20 Meilen weit sehen kann, einem Sattel gleichet' (Cranz, HGrönl. 1, 15).

Saale, häufiger Flussname, ozw. kelt. (s. Halle) mit der Bedeutg. 'Salzwasser' (Förstem., Altd. ON. 1278), alt *Sala*, wie der Ort *Saal* an der fränk. *S.* Auch die Ijssel hiess wohl urspr. *Sala*, daher die Mündgsgegend im Mittelalter *Salo* u. der Frankenstamm der *Salii*. Composita: *Saalfeld*, im 8. Jahrh. *Salafelda*, *Saalburg*, *Saalgau*, im 8. Jahrh. *Salagewi*, *Salingove*, *Saalhaupt*, im 11. Jahrh. *Sallahobat*, *Saaldorf*, alt *Saldorf*, *Saaleck*, *Sa(a)lmünster* etc. — *Saalbach* s. Salz.

Saan s. Bosjesman.

Saane, schweiz. Alpenfluss, frz. *Sarine*, im 11. Jahrh. *Sanona* (Gem. Schweiz 19ª, 157), nicht erklärt, aber auf die Thalgemeinde *Saanen*, frz. *Gessenay*, u. die benn. Thalschaft *Saanenland* übgegangen. Nach Gatschet (OForsch. 108) wäre die *S.* umgekehrt der v. *Saanen* hervorströmende

Fluss u. letzteres v. patois. *dzan*, *tzan* = Ebene. Schon V. v. Bonstetten (Briefe Hist. 4) suchte den Namen des Dorfs zu erklären: v. *Sahne* = Rahm (!). — Mit *S.* offb. zshängend *Sanetsch*, frz. *Senin*, urk. *Senenz*, der ins Wallis hinüberführende Pass des Thals, wohl v. den Viehweiden *Saanen-etzsch*, wo ahd. *ezzisc*, mhd. *ezzisch*, *esch*, mit unserm *atz*, *atzung*, ein u. dasselbe Wort ist. So Gatschet (OForsch. 4), später beifügend: *Sarine* ist aus einer Consonanten-Dissimilation des mlat. *Sanuna*, *Sanina*, entstanden, während *Gessenay* eine mlat. Urform *casae campenses*, dial. etwa *chez tsanins* od. *chez tsané*, enthält (Arch. HV. Bern 9, 373 ff.).

Saar, frz. *la Sarre*, 'ein Flussname, dessen Bedeutg. noch unbekannt ist — darf man an skr. *xar* = fliessen denken?' (Förstem., Altd. NB. 1292). u. an Wurzel *sru* = fliessen (Bacmeister, AWand. 74), zunächst f. einen Zufluss der Mosel, im 2. Jahrh. *Sararus*, dann *Sara*, *Sarowa*, *Saruba*, *Saroa*, *Sarra*, *Sara*, 646 flumen *Sarrae*, 699 *Serre*. Composita *a) S.-Alb*, Ort an der Einmündg. der Alb (Schott, ON. Stuttg. 34), im 12. Jahrh. *Albe*, 1208 *Aulbe*, 1381 *Aube*, 1474 *Saar-Albe* (Dict. top. Fr. 13, 237), auch 1416 *Burgalbe*, v. einer Burg, die auf einem j. abgetragenen Hügel stand (Progr. Forb. 1888, 12); *b) Saarbrück*, im 11. Jahrh. *Sarebrucca*, 'wo die grosse Rheinstrasse durch die Pässe der Haardt üb. Kaiserslautern schneidet' (Daniel, Handb. Geogr. 4, 365); *c) Saarburg, frz. Sarrebourg,* im 9. Jahrh. *Saraburg; d) Saarecke,* Schloss unw. Saarburg; *e) Saarlouis,* eine 1687 v. Ludwig XIV. angelegte Veste (ib. 365), zZ. der ersten frz. Revolution *Sarre Libre =* freie *S.* (Meyer's CLex. 13,949); *f) Saargemünd,* frz. *Sarreguemines,* 706 *Gaimundas* (Dict. top. Fr. 13, 238), an der Mündg. des Blies; *g) Saargau,* im 7. Jahrh. *Sarahgawe; h) Saarunion,* ein Ort entstanden 1793 aus der Vereinigg. zweier durch den Fluss getrennter Orte: *Neu Saarwerden,* vorm. nass., u. Bockenheim, vorm. lothr.; *i) Saarmühl, Saarwald, Saar-Altorf,* frz. *Sarre-Altroff,* 1307 *Altorf super Saram* (Dict. top. Fr. 2,122 ff.). — *Sarr(h)einsberg,* 1746 ggr. auf einem Bergrücken, der einerseits z. Saar-, anderseits z. Rheingebiete abfällt, als *Mont Royal =* Königsberg, 1771 *Montroïal,* 1779 *Mont-Royal* od. *Königsberg,* im Revolutionsjahr II. *Saareinberg,* an X *Sar-Rhinberg* (ib. 13, 239). — Eine kleine *S.,* in der flachen Alp *Saarböden* entsprungen, gelangt nach Bildg. des *Saarfalls,* an der *Saarmühle* vorbei, z. Rhein; hoch üb. ihr thront das st. gall. Städtchen, urspr. Felsburg, *Sargans,* wo *gans, gant =* Fels, ein Ausdruck, der sich in dem schroffen, unmittelb. hinter dem Städtchen aufragenden, 1833 m h. Felsberg *Gonzen* wiederholt. Schon der Chronist Aeg. Tschudi (Raetia I²) gibt 1538 die urk. Form *Sarunegans* u. bemerkt zu der Deutg. *Sanacasa,* 'welches ich gantz verwirff, wirt ouch mit keinen alten tütschen noch latinischen brieffen bewyßt, deren ich vil vast alt gelesen, im jar nach Christi geburt 1530 vnd 1531, als ich damaln der loblichen siben orten der Eydgnoschafft Landuogt dises *Sarnganser Lands* gewesen'. — *Saardam* s. Zaandam.

Saas, im Alpengebiet, unter j. od. einst rom. Bevölkerg., häufiger ON., ozw. v. mlat. *saucea, saucia =* Weidengestrüpp. Für den Ort *S.* im Prätigau ist rom. Ursprg., f. das Walliser Dorf *S.* rom. Einfluss sicher; das letztere, gew. *im Grund,* liegt an der *Saaser Visp,* im *Saaser Thal,* welches ital. *Val Rosa* heißt, nach dem Gebirgsstock, v. dem es herabsteigt (v. Welden, MRosa 52, Schott, Col. Piem. 61. 234. 240, Gatschet, OForsch. 185).

Saasha s. Littlewolf.

Saba, Mar, wo *mar =* heilig, das hoch üb. dem Wady Kidron gelegene, festgsartig mit Thürmen bewehrte, einsame Kloster, in welchem einst, 5. Jahrh., der heil. Sabas alle jene zahlr. Einsiedler, die bisher in den Höhlen der Schluchtwände gewohnt, zu gemeinsamer Uebg. versammelte (Furrer, Wand. 160 f.). — *St. S.* s. Herzegowina. — *Saba'* od. *Sabba* s. Seba.

Sabacha = Sumpfland, arab. Name eines der Küste des Persergolfs entlang ziehenden Landstreifens in der Gegend des alten Gerra (Sprenger, AGArab. 133).

Sabanilla s. Savanna.

Sabcha = salziger Boden, s. v. a. Salzebene,

arab. Name einer Ebene am untern Tigris (Sprenger, PRR. 66).

Saberd s. Za.

Sabine, *Edward,* ein in arkt. Entdeckungen betheiligter Physiker u. Mathematiker, geb. zu Dublin 1788, trat in die 'Royal Artillery', ging 1818 mit Capt. John Ross in die Baffins Bay u. stellte dabei nam. magnetische u. Pendelbeobachtungen an; dann begleitete er 1823 Clavering nach Spitzb. u. Grönl. u. wurde 1861 Präsident der Royal Society. Sein Andenken lebt in den ON. des Polargebiets fort *a) S. Islands,* an der Westküste Grönl., v. Capt. Sabine am 25. Juli 1818 untersucht u. v. Capt. Ross (Baff. B. 67) getauft; *b) S. Peninsula,* in Melville I., v. Parry (NWPass. 190) am 6. Juni 1820 v. ferne erblickt, f. eine Insel, *S. Island,* gehalten u. nach seinem Freunde u. Reisegefährten benannt; *c) S. Island,* an der Ostseite Grönl., wo Capt. *S.* 1823 sein Observatorium aufstellte (Peterm., GMitth. 14, 223); *d) Point S.,* westl. v. M°Kenzie R., v. Capt. John Franklin (Sec. Exp. 122) am 13. Juli 1826 nach seinem Freunde benannt; *e) Cape S.,* unw. Cape Abernethy (s. d.), 1830 v. Commander J. Cl. Ross, Exp. John Ross (Sec. V. 8, 410), nachträglich getauft, während die Carte noch *Cape Louis Philip* setzte, zu Ehren des 'Bürgerkönigs', der noch als Herzog v. Orléans, am 23. Mai 1829, der z. Abreise bereiten Nordwestexp. in Woolwich einen solennen Abschiedsbesuch gemacht hatte; *f) Mount S.,* im antarkt. Victoria Ld., v. Capt. J. Cl. Ross (SouthR. 1, 183) am 11. Jan. 1841 benannt nach dem dam. Oberstlieut. *S.,* 'of the Royal Artillery, Foreign Secretary of the Royal Society, one of the best and earliest friends of my youth, and to whom this compliment was more especially due, as having been the first proposer and one of the most active and zealous promoters of the expedition'; *g) S.'s Insel,* bei Nordost Ld., Spitzb., v. der schwed. Exp. v. 1861 (Torell u. Nord., Schwed. Expp. 192). — *Mount S.,* bei Fury u. Hecla Str., v. Capt. W. Edw. Parry (Sec. V. 309) am 16. Aug. 1822 entdeckt u. aus Achtg. f. Joseph *S.* (einem Verwandten des Physikers?) benannt.

Sable = Sand, auch im plur., *les Sables,* mit den Derivaten *le Sablon, les Sablons, la Sablonnière, les Sablonnières, la Sablière, les Sablières,* häufig als frz. ON., in den 18 dépp. des Dict. top. Fr. (1, 161; 3, 111; 6, 163; 7, 192; 10, 242; 11, 201; 12, 281; 13, 225; 14, 140; 15, 187; 17, 369 f.; 18, 247; 19, 136) fast ein ständiger Artikel, etwa 124 mal. Ein Ort *le Sablon* auch im C. Neuenburg (PostLex. 325). — *Cape S.,* mehrf.: *a)* f. die Südspitze v. Nova Scotia, der eine weite Sandbank v. 2 Faden Wasser, stellenweise angebl. trocken, vorliegt, weit ins Meer vorragend (Spr. u. F., Beitr. 7, 17); *b)* f. die Südspitze Florida's, ebf. nach dem sandigen Terrain. — Auch an der Ostseite NSchottl. ist eine *S. Island,* 'eine sehr niedrige Sandbank, die beinahe mit dem Wasser gleich u. selbst bei hellem Wetter in einiger Entferng. kaum sichtbar ist ... mit schreckl. Schären, Sandhügeln u. Dämmen

umgeben ... kahle Sandhügel, mit niedrigem Gesträuch bewachsen' (Spr. u. F., Beitr. 7, 18) ...
'very dangerous to navigators, on which there is a British superintendant, with a few men to render assistance to ships in distress, and to give aid and comfort to shipwrecked mariners thrown upon its coast' (Buckingh., Can. 363). — *S. Island*, auch in der Louisiade, ein kleines Eiland, mit 2 Sandbänken auf einem Riff (Meinicke, IStill. O. 1, 104). — *S. Reef* s. Abgarris. — *Ile de S.*, 2 mal: *a)* ein kaum 5 m h. Sandinselchen, 'ou plutôt un petit groupe de trois îles contiguës ... formé en grande partie, sinon en totalité, de sable blanc' (Bull. SGPar. 3ᵐᵉ S. 8, 137), zw. Comoren u. Almiranten, v. frz. Schiffe Diana 1722 wieder gefunden, schon v. den port. Entdeckern *Ilhas da Area* = Sandinseln, auf engl. Carten *S. Island* genannt (Hertha 7 GZ. 123); *b)* s. Piraten. — *Décharge des Sables* = Abladeplatz der Sandmassen, Stelle am Ottawa R., 'wo die Waaren 135 Schritte getragen werden, das Canot aber gezogen wird' (MᶜKenzie, Voy. 37).
Sabmelads s. Lappen.
Sabota s. Zobten.
Sabrang s. Hindu.
Sabrata s. Tripolis.
Sabréjjagà = Fluss der Enge, f. russ. *Usa*, bei den Samojeden ein Nebenfluss der Petschora, v. den engen, hohen Felsufern, zw. welche er eine Strecke weit eingeschlossen ist. S. Tálata (Schrenk, Tundr. 1, 415 ff.).
Sabrina Land, eine antarkt. Länderstrecke, v. engl. Walfgr. Capt. Balleny am 3. März 1839 entdeckt u. benannt nach dem Kutter *S.*, welcher sein Schiff Eliza Scott auf dieser kühnen u. gewagten Fahrt begleitete (Ross, SouthR. 1, 274). — *S.*, eine angebliche, bis 100 m h. Insel bei San Miguel, Açoren, die der Capt. Tillard am 30. Jan. 1811 gesehen haben wollte u., nach seinem Schiffe (?), benannte (Humb., Kosm. 4, 496).
Sabújagà = Fluss des unreinen Schlittens, ein Flüsschen des Grosslands der Samojeden, mit wunderlichem Namen: *sabù*, ein Schlitten, welcher, ausschliessl. z. Weibergebrauche bestimmt u. v. den Männern desw. als *samàj* = unrein nie berührt, die Frauen sammt den durch die Menstrua verunreinigten Kleidern zu dem Flusse *S.*, an welchem die Samojeden oft nomadisiren, trägt, damit sie, die armen u. ohne ihre Schuld geächteten Geschöpfe, in den Wellen des Flusses die untere Bekleidg. reinigen (Schrenk, Tundr. 1, 473. 480).
Sac-de-Pierre, le = der Steinsack, Ort in Lothr., wo einst Markt gehalten u. ein Stein v. der Form eines Säulenstumpfs als gesetzl. Gewicht f. Kornsäcke gebraucht wurde (Dict. top. Fr. 2, 122).
Sacha s. Usen.
Sachalin, auch *Sagha-* od. *Sagalin*, vollst. *S. anga hata* = Insel der Mündung des schwarzen Flusses (Fischer, Sib. G. 2, 788), eine Insel des Pacific, v. den Mandschu so genannt, weil sie der Mündg. des Sachalian Ula (s. Amur) ggb. liegt, bei Ankunft der Russen 1644 noch v. Giljäken

bewohnt u. v. diesen wie eine benachbarte Gruppe menschenleerer Eilande *Schantar* (s. d.) genannt, bei den japan. Seeleuten *Karafto*, v. *Kara-fu-to* = die an Kara, d. i. Nord-China, grenzende Insel, auch *Oku-Jeso* = Gross-Jeso, in der Absicht, das grosse unbekannte Nordland, v. dem sie gehört, zu unterscheiden v. dem angebl. kleinern Jeso, das ihnen seit langem bekannt war. Die Eingb. haben nur Localnamen, wie *Tarakai*, wohl Missverständniss f. das grosse Dorf Taraika, im Golfe de la Patience. Die Mangunen des Amur nennen die Insel *Namu* = Meer. *Tschoka*, bei La Pérouse, beruht auf einem Irrthum u. heisst bei den Ainos 'ich, wir' (Krus., Mém. 2, 215, Humb., Kosm. 4, 582, Peterm., GMitth. 15, 432).
Sacharut s. Emporion.
Sachsen, urspr. Volksname, bei Ptol. *Σάξονες*, röm. *Saxones*, v. ahd. u. alts. *sahs* = kurzes Schwert, das mit lat. *saxum* id. sein u. auch die Bedeutg. des letztern gehabt haben muss, dem alten Sinn nach untergegangen, aber f. eine Steinwaffe, culter, ensis, in dem Volksnamen *S.* erhalten, bei Widukind erat autem illis diebus Saxonibus magnorum cultellorum usus, quibus usque hodie Angli utuntur, morem gentis antiquae sectantes (Res gestae Sax. 1. 1 c. 6 rec. G. Waitz). 'Das ist sowohl die älteste Deutg. dieses Namens, als auch die unzweifelhaft richtige' (Zeuss, Deutsche u. NBSt. 150, Grimm, Gesch. 228. 609 ff. 624 ff., Förstem., Altd.ON. 1275 ff.). Es gibt mehrere mit *Sahsin-*, *Sahsen-*, *Sachsen-* beginnende ON. v. wie *Sachsenheim*, *Sachsenhausen*, *Sachsenried*, *Sassenstein* etc., bei denen jedoch zweifelhaft ist, ob sie z. Volksnamen selbst od. z. PN. *Sahso* gehören. Wie f. das 2. Jahrh. die Wohnsitze des *S.* in das westl. Holstein fallen, so ist noch heute *Nieder-S.* im norddeutschen Tieflande, so in *Saxonia transalbina* (s. Nord), während die neuere Staatenbildg. mehr dem Erzgebirge u. Thüringer Walde hin gedrängt hat. Seit der Leipziger Theilg. (1485), welche die durch den Altenburger Prinzenraub bekannt gewordenen Brüder Ernst u. Albrecht vornahmen, zerfiel die Dynastie in eine ernestinische Linie (Thüringen) u. eine albertinische (Meissner Land). Letztere neigte nach Napoleon's I. Sturz -die grössere Nordhälfte an Preussen (Prov. S.), behielt aber den Königstitel, welchen Friedrich August angenommen hatte (Königreich *S.*); die ernestinische Linie spaltete sich durch Erbtheilg., u. die einzelnen Zweige unterschieden sich durch Zunamen nach den Hptstädten als *S.-Weimar*, *S.-Meiningen*, *S.-Coburg-Gotha*, *S.-Altenburg*. — *Sächsische Schweiz*, früher *Meissner Oberland*, die Ldsch. des romant. Sandsteingebirgs im sächsischböhm. Durchbruch der Elbe, 1786 in einer Schrift des Pfarrers Wilh. L. Götzinger in Neustadt (Gesch. u. Beschrbg. des churs. A. Hohnstein) mit der Schweiz verglichen: 'Alle Schweizer, welche die hiesige Gegend besucht haben, versichern, dass sie mit den schweiz. Gegenden sehr viel Aehnlichk. habe' (p. 11). 'Schon damals wurde ihr dieser Name gegeben' (Jahrb. GV. f. sächs.-böhm.

Schweiz 3, 10), u. nachdem 1794 Engelhardt auf dem Umschlag seiner 'Mahlerische Wanderungen' die Benenng. *Sächsische Schweiz* angewandt u. 1801 der Pfarrer C. H. Nicolai in Lohmen seinen 'Wegweiser durch die sächs. Schweiz' veröffentlicht hatte, bediente sich 1804 auch Götzinger dieser 'schon längst bekannten' Bezeichng. in seinem 2. Werke 'Schandau u. seine Umgebg. od. Beschreibg. der sächs. Schweiz' (ib. 28 ff.). Götzinger, Engelhard u. Nicolai, 'die Väter der sächs. Schweiz' als Touristenziel, sind es demnach auch im toponym. Sinne, z. mindesten soweit es den litterar. Gebrauch betrifft. — Bei den brit. Kelten heissen die Engländer, als Abkömmlinge des sächs. Stammes, noch immer *Sasson* (Camden ed. Gibson, Brit. 1, 17). — Das poln. *sas*, altserb. *sasin* = Sachse in den ON. *Saska*, Galiz., u. *Sasinci, Sasinovec, Sassova, Sasović*, in Kroat. etc. (Miklosich, ON. App. 2, 230), das mag. *szász* in *Szász-Varos* = Sachsenstadt, verd. *Broos*, f. einen v. Ungarn u. Rumänen umgebenen, jedoch z. Hälfte v. *S.* bewohnten Ort Siebenb. (Meyer's CLex. 3, 800), ferner in *Szász-Berek* = Sachsenhain, *Szász-Falu* = Sachsendorf, *Szász-Fejér-Egyháza* = Sächsisch Weisskirchen, *Szasz-Sebes* = Sächsisch Schnelles (scil. Wasser), f. *Mühlbach* (ZfSchulG. 3, 2), ohne dass wir bei **solchen** Beispielen erfahren, inwiefern *S.* j. noch **begründet** sei od. einst gewesen sei. Für Mühlbach ist das Deutschthum allerdings bekannt (Egli, Gesch. geogr. NK. 251).

Sacken s. Wittgenstein.

Sackfield Isle, in der Hudson Str., v. Capt. Luke Fox am 26. Sept. 1631 getauft nach Sir *S.* Crow, dem vormal. Schatzmeister der engl. Marine. Eine Nachbarinsel *Crowe Isle* (Rundall, Voy. NW. 185).

Sacra, fem. des lat. adj. *sacer* = heilig wie des ital. *sacro*, in den beiden Parallelnamen *Insula S.* u. *Isola S.* (s. Ostia), sowie in *Sacrum Promontorium* (s. Vicente), zugl. bei den Römern die Bezeichng. der gottesdienstl. Handlungen, sowie aller auf Cult u. Religion bezügl. Opfer u. Feste; daher *sacramentum* = heilige Handlung, lat. Bezeichng. gewisser Ceremonien des christl. Cults, in der kath. Kirche 7 an Zahl, während sie der Protestantismus auf Taufe u. Abendmahl beschränkt, u. die kirchl. Ausdrücke Sacramentarium, Sacrarium, Sacristei, Sacristan, Sacramentalen, Sacramentalia, Sacramentstag, eine andere Bezeichng. des Frohnleichnamsfestes, wo z. Feier der Transsubstantiation der heil. Leib in feierl. Procession herumgetragen wird — eine Ceremonie, welche, seit 1316 angeordnet, den Glanz- u. Mittelpunkt des Festes bildet. Es kann kaum auffallen, wenn die span. Missionäre auch das Wort *S.* toponymisch einführten wie a) *Pampa* (= Ebene) *del Sacramento*, ein peruan. Mesopotamien zw. Huallaga u. Ucayali, 480 km lg., 60—160 km br., reich bewässert, fruchtb., theilw. bewaldet, v. span. Missionar Simon Zara 1732 entdeckt am Fronleichnamsfeste, corpus Christi (WHakl. 8. 24, XXXVIII); b) *Rio del Sacramento*, ein

Zufluss der Bay v. San Francisco, ebf. v. span. Missionären (DMofras, Or. 1, 451). — *Sacramentswald*, Capelle in Obwalden, nach den geweihten Hostien, welche einige Frevler in der Kirche Lungern entwendeten u. hier verloren (Gem. Schweiz 6, 141). — *Sacromonte* = heiliger Berg, ein Berg u. Wallfahrtsort bei Varallo, am Ausgang der Valle Sesia, mit einem 'Labyrinth v. 46 Capellen, welche das Leben Jesu in einer Unzahl lebensgrosser Figuren, mit verschwenderischem, seelenlosem Prunk der Menge vor Augen führen' (Schott, Col. Piem. 85, Meyer's CLex. 13, 1019; 15, 327). — *Sacred Island* = geheiligte Insel, im Delta des McKenzie R., schon v. Alex. McKenzie (Voy. 219) als geheiligt erkannt, zZ. Franklins (Sec. Exp. 192) noch ein Begräbnissplatz der Eskimo. — *Sacred Isles* = die verwünschten Inseln, Klippen vor der Str. Belle-Isle, welche die Gefahr des Einlaufens wesentl. steigern (Anspach, NFundl. 124). — *Isla de los Sacrificios* = Opferinsel, vor Vera Cruz, v. Juan de Grijalva am 18. Juni 1518 getauft, weil auf den Altären der 5 Teocalli eben 5 Menschenopfer (v. Kriegsgefangenen) gebracht worden waren ... 'sacrificados de aquella noche cinco Indios, y estauan abiertos por los pechos, y cortados las braços, y los muslos, y las paredes llenas de sangre' (BDiaz, NEsp. c. 13, Navarrete, Coll. 3, 60).

Sadacivaghar s. Siwa.

Sadanira s. Karatoja.

Saddle, the = der Sattel, bei den engl. Colonisten NSeel. der Pass Teramakau der Prov. Canterbury (PM. 13, 137). — Aehnl. *S.-Back* (= Sattelrücken) der engl. Seeff., eine der Inseln der Hudson Str., nach ihrer Gestalt (Parry, Sec. V. 13). — *S. Hill*, mehrf.: a) ein Küstenberg vor Juan de Fuca's Inlet, v. engl. Capt. John Meares am 2. Juli 1788 nach der sonderb. Gestalt benannt (GForster, GdReisen 1, 145); b) der einzige Pass' der Bergkette der austr. Auckland I., mit Weg, der v. Grunde des *S. Hill Inlet* z. Westküste führt (Peterm., GMitth. 18, 225); c) ein doppelgipfliger Berg der Insel Aneityum, NHebr., bei den Händlern so genannt (ZfAErdk. 1874, 296). — Auch *S. Island* mehrf.: a) im Mergui Arch., erwähnt am 1. Aug. 1783 in Th. Forrest's Untersuchungen mit andern solchen dem Aussehen entlehnten dortigen Bergnamen wie die Insel *Shaggy Rock* = zottiger, i. e. bewaldeter Fels, *Two Nine-pins* = zwei Kegel, *Naked Hump* = nackter Buckel, *Needles* = Nadeln (Spr. u. F., NBeitr. 11, 188); b) in NHebr., einh. *Valua*, des frz. Seef. d'Urville *Ile du Nord-Est*, bei den Händlern gebräuchl. u. nicht zu verwechseln mit c) *SI.* der Bligh' Is. (s. d.); d) s. Ermitaños. — *S. Point* a) in Charles I., Galápagos, nach der Gestalt (Skogm., Eug. R. 1, 226); b) in Heard I. des südind. Oceans (Peterm., GMitth. 20, 462). — *S. Pic* der Händler, in Aneityum, Cooks Annattom, NHebr., mit 2 Gipfeln, dem höhern *Inrero Atamaing* = männl. Inrero u. dem niedrigern *Inrero Atahaing* = weibl. Inrero (Meinicke, IStill. O. 1, 193).

Sae s. Sjaeland.

Säntis, nicht *Sentis*, den Namen einer schweiz. Voralpengruppe, spec. ihres Culms, der *Säntisspitze*, wollte man, wie den *Altmann* v. *altus mons* = hoher Berg, schon nach der breiten Form des Bergs mit Unrecht, v. lat. *sentis* = Stachel ableiten. Gatschet (OForsch. 38) liess sich durch die urk. Formen, 868 *Sambiti*, 1155 alpis *Sambatina* etc., auf ein deutsches *Sand-bid* = Sandboden, wie wohl eine Alp geheissen, leiten; allein dem widerspricht schon die Aussprache der Innerrödler, *säm-tis*, u. es liegt wohl ledigl. ein PN. der alten Form zu Grunde, f. die Alp *S.* am Toggenburger Bergfusse, die nach ihrem ehm. Besitzer, ozw. einem Romanen Sambadinus, den Namen erhalten u., wie schon Ild. v. Arx (Gesch. St. Gall. 1, 2) vermuthete, auf den Berg übtragen hat (Buck, Rät. ON. 226).

Säulen-Cap, in Kronprinz Rudolf Ld., v. der 2. öst.-ungar. Nordpolexp. Weyprecht - Payer am 11. Apr. 1874 erreicht u. so getauft nach zwei einsam aufragenden Felsthürmen (Peterm., GMitth. 20, 449 T. 20. 23; 22, 204). — *Zu den S.* s. Bassai.

Safâ = das leere, nackte (Gebirg) heisst bei den Arabern die Mitte des grossen Vulcangebiets östl. v. Haurân. 'Diese mit Kratern gekrönte Gebirgsmasse sieht noch aus, wie am Tage ihrer Entstehung; der schwarze mattglänzende Lavaguss ist voll zahlloser, mit dünnen Gewölben überbrückter Ströme versteinerter schwarzer, oft auch hellrother Wellen, welche sich aus den Kratern üb. das Plateau die Abhänge herabwälzten' ... 'ein Stück der Hölle' (Wetzstein, Haur. 7 ff.). — *Chirbet es-S.* s. Beida. — *es Safah* s. Zephath.

Safaranboli = Safranstadt, türk. ON. in Kl. Asien; der Thalebene ist völlig mit Safran bebaut, der im Sept. reichen Ertrag liefert u. vorzugsw. nach Syrien u. Aegypten ausgeführt wird (Tschihatscheff, Reis. 41).

Safe Haven = sicherer Hafen, eine kleine Bucht am Nordstrande des spitzb. Eisfjords, einen gg. die meisten Winde gut geschützten Hafen, mit weichem Thon-, also gutem Ankergrunde, bildend, so benannt v. den engl. Spitzbergenfahrern. Die norw. Walrossjäger haben den Namen in *Sauhamn* = Schafshafen verdreht (Torell u. Nord., Schwed. Expp. 405). — Engl. *a) Safety Cove* = Sicherheitsbucht, eine Seitenbucht v. Lyon Inlet, welche der Exp. Parry (Sec. V. 113) im Oct. 1821 Sicherheit gewährt hatte; *b) Safety Harbour*, an der Landseite v. Calvert's I., benannt v. engl. Capt. Charles Duncan, der im Juli 1788, nach langem Suchen in grundlosen Gewässern, hier sein Fahrzeug an's Land legen konnte (GForster, GReis. 1, 58).

Safed od. *sefid* = weiss, nach engl. ON. *sufed*, *sufid*, *suffed*, in mehrern pers. ON., insb. *S. Kch* = weisses Gebirge, im Süden v. Dschellalabad, Afghan. (Schlagw., Gloss. 247, Reis. 1, 382), 'das ganze Jahr mit Schnee bedeckt' ... 'v. d. Schnee, womit er immer bedeckt ist', afgh. *Spinghur*, v.

gl. Bedeutg., od. *Radschgur* = Königsberg. Westlicher, auf der Wasserscheide Hilmend-Oxus, wiederholt sich, wieder f. ein Schneegebirge, der Name, aber in der Form *Kuh-i-S.*, als Ggsatz zu den *Kuh-i-Siah* = den schwarzen Bergen, die wg. ihrer Farbe so heissen (Spiegel, Eran.A. 1, 52, Lassen, Ind.A. 1, 29, Elphinstone, Cab. 1, 160 ff.). — *S. Rûd* = weisser Fluss, 2 mal : *a)* der aus dem kurd. Gebirge herabkommende östlichste Quellfluss des Achem-Tigris, türk. in *Ak Su* (s. d.) übsetzt (Spiegel, Eran. A. 1, 120); *b)* s. Kisil. — *Pul-i-S.* = weisse Brücke, eine Brücke des Talar, Mazenderan, auf einer der Passrouten, die v. Schah Abbas gebahnt, aber seither verfallen sind (ib. 1, 65). — Türk. *Bahr Sefid* (s. Weisses M.), *Bahr Sefid Boghas* (s. Dardanellen) u. *Dschesâiri Bahri-Sefid* (s. Dschesire).

Sâfi, fem. *sáfia*, *sáfie*, mit Dehnungszeichen *sáfieh* = rein, klar, mehrf. in arab. ON. *a)* '*Ain Sáfia* = klare Quelle, in Algerien (Parmentier, Vocab. arabe 43); *b) Sáfieh* = reines Wasser, eine Ruinenstelle im Ghor (= Tiefebene) gl. N., dem th. wilden, th. bewässerten n. angebauten Delta des Asy, welcher v. Südosten in das Todte Meer mündet (Seetzen, Reise 2, 350 ff. 4, 238). — *Tell es-Safieh* s. Zephath.

Sagalin s. Sachalin.

Sage Creek = Salbeibach, ein lkseitg. Zufluss des Big Horn R. (s. d.), weil die Salbeibüsche die einzige Vegetation ausmachen u. weder Futter noch Holz zu haben ist (Raynolds, Expl. 137).

Saghuan, tunes. Orts- u., als *Dschebel S.*, zugleich Bergname, auch *Saguan*, *Sauan*, *Zawan*, nach dem Berberstamm der *Zauekes*, *Suaga*, der in dieser Gegend wohnte u. seinen Feuercult hatte. Daher lat. die Ldschft. *Zeugitana* (Barth, Wand. 110).

Saginaga s. Seiganagah.

Sagitaria s. Tahiti.

Sagne, auch *Sagnes*, *Saignes*, *Seignes*, oft mit dem Art. *la*, *les*, frz. ON. häufig, nach dem im frz. Sprachgebiet weit verbreiteten *sagne*, spätlat. *sagna*, der Bezeichng. f. typha, Rohrkolben, wie Ducange sagt: *Sagna* ou *saigna* est fundus pinguis et humidus ... locus est juncis palustribus abundans. Der Rohrkolben, als Streu u. z. Bedachung benutzt, spielte im Haushalt der Meierei eine erhebliche Rolle, so dass derjenige, welcher die Streu einzusammeln hatte, seinen besondern Namen, *sagnarius*, trug. Daher auch die Derivate *Sagneul*, lat. *Sagnolis*, u. *Sagnettes*, lat. *Sagnetum* (Mus. Neuch. 22, 46). Schon Gatschet (OForsch. 169) war auf dieser Fährte, nahm jedoch 'juncus' wörtl., f. Binse, Riedgras, Segge. Er nimmt an, dass auch der Weiler *Segnes* bei Disentis, u. die Alp *Segnes*, die den Passe nach Glarus, sowie dem *Piz Segnes* u. dem *Segnes-Gletscher*, den Namen gegeben, in dieser Weise abzuleiten sei. Fröbel u. H. (Mitth. 281) schreiben *Senias* u. halten, ohne die Begründg. anzugeben, die gew. Schreibg. f. falsch.

Sagor s. Za.

Sagres de Guinea, Cabo, so nannte die Exp.

des Pedro de Cintra, um 1460, ein auffallend
hohes, baumgrünes Cap in Guinea, 'v. allen bisher gefundenen das höchste, in dessen Mitte ein
hoher, wie ein Demant zugespitzter Felsen stand,
z. Andenken einer Veste, die dem Infanten Don
Heinrich auf einer Spitze v. São Vicente in Portugal zu Ehren errichtet u. S. genannt wurde'
(Spr. u. F., Beitr. 11, 186).

Saguenay, j. ein Ikseitg. Nebenfluss des St.
Lorenz, v. frz. Seef. Cartier am 1. Sept. 1535
benannt nach dem Lande S., v. dem die Wilden
ihm erzählten ... 'and it is that which leadeth,
and runneth into the countrey and kingdome of
S., as by the two wild men of Canada it was
told vs' (Hakluyt, Pr. Nav. 3, 214, wo die Mar-
ginalnote: This is the riuer of Tadaseu, or of
S.). Die mod. Carten haben an der Mündung
einen Ort Tadousac (Avezac, Nav. Cart. 11).

Sagunto, j. officiell f. Murviedro = altes Gemäuer, wieder hergestellter Name f. das span.
Saguntum, das den Römern als eine Colonie v.
Zakynthos galt, v. Hannibal zerstört, aber v. dem
schutzverwandten Rom glänzend erneuert wurde
u. die Trümmer ehm. Grösse hinterlassen hat
(Kiepert, Lehrb. AG. 406 f.).

Sahan, 'Aln = Brunnen der Rundschale, arab.
Name einer Wassergrube, die in einer zw. Tuggurt u. Wargla gelegenen rundlich-ausgetieften
Niederg. liegt. Solche Tiefstellen näml. heissen
bei den Shaamba u. Sanafa sahan, im Ggsatz
zu den thalförmigen Wady (Gloss. Gen. 1875
bull. 44).

Sáhara od. Sahra = Wüste, einer der zahlr.
arab. Ausdrücke f. Steppe, wasserlose, ganz nackte
od. mit Kiessand bedeckte od. mit Weideplätzen
untermischte Ebene, Wüste (Humb., ANat. 1, 338,
Cannab., Hülfsb. 2, 872), nach Dr. Delgeur in
Antwerpen 'simplement étendue = Ausdehnung,
du verbe ... late patuit' (Briefl. Mitth. v. 18. Dec.
1870, ZfAErdk. nf. 4, 190), als Eigenname nicht
bloss f. die grosse Wüste Africa's, wo einzelne
Gebiete als Sahel = Ebene od. Niederung bezeichnet werden, sondern auch anderwärts, z. B.
f. das wüste Plateau östl. v. Gr. Hermon (Velde,
Reise 2, 378). Dem bestimmten Zeugniss Del-
geurs ggb. steht der eben so bestimmte Rath
meines † Collegen, Prof. H. Steiner dd. 31. Dec.
1871: 'Für S. setzen Sie am besten 'Wüste'. Die
arab. Lexikographen umschreiben es mit 'sandige,
weite Fläche, auf der keine Pflanzen sind'. Der
Stamm selber ... bedeutet eig. 'hell, weiss sein',
im besondern 'v. der Sonne verbrannt sein, vor
Hitze glühen'. Also eine vegetationslose, v. der
Sonne verbrannte Gegend wird S. genannt'. In
der That ist arab. ça'hrá = Wüste (Freyt. 2,
482) in span. záfara, port. safra = steinichte
Wüste, adj. sáfaro = wild, rauh, scheu, übergegangen (Diez, Rom. WB. 2, 176). In Algerien
versteht man unter S. vorzugsweise den Oasen-
gürtel, wie auch die Oasenleute Saraui heissen;
f. die unbewohnten, aber noch Weide bietenden
Theile braucht man das arab. Wort falat, flat
= nackte Gegend, f. die völlig unbewohnbaren

Theile qifar = absolute Wüste (Parmentier, Vocab.
arabc 41). In dieser Schrift wird Sahel = Küste
gesetzt, wie denn in Algerien auch die Gegend
der Uferhügel heisst; ob diess ein anderes Wort
oder unsere oben gegebene Deutg. unrichtig ist?

Sahcajahweah, engl. übsetzt Birdwoman's River,
ein Ikseitgr. Zufluss des Muscleshell R., v. den
Captt. Lewis u. Cl. (Trav. 162) am 20. Mai 1805
getauft nach der Frau, 'Vogelfrau', ihres Dolmetschers Chaboneau.

Sahel s. Sahara u. Söhel.

Sahibgandsch s. Gaja.

Sajanen, eig. Ssajan, Söjön, Sojot (?), ein Volksstamm, den die russ. Einwanderg. zw. Jenissei
u. Bajkal, im Sajan. Gebirge, traf (Fischer, Sib.
Gesch. 2, 628). In seiner verdienstl. Carte v.
1768 (Sib. Vet. tab. I. u. II.) stehen sie als Saja-
nische Tataren, u. gew. werden sie als Verwandte
der Samojeden betrachtet, die aus ihrer Berg-
heimat an das Eismeer verdrängt worden wären.
Der Name S. kehrt wieder in den russ. Gouvv.
Kursk u. Charkow, f. ein j. noch 25—30000
Köpfe starkes Volkselement, dem man ebf. finno-
ugr. Herkunft zuschreibt. Nur auf diese S. bezieht sich die Angabe N. Dobrotworski's (Westn.
Jewropy Sept. 1888 u. Nord. Rundsch. vol. 8.
Heft 4), wenn er angibt, der Volksname werde
gew. v. ssajan, einer Art Frauenrock, abgeleitet.

Saïd, Port, der mediterrane Hafenort am Suez-
Canal, 1860 ggr. v. S. Pascha, dem 6. Sohn
Mehemet Ali's, welcher 1854/63 regierte u. das
Canalunternehmen förderte (Peterm., GMitth. 10
T. 8, Meyer's CLex. 2, 365; 13, 124). — S. Slo-
boda s. Salairsk.

Saida s. Sidon.

Sajitewa s. Tibet.

Saikio s. Kioto.

Sail Rock = Segelfels, engl. Name: a) einer
kleinen 15 m h. Inselnadel des südind. Oceans,
nördl. v. Heard I., als Schiffermarke getauft
(Peterm., GMitth. 20, 463); b) s. Plata. — S.
Rocks s. Musgrave.

Sailiisky K. s. Semiretschinsk.

Saïn-târâ = reiches u. fruchtbares Land, dsung.
ON. des Thian-schan-pe-lu, v. saïŋ = vortrefflich u. tara = Feld. 'Le nom dzoungar de Saïn-
tara a été transcrit en chinois Saï-jin ta-la,
parce que la langue chinoise n'a pas l'articulation
r, qu'elle représente par l, du même organe;
mais le nom est transcrit en mandchou, en mongol, en tibétain et oelet. ou ture oriental, et en
lettres persanes, par S. (Pauthier, MPolo 1, 160).
— S. Ussu = gutes (unerschöpfliches) Wasser,
mong. Name einer Station der Gobi (Timk., Mong.
1, 226).

Saint = heilig, fem. sainte, in frz. ON. gew.
f. Orte, die aus geistlichen Stiftungen, Capellen,
Klöstern, Zellen, Einsiedeleien erwachsen sind,
in solchen Fällen an den Namen des Heiligen
geknüpft, der an dem Orte gewirkt hat od. dem
doch der Ort geweiht ist. In den 18 dépp. des
Dict. top. Fr. zähle ich solcher ON. 5778, am
meisten in den dépp. Eure, 687, Dordogne 643,

Morbihan 632, Hérault 454, Gard 393 u. ♀f.
Sollten sie in den übrigen der 87 dépp. in gleichem Verhältniss vorkommen, so dürfte sich die
Gesammtzahl f. Frankreich auf das 5fache, auf
nahezu 30000, belaufen. Einige derselben bespricht das vorliegende Lexikon unter dem Namen
des Heiligen; als Beispiel anderer Art sei bloss
erwähnt: *Sainte Baume* = heilige Höhle (s.
Balm), ein Berg des dép. Var, in dessen Grotte
einst die heil. Magdalena gewohnt habe (Meyer's
CLex. 14, 29).

Saintes, Ort des frz. dép. Charente Inf., röm.
Mediolanum Santonum, bei Greg. v. Tours *Santonas*, civitas *Santonas*, urbs *Santonica* (Longnon,
GGaule 555), das Mediolanum (Hptstadt) der San-
tónes, eines mächtigen Keltenstamms dieser
Gegend (Meyer's CLex. 14, 31. 146). — *Oceanus Santonicus* s. Vizcaya. — *Les Saintes* s.
Santos. — *Sainpuits* = Heilbronn, 1172 *Sanus
Puteus*, ON. des frz. dép. Yonne (Dict. top. Fr.
3, 111 — ohne Angabe einer Realprobe, die doch
wohl vorhanden ist).

Saisa s. Slave.

Saissa s. Sasso.

Sajwajajbajpaj s. Sedabaj.

Sakahigan s. Wood.

Sakastana s. Zareh.

Sakie, Wady es = Thal der Wasserräder, arab.
Name eines Thals v. Kordofan, nach seinen vielen
Brunnen (Russegger, Reis. 4, 239). Das Wort *sa-
guia, seguia, saqia*, in Verbindg. *saqiet*, plur.
suagui, wird in NAfrica auch f. den Bewässerungscanal od. einen Aquaeduct selbst gebraucht,
so in dem Namen *Saquiet er-Rum* = röm. Wasserleitung (s. Rum), sogar f. einen Fluss: *Saqiat
el-Hamra* = rother Fluss, an der Westküste
Africa's (Parmentier, Vocab. arabe 43 f.).

Sakis, auch *Sakiz, Sakys* = Mastix, mehrf. in
türk. ON. Kl. Asiens, nach dem den Sumach-
gewächsen angehörigen Baume, Pistacia lentiscus
L., der im mediterranen Gebiete häufig ganze
Berghänge mit Gebüsch übkleidet u. den Mastix,
ein wohlriechendes Balsamharz, ausschwitzt, eine
Kauingredienz der Orientalinnen, um das Zahn-
fleisch fest u. den Athem wohlriechend zu machen.
a) Für sich ist *S.* ein ON. bei Buldur, Pisid.
(Tschihatscheff, Reis. 51); *b)* ein *S. Burnu* =
Mastix-Nase bei Milet (ib. 23); *c) S. Adasi* =
Mastixinsel, der türk. Name v. Chio, das durch
dieses Product zu allen Zeiten berühmt war. Die
Cultur des Baums wird hier in 24 'Mastixdörfern'
betrieben, ist Regal der röm. Regierg., die den
Ertrag aufkauft u. an die Kaufleute v. Smyrna
abgibt (Cannab., Hülfsb. 2, 299 f., Meyer's CLex.
4, 463). — Auch in den Cycladen eine *Schinussa*,
ngr. Σχινοῦσσα = Mastixinsel, 'soweit sie noch
nicht urbar gemacht worden ist, ganz mit Lentiscus, σχῖνος, bewachsen' (Ross, IReis. 1, 35).

Sakmarsk s. Salairsk.

Sal, gen. *salis* = Salz, aus dem lat. in die
neuroman. Sprachen, port. u. span. *sal*, ital. *sale*,
frz. *sel*, übgegangen, im span. adj. *salado*, fem.
salada = salzig, im port., span. u. ital. *salina*.

frz. u. engl. *saline* = Salzsiederei, Salzgarten,
sämmtl. Formen oft in ON. wie *a) Saléaux* od.
Salées-Eaux, eine Saline in Lothr., im 12. Jahrh.
Grangia que vocatur *Salsa aqua*, 1268 *Salinaria
de Salsa aqua*, 1390 *Salléawe; b) Salival* =
Salzthal, Prämonstratenser Abtei, ebf. in Lothr.,
ggr. im 12. Jahrh. unw. Château-Salins, 1177
ecclesia *Saline rallis*, 1200 *Salli rallis*, 1276
Salinrals; c) le Saulnois, 'pays compris dans la
cité de Metz et qui devait son nom tant à la
rivière de la Seille qu'aux nombreuses salines
qu' on y exploitait', 661 *Salinensis pagus; d)
la Seille*, ein Zufluss der Mosel, bei Metz mündend, im 5. Jahrh. *Salia*, 1049 *Sallia* fluvius,
1323 *Saille*, 1334 *Ceille* (Dict. top. Fr. 2, 123 ff.;
13, 240). — *Cerro de Sal* = Salzberg, in den
Wäldern bei Tarma, Peru, ein völlig aus Salz
bestehender Berg, dessen Lager ein Monopol der
Ansiedler sind (WHakl. S. 24, 120). — *Fiume
Salso* s. Halai.

Sala s. Kaspisee u. Sela.

Salado, fem. *salada* = salzig, adj. des span.
sal (s.d.), mehrf. in ON. salzhaltiger Steppengebiete
insb. *Campo S.* = Salzfeld, in Argent., wo der
Boden der Pampas oft einen starken Salzgehalt
zeigt, so massenhaft, dass das Salz aus dem Boden
blüht u. diesen wie mit Schnee überdeckt. Der
Rio S., ein starker Nebenfluss des Paraná, hat
denn auch, im Ggsatz z. nahen *Rio Dulce* =
Süsswasserfluss, stellenweise salziges Wasser, das
f. den Küchenbedarf, ja grösstenth. auch f. ge-
werbliche Verwendung, ungeeignet ist (Peterm.,
GMitth. 2, 230). — Ausserh. der Mündg. des Silber-
stroms erreicht der *Rio S. del Sur* = salzige
Salzfluss die See (ZfAErdk. nf. 15, 225). — Ein
Arroyo S. = Salzbach heisst der Unterlauf des
Rio Colorado, Catamarca, der in der Steppe den
Salzgehalt auslaugt (Peterm., GMitth. 14, 54). —
Laguna Salada, ein Salzsee in Span., in der
Nähe der *Fuente de Piedra* = des Steinborns
(Willkomm, Span. B. 225).

Salah s. Hamâmeh.

Salairsk, 2 Orte im Netze des Jaik, der eine,
krepost = Veste, an der Confl. Salair-Sakmara,
der andere, ein 1752 ggr. Hüttenwerk, am Salair,
7 Werst obh. der Confl. An der Sakmara selbst
Sakmarsk, zw. den Mündungen der beiden Bäche
Kargala, 18 Werst obh. Orenburg, die Slobode
Kargalinsk, auch *Said Sloboda* genannt, nach
dem ältesten Said der kasan. Tataren, welche
1744 den Ort anlegten (Falk, Beitr. 1, 178 ff.).
— *Samara*, russ. Stadt an der Wolga, als Grenzveste gg. die Einfälle der Baschkiren u. Kirgisen
1586 od. 1591 angelegt (Müller, Ugr. 1, 7 : 2, 487).
hart an der Steppengrenze u. nach dem dort mündenden Nebenflusse benannt. — *Samarische Salz-
seen* s. Kamysch. — Ferner *a) Samarsk(aja)*,
Ort an der Sanarka, die obh. Troizk in den Ui mündet
(Bär n. H., Beitr. 5, Carte); *c) Schischtamak*, tatar.
ON. an der Confl., tamak, des Schisch-Irtysch
(Müller, SRuss. G. 3, 417, Fischer, Sib. Gesch. 1,
240); *c) Schemochouskija Gory*, auch verd. in
Schemchanskija Gory = die Berge der Schö-

mokscha, russ. Name eines niedrigen Höhenrückens der Halbinsel Kánin, nach dem Flüsschen Schómokscha (Schrenk, Tundr. 1, 666); d) Se-, besser Sselenginsk, Ort an der Selenga, einem Zuflusse des Bajkal, 1666 ggr. (Laxmann, Sib. Br. 10, Bär u. H., Beitr. 24, 133); e) Sobsk, nahe der Confl. Sob-Ob (Müller, SRuss. G. 4, 455); f) Sosnowsk, Ort 1656 ggr. an der Confl. Sosnowka-Tom (ib. 5, 65).

Salak, Gunung, ein Berg südwestl. v. Buitenzorg, benannt nach der sawak, d. i. der birnförmigen, feingeschuppten Frucht der Salacca edulis Grtn. (Junghuhn, Java 2, 9).

Salat, Tanah = Land der Strassen, bei holl. Schriftstellern der Rhio-Lingga-Arch. bei Singapur, mit vielen nur Booten zugängl. Seegassen, die den Piraten als Schlupfwinkel dienten, u. wenigen auch v. Seeschiffen befahrenen Canälen, wie hptsächl. die v. Singapur u. Rhio (Crawf., Dict. 366).

Salatan, Tanjung, auch T. Se . . . = Südcap, mal. (nicht jav.) Name der Südspitze Borneo's (Crawf., Dict. 426).

Sala-y-Gomez, ein polynes. Eiland östl. v. der Oster I., unt. 26°27' SBr. u. 254°25' OGr., 1793 v. span. Capt. d. N. entdeckt (Beechey, Narr. 1, 27, Krus., Mém. 1, 30).

Saldanha, Aguada de, eine Bay der atlant. Seite Süd-Africa's, so benannt, weil an einer der dortigen Buchten, u. zwar in der Tafel Bay (s. d)., der Admiral Antonio de S. 1503 Wasser fasste u. in einem Gefechte mit den Eingb. am Arm verwundet wurde (Barros, As. 1, 7⁴, Lichtenst., SAfr. 1, 56ff.). Mit diesem Vorfall ist nicht zu verwechseln, dass der port. Vicekönig Don Francisco d'Almeida, der auf dem Heimwege v. Indien, am 1. März 1510, Wasser fassen wollte, v. den Eingb. erschlagen wurde (WHakl. S. 53, 33; 9, 7). Auch Kolb (VGHoffn. 224) weiss, 'dass ein Capitän . . . darinnen umgekommen'; doch unterscheidet er schon die nördlichere Bucht unserer Carten v. der Tafel Bay.

Salébaj = Fels des Vorgebirgs, sam. Name eines Vorsprungs im nördl. Ural (Schrenk, Tundr. 1, 385). — Salèj-Ja s. Kanin. — Salidéjgòj = Caprücken, v. salè = Kuppe, Cap, ja, in Comp. oft jej = Erde, Land, u. gòj = Rücken, ein Höhenzug mit auffälligem, spitzem Endkopf, der den heidn. Samojeden als Haensalè (s. Afgodenhoek) war, an der Petschora (ib. 1, 546). — Saliagarden s. Obdorsk.

Salèj s. Kanin.

Salem, hebr. שָׁלֵם, schalam = Ruhe, Friede, in semit. ON. mehrf., wie in Jerusalem (s. d.), in Dar es-Selam (s. Bagdad), f. sich zunächst ON. in Palaestina, dann auf eine Menge mod. Orte übtragen, wie S., die Cistercienserabtei am Bodensee (Meyer's CLex. 14, 52), hptsächl. durch Herrnhuter u. Puritaner, übh. unter religiösem Einflusse. In der Union gibt es 34 Orte S. (Peterm., GMitth. 2, 156) od. 38 (Buckingh., Slave St. 2, 58), darunter S. in Massachusetts, ind. Naumkeag, ggr. 1625 v. den Puritanern u. so benannt 1829 v. der Ansiedlergesellschaft 'to indicate their sense of se-

curity from civil and religious oppression, from whence they had fled in England to this asylum of peace' (Buckingh., East. & WSt. 1, 259). — Bahr Salam = Friedenswasser, ein Brunnen in Sennaar (Peterm., GMitth. 8, 213). — Ein ostafrican. Dar es-Salam = Haus des Friedens, ist seit 1891 z. Hptstadt u. z. Kriegshafen der deutschen Colonie bestimmt. — Es ist kein Zweifel, dass auch die beiden Salamis, gr. Σάλαμις a) Stadt auf Cypern, b) Insel bei Athen, hierher gehören (Kiepert, Lehrb. AG. 134. 242. 282). Erstere war eine phön. Colonie (Eckhel, doct. numm. 3, 87). Das friedliche Zswohnen vschiedd. Volksstämme in dieser Stadt ergab die Verehrg. eines בַּעַל-בַּעַל [ba'al schalem] = Baal des Friedens, so viel als Ba'al-Berith = 'Bundesgott' (in Sichem), z. Bezeichng. des mit dem Frieden verbundenen Begriffes der Freundschaft, gr. Ζεὺς Ἐπίκοινος (Movers, Phön. 2ᵇ, 238ff., Kiepert, Lehrb. AG. 282). Als die Stadt in Folge des Aufstandes der dortigen Juden unter Trajan u. — noch mehr — durch ein Erdbeben unter Konstantin d. Gr. zerstört wurde, erneuerte sie dieser u. erhob sie als Constantia z. Haupt Cyperns (Kiepert, Lehrb. AG. 133 f., Meyer's CLex. 14, 50). Auch die griech. Insel, im salaminischen Golf (s. Aegina), war phön. Colonie; sie heisst j. Koluri, ngr. Κουλούρι = Bretzel, v. ihrer Gestalt (Bursian, Gr. Geogr. 1, 362). — Nach dem PN. Salim = friedlich zweimal in Bengal Salimabad u. in Hindustan Salimpur, beide 'Salimsstadt' (Schlagw., Gloss. 241). — Essalamon-Alikum = ich grüsse euch, die Felspforte, durch welche man v. dem steinigen Plateau v. Tisint-el-Riut in die offene Thalweite tritt (Rohlfs, Mar. 40).

Salence, auch Salenche, Sallenche, Flussname in Wallis u. Savoyen, wohl v. lat. salire = hüpfen, springen, nach der munter hüpfenden Bewegg. dieser Gletscherbäche (Gem. Schweiz 19²ᵇ, 184, Saussure, VAlp. 71).

Saliägarden s. Ob.

Salii s. Saale.

Salina = Salzsiederei, Salzgarten, auch bloss Salzsumpf od. Salzlecke (s. Sal), in ital., span. u. port. ON., saline in frz. u. engl., wie Salins, der alte Salinenort des frz. dép. Jura, der 60000 mCtr. Salz jährl. producirt, u. 3 andere Orte d. N. im dép. Yonne (Dict. top. Fr. 3, 119). — S., in Kansas, mit bekannten Soolquellen (Meyer's CLex. 14, 56). — Le Saline = die Salzgärten, eine der Liparen, die den ganzen Inselschwarm mit Salz versorgt . . . 'l'ile doit son nom actuel à une petite plage basse, dans la partie du sudest, où l'on fait du sel pour la consommation des iles Aeoliennes', bei Strabo 276 nach ihrer Gestalt Didyme = die doppelte; denn die drei Berge des Eilandes stehen so im Triangel, dass der eine, Malaspina, die westl., die beiden andern in nordsüdl. Linie hinter einander die Ostseite einnehmen u. beide Partieen, die westl. u. die östl., durch ein Thal so getrennt sind, dass der v. Süden kommende v. weitem zwei benachbarte Inseln zu sehen glaubt (Dolom., Lip. 90ff.). — —

Bayau de la Saline, Zufluss des Washita, mit lauter süssen Quellbächen, nach den zahlr. Salzlecken, die in der Nähe f. dîe Büffeljagd angelegt waren, während die Salzlecken u. Salzquellen den *Saline River*, einen Zufluss des untern Missuri, brackisch machen (Lewis u. Cl., Trav. 8. 256). — Im plur. *las Salinas* mehrf.: *a)* eine calif. Niederg., die v. Meere her gelegentl. überflutet wird (Beechey, Narr. 1, 375); *b)* ein Ort in NLeon, Mexico, v. der salzhaltigen Erde (Uhde, RBravo 113); *c)* ein Ort bei Cuzco, nach einigen Erdgruben, wo eine natürl. Soole ausgelaugt wurde (Prescott, CPeru 2, 111); *d)* ein Ort im Salpeterfeld v. Atacama, wo üb. 100 000 Ctr. Chilesalpeter jährl. producirt werden (Peterm., GMitth. 22, 323).

Salisbury, engl. ON. in Wiltshire, seit dem 12. Jahrh. aus dem nahen *Sarum,* röm. *Sorbiodunum* entstanden, in alter Orth. *Sear-, Searsburh, Seareberi, Searesbyrig, Sarisbury* u. s. f., ist nicht befriedigend klar; denn der Ableitg. v. ags. *sear* = trocken, f. den urspr. auf wasserlosem Hügel erbauten Ort, steht der offenbare Anklang mit der röm. Form entgg., u. wenn Lye an brit. *sârisc* = ein bitterer Bach u. *burh* = eine Stadt denkt (Charnock, LEtym. 237), so fehlt hier die 'Realprobe'. — *S. Island,* bei der Hudson's Str., v. H. Hudson noch als Cap betrachtet, am 2. Aug. 1610 *S. Foreland* getauft, 'after the right honourable and not to be forgot Robert Cecil, earle of *S.,* then lord High Treasurer of England, an honourable furtherer and adventurer in this designe, as well as in others, as appeareth by Sir Walter Raleigh in his Guianian discoveries' (Rundall, Voy. NW. 77. 172, WHakl. S. 27, 97. 106, Forster, Nordf. 386). In der Instruction, die der Prinz Henry dem Nordwestf. Button mitgab dd. 5. Apr. 1612, ist das Cap z. Insel geworden: *S. his Island.*

Salitre, Ribeirão do = Salpeterbach, in Brasil., ein dunkelfarbiger, salpeterhaltiger Bach, welcher v. der *Serra de S.* = Salpeterberg (mit Salpeterhöhlen) herabkommt u. sich durch den Ribeirão da Matta u. den Rio de São Miguel in der R. de São Francisco ergiesst (Eschwege, Pl. Bras. 495 ff.).

Salix = Weide, f. vschiedd. Arten eines grossen den Pappeln verwandten Geschlechts v. Bäumen u. Sträuchern, ist f. sich allein od. in der Form *salicetum* = Weidengebüsch etc. in die neurom. Sprachen, zum Theil *salgueiro, salgueiral,* span. *sauce* od. *salce, sauz, saz, saucedal,* ital. *salice* od. *salcio, saliceto* od. *salceto,* frz. *saule, saussaie* od. *saulaie,* burg. *sausse,* prov. *sauze, saulz,* rum. *salce* (Diez, Rom. WB. 2, 423), u. damit oft in ON. übgegangen. Ein bes. reiches Material liefert das Dict. top. Fr., in dessen 18 dépp. ich 87 solcher Namen finde (s. Sauce). Hier seien bloss die ital. Formen *Salice, Salce, Salcio, Salecchio, Saletto, Salito, Salceto, Sarez, Sarezzo, Sarecchia* u. *Sauce* erwähnt (Flechia, NL. Piante 20), wo sich *l* meist erhalten hat od. in *r* übgegangen ist.

Sallach s. Za.

Salmon Creek = Lachsbach (s. Saumon) ist wie der benachbarte *Fish Creek* = Fischbach, einer der obersten Zuflüsse des Lewis's R., augensch. schon v. den Snake Indians so genannt, weil sie einen grossen Theil des Jahres v. Fischfang leben. Auch die Exp. der Captt. Lewis u. Cl. (Trav. 319), die in dieser Gegend keineswegs reichlich mit Lebensmitteln versehen war, verliess sich auf den Reichthum des *F.C.,* als sie am 1. Sept. 1805 dort lagerte . . . 'Two men were sent to purchase fish of the Indians at the mouth of the creek, and with the dried fish which they obtained, and a deer and a few salmon killed by the party, we were still well supplied'; *b) S. Falls* = Lachsfälle, ein Wasserfall in Maine, wo grosse Mengen Lachse gefangen werden (Buckingh., East & WSt. 1, 150); *c) Salm Bay,* der innere Theil der Aniwa Bay, Sachalin, v. holl. Seef. de Vries 1643 getauft nach dem Fischreichth. (Krus., Reise 2, 62. 71).

Salomon, Islas de, ein melanes. Archipel, wo der span. Entdecker Mendaña 1567 Gold eintauschen konnte, darum als das Ophir angesehen, welches den Schiffen Hiram's u. *S.*'s einst Gold geliefert hätte (Debrosses, HNav. 109 ff., Fleurieu, Déc. 12), v. Entdecker selbst so getauft . . . 'to the ende that the Spaniards supposing them to bee those isles from whence *S.* fetched gold to adorne the temple of Jerusalem, might bee the more desirous to goe and inhabite the same' (Hakl., Pr. Nav. 3, 802). Hier erzählt 1586 der Port. Lopez Vaz, die Spanier hätten, obgl. sie auf dieser Reise Gold weder gesucht noch gewünscht, 40 000 Pezos nebst Gewürzen heimgebracht. Behufs Besiedelg. der Goldinseln ging 1595 Mendaña mit 4 Schiffen u. 400 Mann v. Callao ab, konnte sein Ziel aber nicht finden (WHakl. S. 39, 64), u. so blieben sie 200 Jahre lg. in Verborgenheit — begreifl. bei dem Stande lg. Längenbestimmg., welche die *Insulae Salomonis* in 120⁰ WL., statt ca. 180, ansetzte (Homann Atl. 1737). Erst Carteret 1767, Bougainville 1768 u. Surville 1769 fanden die verloren gegangenen Inseln wieder, freil. ohne eine Ahng., dass ihre Funde dem vermissten Ophir des 16. Jahrh. angehörten. Carteret, v. den Königin Charlotte In. kommend u. die ganze Kette streifend, sah nach Gower's, Carteret's u. Simpson's I. (s. dd.), die, wie er glaubte, 'had never been seen by an European navigator before' (Hawk., Acc. 1, 366). Bougainville (Voy. pl. 12) kam v. Cap Délivrance u. durchschnitt den nordwestl. Flügel (s. Bougainville u. Choiseul); noch immer glaubte er sich in dem zw. NHolland u. NGuinea einbuchtenden Golf (s. Louisiade) u. betrachtete seinen Fund als *Isles de la Louisiade deuxième partie.* Surville fand am 7. Oct. 1769 'cette terre qu'il nomma *Arsacide* à cause des hostilités qu'il y avait éprouvées . . . *les Arsacides,* car c'est ainsi que Mr. de Surville nomme ces insulaires, presque toujours en guerre entre eux; les prisonniers deviennent les esclaves des vainqueurs' (Marion-Cr., NVoy. 272). Der

Name, welchen der frz. Capt. Surville, v. Schiffe
Saint-Jean-Baptiste, dem Lande gab, bezieht sich
auf den unfreundlichen Empfang, welcher ihm
im Port Praslin zu Theil wurde; misstrauisch u.
bis an die Zähne bewaffnet mit Lanzen, Schwer-
tern, Keulen, Pfeilen u. Steinen, lauerten trotz
aller Freundschaftszeichen die Insulaner, bis es
ihnen gelang, ein Détachement meuchelmörderisch
zu übfallen. *Arsaciden* soll hier nichts anderes
bedeuten als Assassinen = Meuchelmörder, da
man gemeinigl. die fanatische Secte der Assassinen
(morgenländ. Muhammedaner) v. den antiken Arsaciden ableitete (Fleurieu, Déc. 118). Erst der gelehrte Buache, in einem am 9. Jan. 1781 der
Académie des Sciences à Paris vorgelegten Mé-
moire, zeigte, dass Surville's *Arsacide* sowohl,
als Bougainville's *Louisiade* 2. part. id. seien
mit Mendañas *S.'s Inseln* 1567, u. wenn er in
Dalrymple, welcher NBritanien f. die vermissten
S. hielt, Widerspruch fand, so rechtfertigte ihn
z. Schlusse glänzend der gelehrte Hydrograph
Fleurieu durch sein in Paris 1790 erschienenes
Werk: Découvertes des Français en 1768/69.
Noch kurz vor dessen Erscheinen war f. Men-
daña's Inseln ein neuer Name aufgetaucht: *New
Georgia* nannte sie zu Ehren des Königs Georg's III.
der engl. Lieut. Shortland, welcher 1788 den
südl. Theil wieder fand. Diesen Namen, *New
Georgia*, hat der russ. Admiral v. Krusenstern
(Mém. 1, 163) beibehalten f. die grösste der der
Manning Str. südl. vorliegenden Inseln. — *Iles
de S.*, eine Gruppe des Arch. Tschagos, wo das
frz. Schiff *S.* 1776 verweilte, v. Capt. Blair, der
die Inseln 1786 aufnahm, *Governor Boddan's
Islands* getauft, wie der Hafen v. dem Hydrographen Alex. Dalrymple *Boddan's Harbour*
(Bergh., Ann. 3. R. 4, 341). — *S.'s Teiche*, arab.
el-Bürrák = die Teiche, die 3 grossen, th. in
Fels gehauenen, th. gemauerten Wasserbehälter,
welche südwestl. v. Bethlehem, im Wady el-
Táuahhin, an sanfter Halde hinter einander liegen,
j. noch Wasser führen, einst aber nicht allein die
Pflanzungen des Thalgrundes u. der Thalhänge
bewässerten u. die weither besuchten Mühlen
trieben, sondern auch das j. auf Cisternenwasser
angewiesene Jerusalem mit einer Fülle herrlichen
Wassers versahen. Den Aquäduct dazu hat Pontius Pilatus aus Tempelgeld gebaut; aber die
Erstellung der Teiche wird dem König *S.* zugeschrieben u. demnach auch die Gartenreste des
Thals *Salomo's verschlossene Gärten* genannt (Bernatz, Alb. 17). Bei dem obersten Teich das Fort
Kálát el-Bürrák = Schloss der Teiche. — *Salomonszell* s. St. Georgen.

Saloniki, nach ngr.-ital. Aussprache, türk. *Selá-
nik*, slaw. *Solun*, lat. *Thessalonica*, gr. Θεσσα-
λονίκη, Stadt in Maked., früher als jonische
Colonie Θέρμη, *Therme* (Diod. Sic. 19, 35) =
Warmbrunn, nach den heissen Quellen, welche
$7^1/_2$ km südl. v. der heutigen Stadt liegen, dann
—315 erneuert v. Alexander's d. Gr. Schwager
Kassander u. nach der Gemahlin Thessalonika
umgetauft. Nach dem Ort der *Golf v. S.*, gr.

ὁ Θερμαῖος κόλπος (Herod. 7, 121), lat. *Sinus
Thermaeus* (Pape-B., Meyer's CLex. 14, 62).
Sal si puedes = 'gehe hinaus, wenn du kannst',
span. Name einer gefährl. Durchfahrt, welche 3
Küsteninseln des Golfs v. Calif. mit der Ostküste
der Halbinsel bilden (DMofras, Or. 1, 219, Peterm.,
GMitth. 14 T. 14).
Salso s. Halai.
Salt = Salz, in mehrern engl. ON., hptsächl.
Great S. Lake = Grosser Salzsee, f. den v. span.
Pater Escalante 1776 entdeckten grössten der See'n
des *'Salzsee-Plateau'*, den er nach seinem be-
deutendsten Zuflusse *Laguna de Timpanogo* (s.
Jordan) nennen wollte. Als Capt. Bonneville,
U.St.A., auf seiner Exp. 1832/36 den See ex-
plorirte u. auf der Carte theilw. darstellte, wurde
der den Händlern u. Trappern längst bekannte
Salzsee v. Washington Irving (Astoria 1836) *Lake
Bonneville* getauft. Seit Fremont's Reise 1842/44
trägt er den mod. Namen, weil sein Salzgehalt
v. $22_{422}^{0}/_0$ fast den Sättigungsgrad erreicht (Humb.,
Kosm. 4, 594, ANat. 1, 60) u. j. jährl. 100 000 tons
Salz liefert (Wheeler, Geogr. Rep. 189). Der See
bildet in dieser Hinsicht eine Parallele z. Todten
M., wie er auch keine Fische enthält . . . 'its depths,
so far as known, undisturbed by finny tribes' u.
eine selten bewegte, stille, schwer u. düster aussehende Oberfläche hat. 'Its dark-looking, though
really transparent, heavy waters when not broken
into rugged waves by storms, resting quietly, its
surface reflects the shadows of the ranges that
rise up on either hand, giving the scene a look
of quiet solitude that all the hum of business
along its shore is unable to dispel. The dark-
brown wall of the Wahsatch, until the rising sun
has reached its zenith, sends down a heavy shadow which adds intensity to this feeling. This
perpetual somberness, it would seem, must, to a
greater or less degree, impress itself upon the
mind of the resident who makes the rural districts his home. One thing which adds to
this somewhat peculiar somberness, is the clear
transparent atmosphere, which renders vision tele-
scopic, bringing the mountain walls close around
us'. Auf dem See wohnen Enten, Rothgänse
u. a. Wasservögel (Hayden, Pr. Rep. 232). — *Great
S. Lake City* s. Jerusalem. — *S. Kay*, Salzklippe
(s. Bahamá), in den Turks Is., wo während der
halbjähr. Trockenzeit Salz gewonnen wird aus
Lagunen, die th. mit Soole, th. mit Seewasser gefüllt werden (Meyer's CLex. 14, 67). — *S. Prairie*
= Salzsteppe, am Arkansas R., wo beständig
Soole aufquillt u. sich üb. die flache Umgebg.
ausbreitet. In der Trockenzeit überzieht sich der
Boden mit einer Kruste, so dick wie eine Hand
breit, so dass das Salz in grosse Haufen zsgebracht
werden kann (Lewis u. Cl., Trav. 298). — *S. River*,
in Nord-America 2 mal: *a)* ein aus Salzquellen
entspringender lkseitg. Zufluss des Slave L. Der
starke Salzgeschmack nimmt mit der Annäherg.
an den Hptfluss, d. h. mit der Aufnahme v. Süss-
wasserzuflüssen, bis z. Unmerklichk. ab (Franklin,
Narr. 196); *b)* ein Zufluss des Ohio, Kentucky

(Meyer's CLex. 14, 68). — *S. Sulphur Springs* s. Sulphur. — *S. Valley* = Salzthal, eine Ansiedlg. in der Nähe des Humboldt L., Nevada, merkw. u. werthvoll durch sein ungeheures, 'unerschöpfliches' Salzlager ... successive layers of fine, crystallized salt are found to the depth of several feet from the surface (Hayden, Prel. Rep. 272). — *S.-Sjö* = Salzsee, die Bucht der Ostsee bei Stockholm, im Ggsatz zu den süssen Seebecken der Umgegend (Peterm., GMitth. 12, 423).

Saltaire, neuer engl. Fabrikort bei Bradford, 1853 ggr. v. dem Industriellen Sir Titus Salt (1803/76), welcher die Fabrication der Alpacawolle in England einführte (Meyer's CLex. 14, 67).

Salten Fjord, eine Bucht der ehm. norw. Vogtei *S.* Am Eingang der *Saltstrom*, der grossartigste der norw. Küstenstrudel (Meyer's CLex. 14, 67), durch die Gezeiten in den engen Canälen hervorgebracht, 'die gewaltigste unter den sämmtlichen Strömungen an der norw. Küste'. Die Hptstelle, zw. Godö u. Stromö, heisst *Stor Ström* = grosser Strom (Vibe, K. u. M. Norw. 22). Vgl. Malstrom.

Salto Grande = grosser Sprung, im span. u. port. Sprachgebiete Süd-America's mehrf. f. Wasserfälle u. Stromschnellen: *a)* ein Fall des Uruguay, 18 m h. (Peterm., GMitth. 3, 406, ZfAErdk. nf. 5, 295); *b)* eine Schnelle des brasil. Tipagy-Paraná, wo der Fluss auf 800 yards Länge 34 m fällt (Journ.RGSLond. 1876, 266); *c)* eine wilde Schnelle des Paranary-Amazonas (ib. 1870, 421). — *Angra do S.* == Bucht des Ueberfalls, in Nieder-Guinea, wo Diogo Cão 1485 zwei Neger überfiel: 'por razão de dous Negros que D. C. alli salteou' (Barros, As. 1, 3⁴).

Saluen, auch *Thaluen, Thalween, Thalawain*, europ. Formen f. *Sthalavati* = der continentale Fluss, ein grosser hinterind. Strom (Lassen, Ind. A. 1, 387).

Salut s. Diable.

Salva s. Silva.

Salvador, San == der heil. Erlöser, so nannte in dankbarem Gefühle Columbus die am 12. Oct. 1492 zuerst betretene Insel der Bahamà, einh. *Guanahani* (Colon, Vida 102), welche man seither entw. in *Cat Isle* == Katzeninsel od. in Gran Turco (Navarrete, Coll. 1, 20) od. in Mayaguana (Varnhagen, LVerdG. 1864) od., wohl am glücklichsten, mit Becher (Journ.RGS.Lond. 26, 189ff.), im j. Watling zu erkennen glaubte ... 'a la primera que yo falle puse nombre *San S.*, a commemoracion de Su Alta Magestad, el cual maravillosamente todo esto andado; los indios la llaman *Guanaham* (aus Columbus' erstem Brief an den Kanzler Luis de Santangel (WHakl. S. 43, 2); *b)* der erste Hafen, den Columbus an der Nordküste Cuba's betrat, j. Puerto de Nipe; denn v. hier, versicherten die Eingb., gelange er in 10ᵈ z. Festlande ...'que de allí á tierra firme habia jornada de diez dias' (Navarrete, Coll. 1, 42), also dass der Entdecker dankbar gerührt vor den Thoren des Ostens der Erde stand, deren Westküste er erst kürzl. verlassen hatte; *c)* eine Stadt in CAmerica, nach der Conquista Alvarado's 1525

an Stelle der ind. Hptstadt *Cozcatlan* == Ort der Edelsteine erbaut, wie noch j. ein nahes Dorf *Cozcatlan*, ein anderes *Cozcatlantzinco* = klein *C.* heisst (Buschmann, Azt. ON. 106. 112). Der Name des Staats ist ohne *san* gebr., einf. *S.*; *d)* s. Bahia; *e)* die Hptstadt des Reiches Congo, früher *Ambassee*, dann völlig christianisirt u. dem heil. Erlöser geweiht, im 15. Jahrh. mit den ersten Kirchen südl. v. Aequator. Die Missionäre ermüden nie, die Macht u. Grösse des Königs mit überschwengl. Farben auszumalen. . . Wo sind die 12 Steinkathedralen, welche die Dominicaner errichteten, wo ihre Klöster u. Seminarien, wo die weiten Paläste, in denen die schwarzen Hidalgos u. die verschleierten Dueñas des fernen Africa mit dem Hofe Lissabons an Eleganz u. Pracht wetteiferten? Als die Stadt sich mit Kirchen u. Klöstern gefüllt hatte, hiess sie bei den Eingb. *Congo dia Gunga* = Glockengeläute u. wurde weithin durch Süd-Africa gefürchtet als der Sitz eines gewaltigen Fetisches' (Bastian, SSalv. 1ff. 172). — *Rio de San S.* s. Jordan. — *Cabo de San S.* s. Hoorn. — *Ilhas da Salvação* = Rettungsinseln, in Sierra Leone (id. Los?), v. Port Pedro da Cintra, um 1460, entdeckt u. offb. so getauft, weil er in dem brüllenden Gewitter dort Zuflucht fand (Spr. u. F., Beitr. 11, 188, bei Cadamosto ital. *le Salvezze*, mit gl. Bedeutg.).

Salvajes s. Silvaticus.

Salvator, Valley, ein Thal des Australcontinents, mit *Lake S.* u. *Mount S.*, v. Major T. L. Mitchell (Trop. Austr. 225) am 5. Juli 1845 getauft nach dem ital. Maler u. Dichter Salvator Rosa, 1615—1673, dem Bewunderer wilder Pracht u. zertrümmerter Grösse: 'his soul naturally delighted in scenes of savage magnificence and ruined grandeur; his spirit loved to stray in lonely glens and gaze on mouldering castles'. Der Entdecker schildert die so benannten Gebiete als höchst romantisch: hier floss in v. zahlr. Quellen genährter voller Bach; das Schilfriet war verschwunden; die Uferhöhen übtrafen alles, was er je an malerischen Umrissen gesehen; einige glichen den Ruinen goth. Kathedralen, andere einer Veste; andere Massen waren durchbrochen, u. das alles, vermischt u. in Contrast mit den leichten Umrissen immergrüner Hölzer u. mit dem schönen Fluss im Vordergrunde, ertheilte der ganzen Gegend ein reizendes Aussehen. Scharf u. prächtig ragten die Felsen üb. das dichte Gehölz hervor, gerade wie John Martin's, des engl. Landschaftsmalers, fruchtb. Einbildg. sie in seinen schönen Sepia-Bildern hinzaubern würde: *Martin's Range*. 'I never saw anything in nature come so near these creations of genius and imagination'.

Salz, das ahd. vie nhd. Wort, goth., ags. u. altn. *salt*, auch mit der Bedeutg. v. mare, wie in *Ostersalt* (s. Ostsee), u. in *Westersalt*, f. Nordsee, in blosser Verdeutschg. *Salzberg* (s. Usdum), *Salzmeer* (s. Aral u. TodtM.), *Salzsee* (s. Salt), *Salzweg* (s. Sol), übr. häufig in deutschen ON. wie *Salz, Salza, Salzaha, Salzach, Salzbach, Salzberg, Salzburg* (s.d.), *Salzburghofen*, im 10. Jahrh.

Salzburchhof, *Salzbrunn*, mit 10 salin. Heilquellen, in Schles., *Salzbronn*, 1417 *Selzborn*, Saline in Lothr., die schon im 12. Jahrh. bestand (Dict. top. Fr. 13, 237), im 17. Jahrh. auch *Saltzbrück*, *Salzbrügen*, weil die Brücke nach Saaralben die Saar passirt (Forb. Progr. 1888, 2), *Salzgowi*, im 8. Jahrh. die Gegend der Salzquellen bei *Salzgitter* u. *Salzliebenhalle*, *Salzhausen*, mit 8 Soolquellen, früher in einer Saline, j. zu Bädern verwandt, in Ober-Hessen, *Sazkoth*, bei Aschersleben, j. nach dem † Kaiser *Wilhelmsbad*, da die Soole j. zu Heilzwecken dient (Meyer's CLex. 1, 993), *Salzkotten*, mit Saline, in Westfalen, *Salzmünde*, an der Saale, 10. Jahrh. *Salzigunmunde*, *Salzuflen*, mit Saline u. Soolbad, Lippe-D., *Salzungen*, alt *Salzunga*, an der Werra (s. Thüringen), *Salzwedel*, *Langensalza*, bei Gotha, *Soltau*, alt *Saltowe*, bei Celle, *Saalbach*, bei Bretten, Bad., wohl auch das bekannte *Selters*, 8. Jahrh. *Saltrissa*, Nassau (Förstem., Altd. NB. 1286 ff.).

Salzburg *a)* Stadt an der *Salzach*, nicht der einzige, aber der bedeutendste Ort d. N., hiess urspr. *Juvavum*, *Juvavia*, nach ihrem Flusse, damals *Ivarus*, *Juvarus*, was Jos. Bergmann (Mitth. Wien. Geogr. G. 7, 125 ff.) v. kelt. *jur*, *juf* (s. d.) ableitet, also 'Fluss, der v. Gebirgsjoch herabkommt'. Auch ein vereinzeltes *Calucicula*, f. die Stadt *salzpuruc*, in einem Wessobrunner Codex v. 814, hat Th. v. Grienberger (Sep.-Abdr. aus Salzb. Mitth. 27) einleuchtend als eine Missform f. *civitas Juvavia* erwiesen. Der heidnische Ort, eine Colonie Hadrians, 470 v. den Herulern zerstört, wurde im 6. Jahrh. durch die einwandernden Bojaren erneuert u. durch den fränk. Apostel Rupertus christianisirt (Kiepert, Lehrb. AG. 366, Daniel, Hdb. Geogr. 4, 885 f.); nun hiess er *Salispurgo* u. der Gau *Salzburcgowi*. Im 8. Jahrh. verdrängte den kelt. Namen der deutsche, wohl wie bei Argentoratum u. Ratisbona aus 'karoling. Thatkraft' (Förstem., Deutsche ON. 300). Noch werden auf dem *Mönchsberg* (Ggsatz z. *Nonnberg*) die Zellen des heil. Rupert u. des heil. Maximus gezeigt (Meyer's CLex. 14, 76); *b)* s. Château-Salins; *c)* S. in Siebenb., mag. *Vizakna* = Salzwassergrube, v. mag. *riz* = Wasser u. *akna* = Schacht, Salzgrube, wg. der stark salzhaltigen Teiche, mit Saline u. Soolbad (Umlauft, OUng. NB. 262). — *Salzkammergut*, in Ob.-Oest., ein Kammergut, 'Domaine', dessen Ertrag aus der Salzgewinng. fliesst (Umlauft, OUng. NB. 206).

Sama — klar. in dem Namen eines Nebenflusses des Irawadi, mit *miet* od. *ghyaung*, je nachdem der Fluss als Hpt.- od. Nebenstrom bezeichnet werden soll (Bastian, Bild. 219).

Samakov = Eisenbergwerk. Stadt am Fusse des Rilo Dagh, im Centrum v. Eisenwerken, v. welchen sie den (slaw.) Namen trägt. Es sind 80 Hochöfen u. 18 Eisenhämmer in Betrieb, freil. in einer Einrichtung, die der abendl. weit nachsteht (PM. 18, 85, Barth, RTürk. 70). — *Samakora Banjasi* s. Banja.

Samanala s. Adam.

Samantapantschaka s. Sarwati.

Samara s. Salairsk u. Somme.

Samarang Islands, eine Gruppe v. circa 15 Inselchen in Americanisch-Polynesien, v. Capt. Scott. Schiff *S.*, am 15. Sept. 1840 entdeckt (Peterm.. GMitth. 5, 177 T. 8).

Samaria, Stadt in Paläst., angebl. nach dem Besitzer Semer, der den Berg an den israelit. König Omri, um —925, verkaufte (1. Kön. 16, 23 f., Joseph., Ant. 8, 12[5]), richtiger jedoch ‏שמרון‎, *Schomrôn* = Warte, Wachtberg, chald. Form ‏שמרין‎, *Schamrajin*, davon gr. Σαμάρεια, lat. *S.* (Gesen., Hebr. Lex. 887), v. Herodes in Σεβαστή, *Sebaste*, s. v. a. Augusta, umgetauft zu Ehren des röm. Kaisers, welcher ihm den Ort schenkte, j. noch *Sebaste*, *Sebastieh* (Robins., Reise 3, 374). — *Samariter*, das in der Ldsch. *S.* entstandene Mischvolk aus Juden u. Einwanderern, welches, durch einen v. assyr. König abgesandten israelit. Priester unterrichtet, die 5 Bücher Mosis annahm, aber v. den Juden nicht als Angehörige ihres Glaubens anerkannt wurde. Heute existirt nur noch eine kleine Gemeine v. circa 100 Seelen in Sichem; die Genossen nennen sich im sing. *Szämry*, im plur. *Szümmara*. Ihr Quartier, den südwestl. höchsten Theil der Stadt einnehmend u. sich etwas am Garizim hinaufziehend, heisst *Haret el-Szümmarâ* (Seetzen, Reise 2. 177 ff.). — *Bir es-Sámiriyeh* s. Jakob.

Samarkand, Stadt in Turan, gr. Μαράχανδα (Bär u. H., Beitr. 17, 146, Pauthier, MPolo 1, 137), bei Lehmann (Peterm., GMitth. 11, 224 u. H. Vambéry (ib. 37, 270) nach dem arab. Eroberer Samar 643, chin. *Tschin* = Stadt, einst *Hotschung Fu*, arab. *Beïn Naharein*, beides = zwischen des Flüssen, im 13. Jahrh. gew. *Siemiszekan* = fettes Land, v. türk. *semiz* = fett (Peterm., GMitth. 21, 373 ff.). Die türk. Volksetym.. v. *semir* = fett u. *kend* = Stadt, sei aber, sagt Vambéry, 'nicht annehmbar', u. mir ist auch die erste Erklärg. verdächtig, da der Anklang v. *S.* u. *Marakanda* auffallen muss.

Samarobriva s. Amiens.

Samorowo s. Kolpuchowsk.

Samba s. Fugamu.

Sambilang = 9 Inseln, auch *Sambolang*, mal. ON. *a)* eine Gruppe v. 9 Eilanden der Westküste Malakka's (Spr. u. F.. NBeitr. 11, 234); *b)* s. Nicobaren.

Samelad s. Lappen.

Samgáun, eig. *Sem-gja-nom* = Seele der Freude, tib. ON. in Kamâon, nach dem üppigen Grase, welches jedem aus dem öden Tibet Kommenden einen höchst angenehmen Anblick gewährt (Schlagw.. Gloss. 241).

Samhar, ein Küstenstrich am Rothen M., auch *Mudun*, plur. *Mädäin* = Land der festen Wohnsitze, nach der semit. Wurzel *adene* (= mansit) — *mansio* im Ggsatz z. Nomadenzelt. 'Deswr. heissen auch hier die feststehenden Häuser *mädeni*, *Mudun* nannt also die Nomaden das Land.

weil sich feste Ansiedelungen darin bildeten' (Munzinger, Ostafr. St. 133).

Samianowskaja (Staniza) od. *Samian Gorodok*, Ort am rechten Ufer des Mündgslaufes der Wolga, mit einem ansehnl. Holzhause, welches die Krone dem kalmyk. Fürsten Samian z. Winteraufenthalt erbauen liess. Zu Falks Zeit, 1770, residirte dort noch des Fürsten Wittwe; dabei campirten 40—50 Kibitken od. Filzzelte ihrer Unterthanen, u. sie selber u. ihre Kinder waren des Sommers oft in den Zelten (Falk, Beitr. 1, 128, Potocki, Voy. 1, 57).

Samjé = der Gedanke v. oben, v. tib. *sam* = Gedanke u. *jas* = ober, v. oben, Ort im östl. Tibet, weil hier der berühmte, als Wunder der Baukunst gepriesene Tempel Bima stand (Schlagw., Gloss. 241).

Samiriyeh s. Samaria.

Samoa, zuerst v. dem holl. Seef. Roggeveen 1722 entdeckte u., wenigstens z. Th. *Boumanns Eilanden* (s. d.) getaufte polynes. Inselgruppe, einh. *Hamoa*, nach d. sagenhaften Moa, dem alten Häuptling der ersten Einwanderer, v. Bougainville (Voy. 238 ff) am 3. Mai 1768 wieder gefunden u. *Isles des Navigateurs = Schifferinseln* getauft, weil ganze Schwärme Segelpiroguen, v. den Eingb. kundig u. gewandt gefertigt u. geleitet, ihn bei seiner Ankunft umgaben. Nach Meinicke (IStill. O. 2, 100. 424) ist die Uebs. 'Schifferinseln', sowie die eben gegebene Motivirung, die doch auf dem Originalbericht fusst, gleichermassen falsch; vielmehr habe Bougainville (Voy. 2, 132) seine *I. des Nav.* 'desshalb vorgeschlagen, weil in dieser Gegend sich die Curse mehrerer früherer 'Seefahrer' berührten'. Mir steht kein zweibändiges Reisewerk des frz. Entdeckers z. Verfügg.

Samochonitis s. Merom.

Samojed, ein Volksname v. unsicherer Etym. Jedenfalls ist es nicht der eigne Name, welchen sich das Volk gibt; dieser lautet, mehr im Osten der Petschóra, *Hasowò* u., mehr im Westen, *Nénez*, Namen v. unbekannter Bedeutg. u. nicht, wie Georgi (B.Russ.N. 1, 276) wollte u. Neuere wiederholen (Bergh., Phys. Atl. 8, 10, ZfAErdk. nf. 8, 56), allgemein einen 'Menschen' bedeutend, da nach Schrenk (Tundr. 1, 615), die Samojedensprache f. 'Mensch' ebenso wenig einen Ausdruck besitzt, wie f. Vogel, Thier etc. Für *S.* selbst hat sich wohl Klingstädt's (IINachr. Sam. 43) Etym., v. finn. *sooma* = Morast, am meisten Zutrauen erworben; so hätten die Nowgoroder aus dem Munde der Tschuden gehört, also v. 'Sumpfleuten'. Nach eingehender Erörterg. kommt Schrenk (Tundr. 1, 621), auf Schlözer's (Nord. Gesch. 293) Ansicht' zk.: 'Mir scheint der Name reinrussisch u. 'Selbstfresser' zu bedeuten. Die ersten Russen, welche die Fische u. Rönthierfleisch roh essen sahen, nannten sie, wie archivalisch feststeht, *Syrojéstzi* = Rohfresser, u. Andere unter sich dafür gar als Selbstfresser, Menschenfresser, od. Cannibalen an' ... also, wie schon Herberst. (ed. Major 2, 39) sagt: 'men who

eat one another'. In der Folge müsste also *Syrojédy* in *Samojédy* übgegangen sein. 'Ursprung u. Bedeutg. des Namens *S.* sind unbekannt' (ZfAErdk. nf. 8, 82).

Samolaco s. Somvix.

Samos, gr. Σάμος, v. semit. שמש = Höhe, bei Kl. Asien, ein Land, dessen Gebirge 'die gesammte Insel bergig macht' (Strabo 637), wie ja übhpt. die Höhen, σάμοι, f. die Namengebg. benutzt wurden (Strabo 346. 457), eher als ein einh. Held od. ein Ansiedler (ib. 637). Auch *Kephallenia* (s. d.), die grösste der jon. Inseln, die in ihrem bewaldeten Gebirgsrücken die bedeutendste Seehöhe der ganzen Reihe erreicht, hiess früher *S.*, u. noch heisst die alte Stadt *Samo, Sami* (Kiepert, Lehrb. AG. 296). Ein thrak. *S.* wurde als *S. Thrakia's, Samothrake*, bei Homer Σάμος Θρηϊκίη, ngr. *Samothraki*, türk. *Semendrek Adassi*, v. dem der jon. Küste unterschieden (Forbiger, Kiepert, Conze etc.)

'Hoch auf dem obersten Gipfel des grünumwaldeten *S. Thrakia's* ... erschien ihm des Ida Ganze Gestalt sammt Priamos' Stadt und der Danaer Schiffen'

(Hom. Il. 13, 12 f.). — *Samikon*, gr. Σαμικόν = Hochburg, Hochstein, eine Stadt in Elis, wo in der Mitte zw. der Mündg. des Alpheios u. der Neda ein Vorgebirge ans Meer vorspringt u. einen Pass bildet, der durch ausgedehnte Befestigungen im Alterthum sehr stark gemacht war. Die Ruinen, welche auf dem breiten Gipfel des Vorgebirges stehen, sind die Ueberreste der alten Burg (Curt., Pel. 2, 78 f., Kiepert, Lehrb. AG. 260) ... 'viell. ihrer hohen Lage wg. *Samos*, da man die Höhen *samoi* nannte' (Strabo 346).

Sampun = Schlangenfluss u. *Bitschan* = Scorpionfluss, zwei Flüsse bei Ilitschpur, Berar, jedoch ohne dass diese Thiere hier bes. häufig wären (Sommer, Taschb. 19, 35).

Samwil s. Mizpah.

Sanar s. Petschora.

Sanarsk s. Salairsk.

Sanctus, *-a, -um* = heilig, ungemein häufig in den lat. ON. des frommen Mittelalters, welches so viele Stätten je einem Heiligen weihte, auch in dem lobenden Namen eines an Klöstern u. christl. Sendboten so reichen Landes: *Insula Sanctorum* (s. Ireland).

San-Dau = (Tempel des) königlichen Haars, Name der Pagode v. Prome, Birma, weil sie nach der Meing. der Einwohner, wie die Pagode v. Rangun, etwas v. Gautama's Kopfhaaren enthält (Crawford, Emb. 1, 60).

Sand, ahd. *sant* = arena, ein den german. Sprachen gemeins. Wort, oft in ON. (s. Sandwich u. Sandy); wie *auf dem S.*, ein Weiler Obwaldens, bei dem der gelbe Graben-od. Erlenbach Massen v. Geschiebe ablagert (Gem. d. Schwz. 6, 141). Nur am Wohnorten enthält das schweiz. PostLex. (amtl. Ausg. 1866) schon 14 solche u. 23 mit *S.* zsgesetzte, wie *Sandbühl, Sandrain*; die 6. Aufl. v. Ritters OLex. enthält aus weitern Kreisen 12 v. *S.* u. ca. 80 Composita. Altdeutsche Formen: *Santowa*, j. *Sandau*, in Bayern, *Santbach* u. *Santberg*, in Hessen, *Santforda*, j. *Sandfort*, in Westfalen, *Sandhurst*, *Santwiek*, j. *Zandwijk*, in den Niederl., *Santweiler*, j. *Sandweiler*, bei Luxemburg, *Sandenebike*, j. *Sandebeck*, in Westfalen (Förstem., Altd. NB. 1291). — *S. Creek*, ein kleiner Zufluss des untern Missuri, nach einer Sandbank, die sich im Strome mehrere km weit hinstreckt u. die Schifffahrt belästigt (Lewis u. Cl., Trav. 8). — *Sandey* = Sandinsel, im isl. See Thingvallavatn (Pr. u. Zirkel, Isl. 84). — *S. Hill*, mehrf.: *a*) übsetzt aus ind. *Thanakoie*, ein 60 m h. mit Sand bedeckter Bergkegel in Brit. America, nach ihm die Verengerg. zw. Clinton-Colden- u. Aylmer L. *Strait of SH.* u. eine Bucht des zweiten Sees *SHBay* (Back, Narr. 70. 81. 84); *b*) eine Uferhöhe im Hintergrunde des Carpentaria G., v. Stokes (Disc. 2, 279) im Juli 1841 benannt. — *S. Hills* s. Manitu. — *SHill Lake*, ein Theil des L. of the Woods, weil seine Westseite v. vielen Sandhügeln eingesäumt ist (Hind, Narr. 1, 94). — *S. Insel*, sandiges Nebenland, das j. durch einen schiffb. Meerarm v. Helgoland getrennt ist (Peterm., GMitth. 12 T. 7). — *S. Island* s. Green. — *S. Island Shoals*, eine Strecke des Rio Colorado, der hier durch Sandinseln in viele seichte Arme getrennt u. schwierig schiffb. ist; 'one bar would scarcely be passed, before another would be encountered, and we were three days in accomplishing a distance of nine miles', so im Jan. 1858 Capt. Ives (Rep. 55 f.). — *S. Point*, in Ste. Croix, Antillen (Oldend., GMiss. 1, 47). — *Sandhamn* = Sandhafen, ON. an der Südspitze v. Skåne (EEgli, NWand. 30). — *Sandö* = Sandinsel, mehrf. in Schweden: *a*) bei Gotland; *b*) vor Luleå; *c*) vor Uleåborg (Ritters Lex. 520). — *Sandby* = Sandstadt, *Sandbjerg*, *Sandholm*, *Sandvig*, urk. *Sandwigh*, sämmtl. in dän. Seeland (Madsen, Sjael. StN. 285). — Nach den am Ufer lästigen Sandfliegen heisst ein dem Netz des Churchill R. angehör. See *Sandfly Lake* (Franklin, Narr. 178 ff.). — *S. Valley*, ein Thal bei Constantia, Capl., 'worinnen der Fluss während eines heissen Sommer-zeit v. den Sandhügeln in seinem Lauffe aufgehalten wird, die ihm den Eingang in die Falsche Bay verwehren, u. v. den starken Sud-ost-winden also aufgehäufet werden. Während solcher Zeit formirt er gleichsam einen See, dessen Wasser endlich einen Ausgang findet, wenn es z. Regen-zeit sein Bett v. neuem ausschwemmt, den hinderlichen Sand mit wegspült u. also in die Falsche Bay sich ergiesset' (Kolb, VGHoffn. 212). — Nach Personen: *a*) *S.'s Group* s. Heard; *b*) *Sands' Island* s. Hull I. — *Sandhofen* s. Süd.

Sandabala s. Tschinab.

Sandaliotis s. Sardegna.

Sandalwood Bay od. *Bay v. (M)bua*, eine grosse, runde, durch ein Riff geschützte, sichere Bucht v. Vanua Levu, Viti, längere Zeit, nachdem zu Ende des 18. Jahrh. das Sandelholz in Viti entdeckt war, der Mittelpunkt des v. engl. u. american. Händlern betriebenen Holzgeschäftes (Meinicke.

IStill. O. 2, 15). — *Sandelbosch* od. *Sandelhout* (Eiland) = Insel des Sandelholzes, holl. Name f. mal. *Sumba*, Sunda In., nicht mehr so zutreffend, wie viell. früher, da das Land wenig Sandelholz u. zwar v. schlechterer Qualität als Timor besitzt (ZfAErdk. 1854, 481). — *Sandelholz Bay* s. Wide.

Sandbach Island, vor Liverpool Coast, Grönl., v. engl. Walfgr. Will. Scoresby jun. (NorthWF. 179) am 20. Juli 1822 entdeckt u. nach einem seiner (Liverpooler?) Freunde getauft.

Sandekójagà = der steile Fluss, sam. Name zweier Flüsschen im Samojeden Ld., russ. übsetzt *Krutája* u. zwar *a*) *Bol'schája K.* = grosser u. *b*) *Málaja K.* = kleiner (Schrenk, Tundr. 1, 684).

Sanderson, Hope, der nördlichste Punkt, welchen der engl. Capt. Davis am 30. Juni 1587, d. i. auf seiner 3. Fahrt, an der Westküste Grönlands erreichte, benannt 'nach seinem grossmüthigen Unterstützer', u. zwar angesichts der offnen See in bester Hoffng., 'that their progress would not be impeded' — freil. eine Hoffng., die sich sofort als trügerisch erwies (Rundall, Voy. NW. 47). Den Herrn Will. *S.* nennt Davis (ib. 44) 'my worshipfull good friend who of all men was the greatest aduenturer in that action, and tooke such care for the performance thereof, that he hath, to my knowledge, as any other fiue others whatsoeuer, out of his owne purse, when some of the companie haue beene slacke in giuing in their aduenture'. Auch der v. John Janes abgefasste Bericht üb. Davis' erste Reise, 1585, setzt den Londoner Kaufmann Will. *S.* voraus unter den Förderern ... 'who was so foreward therein that . . . hee became the greatest aduenturer with his purse' (Hakluyt, Pr. Nav. 3, 98. 108. 112, Forster, Nordf. 357).

Sandsch s. Zanzibar.

Sandusky = kalter Strom, ind. Name eines reitg. Zuflusses des L. Erie u. nun auch auf die dort erbaute Hafenstadt übtr. (Buckingh., East & WSt. 3, 424).

Sandwich, engl. Stadt in Kent, j. 3 km v. Meer, früher ein wichtiger Hafen, zieml. in der Lage eines ältern *Lundenvic* = Londonbucht, des Seeplatzes, wo alle, welche v. Auslande mit London od. v. London mit dem Ausland verkehrten, ihren Sammelpunkt hatten, also im 11. Jahrh. Englands berühmtester Hafen, 'as being the port of landing for London', dann mehr seewärts verlegt u. in *Sandvik*, mit *vik* = Bucht, umgedeutet, also 'sandige Bucht', 'hvilket fulkommen stemmer overeens med de naturlige forhold' (Worsaae, Mind. Danske 34) od. einf. 'from the sand' (Camden-Gibson, Brit. 1, 268). Immerhin blühte der Ort, auf Kosten der mehr landein gelegenen Richborough u. Stonar, seit Eduard d. Bekenner auf, einer der Cinque Ports (s. d.), u. galt nun lange als eine bedeutende Handelsstadt. Den alten Glanz des Ortes bezeugt die Lordship *S.*, die in Lord John Montagne gel. 1718, +1792 einen grossen Förderer geogr. Entdeckungen hervorgebracht hat. Am meisten gingen diese, hptsächl. unter Cook, nach der Südsee; aber auch die Nordpolfahrt des Capt. C. J. Phipps (NorthP. 10), spätern Lords Mulgrave, 1773, hat er, auf Anregg. der Royal Society, dem König vorgeschlagen. Er war zu jener Zeit erster Lord der Admiralität, 'under whose administration he (Cook) had enriched geography with so many splendid and important discoveries — a tribute justly due to that noble person for the liberal support these voyages derived from his power ...' Unter diesem Tribut ist die Taufe der *S. Islands*, einh. *Hawaii*, daher oft j. *Hawaiian Islands*, verstanden, ein Arch., den ozw. schon die span. Seeff. des 16. Jahrh. gefunden hatten, der jedoch erst auf Cook's 3. Reise 1778/79 untersucht wurde u. v. ihm auch den mod. Namen erhielt (Cook-King, Pac. 2, 222; 3, 101). In ders. Polhöhe, aber östlicher, hatten ältere span. Carten einige Inseln, wie *Los Monjes* = die Mönche, *la Mesa* = der Tisch(berg), letztere wohl passend f. die Hptinsel Hawaii, die trotz ihrer drei Vulcane, v. fern gesehen, als Plateau erscheint, u. v. den *Islas de los Reyes y de los Jardines* = Inseln der Könige u. Gärten, die Juan Gaetan 1542 im nördl. Pacific fand, v. Korallriffen umgeben, in üppigem Schmuck der Cocospalmen u. anderer Bäume, sagt d'Urville: Il est évident que ce sont les iles *S*. (Garnier, Abr. 1, 26). — *S. Islands*, auch eine antarkt. Gruppe, v. Cook (SouthP. 2, 230) am 6. Febr. 1775 entdeckt. — Im sing. *S. Island*, 2 mal: *a)* bei NIrel., v. Capt. Carteret am 12. Sept. 1767 entdeckt (Hawk., Acc. 1, 378); *b)* die schönste u. fruchtbarste der NHebr., einh. *Vate, Fate, Efat* (ZfAErdk. 1874, 290, Meinicke, IStill. O. 1, 189), v. Cook (SouthP. 2, 41) am 25. Juli 1774 'in honour of my noble patron' getauft. — Ebf. v. Cook: *a) S. Bay*, in SGeorgia 18. Jan. 1775 (SouthP. 2, 216); *b) Cape S.*, in Queensl., am 8. Juni 1770 (Hawk., Acc. 3, 137); *c) Port S.*, ein enger, doch bequemer Hafen in Mallicollo, NHebr. (Meinicke, IStill. O. 1, 186), wo Cook (SouthP. 2, 37) v. 21.—23. Juli 1774 ankerte. — *S.'s Sound*, in Torres Str., v. Capt. Edw. Edwards, Schiff Pandora, im Aug. 1791 benannt (Flinders, TA. 1, XVII). — *S. Bay* s. Ilheos.

Sandy Bay = sandige Bucht, neben Doubtless Bay, NSeel., v. Lieut. Cook am 11. Dec. 1769 benannt (Hawk., Acc. 2, 373), j. *Exhibition Bay*, warum? (Meinicke, IStill. O. 1, 257). — *S. Bight*, hinter Wellington I., Patag., v. der Exp. King-Fitzroy (Adv.-B. 1, 337) am 3. März 1830 benannt, nennt anderswo, ob sich der Name auf den sandigen Strand od. den sandigen Grund beziehe. — *S. Cape*, ein ziemlich hohes Vorgebirge, die Nordspitze der Great *S. Island*, Queensl., in eine weite Untiefe ausgehend u. v. Cook so benannt nach zwei sehr ausgedehnten Flächen weissen Sandes, welche auf ihm liegen (Hawk., Acc. 3, 113). — *S. Creek*, einer der Quellflüsse des Powder-Yellowstone R., wohl im Ggsatz zu einem benachbarten Bergwasser, dessen Schlammgrund schwierig

zu passiren ist (Raynolds, Expl. 63 f.). — *S. Island*, ohne die oben erwähnte 'Grosse' noch mehrf.: *a)* im südchin. Meer, eine der v. Capt. Wallis am 3. Nov. 1767 benannten Inseln u. Untiefen (Hawk., Acc. 1, 283); *b)* im austr. Victoria R., v. Stokes (Disc. 2, Carte) im Nov. 1839 getauft; *c)* eine sandige Insel, welche den Eingang der Lagune der v. Cook entdeckten Christmas I. in 2 Canäle theilt, auch *Cook Island* genannt (Meinicke, IStill. O. 2, 269); *d)* s. Osnaburgh. — *S. Lake*, in NAmerica 2 mal: *a)* eine der seeartigen Erweiterungen des Churchill R., im Ggsatz z. *Grassy* (= grasigen) *R.*, der durch Rohrsumpf zieht (Franklin, Narr. 178 ff.); *b)* auf der Wasserscheide zw. Yellow Knife u. Coppermine R., v. Capt. John Franklin (Narr. 219 f.) so benannt, weil die Umgebg. aus Sand u. Kies besteht u. in den mannigfaltigen Seeumrissen einen malerischen Anblick gewährt. — *S. Point*, mehrf.: *a)* an der Mündg. des Gabun, wo die südl. Eingangsspitze sehr niedrig ausläuft u. die See beständig rauscht, was v. der Untiefe des Wassers herrührt (Bergh., Ann. 6, 507); *b)* s. Colman; *c)* s. Moreton; *d)* id. Changany bei Zanzibar (PM. 5, 375); *e)* s. Arenas. — *S. Portage*, ein Trageplatz des Yellow Knife R., wo der Weg üb. den Rücken v. Sandhügeln wegführt (Franklin, Narr. 212 ff.). — *S. River*, ein Zufluss des Ohio (Meyer's CLex. 14, 108).

Sane s. Willoughby.

Sanetsch s. Saane.

Sang Gje Tschi Ku Sung Thug Tschi Ten = die Bewahrung des Verständnisses von Buddha's Vorschriften — so lautet im tib. der religiöse (Lama-)name des buddhist. Klosters Hímis in Ladák, anspielend, wie übh. je einer der Namen buddhist. Klöster, auf den Umstand, dass es ein Mittelpunkt des Glaubens ist. Vgl. Dardschíling u. Míndoling (Schlagw., Gloss. 242).

Sángo-n-Gharáma = Zollstätte, ein Ort v. Adamaua, durch die Fatáki, d. i. die Haussa-Handelsleute, so benannt, weil hier der Gebieter v. den Reisenden eine beträchtliche Steuer erhebt (Barth, Reis. 2, 706).

San Ho = dreifacher Fluss, bei Peking, nach den 3 Quellen (Journ.RGSLond. 1872, 145).

Sanna s. Kiriah.

Sansculottes s. Morbihan.

Sansego, ital. Form f. illyr. *Susak* = trockengelegter Boden, Name einer der Inseln des Quarnero, treffl. passend f. die eigenth. Geologie. Leute *Suscani* (Peterm., GMitth. 5, 93).

Sanson s. Falkland.

Sanssouci s. Buitenzorg.

Santa, fem. v. *santo* (s. d.), in span. u. port. ON. *a) Fuente S.* = heilige Quelle, eine heilkräftige Quelle bei Murcia, dabei eine hübsche Kirche nebst Hospiz, auf dem Hochaltar ein weit u. breit verehrtes Gnadenbild der Madonna, die *Nuestra Señora de la Fuensanta*. Das Kloster wurde bei der Säcularisation vergessen, u. die armen Mönche, die ihren Unterhalt mit Besenmachen u. -verkaufen finden, stehen bei dem Volke im Geruch der Heiligkeit (Willk., Span.-

B. 199); *b) Isla S.*, im Delta des Orinoco (s. Gracia), am 1. Aug. 1498 v. Columbus getauft, nachdem er den Drangsalen der Calmen entgangen war (Barrow, Coll. 1, 96); *c) Punta S.*, ein Cap an der Nordküste v. Hayti, v. Columbus am Vortage der Weihnachten 1492 umsegelt (ib. 1, 41).

Santana s. Tampico.

Santander, span. ON. am Golf v. Vizcaya, wird aus San Andrés, wie *Santarem*, in Port., aus Sant Irene, der Märtyrerin, deren Jahresfest je am 20: Oct. gefeiert wird, abgeleitet (Charnock, LEtym. 238). Dass der letztere Ort, arab. *Schantara*, im Mittelalter Residenz der port. Könige war (Meyer's CLex. 14, 139), spricht f. ein gewisses Ansehen, welches ganz wohl kirchl. Ursprungs sein konnte. Ein *Santarem* auch in Bras., ein *Rio de S.* s. Palmas.

Santasch, eig. *San-tas* = gezählte Steine, ein 1800 m h. Pass zw. dem Gebiet des Issyk Kul u. des Ili, v. einem Haufen Steine, welcher am Ufer des Bergsees Borotale, augensch. v. Menschenhänden, aufgeworfen worden ist. Nach der Sage der schwarzen Kirgisen wäre diess durch das Heer des Weltbesiegers Timur geschehen, welcher, in der Nähe der Feinde sich fühlend, eine Vorstellg. v. der Zahl seiner Truppen haben wollte. Als später die in Siegen decimirten Truppen wieder passirten, wurde durch jeden Soldaten ein Stein weggenommen, damit der Chan sähe, wie viele auf den Schlachtfeldern gefallen seien (PM. 4, 363).

Santiago, auch *Santjago, Sant Jago* = der heil. Jacob, ein bei den Völkern der iber. Halbinsel beliebter Name, nach dem älteren Apostel, dem Schutzpatron Spaniens, wo er, der Sage zuf., das Christenth. verkündigt u. viele Wunder verrichtet habe: unter Herodes Agrippa, um 44, erlitt er den Märtyrertod durch das Schwert. Er gilt als der Patron der Armseligen u. Bedrängten, insb. auch der Aussätzigen, so dass ihm einst viele 'Siechenhäuser' geweiht waren. Die röm. Kirche feiert sein Fest am 25. Juli. Ein altes S. ist in Galicia, *S. de Compostela*, wo der Apostel beerdigt sein soll u. sein Kopf den Pilgern gezeigt wird; diese erhalten, als Ausweis ihres Besuchs, einen Schein, *compostela* (Willk., Span.-P. 156). Der Name ist mehrf. übtragen *a) S. de Chile*, v. Pedro de Valdivia 1541 ggr. an Stelle des ind. *Mapocha* (Hakl., Pr. Nav. 3, 797), vollst. *S. de Nueva Estremadura* getauft (Meyer's CLex. 4, 417); *b) S. del Estero*, in Argent., zubenannt *del estero* = vom Ried, weil die regelmässigen Ueberschwemmungen des Rio Dulce die Umgegend alljährl. unter Wasser setzen (Burmeister, LPlata 2, 114, ZfAErdk. nf. 9, 86); *c) S.* in Columbia, an einem Zuflusse des Meta (Raleigh, Disc. p. VIII ep. ded.); *d) S. de Leon* s. Caracas; *e) S.* s. Guayaquil; *f)* s. Jamaica; *g)* s. Viejo; *h) S.*, Fort in der Citadelle v. Manila, während ein anderes Fort *Nuestra Señora* (= ULFrauen) *de Guia* genannt wurde u. 2 Aussenwerke der Landseite *Sant Andres* u. *San Gabriel* heissen (WHakl. S. 39, 310). — *S.* auch sonst

noch: *a)* eine Festg. in Cochin, v. port. Admiral Francisco de Albuquerque erbaut u. getauft 'por a singular devoção, que tinha no apostolo Sant-Jago, por esse ser cavalleiro de sua ordem e a não em que hia se chamar do nome deste apostolo' (Barros, As. 1, 7²); *b)* eine Festg. in Quiloa, v. Fr. de Almeida erbaut u. benannt nach dem am Vorabend des St. Jacobstags üb. den muhammedan. Herrscher errungenen Siege . . .'á qual fortaleza poz nome *S.*, por lhe Nosso Senhor dar victoria daquella Cidade vespera daquelle Apostolo' (ib. 1, 8⁷). — *Bahia de S.*, in Patag., 6 leguas südl. v. Rio de Santa Cruz, v. F. Magalhães nach einem der Schiffe getauft, welches unter des Oberpiloten Serrano Führung im Mai 1520 vorausging u. hier Schiffbruch litt (ZfAErdk. 1876, 362). — *Ilhas de S.* s. Anna. — *Rio de S.*, im südwestl. Africa, v. Vasco da Gama im Nov. 1497 entdeckt u. nach dem Nationalheiligen benannt. Da die Exp. in der am 4. Nov. entdeckten Angra de Sᵃ Helena weder Wasser noch Lebensmittel fand, so wurde einer der Officiere z. Recognoscirg. ausgesandt . . .'mandou a Nicolao Coelho, que no seu batel fosse per diante ao longo da praia buscar algum rio; o qual indo sempre apegado com a terra, a quatro leguas da angra foi dar em um rio fresco, e de boas aguas, a que poz nome *de Sanct' Jago*, onde todos fizeram aguada, lenha, e carnagem de lobos marinhos, de que n'aquella paragem ha muitos, e d'elles tamanhos como grandes cavallos' (Damião de Goes, Chron. in Lus. ed. Fonseca p. XXIV). — Wg. des nationalen Elements glaubte ich, auch die letzterwähnten Namen in diese erste Reihe aufnehmen zu sollen; dagg. gibt es, insb. auf dem Gebiete der Entdeckungen u. Colonisation, ein paar Namen, die dem jüngern Apostel Jacobus gelten, dessen Fest die röm. Kirche, zs. mit dem des Philippus, auf den 1. Mai angesetzt hat: *S.*, in den Inseln des Grünen Vorgeb., vollst. *S. e São Felipe*, am 1. Mai 1462 entdeckt u. benannt 'polas verem om seu dia' (Galvão, Desc. 74, Spr. u. F., Beitr. 11, 168), quäler auch auf die dortige Stadt übtragen, nicht, wie R. Hawkins 1593 meinte: umgekehrt (WHakl. S. 1, 47).

> 'Aquell'a Ilha aportámos que tomou
> O nome do guerreiro ant-Jago;
> Sancto que os Hespanhoes tanto ajudou
> A fazerem nos Mouros bravo estrago'.
>   *Camoes*, Lus. 5, 9.

— *Bahia de S. y San Felipe* s. Felipe.

Santo, -a = heilig, plur. *santos* (s. d.), v. lat. *sanctus* (vgl. saint), spielt in roman. ON. eine starke Rolle, oft an den Vornamen des Heiligen gebunden, f. welchen Fall hier an die betr. Artikel einf. zu verweisen ist, oft aber auch f. sich, in dem Sinne einer dankbaren Weihe *a) Porto S.*, f. die Nebeninsel v. Madeira, zunächst des Hafens, in welchem ein durch Sturm verschlagener ital.-port. Seefahrer vor Mitte des 14. Jahrh. Schutz fand, getauft, 'porque os segurou do perigo' (Barros, As. 1, 1²), wo die Entdeckg. in 1418, die Zeit Heinrichs des Seefahrers, gesetzt u. den port.

Rittern João Gonçalves Zarco u. Tristão zugeschrieben ist (vgl. Spr. u. F., Beitr. 11, 87f.);
b) Puerto S., ein Hafen Cuba's, j. *Baracoa*(?),
wo Columbus am 1. Dec. 1492 an den Felsen
des Eingangs ein Kreuz befestigte . . . 'asentó una
cruz grande á la entrada de aquel puerto . . .
sobre unas peñas vivas' (Navarrete, Coll. 1, 74);
c) Monte S. s. Akra u. Swjatyi; *d) S.* s. NHebrides.

Santonas s. Saintes.

Santorin, seit dem Mittelalter Name der Krater-
gebilde v. Thera, nach dessen Schutzheiligen Irene
v. Thessalonich, die 304 den Märtyrertod erlitt
(Bursian, Gr. Geogr. 2, 520, Kiepert, Lehrb. AG.
250), im Alterth. *Thera*, gr. Θήρα, j. *Thíra*, v.
Spartaner Theras besiedelt (Herod. 4, 147 ff.), daneben *Therasia*, gr. Θηρασία, ngr. *Thirasia* ==
klein Thera (Fiedler, Griech. 2, 453), jene auch
Kalliste, gr. Καλλίστη == die schönste; 'denn sie
ist, auch j. noch, einer der fruchtbarsten u. am
besten angebauten Theile Griechenlands', indem
der schwammige Bimsstein immer eine gewisse
Feuchtigkeit behält (Ross, IReis. 1, 82). Vom
Eliasberg herab sieht man, da die Obst- u. Weingärten durch Mauern v. glänzend schwarzem Obsidian geschieden sind, die bimsweisse Fläche v.
krummen schwarzen Linien durchzogen u. mit
lauter grünen Tüpfeln, den Pflanzungen, besäet
(Peterm., GMitth. 12, 135).

Santos, plur. v. *santo* (s. d.), gern im Sinne od.
ausdrückl. mit *todos* (s. d.), auch f. sich *a) S.*,
Hafenstadt Bras., die 1545 aus dem Indianerort
Enguaguá-çú. s. v. a. pilão grande ou monjôlo
== grosser Stössel, 'um destes engenhos primitivos
que ali havia', entstand (Varnh., HBraz. 1, 141);
b) los S., f. 4 Eilande bei Guadalupe, Antill.,
frz. in *les Saintes* gedeutet (Oldend., GMiss. 1,
12); *c) S.* s. Senhora.

Saône, der burgund. Nebenfluss der Rhône, alt
Sequana, im 4. Jahrh. *Saucona* (Ammian. Marc.),
zZ. Caesar's (Bell. Gall. 1, 12, Strabo 186) *Arar*,
wird mit kelt. *sogh-an* == der ruhige Fluss verglichen (Charnock, LEtym. 315) — eine Etym.,
die wenn sprachlich haltbar auch die schon v.
Caesar gegebene Realprobe (s. Rhone) f. sich hätte.

Sapão, Rio == Fluss des Sapanholzes, port. Name
des Oberlaufs des brasil. Rio Preto-San Francisco,
offb. nach dem dichtbewaldeten Ufern (Journ.
RGSLond. 1876, 312, wo der Name mit River of
the Big Frog übsetzt ist). 'Its banks throughout
are densely lined, either with magnificent belts of
forests, or thick groves of the burity palms' (ib. 315).

Sapra Limne, gr. Σαπρὰ λίμνη == Faulsee,
faules Meer. v. masc. σαπρός, Nebenform zu σα-
θρός == schadhaft, faulig, morsch *a)* eine seichte,
sumpfartige, schilfbewachsene, mit Sumpfinseln
getüpfelte Seitenbucht des Asow-M., im Spätsommer
v. übelriechenden, unangenehmen Ausdünstungen,
schon im Alterth. so genannt, weil sie ἑλώδης
ἐστὶ σφόδρα, 'sumpfig ist sehr' (Strabo 7, 308,
Exc. Strabo 7, 25), heute in russ. *Gniloe More*
übsetzt, auch *Siwasch* (== . . .?) genannt (Meyer's
CLex. 6, 600); *b)* See bei Astyra, Troas, mit

mehrern Erdschlünden (Strabo 13, 614); *c) Σ.*
ϑάλασσα == faules Meer, am Bosporus, so genannt sive a vicinis fluminibus in se exeuntibus
nativas aquas corrumpentibus, sive ex eo nomen
reperit, quia immobile ventis agitari non potest
ob vadorum exaggerationem, quam deferunt ostia
fluminum continuam et mollem, palustre effi-
cientem mare (Pape-B., WB. Eig. 1341).

Sapta s. Pandschab.

Sapün s. Mont.

Saqara, Ort obh. Kairo, ozw. v. dem hierogl.
Beinamen des Osiris, *Sakar*, dessen Tempel in
der Nähe gestanden haben mag (Brugsch, Aeg. 26).

Sar == Koth, Morast, adj. *sáros*, mag. Wort,
oft in ON. Ungarns u. Siebenb. wie *Sáros*, *Sáros-
Patak* u. *Sár-Patak* == Moorbach, *Sárvár* ==
Moorburg, *Sárríz* == Moorfluss, zu *Scharwasser*
verdeutscht (Umlauft, ÖUng. NB. 207).

Sarafend s. Sarepta.

Sar'ah s. Zar'a.

Sarah, es == das Saatfeld, arab. Name einer
weiten Fläche in der Nähe des Kathabathmon;
'höchst einförmig, gewährte sie j. nicht eben den
Anblick eines solchen, sondern breitete sich in
trostlosester Einförmigkeit vor den Blicken aus'
(Barth, Wand. 520). 'Alle Araber', sagt dagegen
Pacho (Hertha 12, 65), 'waren hier thätig auf den
Landbau bedacht'; *b) 'Aïn S.* == Schilfquelle, eine
Oase in Tripolitan., vor 1835 mit einem kleinen
Dorfe, 'hat ihren Namen v. einer breiten morastigen
Einsenkg., welche an der Südseite sich hinzieht
u. dicht mit Schilf u. Rohr bewachsen ist (Barth,
Reis. 1, 94). — *Sarah's Bosom* s. Ross.

Saraï, auch *sèrà*, *sseraj* == Palast, verd. *serail*,
oft in türk. ON., th. als Grundwort (s. Baktschi-
seraï, Bosna Seraj u. a.), th. f. sich, wie z. B. der
mong. Gründer Batu Chan, im 13. Jahrh., die
neue Residenz des Kiptschak, in der Nähe des
Elton gelegen, nannte (Pauthier, MPolo 1, 6. 42),
j. *Zarew* u. seit sie v. russ. Feldherrn Nosdro-
watyi 1480 zerstört worden, v. weitem Trümmerfeld umgeben (Meyer's CLex. 14, 154). — *Sa-
raïtschük* == kleiner Palast, auch *Saraschük*, Ort
der kasp. Steppe, einst 'une ville tatare, aujourd'hui
détruite, et qui n'est plus qu'un avant-poste de
Kossaks de l'Oural sous le nom de *Saratchik* ==
petit palais dans le gouv[t] d'Orenburg', v. den
Kosaken scherzhaft so genannt nach der 'humble
cabane', die ein armer Filzhändler hier aufgerichtet hat (Pauthier, MPolo 1, 9, Potocki, Voy.
96). Die j. Kosakenveste heisst *Saraïtschikowsk*,
Saraïtschikowa Krepost, *Saraitschikowskaja Krepost* (Müller, Ugr. V. 1, 49, Falk, Beitr. 1, 172),
S. s. Seraj.

Saraju s. Sardschu.

Sarandopóro == der 40 furtige, abgk. *Sarandöpu*,
v. σαράντα, einer Umbildg. des gr. τεσσαράκοντα
== 40 (Sander, Ngr. Gramm. 68), ngr. Name eines
Flusses in der Gegend des Olymp, weil man ihn
viel-, angebl. 40-mal, zu passiren hat (Barth, RTürk.
172). — *Sarantopótamo* s. Alpheios.

Saraswáti od. *Sarsútti* == wasserreich, skr. Name
dreier vorderind. Flüsse: in Gudschrát, in Serhind

u. in Garhwál (Schlagw., Gloss. 242). Der heilige Grenzfluss, welcher aus dem Himálaja hervorbrechend dem Satledsch zufliesst, aber, ohne diesen zu erreichen, im Sande erstirbt, hat seinen Namen nach den 5 heil. Teichen, die als *Saman-tapantschaka* (= 5 im Umkreise) starkbesuchte Wallfahrtsorte sind (Lassen, Ind. A. 1, 118). — *S.* kehrt im zend wieder, f. eine Ldsch. Irans: *Haraqaiti*, ant. *Arachosia* (s. Kandahar), arab. *Arruchai* (Journ.RGSLond. 1873, 273).

Saratoga, viel genannter Ort des Staats NYork, ind. *Sah-rah-ka* = Bergseite, 'which correctly enough indicates its position' (Buckingh., Am. 2, 428).

Saraui s. Sahara.

Sarawak = Bucht, mal. Name der obh. einer Flussmündg. gelegenen Hptstadt des Gebietes gl. N., Borneo (Charnock, LEtym. 239).

Sardan s. Ssetschuen.

Sardandan s. Kintschi.

Sardegna, lat. (u. deutsch) *Sardinia*, gr. *Σαρδώ*, die mediterrane Insel, istjedf.nicht nach der Sardine, 'dem Häring des Mittelmeers', benannt, auch nicht nach einem Sardus, Sohn des Herkules, eher v. ihren Bewohnern, den Sardi. Man verweist jedoch, nicht übel, auf die pun. Namen *Sarado*, der auf 'Fusstapfe' führen u. sich auf die Form des Umrisses beziehen würde, wie denn *S.* bei Timaeus *Sandaliotis* = sandalenähnliche Insel 'ab effigie soleae', bei Myrsilus ganz ähnlich *Jchnusa,* v. ἴχνος = Fusstapfe, Fusstritt, 'a similitudine vestigii' (Plin., HNat. 3, 85), heisst. Nach der Insel gab es, 1720—1859, ein Königreich *S.*, u. in ihrem nördl. Theil ein *Castel Sardo*, gg. Ende des 18. Jahrh. so umgetauft, nachdem es unter den Genuesen *Castel Geno-vese,* unter aragon. Scepter *Castel Aragonese* geheissen hatte (Cetti, NG. Sard. 1, 17). — *Rio de las Sardinas,* ein Fluss der Magalhães Str., v. F. Magalhães im Oct.1520 so benannt, weil der Fluss eine ungeheure Menge dieser Fische enthielt (Pigafetta, Pr. V. 44 f.). — *Ancon de Sardinas* = Sardellenbucht, in Ecuador, unt. $1^1/_2^0$ NBr., schon zZ. der Conquista so genannt (WHakl. S. 33, 21).

Sardona, zunächst der Name einer Alp im Hintergrunde des st. gall. Calvenseu u. v. ihr auf einen Gletscher u. einen Bergstock übtr., wird v. Gatschet (OForsch. 237) aus rätr. *sarratauna*, mlat. *sarratanica* scil. *alpa*, d. i. eine mit Zäunen durchzogene Alptrift, erklärt. Aehnl. das Graubündner *Sardasca*, mlat. *sarratasca rallis.*

Sárdschu od. *Sáraju*, im beng. *Schórdschu* = der gehende, windende, 'Rickenbach', skr. Name eines Flusses in Kamáon (Schlagw., Gloss. 242).

Sarecchia s. Salix.

Sared od. *Sered*, hebr. זֶ֫רֶד [zäräd], zunächst das üppige Wachsen, das Wuchern des Gehölzes, ein transjord. Zufluss des Todten M., nach den v. Oleander, Weiden etc. buschigen Ufern (4. Mos. 21, 12; 5. Mos. 2, 13 f.), wie ein *Nachal Ha'arabim* נַ֫חַל הָעֲרָבִים = Weidenbach, v. עֲרָב ['arab] = Weide (Jes. 15, 7), bezogen auf den j. *el-Asy*, *Hóssa*, der nach dem Castell, *Kalat el-Hasa*,

an der grossen Hadschroute, benannt ist, auch *'Ain Schämäsch* עֵין־שָׁ֫מָשׁ ['en schämäsch] = Sonnenauge, bei Luther *En-Semes*, wohl nach dem heissen Klima des eng eingeschlossenen Thals (Jos. 15, 7, Seetzen, Reis. 4, 238).

Sarédajagakò = Regenbach, v. sam. *sarò* = Regen u. *jagakò*, ein Flüsschen der Tundra, so benannt, weil das sonst unansehnliche Gewässer nach starken Regengüssen, seine Zuflüsse in tief eingeschnittenen Schluchten v. sehr flachabgedachten weiten Thalhängen empfangend, rasch u. bedeutend anschwillt (Schrenk, Tundr. 1, 534).

Sarepta, gr. Namensform der phöniz. Stadt, welche im hebr. Alterthum צָרְפַת *Zarpath* od. צָרְפְתָה *Zarp'tha*, etwa = Schmelzhütte hiess (1. Kön. 17, 9), j. *Sarafend*, *Sarfend* (Robins., Pal. 3, 690 ff., VVelde, Map). — Uebtragen v. den Herrnhutern auf eine Colonie *S.* an der untern Wolga, 1765 ggr. (Glob. 14, 299), wohl gewählt nach dem Anklange, den das nahe Flüsschen *Sarpa* (Müller, Ugr. V. 2, 510) bot. Bei den Tataren heisst dieses Flüsschen *Ergena Sorpu*, da es v. Bergrücken *Ergena* kommt. Nach ihm die Flussinsel *Sarpinskoi Ostrow* (Falk, Beitr. 1, 123).

Saretschnaja s. Enneda.

Sargans s. Saar.

Sargasso-Meer, gew. Name der mit *sargasso*, Seetangmassen, Fucus natans L. od. Sargassum bacciferum Ag., bedeckten weiten Reviere des atlant. Oceans, der 'Klebrigen See', 6 — 7 mal so gross wie Frankreich, 'das merkwürdigste Beispiel geselliger Pflanzen einer einzigen Art', bei Oviedo *Praderias de Yerva* = Krautwiesen, oft auch *Seetangwiesen,* nach ihrem wiesenartig-grünen Aussehen (Humb., Kosm. 1, 326 ff.).

Sargberg, so heisst in der Gegend v. Wernigerode der Hoppelberg bei Halberstadt, 'u. dieser Ausdruck ist dort vollkommen begründet, in Halberstadt vollkommen unwahr'. Aehnl. der schles. *Sattelberg*, 'v. Salzbrunn aus gesehen mit Recht benannt, sonst nicht' (Förstem., DOrtsn. 290).

Sari, auch *sary* = gelb, wie andere Farbenbezeichnungen in vielen türk. ON. als: *S. Bulak* = gelbe Quelle, f. gelbtrübe Quellbäche u. Oerter an solchen, z. B. *a)* im Siebenstrom Ld.; *b)* bei Kuldscha; *c)* in Turkestan (Humb., As. Centr. 3,225. 240), u. ein *S. Bulak Dagh* = Berg der gelben Quellen, ein Berg östl. v. Tus Göl (Tschihatscheff, Reis. 32). — Ferner *a) S. Dere* = gelbes Thal, gew. *S. Jeri* = gelber Ort, bei Böjük Dere, v. der gelben Farbe der Felsen — u. nicht v. der Farbe des Flusswassers = eig. *S. Jari* = gelbe Spalte, v. den vielen Klüften in den eisenhaltigen, gelben, f. goldhaltig ausgegebenen Gestein, in dessen Quarzmassen Schwefel eingestreut ist (Hammer-P., Konst. 1, 28; 2, 257 f.); *b) S. Göl* s. Göl; *c) S. Kul* s. Sir-i-Köl; *d) S. Kemer* = gelber Brückenbogen, ein Dorf am Mäander, üb. den hier eine meist aus antiken Steinen aufgeführte Brücke führt (Tschihatscheff, Reis. 23); *e) S. Su* od. *Siri Su* = Gelbwasser, ein Zufluss des Tele Kul, Kirgisensteppe, in einer

Gegend, wo sich Quellen, wie zerstossene Ziegel gefärbt, befinden (Hellwald, Russ. CAs. 43, Hertha 3, 589. 630); *f S. Toprak* = gelber Boden, eine Ortschaft, unw. des Tus Göl (Tschihatscheff, Reis. 32); *g) S. Tschaï* = gelber Fluss, in Kl. Asien zweimal (ib. 22. 50); *h) S. Tschaganak* = gelbe Bay, die durch fortschreitende Verdampfg. fortwährend kleiner u. seichter werdende nordöstl. Bucht des Arál'sees, offb. nach der *S. Bulak* = gelben Quelle, bis zu welcher sie sich früher erstreckte (Humb., As. Centr. 1, 269); *i) S. Üschtek* s. Baschkiren; *k) S. Kawak Tschaï* = Fluss der Gelbpappeln, ein Nebenfluss des cilic. Gök Su; *l) S. Tschitschek Dagh* = Berg der Gelbblumen, ein hoher Vorsprg. des Katran D., Anti-Taurus (Tschih. 18. 34). — *Sarydschä* s. Ak. — Aus Central-Asien erwähnt H. Vambéry (Peterm., GMitth. 37, 270) noch *a) S. Asija* = gelbe Mühle, Ort im Chanat Buchara; *b) S. Dschui* = gelber Fluss, Ort am Oberlauf des Surchab; *c) S. Jazi* = gelbe Ebene, eine Fläche am rechten Ufer des Murghab u. a.

Saribu Nibung = 100 Palmen, näml. Nibung-Palmen, ON. auf Borneo, wo zwar keiner dieser Bäume mehr zu sehen ist (ZfAErdk. 1873, 194).

Sarine s. Saane.

Sarkal s. Bjelajaweza.

Sarkani s. Drache.

Sarkau, v. lit. *szarka* = Elster, Ort auf der Kurischen Nehrg., auf deren Südende einst Falken, v. den Litauern mit Elstern verwechselt (Altpr. Mon. 8, 22), gefangen wurden.

Sarmaten, gr. *Σαυρομάται*, auch *Συρμάται*, erst später *Σαρμάται*, ein skyth. od. halbskyth. Volk, das sich wahrsch. bald nach Alexanders Zeit in dem flachen Ost-Eurpa, bis zu den Karpaten, ausbreitete u. ihrem Land den Namen *Sarmatia* verschaffte. Daher die *Montes Sarmatici* (s. Karpaten), die *Σαρματικαὶ πύλαι* = sarmatische Pforte, f. den nach Sarmatien führenden kaukas. Engpass Dariel (Kiepert, Lehrb. AG. 85. 345), *Sarmatico Oceano* (s. Ostsee), u. in der mod. Geogr. *das sarmatische Tiefland.*

Sarméingy = Wolfsohren, russ. übsetzt *Woltschji Uschi,* sam. Name einiger zugespitzter Hügel des Samojeden-Kleinlandes (Schrenk, Tundr. 1, 638f.).

Sarmiento, Volcan, ein Vulcan Feuerl., nach dem span. Seef., welcher auf Befehl des Vicekönigs v. Peru, Fr. de Toledo, 1579/80 zwei Schiffe aus Callao durch die Magalhães Str. führte (Debrosses, HNav. 128), ein prächtiger Schneepik, der durch seinen Schneemantel, wenn derselbe einmal aus den Wolkenmassen heraustritt, mit dem dunkeln u. drohenden Anblick des antarkt. Himmels stark contrastirt, v. *S.* selbst *Volcan Nevado* = Schneevulcan genannt (Ult. Viage 120). Ein Berg dieser Gegend war schon 1520 v. F. Magalhães als *Campana* (= Glocke) *de Roldan* eingetragen, weil der Officier Roldan abging, den Berg, welcher 'die schönen Umrisse einer kolossalen Glocke darbot' (ZfAErdk. 1876, 345), zu untersuchen ... 'dieron le este nombre porque la fué a reconocer uno de los compañeros de Magal-

haes llamado Roldan que era artillero' (Herrera, Descr. c. 23). Während nun Fitzroy (Adv.-B. 1, 27) *Roldan's Bell,* in deren Nähe die *Bell Bay* (Fitzroy, Narr. 1, 130), mit dem Vulcan des *S.* identificirt, machen ihn Andere zu einem besondern Object, weiter westl. gelegen (Skogm., Eug. R. 1, 104). — Zu Ehren des span. Seef., welcher als Capt. die erste Reise Mendaña 1568 mitmachte (Zaragoza, VQuirós 1, 13), sind ferner benannt: *b) S. Channel,* im südl. Chile, v. der Exp. King-Fitzroy (Adv.-B. 1, 341) im März 1830; *c) S. Bank,* am östl. Eingang der Magalhães Str., wo er 1580 viele Sondirungen vornahm (ZfAErdk. 1876, 404).

Sarnen, der Hptflecken Obwaldens, am *Sarner See* u. der *Sarner Aa* des *Sarner Thals,* 848 *Sarnon,* 1036 *Sarnuna,* Name nach den Einen 'wohl undeutsch' (Förstem., Altd. NB. 1294, Geschichtsfr. 20, 291), v. Andern dagg. als deutsch betrachtet: v. alten *saren* = mit Flussgeschiebe überschütten (Gem. Schweiz 6, 141) od. als *Sarenen,* Ort, wo die Sarbuche, Populus nigra, vorkommt (Gatschet, OForsch. 77) — beide mal wohl übeinstimmend mit der Oertlichkeit. Auch J. L. Brandstetter (Geschichtsfr. 42, 180ff.) findet die letztere Herleitg. als 'eine bestechende', greift jedoch tiefer, v. der Sarbuche, die 'bekanntlich mit Vorliebe an den Ufern v. Bächen u. Flüssen wächst', auf *sar* selbst, in dem er 'einen specif. Ausdruck f. fliessende Gewässer' erkennt, ein üb. Indien, Kl. Asien, Griechenl., Ital., Span., Frankr. u. Deutschl. verbreitetes Eigenthum aller Völker des indogerman. Sprachstamms. Er erinnert an die Lage, wie sie vor der Ableitg. der Melch-Aa, 1882, war, dass der Ort in der spitzen Confluenzfläche der beiden Thalflüsse lag u. findet 'Ort an od. zw. den Bächen'. Das fatale *n* als Product der Weiterbildg. zu betrachten.

Sarnentes s. Curumara.

Saron, genauer *Schárón,* hebr. יִשׁרֹן = Ebene heisst die Küstenebene v. Karmel bis Joppe, eine Steppe, die, im ersten Lenz hochzeitlich geschmückt mit Grün u. buntem Flor, im trocknen Sommer versengt liegt. Südl. v. Joppe, bis z. Wady el-Arisch, erstreckt sich ihre Fortsetzg.: *Sephela,* genauer *Sch'phêlâh,* hebr. שְׁפֵלָה = Niederung (Gesen., Hebr. Lex.). — Ein *S.,* ebenfalls semit. Ursprungs, lag in der Ebene v. Trözen (Kiepert, Lehrb. AG. 276). Dabei der *saronische Golf* (s. Artemis), während ein anderer Golf gl. N. am Bosporus lag (s. Böjükdere).

Sarpedonie Akre, gr. *Σαρπηδονίη ἄκρη,* ein Vorgebirge Thrakiens, wo, der Sage zuf., Sarpedon, ein Sohn Poseidons, v. Herakles erlegt wurde (Benseler, Gr. SchulWB., Curt., GOn. 147).

Sarpinsk s. Sarepta.

Sarrasin, Port, lat. *Portus Saracenus* = Maurenhafen, der ehm. Hafen v. Montpellier, v. Karl Martell zerstört, wo spät noch Trümmer v. Säulen od. Leuchtthurm auf dem Ufer lagen (Dict. top. Fr. 5, 200). — *Fontaine aux Ss.,* eine Quelle bei Ressudens, C. Waadt, wo eine Bande 'Hungarn' 927 den Bischof v. Lausanne gefangen nahm

u. der Fund menschlicher Gebeine auf ein Kampffeld deutet (Mart.-Crous., Dict. 782).

Sarre s. Saar.

Sars s. Schweigaard.

Sarsutti s. Saraswati.

Sarthol = Goldland, eine an Goldfeldern reiche
tib. Ldsch., schon seitdem 10. Jahrh.(Ausl. 46,767).

Sarti s. Bucharen.

Sarymsak = Knoblauch, f. sich ein türk. ON.
bei Samsun, *Sarymsakly Su* = Wasser des Knob-
lauchorts, ein Zufluss des Kisil Irmak, einer der
zahlr. *Melas* (s. d.), dem ein tributärer *Kara Su*
entspricht (Tschihatscheff, Reis. 13. 60, Spiegel,
Eran. A. 1, 184).

Sarytscheff, Insel, im arkt. America, v. russ.
Lieut. v. Kotzebue (Entd.R. 1, 141) am 31. Juli
1816 benannt 'nach unserm verdienstvollen Vice-
Admiral'; *b)* ebenso *Pik S.*, der Spitzberg v.
Matua, Kurilen, v. Capt. J. A. Krusenst. (Reise
2, 101) am 29. Mai 1805.

Sas s. Sachsen.

Sasak s. Lombok.

Saskatschewan, eig. *Kikis-* od. *Kisiskadjiwan*
= schneller Fluss, der v. Felsengebirge herabkommende Hptzufluss des L. Winnipeg . . . 'truly
well named, for even upon the smoothest and
deepest parts of the river, long lines of bubbles
and foam, ever speeding swiftly but noise-
lessly by, serve to indicate the velocity with
which this mighty artery courses unceasingly
onward . . .' (Hind, Narr. 1, 238. 397. 444, Lacombe, Dict. Cris), wie auch der *Little* (= kleine)
S. einen sehr raschen Lauf hat . . .'as its name
implies' (Hind, Narr. 2, 25, Coll. Minn. HS. 1,
213, wo *S.* mit 'current which turns round' übersetzt ist).

Sasso = Fels, Stein, entspr. dem lat. *saxum*
(s. d.), in ital. Bergnamen *a)* *Gran S.* s. Grande;
b) *Sassalbo* = Weissenstein, ein Berggipfel des
Puschlav, . . .'es bricht da roth- u. weissgefleckter
Marmor, der die schönste Politur annimmt' (Leonhardi, Posch. 18. 66). — Im Rätor. begegnen wir
einem *Sassanëïre* (s. Ner), sowie den Formen
Sass, sur Saissa, Sursax u. *Obersaxen* (s. Ober).

Sata Mukhi s. Sunderban.

Sataljeh s. Adalia.

Satan s. Teufel.

Sâtaristye, mag. Name einer Puszta bei Földvar,
weil auf einem mitten in der Ebene sich erhebenden Hügel Suleiman's Zelt, *sátor* = Zelt, türk.
tschadir, stand, während die fürchterl. Schlacht
v. Mohaes, am 28. Aug. 1526, geschlagen ward.
Noch heisst der Brunnen, welchen später der
Beglerbeg v. Ofen, Hasanbeg, am Fusse des
Hügels graben liess, *Török-Kutya* = Türken-
brunnen (Hammer-P., Osm. R. 3, 636 f.).

Saterland, früher *Sagelter-, Sigilter-, Saegelter-*
u. *Sagterland*, d. i. das Land v. *Sögel*, latin.
Sighiltra, einem Kirchdorf im Hümling, dem
einstigen Mittelpunkt der Ldsch.; es ist ein als
fries. Sprachinsel interessantes Moorland, welches

grösstenth. zu Oldenburg gehört. Seine *E* =
Wasser (s. E) ist die z. Ems mündende *S.-Ems*
(DKoolman, Ostfr. WB. 3, 86, Glob. 22, 182. 198,
Daniel, Hdb. Geogr. 4, 435 f.).

Satisfaction s. Pleasant.

Satkinsk s. Ufa.

Sâtledsch, in engl. Orth. *Sutledj*, Flussname in
Indien, v. skr. *sátadru* = hundertlaufend, der
hundertfältige, v. seiner Verästelg., die in der
Legende so erklärt wird, als sei der Fluss aus
Furcht vor dem Weisen Vasishtha in 100 Arme
aus einander gelaufen (Lassen, Ind. A. 1, 57), in
Kanáur tib. *Maksang* = Fluss, *Zangti* = goldführender Fluss od. *Langphing Kampa*, modif.
aus *Langtschen Khabab* = der vom Munde eines
Elefanten herabgekommene, also im mytholog.
Sinne, auch *Tsangbotschu* (s. d.), was jedoch gew.
auf den Dihong bezogen wird (Schlagw., Gloss.
214. 242).

Satpura, verd. aus *Saptapura* = 7 Städte, zunächst skr. Name eines kleinen indischen Gebiets,
welches im Fürstenth. Indor an einem Zuflusse
der Nerbudda liegt, v. diesem übtragen auf ein
nahes Gebirge zw. den Flüssen Nerbudda u. Purna-
Tapty (Lassen, Ind. A. 1, 106).

Sattel, wie engl. *saddle* (s. d.) als Ausdruck
gewisser Profilformen beliebt, f. sich allein schon
ein Pass (u. Passdorf) auf der Linie v. Zürich- z.
Vierwaldstätter-See, als *Sattelberg* mehrf.: *a)* in
Grönl., mit einer Einsattelung, die durch das
Königin Augusta Thal (s. d.) nach dem Meere
ausläuft (Peterm., GMitth. 17, 193 T. 10); *b)* s.
Sargberg. — *Sattelinsel* s. Bligh.

Saturájjagà = Hechtfluss, russisch übersetzt
Schtschútschja (s.. d.), syn. mit *Pyríjagà* (s. d.),
ist der sam. Name eines Flusses des sam. Kleinlandes (Schrenk, Tundr. 1, 656).

Satût s. Ceuta.

Sau s. Save.

Sau Don s. Don.

Sauâkin od. *Sawâkin*, so auch bei Jaqût, in
ganz verfehlter Form *Sua-* od. *Sauakim*, Hafenort des Rothen M., v. arab. *sákana, jeskunu* =
wohnen, also 'Wohnstätte' (Paulitschke, Progr.
1884, 25).

Sauce, eine der aus lat. *salix* (s. d.) umgelauteten
mod. Wortformen, sowohl span. als ital. ON.,
dem sich anschliessen: *a)* *Rio S.*, ein Zufluss
des argent. Rio Colorado, nebst Ort *los Sauces*
= die Weidengebüsche; *b)* *Saucelito*, dim. f.
ein Cap der Bay v. San Francisco (s. Whaler),
'wahrsch., weil es sich durch eine Gruppe v.
Weidenbäumen bemerklich machte' (ZfAErdk. nf.
4, 313). — Zahlr. begegnen uns diese Formen
auf frz. Sprachgebiete, manche entstanden aus
lat. *salicetum* = Weidengebüsch, welches, 'plus
régulièrement formé que le *salictum* des auteurs
classiques latins et que le *salicetum* des Pan-
dectes' (d'Arbois de Jub., Rech. NL. 626), in
einem merowing. Diplom des 7. Jahrh. *Saocitho*,
im 10. Jahrh. *de Salcido* geschrieben wird. Die
mod. Formen erscheinen in sehr verschiedener
Orth. wie *Saussay*, 1110 *Salictum*, neben *la*

Saussaye, les Saussais, le Saussoy, le Saussois,
la Saussoie, Saussoit, la Saussaie, Saussue,
Saussy, Saussi, le Saussey, 1225 rivulus *Salix,*
le Saussé, la Saussée, la Saucette, 1395 *Salix.*
Sausseux, le Saulce, 1296 *Salix, le Saulcier,*
le Saulcy, im 7. Jahrh. *Salex, Saucet,* 1180
nemus ad *Salicem, Sauce, Saucy, Saucie,* den
Bächen *la Sauls, la Sault* u. *la Saulx,* 1022
in rivulo *Salice, Sausseraye, le Sauze,* 1155 *de*
Salcetis, 1218 *Salix, le Sauge* etc. (Dict. top. Fr.
1, 171; 3, 120; 10, 255f.; 11, 217; 14, 154;
15, 209; 16, 301; 18, 268; 19, 148). Ein paar
Beispiele mehr detaillirt: im dép. Eure-et-Loir
ein Ort *la Saucelle,* 1080 *Saliciolum,* 1115 *Sal-*
cetula, 1250 *Saucelle,* ein Ort *le Saulce,* 1177
Salcetum, Sault, 1224 *Salix, les Saulx, le*
Saussay 10 mal, 1110 *Salictum,* 1126 *Salce-*
tum, la Saussaye 2 mal (Dict. top. Fr. 1, 170 f.),
im dép. Meuse *les Saulniers,* 2 mal, ein Flüsschen *la Sauls,* ein Bach *la Sault,* 6 mal *la*
Saulx, meist Bäche (ib. 11, 218), im dép.
les Saulx, le Saussay 6 mal *la Saussaye,* ebf.
6 mal, zuerst *Salicetae,* 1307 *Salecia,* 1311 *Saul-*
ceye (ib. 15, 209). Auch in der frz. Schweiz *la*
Sauge 5 mal, *les Sauges* 2 mal, *Saugettes, Sauger,*
Saugier, Saugy, Saulcy, Saules 2 mal, *Saulgy,*
la Saussaz, les Sausses (PostLex. 330).

Saudades, Rio das = Fluss der Sehnsucht, u.
Lagoa das S., 2 liebliche Objecte der bras. Prov.
Goyaz, v. Dr. Couto de Magalhães im Jan. 1865
entdeckt (Peterm., GMitth. 22, 220). Das Wort
saudade = schmerzliche Sehnsucht, viersilbig zu
sprechen, älter *soïdade,* f. *soledade* = Einsamkeit, die Abgeschiedenheit v. einem Geliebten
(Diez, Rom. WB. 2, 178).

Sauerbach s. Sur.

Sauerland s. Süd.

Sauhamn s. Safe H.

Saulgau s. Sulgen.

Sauk Prairie, urspr. frz. Name einer grossen,
schönen Prairie am linken Ufer des untern
Missuri, nach dem Indianerstamm, der mit den
Iowa u. Sioux in diesen Gegenden hauste (Lewis
u. Cl., Trav. 12). — Auch am obern Missisipi
S. Rapids, Stromschnelle u. Stadt, ferner *S. City*
u. der Nebenfluss *S. River* (Meyer's CLex. 1, 391).

Saulnois s. Sal.

Saumarez, Cape, hinter Hakluyt I., Grönl., v.Capt.
John Ross (Baff.B. 148) am 19. Aug. 1818 benannt
nach Sir James *S.,* 'in compliment to that gallant
admiral, under whose command I had served for
many years'; *b) S. Island,* bei Wellington I., v.
der Exp. King-Fitzroy (Ad.-B. 1, 336) im Febr.
1830 u. *c) River S.,* in Boothia Felix, v. John
Ross (Sec. V. 531) im Mai 1831.

Saumon, Rivière du = Lachsfluss (s. Salmon),
ein fischreicher Fluss an der Westseite Sachalin's, v. La Pérouse am 22. Juli 1787 so genannt,
weil der Capt. de Clonard um 8ʰ Abends vom
Bord zkkehrte, sämmtliche 4 Canots mit Lachsen
gefüllt ... 'il l'avait trouvé tellement rempli de
saumons que le lit en était tout couvert et que
nos matelots, à coups de bâton, en avaient tué

douze cents dans une heure' (Milet-Mureau,
LPér. 3, 49f., Atl. 39. 46); *b) Rivière-aux-Ss.*
s. Noire.

Saunders's Island,, eine der Society Is., Abth.
Windward, in der Mitte hoch, vulcanisch, v.
Laven u. Basaltstücken bedeckt, einh. *Maiaoiti,*
früher *Tabuaem anu,* bei Wallis *Tapamanu,* v.
Capt. Wallis am 28. Juli 1767 entdeckt u. zu
Ehren Sir Charles *S.* benannt (Hawk., Acc. 1,
271), bei dem span. Seef. Boenechea 1772 *Isla*
Pelada = kahle Insel (Meinicke, IStill. O. 2,
161). — Person v. Cook getauft *Cape*
S., 2 mal: *a)* in der Südinsel NSeel., am 24. Febr.
1770 (Hawk., Acc. 3, 14); *b)* in SGeorgia, am
17. Jan. 1775 (Cook, VSouthP. 2, 215), sowie
S.' Island, in Sandwich Ld., am 2. Febr. 1775
(ib. 228). — *Mount S.* s. Dundas. — *S. Bach*
s. Wyman.

Saur, skr. *Savara* = Barbaren, Unindier, ein
halbwilder Stamm, welcher in den Waldgebirgen
der Grenzen Orissa's wohnt (Lassen, Ind. A. 1,
223), wo Ptol. (7, 1⁸⁰) die Σαβάραι erwähnt.

Sauriehuk, die Bergspitze, welche das Ende des
westspitzb. Eisfjord in zwei Arme theilt u. v. den
Spitzbergenfahrern desw. *Midterhuk* = Mittel-
spitze genannt, v. der schwed. Exp. v. 1864 nach
den dort aufgefundenen Knochenresten vorwelt-
licher Saurier umgetauft (Torell u. Nord., Schwed.
Expp. 406). Es waren drei grosse nautilusartige
Muscheln u. Knochen-Fragmente v. einigen krokodilartigen Thieren, welche theilw. eine Länge
v. 2 Ellen gehabt zu haben scheinen.

Saussure, Cap, am Spencer's G., v. Lieut. L. Freycinet, Exp. Baudin, am 27. Jan. 1803, zZ. als
Genf mit Frankreich vereinigt war, getauft nach
dem Genfer Naturforscher Horace-Benoit de *S.*
1740—1799 (Péron, TA. 2, 79, Freycinet, Atl. 16).

Sauteurs s. Chipewyan.

Sauvages, Cap des = Vorgebirge der Wilden
(s. Silvaticus), in NFundl., v. frz. Seef. J. Cartier
am 1. Juli 1534 so benannt. Schon Tags vorher hatte er in dieser Gegend Boote voll wilder
Männer gesehen; hier nun sahen die Franzosen
einen Wilden, der ihren der Küste entlang
fahrenden Booten nachlief u. ihnen Zeichen gab,
zu diesem Vorgebirge zkzukehren, dann aber,
als sie sich ihm näherten, floh u. erst auf Vor-
weisen v. Geschenken zkkam (Hakluyt, Pr. Nav.
3, 206, M. u. R., Voy. Cart. 23).

Savage = Wilder (s. Silvaticus), in engl. Entdeckernamen auch übh. f. 'Eingb.' *a) S. Island,*
ein bewaldetes Eiland im Osten v. Tonga, einh.
Niue (Meinicke, IStill. O. 2, 96), *Inine* (Stieler,
HAtl. 51), v. Cook (VSouth P. 2, 5) am 20. Juni
1774 entdeckt u. so benannt, weil die wilden,
abschreckenden Eingb., alle freundschaftl. Zeichen
verschmähend, sich feindselig benahmen u. theilw.
selbst die Gewehrfeuer nicht fürchteten ... 'the
conduct and aspect of these islanders occasioned
my naming it *SI.*' Seit 1846 sind die einst verrufenen Wilden, gg. 5000 an Zahl, durch evang.
Missionäre bekehrt (Meyer's CLex. 12, 77); *b) S.*
Islands, in Hudson's Str., wo der engl. Seef. Baffin

am 8. Juni 1615, nachdem schon 1812 sein Landsmann Thom. Button sie entdeckt hatte, lange u. sehnl. nach Eingb. suchte u. endl. v. einem Berge aus ein Boot mit 14 dieser Wilden, noch einen guten Büchsenschuss entfernt, erblickte, mit ihnen jedoch nicht direct verkehren konnte, sondern nur Messer u. andere Kleinigkeiten, zu gelegentl. Empfangnahme, hinterliess (Rundall, Voy. NW. 86. 113, Forster, Nordf. 405), j. als *Upper* (= obere) v. den *Middle* (= mittlern) u. *Lower* (= untern) *SIs.* unterschieden (Parry, Sec. V. 16); *c) S. Cove,* in Magalhães Str., v. der Exp. Cavendish am 22. Aug. 1592 getauft, weil sie hier viele nackte u. kräftige Wilde trafen . . . 'notwithstanding the extreme colde of this place, yet doe all this wilde people goe naked and liue in the woods like satyrs, painted and disguised, and flie from you like wilde deere. They are very strong, and threw stones at vs of three and foure pound weight an incredible distance' (Hakl., Pr. Nav. 3, 846); *d) S. Sound,* an der Nordseite v. Wager Water, v. engl. Capt. Christoph Middleton im Juli 1742 so getauft, weil er dort Eskimos traf (Forster, Nordf. 451).

Savanna, früher meist *Savannah,* die engl. Form, deutsch *Savannen,* v. span. *sabana,* das wie prov. *savena,* altfrz. *savene* == Bett- od. Altar- od. Leichentuch, auch Fläche, bedeutet u. auf spätlat. *sabanum, savanum,* zkgeht (Diez, Rom. WB. 1, 361), im Wörterbuch der span. Academie 1739 *sábana,* 'por semejanza se llama el plano grande nevado que esta mui blanco e igual', also f. eine Schneefläche, in den neuern span. Wörterbüchern, bei Caballero 1865, Salva 1865, Dominguez 1882, Barcia 1882, mit dem Accent auf der zweiten Silbe, *sabána* = ausgedehnte, baumlose Ebene, mit dem Beisatz, dass der plur. *sabánas* in America, insb. westl. v. Missisipi, gebr. sei (Barrow, R. Entd. 2, 74. 83). In diesem Sinne hat zuerst 1535 Oviedo (Hist. Ind.) eine 'tierra de muy grandes *savánas* é arroyos muchos', u. er beschreibt die *S.* als 'tierra llana, sin árboles y cubierta de hierbas' (Rojas, Est. ind. 144). Auf Cuba finden wir den Ausdruck ebf. heimisch f. 'prado ancho rodeado de manigua' = Gehölz (Fort y Roldan, Cuba ind. 172). Auch frz. *savane* erscheint früh in Beschreibungen v. America, 1655 in Pelleprats Dict. als entspr. dem frz. *prairie,* 1744 bei Charlevoix (Hist. NFr. 3, 181) f. eine niedrige Sumpfgegend, bedeckt mit verschlungenem Zwergwald, u. noch heute bei den Canadiern f. die cedar-swamps, schreckliche, verworrene Sumpfdickichte. Die engl. Form 1699 bei Wafer (Voy. 192), 1726 bei Shelvocke, f. waldlose Gebiete, in neuerer Zeit oft bei Geographen f. die 'Prairieen' des Missisipithals, doch weniger vorherrschend gg. früher, so dass z. B. Humboldt (Ans. Nat. 2, 5) den deutschen Ausdruck 'Grasfluren' des Missuri gebraucht. Heute ist im Westen der Union das Wort ungebräuchl. geworden; dagegen bezeichnet im Süden, insb. in Florida u. Georgia, *S.* die Alluvialgründe längs der Flüsse. So beschreibt Barbour (Flor. 31) das Gelände am St. Johns

River als 'a flat level region of *savannas* . . . everywhere covered with luxuriant growth of marshy grasses and maiden-cane', da u. dort mit Baumgruppen, die bisw. nur 3, 4 Bäume enthalten, bisw. aber auch mehrere acres einnehmen (Whitney, NPlaces 183 ff.). So ist wohl kein Zweifel, dass auch Fluss u. Ort *Savannah,* Georgia, gelegen in einem Gelände v. Sümpfen u. Brüchen, unser span. Wort enthalten, obgl. nicht zu verhehlen ist, dass der Name in gefährl. Nähe der *Chaouanons, Shawano, Shawnees* = der südlichen, v. ind. *shawano* = Süd, liegt, dem Namen des Indianerstamms, welcher nachweisl. an dem Flusse lebte, so dass dieser auf ältern frz. Carten wirkl. *Rivière des Chaouanons* heisst (Nation 18. Juni 1885, 508). — Auch das dim. v. *sabana* ist ON. geworden: *Sabanilla,* der Seehafen an der Mündg. des Magdalenenstroms (Rojas, Est. ind. 144).

Save, deutsch *Sau,* mag. *Száva,* 838 *Sawa,* alt *Savos, Savus, Saus* (Plin., HNat. 3, 147 ff.), f. einen grossen rseitgen Nebenfluss der Donau, ist nicht befriedigend, etwa v. einem alten Stamm *sab, saw* = Fluss (Buck, FlurN. 177) od. v. pannon.-dalm. Stamme *su* = auspressen, fliessen lassen, jagen (Mitth. Wien GG. nf. 13, 497 ff.), abgeleitet. Noch 1743 schien es, 'gleich als wollte sie damit die Eigenschaft ihres Namens scherzweise darthun, indem sie aus einer so sumpfigten Gegend sich aus dem Schlamm wie eine Sau erhebt' (Flusslex. 516). — Dim. *Savica,* slow. Name der beiden Quellflüsse der *S.* (Umlauft, ÖUng. NB. 208).

Savodje s. Za.

Savoie, deutsch *Savoyen,* alt *Sapaudia,* ein Alpenland des Rhonegebiets, viell. 'Land der Alptriften', da durch das ganze roman. Alpen- u. Juraland das zweisilbige Patoiswort *za-ù, dsa-ù, dsa-ou,* f. Alp, hohe Weidetrift, verbreitet ist. 'Die Zweisilbigkeit u. der Hiatus . . . lässt auf den Ausfall eines leicht elidirbaren Consonanten wie *b, p, v,* schliessen, welcher sich denn auch in *Sabaudia, Sapaudia,* erhalten hat'. Auch in der Alpengemeinde Gsteig, Bern, eine Alp *Zavoy, Savoy* (Gatschet, OForsch. 64). Eine leichtfüssige Ableitg., v. germ. *sap-wald* = Land der Fichten gab J. P. Paquier in seiner Geogr. v. *S.* Nom. gent. *Savoyard, -de,* auch *Savoisien, -nne* (RDenus, AProv. 284).

Savonlinna s. Nyslott.

Sawahili = Küstenbewohner nennen die Araber eine Zahl ostafr. Stämme, v. arab. *sahil, sahel,* plur. *sawáhil* = Küste. Das Wort lautet in der Aussprache *Sawaili,* da das *h* stumm ist (WHakl. S. 44 Introd. I, Glob. 2, 131, Miss. cath. v. 4. Jan. 1889 p. 11).

Saw-Dorginy-Don = Schwarzsteinwasser, ein ciskaukas. Fluss, v. den Osseten so genannt, weil er üb. schwarzen Tafelschiefer fliesst.

Saw-essew s. Chipewyan.

Saw Mill Geyser = Geyser der Sägmühle, einer der kleinern Springthermen des Nationalparks, 1871 v. Geol. F. V. Hayden (Pr. Rep. 186) so getauft, weil die Wasserstrahlen fast ununterbrochen 3—4 m h. aufstiegen u. in dieser Regelmässigkeit an eine Sägmühle erinnerten ...'its lively play, and its quick, energetic spouts of 7—9 m in every direction, are very pleasing' (Ludlow, Carr. 29).

Sawoja s. Tundra.

Sawolotschje s. Wolok.

Saworótnaja = der umkehrende, ein Zufluss des Eismeers, bei den Russen so genannt, weil er nicht, wie die meisten Gewässer der Gegend, in nördl. Richtg. dem Meere zufliesst, sondern vielmehr den entgggesetzten Lauf nach Süden einschlägt, um sich mit der Besmóschiza (-Póscha) zu vereinigen (Schrenk, Tundr. 1, 674). — *S. Guba* = geschlossene Bucht, ein Busen des Bajkal, der selbst bei dem heftigsten Ostwinde einen ganz ruhigen Spiegel behält (Bär u. H., Beitr. 23, 164) '... Das grosse Boot wurde in aller Eile eine Werst weiter, hinter das *Cap Sawarotny* gebracht, wo es einigermassen gg. die Wellen geschützt lag ... In der Nacht war das Wasser vollst. ruhig' (ib. 281).

Sáwsar = weisse Schärfe, sam. Name eines Hügelzugs im Kleinlande, nach der langgezogenen, v. weissen Flechten bedeckten, in der Ferne kammförmig hervortretenden Erhabenheit (Schrenk, Tundr. 1, 655).

Sax, v. lat. *saxum* = Fels, Stein, in rom. und deutschen ON. häufig, f. sich im Rheinthal des C. St. Gallen, wo auf hohem Fels eine Burgruine *S.* steht, als *Saxon*, Wallis, f. zwei an die hohen Felshänge gelehnte Burgen u.' ein Dorf, *Saxiema*, s. v. a. *Saxa ima* = unterer Stein, eine Alp v. Château d'Oex (Gem. Schweiz 19²ᵇ, 188 Mart.-Crous., Dict. 836). Vgl. Sasso u. Scesaplana.

Saybrook, ein Ort an der Mündg. des Connecticut, als Fort ggr. 1635 durch die Ansiedler der Lords Say-and-Seal u. Brooke u. nach beider Namen getauft (Quackenbos, U.St. 88).

Scala = Leiter, Treppenpfad, in ital. u. rätr. ON. wie *Lago della S.*, auf dem Passe Bernina, der unmittelbar üb. dem Thalabsturz gelegene zweite der Quellsee'n des Poschiavino (Leonhardi, Posch. 2). — In dim. *Scaletta*, 'd. h. so viel als ein Stieglein' (Sererhard ed. Mohr, Del. 8, Bühler, Davos 254), ein auf der Südseite sehr steiler Gebirgspass zw. Davos u. Engadin. — In ehm. rätr. Gebiete der *Schollberg*, bei Campell (ed. Mohr 46), dessen Manuscript 1577 dem Bundestag der 3 Bünde vorlag, noch *S.*, der früher auf schwierigem Treppenpfade passirbare Felsvorsprg zw. den st. gall. Landschaften Sargans u. Werdenberg (Gatschet, OForsch. 34), 'do ettwa böss hinüber zu wandlen gewesen, dann man hoch stygen muosst, hat darumb den Nammen *S.*, d. i. zu tütsch Leytern, empfangen. Die siben ort der Heluetier, so diss Land beherschend, haben durch den Velsen by dem Fuoss des Berges ein Strass lassen howen 1503, mit grossen Kosten' (Aeg. Tschudi, Rät. I²). — Auch die *Schöllenen*, die schauerliche, den Lauinenstürzen ausgesetzte Felsschlucht, welche Uri v. Hochthal Ursern trennt, nach den *scaliones* = Felsentritten des alten Weges.

'Und willst du die schlafende Löwin nicht wecken, So wandele still durch die Strasse der Schrecken'. Schiller im 'Berglied'.

Ein span. ON. *Portachuelo de los Escalones* = Pass der Treppenstufen, f. einen steilen, stellenw. gefährlichen Gebirgsübergang der peruan. Anden (Tschudi, Peru 2, 6), gehört ebf. hierher.

Scarborough, Iles du, eine Gruppe des Gilbert Arch., v. russ. Admiral v. Krusenst. (Mém. 2, 381) getauft nach dem einen der Schiffe, die v. den Entdeckern, den Captt. Marshall u. Gilbert, geführt wurden: *S.* u. Charlotte. Die beiden am 20. Juni 1788 erreichten Eilande taufte der erstere der genannten Entdecker: a) *Marshall Island,* einh. *Tarawa,* die grösste aller Gilbert In., mit vermeintlichem Nebeneiland, *Knox I.* (nach einem seiner Officiere?), welche beide zs. Capt. Patterson, v. Schiffe Elisabeth 1809, als *Cook Island* eintrug; b) *Gilbert Island,* einh. *Maiana,* bei Patterson *Hall Island.* Auch eine *Charlotte Bay* wurde in diesen Gewässern getauft (Berghaus, Ann. 3. R. 1, 220f.) — *S.* s. Skär.

Scarl, vermuthl. St. Carl, Ort des *Val da S.*, eines Nebenthals der Engadin, am *Scarlbach,* rätr. *Clemgia* (Dufour C. 15).

Scattering Creek = zertheilter Bach, einer der obersten Zuflüsse des Clarke's R., v. der Exp. Lewis u. Cl. (Trav. 223) am 8. Sept. 1805 so benannt, da der Fluss sich in 4 vschied. Arme zertheilt.

Scatuck = 'See, wo Fische das ganze Jahr leben', ind. Name des Sees, aus welchem der Fluss Ste. Croix in die Bay Passamaquoddy (s. d.) fliesst = 'so that the aboriginal nomenclature is sufficiently expressive of the abundance of fishing-stations in the bays, rivers and lakes, and of the great resources in food which these afforded to the Indian tribes' (Buckingh., East. & WSt. 1, 150 f.).

Scesaplana, eig. *Scaesaplana,* s. v. a. *Saxa plana* = Glattenstein, rätr. Bergname im Rätikon (Gem. Schweiz 15, 143), 'ebener Stein', was z. Form des Berges, v. Rheinthal aus betrachtet, mit der Rücklehne gg. Osten, auch gut passt (Sererhard ed. Mohr, Del. 3, 112), im Vorarlb., wo *ferner* = Gletscher, gew. *Brandner Ferner,* als der Gletscherberg, den man üb. *Brand* (s. d.), im *Brandner Thal,* erreicht (Bergmann, Voralb. 2, Wals. 22). — *Le Scex que plliau* = der regnende Fels, auch *Sce que pliau* (Gem. Schweiz 19²ᵇ, 195), eine Felshöhle ob Montreux, v. deren Decke beständig incrustirendes Wasser herabtröpfelt.' Cette grotte est formée par un rocher de tuf poreux, au travers duquel filtre continuellement une eau saturée de carbonate calcaire, qui dépose une croûte pierreuse, blanche comme de l'albâtre, sur les objects exposés à la recevoir ...' (Mart.-Crous., Dict. 839). — *Sous le Scex* = unter dem Felsen, ein Weiler v. Château d'Oex (Gem. Schweiz 19²ᵇ, 31. 188). — *Du Scex* s. St. Maurice.

Schaapenberg = Schafsberg, holl. Name eines Bergs in Hottentottsch Holland. 'Den ganzen Tag ist er mit weidenden Heerden bedecket.

Adrian van der Stell, der Gouv. u. in diesem
Amte Nachfolger seines Vaters Simon van der
Stell, hatte eine gewaltige Anzahl Vieh daselbst
(Kolb, VGHoffn. 216); *b) Schaapen Eiland*, eine
der Küsteninseln der Westseite des Capl., nach
der guten Weide, welche sich dort f. diese Thiere
findet (Lichtenst., SAfr. 1, 71).

Schaául, Magháret = Saul's Höhle, bei Bethlehem, der Ort, wo, der Sage zuf., die bekannte
Scene zw. David u. Saul vorgefallen, auch *Magháret Daúd* = David's Höhle od. *Úmm el-Tháleá*
= Mutter des Aufsteigenden, Emporragenden,
weil man v. ihrem hohen Standpunkt aus eine
ausgedehnte Fernsicht hat (Seetzen, Reise 2, 223).
Richtiger wird, nach Lage u. Ausdehng., die weit
grössere *el Maáschá* = die Ziegen, hier f. 'Ziegenhöhle', ein natürliches Felslabyrinth im Wady
Chreitun, f. das Local jener bibl. Erzählg. gehalten (Seetzen 4, 355).

Schabi = Schüler, Unterthan heissen die dem
Khutukhtu v. Urga (s. d.) unterworfenen Mongolen (Timkowski, Mong. 1, 29).

Schabín s. Kara Hissar.

Schadelijk E. s. Zondergrond.

Schadu s. Dschenein.

Schaep, Cap, in Jeso, v. russ. Capt. J. A. v.
Krusenst. (Reis. 2, 60) im Mai 1805 getauft, 'um
den schon beinah vergessenen Namen des Begleiters v. Capt. Vries (s. d.) im Andenken zu erhalten'.

Schaffis s. Chavannes.

Schafloch, eine Eishöhle des Rothhorns, in die
bei einfallendem Schneewetter im Sommer die
Schafe getrieben werden (Salis u. Steinm., Alp.
3, 121) . . . 'Nicht selten beherbergt es an die
tausend Stück Schafe' (Tschudi, Thierl. A. 33).
— Von altdeutschen Namen dieser Classe finde
ich nur den *Schafberg*, 843 *Scafesperc*, bei
Mondsee (Förstem., Altd. NB. 1298).

Schaffhausen, ON. mehrf. in Süd-Deutschl., 'deren
es in Deutschland allein 20—30 gibt' (Förstem.,
Altd. NB. 1297), am bekanntesten das schweiz.
obh. des Rheinfalls, nicht wie z. Erklärg. des
Widderwappens erfunden wurde, *schaf-aussen*,
sondern s. v. a. Schiffhäusern, v. ahd. *scif, scef*,
dial. *scheff*, f. Schiff, dessen *i, e*, leicht in *a* übergehen konnte, da der Wohnort der auf der folg. Silbe
liegt, als der Ort, der aus einer Schifferstation
des 8. od. 9. Jahrh. entstanden ist (Gatschet, OForsch.
74 f.). Unsere Etym. stammt v. Glarean, der in
seiner Descr. Helv., 1519, selbst stutzt dem,
Wappenbilde zu Liebe, auch *Arietis urbem* =
Widderhausen nennt; aber an anderer Stelle, wo
er ohne Bild spricht, ist sie ihm *piscosa Scap-
husia* = fischreiches Schiffhausen, wie er denn
auch 1538, in der Erklärg. Caesar's, den Namen
v. Schiffen, 'u. nit v. Schaaffen', ableitet, entspr.
den ältesten urk. Formen: 1045 *Scafhusun*, 1050
in vado *Scephusensi, Scephusen*, 1080 *Scaphusa*,
1094 *Scaflusa*, sowie, fügen wir hinzu, der 1495
v. C. Türst gebr. Form *Schaefhusen* (QSchweiz.
G. 6, 17. 20). Diese Ansicht wird in Myconius'
Commentar (p. 21) realistisch gestützt: 'Dann was

für Koufmanswaren uss dem Costanzer See den
Rhin abfarind, müessind daselbst landen u. uss-
gladen werden; dann man biss in die tusend und
fünfhundert Schritt wit mit dem Schiff im Rhin
nit faren könde, verstand von wegen sins krummen
und ungestümen Loufs u. Fals bi und under der
Stat *Sch*.' (Rüegers Chron. 7 ff.). Dieser Etym.
schlossen sich nicht nur B. Rhenanus, Dasypodius,
Aeg. Tschudi, Seb. Münster, Joh. Stumpf, B. Brand,
Jos. Simler u. Frz. Guillimann, sondern auch alle
Neuern an, u. es ist ihr keineswegs entgegen,
wenn Förstem. (Altd. NB. 124. 1297) auf das
Ascapha des Geogr. Rav. verweist u. vermuthet,
dieser Name möchte die spätere Benenng. veranlasst haben. Diese Einmuth der Ansichten setzte
der Archivar Fr. L. Baumann, viell. nicht ohne
launige Absicht, auf eine leichte Probe, als er
an ahd. *scaft*, nhd. *schaft*, in der Bedeutg. v.
arundo, calamus, Schilfrohr u. damit an die alten
ON. *Scaftun, Sceftilari* u. *Schaphtloch* (Förstem.,
Altd. NB. 1298) erinnerte — Formen, die ihr *t*
treulich, auch bis z. Neuzeit herab, in *Schäftlarn*
u. *Schaftlach*, bewahrt haben. — Eine Uebtragg.
Sch. s. Jekaterina.

Schahabad = Königsstadt, pers. ON. in Indien
mehrf., mit gl. Bedeutg. *Schahpur, Schahpúra,
Schahpuri,* ferner *Schahbandar* = Königshafen,
Schahbazár u.*Schahgándsch*, beides 'Königsmarkt',
Schahdéra = Königshaus, *Schagárh* u. *Schahkot*,
beides 'Königsveste'. — *Schahschehanabád* =
Schahdschehánpur, die Stadt Schahdschehan's,
eines Kaisers v. Dehli (s. d.), ebf. mehrf., wie
Schahzáddpur=der kön. Princessin Stadt(Schlagw.,
Gloss. 243). — *Schah Göl* s. Urmia. — *Schah-
jar* = Fürstenberg, Ort südl. v. Pass Muzart
(Peterm., GMitth. 37, 270). — *Schahkadem* s.
Krasnowodsk.

Schahér Tschai = Stadtfluss, v. türk. *schaher,
scheher, schehr* = Stadt (s. Tataren) u. *tschai* =
Fluss (s. d.), der bei Urmia vorbeifliessende Zufluss des See's (ZfAErdk. 1872, 540).

Schaifa s. Bu.

Schaitan, auch *Scheitân, Schajtán* etc. = Teufel,
spielt in türk. ON. dieselbe Rolle wie in abendl.
Sprachen, z. B. *Beni Sch.* = Satanskinder, bei
dem Ackerbauer am Jordan die Beduinen, die
je nach der Ernte aus Transjord. einbrechen, um
ihn auszurauben (VVelde, Reise 2, 247, Seetzen,
Reis. 4, 1), od. *Bar esch-Sch.* = Land des Teufels,
der letzte Vorberg v. Aden u. in extenso Aden
selbst, das Besitzth. der Ungläubigen (ZGes. Erdk.
10, 266), od. *Sch. Akindissi* (s. Akindi), od. *Sch.
Tscheschmé* = Teufelsquelle, in der Krym (Köppen,
Taur. 2, 7. 22 ff.). — *Schaitanka* = Teufelsfluss,
ein rseitg. Zufluss der Tschussowaja, ozw. nach
einem 'Götzenort', u. nach dem Flusse die Hüttenorte *Werch* (= ober) u. *Nishnij* (= unter) *Schaitansk*. — *Schaitanskie Jurti* s. Troizk.

Schakwinsk s. Solikamsk.

Schalaurow Insel, ein Küsteneiland bei Cap
Schelagskoi, 1823 v. nachm. Admiral Wrangel
(NSib. 276) zu Ehren des Reisenden getauft, wel-
cher durch seine Kühnheit, seine Beständigkeit

u. seinen Tod in diesen Gegenden ein Denkmal verdient hat. Seine Reisen fallen in die Jahre 1761/64.

Schalikule s. Sir-i-Köl.

Schálong = Ort, wo die Hirsche sich zeigen, tib. Name einer hübschen, f. Hirsche angenehmen Steppe, welche freil. heutzutage nicht mehr oft v. ihnen besucht wird (Schlagw., Gloss. 244).

Scham s. Schemal.

Schamansk,sibir. ON.ander obern Tunguska. Zunächst hiess *Schamanskoi Porog* der dortige grosse Fall, *porog*, weil 'vor Zeiten ein Schaman od. tungus. Gözenpfaff diesem Wasserfall ggb. gewohnet hat'. Die Stromschnelle ist 6 km lg., wird aber in $1/2^h$ abwärts befahren. 'Der Grund ist ein lauterer Felsen, der in Gestalt unzähliger Türme od. Bastionen sich üb. dem Wasser erhebet; an diesen so genannten Türmen zerbrechen sich die Wellen mit einem so starken Geräusch, dass man sein eigenes Wort nicht hören kann. Kurz, dieser Wasserfall hat ein fürchterlichschönes Aussehen' (Fischer, Sib. G. 1, 477 f.).

Schamgarh s. Krischna.

Schamo s. Gobi.

Schams, die zweite Thalstufe des Hinterrheins, im 10. Jahrb. u. bei Campell (ed. Mohr 23) *Sexamnes*, ital. *Sessame* = sechs Flüsse, also das Thal der sechs Thalbäche, die hier zu 3 v. jeder Seite in den Rhein münden (Salis u. St., Alp. 2, 185). Ggb. der neuern Ableitg. Steub's, der einen plur. v. *saxamen*, wo Suffix *amen* zu *saxum* = Fels getreten wäre, also die Bedeutg. 'Felsenthal' annimmt, spricht Gatschet (OForsch. 177) mit guten Gründen.

Schan s. Laos.

Schanck, Mount, ein Küstenberg in Süd-Austr. (s. Bernard), v. flacher tafelähnlicher Gestalt, v. Lieut. Grant 1800 zu Ehren des spätern Vice-Admirals *Sch.* getauft (Flinders, TA. 1, 202. 232), wie *Cap Sch.* bei Port Phillip (ib. 1, 210), *Cap Richelieu* der Exp. Baudin, die am 30. März 1802 auch die nahe Bucht als *Baie Talleyrand* eintrug (Péron, TA. 1, 264).

Schandort s. Schön.

Schangalla, eig. *Schankala* = Heiden, gemeinsamer Name vschiedd. Negerstämme, ihnen v. den Muhammedanern beigelegt (Meyer's CLex. 2, 577).

Schanghai = Stadt annähernd der See, chin. Handelsplatz obh. der Mündg. des Jangtsekiang (Wüllerst., Nov. 2, 297). — *Schangdu* od. *Schangtu* = Sitz des Herrschers, ON. mehrf. in China: *a)* f. *Peking* (s. d.); *b)* der d. mong. Sommerresidenz Kubilai Chans, auf d'Anville's Carte 29 *Tschaonaïman-sumé-hotuw*, bei Klaproth (Journ. As. 11, 347) *Dschao-naïman sumé khota* = Stadt der 8 Tempel des Buddhismus (MPolo ed. Pauthier I, 223f.); *c)* der Titel f. King tschao (s. Pe), die Hptstadt der grossen Dynastie der Thâng 618—905 (ib. 2, 361, ARémusat, NMél. As. 2, 194. 198. 210).

Schän-jäng = Süden der Berge, einer der chin. Namen des ehm. dép. Jen, wie sie ihn unter der Dynastie der Han, —202 u. + 264, erhielten. Die

Tçin, 265—419, machten das Land z. *Kaoping* = z. grossen Ruhe (Pauthier, MPolo 2, 441). — *Schân-si* = Westen der Gebirge, eine der westlichen Provv. China's (ib. 2, 352).

Schans s. Lokhatra.

Schans Hoek = Schanzcap, an der Südwestseite NSemlja's, durch ein langes, schwarzes, dem Lande eng vorliegendes Felsriff wie verschanzt, benannt v. Will. Barents, als er Ende Juli 1594, v. den Oranien In. zkkehrend, an der Westseite herunterfuhr (GdVeer ed. Beke 32).

Schantar = Insel, bei den Giljäken, die zZ. der russ. conquista im Mündgslande des Amur wohnten, die Inseln der Ochotsker See, ggb. der Mündg. des Ud, zunächst die Hptinsel, aber auch das ebf. v. Giljäken bewohnte Sachalin (s. d.) (Müller, SRuss. G. 4, 233 ff. 243; 5, 338), während eine kleinere nun, seit auf Veranlassg. des Fürsten Gagarin der Kosak Simon Anabara 1713/14 als erster Fremder die Gruppe besuchte, *Medweschei Ostrow* = Bäreninsel hiess, da er dort nichts als schwarze Bären traf, die beiden kleinsten *Pustie Ostrowa* = leere, öde Inseln, weil auf ihnen das Pelzwild fehlte (Müller, Kamtsch. 57).

Schantz Island, in Ralick, einh. *Wotto*, v. Capt. *Sch.* 1835 entdeckt u. getauft (Meinicke, IStill. O. 2, 330).

Schanvic, j. das Thal der Plessur, Graub., alt *Scana-vicus* = Ort bei dem Wald-Dickicht, wohl urspr. nur Localbezeichng. f. Maladers, wo j. noch der Churer Weg 4 km weit durch Wald führt (Gatschet, OForsch. 184, Campell ed. Mohr 148).

Schapenham's Bay, in Feuerl., entdeckt v. der 'nassauischen Flotte' am 18. Febr. 1624 u. benannt nach dem Viceadmiral Gheen Huygen *S.* ... 'nae de naem van de Vice-Admirael' (NVloot 38).

Schapkino s. Pilworndo.

Schara Chada = gelber Gebirgsrücken, so nennen die 'Chinesen' (nicht Mongolen?) einen Bergzug der südöstl. Mongolei; sein Rücken bildet ein 27 Werst br. hügeliges Plateau mit vorzügl. Steppenweiden (PM. 22, 14). — *Sch. Oola* = gelbe Kuppe, mong. Bergname an der russ.-chin. Grenze (Klaproth, Kauk. 2, 418 ff., Mém. 1, 20). S. Chara.

Scharaf, al = das hohe (od. obere) Land, auch *Aljarafe, Ajarafe, Xarafe*, arab. Name eines durch seine Olivenbultur berühmten, hochgelegenen Gartengebietes bei Sevilla, das, j. in verödetem Zustande, die feinsten bätischen Oliven des Alterthums erzeugte u. unter den Mauren ein Paradies war (Rye, Flor. 14). Zuñiga (Ann. de Sevilla 4) beschreibt die Gegend als 'aquella fertilissima porcion de tierra, que los antiguos llamaron Huerta de Hercules, que desde las riberas de Guadalquivir, interpuesta vega de media legua de ancho, se và elevando, de que le provino el nombre *A.*, que significa tierra alta ó superior'.

Scharans s. Cerrus.

Schárba Tso = blinder See, tib. Name eines See's in Balti, weil im tiefer Depression befindliche u. v. seinem frühern Niveau eingesunkene Gewässer mit einem eingesunkenen u. blinden Auge verglichen wird (Schlagw., Gloss. 244).

Schari = Fluss, scil. Fluss v. Kótokö, dessen
Sprache das Wort angehört, ein Zufluss des Tsad
(Barth, Reis. 3, 266. 279), bei den Baghírmiern
Ba = Fluss, u. zwar die vschiedd. Strecken
nach den anliegenden Ortschaften: *Bū-Mēlē* =
der Fluss v. Mēlē u. s. f., arab. *Bahr Mēle*,
weiter aufw. *Bahr A'ssū* = Fluss v. A'ssū (ib.
411), auch *Ba Busso*, nach der baghirm. Stadt
Busso (Journ.RGSLond. 1876, 403).
Schari, Phijom en- s. Akabah.
Scharwasser s. Sar.
Scha-tscheu = Bezirk des Sandes, chin. Name
einer am Rande der Gobi gelegenen Stadt, j.
Tun-huang. Das letztere war vor Christi Geburt
u. bis z. 4. Jahrh. herab der Name der Prov.,
welche in *Sî-liang* = gemässigtes Klima des
Westens umgetauft wurde, um 1759 ihren urspr.
Namen *Tun-huang* auf die Stadt übzutragen (Pauthier, MPolo 1, 152).
Schatten, f. sich ON. od. zu ON. benutzt f.
waldschattige Oertlichkeiten (Schott, ON. Stuttg.35),
auch *Schattli, Schattlihof* (Mitth. Zürch. AG. 6,
96), od. f. die schattigen Abhänge, die gg. die
şüdl., v. der Mittagssonne erwärmten contrastiren,
so dass *Schattenberg* u. *Sonnenberg*, wie *Winterberg* u. *Sommerau* gern als Ggsätze auftreten
(Gem. Schweiz 6, 142).
Schaumburg, besser *Schauenburg*, 1089 *Scou-
wenborg*, 1149 *Scowenborch*, dann *Schowenburg*
u. *Schawenburg*, zuerst 1361 *Schomborg*, 1397
Schaumbourg, in der mod. Form *S*. vorherrschend
seit 1518, in amtl. Gebrauch ausschliesslich seit
1693, v. ahd. *scouwa*, mhd. *schouwe* = Warte,
Wartthurm,'Ausschau', alter Dynastensitz nordöstl.
v. Rinteln, u. dessen Name durch Erbschaft auf
den Titel des Hauses Lippe übgegangen. 'Diese
Burg hat, sagt Büsching, der ganzen Grafschaft
den Namen gegeben, ihn selbst aber daher bekommen, weil man v. der Höhe, auf welcher sie
liegt, weit u. breit herumschauen kann'. In diesem
Sinne nennt der Chronist Herm. v. Lerbeck die
Burg *mons Speculationis;* aber er erwähnt auch
die Annahme, als habe sie den Namen daher,
dass Kaiser Konrad II. bei ihrem Anblick ausgerufen: 'Schau eine Burg!' Noch 1878, 6 Jahre
nach Erscheinen der zweiten Aufl. v. Förstemanns
Altd. NB., redet Daniel (Hdb. Geogr. 4, 446) v.
'einer völlig unsichern Ableitg'. — Eine Ruine *Sch.*,
1044 *Schauenburg*, bei Friedrichsroda, Hzgth.
S.-Cob.-Gotha, u. ein Ort *Schauen*, 973 *Scaun*,
am Harz, mit dem nahen *Wartberg*, v. dem 'man
eine bes. umfassende Aussicht auf den Harz hat'
(Förstem., Altd. NB. 1307).
Schawi Swga s. Kaspisee.
Scheb Karagatsch s. Temno.
Scheda-Insel, eine der Barents-In., NSemlja, v.
der österr.-ung. Exp. Wilczek im Aug. 1872 benannt (PM. 20, 16) zu Ehren eines bekannten
Wiener Carto- u. Geographen, vordem Vorstandes
des militärgeogr. Instituts (GM. Prof. HHöfer's,
Klagenfurt 17. Febr. 1876). Joseph Ritter v. *Sch.*,
geb. 1815, kk. Oberst, später Generalmajor, gab
1869 eine Generalcarte der europ. Türkei, in

13 Bl., heraus u. † 1888 (Rundsch. f. Geogr.
11, 45 ff.).
Schehai s. Issyk.
Schehad s. Achdar.
Scheich = der Alte, Greis, der Häuptling eines
Stamms, übh. ehrwürdige Person, plur. *schiuch*
od. *mschaich*, nicht selten in arab. ON. *a) Sch.*
Hassani od. *Sch. Morgob* od. *Merabet*, eine
Insel des Rothen M. unt. 25⁰ 46' NBr., nach
einem Heiligen, *merâbot*, gew. *marabut*, dessen
Grab v. einer Beduinenfamilie des Stammes He-
teyon bewacht wird. Der Scheich Hassan el-
Merabet, so hörte Burckhardt den Namen, gilt
als Patron des Bahr el-Hedschas; darum unter-
lässt der arab. Schiffer nicht, hier anzulegen u.
ein Boot auszusetzen, um den Grabwächtern Korn,
Butter, Zwieback, Cafébohnen zu schicken. 'Als
wir, sagt Burckhardt, vorbeisegelten, machte unser
Rais einen grossen, in Asche gebackenen Brot-
kuchen u. theilte Jedem an Bord einen Bissen
zu, den wir zu Ehren des Heiligen assen, u. dann
bewirthete er uns mit einer Schale Café' (Bergh.,
Ann. 5, 56); *b) Wady esch-Sch.*, am Sinai, ein
Thal, in welchem der hochverehrte Scheich Sâlih,
angebl. Stammvater der benachbarten Araber, begraben ist. In einer kleinen rohen Steinhütte
findet sich der Sarg in hölzernem Verschlage,
welcher mit Tüchern behangen ist (Robinson, Pal.
1, 239); *c) Dschebel es-Sch.* s. Hermon; *d) Insel*
Sch., im Golf v. Gabes (Parmentier, Voc. ar. 16);
e) Wady Sch., im trip. Küstenland, nach der
Capelle des Heiligen Bu-Mati (Barth, Reis. 1, 26).
— *Schichly* = Ort des Scheichs od. Aeltesten,
Ort unfern des Tus Göl (Tschihatscheff, Reis. 32).
Scheideck, im Alpenlande beliebt f. eine Ecke,
einen Bergrücken, der die Thäler scheidet, so im
Berner Oberland die *Grosse Sch.*, die Passhöhe
zw. Hasle u. Grindelwald, u. die *Kleine Sch.*,
zw. Grindelwald u. Lauterbrunnen, deren westl.
Abstieg die Wengern-Alp passirt. — *Rigi-Sch.*,
auf aussichtreichem Bergkamm, mit Curhaus
seit 1840 (J. J. Egli, Taschb. 107).
Scheitan s. Schaitan.
Schelagskoi Mys, ein weit vortretendes Cap am
tschuktsch. Eismeer, nach den frühern Eingebornen,
den Schelagi, die, angebl. selbst ein tschuktsch.
Stamm, v. den Tschuktschen vertrieben worden
sind, bei den letztern *Tschawadschan, Tschauat-
scha* u. die benachbarte Bay (u. Fluss) *Sch.*,
Tschaunsk (Wrangell, NSib. 1, 231, v. Bär, Wrang.
Ld. 5, Adelung, GSchifff. 547, Müller, SRuss. G.
4, 182. 190).
Schelde, frz. *Escaut*, unerklärter vläm. Flussname, im Mittelalter *Schaldis, Scald, Scaldus,
Scaldea*, 706 *Scalt*, 771 *Scalda*, 860 *Scaltus*,
im 9. Jahrh. *Schald*, 880 *Scalta*, 953 *Scalth*,
im 13. Jahrh. *Escaldus* (Dict. top. Fr. 10, 99).
Aus *Scaldis* ist geformt *Schouwen*, 976 *pagus
Scaldis*, 1156 *insula Scouden* = Gau od. Insel
der Schelde, f. die Insel, an deren südlichem Ufer
der Fluss lange hinströmte u. die Ooster-Sch. j.
noch hinströmt (Nom. GNeerl. 2, 181, v. d. Berg,
MNederl. G. 222).

Schelesn s. Želèzo.

Schellal = Katarakt, in arab. ON., so f. sich Eigenname der Flussinseln obh. Assuan (Peterm., GMitth. 7, 129). — *Wady Sch.*, ein Thal am Sinai, nach der Menge der Wasserfälle, welche in der Regenzeit durch die v. den Bergen herabstürzenden Giessbäche gebildet werden (Burckh., Reis. 2, 981).

Scheltowodsky s. Makariew.

Schemal = links, also f. den ostwärts gerichteten auch Nord, adj. *schemali* = nördlich (Parmentier, Vocab. arabe 16), in arab. ON. wie *Dschebel Schemalije* = nördlicher Berg (s. Ebal). Daher *al-Scham* od. *Blad esch-Schâm*, f. Syrien (s. d.), als *Mascharif al-Scham* der Ggsatz zu *Asâfil al-Jaman* (s. Jemen); auch *Nachla Schamija* als Ggsatz zu *Nachla Jamanija* (s. ebf. Jemen).

Schemesch = Sonne, hebr. שֶׁמֶשׁ, in ON. *a) Beth Sch.* (s. Beth), auch in Aegypten (s. Heliopolis); *b) Ir-Sch.* = Sonnenstadt (s. ʿIr); *c) Ain-Sch.* (s. Sared).

Schemnitz, mag. *Selmecz*, urk. erst 1244, Bergstadt in OUng., mit altberühmten Gold- u. Silberminen, hiess früher einf. *Banya* = Grube, Bergwerk u. nahm dann den Namen ihres Baches, der Sebnitz oder Stiawnica, an (Umlauft, ÖUng. NB. 209).

Schemschir-bur = mit dem Schwerte geschnitten, ein Felsenthor auf der Passroute Dameghan-Asterabad, nur $2^1/_2$—3 m br. u. 120 Schritte lg. Auch am nördl. Ausgange ist ein Felsenthor, das aber nur $1^1/_2$ m br. ist. Einige km weiter folgt ein zweiter ähnl. Engpass, welcher zwar nur 20 Schritte lang, aber weit schwieriger zu begehen ist, weil er aus schlüpfrigen Felsen besteht, üb. welche immer Wasser fliesst (Spiegel, Eran. A. 1, 64).

Schennâr, Ma'yan esch- = Quelle des Rebhuhns, im Sinai, eine schöne kühle Quelle, welche der v. el-Arbaʿin den St. Katharinenberg Ersteigende antrifft; sie soll durch das Flattern eines Rebhuhns entdeckt worden sein, als die Mönche die Gebeine der heil. Katharina v. Berge herabbrachten (Robins., Pal. 1, 179, Seetzen, Reise 3, 90, etwas abweichend Burckh., Reis. 2, 912).

Schera s. Seir.

Scheraga s. Scherq.

Scheren s. Skär.

Scheria s. Korkyra.

Scheriat s. Jordan.

Scherif = edel, adelig, berühmt, plur. *schörfa*, der Titel, den man allen Nachkommen Muhammeds, v. seiner Tochter Fatima, gibt, nicht selten auch in arab. ON. *a) esch-Sch.* s. Jerusalem; *b) Ain Si-Sch.*, ON. in Algier, mit *si* = Herr, der Abkürzg. v. *sid; c) Ued Schabet-Schörfa*, in der Prov. Constantine, mit *schabet*, der Verbindgsform v. *schaba* = Schlucht (Parmentier, Vocab. arabe 17).

Scherq od. *scherg* = Osten, adj. *scherki, schergi*, letzteres im plur. *scheraga*, mehrf. in arab. ON. *a) Zab-Schergi*, eine Gruppe v. 6 Oasen im Süden der alger. Prov. Constantine, gg. Tunesien hin; *b) Dschebel esch-Scherki* s. Libanon; *c) Schott esch-Schergi* s. Schott; *d) Scheraga =

die Oestlichen, in der Berberei die Bewohner der östl. gelegenen Gebiete, in Constantine z. B. die Tunesier; *e)* in frz. Orth. *Cheraga* eine Stadt Algeriens (Parmentier, Vocab. arabe 17).

Sche Schui Schan = Berg, *schan*, der warmen Quelle, *sche schui*, also Thermberg, ein Gebirge am Kuku Noor, v. den Chinesen so genannt, weil v. jenem eine Therme z. See geht (Timkowski, Mong. 2, 275).

Schib s. Siwa.

Schibetu = Festung, mong. Name eines aus Feuerstein bestehenden Bergs, auf dessen einer Seite sich 2 Granitfelsen wie Mauerruinen erheben (Timkowski, Mong. 1, 178).

Schicha s. Cheyenne.

Schichlý s. Scheich.

Schichor s. Nil.

Schickendorf s. Sigmaringen.

Schiemanen, poln. ON. in Masuren, wie *Ziemianen* v. *ziemianin* = Landedelmann, also ein adeliges Gut od. Dorf, gehören zu den nach der Art der Verleihg. gewählten Ortsbezeichnungen (Krosta, Mas. Stud. 10).

Schiffsberg nennen die Herrnhuter v. Nain, Labrador, eine Anhöhe, weil v. hier aus das Schiff, welches einmal per Jahr die Mission besucht, zuerst gesehen wird (Peterm., GMitth. 9, 123). — *Schifferinseln* s. Samoa.

Schiga gunggar, auch *Dschiga gungar* = Veste des weissen Flusses, die nächst H'lassa bedeutendste Stadt am rechten Ufer des Jaru dzangbo tschu (Timkowski, Mong. 1, 478).

Schigansk, russ. ON. an der Lena, ca. 67⁰ NBr., anfängl. nur Winterhütte: *Schiganskoje Simowie*, 1632 ggr. durch eine v. Peter Beketow, dem Gründer v. Jakutsk, abgefertigte Partie Kosaken, welche die tungus. Stämme Dolgani u. Schigani zinspflichtig machten (Fischer, Sib. G. 1, 506).

Schikárpur od. *Schikáripur* = Jägerstadt, v. pers. *schikâr* = Jäger u. skr. *pura* = Stadt, ON. mehrf. in Indien (Lassen, Ind. A. 1, 38, Schlagw., Gloss. 244).

Schilaja, Kosa = bewohnte Landzunge, russ. Name einer in das nordöstl. Ufer des Kaspisee's vorspringenden Halbinsel (ZfAErdk. 1873 Taf. 1).

Schildpad-Inseln, waldige, unbewohnte Felsinselchen an der Ostseite v. Celebes (Meyers CLex. 14, 277).

Schilka s. Amur.

Schillupönen s. Szilupe.

Schilo, hebr. שִׁילֹה, abgekürzt aus שִׁילׄוֹן = Ruheplatz, bei Josephus Σιλοῦν, j. noch *Seilûn*, nördl. v. Bethel im Stamme Ephraim (Robins., Pal. 3, 303ff., Gesen., Hebr. Lex.).

Schiloi s. Swjätoi.

Schindellegi, ein Bergpass zw. Zürich- u. Vierwaldstätter-See, wo v. jeher eine *legi*, Ablage, der Holzwaaren: Brennholz, Bretter, Scheien u. Schindeln, der rückwärtsliegenden Bergebiete z. Zweck der Ausfuhr nach dem Zürichsee war (Joh. v. Müller's SWerke 20, 33).

Schingjál = der König der Bäume, tib. Name, verschiedentl. f. Localitäten, wo isolirte u. aussergewöhnlich hohe Bäume vorkommen (Schlagw., Gloss. 245).

Schingrul = der faule (morastige) Grund, tib. Name eines fast gänzlich ausgetrockneten Salzsee's in Pangkóng (Schlagw., Gloss. 245).

Schinussa s. Sakis.

Schipka-Pass, ein ziemlich fahrbarer Uebergang des Balkan, benannt nach dem bulgar. Dorf *Sch.*, *Tschipka*, welches am südl. Zugang liegt (Meyer's CLex. 14, 292). Die Häusergruppe selbst jedoch, nach Barth (RTürk. 23) nur ein Chan, hat ihren Namen, 'Spitze, Kante', wieder v. Berge.

Schippenbeil s. Heiligenbeil.

Schirin, Laki Kumbi = Pass des Teiches der *Sch.*, iran. Name eines Gebirgsüberganges nach dem kleinen See der Passhöhe. 'Auch hier hat sich, wie an so vielen durch ihre Naturform auffallenden Stellen . . ., die Volkssage v. Ferhad's Liebe z. schönen *Sch.* angeheftet'; sie nimmt an, der Held Ferhad habe die Gebirgsmauer z. gangbaren Passe durchbrochen (ZfAErdk. 1870, 197). — Anders türk. *Sch.-Su* = Süsswasser, wie *Adschi-Su* = Bitterwasser ein Zufluss des Kisil Irmak (Hammer-P., Osm. R. 1, 248); *b) Ab-i-Sch.* s. Schûr.

Schirion s. Hermon.

Schischak Deyu = des Teufels Pocken, 'sehr charakteristische Bezeichng. f. die Basalt- u. Mandelsteinbildungen, welche — nach Vigne — die Gipfel am südwestl. Wall des Thales Kaschmir krönen' (Humb., ANat. 1, 103).

Schischkoff, Cap, an der Westseite Jeso's, v. russ. Capt. J. A. v. Krusenst. (Reise 2, 41) am 8. Mai 1805 getauft dem verdienstvollen Viceadmiral *Sch.* zu Ehren.

Schischmareff, Bay, in Alaska, v. russ. Lieut. Kotzebue (Entd. R. 1, 140) am 31. Juli 1816 benannt 'nach dem einzigen Officier, welcher unter mir diente', wie im Jan. 1817 *Sch. Strasse*, in Ratak (ib. 2, 70).

Schischtamak s. Salairsk.

Schiste Hodos, gr. Σχιστὴ ὁδός = gespaltener Weg, Scheideweg, heisst eine Stelle auf dem Knotenpunkt dreier Wege in Phokis, wo einst Oedipus den Laïos erschlagen haben soll, j. nach einer nahen Dorfruine τὸ σταυροδρόμι τῆς Μπαρδάνας = der Kreuzweg v. Bardanas (Bursian, Gr. Geogr. 1, 169).

Schitau s. Jüikwan.

Schiw s. Siwa.

Schlampamp s. Gibisnüt.

Schlangen Insel, ngr. *Ophidonisi* (s. Ophiussa), türk. *Jilan Adasi* (Parmentier, Vocab. turc.-fr. 76), beides mit gl. Bedeutg., die Pontusinsel vor der Suline, einst *Leuke* (s. d.), dem Achill geweiht, mit Tempel des Achill (Arrians Peripl. Eux.), auch *Achillea*, weil Thetis ihres Sohnes Leichnam hieher trug (Meyer's CLex. 14, 303), hat ihre 2 mod. Namen 'mit gutem Grunde, da sich hier wirkl. viele pechschwarze, am Bauche weissl., angebl. harmlose, 1½ m lg. Schlangen finden, die z. Fischen in das Meer gehen. Spratt (Journ.RGS.Lond. 27, 222 f.) sah unter seinen

schützenden Felsen im Strahl der warmen Octobersonne mehr als 20 in einen Knäuel zsgerollt' (ZfAErdk. nf. 5, 60, Peterm., GMitth. 2 T. 9, Ausl. 56, 398). — *Schlangenberg* s. Smejewskaja Gora. — *Schlangencanal* s. Serpens. — *Schlangenfluss* s. Snake.

Schlatt, ahd. *slade, slat, slata, slate,* ist ein nicht gar häufig verwendetes Namenelement u. seinem Sinne nach nicht ganz klar, wohl am besten mit T. Tobler (Appz. Sprachsch. 387) 'ein Ort, wo ein Holzschlag geschah, wo ausgestockter Waldboden ist' — eine Erklärg., die in einer Glosse bei Hattemer, novellum = slate, bestätigt wird (Mitth. Zürch. AG. 6, 74). Als Grundwort ist *Sch.* wiederholt in *-schlacht* übgegangen: *Feuerschlacht* (s. d.) u. *Zihlschlacht*, im 9. Jahrh. *Zillislata* (Förstem., Altd. NB. 1656).

Schlei s. Schleswig.

Schleierfall, f. schleierartige Wasserfälle, 2 mal in den Ost-Alpen *a)* in der Zephirau; *b)* in der Gastein (Umlauft, OUng. NB. 210), die Vorgänger des Bridal Veil (s. d.).

Schleinitz s. Sliva.

Schlesien, das Land am Oberlauf der Oder, im Volksmunde *die Schlesing* (Daniel, Hdb. Geogr. 4, 203), čech. *Slézsko*, poln. *Szlask*, 1085 *Slezin*, *Slasane*, 1132 *Slezsko*, 1139 *Slesia*, 1368 *Slezien* latin. *Silesia*, so hiess urspr. nur der um den j. Zobtenberg (s. d.) u. die j. Lohe gelegene Gau, 1017 bei dem Chronisten Thietmar, Bischof v. Merseburg, *pagus Silensi,* 'der seinen Namen v. einem sehr hohen u. grossen Berge hat, der wg. seiner Grösse u. Beschaffenheit, u. weil daselbst heidnischer verruchter Götzendienst stattfand, v. den Eingb. gar hoch gefeiert wurde' (Mon. Germ. 7, 44). Von dieser gesunden Bahn irrte die spätere Namendeutg. ab, als 1782 der Slawist Jos. Dobrowsky (Urspr. NTschech) *Sch.*, im Zshang mit Tschech (s. d.), aus böhm. *sled* = Folge, *naposled* = zuletzt, also im Sinne des 'zuletzt eingewanderten', ableiten u. gar, als noch 1865 der wend. Pfarrer Schneider (Schles. Prov. Bl. NF. 4, 10 ff.) *Sch.* zu einem 'Krautland', v. wend. *zelo* = Kraut, machen wollte. Ja noch 1890 setzte P. Cassel, der auf germanist. Gebiete schon schätzb. Arbeiten geliefert hat, aber nun auf das ihm fremde Feld des Slawisten sich verirrte, in einem Aufsatze, der 'an die ärgsten Etymologisireien glücklich übwundnen Zeiten erinnert', *Sch.* = Schlehenland, v. slaw. *slivo* = Schlehe (ZDCult.G. 1, 147 ff.). Diese Phantasiebilder sind nun zerstört. Die method. Forschg. ging, wie das gründl. Résumé P. Kühnels (der Name *Sch.*, Leipz. 1892) eingehend u. mit allen erforderl. Belegen zeigt, auf die vandal. *Silingen*, gr. Σιλίγγαι, zk., welche im 2. Jahrh. Nieder-*Sch.* bewohnten (Cl. Ptol. ed. C. Müller 1, 261 ff.)., dann mit den übr. Vandalen auswanderten u. zu Anfang des 5. Jahrh. in der Baetica den Angriffen der Römer u. Gothen erlagen. Ihre frühern Sitze wurden, wohl bereits im 5. Jahrh., v. den poln. Lechen eingenommen, die bei den zkgebliebenen Resten der Silinger den deutschen Gau-, Berg- u. Flussnamen hörten u., nach slaw. Sprach-

gesetz umgestaltet, annahmen: *Siling* musste asl.
Silẹzi, plur. *Silẹzi* werden; daher der Gauname
Silẹzi, latin. *pagus Silensi*, der Bergname *Silẹzi*,
Slenz, der Flussname *Silẹza*, *Slenza*, der Volks-
name *Silẹzane*, bei dem 'bayr. Geogr.' des 9. Jahrh.
Sleenzane. Neben den *Zlasane* (in altčech. Form)
erwähnt 1086 der Prager Historiker Cosmas, ge-
legentl. der Urk. üb. die Vereinigg. des mähr.
Bisthums mit dem Prager, noch die Stämme
Dedodesi, um Glogau, Boborane, um den Bober,
Opolini, um Oppeln, Hrowati etc.; alle diese Gaue
gingen später an das poln. Bisthum Breslau üb.
u. erhielten 1163, als *Sch.* ein selbstständiges
Reich wurde, v. dem in der Mittelgegend gelegenen Hptgau den gemeinschaftl. Namen (Adamy
22. März 1889).

Schleswig, ON. der jüt. Halbinsel, dän. u.
schwed. *Slesvig*, im 9. Jahrh. noch *Sliesdorf*,
später *Sliaswig*, *Sliaswic*, *Sliaswich*, *Slieswic*,
Sleswic, *Sleswich*, *Sleswigh* etc., ist ersichtl. 'der
Ort, *wick*, an der *Schlei'*, dem langen engen Fjord,
altn. *sle* = Röhre, an dessen Mündgshals, alt
Slesdyr = Schleithüre u. *Slesmynni* (WSeelmann,
ZGesch. d. d. Volksst. 38), auch *Schleimünde* liegt
(Daniel, Hdb. Geogr. 3, 10). Eine Zeit lg. erschien
S. mit dän. Namen, im 10. Jahrh. *Hethaeby*
(Styffe, Skand. Un. 12), *Heidiba*, *Sliasvic* quae
nunc *Heidiba* dicitur, *Sliaswig* que et *Heidiba*
dicitur, noch j. Ort *Hadeby* dicht bei *S.* (Förstem.,
Altd. NB. 784. 1347 f.). Die *Schlei*, alt *Slie*, zuerst im 11. Jahrh. bei Ad. v. Bremen erwähnt:
usque ad *Sliam* lacum, wollte C. R. L. v. Kindt
(Schlesw.-holst. Jahrbb. 2, 410 ff.) als plattd. u. dän.
sli, angebl. v. einer Art Seetang, Steph. Borring
(Bull. Soc. Géogr. Par. 3. sér. 10, 217 ff.) als alt-
dän. *sle*, *slie* = Seetang, Gerstäcker (Missisipi-
bilder 3, 86) als dem engl. *slew* = Sumpfwasser
verwandt betrachten, A. Erdmann (Angeln 113)
aus *slivo* = Schleim, Schlamm, ableiten. Auch
Förstemann (Altd. NB. 1347) setzt die im 10. Jahrh.
vorkommende Form *Slia* = lacus, stagnum, die
Schley, woran *Sch.*

Schleusingen s. Thüringen.

Schlieren, v. ahd. *slier* = Lehm, Schlamm,
828 in der Form *Slieron* ein Ort des C. Zürich,
als 'Ansiedelg. auf Schlammboden' (Mitth. Zürch.
AG. 6, 95), bes. gern f. Bäche, welche stark aus-
zutreten u. ihre Ufer mit Schlamm, Sand u. Kies
zu überschütten pflegen, *Schlierach*, im 11. Jahrh.
Slieraha, in Bayern, u. sein *Schliersee* nebst
Ort, im 9. Jahrh. *Slerseo*, *Schlierbach*, im 8. Jahrh.
Slierbach, mehrf. (Förstem., Ald. NB. 1348).

Schlossberg s. Schnabelberg.

Schlüsselburg, Inselveste im Ausflusse des Newa
aus dem Ladoga, v. Peter d. Gr. erbaut als Schlüssel
f. den Besitz des ganzen Umlandes; urspr. hiess
die Insel finn. *Pahkinä-saari* = Nussinsel, v.
pahkinä = Nuss u. *saari* = Insel, russ. übsetzt
Orechowoi (Ostrow) = Nüsschen, da sie, einer
Nuss vergleichbar, aus dem Spiegel der Wellen
hervortaucht. Daher hiess die erste Ortsanlage,
v. Grossfürsten Jurje Danilowitsch, 1324 ggr., zuerst
Orechowetz, später *Oreschko*, 1347 an die Schweden

übergegangen, übersetzt *Noteburg* = Nussburg, zZ.
Herberstein's, 1520, deutsch *Nürenburg* (od.
Nürenberg?), ausdrückl. noch 'in the middle of
the river' (Herb. ed. Major 2, 28). Peter eroberte
den Platz u. taufte ihn 1702 um; im Volksmunde
ist *Sch.* zu *Schluschin* geworden. Häufig heisst
die Stadt bei dem gemeinen Mann *Rybazkoj* =
Fischerstadt, womit eig. nur ein durch seine
Fischerei im Ladoga bedeutsamer Stadttheil bezeichnet ist (Schrenk, Tundr. 1, 2); die Bewohner
beschäftigen sich vornehmlich mit dem Gewinn
des Fischreichth. des benachbarten See's (Müller,
Ugr. V. 1, 406; 2, 51). Briefl. Mitth. d. † Lectors
Modeen, Wiborg. Auch Sjögren (Ingerm. 119)
gibt als urspr. Namen: *Pähkinäsaari* = Nussinsel, was in schwed. Chroniken als *Peken-*,
Peeken-, *Peckensare*, *Pekkensara* vorkomme, u.
fügt bei: noch heutigen Tages nennen die umwohnenden Finnen den Ort *Pähkinä*.

Schmaleninken s. Smaladumin.

Schmalkalden, im 9. Jahrh. *Smalacalta*, Ort
(u. zunächst Fluss) in Thüringen, mit ahd. *smal*
= klein, u. einem zweiten Element, das wohl
auch in *Nagalta* u. *Langalta* vorkommt u. die
Bedeut. 'Bach, Fluss' haben mag (Arnold, An-
siedl. 128). — Andere alte Formen: *Smalanaha*,
j. *Schmalenau*, in Hessen, *Smala eihahi*, *Smalen-
bach*, *Smalefeldon*, j. *Schmalfelden*, im Jagstkr.,
Smalonfleet, j. *Schmalenfleet*, in Oldenburg etc.
(Förstem., Altd. NB. 381. 1350).

Schmalzgrub s. Gibisnüt.

Schmarda, Cap, im arkt. Wilczek Ld., v. Jul.
Payer, als er auf seiner 2. Schlittenexcursion
nach Norden begriffen war, im Apr. 1874 entdeckt u. getauft nach einem Landsmann, dem
Zoologen u. Thiergeographen *Sch.* (PM. 22, 203).

Schmedenstedt s. Schmiede.

Schmidt-Insel *a)* eines der Eilande der Rogatschew-Bay, NSemlja, v. der österr.-ung. Exp.
Wilczek im Aug. 1872 getauft (PM. 20, T. 16)
nach dem russ. Geologen *Sch.*, der auf einer
seiner sibir. Reisen ein Mammuth an der Mündg.
des Jenissei gefunden hat (GM. Prof. Höfers in
Klagenfurt bd. 17. V. 1876, ZfAErdk. 1872, 367);
b) s. Wyman.

Schmiede, ahd. *smida*, zieml. oft in ON. wie
Schmida, im 9. Jahrh. *Smidaha*, 2 mal an der
Donau, *Schmiedbach*, im 11. Jahrh. *Smidibach*,
bei St. Pölten, *Schmidberg*, im 11. Jahrh. *Smide-
berch*, in Rheinpreussen, *Schmidham* u. *Schmidt-
heim*, im 9. Jahrh. *Smidaheim*, *Schmidhausen*
u. ähnl., im 9. Jahrh. *Smidahuson*, *Schmidt-
müllen*, alt *Smidimulin*, *Schmedenstedt*, alt
Smithenstide, *Schmidtsdorf*, alt *Smidestorf*,
Schmidlkofen, alt *Smidilinchovun* u. s. f. (Förstem.,
Altd. NB. 1351 f.). — *Schmiedeberg*, schles. Fabrikort im Riesengebirge, in der Nähe wichtiger
Magneteisensteinlager 1513 ggr. (Meyer's CLex. 14,
351). — *Schmidstöckli*, 2 kleine neben einander
liegende, ganz kahle Felsenstöckli, welche, v.
Sernfthal aus gesehen, wie 2 grosse, auf dem
grünen Grat ruhende, grauschwarze Ambose aus-

sehen (Gem. Schweiz 7, 648). — *Schmitten* s.
Ferrera.

Schnabelberg, ein Theil des Albis, mit einer
Burg, *Schnabelburg*, 1185 *Senableborhc*, *Snabil-
burch* 1225, *Snabelburc* 1243, gekrönt, darum auch
Schloss- od. *Spitzliberg* genannt, im Gipfel einem
Vogelschnabel ähnlich (Mitth. Zürch. AG. 6, 89).

Schnee, ahd. *snêo*, mhd. *snê*, nord. *snae* od.
snea, schwed. *snö*, dän. *snee*, holl. *sneeuw*, engl.
snow (s. d.), in Bergnamen, insb. in ON. des
hohen Nordens, doch auch der Alpen u. selbst
der deutschen Mittelgebirge, deren Häupter lange
Zeit beschneit bleiben: *a) Schneekopf*, der zweithöchste Gipfel des Thüringer-Waldes; *b) Schneekoppe*, der höchste des Riesengebirgs u. der mittel-
deutschen Bergwelt übh. (Meyer's CLex. 14, 359);
c) Ewig-Schneeberg, der firnbelastete Culm der
Uebergossenen Alm (Umlauft, ÖUng. NB. 211);
d) Schneehorn s. Silberhorn.

Schneit u. ähnl. deutsche ON., jedf. zu ahd.
snidan = schneiden gehörig, aber vschiedener
Deutg. fähig, wohl am einleuchtendsten f. einen
gereinigten 'abgeschnittenen' Waldboden u. alsdann in die Reihe Rüti, Schwendi, Brand, Stocken,
Schlatt, Hau, Neubruch, Awachs zu stellen (Mitth.
Zürch. AG. 6, 74). Das Element kommt als
Grundwort mehrf. vor, f. sich 850 als *Sneita*, j.
Sch., bei Winterthur, u. *Schneitheim*, unw. Heidenheim, als Bestimmungswort in *Schneitach*, im
11. Jahrh. *Sneitaha*, in Franken, *Schneitberg*,
9. Jahrh. *Sneitperc*, bei Winterthur, *Schneidhart*,
11. Jahrh. *Sneithart*, bei Regensburg, *Schneitsee*,
alt *Sneitsee*, u. in einem ahd. *Sneidbach* (Förstem.,
Altd. NB. 1353 f.).

Schneckenbühl s. Krähbühl.

Scho͑ayba, dim. v. arab. *scho͑ba* = der Zwischenraum zw. den 2 Hörnern (eines Thieres), eine
gabelförmige Bucht südl. v. Dschidda, in Ptol.
frei übsetzt *Kentos*, gr. *Kέντος* = Horn (Sprenger,
AGArab. 39).

Schöllenen s. Scala.

Schön, ahd. *scôni*, kann in deutschen ON., bes.
altdeutschen, unter der f. schöne Lagen u. Be-
sitzungen sehr empfängl. Klostergeistlichkeit, nicht
fehlen, so mehrf. *Schönau*, im 9. Jahrh. *Sco-
naowe*, u. *Schönenberg*, im 8. Jahrh. *Sconinberg*,
Schönesbrunn, alt *Sconibrunno*, *Schönbühel*, alt
Schenenbouhel, *Schönefeld*, alt *Scanafeld*, *Schongau*, alt *Scongawa*, *Schönstätt*, alt *Schonsteten*,
Schon-, *Schön-* u. *Schandorf*, alt *Scondorf*,
Schönering, alt *Scaonheringa* u. a. m. (Förstem.,
Altd. NB. 1304 ff.). — *Schönenwerd*, im 9. Jahrh.
Weride, urspr. eine Zelle auf einer Insel, *werd*,
der Aare, erst später auf den hohen Vorsprung
des rechten Ufers verlegt, im 12. Jahrh. in
ein weltliches Chorherrenstift (aufgehoben 1874)
umgewandelt (Gelpe, Kirch. G. 2, 181 f.), früher
einf. *Werd*, erst seit dem 16. Jahrh. mit Zusätzen:
Clarowerda, *Ecclesia Werdensis*, dann *Schönenwerd* (Gem. Schweiz 10, 252). — *Schönbrunn*,
das kais. Lustschloss bei Wien, schon unter Matthias († 1619) ein fürstl. Jagdschloss, in seiner
ggwärtigen Gestalt v. Maria Theresia 1744 ff. er-

stellt, getauft nach dem 'schönen Brunnen', welcher im östl. Theil der Anlagen, gg. Meidling
hin, sich befindet (Meyer's CLex. 14, 373). —
Schöne Bay, in NSemlja, zw. Eiscap u. Oranien
In., wohl v. Barents 1594 getauft (Peterm., GMitth.
18, 396). — *Schönwetter Berg* s. Fair. — Von
den zahlr. Orten *Schöneck* hatte das vogtl. wiederholte Anfechtungen zu erleiden, zuerst in Limmers
Gesch. d. Vogtl. als slaw. *swjánik* = heiliger Hain,
dann v. G. Hey, der, verleitet durch die ältere
Form *Srenick*, an *Srinjaki* = Schweinehirten
dachte (ON. Sachsen 52). Für die deutsche Ableitg ist aber U. Schneider (Wiss. Beil. Leipz. Ztg.
19. Apr. 1883) mit so überzeugenden Gründen
eingetreten, dass auch sein Gegner sie unum-
wunden adoptirte (ib. 12. März 1885).

Schörfa s. Scherif.

Schoinos, gr. *Σχοῖνος* = Binsicht: *a)* der Hafen
des isthm. Heiligthums, ngr. mit gl. Bedeutg. *Ka-
lamáki* (Curt., Pel. 2, 539); *b)* eine geräumige u.
feuchte Niederg. bei Nemitza, Ark. (ib. 1, 308).

Schollberg s. Scala.

Schomoschowskija s. Salairsk.

Schomron s. Samaria.

Schonen s. Skandinavia.

Schongau s. Schön.

Schoonzigt s. Pernambuco.

Schopfheim, im 8. Jahrh. *Scopheim* u. *Scopf-
heim*, 1050 schon in mod. Form, v. ahd. *scopf*
= vestibulum, bes. eine Art Scheune, Schuppen,
3 mal ON. in Baden u. Hessen, in der Form
Schopfen, *Schüpfen* u. *Schüpfheim* auch mehrf.
in der Schweiz (PostLex. 342 f.). Ein *Schopfen*,
1016 *Schopffen*, iu Baden, ein *Schupbach*, 1053
Schobpach, in Nassau u. s. f. (Förstem., Altd.
NB. 1318).

Schorah s. Kama.

Schordschu s. Sardschu.

Schott od. *Schatt*, plur. *schetu* (frz. *chetout*),
arab. Wort f. Fluss (s. Tigris), f. Ufer, so in *Sch.
el-Bahar* = Meeresstrand, in Algerien insb. f.
die Salzseen, welche, in das Plateau zw. den
beiden Atlasketten eingebettet, im Sommer zu
Sümpfen eintrocknen u. v. vegetationslosen Ufern
umgeben sind, wie *Sch. el-Achmar* = rother
See, *Sch. el-Gharbi* = westlicher See, *Sch. esch-
Schergi* = östlicher See, *Sch. el-Melah* = salziger
See, *Sch. el-Dscherid* = See des Dattellandes,
Sch. el-Kebir = grosser See. — Zieml. synonym
damit ist in Algerien *sebcha*, plur. *sbach*, so dass
das eben erwähnte Plateau dort als 'région des
sbâkh' od. 'région des chott' bezeichnet wird; es
wird erklärt als 'lac salin, grand étang salé, saline, bas-fond submergé en hiver et qui, se dés-
séchant en partie, reste à l'état de lagune sau-
mâtre'. So *Sebcha Serga* = blauer See, *Sebcha
Faraun* = See Pharao's etc. (Parmentier, Vocab.
arabe 17. 44).

Schottland s. Scotland.

Schouten's Eiland, ein Vorland der Nordküste
NGuinea's, ungef. mitten zw. Humboldt Bay u.
Golfe Astrolabe, zuerst 'een groot schoon eylandt langhs,
dat seer groen en playsant was om aen te sien,

dat gaven de naem ... nae haren schipper ...' (Beschrijv. 109, Sp. Austr. Nav. Carte), entdeckt u. getauft v. d. holl. Exp. Le Maire u. Schouten am 24. Apr. 1616, als Inselschwarm, *Britania Archipel*, erkannt v. engl. Capt. Belcher, welcher 1840 die ganze Nordküste NGuinea's befuhr (Meinicke, IStill. O. 1, 99); *b) S. Bay*, eine Bucht, u. *Mount S.*, der 762 m hohe Culm v. Futuna, Hoornsche Eill., durch den engl. Capt. Wilson, Schiff Royal Admiral, z. Andenken der ersten Entdecker jener Inselgruppe 1811 getauft (Krus., Mém. 1, 13 ff.), die Bay nach Meinicke (IStill. O. 2, 90) wahrsch. id. *Eendragt Bogt* (s. d.). — Eine andere Beziehg., auf den ind. Rath Justus *S.*, der Tasmans Instruction dd. Batavia 29. Jan. 1644 mit unterschrieb (Tasmans Journ. 8. 21, WHakl. S. 25, 58), haben die v. dem holl. Seef. Abel Tasman zu Ehren seines Gönners 1642/43 eingeführten Namen: *a) Justus S. Baai*, in Tonga (Tasmans Journ. 110, Krus., Mém. 1, 224; *b) S.'s Eilanden*, östl. v. Tasmania (Flinders, TA. 1, LXXXIX, Atl. 7).

Schouwen s. Schelde.

Schrattenfluh, ein Voralpenstock des Luzerner Entlebuch, v. dial. *fluh* = Fels u. *schratten* = 'was zerschrundet ist', d. h. die im Kalkgebirge häufigen, starken Auswaschungen der Felsoberfläche (Studer, LphGeogr. 1, 349), wie denn schon 1783 Schnider (Entl. 1, XXIII. 14; 2,40), vulcan. Träumereien verwerfend, die Bildg. dieser 'zerschrundeten, zerspaltenen, zerhackten, zerrissenen, zerborstenen, zerlöcherten ... Gestalt' dem Wasser zuschrieb. Im Entleb. selbst die *Hintere Fluh* genannt, nach der relativen Lage (ib. 1, 37). — Auch ein *Schrattenberg*, 1293 *Schretenperg*, in NOest. (Umlaut, ÖUng. NB. 212).

Schreckhörner, eig. *Schrickhörner*, v. ahd. *schrick* = Sprung, Spalte, Riss, eine Gruppe v. Felsgipfeln des Berner Oberlands. — Ebenso der *Schreckenberg*, auch etwa *Schröcken*, in Vorarlberg. u. *Schreck* die Felsenspalte z. Bad Gastein (v. Bergmann, Vorarlb. 47). Es sind diess somit ältere Formen, wie *Gspaltenhorn*, ebf. in den Berner Alpen, augenscheinl. jüngern Urspr. ist. 'Die schrecklich zerrissenen Felswände stellen sich v. der Nordseite am besten dem Auge dar' (Gatschet, OForsch. 32). 'Trotzig forderte der Felsberg, in seiner zerrissenen Wildheit, lange die kühnsten Bergsteiger heraus, bis er 1869 v. dem Engländer Foster u. den berühmten schweiz. Führern Hans Baumann u. Jak. Anderegg z. ersten mal bezwungen wurde' (Osenbr., Wanderst. 5, 27). — *Neue Stadt am Schreckenberge* s. Annaberg.

Schrenk-Bach, ein Zufluss der Rogatschew Bay, NSemlja, v. der österr.-ung. Exp. Wilczek im Aug. 1872 benannt (PM. 20 T. 16) nach dem Reisenden A. G. *Sch.*, der als Botaniker die Tundren des nordöstl. Europa durchforschte (GM. Prof. H. Höfer's in Klagenfurt dd. 17. Febr. 1876).

Schruab el-Rähah = Lippe des Windes, ein Berg der alger. Prov. Oran, 'v. der Lippenform

des Gipfels, welchen der Nordwestwind in den Wintermonaten scharf küsst, während derselbe Wind, durch die Bergwand abgehalten, die Ebene nicht heimsuchen kann' (Wagner, Alg. 1, 418).

Schruns s. Cerrus.

Schtschelijursk s. Ischemsk.

Schtschoki = Backen, russ. Name eines clusartigen Durchbruchs des semiretschinsk. Arganaty, 'wo der Fluss zw. 2 Felsen fliesst' (Bär u. H., Beitr. 20, 197).

Schtschurow Pic, ein hoher Berggipfel des centralasiat. Asferah Tagh, v. russ. Reisenden A. Fedschenko 1871 benannt nach 'dem hochverehrten Präsidenten' der Moskauer 'Gesellschaft der Freunde der Naturkunde', in deren Auftrag F. reiste. Ebenso der prachtvolle Eisstrom *Sch. Gletscher* (PM. 18, 163; 20, 204).

Schtschutschja = Hechtfluss, v. russ. *schtschuka* = Hecht, finde ich 2 mal: *a)* im sam. Kleinland (s. Saturajjaga); *b)* als Ikseitgr. Zufluss des untern Ob, wo riesige Hechte vorkommen, auch hier nur übsetzt aus sam. *Pere-ja* u. ostj. *Sortjohan* (Peterm., GMitth. 22, 450, Gartenl. 1878, 185).

Schubert, Berg, in Kiusiu, v. russ. Capt. J. A. v. Krusenstern (Reise 1, 262) nach seinem Freunde, dem Astronomen Friedr. Theod. *Sch.* 1758—1825, benannt.

Schübeler s. Broch.

Schüpfen s. Schopfheim.

Schüss s. Suze.

Schütt, die, d. i. das v. Fluss angeschüttete Erdreich, also Werder, Flussinsel, Name zweier Donauinseln in der oberung. Ebene (Schmeller, Bayr. WB. 2, 489).

Schuhmacher s. Albrecht.

Schulpegat s. Mossel.

Schulu-kurga = Steinbrücke, ein Wildbach im sajan. Gebirge, 'weil in seinem Bette viele Felsblöcke gelegen' (Bär u. H., Beitr. 23, 72).

Schumaginskije Ostrowa, eine Gruppe v. 13 waldlosen zieml. sterilen Klippeninseln bei Alaska, v. V. Bering am 30. Aug. 1741 entdeckt u. so benannt, weil hier der erste seiner scorbutkranken Mannschaft, der Matrose Schumagin, † u. begraben wurde (Müller, SRuss. G. 4, 337, Adelung, Gesch. Schiff. 633, Krus., Mém. 2, 103 f.). Der Kranke erlag unter den Händen seiner Begleiter, die ihn an's Land bringen wollten, 'og Öerne fick Navn efter ham'. Auch der Commodore war schon so mitgenommen v. Scorbut u. Stillliegen, dass er nicht mehr aufrecht stehen konnte, u. die Kranken, welche, ans Land geschleppt, längs der Küste lagen, gaben dieser ein trauriges u. klägl. Gepräge (Lauridsen, V. Bering 147 f.).

Schun-Thian = Gehorsam dem Himmel, chin. ON., 2 mal: *a)* s. Pe; *b)* ein *département* ... 'Les noms qui leur sont assignés sont pris, les uns de particularités locales ou du voisinage de quelque montagne ou de quelque rivière; les autres, de circonstances historiques relatives aux pays auxquels on applique. Telle est l'origine de ces dénominations morales qu'on a mal à propos prises pour des noms de villes, *Chun-thian* = obéissance au ciel; *An-khing* = joie tranquille; *Si-'an* = repos de l'occident, etc. (A. Remusat, NMél. As. 1, 44 ff. 54).

Schupbach s. Schopfheim.

Schûr, Ab-i- = Bitterwasser, npers. Name des einen der beiden Quellflüsse des Tab, während der andere *Ab-i-Schirin* = Süsswasser heisst (Spiegel, Eran. A. 1, 107). — *Schurab* = Salzwasser, ON. am Unterlaufe des Tigris (Sprenger, PRR. 68).

Schurfde Berg = schorfiger, d. i. rauher, gleichsam räudiger Berg, holl. Name eines Bergs der Karoo (Lichtenst., SAfr. 1, 214).

Schuwir s. Gennesareth.

Schuylkill, holl. Name eines Zuflusses des Delaware R., mir unerklärt, ind. *Ganschewehanna* = lärmender Strom od. *Manayunk* = unser Trinkplatz. Obh. Philadelphia, im j. Fairmounts Park, bildete der Fluss einen Sturz, die *Falls of Sch.*, u. hatte auch sonst ein unregelmässiges Felsbett, so dass namentlich die Gezeiten die Heftigkeit der Wogen vermehrten; seit dem Bau des Dammes, der bei Fairmount, zuerst 1819/21, u. dann durch vollständigen Umbau 1842/43 f. die Wasserversorgg. der Stadt quer üb. den *Sch.* gezogen wurde, gelangt die Flut nicht mehr üb. den Damm hinauf, u. unth. desselben fliesst nun der Strom breiter u. geräuschlos dahin. War er einst, mit seinem reinen treffl. Wasser, der 'Trinkplatz' der Indianer, so hat er f. die Weissen, eben durch die erwähnten Werke, eine ähnliche Bedeutg. erlangt (Keyser, Fairm. Park 17).

Schwaben, urspr. Volksname, *Suevi,* dann meist *Suebi,* bei Ptol. Σονῆβοι, bei Strabo Σόηβοι, später *Suabi, Suavi,* davon *Sueria,* vielf. zu erklären versucht (Grimm, Gesch. 322, Zeuss, Deutsche u. NBSt. 55, Müller, Mark. V. 164, Germ. 2, 216, Haupts Zeitschr. 9, 257), aber keineswegs gesichert (Förstem., Altd. NB. 1412 ff.). Wie ein Hohn auf die ernst-wissenschaftlichen Arbeiten, die trotz allen 'Schweisses der Besten' nur 'unsichere Etymologien' zu Tage förderten, klingt es, wenn nachträglich, im Jahre 1876 (!), ein 'Gelehrter' (Jul. Schwartz, Deutsche VolksN. 7) vermeint, an der Hand v. allerhand mod. *schweben* u. *schweifen, weben* u. *wippen, schwefel* u. *schwappeln,* ohne jegl. Berücksichtigg. alter Zeugnisse, die Bedeutg. des Namens *Sch.,* als Hüpfer, Springer, Flinke, Geschwinde, ergründet zu haben. — Zu *Sch.* gehören: *Suevus,* Flussname mehrf., wohl auch f. die Oder, der sächs. Gau *Suaba, Schwabach,* im 8. Jahrh. *Suabaha,* zunächst Fluss bei Nürnberg, dann der Ort, *Schwaben,* Halbinsel des Rheins bei Rheinau, im 9. Jahrh. *Suabowa, Schwaben-, Schwabs-* u. *Schwafheim,* im 8. Jahrh. *Swaboheim, Schwabhausen,* im 8. Jahrh. *Swabohusum, Schwebert,* alt *Swabareod, Schwabsdorf, Schwabweiler, Schwegenleim,* alt *Suuaebichenheim, Schwalheim,* alt *Suabileheim, Schwäbelwies,* alt *Suabilwis, Schwabhausen, Schwäblishausen,* alt *Swabirichishusin,* 'Schwabmünchen (s. München) u. 'a. m. Im Mittelalter bestand ein

Herzogth. *S.,* heute noch eine bayr. Prov. 'S. u. Neuburg', im weitern Sinne das auch üb. Württemberg u. Hohenzollern ausgedehnte Gebiet des *schwäb.* Stamms. Unter *mare Suebicum,* entspr. dem mod. Ausdruck 'schwäb. Meer', versteht Tacit. (Germ. 45) natürl. nicht den Bodensee, sondern die Ostsee, an der die *S.* damals wohnten. Missbräuchl. ist *Sch.* in Ungarn u. in der Schweiz, hier freil. nur bei den Ungebildeten, der Name der Deutschen übh., in Ungarn, weil dorthin im 18. Jahrh. viele Colonisten aus dem 'schwäb. Kreise', gezogen wurden (Glob. 34, 219), in der Schweiz, weil die *Sch.* das Hauptcontingent zu den zahlr. Deutschen bilden, die dort ihren Aufenthalt nehmen.

Schwändi s. Schwanden.

Schwaik s. Schweig.

Schwalbach, im 8. Jahrh. *Sualabah,* drei Orte in Nassau: *Langen-, Burg-* u. *Klein-S.,* v. ahd. *swal* = Schwall, 'einem das Aufwallen des Wassers bezeichnenden, f. FlussN. bes. passenden Worte' (Förstem., Altd. NB. 1417 f.). Der erstere dieser Orte liegt in engem Thal u. hat 17 Mineralquellen perlenden Wassers, erdig-alkalische Eisensäuerlinge v. 9—11⁰ C., die an Ort u. Stelle benutzt, aber auch, jährl. in 60 000 Krügen versandt werden (Meyer's CLex. 10, 590). — Ein Fluss *Schwale,* alt *Suala,* Zufluss der Wernitz, daran der Gau *Sualafeld,* ferner *Schwalheim,* alt *Sualeheim,* bei Friedberg u. a. m. Durch Erweiterg. die FlussN. *Swalma,* j. *Zwalm,* in Brabant, u. *Schwalm,* unw. Elberfeld, *Sualmanaha,* j. *Schwalm,* Zufluss der Fulda, *Sulmana,* j. *Sulm,* Zufluss des Neckar, u. daran der Gau *Sulmanachgowe,* 8. Jahrh.

Schwalheim s. Schwaben.

Schwan, ahd. *swan,* dän. *svane,* schwed. *svan,* engl. *swan* (s. d.), holl. *zwaan,* in den ON. *Schwanebeck,* im 9. Jahrh. *Schwaneberg,* 939 *Suanuburgon,* unw. Magdeburg, *Schwanfeld,* 788 *Svanafeld, Schwanenstatt,* im 8. Jahrh. *Suanse,* der Traun (Förstem., Altd. NB. 149). — *Schwanau* s. Svan. — *Schwanenfluss* s. Swan.

Schwanden, v. ahd. *suandjan,* mod. *schwenden,* d. h. den Wald durch Feuer lichten, wie schon Schnider (Entl. 1, XXIII f.) zw. Lichten *ohne* Feuer, *Rüti* etc., u. mit Feuer, *Schwendi* u. dgl., unterscheidet, häufig ON., auch in der Form *Schwand, Schwändli, Schwendi, Schwende* etc. od. geradezu *Feuerschwand* (Förstem., Altd. NB. 1419), *Gschwendt* u. *Gschwandt,* in Ober-Bayern (Wessinger, Bayr. ON. 33). Das schweiz. Postlex. enthält solcher Formen, nur an Wohnorten, üb. 100, Ritters OrtsLex. ebf. viele aus Bayern, Oesterreich etc. Von der ehm. Burg *Schwändi* der *Schwändibach,* einer der 3 Quellflüsse des Sittern, Appenzell. — *Schwändiflùh* s. Fluh. Anlässl. der Beisedlgsarbeit des smaländ. Skog sagt E. Egli (Wand. 9): 'Dasselbe Geschäft haben einst unsere alemann. Vorfahren, freil. mit ungleich geringerer Mühe u. lohnenderm Erfolge, in unserm Lande geübt, wo noch so viele Namen,

wie *Schwendi, Rüti, Stocken, Hauen, Ebnet,*
an jene Zeit erinnern. Auch der Schwede nennt
diese Thätigk. *svedja* = schwenden, u. es ist, als
ob er damit erst beginnen würde, so sehr verliert sich hier noch das bebaute Land unter der
Wildniss'. Auch im Schwed. bilden sich viele
ON. mit *sreden, sredjan, sredje* (P. v. Möller,
Sv. Jordbr. Hist. 11), wie *ryd, rud, röd, red*
(s. Rütli), u. erinnern so ebf. schon durch ihren
Laut an das einstige Roden. — Auch auf der
kur. Nehrg. ein Wiesenterrain *Schwentlund*, also
wie im nahen *Fogellund* = Vogelwald mit schwed.
lund = Wald, da der Sage zuf. die Schweden
im 16.—18. Jahrh. hier des Häringsfangs u. Theer-
brennens wg. etwa erschienen (Altpr. Mon. 8, 23).
Schwantomest s. Heiligenbeil.
Schwarz, ahd. *swarz,* holl. *zwart,* schwed. *svart*
(s. Swart), in vielen ON., schon *Schwarza.*
Schwarzach, Schwarzau, Schwerz, im 8. Jahrh.
Swarzaha, als Fluss- u. Wohnortsname 14 mal,
mehrere *Schwarz-* u. *Schwarzenbach* (s. Weiss),
alt *Swarzinbach, Schwarzenberg,* alt *Swar-*
zinperch, Schwarzenbruck, Schwarzenbrunn,
Schwarz- od. *Schwarzenburg, Schwarzenegg,*
Schwarzenfeld, Schwarzgräben, Schwarzensee,
im 10. Jahrh. *Suarcensee, Schwarzensohl, Schwarz-*
wald, Schwarzelfurt, im 9. Jahrh. *Swarzahafurt*
u. a. m. (Förstem., Altd. NB. 1420 ff.). Die thüring.
Schwarzburg, der Stammsitz der Fürsten d. N.,
auf einem hohen Felsen, der auf 3 Seiten v. der
Schwarza, einem Zufluss der Saale, umschlungen
ist, im 15. Jahrh. erbaut (Meyer's CLex. 14, 445).
Mehrf. findet sich bei Bächen u. Flüssen d. N.
die 'Realprobe' in der dunkeln Schlucht des
Wasserlaufs (Mitth. Zürch. AG. 6, 96). Auch der
freib. *Schwarzsee,* das Quellbecken der 'Warmen
Sense', ist nach dem dunkeln Färbg. der tann-
waldigen Umrahmg. benannt, u. f. den *Schwarz-*
wald, 763 *Nigra silva,* versteht sich das Motiv
v. selbst. 'Der *Schwarzwald* steht voll dunkler
Tannen' — da ziehen sich die prächtigen Tannen-
forste, welche dem Gebirge den Namen gegeben
haben, in besonders starkem Ggsatz zu den in
Laubwaldg., Obsthainen u. Weingärten reich pran-
genden Vorbergen der Rheinthalseite (Daniel,
Hdb. Geogr. 3, 330). Der *Schwarzwald* bei Chur
heisst in neuerer Zeit, weil dort die 3 Landes-
bünde zsstossen, häufiger *Dreibündenstein* (Campell ed. Mohr 31) od. *Dreibünden-Marchstein*
(Dufourcarte 14). — Eine oft wiederkehrende Bezeichng. f. Berge, nach den schwarzen Felspartieen: *Schwarzer Berg,* im Nordost Ld., Spitzb.,
v. der I. deutschen Nordpolexp. im Aug. 1868
(Peterm., GMitth. 17 ErgH. 28, 43 T. 2), od.
Schwarzhorn, in den Alpen oft im Ggsatz zu
einem benachb. *Weisshorn* (s. Bianco), am Monte
Rosa 'ein felsiges schwarzes Horn, oben wie gespalten, nach allen Seiten schroff abstürzend u.
nicht zu ersteigen', benannt 1822 v. Baron
v. Welden (MRosa 35), u. ein zweites, benannt
nach dem Besitzer der anliegenden Alp, dem
Gressoneyer *Sch.* (Schott, Col. Piem. 228), od.
Schwarzmönch (s. Mönch). — *Schwarzes Meer*

s. Pontus. — *Schwarzer Thurm* s. Rum. —
Schwarzbuben, im C. Soloth. die vulgäre Be-
zeichng. der Bewohner der Nordseite des Jura,
des *Schwarzbubenlandes,* nach der herrschenden
Bauerntracht, den schwarzleinenen Kitteln, im
Ggsatz z. *Gäuer,* dem Bewohner des *Gäu,* d. i.
der flachern Südseite (Gem. Schweiz 10, 74).
Schwebert s. Schwaben.
Schweden s. Sverige.
Schwegenheim s. Schwaben.
Schweig- od. *Schwaig-,* in ON. s. v. a. ein
Viehhof, ahd. *sweiga,* dav. *sweigari* = Schwaiger,
Hirt, Senn, wie in *Schweighausen,* Elsass, im
10. Jahrh. *Sveichusan, Schweigern,* im 9. Jahrh.
Sweigra, bei Mergentheim, od. im 8. Jahrh.
Sweigerheim, bei Heilbronn (Förstem., Altd. NB.
1423 f.), *Schwaikheim,* bei Waiblingen (Schott,
ON. Stuttg. 27), *Schwaikhof,* mehrf. im C. Zürich
(Mitth. Zürch. AG. 6, 79), auch in den ON. der
Ostalpen häufig (Umlaut, ÖUng. NB. 213).
Schweigaard Gletscher, eines der Objecte, welche
die Fahrt des Engländers Leigh Smith 1871 im
spitzb. Nordostland cartographirte, v. Dr. A. Peter-
mann mit Namen belegt, die um die Wissenschaft
verdient sind. In derselben Gegend *Cap Bruun,*
Nielsen Gletscher, Sars I., Boeck I., Norman
Gletscher, Kjerulf I. (nach dem Geologen) *Fearn-*
ley I., Danielssen I., Sexe Gletscher, Rasch I.,
Esmark I. (PM. 18, 106 T. 6; 19, 123, wo ein
Forstmeister J. C. Norman in Tromsö erwähnt ist).
Schweinfurt, Ort in Franken, im 8. Jahrh.
Svinfurt, also wie *Schweinach,* im 11. Jahrh.
Suinahe, bei Erlangen, *Zwijndrecht,* im 9. Jahrh.
Swindregth, bei Dortrecht, u. ein altes *Suin-*
vellum u. *Swinhusin,* eben doch mit ahd. *swin*
= Schwein zsgesetzt (Förstem., Altd. NB. 1425 f.),
obgl. man lieber eine *Suevenfurt,* also entspr.
'Frankfurt', hineindeuten möchte (Meyer's CLex.
14, 492). — *Schweinfurth Berg* s. Barth.
Schweiz, f. alt *Helvetia* (s. d.), auch der *Schweizer-*
bund od. die *schweiz. Eidgenossenschaft,* nach
dem Ländchen Schwyz (s. d.), d. i. dem führenden
Haupte der 'Urcantone'. Der Graf v. Habsburg
führte seine Fehden noch in 'Schwaben' u. 'Elsass'
od., genauer gesprochen, im 'Thurgau, Zürichgau,
Aargau, Sundgau u. Breisgau'; d. h. noch war
der Name Sch. nicht gebr. Erst nach der Schlacht
am Morgarten, 1315, begann man, mit demselben
nicht nur sie allein, sondern auch ihre Eidgenossen
v. Uri u. Unterwalden, u. mit dem Namen *Schwyz,*
Sch., auch die drei Länder übh. zu bezeichnen.
Bis z. Mitte der 14. Jahrh. gebrauchten die
Schriftsteller die Namen *Schwyzer* u. *Schwyz* in
diesem doppelten, blos localen od. auf die drei
Länder insgesammt bez. Sinne . . . Der Landesname, *Schwyz, Sch.,* kommt übr. seltner vor als
der des Volkes, viell. zuerst in den Annalen v.
Zwetl, wo z. Jahre 1320 v. Herzog Leopold im
elsäss. Feldzuge erzählt wird: plurimam vero
peditum acerrimorum de *Sweicz* habens multitu-
dinem (Mon. Germ. IX. 662). Um 1350, gleichzeitig mit ihm, schrieb Matthias v. Neuenburg v.
den 'mille quingenti de *Suicia,* soliti currere in

montanis´, welche 1289 in König Rudolfs Heere vor Besançon standen, worunter wohl die drei Länder, nicht nur Schwyz allein, zu verstehen sind (Matth. Neob. ed. Studer 24), u. z. nämlichen Zeit spricht auch Vitoduran in demselben Sinne v. den 'valles sive montes dicti Swiz´ (Arch. f. SchweizG. 11, 103. 114). Sehr bestimmt aber unterscheiden die genannten Schriftsteller alle zw. den Suitenses u. den ausserh. der Thäler liegenden Völkerschaften, welche noch nicht z. Eidgenossenschaft getreten waren; die Lucernenses, Turicenses, Bernenses u. s. f. gehören alle noch nicht z. Sweiz . . . Erst nach der Mitte des 14. Jahrh., d. i. nach dem Beitritte Luzerns u. Zürichs, gab der hieraus entstandene Krieg der erweiterten Eidgenossenschaft mit Oesterreich (1351,55) Veranlassg., die sämmtl. Eidgenossen, auch die Zürcher, mit dem Namen Schweizer zu bezeichnen. Und zwar thut dies zuerst eine österr. Quelle. 'Dux Albertus pugnaturus contra provinciam que dicitur Sweincz´, sagt das Calend. Zwetl. z. Jahre 1352 (Mon. Germ. IX. 689 ff.), während die übr. österreichischen u. alle schwäb. u. einheim. Schriftsteller, z. B. auch Eberhard Mülner, noch immer Zürcher u. Aidgenossen v. einander unterscheiden. 30 Jahre später machte dann der Sempacher Krieg diesen weitern Gebrauch des Namens Schweizer allg. üblich, u. die Ereignisse des 15. Jahrh. bekräftigten ihn. Von 1386 an nennen die österr. Annalen alle Gegner Oesterreichs im Bereiche der Eidgenossenschaft einfach Switenses; allmählich begannen die Eidgenossen selbst sich so zu heissen (Anz. f. Schw. Gesch. 3, 51 ff.). Schon 1415 finden wir den Namen in amtl. Gebrauch: im Geleitsbrief Sigismunds ist der bestimmte Ausdruck 'allen Landlüten u. Stätten in Switz´ nicht f. Schwyz allein, sondern f. die Eidgenossen zu verstehen (Tschudi, Chron. 2, 19, Blumer, Urk. S. Glar. 482). Man sieht, dass die Verallgemeinerg. des Namens nicht erst, wie oft behauptet wird, seit dem Alten Zürichkrieg (1436—1450) datirt, sondern 130 Jahre vor dessen Ende begonnen hat u. 35 Jahre vor dem Ende schon officiell geworden ist. War so die doppelte Fassg. des Worts, die engere u. die weitere, allg. üblich geworden, so wechselten, bis Ende des 18. Jahrh., die Formen Schwyz u. Sch. unsicher hin u. her, u. zwar in localer sowohl als allg. Beziehg. Noch 1760 sagt Leu (Helv. Lex. 16, 561. 564): 'Sch., auch Schwyz . . . Dieser nam wird dermahlen bald in gantz Deutschland beygelegt den ehm. Helvetischen Landen; doch würde Eydgenossenschaft derselbigen Zustand begründeter ausdrucken, auch nicht Missverstand mit dem Canton gl. N. verursachen´. Bei Fäsi (Erdbeschr. 1, 1; 2, 226) heisst 1766 sowohl der eidg. Stand als dessen Hptflecken Schweiz; Füssli (Erdbeschr. 1, 311) hat f. dieselbe Beziehg. die Schreibg. Schweitz. Die Ausscheidg. der beiden Formen, Schwyz im engern u. Schweiz im weitern Sinne; rührt ozw. v. Joh. v. Müller, 1785, her: 'Obwohl wir ungern in Kleinigkeiten v. angenommenen Gebrauche abgehen, schreiben wir

Schwyz u. Schwyzer, um dieses Land u. seine Einwohner´ — er spricht v. spätern Canton — 'v. den Eidgenossen u. ihrem Lande um so viel deutlicher zu unterscheiden´ (Sämmtl. W. 17, 212). Auf den Untergang der alten (dreizehnörtigen) Eidgenossenschaft folgte unter franz. Einwirkg. die Eine u. Untheilbare Helvetische Republik; allein im 'Tagebl. der Gesetze u. Decrete der Gesetzgebenden Räthe der Helvet. Republik´ (1, 201) erscheint nach dem helvetischen auch das schweizerische Volk u. — mit gleicher Orth. — anlässl. der Districtseintheilg. des Cantons Waldstätten den 2. Juli 1798 auch der Ort u. 'District´ Schweiz. Die v. dem schweiz. Historiker vorgeschlagene Formausscheidg. findet erst in der Mediationsverfassg. v. 19. Febr. 1803 officielle Nachachtg.: das Gesammtland heisst Schweiz, der Canton Schwyz; sie wiederholt sich in der Constitution v. 7. Aug. 1815, welche endlich auch die Schreibg. Schweiz (f. den Bund) z. Durchbruche bringt. — Schweizerhall, eine der 4 schweiz. 'Rheinsalinen´ (s. Hall) u. Soolbad, erst 1836 ggr. v. dem gothaischen Hofrath v. Glenck, welcher schon in Deutschland mehrere Lager erbohrt u. in der Schweiz sehr kostbare, aber unglückliche Bohrversuche angestellt hatte, dann geführt durch P. Merians geolog. Carte hier, bei 135 m Tiefe, ein reiches Steinsalz-Lager erschloss. — Schweizerthor, Bergübergang des Rätikon, zw. Montavon u. Prätigau, 'ein wunderlicher Pass, da man durchgehet zw. zwey perpendicular gg. einander aufgerichteten, sehr hohen Felsen, welche nicht weiter als drey Klafter v. einander stehen´ (Sererhard, Delin. ed. Mohr 3, 47 f.).

Schwendi, -e s. Schwanden.

Schwenzait s. Ogonken.

Schwerdt s. Philippi.

Schwerin, slaw. seit 1018 Zuerin, Zwarin. Swarin = Thiergarten, in Thilemann-Stella's Originalcarte, um 1560, auf einem noch als Wald gezeichneten Terrain 'der Swerin, ein Walt´ genannt (Jahrb. meckl. G. 5, 225). Diese Etym. finde ich zuerst 1837 bei dem čech. Sprach- u. Alterthumsforscher Wenzel. Hanka (ib. 2, 178) u. der treffl. Alex. Buttmann (Deutsche ON. 120 f.) hat sie realistisch näher gelegt. 'Offb. heisst Sch. eine thierreiche Gegend, welcher Begriff sowohl j. noch als bes. ehemals, als noch ungeheure Waldungen das Land bedeckten, f. dieses sehr bezeichnend ist´. Er verweist auf den ON. Strelitz (s. d.) u. findet: 'Es wird somit schon durch die beiden ON. das mecklenb. Land als ein f. die Jagd günstiges od. die Bewohner als ein jagdliebendes Volk auf das unzweideutigste charakterisirt. Beide wiederholen sich in den Gegenden des slaw. Deutschland, z. B. Schwerin, Stadt in Posen, Sch., zwei Dörfer im Rgbz. Potsdam, Sch., Dorf in Pommern etc.´ Es hat allerdings W. G. Beyer (Jahrbb. mecklb. G. 32, 58 ff.) die alte Etym. mit Zweifel aufgenommen: 'ein Thiergarten mitten in der Wildniss!´ Ihm sind die alten heidnischen Schwerine keine Wildgehege, sondern heilige Haine, in denen das edle, dem slaw. Gott Swantewit geheiligte Ross gehegt wird. Allein der kundige Fr. W. Lisch (Mecklb. Jahrbb. 42, 33 ff.) entscheidet f. den 'Thiergarten' u. 'kann Beyers Ausführung nicht beistimmen'. Und nun hat, 1882, auch P. Kühnel (ib. 46, 131) die Ableitung v. altslaw. *zvěri* = wildes Thier adoptirt u. *Sch.* ebf. als Thiergarten, Ort des Wildes, erklärt u. beigefügt, der Ort, zuerst 1018 erwähnt, *Zuarinae* civitatis munitio, sei 1160 v. Heinrich d. Löw. z. Stadt erhoben worden; das Land erscheine 1167 als terra *Zwerinensium*, u. der *Schwerin* wiederhole sich 3 mal im Mecklenb.: *a)* auf einer Insel bei Gneve; *b)* f. eine Insel des Krakower See's; *c)* f. einen Wald bei Müsselmow, als *Alt-Sch.* f. ein Dorf. Nach der Stadt der *Schweriner-See.* — In der That, das slaw. Wort f. 'Wild, Wildthier', asl. *zvěr*, čech. *zvěr*, slow. *zwer*, serb. *zvijer*, poln. *zwierz*, kommt so vielfach in ähnl. ON. vor, dass kaum mehr an der Richtigkeit unserer Etym. gezweifelt werden kann; *Zvěřetic, Zverkovitz, Zvěřotik*, Böhm., *Zverinjak*, Slaw., *Zwirče*, Orte in Kärnt. u. Krain, *Zvirinak, Zvjerinac,* Dalm., *Zwiernik, Zwierzyn, Zwierzyniec, Zwierzinice*, in Galiz. u. Schles. (Umlaut, ÖUng. NB. 289). — *Swerinogolowskaja* = das thierköpfige, eine Veste am Tobol, die nach Uralsk u. Orenburg grösste u. bestgebaute der ganzen Orenburger Linie (Bär u. H., Beitr. 14, 4).

Schwyz, zunächst Hptflecken des schweiz. Cantons gl. N. (s. Schweiz), 970 *Suuites,* 1040 *Suites,* hat man gern als nach *Switer*, einem Anführer der sagenhaften schwed. Einwanderer, benannt sich gedacht, so schon 1478 Alb. v. Bonstetten in seiner Descr. Helv. (Mitth. Zürch. AG. 3ª, 101)... 'a Suedia igitur *Suitenses* vocati, vel eo quod ex ductoribus eorum unum appellatus fuit *Switerus* qui fratrem suum (ut asserunt) naturalem in duello pro nomine ipso interfecit, u. ihm nach 1504 Balci Descr. Helv. (QSchweiz. G. 6, 91), sowie Neuere (Gem. Schweiz 6, 9). Dagegen denkt Gatschet (OForsch. 21) an ahd. *suedan* = verbrennen, also dass *Sch.* ein z. Anbau niedergebrannter Wald wäre; allein es gibt da sprachl. Bedenken, die auch der Parallele, *im Schwytz*, Adelboden, mit kurzem *y*, nicht fehlen. Diese Erklärung, 'Brandstätte', verlässt der Autor 1871 (Ausl. 45, 22 f.): *S.* ist ihm nun mit *Soazza* u. *Schwatz* 'unstreitig ein u. dasselbe Wort', aus mlat. *sylvatica* = Waldgrund. Zu gleicher Zeit aber findet J. L. Brandstetter (Geschichtsfr. 26, 312 ff.) in *S.*, entspr. den urk. Formen, den Mannsnamen *Suito, Suit*. Man erkennt, wie nahe der Verf. der Etym. der Sage kommt, freil. ohne dass damit die Thatsache der letztern berührt sein soll. Es ist diess um so frappanter, wenn man, mit Gatschet, in der nahen *Schwanau* (s. d.) noch die Niederlassg. v. Suit's Bruder *Suen* erkennen will. Eines V. Jacobi würdig ist, noch in der jüngsten Vergangenheit (Sprachw. 1872, 306), die Ableitg. v. *siepen*, s. v. a. Quell u. Fluss, aufgetaucht. 'Zunächst sei nunmehr das reiche Quellland *Sapaudia*, *Savoyen* u. gleich neben ihm dessen Nachbar, die im grössten Massstabe Siepenwasser

schwitzende *Schweiz* erwähnt, welche unter dem äussersten Hange hoher Quellberge u. zugl. auf saftreichem Thalboden steht, also saftig v. Siepungen umgeben ist'. — Wo seit Erledigg. des Marchstreits (1114—1350), das 'altgefryte Land' *Sch.*, in das Sihlnetz hinübergreifend, mit dem Gebiet v. Einsiedeln zsgrenzte, bestand quer üb. die Strasse, wo sich die Sihl dem Bergfuss anschmiegt, ein Holzverschlag, *Schwyzergatter*, zunächst behufs Abschluss des Weideviehs auf der Yberger Allmend gg. die Einsiedler Ahornweide, wie solche Gätter früher häufig an Strassen bestanden, wohl auch behufs Bezug des Zolls auf der nach Einsiedeln exportirten Butter. Noch in neuerer Zeit waren dort Nachtwachen aufgestellt, um die Ausfuhr des in Yberg gefrevelten Holzes zu verhüten. Der Gatter wurde in Folge der Verordng. v. 27. April 1849 entfernt (Canzleidirector J. B. Kälin u. Staatsarchivar L. Styger, Juni 1890). — *Schwyzerbrücke*, ebf. Grenzstelle *Sch.*-Einsiedeln, die Brücke üb. die Biber, 5 Minuten obh. Biberbruck (Pater Gabr. Meier 6. VI. 90).

Scia s. China.

Sciablese s. Chablais.

Scilly Islands, die dem Cap Landsend vorliegenden Granitriffe, zuerst bei Ausonius *Sillinae Insulae*, bei Solinus *Silura*, mit dunkelm Namen, da die Ableitg. v. corn. *silya* = Meeraal od. v. brit. *sullêh* = der Sonne geweihte Felsen od. die Annahme, dass sie v. den iber. *Silures* bewohnt gewesen (Charnock, LEtym. 241 f.), kaum annehmbar ist. Ich finde ferner die Ableitg. v. *scal* = lärmend u. *uag* = Felsen, im Sinne v. 'geheilige Klippen' (Betham, Gael & Cymbri 64), v. corn. *scilly* = abschneiden, f. den v. Continent abgetrennten Inselschwarm od. v. gael. *sgavil* = ausstreuen, 'die Sporaden' (Neil McNish, Gael. T. Damn. 12 f.). Am vertrauenswürdigsten ist der Hinweis auf ir. *sceilig* = Fels, *scillic* = Steinsplitter, *sceillic* = Seeklippe, wie denn 2 hohe Felsklippen im Meere unweit Valentia, Irland, den Namen *Skellig, Great* u. *Little*, führen (Joyce, Ir. NPl. 1, 421). Die Inselgruppe wird, trotzdem sie, entgg. Strabo's Zeugniss 175, auch nicht eine Spur alter Gruben aufweist, gew., u. zwar nach röm. Vorgange, f. die zuerst v. Herod. u. Pytheas erwähnten *Kassiteriden* gehalten; offb. hat ihnen die Nähe des zinnreichen Cornwall diesen Namen verschafft (Bergh., Ann. 9, 396), gr. Κασσιτερίδες νῆσοι = Zinninseln, wo schon die Phönizier u. nach Pytheas auch die Griechen das sonst so selten vorkommende, im Alterth. geschätzte Metall κασσίτερος holten, 'insulae *Cassiterides* dictae a Graecis a fertilitate plumbi' (Plin. 4, 119). Als ältestes Ziel im massal. Zinnhandels wird die Insel *Vectis, Wight,* genannt (Kiepert, Lehrb. AG. 528). — Durch Uebtragg. *S. Islands,* in den Society Is., Abth. Leeward, gefährl. Untiefen, v. engl. Capt. Wallis am 30. Juli 1767 getauft, nach Fleurieu id. mit Quiros' *Peregrino* (Krus., Mém. 1, 16 ff. 245), welcher Name in der *Fugitiva* (s. d.) sein nachbarl. Analogon hat, gew. f. einh. *Fenua'ura* = rothes Land gehalten, eine mythische (?) Insel, die, wie Co**k** er- fuhr, südwestl. v. Raiatea liegen u. nach einem rothen Papagei, der aber in *S.* nicht lebt, be- nannt sein sollte (Meinicke, IStill. O. 2, 155. 427). **Scipiones, Torre de los** = Scipionenthurm, ein röm. Denkmal v. 2 grossen, auf einem Sockel ruhenden Steinwürfeln, an der Strasse Tarragona- Barcelona, so genannt, weil die Catalonier meinen, die Brüder Cajus u. Publ. Corn. Scipio, welche den Krieg gg. Hasdrubal in Spanien führten, seien unter ihm beerdigt (Willk., Span.-B. 26). **Sclaveninsel, vor** Colombo, Ceylon, zZ. der holl. Herrschaft der Aufenthalt der Sclaven (Sommer, Taschb. 17, 249). — *Sclavenfluss* u. *Sclavensee* s. Slave. — *Sclavenküste* s. Pfefferküste. **Scoresby,** *William,* geb. 1789, z. engl. Walfgr. v. seinem Vater erzogen, in diesem Beruf reich geworden, aber auch seines Glückes würdig durch die Förderg., welche er der arkt. Kenntniss zu- führte, 1806 in Spitzb. bis $81\frac{1}{2}^0$ vorgedrungen, 1822 mit der Aufnahme der Ostküste Grönl., v. 69—75⁰ NBr., beschäftigt, † 1857. Seinem An- denken sind geweiht *a) S.* Bay, in Grinnell Ld., v. Kane (Arct. Expl. 1, Carte); *b) S. Cape* s. Biot; *c) S.'s Grotte,* in den Kalkbergen der spitzb. King Bay, 20 m lg., 13 m br. u. 4 m h., im Grunde mit dem Meere 3₉ m t. bedeckt, schon v. *Sc.* beschrieben (Torell u. Nord., Schwed. Exp. 292); *d) S. Insel,* in Nordost Ld., Spitzb., v. der schwed. Exp. 1861 getauft (ib. 190). — **Dagegen** hat er selbst nach seinem Vater, der die Einfahrt entdeckt, annähernd bestimmt u. gg. 100 km weit befahren hatte, den *S.'s Sound,* in Ost-Grönl., benannt (NorthWF. 197). 'Very little assistance was hitherto afforded me by any individual, in the investigation of these regions; but where any valuable information had been received, I considered it incumbent on me to compliment the person, whose researches had been useful to me, by applying his name to the portion of land, or sea, respecting which he had applied the information. Agreeable to this practice, I could not, without evident injustice, overlook the very important researches of my Father in this inlet — who not only was, I had reason to believe, the original discoverer of of it, but who was the first navigator who en- tered it, and determined its general position, and who, with a peculiar perseverance, sent his boats and examined two of its extensive ramifications, to a distance of sixty miles from the extreme capes, or entrance of the inlet. As such, after some scruples of delicacy, lest it should be con- sidered as bordering on self-compliment, I ven- tured to name this capacious inlet, in honour of my father. **Scotland,** deutsch *Schottland,* die nördl. Hälfte Grossbritaniens, wie schon röm. *Scotia* benannt nach den kelt. Scoten (s. Picti), die seit dem 4. Jahrh. v. Irland einwanderten — eine ge- schichtlich sichere Thatsache, obgl. Foss (Geogr. Rep.), der doch England mit 'Land der Angeln' erklärt, sich dahin äussert, dass die 'Bedeutung

der Namen *Britania, Schottland* u. *Irland* zu enträthseln wohl schwer sein dürfte'. Es ist dabei freil. zu beachten, dass der Name *Scotia* lange nur einem Theile des Landes galt, dass man das neue 'Scotenland' als *Scotia Minor* v. dem Mutterlande, *Scotia Major,* zu unterscheiden pflegte, dass ferner, wie bei *Ire-land,* der Zusatz *-land* erst durch die Angelsachsen aufkam, endl. dass Irland erst um das 11. Jahrh. zu dem einh. *Eire* zkkehrte (Joyce, Orig. Ir. NPl. 1, 87). Der alteinh. Name *S.'s* ist *Alba* (s. Albion), wie es noch j. bei den Hochschotten *Albainn, Albuin,* heisst; seit dem 1. Jahrh. kam auch der Name *Caledonia* auf (s. d.). Den Volksnamen wollte man früher v. der ägypt. Princessin, Moses' Pflegemutter, od. v. alten *sceot,* lat. *scutum* Schild ableiten; Whitaker (Hist. of Manchester) dachte an kelt. *scuit* = wandern, im Sinne v. Einwanderern, Flüchtlingen, die v. den in Bri- tanien eingebrochenen Belgae in die caled. Berge gedrängt worden wären. J. Foulis of Colinton verwirft diese Ableitungen u. nimmt die kelt. 'Wanderer' als Wanderhirten, im Ggsatz zu der ansässigen Bevölkerg. der flachern Gebiete; er denkt sich, angesichts der einst 'ungeheuern' Verbreitg. der Kelten, dass die Nomaden der pont. Steppen ebf. *Scuit,* griech. Σκυϑαι, genannt worden sein (Transact. Sol. Ant. Scotl. 1, 1 ff.). — *Scottish-waith* s. Picti. — *NovaScotia* = *Neu Schottland,* seit der frz. Besiedelg. 1604 *Acadia,* aber als ein v. Cabot 1497 entdecktes Land 1613 v. engl. Colonisten besetzt u. v. Jakob I. unter dem neuen Namen 1621 verliehen (Buckingh., Can. 347), wie denn auch 1628/29 der schott. Ritter Guill. Alexander, einer der ersten An- siedler, das Land *Nova Scotia* nennt (M. u. R., Voy. Cart. 56). Der erste Entdecker war der Normanne Bjarne 987; Leif, der Sohn Erik's d. Rothen, fand es 13 Jahre später wieder, eben, mit Wald bewachsen, also in starkem Ggsatz zu dem nördlichern Helluland, u. weit umher, wo sie gingen, waren da weisse Sandbänke auf flachem Strande; er nannte es, mit Einrechng. der Umländer, *Markland* = Waldland (Rafn, Entd. Am. 8. 19, WHakl. S. 2, XV. XIX). **Scott,** ein in Entdeckernamen mehrf. auftretender engl. Familienname, *Cape S.* 2 mal: *a)* in Cox I., v. den Captt. Lowrie u. Guise 1786 getauft nach David *S.,* dem Haupturheber der Ausrüstg. ihres Schiffes (GForster, GReis 1, 54); *b)* in antarkt. SVictoria, v. Capt. J. Cl. Ross (SouthR. 1, 250 ff.) im Febr. 1841 entdeckt u. nach einem seiner Officiere, Peter A. *S.,* v. Schiffe Terror, benannt. — *S.'s Bay* s. Eglinton. — *S.'s Inlet,* in Grönl., v. engl. Walfgr. Will. Scoresby jun. (NorthWF. 104) im Juni 1822 entdeckt u. zur Ehren Sir Walter *S.'s* getauft. — *Point S.,* f. ein Vorgebirge in Boothia Isthmus, ebf. v. J. Cl. Ross am 7. Juni 1830 (Ross, Sec. V. 424), jedoch eine der zur genauer fixirten Benennungen. — *S.'s Reef* s. Cartier. — *S.'s Strait,* eine Durchfahrt bei Bigge's I., v. Capt. Ph. P. King (Austr. 1, 400) am 8. Sept. 1820 nach Rev. Thomas Hobbes

S., vorm. Secretär der Untersuchgscommission f. NSouthWales, späterm Archidiacon der Colonie, benannt.

Scovasso s. Jagerschmidt.

Scudéry, Pointe, eine der vergängl. Benennungen, welche die frz. Exp. Baudin 1803 am St. Vincent's G. eingeführt hatte, nach Frauen, u. zwar nach der Schriftstellerin d. N. 1607—1701 (Péron, TA. 2, 74).

Scuro, Lago = Finstersee, ital. Name f. Alpenseen in düster eingebetteter Lage: *a)* im nördl. Tessin, *b)* auf dem St. Gotthard (Gem. Schweiz 18, 73. 426).

Scylla, gr. *Σκύλλα*, f. die bekannte, gefährl. Riffgruppe der Meerenge v. Messina, wo sich das Ungeheuer d. N., nach Bochart v. phön. *scol* = Zerstörung, Todesgefahr, aufhalten sollte (Charnock, LEtym. 242), in neuerer Zeit auf dem Entdeckungsgebiete übtragen. — Daher *Skyllaion,* gr. *Σκυλλαῖον,* das östlichste Cap des Peloponnes, als ein Platz des Verderbens, wie es die Vorgebirge wg. Sturm u. Brandg. sind (Curt., GOn. 154), ngr. noch *τὸ Σκυλί,* zugl. mit der Bedeutg. 'der Hund' od. — v. der Gestalt — *τὸ Σπαθί* == das Schwert (Curt., Pel. 2, 452). Aehnlich bezeichnet das Ngr. die Gefährlichkeit der Vorgebirge, z. B. durch *Ξυλοφάγος* == Schiffzerstörer (Bursian, Q. Eub. 44) u. *Κάβο Φονέα,* v. *φονεὺς* == Mörder, in Samos. — *Charybdis* u. *S.* s. Heemskerk.

Sea = See, engl. Wort f. 'Meer', in vielen ON. *a) S. Hill,* in Queensl., v. Flinders (TA. 2, 22) am 9. Aug. 1802 bestiegen, um einen Ueberblick üb. die Seeküste zu gewinnen; *b) S. Range,* in Bergreihe am Victoria R., Nord-Austr., v. Capt. Stokes (Disc. 2, 52) im Nov. 1839 getauft. — *S. River* 2 mal *a)* ein seeartig erweiterter Zufluss des Nelson R., nebst Trageplatz *S. River Portage* (Franklin, Narr. 42); *b)* s. Winnipeg. — *S. View* == Seesicht, ein Berg West-Austr., wo der Reisende Oxley seinen entmuthigten Begleitern die 100 km entfernte See zeigte (Meidinger, Col. Austr. 94). — *S. Alps* s. See. — *New Sealand* s. Nieuw Zeeland.

Sea-Elephants Bay, in der Bass Str., wo riesige Rüssel-Phoken, See-Elefanten, Phoca proboscidea Pér., j. Macrorhinus proboscideus FC., häufig einkehren (Péron, TA. 2, 30, Flinders, Atl. 6).

Seadet s. Stambul.

Seaforth, Cape u. *Cape Carnegie,* die Eingangspfeiler des Fleming Inlet, Grönl., v. engl. Walfgr. Will. Scoresby jun. (North. WF. 273) am 14. Aug. 1822 entdeckt u. zu Ehren zweier hochgeachteter Familien Edinburgs getauft.

Seagull Islands == Inseln der Seemöven, in der Centralgruppe der Paumotu, durch den american. Lieut. Ringgold, v. der Exp. Wilkes, am 21. Dec. 1840 benannt, drei einzelne Sectionen, v. A. Entdeckern ozw. durchweg prsl. benannt: *a) Reid I.,* einh. *Tuanake; b) Clute I.,* schon v. Maruc 1831 *Louise I.* getauft, einh. *Hiti; c) Racffskoy I.* des russ. Seef. Bellingshausen, *Eliza* Maruc's, einh. *Tepoto* (Meinicke, IStill. O. 2, 207 f., ZfAErdk. 1870, 367).

Seahorse = Walross, mehrf. in engl. Entdeckernamen wie *S. Islands* = Inseln der Walrosse, eine Reihe Sandinseln am american. Eismeer, v. Capt. Beechey (Narr. 1, 306 f., Carte) im Aug. 1826 benannt. — *S. Point,* 2 mal: *a)* die Ostspitze v. Southampton I., v. Capt. Baffin am 16. Juli 1615 so getauft, da so viele Walrosse auf dem Eise lagerten (Rundall, Voy. NW. 126, Forster, Nordf. 405); *b)* eine lange Landspitze der James Bay, wo diese Thiere zu gewissen Zeiten den Vorsprg. bedecken (Coats ed. Barrow 63).

Sea-otter Harbour, eine bequeme Hafenbucht Brit. Columbia's, v. Capt. James Hanna benannt, der 1786 in der Schnau Seaotter hier einlief. Die Benenng. gilt in erster Linie 'der grossen Menge dieser Thiere, die man im Wasser, wie einen Haufen wilder Enten, umherschwimmen sah u. die der Matrose auf der Mastspitze anfängl. f. gefährliche Klippen gehalten hatte (GForster, GReis. 1, 54).

Seal Bay = Bay der Seehunde, 2 mal v. engl. Entdeckern eingeführt: *a)* in Patag., unter $47^{1}/_{2}^{0}$ SBr., wo der Admiral Fr. Drake im Mai 1578 sich verproviantirte. Innerh. 1^{h} wurden 200 Stück erlegt. Einige der Inseln hatten immer eine solche Menge v. Seehunden od. Seewölfen, dass sie eine ungeheure Armee unterhalten könnten (Fletcher, World Enc. 55) . . . . 'wg. der vielen Seehunde daselbst . . . indem man daselbst Seehunde in so grosser Menge findet' . . . (Spr. a. F., NBeitr. 12, 227); *b)* nebst *S. Rocks,* 'a small cluster of rocks' in der Bass Str. (Stokes, Disc. 1, 267). — *S. Island a)* vor Pisco, Peru, aus der span. Form des Pedro de Cieza de Leon, 1532/50, übs., getauft nach der Menge der Seehunde, die sie besuchen (WHakl. S. 33, 28); *b)* in Nuyts' Ld., v. Vancouver 1792 nach den zahlr. Thieren (Péron, TA. 2, 119). — *S. Islands,* ebf. mehrf.: *a)* zwei gewaltige Felseneilande vor San Francisco, nach den Thieren, welche auf ihnen leben. 'Zahllose Seehunde u. Seelöwen haben diese Riffe zu ihrem Aufenthalt erkoren, dazu eine Unzahl v. Seevögeln, mit denen jene hier in aller Eintracht hausen. Die alten bis 20 Ctr. schweren Patriarchen stürzen sich geschickt v. Fels herab ins Wasser, haschen u. jagen sich u. lassen sich v. hochgehenden der Welle wiederum auf das Cliff setzen . . . Diese Eilande stehen unter polizeil. Schutze, u. keine Hand darf sich an den Thieren vergreifen, welche der Stolz u. die Freude v. San Francisco sind' (Fortschr., Org. Kaufm. V. Zürich, 1880 No. 142); *b)* einige niedrige Sumpfinseln an der Mündg. des Oregon, v. den Captt. Lewis u. Cl. (Trav. 404) am 26. Nov. 1805 benannt; *c)* Inselgruppe bei Maine (Spr. u. F., Beitr. 7, 17). — *S. River,* ein rseitg. Zufluss des Oregon, v. den Captt. Lewis u. Cl. (Trav. 499) am 31. März 1806 nach den Seethieren, die nahe der Confl. in grosser Menge angesiedelt waren. Schon am 1. Nov. 1805, d. i. bei der Thalfahrt, hatte man Mengen scheuer Seeottern gesehen (ib. 381), u. gleich nachher (ib. 387) heisst es: 'the river is wide, and contains a great number of sea otters'. — *S. Rock,* eine

Insel der Dusky Bay, NSeel., wo Cook's (VSouthP.
1, 68, Carte) Leute auf seiner zweiten Reise, am
26. März 1773, einen der zahlr. Seehunde erlegten
u. so 'us a fresh meal' verschafften. — An der Südseite der Anchor I. nannte Cook aus ähnl. Grunde
einen Archipel *S. Isles.*

Seaman's Creek, ein Zufluss des Cokalahishkit-
Oregon, v. Capt. Lewis (Trav. 589) am 5. Juli
1806 nach einem seiner Begleiter getauft.

Searle s. Broughton.

Seba, auch *saba'*, *seb'a*, *sabba seba'a* = 7, in
arab. ON. mehrf.: *'Ain S.* = 7 Quellen, ein Fluss
des nördl. Abess., welcher bei Zagzaga entspringt
(Peterm., GMitth. 4, 371). — *Wady S. Bijár*
= Thal der 7 Brunnen, der östl. Theil des Wady
Tumilât (Robins., Pal. 1, 81). — *S. Burdsch* =
7 Forts, in Tripol., v. den ausgedehnten Festungsruinen, die sich z. Bergcitadelle hinaufziehen, in
der Tab. Peuting. *ad Palmam* = bei der Palme
(Barth, Wand. 304). — *S. Rus* = 7 Caps od.
Kuppen, 2 mal: *a)* im Vorgebirge am Roth. M.,
nördl. v. Janbo (Bergh., Ann. 5, 51); *b)* ein do.
in Algier, westl. v. Philippeville, weit u. hoch
vorspringend (Barth, Wand. 66, Parmentier, Vocab.
arabe 44). — *Omm S.* = Mutter der 7 oder
der Thermen des arab. Küstengebiets el-Hasa,
PerserG., eine sehr starke aus 7 Adern zsfliessende
Quelle, welche nebst den andern Thermen der
Gegend z. Bewässerg. gebraucht wird (ZfAErdk.
nf. 19, 7). — *Sauaba* od. *Sowauba* = die 7
Brüder, auch deutsch die *Sieben* od. *Acht Brüder*, engl. *High Brothers* = hohe Brüder, eine
Filandgruppe vor Bab el-Mandeb, deren 7 od. 8
'kleine Eilande v. mässiger Höhe u. eben so öde
u. wüst wie Perim' (Bergh., Ann. 5, 10, Peterm.,
GMitth. 4, 163; 6 T. 15. 18). Der arab. Name
muss übr., sofern die Uebsetzg. richtig ist, falsch
transscribirt sein. — Der abessin. Flussname, gew.
Anseba, wird v. Paulitschke (Progr. 1884, 25)
'*Ainsabâh* = Morgenquelle, v. *sabâh* = Morgen,
geschrieben.

Sebaa, Berdsch el = Löwenthurm heisst einer
der 6 Thürme, welche v. el Mina bis z. Mündg.
des Kadischa, je in Abständen v. 10 Min., offb.
z. Vertheidigg. des Hafens Tripolis erbaut sind;
die Eingb. behaupten, dass auf dem üb. dem
Thor eingehauenen Schilde ehm. zwei Löwen, das
Wappen der in den Kreuzzügen wichtigen Grafen
v. Toulouse, zu sehen gewesen seien (Burckh.,
Reis. 1, 276, VVelde, MHoly L.). — *Sebahn*
s. Teir.

Sebaldinen od. *Sebalts Eilanden*, eine Nebengruppe Falklands, v. der holl. Exp. Sebald's de
Weert am 24. Jan. 1600 entdeckt ... 'drie eylan-
dekens, die tot noch toe in gheen karten bekent
en zyn gheweest' u. getauft (Waeracht. Verh. 90),
auch *Jason Islands*, nach dem engl. Schiffe
Jason, welches, befehligt v. Capt. Macbride, im
Jan. 1766 auf Falkland ankam, um die Colonisation zu begründen (Fitzroy, Adv.-B. 2, 232 ff.).

Sebastian, San, in port. Form *São Sebastião*,
ein Heiliger der kath. Kirche, aus Gallien geb.,
unter Diocletian den mauritan. Bogenschützen

überliefert, die ihn mit ihren Pfeilen durchbohrten,
nach seiner Wiedergenesg. am 20. Jan. 288 zu
Tode gestäupt, Patron der Schützengesellschaften,
'Vertheidiger des Glaubens', dem der 20. Jan.
geheiligt ist. Nach ihm ist nicht bloss die alte
span. Seeveste *San S.*, in Guipúscoa, benannt,
sondern auch eine Reihe v. Objecten der Entdeckg.
u. Colonisation *a) San S.* s. Uraba; *b) Cabo de
San S.*, in Calif., unter $41^1/_2{}^0$ NBr., v. span.
Seef. *Sebastian* Vizcaino 1603 getauft, wohl nach
dem Kalendertage, der mit seinem Namenstage
zsfiel; es wird ausdrücklich gesagt, dass die Fahrt
'im tiefsten Winter' 1602/3 stattgefunden habe
(GForster, GReis. 1, 22); *c) Entrada de San S.*,
eine 'Einfahrt' an der Nordostseite Feuerl., v.
span. Seef. Bartolomeo Garcia de Nodal am 20. Jan.
1619 getauft, zugl. mit *Punta Arenas* (s. d.), einer
sandigen Landspitze am Eingang, u. *Cabo de
Peñas* = Felsencap (ZfAErdk. 1876, 452).

Sebastião, port. Form f. *Sebastian* (s. d.), mehrf.
a) São S. s. Janeiro; *b) Cabo de São S.*, in
Sofala, offb. v. Vasco da Gama, der nach seinem
Aufenthalt in Natal (s. d.) am 20. Jan. 1498 hier
passirte (WHakl. S. 35, 3); *c) Ilha de São S.*,
in São Paulo, Bras., v. Vespucci am 20. Jan.
1502 (Varnh., HBraz. 1, 19), j. mit Stadt *São S.*
Der Insel ggb. die Stadt *São S. de Terra Firma*
(= des Festlandes), v. Pedro de Motta Leite am
16. März 1636 z. Villa erhoben, aber auch genannt *Villa Bella* = schöne Stadt, wie denn die
Gegend namentl. an hübschen Wasserfällen reich
ist; seit 1809, wo sie Dr. Joaquim Procopio Picão
Salgado, der Oberrichter v. São Paolo, einweihte,
heisst sie auch *Villa Nova da Princeza* = neue
Stadt der Princessin. 'The site is a sandy, boulder-
studded flat at the foot of the hills outlying the
mountains, and it commands a glorious view of
the winding channel, with its salient and re-
entering angles. *Villa Bella* is bounded north
by a gorge, whose vast blocks, angular as well
as rounded, are small conservatories of orchids
copiously irrigated by the rain . . .' (WHakl. S.51,
XXIX. XXXVIII f.); *c) Valle de São S.*, ein Bucht-
thal bei Minna, Goldküste, wo die Exp. des Diogo
d'Azambuja, welcher das Fort São Jorge da Mina
erbaute, hier am Sebastianstage 1482 beim Betreten des Landes die erste Messe lesen liess . . .
'acabada esta Missa que foi em dia de São Sebastião em memoria do qual ficou este nome a
hum valle . . .' (Barros, Asia 1, 3).

Sebastos, gr. σεβαστός = erlaucht, entspr. dem
lat. *augustus*, als Titel der griech. Kaiser s. v. a.
kaiserlich, in mehrern ON. der Römerzeit, wie
Sebaste (s. Samaria), *Sebastia* (s. Siwas), *S. Limen*
(s. Caesarea), in neuerer Zeit auch bei den Russen:
Seba- od. *Sewastopol* = Kaiserstadt, nach Erwerbg. des Krymschen Chanats 1783 sofort v.
Fürst Potemkin ggr. (Meyer's CLex 14, 541) an
Stelle des Handelsplatzes *Korsunj*, altgr. *Cher-
sones* (s. d.), etwa auch *Achtiar* genannt nach
einem Tatarendorfe, das einst auf der Nordseite
des Hafens lag (Sommer, Taschb. 10, 104). —
Auch Dioskurias (s. Dios) u. Phasis (s. Poti) wurden

unter röm. Verwaltg., seit Trajan, *Sebastopolis* zubenannt (Kiepert, Lehrb. AG. 88).

Sebta s. Ceuta.

Secco = trocken, in span., wie *seco* in port., *sec*, fem. *sèche* in frz. ON. als *Rio S. a)* ein rseitg. Nebenfluss des Duero, Alt-Castilien; *b)* ein Fluss bei Lima, wo v. Cavallero der Weg 15 km lg. durch eine ganz öde, v. allen Pflanzen entblösste Gegend, neben dem Bette eines ausgetrockneten Flusses, immer bergan führt (Tschudi, Peru 2, 8); *c)* ein Wady im Netz des Rio Colorado, seit 1858 auch *Lithodendron Creek* = Bach des Steinwaldes, nach dem 'versteinerten Urwalde' des Thals (Möllhausen, FelsGb. 2, 182); *d)* ein wasserarmer, klarer Zufluss des Rio Dulce, Argent. (Peterm., GMitth. 14, 52). — *Rio Seco*, ein Flüsschen der bras. Prov. Sª Catharina (Avé-L., SBras. 2, 250). — *Corrego Seco* = trockner Bach, ein wasserarmer Wildbach des Gebirgs v. Petropolis (Avé-L., SBras. 1, 91). — *Llano S.* s. Llano. — *Sechura* = dürre Gegend, ein trockner Küstenstrich Peru's, der den ersten Entdeckern Pizarro-Almagro, 1527/28, einen auffallenden Ggsatz zu den feuchten Waldufern der Aequatorialgegend bildete . . . 'sandy plains of *S.* for an extent of near a hundred miles' (Prescott, CPeru 1, 282, WHakl. S. 47, 31) . . . the vast sandy desert of *S.* 'Die ganze Gegend zw. diesen zwo Städten, Piura u. *S.*, besteht in einer ebenen, sandichten Wüste, welche f. die Maulthiere sehr beschwerlich ist'. Zu der Zeit, wo die frz. Academiker Bouguer u. La Condamine 1735 passirten, war in dem Flusse nicht ein Tropfen Wasser (Barrow, Entd. 2, 156 ff.). — *Sèche-Fontaine*, als *Sicca Fons* = trockner Brunnen 1081 ggr. v. heil. Bruno u. seinen Schülern Peter u. Lambert d'Avirey (Dict. top. Fr. 14, 154).

Seckingen s. Sigmaringen.

Second = zweite (s. Segundo), oft in engl. ON., die mehrere benachbarte ähnliche Objecte durch Zählg. bestimmen *a) S. Cañon* s. Grand; *b) S. Core* s. First; *c) S. Narrow* s. First; *d) S. Portage*, mit vorangehendem *First Portage*, mindestens 3 mal in den Ländern der Hudsons Bay (Franklin, Narr. 34 ff., Carte); *e) S. Shoal*, eine Untiefe des chin. Nanhai, v. Capt. Wallis am 3. Nov. 1767 gefunden (Hawk., Acc. 1, 283); *f) S. Grassy Lake Portage* s. Grass.

Secretary s. Admiralty.

Sed Bahr s. Kilid.

Sédabaj = Kuppenfels, sam. Name eines Berggipfels des nördlichen Urál, da die th. begraste, th. v. zerstreuten Felstrümmern bedeckte Höhe den Charakter einer *séde*, *séda* = Graskuppe in gleichem Masse wie den eines *paj* = Felsbergs trägt. Aehnliche Zssetzungen sind: *Huptóbaj* = langer Fels, zweimal, *Láptschampaj* = ebener Fels, *Ládhajbaj* = gespaltener Fels, *Sajwájajbajpaj* = Fels fliessender Augen, v. *sajwá* = Auge, *ajbaj* = feucht u. *paj* = Fels, so genannt, weil die Samojeden hier im Frühjahr sich aufhalten, wo die Ansicht der blendenden Schneemassen des Bergs ihnen fliessende Augen verursacht, ferner *Hámdebaj* = steiler Fels

Tal'bédopaj = Schluchtfels, *Háduumapaj* = Sturmfels, *Nedagólwopàj* = Fels mit einem Wege, Pass, v. *néda* = Weg, Schlittenspur u. *ngólwo* = es findet sich, ein v. den Nomaden f. ihre Schlittenzüge vielgebrauchter Pass, *Miniséjpaj* = Fels der Endkuppen (Schrenk, Tundr. 1,415 ff. 451).

Sedl s. Selo.

Sedrun s. Truns.

Sedschistan s. Zareh.

Sedunum s. Sion.

See, ahd. *seo*, goth. *sairs*, gew. f. Insee, aber auch f. Meer gebr., häufig in ON., als Grundwort (Förstem., Altd. NB. 1324 zählt deren 65 auf), od. f. sich wie *Seon* u. ähnl., im 9. Jahrh. *Seuun*, j. auch zu *Seekirch*, *Seekirchen*, *Kirch-Soien* geworden, th. als Bestimmungswort, wie *Seebach* (s. Bach), alt *Sewaha* u. *Sebach*, wiederholt, *Seeburg*, *Seefeld* (s. Sihl), *Seefelden*, *Seen*, *Seeheim* u. *Seenheim* im 8. Jahrh. *Sehaim*, *Seeshaupt*, im 8. Jahrh. *Seshoipit*, am südl. Ende des Würmsee's, *Seesen* u. *Seehausen*, alt *Schusun*, *Seedorf*, *Seewadel* u. a. m. — Auch *Seewen*, alt *Seuuin*, dat. plur. v. *seo*, etwa 'bei den Sümpfen', reiht sich hier an: bei dem schwyz. Orte passirt die *Seweren* d. i. *Seewer-Aa*, der Abfluss des Lowerzer Sees. — *Seealp*, eine der Alpen des Säntis, um den kleinen Bergsee, der nach ihr selbst wieder *Seealpsee* heisst. — *Seealpen*, als *Alpes Maritimae* zuerst bei Plin. (HNat. 8, 140; 14, 41; 21, 114) u. bei Tacit. (Hist. 15, 32), dann in allg. Gebrauch (Nissen, Ital. LK. 146), nun auch in engl. Form, *Sea Alps* auf den american. Boden übtragen. — *Seebuben*. mehrf. in Oberdeutschen f. die Anwohner eines See's (vgl. Schwarzbuben). — *Seehorn*, ein kahles Felshaupt im Ober-Simmenthal,' nach einem kleinen See an der andern Seite des Felsens' (Osenbr., Wanderst. 5, 83). — *Seelisberg*, Berggem. in Uri, nach dem nahen 'Seeli', dem *Seelisberger See*. — *Seelmatten* s. Matt. — *Seerücken*, nach Pupikofer's Vorschlag (Gem. Schweiz 17, 14) der Hügelrücken am schweiz. Ufer des Bodensees. — Eine wiederholte Bezeichng. ist *Seeland a) Zeeland* u. *Nieuw Zeeland* (s. dd.); *b)* im Netz der See'n v. Neuenburg, Murten u. Biel; *c)* s. Sjaeland. — Namen nach Meernaturalien *a) Seetang-Wiesen* s. Sargasso; *b) Seeotter Insel* s. Pribuilow. — Eine prsl. Bezeichng: *Cap Seeland*, in der arkt. Scheda I., v. der Exp. Wilczek, Aug. 1872, getauft (Peterm., GMitth. 20 T. 16) nach einem der bekanntesten Montanisten Oesterreichs (GMitth. Prof. Höfer's, Klagenf. 17. Febr. 1876).

Seeben s. Wangen.

Seel s. Sihl.

Seeverghem s. Sigmaringen.

Seewis s. Serneus.

Sefid s. Safed.

Sefilanyn Tschokrák heisst bei den Nogai nach dem Besitzer *S.* eine der Quellen des taur. Gebirgs (Köppen, Taur. 2, 7. 23 ff.).

Seghir = klein, auch *ceghir* u. *srir* geschrieben, fem. *seghira*. in arab. ON. *a) Mers es-S.* = der kleine Hafen in Oran, dem in der Nähe ein 'grosser Hafen' (s. Kebir) entspricht; *b)* *Kasr es-S.* = kleines Schloss in Marocco (Parmentier, Vocab. arabe 45); *c) Akabet es-Sgier* od. *Srir* s. Kathabathmos.

Segnas s. Sagne.

Segundo = der zweite (s. Second), mehrf. in span. ON. *a) S. Estrecho* s. First; *b) Rio S.* s. Primero. — *Seguns* u. *Seguonda* s. Primeira.

Ségur s. Thorny.

Seguro, Porto = sicherer Hafen, in Brasil., wo Pedralvares Cabral am 25. Apr. 1500 Schutz vor der ungestümen See fand . . . 'hum porto de mui bom surgidouro, que os segurou do tempo que levavão' (Barros, As. 1, 5²) . . . 'Porto . . ., que achava bem e seguro, e assi lhe poserão o nome' (Galvão, Desc. 96) '. . . de tão bom abrigo que lhe foi então dado o nome que ainda conserva' (Varnh., HBraz. 1, 14). Vgl. Avé-L, NBras. 1, 176; *b) Puerto S.*, in Calif. (Garnier, Abr. 1, 112); *c) Segura (de la Sierra),* ein Bergfort, j. Städtchen, in Murcia, daher der Fluss gl. N., arab. *Nahr el-Abiad* = weisser Fluss (Edrisi ed. Jaubert 2, 42).

Segusianorum F. s. Feurs.

Seja, lkseitgr. Nebenfluss des Amur. An seinem Oberlauf der Ort *Werchoseisk* == an der obern *S.*, als *ostrog* = Veste v. den Russen 1678 ggr.: *Wercho-Seiskoi-Ostrog,* wie ein Jahr später an den Zuflüssen Selimba u. Dolonza die Anlagen *Selimbinskoi Ostrog,* resp. *Dolonskoi Ostrog* (Müller, SRuss.G. 5, 407).

Seïd = Herr, auch *seïdi, sidi,* Titel der Abkömmlinge des Propheten, denen allein es zusteht, einen grünen Turban u. ein grünes Oberkleid zu tragen; sie stehen bei ihren Glaubensgenossen in dem hohen Ansehen einer heiligen u. unverletzl. Person. Es gibt eine Menge arab. ON., die aus dem Titel *S.* u. dem Namen des Localheiligen bestehen, etwa entspr. unserm St. Georg, Santa Helena etc., wie *Sidi Daud,* f. die hier auf den specif. Bestandtheil (s. Daud) zu verweisen ist; ferner *Sidi Schehr* = unsers Herrn Stadt, ON. bei Konia (Tschihatscheff, Reis. 16), *Sidi Schehri* (s. Leander), *Seïd Allah* (s. Fidallah), *Seïdi Ghasi* = unser Herr Sieger, Ort bei Kiutahia, wo der Volksheld Battâl begraben ist, daher *Seïd Tschaï,* f. den Oberlauf des Sakaria (Tschih. 28).

Seidenbach, ein Wasserfall im Hintergrunde des Maderanerthals, Uri, v. der rechten Thalseite herunterspringend, dem Stäuber (s. d.) grade ggb., aber v. ganz anderm Aussehen. 'Unwillkürl. wendet sich (v. Stäuber) das Auge oft, wie z. Vergleich, zu dem *S.,* den sein Name kennzeichnet; est ist, als ob die langen weissen Seidenfäden in der Luft zergehen u. mit dem Sonnenschein sich mischen wollten . . .' (Osenbr., Wanderst. 1, 187).

Seiganagah (Lake) od. *Saginaga* = (See) voller Inseln, ind. Name eines Sees unweit L. Superior (McKenzie, Voy. 58, Hind, Narr. 1, 77).

Seille s. Sal.

Seïlon == Melkfass, in Carten unrichtig *Cheïlon,* eine Alp des Walliser Val d'Hérens, weil sie einst so fett gewesen, dass jede Kuh beim Melken

das Melkfass füllte. Nach der Alp der Schneeberg *Montblanc de S.* (RRitz, OB. Ering.Th. 373).

Seilun s. Schilo.

Seine, la, der Fluss v. Paris, bei Caes. (Bell. gall. 1, 1²) u. Plin. (HNat. 4, 105) *Sequana,* bei Ptol. *Σηκοανα,* bei Greg. v. Tours, also 593, *Siguna, Segona,* 641 *Sigona,* 886 *Signe,* 1146 *Secana,* 1273 *Seinne,* 1284 *Seingne,* 1295 *Saigne,* 1303 *Seigne,* 1321 *Seine* (Dict. top. Fr. 14, 155), im 14. u. 15. Jahrh. auch *Sequanius* amnis, *la Seigne, Sainne, Sayne* (ib. 15, 210), nicht sicher erklärt, bald v. gael. *seimh-an* = der sanfte Fluss (Charnock, LEtym. 243), bald als 'Fluss' schlechtweg (Alem. 8, 178). — Uebertragen nach America *a)* wohl f. *St. Mary's River,* Georgia-Florida, v. Capt. Jean Ribault 1562, 'because that the entery of it is as broade as from hauer degrace vnto Honesleue' (WHakl. S. 7, 108f.), 'because it is very like vnto the river of *S.* in France' (Hakluyt, Pr. Nav. 3, 309); *b)* s. Germanen. — *Pont sur S.* s. Pont.

Seir, hebr. שֵׂעִיר [se'ir] == rauh (v. Spitzen) nannten die Hebräer den südl. Theil des Berglandes Edom, j. noch *Dschebel esch-Schera* (Gesen., Hebr. Lex.).

Seisaples s. Six.

Seistan s. Zareh.

Sela, kanaan. סֶלַע [sela'] == Fels, alter Name f. Petra (s. d.), übh. f. phön. Colonien auf hoher Felslage: *a) Sala,* an der Westküste Africa's, Mutterstadt der dortigen Purpurfabriken (Plin., HNat. 5, 5, Mela 3, 19, Barth, Wand. 1, 32); *b) Usala* od. *Usilla,* an der Kl. Syrte, j. *Inschilla* (Barth, Wand. 1, 178), wohl עֲד־סֶלַע ['oz séla'] = 'Felsenveste' genannt (Movers, Phön. 2ᵇ, 500); *c) Soli,* j. *Solea,* an der Nordküste Cyperns, eine Doppelstadt, deren älterer phön. Kern auf einer Höhe lag (Plut., Sol. 26), während der jüngere griech. im Thale sich ausbreitete (Movers, Phön. 2ᵇ, 243), gr. übsetzt *Αἴπεια* = Hochstadt; *d) Sylion,* an der Südküste Kl.-As., auf einem Berge (Forbiger, AGeogr. 2, 270, Movers, Phön. 2ᵇ, 246); *e) Selinus,* j. *Selenti,* ebf. an der kleinasiat. Südküste, auf steilem, fast rings v. Meer umspülten Fels (Forbiger, AGeogr. 2, 270), kühn ins Meer vorspringende Felsenburg (Ritter, Erdk. 19, 395, Movers, Phön. 2ᵇ, 174); *f) Selinus,* j. *Castelvetrano* = Altenburg, an der Südwestküste Sicil., ebf. hoch gelegen, 'sita fuit ea in paullisper prominenti in mare ac praeciso tumulo' (Th. Fazello, Sic. 1, 1⁸), zu unterscheiden v. *a)* an der Nordseite gelegenen *Solusapre* = סֶלַע עֵש [seb] od. עֵשׂ סֶלַע [sela'] schäfer od. schifra] = Schönfels, Schönstein (Movers, Phön. 2·, 337); *i) Soloeis,* j. Cap *Cantin,* an der Westküste Africa's, mit einem Altar des tyr. Melkart (Skyl. Per. 53, Movers, Phön. 2ᵇ, 534); *k) Soloentia,* j. Cap *Bojador*;

l) Selambia, in Süd-Span. (ib. 638); *m) Soloi*
s. Pompejopolis. Es berühren sich hier offb. phön.
u. griech. Namenelemente, die einer sichern Ausscheidg. Schwierigk. bereiten (s. Selinus). Olshausen (Rhein. Mus. 1853, 330) findet bei *Soli*
u. *Soloeis* die phön. Ableitg. unzweifelhafter als
bei *Selinus*, das er eher mit σέλινον == Eppich
zsbringen möchte. Doch, meint er, könnte man
bei dem cilic. Selinus wohl die Form des angebl.
dav. entlehnten Landschaftsnamens Σελεντίς (Ptol.
5, 7) geltend machen, 'wenn diese nicht verdächtig
wäre'. Sei nun diese Form auch verdächtig, so
ist der j. Name *Selenti, Selendi* (Peterm., GMitth.
13 Ergh. 20, Carte). Entschiedener aber spricht
f. die semit. Etym. die Lage beider *Selinus*, bei
welcher v. dem nasse Niederungen liebenden
(Curt., Pel. 1, 489) Selinon nicht wohl die Rede
sein kann.

Selander, Cap, in Hinlopen Str., der rechte
Eckpfeiler des Eingangs der Wahlenberg Bay,
v. der schwed. Exp. v. 1861 getauft nach dem
Gelehrten, welcher nebst Lovén das Gutachten
der kön. Academie der Wissenschaften in Stockholm, betr. das Reiseproject Torell, abgefasst hatte
(Torell u. Nord., Schwed. Expp. 6, Carte).

Selbstäg, s. v. a. natürliche Brücke, ein Weiler
im Thal Gressoney, 'so benannt v. einem Felsen,
der sich im Sturz üb. das enge, tiefe Flussbette
gelegt u. eine natürl. Brücke sammt einem unterird. Wasserfall gebildet hat' (Schott, Col. Piem. 23).

Selca s. Selo.

Seldschuken, ein turk. Stamm, aus der Bucharei,
durch Seldschuk, den Sohn Jakaks, um das Jahr
1000 unter seine Fahne gesammelt u. z. Islam
bekehrt (Meyer's CLex. 14, 579).

Selefkieh s. Seleucia.

Selenaja s. Zelen.

Selenginsk s. Salairsk.

Selenti s. Sela.

Selessen s. Železo.

Seleucia, ON. f. 9 Anlagen der Seleuciden (s.
Antiochia), insb. des —281 † Gründers der Dynastie, Seleukos Nikator, z. B. *a) S.* am Tigris,
unth. Bagdad, v. solcher Grösse, dass seine Volks-
zahl, als es bei Trajan's parth. Feldzügen 116 eine
theilw. Zerstörg. erlitt, noch üb. ½ Mill. geschätzt
wurde (Kiepert, Lehrb. AG. 148, Tacit. Ann. 6,
48, Plin., HNat. 2, 167; 6, 122); *b) S.* in Syrien,
zubenannt *Pieria* (s. d.), der Hafen Antiochia's,
mit seinen im lebendigen Felsen ausgehauenen
Docks u. mächtigen Molen (Kiepert, Lehrb. AG.
164); *c) S.* in Cilicia, j. *Selefkieh, Sselefkeh*
(Kiepert, Lehrb. AG. 129, Meyer's CLex. 14, 580).

Seljadalur == Weidenthal, v. isl. *selja* == Sahl-
weide, bot. Salix caprea, ein Thal öst. v. Reykjavik,
nach dem mit Weiden bewachsenen, sanft ab-
gedachten nördl. Abhange (Preyer-Z., Isl. 77).

Seliesensk s. Omsk.

Selim Ghur, Ort bei Dehli, als Schloss, *ghur,*
ggr. v. Prinzen *S.*, einem König der Afghanen,
die eine Zeit lg. Hindustan beherrschten (Spr. u.
F., NBeitr. 1, 305).

Selimbinsk s. Seja.

Selindi s. Trajan.

Selinus, v. gr. σέλινον == Eppich (vgl. Sela),
2 mal: *a)* Σελινοῦς == Eppichfluss, ein Fluss
Achaja's nach dem in allen feuchten Küstenebenen
Griechenlands häufigen σέλινον == Eppich (Curt.,
Pel. 1, 489), d. h. unserer Sellerie, bot. Apium
graveolens (Leunis, Syn. 2, 731); *b)* Σελινοῦς ==
Eppichort, eine Stadt der Südwestküste Sicil.,
ebf. v. der dort wild wachsenden Pflanze, die der
Ort als Münztypus führt; das Ethnikon, in den
Handschriften gew. Σελινούντιος, lautet nach den
Münzen Σελινόντιοι (Kiepert, Lehrb. AG. 471).

Selitrennoi Gorodok == Salpeterstadt, russ. ON.
am Unterlaufe der Wolga, ggb. Jenotajewsk, wo z.
Schutze der Salpetersiederei, auf einem weiten
Ruinenfelde, ein Castell angelegt wurde (Müller,
Ugr. V. 2, 575). Der Betrieb geschah urspr. durch
2 Kaufleute, dann 12 Jahre durch die Krone,
endlich 10 Jahre lg. durch den Kaufmann Kaba-
kow; er beschäftigte 300 Arbeiter, lieferte dem
Artilleriecorps jährl. bis 3000 Pud guten Salpeter
u. machte auf jeden der 19 Kessel 100 Rubel
Reingewinn. 'Nach seinem Tode gieng es schläfrig,
u. seit 1765 steht alles kalt' (Falk, Beitr. 1, 126).

Selkebrunnen s. Alexisbad.

Selkirk Settlement, eine Ansiedelg. am Red
River of the North, 1812 unter dem Patronage
des Lord *S.* angelegt, der hier v. der Hudson
Bay Co. im Jahr vorher ein grosses Gebiet angekauft hatte (Hind, Narr. 1, 172). — In dieser
Gegend auch *Fort Douglas* (s. d.) u. *Fort Daer*,
da der Lord auch Baron Daer war, *Kildonan,*
v. Lord Selkirk 1817 getauft nach der alten Heimat seiner schott. Ansiedler aus Sutherlandshire
(Ch. Bell, Canad. NWest 5).

Sella, la == der Sattel, rätr. Name eines der
Berghäupter des Bernina, bestehend aus 2 ab-
gebrochenen Hörnern, früher *Dschiméls* == Zwillinge (Lechner, PLang. 50).

Sellenes Oros s. Comoren.

Sellwood Bay, in der arkt. Franklin Bay, v.
Dr. Richardson, dem Gefährten Franklin's (Sec.
Exp. 234) am 21. Juli 1826 nach einem Ver-
wandten des Chefs getauft. — *S.'s Branch* s. James.

Selmecz s. Schemnitz.

Selo od. *sedlo,* slaw. Wort in mehr. Bedeutg.:
Sitz, Dorf, Acker, Gau, oft zu ON. verwendet:
*Sedl, Sedlatitz, Sedlejor, Sedljesko, Sedletz, Sedl-
lic, Sedlikovic, Sedlischka, Sedlschky, Sedlischt,
Sedlitz, Sedlnitz, Sedlo, Sedlor, Sedlovic, Sedl-
lovitz,* in Böhm., Mähr. u. Schles., *Sela, Selca,
Selce, Selče, Sele, Selnica, Selnik, Selo, Seltsche,
Selze, Selzach, Selance, Selci, Selno, Selišče,
Selišči, Selšček, Siela, Sielach, Siele,* in Steierm.,
Kärnt., Krain etc., *Sielec, Sielnica, Siolko, Siol-
kowa,* in Galiz. (Miklosich, ON. App. 2, 231).

Selters s. Salz.

Selva s. Silva.

Semawat s. Olympos.

Sembeghewn, eig. *Sen-p'hpu-kywan* == Insel
des weissen Elefanten, 2 benachbarte Dörfer am
Irawady, nach einer der Flussinseln (Crawfurd,
Emb. 1, 101).

Sembranchier s. Branchier.

Semendrek s. Samos.

Semenow s. Middendorff.

Semering, oft mit *mm*, auch *Sömmering*, 1253 *S.*, 1271 *Semerinkus*, Pass der österr. Alpen, alturk. mons *Semernik* = Fichtenberg, v. slaw. *semerek*, *smrk* = Fichte od., nach Becker, v. asl. *smrêč*, neuslow. *smrêka* = Wachholder, einst auch mit deutschem Namen *Cerewalt*, nach der Cereichenwaldg. der Südseite, wo das Hospiz entstand (Sep.-Abdr. d. Mitth. Steierm. 27, 26, Umlauft, Oest. NB. 215).

Semeru, der höchste Berg Java's, v. skr. *su* = gut u. *Meru*, dem Olymp der Hindu (Crawf., Dict. 421) od. v. *maha-meru* = der heilige Berg (Junghuhn, Java 2, 524).

Semj, auch *ssemj* = 7, mehrf. in russ. ON. als: *Semiretschinsky Kraï* = Land der 7 Ströme, f. die Niederg. südöstl. v. See Balkasch, da sie v. 7 parallel gerichteten Flüssen, Ajagus, Lepsa, Karatal, Ili, Aksu, Kuldjunen-Bijen, Koksu, durchzogen wird, während westl. v. Ili *Za*- od. *Sailiisky Kraï*, lat. *Transilensia, Transilia* = Land jenseits des Ili liegt (Bär u. H., Beitr. 7, 284; 20, 143; 24, 152). — *Semchrebti* = 7 Rücken, v. russ. *chrebét* = Berggrat, Rückgrat, ein Pass des sibir. Aldan, wo man üb. 7 einzelne Bergjoche nach einander zu reiten hat (Erman, Reise 2, 358). — *Semipalatinsk* = 7 Paläste, türk. *Pulat* (Peterm., GMitth. 37, 270), Ort am Irtysch, wo man die Grundlagen v. 3 alten Gebäuden u., etwas abseits, v. andern 'Palaten' (s. Ablain) traf u. 1718, definitiv an anderer Stelle 1776, den neuen Ort gründete (Müller, Ugr. V. 1, 252, Bär u. H., Beitr. 24, 149). Ueber die 7 tatar. od. mong. Steinpaläste, 'v. welchen die Festg. den Namen hat', berichtet Falk (Beitr. 1, 373 f.) u. a., dass sie 2 km obh. der Veste auf einem Uferberge stehen; dass einer derselben ein Viereck bildet, 6 Faden im Durchm., mit 3 m h. u. üb. $1^1/_2$ m dicken Mauern, einer Thüre u. 2 Fensterlöchern, alles v. festem, grauem Ziegelstein, mit starkem Cement, aufgeführt; dass ein ähnliches Gebäude nur 4 Faden Durchm. habe, ein drittes 7 Fad. lg. u. 4 Fad. br., die Mauern aus schwarzen Bruchsteinen $1^1/_2$ Kl. h. u. gg. 1 m dick, mehrere andere stärker, bis auf das Fundament, zerfallen. — *Semisopochnoi* = Insel mit 7 Bergen, eine der Aleuten, 'une île avec sept montagnes, qui lui ont fait donner ce nom' (Krusenst., Mém. 2, 81). — *S. Ostrowa*, eine Gruppe v. 7 Küsteninseln bei Kola, bei dem engl. Seef. Steph. Burrough am 25. Juni 1557 in *Seven Islands* übs., aber auch *St. George's Islands*, sichtlich nach dem Patron Englands (Hakl., Pr. Nav. 1, 294).

Semin s. Dei-jus.

Semljänoi s. Moskau.

Semmedne, Aman == (Thal des) kalten Wassers, wo *aman* = Wasser, bei den Tuareg im Thal des westl. Fezzan, v. dem kalten Wasser, welches zu Zeiten sich v. der Hochfläche herab ergiesst u. v. dessen Fluten das tiefeingeschnittene Rinn-

sal unverkennbare Spuren trägt (Barth, Reis. 1, 219. 236).

Semnoj s. Ural.

Semokwakana = die höhere Gegend, s. v. a. 'Oberland', Name eines imereth. Bergdistricts (Güldenst.. Georg. 185).

Semsem, Wady, ein Thal in Tripoli, eines der bedeutendsten Flussbetten, mit vielen Brunnen, welche so gutes Wasser enthalten, dass man es nach dem berühmten Brunnen *S.* in Mekka benannt hat (Rohlfs, QAfr. 1, 114).

Senad od. *senud*, die ir. Form f. das aus dem Lat. übernommene Wort *synode*, ist in 2 ON. v. Irl. übgegangen: *a*) *Rath-senaid* = Synodenveste, wo dreimal Kirchenversammlg. unter den grossen Landesheiligen Patrick, Brendan u. Adamnan abgehalten wurde; *b*) *S.*, eine Insel des obern Lough Erne, aus unbekannter Ursache, später *S. McManus*, da sie lange im Besitz der Familie MacManus war, nun aber wg. ihrer Schönheit *Belle Isle* genannt (Joyce, Orig. Ir. NPl. 2, 471).

Sendoro, Gunung = der schöne Berg, v. skr. *sundoro* = schön, prächtig, einer der beiden javan. Gebroeders (s. d.), ein kühn üb. die Wolken herabschauender Berggipfel, welcher einem Zuckerhute mit abgeschlagener Spitze gleicht. 'Das Profil seines Abhangs läuft so ganz eben u. gleichmässig in's umgebende Flachland üb., dass es unmöglich ist, mit dem Zirkel eine schärfere Linie zu ziehen' (Junghuhn, Java 2, 229).

Sendrud, auch *Zajenderud* = Lebensfluss, der die Gartenlandschaft v. Isfahan bewässernde Fluss (Meyers CLex. 14, 587).

Seneca, der Name eines j. erloschenen Stamms der Irokesen, der einst am Ontario wohnte, noch erhalten in *S. Lake, S. River* u. *S. Falls* (Meyer's CLex. 14, 588), ist nicht sicher erklärt, gew. als 'Volk des grossen Hügels' (Hopp, VSt. 1, 15). Schoolcraft hörte v. einem Häuptling der *S.*, dass unter ihnen einst ein weiser, starker u. braver Weisser dieses Namens erschienen u. daher der Stamm benannt worden sei; er traute jedoch dieser Angabe nicht recht (Tour dM. Couv. 24. Nov. 1874).

Senegal, nebst dem Gambia der Hptstrom des nach beiden benannten *Senegambia*, bei den Çaragolees *Gufitembo* = weissrother Fluss, weil er, selbst v. weisser Farbe, in ihrem Gebiete, nach Aufnahme des röthl. Gennij, doppelströmig angezieht (Barros, As. 1,3[8]), bei den Mandingos *Ba fing* = schwarzer Fluss, während ein Nebenfluss *Ba choi* = weisser Fluss u. ein Tributär des Djoliba *Ba ule* = rother Fluss heisst (Glob. 1, 23). Schon v. der Exp. Hanno entdeckt, hiess er den. *Nahal Behemoth* = Strom der Flusspferde, nach den zahlr. בְּהֵמֹת [*b'hemoth*] == Flusspferden, welches Wort (Gesen., Hebr. Lex. 107) dem hebr. u. phön. nur angepasst u. das ägypt. Wort *P-ehe-môout* = Wasserstier zu sein scheint (Bochart, Chan. 1, 37 p. 714, Movers, Phön. 2[b], 535, Plin., HNat. 5, 10) 'flumen *Bambotum* crocodilis et hippopotamis refertum'. Als dann im 15. Jahrh. die Port. am Südrande der Sahara erschienen, hörten sie bei dem Berberstamm der *Azanagues, Çanaga, Se-*

naga v. einem grossen nach Süden folgenden Strom . . . 'o rio . . . o qual divide a terra dos Mauros Azenegues dos primeiros negros de Guiné chamados Jalofos', welchen man — schon bevor man ihn erreicht hatte — nach jenem Volke den *Çanagá*, Senegal nannte (Barros, As. 1, 1⁹, Camões, Lus. 5, 6f., Azurara, Chron. 278).

Senga s. Kef.

Senge Khabab s. Indus.

Sengstacke s. Copeland.

Sengtschong = Löwenveste, tib. Name einer kleinen Veste in Bhután, mit Anspielg. auf die Stärke des Orts, wie das Wort Löwe oft in zsgesetzten PN. mit dieser Bedeutg. gebraucht wird (Schlagw., Gloss. 242).

Senhora, Nossa, port. Aequivalent des span. *Nuestra Señora* (s. Señora), finde ich in folg. ON. *a) NS. de Belem* s. Bethlehem; *b) Cidade de NS. das Neves* s. Filippe; *c) NS. da Ponte de Sorocaba* s. Sorocaba; *d) NS. da Soledade do Passo Fundo* (= Einsamkeit an der tiefen Furt), Colonie v. Rio Grande do Sul, in tiefer Waldes-Einsamkeit (Avé-L., SBras. 1, 205); *e) NS. de Victoria* = ULFrauen des Sieges, kurz *Victoria*, port. ON. nördl. v. Rio de Janeiro, auch *Santos*, welch' anderer Name jedoch ggb. dem bekanntern Orte gl. N. aufgegeben ist (WHakl. S. 1, 77); *f) NS. das Virtudes* (= der Tugenden), Veste in Colombo, Ceylon, v. Erbauer, dem port. Gouv. Lopo Soares 1518 benannt (Barros, As. 3, 2²); *g) NS. de Desterro* s. Desterro.

Senjawin Inseln, die Gruppe v. Puinipet, Carolinen, am 2. Jan. 1828 entdeckt v. russ. Capt. Lütke u. benannt nach der russ. Corvette S., die in diesen Gewässern Aufnahmen machte (Bergh., Ann. 9, 148).

Senir s. Hermon.

Sennaar, im Canzleistil *Dár* (= Land) *-Sennár*, ist Russegger (Reis. 4, 473) geneigt, wenigstens im Ggsatz zu einer unstatthaften Etym., welche sich schon nach Europa verpflanzt hat, aus arab. *seinär* = (heiss) wie Feuer abzuleiten — mit Anspielg. auf die ausserord. Sonnenhitze daselbst, arab. *el-Dschesirah* = die Insel, als die zw. den beiden Nilströmen liegende Halbinsel (ZfAErdk. nf. 14, 2; 18, 201).

Senokosnoj s. Bolschoj.

Sens, Ort des frz. dép. Yonne, einst der Hptort der gall. Senones, bei Caesar (Bell. gall. 7, 10) *Agendicum*, bei Ptol. *Agedikon*, in der Peut. Taf. *Agetincum*, bei Amm. Marc., also um 350, *Senones*, 519 *Senonum civitas*, der Gau, j. *Sénonais*, im 6. Jahrh. *Senonensis pagus* (Dict. top. Fr. 3, 122).

Sentinel Creek = Fluss der Schildwache (das engl. Wort auch *ce . . .* geschr.), ein kl. rseitg. Zufluss des Missuri, v. den Captt. Lewis u. Cl. (Trav. 70) am 1. Oct. 1804 offb. wie Lookout Creek (s. d.) benannt, weil die seichten u. inselvollen Flussstrecken erhöhte Aufmerksk. verlangten; kaum liess sich die brauchb. Flussrinne finden, das Boot musste üb. eine Barre geschleppt u. einmal 3ʰ auf ruhigem Wind gewartet werden.

— *S. Buttes* s. Slim. — *The Two Ss.* s. Two.

— *Sentinelles* s. Sisters. — *Sentry-Box* = Schildwach-Haus, bei Kerguelen, eine kleine hübsche, hohe Insel, die auf der Spitze eine Felsmasse, genau einem Schilderhäuschen ähnl., trägt, v. Cook(-King, Pac. 1, 70f.) am 29. Dec. 1776 benannt. — *S. Rock*, eine der imposanten Felsformen des calif. Thales Yosemiti (Fortschr. 1880, 148), einer riesigen Warte ähnlich (Gartenl. 1888, 362).

Sen-Ywa = Elefantendorf, eine Station der kön. Elefanten (Crawfurd, Emb. 1, 52).

Señora = Frau, in span. ON. oft in der Form *Nuestra S.* = unsere Frau, im Sinne des deutschen Ausdrucks 'Unserer Lieben Frauen' *a)* als *Lago de NS.* s. Maracaybo; *b)* als *Pueblo de NS.* s. Paz, häufig mit Zusätzen *a) NS. de la Asuncion* (s. Asuncion); *b) NS. del Antigua* s. Maria; *c) NS. de la Buena Guia* s. Colorado u. Santiago; *d) Villa de NS. de los Dolores* s. Dolores; *e) Golfo de NS. de Guadalupe* s. Trinidad; *f) Golfo de NS. de Loreto* s. Pacific; *g) NS. de la Merced de Puerto Claro* s. Valparaiso; *h) NS. de las Nieves* s. Hacha; *i) NS. de los Remedios y San Pablo* s. Remedios; *k) Pueblo de NS. la Reyna de los Angeles* s. Angel; *l) Puerto de NS. del Rosario* s. Trinidad; *m) Mission de NS. de la Soledad* (= der Einsamkeit), in NCalif., ggr. am 9. Oct. 1791 (DMofras, Orég. 1, 389). — *NS. del Socorro* = ULFrauen der Hülfe, 'Mariahilf', 2 mal *a)* eine Bergkirche bei Mexico, gestiftet z. Andenken an die wundersame Errettung der span. Consquistadores, als sie, die Stadt z. Nachtzeit verlassend, dem Hunger, der Ermattung u. mehrtägiger Verfolgung fast erliegen mussten: defendiendoles la madre de misericordia, y Reyna del cielo MARIA, marauillosamente en un cerillo, donde a tres leguas de Mexico está hasta el dia de oy fundada una Iglesia . . . (Acosta, Hist. Ind. 524f.); *b)* eine pacif. Insel, einh. *Taumaco*, v. der Exp. Quirós am 7. Apr. 1606 entdeckt, nachdem Wasser u. Lebensmittel ausgegangen u. v. Quirós selbst so benannt 'por el mucho que aquí se halló', v. dem Piloten Gonzalez de Leza *NS. de Loreto* getauft (Viajes Quirós 1, 287; 3, 22).

Seongo s. Mosioatunja.

Separation, Point = Spitze der Trennung, im Delta des McKenzie R., wo die beiden Abtheilungen der Exp. Franklin (Sec. Exp. 188) am 4. Juli 1826 aus einander gingen: Er selbst, im 'Lion' u. in der 'Reliance' nach Westen, Richardson in den Schiffen Dolphin u. Union nach Osten. — *S. Harbour* s. Misericordia.

Sepey s. Serneus.

Sephela s. Saron.

Sepher s. Kiriah.

Sephreh s. Zephyrion.

Sepia, gr. Σηπία = Schlangengebirge, v. ὄφις = Schlange, zw. Pheneos u. Stamphylos, nach den auf ihm vorkommenden, schon v. Pausanias auf's genaueste geschilderten Vipern (Curt., Pel. 199).

Seppings, Cape, in NSomerset, v. W. Edw. Parry (NWPass. 37) am 6. Aug. 1819 entdeckt u. benannt 'after sir Robert S., one of the surveyors of His Majesty's navy'.

Sept s. Serneus.

Septem = 7, das Stammwort des frz. *sept*, ital. *sette*, span. *siete* u. port. *sete* (s. dd.), in lat. ON. wie *S. Fratres* (s. Ceuta), *S. Germanae* (s. Seychellen) u. *S. Maria* (s. Laguna). — Auch dem *Septimer*, einem Alpenpass Graub., wurde ein 7 auf vschied. Weise angekünstelt (Campell ed. Mohr 117); oft ist er aber auch mit Septimius Severus, 'dessen grossartige Strassenarbeiten sich keineswegs auf Rätien beschränkten', in Verbindg. gebracht. Die Stationen der Strasse sind in der Tab. Peut., ca. 230 (?), noch nicht, wohl aber in Itin. Anton., um 380 (?), verzeichnet, u. 'es drängt sich unwillkürl. die Vermuthg. auf, dass es erst dieser Kaiser gewesen sein möchte, der die Strasse haute, zumal sie mit grösserer Sorgfalt als die Splügner ausgeführt zu sein scheint' (Planta, ARät. 80). — *Septmont*, 1203 Mons de *Septem Montibus*, u. *Septvaux*, 1152 de *S. Vallibus*, Orte des frz. dép. Aisne (Dict. top. Fr. 10, 259), u. *Sept-Fontaines* = 7 Brunnen, Bach des Argonner Waldes (ib. 11, 222).

Sepuh = der ausgezeichnete, berühmte, armen. Name eines Bergs der Prov. Daranaghi. In dem wilden Berglande führte der heil. Gregor die wilden, dem Anähitacultus ergebenen Einwohner dem Christenth. zu; auf dem Berge S. hatte er seine wildgelegene Einsiedelei, die z. besuchten Wallfahrtsort geworden ist. In diesem Berggebiete liegt auch der Begräbnissort vschiedd. armen. Könige, der früher einer der Hptsitze des Anähitacultus gewesen ist (Spiegel, Eran. A. 1, 158).

Sepulchre Island = Begräbnissinsel, ein Werder des Unterlaufs des Oregon, v. den Captt. Lewis u. Cl. (Trav. 376) am 29. Oct. 1805 so benannt, weil er mehrere 4 eckige Gewölbe enthält. Die ähnl. Stelle traf die Exp. auf der Bergfahrt, am 15. Apr. 1806; es war, weiter flussan, ein Inselfels, *S. Rock* (ib. 518) . . . 'The rock itself stands near the middle of the river, and contains about two acres of ground above high water. On this surface are scattered thirteen vaults constructed like those below the Rapids, and some of them more than half filled with dead bodies' (ib. 518). — *el Sepulcro de los Españoles* s. Bello.

Sequeira, Ilhas de Gomes de, eine Entdeckg. des port. Seef. S., welcher, v. Jorge de Menezes um 1527 abgesandt, auf Mindanao Lebensmittel f. die Molukken holen wollte u. durch einen Sturm weit nach Osten gerieth (Barros, Asia 4, 1), v. span. Seef. Lafita 1802 *los Martires* (s. d.) genannt (Krus., Mém. 2, 6 ff.). Da die Inselgruppe unt. 9° NBr. liegt u. Barros ausdrückl. v. einer grossen Berginsel spricht, so ist ihre Versetzg. nach Lord North, 3° NBr. (WHakl. S. 25, XLVIII ff., wo Major's Quelle selbst Tobi 'a small low islet' nennt) od. gar nach der Torres Str., 10° SBr. (BBocage, Mag. Encycl. 4, 1807), unhaltbar.

Seraf s. Ghazal.

Seraj od. *sarâï*, verd. *Serail*, eig. *sseraj* = Palast, türk. Bezeichng. f. den aus Palästen, Gärten u. Lusthäusern bestehenden Theil v. Konstantinopel, welcher als Hptsitz des Sultans anzusehen ist u. mit dem *S. Burnu* = Palastcap ins Meer vorspringt (Parmentier, Vocab. turc.-fr. 66). Hier sind auch die Orte *Sarâï*, in Rumelien, u. *Saraïköi*, in Anadoli, aufgeführt. — *Serajewo* s. Bosna. Als Grundwort mehrf. f. Paläste, insb. kaiserl., in der Umgebg. Konstantinopels, wie *Eski S.*, *Jeni S.*, *Ak S.* (s. dd.).

Serampur s. Rama.

Seravrud s. Adschi.

Serbâl = Baalsberg, arab. Name eines Berggipfels des Sinaï, einer der Cultusstätten des semit. Sonnengottes, 'der gerade diese Felsenspitzen noch mit einem Götterstrahl beleuchtete, wenn üb. das Tiefland am Meer u. am Nil sich bereits die Schatten der Nacht gelagert hatten' (Ausl. 46, 923).

Serbien, nach j. Sprachgebrauche ein junger slaw. Staat im Gebiet der Donau, wo um 638 die *Serben* einwanderten, slaw. *Sbrija*, *Sirb* (Meyer's CLex. 14, 599 ff.). Nach Schafarik (Slaw. Alterth. I. § 9⁵) wäre der Volksname *Srb* = Volk, Nation, Leute u. wurde urspr., bevor der Name Slawen f. alle Nationen des grossen Stammes allgemein geworden, unter ihnen gebr. u. den Griechen u. Römern bekannt (Plin., IINat. 6, 16?, Ptol., Geogr. 5, 9, Procop, BelliGoth. 3, 14). Einst hiess, entspr. der weiten Ausbreitg. des slav. Volksstamms, das weite zw. Ostsee, Karpathen, Dnjepr, Wolga u. Finland gelegene Gebiet *Beloserbien* = Weiss-S., u. noch 949 heisst ein Gau zw. Oder u. Elbe *Ciervisti*, eigentl. (Srbsko od. *Srbiszte* [spr. srbischtie] = einem. Serbenland, gebildet wie *hradiszte* = Bergruine v. hrad (Jastmar, Überreste 9 ff.). — *Neu S.* s. Russen. — *Sirf* *Sindüghi* = der Serben Niederlage, türk. Name einer Ebene obh. Adrianopel, wo 1363 die vereinigten Serben u. Ungarn v. den Türken geschlagen wurden (Hammer-P., Osm. R. 1, 170).

Sercq, New s. Edgcumb.

Serd-ab = kaltes Wasser, pers. Name eines der Paläste v. Aschraf, Eschref. bei Asterabad; v. hier aus ist das krystallhelle Wasser in alle Canäle des Parks vertheilt (PM. 21, 153). — *Serdesir* = kaltes Land, die üb. dem brennend heissen Küstensaum v. Germasir u. den höhern Tengesir (s. d.) folgende, kühle Region, welche die Gestadeländer des Persergolfs mit dem hohen iran. Tafellande verbindet — als Gegsatz zu Germasir (Meyer's CLex. 6, 589).

Serdsch, Dschebel es- = Sattelberg, ein Theil des langen tunes. Bergzuges Uselelt, aus welchem er 'besonders kenntlich' hervortritt (Barth. Wand. 242).

Serdze Kamen = Herzfels, russ. ON. 2 mal: *a)* das sibir. Vorgebirge, bis zu welchem angebl. Capt. V. Bering 1728 v. Kamtschatka aus gekommen war, wg. der herzähnlichen Gestalt eines auf ihm befindl. Felsens . . . 'on account of a rock upon it, shaped like a heart' (Adelung, GSchiff. 567, Cook-King, Pac. 2, 469, Müller, SRuss. G. 4, 253). Freil. ist j. erwiesen, dass der Name des Herzfelsens nicht v. Bering herrührt, wie auch der Charakter der übr. v. ihm angewandten Nomenclatur nicht derj. der 'Naturnamen' ist. Urspr. hiess ein Cap des Berings Meers, östl. v. der Heilig Kreuzbucht, bei den Tschuktschen *Linglin-Gai* == Herzfels, was die Kosaken v. Anadyrsk mit *SK.* übsetzten; durch ein Missverständniss Müllers wanderte der Name an das Eismeer u. wurde als der äusserste Punkt v. Berings Reise betrachtet, ein Punkt, zu dem der kühne Däne gar nicht gelangt ist (Lauridsen, v. Bering 36 ff., Peterm. GMitth. 30, 260 f.); *b*) ein Vulcan im kuril. See Kamtschatka's, entspr. der Vorstellg. der Kamtschadalen, als sei, wie der Schiwelutsch aus dem Kronozker See (Erman, Reise 3, 300), so der grossartige Inselvulcan v. Alaid aus dem kuril. See ausgestossen worden u. entflohen, nachdem er in demselben sein innerstes Stück, das Herz, als eine kleine Insel zkgelassen hatte. Dieser Vorstellg. entspricht auch der zweite Name *Alaidskaja Pupka* == Nabel von Alaid (Erman, Reise 3, 525).

Serebrenka od. *Serebrjanka* == Silberfluss, v. russ. *sserebro*, slow. *srebro*, serb. *srbro*, mehrf. f. auffallend klare Flüsse: *a*) f. einen Zufluss der Tschussowaja, die 'v. ihrem silberklaren Wasser also genennet ist' (Müller, SRuss. G. 3, 307, Fischer, Sib. G. 1, 192), an ihr der Bergort *Serebrjansk* (Rose, Ural 1, 348); *b*) f. einen Zufluss des Irtysch, obh. Tobolsk (Falk, Beitr. 1, 272) u. a. m. — *Srebrnik* u. *Srbrnitza*, 2 ON. in Bosnien, beweisen wie das röm. Argentaria den j. noch unbenutzten Metallreichth., wie denn viele Spuren röm. Bergbaues aufgefunden worden sind (Kiepert, Lehrb. AG. 354). Auch *Srebernik* u. *Srebernice* in Kroat., Krain u. Steierm. (Miklosich, ON. App. 2, 237).

Sered s. Sreda.

Serefschân, auch *Seraf-* od. *Zerefschan* == Goldspender, Goldstreuer, v. pers. *ser* == Gold, heisst seit dem 16. Jahrh. (Peterm. GMitth. 37, 272) der Fluss v. Samarkand, gr. *Polytimetos*, viell. v. gr. *πολύ* == viel u. *τιμέω* == ehren, also 'der vielgeehrte' (E. Eichwald, AGeogr. Kasp. M. 64), od. eher nur umgeformt aus einh. *Pôurutamant* == Gebirgsfluss. Der Fluss soll wirklich Gold führen, doch nicht so erhebl., wie die Bevölkerg. übertreibend angibt (Spiegel, Eran. A. 1, 275), od. 'jetzt führt er nicht mehr Goldsand' (Eichwald). Im Alterth. hiess er altpers. u. baktr. *Sughuda*, *Sughda* == der reine, im Mittelalter *Soghd*, daher das Umland *Sogdiane*, gr. *Σουγδιανή* (Kiepert, Lehrb. AG. 55).

Serendib s. Ceylon.

Serga s. Serka.

Sergijewsk, auch *Sse* ..., Kloster u. Wallfahrtsort in der Umgebg. Moskau's, um 1350 erbaut v. heil. Sergij unter der Regierg. Simeons des Stolzen. Noch befindet sich hier der Silbersarg des Heiligen, einer der reichsten Sarkophage der

Welt (Meyer's CLex. 14, 862). — *Sergiopolj* s. Ajagusk. — *Deir Serkis* == Kloster des Sergius, ein Carmeliterkloster 2 km v. Bschirre, Libanon (Burckhardt-Ges. 1, 63).

Serginsk s. Ufa.

Sergipe, Rio do, nördl. v. Bahia, nach dem dort wohnenden Indianerhäuptling Serigy (s. Villegalhão), an der Mündg. *S. d'el Rey* == *S.* des Königs, zu der Zeit, als Port. mit Castilien vereinigt war, 1589 ggr. als Fort *São Christovam*, nach dem Heiligen d. N., wahrsch. zu Ehren des port. Vicekönigs Christovão de Moura. So war zugl. im Namen der Prov. der (span.) König, im Namen der Stadt der (port.) Vicekönig geehrt (Varnh., HBraz. 1, 274. 307. 490).

Serhind s. India.

Serica s. China.

Seringapatám, ON. des Dekhan (s. Sri). — *S. Shoal*, eine der zahlr. Untiefen vor Tasman's Ld., v. Capt. Owen Stanley, Kauffahrteischiff *S.*, im März 1840 entdeckt (Stokes, Disc. 2, 181).

Seriphos, v. phön. צרפת == Schmelzhütte, eine der Kykladen, wo die Phöniz. einst die Eisengruben des Bergeilandes ausbeuteten — gerade wie *Siphnos*, v. phön. ספן, צפן == verbergen, vergraben, bes. v. Schätzen, an die phön. Goldminen erinnert (Ross, IReis. 1, 135, Kiepert, Lehrb. AG. 252). — Uebertragen auf *S.*, eine kleine, nackte Felsinsel in Japan, v. Capt. J. A. v. Krusenst. (Reise 1, 264) im Oct. 1804, offb. weil auch sie nirgends eine Ebene aufweist, als im innersten Winkel des Hafens eine kleine halbversumpfte Wiese.

Serka od. *serga*, fem. des arab. adj. *asrek* (s. d.), mehrf. in ON., bes. f. Gewässer u. Berge *a*) *Nahr S.* == blauer Fluss, der alte *Κροκοδείλων*, lat. *Crocodilon* == Krokodilenfluss, welcher an der Westseite Palästina's in das Mittelmeer mündet u. durch seine Krokodile die Aufmerksamkeit der Geographen u. Naturforscher in neuerer Zeit wieder auf sich gezogen hat (Plin., HNat. 5, 75, Seetzen, Reise 2, 73, PM. 4, 9). Auch nach Van de Velde (Map Holy L.) ist der alte Name nicht, wie Pape-Bens. 722 meint, auf den südlichen Nahr Falik zu beziehen; *c*) *S.* s. Jabbok; *d*) *S. Mâein* == der blaue (Fluss) v. Mâein, dem einstigen *Baal Meon*, בעל מעון [ba'al m°'on], einem Uferort (Gesen., Hebr. Lex.) — *Dschebel es-S.* == blaue Berge, der gg. Ceuta vorspringende Gebirgszug in Marocco (Barth, Wand. 42). — *Cherbet S.* == blaue Ruine, in der Prov. Constantine, u. *Sebcha S.* == blauer See, im Gebiet der Schott (Parmentier, Vocab. arabe 49).

Serkis s. Sergijewsk.

Sermeliarsok == grosser Eisfjord, bei den Eskimo eine westgrönl. Bucht, welche 'nunmehr ganz mit Eis verstopft ist' u. 'zu aller Zeit, so oft der Wind v. Lande kommt, Eis herausschickt...' Eine andere Bucht *Sermelik* == die mit Eis belegte, ein Gletscher *Sermitsialik* == der sehr mit Eis belegte eine *Sermesok* == Eisinsel (Cranz, HGrönl. 1, 25 f.; 2, 245 ff.).

Sernaja Gora == Schwefelberg, russ. Name eines

an der Wolotschka, Arm der Wolga, aufsteigenden Hügels v. gelblichweissem, dichtem Kalkstein, in welchem gediegener Schwefel nesterweise, bisw. in Massen v. mehrern Pfunden, mit blätterigem Gyps vorkommt u. vor Pallas' Zeiten bergmännisch ausgebeutet wurde (Rose, Ural 2, 239). Am Fusse *Sernoi Gorodok* = Schwefelstädtchen, 'eine verlassene Schwefelhütte mit einigen Wohnungen der Berg- u. Hüttenleute' (Falk, Beitr. 1, 105).

Serneus u. *Zernetz*, zwei Graubündn. ON., entspr. dem bern.-jurass. *Cerneux*, führt Gatschet (OForsch. 155) auf die mlat. adj. Formen *serranolis* u. *serranatica* = villa zk., als bezeichnen sie 'die Nähe dieser Dörfer bei Umzäunungen.' Die beiden graub. ON. *Seewis*, analog dem Walliser *Chippis* u. dem waadtl. *le Sepey* (s. Spoix), v. rätr. *seir, sev* = Zaun; die (lat.) Urform *sepes* in Gestalt des Derivats *septum, sepetum* = Einzäunung, noch in *Sept, Sett*, bei Ilanz.

Sernfthal s. Limmat.

Serpens = kriechend, Schlange, v. lat. *serpëre* = kriechen, daher die gemeinromanische, gewiss sehr alte Abkürzg., port. *serpe, serpente*, span. *sierpe, serpiente*, ital. *serpe, serpente*, rätor. *serp*, frz. *serpent* (Diez, Rom. WB. 1, 380), u. v. diesem engl. *a) Serpent Lake*, im Netz des Missisipi, an dessen Ufern eine kleine Schlange, Coluber od. Tropidonotus sirtalis, vorkommt (Richardson, Arct. SExp. 1, 98); *b) Serpentine Indians* s. Snake. — *Serpents Mouth* s. Sierpe.

Serra, ital., port. u. prov. Ausdruck, entspr. dem span. *sierra* = Säge, v. lat. *serra*, wg. der zackigen Gestalt auf Bergketten übtragen, bereits in den ältesten span. Urkk. (Diez, Rom. WB. 1, 380), mehrf. geogr. Eigenname *a) The S.*, f. eine Bergreihe v. Victoria, v. Major T. L. Mitchell (Three Expp. 2, 258) benannt nach ihrem gesägten Aussehen . . . 'from its serrated appearance, so highly ornamental to the fine country around'; *b) La S.*, am Spöl; *c) La Serraille* s. Chillon; *d) Monte Serrato* = zersägter Berg (s. Montserrat), ein schroffer Berg bei Santos, Bras. (Avé-L., SBras. 2, 408); *e) Serrières* u. *La Sarraz*, Waadt, v. den Sägemühlen. — *Serra* s. Tevere.

Serrana, eine vereinzelte Insel des carib. M., benannt nach Pedro Serrano, einem Spanier, der auf der Fahrt Cartagena-Havana v. dem scheiternden Schiffe sich mit Schwimmen rettete u. auf dem wüsten Eilande 7 Jahre zubrachte. In der Nähe die 'kleinere' *Serranilla* (Garc. Vega, Com. Real 1, 7 f.). — *Rio de Juan Serrano*, in Patag., etwa 50⁰ SBr., id. mit Port Desire (?), v. F. Magalhães 1520 entdeckt u. nach einem seiner besten Officiere. dem Befehlsh. des Schiffes Santiago, getauft (ZfAErdk. 1876, 362), auf Ribero's Weltcarte 1525 eingetragen (Spr. u. F., Beitr. 4, 163).

Sertão, o = die Wüste, das innere (abgelegene) Land, plur. *os Sertões*, port. Name unbebauter, menschenleerer Gebiete, bes. in Brasil. (Eschwege, Pl. Bras., wo p. 5. 11 die Satzfehler *sertaõ, sertoẽs*, wo zw. *S. Bravo* = wilder, d. i. noch ungelichteter, Wüste, u. *S. Cultivado* = bebauter

Wüste, an der man jährl. in der Trockenzeit schwendet, unterschieden wird (ib. 477).

Servan, St. s. Brest.

Serviceberry Valley = Thal der Speierlingsbeeren, im Felsengebirge, v. Capt. Clarke am 16. Aug. 1805 so benannt, weil hier diese Beeren, gerade reif, in Menge wuchsen u. dadurch der Exp., die Mangel an Lebensmitteln litt, eine angenehme Erscheing. waren (Lewis u. Cl., Trav. 277).

Servières s. Cervus.

Sesarga s. Malayta.

Sescheke = weisse Sandbänke, Stadt am Zambezi, nach den vielen Flussbänken, welche gg. die schön grünen Inseln im obern Laufe abstechen (PM. 4, 193). Auch weiter flussaufwärts, im Thal Barotse, kommt derselbe Name aus derselben Veranlassg. noch einmal vor (Livingstone, Miss. Trav. 208).

Sete = 7, port. Zahlwort (s. Septem) finde ich 5 mal in ON. *a) Salto Grande de Sete Quedas* = grosser Sprung der 7 Fälle, ein Wasserfall des Rio Paraná, 23⁰ SBr. (Peterm., GMitth. 22, 348); *b) Ponta de S. Fontes* = Cap der 7 Brunnen, ein Vorgebirge in São Paolo (WHpkl. S. 51, XLIX); *c) S. Irmans* u. *S. Irmãos* s. Seychellen; *d) Lagôas das S. Cidades* = See'n der 7 Städte, kleine See'n v. San Miguel, Açoren, entstanden bei dem vulcan. Ausbruch v. 1444 f. (Sommer, Taschb. 12, 303).

Scugne s. Sognolles.

Seven = 7, engl. Zahlwort, auffälliger Weise nur wenige mal zu finden: in *S. Islands a) s.* Passion; *b)* s. Rond; *c)* s. Semj.

Sever s. Picti.

Severinowka, russ. Ort bei Odessa, nach dem Gründer, dem Grafen Severyn Potocky, der viel f. den Anbau der Gegend gethan u. insb. auch die Rebe angepflanzt hat, 'wo vor ihm niemals gepflügt worden war u. das Thermometer manchmal bis 22⁰ fällt' (Hertha 10, GZ. 8. 96).

Sévigné, Cap, am St. VincentsG. v. der Exp. Baudin im Jan. 1803 benannt nach der Schriftstellerin Marquise de *S.* 1626 — 1696 (Péron, TA. 2. 73).

Sevilla, Stadt der andalus. Niederg., lat. *Spalis* (Acta Conc. T. 11, 750), mit Vorschlagsylbe *Hispalis*. *Hispal*, nach span. Sagen (Schott, Rer. Hisp. Script. 1, 57) eine v. Herakles ggr., also phön. Colonie, deren einf. Name, schon nach Bochart (Geogr. Sacra 668), mit der des südkanaanit. Küstenebene ﬡﬥﬡ־׃, Schephelah = Niederung übereinkommt (Movers, Phön. 2ᵇ, 641) u. v. den Arabern in *As-* od. *Isbilia*, v. den Spaniern in *Sebilla, S.*, geformt wurde (Charnock, LEtym. 244).

Sewersk s. Solikamsk.

Sèwu, G. = Tausendgebirge, in Java. Auf einer ungeheuern meilenlangen Kalkbank 'erheben sich lauter halbkugelige. seltner konische, 50—60 m h., isolirte (bewaldete u. unter sich vollkommen gleiche) Berge, welche, ebenso wie die Basis, worauf sie ruhen, aus hartem, dichtem, milchweissem Kalkstein bestehen u. sich wie die Maulwurfshügel auf einem Acker zu vielen Tausenden neben einander erheben, so dass mäandrisch mit einander verbundene, bald schmälere, bald breitere Thalgründe zw. ihnen übrig bleiben' (Junghuhn, Java 1, 202. 250). — *Chandi S.* s. Brahma.

Sexe s. Schweigaard.

Sextiae s. Aix.

Seychelles, Iles de, die bekannte Inselgruppe nordöstl. v. Madagascar. v. den Port. um 1506 entdeckt u. *as Sete Irmans* = 7 Schwestern, lat. *Septem Germanae* (Atl. M. Homann 33) genannt, während eine um ca. 6⁰ östlichere Gruppe *os Sete Irmãos* = 7 Brüder, lat. *Septem Fratres*, hiess. Die mod. Umtaufe rührt v. dem frz. Capt. Lazare Picault her, der die Inseln 1742 in der Tartane Elizabeth untersuchte; aber sie ist mir nicht ganz klar. Ich finde (McLeod, East. Afr. 2, 212, Glob. 3, 150), dass er die Hptinsel *Mahé* u. die Gruppe *Ile* (?) *Labourdonnaye* genannt, beide nach dem dam. Gouv. der franco-ind. Besitzungen, Mahé Labourdonnaye, dass die Gruppe aber **später** nach dem frz. Marineminister Hérault de *S.* getauft worden sei. Diess geschah wohl, wie d'Avézac (Bull. SGPar. 3me S. 8, 137) angibt, 'en 1756, à la suite d'une prise de possession, au nom de la France, par le capitaine Morphey, commandant la fregáte 'le cerf', d'ordre du gouverneur de l'ile de France, Magon'.

Seydau s. Bautzen.

Seymour, Cape, im antarkt. Admiralty Inlet, v. Capt. J. Cl. Ross (SouthR. 2, 343) im Jan. 1843 benannt zu Ehren des Rear Admiral Sir George Francis *S.*, Knight, C. B., G. C. H., eines der Lords der Admiralität. — *Mount S.*, in Admiralty Sd., Feuerl., v. der Exp. Adv.-Beagle im Febr. 1827 (Fitzroy, Narr. 1, 56). — *Mich. S. Bay* s. Barracouta.

Sfax, auch *Sfakes*, tunes. Ort an Stelle des ptol. *Ταφϱουα*, wurde mehrf. als jüngere Anlage betrachtet, v. Leo Afr. z. B. als afric. Schutzwehr gg. die Römer, v. Shaw als moderne Stadt, die nach der Menge der in ihren Gärten erzeugten Gurkenfakous benannt sei, noch v. Pellissier als Ort sarracen. Ursprungs. Seit den Ausgrabungen v. 1881 weiss man, dass sie jedenf. vorarab. ist.; sie zahlte 647 dem arab. Eroberer Abdallah Ibn-Saad 300 Pfd. Lösegeld u. wurde 668 v. den siegreichen Muselmännern wieder aufgebaut. Eine Note, v. A. du Paty de Clam (Compte Rendu Soc. Géogr. Par. 1889, 46 ff.), führt auf die Annahme, dass *S.* = Wachtposten der berb. Name, *Taphrura* die griech. Uebsetzg. desselben u. nach dem Einzug der Araber der erstere wieder an die Stelle des zweiten getreten sei.

Sgrischus, Lej = schauerlicher See, rätr. Name eines kleinen, üb. Eiswälle u. Trümmerhaufen erreichbaren See's in der wilden Gebirgswelt des Bernina (Lechner, PLang. 64).

Shade s. Lewiston.

Shag Island = Insel der Sceraben, in Christmas Sd., Feuerl., v. Capt. Cook (VSouthP. 2, 180 f.) in den Weihnachtstagen 1774 so getauft, weil er in den unzugänglichen Felsklippen der Südseite diese Vögel in ungeheurer Zahl brüten fand, frei-

lich ohne dass er mehr als einige der alten wenig schmackhaften Thiere erlangen konnte. Der gew. Seerabe, aus der Familie der Pelecane, ist die Cormoran-Scharbe, Carbo Cormoranus M. et W. (Leunis, Syn. 1, 287). — *Sh. Narrows*, eine 'Meerenge' ebf. in Feuerl., nach der Menge dieser Vögel (Fitzroy, Narr. 1, 139). — *Sh. Rock*, ein ca. 60 m h. Inselfels nördl. v. Heard I., offb. nach seiner Vogelwelt (Peterm., GMitth. 20, 463). — *Shaggy Rock* s. Saddle.

Shag-a-voke = es rennt schnell, bei den Eskimo ein Golf v. Boothia Isthmus, nach der Heftigkeit, mit welcher z. Sommerszeit die Strömg. durch den verengerten Canal in die offene See hinausstürzt, '... the name is expressive of this fact' (Ross, Sec. V. 329).

Shakespeare Cliff, eine 175 m h. Felswand der engl. Küste bei Dover, benannt nach der berühmten Beschreibg., welche der grosse Dichter im 'König Lear' gegeben (Meyer's CLex. 14, 631).

Shallow Bay = seichte Bucht, eine Einfahrt an der Mündg. des Oregon, am 8. Nov. 1805 v. den Captt. Lewis u. Cl. (Trav. 393) benannt nach ihrer geringen Tiefe. — *Sh. Rapid* s. Deep. — *Sh. River a)* s. Platte; *b)* s. Mauvais. — *Point Sh. Water*, ein Landvorsprg., bei dessen Annäherg. Capt. Cook (-King, Pac. 2, 489) am 18. Sept. 1778 nicht mehr 4 fathoms Tiefe lothete u. so f. die bevorstehende Nacht anzuhalten gezwungen war.

Shanesville, Ort in Ohio, an St. Josephs R., benannt nach einem Dolmetscher, der, ein Halbindianer, bei Indianern u. Weissen in hohem Ansehen stand, f. seine guten Kriegsdienste eine Nationalbelohng. v. 640 Acres erhielt u. zZ. v. Long's 2. Reise, 1823, noch auf seinem Gute lebte (Hertha 9, 47).

Shannon, kelt. Flussname in Irl., bei Ptol. *Senos*, wird bei Joyce (IrishNPl. 1, 79) nicht erklärt, bei Chalmers v. kelt. *sen* = gross, langsam, bei Andern v. *sean* = alt u. *amhan* = Fluss abgeleitet (Charnock, LEtym. 244). Die letztere, etwas auffallende Erklärg., aber f. ir. Wohnorte *Sh.*, *Shandon*, ir. *Seandun* = alte Veste, geben auch Joyce (ib. 280) u. H. d'Arb. de Jub. (Rev. Celt. 8, 123). — *Sh. Island*, in Grönl., unt. 75⁰ NBr., v. Clavering, dem Gefährten Sabine's, am 12. Aug. 1823 getauft 'nach dem Schiffe, an dessen Bord ich zu dienen früher das Glück hatte', die Südostspitze *Cape Philip Broke*, nach seinem tapfern Befehlshaber (Peterm., GMitth. 16, 320. 325; 17, 189). — *Sh.'s Creek*, ein kleiner Zufluss des Missuri, v. den Captt. Lewis u. Cl. (Trav. 52) am 11. Sept. 1804 so benannt nach einem ihrer Leute, Georg *Sh.*, der, nachdem man ihn einige Zeit vermisst hatte, hier wieder z. Gesellschaft zkgeritten kam. Am 29. Aug. war er den zwei verlaufenen Pferden nachgesandt worden, hatte die Thiere gefunden, war aber irre gegangen u. wäre fast verhungert, da ihm die Kugeln ausgingen u. er nur v. Beeren leben musste. Nachdem ihm das eine Pferd entlaufen, behielt er das andere als letzte Reserve u. erreichte im Augenblicke, als er es schlachten wollte, die Exp. wieder.

Sharks Bay = *Haifisch-bay* nannte auf seiner 3. Reise, am 6. Aug. 1699, der brit. Seef. W. Dampier eine an der Westseite NHollands entdeckte, durch Sandbänke wenig zugängliche Bay, weil sich hier Haifische in grosser Menge fanden. 'The sea fish that we saw here (for here was no river, land or pond of fresh water to be seen), are chiefly sharks. There are abundance of them in this particular sound, that I therefore give it the name of *Sh. Bay* (WHakl. S. 25, 145, Debrosses, HNav. 373 ff., Flinders, TA. 1, LXIII). Bei den Franzosen (Péron, TA. 1, 169, Freycinet, Atl. 22) *Baie des Chiens-marins*, nicht etwa Seehunds-Bay', sondern ebf. nach dem gemeinen Hay, 'Menschenfresser', Squalus carcharias L. (Leunis, Syn. 1 §. 312).

Sharpeyed s. Tykoothie.

Shatemuc s. Hudson.

Shaw River nannte *a)* Frank Gregory 1861 einen v. ihm entdeckten Fluss im nordwestl. Austr., nach dem Secretär der kön. Geogr. Gesellschaft in London (PM. 8, 285); *b)* Major Mitchell (Three Expp. 2, 246) im April 1835 einen Fluss des obern Darling, ozw. im gl. Sinne.

Shawnees s. Savanna.

Sheban s. Teir.

Sheen s. Richmond.

Sheep Rock Range = Kette der Schaffelsen, als Bergzug östl. v. Mount Shasta, wo viele Schafe (das Bighorn?) 'ihre Heimat' haben (Glob. 22, 201); *b) Sh. Indians* s. Ambataut.

Shelvocke s. Rosa.

Shepherd's Isles, eine kleine Inselgruppe der NHebriden, auf Carten wohl auch missverständl. in *Schäfer Inseln* übersetzt, v. Capt. Cook (VSouthP. 2, 39) am 24. Juli 1774 entdeckt u. 'in honour of my worthy friend Dr. *Sh.*, Plumian professor of astronomy at Cambridge', benannt, zwei grössere: *Tongoa* u. *Tongariki*, u. drei kleinere: *Laika, Awose, Tewala* (Meinicke, IStill. O. 1, 188).

Sherbourne Reef od. *Sh. Shoal*, eine der Klippen um die austr. Admiralitäts I., Bismarck A., v. engl. Capt. White am 15. Mai 1824 entdeckt u. nach seinem Schiffe benannt (Bergh., Ann. 2, 783; 6, 188).

Sherer Creek, eine Bucht bei Lyon Inlet (s. d.), v. Capt. W. Edw. Parry (Sec. V. 82 ff.) im Sept. 1821 nach einem seiner Gefährten, Joseph *Sh.*, midshipman v. Schiffe Hecla, benannt. — *Sh.'s Mount* s. Neill.

Sheridan, Cape, in Boothia Felix, eines der zahlr. Objecte, welche Capt. John Ross (Sec. V., Carte) taufte, ohne ihrer im Berichte zu erwähnen — wohl nach dem frühern engl. Schatzmeister des Seewesens, dem als Dichter berühmten R. B. *Sh.*

Sheriff's Cove u. *Cape Sh.*, im antarkt. SShetl., nach Capt. Will. Henry *Sh.* (Hertha 9, 449). — *Sh.'s Bay* s. Booth.

Sherman, Bergstation der Pacificbahn, 2520 m üb. M., nach dem im Secessionskriege siegreichen General Will. Tecumseh *Sh.*, der, geb. 1820, den General Johnston z. Uebergabe, 26. Apr. 1865, zwang, nach Beendigg. des Kriegs Befehlshaber im Militärdép. des Westens wurde u. als solcher den

Indianerkrieg v. 1867 zu führen hatte. - - *Shermantown* s. Treasure.

Sherson s. Cocal.

Shetland, alt *Hialtland, Hit-* u. *Hittland; Hetland* noch zu Anfang des 19. Jahrh. (Preyer-Z., Isl. 18, Martens, Spitzb. R. 1 ff., GVeer ed. Beke 71), eine Inselgruppe des brit. Arch., v. den Normannen 964 entdeckt u. nach den hohen Wänden ihrer Basaltfelsen, v. nord. *het* = Basalt, getauft. — *South Sh.*, eine antarkt. Inselgruppe, v. Capt. Will. Smith am 19. Febr. 1819 entdeckt u. als eine Wiederholg. der Felsformen *Sh.'s* so benannt (Peschel, GErdk. 449), wohl id. mit *Dirk Gerrits' Land*, welches schon am 7. Sept. 1599 der Holl. Dirk Gerrits gesehen, als sein Schiff bei dem Austritt aus der Magalhães Str. durch furchtb. Stürme v. der Exp. Mahu-Cordes abgetrennt worden war (Cannab., Hülfsb. Geogr. 3, 423 f., ZfAErdk. 1876, 432).

Sheyenne s. Cheyenne.

Shield, Cape, am CarpentariaG., v. Flinders (TA. 2, 200 Atl. 14 f.) am 26. Jan. 1803 entdeckt u. benannt zu Ehren des Capt. W. *Sh.*, 'a commissioner of the navy'. — *Sh.'s Creek*, ein rseitg. Zufluss des Missuri, unth. der Gr. Fälle, v. Capt. Clarke (Lewis u. Cl., Trav. 197) am 15. Juni 1805 nach einem seiner Gefährten getauft wie *Sh.'s River*, ein lkseitg. Zufluss des Yellowstone R., am 15. Juli 1806 (ib. 621).

Shining Ms. s. Rocky.

Ship Bay = Schiffsbay, eine der wenigen f. Schiffe zugängl. Buchten v. Possession I., Crozet's Is., 'bietet während des vorherrschenden Westwindes genügenden Schutz, muss aber bei übr. selten eintretendem Ostwind sogleich verlassen werden....' (Pet., GM. 4, 32). — *Sh.' Cove*, in Königin Charlotte Sd., die 'Bucht', wo Cook, in der 'Endeavour' am 6. Febr. 1770 lag ... 'not inferior to any in the Sound, either for convenience or safety' (Hawk., Acc. 2, 404). — *Sh. Rock*, f. Felsklippen, die einem Schiffe ähnl. sehen, wie *a)* ein beträchtlich geneigter, isolirter Fels in East I., Crozet, wo auch ein *Church Rock* = Kirchfels (Ross, SouthR. 1, 57): *b)* eine auffallende 60 m h. Felsklippe im obersten Theil des Golfs v. Calif., 30—40 km weit v. Deck eines niedern Schiffs aus sichtbar, 'and at that distance (it) bears a great resemblance to a sloop before the wind' (Ives, Rep. 1, 25; 2, 8).

Shoal = seicht, untief, oft in engl. Entdeckernamen, wie *Sh. Bay*, 3 mal: *a)* eine Flussbucht in NSouthWales, 29° 43' SBr., v. Lieut. Flinders (TA. 1, CXCV Atl. 9) am 11. Juli 1799 als seichtes Bassin getauft ... 'an appellation which it but to well merited ... the rest of the bay ist mostly occupied by shoals, over which boats can scarcely pass when the tide is out'; *b)* in Clarence Str., v. Capt. Stokes (Disc. 2, 4) am 8. Sept. 1839 nach den seichten Wasser im Hintergrunde; *c)* s. Open. — *Sh. Cape* in Torres Str., v. Lieut. W. Bligh am 3. Juni 1798, weil 'hier die Felsen u. Untiefen der austr. Nordküste endigen' (Spr. u. F., NBeitr. 6, 70). — *Sh. Islet*, eine niedrige Insel vor Refuge Cove, v. Dr. Richardson, dem Begleiter John Franklins (Sec. Exp. 205), am 7. Juli 1826. — *Sh. Lake* s. Plat. — *Sh. Ness*, eine 'Nase' in Alaska, v. Capt. Cook(-King, Pac. 2, 435) am 20. Juli 1778 so benannt, weil sie ihm v. ferne eine niedrige Landspitze zu bilden schien. — *Sh. Point*, 2 mal: *a)* an der Grossen Steininsel, Spitzb., gebildet v. einem niedrigen Sandlande, einer Art Sandbank. Aus dem Strande treten nur hier u. da kleine Kalkfelsen zu Tage. 'Der Strand ist überall mit einer unerhörten Masse Treibholz bedeckt, zw. welchem man Stücke v. Bimsstein, Birkenrinde, Kork, Flosshölzer v. den Lofoten u. andere durch südliche Strömungen dorthin geführte Dinge findet . . .' (Torell u. Nord., Schwed. Expp. 159). Auch das Meer dort ist sehr flach, meist nur 8 fath. tief, u. selbst 3—5 Meilen v. Lande trifft man niemals eine Tiefe üb. 12 fath. an (ib. 165); *b)* in Port Dalrymple, der hier voller Untiefen ist, diese mit langem Wassergras bewachsen, dem Hauptfutter der dort zahlr. Schwäne (s. Swan), v. Lieut. Matth. Flinders (TA. 1, CLVII. Atl. 7) am 10. Nov. 1798. — *Sh. River*, die seichte Verbindg. zw. Winnipego-sis u. Swan L.,'appropriately enough called' (Hind, Narr. 1, 433). — Mit plur. *shoals* 2 mal: *a) Sh. Haven*, eine etwa 20 km lg. sandige Bucht v. NSouth Wales, mit 2 schmalen Einfahrten, deren südl. f. Boote passirbar ist, wg. der Sandbänke so genannt v. G. Bass 1797: 'this little place was found to deserve no better name . . . . the entrance is mostly choaked up by sand, and the inner part with banks of sand and mud' (Flinders, TA. 1, CVI Atl. 8); *b) Bay of Sh.*, vor Safety Cove, v. Parry (Sec. V. 113) im Oct. 1821 benannt nach den gefährl. Felsen u. Untiefen, welche z. Flutzeit meist bedeckt sind. — *Shoalwater* = seichtes Wasser, in Tasmania, v. Flinders getauft, bei der frz. Exp. Baudin im Jan. 1802 *Bassin Ransonnet*, nach dem Seecadetten J. R., Schiff Naturaliste (Péron, TA. 1, 216). — *Shoalwater Bay*, 2 mal: *a)* eine der 3 grossen, aber mit Untiefen verschliemenden calif. Hafenbuchten, welche Capt. Meares am 13. Juli 1788 mit getäuschter Hoffng. verliess, ohne sie genau untersucht zu haben — davor *Cape Shoalwater* (GForster, GReis. 1, 59. 149, Spr. u. F., NBeitr. 9, 39); *b)* eine Bucht des Eismeers westl. v. McKenzie R., v. Capt. John Franklin (Sec. Exp. 107, Carte) am 7. Juli 1826 so benannt, weil in dem seichten Wasser seine Boote Lion u. Reliance 2 mal auffuhren u. f. längere Zeit festsitzen blieben. Dieser Umstand erleichterte den zahlr. Eskimos, die Mannschaft der beiden Boote auszuplündern, u. diess veranlasste den Chef, das nahe Cap *Pillage Point* = Cap der Plünderung, den Endpunkt der Küste, wo man wieder in tieferes Wasser gelangte, *Escape Reef* = Riff des Entkommens zu nennen.

Shoay-Gheen od. nach deutscher Darstellungsform *Schue-Gain*, nach birm. Orth. einh. *Schue-Kyen*, v. *schue* = Gold u. *kyen* = Sieb, also

= goldenes Sieb, Stadt am Irawadi, nach den Goldwäschereien, welche einst v. den Lawas dort betrieben wurden, v. den Birmanen aber wenig beachtet sind (Crawfurd, Emb. 1, 41, Peterm., GMitth. 9, 269).

Shoe Island = Schuhinsel, in Laurie Cove, Auckland, v. engl. Landmesser Baker 1865 nach ihrer Form benannt, bei d'Urville *Ile des Basaltes*, weil sie sich mit ihren schroffen Basaltfelsen aus dem Meere erhebt, u. das südl. davon liegende Cap *Basaltic Hump* (= Basaltbuckel), ein steiles Vorgebirge, welches v. schönen, 100 m hohen Basaltsäulen gebildet wird (PM. 18, 225). — *Sh. Indians* s. Ahnahaways.

Short Pine Hills = Berge der kurzen Fichten, eine Hügelgruppe des westl. Dakota, bedeckt mit Fichten v. 6—12 m Höhe, ausgenommen die flache, reich begraste 12 km lg. Gipfelfläche (Ludlow, Black H.10). — *Sh. Range* u. *Sh. Reach* s. Long.

Shortland Passage u. *Ile Sh.*, 2 austral. Objecte, nach dem engl. Capt. *Sh.*, der 1788 diese Gegenden besuchte (s. Bougainville u. Treasury).

Shoshonee Cove = Thalbucht der Schlangenindianer, ein Seitenthal im Felsengebirge, v. Capt. Lewis (Trav. 273) am 15. August 1805 so benannt, weil es ihm nach langem vergebl. Anstrengungen gelungen war, mit den *Sh.* dieser Gegend in Verbindung zu treten.

Shrewsbury, engl. Stadt, ags. *Scrobbes-byrig* = Busch- od. Strauchburg, auf einem mit Buschwerk wohl bedeckten Hügel. Nach dem Ort das Umland: *Shropshire*, ags. *Scrobbes-byrigscyr* od. *Scrob-scir* (Camden-Gibson, Brit. 1, 475, Charnock, LEtym. 246).

Si = Westen, in chin. ON. *a) Si Hai* (s. Kaspisee, Kuku, Balkasch, Lop); *b) Si Hu* = Westsee, ein See des j. Hangtscheu, 'lac occidental, par rapport à la ville . . . et dedens la cité un grant lac qui a bien XXX milles de tour. Et tout entour ce lac a moult beaux palais et moult belles maisons, et riches . . .' (Pauthier, MPolo 2, 495); *c) Si Jang* s. Tong; *d) Si Ju* = Gegend im Westen (China's), Ldsch. gg. die Quellen des Hoangho (Pauthier, MPolo 2, 450); *e) Si-'an* s. Schun. — *Si Kiang* = Weststrom, bei Kanton, der bekannte *Ta King* = grosser Fluss, die aus Westen kommende Quellader des Kantonflusses, während der *Pe Kiang* = Nordfluss aus Norden, der *Tong Kiang* = Ostfluss aus Osten kommt (Peterm., GMitth. 7, 107; 8, 161). — *Si King* s. Nan. — *Si Liang* s. Schatscheu. — *Si Ning* = Ruhe des Westens, Ort unweit des Kuku Noor, bei MPolo (ed. Pauthier 1, 203) *Singuy*.

Sjaeland, deutsch *Seeland*, die Hptinsel des dän. Arch., seit dem 11. Jahrh. in dän. Quellen *Seland*, *Selandia*, dann *Sialandia*, bei Adam v. Bremen *Seland* od. *Selant*, in Valdemars Jordebog 1231 *Syaland*, mit isl. Form *Sjoland*, *Sjaland*, in isl. Schriften des 13. Jahrh., wenn es sich um die Sagenzeit handelt, auch *Selund*, ist nach Anleitg. der ältesten Formen aus dän. *sö*

u. *land* zsgesetzt, jenes wie altn. *saer, sjár, sjór*
u.deutsch *see* sowohl = Meer als = Insee (Madsen,
Sjael. StN. 246). Die poetische Form *Selund*
haben P. A. Munch (Saml. Afh.1,455) u. S. Bugge
(Antiq. Tidskr. 5, 57 ff.) irrthüml. als die ältere
u. zwar als Zssetzg. v. *sel* u. Ableitungssilbe *und*
betrachtet; jener übsetzte ʿglückseliger Ortʿ, dieser
entw. ʾdie an Seehunden reiche Inselʿ od. ʾInsel
in kleinwelligem Wasserʿ. So betrachtet denn
auch Andresen (VEtym. 63) *-land* als unserer Vorstellg. ʾnur angelehntʿ, altn. *Soelundr*, mit *lund*
= Gehölz, Hain, wohl mit Bezug auf die herrl.
Buchenwälder. Nun kann aber ein poetischer
Ausdruck, in Island, nicht massgebend sein ggb.
dem, was im Lande selbst 300 Jahre früher allgemein gebräuchl. war, u. nach Prüfg. aller Zeugnisse schliesst denn 1883 O. Nielsen (Bland. 3,
170), dass der Name sicherlich nichts anderes
sein könne als eine Zssetzg. v. *sae, sö* u. *land*.
Anders W. Seelmann (ZGesch. dd. Volksst. 36 ff.).
Der alte mons *Saevo, Sevo* (Plin., HNat. 4, 96)
führt ihn auf *Saevocharud, Saivaharud* = See-
hard, als das v. den Charuden, i. e. Waldleuten,
bewohnte Land; in der Folge entwickelte sich
saiva, wie in andern Compositis, zu *sae, se, sia,
sio*, u. bei der Einwanderg. der Dänen, im 3.—5.
Jahrh. v. Schweden her erfolgt, wurde das ihnen
ungebräuchl. *harud* durch altn. *lundr*, im dat. u.
acc., den später als nom. geltenden Casusformen
alter ON., *lundi, lund*, ersetzt, so dass nun die
Formen *Sae-, Se-. Sia-, Siolundr, -lundi, -lund*
entstanden. Die allererste Erwähng. *S.ʾs*, bei
Thietmar v. Merseburg (lib. 1 c. 9) lautet *Selon*,
dat. zu *se-lô* = Seehain, Seewald. Später, als
der ʾWaldʿ nicht mehr zutreffend schien, viell.
unter dem Einfluss der benachbarten Namen
Lange-, Laa-, Hal-, Göt-, Smaland etc., entstand
Sia-, Sioland, ein Ausdruck, den die neudän.
Schriftsprache unter dem Einfluss der Canzleien
als *Sjaeland* festhielt, obgleich *sia-* sonst zu *soe-*
geworden ist. Die ältesten norw. u. isl. Skalden
empfingen den Namen, bevor *Sc-land* durch-
gedrungen war, in der Form *Selundi, Selund*,
nach unhistor. Auffassg. als fem., obgl. *lundr* =
Wald gen. masc. ist. Der Sage zuf. wäre die
Insel aus Schweden ins Meer versetzt. ʾDie
nordische Gefion nämlich hatte den alten schwed.
König Gylfi durch ihren Gesang so entzückt, dass
er ihr z. Belohng. ein Pflugland versprach, so
gross, als 4 Ochsen pflügen könnten, Tag u. Nacht.
Gefion nahm aus Jötunheim 4 Ochsen, welche
sie mit einem Jötun, Riesen, erzeugt hatte u.
spannte sie vor den Pflug. Dieser ging so mächtig
u. tief, dass sich das Land löste u. die Ochsen
es (aus Schweden hinaus) westwärts ins Meer
zogen, bis sie in einem Sunde stehen blieben.
Da setzte Gefion das Land dahin u. nannte es *S.*
Und da, wo das Land weggenommen worden,
entstand ein See, den man in Schweden nun
Löger, Wenersee, heisst, u. im Wenersee liegen
die Buchten so, wie die Vorgebirge in *S.*ʿ (E. Egli,
Wand. 3). Andere Zssetzungen mit *sö* sind *Sörup*,
1170 *Sedorp*, 1253 *Syoethorp* = Seedorf, *Söstrup*,

Saeby, mit *by* = Ort, Stadt, *Söborg, Söholm*
u. a. (Madsen, Sjael. StN. 246 f.).

Siâh, Dschâi-i- = der schwarze Ort, eine lange,
enge Gebirgsschlucht der Ldsch. Fars (Spiegel,
Eran. A. 1, 96). — *Kuh-i-S.* s. Safed. — *Siaposch*
= Schwarzgekleidete, ʾMelanchlänenʿ, nennt der
iran.Muhammedaner ein heidnisches, unabhängiges,
in 18 Stämme getheiltes, arisches Bergvolk des
Hindukuh, weil sie schwarze Ziegenfelle tragen.
Als Ungläubige gehören sie zu den *Kafir* =
Ketzern, u. zwar heissen sie *Tor* (= schwarze)
K., im Ggsatz zu den *Spin* (= weissen) *K.*, die
in weissen Cattun gekleidet sind (Elphinston, Cab.
2, 325, WHakl. S. 37, 554). Ihr Land *Kafiristan*
(Berghaus, Phys. Atl. 8, 2, Peterm., GMitth. 6,
276). ʾLà ils apprindrent quʾil y avait encor
trente journées iusques en la ville de *Caphe-
restam* où il nʾest permis à aucun Sarrazin dʾentrer
(encore aujourdʾhui les kafirs *Siâ-pouchs* ont
une haine mortelle contre les musulmans, qui
en ont réduit plusieurs dʾentre eux en esclavage);
et ceux qui y entrent sont punis de mort. Toutes-
fois les marchands Ethniques (de nations païennes)
ne sont pas empêchés dʾentrer ès villes; mais...ʾ
Pauthier (MPolo 1, 123), wo auch *Siâh-pusch* =
schwarzgekleidete, ʾparce quʾils se font des vête-
ments de peaux de chèvre dont le poil noir est
en dehorsʿ. Aehnlich in Hertha 4, 183. 247:
ʾtragen schwarze Schaffelleʿ.

Siam, verd. aus einh. *Schan, Schyan*, dem birm.
Namen f. die östl. Nachbarn, zuerst in port. Form
Siâo, davon unnöthig der Volksname *Siamesen*
abgeleitet (Berghaus, Phys. Atl. 8, 33, Lassen, Ind.
1, 387). Die heutigen Siamesen nennen sich *Thai*
= Freie; offb. galt diess zunächst dem herrschenden u. bevorrechteten Volkstheil, der dadurch v.
den unterworfenen Stämmen unterschieden wurde
(Crawf., Dict. 379). Ein chin. Name f. *S.* ist
Tschhi-tu = rothe Erde (ARémusat, NMél. As.
1, 78). Nach dem Lande der *Golf v. S.*

Siʾan s. Schunthian.

Siangkiun s. Annam.

Siaokang s. Ta.

Siaosîyang s. India.

Siauhu Schan = kleiner isolirter Berg, chin.
Name eines hübsch bewaldeten, aus der Ebene
einzeln aufsteigenden Bergs der Mandschurei
(Journ.RGSLond. 1872, 161). — *Siaokang Schan*
s. Ta.

Sib s. Siwa.

Sibatu s. Sibiru.

Sibbald, Cape, in SVictoria, v. Capt. J. Cl. Ross
(SouthR. 1, 250ff.) am 19. Febr. 1841 entdeckt
u. nach dem zweiten Lieut. seines Fahrzeugs Erebus, John *S.*, benannt.

Sibiiu s. Hermann.

Sibiriakoff Insel, in der Mündg. des Jenissei,
erst am 15. Aug. 1876 v. der Exp. Nordenskiöld
entdeckt u. benannt in Erkenntlichkeit gg. den
Mann, der mit Oskar Dickson die Kosten der
diesjähr. schwed. Unternehmg. trug (PM. 22, 445)
...ʾnach dem eifrigen u. freigebigen Beförderer
sämmtlicher diessjähr. Expp.ʿ (ib. 23. 56).

Sibirien, besser *Ssi* ..., benannt nach der Hptstadt des um 1200 gestifteten turk.-tatar. Chanats *Ssibir,* welches annäh᷉ ᷉d das Gebiet des Irtysch umfasste u. 1581, resp. 1587 durch den flüchtigen Kosakenhetman Jermak erobert wurde. Die Stadt *Ssibir,* dam. Residenz des Chans Kutschum, lag 16 Werst = 17 k:n obh. (nicht unth., wie oft angegeben wird) des j. Tobolsk, auf dem hohen, abschüssigen rechten Ufer, wo der Bach *Ssibirka* den Irtysch erreicht. Die Schlucht des Baches festigt die Ostseite des Orts, der auch auf der Nordseite thalförmig eingerahmt war, so dass nur die Westseite der Befestigg. bedurfte; sie hatte einen 3fachen Wall u. Graben, terrassenfg. üb. einander (Müller, SRuss. G. 3, 342; 4, 7 ff.). Zu den Russen war der tschud. (u. noch unerklärte) Name *Ssibir* schon lange vor Jermak gekommen, seit Eröffng. des Pelzhandels am Unterlaufe des Obj u. zwar zunächst f. eben diese Gegenden, die als Obdorien u. Condinien 1499 dem Zar Iwan III. unterworfen wurden. Den Tataren am Irtysch selbst war der Name *S.* unbekannt, 'u. die ehm. Residenz Kutschum-Chans, welche die Russen *Ssibir* zu nennen pflegten, führete bei ihnen den Namen *Isker* (= ... ?). Nach u. nach, mit der fortschreitenden Eroberg., breitete sich der Name *S.* immer weiter aus. •In die Titulatur der Zaren kam er 1563 (Fischer, Sib. G. 1, 4 ff. 155. Vgl. meine Untersuchg. (Kettler's Zeitschr. wiss. Geogr. 1, 93 ff.). Die Ruinen heissen heute *Kutschonowa Gorodischtsche* = Chan Kutschums Ruinen (Müller, Ugr. V. 1, 272). — *Ssibirskoj* s. Kamen u. Paj. — *Ssibirza* s. Siirtetajagà. — *Nowaja Ssibir* = Neu *S.,* zunächst eine Insel des sibir. Eismeers, 1809 v. Hedenström, bei Wrangell Gédenchtrom, besucht u. als ein grosses Land betrachtet (sie wurde erst 1811 v. Feldmesser Pschenitsen umfahren). 'Dieser Umstand u. der düstere wilde Anblick dieses traurigen Landes veranlassten mich, ihm den Namen *NS.,* der höhern Orts 1810 bestätigt wurde, zu geben (Berghaus, Ann. 5, 276, Wrangel, NSib. 1, XXXIII.). Es waren schon die übrigen Inseln der Gruppe seit 1739 entdeckt (s. Lächowsky, Maloi, Kotelnoi, Stolbowoi, Fadejewskoi), u. es wird behauptet, dass auch *Neu S.* schon 1806 v. Angestellten des Kaufmanns Sirowatski, der als Nachfolger Lächoky's das Monopol der Mammuthausbeute inne hatte, entdecken worden sei. Vor 1810 hiess die Gruppe etwa *Lächowsky Inseln,* seither *neusibir. Inseln.*

Sibiru = die himmelblaue u. *Sibatu* = Felsinsel, mal. Name der nördlichsten Eilande des Poggi- od. Pagi, Pagaireihe, an der Westseite Sumatra's, 'names obviously enough' (Crawf., Dict. 318. 394). In Stielers HAtl. 44ᶜ heisst die zweite *Bergland,* die südlichste *Nassau.*

Sibirza s. Siirtetajaga.

Sicca, scil. *Veneris,* ON. in Tunis, phön. *Sukkoth Benoth* = Mädchenhütten (s. Suchoth), so nach Seldens' u. Vossius' Vorgange fast einstimmig abgeleitet, während nach Gesenius, weniger wahrsch., *sycca,* arab. *suk* = Markt zu setzen

wäre. Demnach war der Ort dem sinnl. Dienste der assyr. Göttin geweiht, in Zelten, die v. Kadeschen bewohnt od. wenigstens an den Festtagen im Tempelrevier aufgeschlagen wurden; hier feierte der Mensch, hingegeben an seine Sinnlichk., ,die ewig zeugende Schöpferkraft der Natur. Heutiger, in Maghreb weitverbreiteter Name *Kâf* = Felskuppe, Höhe, v. ihrer eigenen Natur, od., der vulcan. Beschaffenheit der Umgegend gemäss, noch bezüglicher *Schekb en-Nâr* = Feuerschrund (H. Barth, Wand. 224. 283).

Sichem, hebr. םֶכְשׁ [sch'kem] = Schulter, Nacken, Rücken, dann auch Landrücken, Wasserscheide, eine alte Stadt auf der Wasserscheide des Mittel- u. des Todten M., in der Septuaginta Συχέμ, *Síκιμα,* bei dem jüd. vulgus, aus Hass gg. die Samaritaner, die er des 'Götzendienstes' beschuldigte, gr. Συχαρ, *Sychar,* wohl v. רֶקֶשׁ [schäkär] = Lüge (Ev. Joh. 4, 5, Habak. 3, 18), v. Vespasian erneuert u. nach seinem Vornamen Flavius in *Flavia Neapolis* = Neustadt umgetauft, arab. *Nabulus, Nablus* — 'einer der sehr wenigen v. den Römern in Palästina eingeführten fremden Namen, welche sich bis auf den heutigen Tag erhalten haben' (Robinson, Reise 3, 336, Edrisi ed. Jaub. 1, 339).

Sicilia, gr. Σικελία, ozw. benannt nach dem südital. Volke der Σικελοί, *Sikeler, Siculi,* welche nach Thukydides um 1100 v. Chr. auf die Insel übsiedelten, jedf. nicht v. lat. *scissa* = abgeschnitten, als ein v. Continent losgetrenntes Landstück (Charnock, LEtym. 247, Strabo 60. 258), auch wohl nicht v. phön. לולבש [siklul] = die vollkommene, wie Bochart (Geogr. Sacra 624) wollte, da die Insel die grösste u. beste aller Inseln des Mittelmeers sei (Strabo 273). Der Volksname selbst wird gew. auf *sicula* = Sichel zkgeführt u. dabei angenommen, die Einwanderer seien vorher an der flachen Westküste Italiens gesessen u. im Ggsatz zu den Berghirten des Apennin als Feldarbeiter, Schnitter, bezeichnet worden (LLange, Röm. Alterth. 1ᵇ, 51, Th. Mommsen, Röm. Gesch. 1⁶, 21, Revue Arch. 1875, 223), od. man denkt sich *sicula* als Uebersetzg. des griech. Zankle (s. Messina), u. v. hier sei es dann der Name auf Volk u. Land übergegangen (BHeisterb., Frag. GSicil. 85 ff.). Neben *S.* erscheint auch Σικανία, *Sicania,* nach den Sicanern, als Name der Insel od. eines Theils derselben (Steph. Byz. 566). Ein anderer alter Name war *Thrinakria,* gr. Θρινακρία, dann um des Wohllauts willen (Strabo 265) *Thrinakia,* gr. Θριναξία = Trifels, Dreicap (s. Rhodus), v. den drei Vorgebirgen Lilybäum, Pachynum u. Pelorium, welche (Strabo 257) die dreieckige Gestalt bedingen . . . ἄκραι ποιοῦσαι τρίγωνον τὴν Σικελίαν (Hom., Od. 11, 107, Curt., GOn. 149), 'a triangula specie (Plin., HNat. 3, 86). In neuester Zeit wird freil. an der Beziehg. dieses Namens gezweifelt u. eine Uebtragg. v. *Trinacia,* der altberühmten, durch die Syracusaner (—439) zerstörten Sicilerstadt angenommen (Heisterb., Frag. GSicil. 5). Vor der Neugestaltg. Italiens 1859 hiess das Königreich, welches nebst der

Insel das unterital. Festland umfasste, *Regno delle due Sicilie* = Königreich beider *S.* — *Fretum Siciliae* seu *Siculum* s. Messina. **Sickertshofen** s. Sigmaringen. **Sidabrinis,** scil. *Kalnas* = Silberberg, v. lit. *sidabras* = Silber, *sidabrinis* = silbern, eine Höhe am rechten Ufer der Jura, eines rseitg. Zuflusses der Memel (Gisevius, Volks. S. 1862). — *Sideromeros,* ngr. *Σιδηρόμερος* = Eisenplatz, Ort bei Kumi, Euboea, v. der Menge rother, eisenrostiger Steine (Fiedler, Reise Gr. 1, 479). — *Sideros* s. Anchor.

Sidi s. Seid.

Sidmouth, engl. Seebad in Devonshire, an der Mündg., *mouth*, des nur 10 km lg. Flusses Sid in den Canal (Meyer's CLex. 14, 653, Charnock, LEtym. 247).

Sidney s. Circular u. Sydney.

Sidon, auf ihren Münzen ’die Mutter v. Tyrus u. Aradus‘, also die älteste u. anfängl. bedeutendste der phön. Städte, darum auch in Homer u. den vordavidischen Schriften des AT. vorzugsw. erwähnt, im Buch Josua *rabba* = die grosse zubenannt, hebr. u. phön. ׃דין, *Zidon* = Fischfang, da die Fischerei das grundlegende Gewerbe bildete, ’a piscium ubertate‘ (Just. l. 18 c. 3), seit dem arab. Mittelalter (Edrisi ed. Jaub. 1, 349) *Saïda.* Der befremdende Wechsel, den *S.* u. *Tyrus* im Anlaute erfahren haben, erklärt sich nur so, dass *S.* den Griechen durch directen Verkehr, das aramaisirende *Tyrus,* *tûr,* durch Vermittelg. eines andern Dialekts, etwa des karischen od. cilicischen, zugekommen ist (Kiepert, Lehrb. AG. 171). — Auch der phön. Hafenort *Side* war phöniz. Urspr. u. v. übeinstimmendem Namen (Kiepert, Lehrb. AG. 126).

Sidorow Kamm, ein Berggrat am Horn Sd., v. der Hülfsexp. der Polarf. Weyprecht-Payer im Juli 1872 getauft zu Ehren des Hrn. *S.* in Alexeifka, Petschora, ’des im nördl. Russland allg. bekannten u. geachteten Förderers der Civilisation‘, bei welchem die zkkehrende Exp. gastfreundl. Aufnahme fand (PM. 20, 119 ff. T. 4). — *S. Inseln,* in NSemlja, v. der österr.-ungar. Exp. Wilczek im Aug. 1872 (ib. T. 16).

Sieben, die heilige Zahl, häufig schon in alten ON., insb. oft *Siebeneichen,* im 10. Jahrh. *Sibeneich, Sibbineihha,* j. *Siebnen,* wo man 7 Eichen, etwa auf einer Gerichts- od. einer Begräbnissstätte, vermuthen kann (Förstem., Altd. NB. 1328). — Ferner: *b) Siebengebirge,* kleine vulcan. Berggruppe am rechten Rheinufer obh. Bonn, wo aus einer Menge hoher, schroffer Basalt-, Trachyt- u. Dolomitkegel 7 Berge dominirend hervortreten (Meyer's CLex. 14, 659); *c) die 7 Eisberge,* an der Westseite Spitzb., wo aus dem übgletscherten Lande nur hie u. da einzelne Bergspitzen aufragen (Torell u. Nord., Schwed Expp. 275); *d) S. Inseln,* in Spitzb., schon längst mit holl. Namen *Zeven Eilanden* (Phipps, NPol. 56, Peterm., GMitth. 10, 134); *e) S. Brüder,* eig. ebf. nicht in deutscher Sprache (s. Seba u. Seychellen); *f) S. Schwestern,* 7 hohe, weit im Meer sichtb. Felszinnen

der Vogtei Helgeland, Norw. (Pontopp. Norw. 1, 85); *g)* auch die *Simme,* einen Zufluss der Aare, will man hier einreihen, nach den 7 Brunnen am Seehorn, der Quellgegend, wie dial. das *Simmenthal* noch immer *Siebenthal* heisst. Bei *Zweisimmen* nimmt die *Grosse Simme* die *Kleine* auf. Nun denkt aber Gatschet (Arch. HV. Bern 9, 373 ff.) an ein urspr. mlat. *sepiana vallis* = Thal der Hofstätten od. Einzäunungen, v. lat. *sepes* = Zaun, dial. treu *Sibenthal,* so dass umgekehrt der Fluss nach dem Thal benannt wäre. Ein ? ist hier am Platze. — Das bedeutendste Object dieser Namenfamilie ist ozw. *Siebenbürgen* (s. d.).

Siebenbürgen, der mod. Name eines grossen Landes der ungar. Krone, verständl. erst an der Hand der geschichtl. Wandlungen. Das v. Bergen u. Wäldern umschlossene Land taucht erst unter Trajan (105) auf, als ein Theil der v. diesem geschaffenen Prov. *Dacia* (s. d.), der fines *Dacorum* (Caes., BG. 6, 25), also des Landes der *Δάκοι* (Strabo 305). Als die Gothen (272) u. die Gepiden (um 450) einfielen, erscheint *Caucaland* (Amm. Marc. 31, 4), wohl v. der goth. ׀ *kuk,* also ’Bergland‘, dann *Gepidia* (Paul. Diac., Jordanes, Geogr. Rav.). Als die Petschenegen, ein wildes Nomadenvolk türk. Stamms, um 883 eindrangen, musste der ungar. König Stephan I. ihre Einfälle abwehren, u. das führte z. Eroberg. *S.*'s. Den veröteten Südtheil, um das j. Hermannstadt, v. Broos am Maros bis Reps an der Aluta, versetzte um 1150 Geisa II. deutsche Colonisten, die aus Flandern, v. Mittel- u. Niederrhein gekommen waren; ebenso wurde 1211 das Burzenland (die Südostecke um Kronstadt) u. später das Nösnerland (die Nordostecke um Bistricz) besiedelt. Die deutschen Colonisten hatten freies Grundeigenthum u. ihr eignes heimisches Particularrecht mit voller Selbstverwaltg. Die Rechtspflege des Hermannstädter Gaues (!) umfasste ausser Hermannstadt, welches als die Hpt. nicht gezählt wurde, die 7 Stühle od. Gerichtsstätten Bross, Mühlbach, Reussmarkt, Leschkirch, Schenk, Schässburg u. Reps; daher wurde dieser Landestheil S. genannt (Meyer's CLex. 14, 657), so in den deutschen Heldenliedern des 13. Jahrh., 1241 *Septem urbes,* 1242 *Septem castra* u. s. f. Die 7 Gaubezirke, in welche der Hermannstädter Gau, spätestens 1224, getheilt war, lat. *pagus, comitatus,* hiessen mag. *vármegye* = Burgbezirk, daher der diplomat. Ausdruck *Terra septem castrorum* = Land der 7 Burgen. Erst um das 15. Jahrh. traten Burzen- u. Nösnerland in nähere Beziehg. zu den 7 Stühlen des Hermannstädter Gaues u. wuchsen zu einer sächs. Gesammtheit zs., als *S.,* die schliessl. ging dieser Name auf das ganze, 3 Völkertheile umfassende Land über. Dem entspr. hat der Reimchronist Ottokar neben *Über-Walt* (s. u.) ein *S.,* ein Historiker v. 1439 neben *Worzland* die *Sibenburg;* ja bis vor Kurzem hatte im Burzenland der Name *S.* nur den eigern Sinn. Ggb. diesem Sachverhalt sind andere Ableitungen aufgetaucht: Aeneas Piccolomini (1458) u. a. dachten an 7 Städte od. Burgen; der Chronist Thuroczy (Schwandtner, Script. RHung. 1, 81) fabelte v. 7 Erdburgen, die 7 hunnische Heerführer f. ihre Weiber u. Habseligkeiten erbaut hätten. K. J. Schröer (WBuch deutscher Mundart. 9) vermuthete eine Uebtragg. des Rhein. Siebengebirgs, u. Fr. Woeste (Frommann, Zeitschr. deutscher Mundart. 7, 445) suchte in 'sieben' eine verschollene praep. 'jens., drüben'. Unverdienten Beifall fand Rob. Rösler, der zuerst 1867 (Zeitschr. öst. Gymn.), dann 1871 (Romän. Stud. 132), allen alturk. Zeugnissen z. Trotz u. mit selbstgemachten Formen, annahm, es sei 7 in *Cibinium*, dem alten Namen des am Flusse Cibin gelegenen Hermannstadt, *Cibinburc*, rum. *Szibî*, erst hineingedeutet (vgl. P. Hunfalvy, Ung. 106, Ausl. 53, 104, DRumän. 47). Es ist das Verdienst des Rectors J. Wolff, zuerst kürzer (Zeitschr. f. Schulgeogr. 4, 260ff.) u. dann in einer musterhaften Monographie (Mühlb. Progr. 1886) die Hypothese als Hirngespinnst abgewiesen zu haben. Dieser Erfindg. ggb. hat ein SchulNamenbuch (Thomas, Etym. WB. 146) den 7 Stühlen od. Gerichtsbezirken der 'Nomina geogr.' die demüthige Stellg. eines Conditionalis angewiesen. — Parallel mit *S.* gehen noch *a)* die lat. Form *Transsilvania.* Seit 1103 erscheint in der lat. Amts- u. Gelehrtensprache *Ultrasilvania*, seit Ende des 12. Jahrh. *Transsilvania* = jenseits des Waldes, wie das Land selbst noch heute mit weiten Wäldern, die $^1/_3$ des Areals, $^2/_{15}$ der productiven Bodenfläche einnehmen, bedeckt ist (Peterm., GMitth. 3, 513 T. 25); *b)* die mag. Form *Erdély*, sonst als 'Waldland' gedeutet, betrachtet L. Jos. Marienburg (Geogr. Siebb. 1, 3) u. nach ihm Hunfalvy (Ausl. 53, 1040, Ung. 1881) als aus *erdö* = Wald u. *el* = jenseits entstanden, als *Erdély* = jenseits des Waldes, d. h. das Original f. *Transsilvania*, wie f. rum. *Adial* u. des steyr. Reimchronisten Ottokar († nach 1309) deutsches *Ueber-Walt*, dem der grosse Sprachforscher Pott (Pers. N. 284) die Deutg. 's (Land) hüben den Bergen, f. *S.*, beigesellte. In der That, dass diese Benennungen v. ungar. Standpunkt aus geflossen sind, erscheint fast selbstverständlich; daher ist zu bezweifeln, ob Wolff's Annahme, das mag. *Erdely* sei dem rum. *Ardial* nachgebildet u. dieses selbst ein kelt. *Ardelion* = Hochland, so viele Uebzeuggskraft habe, als die f. den deutschen Namen *S.* vorgebrachten, schönen Zeugnisse. — In den *transsilvanischen Alpen*, f. einen Theil des *S.* umfassenden Gebirgsnetzes, hat sich der lat. Landesname in die mod. Geographie eingebürgert.

Sieboldshausen s. Sigmaringen.

Sieg, im 10. Jahrh. *Siga*, in Rheinpreussen, ein Flussname, dessen Bedeutg. noch nicht angegeben werden kann' (Förstem., Altd. NB. 1335), den aber Buck (Alem. 8, 177) auf den Stamm *sac*, *sec*, *seg* = Fluss zkführen möchte. Die *S.* entquillt am *Siegbrunnen* u. passirt *Siegen* u. *Siegburg*, alt *Sigiberg*. Man vermuthet auch Zshang mit *Sigambri*, wo die Endg. *-ri* etwa aus *-varii* verunstaltet wäre (Förstem., Deutsche ON. 239). — *Siegenburg* s. Sigmaringen.

Siegesberg s. Gibraltar.

Siela s. Sela.

Sielediba s. Ceylon.

Sielen s. Sihl.

Siemiszekan s. Samarkand.

Sierpe, Boca de la = Schlangenschlund, Schlangencanal (s. Serpens), der südl. Eingang des Golfo Triste, engl. *Serpent's Mouth*, frz. *Canal du Serpent*, v. Columbus im Aug. 1498 entdeckt u. nach den Gefahren der Durchfahrt so getauft ... 'que de allá de este golfo corre de continuo el agua muy fuerte hácia el oriente, y que por esto tienen aquel combate estas dos bocas con la salada' (Navarrette, Coll. 1, 258). In seinem v. Hispaniola dat. Briefe an das Königspaar gibt der grosse Entdecker folg. eindrucksvolle Schilderung: ... 'habia unos hileros de corrientes que atravesaban aquella boca y traían un rugir muy grande, y creí yo que sería un arrecife de bajos é peñas, por el qual no se ponria entrar dentro en ella, y detras de este hilero habia otro y otro que todos traian un rugir grande como ola de la mar que va á romper y dar en peñas. Surgí allí á la dicha punta del Arenal, tuera de la dicha boca, y fallé que venia el agua del oriente fasta el poniente con tanta furia como hace Guadalquivir en tiempo de avenida, y esto de contino noche y dia, que creí quo no podria volver atrás por la corriente, ni ir adelante por los bajos; y en la noche ya muy tarde, estando al bordo de la nao, oí un rugir muy terrible que venia de la parte del austro hácia la nao, y me paré á mirar, y vi levantando la mar de poniente á levante, en manera de una loma tan alta como la nao, y todavia venia hácia mi poco á poco, y encima della venia un filero de corriente que venia rugiendo con muy grande estrépito con aquella furia de aquel rugir que de los otros hileros que yo dije que me parecian ondas de mar que daban en peñas, que hoy en dia tengo el miedo en el cuerpo que no me trabucasen la nao cuando llegasen debajo della, y passo y llegó fasta la boca adonde allí se detuvo grande espacio ...' (WHakl. S. XLIII. p. 122f. 139).

Siete = 7, span. Zahlwort (s. Septem), mehrf. in ON. *a) Las S. Hermanas* = die 7 Schwestern, eine Reihenfolge niedriger, aber steiler, felsiger Vorgebirge bei Valparaiso, Chile (Kittlitz, Denkw. 1, 142); *b) Las S. Islas* s. Canarien; *c) Cerro de los S. Ticos* = Grat der 7 Spitzen, ein Theil der Sierra de Guadarrama, mit 7 Gipfeln (Willkomm, Span.-P. 15, Meyer's CLex. 8, 303); *d) las S. Puntas* = die 7 Spitzen, eine Gruppe conischer Hügel am Paraguay, Bolivia (ZfAErdk. nf. 13, 57); *e) Ciudad ... de las S. Corrientes* s. Corrientes.

Sjewerowostotschnyje = nordöstliche scil. Inseln, eine Gruppe kleiner Küsteninseln an der Nordostecke der Mündg. des Jenissei, also da, wo die Küste sich f. den Entdecker Sterlegoff, v. der Exp. Minin, zu Anfang Sept. 1738 nach Osten wandte u. er, wg. Proviantmangel, um-

kehren musste (PM. 19, 17); *b) Sjewerowostotsch-*
noi s. Tscheljuskin; *c) Sjewernuy Gusinuy Muis*
s. Willoughby; *d) Sjewerny Okean* s. Eismeer;
e) Sjewernaja s. Ngörm; *f) Sjewernyj Ekoteri-*
nenskij Kanal = Nord-Katharinen-Canal, zw.
dem Netz der Wytschegda u. der Kama, schon
v. Peter d. Grossen projectirt, aber erst unter
der Regierg. des Kaisers Alexander vollendet u.
benannt nach der Kaiserin Katharina II., welche
das Werk 1788 begonnen hatte (Schrenk, Tundr.
1, 197).

Sigambri s. Sieg.

Siggenthal s. Limmat.

Sigmaringen, im 11. Jahrh. *Sigimaringin* =
bei den Nachkommen des Sigmar, ON. in Hohen-
zollern, eine der zahlr. Bildungen, die gew. nicht
direct, aber durch Vermittlung eines PN., zu
ahd. *sigu* = victoria gehören, wie *Singen,*
Seckingen, Siggingen, Siegenburg, Seckenheim,
Siggenhausen, Sigenreith, Sigenwert, Sittling,
Siegsdorf, Sievershausen, Sieghartskirchen,
Siggenweiler, Sickertshofen, Sickenhausen, Siers-
leben, Simmershausen, Schickendorf, Sigerse
od. *Sierse, Sigolsheim, Sieboldshausen, Seeverg-*
hem, Siegelfing u. a. m. (Förstem., Altd. NB.
1330 ff.).

Signalkuppe, 'ein grosser plumper Felsklumpen'
des Monte Rosa. 'Hr. Zumstein (s. d.) glaubt,
dass auf ihr am besten ein Signal zu trig.
Messungen errichtet werden könnte; ich habe sie
daher die *S.* genannt' (v. Welden, MRosa 36).
— *Signalnoi Myss* = Flaggencap, russ. Name
eines Vorsprungs der Awatscha Bay, Kamtschatka,
mit Befestigg., wo zZ. des frz.-engl. Angriffs 1854
mehrere lafettenlose Kanonen schweren Kalibers
halb in die Erde versenkt waren (Kittlitz, Denkw.
1, 308).

Signora, Meia, ein Arm des Weissen Nil, welcher die grosse Barre umgeht u. den Schiffern
unbekannt blieb, bis 'Signora' Tinne (s. Señora),
die holl. Africareisende, diese Fahrstrasse, *meia*
= Hinterwasser, eröffnete (Schweinfurth, Herz.
Afr. 1, 115).

Sihánaka, v. altmalag. *hánaka* = See, eine
Prov. Madagascars, nach dem 60 km lg., 6—8 km
br. See Alaotra, welcher ihr Centrum bildet, 'and
a perfectly true designation it is' (Journ.RGSLond.
1875, 146).

Sihl, Fluss bei Zürich, 1018 *Silaha*, v. altd.
sil = Canal, Wasserleitung, Schleuse (Förstem.,
Altd. NB. 1337), s. v. a. tröpfelndes Wasser, 'f.
kleinere Flüsse, die oft wenig Wasser haben u.
beinahe austrocknen' (Mitth. Zürch. AG. 6, 168).
Man hat früher (Gem. Schweiz 4, 60) auch an
das deutsche *sihlen* = flössen gedacht, da der
Fluss in seinem ganzen Laufe zu diesem Zwecke
benutzt wird. Nach dem Flusse *Sihlthal, Sihl-*
wald, Sihlbruck, Sihlfurt, Sihlmatt, Sihlfeld,
letzteres die Ebene einerseits, wie anderseits am
See das *Seefeld*, ferner *Aussersihl,* die auf dem
Sihlfeld zerstreute Gemeinde, also, v. Zürich aus
betrachtet, jenseits der *S.* — *Seel*, im 11. Jahrh.
Sila, im bayr. Landgericht Moosburg, u. *Sielen,*

im 9. Jahrh. *Silihem*, an der Diemel (Förstem.,
(l. c.).

Sija s. Wytegra.

Sija, Bahr i- s. Pontus.

Siirtetajaga = Finnenfluss, sam. Name eines
Flusses der Tundra, an welchem einst Siirte (s.
Finnen) ansässig waren, russ. *Sibirza*, nach den
sibir. Promyschlenniki, welche vor Zeiten z. Del-
phinfang die Mündg. der Kara besuchten u. die
Thiere flussan zu gehen nöthigten; hier entstand
z. Ausbeutg. des Thrans, sowie z. Verkehr mit
den Samojeden eine temporäre Ansiedelg. der
Sibirier, u. nach diesen wurde der Fluss benannt
(Schrenk, Tundr. 1, 415. 430).

Sikandra s. Alexandria.

Sikh = Jünger, Schüler, v. hind. *sikhna* =
lernen, eine weit üb. das nordwestl. Indien verbreitete Secte, die im 15. Jahrh. v. Nanak ggr.,
durch Gowinda, zu Ende des 17. Jahrh., als
auserwähltes Volk erklärt wurde u. ihren Haupttempel in Amritsar hat (Meyer's CLex. 14, 674).
— Nach ihrem Beinamen *ákali* = unsterblich
der hind. ON. *Akaligárh*, wo *garh* = Veste, im
Pandschab (Schlagw., Gloss. 246).

Sikie s. Eski.

Siklein s. Nisibin.

Sikokf = Vierland, auch *Sikoku*, v. *koku*, einem
sehr gebr. chin. Ausdruck f. *kuni* = Bezirk,
eine Insel Japans, nach der Zahl ihrer Fürstenthümer Sanuki, Awa, Tosa u. Jyo (Kämpfer,
Jap. 1, 95, Peterm., GMitth. 22, 401).

Silber, ahd. *silapar, silabar, silbar,* dän. *sölf,*
schwed. *silfver,* holl. *zilver,* engl. *silver,* oft in
ON., um das Dasein des Edelmetalls od. doch
seines milden Glanzes toponym. auszudrücken:
a) Silberberg, čech. *Hory Střibrné,* v. gl. Bedeutg., Ort in Böhmen, der im 16. Jahrh. Silber-
Bergbau hatte (Umlauft, ÖUng. NB. 218); *b) Silber-*
bucht, an der Westseite NSemlja's, 73$\frac{1}{2}$° NBr.,
ozw. nach dem metallischglänzenden Talkschiefer,
welcher durch langes Einwirken des Schneewassers
äusserst mürbe wird u. dann bald in ein feines,
auffallend silberstaubähnliches Pulver zerfällt. Ein
holl. Walfgr., Cornelis Snobbeger, brachte 1675
ein ganzes Schiff voll solcher vermeintlicher silber-
haltiger Steine heim (Spörer, NSemlj 23). Wiederholt sind, im 18. u. selbst noch im 19. Jahrh.,
Expp. z. Ausbeutg. dieses vermeintlichen Silbererzes abgesandt worden (Schrenk, Tundr. 2, 36);
c) Silberthal, ein enges Nebenthal der Ill, Vorarlb., hat 'seinen Namen v. dem Bergbau, welcher einst hier u. am St. Bartholomäberge mit
reicher Ausbeute, bes. im 15. Jahrh., eifrig betrieben wurde' (Bergmann, Vorarlb. 80, Walser
68); *d) Silberhorn* u. *Schneehorn,* 2 Gipfel der
Jungfrau, die bei schöner Beleuchtung einen
Beobachter auf Wengen od. auf der Wengernalp
den wundersamen Glanz des 'silbernen Horns'
u. das reinweisse Schneekleid seines Nachbars
zeigen.

Silhet = heiliger Markt(-platz), in beng. Form
Srihotto, bei den Hindu ein ON. in Bengal, v.
skr. *Srihátta* = Marktort des Glücks; der Ort

liegt in fruchtbarer, feuchter, allj. überschwemmter Gegend (Schlagw., Gloss. 246, Lassen, Ind. A. 1, 94).

Silistria, türk. Namensform einer bulgar. Donaustadt, verd. aus *Drster*, wie der Ort unter der Bulgarenherrschaft des Mittelalters, f. röm. *Durostörum*, *Durostolum*, geheissen hat (Kiepert, Lehrb. AG. 332).

Silla s. Caracas.

Siloah, hebr. חֵלֹשׁ [schiloach] == Wasserleitung, gräcis. Σιλωά u. Σιλωάμ, ein tiefer, j. schlecht verwahrter Teich bei Jerusalem, in welchem das Wasser der Mariaquelle (s. d.) durch eine rohausgeführte Felsrinne längs des Ophel (s. d.) gelangt (Jes. 8, 6, Jos., Bell. Jud. 5, 4). Die Muhammedaner des nahen Dorfs *Selwan*, *Siluan*, nennen den Teich auch *Unterbrunnen*, im Ggsatz z. *Oberbrunnen*, Mariaquelle (Robinson, Pal. 2, 142 ff., Tobler, Siloa G., Gesen., Hebr. Lex.).

Silva, auch *sylva* == Wald, neurom. *silva*, *salva*, *selva*, oft in ON.: *a) Selva*, ein Ort des Puschlav, auf hoher, einst bewaldeter Bergterrasse (Leonhardi, Posch. 77); *b) Selva*, ein Ort des Trentino, 1224 castrum *Sylcae*, ʻdenominato della folta boscaglia, che riveste i fianchi della montagnaʼ (Malfatti, S. top. Trent. 95); *c) la Selve*, 1257 *Silva*, Dorf des dép. Aisne, nach dem nahen Walde (Dict. top. Fr. 10, 258); *d)* im plur. *as Selvas*, f. die endlosen Urwald-Ebenen des Amazonenstroms. — *Sylvéréal*, 1184 loco qui dicitur *Silva-Regis* == Königswald, Ort im Rhonedelta, nach dem der *Canal de S.* benannt ist, die Verbindg. zw. der Kleinen Rhone u. der Roubine de Peccais (Dict. top. Fr. 7, 241). — *Silvaplana* == ebener Wald (Salis u. St., Alp. 3, 88) *a)* eine Gem. des O Engadin, danach der nahe See ʻLey da Silvaplanaʼ. Der Ort ʼliegt hübsch u. frei auf dem aus der Passeinsenkg. des Julier herabgekommenen Geschiebe . . .; der ʻebene Waldʼ, welcher sich ehm. am See hingezogen u. dem Dorfe den Namen gab, ist spurlos verschwunden wie so mancher andere; es soll ein Föhrenwald gewesen seinʼ (Lechner, PLang. 113); *b)* in der Form *Salvapleuna* zweimal im Bündner Oberland, f. flache, einst bewaldete Grundstücke, das eine im Val Somvix, das andere bei Disentis; *c) Selvaplana*, in der st. gall. Gem. Sevelen, ehm. rätr. Gebiete; *d) Selvapiano*, Ort auf einer Bergstrasse des Puschlav (Leonhardi, Posch. Carte). — *Monasterium in S.* s. Einsiedeln. — *Silvius* s. Matterjoch.

Silvaticus == wild, in wildem Zustand, in Wald u. Wildniss, lebend (s. Silva), also v. *ferox* == wild, v. wilder Gemüthsart, vschied., ist mit diesem in die neurom. Sprachen, port. *selvagem*, *selvatico* u. *fero*, *feroz*, span. *salvaje*, *silvestre* u. *feroz*, rum. *selbatic*, ital. *sel-* od. *salvatico*, *selvaggio*, *silvestre* u. *feroce*, frz. *sauvage* (s. d.) u. *féroce* u. aus diesem ins engl. *savage* (s. d.) u. *ferine* übgegangen, abgesehen davon, dass auch *bravo*, *brut*, *wild* etc. diesen Sinn haben. Die *Islas Salvajes* sind eine Gruppe einsamer u. unbewohnter, baum- u. fruchtloser Eilande der Canarien, ʻwhich hath neither tree nor fruit, but

is onely food for goatesʼ, wie der Bristoler Kaufmann Niel. Thorn berichtete (Hakl., Pr. Nav. 2ᵇ, 7).

Silver == Silber (s. d.), mehrf. in engl. ON. *a) S. Bluff*, eine Uferhöhe (mit Ort) in Süd-Carol., um 1735 benannt v. einem jungen Irländer, George Gilpin, der sich auf den Ruinen der ind. Stadt Cofachiqui ansiedelte u. hatte sagen hören, der span. Reisende F. de Soto hätte 1540 hier, im Bett des Flusses, Silber gesucht, wie denn auch mehrere Schichten der Anhöhe aussahen, als ob sie Silbererz enthielten (Rye, Flor. XLV); *b) S. City*, 2 Orte der Union, der eine in Idaho vo Gold (nicht Silber!) 1861 am Salmon R. entdeckt wurde. ʼReich ist Idaho in seiner gesammten Ausdehng. an Goldʼ (Meyerʼs CLex. 9, 214), der andere in NMexico, ʼeine Minenspeculationʼ v. 1870, wo die reichhaltige Mine Providencia 1871/72 üb. 100 000 Doll. ertrug (Peterm., GMitth. 20, 457); *c) Silverton* s. Lead; *d) S. Falls* s. Blanche; *e) S. Patch* == Silberfleck nannte Capt. Coats (ed. Barrow 67) eine Stelle der Nordwestseite v. Mansel I., Hudsonʼs Bay, weil ggb. der nacktfelsigen, wasserbedeckten u. kothigen Umgebg. jenes Küstenstrichs, die schneebedeckte Strecke, etwa 2½ km² bei nebligem Wetter erblickt werden kann, auch wenn man die Insel selbst nicht sieht.

Simferopol, auch *Ssi* . . ., tatar. *Ak Medsched* == weisse Moschee, an Stelle der alten *Neapolis* (== Neustadt), welche der taur. Fürst Skilur u. dessen Söhne um — 100 hatten erbauen lassen u. welche wenigstens bis zu Ende des 3. Jahrh. bestand (Hammer-P., Osm. R. 7, 476, Meyerʼs CLex. 14, 863).

Simme s. Sieben.

Simmershausen s. Sigmaringen.

Simonʼs Valley, Ort der Colonie Drakenstein, Cap. ʼHerr Johann Blesius, independenter Fiscal auf dem Vorgebürge, hat ihm den Namen beygleget, um dem Gouverneur *S.* van der Stell zu schmeicheln, der es ihm verwilligt hatteʼ (Kolb, VGHoffn. 226). — *San S.* s. Resolution.

Simonsen s. Carlsen.

Simony Gletscher, ein Eisfeld der arkt. MᶜClintock I., in Franz Josephʼs Ld. u. mit diesem eine Entdeckg. der österr.-ungar. Nordpolexp. Weyprecht-Payer. Als Jul. Payer am 2. Mai 1874 das hohe Cap Brünn erstieg, führte der Weg üb. diesen Gletscher; die Gesellschaft wanderte an das Seil gebunden (PM. 22, 306), u. da lag die Erinnerg. an den Wiener Alpen- u. Gletscherforscher *S.* nahe.

Simplon, der Name eines Passes der Walliser Alpen, wird oft, bes. seit Napoleon I. 1800/06 die berühmte Strasse bauen liess, als frz. Wort betrachtet u. sogar in ein wundersames *St. Plomb* umgedeutet — f. einen Berg, welcher zu beiden Seiten deutsche Anwohner hat, mit Unrecht. Er hiess früher der *Simpelenberg*, nach dem ital. Fusse gelegenen Schweizerdorfe *Sim-pelen*, ital. *Simpiano*, *Sampiano*, latin. (mons) *Cimbronius*, *Sempronius*, *Caepionis*, *Scipionis* — willkürliche Formen, die z. ʼGeschichtsklitterungʼ einladen. Schon der Genfer Bourrit

(NDescr. 1, 220 u. a. O.) scheint, der Schreibg. *Simplom* nach zu schliessen, v. der Blei-Etym. angehaucht gewesen zu sein; er ist eben übh. in der Namenschreibg. flüchtig u. macht den *Altels* zu einer vornehmen *Altesse* (139), *Kandersteg* zu einer *Kandel-Steig* (142 ff.), den Urner *Axenberg* zu *Ascheberg* (2, 132), den *Reichenbach* zu *Reikbanbat* (2, 208). Der *S*. heisst bei Marlianus, um 1500, nach dem am nördl. Fusse gelegenen Flecken *mons Briga*. Schott (Col. Piem. 64 f.) hält *S*. f. kelt., unterfängt sich aber 'f. j. nicht, ihn zu deuten'.

Simpson's Group, eine Inselgruppe des Grossen Sclavensee's, v. engl. Capt. G. Back (Narr. 52) im Aug. 1833 benannt nach dem um seine Exp. verdienten Governor des Hudson Bay Co., demselben, der 1828 den *S. River*, im Netz des Frazer R., befahren (DMofras, Orég. 2, 137). Ihm gilt wohl auch *c) Cape S.*, in Traill I., Grönl., am 10. Aug. 1822 v. Walfgr. Will. Scoresby jun. (North.WF. 253) getauft; *d) S.'s Strait*, eine v. Dease u. *S*. 1840 entdeckte Seegasse bei der Mündung des Gr. Fischflusses; seiner Gemahlin *Fort Frances*, ein Handelsposten der Co., unmittelb. unth. des Rainy Fall (Ch. Bell, Canad. NW. 2). — Unbestimmt: *S.'s Island*, in den Salomonen, v. engl. Capt. Carteret am 21. Aug. 1767 entdeckt u. benannt (Hawk., Acc. 1, 364).

Sims' Island, an der Nordküste des Australcontinents, v. Capt. Ph. P. King (Austr. 1, 70) am 1. Apr. 1818, auf Verlangen des Naturhistorikers der Exp., Allan Cunningham, benannt nach Dr. *S*., the eminent conductor of the Botanical Magazine.

Simsk s. Jenisseisk u. Ufa.

Simsona s. Twins.

Sin s. Pelusium.

Sina s. China.

Sinaja s. Sinyj.

Sinäwin, Cap, in Sachalin, v. Capt. J. A. v. Krus. (Reise 2, 90) im Mai 1805 getauft nach dem russ. Admiral d. N.

Sinaï, das Gebirge der Gesetzgebg. (1. Mos. 19, 16 ff.), hebr. סיני [sinaj], in der Septuag. Σινά, scheint nach der vorliegenden Wüste *Sin* benannt zu sein (Kiepert, Lehrb. AG. 80), jedf. nicht als 'des Herrn Busch', wie man schon, anlehnend an die Erzählg. v. feurigen Busch, übsetzen. wollte (Charnock, LEtym. 248). Arab. (Edrisi ed. Jaub. 332 u. a. O.) *Dschebel et-Tûr*, nach dem Küstenorte *Tûr*, *Tór*, das selbst schon = Berg. Als Ort der Gesetzgebg. wird der *Dschebel Mûsa* = Mosesberg betrachtet (Robins., Pal. 1, 156, Rüppel, Reis. 1, 117).

Sinclair's Fall, im Gr. Fischfluss, entdeckt am 24. Juli 1834 v. G. Back (Narr. 189) u. benannt nach Geoege *S*., seinem trefflichen Steuermann. — *S.'s Rocks*, 4 Felsklippen vor Nuyts' Ld. (s. d.), bei der Exp. Baudin, am 11. Febr. 1803, *Iles Rubens*, nach dem niederl. Malerfürsten (Péron, TA. 2, 105, Freycinet, Atl. 18, Krus., Mém. 1, 39). Vgl. Choiseul.

Sindh s. Indus.

Sineje s. Sinyj.

Singapur, in engl. Orth. *Singapore*, chin. *Seng-ho-pu-lu* (ARémusat, NMél. As. 1, 198), richtiger *Singhapur(a)*, v. skr. *singh* = Löwe u. *pura* = Stadt, v. einem Malajenfürsten 1190 (od. erst 1811?) ggr., v. Orang-Laut bewohnt, engl. am 6. Febr. 1819 (Sommer, Taschb. 20, 23, Pauthier, MPolo 2, 564). Die Urwaldinsel culminirt im 150 m h. *Bukit-Timah* = Zinnberg, der hier, wo Granit u. Sandstein zstreffen, Erzadern erwarten liesse (Crawf., Dict. 395). — *Boghâz Singafûra* s. Malakka. — In ind. ON. ist 'Löwe' oft nur Epitheton eines Fürsten u. kommt daher in Gegenden vor, wo Indien (wohl Tiger, aber) keine Löwen hat. So auch *Singhárh* = Löwenveste, in Konkan u. Radschwara, *Singhpúr* u. *Singhpúram* = Löwenstadt, mehrf. in Berar, Malwa u. Orissa (Schlagw., Gloss. 246). — *Singhalesen* s. Ceylon. — Auch *Singhbhom, Singbum*, ist nach Lassen (Ind. A. 1, 165) v. *Singhabhumi* = Löwenland abzuleiten, während Andere an *singh* = Herr, also 'Herrenland', denken, dessen Fürsten, aus Westen gekommene Radschputen, z. Blüthezeit des Orissareichs auf einer Pilgerfahrt nach Dschaggernaut ins Land gekommen u. v. den Bewohnern als Herren anerkannt worden wären (Peterm., GMitth. 7, 223). — *Sinhala Dwipaj* s. Ceylon.

Singen s. Sigmaringen.

Singrúl = das faule Moor, 'a place covered with small green grass, a moor', tib. ON. in Ladák, bei einem ehm. Seebette, einem sumpfigen Grunde (Schlagw., Gloss. 246).

Sinjatschichinsk s. Tobolsk.

Sinigaglia, ital. Ort in den Marchen, als röm. Colonie *Sena Gallica*, durch den Beisatz v. dem etrusk. Sena unterschieden (Kiepert, Lehrb. AG. 412), da sich ein Theil der gall. Senonen in Umbrien angesiedelt hatten u. —283 v. Consul P. Dolabella völlig unterworfen wurden (Meyer's CLex. 14, 592. 694).

Sinkiang s. Tatarei.

Sinking Creek = versinkender Bach, ein Gewässer des *S. Valley*, welches bei Tyrone, d. i. an der Bahnlinie Pittsburg-Harrisburg, als *Arch Spring* = Gewölbequelle entspringt, auf seinem weitern Lauf wiederholt unter den Boden versinkt u. wieder erscheint, schliessl. in Hohlräumen sich wirbelnd u. schäumend verliert (Cent. Exh. 24).

Sin Puerto s. Juan Bautista.

Sinsepe s. Rock.

Sinsk s. Lena.

Sintlesau s. Reichenau.

Sinyj, gespr. *schi*..., fem. *sinaja*, n. *sineje* = dunkelblau, während *golubyj* einf. 'blau' (Legowski 13. Apr. 1891), mehrf. in russ. ON. *a) Sineje Morze* = blaues Meerchen, russ. Name eines Golfs des Kaspisees (s. Mertwoi), bei dem engl. Reisenden Anth. Jenkinson 1558 in *the Blew Sea* übsetzt (Hakl., Pr. Nav. 1, 326); *b) S. More* s. Aral; *c) Sinaja Gora* = blauer Berg, ein Gipfel des Ural (Rose, Ur. 1, 349).

Sió = Bach, mag. Name des Abflusses des Plattensee's (Umlauft, ÖUng. NB. 219).

Sion, deutsch *Sitten*, der Hptort des Wallis, kelt. *Sedunum* = Schönhügel, ganz passend f. die mitten im Hochgebirgsthal u. zu den Füssen hoher Felskegel angesiedelte Ortschaft, die jedoch zufällig erst im frühern Mittelalter erwähnt wird, während der VolksN. *Seduni* schon lange vorher vorkommt (Plin., HNat. 3, 137), — Ein anderes *S*. s. Hermon.

Sioux, anderer Name der Dakotah (s. d.), in *Lac des S*. (s. Wood), *S. Pass* (s. Three) u. in *S. River*, zwei Zuflüssen des Missuri, dem *Great* (= grossen) *S. River* u. dem *Little* (= kleinen) *S. River*, welch' letzterer, frz. *Petite Rivière des S*., bei seinen ehm. Anwohnern, den *S*., selbst *Eaneahwadepon* = Steinfluss hiess (Lewis u. Cl., Trav. 31. 36). — Eine Untertribus, welche noch 1853 um Fort Snelling wohnte, hiess *Ojateshika* = schlechtes Volk, eine andere, die bis gg. 1850 am See Calhoun sass, *Reyataotonive* = Inselleute (Coll. Minn. HS. 1, 263).

Sipah s. Assireta.

Sipan s. Subhan.

Siphnos s. Seriphos.

Siposka s. Mandan.

Sir = Mohrhirse, Sorghum vulgare, asl. Wort, slow. *sirek*, serb. *sijerak*, davon die ON. *Sirač*, *Sirák* u. *Sirnitz*, in Slaw., Ung. u. Kärnt. (Miklosich, ON. App. 2, 219).

Sirdharpur s. Wischnu.

Sirf s. Serbien.

Sirjänsk s. Kljutschewsk.

Sir-i-Köl = Zwiebelsee, ölöt. od. ost-türk. Name des Quellsee's des Oxus, 'comme le mont *Thsungling*, dans le sein duquel il se trouve, signifie la chaîne de montagnes des Oignons'. So heisst, mit derselben Bedeutg., der See auch auf den chin. Carten *Sche-li-ku-le* (Pauthier, MPolo 1, 131). Ganz anders der engl. Lieut.-col. T. E. Gordon (Journ. RGSLond. 1876, 394 f.): Er hörte seine Führer den See *Kul-i-Kulan* = grossen See nennen u. könnte wohl auch f. Wood's Vorschlag: *Victoria Lake* (!) sein. Und während man allgemein *S*. = gelbes Thal setze, so kann er auch des Governor Hassan Schah Meing., als sei *S*. aus *Sir-i-Koh* = Berghaupt verd., Geschmack abgewinnen, da diess nur die Uebersetzg. des türk. *Taghdungbasch* wäre. 'Nothing seems more likely than that the Persian-speaking *Sirikolis* should, on settling in the valley, give it a Persian name, literally interpreting its Turkish one'. Hellwald (Russ. C. As. 43) hat *Sary-Kul* = gelber See (PM. 18, 166). Vergl. Göl.

Siro-yama = weisser Berg, ein 2536 m h. Schneeberg an der kältern Westseite Japans (Peterm., GMitth. 13, 118), gew. mit chin. Namen *Hakusan*, v. *haku* = weiss u. *san* = Berg, gespr. *haksan* (ib. 21, 215).

Sisert s. Zarewgorod.

Sisertsk s. Isetsk.

Sissek, Ort in Kroat., bei Strabo Σεγεστική, röm. *Siscia* (Umlauft, ÖUng. NB. 219).

Sisters, the = die Schwestern, bei engl. Seeff. wiederholt f. 2 od. mehr ähnliche, gleich grosse

u. gleich hohe Inseln od. Berge, so *a)* v. Capt. Tob. Furneaux bei Tasmania (Flinders, TA. 1, CXXV, Atl. 6); *b)* v. Capt. Fanning 1798 f. die 2 grauen, kahlen Felseilande, welche, bei Nukahiwa aufgerichtet, auch *Sentinelles* = Schildwachen heissen (Meinicke, 1Still. O. 2, 243); *c)* f. eine Reihe hoher Inseln des RothM., 20° NBr. (Bergh., Ann. 5, 38). — *Sister Islands*, in den Carolinen, v. engl. Capt. James Wilson, Schiff Duff, im Oct. 1797 getauft (Bergh., Ann. 9, 152).

Sitagúdam = Sita's Stadt, skrit.-tam. ON. im Dékhan, v. Ráma's Gemahlin *Sita*. Aehnlich *Sitakúnd* = Sita's Berg in Bahár, *Sitapálli* = Sita's Dorf, im Dékhan, *Sitapúr* = Sita's Stadt, in Bahár, *Siugárh* od. *Sitagárh* = Sita's Veste, in Audh (Schlagw., Gloss. 246).

Sitgreaves' Pass, ein Bergübergang der Black Ms., auf einer der z. Rio Colorado führenden Landrouten, v. Capt. *S*. 1851 entdeckt u. 1858 v. seinem Nachgänger, Capt. Ives (Rep. 92) so getauft.

Sitten s. Sion.

Sittiani s. Constantine.

Sittling s. Sigmaringen.

Sittern, der Hptfluss des Appenzeller Landes, im 8. Jahrh. *Siteruna*, v. den St. Galler Mönchen Notker u. Ratpert als *sit ter una*, als v. heil. Gallus dem Flusse 'z. Ehre der heil. Dreieinigkeit gegeben', betrachtet, wohl weil die *S*. aus 3 Quelladern entsteht (v. Arx, Gesch. CSt. Gall. 1, 8, Gem. Schweiz 13, 22, Förstem., Altd. NB. 1344); ja die Deutg *sint tria* (= es sind ihrer drei) wird noch v. Dr. K. Zollikofer (Alp. 2, 331) ernstlich festgehalten. Erst 1830 weist der oben genannte st. gall. Historiker (Berichtgg. u. Zus. 5) darauf hin, dass die altd. Benenng. *Site-run* = Tobelbach so nahe liege f. einen Fluss, der fast überall in tiefem, engem Tobel verläuft. Nach dem Flusse *Sitterthal* u. *Sitterdorf*, letzteres im 9. Jahrh. *Sitirundorf*.

Siue-pan = Schneeschale, chin. Name einer tib. Gebirgsmasse (Pauthier, MPolo 2, 389). — *S. Schan* s. Himalaja u. Thianschan.

Siullach Tumul = kothiger Ort, jakut. Name eines ostsib. Bergrückens, einer Uebergangsstelle, v. Kothe u. tiefen Moore, welches hier während der Regenzeit zu passiren ist (Dawydow, Sib. 73).

Siut, arab. ON. in Ober-Aegypten, kopt. *Saûd*, altägypt. *Chesf* = Wolf, wie heute, so schon im grauesten Altth. genannt, dem schakalköpfigen Gotte Tap-heru geweiht u. ihr Hunde, Schakale u. Wölfe heilig, woher denn auch ihre griech. Bezeichn. *Lykopolis* = Wolfsstadt (Brugsch, Aeg. 102). Zahlr. Funde v. Mumien dieser Thiere (Meyer's CLex. 14, 701).

Siwa od. *Çiva*, auch *Mahadéwa* = grosser Gott (s. Mahabaleschwar), eine der 3 Personen der ind. Trimurti, einer der volksthümlichsten Götter der Inder, Patron der Büsser u. hochthronender Herr der Berge, der zerstörend, aber zugl. reinigend u. befruchtend wirkt, auffallend durch ein drittes Auge auf der Stirn, mit den Beinamen *bhairawa* = der schreckliche, *giridhára*, im Hindi verkürzt *girdhár* = der die Berge tragende, *gum-sur*, skr. *gomaheswára* = grosser Herr des Himmels, *ísa* = Herr, Lenker, *rúdra* = der zu weinen bringt, *ti-* od. *triloknáth* = Herr der 3 Welten, *wirbhádra* = glücklicher Held, toponymisch häufig geehrt: *a) Siwasamudra* = Meer *S*.'s, skr. Name einer Stelle des Kaveri, da wo dieser Fluss durch die Schluchten der Ostghats sich hinaus windet u. die berühmten, geheiligten u. vielbepilgerten Wasserfälle bildet (Lassen, Ind. A. 1, 195); *b) Siwapuri* s. Benares; *c) Sibgándsch* = *S*.'s Markt, *Sibpur* = *S*.'s Stadt u. *Sibságar* = *S*.'s Teich, in hind. Form; *d) Schibgándsch, Schibpúr, Schiwpúr, Schiwgandsch* u. *Schiwrádschpur* = König *S*.'s Stadt, in beng. Form; *e) Bhóirab*, in beng. Form f. skr. *Bháirawa*, Fluss in Bengalen; *f) Bhairav-langur* s. Everest; *g) Giridhárpur*, in Bengal; *h) Gumsurgárh* = *S*.'s Schloss, ebf. in Bengal; *i) Isagárh*, in Bandelkhand, u. *Isapúr*, im Dekhan; *k) Rudarpúr*, in Orissa u. in Hindostan, u. *Rudrapréag* = *S*.'s Confluenzstätte (s. Allahabad), in Garhwál; *l) Triloknath*, in Tschamba; *m) Wirbhadradúrgam* = *S*.'s Schloss, im Karnatik (Schlagw., Gloss. 194. 196. 201. 240. 244 f. 253. 258). Nach andern Beinamen *a)* skr. *Sadaçivaghar*, eig. *Sadaçivagada* = Ort des stets Glücklichen, der Grenzfluss zw. Kanara u. dem Gebiete Goa's (Lassen, Ind. A. 1, 187); *b) Mukundurra* od. *Mokundurra*, skr. *Mukundadvara*, eine Bergkette des nördl. Malwa, wo dem Gott ein grossartiger Tempel geweiht war (ib. 1, 147). — *Rudrahimalaja* s. Swargarohini.

Siwah s. Oasis.

Siwás, Ort in Kl.-Asien, früher *Megalopolis* = Stadt des Grossen (d. i. des Pompejus, dem zu Ehren das v. Mithridates Eupator angelegte *Eupatoria* in *Magnopolis*, also mit gl. Bedeutg., umgetauft wurde), dann *Σεβαστή*, lat. *Sebastia* (s. Sebastos), armen. *Sjewast*, türk. *S*. (z. Th. nach Kiepert, Lehrb. AG. 95).

Siwrihissar = spitzes Schloss, türk. ON., mehrf. in Kl.-Asien: *a)* ein grosser mit Gärten umgebener Flecken voll antiker Bruchstücke südwestl. v. Smyrna (Tschihatscheff, Reis. 26); *b)* ein Städtchen, höchst malerisch in dem nach Südsüdost offenen Amphitheater einer halbkreisfgen mächtigen Syenitkette, östl. v. Kiutahia (ib. 29); *c)* ein Dörfchen südwestl. v. Kaisarie, in einem der blendend weissen, phantastisch gebildeten Tuffkegel ausgehauen, welche die umgebende Ebene bedecken (ib. 15).

Six Islands = sechs Inseln, im austr. Gilbert Arch., v. den Befehlshh. der brit. Fahrzeuge Scarborough u. Charlotte 1788 nach der Zahl der Eilande, bei Capt. Duperrey 1824 *Ile Charlotte* (Krus., Mém. 2, 381, Atl. Pac. 34). — Einer der wenigen ON., welche das Zahlwort 6 enthalten, ist auch frz. *Seisaples* = 6 Tannen, ein Badhaus v. Etivaz, Waadt, 1719 v. den Brüdern Minod bei den Schwefelquellen des Hochthals erbaut, 'de six sapins placés sur la colline qui donne naissance à la source' (Mart.-Crous., Dict. 355).

Sizebolu s. Apollonia.

Skär = Fels, Klippe, schwed. Wort, gespr. *schär*, dän. *skjaer*, in deutscher Form *Scheren*, die zahllosen, zu einem förml. *Skärgård*, norw. *Skjärgaard* = Klippenzaun gesellten Felsbrocken, welche die skandin. Halbinsel umsäumen, Schutz vor Sturm u. Wellen gewähren u. zahlr. gute Häfen bieten (Vibe, Küst. Norw. 6, Modeen, LGeogr. 31). Ihre Bewohner *Skärkarlar* = Klippenmänner, Klippenkerle. Damit verwandt das ags. Bestimmgswort in *Scarborough*, einem ON. der engl. Grafsch. York (Charnock, LEtym. 241). Uebh. haben die alten Vikingerzüge das Wort nach den brit. Gewässern (s. Pentland) verpflanzt, z. B. in der Form *Skeroar* = Klippeninseln, in Loch Eribol, Sutherland (Worsaae, Mind. Danske 328).

Skagen, die Nordspitze Jütlands, verd. aus altn. *skagi*, gen. *skaga* = Vorgebirge, welches Wort noch j. in Isl. so gebr. (Preyer u. Z., Isl. 493); daher auch der Ort *S*. u. v. diesem wieder das Cap: *S*.'s *Odde* = Skagenshorn u. die dem Vorgebirge vorgelagerten Untiefen u. Sandbänke: *Skager Rak*, v. *rakjan* = recken, also was sich reckt od. weit vortritt (Ettmüller, briefl. Mitth. v. 27. Nov. 1875, DKoolman, Ostfr. WB. 3, 6), der letztere Name schliessl. auf das Meer selbst übtr. Auch auf Agersö, bei Sjaeland, ein Vorsprg. *S*. mit See: *Skagesö* (Madsen, Sjael. StN. 240).

Skahnetati s. Albany.

Skalafell = Sattelberg, v. *skál* = Einsenkung u. *fell* = Berg, Name eines dreigezackten isl. Bergs (Preyer-Z., Isl. 79).

Skanderun s. Iskanderuna.

Skandinavia, erweiterte Form f. *Scandia* (Plin., HNat. 4, 96. 104), dem altgerm. u. goth. *avi*, f. altn. *ey* = Insel, beigefügt ist, auch in *Skåne*, deutsch *Schonen*, erhalten, galt ozw. zunächst dem inselartigen Südtheil der *skandinav. Halbinsel*, der durch eine Kette u. See- u. Flussbetten v. Rumpftheil abgetrennt ist. Wenn man den einfachern Namen v. den ehm. Bewohnern, den *Scandi*, ableitet, so stimmt dazu wohl die Form; allein diese *Scandi* sind nebelhaft, u. Wachter's Ableitg. des Volksnamens v. gr. σκηνοται = Zeltbewohner, da die eindringenden Sachsen auf die zeltbewohnenden Lappen stiessen, ist erst recht unstatthaft. Auch andere Versuche, den Landesnamen zu erklären, sind verunglückt, bezeichnend f. das unmethodische Verfahren älterer Zeit des germ. *scanzen, schanzen*, v. den befestigten Felsen, *seekante*, nach der maritimen Lage, v. *Scanicus*, einem fabelhaften röm. Soldaten, v. ags. *scon-eg* = schöne Insel (Charnock, LEtym. 240). Nach Grimm u. Munch wäre *Skån-ö*, isl. *Skan-ey*, j. zu *Skåne* verkürzt, dasselbe wie *Skandin-avia*, dessen erster Theil, v. unbekannter Bedeutg., sich zu *skan* verkürzt hat, wie goth. *standan* zu isl. *sta*, schwed. *stå*, also dass der südlichste Theil dem ganzen Norden den Namen gegeben hätte (C. Säve, Knytl. S. 59).

Skans s. Sveaborg.

Skatmansö, Ort in schwed. Upland, urspr. einf.

$\ddot{O}$ = Insel, da er v. den Armen des Flusses umzogen $_o$war, dann wie der Fluss selbst, *Skatmansö - A*, umgetauft nach Niklis Skatman, welcher zZ. v. König Magnus Eriksson hier wohnte (Styffe, Skand. Un. 281).

Skeleton Point = Gerippespitze, in Tasman's Ld., v. Capt. Stokes (Disc. 1, 115) im Febr. 1838 so benannt, weil er dort die Reste eines Eingebornen fand, 'placed in a semi-recumbent position under a wide spreading gum tree, enveloped, or more properly, shrouded, in the bark of the papyrus'.

Skellig, ir. *Sceilig*, 2 hohe Felsklippen im Meer bei Valentia, Irl., die grössere früh in christl. Zeit als religiöse Zufluchtsstätte benutzt u., weil dem Erzengel Michael geweiht, als *S. Mhichil* unterschieden, v. *sceilig* [spr. skellig] = Klippe, Fels, vorz. Seeklippe (s. Scilly). Es sind v. den einfachen Zellen u. Beträumen j. noch Reste vorhanden (Joyce, Orig. Ir. NPl. 1, 421).

Skenderun s. Iskanderuna.

Skene Bay, in Melville I., v. Lieut. Parry (NWPass 70f.) am 3. Sept. 1819 getauft nach A. M. *Sk.*, einem der midshipmen des zweiten Schiffes, wie *S. Islands*, 3 kleine Inseln bei Melville B., die v. *Sk.*, Exp. John Ross (Baff. B. 74), am 4. Aug. 1818 zuerst gesehen wurden.

Skeppsholm = Schiffsinsel, der Inseltheil Stockholms, wo sich die Marine, insb. die Anstalten der Küstenvertheidigg., der Skärenartillerie, befinden(Peterm.,GMitth.12, 423, E. Egli, Wand. 17).

Skeroar s. Skär.

Skjálfandafljót, einer der grössten Flüsse Isl., hat 'seinen Namen v. der reissenden wellenschlagenden Bewegg. erhalten, mit welcher seine hellbläulichen, milchtrüben Gewässer dem arkt. Ocean zueilen' (Preyer-Z., Isl. 181).

Skiathis s. Melaineai.

Skipetaren s. Albania.

Skirmish Bay = Scharmützelbucht, der beste Ankerplatz der Nordküste der austr. Chatham I., einh. *Kaingaroa* (Meinicke, 1Still. O. 1, 344), wo der engl. Capt. Broughton 1795 vor Anker lag u. mit den zahlr. Eingb. ein Scharmützel bestand (Krus., Mém. 1, 13ff.). — *Point S.*, in Queensld., v. Flinders (TA. 1, CXCVI, Atl. 9) so benannt, weil bei einer Recognition 1799 die Eingb., nachdem sie Geschenke erhalten hatten, die Engländer angriffen, wobei einer der Wilden durch einen Schuss verwundet wurde.

Skironische F. s. Kaki.

Skit s. Kojnoskaja.

Sklipio s. Asklepiu.

Skombraria, gr. $\Sigma \varkappa o \mu \beta \varrho a \varrho i a$ = Makreleninsel, 'nach den dort gefangenen Skombren, aus denen die beste Salzfischbrühe bereitet wird' (Strabo 159), Insel vor Cartagena, Spanien, j. *Escombrero* od. *Islote* = Inselchen. — *Skomri Köi* = Makrelendorf, türk. ON. am Bosporus, 'nach einer bekannten Art v. Fischen' (Hammer-P., Konst. 2, 273).

Skope, gr. $\Sigma \varkappa o \pi \acute{\eta}$ = Ausschau, Warte, ein Vorsprg. der mänalischen Berge, welcher v. Westen

in die mantin.-tegeat. Ebene vorragend diese zu einem Passe v. der Breite weniger Stadien verengt. Auf diese Höhe liess sich der verwundete Epaminondas aus der Ebene tragen, um auch sterbend noch das Schlachtfeld zu überschauen. Man nannte seitdem diesen Ort *S.* = Warte, auch ohne dass sie Befestigungen hatte. Epaminondas ward hier, an der Stelle seines Todes, begraben (Curt., Pel. 1. 247).

Skoriaes, gr. $\Sigma \varkappa \omega \varrho i a \varsigma$ = Schlackenberg, ein Arm des südw. Vorgebirgs v. Seriphos (s. d.) v. den Massen Kupfererzschlacken (Ross, IReis. 1, 137). Vgl. Escorial.

Skorta s. Gortyn.

Skotini s. Melaineai.

Skrällinger s. Weniska.

Skúlaskeid = des Skúli Reitplatz, eine steinige Gegend des westl. Isld., benannt nach einem Manne Skuli, welcher, am Althing verurtheilt u. v. Feinden verfolgt, üb. die mit dem gröbsten Steingerölle bedeckte Fläche wegritt u. sich so seinen Verfolgern entzog (Prever-Z., Isl. 93).

Skuphia s. Korinth.

Skutari, ital. Namensform, auf unsern Carten 2 mal, f. ganz verschiedene Ortslagen u. mit ganz vschiedener Ableitg.: *a) Sk.* am Bosporus, einst *Chrysopolis* = Goldstadt, wohl v. der Einsammlg. des pers. Tributs, türk. *Üsküdar*, urspr. pers. f. einen Eilboten, welcher die kön. Befehle v. Station zu Station bringt; also 'war *Sk.* in der ältesten Zeit, was es heute noch ist: eine Poststation f. asiat. Courriere, der grosse Ruheplatz aller nach Europa ziehenden Karawanen u. der Aufbruchsort aller, die v. Konstantinopel nach Osten reisen' (Hammer-P., Konst. 1, 25; 2, 311; *b) Sk.* in Albania, am *See v. Sk.*, slaw. *Skadra, Skadar* (Meyer's CLex. 14, 713), bei Lejean *Schkodra* (Peterm., GMitth. 16, 288), alt *Skodra*, dessen mod. Form wohl der des berühmten *Sk.* einfach angepasst ist, türk. *Iskanderije* = Stadt Skanderbeg's, des Iskender, der, als Sandschak v. Bosnien, in den ungar. Kriegen sowie in den Kämpfen v. Venedig u. durch Einfälle in Kärnthen u. Steiermark sich hervorgethan. Als die Türken Lissos, wo das Grab Skanderbegs, eroberten, öffneten sie es, nicht um es zu entheiligen, sondern um die Reste des Helden zu verehren . . . Sie zerstückten sich seine Gebeine als Reliquien, die sie in Gold u. Silber gefasst um den Hals trugen, als Talismane des Muths u. der Tapferkeit. Sein Andenken war ihnen so lebendig u. so hehr, dass sie *Scodra*, welches noch sein Geist wider ihre Waffen zu vertheidigen schien, nicht anders als *I.* nannten (Hammer-P., Konst. 2, 168).

Skylla s. Scylla.

Skyring, Mount, 'a high peaked, and most barren mountain' Feuerlds., v. Capt. Fitzroy (Adv.-B. 1, 381) am 14. Jan. 1830 nach seinem Gefährten, Lieut. *Sk.*. getauft. — *Sk. Water* s. Otway.

Skythen, ein v. den Griechen uns überlieferter Volksname, $\Sigma \varkappa \acute{v} \vartheta a \iota$, aus den östl. Steppen, ist mehrf., aber kaum annehmbar erklärt, z. B. als Wanderer, Nomaden, schon 1792 bei J. Foulis of Colinton (Transact. SAScotl. 1, 1 ff.; man hat dafür ein russ. Wort *skitatsja* = umherirren vorgeführt (Ausl. 56, 601). — *Skythopolis* s. Beth. — *Klein Skythia* s. Dobrudscha.

Slana s. Sol.

Slate Islands = Schieferinseln, eine Gruppe kleiner Küsteneilande v. Tasman's Ld., v. Capt. Stokes (Disc. 1, 191. 205) am 9. April 1838 nach ihrer geolog. Bildg., 'from their singular formation', benannt. — *Sl. Portage*, ein Trageplatz bei Bow-string (s. d.), ebf. nach dem vorherrschenden Ge-stein (Franklin, Narr. 211, Carte). — *Sl.-Clay Point* = Spitze des Schieferthons, an Georg's IV. Krönungs G., v. Capt. John Franklin (Narr. 385) am 16. Aug. 1821. — *Slatington* = Schieferort, Stadt in der Nähe v. Mauch Chunk, Pennsylv., nach den ausgedehnten Schieferlagern, 'the most extensive slate region ever discovered, the va-rious quarries employing over 600 men, and shipping in 1872 nearly 100 000 squares of slate for roofing, schools and other purposes' (Penns. Ill. 45).

Slatoust = Goldmund ist einer der bei den Russen häufig wiederkehrenden ON. zu Ehren des Schutzheiligen Johannes Chrysostomus = Goldmund, russ. Joän *Sl.* (Erman, Reis. 1, 275), im Ural anscheinend prophetisch f. einen Ort, dessen Revier zu den goldreichsten des Gebirges gehört: der Bezirk v. Miass allein lieferte lange nicht nur das meiste Gold, sondern zeichnet sich noch j. aus durch das häufige Vorkommen grosser Goldklumpen, bis 10–12 kg Gewicht, aus (Bär u. H., Beitr. 5, 133). — Ein ural. Bergort *Slatous-towskoe*, dessen Kupfer- u. Eisenhütten der Familie Demidow gehören, heisst auch *Kliu-tschewskoe* = zu den Quellen, nach den zahlr., aus dem Gebirge hervorbrechenden Quellen (Müller, Ugr.V. 1, 98).

Slaughter River = Fluss des Gemetzels, ein rseitg. Zufluss des Missuri, obh. Yellowstone R., v. den Captt. Lewis u. Cl. (Trav. 172) am 29. Mai 1805 so benannt, weil am Fusse eines 36 m h. Uferfelsens die Reste v. mindestens 100 Büffel-leichen lagen, so viele noch, nachdem das Wasser schon viele mit fortgeschwemmt hatte. Diese Metzelei war das Ergebniss einer der Treibjagden, wie sie bei den Indianern üblich waren u. in wenigen Augenblicken ganze Herden vernichteten. 'The mode of the hunting is to select one of the most active and fleet young men, who is disguised by a buffaloe skin round his body. The skin of the head with the ears and horns fastened on his own head in such a way as to deceive the buffaloe. Thus dressed, he fixes himself at a convenient distance between a herd of buffaloe and any of the river precipices, which some-times extend for several miles. His companions in the meantime get in the rear and side of the herd, and at a given signal show themselves, and advance towards the buffaloe. They in-stantly take the alarm, and finding the hunters

beside them, they run towards the disguised In-dian or decoy who leds them on at full speed towards the river, when suddenly securing him-self in some crevice of the cliff, which he had previously fixed on, the herd is left on the brink of the precipice. It is then in vain for the fore-most to retreat or even to stop; they are pressed on by the hindmost rank, who seeing no danger but from the hunters, goad on those before them till the whole are precipitated and the shore is strewed with their dead bodies. Sometimes in this perilous reduction the Indian is himself either trodden under foot by the rapid move-ments of the buffaloe, or missing his foot in the cliff is urged down the precipice by the falling herd. The Indians then select as much meat as they wish, and the rest is abandoned to the wolves, and leaves a most dreadful stench ... From the objects we had just passed, we called this stream *SR.*' — *Sl. Point*, in Wallaby (s. d.), v. Capt. Stokes (Disc. 2, 155) im Mai 1840 benannt nach der Verheerg., welche er unter den Kängurus jener Stelle anrichtete.

Slave Indians, übsetzt v. ind. *Jatsche-thinjuwuc* = Fremdlinge, Feinde, Sclaven, bei den Stone Indians die verächtl. Bezeichng. f. alle westwärts verdrängten Stämme (Franklin, Narr. 108), ohne dass ihr der Begriff v. Knechtschaft beizulegen ist, ledigl. im Sinn einer mehr als gewöhnl. Wild-heit (McKenzie, Voy. 153). Nach dem Volk die Gewässer seiner neuen Heimat: *S. River* u. *S. Lake*, der letztere 2 mal, als *Great* (= grosser) u. *Little* (= kleiner) *S. Lake*. Bei den Copper Indians, den östl. Nachbarn, die ebf. zu den Chipe-wyans gehören, heissen die mildern, indolenten *S.* Indians ind. *Thlingtscha-Dinneh*, engl. übsetzt *Dog Rib* = *Hundsrippen-Indianer* (Frankl. Narr. 287 f.), u. zwar in Folge eines eigenthüml. Mythus, üb. den mir A. S. Gatschet (21. Nov. 1891) mittheilt: 'Die Chipewyans sollen unter der Herr-schaft grausamer Tyrannen gelebt haben, u. unter diesen befand sich eine Bande gefährl. Zauberer, welche sich Nachts in Hunde verwandeln konnten. Sie rasirten sich den Kopf u. trugen falsche Haare, daher sie auch Hundefüsse u. Hundekinder ge-nannt wurden. Als einzige Kleidg. trugen sie eine Elenhaut u. nahmen Chipewyanfrauen zu Weibern. Die *Dog Rib*, frz. *Indiens plats-côtés de chien* ou *flancs-de-chien*, waren die verspotteten Sprösslinge dieser Misch- od. Missehen. Die In-dianer am Churchill R. halten sich f. Kinder einer Indianerin u. eines 'jeune homme-chien', d. i. eines *Dog Rib Indianers*. Einer der Stämme der *S. Indians*, die *Saïsa-tinnè* = Volk der aufgehenden Sonne, begab sich, je zu 2 od. 3 Jahren um, nach Fort Churchill u. kehrte wieder nach Fort Chipewayan, also aus Osten, zk. (Richard-son, Arct. SExp. 2, 5, Berghaus, Phys. Atl. 8, 53). — *S. Butte* = Sclavenberg, in der Steppe Da-kota's, wo die Sioux 'vor längeren Jahren' einige gefangene Snake-Indianer tödteten (Ludlow, Black H. 17). — *S. Falls*, ind. *Awakane Pawetik* u. wohl aus diesem übsetzt, ein Wasserfall in der

Gegend des Winnipeg Lake; die Indianer erzählten, ein entlaufener Sclave der Chippewas sei, um den Verfolgern zu entrinnen, in einem Canoe flussab u. üb. den Fall hinuntergefahren u. sei dabei verunglückt (Ch. Bell, Canad. NWest 2). **Slawen**, der Name der dritten grossen europ. Völkerfamilie, wird gern v. *slawa* = Ruhm abgeleitet, also als 'die berühmten, ruhmvollen', gedeutet (Ausl. 56, 602), v. Jos. Dobrowsky (Gesch. böhm. Spr.), dem Begründer der slaw. Philologie, auf *slowo* = Wort zkgeführt, als Ggsatz zu *Niem*, einem slaw. Aequivalent f. βάρβαρος, in der Bedeutg. 'unverständliche', auf die Germanen bezogen, betrachtet, so dass *Slowane*, noch in *Slowaken*, *Slowenen*, *Slawonier* etc. erhalten, s. s. a. 'Leute des Worts, Verständliche', wäre (Glob. 12, 80). Zu dieser Anschauung stimmt, wenn *Niemzi* = die Stummen, Unverständlichen, v. den Russen den Deutschen beigelegt, bezeichnet wird (Bär u. H., Beitr. 9, 268) u. wenn es heisst: 'The Poles called their neighbours, the Germans, *Niemic*, *niemy* = dumb (russ. *njemez*), slow. *němec*, bulg. *němec*, wend. *njeme*), just as the Greeks called the barbarians *aglossoi* = speechless (MMüller, Lects. 83). Dagegen sagt Miklosich (Etym. WB. slaw. Spr. 308) kategorisch: 'Die Ableitg. v. *slowo* = Wort ist abzuweisen', u. die Bildg. des Wortes, durch das Suffix *ênu*, deutet auf einen ON. als Thema. — *Slawochori*, ngr. Σλαβοχόρι = Slawenort, Ruinen, die sich mit zahlr. Capellen, in schönen Baumlande v. Amyklä in der lakon. Ebene, ausbreiten. Sie erinnern an jenen 807 beginnenden Kampf zw. dem Christenthum der bes. an den festen Küstenplätzen sich erhaltenden Griechen u. dem Heidenthum der eingewanderten *S.*, die das Innere des Landes z. grössten Theil besassen; denn dam. wurden wildere slaw. Bergstämme in der Ebene angesiedelt, so eben in *Slawochori*. Dabei entstanden als Missionsplätze die vielen nach Heiligen genannten Ortschaften, welche wir im ganzen Peloponnes finden: *Hagios Georgios*, *H. Petros*, *Andreas*, *Isidoros*, *Hagia Triada*, *Hagion Oros*, *Christiano* u. *Christianopolis* — u. die Spitzen der slaw. Berge erhielten Capellen des heil. Elias, ngr. *Hagios Ilias* (Curt., Pel. 1, 91 f.).

Sledge Island = Schlitteninsel, im Berings M., benannt v. Capt. Cook (-King, Pac. 2, 441), welcher auf ihr neben anzeichen temporärer Bewohner unweit des Landsplatzes einen Schlitten fand ...'which occasioned this name being given to the island'. Merkw. Weise, weil unabhängig v. dieser Bezeichng., heisst sie bei den Eskimos *Ayak* = Schlitteninsel (Beechey, Narr. 1, 292).

Sleeberg = Schlehenberg nannten die Holländer, welche 1633,34 auf Spitzb. überwinterten, denjenigen Berg, auf welchem sie die schlehenartigen Früchte der Moosbeere in Ueberfluss fanden (Adelung, Gesch. Schifff. 262. 286).

Sleeper = Schläfer, ein Hügel am linken Ufer des untern Rio Colorado, v. der Exp. Ives (Rep. 50) im Jan. 1858 so benannt, weil der obere Theil auffallend einer schlafenden Person ähnelte

...'a ludicrous resemblance to a sleeping figure', die 1¹/₂ km weit sichtbar blieb.

Sljeme = Gebirgskamm nennen die Kroaten den Culminationspunkt ihres Landes (PM. 5, 98), v. serb. *Sljeme*, aslow. *slěme*, čech. *slemě* = Balken, Dachfirst, welches Wort auch in den ON. *Slemen*, *Slemene*, *Slemeno*, Steierm., Krain u. Böhm., wiederkehrt(Miklosich, ON. App. 2, 234). S. Agram.

Sligo, Hafenort in Connaught, Irl., an der Mündg. des gleichnamigen Flusses, ir. *Sligeach* = Muschelod. Schalenfluss (Joyce, Orig. Ir. NPl. 1, 581).

Slim Butte = schlanker Berg, engl. Name einer der zahlr. Hügelmassen, *buttes*, welche einzeln u. flachgipflig, aus der Steppe Dakota's aufragen (Ludlow, Black H. 10). Die beigegebene Carte enthält u. a. noch *Sentinel Buttes* = Schildwachberge, *Pretty B.* = hübscher Berg, *White (Clay) B.* = Berg des weissen Lehms, *Whetstone B.* = Wetzstein-Berg, *Rainy B.* = regnichter Berg, *Lodge B.* = Zeltberg, *Double B.* = Doppelberg od. Zwillinge (2 an einander, v. General Custer am 7. Juli 1874 so benannt), *Sugarloaf B.* = Zuckerhut-Berge, *Dogs Teeth* = Hundszähne, *Heart B.* = Herzberg, *Blue Crane Hills* = Berg des Blaukranichs, *Deers Ears* = Hirschohren, ozw. sämmtlich nach Form u. Aussehen, Stellg., Gestein etc. Für *Owl B.* = Eulenberg ist mir die Beziehg. nicht klar. Der zoolog. Bericht (p. 100) erwähnt eine sp. Kranich, Grus canadensis Temm., 'Sandhill crane'; allein der Name dürfte sich auf Ardea herodias *Linn.*, den grossen Blaureiher, der um Heart R. vorkommt, beziehen. Der 'Berg des weissen Lehms', auch einf. *White Butte*, ist v. Ludlow (p. 24) so benannt.

Slinger Bay = Schleudererbucht nannte der brit. Seef. W. Dampier 1700 eine Bay NBritania's, wo ihn die Eingb. plötzlich mit einem Hagel geschleuderter Steine überfielen (Debrosses, HNav. 397 ff.).

Slipper Rock = Pantoffelklippe, engl. Name eines Inselfelsens v. Sumatra, offb. nach der Form (Spr. u. F., NBeitr. 11, 202), wie *the Sl. f.* einen schuhförmigen Ausläufer v. Curtis' I., Bass Str. (Stokes, Disc. 2, 425).

Sljüdenaja Guba = Bucht des Marienglases, russ. Name einer Bucht des Bajkalsees (Bär u. H., Beitr. 23, 290).

Sliva od. *sliwa* = Pflaume, slaw. Element zahlr. ON. in Steierm., Krain, Görz, Küstenland, Kroat. u. Dalmat., als *Slivje*, *Slirna*, *Slivniak*, *Slivnica*, *Slivnika*, *Slivno*, *Slirnovie*, *Slivenec*, *Slivic*, *Slivitz*, *Slivcki*, *Sliwnica*, *Slivarsko*, *Slivovac*, verdeutscht zu *Schleinitz*, Steierm. u. *Schleiniz*, NOesterr. (Miklosich, ON. App. 2, 234).

Sloman s. Wilczek.

Sloping s. Aignant.

Slotsholm = Schlossinsel, eine der Inseln, auf welchen das alte Kopenhagen erbaut ist: hier liegen ausser dem Residenzschloss Christiansborg mehrere der wichtigsten Gebäude des Staats u. der Stadt (Meyer's CLex. 10, 251).

Slowaken s. Slawen.

Sluis = Schleuse, Stadt in Seel., wo die Gewässer der Gegend durch eine Schleuse z. Meere abgeführt werden, im 13. Jahrh. noch *Lammins-*, *Lambins-* od. *Lambertscliet*, wo *cliet* = kleiner Fluss, wohl nach einem gewissen heil. Bischof Lambert, 1241 in frz. Weise *Lesclusa*, das im 14. Jahrh. wiederholt zu *l'Ecluse* wird, der Form, die auch in der Napoleonschen Periode der officielle Name war, sonst häufig, schon 1360, *Sluus* u. so auch v. den Ortsbewohnern gespr., sonst seit 1814 in amtl. Gebrauche fast immer *S.* (Nom. GNeerl. 1, 15 f.).

Smaladumai = Theerrauch, v. lit. *smala* = Theer u. *dumas* = Rauch, ON. in preuss. Litauen, wohl nach Theerschwelereien, die dort gearbeitet hätten. Ebenso *Smalininkai* = Theerbrenner, deutsch *Schmaleninken*, u. der Nebenfluss der Memel, *Smaluje* = Theerfluss, wo *uje* = Fluss (Thomas, Tils. Pr. 27).

Smaland, im Sinne v. 'kleine Landstückchen', f. eine schwed. Prov., die, eine der unfruchtbarsten u. ärmsten des südl. Schweden, eine felsige Waldwüste, *skog*, nur hier u. da durch Ansiedler cultivirt wurde u. im Mittelalter weder den Dänen noch den Schweden angehörte. Der Name den kleinen Landstücke bezieht sich auf die 'nach Art v. Schönheitspflästerchen' den Wald unterbrechenden Culturstellen (Passarge, Schwed. 36). Man gewinnt den Eindruck einer american. Ansiedelg. Denn der *Smäländer* kann nur je einzelne Fleckchen der Wildniss abringen . . . So zieht er denn hinaus in die Waldwüste, sprengt mit Pulver die Felsen, brennt das Gestrüpp nieder, dessen verkohlte Strünke auch später noch hier u. da sonderbar aus dem Fruchtfelde herrorragen, scharrt die Pflanzendecke zs. u. zündet die Haufen an, deren mottende Masse weithin den Wald mit ihrem widrigen Rauche erfüllt . . . Die gesprengten Steinstücke häuft der Bauer ringsum in Wällen um sein neues Grundstück, u. nicht selten, z. sicherern Schutze des Heimwesens, stellt er auf diese Wälle noch eine Hecke v. schief geschichteten rohen Bretterschiefern . . .' (EEgli, Wand. 9). Dieser anschaulichen Darstellg. scheint die Geschichte zu widersprechen; *S.* war, 'wie der Name zeigt', mehr eine geogr. als administative Bezeichng.; denn es umfasste mehrere kleinere Landestheile od. Häräder, welche, als der Name aufkam, sich noch nicht zu einem ganzen zsgeschlossen hatten (Styffe, Skand. Un. 154). — *Small Kay* = kleiner Kamm, Insel des Nanhai, v. Capt. Wallis am 3. Nov. 1767 getauft (Hawk., Acc. 1, 283).

Smeerenberg = Talgberg, v. holl. *smeer* = Fett, Talg, Schmiere, im 17. Jahrh. eine holl. Colonie in Spitzb., f. den Walfang, Sammelplatz der Wal- u. Seehundsfänger, wg. der im grossen hier betriebenen Thransiederei, wie Zurichtg. v. Fischbein u. Haut (Wild, Niederl. 290), gelegen an der *holl. Bay*, wie es eine *dän., engl.* u. *Hamburger Bay* gab (Adelg., GSchiff. 277 f.), entspr. dem Theilungsvertrag, der 1619 einen langen, blutigen Streit beendete u. den Holl. z. B. *Amsterdam Eiland*, den Dänen *Danskö* u. *Dän. Bay*, den Basken *Biscayer Hoek* zutheilte (Torell u.

N., Schwed. Exp. 321). Während des Sommers lag der Hafen voller Schiffe. 'Zuw. lagen hier gleichzeitig 2—300 Schiffe mit üb. 12000 Mann Besatzg. Hier hatten sich Kaufleute u. Handwerker mit allem Erforderlichen etablirt; die Schiffe holten täglich ihr frisches Brod v. Lande, u. die Bäcker pflegten durch ein Signal anzudeuten, wenn es gebacken war. Im Jahre 1675 spricht man (Martens, Spitzb. R. 22) v. der holl. Colonie schon als etwas Vergangenem; doch existirten noch Wohnhäuser, mit Stube u. Kammer, Packhäuser, mit Fässern, Werkzeugen, eine Siedpfanne etc. Der Anon. der Bresl. Sammlg. (Adelg., GSchiff. 414) sah 1678 noch die 'Stelle', wo die Häuser 'gestanden'. Noch der engl. Capt. Phipps (NorthP. 68) sah am 11. Aug. 1773 auf Amsterdam E. 'the remains of some conveniencies erected by them for that purpose are still visible'. Heute sind v. den grossen Thransiedereien blos noch geringe Spuren übrig. 'Wie an so vielen Stellen auf Spitzb. erinnern nur die circa 60 Gräber an die zahlr. Menschen, welche sich einst — wenn auch nur vorübergehend — an diesen Küsten aufgehalten haben' (Torell & N., Schwed. Exp. 242. 334.

Smejewskaja Gora — Schlangenberg, auch *Smeo Gora* (Falk. Beitr. 1, 311 f.), russ. Name eines reichen Silberberges des Altai, wo bei der Entdeckg. der Minen 1736 eine so grosse Zahl v. Schlangen war, dass man zu deren Vertilgg. eigne Leute anstellen musste (Rose, Ural 1, 529, Laxm., Sib. Br. 87). Danach der Hüttenort *S. Kreposl*, schlechthin *Smeïnogorsk*, *Smeogorsk*, vulgo *Smejow* (Bär u. H., Beitr. 14, 130, Sommer, Taschb. 11, 148 od. *Zmeenogorsk* (Tschihatscheff, Alt. Or. 66). — *Zméieraia* s. Besch.

Smerit s. Bu.

Smiddedalen = Schmiedethal, im skandin. Gebirge, benannt nach einem längst eingegangenen Eisenwerk (Pontoppidan, Norw. 1, 81).

Smit, Lake de, engl. Trappername eines 5—6 km lg. Bergsees im Quellgebiet des Powder R. (s. d.), nach einem kathol. Priester, der mehrere Jahre unter den Indianerstämmen jener Gegend zugebracht hat (Raynolds, Eypl. 62).

Smith, Sir *Thomas*, neben Sir Dudley Digges, John Wostenholme u. Alderman Jones ein Förderer engl. Nordwestfahrten des 17. Jahrh. Im Dec. 1614, nach der verunglückten Fahrt des Capt. Gibbons, wusste er in der Versammlg. des Ausschusses der Londoner Kaufleute, dessen governor er war, trotz der geringen Ergebnisse der bisherigen Reisen den Beschluss zu erzielen, dass neue Exp. auszurüsten seien (Rundall, Voy. NW. 96, 98, 106). Die nächste Exp. führte im Sommer 1616 Capt. John Baffin hoch in das Baffins Meer hinauf u. erreichte dort unter andern Sunden, die v. 5.—8. Juli gesehen wurden, den *Sir Thomas Smith Sound* (ib. 139), welcher 200 Jahre später v. Ross z. Golf geschlossen, aber durch Inglefield (1852), Kane (1853 55) u. Hayes (1860/61) wieder z. 'Sund' geöffnet wurde (Peterm., GMitth. 13 T. 6); das american. Hydr. Off. hat den Namen

auf das nördl. anliegende Bassin übtr. u. den
Seehals selbst in *S. Channel* umgetauft (ib. 465).
Wohl in derselben prsl. Beziehg.: *c) S. Islands*,
vor Freman- od. Thymen-Str., Spitzb., schon in
Pellhams Carte 1631 eingetragen (ib. 17, 182),
während *d)* die *S. Islands* südwestl. v. Hawaii v.
engl. Capt. Johnstone, Schiff Cornwallis, am
14. Dec. 1807 nach seinem ersten Lieut. benannt
sind, demselben *S.*, welcher sich seither durch
seine hydrograph. Arbeiten im Mittelmeer berühmt
gemacht hat. Diese pacif. Inselgruppe, *Cornwallis Inseln* nach Kotzebue, wahrsch. vorher, wahrsch. 1786, durch den span. Piloten José
Camisares, auf der Ueberfahrt San Blas-Manila,
entdeckt: *Islas Camisares* (Krus., Mém. 2, 6 ff.
18. Meinicke, IStill. O. 2, 314): *i) S.'s Bay*,
im Gr. Bärensee, v. Capt. John Franklin (Sec.
Exp. 79) benannt nach einem der um seine Exp.
1825 27 verdienten Angestellten der Hudson's Bay
Co.; *f) S. Cape*, in Fury u. Hekla Str., v. Capt.
W. Edw. Parry (Sec. V. 289 ff. 359) im Juli 1822
nach Capt. Matthew *S.*, RN., benannt; *g) Cape
S.*, die neue Nordostspitze des spitzb. Nordost Ld.,
nebst *Leigh Gletscher* v. Engländer B. Leigh *S.*
1871 entdeckt, als er v. norweg. Capt. Erik A.
Ulve im Schoner Samson nach dem Eismeer geführt wurde (Peterm., GMitth. 18, 106 T. 6); *h)*
Cape S. s. Hewitt; *i) S. Inlet*, eine Einfahrt
South Victoria's, v. Capt. J. Cl. Ross (South. R.
1, 250 ff.) im Febr. 1841 entdeckt u. nach einem
seiner Officiere, Alexander J. S., v. Schiffe Erebus, benannt. — *S. Island*, mehrf.: *a)* im polaren
Jackman's Sd., v. Nordwestf. Mart. Frobisher
auf seiner zweiten Reise 1577 benannt nach demj.
Gefährten, der zuerst die z. Anschmelzen die
'Silbererzes' erforderliche Schmiede aufgerichtet
hat (Hakluyt. Pr. Nav. 3, 65, WHakl. S. 38. 134);
b) an der Ostküste Grönl., v. Walfgr. Will. Scoresby
jun. (NorthWF. 271) am 14. Aug. 1822 nach Sir
James Edward S., Praes. d. Linnean Society, benannt; *c)* s. Contrariétés; *d)* s. Moresby. — *S.*
River, 2mal: *a)* ein rseitg. Zufluss des obern
Missuri, unmittelbar obh. der Gr. Fälle, v. den
Captt. Lewis u. Cl. (Trav. 221) am 15. Juli 1805
zu Ehren des Marinesecretärs der Union; *b)* in
West-Austr., v. Capt. G. Grey (Two Expp. 1, 331;
2, 117) entdeckt 1838 u. nach seinem Reisegefährten Frederick S. benannt.

Smoczy s. Drache.

Smokey Cape = Rauchcap, auch mit der Form
smoky, smoakey, engl. ON. 2mal: *a)* in Tasmania, v. Capt. John Henry Cox im Juli 1789
so getauft, weil am 9. sein dritter Steuermann
dort, einem Rauch nachgehend, vschiedd. Eingb.
traf, die mit Stücken brennenden Holzes in der
Hand davon liefen. 'Den andern Morgen sahen
wir wieder beinahe in eben der Richtg. einen
Rauch u. gingen so weit als möglich nach dem
Orte zu. So wie wir uns dem Ufer näherten,
sahen wir verschiedene Eingb. rings um das Feuer
zw. den Bäumen gehen; einige trugen sehr lange
Stangen u. Stücke brennenden Holzes in den
Händen . . . Unser erster u. dritter Steuermann

u. ich (Lieut. Georg Mortimer) folgten, um etwas
mehr v. diesen sonderbaren Leuten zu erfahren,
so nahe als möglich der Spur des Weges, den
sie — unserm Vermuthen nach — genommen
hatten. Nachdem wir ungefähr eine Meile weit
gegangen waren, sahen wir Rauch auf einer Anhöhe u. eilten, was wir konnten, darauf zu; allein
die Eingb. waren schon geflohen . . . Sie hatten
ein grosses Feuer angezündet . . . Wir setzten uns
um dasselbe u. verzehrten unsere kalte Küche...'
(GForster, GReis. 3. 181 ff.); *b)* in NSouthWales,
v. Cook am 13. Mai 1770 getauft, weil die Feuer
der Eingb. eine grosse Masse Rauch, a great quantity of smoke, erzeugten (Hawkesw., Acc. 3, 106).
— *S. Bay*, ebf. 2mal: *a)* in Alaska, ebf. v.
Cook (-King, Pac. 2, 385), der am 25. Mai 1778
Rauch auf Pt. Banks erblickte; *b)* in Süd-Austr.,
wo Capt. Matth. Flinders (TA. 1, 112) am 6. Febr.
1802 zahlr. Rauchwolken v. Strande aufsteigen
sah . . . 'the number of smokes rising from the
shores of this wide. open place', bei der Exp.
Baudin *Baie Louis* (Krus., Mém. 1, 39). — *Smoke*
Creek, ein kleiner Ikseitg. Zufluss des Missuri,
obh. des Big Bend (s. d.), v. den Captt. Lewis
u. Cl. (Trav. 59) am 23. Sept. 1804 so benannt,
weil bei der Annäherg. ein grosser Rauch nach
Südwesten zu sehen war. Man war seit einiger
Zeit auf das Erscheinen der Sioux gespannt.

Smola = Harz, Pech, čech. u. serb. Wort, pol.
smola, adj. *smolny*, *smolina*, ferner *smolin* =
Erdharz, *smolina* u. *smolnice* = Kien, Kienholz,
smolnik = Pechbrenner, in den slav. ON. Smo-
lec, Smolin, Smolina, Smoliwetz, Smolkau,
Smolná, Smolnitz, Smolow, Smolice, Smolka,
Smolna, Smolnica, Smolnik, Smolno, Smolinsko,
Smolnice (Miklosich, ON. App. 2, 235). Auch der
russ. ON. *Smolensk* wird dieser Familie angehören.

Smooth Island = glatte Insel, ein grasiges Eiland
im DerwentG., Tasmania, v. Lieut. Flinders (TA.
1, CLXXXII Atl. 7) am 15. Dec. 1798 entdeckt
u. benannt.

Smrk od. *smrč* = Fichte, plur. smrkovi. čech.
Wort, poln. *smerek*, *smereka*, *smrok*, während
serb. *smréka* = Wachholder, die erste Bedeutg.
in den böhm.-mähr. ON. Smrč, Smrček, Smrčensko,
Smrči, Smrčna, Smrčeny, Smrk = Fichtenberg,
in den westl. Karpaten, *Smrkova*, *Smrkovic*,
Smrkow, *Smrkowitz* u. in den galiz. ON. Sme-
reczka, Smereczków, Smerezne, Smerek, Sme-
rekowice, die zweite Bedeutg. in den kroat. u.
ung. ON. Smerečje, Smerekari, Smerekova (Miklosich, ON. App. 2, 235). Vgl. Semering.

Smyth, Cape, in Alaska, auf Elson's Bootfahrt
im Aug. 1826 entdeckt u. v. Capt. Beechey (Narr.
1, 302) getauft nach dem zweiten Officier des
Expeditionsboots, William S., admiralty mate, wie
schon im Jan. d. J. S.'s *Islands*, in der Gambier
Gr. (ib. 1, 133 Carte). Es gilt diese Nomenclatur
wohl dem spätern Contre-Admiral d. N., der mit
Low 1834 36 in Süd-America reiste, 1836 Back
z. Repulse Bay begleitete u. 1877 †. — Einem
andern S., Capt. Will. Henry S., RN., Präsidenten der R. Astron. Society, galten 2 v. J. Cl.

Ross eingeführte ON. *a) Point S.*, in King William's Ld., am 4. Juni 1830, in der Carte (Sec. V. 422) durch *Cape Norton* ersetzt (Peterm., GMitth. 5 T. 18); *b) S. Island*, bei den Balleny Is., am 2. März 1841 (SouthR. 1, 267).

Snaefells Jökull = Schneeberg heisst der 'herrliche' Berg, mit welchem die mittlere Halbinsel der Westküste Islands abschliesst u. dessen Schneedecke 'im Sonnenlichte magisch glänzte' . . . det andra näset, som ytterst prydes af den 6000 fot höga, snöhöljda och af skyar omkransade *SJ.* (Hildebr., Sagot. 11). Dieser höchste Berg West-Islands, ist seit Jahrhh. erloschener Vulcan, ist kaum halb so hoch wie der St. Gotthard; dafür aber erglänzt seine ganze mit Schnee umkleidete, aus dem Meere auftauchende Pyramidengestalt beim Sonnenuntergang in rothem Schimmer u. gewährt ein ganz einziges Schauspiel . . . Sehr grell sticht ab gg. die blendende Weisse des *SJ.* der schwerfällige dunkle Esja, hie u. da noch mit einem Fetzen seines winterlichen Kleides den schwarzen Basalt bedeckend . . . ' (Preyer-Z., Isl. 29. 36). — *Sneafell* = Schneeberg, der Culm der Insel Man, die einst der eig. Hptsitz normann. Macht in den 'Western Islands' war (Worsaae, Mind. Danske 347). — *Sneehäitan* = die Schneenaube (der Artikel in der Endg. *n*), ein Berg des Dovre Fjeld (Schouw, Eur. 6) . . . 'die zerrissene Pyramide stand wie ein verlorner Posten im weiten, v. Leben geflohenen Raum . . . tausend Funken flimmerten auf der harten Schneedecke des obersten Abhangs' (Peterm., GMitth. 22, 127). — *Sneeland*, eine Insel an der Südküste der Hudson's Str., v. dän. Capt. Munck am 10. Aug. 1619 so benannt, weil sie noch völlig unter Schnee lag (WHakl. S. 18, 241). — *Snötoppen* = die Schneekuppe, wo *topp* = Kuppe mit Artikel-*en*, in Nordost Ld., Spitzb., ein 600 m h. Gipfel, im ganzen Plateau noch allein mit Schnee bedeckt, als die schwed. Exp. 1861 zugegen war (Peterm., GMitth. 10, 132). — *Sneeuw Berge*, die hohe östl. Fortsetzg. der Winterberge, Capl., wo in der Regenzeit alles in Schnee gehüllt ist (Lichtenst., SAfr. 1, 600; 2, 4). — *Snjoland* s. Island.

Snake River, einer der Quellflüsse des Oregon R., seit der Exp. Lewis u. Clarke 1804/06 auch *Lewis River* (wie der nördl. Arm *Clarke's River*), als *S. River* benannt nach den S. od. *Serpentine Indians* = Schlangen-Indianern, die an seinen Ufern hausten. Das Motiv der letztern Bezeichng. finde ich, auch in Lewis u. Cl. (Trav. 10) od. Raynolds (Expl. 86), nicht. — Dagg. gibt es *S. Bluffs*, einige hohe Uferfelsen am untern Missuri, in der Nähe des *S. Creek*, benannt nach der Menge v. Schlangen (Lewis u. Cl., Trav. 10). — *S. Island a)* s. Anguilla; *b)* s. Galveston.

Snapper Bank, in Houtman's Abrolhos, v. Capt. Stokes (Disc. 2, 147) im Apr. 1840 benannt nach der ungeheuern Menge *snapper*, d. i. Klapperfischen.

Snelling, Fort, eine Anlage an der Confl. Missisipi-Minnesota R., auf fast 100 m h. Warte, die

beiden Flussthäler übwachend u. beherrschend, angeregt 1817 in Major Long's Bericht an den Kriegsminister. Am 17. Sept. 1819 errichtete Oberst Leavenworth, der mit 300 Mann v. 6. Regiment v. Detroit üb. Green Bay u. Prairie du Chien u. v. hier den Missisipi herauf gekommen war, ein Cantonnement auf der rechten Seite des Minnesota R., u. bis die hölzernen Winterhäuser erbaut waren, wurde es December. Als im folg. Sommer Leavenworth versetzt wurde, übernahm Josiah S. (geb. 1782 in Boston, † 28. Aug. 1827) den Befehl u. vollendete den Bau 1822. Bis z. Besuche des General Scott, 1824, hiess das Fort nach den nahen Fällen *St. Anthony* (Coll. Minn. HS. 1, 174. 200. 420 ff.).

Snodgrass Lagoon, eine Wasserlache im obern Gebiete des Darling, schon 1831 bei der frühern Reise v. Major Mitchell (Trop. Austr. 400) nach Oberst *S.* benannt.

Snow Hill = Schneeberg, eine zu 600 m ansteigende Bergmasse v. SShetland, welche, mit perennirendem Schnee völlig bedeckt, nicht einen nackt vortretenden Felsen zeigt, v. Capt. J. Cl. Ross (SouthR. 2, 344) am 6. Jan. 1843 so getauft; *b) S. Island*, mit *Low Island* = niedrige Insel eines der schneebelasteten Landstücke in SShetl. (Hertha 9, 454 f.); *c) S. River*, ein rseitg. Zufluss des Missuri, unth. der Gr. Fälle, die Sammelrinne der Schneeschmelze eines nahen Bergzugs, 'covered with snow', die man am 1. Juni 1805 erblickte u. als Vorboten der Rocky Ms. begrüsste, am 13. v. Capt. Clarke erreicht u. getauft 'as it is the channel for the melted snow of that mountain' (Lewis u. Cl., Trav. 176. 196). In adj. Form *a) Snowy Mountains* — beschneite od. schneebedeckte Berge nannte 1871 der Geolog F. V. Hayden (Prel. Rep. 54) die Bergkette, welche die obere u. untere Thalstufe des Yellowstone R. trennt, als diejenige, die oft allein in der Gegend eine Schneehaube trägt u. 1875 der Exp. Ludlow (Caroll 14) am stärksten 'snow-crowned' erschien. 'On the east side of the Yellowstone the eye takes in at a glance one of the most symmetrical and remarkable ranges of mountains I have ever seen in the West. Several of my party who had visited Europe regarded this range as in no way inferior in beauty to any of that far-famed country. A series of cone-shaped peaks, looking like gigantic pyramids, are grouped along the east side of the valley for thirty or forty miles, with their bald, dark summits covered with perpetual snow, the vegetation growing thinner and smaller as we ascend the almost vertical sides, until, long before reaching the summits, it has entirely disappeared'; *b) Snowy River*, ein Fluss Victoria's, in den Austral-Alpen entspringend, wo der Schneefall sehr stark u. selbst im Hochsommer der Frühmorgen so kalt ist, dass das Wasser in Tümpeln gefriert u. die Alpenmatten sich mit Reif bedecken. Thau, Regen u. Schnee nähren viele Quellen, u. zahlr. Bäche vereinigen sich zu dem 'Schneefluss', der v. der Schneeschmelze derartig ansteigt, dass seine

braunen Fluten das ganze Thal erfüllen (Rundsch.
f. Geogr. 11, 23 ff.). — Auch der *Snowdon*, der
lange beschneite Culm des Gebirgslandes Wales,
wird als 'Schneeberg' erklärt, v. ags. *snaw* =
Schnee u. *dun* = Berg, wie die ganze Gruppe
kymr. *Creigiau yr Eryri*, *Kreigieu Eryreu* =
Schneefelsen heisse (Charnock, LEtym. 251). In
Engl. hatte man früher übmässige Vorstellungen
v. den Schneelagern der 'Brit. Alpen', wie Camden (-Gibson, Brit. 2, 53) das Gebirge v. Wales
gern genannt hätte; die erhärteten Krusten permanenten Schnee's sollten viele Jahre ausdauern.
Dieses Bild hielt jedoch nicht Stand, u. Camdens
Commentator vermuthete sogar, die Angelsachsen
könnten 'Schneefelsen' verstanden haben f. *Kreigieu'r Eira* = Adlerfelsen, dem wirkl. kymr.
Namen, entnommen der Menge dieser Vögel, die
einst hier in übgrosser Menge brüteten, zu seiner
Zeit jedoch nur noch spärl. auf Besuch erschienen.
Snug Cove = wohl verwahrte Bucht, der nordwestl. Arm v. Two-fold Bay, v. George Bass am
15. Febr. 1798 so benannt, weil sie im Ggsatz
z. Hpttheil sehr sicher ist . . . 'that it afforded
shelter for shipping' . . . although it (näml. die
Bay) is for the most part too open and exposed
to easterly winds for large ships, yet it has a
cove on its northern side, in which small vessels
find secure anchorage and a convenient place for
stopping at . . .' Dabei *S. Cove Cape* (King, Austr.
1, 3, Flinders, TA. 1, CXVIII Atl. 6). — *S. Corner Bay* = wohlverwahrte Winkelbucht, eine kl.,
vor allen Winden geschützte, z. Ankern günstige,
v. bewaldeten Bergen umschlossene Bucht Alaska's
'and a very snug place it is', v. Capt. Cook
(-King, Pac. 2, 361) am 16. Mai 1778 benannt.
Sö s. Sjaeland.
Só = Salz. adj. *sós* = salzig, mag. Element
der ung. ON. *Sóskút* = salziger Brunnen, *Sóstó*
= salziger See, *Sóvár* = Salzburg (Umlaut,
ÖUng. NB. 224).
Soana s. Susa.
Soapsuds Cove = Bucht des Seifenwassers, in
Dawson I., Feuerl., wo die Mannschaft des Deck-
boots Hope, Exp. Adv.-B. (Fitzroy 1, 46), im Febr.
1827 ihre Kleider wusch.
Sobota u. **Sobotka G.** s. Zobten.
Sobsk s. Salairsk.
Sochondo = Stirnberg, v. tung. *socho* = Stirn,
vorderste Stelle, eine Gebirgsmasse im Quellgebiet der Flüsse Onon u. Ingoda (Bär u. H.,
Beitr. 23, 457. 679).
Society Islands = Gesellschafts In., ein polyn.
Arch. mit 14, davon 10 hohe, Berginseln, theilw.
schon v. Quiros 1606, u. erst wieder v. Wallis 1767
entdeckt (s. Taiti), v. Cook 1769 offb. nach dem
gesellig-heitern u. zuthunlich-offenen Wesen der
Insulaner, deren Diebssinn übr. eben so ausgezeichnet war: 'the people of this country, of all
ranks, men and women, are the errantest thieves
upon the face of the earth' (Hawk., Acc. 2, 80 ff.),
in Wirklichk. aber zu Ehren der Kön. Gesellschaft der Wissenschaften benannt, welche die
Ausseudg. eines Schiffs verlangt hatte, um in der

Südsee den Venusdurchgang vor der Sonnen-
scheibe zu betrachten. Uebr. beschränkte auch
Cook ausdrückl. (ib. 270) den Namen auf die
mit Huaheine beginnende westl. Section, während
die östl., mit Taíti, *Georgian Islands*, beides
noch j. so bei den Missionären, heissen (Bennett,
Narr. 1, 61, Meinicke, IStill. O. 2, 151 f.). Forster
dehnte Cooks Nomenclatur auch auf die östl.
Gruppe aus: 'Otaheiti . . . mit den übrigen SI.'
(Bemerk. 11). u. der frz. Capt. Bougainville (Voy.
236, pl. 8) hatte 1768 *Archipel de Bourbon*
(s. d.) vorgeschlagen. Im Lande selbst unterscheidet man mit Vorliebe: *a) Leeward Islands*,
die westl., *b) Windwards Islands*, die östl., ganz
wie in den Kleinen Antillen (s. d.).
Soconusco, azt. *Xoconochco* = Ort der Tuna-
art *xoconochtli* (v. *nochtli* = Nopal), eine central-
american. Prov. u. Stadt, sowie ein Vulcan daselbst, am Pacific. Wahrsch. an der Stelle der
alten Hptstadt liegt die j. Hacienda *Soconus-
quillo* = Klein-*S*. (span. dim.). Der Name *S*.
wiederholt sich in der Form *Hoconusco*, f. eine
Hacienda zw. Temascaltepec u. Zitaquaro (Buch-
mann, Azt. ON. 123).
Socorro = Hilfe, gern in Verbindg. mit *Nuestra
Señora* (s. d.), f. sich in *Isla del S*. (s. Revillagigedo).
Soda Springs, Quellen am u. im Bear R., einem
Zuflusse des Grossen Salzsee's. 'There is a large
amount of carbonic acid gas present in the water,
and its escape is so violent that the water is
thrown to the height of one or two feet from
the basin. It seems as though the water were
boiling, so violent is its agitation. The temperature, however, is only $85^1/_2^0$ F. (= 30_8^0 C.).
The taste of the water is agreeably pungent, and
slightly metallic from the presence of iron (Hayden,
Prel. Rep. 193). This — es ist v. der erstbe-
suchten die Rede — is the spring that Frémont
name dthe *Steamboat Spring* = Dampfbootquelle
(v. dem heftigen, dampfartigen Ausströmen der
Kohlensäure); *b) S. Geyser*, im obern Becken
des Fire Hole, der mit grosser Regelmässigkeit alle
10 Minuten das Wasser 3 m h. ausspeit, ähnl. einem
Sodabrunnen, 'resembling very much a soda-
fountain, whence its name' (ib. 186); *c) S. Mountain*, gew. *Sulphur Springs* = Schwefelquelle,
eine der merkwürdigsten Stellen des Nationalparks,
in der Nähe des (untern) Alum Creek. Hier sind
40—50 Acres mit beruhigten u. thätigen Geysir
u. ihren Niederschlägen bedeckt u. reiner Schwefel
in beträchtl. Menge üb. die Fläche vertheilt. Verschiedd. Springquellen wallen heftig auf, eine zu
1 m Höhe, u. schiessen dicke Dampfsäulen empor
(Ludlow, Carroll 23); *d) S. Lake*, eine Mulde der
Wüste Mohave, wo Natronsalze aus dem Boden
blühen. Eine See ist nicht vorhanden, der Name
also uneigentlich; aber die Efflorescenzen schreibt
man dem Vertrocknen eines ehm. See's zu (Peterm.,
GMitth. 22, 335). — Ein arab. *Soda* s. Sudan.
Söder s. (s. d.), in den schwed. ON. *Söderhamn*, *Söderköping*, *Södermalm*, *Södertelje* (s.
Norr., *Södermöre* (s. Kolmorden). *Södermanland*

(s. Sverige) etc., wie *sönder* in den dän. *Sönderby*, 1299 *Sundarby* = Südstadt, *Sönderup*, 1180 *Syndaethorp* = Süddorf, *Söndersted*, *Sönderstrup* u. a. (Madsen, Sjael. StN. 305). **Söhel** od. *Sahel* = Meergestade, auch plaine (briefl. Mitth. v. Dr. Delgeur, Antwerpen, v. 18. Dec. 1870) od. 'Ebene als Niederung' (Humb., ANat. 1, 338), arab. Name der Küstenniederg. der Beni Amer, Barka, i. e. der nördl. Fortsetzg. des Samhar (Munzinger, OAfr. St. 275, Peterm., GMitth. 13, 170). Das 'Meergestade' auch bei Parmentier, der (Vocab. arabe 44) die Hügelgegend des alger. Litorals als *Sahel* bezeichnet. S. Sahara.

Sömmering s. Semering.

Sofâla, bei Jaqut *Sufâla* = Niederland, v. arab. *sáfala* = niedrig sein, *sáfal* = niedrig, unten befindlich, *safâl* u. *sufûl* = Niedrigkeit, ON. der ostafric. Küste (Paulitschke, Progr. 1884,30, Meyer's CLex. 14, 732). Die Betong. der Penultima ist schon v. Camões (Lus. 1, Str. 54) richtig vorgeschrieben, da er *S*. auf *habitalla* reimt.

Sofia s. Sophia.

Sogd(iana) s. Serafschan.

Soghan = Zwiebel, mehrf. in türk. ON. wie *S.-Dagh*, Berg bei Kaisarie, *S.-Köi*, Dorf bei Ismid, *Soghanly* = zwiebelreich, Ort bei Kara Burun (Tschihatscheff, Reis. 33. 44. 68).

Sognolles, ON. des dép. Seine-et-Marne, nach Houzé (Et. NLieux 36 ff.) urk. 1229 *Ciconiolis*. bedeutet 'die kleinen Störche'. Aehnl. *Sogne*, Yonne, *Seugne*, Saone-et-Loire, la *Sogne*, Eure, *Mont Seugny*, Haute-Saône, *Chuignes* u. dim. *Chuignolles*, Somme, *Chogne*, Saône-et-Loire, *Solgne*, Mosel, deutlicher *Cicogne*, Nièvre, *Cicogné*, Indre-et-Loire, *Cigunuela*, Spanien.

Sohawch Creek, ein kleiner, rseitg. Zufluss des Missuri, obh. Cheyenne R., v. den Captt. Lewis u. Cl. (Trav. 80) am 16. Oct. 1804 getauft nach dem ind. (Ricara-) Worte *sohawch* = Mädchen, gerade wieder benachb. *Chapawt Creek*, v. *chapawt* = Weib. Aus den Berichten wird klar genug, dass die ind. Frauen u. Mädchen keineswegs gleichgültige Erscheinungen f. die Americaner der Exp. waren.

Soimonoff, Cap, in Sachalin, v. Capt. J. A. v. Krusenst. (Reis. 2, 94) am 22. Mai 1805 getauft 'z. Andenken eines verdienstvollen Seeofficiers unter der Regierg. Peters d. Gr.'

Soissons, Ort des frz. dép. Aisne, angebl. ein kelt. *Noviodunum*, wovon aber unsere Specialquelle nichts sagt, das Haupt der *Suessonen* = der wohl placirten (Houzé, Ét. NL. 86, Baem., AWand. 12), zu Augustus' Zeit 'in eine kaiserl. röm. *Augusta Suessonum* umgeschmeichelt', bei Ptol. *Αὐγούστα Σουεσσόνων*, in der Peut. Taf. *Augusta Suessionum*, bei Aethicus *Suessonas*, bei Greg. v. Tours im acc. *Suessionas*, im abl. *Suessionibus*, 561 *Suessio*, 564 *Suessiones* urbs, 841 *Suescio*, 1268 *Soisson*, 1272 *Soyssons*, 1406 *Suéssons*, 1491 *Soyssons*, das Umland 584 *Suessionicus pagus* (Dict. top. Fr. 10, 262).

Sokol = Falke(nnest), ein serb. Bergschloss, v. seiner steilen Lage (Hammer-P., Osm. R. 3, 280).

Ich weiss nicht, ob der Name wiederkehrt in dem bulg. Kloster *Sakol* bei Trnow, das gew. nach seinem heil. Namen *Bogoroditsa* = Gottesmutter benannt ist (Barth, RTürk. 21). — Es gibt noch viele andere ON. mit *sokol* (Miklosich, ON. App. 2, 236).

Sokotora, auch *Socotra*, besser *Soqótrā*, bei Jaqut *Suqútra*, bei Moqaddassi *Usqûtra*, bei Ibn Batuta *Scutrah*, *Sokothrah*, bei MPolo *Scoira*, bei Galvão (Desc. 106) *Sacatóraa*, gr. *Διοσχορίδου νῆσος*, lat. *Dioscorida*, ind. *Diu Zokotora*, verd. aus skr. *Dwîpa Sukhatara* = glückselige Insel, wie schon Diod. Sic. (3, 47) in *Νῆσοι εὐδαίμονες* übersetzte (Lassen, Ind. A. 1, 748, Pauthier, MPolo 2, 674). Trotz dieser Zeugnisse, die auch Kiepert (Lehrb. AG. 210) nur vorsichtig anhört, ist die Ansicht, *S*. könnte v. *katir*, dem Vulgärnamen des berühmten Drachenblutes abgeleitet sein (Sprenger, AGArab. 88), keineswegs zu übersehen, u. diese Ansicht vertritt auch Paulitschke (Progr. 1884, 29).

Sol = Sonne, gen. *solis*, entspr. gr. Helios (s. d.) u. daher in lat. ON. *a) Aquae Solis* s. Bath; *b) Solis oppidum* u. *Solis promontorium* s. Heliopolis. — *el Templo del S.* s. Pachacamak.

Sol, besser *ssol* = Salz, slaw. Wort, poln. *sól*, čech. *sul* u. die adj. *slan*, *slany*, *solná* = salzig, gesalzen, sowie *slatina* = Salzquelle, übhpt. salziges od. säuerl. Wasser, auch Moorgrund, Sumpf, in slaw. ON. häufig wie *Slana*, *Slanik*, *Slano*, *Slatina*, *Slatinac*, *Slatnik*, *Slatinka*, *Slatinky*, *Slatinsky Dol*, *Slatna*, *Slatinan*, in den slaw. Ländern Oesterr., ferner *S.*, *Solce*, *Solec*, *Solina*, *Solinka*, *Solka*, in Galiz., *Solan*, *Solenitz*, *Soletz*, in Böhm., *Solin*, *Soline*, in Dalmat., *Solná Lhota*, deutsch *Salzweg*, Ort, durch den das Salz dem Binnenlande zugeführt wurde, ù. *Solnice* = Salzdépôt, beide in Böhmen, *Solonetz*, *Soloniec* u. *Solonka*, in Galiz. *Sulow* = Salzberg, in den Karpaten, wo Mähr., Schles. u. Ung. zsstossen (Miklosich, ON. App. 2, 234 ff., Umlauft, ÖUng. NB. 219 ff., ZfSchulGeogr. 4, 28).

Sola s. Pijlstaart.

Solach s. Sulgen.

Solea s. Sela.

Solgne s. Sognolles.

Soli s. Sela.

Solid s. Alexis.

Solikamsk, besser *Ssolikamsk* od. *Ssolkamskaja* = Salzstadt an der Kama (s. Sol), tat. *Tscholman Kala* = Veste am Tscholman (s. Kama), das Centrum der seit der Colonisation der Stroganow 1558 angelegten, 7 km weit an beiden Flussufern ausgedehnten Salzwerke v. Ussolje, Dedjuchin, Orel Gorodok u. Lenwa, die den ganzen Norden Russlands mit Salz versehen (Peterm., GMitth. 20, 141, Müller, Ugr. V. 2, 341, Falk, Beitr. 1, 202). — Aehnlich *Solwytschegodsk* = Salzstadt an der Wytschegda, syrj. *Stollor*, wo ebf. die Stroganow die erste Salzsiederei begründeten, die zahlr. Soolen j. aber versiegt sind (Müller, Ugr. V. 1, 342, Meyer's CLex. 14, 864). — Permische Hüttenorte: *Ta-*

mansk, am Taman, einem rseitg. Zuflusse der Kama, *Poschwinsk*, am d⁰ Poschwinka, *Tschernask*, am d⁰ Tschernas, *Wisimsk*, an der Wisimka, einem Ikseitg. Zuflusse der Kama, *Domriansk*, an der Domrianka, welche ebf. v. der Linken in die Kama fällt, *Roschestwensk*, an der Roschestwenka, *Motowilichnisk*, an der Motowilicha-Kama, *Jagoschichinsk* (s. Perm), *Nitwinsk*, an der Nitwa, einem rseitg. Zuflusse der Kama, *Jugokamsk*, an der Confl. Jug-Kama, *Otschersk*, am Otscher, einem rseitg. Zuflusse der Kama, *Polewsk*, an der Polewaja-Tschussowaja, *Sewersk* am Sewer, ebf. Ikseitg. Zufluss der Tschussowaja, *Rewdinsk*, am d⁰ Rewda, *Schaitansk* (s. d.), *Bilimbajewsk*, am Zuflusse gl. N., *Utkinsk* (s. d.), *Serebrjansk* (s. d.), *Kinowsk*, an der Kinowka-Tschussowaja, *Kuswa Alexandrowsk*, am Bache Kuswa, welcher in die Koiwa-Tschussowaja mündet, *Sylwinsk*, an der Sylwa, *Tissowsk*, am Tis, einem Ikseitg. Tributären der Sylwa, *Irginsk*, am Flusse Irgina (-Sylwa), *Krasnojarsk* (s. d.), *Suksunsk*, am Suksun-Sylwa, *Schakwinsk*, an der Schakwa-Sylwa, *Uisk*, am Ui, einem Ikseitg. Zuflusse des Iren-Sylwa, *Aschapsk*, am d⁰ Aschap, *Jugowsk*, am Jug, der durch die Turka in die Linke des Iren fällt, *Bimowsk*, am Bim, einem Ikseitg. Zuflusse des Iren, *Bisertsk* (s. Burgusinsk), *Kuraschinsk*, am Bache Kuraschin, welcher in die Babka mündet (Falk, Beitr. 207 ff.).

Solander's Island, eine kleine, üb. 335 m h. Insel am Südende NSeelands, v. Cook am 11. März 1770 benannt nach dem schwed. Botaniker *S.*, welcher, ein Schüler Linné's, die Exp. mitmachte (Hawk., Acc. 3, 19). — *Point S.* s. Banks.

Soliman, Koh-i od. *Koh-i-Suleiman* — *S.'s* Gebirge, pers. Name des afghan.-ind. Grenzgebirges, zunächst als *Tacht-i-S.* — *S.'s* Thron, seines Culms, wo, der oriental. Sage zuf., der muhammedan. Eroberer *S.* wieder umgekehrt ist (Schlagw., Gloss. 211, Lassen, Ind.A. 1, 37, Pauthier, MPolo 1, 115, Elphinst., Cab. 1, 163, Ibn Batuta, Trav. 99). — Der 'Salomonsthron' wiederholt sich im Morgenlande: *b)* eine Felsburg in Kaschmir ... 'Salomon l'a fait bâtir, lorsqu'il vint à Kachemire; mais je ne sçay s'ils nous pourraient bien prouver qu'il eût fait ce long voyage' (Bernier, Gr. Mog. 2, 90. 243, Schlagw., Gloss. 250); *c)* ein Berg in Usch, Turkestan, v. den Muselmännern mit Verehrg. betrachtet, weil auf ihm, nach der Sage, ein ehm. Beherrscher dieser Gegend, *S.*, Gericht zu halten pflegte, wobei er stets v. 2 ungewöhnlichen Hunden begleitet war ... *S.* zu Ehren hat man auf diesem Berge ein hübsches, viereckiges Backsteingebäude errichtet; den Hunden z. Andenken aber bewahrt man 2 steinerne Schalen auf, aus denen ihr Herr sie gefüttert haben soll. Das Gebäude ist das einzige auf dem Berge u. steht in solchem Ansehen, dass die Reisenden der Karawane hier ein Schaf opfern (Bär u. H., Beitr. 2, 100); *d)* ein Berg bei Täbris, mit Ruinen gekrönt, die Rawlinsonals die Reste der einen tiefen, blauen Bergsee umstehenden Stadt *Kanzaka*, der Hptstadt Atropatene's, bei Strabo

u. Plinius *Γάζα*, bei Ptol. u. Amm. Marc. *Γάζαχα*, byz. *Κάνζαχα*, *Κάνζαχον*, bei den Armeniern *Gandag*, erwiesen hat (Spiegel, Eran.A. 1, 131 ff., Hammer-P., Osm.R. 3, 322). — *Solimani* s. Afghanen.

Solimões s. Amazonas.

Solís s. Plata.

Solitaria, Isla = einsames Eiland, eine runde Koralleninsel nördl. v. Samoa, weit v. anderm Lande entlegen, einh. *Olosenga*, v. span. Seef. Mendaña am 29. Aug. 1595 'por ser sola' benannt (WHakl. S. 39, 69, Krus., Mém. 1, 27, Zaragoza, VQuirós 1, 54; 3, 45, Fleurieu, Dec. 23, Debrosses, HNav. 163), bei Capt. Hudson, Exp. Wilkes, am 22. Jan. 1841 *Swain Island*, nach *S.*, dem Hochbootsmann eines Walfgrs, welcher ihm das Dasein der Insel mitgetheilt hatte (Peterm., GMitth. 5, 184 T. 8), auf Carten auch *Quiros*, in der irrigen Ansicht, sie sei dessen Isla de la Gente Hermosa (Meinicke, IStill. O. 2, 128). — *Solitarium* s. Einsiedeln.

Solitary Island = einsame Insel *a)* ein vereinzeltes Küsteneiland v. De Witt's Ld., v. engl. Capt. Stokes (Disc. 2, 372) am 15. Oct. 1841 benannt 'from its lonely situation'; *b)* s. Deux. — *S. Isles*, einige vereinzelte Felseilande in NSouth Wales, v. Cook am 14. Mai 1770 getauft (Hawk., Acc. 3. 107, Carte). — *S. Creek*, ein Fluss der austr. Blue Ms., auf der Passroute v. Mt. Victoria das erste Gewässer, welches nach der Binnenseite des Continents fliesst, während alle bis dahin überschrittenen Flüsse z. Ostküste ziehen (Mitchell, Three Exp. 1, 157).

Solnhofen, latin. *Solonis Curia*, die bekannte bayr. Stadt, ist nach dem angelsächs. Einsiedler Sola, der 858 mit Willibald u. a. in die Gegend kam, ggr. worden (Cassel, Hohz. 29, Daniel, Hdb. Geogr. 4, 707).

Solo s. Surakarta.

Soloeis s. Sela.

Solomenskoi, ein Felseiland im Logmosee des Onega, nördl. v. Petrosawodsk, früher *Salminskoi*, *Salominskoi*, v. finn. *salmi*, dem Ausdruck f. enge Durchfahrten, weil die Bucht mit dem Hauptgewässer durch eine solche verbunden ist (Bär u. H., Beitr. 2. F. 5, 83).

Solotaja Sopka = Goldgipfel, russ. Name der niedrigern der beiden Kuppen der Wogulskaja Gora (s. d.), nach dem anliegenden Goldseifen, die auch nach Eingehen der Eisen- u. Kupferhütten v. Petropawlowsk noch im Betriebe blieben (Bär u. H., Beitr. 5, 66 f.).

Solothurn, schweiz. ON., kelt. *Salodurum*, ist durch mehrfache Annahmen gegangen, bald ein gr. ἅλς u. δῶρον, *salis donum*, bald, wie bei 'dem berühmten Frantzösischen History-Schreiber Jacobus de Charron', ein *Sola turris*, *Solis turris* — Sonnenthurm, der 'mitten drin steht'; allein diese ältern Scribenten sind dem einh. Chronisten Franz Haffner (Soloth. Allg. Schaw-Platz 1666) nicht gründlich genug, weilen die alten Celten od. Helvetier sich weder der lat., griech., noch anderer frembden, sonder jhrer eygenen Sprach

* gebraucht haben'. Offenbar sei besser *Salodors*
Durn (= Furi); denn die Stadt sei die v. *Salo-
dor*, einem Sohn des Ninus, gestiftete Schwester
Triers, älter als Jerusalem, weit älter als Rom.
Solothurn der vil alte Stam
bei Abrahams Zeit sein Vrsprung nam.
Viell. auch sei 'Salzburn, Salzbrunn', anzunehmen
od., mit dem Solothurner Franciscaner Petrus
Martinus, 'Goldthurn'; die letztere Annahme recht-
fertige der goldhaltige Sand der Aare, wie ja auch
Strabo (lib. IV) der reichen Goldgruben der Sa-
lossijs gedenke, eines Volks, mit dem 'er vielleicht
die Salzgäwer od. Solothurner meinet'. Diese
Salyer versetzt nun freil. 1747 der gelehrte Keltomane L. de Bochat (Mém. Crit. 1, 102 ff.) nach
dem südl. Gallien; aber wie sie ihm 'ein Volk
am Fluss- od. Meeresufer' sind, so ist ihm auch
Salodurum 'simplement un lieu placé sur l'Eau
ou la Rivière des Saliens', wie ihm der *Salz-* od.
Selzgau, die Gegend zw. *S.* u. Biel, als District,
das Dorf *Salzach* od. *Selzach* als Ort der Salier
erscheint. Nach Brosi (Geschichtsfr. 6, 189 ff.) erscheint der Name *Salodurum* zuerst 219 auf dem
Epona - Monument, dann urk. noch so im 9. u.
10. Jahrh., im 11. dagegen *Saloturii*, im 13.
Salodorum, dann immer häufiger mit *t*, als *Salo-
tarum, Soloturum, Salatarn, Solatren, Solauro*
(woher frz. *Soleure*), *Soloturn* u., im 16. u.
17. Jahrh. mehr u. mehr befestigt, *Solothurn.*
In diesem Namen sieht Verf. 'der Saler Uebergang' im Salgau. Und noch heute sind wir nicht
üb. die Vermuthungen hinaus: Bacm. (Kelt. Br.
46) sieht neben *dur* = Wasser eine Weide, salix,
neuir. *sail*, lat. *sal*, ags. *sealh*, ahd. *salaha*, Salweide; nach Buck wäre ein anderes *Salodurum*,
j. *Sell-* od. *Söllthürn* im Allgäu, 'genau = Wartburg' (Baumann, GAllg. 1, 36).

Soltau s. Salz.

Soltmann s. Wyman.

Solway Firth, ein Golf an der engl.-schott. Grenze
Cumberlands, v. beiden Nationen benannt nach
der altscot. Stadt Solway, die an seinen Ufern
stand, bei Ptol. *Ituna*, da der Eden, 'a very noble
river', hier in ein weites Aestuarium ausmündet
(Camden-Gibson, Brit. 2, 147).

Solyma s. Klimax.

Sómal, plur. v. *somáli* = schwarz, dunkel, so
heissen in der Landessprache die Bewohner der
afric. Ostküste (ZfAErdk. 1875, 266).

Sombrero = Hut, eine der Kleinen Antillen,
v. den Spaniern nach dem Aussehen benannt, da
mitten auf der Insel, umgeben v. flachem Strande,
der Krempe des Huts, sich ein Berg, die 'Gupfe'
des Huts, erhebt (Oldendorp, GMiss. 1, 9). — Im
dim. *el Sombrerito*, ein hutförmiger Berg an der
Westküste des Golfs v. Calif., Moleje Bay (DMofras,
O. 1. 219). — Port. *o Sombreiro*, 'ein sehr ausgezeichneter Berg' bei Benguela, offb. nach der
Form, wie engl. *St. Philipp's Cap*, wo *cap* =
Mütze (Bergh., Ann. 6, 60).

Somenlinna s. Wiborg.

Somer Bay = Sommerbucht, 'een schoone beeck'
der Magalhães Str., v. der holl. Exp. Olivier de

Noort am 28. Nov. 1599 so benannt nach dem
sommerlichen Aussehen: . . 'daer stonden veel ghe-
boomten, ende sy saghender veel kleyne pape-
gaeyen [!!], ende 't was een seer playsante plaets,
daerom sy de selbe noemden de *SB.*' (Wonderl.
V. 13, Debrosses, HNav. 187). — *S. Islands* s.
Bermudas.

Somerset, der Name einer engl. Grfsch., nach
der Hptstadt *Somerton*, alt *Sumer-tun*, die zZ.
der westsächs. Könige Residenz war u. in irgend
welcher Weise als Sommersitz, v. ags. *sumer*,
sumor = Sommer, u. *tun* = Stadt, begonnen
haben mag (Charnock, LEtym. 252). — *North
S.*, in den Parry In., v. dem aus *S.* geb. Lieut.
Parry (NWPass. 265) am 29. Aug. 1820 getauft,
wie *North Devon* nach der Heimat seines Geführten, Lieut. Liddon, Befehlshabers des Griper
(des zweiten Schiffs der Exp. 1819/20). — *S.
House*, das an der Ostseite v. North *S.* erbaute
Nothhaus, wo Capt. John Ross (Sec. V. 653) am
4. Juli 1832, nachdem er seit 1829 dreimal überwintert, die 'Victory' verlassen musste. — *S. Hill*,
ein Berg am Victoria Njanza, der v. der Höhe
herab dem Entdecker Speke am 3. Aug. 1858
seine weite Fläche blassblauer Gewässer zeigte . . .
'Diess ein weit ausgedehnterer See als der
Tanganjika, so breit, dass Sie nicht hinüber sehen
können, u. so lang, dass niemand seine Länge
kennt' (Peterm., GMitth. 5, 502). — *S.*, Ort in
der Nähe v. Cape York, 1864 angelegt u. allg.
selbst *Cape York* genannt (Peterm., GMitth. 22,
85). — *Somerville Island* s. Browne.

Somme, ein FlussN. des nördl. Frankreich, alt
Samara (s. Amiens), nicht befriedigend erklärt,
nach Einzelnen v. kelt. *ys-am-garv* = der heftige,
holperige Fluss (Charnock, LEtym. 252), dagegen
v. Jean Ribault 1562 an die Küste Georgia's
übtragen, eine american. *S.*, wahrsch. id. *St. Andrew's Sound*, wie dort *Seine, Loire, Charente,
Garonne, Gironde* (s. d.) wiederkehren u. *Belle
Rivière* = schöner Fluss, *Grande Rivière* =
grosser Fluss, ein *Port Royal* (s. d.) u. eine *Rivière Belle à Voir* (= hübscher Fluss) einkehren
sollten. 'No indications are given in the text by
which these rivers can be distinguished at the
present day' (WHakl. S. 7, 109 f., Hakl., Pr. Nav.
3, 309).

Sommerau s. Schatten.

Somnath s. Pattana.

Somscha s. Wytegra.

Somvix, rätor. *Sumvitg*, urk. 766 *ad Vicum*,
1252 *in Summovico*, *Summus Vicus* = Oberdorf, rätor. ON. ggh. der Confl. des *Somvixer-
Rheins* u. des Vorderrheins, angebl. weil es zZ.,
wo Disentis nur noch ein Kloster, das oberste
Thaldorf war (Sererh. ed. Mohr 2, 57), wohl einf.
nach der Höhenlage, da der Ort, auf weitschauen-
der Terrasse 160 m üb. dem Rhein, sich wie eine
Hochwacht ausnimmt. Das Seitenthal, *Val S.*,
heisst in der hintern Hälfte *Val Tenigia*, wohl,
wie schon 1889 GMeyer v. Knonau (Erdk. schweiz.
Eidg. 2, 102) vermuthete, nach der Capelle des

heil. Anton, *Tenji*, bei Run, u. aus diesem roman. Namen ist *Teniger Bad*, zuerst urk. 1580 *Bad im Val*, rätor. *Bagn Sumvitg* = Somvixer Bad, umgedeutet. — Auch im Tessin ein Ort *Sonvico*, alt *Summo-vico* (Gem. Schweiz 18, 54), u. am Oberende des Comer-Sees *Samolaco*, im Itin. Ant. *Summolacum*, bei Campell (ed. Mohr 182) *Samolico* (Leonhardi, Veltl. 183). — Zu lat. *summus* == das oberste gehört auch engl. *the Summit*, der höchste Punkt der Panamabahn, 79 m üb. M., während die Eingb. die Station wg. ihrer wunderschönen Lage *el-Paraiso* == das Paradies nennen (Wüllerst., Nov. 3, 386).

Sonct = heilig, rätor. f. lat. *sanctus*, in dem Engadiner ON. *il Cual S.* = die heilige Höhle, bei Fettan. In den Tropfsteingebilden erblickt die Einbildungskraft des Volks die Formen eines Altars mit Leuchtern u. Kerzen (Gem. Schweiz 15, 258, Tschudi, Thierl. A. 31).

Sondershausen s. Süd.

Sondscho = Bohne, engl. *Sonjo*, ein Ort zw. Ukerewe u. Kilimandscharo, nach einer grossen Bohnenart, welche die Wakwávi bisw. hier einkaufen (Journ. RGSLond. 1870, 312).

Songar s. Dsungaren.

Songari s. Amur.

Songi s. Radscha.

Songka od. *Songkoi* == der rothe Fluss, in Tongking, nach den rothen Uferhängen, die ihn begleiten . . . 'la même falaise rouge qui se reproduit éternellement' u. schlammig-trübe machen, während der 'schwarze Fluss' un flot d'un noir bleu in den rothen ergiesst. Bei der Confl. biegt der rothe in rechtem Winkel rasch um, 'et cette nappe bleuâtre formant un bassin de moyenne étendue, fait un effet de contraste original avec la boue jaunâtre que l'on a autour de soi' (Bull. Soc. Géogr. de l'Est 1886, 272 f.). — *Son* = der rothe, auch skr. Name eines Flusses in Malwa (Schlagw., Gloss. 247).

Sonklar Kamm, ein Bergzug am Matotschkin Scharr, v. der Hülfsexp. Sterneck im Aug. 1872 getauft nach Oberst *S.*, einem heimischen Alpenu. Gletscherforscher (Peterm., GMitth. 20 T. 16), wie 2 *S. Gletscher*: a) in Spitzb., 1870 v. der Exp. Heuglin-Zeil; b) in Franz Joseph's Ld., v. der II. österr.-ung. Exp. Weyprecht-Payer am 14. März 1874 (ib. T. 20. 23).

Sonn-, häufig in ON. z. Bezeichng. der Sonnod. Südseite, oft zs. mit dem Gegenstück *schatten-* (s. d.), so dass Umlaut (ÖUng. NB. 223) üb. 50 solcher Namen aufführt. Eine auffallende Benenng. zeigt die vorarlb. Gemeinde *Sonntag*, früher *Sunntag*, *Sunnentag*, was jedoch Bergmann (Walser 32 ff.) ebf. 'unbezweifelt v. der sonnigen Lage' herleitet. — *Sonnenberg* s. Süd.

Sonsonate s. Grande.

Sonvico s. Somvix.

Sophia == Weisheit, als Frauen(u. Schiffs-?)name mehrf. toponymisch verwendet a) *S. Kamm*, ein Berggrat am spitzb. Horn Sd., v. der Hülfsexp. Sterneck im Juli 1872 wie *Fanny* Spitze (s. d.) getauft (Peterm., GMitth. 20 T. 4, Mitth. Prof.

Höfers v. 17. Febr. 1876); b) *S. Bay* s. Cook; c) *S. Island* s. Independence; d) *Sophianischer Hafen* s. Kadriga. — Ob auch *Sofia*, die bulg. Hptstadt, die erst seit dem 14. Jahrh. unter diesem Namen erscheint, hierher zu rechnen ist? Nach dem Gebirgsvolke der Serder war die röm. Stadt *Serdica*, *Sardica*, genannt u. als Hptstadt des aurelian. Neu Dacien mit dem Zunamen *Ulpia* beehrt worden; daher bulg. *Sredetz*, durch die Byzantiner in *Triaditza* umgewandelt (Kiepert, Lehrb. AG. 330).

Sópka = eine Graskuppe ohne Fels, plur. *sópki*, in russ. Bergnamen, aber auch f. sich Eigenname einer der Inselortschaften, welche, im Delta der Petschóra gelegen, z. Flecken Pustorèrsk gehören, nach den sandigen, spitzzugegipfelten Anhöhen, welche das continentale Ufer dort bedecken (Schrenk, Tundr. 1, 567).

Soplesa s. Brusanaja.

Sopra s. Sotto.

Soprony s. Ödenburg.

Sorata, vollst. *Nevado de S.* = Schneeberg v. *S.*, ind. *Ancomani*, *Itampu* od. *Illhampu* (s. Illimani), einer der höchsten boliv. Andengipfel, nach der nahen Ortschaft (Bergh., Ann. 12, 277).

Soratha s. Gudschrat.

Sorell, Cape, das äussere, vor dem Eingang z. Macquarie Hr., Tasmania, liegende Vorgebirge, v. Capt. Ph. P. King (Austr. 1, 153) am 12. Juni 1819 benannt nach dem Lieut.-governor v. Tasmania.

Sorocaba, ein Fluss Südbrasil., benannt nach den zahlr. *vossorocas* (= ozw. Erdspalten) jener Gegend, v. ind. *çoroca* = spalten, brechen, u. *vô*, verd. aus *iby* = Erde. Der Name ging v. Flusse (u. der Brücke) auf eine port. Ansiedelg., welche 1610 durch den Gouv. der Südprovv., Don Francisco de Souza, z. Stadt erhoben wurde, üb., vollst. *Nossa Senhora da Ponte de S.* = U.L.Frauen der Brücke v. *S.* Der Gründer hatte zwar die Absicht, den neuen Ort zu Ehren seines (span.) Königs . . . por gratidão ao soberano que pouco antes o agraciára, *San Filippe* zu nennen, drang jedoch unter den port. Colonisten nicht durch (Varnh., HBraz. 1, 321).

Sortjohan s. Schtschutschja.

Soskut s. Só.

Sosnowsk s. Salairsk.

Sossnowetz Ostrow = Fichteninsel, russ. Name einer Insel des Weissen M. (Spörer, NSeml. 15) bei der HI. Kola, im Atl. Russ. 6 *Ostrow Sosnowec*.

Sosthenius s. Stenia.

Sosto s. Só.

Soswinsk s. Omsk.

Soteiras, gr. Σωτείρας == (Hafen) der Retterin nannten einige aus grossen Gefahren errettete ptolem. Flottenführer dankbar den unt. 19⁰ NBr. am Rothen M. gelegenen rettenden Hafen, welcher ihnen Schutz gewährte (Strabo 770).

Sotto, Capo di == Niederland heisst mit 'gegründeter Benennung' der niedrigere, flachere Südtheil Sardiniens, im Ggsatz z. höhern, gebirgigern

Capo di Sopra = Hochland, Oberland (Fr. Cetti, NG. Sard. 1, 7).

Soufflot s. Nuyts.

Souliers N., s. Ahnahaways.

Sources, Anse des, in Kanguroo I., v. der frz. Exp. Baudin im Jan. 1803 getauft, 'verdient besondere Erwähng., weil sie der einzige Punkt der Insel ist, auf welchem wir uns mit süssem Wasser haben versehen können' (Péron, TA. 2, 60).

Souricières, ON. des frz. dép. Sarthe, ein altes *Soricarias* = Mäuseort, abgeleitet v. *sorex, soricis* mit suffix *-arias*, wie urk. im 12. Jahrh. ein Ort des dép. Vaucluse ebf. hiess (d'Arbois de Jub., Rech. NL. 612 f.).

South = Süd, in engl. ON. häufig (s. Southampton, Southwark), th. f. sich, th. mit *East* = Ost od. *West* zsgesetzt. So *S. Cape*, zweif.: *a)* die Südspitze v. Stewart I., NSeel., v. Cook am 9. März 1770 benannt als 'the southern extremity of this country, as indeed it proved to be' (Hawk., Acc. 3, 18); *b)* die Südspitze Tasmania's, v. Flinders (TA. 1, CLXXX, Atl. 7) am 13. Dec. 1798 so getauft. — *S. Black Rock* s. Black. — *S. Branch Elbow* s. North Branch. — *S. Foreland*, die Südspitze v. Sullivan's I., Mergui, v. engl. Capt. Thom. Forrest am 19. Juli 1783 benannt (Spr. u. F., NBeitr. 11, 183). — *S. Harbour* s. Campbell. — *S. Head* s. Bustard B. — *S. Island* s. Baily u. Sulphur. — *S. Fork* s. Belle Fourche. — *S. Trees Point*, ein niedriger Vorspr. des Südufers der austr. Curtis Bay, wohl nach ihrem Baumwuchs v. Flinders (TA. 2, 16, Atl. 10 Carton) am 6. Aug. 1802 so benannt. — *South-mountain Creek* s. Northmountain. — *S.-East Hump*, eines der Eilande des Arch. Mergui, nach der Form, die v. gewissen Standpunkten aus dem *hump* = Buckel des Zebu ähnelt, v. Capt. Th. Forrest vom Mitte Juli 1783, zs. mit *North-West Hump* u. *Four Saddle Island* (= Insel mit 4 Sätteln) getauft (Spr. u. F., NBeitr. 11, 189. 191). — *S.-East Point* s. North-West. — *S.-West Cape*, in Austr. 2 fach: *a)* die hohe Südwestspitze Mallicollo's, v. Cook (VSouthP. 2, 86) am 23. Aug. 1774; *b)* die Südwestspitze Tasmania's, v. Flinders (TA. 1, CLXXVIII., Atl. 7) am 12. Dec. 1798 benannt. — *S.-West Island* s. West. — Mit dem nördl. *southern* = südlich ist geformt: *S. Alps*, das Hochgebirge, welches die Provv. Westland u. Canterbury, also die Südinsel NSeelands, durchzieht, v. den Colonisten so genannt 'mit gutem Recht, weil es ihnen in vielen Beziehungen die Alpen in Erinnerg. zkgerufen hat' (Meinicke, IStill. O. 1, 292). — Eine persönl. Beziehg. hat *S.'s Bay*, in Dolphin u. Union Str., v. Dr. Richardson, Exp. Franklin (Sec. Exp. 253), am 4. Aug. 1826 entdeckt u. nach dem berühmten Astronomen James *S.* benannt.

Southampton, eine der wichtigsten Seestädte Englands, in *Hampshire* od. *Hants*, wird bald mit dem *Hampton* bei London (es gibt jedoch noch 2 Orte d. N., in Worcester u. in Chester), bald mit *Northam* (ich finde aber nur das nach Westen weit entlegene, wenig nördlichere bei Barnstaple,

Devon) so in Beziehg. gebracht, dass der Hafenplatz als der südlichere der beiden Orte bezeichnet worden sei (Charnock, LEtym. 253). Nun ist der richtige Ggsatz zu *S.* ozw. *Northampton* (s. d.), in der Grfsch. gl. N., am Flusse Nen, Nene, Nyne, der, wie einst auch das *S. Water*, früher *Ant, Anton*, bei Tacitus *Antona*, hiess u. bei den Anwohnern des Oberlaufes noch heisst. Beide Städte, *S.* wie *Northampton*, heissen im Domesday Book *Hantone*, was, da das kelt. Wort den Angelsachsen unverständlich war, volksetymologisch mit *m*, schliesslich mit *mp*, zu *Hampton* umgedeutet wurde. Der Flussname selbst ist nicht genügend erklärt: *a)* als verd. aus welsh *gwent* = eine schöne, offene Gegend (Charnock); *b)* v. Isaac Taylor, der jedoch kein Keltist ist, entw. als 'Grenzwasser' od. als 'Thalwasser' (Arch. Journ. 35, 346 ff.). Diese doppelte Deutg. ist nichts weniger als übzeugend, am wenigsten in dem sonderbaren Beisatze, im Capland gebe es eine genaue Parallele dieses 'Thalwassers'; diess sei der *Vaal Rivier* (s. d. !), wo holl. *vaal* = Thal sein soll. — *S.*, nach der Union übtragen 12. *Northampton* 9 mal (Ritter's OLex.). — *S. Island*, vor dem nördl. Ausgang der Hudson's Bay, nebst *Cape S.* (s. Carey), ihrer Südspitze, v. einem der frühern engl. NWfahrer, wahrsch. v. Thom. Button 1612, getauft (Rundall, Voy. NW. 89). — *Southwark*, der rechtsufrige Stadttheil Londons, wo die normann. Kaufleute sich ansiedelten, der Sage zuf. zZ. des Königs Svend Tveskjaeg v. den Dänen befestigt u. *Sudrvirki* = Südwerk, ags. *Sud-geweorc, Suwerk*, endl. *Southwark* genannt (Cambden-Gibson, Brit. 1, 240, Worsaae, Mind. Danske 40).

Sovar s. 86.

Sovereign s. Admiralty.

Sozopolis, gr. Σωζόπολις, u. *Sozusa*, gr. Σώζουσα, beides 'Warburg', Heil, Schutz, insb. f. rettende Häfen, mehrf. *a)* s. Apollonia; *b)* s. Hadrume.

Spacieuse, Baie = geräumige Bucht, eine grosse Bay in Birara, Bismarck Arch., v. Krusenstern benannt (Meinicke, IStill. O. 1, 137).

Spadi s. Scylla.

Spaendonck, Cap van, in Süd-Austr., v. der frz. Exp. Baudin am 12. Febr. 1803 getauft zu Ehren des gelehrten Naturforschers, 'welcher sich um die Naturwissenschaften nicht allein durch die schönen Werke, womit er selbst sie bereichert, sondern auch durch die vielen gezeichnete Künstler, welche f. sie v. ihm gebildet worden sind, so sehr verdient gemacht hat' (Péron, TA. 2, 106, Freycinet, Atl. 18).

Spain u. **Spanien** s. España.

Spalato, kroat. zu *Spliet* geformt, Stadt in Dalmat., als *Spalatum, Aspalathi*, Ἀσπάλαθον, ein Vorort des alten Salonae, hat, wie dieses, den alten Namen in mod. Form, *Sp.* u. *Salonas*, bewahrt (Kiepert, Lehrb. AG. 359). Die Annahme, dass nach der Zerstörg. Salona's 740 die Einwohner, hieher geflüchtet, in der ehm. Residenz Diocletians wohnten u. den Ort *Palatium* =

Königsburg nannten (Sommer, Taschb. 11, 119), ist demnach hinfällig geworden.

Spandau, Veste an der Confl. Havel-Spree, eine der ältesten Städte der Mark, v. augensch. slaw. Namen, den ich nirgend erklärt finde, aber nach Analogie des mecklenb. *Spendin* v. altsl. PN. *zbąd*, mit suffix *ovu*, *ów*, welches häufig zu adj. possess. gebraucht wird, also wie *Bandowe, Bandow = Ort des Bąd* (Kühnel, Slaw. ON. 17. 135), so als *Zpandow* = Ort des Zbąd, ableiten möchte. — *Sp.-Berg* nannte kurz vor Lichtensteins Besuch (SAfr. 1, 607) ein alter Schlesier Werner, welcher in Graaff-Reynett wohnte, in Erinnerg. an die preuss. Veste *Sp.* den merkw. geformten Berg bei diesem Orte, wg. des fast unzugänglichen Gipfels, den ein schroffer Felskranz zu einer natürl. Veste macht.

Spangberg, *Martin Petrowitsch,* ein dän. Seemann, um 1720 in russ. Dienste getreten u. Begleiter Berings, als Lieut. 1725/28, als Capt. 1733/42, löste auf der zweiten Reise die Aufgabe, den Raum zw. Japan u. Kamtschatka cartographisch aufzunehmen, u. wurde so der eigentl. Entdecker der Kurilenkette (Lauridsen, V. Bering 106 ff.). Sein Verdienst findet sich mehrf. toponymisch geehrt: *a) Cap Sp.* nannte Adm. v. Krusenst. (Mém. 2, 206) die Ostspitze Jeso's, zu Ehren 'du premier navigateur russe qui visita ces parages'; *b) Sp. Island,* id. *Sikotan* der Japanesen, östl. v. Kunaschir, v. engl. Capt. Broughton (Voy. Disc. Pacif. 105. 115f.) 1796 getauft 'efter dens foerste Opdager'; *c) Cap Sp.* s. Bering.

Sparta, gr. Σπάρτα, Σπάρτη, ein berühmter Name, der die verschiedensten Deutungen erfahren hat, so v. σπείρω (s. Sporaden), als ehm. Diaspora der Bewohner (Bursian, GGr. 2, 119), wie noch Tozer (Lect. 197) den Ort 'only as aggregate of villages' nennt, od. als ἡ σπάρτη, d. i. die rata pars des einzelnen Bürgers, das erlooste Erbgut, od. v. *spartum,* dem Esparto od. Ginstergras, in neuerer Zeit gew. so, dass im Gggsatz zu dem zerrissenen Felsboden, unter σπάρτη vielmehr der Saatboden, 'der erdreiche, culturfähige Boden, auf welchem man sich anbaute' (E. Curtius, Gr. Gesch. 1, 151), zu verstehen wäre, während die meisten Griechenstädte auf Felsboden standen (Grasb., StGriech. ON. 257).

,**Spartarius** s. Juncarius.

,**Spartivento** s. Zephyrion.

Spasmeno Wuno, ngr. Σπασμένον βουνόν = der zerborstene Berg heisst eine zerborstene Trachitkuppe Aegina's, deren vulcanisch emporgetriebene, senkr. zerspaltene Felsstücke wie starre, einfarbige Felsruinen groteske Partien bilden (Fiedler, RGriech. 1, 274 Ansicht).

Spathi s. Scylla.

Spauta s. Urmia.

Spay s. Spoix.

Spear Point = Speercap, ein felsiger Landvorsprung bei Port Essington, NAustr., wo Capt. Ph. P. King beinahe durch die Speere der Eingb. getödtet worden wäre (Stokes, Disc. 1, 382).

Spechtbach s. Spessart.

Speedwell, Cape, an der Westseite v. NSemlja, wo am 29. Juni 1676 der engl. Seef. Wood, Fregatte *Sp.,* Schiffbruch litt, doch so, dass er alle seine Leute, bis auf einen, retten konnte (Adelung, GSchifff. 92, Spörer, NSeml. 23, Forster, Nordf. 442).

Speicher, v. lat. *spicarium* = Vorrathshaus f. Heu, Früchte, Holz, dial. *Spycher,* mehrf. ON. in der deutschen Schweiz, insb. in Appenzell, wo das Kloster St. Gallen einst ein solches Gebäude besass (s. Pfäffikon u. Tablat). Noch immer im Volksmunde appellativ, mit dem Artikel, *im Sp.* u. s. f. gebraucht (Mitth. Zürch. AG. 6, 79) . . . *Sp.* = spchatici, quidquid ad ipsos spicios pertinet (J. v. Müller, SchweizG. 1 c. 10 Note 21).

Speier, auch *Speyer,* pfälz. Stadt, am Flusse gl. N., kelt. *Noriomagus* = Neustadt (Ptol., Tab. Peut., It. Ant.), später, als im Gebiet der Nemeter gelegen, *Augusta Nemetum, Nemetae* (Not. D., Amm.), endlich, u. zwar bei dem Geogr. Rav., *Spira,* gleichnamig mit dem Flüsschen *Spiraha* (Baem., AWand. 85). Die Umgegend im 8. Jahrh. *Spiralgewe,* dann *Spirihgowe, Spirichgawe* u. s. f., in der Nähe *Speierdorf,* alt *Spiridorf.* Auch bei Sondershausen ein Ort *Spier,* am *Spierenbach,* alt *Spiraha* (Förstem., Altd. NB. 1362).

Speiraion, gr. Σπείραιον = ringförmig, Name ohne Bild (Curt., GOn. 155) eines Vorgebirgs, das in zieml. breiter Rundg. in den Saron. MB. v. der Steilküste vortritt (Curt., Pel. 2 T. 14).

Speke Golf, eine Bucht am südöstl. Ende des Ukerewe, v. H. M. Stanley 1875 benannt nach dem Entdecker des See's, dem engl. Capt. H. Sp. 1858, 1860 63 (PM. 21, 466).

Spelunca = Höhle findet sich in folgg. ON. *a) Sperlonga* od. *Sperlunga,* j. Dorf unw. Gaeta (s. Kaiata), urspr. eine Villa des Kaisers Tiberius mit einer natürlichen Höhle, wo bei Anlass eine ländlichen Gastmahls die bekannte v. Tacit. (Ann. 4, 59) erzählte Lebensgefahr drohte, gelegen inter Amuclanum inter et Fundanos montes: *b)* holl. *Spelonken,* im plur., eine Gegend des Limpopo. 'einer Wildniss, wo Natur u. Menschen den Aufenthalt unheimlich u. gefährlich erscheinen lassen' (Peterm., GMitth. 16, 6).

Spence Bay, am Boothia Isthmus, v. Capt. John Ross (See. V. 386) am 1. Juni 1830 nach einem seiner Verwandten benannt.

Spencer's Gulph, der grosse südaustr. Golf, bei dessen Entdeckg., 20. Febr. 1802, der engl. Seef. Matth. Flinders (TA. 1, 132. 167) den Gedanken eines grossen Canals fasste, welcher, bis z. Carpentaria G. verlaufend, den Continent in 2 grosse Massen, eine östl. u. eine westl., scheide . . . large rivers, deep inlets, inland seas, and passages into the Gulph of Carpentaria, were terms frequently used in our conversations of this evening', dann aber, nachdem er ihn als geschlossene Bucht erkannt, 'in honour of the respectable nobleman who presided at the Board of Admiralty when the voyage was planned and ship put into commission benannt. Nach ihm das Felscap am Eingang *Cape Sp.* Die frz. Exp. Baudin wollte *Golfe Bonaparte,* u. f. das Cap, *Cap Berthier,* nach einem v. Napoleons Feldherrn, setzen (ib. 1,191, Péron, TA. 1, 272). — *Cape Sp.*, noeh einmal im arkt. Wellington Ch., 1819 v. Parry (NWPass. 52). — *Point Sp.*, nebst *Point Jackson* am Eingang v. Port Clarence, v. Capt. Beechey (Narr. 2, 544) im Sept. 1827 benannt, ersteres zu Ehren des Capt. Rob. *Sp.*, das andere nach Capt. Samuel Jackson, C. B., 'two distinguished officers in the naval service: to the latter of whom I am indebted for my earliest connexion with the voyages of Northern Discovery'.

Spendin s. Spandau.

Sperlonga s. Spelunca.

Spessart, 839 *Spehteshart* = Spechtswald, eines der deutschen Mittelgebirge. 'Der Reichthum des *Sp.* besteht in seinen herrlichen Waldungen . . . aus keiner andern deutschen Waldgegend wird so viel u. so schönes Eichenholz bis nach Holland ausgeführt . . . Die schönen Wälder beherbergen noch einen guten Stamm Roth- u. Schwarzwild; im östl. *Sp.* sind die wilde Katze, der Auerhahn, Geyer u. Uhu nicht selten' (Daniel, Hdb. Geogr. 3, 311f., Gatschet, OForsch. 258). Eine eigenth. Verirrg. beging noch 1858 Herm. Müller, der (Moenus etc. 14ff.) den Specht mit Zeus picus u. auch mit Odysseus zsbringt. — Ein *Spechtbach*, im Elsass, u. ein *Spehtrein*, j. *Spechtrain*, an der Isar (Förstem., Altd. NB. 1359).

Spier s. Speier.

Spillbergen s. Revillagigedo.

Spillgerten, eine Berggruppe des Berner Oberlandes, in der Dufourcarte 17 *Spielgarten*, in welcher die Höhenzüge zw. Diemtigen- u. Simmenthal einerseits, wie zw. diesen beiden u. dem Fermelthal anderseits zslaufen, v. *spille* = Spindel, Nadel etc. u. *gerte* = Ruthe, also 'die spitzen Ruthen' (NAlp. P. 6, 108f.).

Spin gawâi Kôtal = Pass der weissen Kuh, pers. Name eines der Bergpässe des Soliman Geb., auf der Route, welche im Thal des Induszuflusses Kurrum aufw. u. üb. die Berge nach Kabul führt (Spiegel, Eran. A. 1, 14). — *Sp. Kafir* s. Siaposch. — *Spinghur* s. Safed.

Spiral Bay, in Ost-Sibir., v. der Exp. Billing (Russ. As. 86) im Juni 1787 so benannt nach einigen schneckenfg. gewundenen Felsen, welche die Gipfel der Uferberge zeigen.

Spires, the = die Kegel, eine Gruppe schlanker Kegelberge . . . 'a cluster of slender and graceful spires' am rechten Ufer des Rio Colorado, v. Capt. Ives (Rep. 49, Carte) am 17. Jan. 1858 getauft . . . We here obtained a fine view of a remarkably picturesque chain of mountains . . . It is crowned by a range of pinnacles, not unlike Chimney Peak (s. d.) in form and apparently composed of similar material, which suggested the name given it of *Sp. Range* (ib. 3, 23).

Spiridow s. Zonder Gront.

Spirit s. Esprit.

Spitz, ahd. *spiz*, holl. *spits* — vertex, cacumen, etwa in deutschen u. holl. ON. (Förstem., Altd. NB. 1363), wie *Spitzbergen* (s. d.), *Spitzmeil* (s. Weissmeil) u. *Spitzliberg*, 2mal: *a)* in Ursern,

nach der in unzählige Zacken u. Spitzen ausgeschnittenen Form'... drüben schnitt er scharf seine Contouren am lichtblauen Himmel ab; zu ihm kehrte der Blick immer wieder zk.; sein fein ausgearbeitetes Relief erinnert an die Verzierungen der goth. Baukunst' (Grube, St. Gotth. 145); *b)* s. Schnabel. — *Spitskop* s. Compass. — *Spitzige Jungfrauen* s. Stein.

Spitzbergen, in der Sprache der holl. Entdecker *Spitsbergen*, ein arkt. Archipel, v. W. Barents 1596 bei der Hakluyt I. erblickt u. nach der Zackenform der dortigen Berge benannt (Martens, Spitzb. R. 17). 'Morgens um 5½h erkannte man v. der Slupe (Magdalena) aus deutlich die Bergspitzen um den Bell Sd. u. Eis Fjord . . . . Mittags sahen wir schon deutlich die noch schneebedeckten Spitzen (v. Prinz Charles Vorland) . . . Aus dem wilden Chaos v. Spitzen u. Kämmen erhebt sich hier u. da ein vereinzeltes Berghaupt . . . Die grossartige Wildheit, welche den steilen Bergspitzen der Westküste eigen ist u. der Ldsch. so viel Reiz u. Abwechslg. verleiht . . . Die Westseite der Wijde Bay stellt die bizarrste Sammlg. einzelner, nicht durch Querthäler geschiedener, prachtvoller Bergspitzen dar: terrassenartig in Reihen od. concentrischen Kreisen geordnet; Kegel mit abgerundeten Spitzen; Kämme mit geradlinigen Umrissen, als wären sie nach dem Lineal gezogen — mit einem Wort: sie ist unendlich reich an Formen . . . Die Gebirgsbildg. beim Eis Fjord ist in vieler Hinsicht interessant. Nur in der Nähe der Meeresküste u. vor allem auf der Nordseite, behält die Bergbildg. den gewöhnl. 'Spitzbergencharakter' bei, wie er vorzugsw. auf der Westküste auftritt: wild zerrissene, v. mächtigen Gletschern unterbrochene Bergspitzen . . .' Die Morgensonne beleuchtete klar die wilden Alpen des Vorlandes — sie gehören zu den höchsten des westl. *Sp.* — mit ihren kegelfgen Spitzen u. gewaltigen Gletschern . . . Nachdem der Nebel gefallen u. aus den obern Luftregionen verschwunden war, entrollte sich vor unsern Augen das grossartigste Gemälde, welches *Sp.* aufzuweisen hat, indem die Spitzen der Hornsundstinde im Glanze der Sonnenstrahlen wunderbar üb. die schweren Wolkenmassen zu ihren Füssen aufstiegen. Dieses Gebirge erhebt sich in drei steilen spitzen Hörnern bis zu einer Höhe v. 1500 m . . . Den grössten Theil des Jahres verhüllt ein dichter Nebel diese höchsten Bergspitzen des höchsten Nordens . . . Die ganze Westküste des Stor Fjords lag in dem herrlichsten Sonnenschein ausgebreitet vor uns. Sie bestand aus einem Labyrinthe v. schneebedeckten, zieml. gleich hohen Bergspitzen, unter denen sich ein paar auszeichnen . . . Die Aussicht (v. Edlund Berge aus) entsprach unserer Erwartg. vollkommen. In Nordwesten breiten sich, soweit der Blick reichte, endlose Schneeflächen u. Hügel aus, nur durch einzelne mehr od. weniger freistehende Bergspitzen unterbrochen. Von diesen verdienen in erster Reihe mehrere entferntere Berge, welche wahrsch. den Südstrand der Wijde Bay umgeben, genannt zu werden, ferner eine Kette v. Bergspitzen, welche weiter im Nordosten den Horizont unterbrach ... Immer neue Bergspitzen tauchten aus der Schneefläche auf ... ̓ (Torell u. Nord., Schwed. Expp. 34. 56. 297. 305. 445. 455. 470). Uebr. kommt der Name *Spitzberghe*, den Barents selbst nie gebraucht, z. ersten mal 1613 in Hessel Gerard's holl. Schrift vor (WHakl. S. 27, 5). Barents, im Glauben, zu einem Theile Grönlands gekommen zu sein, u. ihm nach die folgenden Seeff., nannten die Inselgruppe *Greeneland*, u. Hudson unterschied zw. *Greeneland* = Spitzbergen u. *Groneland* = Grönland, u. nennt ersteres, das *Nieuwland* der Holländer, auch *Newland* = Neuland, die spätern Engländer *King James his Newland* = König Jacob's Neuland (Torell 83); ja, dieser Name erscheint schon 1615, im Bericht üb. Fotherby's zweite Polarreise (Phipps, Northp. 8). Als die Exp. Phipps (ib. 31) am 28. Juni 1773 bei Prince Charles' I. anlangte, fiel auch ihr das hohe, schwarzfelsige, nackte, z. Th. schneebedeckte Bergland auf, dessen Spitzen sich üb. die Wolken erhoben. Capt. Koldewey, v. der ersten deutschen Nordpolexp. 1868, kam im Juli v. Osten her, wo er versucht hatte, sich Gillis' Ld. zu nähern, in die Nähe des Horn Sd. u. erzählt: 'Gegen Abend senkte sich der Nebel etwas, u. die Spitzen der höchsten Berge wurden sichtbar ... Einen klaren Anblick der Küste bekamen wir indess nicht, da fortwährend nebliges Wetter herrschte u. meistens nur die Spitzen der Berge aus dem Nebel hervorragten ... Wir sahen j., 12. Juli, z. ersten mal die ganze Küste v. Prince Charles Foreland bis Horn Sd. im prächtigsten Sonnenschein vor uns — ein imposanter u. grossartiger Anblick. Die Berge sind meistens 6—900 m h., mit sehr spitzigen Gipfeln u. Kämmen ... ̓ (PM. 17 Erg. H. 28, 27 f.) ̓ ... als sollten wir rasch wieder die zackigen Gipfel *Sp.'s* in Sicht bekommen' (ib. 39). 'Am 17. Aug. Morgens bekamen wir auch bereits die hohen schneebedeckten Gipfel' v. Prince Charles Foreland in Sicht (ib. 40). Das Logbuch der Fahrt Barents (WHakl. S. 54, XX) sagt v. 24. Juni: 'the land along which we shaped our course, was for the greatest part broken, rather high, and consisted only of mountains and pointed hills; for which reason we gave it the name of *Sp.*' Wenn die Notiz, wir 'probably', v. Barents selbst herrührt (ib. XVII), so wäre unsere Behauptg., dass Barents selbst den Namen *Sp.* nie gebraucht, unrichtig. Dass wenigstens die Gefährten des Entdeckers schon das Land so nannten, bezeugt einer derselben, Capt. Rijp, vor dem Stadtrath v. Delft: 'And, we gave to that land the name of *Sp.*, for the great and high points that were on it' (ib. XXIII). Zuf. der Carte (GdVeer ed. Hakl.) hätte Barents, v. 16—30. Juni 1596, den Archipel geradezu umschifft: an der Ostküste hinauf, im Norden herum u. an der Westküste herab (ib. LXXXVI). — *Sp. Sea*, f. das Meer zw. dem Archipel u. NSemlja (s. Barents), bei Peterm. (GMitth. 20, 382) in *Ostspitzbergisches Meer* umgetauft. 'Sollte diese Benennung. ebf. nicht conveniren, so mag es nach Weyprecht od. Payer, den hptsäch-

lichsten Erforschern desselben, od. durch sie neu benannt werden'.

Spliet s. Spalato.

Split, Cape == zerborstenes od. zersplittertes Vorgebirge, ein Felscap am Eingang der Fundy Bay, wo durch die Thätigkeit der Wogen mehrere hohe, spitze Kalksteinpyramiden, *the Needles* == die Nadeln, v. Cap selbst getrennt stehen (Buckingh., Can. 392). — *S. Island*, auch *Cleft I.* == zerspaltene I., westl. v. Viti, einh. *Hathliuna*, besteht aus 2 sehr steil aufragenden u. schwer ersteigl. Felsen, die durch einen herabgestürzten Block so verbunden sind, dass Boote den Canal darunter passiren (Meinicke, IStill. O. 2, 53). — *S. Rock Creek* == Bach des geborstenen Felsen, ein Zufluss des untern Missuri, weil die Spitze eines nahen Felsen tief gespalten ist (Lewis u. Cl., Trav. 8).

Splügen, ON. in Graubünden, gew. u. zwar noch v. Gatschet (OForsch. 154) als *speluga*, *specula* == Warte betrachtet, wie denn auf der Höhe des schon v. den Römern begangenen Passes noch Trümmer v. Wachtthürmen zu sehen sind u. das Dorf eine Veste hatte (Gem. Schweiz 15, 137. Campell ed. Mohr 24). Nach dem Dorfe der Pass *Sp.*, früher 'einfältig' der *Splügner Berg*, ital. *il Colmo d'Orso* (Sererh. Del. 2, 41) od. *Cuneo d'Oro*, entspr. dem *Cuneus aureus*, welchen die Peut. Taf. auf die Route Clavenna-Curia setzt (Planta, ARät. 79). Im rom. Alpengebiet wiederholt sich *Spluga*, z. B. f. ein Oertchen im Obertheil des Puschlav u. f. einen Berg in Val Onvernone; f. letztern wird *spluga*, dial. *spruga*, als *spelonca* == Höhle gesetzt (Gem. Schweiz 18, 374), jedoch die Angabe unterlassen, ob sich Höhlen im Berge befinden. Da *Sp.* nur eine verdeutschte Form f. *spluga* zu sein scheint, so wäre der Entscheidg. wenig werth, ob nicht alle 3 Namen auch begrifflich zsgehören.

Spörer, Cap, an der Westküste der spitzb. Edge-I., v. der Exp. Heuglin-Zeil im Aug. 1870 nach einem der Mitarbeiter v. Petermann's Geogr. Mitth., Gotha, Just. Perthes, benannt. Diese Beziehg. haben auch *Gotha-Winkel*, *Hassenstein Bucht*, *Habenicht Bucht*, *Vogel Berg* — u. *Krauss Hafen?* (Peterm., Mitth. 17, 178).

Spoix, v. lat. *cypetum*, *sepetum* == Hecke, (s. Serneus), ON. des frz. dép. Côte d'Or (Houzé, Ét. NL. 9 ff.), auch *Spoy* u. *Spoir*, 1224 *Cepeium*, 1299 *Cepeyum*, im dép. Eure-et-Loir (Dict. top. Fr. 1, 174), *Spoy*, 664 *Cypetum*, im 12. Jahrh. *Cepium* (ib. 14, 157), im C. Waadt *Sepey*, eig. *le Sepey*, urk. *Seppetum* (Gatschet, OForsch. 13). — Anders der Keltist d'Arbois de Jub., der *Spou, Spay, Cepoix, Chepoix, Cépet* als aus altem *Cepidum* == Zwiebelort, im 10. u. 11. Jahrb. *Cepidum, Coped*, hervorgegangen betrachtet (Rech. NL. 620).

Sporaden s. Cycladen.

Spree, slaw. Fluss N., wend. einf. *Reka* — Fluss, 965 *Sprewa*, *Spriawa*, poln. *Sprowa*, ist wohl am annehmbarsten v. Mahn (Etym. Unt. 19 f.) aus *Srpawa* Sorbenfluss abgeleitet, während ihn P. Cassel (Märk. ON. 38) f. altsuev., also deutsch, hält u. an *pretan* = fliessen denkt. Schon 1751 hatte J. Chr. Bekmann (MBrandb. 1, 995) an wend. Ableitg. gedacht, freil. ohne das Etymon anzugeben, od. es könne *S.* auch aus dem alten Flussnamen *Suevus* umgewandelt sein. L. V. Jüngst (Volksth. Benennungen Preuss. 51) erinnerte 1848 an poln. *prawy* = rechte Hand, *przeprawiać* = auf die andere Seite schaffen, üb. den Fluss setzen. Der Germanist Rich. Müller (Bl. öst. LK. 1888, 8) setzt *Spr.*, altsächs. *Spreuua*, germ. *Spragia* od. *Spravia* = die zerstreute, 'v. den vielen Armen ihres mittlern Laufes'; er führt einen Verbalstamm an, mitteld. *sprēwen*, mhd. *spraejen*, *spraewen*. An der Einmündg. der *Kl. Sp.* der Ort, *Sprawice*, *Spreewitz*; der Fluss passirt 2 Orte *Spremberg*, das erste in den Bergen der sächs. Ober-Lausitz, bei Neu Salza, das grössere, früher *Sprewen*- od. *Sprehenberg*, wend. *Grod* = Burg nach dem Schlosse genannt, in der preuss. Nieder-Lausitz. Weiterhin folgt der (obere u. untere) *Spreewald*, wend. *Blotnik*, = Sumpfland, v. *bloto* = Sumpf, einst undurch-dringlicher Erlen-Bruchwald zw. den zahlr. Fluss-armen, j. theilw. in Wiesen- u. Gartenland um-gewandelt, aber immer noch in allen Richtungen v. Fliessen durchzogen, den Strassen der Gegend, welche mit Einbäumen befahren werden (Daniel, Hdb. Geogr. 3, 486).

Sprengisandur = Sprengwüste, v. *sprengja* = sprengen u. *sandur* = Sand, also 'Wüste, durch welche der Reisende sprengen muss, wenn ihm sein Leben lieb ist', so heisst das grosse, todte, unebene 'Sandmeer' im centralen Theile Islands (bekanntl. werden hier grössere Touren zu Pferde gemacht). 'Vor der Karawane galopirte Jón . . . Unaufhaltsam ging die Reise weiter. Die Führer feuerten bald durch lautes Geschrei, bald durch die liebenswürdigsten isl. Schmeichelworte ihre Pferde z. Eile an. Wirklich sauste auch der ganze Zug, in eine dichte Staubwolke gehüllt, mit unglaublicher Schnelligkeit üb. den bald steinigen, bald sandigen Boden dahin . . . Die ganze Strecke hatten wir in 17^h anhaltendem Reitens zurückgelegt . . . fast in beständigem Trab od. Galop' (Preyer-Z., Isl. 218 ff.).

Spring, altd. Wort f. Quelle, in ON. nicht selten, auch in alten als Grundwort wie *Lippiegespring* (Förstem., Altd. NB. 1364), ferner in *Haller-springe*, einf. *Springe*, an der Quelle der Haller-Leine (Meyer's CLex. 14, 857). Auch in engl. ON. wie *Springville* (s. Treasure) u. *Sp. Fork*, f. einen Quellarm, der mit gewal-tiger Quelle dem Bergabhang entspringt u. ihr $^2/_3$ der Wassermenge verdankt . . . 'the spring is the largest I had ever heard of' (Raynolds, Expl. 97). — Ein Ort *Springfield* in Essex u. durch den v. hier geb. Will. Pynchon 1640 übtragen auf den Indiancrort *Agawam*, j. *Springfield* in Massachusetts (Buckingham, East. & WSt. 1, 333).

Springbok Fontein = Brunnen der Springböcke, holl. Name des Hptorts im Kupfergrubenbezirke v. Kl. Nama Ld., eines der zahlr. toponym. Denk-

mäler der Zeit, wo eine erstaunliche Menge v. Wild, insb. die vielförmige Welt der Antilopen, darunter auch in grossen Schaaren der Spring-od. Prunkbock, A. euchöre Forst., in den Steppen des Oranienflusses sich tummelte.

Sprung, bei deutschen Bergbewohnern der Aus-druck f. Felsspalten, als einf. Wort f. eine Natur-brücke des Toggenburg, wo die Thur unter einem baum- u. strauchbewachsenen Felsen durchströmt (Meyer v. Kn., Erdk. Eidg. 2, 48), häufiger in Zssetzg., wie *Hirschen*-, *Mägde*-, *Pfaffensprung* (s. dd.), da solche Klüfte leicht v. der Sage eines kühnen Sprungs umwoben sind.

Spy s. Kapakamaou.

Squally Island = Sturminsel, in der Hibernian Range, v. Will. Dampier am 26. Febr. 1700 be-nannt z. Andenken an die heftigen Wirbelwinde, welche ihn bei der Annäherg. heimsuchten (De-brosses, Hist. Nav. 396), durch Lieut. Ball, v. Transportschiffe Supply, am 19. Mai 1790 in *Tench Island* umgetauft (Krusenst., Mém. 1, 138, Meinicke, IStill. O. 1, 141).

Squint Eyes s. Tykoothie.

Srbiszte s. Serbien.

Srbrnik s. Serebrenka.

Srêda, besser *srjeda* = Mitte, asl. adj., russ. *srjedina*, poln. *środek*, dav. der mittlere russ. *serednij*, poln. *sredni*, *srednia*, *srednie*, ersteres gern in sibir. ON. wie *Sredne Kolymsk* (s. Ko-lyma), wenn am Ober-, Mittel- u. Unterlauf des-selben Flusses Orte angelegt wurden; ferner *a)* *Seredowoj Ostrow* = Mittelinsel, im Delta der Zylma-Pischina, wo sich beide Flüsse vereint in die Petschóra ergiessen (Schrenk, Tundr. 1, 184); *b)* *Seredowoj Schar* = mittlere Durchfahrt, ein Arm der Petschóra zw. den beiden Heuinseln (ib. 1, 566. 635). — Ruth. *seredni* in den galiz. ON. *Seredne*, *Serednica*, *Serednie*, *Seredynce*, slow. *srêda* in den kroat.-slawon. u. ung. ON. *Sredice*, *Srediĉko*, *Sredistye*, *Sredjani*, *Srednje Selo* = 'Mettmenstetten' u. in den Krainer ON. *Srednik*, *Srednja Vas* u. *Srednja Ves* = Mittel-dorf, *Srdnje Brdo* = Mittelhügel, *Srednje Vrh* = Mittelberg (Miklosich, ON. App. 2, 237).

Sri = heilig, in ind. ON., etwa mit bestimmter Beziehg. auf Siwa od. Wischnu, wie *Srikanta* = heiliger Pic, ein Berg in Garhwal (Lassen, Ind. A. 1, 63), *Srinágar* = heilige Stadt, der Hptort v. Kaschmir, *Sripáda*, mit singh. *páda* (s. Adam), *Sripuram* = heilige Stadt, in Orissa, *Srirangapáttanam*, gew. *Seringapatám* = Wisch-nu's Stadt, v. *sriranga*, einem Beinamen des Gottes (Schlagw., Gloss. 247). — *Srihótto* s. Sil-het. — *S. Rama* s. Thale. — *Sri Stanaka* s. Tana.

Srir s. Seghir.

Sriramapuram s. Rama.

Srzoda s. Zobten.

Ssafar s. Bu.

Ssai s. Kuara.

Ssara s. Nazareth.

Ssare s. Birni.

Ssefi-Abâd, ein Ort (u. Lustschloss) am Südufer des Kaspisee's, auf einem Vorsprge. des Alborsj, benannt nach seinem Erbauer Schah Ssefi 1627/41 (Peterm., GMitth. 15, 265).

Ssassyk Kul = stinkendes Wasser, kirg. Name eines Sees in der Nähe des Ala Kul. ˈDas ganze Nordufer ist laut Aussage der Kirgisen mit Schilf bewachsen, welcher bei hohem Frühlingswasser übflutet wird, im Sommer dagg. theilw. austrocknetˈ u. nun in den Vertiefungen stinkende Wassertümpel zklässt (Bär u. H., Beitr. 7, 319).

Sse-tschuen, wohl ungenau *Set-Schuen* = Vierstromland, chin. Name einer v. Kinscha, Yalung, Nin u. Kialing durchflossenen Prov. (ZfAErdk. 4, 339), ostturk. u. mong. *Sardan Su*, v. mong. *durben*, türk. *dört* = 4 (wie chin. *sse*) u. v. mong. *ussu*, türk. *su* = Wasser, Fluss, wie chin. *tschuen* (Pauthier, MPolo 2, 367). — *Sse tse kue* s. Ceylon. — *Ssê-tse-schân* = Löwenberg, 3 mal Bergname in China, das j. keine Löwen mehr hat, solche jedoch noch zu MPolo's Zeit gehabt haben dürfte, nach der Erzählg. zu schliessen, welche er üb. die Kämpfe der Löwen mit Menschen u. Hunden hinterlassen hat. Von dem dreifachen Namen sagt Pauthier (MPolo 2, 434): . . . c'est un indice assez vraisemblable que, s'il n'y a plus de lions aujourd'hui, il y en a eu autrefois . . .ˈ

Ssidoroff-Berg, in Edge I., v. der Exp. Heuglin-Zeil 1870 benannt zu Ehren des Hrn. M. R. *Ss.*, der als Mitglied der kais. russ. geogr. Gesellschaft wesentlich die Polarfahrten fördern half (PM. 17, 178. 227).

Ssinssinni = Lagerstadt, ein Ort im Sudan, wo in der Regel solche Orte, die zeitw. Garnison erhalten, *Ss.* genannt werden (Rohlfs, QAfr. 2, 196).

Ssodria, ein District in Tripoli, zw. Meer u. Dsch. Ghurian, v. den Bewohnern benannt nach der Lotusstaude, Lotus zizyphus, einh. *ssodr*, die viele Stellen mit dichtem, unvertilgbarem Buschwerk bedeckt (Rohlfs, QAfrica 1, 31).

Ssuchua s. Amur.

Staaten Land ist einer der patriot. Namen, welche nach dem Abfall der Niederlande holl. Entdecker einführten, um die neuen freiheitlichen Zustände u. Einrichtungen, sowie das Andenken der Förderer u. Pfleger nationaler Grösse zu ehren. *St.* bezieht sich auf jene legislative ˈTagsatzg.ˈ Generalstaaten, welche aus den Abgeordneten der 7 vereinigten, aber v. einander unabhängigen Landschaften bestand u. die souveräne Staatsgewalt repräsentirte, während die Executivgewalt dem hohen Rath, mit dem Erbstatthalter an der Spitze, übtragen war. *St. Land* wurde 3 mal angewandt: *a)* f. eine Insel bei Feuerl., v. der Exp. Le Maire u. Schouten im Jan. 1616 (Beschrijv. 78), als Theil des hypothet. Südpolarcontinents betrachtet, dann aber v. holl. Seef. Hendrik Brouwer 1643 u. wieder v. engl. Capt. Bartholomew Sharp umschifft u. damit als Insel erwiesen, darum v. letztern umgetauft in *Albemarle Island*, zu Ehren seines Gönners, des Herzogs Christopher v. Albemarle, eines Sohnes des berühmten General Monk (ZfAErdk. 1876, 473); *b)* f. NSeeland (s. Zeeland); *c)* f. Iturup, Kurilen (s. Vries). — Die erste Taufe dieser Art, *St. Ei-*

land, geschah durch die Exp. Barents 1594, östl. v. der Wajgatsch Str., ˈter eeren der HERREN STAATEN . . . tot een eeuwigher ghedachtenisseˈ (Linschoten, Voy. f. 14, Shipv. 8), russ. *Mjasnoj Ostrow* = Fleischinsel (GVeer ed. Beke 37). — *St. Rivier*, ein Zufluss des Carpentaria G., 1623 v. der Yacht Pera, Exp. Carstensz (Tasmans Journ. 24), wohl id. Van Diemen R., Caron, nicht Flinder's *St. Rivier* (ZfAErdk. nf. 11, 15). — *St. Hoek* s. Farewell.

Stabio s. Stalla.

Stable s. Steep.

Stack s. Obelisk.

Stad = Gestade, litus, ripa, dann auch Landgsplatz (vgl. Walenstad), unnöthig *Staad*, dial. *Gstad*, oft f. Uferorte, bes. an See'n, aber auch *a) Stade* an der Elbe, im 9. Jahrh. *Statho*, *Statha*, die Stelle, wo die ankommenden Schiffe stehen bleiben (Förstem., Deutsche ON. 39, Gem. Schweiz 6, 144); *b) Allstad* am Luzerner See, früher angebl. der Einschiffgsplatz; *c) Stadholz* s. Gott. — Mit diesen *St.* nicht zu verwechseln: schwed. *stad* = Stadt, mit Artikel -*en* zu *Staden* geworden, f. den ältesten Stadttheil Stockholms, die City des Ganzen (Peterm., GMitth. 12, 423, EEgli, Wand. 16). Dieses zweite *St.* gehört zu altn. *stadr*, alts. *stad*, ahd. *stat*, nhd. *statt*, *stätte*, Ort = *locus*, so dass bei alten Namen *an stadt* = *urbs* nicht unmittelbar zu denken ist. Förstem. (Altd. NB. 1365 ff.) führt 435 alte Namen, mit *stat*, *steti* . . . als Grundwort, auf u. registrirt alsdann folgg. ON.: *Steti*, 12 mal, j. meist *Stetten*, auch *Stedum*, *Stetihaha*, j. ebf. *Stetten*, *Stetebach*, j. *Steppach*, *Stedeberg*, j. *Stettberg*, *Stetpuch*, *Stetefeld*, j. *Stett*- u. *Stadtfeld*, *Stetifurt*, j. *Stettfurt*, *Stetiheim*, j. *Stetten* u. *Stedem*, *Stetiwanc*, j. *Stettwang* etc.

Stadel, häufig im deutschen Sprachgebiet vorkommender ON., ahd. *stadal* = Scheune, auch Herberge, z. B.: *St.* bei Bamberg, im 11. Jahrh. *Stadelun*, *Stadelhofen* bei Bamberg u. *Stadelhofen* bei Zürich (Förstem., Altd. NB. 1382), dim. *Städeli* im schweiz. Postlex. 11 mal f. Wohnorte. Vgl. auch Umlauft, ÖUng. NB. 225).

Stadtilm s. Ilmenau.

Stäfa, ON. am Zürichsee ist nicht, wie Bluntschli wollte (Mitth. Zürch. AG. 6, 168), das *Stafulon* des Geogr. v. Ravenna (4, 26), sondern ist aus *stava*, dem plur. des mlat. *stadivum* — Ankerplatz f. Schiffe, entstanden. Davon, mit Collectivendg., *Stavaiacum*, *Estavayer*, verdeutscht *Stäffis*, freiburg. Hafenstädtchen am Neuenburger See (Gatschet, OForsch. 10).

Stäkeberg s. Stockholm.

Stäuber u. **Stäubi** s. Staubbach.

Staffa, altn. *Stafey* = Säuleninsel, eine der Nebeninseln v. Mull, Hebriden, wo sich ˈen heel deel smaaöer med oprindelig norske navneˈ findet (Worsaae, Mind. Danske 342), recht naturgetreu f. das Eiland, wo mächtige Basaltsäulen so wundersame Klippen, mit domartiger Höhle, aufbauen (Ausl. 1869, 583).

Staffel nennt der Aelpler die vschiedd. Höhenstufen der f. die Weide benutzbaren höhern Berggebiete, welche er als eben so viele Stationen benutzt, um im Vorsommer allm. höher zu steigen u. im Spätsommer allm. thalw. zu kehren — hier u. da Eigenname, wie in *Rigi-St.*, Curort seit 1817, *Staffeleck*, Jurapass bei Aarau, *Stäfel*, im Thal v. Gressoney (Schott, Col. Piem. 24).

Staines' River, ein Küstenfluss hinter Flaxman's I., v. Capt. John Franklin (Sec. Exp., Carte) im Aug. 1826 entdeckt u. nach Sir T. *St.* benannt.

Stair, Cape, am Eingang des Wostenholme Sd., v. Capt. John Ross (Baff. B. 142) am 18. Aug. 1818 nach dem Earl of *St.* getauft.

Staked Pl. s. Estacado.

Stalimeni s. Lemnos.

Stalla, v. lat. *stabulum* = Stall, auch im Sinn v. Herberge, sedes, locus, rätr. ON. zu oberst im Oberhalbstein, am Fusse zweier Alpenpässe, des früher wichtigen Septimer u. des j. chaussirten Julier, v. jeher ein Halt- u. Ruhepunkt auf dieser Bergroute . . . 'nachdem die Römer Rätien unterworfen, entwickelte sich an der durch Augustus gebauten Strasse üb. den Septimer ein Verkehrs- u. Militärzug, der die Lombardei mit dem Bodensee verband. Auf der ital. Seite des Passes lag, der Tradition zuf., in der wichtigen Thalenge des Bergell (s. Promontogno), der Ort *Murum, Castelmur*, auf der Nordseite des Uebergangs *St.*, ital. *Bivio* = Zweiweg, rätr. *Baiva* (Campell ed. Mohr 51), *Bevi* (Sererhard, Del. 41, Lechner, Berg. 18. 102, Gem. Schweiz 15, 191). — *Stabio*, ital. ON. in Tessin, ebf. deriv. v. lat. *stabulum* (Gem. Schweiz 18, 54). — Auch *Étables*, Ort des frz. dép. Yonne, im 10. Jahrh. *Stabulum* (Dict. top. Fr. 3, 50).

Stambul, türk. Form f. Konstantinopel (s. d.), wurde gew., u. zwar schon v. Hammer-Purgstall (Konst. 2, 513), v. ngr. εἰς τήν πόλιν = in die Stadt (gehen) abgleitet; es liegt jedoch hier eine einfache Verkürzg. des urspr. Namens vor, der zu *Stantinopolis* u. endl. zu *St.* wurde, wie *Mendere* aus *(ska) Mandros* entstanden ist (O. Keller, Entd. Il. 2). In aller That, sollten die Muhammedaner erst v. den Neugriechen der nächsten Umgebg. einen Namen angehört haben? Und nicht schon damals, als, gleichs. Angesichts der zitternden Hptstadt, der wilde Osman üb. die Pässe des Olympos herabstieg u. nun, in Bithynien, üb. den Türkzelten des Heerführers die Rossschweife flatterten? *Stambul* dachte man sich auch verd. aus *Islambul*, v. *islam* = rechtgläubig u. *bul* = Menge, Vielheit, also 'Fülle des Glaubens'; nun ist die Form *Islambul* zwar durch türk. Münzen, die in *K.* geprägt worden u. in Georgien coursirten (Güldenst., BKauk. L. 79 ff.), belegt, ozw. aber, wie schon Hammer-P. (Konst. 1, 4; 2, 513) annahm, nur eine türk. Umdeutg., eine muhammed. Sinnunterschiebg., ein Epitheton, ähnl. wie türk. *Deri-Seadet* = Pforte der Glückseligkeit, od. wie schon gr. *Anthusa*, Ἀνθοῦσα = Blumenecke (Steph. Byz.). — Der türk. Name, mit *eski* = alt, kehrt wieder f. einen Hafen v. Troas, hinter Tenedos:

Eski-Stambul, wie die Reste der meist röm. Bauwerke ihrer grossen Ausdehng. wg. genannt werden. Mittelst künstl. Hafenbaues war hier in der Diadochenzeit eine grössere Stadt entstanden, v. ihrem Gründer Antigonus zunächst *Antigoneia*, dann v. König Lysimachos zu Ehren des grossen Eroberers *Alexandreia* genannt, mit Beinamen *Troas*, der in röm. Zeit, als die Stadt eine ital. Colonie aufgenommen hatte, auch wohl allein gebraucht wurde (Kiepert, Lehrb. AG. 109).

Stammheim, als ON. häufig, auch als *Stammham* u. *Stemmen*, ist nicht übereinstimmend gedeutet, v. Förstem. (Altd. ON. 1379) zu ahd. *stam* = truncus, stipes, im Sinne v. Wurzelstöcken, gestellt, also als eine Ansiedelung im gerodeten Walde betrachtet, während H. Meyer (Mitth. Zürch. AG. 6, 126) einf. einen ältern Anbau, im Ggsatz zu *Neuheim, Neuhausen* etc., annimmt.

Stampalia s. Astypalaia.

Stan = Hütte, Wohnung, in den slaw. ON. *St., Stanov, Stanowist, Stanowitz*, in Böhmen, *St., Stanische, Stanošina, Stanovišče, Stanowna*, in Steierm., Krain u. Görz (Miklosich, ON. App. 2, 238). Daher *staniza*'le nom que les Cosaques donnent à leurs villages' (Potocki, Voy. 1, 9).

Stanford s. Wyman.

Stane, ngr. στάνη = Schäferei, Herde, nennen sich die Haufen der reisenden Wlachen, wenn sie je zu 50—100 Familien sich irgendwo, in Epirus u. Thessalien, niederlassen u. sich Hütten aus Aesten, Baumzweigen etc. bauen (PM. 7, 116).

Standing Rock, engl. Uebersetzg. des ind. *inyan* = Fels u. *bosdata* = aufrechter, ON. in Dakota, nach einem in der Prairie aufragenden Felsen (GM. des Hochw. Abts M. Marty, Bischofs v. Dakota). Der auffällige Fels bildete ein Erkennungszeichen der Reisenden u. wurde allm. ON. wie das unth. St. Paul gelegene *Red Rock* (= rother Fels), das nach einem röthl. Fündling am Ufer benannt ist (GM. des † X. Iten in St. Paul). — *St. Stone* s. Oneida.

Stanes, ags. *Stana* = Stein, Ort an der Themse, Middlesex, wo einst — nicht, wie Einige meinten, ein röm. Meilenstein, sondern — ein Grenzstein stand, z. Zeichen, dass hier die Londoner Gerichtsbk. im Flusse aufhöre (Camden-Gibson, Brit. 1, 328).

Staneux, walon. ON. in Belgien, latin. *Astanetum* 827, ebenso wie *Stenay*, Meuse, im Mittelalter *(H)astenay*, v. kelt. *tan* = Eiche, *taniec* = Eichenort, wobei *t*, je nach dem Dialekt, bald *ts*, bald *tsch*, bisw. *ch* u. *s* lauten konnte. Dieselbe wallon. Collectivendg. *eux*, *eur* wiederholt sich in *Tilleux, Tilleur*, 815 *Teuledum, Tieletum* = Lindenort, in *Halleux, Halleur*, 687 *Haletum* = Weidenort, in *Oneux* od. *Auneux*, urk. *Alnetum* = Erlenort u. s. f. (Houzé, Et. N. Lieux 40 ff.).

Stanley, aus engl. Familiennamen häufig auf Entdeckungs- od. Besiedelungsobjecte übertragen, wie *Port St.*, der Hafenort der 1835 erneuerten Colonie auf Falkland (Meyer's CLex. 6, 555), *St. Point*, in Parry Bay, v. der Exp. John Ross (Sec. V. 414) am 27. Mai 1830 getauft 'from him

who it sufficiently known by his travels in Seeland', Sir Thomas *St.* 1766—1850, u. *St. River*,
in Boothia Felix, ebf. v. der Exp. Ross (ib. 369)
im Mai 1830, aber nach einem Geistlichen, Rev.
Edw. *St.* — Alle diese Personen hat auf unserm
Felde der 'Bismarck african. Forschg.' verdunkelt:
Henry M. *St.*, eig. James Rowland, geb. in Wales
1840, im Armenhause erzogen, v. einem Kaufmann *St.* in New Orleans adoptirt, später Zei-
tungsreporter u. als solcher auf die Suche nach
dem verschollenen Livingstone ausgesandt, den
er am 10. Nov. 1871 in Udschidschi, am Tanganjika, fand. Seine nächste Thätigk. galt den grossen
See'n u. dann bes. dem Congo, den er ab Njangwe,
dem bis dahin äussersten Flussposten, bis z. Mündg.
befuhr, 5. Nov. 1876—18. Aug. 1877. Auf dieser
Fahrt entdeckte er am 8. Jan. 1877 die *St. Fälle*,
7 im ganzen, zunächst 5, die in 11ᵈ umgangen
wurden, u. weiter abw. noch 2; sowie unmittelb.
vor dem Beginn der Livingstone- od. Isangila-
Fälle den *St. Pool*, einen runden, fast krater-
ähnlich v. Bergen eingefassten See, v. Areal des
Genfer-See's. Es war am 12. März 1877, dass
die Exp. den See erreichte. Um 11ʰ erweiterte
sich der Fluss nach u. nach v. 1400 zu 2500
yards; man befand sich auf einem Gewässer, welches die Leute sofort, 'with happy appropriateness',
als 'a pool' bezeichneten, vergleichbar dem aus-
gelöschten Krater eines Vulcans. 'Sandy islands
rose in front of us like a sea-beach, and on the
right towered ̗a long row of cliffs, white and
glistening, so like the cliffs of Dover, that Frank
(s. Pocock) at once exclaimed that it was a bit
of England. The grassy table-land above the
cliffs appeared as green as a lawn, and so much
reminded Frank of Kentish Downs that he exclaimed enthusiastically: 'I feel we are nearing
home'. While taking an observation at noon of
the position, Frank, with my glass in his hand,
ascended the highest part of the large sandy dune
that had been deposited by the mighty river, and
took a survey of its strange and sudden expansion,
and after he came back he said: 'Why, I declare,
sir, this place is just like a pool, as broad as
it is long. There are mountains all round it, and
it appears to me almost circular'. Well, if it
is a pool, we must distinguish it by some name;
give me a suitable name for it, Frank! 'Why
not call it *St. Pool*, and these cliffs *Dover Cliffs*?
For no reason who may come here again will
fail to recognise the cliffs by that name'. — Als
dann der Reisende, v. Comité d'études du Haut
Congo z. Gründg. civilisatorischer Stationen abgesandt, am 14. Aug. 1879 neuerdings in Banana
anlangte u. die Stromfahrt per Dampfer wiederholte, legte er zu Ende 1883 an den nach ihm
benannten Fällen die oberste seiner Gründungen
an: *St. Falls Station.*

Stans, ON. in Unterwalden, 1157 *Stannes*, ist
nicht befriedigend erklärt, früher schon (Anz.
schweiz. Gesch. 8, 60 f.) u. wieder v. A. Gatschet
(OForsch. 42) als *in stagnis* = in den Sumpf-
lachen, v. J. L. Brandstetter (Geschfrd. 26, 312 ff.)

als Genit. des Mannsnamens *Stan.* Nach dem
Hptflecken *Stansstad*, der Landungsplatz am See,
u. das *Stanserhorn*, ein schlankes Berghaupt.

Stansbury Island, eine der Inseln des Grossen
Salzsees, nach Capt. Howard *St.*, der zuerst den
See mappirt hat (Hayden, Prel. Rep. 233). Die
Exp. war 1849/50 geschehen, u. der Bericht liegt
enthalten in 'Exploration and Survey of the Valley
of the Great Salt Lake of Utah ...', Philad. 1852.
— *Stans Voorland* s. Edge.

Stapylton Bay, eine tiefeindringende Bucht in
Dolphin u. Union Str., v. Dr. Richardson, Exp.
Franklin (Sec. Exp. 251) am 3. Aug. 1826 getauft
nach Generalmajor G. A. C. *St.*, chairman of the
Victualling Board. — Wohl ebenso *Stapleton
Island*, in Parry Gr., v. Capt. Beechey (Narr. 2,
520) im Juni 1827.

Star = Stern, in wenigen engl. ON. *a) St. Bluff*
s. Ekins, *b) St. Peak Island* s. Etoile.

Star = alt, asl. *staru*, poln. *stary*, oft in ON.
wie *Stara Rieka* = alter Fluss, in Bosn., *Stara-
sol* = alte Saline, *Starogard* = Altenburg u.
Sturasiolo = altes Dorf, in Galiz., *Starin*, in
Slaw., *Staritzen*, Bergzug bei Mariazell (Miklosich, ON. App. 2, 255, Umlauft, ÖUng. NB. 226),
Stargard = Altstadt, 3 mal: in Pommern, Preussen
u. Mecklenb. (Altpr. Mon. 6, 710, Jacobi, Ansp.
69, Kühnel, Slaw.'ON. 136). Noch thront bei dem
letztern Ort, auf steiler Höhe, die alte Burg mit
Wartthurm; das pommersche *Stargard* war früher
die Hptstadt Hinter-Pommerns (Meyer's CLex. 14,
891). Vgl. Krym u. Terek. — *Stara Planina*
s. Balkan. — *Starigrad* u. *Staro Mjesto* s. Civitas. — *Staroostrogski* s. Kolyma. — *Staroe Gorodischtsche* = der alte Flecken, mehrf. f. Ruinenorte: *a*) s. Nowgorod; *b*) s. Narym; *c*) am rechten
Ufer des Ob, ggb. der Mündg. des Irtysch, ostj.
Rusch wasch = Russenveste, z. Unterschied ihrer
nahen eignen: *Gulang wasch* = östl. Festung, der
Ort, wo sich 1585/86 der Wojwode Iwan Man-
surow, als er sich aus Sibirien zkzog, mit Pallisaden verschanzte, um Winterlager zu halten (Müller,
SRuss. G. 3, 433 f.).

Starastschin, Cap, durch eine Russenhütte bezeichnete Landspitze des spitzb. Eisfjord, v. der
schwed. Exp. 1864 getauft (Torell u. Nord., schwed.
Expp. 426, Ausl. 1870, 395). Hier † 1826 der
russ. Jägeremit *St.* an Altersschwäche. Er hatte
einige 30 Winter auf Spitzb. verlebt, darunter 15
hinter einander u. wurde deshalb sowohl v. den
russ. als auch den norweg. Jägern mit der grössten
Achtg. behandelt. 'Sie sprechen v. ihm als einem
kleinen alten Manne mit weissem Haar u. lebhafter Gemüthsart, welcher seine Zeit während
des Einsiedlerlebens inmitten der Gletscher ver-
gnüglich hinbrachte u. wahrsch. einen guten Theil
der langen in diesen Breiten etwa 4 Monate dauernden Winternacht wie im Murmelthier schlief'

Starbuck Island, im Westen der Marquezas, v.
Capt. *St.* 1823 entdeckt u. (nach seinem Schiffe?)
Volunteer genannt, als flache, öde Koralleninsel
wohl auch *Barren*, auf Carten auch *Unknown
I.* == unbekannte Insel (Meinicke, IStill. O. 2, 259).

Staritschkow Ostrow = Taucherinsel, v. *starik*, *staritschok* = Alter, Alterchen, dem russ. Namen, f. den Alkenvogel Uria antiqua (Leunis, Syn. 1, 295 nennt als 'Staryktaucher' Phaleris psittacula Pall.), eine Vogelinsel am Eingang der Awatscha Bay, meist senkrecht, bis 300 m h. aufsteigend (Kittlitz, Denkw. 1, 305; 2, 205, Krus., Reise 1, 240).

Starnberger S. s. Würm.

Starvation Camp = Hungerlager, am Rio Colorado, wo die Exp. Wheeler (Geogr. Rep. 166), v. Strapazen u. Mangel schwer heimgesucht, am 16. Oct. 1871 ankam ... 'every one is gloomy at the prospect, starvation staring one in the face without the certainty of relief either in advance or in retreat'.

States' Bay, in Falkl., v. american. Capt. Benj. Hussy, Schiff United *St.*, auf dem Walfang 'vor einigen Jahren', d. i. vor Jan. 1786, entdeckt (Forster, Gesch. Reis. 3, 16. 19).

Statiellorum A. s. Acqui.

Station Hill = Haltberg, eine Anhöhe am Victoria R., Nord-Austr., wo der Entdecker, Capt. Stokes (Disc. 2, 64) am 6. Nov. 1839 vor seiner Umkehr v. der Flussfahrt Umschau hielt u. Halt machte.

Staubbach heisst einer der schönen Wasserfälle Lauterbrunnens, weil der Bach, 277 m tief herabstürzend, fast ganz in Staub verwandelt unten anlangt. — Ebenso die *Stäubi a)* ein Wasserfall im Hintergrunde des Schächenthals, wo die feinen Staubmassen 'mit breiter Basis bis z. halben Fallhöhe emporwirbeln'; *b)* ein stäubender Wasserfall im Quellgebiete der Iller (Umlauft, ÖUng. NB. 226); *c)* im Maderanerthal der *Stäuber*, 'welcher z. Seite des Düssistocks in 4 Absätzen üb. Felsterrassen seine Wassermassen in einen tiefen Kessel herabstürzt, dann zu einer Stromschnelle wird u. als Bergstrom ins Thal sich ergiesst' (Osenbrüggen, Wanderst. 1, 186f.); *d)* im Muotathal, rechts v. Weiler Ried, 'schiesst u. rinnt der *Gstübtbach*, also einer der vielen 'Staubbäche', herab ... Vormals war er zu oberst durch ein Felsenhorn getheilt u. soll in den Zeiten der Wasserfülle malerischer gewesen sein als j., bis einmal das wilde Bergwasser das Horn ins Thal herabriss' (ib. 2, 28); *e) Stäubete*, im Haslethal, die enge Strecke, 'wo der Gischt des gepeitschten Bergwassers bis herauf z. Wege emporwirbelt'. — In Tirol *Stuibenfall a)* im Quellgebiete des Lech, *b)* bei Jerzens im Pitzthal, *c)* in einem Seitenarm des Oetzthals, v. dial. *stui-* od. *stoiben* = stäuben (Umlauft, ÖUng. NB. 232).

Staudach, im 11. Jahrh. *Studach*, ON. dreimal in Bayern, v. ahd. *stûda* = Staude, rubus, sentis, frutex, einem Wort, das auch, in *Widenstuda* (s. Weide) u. *Hesilinestuda* (s. Hasel), als Grundwort altdeutscher ON. vorkommt (Förstem., Altd. NB. 1395), mit ablativ. Stellg. in *Studen*, einem ON. hinter Einsiedeln, zs. mit *Stöcken*. — Ein ON. *en don Stüde*, in Rimella (Schott, Col. Piem. 242). — *Thurstuden*, das angeschwemmte u. viel überschwemmte Gelände an der Confl. Thur-Rhein.

mit mancherlei Stauden, vorherrschend Hippophaë rhamnoides L. = wegdornblätteriger Sanddorn, bewachsen (Mitth. Zürch. AG. 6, 9t.

Stauf, ahd. f. rupes, saxum, also Fels, Felsberg, als Berg- u. ON. oft in der Form *Staufen*, *Staufberg*, *Staufenberg*, *Staufenburg* (Förstem., Altd. NB. 1382, Deutsche ON. 51), allbekannt in *Hohenstaufen*, auf dessen steilem Jurakegel die Burg 1080 erbaut wurde (Meyer's CLex. 8, 1009). Vgl. *Donaustauf* u. *Regenstauf* (s. Donau).

Staunton's Island, bei China, v. der engl. Gesandtschaftsexp. 1792/93 nach einem Mitgliede benannt (Staunton, China 1, 484).

Staven = der Stab, norw. Name einer Klippe bei Tränen, Lofoten, da sie einem Riesenstabe ähnelt (Vibe, K. u. MNorw. 7).

Stavers s. Wostok.

Stawropol = Stadt des Kreuzes, russ. ON. *a)* in Kaukasien, v. Katharina II. angelegt, mit 15 Kirchen, 2 Bischöfen u. einem geistl. Seminar, offb. genug, um dem Namen Ehre zu machen (Meyer's CLex. 14, 897); *b)* an der Wolga, wo 1730 die getauften Kalmyken angesiedelt wurden (Glob. 14, 296).

Stazusa, gr. Σταξουσα = Tropfquelle, eine bei dem Thor v. Sikyon v. übhangenden Felsen herabtröpfelnde Quelle (Curt., Pel. 2, 488).

Steady Geyser = standhafter Geyser nannte die Exp. des Geologen F. V. Hayden (Prel. Rep. 112) im Aug. 1871 eine der Springquellen des Fire Hole (s. d.), weil sie bes. anhaltend weisse Rauchsäulen ausstösst. Diese zahlr. Säulen erinnern ganz an die Rauchsäulen einer Fabrikstadt wie etwa Pittsburg, 'except that instead of the black coal smoke, there are here the white delicate clouds of steam'.

Steam Point = Dampfcap, ein Vorsprung am Yellowstone L., 1870 v. U. St.-Geologen F. V. Hayden (Prel. Rep. 136. 190) so benannt nach 2 Fummarolen, die, v. der frühern. viel reichern Thätigk. übr. geblieben, Dampf mit einem Getöse gleich dem Sicherheitsventil eines Dampfboots ausstossen. Hier u. in der Nähe 'the ground is in places perforated like a cullender, with the little simmering vents, which denote, I think, the last stages of a system of larger springs'. — *Steamboat Spring* s. Soda.

Steckborn, älter *Steckbüren*, 843 *Stecheboron*, thurg. Ort am Untersee, einer der wenigen deutschen ON. mit ahd. *steccho* = Pfahl, Stecken, sei es im Sinne einer Pfahlbaute (Förstem., Altd. NB. 1383) od. v. 'Rebstecken', wie der ortskundige Historiker Pupikofer (briefl. Mitth.) annahm.

Stecknitz, Fluss (u. Canal) in Lauenburg, 1188 flumen *Cikinize*, 1335 *Stekenitze* etc., v. asl. *su* = zusammen u. *teku* = Lauf, Fliessen (diess poln. *ciek* = Fluss, woher sich die Form *Cikinize* erklärt), čech. *stčk*, poln. *stok* = Zusammenfluss, woraus *steknice* = zusammenfliessendes Gewässer, Bachvereinigung (GHey. ON. Lauenb. 12).

Stedingen s. Butjadingen.

Steen = Stein. in holl. ON. *a) Steenberge*,

die Höhen, welche die False Bay, Capl., einfassen. 'Auf erwähntem Gebürge hat man einen sehr schönen Steinbruch entdecket, woraus man Steine ziehet, die dem Marmor gleich kommen, u. zu Treppen, ingleichen zu Pflastersteinen v. Sälen dienen etc. Die der Westseite sind 'gewaltig steil' u. hiessen bei den Port. *os Picos Fragosos* = die zersprungenen Berge (Kolb, VGHoffn. 205 f., Dapper, Afr. 612); *b) Steenwijk* = Steinort, frühere Veste in Over-Ijssel (Meyer's CLex. 14, 900). — *Cap Steenboom*, an der Südküste NGuinea's, wo 1828 der holl. Capt. d. N. Aufnahmen machte (Meinicke, IStill.O. 1, 92).

Steep = steil, jäh, abschüssig, bes. bei Vorgebirgen u. Inseln, mehrf. in engl. ON.: *St. Head* = steiler Kopf, am Victoria R., Arnhem's Ld., v. Capt. Stokes (Disc. 2, 91) im Nov. 1839 getauft, u. *St. Head Island*, eine der Hunter's Is., v. Lieut. Flinders (TA. 1, CLXXII Atl. 7) am 9. Dec. 1798. — *St. Island*, 2 mal: *a)* im Arch. Mergui, bei Capt. Thom. Forrest erwähnt (Spr. u. F., NBeitr. 11, 183); *b)* eine schroffe Inselklippe bei Hunter I., Bass Str. (Stokes, Disc. 1, 300). — *St. Point*, die Westspitze des Australcontinents, v. engl. Seef. Dampier 1699, bei der Exp. Baudin in *Pointe Escarpée* übs. (Krus., Mém. 1, 48, Freycinet, Atl. 22 f). — *St. Portage*, ein Trageplatz des Yellow Knife R. (Franklin, Narr. 211, Carte). — *St. Rock* s. Heard.

Stefano s. Stephan.

Steg s. Amsteg.

Stegebach s. Steig.

Stegeholm s. Stockholm.

Stégo = Thor v. Dorfe Ste, tib. Name einer kleinen Veste, welche den durch ein Thor, *go*, verschliessbaren Engpass des nahen Baltidorfes d. N. bewacht (Schlagw., Gloss. 247).

Steier, auch *Steyer*, *Steyr*, urspr. Flussname, im 11. Jahrh. *Stira*, der bald als slaw. *Schtyra*, bald als kelt. *ster* = Fluss angenommen wird (Ficker, Kelt. 122), dann übtragen auf die Burg, *Stira*, 985 *Stirapurhc*, deren Besitzer als Markgraf gg. die Ungarn eingesetzt wurde 983. Seine Nachkommen erweiterten den Besitz gg. Süden u. Osten, u. seit Leopold dem Tapfern († 1129) ging der v. einer Dynastie geführte Name, marchiones de *Styra*, auf das Land über: *Mark St.* od. *Steiermark* (Umlauft, Oest. NB. 227).

Steig, s. v. a. Anstieg, ascensus, f. Stellen, wo der Weg stark ansteigt, dial. auch *Gsteig*, in alten ON. oft als Grundwort, aber auch f. sich als ON. *Steiga*, j. *Steighof* u. *Stegenwald*, *Stegebach*, *Stegham*, im 10. Jahrh. *Stegaheim*, *Steiger*, im 11. Jahrh. *Steiginga*, eine Waldhöhe bei Steinfurt, *Steigersbach*, im 11. Jahrh. *Steigirisbach*, Zufl. des Kochers (Förstem., Altd. NB. 1384). In den deutschen Alpen kommt *Gsteig* mehrf., im schweiz. Postlex. 8 mal, vor f. Orte, wo der Weg stärker zu steigen beginnt; es ist auch der deutsche Name f. ital. *Algaby*, wo, um die Steigung zu übwinden, die Simplonstrasse eine enorme Spitzkehre in das Laquinthal hinein macht (Schott, Col. Piem. 336).

Stein, ahd. *stain*, = lapis, saxum, engl. *stone* (s. d.), gern f. Felsberge u. Bergspitzen, wenn sie befestigt waren u. dann geradezu 'Steinbau, Burg', wie der *St.* v. Rheinfelden, letzteres eine Burg auf einer Felsinsel des Rheins, oft aber in allgemeinerm Sinne nach dem Vorkommen v. Steinen. Ganze Ortschaften *St.* zählt Ritters OLex. (2, 640) üb. 20 auf, darunter auch *St. am Rhein*, f. welches das Benennungsmotiv leicht zu erkennen ist. Dort fangen die stillen Gewässer des Untersees erst langsam, zwischen sanften Abhängen u. kleinen Inseln hindurch, wieder zu fliessen an, u. mitten in dem beginnenden Strom liegt *das Werd*, v. den alten Chronisten *der St.* genannt, als bequemer Stützpunkt des Brückenübergangs. Von diesem 'Stein' erhielt die heutige Stadt den Namen, u. wenn das kelt.-röm. *Gaunodurum* = Festung bei dem Felsen (s. Agaunum) wirkl. an dieser Stelle lag, so ist schon der Vorgänger der alemann. Anlage nach demselben Motiv benannt gewesen. Alte ON., mit *-stein* als Grundwort, zählt Förstemann (Altd. NB. 1371 f.) 115 auf, ferner: *St.* u. *Steinen*, mehrf., im 8. Jahrh. *Stain*, *Steinach* u. *Steinau* 10 mal, alt *Steinaha*, *Steinbach*, 15 mal, mehrere *Steinberg* u. *Steinsberg*, *Stein-* od. *Steinenbrunn*, viele Bergnamen *Steininbuhil*, *Stendal*, im 11. Jahrh. *Steinedal*, *Steinfeld* u. *Steinfelden*, *Steinfirst*, *Steinfurt*, 5 mal, *Steingau*, 5 *Steinheim*, 5 *Steinkirchen*, 5 *Steindorf*, *Steinweiler*, alt *Steinwilare*, *Steinbrücken*, im 9. Jahrh. *Steinigabrucca*, bei Hundwyl, *Steinegg* u. *Steineck*, im 9. Jahrh. *Steinigunekka*, *Steinmaur*, im 9. Jahrh. *Steinicmura*, nach röm. Gemäuer im nahen 'Muriacker' u. a. m. — *Steinsberg* s. Ardez. — Ein isl. Gehöft *Steinsholt* = Steinhügel, unfern der Hekla (Preyer u. Z., Isl. 233). — Mir fehlt das Original: *a)* zu *Region des schwarzen Steins*, im Vulcangebiet Ost-Haurans der Ggsatz der umliegenden Steppe *Hamâd* (Wetzst., Haur. 16); *b) die Steine* s. Ripon. — *Steinernes Meer*, ein Trümmerfeld an der Etsch, bei Roveredo, v. einem alten Bergsturz erzeugt. — *Grosse Steininsel*, eig. eine Halbinsel, an der Westseite des spitzb. Nordost Ld. 'Ihr westl. Theil besteht aus einem v. kleinen Kalkfelsen u. Steingetrümmer bedeckten Flachlande, welches weiter östl. in eine Berghöhe v. jener Bildg. übgeht, die wir schon am Hecla Mount gesehen: brüchigen Schiefer, Quarzit, graulich weissen Kalk mit Kieselkugeln. Das Land erhebt sich in Terrassen, deren Abhänge bald mit Steingerölle bedeckt sind, bald steil abstürzen ... Schnee lag nur noch hier u. da in den Ritzen der niedrigen Felsen (der Dépotl.), u. der Boden verrieth eine ausserordentl. Unfruchtbk. Die nicht Petrefacten führenden, leicht zerbrechlichen u. undeutlich gelagerten Kalkklippen, welche Kiesel u. Quarz eingesprengt enthalten — aus diesem Gestein bestehen die Inseln u. Umgebungen der (Murchison-)Bucht — bedecken den Boden mit ihren gelbgrauen, vegetationsfeindl. Trümmern u. verleihen dieser ungastlichen Landschaft einen unheiml. **Ausdruck**

v. Öde u. Verlassenheit' (Torell u. Nord., Schwed.
Expp. 127 ff.). — *Die steinerne Frau*, eine 6 m
hohe Felssäule der schwäb. Alp, bei Wiesensteig,
v. hartem, dolomitischem Jurakalk. Nach der
Volkssage war sie eine Gräfin, durch Schönheit
ausgezeichnet, aber v. bösem Sinn, der eine Menge
Unschuldiger der Zauberei angeklagt u. dem
Feuertod überliefert hatte. Zur Strafe wurde sie
in Fels verwandelt (Üb. Land u. Meer 40, 878).
— *Die versteinerten Mägde* od. *die spitzigen
Jungfern* sind 2 Felsennadeln im Juradolomit
des Brenzthals, Riesenweibern ähnlich, welche
die Sage aus 2 übermüthigen Mägden entstehen
lässt. Es sei diesen die Aufgabe, tägl. das Wasser
aus der Brenz zu schöpfen u. in die Burg hinauf-
zutragen, so lästig geworden, dass sie lieber zu
Stein werden wollten — ein Wunsch, der als-
bald in Erfüllg. gegangen sei (Grasb., StGriech.
ON. 11). — *Steinerne Nonne*, ein mächtiger Fels
im Golf v. Triest (ib. 12).

Steinbock, zool. Capra ibex L., das edle Grat-
thier der Hochalpen, hat sich, auch toponym.,
in der wilden Bergwelt, welche Wallis u. Piemont scheiden, noch erhalten: im *Steinbockhorn*, doch auch im Namen nicht unbestritten,
da die Anwohner der frz. Thäler den Berg *Dent
Blanche* (s. d.) nennen. — Dagegen heissen im
Val d'Hérens 3 hohe Felsberge, in einer Gebirgswelt, die früher viele solcher Thiere hatte, *Dents
des Bouquetins* = Steinbockhörner (RRitz, OB.
Ering. 372).

Steinhauser-Berg, der Nachbar des Weissen
Bergs auf Spitzb. u. wie dieser 'auch mit immer-
währendem Schnee bedeckt', v. der Exp. Heug-
lin-Zeil im Aug. 1870 getauft zu Ehren des österr.
Geographen d. N. (PM. 17, 180). — *Steinbeis
Berg* s. Fraas.

Stellenbosch, Ort in Capland, v. holl. Gouv.
Simon van der Stell, der den Wein- u. Obstbau
hier einführte, zu Anfang des 18. Jahrh. ggr.
(Lichtenst., SAfr. 2, 171) in einer 'damahlen (1670)
mit Bäumen u. Gesträuchen bedeckten Gegend',
das wilde Gebüsche genannt, 'welcher Name sich
auch gar wohl f. sie schickte, denn sie war seit
langer Zeit v. den Hottentotten verlassen, u. ein
Aufenthalt der wilden Thiere geworden' (Kolb,
VGHoffn. 212 f.). — *St. Hoofd*, ein Hügel, *hoofd*,
mitten in der Heide zw. Capstadt u. *St.* (ib. 213).
— *St. Rivier* s. Laurentius.

Stelvio, P. di s. Stilfs.

Stembolskaja s. Pontus.

Stemmen s. Stammheim.

Stena s. Akontion.

Stenay s. Staneux.

Stendal s. Stein.

Stenia, ngr. ON. am Bosporus, alt ἐν Στενῷ
= die Enge, da in dieser Gegend das Wasser
sich am meisten verengt, angebl. auch *Leothenius*
nach dem megar. Colonisten Leostenes, Leasthenes,
od. *Sosthenius*, weil die Argonauten, z. Danke,
dass sie v. Händen des Drängers Amykos entgangen, hier einen Rettgstempel Σωϑένιον weihten
(Hammer-P., Konst. 2, 231). Mir scheinen die

beiden secundären Namen aus dem ersten gemacht.

' **Stepenitz**, Flussname 2f. im nördl. Deutschland:
a) als rseitg. Zufluss der Elbe, bei Wittenberge
mündend; *b)* als rseitg. Zufluss der Trave, in
den Dassow fallend, slaw. wohl *Stěpnice* = Pflanz-
schule, sei es, dass die bei den Slawen so beliebte
Obstbaumzucht od. das Fällen u. Spalten des
Holzes diese Benenng. veranlasste. Am erstern
dieser Flüsse auch ein Ort *St.* (Jettmar, Ueberreste 21 f.).

Stephan, Sanct, in einigen ON. *a) St. Stefano*,
griech. Dorf bei Konstantinopel, mit einer aus
der byzant. Zeit stammenden Kirche, die ozw.,
wie manch andere damal. Zeit, dem ersten der
Märtyrer geweiht war (Hammer-P., Konst. 2, 9);
b) s. Tumannoj Ostrow; *c) St. Tzminda* s. Kasbek.

Stephen's Range, eine hohe Bergreihe v. Tasmans Ld., v. Capt. G. Grey (Two Expp. 1, 265)
im März 1837 benannt nach James *St.* Esq.,
dam. Unterstaatssecretär f. die Colonieen.

Stephens, Cape u. *Cape Jackson*, an der Ad-
miralty Bay, NSeel., v. Cook am 31. März 1770
so benannt 'after the two gentlemen who at this time
were Secretaries to the Board'. Dabei *St.' Island*
(Hawk., Acc. 3, 29; 2, Carte); *b) Cape St.*, am
Norton Sd., ebf. v. Cook (-King 2, 477 ff.) im
Sept. 1778; *c)* die Südspitze v. Shortland I.,
Salom. (Meinicke, IStill. O. 1, 151); *d)* s. Palliser.
— *Point St.*, u. dabei *Port St.*, in NSouthWales,
v. Cook am 10. Mai 1770 (Hawk., Acc. 3, 104).
— *St.'s Islands* s. Providence.

Stephenson's Pass nannte T. L. Mitchell (Trop.
Austr. 237 f.) einen am 17. Juli 1845 entdeckten
Bergübergang im Gebiete des Mt. Mudge (s. d.),
eine schöne breite Lücke zw. Felsabgründen der
malerischsten Form . . . 'our pass seemed to be
the only outlet through the labyrinth behind us',
offb. der Leistungen gedenkend, welche der berühmte Ingenieur *St.* im Bahnbau, auch bei Berg-
bahnen, aufzuweisen hatte. Ich gebe dieser Annahme den Vorzug ggb. der Vermuthg., der Name
gelte seinem Reisegefährten, dem Arzte u. Natu-
raliensammler W. *St.*; denn Major Mitchell, stark
unter den Eindrücken jugendlicher Erinnerungen
u. des span. Kriegs, wie wissenschaftlicher u.
künstlerischer Verbindungen stehend, wandte Benennungen nach den Theilnehmern der Exp. sehr
selten an.

Stepholm s. Flatholm.

Steppach s. Stad.

Sterlegow, Cap, an der sibir. Eismeerküste, zw.
Jenissei u. Tajmyr, benannt nach dem Steuermann
St., welcher, v. Minin abgesandt, im Winter 1740
v. Turuchansk abfuhr u. am 20. April 1741 auf
dem Cap ein Signal aufpflanzte (PM. 19, 17).

Sterkstroom = mächtiger Fluss, in der v.
K. Mauch entdeckten Goldregion SAfr., 18—19⁰
SBr., mit einem f. das Wasser unverhältnissmässig
breiten Thale, v. ihm selbst mit diesem holl.
Namen belegt (PM. 16, 95).

Stern s. Étoile.

Sterneck Fjord, eine hinter Kane I. eindringende

Einfahrt des arkt. Franz Joseph Ld., 81⁰ NBr., v. der II. österr.-ungar. Nordpolexp. Weyprecht-Payer 1872/74 benannt nach dem Förderer der Exp. u. Theilnehmer der 1872 abgesandten Hülfsexp. Wilczek, des Contreadmirals Max Freiherrn Daublebsky v. *St.* u. Ehrenstein (Peterm., GMitth. 20, 65 T. 23); *b) St. Fluss*, am Matotschkin Sch., v. der eben erwähnten Hülfsexp. im Aug. 1872 getauft (ib. T. 26); *c) St. Berg* s. Wilczek.

Stetten s. Stad.

Stettin, slaw. Name der pommerschen Seestadt am *Stettiner Haff*, alt *Stetin, Stetino, Stitin, Stityn,* wird verschiedentlich gedeutet, eingehend besprochen v. Historiker L. Griesebach (Balt. Stud. 10b, 1 ff.). Ein poln. Geschichtschreiber erwähnt die pommersche Veste *Sczecino,* die Knytlinger Saga die Wendenveste *Burstaburg*; jene wird v. Kannegiesser (Bekehrg. Pom. 414 ff.), diese v. Kombst (Balt. Stud. 1, 73) f. *St.* gehalten. Diese Hypothesen stützten Hasselbach u. Hering durch Argumente; sie halten *Sczecino* f. die poln. Form des Namens *St., Burstaburg* f. die Uebsetzg. derselben, indem jene v. *szezecina* = Schweinsborste abgeleitet sei. Die Frage in sprachl. u. histor. Hinsicht prüfend, zeigt nun Griesebach sowohl, dass die 3 Namen nicht ident., als auch dass weder der eine noch der andere der beiden angerufenen Orte in *St.* zu suchen sei. Ihm leuchtet ohnehin, u. gewiss mit Recht, die 'Schweinsborste' nicht ein. Abweichend L. Quandt (Balt. Stud. 10b, 137 ff., 12b, 185 ff.), der f. die Identität beider Namen einsteht. 'Viel angemessener u. der Oertlichkeit entspr. erscheint Mrongovius' Ansicht (NPomm. Pr. Bl. 2, 233): *St. v. teti* — fliessen, *s* = zusammen, *stetiny* ein Ort, wo Wasser zsfliesst' (Bender, Deutsche ON. 89). Jedenf. kommt dagegen die deutsche Etym., welche 1745 Alb. Schwartz (Geogr. NDeutschl.) gab, v. 'Stätte, Wohnsitz', nicht in Betracht, so wenig wie das volksetym. 'Städt in', mit dem ein Bettler nach der Stadt gewiesen wurde, um ein Nachtlager zu suchen. Aber auch Buttmanns Vermuthg., als sei *St.* erst aus *Seddin* etc., u. dieses v. wend. *zyto* = grünes Getreide, besonders Roggen (Deutche ON. 99) entstanden, fällt ggb. den ihm noch unbekannt gebliebenen ältesten urk. Formen (Th. Schmidt, Progr. 1865, 28 ff.). — Nach dem Muster *St.'s* legte der pommersche Herzog Wratislaw IV. 1312 *Neu St.* an (Meyer's CLex. 11, 1029).

Stevenson Island, eine der Inseln des Yellowstone L., u. in der Nähe *Mount St.*, 1871 v. Geologen F. V. Hayden (Prel. Rep. 96. 100) nach seinem Hauptassistenten James *St.* getauft, 'who was undoubtedty the first white man that ever placed foot upon it'. Am 28. Juli war näml. die Exp. am See angekommen u. hatte ihr Lager am nordwestl. Ufer aufgeschlagen; dann fuhren gleich am folg. Tage früh *St.* u. H. W. Elliott üb. den See, um die nächste Insel zu untersuchen. — *Cape St.*, am Scoresby It., Grönl., v. Walfgr. Will. Scoresby jun. (North.WF. 199) am 27. Juli 1822 entdeckt u. nach Robert *St.*, Civilingenieur, getauft.

Steward Island. in Grönl., v. engl. Walfgr. Will.

Scoresby jun. (North.WF. 230) am 29. Juli 1822 entdeckt u. benannt nach Charles *St.* v. Yarmouth, der etliche Jahre früher sein Gefährte auf einer Walfängerreise gewesen war.

Stewart's Islands, in den Salomonen, einh. *Sikayana,* die 2 grössern *Big I.* (= grosse Insel) u. *Faole, Faore,* drei kleinere auf dem Riff, alle gut bewaldet u. voll Cocospalmen (Meinicke, IStill. O. 1, 159), v. engl. Capt. Hunter 1791 entdeckt u. prsl. getauft (Krus., Mém. 1, 10. 182, Atl. OPac. 8). — *St.'s Island,* in NSeel., bei den Engländern unpassend als dessen 'Südinsel' den beiden Hptinseln gleichgestellt, prsl. benannt (s. Foveaux), einh. *Rakiura* = glänzender Sonnenauf- u. Untergang, v. *raki* = trocken u. *ura* = schönes Wetter, vielleicht, weil f. die nördl. Bewohner aus Süden der Wind kommt, welcher klaren Himmel u. schönes Wetter mit glänzendem Morgen- u. Abendhimmel bringt (v. Hochstetter, NSeel. 49). — *Cape St.,* bei Hurry's Inlet, Grönl., v. engl. Walfgr. Will. Scoresby jun. (North.WF. 193) am 26. Juli 1822 zu Ehren des Prof. Dugald *St.* benannt.

Steyr s. Steier.

Sticklodge Creek = Bach der Steckenhütte, ein rseitg. Zufluss des Missuri, obh. Yellowstone R., v. den Captt. Lewis u. Cl. (Trav. 158) am 14. Mai 1805 getauft, in einer Gegend 'with little timber in the low grounds', unfern *Burnt Lodge Creek* (s. d); hier traf Capt. Clarke ein befestigtes Indianerlager, das unlängst noch besetzt gewesen war, v. einer Anzahl Minnetarees herrührend, die am letzten März in den Krieg zogen (ib. 160). Es ist unzweifelhaft, dass die Exp. am *St. C.* Indianerhütten aus Stecken traf; denn kurz nachher, am 26. Mai, erwähnt der Bericht solche wieder u. zwar ausdrücklich: 'In the plain where we lie, are two Indian cabins made of sticks, and during the last few days we have passed several others in the points of timber on the river' (ib. 169). Und am 5. Juni, am Maria's R., traf Capt. Lewis wieder 'several old stick lodges' (ib. 181). Am 7. Juni campirte man in einem alten 'Indian lodge of sticks, which afforded them a dry shelter' (ib. 183). Auch Capt. Clarke, auf seiner gleichzeitigen Exploration des Missuri an den Fällen, war am 4. Juni 'in an old Indian lodge made of sticks and bark' gelagert.

Stilfser Joch, ital. *Passo* od. *Giogo di Stelvio,* der gebahnte Alpenpass neben dem Ortles, nach dem an der Strasse gelegenen Tiroler Ort *Stilfs,* ital. *Stelvio* (Daniel, Hdb. Geogr. 3, 170).

Stille-Bach, ein Zufluss der Meta Bay, NSeml., v. der Exp. Rosenthal 1871 benannt nach Eduard *St.,* einem Neffen des Hrn. A. Rosenthal u. Geschäftsführer des Unternehmens. In der Nähe *Eduard-Bach* (PM. 18, 77).

Stiller O. s. Pacific.

Stinking Lake = stinkender See, engl. Uebsetzg. des ind. Namens eines See's im Gebiete des Saskatschawan, v. seinen niedrigen, morastigen Ufern, nicht etwa v. der schlechten Beschaffenheit seiner Gewässer (Franklin, Narr. 121); *b) St. Springs,* eine v. Schwefelwasserstoff überriechende Quelle auf der Grenze Arizona-NMexico (Peterm., GMitth. 20, 406); *c) St. Water*, einer der Quellarme des Jefferson Fork des Missuri, aus dem Sioux übersetzt u. herrschend geblieben, obgleich die Legislatur v. Idahö den 'unangenehmen' Namen durch *Fairweather* verdrängen wollte (ZfAErdk. nf. 17, 197, Hayden, Prel. Rep. 36 ff.). Fairweather hiess der Vormann jener Arbeiter, welche die Goldminen der Umgegend entdeckten. Ein Flussarm heisst *Sweet Water* = Süsswasser (Hayden 37). **Stirling Mountains**, in West-Austr., an der Küste v. King George's Sd., benannt nach dem ersten Governor der Colonie, der 1827 als Capt. *St.* ermuthigende Berichte üb. die Gegend am Schwanenflusse zkbrachte, 1829 abgesandt wurde, um die Ansiedelg. zu begründen u. bis 1834 im Amte verblieb (Trollope, Austr. 2, 240. 247). — *St. Range* s. Gallow.

Stock, ahd. *stoch* = truncus, als *St.*, *Stocki*, *Stocken*, *Stöck*, *Stöcken* (s. Staudach) so oft in ON., dass das schweiz. Postlex. etwa 40 solcher Wohnorte aufführt, wobei an die stehen gebliebenen Wurzelstöcke zu denken ist, s. v. a. ausgestockter, ausgereuteter Holzboden. Als alte ON. dieser Art: *Stochach*, im 11. Jahrh., j. *Stöck- u. Stockach*, *Stocperc* 9., j. *Stockberg*, 12 *Stocheim* 8. Jahrh, j. *Stockum*, *Stock-* u. *Stöckheim* etc., *Stockheimaroburch* 9., j. *Stöckenburg*, 4 *Stochusun* 8., j. *Stockhausen*, *Stochestat*, j. *Stockstadt* u. a. m. (Försteu., Altd. NB. 1388 f.). — Nach dem Berner Orte *Stocken* das nahe *Stockhorn*.

Stockholm, die zunächst auf kleinen Inseln, *holm*, altn. *hólmi*, *holmr* (Madsen, Sjaell. StN. 210), im 13. Jahrh. erbaute schwed. Hptstadt, an dem holmreichen Sund, welcher Mälar- u. Ostsee verbindet, wird gern als die auf Pfählen od. Stöcken ruhende Anlage betrachtet (Charnock, LEtym. 257), sicherlich jedoch, da der Felsboden der Holme eine solche Fundamentirg. nicht verlangte, richtiger zu *stäke*, *stege*, *stige* gestellt, einem schwed. Worte, welches, vermuthlich finn. Ursprungs, einen schmalen Sund bedeutet, also dass *St.* s. v. a. *Stäkholm* = Sundinsel, wie *Stäkeborg* in Oester-Götaland u. *Stegeholm* in Småland (Passarge, Schwed. 204, Petersen, NStedsN. 65). — Das Wort *stäk*, mit art. *stäket* in der Bedeutg. eines Sundes, wiederholt sich in derselben Landesgegend, bei Sigtuna (C. Säve, Knytl. S. 22). — Unweit des Hafenorts Westervik, an der Stelle des j. *Gamleby* = alten Orts, lag im Mittelalter *Stäkeholm*, auch *Stäkahus*, auf einem holm des Sundes, 'anlagdt på en liten holme i sundet' (Styffe, Skand. Un. 186); auch ein *Stäkeborg*, später in dän. Aussprache *Stegeborg*, 'på en holme i ett trängt sund' = auf einer Insel in engem Sunde, in Oester-Götland, den Zugang zu Söderköping beherrschend (ib. 210); ein Sund bei Almarna heisst *Almarna-Staek*, ein anderer in der Nähe *Lilla Staek* = kleiner Sund (ib. 294). Es sei übr. nicht verhehlt, dass Petersen (ib. 70) doch *St.* zu *stav*, *stoc*, *stang* (wie Stavanger) zieht. Bei den Hanseaten hiess *St.*, das bis zu Anfang des 14. Jahrh. die ganze Insel (v. Staden) einnahm,

einfach *Holm*, daher latin. *Holmia*; im 14. Jahrh. begannen auch die Stadttheile *Norr-* u. *Söder-Malm*, dam. *Norra-* u. *Sudhra-Malm*, noch mit geringen Anfängen die j. Quartiere *Blasie-* u. *Skeppsholm*. Dagg. entstand schon 1270 ein Franciscaner- od. Graumönchskloster auf *Gråmunkeholm*, j. *Riddarholm* = Ritterinsel (Styffe, Skand. Un. 272 f.).

Sto Derewi s. Jus.

Stöck(en) s. Stock.

Stör s. Stuor.

Störort s. Ruhrort.

Stövlehav, et = das Stiefelmeer, d. i. ein Meer, welches mit Ausnahme weniger fahrbarer Rinnen durch die Menge v. Schären durchaus unfahrbar wird, so zw. 65 u. $66^1/_2^0$ NBr., wo sich die Inseln u. Schären 50 km üb. den Continent hinaus erstrecken u. das sich an den unzähligen Klippen brechende Meer bei stürmischem Wetter eine ungeheure Zahl schäumender Brandungen zeigt (Vibe, K. u. MNorw. 9).

Stoichades, gr. αἱ Στοιχάδες sc. νῆσοι, j. *Iles d'Hyères*, die so nach dem bedeutendsten Nachbarort heissen, einst v. den Massiliern (Strabo 184) nach der reihenweisen Lage getauft, v. στοῖχος = Reihe . . . 'tres *Stoechades* a vicinis Massiliensibus dictae propter ordinem quo sitae sunt' (Plin., HNat. 3, 79), auch nach den ligur. Anwohnern wie Appoll.Rhod.(4,553) angibt: νήσους τε Λιγυστίδας αἳ καλέονται Στοιχάδες (Grasb., StGriech. ON. 185). Auch Strabo (129) erwähnt 'die Inseln der Massilier u. Ligurier'.

Stokes' Point, die sehr niedrige Südspitze v. King I., Bass Str., v. dem Reisenden J. Lort *St.* (Disc. 1, 267), der zuerst 1841 am Carpentaria G., später in der Bass Str. Aufnahmen machte, getauft' after the writer'.

Stolbi = Säulen, Felspfeiler, 2 mal als russ. ON.: *a*) eine in der Granitformation v. Krasnojarsk sich erhebende Gruppe v. 4 Pyramiden, welche, je 2 u. 2 neben einander stehend, aus rundlichen, kühn aufgethürmten Massen zsgesetzt sind (Tschih., Alt. Or. 51); *b*) die zugespitzten Felsen, welche bei Batomoy, obh. Jakutsk, das rechte Ufer der Lena bilden (Wrangell, NSib. 1, 19). — *Stolbowoï* = Säuleninsel, in NSibir., 'weil sie aus einem v. Meere aufsteigenden Berggipfel besteht, der zieml. das Ansehen einer Säule hat' (Bergh., Ann. 5, 277), 1805 v. Sanikow entdeckt, einem Commis des russ. Kaufmanns Sirowatski, der als Nachfolger Lächowky's das Monopol der Mammuth-Ausbeute erhalten hatte (Wrangell, 1, XXXIII). — *Myss Stolbowoi* = Säulencap, kaum üb. 6—8 Faden h., aber als Fortsetzg. der langen Strandebene steil in die See abfallend. Neben einigen niedrigen Klippen erscheint unmittelb. vor dem Cap selbst eine säulen- od. backofenfge Felsmasse, welcher das kleine Vorgebirge seinen Namen verdankt (Peterm., GMitth. 18, 22 T. 4).

— *Stolbowaja Tundra* = das Säulenmoor, in Kamtschatka. 'Der Name rechtfertigt sich vollst. an ihrem Südrande, wenn man durch Wasser risse u. üb. Gerölle den gg. 180 m h. Abhang hinabsteigt. Denn das schwarzgraue Gestein, welches in senkr. ᵛänden ansteht, ist dort in der That in höchst auffallende Säulen gespalten, als ob sich auch in der Textur ihrer einzelnen Felsen die Form der gesammten Masse wiederholte, welche wie ein ungeheures Prisma ringsum üb. Thalsohlen hervorragt' (Erman, Reise 3, 242). — In Pommern u. Mecklb. mehrf. *Stolpe* u. *Stolp*, v. asl. *stlüpü*, poln. *slup* = Säule, Fischständer im Fluss od. See, also 'Ort mit dieser Vorrichtung versehen' (Kühnel, Slaw. ON. 138). Buttmann (Deutsche ON. 113) fand sich mit dem 'so häufigen ON.' noch nicht zurecht. Hingg. setzt nun auch der Slawist Brückner (Slaw. AAltm. 82) asl. *stlp* = Säule, čech. *zlup* = piscinaculum (!) u. rechnet hierher *Stolpen*, *Stolpno* etc. Von serb. *stup* die ON. *Stope*, *Stopez*, *Stopitsch*, *Stopnik*, *Stopno*, in Steierm. u. Krain, *Stupa*, in Dalm. (Miklosich, ON. App. 2, 239). An der Mündg. des pomm. Flusses *Stolpmünde* (Meyer's CLex. 14, 943).

Stoliczka Insel, in Franz Joseph's Ld., v. der 2. österr.-ungar. Nordpolexp. Weyprecht-Payer 1872/74 getauft (Peterm., GMitth. 20 T. 23), offb. nach dem Paläontologen Ferd. *St.*, welcher, in Mähren 1838 geb., in der geolog. Reichsanstalt zu Wien, ab 1862 bei der Geolog. Survey in Kalkutta arbeitete, 1864/65 im engl. Tibet, 1873 in Kaschgar, dann z. Thianschan u. üb. die Pamir zkreiste u. in Ladak 1874 †.

Stolp(e) s. Stolbi.

Stone = Stein, wie das deutsche Wort oft in (engl.) ON. *a) St. Creek* (s. Oneida); *b) St. Fort*, eine Veste an hohem, nacktem Felsufer des nördl. Red R., wo die Ufer vorliegenden Kalktrümmer den Fluss abwehren (Hind., Narr. 1, 127 ff.) *c) Stonehaven*, Ort an einer felsigen Bay bei Aberdeen (Spr. u. F., Beitr. 14, 265). — *St. Idol Creek* = Bach des Steingötzen, ein lkseitg. Zufluss des Missuri, obh. Cheyenne R., v. den Captt. Lewis u. Cl. (Trav. 79) am 13. Oct. 1804 getauft, nach 3 Steinbildern, die bei den Indianern in hoher Verehrg. standen, 2 wie Menschenfiguren, die dritte einem Hunde ähnlich. 'A young man was deeply enamoured with a girl whose parents refused their consent to the marriage. The youth went out into the fields to mourn his misfortunes; a sympathy of feeling led the lady to the same spot, and the faithful dog would not cease to follow his master. After wandering together and having nothing but grapes to subsist on, they were at last converted into stone, which beginning at the feet gradually invaded the nobler parts, leaving nothing unchanged but a bunch of grapes which the female holds in her hands to this day. Whenever the Ricaras pass these sacred stones, they stop to make some offering of dress to propitiate these deities'. — *St. Indians* s. Assiniboin. — *St. Vorland* s. Edge. — *Stonehenge*, nach Kemble, 'the eminent Anglosaxon scholar', v. ags. *stanhengena* = Steingalgen, eine Ruinenstätte auf der öden Salisbury Plains, als Wunderbau, insana substructio, betrachtet u. bei ältern Historikern *Gigantum Chorea* = Riesentanz genannt, da ein runder Graben 3 concentrische Kreise sog. Trilithen umschliesst, d. i. galgenähnl. Steinmonumente, welche aus 2 aufrecht stehenden Säulen u. einem quer darüber liegenden Steine bestehen, einzelne dieser Steine 9 m h. u. üb. 2 m br. (Camden-Gibson, Brit. 1, 204). — Derselbe Name, f. wahrsch. dieselbe Monumentalarbeit, wiederholt sich in Schweden: *Haborgs Galge*, Halland. Att folket i England, äfvensom i Sverige, gifvit dessa forntida minnesmärken namn af galgar, bevisar deras likhet med detta instrument (Nilsson, Skand. Ur-invån. 166 f.).

Stone Wall Creek = Bach der Steinwände od. Steinmauern, ein lkseitgr. Zufluss des Missuri, unth. der Grossen Fälle, v. der Exp. Lewis u. Cl. (Trav. 174 ff.) am 31. Mai 1805 getauft nach den höchst auffallenden u. grossartigen Ufermauern, welche sich dem Strom entlang ziehen u. wie Menschenwerk aussehen. Sie sind aufgebaut v. schwarzen (Basalt-?) Blöcken, stellenweise 60 m h. u. 3¹/₂ m dick. 'These hills and river-cliffs exhibit a most extraordinary and romantic appearance. They rise in most places nearly perpendicular from the water, to the height of between two and three hundred feet, and are formed of very white sandstone, so soft as to yield readily to the impression of water. In the upper part of which lie imbedded two or three thin horizontal strata of white freestone insensible to the rain, and on the top is a dark rich loam, which forms a gradually ascending plain, from a mile to a mile and a half in extent, when the hills again rise abruptly to the height of about three hundred feet more. In trickling down the cliffs, the water has worn the soft sandstone into a thousand grotesque figures, among which, with a little fancy, may be discerned elegant ranges of freestone buildings, with columns variously sculptured, and supporting long and elegant galleries, while the parapets are adorned with statuary. On a nearer approach, they represent every form of elegant ruins; columns, some with pedestals and capitals entire, others mutilated and prostrate, some rising pyramidally over each other till they terminate in a sharp point. These are varied by niches, alcoves, and the customary appearances of desolated magnificence. The illusion is increased by the number of martins, who have built their globular nests in the niches, and hover over these columns, as in our country they are accustomed to frequent large stone structures. As we advance, there seems no end to the visionary enchantment which surrounds us. In the midst of this fantastic scenery are vast ranges of walls, which seem the productions of art, so regular is the workmanship. They rise perpendicularly from the river, sometimes to the height of one hundred feet, varying in thickness from one to twelve feet, being equally as broad at the top as below. The stones of which they are formed are black, thick and durable, and composed of a large portion of earth, intermixed and cemented with a small quantity of sand, and a considerable proportion of talk or quartz. These stones are almost invariably regular parallelipeds of unequal sizes in the wall, but equally deep, and laid regularly in ranges over each other like bricks, each breaking and covering the interstice of the two on which it rests; but though the perpendicular interstice be destroyed, the horizontal one extends entirely through the whole work. The stones too are proportioned to the thickness of the wall in which they are employed, being largest in the thickest walls. The thinner walls are composed of a single depth of the paralleliped, while the thicker ony consist of two or more depths. These walls pass the river at several places, rising from the waters edge much above the sandstone bluffs, which they seemed to penetrate; thence they cross in a straight line on either side of the river, the plains over which they tower to the height of from ten to seventy feet, until they loose themselves in the second range of hills. Sometimes they run parallel in several ranges near to each other, sometimes intersect each other at right angles, and have the appearance of ancient houses or gardens ...' Auf dem Rückwege, am 29. Juli 1806, nennt Capt. Lewis (ib. 607) die Strecke dieser Uferwände *Natural Walls* = Naturmauern.

Stony = steinig, adj. v. *stone* (s. d.), ebf. oft in ON., wie *St. Barrier* (s. Asinni), *St. Mountains* (s. Rocky), *St. Creek*, ein romant. Fluss bei Mauch Chunk, Pennsylv., mit Scenen wildester Grösse (Penns. Ill. 56), *St. Head* u. *Low Head* = niedriger Kopf, 2 Vorgebirge in Tasmania, die, wie ihr Name anzeigt, verschiedenen, aber unter sich benachbarten Endköpfe der Hügelreihen, welche v. den Binnenbergen auslaufend durch das niedrige Sandland z. Küste vortreten, v. Lieut. Matth. Flinders (TA. 1, CLII, Atl. 7) am 2. Nov. 1798 getauft. — *St. Island*, eines der Eilande des Gr. Sclavensee's (Franklin, Narr. 200). — *St. Point a)* ein Landvorsprg. am Unterlaufe des Mai-Kussa od. Baxter R., an der Südküste NGuinea's, v. der Exp. McFarlane u. Stone, Aug. 1875, benannt, weil dort, f. den flussan Fahrenden, der erste Fels ist, welcher aus dem Wasser sich erhebt, eine aus Pfeifenthon bestehende steinige Uferstelle (Peterm., GMitth. 22, 88); *b)* ein Cap v. Sullivan's I., Mergui, v. Capt. Thom. Forrest am 16. Juli 1783 (Spr. u. F., NBeitr. 11, 182).

Stor, ahd. *stur*, altn. *stôr* = gross, in skand. ON. wie *St. Fjord* (s. Wybe), *St. Elf*, anderer Name des Glommen, des grössten norw. Flusses (Meyer's CLex. 7, 922), *St. Fors* = grosser Fall, f. einen 30 m h. Wasserfall der Piteå (Meyer's CLex. 12, 985), *St. Jungfru* = grosse Jungfrau, eine Küsteninsel im südl. Theil des Bottn. G., *Storö* = grosse Insel, im nördl. Theil des Bottn. G., *St. Sjö* = grosser See, der grösste der zahlr. See'n Jemtlands (Petterson, Lappl. 41, Glob. 4, 66), *St. Ström* (s. Salten). Auch hier ist zu beachten, dass mit angehängtem Artikel *fors* zu

forssen, jungfru zu *jungfrun*, *ö* zu *ön*, *ström* zu *strömmen* u. s. f. wird u. alsdann d e r Fall, d i e Jungfrau . . . heisst. — Im isl. *a) Stórihnúkur* = grosse Bergspitze, f. einen 900 m h. Berg bei Akureyri; *b) Stórinúpur* = grosse Bergkuppe, f. ein Berggebiet an der Hekla (Preyer u. Z., Isl. 164. 233).

Storm = Sturm, in holl. u. engl. ON., auch mit adj. *stormy a) St. Bay*, an der Südostseite Tasmania's, so genannt v. ihrem Entdecker Abel Jansz Tasman, weil er durch Sturm aus der Bay, in welche er am 29. Nov. 1642, Abends 5h, eingelaufen war, üb. Nacht so weit hinausgeworfen wurde, dass man bei Tagesanbruch kaum mehr das Land sah (Flinders, TA. 1, LXXVIII Atl. 7 hat *Stormy Bay*); *b) Storm Bay Passage* s. Entrecasteaux; *c) Stormachtig Straet* s. Magalhães.

Storoschewyja s. Ngapte.

Storrbühl s. Krähbühl.

Stosch-Halbinsel, einer der neuen Namen in Kerguelen I., v. deutschen Kriegsschiff Gazelle 1874 zu Ehren des Marineministers *St.* eingetragen (PM. 22, 234).

Stoss, bei den Aelplern f. 'steiler Hügel, schroffer Fels', verwandt mit dial. *Stutz* (vgl. Akabah), mehrf. ON., auch unnöthig *Stoos* (Förstem., Deutsche ON. 46).

Straat s. Straits.

Straits, der engl. Name der Strasse v. Malakka (s. d.) u. nach ihr die *St. Settlements*, d. i. die engl. Besitzungen an der Halbinsel: *a)* Pulo Pinang, besetzt 1786 (nebst dem continentalen Gebiete Wellesley); *b)* Malakka, gg. die Besitzungen auf Sumatra v. den Holl. 1824 eingetauscht; *c)* Singapur, 1819 erworben. Einer der ältesten Zeugen des Collectivnamens dürfte im Titel v. T. J. Newbolds zweibändigem Werke sich finden: Political and statistical account of the british settlements in the Straits of Malacca viz. Pinang, Malacca and Singapore, Lond. 1839. — *Street Indians* s. Koloschen. — Auch holl. *Straat*, ON. im Capl., f. eine beiderseits v. senkr. Höhen eingefassten Bergenge (Lichtenst., SAfr. 2, 133).

Stralsund, alturk. *Stralowe*, dann *Stralesund*, auch *thom Sunde*, pommersche Hafenstadt an dem hinter Rügen durchführenden Sunde, sollte nach Micrälius so benannt sein, weil die Zugänge v. der offenen See hier strahlenfg. zslaufen; Andere dachten an die strahlende Sonne, die auch in die Schiffsflagge des Orts aufgenommen wurde (Th. Schmidt, Progr. 1865, 31), od. an ags. *strael* = Pfeil, offb. den 3 Pfeilen des Stadtwappens zu liebe (Charnock, LEtym. 258), od. man setzte 'diesseits des Wassers', da der Ort 1209 v. Rügerfürsten Jaromir z. Schutze seiner Besitzungen diesseits des Meeres ggr. worden (Daniel, Hdb. Geogr. 4, 197). Nun hiess die kleine Insel vor der Stadt urspr. *Strale, Strela* — seit der dän. Niederlage 1429 heisst sie *Dän-* od. *Danholm* = Däneninsel — u. dazu ist *sund* getreten, wohl in Folge des dän. Einflusses, der zZ. der Stadtgründg. an der Ostsee vorherrschte, nach Deutschland verschlagen (Förstem., Deutsche ON. 29).

Stran od. *strana* = Gegend, Seite, in den slaw. ON. *Strana*, *Stranach*, *Strane*, *Stranje*, *Stranska Vas*, *Stranica*, *Stranka*, *Straning*, in den slaw. Gebieten der öst.-ung. Monaçhie (Miklosich, ON. App. 2, 239).

Strangford, Hafenort der ir. Prov. Ulster, Ldsch. Down, gehört unter die Seeplätze, welche die Dänen, weniger behufs Besitzergreifg., als f. Handel u. Seeraub in Irland innehatten u. 'very appropriately' *Strong Fjord* = den heftigen Fjord nannten . . . 'from the wellknown tidal currents at the entrance, which render its navigation so dangerous'. Der Fjord selbst, ir. *Lough Cuan*, also wie ein Binnensee mit *lough*, heisst j. *Str. Lake* (Joyce, Orig. Ir. NPl. 1, 105 f.).

Strascha s. Stráž.

Strasse, ahd. *straza*, häufig in ON., die nicht selten ihren Ursprg. den Römerstrassen verdanken, aber wie *Ober-* u. *Unterstrass*, bei Zürich, auch einf. den grossen Verkehrsrichtungen neuerer Zeit entsprechen (s. Ober). Es gibt mehrere alte ON., wo *St.* ebf. Grundwort ist, od. einf. *Strass*, im 8. Jahrh. *Straz*, 6 mal, *Strassbach*, im 9. Jahrh. *Strazpah*, *Strassfeld*, im 8. Jahrh. *Strazveldon*, *Strassheim*, alt *Strazheim*, *Strasskirchen*, alt *Strazchiricha* u. a. m. Das bekannteste Object dieser Reihe ist die elsäss. Stadt *Strassburg*, 728 *Stratiburgum*, bei dem Geogr. v. Rav. *Stratisburgum* u. *Argentaria* (der frühere Name), dann *Strate-* u. *Strazeburg* etc., d. i. die Burg an der grossen Strasse, die hier den Rhein passirt (Lorenz u. Sch., GEls. 10), wie auch das brandenb. *Strassburg*, an der Drewenz, 'der Lage an wichtigem Flussübergang seinen Namen verdankt' (Thomas, Tils. Progr. 28). 'Karolingische Thatkraft scheint es gewesen zu sein, die den kelt. Namen *Argentoratum* in einen deutschen umwandelte' (Förstem., Deutsche ON. 300). Man übsetzt jenen mit 'Silberburg', schon früh: *A. i. e. Stratiburgo*, teutonice namque *strati* argentum, *burgo* civitatem significat (Cod. Vat.) od.: *Strázburc* in lingua latina heizet *Argentina*, in tiuschi ein silberstat genannt (Rud. v. Ems, WeltChr.), wie denn der Name verwandt dem ir. *argel*, kymr. *aryant*, corn. *argans*, arm. *argant* = Silber (wie auch dem lat. *argentum*). Allein mir ist nicht gehörig klar, ob direct nach dem gall. Bergbau, der, v. den Alten gerühmt, auch auf Silber sich erstreckte, od. nicht zunächst nach der *Ergers*, 833 *Argenza*, die aus den Vogesen herabkommt u. obh. *St.* in die Ill mündet? Wir haben hier viell. einen 'Silberbach', wie in der *Argen* des Bodensees, im 8. Jahrh. *Arguna* (od. der *Argenz*, im Keltist Buck [Baumann, GdAllg. 1, 36] f. 'Waldbach' erklärt), sowie in der alten *Argona*, einem Nebenfluss der Somme (Bacm., Kelt. Br. 52). Ggb. diesen Vermuthungen klingt es gar ungekünstelt, wenn der Keltist d'Arbois de Jub. (Rech. NL. 493) rundweg gesteht: 'Il est donc prudent de laisser sans traduction le nom de lieu *Argentoratum*'. Den Uebgang des kelt. Namens in die deutsche Form denkt sich K. Christ (Aufs. rhein. Germ. 9) als volksthüml. Verkürzg.: aus *Argen-*

tratum in . . . *tratum*, *strata*, *Strataburg* — ozw. Wenigen einleuchtend; aber er behauptet richtig, dass der deutsche Name nicht die Uebsetzg. des kelt. ist.

Strathumore Bank, eine kleine Felsbank bei Isle Barwell, nördl. v. d. NHebrid., mit 7—9 m Tiefe, v. Capt. Mann 1856 nach seinem Schiffe benannt (Meinicke, IStill. O. 2, 58).

Stratos, gr. στράτος = Standlager, f. sich eine Zeitlang ON. in Achaja (s. Dyme), in der Form *Stratopedon Pteroton* = beflügeltes Lager nach Hadrian f. Edinburg (s. d.). — Von dem PN. *Strato* der syr. Thurm *Stratonis Turris* (s. Caesarea), nach einer Königin *Stratonikeia* (s. Antiochia).

Straum s. Martha.

Strawberry Isle = Insel der Erdbeeren *a)* im Canal hinter Vancouver I., nach der grossen Menge Erdbeeren, welche Herr Broughton bei seinem Besuche dort fand (Peterm., GMitth. 5, 494); *b)* eine 5 km lg. Flussinsel des Oregon, v. der Exp. Lewis u. Cl. (Trav. 384) am 2. Nov. 1805, ebf. nach der grossen Zahl v. Erdbeerstauden.

Stráž od. *straža* = Wache, Warte, Wachtthurm, oft in slaw. ON. der Grenzwacht od. der Befestigg. wie *St.*, *Straža*, *Strážni*, *Strážnik*, *Strascha*, *Strasche*, *Straschischa*, *Straschitz*, *Straschin*, *Straschnitz*, *Straschnow*, *Straschow*, *Straschowitz*, *Strašic*, *Strašice*, *Strašnice*, *Stratzing*, *Stroschützen*, ferner *Stróza*, *Stróze*, *Strózna*, *Strozówka*, in Galiz., v. poln. *stróz* = Wächter, *Stříteže*, 16 mal in Böhm. u. Mähr., v. čech. *střici* = bewachen (Miklosich, ON. App. 2, 240, Umlauft, ÖUng. NB. 230).

Streaky Bay = gestreifte Bucht, in Süd-Austr., an niedriger Sandküste seichter werdend u. mit streifig missfarbigem Wasser, so dass Flinders (TA. 1, 111) eine nähere Untersuchg. aufgab am 5. Febr. 1802, bei der Exp. Baudin *Baie Corvisart* (Krus., Mém. 1, 39).

Street I. s. Koloschen.

Strela, auch *Sträla*, der Pass zw. Davos u. Schanvic, 1338 *Striäl*, v. rätr. *stria*, *streia* = Hexe, deutsch *Hexenberg* (Gatschet, OForsch. 169).

Strelitz, ON. in Mecklenb., 1316 slot *St.*, 1329 hvs vnde dorpp *St.*, 1349 husz vnnde stadt, thu *Strelitze*, v. asl. *strělici* = Schütze, Jäger (Kühnel, ON. Meckl. 139), wie schon A. Buttmann (Deutsche ON. 121), unter Verweisg. auf 'Schwerin', sagt: 'Es wird somit schon durch die beiden Namen das Land als ein f. die Jagd günstiges . . . aufs unzweideutigste charakterisirt' u. zugl. anführt, dass der Name *St.* im ganzen 16 mal vorkomme, ausserdem oft, v. *strěla* = Pfeil, *Strelna*, *Strelow*, *Strehla*, *Strehlen*, *Strehlkau* (Hey, Slaw. ON. 52). Als das Schloss in *St.* 1712 abbrannte, entstand 1721, in einiger Entfernz. v. *Alt-St.*, auf dem bisherigen Hofe *Glineke* = Lehmort, die Hptstadt *Neu St.* (Jacobi, Ansp. 69).

Striberné s. Silber.

Strigonium s. Gran.

Stříteže s. Stráž.

Strogonoff, Golf, in Jeso, v. russ. Capt. J. A.

111*

v. **Krusenstern** (Reise 2, 36. 40) am 7. Mai 1805 getauft’dem Präsidenten der Academie der Künste zu Ehren‘, wie *Bay Suchtelen*, 2^d früher, nach einem russ. General. — *St. Bay* s. Meelhaven.

Strokkur = Butterfass, eine der beständig aufwallenden, aber nicht mehr emporstrahlenden Springquellen Islands, kaum 100 Schritte v. Geysir entfernt (Preyer & Z., Isl. 241).

Strongyle s. Stromboli.

Stroma, altn. *Straumsey* = Insel der Strömung, ein mitten im Pentland Firth liegendes Felseiland, nach der heftigen Strömg., in der Atlantic u. Nordsee auf einander treffen. Selbst bei stillem Wetter kann dieser Zsstoss Wellen v. erstaunlicher Höhe erzeugen, so dass das Meer ringsum mit weissem Schaum sich bedeckt. Trifft sich aber erst gleichzeitig ein, dass die Strömg. scharf gg. den Wind geht od. ein rechter Sturm bläst, darf sich kein Schiff hinaus wagen. Im Wintersturm, bes. bei Nordwest, der des Antlantic ungeheure Wellen in die Seegassen der Orkneys u. der Shetland In. hineinklemmt, da hebt sich das Meer zu solcher Höhe u. schlägt mit solcher Wucht an die Küsten, dass der Schaum weit in das Land hinein spritzt, sogar üb. Vorberge, die zu mehr als 100 m aufsteigen (Worsaae, Mind. Danske 316 f.). — Eine american. *Straumey*, nebst *Straumfjördr* s. Martha. — *Strömöe* = Strom- od. Bachinsel, eine der Fär Öer, nach dem unweit des Hptorts Thorshavn mündenden Inselbache (Preyer & Z., Isl. 22). — Holl. *Stroom Bay* = Bucht der Strömg. od. Flut, an der Ostküste NSeml., unweit Ijshaven (Peterm., GMitth. 18, 396).

Stromboli, im arab. Mittelalter *Strangelo* (Edrisi ed. Jaub. 2, 71), alt *Strongyle*, gr. Στρογγυλή = die runde, nach ihrer Gestalt (Strabo 276), eine der Liparen, ’... insula cui nomen facies dedit ipsa rotunda‘ (Corn. Severus), genau conisch aus der Ferne ’et son nom relatif à sa forme‘ (Dolomien, Lip. 114). — Uebr. begegnen wir einer ’runden Insel‘ noch 2 mal im griech. Sprachgebiete: *a*) f. Naxos, die zieml. gerundete, in früherer Zeit (Fiedler, RGriech. 2, 290); *b*) f. das kleine runde Felseiland südl. v. Kos, ngr. *Strongyli* (Ross, IReis. 3).

Strong Island, eine hohe Insel, die östlichste der Carolinen, einh. *Kusaie*, *Walan*, *Ualan*, v. Capt. Crozer, Schiff Nancy v. Boston, am 20. Dec. 1804 entdeckt u. nach *Str.*, dem Governor v. Massachusetts, getauft, auch *Hope Island*, nach dem Schiffe *H.* 1807. Der frz. Capt. Duperrey, Schiff Coquille, verwandte im Juni 1824, auf des Geographen Buache Wunsch, 10^d auf die Untersuchg. der Insel u. taufte die Bucht, in welcher er ankerte, *Havre de la Coquille*, 2 Berge *Mont Crozer* u. *Montagne de Buache*; dagegen nannte der russ. Seef. Lütke 1827 einen andern dieser Berge *Eselsohren* (Krus., Mém. 2, 50. 349, Bergh., Ann. 9, 147, Meinicke, IStill. O. 2, 348 f.). — *Strongbow Indians* s. Edtschatahut. — *Strongtide Passage* = Gasse der hohen Flut, ein 10 km lg. Eingang der Shoalwater Bay, Austr., v. Flinders (TA. 2, 43 Atl. 10.) am 27. Aug. 1802 so ge-

tauft, nach der starken Flut, die 4¹/₂′ per Stunde betrug.

Stroza s. Stráž.

Struma s. Kara Su.

Strzelecki, Mount, ein hoher Pic v. Flinders I., Bass Str., v. Capt. Stokes (Disc. 2, 419) 1842 getauft nach seinem Vorgänger u. Freunde, dem Grafen Paul Ed. *St.*, welcher, 1796 in Preussen geb., eine engl. Erziehung genossen u. America, Austr. u. Asien bereiste, 1840 die Ebenen v. Gipps’ Land (s. d.) entdeckte, dann die Blauen Berge erforschte u. Tasmania besuchte. — Nach ihm ist auch *St. Creek*, die südl. Fortsetzg. des Cooper Creek, benannt.

Stubendorff s. Middendorff.

Studeň = Brunnen, čech. Wort, slow. *studenec*, poln. *studnia*, auch adj. čech. *studeny* u. aslow. *studen* = kalt, ein fruchtb. Namenelement: *St.*, *Studena*, *Studene*, *Studenec*, *Studenei*, *Studenetz*, *Studenka*, *Studinik*, *Studinka*, *Studnic*, *Studnice*, *Studnitz*, in Böhm. u. Mähr., *Studena*, im Küstenl., *Studenc*, *Studence*, *Studenčice*, *Studenec*, *Studenitz*, *Studeno*, *Studenz*, *Studenze*, *Studenzen*, in Steierm. u. Krain, *Studzian*, *Studzianka*, *Studzieniec*, in Galiz. (Miklosich, ON. App. 2, 241, Umlauft, ÖUng. NB. 232). — Vgl. Staudach.

Studernheim s. Ketzin.

Stuhlweissenburg, Ort in Ungarn, anfängl. ohne ’stuhl‘, 997 *Alba*, 1044 *Wizenburg*, mag. *Fejérvar*, v. *fejér* = weiss u. *vár* = Burg, so schon die Bezeichng. f. die Hpt.- u. Residenzstadt, wie Belgrad (Hunfalvy, Ung. 118), da *weiss* bei Völker- u. ON. meist den Vorrang ausdrückt, seit Stephan dem Heil. Krönungsstadt, so dass hier die Könige ’auf den Stuhl ihrer Vorfahren erhoben wurden‘, daher mit *stuhl*, 1490 *Stollenweissenburgk*, mag. *szek*, zu *Székes Fejérvár*, lat. *regia*, zu *Alba Regia*. Die Stadt blieb Residenz u. Grabstätte der ung. Könige, bis Bela IV. jene nach Ofen verlegte (Meyer’s CLex. 14, 968, Förstem., Deutsche ON. 219, Umlauft, Öst. NB. 59. 232. 235).

Stuibenfall s. Staubbach.

Stumbragire = Wald der Urochsen, verdeutscht *Stumbragirren*, v. lit. *gire* = Wald u. *stumbras* = Urochse, Ort in preuss. Litauen (Gisevius, Volkss. 62).

Stump s. Chicot.

Stuor Muorki Kortje = grosser Seefall od. *Aednamuorkikortje* = grosser nebliger Fall, lapp. Namen eines betrachtl. Falls der Luleå, wohl der gewaltigste Europa’s, da hier der *Jertajaur* = tiefe See üb. eine 43 m h. Felsbank sich in den *Pajebu Lulejaur* — obern Luleseo stürzt, in 3 Absätzen, deren oberster 25 m frei fällt (Petterson, Lappl. 128). — Auch altn. *stor*, ahd. *stur* = magnus dürfte in einigen ON. noch erhalten sein, wie die *Stuhr*, im 12. Jahrh. *Sture*, Zufluss der Ochtum, südl. v. Bremen, u. die *Stör*, im 10. Jahrh. *Sturia*, Nebenfluss der Elbe, in Holstein (Förstem., Altd. NB. 1396 f.).

Stupa s. Stolbi.

Stupfereut s. Stuttgart.

Sturgeon = Stör, in ein paar engl. FlussN.

America's, wo diese Fische häufig vorkommen: St. Creek, 2 mal: a) ein Zufluss des Assiniboin River, wo eine Zahl Boote u. Canoes zwirkt, um die Störe auf die Sandbänke zu treiben u. dort in beliebiger Menge zu erlegen (Ch. Bell, Canad. NWest 7); b) ein Fluss in Maine (Buckingh., East. & WSt. 1, 150. — St. River s. Maligne.

Sturges Bourne Islands, östl. v. Vansittart I., Fox Ch., v. Capt. Parry (See. V. 73 ff.) im Aug. 1821 entdeckt u. benannt 'after the Right Honourable William St. B.'

Sturm Bay, bei deutschen Entdeckungen der Neuzeit 2 mal: a) in Franz Joseph's Ld., v. der österr.-ungar. Exp. Weyprecht-Payer 1872/74. Als Jul. Payer am 19. April 1874 v. der grossen Schlittenreise nach Cap Fligely, 82° NBr., zurückkehrte, traf er in dieser Gegend, um die Hayes-In., offenes Meer; diess nöthigte ihn, üb. die Gletscher des Wilczek Ld. zu gehen, u. dieser Landmarsch längs der Bucht begann 'unter furchtb. Schneesturm' (PM. 22, 205); b) Arm der Dove Bucht, östl. Grönl., im Osten v. einem 400 m h. Plateau begrenzt, v. der 2. deutschen Nordpolexp. 1869/70 getauft. 'Am 12. Apr. 1870 bestiegen wir dieses Plateau während eines heftigen Schneetreibens ... Zum Zelt zkgekehrt, brach (sic!) ein wüthender Sturm los, während dessen eine dichte Flut frischen Schnee's niederfiel u. welcher 5ᵈ lg. andauerte (ib. 17, 191 T. 10).

Stuttgart, die Hptstadt Württembergs, 1080 u. 1229 Stutgarten, wurde schon 1821 v. Ulmer Prälaten Christoph v. Schmid (Württ. Jahrbb. 3 f., 271) verständig u. einleuchtend, als Fohlen- od. Stutengarten, Stuterei, besprochen, dann v. Alb. Schott (Gymn. Progr. 1843) in diesem Sinne festgestellt. Wenn der erstere dabei den ON. Stuotpferrich, bei Karlsruhe, urk. 1283, irrig nach St. verlegt (Schott 22), so ist diess ein geringes Versehen, im Vergleich zu dem unsinnigen noch 1876 aufgetischten 'Dutten- od. Todtengarten, wo todt = hingestreckt' (J. Schwartz, D. VolksN. 59). Die Parallele Stuotpharrich, mit Umlaut Stuotpherrich = Stutenpferch, Gestüte, wiederholt sich urk. 1067 u. 1074 in zwei ON. Nieder-Oest.'s, deren einer, als Stopfenreith, Stupfereut, im Marchfelde, noch vorhanden ist (Bl. V. LandesK. NOest. NF. 18, 108). — Ein Neu St., am Flusse Berda, Taurien, v. deutschen Separatisten ggr. (Bär u. H., Beitr. 11, 64).

Stwrtek = Donnerstag, eig. četrtek = der vierte sc. Tag der Woche, 4 slaw. ON. in Ungarn, wo am Donnerstag Markt gehalten wurde, ins mag. übergegangen in der Form Csötörtök, f. 3 derselben, Csötörtök Hely, wo hely = Ort (Hunfalvy, Ung. 116)— ein Seitenstück zu arab. Arbaa, Had, Tleta.

Styggebrae = hässlicher Gletscher, v. brae, bree, brede, altnorw. bredi, bredafönn = Firn, ewiger Schnee, u. styg = hässlich, norw. Name eines Gletschers am Store Galdhöpig (PM. 22, 125).

Styx s. Mauroneria.

Sua od. Zuhè = Tag, Sonne, bei den Muysca der Zuname des Sonnensohnes Bochica, daher Sue f. Europäer od. Weisser, weil die Spanier zuerst f. Sonnensöhne, S., gehalten wurden (Humb., VCord. 247).

Suan s. Syene.

Subhakuta s. Adam.

Subhan Dagh, in kurd. verd. Sipan Dagh, ein majestätischer, mit ewigem Schnee bedeckter Kegelberg nördl. v. Wansee, viell. v. arm. surp = heilig, durch die Sage mit Noah in Verbindg. gebracht. Die Arche hätte, hin u. her getrieben, zuerst an diesem Berge angeschlagen, u. der Patriarch, erschreckt v. Stoss, rief aus: 'Subhanu Ilaʿ = Gott sei gelobt! (Layard, Disc. 15).

Subiáco, mod. ON. des röm. Gebiets, aus ant. Sublaqueum, da der Ort unth. der künstl. Teichbauten lag, in welchen das klare Wasser des Anio gesammelt wurde behufs Einführg. in die röm. Wasserleitungen (Kiepert, Lehrb. AG. 417).

Subotica s. Zobten.

Subunrika, skr. Suvarnarekha = Goldlinie, ein Fluss, der zw. Ganges u. Mahanada mündet u. den wg. seiner Diamantenschätze die Griechen 'Ἰδάμας nannten (Lassen, Ind. A. 1, 221, Ptol., 7, 1¹⁷). — Subhakuta s. Adam.

Suchoth, hebr. סכּות = Hütten, 2 mal: a) Stadt im Stamme Gad. 'Und Jacob zog gen S. u. baute sich ein Haus u. machte seinem Vieh Hütten; daher heisst die Stätte S.ʿ (1. Mos. 33, 17); b) der erste Lagerplatz der Israeliten bei ihrem Auszuge aus Aegypten (2. Mos. 12, 37 etc.). — Aehnl. Sukkijjim, hebr. סכּיּים = Hüttenbewohner v. einem african. Volke (2. Chr. 12, 3) neben Libyern u. Aethiopiern (Gesen., Hebr. Lex.).

Suchowsky s. Irkutsk.

Suchtelen s. Strogonoff.

Suchyj, besser ssuchyj m., ssuchaja f., ssuchoje n. = trocken, russ. Wort, čech. suchy, poln. suchy, slow. suh, kommen in ON. häufig vor a) Suchóje Móre = trocknes Meer heisst bei den Pustosèrsker Fischern wg. der sehr geringen Tiefe u. der vielen Sandbänke ein Küstenstrich um die Petschora (Schrenk, Tundr., 1, 574); b) Suchoi Axai s. Kuru; c) Suchoi Kamen s. Pawdinsk; d) Suchoi Nos s. Kruis; e) Suchoi Terek s. Eski. — Sucha Gora, bei H. Barth (RTürk. 149) Sukha Gora = trockner Berg, bulg. Bergname bei Bitolia, auffallend, da, im Herbst wenigstens, aus den zahlr. Schluchten die Quellströme hervorbrechen, türk. Ostredsch Dághlari, ant. wie der Olymp Októlophos = 8-Kuppe, da 8 Sporne in das Thal vortreten. In dem westl. Slawengebiete a) Suchá sc. voda = spärliches Wasser, Fluss in Böhmen, zugl. häufig f. Wohnorte; b) Suchadol in Krain u. Steierm. wie čech. Suchhdol s. Suchodol u. Suchodoly, poln. ON. in Galizien, Suchonitz in Mähr., Sucha Dziura = trockne Höhle, in der Tatra, Suchawola = trockner Freigrund, in Galiz. (Miklosich, ON. App. 2, 157. 242. 256, Umlauft, ÖUng. NB. 232 f.), Suchor, mehrf. in Krain, wie auch Suha, Suhadole, Suha Vas, Suhidol, Suho, Suhor, Suhorje, ferner Suša, Sušak, Sušana, in Krain u. Küstenl., Sušan, in Dalmat., *Sušica* u. *Sušic*, verdeutscht *Suschitz* = der (im Sommer) austrocknende Bach, mehrf. in Krain, Steierm. u. Böhmen, *Suszyca*, in Galiz., v. gl. Bedeutg. — Verdeutschte Formen sind auch *a) Zusch, Zuscha*, aus slaw. *sušany*, Orte in Böhmen (Miklosich, ON. App. 2, 242): *b) Zauche*, Sandebene in Brandenburg, durch Trockenlegg. v. Sümpfen urbar gemacht, 979 *Zucha*, auch *Suche, Zucheda* (Jettmar, Ueberreste 18, Altpr. Mon. 6, 712); *c) Zaucha*, 979 *Zucha*, 1034 *Zuchaha*, mit germ. Endg. *-aha*, Zufluss der Ips; *d) Zauchen*, zunächst f. einen Regenbach, dann f. Orte in Steierm. u. Kärnten; *e) Zauchtl*, aus čech. *suchdol* = trocknes Thal, in Mähren; *f) Zauchwinkel*, mit deutschem Grundwort, Orte in Kärnt. (Umlauft, ÖUng. NB. 283).

Sucio, Rio = trüber, schmutziger Fluss, ein Zufluss des Sarapiqui, Costa Rica, der, gewöhnl. wasserarm, bei starken Regengüssen bedeutend anschwillt u. dann trübes schlammiges Wasser führt (Peterm., GMitth. 8, 206).

Suckling, Cape, in der Nähe des Mt. St. Elias, v. Cook (-King, Pac. 2, 349) viell. nach einer Person, od. dann nach dem Aussehen getauft. Er beschreibt die Spitze als niedrig; aber landein folge ein zieml. hoher Hügel, welcher durch eine Einsattelg. v. den höhern Bergen getrennt sei u. in der Entferng. wie eine kleine dem Hauptlande vorliegende Insel aussehe. Sollte in des Entdeckers Vorstellg. die kl. Capmasse, welche sich fast losgetrennt dem Binnenhochlande anschmiegt, wie ein Säugling, *suckling*, wie das z. Continent geh.' Junge' erschienen sein? Ich glaube: nein, da sich *S.* mehrf. wiederholt: *S. Reef,* f. ein üb. 7 km lg. Lagunenriff der Louisiade (Meinicke, IStill. O. 1, 104), *Cape S.,* am Papua G., *Mount S.,* f. einen Berg der Kette Owen Stanley (ib. 1, 108).

Sucre s. Chuquisaca.

Sucre, Pain de, dasselbe mit span. *Pan de Azucar* u. port. *Pão d'Assucar* (s. dd.) u. wie diese mehrf. in ON. *a)* ein Berg des dép. Meurthe, ehm. le Montheu, 'qui doit son nom à sa forme particulière' (Dict. top. Fr. 2, 106); *b)* ein Fels des Dorfs la Serverie, dép. Calvados (ib. 18, 213); *c)* ein an der Form leicht kenntlicher Berg neben Baye de las Cascade, Magalhães Str., v. Bougainville (Voy. 149) im Dec. 1767 getauft; *d)* s. Marcos.

Sud, frz. Wort f. *süd,* meridies, finde ich, wie span. *sur* u. port. *sul* (s. dd.), in ON. nicht häufig *a) Bassin* u. *Passe du S.* s. Ouest; *b) Ile S.-Est* = 'die südöstl. Insel' der Seychellen (McLeod, East. Afr. 2, 213).

Sudan, vollst. *Beled e'-Ssudân, Bilâd es-S.* = Land resp. Länder der Schwarzen, v. arab. *beled* = Land, Gegend, plur. *bilâd,* u. dem adj. *aswad* = schwarz, dial. *eswed, asued,* plur. *sûdân,* gew. *sûd,* fem. sing. *saudâ',* das dial. wohl *soda* lautet (nach Prof. Ryssel 7. III. 1890), der Inbegriff der Negerländer südl. v. der Sahara, einh. *Aafnu,* mit gl. Bedeutg., bei den Tuareg *Aguss* = der Süden, fränk. *Nigritien,* v. lat. *niger* = schwarz (Barth, Reis. 1, 333. 340, Spr. u. F., NBeitr. 7, 210, Mitth. Anthrop. G. Wien

1888, 64), unpassend *Nigerland,* nach dem Strom. — *es-Sudêj* = das Russtöpfchen, ein Vulcan im östl. Hauran (Wetzst., Haur. 16). — *Sudah,* vollst. *Dschebel es-Soda* = das schwarze Gebirge, Bergzug in Fezzan, mit schwarzem vulcan. Gestein, v. zerrüttetem, schaudervollem Aussehen, 'so unheimlich, wie man sich nur ein ödes, wild zerklüftetes Wüstengebirge denken kann. Vogel verglich die Gegend wg. des zertrümmerten, schlackenartigen Gesteins den Landschaften im Monde, Hornemann einer Höhle, welche in enger, dunkler Schlucht den Eingang z. Unterwelt bezeichnen. Der düstere Eindruck, den die schwarze Färbg. der Steine, der grossen wie der kleinen, hervorbringt, wird noch dadurch eigenth. verstärkt, dass in die pechschwarzen Felswände u. in die mit schwarzem Geröll übdeckten Abhänge häufig weisse Sandsteinlager eingebettet sind' (Rohlfs, QAfr. 1, 125 f., Peterm., GMitth. 10, 191). Ozw. ist diess der *mons Ater* nostris dictus, a natura, adusto similis aut solis repercussu accenso (Plin., HNat. 5, 35) od. was gleich nachher (ib. 5, 37) mit gl. Bedeutg. als *mons* nomine *Niger* aufgeführt wird.

Suderburg s. Süd.

Sudeten, f. das schles.-böhm. Grenzgebirge, 'ein dem Volke unbekannter Name', der bald in engerm, bald in weiterm Sinne gebraucht wird, nicht selten so, als ob das (mährische) *Gesenke,* das *Glatzer Gebirgsland,* das *Eulengebirge,* das *Riesengebirge* etc. als Abtheilungen der *S.* zu betrachten wären, ist eine litterar. Uebtragg. der Σούδητα ὄρη des Ptol., 1558 durch Phil. Melanchthon eingeführt (Vorrede zu Val. Trotzendorfs Catech. scholae Goltperg.) u. durch seinen Schüler Joach. Cureus in gelehrten Beweise gestützt (Gent. Sil. Ann. 1571), dann bei den Autoren angenommen. Noch 1561 kennt die schles. Carte Mart. Helwigs nur ein *Gesenke* u. einen *Riesenberg.* Die Deutg. des Namens selbst ist noch nicht gelungen: Janssen dachte an eine deutsche Ableitg.: *Sudöde* = südliche Gebirgsöde; mehr Zutrauen erweckt C. Zeuss, der dem Namen kelt. Ableitg. geben will, od. K. Müllenhoff, welcher (Haupts ZfDAltth. 7, 526) ein poln. *Suditha* = Thermengebirge annimmt (vgl. altn. *sudr* = Hitze, brausen, *sudda* = Dampf ausströmen), jedoch die *S.* in das j. Erzgebirge versetzt, dessen böhm. Fusse die bekannten Thermen entquellen — ganz in der Auffassg. der frühesten Autoren, 'die wie G. Agricola 1530 u. Seb. Münster 1543, u. noch 1608 L. Pccenstein (Theatr. Sax. 14) den Namen *S.* wesentl. auf das Erzgebirge bezogen, während sie 1802 J. G. Worbs in einem kurzen verständigen Aufsatz (Schles. Pr. Bl. 35, 17 ff.) u. 1884 A. Kirchhoff (Mitth. Geogr. Ges. Thür. 3, 18 ff.) nach dem Thüringer Walde verlegt. Der älteste Name der heutigen *S.* od. ihrer mächtigsten Abtheilg. ist des Ptolem. Ἀσκιβούργιον ὄρος, *Asciburgium* (Förstem., Altd. NB. 126), wie schon der 1530 †Nürnb. Patricier Willib. Pirckheimer (Expl. Germ.) annimmt: *Asciburgii montis* nomine montanailla continentur, quae per Silesiam ad Poloniam et Cracoviam usque se extendunt (E. Malende, Sudet. 4). Wie ein

Nachklang dieses ältesten Namens (s. Aschaffen-burg) nimmt sich das slaw. *Gesenke* (s. Jesenik) aus.

Sudr = Süd, in den isl. Inselnamen *a) Sudrey* – Südinsel, im südl. Theil der Westmänner In. *(Preyer-Z.*, Isl. 26); *b) Sudreyjar* od. *Sudur Oer* s. Hebrides.

Sudschuk-Kala'h, türk. Veste am Pontus, auf den ital. Seecarten *Zurzuchi, Porto de Susaco, Porto Suaco,* wohl aus diesen Formen verd., aber v. Klaproth (Kauk. 1, 478) v. tscherk. *Dschugo Zukkala'h* – Schloss der kleinen Mäuse abgeleitet, weil bei dem Bau viele kleine Erdmäuse z. Vor-schein kamen.

Suebos s. Warnemünde.

Süd = meridies, auster, ahd. *sund*, alts. *suth,* engl. *south,* holl. *zuiden,* dän. *syd, sönden,* schwed. *söder,•syd, sunnan,* schon in alten ON. wie *Zütphen, Sudvenum* im 11. Jahrh., *Zuid-cliet, Suthjlita* 10., *Sumpfohren* od. *Sundpforen, Sundphorran* 9., *Sutheide,* 6 mal *Sundheim,* j. *Süd-, Sond-, Sundheim, Sand-* u. *Sundhofen, Sundhoca* 8., 5 mal *Sundhausen, Sunthusan* 8., *Südkirchen, Suthkirike* 11., *Sunstedt, Suntstede* 9., *Sutdorf* 11., *Sonnenberg, Sundunberg* 10., *Suderburg, Sutherburg* 11., *Sundgau, Sundar-gavi* 8., *Zanderenhard,* Berg bei Fulda, *Son-dershofen, Sundarunhofe* 9., *Sudrekercha* 11., *Suderode, Sutherrode* 11. u. a. m. (Förstem., Altd. NB. 1404 ff.). Sollte nicht auch *Sonders-hausen,* in Thüringen, neben *Sondershofen* hier-her gehören? Man liebt diesen ON. als Ggsatz zu 'Nordhausen' anzunehmen; es ist jedoch nicht zu übsehen, dass dem letztern näher schon ein *Sundhausen* liegt (Förstem. 1405). Das mittel-niederd. *Surland,* eig. *Suder-, Süderland,* ist im hochd. zu *Sauerland* geworden (WSeelmann, ZGesch. dd. Volksst. 45). Auch die mod. Nomen-clatur hat *Südcap,* f. die Südspitze Spitzb. (Torell u. N., Schwed. Expp. 455, Carte), *chines. Südsee* od. *südchines. Meer* (s. Nan), *Südhafen* (s. Nord), *Südinsel* (s. Nieuw Zeeland u. Bligh), *Südpunt* = Südspitze, in San Juan, Antill. (Oldend., GMiss. 1, 47), *Südsee* (s. Nordsee u. Pacific).

Sügüd od. *Sügüt* = Weide, salix, in türk. ON. wie *S. Dugh* = Weidenberg, bei Isbarta (Tschi-hatscheff, Reis. 4. 28).

Sülchen s. Sulgen.

Sülzen s. Sulz.

Suess-See, ein v. Tschermak-Bach durchflossener See in Gänse Ld., v. der österr.-ungar. Exp. Wilczek im Aug. 1872 benannt (PM. 22 T. 16) offb. zu Ehren des Wiener Geologen *S.*

Suessa s. Susa.

Süssenblätz s. Gibisnüt.

Suessonen s. Soissons.

Suet = Gegend des Nothrufs heisst der am westl. Fuss der Zunile (s. d.) gelegene lange, schmale Landstrich, welcher fast lauter Höhlenorte hat, nach dem Nothruf, der bei der Annäherg. eines Feindes v. hohen Warten 'in's Land fiel' u. Alles in die unterird. Ortschaften hinein trieb (Wetz-stein, Haur. 46).

Sueticum S. s. Botten.

Suez, der erythr. Eingang des *S.-Canals,* am *Golf v. S.,* der einst nach der grössten Stadt an Ramses' Schifffahrtsscanal der *heroopolitische Golf* geheissen hatte (s. Ramesu), alt *Klysma,* gr. *Κλύσμα* = Wogenheim (Ptol. 5, 4^{14}), so noch im 6. Jahrh. (Kosmas Ind. in Montfauc., Coll. nova Patr. 2, 194), arab. *Kolzum* (Edrisi ed. Jaub. 1, 331 ff.), danach ein naher Ruinenhügel *Tell Kolzum* u. das Rothe Meer selbst: *Bahr Kolzum,* bei Barros (As. 2, 8^{1}) *Bahr Corzum.* Der mod. Name *S.,* in ägypt. Ausspr. *sueis,* erscheint sofort mit der Port. Zeit (ib. 2, 2^{6}), ist jedoch, auch bei Edrisi (1, 2^{9}, 174), unerklärt. Die *Landenge v. S.,* im Alter-thum vorzugsw. nach dem mediterranen Uferorte *Pelusium* (Strabo 803 u. a. O.), heisst bei den Arabern des Mittelalters *Wüste der Verirrung,* 'weil hier die Kinder Israels zu Moses Zeit herum-irrten' (Edrisi ed. Jaub. 1, 331).

Sufed s. Safed.

Suffolk s. Norfolk.

Suffra Tüddesu — 7 Dattelpalmen, bei den Tibu eine Oase mit verschüttetem Brunnen, auf der Route Murzuk-Kuka (PM. 17, 451).

Sugar = Zucker (s. d.), mehrf. in Nord-America, der Heimat der Zuckerahorne *a) S. Island,* in St. Martins L., dem Netz des Kl. Saskatchewan angehört, nach einem Hain des aschblätterigen Zuckerahorns, Negundo Fraxinifolium Nutt., wel-cher kleiner als der eig. Zuckerahorn, Acer sac-charinum L., ist, aber ebf. auf Saft benutzt wird (Hind., Narr. 2, 31); *b) S. Point,* ein Vorspr. am Red R. of the North (ib. 1, 127).

Sugar Loaf od. *Sugarloaf* = Zuckerhut, mit *loaf* = Laib, plur. *loaves,* oft in engl. Namen schlanker Kegelberge wie *a)* auf der Insel James, Galápagos, dem Dom der St. Paulskirche auffallend ähnl., benannt 1822 v. Capt. Basil Hall, Fregatte Conway (Krus., Mém. 2, 391); *b)* im Thale Rangi-tata, NSeel., ein einzelner Fels, welcher sich in-mitten der rechtsufrigen Terrassen zu einem glatten, spitzen Kegel abgerieben erhebt (Hochst., NSeel. 339); *c)* an der Halbinsel Tres Montes, Chile, dem Pão d'Assucar bei Rio de Janeiro sehr ähnl., v. der Exp. Adv.-Beagle im Apr. 1828 benannt (Fitzroy, Narr. 1, 168); *d)* ein 40 m h. Felskegel bei der Insel Mackinaw, Huron L. (Buckingh., East. & WSt. 3, 361); *e)* ein Berg bei Ash L., am Hunter R., NSouthWales (Wüllerst., Nov. 3, 43); *f)* s. Obelise; *g)* s. Vernal; *h)* s. Three; *i)* s. Luz. — *SLButte* s. Slim. — *SLHut,* einer der Inselberge des südatlant. Trinidad, v. Halley nach der Form benannt (Ross, SouthR. 1, 23). — *SLIsland,* mehrf.: *a)* 'a high remarkable cone' der Insel *Igashcund* = Schlossthurm, Riu Kiu, v. Capt. Broughton getauft (Hail, Corea 60. 157, Carte XVIII. XX, Krus., Mém. 2, 257); *b)* s. Luz. — *SLIslands* s. Plymouth. — *SLPoint,* f. hohe Vorgebirge: *a)* bei Mt. Egmont, NSeel., a re-markable point . . . ., that rises to a considerable height in the form of a sugar-loaf, v. Cook am 13. Jan. 1770 u. dabei die *SL. Islands* (Hawk., Acc. 2, 584); *b)* in NSouthWales, ein Vorgebirge, welches Cook Nachts passirte, v. Lieut. Flinders

(TA. 1, CXCIV, Atl. 8) am 8. Juli 1799 benannt.
— *SLRocks* s. Auckland. — *SL. and Saucer*
= Zuckerhut u. Unterschale, zwei kleine, aber
sehr hohe Eilande des Arch. Mergui, v. engl.
Capt. Thom. Forrest am 22. Juli 1783 getauft
(Spr. u. F., NBeitr. 11, 184). — Im plur. *S. Loaves*
s. Evangelistas. — *The Three S. Loaves* s. Three.
Sughda s. Serafschan.
Sugmut s. Beresow.
Suha s. Suchyj.
Suilla s. Susa.
Sûk, es- = der Markt, besser *súq*, plur. *asuáq*,
mehrf. in arab. ON. *a)* ein Marktort an der
Küste v. Dscherbi, einst, als *Meninx*, Hptstadt
der Insel u. ein Hptpunkt phön., resp. karthag.
Purpurfärberei. Aus allen Theilen der Insel eilt
da das Volk, meist auf Eselchen reitend, je am
Donnerstag, z. wöch. Markttage zs. Der Ort
enthält nur wenige Gebäude; das übrige besteht
aus Buden, die meist nur am Markttage geöffnet
werden, u. dann entfaltet sich hier ein ge-
schäftiges Treiben. Wie sehr die Bevölkerung
dieses Fleckens an den Markttag gebunden ist,
bemerkte ich vollk. am folg. Tage, wo alles still
u. todt war .... Das Hptgeschäft auf dem
Markte besteht in Wolle, die v. ausgezeichneter
Güte auf der Insel gesponnen wird u. in Fabri-
caten ..., die einen weitverbreiteten Ruf haben
(Barth, Wand. 261); *b)* ein Ort des östl. Tripoli, wo ebenfalls Donnerstags Wochenmarkt ist;
am Tage v. Barths Durchreise freil. hatte der
Markt nur einen Brothändler aufzuweisen (ib.
316). — *Bab el-Asuáq* s. Gibraltar. — In Algerien ein Ort *S. el-Dschema* = Freitagsmarkt,
localité où le marché se tient le vendredi (Par-
mentier, Vocab. arabe 46). Vgl. Arba. — Ein
anderes *S.* s. Suuk.
Sukhságar = Ocean der Freude, hind. ON. in
Bengal (Schlagw., Gloss. 248). — *Sukapura* s.
Preanger. — *Dwipa Sukhatara* s. Sokotora.
Sukkertop, dän. Colonie in Grönl., 1755 auf
Befehl der HandelsCo. v. Kaufmann Anders Olsen
angelegt, mit drei spitzen Bergen, welche in der
Ferne wie ein Zuckerhut aussehen u. wonach
sich die Schiffer beim Einlaufen richten (Cranz,
HGrönl. 1, 19).
Sukkijim s. Suchoth.
Sukkoth s. Sicca.
Suksunsk s. Solikamsk.
Sul = Süd, in port. ON., insb. *Rio Grande
do Sul*, ggb. *Rio Grande do Norte*, beide in
Bras. An der Mündg. des erstern die *Barra
do Rio Grande do Sul*, dabei der Hafenort *San
Pedro do Rio Grande do Sul*.
Sula s. Wytegra.
Suleiman s. Soliman.
Sulgen, auch *Sülchen* u. *Saulgau*, 806 *Sulaga*,
mehrf. vorkommender ON., s. v. a. volutabrum
= Kothlache, auch mehrf. als Grundwort alter
ON. Andere Formen: *Suleginpah*, viell. j. *Säue-
ringbach*, *Sulichgowe*, um *Sülchen* bei Rotenburg,
am Neckar, *Suligiloch*, j. *Solach*, in Bayern
(Förstem., Altd. NB. 1399f.).

Sulioten, arnaut. Volksstamm, benannt nach den
Gebirgen v. Suli, in der Nähe v. Parga, wo seine
Vorfahren im 17. Jahrh. vor dem türk. Druck
Zuflucht suchten (Meyer's CLex. 14, 981).
Sullam s. Klimax.
Sully, Cap, am Spencer's G., v. der Exp. Bau-
din am 21. Jan. 1803 getauft nach dem Minister
S. 1559—1641 (Péron, TA. 2, 76), wie *Ile S.*,
im Nuyts Arch., im Febr. 1803 (ib. 2, 88).
Sulm s. Schwalbach.
Sulow s. Sol.
Sulphur = Schwefel, unverändert ins engl.
übgegangen im ital. zu *solfo*, *zolfo*, span. zu
azufre, port. zu *enxofre*, prov. zu *solfre*, frz.
zu *soufre* geworden (Diez, Rom. WB. 1, 388), oft
in ON. *a) S. Hills*, am Yellowstone L., v. Geologen F. V. Hayden (Prel. Rep. 136) so benannt
1871 nach den alten, v. fern blendend weissen
Ablagerungen v. Kiesel, Schwefel u. Eisenoxyd,
'forming the most beautiful blending of gay colors ... the great mass of hot-spring material
built up here can not be less than 400 feet in
thickness ... Some of the rounded masses in-
closed in the fine white siliceous cement are
themselves pure with silica, and are eight inches
in diameter. It is plain, from the evidence still
remaining, that this old ruin has been the theatre
of tremendous geyser action at some period not
very remote; that the steam-vents which are very
numerous, are only the dying stages. These
vents or chimneys are most richly adorned with
brillant yellow sulphur, sometimes a hard amor-
phous coating, and sometimes in delicate crystals
that vanish like Frost-work at the touch. It seems
that it is during the last stages of these springs
that they adorn themselves with their brillant
and vivid colors'; *b) S. Island*, bei Bonin, s.
Volcanos, schon auf ältern span. Carten *Isla de
Azufre* = Schwefelinsel (Krus., Mém. 2, 5 ff.),
am 14. Nov. 1779 durch die dritte Exp. Cook's
entdeckt u. v. seinem Nachfolger Capt. Gore so
benannt, weil ein grosser Theil des anscheinend
vulcan. Landes schwefelgelb aussah u. sich ein
starker Schwefelgeruch bei der Annäherg. wahr-
nehmen liess (Cook-King, Pac. 3, 407 f.) ... 'une
fumée qui a l'odeur de soufre' (Krus., Mém. 2,
265). 'The sulphuric volcano from which the
island takes its name is on the north-west side;
it emits white smoke, and the smell of the sulphur is very strong on the leeside of the crater'
(Hall, Corea p. 58). Die nördl. Nebeninsel, bei
Gore einf. *North Island*, heisst auf ältern span.
Carten *San Alessandro*, bei Capt. Solis 1813
Arzobispo (vgl. Bonin), bei dem holl. Capt. Quast
het Hooge Meeuven Eiland = die hohe Möveninsel u. ist viell. auch id. mit der *Isla de Patos* = Enteninsel od. *Isla de Lobos* = Robbeninsel älterer Carten; die südl. Nebeninsel, Gore's
South Island, hatte auf den frühern span. See-
carten einen Heiligennamen: *San Dionisio* od.
San Augustin (Meinicke, IStill. O. 2, 416). —
S. Springs, mehrf. in der Union: *a) Red* = rothe,
Grey = graue, *White* = weisse *SS.*, nach der

Farbe des Niederschlags, den die nach Schwefel riechende Quelle auf dem Rand des Quellbeckens absetzt, *Salt SS.*, stark salzig, *Sweet* (= süsse) *Spr.*, nicht schweflig, schwachsalzig, prickelnd v. Kohlensäure, dem Gaumen sehr angenehm, sämmtl. in Virginia (Buckingh., Slave St. 2, 309 ff.); *b)* in Arizona, mit frischem. klarem, gypshaltigem Wasser, welches stagnirend Schwefelwasserstoff-gas entwickelt (Peterm., GMitth. 20, 454); *c)* s. Soda; *d)* s. Carlisle. — *S. Bay*, in Tana, NHebr., wo der v. Vulcan herabgeholte Schwefel verladen wird (ZfAErdk. 1874, 295).

Sulskaja s. Wytegra.

Sultân, Band-i- = Königscanal, pers. Name eines v. Sultan Mahmûd am Flusse v. Ghazna erbauten Canals (Spiegel, Eran. A. 1, 16); *b)* *Dschebelein* S. = die beiden Königsberge, bei Isbarte, ein weites Vordringen arab. Nomenclatur (Tschihatscheff, Reis. 4); *c)* *Kot-i-S.* = Königsveste, hind.-arab. ON. im Pandschab (Schlagw., Gloss. 212); *d)* S. *Dagh* = Königsgebirge, türk. Name eines 1576 m h. Gebirgs v. Karahissar (Tschih. 3): *e)* *Sultángandsch* = Königs Markt, *Sultánakot* u. *Sultankot* = Königsveste; *f)* *Sultánpur* = Königsstadt, arab.-hind. ON. in Indien (Schlagw., Gloss. 248); *g)* *Sultanabad* = Königsstadt, kön. Residenz in Persien, zw. Hamadan u. Isfahan, v. Schah Feth Ali in grossem Viereck angelegt (Brugsch, Pers. 2, 11); *h)* *Sultania*, Dorf an der asiat. Küste des Bosporus, wo zuerst Sultan Bajazid II. einen Garten anlegte wurde später in Beziehg. z. pers. *S.*, einer der schönsten Städte Aderbeidschan's, gebracht. Als näml. unter Sultan Murad III. Täbris u. a. Städte dieser Prov. erobert wurden, verwandte der Sieger die Fenster, Thüren, Ge-simse, Gläser der dort eroberten u. zerstörten Paläste z. Bau eines Uferlusthauses, das ganz im pers. Geschmacke ausgeschmückt ward u. nun den Namen *S.* in doppelter Bedeutg. trug (Hammer-P., Konst. 2, 295); *i)* *Kale Sultanie* s. Tschanak; *k)* *Ain es-S.* s. Elisa; *l)* *Medinet S.* s. Medina.

Sulu, mal. *Suluk*, einh. *Sug*, das Hpt. einer Kette v. circa 150 meist unbewohnten Inseln, des *Sulu Archipels*, bei den Span. *Jolo*, mit Hafenort *Jolo* (Crawf., Dict. 193. 406). — Nach den Inseln die *S.-See.*

Sulu Derbend = wasserreicher Pass, türk. Name eines Passes im Balkan, auf der Route Philippopel-Sofia, weil er beschwerlich üb. viele Bergwasser führt (Hammer-P., Osm. R. 1, 203. 453), einst *Porta Trajana*, nachdem ihn Trajan durch eine Kette verschlossen, daher türk. auch *Kapulu Derbend* = Thorpass. Noch steht rechts am Wege ein alter röm. Thurm, im Walde die Ruinen eines mächtigen Thores (Peterm., GMitth. 18, 4); das letztere, ein röm. Triumphbogen, ist im türk. Kriege 1877/78 gänzlich zerstört worden; *b)* S. *Dere* = wasserreiches Thal, Dorf bei Buldur, Pisid. (Tschihatscheff, Reis. 51); *c)* S. *Owa* = wasserreiche Ebene, bei Amasia, v. vielen Flüssen durchzogen (ib. 12. 66); *d)* S. *Sseraj* = wasser-reiches Schloss, 2 mal in Kl. Asien (ib. 33. 36).

Súlusker = Tölpelinsel, eine der Westmänner

In., weil hier der Tölpel. isl. *Sula*, *Sula bas-sana*, vorzugsw. brütet (Preyer u. Z., Isl. 26).

Sulz, eine Nebenform zu *salt* = Salz, 6 mal alt *Sulza*, f. Salzorte, 3 mal *Sulzaha*, 12 mal *Sulzibach*, j. gew. *Sulzbach*, 3 mal *Sulziberg*, j. *Sulzberg* u. *Sulzbury*, *Sultzebrüggun*, j. *Sülzen-brück*, *Sulcetal*, j. *Sulzthal*, *Sulzifeld*, j. *Sulzfeld*, *Sulziheim*, j. *Obersülzen*, *Solzchirichun*, j. *Sulz-kirchen*, *Sulzamos*, j. *Sulzemoos*, *Sulzreini*, j. *Sulz-rain*, *Sulzitorp*, j. *Sulzdorf* (Förstem., Altd. NB. 1400 ff.), mehrere j. noch mit Saline od. Soolbädern. Auch *Sulzbad* u. *Sulzmatt*, im Elsass, *Sulzburg*. im badisch. Schwarzwald, haben Mineralquellen (Meyer's CLex. 14, 983 f.). — *S.*, mehrf. in den österreich. Alpenländern, *Sulzberg*, ital. *Val di Sole*, ein Zweig des tirol. Etschthals (Umlauft, ÖUng. NB. 233).

Suma = Wald, čech. u. serb. Wort, in *Sumava* (s. Böhmer-Wald), *Sumedje* u. *Sumetlica* in Slaw., *Sumic* u. *Sumice*, in Mähr. (Miklosich, ON. App. 2, 246).

Sumanakuta s. Adam.

Sumátra, auch *Schumutrah*, port. *Ça-* u. *Sa-matra* (Barros, As. 1, 8¹, Galvão, Desc. 106), auch *Samoterra*, *Samántara*, *Samotra*, *Zamatra*, *Za-mara*, *Sumotra*, *Somatra*, in chin. Quellen *Su-men-t'a-la*, eine der Grossen Sunda In. Will. Marsden (Voy. Sum. trad. p. Parraud 1, 7) konnte nicht erfahren, warum der Port. diesen 'den Ein-gebornen unbekannten Namen in Umlauf gebracht hätten. Nun finde ich aber bei Ibn Batuta (Trav. 200), dass 6 km v. Hafen, im nördlichsten Theile der Insel, die kön. Residenz *S.* lag, deren Sultan, einem Muhammedaner, die übr. nicht moslemit. Inselkönige Tribut zahlten. Der Stadtname 'grün-det sich auf den Reichth. der Gegend an werth-vollen Erzeugnissen u. würde skr. *Sumâtra* lauten' (Lassen, Ind. A. 1, 404, Grundem., Miss. Atl. 2, 20). Nach diesem erfahren Quelle soll *S.* auch *Pulo Pertja* od. *Pulo Andalas*, wo mal. *pulo* = Insel, heissen. In Indien hiess *S.*, wie eine 'neulich auf *S.* aufgefundene skr. Inschrift zeigt', *Prathama Java* = erstes Java, näml. f. den v. Indien Kommenden (Pauthier, MPolo 1, LXV. 30); daher heisst sie bei Ibn Batuta einf. *Java*, bei MPolo eigenthüml. Weise *Klein Java*. 'Cette ile de *Java la mineure* est celle qui porte aujourd'hui le nom de *Soumatra*, nom d'origine indienne (*soumâtrâ* = excellente matière ou substance) qui lui (od. zuf. unserer Angabe zunächst der Hptstadt) fut donné, sans doute à l'époque où la religion bouddhique s'y introduisit' (Pauthier, MPolo 2 ,565. 578). Nach diesem Zeugnisse wird der Versuch, dass *Samudra* = Meer, Ocean, mit *dipa* = Insel, also 'Meerinsel', mit der die ind. Kaufleute v. jeher am meisten verkehrt haben u. noch verkehren (Crawf., Dict. 414), wohl hin-fällig sein. Wir fügen noch bei, dass in dem holl. Schifferbericht v. 1594 (Hakl., Sel. 224) *S.* unter Ceylon's griech. Namen *Taprobana* er-scheint.

Šumava s. Böhmen.

Sumbing, Gunung = der gespaltene Berg, einer der

beiden javan. Gebroeders (s. Twee), nach seinen aus einander gerissenen, zerklüfteten Kraterwänden (Junghuhn, Java 2, 250).

Súmdo = Dreifluss, Dreiweg, 'trivium', d. i. der Ort, wo ihrer drei (scil. Wege, Flüsse) zskommen, v. tib. *sum* = drei u. der Partikel *do*, in Garhwal verd. *hamdo*, häufige Bezeichng. f. die Confluenzstellen zweier Flüsse, zu welchen der vereinigte Fluss als dritter mitgerechnet wird (Schlagw., Gloss. 248, Reis. 1, 301); *b)* *Sumgal* = 3 Ströme, eine Confluenzstelle in Hoch-Turkestan (ib.); *c)* *Sumzámba* = Brücke des Dreifluss, in Garhwal (ib.).

Sumidouro = Abzuggraben, Wasserrinne, port. Name einer Ansiedelg. der Prov. Minas Geraes, weil hier ein Bach unter dem Boden verschwindet u. unterirdisch weiter fliesst, bei den Tupi besser *Anhanhecanhuba, Anhohe-canhuva* = Ort, wo sich das Wasser verbirgt, v. *anoi* = v. der andern Seite u. *canheme* = verschwinden (Eschwege, Pl. Bras. 348, Ausl. 1867, 900).

Summah, el- = der Thurm, arab. Name einer hohen, viereckig thurmartigen Römerruine der Prov. Constantine (Wagner, Alg. 1, 329).

Summer Berry s. Nipimenan.

Summer Islands s. Bermudas.

Summit s. Somvix.

Sumpfohren s. Süd.

Sund, german. Wort f. Meerenge (s. Öre), mehrf. in nord. ON. wie dän. *Sundby* = Ort am *S.* (Madsen, Sjael. StN. 245) u. *thom Sunde* (s. Stralsund). — Ein anderes *S.*, mit *Sundgau, Sundheim, Sundhausen, Sundhofen* etc. s. Süd.

Sunda, urspr. Volksname in *Pasundan* (s. Java), zZ. der Port. auch ein Reich, welches den Westen Java's einnahm u. v. Rest angebl. durch einen *Rio Chiamo* od. *Chenano,* der v. Meer zu Meer reiche, getrennt war. Nach dem Reiche wurde zunächst die Meerenge, welche die Westspitze *S.'s* v. Sumatra trennt u. chin. '*Hia Kiang* = untere Durchfahrt hiess (Pauthier, MPolo 2, 559), *Boqueirão da S.* = *S. Strasse* genannt, u. später wurde der Name in viel weiterer Ausdehng., auf die *S. See* u. die *S. Inseln* erstreckt (Crawf., Dict. 421). Jene Annahme eines v. Küste zu Küste durchgehenden Flusses entsprach dem Zeitalter, welches sich wg. der gefürchteten Strömungen nicht auf die Südseite Java's getraute (s. Correntes) u. diese noch in der Barros (Asia 4, 1[12]) beigegebene Carte als unbekannt bezeichnet ...'parte incognita da Jaua' (p. 73 ff.). — *Sund-Kalapa* s. Batavia.

Sunday Cove = Sonntagsbucht, hinter Resolution Isle (s. d.), v. Cook (VSouthP. 1, 91) am 9. Mai 1773 als an einem Sonntage auf der Jagd besucht. — *S. Island,* 2 mal: *a)* in Austr. (s. Recherche), wo der v. seiner Mannschaft ausgesetzte Lieut. W. Bligh den Sonntag, 31. Mai 1789, zubrachte (Spr. u. F., NBeitr. 6, 57); *b)* im Missuri, unth. Yellowstone R., Sonntags, 14. Apr. 1805, v. den Captt. Lewis u. Cl. (Trav. 1, 116) besucht. — *S. Strait,* in Tasman's Ld., wo Capt. Ph. P. King am Sonntag, 19. Aug. 1821, hinein u. hinaus getrieben wurde (Stokes, Disc. 1, 109). — *Sun-*

dance Hills = Berge des Sonnentanzes, eine Gruppe der Black Hills, Wyoming, deren Felsen v. krystallisirtem Gyps bei dem Besuche des Generals Custer, 22. Juli 1874, blendend in der Sonne schienen (Ludlow, Black H. 12).

Sunderban, vollst. *Súndara-wána* = Gehölze der Sundara, *súndari,* bot. Heritiera minor, oft auch *Sunderbunds,* das sumpfige Delta des Ganges, sonst auch einf. *Dvipa* = Insel. 'Die Einfahrt durch die Mündgsarme bietet weniger Reize, als man v. der Lage, noch so nahe dem nördl. Wendekreise, erwarten könnte. Die Inseln, welche die einzelnen Arme des Delta's trennen, sind zwar mit einer üppigen Vegetation bedeckt, aber vorherrschend v. gesträuchartigen Pflanzen, v. arborescirenden Rohrgewächsen. Von Bäumen finden sich verhältnissmässig nur wenige Arten, nur solche nämlich, welche die brackische Modification der Bodenfeuchtigkeit ertragen können. Unter diesen sind die Heritieren, H. minor, H. litoralis, hier die vorherrschenden (Schlagw., Reis. 1, 217 f.). Auch *Sáta-múkhi* = Hundert-Mündungen heisst das Delta, v. den zahlr. Stromarmen. Sollte daher die übliche Erklärg., *S.* = Tausendmündungen, entstanden sein? 'Das Delta, welches die neueste Bildg. der Ströme ist, zeigt viele Uebergänge v. noch weichen Sumpfboden z. fester gewordenen Lande; auf seinen Inseln gibt sich eine noch üppigere Erzeuggskraft kund; der Boden treibt so mächtige u. undurchdringliche Dickichte v. Bäumen u. Schlingpflanzen, dass der Mensch sie nicht bezwingen kann, sondern dem Wilde z. Wohng., dem Tiger z. Beherrschg. überlassen muss' (Lassen, Ind. A. 1, 141. 174 ff.).

Sunderlik-Dagh = Ofenberg, ein v. Consul J. G. Taylor entdeckter Vulcan, am obern Euphrat, aus dessen Krater Rauch langsam aufstieg u. welcher in seinem Innern ein rumpelndes Gestöhn hören liess (Peterm., GMitth. 15, 432), bei den Anwohnern der Nordseite *Tandurek* = Ofen, Kohlenpfanne (ib. 17, 71).

Sungari s. Amur.

Sungú-Su od. *Süngü-Su* = Lanzen- od. Bayonetwasser, tat. Name einer an der Poststrasse Simferópol-Alúschta sprudelnden reichen Quelle, benannt z. Erinnerg. an den nachmal. Feldmarschall Fürsten Kutúsow-Smolenskij, welcher 1774 hier verwundet wurde (Köppen, Taur. 2, 25 ff.).

Sunset-Crossing = Fähre des Sonnenuntergangs, am Kleinen Colorado, Arizona, 'einer der wenigen Plätze, an denen man den Fluss mit Wagen durchfahren kann', offb. benannt v. einer americ. Exp. nach der Tageszeit der Passage (PM. 20, 410).

Sunstedt s. Süd.

Suoma s. Finnen.

Suot Selva s. Sur.

Super = ober, schon im röm. *Mare Superum,* dem ältesten Namen der Adria (s. d.), in der Neuzeit 2 mal mit dem comp. *superioris a) Lake Superior* = Obersee, der oberste der 5 'canadischen See'n', bei den Odschibwa *Kichi Gummi* = grosser See (Hind, Narr. 1, 18) passend, f. die meerartige, 84 000 km² grosse Seeschale, v. deren

Areal selbst der Huronen- u. Michigan-See je nur etwa $^3/_4$ einnehmen, bei Champlain 1632 in *Grand Lac* übsetzt, genauer *Grand Lac des Nadouessiou* 1643 (Drapeyron, Rev. Géogr. 3, 94), in einer Urk., welche den Herzog v. Montmorency 1620 z. Vicekönig Neu Frankreichs einsetzte, *Mer d'Eau Douce* = Meer v. Süsswasser (WHakl. S. 23, XLVIII), zuerst 1641 v. frz. Priestern erreicht am Ausflusse u. entw. *Lac Tracy*, so bei Long 1777, nach dem 1665 Statthalter in America gewordenen Herrn d. N. (GForster, GReis. 3, 261) od. *Lac Condé*, bei Hennepin 1680, ozw. nach dem grossen 1686 † Feldherrn u. Staatsmann (Coll. Minn. HS. 1, 19. 315), doch mit dem j. Namen, *Lac Superieur*, schon 1673/74 auf Joliet's Carte (Drapeyron, Rev. Géogr. 3); *b) Isola Superiore* s. Pescatori.

Suph s. Akabah.

Supposée s. Urville.

Sur, auch *Sure*, alt *Sura*, j. etwa zu *Sauerbach* geworden, kommt als Flussname so häufig u. so weit verbreitet vor, 'dass man geneigt wird, zu ihrer Deutg. auf das Ureigenthum des indoeurop. Sprachstammes zk. zu gehen. Ich erinnere vorläufig an skr. *sru* = fliessen. Vielleicht ist *sor* nur eine Nebenform dieses Stammes' (Förstem., Altd. NB. 1411). Eine *Sure* ist der Abfluss des Sempacher-Sees, Luzern, u. diesem nahe das Städtchen *Sursee*, in bis auf die Neuzeit sumpfig gebliebenem Thalgrunde, dem das Grundwort -*see* gelten könnte. Auch die *Surënën*, j. ein Pass zw. Engelberg u. Uri, urspr. der Thalbach, 1210 fluvius *Surannun*, 1218 fluvius *Suranun*, gehört hierher; v. der Alp des Quellgebiets, der *Surenalp*, ging der Name auf den Pass u. dessen höchsten Punkt, die *Sureneck*, 1148 *Suranecco* üb. (Obw. VFr. 30. Oct. 1886). Für die *S.*, die unth. Salzburg z. Salzach fliesst, setzt der Germanist Rich. Müller (Bl. öst. LK. 1888, 6) die alte Form *Sûra* = die saure, bittere, während Zeuss (Gram. Celt. 24) f. andere Flüsse dieses Namens u. kelt. Ursprg. erkannt hat. 'Da die bayr. *S.* dem grossen Salzgebiete angehört, das die Salzach, die Salzburg u. die aus dem Pinzgau kommende Saalache in sich befasst u. nach dem sie alle benannt sind, so wird auch die *Sûra* als die 'saure' ein Salzfluss sein'.

Sur = Süd, in span. ON. wenigstens mit *Mar del S.*, der ältesten Bezeichng. f. das maritimste der Meere (s. Pacific), vertreten. Dieser Name ist nicht allein das Original des noch immer beliebten Ausdrucks 'Südsee', sondern lebt noch fort in *San Juan del Sur*, dem am Pacific gelegenen Hafenorte (s. Juan). — Undeutsches *S.* s. Derna, Schur u. Tyrus.

Sur, rom. praep. 'auf, an, über, oberhalb, jenseits', oft in ON. *a) Surava* od. *Suraqua* = am Wasser, Ort in der Tiefe des Albulathals u. damit im Ggsatze zu Alvenea, das auf einer Bergterrasse thront (Campell ed. Mohr 48); *b) Surlej* = über dem See, Oertchen (u. danach *Piz Surlej*) auf der sonst unbewohnten rechten Seite des (Inn u.) Silvaplaner-See's, so v. Silvaplana aus benannt

(Lechner, PLang. 66. 115); *c) Surrhein*, Ort an der Confl. des Vorder- u. Somvixer-Rheins; *d) Sur Saissa* u. *e) Sursax* s. Ober; *f) Sur Selva* = ob dem Wald, das Bündn. Oberland obh. des *Flimserwaldes*, während der untere Theil *Suot Selva* = 'Nidwalden' heisst. Der Wald, zw. Flims u. Lax u. bis z. Rhein hinab, ist j. ein z. Th. gelichteter Forst, u. darin zerstreut u. lieblich gelegen der neue Curort *Waldhäuser* (Campell ed. Mohr 11. 15, Sererhard, Del. 2, 1); *g) Surpierre* = auf dem Stein, ein hohes Felsenschloss des C. Waadt (Gem. Schweiz 9, 86).

Surakarta, Dynastensitz auf Java, umgekehrt übtragen v. skr. *Kartasura* = Werk der Helden, dem frühern Sitz (1680—1742) u. j. Ruinenstätte der Prov. Pajang. Diese frühere Hptstadt, etliche km westlicher, ward, v. chines. Insurgenten ausgeplündert, als unglücklich verlassen u. die neue auf der Stelle des bisherigen Dorfes *Sala*, in jav. Aussprache *Solo*, 1742 ggr. Der Fluss v. *S.*, der bedeutendste u. nützlichste der ganzen Insel, heisst jav. *Bangawan* = grosser Fluss (Crawf., Dict. 170. 196. 405).

Suraschtra, skr. Name eines Königreichs, welches sich v. Südende Gudschrat's bis z. Fusse des Himalaja erstreckte, nach frz. Orth. *Sou-râcht'ra, Sâh-râcht'ra* = Reich der Sou, Sâh, d. i. der Könige, welche in den 2 od. 3 ersten Jahrhh. vor der christl. Zeitrechng. regierten (Pauthier, MPolo 1, LXX), in *Gudschrat* (s. d.), Goudjarat, *Gazurat* (ib. LXXII) u. *Surat* (Schlagw., Gloss. 248) übergegangen. Man wird bemerken, dass in der Erklärung v. *S.* die drei hier und im Artikel Gudschrat angerufenen Autoren unter sich abweichen.

Surch = roth, in pers. ON. *a) Surchab* = Rothwasser, f. den nördl. Quellarm des Amu Darja, dessen 'Wasser v. rothem Lehm stark gefärbt ist' (Glob. 23, 329), im Oberlauf, bei den Kirgisen, *Kisil Su*, mit gl. Bedeutg. . . . 'sein Wasser ist roth gefärbt, was auf das Gebiet des rothen Lehms tertiärer Formation als sein Quellgebiet hinweist' (Peterm., GMitth. 18, 165); *b) S. Kotal* = rother Pass, ein Bergübergang in Afghanistan, 'wg. seiner rothen Erde' (Spiegel, Eran. A. 1, 14); *c) Surchrûd* = rother Fluss, f. einen rechtsseitg. Zufluss des Kabulfl., mit reizendem Bergthal, türk. *Balabagh* = oberer Garten, welches den Sommeraufenthalt der Reichen v. Dschelalabad, der am Kabulstrom selbst gelegenen, im Winter angenehmen Stadt, bildet (Lassen, Ind. A. 1, 32, Spiegel, Eran. A. 1, 7).

Surdschabhaga s. Tschinab.

Suri-hualla = Straussenfeld, ind. Name eines peruan. Guts südl. v. Cuzco, nach den dort häufigen Vögeln (WHakl. S. 41, 31).

Suristan s. Syria.

Surite s. Yahuar.

Surowoy-Kamen = der düstere Fels, russ. Bergname in den wildnordischen Umgebungen der Kolyma (Wrangell, NSib. 1, 174).

Surramphang, Ort in den Garobergen, Assam,

benannt nach dem Baume *surram*, mit praep. *phang* = unter (Journ.RGSLond. 1873, 35).

Surrey, ags. *Sudrea* = Südinsel, bei Beda *Suthriona*, auch *Suthrea*, die Ldsch. auf der Südseite der Themse, 'as descriptive of its situation with respect to Middlesex and the other Mercian territories' (Camden-Gibson, Brit. 1, 234). Charnock (LEtym. 260) sagt: alt *Suthrea, -rie, -riona, -creia, -erige, -regia, -rie, Sudrei, Surrie, Suthereye*, jedf. mit ags. *suth* = Süd; aber ob mit *ea* = Insel od. *rice* = Königreich od. *rith* = Fluss, lässt er unentschieden.

Sursérko od. *Sunsárka* = Goldgrube, ON. in Gnári Khórsum, wo nach der Tradition einst Goldgruben existirten, v. tib. *serko* = Goldgrube, wozu noch garhw. *ser* = Gold hinzutrat, da die volle Bedeutg. des erstern unklar war (Schlagw., Gloss. 249).

Surtshellir = schwarze od. geradezu Teufelshöhle, v. *sortur* = schwarz u. *hellir* = Höhle, an der Westseite Islands; in ihr hauste vor Zeiten der Riese Surtur, der schwarze Fürst des Feuers, der Allgefürchtete (Preyer u. Z., Isl. 95).

Suruk-Tasch = Spitzberg, v. tat. *suruk* = spitzig, ein spitzer, felsiger Vorberg des Elburs, Kauk., tscherk. *Otschek Kui* = kahlköpfiger Otschek. Ein Fluss in der Nähe *Surukly, Surukle* (Klaproth, Kauk. 1, 295, Güldenst., Georg. 271).

Surville, Cap *a)* in Forestier, Tasmania, v. der Exp. Baudin im Febr. 1802 z. Andenken eines unglückl. Vorgängers getauft (Péron, TA. 1, 219); *b) s.* Delivrance.

Susa, ON. wiederholt in vschiedd. Sprachgebieten: *a)* Stadt im heutigen Chusistan, Persien, assyr. *Susan*, aram. *Schú-schân*, schon v. den Alten richtig gedeutet, nach den zahlr. Lilien der Gegend. Nach dem Orte die Ldsch. Σουσίς, Σουσιανή, während der mod. Name *Chúsistán* eine pers. Zssetzg. ist mit dem ältern *Chûsa*, altpers. *Hûzha* (wo *zh* = frz. *j*), wie in Darius' Inschriften die Prov. hiess (Kiepert, Lehrb. AG. 139f.); *b)* als Verstümmelg. v. *Sozusa* (s. Hadrume u. Apollonia); *c)* Stadt in Piemont, röm. *Segusio, Secusia*, dann *Seusia*, bei Greg. v. Tours *urbs Sigusium*, frz. *Suse*, mir unerklärt; *d) Susà*, im Trentino, am wahrscheinlichsten v. lat. *sus* = Schwein, wie denn *suisatum, suisatis*, später *susate*, eine Schweineweide bezeichnet hat, also gleichen Ursprungs mit *Soana*, Toscana, *Suessa*, Campanien, *Suilla*, Umbrien (Malfatti, S. top. Trent. 98). — Slaw. *Suša* s. Suchyj.

Susak s. Sansego.

Susanne s. Ouest.

Susansk s. Tobolsk.

Susatke s. Blagoweschtschensk.

Susi s. Copeland.

Susquehanna = krummer Fluss, ind. Name des Flusses u. eines Indianerstammes. Jener, nach einem Laufe in malerischem, fruchtb. Thale, erreicht den obern Theil der Chesapeak Bay ... 'the Crooked River, as the Indian signification

of the name justly imports' (Penns. Ill. 27), bei den engl. Ansiedlern nach einer rothen Erde od. Lehm, der sich an seinen Ufern fand, *Bolus River* od. — prsl. — *Howard River* (Strachey, HTrav. 39).

Sussex, früher *Suth-sex*, ags. *Sud-sex, Sudseaxna rîce* = Reich der Südsachsen, eines der 477 ggr. Sachsenreiche des j. England, entspr. Wessex, Essex und Middlesex (Meyer's CLex. 14, 990). — Der Name ist Grafentitel u. dadurch bei arkt. Entdeckungen eingeführt: *a) Countess of S. Island*, in Frobisher Bay, v. Frobisher zu Anfang Aug. 1578 nach der Gräfin v. S. getauft (Hakl., Pr. Nav. 3, 43); *b) Countess of S. Mine*, eine nicht lang vorher v. Capt. York entdeckte Mine, wo das v. Frobisher so beharrlich gesuchte Golderz gegraben wurde (ib. 90, WHakl. S. 38, 270); *c) S. Lake*, der Quellsee des Gr. Fischfl., v. Back (Narr. 75) zu Ende Aug. 1833 nach Sr. kön. Hoheit, dem Herzog v. S., Vicepatron seiner Exp., getauft.

Susus = wasserlos, f. sich ein türk. ON. bei Isbarta, als *S. Köi* = wasserloses Dorf, Ort an den Vorhöhen des Bulgar Dagh (Tschihatscheff, Reis. 7. 11).

Suszyca s. Suchyj.

Sutherland, altn. *Sudrland* = Südland, auffälliger Name der einen unter den beiden nördlichsten Grafsch. Schottl., aber erklärlich als v. den Normannen ausgegangen, welche den Pentland Fjord regelmässig passirten u. deren Ansiedlern auf den Orkneys *S.* wirkl. ein 'Südland' war (Worsaae, Mind. Danske 317). Die nord. Abkunft des Namens wird dadurch gestützt, dass die Kelten des Landes noch immer den gael. Namen *Catuibh* gebrauchen. — *Point S.*, die Südspitze des innern Eingangs der Botany B., v. Lieut. Cook am 1. Mai 1770 so benannt nach einem seiner Seeleute, Forby *S.*, welcher am Abend vorher † war u. an diesem Tage hier, 'near the watering-place', begraben wurde (Hawkw., Acc. 3, 93).

Sutledsch s. Satledsch.

Sutscheu s. P'ing.

Sutton s. Plymouth.

Suúk-Su = Kaltwasser, tatar. Name zweier Quellen u. eines Dorfs im taur. Gebirge. Die eine der Quellen hatte 14./26. Sept. 1833 um 3^h N. bei 20^0 C. nur 12_5^0, die andere 12./24. Sept. 1833 um $1/2 1^h$ N. bei 23^0 hingg. 14^0, so dass beide den Namen nicht streng rechtfertigen (Köppen, Taur. 1, 6; 2, 16). — *S.-Su Tscheschmé* = Quelle des kalten Wassers, ebf. im taur. Gebirge, nicht unpassend, da das Wasser 3./15. Apr. 1834 bei 15_5^0 C. Lufttemperatur nur 6^0 zeigte (ib. 2, 7. 23ff.). — Die Form *suk* 2 mal in türk. ON. Kl. Asiens *a) Suk Dagh* = kalter Berg, ein Berg bei Troas; *b) S. Su* = kaltes Wasser, ein Fluss in Cilic., in engem Thal (Tschihatscheff, Reis. 19. 25).

Suurkülla s. Pohjakörkia.

Suwanggi s. Banda.

Suwarnarékha, auch *Subanríkha* = Goldlinie,

skr. Name eines Flusses in Tschhóta, Nágpur. Aehnlich *Suwarndúrg* = Goldveste, in Kónkan, u. *Suwarnagherri* = Goldberg, in Oríssa (Schlagw., Gloss. 249).

Suwarow Inseln, eine Inselgruppe östl. v. Samoa, v. russ. Lieut. Lazarew, Befehlsh. des Schiffs *S.* der russ.-american. Co., 1814 getauft.

Súwwumbaj = Winterfels, sam. Name eines Ausläufers des nördl. Urál', v. der Menge fischreicher See'n in seiner Umgegend; an diesen halten sich Wildgänse im Uebfluss auf, wodurch die Samojeden in Stand gesetzt sind, sich während des Sommers hier Lebensmittelvorräthe einzusammeln, um an Ort u. Stelle zu übwintern ohne landeinwärts wegzuziehen (Schrenk, Tundr. 1, 383).

Suzannet s. Visscher.

Suze, die frz., *Schüss*, die deutsche Namensform eines aus dem Val St. Imier herabkommenden lkseitg. Zuflusses des Aare, benannt nach den Susingen, d. i. den Nachkommen des Suso . . . in vallem *Susingum* devenit Himerius (Gatschet, OForsch. 42).

Svan = Schwan, die schwed. wie *svane* die dän. Form, in ON. *Svanholm*, 1315 *Svaneholm*, in Seeland (Madsen, Sjael StN. 276), während *Svansö*, die südjüt. Halbinsel südl. v. der Schley, den Mannsnamen Svan enthält (Bland. 3, 172), wie *Schwanau*, im Lowerzer See, als 'Insel des Suano, Sueno', übeinstimmend mit einem der sagenhaften Einwanderer Suit, Swan u. Hasius, betrachtet wird (Gatschet, OForsch. 225).

Svart = schwarz, in nord. ON. *a) S. Ö* s. Sveaborg; *b) Svartholm,* eine der Klippen bei Finl.; *c) Svartisen* = das schwarze Eis, mit Art. *-en,* ein norw. Gletscher unter dem Polarkreis, (mit der Firnmulde?) etwa 1000 km² gr., vermuthl. der grösste Gletscher des Landes u. damit des europ. Continents (Vibe, K. u. M. Norw. 7); *d) Svartá* = schwarze Aa, ein Flusslauf des nordöstl. Isl., in wildem Bergthal, das v. hohen, senkr. Basaltfelsen eingeschlossen ist (Preyer-Z., Isl. 150).

Svatobor s. Swjatyj.

Svede Grove s. Sverige.

Sverige od. *Sverge,* wie man z. Unionszeit anfing zu schreiben statt *Sverike* (Styffe, Skand. Un. 89), noch im 16. Jahrh. *Svearike* (Chr. Olaus Petri), zsgezogen aus *Svea-Rike* = Swenenreich, nach den germ. *Suenes,* deutsch *Schweden,* urspr. auf Arland bezogen u. in allmähl. Ausdehng. immer weiter greifend. Zunächst mit dem Svithiod *Manhem* = Land der Männer beginnend, entstand *Svealand,* als *Arland* = Acker- od. angebautes Land auch v. *Aland* = Unland, Wildniss unterschieden, nördl. v. Mälarsee, um Forn-Sigtuna, wo Odin, seinen Hof errichtend, zuerst nach der Sitte der Asen opferte, u. Upsala, den ältesten 'Eigenthum der schwed. Könige' (Upsala öde), die 'Stammländer der eig. schwed. Volks, welches, als der Name zugl. mit der Herrschaft sich weiter ausdehnte, das Recht übte, dem ganzen Reiche einen König zu geben'. Das sind die

Folkländer (= Volklande), die Gebiete des ältesten Anbaus v. Mälar bis an die Wald- u. Minenreviere auf der Wasserscheide v. Dannemora, zsgesetzt: *a)* aus dem *Tiundaland* = Zehnbezirkland, in der Mitte; *b)* aus dem *Attundaland* = Achtbezirkland, an der Küste, daher auch *Roden* = Land der Rookarlen, Ruderer, Seeleute (vgl. Rathsprot. v. 1640), u. *c)* dem *Fjerdhundraland* = Vierbezirkland, im Westen. Die Einwohner dieses Stammlandes hiessen schon z. heidn. Zeit *Upp-Svear* = Ober-Schweden, das Land *Upland* = Oberland, im Ggsatze zu den *Schweden,* deren Vorfahren, einst den Käplanwald u. den Mälar durchziehend, unter der Bevölkerg. v. Nerike u. *Södermanland* = Südmännerland sich niedergelassen u. so die untern od. südl. v. Mälar wohnenden geworden waren. In dieser Fassg. des eig. Stammlandes finden wir den Namen *S.* bei Adam Brem. im 11. Jahrh. Snorre Sturleson, im 13. Jahrh., versteht darunter allgemeiner die Ldsch. um den Mälar herum. Aber schon im 9., unter König Alfred, war Gebrauch, den Namen des aus *Svea-* u. *Göthaland* (s. König Christopher's LGesetzb.) zsgesetzten Reiches weiter zu fassen. Die letzte Erweiterg. kam 1658 mit der Einverleibg. der früher dän. Ldsch. Skäne (Geijer, Sv. F. Hist. 1, 61 ff.). Es mag heute auffallen, wie unsicher noch im 18. Jahrh. die Ansichten üb. den Ursprg. des Namens *S.* waren. In der gelehrten Manier s. Z. behandelt M. Bergstedt (de polyon. Scand. 1707) v. histor. u. philolog. Standpunkt die Namen *Scythia, Gothia, Scandia, Balthia, Suecia* etc., mit Citaten aus den alten Autoren, sowie aus Verelius u. Rudbeck. In der Ableitg. v. *S.* schliesst er sich der Ansicht des Lundius, v. Odins Beinamen *Suidrir, Suidur,* an. N. Rubenius (de vero etymo Sueciae 1745) stellt die verschiedd. ihm bekannt gewordenen Deutgsversuche zs.: *S.* v. *Zwerijke* = zwei Reiche, näml. Suecia u. Gothia (Ericus Olaus), *Schweden* v. *seeweden* = Seewaldland (Pontanus) od. v. *svett* = Schweiss (H. Grotius) od. v. *svedja* = schwenden (Wexionius) od. v. *soder* = Süden, nach des Landes Lage zu Norwegen, v. Gründer *Sven* (Stjernhjelm) od. nach Lundii eben angeführter Annahme. Er selbst setzt *Suecia* = *Skythia,* will letzteres v. *skythe* = Schütze, 'einem gut schwed. Worte', ableiten. Und N. Gnospelius (de subsid. hist. patriae etymol. 1791) ist kaum glücklicher u. nennt er sich f. *soenskr* = südländisch (Suhms) od. f. die Wurzel *sui, su* = Wasser, Meer (Strahlenberg) entscheidet. Auch der Sprachforscher A. Sahlstedt hatte schon 1759 'om *S.'s* namn' gehandelt (Crit. Saml. 1, 88 ff.). Wenn nun auch die Zsetzg. des Namens *S.* auf der Hand liegt, so sind wir üb. die Abstammg. der sämmtl. hiehergehörigen Formen, der in- u. ausländischen, auch *Sviar, Svithiod, Svaenskr, Svensk, Svensk* inbegriffen, immer noch auf Vermuthungen angewiesen. Nach dem Dänen N. M. Petersen setzt *Sviar* ein älteres *Svithar,* früher *Svinthar,* voraus, das sing. u. als adj. *Svinthr* ergibt, dasselbe wie isl. *svidr* = verständig, weise

(C. Säve, Knytl. S. 38f.). Das greifbarste hat
schon 1826 J. Andr. Schmeller geboten. Er betrachtet in den alten Formen *Suiones, Suecus,
Suecia* nur *sue* als Stamm, das übrige als 'Zu-
that'. Die Form *Suedi*, in Bromtons Chron.
Suethans u. *Suathidi*, bei Jornandes *Suethidi*,
bei Venantius Fortunatus *Suethi*, bei Saxo Gramm.
sing. *Suitho*, ist wohl aus dem in den altnord.
Sagen aufbewahrten comp. *Svi-thiod* gebildet, u.
die Form *Suecus*, statt *Sue-icus* erklärt sich v.
selbst. Die Hptsache aber ist, dass sich der Name
Sveones nicht bloss bei auswärtigen Schriftstellern
des Mittelalters, *Sveoland* bei König Alfred,
Sueones bei Eginhard, in confinio *Suconum* bei
Ad. Brem., sondern bei dem benannten Volke
selbst ununterbrochen bis auf den heutigen Tag
erhalten hat; denn *Svear*, in älterer Form *Sviar*,
mit *-ar* als plur., nennen sich die Schweden,
wo sie nicht die gemeinere Adjectivform *svensk*
brauchen wollen, u. *Svea-rike* od. verdanisirt
Sverige ihr Vaterland (Münchn. Sitzgsb. 1828,
727). — *Sveaborg* = Schwedenburg, die Skären-
veste vor Helsingfors, Finl., begonnen 1748 nach
dem Plan des Generals Ehrenswerd, auf 7 Klippen:
Long Ö = lange Insel, *Wester, Oster* u. *Lilla
Swart Ö* = westl., östl. u. kleine Schwarzinsel,
Varg Ö = Wolfsinsel, 'die vornehmste', *Gustavs
Vard*(= Wappen) u. *Skans Land(et)* = Schanzen-
land (Spr. u. F., NBeitr. 8, 193, Modeen, Geogr.
42, Müller, Ugr. V. 1, 472). — *Ny S.* s. Penn. —
Schwedisches Vorland, in Spitzb., etwa 79⁰ NBr.,
v. der schwed. Exp. 1864 u. dann wieder v.
Heuglin u. Zeil 1870 gesehen u. v. den Schweden
f. das fast vergessene Gillis Ld. (s. d.) gehalten,
während dieses viel nördlicher u. östlicher liegen
muss (Peterm., GMitth. 17, 181f. T. 9; 18, 112;
19, 121ff. T. 7). — *Svede Grove* = Schweden-
hain, Ort in Minnesota, wo sich im nahen Gehölze zuerst Schweden angesiedelt hatten (SPaul
u. PBahn 23). — *Swedish Islands* s. Broughton.
Sveto s. Swjatyj.
Svině = Schwein, čech. Wort, asl. *svinija*,
slow. *svinja*, wie *svinjar* = Schweinehirt od.
svinař = Schweinhändler oft in slaw. ON. *Svina,
Svinčan, Svinětic, Sviny, Svinar, Svinař, Svi-
nary, Swina, Swinarek, Swinarow, Swinarow*,
in Böhm., *Svinica, Szinička, Svinjar, Svinjarec,
Svinjarevce, Svinjarika, Svino, Svinsko*, in den
südslaw. Gebieten (Miklosich, ON. App. 2, 243).
— *Svinavatn*, ein See, *vatn*, als nördl. Isl., so
genannt, weil sich ein Mann mit dem Trivialnamen Svin darin ertränkte (Preyer u. Z., Isl. 148).
Swain Islands, in Kerguelen, wohl nicht, wie
der Name etwa gedeutet wird, 'Schweine-I.', son-
dern, wie *S. Island* (s. Solitaria) nach einer
Person benannt, bei dem deutschen Capt. Frei-
herr v. Reibnitz, der 1874 mit dem Schiffe Ar-
cona Erforschungen vornahm, *Arcona In.* (Peterm.,
GMitth. 21, 133). — Eine fragl. Existenz ist *S.
Rock*, eine antarkt. Inselklippe, angebl. 59⁰ 30′
SBr. u. 100⁰ WGr., v. Capt. *S.* 1800 gesehen
(Bergh., Ann. 12, 138).
Swajambhunath s. Brahma.

Swainson, Cape, in Liverpool Coast, v. Walfgr.
Scoresby jun. (NorthWF..181) am 23. Juli 1822
entdeckt u. zu Ehren des Verfassers der 'Zoologi-
cal Illustrations' getauft.
Swallow Bay, in Egmonts I., wo Carteret's
Schiff, the *S.*, v. 12.—15. Aug. 1767 unter
schwierigen Umständen ankerte; dabei *S. Point*
u. *Hanway's Point* (Hawkw., Acc. 1, 356), letzterer
ozw. nach Jonas *H.*, 1712/86, welcher auf mer-
cantilem u. philanthrop. Gebiete wenige Jahre
vor Carteret's Fahrt das Amt eines Proviant-
commissärs der Flotte angetreten hatte. — *S.
Harbour*, eine vorzügliche, vor allen Winden
geschützte Hafenbucht der Magelhäes Str., wo
Capt. Wallis, Sloop *S.*, am 15. März 1767 bequem ankerte (ib. 1, 181). — *S. Island* s. Keppel.
Swampy Lake = Sumpfsee, eine der seeartigen
Erweiterungen des Hill R. (Franklin, Narr. 35).
Swan = Schwan, in engl. ON., im bekanntesten
Object dieser Reihe, *S. River*, erst aus holl.
Zwaan Rivier = Schwanenfluss umgeformt, f.
den Fluss in West-Austr., wo der holl. Entdecker,
Willem de Vlaming, viele schwarze Schwäne
traf — zu nicht geringer Verwunderg. der Mannschaft, da die europ. Schwäne weiss sind. Am
7. Jan. 1697 brachten seine Leute 2 Junge an
Bord, u. am 11., als eine Abtheilung flussaufw.
fuhr, 'we saw many swans (our boat knocked
over nine or ten), some rotganzen, geese, some
divers etc.' (WHakl. S. 25, 120ff.). Der schwarze
Schwan, Cygnus atratus Lath., welcher mit Ausnahme einiger Schwingen ganz schwarz u. etwas
grösser ist als die beiden europ. Arten, wird bei
diesem Anlasse zum ersten mal erwähnt (Flinders,
TA. 1, LVIIIff.). — *S. Isles*, ein Schwarm grösserer
u. kleinerer Inseln u. Riffe an der Nordostecke
Tasmania's, deren grösste ein niedriges, felsiges
Eiland, aber diesen (v. wem gegebenen?) Namen
eben so wenig wie die umliegenden Klippen zu
verdienen scheint; denn zZ. v. Flinders' zweiter
Exp. (TA. 1, CXLVIII, Atl. 7), Oct. 1798, zeigte
sich nicht ein Vogel dieser Art od. auch nur
ein Nest, wohl hingegen vschiedd. Bernaclegänse,
deren zwei Flinders' Gefährte, G. Bass, erlegte.
— *S. Lake*, ein Sumpfsee im Netz des Minnesota R., wo sich eine grosse Menge dieser Vögel
aufhält, schon ind. *Manha Tanka Ota Menda*
= Fluss der vielen grossen Vögel (Hertha 12,
542). — *S. Point*, in Austr. 2 mal: *a)* ein niedriges sandiges, in eine trockne Untiefe aus-
laufendes Vorgebirge, v. Port Dalrymple (s. d.),
auf dessen Ostseite der Entdecker, Lieut. Matth.
Flinders (TA. 1, CLVI Atl. 7) am 10. Nov. 1798
eine Schwanenhorde v. 3—500 Stück, traf; *b)*
Point S. s. Buccaneer. — *S. Pond* = Schwanen-
teich, eine Bucht v. Port Phillip, taufte Capt.
Flinders (TA. 1, 217) am 2. Mai 1802, weil der
vorher v. Murray gegebene Name *S. Harbour*
= Schwanenhafen, wg. der Untiefen (das Wasser ist
selten mehr als 1 m tief), in der Bezeichng. 'harbour'
ungerechtfertigt schien. Beide Seefahrer fanden
das Bassin übr. v. Schwänen belebt. — Dagegen
wird v. Cambden-G. (Brit. 2, 24) der ON. *Swansey*,

Wales, kymr. *Abertawy*, als der Ort an der Mündung des Taw od. Tawy, v. *Swinesea* od. *Swinesey* abgeleitet, nach den dort häufigen Delphinen.

Swanethien, Name einer südl. v. Kaukasus gelegenen Ldsch. (welche im Alterthum eine grusin. Prov. war), v. grus. *ssawane* = Zufluchtsort, Herberge (PM. 6, 168). Die Swaneten wurden ehm. *Sony Tsany* genannt: die Stammform dieser Bezeichng., das georg. *Tschany*, wird noch heute v. den Georgien gebraucht, um die v. den Mingreliern abstammenden Lasen zu bezeichnen, während die Swaneten den Namen *Zany* den Mingreliern geben (ib. 8, 315).

Swargarohini = Himmelsersteigung, skr. Name eines Berghaupts des mittlern Himalaja. Mit vier andern, *Rudrahimálaya* = Himalaja des Rudra od. Siwa, *Wischnupuri* = Stadt des Wischnu, *Brahmapuri* = Stadt des Brahma u. *Udgarikantha*, bildet er die Gruppe des *Pandschaparrata* = Fünfgebirge (Lassen, Ind. A. 1, 63).

Swazi = Ruthe, vollst. *Ama S.* = Leute des *S.*, sing. *Um S.*, nannte man nach seinem Häuptling einen seinem Namen nach unbekannten Kafernstamm, vor seinem Amtsantritt 1843, bei den Bassuto, durch welche man die erste Kunde v. dem Stamm erhielt, *Barapuza* = Leute des Rapuza, nach dem frühern Häuptling Sopuza, Rapuza (PM. 6, 405).

Swedish Is. s. Broughton.

Sweer, Cap Salomon, die Nordspitze N Hannovers, im Bismarck A., entdeckt 1643 v. holl. Seef. Abel Tasman u. wie *S.'s Eiland* (s. Maatsuyker) getauft Meinicke, IStill. O. 1, 140).

Sweet = süss, in engl. ON. wie *S. Grass Hills* s. Three Buttes), *S. Springs* (s. Sulphur), *S. Water* (s. Stinking).

Swêtl od. *surjetl* = licht, hell, klar, glänzend, asl. adj., russ. *swjetlyj* m., *swjetlaja* f., *swjetloje* n., poln. *swjatly* u. *swjetlany*, čech. *swětly*, slow. *swjetli*, oft in ON. a) *Swetlaja Gora* = glänzender Berg, russ. Name eines Bergrückens des baschkir. Ural', wo die Felsart ein schieferiges, thonartiges Horngestein ist (Falk, Beitr. 1, 219); b) *Swetlaja* s. Janajjaga; c) *Swetloje Osero* = klarer See, das Quellbecken der z. Peipus fliessenden Welikaja Bär u. H., Beitr. 24, 13). — In den westslaw. Ländern a) *Srětla*, *Srětlic*, *Srětlor*, *Srětla*, *Srětly*, verdeutscht *Zwidlern*, Böhm. u. Mähr., u. insb. *Zwettl*, Fluss u. Ort in NOesterr., wo am 'klaren Flusse' 1139 das Kloster *Zwetel*, *Zwetla*, deutsch *Lichtenfeld*, latin. *Clara Vallis*, ggr. wurde (Miklosich, ON. App. 2, 243, Umlauft, ÖUng. NB. 233 f. 289). Dass der Name sich zunächst auf die Waldlichtg. bezogen habe Arch. f. slaw. Phil. 7, 280, wird kaum einleuchten.

Swjatyj = heilig, *swjataja* f. *swjatoje* n., russ. Wort, poln. *swjęty*, čech. slow. *sret*, serb. *sret*, in vielen ON. wie *Swjatoi Nos* = heiliges Vorgebirge, vschieden. gefürchtete Vorsprünge, die v. den russ. Küstenfahrern nur unter Gebet u. Opfer passirt werden: a) hinter der Insel Kolguew, bei Schrenk (Tundr. 1, 216, 454, 638) *Swatoj Nos*,

bei dem engl. Nordostf. Steph. Bourrough am 15. Juli 1556 *Swetinoz* (Hakl., Pr. Nav. 1, 279), offb. wg. des gefürchteten nahen Seestrudels, der je zu 6ʰ um die oceanischen Gewässer wirbelnd einschluckt u. mit grossem Getöse wieder ausstösst: die Gewalt des 'Meernabels' wäre hinreichend, um Schiffe in den Abgrund zu ziehen u. Herberstein (ed. Major 2, 106) selbst sei dieser Gefahr nur mit äusserster Anstrengg. entgangen; b) am Eingang des Weissen M., Kanin Nos ggb., v. Steph. Bourrough, ozw. nach dem Kalendertage (wie bald nachher St. James' his I.) in *Cape St. John* umgetauft (Hakl., Pr. Nav. 1, 277, G. Veer ed. Beke IX); c) hinter NSibir., 1736 die äusserste, östl. v. der Lena bekannte Landspitze, 'galt ihrer nördl. Lage halber immer f. den schwersten Ort auf dieser Reise' (Müller, SRuss. G. 4, 164); d) am Bajkal (Brandes, Progr. 1851, 11). — *Swjatoie More* s. Bajkal. — *S. Krest* = Heiligkreuz, eine Anlage Peters d. Gr. am Kaspisee, v. ihm selbst getauft. Es war auf seinem Feldzuge 1722, dass er im Delta des Terek, u. zwar an der Stelle, wo v. Flusse Sulak der Arm Agrachan sich abzweigt, einen Ort anlegte, welcher den neuen russ. Erwerbungen z. Stütze dienen u. eine grosse Handelsstadt werden sollte. Längst war des Kaisers Absicht, 'in Georgien das Christenthum zu erneuern'. Hier, in *SK.*, 'sollte die Handlg. v. Georgien, Armenien u. Persien wie im Mittelpunkte sich vereinigen u. v. da auf Astrachan fortgesetzt werden'. Der Ort bestand nur bis 1736 (Müller, SRuss. G. 3, 82 ff.). — *Swjatoie Krest Saliw* = Bucht des heil. Kreuzes, am Berings Meer, nördl. v. der Mündg. des Anadyr, v. Capt. V. Bering, Schiff Gawriel, am 31. Juli 1728 entdeckt u. getauft (Lauridsen, V. Bering 28). — *Swiätoi Ostrow* = heilige Insel, im Kaspisee, bei der Halbinsel Apscheron (ZfAErdk. 1873 T. 1), nach einem frommen Derwisch, der hier begraben liegt u. zu dessen Grabe die Muhammedaner wallfahrten. Das Grab ist bedeckt u. v. Oellampen u. Wachskerzen umgeben, welche v. den Betern angezündet werden. Während dieses Eiland einen einzigen (Maulbeer-)baum, sonst nicht einmal Gras, dagegen viele Rehe u. Wasservögel, aber keine menschlichen Bewohner hat, so heisst bei den Russen das ehf. menschenleere Nachbareiland *Schiloi Ostrow* = bewohnte Insel, angebl. weil der Donsche Kosak Stenko Rasin, als er 1668 auf dem See Kaperei trieb, sich daselbst eine Zeit lg. aufhielt (Müller, SRuss. G. 3, 39 f.). — *Swieta Lipka* s. Lipa. — *Swjatije* od. *Swiatuje Gori* = heilige Berge, ein Kloster auf dem rechten Hochufer des Donez, an Ruf der Heiligk. nur dem Petscherski Kloster in Kijew nachstehend, mit einem wunderthätigen Bilde des heil. Nikolaus, das Ziel einer starken Wallfahrt. Auf zwei nahen Felshöhen Capellen u. Zellen, die eine mit Filiale des Klosters, die andere durch einen unterird. Gang v. Kloster aus zugänglich (Scott. Geogr. Mag. 4, 537 ff.). — In den westslaw. Ländern a) *Sratobor*, čech. *Sraty Bor* = heiliger Hain, ein sagenreicher, früher mit Eichen bewachsener Berg in Böhm., ozw. in der Heidenzeit f. heilig gehalten; *b) Svaty Križ* = heiliges Kreuz u. a. in Krain u. Kroat.; *c) Sveto Brdo* = heiliger Berg, ital. *Monte Santo*, der Culm des Karstzuges Velebit; *d) Svatá, Swatawa* u. *Swatomaŕa*, letzteres 1384 in *Laz ad S. Mariam*, nach der Kirche der heil. Maria Magdalena, alle 3 in Böhmen (Umlauft, ÖUng. NB. 233f.).

Swina s. Svině.

Swine, die mittlere Mündg. der Oder, sollte, wenn nicht gar mit *schwein*, das volksetym. mit dem Urspr. des 'Stroms' in Verbindg. gebracht wurde (Th. Schmidt, Progr. 1865, 32), mit *Sueri*, den alten Umwohnern od. kelt. *swyn* = heilig zshängen (Charnock, LEtym. 262), das eine so bedenklich als das andere. Nach Th. Schmidt (l. c.) gibt es ein slaw. Stammwort *zwindny, zwinny* = rasch, geschwind, *swietny, swietny* = glänzend; allein bei diesem Citat ist er stehen geblieben. — Nach der Durchfahrt der Hafenort *Swinemünde*, v. Friedrich d. Gr. 1748 an Stelle des Dorfes *West-S.* ggr. (Meyer's CLex. 14, 995).

Sychabaj = Gürtelfels, sam. Name eines sattelförmig eingesenkten Gipfels im nördl. Ural (Schrenk, Tundr. 1, 385).

Sydney, nicht *Sidney*, zunächst *Sydney Cove*, so wurde, nach dem damal. Minister des Innern, 'feierlichst auf höhern Befehl' die an Port Jackson ggr. Niederlassg. genannt, als 1788 der Geburtstag des Königs gefeiert wurde, das erste Fest der jungen Colonie, an welchem alle Officiere sowohl v. der Flotte als der Garnison Theil nahmen. Man speiste bei dem Gouv. Arth. Phillip, 'u. unter andern öffentl. Gesundheiten tranken wir auch Glück u. Segen üb. *SC*, in der Grfsch. Cumberland. Mit Tagesanbruch hatte jedes Kriegsschiff 21 Kanonen gelöset, u. diess ward um Mittag wiederholt u. mit 3 Salven v. der Garnison beantwortet'. Die Deportirten wurden v. ihren Fesseln befreit u. durften sich unter ihre vorigen Gefährten mischen, 'u. allen Gefangenen, gewährte man arbeitsfreie Tage. Dazu ward beiden, den Männern u. Weibern, eine Portion Branntwein mit Wasser vermischt, u. jedem Unterofficier u. Gemeinen ausser der gew. Portion Branntwein $^1/_2$ Mass Porter zugemessen, u. der Abend ward mit vielen Freudenfeuern beschlossen. Einen einzigen Fall ausgenommen . . . verursachte diese so sehr ausgebreitete Freigebigkeit keine nachtheiligen Folgen' (Spr. u. F., Beitr. 13, 191f., Meyer's CLex. 14, 996). — *S. River* s. Chester. — *Cap S.*, in den Salom., v. Capt. Shortland, welcher v. *S.* aus 1788 vier Schiffe nach England zkführte, benannt nach seinem Ausgangspunkte (Fleurieu, Déc. 176).

Sydow-Gletscher, in der Südwestecke der spitzb. Edge-I., so getauft im Aug. 1870 v. der Exp. Heuglin-Zeil nach dem verdienten Cartographen *S.* (Peterm., GMitth. 17, 182 T. 9).

Sydra s. Syrtis.

Syene, griech. Form f. hierogl. kopt. *Suan* = Eröffnung, hebr. *Svēnē*, arab. *Assuan*, Ort unth. des letzten Nilkatarakts, also die Pforte Aegyptens ggb. Nubien (Brugsch, Aeg. 247), auch *Pa-chech* = Stadt des Richtmasses, ozw. nach dem dortigen Nilmesser. 'Die Stadt muss früher eine besondere Bedeutg. gehabt haben; die Ruinen der ältern Stadt liegen im Süden des heutigen *A.*, auf der Höhe der . . . . Felsen, welche das Flussthor mit dem ggbliegenden Quai v. Elefantine bilden, wodurch es als eine natürl. Grenze zw. Aegypten u. Nubien dasteht . . . . Diese Strasse, welche v. der arab. Seite her durch eine mächtige, z. Th. noch erhaltene Mauer gg. Einfälle geschützt war, stellte schon im höchsten Alterth. die Landvbindg. zw. *A.* u. dem Insellande v. u. um Philä her. Die Statthalter, welche in diesen Theilen der Pharaonenherrschaft weilten, führten meist den Titel 'Statthalter Nubiens'.

Sykai s. Galata.

Sylion s. Sela.

Sylt, einer der nordfries. Inselreste, soll altfr. *Silendi* = Seeland geheissen haben (Meyer's CLex. 14, 998), wie denn das Wort augensch. mit *salt* = Salz zshängt; die einfachste Erklärg. gibt der dial. Ausdruck *sylt*, f. Strecken niedriger Küsten, die z. Flutzeit übschwemmt werden, auch auf Langeland so zu Ortsbezeichnungen verwandt (Madsen, Sjael. StN. 245).

Sylva, ältere Form f. lat. *silva* (s. d.), auch in den ON. *Lacus Sylvanius* u. *Lacus IV Civitatum Sylvestrium* (s. Vier), sowie *Sylvania* (s. Penn).

Sylvie s. Jeannette.

Sylwinsk s. Solikamsk.

Symaethus od. *Symaethum*, Flussname in Sicilien u. Mauritania Caes., wohl phön., v. רמצ [ssameath] = der trockene (Movers, Phön. 2ᵇ, 341).

Symbaoe od. *Zimbaoe, Zimbabye* = Hoflager, die v. Mauch gefundenen Ruinen im Binnenlande Sofala's, 'wie alle kön. Wohnungen in Monomotapa diesen Namen führen' (Merensky, Beitr. 57, Note).

Symplegaden, gr. Συμπληγάδες = Klappfelsen, die zsschlagenden, Felsklippen am Ausgang des Pontus (s. Kyaneai), Riffe, welche beweglich bald unter Geräusche aus einander rückten, bald zs.-schlugen, um zwischendurch passirende Schiffe zu zerschmettern u. welche erst dann fest wurden, nachdem Orpheus sie mit seinem selbst die Felsen bezaubernden Citherspiel ungeschädigt passirt hatte. — Den ant. Namen hat Capt. J. A. v. Krusenst. (Reise 1, 270) im Oct. 1804 nach Japan übtragen, auf die *S.*, 2 Felsinseln vor Cap Tschesme, die eine nackt u. zugespitzt, die andere rund.

Symsk s. Jenissei.

Synech s. Katechili.

Synormaden s. Kyaneai.

Syr-Darja = gelber Fluss, türk. Name des einen der z. Aral Noor ziehenden Ströme, alt *Jaxartes*, auch *Araxates*, bei Herod. Ἀράξης, arab. *Seihon*, j. v. seinem gelbgrauen, trüben Wasser. 'Wegen seiner grossen Geschwindigk. u. des thonigen Bettes ist das Wasser zwar trübe u. rechtfertigt dadurch in der That seinen Namen 'gelber Fluss' . . . Schon aus der starken Trübg.

des Wassers lässt sich abnehmen, dass die Mündungen desselben ins Aralmeer durch Niederschlag des mitgeführten Schlammes, Lehmes u. Sandes bis zu einem gewissen Grade beengt sein dürften ... Das klare, blaue Wasser der seitlichen Deltaseen unterscheidet sich grell v. dem gelbgrauen Flusswasser° ... (Bär u. H., Beitr. 18, 166). Auch Büsching (Mag. 7, 11) setzt *SD.* == rother Fluss.

Syra, griech. Insel, gr. *Syros*, v. phön. ‏צר‏ == Fels, mit diesem Namen, wie Serίphos (s. d.) u. a., an den altphön. Bergbau erinnernd (Kiepert, Lehrb. AG. 252), mit Hafenstadt *Syros*, j. *Hermupolis* (s. Hermes), 3 km v. dem Bergort *S.*, j. *Alt-S.*

Syracusa, sicil. Hafenstadt, früh v. Korinthern ggr. auf der vorher phön. Insel *Ortygia* (s. d.), die später, als sie z. Altstadt geworden, schlechtweg dor. *Νάσος* == die Insel (s. Nesos) hiess; die nächste Erweiterg. auf dem Continent ging westwärts, bis z. Thal *Syrakô*, daher der Gesammtname *Συρακούσαι*. Eine andere Neustadt, auf einem Plateau, hiess *Achradina* == Birnbaumfeld; bes. grossartig jedoch war die durch Dionysios (466—405) abgeschlossene Erweiterg.: um die Vorstädte *Tycha*, die nach einem Tempel der Glücksgöttin benannt war, *Neapolis* (s. d.) u. die auf steilem Fels thronende *Epipolae*, *Ἐπιπολαι* — Hochstadt (Thuk. 6, 96, Kiepert, Lehrb. AG. 468).

Syränen od. *Syrjänen*, besser *Ssyrjänen*, russ. Name f. einen finn. Volksstamm im Netz der Petschora, dem Volke selbst unbekannt, da die *S.* sich selbst *Komi*, plur. *Kómiass*, *Kómijas*, also ähnl. wie die stammverwandten Permáken *Kómmusa*, *Kómmensa*, plur. *Kómmensajas*, nennen (Schrenk, Tundr. 1, 227, Bergh., Ann. 3. R. 10, 88). Die *S.* sind den Russen zuerst bekannt geworden, als der permische Apostel Stephan 1380 sein Bekehrgsgeschäft begann; es war diess an der *Syrjä*, einem kleinen Zuflusse der Kama (Müller, Ugr. V. 2, 386. 398). Ist es da gewagt, den Volksnamen v. Flussnamen abzuleiten? Und sollte nicht der eigne Name mit der *Kama* zshängen? Diese Etym. hätte jedenf. den Vorzug der Ungezwungenheit ggb. der Ableitg., die *a)* Sjögren (Gesamm. Schrift. 1, 431) vorträgt, v. finn. *syrjä* == Rand, Seite; *b)* G. Lytkins (Zeitschr. f. V Aufklär. Dec. 1883), v. russ. *sseren* — gefrorner Schnee, Glatteis. Der letztere fügt bei, im 14. Jahrh. finde sich der Name noch in der Form *Sser-* od. *Ssyrjaner*, mit *a*, u. sei erst zu Ende des 16. in die mit *ä* übgegangen. — *Syrjänskoe*, 2 Orte: *a)* an der Syrjä; *b)* an der Wjätka. — *Syrjänówka*, ein Bergort des Altai, benannt nach dem Schlosserlehrling Syränow, welcher die Silbermine 1791 entdeckte (Sommer, Taschb. 11, 235). — *Syrjänskoi Klutsch* s. Kljutschewsk.

Syria, türk. u. pers. *Suristan*, arab. *al-Scham* (s. Jemen) od. *Blad esch-Schâm* (s. Belad), ist abgk. aus *Assyrien*, wie schon Herod. (7, 63) erwähnt, dass, was die Barbaren *Ἀσσυρία* nennen, bei den Hellenen *Συρία* heisse; die barbar. Form selbst, f. das frühere *Aram* (s. d.), das Ländergebiet, welches sich seit der assyr. Eroberg. v. mittlern

Euphrat bis z. Libanon erstreckte, lautete in niniv. u. babyl. Inschriften *Asur*, *Aschûr*, aram. *Athûr*, pers. *Athurâ*, bei Strabo *Ἀτουρία*, bei Dio Cassius auch *Ἀτυρία*, hebr. *Aschur*, arab. *Athur* (Spiegel, Er. A. 1, 215), armen. *Asori*. Durch die Eroberungen der assyr. Könige, den Tigris abw. bis z. Perser Golf schon seit dem 13., aufw. bis z. obern Euphrat im 11., üb. das östl. Kl.-Asien im 10., bis z. Mittelmeer im 8. Jahrh., hatte auch der Landesname *Assyria* eine weitere Ausdehng. erhalten; als das Stammland am obern Tigris, nach dem Untergange des Reiches, eine medische Prov. geworden war, beschränkten die Griechen den Namen auf das syrische Küstenland. Heute ist, mit der neuen Provinzialeintheilg., der Name *Sûria* auch officiell wieder eingeführt, doch nur f. die Südhälfte des alten *S.* ’Die Assyriologen begünstigen neuerdings die Ableitg. des Landesnamens v. dem einer uralten Hptstadt°; er wird erklärt aus der √ ‏אסר‏, hebr. ‏אסר‏ == glatt, eben sein, metaphor. gut, gerecht sein u. würde in der urspr. sinnlichen Fassg. ’die Ebene°, in der abgeleiteten die Gottheit *Asur* bezeichnen (Kiepert, Lehrb. AG. 150. 158). — *Syrische Pforte* s. Pylai. — *Bahr esch-Schâm* s. Mediterraneum.

Syrmia, Ldsch. zw. Drau u. Sau, nach dem als Handelsplatz einst bedeutenden Sirmium, welches, an der schiffb. Save, Trajans Hauptquartier war, bevor diese gg. die Daker zog, später Hptstadt v. Pannonia II. wurde u. als Festg. bis in das 7. Jahrh. bestand (Kiepert, Lehrb. AG. 364). Mitten in den röm. Ruinen liegt der Ort *Mitrowitz*, kroat. *Dimitrovic* == Stadt des heil. Demetrius, dem die Kirche geweiht ist (Umlauft, Öst. NB. 147).

Syrtis, gr. *Σύρτις* == Sandbank, Golf an den Sandbänken, v. *σύρω* == spülen, schlemmen, schleppen, zunächst f. die *S. Major* == grosse *S.* ... ’*S.*, quibus nomen rex e inditum ... ab tractu nominatae° (Sall., Bell. Jug. 78), j. oft *Golf v. Sydra*, im Ggsatz zu *S. Minor* == kleine *S.*, j. *Golf v. Kabes*, *Cabes*, *Gabes*, nach dem Uferort, dem alten *Tacape* (Edrisi ed. Jaub. 1, 255). Die *Gr. Syrte* auch arab. *Dschûn el-Kebrît* == Schwefelbucht, nach den Schwefelminen, welche etwa 12 Kamelstunden v. Uferort Muktar entfernt sind u. ihr Product üb. Mirsa Bureika verladen (Barth, Wand. 344, Parmentier, Vocab. arabe 21. 30). Nach dem Golf die Umgegend *Regio Syrtica*, j. *Sirt*, *Sort*, wie auch, an Stelle des punisch-röm. Iscina, ein arab.-berb. Handelsplatz *Sort* bis in das spätere Mittelalter bestanden hat (Kiepert, Lehrb. AG. 213): *Medinet Sirt* od. *Sort* (s. Medina).

Sys s. Krios.

Szalt, es, ein Flecken Hesbons, einer der vielen in der christl. Zeit vorkommenden *Saltus* (== Waldgebirge) od. *Saltôn*, welche durch Beinamen unterschieden werden, wahrsch. *Σάλτων* in der Eparch. Paläst. Tert. (Seetzen, Reise 4, 209).

Szamaiten == Niederland, v. lit. *žemas* == niedrig, Name der niederlit. Ldsch., die ostwärts bis z. Dobose, einem Zuflusse der Memel, ging (Thomas, Tils. Pr. 28), im Ggsatze zu *Auxtote* == Oberland, v. *aûksztas* hoch (Thomas, WB. 152).

Szannaméïn = die zwei Götzenbilder, Ort des Haurân, Trachon., wohl v. den Statuen der beiden in Trümmern liegenden Tempel (Seetzen, Reis. 1, 43; 4, 16, Burckhardt, Reis. 1, 116).

Szâr s. Jaëser.

Szász s. Sachsen.

Szauan = Feuerstein, eine zwei Tagereisen weite, dicht mit kleinen schwarzen Feuersteinen bedeckte Ebene östl. v. Todten M. (Burckhardt, Reise 2, 1047).

Szeben s. Hermannstadt.

Szeg od. *szög* = Winkel, mit *szeged*, *szöged*, *sziget* = Confluenz, Insel (Hunfalvy, Ung. 112), mag. Wort in *Szegedin*, mag. *Szeged*, Ort in Ung., an der Confl. Maros-Theiss, in *Szegszárd* = kahler Winkel, in *Szegvár* = Winkelburg u. in *Sziget-vár* = Inselstadt, unw. Fünfkirchen, v. Flusse Almas umfasst, bestehend aus 3 durch Brücken verbundenen Theilen, dem Schlosse, *vár*, als der innern Veste, die mit 3 f. Wassergraben, der Alt-u. Neustadt, umgeben war (Hammer-P., Osm. R. 3, 448, Hunfalvy, Ung. 113, Umlauft, ÖUng. NB. 235 ff.).

Székely, mag. f. *Szekler*, die mag. Bewohner Siebenb., s. v. a. Grenzhüter, Bewohner der Mark, wie sie denn auch als solche im Osten angesiedelt wurden, v. mag. *szek* = das Innere, auch Sitz, Residenz, Stadt, u. *ely* = jenseits, also jenseits des Sitzes, Grenzland (PHunfalvy, Ung. 134 ff., Uml. 1880, 1040). Früher wollte man in den

S. bald 'Flüchtlinge', die v. Petschenegen u. Bulgaren nach 894 vertriebenen Magyarenreste, bald 'Skythen', da *S.* lat. *Siculus, Scithulus*, als die aus Skythien gekommenen, erkennen (Umlauft, Öst. NB. 235 f.).

Székes s. Stuhlweissenburg.

Szereda od. *Szerda* = Mittwoch, mag. ON., auch mit *hely* = Ort als *Szeredahely* u. *Szerda-hely*, wohl gew. nach dem Markttag, wie der ebf. häufige ON. *Szombathely* = Samstagort, v. mag. Lehnwort *szombat*, slaw. *sobota* = Sabbath (Hunfalvy, Ung. 116).

Szigetvár s. Szeg.

Szilupē = Heidefluss, v. lit. *szilas* = Heide, Fichtenwald, u. *upē* = Fluss, Name eines Flusses in Litauen. Aus dem gl. Stamm die ON. *Szilu-pēnai*, deutsch *Schöllupönen, Szilupiszkei*, deutsch *Schillupischken, Szililei, Szileliszkei, Szilininkai, Szilēnai, Szilenēlei, Szilinei, Szilelwieczei, Szilgalei, Szilkarczama*, letzteres lit. f. *Heidekrug* — alle entspr. mit *Sch* ... verdeutscht (Schleicher, Lit. Gr. 147).

Szummara s. Samariter.

Szwentkalnis = 'Heiligenberg', v. lit. *szentas* = heilig u. *kalnas* = Berg, mehrere Schlossberge im Thale der Jura, eines rseitg. Nebenflusses der Memel. 'Es liegt die Vermuthg. nahe, dass diese Orte, abgesehen v. Vertheidigungszwecken, noch zu denen des Cultus dienten' (Thomas, Tils. Pr. 28).

T.

Ta = gross, in chin. ON. *a) Ta Hai* s. Pacific; *b) Ta Ho* s. Si; *c) Ta Kiang* s. Amur, Jangtsekiang u. Si; *d) Ta Min* s. China; *e) Ta Tu* s. Pe; ferner *f) Ta Schan* = grosses Gebirge, f. die grosse Bergkette Formosa's, deren Hpttheil *Mu Kang Schan* = bewaldetes Gebirge heisst; *g) Ta Kang Schan* = grosser Berg, auch *Kiang Schan* = Flussberg, ebf. in Formosa, neben den *Siao Kang Schan* = kleinen Bergen (Klaproth, Mém. 1, 329 ff.); *h) Ta Si Jang Hai* s. Atlantic. — *Takintschakiang* s. Brahmaputra. — *Ta-ni-pon* s. Japan.

Taal, Laguna de, auch *L. de Bombon*, ein unergründlich tiefer Krater-See auf Luçon, nach der einstigen Uferstadt *T.*, die bei dem heftigen Ausbruche des Seevulcans v. 1754, mit 3 andern Orten, zerstört u. durch *T.* de Bombon, an der Bay v. Balayan, ersetzt wurde. Mitten im See erhebt sich die 500 m h., mit Lava bedeckte Insel *Volcano*, deren Gipfelkrater einen im Niveau der 'Laguna' gelegenen See enthält (Crawf., Dict. 424).

Tabajarras s. Ubirajaras.

Tabarieh, fränk. *Tiberias*, j. der bedeutendste

Ort am See gl. N., *Bahr T.* (s. Gennesareth), viell. an Stelle des alten Gennesareth (Hieron. Comm. Ezech. 48, 21) v. Herodes Antipas ggr. u. zu Ehren seines Beschützers, des dam. röm. Kaisers, benannt (Joseph., Ant. 18, 2 f.), in der arab. Form schon bei Edrisi (ed. Jaub. 1, 347 ff.).

Tabarinsk, Ort am rechten Ufer des Tawda, West-Sib., 1618/21 erbaut, weil man die bei der Stadt Pelim noch übr. Tataren dahin versetzte. Tabari versetzte (Müller, SRuss. G. 3, 395; 4, 449).

Tabasco, ein mexic. Küstenfluss, benannt nach dem Kaziken *T.*, welchen die span. Exp. Juan de Grijalva 1518 dort traf ... 'porque el Cacique de aquel pueblo so llama *T.*', nach dem Entdecker auch *Rio de Grijalva*, wie der Häuptling *T.*, einer weitverbreiteten Sitte zuf., den Namen seines Gastfreundes annahm (WHakl. S. 40, 149, Navarrete, Coll. 3, 59, BDias, NExp. c. 11, Uhde, RBravo 38).

Taba-Tscheu = weisser Berg, ein Hügel v. weisser Dolomitmasse, durch Livingstone in S.-Africa entdeckt (Peterm., GMitth. 4, 184).

Taberistan od. *Tabaristan* = Land der Tapuri, eines Volksstamms im alten Hyrkanien, npers.

Name einer Gebirgslandschaft des nördl. Persien (Meyer's CLex. 14, 1013) u. nach dieser *Bahr T.* (s. Kaspi).

Tabernae s. Orbe.

Tablat, v. lat. *tabulatum* = hölzernes, aus Brettern zsgefügtes Gebäude, das als Speicher, Viehstall etc. dient, also wie Keller, Speicher etc. f. grössere Oekonomieanstalten meist klösterl. Besitzes, ON. bei St. Gallen u. im zürch. Tössthal, beide einst dem Kloster St. Gallen geh. (Mitth. Zürch. AG. 6, 80). — Eine eigenthüml. Wandlg. hat *tabulatum* schon früh im rätor. gemacht: *clavaù, clavo,* 824 u. früher in den isidor. Glossen *clavia*; daher die ON. *Clavadel,* im Thal Sertig, Davos, *Clavaniev* = neuer Stall, bei Disentis (Bühler, Davos 252), *Clavadi,* ob Somvix, *Clavadials,* in Val Somvix (Siegfried-Atl. Bl. Truns).

Table, Cape = Tischcap, wo das engl. *table,* entspr. dem holl. *tafel,* f. oben abgeflachte Bergformen gebraucht wird (s. Tafelberg), 2 mal: *a)* in NSeel., v. Cook am 12. Oct. 1769 'on account of its figure' (Hawk., Acc. 2, 300): *b)* in Tasmania, v. Capt. Flinders (TA. 1, CLXVI, Atl. 7) am 5. Dec. 1798 'from its flat top'. — *T. Creek,* ein lkseitgr. Zufluss des Yellowstone R., in dessen Uferebene viele kleine, oben flache Erdhöcker zerstreut sind (Lewis u. Cl., Trav. 630). — *T. Hill a)* in NAustr., 'an isolated, flat-topped hill', v. Capt. Stokes (Disc. 2, 32) im Oct. 1839 so getauft, obgl. ihm der weniger häufige Name *the Fort* = die Veste, 'from its bastion-like appearance', besser gefallen hätte (p. 113): 'having all the appearance of a bastion or fortress, rising abruptly from the surrounding plain to an elevation of 650 feet, the upper part being a line of cliffs, greatly adds to the appearance it presents, that of a complete fortification'. Der zu näherer Untersuchg. abgesandte Gefährte, Fitzmaurice, fand wirkl. den Berg 'to be a perfect natural fortress accessible only at the S. E. corner by a slight break in the line of cliffs surrounding it' (p. 38); *b)* ein 60 m h. Taffelland in Arnhems Ld., kurz nachher v. dems. Entdecker (2, 65). — Im plur. *T. Hills,* eine Gruppe 800 m h. Berge bei San Francisco (Skogm., Eug. R. 1, 231). — *T. Mount,* 3 mal: *a)* ein 400 m h. würfelfgœr Berg in Kerguelen I. (Ross, SouthR. 1, 70); *b)* ein an der Form leicht kenntl. Berg der Hptinsel der NHebriden (ZfAErdk. 1874, 285, Meinicke, IStill. O. 1, 186); *c) T. Mountain,* im Black Cañon des Rio Colorado (Wheeler, Geogr. Rep. 159). — *T. Island,* 2 mal: *a)* im Belcher Ch., v. Capt. Belcher (Arct. V., 1, 118 Bild) im Aug. 1852 nach der oben ganz flachen Tafelform; *b)* in SShetl., oben so flach wie eine Kegelbahn u. an den Seiten mauerähnlich (Hertha 9, 463). — *Taboa do Cabo* s. Tafelberg.

Tabocas, Monte das — Rohrberg, bei Pernambuco, nach dem dichten Rohrwald, welcher, aus *T.,* d. i. sehr dornigem dichtem Wildrohr, bestehend, f. die aufständ. Portugiesen unter Cardozo, 1645, eine natürl. Barricade gg. die angreifenden Holländer bildete (Varnh., HBraz. 2, 8).

Tabor = Verschanzung, Lager, Wagenburg, slaw., insb. čech. Wort, mit hebr. *Thabor* (s. d.) anklingend, mehrf. in ON. der öst.-ung. Monarchie, voraus f. die an Stelle des ältern Ortes *Hradištĕ* = Burg als Trutzburg v. Ziska erbaute Stadt, nach welcher in der Folge die Hussitenpartei der 'Taboriten' sich benannte. Am 22. Juli 1420 genossen hier 40000 Hussiten das heil. Abendmahl, u. hierauf habe die Gründg. statt gefunden (Umlauft, ÖUng. NB. 238). Wie aber, sofern dem so ist, der Ort, der 1420 ff. noch als *Hradist* vorkommt, schon f. 1419 als *T.* erwähnt werden kann (Oesterley, WB. MA. 674), ist mir nicht klar. Und wenn in der Nähe ein Berg *Horeb,* ein *Teich Jordan* heisst, so dürfte doch, f. jene Zeiten religiösen Eifers, eine Anlehng. an bibl. Namen, auch f. *T.* selbst, zu vermuthen sein.

Tabun Aral = die 5 Inseln, kalm. Name einer Inselgruppe der Wolga, obh. Astrachan (Potocky, Voy. 1, 33), wie *T. Tologoï* = die 5 Hügel, mong. Bergname nach der Zahl der Gipfel (Timkowski, Mong. 2, 396).

Taby s. Ghazal.

Tachompso s. Temsach.

Tachtajamsk s. Ochota.

Tacking Point = Vorgebirge des Halts, des Umlegens (des Schiffs), in NSouthWales, wo Flinders (TA. 2, 3 Atl. 9) am Abend des 23. Juli 1802 Halt machte, in der Absicht, an der v. Cook in der Dunkelheit passirten Gegend nach Oeffnungen zu spähen.

Tadmor, hebr. תַּדְמֹר, wahrsch. v. תָּמָר [thamar] — Palme u. dann = Palmenstadt, nannte Salomo die v. ihm ggr. palmenreiche Oasenstadt (2. Chron. 8, 4), bei Joseph (Ant. 8, 6¹) Θαδάμορα, gr. mit gl. Bedeutg. Πάλμυρα, *Palmyra* (Ptol. 5, 15⁹). Die zahlr. Palmen, die einst *T.* schmückten u. woran der hebr. u. griech. Name erinnern, sind verschwunden, u. nur eine unbedeutende Anzahl findet sich in den Gärten bei dem Dorfe (Kremer, MSyr. 200).

Tadsch od. *Tadschmahál* — Krone od. Kronplatz, mit *mahal* = Ort, District, Staat, pers.-arab. Name des berühmten, äusserst schönen Mausoleums v. Schadschehán u. Ardschimánd Bánu in Agra (Schlagw., Gloss. 250). — *Tadschik* s. Bucharien.

Tädschúra, in ägypt. Dial. *Tedschura,* oft unrichtig mit *rr,* Hafenplatz am Roth. M., v. arab. *tádschir,* pl. *tudschär* = Kaufmann, *tidscháre* = Handel, also s. v. a. Handelsplatz (Paulitschke, Progr. 1884, 26). Die *Bay r. T.* heisst arab. *Bahr el-Benatein* = Meer der 2 Töchter, Harris sagt: wg. ihrer gewöhnl. Glattheit . . . od. nicht eher v. der durch Ismürg. möglich *ibab* = Thor) einer Sanduhr ähnl. Gestalt der 2 Becken, des äussern u. innern? (Peterm., GMitth. 6, 420).

Täbris, auch *Tabris, Tauris,* Ort in Persien, wird gew. wie Tiflis (s. d.) als Thermalort, v. *tab* = sieden, erklärt (Polak, Pers. 2, 366); allein nachdem schon der Orientalist Hammer-Purgstall (Osm. R. 4, 68) neben 'die warmen Quellen' auch 'fieberfliehend' gesetzt hat (ib. 172), so gibt, wie schon Richardson (Charnock, LEtym. 264), so nun auch Brugsch (Pers. 1, 171) die Ableitg. v. pers. *täb* = Fieber u. *rikhten*, *riz* = zerstreuen, vertreiben, also 'fiebervertreibend'.

Tägerwylen s. Tegernsee.

Tänikon s. Tann.

Tätschbach, 2 Wasserfälle der Central-Alpen *α)* im Engelberg, wo der Bach in einzelnen Schlägen hoch herabstürzt u. auf vorspringenden Felsenplatten 'auftätscht'. Als ich 1883, nach einer Pause v. 22 Jahren, das Thal wieder sah, war unter dem Einflusse der 'Fremdencultur' der bezeichnende Name s. v. a. vergessen: Kinder u. Wegweiser zeigten nach dem blassen 'Wasserfall'; *b)* ein Fall des Muotathals (Siegfried, EN. Vaterl. K. 37).

Tafamont s. Mont.

Tafelberg = Tischberg (s. Table), holl. Name eines viereckigen, oben flachen Bergs im Caplande, engl. übsetzt *Table Mountain.* 'Wenn man ihn in einiger Entferng. betrachtet, so scheinet sein Gipfel platt u. eben, u. er siehet sodann einer Tafel ähnlich, wovon er auch den Namen erhalten' (Kolb, VGHoffn. 206). Schon Barros (As. 1, 7⁴ p. 105; 1, 8⁴ p. 207) beschreibt ihn als 'hum monte per cima mui chão e plano', u. schon die Port. des 16. Jahrh. nannten ihn 'Tischberg': *a Meza do Cabo de Boa Esperança* od. *Taboa do Cabo ...'huma terra soberba sobre a outra, que no cima faz huma planura de terra rasa graciosa em vista, e fresca com mentrastos, e outras hervas de Hespanha'.* Uebr. kommen diese 'Tischberge', u. demnach auch der Name *T.,* im Caplande mehrf. vor (Lichtenst., SAfr. 2, 64), auch anderwärts (s. Gomez, Mesa, Trapezunt), häufig am Nordrande der Sahara, wo diese isolirt aus der Erde aufsteigenden, oben abgeplatteten Berge od. Felsen arab. *el-Meida* = der Tisch heissen (ZfAErdk. nf. 4,194). Also dieselbe Bezeichng. bei Griechen, Portugiesen, Spaniern, Holländern u. Arabern, im Norden u. Süden des Continents, in S.-America u. in Californien, im Orient, wie auf den Sandwich In. u. in Spitzbergen! — Nach dem Uferberge die *T.* Bay, urspr. *Angra da Concepçao* (s. d.), ozw. nach dem Kalendertage der Entdeckg., od. *Aguada de Saldanha* (s. d.), bis sie der holl. Seef. Joris Spilbergen 1601 mod. umtaufte u. dadurch die Saldanha Bay nach Norden verschob (Lichtenst., SAfr. 1. 56 ff.; 2, 64). — *T. Eiland,* drei der spitzb. Zeven En., 'bestehen aus hohen, steilen, oben gerade abgestumpften Gneispyramiden, deren Grösse u. äussere Contouren so vollkommen gleich sind, dass, wenn man z. B. wg. des Nebels nur eine v. ihnen sieht, sich nur mit Schwierigkeit entscheiden lässt, welche v. den schwarzen Pyramiden man vor sich hat. Die schwed. Exp. 1861 hat der mittlern, 260 m h. den alten Namen einf. gelassen; *T. Ö,* die nördl. 230 m h. *Lilla* (= klein) *T. Ö* genannt u. die südliche in *Nelson I.* umgetauft nach dem berühmten Seehelden, welcher in diesen Gegenden die ersten Proben seines Mannesmuthes abgelegt haben soll (Peterm., GMitth. 10, 134).

Tagilsk, zwei ural. Bergorte am Tagil, einem Zuflusse der Tura, *Werchne-* (= ober) u. *Nischne-* (= unter) *T.* (Humb., Ural 1, 303), letzterer gleichzeitig mit *Mugaisk,* dem am Mugai gelegenen Nachbarorte, 1613 ggr., nach Eröffng. der Eisenhütte *Tagilskoi Sawrod* = Hütte am Tagil genannt. Die 9 Sawoden des Tagiler Reviers produciren jährl. 12 Mill. Pfd. Eisen u. 2 Mill. Pfd. Kupfer; die Seifenwerke geben 4800 Pfd. Platin u. bis 800 Pfd. Gold (Müller, SRussG. 4, 439, Bär u. H., Beitr. 5, 101). — Aus dem Buchstaben *T* reihen wir folgg. ähnl. Bildungen an *a) Tanalisk,* bei Bär u. H. (Beitr. 5, Carte) *Tanalük, Tanalüzkaja,* Ort an der Confl. Tanalik-Jaik, dem russan *Orlenginsk, Urdasunsk, Beresowa* (s. Beresow), *Griasnucha,* an den Bächen gl. N. folgen (Falk, Beitr. 1, 190); *b) Tawdinsk,* am rechten Ufer der Tawda, 75 Werst obh. der Mündg. (Müller, SRuss. 5, 32 f); *c) Telembinsk,* an der Konda, zw. 2 See'n Telemba, im Gebiete der Tungusen 1658 ggr. v. A. Philippow Sin Paschkow, dem Wojwoden v. Jenisseisk (ib. 5, 390. 394); *d) Tereklinsk,* an der Confl. Terekli-Jaik (Falk, Beitr. 1, 190); *e) Tigilsk* od. *Tigilskji Ostrog* = Veste am (Flusse) Tigil, eine um 1744 ggr. Anlage in Kamtschatka (Erman, Reise 3, 172); *f) Tomsk,* Ort am Tom, einem Nebenflusse des Ob, 1604 ggr. als Fort f. Pelzhandel u. Eroberg. (Müller, SRuss. G. 4, 104 ff.); *g) Tugirsk,* Ort am Tugir, der z. Netz der Olekma-Lena gehört (ib. 5, 340), urspr. 1647 wohl nur als Simowie — Winterhütte, dann 1653 als Veste. *Tugirskoi Ostrog,* als die Mannschaft des moskowit. Edelmanns Dimitrei Synowiew die Olekma u. den Tugir aufwärts ging, um nach dem Amur z. gelangen (Fischer, Sib. G. 2, 830); *h) Tugurskoi Ostrog,* Veste an dem hinter Schantar in die Ochotsker-See mündenden Flusse Tugur. tung. *Tuchuru,* ggr. 1652/53 durch eine Abtheilg. der Exp. Chabarow. 'Nachgehends' wurde sie v. den Mandschus zerstört; der Ort steht aber wieder auf mod. Carten (Fischer, Sib. Gesch. 2, 820); *i) Tulbatschinski,* Vulcan Kamtschatka's, nach dem Flusse Tulbatschik, dessen Mündg. er v. der des Kamtschatka Fl. trennt (Adelg., Gesch. Schiff. 598, Kraschenn., Kamtsch. 83 ff.); *k) Turtask,* Ort an der Confl. Turtass-Irtysch, wo vor der russ. Invasion 1581 eine tatar. Festg. bestand (Müller, SRuss. G. 3, 305); *l) Turuchansk,* Ort an der Confl. Turuchan-Jenissei (Schrenk, Tundr. 1, 608), als Erbe des 1600 ggr. Mangasea erbaut 1609, zunächst als simowie — Winterwohnung, daher auch *Neu Mangasea* (Atl. Russ. 14) od. *Na Jenisseiskom Woloku,* nach dem Landwege, welcher v. Mangasea her den Fluss erreichte, od. (' *Nikoli Tschudotworza,* nach einer dabei erbauten Kirche (Müller, SRuss. G. 4, 103). — Endl. *Tara,* Ort am Flusse Tara-Irtysch, sollte lt. Instruction an der Confl. angelegt werden, kam jedoch 1594 weiter abw., an die Mündg. des Baches Agarka, günstiger zu liegen (Müller, SRuss. G. 4, 46. Atl. Russ. 15).

Tagipurus s. Purus.

Tahiti, auch *Otaheiti,* frz. *Taïti*, das Hptland der Society In., Abth. Windward, v. engl. Capt. Wallis am 19. Juni 1767 entdeckt, ein reizendes Eiland, das aus 2 Berghalbinseln, *T. nui* = gross u. *T. iti* = klein, besteht, v. dem Entdecker, der mehrere Wochen hier verweilte, *King George the Thirds Island* (s. George) or *Otaheite* getauft (Hawk., Acc. 1, 213. 226; 2, 123), wahrsch. schon v. d. span. Seef. Quiros am 11. Febr. 1606 gesehen u. *Isla Sagitaria* = Schützeninsel (Viajes Quirós 1, 257; 3, 33), am 2. April 1768 v. d. frz. Capt. Bougainville *la Nouvelle Cythère* genannt, diess nach den Reizen u. der Leichtigkeit der Frauen, wie schon das alte *Kύϑηρα*, j. Kerigo, der Göttin der Schönheit geheiligt war (Meyer's CLex. 14, 1017). Als der Vicekönig Amat v. Peru 1772 den Capt. Boenechea absandte, dort eine Colonie zu gründen, erhielt *T.* den Namen *Isla Amat* (Fleurieu, Déc. 35, Forster, VRWorld 1, 250, Krus., Mém. 1, 238). In prächtiger Berggegend der grössern Hälfte der 1239 m h. Pic *Maiao,* frz. *le Diadème* = die kön. Kopfbinde, sowie die besonders anmuthige *Vallée de la Reine* = Thal der Königin (Meinicke, 1Still. O. 2, 165).

Tahont-n-Eggisch = Eingangfels, bei den Tuareg 'bemerkenswerther' Name einer kleinen Insel des mittlern Kuara, weil ihr westl. Ende v. grossen Granitblöcken umgeben ist u. hier zuerst der felsige Charakter des weiter abwärts folg. Gaues bemerkbar wird (Barth, Reis. 5, 174).

Tahuna, auch *Tahhona* = Mühle, in Tunis 'moulin à bêtes de somme' (Parmentier, Vocab. arabe 46), arab. Name einer Kuppe des Dsch. Jefren, Tripoli, auf deren Gipfel einst eine Mühle gestanden (Barth, Reis. 1, 42); *b) T. el-Abiad* = die weisse Mühle, zerfallene Mühlgebäude im Hauran (Burckhardt, Reis. 1, 188); *c) el-Táuahhin* = der Mühlgrund, das Thal, in dessen oberm, fruchtbarem, aber v. nackten Bergen eingeschlossenem Theil die Salomonsteiche liegen, nach den weither besuchten Mühlen. — *'Ain Ettuahein* = Quelle der Mühlen, ein Bach des Dsch. Haurân (Burckhardt, Reis. 1, 163).

Taikhing s. Hokuan.

Taillefer, Ilots, 7 kleine zerrissene Eilande bei Tasmania, v. der frz. Exp. Baudin im Febr. 1802 getauft nach dem Arzte des Exp.-Schiffs le Géographe, H. J. *T.* (Péron, TA. 1, 245), wie *Isthme T.*, an der Halbinsel Péron, im Aug. 1801 (ib. 168).

Tain s. Wiese.

Tajo, der span. Flussname, port. *Tejo,* röm. *Tagus,* unerklärt, aber auf den grössten Fluss Luçons, einh. *Sallo* u. *Apari* nach Uferorten, übtragen (Crawf., Dict. 78). — *Alemtejo* = jenseits des *T.,* port. Prov., schon 1693 bei Joh. Hübner 'so genennet, weil sie denen zu Lissabon jenseits des Flusses gelegen ist' (Egli, Gesch. geogr. NK. 384, Wilkomm, Span.-P. 269).

Taïronas, ein Indianerist. in Columbia, v. *taïrona* = Giesserei, nach der in der Nähe der Sierra de Sᵃ Marta befindl. Anstalt, in welcher sie aus den Gruben Gold bearbeiteten (Glob. 23, 306).

Tait s. Greville.

Taitszschan = Thurmberg, chin. Name eines Vulcankegels der Mandschurei, 10 Li v. Golf v. Liautung, weil der Berg mit einem alten Thurm gekrönt ist (JRGSLond. 1872, 152).

Taiwan s. Formosa.

Taka, eine Höhle bei Tegea, Arkadien, v. pers.-arab. *tauk* = Gewölbe (Leake, TMor. 1, 121, Curt., Pel. 1, 250).

Takape s. Gabes.

Takchecua s. Antilope.

Takr-Nyi = jenseitiges Dorf u. *Tukr-Nyi* = diesseitiges Dorf, gilj. Name zweier Dörfer an der Mündung des Tymi, Sachalin (Bär u. H., Beitr. 25, 235).

Talaga = Cisterne, Reservoir, skr. Name eines Bergsees der javan. Ldsch. Tscheribon (Crawf., Dict. 93).

Talas, las, Ort in Argent., zw. Cordova u. Tucuman, nach dem z. Färben benutzten Baume *tala*, Coulteria tinctoria *DC.,* einer Caesalpinia (ZfAErdk. nf. 9, 77).

Tálata, v. sam. *tálwa,* s. v. a. Schlucht, 2 Zuflüsse des Eismeers, v. den hohen, schroffen Felsufern, welche sie im Oberlaufe einschliessen (Schrenk, Tundr. 1, 391. 431). — *Tal'bedopaj* s. Sedabaj.

Talbot, Cape, in De Witt's Ld., v. Capt. Ph. P. King (Austr. 1, 311) am 1. Oct. 1819 getauft nach dem einm. Lord Lieut. v. Irland. — *T. Island* s. Turnagain.

Talc Head = Talkkopf, in Clarence Str., v. Stokes (Disc. 2, 5) am 9. Sept. 1839 so benannt, weil er hier grosse Talkschieferstücke, einzelne 10 cm lg., in Quarz eingebettet fand.

Taldykudukskoi, russ. Kosakenposten des Siebenstrom Ld., am Brunnen Taldykuduk, welcher das Trinkwasser liefert, in einer Lage, die, ungleich den übr. Pikets der Gegend, ziemlich v. Flüssen entfernt ist (Bär u. H., Beitr. 20, 145. 149).

Talina s. Reval.

Tallada s. Carrara.

Talleyrand, Ile, im Nuyts' Arch., v. der frz. Exp. Baudin im Febr. 1803 getauft nach dem Staatsmann Charles-Maurice Prince de *T.,* 1754—1821 (Péron, TA. 2, 88). — *Baie T.* s. Schanck.

Talliagharry = der durchgehbare Pass, v. skr. *tarja* = durchgehbar u. *ghatti* (woraus *ghally* u. *gharri*) = Pass, Name eines Passes der ind. Parasnath-Berge, desselben, der gew. als Durchgang zw. Bihar u. Bengalen dient (Lassen, Ind. A. 1, 165).

Tallopoëg s. Estland.

Taluk s. Batu.

Tal-Thel-Leh = Theil, welcher nicht gefriert, ind. Name einer Enge der Grossen Sclavensee's — a fact verified during two successive winters, but for which we could assigne no cause (Back, Narr. 53).

Talvantigrwo = Dorf am frischen Wald, v. gilj. *talvant* = roh, hier s. v. a. 'frisch', im Ggsatz zu 'vertrocknet', *tigd* = Baum, Wald u. *wo* = Ansiedelung, Name eines Dorfs auf Sachalin (Bär u. H., Beitr. 25, 234).

Tamansk s. Solikamsk.

Tamar od. *Tamer*, engl. Flussname bei Plymouth (s. d.), mir unerklärt, aber wg. einer Uebtragg. hier aufzuführen: in Port Dalrymple, Tasmania, benannt v. Oberstl. Paterson, der v. Port Jackson aus 1804 eine Colonie anzulegen hatte (Flinders, TA. 1, CLXIII, Atl. 7). — Ein *Cape T.*, in Falkland Sd., nebst *Cape Dolphin* v. Commodore Byron am 27. Jan. 1765 nach seinen beiden Schiffen (Hawk., Acc. 1, 55).

Tamaricium, eine sehr wahrsch. phön. Colonie bei Messina, v. *thamar*, phön. תמר = Palme, lat. übsetzt *Palma*, neben andern 'Palmenorten' (vgl. Tadmor u. Jericho) entspr. dem gr. Φοινικοῦς u. dem pun. *Tamaricetum*, Numid. (It. Ant. 38, Movers, Phön. 2^b, 330).

Tamasis s. Tonsa.

Tamaulipas, Ldsch. in Mexico, angebl. (Uhde, RBravo 41) 'Olivenort', v. ind. *tam* = Ortschaft u. *ulipa* = Oliven, zunächst f. einen Fluss, an dessen Ufern viele dieser Bäume wuchsen, nach Buschmann (Azt. ON. 107) aber v. azt. *Tamaulipan* = Gummiort, v. *olli*, *ulli* = Gummi elasticum, sowie Ball daraus.

Tambach s. Tann.

Tambapanni s. Ceylon.

Tamcha Tach s. Therme.

Támeleit = die weisse scil. Thalebene, bei den Tuareg der Name eines Thals im westl. Fezzan (Barth, Reis. 1, 224, Peterm., GMitth. 18, 332).

Tameorworth s. Plymouth.

Tamisgïda = die Moschee, bei den Tuareg eine 'bemerkenswerthe Stätte' am mittlern Kuara, augensch. einen frühern Wohn- u. Cultplatz ankündigend (Barth, Reis. 5, 150).

Tamlawo s. Pilow.

Tammisaari s. Eiche.

Tamoyos, ein Indianerstamm der Prov. Rio, in Folge des Missverständnisses, als wären die ind. Ausdrücke *tamoy* = Vorfahren, *temiminos* = Enkel u. ähnl. als Eigennamen gebraucht (Varnh., HBraz. 1, 100. 448).

Tampico, Ort an der atlant. Küste Mexico's, an der Mündg. des Flusses, der ihm den Namen gegeben, urspr. auf der rechten Flussseite angelegt, daher *Pueblo Viejo de T.* = alter Ort *T.*, dann auf die linke Seite verlegt u. nach der Prov. zubenannt *T. de Tamaulipas*, 1835 aber durch Beschluss des Provincialcongresses in *Santana (de Tamaulipas)* umgetauft zu Ehren des Präsidenten *S.*, der 1829 dort die span. Exp. unter General Barrados vertrieben hat (Bergh., Ann. 12, 376).

Tamra s. Ceylon.

Tamur s. Amur.

Tana, uns am geläufigsten als genues. ON. des Mittelalters (s. Asow), aber auch ein ON. auf Salsette, bei MPolo (ed. Pauthier 2, 664) *Tanaim*, verd. aus *Sťánaka*, richtiger *S'ri Sťánaka* = Stadt der S'ri od. Lakschmi, der Göttin des Glücks, 'comme le porte une inscription en langue sanskrite, gravée sur des planches de cuivre, et découvertes en creusant des fondations pour construire de nouveaux ouvrages au fort de *T.*, ca-

pitale de l'ile de Salsette, en 1786'. — Ein anderes *T.* s. Asore.

Tanalisk s. Tagilsk.

Tand s. Zahn.

Tandurek s. Sunderlik.

Tang, Pul-i- = Brücke des Engpasses, npers. Name einer Schlucht des Kercha, wo dieser sonst 80—100 Ellen br. Strom 'so eingeengt wird, dass es mögl. ist, üb. ihn zu springen' (Spiegel, Eran. A. 1, 112). Der Kercha kommt aus den kurd. Gebirgen, am alten Susa vorbei, z. Ebene herab u. mündet bei Kurna.

Tanganjika = Begegnung, Zusammenkunft, scil. v. Gewässern, einh. Name des am 3. März 1858 v. Burton u. Speke erreichten See's (Glob. 2, 205). In der Academy (16. Juni 1877) wird, entgg. H. M. Stanley's 'plain-like lake', behauptet, *nyiko* sei der einh. Name der Wassernuss, Trapa nutans, die auf den african. Gewässern, insb. ggb. Ujiji, massenhaft schwimme, u. *T.* sei also 'Versammlg. resp. Wohng. der Wassernuss'. Und H. M. Stanley (Thr. Dark Cont. 384) gibt die Gleichg. *T.* = der zu grosser Fläche ausgebreitete See. Unsere erste Angabe wird jedoch gestützt durch ein anderes Object: *Mtanganjiko* = Ort der Zusammenkunft, bei den Sawahili ein Lagerplatz östl. v. Ukerewe, weil in der grasreichen Gegend die Herden verschiedd. Stämme zeitweise zstreffen. 'Being a damp region, it affords pasturage for cattle during the hot season, yielding abundance of grass when it is scorched and withered elsewhere. Wakwávi of different tribes meet here to pasture their cattle, periodically, making the place quite a rendezvous' (Journ.RGSLond. 1870, 323).|

Tangér, ON. in Marocco, in der durch die Port. verbreiteten Form (ZfAErdk. nf. 8, 90), bei Edrisi (ed. Jaub. 2, 6) *Tandscha*, alt *Tingis*, was Gesenius 'nicht sehr wahrsch.' auf die assyr.-semit. Göttin Thanith zkführen wollte, nach Bochart (Geogr. Sacra 519 ff.) wohl besser *Tigisis* = Stapelplatz, 'was der Ort, wo Africa u. Europa sich beinahe berühren, allerdings in vollstem Sinne v. jeher sein musste' (Barth, Wand. 9). Postea a Claudio Caesare, cum coloniam faceret, appellatum *Traducta Julia* (Plin., HNat. 5, 2).

Tangkuban Prau, Gunung = Berg des umgekehrten Nachens, v. mal. *tangkuban* = umgekehrt u. *prau* = Nachen (wo *a-u* zweisilbig), ein Vulcan Java's. Von Bandong aus 'zeigt sich sein Gipfel — der Kraterrand — als eine lange horizontale Linie, welche nach beiden Seiten in einen sehr sanften Abhang übgeht, wodurch eine gewisse Aehnlichk. mit einem umgekehrten Kahne entsteht' (Junghuhn, Java 2, 36).

Tangle Island = Insel der Verwickelung, in Fury u. Hecla Str., v. Capt. Parry (Sec. V. 284) am 27. Juli 1822 so benannt nach den sie umgebenden Massen schwimmenden Seegrases. — *Tangwicsen* s. Sargasso.

Tankwarderode s. Braunschweig.

Tann, häufiger Bestandtheil deutscher ON., nach den einzelnen Waldbäumen, wie das Plateau der *Hohen Tanne*, bei St. Gallen (wozu übrigens

Gatschet, OForsch. 258 zu vergleichen ist), od. der *Tannberg,* 'starrend in tannenreicher Ur- waldg.', Gegend der Lechquellen (Bergmann, Wals. 55 f.). H. Meyer (Mitth. Zürch. AG. 6, 102) zählt 13 solcher Namen im C. Zürich auf, darunter *Tannenbach* u. *Tannmättli* (s. Matt); in Bayern ist ihre Zahl 'ungemein gross'. Von alten Formen erwähnen wir: *Tanpach* j. *Thon-* u. *Tambach, Tanperch, Tanheim, Tanhusun, Tanchiricha, Tanstetin, Tantobel,* während anklingende mod. Formen, wie *Tennstädt, Dannstedt, Tanville, Tänikon, Tannenkirchen* etc. in ihrer ahd. Ge- stalt, *Dannistath, Dannenstedi, Danonewilare, Tanninchova, Danamarachirica* ... auf einen PN. hinführen (Förstem., Altd. NB. 449 f.).

Tannois = Eichenort (vgl. Herblay), 992 *Tanna- cum* (Dict. top. Fr. 11, 232), ON. des frz. dép. Meuse (Houzé, Ét. NL. 9 ff.), *Tannay* 2 mal, 1121 *de Tanneio,* im dép. Nièvre (Dict. top. Fr. 6, 178), 1 mal im dép. Gard (ib. 9, 265), *le T.,* im dép. Aube (ib. 14, 158), *le Tanney* 2 mal, 1138 *Tanetum,* im dép. Eure (ib. 15, 213), 1 mal im dép. Calvados, 1198 *Taneium* (ib. 18, 274). — *Tannery* = Gerberei, Ort am Lehigh R., Pennsylv., 1855 ggr., mit ausgedehnter Gerberei, Dampfsägen etc. (Penns. Ill. 56).

Tanri Jikdüghi = das v. Gott verderbte, türk. ON. bei Indschigis. Im Jahre 1372 lag Sultan Murad 2 Wochen lg. vor dem Schlosse Apollonia, ohne Hoffng. baldiger Uebergabe; er zog sich zk. u. liess nur eine Truppe z. Umzingelg. zk., als v. freien Stücken ein Theil der Mauer ein- stürzte u. den Belagerern den Eingang öffnete. Da erhielt das Schloss seinen neuen Namen (Hammer-P., Osm. R. 1, 179).

Tansy River = Farnfluss, ein rseitg. Zufluss des z. obern Missuri gehenden Maria's R., v. Capt. Clarke am 5. Juni 1805 benannt nach der Masse Rainfarn, die an seinen Ufern wächst (Lewis u. Cl., Trav. 185).

Tantsahot s. Copper.

Tantúra, eine Küstenruine nördl. v. Caesarea Palaestinae, mit hohem Spitzthurm, v. *t.,* älter *tartúra,* eine Art spitziger Mütze, dann auch ein ähnl. zulaufender Thurm (Seetzen, Reis. 4, 277).

Taoneroa s. Poverty.

Taormina, Ort auf Sicilien, durch Chalcidier —736 als *Naxos* ggr., nach der Zerstörg. durch Dionysios —403 auf dem nahen Berge Tauros erneuert —358 u. in *Tauromenion* umgetauft (Meyer's CLex. 11, 961; 14, 1030).

Tapahsthali s. Benares.

Tapajoz, Rio, ein grosser rseitg. Nebenfluss des Amazonen Str., benannt nach dem Indianerst. der Tapajosos, den die port. Exp. des Pedro Te- xeira 1639 an seinen Ufern traf. Der span. Jesuit Acuña, welcher die Reise mitmachte, sagt, dass die Tapajosos v. ihren Nachbarn gefürchtet waren wg. der sicher tödtenden Giftpfeile u. dass auch die Portugiesen einige Zeit jeder Berührg. aus- wichen. Dann aber seien die Weissen sehr gut empfangen u. in einem ihrer Dörfer untergebracht worden, dessen 500 Familien einen lebhaften

Tauschhandel begannen u. ihre Gäste zu blei- bender Ansiedlung einluden (WHakl. S. 24, 124 f.).

Taphros s. Bonifacio u. Perekop.

Taphrura s. Sfax.

Tappus, v. dän.-holl. *Taphuys* = Schenke, so nennen die Neger die Hafenstadt v. San Thomas, weil ehm. eine Schenke dort stand. Bei den Europäern schlechtweg *das Dorf,* als die einzige Ortschaft der Insel (Oldendorp, GMiss. 1, 47).

Taprobane s. Ceylon.

Tapsus s. Thapsacus.

Tápti = der wärmende, hind. Name eines cen- tralind. Flusses, zuf. der Angabe der Eingb. nach der hohen Temperatur seines Gewässers (Schlagw., Gloss. 250) od. 'der leuchtende', da die Fluss- nymphe als Tochter der Sonne betrachtet wird, früher skr. *Pajoschni* = milchwarm (Lassen, Ind. A. 1, 114). — Auch der Flussname *Tatta- pani* = Heisswasser (ib. 251).

Tapuy, eig. *Tapuya, Tapuyua* = die, welche die Dörfer fliehen, dann Feinde, Barbaren, der Generalname, welchen die bras. Indianer andern gänzlich fremden Stämmen gaben. So nannten sie den Franzosen, welcher im allg. den mit den Port. verbündeten Indianern als Feind ggb. stand, *Tapuy-tinga* = weissen Feind (Varnh., HBraz. 1, 103, WHakl. S. 51, LXX).

Ta-Ra s. Heliopolis.

Tara s. Tagilsk.

Tarabolus s. Tripolis.

Taráí = Niederland, hind. Name des schmalen hügeligen Waldgürtels, welcher, eine Aufschwem- mung v. Sand u. Kies, mehrere Meilen br. dem Fusse des Himálaja vorliegt, v. den Gebirgs- wassern durchfurcht, v. Saulwäldern, nam. Shorea robusta, eingenommen ist, ein Paradies der Jagd- liebhaber, aber mit heissfeuchtem, Europäern u. Indiern tödl. Klima (Schlagw., Gloss. 250). Nach andern v. pers. *terai* = feucht (Peterm., GMitth. 7, 8).

Tarakai s. Sachalin.

Taranto, ital. Hafenort am *Golfo di T.,* wo auf einer kleinen Felshalbinsel die Dorier —708 eine japyg. Ortschaft *Taras* antrafen u. *Τάρας,* *Τάραντος,* nannten, seit —272 röm. *Tarentum.* Als die Stadt im pun. Krieg abfiel, wurde sie —209 mit Sturm genommen, geplündert u. 30 000 Ew. als Sclaven verkauft, so dass dem veröden Platze —123 durch Errichtg. einer *colonia Neptunia* aufgeholfen werden musste (Kiepert, Lehrb. AG. 453).

Tarasco, Name eines mexican. Indianerstamms, wird auf 3 Arten erklärt, am glaubwürdigsten so, dass die span. Eroberer das Wort *tarascue* = Schwiegersohn, welches ihnen bei einer Be- gegnung aufgefallen, unter Hintansetzg. des eignen Stammnamens z. Bezeichng. der neuen Indianer gebraucht hätten (An. de Michoacan 1, 29 ff.).

Tarata, te = der täitowirte Fels, bei den Maori eine der heissen, den Koto Mahana um- gebenden Springquellen, v. den eigth. Formen u. Figuren, welche die Kieselsinter der Terrassen bilden (v. Hochstetter, NSeel. 271). — *Tarawera*

= gebrannte Klippen, ebf. im 'Seendistrict', ein See, den eine prachtvolle Berg- u. Waldldschft. umgibt, mit schroffen Felsufern u. dem felsgekrönten, tiefgefurchten Berge gl. N. (ib. 266).

Tarava s. Gilbert.

Tarbagatai Oola = Murmelthiergebirge, v. mong. *tarbaga* = Murmelthier u. *oola* = Berg (contr. aus *aghola*, wie *noor* aus *naghor* = See), ein Gebirge zw. Ala Kul u. Dsaisan Noor, nach dem zahlr. auf ihm lebenden Thiere . . . 'wahrsch. der Ssurok, Arctomys Baibak Pall., eine niedliche Art, welche wir aus den Steppen am Altai mitgebracht u. welche in der kön. Menagerie der PfauenI. bei Potsdam zieml. lange am Leben erhalten worden ist' (Humb., As. Centr. 2, 411, Hertha, 6 GZ. 114). — Auch eine *T. Choto* = Stadt der Murmelthiere, in der Mongolei.

Tarbellicae A. s. Aix.

Tarbes, richtiger *Tarbe*, ON. des frz. dép. Hautes-Pyrénées, aus altem *Talva*, durch Wechsel der Liquida *l* u. *r*, entstanden, jedoch mir weiter nicht etym. erklärt, hier aufgenommen zu Gunsten einer neuen u. eleganten Berichtigung, die wir Long,on (GGaule 598) verdanken. In dieser Gegend der kelt. *Bigerones*, *Bigerri* (s. Bagnères), erwähnt Greg. v. Tours eine *civitas Turba* ubi castrum *Bigorra*, auch *urbs Beorretana* (f. *Begorretana*), einmal *Begorra*, u. es galt als selbstverständl., in dem alten *Turba* das mod. *T.* zu erkennen. Nun braucht der Geschichtschreiber der Franken die Ausdrücke *civitas* u. *urbs* eben so wohl f. Diöcese, wie f. den Diöcesansitz, u. es ist zu beachten, *a)* dass der Wechsel v. *u* u. *a* nicht rationell ist; *b)* dass das Bisth. Bigorre nicht vor der 2. Hälfte des 12. Jahrh. *T.* heisst; *c)* dass die alten lat. Urk. *Tarvia*, nicht *Tarbia*, enthalten. Nun erwähnt Gregor in dieser Diöcese noch einen *vicus Talva*, wo einer der Heiligen v. Bigorre, Misilin, begraben liege; den Bollandisten aber schrieb am 25. Juni 1682 der Pater du Clos, Rector des collège v. *T.*, dass der heil. Misilin in der Collegiatkirche v. *T.*, vor dem Hauptaltar, ein grosses Steingrab hätte u. dass je am 24. Mai eine Procession z. Feier des Heiligen durch die Strassen der Stadt zöge. Dieses *T.*, nach dem Untergang der alten *civitas du Bigorre* Bischofssitz geworden, ist aus merow. *Talva* zu *Tarva*, im Lat. des 12. Jahrh. zu *Tarvia*, schliessl. zu *Tarbe* geworden, fehlerhaft mit *s* wie in *Chalon-sur-Saône*. Wer war nun jene alte *civitas Turba*? Diess ist das heutige *Cieutat*, das noch bis z. Revolution einen gewissen Rang in der Diöcese einnahm.

Tarchansk, tatar. *Tarchankalla*, russ. *Tarchanskoi Gorodok*, dann *T. Ostrog*, Ort am rechten Ufer des Tobol, unweit der Aufnahme der Tura, zZ. Jermaks 1581 v. einem tatar. Freiherrn, *tarchan*, bewohnt (Müller, SRuss. G. 3, 314; 5, 149, 159).

Tardisbrücke, auch *Untere Zollbrücke*, im Ggs. z. 'obern', am Rhein der 'Herrschaft', wo der Waarenzug das Gebiet Graubündens betrat u. einem Ausgangszoll unterworfen war, nach Me-

dardus Heinzenberger, der sie 1529 erbaute (Gem. Schweiz 15, 229, Campell ed. Mohr 2).

Targ = Markt, poln. Namenelement in *Targowica*, *Targowiska Targowisko*, Galiz. Das slow. *trg* ist zu *Trogovišče*, verdeutscht *Tergowitsch*, ferner zu *Terschitz* u. *Terschitsch*, Orte in Steierm. u. Krain, geworden (Miklosich, ON. App. 2, 249).

Targi s. Berber.

Taricheia = Pöckelanstalt, gr. ON. *a)* am See v. Gennesareth, dem pun. Malaca (s. d.) entspr. (ZfAErdk. nf. 13, 41); *b)* auch die j. Inseln *Kuriât*, vor den tunes. Küstenorten Mistir u. Lamba, hiessen einst *Tarichiae*, u. allerdings mit Recht, weil hier der Thunfischfang im grossen betrieben wurde. 'Man benutzte dazu die Eigenthümlichkeit des felsigen, leicht zu bearbeitenden Vorgebirgs . . ., wo man den Fischen leicht ihren Lauf abschneiden konnte. Diese ganze Küste nämlich u. die Ufer der Inseln sind zu Gängen u. Kammern sehr schön u. regelmässig ausgehauen', wohl um die Fischzüge hineinzutreiben. Namentl. die beiden kleinern Eilande (s. Hamâmeh) sind nach der Landseite hin vollst. zu kleinen Kammern benutzt, die mit je einer Fensteröffng. auf das Meer hinaus schauen. Sie wurden 'noch vor wenig Jahren' z. Fischerei benutzt; j. ist der Fang, weil der Ertrag mehr u. mehr abnahm, aufgegeben. 'Die dazu benutzten Instrumente liegen noch umher auf der Insel' (Barth, Wand. 157).

Tarifa, span. Stadt, getauft nach dem Berberhäuptling *T.* ibn Malik, welcher zuerst in Spanien landete (Meyer's CLex. 14, 1033).

Tarn, Mount, ein Schneeberg der Magalhäes Str., v. der Exp. Fitzroy (Adv.-B. 1, 37 ff.) im Febr. 1827 benannt zu Ehren des Arztes auf der Adventure, J. *T.*, welcher ihn mit einer Abtheilg. der Mannschaft zuerst erstieg.

Tarnopol = Dornfeld, Stadt in Galiz., mit poln. *tarn* = Dorn, Schlehenstrauch, wie die ON. *Tarnawa*, *Tarnawce*, *Tarnawica*, *Tarnawka*, *Tarnogora* = Schlehenberg, *Tarnoroda*, *Tarnoszyn*, *Tarnow*, *Tarnowek*, *Tarnowika*, *Tarnowiec*, *Tarnowisko*, *Tarnowska Wola*. Auch slow. u. serb. *trn* in vielen ON., die in den südslaw. Ländern zerstreut sind, als *Tern*, *Ternakovac*, *Ternava*, *Ternahora*, *Ternavica*, *Ternjak*, *Ternjani*, *Ternje*, *Ternaves*, *Terne*, *Ternjava*, *Ternou*, *Ternouc*, *Ternoutz*, *Ternouz*, *Ternouza*, *Ternova*, *Ternove*, *Ternovče*, *Ternovec*, *Ternovetz*, *Ternovica*, *Ternovle*, *Ternovlje*, *Ternovo*, *Tornovski Vrh*, *Ternovac*, *Ternovčic*, *Ternovcsakhegy*, *Ternye*, auch neben čech. *trn* in *Trnova*, *Trnovica*, Dalmat., *Trna* u. *Trnava*, Flussname in Ung., u. die j. *Tirnav* u. *Ternava* magyarisirt, *Trnava*, *Trnavka*, *Trnove*, *Trnč*, *Trni*, *Trnov*, *Trnova*, *Trnow*, *Trnowa*, *Trnowan*, *Trnowci*, *Trnovany*, *Türnau*, aus *Trnavka* verdeutscht, in Böhm., Mähr. u. Ung. Auch die oberung. ON. *Tirnau* od. *Tyrnau*, im Comitat Pressburg, 1270 *Tyrna*, zunächst der Fluss, ist verdeutschte Form v. *Trnava*, wie *Tirnau* in NOesterr. (Miklosich, ON. App. 2, 249, Umlauft, ÖUng. NB. 239. 245. 252).

Taróbahà = seichte Bucht, sam. Name einer durch die Pustosersker Fischerei wichtigen Bucht, russ. übsetzt *Mélkaja Gubà*, im engern Sinne nur der östl. Theil, während die dem Bolwanskoi Nos (s. Afgoden Hoek) anliegende Hälfte *Bolwánskaja Gubà* heisst (Schrenk, Tundr. 1, 553. 573).

Tarponire, la = der Maulwurfshaufen, die Moräne eines kleinen Gletschers, Val d'Hérémence; bis an den Abhang herausgeschoben, bildet sie an der Bergseite eine ungeheure graugrüne Schutthalde u. wird, wg. der wühlenden Thätigkeit des Gletschers, v. den Hirten des Thals 'sehr passend' so genannt (Fröbel, Penn. A. 53).

Tarragona, span. Hafenort unw. Barcelona, alt *Tarraco*, scheinb. eine uralte Felsenveste, deren Namen schon die Alten auf etrusk. Urspr. deuteten, wie denn Ausonius, wohl mit Bezug auf die noch vorhandenen cyclop. Burgmauern, v. *Tyrrhena* moenia redet. Diese Annahme ist freil. unsicher, da eine so weite Verbreitg. etrusk. Seccolonien wenig wahrsch. ist u. der ähnl. Name *Tarraga* auch im iber. Binnenlande vorkommt (Kiepert, Lehrb. AG. 496 f.).

Tarrant, Point, eine Landspitze am Carpentaria G., v. Capt. Stokes (Disc. 2, 300) im Juli 1841 benannt 'after one of the officers who had shared all the hard work — a practice generally adopted'.

Tarschisch, Tartessus s. Andalusia.

Tartûs s. Aradus.

Tarup-mô, auch *T.-myo* = die Haltstelle der Chinesen, birm. Name des Orts, bis zu welchem 1284 die chin. Armee vorrückte. 'L'armée chinoise fut obligée de se retirer par suite du manque de subsistances . . .' (Pauthier, MPolo 2, 417 f.).

Tasch od. *dasch* == Stein, Fels, in vielen türk. ON. als: *a) T. Bunar* == Steinquell, Ort bei Kastamuni; *b) T. Chapu* = steinernes Thor, im taur. Gebirge u. in Pisidien, letzteres mit vielen alten Bauresten (Tschihatscheff, Reis. 47. 52, Köppen, Taur. 6); *c) Taschkend* = Steinthurm od. Steinstadt, Ort in CAsien (Reinaud, Abulf. CCCLXIX, Eichwald, AGeogr. 438); *d) T. Köpri* s. Wesir; *e) T. Tschokrak* == Felsquell, im taur. Gebirge (Köppen, Taur. 2, 20); *f) T. Kurgan* == Steinveste, Ort der HTatarei, zwar nur mit Lehmmauern umgeben, doch angebl. stark genug, um einem plötzl. Einfall der Aliman-Kirgisen zu widerstehen . . . 'a celebrated place, now in ruins, said to have been built by Afrasiab, the conqueror of Persia, as a safe place to deposit his treasure, which is still supposed to be buried within the limits of the fort. The fort formed an oblong, about one mile in length by a quarter of a mile in breadth. The towers and ramparts of rough stone, were all in a ruined state, and the houses inside were mostly unroofed. *TK.* commands the roads from Badakshan and Chitrál to Kokhan, Yarkund, and Kashgar, and is still considered a place of importance, the more especially as it gives a control over one of the chief outlets used by the robber hordes of Kunjut, when they issue from their narrow glens' (JRGSLond.

1871, 153. 162); *g) T.-Rabat* = Steinhaus, in CAsien, am Fusse der nach ihm benannten Gebirgskette *TR.* Es ist dieses 'steinerne Haus' eines der Gebäude, welche auf grossen Strassen z. Obdach f. die Reisenden errichtet sind, den alpinen Hospitien vergleichb. Werke der Wohlthätigk., die einen Gott wohlgefälligen Zweck haben, ähnl. wie die Anlegg. v. Moscheen, Schulen, Karawanserais u. Wüstenbrunnen, u. *rabat* genannt werden. *TR.* ist aus Fliesen v. Thonschiefer errichtet, etwa 25 m lg. u. 14 m. br., den Dikokamennyje od. Kara-Kirgisen ein Ggstd. der Verehrg., dem sie Opfer darbringen (ZfAErdk. 1870, 161). — *Taschlandschik* = steiniges Cap, an der europ. Seite des Bosporus, 'verdient wohl so zu heissen; denn v. hier aus erheben sich die Felsen noch wilder, noch steiler, noch wunderbarer . . .' (Hammer-P., Konst. 2, 269). — *Taschle,* ein kleiner Fluss Cis-Kauk., nach dem hohen Steinufer rechter Seite (Klaproth, Kauk. 1, 280). — Aus Central-Asien erwähnt H. Vambéry (Peterm., GMitth. 37, 266. 271) ferner *a) T.-Balik* = Steinveste, Ort in Ost-Turkestan; *b) T.-Hauz* = Steinreservoir, Ort in Chiwa; *c) Dasch-Köprü* == Steinbrücke, eine Brücke üb. den Murghab u. a.

Taschilhúnpo =· der erhabene Ruhm, Ort in Tibet, der Sitz des fleischgewordenen Hptlama Pántschen Rinpotsché, eines dem Dálai Láma an Rang nachstehenden (Schlagw., Gloss. 251).

Tasman, *Abel Jansz,* der berühmteste der holl. Seeff. des 16. Jahrh., ging am 14. Aug. 1642, im Auftrage des Generalgouv. v. Batavia, Anton Van Diemen, mit zwei Schiffen, der Yacht Heemskerk u. dem Fluytschip Zeehaen, in die Südsee, um die australen Entdeckungen u. die daran geknüpfte Annahme eines ungeheuern den Südpol umlagernden Festlandes in klareres Licht zu stellen. In höherer Breite als die bisher entdeckten Continentalstücke segelte er von Westen nach Osten durch einen landfreien Ocean u. schnitt somit das, was sich seither als austral. Festland erwiesen hat, von dem hypothetischen Polarcontinent ab; im Nov. traf er auf ein neues Land, das er südl. umsegelte, stiess dann im Dec. auf einen vermeintlichen Vorsprg. des antarkt. Continents, Neu Seeland, dem er, ohne die Cook's Str. zu bemerken, der Westküste entlang folgte, u. kehrte hierauf üb. die Freundschafts Ins., Viti u. Neu Britanien nach Batavia zu. Er selbst hatte seine erste Endeckg., v. 25. Nov. 1642, *Van Diemens Land* genannt. 'Dit landt', sagt sein Journ. (p. 66), 'het eerste landt in de Zuydtzee, dat ons ontmoet is, en van geen europysche volckeren noch bekent is, so hebben wy dit landt den naem gegeven van *Anthony van Diemenslandt*, ter eeren van d'E. D. H. Gouverneur Generael onse hooge overicheyt, die ons heeft uytgezonden van dese ontdeckinge te doen'. Allein die Colonisten fanden frühe (Godwin, Emigr., Lond. 1823), *Tasmania* wäre kürzer, treffender u. unzweifelhafter. Dieser Name war schon 1846 unter ihnen üblich (Garnier, Abr. 1, 81) u. fand 1855 die officielle Anerkenng. (Meidinger, Brit.

CAustr. 49). Der dritte Vorschlag, *Austral Britania*, motivirt durch physische Aehnlichkeiten u. geschichtl. Vorgänge (Krusenst., Mém. 1, 107), ist damit ebf. beseitigt. Der Entdecker selbst hat ferner getauft: *a) T. Eiland*, an der Ostseite Tasmania's, ebf. 1642 (Tasmans Journ. Carte); *b) Abel T.'s Passagie*, das Meer zw. Tasmania u. NSeeland, 'deze passagie hebben wy den naem gegeven ..., als hy de eerste is die deze passagie heeft bevaren' (ib. 80, während die Carte eig. den ganzen Curs der Reise so bezeichnet); *c) Abel T.'s Reede* s. Massacre; *d) Abel T.'s Rivier*, am Carpentaria G., auf der zweiten Reise 1644 so getauft, doch v. Flinders (TA. 2, 161) am 11. Dec. 1802 nicht wieder gefunden. Von andern sind benannt: *e) T. Gletscher* s. Cook; *f) T.'s Land*, in NWest-Austr., zuerst v. dem Port. Manuel Godinho de Eredia 1601 gesehen, v. *T.* 1644 näher untersucht (King, Austr. 2, 93, Flinders, TA. 1, LVII); *g) T.'s Peak*, 'ein hoher, runder Berg' auf Tasmania, v. *T.* gesehen am 4./5. Dec. 1642 u. v. Flinders (TA. 1, CXCI, Atl. 7) am 4. Jan. 1799 getauft; *h) Ile d'Abel T.*, v. frz. Adm. d'Entrecasteaux, auf seiner 2. Reise mit den Schiffen la Recherche u. l'Espérance, irrth. als Insel betrachtet u. v. der Exp. Baudin 1801 als Halbinsel erkannt: *T.'s Peninsula* (Péron, TA. 1, 215); *i)* den urspr. Namen hat Flinders (TA. 1, XCIII, Atl. 7) auf ein kleines, dem Cap Pillar vorlieg. Eiland übtragen: *T.'s Isle*; *k) Iles T.* s. Friendly; *l) T. Strait*, in Viti, v. Capt. Wilkes 1840 so getauft, weil er die Durchfahrt f. die schon v. *T.* benutzte hielt (Meinicke, IStill. O. 2, 19).

Tassejewa s. Irkinejewa.

Tassisúdon = die heilige Stadt der Lehre, tib. Name der Hptst. Bhutáns, der Residenz des Dhárma Rinpotsché der Tibetaner, od. Dhárma Rádscha der Hindus, also eines jener 3 Kirchenfürsten, welche der Buddhist als v. einer incorporirten Gottheit beseelt betrachtet (s. Taschilhúnpo). Turner gibt die Zahl der in dem Palaste lebenden Mönche auf üb. 1500 an (Schlagw., Gloss. 251).

Tasskile s. Alatau.

Taswell s. Augustin.

Tatakotopoto s. Narcisso.

Tataren, urspr. nicht Völkername, sondern Sprachenbezeichng. f. eine Gruppe mong. Völker, dann f. die Mongolen übh. u. schliesslich, aber missbr., auch auf die Türken übtr. Aus chin. Quellen beweist Klaproth (Mém. 1, 461), dass die Mongolen, zZ. ihrer Macht allein *T.* genannt, 'sont les véritables *T.*' Als die Chinesen im 9. Jahrh. mit den Mongolen bekannt wurden, nannten sie diese *Tha ta*, später *Tha ta öl*, wo das stumme *r* durch *öl* ersetzt ist. Uebr. verwerfen die Mongolen diesen Namen als schimpflich; sie meinen, er sei ihrer eignen Sprache entnommen, v. *tatanai* = anlocken, ausspähen, u. bedeute s. v. a. Räuber (Pallas, Mong. V. 1, 2). Dass der Name auf die Turk übging, rührt aus der Zeit, wo nach Dschingis Chan die Mongolen

Nordwest-Asien u. Ost-Europa, also v. türk. Komanen, Petschenegen, den Unterthanen der bulg. Könige etc., bewohnte Länder unterwarfen, das Reich Kaptschak, v. Dnjestr. bis z. Jemba, gründeten u. wohl die Gebieter, nicht aber die Grossmasse der Bevölkerg. *T.* waren. 'Vers la fin du 15. siècle, l'empire du Qaptschaq fut divisé en plusieurs khanats, parmi lesquels ceux de Kazan, d'Astrakhan et de la Crimée étaient les plus considérables. Les khans ou rois qui les possédaient, descendaient de Tchinghiz; ils étaient donc Mongols ou *T.* Cependant les armées de cette dernière nation, venues de l'intérieur de l'Asie, n'existaient plus, l'usage de la langue mongole même s'était perdu, et les khans étaient entourés de soldats et de sujets Turcs, issus des anciens habitans du pays. Malgré cela, ces khanats furent toujours appelés *T.*, parce que les princes étaient Mongols. On disait le royaume des *T.* d'Astrakhan, de Kazan et de la Crimée. Même après la soumission de ces pays au sceptre des Czars, la dénomination de *T.* resta aux habitans turcs' (Klaproth, Mém. 1, 474). In jenen Zeiten, da die Mongolen auch das westl. Europa erschreckten (Wahlst. 9. Apr. 1241), verglich man sie mit den bösen Geistern des Tartarus u. brachte so die falsche Schreibart *Tartaren* in Umlauf — auch bei den Port., die doch in China *Tatas* hörten (Barros, As. 3, 2[7]). So sagte Ludwig der Heil. zu seiner Mutter: 'Erigat nos, mater, coeleste solatium, quia si perveniant ipsi, vel nos ipsos, quos vocamus *Tartaros*, ad suas *tartareas* sedes, unde exierunt, retrudemus, vel ipsi nos omnes ad coelum advehent'. Die *T.* des Altai haben keinen allg. Namen, sondern nennen sich nach den Flüssen, an denen sie wohnen: *Tom-kischi, Mrass-kischi* u. s. f. = Leute v. Tom, Mrass (Peterm., GMitth. 9, 236). — Nach der Hochlage im turk-tatar. Sprachgebiete nennen wir das zw. Küen Lün u. Thian Schan eingebettete Plateau *Hoch-* od. *Ost-Turkestan*, auch die *Hohe Tatarie*, auch *Grande Turquie* (MPolo ed. Pauthier 1, 146), weniger gut *Kleine Bucharei* (s. Buchara), chin. *(Thian Schan) Nan Lu* = Südweg, im Ggsatz z. *(Thian Schan) Pe Lu* = Nordweg (s. Dsungarei), da die Karawanen aus Sererland th. den Weg nördl., th. den Weg südl. des Thian Schan einschlugen. Die grosse Nordstrasse war mittelst Pulver quer üb. das Gebirge angelegt, um Ili-Kuldscha mit Pe King zu verbinden, während die südliche v. Kutsche nach Turfan u. Pe King durch das wg. seiner Fruchtbark. u. seiner Weidetriften berühmte Land der Djulduz geht (Humb., As. Centr. 2, 385). 'Früher zogen grosse Heere auf der Strasse, welche die Reiche am Südgestade des Lop Noor berührte u. fanden dort einen Rastplatz nach der langen Reise durch den fliegenden Sand ... J. setzt dieser wg. seiner allg. Verbreitg. selbst den Karawanen ein unüberwindl. Hinderniss entgegen. Diese alte 'nan-lu', welche am Südrand des Tarym nach Khotan führte, ist verschwunden u. der Name auf die frühere 'pe-lu' entlang dem Südfuss des Thian-Shan, übtr. worden, während die j. 'pe-lu' den Nordrand dieses Gebirges begleitet (Richthofen, Chin. 1, 125). Als unsere *Hohe Tatarei*, nachdem sie successive den Mongolen u. Dsungaren unterworfen gewesen, 1757/58 an China fiel, erhielt sie den chin. Namen *Sin Kiang* = Land der neuen Grenze (Timkowski, Mong. 1, 384. 440 f., Hellwald, RCAs. 58), u. als 1865 der türk. General Jakub Beg sich ein selbstständiges Reich gründete, nannte er es *Alti Schehr, Alty Schar, Alty Schärär* = 6 Städte, v. der Zahl der ihm anhänglichen grössern Städte, Kaschgar, Jarkend, Aksu, Choten, Kutschar, Komul, dann als er im Dec. 1870 auch Turfan eroberte, *Tschity-* (od. *Dschity-) Schehr* = 7 Städte (Peterm., GMitth. 9, 37; 12, 88, AAWeltth. 4, 123, Meyer's CLex. 5, 700). Von den 5 abendl. Namen ist offb. . . . . . *Turkestan* der passendste; denn die (vorherrschenden) Bewohner sprechen türk., nennen sich Turk u. bekennen den muhammed. Glauben (Timkowski, Mong. 1, 384). — Nach den *T.* gibt es in Ost- u. Nord-Asien manche ON. wie *Tatarische Zee* (s. Kara), *Tatarische Küste*, *Tatarischer Sund*; ja Krusenst. (Reise 2, 165 ff.) spricht v. den Bewohnern des nördl. Sachalin als *T.* Getäuscht durch seine eigne, unvollst. Untersuchg., sowie durch die Berichte des Capt. Broughton, verbindet er diese Insel mit dem Continent durch eine obird. Sandbank u. will so die v. La Pérouse 1787 gefundene Gasse z. *Tatarischen Golf*, *G. der Tatarei* schliessen (ib. 195). Bei den Japanesen heisst sie *Mamia no seto*, weil sie 1808, v. dem Schiffer Mamia-Rinsoo durchfahren wurde (Peterm., GMitth. 6, 95). — *Tatár-Falvar* = *T.*-Dorf, Ort in Ung., u. *Tatár-Lak* = *T.*-Sitz, in Siebenb., mag. ON. nach den in Ung. eingewanderten *T.* (Hunfalvy, Ung. 100). — *Tatarenthal*, ein Karpatenpass bei Borsa, wo 1217 die v. der Bukowina her eingedrungenen *T.* zkgeworfen wurden (Meyer's CLex. 3, 543). — *Tatar-Basari*, auch *Tatar-Basardschyk* = Markt der *T.*, rum. Ort bei Philippopel, angelegt u. bevölkert v. Sultan Mohammed I., der auf dem Wege v. Iskilib nach Brussa 1419 eine seit den Mongoleneinfällen angesiedelte Colonie *T.* traf u. nach Europa hierher übersiedelte (Hammer-P., Osm. R. 1, 374). 'Der Markt, mit soliden Budenreihen besetzt, schien eine lebendige etym. Erklärg. abzugeben'. Ausser dem Wochenmarkt wird hier eine grosse jährl. (Juli- u. Aug.-) Messe Marasia gehalten. So Barth (RTürk 55), der aber, etwas zu zuversichtl., meint, der Beisatz *Tatar*, in fast allen Büchern u. auf allen Carten gebräuchl., beruhe auf Verwechselg. mit *TB*. bei Warna u. komme dem *B.* bei Philippopel 'gar nicht zu, da hier niemals *T.* gewohnt haben'.

> 'Es sind wohl manche Sachen,
> die wir getrost verlachen,
> weil uns're Augen sie nicht sehn .
> *M. Claudius.*

Tatas s. China.
Tatee s. Aiu.
Tatejama steiler Berg, in Japan, v. *lateru* — aufrichten, sich steil erheben, u. *jama* Berg, mit chin. Aequivalent *Riúsan* (PM. 21, 220).
Tatoosh s. Flattery.

Tatschog s. Tauong.
Tattapani s. Tapti.
Tattershall s. Hewitt.
Tauahhin s. Tahuna.
Tauber, im 8. Jahrh. *Dubra*, 1060 *Tubera*, Zufluss des Mains, gehört zu kelt. *dubr* = Wasser, kymr. *dwfr*, welches Wort auch in *Dubris*, j. *Dover, Cambodubra, Vernodubrum* etc. erscheint (Zeuss, DDeutsch. u. NSt. 14, Gramm. Celt. 156, Glück, Kelt. N. 35, Bacm., Kelt. Br. 24, Förstem., Deutsche ON. 240). Die Umgegend im 8. Jahrh. *Dubragowi* (Förstem., Altd. NB. 487). — *T.-Bischofsheim* s. Bischof.
Tauern, Name der nor. Central-Alpen, 1143 sub *Thuro* monte, 1224 *Thur, Thuor*, latin. 1198 *Duro* monte, 1405 üb. den *Tawrn* etc., 'hat ein zu den ausschweifendsten Phantasieen Anlass gegeben'. Er wurde f. kelt., rät., deutsch u. slaw. angesehen, gew. v. kelt. *taur* = Berg abgeleitet (Klöden, Hdb. Geogr. 2, 165) u. bezeichnet im Volke nicht das ganze, nicht Gräte u. Spitzen, sondern lediglich die Pässe. So versichert Aug. Prinzinger in einem Aufsatze (Mitth. salzb. LK. 7, 46 ff.), der eine Mischg. guter Localkunde mit schwachfüssigen Annahmen, histor. u. linguist., zeigt. So ist ihm *T.* ein echt deutsches 'Thor', dessen dim. als 'Thörle' ebf. vorkomme, u. das obird. *Taurisci*, v. den Römern vertrieben, in dem Tauerngebiet einwanderten, so ist nicht ersichtlich, ob sie schon unter diesem Namen kamen od. diesen erst v. 'Thor' ableiteten. Th. v. Grienberger (Roman. ON. 20) findet als 'gemeinsame Urform' ein sehr altes *tûro* u. zwar roman., id. dem lat. *durus*, dem ital. *duro* = hart, rauh, streng, also eine rauhe, strenge, unwirthliche, steinige Höhe, 'u. das ist der *T.*, wie er leibt u. lebt'. Auch er, wie schon 1834 Schottky (Bild. Alpw. 274), heftet den Namen an die 8 Pässe der salzburg. Hochalpen, primär an die beiden wichtigsten, die Radstädter u. die Rottenmanner *T.*, v. denen wir allein genügend urk. Belege reden.
Tauisk s. Ochota.
Taulanga s. Refugio.
Taunus, Mittelgebirge in Nassau, schon bei Tacit. (Ann. 1, 56) pleon. *T.* mons, v. kelt. *dun, daun* = Höhe (Kiepert, Lehrb. AG. 536), im Mittelalter u. noch heut zu Tage im Volksmunde ausschliessl. *die Höhe*, nicht, wie Mehlis (Klöden, UDLand u. V. 4, 37 f.) angibt, 'das Gebirge'. Erst seit etwa 300 Jahren ist durch Gelehrte der frühere Name *T.* wieder in Aufnahme gebracht worden, u. zwar wohl sicher zuerst v. J. Isaak v. Gerning, der in seinen 'Skizzen v. Frankf.' *T.* schreibt (Wenck, Hess. Landesk. 1, 12, Briefl. Mitth. v. O. Kienitz dd. 4. XI. 81). — Ein antikes Seitenstück ist *Pron*, gr. Πρών = Höhe, ein Berg in Argolis (Pape-B., Curt., GOn. 152, Paus. 2, 34[11]).
Táuong = Pferdekraft, tib. Name eines grossen Klosters in Bhútán. Das Luftpferd der Tibetaner, *lúngta*, häufig angerufen, gilt allg. als bes. wirksam f. den Erfolg menschl. Unternehmungen. — Von mytholog. Beziehg. auch *Tatschóg-Khabáb* = der aus dem Munde des besten Pferdes herab-

gekommen, einer der Namen des Dihong (Schlagw., Gloss. 249. 251).

Taupo = wo Nacht herrscht, bei den Maori ein See, zunächst nach Uferfelsen v. Rhyolith, dunkelm, obsidianartigem Gestein. Indess liesse sich dabei auch an Aschenausbrüche des nahen Vulcans Tongariro denken, welche den Himmel verdunkelten. 'Es ist eigth., dass gerade diese Felsen aus einer höchst merkw. Felsart bestehen, welche f. die Gegend ganz bes. charakteristisch u. allen Reisenden am See aufgefallen ist (v. Hochstetter, NSeel. 227. 247).

Tauri s. Chersonesus.

Taurijene s. Laut.

Tauris s. Täbris.

Tauromenion s. Taormina.

Taurus, ein Gebirge in Kl.-Asien, umgeformt v. nordsem. *tûr*, *tor* = Gebirge (Rosenmüller, Bibl. Geogr. 1², 217, Kiepert, Lehrb. AG. 73). Die Wurzel *tûra*, *tôr*, *taur*, *çor* = Fels bedeutet im hebr., chald. u. phön. einfach 'Gebirge'; die Hellenen, unbekümmert um fremde Sprachlaute, eigneten sich das Wort in der f. Berge, Caps etc. häufig gebrauchten Form ταῦρος = Stier an (Grasb., StGriech. ON. 97). Der fleissige Rector H. K. Brandes (Lemgoer Progr. 1862) gelangte, freilich unter Beizug mancher abliegender Anklänge, ebf. auf die Bedeutg. 'Berg'.

Tausend Inseln, eine ungezählte Inselwolke bei Stans Foreland, v. den Schweden Torell u. N. (Schwed. Expp. 452, Carte) benannt, theilw. die *König Ludwigs Inseln* der Exp. Heuglin-Zeil, Aug. 1870 (Peterm., GMitth. 17, 180 T. 9). — Derselbe Name holl. *Duizend Eilanden*, 2 Inselschwärme: *a)* vor Batavia; *b)* nördl. v. NGuinea, 'une mer couverte d'iles' (Garnier, Abr. 1, 130), v. J. Roggeveen 1722 so getauft.

Tavantinsuyu s. Peru.

Tavastehus = Haus, d. i. Burg, der Tavaster, in Finl., wo, nachdem der schwed. Majordomus Birger 1250 die Tavaster, einen der beiden Finnenstämme, besiegt, z. Taufe gezwungen u. alles Land bis z. See Paijäne unterworfen hatte, z. Sicherg. des Besitzes eine Burg, auch *Tavasteborg* d. *Kronborg*, finn. *Hämelinna*, wo *linna* = Burg, gebaut wurde. Das Umland schwed. *Tavastaland*, finn. *Hämenaa* = Land der Hämen, wie sie sich selber nennen (Modeen, Geogr. 37, Müller, Ugr. V. 1,469 f.). In der spätern Unionszeit hiess der Ort, als Sitz des Landeshauptmanns, auch *Kronoborg* (Styffe, Skand. UT. 337).

Tavern, the = die Schenke, urspr. frz. Name einer Höhle, die am untern Missuri, 36 m br. u. 6 m h., 12 m t. in den überhangenden Uferfelsen hineingeht u. den 'French traders' jener Zeiten, wo die Ansiedelungen spärlich, als Einkehrhaus diente. In der Höhle mündet *T. Creek* (Lewis u. Cl., Trav. 4). — Im plur. *les Tavernes*, ein Dorf bei Oron, Waadt, wahrsch. schon z. Römer Zeit, sicher aber im Mittelalter eine frequentirte Passage. 'Son nom même semble lui avoir été donné à raison des hôtelleries qui servaient á recevoir les voya-

geurs et de lieux d'étapes aux légions qui traversaient le pays' (Mart.-Crousaz, DVaud. 857).

Tavetsch, rätr. Val *Tujetsch*, f. die oberste Thalstufe des Rheins, gehört unter die stark bestrittenen ON. Früher f. das ptol. *Ταξγαίτιον* gehalten, sollte es nach J. v. Müller v. Strabo's *Aetuatiern* abzuleiten sein; beide Ansichten hat Gatschet (OForsch. 148 ff.) widerlegt u. in der urk. Form *Tivez*, *Tiuez*, ein dial. *tigia* = Sennhütte gesucht, das mit der Collectivendg. *-etia*, *-itia* zu *tigitia*, *tigietz*, *tujetsch* = Thal mit Sennhütten geworden wäre. Ist nun auch kein Zweifel, dass 'in der Zeit der Entstehung der meisten ältern Dorf- u. Thalnamen, d. i. im 5. u. 6. Jahrh., *T.* ein nur im Sommer wg. seiner Weiden besuchtes Thal' gewesen, so will doch Steub's Deutung (Herbsttg. 239) ungezwungener scheinen: Er vergleicht *Tafaz*, im Vinstgau, *Tavatsch*, bei Meran, u. denkt an *Val d'avaccia* = Thal am Wasser, wie in den meisten rätr. Dialekten lat. *aqua* zu *ava* geworden sei. 'Es finden sich eine Menge Namen, welche urspr. 3 gliedrig waren u. j. nur noch 2 od. einen Bestandtheil gerettet haben'. Gatschet findet auch die kelt. Ableitg. Pallioppi's, v. *diwez* = Grenze, 'erwähnenswerth'.

Tavistock, engl. Stadt in Devonshire, nach dem Flusse Tavy, an dessen engen Ufern sie liegt (Meyer's CLex. 15, 12).

Tavon s. Davos.

Tawdinsk s. Tagilsk.

Tawilah s. Tuil.

Tay, einer der schönsten u. grössten Flüsse Schottl., in Perthshire, v. gael. *Tav-a* = stilles Wasser, bei Tacitus *Tavus*, v. gael. *Tav-a* = stilles Wasser, das gew. in *Ta-a* zsgezogen, 'is highly applicable to its calm flowing current, particularly when in full flood' (Robertson, GTopogr. Scotl. 128 ff., Johnston, Pl. N. Scotl. 232).

Taykinh s. Tong.

Taylor's Isles, in Thorny Passage, v. Flinders (TA. 1, 137) am 23. Febr. 1802 z. Andenken an William T. benannt, einen Schiffsofficier, welcher in dieser Gegend umgekommen war bei dem Schiffbruche des ausgesandten Kutters (s. Catastrophe).

Tchat Atinsh s. Missisipi.

Teal Creek = Bach der Kriechente, ein lkseitg. Zufluss des Missuri, obh. Cheyenne R., v. den Captt. Lewis u. Cl. (Trav. 72) am 4. Oct. 1804 so benannt. Das Motiv ist wohl an sich klar u. wird es noch mehr durch Vergleichg. mit dem unmittelb. nachher getauften Whitebrant Cr. (s. d.)

Teapot Creek = Bach der Theekanne, ein lkseitg. Zufluss des Missuri, obh. Yellowstone R., v. den Captt. Lewis u. Cl. (Trav. 165) am 23. Mai 1805 getauft. Es ist schon an sich wahrsch., dass der Benenng. irgend ein kleiner Vorfall mit der Theekanne zu Grunde liegt, u. die kalte Nacht, nach welcher das Ufer mit Eis belegt war u. das Wasser an den Rudern gefror, gibt einen deutlichern Wink. Vom nächstfolg. Morgen heisst es: 'The water in the kettles froze one-eighth of an inch during the night˚. Weiter flussan *T. Island*, am 25. Mai erreicht. **Te Avapite** = doppelter Eingang, polyn. Name f. eine doppelte Oeffng. im Riff, welches Raiatea, Society Is., umgibt, wirklich der gew. Eingang f. die Schiffe, welche mit dem herrschenden Ostpassat z. Ankern eintreten (Bennet, Whal. V. 1, 99). **Tebendinsk** s. Kaurdazk.

Tebursek, ON. in Tunis, alt *Thibbur, Thibbursica*, vollst. *Thibbur·sicumber* = Markthügel, wie ˚Gesenius wohl richtig u. vollkommen der Natur des Orts entspr.˚ den Namen erklärt (Barth, Wand. 214 ff.).

Tees s. Foveaux.

Teffûh s. Beth.

Tegernsee, im 8. Jahrh. *Tegarinseo*, im 10. *Tegaranseo*, im 11. *Tegarinse*..., ein See der bayr. Alpen, gehört zu den Formen mit dem vielumstrittenen Stamm *degar*, der bald aus dem Deutschen, entw. mit Graff (Ahd. Sprachsch. 5, 379) u. H. Meyer (ON. Zür. 106) v. einem PN. *Tegaro* od. mit Keinz (Germ. 14, 124) v. bayr. *tegel* = Lehm od. mit Ign. Peters (Germ. 4, 376) v. einem aus goth. *digrei* zu folgernden *digrs*, altn. *digr* = dick, gross, bald mit Lütolf (Geschichtsfr. 20, 259) u. Gatschet (OForsch. 15) aus dem rom. *tegorium, tugurium* = Bauernhütte, bald mit Zeuss (DDeutschen 224) aus dem kelt., etwa gäl. *tighearna* = Herr, od. viell. ˚noch passender˚ v. kelt. *tegarn* = permagnus erklärt werden will. Unter diesen Formen finden wir die alten ON. *Tegarinawa*, j. *Tegernau*, *Tegirinpah*, j. *Tegern-* u. *Dernbach*, *Tygirinvelt*, j. *Tigerfeld*, *Tegerenmos*, j. *Tegernmoos*, *Tegarascahe*, j. *Tägerschen*, *Tegirwilare*, j. *Tägerwylen* (Förstem., Altd. NB. 457 ff., Wessinger, Bayr. ON. 70). ˚Ich gestehe˚, sagt noch 1872 der Altmeister deutscher Namenforschg., ˚dass mir jede der mitgetheilten Ansichten nicht ganz ohne Bedenken ist˚. Seither hat S. Riezler (ON. Münchn. G. 61 f.) zu Gunsten der kelt. Ableitg. votirt, gleichzeitig aber, 1887, J. L. Brandstetter (Geschichtsfr. 42, 153 ff.) *teger* eingehend behandelt. Dabei ist er, nach geogr. geordneter Sammlg. der einschlägigen ON. u. kurzer Kritik der bisher aufgetauchten Erklärungsversuche, auf Ign. Peters zkgekommen, aber darin abweichend, dass er v. goth. *digrei* auf ein Verb *digan* = kneten, aus Thon formen, u. damit z. Gleichg. *tegëre* = Fläche mit Lehmboden gelangte; er erklärt also *Degerdorf* etc. als Dorf an od. auf der Tegere, *Tegerstein* als erratischen Block auf der Tegere, *Tegerhard* als Wald mit Lehmboden, *Tegersee* als See bei einer Tegere, *Tegerbach* als Bach, der durch eine Tegere fliesst od. aus einer Tegere herkommt.

Tegetthoff, Cap, in Franz Joseph's Ld., v. der 2. öst.-ungar. Nordpolexp. Weyprecht u. Payer am 10/13. März 1874 getauft nach dem Fahrzeug, einem Schraubendampfer, der am 13. Juni 1872 v. Bremerhaven abfuhr u., v. Eise immer noch eingeschlossen, am 20. Mai 1874 verlassen werden musste (Peterm., GMitth. 20 T. 20. 23; 22, 202).

Teglio s. Veltlin.

Tehama s. Nedschd.

Tehennu s. Africa.

Teheran od. *Tehrân*, die neue Hptstadt Persiens, die seit der Einkehr der türk. Chadscharendynastie das mehr central gelegene Ispahân verdrängt hat, findet sich wohl da u. dort als ˚die reine od. schöne˚ erklärt, aber nicht in vertrauenswürdiger Weise. Eben so wenig kenne ich eine Deutg. f. das benachb. *Rhagae*, altpers. u. baktr. *Raghâ*, assyr. schon um —840 *Rakau*, die älteste Hauptstadt Mediens, die, durch eines der hier häufigen Erdbeben zerstört, v. Seleucus I. wieder aufgebaut u. nach seiner makedon. Vaterstadt *Europos* genannt wurde, im frühern Mittelalter die grösste Stadt Iraks, die zweite des ganzen Chalifats war u. erst seit der mongol. Zerstörg. im 13. Jahrh. ein weites Trümmerfeld, j. noch *Râi* genannt, bildet (Kiepert, Lehrb. AG. 69 f.).

Tehuacan, eig. *Teohuacan* = Götterort, v. *teotl* = Gott, azt. Name des in der mexic. Prov. Puebla gelegenen u. einst durch sein durch den berühmten Ortes, durch den Zusatz *de las Granadas* v. *T. le los Reyes*, einem Dorfe bei Jalapa, unterschieden (Buschmann Azt. ON. 188). — *Tehuantepec*, bei Cortez *Tecoantepec* = Berg der Raubthiere, des Wildes, ind. ON. an der pacif. Küste Mexico's (WHakl. S. 40, 147, Prescott, C. of Peru 2, 138), v. *tecuani* = Raubthier u. *tepell* = Berg; bei den Zapotecas hiess der gleichnamige Ort in Oaxaca *Guixegui* = Feuerberg, v. *guixe* = Berg u. *gui* = Feuer (Gracido, Cat. Oax. 108).

Tehuel-het od. *Tehuel-tschen*, richtiger *Theghuelche*, *Tehuelche* = Vogelvolk, v. arauc. *theghul* = Vogel u. *che* = Volk, Name eines Patagonenstamms, der vorzugsw. v. Strauss u. dessen Eiern lebt (Peterm., GMitth. 21, 371).

Teichos, gr. Τεῖχος = Mauer, Festung, Castell, bezeichnet, hier als Eigenname, eine achäische Grenzfestg. gg. Elis, auf dem Fusse des Berges Araxos, j. *Kastro Maurawuna* = Schloss Schwarzberg (Curt., Pel. 1, 426).

Teignmouth, engl. Hafenort in Devonshire, an der Mündg., *mouth*, des Teign (Meyer's CLex. 15, 18), wie *Tynemouth* an der Mündg. des Tyne (ib. 234).

Teillé, v. lat. *Tilietum* = Lindenort (s. Aunay), ON. des frz. dép. Sarthe (Houzé, Ét. NL. 9 ff.), auch *Teillay* 2 mal, 1176 *Tiletum*, *Teilleau*, um 1070 *Telliacum*, 1126 *Tilleium*, *Tillay*, 1198 *Tilletum*, *les Tilleuls*, im dép. Loir-et-Loir (Dict. top. Fr. 1, 176 ff.), *la Teillay* 6 mal, *les Teillais*, u. le *Teillay* 2 mal, im dép. Mayenne (ib. 16, 308), *la Teillée*, *le Teil* 8 mal, 1390 *de Tilio*, *les Teils*, im dép. Vienne (ib. 17, 405). — *Tilleux* s. Staneux.

Teir, Dschebel = Vogelberg, v. arab. sing. coll. *tair* = Vogel, plur. *tjur*, besser *tijûr*, 2 mal: *a)* am äpypt. Nil, v. fast allen Reisenden erwähnt weil die Schaaren schwarzer Enten, welche er beherbergt, den Namen so auffallend rechtfertigen (Russegger, Reis. 3, 81); *b)* eine 50 m h. Vulcaninsel des Roth. M., vor Massaua, auch *Dschebel*

Douhan = Rauchberg, weil der Vulcan 'throws out fire and, though nearly extinguished, smokes to this day' (Bruce, Trav. 1, 339). Auch Ehrenberg sah den Berg aus 4 Oeffnungen rauchen u. erfuhr v. arab. Piloten, dass er noch häufig Feuer auswerfe. Ein 3. Name dieses 'Vogelbergs' ist *Sheban*, bei Ehrenberg *Sebahn*, wg. der weissen Flecken am Gipfel (Bergh., Ann. 5, 14 f.), unklar, da *schebb* = Vitriol, *schebbi* im j. arab. 'Alaun' bedeutet, unsere Namensform dazu aber nicht passt (V. Ryssel 8. Apr. 1891). — *Dschebel Tjur*, eine Insel der Küste Berbera, bei den Somali *Bur da-Rebschi* = Guanoberg, v. *bur* = Berg u. *rebsch* = Vogeldünger, da die Oberfläche v. den Excrementen v. Millionen hier hausender Wasservögel dicht weiss getüncht ist (Peterm., GMitth. 6, 431). 'Neben einigen kleinen Felsen die einzige Insel im Sómalmeer, v. Tadschura bis Ras Hafûn, u. desh. wohl finden sich die Seevögel dieses weiten Districts hier ein, um ihr Brutgeschäft zu verrichten. Wenn im Mai der schemâl, d. i. der Südwest-Monsun, die letzten Guanobarken verscheucht hat u. die Regenzeit, alles verjüngend, eintritt, so nehmen die Seevögel, als die rechtmässigen Herren, v. der nackten Insel Besitz. Bereits im Juli jedoch kehren die ersten Barken aus Süd-Arab. zk., um frische Füllg. des kostb. Dungs zu sammeln. Bald folgen andere, u. oft liegen bis 10 Sanabik angebunden an dem aus grosser Tiefe aufsteigenden Fels . . . .' (ZfAErdk. 1875, 281. 290).

Teistberg, einer der wenigen Namen, welche die spitzb. Exp. Heuglin-Zeil 1870 der Natur des Landes entlehnte (PM. 17, 182. T. 9). Die *Teiste*, Grill-lumme, Seetaube, grönl. Taube, Stechente, ist Uria grille Lath., gehört z. den Lummen, also den Seevögeln des höchsten Nordens, u. ist, wenigstens f. die Isländer u. Grönländer, essbar (Meyer's CLex. 10, 1015). In den Berichte Heuglin (PM. 17, 57 ff.) erscheint sowohl der vulgäre als der zool. Name, dieser wiederholt, u. die Teiste wird (ib. 65) einer der gemeinsten Vögel Spitzbergens genannt, doch nicht so massenhaft auftretend wie Uria troile u. auch weniger gesellig lebend.

Tejucas Grandes, Rio das = Fluss der grossen Drecke, port. Name eines nördl. v. Sª Catharina mündenden bras. Flusses, v. den furchtb. Kothsümpfen, welche strichweise ihn begleiten. 'Und wirkl., nie hat ein geogr. Name den Nagel so auf den Kopf getroffen, wie dieser . . . . Hier war alles ein Dreck. Die Landessprache hat v. Dreck, *tejuca*, einen plur. gemacht u. dazu noch ein bezeichnendes Adjectiv gesetzt . . . . 'Isto he para matar a gente' = das ist z. Tödten, sagte eine blasse Frau, welche sich durch den Schlamm hindurchwühlte . . . .' (Avé-L., SBras. 2, 173). — Auch ein Ort *as T.* im Quellgebiete des Uruguay (ib. 57). — *Tejuco* s. Diamantina.

Tekâb, Teng-i- = Engpass des Schnellwassers, npers. Name der Gebirgsschlucht Chusistans, durch welche der Fluss Dscherrahi aus den Bergen in die Niederg. hinausbricht (Spiegel, Eran. A. 1, 107).

Teknedschí-Tscheschmé = Trogquelle, bei den

Nogai eine der Quellen des taur. Gebirgs, weil sie, im Ggsatz zu manch' andern ungefassten, einen Trog, *tekné*, hat (Köppen, Taur. 2, 7. 22 ff.).

Tekua s. Thekoa.

Telembinsk s. Tagilsk.

Telezko(j)e Osero, russ. Name eines See's, *osero*, des Altai, nach den kirgis. Tölös, Teleuten, welche zZ. der conquista 1633 hier ansässig waren u. v. welchen die Russen schon vorher Kunde erhalten hatten (GvHelm., Tel. S. 6. 107, Fischer, Sib. G. 2, 626, Falk, Beitr. 1, 337). Die Tölös selbst nennen ihn *Altyn Kul*, die Mongolen *Altan Noor*, beides 'Goldsee', da türk. u. mong. *altyn* = Gold (Berghaus, Briefw. 1, 344, Humb., As. Centr. 1, 174, ZfAErdk. nf. 8, 278, Peterm., GMitth. 10, 165).

Tell = Hügel, arab. Wort oft in ON., f. Eigenname des fruchtb., dem Atlas vorgelagerten Hügellandes in Algerien (Parmentier, Vocab. arabefr. 47), so auch *tulûl*, der innere plur. *a) Diret et-Tulûl* = das Hügelland, bei den Bauern des Damaskaer Merdsch das grössere der beiden hauran. Lavaplateaux, aus welchem eine Zahl v. Vulcankegeln aufragt (Wetzstein, Haur. 17); *b) Schêch et-Tulûl* s. Akir; *c) Tellul*, der grössere der beiden Trachonen, Lavaplateaux, des östl. Hauran, nach seinen vereinzelten Vulcankegeln (Burckh., Reis. 1, 173, Wetzstein, Haur. 7 ff.). — *Thel*, hebr. תֵּל = Hügel, insb. Stein- u. Schutthaufen, häufig in ON. Vorder-Asiens, f. Orte, in deren Nähe künstl. Hügel od. Erdwälle sich befinden (Burckhardt, Reis. 1, 253 ff.), davon 3 biblische in Mesopotamien: *a) Thel-Abib*, hebr. אָבִיב תֵּל = Aehrenhügel, Ort am Flusse Chaboras (Ez. 3, 15); *b) Thel-Charscha*, hebr. תֵּל חַרְשָׁא = Hügel des Waldes, Ort in Babylonien (Esra 2, 59); *c) Thel-Melach*, hebr. תֵּל מֶלַח = Salzhügel, ebf. Ort in Babyl. (Gesen., Hebr. Lex.).

Teltsch, Dschebel ut- = Schneegebirge, arab. Parallele z. span. Sierra Nevada (s. d.), aber auch f. Atlas u. Libanon (s. dd.) angewandt.

Temaschirht s. Berber.

Tembladera, la = die Zitterfläche, span. Name einer bei San Juan Bautista, Calif., befindl., einige hundert Quadratmeter grossen Fläche, welche, obgl. v. hartem u. rasenbedecktem Boden, unter den Füssen der Pferde zittert (DMofras, Or. 1, 408).

Tembo s. Utimi.

Temesvar = 'Temesburg', mag. ON. des Banats, aber an der Bega, nicht Temes, wohl nur nach dem Comitat (Umlauft, ÖUng. NB. 241). Für den Flussnamen hat man nur alte Formen, aber keine Erklärg.

Temir s. Demir.

Temno-les od. *Temnoï-les* = dunkler Wald, russ. Name einer mit dichtem Walde bewachsenen Vorbergmasse im russ. Gouv. Stawropol, bei den Nogai *Scheb-karagatsch* = Wald der Nacht (Klaproth, Kauk. 1, 281, Potocki, Voy. 1, 228).

Tempe, gr. τὰ Τέμπη = die Einschnitte, der vielf. gewundene Durchbruch zw. den Steilwänden des Olymp u. der Ossa, v. Peneios, j. Salamvria, durchflossen, ein romant. Felsenthal Thessaliens, das als ein Werk Poseidons betrachtet wurde

(Kiepert, Lehrb. AG. 303, Meyer's CLex. 15, 26). — Nach ihm *Vale of T.* in Austr., ein grünes Thal, v. der Exp. Giles am 11. Oct. 1872, nachdem seit mehrern Tagen ein trostloser Wechsel v. Sand u. Scrub die Reisenden gequält hatte, entdeckt. Freudig begrüssten sie das hohe frischgrüne Gras, das 1000ᵉ v. acres zu beiden Seiten des Flusses einnahm (Peterm., GMitth. 19, 187).

Tempelberg, ein Uferberg im Hintergrunde des spitzb. Eisfjord. 'Die Ldsch. war hier, am Gipshoek, v. einer übraschenden Schönheit.... Im innern der Sassen Bay erschien ein grossartiger Berg, welcher senkr. ins Meer abfiel. Das mächtige Hyperitband, welches die Stirne dieses Riesen bildete, war so regelmässig zerklüftet u. gefurcht, dass man goth. Bogen u. einen in Trümmern liegenden kolossalen Dom zu erblicken glaubte' (Torell u. Nord., Schwed. Expp. 414). Offb. ist der Name durch die Exp. v. 1864 gegeben worden. — *Tempelhof*, eig. *Templerhof*, als früher den Tempelrittern geh., im C. Zürich (Mitth. Zürch. AG. 6, 138), wie *Tempelburg*, in preuss. Rgbz. Köslin, v. den Templern um 1291 ggr. (Meyer's CLex. 15, 27) u. *le Temple*, mehrf. f. Comthureien des Templerordens in Frankreich, 1208 *Templarii*, 1210 Fratres militie *Templi*, 1254 domus *Templi* (Dict. top. Fr. 14, 158).

Tempesta, Lago della = Hagelsee, ital. Name eines Bergsees an der Ostseite des Sassalbo. Der See liegt im Hintergrunde des Val Malghera, welches z. Netz der Roasca-Adda gehört. Im Wasser dieses See's 'rühren nach dem Volksglauben die Hexen, wenn sie Hagel u. Ungewitter bewirken wollen' (Leonhardi, Posch. 67).

Templada s. Caliente.

Tempsa s. Thapsacus.

Temruk s. Ak.

Temsach, Bachr el od. *Timsah* = Krokodilsee, arab.-kopt. Name des ehm. See's auf der Landenge v. Suez (Russegger, Reis. 1, 261, Robins., Pal. 1, 81, Parmentier, Vocab. arabe 47); allein jede Nachricht üb. die Existenz der Thiere fehlt. — Eine andere Form *Tachompso* = Insel der Krokodile, ägypt. Name der j. Nilinsel Derar (Champollion, l'Égypte 1, 152).

Temurtu s. Issyk.

Ten Islands = 10 Inseln, im Oberlauf des Missisipi, v. den Captt. Lewis u. Cl. (Trav. 232) am 23. Juli 1805 nach der Zahl getauft. — *T. Fathom Hole*, der Hafen v. Port Lloyd, wo Capt. Beechey (Narr. 2, 516) im Juni 1826 überall längs der Küste 10 fathoms Tiefe fand. — *Tenth Island* s. Ninth.

Tenigla s. Somvix.

Tendre, Mont, im Jura, einer der nach dem zerbrechlich-mürben, 'faulen' Gestein benannten Berge (s. Faulhorn), wie *Monte Marcio* = fauler Berg, im Bergell, 'mit schauerlicher, ganz verwitterter Wand' (Lechner, Berg. 135).

Tenerife, gew. *Teneriffa*, das Hpt. der Canarien, verd. aus *Chi-*, *Tinerfe*, dem Namen des letzten Königs der Guanchen, röm. *Nivaria* = Schneeinsel, v. lat. *nix*, *nivis* = Schnee, wg. des hohen pics, quae hoc nomen acceperit a perpetua nive' (Plin. HNat. 6, 204, Humb., Voy. 1, 180), auch *Convallis* = Thälerinsel (Berghaus, Ann. 6, 319) ...'hüllt sich ja doch keine andere der 7 Inseln in ein so weitfaltiges u. langandauerndes Winterkleid, schimmert doch der Picgipfel selbst im Sommer, wenn er eisfrei, weiss wie frischgefallener Schnee' (ZfAErdk. nf. 11, 73). Als die ital.-port. Seeff. die Canarien erreichten, brannte nach Cadamosto's Bericht der Pic de Teyde dem Aetna gleich unaufhörl.; daher hiess *T.* auch *Isola del Infierno* = Hölleninsel (Carte Picigano 1367).

Tenganui = lange Kehle, 'charakteristischer' Name der Stelle, wo der neuseel. Mangapu nach einem unterird. Laufe v. angebl. 6 km unter den Kalksteinbänken plötzl. zu Tage tritt. Bei niedrigem Wasserstande kriechen die Eingb. mit Fackeln tief in die 'lange Kehle' hinein, um Krebse zu fangen (v. Hochst., NSeel. 202).

Tengesir od. *Tengistan* = Land der Pässe, npers. Name der über der brennenden Küste v. Germasir aufsteigenden Bergregion, deren Terrassen durch hohe Ketten, schwierig u. gefährlich zu übschreiten, v. einander getrennt sind (Meyer's CLex. 6, 589).

Tengger, Gunung = Hügelberg, v. kawi *tengger* = Hügel, ein mit dem weit höhern G. Semeru verschwisterter u. gg. diesen unbedeutend scheinender Bergstock Java's (Junghuhn, Java 2, 554, Humb., Kosm. 4, 562). Crawf. (Dict. 428) übsetzt 'weiter Berg'.

Tengri-Khan = Geisterkönig, mong. Name des höchsten bekannten Gipfels des *T. Tagh*, Thian Schan (Peterm., GMitth. 4, 361). 'Der östlichste od. linke Flügel des Hochgebirgs besteht aus der herrlichsten Schneegruppe, welche ich je gesehen habe. Nicht weniger als 20 Gipfel, alle zieml. gleich an Höhe, treten in einen dichten Haufen zs., v. oben bis unten in eine fleckenlose Schneedecke gehüllt'. Aus ihrer Mitte, sie alle noch fast um die Hälfte seiner relativen Höhe überragend, eben so blendend weiss u. fleckenlos wie sie, ragt majestätisch, unübertreffl., der wunderbarste Gipfel hervor. In dieser imponirenden Gestaltg. eine Welt erhabener Geister zu erblicken, ist eine schöne poet. Vorstellg.'. Semenow wollte den Berg, 'dem König der Geister in der Wissenschaft' zu Ehren, *A. v. Humboldt's Pic* nennen (ZfAErdk. nf. 3, 438). — *T.* (od. *Tegri*) *Noor* = See des Himmels resp. der Gottheit, tib. *Namtscho*, mit gl. Bedeutg., ein See in CAsien, 'wird v. Pilgern viel besucht, u. an seinen Ufern liegen mehrere Lamaklöster, die einzigen Wohnstätten weit u. breit... Auf einer Insel, am westl. Ufer, steht ein Tempel der Göttin Dordsche Phamo' (Timkowski, Mong. 1, 459, Peterm., GMitth. 21, 313).

Tennent s. Young.

Tennessee, ind. Flussname des Ohiogebiets, seit 1790 auf das Territorium, 1796 auf den Staat gl. N. übtragen (Buckingh., Slave St. 2, 266f., Quackenb., US. 325), ist nicht befriedigend erklärt. Jedenf. galt er urspr. nicht einmal dem

T. selbst, sondern einem seiner südl. Zuflüsse. Einleuchtender als Mr. Allen's 'krummer Löffel' — denn das sollte das ind. *teɲn-assee* bedeuten u. die Flusswindungen in einem Bilde ausdrücken — wäre das einfachere 'Windg. im Flusse' od. *Tanasse,* der angebl. am Flusse gelegene Hptort der Cherokee. In der Annahme, als seien die Cherokee aus Vorder-Asien eingewandert(!), wollte Haywood (HTenn.) in *Tanasse* einen Anklang an *Tanais* u. damit eine Uebtragg. des alten Flussnamens erblicken (Staples, NSt.Un. 14).

Tennison's Monument, eine schlanke Felspyramide in Kane Sea, auf einem 85 m h. Piedestal als 150 m h. Schaftsäule, in einer furchtb. wilden Felsschlucht, 1854 v. Polarf. E. K. Kane (Arct. Expl. 1, 224) entdeckt u. zum Andenken an den Schriftsteller *T.* benannt, welcher die wilden Einsamkeiten meisterhaft zu schildern verstand. 'Those who are happily familiar with the writings of *T.*, and have communed with his spirit in the solitudes of a wilderness, will apprehend the impulse that inscribed the scene with his name'.

Tennstädt s. Tann.

Tenochtitlan s. Mexico.

Tentek s. Rabiusa.

Tentyra s. Dendera.

Tepesalar = Salzberg, Ort, ergiebig an Salz, bei Aguas Calientes, Zacatecas, v. mexic. *tepetl* = Berg u. span. *sal* = Salz (Buschmann, Azt. ON. 105).

Tepl od. *Tepel,* čech. *Tepla* = die warme, wie slow. *topel* = warm, ein Zufluss der Eger, lauwarm durch die Karlsbader Quellen; an ihm der Ort *T.,* 1275 *Tepln,* nicht aber die böhm. Badestadt *Teplitz,* v. čech *Teplice* = Thermalort, ungenau *Töplitz* (Sommer, Taschb. 5, 217, ZfAErdk. nf. 4, 243), mit Thermen v. 44—49⁰ C., angebl. 762 entdeckt durch Hirten, deren Schweineherden in der Therme sich verbrannten u. schreiend davon liefen; der Ort, als *Teple ulice* = heisse Gasse, ggr. durch den Besitzer der Umgebg., den Ritter Kolostug (Ill. Z. Leipz. 1862, 206), latin. 1140 *Aquae Calidae* (Umlauft, ÖUng. NB. 241); *b)* in Ungarn, nahe der Waag, mit Thermen v. 36—44⁰ C., die schon den Römern bekannt waren (Meyer's CLex. 15, 154); *c)* in Krain, unfern Rudolfswerth, ebf. Thermalort: *Neustadtl-T.* (ib. 118); *d)* in Steiermark, unfern Tüffer, deutsch *Römerbad,* mit Thermen v. 36⁰ C. (ib. 194); *e)* in Mecklb. (Kühnel, Slaw. ON. 143). — Aus dem slow. Sprachgebiete: *Topla,* ebf. zunächst Flussname u. dann auf Uferorte übtragen, in Kärnt., Dalmat. u. Ung., *Töplach,* in Kärnten, *Toplec,* in Ung., *Topli Reber* = warmer Hügel u. *Topli Vrh* = warmer Berg, in Krain, *Toplica, Toplice, Toplicica, Topličica,* u. in verdeutschter Form *Töplitz, Töpliz, Töplizel,* ebf. zunächst Quell- u. Bachname in Steierm., Krain, Kärnt., Kroat., Ung., so der Badort *Töplitz* in Krain, slow. *Jesirske Toplice,* nach den 3 Thermen des Orts (Miklosich, ON. App. 2, 247, Umlauft, ÖUng. NB. 247). — *Teplitzer Bay,* in Kronprinz Rudolf Ld., v. Jul. Payer, dem Führer der 2. Schlitten-

reise der österr.-ungar. Nordpolexp. am 11. Apr. 1874 entdeckt (PM. 22, 204). In die Bay ergoss sich ein Gletscherstrom, der in mächtigen Stufen aus dem hohen Gebirge herabstieg; Eisberge lagen eingeschlossen längs der Absturzwand seines hohen Strandes. Der Name gilt der böhm. Stadt *Teplitz,* die das Unternehmen wesentl. gefördert hatte (ib. 17, 345). — *Teplo* (od. *Teplyje*) *Kljutschi* s. Arassan. — *Töploje O.* s. Bolschoje.

Terceira (Ilha) = die dritte, scil. Insel, d. i. die nach Sᵃ Maria u. San Miguel in dritter Reihe entdeckte der Açoren (Peschel, ZdEntd. 81). — *Rio Tercero* s. Primero.

Terebinthina s. Mader.

Terebinthos s. Antigone.

Terek, ein Zufluss des Kaspisees, nach den Türken, welche, auch zZ. Ptolemäus' schon, an ihm wohnten (Eichwald, AGeogr. 436). Ein wasserarmer Arm *Eski T.,* wie russ. *Staroi T.* = alter *T.,* entspr. den Formen Alte Linth, Oude Rhijn etc., seit 1760 stellenweise ausgetrocknet, daher turk. *Kura-,* russ. *Suchoi-,* beides 'trockner' *T.* (Güldenst., Georg. 31). Dass *T.-Dewan* = Pappelpass, zw. Ost-Turkestan u. Ferghana, u. *Terekti* = Pappelort, f. einen Pass u. rseitg. Nebenfluss des Ak Sai (Peterm., GMitth. 37, 271), kann einleuchten, nicht aber, dass unser Fluss *T.* einf. 'Pappel' heisse. — *T.-Kalla* s. Wladikawkas. — *Tereklinsk* s. Tagilsk.

Terglou s. Triglav.

Tergowitsch s. Targ.

Terhalten's Eiland, in Feuerland, v. der 'nassauische Flotte' (Vloot 40) im Febr. 1624 entdeckt u. nach dem Hauptmann Johan *T.,* v. Exp. Schiffe Mauritius v. Rotterdam, genannt.

Terme Chada = von Felsen umgebener Ort, v. dsung. *terme,* was, wie das mong. *chaua,* die Palisaden der Filzzelte bedeutet, u. *chada* = Fels, Name eines Routenorts am südl. Fusse des Thian Schan, türk. *Tamcha-Tach* = Fels des Siegels (Timkowski, Mong. 1, 442).

Termination Island = Endinsel, in Nuyts' Ld., bei d'Entrecasteaux *Ile d'Avantgarde* (Krus., Mém. 1, 37), das südlichste Land, welches Capt. G. Vancouver 1791 sah, weil er, durch anhaltende widrige Winde v. weiterer Untersuchg. abgeschreckt, hier das Land verliess, um z. Hptgegenstand seiner Reise übzugehen (Flinders, TA. 1, LXX). — *Boca,* j. *Laguna de Terminos* = Mündg. der Grenze, ein Haff in Yucatan, v. Hernando de Corduba schon, dann v. Juan de Grijalva am 31. Mai 1518 wieder erreicht, f. die Mündg. einer Durchfahrt gehalten, 'parecia como estrecho', also dass Yucatan z. Insel würde, 'que era isla', u. jens. der Seegasse wieder neues Land beginne (BDiaz. NEsp. c. 10, Navarrete, Coll. 3, 62, ZfAErdk. nf. 15, 22).

Termini s. Therme.

Tern s. Tarnopol.

Tern Island = Insel der Meerschwalben, in Fury u. Hekla Str., v. Capt. Parry (Sec. V. 277) im Juli 1822 entdeckt u. später nach der ungeheuern Zahl der hier brütenden Vögel benannt.

Als näml. am 27. Juli die Leute landeten, um eine Anzahl ders. zu erlegen, 'which, after skinning and purging them in salt water, were considered a very acceptable addition to our seapies', war es leicht, ihrer habhaft zu werden, da sie, in mächtigen Schaaren herumfliegend, kühn herbeikamen z. Vertheidigg. ihrer Eier u. Jungen, die man auf jedem Schritte traf (ib. 283).

Ternate, den Namen einer der Molukken, finde ich nirgend erklärt, hingegen eine (mittelbare) Uebtragg. *T. Inseln* (s. Rockingham).

Terrace Falls = Stufenfall, eine der zahlr. Cascaden im Glen Onoko, einem Nebenthal des Lehigh R. Der Bach hüpft zierl. v. Stufe zu Stufe, bis er im Fluss unten anlangt (Penns. Ill. 54).

Terregua, urspr. *Tregua* = Waffenstillstand, ein Dörfchen des Val Furva, Veltlin, 'hat seinen Namen v. dem hier 1432 zw. den Venetianern u. Bormini geschlossenen Waffenstillstand erhalten' (Leonhardi, Veltl. 64).

Terrible Mount = schrecklicher Berg, ein austral. Berg, benannt v. Capt. Stokes (Disc. 2, 403) nach den ungemein wilden u. schroffen Abhängen: 'almost precipitous side .... well worthy its name'.

Terrien's Oven, engl., urspr. frz. Name einer Prairie am untern Missuri, nach einem frz. Händler *T.* Im Flusse 2 *Oven Islands* = Ofeninseln (Lewis u. Cl., Trav. 21). Welche Bewandtniss es mit dem 'Ofen' hat, finde ich nicht angegeben.

Terror Reef nannte nach dem zweiten seiner Schiffe, dem *T.*, dessen Officiere die Lage u. Ausdehng. genau bestimmten, Capt. J. Cl. Ross (South. R. 1, 60) ein am 10. Mai 1840 entdecktes gefährl. Felsriff, Kerguelen I. — Ebenso *Mount T.* u. *T. Cove* (s. Erebus), wohl auch *T. Bank*, eine Untiefe in Perseverance Harbour, Campbell I. (Meinicke, IStill. O. 1, 352).

Terry s. Custer.

Tersakkan-Su = verkehrter Fluss, bei Samsun, geht wie die Nachbarflüsse anfangs nördl., der Küste zu, wendet dann aber im Kreisbogen um, südwärts, dem Tosanlü Su u. erst mit diesem dem Meere zu (Tschihatscheff, Reis. 12).

Terschitz s. Targ.

Tersjutsk s. Tobolsk.

Terskij Bereg = terische Küste, russ. Name des südl. Uferstrichs der Halbinsel Kola, als Ggsatz zu Murmanskij Bereg (s. Normannen), nach den jagenden, fischenden u. vogelfangenden Finnen, die der normann. Abenteurer hier traf u. aus unermitteltem Grunde als *Ter-Finnen* bezeichnete (P. Hunfalvy, VUral 16 f.).

Terstenic s. Triest.

Terzen s. Primsch.

Tessan s. Jagerschmidt.

Tessin s. Ticino.

Teton = Brust, Brustwarze, neben *mamelon* das frz. Aequivalent f. engl. *pap* (s. d.), verwandt dem ital. *tetta, zitta,* rum. *tzitze,* span. u. prov. *teta,* auch dem deutschen *zitze* (Diez, Rom. WB. 1, 415), f. Bergformen mehrf. gebraucht: *T. Range,* nahe

dem Snake R., Wyoming, 'one of the most impressive of all the Cordilleran mountain groups' (s. Three *T.*), mit dem 4172 m h. *Grand* (= grossen) *T.* als Hpt. (s. Hayden), demselben, der wohl schon v. Fidler *Tooth* = Zahn genannt wurde, da die Form v. gewissen Standpunkten aus einem riesigen Zahn gleicht (Whitney, NPlaces 119). — Ein *T. River* ist lkseitg. Zufluss des Missuri, obh. Big Bend, v. den Captt. Lewis u. Cl. (Trav. 60) am 24. Sept. 1804 nach den Anwohnern getauft, 'as the tribe of the Sioux which inhabit it, are called *T.s'*. — *Las Tetas de Cabra* = die Ziegenzitzen, span. Name eines Bergs, welcher am Golf v. Californien, mit 2 zitzenähnl. Spitzen gekrönt, als Schiffermarke dient (DMofras, Or. 1, 179). — Eine holl. Parallele ist *Prammeberg* = Zitzenberg, im Capl., da der Gipfel, im Profil gesehen, einer *pram* = Frauenbrust ähnelt (Lichtenst., SAfr. 1, 148).

Tetrapolis s. Antiochia.

Tétrodons, Baie des = Bay der Stachelbäuche, in West.-Austr. (u. in der Bay ein *Ilot des T.*), v. Schiffsfähnrich L. Freycinet, Exp. Baudin, am 3. Aug. 1801 benannt nach der Menge solcher Fische, welche v. den Matrosen dort erlegt wurden (Péron, TA. 1, 163).

Tetschinsk s. Tobol.

Tetuaroa s. Fugitiva.

Teuchira s. Tokrah.

Teufelsbrücke, einer der zahlr. Ausdrücke, die wie mit holl. *duivel,* engl. *devil* (s. dd.), wie mit frz. *diable,* ital. *diavolo* etc. das Wilde, Schauerliche, Uebermenschlich-Kühne darstellen sollen, etwa in dem Sinne, wie die gewaltige Bergveste v. Cuzco den span. Conquistadoren, ein südafrican. Steinbau dem Port. als Teufelswerk erschien ... 'que he obra do Diablo, porque comparada ao poder e saber delles, não lhes parece que a podião fazer homens' (Barros, As. 1, 10[1] p. 377 ff.). Eine reiche Auswahl 'Teufelsnamen' bietet H. K. Brandes (Progr. 1866). Es gibt im schweiz. Alpenlande 2 solcher Brücken: *a)* ein kühn gewölbter Bau der Gotthard Str., *Neue T.,* dicht daneben die Ruinen der *Alten T.,* zu deren Bau nach dem schlichten Sinne der Bergbewohner menschl. Kraft nicht ausgereicht habe.

> 'Sie ward nicht erbauet von Menschenhand;
> es hätte sich's Keiner verwogen'.
> *Schiller's* 'Berglied'.

b) eine *T.* üb. die Sihl, bei Einsiedeln. — Ferner *c) Teufelsabbiss,* anderer Name des Schafbergs im Salzkammergut, nach seiner auffälligen Gestalt (Umlauft, ÖUng. NB. 243); *d) Teufelsberg,* am Kotzebue Sd., in seiner wilden Zerklüftg. wie die Ruinen eines zerstörten Schlosses, wov. nur einige Thürme übrig waren, v. Lieut. v. Kotzebue (Entd. R. 1, 148) am 11. Aug. 1816; *e) Teufelscap,* in OGrönl., 'eine an 900 m h., imposante Wand, deren schaliggebogene Syenitbänke mit ihren farbigen, durch die Gesteinsausscheidg. bedingten Nüancen unter 15⁰ Neigg. nach Süden einfielen. Wir — die zweite deutsche Nordpolexp. 1869/70 — nannten diese prächtige, im allg. röthl. Wand das *Teufels-*

cap. Wie durch einen dichten Vorhang verschleiert, erschien sie den Schlittenwanderern am
8. Apr. 1870. Der Schnee, in welchen man trotz
der grossen Kälte immer tiefer einbrach, wurde
uns so hinderl., dass wir trotz der zweckmässigsten
Aenderg. der Zugordng. zu einer deutschen Meile
6ʰ brauchten u. die Querhölzer des Schlittens
förml. als Pflüge wirkten. Bei der zunehmenden
Dysenterie wurde der Verlust der Opiumflasche
um so empfindlicher (PM. 17, 190. T. 10); *f) T.'s
Land* (Orig. fehlt), ind. Name eines verfehmten
Landstrichs in Patagonien. Derselbe wird, wohl
wg. der Unfruchtbark. u. Unwegsamk., nie betreten. In der Nähe der *Gottesberg,* weil v. hier
aus der grosse Geist die Thiere, die er in den
Höhlen geschaffen, zerstreut habe (Musters, Patag.
98f.); *g) Teufelsmauer,* die eine in NOesterr.,
ein mauerähnl. Felsriff an der Donau, v. Teufel
aufgebaut, um die Donau abzudämmen, die andere
in Böhm., eine mauerähnl. Granitwand an der
Moldau, v. den Höllengeistern aufgethürmt, um
das Kloster Hohenfurt mit seinen frommen Insassen zu überschwemmen (Umlauft, ÖUng. NB. 243);
h) Teufelssee, im Böhmer-Wald, in düsterster
Umgebg. (Willkomm, Böhm.W. 173); *i) Teufels-
pfad* od. *Satans Fahrweg,* Strecke bei den holl.
Ansiedlungen in Spitzb., wo der Schnee nie
liegen blieb (Adelung, GSchiff 414); *k) Teufelsschloss,* ein Cap des grönl. Kaiser Franz Joseph
Fjords, entdeckt u. benannt v. der 2. deutschen
Nordpolexp. im Aug. 1870. 'Wir waren in einem
Kessel angekommen, dessen Ufer Felsen bildeten,
wie ich sie in herrlichern Formen u. Farben noch
nie gesehen hatte. Es ist mir noch heute lebhaft
erinnerlich, dass der unmittelb. Eindruck dieses
v. den bizarrsten u. grossartigsten, 1500—2000 m
h. aufragenden Felsburgen umgebenen Wasser-
spiegels etwas Mährchenhaftes f. uns hatte. Ein
cubischer Felskoloss streckte sich hier auf schmaler
Basis als Landzunge weit hinaus in den Fjord.
Unmittelbar aus dem grünen Wasserspiegel erhebt
sich sein Riesenleib gg. 1500 m h.; regelmässige,
rothgelbe, schwarze u. lichtere Streifen zeigen die
Schichtg. seines Gesteins. Die erker- u. thürmchen-
ähnl. Vorsprünge an seinen Kanten verleihen ihm
eine gewisse Aehnlichk. mit einer zerfallenen
Burg. Wir nannten ihn daher auch das *Teufelsschloss* (Peterm., GMitth. 17, 197 T. 10); *l) Teufelsschlucht,* ein 50 m t., auf der Sohle 20 m
br. Felsenthal bei Schoschong, Transvaal, getauft v.
Missionär Ad. Hübner nach dem wilden, schauerl.
Aussehen dieser Felsspalte. Wohin man blickt,
Fels überall, u. zwar nackter, schwarzer Fels —
fürwahr, eine ächte 'Teufelsschlucht' (PMitth. 18,
427); *m) T.'s Spitze,* ein Berg der Südbay, Spitzb.,
nach seinem düstern Gebähren, da die Nebel-
massen, welche ihn gemeinigl. bedecken, oft v.
Winde üb. den Hafen getrieben werden, so dass
dieser reicht. v. Rauch sich verfinstert (Martens,
Spitzb. R. 22, Adelung, Gesch. Schiff. 414).

Teufen s. Tief.

Teutoni, bei Eutrop *Teutones,* bei Strabo Τεύ-
τονες, germ. Volksname, zu goth. *thiuda,* ahd.

diot == Volk (s. Deutsche) gehörig, f. den Stamm,
der im 2. Jahrh. v. Chr. wahrsch. in Holstein,
etwa in der Lage der spätern *Ditmarsen* (s. d.),
nach Zeuss um die obere Havel u. die Mecklen-
burger See'n, wohnte (Caesar, BGall. 1, 33. 40);
b) Teutoburg, Ort v. unsicherer Lage, in der
Nähe des *Teutoburgiensis Saltus* (Tacit., Ann. 1,
60), der als *Teutoburger Wald* neu in die Geographie eingeführt u. viell. im j. Osning (s. d.)
zu suchen ist (Kiepert, Lehrb. AG. 536); *c) Teu-
toburgium,* bei Ptol. u. im Itin. Ant. erwähnt,
an der Drau, Nieder-Pannonia; *d) Detmold*
(s. d.).

Tevere, mod. Name des Flusses v. Rom, lat.
Tiberis m. (Tacit., Ann. 1, 79) od. amnis *Tiberinus,* im Deutschen *Tiber* f. u. m., soll in
der Urzeit *Albula,* jedenf. nicht v. *albus* ==
weiss, da dem gelben Fluss diese Bezeichnung
schlecht anstände, gelautet haben u. nach dem
alban. König Tiberinus, der in den Fluten umkam, umgetauft worden sein. Die Fabel, mehrf.
in den lat. Autoren vorgetragen, lässt sich verwerfen, ist aber durch eine gesicherte Etym. noch
nicht ersetzt. Man deutet den Namen entw. als
'Bergfluss' (Nissen, Ital. LK. 308) od. vermuthet
in ihm ein kelt. *dubr* == Wasser (Förstem., Deutsche
ON. 241). In altröm. Gebeten hiess Vater Tiber
Serra == die Säge od. *Rumon* == der Fresser,
wg. der Zerstörungen, die er an seinen Ufern
anrichtete (Nissen 320). Am Oberlaufe das umbr.
Tifernum, röm. *Tiberinum,* j. *Città di Castello,*
ein lkseitg. Nebenfluss *Teverone* == kleiner *T.*

Te-wa-te-now-seebe == der Fluss, welcher die
Berge theilt, ind. Name eines Zuflusses des mit
Winnipegosis verbundenen Dauphin L. Ungenau
in *Valley River* == Thalfluss übsetzt (Hind, Narr.
2, 48).

Texas od. *Tejas,* bei Lewis u. Cl. (Trav. 190)
Tachus, Taxus, seit 1845 ein Staat der Union,
v. den Spaniern als Volksname gebraucht, da
dem Mönch Damian, welcher v. Gaspar de Cerda
Sandoval Silva y Mendoza, Grafen v. Galve,
1688/96 Vicekönig v. Mexico, abgesandt war, die
Asinais auf die Frage, welchen Stamms sie wären,
mit dem Worte *texia* == gut Freund geantwortet
haben sollen (Uhde, RBravo 153. 181). Andere
lassen dieser Reise eine andere, v. La Salle, 1685
vorausgehen, betrachten aber *T.* ebf. zunächst
als Name der ind. Eingb., wie denn diese auf
Seale's Carte 1750 *Tecas* heissen. Um den angebl.
span. Namen zu erklären, hat man an *teja* ==
Ziegel, *tejádo* == Dach, da der Franzose (!) La
Salle Hütten mit ordentl. Dächern getroffen, od.
an *tejér* == weben gedacht od. besondere Legenden
erdichtet. 'In Morphis History of *T.,* the name
is given as of doubtful origin' (Staples, NStUn.
18), u. diess ist wohl am richtigsten. Der Vicekönig, Herzog v. Linares, wollte *T.* 1714 zu
Ehren Philipp's V. umtaufen: in *Nuevas Filipinas,* ein Name, der bis in's 19. Jahrh. auf
Carten vorkam; Garay, der Gouverneur v. Jamaica,
nannte es *Provincia de Amichel,* angebl. nach
dem einh. Namen, u. die span. Geographen setzten

Tierra de Garay. Als 1521 der König den Rio de las Palmas als Nordgrenze Mexico's festsetzte, kam *Gobierno del Pío de las Palmas* auf, u. Moscoso, welcher 1542 v. Red R. her ins Land vordrang u. ob den zahllosen Büffelherden (u. Hirten?) erstaunte, schlug vor *Provincia de los Vaqueiros* = Hirtenland (ZfAErdk. nf. 3, 70; 15, 188).

Tgietschen s. Cotschen.

Thabor, nicht *Tabor* (s. d.), hebr. הָבֹּר [thabor] = Berg, in Galilaea, arab. *Dschebel Tor, Dsch. et-Thur* (Seetzen, Reise 2, 146, Robins., Reis. 3, 452). Ozw. ist auch der höchste Berg des früh v. den Phöniziern colonisirten Rhodos, der *Atabyrion,* j. *Atabyron,* u. ein Berg Ἀταβύριον, auf Sicil., mit *Th.* id. (Rhein. Mus. 1853, 323. 601, Pape-B., Ross, IReiss. 2, 112). Nach dem Berge die Stadt *Kisloth Th.* (s. Kesalon). — *Cap du Mont Th.,* in Austr., v. der Exp. Baudin am 31. März 1802 ozw. z. Erinnerung an Bonaparte's Sieg am *Th.,* v. 16. April 1799, benannt (Péron, TA. 1, 265).

Thachbach s. Dachau.

Thackeray, Cape, in Kane Sea, v. Polarf. E. K. Kane (Arct. Expl. 1, 100) im Aug. 1853 benannt nach William Makepeace *Th.* Die Matrosen nannten den schlanken Felsen *Chimney Rock* = Kaminfels.

Thaddäus, Cap, ein Landvorsprg. des Berings Meers, vor der Mündg. des Anadyr, zuerst in Vitus Berings Reise am 27. Juli 1728 erwähnt, doch erst auf der Rückreise, am 21. Aug., 'efter Dagens Helgen' getauft (J. Berg, Russernes 1. Sörejse 63, Lauridsen, VBering 28).

Thai s. Siam.

Thal, ahd. *tal,* holl., dän. u. schwed. *dal,* im Engl., welches jedoch das rom. *valley* bevorzugt, auch *dale,* in deutschen ON. häufig, z. Bezeichng. der Lage f. Orte, die im Ggsatz zu Berg, Höh, Burg, Stein, in gesenkter Ebene od. in förmlichem Thalgrunde liegen, mehrf. f. sich, als ein altes *Dale, Tale* etc., od. in Zssetzungen, th. als Grundwort (Förstem., Altd. NB. 443 zählt 126 solcher Formen auf), th. als Bestimmungswort: *Thalheim,* im 8. Jahrh. *Dalaheim* (bei Förstem. an 20), *Thalhofen,* alt *Talehouen, Thalhausen,* alt *Talahusa* u. a. m. *Thalheim,* 1878 aus *Dorlikon* umgetauft, im C. Zürich. Von dieser Umtaufe habe ich (Gesch. geogr. NamenK. 6) eine gedrängte, aber actenmässige Darstellg. gegeben. — Mit den hierher gehörigen Formen berühren sich solche, die nur scheinbar das Wort *Th.* enthalten, wie *Thalwyl,* im C. Zürich, urspr. *Tallinwilare* = Weiler des Tallo, Tello (Mitth. Zürch. AG. 6, 163).

Thale Sab = grosser See, in Cambodscha, mit Abfluss *Th. Tom* = grosser Fluss, einem Tributären des Mechong, auch *See des Sri Rama* = des glorreichen Rama, 'wie denn die Anspielungen auf das ind. Epos Ramayana in Hinterind. häufig sind u., wie in Java so auch hier, viele der darin erwähnten Localitäten dorthin verlegt werden' (Bastian, Bild. 444 ff., Peterm., GMitth. 12, 453. 461).

Thalea s. Schaaul.

Thaleth, Wady el- = dritter Bach, einer der Abflüsse des Dsch. Haurân, v. den 3 Wadys, aus denen er entstanden ist (Burckh., Reise 1, 162). Vgl. Sittern.

Thalga s. Hermon.

Thames, bei Caesar (Bell. Gall. 5, 11) *Tamesis,* bei Tacit. *Tamesa,* ags. *Temese, Temaese, Temis,* deutsch *Themse,* wollte man, analog den ebf. kelt. Formen Dordogne u. Metauro, sowie dem ind. Tungabudhra, als Zssetzg. der Namen der beiden Quellflüsse Thame u. Isis, die sich unth. Oxford vereinigen, betrachten. Diese Annahme, widerlegt durch eine urk. *Temis* obh. der Confl. (Camden-Gibson, Brit. 1, 194), wurde zwar (Ausl. 1868, 511) als eine blosse Gelehrtenphantasie bezeichnet, aber durch eine bessere Erklärg. nicht ersetzt. Es ist denn doch zu beachten, dass der Flussname *Tame, Tema, Teme,* in Cheshire, Cornwall, Devon, Stafford, Selkirk u. Worcester, also auf altem Keltenboden 6 mal, viell. v. brit. *tam, tem* = ausdehnend, sich ausbreitend, vorkommt u. *Isis* aus brit. *isc,* gael. *uisge* = Wasser, f. sich allein also ebf. ein Flussname, abgeleitet wird. Jedenfalls darf der Flussname, der schon bei Caesar erscheint, nicht v. ags. *tame* = zahm erklärt werden, trotz dem Beisatz, dieses Wort 'in our tongue, derived from the Saxon, is sufficiently expressive of a placid quiet current' (Charnock, LEtym. 269). — Durch Uebtr. mehrf.: *a) River Th.* in NSeeland, einh. *Waiho* = neuer Fluss (v. Hochst., NSeel. 82. 175), v. Cook am 20. Nov. 1769 benannt, 'it having some resemblance to our own river of that name', so breit wie die *T.* bei Greenwich, die Flut eben so stark, die Tiefe zwar etwas geringer, aber f. Schiffe v. mehr als mittlerer Grösse ausreichend u. der Grund v. so weichem Schlamm, dass das Auflaufen keine Gefahr brächte (Hawk., Acc. 2, 353 ff.). What is commonly called the *T.,* is a very large astuary or gulf on the eastern coast of NewZealand, containing several harbours, and many islands of various dimensions, and receiving the waters of two rivers of considerable size. I give to the whole the name of the *Gulf of Houraki,* although the natives apply this name only to the eastern part, which receives the river Waiho (or *T.*) and the river Piako. If the denomination of *T.* is to be retained, instead of the well sounding native name of Waiho, this part of the gulf would be most appropriately called the *Frith of the T.* (Dieffb., Trav. 1, 271); *b)* ein Zufluss des L. Clair, Canada, v. engl. Colonisten, die in London u. Oxford anlegten, so benannt (Meyer's CLex. 10, 932); *c)* s. (North) Middlesex.

Than s. China.

Thanakoie s. Sand.

Thananariva, europ. Namensform f. die Hptstadt v. Madagascar, anst. *Thanaan-arive* = tausend Dörfer, weil sie aus vielen getrennten Häusergruppen besteht (Sommer, Taschb. 14, LXXXVI).

Thanggóng = Eierebene v. tib. *thang* = Ebene,

Wiese u. *gong* = Ei, ein am Salzsee Tsomognalarí, Pangkóng, gelegener Haltplatz, welcher der Brüteplatz zahlr. Wasservögel ist. — *Thang Tschenmo* = grosse Ebene, ein Haltplatz in Gnari Khorsum (Schlagw., Gloss. 252).

Thank God s. Gracia.

Thapsacus, eine Colonie wahrsch. schon der Phön., Endpunkt ihrer grossen Karawanenroute (Ritter, Erdk. 10, 11. 1114), an der untersten Furt des Euphrat, wo der Fluss bei niederm Wasserstande nur etwa 1 m Tiefe hat, f. Kamele praktikabel ist (Kiepert, Lehrb. AG. 162) u. wo auch der jüngere Cyrus, Darius u. Alexander passirten (Movers, Phön. 2^b, 164), im ATest. (1. Kön. 5, 14; 2. Kön. 15, 16) חֶסְפַּת [*thiphsach*], v. חסַפ [*pasach*] = transire, also = Uebergang, Furt (Gesen., Hebr. Lex.), später *Amphipolis*, j. *el-Hammâm* (s. dd.). — Derselbe Begriff des Uebergangs in andern ON., als: *a*) *Th.*, Fluss, u. *Timpsacum*, Ort in Phön.; *b*) *Thapsus*, Ort auf einer Landzunge χεροσνήσῳ (Skyl. 110), *Thapsipolis,Thapsa*, Orte, u. *Thapsas*, Fluss im karthag. Africa; *c*) *Tipasa*, Ort in Numidien u. Mauretania Caes. (Movers, Phön. 2^b, 164. 501); *d*) *Tempsa*, griech. Τεμέση, Ort an der Westküste Unter-Ital. (ib. 343), f. den man jedoch auch an מסם = schmelzen, im Sinne v. Schmelzhütte gedacht hat (Kiepert, Lehrb. AG. 460); *e*) *Tapsus*, Ort an der Ostküste Siciliens, bei Syrakus, mit bedeutenden Spuren phön. Einflusses, auf einer Landzunge, so dass man üb. den Meerarm zw. dieser u. dem Festlande setzen konnte (Movers, Phön. 2^b, 328 f.); *f*) *Ampsaga*, in Nord-Afr. (ib. 517). — Denselben Begriff, nur mit anderm Ausdrucke, bietet das alte *Ebora*, עבורה [ʿeborá] = Uebergang, Furt, näml. am Ausflusse des Baetis. Orte d. N. gibt es auch in Lusitania u. im nordöstl. Spanien, ferner Orte, in deren Namen *ebora* einen Bestandtheil bildet, in den afric. Colonialgegenden der Phönizier, endl. ein *Bäbro* בר עברא = בר עברא = Haus des Uebergangs, am Jordan u. in Hispania Bätica (ib. 640).

Tharapia od. *Therapia* = Gesundheit, griech. Umtaufe eines europ. Uferorts des Bosporus, der vorher *Pharmacia*, angebl. v. dem durch Medea an die Küste geworfenen Gifte, geheissen hatte. Der Euphonismus der Griechen, welcher immer bereit ist, unglückliche Worte in glückliche zu verändern, verwandelte das ʾGiftʿ in ʾGesundheitʿ. Diesen Namen verdient der Ort durch die ungemeine Heilsamk., indem kühlende Lüfte, unmittelb. v. Pontus her wehend, die Sommerhitze mässigen u. den Aufenthalt zu einem der lieblichsten am ganzen Bosporus machen. Dessh. ist *Th.* auch der Lieblingssitz der Griechen, deren fürstliche Familien hier ihre Sommerpaläste haben (Hammer-P., Konst. 2, 242).

Thauma s. Thomé.

Thel s. Tell.

Theben, das Haupt Böotiens, dessen ältester Theil auf der Anhöhe einer Hügelkette lag, gr. αἱ Θῆβαι, auch ἡ Θήβη, v. gräko-ital. *teba* = Hügel (Varro), j. noch im Volksmunde ἡ Φήβα,

Phiba (Bursian, GGeogr. 1, 225 T. 4², Grasb., StGriech. ON. 149 f.). — Ein *Th.*, die Hptstadt Ober-Aegyptens, hier *Pe-Amun* = Haus des Ammon, mit vulg. Beinamen *ape* = Haupt, aus welchem mit dem weibl. Artikel die Form *apét*, *tʾape*, mit dem griech. *Th.* anklingend, gebildet wurde. In dem rechtsuferigen Stadttheil, *Diospolis* (s. d.), lag der grosse Ammonstempel, durch eine Gasse v. 200 Widdersphinxen mit dem Memnonspalaste verbunden (Kiepert, Lehrb. AG. 202 f.). — *Thebae* s. Dzahaban.

Theefontein = Theequelle, holl. Name einer Quelle im Caplande, v. der gelbl. Färbg. des wahrsch. eisenhaltigen, aber wohlschmeckenden u. gesunden Wassers (Lichtenst., SAfr. 1, 47. 50).

Theiss, ung. Nebenfluss der Donau, mag. *Tisza*, poln. *Tysza, Cisa*, bei Strabo 313 Πάρισος, verd. f. Πάθισος, bei Plin. (Hist. Nat. 4, 80) *Pathissus*, wie Ptol. einen Uferort Πάρτισκον nennt, später abgekürzt u. entstellt zur *Tisas, Thiphēsas, Tisia, Τισσός,* 796 *Tiza, Tizaha*, im 9. u. 10. Jahrh. *Titza*, 1291 *Teissach*, wird v. W. Tomaschek mit skr. *patayišnu* = fliegend, eilend, verglichen u. würde im Dakischen ʾder rasche Flussʿ, was er freil. keineswegs überall ist, heissen (Umlauft, ÖUng. NB. 244).

Thekoaʿ, hebr. תְּקוֹעַ = das Aufschlagen der Zelte, Stadt bei Bethlehem, wo die *Wüste v. Th.*, hebr. מִדְבַר־תְּקוֹעַ [midbar thekoaʿ] anfängt, erst seit Rehabeam ein fester Ort (2. Sam. 14, 2), gr. Θεκωέ (1. Makk. 9, 33), j. *Tekûa* (Robins., Pal. 2, 406 ff., Gesen., Hebr. Lex.).

Themse s. Thames.

Thenae, eines der pun. Emporien an der früh besiedelten Kleinen Syrte, v. תְּאֵנָא [theʾéna] = der Feigenbaum, weil der Ort in einer durch ihre edeln Früchte berühmten Gegend lag (Movers, Phön. 2^b, 495).

Theodor s. Platz.

Theodosius, 2 byzant. Kaiser, ʾder Grosseʿ (379 —395), der die einfallenden Gothen ansiedelte, z. letzten mal das Gesammtreich unter Einem Scepter vereinigte u. noch bei Lebzeiten seine Söhne Arcadius u. Honorius zu Mitkaisern annahm, u. ʾder Jüngereʿ, sein schwacher Enkel (408—450), welcher Attila's Hunnen tributpflichtig wurde. Nach ihnen sind benannt *a*) *Theodosiopolis* s. ʿAin u. Erzerum; *b*) *Theodosia* s. Feodosia; *c*) *Theodosianischer Hafen* s. Vlanga.

Theodul s. Matterjoch.

Theotinne s. Yankee.

Thera s. Santorin.

Therapia s. Tharapia.

Theresienstadt, Veste an der böhm. Eger, v. der Kaiserin Maria Theresia 1780 ggr. u. unter Joseph II. vollendet. In Ungarn *Theresiopel*, *Theresianopel*, oft ausdrückl. *Maria Th.*, u. in Oesterreich *Theresienfeld*, v. Tirolern u. pensionirten Officieren unter derselben Kaiserin 1767 besiedelt (Umlauft, ÖUng. NB. 244). — In Brasil., nach der Kaiserin Thereza Maria Christina zwei neue Orte: *Therezina* (Meyer's CLex. 12, 937) u. *Therezopolis*, sowie ein Fall des Cubatão, *Ca-*

choeira de Thereza, 1858 v. dem Deutschen Avé-L. (SBras. 2, 293) entdeckt u. getauft.

Therme, gr. Θέρμη = Warmbrunn, der ältere Name v. Salonik (s. d.), v. adj. θερμός = warm, heiss, wie *b) Thermopylen* s. Pylai; *c)* in *Thermemerion* s. Jeniköi; *d)* in *Thermessa* s. Volcano; *e) Thermae,* gr. Θερμαὶ Ἱμεραῖαι = himerischer Warmbrunn, j. *Termini,* Ort in Sicil., bei den j. noch sprudelnden heissen Quellen (Glob. 12, 193), an Stelle der phön. Anlage *Himera,* die am Flusse gl. N. lag; dieser war v. phön. המר = brausend, rauschend benannt (Kiepert, Lehrb. AG. 467). — Im ngr. *Thermae* = warme Bäder, auf Euboea, die alten Bäder des Herakles, dem alle warmen Wasser heilig waren (Fiedler, Griech. 1, 491) u. *Thermia* = Insel der warmen Quellen, alt Kythnos, wg. ihrer drei Thermen v. 40—55⁰ C. (Ross, IReis. 1, 106, Meyer's CLex. 15, 64).

Thessalia, att. *Thettalia,* der Name einer halbgriech. Ldsch., wird auf einen ungriech., näml. illyr. Volksstamm zkgeführt, der im 10. od. 11. Jahrh. v. Chr. aus Thesprotien einwanderte u. zuerst die nach ihm fortan *Thessaliotis* genannte obere Ebene besetzte, die einen der frühern Bewohner vertrieb, andere in die Gebirge zurückdrängte u. die im Flachland zkgebliebenen hellen. Reste zu Leibeigenen machte (Kiepert, Lehrb. AG. 305).

Thessalonike s. Saloniki.

Thethri s. Kaspisee.

Theupolis s. Antiochia.

Thian Schan = Himmelsgebirge, auch *Thien Schan* od. *Tjan-Schjan* (Bär u. H., Beitr. 20, 144), eines der gewaltigsten Gebirgssysteme CAsiens (Klaproth, Kauk. 2, 515, Klapr., Mag. As. 174, Timkowski, Mong. 1, 440, Pauthier, MPolo 1, CXIII. 163), zw. *Th. Schan Nan Lu* (s. Tatarei) u. *Th. Schan Pe Lu* (s. Dsungarei), alttürk. *Tengri Tågh* (Humb., As. Centr. 2, 368), bei den Chinesen auch *Bo Schan* = weisses Gebirge, weil es z. Sommers- wie z. Winterszeit mit Schnee bedeckt zu sein pflegt (ZfAErdk. 1875, 405), auch *Siue Schan* = Schneegebirge, 'comme étant une ramification de l'Himalaya' (Pauthier a. a. O.) od., wie der Küen Lün (s. d.), früher auch *Thsung Ling, Tsun Lin* = Zwiebelgebirge.

Thicktimbered C. s. Chanchoca.

Thienhoven Eiland, in Samoa, einh. *Tutuila,* bei La Pérouse *Mauna* (Meinicke, 1Still.O.2,107), v. holl. Seef. J. Roggeveen (Dagverh. 194) am 15. Juni 1722 entdeckt u. nach dem ersten seiner beiden Fahrzeuge benannt, welches voraussegelnd das Land zuerst erblickt hatte.

Thierberg s. Gemsistock.

Thieves Sound = Diebssund, in Feuerl., v. Capt. Fitzroy (Adv.-B. 1, 400) im Febr. 1830 benannt, weil eine Horde Pescherähs dem Master Murray das Boot gestohlen hatte. — *Thieve Islands* s. Matelotes.

Thimanäer s. Jemen.

Thing, in nord. ON. wiederholt, z. Bezeichn. der Stätte, wo die Angesehensten des Landes je auf einen bestimmten Tag des Jahres zstraten, um die Gesetze zu berathen u. Streitigkeiten zu schlichten, s. v. a. 'Landsgemeinde', auch als *althing* = Allgericht bezeichnet. So auf Island *Thingvalla, Thingvellir* = Feld des Althing (Preyer-Z., Isl. 80), am *See v. Thingvalla,* ferner *Thingwall* in Cheshire, *Dingwall* im nördl. Schottl., *Tingwall* in Shetl., *Tynewald* od. *Tingwall* auf Man (Worsaae, Mind. Danske 204). Jahrhh. hindurch hatte Shetland sein Hauptthing u. z. heidnischen Zeit seine Hauptopferstätte in einem der schmuckesten u. bestbebauten Thäler; die Thingstätte lag im Insce einer kleinen Insel, die nur durch eine Reihe grosser Steine, stepping stones, mit dem Lande verbunden ist. Dicht neben der alten Thingstätte steht j. die Kirche (ib. 293). — Auch in schwed. Wermland ein *Thingvalla,* einst auf der Insel des Wenersees, wo j. Karlstad liegt; hier war alljährl. Heerschau, Markt u. je auf Petri- u. Paulstag, 29. Juni, der landsthing, auf der Stelle, die *Lagberg* = Berg des Gesetzes hiess, wie bei den isl. *Thingvalla* (Styffe, Skand. Un. T. 153).

Thionville s. Diedenhofen.

Thira s. Santorin.

Third Shoal = dritte Untiefe nannte (s. First) der engl. Capt. Wallis am 3. Nov. 1767 eine der v. ihm entdeckten (Inseln u.) Untiefen des südchin. Meers (Hawk., Acc. 1, 283); *b) Th. Cañon* s. Grand; *c) Th. Cove* s. First; *d) Th. Grassy Lake Portage* s. Grass. — *The Thirteen Islands* = die 13 Inseln, 6 grössere u. 7 kleinere Eilande der Central-Carolinen, einh. *Ulie, Ulea, Uleai,* eig. *Wolea,* wo viell. die *Barbudos* (s. d.) des Saavedra 1528 zu suchen sind, v. Capt. Wilson, Missionsschiff Duff, am 28. Oct. 1797 getauft (Krus., Mém. 2, 342, Bergh., Ann. 9, 149, Meinicke, 1Still. O. 2, 358).

Thirsty Flat = durstige Niederung, eine trockene, mit langem dürrem Grase bewachsene Ebene am Victoria R., Arnhem's Ld., v. Capt. Stokes (Disc. 2, 76) am 10. Nov. 1839 benannt. — *Th. Sound,* in NSouth Wales, v. Cook am 30. Mai 1770 so getauft, weil die Gegend trotz wiederholtem Nachsuchen kein frisches Wasser gewährte (Hawk., Acc. 3, 128). — *Glen Th.* = durstiges Thälchen, ein wasserarmes Thal im Innern des Australcont., v. E. Giles im Oct. 1873 (Peterm., GMitth. 19, 187).

Thirzah, hebr. תִּרְצָה = Anmuth, Stadt in Israel, j. *Tullúzah,* bei Nablus (Robins., NBF. 397), v. ihrer anmuthigen Lage, welche gleichs. typisch geworden zu sein scheint; denn 'du bist anmuthig, meine Freundin, wie *Th.*' (HLied 6, 4).

Thistle's Cove, bei Lucky C., 'a little, but useful discovery', nützl. durch Holz- u. Wasservorräthe, wie durch Sicherheit, benannt nach dem Entdecker John *Th.,* dem Master v. Flinders' (TA. 1, 82) Schiff Investigator, am 11. Jan. 1802. — *Th. Island,* 2 mal: *a)* im Spencer's G., ebf. v. Flinders (ib. 133), am 21. Febr. 1802, nach demselben Officier, der ihn bei der Landg. begleitete — also nicht mit *Distel Insel* zu übsetzen; *b)* im

Arch. Amherst, Korea, 1816 v. Capt. B. Hall (Cor. XVII).

Thlew-ee-choh s. Fish R.

Thlingtscha s. Slave.

Thoanteion Akron, gr. Θοάντειον ἄκρον == Vorgebirge des Thoas, nach einem unbekannten Heros benanntes ansehnl. Heroon v. Rhodos u. ein Cap v. Karpathos, wahrsch. dessen Südspitze Akrotiri (Ross, IReis. 2, 65. 104, Curt., GOn. 147).

Thörnich s. Dorn.

Thóling, auch *Tóling* u. *Tótling* = das hochfliegende, tib. Name eines Klosters in Gnári Khórsum, sowohl in Anspielg. auf die Seehöhe, in welcher es liegt (3770 m), als auch auf den hohen Rang, den es unter den Klöstern einnimmt. In tieferer Lage der Ort *Mártholi* = Unter-*Th.* (Schlagw., Gloss. 221. 252).

Thom's Island, in Melville B., v. Capt. John Ross (Baff. B., p. 68) am 28. Juli 1818 benannt zu Ehren des Hrn. *Th.*, Zahlmeisters des Schiffs Isabella (das 2. Schiff Alexander), da er die Insel zuerst erblickt hatte. — *Th.'s Bay* s. Blenky.

Thomas, PN., insb. auch Name des Apostels, dessen Gedenktag die kath. Kirche am 21. Dec. feiert, span. *Tomás*, port. *Thomé* (s. dd.), mehrf. in ON. *a) Gleu Th.*, eine Thalschlucht zw. Prospect Rock u. Cloud Point am Lehigh *R.*, Penns., getauft zu Ehren David *Th.*'s, des Pioniers im Eisengewerbe jener Gegend (Penns. Ill. 58); *b) Th. Williams' Island*, in Frobisher Bay, v. Mart. Frobisher am 17. Aug. 1576 prsl. getauft (Rundall, VNW. 13, Hakluyt, Pr. Nav. 3, 31).

Thomé, Ilha de São, eine der Inseln im Golf v. Guinea, offb. an einem Thomastage, also am 21. Dec., wie das nahe *Anno Bom* = Neujahr einige Tage später, näml. am 1. Jan. 1471 u. mit *Ilha do Principe* = Fürsteninsel unter der Regierg. Alphons V. entdeckt. Freilich wusste v. diesen u. andern Entdeckungen jener Zeit schon Barros (As. 1, 2²) nichts näheres: 'das quaes não tratamos em particular por não termos quando e perque Capitães forão descubertas'. Und sein Zeitgenosse Camões sagt (Lus. 5, 12) v. *São Th.* nur:

'. . . co' a Ilha illustre, que tomou
O nome de hum, que o lado a Deos tocou'.

b) Cabo de São Th., in Bras., v. Vespucci ebf. am Thomastage 1501 gefunden (Varnh., HBraz. 1, 19); *c) São Th.*, port. ON. bei Madras, übersetzt aus arab. *Bè Tumah*, syr. *Bëth Thauma* = Haus (od. Kirche) des heil. Thomas, weil der Sage zuf. der Apostel hier gewohnt u. Wunder gewirkt hatte u. begraben war . . . 'da mão do qual està feita huma casa, em que elles dizem que jaz enterrado' (Barros, As. 1, 9¹ p. 303), einf. *Méliapur,Mailapura(m)* = Pfauenstadt, v. *mail* , skr. *majūra* = puram, puri = Stadt, 'parce que les princes qui régnaient autrefois dnas cette contrée, avaient un paon pour armes, et le faisaient peindre sur leur étendard' (Pauthier, MPolo 2, 622f.).

Thompson's Creek, ein lkseitg. Zufluss des Missuri, obh. Yellowstone R., v. den Capt. Lewis u.

Cl. (Trav. 170) am 28. Mai 1805 nach einem ihrer Gefährten getauft.

Thomson, Cape, am americ. Eismeer, v. Capt. Beechey (Narr. 1, 262) am 2. Aug. 1826 getauft nach Deas *Th.*, einem der Commissioners of the Navy. — *Th. Tiefe* s. Tuscarora.

Thonbach s. Tann.

Thónpo = der hohe, erhabene, tib. Bergname in Zánkhar (Schlagw., Gloss. 252).

Thordsen, Cap, in Sauriehuk, v. der schwed. Exp. 1864 nach ihrem Fahrzeuge, dem z. Schooner umgebauten Kanonenboote Axel *Th.*, getauft (Torell u. N., Schwed. Expp. 419).

Thorn, die Veste an der Weichsel, v. Deutschorden ggr. u. wohl nach einer v. dessen Besitzungen in Palaestina getauft. 'Entsprechend einem im Zeitalter der Kreuzzüge allg. Brauche liebte es der deutsche Orden, sich auch in der neuen Heimat mit den vertrauten u. verehrten Oertlichkeiten des heil. Landes zu umgeben: 2 *Jerusalem*, ein *Golgatha*, ein *Emaus*, 2 Thal *Josaphat*, ein *Starkenberg* (od. *Montfort*) u. s. f. Der erste bedeutende Waffenplatz, welchen der Orden in Preussen errichtete, wurde *Toron*, *Thorun*, *Thorn* genannt; der Name, weder aus poln., noch preuss., noch deutsch zu erklären, wird ebf. aus Palaestina herzuleiten sein, wo *Toron*, j. *Tibnin*, eine der wichtigsten Positionen des Ordens gewesen war. Aehnlich verhält es sich vermuthlich mit *Königsberg*, das, v. der Tradition ohne genügenden Grund mit König Ottokar v. Böhmen in Verbindg. gebracht, nach *Castrum regis*, *regium* benannt ist, einer der Ordensburgen nahe dem palästin. Starkenberg' (H. Prutz, CulturG. d. Kreuzz. 259f.).

Thorney s. London.

Thornton s. Carolina.

Thorny Passage = gefährliche (eig. dornvolle) Durchfahrt, zweimal in Austr.: *a)* zw. Steep Pt. u. Dirk Hartogs, v. Seef. W. Dampier benannt nach den gefährl. Klippen, welche v. der Insel auslaufen (Péron, TA. 1, 160. 163); *b)* zw. Thistle I. u. Continent, durch mehrere Inselchen so verengt, dass einzig der 2¹/₂ km br., hart am Festlande hin gehende Canal rathsam ist, v. Flinders (TA. 1, 134) entdeckt u. benannt am 21. Febr. 1802. Ihm folgte im Apr. gl. J. die Exp. Baudin mit einer vermeintl. *Baie Ségur*, nach einem der Marschälle d. N. (Péron, TA. 2, 83, Freycinet Atl. 17).

Thospitis s. Wan.

Thou, Cap de, am Spencer's G., v. Lieut. L. Freycinet (Atl. 17) am 28. Jan. 1803 getauft nach dem Historiker u. Staatsmann Jacques-Auguste de *Th.* 1553—1617 (Péron, TA. 2, 80).

Thousand Isles, the = die 1000 Inseln, ein Schwarm des St. Lorenzstroms, viele einzelne, angebl. 1600 ('which I can readily believe'), meist kleine u. hohe, bewaldete Felseilande. Der Strom 'is so thickly studded with islands, that it is like passing through a vast archipelago rather than navigating a river' (Buckingh., Can. 83); *b) Th. Lakes* s. Mille; *c) Th. Spring Valley* = Thal der 1000 Quellen, ein grasreiches, wohlbewässertes

Thal in Nevada ... 'water abundant' (Hayden, Prel. Rep. 273).

Thrake, gr. Θράκη, in adj. Form *Thrakia*, lat. *Thracia,* bei Herod. Θρηικίη sc. χώρα, hiess urspr., u. noch zZ. des peloponnes. Kriegs, der ganze europ. Norden obh. Griechenland, später v. Makedonien bis z. Ister, bei den Römern endl. nur bis z. Hämus (Thuk. 1, 100). Man will ϑραχίς = τραχίς setzen u. *Th.* als rauhes, hartes Land erklären (Pape-B., Forchh. Hell. 1, 128), was wenigstens auf das gebirgige Hinterland, die schneereiche 'Heimat des Boreas', passen würde; allein der angenommene Lautwechsel ist dieser Etym. hinderlich u. diese unwahrsch. schon durch die einfachere Form des Volksnamens Θρᾷξ, jon. Θρῆιξ, v. dem erst der Landesname abgeleitet ist (Kiepert, Lehrb. AG. 307. 320f.). — *Chersonesos Tracheia* (s. Chersonesus) u. *Thracicus Bosporus* (s. Bosporus).

Three = drei, in vielen engl. ON., nach der Zahl geselliger Inseln, Bergspitzen etc., gern als 3 Brüder od. 3 Schwestern, nämlich wenn die Objecte v. annähernd gleicher Grösse sind. Gestalt sind, wie *the Th.* Brothers = die drei Brüder, welche auf dem Felde der Entdeckungen mehrf. vorkommen: a) Berge in NSouth Wales, v. Cook am 11. Mai 1770, 'as these hills bore some resemblance to each other' (Hawk., Acc. 3, 105); b) drei der Smith Is., v. Capt. Johnstone, Schiff Cornwallis, 1807 (Krus., Mém. 2, 6 fl.); c) Inseln vor Cape Lookout, Calif., 'drei grosse sonderb. Felsen, die einander sehr ähnl. sahen; der mittlere hatte einen bogenförmig Durchgang, durch welchen wir die ferne See ganz deutlich sehen konnten', v. engl. Capt. Meares 1788 getauft (GForster, GReis. 1, 111. 151); d) ein auffälliger 3gipfliger Berg in SShetl. (Hertha 9, 465); e) drei zackige Felshörner des calif. Thales Yosemiti, ind. *Pompompasus* = die sprungfertigen Frösche, die, je näher man ihnen kommt, desto eher aussehen, als stürzten sie im nächsten Augenblick ins Thal herunter (Fortschr. 1880, 148f.). — *Th. Brother Turrets* = Dreibrüderthürme, eine der durch Verwitterg. entstandenen Felsformen an der Ostseite der Kane Sea, in der ungleichen Zerstörg. der Schichten nicht unähnl. Mauerwerk, 3 sich ähnl. gesellige Thürme darstellend, v. E. K. Kane 1854 (Arct. Expl. 1, 223). — *Th. Buttes* = drei Rundhügel, in America, wo vereinzelte Rundhöcker oft aus der Prairie aufragen u. hervorstechende Landmarken bilden, mehrf.: a) im Quellgebiete des Snake R., Idaho, 'like isolated fragments of mountains in the plains' (Hayden, Prel. Rep. 28); b) am Milk R., Montana, mit reichem Graswuchs umgeben, da in dem regenarmen Lande tägl. Niederschläge sich auf die 'Buttes' entladen ... 'and the buffalo in vast numbers are attracted to the luxuriant pasture-grounds that abound on the hill-sides', darum auch *Sweet Grass Hills* = Süssgrasberge (Journ. RGSLond. 1876, 252f.). — *Th. Hills* = 3 Hügel, eine der NHebriden, einh. *Mai* (Meinicke, IStill. O. 1, 188), v. Capt. Cook (VSouthP. 2, 38) am

24. Juli 1774 entdeckt u. nach den 3 auffälligen Spitzbergen benannt, 'remarkable by having three high peaked hills upon it by which it has obtained that name', wie am folg. Tage (ib. 40) die Insel *Two Hills,* einh. *Mataso* (Meinicke, IStill. O. 1, 189), deren 2 Spitzberge, der höhere üb. 500 m h., durch einen schmalen, niedrigen Hals verbunden sind. — *Th. Hummock Island,* in Tasmania, v. Lieut. M. Flinders (TA. 1, CLXX, Atl. 6 f.) am Vormittag des 6. Dec. 1798 entdeckt u. erst in den folgg. Tagen als drei Bergmassen, *hummocks,* einer u. derselben Insel erkannt. Der südlichste dieser Berge ein 240 m h. *Sugar Loaf* = Zuckerhut (Stokes, Disc. 1, 270). — *Th. Islands* s. Bonin. — *the Th. Kings* = die 3 Könige, bei Abel Jansz Tasman 't drie Koningen Eylant', v. ihm am 6. Jan. 1643, d. i. am Feste der heil. 3 Könige, passirt (v. Hochst., NSeel. 2. 62), drei kleine, hohe u. gefährl. Felseilande bei NSeel., einh. *Manawitawi* (Meinicke, IStill. O. 1, 256). — *Th. Peal Mountain* = dreispitziger Berg, an der Magalhães Str., mit sägezähnigem Grat u. drei Gipfeln (Skogm., Eug. R. 1, 104). — *Cape Th. Points* = Cap der drei Spitzen, in NSouth Wales, v. Cook am 7. Mai 1770 nach den 3 trotzigen Felsspitzen (Hawk., Acc. 3, 103). — *Th. Point Bend,* ein Flussknie, *bend,* am R. Colorado, v. Capt. Ives (Rep. 50) im Jan. 1858 erreicht u. getauft nach den scharfen Felsspitzen, deren 2 einer-, der dritte anderseits in das Fahrwasser vorspringen, während eine isolirte Klippe, *Lone Rock* = einzelner Fels, nahe der Mitte des Stromes herausragt. — *Th. Rivers* s. Foix. – - *Th. Rapid Portage,* ein Trageplatz im Netze des Yellow Knife R., nach den 3 *rapids,* Stromschnellen, einer u. umgeht (Franklin, Narr. 212 ff.). — *Th. Sioux Rivers,* übsetzt v. frz. *les Trois Rivières des Sioux,* f. 3 nahe beisammen, unth. Big Bend, mündende lkseitge. Zuflüsse des Missuri, weil an der Mündg., dem *Sioux Pass (of the Th. Rivers),* diese Indianer den Strom zu passiren pflegen (Lewis u. Cl., Trav. 56). — *Th. Sisters* = die 3 Schwestern, mehrf.: a) eine Inselgruppe des Erie L. (Buckingh., East. & WSt. 3, 423); b) drei gipflige Waldinseln der Torres Str. (ZfAErdk. 1876, 4); c) ein 3gipfliger Gebirgsstock der calif. Sierra Nevada (Meyer's CLex. 12, 355); d) coll. f. einen kleinen Zufluss des Missuri u. 2 Flussinseln vor seiner Mündg. (!), urspr. frz. *les Trois Soeurs* (Lewis u. Cl., Trav. 58). — *the Th. Suga loaves* = ·die 3 Zuckerhüte, 3 zieml. hohe Eilande, Mergui, v. Capt. Thom. Forrest am 1. Sept. 1783 benannt (Spr. u. F., NBeitr. 11, 197). — *Th. Tetons* = drei Brüste, drei gesellige Bergháupter, welche in das Plateau des Snake R., Idaho, vorspringen, nach ihrer Zitzenform. Hayden (Prel. Rep. 28) sah sie 'with the form of sharks' teeth' (s. Teton) ... 'from whatever point of view one can see the *T. Range* the sharp-pointed peaks have the form of huge shark's teeth' (ib. 133, Raynolds, Expl. 92). — *Three-thousand Mile Island,* eine Insel des Jefferson R., v. Capt. Lewis am 11. Aug. 1805 so getauft,

weil sie 3000 miles obh. der Mündg. des Missuri (vgl. Twothousand) liegt (Lewis u. Cl., Trav. 261).

Thrinakia s. Sicilia.

Thrum Cap = Trumm-Mütze, ein kreisrundes, niedriges u. bewaldetes Atoll v. kaum $2^1/_2$ km Umfang, in der Centralgruppe der Paumotu, einh. *Akiaki*, bei Wilkes *Pukerua* (ZfAErdk. 1870, 357, Meinicke, IStill. O. 2, 212), benannt v. Lieut. Cook am 4. April 1769 offb. nach der Gestalt (Hawk., Acc. 2, 73). Bougainville (Voy. p. 180) hatte sie am 22. März 1768 *Isle des Lanciers* = Insel der Lanzenträger genannt, weil er auf ihr grosse broncefarbene nackte Leute, mit langen Piken bewaffnet u. diese feindl. schwingend, erblickt hatte (Beechey, Narr. 1, 155).

Thryon, gr. Θρύον = Binse, auch Θρυόεσσα = die binsenreiche, Stadt am Flusse Alpheios, Elis (Hom., Il. 2, 592). 'Die ganze Gegend, bes. die Flüsse, sind binsenreich; am meisten aber fällt dies an den zu durchwatenden Stellen des Flusses in die Augen' (Strabo 349). — *Thryanda*, gr. Θρύανδα = Binsenthal, eine Stadt in Lycien (Pape-B.).

Thsethung s. Zeitun.

Thsin s. China.

Thsinghai s. Hai u. Kuku.

Thsiuantscheu s. Zeitun.

Thsungling s. Küen Lün.

Thud G. s. Thumping.

Thüringen od. *Duringen*, seit dem 4. Jahrh. patron. Bezeichng. f. einen Complex mitteldeutscher Landschaften, nach dem Suevenstamm der *Hermunduren* = der echten, edeln *Duri* (wo *irmin* ein ehrendes u. vergrösserndes Beiwort), die schon bei den ant. Autoren (Plin., HNat. 4, 14. 28, Tacitus etc.) erwähnt u. gew., mit Adelung, als die Vorfahren der Thüringer, alt *Thoringi, Thuringi, Duringi*, altengl. *Thyringas* = die Tapfern, Muthigen (vgl. altn. *thoran* = Muth, Tüchtigkeit, skr. *tura* = eilend, stark, überlegen) betrachtet werden (Förstem., Altd. NB. 921, A. Erdmann, Angeln 86). Die Ansicht, als seien in diesem Volke die v. Caesar (Bell. gall. 1, 5) erwähnten *Thulinger* zu suchen, die als 'Anwohner der Thur' südlich v. Bodensee gesessen, wollte A. Werneburg (Jahrbb. Acad. Erf. nf. 10, 1—112) auch durch die ON. stützen, die sich in *Th.* u. im Thurgau wiederholen; allein er fand einen überlegenen Widersacher in A. Kirchhoff (*Th.* doch Hermundurenland, Lpz. 1882). Für den Volksnamen geht Förstemann (D.ON. 244f.) auf die *Tyra*, einen kleinen Zufluss der Helme, zk.; ders. kommt aus dem Stolberger Thal, durchfliesst die Goldene Aue östl. v. Nordhausen u. dürfte urspr. kelt. *Dura* (s. Dur) sein. In ihrer Nähe liegt *Tyrungen*, weiter aufw. an dems. Flusse *Uftrungen*, alt *Ufturunga* = Ober-Tyrungen. 'Wende mir Niemand ein, es sei unpassend, ein grosses Volk v. einem kleinen Flusse zu benennen; ich bin übzeugt, dass unsere meisten u. ältesten Völkernamen zunächst nur v. ganz kleinen Gebieten ausgehen u. sich erst in Folge geschichtl. Ereignisse weiter verbreiten'. Im An-

schlusse an die *Tyra* seien noch aufgeführt: *Heldrungen* an der Helde, *Bodungen* an der Bode, *Leinungen* an der Leine, *Moringen* an der Moor, *Beverungen* (s. Bevern), *Madelungen* an der Madel, *Salzungen* an den Salzquellen, welche den alten Streitpunkt der Chatten u. Hermunduren bildeten, *Schleusingen* an der Schleuse, *Melsungen*, früher Gau *Milisunge*, an der Milzisa, j. Mülmisch, *Lauringen* an der Lauer. — Nach Volk u. Land der *Ther Wald*, ein Gebirge 'durchpulst v. grünem Waldleben', bei Ad. v. Bremen schon *Thuringiae Saltus* (Daniel, Hdb. Geogr. 3, 304ff.). Im 11. Jahrh. hiess das Gebirge *Loiba, Loybe*, was die Einen f. slaw., Andere 'mit mehr Recht' f. ahd. *loup*, nhd. *laub* = frons halten (Förstem., Altd. NB. 1019). 'Mit dem frühern Mittelalter wurde es den Colonisten z. einfachen *Wald*, auch *Loiba*, was, j. noch partiell gebraucht, dem nhd. *Laube*, dann wohl auch *Laubdach*, entspricht — unser Waldgebirge in seiner einstmaligen Urwaldpracht' (Kirchhoff, Mitth.GGThür. 3, 18ff.).

Thule, der unerklärte Name des v. Massilier Pytheas, einem Zeitgenossen Alexanders d. Gr., erreichten äussersten Nordlandes, das man seit dem Mönch Dicuil im j. Island suchen wollte, ozw. jedoch eher in Shetland od. Norwegen vermuthen darf. Als typischen Ausdruck f. die entlegensten Gebiete, die jew. nach einem der beiden Pole hin bekannt geworden, hat Capt. Cook (VSouthP. 2, 225) ein *Southern Th.*, die äusserste, hohe u. schneebedeckte Küste des austral. Sandwich Ld., am 31. Jan. 1775 getauft ... 'because it is the most southern land that has ever yet been discovered'.

Thumping Geyser od. *Thud Geyser* = Puffgeysir nannte 1871 der Geol. F. V. Hayden (Prel. Rep. 106. 183) einen Geysir des Fire Hole nach dem dumpfen unterdrückten Ton, den die Springquelle hören lässt, wenn das Wasser springt u. sich beruhigt.

Thun, Stadt am Ausflusse des *Thuner-See's*, aus einer alten Hügelveste erwachsen, im 12. Jahrh. *Tuno, Tuna*, wird zieml. allgemein zu kelt. *dun* (s. d.) gestellt. 'Wir halten *Th.* f. einen der im C. Bern nur selten vorkommenden kelt. ON. zwar darum, weil die Nachricht Fredegar's üb. das Aufwallen des *Thuner-See's*, der in dieser Stelle den Namen *Lacus Dunensis* trägt, in ein hohes Alter, um 595, hinaufreicht, geben ihm aber nicht die Bedeutg. v. Hügel, sondern die v. Befestigg., fester Punkt, da der Name gewiss nur wg. der frühen Bewohnung u. Ummauerung des Orts, nicht wg. des Hügels selbst, auf welchem Schloss u. Kirche .... stehen, in der altgall. Form auf uns gekommen ist. Yverdon u. Nyon (s. dd.) haben keine hügelartigen Erhebungen, u. -*dunum* kann auch in diesen Namen nur ummauerter Ort bedeuten' (Gatschet, OForsch. 114).

Thunder, = Donner, in engl. ON. a) *Th. Island*, in St. Martin's Lake, Saskatchewan, v. der canad. Exp. 1858 so benannt z. Andenken an einen v. Blitz u. Donner begleiteten Hagel- u.

Regensturm, welchen sie am 28. Sept. hier aus-
zuhalten hatte — den letzten der seit 14. Juni
in der Prairie ausgestandenen 20 Gewitterstürme
(Hind, Narr. 2, 34); *b) Th. Head* = Donnercap,
engl. Umdeutg. des ind. Namens *Dondura, Don-
drah*, f. die Südspitze Ceylons (Lassen, Ind. A.
1, 232).

Thungtsching s. Zeitun.

Thur, im 9. Jahrh. *Dura*, 2 mal, in der Schweiz
u. im Elsass, gehört unter die Flussnamen, welche
mit mehr od. weniger Sicherheit in kelt. *dur*
(s. d.) gestellt werden. Nach dem erstern benannt der *Thurgau*, im 8. Jahrh. *Duragowe*,
1495.97 bei Türst (QSchweiz.G. 6, 6) *pagus Ti-
gurinus*, als *Zürich*- od. *Durgöuw* übsetzt, eine
grosse Grafschaft, die v. Bodensee u. Rhein bis
z. Reuss u. den Alpen sich erstreckte (noch j.
heisst der aarg. Grenzort *Turgi*), seit 1803 in
engerer Abgrenzg. ein schweiz. Canton. Ein ent-
sprechendes Namenspaar sind *Zürich* u. *Zürichgau* (Förstem., Altd. NB. 495 ff.). — *Thurstuden*
s. Staudach.

Thurso, ein Fluss v. Caithnes, Schottl., altn.
Thórsá = Thor's Fluss, in einer an nord. Alter-
thümern reichen Gegend. An der Mündg. der
Ort *Th.* u. die ziemlich geschützte *Bight of Th.*
(Worsaae, Mind. Danske 318).

Thymen s. Freeman.

Thyrides, gr. Θυρίδες = Pforten (Pape-Bens.,
Curt., GOn.156), in Lakonien (Strabo 335). 'Vom
Meere aus gesehen, macht die schroffe Klippen-
küste einen ausserordentl. Eindruck. 200 m h.
steigen die Marmorfelsen senkr. aus der Flut
empor, oben gerade abgeschnitten, einer riesenhaften weissl. Mauer ähnl., unten mit schwärzl.
Rande. Ein heftiger Strom rauscht unaufhörl.
vorüber; eine rastlose Brandg. schlägt an den
Felsen auf, u. die Wellen stürzen donnernd in
die tiefen Steinlöcher u. Höhlen hinein, aus denen
zahllose Tauben scheu emporflattern. Wg. dieser
fensterähnl. Höhlen hatte das ganze Vorgebirge
den Namen *Th.* (Curt., Pel. 2, 281), lat. noch
deutlicher *Columbarium* = Taubenschlag (Curt.,
GOn. 156), j. *Capo Grosso*.

Tiahuanaco, berühmter peruan. Ruinenort, der
zuf. einer ind. Sage seinen Namen erst erhielt,
als der (vierte) Inca Mayta Ceapac die Aymara
bekriegte. Als der König hier lagerte, langte
ein Läufer, v. Stamm der Cañari, an, u. da ders.
in merkw. kurzer Zeit v. Cuzco gekommen war,
so rief ihm der Inca zu: *Tia* (= setz' dich
huanaco! Hier ist zu erinnern, dass das Gua-
naco das schnellste Thier in Peru war (WHakl.
S. 33, 379).

Tiara, Berg, ein zieml. hoher, flacher Berg, in
der Mitte mit einem Aufsatze v. 3 Spitzen, v.
Capt. v. Krusenstern (Reise 2, 143) im Juli 1805
genannt nach der 3fachen Krone, welche dem
Papst bei der Weihe gereicht wird, urspr. einer
turbanartigen, morgenl., namentl. pers. Kopfbedeckung.

Tiber s. Tevere.

Tiberius, des Augustus Stiefsohn u. Nachfolger,

ist f. 2 ON. Pathe geworden *a) Tiberias* (s. Tabarieh), *b) Forum Tiberii* s. Kaiserstuhl.

Tibesti s. Tibu.

Tibet, eines der hinterasiat. Plateaux, in Indien
Bhotija, zshängend mit *Bod, Bodjul*, wo *jul*
= Land, dem einh. Namen, in chin. Annalen
seit dem 6. Jahrh. *Thu pho* (Timkowski, Mong.
1, 455), bei den Arabern, denen das Land früher
bekannt war als den Europäern, *Tibat, Tobbat*,
bei MPolo (ed. Pauthier 2, 370) *Tebet*, lauter
Formen, die auf tib. *thub* u. *phod* zkführen,
beides 'fähig, stark sein' u. zu dem Namen vereinigt, um die Bedeutg. zu verstärken. Dem
Namen *T.* gibt der abbé Aug. Desgodins, apostol.
Provicar in *T.*, die Orth. mit *th* (Indo - europ.
Corr. 29. Sept. 1880), weil die eigenthüml. Aussprache des tib. *Thod*- od. *Stod-bod*, eine Art
Aspiration, in der Schrift durch *th* wiedergegeben
werde; dagegen macht L. Feer, der Director der
frz. Nationalbibliothek, gewiss mit Recht, geltend
(Compte R.SGPar. 1887, 267 ff.), dass in unserer
Aussprache *Thi*- od. *Tibet* denselben Klang haben;
es habe also keinen Sinn, in einem so arg entstellten Worte eine Feinheit anwenden zu wollen,
die unser Sprachorgan doch nicht wiedergeben
kann. Auch der port. Reisende Ant. Andrada,
mit dessen Bericht 1625 die heutige Form in
Umlauf kam, schrieb *t.* Der Notiz ist 1889 eine
förml. Monographie gefolgt (L. Feer, Etym., hist.,
orth. du mot *T.*, 20 pp. in 8⁰), welche behandelt:
a) le mot *bod;* *b)* le mot *T.* et ses variantes;
c) étym. du mot *T.;* *d)* histoire du mot *T.* jusqu'en 1630; *e) T., Thi-, Tibet;* *f)* quelle orth.
adopter? *g)* liste des variations — une claire,
mustergiltige Arbeit, zu reichhaltig, um hier
skizzirt zu werden. Nur das sei herausgehoben,
dass Georgi zuerst eine Etym., *yid-bod* = Herz
Buddha's, wo *yid* in *ti* umgestellt sei, gab u.
dabei nur das Verdienst hat, in *bod* den Landesnamen selbst erkannt zu haben; dass Schiefner
ti durch *thub* ersetzt u. in *Thub-bod* eine Reduplication des Landesnamens, mit umgestellter
erster Hälfte, sieht; dass eine beiläufige Frage
Köppens zu der Deutg. 'Hochland', le Bod élevé,
führte. Man sieht, die oben erwähnte Deutg. ist
hier unerörtert bleiben u. darf vorläufig auf ihren
Platz nicht verzichten. In *T.* selbst sind auch
descriptive Namen gebr., z. B. *Khawats changjijul*
= Schneeland, genauer Land voll Schnee, v.
kha-wa = Schnee, *tschan* = voll, eine adj. Endg.,
gyi s. v. a. 'von' (Genitivzeichen) u. *yul* = Land
Schlagw., Gloss. 210), od. *Gangrigyong* = Gegend
der Schneeberge, *Sajacwa* = Nabel der Erde etc.
(Schlagw., Gloss. 253).

Tibiras s. Tupinamba.

Tibu, in engl. Orth. *Tibboo*, ein Berberstamm
der südl. Sahara, gew. als 'Vögel' gedeutet wg.
des schnellen Laufes (Humb., ANat. 1, 87) od. v.
der pfeifenden Stimme (Rougem., MGeogr. 40),
was jedoch nur dem eignen Namen *Tubu* an-
bequemt zu sein scheint. Sie selbst nennen ihr
bergiges Wiegenland arab. *Tibesti*, v. *tu* = Stein,
mit *bu*, der Pluralendg. der Kanori, also 'Leute

v. Tuᶜ (Peterm., GMitth. 16, 286, ZfAErdk. 1870, 216).

Tiburon, Cabo = Hayfischcap, mehrf.: *a)* f. die Westspitze Hayti's, des Columbus *Cabo de San Miguel* (s. d.), ein Schifferausdruck, da das Cap der Schnauze eines Hayes ähnelt. 'CT.... maketh a sharpe cliffe like the snout of a tiburon or sharke-fishᶜ (Hakluyt, Pr. Nav. 3, 670); *b)* an der Westseite des Golfs v. Darien (Stieler's HAtl. No. 49ᵇ). — *Isla del T.*, im Golf v. Californien, mit 2 Arten ungeheurer Haye, el *t.* u. la tintorea (DMofras, Orég. 1, 204. 214). — Im plur. *Isla de los Tiburones*, die zweite der beiden Südseeinseln, welche Magalhães am 4. Febr. 1521 erblickte, v. ihm selbst so getauft, nach den zahlr. Thieren, 'por los muchos que allé cogieronᶜ, beide zs. (vgl. Pablo) *Islas Desventuradas* = unglückliche Inseln; weil die menschenleeren Eilande den ausgehungerten Seeleuten nur Vögel u. Bäume boten: 'por no haber hallado en una ni otra gente, ni el consuelo de refresco algunoᶜ (Navarrete, Coll. 4, 52. 218, Pigafetta, Pr. Voy. 52, in Barros, Asia 3, 5 p. 54 pt. Form *Ilha dos Tubarões*). Ozw. id. die flache, dicht bewaldete, cocoslose, unbewohnte, schwer zugängl., erst 1801 wieder gesehene *Flint Island* (Meinicke, IStill. O. 2, 258).

Tichoe M. s. Pacific.

Ticino, die ital. Form des lat. *Ticinus*, deutsch *Tessin*, kelt. Flussname im Netz des Po, bedeutet nach dem Keltisten d'Arbois de Jubainville (Rev. Arch. 30) einfach 'Flussᶜ. — *Ticinum* s. Pavia.

Tide s. Eau.

Tjebong, Telaga = See der Kaulquappen, mal. Name eines See's in engem, düsterm Thalgrunde des Gebirgs Dieng, Java, nach den Froschlarven, der gewöhnl. Nahrg. der Enten u. übr. Wasservögel (Junghuhn, Java 2, 195).

Tief, ahd. *tiuf*, altn. *diup*, holl. *diep*, dän. *dyb*, schwed. *djup*, ags. *diop*, engl. *deep*, häufig in ON. z. Bezeichng. der Tiefen- od. Schluchtenlage, f. sich z. B. mehrf. in *Teufen*, f. dial. *Tüfen*, zsgesetzt in *Tiefenbach* (s. Bach), alt *Diufonbah*, in *Tiefenthal, Tiefengruben* u. a., wohl auch in *Dümmersee*, Osnabrück, der im 9. Jahrh. als *Diummeri*, f. *Diupmeri*, erscheint (Förstem., Altd. NB. 467 ff.). Erst aus dem Roman. übernommen: *Tiefenkasten*, richtiger *Tiefencastels*, auch bei Campell *Tiefencastell*, Ort in der Schlucht der Albula, Graub., rätr. *Chiastè* = Burg, mit dem deutschen 'tiefᶜ (s. Teufen), welches die 'untere Burgᶜ, im Vergleich zu Reambs, der obern, bezeichnen soll u. zugl. volksetym. zu einem 'Kastenᶜ umgedeutet, während in Schams *Castì*, in Lugnez *Obercastels* sich erhalten hat (NAlpP. 5, 116). Das befestigte Lager, angebl. *Ima Castra*, 'welches die Römer an diesem v. der Natur schon festen Platz, z. Schutze des Alpenüberganges', halten sollten, ist Fabel (Campell ed. Mohr 48). Dagegen war in neuerer Zeit der auf einem Felsvorsprg. zw. Oberhalbsteiner Rhein u. Albula gelegene Ort wirkl. befestigt, wie es dem Strassen-

kreuz geziemte. Noch unsers Erinnerns stand ein Wachtthurm mitten auf der Brücke, der erst bei dem Bau der 'obern Commercialstrasseᶜ 1836 u. bei dem dam. Umbau der Brücke abgetragen wurde. Allerdings waren die Thore schon längst verschwunden.

Tiegenort s. Ruhrort.

Tieling = Eisengebirge, chin. Name eines Bergzugs der Mandschurei, nach dem reichen Eisengruben, deren Ausbeute in *Tieling Hien*, mit *hien* = Stadt, dem Birmingham u. Sheffield der Mandschurei, verarbeitet wird. 'The clashing blows of hammer on anvil, and creaking bellows, resound on all sides, as the sturdy smiths ply their work, while crowds of country-folk surge hither and thither in the lurid glow of the blazing furnacesᶜ (Journ.RGSLond. 1872, 158).

Tiennot, Cap, auch *Tiéno* geschrieben, in Labrador. v. frz. Seef. J. Cartier zu Anf. Aug. 1534 so benannt nach einem Häuptling *T.*, dessen Leute mit 2 Canots herausruderten u. auf die Schiffe kamen, als ob sie Franzosen gewesen wären. Inzw. stand *T.* auf dem Cap u. machte Zeichen, dass er im Begriffe sei, heimzukehren mit den gefüllten Kähnen (Hakluyt, Pr. Nav. 3, 211), j. *Cap Montjoli* (Avezac, Nav. Cart. XI, M. u. R., Voy. Cart. 49).

Tien Tsing = himmlischer Platz, schon bei MPolo in *Città Celeste* übsetzt, Flussstadt unth. Pe King (Staunton, China 2, 26).

Tifernum s. Tevere.

Tiflis, die neue Hptstadt Georgiens, v. den Königen des neugeorg. Vasallenreichs im 6. Jahrh. nahe dem alten Landeshaupt Mtzchêth erbaut (Kiepert, Lehrb. AG. 86), wird mit seltener Einstimmigk. als 'Warmstadtᶜ betrachtet, georg. *Tphilissi, Tbilissi, Tphiliss Kᶜalaki, Tbilis Kabar*, v. *tphili, tbili* = warm, wg. ihrer schönen Schwefelthermen v. 45⁰ C. (Parrot, Arar. 1, 28. 38 ff., Klaproth, Kauk. 1, 733, Edrisi ed Jaub. 2, 325, Güldenst., Georg. 72. 128, Potocky, Voy. 2, 251, Polak, Pers. 2, 366, Spr. u. F., NBeitr. 10, 204, Hammer-P., Osm. R. 4, 68).

Tiga s. Wellesley.

Tigani, v. ngr. τήγανον = Bratpfanne, heissen v. ihrer fast kreisrunden Gestalt 2 Häfen v. Knidos, sowie der dem 'grossenᶜ sehr ähnl. Hafen v. Samos (Ross, IReis. 2, 83. 148).

Tiger, sei es der Königstiger od. eine der kleinern Arten, der americ. Jaguar od. der afric. Panther u. a., begegnet mir in meinen Materialien merkw. selten, wohl gar nicht in *T. Island* (s. Matty), nur uneig. in *Tigris* u. *Boca Tigris* (s. dd.), ohne Motivirg. im *T. Creek* u. *Panther Island*, am untern Missuri (Lewis u. Cl., Trav. 12). Auch das *Tijger Gebergte*, bei der Capstadt, hat seinen holl. Namen 'nicht v. Aufenthalt dieser Thiere, sondern weil es v. weitem fast eben also gefärbet scheinet, als die Tigerfelleᶜ (Kolb, VGHoffn. 205). — Hingegen *Tijgerhoek*, ein Bergvorsprg. im Caplande, in dessen abgelegenen Theilen der 'Tigerᶜ, eig. Panther, noch zu Anfang des 19. Jahrh.

vorkam (Lichtenst., SAfr. 1, 143. 218). — *Tiger-feld* s. Tegernsee.

Tigilsk s. Tagilsk.

Tigris, der ungeberdige Zwillingsbruder des langsamer fliessenden Euphrat, assyr.-aram. *Diglâ, Diglâth, Idiglat* (Oppert, Exp. Més. 1, 66), was schon als Umbildg. eines vorsemit. *Tiggar* = Fluss betrachtet wird, medopers. *Tigrâ* = Pfeil, sei es, dass sich die Urform treuer erhalten od. die semitische umgedeutet wurde; im letztern Fall musste ein Lautwechsel stattfinden, da die Perser kein *l* haben u. es durch *r* ersetzen. Altbaktr. *Tighris*, gr. *Tίγϱης*, besser *Tίγϱις*, huzv. ܕܝܓܠܬ, armen. *Dkghath*, bei Plin. (HNat. 6, 127) *Diglito*, arab. *Didschle* (Spiegel, Eran. A. 1, 172) ... Itaque a celeritate, qua defluit, *Tigri* nomen est inditum, quia Persica lingua *tigrin* sagittam appellant (Curt., Alex. M. 4, 9³⁷). Vgl. Orontes. Hebr. חִדֶּקֶל, *Chiddekel*, wahrsch. v. קָדַד [chadak] = schnell sein, also der schnelle Fluss (Gesen., Hebr. Lex.). Gewöhnlicher j. *Schatt* = Fluss, vollst. *Schatt el-Arab* = Strom der Araber, namentl. im Mündgslaufe (Kiepert, Lehrb. AG. 78 f. 136, Spr. u. F., NBeitr. 3, 39, MPolo ed. Pauth. 1, 48, Note). — *Boca T.* = Tigerrachen, übsetzt aus chin. *Humen*, der gemeinschaftl. Mündgsrachen dreier chin. Ströme, welche den Kantonstrom bilden, nach der in ihm liegenden *Ilha do Tigre* = Tigerinsel u. diese wieder nach dem einem Tigerkopfe ähnl. Felsumrissen der Ostspitze (Peterm., GMitth. 4, 11, Meyer's CLex. 3, 401). — *Tigrano-kerta*, arm. *Tigranakert* (s. Kiriah), wo das syr. Lehnwort *kert* = Stadt, erbaut um —80 durch Tigranes II., nachdem er das seleukid. Reich in Syrien mit Armenien vereinigt hatte, grösstenth. bevölkert v. griech. Colonisten, die aus Kappadokien hergeführt wurden (Kiepert, Lehrb. AG. 80).

Tîh, Wady et- = Thal der Verirrung, Irrfahrten, die mit Feuerstein u. Kreide bedeckte Wüste zw. Judaea u. Sinai, bei Abulfeda, der die Irrfahrten auf die Wanderungen der Israeliten bezieht, *et-Tih beni Israel* = Wanderland der Kinder Israels (Russegger, Reis. 1, 264, Robins., Pal. 1, 293, briefl. Mitth. v. Dr. Delgeur dd. Anvers 18 déc. 1870).

Tijger s. Tiger.

Tiionwakwatha s. Grand.

Tikal = zerstörte Paläste, im Maya das merkw. Ruinengebiet einer alten Stadt bei San José (ZfAErdk. 1, 168. 175), wo am 26. Febr. 1848 der Oberst Méndez u. der gobernador Ambr. Tut anlangten (Buschmann. Azt. ON. 115).

Tilesius, Pik, ein Kegelberg Tondo's, v. russ. Capt. J. A. v. Krusenstern (Reise 2, 28) im Mai 1805 getauft 'nach dem Naturforscher unsers Schiffs'.

Tillay s. Teillé.

Tilsit, auch *Tilse*, Ort in Ostpreussen, als Ordensburg 1288 ggr. an dem Punkte, wo die *Tilse* = Moor- od. Sumpffluss, v. lit. *tilszus* = sumpfig, was 'z. Beschaffenheit des Unterlaufs trefflich passt' (Thomas, Et. WB. 157), in die Memel mündet (Daniel, Hdb. Geogr. 4, 253).

Tilson's Islands, vor Shág-a-voke, am 6. Juni

1830 v. Capt. John Ross (Sec. V. 395, Carte) nach seinem Freunde T. *T.* esq., benannt, wie nach dessen Töchtern *Margaret* u. *Eliza Island.*

Timah s. Singapur.

Timber s. Zimmern.

Timbuctu, auch *Tum-* u. *Tombuktu*, bei den Port. des Entdeckungszeitalters *Tungubutu* (Barros, As. 1, 3⁸ p. 220), viell. v. sonrh. *túmbutu* = Höhle, Mutterleib, nach der Einsenkg., in welcher die Stadt zw. den Sandhügeln eingebettet ist (Barth, Reis 4, 419). Hier auch 'die alberne Ableitg. des Namens v. einer Sclavin, welche hier niedergekommen sein soll'.

Timm, ind. Naturlaut f. den grossen Fall des Columbia R., wohl ohne bestimmten Sinn; denn in Lewis u. Clarke (Trav. 362) heisst es: 'This place they designate by a name very commonly applied to it by the Indians, and highly expressive, the word *T.*, which they pronounce so as to make it perfectly represent the sound of a distant cataract'. Nach dem Fall die nahen *Timm-* od. *Fall Mountains* (ib. 363. 369).

Timmi = Stein, bei den Tuareg ein Ort v. Tuat, einer der merkw. Zeugen f. die Annahme, dass einst die Tuareg diese Oase bewohnten, während die Bevölkerg. heut zu Tage th. aus Arabern, th. aus berb. Schellah besteht (Rohlfs, Mar. 117 f.).

Timor = Osten, mal. (nicht jav.) Name einer der Kleinen Sunda In., die den Malajen u. Javanen die östl. Grenze ihrer Seefahrt war. Gegen Neu Guinea hin *T.* Laut = Seewärts *T.* (Crawf., Dict. 433) od. Nordost (Lassen, Ind. A. 1, 399). — *Ley T.* s. Amboina.

Timpanogos s. Jordan.

Timpsacum s. Thapsacus.

Timsah s. Temsach.

Tîn = Feigen, Feigenbaum, woher *metâna* = Feigenbaumgarten (Parmentier, Vocab. arabe 48), ein in arab. ON. *a*) *Wady et-T.* = Thal der Feigen, die an Feigenbäumen reiche oberste Thalstufe des tripol. Wady Sofedschin, während die mittlere *Basin* = Kuchen, nach der reichen, bis 100 fält. Getreideernte, die untere *Waschin* = Dattelteig heisst, nach ihren Dattelwäldern (Peterm., GMitth. 1, 253); *b*) *'Ain et-T.* = Quelle des Feigenbaums, bei Chan Minyeh, am See v. Gennesareth, unter Felsen hervorbrechende, starke, süsse, v. einem grossen Feigenbaum beschattete Quelle, welche einen Bach bildend in den See mündet (Robinson, Reise 3, 542, Burckhardt, Reis. 2, 558); *c*) *Râs et-T.* = Feigencap, in der Cyrenaica, v. der Feigencultur, die einst dort blühte, 'wie ja auch schon im Stadiasmos bei so vielen Landungsplätzen, bes. wo eine Waldschlucht ist, des Feigenbaumes am Brunnen nicht vergessen wird', im Alterth. (einfach?) *Chersonnesos*, gr. *Χεϱσόννησος* = Halbinsel (Barth, Wand. 501 f.). — *Wady et-T.* wiederholt sich beim Frankenberg, Palaest., wo aber nicht ein Feigenbaum mehr steht (Peterm., GMitth. 17, 207).

Tind s. Zahn.

Tineh s. Pelusium.

Tingi, Pulo = hohe Insel, eine 600 m h. waldige

Trapp- u. Porphyrmasse nördl. v. Singapur (Crawf., Dict. 436).

Tingwall s. Thing.

Tinnè s. Chipewyan.

Tinney, Point, am americ. Eismeer, v. Richardson, Exp. Franklin (Sec. Exp. 242 ff.), im Sommer 1826 benannt nach seinem Freunde William *T.*, esq., 'of Lincoln's Inn'; *b)* ebenso *T.'s Cove*, bei Bathurst It., schon am 7. Aug. 1821 v. Franklin selbst (Narr. 378 ff., Carte 394).

Tinto, Rio = der gefärbte Fluss, span. Flussname zw. Guadiana u. Guadalquivir; das gelbe, kupferhaltige Wasser des Flusses ist dem organ. Leben so feindl., dass kein Fisch darin lebt u. nur Ziegen es trinken mögen (Cannabich Hülfsb. 1, 116). Die Kupferwerke v. *RT* sind 'die reichsten der ganzen Welt' (Stein u. Hörsch., HG. u. St. [Span. u. P.] 7. Aufl. 74).

Tionontoken s. Marie.

Tipasa s. Thapsacus.

Tipi s. Bear.

Tiraspol s. Dnjestr.

Tirhût = die v. Flüssen eingeschlossene, hind. Name einer (Stadt u.) Prov. in Bengál, v. skr. *Tirabhukti* = die Gegend mit Flussgrenzen, wie sie denn wirkl. v. Ganges, Gandak u. Kosi eingefasst ist (Schlagw., Gloss. 254).

Tirnau s. Tarnopol.

Tirol, nicht *Tyrol*, urspr. Burg ob Meran, deren röm. Vorgänger in der not. dign., um 400, als *Teriolis* erscheint (Planta, ARät. 122), die Residenz der Grafen, deren Geschichte im 12. Jahrh. vornäml. im Etschthal, v. Meran bis Bozen, spielt (Daniel, Hdb. Geogr. 4, 901. 910), gehört unter die etymol. Räthsel, welche es bleiben, auch wenn tausend nebensächliche ON. sich einer Deutg. erfreuen. — *Cap T.*, ein imposantes, fast 1000 m h. Vorgebirge in Franz Joseph's Ld., zuerst Ende März 1874 v. der österr.-ungar. Exp. erblickt u. am 18. Apr. v. Payer bestiegen (Peterm., GMitth. 22, 203 ff.). — *T.er Fjord*, in Grönl., auf einer Schlittenreise der II. Deutschen Nordpolexp., Herbst 1869, so getauft, weil sich Jul. Payer hier in die tirol. Alpenwelt versetzt glaubte. 'Ueber ein noch ungelöstes geograph. Problem, aus Bayen, Landzungen, Gebirgszügen, Gletschern zsgesetzt, schweifte der Blick zu den wohl weit üb. 3000 m h. Wernerbergen mit ihren an die Dolomitgebirge Süd-*T.'s* erinnernden Formen' (Peterm., GMitth. 17, 196. 416 T. 10).

Tirtharadschi s. Benares.

Tis = Eibe, slaw. Namenelement in *Tisek, Tisem, Tismitz, Tissa*, Böhm., *Tisina, Tisova, Tisovac, Tiszovac, Tiszovica, Tiszovnyik*, Kroat., Slaw., Ung. etc. (Miklosich, ON. App. 2, 247 ff.), *Tys, Tyss, Tyssa*, in Böhm., *Tyśmienica, Tyśmieniczany, Tysowica, Tysowiec, Tyszkowce, Tyszkowice, Tyszownica, Tyszyca*.

Tis Esát = Feuerrauch, abess. Name des Wasserfalls des Blauen Nils (Journ. RGSLond. 14, 49), bei P. Lobo (Uebs. Legrand 108) *Alata*, nach einem nahen Zuflusse (Egli, ENilq. 14).

Tissowsk s. Solikamsk.

Tissuarin s. Goa.

Tisum = Dreihalt, tib. ON. in Gnári Khórsum, wo 3 Routen zslaufen. Vgl. Súmdo (Schlagw., Gloss. 254).

Titicaca = Bleiberg, die Hptinsel der nach ihr benannten *Laguna de T.*, im peruan. Collao. Einer Sage zuf. war nach langer Dunkelheit die Sonne aus der Insel aufgestiegen u. wurde v. den Incas hier der berühmte Sonnentempel gebaut. 'The temple was one of the most sacred in Peru, and the ruins are still in a good state of preservation. The buildings are of hewn stone, with doorways wider below than above' (WHakl. S. 33, 372; 41, 285).

Titlis, ein mächtiges Berghpt. der West-Urner Alpen, einh. *Titli*, dim. v. *titti* = Brust, Warze, nach der Form des schneebedeckten *Nollen* = der abgerundeten Kuppe (Gatschet, OForsch. 90). Vgl. Gurtnellen.

Titonwans, in engl. Orth. *Teetwawns* = Dorf (od. Volk) in der Prairie, ind. Name eines am Missuri angesiedelten Stamms der Sioux od. Dakotah, der Beduinen America's, die lange der Schrecken der z. Pacific Wandernden waren. Bei Hennepin, der z. die Bedeutg. auch schon angibt, *Tintonha*, in einer der Pariser Acad. 1710 vorlegten Carte *Tintons* (Coll. Minn. HS. 1, 258 f.).

Titschein, 2 mähr. Orte, nach dem Titschflusse, *Neu-T.*, čech. *Novi Jicin*, erst 1311, in der Nähe v. *Alt-T.*, ggr. u. mit deutschen Ansiedlern bevölkert (Meyer's CLex. 11, 1031).

Ti-tsiân-li = Gebiet v. 1000 Li Ausdehng. (u. nicht wie Julien in seiner Uebsctzg. der Reisen des Hiuan-Thsang meint: Umfang), chin. Name des Gebiets der centralasiat. Stadt Jarkand (Pauthier, MPolo 1, 141).

Titthion s. Myrtion.

Tjulenji, Saliw = Bucht der Seehunde, russ. Name eines Seitengolfs der Meta Bay, NSemlja (PM. 18, 24). Heuglin, in Rosenthals Exp. 1871, hat in der Nähe einige Ausbeute in Renthieren, Seehunden u. Füchsen gemacht. — *T. Ostrowa* = Robbeninseln, im Kaspisee (ZfAErdk. 1873 T. I.).

Tjumen = 10 000, turk. ON. in West-Sib., v. einer Abth. Strelzi u. Kosaken 1586 ggr. u. angebl. nach der Macht u. dem Reichthum des Tatarenfürsten, der der 10 000 streitbare Männer od. 10 000 Stück Vieh besessen hätte, getauft, auch *Zimgitura*, weil an der Tura hier eine ältere Stadt Zimgi gelegen habe, wohl id. mit *Tschingindin*, v. Fürsten Taibuga seinem Wohlthäter Tschingis Chan zu Ehren. Nach der Stadt die *Tjumenka*, ein Arm der Tura (Müller, SRuss. G. 4, 3 ff.).

Tiundaland s. Sverige.

Tjue-Moinak = Kamelhügel, kirg. Bergname im Quellgebiete des semiretschinsk. Karatal. Die Kuppe 'ist dadurch merkw., dass ihr Gipfel sich in 2 Hälften spaltet u. vollkommen dem Rücken eines 2höckerigen Kamels gleicht' (Bär u. H., Beitr. 20, 216).

Tjur s. Teir.

Tlahuican = Zinnoberland, v. azt. *tlahuitl* =

Zinnober, das Land der *Tlahuiken*, 'weil dort sich viel Zinnober fand' (Buschm., Azt. ON. 93).

Tlascala, eig. *Tlaxcallan* = Ort des *tlaxcalli*, d. i. des Brotes, part. pass. v. *ixca* = backen, braten, bei Uhde (RBravo 38) ungenau 'Land des Ueberflusses', aber mit dem richtigen Sinne, dass die Gegend 'sehr ergiebig an Mais war' (vgl. Acosta, HInd. 454). — Auch ein Dorf *T.* in Neu Leon, sowie ein span. dim. *Tlascalilla* = klein *T.*, 'u. damit ist gewiss id. die fehlerh. Form *Tlacaxlilla*, f. ein Dorf in Potosi (Buschm., Azt. ON. 107).

Tléta, Sûk = Dinstagsmarkt, v. arab. *thléta*, *tslêtsa*, *tléta* = Dinstag, als drittem Tag der Woche, Ort in der alger. Prov. Constantine (Parmentier, Vocab. arabe 47).

Tlinkit s. Koloschen.

Tobel, häufiger ON. f. Schluchtenlagen, th. f. sich, wie in *T.*, Dorf des C. Thurgau, wo die Comthurei u. übh. der ältere Theil in schmalem Thalgrunde versteckt liegen (Gem. Schweiz 17, 339), th. als Bestimmgswort, wie in *Tobelbad*, Thermalort bei Graz, in waldigem Bergtobel (Meyer's CLex. 15, 112), th. als Grundwort: *Versamer-, Riciner-, Duviner-T.* etc., nach den nahen Orten des Bündner Oberlandes.

Toberavanaha s. Banew.

Tobiesen Fjeld, ein Berg nahe dem Nordende NSemlja's, durch die norw. Fischerfahrten 1871 benannt nach einem ihrer Capitäne, die sich um die Erforschg. der Polarwelt verdient gemacht haben: Sivert *T.*, welcher mit dem Capt. Carlsen 1863 Spitzb. umfuhr, 1865/66 auf der Bären I. überwinterte, 1870 nach Edge I. u. in das sibir. Eismeer, 1871 bis 78⁰ NBr. vordrang u. 1873 auf NSemlja †. Ebenso *Mack Hafen, Cap Carlsen, Cap Johannesen* (PM. 18, 396). Der Capt. H. Ch. Johannesen, schon durch seine Fahrt nach NSemlja bekannt, ist derj., welcher 1878 Nordenskiöld bis z. Lena begleitete, dann den Fluss bis Jakutsk hinauffuhr u. die ersten Berichte v. Gang der Reise verbreitete. — *T.* Insel s. Carlsen.

Tobin, Cape, in Liverpool Coast, v. engl. Walfgr. Will. Scoresby jun. (North.WF. 190) am 25. Juli 1822 entdeckt u. nach Sir John *T.* in Liverpool benannt.

Tobol, ein grosser Zufluss des Irtysch-Ob, ist in seinem Oberlaufe, wo dieser der Kirgisensteppe angehört, mit allerlei Gestrüpp eingefasst: Espen u. Weiden, sehr gemein eine Spierstaude, russ. *tawolga*, kirg. *tabul*, baschkir. *tobol*, 'wovon der Fluss den Namen haben soll' (Falk, Beitr. 1, 363, Büschings Mag. 7, 12, Müller, Ugr. V. 1, 267). — An seiner Mündg. *Tobolsk*, 1587 ggr. (Müller, SRuss. G. 4, 8ff.), wie *Brusjansk*, *Kamensk*, *Kaltschedansk*, *Tetschinsk* (s. Isetsk), *Ust-Mjask*, *Tersjutsk*, *Bagarjazk*, *Tschjumljazk*, an den Isetzuflüssen Brusjanka, Kamenka, Kaltschedanka, Tetscha, Mias, Tersjuk, Bagarjak, Tschjumljak, od. *Lobwinsk*, an der Lobwa-Tawda, *Susansk*, *Sinjatschichinsk* u. *Pyschminsk* an den Tura-

zuflüssen Susana, Sinjatschicha u. Pyschma (Atl. Russ. 12).

Tobose s. Begischewsk.

Tobruk, Mirsa, geräumige Hafenbucht, *mirza*, östl. v. der Cyrenaica, alt *Tabraka*, was 'viell. der alteinh. libysche Name' ist, als Ort *Ἀντίπυργος* = Gegenthurm, da vor dem Eingang eine kleine Insel lag mit einem Heiligth. des Ammon u. einem Thurme, *πύργος* (Barth, Wand. 514).

Toburbe od. *Teburbe*, Ort bei Tunis, phön. *Tuburbum* = grata est dulcedo eius. Dieser Erklärg. v. Gesenius entspricht allerdings die Ggwart sehr wenig; aber das beweist durchaus nicht ihre Unrichtigk. Selbst noch vor 1½ Jahrhh. legte hier der Bey Mohammed prächtige Obstgärten der verschiedensten Gattg. an (Barth, Wand. 208).

Tocantins, der ind. Name eines rechtsflusses des Amazonenstroms, enthält, zuf. des span. Jesuiten Acuña, der 1639 die port. Exp. des Pedro Texeira stromab begleitete, die Bedeutg. des reichen, 'the river of the *T.*, which has the name of being rich, and apparently with reason ...' (WHakl. S. 24, 131).

Tocharistan s. Bucharei.

Tod, das deutsche subst., begegnet mir in ON. weniger häufig als das adj. *todt* (s. d.). Hierher gehören die *Todeslöcher*, eine Zahl Mofetten bei Tarasp, auf Coltüra, kleine Trichteröffnungen, welchen erstickende Gase entsteigen, um Thierchen, die hineingerathen, zu betäuben u. zu ersticken. 'An einem braunröthl. Grasbord finden sich mehrere ½ m t. steinige Löcher, vor denen allerhand todte Käfer, Mäuse, zuweilen kleine Vögel herumliegen .... Heuschrecken u. dgl. sind schnell betäubt; aber auch grössere Thiere — Hühner, Katzen — werden rasch asphyxirt' (Killias, Tar. 38).

Todos = alle, wohl am geläufigsten in den port. ON. *Bahia de T. os Santos* = Allerheiligen-Bay (s. Bahia), wo *os*, span. *los*, der bestimmte Artikel masc. (wie *as*, span. *las* der Art. fem.); *b) Estrecho de T. os Santos* s. Magalhães; *c) Rio de T. os Santos*, ein Zufluss des bras. Mucuri (Avé-L., NBras. 1, 238); *d) Cabo de T. os Santos*, östl. v. Maranhão, v. der Exp. Martim Affonso de Souza 1531, wohl am Allerheiligentage, entdeckt (Varnh., HBraz. 1, 47). — In span. Form *T. los Santos*, ebf. mehrf.: *a)* Hafenort in Calif., an der *Bahia de T. los Santos*, die wohl ebf. nach dem Kalendertag der Entdeckg. getauft ist (Meyer's CLex. 11, 403); *b)* s. Chain; *c)* s. Ponafidin; *d)* s. Itzquauhtlan.

Todt, adj. v. *Tod* (s. d.), oft in deutschen ON. Das Hptobject dieser Familie ist das *Todte Meer*, frz. *la Mer Morte*, engl. *the Dead Sea* etc., der 915 km² grosse, insellose Jordansee, eingesenkt zw. schroffe, kahle Ufermauern, mit dem Gepräge des unendlich Einsamen u. Todten. In seinem Wasser leben nur korallbildende u. andere niedere Thiere (Furrer, Wand. 157 ff.). Kein Fisch belebt die gesättigte Soole; nur schwierig kräuselt sich die Fläche im Winde; kein Schiffer rudert den Kahn v. Ufer zu Ufer, u. keine Städte verdoppeln sich in dem schweigsamen Spiegel. Bei

den Hebr. hiess der See *Jam-Hammälach*, הַיָּם הַמֶּלַח
= Salzmeer (1. Mos. 14, 3), was die Septuag. durch
ϑάλασσα τῶν ἁλῶν übsetzt, od. *Jam-Haʿarabah*,
יָם הָעֲרָבָה‎ = Meer der Arabah (5. Mos. 3, 17), im
Ggsatz z. Mittelmeer auch *Hajam Haqqadmoni*,
הַיָּם הַקַּדְמוֹנִי = das östl. Meer. Wg. der Asphalt-
quellen λίμνη Ἀσφαλτῖτις, lat. *Lacus Asphaltites*
(Strabo 763 f.). In Uebereinstimmg. mit der bibl.
Tradition bei den arab. Anwohnern *Bachr* od.
Bahret Lût = Loth's Meer (Burckhardt, Reis.
2, 666, Gesen., Hebr. Lex.), mit dem Sinn des
Asphaltsee's, sofern, wie Sörensen vermuthet, *Lôt*
= Asphalt in der mythischen Figur des Patriarchen
personificirt ist, als Urvater der 'Kinder des *Lôt*',
d. i. der Asphalt verkaufenden Moabiter (Kiepert,
Lehrb. AG. 174). Der mod. Name kommt zuerst
bei griech. Autoren der Kaiserzeit vor, bei Galen.
(simpl. med. 4, 20) ἐν τῇ νεκρᾷ ϑαλάσσῃ καλου-
μένῃ, bei Julius Afr. (de lacu asphalt.) τὴν ϑάλασσαν τὴν ἁλικήν, ἣ καλεῖται νῦν ϑάλαττα νεκρά,
bei Pausanias (5, 7³) τὴν λίμνην ἑτέραν καλουμέ-
νην ϑάλασσαν νεκράν, dann bei dem Bordeaux-
pilger ao. 333, bei Hieronymus ca. 400, in paläst.
Mönchsschriften des 6. Jahrh. νεκρὰ ϑάλασσα;
v. da ab verschwand er nicht mehr. Nur der
Talmud nennt das Meer mit bibl. Namen, u. in
der Zeit der Kreuzzüge heisst es auch le mer,
c'on apille le mer del Deable, mer del Dyable
(A. Michelant u. G. Raynaud, Itin. Jér. 62. 66),
also 'Teufelssee', offb. mit derselben Auffassg. der
schauerl. Stille, Oede u. Einsamkeit (K. Furrer,
Brief dd. 1. Mai 1888, Kiepert, Lehrb. AG. 173 f.).
— Der fischlose Passsee der Grimsel, 2145 m h.
in wilder erstorbener Umgebg., heisst *Todter See*,
wohl nicht erst v. den Gefechten, die oben stattfanden. — *Todtenberg*, Berg in Okak, Labrador,
nach den zahlr. Heidengräbern (Peterm., GMitth.
9, 124). — *Todter Mann*, Cap am spitzb. Eisfjord,
nach einem hier vorgefallenen Mord (Torell u.
N., Schwed. Expp. 296). — *Todtenmanns Eiland*,
ebf. auf Spitzb., wo die Holl. ihre Todten, durch
grosse Steine wohl bedeckt, begruben (Martens,
Spitzb. R. 22, Adelg., GSchifff. 414). — *Todtenlade* s. Gangolf. — *Todtenthal* s. Giftthal.

Tödi, früher *Töddi*, *Döddi*, der König der
'Glarner Alpen', ist wohl nach seinem Wahrzeichen, den an der Südwestseite aufstrebenden
fingerartigen Spitzen, v. rätr. *detti* = Finger,
benannt (Gatschet, OForsch. 297, Simler, T.-Rusein,
Bild). Wie unglücklich aber trifft sich's, dass
gerade ein rätor. Sprachforscher, der † Landam-
mann Zach. Pallioppi (Egli, Gesch. NamenK. 129),
zu kelt. *deöthi* = zwei Spitzen (Planta, ARät. 8)
seine Zuflucht nimmt?!

Tölpos od. *Töllpos* = Windnest, syrj. Bergname
im Urál', daher so genannt, weil der Frevler, der
sich erkühnt, den Gipfel zu besteigen, v. dem
plötzlich einbrechenden Sturme in eine Abgrund
geschleudert wird. Bei den Wogulen herrscht
die Annahme, der Gipfel des Berges sei die z.
Strafe des Ungehorsams gg. ihren gottesfürchtigen
Mann in eine Steinsäule verwandelte Frau, u.
darum habe die Gottheit den Aufstieg verboten;

der *T.* heisst also bei ihnen *Né-pubi-ur* = Weib-
puppe-Nase, wobei *pubi* = Puppe den Sinn v.
Götzenbild hat (P. Hunfalvy, VUral 38).

Tömmer s. Zimmern.

Tönende, die, Beiname der hauran. Stadt Melach,
weil, wenn das grosse Steinplattenthor früh geöffnet u. Abends geschlossen wurde, nach der
Ueberlieferg. der Beduinen die trompetenartigen
Töne der steinernen Thürangeln in dem 20 km
entfernten Bergschlosse Dêr en Nasrani gehört
worden sind (Wetzstein, Haur. 78).

Töplitz s. Tepl.

Török s. Türken.

Toggenburg, ein bis 1436 v. der Dynastenfamilie
d. N. beherrschtes Voralpenthal, C. St. Gallen,
zunächst die Stammburg ob Fischingen, *Alt-T.*,
im Ggsatz zu einer jüngern *Neu-T.*, ob Lichten-
steig, jene im 11. Jahrh. *Dochin-*, *Tocchenburc*,
v. altdeutschen Mannsnamen *Tocho*, der auch in
zürch. *Toggwyl*, 797 *Tocchinwilare* = Weiler
des Tocho (v. Arx, GCSt. Gall. 1, 245), sowie im
fries. *Dockum*, alt *Dockynchirica*, u. seinem Gau
Dockinga erhalten ist (Förstem., Altd. NB. 473).

Tójagà = Seenfluss, sam. Name eines Nebenbachs
der Mgla, russ. übsetzt *Ognówa Retschka*, nach
3 kleinen See'n, welche er im Oberlaufe durchfliesst, im Ggsatz z. Hauptflusse (s. Opójtojagà).
Schrenk, Tundr. 1, 695.

Tojanow Gorodok, sibir. Ort bei Tomsk, auf einer
Insel des Tom, v. den Russen benannt nach dem
jeuschtin. Knäsez od. Fürsten Tojan, der in dieser
Gegend wohnte (Fischer, Sib. G. 1, 459).

Tokad s. Chunkar.

Tokelau s. Fanua.

Toker, Point, am americ. Eismeer, v. Richardson, dem Gefährten J. Franklins (Sec. Exp. 208),
am 9. Juli 1826 entdeckt u. nach Capt. *T.* getauft,
'under whom I had once the honour to serve'.

Tokerau s. Island.

Tokio = Hauptstadt des Ostens, Name des japan.
Jedo, Jeddo, Yeddo, seit der Mikado hier residirt, wie das ehm. *Miako* in *Saikio* = westl.
Hauptstadt umgetauft ist (s. Kioto). *T.* wurde
erst zu Ende des 16. Jahrh. v. Gongensama, dem
Stifter der Siogunfamilie, ggr. (Peterm., GMitth.
21, 214; 22, 402, Meyer's CLex. 9, 515).

Tokmak Hissari = Knöchelschloss, türk. ON.
im Peloponnes. Die Geschichtsschreiber Seadeddin
u. Chalcondylas erzählen übereinstimmend, dass
der Name in dem Eroberungszuge Sultan Mohammed's II. 1458 entstanden sei. Als die Albanesen,
welche sich in *Tarsos* ergeben, zu fliehen versuchten, wurden ihrer 20 auf grausame Weise
hingerichtet, die Knöchel an Händen u. Füssen
wurden ihnen mit Keulen zerschmettert, u. so
mussten sie dem Tode entgegenschmachten. Hammer-P. (Osm. R. 2, 35) vermuthet mit Recht, der
türk. Name sei wohl nur die Uebersetzg. v. *Tαρσος*
(u. die Erzählg., welche den Namen erklären soll,
eine gemachte). — *T.'-Ata*, eine Insel im Süden des
Aralsee's, nach einem dort begrabenen Heiligen u.
nach seiner kurzen Gestalt *T.* = Stössel geheissen,
in Chiwa verehrt wird (Peterm., GMitth. 37, 271).

Tôkra od. *Tôkrah*, mod. ON. der Cyrenaica, v. gr. *Ταύ-* od. *Τεύχειρα*, röm. *Teuchira*, nach der Tochter des Autandros (Pape-B., WB. EigenN. 1498), v. Ptolemäus II. in *Arsinoë*, nach seiner Gemahlin, v. Marc Anton in *Kleopatris*, nach der ägypt. Königin, umgetauft (Barth, Wand. 392, Kiepert, Lehrb. AG. 212).

Tolbatschinsk s. Kljutschewsk.

Toledo, röm. *Toletum*, span. ON., unerklärt, aber mehrf. übtragen: *a) Nuevo T.* s. Cuzco u. Chile; *b) T. la Nueva* s. Cumaná.

Tolgin Gorod, eine daurische Veste am Amur, v. Chabarow 1651 erreicht u. nach dem Fürsten so benannt, der, um den Grausamkk. der Russen zu entgehen, sich das Leben nahm (Fischer, Sib. G. 2, 808).

Tollense s. Dolina.

Tolmeita s. Ptolemais.

Tolstòj Myss = dickes Vorgebirge, russ. Name mehrf.: *a)* am Bajkal (Bär u. H., Beitr. 23, 334); *b)* s. Lyatásalè; *c)* s. Tonkoj. — *Tolstaja Gora* = dicker Berg, im Ural (Rose, Ur. 349).

Tolteken, azt. Name des ersten der in Anahuac eingewanderten Völker u. das merkwürdigste aller vor den Azteken, v. *Tollan* = Binsenort, wo *tolin* = Binse. Eine Stadt der *T.*, ebf. einst *Tollan*, j. *Tula*, ferner *Toltecamila* = Feld der *T.*, *milli*=Grundstück, Ort der Prov. Puebla(Buschm., Azt. ON. 76 ff.).

Tomaion, gr. *Τομαῖον* = Schneide, Messer, *ἐοικὸς σμίλῃ* (St. Pel. 2, 181) legt den Namen dem 'scharfgezeichneten' Berg bei, an dessen Fusse Navarin liegt. Aehnl. ngr. *Σπαθί* (s. Scylla) u. *Μαχαιρᾶς* = Messer, Dolch (Ross, IReis. 4, 15).

Tomas, Santo (od. *San*), mehrf. als span. ON.: *a)* eine der Jungfern In., v. Columbus am 19. Dec. 1492, also am Vorabend des Apostelfestes, entdeckt (Navarrete, Coll. 1, 99); *b)* Fort in Hayti, ggr. im März 1494 (Barrow, Coll. 1, 69); *c)* s. Revillagigedo; *d)* s. Angostura; *e)* s. Ponafidin.

Tombeau s. Croix.

Tomkischi s. Tataren.

Tomleschg, auch *Domleschg*, die unterste Thalstufe des Hinterrheins, 1116 *Tumiliasca*, 1213 *Tumellasca*, *Tumelaschga*, 1354 *in dem tale Tumläsch*, rätr. *Tomiliasca* = Thal von Tomils, einem alten Reichshofe, analog *Brailasca* = Thal von Braila, Engadin (Campell ed. Mohr 77, NAlp. P. 5, 99). Der ON. selbst, in der Landessprache *Tumil, Tumigl*, neben vorarlb. *Damils, Tu-, To-, Ta-* u. *Damüls* (Bergm., Vorarlb. 74), wird bald v. lat. *tumulus*, nach 3 nahen Hügeln, abgeleitet (Gatschet, OForsch. 145), th. als 'Melkalpe', entspr. Melchthal, erklärt (Bergm., Walser 14).

Tomo = einfallend, sich einsenkend, bei den Maori 'ganz bezeichnender' Name der tiefen trichterfgen Löcher im Oberlande des Wakaito, das, was man auf dem Kalksteinplateau des Karsts *Dolinen* nennt (v. Hochstetter, NSeel. 203).

Tomsk s. Tagilsk.

Tondi = Berg, im sonrh., od. *el Hadschri* = Bergland, Name einer Gebirgsgegend des Reichs Másina, Sudan (Barth, Reis. 4, 326. 338 ff. 430, Carte).

Toneladas s. Antonius.

Tong = Osten, in chin. ON. wie *a) T. Hai* = Ostsee, fränk. *chines. Ostsee* od. *ostchin. Meer*, im Ggsatz zu *Nan Hai* = Südsee, fränk. *chines. Südsee* od. *südchin. Meer*; *b) T. Kiang* s. Si; *c) Tongking* = Ostresidenz (s. Pe), auch *Tonkin*, einst Name der Hptstadt Kescho, Hanoi, im Ggsatz zu *Tâykinh* = Südresidenz, dann auf die Ldsch., am *Golf v. T.*, übtragen (Bull. SGéogr. Par. 1876, 331 f.). Man hat auch, weniger einleuchtend, an *Dongngoai* = Aussenland od. *Dongkinh-bak* = Nordland gedacht (Meyer's CLex. 1, 585).

Tong-Taong = Kalkhügel, Ort am Irawadi, an einer Anhöhe v. primitivem Kalkstein (Crawfurd, Emb. 1, 77).

Tonga, abgek. v. *Tongatabu*, s. Amsterdam Eiland.

Tongariro = gegen Süden, hei den Maori am Taupo der nach Süden sich erhebende Vulcan, angebl. weil einer ihrer Herren nach vielen Wanderungen diesen Berg in südl. Richtg. erblickt habe. Mit ders. Mythe hängt zs., dass die Maori den Krater *Ngauruhoe*, mit dem Sclaven jenes Heros, nennen (v. Hochst., NSeel. 232).

Tongern, frz. *Tongres*, belg. ON. der Prov. Limburg, alt *Tungris, Tungri oppidum, urbs Tungrorum*, nach dem Volksstamm der Tongrer od. Eburonen, 451 v. Attila zerstört, so dass die Bischöfe ihren Sitz nach Maastricht, dann nach Lüttich verlegten, freil. sich bis um 1000 immer noch Bischöfe v. *T.* nannten (Longnon, GGaule 386).

Tongue Point = Zungenspitze, engl. Capname bei Astoria, nach der Form (DMofras, Or. 2, 128). — *T. River*, aus ind. *Lazeka* übsetzt, ein rseitg. Zufluss des untern Yellowstone R. (Lewis u. Cl., Trav. 631), weil er aus 2 Quellbächen entsteht?

Tonhoek = Tonnencap nannte die holl. Exp. v. 1594 die Spitze v. Maelson E. nach der z. Wahrzeichen befestigten Tonne (Linschoten, Voy. f. 13, Adelung, GdSchifff. 140).

Tonkoj Nos = feines Cap, russ. Name: *a)* einer schmal auslaufenden Landspitze v. Kodjak — im Ggsatz zu dem bergigen, massigern *Cap Tolstoj* = dem groben (dicken) Vorgebirge (Krus., Mém. 2, 66); *b)* ein Vorgebirge bei Wajgatsch (Schrenk, Tundr. 1, 352); *c)* s. Kanin.

Tonsa, ein ind. Bergfluss, welcher aus den Schluchten des Vindhya hervorbricht u. unth. Allahabad in den Ganges mündet, skr. *Tamasa* = die finstere. Nach diesem Flusse hat deutl. die Stadt *Tamasi* (Ptol. 7, 1[53]) ihre Benenng. erhalten (Lassen, Ind. A. 1, 148).

Tonto Basin, engl. Name des Thalbeckens des Salt R., Arizona, nach dem dort wohnenden Indianerst. der Gohuns, die bei den Mexicanern als *tontos* = Narren verschmäht sind (Peterm., GMitth. 20, 412).

Tooth s. Teton.

Tooverfontein = Zauberquelle, eine Quelle (u. Ansiedelg.) im Nieuweveld, Capland. 'Hier sah man wieder recht auffallend, zu welchem Paradies dieses Land umgezaubert würde sein würde, wenn es überall hinreichend Wasser hätte' (Lichtenst., SAfr. 2, 34). — *Tooverberg* = Zauberberg (ib. 65).

Toondélachà = der gratförmige, wo *lachà* = förmig, sam. Name eines Ausläufers des Urál', v. der gratfg. verlängerten Firste, welche sein Gipfel bildet. Mit *toondè* bezeichnet der Samojede das vordere Querbrett am Schlitten, welches z. Entggstemmen der Füsse dient (Schrenk, Tundr. 1, 384).

Topchane, auch *Top-Haneh* = Kanonen-Werkstätte, türk. Name einer Vorstadt Konstantinopels (Hammer-P., Konst. 1, 23; 2, 177) nach einer Stück- u. Kugelgiesserei, welche gleich nach der Eroberg. Sultan Mohammed II. aus einem christl. Kloster umschuf. Heute steigt das Gebäude v. Ufer malerisch mit 2 Kuppeln empor (Meyer's CLex. 10, 228).

Top-Gallant Isles = Inseln der hübschen Spitzen, Süd-Austr., welchen etliche spitze Felsen vorliegen, v. Capt. Matth. Flinders (TA. 1, 121) am 10. Febr. 1802 getauft. — *Topmaar* = die an der Spitze, die voran, aus *Aunin* übsetzt, dem eignen Namen eines Namastamms, der die Vorhut bildet, auch *Narinku*, weil die Nara ihre Hptnahrung ausmacht (Peterm., GMitth. 4, 53).

Topham, Cape, an der Liverpool Coast, v. engl. Walfgr. Will. Scoresby (NorthWF. 316) am 26. Aug. 1822 entdeckt u. nach Hrn. John *T.* getauft.

Topla s. Tyl.

Topol = Pappel, čech. Wort, wie serb. u. slow. *topola* = Silberpappel oft in ON. der westslaw. Länder: *T., Topola, Topole, Topolje, Topolan, Topolja Brdo* = Pappelberg, *Topolná, Topolnica, Topolo, Topolóc, Topolovaz, Topolovo, Topolschitz, Topolovec, Topolo vica, Topolovka, Topoly, Topolya, Topolyan* (Miklosich, ON. App. 2, 247).

Toporkow Ostrow = Alkeninsel, v. russ. *toporok*, dem ansehnlichsten u. geschätztesten der Seevögel Kamtschatka's, der Alca cirrhata des zool. Systems, 'Mitschigatka' der Kamtschadalen, eine kleine Felseninsel am Eingang der Awatscha Bay, allerseits sehr steil u., v. ferne wenigstens, völlig unbewachsen. Hier brüten im Sommer unzählige Seevögel; v. den Umwohnern werden dann mehrtägige Streifzüge z. Einsammeln der Eier u. z. Fang der brütenden Vögel gemacht (Kittlitz, Denkw. 1, 305; 2, 205).

Tor K. s. Siaposch.

Torell, Cap, in spitzb. NordostLd., v. der schwed. Exp. v. 1861 (s. Carte) getauft nach deren Chef, Adjunct *T.*

Torfa Jökull, Berg Islands, benannt nach einem Manne *T.,* welcher, seine entführte Geliebte, mit der er vor ihrem Bruder floh, in den Armen haltend, üb. eine breite u. tiefe Kluft am Fusse des Eisbergs hinübersprang (Preyer-Z., Isl. 25).

Torghatten, v. norw. *hat* = Hut, eine der durchlöcherten Lofoten, welche als wie mit der Krämpe des Hutes v. flachem Strande umgeben ist (Vibe, K. u. MNorw. 7). Eine durchgehende Höhle wird als das (eine) Auge betrachtet (Pontopp., Norw. 1, 85).

Torino s. Augusta.

Torkildsen s. Carlsen.

Torment, Point = Spitze der Plage, in Tas-

man's Ld., v. Capt. Stokes (Disc. 1, 128) im Febr. 1838 benannt nach der Mosquitoplage ... 'from the incessant and vindictive attacks of swarms of mosquitos, by whom it had evidently been resolved to give the new comers a warm welcome'. — *Cabo Tormentoso* s. Esperança.

Torneå, zunächst Fluss, *å,* der den *Torne Träsk,* wo *träsk* = See od. Sumpf (Petterson, Lppl. 76), verlässt u. in das Nordende der Ostsee mündet. An ihm die Stadt *T.,* 1620 v. Gustav Adolf angelegt, wo schon seit 1350 ein Ort gestanden hatte. Zwei benachbarte Orte: *Oefver-* (= ober) u. *Neder-* (= nieder) *T.* (Müller, Ugr. V. 1, 459).

Torneresse = der Fluss, welcher Sägemühlen, dial. *raisses,* treibt, ein Fluss im waadtl. Pays d'en Haut (GdSchweiz 19[1]. 156, Mart. - Crous., DVaud 778). Uebr. hält der Romanist H. Morf (16. Apr. 1891) *T.* 'wohl einf. f. fem. zu *tourneur* = Dreher'. — *Pierre-qui-Tourne* u. *Pierre Tournante* s. Pierre.

Toro, Monte del = Stierberg, span. Name des höchsten Berggipfels v. Menorca (Willk., Span.-Bal. 271). Der Legende zuf. wäre das in dem dort. Oratorio, Wallfahrtsort, verehrte wunderthätige Marienbild durch einen Stier aufgescharrt worden (Spr. u. F., Beitr. 3, 19).

Toronto = Versammlungsort, ind. ON. in Canada, f. die engl. Stadt, die bei der Gründg. 1794 *York,* ozw. nach dem Herzog v. York, hiess, erst seit 1834 wieder eingeführt (Berghaus, Ann. 9, 599, Meyer's CLex. 15, 128) u. zwar durch Lord Seaton, als er, noch Sir John Colborne, in Canada war. Dieser kannte *T.* als den ehm. Rathsplatz der ind. Häuptlinge, u. in Würdigg. des Werthes der einh. ON. führte er den urspr. Namen wieder ein (Proceed. RGeogr. SLond. 19, 134 ff.). Neben dieser Etym. ist wohl die bekannte Annahme *T.* = es ist ein Baum im Wasser (Cuoq, Ét. phil. 93) nicht zu halten, u. gar zu poetisch scheint die Deutg. *te-o-ron-to* = Ort, wo die Wogen ausathmen u. sterben, f. die nahe Bay ... 'as they are first born within a few feet on the beach, and then, after breathing in two or three curling elevations, they break upon the beach and die' (Buckingh., Am. 3, 60).

Torpe s. Dorf.

Torre = Thurm, ital. ON. des Val Malenco, eines Seitenthals des Veltlins, nach den alten Befestigungen (Leonh., Veltl. 142). — Im plur. *as Torres,* port. ON. in Rio Grande do Sul, nach den 3 thurmfgn. Küstenbergen (Avé-L., SBras. 1, 485). — *T. Vieja* s. Vedras. — *Piedras de Torres* s. Pajaros.

Torrens, Lake, einer der südaustr. Salzseen, ozw. nach einem der philanthrop. Gründer der Colonie, dem engl. Obersten *T.,* der in Verbindg. mit Wakefield, Hull u. Angas den Gang der Besiedelg. leitete. — *T. River* heisst, nach eben ders. Person, 'after one of the founders of the colony', auch der Fluss der Hptst. Adelaide (Trollope, Austr. 3, 17. 34). Auch ein *Mount Torrens* am Westende der Känguru-I. (Behm, Ch.World).

Torres' Strasse, die Seegasse zw. NHoll. u.

NGuinea, zu Ehren des span. Seef. L. V. de T., welcher auf der Exp. des Quiros, Aug.-Sept. 1606, das durch Klippen, Untiefen u. Sackgassen gefährl. Meer muthig u. glückl. v. Osten nach Westen, Perù-Molukken, durchfuhr. Die Exp. war am 21. Dec. 1605 3ʰ Nachm. in Callao abgegangen, der Chef im San Pedro y San Pablo, T. im San Pedro, Pedro Bernal in den Tres Reyes (WHakl. S. 39, 403). Der Bericht, welchen T. dat. Manila 12. Juli 1607 an den span. König erstattete, blieb der Welt unbekannt u. ging verloren; allein bei der frz. Occupation jener Stadt (1762) fand Dalrymple die Abschrift, welche T. die Vorsicht gehabt hatte, in den Archiven v. Manila zu deponiren (Major, Early V. 31 f.), ʼand, as the tribute due to the enterprising Spanish navigator, he (Dalrymple) named the passage T. St.; and the appellation now generally prevailsʼ (Flinders, TA. 1, X). Als dann Cook, im Schiffe Endeavour, am 23. Aug. 1770 die Meerenge, aber in südlicherer Gasse, wieder durchfuhr, später andere Durchgänge benutzt wurden, da erhielten diese Theilgassen ihre besondern Namen: Cooks *Endeavour Streights* (Hawk., Acc. 3, 215), die breiteste u. sicherste, die ozw. v. T. befahrene, nachweisbar zuerst v. dem engl. Capt. Bligh (1792) benutzte *Bligh's Entrance*, die v. Flinders entdeckte *Flinders' Pass*, die an den Inseln des Prinzen v. Wales vorbeiführende *Prince of Wales' Pass* (Meinicke, IStüll. O. 1, 112 f.). — *T. Inseln* s. Bligh. — *T. Island* s. Quiros.

Tortuga, span. Form f. mlat. *tortuca, tartuca* = Schildkröte, die v. den krummen Füssen *(tortus)* so genannt wurde, prov. *tor-* u. *tartuga*, frz. *tortue*, ital. u. port. in seltsam erweiterter Form *tartaruga*, engl. *tortoise* u. *turtle* (s. d.) = Schildkröte u. *tortuous* = gekrümmt (Diez, Rom. WB. 1, 411), oft in ON. *a) T.*, Ort in NMexico, engl. *Turtle*, nach einem nahen Hügel, der v. fern gesehen einer Schildkröte ähnelt (Lewis u. Cl., Trav. 196); *b) Isla de la T.*, an der Nordküste Hayti's, v. Columbus am 6. Dec. 1492 entdeckt (Navarrete, Coll. 1, 80), bei den frz. Buccaneers übsetzt in *Ile Tortue*, ind. *Hinagua* (Hakl., Pr. Nav. 3, 622). — Im plur. *Islas de Tortugas*, bei Florida, v. Spanier Ponce de Leon am 21. Juni 1513 nur v. Amphibien u. Wasservögeln bewohnt gefunden; die Seinigen erschlugen eine Menge grosser Schildkröten (ZfΛErdk. nf. 15, 13), ʼpor la abundancia que de ellas habiaʼ (Navarrete, Coll. 3, 52). Der engl. Seef. John Hawkins, auf seiner 2. Reise, kam am 5. Juli 1565 hier an u. fand neben einer Unzahl v. Vögeln, mit denen er in ¹/₂ʰ seine Pinnace füllen liess, auch eine Menge Schildkröten u. Schildkröteneier, letztere in eigne Löcher gelegt u. mit Sand bedeckt. ʼThese islands beare the name of tortoises, because of the number of them, which there do breed, whose nature is to liue both in the water and vpon land also, but breed onely vpon the shore, in making a great pit wherein they lay egges, to the number of three or foure hundred, and couering them with sand, they are

hatched by the heat of the sunne; and by this meanes commeth the great increase. Of these we tooke very great ones, which haue both backe and belly all of bone, of the thickness of an inch. The ʼfishʼ, whereof we proued, eating much like veale, and finding a number of egges in them, tasted also of them, but they did eat very sweetlyʼ (Hakluyt, Pr. Nav. 3, 515). — Frz. *a) Bancs des Tortues*, ʼunermessl. Sandbänkeʼ des Havre Hamelin, durch die frz. Officiere Faure u. Moreau im Aug. 1801 benannt nach der Menge v. Seeschildkröten, welche die Untiefen bedeckten u. deren in weniger als 3ʰ 15 Stück, einzelne bis 147 kg, erlegt wurden (Péron, TA. 1, 169); *b) Ilots des Tortues*, in engl. Form *Turtle Islands*, De Witt's Ld., ebf. v. der Exp. Baudin am 2. Apr. 1803 so benannt ʼwg. der grossen Menge v. Thieren dieser Art, welche wir in diesen Gegenden gewahr wurdenʼ (Péron, TA. 2, 202). — Engl. *a) Tortoise Reach* = Schildkrötenstrecke, eine Gegend am Victoria R., Arnhem's Ld., v. Capt. Stokes (Disc. 2, 77) am 10. Nov. 1839 so genannt, weil, als er den Fluss kreuzte, er bei den Resten eines Feuers der Wilden einige Schalen v. Wasserschildkröten fand; *b) Tortuous Channel* = gewundener Arm, eine enge gewundene Passage in der Magalhães Str., so genannt v. engl. Seef. Narborough 1670 (Boug., Voy. 167).

Tory Channel, eine Durchfahrt der Cook's Str., NSeel., aufgenommen 1839 v. engl. Capt. Chaffers, Schiff *T.* (Dieffb., Trav. 1, 35, Meinicke, IStüll. O. 1, 280), demselben Fahrzeuge, mit welchem Wakefield's (s. d.) erste Ansiedlerschaar ankam (Trollope, Austr. 3, 221).

Toscana wie das südl. anliegende Meer eine toponym. Erinnerg. an die alten Landesbewohner. Der einf. Stamm des uralten Volksnamens, *Turs*, wurde in den umbr. Inschriften zu *Turske*, bei den Römern zu *Etrusci*, *Tusci*, bei den Griechen zu Τυρσηνός, -οί, später Τυρρηνός, -οί, wobei zu beachten ist, dass lat. *Tuscus* aus umbr. *Turscus* erweicht, *Etruscus* durch Umstellg. umgedeutet ist. Daher der lat. Landesname *Etrusia*, später *Etruria*, od. *Tuscia*. Zuf. Dionys. Hal. nannte sich das Volk selbst *Rasena, Rasenna*, nach einem Heros Eponymos, u. diese Angabe bestätigen Inschriften, in welchen *rasna* u. die patronym. abgeleitete Form *rasnal* vorkommt (Kiepert, Lehrb. AG. 401 f., Nissen, Ital. LK, 496). Aus den ägypt. Denkmälern ergibt sich, dass unter den Barbaren, welche das alternde Pharaonenreich zu Ende des 14. Jahrh. v. Chr. bedrängten, sich auch die Etrusker befanden. Unter den Hülfstruppen, welche die Libyer gg. Menephta (1326 —1306) ins Feld führen, begegnen *Schardana, Schakalscha, Turscha* u. *Akaiuascha*, durch den Zusatz ʼaus den Ländern v. Nordmeerʼ als Fremde bezeichnet u. v. der Mehrzahl derʼ Aegyptologen als *Sardi, Siculi, Tursci* u. *Achaei* gedeutet (Nissen, Ital. LK. 116). Wir fügen noch bei, dass *Etruria* in der augustëischen Reichseintheilg. die 7. Region Italiens, *Tuscia* in der diocletian. mit Umbria zs. eine Prov. bildete (Kiepert 404). —

Von ON., die nach Land od. Volk benannt wurden, seien 2 antike u. ein moderner erwähnt: *a) Tuscum Vicum* = Quartier der Tusci, ein röm. Stadtviertel in der Nähe des Forum, nach einer etrusk. Ansiedelg. (Tacit., Ann. 4, 65); *b) Tusculum*, Bergstadt bei Rom, durch den Namen wie durch ihre Verbindg. mit den tarquinischen Königen als eine etrusk. Gründg. erwiesen, in den letzten Zeiten der Republik u. in der Kaiserzeit wg. der gesunden, kühlen Luft eine sehr gesuchte Villenstadt, bestand bis in's 12. Jahrh. (Kiepert, Lehrb. AG. 435); *c) Etruria*, Ort in Staffordshire, als Centrum der Potteries (s. d.) ggr. v. dem 1795 † Industriellen Sir Josua Wedgewood, der die Fabrication v. Porcellan u. Steingut zu vorher ungeahnter Höhe erhob, benannt in Anspielg. auf die berühmten Leistungen der etrusk. Töpferei, die ihren Hptsitz in Arretium hatte (Meyer's CLex. 6, 390). — Das anliegende Meer, den Römern ein *Mare Inferum* = unteres, im Ggsatz z. *Mare Superum* (s. Adria), hiess allg. nach dem seemächtigen Volke Τυρρηνικός κόλπος, ὁ Τυρρηνικός, gew. Τυρρηνικὴ θάλασσα od. Τυρρηνικὸν πέλαγος, lat. *Mare Tyrrenum*, bei sorgfältigen Prosaikern in *Mare Tuscum* umgewandelt. Die Dichter brauchten häufig die vollklingende griech. Form, welche am Ausgang des Alterth. den Vorrang behauptete (Nissen, Ital. LK. 98), bei den Arabern des Mittelalters die Form *Terrana* (Edrisi ed. Jaub. 2, 69) angenommen u. in den mod. Sprachen Geltg. erlangt hat.

Tosjaga s. Kolwa.

Tosoggokòj = reicher Rücken, samoj. Name im Grossland, f. einen Höhenzug, 'dessen Hügel reichl. v. Flechten bedeckt sind, Eisfuchshöhlen in hinreichender Menge enthalten u. in deren zahlr. fischbelebten Seen stets Gänse im Uebfluss sich aufhalten — ein Reichthum an allen Erzeugnissen, welche dem Nomaden wünschenswerth erscheinen u. nach dem er den grössern od. geringern Werth einer Gegend zu schätzen pflegt' (Schrenk, Tundr. 1, 340).

Totnes Road, eine eisfreie Rhede an der Westseite der Davis Str., wo der engl. Seef. John Davis, v. Dartmouth am 7. Juni 1585 abgegangen, mit 2 Schiffen, deren eines, der Mooneshine, v. Dartmouth war, am 6. Aug. anlangte u. einige Zeit liegen blieb (Rundall, Voy. NW. 39, Hakl., Pr. Nav. 3, 98. 101, Forster, Nordf. 348). *T.* ist eine engl. Stadt in Devon; sollte die arkt. Rhede mit derj. des engl. *T.* Aehnlichk. haben od., da der Name zs. mit Mr. Raleigh vorkommt, sollte das engl. *T.* in irgend einer Beziehung zu Sir Walter Raleigh stehen? Oder sollten, wie die Kaufleute v. Exeter (s. d.), auch die v. *T.*-Dartmouth die NWff. unterstützt haben?

Totochonula s. Capitän.

Totoral = Röhricht, d. i. der mit *totora* = Sumpfrohr, bewachsene Ort, span. ON. der argentin. Prov. Mendoza. Aehnl. *Carrizal* = der mit Sumpfgras bedeckte Ort (PM. 16, 406).

Totschïlnaja Gora = der Schleifsteinberg, russ. Name eines durch seine vielverwendeten Stein-

platten berühmten Bergrückens des Urál' (Erman, Reise 1, 338).

Tour = Thurm, v. lat. *turris*, in frz. ON. *a) Tournay*, vläm. *Doornick*, Ort in Belg., röm. *Civitas* od. *Turris Nerviorum* = Veste der Nervier, eines Keltenstamms, kelt. *Tornacum, Durnacum* (Meyer's CLex. 15, 135), *Turnacus* der Peut. Taf. u. des Ant. Itin., bei Greg. v. Tours *Tornacus*, v. *Turnus*, 'nom porté par un personnage mythique que Virgile a chanté et qu'on rencontre dans une inscription écrite sur les murs de Pompéïes, peu avant la catastrophe qui détruisit la ville l'an 79 de notre ère' (Rev. celt. 8, 135). Noch 1857 hatte Chotin (Et. étym. Hain.) ein kelt. *tur* = Thurm u. *ick* = Wasser, also eine 'Veste am Wasser', nämlich der Schelde, angenommen! *b) Bois de la T.*, ein Wald des waadtl. Jura, nach einem hochstehenden Thurm (Gem. Schweiz 19[1], 101); *c) Tourmagne*, v. lat. *turris magna* = grosser Thurm, in *Turtman* verdeutscht, ein Walliser Dorf am Ausgang des nach ihm benannten Thals u. an der Mündg. des gleichn. Bachs, nach einem alten Gebäude, welches j. als Capelle dient (Fröbel, Penn. A. 155); *d) la Tourmagne*, 1155 castrum *Turris Magnae*, ant. Thurm bei Nimes (Dict. top. Fr. 7, 247); *e) las Tours* s. Cabaret; *f) Tournanche* s. Matt.

Tourinne s. Dorn.

Tournant s. Torneresse.

Tourtefort, Cap, in Süd-Austr., v. der Exp. Baudin im Apr. 1802 getauft nach dem Botaniker Jos. Pitton de *T.*, welcher, zu Aix en Prov. 1656 geb., v. seiner morgenländ. Reise üb. 1300 neue Pflanzenarten zkbrachte u. 1708 † (Péron, TA. 2, 83). — Schon am 10. Aug. 1801 *Ile T.*, im Arch. Arcole (ib. 1, 113, Freycinet, Atl. 27).

Tours, Hptort der *Touraine* v. dem gall. Stamm der Turones, Turoni (Tac., Ann. 3, 41), röm. *Caesarodunum Turonum* = Kaiserburg der Turonen (Rev. Celt. 8, 124). Im Mittelalter erscheint der erwähnte Gauname, zuerst als *Turonia, Turonicus pagus*; Frankreich einverleibt wurde der Gau 1584, unter Heinrich III. Er bildet j. das dép. d'Indre-et-Loire. Der Bewohner des Gaues heisst *Tourangeau, Tourangelle* (RDenus, AProv. 121ff.).

Tourville, Baie, in Victoria, Austr., v. der Exp. Baudin am 1. Apr. 1802 getauft (Péron, TA. 1, 266) nach dem Seehelden *T.*, welcher namentl. im Mittelmeer u. im Kampf gg. die Barbaresken Ruhm erwarb, bei der Insel Whight die brit.-holl. Flotte besiegte u. 1701 †, bei M. Flinders (Atl. 5) *Portland Bay.* — Ebenso *Anse T.*, hinter Nuyts' Arch., im Febr. 1803 (ib. 2, 92).

Tower = Thurm, Veste, v. frz. *tour*, engl. Eigenname f. die Citadelle Londons, die Wilhelm der Eroberer als Palast u. Zwingburg erbauen liess, dann auch in andern engl. ON.; *the T.* z. B. taufte Capt. Stokes (Disc. 2, 65) einen hohen, mit merkw. Steinblock gekrönten Pic in Arnhem's Ld., am 6. Nov. 1839. — *T. Bluff* s. Martin. — *T. Creek*, einer der obern Zuflüsse des Yellowstone R., ein rascher Bergstrom, 4 m br. u. $^1/_2$ m t., nach den zahlr. Felssäulen, welche seine Schlucht bekränzen. 'In the process of wearing out the ravines and cañons on either side, hundreds of curious pinnacles and columns, resembling groups of Gothic spires, were carved out of the solid beds of basalt and breccia' (Hayden, Prel. Rep. 77). — *T. Fall*, im Netz des Yellowstone R. 2 mal, weil die umgebenden Felsbildungen Aehnlichk. mit Thürmen u. Burgen haben: *a)* im *T.* Creek (s. oben), 45 m h., eingeschnitten in einen 146 m t. Cañon, dessen Felswände abgebrochen u. zerbröckelt durch die Wirkg. der Jahre, aber noch aufrecht u. trotzig. 'Basaltic tufa cones and columns in the vicinity of the fall have suggested the name, and all the surroundings are picturesque in the highest degree' (Ludlow, Caroll. 20); *b)* im Gardiner R., 33 m h., 1870 getauft v. US. surv. gen. Washburne, weil die scharfen Felsspitzen, üb. welche der Fluss herabspringt, einer edeln Schlossruine gleichen (Peterm., GMitth. 17, 278). — *T. Mountain*, ein stolzer Pic des obern Missuri, der mittlere v. 3 Bergen, die Capt. Lewis (Trav. 181. 596) am 5. Juni 1805 entdeckte u. auf dem Rückwege, 19. Juli 1806, nach ihrem unregelmässigen u. zerklüfteten Aussehen *Broken Mountains* = zerrissene Berge nannte. — *T. Rock*, ein Inselfels vor Mercury B., v. Cook am 15. Nov. 1769 nach der Form getauft (Hawk., Acc. 2, 347, Carte).

Towfikia, Ort am Nil, 10 km unth. der Confl. des Sobat, als ägypt. Station f. die Regenzeit ggr. am 25. Apr. 1870 u. v. Sir S. Baker benannt zu Ehren des ältesten Sohns des (dam.) Chedive, Mahomed Towfik Pascha (Journ.RGSLond. 1874, 39).

Townshend, Cape, nicht *Townsend*, in Queensl., v. Cook am 28. Mai 1770 entdeckt u. nach der edeln Familie *T.* getauft (Hawk., Acc. 3, 122 f.). Als Flinders (TA. 2, 41, Atl. 10) am 26. Aug. 1802 fand, dass das Cap zu einem Küsteneiland gehöre, nannte er auch dieses *T. Island* . . . 'wishing to follow the apparent intention of the discoverer, to do honour to the noble family of *T.*, I have extended the name of the cape to the larger island . . .' — u. eine westlichere *Leicester Island*.

Traan Baai = Thranbucht, in Waigatsch, v. W. Barents benannt, der, am 19. Aug. 1595 v. Eis verhindert, in die Karasee vorzudringen, in der sichern Bay ein Asyl fand (Adelung, GSchifff. 215, GVeer ed. Beke 53).

Trabajos, Bahia de los, span. Form, f. port. *Bahia dos Trabalhos* = Bucht der Drangsale, in Patag., 47⁰ SBr., v. F. Magalhães im März 1520 getauft nach den hier bestandenen besondern Mühseligkeiten u. Gefahren . . . 'en ella tuvó mayores tormentas y peligros que los anteriores' (Navarrete, Coll. 4, 34). Die Exp. wurde v. bösen Stürmen überfallen, die sie in einer nur wenig sichern Bucht, wohl der j. *Bahia de los Desvelos* = Bucht der Nachtwachen od. Sorgen, 'auswetterte' (ZfAErdk. 1876, 362). Magalhães war nahe daran, sein Flaggenschiff zu verlieren, ja 'in this place we endured a great storm, and thought we should have been lost, but the three holy

bodies, that is to say, St. Anselmo, St. Nicolas, and Sᵃ Clara, appeared to us, and immediately the storm ceased' (WHakl. S. 52, 49).

Trabant s. Karl XII.

Trabenig s. Travnik.

Trachon, gr. Τράχων = rauhe, felsige Gegend, j. *Ledscha* (s. d.), f. die hauran. Plateaux, *Trachonitis* (Plin., HNat. 5, 74). — *Trachy,* gr. Τραχύ = das rauhe, schroffe, ein Berg östl. v. arkad. Orchomenos, wg. seiner wildschroffen Formen (Curt., Pel. 1, 219). Vgl. Thrake.

Tracht s. Zug.

Tracy s. Superior.

Trading Bay = Handelsbay, in der Kenai See, am 10. Aug. 1786 v. Capt. Nath. Portlock benannt nach dem ergiebigen Tauschgeschäfte, welches ihm hier mit den Wilden geglückt war. 'Die Eingb. brachten uns zu der Zeit, als unser Handel mit ihnen im Gange war, öfters allerlei Beeren, bes. Brombeeren, die so gut schmeckten, wie in England. Der vschiedd. hiesigen Pelzwaaren nicht zu gedenken, findet man . . . gediegenen Schwefel, Ginseng, Schlangenwurz, Reissblei, Steinkohlen u. den köstlichsten Lachs in grösstem Ueberfluss. Die Eingb. tauschten ihre Waaren ehrlich gg. die unserigen u. betrugen sich friedlich. Also liesse sich hier unstreitig ein vortheilhafter Handelsverkehr errichten, wenn sich jemand fände, der Muth zu einem solchen Unternehmen hätte' (GForster, GReis. 3, 48).

Trafalgar, span. Cap vor der Str. v. Gibraltar, v. arab. *tarf* = Spitze, Rand, Ende, u. zwar die 'westliche Spitze' (Parmentier, Vocab. arabe 47), v. engl. Entdeckern 3 mal nach Austral., als *Mount T.*, übtragen z. Feier des Seesiegs v. 21. Oct. 1805 *a)* am obern Murray, v. Major T. L. Mitchell (Three Expp. 2, 303) am 21. Oct. 1836; *b)* s. Victory; *c)* s. Nelson. — *Tarf al-Gharb* s. São Vicente. — Ich vermuthe denselben Wortstamm in *Tarf el-Ma* = Wasserscheide, der 'hochberühmten Stätte, welche das Andenken einer frühern Wasserverbindg. zw. der Kleinen Syrte u. der grossen Ssebcha el-Haudiya, der Palus Tritonis, bewahrt' (Barth, Reis. 1, 9).

Trahison s. Island.

Trajan, der röm. Kaiser, welcher um 100 n. Chr. die Mitte der 'guten Kaiser' bezeichnet u. mit dem Beinamen Optimus geschmückt wurde, hat heute noch ein Denkmal in Rom, die *Trajanssäule*, z. Gedächtniss seiner Siege üb. Daken u. Parther, während zahlr. toponym. Denkmäler sich nicht erhalten haben, insb. auch die beiden *Trajanopolis a)* in Pamphylia, früher *Selinus*, wo er †, j. *Selindi* (Hakl., Sel. 123); *b)* in Thrakien, wo im 2. Jahrh. mehrere Städte ggr. od. erneuert wurden, auch *Plotinopolis*, nach *T.*'s Gemahlin Plotina benannte Ort, j. *Bludin* (Kiepert, Lehrb. AG. 130. 329); *c) Castra Trajana* s. Roth; *d) Pons Trajani* s. Kantara; *e) Porta Trajana* s. Sulu D. u. Roth; *f) Portus Trajani* s. Civitas; *g) Nova Trajana* s. Bozrah; *h) Ulpia Trajana* s. Grad u. Hadrume; *i) Vallu Trajanului* s. Dobrudscha.

Traição s. Mortes.

Trajectum s. Maas.

Traill Island, in Grönland, v. engl. Walfgr. Will. Scoresby jun. (North. WF. 247) am 10. Aug. 1822 entdeckt u. nach seinem Freunde, Dr. Thomas Stewart *T.* in Liverpool, getauft. — Nach demselben: *Toint T.,* in der Carte *Trail,* bei C. Bathurst, v. Richardson, Exp. Franklin (Sec. Exp. 231) am 19. Juli 1826.

Train Lake = Schlittensee, im Netz des Winnipeg, woher den Canadiern die Birke z. Bau ihrer Schlitten kam (Franklin, Narr. 125).

Trait s. Zug.

Traitor's Bay = Verrätherbucht, NGuinea, v. engl. Capt. Moresby 1873 benannt nach einem Ueberfall der Wilden, bei welchem 'I had occasion to fire my first and only shot in self-defence'. Während 3 der Officiere ausgegangen waren, Holz zu holen, landeten 70—80 Wilde in kriegerischem Schmuck, u. als Capt. Moresby allein, mit einer Flinte bewaffnet, sich ihrem Versteck näherte, sprangen sie aus dem Gebüsch hervor, formirten 2 Reihen, deren erste mit Speeren, die zweite mit Keulen bewaffnet war, alle unter den drohendsten Geberden. Ein einziger Schuss zerstreute die Schaar (JRGSLond. 1875, 161). — *T.'s Head,* Erromango, v. Capt. Cook (VSouthP. 2, 49) so benannt, weil die anf. wohlwollend scheinenden Eingb. ihn hier verrätherisch übfielen.

Trakehnen = 'Schwendler', Leute, welche auf einer'Schwendi' wohnen, v. lit. *trakas* = Schwendi, ON. in preuss. Litauen. Ebenso *Trakseden* u. das dim. *Trakischken* (Thomas, Tils. Pr. 29).

Trani s. Mikro.

Trans = jenseits, lat. praep. als Ggsatz zu *cis* = diesseits, beide toponym. oft angewandt: in *Cis-* u. *Trans-Leithania* (s. Leitha), *Cis-* u. *Trans-Kaukasien* (s. Kaukasus), *Transilia* (s. Semj), *Transsylvania* (s. Siebenbürgen), *Gallia Cisalpina* (s. Lombardia), *Transvaal* (s. Boers u. Vaal), *Trans-Bajkalia* (s. Bajkal) u. s. f. Vgl. Traz.

Transit s. Baily.

Trapani s. Drepanon.

Trapezunt, gr. Τραπεζοῦς, Τραπεζοῦντος = tischförmig, in lingua franca *Trebisonde,* türk. *Tirabzon,* eine pont. Hafenstadt, durch Griechen v. Sinope ca —750 ggr. u. benannt v. dem schnurgraden Profil der Vorberge, welche an der Küste — ganz im Ggsatz zu den Kegelformen im Westen — den Horizont so gerade abschneiden, dass man einen einzigen langen 'Tafelberg' vor sich zu haben glaubt: ἡ τράπεζα = der Tisch; *b)* ein anderes *Trapezos* in Arkadien, auf schroffem, oben flachem Felsberg (Fiedler, Griech. 1, 363, Meyer's CLex. 15, 145); *c)* s. Tschatyr.

Traps, the = die Fallen, gefährl. Klippen bei Stewart I., wie die nahen *Snares* = Fallstricke, Schlingen, diese v. Capt. Broughton 1791 entdeckt (Meinicke, IStill. O. 1, 311), jene schon v. Cook am 9. März 1770 getauft, weil sie sehr geeignet sind, unvorsichtige Schiffleute, welche z. ersten mal passiren, zu fangen (Hawk., Acc. 3, 18). — *La Trappe* = die Fallthür, ein Thal der

Normandie, wg. seiner Schwerzugänglichk. (Meyer's CLex. 15, 145).

Traserve Inseln, Marquis de, eine antarkt. Inselgruppe, ca. 56—57⁰ S. u. 27—28⁰ WGr., entdeckt u. prsl. benannt 1820 v. russ. Admiral v. Bellingshausen. Der engl. Capt. James Brown, v. Schooner Pacific 1830, taufte die einzelnen Inseln meist prsl.: *Pollet Isld,* 18. Sept., *Prince Isld,* 12. Sept., *Welleys Isld,* 22. Dec., u. nach dem Kalendertage, 25. Dec., *Christmas Isld* = Weihnachtsinsel (Bergh., Ann. 4, 660; 5, 200).

Traun, bayr.-öst. Zufluss der Donau, 788 *Drûna,* im 9. Jahrh. *Truon, Trun(a),* ist, zu schliessen nach den mitgetheilten skr. Wurzeln, die 'laufen' bedeuten, Bacmeister (AWand. 1, 135 f.) geneigt, als 'Fluss' zu fassen u. mit mehrern anklingenden Flussnamen zsstellen: *Druna,* Zufluss des Rhodanus, j. *Drôme,* die *Druentia* der Alten, j. *Durance,* die *Drone,* Zufluss der Mosel, 'u. man darf wohl die *Drau* od. *Drave, Dravus* bei den Alten, herziehen'. Von anderm Ausgangspunkt aus gelangt Förstemann (Altd. NB. 476ff.) auf dasselbe Ziel: 'Ein Stamm *drav,* f. FlussN., scheint unleugbar zu sein, u. da dieser sich weder aus dem Deutschen, noch aus dem slaw. u. kelt. Sprachschatze gut deuten lässt, so wird man auf das Ureigenthum des indogerm. Volkes zkgehen müssen, u. dann wird sich kaum eine andere Erklärg. ansprechender zeigen, als die v. Bopp, der im Sanskritwörterbuch *dravus* mit *dravas* = fluens zsstellt'. In der That zeigen die urk. Formen, f. *Drau,* u. ihren Zufluss *Drän,* f. *Trave,* bei Lübeck, f. *Drone,* im 4. Jahrh. *Drabonus,* im 8. *Drona,* f. T., im 8. Jahrh. *Druna, Truon, Truona,* im 11. *Truna, Trune* u. s. f. die weite Verbreitg. des Worts. Der Wiener Germanist Rich. Müller (Bl. öst. LK. 1888, 8 f.) fand die Wurzel in goth. *drunjus* = Schall, altn. *drynja* = dröhnen, brüllen u. setzt somit, trotzdem bei dem zweifellos kelt. Urspr. des Namens der nahen Ischl die gall. *Druna,* j. *Drôme,* 'doch will angeschlagen sein', *T.* = die dröhnende. Nach dem Flusse der oberöst. *Traunsee,* 9. Jahrh. *Trûnsêo,* dann *Trûnse,* u. an diesem die Orte *Traunkirchen,* im 8. Jahrh. *Trunseo abbatia,* u. *Traunstein,* 'der Beherrscher des Sees, ... eine gewaltige, senkr. aufstrebende Masse' mit nackten Wänden (Daniel, Hdb. Geogr. 3, 257). — *T. Grat* s. Meran. — An dem Fluss v. Lübeck *Travendal,* in Schleswig, u. *Travemünde* (s. Gmünd), an der Mündg. (Meyer's CLex. 15, 150).

Traveller's-Rest Creek = Bach der Rast der Reisenden, einer der obern Zuflüsse des Clarke's R., v. der Exp. Lewis u. Cl. (Trav. 324) am 9. Sept. 1805 so benannt, weil die Reisenden hier den Flussweg verlassen sollten, um üb. das Gebirge z. Lewis's R. zu gelangen u. demnach, vor Antritt der beschwerl. Tour, eine Rast, die zu Ortsbestimmungen u. z. Verproviantirg. zu benutzen war, geboten schien: 'For as our guide told us that we should here leave the river, we determined to remain for the purpose of making celestial observations and collecting some food, as the country through which we are to pass has no game for a great distance'.

Travnik = Wiese, wie *trava* = Gras ein slow. Wort, poln. *trawnik*, oft in den ON. slaw. Berggebiete: *Trava, Travence, Travni, T., Travniček, Travniki, Trawniki, Trabenig, Trabening* (Miklosich, ON. App. 2, 248, Umlauft, ÖUng. NB. 250).

Traz os Montes = hinter den Bergen, 'Davos', Prov. Portugals, die einzige nicht v. Meere bespülte 'u. zugl. durch hohe Gebirge sowohl v. Minho als v. Galicia u. Leon' geschieden, daher mit Ausnahme weniger Gebiete v. Weltverkehr zieml. abgeschnitten (Willkomm,Span.-P. 267). — Die praep. *tras*, lat. *trans* = jenseits, auch in provençal. ON. wie *Tras-les-Orts*, 943 in loco qui dicitur *Trans-ipsos-Ortos* (Dict. top. Fr. 7, 247).

Tre = 3, ital. Zahlwort, entspr. span. *tres*, frz. *trois* u. s. f., mehrf. in ON. *a) T. Bucchi* = 3 Löcher, eine Höhle bei Mendrisio, Tessin, deren 9 m weiter Eingang bis auf 3 Oeffnungen ganz zugemauert ist ... 'essendovi una porta e più in su due finestruccie' (Lavizzari, Esc. 1, 35); *b) T. Ponti* = Dreibrücken, in Venet., nach den 3 Steinbrücken, welche einen gemeinschaftl. Mittelpfeiler haben: eine üb. die Piave, die zweite üb. den rseitg. Nebenfluss Anziei u. eine Verbindungsbrücke (Pollatschek, MilGeogr. 8, 98); *c) Monte delle T. Croci* = Berg der 3 Kreuze, eine Alp bei Teglio, Veltl., zu deren Kreuzen Bittgänge angestellt werden (Leonhardi, Veltl. 120); *d) T. Fratelli* = die 3 Brüder, drei gesellige Küstenfelsen bei Sorrent (Grasb., StGriech. ON. 9); *e) Cima dei T. Signori* = Dreiherren-Spitze, zw. Ortler u. Adamello, wo einst die 3 Länder Tirol, Mailand u. Veltlin zsstiessen (Umlauft, ÖUng. NB. 39); *f) lan T.* s. Nove.

Treacher's Islands = Verrätherinseln, bei NGuinea, v. engl. Lieut. McLuer (Carte v. Panther) 1791, ozw. in Folge eines Vorfalls, getauft (Krus., Mém. 1, 71), wie *Treachery Bay*, in Arnhem's Ld., wo Capt. Stokes (Disc. 2, 112) am 7. Dec. 1839 auf heimtückische Weise v. dem Spiesse eines Wilden getroffen wurde.

Treasure City, eine der Minenstädte Nevada's, benannt nach dem *T. Hill* = Schatzberg, an dem sie gelegen ist. Andere: *Mineral City* (s. Oil), *Shermantown*, nach General Sherman, *Springville* = Quellenstadt, am östl. Abhang einer Kette, deren Westseite die Hauptfundstätten, aber ohne Wasser, enthält, *Lyonsville*, nach dem Präsidenten der Minencompagnie die Elydistricts (Ord, Nev. 43 ff.). — *Treasury Islands*, in den Salomonen, dem engl. Schatzkammeramte zu Ehren getauft v. Capt. Shortland, welcher die Bougainville Str. 1788 passirte, bei Adm. Rossel, in den Carten der Exp. d'Entrecasteaux, *Isles de la Trésorerie*, aber ausserh. der Meerenge (Fleurieu, Déc. 184). Die grösste dieser Inseln heisst nach Krusenstern's Vorschlag (Mém. 1, 160) *Ile Shortland*. — *T. Island* s. Duff.

Treaty Portage = Handels - Trageplatz, im Missinipi, benannt v. dem engl. Reisenden Joseph

Frobisher, welcher 1774/75 bis dahin vordrang u. hier im Frühjahre die Indianer auf ihrer jährl. Canotreise traf. Sie waren auf dem Wege nach Fort Churchill, u. v. ihnen erhandelte er so viel des treffl. Pelzwerks, als seine Fahrzeuge fortzubringen vermochten (McKenzie, Voy. 85).

Trebisonde s. Trapezunt.

Trêbiti = reinigen, roden, reuten, asl. Element zu den ON., die dem deutschen Rüti etc. parallel gehen, *trebež* = Gereut, als *Trboje, Trebenberg, Trebeš, Trebesch, Trebesse, Trebetnik, Trebeunik, Trebich, Trebija, Trebinja, Trebinje, Trebnje, Trebno, Trebocconi, Trebovac, Treffen*, wohl aus *Trebinje* verdeutscht, *Tribalj, Tribanj,Tribunj,Tribunje, Trifail*, im slow.-serb. Sprachgebiete, *Trebešic, Trebešov, Trebestovic, Trebetin, Trebetitz, Trebihošt, Trebin, Trebinie, Trebischko, Trebischt, Trebitsch, Trebnic, Trebnitz, Treboč, Trebomislitz, Treboň, Trebonic, Trebonin, Treboratic, Trebosič, Trebusik, Trebutschka, Trebotovic, Trebotow, Troboul, Trebova,* 2 ON. in *Trübau* verdeutscht in Böhm. u. Mähr. — Das poln. *trzebic* = roden, *trzebiec* = Rüti, in den galiz. ON. *Trzebienszyce, Trzebinia, Trzebionka, Trzebunia, Trzebuska* (Miklosich, ON. App. 2, 248, Umlauft, ÖUng. NB. 250 ff.).

Tree Island = Bauminsel, bei Bangka, so auf engl. Carten wg. einiger auffälliger Bäume. Fleurieu, der gelehrte Hydrogr., verwarf diesen Namen, weil die wenigen Bäume ... leicht verschwinden können u. folgl. die Benenng. nicht mehr passen würde. Er schlägt dafür(Marchand, Voy. 2, 189) *Rocher Navire* = Schifffelsen vor, weil das Eiland einem Schiffe unter Segeln ähnelt (Krus., Mém. 2, 394). — *T. Point*, an der Nordwestküste des Australcontinents, v. Capt. Ph. P. King (Austr. 1, 275) am 4. Sept. 1819 nach einem Baume getauft, der sich auffällig über das Gebüsch der Landspitze erhob.

Trefoil Island = Kleeinsel, in Hunter's Is., v. Lieut. M. Flinders (TA. 1, CLXXIII, Atl. 7) am 9. Nov. 1798 nach der Form benannt ... 'its form appearing to be nearly that of a clover leaf'.

Tregrosse's Islets, im Korallen M., v. der frz. Capt. *T.*, Brigg les Trois Frères, im Jan. 1821 entdeckt (King, Austr. 2, 388).

Treguada s. Contra.

Treibholz-Rhede, der innerste Theil der spitzb. Lomme Bay, welche v. der Hinlopen Str. her tief in die Ostseite NVriesland's einschneidet, getauft nach den Massen Treibholz, welche den Strand bedecken, aus der schwed. Exp. v. 1861 (Torell u. N., Schwed. Expp. 200).

Tremblay, lat. *Tremuletum* = Ort mit Zitterpappeln, v. *tremula* scil. populus (d'Arbois de Jub., Rech. NL. 627, Houzé, Ét. NL. 9 ff.), auf frz. Sprachgebiet häufig, *le T.*, 1210 *Trembleium*, 4 mal in dép. Eure-et-Loir, *la Tremblaye*, 1090 *Trebuletum*, 1109 *Trembleia*, 6 mal ebenda (Dict. top. Fr. 1, 181), *les Tremblas*, 2 mal, *le T.*, 4 mal, *les Tremblés*, im dép. Yonne (ib. 3, 130), *la Tremblaie* 2 mal, *le T.* 11 mal im dép. Eure (ib. 15, 219 f.), ferner *Trembles* u. *Tremblet* im schweiz. C. Neuenburg, *Trembley*, 2 mal im C. Waadt u. 1 mal im C. Neuenburg (PostLex. 380). — Vom ital. *tremula, tremola*, die ON. *Val Tremola*, das Quellthal des Gotthard-Tessin (vgl. Bedretto), *Tremoleto*, *Tremolata* (Flechia, NL. NPiante 22, Gem. Schweiz 18, 350).

Tremembé s. Ubijaras.

Tremiti, Isole, im adriat. Meer, röm. *Insulae Diomedeae*, nach dem Heros, der hier gefallen u. bestattet sein soll, während die in Reiher verwandelten Genossen das Heiligthum bewachten, gew. im sing. *Insula Diomedea*, f. die Hptinsel, j. *San Domenico*, die im Alterth. eig. *Trimerus* hiess. Die kleinern sind *San Nicola*, einst mit Kloster, *Caprara*, nicht v. Menschen, aber wohl v. Ziegen bewohnt u. *Pianosa* = die flache (Nissen, Ital. LK. 371).

Tremola s. Bedretto.

Tres = 3, lat. Zahlwort (s. Bering u. Philipp), häufiger in span. u. port. ON., gern f. gesellige Inseln, Bergspitzen etc., die v. ähnl. Grösse u. Form als 'Brüder' od. 'Schwestern' erscheinen: *Los T. Hermanos* = die 3 Brüder, 2 mal: *a)* drei gesellige Eilande bei Panama (Peterm., Carte d. Isthm.); *b)* s. Fugitiva. — Port. *os T. Irmãos*, Inselklippen der Prov. RGrande do Norte. — *Las T. Hermañas* = die 3 Schwestern, die drei Culme des Cerro d'Olimpo, Boliv., am nördl., durch eine Flussbucht getrennt, der *Cerro del Norte* = Nordberg (ZfAErdk. nf. 13, 57). — Port. *as T. Irmãas* = die 3 Schwestern, ein dreitheiliger Inselblock des RPardo, Prov. Bahia (Avé-L., NBras. 1, 99). — *Las T. Marias*, 2 mal: *a)* Küsteneilande vor San Blas, Mexico, im Berichte der v. Cortez 1539 ausgesandten Exp. des Fr. de Ulloa noch *Islas de Xalisco* (Hakl., Pr. Nav. 3, 398. 446), als 'Marien In.' zuerst im Bericht des span. Capt. u. Piloten Fr. de Gualle 1584: *Maria del Nor, del Medio* u. *del Sur* (DMofr., Or. 1, 165); *b)* s. Trois. — *T. Montes* = 3 Berge, Cap (u. Halbinsel) in Chile, 47⁰ SBr. — *Cabo de T. Puntas*, in Süd-Am. 2 mal: *a)* ebf. in Chile, 50⁰ SBr., auch *Cabo de T. Montes*, wg. der 3 Spitzen benannt v. span. Seef. Pedro Sarmiento am 17. März 1579 (Fitzroy, Narr. 1, 158); *b)* in Patag., fast 48⁰ SBr., bei Rich. Hawkins 1594 als *poynt Tremountaine*, dessen 3 Spitzen, je nach dem Standpunkt, auch in zwei oder in eine verschmelzen (WHakl. S. 1, 106 f.). — *Forte dos T. Reis Magos* s. Natalis. — *Las T. Sorores* = die 3 Nonnen, Name der 3 Gipfel der Maladetta, mit Pic Nethou (Willk., Span.-P. 9). — *T. Ilhas* = 3 Inseln, in der bras. Prov. São Paolo (WHakl. S. 51, XXV). — *Cabo das T. Palmas* s. Palmas. — *Las T. Cruzes* = die 3 Kreuze, ein Ort in Chiapa, CAm., wo, der Annahme zuf., Cortes auf dem Zuge, den er am 12. Oct. 1524 v. Mexico aus antrat, 3 hölzerne Kreuze zkgelassen hat (WHakl. S. 40, XIV).

Treuenbriezen s. Priegnitz.

Treurenberg = Trauerberg, holl. Bergname_in

Spitzb. 'Gleich vor u. nördl. v. dem Magdalenenberge befindet sich eine wüste Ebene, die sich nach dem Strande u. auch nach dem Innern zu abdacht u. beinahe ·schneefrei ist. Der Boden besteht aus nichts als Grus u. Steinen. Es befinden sich auf ihr dicht neben einander eine Menge kleiner Hügel u. Rollsteinen, die meisten mit einem kleinen Pfahl in der Mitte. Wir erkennen in ihnen wieder einen hochnord. Begräbnissplatz. Noch Mitte Juni herrschte hier der Winter. Das Land war grösstentheils mit tiefem Schnee bedeckt. Aber die steilen schwarzen Abhänge der umliegenden Berge zeigten nur einzelne Flecken, u. der Schnee hatte sich in den Ruinen u. Felsklüften angesammelt. Alles erschien entw. schwarz od. weiss, u. diese Farbe nebst dem Kreuze u. den Gräbern vereinigten sich, um den Geist des Beschauers wehmüthig zu stimmen u. ihn an jene nun längst vergessenen Ereignisse zu erinnern, welche vor mehr als 100 Jahren dieser Stelle den Namen *T.* gaben' (Torell u. Nord., Schwed. Exp. 62 ff.). Die Schweden zählten gegen 30 jener Steinhügel; an den Pfählen fanden sich noch die verrosteten Nägel, welche kleine Tafeln mit Inschriften befestigt hatten. Noch lagen ein paar der Tafeln am Boden; auf einer derselben stand:

> Jacob Hans
> Gestorv op Schip
> de Josua
> Commandeur
> Jan de Ines
> Anno 1730 den 26. Juni.

'Hier u. da lagen zerstreute Knochen neben Sargbrettern, deren Holz sich gut erhalten hatte — so langsam verrottet alles in diesem Lande ... Die Stelle erschien j., da ein kalter Nordwind die nackten Grabhügel fegte, als ein Bild grenzenlosen Elends. Der Beschauer glaubt sich selbst in tiefster Einsamkeit u. Verlassenheit, wo keine Hülfe, kein Ausweg zufinden'. — Nach dem *T.* die *T. Bay*, auch *Zorge Bay* = Sorgenbucht, nicht ohne gute Ankerplätze u. vor Sturm merkw. sicher, aber dem Zudrang der Eisberge ausgesetzt. Darum schlug ein Mitglied der Exp. Nordenskjöld 1861 den Namen *Mäusefalle* vor. Das Becken, j. noch ganz eisfrei, kann schon in der nächsten Stunde mit Treibeis dermassen angefüllt sein, dass sich nicht einmal ein Boot hindurchzuzwängen vermag (Peterm., GMitth. 10, 130).'

Trevanion Island, bei Krus. (Mém. 1, 186) irrth. *Travenion*, eine kleine, schöne u. fruchtb. Insel v. Sa. Cruz, v. Capt. Carteret am 17. Aug. 1767 prsl. benannt, wie *Cape T.* u. *Lagoon T.* (Hawk., Acc. 1, 359 f.). Schon am 7. Sept. 1595 hatte sie die Span. Mendaña, nach der Annehmlichk. u. Fruchtbk., *Isla de la Huerta* = Garteninsel, die 'Lagoon' *Bahia Graciosa* = liebliche Bay ... 'que tal es ella' getauft (Krus., Mém. 1, 186, Meinicke, IStill. O. 1, 170); denn 'la côte entière ne semblait former qu'une succession de villes pleines d'habitants' (Garnier, Abr. 1, 182), u. die Spanier, welche bis z. 18. Oct. hier verweilten (Zaragoza, VQuirós 3, 17. 42), beschlossen, ihre Ansiedelg. an dieser Bay zu gründen (Journ.RGS. 1872, 216f.). Die leicht zugängl., geräumige Bay ist v. fruchtb. Ufern wie v. einem Garten umgeben, wo Lebensmittel u. klares Wasser in Fülle vorhanden, u. im Hintergrunde erhebt sich der Vulcan. Der Originalbericht wird mit Aufzählg. der Herrlichkeiten gar nicht müde u. widmet ihr mehr als 3 Druckseiten (Zaragoza, VQuirós 1, 75 ff.). **Trèves** s. Trier.

Trgovišće s. Targ.

Triada s. Slawochori.

Triangular Island = dreieckige Insel, in NCaled., v. Capt. Kent 1793 nach der Form benannt (Krus., Mém. 1, 203). — *Triangle Islands* s. Diable. — *Trio Islands*, 3 Inseln am Eingang der Admiralty Bay, NSeel. (Meinicke, IStill. O. 1, 281). — *Tri Ostrowa* = drei Inseln, im Weissen M. (Spörer, NSemlj. 15), obgl. der engl. Nordostf. Steph. Burrough, der sie am 9. Juni 1557 besuchte u. den russ. Namen bei uns bekannt machte, immer nur v. zwei Eilanden spricht (Hakl., Pr. Nav. 1, 291 f.). — *Triplet Mountains* = Dreiblattberge, ein aus 3 steilen Basaltpyramiden bestehender Berg Arizona's, am R. Gila (Peterm., GMitth. 20, 415). — *Fretum Trium Fratrum* s. Bering. — *Trimontium* s. Philipp.

Triankatha, ngr. Τριάγκαθα, st. Τριάκανθα = Dreidorn, ein Hafen auf Naxos, üb. dem ein Cap mit 3 dornähnl. Felsspitzen sich erhebt (Ross, IReis. 1, 41). — *Trikaranon*, gr. Τριχάρανον = Dreikuppe, ein an seinen 3 stumpfen Gipfeln kenntl. Gebirge bei Korinth (Curt., Pel. 2, 468). — *Tri-* od. *Thrinakria* s. Sicilia. — *Trinasos*, gr. Τρίνασος = Dreiinsel, ein Küstenort am lakon. G., v. 3 Inselchen, die als niedrige Felsklippen, *Trinisi*, vor Cap *Trinasa* sich üb. das Meer erheben u. eine kleine Rhede schützend umlagern (Curt., Pel. 2, 287). — *Triodoi*, gr. Τρίοδοι = Dreiweg, wo sich der aus Arkadien kommende Weg nach den drei Hptorten der südl. Ebene, Mantinea, Pallantion u. Tegea, spaltete (Curt., Pel. 1, 315). Ferner s. Tripolis. — *Trieich* s. Eiche.

Tribalje s. Trebiti.

Tribulation, Cape = Cap der grossen Bedrängniss, in Queensl. 10⁰ SBr., benannt v. Cook, welcher lange hinter dem Barrière Riff hinaufgesegelt war u. zw. Untiefen u. Riffen, 'ein Spiel launischer Brisen u. schadenfroher Strömungen', eine angstvolle Fahrt schon durchgemacht hatte u. nun, am 10. Mai 1770, erst recht 'became acquainted with misfortune. Hitherto we had safely navigated this dangerous coast, where the sea in all parts conceals shoals that suddenly project from the shore, and rocks that rise abruptly like a pyramid from the bottom', u. diese Fahrt hatte sich schon üb. 1300 miles erstreckt, ohne dass in einem der bisherigen Namen die gedrückte Stimmg. des kühnen Seef. niedergelegt worden wäre (Hawk., Acc. 3, 140).

Tridschugi Naráin = Narájan drei (Zeit-)alter dauernd, zunächst skr. Epitheton Wíschnu's, dann ON. in Garhwal (Schlagw., Gloss. 254). — *Tri-*

konomálli = dreigipfliger Berg, tamul. ON. in Indien, u. *Trikuta* = Dreigipfel, skr. Name eines hohen Schneepics des westl. Himálaja (Lassen, Ind. A. 1, 55). — *Trilinga*, ein Gebiet des Dekhan, v. den 3 linga, in deren Gestalt, der Legende zuf., Siwa auf die Berge Sriparvata, Kalesvara u. Bhimesvara herabgestiegen ist. Der erste ist noch berühmt als Sitz eines Heiligthums; auch der zweite wird viel v. Pilgern besucht (ib. 214f.). — *Triloknáth* s. Siwa. — *Tripati*, eig. *Tirupati* = Gemahl der Tiru (tam. Form f. Lakschmi, die Gemahlin Wischnu's), also einf. Wischnu, tam. Name des heiligsten u. besuchtesten Tempels des südl. Dekhan, unweit Madras (Lassen, Ind. A. 1, 201). — *Tripura* = Dreistadt, skr. Name einer Gegend auf der Ostseite des Brahmaputra, an den Flüssen Gumti u. Phani, denen der vereinigte Fluss als dritter beizuzählen ist (ib. 94). — *Trisúl* = Dreizack (ein Sinnbild Mahadewa's), skr. Bergname in Kamaon (Schlagw., Gloss. 254). — *Tritschinapálli* = die Stadt des dreiköpfigen (Gottes), v. *tri* = drei, *síras* = der Kopf u. *palli* = Dorf, skr.-tamul. ON. in Coromandel, zu Ehren des Kuwera, des Gottes des Reichthums, der den Zunamen des 3köpfigen führt, unter dem Hindu auch in der Form *Trissira-*, *Tiritschira-palli*, *Tiritschirapuram*, wo *puram* = Stadt, fränk. mit Vorliebe *Tritschinópoli*, dessen Endg. an πόλις anklingt. Die Muhammedaner, welche häufig ganz andere Namen f. ihre Unterthanenländer u. -Städte haben, sagen *Naternagger*, wohl v. tam. *nater* = Führer der Ackerbauer, v. den Muhammed. auf einen ihrer geistigen Führer od. Muhammed. auf einen ihrer geistigen Führer od. pirs bezogen, dessen Mausoleum in der Stadt gezeigt wird (Schlagw., Gloss. 254, Reis. 1, 186f., Lassen, Ind. A. 1, 196). — *Triweni* = Dreifluss, hind. Name zweier Confluenzstellen: a) Ganges-Dschamna, bei Allahabad, aber in ganz abweichendem Sinne, als die tib. Bezeichnungen dieser Art. Denn während der *Súmdo* der vereinigte Fluss als dritter zu den 2 Quellflüssen gerechnet wird, denkt sich der Hindu unter *T.* 3 sich vereinigende Flüsse u. zwar neben Ganges u. Dschamna den Saraswáti, welcher dort angebl. zu Tage tritt. Dieser näml. entspringt in der Nähe des Dschamna u. verliert sich, mit mehr südwärts gerichtetem Laufe, in der sandigen Wüste v. Radschwara. Nun nimmt der Hindu das Triefen der Wände in den unterird. Tempelräumen der Confluenzgegend u. das Sickern einer nahen Quelle f. das Hervorbrechen des in der entlegenen Wüste verschwundenen Saraswáti (Schlagw., Gloss. 254, Reis. 1, 301); b) Dschamna-Tschumbal, zu welchen als dritter der Sindhu kommt (Lassen, Ind. A. 1, 145).

Trier, frz. *Trèves*, bei Greg. v. Tours *Treveris*, *urbs Treverica*, *civitas Treverorum*, röm. *Augusta Treverorum* (Tacit., Hist. 4, 62 u. a. O.), der (nach Augustus benannte) Augusta der Treveri, die wie die Nervier f. Germanen gelten wollten ... *circa adfectationem Germanicae originis ultro ambitiosi sunt, tamquam per hanc gloriam sanguinis a similitudine et inertia Gallorum separentur* (Tacit., Germ. 28, Meyer's CLex. 15, 161). Die 'urbs opulentissima' nennt PMela als eine Colonie des Kaisers Claudius; der kelt. Name ist nicht überliefert (Kiepert, Lehrb. AG. 526).

Triest, ital. *Trieste*, latin. *Tergeste* (Plin., HNat. 3, 127 ff.), v. illyr. *terst* = Schilfrohr. Schon die Venetianer ahnten 'in dem unbedeutenden Schilfrohrneste' die künftige Nebenbuhlerin (Daniel, Hdb.Geogr. 4, 911). — Auch asl. *trst*, čech., slow. u. serb. *trst*, finden sich in ON. oft: *Trstenik*, in Krain, *Trtěnik*, *Trti*, *Trtic*, *Trtschkadorf*, in Böhm., *Trstenica*, in Kroat. u. Dalm., *Triesting*, ein Zufluss der Schwechat, 1002 *Tristnicha*, *Trieznika*, also 'Rohrbach', *Triesenegg*, um 1100 ebf. *Tristnich*, in NOest., *Terstenic* u. *Terstenico*, Orte in Krain u. Istr. (Miklosich, ON. App. 2, 250), poln. *trzcina* = Rohr in den ON. *Trzciana*, *Trzcianiec*, *Trzcinica* (Umlauft, ÖUng. NB. 252).

Triglav = Dreihaupt, v. slow. *tri* = drei u. *glava* = Haupt, slaw. Bergname *a)* f. den Culm der julischen Alpen, dessen 3 zuckerhutähnl. Spitzen v. Radmannsdorf aus bes. schön zu sehen sind, 1779 in Hacquet's 'Mineralog.-bot. Reise' *Terglou* genannt; *b)* ein Gebirge Bosniens (Umlauft, ÖUng. NB. 242. 252).

Trigo, Montäo de = Weizenhügel, wo port. *trigo*, v. lat. *triticum* = Weizen, ein Erdhöcker an der Mündg. des bras. Rio de Una. 'The islet is inhabited by some seven families, who cultivate coffee' (u. Weizen ?) 'and catch as much fish as they please' (WHakl. S. 51, XXIV).

Trindade, Ilha da = Insel der Dreifaltigkeit (s. Trinidad), vor dem Maranhão, durch die Reste der schiffbrüchigen Auswanderergesellschaft der Donatarios Fernand' Alvares, João de Barros u. Ayres da Cunha 1536 so genannt, eher nach der 3köpfigen Association als nach der 'himmlischen Dreifaltigk.': 'não sabemos se invocando o mysterio da nossa fé, ou se commemorando, como parece mais provavel, a tão mallograda associação dos tres donatarios' (Varnh., HBraz. 1, 160).

Trinidad, die span., wie *trindade* die port. u. *trinity* (s. dd.) die engl. Form des lat. *trinitas* = Dreieinigkeit sc. Gottes, der zuf. der christl. Glaubenslehre Ein Wesen in 3 Personen darstellt u. in besonderm Feste, *festum Trinitatis*, je Sonntags nach Pfingsten, gefeiert wird, doch allg. erst seit Johann XXII., welcher 1316—1334 auf dem päpstl. Stuhle sass. Es ist einleuchtend, dass ON. dieser Kategorie gern bei kirchl. Nationen vorkommen, also bei den span. u. port. Seeff. des grossen Entdeckgszeitalters, doch mehrf. auch bei den altern engl. Seeff. Wir notiren zunächst einen klösterl. *Mons Sanctae Trinitatis* (s. Bel) u. das einf. *T.*, in America 3 mal: *a)* eine Antille (LCasas, Narr. 68), v. Columbus am 31. Juli 1498 so benannt, weil sie aus der Ferne 3 flache Gipfel zeigte (Colon, Vida 311), deutlicher, weil ein Matrose v. Mastkorb aus 'vido al poniente tres montañas juntas' (WHakl. S. 43, 118). Der Geistliche Gomara (HGen. c. 84) begnügt sich mit diesem einen Motiv nicht, sondern lässt dems. noch ein religiöses vorangehen: 'por devocion o voto que hizo a su Magestad en la tribulation',

so dass f. diesen Fall die Uebs. 'Dreieinigkeit' lauten würde; *b)* eine atlant. Insel, 20⁰ SBr., offb. eine port. Entdeckg. mit dem nachbarl. Eiland: *Ilha de Martim Vaz* (Ross, SouthR. 1, 22). Sollte nicht der genannte Port. beide entdeckt haben? Hondius' Carte zu Fletcher's 'World Encomp. 1628 hat dort noch 2 Eilande: *San Pedro* u. *Santa Maria*; *c)* s. Loreto. — *La Santissima T. de los Muzos* s. Muzo. — *Bahia de la T.*, in Calif., v. span. Seef. Bruno de Heceta 1775, wohl nach dem Kalendertage, dem 1. Sonntag nach Pfingsten, benannt (GForster, GReis. 1, 46). — *Golfo de la Sanctissima T.* = Bay der allerheiligsten Dreieinigkeit, bei Cabo de Tres Puntas (s. d.), v. span. Seef. Pedro Sarmiento im März 1579 so benannt, offb. durch jene Dreiheit auf religiöse Vorstellungen geführt, wie er denn einen nahen *Puerto de Nuestra Señora del Rosario* = Hafen Unserer L. Frauen v. Rosenkranz u. die Inselwolke, welche er v. einem nahen Berge übschaute, *Arcipelago de la Madre de Dios* = Arch. der Mutter Gottes taufte. 'Da es eine ganz neue Gegend war, so nahm Sarmiento feierlich Besitz. Ein grosses Kreuz wurde aufgestellt, eingeweiht u. v. den in Parade ausgerückten Truppen mit Gebet u. Musketensalven begrüsst. Dann sangen die Geistlichen das Tedeum. Nach vschiedd. weitern Ceremonien verkündete der Capt. mit lauter Stimme die Besitzergreifg. Hierauf sangen die Geistlichen Vexilla Regis, feierten auf einem improvisirten Altar die erste Messe u. baten Gott um Austreibg. des Teufels u. aller Art Idolatrie. An das Kreuz liess Sarmiento oben I. N. R. I., unten Philippus Secundus Rex Hispaniarum anbringen u. endl. v. einem Notar den förml. Act aufsetzen'. In diesen Gegenden v. Sarmiento auch *Puerto de San Francisco*, *Punta de la Gente* (s. d.), *Golfo de Nuestra Señora de Guadelupe* (ZfAErdk. 1876, 398 f.). — *Ciudad de la Santissima T.* s. Buenos Aires. — *Punta de la T.*, Calif., durch die v. Cortez ausgesandte Exp. des Fr. de Ulloa am 17. Dec. 1539 entdeckt u. nach der *T.*, einem der 3 Fahrzeuge, getauft (Hakl., Pr. Nav. 3, 414). — *Rio de la T.*, ein Nebenfluss des AmazonenStr. (welcher ?), nach den 3 Inseln, die in der Mündg. liegen, v. Span. Fr. Orellana 1540, am Sonntag nach Auffahrt, entdeckt (WHakl. S. 24, 30).

Trinity Bay = Bucht der Dreieinigkeit (s. Trinidad), engl. ON. 2 mal: *a)* in Queensl., v. Cook am 10. Juni 1770, Sonntag nach Pfingsten, entdeckt ... 'being discovered on *T.* Sunday' (Hawk., Acc. 3, 139); *b)* in NFundl., wohl v. der Exp. Hore 1536 nach dem Admiralschiffe *T.* (Hakl., Pr. Nav. 3, 130). — *T. Inlet* s. Charlotte. — *T. Island*, ebf. 2 mal: *a)* in Kodjak, wo das nahe *Cape T.* v. Cook (-King, Pac. 2, 407 ff.) am 14. Juni 1778, also wohl ebf. nach dem Kalendertage, getauft (Krus., Mém. 2, 69, Atl. OP. 17); *b)* s. Jan Mayen. — Im plur. *T. Islands*, 3 Eilande des Fox Ch., ein gleichseitiges Dreieck bildend, wo j. noch *Cape T.*, v. Capt. Luke Fox am 18. Sept. 1631 getauft zu Ehren v. *T.* House, 'in remembrance of the house in Deptford Strand', jener Corporation, welche das Unternehmen gefördert hatte (Rundall, VNW. 153. 182, Parry, Sec. V. 24). 'Die Brüderschaft v. *T.* House ist eine Gesellschaft v. 31 Personen, welche die Aufsicht üb. alle die Piloten in England haben, sie auch examiniren, Feuerthürme u. Leuchten an den Küsten setzen lassen, wo es nöthig ist, u. die Seebaaken z. Bestimmg. der rechten Fahrt, bei seichten Stellen am Eingange der Flüsse u. Häfen legen lassen. Zu Bestreitg. der Kosten erlegen alle Schiffe ein gewisses Geld, wenn sie ein- od. auslaufen' (Forster, Nordf. 414. 422).

Tripolis, gr. *Τρίπολις* = Dreistadt (s. Triankatha), fränk. *Tripoli*, arab. *Tarábolus*, Name der Gesammtheit dreier vereinigter Städte, 2 mal, aber in ungleichem Sinne *a)* in Libyen, umfassend *Oea*, welches auf seinen Münzen *Wai'at*, phön. רעית, hiess, j. *T. el-Gharb* = das westliche, *Leptis* (s. d.) u. *Sabrata*, צברת = Markt, graecis. *Ἀβρότονον* j. *T. Vecchia* = alt *T.*, also 3 Orte, welche v. den sikel. Griechen unter dem Namen *Tripolis* zsgefasst wurden; diesen Namen erhielt dann die v. dem hier gebornen Kaiser Sept. Severus neugebildete Prov. *Tripolitana*, sowie deren Verwaltgshptstadt Oea (Kiepert, Lehrb. AG. 214, Barth, Wand. 291, Peterm., GMitth. 8, 13, Meyer's CLex. 15, 168); *b)* in Syrien, j. *T. esch-Schâm* = das östliche (Burckhardt, Reis. 1, 273, Barth, Wand. 291), gemeinschaftl. ggr. v. Tyros, Arados u. Sidon, so näml., dass jede Abtheilg. durch eine besondere Mauer eingeschlossen u. ein Stadium v. der andern entfernt war u. doch die Gesammtanlage ein ganzes bildete. Hier pflegte das phön. Synedrium üb. die wichtigsten Angelegenheiten zu berathen (Diod. Sic. 16, 41). — *Tripolitza*, ngr. *ἡ Τριπολιτζά*, türk. *Tarabulosa*, amtl. *Τρίπολις*, das Haupt der Ebene Ost-Arkad., der Ueberlieferg. zuf. aus den Resten der zwei alten Hauptstädte Mantineia u. Tegea, sowie aus Muchli, zsgesiedelt (Curt., Pel. 1, 234. 267). — *Tripotamo*, ngr. *Τριπόταμο* = Dreifluss, die Stelle der alten Stadt Psophis, weil hier der Skupi, der Dekumi u. der Erymanthos zsfliessen (Fiedler, Griech. 1, 394).

Tristan s. Cunha.

Triste, Golfo = Trauerbucht, der Meerarm zw. Orinoco u. Trinidad, zu welchem die Drachenschlund den nördl. Eingang bildet, eine öde u. gefürchtete Passage, weil Schiffe, welche bei frischem Westwinde mit ausgespannten Segeln gg. die mächtige Strömg. des Orinoco anstreben, sie kaum zu überwinden vermögen (Humb., ANat. 1, 255), j. nach einer Insel *Canal del Soldado*. — *Bajo T.* = unglückliche Untiefe, ein grosses, dreieckiges Lagunenriff der centralen Carolinen, einh. *Oraluk*, um so gefährlicher, da nur einige Klippen, Bänke u. einige kleine Sandinsel das Wasser überragen, benannt 1773 v. dem span. Capt. Tomson, bei Capt. Campbell 1830 *Campbell Reef*, das kleine unbewohnte Eiland, bei Tomson *Santo Agostino*, v. Capt. Saliz, Schiff Péruvien aus Bordeaux, am 18. Juni 1826 *Ile Bordelaise*,

v. engl. Capt. Magnus Johnson, Schiff Guilford, am 11. Oct. 1827 prsl. *Jane Island* getauft (Bergh., Ann. 2, 784; 9, 160, Meinicke, IStill. O. 2, 352).

Tristnicha s. Triest.

Tritonis s. Kebir.

Trna s. Tarnopol.

Trölladyngja = Kammer der Unholde, einer der isl. Vulcane, v. welchem die unermesslichen Lavafelder des Odáha-hraun geflossen sind (Preyer-Z., Isl. 217).

Troja, Rio de la, in Argent., nach den 5 leg. obh. Anillaco gelegenen alten Befestigungen u. der ausgedehnten völlig zerstörten Indianerstadt, deren Untergang zu dem Namen *T.* Veranlassg. gegeben hat (Peterm., GMitth. 6, 370. — S. Tura.

Trois = drei, in frz. ON. häufig f. benachbarte Objecte dieser Zahl *a) les T.-Moutiers* = die 3 Münster, im *dép.* Vienne, nach den drei Pfarrkirchen St.-Pierre, Notre-Dame u. St.-Hilaire, die 1 km v. Bernezau entfernt die Grundlage des neuen Orts, 1408 *Troys Moustiers* (Dict. top. Fr. 17, 420); *b) Borne des T.-Evêchés* = Grenzstein, u. *Fontaine des T.-Evêchés* = Brunnen der 3 Bisthümer, mit der Grenzmarch der Diöcesen Châlons, Toul u. Verdun; *c) Province des T.-Evêchés*, die drei Städte Metz, Toul u. Verdun, deren jede den Titel Bisthum hatte; *d) Fontaine des T.-Maries*, Mineralquelle bei Resson, *dép.* Meuse; *e) Gorge des T.-Chênes* = Schlucht der 3 Eichen (Dict. top. Fr. 11, 238). — *Ile aux T.-Baies* = Insel mit 3 Buchten, in West-Austr., v. Schiffsfähnrich L. Freycinet, Exp. Baudin, am 12. Aug. 1801 nach ihrer Gestalt benannt. Auf jeder Seite der Insel sieht man eine wohlgeschlossene Sandbucht, in welcher kleine Fahrzeuge Schutz finden können (Péron, TA. 1, 166). — *Ile des T. Cocotiers* = Insel der 3 Cocospalmen, in der Centralgr. der Paumotu, einh. *Pukaroro*, an der Südwestseite ganz bewaldet, während die andere kahle Felsen zeigt, v. dem frz. Perlfischer Mauruc entdeckt u. benannt. In dieser Gegend taufte am 9. Aug. 1844 der belg. Capt. d'Hondt, v. Schiffe Industriel, eine *Ile de l'Industriel*, *Ile de Leopold I.* u. *Ile de la Reine Louise* (Meinicke in ZfAErdk. 1870, 356, während er in 'IStill. O.' 2, 211 Maurucs Insel u. Wallis' Egmont als *Industriel Inseln* zsfasst). — *Les T. Couronnes* = die 3 Kronen, die hintersten Spitzen des scharfen Felsenkamms, welcher Val Arolla v. dem Ferpècle Gletscher, Wallis, trennt (Fröbel, Penn. A. 72). — *Les T. Rivières* s. Foix. — *Les T. Rivières des Sioux* s. Three. — *Les T. Soeurs* = die 3 Schwestern, mehrf. f. ähnl. geformte u. gleich hohe Berge od. Inseln: *a)* drei der Salomonen, einh. *Maraupaina, Mararuaro* u. *Ariita*, v. frz. Capt. Surville am 3. Dec. 1769 so getauft (Meinicke, IStill. O. 1, 158), schon im Mai 1568 v. den Spanier Mendaña *Las Tres Marias* genannt (Zaragoza 1, 12; 3, 47, Marion-Cr., NV. 280, Fleurieu, Déc. 149, Spr. u. F., NBeitr. 3, 230); *b)* drei Eilande der Geelvink Bay, bei der Ostspitze, wie *Les Deux Frères* = die beiden Brüder an der Westspitze, v. frz.

Seef. d'Urville 1827/29 benannt (Meinicke, IStill. O. 1, 95); *c*) s. Three. — *Tréviers*, 1280 *de Tribus viis* = an 3 Wegen, Ort des frz. dép. Hérault, ein Seitenstück des schweiz. Bivio-Stalla (Dict. top. Fr. 5, 212).

Troizkoi = (Kirche od. Kloster der) Dreieinigkeit, russ. ON. vielf.: *a*) bei Moskau, mit dem Beinamen *Sergiewsk*, nach dem heil. Sergius, um 1340 gestiftet, das grösste u. reichste Kloster des russ. Reichs, wo jährl. gg. 1 Mill. Wallfahrer anlangen. Die kleine Kirche der Dreieinigk., *troizi*, enthält den silbernen u. vergoldeten Sarkophag des heil. Mannes (Meyer's CLex. 15, 172). Abt ist der jew. Erzbischof v. Moskau. Die Zahl der leibeignen Bauern betrug einst 150000 (Rahn, Arch. 3b, 307); *b*) Kloster zu Tjumen, ggr. 1616, eines der vornehmsten u. reichsten Landes (Müller, SRuss. G. 4, 432); *c*) am Jenissei, wo die Untere Tunguska mündet, ggr. 1657 v. Wildschützen Timofei, eines Priesters Sohn aus Ustjug (Fischer, Sib. G. 2, 555); *d*) am See Kotakil, Ost-Sib. (Laxm., Sib. Br. 40); *e*) s. Kjachta; *f*) am Ui, einem Zufluss des Tobol (Bär u. H., Beitr. 5, Carte). — *Nowo* (= neu) *Tróizkaja*, in Taurien, als Agrarcolonie um 1832 ggr. in einer Gegend, wo sonst eine Menge griech. Ansiedelungen (s. Mariupol) entstanden waren (Bär u. H., Beitr. 11, 33). — *Troizkoi Belogorskoi Pogost*, am Ob, so benannt, als an Stelle eines ostjak. Götzenbildes der Küste Belogorsk (s. d.) eine Kirche erbaut wurde, z. ostjak. Zeit *Lunkpugl, Lonkpugl* = Götzenort, v. *lunk, lonk* = Götze, bei den Russen in *Schaitanskie* (= Satans-) *Jurti* übsetzt. Auch im Gebiete v. Surgut sind ein *Werchnei-* (= ober) u. ein *Nishnij-* (= unter) *Lumpukolskoi Pogost* bekannt, 'wo der Uebergang des Götzendienstes durch neu erbaute Kirchen bestätiget worden' (Müller, SRuss. G. 3, 381).

Troldgjöl = Zauberberg, am Jörend Fjord, 62º 20' NBr., weil, wie am Lyse Fjord, v. ihm bisw., namentl. bei gewissen Veränderungen des Wetters, Rauch, Feuer u. Krachen wie aus einer Kanone ausgehen. Die Unzugänglichkeit der Oeffnungen verhindert, dass man das Phänomen gehörig untersuche (Vibe, K. u. MNorw. 5).

Trollhätta, der gewaltige fünffache Wasserfall der Göta Elf, wird etwa als 'Riesenhaube' betrachtet; aber der schwed. Sprachforscher Joh. Ihre (Lex. Lapp., Vorwort) hält den Namen gar nicht f. schwed., sondern schreibt ihn den Lappen zu, die vor den Germanen in der Gegend sassen, v. lapp. *hœute* = Wasserfall ... 'hafver jag tykt mig icke böre tvifla, att ju wissnämnda ord till stället snamn gifvit anledning' (Pettersson, Lappl. 29).

Trombetas, Rio dos = Trompeterfluss, wohl urspr. *Rio de los Trompetas*, ein bei Obidos mündender Ikseitg. Nebenfluss des Amazonas, im Juni 1541 v. Capt. Francisco Orellana eingeführt, der hier, nachdem ein Treffen mit Indianern (u. Amazonen) bestanden, einen 30 Jahre alten ind. Trompeter aufgriff, v. dem er üb. das Innere manche Erkundigungen einzog (WHakl. S. 24, 34). — *Morro do Trombudo* = Rüsselberg, ein Berg im Oberlande v. Santa Catharina, da der Abhang einem Rüssel verglichen wird (Avé-L., SBras. 2, 126).

Tromelin, Ile, 2 austr. Inseln: *a*) in Santa Cruz, v. russ. Adm. v. Krusenst. benannt nach dem frz. Capt. Lagoarant de *T.*, welcher 1828 vschiedd. Untersuchungen in dieser Inselwelt angestellt hat (Meinicke, IStill. O. 1, 171); *b*) in den westl. Carolinen, einh. *Fais, Feis*, wahrsch. v. Saavedra 1527 entdeckt (Bergh., Ann. 2, 784), bei dem frz. Capt. d'Urville 1827 *Astrolabe*, nach seinem Schiffe (Meinicke, IStill. O. 2, 359).

Trompe à l'Eau s. River.

Trompeur s. Vincent.

Tromsö, norw. Hafenort, in alter Zeit *Trums*, j. noch in der Volkssprache *Troms*, mit geschlossenem *o*, zuerst in der Saga des Königs Hákon Hákonarson (1217/63), der dort die erste Kirche baute, erst später zuerst nur in der Schriftsprache, mit *ö* = Insel zsgesetzt, da die Stadt auf einer Insel liegt. Der Stamm *trums*, v. unbekannter Bedeutg., kommt in norw. ON. auch sonst noch vor, th. als Insel-, th. als Flussname, z. B. in *Trumsa*, einem Fluss v. Gudbrandsdalen (O. Rygh 20. Jan. 1891). — *Cap T.*, in NSemlja, am 14. Sept. 1871 v. norw. Capt. Carlsen getauft, wie das nahe *Cap Hammerfest* nach den heimischen Fischerhäfen, welche den Polarfahrten so viel Vorschub geleistet haben (Peterm., GMitth. 18, 396).

Tronador = Donnerer, ein chilen. Berg, nach dem donnerähnl. Getöse, welches die an seinen senkrechten Abhängen häufig herabstürzenden Eismassen verursachen (Peterm., GMitth. 12, 465).

Trondhjem, deutsch *Drontheim*, norw. Hafenstadt, urspr. *Nidaros* = Mündung der Nid, die dort als Nea- od. Nid-Elf den Fjord erreicht (Meyer's CLex. 5, 676); der alte Name erhielt sich bis zu Ende des 14. Jahrh. u. kam v. da an allmälig ausser Gebrauch (Styffe, Skand. Un. 374), da der Name *Trondheimr* = Heimat der Throndr, wie die Anwohner des Fjord u. danach die ganze Gegend geheissen, auf den Ort übging (O. Rygh 20. Jan. 1891).

Troosthoek = Trostspitze, engl. *Cape Comfort* = Erfrischungscap, in NSemlja, v. holl. Seef. Will. Barents am 26. Juli 1594 entdeckt, 'daer sy lange tydt naer verlanght hadden' (Schipv. 3. 16, Adelg., GSchifff. 169. 225).

Tropaion, gr. Τρόπαιον = Denkmal, der westl. Theil einer Halbinsel, v. Salamis, gegen Attika vorspringend, wo das Denkmal der ruhmvollen Schlacht errichtet war (Bursian, GGeogr. 1, 364).

Troppau, slaw. *Opawa*, 1061 *Oppawa*, 1255 *Opavia*, 1273 *Upavia*, 1353 *Troppowe*, Ort in österr. Schlesien, offb. nach der Oppa, einem Zuflusse der Oder (Daniel, Hdb. Geogr. 4, 945), wohl aus *z'r Oppa* (Buttmann, D. ON. 59, Miklosich, ON. App.) od. *(an) d'r Oppa* entstanden (Adamy, Schles. ON.² 8) u. kaum, wie Grünhagen annimmt, mit slaw. *trh* = Markt (Umlauft, ÖUng. NB. 252).

Troubridge, Mount, in Admiralty R., v. Capt.

J. Cl. Ross (SouthR. 1, 185) am 11. Jan. 1841 entdeckt u. benannt nach rear Admiral Sir Edw. Thomas *T*., Bart., C. B., one of ʼthe three senior lordsʼ of the admiralty. — *T. Hill* u. *T. Shoal*, in St. Vincents G., v. Flinders (TA. 1, 174) am 24. März 1802.

Troué s. Pertuis.

Trout River = Forellenfluss, engl. Name, mehrf.: *a)* ein Stück des Hill R., zw. Knee u. Holey L. In Oxford House, einem Posten der Hudson's Bay Co., erhielt auch Franklin's Exp. (Narr. 37) eine willkommene Erfrischg. an Fischen; denn Forellen v. grossem Wuchs, oft üb. 20 kg schwer, sind in dem (Fluss u.) Holey L. sehr zahlreich. Ein Fall des Flusses *T. Fall* u. danach ein *T. Fall Portage*; *b)* ein lkseitg. Nebenfluss des MᶜKenzie R., der ihn bald nach seinem Austritte aus dem Grossen Sclaven-See aufnimmt. Wenig obh. dieser Confl. mündet v. der entgegengesetzten Seite der *Fishing River* = Fischfangfluss (Franklin, Sec. Exp. 13, Carte; *c)* ein Zufluss der James Bay, 53⁰ 40ʼ NBr., mit ʼabundance of fish, which was a great refreshment to Grimington and his menʼ (Coats ed. Barrow 63). — *T. Portage* im Netz des Missinipi (Franklin, Narr. 178 ff.).

Troyes, Ort in der Champagne, ein kelt. *Noviomagus* (s. Nijmegen), als Hptsitz der kelt. Tricasses zubenannt *N. Tricassinorum*, hiess im 4. Jahrh. civitas *Tricassium*, bei Ammian *Tricassae*, bei Greg. v. Tours *Trecae Campaniae urbs*, urbs *Tricassinorum Campaniae*, u. so herab bis z. heutigen Form *T*. Nach Augustus trug der Ort bei Ptol. den Namen πόλις Αὐγουστόβονα, Αὐγουστόμαυα, noch in der Peut. Taf. *Augustobona* (Dict. top. Fr. 14, 164 f., Meyer's CLex. 15, 177).

Trstenik s. Triest.

Truan, bei den Wapisiana, od. *Korana*, bei den Karabisi, beides = Fall, ein grosser Sturz des Rupununi-Essequibo, als Fall par excellence, da in der Gegend kein ebenbürtiger ist (Journ. RGS. Lond. 1845, 17).

Truant Island, eine der English Co. Is., v. Matth. Flinders (TA. 2, 233) am 19. Febr. 1803 wg. ihrer Isolirtheit benannt... ʼfrom its lying away from the restʼ, also in Anspielg. auf einen faulen Burschen, welcher die Schule versäumt u. allein herumschlendert — etwa ʼSchwänzerinselʼ.

True Justice and Judgement, the Island of = die Insel der wahren Gerechtigkeit u. Strafe, so nannte der engl. Admiral Fr. Drake die im patag. Port San Julian gelegene Insel, auf welcher Thom. Doubty, einer seiner Leute, 1578 hingerichtet worden war. Die Mannschaft nannte sie *Island of Blood* = Blutinsel, ʼin respect of us and Magilanusʼ, der hier 1520 ebf. eine Hinrichtung vorgenommen hatte (Fletcher, World Enc. 69).

Trüb, als Ggsatz zu ʼlauterʼ hier u. da in den Namen kleinerer, oft schlammig getrübter Gewässer wie der *Trübsee*. Dieser kleine Bergsee des Engelberger Thals liegt in flacher Alpenmulde, die sich dem Fusse des Titlis anschmiegt: der

Trübsee-Alp; er wird gespeisst durch den *Trübbach* (s. Bach), den Abfluss des *Trübssee-Gletschers*.

Trübau s. Trebiti.

Trujillo, röm. *Turris* (= Thurm) *Julia*, ON. in Estremadura (Willk., Span.-P. 149), eine der Benennungen, die das Kaiserhaus verherrlichen sollten. — Ein peruan. *T*., ggr. 1535, wie Lima kurz vorher, v. Franz Pizarro, der v. *T*. gebürtig war (Prescott, CPeru 1, 284; 2, 37, WHakl. S. 33, 244, Zaragoza, VQuirós 3, 47).

Trumpets Island = Trompeteninsel (s. Trombetas), in Frobisher Bay, v. engl. NWfahrer M. Frobisher am 26. Aug. 1576 entdeckt u. getauft (Hakl., Pr. Nav. 3, 31). Da in dieser Gegend vielf. mit Eskimos verkehrt u. ihnen Schellen u. Messer gegeben wurden, so liegt die Vermuthg. nahe, dass man die ʼWildenʼ auch mit Trompetenmusik erfreut habe. Am 23. Juli 1577, also auf der 2. Fahrt, lässt Frobisher 70 seiner Leute durch Trompetenton zsrufen, um ihnen eine Standrede zu halten u. nach einem feierl. Gebet auf eine Exploration auszusenden (ib. 65). Eine ähnl. Feierlichkeit, mit Trompetenruf eingeleitet, anlässl. der Aufrichtg. eines Steinkreuzes auf Mt. Warwick (ib. 63).

Truns, rätr. *Trun*, der Graubündner Ort, wo 1424 unter einem alten Ahorn der Graue Bund beschworen wurde u. auch später noch die feierl. Bundestage gehalten u. jährl. der Landrichter erwählt wurde, schien Campell (ed. Mohr 6) das deutsche *thron* zu sein, der oberste Sitz, ʼweil dort v. Alters her alle öffentl. Angelegenheiten verhandelt werdenʼ. Ganz anders Gatschet (OForsch. 166), der unter Verweisg. auf urk. 1290 *Trunnes*, an lat. *torrens*, rätr. *drun* = Wildbach denkt, ʼv. dem Rinnsal des wilden Bergbaches, der sich v. den Höhen des Tödi durch das Thal Punteiglas nach dem Rhein hinabziehtʼ. Auch *Sedrun*, hart an einer gefährl. Runse des Tavetsch, v. *su igl drun, sugl drun, su-drun* = an der Runse, u. *Rhun*, Dörfchen des Val Somvix, in dessen Dial. *drun* j. aphäretisch *run* lautet.

Trupia s. Trypaes.

Tryal Bay, bei Capt. Ph. P. King (Austr. 2, 256) *Trial Bay*, in NSouth Wales, 31⁰ SBr., v. King's zeitw. Gefährten, Lieut. Oxley, getauft, wohl in Zshang mit dem engl. Schiffe *T*. od. den *T. Rocks*, De Witts Ld., gefährlichen Klippen, auf denen ersteres 1622 scheiterte u. welche v. den Captt. Flinders u. King (1, 444) umsonst gesucht wurden (Krus., Mém. 1, 52, Horsburgh, Ind. Dir. 1, 100).

Trypæs, ngr. Τρύπαις, *Trupaes*, Τροῦπαις, ein arkad. Dorf bei Gortys, v. vschied. schöne Quellen, in das enge Felsthal des Alpheios abfliessend, zu einem Bache zsströmen, benannt nach einigen Felsgrotten (Curt., Pel. 1, 356). — *Trupia*, Τρούπια = die Löcher, ein Gehöfte benannt nach 3 Felsgrotten, in Achaja, einst die Orakelgrotte des buräischen Herakles (ib. 471).

Trzciana s. Triest.

Trzebinia s. Trebiti.

Tsad, eig. *Tsâdhe, Tsade* = Wasser, urspr. *ssâre, ssaghe*, einh. Name des grossen Steppensee's im

Sudan (Barth, Reis. 3, 266), dem Kótoko- od. Má-kari-Idiom angehörig (s. Benue).

Tsaitingkiau = Brücke mit verziertem Pavillon, chin. ON. östl. v. Peking. 'There is no pavilion now, and the bridge is in ruins' (Journ.RGSLond. 1872, 146).

Tsangbotschu = heiliges Wasser, mehrf. in Tibet: *a)* s. Brahmaputra; *b)* anderer Name des Shayôk, eines Nebenflusses des Indus; *c)* mit dem Zusatze *dargo* ein Zufluss des Tengri Noor (Schlagw., Gloss. 255).

Tsapotlan s. Zapote.

Tschacha, bei den Chalcha *Tschachar* = angrenzend, näml. an China, bei den Mongolen ein Theil ihres Landes zunächst der Gr. Mauer (Timkowski, Mong. 2, 215).

Tschadda s. Benuë.

Tschadobsk s. Tungusen.

Tschagan s. Zagan.

Tschagos, eine Inselflur des Ind. Oceans, in ältern Carten, z. B. in Hondius (zu Fletchers WEnc. 1628), *I(lha) Chagues,* dabei *I. de Diogratia,* ozw. nur volksetym. f. das richtige *Diego Garcia,* beides wohl nach den resp. Entdeckern.

Tschai = Fluss, oft als Grundwort türk. ON., als Bestimmgswort *a) Tschai-Köi* = Flussdorf, Ort südl. v. Kusch Dagh, an einem Zufluss des Kisil Irmak (Tschihatscheff, Reis. 39); *b) T.-Aghese* s. Kara. — Von *T.* nur dial. vschied. *Tschui,* Flussname in Turan, also hier, 'wie Rhin u. Rha im Munde des Volkes durch Autonomasie zu geogr. Specialnamen geworden sind' (Humb., As. Centr. 3, 226).

Tschaïnaya Sopka = Theeberg, russ. Bergname im Altai, wahrsch. v. Saxifraga crassifolia, einem Kraute, das hier im Uebfluss wächst u. dessen getrocknete Blätter v. den Eingb. benutzt werden (Tschih., Alt. Or. 103).

Tschaïrlar = Wiesen, türk. ON. im Thale des Aladagh Su, welches einen schmalen, grünen Streifen — daher der Name — zw. den durch ihre grelle weisse, gelbe, rothe, blaue Färbg. auffallenden, in zahlr. Schluchten zerrissenen nackten Felswänden v. Süsswasserkalkstein bildet (Tschih., Reis. 45).

Tschaitschji s. Holawgoje.

Tscham Tschai = Tannenfluss, türk. Name eines Nebenflusses des Euphrat, O/Mesop. (Schläfli, Or. 23, Spiegel, Eran. A. 1, 164, Peterm., Reis. 2, 23), bei Moltke *Tschim Tschai* = Fluss der Wasserlinsen, was zu dem trägen Laufe vollk. passen könnte. — Ein *Tschamtschaï Köi* = Dorf des Fichtenflusses im Unterlauf des Sakaria, Bithynien, in einer v. Waldbergen begrenzten Ebene, ferner *T. Köi* = Fichtendorf, *Tschamköi Deressi* = Thal des Fichtendorfs, *Tschamly Dagh* = Fichtenberg, *Tschamlyk Dagh* = Berg des Fichtenwalds (Tschih., Reis. 7. 12. 25. 34. 43).

Tschambal s. Tschumbal.

Tschamalhári = der Frau' und des Herrn Berg, v. *dscho-mo* = Herrin, dial. *tschómo, tscháma, lha* = Herr u. *ri* = Berg, tib. Bergname im Himálaja. 'It is most remarkable and characte-

ristic that this sacred mountain, which is the highest in Bhután . . ., has a name of quite the same meaning as Gaurisánkar, the highest mountain in Nepál . . ., though they are more than two hundred miles distant one from the other'. Im Lépcha, *Rímiet-rim-satschu,* mit gl. Bedeutg. *Tschomo, tschama* in Nord-Tibet nicht selten gebraucht in Bergnamen: *Tschomogánkar* = der Herrin weisses Eis, *Tschomonágri* = der Herrin waldiger Berg (Schlagw., Gloss. 179).

Tschampapúr = Tschámpastadt, ON. in Bengál, v. *tschámpa,* dem hind. Namen des Baums Michelia champaka (Schlagw., Gloss. 180).

Tschanak Kalessi = Topfschloss, türk. ON. an den Dardanellen, v. den zahlr. Töpfereien (Sommer, Taschb. 23, 24, Tschih., Reis. 1, Carte), das alte v. Muhammed II. erbaute asiat. Dardanellenschloss, *Kale Sultanie* = Schloss des Sultans (Meyer's CLex. 4, 1022, Hammer-P., Osm. R. 6, 65).

Tschand = Mond, mehrf. in ind. ON., z. B. *Tschandranagara* = Mondstadt, in frz.-engl. Orth. *Chandernagor,* im Delta des Ganges (Pauthier, MPolo 1, LXXI), jedoch ohne klares Motiv. Eine mytholog. Beziehg. lässt der Umstand vermuthen, dass die Nerbudda, an welcher der Ort *Tschandoda,* eig. *Tschandrodaja* = Aufgang des Mondes liegt, auch 'die mondgeborne' genannt wird (Schlagw., Gloss. 180, Lassen, Ind. A. 1, 137). — *Tschandrabhaga* s. Tschinab.

Tschan-Tépesi = Glockenthurm, v. türk. *tschan* = Glocke u. *tepesi,* einer Nebenform v. *tepe* = Spitze, Gipfel (Parmentier, Vocab. turc-fr. 71f.), ein mamellenartiger, früher mit Glockenthurm gekrönter Hügel bei Trnow, Bulg. (Barth, RTürk. 12).

Tschangkiakheu s. Chalgan.

Tscharderan = 4 Pforten, 4 Kirchen (nicht *Tschalderan*), ein kurd. Dorf, welches zu der Zeit, als es noch ein rein armen. war, 4 Kirchen besass (Peterm., GMitth. 9, 262). — *Tschardschui* = 4 Flüsse, Station am Oxus, der sich früher hier in 4 Arme spaltete, u. *Tscharschembe* = Mittwoch, als 4. Tag der Woche, Ort im Nordwesten der Stadt Buchara (ib. 37, 271).

Tscharny, poln. *czarny* = schwarz (s. Tschernyj), oft in ON. wie *Cz. Staw* = Schwarzsee *a)* Meerauge der Tatra, üb. dessen theilw. schlammigem Grunde das sonst grüne Wasser eine schwärzl. Farbe zeigt (Peterm., GMitth. 20, 306); *b)* ein See des masur. Kr. Lötzen, nahe dem *Bjalla Staw* = weissen See, jener v. dunkeln Kiefern umstanden, mit dunkelm Wasser, dieser in baumfreier Umgebg., heller (Krosta, Mas. St. 10). — Ferner *a) Czarnilasz* = Schwarzwald, mit *las* = Wald, ON. im westpreuss. Kr. Stargard (Altpr. Mon. 6, 296); *b) Czarnohora,* f. den Culm des östl. Beskid; *c) Czarna, Czarnowoda* u. *Czarnorzeki,* mit *woda* = Wasser resp. *rêka* = Fluss, als Flussname mehrf. in Galiz. u. a. O. (Miklosich, ON. App. 2, 226, Umlauft, ÖUng. NB. 41).

Tschasma s. Tscheshme.

Tschassowoi = Schildwache, russ. Name eines isolirten Felsenthurms bei der Insel Staritschkow, Kamtschatka; die Klippe, spitzig, sehr zsgedrückt,

steht vor einer niedrigen Felsenbank u. wurde
wg. ihrer Stellg. z. Insel so genannt (Kittlitz,
Denkw. 2, 214).

Tschaturgrama s. Tschittagong.

Tschatyr-Dagh = Zeltberg, türk. Name des
1520 m h. Culms des taur. Küstengebirgs, wie
gr. Τραπεζοῦς (s. d.) nach der Form, da dasselbe
mit steilen Felswänden u. kurzen schluchtartigen
Thälern zu dem hier sehr tiefen Meere abstürzt
(Kiepert, Lehrb. AG. 348). — *T. Kül* = Zeltsee,
ein See im südl. Naringebiet (Peterm., GMitth.
37, 272). — *Tschadar Tasch* = Zeltstein, Ort
im Karakorum, v. einem grossen Fels, welcher,
auf der einen Seite hohl, gelegentl. den Reisenden
eine Zuflucht bietet (Schlagw., Gloss. 179).

Tschaubaisi, verd. aus *tschaturvinçati* = 24,
skr. Name eines Gebiets, welches, im mittlern
Himálaja, lange aus 24 kleinen Staaten bestand
(Lassen, Ind. A. 1, 76). — *Tschaudapúkhri* =
14 See'n (habend), hind. ON. in Orissa (Schlagw.,
Gloss. 181).

Tschaunsk s. Schelagskoi.

Tschausch Köi, Ort in Kl.-Asien, in der Nähe
v. Lefke. Hier belehnte Osman 1308 einen dienst-
fertigen Samsama-*T.* mit einem Schlosse, das am
Ufer des Flusses v. Jenischehr lag (Hammer-P.,
Osm. R. 1, 73).

Tschazkoi Gorodok, russ. Ort am westl. Ufer
des Obj, v. 1617 ggr. in dem Gebiet der tschazk.
Tataren. Nach 2 ihrer Mursen, Fürsten, die hier
wohnten, hiess in dieser Gegend ein Ort *Mursin
Gorodok* 1629 (Müller, SRuss.G. 5, 85. 116).

Tschebar Kul = bunter See, mong. Name eines
See's der Kirgisensteppe, russ. übsetzt *Piestroje
Osero*, 'weil er mit vielen Inseln gleichsam be-
säet ist' (Fischer, Sib. G. 1, 349. 445, Müller,
SRuss.G. 4, 473); man zählt der letztern 12, u.
es sind theilw. bewaldete Eilande u. Klippen
(Falk, Beitr. 1, 227). Am See der Ort *Tschebar-
kulsk* (s. Uisk).

Tschechen, in slaw. Orth. *Čechen, Czechen*, Name
der in Böhmen (s. d.) angesiedelten Slawen, die
ihre Abkunft gern v. einem Stammvater *Tschech*
ableiten. Gegen diese Annahme denkt der grosse
Slawist Jos. Dobrowsky (Urspr. N. *T.* 1782) an
ein Subst. *če-ti*, j. ausgespr. *čjti*, noch vorhanden
in den Compositis *na-čjti,po-čjti,za-čjti*=incipere,
inchoare, initium sumere, ordiri, also dass *Čech*
= Anfang, Urheber, princeps, der Vorderste,
Erste, d. h. die *T.* sind die vordern Slawen, die zuerst ein deutsches Land, eben Böhmen, besetzten;
dagg. seien die *Schlesier* (s. d.), nach der alten
richtigen Orth. die *Slesier*, böhm. *Slezy, Slezácy*,
die hintern, letztern, nachfolgenden, v. böhm.
sled = Folge, *naposled* = zuletzt, *poslednj* =
der Letzte, *posleze*=zuletzt, *nasledowati* = folgen.
— *Czeski Staw* = böhmischer See, wo *staw* eig.
'Teich', u. *Polskie Staw* = polnischer See, pol.
Name zweier kleiner Bergsee'n der Hohen Tatra
(Peterm., GMitth. 20, 306. 310). Wie kommen
die 'Böhmen' hierher?

Tschekaja G. s. Tschoscha.

Tscheki, wohl richtiger *Tschjoki* = die Wangen,

russ. Name eines Felsendéfilé der Lena, wo an
den 170 m h. Wänden ein starkes, andauerndes
Echo entsteht, so dass ein Pistolenschuss mehr
als 100 mal sich wiederholt u. die Detonationen
sich wie Rottenfeuer folgen (Wrangell, NSib. 1,
18. 21).

Tscheljuskin, Cap, die Nordspitze Alter Welt,
wo der Kosak *T.* am 21. Mai 1742 anlangte u.
ein Holzsignal errichtete (Wrangell, NSib. 1,
XXIV ff.). Er selbst nannte, im Ggsatz z. nahen
Taimyr- od. Nordwestcap, den Vorsprg. *Sjewero-
wostotschnji* = nordöstliches Cap (Peterm.,GMitth.
19, 16).

Tschel Kindschi, Kaleh = Schloss der 40 Mädchen, pers. Name einer Ruine v. Sedschistan, üb.
deren geheimnissvolle Vergangenheit jeder 'ächte
Sohn Irans' sofort eine Legende bereit hat, v.
40 Jungfrauen, die hier gefangen sassen u. auf
wundersame Weise befreit wurden (Journ.RGS
Lond. 1874, 150). — *T. Minar* s. Persepolis.

Tscheleken, v. pers. *tscharken* = 4 Minen, also
richtiger *Tschereken*, eine Insel des Kaspisee's,
'nach ihren 4 Hptproducten' (Peterm., GMitth.
10, 402) od. wohl richtiger, wie H. Vambéry (ib.
37, 271) will, 'v. den daselbst befindl. 4 Naphthaquellen', daher russ. *Nephtenoi-, Neftianoi Ostrow*
= Naphthainsel (Müller, SRuss. G. 3, 16. ZfAErdk.
1873 T. 1).

Tschemadan Gora = Kasten-, eig. Felleisen-
berg, russ. Name im Daghestan, weil der Berg
aus der Ferne einem unregelmässigen Würfel
gleicht (ZfAErdk. 1876, 204).

Tschentsching s. Annam.

Tschepina s. Banjaluka.

Tscheremissen (= . . .?), ein Volk der finn.
Familie im Gebiete der mittlern Wolga, v. den
Russen so benannt, nennen sich selbst aber *Mari*
= Männer, wie die Tschuwaschen *Kurk-Mari*
= Bergleute, wg. der Wohnsitze auf der Gornaja
(Müller, Ugr. V. 2, 463).

Tscheribon s. Tschi.

Tscherkessen, russ. *Tscherkessi*, ein Volk des
Kaukasus, das sich selbst *Adigé* = die später
gekommenen (nach tscherkess. Deutung Meyer's
CLex. 15, 185) od. *Zichu, Dsich* = Mann, Mensch
nennt (Herberst. ed. Major 1, LXXII, Note), davon
die *Zyger*, gr. *Ζυχοί* (Strabo 495 f.), den Osseten
zuf. früher *Kasachen* (auch bei Const. Porphyrog.
ein Kasachien obh. des Uferlandes Sychien), bei
den Mingreliern j. noch *Kasach-mepe* = Fürsten
der Kasachen (Peterm., GMitth. 6, 169, Spr. u.
F., Beitr. 7, 214). Nach den eignen Ueberlieferungen hätte im 13. Jahrh. ein Geschlecht Kabarda, die Weideplätze am Don verlassend, sich
in der Ebene zw. Katscha u. Belbek angesiedelt:
in der *Tscherkessischen Ebene*, deren oberer
Theil *Kabarda* heisst. Der gew. Name, *T.*, ist
türk. 'Räuber, Wegabschneider', v. *tscher* = Weg
u. *kessmek* = abschneiden. 'Tscherkes ist la dénomination turque de ces peuples; elle signifie
coupeur du chemin ou brigand'. 'Zychi in lingua
vulgare, greca et latina cosi chiamati, et da Tar-
tari et Turci dimandati *Ciarcassi*, et in loro

proprio linguaggio appellati *Adige*...' (Ramusio, Viagg. 2, 196, Sommer, Taschb. 20, 238, Klaproth, Kauk. 1, 557, Potocki, Voy. 1, 252). — Nach dem Volke a) *Tscherkask*, Ort am Unterlaufe des Don, j. *Staro* (= alt) im Ggsatz zu *Nowo* (= neu) *Tscherkask*, jener eine ihrer ersten Ansiedelungen, als sie im Dienste der Mongolen einwanderten, dieser abseits v. Strom, erst 1805 ggr. (Meyer's CLex. 12, 154); b) *Tscherkassy*, Festg. am Dnjepr (s. Kosak).

Tschermak-Bach, ein Fluss in Gänse Ld., NSemlja, v. der österr.-ungar. Exp. Wilczek im Aug. 1872 benannt (PM. 20 T. 16) nach einem bekannten Mineralogen u. Petrographen, dem Director des Hofmineraliencabinets in Wien (GMitth. v. Prof. H. Höfer dd. Klagenfurt 17. Febr. 1876).

Tschernaja, fem. u. *tschernoje*, neutr. des russ. adj. *tschernyj* = schwarz, gespr. *tschor*..., mit ähnl. slaw. Formen (s. Tscharny) oft in ON., insb. f. Flüsse u. Bäche, wo *woda* = Wasser od. *reka*, *retschka* = Bach bald angesetzt, bald nur unterverstanden ist wie in *T. Retschka* a) in der Krym (Meyer's CLex. 15, 187); b) in Transkauk. (Peterm., GMitth. 22, 139); c) als *Tscherna Riéka* s. Kara; d) als *Tschernoretschka* ein rseitg. Zufluss des Jaik, 22 km unth. Orenburg, an der Confl. *Tschernoretschinskaja (Krepost)* (Falk, Beitr. 1, 177); e) als *Tschernowaja* = schwarzer Fluss, ein lkseitg. Tributär des Irtysch, unth. Buchtarminsk, kirg. *Kok Su* = blaues Wasser. 'Die Sedimentgesteine am obern Laufe dieses Flusses stellen zuw. sehr dünnschieferige Lagen dar, die schwarz sind u. die Finger beschmutzen' (Bär u. H., Beitr. 20, 126); f) *Tschornaja* s. Pajjagà. — *T. Dolina* = schwarzes Thal, neben *Selénaja Dolina* = grünes Thal f. eine thalartige Niederg. der taur. Steppe (Bär u. H., Beitr. 11, 8). — *T. Grjäs* = schwarzer Koth, Ort bei Moskau, 'führt diesen Namen bei Regenwetter mit dem grössten Rechte; f. den Reisenden wird er aber bei Sommerhitze u. Dürre sehr beschwerl. 'schwarzer Staub'' (Klaproth, Kauk. 1, 95). — *T. Sloboda* s. Wagaisk. — *Tschernask* s. Solikamsk. — Ferner a) *Tschernojarsk* = Ort am schwarzen Ufer, näml. am Unterlaufe der Wolga, v. Zaren Michael Feodorowitsch 1626 ggr. auf hohem, fruchtb. 'schwarzen Ufer', Veste seit 1742, kalm. *Jan Kala* = Neuenburg, da *jani* die tatar. Aussprache f. *jeni* = neu (Müller, Ugr. V. 2, 519, Falk, Beitr. 1, 124); b) *Tschernoe More* s. Pontus; c) *Tschernoj Gory* s. Kaukasus; d) *Tschernogorskoj* s. Krasnogorsk; e) *Tscherno Osero* = Schwarzsee, in der Nähe v. Jekaterinburg (Müller, Ugr. V. 1, 78); f) *Tschornoi Myss* = schwarzes Cap (s. Swart), am Matotschkin Schar (Peterm., GMitth. 18, 23); g) *Tschornyje Kirgisy* s. Kirgis; h) *Tschernoi Protok* s. Kara-Ossek, wohl sprachl. id. mit i) *Tscherni Potok* (denn so lese ich f. *Ascherni* u. frage, ob nicht auch *Pro-* statt *Potok* zu lesen sei) = schwarze i. e. Unglücks-Schlucht, im alban. Schar Dagh, aus urspr. *Beli Potok* = weisse Schlucht umgetauft, als Sinan-Pascha die Christen in einer Schlacht besiegte u., wie die Tradition sagt,

40 000 Märtyrer hier umkamen (Peterm., GMitth. 16, 291). — Die übr. Slawensprachen verwenden das Wort, čech. *černá*, slow. *čern, crn, zrn* etc., ebf. häufig; es gibt neben dem bekannten *Czernagora* (s. Montenegro) u. dem poln. *Czarnohora* (s. Tscharny) ein serb. *Črnagora*, Gebirge in Kroatien, u. ein ruth. *Czornahora*, der mit 'Schwarzwald' bedeckte Karpatentheil um die Quelle des Pruth (Umlauft, ÖUng. NB. 40 f.). — *Czernowitz*, die Hptstadt der Bukowina, ruth. *Černovćy*, plur. tant. v. *črun* = schwarz, poln. *Czerniówce*, rum. *Cernoeúti*, spr. tschernöutz, immer aber, bei allen Nationen, wenn sie deutsch reden, gleichmässig, u. sogar sehr markirt, die erste Silbe betont, benannt nach einem 'schwarzen Wirthshaus', das vor Zeiten hier gestanden (Prof. A. Marty in Prag, früher in Czernowitz, dd. 2. Dee. 1876). — *Cerna*, Flussname mehrf., insb. auch bei Orsowa, f. einen Donauzufluss, der eine *Bela* = weisse aufnimmt, 'die einzige Spur slaw. Sprache in dieser Gegend'. — *Cerna Hola* = schwarze Höhle, die 'Drachenhöhle' bei Demanova, Liptauer Alpen (Umlauft, ÖUng. NB. 36). — *Czernawoda*, türk. *Kara Su*, mit gl. Bedeutg., od. *Boghas Köi* = Dorf an der Mündung scil. des schwarzen Wassers in die Donau, gelegen an der rumän. Eisenbahn nach Costanza (Küstendje).

Tscherwa = die gesegnete, die neue Hptstadt Bornu's, 10 km nördl. v. Kuka auf einer Kette v. Sandhügeln angelegt seit 1873, weil man allg. befürchtete der steigende See könnte die alte zerstören (Journ. RGSLond. 1876, 408).

Tscherweni, čech. *červeny* = roth, oft in geogr., bes. Fluss- u. Bachnamen, die dann auch auf Wohnorte sich übtrugen wie *Tscherwena* sc. *voda* = Wasser, kürzer *Tschermna* u., mehr zsgezogen, *Tscherma, Tschirm, Cervená, Cervenic, Cervenka*, vielf. in Böhmen, Mähren u. Schlesien (Umlauft, ÖUng. NB. 37). — Auch ein *T. Breg* = rother Berg, auf der Route des Passes Schipka, wo der Weg fortw. üb. rothen Thon u. gelbbraunen Kalk führt (Peterm., GMitth. 23, 335).

Tschesme, auch *Tscheschme* od. *Česme* = Quell, Brunnen, oft in türk. ON. (s. Ali, Kuru, Kirk), f. sich allein *T.*, Ort in Kl.-Asien, ggb. Chios, an der *Bai v. T.*, wo am 7. Juli 1770 die türk. Flotte durch Brander u. Bomben vernichtet wurde. — *Cap T.*, in Kiusiu, v. Capt. J. A. v. Krusenst. (Reise 1, 269) im Oct. 1804 getauft 'z. Andenken des berühmten Sieges u. der gänzl. Zerni htung der türk. Flotte durch die russische'. — In der Form *Časma* hat sich das türk. Wort f. einen Zufluss der Lonja-Save erhalten (Umlauft, ÖUng. NB. 36).

Tschetire-Stolbowoy = (Insel der) 4 Pfeiler, im sibir. Eismeer 2 mal: a) in den Bären In., v. spätern Admiral v. Wrangell (NSib. 1, 297 f.) am 29. März 1821 so benannt, weil sich bei der Annäherg. drei pfeilerfge Felsmassen darauf zeigten u. nach Besteigg. einer Anhöhe ein 4. kleinerer Pfeiler gg. das Ostende der Insel sichtbar wurde; b) in NSibirien (ib. 2, Carte). — *T. Bugri* = 4 Hügel, v. russ. *bugor*, plur. *bugri*

= Hügel, Insel des Kaspisee's, unweit der Mündungen der Wolga (Müller, SRuss.G. 3, 34). — *Tschetyresópotschnie* s. Aleuten.

Tschetschenzen, auch *Tschetschen(en)*, ein Volk des Kaukasus, benannt nach dem a-ul (= Dorf, eig. Geschlecht) Gross-Tschetschen, welcher am Argun, zu den Füssen des Ssüri-Kort Tschatschan lag, j. aber in Trümmern ist (Peterm., GMitth. 6, 178), erst im 18. Jahrh. in Gebrauch gekommen. Die *T.* selbst nennen sich *Nachtsche* = Volk u. Itscherien, das sie als ihre Wiege betrachten, *Nachtsche Mochk* = Ort des Volks.

Tschhang Pe Schan, der chin. Name, bei den Mandschu *Golminschanjan-alin*, beide = grosses weisses Gebirge, f. die Bergmassen, welche Korea v. der Mandschurei trennen: 'la chaîne . . . à laquelle ses hautes cimes, couvertes de neiges perpétuelles, ont fait donner le nom de la longue montagne Blanche' (Klaproth, Mém. 1, 469, ARémusat, NMél.As. 1, 10).

Tschhitu s. Siam.

Tschi, mal. *tji* = Wasser, oft in ON. *a) Tschipanas* = Warmbrunn, mit *panas* = warm, mehrf. in Java (Junghuhn, Java 2, 410. 862 ff.), so auch ein Landsitz des holl. GGouverneurs, benannt nach dem heissen Sturzbache, welcher mit einer Temperatur v. 45⁰ (C.?), gleich als förml. Bach, aus einem Trachytfelsen hervorbricht u. brausend u. schäumend durch die Schlucht sich stürzt (Wüllerstorf, Nov. 2, 152); *b) Tschiliwang* = grosses Wasser, Fluss bei Batavia (ib. 2, 131); *c) Tschiberem* = Rothwasser, ein v. Krater des G. Pepandajan herabkommender Bach (Junghuhn, Java 2, 102); *d) Tschitarum* = Fluss der Indigopflanze, *Tschimanuk* = Vogelfluss, *Tschiasam* = Tamarindenfluss, *Tschiñur* = Fluss der Cocosnüsse (Crawf., Dict. 93. 170) u. ozw. auch in *Cheribon*, *Tscheribon* = Fluss der Garnelen, *rebbon* (U. Meister, mündl. Mitth.), während die Gleichung *charubon* = Mischung, bezogen auf die Mischung v. Sundanesen u. Javanen (Crawf., Dict. 93. 180), sprachl. wie sachl. unhaltb. ist.

Tschia-Resch s. Kara.

Tschierva s. Cervus.

Tschiftlik s. Banjaluka.

Tschim Tschai s. Tscham.

Tschin s. Sarmakand.

Tschinab = der Wasser sammelnde, einer der grossen Flüsse des Pandschab, 'most probably' v. pers. *tschiníden* = sammeln u. *ab* = Wasser, Fluss (Schlagw., Gloss. 181), 'weil man sagen kann, er nehme die andern alle auf' (Lassen, Ind. A. 1, 56). So fassten auch die Alten das Verhältniss auf (Arr. exp. Al. 6, 14). Der eine der beiden Quellflüsse, *Tschandrabhaga* (s. Tschand), bei Alexander d. Gr. Ἀκεσίνης = Schadenheiler (in Gestaltg. des ved. *Asikni*), bei Hesych Σαρδαροφάγος, bei Ptol. (6, 1²³) treuer Σαρδαβάλα, wohl st. Σαρδαβάρα, bildet den Ggsatz z. andern: *Surjabhaga*, gespr. *surdschabhaga*; diese beiden einh. Namen, 'Mond- u. Sonnentheil', müssen

auf irgend einer Legende beruhen (Schlagw., Gloss. 249).

Tschinestan s. China.

Tschingopangmari s. Everest.

Tschîn haï = die das Meer in Achtung haltende, chin. Name der Stadt Tschin-kiang Fu, aus der Zeit der Thâng, zu welcher hier ein Kriegslager war mit Befestigungen, ·um das Land gg. die Einfälle v. der See her zu vertheidigen (Pauthier, MPolo 2, 483).

Tschinnapatnam s. Madras.

Tschipewäer s. Chippewyans.

Tschi-po-tschan = 7 Muttergebirge, chin. Bergname im Durchbruche der Bureja, 'weil 7 grosse, kahle Felsen, zu einer Gruppe vereinigt, aus der Gesammtmasse hervortreten' (Bär u. H., Beitr. 23, 514).

Tschirikow, Baie, mit einem *Cap* T. im nordwestlichen America, v. frz. Seef. La Pérouse (Milet-M., LPér. 2, 223) im Aug. 1786 getauft nach dem Entdecker . . . 'en l'honneur du célèbre navigateur russe, qui, en 1741, aborda dans cette même partie de l'Amérique'. Der Capt. *T.*, unter V. Berings Befehl, war ein Glied der 2. kamtschatk. Exp., die in den Jahren 1733/45 im Gange war; gleichzeitig mit dem St. Peter, auf dem Bering u. der Physiker Steller sich befanden, verliess er als Capt. des St. Paul, dem der Astronom Delisle zugetheilt war, Ochotsk am 4. Sept. 1740, half bei der Gründg. v. Petropawlowsk, das man am 6. Oct. erreichte, verliess den Hafen am 4. Juni 1741, sah am 15. Juli die american. Küste unter 56⁰ NBr., musste jedoch, da der Scorbut einriss, umkehren u. fand den Chef, v. dem ihn Sturm u. Nebel getrennt, auch im Frühjahr 1742 nicht. Er hatte v. seinen 70 Mann 21 verloren. — Ein anderes *Cap T.* in Kiusiu, v. Capt. Krusenst. (Reise 1, 257) am 3. Oct. 1804 getauft.

Tschitschagow, Cap, in Kiusiu, v. russ. Capt. J. A. v. Krusenstern (Reise 1, 266) im Oct. 1804 getauft 'nach dem verdienstvollen Admiral *T.*, († 1809), welcher durch seine Reise nach dem Nordpol u. seine Siege üb. die schwed. Flotte eine so glänzende Stellung in den Annalen unserer Flotte sich erworben hat'. — Ebenso *Hafen T.*, in Nukahiwa, einh. *Taioha*, bei den Sandelholzhändlern *Louis* (Meinicke, IStill. O. 2, 243), im Mai 1804 benannt (Krus., Reise 1, 146, Atl. No. 8). — *T. Insel*, in Paumotu, einh. *Tahanea* (Meinicke, IStill. O. 2, 207), v. russ. Seef. Bellingshausen 1819 getauft (ZfAErdk. 1870, 368). — *T. Inseln*, in Radack, einh. *Eregup*, v. russ. Lieut. v. Kotzebue (EntdR. 2, 72) am 7. Febr. 1817 benannt, v. Krusenst. (Mém. 2, 266 ff.) mit Otdia vereinigt (s. Romanzow). — *T. Berg* s. Middendorf.

Tschitschigin s. Bolschoj.

Tschittagong = die 4 Dörfer, in engl. Orth. *chi* . . ., hind. ON. in Arakan, skr. *Tschatur-gráma*, mit gl. Bedeutg. (vgl. Tripura u. des Ptol. Πεντάπολις), bei den Muhammedanern *Islama-bád* = des wahren Glaubens Stadt (Schlagw.,

Gloss. 181, Lassen, Ind. A. 1, 95). — Dagegen *Tschittapet* = das kleine Dorf, im Karnatik, wie *Tschittúr* = die kleine (Stadt), *Tschittur-garh* = die kleine Veste, in Malva, v. tam. *tschírru*, *tschíttu* = klein (Schlagw., Gloss. 182).

Tschity s. Dschiti.

Tschjumljazk s. Tobolsk.

Tschobanatab, ein Hügel bei Samarkand, nach dem Patron der Schäfer, der dort in einem Häuschen ruht (Peterm., GMitth. 11, 225). — In Kl. Asien ähnl. türk. ON. wie *Tschoban Köi* = Hirtendorf u. *Tschobanlar* = Hirten (Tschih., Reis. 3. 47).

Tschötsch, v. rom. *(val od. casa de) caccia*, v. Engadinern u. Grödnern *tschatschia* gespr., s. v. a. Jägerthal, Jagdhausen (Steub, Herbst T. 40).

Tschoka s. Sachalin.

Tschoking s. Penschinsk.

Tscholman s. Kama.

Tschom Lam = Räuberstrasse, v. tib. *tschhom* = ein Räuber, *lam* = ein Weg, ein Haltplatz v. Bálti, weil der Weg v. Räubern, welche nach Schíngo gingen, häufig benutzt wurde (Schlagw., Gloss. 182).

Tschomo s. Tschamalhari.

Tschóngsa od. *Niti* = Land der Engpässe, ein durch tiefe Erosionen ausgezeichneter Theil v. Tibet, v. tib. *tschong* od., wenn nicht abgekürzt, *tschong-rong* = ein Engpass, *sa* = Boden, Land (Schlagw., Gloss. 182).

Tschongwe s. Mosioatunja.

Tschorak = Sumpf, türk. ON. in Cilicien, vulg. *Giaurköi* = Christen-, eig. Ketzerdorf, da es v. Griechen bewohnt ist (Tschihatscheff, Reis. 19).

Tschorn s. Tschernaja.

Tschoscha Bay, auch *Tscheskische Bay*, am europ. Eism., v. Flusse *T.*, der samoj. *Pádara-jagà* = Waldfluss heisst (Schrenk, Tundr. 1, 688).

Tscho Schu Khy = Bach des trüben Wassers, chin. Flussname in Formosa, 'nommé ainsi d'après la nature de ses eaux' (Klaproth, Mém. 1, 335).

Tschrespjnnjaner, auch *Circipanen*, *Zirzipani* etc., eig. *Czrespjenjani* = die jenseits der Pene, Piena, Piana, wo die präp. *czrez* = durch, jenseits, slaw. Volksname in Pommern etc., f. die Anwohner der Pene. Benachbart die *Rjetschaner*, urk. *Riacani*, *Riezani*, *Ritzani*, eig. *Rjeczane*, *Rjaczane* = Flussanwohner, v. *rzeka*, russ. *rjeka* = Fluss, ferner *Mezirieczaner*, in *Mezirjecje*, s. v. a. Mesopotamien, v. *mezi* = zwischen (Jettmar, Ueberreste 16 f.).

Tschu, besser *tschhu* = Wasser, in tib. ON. *a) Tschubrág* = Wasser- od. Quellfels, mit *brag* = Fels, eine Therme obh. Pangpotsche; *b) Tschu-dángmo* = Kaltwasser, mit *grang-mo* = kalt, f. eine Quelle in Kamaon; *c) Tschuhárwa* = brüllendes Wasser, dial. verkürzte Form f. einen Gletscherbach in Gnari Khorsum; *d) Tschumíg Marpo* = 'Rothenbrunnen', v. *tschhu-míg* = Quelle u. *mar-po* = roth, f. eine Quelle in Lahol, die sich durch rothe Niederschläge v. Eisenoxyd auszeichnet; *e) Tschurulba* = faules Wasser, in Gnari Khorsum; *f) Tschúschul* = Wasserpfad, 'a

very characteristic name' einer Ortschaft, nach den leeren Flussbetten, welche in der Umgebg. des Tsomognalarí zahlr. sind; *g) Tschu thing* s. Kantschindschinga (Schlagw., Gloss. 182 f.). — Ein sonderbarer Anklang in *T.-Kutschi* s. Tykoothie.

Tschubar Tübe = Gesträuchberg, kirg. Name eines Berges, der am linken Ufer der Dschussa, resp. des Urál', sich üb. die waldlose Steppe erhebt (Bär u. H., Beitr. 6, 242). — Ein türk. *Tschubu Deressi* = Gesträuchthal in den Bergen bei Samsun (Tschihatscheff, Reis. 61).

Tschubarowa (Sloboda), eine Bauernansiedelg. am rechten Ufer des sibir. Flusses Niza, 72 km v. dessen Mündg. in die Tura (vgl. Ust-Niza), 1624 ggr., wo vor Alters die tatar. Veste *Zubartura*, russ. *Tschubarowo Gorodischtsche* = Ruinen v. Z., bestanden hatte (Müller, SRuss. G. 5, 38).

Tschuchni s. Estland.

Tschuden, russ. *Tschud* = Fremdlinge (Schrenk, Tundr. 1, 369, Erman, Reise 1, 41), der andere Name der *Finnen* (s. d.), in mehrern russ. ON. *a) Tschudskoe Osero* s. Peipus; *b) Tschudskija Kurgany* s. Petschora; *c) Tschútschapala*, angebl. verd. aus *Tschud'-pála* = die Tschuden fielen, russ. ON. am Mesén', wo einst Tschuden gewohnt. Im Kriege mit den Nowgorodern seien die Tschuden hier u. ihren Feinden übfallen u. vertrieben worden. Dann seien die Flüchtigen weiter stromaufw. am *Krowáwaja Plósa* = Blutfluss sämmtl. niedergemacht worden od. haben in den Wellen des Stroms ihr Grab gefunden. Seither seien die Wohnungen in ein russ. Dorf verwandelt worden (Schrenk, Tundr. 1, 370); *d) Tschúkwiska*, verd. aus *Tschudj-viska* = Finnenflüsschen, einer der Zuflüsse der Posa (ib. 1, 370).

Tschuentschang s. Girin.

Tschufiri s. Nil.

Tschufut s. Dschufut.

Tschui s. Tschai.

Tschuktschen, Volksname der *T.-Halbinsel*, Ost-Sib., verd. aus *tschekto* = Leute, wie sie sich selbst nennen (Richardson, Arct. SExp. 1, 372, Zeitschr. f. Ethn. 2, 306). — Nach dem Volke ein *Tschukotskoi Nos*, v. Bering am 9. Aug. 1728 getauft 'with propriety, because it was from this part of the coast that the natives came off to him' (Cook-King, Pac. 2, 473, Müller, SRuss. G. 4, 251 ff.). Schon 2ᵈ vorher hatte man, als v. Preobraschenkoi Saliw aus der Unterlieut. P. Tschaplin aus einem Bergbache Wasser holte, Hütten getroffen, wo kurz vorher *T.* sich aufgehalten haben mussten; am folg. Tage kam ein Boot mit 8 Mann herangerudert, jedoch ohne sich z. 'Gawriel' heranzuwagen. Zuletzt sprang einer üb. Bord, schwamm mit 2 aufgeblasenen Seehundsblasen heran u. gab mit Hülfe eines korják. Dolmetschers den Russen einige Auskunft üb. Land u. Leute (Lauridsen, V. Bering 28 f.). — *Tschukotscha*, 2 sibir. Flüsse, als *Bolschaja* = grosse u. *Malaja* = kleine unterschieden. Der Admiral F. v. Wrangell (NSib. 1, 122) betrachtet den Namen als ältere Form f. *T.* u. nimmt, geleitet v. Sagen u. Spuren eines verschwundenen Stammes in jener Gegend, an, die *T.* seien einst bis dahin vorgedrungen u. haben diese Namendenkmäler hinterlassen, als sie f. jene Regionen versch wanden.

Tschukur-Owa = tiefe Ebene, türk. Name der weiten fruchtbaren Niederg. des untern Saihun, Cilicien (Tschihatscheff, Reis 55).

Tschukwiska s. Finnen.

Tschulanaga, v. mal. *tschula* = Horn u. *Naga,* der Fabelschlange der Hindu, bei den engl. Schiffern *Ass's Ears* = Eselohren, 2 merkw. Felsthürme, welche aus einem Bergvorsprung der Ostküste Malakka's 450 m, auf der einen Seite 300 m senkr., aufsteigen u., eine prächtige Landmarke, nicht ohne Verwunderg. u. Ehrfurcht anzuschauen sind (Crawf., Dict. 432).

Tschumbal, auch *Tschambal,* der Hptfluss der ind. Ldsch. Malwa u. zugl. rseitg. Zufluss der Dschamna, eig. *Tscharmanvati* = der hauptbegabte, ozw. nach einer Legende (Lassen, Ind. A. 1, 145).

Tschumliansk s. Isetsk.

Tschung s. China.

Tschungtu s. Nan u. Peking.

Tschussowa(ja), russ. Namensform f. einen Zufluss der Kama, ozw. verd. aus dem wog. *Schuscha* = veränderlicher Fluss (?). In der That, die *T.* verwandelt sich häufig aus einem wasserarmen in einen reissenden hochangeschwollenen Strom (Müller, Ugr. V. 1, 81). Nach dem Flusse 2 Orte: *Werchnoi* (= ober) u. *Nischnaja* (= unter) *Tschussowsk* (Falk, Beitr. 1, 204 f.).

Tschuthing s. Kantschindschinga.

Tschutschapala s. Finnen.

Tschyli s. Petscheli.

Tschyssyn, poln. *Czyssyn* = 'Rüti', Rodung, v. *czyścić* = reinigen, säubern, ein als Theerbude mitten im Walde entstandener Ort des westpr. Kr. Stargard (Altpr. Mon. 6, 297).

Tsellam s. Rora.

Tsetistas s. Cheyenne.

Tseu Lien-Tsing = Ort des Immerfliessens, eines der chin. Gebiete der Feuerbrunnen (s. Ho tsing), wo ein mit dem Seile 1812 gebohrter Brunnen 900 m t. sein soll (Humb., Kosm. 1, 417).

Tsewtschur s. Kara.

Tsihuan Ling = Kammerberg u. *Huanhi Ling* = Freudenberg, chin. Doppelname eines Grenzbergs, welcher hart an der chin. Mauer, wo die bei Linjüi die See erreicht, sich erhebt u. einen weiten Einblick auf das Umland gewährt. Auswanderer nehmen hier Abschied v. ihrer Heimat, u. zkkehrende begrüssen v. hier aus ihr Geburtsland wieder (Journ. RGSLond. 1872, 149).

Tsilim s. Nki.

Tsin Kiang = klarer Fluss, ein rseitg. Nebenfluss der Jangtsekiang, 'verdient nicht seinen Namen wg. der durchsichtigen Fluten' (ZfAErdk. nf. 4, 341), während ein *Tsiën Tang Kiang* = grüner Fluss bei Hangtschau (ib. 51).

Tsisima s. Kurilen.

Tsi Wasanentetha s. Osakentake.

Tso, besser *ts'ho* = See, in tib. ON. *a) T. Gam* = trockner See, mit *kam* = trocken, einer der

tib. See'n, streng genommen nicht trocken, aber seichter geworden durch starke Verdunstg. (u. zugl. ungew. salzig); *b) T. Gjagár* = See mit der weissen Ebene, ebf. ein Salzsee, mit sandigen Flachufern ... 'the sandy shores of this salt-lake are well characterized by its name'; *c) T. Kar* = weisser See, v. weissen Salzlagern umsäumt; *d) Tsomognalari* = der Süss(wasser)see in den Bergen, v. *ts'ho-mo* = der See, *ngar* = süss, *la,* dem Zeichen des Locativs u. *ri* = Berg, welcher, zwar keineswegs süss, aber doch nicht so salzig ist, um untrinkbar zu sein, nach der Prov., in der er liegt, auch *Tso Pang* = See v. Pangkóng; *e) T. Motethung* = See der Kjangtränke, wo *dre* od. *te* = Kjang, d. i. das Dschiggetai, syst. Equus hemionus, da diese Thiere den See als Tränke, *thung,* benutzen; *f) T. Pang* = grüner See u. *g) T. Rul* = Bittersee, mehrf. (Schlagw., Gloss. 256).

Tsonnontouans s. Oneida.

Tsukinsching s. Pe.

Tsungau s. Everest.

Tsunlin s. Thianschan.

Tsúrlog = auf dieser Seite, *cis,* v. *ts'hur* = hier, diese Seite u. *log* = Seite, tib. ON. in Ladák, auf der Seite des Bergüberganges, welche zu dem südl., bewohntern Theile der Route führt. Das Ggth., *trans,* ist *Phárlog* = auf der andern Seite (Schlagw., Gloss. 256).

Tuamotu s. Paumotu.

Tuareg s. Berber.

Tuba s. Jisch.

Tubarões s. Tiburones.

Tuhirih s. Nil.

Tucca s. Mader.

Tuccaber s. Chariton.

Tucker Inlet, in antarkt. Victoria, v. Capt. J. Cl. Ross (SouthR. 1, 250 ff.) im Febr. 1841 nach einem seiner Officiere, Charles T. *T.,* dem Master des Schiffs Erebus, benannt. — *T.'s Terror,* der Brecher, welcher die Untiefen des Cape Gare zuerst sichtb. macht, v. der engl. Exp. Gosnold im Mai 1602 getauft nach dem Seemann, der die Gefahr entdeckte (Buckingh., East. & WSt. 1, 59).

Tuda = Männer, eigner Name, den sich die Bewohner der Nilagiri beilegen. Lange u. 'auf gleichs. wunderbare Weise' haben sich diese Hirten v. aller Berührg. mit den nahe anwohnenden Völkern erhalten, u. so findet man hier, so nahe bei dem in Kasten gleichs. zerstückelten Malabar, ein Geschlecht der Menschen, dem ind. Staatseinrichtungen, Dogmen u. Ceremonien, gehörte u. Sitten völlig fremd waren (Lassen, Ind. A. 1, 199).

Türken, jene zahlr. Völkerstämme, auf welche die Araber um 700 in den Niederungen Turans, übh. in *Turkestan* = Land der *T.* (s. Tataren), stiessen u. welche v. ihnen als *turkur* = Räuber bezeichnet werden. Die *Osmanen,* die einst, unter dem Führer Osman die Steppenheimat verlassend, in Kl. Asien u. im griech. Kaiserthum erschienen (Cannab., Hülfsb. 2, 101), wollen den Schimpfnamen nur auf die noch nomadisirenden Stammverwandten in Asien angewandt wissen.

Diese hinwiederum bezeichnen sich als *Türkmen*, pers. *Turkomanen*, indem sie dem Eigennamen das Suffix *men* = thum, schaft anhängen; *Türk-men* = Türkenthum, Türkenschaft will sagen, dass sie sich als *T.* par excellence ansehen. 'Sie bewohnen grösstentheils jene Strecken wüsten Landes, welche diesseits des Oxus v. Ufer des Kaspisee bis Balch u. v. Oxus bis Herat u. Astrabad sich erstrecken' (PM. 10, 402, Ibn Batuta, Trav. 114). Im Ggsatz zu dieser Darstellg. setzt Vambéry (Urspr. Mag. 44) *Türk* = Mensch, was wohl als eigenwüchsige Bezeichng. zu fassen wäre; allein wie sollte diess denn ein 'Schimpfname' sein? — In NOesterr. u. Ungarn finden sich noch toponym. Erinnerungen an die böse Zeit der Türkenkriege *a) Türkenlöcher*, Höhlen bei Schottwien; *b) Türkenlucke*, eine Höhle bei Hainfeld, beide angebl. Zufluchtsort bei dem feindl. Einfall; *c) Türkensturz*, ein Felsabhang bei Sebenstein, üb. den 1532 die versprengten *T.* hinunter gestürzt worden seien (Umlauft, ÖUng. NB. 253); *d) Török Kutja* s. Sátaristye. — *Turks Head* s. Turban.

Túgē, Enneri = Thal der Städte, v. tibu *enneri* = Fluss, Thal, u. *tugē*, verd. aus *tugui*, Ort aus Erde od. Stein erbaut, im Ggsatz zu den Hütten u. Dörfern (ZfAErdk. 1870, 219), Tibuname der Oase Kauar, deren erste Ortschaften wirkliche Städte sind (Peterm., GMitth. 17, 452). — *Tugui Frao* = Stadt der Hammada, Steinwüste, eine Ruine der östl. Sahara (ib. 451).

Tugirsk s. Tagilsk.

Tuhua = (Insel des) Obsidians, bei NSeel., eine bergige Vulcaninsel mit Kratersee, enthält gewaltige Blöcke des schönen, grünl. schwarzen *tuhua* (Hochst., NSeel. 302). Bei Cook am 3. Nov. 1769 *Mayor* (Meinicke, IStill. O. 1, 276), mit dem Schwarm kleiner Eilande, the *Court of Aldermen*, dem Lord Mayor u. seinem Hofe verglichen (Hawk., Acc. 2, 329).

Tuil od. *thuil* = lang, fem. *tuila*, mehrf. in arab. ON. *a) Ued T.* = langer Fluss, in Tuat, welcher unter den übr. jener Gegend wirkl. einen zieml. langen Lauf hat, bes. wenn man, wie die meisten Eingebornen thun, noch den l'Ued Massin, seine Fortsetzg., mit einrechnet (Rohlfs, Mar. 153); *b) Gurd el-T.* = langer Sandhügel, eine grosse, lang hingezogene Düne auf der Route Wargla-Ghadames (Globe Gen. 1875 Bull. 62); *c) et-T.* u. *d) Hási et-T.* = langer Brunnen, in der Sahara; *e) el-Hadschar Tuila* = 'Langensteinen', Bergname (Parmentier, Vocab. arabe 48). — *Dscheşirat et-Tawilah* s. Kischm.

Tuileries = Ziegelei, im plur., eines der berühmtesten Bauwerke v. Paris, wo einst eine Ziegelfabrik arbeitete; es ist einleuchtend, dass der Name noch an vielen andern bescheidnern Stellen haften blieb, 2 mal im dép. Tegulariae, 7 mal ebenda im sing., *la Tuilerie* (Dict. top. Fr. 1, 182) u. s. f., auch mehrf. in der frz. Schweiz (Postlex. 382), darunter der Ort *T.*, dial. *Tuillères*, bei Granson, wo 1459 eine Ziegelei angelegt wurde (Mart.-Crous., DVaud 880).

Tujutò = See der Aeschen, im samoj. Kleinlande, v. sam. *tui* = Salmo thymallus L., einer dort häufigen Lachsart, u. *tò* = See, russ. übersetzt *Harjusówa Osero*, v. *hariùs* = Aesche. Eine nahe Berggruppe *T.-séda*, resp. *Harjusówy Sópki* = Kuppe des Aeschensee's (Schrenk, Tundr. 1, 659 f.).

Tukr s. Takr.

Tula s. Tolteken.

Tulare, See in Calif., v. mexic. *tule*, einer Binse, Scirpus lacustris, welche an den See'n massenhaft wächst 'et dont ils couvrent leurs cabanes' (Möllhausen, FelsG. 1, 63, DMofras, Or. 1, 253).

Tulbatschinski s. Tagilsk.

Tulenei Ostrow = Seehundinsel, russ. Inselname des Kaspisee's, zw. den Mündungen der Wolga u. des Terek (Müller, SRuss.G. 3, 35), ozw. nach ihren Bewohnern.

Tulis, Batu = beschriebener Stein, mal. Name eines am Fusse des G. Salak befindl. Trachytfelsens, nach den eingemeisselten Schriftzeichen u. Steinfiguren (Junghuhn, Java 2, 33). S. Pajajaran.

Tulkina (Semliza) = (Landschaft) des Tulka, frühere russ. Bezeichng. der Gegend v. Krasnojarsk, Sib., nach einem dort wohnhaften Häuptling Tulka (Müller, SRuss.G. 4, 513).

Tullaghfin s. Finn.

Tulloch Klippen, bei den Açoren, in gl. Höhe mit dem Wasserspiegel, beobachtet 1808 v. americ. Schiffscapt. *T.* (Sommer, Taschb. 12, 274).

Tulmá-Chajanyn-Jol = Weg des Felsens *T.* nennen die Tataren der Krym einen nach Tschermalyk führenden Bergpfad. Sonst auch *Petschén-Jol* = Heuweg, weil er bes. z. Heuführen benutzt wird (Köpppen, Taur, 8).

Tulul s. Tell.

Tumah s. Thomé.

Tumannoj Ostrow = neblige Insel, in Alaska, *Simidin* der russ. Carten (Krus., Mém. 2, 107), v. V. Bering am 2. Aug. 1742 erreicht u. 'efter Dagens Helgen' *St. Stephans Insel*, v. seinen Officieren aber *T. Ostrow* getauft. Man war schon Tags vorher durch dichten Nebel gefahren u. bei Nacht in seichtes Küstenwasser gerathen, aus dem man glückl. entwischte; am Morgen fand man sich in der Nähe einer Insel, u. Nachmittags lichtete man die Anker wieder bei dichtem Nebel. Seither ist der Name *St. Stephan* v. den Carten verschwunden, u. als Cook 1778 wieder bei dichtem Nebel herkam ...'a thick fog, in the vicinity of an unknown coast', übsetzte er den russ. Namen in *Foggy Island* (Cook-King, Pacif. 2, 407, Müller, SRuss.G. 4, 337, Lauridsen, V. Bering 144 f.). — *Tumannyi Saliw* s. Mertwoi.

Tumbling Run = Sturzbach, engl. Name eines Zuflusses des Schuylkill, nach der hübschen Cascade, die der Bach bildet (Penns. Ill. 65).

Tumiat, auch *Tumièt* = die Zwillinge, v. *tùmi* = Zwilling, fem. *tumia*, f. Doppelberge, in arab. ON. *a) Tumiètes*, zw. Philippeville u. Constantine; *b) Dschebel Tumièt*, zw. Géryville u. Figuig (Parmentier, Vocab. arabe 48).

Tumukei s. Mangatai.

Tuna s. Bulgaren.

Tundra, die Steppen der Samojeden am Eismeer, auch wirkl. bei den Russen theilw. als *step'* = Einöde bezeichnet (Schrenk, Tundr. 1, 665), 'sumpfige, th. mit einem dichten Filze v. Sphagnum palustre u. a. Laubmoosen, th. mit einer dürren schneeweissen Decke v. Renthiermoos ... u. a. Flechten überzogene, unabsehb. Länderstrecken' (Humb., ANat. 1, 153), nach ihm wohl finn. Wurzel, *tuntur.* Nach Dr. O. Finsch, dem Chef der Bremer Exp. 1876, ist im syrj. *T.* = baumloser Ort. Das Wort 'ist sehr bezeichnend; in der That charakterisiren sich diese arkt. Einöden vor allem durch gänzl. Mangel an Baumwuchs'. Bei den Samojeden *Sawoja*, bei den Ostjaken *Jandaja*, beides = guter Ort; denn sie ist die Weide der Renthierherden, d. i. des Reichthums der Polarmenschen (Gartenl. 1878, 185).

Tune s. Noire.

Tungabúhdra = Túnga u. Bhádra, ein Zufluss des Krischna, aus den skr. Namen der beiden Quellflüsse, welche v. den West - Ghats herabkommen u. bei der Confl. den Doppelnamen (*bhádra* gew. *bhúdra* gespr.) annehmen: *Túnga* = die hohe u. *Bhádra* = die glückliche (Schlagw., Gloss. 256, Lassen, Ind. A. 1, 203).

Tunghu s. Juthan.

Tungusen, der Name eines sibir. Volks, nicht, wie vielf. u. selbst v. Pallas wiederholt wird, v. tatar. (nicht mong.) *tongus* = Schwein, sondern v. *donke* = Leute, einem ihrer eignen Namen (Klaproth, Mém. 1, 453). Noch häufiger nennen sie sich *B(o)ye, Boya* = Menschen; die an der Ochotsker See heissen *Lamut* = Meerleute, v. *lam, lama* = Meer, bei den sesshaften Mandschu *Orotschon* = Renthiernomaden (Fischer, Sib. G. 1, 519). Es wird *T.* auch als eine Form des ostj. *Tongä-kse* = Leute von 3 Sorten betrachtet, da das Volk, mit dem die Russen allerdings durch die Ostjaken bekannt geworden, in Renthier-, Pferde- u. Hundezüchter zerfielen (ib. 112 f.). Nach dem Volke die *Tunguska*, drei rseitg. Nebenflüsse des Jenissei, *Werchnaja* (= obere), *Podkamennaja* (= steinige) od. *Mittlere*, u. *Nischnaja* (= untere), in deren Nähe noch eine viel kleinere *Suchaja* (= trockne) *Tunguska*. An der untern war es auch, dass 1607 die ersten Stämme der *T.* zinspflichtig wurden; die ersten Simowien (= Winterhäuser) am Flusse entstanden 1620. An der Mündg. der mittlern der russ. Ort *Podkamenno Tunguskoje*. Die obere, bei den *T.* urspr. *Joandesi* (s. Jenissei), heisst als Abfluss des Bajkal zunächst, früher bis zu den Wasserfällen, j. bis z. Ilim, *(Untere) Angara*, wie der Zufluss des nördl. Seekopfs *(Obere) Angara* (s. d.). In ihrem Netze russ. Orte nach Flüssen benannt: *Selenginsk* (s. Salairsk), *Udinsk* (s. Ud), *Bargusinsk* u. *Irkutsk* (s. dd.), *Okinsk* (s. Oka), ferner *Malo* (= klein) *Birjusinsk*, am Zuflusse Birjusa, *Werchne-Angarsk* (s. Angara), *Ilimsk*, am Ilim, *Tschadobsk*, an der Mündg. des Tschadobez.

Tunja od. *Tunca*, span. Namensform der Indianerstadt *Hunca*, Muyscas, durch Huncahua, den Gründer der Dynastie der Zaquen v. Cundinamarca, ggr. u. nach ihm benannt (Humb., VCord. 246).

Tunis, Stadt in *Tunesien*, alt *Tunes, Tuneta*, was Gesenius (Mon. Phoen. 117) 'wohl mit Recht' v. dem Namen der hochverehrten Göttin Tanith ableitet, jener weibl. Universalgottheit des alten Orients, so dass *T.* = Artemision wäre (Barth, Wand. 76).

Tunnuliarbik = Wendung, eine grosse Bucht in West-Grönl., welche durch vschiedd. Arme tief in das Land eingreift (Cranz, HGrönl. 2, 249).

Tupi, vollst. *Tupinambá*, der Nationalname, mit welchem die bras. Indianer, nam. im Littoral v. Bahia, sich selbst zu bezeichnen pflegten. Das Wort *t.* = Onkel, auch Kamerad etc., als Andeutg. der Wichtigkeit, welche der väterl. Oheim in der Familie einnimmt (Varnh., HBraz. 1, 104, Peschel, ZEntd. 336), versieht die Stelle des Generalnamens, *mbá* = berühmter Mann, Krieger die einer nähern Bezeichng. (während Martius an *anáma* = Verwandte, also z. Stamm der *T.* gehörige, dachte). *Mbá*, was alle nur dem eignen, nicht auch einem andern Stamme beilegen, wird bei andern Stämmen durch andere Zusätze ersetzt: *Tupi-n-aem* = schlechte *T.*, im Sertão v. Bahia, *Tupi-n-ikis* = benachbarte *T.*, um Porto Seguro, *Mbeguás* = Friedfertige, je nachdem das Verhältniss ein feindl. ist od. nicht. Im erstern Fall sagen sie auch *Maracayás* = Wildkater, im Sertão v. Bahia, *Nhengaibas* = wälsche, *Tibirás* = ehrlose u. a. m. — Namen, welche mehrf. als nom. propr. bestimmter Stämme aufgefasst worden sind (Varnh., HBraz. 1, 100 f. 448). Im Süden heissen die *T.* gew. Guaraní = Krieger (ib. 105), was bei den Cariben *u-ara-u*, f. die Bewohner der Guayana, lautet: *Guaraunen* (Humb., ANat. 1, 217). An diese Namen reihen sich noch: *Abas, Ababas* = Männer, Leute, *Cari* = Männer, im Qquechua, *Pariquís*, eig. *Pora Ankys* = solche, die Leute überfallen, *Parentins*, eig. *Pore dentis* = Kinderräuber (Ausl. 1867, 869 ff.).

Tûr, Dschebel (et-), arab. Bergname, mehrf., aber mit vschied. Bedeutg. (s. Sinai, Thabor u. Elaion), auch am rechten Ufer des Tigris, zw. Diarbekr u. Mosul (Spiegel, Eran. A. 1, 297). — *T. Thalga* s. Hermon. — Ein fruchtb. Namenelement ist das slaw. *tur* = Auerochs f. Galiz., Böhm. etc., so in *Turoves, Turow, Turowitz, Turowka, Tursko, Turza, Turzanowec, Turzansk, Turze, Turzepole* = Ochsenfeld, *Turjak, Turjake, Turje, Turjenci* (Miklosich, ON. App. 2, 250).

Tura, Uferort des Nil obh. Kairo, gr. u. röm. *Troja*, beide ozw. aus *t - âh Râ* = Sonnenland, wie der Ort in den hierogl. Namenlisten heisst (Brugsch, Aeg. 46 f.).

Tura, Flussname im Netz des Tobol, mir unerklärt, aber als Träger anderer ON. hier eingereiht. Am Oberlauf, wo die Russen die perm. od. syrjän. Anlage *Nerom Karra* fanden u. den nahen Bach *Neromka* nannten, entstand 1598 *Werchoturie* = zu oberst an der *T.*, weiter flussab 1600 *Turinsk* (Müller, SRuss. G. 4, 84 ff.), beide auch als *Werchne* (= ober) u. *Nischne* (= unter) *Turinsk(oi)* unterscheiden (Bär u. H., Beitr. 5, 86 f., Rose, Ural 1, 348). Ozw. ist es die obere, die im Volksmunde den Namen *Jepantschinsk* führte, nach einem kleinen Tatarenfürsten Jepantscha, tat. Japansä, welcher dem Vordringen Jermaks, 1508, flussab auf der Tura, Widerstand leistete. Einige Flintenschüsse reichten hin, die ganze tat. u. wog. Macht zu zerstreuen, u. der Ort des Fürsten wurde ausgeplündert u. niedergebrannt. An der *T.* u. am Tobol sei das Andenken der 3 Tatarenfürsten *Kaschkara*, *Warwara* u. *Maitmass* noch in den Benennungen tatar. Dörfer übrig. Mit der Stadt *Turinsk* ist nicht zu verwechseln der 70 km entfernte, 1646 ggr. Bauernort *Turinskaja Sloboda*, am südl. Ufer der Tura, anfängl. *Dawidkowa*, weil bei der Anlage David Andreew die Aufsicht führte (Müller, SRuss. G. 3, 312; 4, 90 f. 315; 5, 55).

Turan, im zend *Tûirja*, skr. *Turuschka*, noch bei Humboldt (Kosm. 2, 119) 'Benennungen unentdeckter Herleitung', s. v. a. schnell, eilend, z. Bezeichng. der Reitervölker der Steppe, im Ggsatz zu den sesshaften Ariern (s. d.) . . . 'the *Turanians*, whose original name *Tura* implies the swiftness of the horseman' (MMüller, Lects. 242). 'Sehr natürlich bildete sich dem iran. Volke eine eigenthüml. Benenng. f. die Gegend, aus der ihm stets Störg. seines Friedens drohte, deren Andrang es lange mit Mühe, zuletzt umsonst, bekämpfte' (Lassen, Ind. A. 1, 9. 17).

Turban od. *Turks Head* = Türkenkopf, eine der Geyserbildgen des Nationalparks, nach der täuschend ähnl. Form, welche die Kalksinter des Grand Geyser hier angenommen haben. Als 1875 Ludlow (Carr. 27) die Stelle besuchte, fühlte er sich fast beängstigt durch den Einfall, die Zierde möchte ihm später da od. dort, als Schaustück einer Ausstellung, wieder begegnen.

Turbenthal, ON. des C. Zürich, nicht v. dial. *turba* = Torf, wie Gatschet (OForsch. 125) will, da v. Torfgewinng. nichts bekannt ist, sondern urk. 824 *Turbatun*, 'im tiefen Walde gelegen' (v. Arx, Gesch.StGall. 1, 118), 892 *Turbatun tale*, noch zu Anfang des 10. Jahrh. silva vallis *Turbatae*, ea tempestate vastissima (J. v. Müller, Sämmtl. W. 8, 14; 17, 111), v. kelt. *turba* = wild u. *dun* = Berg, also im wilden Berge (Mitth. Zürch. AG. 6, 156). Auf ein ahd. *turbât* = Torflager kam erst spät M. R. Buck zk. (Förstem., Altd. NB. 1489), wohl in Erwägg., dass die Keltisten ein Element *turba* = wild nicht zugeben (Rev. Crit. 1873, 68 ff.). — Unzweideutig *Turf Creek* = Torfbach, einer der Zuflüsse des Jefferson's R., v. den Captt. Lewis u. Cl. (Trav. 253) am 7. Aug. 1805 so getauft, weil sie dem Fluss entlang Sümpfe u. auf dem Wasser selbst Torf sahen.

Turbid Lake = trüber See, ein kleiner, dem Yellowstone L. benachb. trüber See, 1871 durch

die Exp. des U. St. Geol. F. V. Hayden (Rep. 190) benannt 'from the muddiness of its water'.

Turenne, Baie, am Spencer's G., v. Lieut. L. Freycinet, Exp. Baudin, am 22. Febr. 1803 nach dem Marschall Henri de La Tour, vicomte de *T.*, 1611/75, getauft (Péron, TA. 2, 77); *b)* ebenso *Cap T.*, bei Thistle I., im Jan. 1803 (ib. 83, Krus., Mém. 1, 41); *c)* *Ile T.* s. Nuyts.

Turgi s. Thur.

Turicum s. Zürich.

Turin s. Augusta.

Turinsk s. Tura.

Turk s. Türken u. Turban.

Turkey River = Truthahnfluss, ein rseitg. Nebenfluss des Missisipi, unth. Wisconsin R. mündend. In der einst geflügelreichen Gegend machte am 2. Sept. 1805 auch Lieut. Pike (Expp. 11) Halt, um Tauben zu schiessen. — Ein kleiner Zufluss des untern Missuri *T. Creek* (Lewis & Cl., Trav. 15).

Turku s. Åbo.

Turn s. Roth.

Turnagain, Cape = Vorgebirge Kehrum, als Punkt der Umkehr eines Reisenden: *a)* in NSeel., einh. *Teporoporo* (Meinicke, IStill. O. 1, 277), v. Cook am 17. Oct. 1769 getauft, weil er, v. Poverty Bay aus der Südküste entlang fahrend, noch keinen taugl. Hafen gefunden hatte u., da das Aussehen der Küste immer schlimmer wurde, er sich hier z. Umkehr entschloss: because here we turned back (Hawk., Acc. 2, 308); *b)* am american. Eismeer, v. Capt. John Franklin (Narr. 387 ff.) am 18. Aug. 1821 als äusserster Punkt, v. welchem er die so verhängnissvolle Rückkehr nach Fort Enterprise, dem vorher erbauten Winterquartier, antrat. Die Reisenden verliessen am 22. Aug., dems. Tage wie Parry die 539 miles entfernte Repulse Bay, diesen äussersten Punkt 'only under a well-founded conviction that a further advance would endanger the lives of the whole party, and prevent the knowledge of what had been done from reaching England'. — *T. Island*, in Torres Str., wo die engl. Schiffe Chesterfield u. Hormusier 1793 nach vergebl. Suchen Anker warfen, Wasser u. Holz zu fassen u. mit den Schaluppen eine sichere Umkehr in das Ind. Meer, woher sie gekommen, auszumitteln. Als ihnen dort nicht gelang, fanden sie auf einer neuen Tour bei NGuinea, die prsl. benannten *Talbot-* u. *Bristow Islands* u. erreichten endl. das freie Meer wieder: bei *Delivrance Island* = Insel der Befreiung (Krus., Mém. 1, 80). — *T. River*, bis zu welchem Capt. Cook(-King, Pac. 2, 395) am 1. Juni 1778 die Exploration des Cook's River verfolgte; weiter konnte er, wg. der zu starken Gezeiten, seine Boote nicht gehen lassen, u. er befahl also die Umkehr. — *Cape Turn*, in Feuerl., v. der Exp. Fitzroy (Narr. 1, 62) im Febr. 1827, entw. weil f. das v. Magdalen Ch. herabkommende Schiff das Ufer hier plötzl. nach Westen umbiegt, od. eher weil jenes durch beginnenden Sturm zu sofortiger Umkehr genöthigt wurde.

Turnbucht, in Jan Mayen, v. der Exp. Berna am 22. Aug. 1861 so benannt ob der Anstrengungen, welche bei Landg. u. Abfahrt zu überwinden waren. 'Nun gilt es wirkl. zu turnen!' (Vogt, Nordf. 276).

Turnbull s. Miguel.

Turner's Island, in Ost-Grönl., v. engl. Walfgr. Will. Scoresby jun. (North WF. 230) am 29. Juli 1822 entdeckt u. nach Hrn. Dawson *T.*, Yarmouth, getauft.

Turn(u)-Severin, dial. *Turnul Severinului* = Severinsthurm, Hafen an der rumän. Donau, wird gew. als Gründg. des röm. Kaisers Severus betrachtet (Meyer's CLex. 15, 231), möchte jedoch v. M. Gaster (Bol. Soc. Rom. 1885 . . .), der weniger sachl. als sprachl. Bedenken dagegen äussert, als 'Nordthurm' erklärt werden, mit slaw. adj. *sĕverĭnu* = nördlich, also dass der Ort v. den südl. wohnenden Slawen benannt wäre — u. zwar mit hybridem Namen?

Turret, Glen = Thal des Schlossthürmchens, ein romantisches Thal des Australcont., v. Major T. L. Mitchell (Trop. A. 237) am 17. Juli 1845 getauft nach einem Felspfeiler, welcher sich wachtthurmartig im Schlunde dess. erhob, 'so like a work of art, that even here, where men and kangaroos were equally wild and artless, I was obliged to look very attentively, to be quite convinced that the tower was the work of nature only'. Den Felsberg selbst taufte der Entdecker *Tower* (= Veste) *Almond* nach einem alten Schlosse, 'the scene of many early associations, and now quite as uninhabited as this'. — Das lat. *turris* klingt auch an in dem span. Bergnamen *Turrialba* = weisser Thurm, f. einen Vulcan Costa Rica's, nach dem weissschimmernden Kraterrande (Peterm., GMitth. 7, 332).

Turtask s. Tagilsk.

Turtle = Schildkröte (s. Tortuga), mehrf. in engl. ON. *a) T. Point*, ein Cap in Arnhem's Ld., v. Capt. Stokes (Disc. 2, 104 f.) am 4. Dec. 1839 so genannt, weil er in der Nähe eine Menge todter, meist unversehrter Schildkröten fand, welche den Eindruck machten, als wären sie nach eignem Rathschluss hergekommen zu sterben: 'that seemed to have repaired thither of their own accord to die'. Einige hier liegende Trappengerippe vervollständigten das Bild eines Thierkirchhofs, wie solche auch anderwärts beobachtet worden sind. 'At any rate an air of mystery will always hang round' *T. Point* . . .; *b) T. Bay*, in NBritania, wo am 28. Aug. 1767 Capt. Carteret's Leute den zahlr. Schildkröten nachstellten (Hawk., Acc. 1, 368, Carte); *c) T. Isle*, in Viti, einh. *Vatoa* (Meinicke, IStill. O. 2, 25), v. Cook (VSⱸuthP. 2, 24) am 1. Juli 1774 so benannt, weil die wenigen Leute nach Schildkröten fischten, deren es nahe dem Riff viele gab; *d) T. Island*, in der Rhede v. Zanzibar (Peterm., GMitth. 5, 376); *e) T. Creek*, ein lkseitg. Zufluss des Missuri, obh. Yellowstone R., v. den Captt. Lewis u. Cl. (Trav. 168) am 26. Mai 1805 so getauft, weil sie hier, z. ersten mal seit Fort Mandan,

vschiedd. weichschalige Schildkröten fanden; *f) Turtle* u. *T. Island* s. Tortuga.

Turtman s. Tourmagne.

Turton Bay, Parry's Winterstation 1822/23, an der Insel Iglulik, prsl. benannt auf George Fisher's, des Chaplain u. Astronomen der Exp., Wunsch, wie schon ein Jahr früher *T.'s Shoals*, vor Blake B. (Parry, Sec. V. 229 ff. 474).

Turu s. Wilberforce.

Turuchansk s. Tagilsk.

Tus = Salz, oft in türk. ON. der Salzsteppen, insb. *T. Göl*, dial. auch *T. Göllü, Tüs Tschöllü* = Salzsee, türk. Name des 1358 km^2 gr., aus der Ferne blendend weissen Steppensees Lykaoniens. Das Wasser enthält 32 $^0/_0$ aufgelöster Salze u. hat 1_{24} spec. Gew. Die ganze Umgebg. des See's ist eine meilenweite Wüste mit Salzefflorescenzen (Kiepert, Lehrb. AG. 89). Die Salzgewinng. beschränkt sich auf den Sommer. Die bis 2 m dicke Salzkruste liegt fast trocken auf der bläul. Mergelschicht, während sie bei den winterl. Regen auf flachem Wasser schwimmt, jedoch so, dass sie Menschen u. Vieh v. einer Seite bis z. andern trägt (Tschihatscheff, Reis. 32). — In der kirg. Form *T. Kul a)* ein Nachbar des Ala Kul. 'Der See trocknet im Sommer ganz aus u. setzt eine gg. ein Werschok dicke Schicht Salz ab, welches einen sehr reinen Geschmack u. eine weisse od. röthl. Farbe hat'. Aus ihm versehen sich die Kirgisen mit Kochsalz (Bär u. H., Beitr. 7, 317, Peterm., GMitth. 14, 82); *b)* s. Issyk. — Ferner *a)* ein Ort *T. Göl*, nebst *Tusassar* = Salzschloss, bei Kaisarie, in der Nähe einer Salzlache (Tschih. Reis. 13); *b) Tusjelga* = Salzbach, in der Kirgisensteppe (Falk, Beitr. 1, 363); *c) T.-Kani* = Salzmine, See der Steppe im Norden des Chanats Buchara (Peterm., GMitth. 37, 271); *d) T-Köi* = Salzdorf, Ort am Kisil Irmak (Tschihatscheff 32); *e) T.-Su* = Salzwasser, ein Quellbach des Amu Darja (Peterm., GMitth. 18, 165, wohl mit Druckf. *Tuksu*). — *Tusla* = Saline, 2 mal: *a)* Ort in Troas, in einer Thalebene, deren nördl. Theil ganz erfüllt ist mit kleinen, flachen, viereckigen Gruben, in welche das aus den Trachythöhlen sprudelnde 78—80^0 C. heisse Salzwasser z. Verdunstg. geleitet wird. Jährl. werden 18—20 000 Kilo (zu 44 oka) hier gewonnen. Die stärkste Quelle, üb. 100^0 C., ist nur wenige Schritt v. Dorfe, schiesst aus den durch die Wasser mannigfach gefärbten Trachytfelsen, an der Mündgsspalte 34 cm d. bis 1_{57} m h. auf, umgeben v. zahllosen kleinen, aus allen Felsritzen hervorsprudelnden Strahlen (Tschihatscheff 25); *b)* Ort bei Siwas (ib. 13). — *Tuslu Tscheschme* = Salzquelle, bei den Nogai eine der Quellen der Krym (Köppen, Taur. 2, 7. 22 ff.). — *Tusluk Schapap*, ein Wasserfall Ciskauk., nach einer Saline am Fusse des Falles hervortritt (Kupffer, Elbr. 64). — Auch in *Tusanlü Su* (s. Jeschil) vermuthe ich ein 'Salzwasser'; es wird mir jedoch 'staubiges Wasser' gesetzt.

Tuscaloosa, ON. in Alabama, nach der **ind.** *Taskaloossas* = weisser Berg (Rye, Flor. XLVII;.

Tuscan s. Melville.

Tuscarora-Tiefe nannte A. Petermann (GMitth. 23, 126) eine der grossen pacif. Mulden zu Ehren der ruhmvollen american. Exp. des Schiffes *T.*, welches 1876 so wichtige Beiträge zur Kenntniss der Seetiefen geliefert hat. Auf Officiere dieser Exp. etc. beziehen sich die Namen *Belknap-, Wyman-, Ammen-, Miller-, Hilgard-* u. *Patterson-Tiefe*, auf die engl. des Schiffes Challenger: *Challenger-, Nares-, Carpenter-, Thomson-* u. *Jeffreys-Tiefe*, auf die des deutschen Schiffes Gazelle der Name *Gazelle-Tiefe*. In Ord (Nevada 5) erscheint Wm. W. Belknap als Kriegsminister der Verein. Staaten v. N.-America.

Tusci s. Toscana.

Tussac Rock, eine Felsklippe in Feuerl., nach dem dort häufigen dichten, binsenartigen Grase (Fitzroy, Adv.-B. 1, 387).

Tuta = Maulbeere, die Frucht des Maulbeerbaums, in arab. ON. der Berberei a) *Bir T.* = Brunnen der Maulbeere, in Algerien; b) *'Aïn T.* = Quelle der Maulbeere u. c) *Ued T.* = Fluss der Maulbeere, in der Prov. Constantine (Parmentier, Vocab. arabe 48).

Twee Gebroeders = die zwei Brüder, f. 2 gesellige, ähnlich gestaltete u. gleich grosse Berge od. Inseln, 3 mal: a) in Java, zwei Trachytkegel, die weit in die See hinabschauen (Junghuhn, Java 2, 223); b) in Eendragts Ld., zwei Inselbrocken, getauft v. Capt. A. Pieters Jonck, welcher im Schiffe Emeloort die Spuren des am 28. Apr. 1656 schiffbrüchigen Vergulde Draeck aufsuchte u. in den Monaten Febr. u. März 1658 hier erschien (WHakl. S. 25, 80 ff., Carte); c) in Paumotu, v. holl. Seef. Roggeveen (Dagverh. 146) am 19. Mai 1722 entdeckt, zwei niedrige Inseln, 'en gaven daeraen den naem, omdat sy den anderen gelykdaentig syn'. — *Tweede Engde* s. First. — *Tweede R.* s. Lorenz.

Tweed, engl. Flussname, in Cheshire u. in Berwick, wird v. Charnock (LEtym. 282) v. brit. *tuedd* ⇌ Grenze, u. damit offb. ungenügend, abgeleitet. — Ein *T.* in NSüdWales, v. Lieut. Oxley 1823 übtragen (King, Austr. 1, 179).

Twiel, mit Beisatz *Hohen-*, der Name eines der schwäb. Basaltkegel, im 10. Jahrh. *Tviel, Twiela*, in latin. Chroniken *Duellum, Duellium*, ist noch dunkel. Mone (Urgesch. BL. 2, 98) hatte natürl. kelt. Urspr. angenommen, eine Zssetzg. aus *dubh* = schwarz u. *dill* = Fels; A. Schott (Col. Piem. 221) dachte an kelt. *duil* = Vertrauen, hier *Warte*, sicherer Ort, u. zu kelt. Abkunft neigen auch H. Meyer (Zürch. ON. 23) u. A. Bacmeister (AWand. 148). Goldasts Ableitg., v. lat. *duellum* ... judice Goldasto nomen a bello accepit 'locus in quo bellatur' ist entschieden zu verwerfen (Förstem., Altd. NB. 1492).

Twins, the = die Zwillinge, f. 2 benachb. u. ähnl. Inselchen a) im Arch. de la Recherche, in **Pics** auslaufend, v. Capt. Matth. Flinders (TA. **1**, 86) am 14. Jan. 1802; b) bei Point Swan, v. **Capt.** Stokes (Disc. 1, 108 f.) getauft ... 'hitherto **unhonoured** with any particular denomination'.

— *Twin Buttes*, ein zweigipfl. Berg des Fire Hole (Hayden, Prel. R. 112 f.). — Auch an den Quellen des Kuara kehrt bei den Negern diese Anschauung wieder: *Simsona* = Zwillingsbrüder, f. 2 einander benachb. Bergspitzen (Zweifel, Voy. Niger 56).

Twisthoek = Vorgebirge des Zwistes, in NSeml., russ. *Kóninoi Nos*, wo sich die Exp. Barents 1594 üb. die Frage stritt, ob da das Ende der Strasse wäre od. nicht ... 'overmidts dat daer te vooren veel om ghetwist was, of de Straet aldaer voleynden of niet' (Linschoten, Voy. 12, Adelung, GSchifff. 135, GVeer ed. Beke 55).

Two = zwei, in engl. ON. häufig, bes. f. Objectpaare, wie *the T. Brothers* = die beiden Brüder: a) zwei auffallend gleiche Berge bei Choiseul, Salom., v. Capt. Shortland 1788 benannt (Fleurieu, Déc. 180); b) zwei Inselchen bei NSouthWales, das eine niedrig u. flach, das andere hoch u. abgerundet, v. Cook am 27. Mai 1770 (Hawk., Acc. 3, 122, Carte). — *Twobrothers Reef* s. Français. — *T. Sisters* = die beiden Schwestern: a) 2 Felseilande vor Cape Young, Chatham I., v. Capt. Broughton 1795 'à cause de leur ressemblance' getauft (Krus., Mém. 1, 13 ff.); b) s. Wilson. — *T. Sentinels* = die beiden Wächter, 2 grosse Felsen eines Riffs in Mergui, das anscheinend in eine gefährl. Untiefe ausläuft, v. Capt. Thom. Forrest am 2. Aug. 1783 benannt (Spr. u. F., NBeitr. 11, 189). — *T. Groups*, 2 Atollherde in der Centralgruppe der Paumotu, schon v. Bougainville 1768 entdeckt, aber erst am 6. Apr. 1769 v. Cook so getauft (Hawk., Acc. 2, 75 ff.), auch *Buyer Inseln* der Carten (Meinicke, IStill. O. 2, 209). Die südl. Gruppe einh. *Ravahere*, bei Wilkes *Dawheida*, die nördl. *Marukau* (ZfAErdk. 1870, 362, Stieler, HAtl. No. 52 hat umgekehrt *D.* im N., *Manaka* im S.). — *T. Hills* s. Three. — *T. Hill Islands*, in Mergui, v. Capt. Thom. Forrest am 13. Juli 1783 (Spr. u. F., NBeitr. 11, 180). — *T. Ninepins* s. Saddle. — *Twofold Bay* = zweifältige Bucht, in NSouthWales, v. George Bass am 19. Dec. 1797 (Flinders, TA. 1, CIX, Atl. 6). — *T.-Headed Point* = zweiköpfige Spitze, ein Vorgebirge bei Kodjak, dessen hoher Gipfel in 2 runde Köpfe endigt, v. Cook (-King, Pac. 2, 406) am 12. Juni 1778 getauft. — *T. Ocean Pass*, eine Passhöhe des Felsengeb., nur 120 m üb. Yellowstone L., an den Quellen des Snake R., Columbia, also zw. Atlantic u. Pacific, so benannt, weil nach der Versicherg. v. Raynold's Begleiter J. Bridger 1859 auf der Passhöhe eine Flussgabelg., nach beiden Oceanen gewandt, bestehen sollte (Raynolds, Expl. 10 f., Carte mit *Pass Creek* od. *T. Ocean Water*, Hayden, Prel. Rep. 132). — *T. Saddle Island*, in Mergui, v. Capt. Thom. Forrest am 22. Aug. 1783 nach der Form getauft (Spr. u. F., NBeitr. 11, 194). — *T. Springs Bivouak*, in West-Austr., wo John Forrest 1869 auf einer Grasfläche bivouakirte, neben 2 kleinen Quellen, 'as there were two small springs at the spot' (Journ. RGSLond. 1870, 236, abweichend Peterm., GMitth. 16, 146). — *Twothousand-mile*

Creek, ein lkseitg. Zufluss des Missuri, obh. Yellowstone R., v. d. Captt. Lewis u. Cl. (Trav. Miss. 150) am 3. Mai 1805 so benannt, weil er 2000 miles obh. der Missurimündg. sich befindet (vgl. Threethousand-mile). — *Twotree* s. Kingsmill.

Tycha s. Syracusa.

Tyjedò = schmaler See, sam. Name eines Bergsee's im Urál' (Sehrenk, Tundr. 1, 460).

Tykoothie-Dinneh, auch *Deguthée-*, *Digothi-Dinneh* = Zweiseitsausspäher — zu dem Zwecke, den Pfeilen der Feinde auszuweichen, Name eines Indianerstamms, ihnen v. den Hare Indians gegeben, v. Dr. Richardson, dem Gefährten Franklin's (Narr. 287 ff., Arct. S. Exp. 1, 398) in *Sharpeyed* = die scharfäugigen, frz. in *Loucheux* = Schieler, engl. *Squint Eyes*, v. gl. Bedeutg., übersetzt. Diese Indianer, weit entfernt zu schielen, haben glänzende, funkelnde Augen ... 'they have bright sparkling eyes, without the least tendency to that obliquity ...' Sonst war man auch sofort mit einer Erklärg. jenes Schielens bei der Hand: Sie trügen, so hiess es, vschiedd. hässl. Verzierungen, 2 Muscheln u. a. m., in den Nasenknorpeln; auf diesen Schmuck thäten sie sich nicht wenig zu gute, sähen desh. beständig drauf hin u. hätten eben daher die Gewohnheit eines schwachen Schielens angenommen (Berghaus, Phys. Atl. 8, 65). Sie selbst nennen sich *Kutschi* = Leute; einer ihrer Stämme nennt sich *Artez-Kutschi* = zähes Volk, ein anderer *Neyetse-Kutschi* = Leute des Blachfeldes, ein dritter *Tschu-Kutschi* = Wasservolk. Alex. McKenzie (Voy. 202. 227) nennt sie *the Quarrelers* = die Zänker, die in steter Fehde mit den Eskimos leben.

Tyllach-Niura = Windfelsen, s. v. a. 'Allenwinden', jakut. Bergname im Stanowoy Ch., weil auf seinen Höhen immer ein heftiger Wind wehen soll (Dawydow, Sib. 75).

Tymsk s. Omsk.

Tyndall, Mount, in NSeel., v. Jul. Haast 1861 nach dem engl. Physiker u. Gletscherforscher Professor John *T.* in London, benannt (Hochstetter, NSeel. 343).

Tyne, auch *Teyn, Teign* (s. d.), *Tian, Tynet,* v. brit. *tain* = Fluss, fliessendes Wasser, Flussname in Northumberland, in Staffordshire, in Haddington, in Devon, in Derby, in Argyle, in Banffshire; an der Mündg. zweier derselben *Teignmouth* u. *Tynemouth*, wo engl. *mouth*, ags. *mutha* = Mündung (Charnock, LEtym. 283).

Tynewald s. Thing.

Tyra s. Thüringen.

Tyras s. Dnjestr.

Tyrrhener s. Toscana.

Tyrus, lat. wie Τύρος die gr. Namensform einer phön. Seestadt, urspr. erbaut auf der Stelle des spätern Παλαίτυρος, lat. *Palaetyrus* = alt *T.*, auf einem v. Natur festen continentalen Platze, daher phön. צור od. צר, *Zor* = Fels wie צר, *Zur* (Gesen., Hebr. L.), assyr. *Surra*, ägypt. *Sar*, altlat. *Sarra*, dann auch von den zwei vorliegenden Felsinseln, die, unter Hiram durch Aufschüttg. zu Einer Insel v. 7 km Umfang vereinigt, durch Alexanders Dammbaute z. Halbinsel geworden sind, schon im arab. Mittelalter (Edrisi ed. Jaub. 1, 349) wie j. noch *Sûr.* — *Tyrische Leiter* s. Abiad. — Eine Erweiterg. des phön. 'Fels' ist *Masura, Mezura*, מצרא = Festung, Ort an der Südküste Kl. Asiens (Movers, Phön. 2^b, 246) u. wohl auch *Mazara*, Ort in Sicil., westl. v. dem ebf. phön. Selinus (ib. 2^b, 333, Gesen., Hebr. L.).

Tys s. Tis.

Tzqaltzitela = Rothwasser, wo das häufig wiederkehrende *tzqali* = Wasser, Fluss, georg. Name eines imereth. Flusses, v. den vielen an ihm wachsenden Pilzen orangegelber Farbe (Güldenst., 166. 174, BKauk. L. 105 f.).

U.

Uahed s. Daud.

Uaschhamako s. Albors.

Ubatuba = Rohrplatz, v. ind. *uba*, eig. *vuba* = Schilfrohr (welches die Eingb. zu Pfeilen benutzen) u. *tyba* = Ort, wo etwas wächst od. im Ueberfluss ist, ein Vorgebirge der bras. Prov. São Paolo, weil dort viel Schilfrohr wächst (WHakl. S. 51, LI).

Ubiorum C. s. Cöln.

Ubira-járas = Keulenleute ist einer der Namen, welche die bras. Indianer anwandten, um andere Stämme nach ihren Gebräuchen zu bezeichnen (Sertão v. Bahia), wie auch *Poty-uáras* = Krabbenfischer (um Pernambuco), *Tabajáras* = Dörfler, *Tremembés* = Vagabunden (so hiessen die herumschweifenden bei den in Dörfern lebenden), *Guatós* = Schiffer, *Guaita-cá* = Läufer (in Campos u. Espirito), *Ca-iapó* = Waldräuber, *Cary-yó* = Abkömmlinge der Weissen od. der Ahnen (Littoral v. Rio Grande do Sul u. Santa Catharina), *Juru-una* = Schwarzmäuler, v. den schwarzgemalten Lippen (Varnh., HBraz. 1, 101).

Ucayali, ein rseitg. Nebenfluss des Amazonas, v. ind. *cayari* (s. Madeira) u. *ü, üg* = Wasser (ZfAErdk. nf. 15, 158).

Ud, auch *Uda* = Wasser, in Sib. mehrf. als

Flussname *a)* f. einen lkseitg. Zufluss der Obern Tunguska, an welchem 2 Orte *Udinsk*, näml. *Nischne* (= unteres) *Udinsk*, als Ostrog 1648 gg. die widerspenstigen Buräten angelegt, anfängl. als *Pokrowskoi Gorodok* (s. Bogorodsk), dann *Udinskoi Ostrog* (Fischer, Sib. G. 1, 183; 2, 554), u. weiter flussan *Udinskij*, im sajan. Gebirge (Dawydow, Sib. 15, Peterm., GMitth. 7 T. 16; 10 T. 14; *b)* f. einen rseitg. Zufluss der Selenga, an dessen Confl. *Werchne* (= oberes) *Udinsk*, schon 1684 erwähnt (Müller, SRuss. G. 5, 417), angebl. erst 1689 ggr. (Bär u. H., Beitr. 24, 133); *c)* f. einen Zufluss des Ochotsker M., ggb. Schantar auch *Udj, Uth* (Peterm., GMitth. 7 T. 16), an ihm die Anlage *Udskoi Ostrog* (Müller, SRuss. G. 4, 233, Peterm., GMitth. 2 T. 36) od. *Udskij* (s. Ochotsk). — Zu *U.* gehört wohl auch *Udora*, ein Zufluss des Mesen, wohl richtiger *Uddora* = Mündung des *U.* (s. Obdorsk).

Udaipur, vollst. *Udajapura* = Stadt des Aufgangs (d. i. des Glücks — nicht des Ostens, wie schon gedeutet wurde), mehrf. in Indien, das *U.* in Radschwara auch *Odajapur* (Lassen, Ind. A. 1, 142). 'Ein ebenes Gebiet, des Anbaues sehr fähig, wo es der Bewässerg. zugänglich u., wo angebaut, sehr fruchtbar ... Das Gebirge ist reich an Erzen u. Bausteinen, die den kriegerischen Bewohnern zu Waffen u. den prachtliebenden Fürsten zu grossen Bauten gedient haben (Schlagw., Gloss. 25).

U'Daliwe = die Schöpfungshöhle, eine Höhle, aus der die Tradition der Amakosa-Kafir den urspr. Stammvater hervorgegangen sein lässt (Sommer, Taschb. 17, 179).

Ude = Thor, scil. der Wüste, s. v. a. Eingang in die Gobi od. richtiger: Eingang aus den Bergen (der Selenga) in die Ebene u. umgekehrt, nom dû au défilé par lequel on entre dans les montagnes, mong. Name eines tiefen, felsumgürteten Thals, dessen beide Enden, *Arù U.* = nördliches Thor u. *Ubùr U.* = südliches Thor, je auf 20 km verengt sind (Timkowski, Mong. 1, 203; 2, 407). — *Udyn-Ama* = offene Thür, ein Pass in wildromantischer Berggegend, wo Felsmassen wie Ruinen aussehen u. der Weg zw. 2 sich nahe stehenden steilen Felsen durchführt, dem westl. *Charà-nidù* (= schwarzes Auge) u. dem östl. *Uschkhi* = dem leichten. Für Viele ist die 'offne Thür' zugl. das nördl. Eingangsthor z. Gobi (Timkowski, Mong. 1, 162). Ob das 'schwarze Auge' sich auf einen dunkeln Felsfleck beziehe?

Udjektepe = Grab der Ungläubigen, türk. Name des grössten der Hügelgräber auf der Ebene Troja's (Ausl. 46, 773).

Udmurt s. Wotjaken.

Udscháin, auch *Udschén,* hind. ON. in Malwa, v. skr. *Udschdschájini* = die siegreiche, nach der Prakritform *Udschdscheni,* gr. *'Οξήνη,* passend f. den einstigen 'Sitz mächtiger Herrscher', früher als die 7 heiligen Städte der Hindus *Awánti* = die schützende (Lassen, Ind. A. 1, 146, Schlagw., Gloss. 257).

Überlingen, bad. Ort am *Überlinger See,*

einem langen Arm des Bodensee's (s. d.), im 7. Jahrh. *Iburninga,* eine patronym. Bildg., v. dem historisch beglaubigten PN. *Ibor, Ibur,* abgeschwächt *Ibir* (Schrift. VGBodensee 11, 111 ff.). — ON. mit praep. *über* s. Ober; wir erwähnen hier nur *a) Übersaxen,* Ort des Vorarlb., 'auf einem Bergrücken mit der entzückendsten Fernsicht', ein Seitenstück z. graub. *Obersaxen* (s. d.), s. v. a. lat. *super saxa* = auf dem Felsberg (Bergm., Vorarlb. 63, Walser 21), beide in einer Gegend, wo rätor. u. deutsche Sprache um die Herrschaft gerungen haben; *b) Überauf,* Alphütten auf einer Kuppe, die gleich einem höhern Stockwerk neben dem Passsattel des Kunkels, obh. Reichenau, sich aufbaut (Dufour Carte 14); *c) Überwald* s. Siebenbürgen.

Üchtland = ödes Land wurde die Umgegend v. schweiz. Freiburg, Freiburg im *Ü.,* genannt zZ., als zw. dem deutschen u. burg. Reich in Helvetien eine 'weite Einöde' war: als im 7. Jahrh., während des Kriegs Dietrichs mit Theudebert, das Land verheert worden (Gem. Schweiz 19²ᵇ, 9, Mart.-Crous., Dict. 45). Nach dem *Ü.* früher der *Üchtsee* (s. Murten).

Ued s. Wady.

Üschtäk s. Ostjaken.

Üsen s. Usen.

Üsküdar s. Skutari.

Ütsch = drei, mehrf. in türk. ON. wie *Ü. Agatsch* = 3 Bäume, Ort bei Tokat, *Ütschkapu Dagh* = Berg der 3 Thore, ein Gebirgsrand des Ala Dagh, mit scharfen Doleritkegeln, *Ü. Kuju* = 3 Brunnen, Ort bei Diarbekr, *Ü. Kujular* = 3 Brunnen, Ort bei Smyrna, *Ü. Oeren* = 3 Ruinen, Dorf bei Angora (Tschihatscheff, Reis. 5. 14. 37. 41, Schläfli, Or. 25).

Ufa, der Hptort eines russ. Gouv., v. Baschkirenhäuptling Iwan Nagin, Nagoi, 1573 da ggr., wo die *U.,* baschk. *U. Idel,* in die Bjelaja mündet (Bergh., A. 3. R. 6, 215, Müller, Ugr. V, 1, 31). — *Krasno-Ufimsk* (s. Krasa). — Nach Flüssen des Netzes Bjelaja-Kama sind ferner benannt: *Birsk,* an der Mündg. des Bir, *Menselinsk,* an der Mündg. des Menseli, sowie die Hüttenwerke *Awsano Petrowskoi,* am Awsan, einem Zuflusse der Bjelaja, *Serginsk,* an der Serga, einem Zuflusse der Ufa, *Nasi Petrowsk,* am Bache Nasa, welcher gleichfalls in die Ufa mündet, 1771 dem Hüttenherrn Petrow geh., *Ufaleisk,* am Ufale, einem rseitg. Zuflusse der Ufa, *Simsk,* am Sim, der v. der Linken in die Bjelaja fällt, *Satkinsk,* an der Satka, einem Bach des z. Ufa mündenden Ai, *Katau Iwanowsk,* am Flüsschen Katau, das in den Jurjusen-Ufa fällt, an der Mündg., *ust,* dess. Gewässers, endl. *Jurjusensk,* am ebengenannten Zuflusse der Ufa (Falk, Beitr. 1, 195 ff.).

Ufenau, 744 *Ubinavia* = obere Insel, 975 *Uffenouua,* auch *Ufenove,* ein Eiland im obern Theil des Zürichsee's, im Ggsatz z. untern *Au,* j. Halbinsel; ein kleineres Eiland *Lützelau,* v. *luzil* = klein (Mitth. Zürich. AG. 6, 92), u. bei dem Uferorte Bäch die Halbinsel *Bächau.*

Ufiern, auch *uffiern* = Hölle, die rätor. Form

f. lat *infernum* = Unterwelt, Hölle, in ON. f. schauerliche Orte *a)* Val *U.* = Höllenthal, im obern Theile des Medels, einer schauerlich-wilden, v. Gletscherbergen eingefassten Thalstufe (Meyer's CLex. 11, 356); *b)* s. Hölle.

U-gama, hottentott. Wort mit 2 Schnalzlauten, v. *u* = salzig u. *gama* = Wasser, ist der Name einer Brackwasserstelle hinter Angra Pequena; ihr Wasser ist stark salzig u. z. Trinken kaum brauchbar (Schinz, Deutsch-SWAfr. 54).

Ugrische Str. s. Jugor.

Ugsenga s. Wytegra.

Ugus-Basch s. Bouveret.

Uhrbach s. Uri.

Uj = neu, mag. Wort, oft zsgesetzt mit Eigennamen *(Uj-Arad)* od. mit Appellativen: *Uj-Falu* = Neudorf, *Uj-Hely* = Neuort, *Uj-Vár* = Neuenburg, *Uj-Város* = Neustadt, *Uj-Videk* = Neugegend, letzteres der mag. Name f. *Neusatz* (Umlauft, ÖUng. NB. 255).

Ujandina, russ. Name eines lkseitg. Nebenflusses der Indigirka, Sib., nach dem jukag. Fürsten Ujanda, dessen Gefangennahme 1640 die Unterwerfung seines Stammes sicherte (Fischer, Sib. G. 1, 533).

Uigen-Tasch = Stein einer Jurte ähnlich, türk. Name eines Passes im Alatau (Peterm., GMitth. 4, 355), weil sich hier mehrere jener Steinhaufen finden, die um einen grossen aufrechten Stein mit Menschengesicht aufgehäuft sind u. als Grabhügel gelten (Bär u. H., Beitr. 20, 193).

Uigur = die Verbundenen, der Name eines Turkstamms, zunächst im Sinne v. coaguliren, gerinnen, also ähnl. dem Begriffe *Eidgenossen* (Klaproth, Mém. 2, 322 ff.).

Uisk, einer der zahlr. sibir. ON., die nach Flüssen gewählt sind: *a)* im Netz des Tobol, am Oberlauf des Zuflusses Ui u. zwar an dessen rechtem Ufer, während *Ustuisk* an der Mündg., *ust,* gelegen ist; *b)* s. Solikamsk. Am Ausflusse des Koelga aus dem Tschebar Kul (s. d.) liegt der Ort *Tschebarkulsk,* an der Confl. Koelga-Uwelka der Ort *Koelga,* am Ausflusse des Uwelka, der dem Ui zugeht, aus dem Kundrausee die *Kundrawi Sloboda,* am Uwelka selbst (s. Uratsk) 2 Orte *Uwelsk* (Falk, Beitr. 1, 235 ff.).

Uitenhage, Ort u. Distr. des Caplands, landein v. der Alagoa Bay, v. dem holl. Generalcommissär *U.* angelegt (Lichtenst., SAfr. 1, 380).

Uitkijk = Ausschau, holl. ON. zweimal in Spitzb.: *a)* f. einen See der Nordseite, wo man 'offenbar' in das Meer schauen kann (Adelung, Gesch. Schifff. 414): *b)* f. ein Inselcap, engl. übsetzt *Point Lookout* (Phipps, NorthP. 74, Carte). — *Uitkomst* = Ausgang, Ort, bei dem man in die Karoo hinauskommt (Lichtenst., SAfr. 1, 210).

Ujung s. Romania.

Ukerewe s. Njanza.

Ukermark, so zuerst 1493, auch *Uckermark,* 949 provincia *Vuucrie,* 1158 *Ucra,* dann *Ukera,* terra *Ukera.* ist eine deutsche *Ukrajna,* ein Grenzland (*u kraju* = am Rande, an der Grenze), also pleonastisch wie Grenzmark. Hier wohnten

die *Ukraner,* 934 *Ukrani,* ein Stamm der slaw. Wilzen od. Ljutizen; als die östlichsten der Elbslawen, Polaben, waren sie die Grenznachbarn der Pommern, des westlichsten Stammes der poln. Slawen, u. noch heute ist dort die Grenze gg. Pommern. Der dortige Fluss, die *Uker,* auch *Uecker,* slaw. *Ukraja, Ukra, Wkra* (die *Wkra* in Polen). 1253 *Ukera* = Grenzfluss, ein Zufluss des Stettiner Haffs, der u. a. den *Ober-* u. *Unter-Ukersee* durchfliesst u. bei *Ueckermünde* (seit 1190 Stadt) die See erreicht (G. Weisker 18. XII. 1892). — *Ukraine* = Grenzland, wörtl. 'am Rande' (vgl. Krain), russ.-poln. Name eines weiten Grenzstriches, dessen Hut der Polenkönig Stephan Báthori († 1586) den Kosaken anvertraute. Es bezeichnet diess, nachdem Kijew v. den Tataren erobert war, die ganze Südostgrenze od. das frühere Grossfürstenth. Kijew (Zeitschr. f. Schulgeogr. 3, 247 f., Meyer's CLex. 10, 286; 15, 245).

Uktakunkuk s. NewFoundland.

Uktusk s. Isetsk.

Ulän = roth, in mong. ON. wie *U. Chada* = rothe Berge, im daur. Sochondo (Bär u. H., Beitr. 23, 681). — *U. Chuduk* = Rothenbrunn *a)* Station der Gobi, in rother Lehmebene, mit 3 Brunnen (Timkowski, Mong. 1, 186; 2, 393. 410 ff., 418); *b)* s. Kisil. — Ferner *U. Tologoï* = rother Hügel, ebf. eine Station, in der Nähe mit röthl. Steinen bedeckter Hügel, *Urgün U.* = rothe Weite, eine Höhengegend der Gobi, *Undür U.* = rothe Höhe, ein Berg im Netz des Selenga (ib. 1, 45).

Ulasindio u. *Lamwea,* zwei ostafric. ON. nördl. v. Kilimandscharo, nach Häuptlingen, die hier gelebt (Journ.RGSLond. 1870, 315. 320).

Uleäborg, schwed. Name (s. Luleä) einer 1605 v. Karl IX. ggr. Niederlassg. am Flusse Uleä, Finland, nach dem nahen Schlosse, *borg,* welches schon 1570 angelegt war (ZfAErdk. 1871, 125) . . . 'vid Uleelfs utlopp' (Modeen, Geogr. 52, Müller, Ugr. V. 1, 473).

Uliassutai = der mit Espen bewachsene, mong. Name eines grössern Flusses (u. nach ihm *U. Choto* = Stadt *U.*) südl. v. Altai (Bergh., Briefw. 1, 338, Humb., ACentr. 3, 258, Timkowski, Mong. 1, 125).

Uljkun s. Ala.

Uliva s. Oleum.

Ulkan s. Usen.

Ulloa, San Juan de, j. der gew. Name der Insel v. Vera Cruz, weil der Küstenstrich *Ulua, Olua,* eig. *Culva* hiess u. die span. Exp. Juan de Grijalva um St. Johanni Tag, 19. Juni 1518, hier anlangte . . . 'y assimismo era dia de San Juan' (BDiaz, NEsp. c. 14, vgl. Navarrete, Coll. 3, 61). Aus dem Namen der Küste scheint der Volksname der *Acolhuer* durch Missverständniss hervorgegangen zu sein: Als Cortez 1519 landete, fand er daselbst einige frisch geopferte Leichname, u. die Eingebornen, um die Ursache dieser Grausamkeit befragt, riefen, indem sie nach Westen zeigten, *Acolhua:* damit wollten sie sagen, es sei auf Befehl der Mexicaner geschehen (Buschmann, Azt. ON. 90).

Ulm, württb. ON., urk. 854 *Hulma* palatio regio = zu *U.* in der kön. Pfalz, ist j. noch unerklärt, da auch Buck's Versuch (Württb. VJHefte 1, 56 ff.; 4, 45) wohl vschiedd. Deutungen, v. der Ulme, v. ahd. *ulma* = Insel etc. gemustert hat, aber zu keinem unbedenkl. Abschlusse gelangt ist. *U.* ggb., auf bayr. Gebiete, seit 1821 *Neu U.*, 1869 z. Stadt erhoben (Meyer's CLex. 11, 1032). Diesseits der Alpen scheint die Ulme, lat. *ulmus*, wenig in deutschen ON. aufzutreten.

Ulmitz s. Ormoy.

Ulpia, ON. zu Ehren des Kaisers Trajan, dessen Vorname Ulpius war (s. Sofia) u. *Ulpiana* (s. Köstendil).

Ulster, eine der Provv. Irlands, zsgesetzt aus dem alten ir. Namen *Uladh*, gespr. *Ulla*, u. dem skand. *stadr* = Ort, Gegend, also eine Bildg. wie Leinster u. Munster (Joyce, Orig.Ir. NPl. 1, 112). — *New U.* s. Zeeland.

Ultra = jenseits, wie *trans* (s. d.) lat. praep., wohl am geläufigsten im adj. *ultramontan,* welches der Historiker Joh. v. Müller durch das deutsche 'ennetbirgisch', u, zwar in geogr. Sinne, wiederzugeben pflegte. Rein geogr. ist die alte Bezeichng. *Ultra-*, f. *Transsilvania* (s. Siebenbürgen).

Ulu = gross, in türk. ON. *a) U. Darjá* = grosser Fluss, f. einen der Mündgsarme des Amu D. (Hellwald, RussCAs. 45); *b) U. Djus* s. Kirgis; *c) Uludscha Köi* = grosses Dorf, bei Smyrna; *d) U. Kischla* = grosses Winterdorf, bei Kaisarie (Tschihatscheff, Reis. 5. 15); *e) U. Oesén* = grosser Fluss, f. die Alma der Krym (Köppen, Taur. 11). — *U. Su* = grosses Wasser *a)* der Fluss v. Tscherkesch, im nördl. Kl. Asien, weiter abw. *Hammamly Su,* nach dem Orte (Tschihatscheff 41); *b)* ein Nebenfluss desselben, v. Ala Dagh (ib. 46). — Ferner *a) U. Tagh* = grosser Berg, eine Gebirgsgruppe der Kirgisensteppe (Hellwald, RussCAs. 33); *b) U. Tschai* = grosser Fluss, zweimal in Kl. Asien (Tschihatscheff 3. 8); *c) Ulug Idel* s. Wolga; *d) Uluk Oestän* = grosser Canal, einer der Bewässergscanäle im Thal des Ili (Petermn., GMitth. 12, 90).

Uluwáni = ein Uludickicht habend, hind. ON. im Dékhan, v. *ulu,* der dem Zuckerrohr verwandten Graminee Saccharum cylindricum (Schlagw., Gloss. 257).

Ulve Bucht, eine der Objecte an der Südküste des spitzb. Nordost-Ld., cartogr. 1871 durch die Fahrt des Engl. Leigh Smith, der dem norw. Capt. Erik A. *U.* die Führg. des Schoners Samson (16. Apr. — 3. Sept. 1870) übgeben hatte (PM. 18, 106 Taf. 6). Nach dems. Polfahrer auch der *U. Gletscher,* Dunér Bay, durch die Exp. Heuglin-Zeil 1870 getauft (ib. 17, 100. 182).

Um od. *ümm* == Mutter, in arab. ON. häufig im Sinne 'Fundort', wo eine Sache sich vorfindet, doch auch im eig. Sinne (s. Maria Quelle). — *Bordsch um Heisch,* ein alter Wachtthurm auf einer Uferhöhe bei Byblos, Syr., nach dem Echo, welches, mit *um heisch* angefragt, mit *eisch* = was? (in der Vulgärsprache der Gegend) antwortet (Burckhardt, Reis. 1, 298).

Umberto, Isola, die Hptinsel der Galowa Str., zw. Salawati u. NGuinea, v. ital. Capt. Lenna (1870) benannt, wie die *Lenna Strasse,* welche Umberto v. Salawati trennt (Meinicke, IStill. O. 1, 84).

Umbri, der zuerst bei Herod. vorkommende Name einer antiken Völkerschaft Italiens (Nissen, Ital. LK. 505), u. nach ihr das Land *Ombrike,* gr. *Ὀμβρική,* lat. u. ital. *Umbria,* wird allg. zu gr. *ὄμβρος,* lat. *imber* = Regen (s. Ammer) gestellt. 'Von diesem Worte kann nun sehr leicht ein Volk als 'Wasseranwohner' benannt werden u. so, wie ich die ital. *Umbri* in dieser Bedeutg. nehme, so mag auch als schwach declinirtes Wort der Name der *Ambrones* hierher zu ziehen sein'. Auch Zeuss (Deutsche u. NSt. 151) nimmt an, 'dass *Ambro* auch deutsch sei', während Bacmeister (AWand. 94), übr. unter denselben Angaben, den Flussnamen f. kelt. hält, also, wie er häufig thut, Glück folgend, der (Kelt. Etym. cod. germ. Monac. 5166, f. 23) eine Wurzel *amb* = Wasser, Fluss, annimmt.

Umpna = Backofen, preuss. Name eines backofenfg. Hügels in Samland, Prov. Preussen (Altpr. Mon. 7, 30).

Uncle Sam s. Union.

Und, Capuzinerkloster in NOest., mit heilkräftiger Quelle, in volksetym. Wortspiel als der Ort 'zw. Krems und Stein' erklärt, während A. v. Perger (Mitth. Wien. AlthV. 11, 214 f.) an skr. *und* = fliessen erinnert, *uda* = Wasser, and. *undja* = Wasser, Quelle. 'Das ahd. *unda, undja* = aqua, fluctus, scheint ein, wenn auch selten, so doch sicher vorkommendes Namenelement zu sein', wie in *Unditz,* 8. Jahrh. *Undussa,* Fluss in Baden (Förstem., Altd. NB. 1507).

Undalen s. Uri.

Undeci s. Nove.

Underwood s. Cloud.

Ungarn, f. *Ungern,* bei den Deutschen der Name eines finnisch-tschud. Volksstamms, sowie des v. ihnen 860 besetzten Gebiets an der mittlern Donau, an slaw. *Ugr* angelehnt, nach ihrer frühern Heimat *Ugor, Jugoria,* byz. *Ogorland,* dem Land der Ugrier, Wogulen u. Ostjaken am Flusse *Jugra,* syrj. *Jôgra,* um die Quellen der Petschora. *U.* wird zuerst erwähnt bei Regino v. Prüm u. bei Luitprand, das Volk 862 als *Ungri* in den westfränk. Jahrbb. (Krones, Grundr. 184 f.), das Land latin. *Hungaria* (Hunfalvy, Mag. od. Ung. 39 f.), woher frz. *Hongrie,* einh. *Magyar-orszag* = Land der *Magyaren,* wie sich die *U.* selbst nennen (gespr. *madjaren*). Ueber die Etymologie dieses eignen Volksnamens gehen die Ansichten der besten Gewährsmänner aus einander: P. Hunfalvy (Ethnogr. v. U. 261 f., Mag. od. Ung. 40 f.) setzt *Magyar* = Mann des Landes, Einheimischer, v. mag. *gyer-ek, gyerm-ek,* dim. v. *gyer, gyer-em,* wogul. *kär, kärem* = Mann, u. *ma, mo* = Land, wie finn. *maa;* diese Lesart, meint H. Vambéry (Urspr. Mag. 182), 'muss als grund- u. bodenlos bezeichnet werden'. Bei den arab. Geographen laute der Name *Madschgar, Madschar;* er habe vor u.

selbst nach dem Erscheinen der Mongolen bei den Turkvölkern eines guten Klanges sich erfreut u. sei zum ehrenden Eigennamen geworden. Die Stammsylbe sei *mai*, eine lautliche Nebenform v. *baj* = hoch, mächtig, erhaben, reich, woher j. noch türk. *bajar* = Fürst, also dass *Magyar*, *Majar* = der Herrschende, der Mächtige. Fast auf das gleiche Ziel, freilich auf völlig anderm Wege, war schon 1827, in einem Buche voll gelehrten Unsinns, der Dichter Joh. Kollar gekommen; er will ein Element *m-r*, in der Bedeutung Licht, Glanz, nachweisen u. den Namen *Magyar* als 'Emplasmus od. Intensivum' v. *mar* betrachten (Egli, Gesch. geogr. NK. 43). — *Ober-U.*, die erzreichen Bergländer des *ungar. Erzgebirgs*, im Ggsatz z. *ungar. Niederung*, deren einst unabsehbare Puszten sich z. Th. in Kornfelder verwandelt haben.

Ungura s. Angerap.

Ungvár = Veste am Ung(h), einem Flusse der Karpathen, welcher hier die Ebene betritt u. bei Tokaj die Theiss erreicht (Meyer's CLex. 15, 253).

Unicorn s. Horn Sound.

Union = Vereinigung, vollst. *United States of America* = vereinigte Staaten v. A., der grosse nordamerican. Bundesstaat, hervorgegangen aus den 13 engl. Colonieen der atlant. Küste, Virginia, Massachusetts, Pennsylvania, New York, Maryland, Nord- u. Süd-Carolina, Connecticut, New Jersey, New Hampshire, Rhode Island, Delaware, Georgia, deren Abgeordnete, am 4. Juli 1776, in Philadelphia in einem v. Jefferson verfassten Acte die Unabhängigkeit erklärten u. die dann in 7jähr. Freiheitskampfe, unter dem Oberbefehl G. Washingtons, sich v. England losrissen (Friedensschluss 19. Apr. 1783). Wie sich seither das junge Staatswesen th. durch Kauf, th. durch fortschreitende Colonisation, th. durch Eroberung üb. die ganze Breite des Continents ausgedehnt hat, ist hier nicht weiter auszuführen; hingegen darf wohl erwähnt werden, dass im Unabhängigkeitskrieg die Aufschrift der Mehlsäcke eines Lieferanten, *US*. (f. United States), Anlass zu *Uncle Sam*, dem Spitznamen der Bundesexecutive, gab, weil ein Arbeiter jene Buchstaben f. die Namenszüge des Regierungscommissärs Samuel Wilson, vulgo Uncle Sam, hielt (Glob. 3, 384). Ein anderer Spitzname, *Brother Jonathan* f. den Yankee, führt auf Washington zk., welcher viel auf das Urtheil Jonathan Trumbulls, des Governors v. Connecticut, hielt u. in einer schwierigen Angelegenheit sagte: Wir müssen Bruder Jonathan um Rath fragen. Es wurde Uebung, in schwierigen Fällen dieses Wort zu wiederholen, u. allmählich kam der Name in allgemeinen Gebrauch (Glob. 3, 384). — *Fort U.*, Militärstation in New Mexico, die Hauptniederlage f. die übrigen Posten jener Gegend (Peterm., GMitth. 22, 216). — *U. Group* s. Fanua Loa. — *U. Peak*, eine der höchsten Spitzen des Felsengebirgs, v. Capt. Raynolds (Expl. 10. 88) als das topogr. Centrum seines Landes betrachtet, als die Wasserscheide v. Missisipi, Colorado u.

Columbia, wie er denn auch üb. den nahen *U. Pass* am 31. Mai 1860 v. atlant. Wind R. z. pacif. Snake R. gelangte, auf spätern Carten *Jefferson Davis Peak*, nach dem Präsidenten der conföderirten Südstaaten, 1874 v. der Exp. Ord (Nev. 62) bestiegen, gemessen u. nach einem Mitgliede u. verdienten Erforscher des 'Far West' *Wheeler's Peak* getauft. — *United States Sound*, zw. Ellesmere- u. Grinnell Ld., v. american. Polarf. Hayes im Mai 1861 nach seinem Schiffe benannt (Peterm., GMitth. 13, 183, Taf. 6).

Unknown I. s. Starbuck.

Unknown R. s. Pearl.

Unstrut, Fluss in Thüringen, schon im 6. Jahrh. erwähnt, dann *Unstrud, -struot, -struoht, Onestrudis, Onestrod* etc., wurde früher einfach durch 'ohne Strudel' erklärt; der Name sei sehr bezeichnend, denn die *U*. sei ein schleichendes Wasser (Naumb. Mitth. hist.-antiq. F. 5, 73). 'Diese Deutung widerspricht sowohl den Lautgesetzen, als auch ist sie begrifflich unnatürlich'. Waldmann ON. Heilgst. 11) nimmt *struot* = Wald od. Fluss, vorz. f. sumpfige Lagen, *U.* als die *strut*, aus der die One kommt (s. u.). Pott, (Etym. Forsch. 2, 233) hält *U.* f. slaw. u. vergleicht poln. *choina* = Fichte u. lett. *strauts* = Regenbach. Förstem. (Altd. NB. 1510) macht aufmerks., dass ein *strôd, struot*, muss Fluss od. Bach bedeutet haben, angelehnt an skr. *sru* = *fluere*, wovon *srôta, srôtas* = fluvius — ein weit in die europ. Sprachen hinein verbreitetes Wort (vgl. ir. *sroth, sruth* = Fluss, *srothach* = strömend, fliessend). 'Nun fliesst sehr nahe der Unstrutquelle ein Bach One u. mit diesem Namen möchte ich den ersten Theil v. *U*. f. ident. halten, so dass *U*. nichts anderes als 'One-Fluss' bedeutet' (Kuhn's Beitr. 1, 98). Anders Müllenhoff (DAltthK. 2, 215) u. ihm nach Rich. Müller (Bl. öst. LK. 1888, 19): *U*. ist gebildet mit fem. *strût*, ahd. u. mhd. *struot* = Sumpf, wogende Flut, wobei das praefix *un-* nicht verneint, sondern verstärkt, also 'übles Gewässer'.

Unterwalden, wohl der bedeutendste der mit *unter-*, ahd. *untar* (s. ober) zsgesetzten ON., f. einen der schweiz. Urcantone, 1030 *Sylva* = Wald (Salis u. St., Alp. 1, 111), da das Ländchen zu den Füssen der grossen Bergwälder liegt, welche mit dem Kernwald weit nach dem Vierwaldstätter-See vortreten ... 'propterea *U*. appellatum suspicor, nam ex utraque parte montium radicibus atrae silvae perdensae affixae sunt, quibus postea remissius terra adjacet ...' (A. de Bonst., Descr. Helv. in Mitth. Zürch. AG. 3ª, 101). Wo Balci Descr. Helv. (QSchweiz.G. 6, 89) v. seinem Vorbild abweicht u. *U*. als 'hundert Wälder' versteht, ist die 'Verbesserung' zu bedauern. Auf einer allgemeinen Landsgemeinde, 1150 zu Wyss-Erlen, einem Weiler bei Kerns, wurde die Trennung beschlossen: *Obwalden*, das Land ob, u. *Nidwalden*, das Land nid dem Kernwalde (Gem. Schweiz 6, 10). — Eine Uebtragg. *U*. s. Jekaterina. — *Untrach*, 748 *Untraha*, Fluss zw. Mond- u. Attersee, ferner die altd. ON. *Untarberg, Un-*

trangewi, Untarhova (Förstem., Altd. NB. 1510).
— Ferner *a) Unteralp* s. Ober; *b) Unterbrunnen*
s. Siloah; *c) Unterland* s. Ober; *d) Unterpfalz*
s. Palatium & Petropolis; *e) Untersee* s. Bodensee;
f) Unterseen s. Interlaken; *g) Unterstrass* s. Ober.
Untiefen, Cap der, frz. *Cap des Hauts-Fonds*,
in Sachalin, v. Capt. J. A. v. Krusenst. (Reise 2,
153, Atl.OPac. 25) am 30. Juli 1805 so getauft,
weil ihm gefährliche Untiefen vorliegen.
Uorochtha s. Kischm.
Up s. Auf.
Up-an' Down = Vorgebirge auf u. nieder, am
Obstruction Sd., v. der Exp. King-Fitzroy (Adv.-
B. 1, 351) im April 1830 so benannt nach den
Kreuz- u. Querfahrten, welche man hier z. Ermittelung eines Auswegs anstellte. — Skr. *Upar-
mal* = Oberland, ein Theil v. Malwa, der durch
die Bergkette Mukundadvara eine grössere Erhebung erhält u. im Ggsatz z. übrigen reicher
an Berggruppen ist (Lassen, Ind. A. 1, 147).
Upas, Kawah- = Giftkrater, javan. Name des
westl. Kraterkessels des G. Tangkuban prau, in
welchem vor seinem Erlöschen erstickende, *vulgo*
giftige, Gasarten aufstiegen (Junghuhn, Java 2,
902). — *Gua U.* = Gifthöhle, eine Stickgrotte
des G. Dersono, auch Name des 'Giftthals' (ib. 2,
858. 902).
Upper = ober, in engl. ON. oft im Ggsatz zu
lower = unter, wie *U. u. L. Falls*, f. die beiden
40 resp. 100 m h. Fälle des Yellowstone R., die
nur 400 m v. einander entfernt sind (Hayden,
Prel. Rep. 83), od. *U. u. L. Portage*, mehrf. f.
Trageplätze der Hudsons Bay Länder (Franklin,
Narr. 35. 37 f.), od. *U. Carp Lake* s. Carp.
Uppernavik s. Oppernavik.
Upright, Point = aufrechte od. senkrechte Spitze,
zwei Vorgebirge v. Cook getauft: *a)* eine hohe
Felsklippe im nordwestl. America, 29. Juli 1778
(Cook-King, Pac. 2, 438); *b)* 'a point of land,
which rose in a perpendicular cliff' in NSWales,
21. Apr. 1770 (Hawk., Acc. 3, 82). — *Cape Upstart* = Vorgebirge des Aufstarrens, in Queensland, aus niedriger Umgebg. abschüssig aufsteigend,
cbf. v. Cook am 4. Juni 1770 getauft (Hawk.,
Acc. 3, 134). Als der engl. Capt. Blackwood am
30. März 1843 die Stelle besuchte, fand er das
Cap als gewaltige, etwa 650 m h. Granitmasse,
die allseits schroff v. Wasser aufstieg u. mit dem
Hinterland nur durch einen Mangrovesumpf zs.-
hing. 'It is singular rugged and barren in its
aspect; its sides covered with huge blocks of loose
rock, scantily hidden by a scrubby vegetation'
(Jukes, Narr. 1, 52).
Upsala = die hohen Säle, die hohen Paläste,
hiess der alte schwed. Ort, wo der heidnische
Tempel mit seinen hohen Sälen lag u. zu Anfang
der christl. Zeit der Erzbischof wohnte, j. *Gamla*
(= alt) *U.* Dieser Platz wurde nach u. nach v.
dem benachbarten *Oestra Aros* (= östliche Flussmündg.) überflügelt, u. der Erzbischof erhielt 1258
v. Papste, 1270 v. Könige die Erlaubniss, dahin
zu übsiedeln, unter der Bedingg., dass der neue
Sitz den Namen des alten annähme. Diess ge-

schah 1273, in dem Jahr, als auch König Erichs
des Heil. Gebeine übsiedelt wurden (Styffe, Skand.
Un. 276), u. lange hiess jener noch *Neu U.* (G.
Schramm in ZfSchulGeogr. 3, 295, in Berichtigg.
unserer frühern Angabe aus Passarge, Schwed.
208). Unser Gewährsmann, in *U.* geb., vergleicht
die Accentuirg. des Namens mit 'Altvater', 'Hoch-
meister', fügt jedoch bei, die erste Silbe werde
'nicht ganz mit so hohem Tone' ausgesprochen
wie im Deutschen, u. *upsala* komme der richtigen
Aussprache am nächsten. An die 'hohen Säle'
selbst jedoch erinnert:

Af idel jättestenar var dess rundel byggd,
med dristig konst uppfogade, ett jätteverk
för evigheten, templet i *Upsala* likt,
der Norden såg sitt Valhall i en jordisk bild.
E. Tegner, Frith. Saga XXIV.

Es zeigt sich, dass das ehm. *Aros* = Mündung
des Flusses, diff. in *Oestra Aros*, an einem j.
ausgetrockneten See lag, den die Föres-Å od. dessen
Zufluss noch im 15. Jahrh. bildete (Styffe, Skand.
Un. 263, Passarge, Schwed. 208). *Westerås*, im
Mittelalter *Vester-Aros* genannt z. Unterschied v.
j. Upsala, liegt an der Mündung der Svart-Å u.
hiess lange in der alltägl. Sprache einf. *Aros*,
latin. *Arosia* (ib. 249 f.). — *Upland* s. Sverige.
Uraba, ind. ON. am Golf v. Darien. Nach span.
Weise wurde die v. Hojeda ggr. Stadt, die aus 30
mit Pallisaden umgebenen Hütten bestand, mit
einem Heiligennamen verziert u. *San Sebastian
de U.* genannt, bald aber verlassen u. (s. Antigua)
an das entgegengesetzte (westl.) Ufer des Golfs
verlegt (WHakl. S. 33, 34).
Uraghen s. Berber.
Urál' = Gürtel, türk. Gebirgsname, russ. *Sem-
lännii Pojas, Semnoi Pojas* = Erdgürtel, schon
bei Herberstein (Rer. Mosc. Comm., Carte) ins lat.
übsetzt *Montes dicti Cingulus Terrae* (Humb.,
Ural 2, 441, Herberst. ed. Mayor 2, 42), bezogen
auf die Wasserscheide, welche der durch 25 Breiten-
grade ausgedehnte europ.-asiat. Grenzwall zw.
Osten u. Westen darstellt (ZfAErdk. nf. 4, 434).
Trotz dieser Zeugnisse möchte ich bezweifeln,
dass der *U.* auf directem Wege zu seinem türk.
u. russ. Namen gekommen sei. Vor allem aus
scheint dabei mehr Abstraction erforderlich, als
den Anwohnern zuzutrauen sich dürfte, u. es ist
nicht zu übsehen, dass der grossländ. *U.* bei den
Samojeden *Paj* = Stein, Fels (s. d.), auch *Arka-
Paj* = grosse Steine, sowie mit gl. Bedeutg. bei den
Russen *Bolschoi Kamene*, schon im Bericht des
engl. Nordostf. Steph. Burrough 1556 erwähnt
(GdVeer ed. Beke p. IX, Lütke, VR. 14), syrj.
Udschid Kamen, ostj. *Kä-u*, genannt wird (Peterm.,
GMitth. 22, 452). Es lässt sich vermuthen, das
samoj. *paj*, natürl. älter als russ. *pojas*, sei v.
den ersten Russen, welche in diese Gegenden vordrangen, erst in *pojas* umgedeutet u. der 'Gürtel'
in einen 'Erdgürtel' vervollständigt worden, der
russ. Gürtel schliesslich auch in den türk. Nachbarn übgegangen: als *U.* (vgl. Wrangell, NSib. 1, 9).
Der russ. Name *Jugorskoi Kamen* od. *Jugorskoi
Chrebet* = jugrisches Gebirge (Müller, SRuss. G.
3, 261), f. 'das grosse Gebürge, welches Sibirien

v. Russland scheidet', bezieht sich wohl nur auf den nördl. Theil, als den Wohnsitz der finn.-tschud. Jugri od. Ugri. Im äussersten Skythien dachte sich Aristoteles die *Rhipaeen*, v. welchen der Don herabkomme, damals die Grenzscheide zw. Europa u. Asien ... Tanaim amnem ex *Rhipaeis* montibus defluentem accipiens, novissimum inter Europam Asiamque finem ... (Plin., HNat. 4, 78). Ganz so, unbeirrt durch Strabo's (299) Zweifel wie durch Herbersteins Berichte, bezog noch Camões 1560 den Don aus diesem Fabelgebirge:

> . . . . 'o rio
> Que dos *montes Rhipheos* vai correndo
> Na alagôa Meotis . . . .'.
>
> Lusiade 3, 7.

Schon 1253 aber hatte Ruysbroek auf seiner centralasiat. Reise den Fluss zu unbedeutend gefunden, um als Grenze zweier Erdtheile gelten zu können, u. als dann das Gebirge aus dem Innern des Skythenlandes sich weit nach Osten zkzog, so musste der Don sein altes Ansehen als Grenzfluss um so sicherer verlieren. Es war 1730 der Schwede Ph. J. v. Strahlenberg, der in seinem Werke (Nord- u. Ostl. Th. 19) den *U.* als europ.-asiat. Scheide vorschlug — eine Idee, die wohl im westl. Europa Anklang fand, der jedoch die russ. Verwaltg. nicht gefolgt ist. Zwei Landhöhen, v. *U.* nach Westen verlaufend: die *uralisch-baltische*, z. Ostsee, u. die *uralisch-karpatische*, nach den Karpaten hin, sind bestrittene Gebilde. — Ein zweites Object *U.* ist der im Gebirge gl. N. entspringende Zufluss des Kaspisces (s. Jaïk).

Urania Canal, eine Seegasse zw. den Papua-inseln v. Ruib u. Waja(n)g, v. dem frz. Capt. Freycinet (1818) nach seinem Schiffe benannt (Meinicke, IStill. O. 1, 81). — *Uranienborg*, die durch Tycho de Brahe 1658 eingerichtete Sternwarte der schwed. Sundinsel Hven (Meyer's CLex. 9, 179), benannt nach der Aphrodite, die mit dem Beinamen *U.* = die Himmlische üb. die Wissenschaft der Stern- u. Himmelskunde gesetzt u. daher gew. mit einer Kugel in der Hand dargestellt war (ib. 15, 293).

Uratskoe Plotbischtsche, russ. ON. am Oberlaufe des südlich v. Ochotsk mündenden Flusses Urak, halbwegs zw. Judomskoi Krest u. Ochotsk, während der II. Kamtschatk. Exp. 1736/37 bewohnt u. z. Schiffbau benutzt (Müller, SRuss.G. 4, 297, Lauridsen, VBering 82). An dem Flusse eine Kosakenfähre *Uratsky Perewos* = Ueberfahrt des Urak (Dawydow, Sib. 113). — Aehnl. Namenbildungen mit *U* sind a) *Urdscharskaja*, Ort im Quellgebiete des Urdschar, russ.-chin. Grenze (Peterm., GMitth. 14, 83); *b)* *Urtasimskaja*, Ort an der Confl. Urtasym-Jaik (Bär u. H., Beitr. 5, Carte); *c)* *Uwelskaja*, ein *Werchne* = Ober u. ein *Nishne* = Unter-Uwelsk, Orte an der Uwelka, welche bei Troizk in den Ui mündet (ib.).

Urban, D', Hafenort am Port Natal, nach dem ersten misslungenen Colonisationsversuche v. 1828 v. engl. Capt. Gardiner 1834 gegr. u. nach dem allgemein verehrten Gouv. des Caplandes, Sir Benjamin *D'U.*, benannt (Peterm., GMitth. 1, 274,

AAZtg. v. 23. Juli 1877). — Der heil. *U.* erscheint in einer Entdeckg. Mendaña's, *Isla de San U.*, Salom., die zu Ende Mai 1568 einer seiner Anführer, Hernando Enriquez, fand (Zaragoza, VQuirós 3, 41).

Urbánia, ital. Stadt der Prov. Pesaro e Urbino, benannt nach Papst Urban VIII., welcher 1635 den Ort z. Stadt erhob. Es ist diess das antike, am Metauro gelegene *Urbinum Metaurense*, nach dessen Zerstörg. der Bischof Wilh. Durante 1282 den Ort als *Castel Durante* erneuerte. Das andere *Urbinum, U. Hortense*, in waldiger Gegend auf einem Berge gelegen, heisst j. *Urbino* (Meyer's CLex. 15, 296f.) — *Urbs vetus* s. Orvieto.

Urdasunsk s. Tagilsk.

Urdscharsk s. Uratsk.

Urdu s. Dongola.

Urérjagà, Fluss u. See, nach einem samojed. Greis Urèr, welcher v. Zeiten an diesen Gewässern nomadisirte u., der Sage zuf., lebendig mit seinen Renthieren z. Himmel gefahren ist (Schrenk, Tundr. 1, 520f.).

Urga = Residenz, eig. *urgo* = Palast*), mong. ON. der Mongolei, bei den Russen gebr. f. die Residenz des Kutuchta, d. i. des buddhistischen Grosspriesters (Timkowski, Mong. 1, 3. 23, Klaproth, Mém. 1, 3), daher bei den Nomaden *Bogdood. Da - Kuren* = heiliger Lagerplatz, v. *kure* = geschlossener Ort. Der mong. Stadt, die allein so heisst, 'drücken die zahlr. Klöster u. der Palast des Kutuchta, des irdischen Stellvertreters der Gottheit, das ihr eigene Gepräge auf. *U.* nimmt in religiöser Hinsicht f. die Mongolen — nach Hlassa — die zweite Stelle ein, da diese beiden Orte die grössten Heiligthümer der buddhist. Welt in sich bergen. In Hlassa residirt der Dalai-Lama mit seinem Gehülfen, dem Ban-tsin-ardeni, in *U.* seit 1604 der Kutuchta als 3. Person in der buddhist. Hierarchie. Diesen 3 Heiligen dürfen sich die übrigen Kutuchtas od. Gögen u. Lamen (Priester), wie auch die andern Sterblichen, nur mit dem Gesicht im Staube nahen. Sie sind unsterbl. u. erneuen im Tode nur die irdische Form'. Ein zweiter Stadttheil od. besser eine Stadt f. sich, 4 km östl. v. *U.*, ist das v. Chinesen bewohnte *Mai-mai-tschen* = Handelsstadt, also der wohl bekanntere Ort d. N. bei Kjachta (PM. 22, 8, Meyer's CLex. 15, 296).

Urgun s. Ulan.

Uri, einer der schweiz. 'Urcantone', 853 pagellus *Uronie*, dann *Uronia, Urania*, wurde gern mit *ur*, Auerochs, verglichen, dessen schwarzer Kopf mit Nasenring im gelben Felde das Landeswappen schmückt. Den 'Stier v. U.', ein gewaltiges Schlachthorn, welches die Harste der Urner in ihre Heldenkämpfe begleitete, lässt Joh. v. Müller in einem seiner prächtigen Schlachtenbilder wirkungsvoll in den Gang des Kampfs eingreifen, u. auch Schiller, im 'W. Tell', ruft den Uristier auf den Schauplatz. 'Uraniam igitur credo dictam uris

---

*) Der Ueberbringer traf den Kontaischa in seiner *urga* nicht an (Fischer, Sib. Gesch. 2, 607).

graece quod bos latine dicitur, vel iterum ab uris quod agrestes boves (ut de glosis legitur) sunt in germania habentes cornua in tantum protensa...(A. de Bonst., Descr. Helv. in Mitth. Zürch. AG. 3ᵃ, 100). Und etwas später, 1500/04, Balci Descr. Helv., mit der Angabe, dass der Hauptflecken ebf. *U.*, aber auch *Dorf*, *Altdorf*, heisse: *Urania* non tantum urbis quod alias *Torfenum* appellatur, sed et nomen vallis est, a copia boum eximiae magnitudinis quod uros nuncupatos invenimus, originem trahens (QSchweizG. 6, 90). *'U.* verdankt 'unstreitig' seinen Namen den Ur- od. Auerochsen, welche diese ehm. entsetzl. Wildniss bewohnten; daher hiess es in alten Documenten *ad Uros* = bei den Auerochsen' (Salis u. St., NAlp. 1, 111). In etwas freier Weise: *U.* doit son nom à un peuple que l'on appelle *Ur* ou *Auerochsen*, qui a sans doute habité originairement en ces vallées (Voyageur en Suisse 667, Genève undat). Die neuern Versuche, den Namen *U.* zu erklären, gehen aus einander u. sind wohl noch nicht z. Abschlusse gelangt. Gatschet(OForsch. 45) nimmt es rom. Ursprg. an: v. *ur* = Rand, scil. des Vierwaldstätter-See's; er betrachtet *U.* als den alten Namen des Hptfleckens Altdorf, dessen Gemeindemarch bis an die Seeküste reichte. Hierbei nimmt er an, der See habe früher tiefer in das Land hinein geragt, sowie der Küstenort sei desh. nicht mit dem gew. *Riva* belegt worden, 'weil es am Walen-See u. Comer-See schon gleichnamige Orte gab'. Es lässt sich bezweifeln, ob die zuletzt angedeutete zarte Rücksicht in Frage kommen könne, bes. aber, ob *U.*, welches im Ggsatz zu Ursern keine rätor. Einflüsse zeigt, seinen Namen dorther bezogen habe. Eine andere Ansicht denkt an alem. *ur* = wild, stürmisch, wie noch heute im Engelberg v. Wetter gesagt wird, u. setzt *U.* = wildes, rauhes Gebirgsland (Mitth. Zürch. AG. 2ᵇ, 58, Schweiz. Idiot. 1, 419). In einer monogr. Arbeit erinnert J. L. Brandstetter (Gesch.Fr. 42, 163 ff.) an *ur* als die im indogerm. Sprachstamm stark verbreitete, auch j. noch in vschiedd. Dialekten der Centralschweiz lebendige Nebenform v. *var* = Regen, Wasser. Wie *ahva* = Wasser in mehrf. Sinne gebraucht wird, f. Bach, f. See, f. ein wasserreiches Gelände, f. die blumige Au, so differenzirt auch *ur*, zunächst als fliessendes Wasser gedacht, den strömenden Regen, das nasskalte Regenwetter, sodann das stehende Wasser, See, Teich, Sumpf, *urich*, *orich* als wüste, sumpfige Gegend. Bis in die neuere Zeit der Reusscorrection durchfurchten vschiedd. Arme der Reuss u. seitlich einmündende Bäche den Thalboden v. Silenen bis z. See, also den untern Landestheil, hpts. denjenigen, der den Besitz des Fraumünsters in Zürich umfasste. Die heut zu Tage theilweis prächtigen Matten des Thalgrundes waren sumpfige Rieder, vor denen sich die Ortschaften an die beiderseitigen Berglehnen flüchteten. 'Gerade diese Partie gab z. Benenng. *Uren* Anlass': *U.* ist der sumpfige, v. Wasserarmen durchzogene Thalboden. — Nach dem Lande der *U.-Rothstock*, eines der Schnee-

häupter, das die Form u. die Färbg. grösserer Felspartieen zu einem der markantesten Bergstöcke des Landes machen, das *Urner Loch*, ein 66 m lg. Tunnel der Gotthardstrasse, der *Urner See*, der obere Arm des Vierwaldstätter-See's, u. der *Urner Boden*, bei den Schächenthalern *March-* (= Grenz-) *Alp* od. *Ennetmärch* = die jenseits des Passes gelegene (Osenbrüggen, WStud. 5, 200). So heisst ein grünes, romantisch-ummauertes, häuserbesäetes Hochthal, welches, auf der Glarner Seite des Gebirgs gelegen, dennoch seit alten Zeiten v. den Urner Hirten als Alpweide benutzt wird. Der Streit zw. beiden Ländchen wurde, der Sage zuf., durch eine Art Gottesgericht erledigt; die Grenze sollte dahin fallen, wo die mit dem Hahngeschrei abgehenden Sendboten beider Parteien sich träfen. Die Urner hätten durch eine List so gesiegt, dass ihr Bote weit auf der Ostseite des Bergübergangs gg. das Thal hinab gelangte (vgl. Sallust, Bell. Jug. 79). — Zu *ûro* = bubalus, urus, gehören wohl die meisten der folgenden altdeutschen ON.: *Uraha*, urspr. Flussname, j. *Euren*, *Aurach* u. *Urach*, ferner *Urahheim*, *Urawa*, j. *Aurach*, *Urbah*, j. *Auer-*, *Euer-*, *Ührbach*, *Urbruoh*, j. *Auerbruch*, *Urtal*, *Urheim*, *Urlaha* (Förstem., Altd. NB. 1515). Auch der Ort *Undalen*, im obern Tössthal, heisst 860 *Urintale*; der st. gall. Hof *Urendal* ist in der Dufourcarte (Bl. 4) zu *Uhrenthal* gedeutet worden.

Uriab = weisse Fläche, eine mit weissen Quarzsteinchen bedeckte Ebene in Gross Nama Land (PM. 11, 390).

Ur-Immándess = er hört es nicht, 'bemerkenswerther Name' einer Stelle halbwegs auf dem unsichern Wege Timbuktu-Kábara, als Ort, wo das Geschrei des Unglücklichen, welcher hier vereinsamt in die Hände eines Räubers fällt, v. keiner Seite hörb. ist (Barth, Reis. 4, 411).

Urion, gr. *Οὔριον* = Windeck, als ON. 2 mal: *a)* Küstenstadt der apul. Ldsch. Daunia, am Sinus Urias, j. Golf v. Manfredonia (Strabo 284); *b)* Stadt der Turditaner in Hispania Baetica, j. *Torre de Oro* (Ptol. 2, 4¹², Pape-Bens.). — *Urinon*, gr. *Οὔρινον* = Windheim, ein Ort v. Tenedos (Inscr. 2, 2338, Pape-Bens.).

Uriuri s. Moa.

Urmein s. Ormoy.

Urmia nach älterer, *Urmij* nach j. ortsübl. Aussprache (ZfAErdk. 1872, 540), in arab. Form *Urûmîjeh*, mir ungedeuteter ON. aus Persien. Die Stadt liegt an der Westseite ihres flachen, inselreichen, bittersalzigen, in starkem Rückgang begriffenen Sees, *U. Göl*, der im Avesta u. sonst in Parsenschriften *Tschetschast*, *Tschaetschasta*, bei Mustaufi *Chadschent*, bei Firdusi *Chandschest* heisst, die der alten Geogr. kennen den See unter dem Namen *Καπαῦτα*, fälschl. bei Strabo 523 *Σπαῦτα*, f. altarm. *Kapoit-âzow* = blauer See (wie noch im Neupers. *kebûd* = blau), od. *Matianus Lacus*, nach den Anwohnern, die in den assyr. Inschriften *Mata*, *Mati*, bei Herod. *Ματιηνοί*, bei Strabo *Μαντιανοί* heissen. Auch in dem neu-armen.

Gabudan ist *kapoit* = blau zu vermuthen (St. Martin). In Täbris soll der See gew. *Schah-* od. *Schahi-Göl* = Königssee heissen (ZfAErdk. 1872, 539 ff., Peterm., GMitth. 9 T. 7, Spiegel, Eran. A. 1, 128, Kiepert, Lehrb. AG. 70).

Urnadeça = Wollenland, skr. Name des östl. Theils Ladakh's, Tibet, weil die Shawlziege die feinste aller Wollen gibt (Lassen, Ind. A. 1, 47).

Urs s. Don.

Ursanne, St., treuer erhalten in der deutschen Form *St. Ursiz*, Ort des Berner Jura, nach dem h. Ursicinus, der angebl. um 600 im Kloster Luxovium lebte, später Einsiedler am Doubs wurde u. 20. Dec. 620 † (Gelpke, KirchG. 2, 164 ff.).

Urschoch s. Kasbek.

Ursern, ital. *Valle Orséra, d'Orsèra*, bei Glarean 1514 *Ursella*, das am Fusse des St. Gotthard gelegene Quellthal der Reuss (s. d.), früher auch nur seines Hptorts (s. Matt), soll, nach dem Wappenthier, ein 'Bärenthal', v. lat. *ursus*, bei den Keltomanen ein 'Flussthal', aus *urus* = Fluss zu *urs* verstümmelt sein. Ein sprachl. Zshang des Fluss- u. Thalnamens ist schon v. Aeg. Tschudi (Raet. H.) vermuthet u. seither v. Andern angenommen (s. Reuss); heute neigt man sich mehr zu 'Bärenthal', nach Analogie v. *Orsières* u. *Alp Orséra*, Wallis, u. *Valle Orséra*, Livigno, u. findet einen rom. Thalnamen im Einklang mit den übr. Anzeichen einer altröm., also vorgerman. Colonisation, die ihre Spuren noch weiter thalab erstreckt (Oechsli, Anf. schweiz. Eidg. 9 f.).

Ursula s. Virgines.

Urtasimsk s. Uratsk.

Urten-Tau = verbrannte Kuppen, kirg. Name einer abgesonderten, mässig hohen Berggruppe am Kokbekty, einem Zuflusse des Dsaisan Noor. 'Wahrsch. hat diese Benenng. u. die vereinzelte Lage dem Botaniker Sievers Veranlassg. gegeben, sie f. erloschene Vulcane zu nehmen, während sie auch nicht eine Spur v. vulcan. Gestein darbieten' (Bär u. H., Beitr. 20, 92. 250).

Uru = Stadt, in den Inschriften *Ur-Kasdim* = *U.* der Chaldäer, eine der ältesten Städte Chaldaea's (s. Babel), wie es scheint der Hptort des engern Landes Kaldi (Kiepert, Lehrb. AG. 144).

Uruguay, zunächst Flussname der Guaraní, SAmerica, nicht befriedigend erklärt: entw. 'v. den vielen Stromschnellen u. Wasserfällen' (Andree, GWelthdls 2, 514), od. v. *uru* = Vogel, Huhn, Waldhuhn, u. *guay* = Schwanz, also s. v. a. Hahnenschwanz (Avé-L., SBras. 1, 149). Für erstere Etym. spricht die Natur des Flusses: die Fahrt ist durch Felsenleisten, Katarakte u. Stromschnellen sehr behindert, nam. unth. 31⁰ SBr. durch den *Salto Grande* (= grosser Fall) u. den *Salto Chico* (= kleiner Fall). Obh. der bras. Stadt Itaqui, wo die Schifffahrt aufw. v. Salto Grande aufhört, fand der 1861 v. der bras. Regierg. z. Erforschg. des Oberlaufs abgesandte Ingenieuroberst Pereira Campos einen grossartigen Wasserfall; ein anderer, zw. San Borja u. Itaqui, kann vermittelst eines v. der Natur gebildeten Canals umgangen werden. In sprachl. Beziehg. ist jedoch die Erklärg. gar nicht belegt. Eine Strecke des Oberlaufs heisst ind. *U. Mirim* = kleiner *U.* (Avé-L., SBras. 2, 65). Das Land an der Ostseite des Flusses hiess schon zZ. der span. Herrschaft *Banda Oriental* (= Ostseite) *del U.* (Burmeister, LPlataSt. 1, 43), daher die Bewohner *los Orientales* u. j. noch die Republik *U.*

Urun D. s. Alt.

Uruna s. Negro.

Urville's Monument, d', ein sehr auffälliger, thurmartiger, hoher Fels, welcher aus einer ausgedehnten Schneeebene v. Joinville I., SShetland, aufragt, v. J. Cl. Ross (SouthR. 2, 331 f.) am 30. Dec. 1842 so benannt, weil er annahm, es sei diess die *Isle Supposée* des Admirals Dumont d'Urville (der sie v. Norden her auf grössere Entfernung gesehen), 'in memory of that enterprising navigator, whose loss not only France, but every civilized nation must deplore'. — *Isle d'U.*, eine Insel der centralen Carolinen, einh. *Nama*, v. Span. Monteverde, 1806 entdeckt u. v. frz. Capt. Duperrey *San Rafael*, nach dem Schiffe des Entdeckers, oder, wie oben angegeben, zu Ehren seines Vorgängers u. Landsmanns getauft (Krus., Mém. 2, 471, Meinicke, IStill. O. 2, 353).

Usa(t)kul = ... (?) See, baschk. Name zweier Giftteiche am Oberlaufe des Jaik. Die Kosaken nennen, wenigstens den einen bei Tanalisk, *Woschewoje Osero* = Läusesee, weil er des Sommers v. lausartigen Insecten wimmelt, 'da denn sein Wasser f. Menschen u. Vieh tödtl. sein soll' (Falk, Beitr. 1, 190). Aehnl. der kleinere *Jaman Kul* = böser See, russ. übsetzt *Belennoje Osero* (ib. 2, 5).

Usala s. Sela.

Usbeken, die im Abendlande übl., *Oezbeg* = freie, edle, die richtige Namensform eines türk. Stamms der 'Gr. Bucharei'. So nennen sich die nomad. Herrscher im Ggsatz zu den städtebewohnenden Tadschiks od. Sarten. 'Ohne die v. ihnen z. Th. schon vorgefundenen u. unterworfenen, z. grössern Theile durch beständige Raubzüge auf pers. Gebiet als gefangenen u. weggeschleppten Leibeigenen iran. Stamms wären auch nur die dürftigen heutigen Reste alten reichen Anbaues unmöglich' (ZfAErdk. 1874, 274).

Usboj s. Amu.

Usborne, Port, ein Ankerplatz v. King's Sd., Tasmans Ld., v. Capt. Stokes (Disc. 1, 25. 160) am 21. März 1838 so genannt nach einem Gefährten, dem Master Alex. B. *U.*, welcher, während der Chef auf dem Compass Hill Umschau gehalten, einen guten Ankerplatz ausfindig gemacht hatte.

Uschkany Ostrowa = Haseninseln, russ. Name einer Gruppe kleiner, wenig bewaldeter Inseln des Bajkal; die grösste ist bis 2 km lg. (Bär u. H., Beitr. 23, 331).

Uschkhi s. Ude.

Uschkowskaja S. s. Kljutschewsk.

Usdum, Khaschm = Fels v. Sodom od. *Dschebel U.* = Berg v. Sodom, bei den Europäern einf. *Salzberg*, ein in der Nähe des alten Sodom, *U.*, am Südwestufer des Todten M. aufsteigender Salzberg; *khashm* eig. = Nasenknorpel, d. h. der hervorstehende Berg (Robins., Pal. 3, 23, Seetzen, Reis. 2, 227; 4, 357. 403). — In dem Berge, etwa 10 m üb. dem Seespiegel, *Magharet U.* = Sodomhöhle, an deren Decke eine Menge salziger Stalaktiken hängt; z. Regenzeit fliesst ein Salzbach heraus (Peterm., GMitth. 3, 262; 4, 3).

Useless Bay = unnütze Bucht, zweimal: *a)* in der Magalhães Str., v. der Exp. Adv.-Beagle (Fitzroy, Narr. 1, 125) im März 1828 untersucht u. so benannt, da sie dem Seef. nirgends einen Ankerplatz noch Schutz, noch irgend einen andern Vortheil gewährt; *b)* neben Cape Palliser, NSeel., auch *Palliser Bay*, geräumig, aber ohne Schutz u. Ankergrund (Meinicke, IStill. O. 1, 278).

Usen, auch *Uesen*, *Osen* = Fluss (vgl. Kisil), türk. Name zweier Flüsse der kasp. Steppe: *a)* des 'grossen', tat. *Ulkan U.* = der buschige, kalm. *Modor U.* = der holzreiche, da sein Uferland, wie übr. auch das des 'kleinen', mit Pappeln, Weiden, wilden Oelbäumen u. Tamariskengebüsch, dem einzigen Gehölz dieser waldlosen Oede, bedeckt sind; *b)* tat. *Kitschkina* (= kleiner) *U.*, kalm. *Sacha U.* = der äussere Fluss, da er v. Jaik weiter abliegt (Müller, Ugr. V. 1, 54, Falk, Beitr. 1, 168). Am 'grossen' die Anlage *Nowyj* (= Neu) *U.*, seit 1835 (Meyer's CLex. 12, 154), auch *Nowa Usensk.* — *U. Balgasin* s. Gurjew.

Usingen, Ort des preuss. Rgbz. Wiesbaden, an der Use, einem Zuflusse der Wetter (Meyer's CLex. 15, 306).

Ussara s. Hazor.

Ussolje (Selo) = Salzort, russ. ON. 2 mal: *a)* bei Samara, da am Fusse der Sokolowa Gora Salzquellen entspringen, einst Jahre lang benutzt, dann u. zwar schon vor Falk's Besuch (Beitr. 1, 105) eingegangen (Bär u. H., Beitr. 21, 166); *b)* Salinenort bei Solikamsk, an der *Ussolka* = dem Salzbach, gemeinsames Centrum des dortigen Betriebs, wo Gmelin 40 Salzkothen traf (Müller, Ugr. V. 2, 341. 368 f.). — Eine zweite *Ussolka* ist Zufluss der Tassejewa, wo die Eroberer 'ein par Salzkwellen am Ufer entdekket'; diese finden sich am östl. Ufer des Flusses, 50 resp. 70 km obh. der Mündg., so reichhaltig, dass 1641 der Zehnten ausreichte, die Garnison zu unterhalten (Fischer, Sib. G. 1, 475; 2, 555).

Ust, Bahr el- s. Mediterraneum.

Ust od. *Ustje* = Mündung, in russ. ON. häufig in Verbindg. mit dem Namen des betr. Nebenflusses, einmal auch f. sich allein u. zwar am Ausflusse des See's Pustoje, bei Pustosersk, etwas abweichend v. gew. Sinne in *Ustkamenogorsk* = Mündung durch den Steinberg, v. russ. *kamen* = Stein u. *gora* = Berg, f. den Ort, wo der Irtysch aus dem Felsengebirge heraustritt, ggr. 1720 (Laxmann, Sib. Br. 67) v. General Licharew, als er v. Dsaisan Noor zkkehrte (Bär u. H., Beitr. 16, 173) u. z. Hptvorwerk der russ. Macht in diesem Gebiete bestimmt (Müller, Ugr. V. 1, 250). 'Seinen ernsten melanchol. Charakter behält das Irtyschthal bis in die Nähe v. U. Hier aber

werden die Ufer niedriger; die Berge, die ihn begleiten, treten immer weiter zk. Hier u. da springt nur noch ein felsiges Promontorium vor, u. endl. tritt der Strom mit zunehmender Breite u. die grosse . . . Ebene, in welcher *U.* liegt u. die Ulba dem Irtysch zufliesst. Diese tritt aus einem ähnl. Felsenthore hervor wie letzterer . . .' (Bär u. H., Beitr. 14, 201 f.). — *U.-Prorwa* = an der Mündung des Durchbruchs, so nannte der Synbojarski Peter Beketow die Winterhütte, welche er am Bajkal 1652/53 erbaute. Sie lag in der Nähe des j. Klosters Posolskoi u. zwar an dem Wasserhals od. Durchbruch, *prorwa*, mit welchem der anliegende Sumpfsee, sib. *sor*, in den Bajkal mündet (Fischer, Sib. G. 2, 766). Eine Auswahl gew. Namen dieser Art geben wir in alphabet. Folge: *U.-Anabarsk*, am Ana- od. Anobar, wo jedoch der Atl. Russ. 16 erst eine unbenannte Simowie, Winterwohng., hat, *Ustchopersk*, am Choper (s. Chopersk), *U. Dukikanskoe*, v. G. Frolow 1682 an der Confl. Duka- od. Dukikan-Amgun ggr. (Müller, SRuss. G. 5, 409), *U.-Jerbinsk* (s. Abakansk), *U.-Ilginskoy*, 2 mal: *a)* an der Confl. Ilga-Lena (Dawydow, Sib. 27), *b)* an der Confl. Ilga-Onon, wo Radde (in Bär u. H., Beitr. 23, 343) *U.-Iljinsk*, die dazu geh. Carte *U.-Ilinsk* schreibt, *U.-Jöschuga*, an der Confl. Joschuga-Pinega, *U.-Irbitskaia* (s. Irbit), *U.-Ischma* (s. Ischemskoj), *U.-Ischora*, an der Confl. Ischora-Newa, Flusstation, 'die erste v. der Residenz' (Bär u. H., Beitr. 19, 6), *Ustjug*, mit Beisatz *Weliki* (= gross) *Ustjug*, an der Confl. Jug-Suchona, wodurch die Suchona z. Dwina wird (Müller, Ugr. V. 1, 340), zZ. Herbersteins 1517/20 'nearly a mile above the rivers mouth' (Herberst. ed. Major 2, 36), *U.-Juschna*, an der Confl. Juschna-Mologa (ib. 25), *U.-Katau* (s. Ufa), *U.-Kemsk* (s. Jenissei), *U.-Kjachta*, an der Confl. Kjachta-Selenga (Klaproth, Kauk. 2, 477), *U.-Kutsky* an der Confl. Kuta-Lena (Dawydow, Sib. 27), *U.-Majsk* (s. Lena), *U.-Mjask* (s. Tobolsk), *U.-Nafta*, an der Confl. Nafta-Posa, Tundra, *U.-Niza*, an der Confl. Niza-Tura, 1621 ggr. durch den ersten Erzbischof v. Tobolsk (Müller, SRuss. G. 5, 32), *U.-Orlinsk* (s. Lena), *U.-Pinega*, an der Confl. Pinega-Dwina, *U.-Pitskoje* (s. Jenissei), *U.-Posa*, an der Confl. Posa-Mesén', *U.-Potscha*, an der Confl. Potscha-Pinega, *U.-Strjelka* (s. Nertschinsk), *U.-Usa*, an der Confl. Usa- od. Ussa-Petschora, *U.-Uisk* (s. Uisk), *U.-Ulginsk* (s. Lena). Schrenk, Tundr. 1, 56. 87. 220. 239. 598. Aus dieser Menge gleichartiger ON. erkennt man die Bedeutg., welche den Wasserwegen f. die russ. u. sibir. Volkswirthschaft zukommt. — Auch čech. *ústi*, *ousti* = Mündung wiederholt sich f. Confluenzstellen: *Austi* u. *Austy*, Orte in Böhmen u. Mähren, *Aussig*, in Böhmen, 1283 *Ustie*, da der Ort an der Vereinigg. der Biela u. der Elbe liegt (Miklosich, ON. App. 2, 252).

Ustica = Niederung, gr. Ὀστεώδης, eine Insel des tyrrhen. M., ggb. Palermo, phön. so benannt, weil sie, als vulcan. Insel sehr niedrig, auffallen musste: *U.* quae vox depressionem et incurvationem sonat, quia insulae maxima pars plana et depressa est' (Bochard, GSacra lib. I. c. 2).

Ustjurt od. *Usturst*, die im westl. Europa gew. Form, eig. *Usstjurt* als ein einheitliches kirg. Wort, nicht *Usstj-urt* od. *Usstj-jurt*, wie in Russland sonst übl., f. das zw. Kaspi- u. Aralsee gelagerte Plateau, wurde früher entw. als 'äusserste Höhe', im Ggsatz zu der flachen Niederg., welche nach dem Jaik hin 600 km weit fast ohne alle erkennbare Erhebg. sich ausbreitet (Bär u. H., Beitr. 15, 57) od. als 'Oberland' (Peterm., GMitth. 37, 271) od. 'hohes Land', das mit hohen Steilufern z. Niveau beider Seen abfalle (Hellwald, Russ. CAs. 14), erklärt; nun aber setzt J. A. Kirejewsky (Sapisski Orenb. Abth. KRGeogr. G. 1872 II, 37) *U.* = flache Erhöhung, Platte, als Ggsatz zu *asstyrt*, *U.* v. *usst* = oben, *asstyrt* v. *asst* = unten, u. diese 'allein richtige' Schreibg., in A. A. Tillo's Carte des Turkmanengebiets schon befolgt, wurde auch v. der Orenburger geogr. Gesellschaft genehmigt.

Usun = lang, in türk. ON. *a)* *U. Ada* = lange Insel, der Ausgangspunkt der Transkaspi-Bahn an der Bay v. Krasnowodsk (Peterm., GMitth. 37, 271); *b)* *U. Ai* = langer Mond, f. einen halbmondfg. See, welcher v. centralasiat. Ala-Kul durch einen etwa 200 Schritte br. Landstrich aus Thonschiefergrus getrennt wird, durch die Kirgisen nach seiner Form benannt (Bär u. H., Beitr. 7, 308, Peterm., GMitth. 14, 80); *c)* *U. Burdsch* = langer Thurm, 8—10 Hütten Ciliciens inmitten der Ruinen einer bedeutenden alten Stadt, unter welchen nebst einem dreibogigen Stadtthor u. 16 korinth. Säulen ein Quaderthurm, dem Gebirge zu gelegen, üb. die Bruchstücke sich erhebt (Tschih., Reis. 54); *d)* *U. Bulak* = lange Quelle, f. einen Zufluss des obern Irtysch, unfern Semipolatinsk (Humb., ACentr. 3, 232); *e)* *U. Su* = langes Wasser, ein Fluss nördl. v. Kaisarie (Tschih. 9); *f)* *U. Temir* s. Demir; *g)* *Usunlar* = Langdorf, ngr. *Makrichori*, v. gl. Bedeutg., Ort bei Konstantinopel, der 'wirklich aus einer sehr langen Reihe v. Häusern besteht' (Hammer-P., Konst., 2, 11). — *Usundscha Dagh* = länglicher Berg, ein langer, schwach gebogener Bergzug nordöstl. v. Bergama (Tschih. 23).

Uszballen s. Uzballei.

Utah, ein Gebiet am Gr. Salzsee, seit 1849 als Territorium organisirt, benannt nach dem Indianerstamm (Humb., Kosm. 4, 594, ZfAErdk. nf. 17, 202), den *Utes*, *Utahs*, *Yutas*, die sich selbst *Nuts* od. *Yúta* (= ...?) nennen (H. F. C. ten Kate, Syn. Ind. 8). Aus einz. dieser Formen erkennt man, dass die erste Silbe *ju*, nach deutschem Lautwerthe, zu sprechen ist.

Utan s. Laut.

Utatlan, eig. *Utlatlan* = Rohr des *otlatl*, d. i. einer starken, massiven Rohrart, aus der Schilde, Wurfspiesse, eine Art Flösse, gemacht u. die auch z. Häuserbau angewandt wurde. Bis z. Eroberg. 1524 war *U.* die grösste Stadt in Guatemala. An seiner Stelle j. ein Dorf *Santa Lucia U.*, sowie der Flecken *S. Cruz del Quiché*, wie z. Erinnerg.,

dass das v. den Tolteken ggr. *U.* einst Hptsta lt des alten Reiches der Quiché gewesen u. durch die conquista heruntergekommen sei (Buschmann, Azt. ON. 114).

Utenbach s. Odenwald.

Utica, phön. עתק = Ansiedelung, Station, 'nicht wie oft ohne Rücksicht auf das kurze *i* erklärt wird', עתיקה, *Atîqa* = die alte, wohl schon durch den Sinn des Namens u. überdiess durch das v. Aristoteles überlieferte Datum als die älteste der phöniz. Gründungen an der karthag. Küste bezeichnet (Kiepert, Lehrb. AG. 216 ff.). S. Atak.

Utimi = Affe, bei den Kikwavi ein Ort zw. Kilimandscharo u. Ukerewe, nach den zahllosen Thieren ... 'in this region there are immense numbers'. — In der Nähe *Mabokoni* = bei den Flusspferden, die im ki-sawahili sing. *boko*, plur. *mabóko*, heissen u. in diesen Gegenden v. ungeheurer Grösse u. Zahl vorkommen. Auch *Márago ja Tembo* = Lager der Elefanten, *Vibokoni* = Ort der Flusspferde, *Márago ja Fau* = Lagerplatz, *marágo*, der Nashörner, *fau*, die hier in Menge sich finden (Journ.RGSLond. 1870, 307 ff.).

Utka, Flussname dreimal im Netz der Tschussowaja: *a)* *Meschewaja* (= Grenzfluss) *U.*, die untere rseitige, so benannt, weil das der Familie Stroganow 1558 f. das gesammte Flussnetz ertheilte Lehen später, nach der Eroberg. Sibir., beschränkt wurde u. an dieser *U.* aufhörte (Fischer, Sib. G. 1, 192). Genau der *U.* entlang läuft denn auch im Atl. Russ. 12 die Grenze des werchotur. Gebietes gg. die Wotschina Baronow Strogonowytsch. An der Mündg. der *U.* der Ort *Utkinskaja Pristan* = Anfurt an der *U.*, 1651 ggr. 'Man bauet daselbst die Fahrzeuge, auf welchen das sibir. Eisen u. a. Metalle, so nach Russl. bestimmt sind, weiter fortgeschafft werden' (Fischer, 2, 544); *b)* die obere u. mittlere *U.*, beide linkseitige Zuflüsse des Tschussowaja, an jeder ein Hüttenwerk *Utkinsk* (Falk, Beitr. 1, 210 f.).

Utrecht, Ort der Niederlande, an dem Punkte, wo die Vecht v. Krummen Rhein abzweigt, an wichtigem Uebergange, wird hartnäckig als ein röm. *Trajectum* scil. ad Rhenum, also eine Rheinfurt, wie holl. *Oude Trecht* = alte Furt betrachtet. Abweichend v. dieser Annahme vermuthete Buttmann (D.ON. 13) in -drecht, -trecht den Begriff Trift, Wiese, also entspr. *Zwijndrecht* = Schweinetrift, *Papendrecht* = Pfaffenwiese, *Ossendrecht* = Ochsentrift, *Maastricht* = Wiese an der Maas u. fügt ausdrücklich bei: auch *U.* ist schwerlich aus *Ultrajectum* entstanden, sondern dies aus *U.* romanisirt. In diesen Formen: *Swindregth* schon v. 9. Jahrh., dann *Midrecht*, *Menkenesdrecht*, *Sigeldrecht*, *Slydrecht* etc. findet nun Förstemann (D.ON. 100, Altd. NB. 478) das goth. *drauhts*, ags. *driht*, afries. *drecht*, altn. *drott* = Familie, Gemeinschaft, Volk, in ON. mit dem Sinn 'Dorf, Stadt'; auch die lat. Form *Trajectum*, f. *U.*, ist nur aus diesem Worte entstellt. Im 7. Jahrh. erscheint ein locus *Vulta-*

burch, qui nunc *Vultrajectum* dicitur, a nomine gentis Vulturum et Trajecto compositum, quasi Vulturum oppidum; es ist das j. *U.*, eig. Wiltenburg bei *U.* (Förstem., Altd. NB. 1649). Ist demnach frühe ein *trecht* = trajectum hineingedeutet worden, so hat, durch die örtl. Umstände begünstigt, auch der erste Theil einen veränderten Sinn erhalten. Im Beginn des 11. Jahrh. bestand näml. der Ort hptsächlich aus einem befestigten Königshof, einer Pfalz, deren Vorburg, der Sitz eines Bisthums, sich allmählich üb. die engen Ringmauern der alten Burg hinaus erstreckte u. z. Stadt erweiterte, die im Verlauf des 11. u. 12. Jahrh. u. später als *Ut-trec, Ut-trech, Ute-recht, Ut-trecht, Uutrecht, Utert, Uyt-trecht, Uitert, Uz-richt, Ut-riht, Ute-rich, Ulterius Trajectum, Trajectum exterius, Ultra Trajectum* vorkommt. Wie also im 11.—12. Jahrh. eine Aussenanlage v. Bremen als *Utbremum, Uthbreme, Utbrema, Ut-* u. *Udbremen* erschien (Brem.Urk.B. I.) u. heute noch eine Insel vor Karlskrona *Utlängan* = Verlängerung, noch weiter ins Meer vorgeschoben die *Utklipporna* = Aussenklippen, vor Stockholm u. wieder bei Åland eine *Utö* = Ausseninsel vorkommt, so haben wir unter dem Namen *U.* eine neu aufgekommene 'Aussenstadt', ein *Uit-Trecht*, zu verstehen (Ihr. J. J. de Geer van Oudegein, het oude Trecht als de oorsprong der stad *U.* 1875 Bl. 127 f.).

Utsch = drei, in kirg. ON. *a) U. Su* = 3 Wasser, die Quellen des centralasiat. Kesken-Terek, 'weil sie sich in 3 Arme theilen' (Bär u. H., Beitr. 20, 184); *b) U.-Tapa* = 3 Hügel, Berg in Armenien (Klaproth, Mém. 1, 297); *c) U.-Tjube* = 3 Kuppen, ein dreigipfliger Höhenzug am obern Irtysch (Bär u. H., Beitr. 20, 38); *d) U. Kılıssa* s. Etschmiadsin. — Wohl v. anderer Bedeutg. *U.*, ein Cap der Westseite des Kaspisees, auch *Cap Agrachan*, das wie der Golf *Agrachan* nach dem dort mündenden Flusse, einem Zweige des Sulak, benannt ist (Müller, SRuss.G. 3, 34). — *Utschán-Su Issár* = Ruine am Wasserfall, tat. ON. der Krym (Köppen, Taur. 18).

Ut ultra, ein Landvorsprg. der Hudson Bay, da wo diese in Roe's Welcome übgeht, der 'äusserste Punkt', bei welchem 1612 die Exploration des engl. Seef. Thom. Button endete, durch diesen so benannt (Rundall, Voy. NW. 89).

Uwelsk s. Uratsk.

Uwjarsejdė = Kuppe mit Grassand, v. samoj. *uw*, der Graminee Festuca ovina (?), welche ihrer Feinheit u. Trockenheit wg. z. Unterlage als weiche Fusssohle im Innern der samoj. Pelzstiefel, sowie auch z. Verfertigg. v. (als Unterlage im Zelte verwendeten) Matten dient, u. *jar* = Sand, welcher, den Gipfel der Kuppe bildend, jene Grasart in vorz. Menge hervorbringt, russ. übsetzt *Peschtschánaja Sopka* = Sandkuppe (Schrenk, Tundr. 1, 639).

Uyen-Valley = Zwiebelthal, holl. Name eines Thals an der Westseite des Caplandes. Hier wachsen in Menge Zwiebelpflanzen, Arten v. Iris u. Ixia, deren Zwiebeln v. den Hottentotten gesucht u. gern gegessen werden (Lichtenst., S.Afr. 1, 133).

Uzbalei = hinter dem Moor, v. lit. *už* = hinter u. *bala* = Moor, ON. in preuss. Litauen, deutsch *Uszballen*. Ebenso *Uztilczei* = hinter der Brücke, wo *tiltas* = Brücke, deutsch *Usztilszen* (Schleicher, Lit. Gr. 147).

V.

Vaal Rivier = der fahle Fluss, v. holl. *vaal* = fahl, gelblich, schmutzig-gelb, aus dem hottent. *Hei Gariep* übsetzt, ein rseitgr. Zufluss des Oranienstroms, da der im Winter durchwatbare, im Sommer v. Gewitterregen ungeheuer angeschwollene Strom 'in schnellem Gefäll, in immer tiefer ausgehöhltem, endl. wohl 800 Schritt breitem Bette sein gelbl. Gewässer' dahinwälzt (Merensky, Beitr. 4). — *Transvaal* = jenseits des *V.*, v. Capland aus betrachtet, eine der beiden Boerenrepubliken. die 1852/54 v. England anerkannt wurden.

Vacas, Rio de las = Fluss der Kühe, in Texas, v. der span. Exp. Ant. de Espejo 1583, nicht erst v. dem frz. Reisenden La Salle 1685 (Uhde, RBravo 146) benannt nach den zahlr. Büffelkühen, die er längs der Ufer traf, 'por auer gran muchedumbre dellas en toda su ribera' (Hakl., Pr. Nav. 3, 389). — Eine *Ile des Vaches* = Kuhinsel, engl. übsetzt *Cow Island*, im untern Missuri (Lewis u. Cl., Trav. 15), u. eine *Ile aux Vaches Marines* = Insel der Seekühe, in den Seychellen (McLeod, EAfr. 2, 213). — Es kann nicht auffallen, im frz. Sprachgebiete so häufig ON. wie *Vacheresse, Vacheresses, la Vacherie, la Vacquerie, Vacquières, Vaquière, Vaquières, Vaqueirolles, la Vachère, les Vachères, les Vachers*, gelegentl. mit urk. Formen, wie *Vacheria, Vaccaria, de Vacheriis, Vacairollis* etc. belegt, zu finden. Es sind in den 18 dépp. des Dict. top. Fr. ihrer 50 aufgeführt (1, 183; 3, 132; 5, 215; 6, 185; 7, 257; 9, 280; 10, 278; 14, 171; 15, 222; 17, 423; 18, 286; 19, 162), im schweiz. PostLex. ebf. 17, th. einfache, th. differenzirte Namen; die 'Kuhweide' entspricht dem wirthschaftl. Stande des Mittelalters. Anlässl. des savoy. *Vacheresse*, bei Evian, erwähnt Gatschet (OForsch. 83 f.) auch *Vassin*, 1005 in villa *Vacins*. Weide- u. Rebbe-

zirk der Waadt. — *Angra dos Vaqueiros* =
Bucht der Kuhhirten, die j. Alagoa Bay, v. Barth.
Diaz 1487 so ₅etauft, weil er am Lande zahlr.
Viehherden, v. ihren Hirten bewacht, weiden
sah … *'por as muitas vacas que vírāo andar na
terra guardadas per seus pastores'* (Barros, As.
1, 3⁴). — *Provincia de los Vaqueiros* s. Texas.
Vada s. Brachodes.
Vadura, eig. *via dura* = beschwerlicher Weg,
rätor. ON. des Thals der Tamina, wo einst ein
bergiger Reitpfad hindurchführte, hoch üb. dem
Schlunde hin, üb. den Kunkels nach Reichenau,
kürzer, aber beschwerlicher als die Strasse des
Rheinthals. 'Es ist kein Zweifel, dass der Weg
üb. den Kunkels in röm., sowie noch in mittel-
alterl. Zeit häufig u. nam. dann benutzt wurde,
wenn, was noch vor kurzem u. in früherer Zeit
oft statt fand, der Rhein obh. Ragaz bei der Tar-
disbrücke üb. sein Ufer trat u. das Thal u. den
Weg nach Chur unter Wasser setzte' (Mitth. Zürch.
AG. 12, 336).
Vaduz s. Val.
Välkomman s. Welcome.
Vag s. Waag.
Vagharschabad s. Etschmiadsin.
Vahlbruch s. Walen.
Vájda-Hunyad s. Eisen.
Vai-Levu s. Viti.
Val, le = das Thal, v. lat. *vallis*, auch *le Vau*,
la Vaux (s. d.), *les Vaux, la Valléc, les Vallées,
la Valette, le Vallot*, häufig f. sich allein frz. ON.,
im dép. Eure-et-Loir 39mal, im dép. Yonne
10mal, im dép. Morbihan 40mal, im dép. Aisne
22mal, im dép. Meuse 12mal, im dép. Eure
93mal, im dép. Vienne 51mal, im dép. Calvados
188mal u. s. f. (Dict. top. Fr. 1, 184; 3, 133ff.;
5, 216f.; 9, 280; 10, 279ff.; 11, 245; 12, 334;
13, 264ff.; 15,222ff.; 17,424ff.; 18, 286ff.), auch
mehrf. in der frz. Schweiz (PostLex. 388f.) *V.*
heisst auch der einzige, auch Winters bewohnte,
aus 13 Holzhütten bestehende Ort des Val Somvix
(s. d.); *Vals* ist mehrf. rät. Thal- u. Dorfname
(Campell ed. Mohr 10, Bergmann, Wals. 2, Gatschet, OForsch. 191). — Mit *V.* zsgesetzt *a) Vale-
bütz* = Schafthal, v. rätr. *bütz* = Schaf, nicht
Wallenbütz (Dufour Carte 14), eine schöne Alp
in Weisstannen, C. St. Gallen, früher wie das
ganze hinter Alp Siez folg. Thalstück nur als
Schafweide benutzt (briefl. Mitth. d. † Pater Foffa);
b) Valors = Bärenthal, eine Alp des Vorarlberg,
an der Quelle der Dornbirner Aach, wie ein v.
Davoser Orte Glaris abzweigendes Bergthälchen
Bärenthal heisst (Bergmann, Wals. 14); *c) Val-
tüsch* = Thal der Wasserfälle, ein Arm des Weisstannenthals, wo am Fusse der Alp 3 prächtige
Wasserfälle springen (Foffa); *d)* angebl. auch *Vaduz*, eig. *Valdutsch, Valdultsch, Valdulz* = Süss-
thal (Guler, Rät. 219ª, Bergm., Wals. 14), der
Hptort des Fürstth. Liechtenstein, 'nach der liebl.
Aussicht', welche auf dieser Höhe das Thal gewährt (Kaiser, GFLiecht. 40); *e) Valsainte*, aus
Vallis Sancta = Heiligenthal, eine Carthause
der Freiburger Alpen, v. Gérard de Corbières

1294 ggr.; der Bischof Willermus v. Lausanne
bewilligt (Mém. Frib. 2, 86) dem Carthäuserorden
'in loco qui dicitur Jauro' den Bau einer Kirche
'quam (ecclesiam) intitulamus *Vallis Sanctorum
omnium*' (= Thal Allerheiligen); *f) Valrin* s.
Rheinwald; *g) Vallorbes*, 1148 ecclesia de *Valle
OErbe*, eine enge, wald- u. felsreiche Strecke des
Thals der Orbe-Thièle u. zugl. der Thalort (Mart.-
Crous., Dict. 885); *h) Vallombrosa* = Schatten-
thal, Benedictinerstift der Prov. Florenz, um 1038
in dichtem Gebirgswald ggr., seit der Aufhebg.
1869 der herrl. Waldungen wg. als Forstinstitut
eingerichtet (Meyer's CLex. 15, 321); *i) Vau-
luisant*, Cistercienserabtei des frz. dép. Yonne,
1127 ggr. als *Vallis Lucens* monasterium, 1129
Vallis Lucida (Dict. top. Fr. 3, 135); *k) Valmalle*,
1031 *Vallis mala*, 1135 *Valmala*, Ort des dép.
Hérault (ib. 5, 218); *l) Valbonne*, 1485 *Vallis
Bona*, eine 1204 v. Wilhelm v. Vénéjan, Bischof
v. Uzès, ggr. Carthause, dép. Gard (ib. 7, 252);
m) Vaucluse, 1282 *Vallis Clausa* = abgeschlossenes
Thal, f. ein wildromant. Felsenthal des dép.
Hautes-Alpes (ib. 19, 165); *n) Vallouise*, früher
Vallis Garentonna, nach dem Thalstrom Gironde,
seit Ende des 12. Jahrh. *Vallis Puta*, 1480 umgetauft zu Ehren Ludwigs XI., der durch Erlasse
v. 1478 die gg. die Waldenser gerichteten Verfolgungen abgestellt hatte (ib. 19, 164). — *Rio
del Valle* = Thalfluss, in Argent., gesammelt
aus den Quellbächen, betritt bei *la Puerta* (s.
d.) die engste Stelle des Thales, um unth. der
Stadt, in freier Ebene, den Namen *Rio de Catamarca* anzunehmen (Peterm., GMitth. 14, 53 T. 4,
wo die beiden Namen verkehrt placirt sind). —
Valtellina s. Veltlin. — *Valais* s. Wallis.
Valaam, Inselkloster des Ladoga, zuerst um 990
erwähnt, v. Peter d. Gr. 1717 restaurirt, heisst
so, wie 1852 Ed. v. Muralt (Bull. Acad. Russe
hist.-phil. Cl. 10, 219ff.) nachgewiesen, nach einem
seiner Aebte, der sich wie sein Nachfolger nach
einer oriental. Legende nannte: *Barlaam*, was,
da dem Finn. vor Zungenlauten das *r* fehlt, zu
V. wurde.
Valbelle, Ile, eine der Iles Catinat (s. Neptune),
v. der Exp. Baudin im Jan. 1803 wie die ganze
Gruppe u. deren einzelne Inseln nach einem ausgezeichneten Krieger Frankreichs benannt (Péron,
TA. 2, 83).
Valdivia, Ort in Chile, v. dem span. Eroberer
Pedro de *V.* 1541 bei den Araucos angelegt (Fitzroy, Narr. 1, 268) wie die 5 andern Städte Co-
quimbo, Santiago, Concepcion, Imperial u. Villa
Rica, als auf die Nachricht, dass der conquistador
grosse Reichthümer, angebl. 300000 Pezos per
Jahr, erworben, die golddurstige Welt herbei-
strömte. Als er in einem Aufstande v. den Indianern gefangen wurde, versicherten ihn diese,
dass er nun Gold genug bekommen solle; sie be-
reiteten ein grosses Mahl, u. z. Schlusse schütteten
sie ihm eine Schale geschmolzenen Goldes ein
mit den Worten: 'Nun sättige dich mit Gold!'
and so they killed him (Hakl., Pr. Nav. 3, 797).
Da wo der engl. Seef. Rich. Hawkins den Ort,

welchen er am 15. April 1594 erblickte, bespricht (WHakl. S. 1, 143), fügt er bei: *Baldivia* had its name of a Spanish captaine so called, whom afterwards the Indians tooke prisoner, and it is said, they required of him the reason why he came to molest them and to take their country from them, having no title nor right thereunto; he answered, to get gold: which the barbarous understanding, caused gold to be molten, and powred down his throat, saying, gold was thy desire, glut thee with it. Anlässl. der entscheidenden Schlacht bei las Salinas, am 26. Apr. 1538, nennt ihn der Geschichtschreiber (Prescott, CPeru 2, 114) 'the future hero of Arauco, whose disastrous story forms the burden of romance as well as of chronicle'.

Valencia, span. ON., offb. im Sinne v. Schutz, Tapferkeit, unter dem Stamm der Edetaner in dem fruchtbarsten, wohlbewässerten Theil der Ebene ggr. v. D. Brutus, nach der Unterwerfg. der Lusitaner —138, u. mit v. dorther verpflanzten Neubürgern bevölkert als *Valentia* = die mächtige (Caballero, Nom. Esp. 66. 80), vollst. *Valentia Edetanorum* (Kiepert, Lehrb. AG. 495, Willkomm, Span.-P. 181 ff.). — In der Form *Nueva* (= neu) *V. del Rey* (= des Königs) auf einen 1555 ggr. Ort Venezuela's übtr. (Meyer's CLex. 4, 151; 15, 316). — Auch *Valentia*, in Irland ist v. span. *V.* übtr., weil einst im nahen Dingle span. Kaufleute, später v. Cromwell vertrieben, angesiedelt waren; noch hat der Ort viele Häuser in span. Stil (ib. 5, 480). Der altir. Name war *Dairbhre*, v. *dair* [spr. där] = Eiche, woher *doire, daire*, engl. *derry* = Eichwald; die Insel war der Sitz des berühmten Druiden Mog-Ruith [spr. mō-rih] u. heisst j. noch bei den Irish *Darrery* (Joyce, Orig. Ir. NPl. 1, 101. 504). — Aus einem röm. *Valentia* ist auch das ital. *Valenza*, Prov. Alessandria, entstanden. In Frankr. mehrf. *Valence*, wohl am bekanntesten dasj. an der Rhone, dép. Drôme, röm. *Valentia*, dessen Umgegend im Mittelalter *Valentinois* hiess (Meyer's CLex. 15, 315). Viel umstritten ist der ON. *Valenciennes*, dép. Nord. Mabillon betrachtete die Stadt als Gründg. Valentinians I.; sie wird jedoch weder im Itin. Ant. noch in der Peut. T. erwähnt u. erscheint erst 693, zZ. Chlodwigs III., der hier einen Palast hatte ... 'Valencianis in palatio nostro', bei Eginhart (771) als villa *Valentiana* od. vicus *Valentianus* appellatur. Man wollte den Namen von *valentia* = Festung, v. *vallis cygnorum* = Schwanenthal, v. *val des Sens*, od. v. kelt. *wall-ant-chine* = Festung gegen den Fluss od. *walt-cyn-enes* = Schwaneninsel ableiten; am wahrscheinlichsten bleibt die Ableitg. v. einem PN. Valentin od. Valentinian, wie aus Eginharts Angabe hervorgeht (Mannier, Et.Nord 206 ff.). — *Isla de los Valientes* s. Passion.

Valentine's Peak, St., einer der Surrey Hills, Tasmania, v. Engldr. Hellyer am 14. Febr. 1827 erstiegen u. nach dem Kalendertage benannt (Bergh., Ann. 10, 525). — *Valentyn's Bay* s. Bueno.

Valerio s. Juan Bautista.

Valetta, La, die Hafenstadt Malta's, wo der aus Rhodos vertriebene Johanniterorden, auf Anweisg. Karls V. (1525) u. päpstl. Bestätigg. (1530), sich am 26. Oct. 1530 niederliess (Meyer's CLex. 11, 158) u. der Grossmeister *La V.*, der sich 1565/66 tapfer gg. die Türken vertheidigte, z. Sicherg. neue Anlagen gründete, die erst nach seinem Tode 1571 vollendet wurden (Sommer, Taschb. 20, 326). — *V. Island*, in Austr., 21⁰ 02′ SBr. u. angebl. 133⁰ 13′ OL., v. americ. Capt. Phillips am 10. Juli 1825 nach seinem Schiffe benannt (Bergh., Ann. 12, 142).

Valientes s. Passion.

Valladolid, Hptstadt der span. Prov. gl. N., unsicher erklärt (Willkomm, Span.-P. 160) als *Valle de Olid*, d. i. des maur. Gründers; allein diese Etym. wird doppelt verdächtig, weil (Uhde, RBravo 38. 413) auch f. das mexican. *Valladolid*, welches doch gewiss den span. Namen durch Uebertragg. erhalten hat, dieselbe Angabe, mit einem span. Gründer Christobal de Olid 1536, sich wiederholt. — Eine 2. Uebtragg., f. Comayagua, ist *V. la Nueva*.

Valley = Thal, aus dem frz. ins engl. übernommen u. j. häufiger als das germ. *dale* gebr., als Bestimmgswort in den ON. *a) V. Portage*, ein Trageplatz im Netz des Yellow Knife R. (Franklin, Narr. 212 ff.); *b) V. River* s. Tewatenow.

Vallum s. Carlisle u. Picti.

Valparaíso = Paradiesthal, Hafenort in Chile (Sommer, Taschb. 5, 187), dem an der Nordküste Cuba's ein *Valle del Paraiso*, v. Columbus am 15. Dec. 1492 getauft ... 'dijo que otra casa mas hermosa no habia visto' (Navarrete, Coll. 1, 91) u. auf der Landenge v. Panama eine Station *el Paraiso*, nach ihrer wunderschönen Lage, zugl. *the Summit* = der oberste Punkt, als 79 m h. Uebergangspunkt der Bahn (Wüllerst., Nov. 3, 386), im südtirol. Lagerthal ein kl. *Val Paradiso* (Schneller, Tir. NF. 84) entspricht. Den besten Antheil an dem chilen. 'Paradiesthal' hat wohl das Klima, das schönste in Chile; denn während der Süden windig u. äusserst regnerisch, der Norden regenlos u. öde, selbst wüste ist, rühmt man die Luft des mittlern Chile als gesund u. behaglich (Skogm., Fr. Eug. Resa 1, 115). So begreift man auch Tschudi (Peru 1, 21) nur f. den v. Norden kommenden ein 'Paradiesthal', während derj., der v. den fruchtb., üppig begrünten südl. Häfen nach kurzer Fahrt hier ankert, die Gegend öde findet. 'Keiner v. uns hätte dieser sterilen, eintönigen Küste den Namen 'Paradiesthal' gegeben, u. doch muss den frühern Seeff., nach langem u. unstätem Umherirren auf dem öden Ocean, ihr Anblick paradiesisch vorgekommen sein.' Vielleicht ist es eben die regelmässige Trockenheit der Luft, welche hier, in dieser Jahreszeit wenigstens, nie das Schwüle, Drückende ... aufkommen lässt. Im allgemeinen ist gewiss, dass der Ehrentitel einer 'Heimat des ewigen Frühlings' dem Lande vornehmlich aus dieser Eigenschaft erwachsen ist (Kittlitz, Denkw. 1, 166). Nach der ausführl. Darstellg., welche Dankwardt, ein Deutscher in Valparaiso, gibt (4. Jahresb. Metz 65 ff.), rührt jedoch der Name nicht v. Seeff., sondern, übr. sehr einleuchtend, v. einer Landexp. her, v. der aus Peru vorgedrungenen Schaar Almagro's (Sept. 1536). Als sein Capt. Juan de Saavedra hier das Meer erblickte, den weissglänzenden Strand, die blaue stille Bay, umkränzt v. steilen Uferwänden, die just im Hochzeitkleide des australen Lenzes prangten, hielt er inne, schlug fromm sein Kreuz, kniete betend nieder, breitete weit die Arme aus u. rief: *V.!* Sofort wurden Häuser gebaut, u. Saavedra nannte den Ort nach seinem Geburtsort *V.* bei Cuenca. Mir ist das Auftreten eines zweiten Motivs verdächtig. Es sei hier gleich angefügt, dass ein auf breitem Strande erbauter neuerer Stadttheil *Almendral*, nach einem früh angelegten Hain v. Mandelbäumen, heisst, im Ggsatz zu dem engen, ältern *Puerto* = Hafen, sowie dass der Ort auch seinen kirchl. Namen, *Nuestra Señora de la Merced de Puerto Claro*, geführt hat.

Valsch = falsch, holl. Wort, in den ON. *a)* *Valsche Bogt* s. False; *b)* *Valsches Kaap* s. Durga.

Vancouver Island, eine pacif. Insel an der Küste v. Brit. Nord-America, 1774 entdeckt durch die Spanier Juan Perez u. Martinez, im folg. Jahre (u. wieder 1779) untersucht durch ihren Landsmann Juan Francisco de la Bodega y Cuadra (vgl. Bodega Bay) u. darum *Isla Cuadra* genannt, dann auch v. Cook 1778 besucht, umschifft jedoch erst 1792 durch den engl. Seef. *V.* (GForster, GReis. 1,46 f., Peschel, GErdk. 462, Meyer's CLex. 15, 323). — *Point V.*, ein Landvorsprung am Unterlauf des Oregon, wo unth. der Cascaden fast ggb. die Willamette einmündet, v. dem zu *V.*Exp. geh. Lieut. Broughton, im Schiffe Chatham, 1792 erreicht. Hier gründete 1824 der im Diensten der engl. Pelzhandels Co. stehende Dr. John MᶜLoughlin einen Handelsposten, *Fort V.*(DMofras, Orégon 2, 188 ff.).

Vandalos s. Andalusia.

Vandenesse s. Vindonissa.

Vanderlin, Kaap, auf ältern holl. Carten eine continentale Landspitze des Carpentaria G., v. Tasman benannt nach einem seiner Gönner; seine Instruction, dat. Batavia 29. Jan. 1644 war näml. v. Cornelius van der Lyn mit unterzeichnet (WHakl. S. 25, 58). Als M. Flinders (TA. 2, 163, Atl. 14) das Vorgebirge am 13. Dec. 1802 als eine Insel der Gruppe Pellew erkannte, taufte er es in *V.'s Island* um. — An der Südküste Tasmania's *V.'s Island*, statt *Sanderlin's Island* (WHakl. S. 25 Carte p. XCVII) zu lesen, auf Tasmans erster Reise 1642 getauft (Carte zu Tasmans Journ.). — *Reede Cornelis van der Lins*, in Rotterdam E., Tonga, am 24. Jan. 1643 v. Tasman (Journ. 110) entdeckt. — *Van der Lyns Rivier*, ein Fluss an der Südostecke des Carpentaria G., v. Tasman (Carte z. Journ.) 1643 getauft.

Van der Walts Fontain, holl. Name einer Quelle an dem Zeekoe R., Capland, nach dem Veldcommandanten Van der Walt, welcher sie entdeckte (Lichtenst., SAfr. 2, 65).

Vandyke Cliffs, ein erstaunl. Uferfels der ostgrönl. Traill I., unmittelb. aus der See, ohne einen Yard Ufer übrig zu lassen, zu 400 m sich erhebend u. v. eigenth. Schönheit, da die herrschende schieferblaue od. blaugraue Felsmasse v. glänzend gelb u. rothen Zickzacklagen durchzogen ist. 'From the peculiar structure and distribution of the strata of this part of the coast, it received the name of *VC.*' — sagt am 10. Aug. 1822 der Entdecker, der engl. Walfgr. Will. Scoresby jun. (North.WF. 247. 252). 'About the middle of *V.C.*, where the beautiful structure of the rocks, and fine alternations of colour are observable, the slate-clay in its vertical arrangement, forms lanceolate pinnacles, and is repeatedly intersected, in waving lines, running horizontally, with yellow- and red-stained porphyry; so that the back pinnacles, as they progressively obtain a greater elevation, and become visible one over another, present numerous parallel zig-zag or serpentine bands of various colours. These striking colours, which are remarkably bright, were traced to the decomposition of iron-pyrites. The yellow bands, or veins, were found to consist of whitish porphyry, containing a great abundance of imbedded grains, and small cubical crystals of common iron-pyrites, by the decomposition of which the yellow incrustation on the surface was produced. The red bands were either porphyry, or slate-clay, which also obtained their colour from an incrustation with the decomposed pyrites, in a different state of a oxydation'. Das Farbenspiel hat offb. die Erinnerg. an den berühmten vläm. Maler (1599 geb., in London 1641 †) erweckt.

Vangiones s. Wangen.

Vannes, bret. *Guenet*, Hptort des frz. dép. Morbihan (s. d.), bei Caes. (Bell. gall. 3, 9) *Venetia*, *Veneti*, nach dem kelt. Volksstamm der Gegend, bei Ptol. (Geogr. 2, 8) *Οὐενετοί* od. *Δαριόριγον*, *Dariorigum*, in der Peut. Taf. *Dartoritum*, im 5. Jahrh. *Venetum* civitas, bei Greg. v. Tours *Venetica* urbs, *Veneti*, im 6. Jahrh. *Venetensis* civitas, seither *Vannetais*, *Venetus*, *Veneda*, *Venedia*, *Venedi*, *Venes*, 1336 *Vanes*, 1424 *Vennes* (Dict. top. Fr. 9, 282).

Vansittart Bay, in De Witt's Ld., v. Capt. Ph. P. King (Austr. 1, 321) am 7. Oct. 1819 getauft nach Nicholas *V.*, einem engl. Staatsmann deutscher Abkunft, welcher, 1766 geb., 1812 Kanzler der Schatzkammer, im Febr. 1823 Lord Bexley wurde, den Staatsdienst 1828 verliess u. am 8. Febr. 1851 † (Meyer's CLex. 15, 326). — Nach demselben *V. Island*, 2 mal: *a)* im Fox Ch., v. Capt. Parry (Sec. V. 73 ff.) im Aug. 1821; *b)* in Bass Str., v. Capt. Stokes (Disc. 2, 443) im Oct. 1842 getauft, bei den Robbenschlägern, offb. nach einem Funde, *Gun-Carriage Island* = Laffeteninsel.

Vanua L. s. Maria u. Viti.

Vaquière s. Vacas.

Vár = Berg, Burg, mag. Wort, als Grundwort in *Temesvár* (s. d.), dim. *várad, cbf.* oft in ON., *Várhegy* = Schlossberg, *Várhely* = Burgort (s. Grad), *Város* = Stadt, mehrf. in Ungarn, bulg. *Varosch* der Ggsatz zu *grad* = Veste, also im Sinne einer offenen Handelsstadt, grosses Dorf bei Prilip, 'sehr bezeichnend', als Ggstück zu der nahen frühern Bergveste (Barth, RTürk. 136).

Varela, die durch die Port. corr. Form f. mal. *barala* = Götze, Bild, europ. Name vschiedd. Inseln um Malakka: *a)* im Archipel v. Singapur; *b)* an der Nordostseite Sumatra's; *c)* an der Ostseite Malakka's, nahe dem Südende der Halbinsel (Crawf., Dict. 443).

Vargö s. Sveaborg.

Vas, auch *Vez* od. *Ves* = Dorf, slow. ON. häufig im südslaw. Sprachgebiete, auch *V. Gorenja, Vasanska, Vasio, Vasjaves, Vesca, Vesča, Vesce, Veseca,* auch *Wesce, Weska, Weskau,* in Böhm. u. Mähr., *Wesnitzen,* verdeutscht aus slow. *Vesnica,* in Kärnt. (Miklosich, ON. App. 2, 259, Umlauft, ÖUng. NB. 271).

Vásár = Markt, Messe, in mag. ON. wiederholt mit *hely* = Flecken zsgesetzt, *Vásárhély* = Marktflecken, gespr. wascharhäldj (Glob. 11, 76, Umlauft, ÖUng. NB. 258).

Vasconia s. Gascogne.

Vaseu s. Clair u. Muddy.

Vashon Head, der westl. Felskopf -bei Port Essington, v. Capt. Ph. P. King (Austr. 1, 92) am 25. Apr. 1818 nach seinem Freunde, dem Admiral *V.,* benannt.

Vasse, Rivière, ein sonderbares, flussartiges Strandgewässer West-Austr., Baie du Géographe, v. frz. Capt. Baudin im Juni 1801 benannt nach einem Matrosen *V.* aus Dieppe, der in dunkler Nacht hier verunglückte (Péron, TA. 1, 83).

Vassin s. Vacas.

Vat s. Nakhon.

Vatn = Wasser (s. d.), in dem isl. ON. *Vatnsdal* = Wasserthal, 'Lauterbrunnen', ein Thal des nördl. Island, wo 'Wasserfälle wie Silberfäden die jähen Abgründe hinabstürzen' u. sich in dem Flusse, *Vatnsdalsá,* sammeln. Dabei der steil abfallende fjall = Berg: *Vatnsdals Fjall* (Preyer u. Z., Isl. 143).

Vatu s. Viti.

Vatuk s. Kaspisee.

Vau s. Val.

Vauban s. Althorpe.   •

Vaucanson, Cap, westl. v. Nuyts' Arch., v. Capt. Baudin am 12. Febr. 1803 getauft nach dem frz. Mechaniker Jacques de *V.,* welcher v. 1709—1782 lebte u. durch seine Automaten, insb. die 'Ente v. *V.',* sich Ruhm erwarb (Péron, TA. 2, 106, Freycinet, Atl. 18).

Vaud, Pays de = Land der Walen (s. d.), Wälschen, deutsch *Waadt,* im 9. Jahrh. comitatus *Valdensis,* patria *Vaudi,* der Name eines schweiz. **Cantons.** So hiess bei dem Burgunder, der an der Aare die deutsche Sprache redete, die Gegend am Léman, wo das Roman. sich erhielt, gerade

so, wie dem Deutschen der Italiener, dem Vlämen der 'Walone', dem angelsächs. Eroberer die ältere Bevölkerg. Britaniens 'wälsch' war (Gem. Schweiz 19ᵃ, 1). 'Le nom de *V.* a été, depuis longtemps, un sujet de débat entre les étymologistes. Les uns l'ont fait dériver de l'allemand *wald,* sans autre raison que celle de la ressemblance des noms. La seule étymologie probable est celle de *wala,* nom par lequel on désignait l'étranger dans les anciennes langues barbares. Depuis l'invasion des Burgondes, peuplade germanique, dans l'Helvétie allemande où ils fixèrent leurs principaux établissements, les habitants de l'Helvétie occidentale, dont le langage était une modification de la langue romaine, devinrent des étrangers, *wales,* pour les nouveaux venus. De là les noms modifiés de *Gall, Walles, Waelsch;* étymologie d'autant plus probable qu'elle reçoit son application aux pays placés dans des circonstances analogues. Ainsi, les Flamands qui parlent la langue romane, sont devenus des *Walons* pour les Flamands de langue allemande; les Italiens sont devenus des *Welsches* pour les Allemands, et les Celtes de la Grande-Bretagne, des *Galls* ou *Wales* pour les conquérants anglo-saxons' (Mart.-Crous., DVaud 894). Ich setze keinen Zweifel in die Richtigkeit dieser Etymologie, trotzdem Gatschet (OForsch. 94) sagt: 'Die Herleitg. dieses Landesnamens v. deutschen *wald* ist allgemein anerkannt . . .' u. trotzdem noch 1883 J. F. Piccard f. letztere Ableitg. eingestanden ist (Egli, Gesch. geogr. NK. 258). Es sei noch angefügt, dass schon 1707 in einer sehr beachtenswerthen Namenstudie der waadtl. Pfarrer A. Ruchat (Abrégé Hist. 119 ff.), den deutschen 'Wald' ablehnend, auf die Bedeutg. 'Wälschland' hinweist, u. ozw. ist diese Etymologie sein Eigenthum; denn er sagt (p. 137) ausdrücklich: J'ai donc cherché une autre conjecture, dont on jugera'. Seine Ableitg. nahm der gelehrte L. de Bochat in die 'Mem. Crit.' (1, 211 ff.) auf. — *Gros de V.* bezeichnet das im Plateau gelegene Mittelstück der Waadt, im Ggsatz zu den lemann., jurass. u. alpinen Landschaften. 'On donne vulgairement ce nom à la partie la plus centrale du canton (scil. de Vaud), composée des cercles d'Echallens, de Vuarrens, de Bottens, de St.-Cierge, de Mollondin et de Belmont, ainsi qu'à la partie orientale des cercles d'Orbe, de Cossonay et de Sullens, située sur les pentes occidentales du Jorat' (Mart.-Crous., DVaud 441).

Vauquelin s. Lavoisier.

Vaux, La, früher vollst. *la V. de Lutry* (s. Val) nach dem alten Städtchen der Gegend, auch *la Rive* = das Ufer, in *Ryfthal* verdeutscht, die östl. Hälfte des waadtl. Halbthals am Genfer See (Mart.-Crous., Dict. 531. 819). *Ryfthal* wollte die Volksetym. mit *reif,* dial. *ryf,* verbinden, um ein 'Thal der Reife', vallée de la maturité, wo der Ryfwein wächst, daraus zu machen. — *Vaulion,* eig. *Vauxlion,* 1097 *vallis Leonis,* später *Vaullyon,* s. v. a. 'Bachthal', Thal der Lyonne, da 'en celte lion, glion, signifie une eau qui coulé, Ort im waadtl. Jura u. nach ihm die jurass. *Dent de Vaulion* (ib. 901, Gem. Schweiz 19²ᵇ, 201).

Vawr s. Barmouth.

Vecchio, -a = alt (s. Vetus), in ital. ON. *a) Porto V.* = alter Hafen, ein Hafenort Corsica's (Meyer's CLex. 13, 124); *b) Città Vecchia* u. *c) Civita Vecchia* s. Civita.

Veddaratta, eig. *Vedaraschtra* = Königreich der Vedda od. Bedda, eines wilden u. verkommenen Waldvolks auf Ceylon, so wird das v. ihnen bewohnte Berggebiet der Prov. Bintenne, im Osten der Mahavali Ganga, genannt (Lassen, Ind. A. 1, 239).

Vedro, -a = alt (s. Vetus), in wenigen span. u. port. ON. *a) Ponte Vedra*, Stadt in Galicia, röm. *Pons Vetus* = alte Brücke, so genannt, weil üb. den Tomazo eine grossartige, noch bestehende, Brücke führte (Willkomm, Span.-Port. 154); *b) Torres Vedras* = alte Thürme, Ort in Estremadura, mit altem Schloss, der Ggsatz zu den *Torres Novas* = den neuen Thürmen, ebenda (Meyer's CLex. 15, 129).

Veen, mit dem Beisatz *Hohe V.*, goth. *fani*, ahd. *fenni*, mhd. *ven*, afries. *fenne*, ags. u. altn. *fen* = Sumpf, Marsch, Weideland, eine weite Marschgegend der belgisch-deutschen Grenze, wie *Vehnhof* unw. Bonn, *Vinn* in Geldern, *la Faigne*, im 7. Jahrh. *Fania*, in Hennegau (Förstem., Altd. NB. 534). Das Wort ist auch sowohl roman. als keltisch (Grandgagnage, Vocab. 23) u. findet sich in Zssetzg. mit deutschen Elementen, wie *Fanaha*, j. *Venne*, Hessen, u., mit ahd. *fennig* = paludosus, in *Fennigapach*, 9. Jahrh.

Vega, einer der bekannten Ausdrücke f. die span. Gartengebiete, v. Murcia, Granada etc., schon in den frühesten Urkk., z. B. 757 in einer galic., vorhanden, port. *veiga*, ist v. unbekannter, angebl. bask. Herkunft (Diez, Rom.WB. 2, 191), während span. *huerta*, port. *horta* = Garten deutl. v. lat. *hortus* abstammt.

Veisivi, Dent de, zwei Bergspitzen in der Kette, welche die Walliser Thäler Ferpècle u. Arolla trennt, benannt nach der Alp. *Veisivi*, eig. *Veisivic* = Ziegenparc (v. *veisic* = Ziege im Backfischalter), in St. Martin beide zsgefasst als *Becca dei Peiroz* = das Paar Bergspitzen, v. *becca* = Spitze u. *peiroz* = Paar (RRitz, OB. Eringerth. 370 f.).

Vela(s) = Segel, eine hohe nackte Felsklippe zw. RiuKiu u. Marianen, ähnl. einem Schiff unter Segel, so in ältern span. Carten, bei Capt. Bishop, Schiff Nautilus, 1796 *Nautilus Rocks* (Krus., Mém. 2, 46, Meinicke, IStill. O. 2, 416). — *Islas de las V. Latinas* s. Marianen.

Velho, -a = alt (s. Vetus), in port. ON. *a) Engenho V.* s. Engenho, *b) Buraca da Velha* s. Feiticeira.

Velika s. Welikij.

Vella s. Hérémence.

Veltheim s. Feld.

Veltlin, das z. Lombardei gehörige Alpenthal, mag, statt in der heimischen Namensform, aus-

nahmsweise in dieser viel bekanntern verdeutschten Gestalt eingeführt werden. *Valtellina*, f. *Val Tellina*, s. v. a. *Val di Teglio*, wie Tomleschg (s. d.) nach einem obrigkeitlichen Sitze, Teglio (Campell ed. Mohr 185), an dessen rebenbekränztem Hügel sehr frühe Anbau scheint erfolgt zu sein (Leonhardi, Posch. 33). *Teglio* = Linde (Flechia, NL. Piante 22), ein grosser, volkreicher Flecken mit ein paar Kirchen u. umgeben v. mehrern Nachbarorten, schönen Weinbergen u. Getreidefeldern, 'war lange der Hptort des Veltlins ... Die Erbaug. des festen Schlosses wird dem Gothenkönig Theoderich zugeschrieben. Im Jahre 1024 wurde es v. den aus Mailand u. Como vertriebenen Ghibellinen stark befestigt, aber in dems. Jahre v. den Welfen unter Anführg. des Phil. Torriani nach verzweifelter Gegenwehr erobert u. geschleift. Später wurde es wieder v. den Edeln v. Lazzaroni aufgebaut u. bewohnt ...' (Leonh., Veltl. 117).

Veluwe s. Batavia.

Venados, Isla de los = Insel der Hirsche, span. Name einer der beiden kleinen Inseln vor der Rhede v. Mazatlan, Mexico (DMofras, Or. 1, 173).

Vendenesse s. Vindonissa.

Vendom-Oe = Insel der Umkehr nannte der dän. Capt. W. A. Graah eine am 22. Juli 1829 erreichte Küsteninsel der Ostseite Grönlands, weil er hier vorläufig umkehrte (PM. 14, 219).

Vendôme, Baie, in St. Vincents G., v. der Exp. Baudin im Jan. 1803 getauft nach einer berühmten Familie, wohl zunächst dem Feldherrn d. N., L.-J. duc de *V.*, 1654—1712 (Péron, TA. 2, 73). Da fast alle übr. Punkte dieser Gegend nach Frauen hpts. der Familie Bonaparte, benannt sind, so dürfte *V.* mit dem Umstande zshängen, dass die Familie aus dem Verhältniss Henry's IV. zu der schönen Gabriele d'Estrées hervorgegangen ist. — Ein *Cap V.*, in Känguruh I., id. *Point Marsden* (s. d.), am 5. Jan. 1803 (Péron, TA. 2, 59).

Vendres, alter Hafenort bei Béziers, dép. Hérault, 1140 Terminium de *Veneris*, 1166 portus *Venere*, 1230 *Venvres*, 1625 *Vendres*, nach ihm der Strandsee: *Etang de V.* u. dessen Oeffng. *Grau de V.* (Dict. top. Fr. 5, 220).

Venern, mit Artikel *-n*, Schwedens grösstes Seebecken, der *Wenersee*, um 1240 *Vaenir* (Sn. Sturl. Heimskr.), 1346 *Vaenir* (Sv. Dipl. 5 No. 4089), in fremden Schriften zuerst 1427 *Vone lacus*, in mittelalterl. Carten auch lacus *Scarsa* od. *Scresa*, wird v. Dr. Hellqvist mit zieml. grosser Wahrscheinlichk. als 'das Wasser', vgl. skr. *vana* = Wasser, erklärt. — Auch der *Wettersee*, schwed. *Vettern*, um 1226 *Vetur* (Sv. Dipl. 1 No. 216), im 13. Jahrh.*Waetur* (Westgötalagen), 1312*Vaetur* (Sv. Dipl. 3 No. 1865), in fremden Urk. zuerst 1339 *Vettur*, in mittelalterl. Carten auch *Vising lacus*, bedeutet einf. 'das Wasser' u. ist v. demselben Stamme gebildet, wie schwed. *vatten*, deutsch *Wasser*. Das Wort kommt auch in andern schwed. Seenamen vor, wie *Alk-* u. *Fövettern* etc. (A. Erdmann 6. VI. u. E. W. Dahlgren 20. VI. 1892).

Venezia, die 'dem Meere vermählte' **Lagunen-**

stadt, deutsch *Venedig*, nach der Zerstörg. Aqui-
leja's 451 durch Veneter, 'Ενετοί, die vor Attila
flüchteten, besiedelt: *Venetiae, Insulae Venetorum*,
wo allerdings die Flüchtlinge schon Fischerdörfer
vorgefunden hatten, bes. am *Rivus Altus* = dem
tiefen Canal, j. *Rialto* (Kiepert, Lehrb. AG. 389).
Nach dem Ort der *Golfo di V.*, im arab. Mittelalter auf die ganze Adria bezogen (Edrisi ed.
Jaub. 1, 6), *Alpes Venetae* (s. Friaul) u. das Umland *Venetien*. — *Lacus Venetus* s. Bodensee.
— *Chiusa Veneta* s. Chiusa. — *Venetia* s. Vannes.
— *Venezuela* = Klein Venedig, urspr. *Venecia*,
ein Indianerdorf, welches Alonso de Hojeda im
Aug. 1499 an der Ostküste des Golfs v. Maracaybo entdeckte...'que todo es aplacerada, limpia
y poco hondable', u. als weitläufige, durch Kähne
belebte Pfahlbaute erschien...'una gran poblacion
y las casas que la formaban fundadas artificiosa-
mente en el agua sobre estacas hincadas en el
fondo y comunicandose de unas á otras con canoas'.
Nach dem Ort benannte .Hojeda den *Golfo de
Venecia* (Navarrete, Coll. 3, 8). Die Form im
dim., v. den Welsern u. seinen Begleitern aufgebracht (Buschmann, Azt. ON. 184), ist seither
auf die ganze Creolenrepublik übgegangen. —
Auch die span. Entdeckers Quirós Leute nannten
die v. Wasser umgebene, f. Canoes nur bei Flut
zugängl. Residenz des Häuptlings v. Taumaco (s.
Señora) *Venezia* (Viajes Quirós 1, 288). — *Vene-
diger*, ein Gipfel der Hohen Tauern, angebl. v.
V. aus sichtb., anderer Annahme zuf. nach den
venetian. Kaufleuten, die im Mittelalter üb. die
Alpen reisten od. nach den goldsuchenden Vene-
diger Mann'ln der Sage (Umlauft, ÖUng. NB.259).

Venne s. Veen.

Ventana, Sierra = Fensterberg, span. Name
eines der hohen schroffen Basaltberge, ind. *Mô-
waisch*, am patagon. Rio Chico; durch die Spitze
des Berges geht eine fensterähnl. Oeffng. (Musters,
Patag. 85). — *Ventaroli* = Wind- od. Athem-
löcher, die Windhöhlen bei Chiavenna, weil sie
kalte Luft ausströmen, übdeckt u. als Keller benutzt werden (Meyer's CLex. 4, 404). — *Mont
Venteux* s. Aëria.

Venus, Point, die flache mit Cocospalmen geschmückte Nordspitze Tahiti's, v. Cook so genannt,
weil hier der Venusdurchgang v. 4. Juni 1769
durch den Astronomen Green, den Botaniker Solander u. Cook beobachtet wurde (Hawk., Acc.
2, 140. 249). — *Baie de la V.*, j. *Anderson's
Inlet*, ein flacher Golf zw. Cape Wilson u. Western
Port, Victoria, durch die frz. Exp. Baudin im
März 1802, nach einem der Schiffe des Entdeckers Bass getauft(Péron, TA.1, 262). — *Veneris
Portus* s. Aphrodites.

Vepabassû od. *Hepabassu* = grosser See, ind.
Name eines brasil. See's, angebl. westl. v. Porto
Seguro, bei den port. Ansiedlern, wohl wg. der
vielerstrebten Smaragdgruben seiner Ufer, *Lagôa
Doirada* = goldener See, od. *Lagôa Encantada*
= verwünschter, verzauberter See, weil man ihn
in neuern Zeiten nicht wieder aufgefunden hat
(**Eschwege**, PBras. 349).

Vera Cruz s. Cruz.

Veragua, auch *Beragua* (PMartyr, de reb. ocean.
lib. 2) od. *Veragoa* (DMendez Testam.), Ldsch.
in CAmerica, nach dem ind. Namen eines grossen
Ortes, welchen die span. Entdecker 1502, zwei
Tagreisen östl. v. der Bay Caritaro, fanden u.
eines dortigen kleinen Flusses. Columbus' Nachkommen führen noch den Titel duque de *Vera-
guas*, in castil. Form (Peterm., GMitth. 9, 19).

Verba, slow. *vrba* = Salix, Felber, häufig in
den ON. v. Steierm., Krain, Slaw., Kroat. u.
Ung., wie *Verbace, Verban, Verbenico, Verbica,
Verblene, Verbovic, Verbovo, Verbuje, Verbanec,
Verbanja, Verbanovec, Verbasz, Verbény, Ver-
bias, Verbic, Verbica, Verbisnica, Verbje, Verbo,
Verboć, Verbova, Verbovac, Verbovec, Verbovi-
cahegy, Verbovljane, Verbovo, Verbovszko*, auch
*Werba, Werbach, Werbitsche, Werble, Werbnach,
Werbno, Werbouz* (Miklosich, ON. App. 2, 257).

Verbano s. Maggiore.

Verbindungshügel, frz. *Colline de la Liaison*,
in Sachalin, v. Capt. J. A. v. Krusenst. (Reise 2,
154, Atl. OPac. 25) am 2. Aug. 1805 so benannt,
weil er genöthigt war, zu diesem schon am 30. Juli
gesehenen Punkte zkzukehren, um die Aufnahms-
winkel mit ihm zu verbinden.

Verde, Cabo = grünes Vorgebirge, die Westspitze des afr. Continents, deren glänzend immer-
grüne Wälder schon dem karth. Feldherrn Hanno
aufgefallen waren, fand 19 Jahrhh. später, 1445
der port. Seef. Diniz Dyaz wieder (Azurara, Chron.
157 ff.). Barros (Asia 1, 1[9]), u. nach ihm die
meisten Autoren, nennt den Entdecker Dinis Fernandez. Schon am Rande der Sahara hatte er
Palmen getroffen, 'que Diniz .... demarcou como
cousa notavel' (Barros, Asia 1, 1[13]) — ganz im
Ggsatz zu der Vorstellg., als müsse zu beiden
Seiten des Aequators ein sonnenverbrannter un-
bewohnbarer Erdgürtel, eine terra inhabitabilis
per calorem, liegen. Sinnvoll taufte er das Cap
z. bleibenden Denkmal, dass diese (aristotelische)
Irrlehre unhaltbar geworden sei 'que en esto se
engañaron mucho los Antiguos' (Acosta, Hist. Ind.
2, 3, Spr. u. F., Beitr. 11, 150). Eindrucksvoll
schildert Barros (Asia 1, 1[4]) die Freude des Infanten, als schon Gilianes 1433 vor seiner Umschiffg. des Cabo Bojador lebendige Mariarosen
heimbrachte: 'trazia alli a Sua mercê em hum
barril cheio de terra humas hervas, ... a que
chamão rosas de Santa Maria. As quaes sendo
trazidas ante o Infante elle as cheirava, e tanto
se gloriava de as ver ...' — Nach dem Vorgebirge die *Ilhas do CV.*, zufällig 1456 entdeckt
(vgl. Boa vista). Als 1462, im Dienst des Infanten
v. Lissabon aus, 3 Genuesen, deren Haupt Antão
de Noly od. Antonio Nolle (WHakl. S. 7, 45)
hiess, auch andere Inseln auffanden (s. Majo),
wurde die Gruppe eine Zeit lang auch *Ilhas
d'Antão* od. *d'Antonio* genannt: 'outros lhe chamão as *ilhas Dantao* ou *Dantonio*' (Galvão, Desc.
74). Chelmicki (Corogr. CVerd. 2) setzt als Entdeckungstag den 2. Mai 1446. — *Grotta V.* s.
Azzurra. — *Isla V.*, ein Eiland bei Mindoro(Govan-

tes, HFil. 9). — *Laguna V.*, einer der beiden Kratersee'n des Vulcans Apaneca, Salvador (ZfAErdk.
9, 482). — *Llano V.* s. Llano. — *Agua V.* =
grünes Wasser, ein See v. Cohahuila, Mexico
(Uhde, RBravo 114). — *Rio V.*, mehrf. im span.
u. port. Entdeckungsgebiete *a*) ein in den Golf
v. Darien mündendes Flüsschen, dessen Flachufer v. dichtem, feuchtem Tropenwald eingefasst
sind. Wenn man die Schilderg. liest, welche der
span. Reisende P. de Cieza de Leon 1632/50 v.
der Pflanzen- u. Thierwelt dieser Waldregion ent-
wirft, so fühlt man sich unwillkürl. auf eine v.
saftigsten Baumgrün übschattete Flussader versetzt (WHakl. S. 33, 41); *b*) s. Colorado; *c*) ein
Fluss v. Sierra Leone, v. Pedro de Cintra um
1460 entdeckt (Spr. u. F., Beitr. 11, 187). — *Bleisas Verdas* s. Plessur.

Verden, ON. der preuss. Prov. Hannover, im
8. Jahrh. *Farditum*, dann *Phardum*, *Ferdia*,
858 *V.*, v. ahd. *fart*, alts. *farth*, altn. *faerd*,
altfr. *ferd* = Weg, insb. Uebergang, da hier die
Furt üb. die Aller ging, bei Ptol. *Tuliphurdum*,
gr. Τουλίφουρδον, so wird wenigstens der alte
Name locirt u. beigefügt, dass bei *V.* die Döls
in die Aller mündet (Förstem., Deutsche ON. 38,
Altd. NB. 536. 1486).

Verdouble s. Dover.

Verdronken Land = ertränktes, i. e. übschwemm-
tes Land, holl. Name der in der Wester-Schelde
1377 verschwundenen Eilande, die Stadt Piet u.
19 Kirchspiele umfassend (Wild, Niedl. 1, 30).

Verdun, Stadt des frz. dép. Meuse, z. kelt. Zeit
ein oppidum, kleine Veste auf einer Höhe, die
den Flusslauf beherrscht, auf Münzen der gall.-
röm. Zeit *Virodu*, im Itin. Ant. *Virodunum*, bei
Greg. v. Tours *Verodunum* im 6. Jahrh. episcopus
Veredunensis, 1242 *Verdun*, das Umland *Ver-
dunois*, 709 pagus *Virdonensis* (Dict. top. Fr. 11,
247). — Ein ehm. Schloss *V.* od. *Verdus*, 807
castrum *Virduni*, 1124 *Verdun*, im dép. Hérault
(ib. 5, 221).

Vereenigde Rivier = der vereinigte Fluss, eine
angebl. Flussmündg. südl. v. austr. Cap Keer
Weer, so v. den Holländern angenommen u. (nach
mir unbekanntem Motiv) getauft, v. dem engl.
Seef. Flinders (TA. 2, 130) am 10. Nov. 1802
nicht wieder gefunden. 'An opening is laid down
here in the Dutch chart, called *VR.*, which certainly has no existance'. — *Vereinigte Staaten*
s. Union.

Verena-Einsiedelei, eine durch Natur u. Kunst
interessante Gegend bei Solothurn, benannt nach
der heil. Verena, deren Einsiedelkur eine th.
natürl., th. ausgemeisselte grosse Felsgrotte bildet.

Verführungsinseln, zwei Eilande der Aleuten,
Attu u. Nebenlande, in den Nahen Inseln (s. d.), am
29. u. 30. Oct. 1741 durch die zweite kamtschatk.
Exp. A. Berings entdeckt u. ohne Namen gelassen.
Da Bering sie f. die beiden ersten Kurilen hielt
u. demnach, um nach Petropawlowsk, das er mit
bisherigem Curs in ein paar Tagen erreicht hätte,
zu kommen, seinen Curs nach Norden nahm, also
die verhängnissvolle Ueberwinterg. auf Berings I.

sich daraus ergab, so nannte sie der Collegien-
rath Müller (SRuss. G. 4, 353) od. schon Steller
(Lauridsen, V. Bering 154) mit obigem Namen.

Vergel = Lust- od. Blumengarten, eine Entdeckg.
des span. Seef. Quirós am 26. Apr. 1606, wohl
in den Banks In., ein Eiland mit seinem Wald-
grün v. fröhl. Aussehen . . . 'por su mucha ar-
boleda y alegre vista' (Viajes Quirós 1, 295; 3,
47). — *Barrancos des Vergels* = Thäler der
Gärten, ein Netz v. Thalschluchten auf Menorca,
in unmittelbarer Nähe Mahon's, 'weil in demselben
sich zahlr. Gemüsegärten befinden' (Willkomm,
Span.-B. 47).

Vergessenheit s. Hossnkeif.

Verh s. Vrh.

Verirrung s. Suez.

Verkwikking, Eiland van = Erquickungsinsel,
bei Debrosses (Hist. Nav. 455 f.) in *Ile de la Ré-
création* übsetzt, in der Centralsection der Paumotu, einh. *Makatea*, v. holl. Seef. Roggeveen am
2. Juni 1722 entdeckt u. benannt (Meinicke,
IStill. O. 2, 203). Für das kranke Schiffsvolk
hatte man schon vorher (s. Vlieghen E.) Erfrischg.
ersehnt, aber nicht landen können; hier nun beschloss man, einen Versuch zu machen 'om aldaer
verversching soo voor de sieken die dagelyks in
getal vermeerderden, als voor het gansche Scheeps-
volk, te soeken; stuurden derhalven onse chaloup,
wel bemand en gewapend, naer den wal om het
noodige mede te brengen'. Unter einigen Schwierigkeiten gelang die Landg. Man sammelte einen
halben Sack Kraut, eine Art wilden Posteleins
u. Thuynkers', welches, mit Hühnern gekocht, den
Kranken eine ausnehmend gute Erfrischg. abgab,
'waerom wy aen het Eyland de naem gaven'.
Da man gehört hatte, dass Ueberfluss an diesem
Kraut zu finden wäre, wurde folg. Tags der Versuch wiederholt, u. zwar mit Erfolg. 'Omtrent
Zons ondergank kwam onse chaloup teruk, mede-
brengende vier groote sakken vol groente, welke
soodanig verdeeld wierd, dat het gansche Scheeps-
volk vier malen daervan konde schaffen, en op
dat sy het meeste nut tot verversching souden
hebben, soo is by yder kooksel groente de helft
van een der kloekste varkens gedaen, met eene
goede kwantiteyt gestoote peper, 't geene eene
smakelyke soep maekte' (Roggev., Dagverh. 170 f.).
Postelein, j. häufig auch porcelein, ist der Pastinak,
thuynkers, j. tuinkers, ist Gartenkresse (Dr. J.
Dornseiffen 19. Apr. 1890).

Verlegen Hoek = Cap der Bedrängniss, die
Nordspitze des Hptlandes v. Spitzbergen, durch
die Holländer 'äusserst treffend benannt', weil
sich dort, mitten im der Sunde eisfrei werden, das
Eis gern ansammelt u. also die Fahrzeuge hindert,
nach Westen zu segeln (PM. 10, 130). Auch die
schwed. Exp. 1861 fand diese Landspitze Anfangs
Juli v. Eis umlagert, das ununterbrochen mit dem
unübersehb. Packeise im Norden zshing u. den
Weg sperrte. Die Spitze 'führt ihren Namen mit
Recht' (Torell u. Nord., Schwed. Expp. 104).

Verlornes L. s. Loch.

Vermejo u. **Vermelho** s. Bermejo.

Vermont, Staat der Union, benannt nach den *Green Mountains* = grünen Bergen, welche den Rückgrat des Landes bilden, indem sie dieses der ganzen Länge nach durchziehen, zuerst 1724 besiedelt, 1770 unabhängig erklärt u. am 4. März 1791 als Staat aufgenommen (Meyer's CLex. 15, 400f.). Der in frz. Form gebrachte Name erscheint mit Sicherheit zuerst in einem Briefe des Dr. Thomas Young, dat. 11. Apr. 1777 u. gerichtet an 'the inhabitants of *V.*, a free and independent State'. Ob schon in der Convention v. Westminster, 15. Jan. d. J., *V.* vorgekommen sei, ist streitig. Diese Convention soll nämlich erklärt haben, dass das Land ein Staat sei 'to be forever hereafter called, known and distinguished by the name of *New Connecticut* alias *V.*, u. die spätere, v. 2. Juli gl. J., mittlerweile unterrichtet, dass der Name *New Connecticut* schon an einen District am Susquehannah vergeben sei, beschloss, das Land solle nun 'ever be known by the name of *V.*' (Staples, NStUn. 11f.). Jedenfalls fällt also die erste Anwendg. des Namens auf 1777.

Vernal, el Monte = Frühlingsberg, 'a peaked hill' Feuerlands, schief ggb. Cape Forward, v. dem span. Seef. Sarmiénto 1584ff. so genannt, wohl nach der frischen Vegetation, welche Buchen u. Birken enthält u., dem Wasser nahe, geschmückt ist mit Fuchsia, Berberis u. dem auch in Port Famine gew. Buschwerk, so dass die ganze Scenerie einen malerischen, freil. bei der durch die steilen Bergseiten abgehaltenen Besonng. auch düstern, Charakter hat. Die engl. Exp. Adv.-Beagle im Febr. 1827 nannte den Berg nach seiner Form *Sugar-Loaf* = Zuckerhut (Fitzroy, Narr. 1, 60).

Vernaun, v. *Valnaun, Valnone, Vallignone* = Grossthal, rätr. ON. bei Meran, wie *Vergalda* v. *Val calda* = warmes Thal, *Verbeil* v. *Val bella* = schönes Thal, *Vermala* v. *Val mala* = schlechtes Thal, u. *Vergröss* v. *Val grossa* = grosses Thal, zeigen, dass *val* vor Consonanten gerne zu *ver* wird (Steub, Herbstt. 240).

Vernay, f. uns der Typus einer zahlr. südfrz. Familie v. ON., entstanden aus *vernetum* = Erlengebüsch (s. Aunay), also mit gall. *vernos* = Erle, zu dem das lat. suffix *-etum* getreten ist (d'Arbois de Jub., Rech. NL. 629f.). Die mod. Formen sind v. vschdd. Orth., neben *V.* auch *Vernai, Vernais, Vernaix, Verney, Vernée, les Vernées, Vernet, Vernets, Vernez, la Vernette, Vernois, Vernoit, Vernoy, Vernac, Vernode, les Vernauds, les Vernaux, le Verneau, les Verneaux, Vernot, Vernou, la Vernelle, Vernel, Verneuil, le Vernoil, Vernoul, Vernea, la Vernie, le Vernier, le Verne, la Verne, les Vernes, Vern,* ein Bach, 1272 aqua qui dicitur *Vernium, la Vernière, la Vernède, les Vernèdes, la Vernade, la Vernisserie, Vernessac, Vernèche, Verniscy, Vernassau, le Verneillier, le Vernon, Vernech* od. *Vernex, le Vernassier,* wohl auch die im dép. Dordogne vorkommenden *Vergne, les Vergnes, Vergnac, Vergnas, Vergnaries,* grossentheils belegt durch altürk. Formen *Vernetum, Vernayum, Vernolium, Verniolum* etc., frz. ON. in grosser

Zahl, üb. 160 in den 18 dépp. des Dict. top. Fr., sämmtl. nach der Erle, 'les mots *V.* viennent de *verne* = aune, en langue vulgaire' (Dict. top. 1, 166; 3, 137; 5, 221; 6, 191; 7, 260; 8, 200; 10, 287; 11, 250f.; 12, 336f.; 15, 229; 16, 329; 17, 433f.; 18, 296; 19, 166). Ein Fluss des dép. Hérault, *Vernazoubres,* 826 *Vernodubrus,* ist wohl als kelt. 'Erlenfluss' zu fassen. Auch die frz. Schweiz enthält eine Reihe dieser ON., darunter *Vernamièse, Vernand, Vernayaz, Vernaz, Vernéaz* (PostLex. 391). Das Wort *verna* ist (Flechia, NL. Piante 22) der kelt. Name der Erle, in Frankreich u. Piemont durch das lat. *alnus* nur theilw. verdrängt, u. so hat denn auch Piemont an 50 solcher ON. wie *Verna, Verne, Vernetta, Vernetto, Vernone, Verneto, Verneta, Vernei, Verné, Verney, Vernea, Verneja, Vernay, Vernous.*

Verne s. Firn.

Vernet, Ile, in Nuyts' Arch., v. der Exp. Baudin am 11. Febr. 1803 getauft nach der Malerfamilie des 1789 geb. Horace *V.* (Péron, TA. 2, 105, Freycinet, Atl. 18).

Vernodubrum s. Dover.

Verochanagra s. Rock.

Verona, alter unerklärter ON. Italiens, bei Plin. (HNat. 3, 130) *V. Raetorum et Euganeorum urbs,* ist hier nur deshalb aufgenommen, weil der durch Pompejus besiedelte Ort eine Zeit lang, amtl. wenigstens, *Colonia Augusta* hiess (Meyer's CLex. 15, 405). — *Berner Klause* s. Chiusa.

Verraders Eiland = Verräther-Insel, in Tonga, die westliche, kleinere u. niedrigere der beiden Islas de Consolacion, Ņiua, einh. *Ņiua tabu tabu* (Meinicke, IStill. O. 2, 96), v. der holl. Exp. Le Maire u. Schouten am 13. Mai 1616 so getauft, weil die Wilden freundl. z. Landg. einluden, dann aber mit einer ganzen Flottille das Schiff anfielen, der König voran, 23 Doppelpiroguen à 23 Mann, 45 Piroguen à 5 Mann, die ganze Mannschaft einen Steinhagel eröffnend, bis man sie mit den Feuerwaffen vertrieb (Spiegh. ANav. f. 41, Beschrijv. 91, Garnier, Abr. 1, 65ff.), bei Wallis *Keppel's Isle* (s. d.). — *Verräther-Bay,* in Kunaschir, Kurilen, durch die Officiere des russ. Schiffs Diana, Capt. Ricord, so benannt, weil hier die Japanesen den Capt. Golownin ans Land lockten u. gefangen nahmen (Krus., Mém. 2, 199).

Versche R. s. Connecticut.

Versteinerte Mägde s. Stein.

Vert, Lac = grüner See, im Val d'Ormonds, ein Alpensee, dessen Ufer sanfte Abhänge voll Weiden u. Tannendickicht od. zerklüftete Felsen sind '... à cause de la teinte de ses eaux' (Gem. Schweiz 19²b, 189, Mart.-Crous., Dict. 841); *b) Puig V.* s. Puy; *c) Aiguille Verte* s. Rouge; *d) Ile Verte* s. Glorioso; *e) Pierre-Verte* s. Pierre. Vgl. Vermont.

Verwachting s. Vlieghen E.

Vesca s. Vas.

Vesper s. Aurore.

Verwechslungsspitze nannte nach den Ereignissen des vergangenen Tages die schwed. Exp.

v. 1864 am 17. Aug. die Nordwestspitze des spitzb. Barents Ld. Diese Ereignisse sind in Torell u. Nord. (Schwed. Expp. 463 ff.) weitläufig erzählt. **Vest** od. *vesten, vester* = Westen, in nord. ON. wie *Vesterhafvet, Vestersalt, Vestur Veg* (s. Nordsee u. Ostsee), *Vesterbro* (s. Oest), *Vesterby*, urk. *Westreby* = Westort, auch *Vest-* u. *Visby*, im dän. Seel. (Madsen, Sjael StN. 305). — *Vestmannaeyjar*, dän. *Vestmanöerne* = Westmänner-Inseln, im Südwesten Islands, so genannt, weil sie zuerst 875 v. Irländern bevölkert wurden, welche bei den nachrückenden Normannen *Westmänner* hiessen (Preyer-Z., Isl. 25)ʼ... en deel irske traelle eller Vestmaend i landets bebyggelsestid, efter sveget deres herrer, bleve draebte derʼ (Worsaae, Mind. Danske 413).

Vesuv, ital. *Vesuvio*, lat. meist *Vesuvius*, auch *Vesêvus, Vesvius, Vesbius*, gr. Οὐεσούϊον (ὄρος), Οὐεσούβιος, auch Βέσβιος, umbr. *Ocre Fisove*, wo *ocre* = Berg (Humb., Kosm. 1, 449), nach Benfey (Höfers Zeitschr. WSpr. 2, 115 f.) v. einer osk. ✓ *fesf* = Dampf, viell. aber noch älter, der ligur. Urzeit angehörig, da es im ligur. Apennin einen Stamm der *Vesubiani*, im Thal der *Vesubbia*, gab (Kiepert, Lehrb. AG. 376). Ein Theil des Berges heisst *Monte di Somma* nach der am Nordfusse gelegenen Stadt (Acosta, HInd. 3, 26).

Vet Rivier = Fettfluss, holl. Flussname an der Südabdachg. des Caplandes, wohl v. der Fruchtbk. des Thals, welche hin u. wieder die 70—100 fältige Weizen-, resp. Gerstenernte gewährt (Lichtenst., SAfr. 1, 270).

Veteran nannte Chydenius, v. der schwed. Exp. Nordenskiöld 1861, den im Hintergrunde der Lomme Bay, Spitzb., entdeckten grossen Gletscher, welcher ʼviell. der stattlichste Jökel des Landesʼ ist (PM. 10, 130). Hier ʼbekam ich einen Gletscher zu sehen, v. einer Breite u. Höhe, wie ich bis dahin noch keinen geschaut haƚte. In seiner majestätischen Grösse erschien er mir gleichs. als ein Veteran unter den Gletschern. So gab ich ihm im Stillen diesen Namen u. erinnerte mich zugleich, dass der 17. Aug. (der Entdeckungstag) jener Tag gewesen sei, an welchem Runebergʼs ʼVeteranʼ (vgl. Runeberg, Fähnrich Stalʼs Erzählungen) meine Landsleute bei Alavo siegen sahʼ (Torell u. Nord., Schwed. Expp. 226). — *Ilots du Vétéran*, angebl. (Krus., Mém. 1, 40) eine kleine Gruppe der Ile Jérôme, v. Lieut. L. Freycinet, Exp. Baudin, am 3. Febr. 1803 entdeckt (Péron, TA. 2, 109).

Veteraniʼs Höhle, am linken Ufer der Drau, 30 km obh. Orsowa, wo sich der Fluss hart durch Felsen drängt, benannt nach der tapfern Vertheidigg., welche in den Türkenkriegen 1691 der venetian. Heerführer Veterani dort einrichtete (Hammer-P., Osm. R. 6, 573).

Veterne, *Veternik, Vetrinje, Veternica*, ON. der slow. Gebiete, v. *veter* = Wind, wie čech. *vitr*, plur. *větry*, dessen Derivate *Větrník, Větrov, Větrušice* etwa unserm ʼAllenwindenʼ entsprechen (Miklosich, ON. App. 2, 253 f.).

Vetus = alt, mit deriv. *vetulus, vetlus, veclus*, die lat. Grundform des ital. *veglio*, frz. *vieil, vieux*, prov. *vielh*, span. *viejo*, port. *velho*, rum. *veachiu*, hat auch ein altsp. adv. *de vedro* = von Alters her, ital. *vetro* hinterlassen. In einem Namenlexikon müssen die resp. Stichwörter aufgesucht werden; nur ital. *Castel-vetro* = Altenburg fügt sich hier ein (Diez, Rom. WB. 1, 440).

Vevey, waadtl. Uferstädtchen am Genfer-See, im Itin. Ant. *Vibiscus*, in der theodos. Tafel *Vivisco*, im Mittelalter *Viviacum, Vivesium*, d. *Vivis*, z. Römer Zeit an der Strassenscheide, *bivium*, nach Lousonna u. Minnodunum u. nach älterer Ansicht eben daher benannt, nach dem Keltisten dʼArbois de Jub. (Rech. NL. 548) hingegen einf. ʼun dérivé du gentilice Vibius, porté à Rome par plusieurs consuls, le premier en lʼan 43 avant notre èreʼ. In den ersten Jahrhh. unserer Zeitrechng. war *Vivisco* ein sehr besuchter Etappenplatz auf der Heerstrasse, welche v. Mailand üb. die Alpen nach Gallien führte. Zuerst durch die Alemannen, später durch die Vandalen u. Sueven zerstört, erscheint der Ort erst wieder um die Wende des 10. u. 11. Jahrh. (Mart.-Crous., DVaud 909 f.). Nach dem Ort der Bergfluss *Veveyse*.

Vezier s. Wesir.

Viamala s. Mal.

Viamão s. Alegre.

Vibe Bucht, an der Südküste des spitzb. Nordost Land, cartogr. auf der Fahrt des Engländers Leigh Smyth, der dem norw. Capt. Erik A. Ulve die Führg. des Schuners Samson übergeben hatte, u. durch Dr. A. Petermann in Gotha benannt (Peterm., GMitth. 18, 106 T. 6) offb. nach dem Chef der norw. Küstenvermessg.

Vibokoni s. Utimi.

Viborg, Ort am *Viborgsee*, Jütland (s. Wiborg), im Mittelalter *Vébjörg, Vebjerg, Vibjerg* = heiliger Berg, da der Ort schon in der heidnischen Zeit ein Hptopfer- u. Thingplatz war, wo die Königswahl f. Jütland u. später f. ganz Dänemark geschah, sowie auch bis 1655 die Jüten hier den Königen huldigten; der Ort war Bischofssitz u. besass mehrere Klöster u. Kirchen, auch eine Domkirche, welche gleich derj. v. Lund durch eine Krypta sich auszeichnete (Styffe, Un. T. 20, Nielsen, Bland. 4, 229, Worsaae, Mind. Danske 99, Meyerʼs CLex. 15, 422).

Vic, eine der mod. Formen f. lat. *vicus* = Dorf, f. sich allein frz. ON., so bei Frontignan, dép. Hérault, bei Fest. Av. *Mansa Vicus*, im 9. Jahrh. villa de *Vico* (Dict. top. Fr. 5, 223), 2 mal im dép. Gard, 1384 *Vicus* (ib. 7, 262), *V.*, im dép. Aisne, zubenannt *sur Aisne*, 893 munitio *Vici super fluvium Axone*, 1211 villa de *Vi* (ib. 10, 290) u. s. f. — In anderer Form *a)* *Vich*, wie das alte *Ausa, Ausonia*, v. den Franken 798 erneuert *Vicus Ausoniensis*, *Vic dʼOsona* (Meyerʼs CLex. 15, 424); *b)* *Vichy*, der frz. Thermalort, lat. *Vicus calidus* = warmer Ort od. *Aquae calidae* = Warmquellen, nach den alkalischen, stark kohlensäurehaltigen Thermen v. 12—45⁰ C., die, 14 an Zahl, stündl. üb. 600 000 Liter liefern

u. seit 1784 den Ort zu einem der besuchtesten Modebäder Europa's gemacht haben (ib. 14,424 f.). — Die ital. Form *rico* oft als Grundwort *a) Vico soprano*, im 13. Jahrh. *Vicus supranus* = Oberdorf, der oberste Ort im erweiterten Theil des Bergell (Lechner, Berg. 105); *b) Somvico* (s. Somvix), f. sich auch *Vigo*, im Trentino 6 mal f. kleinere Dörfer (Malfatti, S. top. Trent. 108). — Auch *Vigo*, in Galicia, alt *Vicus Spacorum*, gehört nebst einigen andern span. ON. hierher (Caballero, Nom. Esp. 84). — Als urverwandt mit den rom. Ausdrücken wird anzusehen sein das deutsche *wich*=urbs, vicus, arx, goth. *veihs*, ags. u. altn. *vik*, fries. u. alts. *wik*, ein häufiges Grundwort in altdeutschen ON. (s. Braunschweig), so dass Förstem. (Altd. NB. 1583 f.) 39 solcher Formen aufführt, aber auch wiederholt f. sich allein, im 10. Jahrh. *Wic*, j. *Wijk*, in Utrecht, *Wickede*, in Westfalen, *Wyke* (s. Hull) u. a. O. 'Nicht verschwiegen darf freil. werden, dass es noch ein anderes in NEuropa nicht seltenes *vic* in ON. gibt, welches die Bedeutg. v. 'Meerbusen, Bucht, Hafen' hat (Brandes, Progr. 1858, 12 ff.) u. sogar ein drittes, welches 'Morast, weicher Boden' bedeutet haben muss'.

Vicente, entspr. *Vincent*, Name v. Heiligen der kath. Kirche, insb. des Märtyrers, welcher in der Höhle des nach ihm benannten port. Vorgebirges lebte: *Cabo de São V.*, die Südwestecke Portugals, nach Strabo 137 der westlichste Punkt der bewohnten Erde, merkw. durch eine weit in die Felsen eindringende Höhle, deren Eingang, gleich dem der Fingalshöhle, das Meer erfüllt. Die Alten, welche manchen Vorgebirgen den Namen ihrer Götter beilegten, Tempel auf ihnen gründeten (Brandes, Progr. 1851, 14 f.), brachten, wenn sie vorüber fuhren, eine Trankspende u. wälzten die vorher umgewandten Steine bei Seite; daher Ἱερὸν ἀκρωτήριον od. ἄκρον = heiliges Vorgebirge, lat. *Sacrum Promontorium*, od., aus dem Volksnamen Κυνήσιοι, Kyneten (Herod. 2, 33; 4, 49), Κόνιοι (Polyb. 10, 7) umgedeutet, als 'weit ins Meer vorspringendes Cap' auch *Cuneus* = Keil, 'womit man die Keilgestalt bezeichnen will' (W. v. Humb., Vask. Spr. 5). Artemidoros findet den Vorsprung ähnlich einem Schiffe, dessen Schnabel durch eines der 3 vorliegenden Inselchen gebildet werde. Für die Mauren, die 711 in Iberien einfielen, war das Vorgebirge *Tarf* al-*Gharb* = die Westspitze, als äusserster Vorsprg. nach Westen (Artero, Atl. hist.-geogr. Esp. Carte X ff.); allein mit der christl. Zeit wurde die Landspitze neu geheiligt (ib. Carte XVI. 1230—1479):

'E depois que do Martyre *Vicente*
O sanctissimo corpo venerado,
Do sacro Promontorio conhecido,
A' cidade Ulisséa foi trazido .'
            Camões, Lus. 3, 74.

b) Porto de São V., eine Hafenbucht in São Paulo, Bras., v. der port. Exp. Vespucci's nach dem Kalendertage, 22. Jan. 1502, benannt (Varnh., HBraz. 1, 19) u. nach Gründg. v. *São V.* (de Carvalho, Atl. Imp. Braz. 17) 1532 durch M. A. de

Souza auf die *Ilha de São V.* übtragen (WHakl. S. 51, 30); *c) Ilha de São V.*, in der capverd. Gruppe, nach dem Kalendertage der Entdeckung 1462 (Peschel, ZdE. 83); *d) Rio de São V.*, ein Fluss in Sierra Leone, v. der port. Exp. Pedro de Cintra um 1460 getauft (Spr. u. F., Beitr. 11, 187). — *San V.*, eine der Windwärts Inseln, v. Columbus 1498 entdeckt. — *Estrecho de San V.* s. Le Maire.

Victoria, zunächst der Rufname der engl. Königin (s. Alexandrina), welche als einziges Kind des Herzogs v. Kent u. der Princessin Louise V. v. Sachsen-Coburg am 24. Mai 1819 geb. u., sorgfältig erzogen, durch den Tod ihres Vaters den Thron Wilhelm's IV., ihres kinderlosen Onkels, erbte (20. Jan. 1837). Aus der Ehe mit dem Prinzen Albert v. Sachsen-Coburg entsprossen 9 Kinder: Victoria, j. deutsche Kaiserin, der Prinz Albert Eduard v. Wales, vermählt mit der dän. Princessin Alexandra, Alice, Grossherzogin v. Hessen, Alfred Herzog v. Edinburg, Helene, Louise, Arthur Herzog v. Connaught, Leopold, Beatrix. Die Königin wurde Wittwe am 14. Dec. 1861. Die allgemeine Verehrg., welche sie in langer Regierg. genoss, spiegelt sich auch in der geogr. Namenkunde. Eine Menge neu gegründeter od. neu entdeckter Objecte, gern mit dem Namen des Prinzen Gemahls vergesellschaftet, trägt ihren Namen: *a)* eine Colonie des Australcontinents, am 1. Juli 1851 v. NSouthWales abgetrennt (ZfAErdk. 1876, 172), ungefähr was 1836 Mitchell *Australia Felix* (Meidinger, Brit. Col. 26), die frz. Exp. Baudin 1802 *Terre Napoléon* genannt hatte (Flinders, TA. 1, 191. 201, Péron, TA. 1, 263 ff.); *b)* Ort am Port Essington, 1838 ggr. (Stokes, Disc. 1,387); *c)* Hafenstadt Hongkongs, seit 1842 (Wüllerst., Nov. 2, 237); *d)* Hptort v. Brit. Columbia, auf Vancouver I. (Meyer's CLex. 15, 428); *e) Port V.*, 'a magnificent harbour' in Mahé, Seychellen, 1841 'by special permission of the Queen' (McLeod, EAfr. 2, 218); *f) V. Harbour*, in Boothia F., v. Capt. John Ross (Sec. V. 731, Carte) 1829/30 entdeckt u. anf. *Victory Harbour*, nach seinem Schiffe, dann aber nach der dam. Princessin genannt, wie *Cape V.*, der südwestl. Eckpfeiler der Duke of Kent Bay; *g) V. Bay* s. Peters d. Gr. Bay; *h) V. Headland*, ein Cap an der Mündg. des Grossen Fischflusses, entdeckt am 29. Juli 1834 durch den arkt. Reisenden G. Back (Narr. 202) u. benannt zu Ehren 'of Her Royal Highness the Princess'; *i) V. Archipelago*, im arkt. Belcher Ch., v. Capt. Edw. Belcher (Arct. V. 1, 309) im Juni 1853, zs. mit *Buckingham Island* u. *Mount Windsor*, diese nach den königl. Palästen, getauft; *k) V. Island* s. Nieuw Zeeland; *l) V. Land*, mit *Albert Land* derselben arkt. Insel angehörig, wie Richardson's Wollaston Ld., v. Simpson, der es 1839 v. einer Anhöhe der Dease Str. zuerst erblickte (Peschel, GErdk. 476); *m) South V.*, eine antarkt. Ländermasse, v. Capt. J. Cl. Ross (SouthR. 1, 248) im Jan. 1841 entdeckt u. benannt nach 'our Most Gracious Sovereign Queen V., as being the earliest and most remote southern discovery

since Her Majesty's accession to the throne.' —
Mount V., als Bergname 3 mal in Gemeinschaft
mit *Mount Albert*: *a)* f. ein Paar sehr auffälliger,
etwa 5 km unter sich entfernter Berge des austr.
Hutt R., v. Capt. G. Grey (Two Expp. 2, 20. 28.
117) am 5. Apr. 1838 getauft, wie die nahe *V.*
Range 'in honour of Her Majesty' u. der ganze
District *Province of V.*; *b)* in der Form *Albert*
u. *V. Mountains*, f. eine Gebirgsmasse des arkt.
Grinnell Ld., v. americ. Polarf. E. K. Kane (Arct.
Expl. 1, Carte) auf der zweiten Grinnell Exp. 1853
getauft; *c)* s. Camerun. — *Mount V.*, ohne 'Gemahl', in NSeel., ein gg. 100 m h. Kraterkegel.
auf dem ein Flaggenstock errichtet wurde, um die
ankommenden Schiffe zu signalisiren (v. Hochst.,
NSeel. 105). — Eine andere *V. Range*, in den
Grampian Ms. der austr. Colonie *V.*, v. Major
T. L. Mitchell (Three Expp. 2, 188) am 23. Juli
1836 benannt, nachdem er (ib. 1, 153) schon 1827
in den Blue Ms. einen *V. Pass*. 'after the youthful
Princess' getauft hatte. — *V. Njanza* s. Njanza.
— *V. Lake* s. Sir-i-Köl. — *V. Falls* s. Mosioatunja. — *V. River*, 2 austr. Flüsse: *a)* in Arnhems Ld., v. Capt. Stokes (Disc. 2, 39) in der
Nacht des 17. Oct. 1839 entdeckt . . . 'a noble
river . . . worthy being honoured with the name
of her most gracious majesty the Queen . . . . As
we advanced, the separations in the range became
more marked and distinct, as long as the light
served us; but presently darkness wrapped all
in impenetrable mystery. Still we ran on kee-
ping close to the eastern low land, and just as
we found that the course we held no longer appeared to follow the direction of the channel —
out burst the moon above the hills in all its
glory, shedding a silvery stream of light upon
the water, and revealing to our anxious eyes the
long looked for river, rippling and swelling, as
it forced its way between high rocky ranges'.
Der Hptarm des Mündungslaufes wurde *Queens
Channel* = Durchfahrt der Königin getauft (ib.
103); *b)* im Innern des Continents, 24—25° SBr.,
v. Major T. L. Mitchell (Trop. Austr. 333) i. J.
1845 entdeckt. 'It was with sentiments of de-
votion, zeal, and loyalty, that I therefore (weil
er das bewässerte Land der Besiedelg. zugänglich
fand) gave to this river the name of my gracious
sovereign'. — *Queen V. Spring* = Quelle der
Königin *V.*, eine schöne permanente Quelle der
schreckl. Wüste in West-Austr., welche der Reisende
E. Giles 1875 *Great V. Desert* taufte. Die Quelle
bildet einen in offenem Graslande liegenden u.
mit Cypressen umstandenen Teich v. 137 m Umfang u. fast 1 m Tiefe, u. an den Abhängen waren
überall kleinere Brunnen gegraben. Die Entdeckg.,
nach einem wasserlosen Marsch v. 17^d, war ein
ausserord. Glück. 'Ich nahm mir die Freiheit,
sie unserer gnädigsten Königin zu widmen, u.
ebenso beehrte ich die grosse Wüste, in welcher
ich sie fand, . . . mit dem mächtigen Namen Ihrer
Majestät' (PM. 22, 188, ZfAErdk. 1876, 164,
Journ. RGSLond. 1876, 345). — *V. Reef* s. Albert.
Victoria, das einzige der 5 Fahrzeuge, welches

als 'erster Weltumsegler', ohne Magalhães, v. Seb.
d'Elcano geführt, am 6. Sept. 1522 nach San
Lucar zkkam u. v. der anfängl. 230 Personen
starken Mannschaft noch 18 Ueberlebende zk.-
brachte, ist 3 mal toponymisch gefeiert *a) Bahia
de la V.*, in der Magalhães Str., zuerst 1529 in
Ribero's Weltcarte eingetragen. Die *V.*, ausgesandt, um den vermissten 'San Antonio' (s. Admiralty) zu suchen, ankerte eine Zeit lang am
Nordufer der Strasse, machte Signale, liess die
Kanonen lösen, blieb jedoch ohne Antwort. Ehe
sie ihren Ankerplatz verliess, errichtete die Mannschaft am Ufer eine Zeichenstange u. vergrub
daselbst einen Brief f. den San Antonio (ZfAErdk.
1876, 365); *b)* ein *Cabo V.*, j. *Cape Victory*, im
Arch. der Königin Adelaide, f. den letzten Punkt
Americas, den die Exp. Magalhães, auf dem Wege
durch die neu entdeckte Seegasse, z. Rechten sah
(Pigafetta, PVoy. 45, Navarrete, Col. 4, 49); *c)*
Estrecho de la Nave V. s. Magalhães.

Victoria = Sieg, in span. u. port. ON. *a) Puig
de la V.*, ein Berg, *puig* (spr. putsch), v. Mallorca,
nach dem Wallfahrtsorte des Abhangs. Das hier
befindl. wunderthätige Marienbild 'hat, wie behauptet wird, den Mallorquinern zu den Siegen
verholfen, welche sie üb. die Mauren u. später,
zZ. Karls I (od. V.) üb. die Comuneros erfochten
haben' (Willk., Span.-B. 65); *b) Ilha da V.*, in
der Allerheiligen Bay, Bahia, durch die Colonisten
des unglückl. Francisco Pereira um 1537 so getauft, weil sie hier einen Sieg üb. die sie über-
fallenden Indianer davon trugen (Varnh., Hist.
Braz. 1, 166); *c) Ciudad V.*, ein Ort des mexic.
Staats Tamaulipas, 1825 benannt nach dem ersten
Präsidenten der Confederacion, Guadalupe *V.*, welcher nach Abschaffg. des ersten Kaiserthums
(Iturbide) v. 1824—1829 im Amte blieb (Ubde,
RBravo 93); *d) V.* s. Ayacucho; *e)* s. Senhora.
— Mit mir unbekanntem Motiv *Ile V.* (s. Ouest).

Victory Point, das Vorgebirge, das der engl. Commander J. Cl. Ross, Exp. John Ross (Sec. V. 418),
am 29. Mai 1830 in der Exploration v. KingWilliam's
Ld. als 'ne plus ultra' seiner Mühseligkeiten erreichte, benannt nach dem Exp.-Schiffe *V.* 'as a
standing record of the exertions of that ship's
crew'; *b) Mount V.*, an der Nordküste NGuinea's,
149° OGr., wie die nahen *Mount Trafalgar* u.
Cape Nelson, v. Capt. Moresby 1873 z. Erinnerg.
eines engl. Seesieges getauft . . . 'names which I
rejoiced to write for perhaps the last time on the
map of the world' (Journ. RGSLond. 1875, 161);
c) Cape V. s. Victoria: *d) V. Harbour* s. Victoria.

Viden s. Wien.

Videy = Nebeninsel, eines der bei Reykjavik
liegenden Küsteneilande, mit nur einer Wohng.
(PZirkel, Isl. 53). — *Vidimyri* = mitten im
Sumpfe, ein isl. Gehöft in breitem, sumpfigem
Thal (ib. 152).

Viedma, Laguna de, ein See des patag. Rio Sa.
Cruz, entdeckt v. span. Capt. Antonio de *V.*, wel-
cher 1782 v. Julianshafen in das Innere ging
(PM. 17, 171, ZfAErdk. 1876, 482, Muster, Patag. 4).

Viejo, -a = alt (s. Vetus), in span. ON. *a)*

Puerto V. = alter Hafen, ein Küstenplatz Ecuadors (Prescott, CPeru 1, 325), vollst. *Santiago de Puerto V.*, auf Befehl des Marschalls Diego de Almagro v. Capt. Francisco Pacheco am Georgitage, 12. März 1535 ggr. u. zunächst *Villa Nueva de Puerto V.* = neue Stadt des alten Hafens (!) getauft (WHakl. S. 33, 172 f. 188). Garcilasso de la Vega, Com. Real. (WHakl. S. 41, 37) verweist, z. Erklärg. des Namens, der mir an einer neuen Entdeckg. immer auffällig vorgekommen, auf die Thatsache, dass die Küstenschifffahrt v. Panama südw. mit widrigen Strömungen u. Südwinden zu kämpfen hat, Schiffe also v. Hafen ins hohe Meer gehen u. in weitem Bogen den Zielpunkt suchen, oft aber wieder z. Ausgangspunkt zkkommen. So sei denn ein span. Schiff mehrmals wieder in dens. Hafen zkgelangt, u. da habe einer in seinem Erstaunen gerufen: 'Da ist ja wieder unser alter Hafen' (?!); *b) Pueblo V.* s. Tampico. — Weibl. *a) Isla de la Vieja* = Insel der Greisin nannte der span. Seef. Ponce de Leon im Juli 1512 eine der Klippinseln um Florida, nach einem alten Weibe, welches die einzige Bewohnerin zu sein schien: 'por una india anciana que encontró sin otra persona' (Navarrete, Coll, 3. 50); *b) Ciudad Vieja* s. Guatemala; *c) Torre Vieja* = alter Thurm, bei Alicante (Meyer's CLex. 15, 129).

Vien, Cap, westl. v. Nuyts' Arch., v. der Exp. Baudin am 11. Febr. 1803 getauft nach dem frz. Maler Joseph-Marie *V.* 1716—1809 (Péron, TA. 2, 105, Freycinet, Atl. 18). Vgl. Cap Choiscul-Gouffier.

Vier, das deutsche u. holl. Zahlwort, in mehrern ON., bes. bekannt f. die *Vierlande,* eine zu Hamburg gehörige Ldsch., die, abgesehen v. der Stadt Bergedorf, 4 Kirchspiele enthält u. wohl durch Niederländer im 12. Jahrh. besiedelt wurde (Meyer's CLex. 15, 438), u. f. die *Vier Waldstätte,* die einstigen Waldcantone Uri, Schwyz, Unterwalden u. Luzern (s. Waldstatt), die Uferländer des *Vierwaldstätter See's,* zunächst nur die 3 ersten, ohne Luzern. In den Urk. v. 1252 erscheinen die *Waltlüte,* lat. *intra montani,* ebenso in der lat. Bundesurk. v. 1291 (Kopp, Urk. GB. 1, 5. 32. 42), dann 1318 'in dien *Waldsteten* ze Uren, ze Switz u. ze Underwalden', u. s. f. in den Jahren 1319, 1336, 1353 (Abschiede 1, 244. 247 f. 259. 290), *Waldstette* 1323, 1351, 1353, 1355 (ib. 253. 263. 286. 289. 293. 295), 'jekliche *Waltstat* sunderlich' 1332 (ib. 256), 'von unsern *drien Waltsteten* gemeinlich' 1319 (ib. 248), 'die obgenannten *Waltstett alle drüe'* 1353 (ib. 290). Der See erscheint im Stiftsbrief der Probstei Luzern, wohl aus dem 8. Jahrh., zuerst: 'Lucerna juxta fluuium qui Rusa uocatur, qui de summitate *magni laci* fluit', 1495 bei dem zürch. Stadtarzt K. Türst als *Lucerner See* (QSchweiz.G. 6, 33 ff.), einmal bei dem Chronisten Seb. Münster 1543 als *Lacus Helveticus* quem hodie *Lucernensem* vocant (lat. Ausg. p. 368), unter seinem mod. Namen z. ersten mal 1547 in Stumpf's Chronik (p. 191 ᵇ). 'Diser See ward vor zeyten genennt der *Gross See,* als die erst

Stiftg. der pfarr Lucern zeugnuss gibt. Nach Aufgang der Statt Lucern ward er genennt *Lucernersee;* nachdem sich aber die vier Waldstett ... so alle daran rüsend, in ewige pündtnuss zusammen versterckt habend, wirt diss wasser ouch genennt der *Vier Waldstett See,* als die gemeinlich teil daran habend.' Hierauf folgt der Chronist Aeg. Tschudi: *der vier Waltstettensee* (Schweizercarte 1560) u. *Quatuor regionum s. oppidorum lacus* = *der vier Lender vnd Waldstetten See* (Cod.Turic.A. 105 fol. 14, MS. v. ca. 1562/64). Während also die mod. Bezeichnung zuerst bei auswärtigen Autoren auftritt, wurde sie am See selbst erst spät gebräuchlich. In dem Fasc. des Luzerner Staatsarchivs, 'Streitigkeiten mit den Urcantonen in Betr. des See's 1357—1601', sowie in andern Acten dieser Zeit, führt der See nur Theilnamen; am ehesten gilt *Lucerner See* f. den ganzen Umfang (gef. Mitth. des Herrn St.Arch. Dr. v. Liebenau dd. 15. Juli 1888). Nach u. nach fingen beide Benennungen, die ältere u. die neuere, neben einander herzugehen an, so nam. 1661 bei dem Luzerner Jos. Leop. Cysat, dessen 'Beschreibg. dess Berühmbten *Lucerner-* od. *4. Waldstätten See's'* auf dem Vortitel die mod. Form allein, im Text aber (p. 17) die Bemerkung hat: 'wirdt auch genennt der *Lucerner See* vnd diser Zeit gemeinlich wegen der 4. Orthen, so daran stossen, *vier Waldstetten See'.* Im Jahre 1680 heisst der See *Lacus Lucerinus* s. *Lucernensis,* L. *Sylvanius,* L. *IV Civitatum Sylvestrium,* eò quod 4. pagos . . . attingat, der *Lucerner-* od. *4. Waldstätten See* (J. J. Wagner, HNat. Helv. 51 f.). J. J. Scheuchzer (Hydr. Helv. 5) setzt 1717 bei Luzern beide, bei den Urcantonen nur den mod. Namen; der Homannsche Atlas, 1732, hat nur den letztern, während bei J. A. F. v. Balthasar 1785 u. bei J. G. Ebel 1805 wieder beide Bezeichnungen aufgeführt sind. Nach diesen Angaben fällt das Auftauchen des heutigen Namens in die Mitte des 16., der Durchbruch seiner Alleinherrschaft erst in das 19. Jahrh. — *Inseln der V. Berge,* eine Gruppe der Fuchs In. (s. Aleuten), vier vulcan. Eilande (Krus., Mém. 2, 86). — *Vierzehnheiligen,* Wallfahrtskirche in Ost-Franken, nach den Visionen eines Schäfers 1446 erbaut, dem hier viermal die 14 Nothhelfer erschienen (Meyer's CLex. 15, 438). — *Vier Gebroeders* s. Geelvink. — *Vier en twintig Rivieren* = 24 Flüsse, Capl., holl. Name eines fruchtb. Districts, bewässert durch eine grosse Zahl Bergbäche, welche sich mit dem einen grossen vereint in den Berg R. ergiessen (Lichtenst., S.Afr. 1, 92). 'Die Gegend heisst so wg. der gewaltigen Menge Bäche, damit sie durchwässert wird. Da einige Personen diesen Ueberfluss an Wasser u. Vieh-weyde wahrnahmen, wandten sie sich an den Gouv., u. erhielten Erlaubniss, einen Theil ihrer Herden dahin zu schicken ....' (Kolb, VGHoffg. 228).

Vierge s. Virgines.

Vieux od. *vieil,* fem. *vieille* = alt (s. Vetus), in frz. ON. *a) V.-Monthier,* 1138 *monasterium-*

in-Argona, 1155 *V.-Moûtier*; b) *V.-Montier*, bei St. Michel, 904 *Vetus-Monasterium*, 1135 *V.-Moutier*, beide im dép. Meuse (ib. 11, 252); c) *la Pierre-Vieille* s. Pierre, während *Vieux*, ON. des dép. Calvados, bei Ptol. (Geogr. 2, 7) noch *Arigenus*, in der Peut. T. *Argenue*, 1180 *Veiocae*, 1190 *Vediocae* etc., nach dem Volksstamm der Viducassier benannt ist, deren Haupt er einst war (Dict. top. Fr. 18, 299), u. ein zweites *Vieux*, dép. Tarn, z. fränk. Zeit ein Kloster, urk. 824 *casa Dei sancti Eugenii, sancti Amarandi, sanctae Carissimae et centa sanctorum*, um 950 kürzer *ecclesia sancti Eugenii*, 960 *monasterium sancti Eugenii de Viancio*, endl. in einer Bulle des Papstes Innocenz III. *ecclesia sancti Eugenii de vico Viantii*, also nach diesem Geburtsort des Märtyrers. der noch immer Patron der Pfarrkirche ist, benannt wurde (Longnon, GGaule 521). — Dial. *dés Vius Tschésar*, s. v. a. *de vieux maisons* = alte Häuser, da *tchésar*, wohl das lat. u. ital. *casa*, die allgemeinste Bezeichnung f. ein Gebäude, ist der übl. Name einer alten quadratischen Ruine des Val de l'Arolla, Wallis, den Thalleuten, welche eine Tradition haben, dass vor alten Zeiten die Gegend fruchtb. u. stark bevölkert gewesen sei, selbst auffällig, da ihre Wohnhäuser j. ohne Ausnahme aus Holz, Sennhütten entw. aus Holz od. mörtellosem Gemäuer bestehen (Fröbel, Penn. Alp. 75).

View, Hill = Aussichthügel, Umschauberg, in Queensl., wo Capt. M. Flinders (TA. 2, 16, Atl. 10) am 5. Aug. 1802 über die Erstreckung der Curtis Bay Umschau hielt. — In der Form *V. Hill* am Victoria R., v. Capt. Stokes (Disc. 2, 65) am 6. Nov. 1839 so genannt, weil er hier eine lohnendere Umschau hielt als auf dem mit Tagesanbruch bestiegenen Station Hill (s. d.).

Vigne, la = die Weinrebe, neben ähnl. Formen, *la Vignette, Vigneul, les Vigneulles, Vignot, les Vigneaux, les Vignerons, le Vignal, les Vignales, les Vignals, la Vignasse, les Vignasses, Vignaud, les Vignauds, le Vignerol, les Vignerols, Vignoles, Vignet, Vigneux, Vignois, Vignole, Vignoles, Vignolle, Vignon* etc. häufig als ON. in Frankreich, 20 mal im dép. Gard (Dict. top. Fr. 7, 263). Auch die rom. Schweiz hat deren eine grössere Zahl (PostLex. 394). z. B. *au Vigneule* = im Weingarten, eine Gegend ob Montreux, wo 3 km obh. der j. Rebengrenze, der Sage nach die ersten Weinstöcke der Umgegend gepflanzt worden seien (Gem. Schweiz 19²ᵇ, 79). u. *Vignoble* = Weinland od. *le Bas* = Unterland, in Neuenburg die untern, dem See zunächst liegenden Gebiete, welche durch ein milderes Klima u. Acker- u. Weinbau sich v. den höhern Bergthälern, den *Montagnes* = Berg- od. Oberland, unterscheiden. — In Trentino ein Ort *Vignola*, v. lat. *Vineola*, in so hoher Lage. dass damit wohl die obere Grenze dortigen Weinbaues bezeichnet wurde (Malfatti, S. top. Trent. 107). — Auch der C. Tessin hat einen Ort *Vignola* u. einen Ort *Vignino* (Postlex. 394).

Vigo s. Vic.

Vijf en twintig s. Admiralty.

Villa, in rom. Sprachen s. v. a. Landsitz, Landstadt, wohl aus lat. *ricula* = Landgut zsgezogen, wie v. *villaris* die Formen *Vilaret, Villaret, Villarey, Villard, Vilars, Villars, Villarsel, Villarzel, Villariaz*, die f. sich als ON. dienen (Gem. Schweiz 19² , 213), mit Adjectiven: *V. Boa* (s. Goyaz), *V. Rica* (s. Rica) u. — zweisprachig — *V. Ccuri* = Goldstadt, wo quech. *ccuri* = Gold, Ort zw. Pisco u. Ica. wo viele goldene Zieraten ausgegraben wurden (WHakl. S. 41ᵇ, 12). — *Vella* s. Hérémence. — Mit dem verwandten *village* = Dorf: *Village Point*, eine niedrige Landspitze der Penny Str., v. Capt. Edw. Belcher (Arct. V. 1, 94) im Aug. 1852 benannt, weil sich dort die Reste eines Eskimoortes fanden. — *Ville*, in ON. häufig mit Beisätzen wie in *Villeneuve* u. *Neureville* (s. d.), beides = Neuenstadt u. oft auch so übsetzt, auch als dim. *Villette*, als *Villetaz*, *Villat* etc. Die 'Neustadt' am Genfer-See ist kelt. Urspr. 'On a trouvé beaucoup d'antiquités romaines, surtout à la *Muraz* (s. d.), colline au nord de la Tinière .... En 1819, on y a découvert les murs d'un bâtiment au centre duquel était une chambre de bain circulaire et à côté une chambre dont les soubassements étaient peints à fresque. Ce petit bain faisait sans doute partie d'une villa romaine . . .' (Mart.-Crous., Dict. 929). Von den sämmtl. erwähnten Formen u. ihren Composita enthält die roman. Schweiz etwa 88 ON. (PostLex. 394 ff.); in Frankr. ist die Zahl nur der *Villeneures*, 1100 *Nova-Villa*, 1221 *Villa-Nova*, Legion, 22 allein im dép. Eure-et-Loir (Dict. top. Fr. 1, 190), 11 im dép. Yonne (ib. 3, 140), 7 im dép. Gard (ib. 7, 264), 70 im dép. Morbihan (ib. 9, 292), 11 im dép. Aube (ib. 14, 183), 18 im dép. Vienne (ib. 17, 441), 14 im dép. Calvados (ib. 18, 301) u. s. f., dazu ein Ort *Villenourette*, 1031 *Villa-Noreta*, 1157 *Villa-Nova*, u. 2 Orte *Villerielle*, 1321 *Villa-Vetus*, alle im dép. Gard (ib. 7, 265), ein Ort *Villenourelle*, 1085 *Nova Villa*, im dép. Vienne (ib. 17, 441), *Villesalem*, ehm. Frauenkloster v. Orden Fontevraults, vor 1109 ggr., 1119 locus *Villesalem*, den Nonnen geschenkt v. zwei Einsiedlern Gauffrid, videlicet Gastinelli et Bertrammo, quod donum a Petro Pictaviensi episcopo confirmatum est (ib. 17, 441), ein Ort *Villefranche*, 1139 *Villafranca* = Freistadt, im dép.Vienne (ib. 3, 140). — *Villach*, Stadt in Kärnt, röm. *Villa ad Aquas* = Ort am Wasser, 1348 *Villacum* (Umlauft, ÖUng. NB. 261).

Villagalhāo, vollst. *Ilha (e Fortaleza) de V.*, die Insel bei Rio de Janeiro, wo im Nov. 1555 der Franz. Nic. Durand de Villegagnon eine Veste baute, die er nach seinem Gönner, dem Admiral Gaspar de Coligny, *Ile (et Forteresse) de Coligny* taufte, welche aber bei den Port. seinen eignen Namen erhielt, ind. *Serigipe* = Krebsschere, v. *seri* = Krebs u. *gy-pe* = Messerspitze, Schere, nach der Form des Eilandes (Varnh., HBraz. 1, 230).

Villars, Ile, eine der austr. Iles Catinat (s. d.), durch die Exp. Baudin im Jan. 1803 benannt

(Péron, TA. 2, 83). Da die Gruppe sowohl als die einzelnen Inseln zu Ehren ausgezeichneter Krieger Frankreichs benannt sind, so glaube ich annehmen zu dürfen, die *Ile V.* beziehe sich auf den Marschall L. H. duc de *V.* 1653—1734, wie *Cap V.*, am St. Vincent's G., schon am 9. Apr. 1802 getauft (ib. 1, 270, Freycinet, Atl. 14). **Vilsbiburg,** niederbayr. ON., wie *Vilshofen* nach dem Flusse Vils, der bei letzterm Orte in die Donau mündet. An einem gleichnamigen Zuflusse der Nab in Ost-Franken *Vilseck* (Meyer's CLex. 15, 446).

Viminalis s. Caelius.

Vincennes s. Ireland.

Vincent, span. u. port. *Vicente* (s. d.), Mannsname, insb. auch v. Heiligen der kath. Kirche u. als solcher toponymisch verwendet, aber auch Familienname im 'Krämerthal'; daher *V. Pyramide*, eines der 5 Hörner der Hptgruppe des Monte Rosa, v. Freiherrn Ludw. v. Welden (MRosa 34), welcher 1823 die topograph. Carte des Gebirges aufnahm, getauft nach den Gebrüdern *V.*, v. St. Jean de Gressoney, die sich um die Kenntniss dieser Bergwelt verdient gemacht hatten. Insb. hatte J. Nicolaus *V.*, in Begleitg. dreier Träger, am 5. Aug. 1819 die erste Besteigg. dieses Horns ausgeführt u. sie, gemeinschaftl. mit Zumstein, am 12. wiederholt (Schott, Col. Piem. 18, Schlagw., NUnt. 61). — Mehrf. auf dem Felde austral. Entdeckungen erscheint der engl. Seeheld John Jervis, geb. 1735, Sieger bei dem port. Cap São Vicente, wo er am 14. Febr. 1797 die span. Flotte schlug, wurde daf. z. Baron Meaford, Grafen *St. V.* erhoben, 1799 Admiral u. 1801/05 erster Lord der Admiralität, † 1823 (Meyer's CLex. 14, 46): *a) Gulph of St. V.*, bei Süd-Austr., v. Entdecker Matth. Flinders (TA. 1, 179f. 191. 272) am 30. März 1802 benannt 'in honour of the noble admiral who presided at the Board of Admiralty when I sailed from England, and had continued to the voyage that countenance and protection . . . .' Im Apr. gl. Jahres wollte die frz. Exp. Baudin einen nationalen Namen, *Golfe Joséphine,* zu Ehren der erhabenen Kaiserin', setzen; *b) Point St. V.* in Tasmania, am 12. Dec. 1798 ebf. v. Flinders (TA. 1, CLXXVII, Atl. 7) benannt, zu Ehren des Admirals, 'with whose victory we had become acqainted'; *c) Port St. V.,* ein vorzüglicher, wohl der beste, Hafen NCaledonia's, mit gutem Ankergrund u. durch die vorliegenden Inseln vollkommen geschützt, v. engl. Capt. Kent, Corvette Buffalo, 1793 entdeckt u. — erst später nach dem Admiral? — getauft (Meineke, IStill. O. 1, 216), bei dem frz. Seef. d'Entrecateaux der zwar 1792 aus der Ferne die Oeffng. sah, sich jedoch getäuscht glaubte, *Hâvre Trompeur* = trüglicher Hafen (Krus., Mém. 1, 203). — *Cape of St. V.* s. Le Maire. — *Cap V.-de-Paule*, am Spencers G., v. der frz. Exp. Baudin am 21. Jan. 1803 nach einem Landsmann benannt, dem 1576 geb., 1660 † Stifter der Lazaristen (Péron, TA. 2, 77).

Vindhja od. *Vindhya* = das zerrissene (Gebirge)

bei Ptol. *Οὐΐνδιον ὄρος,* nennen wir einen Theil des nördl. Randgebirgs v. Dékhan wg. der vielen Pässe (Schlagw., Gloss. 257), nach Lassen (Ind. A. 1, 104) v. *vjadh* = spaltbar, also durchbrochen, zerrissen. 'Nicht die Höhe, die nur mässig ist, sondern die ununterbrochene Ausdehng., die Breite, die Zerrissenheit u. Unwegsk., endl. der Reichthum an üppigen Walddickichten u. wilden Thieren machten es zu einer Schranke, die zwar nicht den Durchgang v. Norden nach Süden ganz sperrte, aber doch sehr erschwerte' (ib. 115).

Vindius s. Blanca.

Vindobona s. Wien.

Vindonissa, kelt. ON. mehrf. auf altgall. Gebiete *a)* j. *Windisch,* Aargau; *b)* j. St. Didier, Ain; *c)* j. *Vendresse,* Ardennes, sowie mehrere *Van-* u. *Vendenesse,* ist abgeleitet v. Vindonius, 'gentilice qui nous a été conservé par une dédicace au dieu Latobius dont l'auteur est Vindonia Vera' (d'Arbois de Jub., Rech. NL. 583).

Vine's od. *Vines's Reef,* ein Riff des austr. KorallenM., v. Admiral Krusenst. (Mém. 1, 94) getauft nach dem engl. Officier, der es entdeckt hat (s. Horse-shoe); auf der engl. Admiralitätscarte *Dry Bank* = trockne Bank, offb. nach der Seehöhe.

Vinland = Weinland, vollst. *Vinland it goda* = gutes Weinland, nannte der Normanne Leif eine gewisse Küstengebiet Nord-America's. Als er näml. v. Island aus, den Spuren seines Vorgängers Bjarne folgend, das j. NEngland erreichte (1000), erkannte sein deutscher Gefährte Tyrker in den rankenden Waldsträuchern rebenartige Gewächse, jene unserer Weinrebe verwandten Ampelideen, deren einige im 19. Jahrh., nach dem Fehlschlagen der Ansiedlerversuche mit Vitis vinifera, am Ohio zu Culturpflanzen geworden sind (Peterm., GMitth. 2, 227). Die Ansiedler beluden ein ganzes Boot mit Weintrauben (Rafn, Entd. 9, WHakl. S. 2, XV); *b) Old Vineyard Hill* s. Limone; *c) Vine Head* = Cap der Weinreben, in De Witts Ld., v. Capt. Ph. P. King (Austr. 1, 315) am 5. Oct. 1819 so benannt, weil er den Gipfel dicht mit rankenden Gewächsen bedeckt fand.

Vino = Wein, *Vinogora* = Weinberg, *Vinogradci* = Weinburg, *Vinica, Vinicabreg* = Weinhügel, *Vinično, Vinipotok* = Weinbach, *Viniverh* = Weinberg, *Vinare, Vine, Vinetz, Vinica, Vinice, Viničkaves, Vinje, Vinjiverh,* auch zu *Weinitz, Weinitzen, Weiniz* verdeutscht, slow. ON. in Kärnt., Krain, Kroat., Slawon. u. Steierm., wie v. čech. *vinař* = Winzer die böhm. ON. *Vinař* u. *Vinařic.* Ferner *Winitz, Winná, Winney,* in Böhm., *Winniczki, Winniki, Winograd,* in Galiz., *Winniwerch* u. *Winniwerh,* aus slow. *Vinnivrh* = Weinberg, Orte in Krain, *Winnohrad* = Weinburg, in Öst. Schles. (Miklosich, ON. App. 2, 254, Umlauft, ÖUng. NB. 261. 276).

Vintschgau, im 11. Jahrh. *Finsgowe,* später *Phinzgowe,* das Etschthal obh. Meran, benannt nach dem Volksnamen Venostes (Steub, Ethn. 114), lat. in vallis *Venusta* umgedeutet (Förstem., Altd. NB. 554).

Vipaça s. Bejah.

Vire s. Pierre.

Virgines, plur. v. *virgen*, span. Form f. port. *virgem*, plur. *virgens*, frz. *vierge*, ital. *vergine*, alles Ableitungen v. lat. *virgo*, gen. *virginis* = Jungfrau, in ON. mehrf. nach dem Kalendertage, dem 21. Oct., dem Feste der heil. Ursula, welche, der Legende zuf., eine brit. Königstochter, vor ihrem Freier zu Schiffe floh, üb. Basel nach Rom pilgerte, auf dem Rückwege sammt ihren Begleiterinnen, den 11000 Jungfrauen, v. den Hunnen, die Cöln belagerten, niedergemetzelt wurde. Das hunn. Belagerungsheer wurde nun v. 11 000 Engeln vertrieben, u. die Cölner konnten die Leichen der Jungfrauen feierl. bestatten. Ein *Cabo de las V.* am Eingange des *Estrecho de las V.* (s. Magalhães), 'por ser no dia que a Igreja celébra a festa das onze mil' (Barros, As. 3, 5⁹ p. 637, Pigafetta, PVoy. 40, Navarrete, Coll. 4, 42), engl. *Cape Virgin*, frz. *Cap de la Vierge* scil. Maria, also in Zahl u. Beziehg. unrichtig, in Hondius' Carte *the Fortunate Cape* = das glückverheissende Cap, als wäre es v. Drake 1577/79 od. Cavendish 1586/88 so genannt worden (ZfAErdk. 1876, 344. 420). — *Islas de las V.*, 2 Inselschwärme: *a)* die *Jungfern-Inseln*, der *Jungferngarten*, die *Jungferngasse* (Oldend., GMiss. 1, 9) der Antillen, v. Columbus 1493, die grösste ebf. nach dem Kalendertage *Santa Ursula* getauft (Colon, Vida 195, Navarrete, Coll. 1, 208); *b)* vier niedrige, unbewohnte Eilande des Pacific, 20—21⁰ SBr., v. der Exp. Quiros-Torres am 4. Febr. 1606 getauft (WHakl. S. 39, 404; 25, 32). — *Las V.* s. Cuatro Coronados. — *Isla de la Virgen Maria* s. Maria. — *Rio das Virgens*, ein bras. Küstenfluss, v. Vespucci am Ursulatage 1501 entdeckt (Diario 88). — *Urbs Virginea* s. Magdeburg.

Virginia, einer der 13 ältesten Staaten der Union, deren älteste Colonie, v. der jungfräul. Königin Elisabeth 1584 an Sir W. Raleigh verliehen u. v. ihr selbst so getauft. Raleigh's Captt. Phil. Amadas u. Arth. Barlow gingen im Apr. d. J. ab, landeten am 13. Juli an der Insel Roanoak u. nahmen im Namen der Königin f. den Patentinhaber Besitz v. dem Lande. 'The new land seemed to the adventurers a delightful paradise. Luxuriant vines twined round the 'sweet smelling timber trees'; grapes hung in abundance from the branches; and shady bowers echoed on all sides the music of beautiful wild birds. The natives seemed to be gentle and confiding, and to live after the manner of the golden age . . . Capts. Amidas (sic) and Barlow drew up a favourable report of the fertility of the soil and the healthiness of the climate, which Raleigh laid before the Queen, who was so much pleased with it, that she conformed upon the new territory the name of *V.*, the discovery being made in the reign of a virgin Queen' (Raleigh, Disc. XXVIII, Quackb., USt. 67, Anspach, NFundl. 35, Buckingh., Slave 36, 2; 272. 492, Staples, St. Union 9, ZfAErdk. nf. 3, 66). Elisabeth's Nachf., Jacob I., vervollständigte den Namen in *V. Britania*, eine

Form, der sich auch Strachey (HTrav. 140. 142) neben der andern, *Nova Britania* (ib. 4), bedient. — *West-V.*, ein jüngerer Unionsstaat, in Folge des Secessionskrieges 1862 v. der Muttercolonie abgetrennt. — *Virgin Tear Fall* = Fall der Jungfernthränen, einer der hohen Wasserfälle des calif. Thales Yosemiti, ein 300 m h. Silberband (Fortschr. 1880, 148, Gartenl. 1888, 362).

Virn s. Firn.

Visby s. Vest.

Visch = Fisch, in holl. ON., bes. des Caplandes wie: *a)* *Groote* (= grosser) *V. Rivier*, v. den Boeren, welche viele der Quellen, Bäche u. Flüsse ihrer neuen Heimat nach der auffälligen Fauna benannten, umgetauft aus Barth. Diaz' *Rio Infante*, denn so hatte der port. Entdecker 1487 den Fluss eingetragen zu Ehren des Capt. seines 2. Schiffes São Panteleão, Namens João Infante, welcher hier, am östl. Endpunkt der Fahrt, zuerst an's Land stieg: 'foi o primeiro que sahio em terra' (Barros, As. 1. 3, 4 p. 189). Neben dem 'grossen' gibt es im Capl. 2 *'Kleine Fischflüsse'* *a)* Nebenfluss des vorigen; *b)* Fluss im Roggeveld-Geb. (Lichtenst., SAfr. 1, 164. 579); ferner ein *Vischwater* = Fischwasser, Colonie am Unterlauf des Berg R. (ib. 1, 84) u. ein *Visch-Hoek* = Fischcap, an der False Bay. 'In der Bay fischet man eine so gewaltige Menge treffl. Fische, dass man die ganze Colonie damit versehen könte, wenn man die Fischerey vortheilhaftig einrichten wollte. Ich habe oft z. Lust mit guten Freunden dergl. vorgenommen, u. bin allezeit mit einem reichen Fang zuruck gekehret, den wir auf einen Wagen mit 8 Ochsen nach Hause bringen musten; u. kaum waren sie im Stande, ihn zu ziehen. Ich erinnere mich, dass wir eines Tages 1200. grosse Alosen fingen, eine Menge gewisser den Häringen ähnl. Fische, Gold-fische u. a. mehr . . . Am häufigsten findet man sie am sog. *V.-Hoek*, gerade unter dem Felsen Hang-Lippe. Die (holl.-ostind.) Compagnie hatte lange einen Fisch-markt daselbsten, um ihre Sclaven mit Fischen zu versehen . . . Man begreifft leichte, dass sie grossen Nutzen davon zog. Es blieb auch dabei, biss endl. die Compagnie diese Fischerey aufgeben muste, wg. der Diebsgriffe der Aufseher . . . Einige Privat-personen, welche gerne die Fischerey selbsten genutzt hätten, wandten allen Fleiss an, diese Ungmächlichkeiten zu vermehren, u. grösser vorzustellen. So bald die Compagnie davon abstunde, erbauete der Gouverneur Adrian van der Stell ein Fisch-haus an der Bay, nahm der Compagnie Netze zu sich, u. gebrauchte ihre Geräthe u. Nachen. Dadurch verschaffte er in sein Haus-wesen u. f. seine Sclaven Fische, zog auch nicht wenigen Nutzen. Sein Vatter, Simon van der Stell, hatte bereits ein Fisch-haus gebauet hinter den Steenbergen, u. sein Bruder Franz hatte eines zw. dem Stellenbosch- u. Lorenz-Rivier. Von dieser Zeit an machte man den Bürgern des Vorgebürges ihr altes Recht, in dieser Gegend zu fischen, streitig u. hielte sie mit Gewalt davon ab . . .' (Kolb, VGHoffn. 217 f.). Die genannten *alosen*, holl. *elfft*, frz. *alose*, lat. *alausa*, *alosa*, *clupea* (ib. 366), haben 'drey Viertel elen, oder darüber, in die Länge' (vgl. Leunis, Syn. 1 § 294).

Viscous s. Muddy.

Visnica s. Wysokij.

Viso, Monte, ant. *Mons Vesulus*, ein Haupt der cottischen Alpen, bei den Alten alle andern alpinen Schneehäupter an Ansehen überragend, so dass er ihnen f. den höchsten Alpengipfel galt u. die Quellen des Po bergen sollte — 'eine majestätische Pyramide, die erst unlängst erstiegen worden ist, ragt einsam aus der ganzen Kette empor u. beherrscht weit u. breit das Gesichtsfeld der ligur. Ebene' (Nissen, Ital. LK. 147). Etwas Licht auf den antiken Namen!

Visp, Ort des Wallis, als Flussname deutlicher *Vispbach*, f. den Fluss des *Visper Thals*, viell. übsetzt aus frz. *Praborgne* = Wiesenbach (s. Pratum), wie einst der Fluss hiess u. j. noch der Ort Zermatt (s. d.) heisst (Gatschet, OForsch. 248). *V.* heisst im deutschen Macugnaga auch die Anza (Schott, Col. Piem. 55).

Visscher Eiland = Fischerinsel, fälschl. auch *Wishard E.*, im Bismarck Arch., nach den zahlr. Kähnen, welche der 2. holl. Entdecker Tasman am 5. Apr. 1643 dort erblickte . . . onder dit eylandt lagen eenige praeuwen: alzoo gissing maeckten, dat daer lagen en vischten, waroem hebben het de naem gegeven' (Tasman's Journ. 142). Bei seinen Vorgängern Le Maire u. Schouten 1616 *Moses Eiland*, weil sie hier einen Eingeborenen Moses entführten, bei Bougainville *Ile Suzannet*, offb. prsl., bei dem Span. Maurelle 1781 *San Francesco*, *San Antonio* u. *San Joseph*, auf einigen Carten *Ocean I.* (nach einem Schiffe?), eig. zwei Inseln, j. die grössere *Gardner I.*, die kleinere *Fisher I.* der Whaler (Krus., Mém. 1, 146, Meinicke, IStill. O. 1, 141. 368).

Vistriza s. Halai.

Viti, eig. *Witi*, nach der Aussprache der westl. Insulaner, deren Dialekte der j. Schriftsprache zu Grunde liegen, nach Cook's in Tonga gesammelten Berichten u. entspr. dem Dial. der östl. Inseln *Fiji*, noch immer in England gebr., nach deutscher Schreibg. *Fidschi*, ein polyn. Archipel, welcher 2 gr., 15 mittlere, im ganzen üb. 200 Inseln zählt, nach *V. Levu* = gross *V.*, dem einen der beiden 'Länder', das auf ältern Carten *Ambau*, durch Uebtr. der kleinen Insel *Mbau*, hiess, während das andere *Vanua Levu* = grosses Land, auf ältern Carten *Takanova*, aus demj. des Distrikts *Thakaundrovi* entstanden (Meinicke, IStill. O. 2, 2ff. 418, Grundem., Miss. Atl. 3, 5). Die Gruppe sah zuerst der holl. Seef. A. Tasman (Journ. 119) am 6. Febr. 1643 u. nannte sie *Prins Willem's Eilanden* (s. Willem). Die Bezeichng. 'Land' tragen auch *Vanua Balavu*, *V. Valavo* = langes Land, ein lang ausgestrecktes Eiland, bei Wilson *Middleton Island*, sowie *Vanua Vatu* = steiniges Land, eine kleine Berginsel der Gruppe Lakemba (Meinicke 2, 21. 25). — *Vai-Levu* = grosses Wasser, der Hptfluss v. Viti Levu, bei Wilkes *Peale River*, nach dem

Naturforscher seiner Exp. (Petermann, GMitth. 15, 61).

Viti = Hölle, ein durch Fumarolenthätigkeit eingestürzter 26 m t. Abgrund am isländ. Mückensee. Aus der Mitte des Pfuhls stieg eine in Rauch eingehüllte Schlammsäule unter donnerndem Gebrüll in die Luft, unheiml. zu sehen u. zu hören. Im ggw. Jahrh. hat sich das Aussehen verändert, u. an die Stelle des Höllenpfuhls ist ein malachitgrünes Gewässer getreten (Preyer-Z., Isl. 199).

Vitriöl, Cuvel da = Vitriolhöhle, eine nicht leicht zugängl. Höhle ob Vulpera-Schuls, Engadin, wahrsch. der Eingang eines verschütteten Stollens, mit Auswitterungen v. Eisenvitriol (Killias, Tarasp-Sch. 78).

Vittoria = Sieg, eine Stadt in Yucatan, so benannt durch die span. Exp., welche v. Cortez ausgesandt war (1519) u., ermuthigt durch die Erscheinung des Schutzheiligen St. Jago zu Pferde, üb. die tapfer kämpfenden Bewohner der alten Stadt Potochä einen Sieg errang, so dass der Kaiser hier zuerst in dem spätern Neu-Spanien seine Unterthanen hatte: 'foram os primeros vassallos q' o Emperador teue na noua Espanha' (Galvão, Desc. 134 f.). — Ein Ort *V.* in Sicil., erst zu Anfang des 17. Jahrh. erbaut u. zu Ehren der berühmten *V.* Colonna, der Mutter des Erbauers, getauft (Meyer's CLex. 15, 469).

Vitudurum s. Winterthur.

Vitus s. Fiume.

Vius s. Vieux.

Vive s. Aigues.

Vivien-Berg taufte die Exp. Heuglin-Zeil 1870 einen der Berge West-Spitzbergens, welche v. Wybe Jans Water aus im Binnenlande sichtbar waren, zu Ehren des frz. Geographen (Peterm., GMitth. 17, 182 T. 9).

Vizakna s. Salz.

Vizcaya, auch *Biscaya*, adj. *vizcaino*, *biscaino*, bask. Ldsch., kaum wie Einige wollen, benannt nach den eingebornen Basken, sondern wie *Biscargis* zu *bizcarra* = Hügel gehörig, näml. aus der Stamsylbe *biz* u. *caya* = Sache, also 'Land der Hügel od. Berge' (W. v. Humb., Vask. Spr. 59). Nach der Ldsch. das anliegende Meer: *el Golfo de V.*, frz. *Golfe de Gascogne*, eig. nach einem Uferlande, im Alterth. nach den Anwohnern: bei Tibull. *Oceanus Santonicus*, bei Lucan *Tarbellum aequor*, nach dem aquitan. Volksstamm der Tarbelli, die einen Theil der Nieder-Pyrenäen bewohnten, bei Ptol. ὁ Ἀκουιτάνιος Ὠκεανός, auf der Peut. Taf. *Sinus Aquitanicus* (Dict. top. Fr. 4, 68), auch einf. *Oceanus* (Caes., BGall. 1, 1) od. bestimmter 'eam partem *Oceani* quae est ad Hispaniam', nach einem der anwohnenden Völker auch *Mare Cantabricum*, bei Strabo (190), Keltikos Kolpos, gr. Κελτικὸς Κόλπος, röm. *Sinus Gallicus* = der gall. Golf. — Das v. jeher gefürchtete Meer ist Spitzname geworden: *Bay of Biscay*, f. eine böse Lehmebene, 'a muddy hollow', durch welche die Bergstrasse Sydney-Bathurst führt (Mitchell, Three Expp. 1, 159). — *Biscayer Hoek* s. Smeerenberg. — Ein *Nueva V.*, Gegend in Mexico, v. dem Basken Diego de Guiara entdeckt u. nach seiner Heimat benannt (Hakl., Pr. Nav. 3, 456 f.). — *Bahia de Sebastian Vizcaino*, in Alt-Calif., nach dem Entdecker getauft (DMofras, Or. 1, 233).

Vlaardingen s. Makassar.

Vlacke Zee = flaches Meer, holl. Name des Theils des Eismeers westl. v. Wajgatsch, wg. seines gleichmässig ebenen Grundes, wo die Tiefe meist 9—12 Faden beträgt, ˙somtydts minder, bywylen meerder, maer selden, soo dat men alle dese contreyen met rechte wel een vlacke Zee mach noemen, want de grondt is bynaest soo ghelyck of sy gheschaeft (= gehobelt) ware, van effenheyt ende eenparicheyt (= Gleichmässigkeit) van diepten˙ (Linschoten, Voy. fol. 20).

Vlämen, Volksname (s. Flandern), ist auch z. Bezeichng. der Açoren (s. d.) verwendet worden.

Vlaming's Land, in West-Austr., etwa v. Schwanenfl. bis Edels Ld., 32⁰—21⁰ 50′, wo der holl. Commodore Willem de V. 1696/97 mit den Schiffen Geelvink, Nyptang u. Wezel erschien, um der Mannschaft des seit 1685 vermissten holl. Schiffs Ridderschap nachzuspüren (Flinders, TA. 1, LVIII ff.); *b) V.'s Rhede*, in der Insel N Amsterdam, wo der Commodore 1697 landete (Forster, GReis. 3, 175 ff., Peterm., GMitth. 4, 26 f.); *c) V. Point* s. North-West.

Vlanga-Bostan, wo *bostan* = Garten, türk. Name eines Stadttheils Konstantinopels, an Stelle eines ehm. künstl. (u. wieder ausgefüllten) Hafens: des *eleutherischen*, benannt nach dem Patricier Eleutherus, der ihn unter Konstantin d. Gr. anlegte u. dessen Bildsäule hier mit einer Haue u. einem Korbe in der Hand aufgestellt war, od. des *theodosischen*, benannt nach Theodosius jun., der den Hafen z. Th. wieder ausfüllte (Hammer-P., Konst., 1, 123).

Vlie s. Zuider Zee.

Vlieghen Eiland˙= Fliegeninsel, einh. *Rangiroa*, im tahit. Dialekt *Rairoa* (woraus wahrsch. Wilkes' *Nairsa* durch einen Druckfehler entstand), die grösste aller Paumotu, in der Centralgruppe, am 18. Apr. 1616 v. der holl. Exp. Le Maire u. Schouten entdeckt u. getauft nach den Schwärmen Ungeziefers, welches die landende Mannschaft belästigte, die Schalupe bedeckte u. 4ᵈ lg. die Seeff. verfolgte (Spiegh. AN. fol. 32—34, Beschrijv. 83 ff.), bei Roggeveen (Dagverh. 168) am 30. Mai 1722 *Goede Verwachting* = gute Erwartung, weil er hoffte, f. seine scorbutkranke Mannschaft dort Erfrischg. zu finden . . . ˙hopende aldaer eenige groente en verversching voor ons volk (waar van diep in de dertig siek en met scheurbuyk in de kooy lagen) te sullen bekomen˙. Bei Byron, am 13. Juni 1765, *Prince of Wales's Island* (Hawk., Acc. 1, 107), bei Capt. Buyer, im Febr. 1803, *Dean Island*, offb. prsl. (ZfAErdk. 1870, 390 f., Meinicke, IStill. O. 2, 204).

Vliet, im 10. Jahrh. *Flieta*, Flussname bei Leiden u. Delft, v. ahd. *fliozan* = fliessen, subst. *fluz*, mhd. *vluz, vlieze* = Fluss, Fliess, nnd. *flet, vliet*, afries. *flet*, altn. *fliot*, als Grundwort in etwa 20

alten ON. niederdeutschen Sprachgebiets, wie *Asflet, Suthflieta, Uppenfleth* etc. (Förstem., Altd. NB. 569 f.). — Wohl nicht hierher gehörig *Vlissingen*, 1089 *Flissinghe* (ib. 567), Ort an der Wester-Schelde, Walcheren; nach diesem Hafenort Seelands nannte W. Barents am 20. Aug. 1596 einen Felskopf, hooft, an der Ostseite v. Barents Ld. *Vlissinger Hooft*, engl. *Flushinger Head* (GVeer ed. Beke 194, Carte).

Vlk = Wolf, čech. Wort, asl. *vlk*, serb. *vuk*, poln. *wilk*, ist direct od. durch den PN. in viele slaw. ON. übgegangen: *Vlčetin, Vlčetinek, Vlčipole, Vlčice, Vlčidol, Vlčkov, Vlčkovic, Vlčnau, Vlčnov, Vlčoves, Vlčtyn, Vlkančic, Vlkawa, Vlkov, Vlkovice, Vlkow, Vlksic*, ferner *Wlkanec, Wlkanow, Wlkau, Wlkonic, Wlkosch, Wlkosovic. Wlkov, Wlkow, Wlkowetz, Wlkowitz*, in Böhm. Mähr. u. Schles., *Vučak, Vučevce, Vučilčevo, Vučjak, Vučkoviči, Vuka, Vukova, Vukovdol, Vukovec, Vukovič, Vukovina, Vukovje, Vukovo Berdo* = Wolfsberg, *Vukovo Selo* = Wolfsdorf, in Kroat., Slaw., Bosn. u. Ungarn, *Wilcza, Wilcza Gora* = Wolfsberg, *Wilczawola* = Wolfscolonie, *Wilczkowice, Wilczyce, Wilczyska*, in Galiz. (Miklosich, ON. App. 2, 255). In Slaw., mit mag. *vár* == Burg, ein Ort *Vukovár* (ZfSchulGeogr. 8, Heft 3 f.).

Voda, poln. *woda* = Wasser, slaw. Namenelement, oft als Grundwort (s. Czernowoda), oft f. sich od. in Derivaten u. als Bestimmungswort: *Vode, Vodena* (s. Aegina), *Vodjević Berdo, Vodjinci, Vodnik, Vodno, Vodice, Vodiško*, in den südslaw. Gebieten, *Wodna* u. *Wodnän*, in Böhm. u. Galiz. (Miklosich, ON. App. 2, 255, Umlauft, ÖUng. NB. 262. 278). — *Wodo*- od. *Wodeno Balkan* s. Balkan.

Vöcklabruck u. *Vöcklamarkt*, zwei oberösterreich. Orte an der Vöckla, einem Zuflusse der in die Traun mündenden Ager, der letztere ˙ein stattl. Marktflecken˙ (Meyer's CLex. 15, 472).

Vörös od. *veres* = roth, mag. Wort häufig in den ON. Ung. u. Siebenb. wie *V.-Hegy* = rother Berg, *V.-Patak* = rother Bach, dieses auf den bekannten Bergort übtragen, den *Vicus Pirustarum*, der v. den Römern mit bergkundigen Illyriern, den Pirustae, colonisirt wurde, um die Goldschätze auszubeuten (Umlauft, ÖUng. NB. 263, Tomaschek, Bosna 38 f.).

Vogel, ahd. *fogal*, ags. *fugol*, engl. *fow* (gew. *bi ·d*), holl. *vogel*, dän. *fugl*, schwed. *fågel*, gern in Insel- u. Capnamen der arkt. u. antarkt. Erdräume, wo die brütenden Seevögel oft ganze ˙Vogelberge˙ bedecken: *Vogel Eiland*, in Patag., wo die holl. Exp. Le Maire u. Schouten 1616 so viele Vögel trafen, ˙dass ein Mensch, ohne v. seiner Stelle zu gehen, mit der Hand in 45 Nester reichen konnte˙. Je.les dieser Nester enthielt 3—4 Eier, ein wenig grösser als Kiebitzeier (Spiegh. ANav. fol. 20). — *V. Insel*, 2 mal *a)* ein mit ungeheuern Korallblöcken bedecktes Eiland in Romanzow, Radack, in dessen eichengrossen Bäumen eine Menge seeschwalbenartiger Vögel nisteten u. ein furchtb. Geschrei erhoben, als der russ. Weltumsegler, Lieut. v. Kotzebue (Entd. R. 2, 56) am 16. Jan. 1817 hier landete; *b)* s. Açoren. — *V. Eilande*, eine Inselgruppe bei Smeerenberg, Spitzb., wo die Holl. reichl. Ernten v. Eiern der Bergenten u. Kirmöven sammelten (Martens, Spitzb R. 22). — *Vogel, ang*, ein Inselberg an der Nordbay, nach den Vogelschaaren — der Anonymus v. 1678 sah 'viele tausend Millionen' Vögel (Adelung, GSchifff. 414) – welche sich dort aufhielten u. bei gemeinschaftl. Auffluge einen betäubenden Lärm verursachten (Martens, Spitzb. R. 24). — *V. Hoek*, ein Cap an der Westseite Spitzb., unter ca. 78⁰ NBr., v. Will. Barents, der am 26. Juni 1596 den hohen Landvorsprung sah, ihn f. eine Insel hielt, aber trotz wiederholter Versuche nicht v. Hptlande abzutrennen vermochte. 'We called it *Cape Bird*, because there were so many birds upon it and in the neighbourhood' (WHakl. S. 54, XXI. XXVIII). Das Cap hat denn auch Henry Hudson, am 27. Juni 1607 erwähnt (ib. 27, 9). — *V. Valley*, ein See in Hex V., Capland, wo sich in der Regenzeit eine Menge Wasservögel, bes. Flamingos, Albatrosse u. a. Seevögel nähren u. ihn zuw. ganz bedecken (Lichtenst., S.Afr. 2, 152). — *Vogelberg*, am spitzb. Hornsund, v. der Polarf. Weyprecht-Payer im Juli 1872 getauft. Der Berg 'dient Tausenden v. Vögeln z. Ruheu. Brutplatze. Die auf den Nestern sitzenden Vögel sind so wenig scheu, dass wir sie sammt den Eiern mit der Hand nehmen konnten' (Peterm., GMitth. 20, 66). — *Vogelklippe*, bei St. Thomas, Antillen, der Aufenthalt vieler tausend Wasservögel, v. deren schmackhaften Eiern ganze Canoeladungen abgeholt wurden (Oldend., GMiss. 1, 45). — *V. Berg* s. Spörer.

Vogesen, aus der schlechten Lesart mons *Vogesus*, f. *Vosegus*, richtiger *Vosagus* (Plin., HNat. 16, 197), umgekünstelter Name eines Elsässer Gebirgs, in Frz. richtig *Vosges*, auch deutsch richtiger geformt: *Wasgenwald* (Kiepert, Lehrb. AG. 500), ist noch unklar, es wäre denn, man wollte mit Chr. Mehlis (Ausl. 49, 399 f.) einen Zshang mit dem Wortstamm der *Basken* u. *Biscaya's* annehmen (?). — *Bains-en-Vosges* s. Bagne.

Vogtland, früher gew. *Voigtland* (spr. *vogt* . . .), eine mitteldeutsche Landschaft, theilw. z. Königr. Sachsen geh., einst als den Sorben entrissene Grenzmark eine unmittelbare Besitzung der deutschen Kaiser u. darum durch besondere Vögte verwaltet (Meyer's CLex. 15, 486). In übzeugender Weise hat H. Dunger (Mitth. Vogtl. AlthV. 44, 1 ff.) gezeigt, dass die Orth. mit *o*, statt *oi*, sowohl die ältere, als die sprachgesetzlich allein berechtigte sei, u. jene wurde denn am 5. Aug. 1875 v. vogtl. Alterthums-Verein angenommen. Das Bestimmungswort *vogt*, mlat. *vocatus*, f. lat. *advocatus*, lautete im ahd. *fokat, fogad, vogad, foget*, mhd. *voget, vogt*, auch in zsgezogener Form *voit*, da ein *g* zw. 2 kurzen Vocalen unterdrückt werden kann, wofür dann gew. ein Doppelvocal mit *i* eintritt (wie in *gesaget — geseit, magd — maid* u. a.). Nun ist *roigt* missbräuchlich, eine Vermrschg. der regelrechten Formen *vogt*

u. *voit*, u. zwar nur eine orthogr. Vermischg. da die Aussprache *vogt* geblieben ist. Die aufgeführten Citate beweisen, dass die Mischform *Voigtland* in den ältesten Zeiten gar nicht, ja eig., abgesehen v. ganz vereinzelten Fällen, erst im 17. Jahrh. erscheint, im 18. u. 19. immer mehr um sich griff, doch die echte Form *V.* nie ganz verdrängen konnte.

Voki s. Riukiu.

Volavec s. Wolgast.

Volcano, mehrf. im roman. Sprachgebiete f. entzündete Inseln u. Berge (s. Vulcanus): *a)* eine der Liparen, ant. *Vulcania*, gr. Ἱερὰ (s. d.) od. *Thermessa*, gr. Θέρμεσσα = Wärmeland, 'öde u. voll unterirdischen Feuers' (Strabo 275) . . . antea *Therasia* (s. Santorin) appellata, nunc *Hiera* quia sacra *V.* est colle in ea nocturnas emovente flammas (Plin. HNat. 3, 93); elle est un volcan dans sa plus grande activité . . . . Tout y porte l'empreinte du feu auquel elle doit sa formation. On voit des laves noires, grises, rougeâtres, blanchâtres . . . .; la forme de cette ile est celle d'un cône tronqué, à base circulaire . . . . (Dolomieu, Lip. 9 f., wo 7 Eruptionen vor 1775 aufgezählt sind). Ein Nebenvulcan, dim. *il Volcancello*, der einst durch einen Canal v. der Insel getrennt war, j. aber in Folge v. Eruptionen mit ihr zshängt, erinnerte A. Kircher (Mund. subt. 2, 12) an den Vergleich v. Vater u. Sohn: 'Tantum cinerum saxorumque ejecisse fertur, ut juxta sese in medio mari quem et ideo *Vulcanellum*, velut filium à patre genitum vocant, produxerit . . . .'; *b)* eine hohe, zweigipflige Insel bei Kiusiu (Krus., Reise 1, 265, Atl. OPac. 22); ein zuckerhutfger Inselberg in Santa Cruz, einh. *Tenakora, Tinakula, Tinikoro*, ein 670 m h. Vulcan, dessen Abhänge v. Bergrücken u. tiefen Schluchten durchschnitten werden; er ist im untern Drittel mit Bäumen bedeckt, oben v. nackten, schwarzen Felsen u. mit einem überaus thätigen Krater. Als der Span. Mendaña, in der Capitana, am 7. Sept. 1595 herkam, war die Insel just in einem heftigen Ausbruche begriffen; der Gipfel spie Feuer u. Asche, u. je nach Pausen liess sich ein lautes Rasseln, gefolgt v. dichten Rauchwolken, hören. Der Entdecker segelte rings um den *V.* herum (Journ.RGS. 1872, 215). Auch die spätern Seeff. fanden den *V.* rauchend od. Flammen ausstossend, namentl. wieder im Juni 1800. Der engl. Seef. Casteret, im Aug. 1767, sah ihn nur rauchend, 'of a stupendous height and a conical figure, the top of it is shaped like a funnel, from which we saw smoke issue, though no flame' (Hawk., Acc. 1, 362, Garnier, Abr. 1, 182, Meinicke, IStill. O. 1, 170, Krus., Mém. 1, 188); *d)* s. Taal. — *V. Grande* s. Asuncion. — Im plur. *Los Volcanos*, drei Inseln bei Bonin, die eine mit Vulcan, v. span. Seef. B. de Torres 1543 benannt (Galvão, Descr. 235). — *Bay of Volcanos*, in Jeso, mit drei Vulcanen, v. engl. Capt. Broughton (Krus., Mém. 2, 209). — Im dim. *Los Volcancitos*, Salsen bei Turbaco, Cartagena, schwarzgraue, 6 m h. Lettenkegel, welche, 18—20 an

Zahl, aus ihrem wassergefüllten Krater Schlamm u. Gase ausstossen (Humb., VCord. 239). Sie sind *Volcanes de Agua* = Wasservulcane, welche zuf. der Sage erst durch Beschwörungen u. Weihwasserbesprengungen aus *Volcanes de Fuego* = Feuervulcanen entstanden sind (bekanntl. haben auch andere Salsen in ihrem ersten Stadium gebrannt).

Volces, Étangs des, alt *stagna Volcarum* = die Teiche der Volcae, des kelt. Stamms des Languedoc, v. denen die Tectosagen um Toulouse, die Arecomiques um Nimes wohnten, bei Strabo *Οὐωλκαί*, bei Ptol. *Οὐολκαί*, bei Diod. Sic. (11, 37; 12, 30; 14, 11), *Οὐολούσκοι, Οὐόλσκοι*, bei Caesar *Volcae, Bolcae, Bolgae*, bei Auson. *Bolcae, Belcae* (Dict. top. Fr. 5, 230).

Volger Berg, ein aus den Eis- u. Firnflächen der spitzb. Ostküste aufragender Berg, v. der Exp. Heuglin-Zeil 1870 benannt (PM. 17, 182) offb. nach dem Geologen Otto *V.*

Volney, Cap, in Victoria, benannt durch die Exp. Baudin am 31. März 1802 nach dem Geographen, Historiker u. Politiker Constantin-François de Chasseboeuf comte de *V.* 1757—1820 (Péron, TA. 1, 265). — Am 27. Jan. 1803 folgte *Ile V.,* am Spencers Gulphe (ib. 2, 79).

Volpe, Pertugio della = Fuchsloch, eine der Höhlen des tessin.-lombard. Grenzbergs Monte Bisbino. In der Nähe *Buco dell' Orso* = Bärenloch, wo sich fossile Knochen v. nicht weniger als 30 Individuen Ursus fanden, hpts. U. spelaeus u. U. arctoides (Lavizzarri, Esc. 1, 67). — Das lat. *vulpes,* gr. *ἀλώπηξ* = Fuchs, hat sich in den neurom. Sprachen sonst nicht erhalten; im frz. ist ein Wort deutscher Abkunft umgeformt (s. Renard), u. im span. u. port. herrscht, neben einem wenig gebr. dim. *vulpeja, golpelha,* als gew. Form *raposa* f., selten *raposo* m., was wohl = der stark geschwänzte, v. span. *rabo* = Schwanz (Diez, Etym. WB. 2, 171) od. *zorra* (s. d.). Es gibt einige nordfrz. ON., welche das alte Wort, aber in dim. *vulpecula* = Füchslein erhalten haben, 814 *Vulpeglarias*, im 11. Jahrh. *Vulpilarias* f. ein regelmässiges *Vulpecularias*; sie sind zu *Goupillières*, anderwärts zu *Volpilière* geworden (d'Arbois de Jub., Rech.NL. 613 f.).

Voltaire, Baie, am Spencers G., v. der Exp. Baudin am 22. Jan. 1803, wie *Cap V.*, in Tasmans Ld., am 22. Apr. gl. J., nach dem gefeierten Dichter getauft (Péron, TA. 2, 78. 210, Freycinet, Atl. 27).

Voltas s. Helena.

Voltri s. Castiglione.

Volturnum s. Campus.

Volunteer s. Starbuck.

Voorhout s. Forch.

Vorarlberg s. Arlberg.

Vordere Fluh s. Roth.

Vorgebirge, das deutsche appell. f. *Cap,* war in der holl. Form *Voorgebergte*, wie in der ältern deutschen *Vorgebürge*, längere Zeit wie

Eigenname des Caps der GHoffnung, wie die j. *Capstadt* (s. Cap) auch *Stadt des Vorgebürges* hiess.

Vosges s. Vogesen.

Vospor s. Kertsch.

Vossen B. s. Fuchs.

Votos s. Poas.

Vrh = Spitze, Gipfel, dann Berg, serb., slow. u. čech. Wort wie *Brda* (s. d.), in den ON. *V.*, *Vrhe Veliky* = grosser Berg, *Vrhopolje* = Bergfeld, *Vrhovce, Vrhpoljac, Vrhavec*, ferner *Verh, Verhe, Verhnica, Verholle, Verhor, Verhovce, Verhove, Verhovlje, Verhpolje, Verhslemen* = Bergfirst, *Verhtrebno* = Bergrüti, *Verhulje, Verhi, Verhovac, Verhovčak, Verhovci, Verhovec, Verhovina, Verhovlan,* auch *Werch, Werche, Werchek, Werchnik, Werchou, Wrcha, Wrchoslawitz, Wrchovin, Wrchorina, Wrchoy,* sämmtl. in den südslaw. Ländern, Ungarn, Böhm. u. Mähr. (Miklosich, ON. App. 2, 258).

Vries Strasse, de, zw. Iturup u. Urup, Kurilen, wo der holl. Seef. *de V.*, v. holl.-ostind. Generalstatthalter Van Diemen 1643 auf Entdeckungen ausgesandt, in das ochotsk. Meer einlief, in der Meing., dass er Asien (Iturup nannte er *Staatenland* zu Ehren der Generalstaaten) u. America (Urup = *Compagnieland,* nach der holl.-ostind. Gesellschaft) hindurchgeschifft sei. Erst mit Bering 1728 wurde die wahre Grenze beider Erdtheile bekannt (Krusenst., Mém. 2, 197). — *Vriesland* s. Fries.

Vrijburg = Freiburg, holl. ON. *a)* im wörtl. Sinne der alte Name des Hptorts v. Transvaal (s. Potschefstrom); *b)* in der Bedeutg. Asyl, Ruheplatz, 'Buitenzorg', 'Sanssouci', ein mit Thürmen bewel.rtes Schloss, alcacer torreado, que poderia, em caso de necessidade, servir de torre de menagem e proteger os fortes Ernesto e Frederice, welches der Gouv.. Prinz Mauritius v. Nassau bei Pernambuco 1637 erbauen liess (Varnh., IIBraz. 1, 383).

Vučak s. Vlk.

Vuil s. Rose.

Vuka s. Vlk.

Vulcanus, bei den Griechen *Hephästos, Ἥφαιστος,* der Gott des Feuers u. jener Künste, die des Feuers bedürfen, v. seinem Vater Zeus auf die vulcan. Insel Lemnos niedergeschleudert u. nach der Annahme der Mythe hier, sowie in Lipara, Hiera u. Imbros thätig, so dass ihm das Alterth. eine Menge der kunstreichsten Arbeiten zuschrieb u. das Schmiedgeräthe als Attribut gab. Man dachte sich wohl das vulcan. Feuer als die Funken, die aus seiner unterird. Werkstätte emporstiegen u. nannte die Feuerberge mit seinem Namen, die Insel Lemnos (s. d.) u. *Volcano* (s. d.) geradezu *Vulcania,* die Liparen (s. d.) *Insulae Vulcaniae.* — *V.*, eine kleine, kegelfge Insel bei Rook Isle, Dampier Str., mit 800 m h. Feuerberg, am 5. Juli 1616 gesehen v. der holl. Exp. Le Maire u. Schouten, just wie er Flammen, Rauch u. Asche spie, 'een brandend' eiland, gewende op de hoogte vlammen, ende roock van hem, daer over 't den name gaven' (Beschrijv. 106. Spiegh. Austr. Nav. 59, Garnier, Abr. 1, 74). Der *V.*, mit den Feuerbergen der westlicher gelegenen Dampier- u. Vulcan-In. nicht zu verwechseln, stösst j. nur noch Rauch aus (Meinicke, IStill. O. 1, 100). — *Vulcanic Shoal* s. Gipps. **Vully, le**, od. *Vuilly*, die liebl. Halbinsel zw. Neuenburger-, Murtner-See u. Broye, 962 pagus *Williacensis* = Gau v. Willisburg (s. Avenches),

im 11. Jahrh. *Wiflisgau*, j. *Wistelach* (Gem. Schweiz 19²ᵇ, 218, Mart.-Crous., Dict. 950). **Vus, A'gnata** = Nebelgegend, Negername einer kalten u. oft in Nebel gehüllten Berggegend, westl. v. Kenia. 'It is so dense that a porter cannot see his fellow who is just before him' (Journ. RGSLond. 1870, 316). Mit demselben *agnata* = Gegend, Wildniss ist zsgesetzt der ON. *A'gnata Ndárè* = Ziegenweide (ib. 317). **Vysoka** s. Wysoki.

W.

Waadt s. Vaud.
Waag, die, mag. *Vág*, ein Karpatenfluss in Ober-Ungarn, früher *Duria* = die feste, sichere, sofern der Name kelt. ist, dann deutsch umgetauft u. zwar urspr. als masc., dem goth. *vêgs*, ahd. *uuág*, mhd. *wâc*, nhd. *woge* f. = bewegtes, wogendes Wasser, Flut od. Strom zu Grunde liegt. 'Wir haben es altösterreichisch in unsern vschiedd. *Wagrainen* u. *Wagramen*' (Bl. öst. LK. 1888, 19). — *Vágduna* = W.-Donau, der Neuhäusler Donau-Arm, v. der W. bis z. Confl. mit dem Hptarm des Stroms, u. *Vág-Ujhely* = Neustadtl an der Waag (Umlauft, ÖUng. NB. 256f.).
Wabash s. Ohio.
Wadworth s. Coulman.
Wady, el = der Fluss, das Thal, dial. *ued*, in der Ausspr. der westl. Araber *guad* (s. Guadalquivir), plur. *audia*, vulg. *uidan* (Parmentier, Vocab. arabe 39), gew. im Sinne der vergängl. Winterbäche, die nur durch Regenfall, also im Winter, einen Wasserlauf erhalten (Rohlfs, Mar. 3) u. die, eben wg. dieser täuschenden Vergänglichk., in der Bibel *Akzabim*, hebr. אַכְזָבִים = Lügenbäche, v. *akzab*, hebr. אַכְזָב = Täuschung, Lüge, im Ggsatz zu den perennirenden Wassern *ethan*, hebr. אֵיתָן, genannt werden (Jerem. 15, 18, Micha 1, 14), auch f. sich Eigenname, f. das grösste *W.* Fezzans, also im Sinne 'das grosse Thal' (Barth, Reis. 1, 158). — *Anq el Ued* od. *Halk el-W.* s. Goletta.
Wälsche od. *Welsche* (s. Walen), mehrf. in ON. *a) Wälschland*, in Deutschland f. Italien, in der deutschen Schweiz f. die 'Suisse romande'.

Der Thauwind kam vom Mittagsmeer
u. schnob durch *Wälschland* trüb u. feucht
(Bürger, Lied v. brav. Mann.)

Von allen Wand'rern aus dem deutschen Land,
die über Meinradszell nach *Wälschland* fahren,
rühmt jeder Euer gastlich Haus
(Schiller, W. Tell.)

b) Wälsch Dörfli, eine Vorstadt Churs, Graub., wo länger als in der Stadt selbst die rätor. Sprache

herrschend blieb, ein Seitenstück zu 'Deutsches Dorf' (s. Brandenburg); *c) Welschberg* s. Felsberg.
Wärmeland, der Name einer schwed. Prov., im specif. Bestandtheil finnischen Urspr., v. *ware*, *wuori* = Berg u. *maa* = Land, in älterer Zeit vollständiger *Jernbœraland* = Eisenberg-Land, wie ja oft zweisprachige Namen in Gebrauch kommen (Pettersson, Lappl. 29 f.).
Wagaiskoi Ostrog, Name einer am westsib. Flusse Wagai um 1631 entstandenen Ansiedelg., bis sie, auf den Uferhügel *At-basch* (= Pferdekopf) der Tataren verlegt, in *Atbaschkoi Ostrog* umgetauft wurde. Dieser Name blieb dem Orte, als er 26 Werst weiter aufw. an die Mündg. des Baches Tschernaja verlegt wurde, eine Zeit lg., um allm. in *Tschernaja Sloboda* überzugehen (Müller, SRuss.G. 5, 61).
Wagamu s. Pumpkin.
Wagemakers Valley, ein Thal, richtiger ein ganzer Bezirk v. Gütern u. Ansiedelungen im südwestl. Theile des Caplandes, nach den zahlr. Wagnern, welche sich in der urspr. nicht holzarmen Ldsch. niedergelassen (Lichtenst., SAfr. 2, 157, Kolb, VGHoffg. 227, der nur v. Einem Wagner weiss, 'der sich zuerst da niedergelassen'), bei den frz. Einwanderern, die auch ein *Thal Josaphat* nannten, zuerst *Kanaan* genannt (Wüllerst., Nov. 1, 196). — *Wagebooms Rivier*, an der Südküste des Capl., wo die Ansiedler mehrere Proteen, die wg. ihres harten, zähen Holzes ein geschicktes Material f. Stellmacherarbeit liefern (Lichtenst., SAfr. 1, 351) als *wageboom* = Wagenbaum bezeichnen. — *Wagenbrechi* s. Kniebrechi.
Wager River, auch *W. Water*, ein Seitenarm v. Roe's Welcome, v. Capt. Chr. Middleton am 13. Juli 1742 entdeckt u. nach dem Ritter Sir Charles *W.*, dam. erstem Lord der Admiralität, getauft (Coats ed. Barrow p. III. VI. 115. 124). Ein Schiff *W.*, wohl nach dem gl. Würdenträger benannt, ein Fahrzeug v. 28 Kanonen u. anfängl. geführt v. Capt. Dandy Kidd, befand sich in der Flotte des engl. Commodore Georg Anson, der

am 18. Sept. 1740 v. England abfuhr u. v. seiner
Weltreise am 15. Juni 1744 in Spithead wieder
eintraf (Barrow, R. u. Entd. 2; 228. 488).
Wagner s. Bernhard.
Wagram s. Waag.
Wahabiten, eine muhamm. Secte, benannt nach
dem 1729 geb. gelehrten Reformator Muhammed,
Sohne Abd el-Wahabs (Cannabich, Hülfsb. 2, 319).
Wahasah s. Redstone.
Wahi Punamu s. Nieuw Zeeland.
Wahl s. Wald.
Wahlenberg Bucht, an der Westseite des spitzb.
Nordost-Land, durch die schwed. Exp. 1861 ge-
tauft zu Ehren ihres Landsmanns, des Natur-
forschers W. (Torell-N., Schwed. Expp. 149).
Wahlenheim s. Walen.
Wai = Wasser, in ON. der Maori *a) Waiho* s.
Thames; *b) Waikanapanapa* = schillerndes
Wasser, eine Schlucht am Roto Mahana, ganz
zersetzt v. dem überall hervorzischenden heissen
Wasser u. Wasserdampf (v. Hochst., NSeel. 275);
c) Waikare = aufwallendes Wasser, ein See des
Waikato, mit salziger Mineralquelle, die bisw.
meterhoch aufwalle (ib. 166); *d) Waikato* = strö-
mendes Wasser, 'charakteristisch' f. den grössten,
schiffb., lichtgrünen, klaren Fluss der Nordinsel,
wg. der raschen Strömung, die selbst im Unterlaufe noch 4—5 miles per Stunde beträgt, im
Ggsatz z. kleinern *Waipa* = ruhigen, stillen
Wasser, welches, braun wie Torfwasser, bei der
Confl. höchstens die Geschwindigk. v. $^1/_2$—1 mile
hat (ib. 124. 160. 175); *e) Waimarino* = ruhiges
Wasser, ein Zufluss des Taupo (ib. 246); *f) Waite-
tuna* = Aalfluss, mit vielen Aalen, jedoch weniger reich als der Mangawhero, dem entlang
zahlr. Aalställe angelegt sind, wo die Eingb. in
einer Nacht oft mehr als 1000 Stück fangen
sollen (ib. 181. 184); *g) Waiuku*, der 'sehr bezeichnende Name' zunächst des schmalen Meeres-
arms, Creek, 'welcher in südl. Richtg. v. Manukau
Hr. (s. d.) tief in das Land einschneidet u. dessen
niedere Uferwände v. weissen Thon- u. Sand-
schichten, *uku* = weisser Thon, gebildet sind . . .'
u. dann übtr. auf eine Ansiedelg. am Südende
der Bucht (ib. 123). — *Wairi Kaori* s. Chatham.
Wajgatsch, auch *Waigat, Waigatz*, ein nicht
zweifellos klarer ON. des nördl. Eismeers, zunächst f. die Insel, die v. einem Russen Iwan
W., schon vor der Exp. des Engländers Steph.
Burrough (1556), entdeckt worden sei (Lütke,
Reise 31, Schrenk, Tundr. 1, 353). Bei der holl.
Exp. 1594 hiess die Insel *Afgoden Eiland* (s.
Afgoden) od. *t'Enkhuyser Eiland*, nach der Seestadt, die der Exp. förderl. gewesen war (Linschoten, Voy. 1. 19). — Nach der Insel die *W.
Strasse* (s. Jugorskoj Schar), russ. *Kárskija Woróta* = die karische Pforte, einf. *Pforte* od. *Kara
Strasse*, als Zugang z. Kara See (Schrenk, Tundr.
1, 353; 2, 20), auch *Burrough's Strait*, z. B. in
der Instruction, welche die engl.-russ. Co. des
seemänn. Entdeckers Nachgängern Pet u. Jackman gab (GVeer ed. Beke XI). — Ggb. dieser
Darstellg., die zunächst auf dem Berichte des

fleissig sammelnden, jedoch wenig kritischen Witsen
fusst, ist nun der Academiker Fdr. Schmidt (Bär
u. H., Beitr. 2. F. 6, 326), unter Voraussetzg. eines
Missverständnisses, geneigt, german. Urspr., u. zwar
zunächst f. den Namen der Meerenge, anzunehmen:
holl. *waaien* = wehen, u. *gat* = Durchgang,
f. eine oft windige Seegasse, wie noch 2 mal in
dem v. germ. Seeff. längst besuchten Polargebiet,
Waigat Strasse bei Disco u. *Waigats Inseln* vor
Hinlopen Str., Spitzb., wiederkehrt.
Wajmuga s. Wytegra.
Wainwright Inlet, bei Cape Collie (s. d.), v. Capt.
Beechey (Narr. 1, 303, Carte) im Aug. 1826 nach
seinem dritten Officier, John W., getauft, wie
schon im Jan. (ib. 117) W. *Island*, eine der vier
Hptinseln der Gambier Gr., einh. *Akamaru* (Mei-
nicke, IStill. O. 2, 221).
Waitsching s. Pe.
Wakaraima, richtiger *Pacaraima*, ind. Name
eines Gebirgs der Guayana, nach der eigenth. Ge-
stalt, in der mehrere der Sandsteinberge das Aus-
sehen eines ind. Korbes, *pacara*, erhalten (Raleigh,
Disc. G. 75).
Wakefield River, ein Fluss in SAustr., in den
St. Vincents G. mündend (u. an der Mündg. *Port
W.*), benannt nach einem um die Colonisation
verdienten Mann, dem engl. Philantropen Gibbon
W. (Trollope, Austr. 3, 13 f.).
Wakeham, Cape, in Melville I., v. Lieut. W.
E. Parry (NWPass. 2, 28 Carte) 1819/20 getauft
nach einem seiner Officiere, Cyrus W., einem der
beiden Clerks der Exp.
Wakilima s. Kilima.
Wal-, in der Bezeichng. der Flossenfüsser u.
zwar nicht bloss der fischartigen Cetaceen od.
'Wale' wie Pottwal, Narwal, Walfisch, Delphine
u. Seekühe, sondern auch des robbenartigen Walross, erscheint in deutschen ON. gew. nur aus
engl. od. holl. Gewande umgeformt wie *Walfisch
Fluss* (s. White Whale) u. *Walfisch Bay*(s. Whale).
Eine *Walross Insel* 2 mal im Polargebiete: *a)*
bei NSemlja, benannt durch die norw. Fischerfahrten v. 1871 (Peterm., GMitth. 18, 396); *b)* s.
Pendulum.
Walachen, unsere Volksbezeichng. nach dem
slaw. *wlach*, dem Namen, welchen die angrenzenden Polen u. Russen dem romanisirten Element des alten Dacien (s. Rumänen) gegeben haben
(Büschings Mag. 3, 544), entspr. dem germ. *valah*
(s. Walen). Im Mittelalter sind rumän. Colonisten
in Epirus u. Thessalien erschienen, u. sie nennen
sich selbst als solche; bei den Griechen heissen
sie *a) Arbanitoblachoi* = Albaner Wlachen, weil
sie früher ihre Wohnsitze an den Grenzen Al-
baniens (s. d.) hatten; *b) Kutzóblachoi* = hin-
kende Wlachen, weil ihre lat. Sprache mit vielen
griech. Wörtern gemischt ist. Im 12. Jahrh., u.
bis z. Ankunft der Türken, hiess Thessalien, eben
wg. der Menge dieser Ansiedler, *Megale Blachia*
= Gross Wlachei, wie schon Georg Cedrenus 969
v. *Blachoi Oditai* = reisenden Wlachen spricht,
welche das Land zw. Pindus u. Olymp durchziehen; auch Kantakuzenos (Gesch. 3, 53) nennt

es das Fürstenth. *Wlachien* (Peterm., GMitth. 7, 115). — *Wlacho-Livadi* = Wiese der Wlachen, rumän. Colonie westl. v. Olymp (ib. 7, 115). — Auch zu den Magyaren ist das Wort, als *Oláh* == Rumäne, übgegangen, in der Form *Olasz*, *Olaszi* f. die Italiener, u. beide finden sich in ON. angewandt wie *Oláh-Falu* = Rumänendorf, *Olasz-Telek* = Italiener-Grund (Umlauft, ÖUng. NB. 162 f.).

Walbeck s. Walen.

Walcheren, eine Insel im Delta der Schelde, im 7. Jahrh. *Walacria*, ist Förstem. (Altd. NB. 1529) geneigt, als 'wälsche Insel' anzusehen. 'Sollte sie nicht ihren Namen v. den durch Germanen zkgedrängten Kelten haben u. also z. Stamme *valah* (s. Walen) gehören?' VdBergh (Meddel-ndrl. G. 224 f.) denkt an den um jene Zeit wohlbekannten PN. *Walcherus* u. setzt hinzu: 'niet van bewalde akkers noch van valkyrien'. — *Nieuw W.*, ins Eismeer übtragen, f. die südlichste der drei Inseln vor der ugr. Str., v. der holl. Exp. 1594 z. Andenken an den Antheil, welchen die Prov. Seeland an der Exp. genommen 'ter memorie, van die van Zeelandt, als medehulpers ende Ghenooten van dese ontdeckinghe...' (Linschoten, Voy. f. 19, Adelung, GschSchifff. 156).

Walchering s. Walen.

Wald, ahd. Wort, ags. *veald*, in vielen ON., th. f. sich, Orte am od. im Walde bezeichnend, th. als Grundwort zsgesetzter ON., wie Förstem. (Altd. NB. 1537 f.) deren 44 aufzählt, th. als Bestimmgswort, z. B. in *Waldshut*, der v. Rudolf v. Habsburg als des Schwarzwalds 'Hut' od. Schutz ggr. kleinen Veste, die zugl., mit Säckingen, Laufenburg u. Rheinfelden, eine der *vier Waldstädte am Rhein* war, *Waldhausen* u. *Waldkirch*, beide mehrf., *Waldeck*, zunächst Dynastenburg u. Stadt (Daniel, Hdb. Geogr. 4, 556), *Waldhäuser* (s. Sur), insb. auch *Waldstatt*, der allg. Name, welchen man im Innern der Schweiz (s. Einsiedeln) einem Umfang v. Ansiedelungen beilegte, der allmählich aus den gelichteten grossen Waldungen sich bildete (Gem. Schweiz 5, 249). — *Waldstätte* wurde z. Sammelnamen f. die um den gemeinsamen See gelegenen Waldcantone, zunächst Uri, Schwyz u. Unterwalden, denen sich im Bunde v. 1332 als vierter Luzern beigesellte (s. Vier). Kurzlebig, v. 1798—1803, war das staatliche Gebilde des helvet. Cantons *Waldstätten*, der die stolzen Urcantone zu blossen Verwaltgsbezirken degradirte. Ein zweites *Waldeck*, Burgruine auf hohem, steilem Felsen, mit 2 noch erhaltenen, 25 m h. Thürmen, mit Cisterne u. Felswohnungen, in Lothr. (Dict. top. Fr. 13, 280). Auch das einf. Wort ist ON., im 8. Jahrh. *Walda*, j. meist *Wald*, auch *Walde*, *Wahl*, *Wall*, *Wehl*. — Ein anderes *Waldstetten* s. Walen.

Waldai, russ. Stadt, am *See W.*, dessen Inselkloster *Iwerskoi Monastyr* (Müllér, Ugr. V. 2, 12). Nach der Stadt die *W.-Höhe*, eine Gegend flacher Hügelreihen, die, früher völlig bewaldet, in den Thälern viele Sümpfe u. See'n bergen, auch *Wolchonski Wald*, im *Popowa Gora* =

Popenberg mit bloss 351 m culminirend (Meyer's CLex. 15, 553). Mehr Licht!

Waldburg, Cap, die südöstl. Ecke der spitzb. Barents-I., v. der Exp. Heuglin-Zeil am 15. Aug. 1870 getauft nach dem einen der Theilnehmer Grafen Karl Waldburg-Zeil aus Württemberg (Peterm., GMitth. 17, 176 ff.).

Walden's Island, bei den spitzb. 'Siebeninseln', am 5. Aug. 1773 v. engl. Capt. Phipps (Northp. 63) benannt nach einem seiner Officiere, welcher mit 2 Lootsen das Eiland besuchte.

Walen, auch *Walchen*, *Wälsche* (s. d.), *Welsh*, v. ahd. *valah*, ags. *vealh*, schwed. *wal*, altn. *val* = fremd, ausländisch, unverständlich, 'supposed to be the same as the skr. *mlechha*, and means a person who talks indistinctly' (MMüller, Lects. 84), german. Bezeichng. f. fremdsprachige Volkselemente (Bergmann, Wals. 2), zunächst f. keltische, dann auch f. romanische, u. ihr Land (Kuhns ZWiss. Spr. 2, 252), wie *Wales* (s. d.), bei den Angelsachsen, *Walonen*, bei den Vlämen, *Waadt* (s. Pays de Vaud) bei den deutsch gebliebenen Burgundern, *Walachen*, *Walensee*, *Walenstad*, *Walgau* (s. dd.). — Alte ON. mit *valah* sind: *Walahon*, j. wahrsch. *Wahlenheim*, *Walehinga*, j. *Walchering*, *Wallithi*, j. *Welda*, *Walapah*, zunächst Flussname, j. *Walbeck*, *Woll-* u. *Wallbach*, *Walabroch*, j. *Vahlbruch*, *Walaburi*, j. *Walbur*, *Ualeburgun*, *Walahofeld*, *Walegardon*, *Walhogoi*, j. *Walgau*, *Walagothi*, *Walaheim*, mehrf., *Walahusa*, j. *Wallhausen*, *Vahle* u. *Wallensen*, *Walahastat*, j. *Waldstetten*, *Walstadt* u. *Walkstadt*, *Walahdorf*, *Wolahwilare*, *Walahowis*, *Walahesheim* u. a. m. (Förstem., Altd. NB. 1529 ff.).

Walensee u. *Walenstad* (s. Walen), im St. Galler Oberlande, in einst roman. Gegend, zu welcher die Alemannen bei der ersten Einwanderg. vorzudringen vermochten, so dass die Sprachgrenze damals am Unterende des See's gewesen sein muss; im 13. Jahrh. wurde zu Pfävers, zu Anfang des 15. noch zu Chur roman. geredet (Mitth. Zürch. AG. 12, 337, v. Arx, Gesch. StGall. 1, 10, Bergmann, Walser 2, Campell ed. Mohr 175, Joh. v. Müller, SchweizG. 1, 9 Note 187). Mit den 'Wälschen' verkehrten die deutschen Kaufleute auf der alten Handelsroute, welche längs Rhein u. Limmat nach Rätien u. Italien führte. 'In unsern Tagen', sagt um 1570 Campell (ed. Mohr 175 f.) dem Städtchen, 'ist dasselbe ein lebhafter Stapelplatz f. Waaren u. Reisende, die den See befahren od. bei Sturm auf ruhiges Wetter warten'. Der Ort, am Oberende des Sees, rom. *Riva* == Ufer, Stad, Landgsplatz, heisst in Churer Urk. 1000—1100 de *ripa Walahastad*, 1282 *Walastat*, 1351 *Walenstat*, seit Mitte des 15. Jahrh. auch mit Verdoppelg. der Consonanten *Wallenstat*, *Walenstatt*, *Wallenstad*, auch *Walhenstatt*, 1465 zuerst *Wallenstatt*, 1528 *Wallennstatt*, 1592 *Waalastatt*, dann ab 1604 *Wallenstadt*. Der Versuch, die richtige Orth. 1882 amtlich einzuführen, verletzte 'das städtische Nationalgefühl' der Ortsbewohner; die Reform wurde durch Beschluss des Gr. Rathes abgelehnt (Egli, Gesch.

NKunde 1 f.). In derselben Gegend *Walenberg*, ein Bergvorsprg., *Walenguflen*, wo *guflen* = Erdhöcker, ein Weiler des Kerenzer Bergs, *Walenkamm* u. insb. der *Walensee*, 1495 ff. bei dem zürch. Stadtarzt K. Türst (QSchweizG. 6, 15. 19) *Walisee*, rätr. *Lac Rivaun*, urk. *Lacus Rivanus*, nach dem Uferort wie deutsch *Walenstader-* od. *-stadter-* od. *-statter-See* (Steinmüller, NAlp. 2, 332, Gem. Schweiz 7, 42. 262, NAlpPost 1876 No. 22. 25). Seit die Anschwemmungen der Seez das Oberende des See's zkgedrängt haben, ist ein neues *Stad*, fast 1 km v. alten entfernt, entstanden (Dufourcarte 9). Es ist hervorzuheben, dass — im Ggsatz zu Vadians *vallis stadium* — der durch Actenstudium gereifte, feinfühlige Historiker Aegid. Tschudi (Rätia 1538) zuerst die richtige Erklärg. gegeben hat: 'der *Walen* Stad' u. 'der *Walen* See', unter ausdrückl. Berufg. auf *Riva villa*, *Lacus Rivanus*, 'bewysend des gestiffts Chur allte vrber und brieff'. Dabei vergisst er nicht, auf das Zkweichen des Rätoroman. zu verweisen, u. sei nun auch hier die wälsche Sprache abgegangen, so 'werdend doch aw denen enden hinab bis f. den Walensee mehrteils alle dörffer, berg, wäld, täler, alpen, wasser, äcker u. matten noch mit wälschen nammen genempt'.

Wales, die j. noch v. kelt. *Welsh* bewohnte Halbinsel Grossbritaniens, als das Land der Fremden, Unverständlichen (s. Walen); denn mit *Welsh* bezeichneten die Angelsachsen das fremdsprachige kelt. Element im Lande, bis z. Tyne, u. in dem Masse, wie die Germanisirung fortschritt, zog sich das Gebiet der 'Fremden' zs., bis es nur noch die Halbinsel *W.*, anfängl. *Nord-W.*, u. das j. Cornwall, damals *Süd-W.*, umfasste. Ganz so hiess die Halbinsel auch bei den eingefallenen Normannen *Bretland*, als das den Briten gebliebene Gebiet (J. J. A. Worsaae, Minder om Danske 28). Die Eingebornen selbst nennen sich *Cymbry* = Landesgenossen, Einheimische, v. *cyn* = mit u. *brog* = Gegend, also dass dieselben Leute in der eignen Sprache die 'Nationalen', bei den Nachbarn die 'Fremden' heissen (Arch. Cambr. 1875, 372), während man wohl auch, mit *kym* = Berg, ein 'Bergland' herausfinden will (Charnock, LEtym. 57). Es ist der einh. Name, auch in der Form *Kymbri*, *Cymry*, *Cymri*, ging zu den Griechen, Κιμμέριοι, u. Römern üb., als *Cimbri*, später *Cambri*, daher das Land auch *Cambria*. Schon dem ags. König Athelstan (925—941) tributpflichtig geworden, fiel nach mehr. Aufständen das Land 1284 definitiv an die engl. Krone, immerhin gg. die kön. Zusage, dass die Kymren einen 'Eingebornen' z. Fürsten erhalten sollten; dieses Wort löste Eduard I. dadurch, dass er seinen ältesten zu Carnarvon geb. Sohn z. Prinzen v. *W.* ernannte, u. seither führt der jew. Thronerbe diesen Titel (s. unten). — Durch Uebtragg. *New W.* *a)* s. Penn; *b)* ein Uferland der Hudsons B., v. 'Capt. Thom. Button 1613 getauft (Rundall, Voy. NW. 87), ungefähr was der dän. Capt. Jens Munck, der 1619/20 in Churchill R. übwinterte. *Ny* (= neu) *Danmark* nannte (WHakl. S. 18,

241). Fast gleichzeitig erschienen 1631 die Captt. Fox u. James. Jener kam am 10. Aug. nach Port Nelson u. fuhr mit einer neugezimmerten Pinasse den seichten Fluss hinauf. Bei dieser Gelegenheit fand er ein herabgefallenes Kreuz u. die Hälfte einer Tafel, auf der die kön. Wappen u. der Name Sir Thom. Button's etc. angebracht waren. Fox richtete das Kreuz wieder auf u. nagelte eine Bleiplatte daran mit der Inschrift: I suppose this crosse was first erected by Sir Thomas Button, in 1613. It was againe raised by Luke Fox, Capt. of the 'Charles', in the right and possession of my dread soveraigne Charles the first, King of Great Brittaine etc., the 15th of august 1631. This land is called *New W.* (Rundall, Voy. 178). Am 20. Aug. erncuerte James (NWP. 25) den urspr. Namen in der Form the *Principality of South W.*, nach dem im Vorjahr geb. Prinzen, spätern Könige Charles II., 'and drank a Health in the besst Liquor we had to His Highness, prince Charles, whom God preserve'. So entstand eine Scheidg.: *New North W.* u. *New South W.*, die am Churchill R. zsgrenzten (Forster, GReis. 3, 21, Nordf. 421); *b)* ein anderes *New South W.* an der Ostküste des Australcontinents, v. Cook am 21. Aug. 1770, als er im Namen Georg's III. Besitz (s. Possession I.) v. Lande ergriff (Hawk., Acc. 3, 212), so getauft, 'weil er in der zerrissenen Küstenbildg. . . . grosse Aehnlichk. mit dem südl. *W.* im Vaterlande fand (ZfAErdk. 1876, 171). Von der anfängl. Colonie *New South W.* wurde Victoria am 1. Juli 1851, Queensland am 3. Juni 1859 abgetrennt.

Wales, Prince of, seit dem 13. Jahrh. der Titel des engl. Kronprinzen (s. Wales), ist in eine Reihe v. ON. übgegangen *a) Cape P. of W.*, 'die grosse Landecke', welche Alaska gg. Sibir. vorstreckt, v. Cook auf seiner 3. Reise, am 9. Aug. 1778, nach dem 1762 geb. spätern Prinz Regenten (s. d.) u. König Georg IV.; *b) P. of W's Foreland*, 2 Vorgebirge, beide v. Cook, das eine in NCaled., am 29. Sept. 1774 (VSouthP. 2, 138), j. als Insel, einh. *Uen*, der wirkl. Südwestspitze vorgelagert, erkannt (Meinicke, IStill. O. 1, 217. 374), das andere in Kerguelen I., am 30. Dec. 1776 (Cook-King, Pac. 1, 80); *c) P. of W's Island*, ebf. 2 mal s. Vlieghen u. Pinang; *d) P. of W. Islands*, ebf. 2 mal, f. einen Inselschwarm der Torres Str., v. Cook am 23. Aug. 1770 (Hawk., Acc. 3, 215), u. f. eine Gruppe bei Alaska (Meyer's CLex. 13, 273); *e) P. of W. Pass* s. Torres; *f) P. of W. Strait*, bei Banks' Ld., v. Capt. McClure im Sept. 1850 (Osborn, Disc. 85); *g) Fort P. of W.* s. Churchill.

Walgau, Thal in Vorarlb., wo die v. Bodensee her vordringenden Alemannen auf roman. Einwohner stiessen u. diese als *valah* (s. Walen) bezeichneten. Die Germanisirg. ging hier langsam vorwärts. Noch zu Ende des 16. Jahrh. wurde die roman. Sprache gehört. 'Ich hab'', sagt um 1616 Guler v. Weineck (Rät. 221), 'noch alte Leuthe in *Walgöuw* gekannt, die grob rätisch reden konnten, Sonsten ist an jetzo allein die Deutsche Sprach bei ihnen breuchlich' (Bergmann, Wals. 11). Der alte Name *Val Druschauna* wurde früher gern als *vallis Drusiana* betrachtet (Bergmann, Wals. 10, Campell ed. Mohr 2, Kaiser, GLiechtenst. 6), da des Augustus Stiefsohn —13 die Räter u. Vindelicier bezwungen; neuere (Bühler, Davos 252, Gatschet, OForsch. 173) denken, wie f. *Drusen-Alp, -Thal, -Thor, D'rus-satscha,* an die Bergerle, *drosle,* rätr. *trosa, draussa, drossa,* Alnus viridis.

Walgetjärwi s. Bjeloi.

Walhalla s. Hall.

Walguhn, v. lett. *walgums* = Landgsplatz (der Fischerkähne), Name einer Höhe der kur. Nehrung, so dass vermuthl. das Haff einst so weit gereicht hat — eines der Beispiele, wie andere Kenntnisse durch Etymologieen gestützt werden können (Altpr. Mon. 8, 109).

Walker, Cape, ein hohes kühnes Vorgebirge in Russel I., Prince of Wales' Ld., v. Lieut. W. Edw. Parry (NWPass. 56) am 24. Aug. 1819 benannt nach Hrn. W. 'of the hydrographical Office, at the Admiralty'. — Nach demselben Würdenträger *W.'s Bay,* 2 mal: *a)* in Georg's IV. Krönungs G., v. Capt. John Franklin (Narr. 385 Carte) am 16. Aug. 1821; *b)* eine sandige, als Ankerplatz günstige Bucht v. Buckland I., v. Capt. Beechey (Narr. 2, 520) im Juni 1827 getauft. — *W. Islands,* im Americ. Polyn., zuf. einer Notiz bei Purdy v. Capt. W. 1814 entdeckt, auf einigen Carten *Low Woody Islands* = niedrige Holzinseln (Peterm., GMitth. 5, 175). — *W.'s Valley,* in Tasman's Ld., v. Capt. G. Grey (Two Expp. 1. 129) am 29. Jan. 1837 benannt nach seinem Gefährten, dem Arzte W., z. Andenken an die anstrengende Tour. — *W. Pass,* in der SNevada, Calif., nach einem Mitgliede der Exp. Fremont 1846 (Möllh., FelsG. 1, 70). Vgl. Kern.

Walkstadt s. Walen.

Wall s. Wald u. Picti.

Wall's B. s. Blenky.

Wallaby Group, eine der Insel- u. Riffmassen in Houtman's Abrolhos, aus *East* (= Ost) u. *West W. Island,* benannt nach einem neuen, dort häufigen Känguru, *W.* der Eingb., Halmaturus Houtmanni der Zoologen, 'a new species of *W.,* which, being plentiful on both the large islands, suggested their name', dort gefunden v. Capt. Stokes (Disc. 2, 154ff.) im Mai 1840. 'The reader will obtain a good idea of the numbers in which these animals were found, when I state that on one day, within four hours, I shot 36 ...'

Wallace Bay, in Ost-Grönl., v. engl. Walfgr. Will. Scoresby jun. (NorthWF. 231) am 29. Juli 1822 entdeckt u. nach dem Universitätsprofessor *W.* in Edinburg benannt.

Wallbach u. **Wallenbütz** s. Walen.

Walldürn s. Dorn.

Wallis, das am Genfer-See abschliessende Alpenthal der Rhone, frz. *Le Valais,* lat. *Vallis Poenina* = poeninisches Thal genannt nach dem Passe, der Alpis Poenina, der aus Italien dahin

führte (Kiepert, Lehrb. AG. 518). Mit dieser gew. Annahme stimmt nicht *Vallesia, -um* des Mittelalters; eine röm. Inschrift enthält in 'bis civis *Vallinsae* et Equestris' sogar eine dial. Form, so dass älteres *Vallensia, -um* eine adj. Bildg. gewesen: patria *vallensis,* territorium *vallense* (Gatschet, OForsch. 189f.). — *Port Valais,* röm. *Portus Vallesiae,* Ort noch im 10. Jahrh. Hafenort am Genfer-See, j. in Folge der Deltabildg. 3 km v. Ufer entfernt. — In der mod. Geogr. die *Walliser Alpen,* f. den Zug der poeninischen Alpen.

Wallis, *Samuel,* engl. Seef., der, wie Byron u. Carteret u. der Franzose Bougainville, als unmittelbarer Vorgänger Cooks in der Südsee Entdeckungen machte, mehrf. in ON. wie *W.'s Bay,* 2 mal: *a)* die beste der drei östl. v. Cape Forward folgg. Buchten der Magalhães Str., v. Capt. *W.* 1767 selbst getauft (Hawk., Acc. 1, 196); *b)* s. Choiseul. — *W.'s Isles,* in Torres Str., v. Cook am 23. Aug. 1770 nach seinem Vorgänger getauft (ib. 3, 213). — *W.'s Island,* 2 mal: *a)* bei NIrland, v. engl. Entdecker Carteret am 26. Aug. 1767 ebenso (ib. 1, 368); *b)* in der Nähe v. Tonga, einh. *Uea, Urea,* nicht id., wie Krus. (Mém. 1, 25 ff.) will, mit Enfant Perdu, v. *W.* am 16. Aug. 1767 entdeckt: 'the officers did me the honour to call this island after my name' (Hawk., Acc. 1, 276), bei dem span. Seef. Maurelle am 12. April 1781 *Isla de Maurelle* (Meinicke. Still. O. 2, 92). — Unbestimmt: *W.'s Lake* u. *Harrington's Lake,* 2 Strandsee'n in NSouth Wales, v. engl. Lieut. Oxley, dem zeitweil. Gefährten des Capt. Ph. P. King (Austr. 2, 254), als er v. seiner Landreise 1819 zkkehrte, getauft.

Walmsley Lake, im Netz des Gr. SclavenS., v. G. Back (Narr. 65) am 21. Aug. 1833 entdeckt u. nach Rev. Dr. *W.* of Hanwell getauft.

Walonen s. Walen.

Walpole s. Durand.

Walser-Thal, urspr. *Frasuna* s. Frassino), ein rseitg. Nebenthal der vorarlbg. Ill. nach den (aus Wallis eingewanderten?) Colonisten, welche sich neben u. üb. den ältern, vordem rom. Bewohnern in Frasuna u. Vallettschina, zu Raggäl u. Maruol. in Sonntag u. auf Buchböden, im stillen Laufe der Jahre ausgebreitet haben (Bergm., Walser 36).

Walsingham, Cape, am Eingang des Exeter Sd., Cumberl., v. NWf. John Davis im Aug. 1585 entdeckt u. getauft nach dem 'secretary *W.,* Sir Francis *W.,* principal secretary of her Maiestie', dessen Gunst Davis zu verlieren fürchtete, wenn er v. *W.'s* Richtg. abwiche (Rundall, Voy. NW. 39. 44, Hakl., Pr.Nav. 3, 101. 181f., Forster. Nordf. 346).

Waltershausen-Gletscher, ein aussergew. grosser, vielleicht mehrere geogr. Meilen breiter, mit hoher Front ins Meer abstürzender Eisstrom des Kaiser Franz Joseph-Fjords, v. der 2. deutschen Nordpol-Exp. im Aug. 1870 getauft nach dem Naturforscher d. N. (Peterm., GMitth. 17. 197 T. 10).

Waltramsberg s. Rotmonten.

Wan. Ort in Armen., altiran. *Chuam* Woh-

nung, bei Diodor Χαύωρ, in den assyr. Inschriften *Vanna*, bei Ptol. *Bováva*, auch *Thospia*, gr. Θωσπία (Kiepert, Lehrb. AG. 81, Peterm., GMitth. 9, 7). Nach dem Orte der *W. Gölü*, wo türk. *gölü* = See, bei dem venet. Reisenden Zeno *Lago Attamar*, nach der kleinen Felsinsel *Ak Tamar* (= weisse ...?), 'the sacred island' (Layard, Disc. 23. 414), auf welcher der armen. Katholikos residirt (WHakl. S. 49ᵇ, 46. 101), armen. *Dzov Vanaj* (= See v. Wan) od. *Tospaj*, gr. Θωσπῖτις (Kiepert, Lehrb. AG. 74), im Zend Avesta sehr wahrsch. *Haossra Vagha*, arm. *See v. Beznuni* od. *See v. Rschtuni*, nach den westl. u. südl. anliegenden Districten (Spiegel, Eran. A. 1, 135 ff.).
Wanak s. Dakotah.

Wanganui = grosses Thal, v. *wanga* = Thalöffnung u. *nui* = gross, bei den Maori ein Fluss NSeel., Nordinsel (v. Hochst., NSeel. 215).

Wangen, in Süd-Deutschl. häufiger ON., im 8. Jahrh. *Wanga*, nom. plur., *wangun* dat. plur. v. ahd. *wang* = campus (Graff, Förstem.), Ebene (Stäli 1, 274), grasreiche Fläche, ein weites eingeschlossenes Wiesenfeld, wannenfger sanfter Abhang (Meyer, ON. Zür. 28), Wiesfläche an Bergwänden (Schott, Col. Piem. 344), Feld, gesenkte Fläche, Abhang (Gatschet, OForsch. 13), flacher Hügel, etwa zu vgl. den menschl. Wangen (Pupikofer, briefl. Mitth.), neutr. *Wängi*, *Wengi*. Ueber den höchst merkw. geogr. Verbreitungsherd handelt E. Förstem. (Deutsche ON. 280). Er zählt 84 alte ON., auf *-wang* ausgehend, auf, z. B. *Wisuntwangas* (s. Wiese). Im Auslaut erleidet die Wurzel oft Veränderungen, die das Wort unkenntlich machen, wie in *Affeltrangen* (s. Affoltern), *Busnang*, urk. *Boazinwanc* = Boso's Wang, *Dusnang*, 754 *Tuzzinwang* = Tuzzo's Wang, *Hindelbank*, 1263 *Hindelwanch* = Wang, wo sich die Hindin, Hirschkuh, aufhält, *Holderbank* = Wang mit Hollunder, *Robank*, urspr. *Robinwanc* = Robo's Wang, in gänzlich abgeschwächter Form *Seeben*, 799 *Seppinwanc* = Sebo's, Seppo's Wang (Gatschet, OForsch. 13). — Auch den Volksnamen *Vangiones*, um Worms (Caesar, BellG. 1, 51, Tacit., Hist. 4, 70, Germ. 28 etc.) stellen Pott u. Grimm, u. ihnen folg. E. Förstemann (Altd. NB. 1549 f.), zu *vang*; v. Volksnamen *Vangionum* civitas od. urbs, *Vangio*, *Wangia* u. a. Formen, *Wangia* vel *Wormacia*, f. die Stadt Worms. — Zu fries. *Wangerland* gehört *Wangeroge*, mit *oge* = Insel (DKoolman, Ostfr. WB. 507). — Nach dem Orte *Wengen*, ob Lauterbrunnen, die *Wengernalp*, eine Alp am Passe nach Grindelwald.

Wangeniken = Bewohner der Wange, preuss. *wangus*, d. i. einer mit Eichen od. anderm Gehölz bestandenen Waldfläche, ON. in Samland, Prov. Preussen (Altpr. Mon. 7, 312). Aehnlich *Wangenkrug* u. *Wanger Spitze*.

Wangheitien = Ort, v. wo das Meer sichtbar ist, chin. ON. der Mandschurei, nahe dem Golf v. Liautung, der v. einem nahen Hügel übblickt werden kann (Journ. RGSLond. 1872, 151).

Wan Schi Szü = Tempel der 10000 Alter, unweit Peking, durch eine in den Jahren 1403—1424

geschmolzene, 4 m h., in- u. auswendig mit dem Text eines heil. Buddhistenbuchs bedeckte, auf mehrere Duzend Li weit tönende Glocke Hua jan tschung berühmt (Timkowski, Mong. 2, 57).
Wantszi Schan s. Lauje.

Wapa-luoto = freie Insel, finn. (od. lapp.?) Name einer Seeinsel des Kirchspiels Wesilahti, Gouv. Åbo, weil die v. (Schweden u.) Finnen gedrängten Lappen hier eine Zeit lang sich behaupteten (Bär u. H., Beitr. 13, 79).

Waputteehk, engl. *White Goat River* = Fluss der weissen Ziege, in N.-America. Die *white goat* der Colonisten ist Aplocerus montanus Rich., ein Gebirgsthier der Rocky Ms., welches sich immer in bedeutenden Höhen u. nur gg. die Axe des Gebirgs findet (PM. 6, 29).

War-path River = Fluss des Kriegsweges, v. engl. *war* = Krieg u. *path* = Pfad, einer der Zuflüsse des Winnipeg; bildet den Kriegsweg der Odschibway u. Swampy, wenn sie auf ihre period. Ausfälle gg. die Sioux ausziehen (Hind, Narr. 2, 28). — *Warrior Island* = Kriegerinsel, von 'reine Sandbank v. geringer Ausdehng. u. ohne Vegetation, die aber die Heimat des stärksten, zahlreichsten u. kühnsten Stammes aller Torres-Insulaner ist, einh. *Tud*, *Toot*. Die Eingb., Papua, bauen sehr grosse Boote u. sind die Hpthändler der Meerenge. Ihre Hptwaffen sind Pfeil u. Bogen'. Als 1792 der engl. Capt. Bligh, mit den Schiffen Providence u. Assistant, die Insel erreichte, wurde er v. den Wilden angegriffen; seither war die 'Kriegerinsel' verrufen u. v. den Fahrzeugen, die in der Torres Str. Trepang fangen, gemieden. Seit 1869 ist sie in engl. Besitz u. die 'Krieger' pacificirt. Von diesem Eiland nach Bristow I. zieht das *Warrior Reef* (Peterm., GMitth. 18, 254; 22, 85).

Wara, die ehm. Hptstadt Wadai's, nach H. Barth (Reis. 3, 487) 'die v. Hügeln umgebene', v. Charut I. ggr., nach neuerm 'das Dickicht', ggr. in der Mitte des 17. Jahrh. durch den ersten moslemit. Herrscher, Abd el-Kerim, in einer Gegend, wo ein undurchdringl. Dickicht den Boden bedeckte. Da fand sich ein fruchtb. u. gesicherter Thalkessel, u. mit grosser Mühe schlug man Bäume u. Sträucher nieder (ZfAErdk. 1871, 527).

Warakadu s. Wischnu.

Warandèj od. *Warindèj* = Küsten- od. Randland, v. *war* = Rand u. *ja* = Land, sam. Name eines schmalen, langgezogenen, durch einen seichten Meeresarm v. Continent geschiedenen Eilandes am Eismeer (Schrenk, Tundr. 1, 517).

Ward s. Owen.

Warda, eig. *Varada* = die Wohlthäterin, skr. Name eines der Quellflüsse der Tungabhadra (Lassen, Ind. A. 1, 203).

Wardein, ON. in Ungarn, aus mag. *várad* = Fort, kleinere Veste verdeutscht, 1241 *Waradinum*, mit mar. *nagy* = gross zu *Nagy-Várad* (*Gross-W.*) geworden (Umlauft, ÖUng. NB. 76. 268).

Wardlaw, Cape, in Canning I., durch den Entdecker, den engl. Walfgr. Will. Scoresby jun.

(NorthWF. 295), am 20. Aug. 1822 nach Hrn. Robert *W.*, Tellicoultry, getauft.

Wardöehus, alt *Vargeyjarhus,* dann *Vargö-* u. *Vardöhus,* 'ett Fäste' an der Mündg. des Waranger Fjord, 'das Haus auf (der Insel) Wardöe', bestand nicht erst 1496 (Müller, Ugr. V. 1, 432 ff.), sondern wurde 1340 angelegt (Styffe, Skand. Un. 1, 383).

Warekauri s. Chatham.

Wareschkoj s. Ostsee.

Warm Springs == warme Quellen, engl. Name v. Thermen u. Thermalorten: *a)* in den Alleghanies v. West-Virg., 8 km v. den *Hot Springs* == heissen Quellen, die bis 102°F. haben (Sommer, Taschb. 24, 136 ff.); *b)* in Oregon, mit 3 Schwefelthermen, welche 'v. Gipfel eines hohen Felsens in Gestalt dampfender Wasserfälle in das Thal' stürzen (Glob. 15, 45); *c)* s. Bath; *d)* s. Caliente. — *W. Spring Valley* s. Lincoln.

Warnemünde, Bad- u. Schifferort in Mecklenburg, der Hafen Rostocks, an der Mündg. der *Warnow* (Meyer's CLex. 13, 812), die mit gleichnamigen Orten als 'Rabenfluss' erklärt wird (Kühnel, Slaw. ON. 155), jedoch, id. mit dem ptol. *Suebos* == Suebenwasser, v. dem vorslaw. Namen *Varnaha* == Fluss der Warnen, seiner Anwohner, wohl nur durch die Slawen umgedeutet u. umgeformt ist (W. Seelmann, ZGesch. d. d. Volksst. 44).

Warning, Mount == Warnberg, ein spitzer Berg in NSWales, als Merk- u. Warnzeichen dienl. f. die hier dem Schiffer drohenden verborgenen Riffe (s. Danger), so benannt v. seinem Entdecker Cook am 16. Mai 1770 (Hawk., Acc. 3, 109).

Warreconne == wo der Elk, das Elenn, seine Hörner abwirft, ind. Name eines Ikseitg. Zuflusses, *creek*, des Missuri (Lewis u. Cl., Trav. 81, wo wieder diese Thiere erwähnt sind).

Warren, Point, am americ. Eismeer, v. Franklins (Sec. Exp. 214) Gefährten Richardson am 13. Juli 1826 entdeckt u. benannt nach seinem Freunde Capt. Sam. W., R. N., Superintendent of Woolwich Dockyard. wie *W. River.* ein Ikseitg. Tributär des Gr. Fish R., v. G. Back (Narr. 175) am 17. Juli 1834.

Warrender, Cape, in Barrow Str., v. Capt. John Ross (Baff. B. 174) am 31. Aug. 1818 nach Sir George W. getauft (Parry, NWPass. 32). — Nach demselben auch *W.'s Bay,* am americ. Eismeer, v. Capt. John Franklin (Narr. 381 ff.) im Aug. 1821, u. wohl auch King's *Port W.*

Wart, ahd. *warta* == specula, statio, mehrf. als ON. f. sich, wie die Burg *W.* auf einem Vorsprg. des Irchels, C. Zürich (Mitth. Z. AG. 6, 80), od. als Bestandtheil v. ON. wie *Wartau, Wartberg* (s. Schaumburg), *Wartburg* u. a. Auf hohem Fels ob Lostorf, C. Soloth., bauten die Freiherren v. Froburg die Burg *Wartenstein,* die, als sie 1600 an den Soloth. Ritter Jost Greder kam, auch *Grederschloss* hiess (Osenbr., WStud. 189 f.).

Warwara s. Tura.

Warwick, Mount, einer der v. engl. NWff. des des 16. Jahrh. eingeführten Namen, zu Ehren des Ritters Dudley Diggs, eines Hptförderers der Nordwestfahrten (der Graf u. seine Gemahlin stehen in der Subscriptionsliste bei Forster, Nordf. 358), 'in remembrance of the right honorable the lord Ambrose Dudley earle of *W.*, whose noble mind and good countenance in this, as in all other good actions, gaue great encouragement and good furtherance', an der Frobisher Bay, v. Mart. Frobisher am 19. Juli 1577, zs. mit *Countess of W.'s Sound,* sowie *Countess of W.'s Island* getauft, 'both named after the countesse Anne of *W.'* (Rundall, Voy. NW. 17. 40. 63. 66. 72, Hakl., Pr. Nav. 3, 36, WHakl. S. 38, 76. 107. 129. 137). — *W.'s Foreland,* ein Cap am Eingang der Hudson Str., v. Capt. John Davis am 31. Juli 1587 (Rundall 157, Hakl., Pr. Nav. 3, 113). — *W. Island* s. Current.

Wasa, Duwusch-, ein Theil der Bay v. Diogo Suarez, seit 1832 die Franzosen, bei den Madagassen *W.,* vollst. *W. amni tany* == des grossen Landes, dort eine Ansiedelg. zu begründen versuchten (Journ.SGPar. 10, 210). — *W.*s. Nikolaus.

Wasáimbaj == des Greisen Fels, bei den Samojeden des nördl. Ural' ein Berg mit schneebedecktem Abhange u. ein ihm naher, viel niedrigerer *Púgutschembaj* == der Greisin Fels. Ein am Fusse des letztern entspringender Bergbach *Púgutschéjjagà* == der Greisin Fluss (Schrenk, Tundr. 1, 344. 390).

Waschîn s. Tin.

Wasgenwald s. Vogesen.

Washburn s. Doane.

Washington, die im Bundesdistrict Columbia 1791 ggr. Bundesstadt der Union, benannt zu Ehren des Führers im Befreiungskriege 1776/83, General Georg W., welcher (geb. 1732, † 1799) einen hervorragenden Antheil an der Gestalt der Verfassg. 1787 nahm u. die so schwierige Präsidentschaft während zweier Amtsdauern 1789/97 mit Weisheit u. Kraft führte, um dann, ein zweiter Cincinnatus, ins Privatleben zkzukehren, dem Americaner das Vorbild eines treuen Republicaners, einer der grössten Männer aller Zeiten u. Völker. Es war am 18. Sept. 1793, dass er den Grundstein z. Capitol legte, u. die Bundesregierg. siedelte 1800, unter Präs. John Adams, v. Philadelphia herüber (Buckingh., Am. 1, 292, Quackenb., US. 328). Es gab in der Union 1851 schon 140 Orte *W.* (Peterm., GMitth. 2, 156) u. seit 1853 ein Territorium *W.* (ZfAErdk. nf. 17, 19?). In einer Reihe patriotischer Namen auch *W. Land,* nördl. v. Humboldt Gletscher, v. americ. Polf. E. K. Kane (Arct. Expl. 1, 101) im Aug. 1853. — *W. Island,* in Polyn. zweimal v. americ. Seeff.: *a)* in Mendaña's Arch., einh. *Uahuga, 'Uahuka, Huahuna* (Meinicke, IStill. O. 2, 242), v. Capt. Ingraham im Mai 1791 nach dem 'Vater des Vaterlandes', v. seinem Landsmann Capt. Roberts im Febr. 1793 *Massachusetts Island,* nach dem Unionsstaate, v. engl. Lieut. Hergest 1793, offb. prsl. *Riou Island* getauft (Krus., Reise 1, 155); *b)* im nördl. Polyn., v. americ. Capt. Edmund Fanning, Schiff Betsy, am 12. Juni 1798 entdeckt (Bergh., Ann. 12, 145, Meinicke,

IStill. O. 2, 270). — *W. Isles* s. Mendaña. — *Fort W.* s. Cincinnati. — *Mount W.*, eine der höchsten Spitzen der White Ms., Alleghanies, wie auch die übr. nach den Präsidenten der Union getauft sind: Mt. Jefferson, Adams, Madison, Monroe, Quincy, neben Lafayette, Moosehillock u. a. (Buckingh., Am. 3, 215, Peterm., GMitth. 6, 265). — Ein *Cap W.*, in SVictoria, taufte Capt. J. Cl. Ross (SouthR. 1, 249) im Jan. 1841 nach seinem Freunde u. 'brother officer, for several years the able Secretary of the Royal Geogr. Society, and a zealous promoter of geographical research'. — In Grinnell Ld. *W. Irving Island*, 1854 durch Kane (Arct. Expl. 1. Carte) eingeführt, nach dem vielgereisten u. vielgelesenen americ. Schriftsteller (1783—1859).

Washita, ein Ikseitg. Zufluss des Red River-Missisipi, an dessen Ufern einst der Indianerstamm der *W.* wohnte, engl. *Black River* = schwarzer Fluss, nach dem klaren, dunkeln Gewässer, welches auf schwarzem Sandgrunde fliesst u. den Ohio an Klarheit fast übertrifft (Lewis u. Cl., Trav. 240 ff.).

Washte s. Cheyenne.

Wasilieff, Cap, die Südspitze der Kurile Poromuschir, v. Capt. J. A. v. Krusenst. (Reise 2, 201) nach dem Grafen d. N. getauft am 29. Aug. 1805.

Wasilsursk, russ. Ort am Mittellauf der Wolga, da wo diese den kleinen Fluss Sura aufnimmt, v. Zar Wasilei Iwanowitsch 1523 als Bollwerk gg. das Chanat Kasan erbaut. Der Name weist auf Lage u. Begründer (Müller, Ugr. V. 2, 314).

Wasir s. Wesir.

Wassen, unrichtig *Wasen*, Station der Gotthardbahn mitten in der grossartigsten Strecke der nördl. 'Rampe', 1365 *Wasson*, 1377 *Wassen*. Gatschet (OForsch. 103) leitet das Wort, wie den bayr. Bergnamen *Watzmann*, v. ahd. *hwas*, mhd. *waz* = spitzig, zugeschärft, steil, ab u. bezieht diess auf den steilen Hügel, auf welchem der Ort steht u. der schon die Strasse zu mannigfachen Windungen genöthigt hat. Dagegen nahm M. Wanner (Allg. Schweizer Ztg. 1883 No. 28 Feuill.) 'eine alte urspr. Form' *Wasinheim* = Heim des Waso, die jedoch urk. nicht belegt ist, an; sie verleitet ihn zugleich, die unrichtige Orth. mit *s* zu bevorzugen. Eine erste Entgegng. (ib. No. 42) zieht *ss* wieder zu Ehren, u. eine andere, v. J. L. Brandstetter (Vaterl. 1883 No. 34), bringt lauter urk. Formen mit *ss* u. wiederholt z. Erklärg. des Namens das, was schon 16 Jahre vorher Gatschet angenommen hatte.

Wasser, alts. *watar*, ahd. *wazar*, holl. u. engl. *water* (s. d.), dän. *vand*, schwed. *vatten*, isl. *vatn* (s. d.), als Grundwort in *Moerwater*, *Rotwazzer* u. *Wissenwasser*, als Bestimmgswort in *Wasserburg*, 784 *Wazzarburuc*, das eine am Bodensee, das andere am Inn, *Wasserlos*, 804 *Wazerlosum*, sowie in den alten Namen *Wazzeresdal*, *Wazarashueruia*, *Waterlandia*, *Wazzarlar* (Förstem., Altd. ON. 1562 f.). — *Wasserpolen*, die Polen des schles. Rgbz. Oppeln, bes. bekannt durch die Martetschen, d. h. Holzflösser, welche die Oder,

also zu Wasser, herabkommen (Uns. Zeit 1. Febr. 1868, 210).

Watch Point = Wacht- od. Ausschauspitze, bei Sheriff's Bay (s. d.), v. Capt. John Ross (Sec. V. 483) im Oct. 1830 getauft.

Water = Wasser, in holl. u. engl. ON. als: *a) Waterland*, eine der Inseln der nördl. Gruppe der Paumotu, durch die holl. Seeff. Le Maire u. Schouten am 16. Apr. 1616 unbewohnt gefunden (Spiegh. AN. fol. 32 ff., Beschr. 83 ff.) u. so genannt, weil sie einige Fässer Süsswasser (u. ein den Scorbutkranken heilsames Kraut) lieferte, während die vorher entdeckten Zondergrond Eilanden unnahbar gewesen waren (Garnier, Abr. 1, 64). Sie besteht eig. aus 2 Inseln, beide v. engl. Capt. Wilson, im Juli 1797, wieder entdeckt: *a) Wilson Island*, einh. *Manihi, Manhii*; *b) Peacock Island*, v. american. Capt. Wilkes 1839 nach einem seiner Schiffe getauft, einh. *Oahe, Ahii* (ZfAErdk. 1870, 388, Meinicke, IStill. O. 2, 202). — Mit holl. *water* ferner: *b) Waterberge*, einer der quellenreichen Bergzüge, aus welchen der Limpopo hervorbricht. Im schneidenden Contraste zu den 'unzähligen Flüsschen' des Hochlandes steht das quellenarme Tiefland, dessen Gewässer oft nur aus einer Reihe v. Tümpeln bestehen (Merensky, Beitr. 5); *c) Waterplaats* = Wasserplatz, ein Zufluss des Carpentaria G., getauft v. der Exp. Carstensz, welche 1623 mit den Schiffen Pera u. Arnhem hier zuerst in einem kleinen Teiche frisches Wasser fand (ZfAErdk. nf. 11, 15); *d) Waterval Bergen* = Wasserfallgebirge, in der Gegend v. Roodezand (s. d.), v. den Colonisten so genannt nach einem Giessbach, welcher sich v. hoher Felsbank herabstürzt, im Winter stark anschwillt u. dann ein herrl. Schauspiel gewährt (Lichtenst., S.-Afr. 1, 232). — *Waterford*, alt *Vadrefjord*, u. *Wexford*, alt *Weisford*, 2 Hafenplätze im Südosten Irlands, an Fjorden gelegen, gehören unter die nicht zahlr. irl. ON., welche den Einfällen der Dänen ihren Urspr. verdanken (Joyce, Orig. Ir. NPl. 1, 105 f.). — *Waterford* s. Christian. — Engl. Namen: *a) Port Waterford* s. Christian; *b) W. Gap* = Wasserriss, ein 3 km lg. Défilé des Delaware R., der hier beiderseits v. bis 480 m h. Felsenmauern eingefasst ist. 'From Easton to the Gap the landscape is diversified by broad and fertile fields, valley and hill, by bold and abrupt precipices overhanging the river, by enormous boulders that in some convulsions of nature have been detached from the neighboring hillsides and precipitated to the banks below, and by rosy farmhouses, ample barns, and orchards of fruit. The approach to the WG. is unexcelled for beauty and grandeur. The bluff on each side is bold and precipitous, and all the surroundings picturesque in the extreme. The view of the Gap from the lofty summit of Pecon's Mountain, away off to the south-east, is of itself worth the journey, and is unrivalled in scope and magnificence of landscape' (Penns. Ill. 67 f.); *c) Water Holes Creek* = Bach der Wasserlöcher, in America 2 mal, f. einen Zufluss des Bad R., dessen Wasserlöcher nur geringen Vorrath bieten (Raynolds, Expl. 23) u. f. einen kleinen Zufluss des Missuri, unth. White R., ind. *Yokeokeloke*, aus dem der engl. Name übsetzt ist (ib. 122); *d) W. Peak*, in West-Austr., v. Capt. G. Grey (Two Expp. 2, 41) am 9. April 1838 so benannt, weil seine Leute, nachdem sie lange nach Wasser gesucht, hier glückl. eine hübsche, klare Quelle fanden.

Waterhouse, Point, ein Vorgebirge bei Point Portland (s. d.), am 1. Nov. 1798 v. Lieut. Matth. Flinders (TA. 1, CXLIX, Atl. 7) benannt zu Ehren des Befehlsh. des Schiffs Reliance. Eine vorliegende, oben flache u. mässig hohe Küsteninsel nannte er *Isle W.*

Waterloo, der Name des belg. Schlachtorts, wo am 18. Juni 1815, wesentl. unter Wellingtons Mitwirkg., die Macht Napoleons dauernd gebrochen wurde, kann unter geogr. Namen, die z. Erinnerg. der engl. Siege ertheilt werden, nicht fehlen. Es gibt einen *Mount W.* (s. Nelson) u. eine *W. Bay* (s. Wellington).

Watson s. Gallowa.

Watzmann s. Wassen.

Waube s. Komadugu.

Waucarda s. Bear.

Waveren s. Rood.

Waweatonong s. Detroit.

Waxel, Cap u. *Cap Khitroff*, 2 Landvorsprünge der Beringsinsel, benannt z. Andenken der russ. Officiere, welche unter Bering 1741/42 hier überwinterten u. so heldenhaft bei der kranken Mannschaft aushielten (Lauridsen, VBering 156, Carte 3).

Wayne, Fort, eine Station der Bahn Chicago-Pittsburg, benannt nach dem unter Washington gestandenen americ. General Anthony *W.* (Cent. Exh. 34), der an der Confl. v. StMary's u. StJoseph's R., nachdem er schon 1794 die Indianer gründl. übwunden hatte, ein Fort anlegte u. es 1814 erneuerte (Hertha 9, 51).

Wearmouth, ags. *Wierimutha*, 2 engl. Orte bei Sunderland, zu beiden Seiten der 'Mündg. der Weare', das lkseitige, aus einem Kloster entstanden, *Monks W.*, als den Mönchen gehörig, das rseitge *Bishops W.*, als der v. Bischof Benedict ggr. Ort (Camden-Gibson, Brit. 2, 138).

Weary Bay = besch verliche Bucht, in Queensl., v. Lieut. Cook so benannt, weil er hier am 11. u. 12. Juni 1770 unter Angst u. Beschwerden festgehalten wurde (Hawk., Acc. 3, 149).

Webster, Cape Daniel, bei Peabody Bay, i. J. 1853 durch den americ. Polarf. E. K. Kane (Arct. Expl. 1, Carte) benannt, ozw. zu Ehren seines Landsmanns, des 1782 geb. u. 1852 † Staatssecretärs gl. N.

Wedan, Banju = warmes Wasser, bei den Malajen der Nicolas Bay, Bali, eine Bucht, an deren Ostende eine 46—48⁰ C. warme, z. Flutzeit unter Wasser stehende, schweflige Quelle durch Korallenriffe empordringt (Peterm., GMitth. 10, 146).

Weddel's Bluff, ein Vorsprg. am patagon. Rio Sa. Cruz, getauft v. der Exp. Fitzroy (Adv.-B. 2, 340) im Apr. 1834 nach dem unternehmenden

Seef. d. N., welcher ebf. auf der südl. Halbkugel sich ausgezeichnet hatte. Capt. James *W.* (Voy. SouthP.) ist 1822/23 mit den Schiffen Jane u. Beaufoy nach Falkland, SShetland, SOrkneys, SGeorgia u. v. hier bis üb. 74⁰ SBr. vorgedrungen, 180 naut. miles weiter, als vor ihm jemand gekommen war.

Weddewarden s. Weide.

Wedge Island = Keilinsel, in Gambiers Is., nach ihrer Gestalt benannt v. Capt. Matth. Flinders (TA. 1, 138) am 24. Febr. 1802. Als dann im Apr. die frz. Exp. Baudin an Ort u. Stelle kam, taufte sie, z. Verherrlichg. neuerworbenen Kriegsruhms, die 'eine unermessliche Fischangel vorstellende Hauptinsel' *Ile Marengo* (Péron, TA. 1, 273).

Weeks' Reef, eine Riffklippe im Osten v. Kiusiu, Japan, benannt nach ihrem Entdecker R. *W.* Südl. dav. auch eine *Insel W.* (Krus., Mém. 2, 30).

Weenen = weinen, schreien, holl. ON. in Natal, nach der Metzelei, welche anl. des Ueberfalls des Boerenlagers durch den Kafirhäuptling Dingaan 1838 hier vorfiel (PM. 1, 284). Es wurden zuerst bei der Hptstadt Dingaans etwa 100, dann am Blauen Kranzflusse 600, Jung u. Alt, gemetzelt (Merensky, Beitr. 156). — *Weeping Water* s. Eau.

Wehl s. Wald.

Weichsel, Flussname, plattd. *Wiessel*, poln. *Wisla*, röm. *Vistula, Vistla, Visculus* (Plin., HNat. 4, 100), ist noch immer nicht befriedigend erklärt: aus altpreuss. *isla* = Fluss (Laxm., Sib. Br. 4, Fischer, Sib. Gesch. 1, 433), aus poln. *wisla* = hängendes Wasser, v. den starken Katarakten des Oberlaufs (Brandstäter, Weichs. 1855), v. *Wizlawa*, in dem F. Neumann (NPreuss. Prov. Bl. 6, 411 ff.) einen PN. vermuthet. Für kelt. Bezug sprach Mahn (Etym. Unt. 48), indem er an ir.-gael. *uisg, uisge* = Wasser, Fluss erinnert u. in einem 'übschwemmenden od. auch flutenden Wasser' glaubt, 'die regelrechteste u. bedeutsamste Erklärg.' des Namens gefunden zu haben . . . f. diesen Fluss 'sehr passend', da die fruchtb. Niederung unth. Marienwerder den verheerendsten Uebschwemmungen ausgesetzt sei. Auch aus dem Deutschen sind Erklärungen versucht: H. Müller (Mark. Vaterl. 127) erinnert an altn. *quisl* = Zweig, Flussarm, u. Förstemann (Deutsche ON. 134, Altd. NB. 1575) nimmt *W.* (wie Weser) f. 'Westfluss', da beide den Deutschen auf ihrer Wanderg. aus Osten viell. lange Zeit hindurch Westflüsse gewesen. Ort: *Weichselmünde* (s. Gmünd), im 9. Jahrh. *Wislemûdha* (Förstem., Altd. NB. 1575).

Weide, im Sinne v. salix, ahd. *wida*, ist in ON. häufiger als ahd. *weida* = pastus, pascua, aber nicht mehr überall v. dem zu scheiden, was zu ahd. *witu*, ags. *vudu* = lignum, Holz, gehört. *Wida*, j. *Wiedbach*, ist zunächst Flussname in der Grfsch. *Wied a/Rh.*, *Widaha*, j. *Wyden* u. *Weidach*, wiederholt, *Widehowe*, ein Wald, *Widewarde*, j. *Weddewarden*, *Widenaha*, j. *Weidenau*, *Widimbach*, j. *Weiden-* u. *Weidelbach*, *Widenstuda*, j. *Weidenstauden* u. a. m.

(Förstem., Altd. NB. 1585 ff.), wo auch 23 alte ON., mit unserm Wort als zweitem Element, aufgeführt sind. — Zu ahd. *weida* stellt Verf. nur 4 od. 5 solcher Formen, ferner den alten FlussN. *Weitaha*, j. *Weida*, auch *Weidahaburg* u. *Weidenbrunnen.* Hierher gehört auch *die Letzte Weid*, ein grüner Rasenplatz des höhern Glärnisch, rings umgeben v. Gletschern u. rauhem Felsgebirge, gelegentlich Aufenthaltsort v. Gemsen, noch einige Blüthenpflanzen hervorbringend (Gem. Schweiz 7, 612).

Weierbach s. Bach.

Weihegat s. Hindeloopen.

Weihnachts-Hafen nannte der russ. Lieut. v. Kotzebue (Entd. R. 2, 49) am 7. Jan. 1817 einen Ankerplatz der Gruppe Romanzow, Radack, weil er, dem alten Stil nach, die Weihnachten 1816 dort zugebracht hatte.

Weil s. Wyl.

Weimar, im 10. Jahrh. *Wimari*, ON. in Thüringen, nicht erklärt, sofern man nicht mit P. Cassel (Thür. ON. 2, 42 ff.) an einen weichen Moorgrund denken will (Förstem., Altd. NB. 1612).

Wein, ahd. *win* = vinum, holl. *wijn*, dän. *vijn*, schwed. *vin*, engl. *wine*, in alten ON. öfter: *Winbach*, Fluss bei St. Goar, *Winperch*, in Illyrien, *Winipura*, j. *Wimbern*, in Salzburg, *Winfeld*, j. *Weinfeld*, unw. Trier, *Winigartin*, j. 3 mal *Weingarten*, *Winheim*, j. *Weinheim*. in Rheinhessen, *Windorf*, j. *Win-* u. *Weindorf* u. a. (Förstem., Altd. NB. 1612 ff.). — *Weinland*, entspr. dem frz. Vignoble, f. die weinreiche Gegend zw. Winterthur u. Schaffhausen. — *Weinzierl*, *Weinzirl*, *Weinzerl*, Orte in NOest. u. Kärnt., v. ahd. *winzuril*, bayr. *weinzürl*, s. v. a. Winzer (Förstem., Altd. NB. 202). — Manche anklingende Formen, wie *Weinsheim*, *Weiningen* etc., führen dagegen auf einen PN. desselben Stamms. — Holl. *Wijnen-Brood* = Wein u. Brot, ein schönes Feld, nahe der Capstadt, welches 'wg. seiner Fruchtbk. den Namen trägt' (Kolb, VGHoffn. 204).

Weinitz s. Vino.

Weiss, ahd. *hwiz*, holl. *wit*, dän. *hvid*, schwed. *hvit*, engl. *white*, als Farbenname häufig z. Bezeichng. geogr. Objecte, namentl. Bäche, Berge, Felsen, Inseln, wie *Wizaha*, in Baden, *Wizinpach*, j. *Weissenbach*, wiederholt, *Wizenberc*, in Rheinhessen, *Wizanbrunn*, j. *Weissenborn*, an der Ruhla, in Hannover, *Wizanburg*, j. *Weissenburg*: a) bei Eichstädt, b) bei Querfurt, c) in der Pfalz, d) in Ungarn, *Stuhl-Weissenburg*; ferner *Wittenfeldt*, j. das *weisse Feld*, *Wyzinvels*, j. *Weissenfels*, bei Merseburg, *Wizenheim*, j. *Weissenheim*, unw. Worms, *Wizenchirichen*, j. *Weissenkirchen*, bei Eichstädt, *Wisswasser*, j. *Weissbach*, in SMeiningen u. a. m. (Förstem., Altd. NB. 1634 ff.). Wir erwähnen ferner a) *Weissach* (vgl. Lütschinen); b) *Weissbach*, f. einen oft schmutzigweissen Quellarm der Sittern, Appenzell, dem *Rothbach* u. der *Schwarzach* nahe, u. an dem 'weissen Bache' das *Weissbad*; c) *Weisswasser* (s. Elbe), der Abfluss des Viescher-Gletschers, 'ein grauweiss getrübtes Glet-

scherwasser' (GMeyer v. Kn., Erdk. Eidg. 2, 317); d) ein *Weisser Berg*, 2 gipflig, gg. 1000 m h., am spitzb. Helis Sd., gleich seinem Nachbar, dem Steinhauser Berg, 'mit immerwährendem Schnee bedeckt', v. der schwed. Exp. 1864 getauft (PM. 17, 180 T. 9), trägt 'seinen Namen ganz mit Recht; denn auch nicht eine einzige schneefreie Stelle war darauf sichtbar' (Erg. Heft 28, 49). — Zahlr., bes. in den Alpen, sind die *Weissenstein* (s. Albus u. Wilhelmshöhe), auch ein weisser Gipfelfels des Jura obh. Solothurn (Gem. Schweiz 10, 28) u. in Hessen (s. Wilhelmshöhe), *Weisshorn*, gern in der Nähe eines 'Schwarzhorn' od. 'Rothhorn' (s. d.), mehrf. in Graubünden (Gatschet, OForsch. 164), auch in Wallis, einh. *Vysshorn*, (Fröbel u. Heer, Mitth. 272, Fröbel, Penn. A. 147), *Weisskamm*, ein breiter, ganz mit weissem Gestein übsäeter Gebirgsgrat der st. gall.-graub. Grenze (Gem. Schweiz 7, 659), *Weissmönch* (s. Mönch), *Weisse Frau* (s. Frau), *Weissgrat* (s. Blanche), *Weissspitz* (s. Bianco), *Weissmeil*, in Glarus, im Ggsatz zu *Spitzmeil*, mit einer bedeutenden Oberlage v. Kalk, die sich v. 2400 m an in den schönsten Gyps verwandelt hat (Fröbel u. Heer, Mitth. 289). — Ferner a) *Weisse Berge*, die Dünenzüge der Kurischen Nehrg. (ZfAErdk. 1871, 77); b) *Weissenburg* s. Karlsburg u. Belgrad; c) *Weisses Cap*, in Schantar, die Ostspitze der Insel Feklistow, 'probablement à cause des rochers blancs dont elle est formée' (Krusenst. Mém. 2, 5 ff.); d) *Weisse Insel*, 'die weisseste der in der Rogatschew Bay, NSemlja, liegenden Inseln', v. der öst.-ung. Exp. Wilczek im Aug. 1872 fixirt, nachdem sie schon früher benannt worden war (Peterm., GMitth. 20 T. 16, H. Höfer 17. Febr. 1876). — *Weisses Meer*, 2 mal: a) im Eismeer s. Bjeloje; b) die östl. Theile des Mittelmeers, etwa das *Levantische Meere* unserer Bücher u. Carten entspr., früher auch mit Inbegriff des ägäischen, wie denn 1740 der Homannsche Atl. 30 dort *Mare Aegaeum* hodie *Album* übsetzt, ngr. Ασπρη θαλασσα, türk. *Ak Deñis*, arab. *Bahr Sefid* (s. Safed), ital. *Mar Bianco*, alles mit gl. Bedeutg. (Marsilii, Osserv. 30).

Weissner, 1114 u. 1384 *Wissener*, 1341 *Wysener*, 1466 *Wiessener*, übh. in sämmtl. Urk. des Mittelalters mit *W* anlautend, frühestens seit ca. 1550 aus Missverständniss in Drucken u. Carten, j. aber gew., *Meissner* od. gar *Meisner* (Stielers Hd. Atl. 1859 No. XXII) genannt, das Hpt. einer hess. Gebirgsgruppe zw. Werra u. Fulda. Den alturk. Formen entspricht noch j. zu beiden Seiten des Berges dial. *Wissenér* — mit kurzem *i*, weil in hess. Dial. fast alle mhd. *î* kurz wurden. *W.* ist eine Locativform mit der Bildungssilbe *ári*, *aere* (Grimm, DGramm. 2, 125 ff.), also *úf* od. *ze den Wizenaere* == auf dem weissen scil. Berge, 'weil er noch mit Schnee bedeckt zu sein pflegt, wenn die niedern Berge u. Fluren ringsum grünen' (Daniel, Hdb. Geogr. 3, 391). Die versuchte Deutg. 'Wiesenberg' ist sprachl. unmöglich u. sachl. keineswegs angemessen (nach briefl. Mitth., Cassel 29. Nov. 1892, v. Fr. Seelig, v. dem eine eingehende Besprechg. dieses Namens zu erwarten ist).

Weisstannen, Ort des *W.-Thals*, C. St. Gallen, wo, der Sage zuf., die v. Calfeusen Eingewanderten, thalab vordringend, f. den Kirchenbau die Stelle der grössten Weisstanne erlasen, den *Kirchenkopf.* Noch 'vor einigen Jahren', schreibt mir Pater Foffa, 5. Mai 1869, sei der Stock jener Weisstanne hinter dem Hochaltar zu sehen gewesen, durch eine Kirchenreparatur aber verdeckt worden.

Welcker s. Wyman.

Welcome = Willkommen *a)* engl. *Roe's W.* s. Roe; *b)* holl. *Welkomst Bay,* eine Bucht Java's, in der durch ihre Strömungen schwierigen Sunda Str. (Junghuhn, Java 1, 58); *c)* schwed. *Välkommans Kulle,* der höchste Punkt, *kulle,* des berühmten Eisenerzbergs v. Gellivara (Pettersson, Lappl. 123).

Weld Spring, eine prachtvolle Quelle, *spring,* in der grossen Spinifexsteppe West-Austr., entdeckt durch die Reisenden Gebrüder Forrest 1874 u. benannt nach F. A. *W.*, '... unserm Gouv., der die Erforschg. des Landes so sehr begünstigt hat' (PM. 21, 412). — *Mount W.* s. Malcolm.

Welda s. Walen.

Weleti s. Lutici.

Welikij, besser *wjelikij* = gross, russ. Wort, poln. *wjelki,* čech. *velky,* slow. *velik,* serb. *velji,* oft mit Eigennamen (s. Ustjug u. Nowgorod), oft mit ausgedrücktem od. untererstandenem Gemeinnamen wie *Welika Rejka* = grosser Fluss, der montenegrin. Zufluss des See's v. Skutari (Sommer, Taschb. 10, 236) od. *Welikaja a)* s. Ngojjau, *b)* s. Peipus. — Häufiger ON. *Velika, Veliki, Velka,* ferner slow. *Velka Kappa* = grosse Kuppe, der Culm des Bacherngebirgs, Steierm., čech. *Welehrad* = 'Mecklenburg', in Mähren, davon dim. *Welehradek,* in Böhmen (Umlauft, ÖUng. NB. 258. 270). — *Wiligrad* s. Mecklenburg.

Wellesley's Islands, im Carpentaria G., v. Capt. Matth. Flinders (TA. 2, 159) am 7. Dec. 1802 untersucht, während die holl. Carten den Landvorsprg. als *Cap Van Diemen* (s. d.) bezeichneten. Getreu seiner Pietät f. ältere Ansprüche, hätte Flinders den holl. Namen auf die Inselgruppe übtr.; allein 'Van Diemen' wiederholt sich in Austr. schon zu häufig. So benutzte er denn den Anlass, dem berühmten Staatsmann Richard Colley, Marquis of *W.* zu Ehren, sowohl die Gruppe als die Hptinsel zu taufen, letztere *Ile Mornington,* da der Viscount *W.* auch Graf v. Mornington war. 'I have taken this opportunity of indulging my gratitude to a nobleman of high character and consideration; who, when governor-general of British India, humanely used his efforts to relieve me from an imprisonment which was super-added to a shipwreck in the sequel of the voyage'. Die mal. Schiffer, 'Macassar People', welche den Carpentaria Golf zu besuchen pflegen, nennen die Gruppe *Pulo Tigra* = die drei Inseln **(Stokes,** Disc. 2, 356). — *W.,* ein Distr. bei Pulo

Pinang, den der Raja v. Queda 1800 den Engländern um 2000 span. Thaler, etwa 10750 Fres., abtrat (Crawf., Dict. 331).

Welley s. Traverse.

Wellington Channel nannte 1819 zu Ehren des dam. hochgefeierten Siegers v. Waterloo (18. Juni 1815), 'after his Grace the Master-General of the Ordnance', der engl. NWf. Will. Edw. Parry (NWPass. 51) den v. ihm entdeckten, 8 leagues br., dam. eisfreien, v. der Barrow Str. nach Norden führenden Canal. 'The arrival off this grand opening was an event for which we had long been looking with much anxiety and impatience; for, the continuity of land to the northward had always been a source of uneasiness to us, principally from the possibility that it might take a turn to the southward and unite with the coast of America'. — Ebenso *b) W. Range,* ein Bergrücken der Nordküste NHollands, benannt v. Capt. Ph. P. King (Austr. 1, 64) am 27. März 1818; *c) W. Strait,* bei King Williams Ld., durch die Exp. des Capt. John Ross (Sec. V., Carte) 1829/33; *d) Cape W.* u. *Waterloo Bay,* beide bei Wilson Prom., v. Capt. Stokes (Disc. 2, 431) am 18. Juni 1842, als am Jahrestage der erwähnten Schlacht, 'the anniversary of one of the greatest triumphs ever achieved by British arms'.

Wells Reef, im Korallen M., entdeckt am 17. Aug. 1791 durch die Fregatte Pandora u. benannt nach dem Matrosen, welcher die Gefahr zuerst erkannt hatte (Krus., Mém. 1, 92, Meinicke, IStill. O. 1, 160).

Weino Dauba = Teufelsschlucht, v. lit. *welnas* = Teufel u. *dauba* = Schlucht, Name einer vielverzweigten Schlucht am rechten Ufer der Jura, eines Zuflusses der Memel. Die Schluchten sind bei den Umwohnern verrufen (Gisevius, Volkss. 19).

Welsh s. Walen.

Welsow s. Lutici.

Weltevreden = wohlzufrieden, eine der gesundern, nur v. Europäern bewohnten Vorstädte Batavia's, 1808 angelegt v. holl. GGouv. Daendels, der die übflüssig gewordenen Befestiggswerke abtragen liess u. die neue Anlage z. Mittelpunkt des mod. Batavia ausersah (Meyer's CLex. 2, 663).

Wencke s. Bernhard.

Wenden od. *Winden,* v. *Winidá,* der allg. german. Name der Slawen, als Grundwort in altd. ON. (15 Beispiele in Förstem., Altd. NB. 1617 f.), aber ozw. auch als Grundwort häufig, doch oft bloss auf eine einzelne Person, nicht auf wend. Ansiedelg. zu beziehen (s. Würm). Zu diesen letztern gehört *Wendland,* eine Ldsch. in Hannover, 'Land der *W.*', welche Karl d. Gr. v. rechten Elbufer in die Gegend des Arendsees, die j. Altmark, führte u. welche sich v. da westlich bis ins Lüneburgische ausbreiteten (AAWeltth. 4, 105).

Wéndu od. *Winde* = Teich, See, bei den Tuareg die im Reich Gando gelegene Stadt Dore, nach dem sehr ansehnl. Wasserbecken, welches sich beinahe allj. hart an der Westseite des Ortes bildet (Barth, Reis. 4, 296).

Wenersee s. Venern.

Wengen s. Wangen.

Weniska Sepi = die eigentlichen Leute nennt sich der Indi......erstamm im Innern des sonst v. Eskimos bewohnten Labrador (PM. 9, 126). Die Geringschätzg., welche sich in diesem Namen ggb. den Eskimos ausdrückt, findet sich wieder in der Bezeichng. *Skrällinger* = Abschnittsel (v. Menschen); so sprachen die Normannen Vinlands v. den Eskimos.

Wennemoa s. Russen.

Wentzel's River, ein Fluss des arkt. America, v. Capt. John Franklin (Narr. 366. 208) am 24. Juli 1821 nach einem seiner Gefährten, Frederick *W.*, Clerk of the North-West Co., benannt.

Wenuaette = kleine Insel, anderer einh. Name f. Okatutaia, eine der ausfr. Cooks In., weil sie viel kleiner ist als die benachbarte Wateu (Krus., Mém. 1, 15 ff.).

Werba s. Verba.

Werblushia Gora = Kamelberg, russ. Name eines eigenth. gestalteten Bergs bei Osernaja, obh. Orenburg. 'Sein aus 2 Kuppen bestehender Gipfel, die durch einen flachen Sattel verbunden sind, hat in der Ferne Aehnlichk. v. einem Kamelrücken; daher der Name' (Bär u. H., Beitr. 14, 3). — Aehnl. *Werbliud* (s. Beschtau).

Werchni Ostrow = obere Insel (vgl. *Vrh*), russ. Name des obersten Eilandes in einer Gruppe des Pleskauer-Sees (Bär u. H., Beitr. 24, 43). — Ebenso *Werchnaja* (= obere) *Tajbola*, im Ggsatz z. *Nischnaja* (= unten) *T.*, 2 jener wüsten Landstriche, welche, wenig- od. unbewohnt, v. einer Communicationsstrasse durchschnitten, im Archangelschen mit dem (wohl finn. od. syrj. Namen *tajbola* bezeichnet werden (Schrenk, Tundr. 1, 88). Das russ. adj. '*ober*' oft zgesetzt mit Eigennamen wie Angara, Buchtarma, Lena, Tura (s. dd).

Werda s. Brda.

Werd u. *Werder*, v. ahd. *warid* = Insel, als Eigenname f. einen Inselort der Havel (Meyer's CLex. 8, 658) u. f. eine Insel des Rheins (s. Stein), als Bestandtheil in vielen ON., wie *Marienwerder*, *Heiliges W.*, im Geserich-See, *Donauwörth* (s. Donau), *Kaiserswerth* (Passarge, WDelta 184. 339). Altdeutsche ON., die auf den Stamm *varid* ausgehen, zählt Förstem. (Altd. NB. 1554) an 40 auf, v. der Insel *Wörth, Werd* (s. Schönewerd), *Werth, Wehrden*, 13. Auch *Werden* an der Ruhr, als Kloster *Wirdinna* 799 ggr., wird hier eingereiht, sowie die Kirche *Maria Wörth*, am *Wörther-See*, Kärnt. (Umlauft, ÖUng. NB. 279).

Werdenberg = Burg des Werdo, ein ehm. Dynastensitz im st. gall. Oberlande, durch Uebtragg. auch das der Burg sich anschliessende Städtchen u. dann die ganze Ldsch., welche v. Schollberg bis zu den Vorbergen des Kamor sich erstreckt (Pupikofer, briefl. Mitth.).

Werfhem s. Antwerpen.

Wermatswyl s. Wyl.

Werner Mountains, eine hohe Bergkette in Ost-Grönl., v. engl. Walfgr. Will. Scoresby jun., North.

WF. 272) am 14. Aug. 1822 entdeckt u. nach dem berühmten Geologen *W.* getauft. — *W.'s Creek*, 2 Flüsse in NAmerica: *a)* ein linkseitgr. Zufluss des Missuri, v. den Captt. Lewis u. Cl. (Trav. 155) am 9. Mai 1805 getauft nach einem ihrer Gefährten; *b)* ein Zufluss des Cokalahishkit-Columbia, ebenso auf dem Rückwege am 5. Juli 1806 (ib. 589).

Wernigerode, der Harzerort, in welchem Förstemann sein grosses Namenwerk vollendete, ist in diesem ungenannt, da alturk. Formen sich nicht finden. Die Erklärung ist also auf Vermuthungen u. Analogieen verwiesen. Im Bestimmungswort suchte Cyr. Spangenberg (Mansf. Chron. 28, Querf. Chr. 10) die *Varini, Werini*, die einst in Schleswig-Holstein, sowie in der Nähe der Havel u. Elbe sassen (Plin., HNat. 4, 14, Tacit., Germ. 40 u. a.), dagegen Eust. Frdr. Schütze (Wernig. Progr. de vocis *W.* 1724), da er 'nicht finden konnte, wie die Verini in den Harz komen wären', den PN. *Warning, Warnigke*, den Namen des angenommenen Gründers. Dieser Ansicht schliesst sich auch der Sohn, Gottfr. Schütze, an, der 1735 als 16jähr. Gymnasiast eine Heimatkunde des Ortes schrieb (Versuch einer histor. Beschreibg. d. Grafsch. *W.*, MS. 391 pp. in 4°, erhalten in der gräfl. Stolberg. Bibliothek). Er verzeichnet 30 Harzer ON. auf -*rode* u. findet darin, unter Berufg. auf 4 ältere Autoren wie unter Bezugnahme auf den schweiz. Ausdruck *Roden*, die Bedeutg. ausroden, reuten, novale = Neubruch. Wenn wir nun sehen, wie Förstem. (Altd. NB. 1557 ff.) dem erwähnten Volksnamen eine Reihe Bildungen mit PN. anschliesst: *Werninethorp, Werinpertivilare, Wieringerinchusen ...,* 'die wahrsch., wenigstens theilw., zu jenem Volksnamen gehören', so sind unsere alten Gewährsmänner wohl kaum weit ab der richtigen Fährte.

Wernoje = die zuverlässige, ein Fort in russ. Central-Asien (PM. 5, 120), früher *Almaty* = Apfelort (s. Almali), 1854 ggr. u., wohl gleichzeitig mit der Erhebg. z. Bezirkshptort am 16. Nov. 1856, neu getauft *W.*, *Wjernoje* (Bär u. H., Beitr. 24, 152 ff.).

Werra s. Weser.

Wertach s. Württemberg.

Werth s. Werder.

Wesce s. Wisla.

Weser, als Quellfluss *Werra*, lat. *Visurgis* (Tac., Ann. 2, 9), v. ahd. *Wisuraha, Wisara*, *Wisera, Wesera* od. durch Assimilation des *r* zu *Wiraha, Werraha* (wo *aha* = Wasser), welcher Name in *Werra* sich noch deutlicher erhalten hat. Die letztern Formen wurden nicht bloss f. den Oberlauf, *Werra*, sondern auch f. die *W.* selbst gebraucht, u. Adam v. Bremen sagt: *Wisara qui nunc Wissula vel Wirraha nuncupatur* — ein merkw. Satz, da in ihm 'die erste Spur bewusster Scheidg.' der beiden Formen, mit u. ohne *r*- Assimilation, liegt (Kuhns Zfvergl. Sprachf. 6, 157 f., Peterm., GMitth. 7, 111, Ausl. 1868, 511). Hinweisend auf die spätere Erweiterung, die *Westen* durch Antreten des *t* erfahren, setzt

Förstem. (Deutsche ON. 134) *W.* = Westfluss, während 'nach Müllenhoffs glücklicher Deutg.' (DAltthK. 2, 215 f.) goth. *Visuri*, gen. *Visurjôs*, auf die 'wiesenreiche od. wiesenschaffende' führt (Bl. öst. LK. 1888, 81). Noch 1743 setzt das Flusslexikon (p. 626 f.) *Werra*, 'deren Namen einige v. *wer*, *gewere* od. *gewirre* herleiten wollen, u. zwar wg. der verwirrten, schlangenmässigen Krümme ihres Laufs, u. v. dem alten kelt. Stammwort *guerra* = Krieg, dieser aber wg. des Streits u. Kampfs, welchen sie mit den andern Flüssen hat, so sie zu sich nimmt ...' Es ist wohl gut, sich solcher Annahmen zu erinnern, wenn uns der heutige Stand der Forschung noch nicht befriedigt.

Wesir, auch *Wazir*, 'Vezier' = Minister, erscheint in mehrern ON. des Orients: *a*) *W.-Köpri*, Ort am rechten Ufer des Unterlaufes des Kisil Irmak, urspr. *Karakede*, dann nach der Holzbrücke, türk. *köpri*, welche üb. einen der beiden dortigen Zuflüsse des Halys führt, *Köpri* = Brugg, später, als Mohammed, der Enkel eines eingewanderten Arnauten, im Alter v. 70 Jahren z. Würde des Grossveziers gelangte u. den Zunamen Köprili, nach dem Vaterort, annahm, v. ihm durch Bauten verschönert u. dann mit dem j. Namen belegt — z. Unterschied v. *Tasch-Köpri* = Steinbrücke in Paphlagonia (Hammer-P., Osm. R. 6, 3). — In Indien arab.-pers. ON. *a*) *Wasirabád* = des Ministers Stadt; *b*) *Wasirpur*, ebenso; *c*) *Wasirgándsch* = des Ministers Markt, 3 mal, u. *Wasirgárh* = des Ministers Veste (Schlagw., Gloss. 257).

Wesley s. Fonua.

Wessex s. West.

Wessprim s. Beozprem.

West, schon altd. f. occidens, wie engl. *west*, adj. *western*, holl. *westen*, nord. *vest* (s. d.), in vielen germ. ON., auch mit Wurzel *vis*, so im 5. Jahrh. *Wisigothi* = Westgothen, mit der ältern Nebenform *wisar*, die wohl dem erweiterten *westar* z. Seite ging, ozw. in *Weser* (s. d.). Ein einfaches *vest* findet Förstem. (Altd. NB. 1575 ff.) in *Vistula* (s. Weichsel), *Westfalen* (s. Falen), mehrere Orte *Westheim*, *Westhofen* u. a., ein erweitertes *vestan* in *Westerfeld*, *Westerbüren*, *Westergau*, *Westerheim*, *Westerhausen*, *Westerwald* etc.; ferner *a*) *Westöver* s. Hannover; *b*) *Westende* s. Ostende; *c*) *Westmänner Inseln* s. Vest; *d*) *Westmeer* s. Mittelmeer. Auch schwed. ON. erscheinen hier *a*) *Westerås* s. Upsala; *b*) *Westerbotten* s. Botten. — *Westpünt*, Cap in St. Thomas, Jungf. In. (Oldend., Gesch. Miss. 1, 47).

West, in engl. ON., voraus *Westend*, der westl. Stadttheil Londons (s. Eastend), mit der Abtei u. Kirche *Westminster*, wo auf der ehm. Flussinsel Thorney der sächs. König Sebert im 7. Jahrh. die Kirche baute, dann die Abtei u. ein Stadtquartier, 1097 der *Westminster Palace* hinzukam. Die Kirche ist die vornehmste aller Londoner Kirchen u. enthält ungemein viele Denkmäler: f. See- u. Kriegshelden, Staatsmänner, Gesetzgeber, Geschichtschreiber, Entdecker, Erfinder, Philo-

sophen, Theologen, Dichter, Componisten, Maler, Bildhauer etc. (Meyer's CLex. 10, 926; 15, 721). Nach der Formähnlichk. *Westminster Hall*, zwei Inseln: *a*) in der Magalhães Str., v. John Narborough 1670 'from its resemblance to that building in a distant view' (Hawk., Acc. 1, 313); *b*) im Arch. Mergui, v. Capt. Th. Forrest am 22. Juli 1783 (Spr. u. F., NBeitr. 11, 184). — *New Westminster*, in Brit. Columbia, im März 1859 ggr. als *Queensborough* = Flecken der Königin (Meyer's CLex. 11, 1043). — *Wessex*, zunächst *Westsex* = West-Sachsen (vgl. Essex etc.), eines der 7 ags. Reiche, umfassend die j. Landschaften Cornwall, Devon, Dorset, Wilts, Berks, Hants, die Insel Wight u. Surrey, ggr. v. Kerdik, der 494 mit seinem Sohne Kenrik landete, nach u. nach so erstarkt, dass Egbert 827 alle andern damit vereinigte (ib. 15, 710). — *W. Cape*, 2 austr. Vorgebirge: *a*) die Südwestspitze NSeel., v. Cook am 13. März 1770 getauft (Hawk., Acc. 2, Carte; 3, 21); *b*) die Westspitze der Lord Auckland I., auch *Cape Bristow* (Meinicke, IStill. O. 1, 349). — *W. Channel*, 2 austr. Gewässer: *a*) eine Durchfahrt bei Arnhem's Ld., auf der Westseite eines grossen Riffs, v. Capt. Stokes (Disc. 2, 29) im Sept. 1839; *b*) s. unten. — *W.-Arm Hill*, ein Vorsprung des *Broad Mountain* = breiten Bergs, v. Flinders (TA. 2, 23, Atl. 10 Carton) am 10. Aug. 1802 erstiegen, um die Gestalt des westl. Arms der Keppel Bay zu übschauen. — *W.-Island*, nebst *South W.-, North-* u. *Centre-Island*, in Pellew, v. Commodore Matth. Flinders (TA. 2, 166, Atl. 14, Carton) am 17. Dec. 1802. — *W.-Water Head*, ein Vorgebirge am westl. Arm des Port Bowen, ebf. v. Flinders (TA. 2, 37), am 20. Aug. 1802 getauft. Endlich *a*) *W. River* s. Hudson; *b*) *River of the W.* s. Oregon.

Westall, Mount, bei Shoalwater Bay, v. Flinders (TA. 2, 42) am 26. Aug. 1802 so benannt nach dem Landschaftsmaler seiner Exp., *W.*, welcher v. diesem Punkte aus eine Ansicht der Bay u. der Inseln aufnahm. — Ebenso *Point W.*, ein zieml. hohes Vorgebirge in Süd-Austr., am 5. Febr. 1802 (ib. 1, 111), bei der Exp. Baudin im Febr. 1803 *Cap Fernel*, nach dem frz. Arzte Jean *F.*, der 1525 die erste mitteleurop. Breitengradmessg., Paris-Amiens, vorgenommen hatte (Péron, TA. 2, 86).

Western, adj. des engl. *west*, uns geläufig durch die *W. Islands* (s. Hebrides), mehrf. in austr. ON. wie *W. Reef a*) im Tamar, Tasm., als im *Western Channel* (s. Middle) gelegen (Stokes, Disc. 2, 475); *b*) in Chatham Is., als Ggsatz zu *Eastern Reef* = dem östlichen Riff (Krus., Mém. 1, 13 ff.), ferner *W. Port*, eine Hafenbucht bei Port Phillip, v. G. Bass am 4. Jan. 1798 entdeckt u. so benannt 'from its relative position to the hitherto known parts of the coast' (Flinders, TA. 1, CXIII, Atl. 6).

Weston's Portland, Lord, einer der letzten Landvorsprünge, welche Capt. Luke Fox im arkt. Fox Ch. taufte, am 20. Sept. 1631 (Rundall, Voy. NW. 182), nach einem der 'Lords of the Admiralty, to whom Fox considered himself indebted for the furtherance of his undertaking' (ib. 185). Forster (Nordf. 423) fügt hinzu, dass das Cap überdiess auch wirkl. eine Aehnlichk. mit der Spitze v. Portland, am engl. Canal, habe. — Offb. dems. Lord zu Ehren hatte Capt. James (NW Pass 37) am 7. Sept. gl. J. eines der Eilande der James Bay getauft: *W.'s Island*, j., da ihrer 4 sind, im plur. *W.'s Islands* (Rundall, Voy. NW. 190, Barrow ed. Coats 59).

Wetliansk s. Gratschewsk.

Wetterau, die Ldsch. an der Wetter, einem oberhess. Zuflusse des Main, volksetymol. umgebildet aus *Wedereiba* = Gau an der Wetter — einer Form aus dem 8. Jahrh. (Förstemann, Deutsche ON. 103).

Wetterhorn, das grösste der *Wetterhörner*, die vollkommenste u. schönste Pyramide der Berner Alpen, 'verhüllt fast immer das Hpt in Wolken u. dient den Einwohnern als Wetterverkündiger' (Ebel, Anl. 436). — Aus dem *Wetterloch*, einer Höhle bei Aussee, steigen bei jedem Witterungswechsel Nebel auf, u. v. den *Wetterlöchern* des Oetscher erzählt die Sage, dass sofort, nachdem Steine hineingeworfen werden, Wolken sich häufen u. entladen (Umlauft, ÖUng. NB. 272).

Wettersee s. Venern.

Wetumpka = der fallende Strom, ind. Name der Stromschnellen, welche obh. Montgomery der Fluss Alabama bildet. Uebertragen auf den am Fall entstandenen Ort (Buckingh.. Slave St. 1, 262).

Wetzlar, wohl zuerst 943 *Wittlara* (Förstem., Altd. NB. 1633), 1145 *Witflaria*, 1150 *Wetflaria*, 1180 *Weteflare*, 1247 *Wetslaria*, in deutschen Urkk. *Weflar*, *Wetler*, *Wetflare*, 1342 *Wetzflar* u. dieses schon um 1360 mit *Wetzlar* wechselnd (Hantschke, Progr. 1847, 7 ff.), dachte sich der Pfarrer C. V. Vogel (Wetzl. 18..?) zsgeseszt aus *Wettifa*, *Wetz*, dem Bache, der dort in die Lahn mündet, u. *lar*, einem heil. Haine, 'wo im Heidenthum Opferflammen brannten'. Aehnl. Bildungen sind *Goslar*, 980 *Goslari*, an der *Gose*, einem Nebenfl. der Ocker, *Fritzlar* (s. d.) u. andere. Förstemann (Altd. NB. 972 f.) gibt 54 alte, auf -*lar* ausgehende ON. u. bemerkt: 'Mein Register der Namen auf -*haim*, -*hus*, -*leve*, -*dorf* etc. haben ein v. dem mitgetheilten vollständig vschied. Ansehn. Damit erkläre ich mich gg. Graff (Sprachsch. 2, 243), der -*lar* mit ahd. *gilari* = mansio in Verbindg. bringen möchte, gg. Weigand (Obhess. ON. 320) u. Meyer (Zürch. ON. 78), die denselben Sinn darin vermuthen, endlich gg. Hantschke, der wenigstens derselben Bedeut. nicht abgeneigt ist. Mit Buttmann (Deutsche ON. 8) eine Entartg. v. -*lar* aus -*lage* anzunehmen, ·scheint vollends ungehörig zu sein. Ich glaube, dass Grandgagnage (Mém. Belg. orient. 79) der richtigen Deutg. am nächsten gewesen ist, wenn er an ahd. u. alts. *lâri*, nhd. *leer* = inanis, vacuus, erinnert, u. vermuthe, dass ein substant. *lâri* eine Oede od. eine unbebaute Gegend bezeichnet habe'. Man sieht, der 'heilige Hain' ist nicht einmal der Widerlegg. werth. Der *Wetzbach*, im 9. Jahrh. *Wetifa*, dann *Wetfa*, *Wetfe*,

1383 *Wetzfe*, mit gleichnamigem Orte 1261 *Wetsa*, wird v. Hantschke p. 12 als Weissbach erklärt, v. ahd. *hwîz* = albus (s. Weiss), da der Wasserspiegel, ungleich Lahn u. Dill, bei dem Anschwellen eine eigenth. weissliche Färbg. annimmt. 'Wenn aber sofort beigefügt wird: 'Näher auf die Sache führt uns der Wetzschiefer, der in dem Thalzug des Baches gefunden wird', so gewinnt der 'Weissbach' nicht an Vertrauen.

Weyprecht, *Karl*, geb. 1838 im Odenwald, trat 1856 in die österreich. Marine u. wurde einer der tüchtigsten Polarfahrer, zuerst als Theilnehmer der 2. deutschen Nordpolexp. u. dann, gemeinsam mit Jul. Payer, Chef der öst.-ung. Fahrt 1872/74, welche Franz Joseph's Ld. entdeckte. Nach ihm sind getauft *a) Cap W.*, am westl. Eingang der Hinlopen Str., v. der Exp. Heuglin-Zeil im Aug. 1870, 'nach einem der frühesten Freunde deutscher Polarforschg.' (Peterm., GMitth. 17, 180 ff. 226. 345 T. 9); *b) W. Insel*, in Franz Joseph's Ld., v. der 2. öst.-ung. Nordpolexp. W.-Payer, 1872/74 (PM. 20 Taf. 23); *c) W.-Spitze*, ein Pic am Matotschkin Schar, durch die v. Baron v. Sterneck befehligte Hülfspartie der Polarfahrt Tegetthoff, im Aug. 1872 (PM. 20 T. 16).

Wezel's Eiland, in Nord-Austr., nach einem der beiden holl. Schiffe Klein Amsterdam u. *W.*, *Wesel*, welche, v. Gerard Thom. Pool befehligt, am 19. Apr. 1636 v. Banda absegelten (WHakl. S. 25, 75 mit Orth. *Weasel*) u. Arnhem's Land weiter entdeckten (Flinders., TA. 2, 234). Der Commandeur, mit noch 3 Personen, wurde am selben Platze, wo 1623 der Schiffer der Yacht Arnhem (s. d.) erschlagen worden, 'van de barbare inwoonders vermoort' (Tasmans Journ. 26). Die Insel erwies sich Flinders (TA. 2, 246, Atl. 14 f. mit Orth. *Wessel*) 1803 als eine Inselkette u. wurde, in Anerkeng. der holl. Prioritätsrechte, 'with a slight modification' *Wezel's Islands* genannt (Krus., Mém. 1, 57).

Whaingaroa = lange verfolgt, bei den Maori ein neuseeld. Fluss u. sein Mündgshafen, engl. *W. Harbour*. 'Bezieht sich entw. auf eine Kriegspartie, welche hier den Feind durch die tief in das Land eindringenden Meeresarme lange verfolgte, od. einf. auf die langen Meeresarme, welche sich weit ins Land hinein verfolgen lassen' (v. Hochst., NSeel. 184). — *Whakaehu* = Wasser in Bewegung, eines der kochenden Bassins u. *te Whakataratara*, eine Solfatare am Roto Mahana (ib. 278), der letztere Name nach dem zerklüfteten Ansehen der Klippen.

Whale, die, engl. Form f. Walfisch u. andere zu den Cetaceen gehörige 'Fischsäugethiere', ist durch die mod. Entdeckgsfahrten, insb. von den Polarmeeren, vielf. toponymisch verwendet worden: *a) W. Bank* s. New Foundland; *b) W. Creek*, aus ind. *Ecola* übsetzt, in Oregon, am 8. Jan. 1806 v. Capt. Clarke getauft, weil er in der Nähe einen gestrandeten Wal fand. 'The natives were all busied in boiling the blubber, in a large square trough of wood, by means of heated stones, and preserving the oil, thus extracted, in bladders and the entrails of the whale. The refuse of the blubber, which still contained a portion of oil, are hung up in large flitches, and when wanted for use, are warmed on a wooden spit before the fire, and eaten either alone, or dipped in oil, or with roots of the rush and shanataque'; c) W., Sound, auch W. Bay, bei Smith Sd., $77^1/_2^0$ NBr., v. engl. NWf. Baffin am 4. Juli 1616 nach der Menge bisher ungestörter Wale, welche die Bucht bevölkerten (Forster, Nordf. 408), 'from the abundance of whales which were seen' (Rundall, Voy. NW. 139). Capt. Ross war es 1818, der den Sund z. vermeintl. Bay schloss; Hayes taufte 1860/61 den urspr. Sund in Inglefield Golf um, nach einem Vorgänger in 1852, so dass W. Sound nur noch der verengerten südl. Einfahrt zukommt, wie Inglefields Murchison Strait durch Hayes auf die nördl. Einfahrt verschoben wurde (Peterm., GMitth. 2 T. 2; 13 T. 6). — Eine W. Bay kehrt wieder: a) in Kerguelen I., v. engl. Capt. Rob. Rhodes nach den zahlr. Walen, welche sie zu gewissen Jahreszeiten besuchen (Ross, SouthR. 1, 68). 'Walfische finden sich in grosser Menge, so dass 1843 noch 500—600 Walfgr. hier versammelt waren u. meist eine volle Ladg. erzielten' (PM. 4, 26); b) in Spitzbergen, wo der engl. Seef. Henry Hudson 1607 viele Wale sah u. einen Theil der Leine verlor, als er fischen wollte. Auch wurde sein Schiff fast umgeworfen (WHakl. S. 27, 20. 145). — Auch W. Island mehrf.: a) im Delta des McKenzie R., v. engl. Reisenden Alex. McKenzie (Voy. 215) am 14. Juli 1789 so genannt, weil sich am frühen Morgen mehrere Wale gezeigt hatten, was nebst den Fluterscheinungen den Beweis gab, dass man wirkl. den Ocean erreicht hatte; b) in den NHebrid., eine Station der Sandelholzhändler u. Walfgr. (ZfAErdk. 1874, 297); c) s. Flat. — W. Spit, ein Felsriff bei Twofold Bay, Austr., benannt nach den hier gefundenen Resten eines Wals (Flinders, TA. 1, CXLII, Atl. 6 Carton). — W. Bone Point, ein Landvorsprg. der Hudsons Bay, wohl nach Fischbeinfunden, im Middleton's V. zu Hudson Bay (Coats ed. Barow 114) erwähnt. — Whaleboat Sound, eine Seegasse an der Westseite Feuerland's, v. Capt. Fitzroy (Adv.-Beagle 1, 403) im Febr. 1830 so benannt, weil im nahen Thieves Sound eine Horde Feuerländer dem Master der Exp., Murray, das Boot gestohlen hatte. — Whaler's Harbor, span. Bahia de Saucelito, nach einem nahen Cap (ZfAErdk. nf. 4, 313), eine der Buchten der Bay v. SFrancisco. Die americ. Walfgr., whalers, welche zu Anfang des 19. Jahrh. häufig die Bay anliefen, pflegten hier ihre Boote auszubessern, Wasser einzunehmen u. sich wieder reisefertig zu machen. — Whales Point, die Südwestecke der I. Edge, Spitzb., bei Pellham (8 Engl. Greenl. 1631), also der ältesten engl. Carte Ost-Spitzb., wie an der Westseite v. Wybe Jans Water Whales Head u. Wales Bay, während, in Anlehng. an Pointe de Galles einer andern alten Carte, die Exp. Heuglin-Zeil 1870 Wales Point setzen will (Peterm., GMitth. 17, 180 ff. T. 9).

Wheatstone, Cape, im antarkt. Victoria Ld., v. Capt. J. Cl. Ross (SouthR. 1, 193) am 15. Jan. 1841 entdeckt u. nach dem Prof. W., dem Erfinder eines elektr. Telegraphen, benannt. — Anders Whetstone Butte s. Slim.

Wheeler s. Union.

Whetstone s. Slim.

Whewell s. Peacock.

Whidbey, Point, ein Felscap bei austr. Coffin Bay, am 17. Febr. 1802 v. Capt. Matth. Flinders (TA. 1, 128 Atl. 4) entdeckt u. gleich den vorliegenden W. Isles benannt 'after my worthy friend, the former master-attendant at Sheerness'. Hier taufte die Exp. Baudin am 27. April 1802 ein Cap Brune, ozw. nach dem frz. General, welcher wesentl. zu dem Siege v. Rivoli, 10. Sept. 1796, beigetragen u. den Feldzug gg. die Schweiz 1798 commandirt hatte (Péron, TA. 1, 273; 2, 84, Freycinet, Atl. 17), die Inselgruppe als Archipel Laplace (Krus., Mém. 1, 40).

Whipple, Mount, ein mächtiger, fast isolirter Felsberg am Rio Colorado, v. Capt. Ives (Rep. 60 f.) im Febr. 1858 getauft nach dem vormal. Chef, Lieut. W., unter dessen Führg. er 1853 schon die Gegend gesehen hatte (Möllhausen, FGeb. 1, 247).

Whirlpool Channel = Strudeldurchfahrt, eine enge, sehr gewundene Durchfahrt in King's Sd., Tasmans Ld., v. Capt. Stokes (Disc. 1, 166) benannt nach den heftigen Strudeln, deren erster den Leuten die Ruder aus den Händen riss u. das Boot mit beunruhigender Schnelligkeit rund herum drehte; b) von demselben, im Nov. 1839 (Disc. 2, 52) am Victoria R., Nord-Austr., Whirlwind Plains, 'an extensive and seemingly boundless plain', nach den Wirbelwinden, welche zahlr. in der Ferne wie Rauchstreifen erschienen, im Aufsteigen sich kräuselten — ein Phänomen, welches zwar in dem endlosen Ausblick dem Auge Relief gab, aber den Flussschiffern fast gefährlich worden wäre; c) W. Point, wohl ein Vorsprg., u. Big Eddy = der grosse Wirbel, im Red R. of the North, obh. Stony Fort. Der 'Wirbel', obh. des Vorsprungs, ist keine gefährl. Stelle, sondern 'like most other descriptive titles on this river', im mildesten Sinne — im Ggsatz zu dem sonst so sanften Laufe des Flusses — aufzufassen (Hind, Narr. 1, 130); d) W. Rapid, eine 'Strudelschnelle' des Gr. Fischfl., gefährl. durch Felsriffe, Sturzgänge u. Wirbel, v. G. Back (Narr. 193 f.) am 27. Juli 1834 befahren; e) W. Rapids, die Stromschnellen unth. des St. Anthony Falls; f) W. Narrows = Strudelengen, eine wilde verengerte Strecke in den Schluchten der Jellalafälle, Congo, am 8. Apr. 1877 v. H. M. Stanley (Thr. Dark Cont. 546) erreicht u. getauft. 'When near there, we perceived that the eddy tides, which rushed up river along the bank, required very delicate and skilful manoeuvring. I experimented on the boat first, and attempted to haul her by cables round a rocky point . . . Twice they snapped ropes and cables, and the second time the boat flew up river, borne on the crests of brown waves, with only Uledi and two men in her. Presently she wheeled into the bay, following the course of the eddy, and Uledi brought her in shore. The third time we tried the operation with six cables of twisted rattan, about 200 feet in length, with five men to each cable. The rocks rose singly in precipitous masses 50 feet above the river, and this extreme height increased the difficulty and rendered footing precarious, for furious eddies of past ages have drilled deep circular pits, like ovens, in shem, 4, 6, even 10 feet deep. However, with the utmost patience, we succeeded in rounding these enormous blocks, and hauling the boat against the uneasy eddy tide to where the river resumed its natural downward flow'.

Whitcombe's Pass, in der Prov. Canterbury, NSeel., v. *W.* 1863 entdeckt (Peterm., GMitth. 13, 139).

White = weiss, in vielen engl. ON. wie *a)* W. *Bay*, in Kerguelen, v. Capt. Cook am 29. Dec. 1776 nach einigen weissen Landstellen od. Felsen im Hintergrunde derselben benannt (Cook-King, Pac. 1, 71); *b)* W. *Conduit* s. Eddystone; *c)* W. *Fall*, der oberste Fall des Hill R., wohl nach der glänzend hellen Farbe der Moose u. Flechten, welche die Klippen bekleiden u. ggb. dem Düstergrün der diese krönenden Tannen stark sich abheben. 'Rocks piled on rocks hung in rude and shapeless masses over the agitated torrents which swept their bases, whilst the bright and variegated tints of the mosses and lichens, that covered the face of the cliffs, contrasting with the dark green of the pines, which crowned their summits, added both beauty and grandeur to the scene'. In der Nähe *WF. Portage* u. *WF. Lake*, in der Carte *W. Water Lake*, diess in anderer Deutg.? (Franklin, Narr. 39); *d)* W. *House*, in der Union Vulgärname des Palastes des Bundespräsidenten; *e)* W. *Island*, in der Bay of Plenty, NSeeland, einh. *Whakari*, v. Lieut. Cook am 31. Oct. 1769 entdeckt u. benannt (Hawk., Acc. 2, 325). Der 280 m h. 'Kegelberg, weithin sichtb. mit den fortwährend v. ihm aufsteigenden weissen Dampfwolken, schliesst den zweiten noch thätigen Krater NSeelands in sich' (v. Hochst., NSeel. 36), einen tiefen, nur wenig üb. M. erhabenen Krater, der einen v. Thermen, Fummarolen u. Salsen umgebenen heissen See enthält (Meinicke, IStill. O. 1, 276); *f)* W. *Isle*, eine kleine bergige Küsteninsel vor McCluers Golf, NGuinea, v. Will. Dampier am 10. Jan. 1700 so benannt, weil 'viel weisse Felsen auf selbiger sind' (Debrosses, Hist. Nav. p. 391); *g)* W. *Mountain*, ein merkw. Berg im Gebiete des Gardiner's R., trägt auf seinem breiten, flachen Rücken mehrere grosse Thermalbecken, einzelne bis 45—60 m im Dchm. Am Abhang ist er üb. u. üb. mit dem blendendweissen Kalkniederschlage der Thermen bedeckt, u. auf den Absätzen liegen grosse u. kleine 'pools', natürl. Badmulden, mit Thermalwasser vschiedd. Tempp. Dieser weisse Treppenabhang veranlasste den Geol. F. V. Hayden (Prel. Rep. 65 f.) im Sommer 1871, den Berg so zu taufen. 'At one point a large

stream of hot water, 6 feet wide and 2' deep, flows swiftly along its channel from beneath the crust . . . the temperature varies from 126 to 132⁰ (F.) . . . There is a greater quantity of water flowing from this spring than from any other in this region. A little farther above are three or four other springs near the margin of the river. These have nearly circular basins 6 to 10 feet in diameter, and do not rise above 100—120⁰. Around these springs are gathered, at this time, a number of invalids, with cutaneous diseases, and they were most emphatic in their favorable expressions in regard to the sanitary effects. The most remarkable effect seems to be on persons afflicted with syphilitic deseases of long standing . . . . After ascending the side of the mountain . . ., we suddenly came in full view of one of the finest displays of nature's architectural skill the world can produce. The snowy whiteness of the deposit at once suggested the name of *WM. Hot Springs*. It had the appearance of a frozen cascade. If a group of springs near the summit of a mountain were to distribute their waters down the irregular declivities, and they were slowly congealed, the picture would bear some resemblance in form; *h)* W. *Mountains*, eine Section der Alleghanies, mit *Mount Washington, Jefferson, Adams, Madison, Monroe, Quincy*, sämmtl. nach den ersten Präsidenten der Union, auch *Mount Lafayette* (s. d.), die ganze Abtheilg. benannt nach den weissen Felsfarbe . . . so called, no doubt, from the generally white and bare summits of the principal elevations, being composed of grey granite, and perfectly denuded of vegetation. Near their bases they are well clothed with forest - trees; higher up, the wood becomes stunted and dwarfish . . ., and above all, the white or grey summits rise in beds of naked, and broken stone . . . The views are wild and savage, rather than romantic or beautiful; and the pictures they present, are such as Salvator Rosa', rather than Claude Lorrain, would delight to paint' (Buckingh., Am. 3, 215). — W. *River*, 2 mal *a)* ein grösserer rseitgr. Zufluss des Missuri, unth. Fort Thompson, nach dem kreideweissen, thonig schmeckenden Wasser, 'well named', so dass Café, damit gemacht, durch Zuguss v. Milch Farbe u. Geschmack wenig ändert (Raynolds, Expl. 122), wohl id. mit *W. River*, v. dem Lewis u. Cl. (Trav. Miss. 652) am 28. Aug. 1806 sagen, 'the water of which is at this time nearly the colour of milk'; *b)* s. Winnipeg. — W. *Rock*, ein Inselfels vor Hastings Hr. (s. d.), am 25. Aug. 1783 v. engl. Capt. Thom. Forrest benannt (Spr. u. F., NBeitr. 11, 195). — W. *Water*, eine Oase der Wüste Mohave, einsame Station an einem Bache, dessen Wasser eine weissliche Opalescenz besitzt, wahrsch. v. einer Spur aufgeschlemmten Kaolins (Peterm., GMitth. 22, 425). — W. *Beach* s. Asore.

White Bear Cliff = Fels des weissen Bären, ein Uferfels am Missuri, zuerst v. frz. Händlern so benannt, weil in einer der zahlr., tiefen Höhlen ein Bär erlegt wurde (Lewis u. Cl., Trav. 46).

Der 'weisse Bär', gelblichbraun, langbeiniger u. mit viel längern Krallen u. Fangzähnen als der braune, auch v. grimmigerer Gemüthsart, wird v. den Indianern nur in Gesellschaft v. 6—8 Mann angegriffen u. bleibt selbst f. den gewandten Schützen ein fürchterl. Thier, das, auch wenn ihm mehrere Kugeln durch den Leib, selbst durch die Lunge gegangen, noch fortrast u. dem Angreifer gefährl. ist (Ives, Rep. 147). — Andere ON., die mit dem Grundwort eine Zssetzg. v. *white* verbinden: *b) W. Bear Creek*, so lese ich (anst. *Beard*) in Lewis u. Cl., Trav., Carte, weil am 16. Mai 1805 in der Gegend dieses Baches einem der Gefährten der Rock, den er am Lande zkgelassen, durch einen weissen Bären zerrissen wurde (ib. 159); *c) W. Bear Islands*, 3 Werder des Missuri, direct obh. der 'Grossen Fälle', am 18. Juni 1805 v. Capt. Clarke so benannt, weil er auf den Inseln einige dieser Thiere erblickte. In der Nähe wurde einer der Gefährten, der auf die Jagd gegangen, v. einem Weissbären angegriffen u. bis auf 40 Schritte gg. das Lager verfolgt. Clarke ging sofort mit 3 Mann ab, das Thier zu erlegen, damit nicht noch der zweite Jäger in Gefahr komme. Der Bär jedoch, zu schnell, hatte diesen schon gefunden u. genöthigt, ins Wasser zu flüchten. Als die Männer heranrückten, floh die Bestie u. war durch die einbrechende Nacht einstw. vor weiterer Verfolgg. geschützt (ib. 200. 592). Eine dieser Bäreninseln erwähnt auch Raynolds (Expl. 106). — *Whitebrant Creek* = Bach der Weissgänse, ein kleiner rseitr. Zufluss des Missuri, obh. Cheyenne R., v. den Captt. Lewis u. Cl. (Trav. 72) am 5. Oct. 1804 benannt nach den Vögeln, welche, zs. mit Schwärmen dunkelfarbiger, darauf zu sehen waren . . . 'from seeing several white brants among flocks of dark-coloured ones'. — *Whitebird Island*, im Unterlaufe des Oregon, nach den dort häufigen Vögeln ebf. v. der Exp. Lewis u. Cl. 1805/06 getauft. — *W. Clay Butte* s. Slim. — *W. Dome Geyser*, im Fire Hole, v. Geol. F. V. Hayden (Prel. Rep. 112) im Aug. 1871 so benannt, weil der Springquell einem domfgen weissen Kamin entsteigt. — *W. Earth Creek* = Bach der weissen Erde, ein kleiner Zufluss des obern Missuri, v. Capt. Clarke (Lewis u. Cl., Trav. 229 ff.) am 20. Juli 1805 entdeckt u. so getauft, weil , s. Freude der Reisenden, die Indianerin der Exp. sich hier wieder einfand u. erzählte, ihre Landsleute, die Snake Indians, kämen her, um am Ufer eine weisse Farbe zu holen. — *W. Earth River* = Fluss der weissen Erde, im Netz des Missuri, f. 2 lkseitge Zuflüsse *a)* unth. Cheyenne (Lewis u. Cl., Trav. 53 f.); *b)* zw. Yellowstone R. u. Little Missuri mündend. Der Name scheint nicht dem Erdreich selbst, sondern dem Salz entnommen zu sein, welches stellenweise den Grund vollkommen weiss erscheinen lässt: 'The water is much clearer than that of the Missuri; the salts which have been mentioned as common on the Missuri, are here so abundant, that in many places the ground appears perfectly white, and from this circum-

stance it may have derived its name' (Raynolds, Expl. 115). — *W. Goat River* s. Waputteehk. — *W. Horse Plain*, eine Ebene am Assiniboin R., etwa 50 km obh. Winnipeg, wo zuf. einer Sage der frz. Halbindianer ein weisses Pferd viele Jahre lg. herumstreifte, so wild, dass man es nicht einfangen konnte (Ch. Bell, Canad. NWest 7). — *W. Mud Portage* = Trageplatz des weissen Schlamms, am Clear Water R., welcher hier, im Ggsatz zu dem sonst klaren Wasser, eine gelbgraue Farbe zeigt (Franklin, Narr. 188, Carte, Richardson, Arct. S.Exp. 1, 116 f.) — *W. Rock Spring* = Quelle des weissen Felsen, eine vorzügl. Quelle im Coloradoplateau, westl. v. Fort Defiance, unterh. eines vorspringenden Felsens weissen Sandsteins, der fast eine Höhle bildet u. in einer grünen Ebene, die v. isolirten weissen Felsen besetzt ist, 'which stand in bright relief upon the dark surface, and form the most striking feature of the landscape' (Ives, Rep. 128). — *W. Sand River* = Fluss des weissen Sandes, ein Zufluss des Assiniboine R., dessen niedriges Nordufer einen Ueberfluss weissen Sandes trägt (Hind, Narr. 1, 432). — *Whitestone River* = Fluss des weissen Steins, ein lkseitgr. Zufluss des Missuri, dem Red Pipe Stone R. benachbart, urspr. ind. Name (Lewis u. Cl., Trav. 38). — *W. Sulphur Springs* s. Sulphur. — *Whitetailed Deer Creek* s. Blacktailed. — *Great W. Whale River* = grosser Fluss der Weisswale, auf Carten einf. *Grosser Walfischfluss*, 'gross' z. Unterschied v. nördl. *Little* (= klein) *W. Whale River*, ein östl. Zufluss der Hudson Bay, v. den Jägern der Hudson Bay Co. so benannt nach dem Reichth. an 'all sorts of fish, of flesh, and fowl' (Barrow ed. Coats 65).

Whitehaven = weisser Hafen, der Hafenort Cumberlands, in der Umgebg. weisser Felshöhen, 'so called from the white rocks and cliffs near it' (Camden-Gibson, Brit. 2, 167). — Anders *White Haven*, in Pennsylv., 1835 ggr. u. nach Josiah White, dem Aufseher der Lehigh Coal and Navigation Co. benannt. Als Centrum des Bauholzgeschäfts war der Ort der grosse Hafenplatz, wo die Canalschiffe nach Mauch u. Easton abgingen, bis 1862 eine gewaltige Uebschwemmg. den Canal zerstörte. Erst durch 4 monatl. Arbeit, mit 2—3000 Mann u. 500 Pferden u.a. Maulthieren, wurde der Canal wieder hergestellt u. konnte der Ort seine Thätigk. als Holzhafen wieder aufnehmen (Penns. Ill. 56 f.).

Whitehouse Creek, ein kleiner Zufluss des obern Missuri, v. den Captt. Lewis u. Cl. (Trav. 232) am 23. Juli 1805 nach Joseph *W.*, einem ihrer Gefährten, benannt.

Whitney, Mount, der Culm der calif. Sierra Nevada, ein Berghaupt in furchtb. wilder Umgebg. v. senkrechten, kahlen Granitmauern u. Felszacken, zuerst gesehen 1864 v. einer Abtheilg. der unter Prof. Brewer stehenden Exp., bei welcher Clarence King sich befand, u. mit dem Namen eines der geolog. Erforscher des fernen Westens belegt. Bei seiner Besteigg. 1871 gerieth

King auf eine unrechte Spitze, im Sept. 1873 aber auf die höchste, die im Aug. schon v. John Lucas, C. D. Begole u. A. H. Johnson erreicht u., als noch ungetauft, *Fisherman's Peak* genannt worden war (Wheeler, Geogr. Rep. 97. 100). Nach H. Gannet, Mitarbeiter am Bulletin des U. S. Board on Geogr. Names, ist *Fisherman's Peak* 1—2 miles v. *Mount W.* entfernt, u. bei seiner Ersteigung seien allerhand Leute, auch Frauen u. Kinder, gewesen, die nicht z. Survey gehörten (A. S. Gatschet 17. Apr. 1891), so dass die neue Benennung, ohnehin wohl nur v. wenig ernster Grundlage, mit der ältern nicht collidirt. — *W. Cove* s. Wilczek.

Whitsunday, Cape = Pfingstencap nannte, auf seinem Rückwege v. Cook's R., Capt. Cook das hinter St. Hermogenes Isle vorragende Cap, weil er hier am Pfingsttage, 7. Juni 1778, vorüberkam. Dabei *W. Bay* (Cook-King, Pac. 2, 404). — Von demselben, aus gl. Grunde, *W. Passage* in Repulse Bay, am 3. Juni 1770 (Hawk., Acc. 3, 133) u. *W. Island*, in den NHebrid., zu Ende Aug. 1774 (Cook, SouthP. 2, 98). — Auch Capt. Wallis hat, in der Centralgruppe der Paumotu, eine *Whitsun(day) Island*, entdeckt am 6. Juni 1767, 'having discovered on Whitsuneve' (Hawk., Acc. 1, 204).

Who calls R. s. Qu'appelle.

Whymper s. Rawlinson.

Whyte Inlet, eine Einfahrt v. Autridge Bay (s. d.), v. Lieut. Reid, Exp. Parry (Sec. V. 349), am 11. Sept. 1822 entdeckt u. nach seinem Freunde Thomas *W.* benannt.

Wiapoco s. Orange.

Wjätka, Flussname im Netz der Wolga, nach Pallas v. tscherem. *wiz, wit* = Fluss. An diesem die Stadt *W.*, anfängl., als Colonie der Nowgoroder, *Chlynow*, 1780 v. der Kaiserin Katharina II. nach dem Flusse umgetauft, bei Tscheremissen u. Tataren aber *Naukrad, Naugrad*, d. i. Nowgorod. Nach der Stadt heisst bei den Wotjaken der Fluss *W. Kam*, bei den Tscheremissen *Naukrad Wiz*, bei den Tataren *Naukrad Idel*, wo *kam, wiz, idel* = Fluss (Müller, Ugr. V. 2, 330f., Falk, Beitr. 1, 157).

Wiborg, das schwed. Seitenstück *Viborgs* (s. d.), in Finl., finn. *Somenlinna* = Finnenburg, als Schloss 1293 ggr. durch den schwed. Reichsvorsteher Thorkel Knutson, der damit die Besitzg. am Bottn. Golf vor den Einbrüchen der Karelen (u. Russen) schützen wollte. Mit Kexholm war *W.* zu einem nationalen Bollwerk bestimmt u. damit eine 'geweihte Burg' (Styffe, Skand. Un. 339f.).

Wiche Bay, in Spitzb., schon auf Pellham's Carte 1631 eingetragen u. demnach wohl in Beziehung zu demselben Londoner Kaufmann, nach welchem *W.'s Land* (s. König Karl) getauft wurde (PM. 17, 182).

Wichorewka, russ. Name eines lkseitg. Zuflusses der Obern Tunguska, tung. *Gea*, nach einem Kosaken Wichor Sawin, der 2 gefangene Buräten nach Hause begleiten u. den Stamm durch diese

Grossmuth gewinnen sollte, aber an dieser Stelle, hart unter dem Dolgoi Porog, erschlagen wurde (Fischer, Sib. G. 1, 487).

Wickede s. Vic.

Wickham Island, in Feuerl., v. der Exp. Adv.-Beagle (1, 28. 45 Carte) im Febr. 1827 getauft nach dem Schiffscadetten J. C. *W.*, welcher die Exploration des Deckboots Hope befehligte; *b)* *W.'s Range,* eine Bergkette v. Tasman's Ld., v. Capt. G. Grey (Two Expp. 1, 266) im März 1837 nach Capt. *W.*, RN., dem Entdecker des Fitzroy R. jener Gegend; *c)* *W. Heights,* eine Berggruppe in Arnhems Ld., v. Capt. Stokes (Disc. 2, 81) im Nov. 1839 nach einem seiner Gefährten.

Wide Bay = weite Bucht, engl. Name, 3 mal: *a)* 'a large open bay' zw. Double I. Point u. Sandy C., benannt v. Lieut. Cook am 18. Mai 1770 (Hawk., Acc. 3, 111, Carte); *b)* in Spitzbergen, holl. *Wijde Bogt,* so genannt, weil 3—4 Schiffe neben einander hineinfahren können (Adelung, GSchiff. 414, Torell u. Nord., Schwed. Exp. 249); *c)* eine Bucht der Westküste v. Lifu, Loyalty, bei den Franzosen *Sandelholz Bay* (Meinicke, IStill. O. 1, 239). — *W. Channel* s. Ancho.

Widerzell s. Zell.

Widschaigárh = Siegesveste, hind. ON. in Kónkan, Málabar u. *Widschaindgaram* = Siegesstadt, 'Nikopolis', in Coromandel (Schlagw., Gloss. 257).

Wieden, die, ein Stadttheil Wiens, wird hier aufgenommen, weil der Name, mit dem deutschen u. slaw. der Gesammtstadt anklingend, oft als eine Modif. v. *Wien* angesehen wird (vgl. Citat Müllenhoff im art. Wien). Er erscheint urk. 1211 als *Widem*, mit *m*, das sich bald zu *n* verdünnte, aber in *Widmer*, dem Namen der Bewohner, u. im *Widmerthor* noch lange, jedf. bis 1380, fort erhielt. Es liegt zu Grunde deutsch *wideme, widem*, eig. *wittum*, s. v. a. Dotirg. einer Kirche od. eines Klosters od. eines Pfarrhofs mit Grundstücken, dann diese Grundstücke u. zuletzt der Pfarrhof selbst — 'u. zwar ist unsere *W.*, wie die Urkk. v. 1211 u. 1363 zeigen, urspr. das v. der *wideme* der Pfarre St. Stephan zu Gunsten des neu ggr. Heiliggeistklosters abgetrennte, nachmals von St. Stephan unterstellte Grundeigenth. sammt Zinsholden'. Auch f. andere Orte *W.*, deren 9 in NOesterr., 1 im Gasteiner u. 1 im Zillerthal etc., 'wird sich der Name v. der Bewidmung der betr. Pfarrkirche, auf deren Grundstücken eine Ansiedelg. entstand, erklären lassen' (R. Müller, Vorarb. z. altöst. NK. 25 ff.) Anklingende Namen wie *Wied* am Rhein, *Wieden, Wyden, Weidenbach, Wiedenbrück, Weidenstauden*, etc. gehören th. zu ahd. *wida* = salix (s. Weide) od. ahd. *witu* = lignum, th. zu dem PN. *Wido* (Förstem., Altd. NB. 1585 ff.).

Wieliczka, Stadt u. Salzbergwerk bei Krakau, angebl. nach dem Hirten Wieliczek, welcher das Salzlager 1233 entdeckte (Meyer's CLex. **15, 748**).

Wiehl s. Wyl.

Wien, die Hptstadt Oesterreichs, am Flüsschen *W.*, urk. zuerst 1030 in den Alt. Ann. *Vienni,* d. i. mit örtl. gebr. abl. v. *Viennis,* dann in *Wiennensi* loco 1137, *Wienna* 1158 u. s. f., in den mittelalterl. Litteraturdenkmälern gew. *Wiene* (f. genaueres *Wienne*), dat. *Wienen,* in amtl. Schreibg. bis z. 19. Jahrh. herab *Wienn,* čech. *Vídeň,* poln. *Wiedeń,* südsl. *Dunej,* nach dem Strom (s. Donau), mag. *Bécs,* lat., sowie ital. u. engl. *Vienna,* frz. *Vienne,* etym. unklar (vgl. Umlauft, ÖUng. NB. 272 ff.); ja noch kürzl. schien, die Forschg. sei kaum so weit, wie f. Berlin, in ein gedeihliches Geleise gelangt. Ganz auf irriger Fährte befand sich das Mittelalter, indem es, nach dem Vorgange des Bischofs O. v. Freising (um 1150), den in der vita Sancti Severini des Eugippius erwähnten, wahrsch. in Noricum gelegenen Ort *Favianis* nach *W.* verlegte u. diesen Namen als aus *(Fa)biana* entstanden ansah — eine Ansicht, die noch Wolfg. Lazius († 1568) zu stützen suchte u. die erst durch A. Ortelius (Lex. 1587) erschüttert wurde (vgl. Bl. V. f. LandesK. NOest. nf. 18, 102). Er verwies auf den kelt. ON. *Vindobona,* der z. Römerzeit auch in der Form *Vindomina* (Itin. Ant., Not. dign. u. Jord.), *Vindomana, -mona,* ganz verd. *Vianiomina* (Plin., Hist. nat. 3, 146) erscheint. Nach C. Zeuss (Gramm. Celt. 74. 825. 1123) fasste man, wie die kelt. ON. *Vindomagus, Vindonissa* u. a., auch *Vindo-bōna* als Zssetzg. mit *vindos,* altir. **find, finn** = weiss, auch schön, fand jedoch im Grundwort *-bona* bald *bonn,* f. älteres *bond* = Grund, fundus, also 'Weissengrund' (O. Kämmel, Entst. öst. Deutschth. 1, 309), bald 'Stadt' wie in *Augustobona* (s. Troyes) u. *Juliobona,* f. Lillebonne, dép. Seine-Inf., also 'die schöne Stadt' (d'Arbois de Jub., Rech. NL. 585); doch ist der Pariser Keltist geneigt, einen PN. *Vindos* anzunehmen u. *Vindobona* als 'Stadt des Vindos' zu betrachten. Noch anders M. Büdinger, der (Oest. Gesch. 1, 486 ff.) *Vindomina* als die älteste Form, *Vindobona* nur als röm. Umdeutg., 'die Gutes verheissende', mit unterlegtem *bonus, -a, -um,* ansah. Alle diese Annahmen werden nun hinfällig im Lichte einer neuen Anschauung, welche zunächst dahin abzielt, die Entwickelg. der Kette v. Namenformen zu ergründen. Es hat näml. schon 1855 der Keltist Chr. W. Glück (Wien. Sitzgsb. 17, 60 ff.) *Vindomina, -mäna* geschrieben, u. dass diese Kürze der 3. Silbe auch f. *Vindo-bōna* gelte, bestätigt des Ptolemäus Schreibung *-όβονα* in seinem ON. *Οὐιλιόβονα* (f. *Οὐινδόβονα*). Diese Anschauung theilt K. Müllenhoff, wenn er (Mon. Germ. A.-A. 5, 166) sagt: Ex *Vindobona* (*-όβονα* apud Ptolemaeum), nomine scilicet non composito, sed effecto ex *Vindobna* inserta vocali, **factum** est *Vindomna,* quod et *Vindomona* et *Vindomana* parique jure *Vindomina* scribi po**terat.** ex eadem forma *Vindom-na,* suppressa **nasali** nimirum, item legitima, diversa tamen **ratione** hodierna nomina orta sunt, et nostrum *Wien* et puto *die Wieden* ac Boëmorum Polo**norumque** *Wideň.* Ihm ist also der Name nicht

Compositum, sondern entstanden aus *Vindobna,* dann *Vindomna,* das auch, durch Einschiebg. eines Hülfsvocals, zu *Vindomona, -mana, -mina,* wurde. Aus *Vindom-na* seien dann sowohl die deutschen, als die slaw. Namenformen hervorgegangen. Damit, dass Müllenhoff den schwankenden vorletzten Vocal als kurz u. als bloss eingeschobenen Hülfsvocal erkannte, war der richtige Weg z. Verständniss des Namens betreten. Für den Philologen bildet diese Erkenntniss den Ausgangspunkt jeder weitern Untersuchg., u. erst sie ermöglicht, eine organische Entwickelg. aller Namenformen, der ältern wie der jüngern (deutschen, slaw. u. roman.) aufzustellen. Danach steht f. die Chronologie der Vorgänge fest: *a)* Der ON. *W.* entstand als kelt. Bildg. u. ist uns in keltröm. Gewande übliefert; *b)* der so übliefete Name wurde v. den Germanen des Donauthals (Rugen, Ostgothen, Langobarden) übnommen u. den germ. Lautgesetzen gemäss umgeformt; *c)* die erste german. Form ging zu den Slawen üb.; *d)* die mhd. Form ging in das Niederdeutsche, Engl. u. Roman. ein, in die letztern namentl., als mit der Gefangennahme des engl. Königs Richard Löwenherz (1192) die Donaustadt zuerst in der Welt bekannt wurde. Den kurzen Andeutungen Müllenhoffs hat nun der Wiener Germanist Rich. Müller (Vorarb. z. altöst. NK. 1889/90 u. briefl. Mittheilungen) ihre Ausführg. zu geben versucht. Er denkt sich die Entwickelg. eingeleitet durch eine rugisch-gothische Andeutschung *Vindumni,* die in *Vindunni* u. *Védunni* übging u. v. da ab zu den mod. Formen führte. Dabei kommt er aber auf die Auffassg., als sei *Vindobona* eine Zssetzg. zk. u. gelangt, unter Beizug des gall. *Gorgobina* = Trutzburg, auf *Vindo-obna,* v. *vindos* = weiss u. *obna* = Burg, also 'Weissenburg', mit einem auch in german. u. slaw. Gebieten beliebten Burg- u. Stadtnamen. Während kelt. Burgnamen gew. mit *dûnum, dûrum,* gebildet sind, muss in der v. *obn* = Furcht, Schrecken, geleiteten Form *obna* eine Steigerg. des Begriffes *arx,* etwa 'arx tremenda', liegen, so eine volle reiche Sinn unseres ON. wäre 'die in der Weisse ihrer Mauern leuchtende Burg, die trosthell den Ihrigen u. den Feinden Schrecken ist'. So weit der heutige Stand der Frage; möge dieser bald der endgültige Ausbau zu Theil werden! — In *W.'s* Nähe *W.er Neustadt,* ggr. 1192 v. Hérzog Leopold dem Tugendhaften, u. der *W.er Wald,* ein freundl., voralpines, laubwaldreiches Bergland. Der *W.er Canal,* 1796 angelegt, begann anfängl. bei Wiener Neustadt, j. bei Oedenburg (Daniel, Hdb. Geogr. 4, 866 ff.). — In Franz Josephs Ld. *Cap W.,* 83⁰ N., am 11. Apr. 1874 gesehen v. Jul. Payer, dem Führer der 2. Schlittenreise der österr.-ungar. Nordpolexp. (PM. 20, 448 ff. Taf. 20, 23; 22, 205), sowie *W.er Neustadt Insel,* ein in ungeheure Felsenkegel aufgethürmtes Eiland, welches Payer auf dieser Schlittenreise erreichte (PM. 23, 203 ff.).

Wiesbaden, erster deutscher Badeort, im Rheingau, ahd. *Wisibad, Wisibadun, Wisebadon,* ähnl. dem lat. *Mattiaci fontes* (Plin.. HNat. 31,

20), *Aquae Mattiacae* (Tacit., Ann. 1, 56, Hist. 4, 37, Germ. 29, Amm. Marc. 29), sofern, wie vermuthet wird, *Mattium* mit Matte, Wiese zshängt. Der Ort hiess röm. *Mattiacum*, wohl v. PN. *Matto*, mit kelt. Endg. *-iac*, also 'Ort des Matto'. Die *Mattiaci* sind die chatt. Bewohner jener Gegend u. ihr Hptort *Mattium* der j. Ort *Maden*, am Fusse des Gudensbergs (Landau, Hessengau 44. 51). Den Namen *W.* behandeln Friedemann (Nass. Zeitg. 1849 No. 22 ff., 36 ff., Arch. hess. Gesch. 6, 355 ff.), Grimm (Gesch. 535), Kehrein (Nass. NB. 287) u. a. Insb. bezweifelt der erstere schon die Echtheit einer v. Maler N. Müller in Mainz aufgefundenen Inschrift 'cives *Wsinobates*', die 1834 publicirt war (Ann. Vf. nass. AltthK. 2, 110 ff.) u. deren Unechtheit dann auch 1851 v. K. Klein (Bonn. Jahrbb. 17, 205 ff.), 1877 wieder v. Fr. Otto (Gesch. Wiesb. 75 ff.) erwiesen wurde. Und dennoch construirt in einer Abhandlg., wo eine weit ausholende Gelehrsamk. sich breit macht (Wiesb., der Name . . . 1880), der Archivrath Fr. L. C. Freiherr v. Médem aus dieser betrügl. Inschrift, deren Anführg. ihm noch Dank einträgt (Fleckeisen, NJahrbb. 127, 361 f.), ein kelt. 'Wasserstadt'. Die Zurechtweisg. wurde beiden, dem Urheber u. dem Lobspender, durch S. Widmann (ib. 4292): 'Entweder haben wir es bei beiden Herren mit einer ganz unbegreiflichen Unwissenheit od. mit einer unheilbaren Hartnäckigk. zu thun . . . Wir sprechen j. abermals die Hoffng. aus, dass die Inschrift als das, was sie ist, eine erbärmliche Fälschg., der Vergessenheit anheimfalle'. Neben dem 'Wiesenbad' verdient allenfalls noch die Ansicht 'Salzbad', mit skr. u. kelt. *wisa* = scharfes Wasser, Beachtg. (Briefl. Mitth. O. Kienitz dd. 18. 5. 81.)

Wiese = pratum, ahd. *wisa*, hier u. da sich berührend mit dem Stamm *vic*, goth. *veihs*, ags. *vik*, fries. u. alts. *wik*, ahd. *wich* = urbs, vicus, arx u. wieder mit *visunt* = Büffel, Wisent od. mit *wiz*, ahd. *whiz* = albus, oft in deutschen ON., entw. als Ausgang, wovon Förstem. (Altd. NB. 1629 f.) 26 Formen aufführt, od. f. sich: *Wiesen*, im 9. Jahrh. *Wisa*, Ort bei Worms u. in Graubünden, *in der Wies*, Höfe im C. Zürich (MZürchAG. 6, 97), od. als erster Component, wie in *Wisaha*, *Wiesbahc*, *Wiesbaden* (s. d.), *Wiesenbronn* u. a. m. Das Graubündner Dorf *Wiesen*, rätr. *Tain* = an der *W.*, 'zieht sich an einer grünen Berghalde hin; ggb. liegen Wiesengelände mit zerstreuten Wohnungen besät, deren von Felsenabgründen umgeben, dass sie fast unzugängl. scheinen' (Campell ed. Mohr 145). Mit ahd. *wisunt* (s. oben) ebf. mehrere ON., als *Wiesent*, im 8. Jahrh. *Wisunte*, bei Regensburg, *Wiesenthal*, alt *Wisuntaha*, bei Schmalkalden, *Wiesenthau*, im 11. Jahrh. *Wisentowa*, bei Forchheim, *Wiesensteig*, im 9. Jahrh. *Wisontessteiga*, Kloster bei Ulm, 861 ggr., wo 'an die Wasser der jungen Fils, in das hohe Gras um ihren gewundenen Lauf, wilde Wisende die Bergsteig herabkamen' (Schott, ON. Stuttg. 4. 13), *Wiesendangen*, 808 *Wisuntwangas* = Wisent-Ebene, bei Winterthur

(Förstem., Altd. NB. 1632, Mitth. Zürch. AG. 6, 157). — Dieser letztern Form ähnl. *Hirzwangen* = Wang, wo die Hirsche zu weiden pflegen, *Hüntwangen*, 1254 *Hiuntwangin*, *Hintwanga* = Wang, wo die *hint*, Hirschkühe, weiden.

Wieselburg s. Zwei.

Wiflisburg s. Avenches.

Wigger, ein rseitgr. Zufluss der Aare in den CC. Luzern u. Aargau, alt *Wikron*, *Wigkeren*, dial. *Wiggeren* = Wigger Aa, ist ozw. nach dem luzern. Schlosse *Wikon*, dial. *Wiggen* benannt (Beschreibg. Zof. 17 f.). Ein neuerer Aufsatz, der die Ableitg. näher ausführt, angebl. im Zof. Tagbl. Juli 1883, ist nicht mehr aufzutreiben.

Wigla, ON. der Krym, mehrf., v. ngr. *βίγλα* = Wache, eine Andeutg., 'dass in frühern Zeiten die Passagen durch's taur. Gebirge genau gekannt waren u. bewacht wurden. Ein Pass heisst bei den Nogaï *Wiglanin-Jolú* = Weg der Wache (Köppen, Taur. 1, 1. 5 ff.).

Wigram s. English.

Wijde B. s. Wide.

Wijk s. Vic.

Wijn s. Wein.

Wikananish Harbour, eine Hafenbucht an der Westseite v. Vancouver I., entdeckt u. benannt v. engl. Capt. Barclay, der 1787 seine Reise antrat, an der Nordwestküste America's Untersuchungen anstellte u. hier einen Indianerhäuptling *W.* traf. Als Capt. Meares am 20. Juni 1788 an der Küste erschien, taufte er, Hrn. Henry Cox zu Ehren, einem in China wohnenden Kaufmann, der sich in edler Wohlthätigk. des Häuptlings Tiana v. Atui angenommen hatte, die Bucht in *Cox Harbour* um (GForster, GReis. 1, 56. 124. 129, Spr. u. F., NBeitr. 8, 224; 9, 21, wo der Name in der Form *Port Cox(e)* erscheinen).

Wilberforce Falls, ein prächtiger, doppelter Wasserfall des american. Hood's R., aus 2 Stufen bestehend, deren obere 18 m, die untere mindestens 30 m h. ist, beide zw. hohe senkrechte Felswände in eine tiefe Spalte eingeengt, am 27. Aug. 1821 v. Capt. John Franklin (Narr. 398, Ansicht) auf seiner Rückkehr v. Eismeer nach Fort Enterprise entdeckt u. benannt zu Ehren des berühmten christl. Philanthropen Will. *W.*, der, geb. 1759, schon 1789 auf Abschaffg. des brit. Negerhandels antrug, seinen Zweck 1808 erreichte, auch bei andern Mächten die Massregel anregte, dann 1816 auf Beseitigg. der Sclaverei übh. losging, diese aber 1833, kurz vor Ausführg. des engl. Gesetzes, starb. — Nach dems., 'the worthy representative of Yorkshire', *Cape W.*, am Carpentaria G., v. Seef. M. Flinders (TA. 2, 223, Atl. 14 f.) am 14. Febr. 1803 benannt. Die mal. Schiffer, Macassar People, welche die Gewässer Nordaustr. besuchen u. hier vorbei zu den Wellesley Is. hinabfahren, nennen das Cap *Udjung Turu* = Fortleitungsspitze (Stokes, Disc. 2, 356).

Wilczek Insel, in Franz Joseph's Ld., v. der 2. öst.-ungar. Nordpolexp. Weyprecht-Payer am 1. Nov. 1873 betreten u. getauft 'nach dem Urheber der Fahrt, dem Grafen *W.*', welcher allein einen Beitrag v. 30000 Gulden gespendet u. überdiess die Exp. in einem auf eigne Kosten ausgerüsteten Begleitschiffe mit machte. Auch ein grösseres Stück des Archipels erhielt den Namen *W. Land* (Peterm., GMitth. 18, 146; 20, 446 T. 20. 23; 22, 201 ff.); *c) W. Spitze*, ein Berg in NSemlja, an der Nordküste des Matotschkin Schar, durch 2 Mitglieder der Exp., Graf *W.* u. Prof. H. Höfer am 29/30. Juli 1872 erstiegen (PM. 20, 299); *d)* ein Cap *W. Spitze*, am spitzb. Horn Sd. ,im Juli 1872 v. Baron Sterneck getauft (Peterm., GMitth. 20, 66); *e) W. Bay*, in Gänse Ld., v. der Exp. *W.* im Aug. 1872 benannt (PM. 20 T. 16); *f) W. See*, die seeartige Erweiter. des Abflusses des Sees Nechwatowa, NSemlja, zuerst cartogr. v. Heuglin, den wissensch. Chef der Exp. Rosenthal 1871 u. benannt nach einem Vorgänger in der Polarfahrt (PM. 18, 77); *g) W. Berg*, an der Westseite NSemlja's, v. Dr. A. Petermann nebst vielen andern Objecten benannt nach 'hochverdienten u. berühmten Vertretern u. Pflegern der Wissenschaft in allen Ländern', wie *Beke Berg, Findlay Berg, Dall Berg, Pallmann Bach, Zichy Berg, Lippert Berg, Ladenburg Gletscher* (s. Ladenburg Insel), *Hellwald I., Ruthner Gletscher, Du Mont-Schauberg* (ein Berg!), *Kanitz Strasse, Kohl Bach, Zitelmann Bach, Rainer Berg, Edmund Gletscher, Koyemann Berg, Hunfalvy Bay, Brown I., Wüllerstorf Berg, Sterneck Berg, Höfer I., Marno Strasse, Agassiz Bach, Noltenius Bach, Romberg Bach, Hoffmann Berg, Whitney Cove, Kepes Gletscher* (nach dem Arzt der österr.-ungar. Nordpolexp.), *Sloman Berg, Hohenlohe Bay, Oetker Bay, Richthofen Bay, Scheda I.* (s. d.), auch, wohl mit dem Gedanken an den Meteorologen Mohn, *Christiania Bach* (PM. 18, 396).

Wilcza s. Vlk.

Wild, adj., in ON. oft z. Bezeichng. des Schauerlichen, Unfreundlichen, v. ahd. *wildi*, wie im Alpengebiete *Wildhorn* u. *Wildstrubel*, 2 durch wilde Grösse imponirende Bergstöcke des Berner Oberlandes, auf das Simmenthal herabschauend, jener 'firnleuchtend', dieser ' massengewaltig' (Osenbr., WStud. 5, 81), *Wildhaus*, das oberste Dorf des Toggenburg, dessen engen, wilden u. unwirthl. obern Theil der deutsche Colonist v. finsterm Walde bedeckt fand (v. Arx, Gesch.StGall. 1, 295), u. *Wildkirchli*, eine Höhle der Ebenalp, Appenzell. Angeregt v. Capuzinerpater Phil. Tanner, dem 'Apostel des Üechtlandes', liess 1621 die Obrigk. einen hölzernen Altar in der Höhle erstellen, u. der Bischof v. Constanz ertheilte Tanner die Erlaubniss, 'super altare portatile' Messe zu lesen 'tam pro secularibus quam pro regularibus sacerdotibus'. Nach einer längern Pause, wo die *Wilde Kirche* verwaist blieb, hielt der Appenzeller Pfarrer, Dr. Paulus Ulmann, am 29. Sept. 1657, am Fest des Erzengels Michael, in Anwesenheit zahlr. Volks, wieder ein feierliches Hochamt mit Predigt u. bezog dann am 30. Juni 1658 die hohe Einsiedelei, in welcher er Sommer u. Winter bis 24. Juli 1660 verblieb.

Das Kirchlein wurde Wallfahrtsort der Bergleute; j. ist es das nicht mehr, hat aber noch allj. am festl. Tage seinen Gottesdienst u. wird v. Touristen viel besucht (Egli, Höhl. Ebenalp 70 ff). — *Wilde Küste* s. Guayana. — Das *Gewild*, die 'wilde Strecke', eine Stromschnelle des Rheins obh. Rheinfelden.

Wildamor s. Lutici.

Wildman's River, in Nord-Austr., benannt durch den Entdecker J. Davis 1866 nach Hrn. *W.*, dem unermüdl. Secret. des Kronland-Ministers (Peterm., GMitth. 13, 269).

Wilemova s. Heilig.

Wiles s. Liguanea.

Wilhelm, als Personen-, insb. Fürstenname in vielen deutschen ON. wie *a) Wilhelmshöhe*, das berühmte Lustschloss bei Cassel. An Stelle des 1527 säcularisirten Augustinerklosters *Weissenstein*, dessen Gebäude dann als Absteigequartier bei fürstl. Jagden dienten, liess zunächst Landgraf Moriz 1666 ein Lustschloss erbauen, das aber im 30jähr. Kriege 1618/48 zerstört wurde (der Bau fällt wohl in 1566?). Der Landgraf Karl liess 1701 durch den ital. Baumeister Guernieri den Neubau beginnen; Landgraf Friedrich II. setzte diesen nach dem 7jähr. Kriege fort, u. die Vollendg. brachte 1787 sein Sohn *W.* IX., der spätere Kurfürst *W.* I., der hier begraben ist u. den neuen Namen veranlasste. Auf kurze Zeit, als Jérôme Bonaparte das Königr. Westfalen regierte, wurde das Schloss 1807 in *Napoleonshöhe*, doch keineswegs in einer Vorahnung v. 1870/71, umgetauft (Meyer's CLex. 9, 876, Peterm., GMitth. 21, 12). Der frühere Name des Schlosses war (Förstem., Deutsche ON. 95. 302) *Kirchditmold* (s. Detmold). — *Wilhelmsbad* s. Salz. — *(Pr.) W.'s Berge* s. Amadeus. — Nach dem Preussenkönig, spätern deutschen Kaiser *W.* I., sind getauft: *a) König W.'s Canal*, die Verbindg. v. Stadt u. Fluss Memel (Meyer's CLex. 10, 123); *b) Wilhelmshaven*, deutscher Kriegshafen an der Jade, 1855/69 ggr. auf einem v. Oldenburg 1853 erworbenen Gebietsstück, aus dem frühern Heppens umgetauft (ib. 9, 462, ZVEisenb. V. 1869, 465); *c) W. Insel*, am südl. Ausgang der Hinlopen Str., Spitzb., v. der 1. deutschen Nordpolexp. 1868 getauft, wie die anliegende Seegasse *Bismarck Strasse* (Peterm., GMitth. 17, Ergh. 28, 45 T. 2), beide Objecte übr. schon auf der alten Carte v. Keulen verzeichnet (ib. 18, 105); *d) Kaiser W. Pik*, der ca. 1800 m h. Berg der südind. Heard I., im Febr. 1874 v. deutschen Kriegsschiff Arcona abgeschätzt u. getauft (PM. 20, 470); *e) Kaiser W. Inseln*, im antarkt. Grahams Ld., 1874 entdeckt u. benannt v. Schiff Grönland, welches unter Capt. Dallmann v. der deutschen Polarschiffahrtsgesellschaft in Hamburg auf Entdeckungen ausgesandt war (PM. 21, 312); *f) König W. Land*, im südl. Grönl., v. der 2. deutschen Nordpolexp. 1869/70 getauft (Peterm., GMitth. 17 T. 10, als *Kaiser W.'s Land* ib. p. 193); *g) Kaiser W.'s Land*, der deutsche Antheil v. NGuinea.

Wilhelmineoord s. Frederik.

Wiligrad s. Mecklenburg.

Wilkes' Land nannte der american. Flottenlieut. *W.* 1840 den grossen 'Südpolarcontinent', welchen er durch hypothet. Vereinigg. der übr. Küsten-strecken erhielt — freil. nicht ohne dass ihm ein Jahr nachher der engl. Südpolf. James Clark Ross üb. seine angebl. 'Gebirge' wegsegelte u. an dieser Stelle, 65⁰ 40' SBr., 165⁰ OGr., bei 600 Faden keinen Grund fand; *b) Cape W.*, im arkt. Grinnell Ld., v. E. K. Kane (Arct. Expl. 1 Carte) 1853/55 benannt.

Willard's Creek, einer der Quellflüsse des Jeffer-son R., Missuri, v. Capt. Clarke im Aug. 1805 so benannt nach einem seiner Gefährten, Alex. *W.* (Lewis u. Cl., Trav. 273).

Willem, der im Hause Nassau-Oranien gew. PN. 'Wilhelm', beginnend mit *W.* 'dem Schweiger', dem Gründer der niederländ. Unabhängigk., geb. 1533, ermordet 1584. In der Zeit des grossen natio-nalen Aufschwungs, der holl. Seefahrten, Ent-deckungen u. Colonisationen, konnte es an topo-nym. Denkmälern nicht fehlen *a) W.'s Eiland,* eine der Buckligen In. bei NSemlja, fast 76⁰ NBr., v. W. Barents am 6. Juli 1594 getauft (Schipv. 2, Adelg., Gesch. Schiff. 167, Spörer, NSemlja 17); *b) Prins W.'s Eilanden* s. Viti; *c) Willems-oord* s. Frederik; *d) W.'s Rivier,* in Nordwest-Austr., v. einem holl. Schiff Mauritius entdeckt im Juli 1618 (Flinders, TA. 1, 2, WHakl. S. 25, LIIIVI); *e) Koning W.'s Eiland,* eine flache Insel vor Cap d'Urville, NGuinea, wohl v. Schiffe Geelvink eingeführt (Meinicke, IStill. O. 1, 94; *f) Willemstad,* 2mal *a)* auf Curaçao, 1634 ggr. (Meyer's CLex. 4, 833) u. *β)* s. Albany.

Willenberg, früher *Wildenburg, Wildenberg,* Stadt, urspr. Ordenshaus, in der Prov. Preussen, wohl nach dem Landmeister Friedr. v. Wilden-burg, 1317/24, benannt (Töppen, GPreuss. 187).

William, der Name 'Wilhelm' engl. Könige: *W.* I. 'der Eroberer', Stifter der engl.-norm Dy-nastie (1027—1087), *W.* II. 'der Rothe', des Vo-rigen Sohn (1056—1100), *W.* III., der Sohn Wil-helms II. v. Oranien (1650—1702) u. *W.* IV. *Henry,* ein Sohn Georgs III. (1765—1837), der Onkel u. Vorgänger der Königin Victoria. In der Geschichte der mod. Seefahrten begegnet mir der dritte dieser Könige nur in *King W.'s Cape,* NGuinea, v. Seef. Dampier 1700 'zu Ehren der j. regierenden Majestät' genannt (Debrosses, HNav. 407, Krus., Mém. 1, 62). Nach dem vierten *W.* sind einzelne Objecte schon vor der Thronbesteigg. getauft: *Prince W. Henry's Island,* 2mal: *a)* In der Centralgruppe der Paumotu, v. Capt. Wallis am 13. Juni 1767 (Hawk., Acc. 1, 210), einh. *Nengonengo,* v. frz. Capt. Duperrey am 28. Apr. 1822 als neue Entdeckg. angesehen u. prsl. *Ile Lostange* genannt (ZfAErdk. 1870, 362, Meinicke, IStill. O. 2, 211); *b)* s. St. Matthew. — *Prince W.'s Land,* an der Westseite der Baffin Bay, nicht erst im Sept. 1818 v. Ross (Baff. B. 1—14. 190 f., Carte) entdeckt, sondern schon 1791 in GForster (GdReis. 3, 21) erwähnt. — *Prince W.'s Sound,* eine Einfahrt NW. America's, v. Capt.

Cook im Mai 1778 entdeckt u. benannt (Cook-King, Pacif. 2, 366). — *King W.'s Land,* im Südwesten v. Boothia Felix, nebst den anliegen-den Meer, *King W. Sea,* v. Capt. John Ross (Sec. V., Carte) 1829/30 getauft. — *W.'s the Forth Land,* am Unterlauf des Gr. Fish R., so benannt am 15. Aug. 1834, während die brit. Flagge entfaltet wurde, 'in honour of His Most Gracious Majesty' v. G. Back (Narr. 221). ➔ *King W. IV. Land* s. Brunswick. — *W. the Forth Island* s. Quiros. — *Williamstown,* 2mal: *a)* Hptstadt v. Brit. Kafraria (s. d.), welches bei der ersten Annexion, 1835, nach der Königin benannt wurde (MCL. 3, 761); *b)* Hafenort v. Port Phillip, unweit Melbourne (Stokes, Disc. 1, 281). — *Mount W.* s. Enderby. — *W.'s Point* s. Clarence. — *Cape W. of Wirtemberg,* so lese ich *C. Will. of Wirt.* in Ross (Sec. V., Carte), f. ein Cap bei King William's Ld. Die Exp. Ross, 1829/33, fällt in die Regierungszeit des württbg. Königs Wilhelm I. (1816,64). — *Point W.,* ein Cap in der Mündg. des Oregon, am 27. Nov. 1805 prsl. benannt v. den Captt. Lewis u. Cl. (Trav. 404). — *Williams' Island,* im Delta des McKenzie R., v. Capt. John Franklin (Sec. Exp. 191) nach W. Williams, vorm. Gouv. v. Prince Rupert's Ld., 1826 getauft. — Eine *Ile Williams* in Süd-Austr., v. Capt. Flinders (TA. 1, 131) am 20. Febr. 1802. — *Fort W.,* an der Mündg. des Kame-nistiquoia in den Lake Superior 1678 v. D. Gray-solon Du Luth als Handelsposten ggr. u. nach dem Flusse *Fort Kamenistiquoia* benannt, später längere Zeit verlassen, 1717 v. La Noue erneuert: *New Fort,* dann aber, als 1803 die Nordwest-Co. den Ort besetzte, mit dem heutigen Namen be-legt nach dem Hptagenten der Gesellschaft, *W.* McGilvray (Ch. N. Bell, Canad. NWest 1).

Willmanstrand = Ufer der Wilden us. Lappen, die einst hier wohnten, finn. *Lappeenranta* = Ufer der Lappen, Ort in Finl. (Modeen, Geogr. 47 u. briefl. Mitth.).

Willoughby Land nannte der engl. Seef. Hugh *W.,* auf seiner Nordfahrt 1553 verschlagen, das Land, welches er am 14. Aug. wieder erreichte. Rundall (Voy. NW. p. V) hat nachgewiesen, dass unter *WL.* nicht Spitzb. verstanden werden darf, u. es ist j. allg. Annahme, dass es derj. Theil v. NSemlja sei, den der russ. Polf. Lütke *Gänse-ufer,* 'doubtless from the numbers of waterfowl found there', genannt hat (GVeer ed. Beke p. V). 'This part of Nova Zembla still abounds with fowl and has, therefore, been called *Goose Coast* by Lütke (WHakl. S. 27, 34). Ob die beiden *Gänsecaps,* welche das eine, *Sjewernuy Gusinuy Muis* = nördl. Gänsecap, den nördlichen, das andere *Juschnuy Gusinuy Muis* = südl. Gänse-cap, den südlichen Endpunkt bezeichnen, nicht ältern Datums seien? — *Cape W.,* in Känguru-I., v. Capt. Matth. Flinders (TA. 1, 187) am 7. Apr. 1803, auch v. der Exp. Baudin prsl., *Cap Sane,* getauft am 2. Jan. 1803 (Péron, TA. 2, 58).

Willow Creek = Weidenbach, v. engl. *willow* = *salix,* mehrf. in America, *a)* ein Zufluss des Powder R. Während einer der Nachbarflüsse v. Kieferbeständen, andere nur v. Artemisia u. Salbeigesträuch eingefasst sind, fallen hier offb. die Weidenbüsche bes. auf, ohne dass ich diess extra (Raynolds, Expl. 8) ausgedrückt finde; *b*) ein Zufluss des Bad R., dessen Ufergebüsch aus wenigen Cottonwoods u. Weiden besteht (ib. 23); *c*) ein Zufluss des Missuri, in der Gegend der Great Falls (ib. 106). — *W. Glen* s. Monastery. — *W. Islands*, im südl. Theil des Winnipeg, seit längerer Zeit mit Weiden u. Pappeln bedeckt, da sie zusehends v. Wasser angegriffen werden u. das Material z. Anlage neuer Uferbänke liefern (Hind, Narr. 2, 10). — *W. Run*, ein kleiner Zufluss des Missuri, bei den Gr. Fällen, v. den Captt. Lewis u. Cl. (Trav. 208) im Juni 1805 benannt nach den Büschen, welche der Exp., in Ersatz bessern Holzes, das Material z. Rahme des Hautboots lieferten. Auf dem Rückwege, am 15. Juli 1806, rettete einer dieser Weidenbäume ein Menschenleben. McNeal, einer der Gefährten, wurde unversehens v. einem Weissbären angegriffen u. konnte sich mit knapper Noth auf einen Baum retten. Hier musste der Mann, v. Bären unten am Baum sorgf. bewacht, mehrere Stunden warten, bis es der Bestie gefiel, den Platz zu verlassen (ib. 593 f.). — *W. Springs*, 2 mal: *a*) eine reiche, klare, kühle Quelle im dürren Westen v. NMexico, offb. nach den sie umstehenden Gebüschen. 'Sie ist zu allen Zeiten voll, gleichgültig, wie lange es nicht geregnet hat . . . . Diese v. Regen ganz unabhängigen Quellen bilden Oasen in der wüstenartigen Umgegend . . . .' (Peterm., GMitth.20,404); *b*) eine Quelle bei Fort Defiance (ib. 20 T. 21; 22, 422).

Wilowa s. Jogotansejde.

Wilson's Promontory, die bergige Südspitze des Australcontinents, v. G. Bass im Jan. 1798 entdeckt u. auf seine u. Flinders' (TA. 1, CXV, Atl. 6) Empfehlg. hin durch den Governor Hunter in Sydney benannt 'in compliment to Thomas *W.*, esq. of London', Flinders' Freunde. Hinter dem Cap der 716 m h., bis z. Gipfel beholzte *Mount W.* (Stokes, Disc. 2, 431). — *Iles de W.*, ein Atoll der Central-Carolinen, mit 2 grössern bewohnten Inseln, einh. *Ifalik, Ifaluk*, v. Capt. *W.* 1797 entdeckt u., weil v. ihm namenlos gelassen, v. russ. Admiral v. Krusenst. (Mém. 2, 342, Atl. OPac. 31) so getauft, auch *Two Sisters* = die beiden Schwestern (Meinicke, IStill. O. 2, 358). — *W. Island* s. Water. — In Arktia ein *Cape W.*, Winter I., v. Parry (Sec. W. 229 ff.) während der Ueberwinter. 1821/22 getauft.

Wiltshire, Ort in Ohio, v. Capt. Riley 1824 ggr. u. z. Andenken seines grossen Wohlthäters benannt, des engl. Consuls Wilt in Mogador, welcher 1815 den schiffbrüchigen u. in Sclaverei gerathenen losgekauft hatte. ZZ. v. Major Long's 2. Reise lebte der Capt. noch (Hertha, 1, 101; 9, 56).

Wiltzi s. Lutici.

Wiluisk, 3 Orte am ostsibir. Wilui, Wiljui, an welchem 1620 die Kosaken des Sotnik Peter Beketow erschienen *a*) *Ust-Wiluiskoje* = an der Mündg. des Wilui in die Lena; *b*) *Ssrednoje* (= mittleres) *W.* u. '*c*) *Werchnoje* (= oberes) *W.*, kürzer *Werchne W.*, in der ersten Hälfte des 17. Jahrh. v. Kosakensotnik Uwarowski ggr., gg. Ende des 18. z. Stadt erhoben (Bär u. H., Beitr. 26, 1). Der Atl. Russ. No. 16 hat erst den erstgenannten dieser 3 Orte, u. auch diesen erst als Simowie = Winterwohnung.

Wim s. Wein.

Winchelsea's Island, 2 mal in Austr.: *a*) in den Salomonen, einh. *Buka*, v. engl. Seef. Carteret am 25. Aug. 1767 nach Sir *W.* getauft (Hawk., Acc. 1, 367), in der Carte aber *Anson I.* (Meinicke, IStill. O. 1, 150), ebf. prsl. (vgl. Anson Bay); *b*) neben Groote E., v. engl. Seef. Flinders (TA. 2, 189, Atl. 14 f.) am 14. Jan. 1803 entdeckt u. nach Sir *W.*, 'the noble possessor of Burley Park, in the county of Rutland', benannt.

Windberg od. *Duivelsberg* (s. d.), einer der holl. ON. im Caplande, in der Nähe der Capstadt, 'ohne Zweiffel v. den Süd-ost-winden, die auf ihme regieren; denn diese verursachen grossen Schaden . . . . ein Bezirk, worinnen diese Winde so erschröcklich hausen, dass man daselbst weder säen noch pflanzen kann, ohnerachtet aller angewandten Mühe' (Kolb, VGHoff. 210); *b*) *Windheuvel* = Windhügel, in der Karoo, mit sehr platten, exponirtem Scheitel (Lichtenst., SAfr. 2, 277). — *Inseln über dem Winde*, besser *Windward Islands*, 2 mal *a*) s. Antillen, *b*) s. Society. — *Windegg* s. Allenwinden. — *Windgelle*, Berg in Uri, nach Wackernagel v. ahd. *gelle* = Buhldirne, also ein Berg, der mit dem Winde buhlt.

Win-de-go = See der Menschenfresser, in engl. Uebersetzg. *Cannibal Lake*, auch *Brulé Lake* (s. d.), bei den Indianern ein z. Netz des Rainy L. geh. kleiner See, z. Andenken an eine unnatürl. That, welche hier 1811 durch eine Bande Odschibways begangen wurde (Hind, Narr. 1, 65).

Windermere od. *Winandermere*, ein See Westmorelands, schmal u. gewunden zw. die Berge gebettet, scheint das welsche *gwen dwr* = klares Wasser mit ags. *mere* = See zu verbinden (Charnock, LEtym. 298). — Ein anderer *W.*, durch Uebertragg., in dem schönen Berglande v. Karagwe, v. Capt. Speke (Journ. 202) so genannt, 'for want of a native name, I christened it *the Little W.*, because Grant thought it so like our own English lake of that name'.

Windhonds Bay, in Feuerl., v. der 'nassauischen Flotte' im Febr. 1624 getauft nach der Yacht *W.*, mit welcher der Viceadmiral v. Schapenham auf Recognition hingekommen war (Vloot 40).

Windich Brook, ein kleiner Bach, *brook*, der austr. Wüste, v. engl. Reisenden John Forrest am 3. Juli 1869 benannt nach seinem Begleiter Tommy *W.* (Journ.RGS.Lond.1870,243). — *Windische Mark* s. Krain. — *Windisch* s. Vindonissa.

Windsor, eig. *W. Castle*, das v. Wilhelm d. Eroberer ggr. Residenzschloss, zuerst *Windleyhopa*, nach den vielfachen Windungen des Flusses, dann *Wyndlechera, Windelesore*(Sommer, Taschb. 19, 3), *Windlesofra, Windles-oure, Windesoure*,

Windesore etc., v. **ags.** *windan* = winden, u. *ofer* = Ufer, Rand (Charnock, LEtym. 298). — Der Name ist mehrf. übtragen *a) Mount W.* **s.** Victoria u. *b) W. Castle,* v. Capt. B. Hall (Corea XVI) am 7. Sept. 1816 f. eine hohe Insel der Gruppe Amherst, Korea. 'It has the appearance of a turret or large chimney'. — Anders *W. Creek* u. *W.'s River,* beide im Netz des Missuri, v. der Exp. Lewis u. Cl. (Trav. 168. 630) nach einem ihrer Gefährten getauft, der erstere, ein lkseitgr. Zufluss des Missuri selbst, obh. Yellowstone R., am 26. Mai 1805, der andere ein lkseitgr. Tributar des Yellowstone R. am 27. Juli 1806.

Windward s. Antillen.

Windy = windig, adj. des engl. *wind,* mehrf. in ON. *a) W. Bay,* in Crozet's In., offb. oft v. Winden aus dem anstossenden Thale aufgewühlt. 'The squalls that came down the valley, compelled us to lower our topsails and keep them down until we had passed the opening' (Ross, SouthR. 1, 53); *b) W. Lake,* eine der seeartigen Erweiterungen des Hill R. (Franklin, Narr. 38); *c) W. Island,* ein Werder des Missuri, obh. Yellowstone R., v. den Captt. Lewis u. Cl. (Trav. 163) am 21. Mai 1805 so benannt, weil der Sturm sie nöthigte, noch in der Nacht ihr Lager an einen geschützten Platz zu verlegen ... 'the wind had been moderate during the fore part of the day, but continued to rise towards evening, and about dark veered to north-west, and blew a storm all night. We had encamped on a bar on the north, opposite the lower point of an island, which from this circumstance we called WI.; but we were so annoyed by clouds of dust and sand, that we could neither eat nor sleep, and were forced to remove our camp at eight o' clock to the foot of an adjoining hill, which shielded us in some degree from the wind'.

Wingen = s. v. a. brennender Hügel — wenigstens ist das Wort in der Sprache der Wilden v. 'Feuer' abgeleitet u. die Uebsetzg. *Burning Hill* bei den Colonisten übl., eine Gebirgsgegend in NSWales, ein Bitumlager im Brande begriffen ist u. aus Spalten u. Ritzen blauer Rauch aufsteigt (Mitchell, Three Expp. 1, 23).

Winitz s. Vino.

Winnebago od. *Winnebagoes* = Stinker, in frz. Uebtragg. *Puan(t)s,* ein 'v. Natur sehr unsauberer Indianerstamm' des j. Wisconsin, eine Abtheilg. der Iowa, zuerst besucht v. dem kühnen Reisenden Jean Nicolet 1634, auf Anregg. des betriebsamen Gouverneurs S. Champlain, der Kunde v. dem Vorkommen der Kupferlager am L. Superior besass u. v. daher 1610 ein fusslanges Stück Kupfer erhalten hatte. Auf seiner Carte v. 1632 ist denn auch eine Kupfermine angegeben, jedoch an die Green Bay verlegt (Am. Antiq. 1882, 349). Am 1. Juli 1634 verliess Nicolet Quebeck, u. in einem Canoe v. Birkenrinde fuhr er um die See'n u. gelangte in die Green Bay, wo er die *W.* angesiedelt fand. In ihrer Ansiedlg., *Village des Puans,* erschien später auch der

Jesuitenmissionär Marquette, der die Jahre 1668/73 hier zubrachte. Noch Jonathan Carver, 1766, traf ein Dorf v. 50 Häusern an dem See, welcher v. Fox R. durchflossen wird u. seinen Abfluss in die *Bay des Puants* (**s.** Green Bay) sendet: *W. Lake,* frz. *Lac des Puants.* In der Nähe *Fort W.* (GForster, GReis. 3, 343, Coll. Minn.HS. 1, 21. 49. 351).

Winnipeg = Schlammwasser, v. cree *wi* = schlammig u. *nipi* = Wasser, ein See in America, da der See u. die einmündenden Flüsse, nam. der Saskatschewan, v. der Menge suspendirten weissen Lehmes trübe u. undurchsichtig sind — ein Umstand, welcher wg. der verborgenen Klippen bei frischer Brise die Bootfahrt auf diesen Wassern sehr gefährl. macht. Zuf. einer Sage der Crees rührt der starke Schlammgehalt v. einer eigenth. Operation her. Eine ihrer untergeordneten Gottheiten, ein muthwillig neckischer Kobold, Weesakootchaht, wurde einst v. einem alten Weibe erwischt, durch alle Weiber des Stamms ausgeprügelt u. in einem so schmutzigen Zustande entlassen, dass er alle Wasser des grossen Sees zu seiner Reinigg. gebrauchte (Franklin, Narr. 42f.). Wesentlich stimmt damit auch Lacombe (Dict. Cris), der hinzufügt: à tort écrit avec deux *n,* während in einer höchst verdienstl. Sammlg. v. Aufzeichnungen, grössernth. wenig zugänglichen, üb. die innercanad. Gebiete Ch.N. Bell (Canad. NWest 2), entspr. der Etym. v. *win* = dirty u. *nepe* = Wasser, mit *nn* u. ausdrückl. beifügt, dass diese Schreibg. seit Capt. Back unbestritten Geltg. behauptet habe. Als ältere Varianten des Namens gibt er *Ouinipigon* bei Verendrye 1734, *Ouinipique* bei Dobbs 1742, *Unipignon* bei Galissonière 1750, *Ouinipeg* bei Bougainville 1757, *Ouinipigon* bei Jeffreys 1760, *Ouinipique* auf der frz. Carte 1776, *Winnepeck* bei Carver 1768, *Winipegon* bei Henry 1775, *Winipic* bei McKenzie 1789, *Winipick* bei Harmon 1800, *Winipic* bei Pike 1805, ebenso bei Lord Selkirk 1816, *Winepic* bei Ross Cox 1817, *Winnipic* bei Schoolcraft 1820, *Winnepeek* bei Keating 1823, *Winnepeg* bei Beltrami 1823, *Winnipeg* bei Capt. Back 1833. Die Trübung des Seewassers sucht er, weniger einleuchtend, in einer kleinen Wasserpflanze, durch die das Gewässer oft fast so dickflüssig wie Erbsensuppe werde. Besucht wurde der See zuerst durch 2 Franzosen, Radisson u. Grosselliers 1660; in jenen ältern Zeiten wurde er nach den anwohnenden Indianerstämmen *Lac des Assiniboines* od. *Lac des Christineaux* (s. Cree) nach dem frz. Königshause auch *Lac Bourbon* genannt. — Auch einer der Zuflüsse des Sees heisst *W. River,* den 1734 der Franzose Verendrye abw. befuhr u. zu Ehren des dam. frz. Ministers *la Rivière de Maurepas* nannte. Bei McKenzie heisst er *White River,* 'in evident allusion to the succession of falls and rapids which occur along its course', bei David Thompson, dem Astromen u. Landmesser der Nordwest-Co., 1796 *Sea River,* da der Fluss auf kurzem Laufe Wood Lake u. *W.* verbindet. —

Ein Handelsposten der Co., v. den Franzosen am See errichtet, heisst *W. House*. — Neben dem grossen *W. Lake* gibt es noch einen *Winipegsis*, wo das Affix *sis* = klein (Hind, Narr. 1, 172; 2, 5, mit Orth. *Winnipego*). — Stadt *W.* s. Garry.

Winociberg s. Berg.

Winter = hiems, ahd. *wintar*, in vielen deutschen ON., gewiss häufig f. Schattenlagen od. höhere, rauhe, exponirte Oertlichkeiten, wie *Winterbach*, im 9. Jahrh. *Wintarpah*, mehrf., *Winterberg*, *Winterburg* (s. Schatten), *Winterheim*, *Winterstetten*, *Winterlingen*, im 9. Jahrh. *Wintarfulinga*, bei Balingen, *Wintersulgen*, alt *Wintarsulaga*, bei Ueberlingen, u. a. m. Dagegen ist *Winterthur* aus dem kelt. *Vitudurum*, so zuerst im Jahr 294, noch 865 *Winturdura*, umgedeutet: 850 *Wintardurum*, 1495/97 bei C. Türst *Wintertur*. Der kelt. Ort lag an der Stelle des j. Dorfes *Ober-Winterthur*; die jüngere Stadt liegt mehr thalwärts (Förstem., Altd. Ortb. 1623, Mitth.Zürch.AG. 6, 169; 12, 280, QSchweiz G. 6, 6). Die Ableitg. 'Ort am Waldwasser', v. *vitu* = Wald u. *dur* = Wasser, darf nicht unbedenklich angenommen werden, da *vitu* deutsch ist; doch vermuthet Buck, dass Kelten u. Germanen das Wort, ahd. *witu*, kelt. *vidu*, gemeinsam hatten (Zeitschr. HVSchwab. 7, 9). Einleuchtender setzt d'Arbois de Jubainville (Recherches s. l'orig. de la propr. fonc. XI, Par. 1890) *Vitu-durum* = forteresse de Vitus, also nach dem Namen des Besitzers. — *W. Hoek* = Winterecke, eine Bergkuppe in der Quellgegend des Elefanten Fl., die üb. die ganze Regenzeit mit Schnee bedeckt ist (Lichtenst., SAfr. 1, 227). — Auf dem Felde engl. Entdeckungen mehrf. in ON., die das Andenken einer Uebwinterung bewahren, wie *W. Harbour*, 2 mal: *a)* in Kerguelen I., v. Capt. Rob. Rhodes, welcher hier den antarkt. Winter zubrachte, 8 Monate lg. (März —Oct. 1799) mit ausgiebigem Walfang beschäftigt (Ross, SouthR. 1, 65); *b)* in Melville Pᵃ, wo W. Edw. Parry (NWPass. 98) 1819/20 übwinterte, am 19. Sept. 1819 so genannt; *c)* *W. Island*, am Fox Ch., wo Parry (Sec. V. 229 ff.) bei der 2. Reise, 1821/22, lag;· *d)* *W. Lake*, auf der Wasserscheide Yellow Knife- u. Coppermine-R., v. Capt. John Franklin (Narr. 221) so benannt, weil er, dem Vorschlag des Indianerhäuptlings Akaitcho folgend, das Fort Enterprise f. die Ueberwinterung 1820/21 baute. Den See verbindet *W. River* mit dem *Round Rock Lake* = See mit Rundfels.

Winter's Forest, der 'Wald', in welchem Capt. James an der James Bay 1631/32 übwinterte, v. ihm getauft 'in memory of that honorable knight, sir John *W.*' (Rundall, Voy. NW. 202). — *W.'s Furnace*, Insel der Frobisher Bay, v. NWfahrer Mart. Frobisher auf der 3. Fahrt 1578 getauft (Hakl., Pr. Nav. 3, 43), mit *furnace* = Ofen ozw. deswegen, weil hier die angebl. goldhaltige Erde verladen u. schon ein Jahr vorher **eine Schmiede** eingerichtet wurde (s. Smith).

Wipper s. Wupper.

Wirbhadradurgam s. Siwa.

Wirissi Tschokrak = reiche Quelle, wo *wirissi*, f. Quellen häufig, bes. bei Ruinen alter Befestigungen, *wrisi*, wohl zshängend mit gr. βρύω = Ueberfluss, Ausfluss, βρύσις = ausfliessen, bei den Nogai eine der Quellen des taur. Gebirgs, nicht gerade sehr passend, da sie in heissen Sommern versiegt (Köppen, Taur. 2, 7. 18. 23 ff.).

Wirm s. Würm.

Wirolaiset s. Estland.

Wirzjärw = weisser See, finn. Name eines z. Netz der Embach, also des Peipussee's geh. See's in Livland (Meyer's CLex. 6, 78).

Wischezahn s. Wysokij.

Wischnu, die 'erhaltende' Person der ind. Trimurti, j. der verehrteste u. volksthümlichste aller ind. Götter, welchem 10 Verkörperungen, bald in thierischer, bald in menschlicher, bald in übermenschlicher Gestalt, sowie wundersame Fertigkeiten zugeschrieben werden, oft in ON. wie *Wischnupreág* = *W.'s* Opfer, in Garhwal (Schlagw., Gloss. 258) od. *Wischnupuri* (s. Swargarohini), auch mit seinen Beinamen *garurbir* = Held mit dem Adler, *hari*, *narájana* = Mannessohn, *narasinha* = Mannlöwe, *sirdhar*, eig. *sridhára* u. *warakádu* = Gewährer der Wünsche, als: *Garurbir*, in Nepal, *Hardwar*, engl. *Hurdwar* = *W.'s* Thor, als Eingang zu seinem Himmel, Ort, welcher am Austritt des Ganges aus dem Himálaja liegt, daher auch *Gánga dwára* = Gangesthor genannt wird, 'einer der heiligsten Hinduorte, als Wallfahrt üb. ganz Indien als einzig dastehend berühmt' (Lassen, Ind.A. 1, 65), ferner *Harigárh* = *W.'s* Schloss, *Harigáung* = *W.'s* Dorf, *Haripúr* u. *Harirámpur*, beides *W.'s* Stadt (s. Rama), *Haritschandragárh* = *W.'s* Mondschloss, *Naraingandsch* = *W.'s* Markt, *Naraingárh*, *Naraingáung*, *Narainpet*, wie voriges '*W.'s* Dorf', *Narainpátnam* u. *Narainpur*, beides '*W.'s* Stadt', *Narsingha* = *W.'s* Tempel, *Narsinghgarh*, mehrf., *Narsinghpetta*, *Narsinghnágar* u. *Narsinghpur*, *Sirdhárpur*, *Warakadu*, Ort in Maissúr, wo dem Gott ein Anbetungsort gewidmet ist (Schlagw., Gloss. 192. 198. 227. 246. 257; Reis. 1, 311). — *Bischánpur* = *W.'s* Stadt, v. *Bischan*, mod. v. *W.*, ON. in Bengal. — *Bischnáth* od. *Bischwanáth*, = Herr des Weltalls, v. skr. *Wiswanátha*, einem Namen Siwa's, ON. in Asám (Schlagw, Gloss. 177), *Bardwán*, in engl. Orth. *Burdwan*, ON. in Bengal, v. skr. *warddhamána* = glücklich, gedeihend, einem Epithet Wischnu's (Schlagw., Gloss. 174), od. das wachsende, fruchtbare, ohne relig. Sinn (Lassen, Ind.A. 1, 164). — *Baroach*, auch *Barotsch*, eig. *Barukatschka*, graec. ἡ Βαρύγαζα, τὰ Βαρυγάζα, skr. Name des am der Mündg. der Nerbudda gelegenen Hafenorts, benannt nach *Baru* = Wischnu od. Siwa, also dem einem dieser Götter geweihte Uferland (Lassen, Ind.A. 1, 113).

Wisconsin, zunächst Flussname bei P. L. Joliet 1674 *Miskonsing*, bei Marquette *Meskousing*, *Miskous* (Drapeyron, Rev. Géogr. 3, 95), bis in die neuere Zeit *Ouisconsin* geschr., ist etym. unklar, 'probably of mixed origin', mit frz. *ouest*, das zu *ouis* verkürzt ist, gew. 'westwärts fliessend', der Westfluss, gedeutet. Mr. Schoolcraft says, that 'locality was given in the Algonquin by *ing* = at, in, by, — as *Wiscons-ing* (Staples, N. USt. 16). Ein Unionsstaat *W.* seit 1848.

Wise, Point, am americ. Eism., durch Capt. John Franklin's (Sec. Exp. 242 ff.) Gefährten Dr. Richardson, den Befehlsh. der v. McKenzie R. z. Kupferminenfl. beorderten Abth. der Exp., im Sommer 1826 entdeckt u. durch seinen Begleiter, Lieut. Kendall, benannt nach Capt. M. F. *W.*, 'of the Royal Navy, under whose command he sailed in His Majesty's ship, Spartan'.

Wisdom s. Philosophy.

Wiselitschnyj Nos = Galgencap, russ. Name eines Vorgebirgs, welches angesichts Gorodòk in den Pustósero (s. d.) sich erstreckt, z. Andenken an die Behandlg., welche 1746 anl. ihres letzten Angriffs auf das russ. Fort Pustosérskoj Oströg etwa 100 Gefangene der Samojeden erfuhren (Schrenk, Tundr. 1, 603).

Wishard s. Visscher.

Wisimsk s. Solikamsk.

Wiska = Flüsschen (s. Wytegra), f. einen Zufluss, welcher sich im Delta mit der Petschóra vereinigt, ist die russif. Form des tschud. Worts f. Fluss, dem finn. *véssi* verwandt, syrj. *wis* = Bach (s. Wysar-*wis*). S. Listwennítschnaja Wiska, Tschúkwiska (Schrenk, Tundr. 1, 567).

Wismar, Hafenort in Mecklb., eine deutsche Gründg., 1229 *Wyssemaria*, 1246 *Wismaria*, benannt nach dem nahen *Alt-W.*, in dessen Namen der slaw. PN. *Vys̆ḿér*, *Visemér*, enthalten ist (Kühnel, Slaw. ON. 159).

Wissahickon = Bach der Catfische, ind. Name eines lkseitg. Zuflusses des Schuylkill. Ungleich den gleichnam. Fischen des Delaware u. a. Flüsse jener Gegend, sind die Catfische des *W.* v. leckerem Geschmack u. die Gerichte Philadelphia eigenth. (Keyser, Fairm. P. 82. 91.)

Wisla s. Weichsel.

Wisocko s. Wysokij.

Wistelach s. Vully.

Wit = weiss, in holl. ON. *a) Witte Klip*, eine Inselklippe der False Bay, Capl. ... 'auf diesen setzen sich die Meervögel in aller Sicherheit' (Kolb, VGHoffn. 217). — *b) Witte Blink* = weisser Glanz, auch *Eisblink*, ein grosses, hohes Eisfeld in Grönl., 'dessen Glanz in der Luft, wie der Nordschein, viele Meilen weit in der See gesehen werden kann' (Cranz, HGrönl. 1, 10).

Witimsk s. Irkutsk.

Witland s. Frische Nehrung.

Witsen s. Maatsüyker.

Wittgenstein Insel, einh. *Fakarawa*, tahit. Dial. *Faarawa*, in der Centralgruppe der Paumotu, v. russ. Seef. Bellingshausen 1819 entdeckt. Ebenda u. ebenso: *a) Greig I.*, einh. *Niau*; *b) Milodarowitsch I.*, einh. *Fa·aite*; *c) Sacken I.*, einh. *Katiu*; *d) Barclay de Tolly I.*, einh. *Raroia*, nach dem russ. General; *e) Wolchonsky I.*, einh.

Takume, Takurea (Meinicke, IStill. O. 2, 205 ff., ZfAErdk. 1870, 366 ff.). Man darf bei dem letztern Namen wohl an den Fürsten Peter Michailowitsch Wolchonsky denken, welcher, 1776 geb., 1817 Infanteriegeneral wurde u. den Kaiser auf allen seinen Reisen begleitete, † 1852.

Wittwe s. Frau.

Wiwniksk s. Omsk.

Wizagapátam od. *Wisakhapáttanam* = Wisákha's Stadt, skr. ON. in Oríssa, v. *wisákha*, einem Beinamen Kartikéjas, des Kriegsgotts (Schlagw., Gloss. 258).

Wlachen s. Walachen.

Wladikawkas = Herr des Kaukasus, russ. Name einer 1785 am Nordfusse des Kasbek ggr. Veste. 'Mit Recht führt dieser Ort den Namen; denn er beherrscht den Eingang der grossen Militärstrasse, Stawropol-Tiflis, ins Gebirge'. Die Veste erhebt sich näml. da, wo der Terek aus dem Gebirge in die Ebene hinaustritt. Die osset. Bergbewohner nennen sie *Terekkalla*, wo *kalla* = Burg (Potocki, Voy. 1, 175, Ausl. 1869, 998, Glob. 14, 132). — *Wladiwostok* s. Peters d. Gr. Bay. — *Wladimir*, etwa mit dem Beinamen *Salesky* = hinter dem Walde, russ. ON. zw. Moskau u. NNowgorod, um 1120 ggr. v. Grossf. Wladimir Wsewolodowitsch (Müller, Ugr. V. 2, 293). — *Wladislawa*, ein anderer Name Kujaviens, nach der alten Hptstadt Wladislaw (Meyer's CLex. 10, 429).

Wlkau s. Vlk.

Wochani s. Zar.

Wo der Bär im Winter sich aufhält, die Uebersetzg. des ind. Namens eines Flusses, der in den nördl. Arm des Cañon Ball R. mündet (Ludlow, Black H. 72). Der Text hat die Originalform nicht.

Woda = Wasser, in den poln. ON. *Wodna* u. *Wodnan* (s. Voda). — *Wodyaniye Protoki* s. Kamen.

Wörth s. Werder.

Wogulen, Volksname des Urál', um die Quellen der Petschóra, nach zwei Flüssen, syrj. *Wogul*, wog. *Man-ja*, deren einer, *Olis-man-ja*, z. Ilitsch-Petschóra, der andere, *Tajt-man-ja*, z. Tajt-Soswa fliesst (P. Hunfalvy, VUral 37). — Russ. *Wogulskaja Gora* = wogulischer Berg, anderer Name der ural. Bergkuppe Kumba, Koümb, nach den Umwohnern (Bär u. H., Beitr. 5, 66).

Woina Deka = Weinberghöhen, bei den Abessiniern die f. den Weinbau empfängl. Regionen v. 2000—2400 m üb. M. (Abbadie, Douze Ans 1, 82). S. Kolla.

Wojeikow, Cap, eine lange, mauerartig vorspringende Klippe an der Nordseite der spitzb. Barents-I., getauft durch die Exp. Heuglin-Zeil 1870 zu Ehren des russ. Meteorologen A. J. v. *W.* (Peterm., GMitth. 17, 120. 180. 227. 439).

Wojwodina, v. 1849/60 ein österreich.-ung. Kronland, v. slaw. *wojewoda*, *wojwode* = Heerführer, Herzog, der bei den alten Slawen nur f. die Kriegszeit gewählt wurde (Herbst., RMosc. C. ed. Major 1, 5). Später pflegten die Statthalter der Provinzen diesen Titel zu führen, zunächst aber ledigl. militär. Functionen zu bekleiden.

Als ihnen auch die Civilverwaltg. übgeben wurde, pflegte man den Titel mit Palatinus zu übsetzen. Bei den Südslawen heisst j. noch der Führer eines Hochzeitszuges *vojvoda* (Meyer's CLex. 15, 855).

Wokeokeloka s. Red Earth.

Wolf, ahd. ebf. *wolf*, in ON. nicht selten, aber oft durch Vermittelg. eines PN., wie namentl. in *Wolfenbüttel*, das wohl z. PN. *Welf* gehört, mit alts. *bodl* = villa, ags. *botl* = domus, niedd. *büttel* = Gut, Erbgut (Peterm., GMitth. 7, 146). In diese Doppelreihe gehören u. a. altdeutschen Namen *Wolfaha*, j. *Wolfach*, zunächst Flussname, wiederholt, *Vuluisangar*, j. *Wolfsanger*, an der Fulda, *Wolfispach* u. a. m. (Förstem., Altd. NB. 1644 ff., Deutsche ON. 85). — *W. Rapid*, f. american. Stromschnellen 2 mal: *a)* im Gr. Fischfl., entdeckt u. befahren am 26. Juli 1834 v. arkt. Reisenden G. Back (Narr. 191), benannt nach den weissen Wölfen, Lupus occidentalis Rich., welche Tags vorher um eine Herde weidender Moschusochsen herumgelungert waren u. deren einige der Fahrt durch die Felspassage voll Verwunderg. zuschauten; *b)* im Unterlauf des Yellowstone R., v. Capt. Clarke am 31. Juli 1806 so benannt, weil er einen Wolf darin sah (Lewis u. Cl., Trav. 632). — *W. River*, urspr. frz. *Rivière du Loup*, ein kleiner lkseitg. Zufluss des untern Missuri, wo am 7. Juli 1804 auch die Exp. Lewis u. Cl. (ib. 17) einen Wolf erlegte. — *W. Island* s. Fanua.

Wolfe Islands, mehrere Sandinseln der Gruppe Gambier, üb. welchen zeitweise die See so schwer sich bricht, dass sie im Schaume gänzl. verschwinden, benannt im Jan. 1826 v. Capt. Beechey (Narr. 1, 145) nach James *W.*, einem der midshipmen seines Schiffes.

Wolfgang, St., Ort in Ober-Oesterreich, am *St. W.-See*, nach dem heil. *W.*, welcher 972—977 eine Einsiedelei des nahen Falkenstein bewohnte u. dessen Reliquien hier gezeigt werden (Meyer's CLex. 14, 127).

Wolga, slaw. Flussname, zuerst 1100 bei dem russ. Chronisten Nestor, mit altslawon. *wolkoj*, *wolkoja*, russ. *weliki* = gross z. vergleichen, im Abendlande zuerst 1246 im Reisebericht des ital. Minoriten Plan Carpin (Müller, Ugr. V. 2, 88. 103 ff.), auch bei den türk. Anwohnern, sofern sie den Fluss nicht einf. *Atal, Atel, Adel, Idel* (Laxmann, Sib. Br. 12), bei Ibn Batuta (Trav. 79) *Athal*, bei Edrisi (ed. Jaub. 2, 332) *Athil*, nennen, *Ulu(g) Idel* = grosser Strom (Falk, Beitr. 1, 140) od., wie bei den z. Th. verturkten Tschuwaschen, *Asli Adal* = grosser Fluss (s. Wjatka u. Kama). Der türk. Name f. 'Fluss' erscheint 569 zuerst, als *Attila*, bei dem byzant. Schriftsteller Menander, anlässl. der Gesandtschaftsreise des Zemarchus, unter Justinus II. erwähnt. Noch j. heisst der Strom bei den Mordwinen *Rhau* = Fluss, wie er bei Ptol. (Geogr. 5, 8) als '*Pā* erscheint (Schafarik, Slaw. A. 1, 499, Humboldt, As. Centr. 2, 505, Klaproth, Mém. 2, 374). Im übr. vgl. P. Cassels Versuch (Anz. KDVorzeit NF. 9, 36 ff.).

Wolgast, Stadt in Vorpommern, in den ältesten Urkk. *Woligast, Wolegost, Walegost* etc., gehört zu slaw. *wol* = Ochs, čech. u. slow. *vol*, zsgesetzt mit *gast*, asl. *gastj* = Wohnort, ist also 'Ochsenheim, Ochsenweide'. Auch *Wollin*, die eine Insel vor der Mündg. der Oder, poln. *Wolynj*, ist derselbe Name wie *Wolynien* = Ochsenland, wie denn die russ. Prov. dieses Namens heute noch als Weideland bekannt ist (Łęgowski 12. Mai 1891). Hierher gehören auch die galiz. ON. *Wolowe, Wolowice, Wolowiec*, čech. *Volary*, slow. *Volavec, Volavje* u. a. (Umlauft, ÖUng. NB. 262. 278).

Wollamai, die Ostspitze v. Phillip I., Victoria, sonst der einh. Name eines Fisches zu Port Jackson, desselben, welchen die Ansiedler nach dem einem Helme ähnl. Kopfknochen den leichten Reiter nennen, u. da dieses Cap dem Kopfe des *W.* ähnelt, so gab der Entdecker Bass ihm diesen Namen (Flinders, TA. 1, 222).

Wollaston Land, auf derselben arkt. Insel mit Victoria- u. Prince Albert Ld., v. Dr. Richardson, Exp. Franklin (Sec. Exp. 252 f.) am 4. Aug. 1826 entdeckt u. nach dem Physiker u. Chemiker Dr. Hyde *W.* († 1828) benannt. Das Erscheinen der langen Landlinie in NNW., nachdem die Exp. schon in Stapylton- u. South's Bay hineingerathen war, anst. einen Durchgang zu finden, erweckte neue Befürchtungen, auch dieses neue Land möchte mit dem Hptlande rechts im Hintergrunde zshängen, so eine neue tiefe Sackgasse bilden u. den Zugang zu dem ersehnten Zielpunkt, der Mündg. des Kupferminenfl., verschliessen. Da brachte Richardson's erster Officier, der spätere Lieut. Kendall, welcher auf die Höhe bei Cape Bexley gestiegen war, den frohen Bericht, dass die Continentalküste nach Südosten umwende, das nördl. Land, eben unser *W. Land*, nicht mit jener zshänge u. zw. beiden eine ungew. offene See sich ausdehne. Später erwies sich diese in der That als ein 20—30 km br. Durchgang, welchen Richardson nach den beiden Booten, 'of our excellent little boats', *Dolphin und Union Strait* nannte. — Vorausgegangen waren *a)* W. Island, 2 mal *a)* an der Westseite der Baffin Bay, v. engl. Capt. John Ross (Baff. B. 206) am 15. Sept. 1818 getauft nach Dr. *W.*, welcher die auf den 'rothen Schnee' v. Crimson Cliffs u. auf das Meteoreisen v. Iron Mountain bez. Relation im App. LXXXVII ff. abgegeben hat; *b)* in De Witts Ld., v. Capt. Ph. P. King (Austr. 1, 399) am 8. Sept. 1820 getauft. — Ferner *a)* W. Islands, 2 niedrige Inseln in Lancaster Sd., v. W. Edw. Parry (NWPass. 267) am 31. Aug. 1820 auf dem Rückwege v. v. Winter H. entdeckt u. nach Dr. *W.* benannt 'a gentleman well known in the scientific world and one of the commissioners of Longitude'; *b)* W. Point, Vorgebirge in Banks' Peninsula, v. Capt. John Franklin (Narr. 374) am 1. Aug. 1821; *c)* W. Foreland, ein inselartig vortretendes, hohes Landstück, 'a bold tract of land' an der Ostküste Grönlands v. engl. Walfgr. Will. Scoresby jun. (North. WF. 104) im Juni 1822 entdeckt u. be-

---

nannt 'as a testimony of respect to two of the Commissioners of longitude'.

Wollbach s. Walen.

Wolchonsky s. Wittgenstein.

Wolkow u. **Wollin** s. Lutici.

Wollishofen s. Hof.

Wolok = Trageplatz, portage, dim. *wolotschók*, auch *perevoloka* (s. Perekop), asl. *prêvlaka*, russ. Bezeichng. der Uebergangsstelle, welche zwei nahe Wasserwege verbindet, mehrf. in ON. des nördl. Russland, wo v. jeher der Verkehr dem Lauf der Flüsse folgte: *a) Wolokowóje Osero* = See des Schleppwegs, 2 See'n im Samojedenlande, als *Pérwoje* (= erster) u. *Wtorój*e (= zweiter) unterschieden (Schrenk, Tundr. 1, 173); *b) Woloschniza*, ein Nebenfluss der Petschora, die durch den Schleppweg mit dem Netz der Kama verbunden ist (ib. 1, 192); *c) Wyschnji Wolotschók* = oberes Trageplätzchen, Ort an der Canallinie Wolga-Twerza-Msta-Wolchow (Erman, Reise 1, 147). — *Sawolotschje* = Land jenseits des *W*. hiess bei den Nowgoroder Jagd- u. Handelsreisenden das j. russ. Eismeergebiet, v. Bjelosero bis z. Petschora, also das Netz der Onega, Dwina, Mesen u. Petschora. In diese wald- u. pelzreichen Polarebenen führte sie der *W*. in der Gegend des Bjelo- u. Kubinskoe-Osero; sie bildeten das Land hinter dem *W*. (Müller, Ugr. V. 1, 344).

Wolverhampton, Ort in Stafford, urspr. *Hampton* (s. Southhampton), dann *Wulfrune's Hampton*, zu Ehren Vulfruna's, der Wittwe des Herzogs v. Northhampton, die hier zu Ehren der heil. Jungfrau ein Kloster gründete (Camden-Gibson, Brit. 1, 464, Charnock, LEtym. 299).

Woltschji s. Sarmeingy.

Womat, Point, ein felsiger Landvorsprg. v. Cape Barren I., Furneaux, benannt, vermuthl. v. Flinders selbst, nach den *womat, wombat, womback* der Eingb., Phascolomys fossor Geoffr. = Ph. wombat Pér., einem hier zuerst angetroffenen pflanzenfressenden Beutelthiere (Clarke's I. afforded the first specimen of a new animal, called *W*.), welches am 16. Febr. 1798 v. Flinders (TA. 1, CXXVIII, CXXXV) in Menge hier gesehen u. in einigen Exp. erlegt wurde.

Women's Islands = Weiberinseln, weniger richtig *Woman's Islands*, an der Westseite Grönl., ca. 73⁰ NBr., wo am 30. Mai 1616 der engl. Seef. Will. Baffin Schutz vor der Eistrift u. dem widrigen Winde suchte. Die Eingb. flohen bei der Annäherung des Schiffes; aber man fand einige Weiber hinter Felsen versteckt, unter ihnen eine Matrone v. mindestens 80 Jahren. To the credit both of Baffin and his people, it must be observed, that the poor people discovered by them were treated with so much kindness, that the fugitives were induced to return, and good fellowship was established (Rundall, Voy. NW. 136f.). Man behandelte die Frauen freundl. u. beschenkte sie mit Eisen (Forster, Nordf. 406).

Wonakana s. Pagansej.

Wonderfontein = Wunderquelle, holl. ON. in Transvaal, nach den Höhlen, in welchen der

Mooi R. fliesst. Das Gestein bildet dort 4 m h. Felsen, deren verwitterte Oberfläche deutl. die Spuren der Zeit zeigt. Sie sehen wie zerborsten aus, u. man erblickt j. weite, tiefe Risse, wo früher feine Klüfte waren, durch die sich das auflösende kohlensäurehaltige Wasser langsam hindurchdrängte, bis es sich diese weiten Becken gegraben hatte. Wo früher eine einzige compacte Masse war, da schaut man j. Pfeiler, die durch Spalten isolirt wurden. Oben auf der Kuppe der Felsen ist ein wildes Durcheinander bienenzelliger Löcher, grosser Aushöhlungen v. ebf. bienenzelligem Aussehen u. langer Rinnen. Die Höhlen bestehen aus unterirdischen Gängen, die den Eindruck goth. Gewölbe machen ... Von der Decke hängen die weissen Stalaktitenblumen herunter, die wie die weissen Schlusssteinblumen der Kreuzgewölbe aussehen. Rechts u. links sieht man nischenartige Vertiefungen, in welche die erregte Phantasie gern Heiligenstatuen versetzt. Eine lautlose Stille herrscht überall, u. nur ein fernes, dumpfes Getöse schlägt an das Ohr. Man glaubt in einer Krypta zu wandeln (PM. 18, 425).

Wong-kambang s. Laut.

Wood Bay = Holzbucht, eine v. üppigem Baumwuchs umgebene, buchtartige Confl. des Mai-Kassa, NGuinea, so benannt durch die Exp. M°Farlane u. Stone im Aug. 1875 (PM. 22, 89); *b) W. Island* s. Roche; *c) W. Lake*, auch *Lake of the Woods*, urspr. frz. *Lac du Bois*, ein See zw. Oberwee u. Winnipeg L.,' ehedem wg. des Reichth. seiner Ufer u. Gewässer berühmt, welche Ueberfluss an allen Bedürfnissen des wilden Lebens gewährten' (M°Kenzie, Voy. 64). Es scheint, dass auch der frz. Name nur wieder die Uebersetzg. des ind. ist (den ich jedoch nicht gefunden); sonst hiess der See bei den Indianern auch *Sakahigan Pekwaonga* = 'See der Inseln mit Sandhügeln', deren sich wirkl. grosse an der Südostseite finden. Auch dieser andere Indianername wurde in frz. *Lac des Isles* übsetzt, u. auf einer frz. Carte v. 1719 heisst der See nach den Umwohnern *Lac des Sioux* (Ch. Bell, Canad. NWest 2). — Nicht zu verwechseln mit ihm: *Lake of the Woods*, im Netz des nördl. Arms des Saskatshawan, benannt nach den Tannwäldern, welche seine hohen Steilufer decken. In seiner Nähe 3 Trageplätze: *Portage of the Lake of the Woods* (Franklin, Narr. 178ff., Carte); *d) W. River*, ein kleiner lkseitg. Nebenfluss des Missisipi, in holzreichem Lande, urspr. *Wood's*, der ihm ggb. mündet, 'with less timber' (Lewis u. Cl., Trav. 2f.). — *Wooded Peak*, in NSeeland, dem nackten Dun Mt. ggb. (Hochstetter, NSeel. 331).

Wood Bay, in SVictoria, v. Capt. J. Cl. Ross (SouthR. 1, 250ff.) am 19. Febr. 1841 entdeckt u. wie eine Reihe anderer Objecte jener Gegend, nach einem seiner Officiere, dem 3. Lieut. des Erebus, James F. L. *W*., getauft. 'I had much satisfaction in now bestowing the names of the officers of the expedition, by whose exertions these discoveries were made, upon the several capes and inlets we passed in our run close along the land to the northward'. — *Cape W. a)* ebf. in SVictoria u. v. Ross, am 11. Jan. 1841, aber nach Charles *W.*, dem ersten Secretär der Admiralität (ib. 187); *b)* s. Greville. — *Cape William W.*, in Kane Sea, v. Polarf. E. K. Kane (Arct. Expl. 1, 126) prsl. benannt 1853.

Woodah, Isle, bei Groote Eiland (s. d.), v. Seef. Matth. Flinders (TA. 2, 193 Atl. 14 f.) am 18. Jan. 1803 entdeckt u. benannt nach dem *whaddie, woodah*, d. i. dem hölzernen Schwerte, welches die Eingb. v. Port Jackson gebrauchten u. welchem die Form der Insel ähnelte.

Woodcock, Mount = Berg der Waldschnepfe, in Feuerl., v. der Exp. Adv.-Beagle im April 1828 so benannt, weil Capt. Fitzroy (Narr. 1, 139) oben, als er Umschau halten wollte, eine Waldschnepfe aus dem langen Grase hervorspringen u. so sorglos weggehen sah, dass sein Gefährte Tarn sie beinahe mit einem Stocke getroffen hätte. — *Woodhen's Cove* = Bucht der Waldhühner, eine der Goose Bay ggb. liegende Bucht, v. Cook (VSouthP. 1, 80) am 16. Apr. 1773 getauft nach der unermessl. Zahl dieser Vögel, deren er 10 Paar erlegte.

Woodlark, eine Insel nördl. v. der Louisiade, einh. *Muju* (Meinicke, IStill. O. 1, 103), v. Capt. Grimes, Schiff *W.* aus Sydney, 1836 entdeckt (Bergh., Ann. 3 R. 11, 84, Peterm., GMitth. 8, 341).

Woodle s. Hopper.

Woodroffe, Mount, ein hoher Berggipfel der centralaustr. Musgrave Range (s. d.), im Juli 1873 v. Reisenden W. C. Gosse nach dem surveyor general *W.* getauft (PM. 20. 365).

Woody, adj. v. *wood* (s. d.), mehrf. in engl. ON. *a) W. Head* = waldiger Kopf, ein hohes Waldcap an der Westseite NSeels., 37⁰ 43′ SBr., getauft v. Cook am 10. Jan. 1770, weil er, v. Cap Maria Van Diemen nach Süden fahrend, längs einer verödeten Küste, 'deserted coast', hingesteuert war u. nun das Land ein besseres Aussehen bekam, aufsteigend in sanften Hängen u. grün v. Bäumen u. Kräutern (Hawk., Acc. 2, 382); *b) Woody Island* s. Curlew; *c) W. Islands,* eine Reihe bewaldeter Eilande (notabene: Perim u. seine kleinen Nachbarn sind es nicht) am Rande der Antelope's Bank, im Rothen M., so benannt v. engl. Capt. Court, der 1805 auf ders. beinahe verunglückt wäre (Bergh., Ann. 5, 11). Rührt auch der engl. Name *Crab Island* = Krabbeninsel (ganz in der Nähe) v. ihm her? *d) Woody Point,* in Vancouver I., v. Capt. Cook (-King, Pac. 2, 264 ff.) am 29. März 1778 benannt nach dem stolzen Baumwuchs jener Gegend ... 'high straight trees, that formed a beautiful prospect, as of one vast forest'.

Worms, im 2. Jahrh. *Wormatia,* dann *Wormacia, Wormatium,* bei Ptol. v. reinkelt. Gepräge Βοϱβϱτόμαγος, im Itin. Ant. *Borbitomagus,* in der Tab. Peut. *Borbetomagus,* später *Wormiza, Wormeze, Wormez* (Baem., AWand. 23), Ort am Rhein, mit sicher kelt. Namen, in dessen erstem Theile der Name des dort mündenden Flüsschens, der j. *W.*, zu stecken scheint. *Wor-*

mazfeld, im 8. Jahrh., ist also in seinem ersten Theile Umdeutschg., im letzten geradezu Uebsetzg. (s. Feld) des kelt. Originals. Die Umgegend *Wormazgowe,* im 10. Jahrh. (Förstem., Altd. NB. 1641). — Ein anderes *W.,* ital. *Bormio,* an dem Quellauf der Adda, einst v. strateg. Bedeutg. u. belebter Handelsplatz an der obern Adda, j. durch die (alten u. neuen) Bäder berühmt: 'das edle Bad, welches die Einwohner *St. Martinsbad* heissen, wg. einer Capellen, so dem angeregten Heiligen zu Ehren etwan daselbst erbauwen u. bis auf uns erhalten worden' (Guler, Veltl. 14, Osenbr., Wanderst. 2, 158. 166). Nach dem Ort das *W.er Joch,* ein Alpenpass in das graubündn. Val Mustair.

Worochowa s. Dubtschewsk.

Worota s. Bajkal.

Worowskoï-Les = Wald der Diebe, ein Gehölz der ciskauk. Gegend an der Kuma, russ. benannt, 'et ce nom conviendrait également à toutes les forêts du pays' (Potocki, Voy. 1, 228).

Worzland s. Siebenbürgen.

Woschewoi s. Usat.

Woschgora s. Wytegra.

Woschgórskaja Tájbola, einer der wüsten Landstriche, welche im Archangelschen tájbola genannt werden, nach dem am Mesén' gelegenen Dorfe Wóschgora (Schrenk, Tundr. 1, 88).

Woswdischensk, v. russ. *wosdwigat'* = erheben, erhöhen, s. v. a. Kreuzeserhöhg., ein russ. Fort im tscherkess. Kaukasus; weil man unter diesen neuen Muhammedanern (früher waren sie Christen) hier ein grosses steinernes Kreuz gefunden, der Form nach den grusin. ähnl., mit einem Ausschnitt f. das Heiligenbild (PM. 6, 179).

Wostenholme, Cape, in älterer Orth. *Wolstenholm, Worsenholme, Worsenham,* der lkseitg. Endpfeiler der Hudson Str., v. H. Hudson am 3. Aug. 1610 getauft nach John *W.,* welcher mit Thomas Smith, dem Ritter Dudley Diggs u. dem Alderman Jones einer der Hptförderer der NWestfahrten war (Forster, Nordf. 386. 406, Rundall, Voy. NW. 76 f.). 'Sir John *W.,* sir Dudley Digges, and others, being firmly persuaded of the existence of a passage to the northwest, which had hitherto diligently sought and invariably missed, determined to send out an adventure on their own account' (WHakl. S. 27, 97. 106). Einen young Sir John *W.,* wohl den Sohn des vorgenannten, finden wir als Schatzmeister auf der Exp. des Capt. Luke Fox 1631 (WHakl. S. 1, XI); *b) W. Sound,* an der Westseite Grönl., am 2. Juli 1616 erreicht v. der Exp. Bylot-Baffin, die hier, unter *W. Island,* Schutz suchte. 'In this sound, are represented to be many inlets, or bays' (Rundall, Voy. NW. 139). Der Sund schloss sich jedoch 1818 durch John Ross zu einem Golf (Forster, Nordf. 407, PM. 13 T. 6); *c) W.'s Ultimum Vale* s. Henrietta Maria.

Wostitza s. Bostan.

Wostok, ein unbewohntes, schwer zugängl. Eiland westl. v. Mendaña Arch., v. russ. Seef. Bellingshausen 1820 entdeckt u. nach der einen seiner Corvetten getauft, bei Capt. Stavers, ebf. 1820,

Stavers Island, bei dem americ. Capt. Coffin, Schiff Ganges (1828), prsl. *Reaper Island* (Meinicke, IStill. O. 2, 259, Bergh., Ann. 12, 139 f., A. 3. R. 3, 176).

Wostroi s. Pawdinsk.

Wostrow s. Ostrow.

Wotjaken, ein finn.-tschud. Volk im Netze der Kama, nennt sich selbst, entspr. den Komi-murt (s. Perm), *Udmort, Udmurt*, wo *murt* == Männer u. *ud, ut* eine nähere Bezeichng., in der ozw. das Original des Flussnamens *Wjätka*, tscherem. *Oda*, tatar. *Ari*, sich zu erkennen gibt: Im russ. Munde ist *Ud, Ut*, zu *Wot* geworden u. aus letzterem *Wotjak* als Volksname (P. Hunfalvy, VUral 26), volksetym. als 'gastfreier Wirth' gedeutet. Nach dem türk. Flussnamen der russ. ON. *Arsk* (Müller, Ugr. V. 2, 388).

Wrangel Land nannte der american. Capt. Long, im Walfgr. Nile, Sommer 1867, ein im sibir. Eismeer entdecktes Bergland nach dem Chef der grossen Exp. 1820/24 (PMitth. 14, 5). Schon der Kosak Daurkin hatte 1765 in dieser Gegend ein Land verzeichnet; auch Cook vermuthete 1778 aus den östl. gerichteten Zügen v. Gänsen u. Enten das Dasein v. Land. Ein Anfang wirkl. Entdeckg. geschah 1849 durch den engl. Capt. Kellett (s. Herald). Als am 12. Aug. 1881 auch der american. Capt. Hooper, Schiff Corwin, das Land betrat u. die heimatl. Flagge hisste, wollte er es *New Columbia* taufen; sein Nachgänger Capt. Berry, Schiff Rodgers, welcher am 25. Aug. 1881 in *Rodgers Harbor* ankam u. *Mount Berry* bestieg, zog den Namen *W. Island* vor, da durch seine Leute die Insularität des Landes erwiesen wurde (Peterm., GMitth. 28. 8 ff.). — *W. Bay*, in Grinnell Ld., v. american. Polarf. J. J. Hayes im Mai 1861 entdeckt (ib. 13 T. 6).

Wrcha s. Vrh.

Wreck Island, in der austr. Capricorn Gr., v. engl. Capt. Blackwood am 18. Jan. 1843 besucht u. so benannt nach Theilen eines Wracks, welche auf dem Riff lagen u. augensch. zu einem Schiffe v. 6—700 Tons gehörten. Es fanden sich auch einige Spuren der verunglückten Mannschaft, aber weder Leichen noch Gräber, also dass die Schiffbrüchigen wohl v. einem spätern Schiffe aufgenommen wurden (Jukes, Narr. 1, 10 ff.). — *W. Reef*, ein Riff zw. NHoll. u. NCaledonia, wo Capt. Flinders (TA. 2, 298 ff. Atl. 1) am 17. Aug. 1803 mit seinem Schiffe Porpoise (u. dem Cato) Schiffbruch litt.

Wriezen s. Priegnitz.

Wright Bay, in der arkt. Franklin Bay, v. Capt. John Franklin's (Sec. Exp. 234) Gefährten Dr. Richardson, den Befehlsh. der v. MᶜKenzie R. z. Kupferminenfl. beorderten Abth. der Exp., am 21. Juli 1826 entdeckt u. nach einem Verwandten des Chefs getauft. — *Bay of Silas W.*, nördl. v. arkt. Humboldt Gletscher, 1853 v. americ. Polarf. E. K. Kane (Arct. Expl. I, Carte) prsl. benannt. — *W.'s Lagoon* s. Moerenhout. — *W.'s River* s. James.

Wromolimni, ngr. *Βφομολίμνη* == Schwefelquelle,

schon im Alterth. zu Heilzwecken benutzt, auf Methana, deren vulcan. Natur auch *Kaïmeni* (s. d.) andeutet (Curt., Pel. 2, 439).

Wrottesley, Cape, in Banks' Ld., v. der Exp. MᶜClure im Sept. 1851 entdeckt u. zu Ehren des Lord *W.*, des Präsidenten der Royal Society, getauft (Armstrong, NWPass. 444).

Wrysin, stin, ngr. στὴν βφύσιν == zum Brunnen, heisst nach einem reichen u. nie versiegenden Quell ein Kloster v. Siphnos (Ross, IReis. 1, 141).

Wüllerstorf Berge, im arkt. Franz Joseph's Ld., v. der 2. österr.-ungar. Nordpolexp. Weyprecht-Payer 1872/74 benannt nach dem Baron v. *W.*-Urbair, dem Befehlsh. der österr. Fregate Novara (1857/59), welcher an der Spitze des österr. Nordpolvereins stand (Peterm., GMitth. 18, 146; 20 T. 23; 22, 202). — *W. Berg* s. Wilczeck.

Würm od. *Wirm*, 770 *Wirma*, Flussname in Bayern, dunkel, wie der Flussname *Wurm*, unw. Aachen. Lohmeyers germ. Ableitg., v. der Wurzel *vars* == reissen, macht die *W.* zu einem 'raschen Fluss', was sie gar nicht ist; umgekehrt will Buck an kymr. *guar, var*, anknüpft u. einen 'langsamen Fluss' aus ihr machen. Der *Würmsee*, 820 *Wirmsco*, 1030 *Wirmsc*, in dem Förstem. (Altd. NB. 1618. 1627) die palus magna *Wynidouwa* des 11. Jahrh. vermuthet hat, heisst heute häufig *Starnberger-See*, nach Schloss u. Ort, wo die Münchner Eisenbahn das Unterende des Sees erreicht. '*W.* nannte man übr. in alter Zeit schon den kleinen Zufluss des Wirmsee's, den j. Bodenbach', während die Abfluss eine Strecke weit *Ach* hiess (Riezler, ON. Münch.G. 74 ff.).

Würst, Cap, in Sachalin, v. Capt. J. A. v. Krusenst. (Reise 2, 155), am 1. Aug. 1805 getauft nach seinem 'sehr schätzbaren Freunde', Staatsrath *W.*

Württemberg, amtl. Schreibart des schwäb. Königreichs, nach einem Bergschlosse bei Stuttgart, 1092 *Wirtinisberk*, 1123 *Wirdeneberch*, 1139 *Wirdenberc*, 1153 *Werteneberch*, im Landessiegel v. 1228 *Wirtenberc* (Bacm., AWand. 13 f.). Zuerst gab 1819 der Archivar W. F. L. Scheffer, jedoch indem er die Erklärg. des Namens als hoffnungslos aufgibt, eine Reihe urk. Formen (Württb. Jahrbb. 2, 227 ff.). Hier erscheint der Name selten mit *m* (1158) od. mit *ü* (1273), in einer Urk. in 5 verschiedenen Schreibarten. Mit Eberhard d. ält. beginnt *Wirtemberg*. Der begünstigten Ableitg. v. *wurton* == Garten zu liebe kam seit Herzog Ludwig, 1587, die Orth. mit *m* u. *ü*, zw. *t* u. *tt* noch schwankend, z. Herrschaft. Herzog Karl kehrt 1788 zu *i* zk.; allein die alberne Ableitg. 'Wirth am Berg' veranlasste König Friedrich, *ü, tt* u. *m* einzuführen. Durch Generalrescript v. 4. Apr. 1802 wurde die j. Schreibg. *W.* festgestellt, 'so zieml. die schlechteste, sprachlich u. geschichtlich mindest berechtigte, fast so schlecht, wie die unsers Nachbarstaats Bayern. Von dem langweiligen *tt* aus der sprachl. Zopfzeit ganz abgesehen, ist es eine wahre Ironie, dass der Schwabe sein Land mit einem Buchstaben, *ü*, schreibt, den er gar nicht ausspricht' (Bacm., l. c.). Der specif. Theil vergleicht sich mit dem gall. PN. *Virdo, Viridus, Virdo-* u. *Virido-márus, Viridovix* u. mit kymr. *gwyrdd* = grün, *gwrdd* = stark, tapfer, so dass ein anfängl. *Viro-dúnum* (was wenigstens die kelt. Urform f. *Verdun*) als 'grüne', wohl genauer als 'Starkenburg' zu fassen wäre. Die alte Form dürfte durch *Virduna, Wirtuna, Wirtine, Wirlene* gegangen sein u. sich, nachdem die Bedeutg. des kelt. Namens sich verloren, durch den deutschen Zusatz *berg* wieder ergänzt haben. Schott (Col. Piem. 221) dachte an das kelt. *wiro-dun* = spitzer Hügel — wohl mit wenig Glück, da, abgesehen v. der sprachl. Seite, diese Form dem Berge nicht zukommt. Letzterer selbst 'heisst längst schon *der Rothe Berg,* viell. v. der Farbe des Keupersandsteins; etwas tiefer liegt das Dorf *Rothenberg'* (Baem., AWand. 9). Auch der Flussname *Wertach* wird v. den Keltisten angesprochen u. als 'grüner Fluss' erklärt (Baumann, GAllg. 1, 36).

Würzburg, 704 *Wirziaburg,* dann *Wirziburg* etc., ON. in Franken, schon 11. Jahrh. in *Herbi-polis* übsetzt, u. 'diese Uebsetzg. scheint wirklich das Rechte zu treffen; aber wir wissen nicht, in welcher Beziehg. der Begriff 'Kraut, Würze' zu der Oertlichk. steht. Der *Wer* codex des Ann. Saxo hat eine Randbemerkg. aus dem 14. Jahrh., wonach der Grund des Namens in dem Weine liegt. An eine Ableitg. v. einem PN. ist nicht zu denken' (Förstem., Altd. NB. 1628f.). Diese Ansicht hat schon 1859 Herm. Müller, ausführl. begründet (Ueb. Moenus etc. 21 ff.).

Wupper, der Fluss des rheinpreuss. *Wupper-thals,* jüngere Form f. *Wipper,* was kaum etwas anderes als 'Fluss'. Die ältere Form erscheint *a*) f. einen pommerschen Küstenfluss, *b*) f. einen Zufluss der Saale, *c*) f. dito der Unstrut (Förstem., Deutsche ON. 32, wo die Deutschheit des Worts fragl.). Am Oberlauf der *W.* der Ort *Wipperfurt.*

Wurmbrandt Rücken, ein Bergzug am spitzb. Horn Sd., durch die v. Baron Sterneck befehligte Hülfsexp. der Polarfahrt Weyprecht-Payer im Juli 1872 benannt nach dem Grafen *W.,* einem 'hervorragenden Forscher im Gebiete der Anthropologie etc.' (Peterm., GMitth. 20 T. 4 u. Mitth. des Prof. H. Höfer, Klagenf. 17. Febr. 1876).

Wursten, eine Küstenlandschaft der Nordsee, preuss. Prov. Hannover, nach ihren fries. Einwohnern, die v. linken auf das rechte Weserufer eingedrungen waren u. v. den künstl. Bergen, den Wurten f. ihren Hausbau, als *Wurtsaten, Wurstfriesen,* bezeichnet wurden (Krause, Strantvr. 134).

Wustrau s. Ostrow.

Wybe Jans Water, die grosse Seegasse zw. Spitzb. einer- u. Edge's u. Barents' I. anderseits. zuerst in der Carte G. v. Keulens, 1688 (?) eingetragen u. offb. prsl. zu fassen, bei den Schweden u. Norwegern *Stor Fjord* = grosse Bucht (PM. 17, 182 T. 9, wo richtig der ältere Name bevorzugt ist).

Wyche s. König Karl.

Wychodnoi, Myss = Ausgangscap, russ. Name des Ikseitg. Eckpfeilers am östl. Ausgange des Matotschkin Schär (PM. 18, 24).

Wyden s. Weide.

Wyke s. Hull.

Wyl, auch *Weil* u. *Weiler,* v. ahd. *wila,* f. ein einzelnes Haus, *wilare* collectiv, Weiler, bisw. nicht leicht v. lat. *villa, villare,* zu scheiden, häufig in ON. nam. der Schweiz, übh. des Südwestens des deutschen Sprachgebiets. Das ahd. *wila,* mit Ausnahme der Eigennamen in der Sprache längst untergegangen, erscheint th. einf., als *Wiehl, Wyl, Weil, Weilen,* th. als erster Component: in *Wyla,* 9. Jahrh. *Wilowa, Weilbach,* im 8. Jahrh. *Wilpach, Wildberg,* im 9. *Williperg, Weilheim,* im 8. Jahrh. *Wilhaim, Weilkirchen,* im 10. Jahrh. *Wilchirichun, Weildorf,* im 8. Jahrh. *Wildorf,* th. an PN. u. Adj. gebunden, als 2. Component, wovon Förstem. (Altd. NB. 1601) 16 Formen aufzählt, während er v. *wilari* 297 solcher Zssetzungen bietet (Schott, ON. Stuttg. 36f., Mitth. Zürch. AG. 6, 159ff.), wie *Adetswyl,* im 9. Jahrh. *Adaloltiswilare, Buwyl,* 845 *Puobinwilare* = Weiler des Buobo, *Ebertswyl,* 885 *Eidwarteswilare* = Weiler des Eidwart u., da der seltene Name Eidwart im Volksmunde in den bekannten Eberhard überging, 1020 *Eberhartswile, Herferswyl.* urk. *Herfrideswilare* = Weiler des Herfrid, *Mörlen,* 858 *Morineswilare* = Weiler des Morin, *Rifferswyl,* 1019 *Reinfrideswile,* urspr. *Reginfrideswilare* = Weiler des Reinfried, *Wermatswyl,* 1253 *Werenbrehtswile* = Weiler des Werinbert u. s. f. — *Wyler-See* s. Finster.

Wyman, Cap, in der Gegend der Nechwatowa See'n, NSemlja, eingetragen v. der Exp. Rosenthal 1871 u. v. A. Peterm. (GMitth. 18, 77. 155. 160) getauft nach dem Director des hydrogr. Bureau in Washington, wie *Knorr Insel,* nach einem andern Beamten dieses Institus; ferner *Welcker Insel, Cap Bent, Schmidt Insel,* wohl nach dem russ. Reisenden Magister Schmidt (ZfAErdk. 1872, 367), *Obst Bach,* nach dem Leipziger Vorstandsmitglied der z. Förderg. der westafr. Exp. gestifteten afr. Gesellschaft (ib. 1873, 258), *Finger Kuppe, Bariola Kuppe, Breithaupt Bach, Peip See, Soltmann Bucht, Parodi Fluss, Saunders Bach,* wohl nach dem Nordpolf., der 1849 50 im Wostenholme Sd. übwinterte (Peterm., GMitth. 18, 180), *Stanford Bach, Gräbhain Bach.* — *W. Tiefe* s. Tuscarora.

Wymdor s. Ob.

Wysar-wis = Bach des Eismorastes, v. sam. *wy* = Sumpf u. *sar* = Eis u. dem syrj. *wis* = Bach, ein rseitg. Zuflüsschen der Kólwa (s. d.). Name hergeleitet v. dem lange zugefrornen Moraste, in welchem der Fluss seinen Ursprg. nimmt (Schrenk, Tundr. 1, 270).

Wyschnji Wolotschok s. Wolok.

Wysokij = hoch, russ. Wort, poln. *wysoki,* čech. *rysoky,* slow. *risok,* serb. *visok,* häufiges Nameneelement *a*) *Wyssokaja Gora* = hoher Berg im Ural (Bär u. H., Beitr. 22, 16); *b*) *Wyschgorod* = Kreml — beides russ. Formen. Im westlaw. Gebiete: *Wysoka* = Höhe, Schloss (s. Lomnitz), neben *Wysokie* u. *Wysoky* wiederholt in poln.-

wend. Ländern, *Wisocko, Wisoczanka, Wisoc-*
zany, ebf. in Galiz., *Wisoka, Wisokein* u. das
aus čech. *Wysocany* verdeutschte *Wischezahn,*
in Böhm. u. Mähren. Viele solcher Formen
werden mit *r* geschrieben: *Visnica, Visnjerac,*
Visnjevica, Visočane, Visoka, Visoko, Viszocsan,
Viszoka, Viszoko, im südslaw. Gebiete, *Vyšetic,*
Vysočan, Vysoká, Vysokopole, Vysokov, Vysoky
Potok = Hochbach, in Böhm. u. Mähr., *Vysoká*
Hola = hohe Alp, Berg des Zipser-Landes
(Miklosich, ON. App. 2, 258, Umlauft, ÖUng.
NB. 262 ff. 277 ff.). Der bekannteste dieser Namen
dürfte die 'Hochburg' sein, *Wisse-* od. *Visegrad.*
Wisse-, Wysche- od. *Vyšchrad,* 2 mal *a)* die
Bergveste bei Prag, im Mittelalter f. uneinnehm-
bar gehalten. 'Ha! du unsre Sonne, fester Vy-

šehrad! Kühn u. stolz stehst du dort auf steiler
Höh' (Daniel, Hdb. Geogr. 4, 935); *b)* ein festes
Schloss unth. Gran, auf steilem Bergufer, deutsch
Blindenburg, wg. der Schönheit der Aussicht (?),
'weil die Augen v. der Herrlichkeit des Landes
in unübersehbarer Ausdehng. erblinden' (Hammer-
P., Osm. R. 3, 261).

Wytegra, ein russ. Städtchen, benannt nach dem
Flusse *W.,* welcher bald, nachdem er hier passirt,
in den Ladoga sich ergiesst. Aehnl. *Oschtan-*
skaja, Wájmuga, Sija, Ugsenga, Mesén', Po-
pówa, Wóschgora, Kúja, Wiska, Súla, Súľs-
kaja, Nes', Sómscha. Kimscha, Onéga, Petro-
górskaja nach Flüssen gl. N. (Schrenk, Tundr.
1, 16. 17. 30. 228. 561. 567. 568. 673. 686.
698. 704. 713. 724).

X.

Xacalla = Ort der Strohhütten, azt. ON. 3 mal
in Mexico, auch *Xacalli* = Strohhütte, hispan.
Xacal, Jacal, als Flussname u. in der Form
Cerro del Jacal als Bergname (Buschm., Azt. ON.
200). — *Xalatlauhco* = Ort der Sandschlucht,
v. azt. *atlauhtli,* span. barranca = Schlucht,
a) azt. ON. bei Toluca u. *b)* Flussname bei
Oaxaca (ib. 199): ferner *Xalpa* = sandige Gegend,
v. *xalli* = Sand, 4 mal, einmal als *Xalpan.* in
Mexico (p. 200), *Xaltepa* od. *Jaltepa* = Ort der
Sandsteine, v. *xaltetl* = Sandstein, in Nicaragua
(p. 180), *Xaltoccan* = Ort des sandigen Mais-
feldes, v. *xalli* = Sand u. *toctli* = Maisblatt,
im Anahuac (p. 99). Nach dem Ort der See
Xaltoccan, v. dem j. durch einen Damm der See
San Cristobal abgetrennt ist.

Xalapa s. Jalapa.

Xanthos, gr. Flussname *Ξάνθος* = der gelbe,
falbe: *a)* der trojan. Skamander, v. seiner 'Sommer
u. Winter gleichmässig hellgelben Farbe' (Fäsi,
Iliade 1, 33): *b)* Flüsse in Epirus (Verg.. Aen.
3, 350) u. Lycien. an welch letzterm eine gleichnamige Stadt lag, j. Ruinen bei Günik (Hekat.
b. St. B.).

Xenis s. Klimax.

Xera, ngr. *Ξηρά* = der trockne, ein im Sommer
ganz vertrocknender Giessbach auf Euböa (Fiedler,
Griech. 1, 485). — *Xerias,* ngr. *Ξερίας* od. *Ξεράχι*
= der trockne, ein Fluss in Thessalien, der bedeutendste nördl. Nebenfluss des Peneios. trocknet
im Sommer meist ganz aus (Bursian, Gr. Geogr.
1, 42). — *Xeromeros,* ngr. *Ξηρόμερος* = trocknes,
dürres Land, heissen die ausserord. quellenarmen
Hochflächen Akarnaniens (Bursian, Gr. Geogr. 1,
105): der Boden hält kein Wasser, es fehlt ihm
an Quellen, da die unterirdischen Gewässer nicht

bis z. Oberfläche dringen (Peterm., GMitth. 7,
114). — *Xeropotamos,* ngr. *Ξεροπόταμος* = der
trockne Fluss, ein im Sommer völlig trockner
Fluss zw. dem Parnassos u. dem Gebirgszuge Kir-
phis (Bursian, Gr. Geogr. 1, 157). — *Xerovuni,*
ngr. *Ξηροβοῦνι* = die dürren (Kalkstein-) Berge,
die entwaldeten, wasserarmen argivischen Berge.
im Theil des arkadischen Artemision (Curt., Pel.
2, 338).

Xicallan = Ort der xicalli, d. i. der Kürbisse
od. Kürbis-Trinkschalen, azt. ON. an der Grenze
v. Tabasco. Davon benannt das alte Volk der
Xicallanken (Buschm., Azt. ON. 17).

Ximiera s. Ceuta.

Xique-Xique, ind. Name der Opuntien, zugleich
Ort am bras. Rio San Francisco, nach dem dort
häufigen fast baumartigen Orgelcactus (Ausl. 1868,
378).

Xochimilco = Blumenfeld, v. azt. *xochill* =
Blume u. *milli* = Grundstück, mit *co* = in, eine
Stadt, j. Dorf, des Anahuac, am See Chalco, auf
dessen schwimmenden Gärten eine bedeutende
Blumenzucht heimisch war. — *Xochitepec* = auf
dem Blumenberge, Ort ebf. in Mexico, auch eine
alte Prov. östl. Soconusco (Buschm., Azt. ON. 94.
199, Vera, Arzob. Mex. 80 f., Gracida, Cat. Oax.
128), *Xochicuauhtitlan* = Ort des Liquidambar
(styraciflua L.), *Xochichiucan* = Ort der Blumenzucht (Peñafiel, Nombr. geogr. 240 f.).

Xula, mal. u. jav. *tschula* = Horn, Name einer
Inselgruppe zw. Celebes u. den Molukken, durch
die Port., die ihr *x* als deutsches *sch* sprachen,
in die Carten eingeführt, z. B. *X. Mangola,* wohl
X. Manggala = Elefantenhorn (Crawf., Dict. 447).

Xylophagos s. Scylla.

Y.

Y s. E.

Yahuar-cocha = Blutsee, v. quech. *yahuar* = Blut u. *cocha* = See, ind. Name einer Lagune bei Mira, Quito, nach dem Blutbad, welches der Inca Huayna Capac, kurz vor Ankunft der Spanier (die Eroberg. Quito's war 1487 vollendet), unter den aufständischen Stämmen hier anrichten liess. Es seien mehrere tausend Mann — unser Gewährsmann P. de Cieza de Leon sagt 20000 — getödtet u. in den See geworfen worden, so dass dieser wie ein Blutsee ausgesehen habe. Der peruan. Geschichtschreiber Garcilasso de la Vega reducirt die Zahl der Ertränkten auf 2000 (WHakl. S. 33, 133. 140; 41ᵇ, 449). — *Y.-Pampa* = Blutebene, am Apurimac, nach der blutigen Niederlage, welche die rebellische Nation der Chanca-Indianer durch Huira-ccocha, den Sohn des dam. regierenden Inca erlitt, j. *Pampa de Surite*, nach einem Dorf am Nordwest-Ende (WHakl. S. 33, 280. 321; 41ᵇ, 521).

Yahuarate s. Ronda.

Yampee, Point, in Tasman's Ld., v. Capt. Stokes (Disc. 1, 175 Carte) 1838 so genannt, weil ein Eingb. wiederholt *yampee* (= Wasser?) gerufen hatte u. durch Wasser befriedigt worden war.

Yancton, Ort in Dakotah, nach dem Stamm der Sioux, Y., eig. *Ihanktonwans* = Dorf am Ende (Coll. Minn. HS. 1, 259). Dort trafen die Captt. Lewis u. Cl. (Trav. 41) am 27. Aug. 1804 eine tribus v. 1000 Seelen, an dem Y. *River*, der sich in den Missuri ergiesst, 'called by the French *Jacques* or *Yankton* from the tribe which inhabits its banks'. 'Neulich', sagt Raynolds (Expl. 19), also aus dem Jahre 1859, hat der Stamm sein Land verkauft u. nun, auf eine Reservation beschränkt, angefangen, sich die Künste der Gesittg. anzueignen (ZfAErdk. nf. 17, 192).

Yanda Wishu s. Missisipi.

Yankee, eine ind. Verstümmelg. des Volksnamens *English*, als Spitzname des puritan. Neu England, j. häufig auf die junge Nation übh. ausgedehnt; als näml. in der Nähe der Nouvelle France die engl. Puritaner einwanderten, hörten die Wilden, dass die neuen Gäste als *Anglais* (s. d.) bezeichnet wurden, u. im ind. Munde entstand jene Missform (Egli, NErdk. 7. Aufl. 295). — Bei den Tinnestämmen heissen die Engländer noch j. *Theotinne* = Steinvolk, weil die an der Mündg. des Churchill R. erbaute Steinveste sie in das höchste Erstaunen versetzt hat (Peterm., GMitth. 19, 8).

Yar, auch *Yair, Yare, Yarro,* v. kymr. *garw,* gael. *garbh,* corn. *garou* = streng, heftig, Flussname in Norfolk, in Wight, in Devon, in Selkirk, in Lancashire, an der Mündg., *mouth,* der beiden erstern je ein *Yarmouth.* In Selkirk auch ein Ort *Yarrow,* ebf. nach einem Flusse benannt, in der Gründungsacte der Abtei, 12. Jahrh., *Garua,* später *Zarof, Yara* u. *Yharrow* genannt (Charnock, LEtym. 302).

Yarra-yarra = immerfliessend, bei den Australnegern Victoria's der Name des Flusses v. Melbourne (Glob. 4, 241, Charnock, LEtym. 302).

Ybera = glänzendes Wasser, v. guaran. *y* = Wasser u. *bera* = glänzend, ind. Name einer Lagune bei Corrientes, Argentinia (Glob. 24, 184).

Yberg s. Eibe.

Ydereggen s. Havbröen.

Yeddo s. Tokio.

Yellowstone River, bei den frz. Händlern einst *Rivière Roche Jaune* = Fluss des gelben Felsen, f. einen rseitg. Zufluss des Missuri, zuerst bei den Captt. Lewis u. Cl. (Trav. 144) in engl. Uebsetzg. ...'the *Roche Jaune,* or as we have called it the *YR'*. Auf die Mündg. bezieht sich der Name nicht: 'The bed of the *YR.*, as we observed it near the mouth, is composed of sand and mud, without a stone of any kind'. Als Capt. Clarke, auf der Thalfahrt, den Rosebud R. am 17. Juli 1806 zkgelegt hatte, wurden die beidseitg. Uferberge, die weiter flussan noch dunkle Steinwände gezeigt hatten, niedriger, u. auf der rechten hingen die Ufer v. dunkelgelber Erde üb. den Fluss hinein (p. 623). Weiter thalwärts, v. 25. Juli, sind hohe Uferfelsen notirt, 'composed of a yellow gritty stone', u. Abends 4ʰ landete die Exp. bei *Pompey's Pillar* = 'Pompejussäule', wie Capt. Clarke einen auffallenden, aus dem rechten Ufer, 250 Schritte v. Flusse sich erhebenden, 60 m h. Felsen nannte. Diese Steinsäule hat nahezu 400 Schritt Umfang, ist nur auf der Nordostseite ersteigbar, da sie überall sonst senkrechte Wände hellfarbigen griesigen Steins zeigt. An den Seiten haben die Indianer Thier- u. andere Figuren eingegraben, u. auf dem Gipfel sind 2 Steinpfeiler aufgerichtet (p. 628). Hier haben wir offb. den 'gelben Stein', nach welchem die frz. Händler — u. nur vor ihnen wohl schon die Wilden — den Fluss benannt haben. Abwärts, gg. die Mündg. des Big Horn R., hat (p. 629) das rechte Ufer wieder hohe Wände 'of a whitish gritty stone'. Weiterhin hat, v. diesem Material, das Flusswasser förmlich eine gelblich-weisse Farbe (p. 630) u. zeigen sich z. Rechten wieder 'cliffs of a soft, yellowish, gritty rock, while those on the left are harder, and of a lighter colour' (p. 631). Auch Raynolds (Expl. 114 f.) erwähnt, freil. nicht v. *YR.* selbst, sondern v. Missuri, u. zwar kurz obh. der Confl., am 6. Aug. 1860 die horizontalen, gelben u. rothen Steinschichten der Uferberge. Nach dem Flusse der Y. *Lake* u. Y. *City*, letztere seit 1864 durch die Einwanderg. der Goldgräber rasch entstanden u. nach wenigen Jahren schon verödet. Hayden (Prel. R. 52) fand 'the walls and chimneys of the houses ... still standing'. Im Südosten des See's bildet ein langer Zug, Y. *Range* od. Y. *Mountains,* die Wasserscheide zw. Y. u. Snake R. d. i. zw. Pacific u. Atlantic (s. Two Ocean Pass). — *Yellow Banks,* gelbe Uferhänge des Ohio (PW.

v. Württb., NAm. 151). — *Yellow Knife River*, ein Zufluss des Gr. Slave L., nach den Yellow Knife-Indianern der Gegend, einh. *Begholo tessy* = Fluss des zahnlosen Fisches (Franklin, Narr. 210). — *Yellow Ochre Creek*, ein Zufluss des untern Missuri, am 5. Juli 1804 benannt v. der Exp. Lewis u. Cl. (Trav. 16) nach einer Bank gelben Ockers, etwas obh. der Mündg. — *Yellow Rock Reef* = Riff des Gelbsteins, eine Untiefe des Flusses Tamar, Tasmania, nach einem hellfarbigen doppelten Fels, welcher sich ihr anschliesst (Stokes, Disc. 2, 474). — *Yellowwater Creek*, ein Quellfluss des Muscleshell R. (s.d.), nach der gelben Farbe seines Wassers (Raynolds, Expl. 165).

Yemen s. Jemen.

Yerba od. *yerva* = Kraut, span. f. lat. *herba*, in den ON. *a)* Y. *Buena* s. Francisco, *b)* *Praderias de* Y. s. Sargasso.

Yermeloff s. Holz.

Yëu s. Komadugu.

Yeun Liong Ho od. *Yun Liang Ho* = getreideführender Fluss, f. einen Nebenfluss des Peiho, v. den Massen Weizen, welche aus der Prov. Schensi auf ihm u. durch den Peiho bis in die Gegend v. Peking gebracht werden, auch *Eu Ho* = kostbarer Fluss, weil er als Strasse f. die Proviantzufuhr wichtig ist (Staunton, China 2, 27, Peterm., GMitth. 4, 119).

Yokeokeloke s. Water.

Yonne, lkseitg. Nebenfluss der Seine, dessen Name auf eines der frz. dépp. übtragen wurde, im 2. Jahrh. *Deae Icauni*, 519 *Imgauna*, im 9. Jahrh. *Icauna*, *Ichaune*, 1157 *Ygnauna*, *Ycauna*, 1184 *Hiunnia*, 1190 *Icaune*, 1213 *Juna*, 1217 *Yona*, 1311 *Yone* (Dict. top. Fr. 3, 145; 6, 199), mir unerklärt.

York, Stadt in Engl., röm. *Ebo-*, *Ebu-*, *Emboracum*, brit. *Caer Efroc*, kymr. *Cair Ebrauc*, ags. *Efroc-*, *Ever-*, *Yvor-wyc*, dän. *Jordvik* (Worsaae, Mind. Danske 57), wurde schon v. Baxter (Gloss.) annähernd richtig, v. brit. *eur*, *ebr*, als ʼwässerige Stadtʼ erklärt, u. Camden-Gibson (Brit. 2, 97) vermuthete in *Eure* geradezu den alten Namen des Flusses Ouse, der die Stadt passirt; j. sind die Keltisten zieml. einstimmig (vgl. Yverdon) f. kelt. *eabar* = Schlammboden, also Y. = Sumpfort (Bacm., Kelt. Br. 23), während früher verschiedene Versuche, z. Th. phantastischer Art, aufgetaucht sind (Charnock, LEtym. 303). Y., durch Agricola als neues Legationsquartier angelegt, seit Trajan beständige militär. Hptstadt der Prov., zeitw. Residenz röm. Kaiser (Kiepert, Lehrb. AG. 531), dann Hptstadt des ags. Königthums Northumberland u. Sitz eines Erzbisthums, auch später noch, nachdem sie den Rang der polit. u. kirchl. Capitale eingebüsst, eine bedeutende Stadt, so dass die Könige v. England dem 2. Sohn den Titel eines Herzogs v. Y. zu geben pflegen. Dadurch kam der Name Y. zu mehrf. toponymischer Verwendg.; so erscheint *Cape* Y. 4mal *a)* die Nordspitze NHollands, spec. der Y. *Peninsula* (s. Somerset), schon v. dem span. Seef. Torres, 1606, gesehen, aber f. eine Insel gehalten, bekam erst,

wie die nahen Y. *Isles*, am 21. Aug. 1770 ihren Namen, als Cook, an der Ostküste heraufkommend, ebf. (u. ohne v. des Torres Entdeckg. zu wissen) die Torres Str. durchschiffte (Hawk., Acc. 3, 209); *b)* in Prince Regents B., Grönl., v. Capt. John Ross (Baff. Bay 99) am 16. Aug. 1818 getauft z. Erinnerg. an den Geburstag seiner kön. Hoheit; *c)* in Prince Regents Inlet, v. Lieut. W. Edw. Parry (NWPass. 47) am 16. Aug. 1819 aus gl. Motiv; *d)* in Alaska, v. Capt. Beechey (Narr. 2, 541) im Aug. 1827 ʼafter His Royal Highnessʼ. — *Duke of* Y.*'s Archipelago*, die Inselgruppen v. Coppermine R. bis P. Turnagain, 1821 benannt v. Capt. John Franklin (Narr. 396). — *Duke of* Y.*'s Bay*, ʼa magnificent bayʼ v. Southampton I., Hudsons Bay, v. Capt. W. Edw. Parry (Sec. V. 46) im Aug. 1821 entdeckt u. durch die Officiere so benannt, da man am Geburtstag des Herzogs, 16. Aug., das erste mal in die Bay eingelaufen war. — *Duke of* Y.*'s Island*, mehrf. v. engl. Entdeckern: *a)* in der Union Gr., einh. *Atafu*, *Oatafu*, ein Riff v. 63 Eilanden voller Bäume (Meinicke, IStill. O. 2, 129), v. Capt. Byron am 24. Juni 1765 getauft (Krus., Mém. 1, 27 ff.); *b)* im Georgs Canal, Bismarck A., einh. *Amataka*, v. Capt. Carteret am 9. Sept. 1767, aber in der Carte *Man* getauft (Hawk., Acc. 1, 375, Meinicke, IStill. O. 1, 136), der letzte Name entspr. der Lage zw. seinem Neu Brit. u. Neu Irl.; *c)* in den Society Is., einh. *Moörea*, früher gew. *Eimeo*, ebf. 1767 v. Capt. Wallis (Hawk., Acc. 2, 271), bei dem span. Seef. Boenechea 1772 *San Domingo* (Meinicke, IStill. O. 2, 162). — Y. *River*, ein Zufluss der Chesapeak B., einh. *Pamunek*, v. engl. Ansiedlern nach dem Prinzen Charles getauft, der zu Anfang der Besiedelg., 1607, noch Herzog v. Y. war, eine Zeit lang *Prince's River* = Prinzenfluss (Strachey, Hist. Trav. 35). — Y. *Sound*, v. De Witts Ld., v. Capt. Ph. P. King (Austr. 1, 413) am 19. Sept. 1820 zu Ehren ʼseiner Kön. Hoheit des Herzogs v. Y.ʼ benannt. — *Fort* Y., engl. Anlagen: *a)* an der Mündg. des Nelson R. (s. d.), wo z. Franzosenzeit, 1697—1714, *Fort Bourbon*, nach dem Königshause getauft, bestanden hatte (Forster, Nordf. 398. 433); *b)* in Benkulen, Sumatra. z. Schutz des Pfefferhandels 1685 ggr. (Spr. u. F., Beitr. 1, 3). — Y. *Minster*, ein wilder Inselfels in Feuerl., ʼa black, irregularly-shaped rocky cliff, eight hundred feet in height, rising almost perpendiculary from the seaʼ, v. Capt. Cook (VSouthP. 2, 174) am 19. Dec. 1774 so benannt, weil v. der Seite aus, wo er ihn dam. erblickte, die Bergmasse in 2 hohe Thürme ausging u. zw. ihnen ein zuckerhutfger Hügel, so dass das Ganze an Yorkmünster erinnerte (vgl. Fitzroy, Adv.-Beagle 1, 411). — Ferner *a)* Y. in Pennsylv., *b)* Y. in Canada s. Toronto, *c)* *Yorktown* in Virginia, *d)* *New* Y. (s. d.)

York, PN. in 2 engl. ON. *a)* Y. *Sound*, in Frobisher Bay, zu Ende Juli od. Anfang Aug. 1577 v. Nordwestf. M. Frobisher entdeckt u. nach Capt. Gilbert Y. getauft, der die Bucht explorirt hatte u. dabei (s. Bloody P.) verwundet worden war

(Hakl., Pr. Nav. 3, 35. 61. 67, WHakl. S. 38, 140. 210); *b)* Y.*'s Dry River* = trockner Fluss, ein lkseitg. Zufluss des Yellowstone R., v. Capt. Clarke am 30. Juli 1805 ozw. nach einem Gefährten benannt, als 'dry river', da das breite Bett just nicht mehr Wasser enthielt, als leicht durch ein zollweites Loch ginge (Lewis u. Cl., Trav. 632). **York, New,** die junge Riesenstadt America's, benannt nach dem Herzog James v. Y., Bruder Karl's II. Am Hudson River erschien näml zuerst 1609 die holl. Exp. des 'Halfmaan', unter Befehl des engl. Seef. Henry Hudson. Als nun 1614 die Gegend eine holl. Colonie, *Nieuwe Nederlande*, wurde, hiess die Inselstadt *Nieuw Amsterdam*. Dann aber, 1664 resp. 1674, fiel das Land an die Engländer; dem Herzog v. York, späterm König James II., wurde alles Land 'from the west side of the Connecticut River to the east side of the Delaware Bay' verliehen. Er rüstete eine Exp. aus, welche Nieuw Amsterdam besetzte (Staples, St. Union 8), u. die Stadt wurde in *New* Y. umgetauft. Längst war der älteste Name, den jene Gegenden, etwa die j. Staaten *New* Y., Connecticut u. Rhode I. umfassend, auf Ribero's Weltcarte 1525 trugen: *Tierra de Estebán Gomez*, nach dem span. Seef., der auf Befehl Karl's V. in dems. Jahre hier eine nordwestl. Durchfahrt suchte (Spr. u. F., Beitr. 4, 177 f.), verschollen. — *New* Y. *Ferry* s. Brooklyn. — *New* Y. *Island* s. Knox.

Yorke's Peninsula, bei Krus. (Mém. 1, 41) fälschl. *York,* zw. Spencer's u. St. Vincent's G., v. Matth. Flinders (TA. 1, 180) benannt am 30. März 1802 'in honour of the Right Honourable Charles Y., who followed the steps of his predecessors at the Admiralty'. Hier leitete also der Gedanke, wie in den beiden genannten Golfen, die 3 berühmten Staatsmänner, welche an der Spitze der engl. Admiralität gestanden, zu ehren. Als im folg. Monat die frz. Exp. Baudin, v. Osten kommend, die Küste aufnahm, setzte sie *Presqu'ile de Cambacérés,* nach einem der Würdenträger unter Napoleon I. (Péron, TA. 1, 272). — Offb. nach demselben ersten Lord der Admiralität hat Lieut. W. Edw. Parry (NWPass. 267) im Aug. 1820 ein *Cape* Y., im arkt. Admiralty Inlet, bei Peterm. (GMitth. 1 T. 8) fälschl. mit *York,* getauft.

Yosemiti = Thal des Grizzly, *osóamit,* im Chumĕto *uhumati,* ind. Name des durch seine Naturwunder berühmten Thals der Sierra Nevada, 1851 bei Anlass einer Indianerhatz durch die Milizen entdeckt. 'Grizzlybären gibt es in der Sierra viele; doch gehen sie dem Menschen aus dem Wege u. ziehen sich in das unzugänglichste Gebirge zk.' (Fortschr. 1880, 148 f., Peterm., GMitth. 10, 70, Am. Antiq. 5 [1883] No. 1). Auch der grossartigste der zahlr. Wasserfälle des Thales heisst Y. *Fall,* ein 3 stufiger Katarakt der riesigsten Grösse, mit einem obern Sprung v. 470 u. einem untern v. 335 m, beide verbunden durch ein Mittelglied, welches eher als eine rasende Stromschnelle zu bezeichnen ist. 'Wie leuchtende Raketen, die sich jagen, so sausen die Wasserbündel

in die Tiefe hernieder. Besonders reizvoll gestaltet sich das Bild, wenn heftige Windstösse um die lothrechte Wand schnauben, die fallenden Wassermassen weit z. Seite treiben u. zu einer Wolke feinen Sprühregens zerstäuben. Geisterhaft wehen die Wasser hin u. her; bald sind sie weit z. Rechten, bald weit z. Linken getrieben u. kehren, sobald der Windstoss nachlässt, mit den graciösesten Schwingungen in die senkrechte Falllinie zk.' (Gartenl. 1888, 362).

Young = jung, als engl. Familienname oft v. Entdeckern in ON. verwandt, zunächst *Cape* Y. mehrf.: *a)* in King Williams Ld., auf der Exp. John Ross (Sec. V. 410) am 24. Mai 1830 nach dem 'member of Tynemouth'. Der Name fehlt auf der Carte! Wo sind *Tennet Island* u. *Port Emerson*, beide (p. 730) nach Hrn. Emerson Tennent benannt? Wo *Bannerman Inlet,* 'in compliment to the member for Aberdeen' (p. 730)? Unweit des Eingangs zu *Parry Bay,* 'in gratitude to an officer whose name is here a sufficient distinction', hat die 'Chart' zwar einige Inselchen, aber ohne den Namen *Beaufort Islands,* 'after the wellknown hydrographer to the Admiralty', welcher Name übr. in Lord Mayor's Bay, östl. v. Boothia Isthmus, sich wiederholt (p. 413); *b)* in Dolphin u. Union Str., v. Dr. Richardson, dem Gefährten Franklins (Sec. Exp. 249) am 2. Aug. 1826 benannt nach Dr. Thomas Y., Secretär des Längenbureau; *c)* in Traill I., Grönl., v. Walfgr. W. Scoresby jun. (North.WF. 248) am 10. Aug. 1822 entdeckt u. nach einem befreundeten Geistlichen in Whitby getauft; *d)* in der Form Y.*'s Cape* an der Ostküste Grönlands, am 13. Juni 1607 entdeckt v. Seef. Henry Hudson u. nach einem seiner Gefährten, James Y., getauft, demj., welcher zuerst, zw. 1 u. 2ʰ früh, die Küste erblickt hatte (WHakl. S. 27, 3). — Y.*'s Foreland* s. Jan Mayen. — Y.*'s Bay,* an der Ostküste Grönlands, v. Scoresby jun. (North.WF. 104) im Juni 1822 entdeckt u. wie Y.*'s Island,* in Barrow Str., am 24. Aug. 1819 v. Parry (NWPass. 57) nach dem Secretär des Längenbureau getauft. — Y. *Island* s. Heard. — Y. *Isles* s. Goulburn. — *Mount* Y., am Spencer's G., v. Capt. Flinders (TA. 1, 155) am 8. März 1802 entdeckt u. zu Ehren des Adm. Y. benannt. — Y. *Nick's Head,* die Südwestspitze v. Poverty B., NSeel., einh. *Kuri* (Meinicke, IStill. O. 1, 276), v. Cook am 11. Oct. 1769 getauft nach Nicholas Y., dem Burschen, welcher zuerst das Land erblickte (Hawk., Acc. 2, 297). — In anderm Sinne Y. *Island,* bei York's Peninsula, v. Capt. Ph. P. King (Austr. 1, 236) am 20. Juli 1819 so benannt, weil er das kleine, mit 2 Bäumen geschmückte Felsriff f. eine im Werden u. Wachsen begriffene Insel hielt: 'which is now in an infant state'. — Y. *William Island* s. Mortlock.

Ypsili, ngr. = hoch, Ort bei Smyrna, auf einer Anhöhe in bergiger Ldsch. (Tschih., Reis. 26).

Yse s. Karl.

Yssel s. Ijssel.

Yu s. China.

Yucatan, die v. Cuba durch die *Strasse v. Y.* getrennte mittelamerican. Halbinsel, einh. *Maya,* am 1. März 1517 v. dem Spanier Hernandez de Córdoba entdeckt. Auf die Frage nach dem Landesnamen hätten die Eingb. erwidert: *tecte-tan* = ich verstehe euch nicht (was durch neuere Sprachstudien unterstützt wird), u. dieses Wort sei dann aus Missverständniss u. durch Corruption Landesname geworden: 'pensaron los Españoles que se llamava assi, y corrompiendo el vocablo, llamaron siempre *Y.* (Gomara, HGen. c. 52). Grijalva nannte das Land *Santa Maria de los Remedios* = Mariahilf (Navarrete, Coll. 3, 55), nach seinem Admiralschiffe (ZfAErdk. nf. 15, 22).

Yu-En-Min-Yuen = immergrünender Garten, Name der kais. Herbstresidenz bei Peking (Staunton, China 2, 93).

Yule Bay, in SVictoria, v. Capt. J. C. Ross (SouthR. 1, 250 ff.) im Febr. 1841 entdeckt u. nach einem seiner Officiere, Henry B. *Y.,* dem master des Schiffs Erebus, benannt (vgl. Wood). — *Y. Island* s. Gallow.

Yuma, Fort, eine Anlage am untern Rio Colorado, z. Schutze der Weissen gg. die *Y.,* Juma, einen wilden Indianerstamm (BCGLandamts 52), errichtet, als 1849 der Golddurst die Abenteurer massenhaft nach Calif. führte (Möllhausen, FelsG. 1, 427. 437) ... 'and not long afterwards, 1850, a military post, called *Fort Y.,* was regularly established' (Ives, Rep. 20, Wheeler, Geogr. Rep. 148).

Yungar, verd. aus ind. *Nehemgar,* ein rseitg. Zufluss des Osage R., hat seinen Namen v. der grossen Anzahl Quellen, welche seinen Ursprg. auszeichnen (Pike, Expp. App. 2).

Yunque, el = der Ambos, auch *Cerro del Y.,* span. Name des mitten aus einer Reihe abschüssiger Berge 1000 m üb. M. aufsteigenden u. einem Schmiedeblasbalg ähnelnden, fast bis z. Gipfel hinauf bewaldeten Bergs v. Juan Fernandez (Fitzroy, Narr. 1, 302, Meyer's CLex. 9, 594, Peterm., GMitth. 25, 67 ff.).

Yuranigh's Ponds, Teiche eines lkseitg. Zuflusses des inneraustr. Victoria R., v. engl. Major T. L. Mitchell (Trop. Austr. 327) am 25. Sept. 1845 entdeckt u. benannt nach seinem Gefährten, dem Eingb. *Y.,* welcher den Chef sehr davor warnte, unmittelb. neben der Lagune das Bivouac aufzuschlagen, da sonst unfehlb. die Wilden einen Angriff auf die Exp. machen würden.

Yverdon od. *Yverdun,* d. *Iferten,* kelt.-röm. *Eburo-, Ebro-, Ebrudunum,* castrum *Ebrodunense,* 1228 *Everdun,* 1340 *Yverdunum,* Ort am Oberende des Neuenburger See's, wird hier mit *Embrun,* einem ON. des frz. dép. Hautes-Alpes, alt *Eburodunum, Ebrudino, Hebriduno,* bei Ptol. Ἐβρόδουνον, bei Strabo Ἐπεβρόδουνον, bei Greg. v. Tours civitas *Ebredonensis,* 585

ecclesia *Ebredunensis,* 677 *Aebreduno* civitas, bei Einhard *Ebrodunum,* 1080 *Ebredunum,* im 12. Jahrh. *Ebreün, Ebreü,* 1388 *Embrûn,* wie das Umland: *l'Embrunais,* 1484 *Embrunoys,* 739 pagus *Ebredunensis* (Dict. top. Fr. 19, 57) vergesellschaftet. Der erstere der beiden ON., *Y.,* wurde schon 1707 v. Pfarrer A. Ruchat (Abrégé Hist. 119 ff.) als kelt. *aver-dun* = Hügel an der Mündung betrachtet, u. der Keltomane L. de Bochat, sein Landsmann, nahm die Etym. in sein grosses Werk auf (Mém. crit. 1, 84), im Gsatz zu einer ebf. kelt. Ableitg., die Jean Astruc (Mém. Langued'oc 1737) f. *Ebrodunum,* j. *Embrun,* gegeben hatte, 'als Hügel in Korn ergiebig'. Welche 'Mündg.' Ruchat sich dabei denkt, sagt er ausdrücklich: ... et l'on sait qu'Iverdun est à l'embouchure de l'Orbe. Er fügt bei: Rien n'est plus vrai en fait d'étymologie que celle-là. Toutes les circonstances de la situation se trouvent exprimées par les différentes significations du mot *aber.* Le nom de la ville d'*Aberdeen* en Ecosse en est aussi une preuve. Du reste, le nom d'*Ebrodunum* convenoit à *Embrun,* parce qu'il est situé à la source de la Durance. Anders A. Crottet, der an den zeitweise bedeutenden, ebf. in *Y.* mündenden Bach *Buron* erinnert. 'Une autre étymologie bien plus simple se présente, d'elle-même, à tout esprit non prévenu qui considère la position de l'ancienne ville au bord du Buron. C'est 'la forteresse du Buron', *Burodunum* (F. Troyon, Habit. lacustr. 70 ff., Mart.-Crouz., Dict. V. 952). Eine neue Ansicht, nach Archivar Hotz, verweist auf die altgall. *Eburones, Eburovices,* auf 4 iber. *Eburo, Ebora,* auf *Eburum, Eburi, Eburobritium, Euromagus, Eburobriga, Eburolacum, Eborica, Eborâcum,* sowie auf das j. *Embrun;* es sei *dunum* urspr. 'Hügel', dann Veste, *eburo,* altir. *ebar* = Sumpf, also *Eburodunum* = Sumpfort (Mitth. Zürch.AG. 4, 80 f.). Dazu wird nun aber (Anz. schweiz. Gesch. u. AlthK. 8, 61 ff.) bemerkt, nach der Ansicht des Genfer Keltisten Ad. Pictet passe die Erklärg. weder auf *Embrun,* noch auf engl. *York,* sei also auch f. *Y.* verdächtig, er nehme sie also nur f. 'möglich'; 'ein gelehrter Engländer' gebe die Ableitg. *eb-ur-dun* = Castell am Wasser, wo *ur* = Wasser u. *eb* = an. Und schliessl., um das Mass der Unsicherheit voll zu machen, erkennt der Keltist H. d'Arbois de Jub. (Rev. Celt. 8, 134 f.) in *Y.,* wie in *Embrun,* u. in dem f. *Brünn* gehaltenen *Eburodunum* Germaniens, wie in *Eburobriga,* viell. j. *Avrolles,* ferner in *Eboracus,* besser *Eburacus,* j. *York,* einf. einen gall. Personennamen *Eburos,* latin. *Eburus,* der durch Inschriften mehrf. belegt ist. — *Lac d'Y.* s. Neuf.

Yvorne s. Aigle.

Z.

Za = trans, hinter, bei, slaw. praep. oft in ON.
wie *Zaberdo, Zabrdje, Zabrdy, Zabřech, Zab-řeh, Zabrzeg* = hinter dem Hügel, *Zablat, Zablati, Zablocie, Zablotce, Zablotow, Zablo-towce, Zabolotowka* = hinter dem Sumpf, *Za-borst* u. *Zaboršt* = hinter dem Walde, *Zabrod* = bei der Furt, *Zadol, Zadole, Zádolí* = hinter dem Thal, *Zagorje* = hinter den Bergen, *Zag-vozd* = hinter dem Walde, *Zahaj* = hinter dem Hain, *Zalas, Zales, Zalesce, Zalesch, Zaleschan, Zalesi, Zalesie, Zalesnie, Zaleszany* = hinter dem Wald, *Zalavje* = hinter dem Tritt, *Zala-žan* = hinter dem Acker, *Zalipie* = hinter der Linde, *Zalog* u. *Založnica* = hinter dem Hain, *Zaluka, Zaluž, Zaluz, Zalužan, Zaluze, Za-luže, Zaluži, Zaluzi* = hinter der Wiese, *Za-měl* = hinter der Untiefe, *Zamlača, Zamlače, Zamlaka* = hinter der Plak'n, *Zamlyn* = hinter der Mühle, *Zamost, Zamosti, Zamostie* = hinter der Brücke, *Zapeč* = hinter dem Fels, *Zapole* = hinter dem Feld, *Zaporoger* = die jenseits der Wasserfälle sc. des Dnjepr, *Zaw-raten* = hinter dem Thor od. Thörlein, oft mit sa geschrieben: *Saager*, aus slow. *Zagorje* ver-deutscht, *Saberd, Saberda, Saberdie, Saberdo, Sablat*, aus čech. *Zablatí* verdeutscht, *Sabua-tach*, aus slow. *Zablate, Sagor, Sagoretz, Sago-rica, Sagorice, Sagoriza, Sagorje, Sagorza, Sa-gorzen*, aus slow. *Zagorico, Sagraz*, aus slow. *Zagradce, Sagritz, Sallach*, zsgezogen aus *Sa-dolach*, welches v. slow. *Zadole* verdeutscht ist, *Saloch, Saras*, aus čech. *Zahrazany* = hinter der Burg verdeutscht, *Savodje, Savodna, Sa-vodne, Savodnje* (Miklosich, ON. App. 2, 144 ff.), Umlaut, ÖUng. NB. 203 ff., 281 ff.). — *Zailiisky Kraï* s. Semj.

Za, Awullietta de la = Kalknadel (wo *awullietta* = aiguille, vielm. aiguillette u. *za* = Kalk, chaux) u. *Dengs Perroques*, s. v. a. *Dents Perreuses* = Steinzähne, Bergnamen in der Reihe jener Felszacken, welche die beiden Quell-thäler des Val d'Erin scheiden u. (Dufour-Atl. 22) zunächst als *Grandes Dents* = grosse Zähne, im Ggsatz zu den niedrigern u. nördlichern *Pe-tites Dents* = kleinen Zähnen zusgefasst werden. Die 'Kalknadel', diese 'kühnste Felsnadel', ist nicht unmittelbar v. Kalke benannt, sondern v. einer an seinem Fusse liegenden Alp, welche *la Montagna de la Za* = Kalkberg heisst (Fröbel, Penn. Alp. 74). R. Ritz (OB. Eringerth. 371) schreibt *Dent Perroc*, 'richtiger *DPirroc*' = Steinighorn, v. dial. *pirra* = stein.

Zaanan, hebr. צְעֲנָן = reich an Herden, Stadt im Stamme Juda (Micha 1, 11, Gesen., HLex.).

Zaandam s. Amsterdam.
Zab s. Zapatas.
Zabern, im 7. Jahrh. *Zaberna*, wohl zu *ta-berna* (s. Orbe) gehörig, j. 3 Orte: Z. im Elsass, *Rhein-Z.* u. *Berg-Z.*, beide in der Pfalz, doch letzteres im Alterth. nicht genannt (Kiepert, Lehrb. AG. 521). Es heisst aber *Zaber* auch ein Zu-fluss des Neckar u. nach ihm im 8. Jahrh. der *Zabernachgowe* (Förstem., Altd. NB. 1651). — In NOest. ein Ort *Zabernreut* = Rüti bei der Schenke (Umlauft, ÖUng. NB. 281).

Zacatecas, Stadt u. Prov. v. Mexico, einst Sitz der *Zacateken*, die ihren Namen v. *Zacatlan* = Ort des Maisstrohs bekommen hatten. Das alte *Zacatlan* j. noch *a)* als ein Ort nördl. v. Tlascala, *b)* als ein Fluss in der Prov. Vera Paz. *Zacatepec* = auf dem Maisberge, Ort bei Mexico u. noch 7 mal im span. plur. *Sacatepe-ques* wiederholt *a)* f. eine Prov. in Guatemala, *b)* f. Dörfer, die durch Heiligennamen unter-schieden werden. — *Zacapa* = Ort des Mais, *zacatl*, 3 f. in Mexico, einmal in der Form *San Andres Zacabah* (Buschmann, Azt. ON. 19. 190).

Zach, Pic, ein runder Spitzberg Hondo's, durch den russ. Capt. J. A. v. Krusenst. (Reise 2, 18) im April 1805 getauft 'nach dem berühmten Astronomen Baron' Franz Xaver Z., welcher, zu Pressburg 1754 geb., der Sternwarte auf dem Seeberg, Gotha, vorstand u. nach einer Menge verdienstvoller Arbeiten 1832 zu Paris † (Meyer's CLex. 15, 941).

Zachelmna s. Chlm.
Zad' Amba = weisser Fels, v. *zada* = weiss u. *amba* = Fels, natürliche Festung, abess. Berg-name in Bogos.
Zadar s. Zara.
Zadny Staw = der hinterste See, poln. Name eines kleinen Bergsee's der HTatra, zu hinterst in einem see'nreichen Thale, auch *Zielony Staw* = grüner See (s. d.), wegen seiner dunkelgrünen Farbe u. dass ein hell- u. ein dunkelgrüner Tatrasee gl. N. zu unterscheiden sind (Peterm., GMitth. 20, 306).

Zagan, auch *tschagan, tschahan* = weiss, in vielen mong. ON. *a)* Z. *Noor* = weisser See (s. Chara), an der mong.-chin. Grenze (Klaproth, Kauk. 2, 418 ff., Mém. 1, 20), in MPolo ed. Pau-thier 1, 221 als (Stadt) *Cyagannor*, daran die Ruinen der v. Kublai Chan ggr. Z. *Balgasun* = weissen Stadt, chin. (mit gl. Bedeutg.) *Pei-tschengtzu* (Journ. RGSLond. 1874, 79, Timkowski, Mong. 1, 272); *b)* Z. *Noor* s. Ak. — Eine andere Z. *Balgasun* s. Madschar. — Z. *Kudschir* = weisser Natronbach, ein Zufluss des Kossogol (Bär u. Helm, Beitr. 23, 138). — Z. *Oola* = weisser Berg, ein Felsberg der Mongolei (Tim-kowski, Mong. 1, 21, Klaproth, Mém. 1, 20). — Z. *Tugurik* = weisse Rundung, ein Salzsee der

Gobi, der ringsum Salzquellen aufnimmt u. durch die Verdunstung an seinem Ufer Salz ablagert (Timkowski, Mong. 1, 191). — *Z. Ussu* = Weisswasser, 2 mal: *a)* ein z. Dschin ziehender Gebirgsfluss des Thian Schan (Regel, RBer. 6); *b)* s. Ak. — *Z. Denghis* s. Kaspisee.

Zagreb s. Agram.

Zagrad, *Zagradci, Zagradje,* slow. ON. in Kroat. u. Slaw., v. asl. *zayrada* = Zaun, das im čech. *zahrada* = Garten, *zahradka* = Gärtchen bedeutet u. in den böhm. u. mähr. ON. *Zahrad, Zahrada, Zahrádka* vorkommt (Miklosich, ON. App. 2, 259, Umlauft, ÖUng. NB. 281 f.).

Zahnküste od. *Elfenbeinküste* nennen die Europäer seit der Portugiesen Zeit her noch immer einen gewissen Küstenstrich Ober-Guinea's, weil dort, seit 1447, ein der Krone einträglicher u. ihr als Regal vorbehaltener Handel in Elfenbein, dem ostind. Concurrenz bereitend, mit den Negern unterhalten wurde. S. Pfefferküste. — *Zahnbay,* in Spitzb., wo der holl. Seef. Barents am 25. Juni 1596 Zähne v. Wallrossen u. Seekühen fand (WHakl. S. 54, XX). — *Tandeberg* = Zahn- od. Zackenberg, v. holl. *tand* = Zahn, ein Berg des Capl., nach der spitzen u. zerrissenen Form (ZfAErdk. 1, 360). — *Tindfjalla-Jökull* = Zahnberg, ein Berg Isl., nach seinem zahnfg. Gipfel (Preyer-Z., Isl. 25).

Zailiisky K. s. Semiretschinsk.

Zaiman, Laguna de = Schildkrötensee, in Costa Rica, v. den Mosquito-Indianern so (und nicht *Caiman*) genannt, weil sie ihn zu gewissen Jahreszeiten des Schildkrötenfangs wg. besuchen (Peterm., GMitth. 8, 207).

Zajö s. Brahma.

Zaire, ein african. Strom, fälschl. auch *Congo* (so heisst das Negerreich), durch den Entdecker, den port. Seef. Diogo Cão (1484/85), *Rio do Padrão* genannt, weil er hier, 'na boca do qual da parte do Sul', als Zeichen der Besitzergreifung einen padrão (s. Cabo do Padrão) errichtete. 'Por causa do qual padrão ... muito tempo foi nomeado este rio *do Padrão*, e ora lhe chamavão de *Congo,* por correr per hum reyno assi chamado ..., posto que o seu proprio nome do rio entre os naturaes he *Zaire* ...' Diese Stelle (Barros, Asia 1, 3³) beweist, dass die beiden einh. Namen, f. Reich u. Strom, den port. schon um um die Mitte des 16. Jahrh. verdrängt hatten. Die richtige Ausscheidg. v. Strom u. Land hat auch noch Camões:

'Alli o mui grande Reino está de *Congo,*
Por nós já convertido á fé de Christo,
Por onde o *Zaire* passa claro, e longo
Rio pelos antigos nunca visto'.
                 Lusiade 5, 13.

Den Negernamen *Z.,* bei einem Theil der Anwohner, hat der Strom nach der Hptstadt u. Ngojo. Andere nennen ihn *Moienzi Enzaddi* = das mächtige Gewässer (Bastian, SSalv. 9) od. der 'grosse Strom', als der Fluss, welcher alle andern Flüsse aufnimmt, wie Tuckey erfuhr (Peterm., GMitth. 18, 412), auch *Kulla* = grosses

Wasser, beide Namen 'sehr bezeichnend', da v. allen Gewässern des wasserreichen Aequatorial-Africa dieser Strom den Arabern stets das 'grosse Wasser' κατ' ἐξοχήν war (ib. 23, 471). Jedf. ergibt sich aus unsern geschichtl. Angaben, dass der Versuch, *Congo* als Flussnamen, u. zwar mit der Bedeutg. 'Speer', also 'so schnell wie eine Lanze', zu erklären (Peterm., GMitth. 34, 25 f.), trotz gelehrtem Apparat missglücken musste. Noch bleibt zu erinnern, dass H. M. Stanley in dem Bericht üb. seine berühmte Stromfahrt (Thr. Dark Cont. 419), den Fluss immer als *Livingstone (River)* bezeichnet: 'I mean to speak of it henceforth as *the Livingstone'.*

Zakop = Verschanzung, čech. u. poln. Wort in den ON. *Zakopana, Zakopanka,* Böhm., *Zakopane,* Galiz., während *Zakopa,* in Kroat., zu serb. *zakopina* = Neubruch gehört (Miklosich, ON. App. 2, 259).

Zalatna s. Zlato.

Zalmon, hebr. צַלְמוֹן = schattig, ein Berg unweit Sichem (Richt. 9, 48), welcher (Ps. 48, 15) dem Dichter das Bild eines beschneiten Bodens gibt. Aehnl. *Zalmonah,* hebr. צַלְמֹנָה = die schattige, ein Lagerplatz der Israeliten in der Wüste (4. Mos. 33, 41, Gesen., Hebr. Lex.).

Zamarzly Staw = gefrorner See, poln. Name eines kleinen seichten, daher bald gefrierenden Bergsees der HTatra (Peterm., GMitth. 20, 306).

Zambézi od. nach den Dialecten der Anwohner *Zembere, Ojimbezi, Ambezi, Luambezi, Luambeji, Liambexe* [... bedsche], *Liambye, Liambai* = der grosse Fluss, der Fluss par excellence (Livingstone, Miss. Trav. 208, Peterm., GMitth. 4, 189), im Atonga Lande auch *Muronga Mucúru* = der grosse Fluss (Peterm. 19, 70). Als Vasco da Gama den Strom am 23. Jan. 1498 erreichte, nannte er ihn *Rio dos Bons Sinaes* = Fluss der guten Anzeichen, weil man hoffen konnte, bald in das Gebiet der arab. Handelswelt zu gelangen. Denn hatte man bis j. lauter barbar. Neger getroffen, so sah man hier auch braungelbe unter ihnen, 'que parecião mestiços de Negros e Mouros'; einige verstanden arab. Worte, welche einer der Seeleute Fernão Martins ihnen vorsagte; die meisten trugen blaugefärbte Baumwollzeuge, andere seidene Mützen u. Stoffe etc. Auch sagten sie, dass gg. Sonnenaufgang weisse Leute wohnten, welche in Schiffen gleich den port. Seefahrern an der Küste auf- u. abwärts trieben: 'as quaes elles vião passar pera baixo, e pera cima d'aquella costa' (Barros, As. 1, 4³), Uebr. hätten die Port. schon ein paar Tage vorher, nördl. v. Cap São Sebastião, arab. Orte antreffen können (WHakl. S. 35, 4). Anschaulich, zwar ohne der Baumwollzeuge zu erwähnen, aber die Malsalubrität des Deltas bezeugend, erzählt der port. Chronist Damião de Goes (Lus. ed. Fonseca p. XXVII), wie Vasco da Gama am 25. Jan. 1498 'chegou á bocca d'um rio grande onde ancorou. Logo pela manhã viram vir pelo rio abaixo algumas almadias a remo com gente da mesma calidade, que os que atraz

(nämlich in der Angra de Sancta Helena, wo er
mit 3 andern Portugiesen verwundet worden war)
tinham visto. Estes homens, em chegando ás
naus sem nenhum mêdo, nem receio, subiram
pela enxarcia tam seguros como se tiveram conhecimento com os nossos; que vendo a limpeza
d'elles, deixaram entrar nas naus, onde foram
bem festejados, tudo per acenas e signaes: por
quanto Martin Afonso, nem os outros linguas
os poderam intender. Entre algumas pessoas de
calidade, que vieram ver o Gama, veio tambem
um mancebo, de quem, per acenos, com algumas
palavras que fallava do arabigo, poderam os
nossos intender que da terra onde elle era, vin-
ham naus tammanhas como os nossas, e que não
era muito longe d'alli. A qual nova foi de
grande contentamento a todos; e por isso poz
Vasco da Gama nome a este rio *dos bons signaes.*
Ahi mandou dar pendor ás naus, e lhe adoeceram
muitos dos nossos de diversas doenças, por a terra
ser alagadiça, baixa, e lançar de si vapores
grossos e mausʻ. Dem entscheidungsvollen Ereignisse widmet auch Camões (Lus. 5, 75 ff.)
einige Strophen:

E foi, que estando ja da costa perto,
Onde as praias, e valles bem se viam,
N'um rio, que alli sai ao mar aberto,
Bateis á véla entravam, e saiam.
Alegria mui grande foi por certo
Acharmos ja pessoas, que sabiam
Navegar; porque entr'ellas esperámos
De achar novas algumas, como achámos.
Ethiopes sao todos; mas parece
Que com gente melhor communicavam:
Palavra alguma arábia se conhece
Entre a linguagem sua, que fallavam:
E com panno delgado, que se tece
De algodao, as cabeças apertavam:
Com outro, que de tincta azul se tinge,
Cada um as vergonhosas partes cinge.
Pela arábica lingua, que mal fallam,
E que Fernan' Martins mui bem intende,
Dizem, 'que per naus, que em grandeza iguallam
As nossas, o seu mar se corta, e fende:
Mas que la d'onde sai o sol, se aballam
Pera onde a costa ao Sul se alarga, e estende,
E do Sul pera o sol; terra onde havia
Gente, assi como nós, da côr do diaʻ.
Mui grandemente aqui nos alegrámos,
Co' a gente, e co' as novas muito mais:
Polos signaes, que n'este rio achámos,
O nome lhe ficou *dos Bons-Signais:*
Um padrao n'esta terra alevantámos;
(Que pera assignalar logares tais
Trazia alguns) o nome tem do belo
Guiador de Tobías a Gabelo (nämlich Erzengel
Raphael).

Zambo, der Name eines sehr hässl., krumm-
beinigen, hundegrossen Thiers in America, wurde
durch die Creolen auf die Mischlinge der beiden
nichtweissen Stammracen, der Neger u. Indianer,
übtr. In Pará wird Z. ersetzt durch den ind.
Namen *Curibocas,* welcher in Brasilien sonst
auf die Mestizen (s. d.) bezogen wurde (Varnh.,
HBraz. 1, 172).

Zana, der Quellsee des Weissen Nil, im Tigre
Tsana, in Amh. *Tana,* bei Barros (Asia 1, 10[1]
u. a. O.) *Barcenà,* unter Beifügg. des arab.
bahr == Wasser. In Europa, doch in Abessinien
selbst nicht (Heuglin, NOAfr. 38), auch etwa nach
einer anliegenden Ldsch. *Dembea-See.*

Zandwijk s. Sand.

Zanesville, Ort in Ohio, nach dem Gründer,
Ebenezer Zane, welcher, einer der frühesten Colonisten u. ein berühmter Jäger jener Waldge-
biete, den Ort 1799 anlegte u. 1823 † (Buckingh.,
East. & WSt. 2, 277, Hertha, 9, 35).

Zangti s. Satledsch.

Zankle s. Messina.

Zante, Name einer der jon. Inseln, lat. *Zacyn-
thus,* gr. *Ζάκυνθος,* ist wohl, wie manch andere
anscheinend alt-griech. ON., phön. Ursprungs u.
im Hinblick auf die durchaus bergige Oberfläche,
v. Bochart (Geogr. Sacra 447. 508) mit hebr.
zachuth == Höhe, Erhabenheit, verglichen worden.

Zanzibar, in deutscher Schreibg. *Sansibar,* bei
Edrisi (ed. Jaub. 1, 47) *Zenghebar,* bei Jaqut
ez-Zandschabár (Paulitschke, Progr. 1884, 30),
in MPolo *Zanquibar,* in Barros (As. 1, 7[4]) *Zem-
zibar,* der bekannte ostafr. Handelsplatz der Insel
gl. N., einst nach dem kriegerischen Volk der
Zengui, Zendsch, Sandsch == den Schwarzen,
die in ihrer Mischg. mit arab. Blute zu den j.
Sawahili (s. d.) geworden sind; so hiess das Volk
bei den Arabern, ihr Land Z. == Land der
Schwarzen, v. arab. *zang* == Neger u. ind. *bar*
== Küste (Tour dM. 9. Sept. 82 Umschl.), auch
Belád al-Zindj == Land der Zendsch (Bakui,
Not. et Extr. Mss. 2, 395), bei Cameron (QAfr.
28) ʻKüste der Schwarzenʻ, dann auch *Hazine,*
Kazaïn, bei Ibn Batuta (Trav. 57) *Zanuy,* bei
den griech. Handelsleuten des Alterth. *Azania*
(s. d.). ʻSómente os Arabios, e Parsios, como gente
que tem policia de letras, e são vizinhos della
(näml. der Küste), em suas escrituras lhe chamão
Zanguebar, e aos moradores della *Zanguij . . .ʻ*
(Barros, Asia I, 8[4] p. 205 f.). ʻEt comme les uns
disaient *Zanguebar* et les autres *Zanzibar,* les
géographes, en hommes qui connaissent leur
affaire (!?), ont établi que *Zanzibar* est l'ile et
la ville, et *Zanguebar* le continent d'en faceʻ
(Miss. cath. v. 4. Jan. 1889 p. 10). Der einh. Name
der Insel u. der Stadt ist *Ungudja,* ein Wort, üb.
dessen Bedeutg. ʻgrammatici certant, et adhuc
sub judice lis estʻ (ib.).

Zapatas, gr. *Ζαπάτας, ποταμός* == Wolfbach,
v. syr. *zaba* == Wolf, ein Fluss in Assyrien, bei
den spätern Griechen übsetzt *Λύκος,* j. *Zab*
(Pape-B.).

Zapote, span. Fom des ind. *tzapotl,* einer kugeligen Frucht mit rothem Fleich, v. einem Baume
Casimiroa edulis LLlave, mehrf. in mexican. ON.
als: *a)* in Durango, *b)* in Chihuahua, *c)* in Valladolid, *d)* eine Insel des Nicaragua-See's (Buschmann, Azt. ON. 109). In der Form *Tzapotlan*
== Ort der Zapote, mit *tlan* == Ort von . . . u.
davon abgeleitet *Zapoteca,* f. den Volksstamm
in Michoacan (Gracida, Cat. 137, Pennafiel, NGeogr.
Mex. 225).

Zar, nach Dr. Lęgowski (13. Apr. 1891) die beste
deutsche Schreibart f. das russ. ʻKaiserʻ u. dem
frz.-engl. Aushülfsmittel *czar* od. dem neuern
tsar vorzuziehen, keines Falls also *tschar* zu
sprechen, wie in Czenstochau u. a. poln. Namen.

Wir **schreiben** (u. sprechen) also *a) Zarskoje Sselo* = Kaiserdorf, v. adj. *zarskij, -aja, -oje*, f. die kaiserl. Residenz bei St. Petersb. ‚die aus einer kleinen Anlage Peters d. Gr. entstanden, durch die Kaiserin Elisabeth 1744 erbaut u. v. Katharina II. ausgeschmückt u. z. Lieblingsaufenthalt erwählt wurde (Meyer's CLex. 15, 958); *b) Zarewgorod* = Fürstenstadt, eine verlassene tatar. Stadt einige Werst obh. Zarizyn, an der Wolga (Müller, Ugr. V. 2, 506). Auch Falk (Beitr. 1, 118) erwähnt in dieser Lage 'die kaum kenntl. Ruinen einer ansehnl. tatar. Stadt', dazu in derselben Gegend, jedoch auf der linken Seite der Achtuba, eine andere Ruinenstätte *Zarewopadun* = Kaiserfall od. *Zarewopád* ≈ Kaisergrund, auch *Zarew* (vgl. Sarai). Letztere heisse bei den Tataren *Kara* (= schwarz) *Koschar*, bei den Kalmyken *Dschan Wochani Balhasun*, nach dem Chan Wochani, der hier, wider Willen, seine Residenz aufschlug. Die Tataren erzählen, dass eine Gemahlin des Chans, v. diesem wenig geliebt u. dessh. hierher verwiesen, einen kleinen See so mit Zucker versüsste, dass die Vögel der Gegend angelockt wurden u. nun auch der Chan, ein eifriger Vogeljäger, häufiger sich hier aufzuhalten pflegte. Noch j. bei den Kalmyken *Sisert Noor* = Zuckersee; *c) Zarewogorodischtsche* = Kaiserruinen, ein künstl. Hügel am Irtysch, v. dem die Umwohner glauben, es könne eine so grosse Arbeit v. niemand anders als v. einem mächtigen Fürsten herrühren, der auf dem Hügel seine Wohng. gehabt hätte, bei den Tataren *Kyssim Tura* = Jungfernstadt, weil sie ihn f. das Werk v. Mädchen halten, welche die Erde in den Zipfeln ihrer Kleider herzugetragen. Eine zweite *KT.* 2 Werst obh. Sibir; in uralten Zeiten habe man eines Chans Tochter, die, entführt u. genothzüchtigt u. nebst ihrem Buhlen eingeholt, hier begraben (Mülfer, SRuss.G. 3, 408); *d) Zarewkurgán* = Fürstenhügel (s. Kurgan), ein isolirter Kalkfelskegel, welcher bei Kamyschinsk, am rechten Ufer der Wolga, aufragt u. einst das Lusthaus eines Fürsten getragen haben soll (Müller, Ugr. V. 2, 485, Falk, Beitr. 1, 114); *e) Zarigrad* s. Konstantinopel; *f) Zaren Inseln*, im Aralsee, umfassend *Nikolai-, Naslednik-* (= des Thronfolgers) u. *Konstantin-I.* (ZfAErdk. 1873 T. 1).

Zara, in Dalmatien, slaw. *Zadar*, byz. Διάδωρα, einst Metropole Liburniens, v. Augustus als Colonie 'Ιάδερα, *Jadera* (v. Flüsschen *Jader*) dem Römerreich einverleibt. In der Nähe *Z. Vecchia*, slav. *Stari Zadar*, beides 'Alt-*Z.'* (Plin., HNat. 3, 21, Ptol., Geogr. 2, 17, Sommer, Taschb. 11, 95. 105, Peterm., GMitth. 5, 333f.).

Zar'a, hebr. צַרְעָה etwa = Niederung, Stadt in der Ebene des Stammes Juda, schon zu Dan gerechnet (Jos. 15, 33), j. noch *Sar'ah* bei Bethschemes (Robins., Pal. 2, 592 ff.).

Zaragoza, Ort in Aragon, urspr. *Salduba*, v. Augustus —27 erneuert als Colonia *Caesarea Augusta Salduba*, gew. *Caesaraugusta* (Meyer's CLex. 14, 154, Willk., Span.-P. 172), gelegen an frequentem Uebgang des Ebro, z. Militärcolonie bestimmt (Kiepert, Lehrb. AG. 494).

Zareh, auch *Zerrah*, ein grosser Süsswasser-See u. Sumpf in Iran, pers. *sar* = Sumpf, See (Spiegel, Eran. A. 1, 219), im zend *zarange* = See; daher das Umland einf. *Zaraka, Soraka, Zaranka* = Seeland, die Anwohner bei Herod. Ζαράγγαι, bei Arrian (An. 6, 17) Ζαράγγοι, Ζαραγγαῖοι, gew. Δράγγαι (Pape-B.) u. v. den '*Drangen*' das Land *Drangiane*. Aehnl. Bournouf (Comm. Yaçna 98) u. JRGSLond. (1873, 273), wo zend *zarayo*, sowie pehlewi *zaré* als Original des pers. *sar* bezeichnet wird. Arab. nach einem Uferort *Derrah* der See *Bahr* (=Wasser) *Derrah* (Edrisi ed. Jaub. 1, 447). — *Hamun* = flacher, ebener Grund, ist bei den Seistanis jede Wasseransammlung (Bergh., Ann. 4. R. 1, 31). 'Dieses überaus fruchtb., jedoch theilw. v. Wüsten umschlossene Alluvialland wurde (um —130) v. Baktrien aus v. den sakischen Eroberern besetzt, nach denen es, wenigstens theilw., den neuen Namen Σαχαστάνη, eig. Çakasthâna = Sakenland erhielt; er ist geblieben in den mittelalt. u. mod. Formen *Segistân, Sedschistân, Seïstân'* (Kiepert, Lehrb. AG. 61). Ein älterer Landesname ist *Nimrûz* = Mittag, da Sedschistan (weder z. spätern, noch z. mod. Persien, wohl aber) z. urspr. Iran die Südgrenze bildete (Journ. RGSLond. 1873, 273).

Zariaspa s. Balkh.

Zarizyn, Ort am Unterlaufe der Wolga, obh. der Mündg. eines rseitg. Zuflusses Zariza, welcher nur ein 20 Werst lg. Bach ist u. in einer bis 15 Faden tiefen u. 150 Faden br. Regenkluft z. Strome ausläuft (Falk, Beitr. 1, 119).

Zarpath s. Sarepta.

Zaté, s. v. a. *château* = Schloss, bei den frz. sprechenden Thalleuten eine Gruppe v. Sennhütten des Walliser Val d'Erin. Nach der Ortschaft der Pass *Pache dôu Zaté* (Fröbel, Penn. Alp. 119). Im Eivischthal *Col de Zatélet*, v. der dortigen Alp *Zatélet* (= Schlösslein), was dim. v. *zaté* = Schloss. Ein naher Gipfel *Pointe de Zaté*. Eine Bergspitze *La Zatélana*, v. a. *la châtelaine* = die Castellanin, eig. *Za-de-l'âno* = Eselalp (die am Fusse liegt). Im Eringerthal heisst *za* ein besonderer (oft sehr hoher u. wilder) Theil der ganzen Alp, bestimmt f. Sömmerg. v. Rindern, Schafen od. Mauleseln (RRitz, OB. Eringerth. 368).

Zaucha s. Suchyj.

Zaura s. Bagdad.

Zebaldinen od. *Sambal*, ein kaukas. Stamm der Abchasen, werden v. den Tscherkessen *Chirps-Kuadsch* = Dorf des Cherps genannt, da der Stammvater der Z. Cherpsei Marschanij geheissen (Peterm., GMitth. 6, 167).

Zebedany, Ard, wo das arab. *ard* = Landstrich, im Thalstufe des Barada, 10 km lg., nach dem Dorfe *Z.*, dem gew. Nachtquartier auf der zweitägigen Route Damask-Baalbek. Nach dem Orte heisst ein Theil des Anti-Libanon *Dschebel Z.* (VdVelde, Reise 2, 384), sowie ein kleiner Zufluss des Barada *Moyet* (= Wasser) *Z.* (Burckh., Reis. 1, 39).

Zeeland = Seeland, eine Prov. der Niederl., ganz aus Deltainseln, schon im Mittelalter als *Maritimae, Marinae partes* bezeichnet, bildete längere Zeit die fries. Bundesgenossenschaft der *Zeven* (= 7) *Zeelanden* (v. d. Bergh, Meddelndl. G. 84). In latin. Form *Zelandia*, mehrf. v. der holl. Prov. übtragen: *a)* ein Fort in Formosa, auf einem v. den Japanesen abgetretenen Raume 1634 erbaut (Klaproth, Mém. 1,324); *b)* ein Fort bei Paramaribo, Guayana, 1580 ggr. (Meyer's CLex. 8, 317); *c)* s. *Nieuw Zeeland.* — Das holl. Wort *zee* = See, Meer erscheint noch mehrf. in ON., zunächst in *Zeekoe Rivier* = Fluss der Seekühe, i. e. der Flusspferde, Capland. In dem Seekuhfluss, welcher den Schneebergen entspringt u. z. Linken in den Oranje R. fällt, hielten sich die Flusspferde, fast nie v. Jägern beunruhigt, in Menge auf u. fanden sich noch zu Lichtensteins (SAfr. 1, 120. 215. 362; 2, 59. 70) Zeiten darin vor. Auch *Zeekoe Zee* u. *Zeekoe Valley* haben den 'Namen v. einem Amphibio, das vorzeiten gew. daselbsten sich einfande u. v. den Holl. *zeekoe*, v. den Naturalisten aber Hippopotamus od. Seepferd genannt wird' (Kolb, VGHoffn. 216). — *Zeewyk Passage*, die Durchfahrt zw. Easter u. Pelsaert Gr., Houtmans Abrolhos, zuerst befahren durch die schiffbrüchige Mannschaft des holl. Schiffes 'Zeewyk' (1727), nachdem sie auf der j. Gun I. (s. d.) sich eine Schaluppe gezimmert hatte, u. benannt durch den engl. Capt. Stokes (Disc. 2, 149) am 24. Apr. 1840 (WHakl. S. 25, 178 f.). — *Zeehaan* s. Heemskerk u. Cook.

Zeeland, Nieuw, deutsch *Neu Seeland,* engl. *New Zealand,* lat. *Nova Zelandia,* in Polyn., v. holl. Seef. Tasman am 13. Dec. 1642 entdeckt u. benannt zu Ehren der holl. Generalstaaten (Tasman's Journ. 86). 'Dit landt hebben wy den naem gegeven van het *Staten Landt,* ter eere van de Hoogh Me H^ren Staten, alsoo wel conde wesen, dat dit landt aen het *Statelandt* vast zoude wesen, doch onzeecker. Dit zelve landt gelyckt een zeer schoon landt te wesen, en. vertrouwen dat dit de vaste cust is van het onbekende Zuytlandt'. Wir sehen, dass der Entdecker das neue Land f. einen Theil des hypothetischen Südpolarcontinents hielt u. den Namen wählte 'dans l'idée que cette terre était liée au Staaten Land découvert par Le Maire et Schouten'. Erst später erscheint der mod. Name, zuerst 1665 in Thevenot's Carte; es lässt sich vermuthen, Tasman selbst habe, als der Irrthum sich aufgeklärt, seine Entdeckg. nach der holl. Prov. Zeeland umgetauft, deren rührige Seestadt Middelburg er auf seinem Entdeckungsfelde ebf. zu Ehren zog. Die Carte enthält die Angabe: *Staetelandt,* dit is beseylt ende ondeckt met schepen Hemskerck ende Zeehaen onder het commande van de E. Abel Tasman — in de Jare ao. 1642 de 13 desembre. Wahrsch. hat schon der Span. Juan Fernandez, ein bewährter Seemann, das Land gesehen (Meinicke, IStill. O. 1, 3. 248, 353 f.); er passirte, wohl bald nach Mendaña (1568), in viel südlicherer Breite den Pacific u. stiess zuletzt an die Küste eines grossen, bewohnten Landes (Major,

Early V. Austr. 20 f., wo das an Philipp III. gerichtete Memorial des Dr. J. L. Arias, eines zuverlässigen, wohl unterrichteten Mannes, abgedruckt ist). Die Maori haben nur Theilnamen; in ihrem Munde lautet die engl. Namensform *Nuitireni, Nuitereni, Niutireni.* Unsere *Nord-insel* heisst bei ihnen *Te Ika a Maui* = Fisch des Maui (bei Cook *Ea heino mauve,* bei Dumont d'Urville *Ika na mavi),* des Herkules ihrer Mythologie, der sie Kahn- u. Häuserbau, sowie die Seilerarbeit gelehrt, das See-Ungeheuer Tunarua getödtet, Sonne u. Mond die Bahn angewiesen u. des Herrn des Wassers u. des Feuers, der Luft u. des Himmels, dessen, der auch das Land aus dem Meere gefischt hat (Taylor, Te Ika 26). Merkw. Weise hat die Nordinsel in ihren Umrissen wirkl. Aehnlichkeit mit der Gestalt eines Fisches, u. die Eingb. bezeichnen sogar die Gegenden, welche den einzelnen Gliedmassen entsprechen: S. der Kopf, N. der Schwanz. Cape Egmont die Rückenflosse, Ostcap die Bauchflosse, Port Nicholson u. Wairarapa, ein See bei Wellington, die beiden Augen, die Nord- u. Südküste v. Port Nicholson die beiden Kiefer, der thätige Vulcan Tongariro im Centrum der Insel u. der an seinem Fusse liegende Tauposee der Magen u. Bauch des Fisches — 'gewiss ein merkw. Beweis, zu welch' genauer Vorstellg. v. der Form der Insel die Eingb. gekommen waren, lange bevor eine europ. Carte dieselbe z. Anschauung brachte'. Unsere *Südinsel* nennen sie *Te Wahi Punamu* (bei Cook *Tavai Poenammoo)* = Land des Grünsteins, eines Nephrits od. Beilsteins, welcher an der Westküste, als Geschiebe der Flüsse u. unter dem Geröll des Seestrandes, vorkommt u. v. den Maori hochgeschätzt war, weil sie daraus Steinäxte, Ohrgehänge u. Halszieraten verfertigten; die Eingb. der Nordinsel kamen oft in ganzen Flotten, um Punamu zu sammeln. Ein zweiter mythischer Maoriname der Nordinsel, zuw. der ganzen Gruppe, ist *Aotearoa* = grosser Lichtglanz, v. *aotea* = Lichtglanz u. *roa* = gross, lang. *Aotea* ist näml. eines der Canoes, welche der Sage nach mit Ngahue, dem Entdecker des Landes, v. *Hawaiki* kamen, dem sagenhaften in Osten od. Nordosten gelegenen Urlande der Einwanderer (v. Hochst., NSeel. 51). Man hat auch vorgeschlagen, die Südinsel nach der engl. Königin *Victoria Island* zu taufen. Zu der Zeit, als die Franzosen r. Banks Halbinsel aus die Herrschaft ihrer Flagge üb. *NS.* auszudehnen gedachten, nannten sie die Südinsel *La Nouvelle France,* u. als der Capt. Marion (-Crozet, NV. 125) im Juni 1772 in der Bay of Islands ankerte, nahm er Namens seines Königs auch v. der Nordinsel, *la France Australe,* Besitz. Fast eben so verschollen wie diese Bezeichnungen sind *New Ulster* (f. Nordinsel), *New Munster* (f. Südinsel) u. *New Leinster* (f. Stewarts I.), die Namen, welche nach den drei Provinzen Irlands der erste Gouv., Capt. Hobson, officiell einführte. Mit Recht spricht sich Hochstetter (NSeel. 31) gg. die ältere Bezeichng. einer *Nord-, Mittel-* u. *Südinsel* aus, wodurch die kleine Stewarts I. in gleichen Rang mit den beiden Hptländern gestellt würde. Die Engländer sind mit dem Namen *New Zealand* nicht zufrieden; mit der kleinen flachen holl. Prov. habe das Land ungefähr ebenso viel Aehnlichkeit als ein Häring mit einem Walfisch, meint Hursthouse. Sie würden *South Britain, Britain of the South, Austral-Britain, Austral-Albion* od. am Ende auch *Zelandia* vorziehen, wie schon C. Ritter (Col. NSeel. 11) das 'neu verjüngte Albion der Antipodenwelt' als 'Grossbritanien der Südsee' bezeichnet hat: Ein Inselreich, eine 'Doppelinsel, welche bei der alle Entfernungen kürzenden Dampfkraft unserer Tage an den benachbarten Continent v. Austr. sich in ähnlicher Art anlehnt, wie Grossbritanien an den europäischen. Es hat ein herrliches, der anglosächs. Race vortrefflich zusagendes, oceanisches Klima, einen fruchtb., reichbewässerten Boden u. eine Küstenentwickelg. u. natürliche Gliederg., welche dem maritimen Sinne u. den Gewohnheiten des maritimsten Volkes der Erde aufs vollkommenste entspricht....' (v. Hochst. NSeel. 65 f.).

Zeil-Inseln, eine kleine Inselgruppe vor Cap Heuglin (s. d.), v. der Exp. Heuglin-Zeil am 15. Aug. 1870 getauft (Peterm., GMitth. 17, 178). — *Berg Z.* s. Haast.

Zeitun od. *Zaitun,* geschr. *Çayton,* nach deutscher Aussprache *Ssatòng,* bei MPolo (ed. Pauthier 1, LXI) eine chin. Stadt, die zu seiner Zeit *Thse-thûng* hiess nach einem dornigen Baume, thsé. Die andern chin. Namen sind *Thsiuan-tscheu* = Thal der Quellen od. (als Beiname) *Thûng tsching* = Stadt der Oelbäume, weil sie — anlässl. der Anlage v. Befestigungen — mit einem Dornstrauch, *thsé,* u. einem grossen, höchst zierl. u. ölliefernden Baume *thung,* dem Eleococcus oleifera des bot. Systems, umgeben wurde (ib. 2, 528).

Zelandia s. Nieuw Zeeland.

Zelen = grün, slaw. Wort, čech. *zeleny,* poln. *zielony,* wo *z* wie frz. *j* zu sprechen ist, in ON. wie *Zselenyék,* Ung., *Zelená Hora* = grüner Berg, *Zelená Ves, Zelenetz, Zelenic, Zelcno,* Böhm., *Zeleneu,* Bukow., *Zielona, Zielonka, Zielony Kąt* = grüner Winkel, *Zielony Staw* = grüner See, ein kleiner, tiefer Bergsee der Tatra (s. Zadny), nach seiner lichtgrünen Farbe, die sich bei keinem andern Tatrasee findet (Peterm., GMitth. 20, 306), *Ziélona Woda* = grünes Wasser, 'dessen Wasser ganz grün zu liegen scheint' (Bergh., Ann. 5, 288). — Mit *s* geschrieben *a) Selenodervo* = grüner Baum, eine in waldiger Gegend versteckte Ortschaft des Balkan, auf der Route des Schipkapasses. Sie 'trägt ihren bulg. Namen mit Recht; sie liegt versteckt mitten zw. dichtem Waldesgrün; Lärchen, Eichen, Buchen u. s. f. hüllen sie, so weit das Auge blickt, auf allen Seiten ein, u. kaum ist etwas v. ihr zu entdecken' (PM. 23, 335); *b) Selénaja* s. Tschernaja; *c) Selénoje* = der grüne See, seitl. v. Unterlauf des Ob (Schrenk; Tundr. 1, 608). — *Selenos Oros* s. Comoren.

Želêzo = Eisen, slaw. Wort, čech. *želézo* in den ON. *Zeléz, Zeleznica, Zeleznika, Zelezno, Železne,*

Železniça, Železnik, Železno, verdeutscht *Schelesno* u. *Selessen,* in den slow. Gebieten, *Zelezna, Zeleznice, Železny,* Böhm., *Zselezno,* Orte in Ung. u. Kroat. (Miklosich, ON. App. 2, 262 f.). — *Schelesnyje Worota* s. Demir.

Zell, aus lat. *cella,* ON. bes. in den Gebieten geistl. Herrschaft häufig, f. untergeordnete Prälatensitze. Im 9. Jahrh. bedeutete *Z.* immer ein mit Gütern begabtes u. v. einem od. mehrern Geistlichen bedientes Bethaus. So *Ober-, Mittel-* u. *Unter-Z.,* die 3 Klosterkirchen v. Reichenau, Bodensee (Rahn, KunstG. Schweiz 99), *Bayrisch-Z.,* in Ober-Bayern, wo Otto u. Adalbert im 11. Jahrh. eine geistl. Ansiedelg. gründeten u. die Gräfin 1077 die Einweihg. der Zelle bewirkte (Wessinger, Bayr. ON. 16 f.), *Bernhardzell,* 898 *Pernhartescella* (v. Arx, Gesch. St. Gall. 1, 132), dessen Capelle ehedem einem Bernhard gehört hatte, *Abbatis cella* (s. Appenzell), *Bischofzell* (s. d.). Förstem. (Altd. ON. 396) hat 30 solcher Zssetzungen u. erwähnt mehrere Orte Z., die im 8. Jahrh. *Cella* hiessen. Ein Hof *Widerzell* am Nägelisee, dem Hofe *Z.* ggb. (Mitth. Zürch. AG. 6, 80). — *Zellerbach* u. *Zellerfeld* s. Klausthal. — *Zellersee* s. Bodensee.

Zeltweg, ein vorstädtisches Quartier v. Zürich, wird hier aufgenommen als Beispiel starker Entstellg. alter ON.; denn die urspr. Form ist *Zeltersweg,* nach dem ar liegenden *Zeltersbühl, Zeltersbuel* = Berg der Zelter (HMeyer, ON. Zür. 50 ff.), j. *Kreuzbühl* (s. Neumünster).

Zentanne s. Zermatt.

Zepharovich Bach, ein Zufluss der Rogatschew Bay, NSemlja, v. der österr.-ung. Exp. Wilczek im Aug. 1872 benannt (Peterm., GMitth. 20 T. 16) nach einem bekannten Krystallographen u. Mineralogen, Prof. Z. in Prag (GM. Prof. H. Höfer's in Klagenfurt dd. 17. Febr. 1876).

Zephath, hebr. צְפַת = Warte, eine kanaanit. Stadt, wahrsch. am j. Passe *es-Safâh* im Süden des Gebirgs Juda (Robins., Pal. 3, 145. 172), später (4. Mos. 14, 45) auch חָרְמָה *Charma* = Verbannung. Gleichbedeutend mit Z. ist *Zephatha,* hebr. : צְפָת, ein Thal bei Maresa im Stamme Juda, j. *Tell es-Sâfieh* (Robins., Pal. 613. 625).

Zephon s. Baal.

Zephyrion, gr. Ζεφύριον = Westende, lat. *Zephyrium.* Vorgebirge, die th. das Westende, das Westcap eines in's Meer vortretenden Landes bildeten, wie bei Halicarnass, Karien (Ross, IReis. 2, 85 f.), th. aber u. noch häufiger solche Vorgebirge, die im Westen einer grössern od. kleinern Bucht vortretend dies. abschlossen u. daher f. die Küstenschifffahrt wichtige Richtungspunkte bilden mussten. So am Pontus im Westen der Bucht, an deren Ostende Tripolis lag, mit einer Stadt gl. N., beide noch j. *Sephreh* (Ptol. 5, 6[11], Müller, GGr. min. T. 18). Aehnl. *Z.,* die Südostspitze Bruttiums, j. *Spartivento* = Windspalter; es bildete das Westende des jon. Meeres, das gleichsam als eine grosse Bucht zw. Hellas u. Unter-Italien sich einschob, u. war so die erste Küste, auf welche die gen Westen fahrenden

Hellenen stiessen (mehr bei Pape-B.). — *Zephyria*, gr. *Ζεφυρία* = abendliche, f. Melos, als die südwestlichste der äg. Inseln (Plin., HNat. 4, 70). **Zerbst** s. Cerrus. **Zer'în**, der j. Name des alten *Jesreel* יִזְרְעֵאל [jisr'él] = die Gott pflanzt, indem der erste schwache Laut des hebr. Namens ausfiel u., wie nicht selten im arab. geschieht, die Endsilbe *el* in *in* überging. Die Form *Zaraein* schon zZ. der Kreuzfahrer, die den Ort *Parvum Gerinum* nannten. Die gr. Form *Esdrelom* (Jud. 1, 8; 4, 5; 7, 3), zZ. des Eusebius u. Hieronymus *Esdraela*, bei dem Pilger v. Bourdeaux *Stradela*. Nach dem Ort die Thalebene: עֵמֶק יִזְרְעֵאל [gêmäq] = Thal v. Jisreel, eig. weithin sich erstreckende Ebene, v. עָמַק [gāmáq] = tief sein, sich weit v. Beschauer hinziehen, später *Ebene v. Esdrelom*, *Esdrelon*, arab. *Merdsch ibn-Amer* = Aue der Söhne Amers (Gesen., Hebr. Lex., Robins., Reise 3, 395).

Zermatt = zur Matte, 'Andermatt', Touristenort am Fuss des Monte Rosa, in grasreicher Thalebene, bei den Thalleuten *z'rmátt*, nicht wie gew. gehört wird, *zèrmatt*, 1495 bei Türst (QSchweiz. G. 6, 52) einf. *Matt*, . . . 'in ferner Tiefe das Dorf Z., v. Wäldern u. Wiesen umgeben, ein entzückender Anblick f. das Auge, welches stundenlang nur die Schneefelder u. ödes Gestein hat ertragen müssen' (Schott, Col. Piem. 36. 234), rom. *Praborgne* = die Wiese, *pra*, an der Borgne, d. i. dem Flusse (Fröbel), Penn. A. 19, vWelden, MRosa 39). Die präp. *zu*, als *zen*, *zer* . . ., ist im O Wallis häufig: *Zenhäusern*, *Zenschmieden*, *Zerpletschen*, *Zeschwinden*, auch in *Zenruffinen* u. a. Geschlechtsnamen (Gatschet, OForsch. 200). *Zentanne*, oberster Weiler des deutsch-sprachigen piemont. Alpenorts Macugnaga, ital. (mit gl. Bedeutg.) *Pecéto*, *Pecetto*, unterschieden in *Z'n obere Tanne*, ital. *Peceto di supra*, u. *Z'n undre T.*, ital. *P. di sutto*. 'Noch finde man beim Feldbau die Wurzeln grosser Bäume' (Schott, Col. Piem. 59. 238. 242). Nach p. 72 passt Hardmeyers Bericht üb. *Valle di Peccia* (s. d.) vollk. hierher. — *Zerfabrik* = bei der Schmiede, im piem. Lysthal, wo eine Eisenschmelze, in der Nähe das ältere *Zersmidde* = zur Schmiede (Schott, Col. Piem. 15. 243). — In Macugnaga 2 Weiler *in dr' Matto* u. *in de Matte* (ib. 241). — *Zerbruggen* s. Pont. — *Zernetz* s. Serneus.

Zero, Mount = Nullberg, ein kegelförmiger Gipfel der Grampian Ms., Victoria, so benannt am 17. Juli 1836 durch den engl. Major T. L. Mitchell (Three Expp. 2, 182), weil er hier wieder auf seinen frühern Weg zkkam.

Zétthang = Borstenebene, tib. ON. in Bálti, f. die v. Borstengräsern bedeckte Ebene v. Rápalu (Schlagw., Gloss. 260).

Zeugitana s. Saghuan.

Zeugma s. Biredschik.

Zeven = 7, in holl. ON. *a) Z. Zeelanden* s. Zeeland, *b) Z. Eilanden* s. Sieben.

Zichu s. Tscherkessen.

Zichy Land, in Franz Josephs Ld., v. der 2. öst.-ungar. Nordpolexp. Weyprecht-Payer 1872/74

getauft nach dem Grafen Z. in Wien (Peterm., GMitth. 20 T. 20. 23; 22, 205), dem Reisenden u. Geographen, Graf W. Z. od. dem Grafen Edmund Z., der mit an der Spitze des österr. Nordpolvereins (Peterm. 18, 146) stand? — Z. *Berg* s. Wilczek.

Zidon s. Sidon.

Ziegeninsel, in der Gruppe Romanzow, Radack, durch den russ. Lieut. v. Kotzebue am 9. Jan. 1817 so genannt, weil er vschiedd. nützl. Geschenke hinterliess: 'Ziegen, ein Huhn u. ein Hahn u. allerlei Sämereien nebst Yams waren lauter u. Dinge, welche hier nicht zu vermuthen waren u. womit ich sie f. die Zukunft zu bereichern hoffte. Wir landeten der Hütte ggb., wo gestern Schischmarew so freundl. aufgenommen war; die Ziegen erhielten ihre Freiheit u. machten sich eilig üb. das schöne Gras her, welches sie nach einer so langen Seereise hier gleich neben der Hütte fanden; der Hahn bestieg mit seiner Henne das Dach ders. u. kündigte durch lautes Krähen an, dass er Besitz davon genommen . . .' (Kotzebue, EReise 2, 47 f.).

Ziegler Insel, eine der spitzberg. TausendIn., v. der Exp. Heuglin-Zeil im Aug. 1870 (Peterm., GMitth. 17, 180 T. 9) benannt zu Ehren (wohl nicht des Cartographen J. M. Z., da die Entdecker der Neuzeit, auch wenn sie engl., frz., ital., american., russ. u. a. Gelehrte auszeichnen, sich selten ihrer schweiz. Fachgenossen erinnern, sondern) des deutschen Geographen Z.

Ziehbrunnenreiche, die, ist der (arab.) Beiname der verlassenen hauran. Stadt Imtân, da sie durch eine wadyartige Vertiefg. in 2 Theile geschieden ist u. in dieser Vertiefg. die mit steinernen Rändern eingefassten Ziehbrunnen sich befinden (Wetzstein, Haur. 78).

Ziekenhuis = Krankenhaus, holl. Name einer kleinen Höhle in Zoetemelks-Valley, Capl., wo die Reisenden ihre Kranken bis z. Rückkehr unterzubringen pflegten (Lichtenstein, SAfr. 1, 256).

Zielona s. Zelona.

Ziemianen s. Schiemanen.

Zigeuner, das räthselhafte Wandervolk, welches man als ind. Ursprgs., als ausgewanderte Parias, betrachtet, ganz entspr. dem eignen Namen *Rom* = Mensch, wie im Altind. die unreine Kaste genannt wird, erscheinen zuerst 810, zZ. des byzant. Kaisers Nikephorus, unter dem Namen *Athinganoi*, wohl weil sie v. Phrygia u. Lykaonia her kamen, wo im frühern Mittelalter eine Secte d. N. bestand; die Bezeichng. ging zu allen slaw. u. andern Völkern über, türk. *Tschingiane*, bulg. *Atzigan*, rum. *Tzigan*, mag. *Tzigany*, ital. *Zingaro*, *Zingano*, port. *Cigano*, deutsch Z. Indessen hat vielorts die Annahme ägypt. od. böhm. Herkunft abweichende Benennungen veranlasst, span. *Gitano*, engl. *Gipsy*, arnaut. *Jerk*, im türk. Staatskalender *Kyptián*, frz. *Bohémiens*, während die Z. an der Küste Ciliciens, um Selefke, gew. *Abdal* = Mönche heissen (Meyer's CLex. 15. 999, Tschihatscheff, Reis. 54).

Zigiore-nouve, Biegno de la = Gletscher der neuen Sennhütte, wo dial. *biegno* f. *glacier* (s. Biegnette), einer der Eisströme des Walliser Val d'Hérens (RRitz, OB. Eringerth. 373).

Ziller m., Fluss des tirol. *Zillerthals*, 889 *Cilareslate*, 1074 *Cilaristal*, später *Zilertal*, mit *Ziler*, im 10. Jahrh. *zil-are*, dem Flussnamen, welcher auf ein urspr. *Zilari* = Zieler führt. '*Zilari* als Verbalnomen zu *zilén*, *zilôn* = zielen bezeichnet den Fluss als den seinem Ziele zustrebenden, den eiligen, eifrigen, hurtigen' (Bl. öst. LK. 1888, 40). Aehnl. A. Wessinger (Zeitschr. d. u. öst. Alp. V. 1888, 124), aber ahd. *zil* in dem Sinne v. Ende, Grenze, also Z. = der Grenzer; war ja der Z. ein Grenzfluss schon zw. Rätien u. Noricum, dann der Bisthümer Salzburg u. Brixen, bis 1506 auch zw. Bayern u. Tirol. Dagegen sagt F. V. Zillner (Salzb. Mitth. Sep.-Abdr. 6) nach einer Reihe anklingender ON.: 'Obwohl mehrere mit *zill* bezeichnete Oertlichkeiten als Grenzorte gelten können, so ist doch bei vielen andern, sprachlich gewiss gleichlautenden od. fast gleichwerthigen ON. jede solche Deutg. ausgeschlossen'.

Zillis s. Cerrus.

Zilver Rivier = Silberfluss (s. Silber), holl. FlussN. im Capl. Das Bett besteht stellenweis überwiegend aus dem schönsten Glimmerschiefer, welcher bei der Klarheit des Wassers u. der Reinheit der Oberfläche, bes. im Sonnenlichte, silberartig blendend hindurchscheint (Lichtenst., SAfr. 1, 312).

Zimbabye s. Symbaoe.

Zimgitura s. Tjumen.

Zimmern, im 8. Jahrh. *Timbron*, v. alts. *timbar*, ahd. *zimbar* = aedificium, mehrf. in ON., auch in *Herren-* u. *Frauenzimmern* differenzirt, *Zimmerholz*, im 10. Jahrh. *Zimberholz* u. a. (Förstemann, Altd. NB. 1476). — Engl. *a*) *Thick-timbered River* s. Chanchaka; *b*) *Timber Creek* = Holzbach, 2 lkseitge Zuflüsse des Yellowstone R., als *Big* (= grosser) u. *Little* (= kleiner) unterschieden, benannt nach der Menge Bauholzes, welches ihre Thäler enthalten. The valley is very heavily timbered .... well wooded (Ludlow, Carroll 57). — Norw. *Tömmer Nes* = Holzcap, ein niedriges, spitzes Vorgebirge im östl. Theil des arkt. König Karl Ld., entdeckt v. Capt. Nils Johnsen aus Tromsö (17. Aug. 1872) u. so benannt, weil es ganz mit Treibholz bedeckt war (Peterm., GMitth. 19, 123).

Zimnawodda = Kaltwasser, masur. ON. im Kr. Johannisburg, v. poln. *zimny*, *a* = kalt u. *woda* = Wasser (Krosta, Mas. Stud. 11). — Ebenso *Zimnisdroije* = kalte Quelle, wo *zroy* = Quelle, Ort im westpr. Kr. Stargard (Altpr. Mon. 717).

Ziraun s. Cerrus.

Zirbad s. India.

Zirknitz, slow. *Cirknica*, zahlr. Orte in Krain u. Steiermark, v. *cirkev*, *cérker* = Kirche, der bekannte Krainer Ort Z., am *Z.er See*, nach einem alten Kirchlein, welches bei Ankunft der slaw. Colonisten an seinem damals noch dicht be-

waldeten Ufer stand. Ebenso *Zirklach*, slow. *Cerklje*, ebf. in Krain, *Cirkovce*, *Cirkovic*, *Cirkovice*, *Cirkvic*, in Steiermark etc., u. die böhm., mähr. u. galiz. Orte *Cereker*, *Cerekiew*, *Cerekve*, *Cerekvic* (Miklosich, ON. App. 2, 152, Umlauft, ÖUng. NB. 36. 39. 286).

Zitelmann s. Wilczek.

Zlato = Gold, slaw. Wort, in den ON. *Zlata*, *Zlatenka*, *Zlatkow*, *Zlatnik*, *Zlaty Potok* = Goldbach, in Böhm., *Zlatar*, Herzegowina, *Zlatica*, *Zlatnik*, *Zlatnó*, *Zlatóc*, in Kroat. u. Ung., *Zlatenek*, *Zlatina*, *Zlatne*, *Zlato Polje* = Goldfeld, *Zlatolicje*, Krain u. Kärnten, *Zalatna*, Siebenb., Ort mit reichen Goldminen (Miklosich, ON. App. 2, 261, Umlauft, ÖUng. NB. 282. 287, Hunfalvy, Ung. 108).

Zoa͞n, hebr. צ׳ֹﬠ, v. ägypt. *Dschane*, *Dschani* = Niederung, nach der Septuaginta u. den Targumim *Tanis*, eine Stadt in Unter-Aegypten, an dem nach ihr benannten *tanit. Nilarm* (Gesen., Hebr. Lex.).

Zobten, schles. Städtchen am Fusse des *Zobtenbergs*, 1139 *Sabat*, 1200 *Soboth*, 1221 *Sobotha* etc., schon 1147 ausdrückl. als Markt bezeichnet, ist uns Stellvertreter einer Familie slaw. 'Sabbathmärkte', v. Orten, die den Wochenmarkt am Sonnabend abhalten, v. asl. *sabota* = Sonnabend, serb. *subota*, čech. u. poln. *sobota*, wie Z. bei Löwenberg, Schlesien, *Zopte* u. *Zoppothen*, 1304 *Zcoptenn*, in Reuss, *Zottwitz*, bei Trebnitz, 1149 *Sobocisca*, 1201 *Sobotisse*, 1203 *Zobotisch*, 1204 *Zobotist*, ferner nslow. *Sobota* u. *Sreta Sabota* = Sabbathberg, in Krain, *Sabota* od. *Sobot*, Steierm., kroat. *Subotica*, *Subotišle*, serb. *Subotica*, poln. *Sobota*, Kr. Graudenz u. s. f. In der Nähe unsers schles. Z. entstand, wohl ebf. noch im 12. Jahrh., sicher vor 1214, ein zweiter Markt, der am Mittwoch abgehalten u. poln. *Srzoda* = Mittwoch, im Ggsatz z. ältern auch *Neumarkt*, *Novum Forum*, genannt wurde, urk. 1223 *Nouum Forum ducis* Heinrici quod *Srzoda* dicitur, noch 1268 *in Nouo Foro* dicto *Srzoda*. — Nach dem Marktorte Z. heisst der isolirte Berg, urspr. 'Silingerberg', 1108 *mons Silencii*, 1242 *mons Slenz* (s. Schlesien), *der Zobtenberg* — ein Name, der urk. zuerst 1250 erscheint u. erst seit Ende des 15. Jahrh. die Alleinherrschaft besitzt: 1352 *mons Czobothensis*, 1376 *mons Czobothus*, 1397 *ofm Czobtenberge*, 1486 *Czobten* (ZVGesch. u. Altth. Schles. 14, 567, P. Kühnel, DNSchles. 4 ff. 16 f.). Ggb. diesen Zeugnissen muss die Deutg. Z. = Feuerberg, als der Berg, auf welchem die heidnischen Vorfahren je am Johannistage Feuer angezündet hätten, um den Göttern durch Opfer zu gefallen (Schottin, Slaw. Thür. 19), verlassen werden. Die Form *Sobotka*, *Sobotka Gora* = Sonnenwende- od. Johannisfeuer ist eine geniale Erfindg., wohl in Anlehng. an Thietmars Angabe (s. Schlesien) 1802 v. G. S. Bandtke (Hist.-krit. Anal. 127) verschuldet u. in die Wörterbücher v. Linde u. Jungmann, sowie in Schafariks 'Slaw. Alterth. (1, 51; 2, 407) übgegangen.

Zoetemelks Valley = Thal der Süssmilch, eine

Ansiedelg. im Capl., schon früh seiner guten Weide wg. v. der Colonialregierg. dazu benutzt, das bei den entferntern Hottentottenstämmen eingekaufte Vieh hier ruhen u. fett werden zu lassen (Lichtenst., SAfr. 1, 255).

Zollbrücke s. Tardis.

Zollern, mit dem Beisatz *Hohen*-, 1099 *de Zolro*, Stammburg der preuss. Dynastie, hoch ob Hechingen, 855 m üb. M. Es ist ein sonderbares Zstreffen, dass unter allen ON. Deutschlands, neben Berlin, gerade *Z.* einer der bestrittensten u. am meisten umfreiten ist. Die Sage denkt an eine Verbindg. des Geschlechts mit dem berühmten Hause Colonna, u. die ital. Familie Colalto betrachtet *Hohen-Z.* als Uebsetzg. ihres Namens. Ferfrid Colonna, im Dienste Heinrichs IV., habe dem Gegenkaiser Rudolf v. Schwaben die Hand abgehauen u. dafür ein schwäb. Gebiet erhalten, das er nach seiner ital. Heimat *Zagarolo* genannt, u. der Name sei im schwäb. Munde zu *Z.* geworden. Einige, auch der gelehrte Pott, verbanden den Namen mit *zoll*, *zoller*, doch ohne die lächerliche Voraussetzg., dass auf dem Berge eine kaiserl. Zollstätte bestanden habe; der Name wäre urspr. PN. u. erst durch die Person auf die Burg übtragen. Mone (Kelt. Forsch. 151) setzt kelt. *zol* = Berg u. *er* = hoch. Bender (Deutsche ON. 45) denkt an *scollo* = Scholle, andere an ein röm. *castrum in colli* = Bergveste. An die Capelle St. Michael, den einzigen Rest der urspr. Burganlage, anknüpfend, kommt P. Cassel (HZoll. 20 ff.) auf vielfach gewundenem Pfade, vorbei an *söller*, *solarium* = Höhe, zu einem 'urdeutschen' *sol* = Sonne u. deutet *Z.* = Sonnenberg, hohe Sonne. Förstemann (Deutsche ON. 124, Altd. NB. 1659) nimmt, sofern der Name deutsch, einen Zshang mit goth. *tulgjan* = befestigen, *tulgitha* = Befestigung als möglich an. Diess könnte allerdings, fügt Bacmeister (AWand. 144) bei, 'eine ahd. Wurzel *zul* od. einen Stamm *zulg*, *zolg*, ergeben'; dann aber geht er gleich auf kelt. Formen üb., u. 'dunkle Nacht legt sich auf das Gefilde'. Auch Birlinger (Alem. 1, 278 ff.), anschliessend an gall.-frz. *Tullum*, *Toul*, den ant. Berg *Tullum*, an *Tolosa* u. *Toletum*, hat die kelt. Ableitg. v. *tul*, *tol*, *zoll*, 'die starke Bergveste, die Veste κατ' ἐξοχήν, wie sie es als merkw. Ausläufer der Alb schon sicherlich römisch gewesen'. Eingehend behandelt M. R. Buck (Mitth. Gesch. V. Hohenz. 5, 87 ff.; 6, 63 ff.; 7, 1 ff.) den Namen: er kommt auf den der kelt. u. germ. Sprache gemeinsamen Stamm *tol*, *tul* = das Angeschwollene, also *Z.* einfach = Bergkegel; der Beisatz *hoch* komme erst seit 1350 vor. Auch das specif. Landeskind darf nicht fehlen: Rector Th. Thele in Hechingen (Hech. Progr. 1880/83), nachdem er die ältern Versuche aufgeführt, denkt an lat. *mons Solarius* = Sonnenberg, in dem Sinne, dass 'die Römer diesen Namen th. im Anklang an eine bereits vorhandene kelt.-german. Bezeichng., th. im Hinblick auf eine dort vorhandene Cultusstätte des Sonnengottes Wodan gewählt hätten'. Die weitern Erörterungen führen ihn, da mit diesem Nach-

weise 'die Ableitg. in unserm Sinne steht u. fällt', auf einen eingehenden Excurs, der in das Gebiet der Sage unternommen wird, um bei dem Mangel eines histor. Zeugnisses die einstige Existenz einer dem Wodanscult geweihten Stätte nachzuweisen. Der angerufene *mons Solarius*, j. Sierra de los Vertientes, Spanien, findet sich bei Isidor v. Sevilla, aber als mons *Solorius*, was nach Humboldt u. Pott iber. *sol-ur-ius* = Wiesenbach-Berg, 'hat also mit *sol* = Sonne nichts zu schaffen' (Mitth. Gesch. V. Hohenz. 14, 116).

Zondergrond Eiland = Insel ohne Grund, in der nördl. Gruppe der Paumotu, durch die holl. Seeff. Le Maire u. Schouten am 14. Apr. 1616 entdeckt u. so getauft, weil man bei ihr keinen Ankergrund fand u. somit den Scorbutkranken keine Linderg. verschaffen konnte (Spiegh. AN. fol. 32 ff., Beschrijv. p. 83 ff., Garnier, Abr. p. 64). Zwei Inseln, einh. *Taka*, 'of a pleasant appearance, full of cocoa-nut and other trees and surrounded with a rock of red coral', durch den engl. Commodore Byron, 9. Juni 1765, wieder entdeckt u. nach seinem König Georg III. *King George's Islands* genannt (Hawk., Ace. I. p. 106, Cook, VSouthP. I. p. 314, Krusenst., Mém. I. p. 262 ff. ZfAErdk. 1870 p. 387). Die beiden Inseln sind: *a) Takapoto* = klein Taka, bei dem holl. Seef. Roggeveen (Dagverh. 147), dem am 19. Mai 1722 eines seiner Schiffe hier scheiterte, *het Schadelijk Eiland* = die verderbliche Insel (in ZfAErdk. 1870, 385 noch mit Ireland Isle ident.), bei Cook 1774 *Oura*, bei Kotzebue (Entd. R. 1, 120) am 22. Apr. 1816 *Spiridoff Insel*'nach meinem ehm. Chef, dem Admiral *Sp.*' (ZfAErdk. 1870, 387); *b) Takaroa* = gross Taka, bei Cook *Tiukea*, bei Turnbull, dem Begleiter des Capt. Buyer, am 13. März 1803 *Lagoon Island* = Laguneninsel (ZfAErdk. 1870, 387, Meinicke, IStill. O. 2, 202). — *Rivier Zonder End* = Fluss ohne Ende, in wilder Gebirgsgegend des Capl., wo es den ersten holl. Entdeckern besondere Mühe kostete, den Fluss bis zu seinen Quellen zu verfolgen (Lichtenst., SAfr. 1, 244).

Zone, gr. *Ζώνη* = die (durch ihre Lage) gürtende (vgl. Zoster u. Drepanon), eine Stadt der Kikonen, Thrakien, auf einer gleichn. Landzunge, welche in das ägäische Meer vortretend einen Golf eingürtet (Herod. 7, 59, Curt., GOn. 155).

Zoppothen s. Zobten.

Zopte s. Zobten.

Zor s. Tyrus.

Zorg = Sorge, wiederholt in holl. Entdeckernamen u., mit dem Sinn 'Ohnesorgen' in Colonieen angenehmer Lage s. Buitenzorg): *a) Zorgelijke Reede* = Sorgenbay nannten die holl. Seeff. Cordes u. Wert die Bucht, welche sie am 1. Oct. 1599 in der Magalhães Str. erreichten; denn schon vorher vielfach heimgesucht, brachten sie die drei Wochen im äussersten Kummer zu, bedrängt v. Hunger u. schlechter, nasskalter Witterg. . . . 'overmidts sy daer twingtigh daghen gheleghen hadden, haren kost met groote moeyten aen landt soeckende, daer sy behalven eenige vogels niet en vonden, als Mosselen ende Slecken...' (Waeracht. V. 81, Debrosses, HNav. 177); *b) Zorge Bay* s. Treurenberg; *c) Zorgvliet* = 'Sanssouci', Ort der Colonie Drakenstein, 'das allerprächtigste Land-haus auf dem ganzen Vorgebürge, schön u. bequem zugleich, übtrifft alles, was in Africa schönes ist.... dahin man sich begiebt, um den Sorgen u. Mühseligkeiten dieses Lebens zu entgehen' (Kolb, VGHoffn. 226).

Zorgdrager Bay, an der Nordseite des spitzb. Nordost Ld., v. der schwed. Exp. v. 1861 getauft nach dem ausgezeichneten holl. Walfgr. Z., welcher seine Erfahrungen in einem grossen Werke üb. die Wale u. ihre Jagd niedergelegt hat (Torell u. N., Schwed. Expp. 335).

Zorra, altspan. *zurra*, viell. 'schäbiges Fell', v. *zurrar* = das Haar abschaben (Diez, Rom. WB. 2, 196), einer der beiden span. Ausdrücke, welche das alte *vulpes* = Fuchs (s. Volpe) fast verdrängt haben, in dem ON. *Puerto de las Zorras* = Fuchshafen, in der Magalhäes Str., wo eines der 3 Schiffe des Carjaval 1539/40 übwinterte u. eine Menge Füchse traf (Debrosses, Hist. Nav. 94. 106).

Zoster, gr. Ζωστήρ = das gürtende (das Meer umfassende) Vorgebirge (vgl. Zone u. Drepanon), zw. Kolias u. Sunion, j. Cap. Lombarda (Herod. 8, 107, Pape-B., Curtius, GOn. 153). Es hängt nur durch einen ganz schmalen Isthmus mit dem Lande zs. u. hiess so nach seiner band- od. gürtelfg. Gestalt; aus dem Namen bildete sich dann, in Folge der Verehrg. des Apollon Zosterios, der Artemis u. der Leto, die ebenso wie die Athene Zosteria Altäre auf dem Vorgebirge hatten, die Sage, dass Leto hier ihren Gürtel gelöst u. sich in einem benachb. See gebadet habe (Bursian, Geogr. Griech. 1, 359, Curt., GOn. 147, Ross, IReis. 1, 127).

Zottwitz s. Zobten.

Zouaves, auch *Schowi, Schawi* = Hirten, einh. Names eines nomadisirenden Berberstamms, v. der frz. Colonialverwaltg. auf ein besonderes Truppencorps übtr., welches, anfängl. z. Th. aus Berbern geworben, j. fast ganz aus Franzosen recrutirt wird (Lilliehöök, 2 Jahre Z., Bergh., Phys. Atl. 8, 43).

Zout = Salz, mehrf. in holl. ON. *a) Z. Rivier* = Salzfluss, ein Fluss des Capl., v. Tafelberg z. Tafelbay fliessend. 'Man würde sich betrügen, wenn man das Wasser dieses Flusses nach seinem Namen f. gesalzen halten wollte; es ist sehr klar u. rein. Der Name kommt daher, weil sich das Seewasser mit dem seinigen beim Ausflusse vermischet, wenigstens bei hoher Flut; wornach dieses einen salzigen Geschmack bekommt, der biss z. Ebbe dauert' (Kolb, VGHoffn. 211, Lichstenst., SAfr. 1, 30. 64); *b) Zoutpan* = Salzpfanne, ein See im südöstl. Theil des Caplandes, mit gesättigter Soole, die z. Salzgewinng. dient (Lichtenst., SAfr. 1, 556); *c)* auch einer ähnl. *Zoutpan* in Transvaal Berg u. Ort *Zoutpansberg* (Peterm. GMitth. 1, 290); *d) de Zoute Vlakte* = die Salzfläche, eine Ebene am Buffel R., wo dem Boden viel Soda entblüht (Lichtenst., SAfr. 2, 123).

Zselenyek s. Zelen.
Zselezno s. Želêzo.
Zuccabari s. Charité.

Zucker, zunächst nach gew. Sinne das Product aus dem Mark des in Indien heimischen Rohrs Saccharum officinale L. u. lange Zeit im Abendlande eine theure Seltenheit geblieben, dann v. den Arabern in Aegypten, Kreta u. Syrien, in Sicilien u. Spanien gebaut, durch die Venetianer aus Aegypten bezogen, aus Spanien nach Südfrankreich gebracht (Diez, Rom. WB. 1, 451), musste mit ind.-pers. Namen, *schakar*, gr. σάκχαρ, σάκχαρον, lat. *saccharum*, arab. *sukkar, sokkar*, in die mod. Sprachen übgehen, ital. *zúcchero*, frz. *sucre*, port. *assucar* od. *açucar*, span. *azúcar*, engl. *sugar*, holl. *suiker*, dän. *sukker*, schwed. *socker* u. s. f., wird jedoch nach der Pflanze (s. Sugar Island) od. nach dem Geschmack selten toponymisch verwendet — ich finde nur einen arab. ON. *Zukkaro*, f. einen Brunnen der Syrtenküste, der 'die Vortrefflk. seines Wassers anzuzeigen scheint' (Barth, Wand. 36) — wohl aber nach der Kegelform der 'Zuckerhüte' (s. Panis), bes. häufig engl. *Sugar Loaf* (s. d.), doch auch vielf. in andern Sprachen: ital. *Monte Zucchero*, Berg in Valle Maggia, Tessin (Gem. Schweiz 18, 418), rätor. *Paun d'Züccher*, ein Granitkegel in der Gegend des Piz Languard, Engadin (Lechner, PLang. 47), auch deutsch *Zuckerhut* (s. Heard).

Züge, die, eine schluchtartige Thalenge, welche das Davos nach unten abschliesst, v. den Lauinenzügen, die hier zu Zeiten abzustürzen pflegen... 'ein waldiger Engpass, wo das Thalwasser mit Getöse sich durchdrängt u. kaum f. einen schmalen Fusssteig Raum lässt, u. wo Wanderer u. Saumthiere schaudernd in die Tiefe blicken u. öfters Gefahr laufen, durch Lauinen u. Rüfen heruntergerissen zu werden' (Campell ed. Mohr 144f.).

Zürich, im 2. Jahrh. *Turicum*, 805 *Turigum*, dann häufig bei Gelehrten, z. B. 1495 bei C. Türst (QSchweizG. 6, 1—72), *Turegum*, das man wohl auch als *Duregum* = dua regna setzte, da die Stadt durch die Limmat in zwei Theile geschieden werde (Balci Descr. Helv. 1 500/04 in QSchweizG. 6, 84), im 9. u. 10. Jahrh. *Zurich, Zurih, Zurihc*, bei dem Geogr. Rav. (4, 26) *Ziurichi*, ist kelt. Urspr., v. *dur* = Wasser, fliessendes Wasser, also 'Wasserort' (s. Thur). Für die alte Form herrschte 1512—1747, d. h. bis zu Entdeckg. der röm. Inschrift auf dem Lindenhof, *Tigurum*, v. Glarean in einer Descr. Helv. eingeführt (Mitth. Zürch.AG. 6, 169; 12, 285). Es ist einer der Verdienste des Keltomanen L. de Bochat, die Missform entlarvt zu haben. Er zeigte (Mém. crit. 1, 115), dass die Urk. des Mittelalters sie nicht kennen u. dass der Ort in den ältesten Zeugnissen *Turicum* u. ähnl. heisst. Nach dem Ort der Gau, *Zurichgawia*, im 8. Jahrh., der *Zürichsee*, der *Zürichberg* u. das nahe Cap *Zürichhorn*. — Mehrf. durch Auswanderer übtrag. (s. Jekaterina), in der Form *Zürichthal* nach der Krym (s. Heilbronn).

Zütphen s. Süd u. Zutfen.

Zug, den schweiz. ON., deutet Gatschet (OForsch. 292) aus den acta Murensia, 12. Jahrh., wo verschiedene Fischerstationen des Sees, *Huirwilzug*, *Honzug*, der *for Huirwilzug* u. *Gondelzug* unter der Bezeichnung *zug* erscheinen, als 'Fischzug', also gleichbedeutend mit *Tracht*, v. lat. *trahere* = ziehen. Dazu bemerkt Bacm. (AWand. 130): Hier hat Gatschet's Erklärg. . . . hohe Wahrscheinlichk., u. mit Recht vergleicht er damit den Namen *Tracht*, wie ein Theil des Dorfes Brienz heisst, *Trachtwegen* in Hilterfingen, am Thuner See, endl. *le Trait de Baie* bei Montreux. An *tractum*, v. den Netzzügen der Fischer, dachte schon 1500/04 Balci Descr. Helv. (QSchweizG. 6, 92); hingegen 1747 will L. de Bochat (Mém. crit. 1, 132) die lat. Form *Tugium* aus kelt. *dov* = tief u. *giü* = Wasser ableiten u. die Etym. durch den Hinweis auf die bekannten Uferversenkungen stützen. — Nach dem Orte der *Zugerberg* u. der *Zugersee*.

Zuider Zee = Südsee (s. Süd), bei den Holl. der Ggsatz z. Noord Zee (s. Nordsee), die in Folge v. Einbrüchen 1205/82 den ehm. *Flevo* (Lacus) z. Golf umschuf — 'een naam, meint v. d. Bergh (Hdb. meddel-ndrl. G. 1872, 51), zeker van Friesland uitgegaan, ten welks aanzien die plas zuidwaarts ligt. *Flevo* (Mela 3, 2), *Flevus* (Plin., HNat. 4, 15), auch *Fleo* u. *Fle*, v. ahd. *flewjan*, *flawên*, mhd. *vlewen*, ags. *flovan*, *fleovan*, altn. *floa* = fluere, inundare, lavare, also im Sinne eines 'grossen Wassers' (Förstem., Deutsche ON. 28, Altd. NB. 568 f.). Der Ausfluss, der zw. *Vlieland* u. Terschelling in das Meer mündete (AStat. Nederl. 14), hiess ebf. *die Vlie*, u. noch j. heisst so der Ausgang, der dieser alten Mündg. entspricht. Auf *Vlieland* das Dorf *Ost-Vlieland*, während *West-Vlieland* durch Ueberschwemmungen allmählich untergegangen ist (Meyer's CLex. 15, 471). — *Zuidvliet* s. Süd.

Zumle, es = der Hügel, coll. *Zumal* = Höhenzug, vollst. *Ezmul Der'ât*, nach dem Höhlenorte Der'ât, in Edschlûn, eine 30—40 km lange Hügelkette, in deren Endkopfe das alte lahyrinth. Edreï ausgehöhlt ist (Wetzstein, Haur. 46).

Zumpango, eig. *Tzompanco*, azt. ON. bei Mexico u. bei Mescala. Die Grundform *Tzompantli* (= Haarreihe) bezeichnet ein Gebäude bei dem grossen Tempel zu Mexico, wo die Schädel der geopferten feindl. Krieger in Reihen aufgestellt wurden (Buschmann, Azt. ON. 192).

Zumsteinspitze, ein Gipfel des Monte Rosa, nach Joseph Z., einem sehr eifrigen u. unerschrockenen Beobachter, welcher zuerst die 9 Gipfel (mit A, B, C . . .) bezeichnete, vieles z. topogr. Kenntniss des Gebirgsstocks leistete, insbes. diese Spitze z. Gegenstand seiner Beobachtungen machte u. sie 1819/21 mehrmal erstieg (Schlagintw., NUntsuch. 60 f.). 'Es vereinigten sich näml. 1819 zwei junge Männer, Herr Z. u. Herr Vincent, welche in dem Thale v. Gressoney zu Hause, aber in Deutschland u. zwar in der Nähe des Constanzer

See's ansässig waren, zu dem rühml. Zwecke, ihre vaterländ. Gebirge genauer zu untersuchen. Dem erstern verdanken wir den ersten Reisebericht (Mem. RAccad. Sc. Tor. 25, 230). Herr Z. hat 1820/21 seine Besteigungen wiederholt u. ist selbst noch im Jahre 1822 u. zwar am 1. Aug., neuerdings bis z. Fusse der höchsten Spitze gekommen . . . eine dreikantige Pyramide, grösstentheils mit Schnee bedeckt . . ., jene, welche Herr Z. mehrere male erstiegen u. worauf er ein eisernes Kreuz errichtet hat' (v. Welden, MRosa 37. 95 ff.). Nach dem an Ort u. Stelle eingezogenen Erkundigungen haben die Brüder Joseph Anton u. Joh. Nikolaus Vincent 'auf die Z.-Spitze den ersten Fuss gesetzt'. Allerdings war Z. als Begleiter (aber nicht als Haupt) bei der Besteigung; denn nach einer vorübergehenden Trenng. hatten sich die Gemüther der beiden Vincent u. Z.'s wieder genähert, u. man war übereingekommen, diesen Gipfel, z. Andenken an die gemeinsame Unternehmung (Aug. 1820), *Cime de la Belle Alliance* = Gipfel der schönen Verbindung zu nennen (Schott, Col. Piem. 19).

Zuppô, Piz = verborgene Spitze, rätr. Bergname im Bernina, Graubünden (Lechner, PLang. 50).

Zur s. Tyrus.

Zurfluh s. Roche.

Zusch s. Suchyj.

Zutfen, häufig *Zutphen*, 1053 *Sutfeno*, 1059 *Sutfene*, 1113 *Sutvene*. . ., Stadt in Geldern, die das 'südl. Veen', Süd-Moor, im Ggsatz zu den nahen Gütern *Noordveen* 1352 u. *Oostvene* 1230 (Nom. GNeerl. 2, 31 f.).

Zutreibistock s. Gemsistock.

Zuuren Velden = saure Felder, holl. Name einer Gegend im Capl., wo die thon- u. sandgemischte Boden nur binsenartige (saure) Gräser hervorbringt u. das Weidevieh die Magensäure bekommt (Lichtenst., SAfr. 1, 99).

Zveřetic s. Schwerin.

Zwaan s. Swan.

Zwalm s. Schwalbach.

Zwart = schwarz, in holl. ON. *a) Zwarte Bergen*, wohl nach dem dunkeln Aussehen seiner Nadelwälder, ein Bergzug an der Südküste des Caplandes: Roodezand — Algoabay. Die niedrigere Westhälfte, westl. v. Gauritsflusse, heisst *Kleine Zwarte Bergen* (Lichtenst., SAfr. 1, 338); *b) Zwarte Eiland*, engl. *Black Island* (s. d.), eine kleine niedrige Insel bei NSeml., 71³/₄⁰ NBr., oben schwarz, v. W. Barents am 8. Aug. 1594 entdeckt (Adelung 170, GVeer ed. Beke 30); *c) Zwarte Hoek* = schwarzes Cap, an der Westseite Grönl., 'this dark promontory deserves its name . . . owing its colour to the hornblende it contains' (Kane, Grinn. 63); *d) Zwarte Hoek*, an der Westseite NSeml., v. W. Barents um Mitternacht des 6. Juli 1594 erreicht (Schipv. 2, Adelung, GSchiff. 167), in russ. *Tschorny Myss* übersetzt (Spörer, NSeml. 17); *e) Zwarte Land* s. Rood; *f) Zwarte Rivier*, ein Küstenfluss des Capl., nach der stark dunkeln Färbung, welche dem Wasser die beim Durchsickern der Schluchten aufgenommenen Vegetabil. ertheilen (Lichtenst., SAfr. 1, 301. 314).

Zwei, ahd. *zwi*, engl. *two* (s. d.), oft in ON. wie *Zweibrücken*, in der Pfalz, lat. *Bipontum*, *Bipontinum*, urk. auch *Geminus pons*, da die alte Burg zw. 2 Brücken lag (Daniel, Hdb. Geogr. 4, 691), *Zweikirchen*, im 10. Jahrh. *Zweinchirichun*, in Bayern, *Zweilütschinen* u. *Zweisimmen*, Orte an der Confl. der beiden Quellbäche der Lütschine (s. d.) u. der Simme (s. Sieben) u. dgl. — *Z. Brüder*, ein Paar v. Klippen zw. San Juan u. St. Thomas, Virgin. In. (Oldend., GMiss. 1, 45). — *Zweibrüder-Insel* s. Condor. — *Zweifalten*, im 11. Jahrh. *Zwivaltaha* = der zweifältige Bach, 'nomen autem a duplici fluvio accepit, qui duplex fluvius *Zwivaltaha* vocatur', — *Zwiesel*, im 10. Jahrh. *Zuisila* = Gabel, Hacke, Flussgabel, zunächst f. den bayr. Ort, *Böhmin-Zwiesel*, bei dem sich der schwarze u. der weisse Regen, die Quellbäche des Böhmerwaldes, vereinigen, aber auch f. das ungar. *Wieselburg*, dessen heutiger Name, in den Urk. des 12. Jahrh. bereits *Wisilburg*, aus der alten Form *Zuisila* entstanden ist (Bl. öst. LK. 1888, 67). — Unweit Innsbruck wird im 11. Jahrh. ein *Zuisilperich*, also 'ein zweizackiger Berg', erwähnt, u. 'in tiefem Tobel des Oetzthals liegt *Zwieselstein*, wo sich das Thal zwieselt od. spaltet' (Daniel, Hdb. Geogr. 3, 242). — Ein ahd. *zwiski* = binus, duplex, ist enthalten in den altdeutschen Namen *Zwisgen Eichesfeldum*, in SMeiningen, *Zwisgenfaccho* bei Vach, SWeimar, *Zwisgen Marahesfeldun*, wohl bei Meiningen, endl. in niedd. Form *Tuschensen*, j. Wüstung *Zwischensee*, Amt Ahlden (Förstem., Altd. NB. 1663 f.).

Zweifelhafte Insel nannte der russ. Lieut. v. Kotzebue (Entd.R. 1, 118) am 17. April 1816 ein Eiland des Arch. Paumotu, in dem Zweifel, ob diess Schoutens Honden Eiland (s. d.) sei od. nicht.

Zwellendam, eig. *Sw*..., Ort im Capl., v. Gouv. Swellengrebel 1740 ggr., 1745 z. Hptort des Districts erhoben u. nach sich selbst u. seiner Gemahlin, einer geb. ten Damme, benannt (Lichtenst., SAfr. 1, 262).

Zwettl s. Swetl.

Zwickau, ON. *a)* im Kgr. Sachsen, *b)* in Böhmen, offb. slaw. Ursprungs. Das bekanntere sächs. Z. 1118 *Zwikowe*, 1121 *Zwicowe* ..., wollte man gern als *Cygnea* = Schwanenstadt deuten, eine Erklärung, die auf der dem 15. u. 16. Jahrh. angehörenden Sage vom Schwan u. Schwanenfelde u. auf einer nach 1500 v. Dr. Stella gefertigten, mit 1030 datirten groben Fälschung, civitatis *Cygnaviae*, beruht. Auch an wend. *wiki* = Markt od. an eine 'Aue des Feuergottes *Zwicz*' wurde gedacht; aber im erstern Fall wäre *Wickau*, im andern *Zwitzau* entstanden. Sachlich würde der 'Marktplatz', f. eine Anlage, die schon 1030 als Stadt erscheint u. im 12. Jahrh. an belebter Handelsstrasse lag (Daniel, Hdb. Geogr. 4, 510), nicht übel einleuchten. G. Hey (Progr. 1883, 53) citirt asl. *siwĕjkova*, čech. *svějková*, sorb. *svikova* = Ort am Windberge, wie denn die Stadt zw. dem Wind- u. dem Brückenberge gelegen ist, also etwa 'Windhausen'.

Zwidlern s. Swetl.

Zwier s. Schwerin.

Zwiesel u. **Zwiefalten** s. Zwei.

Zwijndrecht s. Schweinfurt u. Utrecht.

Zwinghof, 1538 *Twinghof*, der herrschaftl. Hof zu Neerach, wo der Vogt des Neuamtes sass, d. i. des 1441 durch Kaiser Friedrich an Herzog v. Oestern. an die Stadt Zürich abgetretenen Theils der Herrschaft Kyburg (Meyer, Zürch. ON. 70).

Zwischenbergen, ein Gebirgsthal bei Simpeln, Walliser Alpen, entspr. *Entremont* (s. d.), ebf. im Wallis; ferner *Zwischenwasser*, Weiler zw. 2 Bächen des Vorarlberg, unw. Röthis. — Auch ein 'Mesopotamien': *Zwischenwässern*, näml. zw. der Gurk u. Metnitz, Ort in Kärnt. (Umlauft, ÖUng. NB. 289). — *Zwischen* u. *Zwisgen* s. Zwei.

Zwölferberg s. Nove.

Zyger s. Tscherkessen.

Ergänzungen und Berichtigungen.

p. 14 **Ahorangi**, *Mount Cook*, nach Jul. Haast (Canterbury and Westl. 181) nicht 'Wolkenbrecher', sondern *Aorangi* = Wolkenkappe, ist wieder hergestellt entspr. dem 'very general feeling growing up in the Colony that all Maori names should be retained' (G. G. Chisholm 15. u. 23. VI. 1892, Proc. RGSLond. 1890, 345).

p. 15 **Aino** = Bastard, der japan. Spottname, nach der Tradition, als stammen die *A.* v. einem Menschen u. einem Hund ab (J. Batchelor, the *A.* of Japan 16, Lond. 1892).

p. 24 **Alexandrina Lake**, v. Sturt (Two Expp. 2, 229. 264 f.) entdeckt nicht 1828, sondern am 8. Febr. 1830 (G. G. Chisholm 30. III. 1892).

p. 28 **Alnwyk**, heute immer *Alnwick* (G. G. Chisholm 15. VI. 1892).

p. 28 **Alpen.** K. Müllenhoff (DAltthK. 2, 241—247) hält den kelt. Ursprg. des Namens nicht f. bewiesen, leugnet ihn aber auch nicht u. bietet keine andere Etymologie.

p. 41 **Santa Anna.** Schon im 4. Jahrh. kam die Lehre ihrer übersinnl. Empfängniss auf. Justinian baute ihr 550 eine Kirche in Konstantinopel. Ihr Cult breitete sich weit aus; Christus wurde mit Gold u. Sonne, Maria mit Silber u. Mond, St. Anna mit dem Stern verglichen, wobei sie, als Mutter, Patronin v. Silber u. Gold, weiterhin des Bergbaus, wurde. Ihr schrieb man in Sachsen die Blüthe des Bergbaus zu; ihr Cult wurde 1494 durch landesfürstl. Rundschreiben f. ganz Sachsen angeordnet. Als nun am silberreichen Schreckenberg die 'neue Stadt' 21. Sept. 1496 angelegt u. 1498 die Kirche, der heil. *A.* geweiht, vollendet wurde, erhielt in diesem Jahre auch der Ort den Namen *St. Annaberg*. Kaiser Maximilian gab der Stadt ein Wappen: 2 Bergleute tragen die Heilige auf ihrem Thron, mit 2 Kindern, Maria u. Christus, auf den Knien, 'die Grossmutter Gottes'. Bei meinem Gedenken, erzählt Luther, ist ein gross Wesen v. St. Anna aufgekommen, als ich ein Knabe v. 15 Jahren war. Zuvor wusste man nichts v. ihr, sondern ein Bube kam u. brachte St. Anna. Flugs geht sie an; denn es gab jedermann dazu. Daher ist die herrl. Stadt u. Kirche auf *St. Annaberg* ihr zu Ehren gebauet worden, u. wer nur reich werden wollte, der hatte St. Anna z. Heiligen (C. Gurlitt, Kunst u. Künstler 9 f. 96 f.).

p. 48 **Araktschejef** Z. 6 ozw. nach dem Grafen Alexei Andrejewitsch v. *A.*, welcher, geb. 1769, † 1834, durch Kaiser Paul emporkam (Bernhardi, Gesch. Russl. 2^b, 375) u. um die Vervollkmnng. der russ. Artillerie sich verdient gemacht hat (Meyer's CLex. 1, 810).

p. 54 **Arras.** Volksname bei Caes., Plin. u. Oros. *Atrebates*, bei Strabo Ἀτρεβάτοι, Ἀτρεβάτιοι, bei Sid. Apoll. *Atrebatum*, bei St. Jérôme *Atrebata* u. s. f., die Stadt bei Hirtius *Nemetocenna*, in den MSS. *Nemeto-, Nemotocennae, Nemoceteunae*, im Itin. Ant. *Nemetacum*. Ferner 674 in *Atrebato* pago, im 9. Jahrh. *Atravates* etc., 916 *Atrapis*, 1040 *Atrebas*, 1088 *Atrebatum* u. s. f. In der Form *Nemetocenna* nimmt man ein kelt. *cena* = heilig an, also dass der Name 'heiliger Tempel' bedeutet. Auch hier, wie übh. in Gallien, kam im 4. Jahrh. der Gebrauch, dem altgall. ON. den Namen des Volkes beizufügen: *Nemetacum Atrebatum*, u. während dann der erstere ausser Gebrauch kam, erhielt sich der letztere, im frz. mit Assimilirg. des *t*, in *A.*, dahingegen die vläm. Form das *t* erhielt, der Landschaftsname *Artois*, latin. *Artesia, Artesium*, ebf., doch unter Permutation v. *tr* in *rt* (L. Ricouart, NL. dép. Pas-de-Calais 1, 23 ff., Anzin 1891, mir erst nach dem Druck v. p. 54 der neuen Auflage zugekommen).

p. 56 **Aschaffenburg.** — *Asciburgium* s. Sudeten.

p. 62 **Attak.** Ein *A.*, zw. Askabad u. Serachs, Turkmannia, wird als 'Fuss', eig. Rand, des Gebirges' u. f. dasselbe Wort mit dem ind. *A.* erklärt (Proc.RGSLond. 1883 p. 1). Ich zweifle an der Identität der beiden Namen.

p. 62 **Augusta**, Frauenname Z. 11. Der *Marie-Gletscher* wohl nach *A.*'s Schwägerin Marie (1808—1877), der Gemahlin Prinz Karls (Dr. Wertsch, Spremberg 7. Sept. 1892).

p. 64 **Austin** spr. *ŏstin* statt *justin* (G. G. Chisholm 9. IX. 92).

p. 92 **Beatrice-Golf,** im Albert Edward See (statt Mwuta Nzige).

p. 117 Sp. 1 Z. 5 v. u. lies *des-* f. *discribing*.

p. 162 Sp. 1 letzte Zeile lies *freiem* st. *reiem*.

p. 165 **Camerun,** engl. *Camaroons* u. *Cameroons*, jüngst erst *Cameroon*, deutsch seit der Besitzergreifg. 1884 *Kamerun*.

p. 179 f. **Zerbst.** Die Cerreiche ist nur südeuropäisch u. reicht nicht nördlicher als b. Mähren u. Ungarn; sie kann daher z. Erklärg. norddeutscher ON. nicht dienen (G. Weisker 10. Nov. 1892).

p. 184 **Chamisso-Insel.** Der Dichter scherzt üb. die ihm gewordene Beehrung:

> Wer gab am Nordpol hart u. fest
> mir das verfluchte Felsennest?
> Der Kotzebue, der hat's gethan,
> der Meer u. Land vertheilen kann;
> der gab am Nordpol hart u. fest
> mir das verfluchte Felsennest.

p. 197 **Christiania** Z. 4 *Opslo* ist antiquirte Schreibart f. *Oslo* (A. Arstal 25. X. 1892).

p. 204 f. **Coblenz.** Die in Nord-Deutschl. vorkommenden ON. *Coblenz*, bei Pasewalk, Bautzen, Hoyerswerda, bedeuten Stutenhof, Gestüt, v. slaw. *kobyla* = Stute (G. Weisker 10. Nov. 1892).

p. 205 **Coburg.** Die Stadt, *Choburgk*, 1189 z. ersten mal bestimmt erwähnt, während sie schon in ältern Zeugnissen nur an die Burg zu denken ist. Gegen die Ableitg. v. ahd. *kô, chô*, mhd. *kuo* = Kuh spricht namentl. auch, dass das ungleich häufigere *chuo, chua*, in keiner der alten Formen auftritt, da der oberdeutsche Dial. sonst überall die Zerdehng. des *ô* in *uo* durchgeführt hat. Der PN. *Kobbo, Koppo*, hätte im gen. der Zssetzg. *Koppin-, Koppenberg* ergeben u., auch ein unregelmässig gebildetes compositum vorausgesetzt, doch auch in einzelnen Fällen *bb, pp,* bewahren müssen. Warum die Etym. v. *koppe, kuppe* (Hönn-Dotzauer, Cob. Chron. 1792), v. *choburg* = Hoheburg (Karche, Jahrbb. Cob. 3, 3), v. ahd. *gawi, kawi,* mhd. *gou, göu, gei* = Gau, v. *co* f. ir. *coiche* = Berg od. welsh *go bwrch* = kleine Burg (Mone, Kelt. Forschg. 58) abzuweisen ist, zeigt 1891 Riemann (Progr. Cob. 38 f.), der zugl. der Deutg. Felix Dahns grosse Wahrscheinlichk. zuerkennt: v. ahd. *kobo*, mhd. *kobe*, nhd. *koben* = Stall, urspr. Hütte, Häuschen, also *Cobenburg*, welches in *Comburg*, urk. 1075, noch nachzuklingen scheint. Möglich, dass der mit Hütten besetzte Berg urspr. *Coberg* (urk. 1229), u. die später errichtete Burg danach *C.* genannt wurde.

p. 276 **Eddystone.** Smeaton's tower is now in course of demolition. The new tower, just completed, is from designs by Mr. Douglass. The height of the focal plane of the light in the old house was 72 feet above high water and was visible 13 miles, while that in the new house is 133 feet, and is visible $17\frac{1}{2}$ miles (Ill. Lond. News, may 27, 1882 p. 510). Dr. Wertsch, Spremberg 7. Sept. 1892.

p. 278 **Egmont** Z. 6 v. u. Druckf. *Tar-* statt *Tasman.*

p. 279 **Eider** Z. 6 l. *Fideldor* statt Fidelor.

p. 280 **Eis** Z. 12 Druckf. 1885/76 statt 1875/76.

p. 281 **Elbe.** Auch Müllenhoff (DAltthK. 2, 211) hält, da *elv, elf* im norw. u. schwed. noch in lebendigem appellativischem Gebrauch ist f. jeden Fluss u. Strom, *E.* f. ein deutsches Wort.

p. 303 **Fär Öer,** altn. *Faereyjar*, einh. *Foeroyar.* Unsere Etym. ist schon mehrf. Zweifeln begegnet: Lucas Debes dachte an das Verb *at fare,* 'die Inseln, wo man zwischen durchfahre'; man rieth auch auf 'Federinseln', v. *fjer, fjaer, fjaeder* = Feder, wg. der zahlr. Vögel. Das Wort *fâr*

sei dän., nicht altn.; in der alten Sprache heisst das Schaf *saud* u. würde die Inselgruppe also *Saudöi* heissen (P. Clausen in der Uebsetzg. v. Sn. Sturlesons Chron. nord. Könige p. 125). Allein diesen Einwand widerlegt die beste grammat. Abhandlung in Snorra Edda, wo neben *saudr*, mit gl. Bedeutg., auch das Wort *faer* aufgeführt ist. Dazu kommt, dass schon eine alte Geschichte Norwegens die Gruppe als *insulae ovium* bezeichnet (Storms Mon. hist. Norv. 92. 211) u. 825 der irische Mönch Dicuil (de mensura orbis terrae) die 'unzähligen Schafe' erwähnt, also dass schon vor der normann. Besiedelg. unsere Etym. f. höchst wahrscheinl., um nicht zu sagen: unzweifelhaft, anzusehen war (Färösk Anthol. 6 p. VI).

p. 306 **Farallon.** Zusatz: Ital. *li Faraglioni*, bei Capri. Der schönste Theil der Fahrt um Capri ist bei den *Faraglioni*, die riesengleich aus den Fluten emporschiessen. Die mittlere Klippe ist durchbrochen . . . das Boot fährt durch das gewaltige Felsthor hindurch (Bädeker, Unter-Ital.). Dr. Wertsch, Spremberg 7. Sept. 1892.

p. 335 **Fulda,** 'der grösste Strom, der das Hessenland v. Süden nach Norden durchstreift', heisst auch nach K. Müllenhoff (DAltthK. 2, 216) 'der Landfluss'.

p. 336 **Fusijama.** Der Bergname wird v. Prof. Chamberlain unter diejenigen gerechnet, deren Ursprung auf die Ainos zkgeht u. die darum im Japanischen nur volksetym. umgestaltet sind. *F.* wäre, ihm zuf., im japan. etwa 'Berg des Reichthums', war jedoch bei den Ainos *Huchi*, nach der Gottheit des Feuers, 'a very appropriate name indeed for a lofty burning mountain' (Scott. Geogr. Mag. 8, 178 f.).

p. 343 **Garz** s. Grad (Nachträge).

p. 347 Sp. 1 *Genessee*, heute *Genesee* (G. G. Chisholm).

p. 358 **Glubokaja.** Das asl. *głąboku* = tief gibt in der Mark Brandenburg mehrere *Glambeck-Seen*, mit dem Orte *Glambeck* (G. Weisker 10. Nov. 1892).

p. 364 **Gorz** s. Grad (Nachträge).

p. 366 **Grad.** Hierher gehören auch *Naugardt* = Neuenburg, *Graditz, Gröditz, Greiz, Garz, Gorz,* sowie *Sagard*, mit *sa* = hinter, u. *Putgarten,* mit *pod* = unter, beide auf Rügen u. der *Jordansee*, slaw. *Gardinow* = Burgsee, bei Misdroy, Wollin (G. Weisker 10. Nov. 1892).

p. 374 **Greiz** s. Grad (Nachträge) u. Reuss.

p. 376 **Gröditz** s. Grad (Nachträge).

p. 388 **Hall** Z. 10 v. u. lies *Black-* statt Blakwood.

p. 390 **Hamra** (dieser Artikel hat sich im MS. verirrt u. fand sich erst nachträgl. wieder. Er lautet:) *H.,* fem. des arab. adj. *achmar* (s. d.), mehrf. in ON. *a) Dschebel H.* = rother Berg, in der Prov. Constantine; *b) Hamáda el-H.* od. *el-Homrah*, in Tripol., mit *hamáda* = dürres, nicht bewässerbares, steiniges, vollst. nacktes Plateau . . . die 'rothe Hamada' nennt Barth (Reis. 1, 146) den traurigsten Theil der Hamada v. Tripoli; der steinharte Thonboden ist v. röthl. Farbe

u. mit geschwärzten, scharfkantigen Steinen bedeckt (Rohlfs, QAfr. 1, 115); *c) Kasbet el-H.* =
rothe Citadelle, in der Sahara; *d) Ras el-H.* =
rothes Cap, in Alg. (Parmentier, Vocab. arabe 28);
e) Saqiat el-H. s. Sakie; *f) Alhambra* = das
rothe sc. Haus, Schloss, mit arab. Art. u. willkürl.
eingefügtem *b*, die im 13. Jahrh. erbaute maur.
Königsburg ob Granada, nach den auf hohen
Felsen thronenden *Torres Vermejas* = carmoisin-
rothen Thürmen, die aus rothen Ziegelsteinen aufgebaut sind (Willkomm, Span.-P. 193, Meyer's
CLex. 1, 391).

p. 395 **Havel** wird auch v. K. Müllenhoff (D.
AltthK. 2, 212), im Sinne v. Zeuss, f. einen deutschen Namen, der 'geradezu die see'n- od. bassin-
reiche' bedeutet, erklärt.

p. 408 **Hessen.** Der Beweis, dass die v. Strabo
bis gg. das Jahr 400 erwähnten *Chatten* in den
seit 720 erscheinenden *Hessen* wieder erstanden
seien, ist nicht schon J. Grimm genügend, nun
aber K. Müllenhoff (Zeitschr. f. deutsches Alterth.
23, 5 ff.) u. dann, in breiterer Beweisführung,
R. Kögel (Beitr. z. Gesch. d. deutschen Spr. 7, 170 ff.)
gelungen: '*Chattús* erscheint Laut f. Laut gesetz-
mässig entwickelt u. dauert fort in *Hesse'*. Als
urspr. Chattenland ist der j. Rgbz. Cassel erkannt
u., neben *hat* = Hut, als einzige noch zulässige
Etymologie der alte Verbalstamm *hat*, unser
'hassen', im Sinne der 'Feindseligen', wie das
Volk v. seinen Nachbarn genannt werden konnte
(Fr. Seelig, Der Name *H.* u. das Chattenland,
Cass. 1889).

p. 430 **Jaik.** Anlässl. des Umstandes, dass die
Wolga den Alten zuerst u. allein unter ihrem
finn. Namen, mordw. *Rau, Rawa*, graec. '*Pã*,
bekannt geworden ist, frägt K. Müllenhoff (D.
Altth.K. 2, 75): 'Sollte nicht auch *J.*, bei Ptol.
Δάϊξ, bei Menander *Δαϊχ*, der urspr. finn. Name
des Uralflusses sein? Ostj. *jeaga* = kleiner Fluss,
finn. *joki*, estn. *jõgi*, lapp. *jokka*, sam. *jaha'*.

p. 440 Sp. 2 **Jeso**, fehlerhaft mit *ss*: the pro-
nunciation, I am informed by a Japanese, is *Ezo*
(engl. or french *z*), and that is the spelling of
Whitney's Principal Roads, Chief-Towns etc. of
Japan (G. G. Chisholm).

p. 451 **Jordan.** Ein *Jordansee* s. Grad (Nachträge).

p. 488 **Ketzin**, 1187 *Cosetzyn*, hat weder mit
den Chyzanern, noch mit chyza etwas zu thun
(G. Weisker 10. Nov. 1892). Der ganze Artikel
ist unhaltbar, wie mir auch mehreres unklar erschien.

p. 490 Sp. 1 Z. 8 lies *KH.* (statt *HK.*) *Pass.*

p. 501 **Köthen.** Angesichts der Unsicherheit der
Etym. sucht G. Krause (Mitth. V. f. anhalt. Gesch.
u. AltthK. 1, 537 ff.) den Entscheid f. die Orth. *K*
od. *C* im urk. u. litterar. Gebrauch. Aus der
reichen Auswahl v. Belegen ergibt sich ihm *a)*
dass die Orth. mit *C* althistorisch, continuirlich
vererbt u. seit 1419 in Ausübg. gewesen ist; *b)*
dass die Orth. mit *K* wesentlich jung ist, in

lückenhafter Reihe mehr vereinzelt nur seit 1710
vorkommt. Wesentlich geht das orthogr. Schisma
auf Beckmann's Hist. d. Fürstth. Anhalt zurück,
die gew. *Köhten* schreibt.

p. 527 **Lauenburg**, in G. Hey's slaw. ON. *L.*'s
nicht mit erklärt, aber allgemein als '*Burg an der
Labe*' angenommen u. nun auch v. Nadmorski
(Kaszuby i Kociewie, Pos. 1892) so erklärt, wie
das pommersche *L.*, Rgbz. Köslin, am Küstenflusse Leba, slaw. *Labe*.

p. 538 **Libourne**, nach einem bei der Gründg.
betheiligten engl. Ritter benannt . . . 'from an
English knight, *Leyburn* or *Lilburne*, who was
connected, if we remember rightly, with its founding in the middle of the thirteenth century'
(Scott. Geogr. Mag. 9, 51).

p. 581 **Santa Maria** Z. 11 l. *Cananea* st. Cananeo.

p. 628 Sp. 2 Z. 10 v. u. lies *laid* f. *led*.

p. 633 **Nalsöe**, eig. *Nålsö*, einh. *Nólsoy, Nölsoy*,
früher *Norsey*. Unsere Etym. wird bezweifelt, da
ö im färör. Dial. entw. urspr. sein muss od. *ó*
voraussetzt (Färösk Anth. 6 p. VII).

p. 636 **Naugardt** s. Grad (Nachträge).

p. 686 **Palaia** Z. 11 streiche *c)* s. Klituras.

p. 709 **Perekop.** Am Schlusse anzufügen: Ebenso
Provlaka, ungenau *Problaka*, die engste Stelle
im Hals der HalbI. Athos, auf der Linie des v.
Xerxes gegrabenen Canals (G. Weisker 18. Dec.
1892).

p. 738 **Porto** Z. 9 fehlt das Citat: Johnston,
Pl. N. Scotl. 204. Der Matrose hatte unter Adm.
Vernon gedient.

p. 744 **Priegnitz.** Von asl. *brêgu* = Ufer auch
die ON. *Breege* = Uferort, Rügen, *Brieg* a/O.,
1250 *Brzeg*, civitas in alta ripa = Hanover, *Kol-
berg*, 1177 *Colubrech*, d. i. rund *(kolo)* am Ufer
(G. Weisker 10. Nov. 1892).

p. 746 **Problaka**⎫
p. 748 **Provlaka**⎭ s. Perekop (Nachträge).

p. 751 **Putgarten** s. Grad (Nachträge).

p. 758 **Raeter** Z. 33. Die angerufene Stelle aus
Cassiodor lautet: *Raetia* namque munissima sunt
Italiae et claustra provinciae, quae non immerito
sic appellata esse judicamus, quando contra feras
et agrestissimas gentes velut quaedam plagarum
obstacula disponitur: ibi enim impetus gentilis
excipitur. Ihm sind also *Raetia* die Schutzwehren
Italiens u. der Schlüssel der Provinz, nicht mit
Unrecht so genannt, da sie wie Fanggarne den Andrang wilder Völker abhalten. Die *rät.* Schluchten
u. Pässe kommen ihm wie grosse Mausfallen vor.

p. 803 **Sagard** s. Grad (Nachträge).

p. 865 **Solothurn**, im Briefe des Eucherius (430—
450) *Salodorum*, bei Fredeg. Chron. (um 660)
Salodero, seit 800 gew. *Solodurum*, in der Volksspr.,
regelr. in Folge der ahd. Lautverschiebg., *Soloturn* u. ähnl., die Schreibweise mit *th* herrschend
seit 1550. Der kelt. Name bedeute nach dem
Keltisten Thurneysen 'Schmutzburg' (Meisterhans,
Ae. Gesch. C. S. p. 38 f., Sol. 1890).

Nachwort.

Unter den Freunden, denen am Schlusse des Vorworts eine vielfache Förderung unserer Arbeit zu verdanken war, fehlen Prof. **H. Höfer** in Klagenfurt, Prof. **O. Kienitz** in Karlsruhe, Prof. **A. Marty** in Prag, † Lector **E. A. Modeen** in Wiborg, Dr. **Rich. Müller** in Wien, Prof. **O. Rygh** in Christiania, Dr. **Fr. Seelig** in Cassel, Gymnasialdirector **G. Weisker** in Rathenow.

Eine Erläuterung, gewissermassen ebenfalls eine Ergänzung des Vorworts, ist in den letzten Tagen nothwendig geworden.

Ein Recensent, der sich in zwei Besprechungen unseres Werkes als ein eben so kenntnissreicher und klarer, wie wohlwollender und gewissenhafter Beurtheiler erwiesen hat[1]), vermisst eine Rechenschaft über die bei der Auswahl der einzelnen Namen befolgten Grundsätze. Er finde, sagt er, die Artikel *Banjermassin, Makassar, Applecross,* nicht aber *Cathay, Holmgard, Karakorum, Kei,* ferner nicht *Banca, Billiton, Durham, Ely, Jarrow, Godwin-Austen, Buro Budor.*

Vorerst dürfen wir berichten, dass unter den 'Vermissten' die 4 ersterwähnten sich vorfinden: *Cathay,* engl. Orthogr., unter *Katai* (p. 481), deutsche Orth.[2]), *Holmgard* unter *Holm* (p. 416), *Karakorum* unter *Kara* (p. 474), *Kei* unter der, wie ich glaube, üblichern engl. Orthogr. *Key* (p. 489)[3]).

Nach dieser Richtigstellung können wir der Frage des Recensenten uns zuwenden. Und unsere Antwort ist einfach: Die wirklich vermissten der oben genannten Artikel fehlen im Lexikon, weil mir gute Erklärungen nicht begegnet sind. Ich erlaube mir, diese Antwort mit ein paar Bemerkungen zu begleiten.

Ich habe mit Freuden gesammelt, was an wohlbelegten Erklärungen aufzutreiben war in einer vielsprachigen Litteratur, die sich auf vielleicht 4000 Nummern beläuft. Aber Ungenügendes strebte ich fern zu halten. Nicht Hunderte, sondern Tausende von Artikeln,

---

[1]) Scottisch geogr. Mag. 8, 393; 9, 51.

[2]) Der Referent scheint übersehen zu haben, dass unser Lexikon am Kopf des 'Buchstabens' *C* (p. 169) den Wink enthält: 'Namen, unter *C* fehlend, können unter *K* stehen', und eine entsprechende Note am Kopf des Buchstabens *K.*

[3]) Es ist zuzugeben, dass man, gleich nach *Holm,* eine Verweisung 'Holmgard s. Holm', gleich nach *Kara* die Verweisung 'Karakorum s. Kara' u. s. f. hätte anbringen können; allein bei der überall durchgeführten Knappheit der Oekonomie wie bei der eben so consequent durchgeführten Familiengruppirung der Namen wären mir solche Verweisungen, die man zu tausenden hätte aufnehmen müssen, als die reinste Raumvergeudung erschienen. Bei dieser Gelegenheit will ich doch noch die Hoffnung aussprechen, dass — wenn im Allgemeinen die Namen mit gemeinsamem Stichwort in Einen Artikel vereinigt wurden — es nicht als inconsequent getadelt werde, wenn in einigen Fällen den besondern Verhältnissen Rechnung getragen wurde. So enthält *Kara Su* selbst wieder 31 Namen, die den schon stark gefüllten Rahmen des Hauptartikels *Kara* in's Ungebührliche gesprengt und sich darin wie verloren hätten. Es schien sich aus praktischer Rücksicht zu empfehlen, dass *Karu Su* nach *Kara, Walensee* nach *Walen* u. s. f. einen besondern Artikel erhalte.

Egli, Nomina.

welche — obwohl unzureichend — vorläufig aufgenommen wurden in der Hoffnung, sie könnten aus später zu benutzenden Quellen ergänzt werden, sind, wenn jene Hoffnung unerfüllt blieb, ohne Gnade ausgeschieden worden. Für die Aufnahme in das Namenlexikon kenne ich keine andere Norm und Rangordnung, als die gute Erklärung oder doch die instructive Geschichte der zur Erklärung gemachten Versuche. 'Es gibt für unsern Zweck', so schrieb ich schon vor 23 Jahren[4]), 'hauptsächlichste' Namen in keiner andern Art als m Sinne guter und sicherer Motivirung'. Sicherlich: wäre mir für den einen oder den andern der 'Vermissten' schönes Material vorgelegen, so würde er im Lexikon nicht fehlen.

Diese 'Vermissten' gehören fast sämmtlich der im zweiten Postulat des Vorworts besprochenen Kategorie an[5]). Es ist dort (p. III) die These vorangestellt:

b) Unser Lexikon soll von den zahlreichen Ortsnamen, die durch blosse Uebersetzung und sorgfältige Realprobe klar werden, eine gute und reichhaltige Auswahl bieten.

In diesem Satze findet sich die Frage des Recensenten schon beantwortet. Die Erklärung von Ortsnamen dieser Art verlangt nämlich a) eine vertrauenswürdige Quelle, b) die Uebersetzung des Namens, c) die Angabe der Sprache, welcher er angehört, wo möglich mit sprachlichen Belegen, d) eine sorgfältige und überzeugende Realprobe historischer oder physischer Natur. Es ist nun gar nicht so häufig, dass sich das alles hübsch beisammen findet, und viele unserer Artikel trifft der Leser so ausgebaut, wie sie jetzt vorliegen, nur deswegen, weil 2, 3, 4 und mehr Quellenschriften, die einander ergänzen und beleuchten, consultirt worden sind.

Die Erstellung eines guten toponymischen Artikels — wohl gemerkt: nur eines Artikels — ist überhaupt nicht so leicht, wie sich Mancher vorstellen mag. Ein Freund der 'Nomina geogr.' hat angefragt, warum das masurische Städtchen so und so im Lexikon fehle; ich gestand meine Unwissenheit und versprach, eine sprachlich und sachlich wohl belegte, überzeugende etymologische Erklärung dieses Namens, die mir zugesandt würde, in den 'Nachträgen' oder bei anderer Gelegenheit zu verwerthen. Und nun? Die Einsendung ist bis heute ausgeblieben.

Ein zweites Beispiel dieser Art findet sich in unserm Artikel *John o' Groat's House* (p. 450). Ich habe ihn gerade als Warnungstafel für rasche Tadler aufgenommen.

---

[4]) Nomina geogr. Abhandlung p. 241.

[5]) Ein Gegenstand der 'Namenforschung', also in die Kategorie des ersten Postulats unseres Vorworts gehörig, ist das vermisste *Durham*. Darüber finden wir in den engl. Namenbüchern:
a) E. Adams (Word-Exp. p. 58) D. v. ags. *deor* = Wildthier u. *ham* = heim, auch *Dunholm*, v. kelt. *dun* = Berg u. *holm* = Insel, wie noch der Bischof unterzeichnet *Dunelm*.
b) C. Blackie (Etym. Geogr. p. 89) D., alt *Dunholm, Dunelme* = Burg od. Berg auf der Wiese.
c) R. St. Charnock (Loc. Etym. p. 93) D. v. ags. *dun* = Berg u. *holm* = Wasser, Insel, oder v. *deor* = Wildthier u. *ham* = heim, oder *Deorham*, v. ags. *Deora*, brit. *Dewyr*, nach dem Volksstamm der Deiri.
d) F. Edmunds (NPlaces p. 164) D. = des Wildthiers Heim.
e) T. A. u. G. M. Gibson (Etym. Geogr. p. 85) D. = Heim am Wasser, bisweilen *Dunholme* = Berg vom Wasser umgeben, latin. *Dunelmum*.
Aus so magern, unbestimmten, unbelegten und sich mehrfach widersprechenden Angaben sollte nun ein vertrauenswürdiger Artikel geschaffen werden! Und da kommt Isaac Taylor, welcher (W. u. Places p. 260) *Dunholm* gar nicht neben *Durham*, sondern diesem so voransetzt, dass das heutige *Durham* erst aus dem ursprünglichen *Dunholm*, verballhornisirt sei: nicht *dur*, sondern kelt. *dun* = Bergveste, nicht *ham*, sondern nord. *holm* = Insel — in zweisprachigem Namen! Dafür citirt er wohl die alte Schreibung des 'Saxon Chronicle' u. die bischöfliche Unterschrift, nicht aber jene Reihe chronologisch geordneter, alturkundlicher Formen, welche den Uebergang der ursprünglichen Namensgestalt in die heutige belegen u. die Etymologie über jeden Zweifel erheben würde. Bei so viel Unbestimmtheit habe ich auf die Aufnahme des Artikels vorläufig verzichtet — in der Hoffnung, aus dem betheiligten Lande eine wohlbelegte Etymologie zu erhalten.

In einem Buche von 230 Seiten erklärt G. Munford[6]) etwa 1000 meist obscure Ortsnamen der Landschaft Norfolk, nur den einen, *Norfolk* selbst, nicht. Unser Lexikon musste
andern Quellen eine Erklärung entlehnen, die, wenn auch gesichert, doch nicht so ausgebaut
ist, wie sie ein Namenbuch der eignen Landschaft hätte liefern können.

Von dem Wunderbau des *Buro Budor* hat uns der kundige J. Crawfurd[7]) eine lebens-
frische und ergreifende Schilderung gegeben, aber — den Namen nicht erklärt. Das ist die
Grenzlinie, welche der Verfasser eines Namenlexikons nicht überschreitet.

Man erstelle ein allgemein geographisches Namenbuch mit 17 000 oder 42 000 oder
100 000, mit Millionen gut erklärter Namen — immer wird ein Jeder fragen können:
'Warum fehlt dieser oder jener Artikel?' Die Hauptsache ist und bleibt, dass das Gebotene
vertrauenswürdig ist. Das habe ich redlich angestrebt, und wie ein Grösserer sein grösseres
Tagewerk, so schliesse ich das meinige mit dem Worte:

Laus Deo!

6) An attempt etc. of the Local Names of the county of Norfolk, Lond. 1870.
7) A descriptive Dictionary of the Indian Islands etc., Lond. 1856. Das Buch liegt mir diesen
Augenblick nicht vor; die Beschreibung habe ich benutzt für Andree's 'Geogr. Handb.' p. 329.